KU-596-419

HARRAP'S

WEIS MATTUTAT

DICTIONNAIRE

Allemand-Français

HARRAP'S

WEIS MATTUTAT

DICTIONNAIRE
Allemand-Français

édité par Dr. Heinrich Mattutat
Nouvelle édition avec la collaboration
d'une équipe d'universitaires français
sous la direction de Christian Nugue

London · Paris · Stuttgart

Ce dictionnaire Harrap est identique au
PONS
Großwörterbuch de la maison d'édition
Ernst Klett, Stuttgart, R.F.A.
ISBN 3-12-517220-9

1ère édition 1981
en coopération avec
George G. Harrap & Company Ltd., London

Imprimé en R.F.A. par Kösel, Kempten
ISBN 0-245-53778-3
dépôt légal pour cette réimpression Novembre 1982

Préface

Un dictionnaire moderne qui cherche à répondre aux besoins du grand public doit faire face à de nombreuses exigences. Cet ouvrage s'adresse non seulement au public de l'enseignement mais encore à tous les germanophones et francophones qui ont à employer ces deux langues par profession ou par goût, de la lecture la plus simple à la traduction la plus épineuse.
Le public français et étranger est en droit d'exiger que ce dictionnaire soit adapté aux besoins nouveaux de ses utilisateurs, qu'il soit le reflet de la grande diversité de la vie intellectuelle et matérielle de notre société.
Bien qu' obligé de sélectionner rigoureusement, voire de sacrifier de nombreux mots et locutions par souci d'économie de place, ce dictionnaire répond à la réalité de la langue vivante, non figée dans son passé.
L'auteur, lors de l'accomplissement de cette tâche délicate de sélection, s'est non seulement appuyé sur ses expériences de lexicographe mais encore sur celles, acquises en sa qualité d'enseignant, de traducteur et d'interprète.
Un enseignant sait qu'un dictionnaire moderne ne peut se contenter du «mot à mot» s'il vise à être inséré dans un programme d'ouvrages scolaires et s'il veut donner à l'élève le moyen de travailler de manière intelligente et indépendante.
Le praticien connaît les exigences de l'instant qui le contraignent à un travail rapide et sait pertinemment qu'il lui faut disposer immédiatement de nombreuses tournures spécialisées, de néologismes, d'expressions idiomatiques.
Toutes les expériences mentionnées ci-dessus ont profité au présent ouvrage. Pour sa rédaction, il a été tenu compte des principes suivants:

1. Les explications imprimées en italique et — pour autant qu'il ne s'agit pas d'abréviations — mises entre parenthèses, délimitent les expressions françaises et allemandes et illustrent leur champ d'application.
2. Aux paraphrases et aux définitions vagues, nous avons préféré une reproduction exacte de significations même éloignées et le mot adéquat au contexte donné (principalement dans les domaines technique et scientifique).
3. De nombreuses structures qui relèvent de la langue technique en général, construites avec des prépositions en français et rendues par un mot composé en allemand, sont également mentionnées et ce même, lorsque leur formation ne présente apparemment de difficultés dans aucune des deux langues. On peut ainsi vérifier si des composés que l'on a créés soi-même existent effectivement dans l'autre langue.
4. A l'aide d'expressions idiomatiques, de locutions et syntagmes figés, d'exemples et de familles de mots, l'auteur explicite l'emploi des termes dans la phrase, leur parenté avec d'autres termes et leurs diverses fonctions.
5. Les auteurs ont attaché une importance particulière à l'emploi des prépositions.
6. Le niveau de langue (langue soutenue, littéraire ou langue familière, populaire etc.) est indiqué tant pour le français que pour l'allemand.

La situation des dictionnaires bilingues a considérablement changé ces dernières années.
Le présent ouvrage, conçu et rédigé en République Fédérale Allemande, ne s'adresse pas uniquement aux germanophones s'intéressant à la langue française; il est également destiné aux francophones désireux d'approfondir leurs connaissances en langue allemande. C'est pourquoi vous trouverez dans ce dictionnaire des indications supplémentaires dans la partie allemande:

1. Des notations grammaticales ayant trait aux substantifs;
2. Les temps primitifs des verbes forts et irréguliers;
3. En cas de doute, indication de l'auxiliaire pour la formation du passé composé.
4. Indication de la rection notamment en ce qui concerne les prépositions;
5. Transcription phonétique des entrées.

Des linguistes français, sous la direction du professeur Christian Nugue ont relu minutieusement les deux parties du dictionnaire. Cette lecture critique a permis de cerner le contenu avec plus de rigueur encore et d'obtenir une plus grande authenticité au niveau du naturel de la langue.
En outre, on a tenu compte très largement de l'évolution qu'ont connue le français et l'allemand au cours des dernières années.

Notes explicatives

1. Caractères d'imprimerie

Ont été employés les caractères suivants:

caractères gras	pour les entrées et pour les chiffres arabes;
romain maigre	entre ‹...› pour le génitif singulier et le nominatif pluriel des substantifs allemands, pour les formes primitives des verbes forts et des verbes irréguliers, pour les formes irrégulières des degés de comparaison de l'adjectif;
romain maigre	entre [...] pour la transcription phonétique;
italique	pour l'indication des espèces de mots et du genre, etc., pour les commentaires, pour signaler les domaines et niveaux de langue, ainsi que pour l'indication d'exemples d'emploi et de tournures idiomatiques;
romain maigre	pour la traduction en français des entrées, phrases d'exemple et tournures idiomatiques allemandes.

Exemple: **Wiege** *f* ‹-, -n› ['vi:gə] *(a. fig: Ursprungsort)* berceau *m; von der ~ bis zur Bahre* du berceau à la tombe; *in der ~ liegen* être au berceau; *s-e ~ stand in Köln* il est né à Cologne

2. Disposition des entrées

Les entrées, en caractères gras, ont été, pour leur plus grande part, réunies en groupes formant un article ou un paragraphe et commençant par un mot-vedette. Ces articles rassemblent des termes qui, du strict point de vue de la forme, commencent par un certain nombre de lettres identiques et qui, d'autre part, font partie d'un même ensemble, du point de vue sens. Les groupes de termes de sens voisin ont été, dans certains cas, et ce pour des raisons de commodité, divisés en plusieurs articles. Les mots présentant une identité uniquement formelle, totale ou partielle (les homonymes et leurs dérivés), n'ont cependant jamais été groupés en un article. Les homonymes sont signalés à l'aide d'un chiffre arabe imprimé en gras.

Exemple: **Tonerde** est rangé sous **Ton 1** *geol;*
Tonband est rangé sous **Ton 2** *(Laut).*

Le point de vue de la forme ne joue ici aucun rôle; seul compte celui de la signification.

Exemple: **Festland** est rangé sous l'adjectif **fest**,
festlich sous le substantif **Fest**.

Il s'ensuit, quant à l'ordre alphabétique, la particularité suivante: tous les mots-vedettes sont classés par ordre alphabétique; toutefois, ce classement ne vaut, pour les entrées figurant sous un mot-vedette, qu'à l'intérieur de l'article dont elles font partie.

Exemple: **Eisenerz** figure sous le mot-vedette **Eisen**,
Eiszapfen sous le mot-vedette **Eis**.

Ainsi, **Eisenerz** placé normalement avant **Eiszapfen** en fonction de l'ordre alphabétique, apparaît, dans le présent ouvrage, plus tard que ce dernier.
Dans un certain nombre de cas, les entrées secondaires ont été, à l'encontre de leur ordre alphabétique, adjointes à d'autres, de sens similaire.

Exemple: **Abendbrot, Abendessen** (même signifiant en français); ... **Abenddämmerung**.

3. Tilde (~) et double tilde (~~)

Le tilde (~) remplace, pour des raisons d'économie de place, le groupe de lettres commun à l'ensemble des entrées d'un même article.
Dans beaucoup de cas ce groupe de lettres est identique au mot-vedette en entier. La barre verticale (|) dans le mot-vedette indique le groupe de lettres remplacé par le tilde dans toutes les entrées qui s'ensuivent.

Exemple: **Anklage** ...; **~bank** ...;
ausschließ|en ...; **~lich** ...

A part les entrées, le tilde se trouve aussi dans les parties en allemand imprimées en italique (expressions composées et locutions ainsi qu'explications). Dans ces cas-là, il remplace aussi le mot-vedette, voire le groupe de lettres avant la barre verticale; le double tilde remplace l'entrée secondaire précédente. Dans les parties imprimées en italique le tilde ou le double tilde peuvent être suivis d'une désinence.

Exemple: **Rundfunk** ...; *im ~;*
Ruh|e ...; *~~ bewahren;*
~estand ...; *in den ~~ treten.*

Dans certains cas on a inséré dans un article des entrées qui, par leur forme, dans la plupart des cas à cause de la métaphonie, tombent hors du cadre formel. Dans ces cas-là on a renoncé à l'emploi du tilde.

Exemple: **Schwamm** ...; **Schwämmchen** ...

4. La composition d'un article

Les traductions françaises des différentes acceptions d'une entrée en allemand sont groupées selon le système suivant: d'abord l'acception primitive, puis les acceptions figurées, spéciales ou assez rares. Après s'ensuivent les expressions composées dans l'ordre suivant:
- expressions adverbiales *(bei der Hand);*
- expressions avec un infinitif *(freie Hand haben);*
- phrases simples *(das ist nicht von der Hand zu weisen; Hände weg!);*
- proverbes *(eine Hand wäscht die andere);*
- expressions nominales *(flache Hand; nicht von der Hand zu weisen(d)).*

A l'intérieur de cet ordre, les acceptions sont groupées à l'aide de virgules et de points-virgules. Dans le cas où deux ou plusieurs expressions ont un élément en commun, celui-ci n'est pas répété, la variante étant indiquée par l'abréviation od, *od* (oder). Dans tous les cas où *oder* ne fait pas partie d'une expression, cette abréviation est toujours mise en relief par des caractères différant de ceux de l'expression en question.

Exemple: diminution *od* réduction de consommation = diminution de consommation *oder* réduction de consommation;

Parfois une expression est élargie sans être répétée. Un tel mot additionnel est imprimé en italique et n'est pas avancé par un tilde remplaçant l'entrée.

Exemple: **B~ung** (Belohnung) *f* récompense *f; ... zur ~~* pour récompense; *für* (zur Belohnung für) en récompense de.

Les acceptions primitives des mots dérivés suivent le même ordre que les mots de base. Les explications ne sont données qu'une seule fois si elles sont les mêmes. Il est recommandé de comparer les articles correspondants.

Exemple: comparez **Beachtung** avec beachten, **Zähigkeit** avec **zäh**.

Le schéma explicité ci-dessus ne s'applique cependant pas à des mots de structure tels que *an, so, und,* qui n'ont pas d'acception en soi. Puisqu'ils n'ont qu'une fonction grammaticale ils sont difficiles à traiter dans un article lexicographique. Leurs emplois — il n'est guère possible de parler d'acceptions — sont groupés cas par cas et aussi nettement que possible. Les expressions, tournures et phrases dans ces articles ne s'y trouvent qu'à titre d'exemple.

5. Les indications grammaticales

A part la définition et la traduction exacte on a aussi fait attention à la manière dont tous les mots et expressions s'insèrent dans l'ensemble d'une phrase. C'est à ce but qu'on a ajouté les indications grammaticales concernant les particularités et les difficultés de l'emploi. Dans tous les cas douteux on a indiqué les prépositions, le complément de l'infinitif et l'emploi du subjonctif.
Le genre des noms est donné aussi bien pour l'allemand que pour le français. Si plusieurs mots ont le même genre, celui-ci n'est indiqué qu'après le dernier mot.

Exemple: **Kapitel** *n* capital, principal *m;* fonds *m, pl;* ... tranchefile *f* ...

L'indication du genre est suivie par l'indication du génitif singulier et du nominatif pluriel entre ⟨. . .⟩.

Exemple: **Wade** *f* ⟨-, -n⟩ ['va:də] *anat* mollet; ...

Si l'orthographe du singulier et du pluriel sont identiques, le pluriel est indiqué par le signe —.

Exemple: **Wächter** *m* ⟨-s, -⟩ ['vɛçtər].

Ø indique qu'il n'y a pas de pluriel.

Exemple: **Wachstum** *n* ⟨-s, ø⟩ ['vakstu:m] ...

Si, au pluriel, il y a métaphonie (a, o, u › ä, ö, ü), on l'a indiqué par ⸚.

Exemple: **Vater** *m* ⟨s, ⸚⟩...

Les verbes allemands sont toujours accompagnés de l'indication de leur emploi transitif ou intransitif. L'emploi divergent des verbes français est toujours indiqué.

Exemple: **fallen** ... *itr* ... frapper (*auf etw* qc).

Si un verbe connaît un emploi réfléchi ou impersonnel, ces acceptions suivent toujours les acceptions de l'emploi transitif et intransitif.
Les verbes allemands forts et irréguliers sont toujours accompagnés des temps primitifs entre ⟨. . .⟩. En cas de doute on a toujours indiqué, si les temps composés sont formés à l'aide de „haben" ou de „sein".

Exemple: **verderben** ⟨*er verdirbt, verdarb, verdorben/verderbt, wenn er verdürbe*⟩ ['darp/-bən, -'dɔrbən] *tr* ⟨*aux: haben*⟩ ...; *itr* ⟨*aux: sein*⟩ ...

Le tilde parallèle ≈ marque la séparation des particules séparables (des verbes allemands) du verbe.

Exemple: **vor≈schreiben.**

Tous les mots allemands sont suivis de l'indication de leur catégorie. L'indication du genre implique qu'il s'agit d'un nom, l'indication de „transitif" ou „intransitif", qu'il s'agit d'un verbe.

6. La transcription phonétique

La transcription phonétique suit la notation de *l'Association Phonétique Internationale* (voir l'alphabet phonétique). En général, seul le mot-vedette en caractères gras est suivi de sa transcription phonétique. Dans le cas où la prononciation d'une entrée secondaire ne suit pas les règles générales de la prononciation allemande, celle-ci est donnée en entier ou en partie, selon le cas.
La prononciation des mots allemands composés se trouve sous les entrées des mots simples.

7. Quelques particularités

Le *tilde* ne remplace pas seulement un groupe défini de lettres, il indique aussi si la première lettre est une *majuscule* ou une *minuscule*, selon l'orthographe du mot-vedette. Une entrée secondaire dont l'orthographe diffère de celle du mot-vedette est marquée par l'addition d'une *majuscule* ou d'une *minuscule* devant le tilde, selon le cas.

Exemple: **Leid** ...; **l~voll** ...;
leiden ...; **L~schaft** ...

Un *trait d'union* qui tombe à la fin d'une ligne est répété au début de la ligne suivante pour éviter qu'il soit pris pour un tiret.

Exemple: **barbier-**
-chirurgien (barbier-chirurgien)

L'*accent* d'un mot allemand est toujours marqué par un ˈ devant la syllabe accentuée, si l'accent change de place et entraîne un changement de sens.

Exemple: **ˈübersetzen** ...;
überˈsetzen ...

Les *deux formes d'un même mot* sont toutes deux indiquées dans les deux langues. On s'est servi des parenthèses dans tous les cas possibles. On a cependant fait attention à ce qu'il n'y ait pas de confusion entre addition et explication.

Exemple: (se) pâmer de joie;
Heft *n (Griff)* ...

Pour les mots allemands, nous avons adopté l'orthographe du *Duden, Rechtschreibung der deutschen Sprache und der Fremdwörter, 17. Aufl., Mannheim 1973;*
pour les mots français, celle du *Petit Robert, Dictionnaire alphabétique et analogique de la langue française, Société du Nouveau Littré, Nouvelle édition, Paris 1977.*

Abréviations

a	adjectif *Adjektiv*
a.	aussi *auch*
abus	abusivement *mißbräuchlich*
acc	accusatif *Akkusativ*
adm	administration *Verwaltung*
adv	adverbe *Adverb*
aero	aéronautique *Luftfahrt*
agr	agriculture *Landwirtschaft*
allg	généralement *allgemein*
anat	anatomie *Anatomie*
arch	architecture *Architektur*
arg	argot *Argot*
astr	astronomie *Astronomie*
attr	épithète *Attribut*
aux	auxiliaire *Hilfszeitwort*
bes.	principalement *besonders*
biol	biologie *Biologie*
bot	botanique *Botanik*
chem	chimie *Chemie*
com	commerce *Handel*
cond	conditionnel *Konditional*
conj	conjonction *Konjunktion*
d.	*der, die, das, des, dem, den*
dat	datif *Dativ*
dial	dialecte *Dialekt*
dim	diminutif *Diminutiv*
ea.	l'un l'autre *einander*
e-e, e-m, e-n, e-r, e-s	(à, d')un, e *eine, einem, einen, einer, eines*
el	électricité *Elektrizität*
ent	entomologie *Insektenkunde*
etc	et cœtera *und so weiter*
etw	quelque chose *etwas*
f	féminin *weiblich*
fam	familier *vertraulich*
fb	faible *schwach*
fig	figuré *bildlich*
film	cinéma *Film*
fin	finances *Geldwesen*
gen	génitif *Genitiv*
geog	géographie *Geographie*
geol	géologie *Geologie*
gram	grammaire *Grammatik*
hist	histoire *Geschichte*
hum	humoristique *humoristisch*
imp	impératif *Imperativ*
impers	impersonnel *unpersönlich*
inf	infinitif *Infinitiv*
interj	interjection *Interjektion*
inv	invariable *unveränderlich*
iron	ironique *ironisch*
irr	irrégulier *unregelmäßig*
itr	intransitif *intransitiv*
jem, jdm, jdn, jds	(à, de) quelqu'un *jemand(em, en, es)*
jur	juridiction *Rechtspflege*
lit	littéraire *gehoben*
loc	chemin de fer *Eisenbahn*
m	masculin *männlich*
mar	marine *Seeschiffahrt*
math	mathématiques *Mathematik*
med	médecine *Medizin*
metal	métallurgie *Hüttenwesen*
mete	météorologie *Meteorologie*
mil	militaire *Militärwesen*
min	minéralogie *Mineralogie*
mines	mines *Bergbau*
mot	automobilisme *Kraftfahrwesen*
mus	musique *Musik*
n	neutre *sächlich*
od, od	ou *oder*
opt	optique *Optik*
orn	ornithologie *Vogelkunde*
p	personne *Person*
parl	parlement *Parlament*
pej	péjoratif *herabsetzend*
pharm	pharmacologie *Arzneimittelkunde*
philos	philosophie *Philosophie*
phot	photographie *Fotografie*
phys	physique *Physik*
physiol	physiologie *Physiologie*
pl	pluriel *Plural*
poet	poétique *dichterisch*
pol	politique *Politik*
pop	populaire *volkstümlich*
pp	participe passé *Partizip des Perfekts*
ppr	participe présent *Partizip des Präsens*
pred	attribut *prädikative Ergänzung*
pref	préfixe *Vorsilbe*
pron	pronom *Pronomen*
prov	proverbe *Stichwort*
prp	préposition *Präposition*
psych	psychologie *Psychologie*
qc	quelque chose *etwas*
qn	quelqu'un *jemand(en)*
radio	radio *Rundfunk*
refl	réfléchi *reflexiv*
rel	religion *Religion*
s	substantif *Substantiv*
s.	voir *siehe*
S	chose *Sache*
scient	scientifique *wissenschaftlich*
s-e, s-m, s-n, s-r, s-s	(à, de) son, sa *seine, seinem, seinen seiner, seines*
sing	singulier *Singular*
sport	sport *Sport*
subj	subjonctif *Konjunktiv*
tech	technique *Technik*
tele	téléphonie et télégraphie *Telephonie und Telegraphie*
theat	théâtre *Theater*
tr	transitif *transitiv*
TV	télévision *Fernsehen*
typ	typographie *Buchdruck*
u., u.	et *und*
v	verbe *Verb*
vet	art vétérinaire *Tierheilkunde*
vulg	vulgaire *niedrig*
vx	vieux *veraltet*
z. B.	par exemple *zum Beispiel*
zoo	zoologie *Zoologie*
zs.	ensemble *zusammen*
Zssg	mot composé *Zusammensetzung*

Alphabet phonétique

Voyelles

fermées

[i]	Idee [i'de:]
	bieten ['bi:tən]
[y]	Physik [fy'si:k]
	Mühe ['my:ə]
[u]	Musik [mu'si:k]
	Uhr [u:r]
[e]	egal [e'ga:l]
	See [ze:]
[ø]	Ödem [ø'de:m]
	Öse ['ø:zə]
	adieu [a'djø:]
[o]	Tomate [to'ma:tə]
	Ofen ['o:fən]

ouvertes

[ɪ]	bitten ['bɪtən]
[ʏ]	dünn [dʏn]
[ʊ]	Druck [drʊk]
[ɛ]	ändern ['ɛndərn]
	Antenne [an'tɛnə]
	Bär [bɛ:r]
[œ]	öffnen ['œfnən]
[ɔ]	offen ['ɔfən]
[a]	hat [hat]
	Rat [ra:t]

e atone

[ə]	Alter ['altər]

Diphtongues

[aɪ]	Ameise ['a:maɪzə]
	Laib [laɪp]
[aʊ]	Baum [baʊm]
[ɔʏ]	äugeln ['ɔʏgəln]
	heute ['hɔʏtə]

Semi-voyelles

[j]	ja [ja:]
[w]	Memoiren [me'mwa:rən]

Consonnes

[b]	bar [ba:r]
[ç]	Arche ['arçə]
	König ['kønɪç]
[x]	auch [aʊx]
[d]	du [du:]
[f]	auf [aʊf]
	Vater ['fa:tər]
	Asphalt [as'falt]
[g]	gern [gɛrn]
[ʒ]	Genie [ʒe'ni:]
	Jackett [ʒa'kɛt]
[h]	Hut [hu:t]
[k]	Kur [ku:r]
	Antrag ['antra:k]
	Geschmack [gə'ʃmak]
[kv]	Qual [kva:l]
[l]	leben ['le:bən]
[m]	am [am]
[n]	an [an]
[ŋ]	Angst [aŋst]
	Onkel ['ɔŋkəl]
[p]	apart [a'part]
	ab [ap]
[r]	arm [arm]
[s]	als [als]
	Kissen ['kɪsən]
	Fluß [flʊs]
[z]	Rose ['ro:zə]
[ʃ]	schwer [ʃve:r]
	Straße ['ʃtra:sə]
[t]	alt [alt]
	Hand [hant]
[v]	wo [vo:]
[ts]	Zimmer ['tsɪmər]
	C [tse:]

Nasales

[ã]	Chance [ʃã:s(ə)]
[ɔ̃]	Annonce [a'nɔ̃:sə]
[œ̃]	Parfum [par'fœ̃:]
[ɛ̃]	Bulletin [byl'tɛ̃:]

: Ce signe indique que la voyelle le précédant immédiatement est longue.

' Ce signe indique que la syllabe suivante porte l'accent principal.

ˌ Ce signe indique que la syllabe suivante porte l'accent secondaire.
Exemple: ausstaffieren ['aʊsʃtaˌfi:rən].

ʔ Ce signe marque l'attaque de voix ferme sur une voyelle en début de syllabe.
Exemple: erinnern [ɛrʔɪnərn].

— Des traits horizontaux représentent les syllabes d'un mot.
Exemple: Alarm [a'larm] ... alarmieren [-'mi:-].
Leur combinaison avec un accent signifie que la prononciation donnée peut porter un accent différent.
Exemple: anbei ['anbaɪ, -'-].

A

A, a *n* ⟨-,-⟩ [a:] *(Buchstabe)* A, a *m; von A bis Z* de(puis) A (jusqu')à Z, d'un bout à l'autre; *von A bis Z erfunden* inventé de toutes pièces; *wer A sagt, muß auch B sagen (prov)* (quand) le vin est tiré, il faut le boire; *das A und das O* le commencement et la fin, l'alpha et l'oméga.

a *n mus* la *m; das a (den Kammerton) angeben* donner le la; **A-Dur** *n* la *m* majeur; **a-Moll** *n* la *m* mineur; **A-Saite** *f* la *m* (d'un instrument à cordes).

à [a] *prp (Preisangabe: für, zu, um)* à, au prix de.

Aachen *n* ['a:xən] *geog* Aix-la-Chapelle *f.*

Aal *m* ⟨-(e)s, -e⟩ [a:l] *zoo* anguille *f; sich wie ein ~ winden* se tortiller comme une anguille; **a~en,** *sich (fam: sich faul ausstrecken)* tirer sa flemme, s'étirer; *sich in der Sonne ~~* faire le lézard; **a~glatt** *a fig* souple comme une anguille; **~kasten** *m* anguillère *f;* **~leiter** *f* échelle *f* aux anguilles; **~quappe** *f,* **~raupe** *f (Fisch)* lotte *f;* **~reuse** *f* nasse *f* à anguilles; **~suppe** *f* soupe *f* à l'anguille; **~teich** *m* anguillère *f;* **~tierchen** *n (Fadenwurm)* anguillule *f.*

Aar *m* ⟨-(e)s, -e⟩ [a:r] *poet (Adler)* aigle *m.*

Aargau, ['a:rgau] *der (Schweizer Kanton)* l'Argovie *f.*

Aas *n* ⟨-es, -e⟩ [a:s, -zə] *(Tierleiche)* charogne *f, a. fig pej;* cadavre *m; (Gerberei)* drayure *f; pop (gerissene Person)* roué, e; madré, e *m f; kein ~ (pop)* pas un chien, personne; **a~en** *tr (Gerberei)* drayer, écharner; *itr fam (verschwenderisch umgehen)* gâcher, gaspiller, dissiper (*mit etw* qc); **~fliege** *f* mouche *f* à viande; **~fresser** *m zoo* nécrophage *m;* **~geier** *m, a. fig* vautour *m;* **~geruch** *m* puanteur *f;* **a~ig** *a* cadavéreux; **~käfer** *m* silphe *m;* **~seite** *f (e-r Tierhaut)* (côté *m* de la) chair *f;* **~tier** *n = ~fresser.*

ab [ap] **1.** *adv (~gegangen, ~getrennt, los)* parti, perdu; *(~ sein a.)* manquer; *loc* départ; *Köln ~ 7.15* Cologne départ 7.15; *~ und an, ~ und zu* par-ci, par-là; de temps en temps, de loin en loin, quelquefois; *pop* des fois; *auf und ~ (hin u. her)* de long en large; *(von oben nach unten)* de haut en bas; *von ... ~ (zeitl.)* à partir de ..., dès ...; *von heute ~* à partir d'aujourd'hui; *von jetzt ~* dès maintenant; *weit ~ von* loin de; *~ (ermüdet) sein (fam)* être à bas *od* éreinté; *der Bart ist ~! (pop)* (il n'y a plus) rien à faire! fini! *Gewehr ~! (mil)* reposez armes! *Hut ~!* chapeau bas! *~ nach Kassel! (fam)* oust(e)! filez! *das Auf und Ab (des Lebens)* les vicissitudes *f pl* (de la vie); **2.** *prp (örtl.)* pris à; *~ Werk, Lager, Bahnhof, Hamburg* pris à l'usine, au dépôt, en gare, à Hambourg; *~ Werk* od *Lager* ex magasin; *(zeitl.)* à partir de; *~ 1. April, ~ Ostern* à partir du 1er avril, de Pâques; *com: ~ an Unkosten* frais à déduire.

Abakus *m* ⟨-, -⟩ ['a:bakus] *hist arch* abaque *m.*

abänder|lich ['apˀɛndər-] *a* modifiable, variable, changeable; *jur* commuable; **A~lichkeit** *f* variabilité; *jur* commuabilité *f;* **ab≈ändern** *tr* modifier, varier, changer; *(umarbeiten)* remanier, retoucher; *(verbessern)* corriger; *(richtigstellen)* rectifier; *jur (Urteil)* commuer; *parl* amender, réformer; **A~ung** *f* modification, variation *f,* changement; *(Umarbeitung)* remaniement *m,* retouche; *(Berichtigung)* rectification; *jur* commutation *f; parl* amendement *m,* réforme *f;* **A~ungsantrag** *m parl* amendement *m; e-n ~~ einbringen (parl)* présenter un amendement; **A~ungsvorschlag** *m* proposition *od* suggestion *f* d'amendement.

ab≈arbeiten *tr (e-e Schuld)* acquitter par son travail; *sich ~* s'épuiser *od* s'éreinter (à force de travail), s'esquinter; *fam* se tuer au travail.

Abart *f* ['apˀa:rt] *bes. biol* variété, variante *f;* **ab≈arten** *itr (von der Art abweichen)* varier; **a~ig** *a* ano(r)mal; **~igkeit** *f* anomalie *f;* **~ung** *f, bes. biol* variation *f.*

ab≈äsen *tr* paître.

ab≈ästen *tr* ébrancher, élaguer.

ab≈balgen *tr (häuten)* dépouiller, écorcher.

Abbau *m (Ausea.nehmen)* démontage; *(e-r Fabrikeinrichtung a.)* démantelage *m; mines* exploitation (minière); *chem (e-r Verbindung)* décomposition, dégradation; *fig (Bestände, Preise, Gehälter, Personal)* réduction, diminution *f; (Personal a.)* débauchage *m; (Maßnahme, Einrichtung, Dienststelle)* suppression *f* (graduelle); *~ der (Lager-)Bestände (a.)* déstockage *m; ~ der Zollschranken, der Zwangswirtschaft* suppression *f* graduelle des barrières douanières, du contrôle; **ab≈bauen** *tr (ausea.nehmen)* défaire, démonter; *(Zelt a.)* plier; *(Maschine)* démonter; *(Fabrikeinrichtung a.)* démanteler; *mines* exploiter; *chem* décomposer, dégrader; *fig (Bestände etc)* réduire, diminuer; *(Beamte, Angestellte)* congédier, licencier, renvoyer; *(Angestellte a.)* débaucher; *(Maßnahme etc)* supprimer graduellement; **~hammer** *m mines* marteau *m* de piqueur; **~produkt** *n chem* produit *m* de décomposition; **~raum** *m mines* arrière-taille *f;* **~sohle** *f mines* horizon *m;* **~strecke** *f mines* voie *f* de taille; **~verfahren** *n mines* méthode *f* d'exploitation; **a~würdig** *a mines* exploitable.

ab≈beißen *tr* arracher avec les dents; *sich lieber die Zunge ~ (fam)* préférer se faire couper la langue (*als* que de); *da beißt die Maus keinen Faden ab (fig fam)* il n'y a rien à faire, on ne peut rien contre, les choses en restent là; il n'y a rien à discuter *od* à redire.

ab≈beizen *tr* décaper, dérocher; *(Gerberei)* passer en mégie.

ab≈bekommen *tr (losbekommen)* (réussir à) détacher; *(erhalten)* emporter; *(Schlag)* attraper; *etw ~* avoir sa part; *fam* avoir part au *od* partager le gâteau; *was (Schläge) ~* en prendre pour son grade *pop; etw ~ haben (bei e-r Schlägerei)* en avoir pour son compte; *fam* en avoir pris un coup, en avoir dans l'aile; *pop* en avoir pris pour son grade.

ab≈beruf|en *tr (Diplomaten)* rappeler; *aus diesem Leben* od *in die Ewigkeit ~~ werden* être rappelé à Dieu; **A~ung** *f* rappel *m;* **A~ungsschreiben** *n* lettres *f pl* de rappel *od* de récréance.

ab≈bestell|en *tr com* décommander, contremander; *(Zeitung)* résilier *od* faire cesser l'abonnement de; *(Person)* décommander; **A~ung** *f* contrordre, contremandement *m; (Zeitung)* cessation *f* d'abonnement *od* de l'abonnement (de); *~~ vorbehalten* sauf contrordre.

ab≈betteln *tr: jdm etw ~* obtenir qc de qn à force de prier, soutirer qc à qn.

ab≈bezahl|en *tr* achever de payer, payer entièrement; solder, liquider, amortir; *(in Raten)* payer en *od* par acomptes; **A~ung** *f* amortissement *m.*

ab≈biegen *tr* courber, plier, écarter en pliant; *fig (ablenken)* détourner, écarter; *itr (vom Weg, weg aus s-r Richtung)* tourner (*nach rechts, links* à droite, à gauche).

Abbild *n (Ebenbild)* image *f; fig* reflet *m;* **ab≈bilden** *tr* figurer, représenter; **~ung** *f typ* figure, illustration, reproduction *f; mit ~~en versehen (tr)* illustrer; *mit ~~en (attr)* illustré.

ab=bimsen *tr* poncer.
ab=binden *tr (losbinden)* délier, détacher; *med (Ader)* ligaturer, lier; *itr (Mörtel, Zement)* (*tr* faire) prendre.
Abbitte *f* excuses *f pl; (öffentliche)* amende honorable; *(Ehrenerklärung)* réparation *f* d'honneur; ~ *leisten* od *tun* demander pardon; *(öffentlich)* faire amende honorable.
ab=blasen *tr (Staub)* enlever en soufflant; *tech (Dampf)* laisser échapper, lâcher; *(Gas)* émettre; *fig fam (Veranstaltung, Streik)* supprimer, annuler, *(nach Beginn)* interrompre.
ab=blättern *itr* perdre ses feuilles, s'effeuiller, s'exfolier; *(Farbe, Überzug)* s'écailler, s'enlever; **A~** *n* écaillage *m.*
ab=blend|en *tr (durch Abdecken)* voiler, masquer; *mot* mettre en code; *film TV* fermer en fondu; *itr phot* diaphragmer; *mot* baisser les phares, mettre (les phares) en code; *abgeblendet haben (mot)* être en code; **A~licht** *n* phare *m* code; **A~-schalter** *m mot* interrupteur *m* code; **A~ung** *f film TV* (fermeture *f* en) fondu *m.*
ab=blitzen *itr: jdn ~ lassen (fam)* envoyer qn promener, renvoyer, expédier qn.
ab=bösch|en *tr* taluter; **A~ung** *f* talutage *m.*
Abbrand *m tech* déchet *m; chem* résidus *m pl* de grillage.
ab=brausen *tr (abspülen)* doucher; *itr fam (schnell abfahren)* partir en flèche; filer; *sich* ~ se doucher, prendre une douche.
ab=brechen *tr* rompre, briser, ôter en rompant, détacher; *(Zweig)* casser; *(Mauer, Gebäude)* démolir; *(auseanehmen, abbauen)* démonter; *(Zelt)* démonter, plier; *fig (Tätigkeit)* interrompre, arrêter, suspendre; *(Kampf)* arrêter, cesser; *(Streik)* cesser; *(Verhandlungen, Beziehungen)* rompre; *itr* se rompre, se briser; *fig (aufhören)* s'arrêter, cesser, discontinuer; *(in der Rede)* s'interrompre; *die Beziehungen zu jdm* od *den Verkehr mit jdm* ~ rompre les relations avec qn; *alle Brücken hinter sich ~ (fig)* couper (tous) les ponts (derrière soi), brûler ses vaisseaux; *kurz ~ (itr: in der Rede)* couper court; *tr (Rede)* couper court à; *das Lager ~ (mil)* lever le camp; *die Zelte ~ (fig)* abattre les tentes; *wir wollen (das Thema) ~!* brisons là! restons-en là!
ab=bremsen *tr mot aero* freiner; *mot* u. *fig fam* donner un coup de frein à; *fig* mettre un frein *od* une sourdine à, ralentir; *itr mot* réduire la vitesse, stopper.
ab=brennen *tr* brûler, réduire en cendres; *tech* décaper, dérocher; *chem* calciner *(Schuß)* tirer; *itr* brûler, être consumé par le feu *od* réduit en cendres; *(ohne Knall)* fuser; *(Feuer)* s'éteindre; *ein Feuerwerk* ~ tirer un feu d'artifice; **A~** *n chem* déflagration *f.*
ab=bringen *tr mar* renflouer, remettre à flot; *fig: jdn von etw* détourner, faire revenir qn de qc; *von s-r Meinung* ~ faire changer d'avis; *vom Thema* ~ écarter du sujet; *sich von etw nicht ~ lassen* ne pas démordre de qc; *davon lasse ich mich nicht* ~ on ne peut (pas) m'enlever cette idée (de la tête); *nichts wird mich davon ~ (a.)* plutôt mourir!
ab=bröckeln *itr* s'émietter, se détacher par fragments; *com fin (Preise, Kurse)* s'effriter; **A~** *n* émiettement; effritement *m.*
Abbruch *m (e-s Gebäudes)* démolition; *(e-s Lagers)* levée; *fig (der Beziehungen, Verhandlungen)* rupture *f; (e-s Wettkampfes)* arrêt *m; e-r S ~ tun* porter atteinte *od* préjudice à qc, préjudicier qc, nuire à qc; *e-r S keinen ~ tun (a.)* ne rien enlever à qc; *(Haus) auf ~ verkaufen* vendre pour la démolition; ~ *der diplomatischen Beziehungen* rupture *od* suspension *f* des relations diplomatiques; **~arbeiten** *f pl* travaux *m pl* de démolition; **~arbeiter** *m* démolisseur *m;* **a~reif** *a (Haus)* croulant, délabré; **~unternehmen** *n* entreprise *f* de démolition; **~unternehmer** *m* démolisseur *m.*
ab=brühen *tr (Fleischerei, Küche)* échauder; *(Gemüse)* blanchir; *(Seidenkokons)* ébouillanter.
ab=brummen *tr fam (Strafe)* purger; *(Strafzeit)* faire, tirer; *er hat s-e drei Jahre abgebrummt* il a fait *od* tiré ses trois ans.
ab=buchen *tr com (abziehen)* déduire; *(zur Last schreiben)* débiter; *(abschreiben, streichen)* amortir; **A~ung** *f* déduction *f;* débit *m,* charge *f;* amortissement *m.*
ab=bürsten *tr (Gegenstand)* brosser, donner un coup de brosse à; *(Schmutz)* enlever en brossant *od* avec une brosse.
ab=büß|en *tr (Schuld)* expier; *jur (Strafe)* purger; **A~ung** *f* expiation *f.*
Abc *n* ‹-, -› [abe'tse:] alphabet; *fig (Anfangsgründe)* abc *m;* **~-Schütze** *m (Schulanfänger)* enfant *m* qui (n')en est (qu')à l'abc; **ABC-Staaten,** *die, m pl pol* l'Argentine *f,* le Brésil et le Chili; **ABC-Waffen** *f pl* armes ABC, armes *f pl* atomiques, biologiques et chimiques.
ab=dach|en *tr* mettre en pente *od* en talus, incliner; **A~ung** *f* pente *f,* penchant, talus *m,* déclivité *f; steile ~~* escarpement *m.*
ab=dämm|en *tr (Wasserbau)* endiguer, barrer; **A~ung** *f* endiguement, barrage *m.*
Abdampf *m tech* vapeur *f* d'échappement *od* de décharge *od* épuisée; **ab=dampfen** *tr chem* évaporer; *itr fig fam (Zug, Schiff)* partir; *(Mensch; abreisen)* filer; *pop* s'esbigner; **~rohr** *n tech* tuyau *m* d'échappement (de la vapeur).
ab=dämpfen *tr (Schall)* assourdir, atténuer.
ab=dank|en *itr (sein Amt niederlegen)* démissionner, donner sa démission, se démettre de sa charge, résigner ses fonctions; *(Fürst)* abdiquer; **A~ung** *f* démission, résignation; *(Fürst)* abdication *f.*
ab=darben *tr sich etw ~* obtenir qc par des privations, se priver pour avoir qc.
ab=deck|en *tr (Belag, Decke abnehmen)* enlever; *(Dach, Haus, Beet freilegen)* découvrir; *(Tisch)* desservir; *(zudecken)* (re)couvrir; *fin (Debetsaldo)* couvrir; *(Defizit)* combler; *com (Kredit)* rembourser; *(Schuld)* acquitter, payer; **A~er** *m* équarrisseur *m;* **A~erei** *f (Gewerbe)* équarrissage; *(Haus)* équarrissoir, clos *od* atelier *m* d'équarrissage; **A~haube** *f (Schornstein)* hotte *f;* **A~ung** *f tech* recouvrement; *(von Schulden)* acquittement, paiement; *(e-s Kredits)* remboursement *m.*
ab=dicht|en *tr allg* obturer; *(Loch)* boucher, colmater, aveugler; *(Ritze)* calfeutrer; *(mit Werg)* étouper; *(mit Kitt)* luter; *(wasserdicht machen)* rendre étanche, étancher; *mar* calfater; **A~ung** *f* obturation *f;* bouchage, colmatage; calfeutrage *m;* étanchéisation *f;* calfatage *m.*
ab=dienen *tr (Schuld)* payer par son service; *s-e Zeit ~ (mil fam)* faire son temps *od* son service (militaire).
ab=dingen *tr (abhandeln)* arracher (*jdm etw* qc à qn; *vom Preis* sur le prix).
ab=drängen *tr* repousser, refouler, écarter.
ab=drehen *tr* détacher *od* enlever en tordant; arracher; *(Knopf)* faire sauter; *(Wasser)* couper, fermer; *(Gas)* fermer; *el (Licht)* éteindre; *itr mar* changer de route *od* de cap; *mil* se dérober (*vom Feind* à l'ennemi), esquiver (*von* acc).
ab=drossel|n *tr (Gas, el)* étrangler; *mot* mettre au ralenti; **A~ung** *f* étranglement; ralenti *m.*
Abdruck *m* **1.** ‹-(e)s, ⸚e› ['apdruk, -ʏkə] empreinte *(a. d. Fingers),* marque *f; geol* moule *m* externe; **2.** ‹-(e)s, -e› *(Stempel)* impression; *typ* reproduction, copie *f; (Abzug)* tirage *m; (Probeabzug)* épreuve *f; (einzelner Abzug)* exemplaire *m;* **ab=drucken** *tr typ* imprimer, tirer, reproduire, copier; *(veröffentlichen)* publier.
ab=drücken *tr (e-n Wachs-, Gipsabdruck nehmen von)* empreindre; *(wegdrücken)* séparer *od* détacher *od* enlever en pressant *od* par pression; *(Gewehr)* décharger; *fig (das Herz)* serrer; *itr* appuyer sur *od* lâcher la détente; faire partir le coup; *sich ~ (in etw Weiches)* s'empreindre.
ab=dunkel|n *tr (Raum)* obscurcir, mettre au sombre; **A~ung** *f* obscurcissement *m.*
ab=ebben *itr (Flut)* reculer, se retirer; *fig* baisser, décliner; *(Erregung)* se calmer, s'apaiser.
Abece *n* = *Abc.*
ab=eisen *tr* enlever la glace de.
Abend *m* ‹-s, -e› ['a:bənt, -də] *(als Zeiteinheit)* soir; après-dîner *m; (in s-m Verlauf, mit Bezug auf s-n Inhalt)* soirée *f; vx poet (Westen)* cou-

chant, occident, ouest *m; am ~, des ~s* le soir; *am ~ vorher* la veille (au soir); *am ~ vor der Abreise* la veille du départ; *am folgenden ~* le lendemain soir; *eines ~s* un (beau) soir; *gegen ~* vers le soir, dans la soirée; *gestern a~* hier (au) soir; *heute a~* ce soir; *morgen a~* demain soir; *den (ganzen) ~ über* pendant (toute) la soirée; *zu ~ essen* dîner (*etw* de qc); *(in Belgien, in der Schweiz u. teilw. in d. franz. Provinz; im ganzen franz. Sprachgebiet: nur nach dem Theater etc)* souper (*etw* de qc); *jdm e-n guten ~ wünschen* souhaiter *od* donner le bonsoir à qn; *es wird ~* le jour baisse, le soir tombe, il se fait tard; *bis heute a~!* à ce soir! *guten ~!* bonsoir! *es ist noch nicht aller Tage ~ (prov)* qui vivra verra; *man soll den Tag nicht vor dem ~ loben (prov)* il ne faut pas trop tôt chanter victoire; tel qui rit vendredi dimanche pleurera; *der Heilige ~* la veille de Noël; **~andacht** *f* prière *f* du soir; **~anzug** *m* tenue *f* de soirée; *große(r) ~~* grande tenue, tenue *f* de cérémonie *od* de gala; **~ausgabe** *f (Zeitung)* édition *f* du soir; **~blatt** *n* journal *m* du soir; **~brot** *n*, **~essen** *n* repas du soir, dîner; *(in Belgien, in d. Schweiz, teilw. in d. franz. Provinz)* souper *m;* **~dämmerung** *f* crépuscule *m;* **a~füllend** *a: ~~e(r) Film m* grand film, long métrage *m;* **~gebet** *n* prières *f pl* du soir; **~geläute** *n* cloches *f pl* du soir, angélus *m;* **~gesellschaft** *f* soirée *f* (*mit Tanz* dansante); *zu e-r ~~ gehen* aller à une soirée; **~glocke** *f* cloche *f* du soir; **~gottesdienst** *m (kath.)* vêpres *f pl; (evang.)* culte *m* du soir; **~gymnasium** *n* cours *m pl* secondaires du soir; **~himmel** *m* ciel *m* crépusculaire; **~kasse** *f theat: an der ~~* à l'entrée; **~kleid** *n* robe *f* de soirée *od* du soir; *im ~~* en grande toilette; **~kühle** *f* fraîcheur *f* du soir; *in der ~~* à la fraîche; **~kurs** *m* cours *m* du soir; **~land,** *das* l'Occident *m;* **~länder** *m* Occidental *m;* **a~ländisch** *a* occidental; **a~lich** *a* du soir, vespéral; **~luft** *f* fraîcheur *f* du soir, serein *m;* **~mahl** *n rel* cène; *(Kunst)* Cène *f;* **~mahlskelch** *m* calice *m;* **~mahlzeit** *f* repas *m* du soir; **~mantel** *m* manteau *m* du soir, sortie *f* de bal; **~rot** *n*, **~röte** *f* coucher *m* de soleil; **a~s** *adv* le soir; **~schule** *f* école *f od* cours *m pl* du soir; **~segen** *m = ~andacht;* **~sonne** *f* soleil *m* couchant; **~ständchen** *n* sérénade *f;* **~stern** *m* étoile *f* du soir *od* du berger; **~stimmung** *f* atmosphère *od* ambiance *f* du soir; **~stunden** *f pl* soirée, veillée *f;* **~tasche** *f* sac *m* du soir; **~tau** *m* rosée *f* du soir, serein *m;* **~toilette** *f* toilette du soir, grande toilette *f;* **~unterhaltung** *f*, **~veranstaltung** *f* soirée *f;* **~wind** *m* vent *m od* brise *f* du soir; **~zeitung** *f = ~blatt.*

Abenteu|er *n* ⟨-s, -⟩ ['a:bəntɔʏər] aventure *f; auf ~~ ausgehen* chercher (des) aventure(s), courir l' (*od* les) aventure(s); *sich in ~~ stürzen* se lancer dans des aventures; **a~erlich** *a* aventureux; *(gewagt)* risqué, hasardé; *fig (phantastisch)* fantastique, bizarre, extravagant; **~erlust** *f* aventurisme *m;* **a~ern** *itr* courir les aventures; **~erroman** *m* roman *m* d'aventures; **~rer** *m* aventurier *m;* **~(r)erin** *f* aventurière *f.*

aber ['a:bər] **1.** *conj* mais; *(indessen, jedoch)* cependant, pourtant, toutefois; *(trotzdem, dennoch, nichtsdestoweniger)* néanmoins; *nun ~* or; *oder ~* ou bien, autrement; *~ ja!* mais oui! *~ natürlich!* mais naturellement! bien sûr! *~ nein!* mais *od* que non! *~ sicher!* mais certainement! **2.** *adv: ~ und ~mals* toujours de nouveau; *tausend und ~ tausend, Tausende und ~ Tausende* des milliers et des milliers; **3. A~** *n* ⟨-s, -⟩ mais *m; viele Wenn und ~~* bien des si et des mais; *nach vielem Wenn und ~~* après beaucoup de si et de mais; **A~glaube** *m* superstition *f;* **~gläubisch** *a* superstitieux; **~malig** *a* nouveau, autre, répété, réitéré; **~mals** *adv* de nouveau, encore (une fois), derechef; **A~witz** *m (Wahnwitz)* folie *f;* **~witzig** *a* fou, déraisonnable.

ab=erkenn|en *tr* contester, refuser (*jdm etw* qc à qn); *jur* priver, déposséder (*jdm etw* qn de qc); **A~ung** *f* contestation *f*, refus *m; jur* privation, dépossession *f; ~~ der bürgerlichen Ehrenrechte* privation des droits civiques, dégradation *f* civique.

ab=ernten *tr (Feld)* moissonner.

ab=essen *tr (s-n Teller)* finir; *itr (alles essen)* manger tout.

Abessin|ien *n* ⟨-s, ø⟩ [abɛ'si:niən] *geog* l'Abyssinie *f;* **~ier(in** *f*) *m* ⟨-s, -⟩ [-niər] Abyssin, e; Abyssinien, ne *m f;* **a~isch** *a* abyssin(ien).

ab=fahren *itr allg* partir (*nach* pour); *(Fahrzeug)* démarrer; *(Schi: abwärts fahren)* descendre; *fam (abgewiesen werden)* essuyer un refus; *pop (sterben) = abkratzen; tr (Last)* transporter; charrier, voiturer, camionner; *(durch Fahren abnutzen)* user; *(Körperteil bei e-m Unfall)* écraser; *(e-e Strecke)* couvrir, faire; *~ lassen (loc)* faire démarrer; *fig fam (abblitzen lassen)* éconduire, envoyer promener.

Abfahrt *f allg* départ; *(Fahrzeug)* démarrage; *mar a.* appareillage *m; (Schi: Talfahrt)* descente; *(Autobahn)* (embranchement *m* de) sortie *f;* **~(s)bahnsteig** *m* quai *m* de départ; **a~(s)bereit** *a* prêt à partir; *mar* en partance (*nach* pour); **~sdatum** *n mar* date *f* de départ; **~(s)gleis** *n* voie *f* de départ; **~slauf** *m (Schi)* descente *f;* **~(s)signal** *n* signal *m* du départ *od mar* de partance; **~(s)stelle** *f* lieu de départ; *(e-s Schiffes)* embarcadère *m;* **~(s)strecke** *f (Schi)* parcours *m* de descente; **~svorbereitungen** *f pl* préparatifs *m pl* de départ; **~(s)zeichen** *n = ~(s)signal;* **~(s)zeit** *f* heure *f* de *od* du départ.

Abfall *m (wertlose Überbleibsel, meist pl: Abfälle)* résidu *m*, décombres *m pl*, rebut *m*, déchets *m pl*, rognure *f; (im Haus)* ordures *f pl*, gadoue *f; (in der Küche)* épluchures *f pl; (beim Schlachten)* abat(t)is *m; fig mil pol* défection *f; (e-r Provinz)* soulèvement *m; rel* apostasie *f;* **~eimer** *m* boîte à ordures, poubelle *f;* **ab=fallen** *itr (herunterfallen)* tomber, se détacher; *(Früchte, vorzeitig)* avorter; *(übrigbleiben)* être de reste; *(Gelände)* s'incliner, aller en pente; *(Straße)* descendre; *fig pol* faire défection; abandonner, renier, déserter (*von jdm, von etw* qn, qc); se soulever (*von* contre); *rel* apostasier; *(schlechter sein)* être inférieur (*gegen* à); *es fällt etw, nichts für mich ab* j'en aurai ma part; je n'en aurai rien; **~en** *n (Hinunterfallen)* chute; *(Blüten)* coulure *f; (Früchte)* avortement *m;* **a~end** *a (Gelände)* en pente, incliné; *steil ~~* escarpé; **~holz** *n* bois *m* de déchet; **~korb** *m* panier *m* aux ordures; **~produkt** *n (verwertbar)* sous-produit *m;* **~verwertung** *f* utilisation *f* des déchets.

abfällig *a fig (ungünstig)* défavorable, dédaigneux; *(Urteil)* défavorable, négatif; *~ beurteilen* porter un jugement défavorable sur.

ab=fangen *tr (Boten, Brief, tele)* intercepter; *radio* capter; *(Stoß)* amortir; *(Schlag)* parer; *(Flugzeug)* redresser; *arch mines (abstützen)* étayer, étançonner.

ab=färben *itr, a. fig* déteindre (*auf* sur); *fig* influencer (*auf jdn* qn).

ab=fass|en *tr (ertappen)* attraper, surprendre (*bei* à); *(verfassen, schreiben)* rédiger, composer, écrire, faire, libeller; *(ausdrücken)* exprimer, formuler; *jur (aufsetzen)* dresser, minuter, libeller; **A~ung** *f* rédaction, composition *f; jur* libellé *m.*

ab=fegen *tr* balayer, nettoyer.

ab=feilen *tr* enlever avec la lime, limer.

ab=fertig|en *tr* expédier *(a. Zug); (Gepäck)* enregistrer; *(zollamtlich)* dédouaner; *(Kunden)* servir; *jdn bevorzugt ~~* accorder le tour de faveur à qn; *jdn kurz ~~* expédier qn; *schnell ~~* expédier; *zollamtlich ~~* dédouaner; **A~ung** *f* expédition *f; (Gepäck)* enregistrement; *(zollamtliche)* dédouanement; *(der Kunden)* service *m* (du public); **A~ungsschein** *m* feuille *f* d'expédition; *zollamtliche(r) ~~* permis *m* de douane; **A~ungsstelle** *f* bureau *m* d'expédition; *aero* aérogare *f.*

ab=feuern *tr (Schuß, Geschütz)* tirer; *(Gewehr)* décharger.

ab=find|en *tr* désintéresser, mettre hors d'interêts; *(entschädigen)* dédommager, indemniser (*für etw* de qc); payer, satisfaire; *sich mit etw ~~* s'accommoder, s'arranger, prendre son parti de qc; se résigner à qc; *sich mit jdm (gütlich) ~~* s'arranger (à l'amiable), composer avec qn; *sich mit s-m Gewissen ~~* transiger avec sa conscience; **A~ung** *f (Entschädigung)* dédommagement *m*, indemnisation; indemnité *f* forfaitaire; *(Über-*

einkommen) accommodement, arrangement; *(Vergleich)* accord *m; jur* transaction *f;* **A~ungssumme** *f* somme forfaitaire, indemnité *f;* **A~ungsvertrag** *m* contrat *m* d'indemnisation.

ab≈flach|en *tr* aplatir, aplanir, niveler; **A~ung** *f* aplatissement, aplanissement, nivellement *m.*

ab≈flauen ['ap-flauən] *itr (Wind)* mollir, se calmer, tomber; *fig (Interesse)* faiblir, diminuer; *com* baisser.

ab≈fliegen *itr aero* s'envoler, décoller, prendre le départ, partir (*nach* pour); *tr: die Front ~* patrouiller au-dessus du front.

ab≈fließen *itr* s'écouler; *geog a.* se déverser.

Abflug *m (der Zugvögel, aero)* départ; *aero* envol, décollage *m;* **~bahn** *f* piste *f* d'envol; **~deck** *n (Flugzeugträger)* pont *m* d'envol; **~geschwindigkeit** *f* vitesse *f* de décollage; **~zeit** *f* heure *f* d'envol *od* de départ.

Abfluß *m* (voie *f* d')écoulement *m; (e-s Teiches, Staubeckens)* décharge; *com fin* sortie *f;* **a~los** *a geog* sans écoulement; **~hahn** *m* robinet *m* de décharge; **~kanal** *m* canal d'écoulement *od* de fuite, égout *m;* **~rinne** *f* déversoir, caniveau *m;* **~rohr** *n* tuyau d'écoulement *od* de décharge; *tech* dégorgeoir *m;* **~wasser** *n* eaux *f pl* de décharge *od* d'égout.

Abfolge *f* suite, série *f,* ordre *m.*

ab≈fordern *tr: jdm etw ~* demander *od* réclamer qc à qn, exiger qc de qn.

ab≈form|en *tr* mouler; *sich ~~ (a.)* se dessiner; **A~ung** *f* moulage *m.*

ab≈forsten *tr: Wald ~* déboiser.

ab≈fragen *tr (nach etw Auswendiggelerntem)* faire réciter.

ab≈fressen *tr* brouter.

ab≈frieren *itr* geler.

ab≈fühlen *tr* tâter, palper; *(Lochkarte)* lire.

Abfuhr *f* ⟨-, -en⟩ ['apfu:r] transport, charriage, camionnage; *(Müll~)* enlèvement (des ordures ménagères); *fig fam (Niederlage)* échec *m,* défaite *f; (Zurückweisung)* refus *m,* rebuffade *f; e-e ~ erleiden* od *einstecken* essuyer un refus *od* une rebuffade; *jdm e-e ~ erteilen* éconduire qn, *fam* envoyer qn promener *od* paître, rembarrer qn.

ab≈führ|en *tr (Gefangenen)* emmener; *fig (vom Thema)* écarter; *(Geld)* verser; *(Studentensprache: kampfunfähig machen)* mettre hors de combat; *itr med* purger, évacuer; **~end** *a med* purgatif, laxatif; **A~mittel** *n* purgatif *m,* purge *f,* laxatif *m; ein ~~ nehmen* se purger; **A~ung** *f* emprisonnement; *(von Geld)* versement *m.*

Abfüll|anlage *f* installation *f* de soutirage; **ab≈füllen** *tr (Flüssigkeit)* soutirer; *(in Flaschen)* mettre en bouteilles, embouteiller; *(in Fässer)* mettre en fûts; *(in Säcke)* mettre en sacs, ensacher; **~maschine** *f* remplisseuse(-doseuse) *f;* **~ung** *f* soutirage *m;* mise *f* en bouteilles *od* en fûts; ensachement, ensachage *m.*

ab≈füttern *tr (Vieh)* donner à manger à; *(Anzug)* doubler (*mit* de); *mit Pelz ~* fourrer; *mit Watte ~* ouater.

Abgabe *f (Übergabe)* remise; *(Ablieferung)* délivrance, livraison; *(Verkauf)* vente; *loc (des Gepäcks)* mise en consigne; *sport (des Balles)* passe; *phys (Ausstrahlung)* émission *f; meist pl adm* droits, impôts *m pl,* taxes *f pl,* contribution(s *pl*) *f; ~ e-r Erklärung* émission *f* d'une déclaration; **a~nfrei** *a* exempt d'impôts, non imposable; **~nfreiheit** *f* franchise d'imposition, immunité *f* fiscale; **~(n)pflicht** *f* obligation *f* fiscale; **a~(n)pflichtig** *a* soumis *od* assujetti à l'impôt, imposable, contribuable.

Abgang *m (Abfahrt)* départ *m; mar* partance; *theat sport (von der Schule)* sortie; *(aus e-r Stelle, e-m Amt)* retraite; *(Verlust)* perte *f; (auf dem Transport)* déchet de route; *(Abfall)* déchet(s *pl*); *(bei Flüssigkeiten)* coulage; *med (Ausfluß)* écoulement; *com (Absatz)* débit, écoulement *m,* vente *f;* **~sbahnhof** *m* station *od* gare de départ; gare *f* expéditrice; **~shafen** *m* port *m* de départ; **~sliste** *f* liste *f* des départs; **~sort** *m com* point *m* de départ; **~sprüfung** *f* examen *m* de sortie *od* de fin d'études; **~swinkel** *m (e-s Geschosses)* angle *m* au niveau; **~szeugnis** *n* certificat *m* de fin d'études.

Abgas *n, a. pl tech mot* gaz *m* d'échappement *od* de combustion; **~kanal** *m* canal *m* d'échappement; **~verwertung** *f* utilisation *f* des gaz d'échappement.

abgearbeitet *a* surmené; éreinté de travail.

ab≈geben *tr* remettre, (dé)livrer, rendre, donner; *(in der Garderobe)* déposer; *(Handgepäck)* mettre en consigne, consigner; *sport (Ball)* passer; *(Erklärung)* faire; *(verkaufen)* vendre; *(abtreten)* céder; *(aufgeben)* abandonner; *(Amt)* se démettre de, résigner; *(darstellen, auftreten als)* faire; *phys (Wärme)* dégager; *(Strahlungsenergie)* émettre; *sich mit etw ~ (befassen)* se mêler *od* s'occuper de qc; *sich mit jdm ~* s'occuper de qn; *e-n Schuß ~* tirer un coup; *e-n guten Soldaten ~* faire un bon soldat; *s-e Stimme für jdn ~ (parl)* donner sa voix à qn, voter pour qn; *sein Urteil über etw ~* donner son jugement sur qc; *da gibt's was ab (fam: gibt's Schläge)* il y aura du grabuge; *abgegebene Stimmen f pl (parl)* votants *m pl.*

abgebrannt *a (Mensch)* sinistré; *fig fam (ohne Geld)* à sec, raide, fauché (comme les blés); *~ sein (fig fam a.)* avoir le gousset vide, être sans le sou, *pop* n'avoir plus un radis.

abgebrochen *a fig (Satz)* entrecoupé; *(Rede)* incohérent.

abgebrüht *a fig fam (erfahren)* dur à cuire; *~ sein (a.)* être blindé, ne plus rougir de rien.

abgedroschen *a fig* usé (jusqu'à la corde), galvaudé, rebattu, banal, trivial; *~e Redensart f* expression *f* banale, cliché *m.*

abgefeimt *a (gerissen, schlau)* fieffé, madré, roué.

abgegrast *a fig (erschöpfend bearbeitet)* piétiné.

abgegriffen *a (abgenutzt)* usé.

abgehackt *a, a. fig* haché; *fig (Sprechweise, Stil)* saccadé, sautillant.

abgehärmt *a* rongé de chagrin.

abgehärtet *a* endurci, aguerri (*gegen* à, contre).

ab≈gehen *itr (abfahren)* s'en aller, partir (*nach* pour); *(Schauspieler von der Bühne)* quitter la scène, sortir; *(Schüler)* sortir, quitter l'école; *(Beamter)* prendre sa retraite; *(sich lösen, z. B. Sohle, Rad)* se détacher; *(Knopf)* s'en aller, sauter; *(Farbe)* passer; *(Ware: sich verkaufen)* se vendre, se débiter, s'écouler; *(abzweigen)* bifurquer; *fig (von s-r Meinung)* se départir, démordre (*von* de); *impers (fehlen)* manquer, faire faute (*jdm* à qn); *tr (besichtigen)* inspecter; *von s-n Forderungen ~* réduire ses exigences; *vom Preis ~* rabattre son prix; *reißend ~ (com)* s'enlever; *von der Wahrheit ~* s'écarter de la vérité; *sich nichts ~ lassen* ne se laisser manquer *od* ne se priver de rien, ne se refuser rien; *es geht mir nichts ab (mir fehlt nichts)* il ne me manque rien; *es geht mir nichts dadurch ab* je n'y perds rien; *ihm geht vieles ab (vieles ist ihm verschlossen)* il n'a pas beaucoup de possibilités, beaucoup de choses lui échappent; *es ist alles gut* od *glatt abgegangen* tout s'est bien passé; *es ging nicht ohne Streit ab* on en est venu aux coups; *es gehen 3 Mark ab* trois marks sont à déduire.

abgekämpft *a mil* u. *allg* usé, épuisé; *fig* exténué, fourbu, éreinté, à bout (de forces).

abgekartet *a* fait à la main; *~e Sache f* coup *m* monté; *~e(s) Spiel n* jeu *m* joué.

abgeklärt *a (Flüssigkeit* u. *fig)* décanté, clarifié; *fig (ruhig, heiter)* calme, serein; *(weise)* sage.

abgekürzt *a fig* raccourci, abrégé.

abgelagert *a (Brot)* rassis; *(Wein)* vieilli en cave; *(Zigarre, Holz)* bien sec; *geol* sédimentaire.

abgelaufen *a (Schuhe)* usé; *(Spule)* vide; *(Termin, Frist)* expiré; *(verfallen, ungültig geworden)* périmé.

abgelebt *a (Mensch: verbraucht)* usé, cassé, décrépit.

abgelegen *a* éloigné, écarté, reculé, isolé, perdu; *(einsam)* solitaire.

abgeleiert *a fam (abgedroschen)* usé, rebattu, galvaudé; plat.

ab≈gelt|en *tr (bezahlen)* payer, rembourser, acquitter; *(erledigen)* régler, liquider; **A~ung** *f* paiement, remboursement, acquittement; règlement *m,* liquidation *f.*

abgemacht *a* convenu, entendu, fait; *das ist ~* c'est (bien) dit, voilà qui est dit; *~!* (c'est) convenu *od* entendu! marché conclu! d'accord!

abgemagert ['apgəma:gərt] *a* amaigri.

abgemergelt ['apgəmɛrgəlt] *a (Pferd)* efflanqué.
abgemessen *a fig* mesuré, compassé.
abgeneigt *a* pas *od* peu disposé, peu enclin, défavorable, répugnant (*dat* à); *e-r S ~ sein* répugner à qc, avoir de la répugnance à *od* pour qc; *e-r S nicht ~ sein (a.)* ne pas voir qc d'un maivais œil; **A~heit** *f* répugnance (*gegen* à, pour), aversion *f* (*gegen* pour).
abgenutzt *a* usé; *(Kleidung)* râpé, élimé.
Abgeordnet|e(r) *m parl* député, élu; *(Delegierter)* délégué *m;* **~enhaus** *n,* **~enkammer** *f* Chambre *f* des députés.
abgerissen *a (zerlumpt)* déguenillé, dépenaillé; *fig (Worte)* incohérent, sans suite; *~e Sätze m pl* phrases *f pl* décousues.
abgerundet *a, a. fig* arrondi; *(ausgeglichen)* bien tourné; *(Zahl)* en chiffres ronds.
Abgesandte(r) *m* envoyé; *(Vertreter)* mandataire; *(Sendbote)* émissaire *m.*
abgeschaltet *a el* hors circuit.
abgeschieden *a (einsam)* isolé, à l'écart; retiré, reculé; solitaire; *(verstorben)* décédé, trépassé, défunt; *~ leben* vivre dans l'isolement *od* à l'écart; **A~heit** *f* isolement *m;* solitude *f.*
abgeschirmt *a radio* sous écran; *~e Antenne f* antenne *f* déparasitée par écran *od* antiparasite.
abgeschliffen *a fig (glatt)* poli; *(abgenutzt)* usé.
abgeschlossen *a (eingeschlossen)* (ren)fermé; *(getrennt)* séparé, isolé; *fig (beendet)* fini, achevé; *(vollständig)* complet.
abgeschmackt ['apgəʃmakt] *a fig (fade)* fade, plat, insipide; *fam* fadasse; *(albern)* inepte, saugrenu; *~e(s) Zeug n* fadaises, sornettes *f pl;* **A~heit** *f* fadeur, platitude, insipidité; ineptie *f.*
abgesehen: *~ von* abstraction faite de, à côté de, sans parler de; *lit* outre; *davon ~* à part cela, à cela près; *von einigen Ausnahmen ~* à quelques exceptions près; *~ davon, daß* outre que, hormis que.
abgesessen! *mil* pied à terre!
abgesondert *a* séparé, isolé.
abgespannt *a (müde)* fatigué; *(erschöpft)* épuisé, abattu; *~ aussehen* avoir les traits tirés; **A~heit** *f* fatigue *f;* épuisement, abattement *m.*
abgespielt *a (Schallplatte)* usé.
abgestanden *a (Wein, Bier)* éventé.
abgestorben *a* mort.
abgestuft *a* étagé; *fig* graduel.
abgestumpft *a math (Kegel)* tronqué; *fig (Sinn)* usé; *(seelisch, geistig)* insensible, indifférent (*gegen* à); *(stumpf)* hébété, abruti; **A~heit** *f fig (geistige)* indifférence, insensibilité *f;* hébétement, abrutissement *m.*
abgetan *a* réglé, fini, terminé.
abgetragen *a (Kleidung)* défraîchi, usé, élimé.
ab=gewinnen *tr (Geld)* gagner (*jdm etw* qc sur qn); *e-r S Geschmack ~* trouver *od* prendre goût à qc; *dem Leben die schönsten Seiten ~* prendre la vie du bon côté; *jdm e-n Vorsprung ~ (a. sport)* distancer, dépasser qn.
ab=gewöhnen *tr: jdm etw ~* déshabituer, désaccoutumer qn de qc, faire perdre l'habitude de qc à qn; *sich etw ~* se déshabituer, se désaccoutumer, se corriger, se guérir de qc, perdre l'habitude de qc; *sich das Rauchen ~* se déshabituer de fumer.
abgezehrt *a* émacié, étique, hâve.
abgezirkelt *a fig* compassé.
ab=gießen *tr (aus e-m vollen Gefäß)* verser; *chem* décanter; *(e-n Abguß machen von)* mouler; **A~** *n chem* décantage *m,* décantation *f.*
Abglanz *m fig* reflet *m.*
ab=gleich|en *tr radio* aligner; **A~ung** *f* alignement *m.*
ab=gleiten *itr* glisser, tomber en glissant; *fig* déchoir; *sozial ~* déchoir de son rang social.
Abgott *m* faux dieu *m,* idole *f;* **~schlange** *f zoo* (serpent) devin *m.*
Abgött|erei *f* idolâtrie *f; ~~ treiben* adorer les faux dieux; *mit jdm ~~ treiben* idolâtrer qn; **a~isch** *adv (übermäßig): ~~ lieben* od *verehren* idolâtrer.
ab=graben *tr (Gewässer, Wasser ableiten)* détourner; *jdm das Wasser ~ (fig)* couper l'herbe sous le pied à qn.
ab=grasen *tr* brouter.
ab=grenz|en *tr* fixer les limites de, délimiter, démarquer, borner; *sport (Spielfeld)* marquer; **A~ung** *f* délimitation, démarcation *f.*
Abgrund *m* gouffre; *a. fig* précipice, abîme *m; an den Rand des ~s bringen, am Rande des ~s stehen (fig)* amener, être au bord de la ruine *od* du gouffre; **a~häßlich** *a fam* laid comme un pou; **a~tief** *a,* **abgründig** *a fig* abyssal; *(unergründlich)* insondable, inscrutable, impénétrable.
ab=gucken *tr fam: jdm etw ~* apprendre qc en imitant qn; se procurer qc de qn par indiscrétion; *itr (Schüler)* copier (*von* sur).
Abguß *m metal (Vorgang u. Gegenstand)* moulage; *typ (Vorgang)* clichage; *(Gegenstand)* cliché *m.*
ab=haben *tr fam: sein Teil ~ wollen* vouloir avoir sa part.
ab=hacken *tr* couper à la hache, découper.
ab=haken *tr (vom Haken nehmen)* décrocher; *(auf e-r Liste)* pointer.
ab=halftern *tr* ôter le licou à, déchevêtrer; *fig fam (entlassen)* balancer, débarquer, limoger.
ab=halt|en *tr (weghalten)* tenir à distance, écarter; *(Kind)* faire faire ses besoins à; *(zurück-, fernhalten)* arrêter, retenir; *(hindern)* empêcher (*von* de); *(von der Arbeit)* détourner (*von* de); *(Veranstaltung)* tenir; *itr: vom Lande ~~ (mar)* tenir le large; *von der Arbeit ~~ (Streikmaßnahme)* débaucher; *Gericht ~~* siéger; *Gottesdienst ~~* célébrer l'office, officier; *e-e Parade ~~* passer les troupes en revue; *Unterricht ~~* faire la classe; *sich durch nichts ~~ lassen* aller contre vent et marée; **A~ung** *f (e-r Sitzung, e-r Versammlung)* tenue; *(Feier)* célébration *f.*
ab=hand|eln *tr (abkaufen)* acheter (*jdm etw* qc à qn); *vom Preis ~~* faire rabattre du prix; *fig (schriftl. erörtern)* traiter, *(mündl.)* discuter; **~en** *adv (weg, verloren)* perdu; *~~ kommen* se perdre, s'égarer; *er ist mir ~~ gekommen* je l'ai perdu; **A~lung** *f* traité, mémoire *m,* dissertation; *(Doktorarbeit in Frankr.)* thèse *f.*
Abhang *m* pente *f,* penchant, versant *m,* côte *f; steile(r) ~* escarpement *m.*
ab=häng|en *tr (herabnehmen)* dépendre, enlever; *(Bild, Hörer)* décrocher *a. loc; loc (Wagen)* découpler; *fam (überholen)* semer *pop; sport* distancer, se détacher de, laisser derrière soi; *mot fam* gratter; *itr fig (Sache)* être fonction *od* tributaire (*von* de); *von jdm ~~* dépendre de qn; *von niemandem ~~* ne relever de personne; *es hängt nur von Ihnen ab* il ne tient qu'à vous; *das hängt davon ab* ça dépend; *davon soll es nicht ~~* qu'à cela ne tienne; **~ig** *a* dépendant (*von* de); *(unterworfen)* assujetti (*von* à); tributaire (*von* de); *gram* subordonné (*von* à); *etw ~~ machen von* subordonner qc à; *von jdm ~~ sein* dépendre de qn, *fam* être sous la coupe de qn; *pol* prendre loi, recevoir *od* subir la loi (*von* de); **A~igkeit** *f fig* dépendance *f* (*von* de); assujettissement *m* (*von* à); sujétion *a. pol; bes. gram* subordination *f; gegenseitige ~~* interdépendance *f;* **A~igkeitsverhältnis** *n* rapport *m* de dépendance *od* de subordination.
ab=härmen, *sich* se consumer de chagrin, se chagriner.
ab=härt|en *tr* endurcir, aguerrir, rompre (*gegen* à); **A~ung** *f* endurcissement *m* (*gegen* à).
ab=haspeln *tr tech* dérouler, dévider.
ab=hauen *tr* couper, trancher; *(Baum)* abattre; *itr pop (weggehen)* filer, s'éclipser; décoller, s'emballer, se barrer, se débiner, se tirer; *hau ab!* va-t'en! oust(e)! à la gare!
ab=heb|en *tr (hochheben)* enlever, ôter; *(Deckel)* soulever; *(Hörer)* décrocher; *(Spielkarten)* couper; *(Geld)* retirer, prélever; *sich ~~ (sich abzeichnen)* se dessiner, se silhouetter; avoir du relief; *sich ~~ von* se détacher, se découper sur; *sich (vom Boden) ~~ (aero)* décoller; *sich scharf ~~d (Farben)* tranché; **A~ung** *f (von Geld)* retrait, prélèvement *m.*
ab=heften *tr (Schriftstück)* classer.
ab=helfen *itr: e-r S ~* remédier, porter remède à qc; *e-r Schwierigkeit ~* aplanir une difficulté; *dem kann abgeholfen werden* il y a remède à cela; *dem ist nicht abzuhelfen* on ne peut y remédier, c'est irrémédiable.
ab=hetzen *tr (Wild)* mettre *od* réduire aux abois; *sich ~* s'éreinter; *fam* s'esquinter.
Abhilfe *f* remède, redressement *m,* réparation *f; ~ schaffen* porter remède, y remédier; *dafür gibt es*

keine ~ il n'y a pas remède à cela, on ne peut y remédier.
ab⸗hobeln *tr* raboter, dégauchir; *tech* unir; *fig (groben Menschen)* polir, dégrossir.
abhold *a: e-r S* ~ *sein* être défavorable à qc *od* ennemi de qc.
ab⸗hol|en *tr (Person u. Sache)* aller *od* venir chercher *od* prendre; *(wegholen, -schaffen)* enlever; *jdn vom Zug* od *von der Bahn* od *vom Bahnhof* ~~ aller attendre qn à la gare; *vom Hause* ~~ *(com)* prendre à domicile; ~~ *lassen* envoyer chercher, faire prendre; *nicht abgeholt (Brief)* non réclamé, en souffrance; **A~gebühr** *f* frais *m pl* de prise à domicile; **A~ung** *f com* enlèvement *m;* ~~ *vom Hause (com)* prise *f* à domicile; ~~ *frei Haus* enlèvement *m* à domicile sans frais.
ab⸗holz|en *tr* déboiser; **A~ung** *f* déboisement *m.*
ab⸗horchen *tr* écouter; *(belauschen)* épier; *(bespitzeln)* espionner; *tele radio* intercepter; *med* ausculter; **A~** *n* interception *f.*
Abhör|dienst *m radio* service *m* d'écoute; **ab⸗hören** *tr (aufsagen lassen)* faire réciter; *tele radio* écouter; *(überwachen)* intercepter, capter; **~en** *n* écoute; *(Abhorchen)* interception *f;* **~fehler** *m tele* erreur *f* de réception; **~gefahr** *f tele* danger *m* d'écoute; **~gerät** *n* appareil *m* d'écoute; **~kabine** *f* cabine *f* d'écoute; **~posten** *m,* **~stelle** *f tele radio* poste *m* d'écoute *od* de contrôle; **~raum** *m tele radio* cabine *f* de contrôle; **~station** *f radio* station *f* d'écoute; **~vorrichtung** *f* dispositif d'écoute, détectophone *m.*
Abhub *m* ‹-(e)s, ø› ['aphu:p(s), '-hu:bəs] *(Überbleibsel)* restes *m pl,* rebut *m.*
ab⸗irren *itr, a. fig* s'égarer, se fourvoyer, perdre la direction; dévier (*von* de).
Abitur *n* ‹-s, (-e)› [abi'tu:r] baccalauréat; *fam* bachot *m;* **~ient** *m* ‹-en, -en› [abituri'ɛnt] *(bei der Prüfung)* candidat au baccalauréat; *(nach bestandener Prüfung)* bachelier *m.*
ab⸗jagen *tr (Pferd)* fatiguer (à force de courir); *jdm etw* ~ arracher qc à qn; *jdm die Beute wieder* ~ faire lâcher prise à qn; *sich* ~ *(Mensch)* se fatiguer, s'exténuer, s'éreinter; *fam* s'esquinter.
ab⸗kämmen *tr* peigner; *mil* battre.
ab⸗kanten *tr (Holz)* biseauter; *arch tech* chanfreiner.
ab⸗kanzeln ['apkantsəln] *tr fam* chapitrer, sermonner, réprimander; *fam* attraper; *pop* secouer les puces (*jdn* à qn); *gehörig abgekanzelt werden* en prendre pour son grade *pop.*
ab⸗kaps|eln ['apkapsəln] *sich, fig* s'isoler, se retrancher du monde; **A~(e)lung** *f* isolement *m.*
ab⸗kaufen *tr: jdm etw* ~ acheter qc à *od* de qn.
Abkehr *f* ‹-, ø› ['apke:r] éloignement *m* (*von* de); **ab⸗kehren,** *sich (sich abwenden)* se détourner (*von* de).
ab⸗kehren *tr* = *abfegen.*
ab⸗ketteln *tr (Textil)* tourniller.
ab⸗klappern *tr fig fam (der Reihe nach aufsuchen)* courir; *abgeklappert a* = *abgedroschen.*
ab⸗klär|en *tr (Flüssigkeit)* décanter, clarifier; **A~ung** *f* décantation, clarification *f.*
Abklatsch *m (Abdruck)* épreuve; *(Abbild)* reproduction; *fig (Nachahmung)* imitation, (mauvaise) copie *f,* calque, poncif *m.*
ab⸗klingen *itr (Ton)* s'évanouir, disparaître, mourir; *fig (Erregung)* diminuer, s'affaiblir; *(Schmerz)* s'adoucir, s'atténuer, s'apaiser.
ab⸗klopfen *tr (von Staub befreien)* épousseter; *mus (mit dem Taktstock)* (faire) arrêter; *med* percuter.
ab⸗knabbern *tr* grignoter; *sich die Fingernägel* ~ se ronger les ongles.
ab⸗knallen *tr pop (abschießen)* descendre.
ab⸗knap|pen *tr,* **~sen** ['apknap(s)ən] *tr (wegnehmen)* rogner.
ab⸗kneifen *tr,* **ab⸗knipsen** *tr* enlever en pinçant, pincer; *(Draht)* couper (avec des pinces).
abknöpf|bar *a* détachable; **ab⸗knöpfen** *tr* déboutonner; *fig fam: jdm etw* ~~ soutirer, soustraire qc à qn.
ab⸗knutschen *tr pop* peloter; *fam* bécoter; manger de caresses; *sich* ~ se bécoter.
ab⸗kochen *tr (Wasser)* faire bouillir; *(Gemüse)* blanchir; *itr (im Freien kochen)* faire la cuisine en plein air; **A~** *n* décoction *f.*
ab⸗kommandier|en *tr mil* détacher; *~t sein* être en détachement *od* en commando; **A~ung** *f* détachement, envoi *m* en service détaché.
Abkomm|e *m* ‹-n, -n› ['apkɔmə] *(Nachkomme)* descendant; *(Sprößling)* rejeton *m;* **ab⸗kommen** *itr (vom Weg)* s'écarter, dévier (*von* de); *sport (starten)* partir; *aero* décoller; *fig (vom Thema)* s'écarter, sortir (*von* de); *(aufgeben, sich abgewöhnen)* abandonner (*von etw* qc), sortir (*von* de); *(Brauch)* tomber en désuétude, passer (de mode), se perdre; *von s-r Ansicht* ~ changer d'avis; *gut* ~ *(sport)* faire un beau départ; *mil (beim Schießen)* bien viser et tirer à temps; *vom Kurs* ~ *(mar aero)* s'écarter de sa route *od* du cap; *von s-m Plan* ~ se raviser; *von s-r Rede* ~ perdre le fil de son discours; *vom Thema* ~ *(a.)* sortir de la question; *vom Weg* ~ *(a.)* perdre son chemin, s'égarer; *vom geraden od rechten Weg* ~ *(fig)* quitter le droit chemin; *(nicht)* ~ *können* (ne pas) être libre; *ich komme nicht davon ab* cela ne me sort pas de l'idée; *ich bin längst davon abgekommen* j'en suis revenu depuis longtemps; **~en** *n sport* départ; *aero* décollage; *(Übereinkunft, Vertrag)* accord *m,* convention *f,* pacte *m; zu e-m* ~~ *gelangen* tomber d'accord; *das* ~~ *melden (mil)* annoncer le point visé; *ein* ~~ *treffen* faire un arrangement, conclure une convention; **~enschaft** *f* descendance *f.*
abkömm|lich ['apkœm-] *a* disponible, libre; **A~ling** *m* = *Abkomme; chem* dérivé *m.*
ab⸗koppeln *tr (Hunde)* découpler; *loc* détacher, décrocher.
ab⸗kratzen *tr (Schmutz, Farbe etc)* enlever en grattant; *(Gegenstand)* gratter, racler, ratisser; *(Wand, Mauer)* décrépir; *itr vulg (sterben)* claquer, crever *fam,* casser sa pipe.
ab⸗kriegen *tr fam* = *abbekommen; etw* ~ *(s-n Teil)* avoir part au gâteau *fam; Schläge* od *was* ~ prendre qc, ramasser une raclée; *nichts* ~ *(bei e-r Verteilung)* se mettre la ceinture *od pop* la tringle; être de la revue.
ab⸗kühl|en *tr* rafraîchir, refroidir, réfrigérer; *fig* refroidir, calmer, apaiser; *itr* se refroidir, tiédir; *sich* ~~ *(Mensch)* se rafraîchir, prendre le frais; *fig (Erregung)* se refroidir, se calmer, s'apaiser; **A~ung** *f* rafraîchissement; refroidissement *m, a. mete* u. *fig;* réfrigération *f; fig a.* apaisement *m.*
Abkunft *f* ‹-, (¨e)› ['apkunft] *(Abstammung)* descendance, origine; *lit* extraction *f.*
ab⸗kürz|en *tr (kürzer machen, a. fig)* écourter; *(Weg, Verfahren)* raccourcir; *(Wort)* abréger; *itr (den Weg)* prendre un chemin de traverse; **A~ung** *f* raccourcissement; *(kürzerer Weg)* raccourci *m; (abgekürztes Wort)* abréviation *f.*
ab⸗küssen *tr* couvrir de baisers; *fam* bécoter.
ab⸗lad|en *tr* décharger; **A~en** *n* déchargement *m;* **A~er** *m (Vorrichtung)* déchargeur *m.*
Ablage *f (von Akten)* rangement, classement; *(Ort)* dépôt, magasin; *(Kleider~)* vestiaire *m;* **~kasten** *m (für Akten)* classeur *m.*
ab⸗lager|n *tr (Wein)* laisser vieillir; *chem geol* déposer; *sich* ~~ *(als Bodensatz)* se déposer; **A~ung** *f chem geol* dépôt *m; geol (Vorgang)* sédimentation *f; (Produkt)* sédiment *m.*
Ablaß *m* ‹-sses, ¨sse› ['aplas, -ɛ-] *(Abfluß)* écoulement *m; tech* décharge; *(Preis~)* déduction *f,* rabais *m; rel* indulgence *f;* **~brief** *m hist* lettre *f* d'indulgence; **~hahn** *m tech* robinet *m* de décharge *od* de vidange; **~handel** *m rel hist* trafic *m* des indulgences; **~krämer** *m pej* marchand *m* d'indulgences.
ab⸗lassen *tr (Flüssigkeit)* faire écouler; *(Wein)* (sou)tirer; *(Faß, Teich)* vider; *(Luft)* faire *od* laisser échapper; *(Dampf)* lâcher; *mot* vidanger; *(abgeben)* céder; *(verkaufen)* vendre; *itr (aufhören)* cesser; *von etw* ~ se départir *od* se désister *od* démordre de qc; renoncer à qc; *von jdm* ~ lâcher qn, se séparer de qn; *das Roheisen* ~ *(metal)* faire couler la fonte.
Ablativ *m* ‹-s, -e› ['ablati:f, --'-, -ti:və] *gram* ablatif *m.*
Ablauf *m sport* départ; *(Abfluß)* écoulement *m,* décharge *f; (e-s Vorgangs)* déroulement *m; (e-r Frist, e-s Vertrages)* expiration *f; nach* ~ *(gen)* après expiration de; *nach* ~ *der Frist*

à terme échu; **ab≈laufen** *itr sport* partir, prendre le départ; *(Zeit)* s'écouler, passer; *(Vorgang, Film)* se dérouler; *(zu Ende gehen)* se terminer, finir; *(Frist, Vertrag)* expirer; *(Uhr)* s'arrêter; *tr (Schuhe, Sohlen)* user, éculer; *(Gegend)* (par-)courir; *sich die Hörner* ~ *(fig; besser: abstoßen)* jeter sa gourme; *jdm den Rang* ~ l'emporter sur qn, *fam* damer le pion à qn; ~ *lassen (Flüssigkeit)* faire *od* laisser écouler; *langsamer* ~ *lassen* mettre au ralenti; **~hahn** *m tech* robinet *m* d'écoulement; **~rinne** *f tech* dégorgeoir *m;* **~rohr** *n* tuyau *m* de décharge; **~streifen** *m tech* bande *f* passante; **~zeit** *f fin* (temps *m* de l')échéance *f.*

ab≈lauschen *tr* épier, surprendre; *jdm etw* ~ surprendre qc chez qn; *der Natur* ~ prendre sur le vif.

Ablaut *m gram* alternance vocalique, apophonie *f;* **ab≈lauten** *itr gram (Vokal)* se changer (*in* en).

ab≈läuten *tr loc (Zug)* sonner le départ de.

Ableben *n lit* décès *m,* mort *f.*

ab≈lecken *tr* enlever en léchant, lécher; *sich die Finger* ~ se lécher les doigts.

ab≈leg|en *tr* déposer; *(Kleider)* enlever, ôter; *(für immer)* mettre au rebut; *(Maske)* lever; *(Karten im Spiel)* écarter; *(Brief)* caser; *(Akten)* classer; *typ* distribuer (*den Schriftsatz* les lettres); *(Kabel)* enlever; *fig (Gewohnheit, Vorurteil)* abandonner, se défaire de, se débarrasser de; *e-n Eid* ~~ prêter serment; *e-n Fehler* ~~ se corriger d'un défaut; *ein Geständnis* ~~ faire un aveu; *e-e Probe* ~~ donner *od* fournir une preuve; *e-e Prüfung* ~~ passer *od* subir un examen; *Rechenschaft* od *Rechnung* ~~ rendre compte (*über* de); *alle Scham* ~~ dépouiller toute honte; *die Trauer* ~~ quitter le deuil; *(ein) Zeugnis* ~~ rendre témoignage (*von* de); déposer (*über* au sujet de, *für* pour, *gegen* contre); *legen Sie ab!* débarrassez-vous! *abgelegte Kleider n pl* vieux habits *m pl;* **A~en** *n* classement *m;* distribution *f;* enlèvement *m; fig (e-s Eides)* prestation; *(des Ordensgelübdes)* profession *f;* **A~er** *m bot agr* bouture, marcotte *f,* stolon; *(der Rebe)* provin; *typ* distributeur *m.*

ab≈lehn|en *tr* refuser; *(Vorschlag, Einladung, Ehre)* décliner; *(Antrag)* rejeter, repousser; *jur (Richter, Zeugen)* récuser; *rundweg* ~~ refuser absolument; *jede Verantwortung* ~~ décliner *od* rejeter toute responsabilité; **~end** *a* défavorable, négatif; *sich* ~~ *verhalten* se montrer défavorable (*gegenüber e-r S* à qc); *~~e Antwort f* refus *m;* **A~ung** *f* refus; *(e-s Antrags)* rejet *m; jur* récusation *f;* **A~ungsfall** *m: im* ~~ en cas de refus.

ab≈leiern *tr* réciter comme un perroquet.

ab≈leisten *tr: s-n Militärdienst, e-e Probezeit* ~ faire son service militaire, un stage.

ab≈leit|en *tr (Wasser; el: Strom, Blitz)* détourner; *(Wasserlauf; med; fig; gram)* dériver; *philos (folgern)* déduire; *sich* ~~ *aus (gram)* dériver de; **A~ung** *f* détournement *m;* dérivation; *math (abgeleitete Funktion)* dérivée; *philos* déduction *f;* **A~ungsgraben** *m (Wasserbau)* fossé *m* d'évacuation; **A~ungskanal** *m* canal *m* de dérivation; **A~ungsrohr** *n* tube *m* abducteur *od* de dégagement; **A~ungssilbe** *f gram* syllabe *f* dérivative.

ablenk|bar *a: leicht* ~~ *(Mensch)* facile à distraire; **ab≈lenken** *tr* détourner, dévier; *opt* diffracter; *el* incurver; *fig* détourner; *(Verdacht)* écarter; *(zerstreuen)* distraire, divertir; *von etw* faire diversion à qc; **A~ung** *f* détournement *m,* déviation; *mil* diversion; *opt* diffraction; *fig* distraction, diversion *f; Bedürfnis n nach* ~~ besoin *m* de changement, de distraction, d'évasion; **A~ungsangriff** *m mil,* **A~ungsmanöver** *n allg* diversion *f.*

Ables|efehler *m* erreur *f* de lecture; **~egerät** *n* lecteur *m;* **ab≈lesen** *tr (ernten)* cueillir, récolter; *(Rede)* lire (*von* sur); *(e-n Zähler)* relever; *jdm etw an den Augen, von den Lippen* ~~ lire qc dans les yeux, sur les lèvres de qn; *Raupen von etw* ~~ écheniller qc; **~er** *m (von Zählern) (Person)* contrôleur *m* (de compteurs); **~estrich** *m (Skala)* division *f* de lecture; **~evorrichtung** *f* dispositif *m* de lecture.

ab≈leucht|en *tr: mit e-r Taschenlampe, e-m Scheinwerfer* ~~ contrôler à la lumière d'une torche, d'un projecteur; **A~lampe** *f* baladeuse *f.*

ab≈leugnen *tr* (dé)nier *a. jur;* désavouer; démentir; disconvenir (*etw* de qc); *s-n Glauben* ~ renier sa foi.

ab≈liefer|n *tr* (dé)livrer, remettre; **A~ung** *f* délivrance, livraison, remise *f; bei, nach* ~~ à, après livraison.

ab≈listen *tr: jdm etw* ~ arracher qc à qn par la ruse; soutirer, escamoter qc à qn.

ab≈lohnen *tr (den Lohn zahlen u. entlassen)* payer et congédier.

ablös|bar *a* détachable, démontable; *fin* rachetable, amortissable; *(Anleihe)* remboursable; **ab≈lösen** *tr* détacher (*von* de); *fig (bei e-r Arbeit; mil: e-e Einheit)* relayer; *(bei e-r Tätigkeit; mil: Wachtposten)* relever; *(im Amt)* remplacer; *fin* racheter, amortir; *(Anleihe)* rembourser; *(Hypothek)* purger; *sich* ~ se détacher (*von* de); *(abblättern)* s'écailler; *abgelöst werden (Wachtposten)* être relevé; **A~ung** *f (bei e-r Tätigkeit, mil)* relève *f; (im Amt)* remplacement; *fin* rachat, amortissement; remboursement *m;* **A~ungsmannschaft** *f* relève *f.*

ab≈mach|en *tr (losmachen)* défaire, détacher; *(wegnehmen)* ôter, enlever; *(e-n Handel)* faire, conclure; *(vereinbaren)* convenir de, accorder; *jur (vertraglich)* stipuler; *gütlich* od *im guten* ~~ régler à l'amiable; *schnell* od *rasch* ~~ expédier; *das war nicht abgemacht* cela n'était pas convenu; *das sollen sie unter sich* ~~*!* à eux de s'arranger! **A~ung** *f* arrangement, règlement *m;* convention *f,* accord *m; jur* stipulation *f; sich an e-e* ~~ *halten* s'en tenir à une convention; *e-e* ~~ *über etw treffen* convenir de qc, accorder qc.

ab≈mager|n ['apma:gərn] *itr* (a)maigrir; **A~ung** *f* amaigrissement *m;* **A~ungskur** *f* cure *f* d'amaigrissement.

ab≈mähen *tr (Getreide)* faucher; *(Gras, Unkraut)* couper; *(Rasen)* tondre.

ab≈malen *tr (nach d. Natur)* peindre; *(kopieren)* copier; *fig (schildern)* dépeindre.

Abmarsch *m* ‹-(e)s, (¨e)› départ *m, a. mil;* mise *f* en route; **a~bereit** *a* prêt à partir; **ab≈marschieren** *itr* partir (*nach* pour); se mettre en marche *od* en route; **~zeit** *f mil* heure *f* du départ.

ab≈meld|en *tr (Sache)* contremander; *(Person)* annoncer le départ de *a. loc (e-s Zuges); sich (polizeilich)* ~~ déclarer son départ (à la police); **A~ung** *f* annonce de départ *a. loc; (polizeiliche)* déclaration *f* de départ.

ab≈mess|en *tr* mesurer, prendre les mesures *od* les dimensions de; *(Gelände)* arpenter; *(mit dem Metermaß)* métrer; *(dosieren)* doser; **A~ung** *f* mesurage; arpentage; métrage; dosage *m.*

ab≈montieren *tr* démonter; *itr aero arg* se rompre en vol.

ab≈mühen, *sich* se fatiguer, se donner du mal *od* de la peine, peiner (*mit* à).

ab≈murksen *tr pop* estourbir, zigouiller.

ab≈muster|n *tr mar (entlassen)* licencier; **A~ung** *f* licenciement *m.*

ab≈nagen *tr* enlever en rongeant, ronger.

ab≈näh|en *tr (Naht)* piquer; *die Taille* ~~ diminuer la taille; **A~er** *m (am Kleid)* pince *f.*

Abnahme *f (Wegnehmen, a. e-s Verbandes)* enlèvement *m; (e-s Siegels)* levée; *med (e-s Gliedes)* amputation, ablation *f; (Prüfung)* contrôle *m,* inspection; *(e-s Neubaus, e-r neuen Maschine)* réception; *(e-r Rechnung)* audition *f; (Kauf)* achat *m; fig (Kleinerwerden)* diminution *f; (Schwächerwerden)* affaiblissement, déclin; *(Verfall)* dépérissement; *(der Geschwindigkeit)* ralentissement *m; bei* ~ *von ... (com)* pour l'achat de ...; *(gute)* ~ *finden (com)* se vendre (bien); **~beamte(r)** *m* (agent) réceptionnaire *m;* **~fahrt** *f mot* essai *m* final sur route; **~prüfung** *f tech: (amtliche)* ~~ essai *m od* épreuve *f* (officiel, le) de réception; **~verweigerung** *f tech* refus *m* de réception.

abnehm|bar *a* détachable, démontable, amovible; **ab≈nehmen** *tr (Bild; tele: Hörer)* décrocher; *(Wäsche)* dépendre; *(Hut)* ôter; *(Brille, Verband)* enlever; *med (amputieren)* amputer, couper; *(Früchte)* cueillir;

(Siegel) lever; *(Ausweis, Fahrkarte)* retirer; *(wegnehmen)* prendre, enlever; *(durch List)* soutirer; *(entgegennehmen)* réceptionner; *(prüfen)* contrôler; *(e-n Neubau, e-e neue Maschine)* recevoir; *(e-e Rechnung)* examiner, vérifier; *(kaufen)* acheter, prendre; *itr (kleiner, kürzer werden)* diminuer *(a. Tage)*, être en retrait; *(schwächer werden)* baisser; *(Geschwulst)* (se) désenfler; *(Mond, Tage)* décroître; *(Mensch, Tier)* maigrir (*10 Pfund* de 10 livres); *(Kräfte)* s'affaiblir, décliner; *(verfallen)* dépérir; *den Bart ~* couper la barbe; *den Deckel von e-m Topf ~* découvrir un pot; *jdm e-n Eid ~* faire prêter serment à qn; *den Hut vor jdm ~ (a.)* se découvrir devant qn; *die Maschen ~ (beim Stricken)* diminuer les mailles; *die Maske ~* se démasquer; *jdm die Arbeit ~* décharger qn; *jdm e-e Sorge ~* délivrer qn d'un souci; *e-e (Truppen-)Parade ~* passer les troupes en revue; *jdm ein Versprechen ~* faire promettre qc à qn; *die Zeit ~ (sport)* chronométrer (*von etw* qc); *zuviel für etw ~ (com)* surfaire le prix de qc; **A~en** *n (Schwächer-, Kürzerwerden)* diminution *f*, décroissement; affaiblissement, déclin, dépérissement *m;* **~end** *a* diminuant; *(Mond)* décroissant; **A~er** *m com* acheteur, preneur *m*, partie *f* prenante; *(e-n) ~~ finden* trouver acheteur, se vendre; **A~erland** *n com* pays *m* acheteur.

Abneigung *f* éloignement *m*, aversion, antipathie (*gegen* pour); *(Widerwille)* répugnance, répulsion *f*, dégoût *m* (*gegen* pour); *aus ~ gegen (a.)* par haine de; *gegen jdn e-e ~ haben* éprouver de l'aversion *od* de l'antipathie pour qn, avoir qn en aversion.

abnorm [ap'nɔrm] *a* anormal; *(mißgestaltet)* monstrueux; **A~ität** *f* ‹-, -en› [-'tɛ:t] anomalie; monstruosité *f*.

ab=nötigen *tr (Geständnis, Versprechen, Unterschrift)* extorquer (*jdm etw* qc à qn); *jdm Achtung, Bewunderung ~* imposer du respect *od* de l'admiration à qn.

ab=nutz|en *tr* user; *sich ~~* s'user; **A~ung** *f* usure *f; (e-r Münze)* frai *m;* **A~ungskrieg** *m* guerre *f* d'usure; **A~ungsprobe** *f* essai *m* d'usure; **A~ungsstrategie** *f mil* stratégie *f* d'usure; **A~ungswert** *m* valeur *f* d'usure.

Abonn|ement *n* ‹-s, -s› [abɔn(ə)'mã(s)] *(Zeitung, theat)* abonnement *m* (*auf* à); *ein ~~ abschließen* s'abonner; *sein ~~ aufgeben* se désabonner; *das ~~ erneuern* se réabonner; *ein ~~ haben (theat)* être abonné; **~ementserneuerung** *f* réabonnement *m;* **~ent** *m* ‹-en, -en› [abɔ'nɛnt] abonné *m;* **~entenschwund** *m* désabonnement *m;* **a~ieren** *tr* abonner, s'abonner à.

ab=ordn|en *tr* déléguer; *parl* députer; **A~ung** *f* délégation; députation *f*.

Abort *m* ‹-(e)s, -e› ['ap'ɔrt] **1.** *(Klosett)* cabinets *od* lieux *m pl* (d'aisances), water-closet (W.-C.); *fam* water *m;* **~eimer** *m* tinette *f;* **~grube** *f* fosse *f* d'aisances.

Abort *m* ‹-s, -e› [a'bɔrt] **2.** *(Fehlgeburt)* avortement *m*, fausse couche *f*.

ab=passen *tr (jdn, Gelegenheit, Zeitpunkt)* attendre, guetter.

ab=pellen *tr* peler.

ab=pfeifen *tr sport: das Spiel ~* donner le signal de la fin du jeu; *loc: den Zug ~* donner le signal de départ du train.

ab=pflücken *tr* cueillir.

ab=placken, sich *(fam)* s'éreinter, s'échiner, s'esquinter.

ab=plagen, *sich = sich abquälen.*

ab=platt|en *tr* aplatir; **A~ung** *f* aplatissement *m*.

ab=platzen *itr* éclater, sauter.

Abprall *m* rebond(issement), rejaillissement; ricochet *m; (e-s Geschosses)* bricole *f;* **ab=prallen** *itr* (re)bondir, rejaillir (*an* sur); ricocher; *an ihm prallt alles ab* rien ne le touche.

ab=protzen *tr mil (Geschütz)* mettre en batterie.

ab=putzen *tr (Staub etc)* enlever; *(Gegenstand)* nettoyer; *(abwischen)* essuyer; *(Schuhe)* décrotter.

ab=quälen, *sich* se tourmenter, se torturer.

ab=rackern, *sich (fam)* se donner du mal *od* un mal de chien, s'éreinter, s'échiner, s'esquinter.

ab=rahmen *tr (Milch)* écrémer.

ab=rasieren *tr* raser.

ab=raten *tr* u. *itr: jdm (von) etw ~* déconseiller qc à qn, dissuader qn de qc.

Abraum *m* ‹-(e)s, ø› *mines (taube Deckschicht)* morts-terrains; *(Schutt)* décombres, déblais *m pl;* **~halde** *f* terril *m*.

ab=räumen *tr (Sachen vom Tisch)* enlever; *(den Tisch)* débarrasser, desservir; *(wegräumen, -schaffen; freimachen, -legen)* déblayer.

ab=rechn|en *tr (abziehen)* décompter, déduire; *com* défalquer; *(gegenea. ~~)* balancer, faire la balance de; *(Konto)* régler, liquider; *itr: mit jdm ~~ (a. fig)* régler ses comptes avec qn; **A~ung** *f (Abzug)* décompte *m*, déduction; *com* défalcation; *(Ausgleich)* balance *f*, bilan; *(Rechnungsabschluß)* règlement *m* de comptes *a. fig; (e-s Kontos)* liquidation *f; nach ~~ (gen)* après déduction de, déduction faite de; *e-e ~* ... *nach ~~ aller Unkosten* tous frais déduits; *in ~~ bringen* déduire; **A~ungsbank** *f* banque *f* de compensation *od* de clearing; **A~ungskurs** *m* cours *m* de clearing; **A~ungsstelle** *f* bureau *od* office *m* de compensation; **A~ungsverfahren** *n* mode *m* de règlement; *im ~~* par voie de clearing; **A~ungsverkehr** *m* clearing *m*.

Abrede *f (Abmachung)* convention *f*, accord *m; in ~ stellen (bestreiten)* mettre en doute, contester, démentir, disconvenir de; *e-e ~ treffen* tomber d'accord, se concerter; *das ist gegen die ~* ce n'est pas convenu; **ab=reden** *tr (vereinbaren)* convenir de; *jdm von etw ~ = abraten.*

ab=reib|en *tr (Schmutz, Farbe)* enlever en frottant; *(Gegenstand)* frotter, frictionner; **A~ung** *f* frottement *m*, friction; *fig pop (Tracht Prügel)* raclée, rossée, trempe *f*.

Abreise *f* départ *m* (*nach* pour); *bei meiner ~* à mon départ; **ab=reisen** *itr* partir (*nach* pour); se mettre en route; *im Begriff sein abzureisen* être sur le départ; *(wieder) ~ nach* (re)prendre le chemin de.

ab=reiß|en *tr* arracher; *(durchreißen)* rompre, casser; *(Gebäude)* démolir; *itr (zerreißen)* se rompre, se casser; *nicht ~~ (fam: nicht aufhören)* n'en finir jamais; **A~hebel** *m mot* doigt *m* de contact; **A~kalender** *m* calendrier *m* à effeuiller, éphéméride *f;* **A~zündung** *f mot* allumage *m* par rupture.

ab=reiten *itr* partir (à cheval); *tr (die Front)* passer (en revue) à cheval.

ab=rennen *sich* s'épuiser à force de courir; *sich die Beine nach etw ~ (fam)* courir à toutes jambes pour rattraper qc.

ab=richt|en *tr (Tier)* dresser; *(Pferd)* entraîner; *tech (passend machen)* ajuster; *(schlichten)* aplanir, dresser; **A~er** *m (Dresseur)* dresseur *m;* **A~ung** *f* dressage; entraînement; ajustage *m*.

Abrieb *m* ‹-(e)s, ø› *tech* usure *f*.

ab=riegel|n *tr* verrouiller *a. mil;* fermer au verrou; *(Straße)* barr(icad)er; *mil* barrer; *(Einbruchstelle)* colmater; **A~ung** *f* verrouillage; barrage; encagement; colmatage *m;* **A~ungsfeuer** *n mil* tir *m* d'encagement *od* de barrage.

ab=ringen *tr: jdm etw ~* arracher qc à qn (en luttant).

Abriß *m (Skizze)* esquisse, ébauche *f; (kurze Darstellung)* abrégé, précis *m*.

ab=rollen *tr* dérouler, dévider; *(abtransportieren)* camionner; *itr (Fahrzeug)* partir; *fig (Ereignis)* se dérouler; *sich ~* se dérouler; **A~** *n* déroulement; camionnage *m; (Fahrzeug)* dérive *f*.

ab=rücken *tr (Möbel)* écarter, éloigner; *itr* (se) reculer, se retirer (*von* de); *mil* partir (*nach* pour); *pop (abhauen)* filer, se débiner; *fig* s'écarter, s'éloigner, se distancer (*von jdm, von etw* de qn, de qc).

Abruf *m* appel *m; auf ~* sur appel; **ab=rufen** *tr* rappeler; *(die Stunden)* crier; *loc* annoncer le départ de; *com* faire venir.

ab=rund|en *tr (Zahl)* arrondir; *s. a. abgerundet;* **A~ung** *f* arrondissement; *tech* chantournement; délardement *m*.

abrupt [ap'rupt, a'brupt] *a (zs.hanglos; plötzlich)* abrupt, brusque, soudain.

ab=rüst|en *tr* u. *itr mil* désarmer; **A~ung** *f* désarmement *m; kontrollierte ~~* désarmement *m* contrôlé; **A~ungsfrage** *f* problème *m* du désarmement; **A~ungskonferenz** *f* conférence *f* du désarmement.

ab=rutschen *itr* glisser; *mot aero* déraper; *aero* glisser sur l'aile; **A~** *n* dérapage *m;* glissade *f*.

ab≈säbeln *tr fam* couper maladroitement.

ab≈sacken *itr (sich senken)* s'enfoncer, s'affaisser; *(sinken)* couler, sombrer; *aero* faire une abattée; **A~** *n* abattée *f*.

Absage *f* refus *m; e-e ~ erteilen* refuser; **~brief** *m* lettre *f* de refus; **ab≈sagen** *tr (rückgängig machen)* révoquer; *(abbestellen)* décommander, contremander; *theat* remettre; *itr* refuser; *s-m Glauben ~* abjurer *od* renier sa foi.

ab≈sägen *tr* couper avec une scie, scier; *fig fam mil pol* débarquer, dégommer, limoger.

ab≈satteln *tr (Reitpferd)* desseller; *(Lasttier)* débâter.

Absatz *m (im Gelände)* terrasse; *(an e-r Böschung)* berme *f; (Mauer~)* recoupement; *(Treppen~)* palier; *(Schuh~)* talon; *(Schrift, Druck)* alinéa, paragraphe; *(Verkauf)* écoulement, placement, débit *m*, vente *f;* volume *m* des ventes; chiffre *m* d'affaires; *~ finden (com)* se vendre, se placer, trouver un débouché; *guten ~ finden* se vendre bien, avoir un bon débit, être d'un placement facile; *reißenden ~ finden* s'enlever; *die Absätze schieftreten* éculer les talons; *e-n ~ machen (beim Schreiben)* aller à la ligne; *~! (beim Diktat)* alinéa! à la ligne! **~gebiet** *n*, **~markt** *m* débouché, marché *m; e-n ~markt erschließen* ouvrir un débouché; *neue ~märkte erschließen* créer de nouveaux débouchés; *die ~märkte erweitern* multiplier les débouchés; **~krise** *f* crise *f* de vente; **~menge** *f* volume *m* des ventes; **~möglichkeit** *f* possibilité *f* d'écoulement *od* de vente; **~steigerung** *f* promotion *f* de vente; **a~weise** *adv (lesen)* par alinéas.

ab≈saufen *itr fam mar* couler bas; *aero arg* faire une abattée.

ab≈saug|en *tr (Teppich etc)* aspirer; **A~en** *n tech* aspiration *f;* **A~gerät** *n tech* aspirateur *m*.

ab≈schab|en *tr* gratter, racler, ratisser; *tech (Häute)* drayer; **A~sel** *n* raclure, ratissure; *(Gerberei)* drayure *f*.

ab≈schaff|en *tr (aufheben)* abolir, supprimer; *(Gesetz)* abroger; *(Mißbrauch)* supprimer, réformer; *(Hund, Telefon etc)* se défaire de, se débarrasser de; **A~ung** *f* abolition; suppression; réformation; abrogation *f*.

ab≈schälen *tr (Obst)* peler; *(Baum)* écorcer, décortiquer; *sich ~* se peler.

ab≈schalt|en *tr el (Strom)* couper, interrompre; *(e-n Zweig)* débrancher; *(ein Gerät ausschalten)* mettre hors circuit, fermer; *tech (Maschine)* débrayer, désaccoupler; *itr fig fam: abgeschaltet haben* ne plus faire attention, *fam* décrocher; **A~er** *m el* coupe-circuit, interrupteur, disjoncteur *m;* **A~ung** *f el* coupure; mise *f* hors circuit; *tech* débrayage *m*.

abschätz|bar *a* évaluable; **ab≈schätzen** *tr (mit den Augen)* estimer, mesurer des yeux; *(berechnend)* évaluer, taxer, priser; *jur (Verkaufswert)* expertiser; *den Schaden ~* faire l'expertise des dégâts; **A~er** *m* taxateur; *(vereidigter)* commissaire-priseur *m;* **~ig** *adv: von jdm ~~ sprechen* médire de qn; **A~ung** *f* estimation; évaluation, taxation; *jur* ventilation *f; ~~ des Schadens* expertise *f* des dégâts.

ab≈schaufeln *tr* enlever à la pelle.

Abschaum *m* ‹-(e)s, ø› écume *a. fig; tech* crasse *f; fig* rebut *m; der ~ der Menschheit* la lie du genre humain.

ab≈schäumen *tr* écumer; *tech* décrasser.

ab≈scheid|en *tr chem* séparer, isoler; *physiol* sécréter; *sich ~~ (chem)* se séparer; **A~en** *n* décès, trépas *m;* **A~ung** *f chem* séparation; *(Niederschlag)* précipitation *f;* dépôt *m; physiol* sécrétion *f*.

ab≈scheren *tr* couper, tondre, raser; *tech* cisailler.

Abscheu *m* ‹-(e)s, ø› détestation, exécration *f; (Ekel)* dégoût *m; (Abneigung)* aversion, répugnance, répulsion *f; vor jdm, vor etw ~ empfinden* avoir qn, qc en horreur; avoir *od* éprouver du dégoût pour qn, pour qc; *~ erregen* faire horreur; **a~lich** *a* détestable, exécrable, abominable; dégoûtant; horrible, atroce, affreux; répugnant, repoussant; *wie ~~!* quelle horreur! **~lichkeit** *f* abomination, horreur, atrocité *f*.

ab≈scheuern *tr* (r)écurer; *(sich) ~ (Stoff)* (s')user (par frottement).

ab≈schicken *tr* envoyer, expédier.

ab≈schieben *tr (wegschicken)* renvoyer, chasser; *(unerwünschte Ausländer)* expulser; *(Schuld, Verantwortung)* refuser, repousser; *etw von sich ~ (fig)* se disculper de qc; *itr fam = abhauen (itr)*.

Abschied *m* ‹-(e)s, -(e)› ['apʃi:t(s), -dəs] départ *m*, adieux *m pl; (Ausscheiden aus dem Amt)* congé *m*, retraite *f; s-n ~ einreichen* demander sa retraite; *jdm den ~ geben* mettre qn à la retraite; *von jdm ~ nehmen* faire ses adieux à qn, prendre congé de qn; *s-n ~ nehmen* prendre sa retraite, donner sa démission, démissionner; *bes. mil* quitter le service; *französischen ~ nehmen* filer à l'anglaise; **~saudienz** *f* audience *f* de départ; **~sbesuch** *m* visite *f* d'adieux; **~sbrief** *m* lettre *f* d'adieux; **~sessen** *n* dîner *m* d'adieux; **~sfeier** *f* fête *f* d'adieux; **~sgesuch** *n* demande *f* de mise à la retraite; **~skuß** *m* baiser *m* d'adieux; **~srede** *f* discours *m* d'adieux; **~sstunde** *f* heure *f* du départ; **~sworte** *n pl* paroles *f pl* d'adieux.

ab≈schießen *tr (Vogel)* abattre; *(Flugzeug)* abattre, descendre; *(Pfeil)* décocher; *(Geschoß)* tirer; *(Gewehr)* décharger; *(Torpedo, Rakete)* lancer; *(Schuß)* tirer; *(Körperteil)* arracher d'un coup de feu; *den Vogel ~ (fig)* décrocher la timbale, *fam* avoir le pompon; *er hat den Vogel abgeschossen* à lui le pompon *fam*.

Abschilferung *f* ['apʃilfəruŋ] *med (Abschuppung)* exfoliation *f*.

ab≈schinden, *sich (fam) = sich abrackern*.

ab≈schirm|en *tr (Licht)* tamiser; *el* blinder; *radio (gegen Nebengeräusche)* antiparasiter; *TV* mettre sous écran; *gegenea. ~~ (TV)* faire écran (entre ...); **A~ung** *f el* blindage; *radio* antiparasitage *m; TV* mise *f* sous écran.

ab≈schirren *tr (Pferd)* déharnacher.

ab≈schlachten *tr (Tier)* tuer, abattre; *pej* égorger; *(niedermetzeln)* massacrer.

Abschlag *m sport (Golf)* départ *m; com* diminution, réduction, déduction, remise *f; als ~ auf* à valoir sur; *auf ~ zahlen* payer par acomptes *od* par traites; **ab≈schlagen** *tr (abtrennen, a. den Kopf)* couper, trancher; *(Nüsse)* gauler; *(Gerüst)* démonter: *(Lager)* lever; *fig* refuser (*jdm etw* qc à qn); *(Bitte, Angriff)* repousser; *jdm den Kopf ~ (a.)* décapiter qn; *sein Wasser ~* uriner; *so etwas schlägt man nicht ab* cela ne se refuse pas, ce n'est pas de refus; **~szahlung** *f com* (paiement *m* par) acompte(s) *m;* paiements *m pl* échelonnés; *jährliche ~~* annuité *f*.

abschlägig *a: ~e Antwort f* réponse *f* négative, refus *m; adv: ~ bescheiden* rejeter; *~ beschieden werden* essuyer *od* éprouver *od* s'attirer un refus.

ab≈schleifen *tr (rauh schleifen)* dégrossir; *(abbimsen)* poncer; *(polieren)* polir; *(Diamanten)* égriser; *sich ~* se polir *a. fig; fig* se dégrossir.

Abschlepp|dienst *m mot* (service de) dépannage *m;* **ab≈schleppen** *tr (Fahrzeug)* remorquer, prendre à la remorque; *mot* dépanner; *sich ~* se fatiguer, *fam* s'échiner (en portant une charge); **~kran** *m* grue *f* de dépannage, camion-grue *m;* **~seil** *n* câble *m* de remorquage *od* de dépannage; **~wagen** *m* voiture *f od* camion *m* de dépannage, dépanneuse *f*.

ab≈schließ|en *tr (zuschließen)* fermer à clé, donner un tour de clé à; séparer (*von* de); isoler; *fig (beenden)* achever, terminer, finir; *(erledigen, bereinigen)* régler; *bes. com* clôturer; *(Debatte)* clore; *(Rechnung)* régler, balancer; *(Konto, die Bücher)* arrêter; *(eingehen, bes. Versicherung)* contracter; *(Vertrag)* conclure, passer; *itr (enden)* s'achever, se terminer; *sich ~~* s'enfermer, s'isoler; *mit e-m Fehlbetrag, Gewinn ~~* se solder par un déficit, bénéfice; *ein Geschäft ~~* conclure *od* faire un marché; *luftdicht ~~* fermer hermétiquement, sceller; *e-e Wette ~~* faire un pari; **~end** *a* définitif; *adv* pour finir, finalement, en conclusion, pour conclure; **A~ung** *f fig* isolement *m*, isolation, claustration *f*.

Abschluß *m com (der Bücher)* arrêté, bilan; *(e-s Geschäftes)* marché *m; jur (e-s Vertrags)* conclusion *f; zum ~* pour (en) finir, finalement; *zum ~ bringen* achever, terminer; *zum ~ kommen* s'achever, se terminer; *mit etw* en finir avec qc; *feste(r) ~ (com)* marché *m* ferme;

~bilanz *f* bilan *m* de clôture; **~buchung** *f* écriture *f* de clôture; **~klasse** *f (Schule)* classe *f* terminale; **~prüfung** *f* examen *m* de fin d'études; **~rechnung** *f* compte *m* définitif; **~ring** *m tech* anneau *m* obturateur; **~zahlung** *f* règlement *m* final; **~zeugnis** *n* certificat *m* de fin d'études.

ab=schmecken *tr (Speise)* goûter (*etw* qc, à qc).

ab=schmelzen *tr tech* séparer par la fusion, fuser.

ab=schmier|en *tr mot* faire un graissage général de, graisser; *fam (Schule: abschreiben)* copier; *itr aero fam* déraper; **A~en** *n* graissage; dérapage *m;* **A~grube** *f* fosse *f* de graissage.

ab=schminken *tr* enlever le fard (*jdn* à qn); démaquiller; *sich* ~ se démaquiller.

ab=schmirgeln *tr* frotter à l'émeri.

ab=schnallen *tr* déboucler; *itr mil* ôter son ceinturon.

ab=schnappen *tr fam (abfangen)* attraper, happer.

ab=schneiden *tr* (dé)couper, trancher; tronçonner; *fig (unterbinden)* couper; *itr: gut* ~ faire bonne figure, réussir, obtenir un bon résultat; *schlecht* ~ faire mauvaise figure; *(scheitern)* échouer; *jdm die Ehre* ~ flétrir l'honneur *od* la réputation de qn; *jdm den Rückzug* ~ couper la retraite à qn; *jdm den Weg* ~ *(sperren)* barrer le chemin à qn; *ein Stück Weg* ~ *(e-n Richtweg gehen)* raccourcir; *jdm das Wort* ~ couper la parole à qn.

Abschnitt *m (Teil)* section, division; tranche; *(Kontroll~)* souche *f; com* talon; *fin* coupon; *adm (der Lebensmittelkarte)* ticket; *math (Kreis~)* segment; *mil (Front~)* secteur; *(Verkehr: Teilstrecke)* étape *f; (Straße, loc: Bau~)* tronçon; *(Schriftstück, Buch)* passage *m; (Zeit~)* époque; *(Lebens~)* période *f;* **a~(s)weise** *adv* par sections; *mil* par secteurs, de secteur en secteur.

ab=schnür|en *tr (zs.drücken, a. tech)* étrangler; *med* ligaturer; **A~ung** *f* étranglement *m;* ligature *f.*

ab=schöpfen *tr (den Rahm)* écrémer *a. fig* (*von etw* qc); *(das Fett)* dégraisser (*von etw* qc); *(den Schaum)* écumer (*von etw* qc); *die überschüssige Kaufkraft* ~ éponger le pouvoir d'achat excédentaire.

ab=schräg|en *tr* tailler en biseau; *(Gelände)* taluter; *tech* biseauter, chanfreiner; **A~ung** *f tech* biseautage, chanfrein *m.*

ab=schrauben *tr* dévisser; *(Bolzen)* déboulonner.

ab=schreck|en *tr* effrayer, rebuter; *(entmutigen)* décourager (*von etw* de qc); *(Küche)* passer sous *od* à l'eau froide; *metal* tremper; *sich durch nichts* ~~ *lassen* n'avoir pas froid aux yeux, aller contre vent et marée; **~end** *a* effrayant, rebutant, repoussant; *~~e(s) Beispiel n* exemple *m* à ne pas suivre; **A~ung** *f* découragement *m; mil* dissuasion; *metal* trempe *f;* **A~ungsmacht** *f mil (französ.)* force *f* de frappe; **A~ung(smittel n)** *f* épouvantail *m;* **A~ungsstreitmacht** *f* force *f* de dissuasion; **A~ungswaffe** *f* arme *f* (atomique) de dissuasion *od* de dissuasion (nucléaire).

ab=schreib|en *tr* copier (*von* sur); *(ins reine schreiben)* écrire *od* mettre au propre; *(übertragen)* transcrire; *(plagiieren)* plagier; *(Schule)* copier, tuyauter; *(abziehen, -rechnen)* déduire, décompter; *com* imputer (*von* sur); *fin (tilgen)* amortir; *fig (nicht mehr rechnen mit)* ne plus compter sur; *itr (sich entschuldigen)* s'excuser; **A~er** *m* copiste; *(Plagiator)* plagiaire *m;* **A~ung** *f* consommation *f* de capital fixe; *pl* amortissements *m pl* fiscaux; *(Anrechnung)* imputation *f; com fin (Wertminderung)* amortissement *m* (pour usure); **A~ungsfonds** *m* fonds *m* d'amortissement; **A~ungssatz** *m* taux *m* d'amortissement.

ab=schreiten *tr (messend)* mesurer au pas, arpenter; *mil (die Front)* passer en revue.

Abschrift *f* copie; *(Übertragung)* transcription *f; für die Richtigkeit der* ~ pour copie conforme; *e-e amtliche* ~ *von etw machen* grossoyer qc; *amtliche* ~ grosse *f; beglaubigte* ~ copie *f* certifiée conforme; *gleichlautende* ~ *(jur)* ampliation *f;* **a~lich** *a* copié; *adv* en copie.

ab=schroten *tr tech* trancher.

ab=schrubben *tr* récurer.

ab=schuften, *sich (fam)* = *sich abrackern.*

ab=schuppen *tr (Fisch)* écailler; *sich* ~ s'écailler; *med* se desquamer.

ab=schürf|en *tr (die Haut)* érafler; *(stärker)* écorcher; **A~ung** *f* éraflure, écorchure *f.*

Abschuß *m (Schuß)* décharge *f; (Starten e-s Torpedos, e-r Rakete)* lancement *m; (Zerstörung e-s Panzers, e-s Flugzeugs)* destruction *f;* **~basis** *f,* **~rampe** *f (für Raketen)* base *od* rampe *f* de lancement; **~stelle** *f (für Raketen)* point *m* de lancement; **~zahl** *f* nombre *m* de chars détruits *(Panzer),* d'avions abattus *(Flugzeuge).*

abschüssig ['ap-ʃʏsɪç] *a* escarpé, abrupt, déclive; **A~keit** *f* déclivité *f.*

ab=schütteln *tr (Obst)* faire tomber; *a. fig (das Joch)* secouer; *(aufdringlichen Menschen)* se débarrasser de, *pop* semer.

ab=schwäch|en *tr* affaiblir, diminuer; *(Stoß, Geräusch, Farbe)* amortir; *(Ausdruck, Behauptung)* atténuer, modérer; *jur (Strafe)* mitiger; *sich* ~~ (s'af)faiblir; **A~er** *m phot* affaiblisseur *m;* **A~ung** *f* affaiblissement *m, a. phot;* diminution *f;* amortissement *m;* atténuation, modération; mitigation *f.*

ab=schwatzen *tr: jdm etw* ~ obtenir qc de qn par des flatteries.

ab=schweif|en *itr* dévier, *a. fig* s'éloigner (*von* de); *fig* s'écarter (*von* de); *(in der Rede) vom Gegenstand* ~~ s'éloigner *od* s'écarter du sujet, sortir de la question, digresser, divaguer, battre la campagne; *weit* ~~ se perdre dans le lointain; **A~ung** *f fig* digression, divagation *f.*

ab=schweißen *tr tech* dessouder.

ab=schwellen *itr (Geräusch)* faiblir, diminuer; *med* désenfler.

ab=schwenken *itr* changer de direction; *mil* faire une conversion; *links, rechts* ~ obliquer à gauche, à droite; *vom Weg* ~ quitter la route.

ab=schwör|en *tr jur* abjurer; *itr rel* abjurer, renier (*s-m Glauben* sa foi); **A~ung** *f* abjuration *f.*

Abschwung *m com* contraction, dépression *f.*

ab=segeln *itr* mettre à la voile, appareiller, partir.

abseh|bar *a (vorauszusehend)* prévisible; *in ~~er Zeit* dans un proche avenir; *nicht* ~~ *(Folgen)* imprévisible; **ab=sehen** *tr* = *abgucken; (voraussehen)* prévoir; *es auf jdn, etw abgesehen haben* viser à qn, à qc; avoir qn, qc en vue *od* des visées sur qn, sur qc; *itr (Schüler)* = *abgucken; von etw* ~~ faire abstraction de qc; *(auf etw verzichten)* renoncer à qc; *jdm etw an den Augen* ~~ lire qc dans les yeux de qn; *es ist noch kein Ende abzusehen* on ne peut pas encore en prévoir l'issue.

ab=seifen *tr* savonner.

ab=seilen *tr sport* descendre à la corde, décorder; *sich* ~ se décorder.

ab=sein *itr* être détaché *od* parti; *fam (abgespannt sein)* être à plat *od* fatigué.

Abseit|e *f (Stoffrückseite)* envers *m;* **a~ig** *a fig* exceptionnel, hors du commun; **a~s** *adv* à l'écart; *sport* hors-jeu; *sich* ~~ *halten* se tenir à l'écart; **~sstellung** *f sport* hors-jeu *m.*

ab=send|en *tr* envoyer, expédier; **A~er** *m* expéditeur *m; zurück an* ~~ retour à l'expéditeur; **A~ung** *f* envoi *m,* expédition *f.*

ab=sengen *tr* flamber, roussir.

ab=senk|en *tr agr (durch Senker vermehren)* marcotter; *(Reben)* provigner; *mines* foncer; **A~er** *m* marcotte *f; (Rebe)* provin *m.*

ab=servieren *tr* desservir; *fig fam (ausbooten)* débarquer, *pol* limoger.

absetz|bar *a (Beamter)* amovible, révocable; *(Betrag)* déductible; *(Ware)* vendable; **A~bewegung** *f mil* mouvement *m* de repli; **ab=setzen** *tr* déposer, mettre à terre; *(Trinkglas, Gewehr)* reposer; *(Pferd den Reiter)* démonter; *aero (abwerfen)* larguer; *(Hut)* ôter; *(abrücken)* écarter; *(Tiere entwöhnen)* sevrer; *typ* composer; *tele (Meldung)* émettre; *(Beamten)* destituer, révoquer, suspendre, mettre à pied; *(Monarchen)* déposer, détrôner; *(von der Tagesordnung, vom Haushaltsplan)* rayer; *theat (vom Spielplan)* remettre; *(abziehen, -rechnen)* déduire, décompter, défalquer (*von* de); *(verkaufen)* écouler, vendre; *itr (e-e Pause machen)* s'interrompre, s'arrêter, faire une pause; *sich* ~ *(chem)* se déposer; *mil* se replier, décrocher, se retirer; *ohne abzusetzen* d'un(e) trait(e), d'une haleine; *sich leicht, schwer ~ (verkaufen) lassen* s'écouler rapidement, lentement; **A~ung** *f* déposition *f;* sevrage *m; typ* composition; destitution, révocation; suspension *f;* détrônement *m; theat* remise; déduction *f,* décompte *m,* défalcation *f.*

Absicht *f* ‹-, -en› intention *f; (Vorhaben)* dessein; projet; *(Ziel)* but *m; in der ~ zu...* dans le but *od* dessein de ...; *in der besten ~* avec les meilleures intentions; *in böser ~* dans une mauvaise intention; *in welcher ~?* pour quel motif? *mit ~* à dessein, intentionnellement; *mit (voller) ~* de propos délibéré, délibérément; *ohne ~* sans dessein; *auf etw ~en haben* avoir des visées *od* des projets sur qc; *keine böse ~ haben (a.)* être pur d'intention; *e-e ~ verfolgen* poursuivre un but; *das lag nicht in meiner* od *war nicht meine ~* je ne l'ai pas fait exprès; *gewinnsüchtige ~ (jur)* intention *f* de lucre; *verbrecherische ~* intention *f* criminelle; **a~lich** *a* intentionnel, volontaire, fait à dessein; *adv* exprès, intentionnellement; **~lichkeit** *f (e-r Handlung)* caractère *m* intentionnel; **a~slos** *a* u. *adv* sans intention, sans dessein, sans motif; **~slosigkeit** *f* inintention *f.*

Absingen *n: unter ~ (gen)* en chantant *acc.*

ab≈sinken *itr (geringer werden)* baisser, diminuer; *(nachlassen, schlechter werden)* perdre.

Absinth *m* ‹-(e)s, -e› [ap'zɪnt] absinthe *f; ein (Glas) ~* une verte *pop.*

ab≈sitzen *itr (vom Pferd)* descendre de cheval; *tr fam (e-e Strafe)* purger.

absol|ut [apzo'lu:t] *a* absolu; *adv* absolument; *~~ nicht (fam)* pas le moins du monde; *~~ nichts (fam)* rien du tout; **A~ution** *rel* absolution, rémission *f; jdm ~~ erteilen* absoudre qn; **A~utismus** *m* ‹-, ø› [-'tɪs-] *pol* absolutisme *m;* **~utistisch** *a* absolutiste; **A~vent** *m* ‹en, -en› [-'vɛnt] ancien élève *m; ~~ der ... schule sein (a.)* avoir fait ses études à l'école ...; **~vieren** [-'vi:-] *tr (lossprechen)* absoudre; *(Schule)* achever, terminer.

absonder|lich [ap'zɔn-] *a* singulier, étrange, curieux, bizarre, fantasque; **A~lichkeit** *f* singularité, étrangeté, bizarrerie *f;* **ab≈sondern** *tr* isoler; séparer (*von* de); *chem (ausscheiden)* dégager; *physiol* sécréter, excréter; *sich ~~* s'isoler, se séparer (*von* de); **A~ung** *f* isolement *m,* séparation *f;* dégagement *m; physiol* sécrétion, excrétion *f; übermäßige ~~ (physiol)* hypersécrétion *f.*

absor|bieren [apzɔr'bi:rən] *tr* absorber; **A~ption** *f* absorption *f;* **A~ptionsvermögen** *n* puissance *f* d'absorption.

ab≈spalten *tr* fendre; détacher *a. scient; sich ~ (von e-r Gruppe)* se détacher (*von* de).

ab≈spann|en *tr (Zugtier)* dételer; **A~isolator** *m* isolateur *m* d'arrêt; **A~mast** *m (für elektr. Leitungen)* poteau *m* de support; **A~ung** *f el* arrêt *m.*

ab≈sparen *tr: sich etw vom Munde ~* s'ôter qc de la bouche, se priver pour avoir qc.

ab≈speisen *tr fig: jdn mit leeren Worten ~* payer qn de belles paroles.

abspenstig *a: ~ machen* détourner; *(Arbeiter)* débaucher.

ab≈sperr|en *tr (Straße)* barrer; *(Hafen)* bloquer; *el (Strom)* couper; *(zuschließen)* fermer (à clé); **A~hahn** *m tech* robinet *m* d'arrêt; **A~schieber** *m tech* vanne *f* d'arrêt; **A~ung** *f* barrage; blocage; *(Unterbrechung)* arrêt *m;* **A~ventil** *n tech* soupape *f* d'arrêt.

ab≈spielen *tr (Schallplatte, Band)* jouer; *mus* déchiffrer; *sich ~ (sich ereignen)* se dérouler, se passer, avoir lieu.

ab≈splittern *itr* se détacher par éclats; *fig (Gruppe)* se détacher.

Absprache *f* accord *m,* convention; *jur* stipulation *f.*

ab≈sprechen *tr* convenir (*etw mit jdm* de qc avec qn); *jur (vereinbaren)* stipuler; *jdm etw* contester, dénier qc à qn; *(verweigern)* refuser qc à qn; *jur (enteignen)* déposséder qn de qc; *sich ~* se donner le mot; **~d** *a (geringschätzig)* tranchant, cassant; *(Urteil)* défavorable; *adv* défavorablement.

ab≈springen *itr* sauter (à *od* en bas); *aero* sauter en parachute; *sport (vom Boden)* prendre son élan; *(abprallen)* rebondir; *(Lack, Farbe)* tomber par écailles; *fig (vom Thema, von s-m Beruf)* changer (*von* de); *von e-r Partei ~* quitter *od* abandonner *od* déserter un parti.

ab≈spritzen *tr allg* asperger; *(Auto)* laver.

Absprung *m* saut; *(mit dem Fallschirm)* saut *m od* descente *f* (en parachute); *sport* départ *m.*

ab≈spulen *tr* débobiner, dévider.

ab≈spülen *tr* rincer, laver; *itr* faire la vaisselle.

ab≈stamm|en *itr* descendre, sortir (*von* de); *(sprachlich)* dériver, être dérivé, (pro)venir (*von* de); **A~ung** *f* descendance, extraction, filiation; *(Ursprung)* origine; *gram* dérivation, provenance, origine, étymologie *f;* **A~ungslehre** *f biol* théorie *f* de la descendance.

Abstand *m (räuml.)* écart; *(räuml. u. zeitl.)* espace *m,* distance *f,* intervalle; *tech* écartement *m; fig (Unterschied)* différence *f; (Gegensatz)* contraste *m; (~ssumme)* indemnité *f; (Reugeld)* dédit, forfait; *fig (innerer ~)* recul *m; in gewissen Abständen* de distance en distance; *in gleichem ~* à distances égales; *in regelmäßigen Abständen* à intervalles réguliers; *mit ~ (bei weitem)* de beaucoup; *~ halten (mil)* observer les distances; *zu jdm ~ halten (fig)* se montrer réservé envers qn, tenir qn à distance; *~ nehmen (sport)* prendre ses distances; *von etw ~ nehmen (fig)* s'abstenir de qc, renoncer à qc, se désister de qc; *bes. jur* se départir de qc.

ab≈statten *tr: jdm e-n Besuch ~* faire une *od* rendre visite à qn; *jdm s-n Dank ~* exprimer *od* présenter ses remerciements à qn.

ab≈stauben *tr* épousseter; *arg (in s-n Besitz bringen)* entôler; **A~** *n* époussetage *m.*

ab≈stäuben *tr dial* épousseter.

ab≈stech|en *tr (Rasen, Torf)* couper; *(Schlachttier)* saigner, *(Muster, Zeichnung)* pointiller; *tech (den Hochofen)* faire couler; *(auf der Drehbank)* décolleter; *itr: gegen* od *von etw ~~* contraster, jurer avec qc, se heurter contre qc; *(bes. von Farben)* trancher sur qc; **A~er** *m (kleiner Zwischenausflug)* crochet *m; fig (Abschweifung)* digression *f.*

ab≈steck|en *tr (abgrenzen)* délimiter *a. sport; (Baulinie festlegen)* tracer; *(mit Fähnchen* od *Fluchtstäben)* jalonner; *(Kleid)* épingler; **A~en** *n* délimitation *f;* traçage; jalonnement *m;* **A~fähnchen** *n* fanion *m* de jalonnement; **A~leine** *f* corde *f* à tracer.

ab≈stehen *itr* être distant *od* écarté (*von* de); *(vorspringen)* être en *od* faire saillie; *(schal werden)* s'éventer; *sich die Beine ~* faire le pied de grue; *fig: von etw ~* renoncer à qc, se désister, démordre, *bes. jur* se départir de qc; *~de Ohren n pl* oreilles *f pl* écartées *od* décollées.

ab≈steifen *tr (abstützen)* étayer, *bes. mines* étançonner; *(verstreben)* entretoiser; *arch (mit Strebepfeilern)* arc-bouter.

ab≈steig|en *itr (vom Pferd, Rad)* descendre, mettre pied à terre; *(in e-m Hotel)* descendre; **~end** *a (fig)* descendant; *auf dem ~~en Ast* en perte de vitesse; *die ~~e Tonleiter singen* od *spielen* descendre la gamme; *~~e Linie f* ligne *f* descendante; **A~equartier** *n* pied-à-terre, hôtel *m* garni; *(Stundenhotel)* maison *f* de passe *od* de rendez-vous.

Abstell|bahnhof *m* gare *f* de remisage; **ab≈stellen** *tr (abrücken)* écarter, éloigner; *(absetzen, hinstellen)* déposer, mettre à terre; *(Fahrzeug parken, a. loc)* garer; *(Leitung, Versorgungsnetz sperren)* couper; *(außer Betrieb setzen)* mettre hors service, arrêter, stopper; *(abschalten a.)* fermer; *fig (unterbinden, aufheben)* supprimer, abroger; *(Mißbrauch)* réformer, redresser; **~gleis** *n loc* u. *fig* voie *f* de garage; **~raum** *m* (cabinet de) débarras *m; mot* zone *f* de parking.

ab≈stempel|n *tr* timbrer, estampiller; *(Briefmarke)* oblitérer; *(Edelmetall)* poinçonner; *fig (bezeichnen)* qualifier (*als* de); **A~ung** *f* timbrage, estampillage *m;* oblitération *f;* poinçonnage *m; fig* qualification *f* (*als* de).

ab≈steppen *tr* piquer.

ab≈sterben *itr allg* s'éteindre; *bot* se faner, se dessécher, se flétrir; *med* se nécroser; **A~** *n med* nécrose *f.*

Abstich *m* perçage *m,* percée; *(Hochofen)* coulée *f.*

Abstieg *m* descente *f; fig* déclin *m,* décadence *f.*

Abstimm|bereich *m radio* gamme *f* d'accord; **ab≈stimmen** *tr* (*Musikinstrument* u. *fig)* accorder, mettre d'accord (*auf* avec); *(aufea.)* harmoniser, mettre en harmonie; *(Farben)* assortir, marier; *tech* synchroniser; *radio* régler, faire la syntonisation de; *etw mit jdm* ~ convenir de qc avec qn; *itr* voter (*über etw* qc); *durch Aufstehen* ~ voter par assis et levé; *geheim* ~ voter au scrutin secret; *durch Handaufheben* ~ voter à main levée; *namentlich* ~ voter par appel nominal; *durch Zuruf* ~ voter par acclamations; *über etw* ~ *lassen* mettre qc aux voix; *aufea. abgestimmt sein (mus* u. *fig)* s'accorder; **~ende(r)** *m* votant *m;* **~knopf** *m radio* bouton d'accord *od* de syntonisation, syntonisateur *m;* **~kreis** *m radio* circuit *m* d'accord; **~schärfe** *f radio* sélectivité *f;* **~skala** *f radio* cadran *m* d'accord; **~spule** *f radio* bobine *f* d'accord *od* de syntonisation; **~ung** *f* accord(age) *m;* harmonisation, mise *f* en harmonie; *radio* accordage *m (a. TV),* syntonisation *f,* réglage; *(Wahl)* vote; *(geheime)* scrutin; *(Volks~~)* plébiscite, référendum *m; in öffentlicher, geheimer ~~* par un scrutin public, secret; *zur ~~ schreiten* passer aux voix; *~~ durch Aufstehen* vote *m* par assis et levé; *geheime ~~* scrutin *m* secret; *~~ durch Handaufheben* vote *m* à main levée; *namentliche ~~* vote *m* par appel nominal; *öffentliche ~~* vote *m* au scrutin public; *~~ durch Stimmzettel* vote *m* par bulletins; *~~ durch Zuruf* vote *m* par acclamations; **~ungsergebnis** *n* résultat *m* du vote; **~ungsgebiet** *n* territoire *od* district *m* plébiscitaire; **~ungsverfahren** *n* mode *m* de scrutin.

abstinen|t [apsti'nεnt] *a* abstinent; **A~z** [-'nεnts] *f* abstinence *f;* **A~zler** *m* abstinent *m.*

ab≈stoppen *tr* stopper, arrêter; *(die Zeit)* chronométrer; *itr* s'arrêter.

Abstoß *m sport* coup *m* (d'envoi); **ab≈stoßen** *tr, a. fig* repousser; *(Ball, loc: Wagen)* lancer; *(Boot vom Ufer)* éloigner; *e-r S die Ecken* ~ écorner qc; *(schnell u. billig verkaufen)* solder; *fig* rebuter, répugner à, dégoûter, écœurer; *itr mar: vom Lande* ~ démarrer, prendre le large; *sich die Hörner* ~ *(fig)* jeter sa gourme; **a~end** *a fig* repoussant, rebutant, répugnant, dégoûtant, écœurant; *~~ wirken* être repoussant *od* rebutant; **~ung** *f el* répulsion *f.*

ab≈stottern *tr fam (Schuld)* payer par acomptes *od* à tempérament.

abstra|hieren [apstra'hi:rən] *tr (zum Begriff erheben)* abstraire; **~kt** [-'strakt] *a* abstrait; *~~e Kunst f* art abstrait, abstractionnisme *m;* **A~ktion** *f* abstraction *f;* **A~ktionsvermögen** *n* pouvoir *m* d'abstraction.

ab≈streich|en *tr (wegstreichen)* ôter *od* enlever en raclant; *(sauber kratzen) (Felle)* racler; *(Schuhe)* décrotter; *(Klinge schärfen)* repasser; *(nach Beute absuchen)* battre; *(von e-r Rechnung absetzen)* déduire; *itr (wegfliegen)* s'envoler; **A~er** *m (Sache)* décrottoir; *tech* racloir, grattoir *m.*

ab≈streifen *tr (Asche von der Zigarre* od *Zigarette)* faire tomber; *(Beeren)* cueillir; *(Kleidungsstück ausziehen)* ôter, dépouiller; *fig (Vorurteil ablegen)* se débarrasser, se défaire de; *s-e Fesseln* ~ *(fig)* secouer son joug.

ab≈streiten *tr* contester; *(leugnen)* (dé)nier; *ich streite es nicht ab* je ne dis pas le contraire.

Abstrich *m fin* déduction, réduction, diminution *f; med* frottis *m.*

abstrus [ap'stru:s] *a (verworren)* abstrus, confus.

ab≈stuf|en *tr (stufenförmig anordnen)* mettre en gradins, étager; *fig* graduer; *(Farben)* dégrader; **A~ung** *f* étagement *m;* grad(u)ation; dégradation *f.*

ab≈stumpfen *tr math arch* tronquer; *fig* engourdir, hébéter, rendre indifférent; *(Gefühl)* affaiblir; *die Gefühle* ~ dessécher le cœur.

Absturz *m* chute *f, a. aero; zum* ~ *bringen (aero)* descendre, abattre; **~stelle** *f aero* point *m* de chute.

ab≈stürzen *itr* tomber (d'en haut); faire une chute *a. aero; (Bergsteiger) a.* dérocher, *fam* dévisser; *aero* s'abattre; *(~ u. zerschellen)* s'écraser; *brennend* ~ *(aero)* s'abattre en flammes.

ab≈stützen *tr* étayer, *bes. mines* étançonner; *(Baum)* tuteurer.

ab≈suchen *tr* fouiller, chercher dans; *(mit Scheinwerfer* od *Radargerät)* balayer; *(mil, Polizei: durchkämmen)* ratisser.

Absud *m* ‹-(e)s, -e› ['apzu:t, -'-, -də] *chem pharm* décoction *f.*

absurd [ap'zurt] *a* absurde; **A~ität** [-'tε:t] *f* absurdité *f.*

Abszeß *m* ‹-sses, -sse› [aps'tsεs] *med* abcès *m.*

Abszisse *f math* abscisse *f.*

Abt *m* abbé, prieur *m;* **~ei** *f* abbaye *f.*

ab≈takeln *tr mar* désarmer, dégréer.

ab≈tast|en *tr* tâter, palper; *radio* balayer; *TV* lire; *fig* sonder; **A~er** *m TV* explorateur *m;* **A~fleck** *m TV* spot *m* d'exporation; **A~ung** *f radio* balayage *m; TV* exploration *f.*

Abteil *n loc* compartiment *m;* **ab≈teilen** *tr (einteilen)* diviser, partager; *(durch Zwischenwände)* cloisonner; *(trennen)* partager, séparer; **~ung** ['---] *f* **1.** *(Einteilung)* division; *(Trennung)* séparation *f;* [-'--] **2.** *(Teil)* partie, division; *(Serie)* série; *adm* département *m; com* section, branche *f, (bes. Warenhaus)* rayon; *(Dienststelle)* service; *mil allg* détachement; *(Gruppe)* groupe; *(in bestimmten Truppenteilen)* bataillon *m; ganze ~~ — kehrt! (mil)* demi-tour à droite! *schnelle ~~ (mil)* groupe *m* mobile; **~ungsfeuer** *n mil* tir *m* de groupe; **~ungskommandeur** *m mil* commandant *m* de groupe; **~ungsleiter** *m* chef *m* de section *od* de département *od* de rayon; **~ungsstab** *m mil* état-major *m* de groupe; **a~ungsweise** *adv* par section(s), *mil* par groupe(s).

ab≈teufen ['abtɔʏfən] *tr mines* foncer, creuser.

ab≈tippen *tr fam* copier *od* taper à la machine.

Äbtissin *f* ‹-, -nen› [εp'tɪsɪn] abbesse, prieure, supérieure *f.*

ab≈tön|en *tr* nuancer; *(Malerei)* dégrader; **A~ung** *f* nuance; dégradation *f.*

ab≈töt|en *tr (vernichten)* tuer; *fig (Gefühl)* supprimer, étouffer, amortir; *rel (das Fleisch)* mortifier; **A~ung** *f* destruction; suppression; mortification *f.*

Abtrag *m* ‹-(e)s, ⁻e› ['aptra:k, -ε:gə] *(Schaden): jdm* ~ *tun* faire tort à qn; **ab≈tragen** *tr (Speisen, Geräte vom Tisch)* desservir; *(Erde, Schutt)* déblayer; *(Geländeerhebung)* aplanir, niveler; *(Bauwerk)* démolir, raser; *(Kleidung)* user; *(Schuld)* acquitter, amortir; *sich* ~ *(Kleider)* s'user; **~ung** *f* déblaiement; aplanissement, nivellement *m; (bei e-r wissenschaftl. Grabung)* fouille en déblai; *geol* érosion; démolition *f,* rasement *m;* usure *f;* acquittement, amortissement *m;* **abträglich** ['aptrε:klɪç] *a* défavorable, désavantageux, préjudiciable.

Abtransport *m (von Material u. Gegenständen)* transport; *(a. von Truppen* u. *Gefangenen)* enlèvement *m; (von Menschen aus gefährdeten Gebieten)* évacuation *f;* **ab≈transportieren** *tr* transporter; enlever; évacuer.

ab≈treib|en *tr mar* drosser, déporter; *aero* déporter; *med (aus dem Körper entfernen)* expulser; *(Leibesfrucht)* faire avorter; *jur* provoquer un avortement de; *itr mar* dériver, aller à la dérive; *aero* dériver; **~end** *a med* expulsif; abortif; **A~ung** *f med* expulsion *f;* avortement *m* provoqué; **A~ungsmittel** *n* abortif *m.*

abtrenn|bar *a* détachable, séparable; **ab≈trennen** *tr* détacher, séparer; *(Angenähtes)* découdre; *(Besatz)* dégarnir; *(Glied)* démembrer, amputer; **A~ung** *f* séparation *f.*

abtret|bar ['aptre:t-] *a jur (übertragbar)* cessible; **ab≈treten** *tr (Schmutz, Schnee von den Schuhen)* faire tomber, se débarrasser de; *(die Schuhe)* décrotter, essuyer; *fig (überlassen)* céder *bes. pol,* abandonner (*jdm etw* qc à qn); *itr (hinausgehen, sich zurückziehen)* sortir, se retirer; *theat* sortir de scène; *fam (von e-m Amt zurücktreten)* rentrer dans l'ombre, s'effacer; **A~er** *m* paillasson; *(aus Metall)* décrottoir *m;* **A~ung** *f* cession *f (a. e-s Gebietes).*

Abtrieb *m (von der Alm)* descente *f od* retour *m* des troupeaux; = *Abholzung.*

Abtrift *f mar aero* dérive *f.*

Abtritt *m theat* sortie *f* (de scène); *fam (Klosett)* water *m.*

ab=trocknen *tr* essuyer, éponger; *itr* sécher; *sich* ~ s'essuyer.

Abtropf|brett *n* égouttoir *m;* **ab=tropfen** *itr (in Tropfen herabfallen)* dégoutter; ~ *lassen* égoutter; **~pfanne** *f* lèchefrite *f.*

ab=trotzen *tr* extorquer (*jdm etw* qc à qn) en le bravant.

ab=trudeln *itr aero* tomber *od* descendre en vrille; **A~** *n* descente *f* en vrille *od* en feuille morte.

abtrünnig ['aptrʏnɪç] *a, bes. pol* révolté, rebelle; ~ *werden* faire défection; *s-m Glauben* ~ *werden* renier sa foi; **A~e(r)** *m pol* révolté, rebelle; *rel* renégat, apostat: *(ehemaliger Mönch od Priester)* défroqué *m;* **A~keit** *f pol* défection; *rel* apostasie *f.*

ab=tun *tr (zurückweisen)* repousser, rejeter; *damit ist's (noch) nicht abgetan* tout n'est pas encore dit; *vgl. abgetan.*

ab=tupfen *tr* éponger; *bes. med* tamponner; *sich die Stirn* ~ s'éponger le front.

ab=urteil|en *tr* juger, faire justice à, condamner; **A~ung** *f* jugement *m* (définitif); *zur* ~~ *kommen* se juger.

ab=verdienen *tr* gagner par son travail.

ab=verlangen *tr: jdm etw* ~ demander qc à qn; exiger, réclamer qc de qn.

ab=wägen *tr fig* (sou)peser, (bien) considérer, examiner (avec soin); *(gegenea.)* (bien) comparer; *s-e Worte* ~ peser ses paroles.

ab=wälzen *tr* rouler (*von* de); *fig; etw von sich* ~ se décharger de qc; *etw auf jdn* ~ se décharger de qc sur qn; *die Schuld von sich* ~ se disculper.

ab=wand|eln *tr* varier, modifier; *gram (beugen, s)* décliner, *(v)* conjuguer; **A~(e)lung** *f* variation, modification; *gram* flexion *f.*

ab=wander|n *itr* quitter (*aus, von* acc); *(auswandern)* émigrer; **A~ung** *f* exode *m; (Auswanderung)* émigration *f.*

Abwärme *f tech* chaleur *f* perdue *od* d'échappement.

ab=warten *tr* attendre, laisser *od* voir venir; *(Gelegenheit)* guetter; *itr* attendre, demeurer *od* rester dans l'expectative; *das bleibt abzuwarten* il faut voir; *warten wir (mal) ab!* attendons! **~d** *a: ~~e Haltung f* attitude *f* d'attente *od* d'expectative; *pol* attentisme *m; e-e ~~e Haltung einnehmen* garder *od* observer une attitude d'expectative, rester dans l'expectative; *aus s-r ~~en Haltung heraustreten* sortir de son expectative.

abwärts ['apvɛrts] *adv* vers le bas, en bas; *(fluß~)* en aval; ~ *fahren,* ~ *gehen* descendre; *der Weg führt* ~ le chemin va en descendant; **~=gehen** *itr impers fig: mit mir geht's* ~ je baisse, je décline; **A~transformator** *m el* dévolteur *m.*

ab=wasch|bar *a* lavable; **A~becken** *n* évier *m;* **ab=waschen** *tr* laver, nettoyer; *(mit Lauge)* lessiver; *die Farbe von etw* ~ délaver qc; *das Geschirr* ~ faire la vaisselle; *den Schmutz von etw* ~ débarbouiller qc; **A~en** *n* lavage, nettoyage; lessivage *m;* **A~lappen** *m* lavette *f;* **A~schüssel** *f* bassine *f* à vaisselle; **A~ung** *f rel* ablution *f;* **A~wasser** *n* eau *f* de vaisselle, eaux *f pl* grasses.

Abwässer *n pl* eaux d'égout *od* résiduaires *od* usées, eaux-vannes; *tech* eaux *f pl* résiduaires *od* industrielles; **~kanal** *m* égout *m;* **~klärung** *f* épuration *f* des eaux d'égout; **~verwertung** *f* utilisation *f* des eaux usées.

ab=wechs|eln *itr* changer, varier; *sich* ~~ *(sich ablösen)* se relayer; *(regelmäßig wechseln)* alterner; **~elnd** *a* changeant; *(regelmäßig wechselnd)* alternant, alternatif; *adv (der Reihe nach)* tour à tour, à tour de rôle; *(wechselweise)* alternativement; **A~(e)lung** *f* changement *m,* variation; *(Mannigfaltigkeit)* variété, diversité *f; zur* ~~ pour changer; ~~ *in etw bringen* varier, diversifier qc; **~lungsreich** *a* varié, mouvementé; ~~ *schreiben* avoir un style varié.

Abweg *m, meist pl: auf ~e führen (fig)* détourner du bon chemin; *auf ~e geraten (fig)* s'écarter du bon chemin, faire fausse route, se dévoyer; **a~ig** *a* déroutant, faux; ~~ *sein* porter à faux.

Abwehr *f* défense; *(Widerstand)* résistance; *(beim Fechten)* parade; *mil (Flieger~)* défense *f* anti-aérienne; *(Spionage~)* contre-espionnage *m;* **~dienst** *m mil* service de contre-espionnage, 2e bureau *m;* **ab=wehren** *tr (Schlag, Stoß)* parer; *(Angriff)* repousser, refouler; *(Angreifer)* chasser; *(Besucher)* écarter; *fig (Unheil)* détourner; *(Dank)* refuser; **~fähigkeit** *f med* pouvoir *m* défensif; **~feuer** *n mil* feu *m* défensif; **~front** *f* front *m* défensif; **~kampf** *m* combat *m* défensif; **~maßnahme** *f* mesure *f* défensive; **~offizier** *m* officier *m* du contre-espionnage; **~rakete** *f* fusée *f od* missile *m* antimissile; **~reaktion** *f med* réaction *f* défensive; **~schlacht** *f* bataille *f* défensive.

ab=weich|en *itr mar aero (vom Kurs)* dévier; *phys astr* décliner; *fig* s'écarter, s'éloigner, dévier (*von* de); *vonea.* ~~ diverger; différer (*in* en); varier (*in* sur); *von der Regel* ~~ faire exception à la règle; *vom Thema* ~~ faire une digression; *vom geraden Weg* ~~ *(fig)* quitter le droit chemin; **~end** *a (Ansicht)* divergent, différent; *(unregelmäßig)* irrégulier, ano(r)mal; **A~ung** *f (mar, aero, Geschoß)* dérivation; *phys astr* déclinaison, variation; *pol* diversification; *(Unterschied)* différence; *(Unregelmäßigkeit)* irrégularité, anomalie *f;* **A~ungsmesser** *m mar* dérivomètre *m.*

ab=weiden *tr* brouter, paître.

ab=weis|en *tr (Besucher)* éconduire; *(Bittsteller)* renvoyer, congédier; *(Bitte)* refuser, repousser, rejeter, rebuter; *(Wechsel)* refuser; *jur* décliner, démettre, récuser; *jdn kurz* ~~ congédier qn brièvement; *jdn mit s-r Klage, s-m Einspruch* ~~ *(jur)* débouter qn de son action *od* de sa plainte, de son opposition; *sich nicht* ~~ *lassen (aufdringlicher Mensch)* revenir à la charge; **~end** *a* repoussant; *jdm gegenüber* ~~ *sein* od *e-e ~~e Haltung einnehmen* faire mauvaise *od* grise mine à qn, ne pas faire bonne mine à qn; **A~ung** *f* renvoi; refus, rejet *m; jur* récusation *f,* déboutement *m.*

ab=wend|en *tr (das Gesicht, den Blick)* détourner; *(Gefahr, Unglück)* écarter, prévenir; *sich von jdm, von etw* ~~ se détourner de qn, de qc; abandonner qn, qc; **~ig** *a: jdn* ~~ *(abspenstig) machen* détourner, aliéner qn; **A~ung** *f (Sinnesänderung)* aliénation *f.*

Abwerbung *f (von Arbeitskräften)* débauchage *m.*

ab=werfen *tr* jeter bas; *(Pferd den Reiter)* démonter, désarçonner; *(Ballast)* jeter, lâcher; *(Flugblätter, Bomben)* lancer, larguer; *(etw Lästiges, Spielkarte)* se débarrasser de; *(die Fesseln)* briser; *fig (Gewinn)* rapporter, rendre; *die Blätter* ~ *(Baum)* perdre ses feuilles, s'effeuiller; *mit dem Fallschirm* ~ parachuter; *das Gehörn, Geweih* ~ jeter ses bois; *das Joch* ~ *(fig)* secouer le joug; *Nutzen* ~ *(a.)* être profitable; *Zinsen* ~ *fin* porter intérêt.

ab=wert|en ['apve:rtən] *tr fin* dévaluer; **A~ung** *f* dévaluation *f.*

abwesen|d ['apve:zənt] *a* absent; *jur* défaillant; *fig (geistes~~)* distrait; *oft* ~~ *sein (fig)* avoir des absences; *wie* ~~ *sein (a.)* être dans la lune *od* dans les nuages; **A~de(r)** *m* absent *m;* **A~heit** *f* absence *f; jur* défaut *m* de comparution; *fig (Geistes~~)* absences *f pl,* distraction *f; in* ~~ *(jur)* par contumace; *in jds* ~~ en l'absence de qn; *durch* ~~ *glänzen (fam iron)* briller par son absence.

ab=wick|eln *tr* dérouler; *(Garn)* dévider; *math (Kurve)* développer; *com adm* liquider; **A~elspule** *f* bobine *f* débitrice; **A~(e)lung** *f* déroulage; dévidage; *math* développement *m; com adm* liquidation *f;* **A~lungsstelle** *f* bureau *od* office *m* de liquidation; **A~lungsverfahren** *n* procédure *f* de liquidation.

ab=wiegen *tr* peser; *mit der Hand* ~ soupeser.

ab=wimmeln *tr fam; jdn* od *etw* ~ se débarrasser de qn *od* de qc, envoyer promener qn *od* qc.

Abwind *m mete aero* vent *od* courant *m* descendant.

ab=winkeln *tr (Arm)* couder.

ab=winken *itr (ablehnend)* faire signe que non; *loc* donner le signal de départ.

ab=wirtschaften *itr: abgewirtschaftet haben* être ruiné *od* un homme fini.

ab=wischen *tr (Staub etc)* enlever; *(Gegenstand)* essuyer, nettoyer; *(mit e-m Lappen) a.* torcher; *(mit e-m Schwamm)* éponger, passer l'éponge sur; *sich die Stirn* ~ s'éponger le front; *sich die Tränen* ~ essuyer ses larmes.

ab≈wracken *tr mar* démonter, démolir; **A~** *n* démontage *m.*
Abwurf *m* lancement *a. sport* u. *aero; aero* largage; *(Fallschirm~)* parachutage *m;* **~behälter** *m aero* réservoir *m* largable; **~höhe** *f aero* altitude *f* de largage; **~linie** *f sport* ligne *f* de lancement; **~munition** *f aero* projectiles *m pl* propulsés; **~raum** *m aero* zone *f* de largage.
ab≈würgen *tr* étrangler, étouffer; *mot* caler.
ab≈zahl|en *tr* payer, acquitter, régler, liquider; *(tilgen)* amortir; *(in Raten)* payer par acomptes *od* à tempérament; **A~ung** *f* paiement, règlement, liquidation *f;* = *Ratenzahlung;* amortissement *m; auf ~~ kaufen* acheter à tempérament *od* par acomptes; **A~ungsgeschäft** *n (Unternehmen)* maison *f* de vente à tempérament *od* à crédit; **A~ungskauf** *m* achat *m* à tempérament *od* à crédit.
ab≈zähl|en *tr* dénombrer; *(bes. Geld)* compter; *mil* décompter; *mit abgezähltem Geld bezahlen* faire l'appoint; *das läßt sich an den Fingern ~~ (fig)* cela se compte sur les doigts; *~~! (mil)* numérotez-vous! **A~en** *n* dénombrement *m;* **A~vers** *m* comptine *f.*
ab≈zapfen *tr* soutirer *a. fig fam; jdm Blut ~ (fam)* saigner qn; **A~** *n* soutirage *m.*
ab≈zäumen *tr* débrider.
ab≈zäun|en *tr* délimiter par une clôture; *(umzäunen)* enclore; **A~ung** *f (Zaun)* clôture *f; (Gelände)* enclos *m.*
Abzehrung *f med (Schwindsucht)* consomption, phtisie *f.*
Abzeichen *n (Vereins- etc, Rang~)* insigne *m;*
ab≈zeichnen *tr* dessiner; *(Bild)* copier; *(mit s-m Handzeichen versehen)* parapher; *(abhaken)* pointer; *(Liste am Rande)* émarger; *sich ~ (sich abheben)* se dessiner, s'esquisser, se détacher, se préciser, se profiler, se silhouetter.
Abzieh|bild *n* décalcomanie *f,* décalque *m;* **ab≈ziehen** *tr* (re)tirer; *(Wein)* (sou)tirer; *(Ring, Schlüssel)* retirer; *(Bett)* dégarnir; *(Hasen)* dépouiller; *(Bohnen)* effiler; *(Klinge)* repasser, affiler, aiguiser; *(Brett)* raboter, dresser, unir; *(Abziehbild)* décalquer; *phot typ* tirer; *math* ôter, soustraire; *com* déduire (*von* sur), faire déduction *od* l'escompte (*etw* de qc), défalquer (*von* de *od* sur), retrancher (*von* de); *jdn von etw* détourner qn de qc; *itr (Rauch)* sortir; *mil* se retirer, lever le camp; *fam allg (abhauen)* décamper, prendre le large; *auf Flaschen ~* mettre en bouteilles, embouteiller; *die Hand von jdm ~ (fig)* retirer sa protection à qn; *vom Lohn ~* retenir sur le salaire; *mit langer Nase ~* partir la tête basse; *sang- und klanglos ~* déloger sans tambour ni trompette; *die Suppe mit e-m Ei ~* lier le potage avec un œuf; *die ~de Wache* la garde descendante; **~en** *n* mise *f* en bouteilles, embouteillage; aiguisage; dressage; tirage *m;* **~muskel** *m anat* abducteur *m;* **~riemen** *m (Streichriemen)* cuir *m* à repasser.
ab≈zielen *itr: auf etw ~* viser à qc.
ab≈zirkeln *tr* tracer au compas; *a. fig* compasser.
Abzug *m (des Wassers)* écoulement *m,* décharge; *(des Rauchs)* sortie; *(am Gewehr)* détente, gâchette; *phot typ* épreuve *f; typ* tirage *m; com* déduction, défalcation *f; (Diskont)* escompte *m; (am Lohn)* retenue (*an* sur); *mil (Rückzug)* retraite *f; (Aufbruch)* départ *m; nach ~ der Kosten* après déduction des frais, déduction faite des frais; *in ~ bringen (com)* faire déduction *od* décompte de; *freien ~ gewähren (mil)* accorder les honneurs de la guerre; *ehrenvolle(r) ~ (mil)* honneurs *m pl* de la guerre; **~bügel** *m (am Gewehr)* pontet *m;* **a~sfähig** *a com* déductible, déduisible; **~sgraben** *m* fossé d'écoulement; *agr* drain *m,* rigole *f;* **~skanal** *m* égout, cloaque; *(zur Entwässerung)* canal *m* d'écoulement; **~srohr** *n* tuyau *m* de décharge; **abzüglich** *prp: ~ der Kosten* après déduction des frais, déduction faite des frais.
ab≈zupfen *tr* arracher (du bout des doigts); *(die Fäden)* effil(och)er (*von etw* qc).
ab≈zwacken *tr: jdm etw ~* enlever qc à qn, priver qn de qc.
Abzweig|dose *f el* boîte *f* de dérivation *od* de connexion *od* de jonction; **ab≈zweigen** *tr* détourner; brancher (*von* sur), dériver (*von* de); *fig (Geld)* prélever; *itr (Straße, loc)* détourner, bifurquer; former un embranchement; **~klemme** *f el* borne *f* de branchement *od* de dérivation; **~muffe** *f* manchon *m* de branchement; **~rohr** *n* tuyau *m* de branchement; **~ung** *f* détournement; *(e-r Straße, loc)* embranchement *m,* bifurcation *f; el* branchement *m,* dérivation *f.*
ab≈zwicken *tr* pincer, enlever en pinçant.
Acet|at *n* ‹-s, -e› [atse'ta:t] *chem* acétate *m;* **~on** *n* ‹-s, ø› [-'to:n] acétone *f;* **~ylen(gas)** *n* ‹-s, ø› [-ty'le:n] acétylène *m.*
ach [ax] *interj (Klage)* hélas! *fam (Erstaunen)* ah! tiens! pas possible! *~ und weh schreien* jeter *od* pousser les hauts cris; *~ ja!* mais oui! *~ nein!* mais non! *~ so!* ah, bon! ah, c'est ça! *~ was! ~ wo!* eh quoi! bah! baste! allons donc! pensez-vous! ta, ta, ta!
Achat *m* ‹-(e)s, -e› [a'xa:t] *min* agate *f.*
Achillesferse [a'xılɛs-] *f fig* talon *m* d'Achille.
Achs|e *f* ‹-, -n› ['aksə] *(e-s Wagens)* essieu; *mot math pol* axe *m; auf ~~ (fam)* en route; *per ~~* par roulage; *auf e-e ~~ beziehen (math)* axer; *sich um s-e eigene ~~ drehen (mot)* faire un tête-à-queue; *ständig auf der ~~ liegen (fam)* être sans cesse par monts et par vaux, rouler sa bosse *pop;* **~(enab)stand** *m* écartement des essieux, empattement *m;* **~enantrieb** *m mot* commande *f* axiale; **~(en)bruch** *m* rupture *f* d'essieu; **~endrehung** *f* rotation *f;* **~endruck** *m* charge *f* sur l'essieu; **~enkreuz** *n math* système *m* de coordonnées; **~enmächte,** *die, f pl hist* les puissances *f pl* de l'Axe; **~enneigung** *f math astr* inclinaison *f* de l'axe; **~enschnitt** *m math* section *f* axiale; **~gehäuse** *n* enveloppe *f* d'essieu; **~kilometer** *n* od *m* kilomètre-essieu *m;* **~lager** *n* boîte *f* d'essieu; **~nabe** ['-na:bə] *f* moyeu *m;* **~nagel** *m* esse *f* (d'essieu).
Achsel *f* ‹-, -n› ['aksəl] *anat* aisselle; *(Schulter)* épaule *f; jdn über die ~ ansehen* regarder qn de haut en bas *od* du haut de sa grandeur, toiser qn; *etw auf die leichte ~ nehmen* prendre qc à la légère; *die* od *mit den ~n zucken* hausser les épaules; **~höhle** *f* creux *m* de l'aisselle; **~schnur** *f mil* aiguillette *f;* **~stück** *n (am Hemd)* gousset *m; mil = Schulterstück;* **~zucken** *n* haussement *m* d'épaules.
acht [axt] *(Zahlwort)* huit; *alle ~ Tage* tous les huit jours; *binnen ~ Tagen* dans les huit jours; *(heute, Montag) in ~ Tagen* (d'aujourd'hui, de lundi) en huit; *in etwa* od *ungefähr ~ Tagen* dans une huitaine; *vor ~ Tagen* il y a huit jours; **A~** *f* ‹-, -en› **1.** huit *m;* **A~eck** *n math* octogone *m;* **~eckig** *a* octogonal, octogone; **A~el** *n* ‹-s, -› huitième *m;* **A~elnote** *f mus* croche *f;* **A~elpause** *f mus* demi-soupir *m;* **A~ender** *m* ‹-s, -› ['axtɛndər] *(Hirsch)* cerf *m* huit-cors; **~ens** *adv* huitièmement; **~e(r, s)** *a* huitième; **A~er** *m* ‹-s, -› = *A~* 1.; *(Ruderboot)* huit; canot *m* (de course) à huit rameurs; **A~erbahn** *f* grand huit *m,* montagnes *f pl* russes; **~erlei** ['-'laı] *a* de huit sortes *od* espèces; **A~erreihe** *f: in ~~n vorbeimarschieren* défiler en colonnes par huit; **A~errennen** *n sport* course *f* de canoës à huit rameurs; **~fach** *a* octuple; *das A~~e* huit fois autant; **~fältig** *a* = *~fach;* **A~flächner** *m* ‹-s, -› ['-flɛçnər] *math* octaèdre *m;* **~jährig** *a (~ Jahre alt)* (âgé) de huit ans; *(von ~~er Dauer)* de huit ans; **~kantig** *a* octogonal; **~malig** *a* octuple, fait *od* répété huit fois; **~silbig** *a (Vers)* de huit syllabes, octosyllab(iqu)e; **~sitzig** *a* à huit places; **~spännig** *a* à huit chevaux; **A~stundentag** *m* journée *f* de huit heures; *der ~~ (a.)* les huit heures *f pl;* **~stündig** ['-ʃtʏndıç] *a* de huit heures; **~tägig** ['-tɛgıç] *a* de huit jours; **~teilig** *a* (divisé) en huit parties; **~zehn** *(Zahlwort)* dix-huit; **A~zehntel** *n* dix-huitième *m;* **~zehnte(r, s)** *a* dix-huitième; **A~zeiler** *m (~zeiliges Gedicht)* huitain *m;* **~zig** *(Zahlwort)* quatre-vingt(s); *(Schweiz)* huitante; *(Belgien)* octante; *in den ~~er Jahren (e-s Jahrhunderts)* dans les années quatre-vingts à quatre-vingt-dix; **A~ziger(in *f*)** *m* ‹-s, -› octogénaire *m f;* **~zigjährig** *a* octogénaire; **A~zigstel** *n* ‹-s, -› quatre-vingtième *m;* **~zigste(r, s)** *a* quatre-vingtième.

Acht *f* ‹-, ø› [axt] **2.** *(Aufmerksamkeit)* attention *f; (Fürsorge)* soin *m; außer a~ lassen* négliger; *sich in a~ nehmen vor* se mettre en garde contre, prendre garde à; **a~bar** *a* respectable, honorable; **~barkeit** *f* respectabilité, honorabilité *f;* **a~en** *itr: auf etw ~~* faire attention, regarder à qc; *(berücksichtigen)* tenir compte de qc; *(Rücksicht nehmen auf)* prendre soin de qc; *auf alles ~~ (a.)* être sur le qui-vive; *genau auf etw ~~* regarder de près à qc; *tr (hoch~~)* considérer, respecter, estimer; **a~≈geben** *itr* être *od* se tenir en garde *od* sur ses gardes, se mettre sur ses gardes; *auf etw ~ = auf etw a~en;* **a~≈haben** *itr = a~≈geben;* **a~los** *a* inattentif; négligent; **~losigkeit** *f* inattention, négligence *f;* **a~sam** *a* attentif; *(umsichtig)* circonspect; *(sorgfältig)* soigneux; **~samkeit** *f* attention; circonspection *f;* soin(s *pl*) *m;* **~ung** *f* ‹-, ø› *(Hoch~~)* considération *f,* respect *m,* estime *f; aus ~~ vor* par respect pour; *jdm ~~ einflößen* inspirer de l'estime à qn; *vor etw, jdm ~~ empfinden* respecter qc, qn; avoir de l'estime pour qn; *jdm ~~ entgegenbringen* od *erweisen* porter du respect à qn, avoir de grands égards pour qn; *es jdm gegenüber an ~~ fehlen lassen* manquer d'égards envers qn; *~~ genießen* être respecté; *hoch in jds ~~ stehen* tenir une grande place dans l'estime de qn; *jdm ~~ verschaffen* faire respecter qn; *sich ~~ verschaffen* se faire respecter; *~~!* attention! gare! prenez garde! *mil* garde à vous! fixe! *alle ~~!* mince (alors)! *pop; ~~, Aufnahme! (film)* silence, on tourne! *~~! fertig! los! (sport)* à vos marques! prêts! partez! **a~unggebietend** *a* imposant; **~ungserfolg** *m theat* succès *m* d'estime; **a~ungsvoll** *a* respectueux.

Acht *f* ‹-, ø› [axt] **3.** *(Bann)* ban *m,* proscription *f; in die ~ erklären* mettre au ban *od* hors la loi, bannir; *in ~ und Bann tun (fig)* mettre au ban *od* à l'index, proscrire.

ächt|en ['ɛçtən] *tr* bannir; *a. fig* proscrire, mettre au ban; *gesellschaftlich ~~* mettre au ban de la société; *den Krieg ~~* mettre la guerre hors la loi; **Ä~ung** *f* ‹-, ø› bannissement *m,* mise au ban *od* hors la loi; *bes. fig* proscription *f.*

achter ['axtər] *prp mar (hinter)* derrière; **~aus** *adv (nach hinten)* en arrière; *~~ fahren* faire machine arrière; **A~deck** *n mar* pont *m od* plage *f* arrière; **~n** *adv (hinten)* derrière, à l'arrière; **A~steven** *m* étambot *m.*

ächzen ['ɛçtsən] *itr* geindre, gémir; **Ä~** *n* geignement, gémissement *m.*

Acker *m* ‹-s, ⸚› ['akər, 'ɛkər] champ *m; (altes Maß)* acre *f;* **~bau** *m* agriculture, production *f* agricole; *~~ treiben* cultiver la terre; **~bauer** *m* agriculteur; cultivateur *m;* **~bauerzeugnis** *n* produit *m* agricole; **~baukunde** *f* agronomie *f;* **a~bautreibend** *a* agricole; **~boden** *m* terre *f* arable *od* labourable; **~fläche** *f* surface *f* labourée; **~gaul** *m fam = ~pferd;* **~gerät** *n* outil de labourage, instrument *m* aratoire; **~krume** *f = ~boden;* **~land** *n* terre *f* labourable *od* en labour; **a~n** *itr* labourer; *fig fam (schwer arbeiten) = schuften;* **~n** *n* labourage *m;* **~pferd** *n* cheval *m* de labour; **~salat** *m* mâche, doucette *f;* **~schlepper** *m* tracteur *m* agricole; **~walze** *f* rouleau *m* (agricole), émotteuse *f;* **~winde** *f bot* liseron *m* des champs.

ad absurdum [at ap'zurdum] : *jdn ~ führen* réduire qn à l'absurde; *etw ~ führen* prouver l'absurdité de qc.

Adam *m* ['a:dam] Adam *m; den alten ~ ausziehen (rel fig)* dépouiller le vieil homme; **~sapfel** *m anat* pomme *f* d'Adam, nœud *m* de la gorge; **~skostüm** *n fam* tenue *f* d'Adam *od* d'Eve.

Adapter *m* ‹-s, -› ['adaptər] *(Zusatzgerät)* adaptateur *m.*

adäquat [adɛ'kva:t, atʔ-] *a (entsprechend, angemessen)* adéquat, conforme (*dat* à).

a dato [a 'da:to] *com* de date.

add|ieren [a'di:rən] *tr math* additionner, faire l'addition *od* le total de; **A~iermaschine** *f* additionneuse *f;* **A~ition** *f* ‹-, -en› [-si'o:n] addition *f.*

ade [a'de:] *interj* adieu!

Ad|el *m* ‹-s, ø› ['a:dəl] , *a. fig* noblesse *f; der ~~ (die ~ligen)* les nobles *m pl; ~~ verpflichtet (prov)* noblesse oblige; *alte(r) ~~* noblesse *f* d'ancienne roche; *niedere(r) ~~* petite noblesse *f;* **~elheid** ['-haɪt] *f (Vorname)* Adélaïde *f;* **a~(e)lig** *a* noble; *(Adels-)* nobiliaire; **~(e)lige(r)** *m* noble; gentilhomme *m;* **a~eln** *tr* anoblir; *fig* ennoblir; **~elsbrief** *m* lettre *f* de noblesse; **~elsherrschaft** *f* aristocratie *f;* **~elsprädikat** *n* particule *f* nobiliaire; **~elsregister** *n* nobiliaire *m;* **~elsstand** *m* noblesse *f; in den ~~ erheben* anoblir; *Erhebung f in den ~~* anoblissement *m;* **~elsstolz** *m* orgueil *m* nobiliaire; **~elstitel** *m* titre *m* nobiliaire.

Ader *f* ‹-, -n› ['a:dər] *anat (Blut~; a. in Holz od Gestein)* veine; *(Schlag~; a. fig: Verkehrs~)* artère *f; min a.* filon; *el (Kabel~)* fil *m,* âme *f; e-e leichte ~ haben* être un peu écervelé *od* léger; *e-e poetische ~ haben* avoir une veine *od* fibre poétique; *jdn zur ~ lassen* saigner qn, faire une saignée à qn; **~laß** *m* ‹-sses, ⸚sse› , *a. fig* saignée *f;* **~riß** *m* rupture *f* d'une *od* de veine.

äder|n ['ɛ:dərn] *tr* veiner; *(marmorieren)* marbrer; **Ä~ung** *f* ‹-, -en› *(in Holz, Stein, min)* veines *f pl; (Marmorierung)* marbrure; *bot* nervation; *(in Textilien)* nervure *f.*

Ad-hoc-Bildung [at'ho:(ɔ)k-] *f (Wort)* formation *f* ad hoc.

adieu [a'djø:] *interj* adieu! *~ sagen* faire ses adieux.

Adjektiv *n* ‹-s, -e› ['atjɛkti:f, -ti:və] ['--- / --'-] *gram* adjectif *m;* **a~isch** *a* adjectif.

Adjutant *m* ‹-en, -en› [adju'tant] *mil* officier d'ordonnance; *(e-s Generals* od *e-s Staatsoberhauptes)* aide *m* de camp.

Adler *m* ‹-s, -› ['a:dlər] *orn* aigle *m; (Feldzeichen* u. *Wappentier)* aigle *f; astr* Aigle *m; junge(r) ~* aiglon *m;* **~blick** *m fig* œil *m* perçant; **~horst** *m* aire *f* (de l'aigle); **~nase** *f* nez *m* aquilin *od* busqué.

Admiral *m* ‹-s, -e/(⸚e)› [atmi'ra:l] *mar* amiral *m; ent* (vanesse *f*) vulcain *m;* **~ität** *f* ‹-, -en› [-'tɛ:t] amirauté *f;* **~sflagge** *f* pavillon *m* amiral; **~srang** *m* amiralat *m;* **~sschiff** *n* vaisseau *m* amiral.

adopt|ieren [adɔp'ti:rən] *tr* adopter; **A~ion** *f* ‹-, -en› [-tsi'o:n] adoption *f;* **A~ivsohn** [-'ti:f-] *m,* **A~ivvater** *m* fils, père *m* adoptif.

Adrema *f* ‹-, -s› [a'dre:ma] *(kurz für: Adressiermaschine, s. d.).*

Adrenalin *n* ‹-s, ø› [adrena'li:n] *chem physiol* adrénaline *f.*

Adress|ant *m* ‹-en, -en› [adrɛ'sant] *(Absender)* expéditeur; *(e-s Wechsels)* tireur *m;* **~at** *m* ‹-en, -en› [-'sa:t] *(Empfänger)* destinataire; *(e-s Wechsels)* tiré *m;* **~e** *f* ‹-, -n› [a'drɛsə] adresse *f; per ~~ (Post: bei)* chez, aux (bons) soins de; *an die falsche ~~ geraten (fig)* se tromper d'adresse; *an die richtige ~~ kommen (fig)* aller à la bonne adresse; **~enverzeichnis** *n* liste *f* d'adresses; **a~ieren** [-'si:rən] *tr* adresser; *falsch ~~* mal adresser; **~iermaschine** [-'si:r-] *f* machine *f* à adresses, adressographe *m.*

Adreßbuch [a'drɛs-] *n* bottin, annuaire; *(Schweiz, Belgien)* livre *m* d'adresses.

adrett [a'drɛt] *a* propre(t).

Adria ['a:dria] , *die* l'Adriatique *f;* **a~tisch** [-'a:-] *a* adriatique; *das A~~e Meer* la mer Adriatique.

Advent *m* ‹-(e)s, (-e)› [at'vɛnt] *rel* Avent *m;* **~szeit** *f* temps *m* de l'Avent.

Adverb|(ium) *n* ‹-s, -ien› [at'vɛrp, -bium, -biən] *gram* adverbe *m;* **a~ial** [-bi'al] *a* adverbial.

Advokat *m* ‹-en, -en› [atvo'ka:t] *(plädierender)* avocat; *(Rechtsberater)* avoué *m;* **~enkniff** *m* avocasserie *f.*

Aero|dynamik [aero-] *f* aérodynamique *f;* **a~dynamisch** *a* aérodynamique; **~statik** *f* aérostatique *f;* **a~statisch** *a* aérostatique.

Affäre *f* ‹-, -n› [a'fɛ:rə] affaire *f; (Gerichtsprozeß)* procès *m; sich aus der ~ ziehen* se tirer *od* se sortir d'affaire, s'en sortir, tirer son épingle du jeu, se débrouiller.

Aff|e *m* ‹-n, -n› ['afə] *zoo* singe; *fig fam pej (Geck)* fat; *mil arg (Tornister)* barda, as-de-carreau *m; e-n ~en haben (fig pop: betrunken sein)* être soûl; *sich e-n ~en kaufen (fig pop: sich besaufen)* se soûler; **a~enartig** *a zoo* simiesque; simien; *mit ~~er Geschwindigkeit (fig fam)* à une vitesse vertigineuse; **~enbrotbaum** *m bot* baobab *m;* **~enliebe** *f* amour *m* aveugle; **~enmensch** *m* anthropopithèque *m;* **~enpinscher** *m* griffon (allemand), griffon-singe *m;*

~enschande *f: das ist e-e ~~! (fam)* c'est un scandale! **~entheater** *n fig fam* singerie, farce *f;* **a~ig** *a fig fam (eingebildet)* minaudier, maniéré, précieux.

Affekt *m* ‹-(e)s, -e› [a'fɛkt] *(Gemütsbewegung)* émotion, passion *f,* état passionnel; *psych* choc *m* émotif; *im ~ handeln (jur)* commettre un crime passionnel; *im ~ begangen* passionnel; **a~iert** [-'ti:rt] *a* affecté, maniéré, précieux, minaudier; *sich ~~ benehmen (a.)* se donner un genre; *fam* faire du genre.

äff|en ['ɛfən] *tr (nachahmen)* singer; *(foppen)* mystifier, duper, berner; **Ä~erei** ‹-, -en› [-'raɪ] *f* singerie; mystification, duperie *f;* **Ä~in** *f* guenon *f.*

Afrika *n* ‹-s, ø› ['a(:)frika] l'Afrique *f;* **~ner** *m* ‹-s, -› [-'ka:-] Africain *m;* **a~nisch** [-'ka:-] *a* africain, d'Afrique; **afro-asiatisch** *a* afro-asiatique.

After *m* ‹-s, -› ['aftər] *anat* anus *m;* **~bildung** *f* pseudoculture *f;* **~flosse** *f zoo* nageoire *f* anale; **~lehen** *n hist* arrière-fief *m;* **~miete** *f* sous-location *f;* **~mieter** *m* sous-locataire *m;* **~weisheit** *f* fausse sagesse *f;* **~zehe** *f zoo* éperon *m.*

Ägä|is [ɛ'gɛ:is] , *die* l'Égée *f;* **ä~isch** *a geog* égéen; *das Ä~~e Meer* la mer Égée.

Agent *m* ‹-en, -en› [a'gɛnt] agent; *(Vertreter)* représentant; *pol* agent *m* (secret); **~ur** *f* ‹-, -en› [-'tu:r] agence *f.*

Aggregat *n* ‹-(e)s, -e› [agre'ga:t] *math phys tech* agrégat; *el* groupe *m;* **~zustand** *m phys* état *m* de la matière.

Aggress|ion *f* ‹-, -en› [agrɛsi'o:n] *(Angriff)* agression, attaque *f;* **a~iv** [-'si:f] *a* agressif.

Ägide *f* ‹-, ø› [ɛ'gi:də] *(Schutz)* égide, protection *f; unter jds ~* sous l'égide de qn.

agi|eren [a'gi:rən] *itr (handeln)* agir; *(auf der Bühne)* jouer; **A~tation** *f* ‹-, -en› [-tsi'o:n] , *bes. pol* agitation *f;* **A~tator** *m* ‹-s, -en› [-'ta:tɔr, -'to:rən] agitateur *m;* **~tatorisch** [-'to:-] *a* agitateur; **~tieren** [-'ti:rən] *itr* faire de l'agitation.

Agio *n* ‹-s, (-s)› ['a:ʒjo, 'a:dʒo] *fin com (Aufgeld)* agio *m,* prime *f.*

Agonie *f* ‹-, -n› [ago'ni:] *(Todeskampf)* agonie *f.*

Agraffe *f* ‹-, -n› [a'grafə] agrafe *f.*

Agrar|gesetz [a'gra:r-] *n* loi *f* agraire; **~ier** *m* ‹-s, -› [a'gra:riɐr] *(Landwirt)* agrarien; *(Großgrundbesitzer)* grand propriétaire *m;* **a~isch** *a (landwirtschaftlich)* agraire, agricole; **~land** *n* pays *m* agricole; **~markt** *m* marché *m* agricole; **~politik** *f* politique *f* agraire *od* agricole; **~reform** *f* réforme *f* agraire; **~staat** *m* État *m* agricole.

Agronom *m* ‹-en, -en› [agro'no:m] *(Diplomlandwirt)* agronome *m;* **~ie** *f* ‹-, ø› [-'mi:] *(Ackerbaukunde)* agronomie *f;* **a~isch** [-'no:-] *a* agronomique.

Ägypt|en *n* ‹-s, ø› [ɛ'gʏptən] l'Égypte *f;* **~er(in *f*)** *m* ‹-s, -› Égyptien, ne *m f;* **ä~isch** *a* égyptien, d'Égypte; *e-e ~~e Finsternis (fig)* des ténèbres *f pl* épaisses; **~ologe** *m* ‹-n, -n› [-'lo:gə] égyptologue *m;* **~ologie** *f* ‹-, ø› [-'gi:] *(ägypt. Altertumskunde)* égyptologie *f.*

ah [a(:)] *interj* ah! ha! *~ so!* tiens! *~ was!* ah bah!

aha [a'ha(:)] *interj* ah! (ah!); voilà! vous voyez bien!

Ahle *f* ‹-, -n› ['a:lə] *(Werkzeug)* alêne *f,* poinçon, tire-point; *(Reib~)* alésoir *m.*

Ahn *m* ‹(-(e)s, -en), -en› [a:n] aïeul, ancêtre *m; pl* aïeux, ancêtres *m pl; 16 ~en nachweisen* fournir seize quartiers de noblesse; **~e** *f* ‹-, -n› , **~frau** *f* aïeule *f;* **~enbild** *n* portrait *m* de famille; **~engalerie** *f* galerie *f* des ancêtres; **~enkult** *m rel* culte *m* des ancêtres; **~enreihe** *f* lignée *f* d'ancêtres; **~entafel** *f* carte *f* généalogique; **~herr** *m = Ahn.*

ahnd|en ['a:ndən] *tr (bestrafen)* punir, châtier; *(rächen)* venger; **A~ung** *f* ‹-, -en› punition *f,* châtiment *m; jur* vindicte; vengeance *f.*

ähn|eln ['ɛ:nəln] *itr* ressembler (un peu) (*jdm* à qn, *e-r S* à qc); **~lich** *a (dem Wesen nach, a. math)* semblable; *(von Menschen, dem Aussehen nach)* ressemblant; *(gleichartig, entsprechend)* pareil, similaire, analogue; *adv* de (la) même (façon); *jdm ~~ sehen* od *sein* ressembler à qn; *das sieht dir ~~!* cela te ressemble! on te reconnaît bien là! c'est bien toi! en voilà bien des tiennes! *~~e Dinge* des choses semblables; **Ä~lichkeit** *f* ‹-, -en› ressemblance; *bes. math* similitude; *(Gleichartigkeit)* analogie *f; e-e gewisse ~~ haben (von zwei Menschen)* avoir un air de famille.

ahn|en ['a:nən] *tr* pressentir, présager, avoir l'intuition de; *fam* flairer; *(vermuten)* se douter de, deviner; soupçonner; *(kommen sehen)* voir venir; *itr impers mir ~t (ugs)* j'ai le pressentiment (*daß* que); *das konnte ich nicht ~~* je ne suis pas devin; *mir ~t nichts Gutes* je ne présage rien de bon; **A~ung** *f* ‹-, -en› *(Vorgefühl)* pressentiment, présage *m,* intuition; *psych* précognition, prémonition *f; (Vermutung)* soupçon *m; (Befürchtung)* appréhension *f; keine (blasse)* od *nicht die geringste ~~ haben* ne savoir rien de rien; *von etw* ne pas avoir la moindre idée de qc; n'entendre pas un mot de qc; *(ich habe) keine ~~!* aucune idée! **~ungslos** *a* inconscient; *adv* inconsciemment, sans se douter de rien; **A~ungslosigkeit** *f* inconscience *f;* **~ungsvoll** *a (Mensch)* plein de pressentiments.

Ahorn *m* ‹-s, -e› ['a:hɔrn] *bot* érable *m.*

Ähre *f* ‹-, -n› ['ɛ:rə] épi *m; ~n lesen* glaner (des épis de blé); *in ~n schießen* monter en épis, épier; **~nlese** *f* glanage *m;* **~nleser** *m* glaneur *m.*

Akadem|ie *f* ‹-, -n› [akade'mi:] académie *f;* **~iker** *m* ‹-s, -› [-'de:mikər] : *~~ sein* avoir fait des études universitaires; **a~isch** [-'de:-] *a* académique; *(Universitäts-)* universitaire; *die ~~e Jugend* la jeunesse estudiantine; *~~e(s) Proletariat n* prolétariat *m* intellectuel *od* des bacheliers.

Akazie *f* ‹-, -n› [a'ka:tsiə] *bot* acacia *m; unechte ~ (Robinie)* faux acacia, robinier *m.*

akklimatisier|en [aklimati'zi:ren] *tr* acclimater; **A~ung** *f (Vorgang)* acclimatation *f; (Effekt)* acclimatement *m.*

Akkord *m* ‹-(e)s, -e› [a'kɔrt, -də] *mus* accord; *com (Übereinkommen)* accord, arrangement; *jur* concordat; *(Stücklohn)* prix convenu *od* fait, forfait *m; e-n ~ anschlagen (mus)* frapper un accord; *im ~ arbeiten* travailler à la *od* aux pièce(s) *od* à la tâche *od* à forfait; **~arbeit** *f* travail *m* à la *od* aux pièce(s) *od* à la tâche *od* à forfait; **~arbeiter** *m* ouvrier à la *od* aux pièce(s) *od* à la tâche *od* à forfait; tâcheron *m;* **~eon** *n* ‹-s, -s› [a'kɔrdeɔn] *mus* accordéon *m;* **a~ieren** [-'di:-] *tr (vereinbaren)* arranger, composer; **~lohn** *m* salaire *m* à la *od* aux pièce(s) *od* à la tâche *od* au forfait; **~satz** *m* tarif *m* forfaitaire; **~system** *n* système *m* de travail à forfait.

akkredit|ieren [akredi'ti:rən] *tr (beglaubigen, bevollmächtigen)* accréditer; **A~iv** *n* ‹-s, -e› [-'ti:f] *(e-s Gesandten)* lettres *f pl* de créance; *fin (Kreditbrief)* lettre *f* de crédit, accréditif *m.*

Akkumulation *f (e-s Kapitals)* accumulation *f;* **~sfonds** *m* fond *m* d'accumulation.

Akkumulator *m* ‹-s, -en› [akumu'la:tɔr, -'to:rən] *el (Akku)* accu(mulateur) *m; e-n ~ aufladen* recharger un accu; *Aufladung f e-s ~s* recharge *f* d'un accu(mulateur); **~(en)batterie** *f* batterie *f* d'accu(-mulateur); **~enfahrzeug** *n,* **~entriebwagen** *m* voiture *od* automotrice *f* à accumulateurs; **~(en)ladestelle** *f* poste *m* de recharge; **~enlokomotive** *f* locomotive *f* à accumulateurs; **~ensäure** *f* acide *m* pour accumulateurs; **~(en)zelle** *f* élément m d'accumulateur.

akkurat [aku'ra:t] *a (genau)* exact; *(ordentlich)* ordonné, rangé; *(sorgfältig)* soigneux; **A~esse** *f* ‹-, ø› [-'tɛsə] exactitude *f;* caractère *m* ordonné.

Akkusativ *m* ‹-s, -e› ['akuzati:f, -və] *['---/---'-] gram* accusatif *m;* **~objekt** *n* complément *m* d'objet direct.

Akontozahlung [a'kɔnto-] *f (Abschlagzahlung)* paiement *od* versement *m* par acomptes.

Akrobat *m* ‹-en, -en› [akro'ba:t] acrobate *m;* **~ik** *f* ‹-, ø› [-'ba:tɪk] acrobatie *f;* **a~isch** *a* acrobatique.

Akropolis *f* ‹-, -len› [a'kro:polɪs, -'po:lən] *hist* Acropole *f.*

Akt *m* ‹-(e)s, -e› [akt] *(Handlung)* acte *m,* action *f; jur theat* acte; *(Geschlechts~)* acte sexuel; *(Kunst)* nu *m,* académie *f; ~ nehmen von (jur)* prendre acte de; *feierliche(r) ~* cérémonie *f;* **~studie** *f* étude *f* de nu.

Akte *f* ⟨-, -n⟩ ['aktə] *adm jur* acte *m,* pièce *f,* document *m; zu den ~n legen* classer, joindre au dossier; *fig* considérer comme réglé, mettre en sommeil; **~nbündel** *n* dossier *m;* **~ndeckel** *m* chemise *f;* **a~nkundig** *a* enregistré; *~~ machen* enregistrer, prendre acte de; **~nmappe** *f = ~ntasche;* **a~nmäßig** *adv: ~~ feststehen* être enregistré; **~nmensch** *m* bureaucrate; *fam* rond-de-cuir *m;* **~nnotiz** *f = ~nvermerk;* **~nschrank** *m* classeur, casier, cartonnier *m;* **~nstoß** *m* pile *f* de documents *od* de dossiers; **~nstück** *n* pièce *f,* document *m;* **~ntasche** *f* serviette *f;* **~nvermerk** *m* aide-mémoire *m;* **~nzeichen** *n* numéro *m* du dossier, référence *f.*

Aktie *f* ⟨-, -n⟩ ['aktsiə] *fin* action *f; ~n aus-* od *begeben* émettre des actions; *~n einziehen* retirer *od* racheter des actions; *~n zeichnen* souscrire à des actions; *s-e ~n fallen (fig fam)* ses actions sont en baisse; *s-e ~n steigen (fig fam)* ses actions remontent, il reprend du poil de la bête; *wie stehen die ~n? (fig fam)* comment vont les affaires? **~n|ausgabe** *f* émission *f* d'actions; **~n|bank** *f* banque *f* par actions; **~n|bezugschein** *m* promesse *f* d'actions; **~n|börse** *f* bourse *f* aux actions; **~n|gesellschaft** *f (AG)* société *f* par actions *od* anonyme (S.A.); **~n|handel** *m* agiotage *m;* **~n|händler** *m* agent de change, courtier *m* (de bourse); **~n|inhaber** *m* actionnaire *m;* **~n|kapital** *n* capital-actions, fonds *m* social; **~n|kurse** *m pl* cours *m* des actions; **~n|makler** *m = ~nhändler;* **~n|markt** *m* marché *m* d'actions; **~n|paket** *n* paquet *od* lot *m* d'actions; **~n|recht** *n* droit *m* des sociétés anonymes et en commandite; **~n|zuteilung** *f* répartition *f* des actions.

Aktinometer *n* ⟨-s, -⟩ [aktino'me:tər] *med (Strahlungsmesser)* radiochronomètre *m.*

Aktion *f* ⟨-, -en⟩ [aktsi'o:n] action; *mil* opération *f; in ~ treten* entrer en action; **~är** *m* ⟨-s, -e⟩ [-'nɛ:r] *fin* actionnaire *m;* **~sgruppe** *f pol* groupement *m* d'action; **~sprogramm** *n pol* programme *m* d'action; **~sradius** *m, a. mil* rayon *m* d'action.

aktiv [ak'ti:f, '--] *a* actif; *(unternehmend)* entreprenant; *mil* d'active, de carrière; *~e Dienstzeit f* service *m* actif; *~e(r) Offizier m* officier *m* de carrière *od* d'active; **A~** *n* ⟨-s, (-e)⟩ *gram* actif *m;* **A~a, ~en** *n pl* [ak'tiva, -vən] *fin* actif *m,* masse *f* active; *~~ und Passiva* l'actif *m* et le passif; **~ieren** [-'vi:rən] *tr (beleben)* activer, donner de l'activité à, stimuler; *fin* porter à l'actif; **A~ierung** *f allg* stimulation; *scient, a. psych* activation; *com* capitalisation *f;* **A~ist** *m* ⟨-en, -en⟩ [-'vɪst] *pol* militant *m;* **A~ität** *f* ⟨-, -en⟩ [-'tɛ:t] activité *f;* **A~posten** *m com* actif *m,* valeur *f* active; **A~saldo** *m* solde *m* créditeur, balance *f* créditrice; **A~schulden** *f pl* dettes actives, créances *f pl;* **A~zinsen** *m pl* intérêts *m pl* créditeurs.

aktu|alisieren [aktuali'zi:rən] *tr* actualiser; **A~alität** *f* ⟨-, -en⟩ [-'tɛ:t] actualité *f;* **A~ar** *m* ⟨-s, -e⟩ [aktu'a:r] *jur* greffier *m;* **~ell** [aktu'ɛl] *a* actuel, d'actualité, à l'ordre du jour; *noch nicht ~~* prématuré.

Akust|ik *f* ⟨-, ø⟩ [a'kustɪk] *(Schalllehre)* acoustique; *(Klangwirkung)* sonorité *f;* **a~isch** *a* acoustique.

akut [a'ku:t] *a med* aigu; *fig (dringend)* urgent, brûlant; *~e(r) Verlauf m (e-r Krankheit)* acuité *f;* **A~** *m* ⟨(e)-s, -e⟩ *gram* accent *m* aigu.

Akzent *m* ⟨-(e)s, -e⟩ [ak'tsɛnt] *gram* accent *m; (Aussprache)* prononciation *f; den ~ legen auf (fig)* mettre l'accent, insister sur; **a~uieren** [-tu'i:r-] *tr gram* accentuer; **~uierung** *f* accentuation *f.*

Akzept *n* ⟨-(e)s, -e⟩ [ak'tsɛpt] *fin (Wechsel: Annahmeerklärung)* acceptation; *(~ierter Wechsel)* lettre de change, traite *f; mit ~ versehen* accepter; *Verweigerung f des ~s* non-acceptation *f,* refus *m* d'acceptation; **a~abel** [-'ta:bəl] *a (annehmbar)* acceptable; **~ant** *m* ⟨-en, -en⟩ [-'tant] *fin* tiré, accepteur *m;* **a~ieren** [-'ti:-] *tr* accepter; *fin a.* faire honneur à; *nicht ~iert werden (fin)* être protesté; **~vermerk** *m* acceptation *f.*

Akzidenz|(arbeit [aktsi'dɛnts-] *f,* **~druck** *m* ⟨-(e)s, -e⟩ **)** *f typ* ouvrage *m* de ville; **~setzer** *m* imprimeur *m* d'ouvrages de ville.

Alabaster *m* ⟨-s, (-)⟩ [ala'bastər] *min* albâtre *m;* **a~n** *a* d'albâtre, en albâtre.

Alarm *m* ⟨-(e)s, -e⟩ [a'larm] alarme; *bes. mil* alerte *f; ~ blasen, schlagen* sonner, donner l'alarme *od* l'alerte; *blinde(r)* od *falsche(r) ~* fausse alarme *od* alerte; **~anlage** *f* installation *f od* dispositif d'alarme, avertisseur *m;* **a~bereit** *a = in ~bereitschaft;* **~bereitschaft** *f: in ~* en état d'alerte; **~glocke** *f* sonnerie *f* d'alarme, tocsin *m;* **a~ieren** [-'mi:-] *tr* alarmer; *mil* alerter; **a~ierend** *a fig (beunruhigend)* alarmant, inquiétant, angoissant; **~klingel** *f* sonnette *f* d'alarme; **~sirene** *f* sirène *f* d'alerte; **~zeichen** *n* signal *m* d'alarme; **~zustand** *m* état *m* d'alerte.

Alaun *m* ⟨-s, -e⟩ [a'laun] *min* alun *m;* **a~artig** *a,* **a~haltig** *a* aluneux, alunifère; **~erde** *f min* alumine *f;* **~hütte** *f,* **~werk** *n* alunière *f;* **~stein** *m* alunite *f.*

Alban|ien *n* ⟨-s, ø⟩ [al'ba:niən] l'Albanie *f;* **~er(in** *f***)** *m* ⟨-s, -⟩ [-nər] Albanais, e *m f;* **a~isch** *a* albanais; *(das) A~~(e)* l'albanais.

Albatros *m* ⟨-, -sse⟩ ['albatrɔs, -sə] *orn* albatros *m.*

Albe *f* ⟨-, -n⟩ ['albə] *rel* aube *f.*

albern ['albərn] *a* sot; niais, inepte; *(blöde)* nigaud; *sich ~ benehmen, ~ sein = ~ itr; ~e(s) Gerede n* bêtises, balivernes, sornettes *f pl; ~e(s) Zeug n* niaiseries *f pl; itr* faire *od* dire des bêtises *od* des niaiseries; **A~heit** *f (Eigenschaft)* niaiserie, ineptie; sottise *f; pl = ~es Gerede.*

Albigenser *m pl* [albi'gɛnzər] *hist rel die ~* les Albigeois *m pl;* **~kriege** *m pl* guerre *od* croisade *f* des Albigeois.

Albin|ismus *m* ⟨-, ø⟩ [albi'nɪsmus] *med* albinisme *m;* **~o** *m* ⟨-s, -s⟩ [-'bi:no] albinos *m.*

Album *n* ⟨-s, -ben⟩ ['album, -bən] album *m.*

Albumine *n pl* [albu'mi:nə] *chem (Eiweißstoffe)* albumines *f pl.*

Alchim|ie *f* ⟨-, ø⟩ [alçi'mi:] alchimie *f;* **~ist** *m* ⟨-en, -en⟩ [-'mɪst] alchimiste *m;* **a~istisch** *a* alchimique.

Alemann|e *m* ⟨-n, -n⟩ [alə'manə] Alaman *m;* **a~isch** *a* alémanique.

Alexandriner *m* ⟨-s, -⟩ [alɛksan'dri:nər] *(Vers)* alexandrin *m.*

Alge *f* ⟨-, -n⟩ ['algə] *bot* algue *f.*

Algebra *f* ⟨-, (-ebren)⟩ ['algebra] algèbre *f;* **a~isch** [-'bra:-] *a* algébrique.

Alger|ien *n* ⟨-s, ø⟩ [al'ge:riən] *(Land)* l'Algérie *f;* **~ier(in** *f***)** *m* ⟨-s, -⟩ [-riər] Algérien, ne *m f;* **a~isch** *a* algérien, d'Algérie.

Algier ['alʒi:r] *n (Stadt)* Alger *m.*

Alibi *n* ⟨-s, -s⟩ ['a:libi] *jur* alibi *m; ein ~ beibringen* fournir un alibi; *sein ~ nachweisen* prouver *od* établir son alibi.

Alimente *n pl* [ali'mɛntə] *jur* pension *f* alimentaire; **~forderung** *f* créance *f* alimentaire.

Alkal|i *n* ⟨-s, -lien⟩ [al'ka:li, -liən] *chem* alcali *m;* **a~isch** *a* alcalin; *~~ machen* alcaliniser; **~oid** *n* ⟨-(e)s, -e⟩ [-lo'i:t, -də] *chem* alcaloïde *m.*

Alkohol *m* ⟨-s, -e⟩ ['alkohɔ(o:)ʃ] alcool *m;* **a~frei** *a* sans alcool; non-alcoolisé; **~gegner** *m* antialcoolique *m;* **~gehalt** *m* degré *m* d'alcool; *~~ des Blutes (fam: Promille)* quantité *f* d'alcool contenue dans le sang; **~iker** *m* ⟨-s, -⟩ [-'ho:likər] *(Trinker)* alcoolique *m;* **a~isch** [-'ho:-] *a* alcoolique, spiritueux; *(mit ~zusatz)* alcoolisé; *~~e Getränke n pl* spiritueux *m pl;* **a~isieren** [-'zi:-] *tr (mit ~ versetzen)* alcooliser; **~isierung** *f* alcoolisation *f;* **~ismus** *m* ⟨-, ø⟩ [-'lɪsmus] *(Trunksucht)* alcoolisme *m;* **~messer** *m* alcoomètre, pèse-alcool *m;* **~nachweis** *m* alcootest *m,* vérification *f* du dosage d'alcool; **~spiegel** *m* taux *m* d'alcool (dans le sang);**~verbot** *n* prohibition *f;* **~vergiftung** *f (akute)* intoxication *f* par l'alcool; *(chronische)* alcoolisme, éthylisme *m.*

Alkoven *m* ⟨-s, -⟩ ['alko:vən, -'--] alcôve *f.*

All *n* ⟨-s, ø⟩ [al] univers *m.*

allabend|lich [al'a:bəntlɪç] *a* de tous les soirs; **~s** *adv* tous les soirs.

allbekannt ['al-] *a* généralement connu; *(offenkundig)* notoire.

alldeutsch ['al-] *a* pangermaniste; **A~e(r)** *m* pangermaniste *m.*

alle ['alə] *a fam (aufgebraucht) (Vorrat)* épuisé; *(Speise)* mangé; *(Getränk)* bu; *(Geld)* dépensé; *~ machen* finir; *~ sein* être épuisé; *~ werden* s'épuiser; *das ist (alles) ~* il n'y en a plus; *der Wein ist ~* il n'y a plus de vin; **~dem** ['alәde:m, --'-] :

trotz ~~ (conj: trotzdem) malgré tout.

Allee *f* ‹-, -n› [a'le:, a'le:ən] *(baumbestandener Weg)* allée; *(Prachtstraße)* avenue *f.*

Allegor|ie *f* ‹-, -n› [alego'ri:] allégorie *f;* **a~isch** [-'go:-] *a* allégorique.

allein [a'laın] **1.** *a* seul, sans compagnie; *(einsam)* solitaire, isolé; *ganz ~* tout seul; *fam* seulet; *mit jdm ~ sein* être seul *od* en tête-à-tête avec qn; *mit jdm ~ sprechen* parler à *od* avec qn en particulier; *etw ~ tun* faire qc soi-même; *etw ~ tun (können)* faire qc seul; *er ~ (als einziger) sprach* lui seul parlait, il était le seul à parler; **2.** *adv (nur)* seulement, uniquement, ne ... que; *nicht ~ ..., sondern auch ...* non seulement ..., mais aussi *od* encore ...; *von ~* automatiquement, tout seul; *~ der Gedanke* la seule pensée; **3.** *conj (jedoch)* cependant, toutefois, mais; **A~auslieferer** *m com* seul dépositaire *m;* **A~auslieferung** *f* exclusivité *f;* **A~besitz** *m* possession *f* exclusive; **A~eigentümer** *m* propriétaire *m* unique; **A~erbe** *m* héritier *m* unique; **A~flug** *m (e-s Piloten)* vol *m* seul; *(e-s Flugzeuges)* vol *m* par avion isolé; **A~herrschaft** *f* monarchie *f;* **A~herrscher** *m* monarque *m;* **~ig** *a* seul, unique, exclusif; **A~mädchen** *n* bonne *f* à tout faire; **A~recht** *n* droit *m* exclusif; **A~sein** *n* solitude *f;* **~seligmachend** *a rel: ~~e Kirche f* Église *f* hors de laquelle il n'est point de salut; **~stehend** *a* (vivant) seul; *(ohne Hilfe)* sans appui; *(ledig)* célibataire, sans famille; **A~verkauf** *m* vente *f* exclusive; **A~vertreter** *m* représentant *m* exclusif; **A~vertretung** *f* représentation *f* exclusive; **A~vertretungsanspruch** *m pol hist* prétention *f* à la représentation exclusive; **A~vertrieb** *m* vente exclusive, exclusivité *f,* monopole *m.*

allemal ['alə'ma:l] *adv* toutes les fois, toujours; *ein für ~* une fois pour toutes, en un mot comme en cent.

allen|falls ['alən'fals] *adv (höchstens)* tout au plus; *(notfalls)* au besoin, à la rigueur; *(äußerstenfalls)* au pis aller; **~thalben** ['alənt'halbən] *adv* partout, en tous lieux.

alle|(r, s) ['alə] **1.** *a* tout, e; *pl* tous les, toutes les; *~ beide* tous les deux; *~s mögliche* un peu de tout, n'importe quoi; *mit ~r Deutlichkeit* clairement, nettement; *auf ~ Fälle* en tout cas, dans tous les cas; toujours *(nach Imperativ); zu ~m Unglück* pour comble de malheur; *ohne ~n Zweifel* sans aucun doute; **2.** *s pl* tous, toutes *m f pl; wir sind ~ da* nous sommes au complet; **3.** *n (alles)* tout; *dies* od *das ~s* tout cela; *~s in ~m* à tout prendre, somme toute; *trotz ~m* malgré tout; *nicht um ~s in der Welt* pour rien au monde, pas pour tout l'or du monde; *vor ~m* avant tout, surtout; *~s für sich haben wollen* vouloir la poule et les poussins; *das ist* od *wäre ~s* c'est *od* voilà tout; *damit ist ~s gesagt* c'est tout dire; *das ist noch nicht ~s* tout n'est pas encore dit; *ist das ~s?* n'est-ce que cela? *da hört doch ~s auf!* c'est trop *od* un peu fort! *fam* c'est du propre! *mein ein und ~s* tout mon bonheur.

aller|art ['alər'a:rt] *a = ~lei;* **~beste(r, s)** *(double accentuation possible pour les composés en aller-)* le, la meilleur(e) de tous, de toutes, de tout; *das A~beste (a.)* le fin du fin, le dessus du panier; *am ~besten (adv)* le mieux du monde; **~christlichst** *a: der A~~e König (hist)* le roi Très Chrétien; **~dings** *adv (in der Tat)* en effet, sans doute, bien sûr, assurément; *(einschränkend)* à la vérité; il est vrai que; *~~! (da haben Sie recht!)* ma foi, oui! **~enden** *adv (überall)* partout; **~erste(r, s)** *a* le premier, la première de tous (toutes); **~größte(r, s)** *a* le, la plus grand, e de tous; **~hand** *a = ~lei; fam (viel)* pas mal de, force de; *~~ mitgemacht haben* en avoir vu de toutes les couleurs; *das ist ja ~~! (fam)* c'en est trop! c'est du propre! **A~heiligen** *n rel* la Toussaint; **~heiligste(r, s)** *a* très saint; *das A~heiligste (rel: im Tempel)* le saint des saints, le sanctuaire; *das A~heiligste Sakrament* le Saint Sacrement; **~höchste(r,s)** *a: der A~höchste (Gott)* le Très-Haut; **~lei** ['--'laı] *a* toute sorte de, de toute(s) sorte(s), de *od* en tout genre; maint, e; **A~lei** *n* ‹-s, (-s)› pot-pourri, pêle-mêle *m; Leipziger ~~ (Küche)* macédoine *f;* **~letzte(r, s)** *a* le dernier de tous, la dernière de toutes; **~liebst** *a* très gentil, très charmant, ravissant; *fam* à croquer; *der, die A~liebste* le, la bien-aimé, e; **~meisten,** *die (a)* la plupart de; *am ~~ (adv)* le plus souvent; **~neueste(r, s)** *a* le plus nouveau *od* récent, le dernier; *das A~neueste* la dernière nouveauté, le dernier cri; **~orten** *adv,* **~orts** *adv* partout, en tous lieux; **A~seelen** *n rel* le jour *od* la fête des morts *od* des trépassés; **~seits** *adv* de tous côtés, partout; *herzliche Grüße ~~!* bien le bonjour à vous tous! **~wärts** *adv (überall)* partout; **A~weltskerl** *m* gaillard, luron, as; *fam* homme *m* à toutes mains; **A~wenigste,** *das* le minimum; *am a~wenigsten (adv)* le moins du monde; **~wenigstens** *adv* au minimum; **A~werteste,** *der (hum: Gesäß)* le derrière.

Allerg|ie *f* ‹-, -n› [alɛr'gi:] *med (Überempfindlichkeit)* allergie *f;* **a~isch** [-'lɛrgıʃ] *a* allergique.

allesamt ['alə'zamt] ['--- / --'-] *pron* tous ensemble, tous autant qu'ils sont.

allezeit ['--'-] *adv* de tout temps, toujours.

allfällig ['al-] *a dial (eventuell)* éventuel.

Allgegen|wart *f* ‹-, ø› [al'ge:gənva:rt] omniprésence *f;* **a~wärtig** *a* omniprésent

allgemein ['algə'maın] *a (überwiegend)* général; *(umfassend)* universel; *(gemeinsam)* commun; *rel* catholique; *adv* u. *im ~en* en général, généralement, d'une façon générale; *(ganz) ~ gesprochen (adv)* généralement parlant; *~e Dienstpflicht f* service *m* obligatoire; *~e(s) Wahlrecht n* suffrage *m* universel; **A~befinden** *n med* état *m* général; **A~bildung** *f* culture *od* formation *f* générale; **~gültig** *a* universellement reconnu; **A~gut** *n: ~~ werden* se vulgariser; **A~heit** *f* ‹-, -en› généralité, universalité; *(Gemeinschaft)* communauté *f; (Öffentlichkeit)* opinion *f* publique; *im Interesse der ~~* dans l'intérêt général; *auf Kosten der ~~ leben* vivre sur la communauté; *der ~~ zugänglich (zu besichtigen)* ouvert au public; **~verständlich** *a* à la portée de tous; **A~zustand** *m med* état *m* général.

Allgewalt *f* ‹-, ø› ['al] toute-puissance, omnipotence *f;* **a~ig** *a* tout-puissant, omnipotent.

Allheilmittel *n* [al'haıl-] remède *m* universel *od* à tous maux, panacée *f.*

Alli|anz *f* ‹-, -en› [ali'ants] *pol* alliance *f; die Heilige ~~ (hist)* la Sainte-Alliance; **a~ieren** [ali'i:rən] *tr (verbünden)* allier; **~ierten,** *die, m pl* les puissances *f pl* alliées, les Alliés *m pl.*

Alligator *m* ‹-s, -en› [ali'ga:tɔr, -'to:rən] *zoo* alligator *m.*

alljährlich ['al'jɛ:r-] a annuel; *adv a.* tous les ans.

All|macht *f* ‹-, ø› ['almaxt] toute-puissance *f;* **a~mächtig** [-'mɛçtıç] *a* tout-puissant; *der A~~e (Gott)* le Tout-Puissant.

allmählich [al'mɛ:lıç] *a* graduel; *adv a.* peu à peu, petit à petit, par degrés.

allmonatlich ['al'mo:-] *a* mensuel; *adv a.* tous les mois.

allnächtlich ['al'nɛçt-] *a* de chaque *od* toutes les nuit(s); *adv* chaque nuit, toutes les nuits.

Allongeperücke [a'lɔ̃:ʒ-] *f hist* perruque *f* carrée.

Allopath *m* ‹-en, -en› [alo'pa:t] *med* allopathe *m;* **~ie** *f* ‹-, ø› [-pa'ti:] allopathie *f;* **a~isch** [-lo'pa:tıʃ] *a* allopathique.

Allotria [a'lo:tria] *n pl* choses sans importance, niaiseries *f pl; ~ treiben* s'amuser, baguenauder, folâtrer; *fam* faire des siennes.

allseitig ['al-] *a* universel; **A~keit** *f* ‹-, ø› universalité *f.*

Allstrom|empfänger ['alʃtro:m-] *m,* **~gerät** *n radio* poste *od* récepteur *m* tous courants.

Alltag ['alta:k] *m (Werktag)* jour *m* ouvrable *od* ordinaire; *der ~ (fig)* la vie quotidienne; *der graue ~* le train-train quotidien *od* journalier, la grisaille quotidienne; **a~s** *adv* dans la semaine; **~skleidung** *f* tenue *f* de tous les jours; **~skost** *f* ordinaire *m;* **~sleben** *n* vie *f* quotidienne; **~smensch** *m* homme *m* ordinaire.

alltäglich *a* ['-'--] quotidien, journalier, de tous les jours; *fig* [-'--] *(gewöhnlich)* ordinaire, commun, banal, terre-à-terre; *nicht ~ (a.)* hors du commun; **A~keit** [al'tɛ:k-] *f* banalité *f,* terre-à-terre *m.*

allüberall ['al?y:bər'?al] *adv* (absolument) partout.

Allüre *f* ‹-, -n› [a'ly:rə] *(Gangart)*

allure *f; pl fig (Benehmen)* allures *f pl.*
alluvi|al [aluvi'a:l] *a geol* alluvial; **A~um** *n* ‹-s, ø› [a'lu:vium] ère *f* post-glaciaire.
allverehrt ['--'?-] *a* honoré de tous.
Allwellenempfänger ['----'--] *m radio* récepteur *m* toutes ondes.
Allwetterkarosserie [--] *f mot* carrosserie *f* décapotable.
allwissen|d [-'--] *a* omniscient; **A~heit** *f* ‹-, ø› omniscience *f.*
allwöchentlich [-'---] *a* hebdomadaire; *adv* chaque semaine.
allzeit ['-'-] *adv* = *allezeit.*
allzu ['altsu:] *adv* (par) trop; **~mal** ['--'-] *adv* tous ensemble; **~oft** *adv* (par) trop souvent; **~sehr** *adv* (par) trop; **~viel** *pron* trop; *~~ ist ungesund (prov)* point trop n'en faut.
Allzweck- ['altsvɛk-] *(in Zssgen)* à toute fin.
Alm *f* ‹-, -en› [alm] alpe *f,* pacage *od* pâturage *m* alpestre; *auf die ~en treiben (tr), ziehen (itr) (Vieh)* transhumer; **~auftrieb** *m* transhumance *f.*
Almanach *m* ‹-s, -e› ['almanax] *(Jahrbuch)* almanach, annuaire *m.*
Almosen *n* ‹-s, -› ['almo:zən] aumône *f; jdn um ein ~ bitten* demander l'aumône *od* la charité à qn; *(jdm ein) ~ geben* faire l'aumône *od* la charité (à qn); *von ~ leben* demander *od* mendier son pain; **~empfänger** *m: ~~ sein* vivre de la charité publique.
Aloe *f* ‹-, -n› ['a:loe, -oən] *bot* aloès *m.*
Alp *m* ‹-(e)s, -e› [alp] *(Gespenst)* elfe *m;* **~druck** *m fig* cauchemar *m;* **~drücken** *n* cauchemar, mauvais rêve *m.*
Alpaka *n* ‹-s, ø› [al'paka] **1.** *zoo (a. Textil)* alpaga *m.* **2.** *(Neusilber)* maillechort *m.*
al pari [al'pa:ri] *adv com (zum Nennwert)* au pair.
Alp(e) *f* ‹-, -en› [alp(ə)] = *Alm.*
Alpen ['alpən] , *die, f pl* les Alpes *f pl; am Fuß der ~ (gelegen)* subalpin; **~glühen** *n* embrasement *m* des Alpes; **~jäger** *m mil* chasseur *m* alpin; **~klub** *m* club *m* alpin; **~paß** *m* col *m* des Alpes; **~pflanze** *f* plante *f* alpine; *pl a.* flore *f* alpine; **~rose** *f* rhododendron (des Alpes), rosage *m;* **~straße** *f* route *f* des Alpes; **~veilchen** *n* cyclamen *m;* **Alphorn** *n mus* cor *m* alpestre.
Alphabet *n* ‹-(e)s, -e› [alfa'be:t] alphabet *m;* **a~isch** *a* alphabétique; *adv: ~~ (an)ordnen* classer par ordre alphabétique.
Alphastrahlen ['alfa-] *m pl phys* rayons *m pl* alpha.
alpin [al'pi:n] *a scient* alpin; **A~ismus** *m* ‹-, ø› [-pi'nɪsmus] *sport* alpinisme *m;* **A~ist** *m* ‹-en, -en› [-pi'nɪst] alpiniste *m.*
Älpler *m* ‹-s, -› ['ɛlplər] habitant *m* des Alpes.
Alraun *m* ‹-(e)s, -e› , **-e** *f* ‹-, -n› [al'raun(ə)] *bot* mandragore *f.*
als [als] *conj (zeitl.)* quand; *(genauer bestimmend)* lorsque; *(die Gleichzeitigkeit betonend)* comme; *(in der Eigenschaft ~)* comme, en, en qualité de, en tant que, à titre de; *(anstelle)* en guise de; *(nach dem Komparativ)* que, *(vor Zahlen)* de; *100 DM ~ Belohnung erhalten* recevoir 100 DM de récompense; *zu stolz, ~ daß ...* trop fier pour ...; *damals, ~* alors que; *erst, ~* ne ... que; *e-s Tages, ~* un jour que; *~ ob, ~ wenn* comme si; *nicht ~ ob* non (pas) que *subj; so tun, ~ ob ...* faire semblant de *inf; schon ~ Kind* étant encore enfant; **~bald** [-'-] *adv* aussitôt, tout de suite, sur-le-champ; **~baldig** *a* prompt; **~dann** [-'-] *adv* puis, alors, ensuite.
also ['alzo:] *conj (folglich)* donc, par conséquent, en conséquence; *interj (= nun)* voyons; *~?* alors? *na ~!* eh bien, voilà!
Alt *m* ‹-s, (-e)› [alt] *mus* (contr)alto *m;* **~istin** *f* ‹-, -nen› [-'tɪstɪn] contralto *m;* **~stimme** *f* voix *f* d'alto.
alt [alt] *a* vieux; *(schon lange bestehend)* de vieille date; *(von Menschen, mit Angabe des Alters)* âgé (de ... ans, mois *etc*); *(ehemalig)* ancien; *(altertümlich, antik)* antique; *com (gebraucht)* usagé; *(verbraucht)* usé, vétuste; *pop (schlecht)* tocard; *auf meine ~en Tage* sur mes vieux jours; *~ aussehen* avoir l'air vieux; *alles beim ~en lassen* laisser les choses comme elles sont; *~ machen (~ aussehen lassen)* vieillir; *sich ~ machen* se faire vieux; *20 Jahre ~ sein* avoir 20 ans; *~ genug sein, um zu ...* être d'âge à *od* en âge de ...; *zu ~ sein* avoir passé l'âge (*um zu* ... de ...); *~ werden* vieillir, se faire vieux, prendre de l'âge *od fam* de la bouteille; *pop* décoller; *80 Jahre ~ werden* atteindre l'âge de 80 ans; *~ werden und jung bleiben* prendre de l'âge tout en restant jeune; *nicht ~ werden (a.)* ne pas faire de vieux os *(fam, a. fig: nicht lange bleiben); fig* ne pas moisir; *wir sind gleich ~* vous êtes, il, elle est de mon (notre) âge; *er ist immer der ~e (derselbe)* il est toujours le même; *er sieht nicht so ~ aus, wie er ist* on ne lui donnerait pas son âge; *es ist alles beim ~en* tout va son petit traintrain; *es bleibt alles beim ~en* rien ne change; *das ist e-e ~e Geschichte* c'est une vieille histoire; *wie ~ sind Sie?* quel âge avez-vous? *für wie ~ halten Sie mich?* quel âge me donnez-vous? *~er Junge!* mon vieux! *~e (antiquarische) Bücher n pl* livres *m pl* d'occasion; *~e(s) Eisen n* ferraille *f; A~e Geschichte f (Geschichte d. Altertums)* histoire *f* ancienne; *die ~en Griechen, Römer* les anciens Grecs, Romains *m pl; ~e(r) Herr m (e-r Studentenverbindung)* ancien *m; mein ~er Herr (fam: Vater)* mon paternel; *~ und jung* tout le monde, jeunes et vieux, grands et petits; *ein ~er Knakker (pop)* une vieille barbe; *die ~e Leier, das ~e Lied (fig)* la même chanson *od* antienne; *~e(r) Sünder m* pécheur *m* endurci; *das Alte Testament* l'Ancien Testament; *~e(s) Übel n* mal *m* invétéré; *~e(s) Zeug n (Plunder)* vieilleries *f pl;* **~backen** *a* rassis; **A~bau** *m* construction *f* ancienne; **A~bauwohnung** *f* logement *m od* habitation *f* ancien(ne); **~bewährt** *a* éprouvé par l'usage; **~deutsch** *a* ancien allemand; **A~eingesessene(r)** *m* habitant *m* de très longue date; **A~eisen** *n* ferraille *f;* **A~enteil** *n jur* réserve *f* des parents; **A~e(r)** *m* vieux, vieillard *m; der ~~e (fam: Chef)* le singe, le patron; *mein ~~er (fam: Vater)* mon père; *die ~~en pl hist (die Griechen u. Römer)* les Anciens; *fam (Eltern)* les vieux *m pl;* **A~französisch(e,** *das***)** l'ancien français *m;* **A~griechisch(e,** *das***)** le grec ancien; **A~händler** *m* = *A~warenhändler;* **~hergebracht** *a* traditionnel; **A~hochdeutsch(e,** *das***)** l'ancien haut allemand *m;* **~jüngferlich** *a* de vieille fille; **~klug** *a* blanc-bec *pred;* **A~material** *n* vieux matériel *m;* **A~meister** *m sport* ex-champion *m;* **A~metall** *n* vieux métal *m;* **~modisch** *a* passé de mode, démodé, à la mode ancienne; *fam* vieux jeu; *~~ werden* se démoder; **A~nordisch(e,** *das***)** le norrois; **A~papier** *n* vieux papiers *m pl;* **A~philologe** *m* philologue *m* classique; **A~schnee** *m* neige *f* ancienne; **A~stadt** *f* vieille ville, cité *f;* **A~stadtsanierung** *f* remodelage des quartiers anciens, curetage *m;* **A~steinzeit** *f* paléolithique *m;* **~väterisch** *a (veraltet)* gothique, suranné; **~väterlich** *a (ehrwürdig)* patriarcal; **A~vordern** *pl (Vorfahren)* ancêtres *m pl;* **A~wagen** *m mot* voiture *f* d'occasion; **A~warenhandel** *m* brocantage *m;* **A~warenhändler** *m* brocanteur, fripier *m;* **A~warenhandlung** *f* bric-à-brac, décrochez-moi-ça *m;* **A~wasser** *n* bras *m* mort (d'un fleuve, d'une rivière); **A~weibergeschwätz** *n* commérage *m;* **A~weibermärchen** *n* conte *m* de Peau-d'Âne; **A~weibersommer** *m (schöner Spätherbst)* été *m* de la Saint-Martin; *(Spinnweben)* filandres *f pl.*
Altan *m* ‹-(e)s, -e› [al'ta:n] *arch (Terrasse)* plate-forme, terrasse *f; (Balkon)* balcon *m.*
Altar *m* ‹-(e)s, ⸚e› [al'ta:r, -'tɛ:rə] *rel* autel *m;* **~aufsatz** *m,* **~blatt** *n* retable *m;* **~bild** *n* tableau *m* d'autel; **~decke** *f* nappe *f* d'autel; **~flügel** *m* volet *m;* **~gerät** *n* vases *m pl* sacrés; **~himmel** *m* baldaquin, dais m; **~kerze** *f* cierge *m;* **~nische** *f* abside; *(kleine)* absidiole *f;* **~wand** *f* = *~blatt.*
Alter *n* ‹-s, -› ['altər] âge; *(hohes)* âge *m* avancé, vieillesse *f; das ~* les vieux jours *m pl; (von Sachen)* vétusté; *(Dienst~)* ancienneté *f; im ~ von* à l'âge de, âgé de; *im besten ~* dans la force de l'âge; *in meinem ~* à mon âge; *in vorgerücktem ~* avancé en âge; *mittleren ~s* entre deux âges; *reiferen ~s* d'âge mûr; *seit a~s, von a~s her* de tout temps; *vor a~s* autrefois, jadis, anciennement; *das gesetzliche ~ haben (jur)* avoir l'âge requis; *er ist in meinem ~* il est de mon âge; *man sieht ihm sein ~ nicht*

an il ne paraît pas son âge; ~ *schützt vor Torheit nicht (prov)* l'âge n'est pas une preuve de sagesse; *hohe(s)* ~ grand âge *m; vorgerückte(s)* ~ âge *m* avancé; **a~n** *itr* vieillir, se faire vieux, prendre de l'âge; **~n** *n* vieillissement *m;* sénescence *f.*
älter ['ɛltər] *a* ⟨Komparativ von: alt⟩ plus âgé; *(von Geschwistern)* aîné; *(nicht mehr jung)* d'un certain âge, entre deux âges; ~ *werden* avancer en âge; *er ist 2 Jahre* ~ *als ich* il a 2 ans de plus que moi, il est mon aîné de 2 ans.
altern|ativ [altɛrna'ti:f] *a* alternatif, -ive; **A~ative** *f* ⟨-, -n⟩ [-'ti:və] alternative *f;* **A~ativkosten** *pl fin* coût *m* alternatif *od* de substitution; **~ieren** [-'ni:rən] *itr (abwechseln)* alterner.
Alters|erscheinung ['altərs-] *f* signe *m* de vieillesse; **~genosse** *m* contemporain *m;* **~grenze** *f* limite *f* d'âge; âge *m* limite; *die ~~ erreichen* arriver à la limite d'âge; **~gruppe** *f* groupe *m od* tranche *f* d'âge; **~heim** *n* maison *f* de retraite, asile *m* de vieillards; **~klasse** *f* classe *f* d'âge; **~klasseneinteilung** *f* groupement *m* par âge; **~krankheit** *f,* **~leiden** *n* maladie *f* sénile; **~präsident** *m* président *od* doyen *m* d'âge; **~pyramide** *f* pyramide *f* des âges; **~rente** *f* rente *od* pension de vieillesse, retraite *f* des vieux; **a~schwach** *a* affaibli par l'âge, sénile, décrépit; **~schwäche** *f* débilité, sénilité, décrépitude *f; an ~~ sterben* mourir de vieillesse; **~- und Invalidenversicherung** *f* assurance-vieillesse *f* et assurance-invalidité *f;* **~unterschied** *m* différence *f* d'âge; **~versicherung** *f* assurance-vieillesse *f;* **~versorgung** *f* caisse *f* de prévoyance-vieillesse; **~zulage** *f* prime *f* d'ancienneté.
Altertum *n* ⟨-s, ø⟩ ['altərtu:m] antiquité *f; pl s. Altertümer; das graue* ~ l'antiquité *f* la plus reculée; **~sforscher** *m,* **~skenner** *m* archéologue *m;* **~skunde** *f,* **~swissenschaft** *f* archéologie *f.*
Altertüm|elei *f* ⟨-, -en⟩ [altərty:mə'laɪ] manie *f* des choses anciennes; **~er** ['altər-] *n pl* antiquités *f pl;* **a~lich** *a (Gegenstand)* antique; *(Wort, Redensart, Stil)* archaïque; **~lichkeit** *f* ⟨-, -en⟩ caractère *m* antique *od* archaïque.
ält|este(r, s) *f* ⟨-, -en⟩ ['ɛlt-] *a (Superlativ von: alt)* le plus âgé; **Ä~este(r)** *m (a. von Geschwistern)* aîné; *(Vorsteher)* doyen *m;* **~lich** *a* vieillot.
Altru|ismus *m* ⟨-, ø⟩ [altru'ɪsmus] altruisme *m;* **~ist** *m* ⟨-en, -en⟩ [-tru'ɪst] altruiste *m;* **a~istisch** [-tru'ɪstɪʃ] *a* altruiste.
Aluminium *n* ⟨-s, ø⟩ [alu'mi:nium] aluminium *m;* **~fabrik** *f* aluminerie *f;* **~folie** *f* feuille *f* d'aluminium; **~legierung** *f* alliage *m* d'aluminium.
Alumn|at *n* ⟨-(e)s, -e⟩ [alum'na:t] *(Schülerheim)* internat *m;* **~e** *m* ⟨-n, -n⟩ *(Heimschüler)* interne *m.*
Alwegbahn ['alve:kˌba:n] *f* monorail *m.*

am [am] *(= an dem) s. an; (bei Daten u. anderen Zeitangaben steht im Französ. der acc mit best. Artikel):* ~ *14. Juli* le quatorze juillet; ~ *Abend* le soir; ~ *Sonntag* le dimanche; ~ *Tage s-r Rückkehr* le jour de sa rentrée; ~ *besten* le mieux; ~ *meisten* le plus.
Amalgam *n* ⟨-s, -e⟩ [amal'ga:m] *chem* amalgame *m;* **a~ieren** [-'mi:rən] *tr* amalgamer.
Amateur *m* ⟨-s, -e⟩ [ama'tø:r], *bes. sport* amateur *m;* **~photograph** *m* photographe *m* amateur; **~sport** *m* amateurisme *m.*
Amazone *f* ⟨-, -n⟩ [ama'tso:nə] *(Mythologie; Reiterin)* amazone; *(Mannweib)* virago *f, fam* dragon *m.*
Amb|er *m* ⟨-s, (-n)/-bra⟩ ['ambər], **~ra** *f* [-bra] *(Duftstoff)* ambre *m.*
Amboß *m* ⟨-osses, -osse⟩ ['ambɔs] *a. anat* enclume *f.*
Ambrosia *f* ⟨-, ø⟩ [am'bro:zia] *(Götterspeise)* ambroisie *f.*
ambul|ant [ambu'lant] *a com* ambulant; *med* ambulatoire; *~~e Behandlung f* traitement *m* ambulatoire; *~~e(s) Gewerbe n* métier *m* ambulant; *~~e(r) Gewerbetreibende(r) m* marchand *m* ambulant; **A~anz(wagen** *m***)** *f* [-'lants-] *f* ambulance *f.*
Ameise *f* ⟨-, -n⟩ ['a:maɪzə] fourmi *f; weiße* ~ *(Termite)* fourmi *f* blanche, termite *m;* **~nbär** *m* fourmilier, tamanoir *m;* **~nei** *n* œuf *m* de fourmi; **~nhaufen** *m* fourmilière; *fig a.* ruche *f;* **~nlöwe** *m ent* fourmilion *m;* **~nsäure** *f* acide *m* formique; **~nstaat** *m* république *od* société *f* de fourmis.
amen ['a:mən] *interj* amen! ainsi soit-il! *zu allem ja und* ~ *sagen* dire amen à tout, opiner du bonnet; être un beni-oui-oui; *das ist so sicher wie das A~ in der Kirche* c'est aussi sûr que deux et deux font quatre.
Amerika [a'me:rika] *n (a. = USA)* l'Amérique *f;* **~ner** *m* ⟨-s, -⟩ [-'ka:nər] Américain *m;* **a~nisch** *a* américain, d'Amérique; *adv* à l'américaine; **a~nisieren** [-'si:rən] *tr* américaniser; **~nisierung** *f* américanisation *f;* **~nismus** *m* ⟨-, -men⟩ [-'nɪsmus, -mən] américanisme *m.*
Amethyst *m* ⟨-(e)s, -e⟩ [ame'tʏst] *min* améthyste *f.*
Aminosäuren [a'mi:no-] *f pl chem* amino-acides, acides *m pl* aminés.
Amme *f* ⟨-, -n⟩ ['amə] nourrice; *(Kindersprache)* nounou *f;* **~nmärchen** *n* conte *m* de bonne femme *od* de ma mère l'oie.
Ammer *f* ⟨-, -n⟩ ['amər] *orn (Gold~)* bruant, bréant; *(Fett~)* ortolan *m.*
Ammoniak *n* ⟨-s, ø⟩ [amoniak] ['---/---'-] *chem* ammoniac *m;* **~dämpfe** *m pl* vapeurs *f pl* ammoniacales; **~gas** *n* gaz *m* ammoniac; **~geruch** *m* odeur *f* ammoniacale; **a~haltig** *a* ammoniacal; **~lösung** *f* ammoniaque *f;* **~salz** *n* sel *m* ammoniac; **~wasser** *n* eau *f* ammoniacale.

Amne|sie *f* ⟨-, -n⟩ [amne'zi:] *med (Gedächtnisverlust)* amnésie *f;* **~stie** *f* ⟨-, -n⟩ [amnɛs'ti:] *jur (Begnadigung)* amnistie *f;* **a~stieren** [-'ti:rən] *tr* amnistier.
Amöbe *f* ⟨-, -n⟩ [a'mø:bə] *zoo* amibe *f.*
Amok|(laufen *n***)** ['a:mɔk/a'mɔk] *m* amok *m;* folie *f* du meurtre; **~läufer** *m* amok *m.*
Amor *m* ⟨-s, ø⟩ ['a:mɔr] *(Liebesgott)* Amour, Cupidon *m.*
amoralisch ['amora:lɪʃ, amo'ra:lɪʃ] *a* amoral.
amorph [a'mɔrf] *a (formlos)* amorphe.
Amortis|ation *f* ⟨-, -en⟩ [amɔrtizatsi'o:n] *fin* amortissement *m;* **a~ierbar** [-'si:r-] *a* amortissable; **a~ieren** *tr* amortir.
Ampel *f* ⟨-, -n⟩ ['ampəl] *(Hängelampe)* lampe *f* suspendue; *(Hängevase)* vase *m* suspendu; *(Verkehrs-)* feux *m pl.*
Ampere *n* ⟨(s), -⟩ [ã'pɛ:r, am'pɛ:r] *el* ampère *m;* **~meter** *n* ampèremètre *m;* **~stunde** *f* ampère-heure *m;* **~zahl** *f* nombre d'ampères, ampérage *m.*
Ampfer *m* ⟨-s, -⟩ ['ampfər] *bot (Gattung)* oseille *f; scient* rumex *m.*
Amphib|ie *f* ⟨-, -n⟩ [am'fi:biə] *zoo* amphibie *m; pl (als Klasse)* amphibiens, batraciens *m pl;* **~ienfahrzeug** *n* véhicule *m* amphibie; **~ienflugzeug** *n* avion *m* amphibie; **a~isch** *a* amphibie.
Amphitheater [am'fi:-] *n* amphithéâtre *m.*
Ampulle *f* ⟨-, -n⟩ [am'pulə] *(Fläschchen)* fiole; *med* ampoule *f.*
Amput|ation *f* ⟨-, -en⟩ [amputatsi'o:n] *med* amputation *f;* **a~ieren** [-'ti:rən] *tr* amputer.
Amsel *f* ⟨-, -n⟩ ['amzəl] *orn* merle *m.*
Amt *n* ⟨-(e)s, ⸚er⟩ [amt, 'ɛmtər] *(Dienststellung, Aufgabe)* fonction *f,* emploi *m;* charge; *(~sgewalt)* compétence, *jur* juridiction *f; (Dienststelle, -raum)* bureau, office, service *m,* administration *f; tele* central (téléphonique); *rel* office *m; im* ~ en service; en exercice; *in Ausübung meines ~es* dans l'exercice de mes fonctions; *kraft meines ~es* en vertu de ma charge; *von ~s wegen* d'office, officiellement; *ein* ~ *antreten* od *übernehmen* entrer en charge *od* en fonction, prendre ses fonctions; *ein* ~ *ausüben* exercer *od* remplir une fonction; *ein* ~ *bekleiden* occuper une charge; *jdn von ~s wegen bestellen* nommer qn d'office; *im* ~ *bleiben* rester *od* demeurer en fonction; *jdn in sein* ~ *einführen* initier qn à ses fonctions; *jdn s-s ~es entheben* destituer *od* relever *od* renvoyer qn de ses fonctions; *fam* mettre qn à pied; *sein* ~ *niederlegen; von s-m* ~ *zurücktreten* résigner ses fonctions, se démettre de ses fonctions *od* de son emploi, démissionner; *fam* rendre son tablier; *in* ~ *und Würden stehen* être arrivé aux honneurs; *tun, was s-s ~es ist, s-s ~es walten* s'acquitter de ses fonctions; *jdm ein* ~ *übertragen* charger qn d'une fonction, confier une fonction à qn; *das ist nicht meines ~es* cela ne me regarde pas; *wem*

Gott ein ~ gibt, dem gibt er auch den Verstand (prov) la sagesse vient avec les emplois; *Auswärtige(s) ~* ministère *m* des Affaires étrangères; *geistliche(s) ~* ministère *m* spirituel; *das höchste ~* la plus haute magistrature; *öffentliche(s) ~* charge *f* publique; *Statistische(s) ~* service *m* statistique; **a~ieren** [-'ti:rən] *itr* être en fonction(s); **a~lich** *a* officiel, d'office; *in ~~er Eigenschaft* dans l'exercice de mes *etc* fonctions; **~mann** *m* ⟨-s, -leute/-männer⟩ secrétaire; *hist* bailli *m.*

Amts|adel ['amts-] *m hist* noblesse *f* de robe; **~anmaßung** *f* abus *m* d'autorité *od* de pouvoir; **~antritt** *m* entrée *f* en charge *od* en fonction(s); **~arzt** *m* médecin *m* administratif; **~befugnis** *f* compétence *f; s-e ~~se überschreiten* outrepasser les limites de sa compétence; **~bezirk** *m* district *m,* circonscription; *jur* juridiction *f;* **~blatt** *n* journal *od* bulletin *m od* gazette *f* officiel(le); **~bruder** *m* collègue, confrère *m;* **~dauer** *f* durée du mandat; *(e-r Körperschaft)* législature *f;* **~diener** *m* huissier *m;* **~enthebung** *f* suspension, destitution *f;* **~führung** *f* gestion, administration *f;* **~geheimnis** *n* secret *m* professionnel; **~gehilfe** *m* substitut, adjoint *m;* **~gericht** *n* tribunal *m* cantonal *od* de première instance; **~geschäfte** *n pl* fonctions *f pl* publiques; **~handlung** *f* acte *m* officiel *od* de fonction, opération *f* administrative; **~leitung** *f tele* ligne *f* réseau *od* principale; **~miene** *f* air *m* officiel; **~mißbrauch** *m* abus *od* excès *m* de pouvoir; **a~müde** *a* las de son emploi *od* de ses fonctions; **~niederlegung** *f* démission *f;* **~person** *f* personne *f* publique; *jur* officier *m* ministériel; **~pflichten** *f pl* devoirs *m pl* d'une charge; *s-e ~~ verletzen* trahir les devoirs de sa charge; **~richter** *m* juge *m* de première instance; **~schimmel** *m hum* carriole *f* administrative; *den ~~ reiten* avoir l'esprit bureaucratique; **~siegel** *n* sceau *m* officiel; **~sitz** *m* siège *m;* **~sprache** *f* langue *f* officielle *od* administrative; **~stube** *f* bureau *m;* **~stunden** *f pl* heures *f pl* de bureau *od* de service; **~tracht** *f* costume *m* officiel, robe *f* (de magistrat); **~vergehen** *n* forfaiture, prévarication, malversation *f;* **~vorgänger** *m* prédécesseur *m;* **~vormund** *m* tuteur *m* légal *od* officiel; **~vormundschaft** *f* tutelle publique; *(Behörde)* chambre *f* des tutelles; **~vorsteher** *m* chef *m* de bureau *od loc* de service; **~zeichen** *n tele* signal *m* de numérotation; **~zeit** *f* période d'activité *od* de fonctions, magistrature *f.*

Amulett *n* ⟨-(e)s, -e⟩ [amu'lɛt] amulette *f,* talisman, porte-bonheur *m.*

amüs|ant [amy'zant] *a* amusant, divertissant; *(spaßig)* drôle; **~ieren** [-'zi:rən] *tr* amuser; *sich ~~* s'amuser; *fam* faire la noce *od pop* la bombe; *sich köstlich ~~* s'amuser follement.

amusisch ['a-, a'mu:zıʃ] a *(ohne Kunstsinn)* indifférent à l'art, béotien.

an [an] *prp (Grundbedeutung)* à; **1.** *(räuml.) ~ der Wand* au mur; *~ der (Land-)Straße* au bord de la route; *~ e-m Fluß, am Rhein, ~ der Seine* sur une rivière, sur le Rhin, sur la Seine; *~ e-r Stelle* à un endroit; *~ der Tür (hängend* od *stehend)* à la porte; *am Feuer* près du feu; *am Kamin* au coin du feu; *am Kopf, Hals, ~ der Brust* à la tête, au cou, au sein; *~ der Hand (a. halten)* à la main; *Haus ~ Haus* une maison après l'autre; *~ die Wand stellen, werfen* mettre, jeter contre le mur; *~ die (Wand-)Tafel gehen, schreiben* aller, écrire au tableau (noir); *~ allen Gliedern zittern* trembler de tous ses membres; **2.** *(zeitl.) ~ e-m bestimmten Tage* à un jour fixé; *am Tage der Hochzeit, der Prüfung, des Unfalls* le jour du mariage, de l'examen, de l'accident; *~ e-m kalten, solchen Tage* par un jour froid, par un tel jour; *am hellen Tage* en plein jour; *am Abend* le soir; *~ e-m schönen Sommermorgen* par un beau matin d'été; *es ist ~ der Zeit zu* il est temps de; **3.** *(instrumental) ~ den Fingern herzählen* compter sur les doigts; *~ der Hand, Leine führen* mener par la main, en laisse; *~ der Nase herumführen (fig)* mener par le bout du nez; *~ Krücken gehen* marcher avec des béquilles; **4.** *(kausal) ~ etw liegen (von etw herrühren)* venir de qc; *~ etw leiden, sterben* souffrir, mourir de qc; **5.** *(verschiedene Beziehungen ausdrückend): sich ~ jdn wenden, ~ jdn schreiben* s'adresser, écrire à qn; *gut, schlecht ~ jdm handeln* agir bien, mal envers qn; *~ etw arbeiten* travailler à *od* sur qc; *~ etw erkranken* être pris *od* atteint de qc; *das liegt ~ Ihnen* cela vous regarde; *~ der Sache ist kein wahres Wort* c'est une fable *od* une invention pure; *arm, reich ~* pauvre, riche en; *~ mir (meiner Person)* en moi; *~ (und für) sich (im Grunde)* au fond, en fait; *das Ding ~ sich (philos)* la chose en soi; **6.** *~ die (mit e-m Zahlwort: gegen, ungefähr)* à peu près, environ; **7.** *(adv) von jetzt* od *nun ~* à partir de ce moment, désormais, dorénavant; *von d(ies)er Zeit ~* dès lors; *von morgen ~* dès demain; *~sein (angestellt, eingeschaltet sein)* marcher, fonctionner; *(Feuer, Licht)* être allumé.

Anachron|ismus *m* ⟨-s, -men⟩ [anakro'nısmus, -mən] anachronisme *m;* **a~istisch** *a* anachronique.

analog [ana'lo:k, -gə] *a (ähnlich, entsprechend)* analogue; **A~ie** *f* ⟨-, -n⟩ [-lo'gi:] analogie *f; in ~~ zu* par analogie avec.

Analphabet *m* ⟨-en, -en⟩ ['an-, analfa'be:t] analphabète, illettré *m;* **~entum** *n* ⟨-s, ø⟩ analphabétisme *m.*

Analy|se *f* ⟨-, -n⟩ [ana'ly:zə] analyse *f;* **~senwaage** *f chem* micropeseuse *f;* **a~sierbar** *a* analysable; **a~sieren** [-'zi:rən] *tr* analyser; anatomiser; **~tik** *f* ⟨-, ø⟩ [ana'ly:tık] *philos* analytique *f;* **~tiker** *m* ⟨-s, -⟩ [-'ly:tikər] analyste *m;* **a~tisch** [-'ly:tıʃ] *a* analytique.

Anäm|ie *f* ⟨-, -n⟩ [anɛ'mi:] *med (Blutarmut)* anémie *f;* **a~isch** [-'nɛ:mıʃ] *a* anémique.

Ananas *f* ⟨-,-/se⟩ ['ananas] ananas *m.*

Anarch|ie *f* ⟨-, -n⟩ [anar'çi:] anarchie *f;* **a~isch** [-'narçıʃ] *a* anarchique; **~ismus** *m* ⟨-, ø⟩ [-'çısmus] anarchisme *m;* **~ist** *m* ⟨-en, -en⟩ [-'çıst] anarchiste *m;* **a~istisch** [-'çıstıʃ] *a* anarchiste.

Anästhes|ie *f* ⟨-, -en⟩ [anɛste'zi:] *med* anesthésie *f;* **a~ieren** [-'zi:rən] *tr* anesthésier.

Anatom *m* ⟨-en, -en⟩ [ana'to:m] anatomiste *m;* **~ie** *f* ⟨-, -n⟩ [-to'mi:] anatomie *f; (Hörsaal)* amphithéâtre *m* d'anatomie; *~~ für Künstler* anatomie *f* artistique; **a~isch** *a* anatomique; *~~e(s) Institut n* institut *m* d'anatomie.

an=bahnen *tr* frayer *od* préparer *od* ouvrir la voie à, amorcer; *sich ~* se préparer, s'amorcer.

an=bändeln *itr fam: mit jdm ~* faire la cour à qn, chercher le contact avec qn, flirter avec qn; *(feindlich)* chercher querelle *od* noise à qn.

Anbau *m* ⟨-(e)s, -ten⟩ *arch* agrandissement *m,* annexe; *(kleiner)* aile; *agr (von Pflanzen)* culture; *(des Bodens)* mise en culture, exploitation *f; (von Brachland)* défrichement *m; ~ verschiedener Erzeugnisse* polyculture *f;* **an=bauen** *tr arch* ajouter, adosser (*an* à); *agr* planter, cultiver; exploiter; défricher; **a~fähig** *a (Boden)* cultivable; **~fläche** *f* surface cultivée; superficie *f* cultivable; **~küche** *f* cuisine *f* par éléments; **~möbel** *n pl* meubles *m pl* par éléments.

an=befehlen *tr (anvertrauen)* confier (*jdm etw* qc à qn).

Anbeginn *m* ⟨-s, ø⟩ : *seit* od *von ~* dès l'origine, dès le début.

an=behalten *tr (Kleidungsstück)* garder (sur soi), ne pas ôter *od* quitter.

anbei [an'baı, '--] *adv* ci-inclus, ci-joint, sous ce pli.

an=beißen *tr* mordre dans; *itr (Fisch beim Angeln* u. *fig)* mordre à l'hameçon; *fig fam* gober (l'hameçon), se laisser prendre; **A~** *n (des Fisches)* touche *f; zum ~~ hübsch* joli à croquer.

an=belangen *tr impers* regarder, concerner; *was mich anbelangt* en ce qui me concerne, moi; quant à moi.

an=bellen *tr* aboyer (*jdn* après qn).

an=beraumen *tr adm jur* (pré)fixer.

an=bet|en *tr, a. fig* adorer; **A~er** *m* adorateur *m;* **A~ung** *f* ⟨-, -en⟩ adoration *f;* **~ungswürdig** *a* adorable.

Anbetracht: *in ~ (gen)* en considération de, eu égard à, vu, attendu, en raison de; *in ~ (der Tatsache), daß* vu *od* attendu, étant donné que; *jur* considérant que.

an=betreffen *tr impers = anbelangen.*

an=betteln *tr* demander l'aumône (*jdn* à qn); mendier (*jdn* auprès de qn).

an=bieder|n *sich* faire le gentil (*bei*

jdm auprès de qn); *fam* taper sur le ventre (*bei jdm* à qn); **A~ung(sversuch** *m***)** *f* (tentative *f* de) rapprochement *m.*

an=biet|en *tr* offrir; *zum Kauf ~~* mettre en vente; **A~~** *n* offre *f;* **A~er** *m fin* offreur *m.*

an=binden *tr* lier, attacher (*an* à); *(Baum)* palisser; *itr fig: mit jdm ~* chercher querelle *od* noise à qn; *wieder ~* rattacher; *kurz angebunden sein* ne pas répondre grand chose, être très sec, ne pas faire de frais de politesse; *sehr angebunden (beansprucht) sein* être comme un chien à l'attache.

an=blasen *tr (Hochofen)* mettre en feu.

Anblick *m (Blick)* vue *f,* regard, coup d'œil; *(Aussehen)* aspect *m; beim ~ (gen)* à la vue (de); *fesselnde(r) ~* spectacle *m* fascinant; **an=blicken** *tr* regarder.

an=bohren *tr* forer, percer; *(Harzbäume)* entailler; *(Faß)* mettre en perce; *(Schiff zur Versenkung)* saborder; *fig fam (sondieren)* sonder.

an=braten *tr* saisir, faire revenir.

an=brausen *itr: angebraust kommen* arriver en coup de vent.

an=brechen *tr (Vorrat, Stück, Pakkung, Flasche)* entamer; *fig a.* écorner; *itr (beginnen)* commencer; *(Tag)* se lever, poindre; *(Nacht)* tomber.

an=brennen *tr (anzünden)* allumer, mettre le feu à; *itr* s'allumer, prendre feu; *(Speise)* commencer à brûler, attacher; *angebrannt riechen* sentir le brûlé; *angebrannt schmecken* avoir un goût de brûlé.

an=bringen *tr (hintun u. befestigen)* mettre, poser, placer, loger, installer, fixer, appliquer, ménager; *(Veränderung)* pratiquer; *(Siegel, Plakat)* apposer; *(Wort)* placer; *(zur Sprache bringen)* exposer, mettre sur le tapis; *(Gesuch, Klage)* déposer; *(Kenntnisse zeigen)* exposer, débiter; *(verkaufen)* débiter, écouler.

Anbruch *m* ‹-(e)s, ⁻e› *metal* cassure, crique; *mines* ouverture *f; (Beginn)* commencement *m; (der Nacht)* tombée; *(des Tages)* pointe *f; im ~ (nicht mehr ganz)* entamé.

an=brüllen *tr* vociférer, tonner, pester (*jdn* contre qn); *fam* rabrouer, enguirlander; *pop* engueuler.

an=brüten *tr* commencer à couver.

Andacht *f* ‹-, -en› ['andaxt] *(innere Haltung)* recueillement *m,* méditation *f; rel* acte *m* de dévotion, dévotions *f pl; (Gebet)* prière *f; s-e ~ verrichten* faire ses dévotions; **~sbuch** *n* livre *m* de dévotion; **andächtig** ['-dɛçtıç] *a rel* recueilli; *adv: ~~ zuhören* écouter attentivement.

Andalus|ien [anda'lu:ziən] *n* l'Andalousie *f;* **~ier(in** *f***)** *m* ‹-s, -› [-'lu:ziər] Andalou, se *m f;* **a~isch** [-'lu:zıʃ] *a* andalou.

an=dauern *itr* durer, continuer, persister; **~d** *a* continuel, persistant; *adv a.* à tout (tous) moment(s), constamment.

Andenken *n* ‹-s, -› *(Gedenken)* mémoire *f; (Erinnerungsstück)* souvenir *m; zum ~ an* en mémoire, en souvenir, en commémoration de; *ein ehrenvolles ~ hinterlassen* laisser une mémoire honorée; *in gutem ~ bei jdm stehen* avoir laissé un bon souvenir à qn.

ander|e(r, s) ['andər-] *pron* autre; *ein ~er, (pl) ~e (allg)* autrui *m; die ~n (a.)* le reste; *jeder ~e* tout autre; *kein ~er* aucun *od* nul autre, personne (d')autre; *der eine und der ~e* l'un et l'autre; *weder der eine noch der ~e* ni l'un ni l'autre; *etwas ~es* autre chose; *alles ~e* tout le reste; *als* rien moins que; *nichts ~es* rien (d')autre; *am ~n Tage* le lendemain; *auf der ~n Seite (a. fig)* de l'autre côté; *in ~n Umständen (fam: schwanger)* enceinte *a f; einer nach dem ~n* l'un après l'autre; *(abwechselnd)* tour à tour; *ein Fehler nach dem ~n* faute sur faute; *ein ums ~e Mal* une fois sur deux; *einen Tag um den ~n* tous les deux jours; *unter ~em* entre autres (choses); *mit ~en Worten* en d'autres termes; *ein ~es Hemd, Kleid anziehen* changer de chemise, de robe; *~er Meinung* od *~en Sinnes sein* avoir changé d'avis; *~e Saiten aufziehen* changer de ton; *sich um nichts ~es kümmern* ne pas s'embarrasser du reste; *sich über die ~n lustig machen* se moquer des gens; *ein ganz ~er geworden sein* être tout changé; *von etwas ~em sprechen* changer de conversation; *sich auf ~e verlassen* compter sur autrui; *ich habe ganz ~e Dinge gesehen* j'en ai vu bien d'autres; *sie sind einer wie der ~e* l'un vaut l'autre; *das ist etwas ~es* c'est autre chose, c'est différent; *fam* c'est une autre histoire; *das ist etwas ganz* od *völlig ~es* c'est tout autre chose, cela ne se ressemble pas, c'est comme le jour et la nuit; *fam* c'est une autre paire de manches; *es verging ein Monat um den ~n* les mois s'écoulaient; *das machen Sie e-m ~n weis!* à d'autres! *~e Länder, ~e Sitten (prov)* autres pays, autres mœurs; *~e Zeiten, ~e Sitten (prov)* autres temps, autres mœurs; *was du nicht willst, daß man dir tu', das füg auch keinem ~n zu!* ne fais pas à autrui ce que tu ne voudrais pas qu'on te fît à toi-même; **~(e)nfalls** ['--'-] *adv* autrement, sinon, faute de *od* sans quoi; **~(e)norts** ['--'-] *adv* (par) ailleurs; **~(e)ntags** ['--'-] *adv* le lendemain; **~(e)nteils** ['--'-] *adv* d'autre part; **~(er)seits** ['--'-] *adv* d'autre part, d'(un) autre côté; *(dafür)* en revanche; *(dagegen)* par contre; **~mal** ['--'-] : *ein ~~* une autre fois, un autre jour; **~s** *adv* autrement, d'une autre manière *od* façon, différemment; *ganz ~~* bien autrement; *nirgend(wo) ~~* nulle part ailleurs; *~~ ausgedrückt* od *gesagt* autrement dit; *wenn ~~* si toutefois; *sich ~~ besinnen* se raviser; *~~ entscheiden (jur)* se déjuger; *ich kann nicht ~~* je ne puis faire autrement; *als* je ne puis m'empêcher de; *ich kann nicht ~~, ich muß lachen* je ne puis m'empêcher de rire; *mir geht's nicht ~~* il n'en est pas autrement pour moi; *mir wird ganz ~~* je me sens mal; *das klingt schon ganz ~~* voilà qui est différent; *es kommt noch ganz ~~* on en verra bien d'autres; *das muß ~~ werden* il faut que ça change; *das ist nun mal nicht ~~* c'est comme ça; *jemand ~~* quelqu'un d'autre; *niemand ~~ (als er)* personne d'autre (que lui); *wer ~~ (als er)?* qui d'autre (que lui)? *erzählen Sie das jemand ~~!* à d'autres! **~sartig** *a* différent; **A~sdenkende(r)** *m pol* dissident *m;* **~sgeartet** *a* = *~sartig;* **~sgläubig** *a* hétérodoxe, dissident; **~sherum** ['---'-] *adv* dans l'autre sens; **~swie** ['--'-] *adv* de quelque autre manière; **~swo** ['--'-] *adv* ailleurs, autre part; **~swoher** ['---'-] *adv* d'ailleurs; *~~ sein* venir d'ailleurs; **~swohin** ['---'-] *adv* ailleurs, autre part; **~thalb** ['--'-] *(Zahlwort)* un et demi; *~~ Jahre n pl* dix-huit mois *m pl; ~~ Stunden f pl* une heure et demie; **~thalbfach** ['--'--] *a* sesquialtère; **~wärts** ['--'-] *adv* = *~swo;* **~weitig** ['--'--] *a* autre; *adv* autrement; *(~swo)* ailleurs.

änder|n ['ɛndərn] *tr* changer, modifier; *(Kleidung)* retoucher; *(verbessernd)* corriger; *(verschlechternd)* altérer; *sich ~~* changer; *(bes. Preise)* varier; *den Kurs ~~ (mar aero)* changer de route *od* de cap; *sein Leben ~~* faire peau neuve; *s-e Meinung ~~* changer d'avis; *die Richtung ~~* changer de direction *od* de sens; *das ist nicht zu ~~* on n'y peut rien changer; *das ~t nichts an der Sache* cela n'y fera rien; *daran ist nichts zu* od *läßt sich nichts ~~* il n'y a rien à faire; **Ä~ung** *f* ‹-, -en› changement *m,* modification; retouche; correction; altération; variation *f; ~~en an etw vornehmen* apporter *od* faire des modifications à qc; *~~en vorbehalten (pp)* sous réserve de modifications.

an=deut|en *tr (durch Zeichen)* indiquer (par des signes); *(zu verstehen geben)* donner à entendre, faire comprendre; *(Kunst)* ébaucher; *(anspielen auf)* faire allusion à; *(vorbedeuten)* présager, annoncer; *sich ~~* s'esquisser; **A~ung** *f* indication *f,* signe *m;* ébauche; allusion *f;* présage *m; auf e-e (bloße) ~~ hin* à demi-mot; *~~en machen* parler à demi-mot *od* à mots couverts; **~ungsweise** *adv* à demi-mot, à mots couverts.

an=dichten *tr: jdn ~* adresser un poème à qn; *jdm etw ~* inventer qc au sujet de qn, imputer *od* attribuer faussement qc à qn.

Andrang *m* ‹-(e)s, ø› *(Drängen)* affluence, presse *f; (Menschenstrom)* foule *f; med (Blut~)* afflux *m,* congestion *f.*

an=drehen *tr (Schraube)* serrer (en tournant); *(el: Licht)* allumer; *radio* faire marcher; *jdn etw ~ (fig fam: aufschwatzen)* refiler qc à qn; *wie willst du das ~? (fam)* comment vas-tu t'y prendre?

an=droh|en *tr: jdm etw ~~* menacer,

jur a. avertir qn de qc; **A~ung** *f* menace *f; jur a.* avertissement *m; unter ~~ (gen) (jur)* sous peine (de).

Andruck *m* ‹-(e)s, -e› *typ (Prüfdruck)* épreuve *f;* **an=drucken** *tr* faire une épreuve de.

an=eign|en *sich* s'approprier, s'adjuger (*etw* qc); *(sich e-r S bemächtigen)* s'emparer, se saisir (*etw* de qc); *(widerrechtlich)* s'arroger, usurper qc; *(e-e Fremdsprache)* s'assimiler (*das Französische* le français); *(Kenntnisse)* acquérir; **A~ung** *f* ‹-, (-en)› appropriation; usurpation; assimilation *f.*

aneinander [--'--] *adv* l'un à *od* contre l'autre; ~ *hängen (fig)* être inséparable; ~ *vorbeireden* ne pas tenir le même langage; *sie reden ~ vorbei* c'est un dialogue de sourds; **~=fügen** *tr* joindre, abouter; **~=geraten** *itr (handgemein werden)* en venir aux mains; *(mitea. Streit anfangen)* se heurter, se quereller; **~=grenzen** *itr* se toucher, être contigu; *(Staaten a.)* être limitrophe; **~=reihen** *tr* mettre à la file, aligner; *(Gedanken)* enchaîner; **~=stoßen** *itr* s'entrechoquer; *(sich berühren)* se toucher.

Anekdot|e *f* ‹-, -n› [anɛk'do:tə] anecdote *f;* **a~enhaft** *a,* **a~isch** *a* anecdotique.

an=ekeln ['an-] *tr* dégoûter, écœurer, rebuter.

Anemo|meter [anemo'me:tər] *n (Windmesser)* anémomètre *m;* **~ne** *f* ‹-, -n› [-'mo:nə] *bot* anémone *f.*

Anerbe *m jur* héritier *m* privilégié; **~nrecht** *n* droit *m* d'héritage par primogéniture.

an=erbieten, *sich* s'offrir; **A~** *n* offre, proposition *f.*

anerkannt *a* reconnu; *(allgemein ~)* généralement admis; **~ermaßen** ['an-, anər'kant-] *adv* de l'aveu de tous.

an=erkenn|en ‹*erkannte an/anerkannte, anerkannt, wenn ich anerkennte*› *tr* reconnaître (*als* pour); *(finanzielle u. moralische Schuld eingestehen)* avouer; *(billigen)* approuver; *(zu schätzen wissen)* rendre justice à, apprécier; *jur (gerichtlich, gesetzlich ~~)* légitimer, légaliser; *fin (Wechsel)* accepter; *sport* homologuer; *nicht ~~* désavouer; **~end** *a (Worte)* favorable, élogieux; *jur* récognitif; **~enswert** *a* louable; **A~tnis** *f* ‹-, -se› *od n* ‹-ses, -se› *jur* = *~ung (jur);* **A~ung** ['an-, anər'kɛn-] *f* reconnaissance *f;* aveu *m;* approbation; appréciation; *jur* légitimation, légalisation; *fin* acceptation; *sport* homologation *f; ~~ finden* être approuvé *od* apprécié; **A~ungsschreiben** *n* lettre *f* de reconnaissance; **A~ungsurkunde** *f jur* acte *m* récognitif.

Aneroidbarometer [anero'i:t-] *n* baromètre *m* anéroïde.

anerzogen *a* inculqué, qui vient de l'éducation.

an=fachen *tr (Feuer)* souffler; *a. fig (Leidenschaft)* attiser, allumer; *fig* exciter.

an=fahr|en *tr (heranschaffen)* amener, charrier; *(mit e-m Fahrzeug anstoßen)* accrocher; *(mit Worten)* brusquer, rudoyer; *fam* rabrouer; *itr (sich in Bewegung setzen)* se mettre en marche *od* en mouvement, s'ébranler; *mot a.* démarrer; *mines* descendre (dans la mine); *(stoßen)* heurter (*an* od *gegen etw* qc); *(ankommen)* arriver; *mar* aborder; **A~en** *n* charriage; accrochage; démarrage *m;* **A~t** *f (Zufahrt)* accès, abord *m,* approche; *mines* descente (dans la mine); *(Ankunft)* arrivée *f, mar* abordage *m.*

Anfall *m med* attaque, atteinte *f,* accès *m; jur (e-r Erbschaft)* dévolution; *fin (Fälligwerden)* échéance *f; (Erträge)* rapports, produits *m pl;* **an=fallen** *tr (überfallen)* assaillir; attenter (*jdn* à qn); *a. med* attaquer; *itr jur* échoir; *fin (fällig werden)* venir à échéance; **a~end** *a (Arbeit)* occasionnel.

anfällig *a* susceptible (*für* de), sensible (*für* à); *med* réceptif (*für* à); *~ sein für Erkältungen* être sujet aux refroidissements; **A~keit** *f* ‹-, (-en)› susceptibilité, sensibilité; *med* réceptivité *f,* manque *m* de résistance.

Anfang *m* commencement, début *m; (Ursprung)* origine *f; lit (e-r Rede)* exorde *m; pl (~sgründe)* éléments, rudiments *m pl; am, im, zu ~* au commencement, au début; *gleich zu ~* au premier *od* de prime abord; *von ~ an* dès le début; *von ~ bis zu Ende* du commencement à la fin; *~ Mai* au début de mai; *den ~ machen* commencer; *e-n neuen ~ machen* prendre un nouveau départ; *s-n ~ nehmen* commencer; *noch in den (ersten) Anfängen stecken* n'en être qu'à ses débuts, être à l'état embryonnaire; *das ist der ~ vom Ende* c'est le commencement de la fin; *aller ~ ist schwer (prov)* il n'y a que le premier pas qui coûte; **an=fangen** *tr* commencer; *fam (tun)* faire, entreprendre; *itr* commencer (*zu tun* à *od* de faire); *damit, daß* par *inf;* se mettre (*zu tun* à faire); *(zum erstenmal tun)* débuter; *alles (mögliche) ~* entreprendre toutes sortes de choses; *alles verkehrt ~* prendre tout à rebours; *ein Gespräch ~* entamer une conversation; *ein neues Leben ~* changer de vie, faire peau neuve; *mit nichts angefangen haben* être parti de rien; *etw richtig ~* prendre qc par le bon bout; *Streit mit jdm ~* chercher querelle à qn; *(wieder) von vorn ~* recommencer, reprendre (à zéro); *mit etw nichts anzufangen wissen* ne savoir que faire de qc; *es fängt (wieder) an zu regnen* la pluie se met (recommence) à tomber; *mit dir ist nichts anzufangen* il n'y a rien à faire avec toi; *fange nicht immer wieder davon an (fam)* change de disque, ne reviens pas toujours là-dessus; *ich kann mit ihm nichts ~* il me déconcerte; *die Schule fängt wieder an* c'est la rentrée des classes; *wie soll ich das ~?* comment m'y prendre? *das fängt ja gut an!* voilà qui commence bien!

Anfäng|er(in *f***)** *m* commençant, e; débutant, e; novice *m f; ein blutiger ~er sein (fam)* n'en être qu'à ses premiers pas; être novice (*in etw* à qc); **a~lich** *a* premier, initial; *adv* = *anfangs.*

anfangs ['anfaŋs] *adv* au commencement, au début, à l'origine, d'abord; *gleich ~* dès le début, au premier *od* de prime abord.

Anfangs|buchstabe ['anfaŋs-] *m* (lettre) initiale *f; große(r), kleine(r) ~~* majuscule, minuscule *f;* **~gebot** *n (Auktion)* mise *f* à prix; **~gehalt** *n* traitement *m* de début; **~geschwindigkeit** *f* vitesse *f* initiale; **~gründe** *m pl (e-r Wissenschaft)* éléments, rudiments *m pl,* premières notions *f pl;* **~kapital** *n* capital *m* initial; **~spannung** *f el* tension *f* initiale; **~stadium** *n* phase *f* initiale; *im ~~ (med)* récent; **~unterricht** *m* enseignement *m* élémentaire; **~zustand** *m* état *m* originaire *od* primitif.

an=fassen *tr (berühren)* toucher (à); *(anfangen, in Angriff nehmen)* commencer; se prendre à; *(jdn behandeln)* prendre, traiter; *sich (ea.) ~* se donner les mains; *es falsch* od *verkehrt ~* s'y prendre de travers; *mit ~ (helfen)* donner un coup de main; *jdn rauh ~* traiter qn brutalement; *etw richtig ~* prendre qc par le bon bout; *jdn mit Samthandschuhen ~* prendre des gants avec qn.

anfecht|bar *a (bestreitbar)* discutable, attaquable; *a. jur* contestable; *jur* annulable; **A~barkeit** *f* ‹-, ø› *jur* annulabilité *f;* **an=fechten** *tr jur (nicht anerkennen)* attaquer, contester; (*die Gültigkeit bestreiten)* contester la validité de; *(beunruhigen)* inquiéter, agiter; *als gefälscht ~ (jur)* arguer de faux; *was ficht dich an? (was fällt dir ein?)* qu'est-ce qui te prend? quelle mouche t'a piqué? **A~ung** *f jur* contestation; *fig (Versuchung)* tentation; *(quälender Gedanke)* obsession *f;* **A~ungsgrund** *m* cause *f* d'annulabilité; **A~ungsklage** *f* action *f* en contestation *od* en annulation.

an=feind|en *tr (als Feind betrachten)* montrer *od* manifester de l'hostilité envers; *(angreifen)* attaquer, harceler; **A~ung** *f* malveillance, hostilité *f;* acte *m* d'inimitié, attaque *f.*

an=fertig|en *tr* faire; *(im großen)* fabriquer, manufacturer, confectionner; **A~ung** *f* fabrication, confection; production; *(Fertigung)* finition *f.*

an=feucht|en *tr* mouiller, humecter; **A~en** *n* humectation *f;* **A~er** *m (Gerät)* mouilleur *m.*

an=feuer|n *tr (anheizen)* allumer; *a. fig* chauffer; *fig* enflammer, exciter, animer; *bes. sport* encourager; **A~ung** *f fig* encouragement *m.*

an=fleh|en *tr* implorer (*jdn um etw* qc de qn); supplier (*jdn, etw zu tun* qn de faire qc); **A~ung** *f* imploration, supplication *f.*

an=fliegen *tr aero* s'approcher de,

aborder (en volant); *(Zwischenlandung machen in)* faire escale à; *regelmäßig* ~ desservir; *itr (angeflogen kommen)* arriver (en volant).

Anflug *m aero* (vol *m* d')approche; arrivée; escale; *fig* trace, esquisse, teinte, ombre, idée *f*, soupçon *m* (*von* de); **~linie** *f aero* ligne *f* d'approche; **~richtung** *f* direction *f* d'approche; **~weg** *m* voie *od* route *f* d'approche; **~winkel** *m* angle *m* d'approche; **~zeit** *f* temps *m od* durée *f* d'approche.

an=forder|n *tr (Sache)* demander; *(S u. Person)* réclamer; *polizeilichen Schutz* ~~ requérir la force publique; **A~ung** *f* demande; réclamation; requête; *(Erfordernis)* exigence; *(Anspruch)* prétention *f*; *den* ~~*en genügen* satisfaire aux exigences; *hohe* ~~*en an jdn stellen* exiger beaucoup de qn.

Anfrag|e *f* demande, question, requête; *parl* interpellation *f*; *auf* ~~ sur demande; *e-e* ~~ *an jdn richten* adresser une demande à qn; interpeller qn; *e-e* ~~ *stellen (parl)* interpeller; **an=fragen** *itr: bei jdm* ~ demander, s'adresser à qn, se renseigner auprès de qn; *bei jdm wegen etw* ~ s'informer de qc auprès de qn.

an=fressen *tr* entamer; *(annagen, anknabbern)* ronger, grignoter; *(Würmer)* piquer; *(Motten)* miter; *(Rost)* entamer; *(Säure)* mordre, ronger, corroder.

an=freunden, *sich* se lier d'amitié (*mit jdm* avec qn).

an=frieren *itr (teilweise gefrieren)* prendre; *an etw* prendre sur qc (en gelant).

an=füg|en *tr* joindre, ajouter (*an* à); **A~ung** *f (Zusatz)* adjonction, addition *f*.

an=fühlen *tr* toucher, tâter; *sich hart, weich* ~ être dur, mou au toucher.

Anfuhr *f* ⟨-, -en⟩ transport, charroi, charriage, camionnage *m*.

an=führ|en *tr* conduire; *(a. den Tanz)* mener; *mil* commander; *(Zeugen beibringen)* produire; *(Text)* citer; *(Beispiel)* donner; *(Grund)* alléguer; *(täuschen)* tromper, duper, attraper; *fam* mettre *od pop* ficher dedans; *von jdm angeführt werden (a.)* être la dupe de qn; *sich* ~~ *lassen* se laisser prendre, donner dans le panneau; **A~er** *m* conducteur, chef; *pol pej* meneur; *mil* commandant; *sport* leader *m*; **A~ung** *f* conduite, direction *f*; *mil* commandement *m*; *fig* production; citation; allégation *f*; **A~ungszeichen** *n pl* guillemets *m pl*.

an=füllen *tr* (r)emplir (*mit* de); *(bis zum Rand)* combler (*mit* de); *sich* ~ s'emplir, se remplir (*mit* de); **A~** *n* remplissage *m*.

Angabe *f (Hinweis)* indication; *(Auskunft)* information *f*; *(Aussage, Anzeige)* énoncé *m*, déclaration; *(Anführung von Gründen)* allégation; *(Anzeige bei d. Polizei etc)* dénonciation, délation; *(Zeugenaussage)* déposition *f*, témoignage *m*; *fam (Prahlerei)* fla-fla *m*, esbroufe; ostentation, hâblerie, vantardise, forfanterie *f*; *aus* ~ *(fam)* pour se donner du genre; *nach s-n* ~*n* selon ses dires, d'après lui; *nähere* ~*n* détails *m pl*, précisions, spécifications *f pl*; *technische* ~*n* données *f pl* techniques.

an=gaffen *tr fam* badauder, regarder bouche bée; *pop* zyeuter.

angängig *a (möglich)* possible, faisable; *(statthaft)* admissible, permis.

an=geb|en *tr* indiquer; *(s-n Namen)* décliner; *(genau)* préciser, spécifier; *(aussagen, a. jur)* énoncer; *(erklären, bes. Wert, Einkommen)* déclarer; *(Gründe)* donner, alléguer; *(bei d. Polizei etc anzeigen)* dénoncer; *(verpetzen, bes. in d. Schule)* moucharder, cafarder; *itr fam (prahlen)* faire du fla-fla *od* de l'esbroufe *od* de l'épate; se vanter (*mit* de); *falls nicht(s) ander(e)s angegeben (ist)* sauf indication contraire; *um anzugeben = aus Angabe; als Entschuldigung* ~~ alléguer *od* donner comme excuse; *den Ton* ~~ *(mus u. fig)* donner le ton; **A~er** *m (Denunziant)* dénonciateur, délateur; *(Petzer, bes. in d. Schule)* rapporteur, mouchard, cafard; *fam (Prahler)* crâneur, esbroufeur, m'as-tu-vu, fanfaron *m*; **A~erei** *f fam = Angabe (Prahlerei)*; **~erisch** *a fam* fanfaron; **~lich** *a* prétendu, soi-disant *a. adv*; *adv* à ce qu'on dit.

Angebinde *n (kleines Geschenk)* présent, cadeau *m*.

angeboren *a* inné, natif, de naissance; *scient* congénital.

Angebot *n* offre; *com (Ausschreibung)* soumission *f*; *ein höheres* ~ *machen* mettre une enchère; *ein (Lieferungs-)*~ *machen* soumissionner; *feste(s)* ~ offre *f* ferme; *höhere(s)* ~ enchère *f*; ~ *und Nachfrage f* l'offre *f* et la demande.

angebracht *a* opportun, convenable; *adv* à propos; *nicht* ~ déplacé.

angebrütet *a* couvi.

an=gedeihen *itr: jdm etw (Erziehung, Pflege)* ~ *lassen* donner qc à qn.

angegossen *a: wie* ~ *sitzen (Kleidungsstück)* aller comme un gant.

angegriffen *a fig (müde)* fatigué, épuisé; ~ *aussehen* avoir l'air souffrant; ~*e Gesundheit f* mauvaise santé *f*.

Angehängte(s) ['angəhɛŋtə(s)] *n (im Topf)* gratin *m*.

angeheiratet *a* apparenté par alliance *od* par mariage.

angeheitert *a (beschwipst)* un peu gai *od* gris, entre deux vins; *fam* pompette, émoustillé, éméché.

an=gehen *tr (bitten)* demander (*jdn um etw* qc à qn), solliciter (*jdn um etw* qc de qn); *(angreifen)* attaquer; *(betreffen)* regarder, concerner; *(Problem)* aborder *itr fam (anfangen)* commencer; *(Feuer)* prendre; *(Pflanze)* prendre (racine); *fam (Fleisch: anfangen schlecht zu werden)* commencer à s'abîmer; *(ankämpfen)* lutter (*gegen etw* contre qc); combattre (*gegen etw* qc); *(erträglich sein)* être passable *od* supportable; pouvoir aller; *(angebracht, passend sein)* être convenable, se faire; *was mich angeht* quant à moi; *das geht an* cela va; *das geht nicht an* cela ne va pas, cela ne se fait *od* peut pas; *es geht nicht an, daß ...* il n'est pas possible de ...; *das mag* ~ passe pour cela; *das geht mich (nichts) an* cela (ne) me regarde (pas), c'est (ce n'est pas) mon affaire; *was geht dich das an?* de quoi te mêles-tu? qu'est-ce que cela peut te faire? **~d** *a (Mensch in e-m Stand od Beruf)* jeune; *(künftig)* futur, *fam* en herbe; *ein* ~~*er Arzt* un jeune médecin.

an=gehör|en *itr* appartenir (*e-r Organisation* à une organisation), faire partie, être membre (*e-r Organisation* d'une organisation); **~ig** *a:* ~~ *sein* = ~*en*; **A~ige(r)** *m, meist pl: die* ~*igen (Mitglieder)* les membres *m pl*; *(e-s Betriebes)* le personnel; *meine* ~*igen* ma famille, les miens; *die nächsten* ~*igen* les plus proches parents *m pl*; **A~igkeit** *f* appartenance *f* (*zu* à).

Angeklagte(r) *m jur* accusé, prévenu *m*.

Angel *f* ⟨-, -n⟩ ['aŋəl] *(~schnur)* ligne (de pêche); *(~rute)* gaule *f*; *(~haken)* hameçon *m*; *(Tür~)* gond, pivot *m*; *zwischen Tür und* ~ *(fig: beim Abschied)* au moment de partir; *(in Eile)* en toute hâte; *aus den* ~*n geraten, heben (Tür* u. *fig)* sortir, faire sortir de ses gonds; **~gerät** *n* ustensiles *m pl* de pêche (à la ligne); **~haken** *m* hameçon *m*; **a~n** *tr* u. *itr* pêcher à la ligne; *fig hum tr (erwischen)* décrocher, attraper; *itr* chercher à décrocher (*nach etw* qc); *sie hat sich e-n Mann geangelt* elle a décroché un mari; **~n** *n* pêche *f* à la ligne; **~punkt** *m* pivot *m*, charnière, cheville *f* ouvrière; **~rute** *f* gaule, canne *f* à pêche; **~schein** *m* permis *m* de pêche; **~schnur** *f* fil *m* de la ligne; **~sport** *m* (sport *m* de la) pêche *f*; **a~weit** *adv: die Tür steht (sperr)~~ offen* la porte est grande ouverte.

an=gelangen *itr* arriver.

Angeld *n* ⟨-(e)s, -er⟩ arrhes *f pl*.

angelegen *a: sich etw* ~ *sein lassen* viser à qc, prendre qc à cœur; s'appliquer à qc; *sich* ~ *sein lassen, etw zu tun* avoir à cœur de faire qc; **A~heit** *f* affaire; *bes. jur* cause *f*; *in welcher* ~~ *kommen Sie?* quel est le but de votre démarche? *ich will mit d(ies)er ganzen* ~~ *nichts zu tun haben* je ne veux être mêlé en rien à cette affaire; **~tlich** *adv* avec empressement; instamment.

angelernt *a (Können)* acquis, appris; *(Arbeiter)* spécialisé; ~*er Arbeiter m* ouvrier *m* spécialisé (O.S.).

Angelika [aŋ'ge:lika] *f* Angélique *f*.

Angel|sachse ['aŋəl-] *m* Anglo-Saxon *m*; **a~sächsisch** *a* anglo-saxon; *(das) A~~(e)* (l')anglo-saxon *m*.

angemessen *a (passend)* convenable, à propos; *(geeignet)* approprié; *(entsprechend)* conforme, adéquat (*dat* à); *(billig, gerecht)* équitable, raisonnable; **A~heit** *f* convenance; conformité; équité *f*.

angenehm *a* agréable; *(Mensch a.)* sympathique; *(willkommen)* bienvenu; *das A~e mit dem Nützlichen verbinden* joindre l'utile à l'agréable; *sehr ~! (beim Vorstellen)* très heureux, enchanté (de faire votre connaissance).
angenommen *a (Fall: gesetzt)* supposé, hypothétique; *(Name)* d'emprunt, de guerre; *(Kind)* adoptif; *~ (gesetzt), daß* à supposer que *(subj).*
Anger *m* ‹-s, -› ['aŋər] *(Dorfweidefläche)* pâturage *od* pacage *m* public.
angeregt *a* animé, vif; *sich ~ unterhalten* avoir une conversation animée.
angeschlagen *a (Geschirr)* ébréché; *fig fam = angegriffen.*
angesehen *a (geachtet)* considéré, estimé, renommé; *gut, schlecht bei jdm ~* bien, mal vu de qn.
Angesicht *n* ‹-(e)s, (-e/-er)› *lit poet* face *f*, visage *m*, figure *f; von ~ zu ~* face à face; *dem Tod ins ~ schauen* regarder la mort en face; **a~s** *prp gen* en vue de, en présence de; *fig (im Hinblick auf)* eu égard à, devant.
angesprochen ‹*pp von: ansprechen*› *der A~e* celui à qui il, elle *etc* avait *etc* adressé la parole.
angestammt *a* héréditaire.
Angestellt|e(r) *m* employé *m; die ~en pl* le personnel; *kaufmännische(r) ~~* employé *m* de commerce; *kleine(r) ~~ (a.)* employé subalterne, *fam* lampiste *m; die leitenden ~en* le personnel *m* d'encadrement, les cadres *m pl; ~~ in leitender Stellung* employé *m* occupant un poste de direction *od* en position de cadre; **~engewerkschaft** *f* syndicat *m* des employés; **~enversicherung** *f* assurance *f* des employés.
angestrengt *adv (arbeiten)* avec beaucoup d'efforts, avec bien du mal.
angetan *a lit (bekleidet): ~ mit* vêtu de; *nicht danach* od *dazu ~ sein zu ...* n'être pas fait *od* de nature à ...; *a. = pp von antun; ich bin von dem Buch sehr ~* ce livre me plaît beaucoup.
angetrunken *a* un peu gris, entre deux vins.
angewandt *a (Wissenschaft: praktisch)* appliqué; *~e Psychologie f* psychologie *f* appliquée.
angewiesen ‹*pp von: anweisen*›; *a: auf jdn ~ sein* dépendre de qn; *auf etw ~ sein* avoir besoin de qc; *ich bin darauf ~* je n'ai que cette *od* pas d'autre ressource; *etw zu tun* je suis bien obligé de faire qc.
an=gewöhnen *tr: jdm etw ~* accoutumer *od* habituer qn à qc; *sich etw ~* s'accoutumer *od* s'habituer à qc, prendre l'habitude de qc.
Angewohnheit *f* habitude, accoutumance *f; aus ~* par habitude.
Angina *f* ‹-, -n› [aŋ'gi:na] *med* angine *f;* **~ pectoris** ['pɛktorɪs] *f* angine *f* de poitrine.
an=gleich|en *tr* assimiler, conformer (*an* à); *(in Einklang bringen)* harmoniser; *(einheitlich gestalten)* coordonner; *(Gehälter, Löhne)* (r)ajuster (*an* à); **A~ung** *f* assimilation; harmonisation; coordination *f;* (ré)ajustement *m; ~~ der Preise* r(é)ajustement *od* alignement *m* des prix.
Angler *m* ‹-s, -› ['aŋlər] pêcheur *m* (à la ligne).
an=glieder|n *tr* joindre, rattacher; *(Gebiet)* annexer; *(einverleiben)* intégrer; *com* affilier (*an* à); **A~ung** *f* rattachement *m;* annexion; intégration; affiliation *f.*
Angl|ikaner *m* ‹-s, -› [aŋgli'ka:nər] *rel* anglican *m;* **a~ikanisch** *a* anglican; **a~isieren** [-gli'zi:rən] *tr (englisch machen)* angliciser; **~ist** *m* ‹-en, -en› [-'glɪst] angliciste; *(Student a.)* anglicisant *m;* **~istik** *f* ‹-, ø› [-'glɪstɪk] philologie *f* anglaise; **~izismus** *m* ‹-, -en› [-'tsɪsmus, -mən] anglicisme *m.*
Anglo|amerikaner ['aŋ-, aŋglo-] *m (aus England stammender Amerikaner)* Anglo-américain *m;* **~mane** *m* ‹-n, -n› [-'ma:nə] anglomane *m;* **~manie** *f* ‹-, ø› [-ma'ni:] anglomanie *f;* **a~normannisch** [-'manɪʃ] *a* anglo-normand; **~phile** *m* ‹-n, -n› [-'fi:lə] anglophile *m;* **~philie** *f* ‹-, ø› [-fi'li:] anglophilie *f;* **~phobie** *f* ‹-, ø› [-fo'bi:] anglophobie *f.*
an=glotzen *tr pop* zyeuter; regarder bouche bée.
Angora|kaninchen [aŋ'go:ra-] *n* lapin *m* angora; **~katze** *f* chat *m* angora.
angreif|bar *a* attaquable; *(bestreitbar)* contestable, discutable; **A~barkeit** *f* contestabilité *f;* **an=greifen** *tr (anfassen)* toucher; *(feindlich)* attaquer *a. fig;* assaillir; *(in Angriff nehmen, anfangen)* entreprendre, attaquer, commencer; *(anbrechen)* entamer, écorner; *(die Gesundheit beeinträchtigen)* affecter, ébranler; *(ermüden)* fatiguer, épuiser; *(auf die Nerven gehen)* taper sur les nerfs; *(seelisch)* secouer; *chem (zersetzen)* ronger, corroder, altérer; *jdn mit der blanken Waffe ~* attaquer qn à l'arme blanche; *jdn tätlich ~* se livrer à des voies de fait sur qn; **A~er** *m* attaquant, assaillant, agresseur *m.*
an=grenzen *itr* confiner (*an* à); avoisiner (*an etw* qc), être contigu *od* attenant (*an* à) *od (Gebiet)* limitrophe (*an* de); **~d** *a (bes. Grundstück)* contigu, adjacent (*an* à); *(Gebiet)* limitrophe (*an* de).
Angriff *m allg* attaque, agression (*auf* contre); *mil (Sturm~)* charge *f*, assaut *m; (Groß~)* offensive *f; (Luft~)* raid *m; e-n ~ abschlagen* repousser une attaque; *~en ausgesetzt sein* être en flèche; *jds* être en butte aux attaques de qn; *zum ~ blasen* sonner la charge; *den ~ erneuern* revenir à la charge, attaquer de nouveau; *in ~ nehmen (fig)* prendre à partie, se prendre à, se mettre à, entreprendre, attaquer; *in ~ genommen sein* être à pied d'œuvre; *zum ~ übergehen* passer à l'attaque, prendre l'offensive; *rollende(r) ~* attaques *f pl* ininterrompues; *~ mit Atomwaffen* attaque *f* nucléaire; **~sbefehl** *m* ordre *m* d'attaque; **~sfläche** *f* surface *f* d'attaque; **~sgeist** *m* esprit *m* offensif; **~shandlung** *f* acte *m* d'agression; **~skrieg** *m* guerre *f* d'agression; **~slust** *f* esprit *m* agressif, agressivité *f;* **a~slustig** *a* prompt à attaquer, agressif, guerrier; **~splan** *m* plan *m* d'attaque; **~spunkt** *m tech* point *m* d'application; **~swaffe** *f* arme *f* offensive; *pl a.* équipement *m* militaire offensif; **~swelle** *f* vague *f* d'assaut; **~sziel** *n* objectif *m* d'attaque.
an=grinsen *tr* regarder en ricanant.
Angst *f* ‹-, ¨-e› [aŋst, 'ɛŋstə] peur (*vor* de); angoisse; *(innere Unruhe)* anxiété, inquiétude; *(Todes~)* détresse *f*, transes *f pl; med (krankhafte ~)* phobie; *pop* frousse *f; (es mit der) ~ bekommen* od *(fam) kriegen* od *in ~ geraten* prendre peur, s'effrayer; *~ haben* avoir peur (*vor* de); *keine ~ haben (a.)* ne pas avoir froid aux yeux; *jdm ~ machen* faire peur à qn, effrayer qn; *vor ~ vergehen* mourir de peur; **a~** *a (bange): mir war ~~ und bange* j'étais dans les transes; **~gefühl** *n* angoisse *f;* **~hase** *m fam* poule *f* mouillée, poltron; *pop* froussard *m;* **~käufe** *m pl* achats *m pl* de panique; **~neurose** *f med* névrose *f* d'angoisse; **~röhre** *f hum (Zylinder)* tuyau de poêle, tube *m;* **~schweiß** *m* sueur *f* froide; *der ~~ brach mir aus der* od *trat mir auf die Stirn* j'en ai eu une suée; **a~voll** *a* angoissé; **~zustand** *m med* état *m* d'anxiété.
ängst|igen ['ɛŋstɪgən] *tr* faire peur à, angoisser, effrayer; *sich ~~* s'inquiéter, se tourmenter (*um* de); *sich zu Tode ~~* mourir de peur; **~lich** *a* peureux, craintif; *pej* timoré; *(schüchtern)* timide; *(besorgt)* anxieux, inquiet; **Ä~lichkeit** *f* ‹-, (-en)› peur; timidité; anxiété, inquiétude *f.*
an=gucken *tr fam* regarder.
an=haben *tr (Kleidungsstück tragen)* avoir mis, porter, être vêtu de; *jdm nichts ~ können* n'avoir pas de prise sur qn, ne rien pouvoir faire à qn.
an=haften *itr* adhérer (*e-r S* à qc); *a. fig* s'attacher, rester attaché (*jdm, e-r S* à qn, à qc); *ihm haftet kein guter Ruhm an* il n'a pas bonne réputation.
an=haken *tr (bezeichnen)* cocher.
Anhalt *m* ‹-(e)s, (-e)› *(Stütze)* (point d')appui, soutien *m; = ~spunkt; jdm e-n ~ geben* mettre qn sur la voie; **an=halten** *tr (zum Stehen bringen)* arrêter, (faire) stopper; *(ermahnen)* inviter, exhorter (*jdn zu etw* qn à qc); *itr (stehenbleiben)* s'arrêter, stationner; *(andauern)* durer, persister; continuer; *(sich bewerben)* demander, solliciter, briguer (*um etw* qc); *den Atem ~* retenir son souffle; *Kinder zur Höflichkeit ~* exhorter des enfants à être polis; *um jdn ~* demander la main de qn, demander qn en mariage; **a~end** *a (andauernd)* continu(el), permanent; *(beharrlich)* persistant, persévérant; *~~e(r) Beifall m* applaudissement *m* nourri; *~~e Nachfrage f (com)* demande *f* suivie (*nach etw* de qc); **~er** *m fam: per ~~* en stop; *per ~~ fahren* faire de l'autostop, faire du *od* aller en

stop; **~erbahnhof** *m fam* gare *f* d'autostop; **~spunkt** *m* point de repère, indice *m*, indication *f*.
anhand [an'hant] *prp gen* = *an Hand.*
Anhang *m (zu e-m Buch)* appendice; *(Nachtrag)* supplément *m; (zu e-m Vertrag)* annexe *f; (zu e-m Testament)* codicille *m; com (Wechsel)* allonge *f; (Anhängerschaft)* adhérents, partisans *m pl;* parti *m; sport* supporters *m pl; pej* coterie, clique *f; ohne ~ (alleinstehend)* libre, sans attaches familiales.
an≈häng|en *tr* suspendre; *(an e-n Haken)* accrocher (à); *tele (Hörer)* raccrocher; *(Wagen, Anhänger ankuppeln)* atteler (*an* à); *(am Schluß e-r Schrift hinzufügen)* ajouter (*an* à); *itr (Küche)* attacher (*im Topf* à la casserole); *sich ~~* s'accrocher, s'attacher; *jdm e-e Arbeit ~~* imposer *fam* coller un travail à qn; *sich etw ~~ (fam: Schmuck)* mettre qc sur soi; *jdm was ~~ (fam: Übles nachsagen)* calomnier qn, médire de qn, *fam* déblatérer contre qn, *pop* baver sur qn; **A~er** *m (Schmuck)* pendentif *m*, breloque; *(beschrifteter)* étiquette; *(Straßenbahn)* baladeuse; *mot* remorque *f; fig (Mensch)* adhérent; *(Parteigänger)* partisan; *(e-r Lehre)* adepte; *(Schüler)* disciple; *sport* supporter *m; ~~ der britischen Arbeiterpartei* travailliste *m;* **A~erschaft** *f* ⟨-, (-en)⟩ adhérents, partisans *m pl;* **~ig** *a jur (schwebend)* pendant; *e-n Prozeß gegen jdn ~~ machen* intenter un procès à qn; **~lich** *a* attaché, dévoué, fidèle; **A~lichkeit** *f* ⟨-, ø⟩ attachement, dévouement *m* (*an* pour), fidélité (*an* envers), affection *f* (*an* pour); **A~sel** *n* ⟨-s, -⟩ ['anhɛŋzəl] *pej (= ~er)* breloque; étiquette *f; fig fam* allonge *f*.
Anhauch *m* ⟨-(e)s, ø⟩ souffle *m; fig* trace, teinte, ombre *f*.
an≈hauen *tr mines* attaquer; *fig fam (formlos ansprechen)* accrocher, s'adresser à.
an≈häuf|eln *tr agr* butter; **~en** *tr* accumuler, amasser, amonceler; agglomérer; *(aufschichten)* entasser; *sich ~~* s'accumuler, s'amasser, s'amonceler; **A~ung** *f* accumulation *f*, amas; amoncellement *m*, agglomération *f;* entassement *m*.
an≈heben *tr* (sou)lever; *(Preis)* relever; *itr (beginnen)* commencer.
an≈heften *tr* attacher, fixer (*an* à); *(mit Stecknadeln)* épingler; *(anklammern)* agrafer.
an≈heilen *itr med* s'agglutiner.
an≈heimeln *tr: jdn ~* rappeler le foyer *od* le pays natal à qn; *alles heimelt mich hier an* je me sens ici comme chez moi.
anheim≈|fallen *itr jur* (en) échoir (*jdm* à qn); *der Vergessenheit ~~* tomber dans l'oubli; **~geben** *tr*, **~stellen** *tr: jdm ~~, etw zu tun* laisser qn libre de faire qc; *das stelle ich Ihnen ~* je m'en remets *od* rapporte à vous.
anheischig ['anhaɪʃɪç] *a: sich ~ machen, etw zu tun* s'engager à *od* se faire fort de faire qc.
an≈heizen *tr (den Ofen)* allumer (le poêle); *itr* allumer le feu.
an≈herrschen *tr: jdn ~* apostropher qn.
an≈heuern *tr (Matrosen)* engager, inscrire au rôle d'équipage; *(Schiff)* affréter; *sich ~ lassen* signer le contrat d'engagement.
Anhieb *m: auf ~* du premier coup, d'emblée.
an≈himmeln *tr* = *anschwärmen.*
Anhöhe *f* hauteur, élévation, éminence, colline; *(kleine)* butte *f*, tertre *m*.
an≈hör|en *tr* écouter, prêter l'oreille à; *sich gut ~~* être agréable à entendre; *das hört sich (so) an, als ob ...* on croirait que ...; *das hört sich schon anders an* voilà une autre chanson; *man hört ihm den Engländer an* son accent trahit ses origines anglaises; **A~ung** *f jur (e-s Zeugen)* audition *f*.
Anilin *n* ⟨-s, ø⟩ [ani'li:n] *chem* aniline *f;* **~farbe** *f* couleur *f* à l'aniline; **~farbenindustrie** *f* industrie *f* carbochimique.
anim|alisch [ani'ma:lɪʃ] *a scient* u. *pej* animal; *pej* bestial; *adv pej* de façon animale; **A~ierdame** [-'mi:r-] *f* entraîneuse; *pop* allumeuse *f;* **~ieren** *tr* exciter, entraîner, aguicher; **A~ierkneipe** *f pop* boîte *f* de nuit; **A~osität** *f* ⟨-, -en⟩ [-mozi'tɛ:t] *(Erbitterung)* animosité; *(Abneigung)* aversion, antipathie *f*.
Anis *m* ⟨-es, -e⟩ ['a:nɪs, a'ni:s] *bot* anis *m; mit ~ würzen* aniser; **~likör** *m* anisette *f*.
an≈kämpfen *itr* lutter (*gegen* contre).
Ankauf *m* achat *m*, acquisition *f;* **an≈kaufen** *tr* acheter, acquérir; *sich ~ (Grundbesitz zum Bewohnen erwerben)* acheter un immeuble pour s'y établir; **~ssumme** *f* somme *f* d'achat.
Anker *m* ⟨-s, -⟩ ['aŋkər] *mar arch tech (Uhr)* ancre *f; el* portant, induit *m*, armature *f; vor ~ gehen, sich vor ~ legen* se mettre à *od* jeter *od* mouiller l'ancre, mouiller; *den ~ lichten* lever l'ancre; *vor ~ liegen* être à l'ancre, être mouillé; *vor ~ treiben* chasser sur ses ancres; **~boje** *f* bouée *f* d'ancre; **~geld** *n* droit(s *pl*) *m* de mouillage; **~grund** *m* mouillage *m;* **~kern** *m el* noyau *m* d'induit; **~kette** *f* chaîne *f* d'ancre; **~mast** *m aero* mât *m* d'amarrage; **a~n** *itr* mouiller; **~n** *n* mouillage *m;* **~platz** *m* = *~grund;* **~schaft** *m* verge *f* d'ancre; **~spill** *m* = *~winde;* **~tau** *n mar* câble *m* d'ancre, amarre *f; arch tech* hauban *m;* **~uhr** *f* montre *f* à ancre; **~wick(e)lung** *f el* enroulement *od* bobinage *m* d'induit; **~winde** *f mar* cabestan, guindeau *m*.
an≈ketten *tr* enchaîner, mettre à la chaîne.
Anklage *f allg* u. *jur* accusation, inculpation; *jur* prévention; *(Anschuldigung)* incrimination *f; ~ gegen jdn erheben, unter ~ stellen* mettre qn en accusation, accuser *od* poursuivre qn; *die ~ fallenlassen* refuser la mise en accusation; *unter ~ stehen* être en état d'accusation (*wegen* pour); **~bank** *f* banc *m* des accusés *od* des prévenus; *auf der ~~ sitzen (fig fam)* être sur la sellette; **an≈klagen** *tr* accuser, inculper (*e-r S* de qc); *(anschuldigen)* incriminer; **~punkt** *m jur* chef *m* d'accusation; **~rede** *f (des Staatsanwalts)* réquisitoire *m;* **~schrift** *f* acte *m* d'accusation; **~vertreter** *m* ministère *m* public; **~zustand** *m: in den ~~ versetzen* mettre en état d'accusation; **Ankläger** *m* accusateur *m*.
an≈klammern *tr* accrocher, cramponner; *sich ~* s'accrocher, se raccrocher, se cramponner, s'agripper (*an* à), *fig* ne pas démordre (*an* de).
Anklang *m* assonance; *fig (Erinnerung)* réminiscence (*an* de); *(Beifall)* résonance *f*, écho *m* (favorable); *~ finden* trouver écho, être bien accueilli, avoir du succès (*bei jdm* auprès de qn); *großen ~ finden* avoir grand succès; *wenig ~ finden* trouver peu d'écho.
an≈kleben *tr* coller, attacher; *(Plakat)* afficher, apposer; *itr* se coller, s'attacher, adhérer (*an* à); *A~ verboten!* défense d'afficher!
an≈kleide|n *tr* habiller; vêtir; *sich ~~* s'habiller, se vêtir; *sich wieder ~~* se rhabiller; **A~raum** *m theat* loge *f;* **A~zimmer** *n* cabinet *m* de toilette; *theat* loge *f*.
an≈kling|eln *itr tele fam* donner un coup de téléphone; *tr: jdn* à qn; **~en** *itr fig: an etw ~~* rappeler qc; *~~ lassen (e-e Saite)* faire résonner; *fig (e-e Vorstellung erwecken)* évoquer.
an≈klopfen *itr* frapper à la porte; *bei jdm ~ (fig: vorfühlen)* tâter, sonder qn; *überall ~ (fig: Bittgänge machen)* frapper à toutes les portes.
an≈knipsen *tr (das Licht)* allumer; *das Licht ~ (a.)* tourner le bouton.
an≈knüpf|en *tr fig: Beziehungen ~~* entrer en relations (*zu jdm* avec qn); *ein Gespräch ~~* engager *od* entamer une conversation; *itr fig: an etw (e-e Äußerung des Gesprächspartners) ~~* partir de qc; **A~ungspunkt** *m* point *m* de contact, point de départ (*für* pour).
an≈kommen *itr* arriver, venir; *(Erfolg haben)* avoir du succès (*mit etw bei jdm* avec qc auprès de qn); *(angenommen werden)* obtenir une *od* la place (*als* de); *impers: es kommt auf ... an (hängt von ... ab)* il dépend de ...; *(entscheidend, wichtig ist)* ce qui importe, c'est; il s'agit de; *gut, übel ~* être bien, mal reçu *od* accueilli (*bei jdm* par qn); *wohlbehalten ~* arriver sain et sauf; *gegen jdn nicht ~ können* ne pas être de taille à rivaliser avec qn; *es darauf ~ lassen* courir sa chance, *fam* risquer le paquet; *damit kommst du bei mir nicht an* ce n'est pas avec cela que tu vas m'impressionner; *darauf kommt es gerade an* voilà ce qui importe, voilà le point décisif; *darauf kommt es nicht so (sehr) an* peu importe;

darauf soll es nicht ~ qu'à cela ne tienne! *es kommt mir nicht aufs Geld an* je ne regarde pas à la dépense; *auf eine Million mehr oder weniger kommt es nicht an* on n'en est pas à un million près; *das kommt darauf an* cela dépend, c'est selon; *was kommt auf ... an?* qu'importe ...? *was kommt darauf an?* qu'importe? **Ankömmling** *m* ‹-s, -e› ['ankœmlɪŋ] nouveau venu *m*.

an=koppeln *tr (Tier)* attacher (*an* à).

an=kratzen *tr* érafler.

an=kreiden *tr* marquer à la craie; *fig (nachtragen)* garder rancune (*jdm etw* à qn de qc).

an=kreuzen *tr* marquer d'une croix.

an=kündig|en *tr* annoncer, faire savoir *od* connaître; *(amtlich mitteilen)* notifier, intimer; *(öffentlich bekanntmachen)* publier; *(vorbedeuten)* présager; *sich* ~~ s'annoncer, se faire sentir; **A~ung** *f* annonce; notification; intimation; publication *f;* présage *m;* **A~ungskommando** *n mil sport* commandement *m* préparatoire.

Ankunft *f* ‹-, ø› arrivée, venue *f; com* arrivage *m; bei meiner* ~ à mon arrivée; *(gleich) bei der* ~ à l'arrivée; **~sbahnhof** *m* gare *f* d'arrivée; **~sbahnsteig** *m* quai *m* d'arrivée; **~sflughafen** *m* aéroport *m* d'arrivée; **~sgleis** *n* voie *f* d'arrivée; **~szeit** *f* heure *f* d'arrivée.

an=kuppeln *tr loc* accoupler; **A~** *n* accouplement *m*.

an=kurbel|n *tr* donner un tour de manivelle à; *mot* démarrer; *fig (in Gang bringen)* mettre en marche, lancer, encourager, stimuler; **A~n** *n* tour de manivelle; démarrage *m;* **A~ung** *f fig* mise *f* en marche, lancement; encouragement *m*, stimulation *f*.

an=lächeln *tr* sourire (*jdn* à qn).

an=lachen *tr* regarder en riant.

Anlage *f (Anordnung)* disposition *f*, arrangement; *(Plan)* plan; *arch* établissement *m*, construction, *tech (Tätigkeit* u. *Ergebnis)* installation *f; (Einrichtung)* dispositif, groupe; *fin (Geld~)* placement, investissement *m;* (~ *zu e-m Schriftstück)* pièce jointe, annexe; *fig (Veranlagung, Neigung)* disposition *f*, penchant *m* (*zu* pour); *(Befähigung)* aptitude *f* (*zu* à), talent *m* (*zu* pour); *pl (Park)* parc, jardin; *tech (Betriebs~n)* matériel *m; als* ~, *in der* ~ ci-inclus, ci-joint, en annexe; **~kapital** *n* fonds de premier établissement, capital *m* investi; **~kosten** *pl* frais *m pl* de premier établissement; **~papiere** *n pl*, **~vermögen** *n fin* actif *m* immobilisé, immobilisations *f pl;* **~werte** *m pl fin* titres *m pl od* valeurs *f pl* de placement; **~zweck** *m: zu* ~~*en* comme investissement.

an=lager|n, *sich*, *chem geol* se déposer; **A~ung** *f chem geol* dépôt *m*.

Anlandung *f geol* alluvionnement *m*.

an=langen ['anlaŋən] **1.** *tr impers* = *anbelangen (pp hat angelangt);* **2.** *itr (ankommen)* arriver, venir *(pp ist angelangt).*

Anlaß *m* ‹-sses, ¨sse› ['anlas, '-lɛsə] *(Ursache)* cause; *(Grund)* raison *f; (Beweggrund)* motif *m; (Gelegenheit)* occasion *f; aus* ~ *(gen)* = *anläßlich; aus diesem* ~ pour cette raison; *ohne jeden* ~ sans aucun motif; *aus welchem* ~*?* à quel propos? à propos de quoi? ~ *geben zu* donner lieu *od* sujet à, prêter à, ouvrir la porte à; ~ *haben zu (inf)* avoir sujet de *inf;* ~ *nehmen zu (inf)* prendre sujet de *inf;* **~kabel** *n mot* câble *m* de démarrage; **~knopf** *m* bouton *m* de démarrage.

an=lass|en *tr (Kleidungsstück anbehalten)* garder (sur soi), ne pas ôter; *tech mot (in Gang setzen)* mettre en marche, lancer; *mot* démarrer; *metal* recuire, faire revenir, adoucir; *sich* ~~ s'annoncer, se présenter; *sich gut* ~~ s'annoncer bien, promettre; *rauh* od *hart* ~~ *(anschnauzen)* brusquer, rudoyer, tancer vertement; *die Hunde gegen jdn* ~~ lâcher les chiens contre qn; **A~er** *m mot* démarreur, starter *m*.

anläßlich ['anlɛslɪç] *prp gen* à l'occasion de.

Anlauf *m* élan *m; im ersten* ~ du premier coup, d'emblée; *e-n* ~ *nehmen* prendre son élan; **~bahn** *f aero* piste *f* d'envol *od* de départ; **an=laufen** *tr mar* toucher *od* faire escale (*e-n Hafen* à un port); *itr fig (anfangen)* commencer, démarrer; *tech* se mettre en marche, *mot* démarrer; *(Glas: beschlagen)* s'embuer, se ternir; *fin (anwachsen)* augmenter, s'accroître, s'accumuler; *blau, rot* ~~ *(physiol)* bleuir, rougir (*vor* de); ~~ *lassen (tech mot)* = *anlassen (mot); angelaufen kommen* arriver en courant; **~hafen** *m mar* port *m* d'escale; **~strecke** *f (Schi)* piste *f* d'élan; **~zeit** *f*, *a. fig* période *f* de mise en marche *od* de démarrage.

Anlaut *m gram* son *m* initial; *im* ~ au commencement du mot; **an=lauten** *itr gram:* ~~ *mit* commencer par.

an=läuten *itr u. itr tele fam* = *anklingeln.*

an=leg|en *tr* mettre, appuyer (*an* contre); *(Schmuck, Kleidung)* mettre; *(Verband)* appliquer; *(Gewehr)* épauler; *(Stadt, Gebäudekomplex)* fonder; *(Fabrik)* établir; *(Garten)* planter, aménager; *(Weg)* tracer; *(Kanal)* creuser, percer; *tech* installer, construire; *(Sammlung, Kartei)* faire, constituer; *fin* placer, investir; *100 DM für e-n Anzug* ~~ mettre 100 DM dans un costume; *itr (mit dem Gewehr zielen)* coucher en joue (*auf jdn* qn); *mar* aborder, accoster (*an etw* qc); faire escale (*in e-m Hafen* à un port); *es darauf* ~~ *zu ...* viser à ..., prendre à tâche de ...; *es darauf angelegt haben zu* s'être mis en tête de; *Feuer* ~~ mettre le feu (*in* à); *(mit) Hand* ~~ donner un coup de main, *fam* mettre la main à la pâte; *die letzte Hand* ~~ mettre la dernière main (*an etw* à qc); *jdm Handschellen* ~~ mettre les menottes à qn; *ein Konto* ~~ ouvrir un compte; *e-n Maßstab an etw* ~~ appliquer une norme à qc; *Sporen* ~~ chausser ses éperons; *Trauer* ~~ prendre le deuil; *Waffen* ~~ s'armer; *die Zügel* ~~ *(e-m Pferd)* mettre la bride (à un cheval); *Zügel* ~~ *(fig)* brider, tenir en bride (*jdm* qn); *legt an! (mil)* en joue! **A~en** *n* mise; application *f;* épaulement *m;* **A~eplatz** *m*, **A~estelle** *f mar* embarcadère, appontement *m*.

an=lehn|en *tr* appuyer, adosser (*an* à, contre); *(Tür, Fenster)* laisser entrouvert; *sich* ~~ s'appuyer, s'adosser (*an* contre); *mil* s'accoler (*an* à); *fig (an ein Vorbild)* suivre; *(nachahmen)* imiter; **A~ung** *f fig: in* ~~ *an* suivant l'exemple de.

Anleihe *f* ‹-, -n› ['anlaɪə] *fin (erhaltene)* emprunt; *(gewährte)* prêt *m; e-e* ~ *aufnehmen* contracter un emprunt; *jdm e-e* ~ *gewähren* accorder un prêt à qn; *e-e* ~ *überzeichnen* surpasser (le montant d')une souscription; *e-e* ~ *bei jdm machen (fig)* faire un emprunt à qn; *e-e* ~ *zeichnen* souscrire à un emprunt; *kurzfristige, langfristige* ~ emprunt *m* à court, long terme; *überzeichnete* ~ emprunt *m* sur-souscrit; **~ablösung** *f* amortissement *m* d'un *od* de l'emprunt; **~ausgabe** *f* émission *f* d'un *od* de l'emprunt; **~kapital** *n* capital *m* d'emprunt; **~nmarkt** *m* marché *m* des emprunts; **~papier** *n*, **~stück** *n* titre *m* d'emprunt; **~schuld** *f* dette *f* fondée; **~schuldverschreibung** *f* obligation *f;* **~tilgung** *f* amortissement *m* d'un *od* de l'emprunt; **~zeichnung** *f* souscription *f* à un *od* à l'emprunt.

an=leimen *tr* coller (*an* à, contre).

an=leit|en *tr* diriger, instruire; *jdn zu etw* ~~ montrer à qn le chemin de qc; **A~ung** *f* direction(s *pl*), instruction(s *pl*) *f*, directives *f pl; (schriftliche, gedruckte)* guide *m; unter jds* ~~ sous la direction *od* conduite de qn.

an=lern|en *tr (Lehrling)* instruire, former, styler; **A~ling** *m* ouvrier, ère *m f* en formation; **A~zeit** *f* stage *m* de formation.

an=liefer|n *tr com* livrer (à domicile); **A~ung** *f* livraison *f* (à domicile).

an=lieg|en *itr (Kleidungsstück)* être ajusté; *eng* ~~ coller, se mouler; **A~en** *n (Wunsch)* désir *m; (Bitte)* prière, demande, requête, sollicitation *f; ein* ~~ *vorbringen* présenter une prière; **~end** *a (Kleidungsstück)* juste; *(eng~~)* collant; *adv (als Anlage)* ci-inclus, ci-joint, sous ce pli; **A~er** *m* ‹-s, -› *(Anwohner)* riverain *m*.

an=locken *tr (Tier mit e-m Köder)* appâter, affriander; *fig* allécher, amorcer, attirer; *fam* aguicher.

an=löten *tr* souder (*an* à).

an=lügen *tr* mentir (*jdn* à qn).

an=machen *tr (festmachen)* attacher (*an* à), fixer (*an* sur); *(anbringen)* monter, poser; *(Mörtel, Kalk, Beton)* gâcher; *(Salat)* assaisonner; *Feuer* ~ faire du feu; *Licht* ~ donner de la *od* allumer la lumière; **A~** *n* montage *m*, pose *f;* gâchage *m*.

an=malen *tr* peindre; *sich* ~ *(fam:*

sich schminken) se peindre, se faire une beauté.

Anmarsch *m* (marche d')approche *f; im ~ sein,* **an≈marschieren** *itr* approcher; **~straße** *f,* **~weg** *m mil* route *f* d'approche.

an≈maß|en, *sich* avoir la prétention *od* l'audace, se permettre (*etw zu tun* de faire qc), se permettre, s'arroger (*etw* qc); *sich ein Recht* ~~ usurper un droit; **~end** *a (anspruchsvoll)* prétentieux, arrogant; *(dünkelhaft)* présomptueux, suffisant; *(unverschämt)* impertinent, insolent, outrecuidant; **A~ung** *f* prétention, arrogance; présomption, suffisance; impertinence, insolence, outrecuidance; *widerrechtliche* ~~ usurpation *f.*

Anmeld|eformular *n* formulaire *m* de déclaration; **~efrist** *f* délai *m* de déclaration *od* de dépôt; **~egebühr** *f* droit *m* de dépôt; **~eliste** *f* liste *f* des inscriptions; **an≈melden** *tr* annoncer; *adm* déclarer; *sich* ~ s'annoncer; *(Univ.)* se faire inscrire *od* immatriculer; *ein Gespräch ~ (tele)* demander une communication téléphonique; *Konkurs* ~ se déclarer en faillite, déposer son bilan; *sich zu einem Kurs* ~ s'inscrire à un cours; *ein Patent* ~ déposer un brevet; *sich polizeilich* ~ faire sa déclaration de séjour, déclarer son arrivée; *ein Recht* ~ revendiquer un droit; **~epflicht** *f* déclaration *f* obligatoire; **a~epflichtig** *a (Sache)* sujet à la déclaration; **~eschein** *m (polizeilicher)* bulletin *m od* fiche *f* de déclaration; **~ung** *f* annonce; déclaration; inscription, immatriculation *f; polizeiliche* ~~ déclaration *f* d'arrivée *od* de séjour; ~~ *e-s Gesprächs (tele)* demande *f* de communication (téléphonique).

an≈merk|en *tr* (an)noter, prendre note de; *jdm etw* ~~ lire qc sur le visage de qn; *sich etw ~~ lassen* laisser voir qc; *sich nichts ~~ lassen* ne pas en avoir l'air, ne faire semblant de rien; *man merkt ihm s-e Verlegenheit an* son embarras est visible; **A~ung** *f (Bemerkung)* remarque; *(in einem Buch)* note; *(kritische)* annotation *f; mit ~~en versehen (Buch)* annoter.

an≈messen *tr: jdm etw ~ (Schneiderei)* prendre la mesure de qc à qn.

an≈muster|n *tr mar (anwerben)* enrôler; **A~ung** *f* enrôlement *m.*

Anmut *f* ⟨-, ø⟩ ['anmu:t] grâce, gracilité *f,* charme *m,* joliesse *f,* agrément *m,* élégance *f;* **an≈muten** *tr: jdn (seltsam)* ~ sembler (étrange) à qn; **a~ig** *a (Person)* gracieux, charmant; *(Gegend, Ort)* amène; ~~ *sein (a.)* avoir du charme; **a~svoll** *a = a~ig (Person).*

an≈nageln *tr* clouer (*an* à), fixer avec des clous (*an* sur).

an≈nähen *tr* coudre, attacher (*an* à); *wieder* ~ recoudre, rattacher.

an≈näher|n *tr* (r)approcher (*dat* de), avancer (*dat* vers); *sich* ~~ s'approcher, se rapprocher (*dat* de), s'avancer (*dat* vers); **~nd** *a* approximatif; *adv* approximativement, à peu de chose près, environ; *nicht ~~ (soviel)* bien moins, tant s'en faut; **A~ung** *f* approche *f,* abord; *fig* rapprochement *m; math* approximation *f;* **A~ungspolitik** *f* politique *f* de rapprochement; **A~ungsverfahren** *n* méthode *f* d'approximation; **A~ungsversuch** *m* tentative *f od* effort *m* de rapprochement; *jdm gegenüber ~~e machen* faire des avances à qn; **~ungsweise** *adv* approximativement, par approximation; **A~ungswert** *m* valeur *f* approximative.

Annahme *f* ⟨-, -n⟩ *(Empfang, bes. loc: Gepäck~)* réception; *(e-s Angebots, Geschenks, Wechsels)* acceptation; *(e-s Schülers)* admission; *(an Kindes Statt; e-s Antrags, Gesetzes, Glaubens, e-r Lehre)* adoption; *(Vermutung)* supposition, hypothèse *f; in der ~, daß* en supposant que, supposé que *subj; zur ~ bringen (parl)* faire adopter; *Grund zu der ~ haben, daß* ... avoir lieu de supposer que *subj; zur ~ vorlegen* présenter à l'acceptation; *~ verweigert! (auf e-r Postsendung)* refusé! *~ e-s falschen Namens* usurpation *f* d'identité; **~frist** *f* délai *m* de réception; **~stelle** *f* bureau *m* de réception; **~vermerk** *m fin* acceptation *f;* **~verweigerung** *f* refus *m* d'acceptation, non-acceptation *f.*

Annalen [a'na:lən] *pl* annales *f pl.*

annehm|bar *a* acceptable, recevable; *(Preis)* acceptable, raisonnable; *(zulässig)* admissible; *jur* recevable; *(glaubhaft)* plausible; *ganz ~~ (fam: Wein)* buvable, qui se laisse boire; *~~ sein* pouvoir passer; **an≈nehmen** *tr allg* recevoir; *(Angebot, Geschenk, Wechsel)* accepter; *(Kind, Vorschlag, Antrag, Gesetz, rel: Lehre, Glauben)* adopter; *(Religion)* embrasser; *(Rat)* suivre; *(Farbe, Geschmack; Namen, Titel)* prendre; *(vermuten)* supposer, présumer; *sich jds* ~ prendre soin *od* s'occuper de qn; *sich e-r S* ~ se charger de qc; *e-n Auftrag* ~ se charger d'une commission; *Besuch* ~ laisser entrer un visiteur; *Gestalt ~ (Plan)* prendre forme, se dessiner; *e-e Gewohnheit* ~ prendre *od* contracter une habitude; *schlechte Manieren* ~ prendre de mauvaises manières; *(wieder) Vernunft* ~ entendre (revenir à la) raison; *angenommen werden (parl)* passer; *ich möchte fast* ~ je ne suis pas loin de croire; *man darf ~, daß* il est permis de supposer que; *es wird allgemein angenommen, daß* ... il est communément admis que ...; **A~lichkeit** *f* agrément, côté agréable; *(Vorzug)* avantage *m.*

annektieren [anɛk'ti:rən] *tr* annexer.

annieten *tr* river (*an* à).

Annonc|e *f* ⟨-, -n⟩ [a'nɔ̃:sə], **a~ieren** [-'si:rən] *tr s. Anzeige (Zeitung) etc.*

annullier|en [anu'li:rən] *tr* annuler; *(aufheben, für ungültig erklären)* rapporter; **A~ung** *f* annulation; *(Aufhebung, Widerrufung)* révocation; *(Ungültigkeitserklärung)* invalidation *f.*

Anode *f* ⟨-, -n⟩ [a'no:də] *el* anode *f;* **~nbatterie** *f* batterie *f* d'anodes *od* de plaque; **~nkreis** *m* circuit *m* de plaques; **~nspannung** *f* tension *f* anodique *od* de plaque; **~nstrahlen** *m pl* lumière *f* anodique; **~nstrom** *m* courant *m* anodique *od* de plaque.

an≈öden *tr fam (langweilen)* barber, ennuyer, embêter; *pop* raser.

anomal [ano'ma:l] *a (regelwidrig)* anomal, irrégulier; **A~ie** *f* ⟨-, -n⟩ [-ma'li:] anomalie, irrégularité *f.*

anonym [ano'ny:m] *a* anonyme; *(Buch a.)* sans nom d'auteur; **A~ität** *f* ⟨-, -en⟩ [-nymi'tɛ:t] anonymat *m.*

Anorak *m* ⟨-s, -s⟩ ['anorak] *(Schneebluse)* anorak *m.*

an≈ordn|en *tr (ordnen)* disposer, arranger; *(in Reihen* od *Stößen)* ranger; *(in Gruppen)* grouper; *(bestimmen, festlegen)* régler, fixer, arrêter; *(befehlen; med: verordnen)* ordonner; *(vorschreiben)* prescrire; *die Mobilmachung ~~ (mil)* décréter la mobilisation; **A~ung** *f* disposition *f,* arrangement *m,* distribution *f;* rangement; groupement; règlement *m,* fixation *f;* ordre *m; bes. med* ordonnance; prescription *f; (Erlaß)* décret, arrêté, édit *m; auf ~~ des Gerichts* par ordre judiciaire; *s-e ~~en treffen* prendre ses dispositions.

anorganisch ['an-, anɔr'ga:-] *a scient* inorganique; *~e Chemie f* chimie *f* minérale.

an≈packen *tr* empoigner; *(ergreifen)* saisir; *fig fam (Arbeit, Problem)* aborder, attaquer; *itr (fam) mit* ~ donner un coup de main; *alle müssen mit* ~ il faut que tout le monde s'y mette.

an≈pass|en *tr (angleichen)* accommoder, ajuster, adapter, approprier, conformer, coordonner (*an* à); *(anprobieren)* essayer; *jdm ein Kleid* ~~ faire essayer une robe à qn; *sich* ~~ s'accommoder *(a. die Augen);* s'adapter, se conformer (*an* à); *(sich dareinfinden)* se plier, se faire (*an* à); *biol* s'adapter, s'assimiler; *dem Lebenshaltungsindex* ~~ indexer; *sich den Umständen* ~~ s'adapter aux circonstances; **A~ung** *f* accomodation *f (a. der Augen),* ajustement *m,* adaptation *a. biol,* appropriation, coordination; *biol a.* assimilation *f; (der Renten)* rajustement *m; ~~ an den Lebenshaltungsindex* indexation *f;* **A~ungsbestreben** *n, bes. pol* conformisme *m;* **~ungsfähig** *a* souple, d'une grande faculté d'adaptation, adaptatif; **~ungsunfähig** *a* inadaptatif; **A~ungsvermögen** *n* souplesse, faculté *f* d'adaptation; *mangelnde(s)* ~~ inadaptation *f* (vitale).

an≈peil|en *tr mar* mettre le cap sur; *(durch Funk)* relever, repérer; **A~ung** *f* relèvement, radiorepérage *m.*

an≈pfeifen *tr sport* donner le signal de; *fam = anschnauzen;* **Anpfiff** *m sport* coup *m* d'envoi; *fam = Anschnauzer.*

an≈pflanz|en *tr* planter; **A~ung** *f* plantation *f.*

an⸗pflaumen *tr fam (verulken)* mettre en boîte, blaguer; *pop* se foutre de.
an⸗pflöcken *tr* cheviller.
an⸗picken *tr* picorer, becqueter.
an⸗pöbeln *tr* prendre à partie.
Anprall *m* ⟨-(e)s, -e⟩ choc; *(Zs.stoß)* impact *m,* collision *f.*
an⸗prangern *tr fig* clouer au pilori, dénoncer publiquement.
an⸗preis|en *tr* recommander, louer, vanter, prôner, préconiser; *com* faire de la réclame pour; *(ausrufen)* crier; *übertrieben* ~~ bonimenter; *s-e Ware* ~~ faire l'article; **A~ung** *f* recommandation *f,* éloge *m.*
Anprob|e *f* essayage *m;* **~eraum** *m (in e-m Geschäft)* cabine *f* d'essayage; **an⸗probieren** *tr* essayer.
an⸗pumpen *tr fig fam* taper.
an⸗ranzen *tr fam* = *anschnauzen.*
an⸗raten *tr: jdm etw* ~ conseiller, recommander qc à qn; **A~** *n* conseil, avis *m,* recommandation *f; auf jds* ~~ sur le conseil de qn.
an⸗rauchen *tr (Zigarre, Zigarette)* allumer, commencer à fumer; *(Pfeife)* culotter; *(Rauch ins Gesicht blasen)* enfumer.
an⸗rechn|en *tr* compter, mettre en compte; *com* facturer; *com jur* imputer (*auf* sur); *(zu Lasten schreiben)* débiter (*jdm etw* qn de qc); *(zugute halten)* tenir compte de; *sich etw zur Ehre* ~~ s'honorer, se faire un honneur *od* une gloire de qc; *als Fehler* ~~ *(Schule)* compter une faute pour; *jdm etw hoch* ~~ savoir beaucoup de gré à qn de qc; *sich etw als Verdienst* ~~ se faire un mérite de qc; **A~ung** *f* mise en compte; facturation; imputation *f (auf* sur); débit *m; unter* ~~ en imputation; *in* ~~ *bringen (com)* passer *od* porter en compte; *fig* faire entrer en ligne de compte.
Anrecht *n* droit, titre *m* (*auf* à); exigibilité *f; ein* ~ *haben auf* avoir droit à.
Anrede *f (Ansprechen)* apostrophe; *(Ansprache)* allocution, harangue *f; (Titel)* titre *m;* **an⸗reden** *tr* adresser la parole à; *(gelegentlich)* aborder, accoster; *(feierlich)* haranguer; *jdn mit du, Sie* ~ tutoyer, vouvoyer *od* voussoyer qn.
an⸗reg|en *tr (lebhafter machen)* animer, inciter, exciter; *(begeistern)* inspirer; *a. med* stimuler; *(den Appetit)* ouvrir, exciter, aiguiser, aiguillonner; *(vorschlagen)* proposer, suggérer; *wir haben uns angeregt unterhalten* nous avons eu une conversation animée; **~end** *a* animateur, excitant; *a. med* stimulant; *(Buch)* intéressant; *(die Phantasie* ~~) suggestif, évocateur; *med* incitant; **A~ung** *f* animation, incitation; excitation; inspiration; stimulation; *(Anstoß)* impulsion; *(Vorschlag)* suggestion *f; auf jds* ~~ *hin* à l'instigation de qn.
an⸗reiben *tr (Streichholz)* frotter; *(Farbe)* broyer, détremper.
an⸗reicher|n *tr chem geol* enrichir, concentrer; **A~ung** *f* enrichissement *m,* concentration *f.*
an⸗reihen *tr* joindre (*an* à); *(auf e-e Schnur ziehen)* enfiler; *sich* ~ se joindre à la file; se succéder; *ein Unglück reihte sich an das andere* les catastrophes se succédaient.
an⸗reise|n *itr* arriver (de voyage); **A~tag** *m* jour *m* d'arrivée.
an⸗reiß|en *tr (Buchseite)* déchirer au bord; *metal* tracer, marquer; *fig (Vorrat anbrechen)* entamer; **A~er** *m metal (Person)* traceur; *(Werkzeug)* traceret, traçoir; *com (aufdringl. Werber)* crieur, camelot *m;* **~erisch** *a (aufdringlich)* tapageur.
Anreiz *m (von außen)* incitation, instigation, *a. med* excitation *f;* **an⸗reizen** *tr* inciter, *a. med* exciter (*zu* à).
an⸗rempeln *tr fam* bousculer; **A~(e)lung** *f* bousculade *f.*
an⸗rennen *tr fam (anstoßen)* donner, heurter (*an* contre); *itr: gegen etw* ~ *(mil)* donner contre qc, assaillir qc; *fig* lutter contre qc, combattre qc; *angerannt kommen* arriver en courant.
Anrichte *f* ⟨-, -n⟩ ['anrıçtə] *(Küchenmöbel)* dressoir, bahut *m; (Raum)* office *f;* **an⸗richten** *tr (Speise)* dresser, préparer; *(Salat)* assaisonner; *fig (tun)* faire, causer, occasionner; *Schaden* ~ causer des dégâts; *da haben Sie was Schönes angerichtet! (fam)* vous en avez fait de belles; *gnädige Frau, es ist angerichtet* Madame est servie.
an⸗rollen *itr aero (auf der Startbahn)* rouler; *fam (angefahren kommen)* arriver (en roulant); **A~** *n aero* roulement *m.*
an⸗rosten *itr (festrosten)* s'attacher *od* se souder par la rouille.
anrüchig ['anrʏçıç] *a (verdächtig)* suspect, louche; **A~keit** *f* caractère *m* suspect.
an⸗rücken *itr, bes. mil* avancer, (s')approcher; **A~** *n* approche *f.*
Anruf *m* (cri d')appel *m; mil* sommation *f;* qui-vive; *tele* appel, coup *m* de téléphone *od fam* de fil; *auf den ersten* ~ *(mil)* à la première sommation; *telephonische(r)* ~ appel *m* téléphonique; **an⸗rufen** *tr* appeler, interpeller; *(Schiff, Taxi)* héler; *mil* sommer; *tele* appeler (au téléphone), téléphoner à, donner un coup de téléphone *od fam* de fil à, sonner; *rel* invoquer; *e-e richterliche Entscheidung* ~ faire appel au juge; *die Feuerwehr* ~ appeler les pompiers; *ein höheres Gericht* ~ faire appel *od* recourir *od* avoir recours à un tribunal supérieur; *die Polizei* ~ appeler la police-secours; *zum Zeugen* ~ prendre à témoin; **~lampe** *f tele* lampe *f* d'appel; **~ung** *f jur* appel (*gen* à); *(e-r höheren Instanz)* recours *m* (*gen* à); *rel* invocation *f.*
an⸗rühren *tr* toucher (à); *(Speise, Farbe)* délayer; *(Mörtel, Kalk, Beton)* gâcher; *nicht* ~ ne pas toucher (du bout des doigts) à; *fig (auf sich beruhen lassen)* laisser dormir.
Ansag|e *f (Bekanntgabe)* avis *m,* notification; *bes. radio* annonce *f; e-e* ~~ *durchgeben (radio)* transmettre un communiqué; *die* ~~ *haben (Kartenspiel)* commencer, être le déclarant; **an⸗sagen** *tr* avertir, notifier; *bes. radio* annoncer; *(durchsagen)* communiquer; *(beim Kartenspiel)* annoncer; *s-n Besuch* od *sich* ~ annoncer sa visite; *jdm den Kampf* ~ défier qn; **~er** *m* ⟨-s, -⟩ ['-za:gər] *(Kleinkunstbühne)* présentateur; *radio* speaker *m;* **~eraum** *m radio* studio *m* des émissions parlées; **~erin** *f radio* speakerine *f.*
an⸗samm|eln *tr* (r)amasser; *(anhäufen)* accumuler; *sich* ~~ s'amasser, se ramasser; s'accumuler; *(Menschen)* se rassembler, s'attrouper; **A~lung** *f* amas *m;* accumulation *f;* rassemblement, attroupement *m.*
ansässig ['anzɛsıç] *a* établi, domicilié, résident; *sich* ~ *machen* s'installer, s'établir, se domicilier.
Ansatz *m (Verlängerungsstück)* rallonge, pièce *f* ajoutée; *(Ablagerung)* dépôt; *fig (Anfang)* commencement, début *m,* ébauche; *(Haar)* naissance; *mus* attaque *f* d'une note; *biol physiol* rudiment *m; in* ~ *bringen* mettre en ligne de compte; **~punkt** *m* point *m* de départ; *von e-m falschen* ~~ *ausgehen* pécher par la base; *feste(r)* ~~ point *m* d'appui; **~rohr** *n tech* tuyau *m* de raccord; **~stück** *n tech* embout, ajutage *m.*
an⸗säuern *tr (Teig)* mettre du levain dans; *chem* aciduler.
an⸗saufen *tr pop: sich einen* ~ = *sich besaufen.*
an⸗saug|en *tr phys tech* aspirer; *e-e Pumpe* ~~ *lassen* amorcer une pompe; *sich* ~~ *(festsaugen)* prendre; **A~en** *n* aspiration *f;* amorçage *m;* **A~rohr** *n mot* tuyau *m* d'aspiration; **A~ventil** *n* soupape *f* d'aspiration.
an⸗sausen *itr: angesaust kommen* arriver en coup de vent.
an⸗schaff|en *tr* acquérir, acheter; *sich etw* ~~ *(besorgen)* se procurer qc, se pourvoir de qc; *sich eigene Möbel* ~~ se mettre dans ses meubles; **A~ung** *f* achat *m,* acquisition *f; (Versorgung)* approvisionnement *m;* **A~ungskosten** *pl* frais *m pl* d'achat; **A~ungspreis** *m* prix *m* d'achat; **A~ungssumme** *f* montant *m* d'achat; **A~ungswert** *m* valeur *f* d'achat.
an⸗schalten *tr el* mettre en circuit; *das Licht* ~ allumer la lumière; *itr el* tourner le bouton.
an⸗schau|en *tr* regarder; *(lange)* contempler; **~lich** *a* clair et expressif, évident; ~~ *machen (a.)* mettre en évidence; **A~lichkeit** *f* ⟨-, (-en)⟩ clarté, évidence *f,* caractère *m* expressif; **A~ung** *f* contemplation; *(innere)* intuition *f; pl (Überzeugungen, Meinung)* idées *f pl,* opinion *f; zu der* ~~ *neigen, daß* avoir tendance à croire que; **A~ungsbild** *n (Schule)* tableau *m* pour la leçon de choses; **A~ungsmaterial** *n* matériel *m* documentaire; **A~ungsunterricht** *m* leçon *f* de choses, enseignement *m* par l'image; **A~ungsvermögen** *n* faculté *f* intuitive; **A~ungsweise** *f*

manière de voir (les choses), conception *f.*

Anschein *m* ‹-(e)s, ø› apparence *f,* semblant *m; dem ~ nach* selon les apparences, à en juger par l'apparence; ce me semble; *allem ~ nach* selon toute apparence; tout porte à croire que; *sich den ~ geben, als ob ...* faire semblant de *inf,* se donner l'air de *inf; es hat den ~, als ob ...* il semble que *subj,* il paraît que, on a l'impression que *(Indikativ);* **a~end** *adv* apparemment, visiblement.

an≈schicken, *sich* se disposer, se préparer, s'apprêter (*etw zu tun* à faire qc); se mettre en devoir (*etw zu tun* de faire qc).

an≈schieben *tr (Auto)* pousser.

an≈schielen *tr (von der Seite ansehen)* regarder de travers, lorgner.

an≈schießen *tr (durch e-n Schuß verletzen)* blesser (légèrement); *itr (den ersten Schuß tun)* tirer le premier coup; *chem min* (se) cristalliser; *angeschossen kommen* arriver comme une flèche; **A~** *n* essais *m pl* de tir.

an≈schirren *tr (Zug-, Reittier)* harnacher; *(anspannen)* atteler.

Anschlag *m (Plakat~, ~ am Schwarzen Brett)* affichage *m; (Schreibmaschine)* frappe *f, (Klavier, Pianist)* toucher *m; (Gewehr)* mise *f* en joue; *(Hund)* aboiement *m; (~zettel)* affiche *f,* placard *m,* pancarte *f,* écriteau, papillon; *tech (Vorrichtung)* arrêt, taquet, butoir *m,* butée, équerre; *(Veranschlagung, Kosten~)* estimation, évaluation, taxation *f,* devis; *(Plan)* projet, plan *m; (geheimer ~)* machination *f; (Verschwörung)* complot; *(Mord~)* attentat *m; durch ~ (veröffentlichen)* par voie d'affiche; *in ~ bringen (com)* mettre *od* faire entrer en ligne de compte; *im ~ haben (Gewehr),* être prêt à tirer *od* à faire feu; *im ~ liegen* od *sein* mettre en joue; *e-n ~ machen* afficher; *e-n ~ verüben* commettre un attentat; *~ stehend, kniend, liegend (mil)* position *f* du tireur debout, à genou, couché; **~brett** *n* panneau *od* tableau d'affichage, tableau d'affiches, porte-affiches *m;* **an≈schlagen** *tr (annageln, befestigen)* clouer, fixer, attacher; *(Plakat, Bekanntmachung)* afficher, apposer; *(Klavier, Saite)* frapper; *(Glocke)* sonner; *(Ton)* prendre; *sport* toucher; *(Ball)* servir; *(Gewehr)* mettre en joue; *(Geschirr beschädigen)* ébrécher; *(einschätzen)* évaluer, estimer; *itr (Hund)* aboyer; *med (wirken)* faire de l'effet, opérer (*auf jdn* sur qn); profiter (*auf jdn* à qn); *zu hoch, niedrig ~* surestimer *od* surévaluer, sous-estimer *od* sous-évaluer; *e-n anderen Ton ~ (fig)* changer de ton; *e-n gewissen Ton ~* le prendre sur un certain ton; **~säule** *f* colonne *f* d'affichage *od* Morris; **~tafel** *f* = *~brett;* **Anschläger** *m min* accrocheur *m.*

an≈schließen *tr (Fahrrad mit e-r Kette)* attacher, enchaîner; *el* relier, connecter (*an* à); brancher (*an* sur); *tele* raccorder (*an* à); *radio* relayer; *com* affilier (*an* à); *einige Worte ~* ajouter quelques mots; *sich ~ (Mensch)* se joindre, se rattacher, s'associer, se rallier (*an* à); *(Sache)* se rattacher (*an* à); suivre (*an etw* qc); *sich jds Meinung ~* se ranger à l'avis de qn; *sich e-r Partei ~* s'affilier à un parti; *angeschlossen die Sender ...* relayé par les émetteurs ...; **~d** *a* suivant; *(Zimmer)* contigu; *adv* ensuite, par la suite, (immédiatement) après.

Anschluß *m (an Wasser, Gas)* distribution; *el* connexion *f,* branchement, raccordement; *tele (dauernde Einrichtung)* raccord, abonnement *m; (zeitweilige Verbindung)* communication; *loc* correspondance *f; fig. a. pol hist* rattachement *m; com* affiliation *f* (*an* à); *im ~ an* comme suite à, faisant suite à; *den ~ erreichen (loc)* avoir *od* attraper la correspondance; *~ haben* correspondre (*an* avec); *~ suchen (Bekanntschaft)* chercher à lier connaissance; *den ~ verpassen (loc)* manquer la correspondance; *fig fam (die Gelegenheit)* manquer le coche; **~bahnhof** *m* gare *f* de correspondance; **~dose** *f el* boîte de connexion, prise *f* de courant; **~draht** *m* fil *m* de raccord; **~flansch** *m tech* bride *f* de raccordement; **~gleis** *n loc* voie *f* de raccordement; **~kabel** *n el* câble de raccordement; *tele* câble *m* d'abonné; **~klemme** *f el* borne *f* de raccordement, serre-fils *m;* **~leitung** *f el* conduite *od* ligne *f* de jonction; **~linie** *f aero* ligne *f* (aérienne) de correspondance; **~punkt** *m tech* point *m* d'attache; **~rohr** *n* tuyau *m* de raccordement; **~schiene** *f* raccord *m* de rail; **~schlauch** *m* raccord *m* en caoutchouc; **~schnur** *f el* cordon *m* de raccordement; **~station** *f loc* = *~bahnhof;* **~strecke** *f loc* tronçon *m* de raccordement; **~stück** *n* pièce *f* de jonction, raccord *m;* **~zug** *m loc* (train *m* de) correspondance *f.*

an≈schmieden *tr* attacher en forgeant.

an≈schmieg|en, *sich* se serrer, se blottir (*an* contre); *(Kleidungsstück)* coller (*an* à); épouser la forme (*an* de); **~sam** *a* souple *a. fig; fig (nachgiebig)* complaisant; **A~samkeit** *f* ‹-, (-en)›, *a. fig* souplesse; *fig* complaisance *f.*

an≈schmieren *tr* barbouiller; *fig fam (betrügen)* rouler, mettre dedans, duper.

an≈schnall|en *tr* attacher avec une boucle, boucler; *(Schlittschuhe)* mettre; *sich ~~ (mot aero)* s'attacher; **A~gurt** *m mot aero* ceinture de sécurité; *aero* sangle; *(am Fallschirm)* ceinture *f* d'attache.

an≈schnauz|en *tr fam* attraper, rabrouer, enguirlander, savonner; apostropher; *pop* engueuler; **A~er** *m fam* savon *m; pop* engueulade *f.*

an≈schneiden *tr (Lebensmittel, Stoff, fig: Thema)* entamer; *fig (Thema)* attaquer *fam.*

Anschnitt *m (Lebensmittel)* entame; *(Schnittfläche)* coupe *f.*

Anschovis *f* ‹-, -› [an'ʃo:vɪs] *(gesalzene Sardelle)* anchois *m.*

an≈schrauben *tr* visser (*an* à).

an≈schreiben *tr (an die Tafel)* écrire; *(Schuld)* mettre *od* porter au compte; *~ lassen* prendre à crédit; *bei jdm gut angeschrieben sein* être dans les papiers de qn *od* coté auprès de qn, être bien vu *od* en faveur auprès de qn, être en *od* jouir d'un grand crédit auprès de qn; *bei jdm nicht gut* od *schlecht angeschrieben sein* ne pas être dans les papiers de qn *od* coté auprès de qn, être mal vu *od* en défaveur auprès de qn.

an≈schreien *tr* apostropher vertement, rudoyer, *pop* engueuler.

Anschrift *f* adresse *f.*

an≈schuhen *tr (Stiefelschäfte)* rabouter.

an≈schuldig|en *tr* accuser, inculper, incriminer; **A~ung** *f* accusation, inculpation, incrimination *f; falsche ~~* dénonciation *f* calomnieuse.

Anschütt|e *f* ‹-, -n› ['anʃʏtə] *geol* dépôt *m* alluvionnaire; **an≈schütten** *tr arch* remblayer; **~ung** *f* remblai *m.*

an≈schwärmen *tr* adorer, idolâtrer.

an≈schwärzen *tr fig* noircir, dénigrer, calomnier, diffamer; **A~** *n* dénigrement *m,* calomnie, diffamation *f.*

an≈schweißen *tr tech* souder (*an* à).

an≈schwell|en *itr* enfler *a. med; med* se tuméfier; *(sich blähen)* se gonfler; *(allmählich)* grossir; *(Fluß) a.)* monter, être en crue; *mus u. fig* aller crescendo; **A~en** *n med* tuméfaction; *(e-s Flusses)* montée, crue *f; mus* crescendo *m;* **A~ung** *f (Folgezustand)* gonflement *m, a. med; med* enflure, tumeur *f.*

an≈schwemm|en *tr (Holz)* flotter; *(Sand)* charrier; *(Erdboden)* déposer; **A~ung** *f gel* dépôt (fluvial), atterrissement *m,* alluvion *f.*

an≈schwindeln *tr* refaire, rouler; en faire accroire (*jdn* à qn).

an≈seh|en *tr (anblicken)* regarder; *(lange)* contempler; *(prüfen)* examiner; *(halten für)* regarder, considérer (*als* comme); *(beurteilen)* juger; *(besichtigen)* visiter; *angesehen werden als* passer pour; *etw mit ~~ (dabeisein)* assister à qc; *(dulden)* laisser faire, tolérer qc; *jdn über die Achsel* od *von oben herab ~~* regarder qn de haut; *etw mit andern Augen ~~* voir qc d'un autre œil; *jdn von Kopf bis Fuß* od *von oben bis unten ~~* regarder qn de la tête aux pieds *od* de haut en bas, mesurer qn du regard *od* des yeux; *jdn scharf ~~* dévisager qn; *jdn scheel* od *schief ~~* regarder qn de travers; *jdn starr ~~* fixer qn du regard, regarder qn dans le blanc des yeux; *jdn verstohlen ~~* regarder qn du coin de l'œil; *etw nicht mehr mit ~~ können* ne plus pouvoir voir qc; *das kann ich nicht mehr mit ~~* je n'y tiens plus; *man sieht es ihm an, daß ...* on voit à sa mine que ..., il a l'air de *inf; man sieht es ihm nicht an* il n'en a pas l'air; *man sieht ihm sein Alter nicht an* il ne paraît pas son âge, il ne porte pas son âge; *wofür sehen Sie mich an?* pour qui me prenez-vous? *sieh mal (einer) an!* tiens, tiens! **A~en** *n* ‹-s, ø› *(Anblick)* vue *f*, aspect *m; (Aussehen)* apparence, mine *f*, air; *(Äußeres)* dehors, extérieur *m; fig (Achtung)* considération *f*, respect *m; (Ruf)* réputation; *(Geltung)* autorité *f*, standing, prestige *m; dem ~~ nach zu urteilen* à en juger sur l'apparence; *ohne ~~ der Person* sans égard à la personne, sans acception de personne(s); *sich ein ~~ geben* se donner des airs, faire l'important; *hohes ~~ genießen* jouir d'un grand crédit; *~~ gewinnen* acquérir du crédit, s'attirer de la considération; *von ~~ kennen* connaître de vue; *wieder zu ~~ kommen* retrouver son crédit; *in ~~ stehen* avoir une bonne réputation; *sein ~~ verlieren* perdre son crédit; **~nlich** *a (stattlich)* beau, de belle apparence; *fig (Person)* notable, respectable, honorable; *(Sache)* considérable, important; *eine ~~e Summe* une belle somme; **A~nlichkeit** *f* ‹-, ø› belle apparence, prestance; *fig* notabilité, respectabilité; importance *f*; **A~ung** *f*: *in ~ (gen)* en considération (de), eu égard (à).

an≈seilen *tr allg* attacher à la corde; *(Bergsteiger)* encorder; *sich ~* s'encorder.

an≈sein *itr (angestellt, eingeschaltet sein)* marcher, fonctionner; *(Feuer, Licht)* être allumé.

an≈sengen *tr* roussir; *angesengt riechen* sentir le roussi.

an≈setz|en *tr* mettre (*an* à, contre), appliquer (*an* contre); *(Leiter)* poser; *(Feder)* mettre la main à; *(Blasinstrument)* emboucher; *(Trinkgefäß an die Lippen)* porter (*an* à); *(anfügen, anstücken)* ajouter, apposer; *typ* rattraper; *(Küche)* préparer; *(festsetzen, bestimmen)* fixer; *(einschätzen)* évaluer, estimer, taxer, priser; *itr* commencer, prendre un élan, faire un effort; *noch einmal ~~* revenir à la charge; *sich ~~* s'attacher (*an* à); *chem* se déposer; *Bauch ~~* prendre du ventre; *Blätter, Blüten ~~* pousser des feuilles, des fleurs; *Fett ~~* engraisser; *Früchte ~~ (bot)* affruiter; *zur Landung ~~ (aero)* se préparer à atterrir, amorcer l'atterrissage; *den Preis zu niedrig ~~* sous-estimer (*e-r S* qc); *zum Sprung ~~* prendre un élan; **A~en** *n* mise, application; pose; préparation *f*; **A~ung** *f (Festsetzung)* fixation; *(Einschätzung)* évaluation *f*; **A~winkel** *m aero* angle *m* d'attaque.

Ansicht *f* ‹-, -en› *(Tätigkeit)* vue, aspect *m; (Prüfung)* inspection *f*, examen *m; (Bild)* vue; *(Meinung)* vue, façon *od* manière de voir, opinion *f*, avis *m*, idée *f*; *nach jds ~* aux yeux de qn; *nach allgemeiner ~* de l'avis de tous *od* de tout le monde; *meiner ~ nach* à mon avis, selon moi, à ce que je crois; *s-e ~ ändern* changer d'idée *od* d'avis; *s-e ~ äußern* donner son avis *od* opinion; *jdn in s-n ~en bestärken* soutenir qn dans ses idées; *s-e eigenen ~en haben* avoir ses idées à soi (*über etw* sur qc); *der ~ sein, die ~ vertreten, daß* ... être d'avis que ...; *verschiedener, entgegengesetzter ~ sein* être d'un avis différent, contraire *od* opposé; *zur ~ senden (com)* envoyer à vue *od* au choix *od (Buch)* en communication; *jds ~en teilen* entrer dans les vues de qn; *mit s-r ~ zurückhalten* ne pas donner son avis; *ich bin der ~, daß* je suis de l'avis que; *das ist nun mal meine ~* voilà ma façon de penser; *darüber kann man verschiedener ~ sein* c'est affaire d'opinion; **a~ig** *a*: *jds ~~ werden* voir, apercevoir, découvrir qn; **~s(post)-karte** *f* carte (postale) illustrée, carte-vue *f*; **~ssache** *f* affaire *f* d'opinion; *das ist ~~* c'est affaire d'opinion; **~ssendung** *f com* envoi *m* à vue *od* au choix.

an≈sied|eln *tr* établir, domicilier; *(Nomaden)* fixer; *sich ~~* s'établir, se domicilier; se fixer; **A~(e)lung** *f (Vorgang)* colonisation *f*, établissement *m; (Ergebnis: Ort)* colonie *f*; **A~ler** *m* colon *m*.

an≈sinnen *tr*: *jdm etw ~* demander qc à qn, exiger qc de qn, prétendre que qn fasse qc; **A~** *n* demande, exigence, prétention *f*; *ein ~~ an jdn stellen* imposer une exigence à qn.

an≈spann|en *tr (Pferd, Wagen)* atteler; *(straffen)* bander; *a. fig (s-e Kräfte, s-n Geist)* tendre; *mit angespannten Kräften* de toutes ses forces; *jdn ~~* demander un effort particulier à qn; **A~en** *n* attelage *m*; **A~ung** *f* tension *f*; *fig (Eifer)* effort *m*, application *f*.

an≈speien *tr* cracher sur.

Anspiel *n sport* commencement *m* du jeu; **an≈spielen** *itr* jouer (le premier); *(beim Kugelspiel)* avoir la boule; *(beim Kartenspiel)* avoir la main; *sport* commencer à jouer; *fig* faire allusion (*auf etw* à qc); **~ung** *f* allusion *f*, sous-entendu *m; in versteckten ~~en* à mots couverts.

an≈spitz|en *tr allg* rendre pointu, appointer, aiguiser; *(Bleistift)* tailler; *tech (Nadeln)* empointer; **A~er** *m* ‹-s, -› *(Bleistiftspitzer)* taille-crayon *m*.

Ansporn *m* ‹-(e)s, ø› excitation, stimulation *f*; aiguillon *m*; **an≈spornen** *tr (Pferd* u. *fig)* éperonner, talonner; *fig* aiguillonner; stimuler, encourager; *zur Arbeit ~* pousser au travail.

Ansprache *f* allocution, harangue *f*; *arg (Schule)* laïus *m*; *mil (Ziel~)* identification *f*; *s*; *e-e ~ halten* adresser une allocution, haranguer.

ansprech|bar *a physiol* réactif; **A~barkeit** *f* réactivité *f*; **an≈sprechen** *tr* adresser la parole à, aborder, accoster; *jdn auf etw hin ~* aborder un sujet avec qn, interroger qn sur qc; *jdn um etw* demander qc à qn; *mil (Ziel)* identifier; *fig (zusagen, gefallen)* intéresser; plaire (*jdm* à qn); *itr physiol* réagir (*auf etw* à qc); **~end** *a* intéressant, attirant, agréable; sympathique.

an≈springen *tr (Hund e-n Menschen)* bondir, sauter sur; *itr mot* partir, démarrer; *angesprungen kommen* arriver en bondissant; **A~** *n mot* démarrage *m*.

an≈spritzen *tr* asperger; *(mit Schmutz)* éclabousser.

Anspruch *m (Recht)* droit (*auf* sur); *(Rechts~)* titre *m; (Forderung)* exigence; *a. fig* prétention; *jur* réclamation, revendication *f* (*auf* de); *e-n ~ aufgeben* abandonner une *od* renoncer à une réclamation; *~ auf etw erheben* od *machen* prétendre à qc, réclamer, revendiquer qc; *keinen Anspruch auf Vollständigkeit erheben* ne pas prétendre à l'exhaustivité; *Ansprüche geltend machen* prétendre (*auf* à); *auf etw ~ haben* avoir droit à qc; *Ansprüche auf etw haben* avoir des droits sur qc; *die ältesten Ansprüche haben* être le premier en date; *s-e Ansprüche herabschrauben* déchanter; *große Ansprüche machen, hohe Ansprüche stellen* affecter de grandes prétentions, faire des embarras; *etw in ~ nehmen* avoir recours à qc, faire appel à, user de qc; *jdn, etw zu sehr in ~ nehmen* abuser de qn, de qc; *jds Aufmerksamkeit in ~ nehmen* captiver l'attention de qn; *etw für sich in ~ nehmen* s'attribuer qc; *sehr in ~ genommen sein* être fort occupé; **a~sberechtigt** *a jur* ayant droit; **a~slos** *a* sans prétention(s), modeste, simple; **~slosigkeit** *f* modestie, simplicité *f*; **a~svoll** *a* prétentieux, exigeant, difficile; *(sehr) ~~ sein (a.)* être très difficile *od* exigeant; *fam* ne pas se moucher du coude; *~~e(s) Wesen n* exigence *f*.

an≈spucken *tr* = *anspeien*.

an≈spülen *tr (ans Ufer spülen)* flotter.

Anstalt *f* ‹-, -en› ['anʃtalt] établissement *m*; institution *(a. Schule); (Schule)* école *f*; *(Internat)* internat; *(Heim)* asile *m; (Besserungs~)* maison *f* de correction; *~en machen* se préparer, se disposer, s'apprêter (*zu etw* à qc, *etw zu tun* à faire qc); *s-e ~en treffen* prendre ses dispositions, dresser ses batteries; **~sgeistliche(r)** *m* aumônier *m*.

Anstand *m (Jagd)* affût *m*, hutte; *(gutes Benehmen)* (bonne) tenue *f*, bonnes manières *f pl*, savoir-vivre *m; (Schicklichkeit)* bienséance, décence *f*, convenances *f pl*; *pl (Schwierigkeiten)* difficultés *f pl*; *mit ~* décemment, convenablement; *auf den ~ gehen (Jäger)* se mettre à l'affût; *(keinen) ~ nehmen, etw zu tun* (ne pas) hésiter à faire qc; *den ~ verletzen* manquer aux *od* enfreindre les convenances; *den ~ wahren* garder les bienséances; **~sbesuch** *m* visite *f* de courtoisie; **~sdame** *f* chaperon *m*, duègne *f*; *als ~~ begleiten* chaperonner; **a~shalber** *adv* par convenance, pour sauver la face; **a~slos** *adv* sans hésiter *od* hésitation; sans (la moindre) difficulté; **~sregeln** *f pl* régles *f pl* de la bienséance; **~sunterricht** *m* leçon *f* de maintien.

anständig *a (schicklich)* bienséant, décent, convenable; *(ehrbar)* honnête; *fig fam (groß)* suffisant, raisonnable; honnête; *adv* décemment, convenablement, dûment, comme il faut; *sich ~ benehmen* se tenir bien; *~e(r) Mensch m* homme *m* (de) bien; *~e Menschen m pl* gens *m pl* (de) bien, honnêtes gens; **A~keit** *f* ‹-, ø› honnêté; bonne conduite *f.*

an=starren *tr* regarder fixement, fixer du regard; *fam* reluquer; *pop* zyeuter.

anstatt [an'ʃtat] *prp gen* à la place de, en guise de; *conj: ~ zu (inf), ~ daß ...* au lieu de *inf.*

an=staunen *tr* regarder avec étonnement *od* bouche bée; *(bewundern)* admirer.

an=stechen *tr (Faß)* mettre en perce; **A~** *n* mise *f* en perce.

an=steck|en *tr* attacher (avec des épingles); *(Nadel, Ring)* mettre; *(Abzeichen)* arborer; *(anzünden)* allumer; *(in Brand stecken)* mettre le feu à; *med* infecter, contaminer; *jdn mit e-r Krankheit* passer une maladie à qn; *itr fig = ~end sein (fig); sich ~~ (med)* s'infecter, se contaminer; **~end** *a med* infectieux, contagieux; *~~ sein (med a.)* se communiquer, se gagner; *fig (Lachen, Gähnen)* être contagieux; **A~nadel** *f* épingle (de cravate); *(Brosche)* broche *f;* **A~ung** *f med* infection, contagion, contamination; *(Übertragung)* transmission *f;* **A~ungsgefahr** *f* danger *m* de contagion *od* d'infection; **A~ungsherd** *m* foyer *m* de contagion *od* d'infection.

an=stehen *itr (Jagd)* être à l'affût (*auf* de); *(Schlange stehen)* faire la queue; *(Termin)* être fixé (*auf* à); *nicht ~ (zögern), etw zu tun* ne pas hésiter à faire qc; *(Schuld)* rester impayée; *~ lassen (aufschieben)* différer, remettre, ajourner; *das steht Ihnen (gut) an* cela vous convient; *das stünde Ihnen schlecht* od *nicht an* vous auriez mauvaise grâce; **~d** *a geol* vif, à fleur de terre.

an=steigen *itr* monter; *(Weg)* aller en montant; *(Hochwasser)* monter, croître, être en crue; *fig, bes. com* s'accroître; *steil ~ (fig)* monter en flèche; **A~** *n (Wasser)* crue *f; fig* accroissement *m; com fin* hausse *f; rasche(s) ~~ der Preise* hausse *f* en flèche des prix.

anstell|e [an'ʃtɛlə] = *an Stelle;* **an=stellen** ['an-] *tr* mettre, poser, placer (*an* contre); *(Leiter)* (ap)poser; *(Maschine)* mettre en marche; *radio* faire marcher, allumer; *(in Arbeit nehmen)* embaucher, engager, employer; *fig* faire, arranger; *es so ~, daß* faire *od* s'arranger de manière que *subj od* à *inf; sich ~ (Schlange stehen)* prendre la file, faire la queue; *fig (sich zieren)* faire des manières *od* des façons; *angestellt werden* obtenir un *od* l'emploi; *Betrachtungen ~* faire des *od* se livrer à des considérations; *sich dumm ~* faire la bête *od* l'imbécile; *jdn fest ~* titulariser qn; *sich geschickt, ungeschickt (dabei) ~* s'y prendre bien, mal; *sich hinten ~* prendre la *od* se mettre à la file *od* queue; *e-e Untersuchung ~* faire une recherche *od (bes. jur)* une enquête; *e-n Vergleich ~* faire *od* établir une comparaison (*zwischen* entre); *Vermutungen ~* faire des *od* se livrer à des conjectures (*über* sur); *Versuche ~* faire des essais *od* des expériences; *was hast du da wieder angestellt?* qu'as tu encore fait comme bêtises? *wie hast du (denn) das angestellt?* comment t'y es-tu pris? *stellen Sie sich doch nicht so an!* ne faites pas de manières *od* de façons *od* de cérémonies! *fam* ne faites pas tant de chichis! **~ig** *a* adroit, habile; **A~igkeit** *f* ‹-, ø› adresse, habileté, dextérité *f;* **A~ung** *f* engagement, placement, emploi; *(Stelle)* emploi, poste *m,* place, situation *f; feste ~~* situation *f* permanente *od* fixe; **A~ungsvertrag** *m* contrat *m* d'engagement; **A~vorrichtung** *f tech* dispositif *m* de mise en marche; **A~winkel** *m aero* angle *m* d'incidence *od* d'attaque.

an=stemmen, *sich* (s')appuyer, s'arc-bouter (*gegen* contre); *fig* s'opposer (*gegen* à).

an=steuer|n *tr mar aero* mettre le cap sur; **A~ungsfeuer** *n aero* balise *f* d'approche; **A~ungsfunkfeuer** *n aero* radiophare *m* de direction *od* d'approche.

Anstich *m (e-s Fasses)* mise *f* en perce.

Anstieg *m* montée, ascension *f.*

an=stieren = *anstarren.*

an=stift|en *tr (verursachen)* causer, provoquer, susciter; *pej (anzetteln)* machiner, tramer, ourdir, fomenter; *(jdn veranlassen)* pousser, inciter, exciter (*zu etw* à qc); *zum Meineid ~~* suborner; **A~er** *m* auteur, promoteur; *pej* provocateur, instigateur, fauteur *m;* **A~ung** *f* suggestion; *pej* incitation, excitation, instigation *f.*

an=stimmen *tr (Lied)* entonner, attaquer; *fig* orchestrer; **A~** *n mus* intonation *f.*

Anstoß *m* choc, heurt; *sport* coup *m* d'envoi; *fig (Antrieb)* impulsion *f,* branle *m; (Ärgernis)* offense *f,* scandale *m; ohne ~* sans heurt, *fam* sans anicroche; *(geläufig)* couramment; *bei jdm ~ erregen* froisser, choquer, scandaliser, offenser qn; *zu etw den ~ geben* donner l'impulsion *od* le branle à qc, prendre l'initiative de qc, déclencher qc; *an etw ~ nehmen* être choqué par qc, se froisser, se formaliser, se scandaliser de qc; *keinen ~ daran nehmen, etw zu tun* ne pas se faire faute de faire qc; *Stein m des ~es* pierre *f* d'achoppement *od* de touche; **an=stoßen** *tr* choquer, heurter, cogner; *itr* se heurter (*an* à); *an* donner contre; *(stolpern)* buter, broncher (*an* contre); *(in der Rede)* hésiter; *= ~ erregen; ohne anzustoßen = ohne ~; auf jdn* od *jds Gesundheit ~* boire à la santé de qn; *mit den Gläsern ~* choquer les verres, trinquer; *mit der Zunge ~ (lispeln)* zézayer; **a~end** *a (angrenzend)* contigu, attenant; voisin; **~kreis** *m sport* cercle *m* d'envoi.

anstößig ['anʃtø:sıç] *a* choquant, scandaleux; inconvenant, indécent, malséant, malsonnant; *(schlüpfrig)* scabreux, grivois; **A~keit** *f* caractère *m* choquant; inconvenance, indécence; grivoiserie *f.*

an=strahl|en *tr allg* darder ses rayons sur; *(mit Scheinwerfern)* illuminer, embraser; *(strahlend anblicken)* regarder d'un air rayonnant; **A~ung** *f* illumination *f,* embrasement *m.*

an=streben *tr* aspirer, tendre (*etw* à qc); *(aus Ehrgeiz)* ambitionner (*etw* qc).

an=streich|en *tr (Streichholz)* frotter; *(mit Farbe)* peindre, peinturer; *(tünchen)* badigeonner; *(weißen)* blanchir; *(kennzeichnen)* marquer (d'un trait); *(unterstreichen)* souligner; **A~en** *n* peinture *f* (en bâtiments); badigeonnage *m;* **A~er** *m* peintre (en bâtiment(s)); badigeonneur *m.*

an=streifen *tr* effleurer, frôler.

an=streng|en *tr (den Geist)* tendre; *(ermüden)* fatiguer; *zu sehr ~~* surmener; *sich ~~* faire des efforts, se donner du mal; *um zu* s'efforcer de *inf; sich gewaltig ~~* se dépenser; *fam* donner un coup de collier; *sich zu sehr ~~* se surmener; *e-n Prozeß gegen jdn ~~* intenter un procès contre qn; **~end** *a (Arbeit)* fatigant; *sehr ~~* crevant *pop;* **A~ung** *f* effort *m; (geistige)* contention; *(Strapaze)* fatigue *f.*

Anstrich *m (Farbe)* couleur; *(Überzug)* couche *f* (de peinture), enduit; *(Tünche)* badigeonnage; *mus* coup *m* d'archet; *fig (Anschein)* apparence, touche *f; sich den ~ e-s* od *e-r ... geben* se donner l'apparence d'un *od* d'une ...; *sich e-n vornehmen ~ geben* se donner *od* prendre des airs.

an=stricken *tr* ajouter (en tricotant); *(Strumpf)* rempiéter.

an=stücken *tr* (r)ajouter (une pièce à), rapiécer, rapporter; *(länger machen)* (r)allonger.

Ansturm *m* assaut *m,* ruée, attaque; *(von Kunden)* affluence *f; im ersten ~* au premier assaut, d'emblée.

an=stürmen *itr: ~ gegen* donner l'assaut à, assaillir.

an=suchen *itr: bei jdm um etw ~* demander qc à qn; solliciter, requérir qc de qn; **A~** *n* demande, requête *f; auf jds ~~* sur la demande, à la requête, à l'instance de qn; *ein ~~ an jdn stellen* adresser une demande à qn.

Antagonismus *m* ‹-, -men› [antago'nısmus, -mən] *(Gegensatz)* antagonisme *m.*

an=tanzen *itr* ouvrir le bal; *bei jdm ~ (fig)* arriver *od fam* débarquer chez qn.

Antarkt|is [ant'ʔarktıs] , *die, geog* la région antarctique, l'Antarctique, l'Antarctide *f;* **a~isch** *a* antarctique.

an=tasten *tr* tâter, toucher, palper; *(Vorrat)* toucher à, entamer; *fig (angreifen)* porter atteinte à, attenter à.

Anteil *m* part, portion, quote-part *f; fin* titre de participation; *(an e-r Verpflichtung)* contingent *m; fig = ~nahme; s-n ~ bezahlen* payer son écot; *an etw ~ haben* avoir part, participer à qc; *an etw großen, geringen, keinen* ~ *haben (beteiligt sein)* être pour beaucoup, peu dans qc, n'être pour rien dans qc; *s-n vollen* ~ *haben* en avoir sa bonne part; *an etw* ~ *nehmen* prendre part, s'intéresser à qc; **a~ig** *a* proportionné; *~~e(r) Gewinn m* quote-part *f* des bénéfices; **a~mäßig** *adv* proportionnellement; **~nahme** *f* intérêt *m*, sympathie; *(Mitgefühl)* compassion *f*; *(Beileid)* condoléances *f pl*; **~schein** *m* coupon *m*; *(Aktie)* action *f*; **~summe** *f (e-s stillen Teilhabers)* commandite *f*.

an=telephonieren *tr* téléphoner à, donner un coup de téléphone à.

Antenne *f* ⟨-, -n⟩ [an'tɛnə] *zoo (Fühler), radio TV* antenne *f*; *radio TV* collecteur *m* d'ondes; *abgeschirmte* ~ antenne *f* antiparasite; *mehrfach abgestimmte* ~ antenne *f* à accords multiples; *eingebaute* ~ antenne *f od* cadre *m* incorporé(e); **~ndraht** *m* fil *m* d'antenne; **~nkreis** *m* circuit *m* d'antenne; **~nleistung** *f* puissance *f* d'antenne; **~nleiter** *m* conducteur *m* aérien; **~nlitze** *f* cordon *m* d'antenne; **~nmast** *m* mât d'antenne, pylône(-antenne) *m*; **~nstecker** *m* fiche *f* d'antenne.

Anthologie *f* ⟨-, -n⟩ [antolo'gi:] *(bes. Gedichtsammlung)* anthologie *f*.

Anthrazit *m* ⟨-s, -e⟩ [antra'tsɪt] *min* anthracite *m*.

Anthropo|geographie [antropo-] *f* géographie *f* humaine; **~loge** *m* ⟨-n, -n⟩ [-'lo:gə] anthropologue, anthropologiste *m*; **~logie** *f* ⟨-, ø⟩ [-lo'gi:] anthropologie *f*; **a~logisch** [-'lo:gɪʃ] *a* anthropologique; **~morphismus** *m* ⟨-, ø⟩ [-mɔr'fɪsmus] *rel (Vermenschlichung)* anthropomorphisme *m*; **~soph** *m* ⟨-en, -en⟩ [-'zo:f] anthroposophe *m*; **~sophie** *f* ⟨-, ø⟩ [-so'fi:] anthroposophie *f*; **a~sophisch** [-'zo:fɪʃ] *a* anthroposophique; **a~zentrisch** *a (den Menschen in den Mittelpunkt stellend)* anthropocentrique.

Anti|alkoholiker ['anti-] *m* antialcoolique *m*; **~biotikum** *n* ⟨-s, -tika⟩ [-bi'o:tikum, -ka] *pharm* antibiotique *m*; **a~chambrieren** *itr (im Vorzimmer warten)* faire antichambre; **~christ,** *der* l'Antéchrist *m*; **a~christlich** *a* antichrétien; **~faschismus** *m pol* antifascisme *m*; **~faschist** *m* antifasciste *m*; **a~faschistisch** *a* antifasciste; **a~klerikal** *a* anticlérical; **~klopfmittel** *n mot* antidétonant *m*; **~kolonialismus** *m* anticolonialisme *m*; **~körper** *m physiol* anticorps *m*; **~materie** *f phys* antimatière *f*; **a~neuralgisch** *a pharm (schmerzstillend)* antinévralgique; **~pathie** *f* ⟨-, -n⟩ [-pa'ti:] antipathie *f*; **a~pathisch** [-'pa:tɪʃ] *a* antipathique; **~pode** *m* ⟨-n, -n⟩ [-'po:də] *geog* u. *fig* antipode *m*; **~semit** *m* antisémite *m*; **a~semitisch** *a* antisémit(iqu)e; **~semitismus** *m* antisémitisme *m*; **~sepsis** *f* ⟨-, ø⟩ [-'zɛpsis] *med* antisepsie *f*; **~septikum** *n* ⟨-s, -tika⟩ [-'zɛptikum, -ka] *pharm* antiseptique *m*; **a~septisch** [-'zɛptiʃ] *a* antiseptique; **~teilchen** *n phys* antiparticule *f*; **~these** *f* antithèse *f*; **a~thetisch** *a* antithétique; **~toxin** *n med (Gegengift)* antitoxine *f*, contrepoison *m*.

antik [an'ti:k] *a* antique, ancien; *adv* à l'antique; **A~e** *f* ⟨-, -n⟩ *(Altertum)* antiquité *f*; *(~e Kunst)* antique *m*; *(~es Kunstwerk)* antique *f*; *pl* antiquités *f pl*; **A~ensammlung** *f* collection *f* d'antiquités.

Antillen [an'tɪlən] *die pl geog* les Antilles *f pl*.

Antilope *f* ⟨-, -n⟩ [anti'lo:pə] *zoo* antilope *f*.

Antimon *n* ⟨-s, ø⟩ [anti'mo:n] *chem* antimoine *m*; **~blüte** *f* antimoine *m* oxydé; **a~haltig** *a* antimonié; **~iat** *n* ⟨-s, -e⟩ [-mo'nia:t] antimoniate *m*; **~it** *n* ⟨-s, -e⟩ [-'ni:t/-'nɪt] antimoniure *m*.

Antiqu|a *f* ⟨-, ø⟩ [an'ti:kva] *typ* caractères *m pl* romains; **~ar** *m* ⟨-s, -e⟩ [-'kva:r] *(Altbuchhändler)* marchand de livres d'occasion; *fam* bouquiniste *m*; **~ariat** *n* ⟨-s, -e⟩ [-ri'at] librairie *f* d'occasion; *(seltener)* brocante *f*; *moderne(s)* ~~ *(Bücher im Ausverkauf)* livres *m pl* soldés *od* en solde, surplus *m* d'éditeurs; **~ariatsbuchhandel** *m* librairie *f* d'occasion; **~ariatskatalog** *m* catalogue *m* des livres d'occasion; **a~arisch** [-'kva:rɪʃ] *a* ancien, d'occasion; *adv: ~~ kaufen* acheter d'occasion; **a~iert** [-'kvi:rt] *a (veraltet)* démodé, désuet, obsolète; **~ität** *f* ⟨-, -en⟩ [-'tɛ:t] objet *m* ancien *od* d'époque; **~itätenhandel** *m* commerce *m* d'antiquités; *(Althandel)* brocantage *m*; *fam* brocante *f*; **~itätenhändler** *m* antiquaire; *(Althändler)* brocanteur *m*.

Antlitz *n* ⟨-es, (-e)⟩ ['antlɪts] *poet* face *f*.

Anton ['anto:n] *m* Antoine *m*; *blaue(r)* ~ *(pop) (Monteuranzug)* bleu *m*.

Antrag *m* ⟨-(e)s, ⸚e⟩ ['antra:k, '-trɛ:gə] proposition; *(Angebot)* offre; *(Heirats~)* demande en mariage; *(Gesuch)* pétition; *jur* demande, requête, réquisition *f*; *(Schluß~)* conclusions *f pl*; *parl* motion *f*; *auf* ~ *(gen)* sur la proposition de, à la demande de; *jur* à la requête de, sur la réquisition de; *e-n* ~ *ablehnen* rejeter une demande *od parl* une motion; *e-n* ~ *durchbringen (parl)* faire adopter une motion; *e-n* ~ *einbringen (parl)* soumettre une proposition, présenter une motion; *e-m* ~ *stattgeben* faire droit à une demande; *e-n* ~ *stellen* faire une proposition *od* demande, présenter une requête *od parl* une motion; *e-n* ~ *unterstützen (parl)* soutenir une motion; *e-n* ~ *zurücknehmen (parl)* retirer une motion; ~ *zur Geschäftsordnung* motion *f* d'ordre; ~ *auf Schadenersatz* demande *f* en dommages-intérêts; **an=tragen** *tr (vorschlagen)* proposer; *(anbieten)* offrir; *jdm s-e Dienste* ~ offrir ses services à qn; *itr* demander (*auf etw* qc); **~sdelikt** *n jur* délit *m* poursuivi (seulement) sur plainte; **~sformular** *n* formulaire *m od* formule *f* de demande; **~steller** *m* pétitionnaire; *jur* demandeur, requérant; *parl* auteur *m* de motion.

an=treffen *tr* rencontrer, trouver; *jdn nicht (zu Hause)* ~ *(fam a.)* se casser le nez chez qn; *niemand (zu Hause)* ~ *(a.)* trouver porte close; *ich habe ihn gerade noch angetroffen* j'ai failli le manquer.

an=treib|en *tr (Vieh)* aiguillonner; *(Reittier mit den Absätzen)* talonner; *(mit Sporen)* éperonner ; *(mit e-r Peitsche)* fouailler; *tech* commander, actionner; *bes. mot mar aero* propulser; *fig* inciter, exciter, stimuler (*zu* à); *angetrieben werden (auf dem Wasser)* arriver en flottant; **A~er** *m* promoteur, *pej* instigateur *m*.

an=treten *itr mil* se rassembler; *fig* se présenter; *tr mot* faire démarrer au pied *ein Amt* ~ entrer en fonction *od* en charge; *zur Arbeit* ~ se présenter au travail; *den Beweis* ~ fournir la preuve; *e-e Erbschaft* ~ recueillir un héritage; *die Regierung* ~ prendre le pouvoir; *e-e Reise* ~ *(a.)* partir en voyage; *den Rückzug* ~ *(mil* u. *fig)* battre en retraite; *e-e Stelle* ~ entrer en place; *wieder* ~ *(mil)* reformer les rangs; ~ *lassen (mil)* aligner; *angetreten! (mil)* rassemblement!

Antrieb *m tech* commande *f*, actionnement *m*; *bes. mot mar aero* propulsion *f*, entraînement *m*; *(~sübertragung)* transmission; *fig* impulsion, instigation, stimulation *f*; *aus eigenem* ~ de mon *etc* propre mouvement, de ma *etc* propre initiative; *aus freiem* ~ de mon *etc* (bon) gré, spontanément; **~sachse** *f* arbre *m* de commande; **~sbeschleunigung** *f* accélération *f* de propulsion; **~sgehäuse** *n* boîte *f* de commande; **~skette** *f* chaîne *f* d'entraînement; **~skraft** *f* force *f* motrice; **~smechanismus** *m* mécanisme *m* de commande *od* d'entraînement; **~smotor** *m* moteur d'entraînement *od* de commande, motopropulseur *m*; **~srad** *n* roue *f* motrice; **~sriemen** *m* courroie *f* de transmission; **~swelle** *f* = *~sachse*.

an=trinken *tr: sich einen (Rausch)* ~ se griser.

Antritt *m*: ~ *e-r Erbschaft* prise *f* de possession d'un héritage; ~ *e-r Reise* départ *m* (en voyage); ~ *e-r Stelle* entrée *f* en place; ~ *des Urlaubs* départ *m* en congé; **~sbesuch** *m* visite *f* d'entrée; **~spredigt** *f* sermon *m* d'entrée; **~srede** *f* discours *m* inaugural *od* d'inauguration; **~sstufe** *f (e-r Treppe)* marche *f* départ; **~svorlesung** *f* conférence *f* inaugurale.

an=tun *tr lit (anziehen)* mettre; *(erweisen)* faire; *sich etwas* od *ein Leid* ~ attenter à ses jours; *es jdm* ~ charmer qn, jeter un sort à qn; *jdm Ehre* ~ faire honneur à qn; *jdm Gewalt* ~ faire violence à qn; *jdm Gutes, Böses* ~ faire du bien, du mal à qn; *jdm Zwang* ~ forcer qn; *sich Zwang* ~ se faire violence, se contraindre; *sich keinen Zwang* ~ ne pas se gêner; *sie hat es mir angetan* elle m'a tourné la tête.

Antwerpen [ant'vɛrpən] *n geog* Anvers *m.*

Antwort *f* ‹-, -en› ['antvɔrt] réponse, réplique; *(schnelle)* repartie; *(scharfe)* riposte *f; in ~ auf* en réponse à; *statt jeder ~* pour toute réponse; *keine ~ bekommen* rester sans réponse; *zur ~ bekommen* recevoir en réponse; *jdm die ~ schuldig bleiben* laisser qn sans réponse; *jdm die passende ~ geben* river son clou à qn *fam; keine ~ schuldig bleiben* avoir réponse à tout; *über etw Rede und ~ stehen* rendre raison de qc; *um e-e ~ nicht* od *nie verlegen sein* avoir la repartie prompte, être prompt à la repartie *od* à la riposte; *keine ~ wissen (Schüler)* sécher *fam; das ist keine ~ (auf meine Frage)* ce n'est pas une réponse; *um ~ wird gebeten* réponse, s'il vous plaît (= R.S.V.P.); *keine ~ ist auch eine ~ (prov)* le silence vaut une réponse; *abschlägige ~* réponse *f* négative; *ausweichende ~* réponse *f* de Normand *od* dilatoire; *baldige ~* réponse *f* prompte; *e-e kurze ~* un mot de réponse; *zustimmende ~* réponse *f* affirmative; **a~en** *tr* u. *itr* répondre, répliquer; *(schnell)* repartir; *(scharf)* riposter (*auf* à); *itr* faire réponse (*auf* à); *schlagfertig ~~* répondre du tac au tac; *nichts mehr zu ~~ wissen* demeurer *od* rester court; *ich wußte nicht, was ich ~~ sollte* je ne savais que *od* j'étais embarrassé pour répondre; **~karte** *f* carte-réponse *f;* **~schein** *m (für das Ausland)* coupon-réponse *m* (international); **~schreiben** *n* réponse *f;* **~telegramm** *n* télégramme-réponse *m; bezahlte(s) ~~* télégramme *m* à réponse *f* payée.

an=ulken *tr fam (jdn) ~* mettre en boîte (qn).

an=vertrau|en ‹*vertraute an, anvertraut*› *tr* confier (*jdm etw* qc à qn); *(Geheimnis)* faire confidence (*jdm etw* de qc à qn); *sich jdm ~~ (gesprächsweise)* se confier, s'ouvrir, se livrer à qn, s'épancher envers qn; *er hat sich mir ~t* il m'a fait *od* j'ai reçu ses confidences.

anverwandt *a* parent; **A~e(r** *m***)** *f* parent, e *m f.*

an=wachsen *itr (Pflanze: angehen)* prendre racine, s'enraciner; *med* s'agglutiner; *fig (zunehmen)* (s'ac)croître, s'accumuler, augmenter; *bei jdm ~ (hum: Besucher)* s'incruster chez qn; *lawinenartig ~ (Schulden etc)* faire boule de neige; *mir war die Zunge wie angewachsen;* j'en avais le bec cloué; **A~** *n bot* enracinement *m; med* agglutination *f; fig* accroissement *m,* accumulation, augmentation *f.*

Anwalt *m* ‹-(e)s, ⸚e› ['anvalt, -vɛltə] *(bevollmächtigter Vertreter)* mandataire, syndic; *fig (Fürsprecher)* défenseur, tuteur *m;* = *Rechts~;* **~sbüro** *n* cabinet *m* (d'affaires), étude *f;* **~schaft** *f* ‹-, (-en)› = *Rechts~~;* **~sgebühren** *f pl* honoraires *m pl* d'avocat; **~skammer** *f* Conseil *m* de l'ordre des avocats; **~skosten** *pl* frais *m pl* d'avocat; **~spraxis** *f* = *~sbüro;* **~sstand** *m* ordre *m* des avocats; **~szwang** *m* assistance *f* obligatoire d'un avocat.

an=wand|eln *tr: mich wandelt die Lust an zu ...* il me prend *od* j'ai envie de ...; *was wandelt dich an? (was fällt dir ein?)* qu'est-ce qui te prend? **A~lung** *f* velléité, bouffée; *med* atteinte *f,* accès *m; ~~ von Edelmut* accès *od* élan *m* de générosité.

an=wärmen *tr* chauffer légèrement.

Anwärter *m* ‹-s, -› candidat; *(Offiziers~)* aspirant; *(Thron~)* prétendant *m* (*auf* à).

Anwartschaft *f* ‹-, (-en)› candidature (*auf* à); *(Aussicht)* expectative *f* (*auf* de).

an=wehen *tr (Schnee, Wolken)* amonceler; *es weht mich heimatlich an* c'est (pour moi) comme un souffle du pays natal.

an=weis|en *tr (zeigen)* indiquer; *(zuweisen)* assigner; *(anleiten)* diriger; *(belehren)* instruire; *(befehlen)* ordonner, donner des ordres (*jdn* à qn); *fin (Zahlung)* ordonnancer; *(Summe)* mandater; *jdm e-n Platz ~~ (a.)* placer qn; *vgl. angewiesen;* **A~ung** *f (Anleitung)* directives *f pl; (Belehrung)* instruction *f; (Befehl, Vorschrift)* ordre, précepte *m; mil* consigne; *fin (Zuweisung)* assignation, affectation *f;* mandat; virement *m; (Gutschein)* bon *m; laut ~~* suivant l'ordre; *e-e ~~ ausstellen (fin)* établir un mandat; *~~ an Order (fin)* mandat *od* billet *m* à ordre.

anwend|bar *a* applicable (*auf* à); *(verwendbar)* utilisable; **A~barkeit** *f* ‹-, (-en)› applicabilité *f;* **an=wenden** *tr* appliquer; *(verwenden, gebrauchen)* utiliser, faire usage de, employer; *entsprechend ~~* appliquer par analogie; *etw gut* od *richtig ~~* faire (un) bon usage de qc; *etw schlecht* od *falsch ~~* faire un mauvais emploi de qc; *Gewalt ~~* user de *od* employer la *od* faire violence; **A~ung** *f* application; utilisation *f,* usage, emploi *m;* mise *f* en application *od* en pratique; *in ~~ (gen)* en application de; *~~ finden, zur ~~ kommen* s'appliquer (*auf* à); *sinngemäße ~~* application *f* par analogie; **A~ungsbereich** *m* champ *od* domaine *m* d'application.

anwerb|en *tr (Arbeiter)* embaucher; *(Mitglieder)* recruter; *mil* enrôler, recruter; *fam (keilen)* racoler; **A~ung** *f* embauchage *m,* embauche *f;* recrutement; enrôlement; racolage *m.*

an=werfen *tr mot* mettre en marche, lancer, démarrer; *itr sport* commencer; *(Kugelspiel)* avoir la boule.

Anwesen *n* ‹-s, -› *(Grundstück)* (bien-)fonds *m; (Grundbesitz)* propriété *f* (foncière); **a~d** *a* présent; *~~ sein bei* être présent à, assister à; *nicht ganz ~~ sein (fig)* avoir une absence; *als ~~ geführt werden* être tenu présent; **~de** *m pl* assistants *m pl, die ~~n* l'assistance *f; ~~ ausgeschlossen* excepté les présents; *(sehr) verehrte ~~!* mesdames et messieurs! **~heit** *f* ‹-, (-en)› présence *f; in ~~ (gen)* en présence (de); **~heitsappell** *m mil* appel *m;* revue *f* d'effectifs; **~heitsgelder** *n pl* indemnités *f pl od* jetons *m pl* de présence; **~heitsliste** *f* liste *od* feuille *f* de présence.

an=widern dégoûter, répugner à, inspirer du dégoût *od* de l'aversion à; *das widert mich an (a.)* cela me répugne *od* dégoûte.

Anwohner *m* ‹-s, -› ['anvo:nər] = *Anlieger.*

Anwuchs *m* ‹-es, ⸚e› ['anvu:ks, '-vy:ksə] *(Zuwachs)* croissance *f; fig* accroissement *m.*

Anwurf *m arch (Bewurf, Putz)* crépi; *sport* premier coup *m; fig (Beleidigung)* invective, offense, injure *f.*

an=wurzeln *itr: wie angewurzelt dastehen (fig)* être cloué sur place; *wie angewurzelt stehenbleiben (fig)* rester là comme une souche.

Anzahl *f* ‹-, ø› nombre *m,* quantité *f; e-e ganze ~ ...* bon nombre de ...; **an=zahlen** *tr* faire un premier versement de; donner *od* payer *od* payer un acompte de; **~ung** *f (Vorgang)* premier versement; *(Summe)* acompte *m; (Handgeld)* arrhes *f pl.*

an=zählen *tr (e-n Boxer)* compter (au tapis).

an=zapfen *tr (Baum)* gemmer; *(Faß)* mettre en perce; *tele (Leitung)* brancher; *fig fam (Geld aus jdm holen)* taper; soutirer de l'argent (*jdn* à qn); **A~** *n (Faß)* mise *f* en perce.

Anzeichen *n* signe, indice *m,* marque; *(Vorzeichen)* annonce *f,* présage, augure, auspice; *med* symptôme *m; es sind alle ~ dafür vorhanden, daß* tout laisse présager que.

Anzeig|e *f* ‹-, -n› ['antsaɪgə] *allg* indication; *(bei e-r Behörde)* déclaration; *jur* dénonciation, délation; *(Zeitungs~~)* annonce, insertion *f; (im Textteil)* entrefilet, communiqué; *(Familien~~)* faire-part *m; (Bekanntmachung)* notification *f; jdn zur ~~ bringen, ~~ gegen jdn erstatten* dénoncer qn; **an=zeigen** *tr (bezeichnen)* indiquer; *(Meßinstrument)* marquer; *(andeuten)* dénoter; *(vorbedeuten)* présager, pronostiquer; *(mitteilen)* informer, avertir, aviser (*jdm etw* qn de qc); *(bei e-r Behörde)* déclarer, faire déclaration de; *jur* dénoncer, porter plainte contre; *(ankündigen, a. in e-r Zeitung)* annoncer; *(Familienereignis)* faire part de; *(bekanntmachen)* notifier; *com (Warenempfang)* aviser, donner avis de; *den Empfang ~* accuser réception (*e-r S* de qc); **~enabteilung** *f* service *m* des annonces; **~enannahme** *f* réception *f* des annonces, office *m* de publicité; **~enbeilage** *f* annonce *f* encartée; **~enblatt** *n* feuille *f* de publicité; **~enbüro** *n* agence *f* de publicité; **~enpreis** *m* prix *m* des annonces; **~enschluß** *m* (date-)limite *f* de mise d'annonces; **~enseite** *f (e-r Zeitung)* page *f* de publicité *od* d'annonces; **~entarif** *m* tarif *m* de publicité; *(Teil der Zeitung)* manchettes *f pl* commerciales; **~enteil** *m* *(e-r Zeitung* rubrique *f* de publicité *od* des annonces; **~enwerber** *m* agent de publicité, acquisiteur *m* d'annonces; **~epflicht** *f* déclaration *f* obligatoire; **~er** *m jur (Person)* dénonciateur, delateur, rapporteur; *fam* mouchard; *(Gerät)* appareil indicateur; *(Zeitung)* moniteur *m;* **~erdeckung** *f mil (Schießstand)* tranchée *f* des marqueurs; **~evorrichtung** *f mil* dispositif *m* de signalisation.

an=zett|eln *tr fig* tramer, ourdir, monter, machiner; *fam* manigancer; *e-e Verschwörung* **~~** tramer un complot, comploter; **A~(e)lung** *f* machination *f.*

an=zieh|en *tr allg* u. *phys* attirer; *(spannen)* tirer; *(Saite)* tendre; *(Schraube, Bremse)* serrer; *chem (Feuchtigkeit)* absorber; *(Geruch)* s'imprégner de *od* prendre l'odeur de; *(Kleidungsstück)* mettre; *(Menschen ankleiden)* habiller; *(Textstelle)* citer; *fig (reizen, fesseln)* attirer, intéresser; *itr (herankommen)* (s')approcher; *(Brettspiel)* jouer le premier; *com fin (steigen)* monter, hausser, être en hausse; *sich* **~~** s'habiller, faire sa toilette; *sich sonntäglich* **~~** s'endimancher; *(die) Handschuhe* **~~** *(a.)* se ganter; *ein anderes Kleid, frische Wäsche* **~~** changer de robe, de linge; *e-n neuen Menschen* **~~** *(fig)* faire peau neuve; *(die) Schuhe* **~~** se chausser; *die Zügel* **~~** *(fig)* tenir la bride haute; *nichts anzuziehen haben* n'avoir rien à se mettre; *geschmacklos angezogen sein (a.)* être mal fagoté *fam; schlecht angezogen sein* être mal habillé *od* mis *od fam* ficelé; *warm angezogen sein* être bien couvert; *man kann die Jacke noch* **~~** le veston est encore mettable; *die Börse zieht an* la Bourse est en hausse; *die Pferde zogen an* la voiture partit; **~end** *a fig* attractif; attrayant, attirant; **A~ung** *f phys* u. *fig* attraction *f; fig* attrait, charme *m,* appâts *m pl;* **A~ungsbereich** *m phys* champ *m* d'attraction; **A~ungskraft** *f phys* force d'attraction, gravitation; *fig* attirance *f,* attrait, charme *m;* **A~ungspunkt** *m* centre *m* d'attraction.

Anzug *m (Jacke u. Hose)* costume, complet; *(erster Schachzug)* premier trait *m; im* **~** *sein* (s')approcher, se préparer, s'amorcer; *ein Gewitter ist im* **~** un orage s'annonce, il y a un orage dans l'air; *fertige(r)* **~** costume *m* tout fait; *kombinierte(r)* **~** séparable *m.*

anzüglich ['antsy:klıç] *a (zweideutig)* équivoque, à double entente; **~** *werden* commencer à faire des personnalités; **A~keit** *f* allusion *f* désobligeante.

an=zünd|en *tr* allumer, enflammer; *(Streichholz a.)* frotter; *(in Brand stecken)* mettre le feu à, incendier, embraser; **A~er** *m (Person)* allumeur; *(Gerät)* allume-feu, allumoir *m.*

an=zweifeln *tr* mettre en doute.

Äolsharfe ['ɛ:ɔls-] *f* harpe *f* éolienne.

Aorta *f* ⟨-, -en⟩ [a'ɔrta, -tən] *anat* aorte *f.*

apart [a'part] *a (ungewöhnlich)* particulier, original; **A~heid** *f* ⟨-, ø⟩ [a'pa:rthaıt] *pol (Rassentrennung in Südafrika)* ségrégation *f* raciale.

Apath|ie *f* ⟨-, -n⟩ [apa'ti:] apathie, indolence, indifférence *f;* tempérament *m* lymphatique; **a~isch** [-'pa:tıʃ] *a* apathique, indolent, indifférent; lymphatique.

Apennin(en, *die pl***)** [apɛ'ni:n(ən)] *der, geog* les Apennins *m pl.*

Aperitif *m* ⟨-s, -s⟩ [aperi'ti:f/-tif] *(alkohol. Getränk)* apéritif; *pop* apéro *m.*

Apertur *f phot* ouverture *f.*

Apfel *m* ⟨s, ⸚⟩ ['ap-, 'ɛpfəl] pomme *f; in den sauren* **~** *beißen (fig)* avaler la pilule, s'exécuter; *der* **~** *fällt nicht weit vom Stamm (prov)* tel arbre, tel fruit; tel père, tel fils; **~baum** *m* pommier *m;* **~gelee** *n* gelée *f* de pommes; **~kuchen** *m* gâteau *m od* tarte *f* aux pommes; **~most** *m* cidre *m;* **~mus** *n* purée *f* de pommes; **~plantage** *f* pommeraie *f;* **~saft** *m* jus *m* de pommes; **~schimmel** *m zoo* cheval *m* blanc *od* gris pommelé; **~schnaps** *m* calvados *m;* **~sine** *f* ⟨-, -n⟩ [-'zi:nə] orange *f;* **~sinenbaum** *m* oranger *m;* **~strudel** *m (Gebäck)* chausson *m* aux pommes; **~wein** *m* cidre *m.*

Aphoris|mus *m* ⟨-, -men⟩ [afo'rısmus, -mən] aphorisme *m;* **a~tisch** [-'rıstıʃ-] *a* aphoristique.

apodiktisch [apo'dıktıʃ] *a philos* apodictique.

Apokalyp|se [apoka'lʏpsə] *die, rel* l'Apocalypse *f;* **a~tisch** [-'lʏptıʃ] *a* apocalyptique.

apokryph [apo'kry:f] *a (unecht)* apocryphe.

apolitisch ['a-, apo'li:tıʃ] *a (unpolitisch)* apolitique.

Apolog|et *m* ⟨-en, -en⟩ [apolo'ge:t] *(Verteidiger)* apologiste *m;* **a~etisch** [-'ge:-] *a* apologétique; **~ie** *f* ⟨-, -n⟩ [-lo'gi:] *(Verteidigungsrede)* apologie *f.*

Apostel *m* ⟨-s, -⟩ [a'pɔstəl] apôtre *m;* **~amt** *n* apostolat *m;* **~fürsten,** *die, pl m (Petrus u. Paulus)* les princes *m pl* des Apôtres; **~geschichte,** *die* les Actes *m pl* des Apôtres; **apostolisch** [-'to:-] *a* apostolique.

Apostroph *m* ⟨-s, -e⟩ [apɔs'tro:f] *gram* apostrophe *f;* **a~ieren** [-tro'fi:rən] *tr gram* mettre une apostrophe à.

Apothek|e *f* ⟨-, -n⟩ [apo'te:kə] pharmacie *f;* **~er** *m* ⟨-s, -⟩ pharmacien *m;* **~errechnung** *f fig (gesalzene)* compte *m* d'apothicaire.

Apparat *m* ⟨-(e)s, -e⟩ [apa'ra:t] appareil *a. tele; tele (Nebenanschluß)* poste (supplémentaire); *radio* poste; *(Ausrüstung)* équipement *m; fig (textkritischer)* variantes *f pl; am* **~** *bleiben (tele)* rester à l'écoute; *am* **~**! *(tele)* c'est lui-même, elle-même; *bleiben Sie am* **~**! *(tele)* ne quittez pas (l'écoute)! **~** *27 (tele)* poste 27; **~ebau** *m tech* construction *f* d'appareils; **~ur** *f* ⟨-, -en⟩ [-ra'tu:r] appareillage, mécanisme; *(Ausrüstung)* équipement *m.*

Appell *m* ⟨s, -e⟩ [a'pɛl] *mil* revue *f; allg* appel *m (an* à); **~** *abhalten* faire la revue; *e-n* **~** *richten an* en appeler à; **~** *in allen Sachen* revue *f* de détail; **~ant** *m* ⟨-en, -en⟩ [-pɛ'lant] *jur* appelant *m;* **~ation** *f* ⟨-, -en⟩ [-pɛlatsi'o:n] *jur* appel(lation *f*) *m;* **~ationsgericht** *n* cour *f od* tribunal *m* d'appel; **a~ieren** [-pɛ'li:rən] *itr* en appeler, faire appel *(an* à).

Appetit *m* ⟨-(e)s, (-e)⟩ [ape'ti:t] appétit *m (auf* de); *fig (Gelüst)* envie *f; den* **~** *anregen* exciter *od* ouvrir l'appétit; **~** *bekommen* être mis en appétit; *ohne* **~** *essen (fam a.)* pignocher; **~** *haben* avoir de l'appétit; *e-n gesunden* **~** *haben* avoir bon appétit; **~** *machen* donner de l'appétit; *jdm den* **~** *nehmen* od *verschlagen* ôter *od* couper l'appétit à qn; *den* **~** *verlieren* perdre l'appétit; *darauf habe ich* **~** cela me fait envie; *der* **~** *kommt beim Essen (prov)* l'appétit vient en mangeant; **a~anregend** *a* apéritif; **~happen** *m* petit sandwich garni; *fam* amuse-gueule *m;* **a~lich** *a* appétissant *a. fig; fig* joli, séduisant; **a~los** *a* sans appétit; **~losigkeit** ⟨-, ø⟩ manque *m* d'appétit, inappétence; *scient* anorexie *f.*

applau|dieren [aplau'di:rən] *itr* applaudir *(jdm* qn); **A~s** *m* ⟨-es, (-e)⟩ [a'plaus, (-zə)] applaudissements *m pl; großen* **~~** *haben* être vivement applaudi, remporter *od* récolter de vifs applaudissements.

apportieren [apɔr'ti:rən] *tr (herbeibringen)* (r)apporter.

Apposition *f* ⟨-, -en⟩ [apozitsi'o:n] *gram* apposition *f.*

appret|ieren [apre'ti:rən] *tr (Textil)* apprêter, encoller; **A~ur** *f* ⟨-, -en⟩ [-'tu:r] apprêt(age) *m;* **A~uranstalt** *f* atelier *m* d'apprêtage; **A~urmittel** *n* apprêt, encollage *m.*

Approb|ation *f* ⟨-, -en⟩ [aprobatsi'o:n] *(Zulassung)* approbation, admission *f; (kirchl. Druckerlaubnis)* imprimatur *m;* **a~ieren** [-'bi:rən] *tr* approuver, admettre; **a~iert** *a, a.* diplômé.

Aprikose *f* ⟨-, -n⟩ [apri'ko:zə] abricot *m;* **~nbaum** *m* abricotier *m.*

April *m* ⟨(-s), (-e)⟩ [a'prıl] avril *m; jdn in den* **~** *schicken* faire un poisson d'avril à qn; **~scherz** *m* poisson *m* d'avril; **~wetter** *n* giboulées *f pl* de mars.

Apsis *f* ⟨-, -iden⟩ ['apsıs, ap'si:dən] *arch rel* abside *f,* chevet *m.*

Aquädukt *m* ⟨(e)s, -e⟩ [akvɛ'dukt] aqueduc *m.*

Aquamarin *m* ⟨-s, -e⟩ [akvama'ri:n] *min* aigue-marine *f.*

Aquarell *n* ⟨-s, -e⟩ [akva'rɛl] aquarelle *f;* **~farbe** *f* couleur *f* à l'eau; **a~ieren** [-'li:rən] *itr (in Wasserfarben malen)* faire des aquarelles; **~maler** *m* aquarelliste *m;* **~malerei** *f* aquarelle *f.*

Aquarium *n* ⟨-s, -rien⟩ [a'kva:rium, -iən] aquarium *m.*

Äquator *m* ⟨-s, ø⟩ [ɛ'kva:tɔr] *geog* équateur *m;* **ä~ial** [-tori'a:l] *a* équatorial; **~taufe** *f* baptême *m* de la ligne.

Äquivalent *n* ‹-(e)s, -e› [ɛkviva'lɛnt] *(Gegenwert)* équivalent *m*.

Ar *n, a. m* ‹-s, (-e)› [a:r] *(100 qm)* are *m*.

Ära *f* ‹-, (-en)› ['ɛ:ra] ère *f*.

Arab|er *m* ‹-s, -› ['a(:)rabər] Arabe; *arg pej* bicot, raton; *(Pferderasse)* (cheval) arabe *m;* **~ertum** *n* arabisme *m;* **~eske** *f* ‹-, -n› [ara'bɛskə] *(Ornament)* arabesque *f;* **~ien** [-'ra:biən] *n* l'Arabie *f;* **a~isch** *a* arabe; *(das) A~(e)* l'arabe *m; die A~~e Liga f* la Ligue arabe; *die ~~e Welt f* le monde *m* arabe; *~~e Ziffern f pl* chiffres *m pl* arabes; **a~ischsprechend** *a* arabophone

Arbeit *f* ‹-, -en› ['arbaɪt] travail *m*, besogne *f; fam* collier; *pop* boulot, turbin *m; (Beschäftigung)* occupation *f*, emploi; *(Feld~)* labour *m; (Fron~, Last)* corvée *f; (mühsame ~, Mühe)* labeur *m*, peine; *(Anstrengung)* fatigue; *(Aufgabe)* tâche, besogne; *(Hand~)* main-d'œuvre; *(Werk, Schaffen)* œuvre *f*, travail; *(~sweise, Machart)* travail *m*, façon; *(Ausführung, Gestaltung)* facture *f; (fertiges Werk)* ouvrage, travail; *(Kunstwerk)* œuvre; *(wissenschaftl. ~)* travail *m*, étude *f; (Schule: Übungs~)* exercice; *(schriftl. Haus~)* devoir *m; (Prüfungs~)* composition *f; (Straf~)* pensum *m; für alle (vorkommenden) ~en* toutes mains; *in ~* en mains, sur le chantier *od* métier; *in s-r ~ aufgehen* être absorbé par son travail; *die ~ aufnehmen* prendre son service; *sich vor der ~ drücken* fuir le travail, aimer la besogne toute faite; *die ~ einstellen* od *niederlegen* cesser le travail, se mettre en grève; *fam* débrayer; *~ finden* trouver un emploi; *etw in ~ geben* commander qc; *an die ~ gehen, sich an die ~ machen* se mettre au travail *od* à l'ouvrage *od* à l'œuvre *od* à la besogne, mettre la main à l'œuvre *od* à l'ouvrage *od fam* à la pâte; *zur ~ gehen* aller au travail *od pop* au boulot; *feste ~ haben* avoir un emploi *od* une place stable; *keine ~ haben, ohne ~ sein* être sans travail *od* sur le pavé, chômer; *keine Lust zur ~ haben* avoir la *od* tirer sa flemme *pop; von s-r Hände ~ leben* vivre de son travail; *nützliche ~ leisten* faire œuvre utile; *gute ~ machen* faire du bon travail; *für jdn fast die ganze ~ machen* mâcher la besogne à qn; *jdn in ~ nehmen (einstellen)* embaucher qn; *etw in ~ nehmen* se mettre à qc; *(in Heim~)* prendre qc à façon; *keine ~ scheuen* ne pas reculer *od fam* renâcler devant la besogne; *bei der ~ sein* être au travail *od pop* au boulot *od* au turbin; *mit ~ überhäuft sein* être accablé *od* excédé de travail; *mitten in der ~ stecken* être en plein travail *od* plongé dans le travail; *in ~ stehen* avoir du travail; *bei jdm* travailler chez qn, être de qn; *sich in e-e* od *die neue ~ stürzen (fam)* se mettre dans le bain; *~ suchen* chercher un emploi; *die ganze ~ (widerwillig) tun (a. pop)* s'envoyer *od* se taper tout le travail; *e-e zwecklose ~ verrichten* perdre son temps; *die ~ wiederaufnehmen* reprendre le travail; *fam* embrayer; *sich zu e-r ~ zwingen* se forcer à un travail; *die ~ geht ihm von der Hand* il est très adroit au travail; *Ihr Mantel ist in ~ (a.)* on travaille à votre manteau; *~ macht das Leben süß (prov)* le travail fait le charme de la vie; *jede ~ ist ihres Lohnes wert (prov)* toute peine mérite salaire; *die laufende ~* le travail courant; *schwere ~* rude besogne *f; das Recht auf ~* le droit au travail; *~ am laufenden Band (tech)* travail *m* à la chaîne.

arbeiten ['arbaɪtən] *itr* travailler; *arg* bosser, turbiner; *(beschäftigt sein)* être occupé (*mit etw* à qc); *an etw* travailler à qc, avoir qc sur le chantier, *lit* œuvrer à qc; *bei jdm ~ (in Arbeit stehen)* travailler chez qn, être au service de qn; *(Maschine)* fonctionner, marcher; *(Holz)* travailler, jouer; *(Teig: aufgehen)* lever; *(gären)* fermenter; *(Kapital)* travailler; *tr* travailler; *(herstellen)* faire; *fix ~* abattre de la besogne; *nicht gern ~ (a.)* aimer la besogne toute faite; *jdm in die Hand ~* faire le jeu de qn; aider, seconder qn; *nicht ~ (a.)* ne rien faire; *wie ein Pferd ~* travailler comme un bœuf *od* comme un nègre; *rastlos ~* travailler d'arrache-pied; *tüchtig ~* travailler ferme; *unregelmäßig ~ (mot)* brouter; *sich durch den Urwald ~* se frayer un chemin à travers la forêt vierge; *mit Verlust ~ (fin)* travailler à perte; *es arbeitet sich schlecht bei dieser Beleuchtung* on travaille mal avec cet éclairage; *was ~ Sie da?* que faites-vous là? *bei welchem Schneider lassen Sie ~?* quel est votre tailleur? **A~** *n* travail *m; selbständige(s) ~~* travail *m* indépendant; *selbsttätige(s) ~~ (e-r Maschine)* automaticité *f;* **~d** *a: die ~~e Bevölkerung* la population active; *~~e(s) Kapital n* capital *m od* fonds *m pl* de roulement *od* investi(s); *die ~~e Klasse* la classe ouvrière.

Arbeiter *m* ‹-s, -› ['arbaɪtər] *(Arbeitender)* travailleur; *(Fabrik~; Standesangehöriger)* ouvrier *m; (Ameise)* fourmi *f* ouvrière; = *Arbeitsbiene; pl (e-r Firma)* personnel *m* ouvrier; *die ~ (als Stand)* les ouvriers *m pl; angelernte(r) ~* ouvrier semi-qualifié, manœuvre *m* spécialisé; *geistige(r), ~ der Stirn* travailleur *m* intellectuel; *gelernte(r) ~* ouvrier *m* qualifié; *organisierte(r) ~* ouvrier *m* syndiqué; *nicht organisierte(r) ~* ouvrier *m* non syndiqué; *tüchtige(r) ~* bon ouvrier, abatteur *m* de besogne; *ungelernte(r) ~* ouvrier *m* non-qualifié; *~ und Angestellte m pl* employés et ouvriers *m pl;* **~abordnung** *f* délégation *f* ouvrière; **~ausschuß** *m* comité *m* des ouvriers; **~bewegung** *f* mouvement ouvrier *od* travailliste, travaillisme *m;* **~dichter** *m* ouvrier *m* poète; **~familie** *f* famille *f* ouvrière *od* d'ouvrier; **~frage** *f* question *f* ouvrière; **~führer** *m* leader *m* ouvrier; **~gewerkschaft** *f* syndicat *m* ouvrier; **~in** *f* travailleuse; *(Fabrik~~)* ouvrière *f;* = *Arbeitsbiene;* **~jugend** *f* jeunesse *f* ouvrière; **~klasse** *f* classe *f* ouvrière *od* laborieuse; **~kolonie** *f* colonie *f* ouvrière; **~partei** *f* parti *m* ouvrier; *die (britische) ~~* le Parti travailliste; **~presse** *f* presse *f* ouvrière; **~priester** *m* prêtre-ouvrier *m;* **~rat** *m* ‹-(e)s, ¨-e› *pol* conseil *m* ouvrier; **~schaft** *f* ‹-, ø› ouvriers *m pl*, main-d'œuvre *f; (Belegschaft)* personnel *m* ouvrier; **~schutz** *m* protection *f* du travail; **~siedlung** *f* cité *f* ouvrière; **~stand** *m* = *~klasse;* **~stunde** *f* heure *f* d'ouvrier; **~-und-Bauern-Staat** *m* État *m* ouvrier et paysan; **~verband** *m* association *f* ouvrière; **~verein** *m* société *f* ouvrière; **~vertreter** *m* représentant *od* délégué *m* ouvrier; **~vertretung** *f* représentation *f* des travailleurs; **~viertel** *n* quartier *m* ouvrier; **~wanderung** *f* migration *f* ouvrière; **~wohnungen** *f pl* maisons *f pl* ouvrières; **~zug** *m loc* train *m* (d')ouvrier(s).

Arbeit|geber ['arbaɪt-] *m* employeur, patron; *arg* dab(e) *m;* **~geberanteil** *m (an den Sozialbeiträgen)* cotisation *f* patronale; **~geberschaft** *f* patronat *m;* **~geberverband** *m* syndicat *m od* fédération *od* organisation *f* patronal(e), association d'employeurs, organisation *f* des entrepreneurs; **~nehmer** *m* salarié *m;* **~nehmeranteil** *m (an den Sozialbeiträgen)* cotisation *f* ouvrière; **~nehmerschaft** *f* salariat *m;* **~nehmerverband** *m* syndicat *m* ouvrier, fédération des travailleurs, organisation *f* des salariés; **~nehmervertreter** *m* délégué *m* ouvrier; **a~sam** *a* travailleur, laborieux; *(fleißig)* appliqué, assidu; **~samkeit** *f* application, assiduité *f;* **a~sparend** *a* qui épargne du travail.

Arbeits|amt ['arbaɪts-] *n* agence *f* pour l'emploi; bureau de placement, office *m* du travail *od* de placement; *das Internationale ~~* le Bureau International du Travail; **~angebot** *n* offre *f* au marché du travail; **~anweisung** *f* instruction *f* de travail; **~anzug** *m (für Monteure)* combinaison, salopette *f;* bleu *m;* **~aufnahme** *f* commencement *m od* reprise *f* du travail; **~aufsicht** *f* inspection *f* des travaux; **~aufwand** *m* dépense *f* de travail, travail *m* fourni *od* nécessaire, énergie *f* dépensée; **~ausfall** *m* perte *f* de travail; **~ausschuß** *m* comité *m* d'action; **~bedingungen** *f pl* conditions *f pl* de *od* du travail; **~bereich** *m* secteur de (mon *etc*) travail, rayon *m* d'action; **~bescheinigung** *f* attestation *f od* certificat *m* de travail; **~beschränkung** *f* restriction *f* du travail; **~beutel** *m* sac *m* à outils; **~bewilligung** *f* autorisation *f* de travail; **~biene** *f* abeille *f* ouvrière; **~buch** *n* livret *m* (d')ouvrier *od* de *od* du travail; **~dienst** *m* service *m* du travail; *mil* corvée *f;* **~dienstpflicht** *f* service *m* du travail obligatoire; **~eifer** *m* = *Arbeit-*

samkeit; **~einheit** *f* unité *f* de travail; **~einkommen** *n* revenu *m* du travail; **~einsatz** *m* emploi *m* de la main-d'œuvre; **~einstellung** *f* cessation *od* interruption *f* du travail; débrayage *m;* **~einteilung** *f* répartition *f* du travail; **~erlaubnis** *f* permis *m* de travail(ler); **~ertrag** *m* produit *od* rendement *m* du travail; **~erziehungslager** *n* camp *m* de travail correctif; **~essen** *n (auf Treffen u. Tagungen)* déjeuner *m* d'affaires; **a~fähig** *a* apte *od* propre au travail; **~fähigkeit** *f* aptitude au *od* capacité *f* de travail; **~feld** *n,* **~gebiet** *n* champ *m* d'activité; **~friede** *m* paix *f* sociale; **~gang** *m* phase *f* de travail; *in e-m einzigen ~~* en une seule opération; **~gemeinschaft** *f com* groupement *m* d'entreprises *od (Schule)* d'études; **~genehmigung** *f* = *~bewilligung;* **~gerät** *n* instrument *m* de travail; **~gericht** *n* tribunal *m* du travail; **~gerichtsbarkeit** *f* juridiction *f* du travail; **~gesetzgebung** *f* législation *f* du travail; **~gruppe** *f pol* groupe *m* de travail; **~haus** *n* maison *f* pénitentiaire *od* de correction; **~hub** *m mot* temps-moteur *m;* **~hypothese** *f scient* hypothèse *f* de travail; **~kamerad** *m* compagnon *m* de travail; **~kittel** *m* blouse *f* de travail; *(kurzer)* bourgeron *m;* **~kleidung** *f* vêtements *m pl* de travail; **~kommando** *n* détachement *m od* équipe de travailleurs; *mil a.* corvée *f;* **~kompanie** *f mil* compagnie *f* d'ouvriers; **~korb** *m* corbeille *f* à ouvrage; **~kosten** *pl* prix *m* de la main-d'œuvre; **~kraft** *f (e-s Menschen)* capacité *od* faculté de travail; *(e-r Maschine)* puissance *f* de travail; *(Arbeiter)* ouvrier *m (Wirtschaft),* force *f* de travail; *pl* main-d'œuvre *f,* bras, ouvriers *m pl;* **~kräftemangel** *m* pénurie *f* de main-d'œuvre; **~kreis** *m* groupe *m* (de travail); **~lager** *n* camp *m* de travail; **~last** *f* charge *f* (de travail); **~laufzettel** *m* fiche *f* de travail; **~leistung** *f (e-r Maschine)* puissance *f* de travail, rendement *m; (Kapazität)* capacité *f; (geleistete Arbeit)* travail produit, débit *m;* **~lenkung** *f* réglementation *f* du travail; **~lohn** *m* salaire *m;* **~lohnsätze** *m pl* barème *m* des salaires; **a~los** *a* sans travail, en chômage; **~lose(r)** *m* sans-travail, chômeur *m;* **~losenfürsorge** *f* assistance-chômage *f;* **~losenunterstützung** *f* allocation *od* indemnité *f* (de) chômage; **~losenversicherung** *f* assurance-chômage *f;* **~losigkeit** *f* chômage *m;* **~markt** *m* marché *m* du travail; **~methode** *f* méthode *f* de travail; **~minister** *m* ministre *m* du travail; **~ministerium** *n* ministère *m* du travail; **~modell** *n* modèle *m* mécanique; **~nachweis** *m* bureau *od* office *m* de placement; **~niederlegung** *f* = *~einstellung;* **~ordnung** *f* règlement *m* du travail; **~ort** *m* lieu *m* de travail; **~pferd** *n* bourreau de travail, cheval *m* de harnais *od* de fatigue; **~plan** *m* plan *m* de travail; **~planung** *f* organisation *f* du travail; **~platz** *m (räuml.)* place *f* de travail; *(feste Arbeit)* poste *m* de travail; *dicht beim ~~* à pied d'œuvre; **~potential** *n tech* puissance *f* de travail; **~programm** *n* programme *m* de travail; **~recht** *n* droit *m* ouvrier; *(Gesetzsammlung)* législation *f* du travail; **~regelung** *f* = *~lenkung;* **a~reich** *a* plein de travail; **~ruhe** *f* arrêt *m od* interruption *f* du travail; **a~scheu** *a* rétif au travail, paresseux, fainéant; **~scheu** *f* paresse, fainéantise *f;* **~schiedsgericht** *n* conseil *m* des prud'hommes; **~schutz** *m* protection *f* du travail; **~stätte** *f,* **~stelle** *f* = *~platz (räuml.);* **~stufe** *f* phase *f* de travail; **~stunde** *f* heure de travail; *(Werteinheit)* heure-travail *f;* **~tag** *m* jour(née *f*) *m* de travail; *(Werktag)* jour *m* ouvrable; **~tagung** *f* séance *f* de travail; **~teilung** *f* division *od* répartition *f* du travail; **~tier** *n* bête *f* de labeur; *fig fam* bourreau *m* de travail; **~überlastung** *f* surcroît *m* de travail; **a~unfähig** *a* incapable de travailler, inapte au travail; *dauernd ~~* invalide; **~unfähigkeit** *f* incapacité de *od* inaptitude *f* au travail; *dauernde, vorübergehende ~~* incapacité *f* permantente, temporaire de travail; **~unfall** *m* accident *m* de *od* du travail; **~unterricht** *m (in d. Schule)* enseignement *m* mutuel; **~verhältnis** *n jur* état *m* de travail; *pl* conditions *f pl* de travail; **~vermittlung** *f* = *~nachweis;* **~versäumnis** *n* absentéisme *m;* **~vertrag** *m* contrat *m* de travail; *e-n ~~ kündigen* résilier un contrat de travail; **~verweigerung** *f* refus *m* de travailler; **~weise** *f (e-r Person)* manière *od* méthode *f* de travailler; *(e-r Maschine)* (mode de) fonctionnement *m;* **~woche** *f* semaine *f* de travail; **~zeit** *f* horaire *m od* durée *f* de travail; *(Bearbeitungsdauer)* temps *m* d'usinage; *(Schule)* heures *f pl* d'étude; *reine ~~* temps *m* utile de travail; *tägliche, wöchentliche ~~* temps *m* de travail quotidien, hebdomadaire; **~zeitverkürzung** *f* diminution du temps *od* réduction *f* de la durée de travail; **~zeug** *n (Kleidung)* vêtements *m pl* de travail; **~zimmer** *n* cabinet *m* de travail *od* d'études, étude *f,* bureau *m;* **~zwang** *m* obligation *f* de travail(ler).

Arbitrage *f* ⟨-, -n⟩ [arbi'tra:ʒə] *com fin* arbitrage *m.*

Arch|aikum *n* ⟨-s, ø⟩ [ar'ça:ikum] *geol* ère *f* archaïque; **a~aisch** [-'ça:-] *a (sehr alt, altertümlich),* **a~äisch** [-'çɛ:-] *a (auf das Archaikum bezüglich)* archaïque; **~aismus** *m* ⟨-, -men⟩ [-ça'ɪsmus, -mən] *(altertümlicher Ausdruck)* archaïsme *m;* **~äologe** *m* ⟨-en, -en⟩ [-çɛo'lo:ge] archéologue *m;* **~äologie** *f* ⟨-, ø⟩ [-lo'gi:] archéologie *f;* **a~äologisch** [-'lo:gɪʃ] *a* archéologique.

Arche *f* ⟨-, -n⟩ ['arçə] *: ~ (Noah)* arche *f* (de Noé).

Archipel *m* ⟨-s, -e⟩ [arçi'pe:l] *geog* archipel *m.*

Architekt *m* ⟨-en, -en⟩ [arçi'tɛkt] architecte *m;* **a~onisch** [-'to:-] *a* architectonique; **~ur** *f* ⟨-, -en⟩ [-'tu:r] architecture *f.*

Architrav *m* ⟨-s, -e⟩ [arçi'tra:f, -və] *arch* architrave *f.*

Archiv *n* ⟨-s, -e⟩ [ar'çi:f, -və] archives *f pl;* **~ar** *m* archiviste *m.*

Ardennen [ar'dɛnən], *die, pl geog* les Ardennes *f pl.*

Areal *n* ⟨-s, -e⟩ [are'a:l] *(Bodenfläche)* aire, superficie *f.*

Arena *f* ⟨-, -en⟩ [a're:na, -ən] arène *f.*

arg [ark, -gə] *a (böse)* méchant; *(boshaft)* malin, malicieux; *(schlecht, schlimm)* mauvais; *(mißlich)* fâcheux; *adv (stark)* fort, très; *fam (heftig)* rudement; *(sehr)* bien, fort; *jdn vor dem Ärgsten bewahren* éviter le pire à qn; *an nichts A~es denken* ne pas penser à mal; *im ~en liegen* aller mal; *jdm ~ mitspielen* jouer un mauvais tour à qn; *es ~ treiben* exagérer; *es zu ~ treiben* aller trop loin; *das Ärgste verhüten* éviter le pire; *ärger werden* aller de mal en pis; *das ist denn doch zu ~!* c'est trop fort, à la fin! *Sie treiben es zu ~* c'est trop fort; *das hat mich ~ mitgenommen* ça m'a bien fatigué; *fam* ça m'a mis à plat *od* drôlement secoué; *es ist ärger denn je* c'est pire que jamais; **A~** *n* ⟨-s, ø⟩ *poet* méchanceté, malice *f; ohne ~~* sans malice, de bonne foi; **A~list** *f (Eigenschaft)* astuce, malice; perfidie *f; (Handlung)* artifice, guet-apens *m;* **~listig** *a* astucieux, artificieux, malicieux; perfide; **~los** *a* sans malice; *(unbefangen)* ingénu, naïf; *adv* sans y entendre malice; **A~losigkeit** *f* ⟨-, ø⟩ ingénuité, naïveté *f;* **A~wohn** *m* ⟨-(e)s, ø⟩ ['arkvo:n] soupçon *m,* suspicion; *(Mißtrauen)* défiance, méfiance *f; jds ~~ erregen* éveiller les soupçons de qn, donner *od* porter ombrage à qn; *gegen jdn ~~ hegen* soupçonner qn, se méfier de qn; *jds ~ zerstreuen* dissiper les soupçons de qn; **~wöhnen** *tr* soupçonner; **~wöhnisch** *a* soupçonneux, ombrageux; défiant, méfiant.

Argentin|ien [argɛn'ti:niən] *n* l'Argentine *f;* **~ier(in *f*)** *m* [-'ti:niər] Argentin, e *m f;* **a~isch** *a* argentin.

Ärger *m* ⟨-s, ø⟩ ['ɛrgər] *(Verdruß)* dépit, déplaisir, ennui *m,* vexation *f; (Aufregung)* agacement *m; (Zorn)* irritation, colère; *pop* bisque *f; (Kummer)* chagrin; *(Unannehmlichkeit)* désagrément *m,* contrariété *f, fam* embêtement *m; aus* od *vor ~* de dépit; *s-n ~ an jdm auslassen* décharger sa bile sur qn; *viel ~ haben* avoir beaucoup d'ennuis *od* de contrariétés; *s-n ~ hinunterschlukken* ronger son frein; *berufliche(r)~* soucis *m pl* professionnels; *geschäftliche(r) ~* tracas *m* des affaires; **ä~lich** *a (Mensch)* fâché, contrarié, vexé (*über* de); *(Sache)* fâcheux, ennuyeux, contrariant, vexant, agaçant, irritant; *fam* embêtant; *pop* râlant; *das ist furchtbar ~~* c'est (bien) embêtant; *wie ~~!* que c'est embêtant! **ä~n** *tr* fâcher; *(verdrießen)* ennuyer, contrarier, vexer, chagriner;

(schikanieren) chicaner, tracasser, faire des misères à; *(reizen)* taquiner, offusquer, agacer; *(zornig machen)* irriter, faire enrager, mettre en colère; *fam* embêter, chiffonner, crisper; *pop* faire bisquer; *sich ∼∼* se faire de la bile *od* du mauvais sang, *pop* bisquer; *über etw* se fâcher, se scandaliser de qc; *sich furchtbar* od *schwarz über etw ∼∼* faire une maladie de qc; *das ärgert mich sehr* ça m'embête rudement *fam;* **∼nis** *n* ‹-ses, -se› scandale, esclandre *m; (öffentliches) ∼∼ erregen* faire du scandale *od* de l'esclandre; *Erregung f öffentlichen ∼∼ses* outrage *m* public à la pudeur.

Argon *n* ‹-s, ø› ['argɔn/ar'go:n] *chem* argon *m.*

Argonn|en [ar'gɔnən] *die pl, ∼er Wald, der, geog* l'Argonne *f.*

Argot *n od. m* ‹-s, -s› [ar'go:] *(Gaunersprache)* argot *m; ∼ reden* parler argot.

Argument *n* ‹-(e)s, -e› [argu'mɛnt] argument *m,* raison *f; gewichtige(s) ∼* argument *m* de poids; **a∼ieren** [-'ti:rən] *itr* argumenter, arguer, raisonner.

Arian|er *m* ‹-s, -› [ari'a:nər] *rel hist* arien *m;* **a∼isch** [-ri'a:-] *a* arien; **∼ismus** *m* ‹-, ø› [-ria'nɪsmus] arianisme *m.*

Arie *f* ‹-, -n› ['a:riə] *mus* air *m,* aria *f; kurze ∼* ariette *f.*

Ar|ier *m* ‹-s, -› ['a:riər] *pol hist* Aryen *m;* **a∼isch** ['a:rɪʃ] *a* aryen.

Aristokrat *m* ‹-en, -en› [aristo'kra:t] aristocrate *m;* **∼ie** *f* ‹-, -n› [-'ti:] aristocratie *f;* **a∼isch** [-'kra:-] *a, a. fig* aristocratique.

Arithmet|ik *f* ‹-, ø› [arɪt'me:tɪk] arithmétique *f;* **a∼isch** [-'me:-] *a* arithmétique.

Arkade *f* ‹-, -n› [ar'ka:də] *arch* arcade *f.*

Arkt|is ['arktɪs] *die* l'Arctique *f;* **a∼isch** *a* arctique.

arm [arm] *a* pauvre (*an* en); *(mittellos)* dépourvu; *(bedürftig)* indigent, nécessiteux, besogneux; *fig (unglücklich, bedauernswert)* pauvre, malheureux, infortuné, misérable; *∼ machen* appauvrir; *∼ werden* s'appauvrir; *ich war um 10 DM ärmer* j'avais perdu *od* dépensé 10 DM; j'étais soulagé de 10 DM; *ich Ärmster!* misérable que je suis! *du Ärmster!* mon pauvre! *∼e Frau f (a.)* pauvresse *f; ∼e(r) Schlucker* od *Teufel* od *Wicht m* pauvre diable *od* hère *m; ∼ wie e-e Kirchenmaus* pauvre comme un rat d'église *od* comme Job; **A∼e(r)** *m* pauvre *m; verschämte(r) ∼∼* pauvre *m* honteux; *die ∼en im Geiste* les pauvres *m pl* d' *od* en esprit; **A∼enanwalt** *m jur (Offizialverteidiger)* avocat *m* commis d'office; **A∼enarzt** *m* médecin *m* de l'assistance publique; **A∼enhaus** *n* dépôt de mendicité, asile, hospice *m;* **A∼enrecht** *n* assistance *f* judiciaire (gratuite); *das ∼∼ beantragen* demander l'assistance judiciaire; **A∼esünderglocke** *f* glas *m* d'un *od* du condamné; **A∼esündermiene** *f* mine *f* patibulaire; **∼selig** *a* pauvre, triste, misérable, pitoyable, chétif, mesquin, piètre; *fam* miteux, pouilleux; *in ∼∼en Verhältnisse leben (a.)* tirer le diable par la queue; **A∼seligkeit** *f* pauvreté, misère *f,* état *m* pitoyable; mesquinerie *f.*

Arm *m* ‹-(e)s, -e› [arm] , *a. tech* u. *fig* bras *m (a. e-s Flusses); (Leuchter)* branche *f; (Deichsel)* limon *m; (Kran)* volée *f; ∼ in ∼* bras dessus, bras dessous; *jdm den ∼ anbieten, geben, reichen* offrir, donner le bras à qn; *jdn mit offenen ∼en aufnehmen* accueillir qn à bras ouverts; *jdm in den ∼ fallen (fig: hindern)* arrêter le bras de qn; *∼ in ∼ gehen (a.)* se donner le bras; *jdm unter die ∼e greifen (fig)* donner un coup de main *od* d'épaule à qn, épauler qn; *e-n langen ∼ haben (fig)* avoir le bras long; *an jedem ∼ e-e Frau haben* faire le pot à deux anses *fam; jdm in die ∼e laufen (fig)* tomber sur qn; *jdn in die ∼e nehmen* embrasser *od* étreindre qn; *jdn auf den ∼ nehmen (fig fam)* blaguer qn, se moquer de qn; *die Beine unter die ∼e nehmen fam* prendre ses jambes à son cou; *am ∼ packen* saisir par le bras; *jdn in die ∼e schließen* presser *od* serrer qn dans ses bras; *die ∼e in die Seiten stemmen* mettre les poings sur les hanches; *mit verschränkten ∼n dastehen* rester là les bras croisés; *auf den ∼en tragen* porter dans ses bras; *sich den ∼ verrenken* se démettre le bras; *sich in jds ∼e werfen* se jeter dans les bras de qn; *der weltliche ∼ (hist)* le bras séculier; **∼band** *n* bracelet *m;* **∼banduhr** *f* montre-bracelet *f;* **∼beuge** *f* pli *m* du bras, saignée *f;* **∼binde** *f (Abzeichen)* brassard *m; med* écharpe *f;* **∼brust** *f hist* arbalète *f;* **∼lehne** *f* bras, accoudoir, accotoir *m;* **∼leuchter** *m* candélabre *m;* **∼muskel** *m* muscle *m* brachial; **∼reif** *m* tour *m* de bras; **∼schiene** *f (der Ritterrüstung)* brassard *m; med* éclisse *f* de bras; **∼schlinge** *f med* écharpe *f;* **∼sessel** *m,* **∼stuhl** *m* fauteuil *m;* **∼voll** *m* (...) brassée *f* (de).

Armatur *f* ‹-, -en› [arma'tu:r] armature; *tech (Ausrüstung)* garniture; *a. pl* robinetterie *f;* **∼enbrett** *n mot aero* tableau *m* de bord *od* de commande; **∼enbrettleuchte** *f* lampe *f* de tableau de bord.

Armee *f* ‹-, -n› [ar'me:, -e:ən] armée *f;* **∼befehl** *m* ordre *m* du jour de l'armée; **∼korps** *n* corps *m* d'armée; **∼lieferant** *m* fournisseur *m* aux armées; **∼oberkommando** *n* état-major *m* d'armée.

Ärmel *m* ‹s, -› ['ɛrməl] manche *f; die ∼ aufkrempeln* retrousser les manches; *etw aus dem ∼* od *den ∼n schütteln* faire qc en un tour de main; *dreiviertellange ∼ pl* manches *f pl* trois-quarts; **∼aufschlag** *m* revers de manche, parement *m;* **∼halter** *m* fixe-manche *m;* **∼kanal,** *der* la Manche; **∼loch** *n* emmanchure *f;* **ä∼los** *a* sans manches; **∼schoner** *m* protège-manche(s) *m,* fausse manche *f.*

Armen|ien [ar'me:niən] *n* l'Arménie *f;* **∼ier(in** *f***)** *m* ‹-s, -› [-niər] Arménien, ne *m f;* **a∼isch** [-'me:-] *a* arménien.

armier|en [ar'mi:rən] *tr tech (ausrüsten)* armer (*mit* de); *mar* équiper (*mit* de); **A∼ung** *f tech* armement *m; (Armatur)* armature *f; mar* équipement *m;* **A∼ungseisen** *n tech* barre *f* d'armature.

ärmlich ['ɛrmlɪç] *a (von Sachen)* pauvre; *(dürftig)* chétif, mesquin, piètre; **Ä∼keit** *f* ‹-, ø› pauvreté; mesquinerie *f.*

Armut *f* ‹-, ø› pauvreté (*an* de); *(Bedürftigkeit)* indigence *f* (*an* de); *∼ schändet nicht (prov)* pauvreté n'est pas vice; *geistige ∼* pauvreté *od* indigence *f od* manque *m* d'esprit; **∼szeugnis** *n* certificat *m* d'indigence; *sich ein ∼∼ ausstellen (fig)* faire preuve de son incapacité.

Aroma *n* ‹-s, -men/-as/(-mata)› [a'ro:ma, -mən/-mas/-mata] arôme, parfum *m;* **a∼tisch** [-'ma:-] *a* aromatique.

Arrak *m* ‹-s, -s› ['arak] arac(k) *m.*

Arrest *m* ‹-(e)s, -e› [a'rɛst] *mil* arrêts *m pl; (Schule)* retenue, *arg* colle; *jur (Beschlagnahme)* saisie-arrêt *f; mit ∼ belegen (jur)* saisir; *∼ haben* être aux arrêts *od* en retenue; *leichte(r), strenge(r) ∼* arrêts *m pl* simples, de rigueur; **∼ant** *m* ‹-en, -en› [-'tant] détenu; *(Schüler)* élève en retenue, *arg* collé *m;* **∼lokal** *n* salle *f* de police; *pop* violon *m.*

arretier|en [are'ti:rən] *tr tech (sperren)* arrêter, bloquer; **A∼ung** *f tech (Vorrichtung)* dispositif *m* d'arrêt; *die ∼∼ lösen* débloquer (*e-r S* qc).

Arsch *m* ‹-(e)s, ⸚e› [arʃ, 'ɛrʃə] *vulg* cul *m;* **∼backe** *f* fesse *f;* **∼kriecher** *m vulg (Schmeichler)* lèche-cul *m pop* **∼lecker** *m* = *∼kriecher;* **∼loch** *n vulg a. fig* trou *m* du cul; *fig* pauvre type *m.*

Arsen *n* ‹-s, ø› [ar'ze:n] *chem* arsenic *m;* **∼at** *n* ‹-s, -e› [-ze'na:t] arséniate *m;* **∼id** *n* ‹-(e)s, -e› [-'ni:t, -də] arséniure *m;* **a∼ig** [-'ze:-] *a,* **a∼(ik)haltig** *a* arsenical; **∼ik** *n* ‹-s, ø› [-'ze:nɪk] arsenic *m* (blanc); **∼ikvergiftung** *f* empoisonnement *m* par l'arsenic; **∼it** *n* ‹-(e)s, -e› [-'ni:t] arsénite *m;* **∼säure** *f* acide *m* arsénique.

Arsenal *n* ‹-s, -e› [arze'na:l] *mil* u. *fig* arsenal *m.*

Art *f* ‹-, -en› [a:rt] (*∼ u. Weise)* manière, façon *f,* mode *m; (Lebens∼)* bonnes manières *f pl; (Wesen, Beschaffenheit)* nature *f,* naturel, caractère *m; (Sorte)* sorte, espèce *f,* genre *m,* classe, catégorie; *zoo bot* espèce *f; aller ∼* de *od* en tout genre; *auf diese ∼* de cette manière *od* façon; *auf dieselbe ∼* de la même manière *od* façon; *auf die eine oder andere ∼* de façon ou d'autre; *in d(ies)er ∼* de ce genre; *in seiner ∼* dans son genre; *einzig in seiner ∼* seul de son espèce; *nach ∼ (gen)* à la manière *od* façon, à l'instar (de); *nach meiner (etc) ∼* à ma *etc* façon *od* guise; *nach Mailänder ∼ (Küche)* à la milanaise; *aus der ∼ schlagen* dégénérer; *das ist so meine* ~ c'est mon genre; *das ist doch keine* ~! en voilà des manières *od* des façons! ~ *läßt nicht von* ~ *(prov)* bon chien chasse de race; *aus der* ~ *geschlagen (a.)* qui a mal tourné; ~ *und Weise* = ~; **a~eigen** *a* propre à l'espèce; **a~en** *itr: nach jdm* ~~ tenir de qn; **a~enreich** *a scient* riche en espèces; **~erhaltung** *f biol* conservation *f* de l'espèce; **a~fremd** *a* étranger à l'espèce; **a~gleich** *a* — *zoo bot* congénère; **a~ig** *a (Kind)* sage; *(nett, liebenswürdig)* gentil, gracieux, aimable, obligeant; *(galant)* galant, courtois; *sehr* ~~ sage comme une image; *jdm etw A~~es sagen* faire un compliment à qn; **~igkeit** *f* sagesse; gentillesse, grâce, amabilité, obligeance; galanterie, courtoisie *f;* **~ung** *f* ‹-, ø› *(Wesen)* nature *f,* naturel, caractère *m;* **a~verwandt** *a* apparenté (*mit* à).

Arterie *f* ‹-, -n› [ar'te:riə] *anat* u. *fig* artère *f;* **~nverkalkung** *f med* artériosclérose *f.*

artesisch [ar'te:zɪʃ] *a: ~e(r) Brunnen m* puits *m* artésien.

Arthrit|is *f* ‹-, -tiden› [ar'tri:tɪs, -'ti:dən] *med (Gelenkentzündung)* arthrite *f;* **a~isch** [-'tri:-] *a* arthritique.

Artik|el *m* ‹-s, -› [ar'ti:kəl, -'tɪ-], *a. gram com* article *m; e-n* ~~ *führen (com)* faire un article; *dankbare(r), gängige(r)* ~~ *(com)* article *m* d'écoulement facile; *eingeschobene(r)* ~~ *(Zeitung)* entrefilet *m; (un)bestimmte(r)* ~~ *(gram)* article *m* (in)défini; **~ulation** *f* ‹-, -en› [artikulatsi'o:n] *(Gliederung; deutl. Aussprache)* articulation *f;* **a~ulieren** [-'li:rən] *tr (deutl. aussprechen)* articuler.

Artillerie *f* ‹-, -n› [artilə'ri:] artillerie *f; leichte, schwere* ~ artillerie *f* légère, lourde; *motorisierte, reitende* ~ artillerie *f* motorisée, montée; **~abteilung** *f* groupe *m* d'artillerie; **~bekämpfung** *f* (tir *m* de) contrebatterie *f;* **~beobachter** *m* observateur *m* d'artillerie; **~beobachtungsflugzeug** *n* avion *m* d'observation *od* de réglage de tir; **~beschuß** *m: unter* ~~ *liegen* être exposé au feu de l'artillerie; **~duell** *n* duel *m* d'artillerie; **~feuer** *n* feu *od* tir *m* d'artillerie; **~feuerbereich** *m* zone *f* d'artillerie; **~flieger** *m* observateur *m* aérien d'artillerie; **~flugzeug** *n* avion *m* d'artillerie; **~geschoß** *n* projectile *m* d'artillerie; **~geschütz** *n* pièce *f* d'artillerie; **~kommandogerät** *n* appareil *m* de commande de tir; **~leitstand** *m* poste *m* de direction de tir; **~offizier** *m* officier *m* d'artillerie; **~schießplatz** *m* polygone *m;* **~schlepper** *m* = *~zugmaschine;* **~stellung** *f* position *f od* emplacement *m* d'artillerie; **~unterstützung** *f* appui *m* d'artillerie; **~vorbereitung** *f* préparation *f* d'artillerie; **~zugmaschine** *f* tracteur *m* d'artillerie.

Artillerist *m* ‹-en, -en› [artilə'rɪst] artilleur; *mar* canonnier *m;* **a~isch** *a: ~~e(r) Punkt m* repère *m* d'artillerie.

Artischocke *f* ‹-, -n› [arti'ʃɔkə] *bot* artichaut *m.*

Artist *m* ‹-en, -en› [ar'tɪst] artiste *m* de cirque; **a~isch** [-'tɪs-] *a allg* artistique.

Arznei *f* ‹-, -en› [a:rts'naɪ] médicament, remède *m; pop* drogue *f; bittere* ~ *fig* potion amère; *zuviel ~en eingeben, einnehmen* bourrer de médicaments, droguer (*jdm* qn); se bourrer de médicaments, se droguer; *e-e* ~ *verabreichen* administrer un médicament; *e-e* ~ *verordnen* od *verschreiben* prescrire un remède; **~buch** *n* codex *m;* **~formel** *f* formule *f* médicinale; **~mittel** *n* = ~; **~mittellehre** *f* pharmacologie *f;* **~waren** *f pl* produits *m pl* pharmaceutiques.

Arzt *m* ‹-es, ⸚e› [a:rtst, 'ɛ:rtstə] médecin; *fam* docteur; *arg* toubib *m; approbierte(r)* ~ médecin *m* diplômé; *behandelnde(r), beratende(r)* ~ médecin *m* traitant, consultant; *leitende(r)* ~ médecin en chef, médecin-chef *m; praktische(r)* ~ médecin de médecine générale, omnipraticien *m;* **~beruf** *m* profession *f* médicale; **~gebühren** *f pl* honoraires *m pl* médicaux; **~kosten** *pl* frais *m pl* de médecin; **~praxis** *f* cabinet *m* médical *od* de médecin; **~wahl** *f: freie* ~~ libre choix *m* du médecin.

Ärzt|ekammer *f* ['ɛ:rtstə-] Conseil *m* de l'Ordre; **~eschaft** *f* ‹-, ø› corps *m* médical; **~in** *f* femme médecin; *fam* doctoresse *f;* **ä~lich** *a* médical; *in* ~~*er Behandlung sein* se faire soigner par un médecin; *~~e(s) Attest n, ~~e Bescheinigung f* certificat *m* médical *od* de médecin; *~~e Behandlung f* soins *m pl* médicaux; *~~e Hilfe f* assistance *f* d'un *od* du médecin; *~~e Schweigepflicht f* secret *m* médical; *~~e Untersuchung f* examen *m* médical; *~~e Verordnung f* ordonnance *f* (médicale).

as *n* ‹-, -› [as] *mus* la *m* bémol; **As-Dur** *n* la *m* bémol majeur; **~-Moll** *n* la *m* bémol mineur.

As *n* ‹-ses, -se› [as] *(Spielkarte)* as *m.*

Asbest *m* ‹-(e)s, -e› [as'bɛst] *min* amiante, asbeste *m;* **~anzug** *m* vêtement *m* d'amiante; **~faser** *f* fibre *f* d'amiante; **~isolierung** *f* isolation *f* à l'amiante; **~mantel** *m tech* revêtement *m* en asbeste; **~packung** *f* garniture *f* d'amiante; **~pappe** *f* carton *m* d'amiante; **~platte** *f* plaque *f* d'amiante; **~zement** *m* fibro-ciment *m.*

Asch|becher ['aʃ-] *m* = *~enbecher;* **a~blond** *a* blond cendré; **~e** *f* ‹-, (-n)› ['aʃə] cendre *f (in Redensarten meist pl); aus der* ~~ *neu erstehen* renaître de ses cendres; *in Schutt und* ~~ *legen* réduire en cendres; *in Sack und* ~~ *gehen, sich* ~~ *aufs Haupt streuen* faire pénitence; *Friede seiner* ~~! paix à ses cendres *od* à ses restes! *Entfernung f der* ~~ décendrage *m;* **~enbahn** *f sport* (piste) cendrée *f;* **~enbecher** *m* cendrier *m;* **~enbrödel** *n* Cendrillon *f; fig* souffre-douleur *m;* **~eneimer** *m* = *Mülleimer;* **~enkasten** *m (im Ofen)* cendrier *m;* **~enputtel** *n* = *~enbrödel;* **~enregen** *m* pluie *f* de cendres; **~ermittwoch** *m rel* mercredi *m* des Cendres; **a~grau** *a,* **a~fahl** *a* gris cendré.

äsen ['ɛ:zən] *itr (Wild: fressen)* viander.

Asep|sis *f* ‹-, ø› [a'zɛpsɪs] *med (Keimfreiheit)* asepsie *f;* **a~tisch** [-'zɛp-] *a* aseptique.

Asi|at(in *f***)** *m* ‹-en, -en› [azi'a:t] Asiatique *m f;* **a~atisch** [-zi'a:-] *a* asiatique; **~en** ['a:ziən] *n* l'Asie *f.*

Aske|se *f* ‹-, ø› [as'ke:zə] *rel* ascétisme *m;* **~t** *m* ‹-en, -en› [as'ke:t] ascète *m; wie ein* ~~ *leben* mener une vie d'ascète; **a~tisch** *a* ascétique.

Äskulapstab [ɛsku'la:p-] *m (Mythologie)* caducée *m.*

asozial ['azotsia:l, ---'-] *a* asocial.

Aspekt *m a. gram* aspect *m.*

Asphalt *m* ‹-(e)s, -e› [as'falt] asphalte, bitume *m;* **~arbeiter** *m* asphalteur, bitumeur *m;* **~decke** *f* revêtement *m* en asphalte; **~guß** *m* asphalte *m* coulé; **a~ieren** [-'ti:rən] *tr* asphalter, bitumer; **~ierung** *f* asphaltage, bitumage *m;* **~pappe** *f* carton *m* asphalté *od* bitumé; **~schicht** *f* couche *f* d'asphalte; **~straße** *f* route *f* asphaltée; **~überzug** *m* chape *f* d'asphalte.

Aspirant *m* ‹-en, -en› [aspi'rant] candidat; *mil* aspirant *m.*

Assel *f* ‹-, -n› ['asəl] *zoo* cloporte *m.*

assertorisch [asɛr'to:rɪʃ] *a philos* assertorique.

Assessor *m* ‹-s, -en› [a'sɛsɔr, -'so:rən] *(Schule)* (jeune) professeur; *jur* (jeune) juge *m.*

Assimil|ation *f* ‹-, -en› [asimilatsi'o:n] assimilation; *physiol a.* animalisation *f;* **~ationsprozeß** *m* procédé *m* d'assimilation; **a~ierbar** [-'li:r-] *a* assimilable; **~ierbarkeit** *f* assimilabilité *f;* **a~ieren** *tr* assimiler; *physiol a.* animaliser; **~ierung** *f* = *~ation.*

Assist|ent *m* ‹-en, -en› [asɪs'tɛnt] assistant, aide *m;* **~enz** *f* ‹-, -en› [-'tɛnts] assistance *f; unter* ~~ *(gen)* avec l'aide (de); **~enzarzt** *m* médecin assistant; *(in e-m Krankenhaus)* interne (des hôpitaux); *mil* médecin *m* sous-lieutenant; **a~ieren** [-'ti:rən] *itr* assister (*jdm* qn, *bei etw* à qc).

Assonanz *f* ‹-, -en› [aso'nants] *(Halbreim)* assonance *f.*

Assozi|ation *f* ‹-, -en› [asotsiatsi'o:n] *(Verbindung)* association *f;* **a~ativ** [-'ti:f, -və] *a psych* associatif; **a~ieren** [-tsi'i:rən] *tr* associer (*mit* à, avec); **~ierung** *f* = *~ation;* **~ierungsvertrag** *m pol* convention *f* d'association.

Assyr|ien [a'sy:riən] *n hist* l'Assyrie *f;* **~(i)er** *m* ‹-s, -› [-riər] Assyrien *m;* **a~isch** [-'sy:-] *a* assyrien.

Ast *m* ‹-(e)s, ⸚e› [ast, 'ɛstə] branche *f; (im Holz)* nœud *m; den* ~ *absägen, auf dem man sitzt (fig)* scier la branche sur laquelle on est assis; *e-n* ~

durchsägen (fig fam) ronfler comme un sonneur de cloches; *sich einen ~ lachen (fam)* rire comme un bossu, se tordre de rire; *auf dem absteigenden ~ sein (fig: alt u. gebrechlich werden)* être sur le retour; *trockene(r), dürre(r) ~* branche *f* morte; **a~frei** *a (Holz)* sans nœuds; **~loch** *n* trou *m;* **a~rein** *a* sans nœuds; *nicht ganz ~~ (fig fam)* (qui n'est) pas très catholique; **~stumpf** *m* têteau *m;* **ästig** *a (astreich)* branchu, rameux.

Aster *f* ⟨-, -n⟩ ['astər] *bot* aster *m.*

Asthen|ie *f* ⟨-, -n⟩ [aste'ni:] *med (Körperschwäche)* asthénie *f;* **~iker** *m* ⟨-s, -⟩ [-'te:nikər] asthénique *m;* **a~isch** *a* asthénique.

Ästhet *m* ⟨-en, -en⟩ [ɛs'te:t] *(Freund des Schönen)* esthète *m;* **~ik** *f* ⟨-, (-en)⟩ [-'te:tɪk] esthétique *f;* **~iker** *m* ⟨-s, -⟩ [-'te:tikər] *(Lehrer der Ästhetik)* esthéticien *m;* **ä~isch** [-'te:tɪʃ] *a* esthétique.

Asthma *n* ⟨-s, ø⟩ ['astma] *med* asthme *m;* **~tiker** *m* ⟨-s, -⟩ [-'ma:tikər] asthmatique *m;* **a~tisch** [-'ma:-] *a* asthmatique.

astigmat|isch [astɪg'ma:tɪʃ] *a med opt* astigmate; **A~ismus** *m* ⟨-, ø⟩ [-ma'tɪsmus] astigmatisme *m.*

Astro|loge *m* ⟨-n, -n⟩ [astro'lo:gə] astrologue *m;* **~logie** *f* ⟨-, ø⟩ [-lo'gi:] astrologie *f;* **a~logisch** [-'lo:-] *a* astrologique; **~naut** *m* ⟨-en, -en⟩ [-'naut] *(Raumfahrer)* astronaute *m;* **~nautik** *f* ⟨-, ø⟩ [-'nautɪk] astronautique *f;* **a~nautisch** *a* astronautique; **~nom** *m* ⟨-en, -en⟩ [-'no:m] astronome *m;* **~nomie** *f* ⟨-, ø⟩ [-no'mi:] astronomie *f;* **a~nomisch** [-'no:-] *a (a. fig: unvorstellbar groß)* astronomique; **~physik** *f* [-fy'zi:k] astrophysique *f;* **~physiker** *m* [-'fy:zikər] astrophysicien *m.*

Asyl *n* ⟨-s, -e⟩ [a'zy:l] asile *a. fig; (Zuflucht)* refuge, abri *m;* **~recht** *n* droit *m* d'asile.

Asymmetr|ie *f* ⟨-, -n⟩ [azyme'tri:] asymétrie *f;* **a~isch** [-'me:-] *a* asymétrique.

Asymptote *f* ⟨-, -n⟩ [azʏmp'to:tə] *math* asymptote *f.*

Atavis|mus *m* ⟨-, -men⟩ [ata'vɪsmus, -mən] *biol (Rückschlag)* atavisme *m;* **a~tisch** *a* atavique.

Atelier *n* ⟨-s, -s⟩ [ate(ə)li'e:] *(Werkstatt)* atelier; *(e-s Künstlers) a.* studio *m;* **~aufnahme** *f* (prise *f* de vues *od* de son en) intérieur *m;* **~sekretärin** *f film* script-girl *f.*

Atem *m* ⟨-s, ø⟩ ['a:təm] haleine; *(Atmung)* respiration *f; (~zug)* souffle *m; außer ~* hors d'haleine, à bout de souffle, essoufflé; *in einem ~* (tout) d'une haleine, d'un trait; *den ~ anhalten* retenir son haleine *od* sa respiration *jdn außer ~ bringen* essouffler qn; *e-n übelriechenden ~ haben* avoir mauvaise haleine; *jdn in ~ halten (fig)* tenir qn en haleine; *(tief) ~ holen* respirer (profondément); *langsam und tief ~ holen* respirer lentement et profondément; *(ganz) außer ~ kommen* arriver hors d'haleine; *wieder zu ~ kommen* reprendre haleine, *fig* souffler; *nach ~ ringen* haleter; *jdm den ~ verschlagen* couper la respiration à qn; *das benimmt* od *verschlägt einem den ~* on en a le souffle coupé; **a~beraubend** *a* palpitant; *fam* époustouflant; **~beschwerden** *f pl* troubles *m pl* respiratoires; = *~not;* **~bewegung** *f* mouvement *m* respiratoire; **~gerät** *n* appareil *m* respiratoire; **~geräusch** *n* bruit *m* respiratoire; **~gymnastik** *f* gymnastique *f* respiratoire; **~holen** *n* respiration, aspiration *f;* **~lähmung** *f* paralysie *f* respiratoire; **~loch** *n zoo* stigmate, orifice *m* respiratoire; **a~los** *a* hors d'haleine, à bout de souffle, essoufflé; *jdn in ~~er Spannung halten* tenir qn hors d'haleine; *~~e Stille f* silence *m* complet *od* absolu; **~luft** *f* air *m* respirable; **~not** *f* essoufflement, étouffement *m,* suffocation; *scient* dyspnée *f;* **~pause** *f* temps *m* d'arrêt respiratoire; *fig (Frist)* répit *m; e-e ~~ einlegen* od *einschieben* faire une pause, souffler; **~störung** *f* = *~beschwerden;* **~übung** *f* exercice *m* respiratoire; **~wege** *m pl anat* voies *f pl* respiratoires; **~zug** *m* souffle *m; in einem ~~* tout d'une haleine; *bis zum letzten ~~* jusqu'au dernier soupir; *den letzten ~~ tun (sterben)* rendre le dernier soupir.

Athe|ismus *m* ⟨-, ø⟩ [ate'ɪsmus] athéisme *m;* **~ist** *m* ⟨-en, -en⟩ [-te'ɪst] athée *m;* **a~istisch** *a* athée.

Athen [a'te:n] *n geog* Athènes *f sing;* **~er** *m* ⟨-s, -⟩ Athénien *m;* **a~isch** *a* athénien.

Äther *m* ⟨-s, ø⟩ ['ɛ:tər] *philos* u. *chem* éther *m; mit ~ betäuben (med), verbinden (chem)* éthériser; **ä~isch** [ɛ'te:rɪʃ] *a chem* u. *fig (leicht)* éthéré; *~~e(s) Öl n* huile *f* volatile; **~krieg** *m radio* guerre *f* des ondes; **~maske** *f med* masque *m* anesthésique; **~narkose** *f med* éthérisation *f;* **~rausch** *m* ivresse *f* éthérée; **~wellen** *f pl* ondes *f pl* hertziennes.

Äthiop|ien [ɛti'opiən] *n geog* l'Éthiopie *f;* **~ier(in** *f***)** *m* ⟨-s, -⟩ [-piər] Éthiopien, ne *m f;* **ä~isch** *a* éthiopien.

Athlet *m* ⟨-en, -en⟩ [at'le:t] athlète *m;* **~ik** *f* ⟨-, ø⟩ [-'le:tɪk] athlétisme *m;* **a~isch** *a* athlétique.

Äthyl|alkohol [ɛ'ty:l-] *m* alcool *m* éthylique; **~en** *n* ⟨-s, ø⟩ [ety'le:n] *chem* éthylène *m.*

Atlant|ik [at'lantɪk] , *der* l'Atlantique *m; jenseits des ~~s* outre-Atlantique; **~ikcharta** *f hist* Charte *f* de l'Atlantique; **~ikpakt,** *der* le Pacte atlantique; **~ikrat,** *der* le Conseil atlantique; **a~isch** *a* atlantique; *der A~~e Ozean* l'océan *m* Atlantique; *der A~~e Rat* = *~ikrat.*

Atlas *m* ⟨-/-sses, -sse/Atlanten⟩ ['atlas, -sə(s), at'lantən] **1.** *(Kartenwerk)* atlas; *der ~ (Gebirge)* l'Atlas *m.*

Atlas *m* ⟨-/-sses, -sse⟩ ['atlas, -sə(s)] **2.** *(Textil)* satin *m;* **a~sen** *a* de satin.

atmen ['a:tmən] *tr* u. *itr* respirer; *tr (ausdunsten)* exhaler; *fig (verbreiten)* respirer, répandre; *schwer, tief ~* respirer difficilement, profondément; *wieder ~ können* reprendre haleine; **A~** *n* respiration *f.*

Atmosphär|e *f* ⟨-, -n⟩ [atmo'sfɛ:rə] , *a. fig* atmosphère; *fig* ambiance *f,* milieu *m; nette ~~ (fig)* atmosphère *f* agréable; **~endruck** *m* pression *f* atmosphérique; **a~isch** *a* atmosphérique; *~~e Störungen f pl (mete)* perturbations *f pl* atmosphériques.

Atmung *f* ⟨-, (-en)⟩ ['a:tmʊŋ] respiration *f; künstliche ~* respiration *f* artificielle; **~sbeschwerden** *f pl* = *Atembeschwerden;* **~smesser** *m* spiromètre *m;* **~sorgane** *n pl anat* appareil *m* respiratoire.

Ätna ['ɛtna] , *der, geog* l'Etna *m.*

Atoll *n* ⟨-s, -e⟩ [a'tɔl] *geog (Koralleninsel)* atoll *m.*

Atom *n* ⟨-s, -e⟩ [a'to:m] atome *m; die ~e spalten* désintégrer les atomes; **~antrieb** *m* propulsion *f* atomique *od* nucléaire; **a~ar** [ato'ma:r] *a* atomique, nucléaire; *~~e Bewaffnung f* armement *m* atomique *od* nucléaire, nucléarisation *f; ~~e(s) Wettrüsten n* course *f* aux armements nucléaires; **~batterie** *f* = *~meiler;* **~behörde** *f: Internationale ~~* Agence *f* internationale de l'énergie atomique; **~bewaffnung** *f* armement *m* atomique *od* nucléaire, nucléarisation *f;* **~bombe** *f* bombe *f* atomique *od* nucléaire *od* A; **~bombenangriff** *m* attaque *f* atomique; **a~bombensicher** *a* à l'épreuve des bombes atomiques; **~bombenversuch** *m* essai *m* (d'explosif) nucléaire; **~bunker** *m* abri *m* anti-atomique; **~energie** *f* énergie *f* atomique *od* nucléaire; *friedliche Nutzung f der ~~* utilisation *f* pacifique de l'énergie atomique; **~energiekommission** *f* Commission *f* de l'énergie atomique; **~energiekontrolle** *f* contrôle *m* de l'énergie atomique; **~explosion** *f* explosion *f* nucléaire; **~forscher** *m* (savant) atomiste *m;* **~gemeinschaft** *f: Europäische ~~ (Euratom)* Communauté *f* européenne de l'énergie atomique; **~geschoß** *n* projectile *m* atomique; **~gewicht** *n* poids *m od* masse *f* atomique; **~industrie** *f* industrie *f* nucléaire; **a~isieren** [-mi'zi:rən] *tr (in kleinste Teile teilen)* atomiser; **~ismus** *m* ⟨-, ø⟩ [-'mɪsmus] *philos hist* atomisme *m;* **~ist** *m* ⟨-en, -en⟩ [-'mɪst] atomiste *m;* **a~istisch** *a* atomiste; **~kanone** *f* canon *m* atomique; **~kern** *m* noyau *m* atomique; *Aufbau m des ~~s* édifice *m* nucléaire; *(Zssgen s. unter Kern);* **~klub** *m pol fam* club *m* atomique; **~kraft** *f* puissance *f* nucléaire; *mit ~~ (angetrieben)* à propulsion atomique; **~kraftwerk** *n* centrale *f* atomique *od* nucléaire; **~krieg** *m* guerre *f* atomique; **~ladung** *f* charge *f* atomique; **~macht** *f pol* puissance *f* nucléaire; **~meiler** *m* pile *f* atomique; **~minister** *m* ministre *m* pour les questions atomiques; **~motor** *m* moteur *m* nucléaire; **~müll** *m* déchets *m pl* atomiques; **~physik** *f* physique *f* nucléaire; **~physiker** *m* physicien *m* atomiste; **~rakete** *f* fusée *f* atomique; **~reaktor** *m* réacteur *m* atomique; **~spaltung** *f* désintégration *f* de l'atome; **~sprengkopf** *m* tête *f* atomique *od* nucléaire; **~staub** *m* poussières *f pl* atomiques, fall-out *m;* **~strategie** *f* stratégie *f* nucléaire; **~streitmacht** *f* force *f* nucléaire; *multinationale ~~* force *f* nucléaire multilatérale; **~theorie** *f* théorie *f* atomique; **~-U-Boot** *n* sous-marin *m* atomique; **~umwandlung** *f* transmutation *f* atomique; **~versuch** *m* essai *m od* expérience *f* atomique *od* nucléaire; **~versuchsgelände** *n* centre *m* d'essais nucléaires; **~versuch** *m* arrêt *m* des essais nucléaires; **~waffen** *f pl* armes *f pl* atomiques; **a~waffenfrei** *a: ~~e Zone f* zone *f* désatomisée *od* dénucléarisée; *Schaffung f e-r ~~en Zone* dénucléarisation *f;* **~wissenschaft** *f* science *f* de l'atome; **~wissenschaftler** *m = ~forscher;* **~zahl** *f chem* numéro *od* nombre *m* atomique; **~zeitalter** *n* âge *m* atomique; **~zerfall** *m,* **~zertrümmerung** *f* désintégration *f* de l'atome.

atonal ['a-, ato'na:l] *a mus* atonal; *~e Musik f (a.)* dodécaphonisme *m.*

ätsch [ɛ:tʃ] *interj fam* hou! c'est bien fait!

Attent|at *n* ⟨-(e)s, -e⟩ [atɛn'tat] attentat *m* (*auf jdn* contre qn); *ein ~~ planen, verüben* préparer, commettre un attentat; **~äter** *m* ⟨-s, -⟩ [-'tɛ:tər] auteur *m* d'un *od* de l'attentat.

Attest *n* ⟨-(e)s, -e⟩ [a'tɛst] attestation *f,* certificat *m; ein ~ ausstellen* délivrer un certificat; *ärztliche(s) ~~* certificat *m* médical; **a~ieren** [-'ti:rən] *tr (bescheinigen)* attester, certifier.

Attrakt|ion *f* ⟨-, -en⟩ [atraktsi'o:n] attraction *f;* **a~iv** [-'ti:f, -və] *a* attirant, attrayant; séduisant.

Attrappe *f* ⟨-, -n⟩ [a'trapə] *(vorgetäuschter Gegenstand)* simulacre *m; com (Schaupackung)* présentation *f* factice.

Attribut *n* ⟨-(e)s, -e⟩ [atri'bu:t] *(Merkmal, Zeichen)* attribut; *(Sinnbild)* symbole, emblème *m; gram* épithète *f;* **a~iv** ['a-, -bu'ti:f, -və] *a: ~~e(s) Adjektiv n* adjectif *m* épithète.

atz|en ['atsən] *tr (Raubvogel füttern)* donner à manger à; **A~ung** *f (Futter)* nourriture *f.*

ätzen ['ɛtsən] *tr chem* corroder; *allg (angreifen)* attaquer, ronger, brûler; *(Kunst: Radierung)* graver à l'eau-forte; *med* cautériser; **~d** *a chem* corrosif; *med* u. *fig* caustique; *fig (beißend, scharf)* mordant; *~~e Wirkung f* causticité *f.*

Ätz|flüssigkeit ['ɛts-] *f (Kunst: des Radierers)* acide *m* à graver; **~kali** *n* potasse *f* caustique; **~kalilauge** *f (Seifenfabrikation)* lessive *f* de potasse (des savonniers); **~mittel** *n med* remède *m* caustique; **~natron** *n* soude *f* caustique; **~natronlauge** *f (Seifenfabrikation)* lessive *f* de soude caustique (des savonniers); **~ung** *f med* cautérisation; *(Kunst: Radierung)* eau-forte *f.*

au [au] *interj* (oh) oh! *a.: ~ Backe!* **~weh!** aïe!

Aubergine *f* ⟨-, -n⟩ [obɛr'ʒi:nə] *bot* aubergine *f.*

auch [aux] **1.** *conj (unbetont)* aussi, (aussi) bien; *(aber)* mais; *(nur im Satzganzen zum Ausdruck kommend): heute oder ~ morgen* aujourd'hui ou bien demain; *ohne ~ nur zu fragen* sans même demander; *so reich du ~ sein magst* si riche que tu sois; *was es ~ sei* quoi que ce soit; *was ~ geschehen mag* quoi qu'il arrive; *was er ~ sagen mag* quoi qu'il dise; *wenn er ~ reich ist* quoiqu'il *od* bien qu'il soit riche; *wer es ~ sein mag* qui que ce soit; *wie dem ~ sei* quoi qu'il en soit; *wo er ~ sein mag* où qu'il se trouve; *das ist ~ wahr, so ist es ~* c'est bien vrai, c'est ça, en effet; *wozu ~?* (mais) à quoi bon? *zum Teufel ~!* au diable (donc)! *sowohl ... als ~ ...* aussi bien ... que ..., et ... et ...; *und wenn auch! (fam)* et même! **2.** *adv (betont) (desgleichen, ebenso)* de même, également; *(vor Substantiv)* même; *ich ~ nicht* (ni) moi non plus; *ich kenne ihn ~ nicht* je ne le connais pas non plus; *er tut es ja ~* il en fait bien autant; *sie ist nicht nur hübsch, sondern ~ klug* elle est non seulement jolie, mais aussi *od* encore intelligente; *~ der Klügste* même le plus malin; *das ~ noch!* il ne manquait plus que cela! *das ist ~ so einer!* encore un de cette espèce! *~ gut!* soit! *~ recht!* comme vous voudrez! *~ nicht schlecht!* pas mal non plus!

Audienz *f* ⟨-, -en⟩ [audi'ɛnts] audience *f; jdn um e-e ~ bitten* demander audience à qn; *jdn in ~ empfangen* recevoir qn en audience; *e-e ~ geben* donner audience; **~zimmer** *n* salle *f* d'audience.

Audion(röhre *f***)** *n* ⟨-s, -s/-onen⟩ ['audiɔn, -di'o:nən] *n radio* lampe *f* détectrice.

audiovisuell [audiovizuɛl] *a (Unterrichtsmethode)* audio-visuel.

Auditorium *n* ⟨-s, -rien⟩ [audi'to:rium] *(Hörsaal)* salle *f* de conférences; *(Univ.)* amphithéâtre; *(Zuhörerschaft)* auditoire *m;* **~ maximum** *n (größter Hörsaal e-r Univ.)* grand amphithéâtre *m.*

Au(e) *f* ⟨-, -en⟩ [au(ə)] prairie *f.*

Auer|hahn ['auər-] *m orn* coq de bruyère, (grand) tétras *m;* **~henne** *f* poule *f* de bruyère; **~ochse** *m* aurochs *m.*

auf [auf] **1.** *prp (räuml.) meist:* sur; *~ dem, den Stuhl, Tisch, Schrank* sur la chaise, la table, l'armoire; *~ dem, das Dach; ~ dem, den Baum* sur le toit, sur l'arbre; *~ dem Boden* od *der Erde* sur le sol; *~ den Boden* od *die Erde* à terre; *~ dem Platz* sur la place; *~ dem Wasser* sur l'eau; *~ dem Meer* sur la mer; *(zu Schiff)* en mer; *~ der Erde, dem Mond, dem Mars* sur la Terre, la Lune, Mars; *~ der Treppe, dem Hof, der Straße, der Wiese, der Insel* dans l'escalier, la cour, la rue, le pré, l'île; *~ der (ganzen) Welt* dans le monde (entier), par (toute) la terre; *~ dieser Seite* de ce côté; *~ den Bauch, Rücken fallen* tomber sur le ventre, sur le dos; **2.** *(räuml. u. zugleich e-e innere Beziehung ausdrückend): ~ dem Zimmer* dans la chambre; *~ dem Bahnhof, ~ dem Büro, ~ dem Felde, ~ dem Fest, ~ dem Lande, ~ dem Markt, ~ der Post, ~ dem Schloß, ~ der Schule (alle a. im acc)* à la gare, au bureau, aux champs, à la fête, à la campagne, au marché, à la poste, au château, à l'école; *~ der Welt (da, am Leben)* au monde; **3.** *(in bestimmten Situationen): ~ Besuch, ~ Urlaub, ~ der Reise, ~ dem Wege, ~ der Flucht* en visite, en vacances *od mil* permission, en voyage, en chemin *od* route, en fuite; *~ der Jagd* à la chasse; *~ s-m Posten* od *Platz* à son poste; **4.** *(zeitl.) ~ e-n Augenblick, ~ acht Tage, ~ lange Zeit, ~ immer* pour un moment, pour huit jours, pour longtemps, pour toujours *od* à jamais; *~ meine alten Tage* sur mes vieux jours; *~ einmal (plötzlich)* subitement, soudain; *~ e-n Sonntag fallen* tomber un dimanche; *es geht ~ 4 Uhr* il est vers les quatre heures; *~ morgen!* à demain! **5.** *(Art u. Weise): ~ diese (Art und) Weise* de cette façon *od* manière, de la sorte; *~ diesem Wege* par ce chemin; *fig* de cette façon *od* manière; *~ dem schnellsten Wege* le plus vite possible; *~s Geratewohl, ~ gut Glück* au hasard; *~ deutsch* en allemand; **6.** *(Folge): ~ Anfrage* sur demande; *~ Befehl* par ordre; *~ jds Bitte* à la prière de qn; *~ e-e Drohung (hin)* sur une menace; *~ jds Rat* sur le conseil de qn; *~ e-n (bloßen) Verdacht (hin)* sur un simple soupçon; *~ jds Wink* sur le signe de qn; **7.** *(Bezug): ~ 10 km (im) Umkreis* à 10 km à la ronde; *~ sechs Schwarze kommt ein Weißer* il y a un blanc sur six noirs; *~ den Kopf der Bevölkerung* par homme *od* tête; **8.** *(besondere Wendungen): ~ Ehre und Gewissen* en mon âme et conscience; *~ meine Kosten* à mes frais; *~ der einen, ander(e)n Seite (einer-, and(e)rerseits)* de l'un, de l'autre côté; *Monat ~ Monat verging* les mois passaient: *Schlag ~ Schlag* coup sur coup; *schwarz ~ weiß* noir sur blanc; *das hat etwas ~ sich* c'est important; *das hat nichts ~ sich* c'est sans importance; **9.** *adv (~gestanden, nicht im Bett)* debout, sur pied, levé; *(~stehend, offen)* ouvert; *von Jugend ~* dès ma *etc* jeunesse; *von klein ~* dès mon *etc* enfance; *weit ~ (offen)* grand ouvert; *~ und ab (hin~ u. hinunter)* de haut en bas; *(hin u. her)* de long en large; *~ und davon* parti, déjà loin; *~ und davon fliegen* s'envoler; *~ und ab gehen (a.)* faire les cent pas; *sich ~ und davon machen* prendre le large, *fam* filer; *noch ~sein (a.)* n'être pas encore couché; *(noch) spät ~sein* veiller tard; *~ und ab steigen* monter et descendre; *~!* debout! *(vorwärts)* allons! marche! en route! **10.** *n: das A~ und Ab (des Lebens)* les hauts et les bas *m pl* (de la vie); **11.** *conj:* ~ *daß* afin que, pour que *subj;* afin de, pour *inf.*

auf≈arbeit|en *tr (alten Gebrauchsgegenstand)* remettre à neuf; *fam* retaper; *(aufs laufende bringen)* mettre à jour; *e-n Stoß Briefe* ~~ traiter une pile de courrier en retard; *Rückstände* ~~ se remettre au courant; **A~ung** *f* remise *f* à neuf; *fam* retapage *m;* mise *f* à jour.

auf≈atmen *itr, a. fig* respirer de nouveau, reprendre haleine; *fig* respirer, se sentir soulagé.

auf≈bahr|en *tr* exposer sur le catafalque; **A~ung** *f* exposition *f* sur le catafalque.

Aufbau *m* ‹-(e)s, -ten› *(Tätigkeit)* construction; *(Errichtung)* érection *f; tech* montage *m; fig* organisation; *(Gegenstand) mot* carrosserie; *mar* superstructure; *(Gefüge)* structure, texture; *chem* constitution; *a. TV* synthèse; *fig* organisation *f,* système *m; im* ~ *begriffen sein* être en voie de construction; **~arbeit** *f* travaux *m pl* de construction; **auf≈bauen** *tr* construire; ériger; *tech* monter; *fig* créer, organiser; *(Prosastück)* organiser, structurer **~möbel** *n pl* meubles *m pl* à éléments interchangeables; **~plan** *m* plan *m* de construction; **~schule** *f (Unterricht)* enseignement *m* secondaire accéléré; **~ten** *m pl mar* superstructure *f.*

auf≈bäumen, *sich (Pferd* u. *fig)* se cabrer; *fig* se révolter (*gegen* contre).

auf≈bauschen *tr (Stoff)* faire bouffer; *fig* exagérer.

auf≈begehren *itr (mit Worten)* protester; *(mit Taten)* se révolter, se rebeller; *er begehrt immer gleich auf* il prend tout de suite la mouche.

auf≈behalten *tr (Kopfbedeckung)* garder; *den Hut* ~ *(a.)* rester couvert.

auf≈bekommen *tr (öffnen können)* parvenir *od* réussir à ouvrir; *(Schule: Hausaufgabe)* être chargé de, avoir à faire.

auf≈bereit|en *tr metal* préparer, traiter, séparer; **A~ung** *f (Vorgang)* préparation *f,* traitement *m,* séparation *f; (Ort)* atelier *m* de préparation; **A~ungsanlage** *f* installation *f* de préparation; **A~ungsmaschine** *f* machine *f* à préparer; **A~ungsverfahren** *n* procédé *m* de séparation.

auf≈besser|n *tr (aufarbeiten)* remettre à neuf; *(Summe, Lohn)* arrondir, augmenter; **A~ung** *f* remise à neuf; augmentation *f.*

auf≈bewahr|en *tr* garder, conserver, réserver; *(für jem anders)* avoir en dépôt; *als Andenken* ~~ garder en souvenir; *trocken* ~~ tenir au sec; **A~ung** *f* ‹-, (-en)› garde, conservation *f; (Bahnhof)* consigne *f; Annahme f zur* ~~ mise *f* en dépôt; **A~ungsfrist** *f* délai *m* de garde *od loc* de consigne; **A~ungsgebühr** *f* droit *m* de garde; *loc* frais *m pl* de consigne; **A~ungsort** *m,* **A~ungsraum** *m* dépôt *m; loc* consigne *f;* **A~ungsschein** *m* feuille *f od* récépissé de dépôt; *loc* ticket *m* de consigne.

auf≈biet|en *tr (einberufen)* convoquer; *mil* lever, appeler sous les drapeaux; *adm (Brautpaar)* publier les bans de; *fig (Kraft, Eifer, Einfluß)* employer, user de, faire agir, mettre en œuvre *od* en jeu; *alles* od *alle Kräfte* ~~ faire tous ses efforts, remuer ciel et terre, *fam* se mettre en quatre (*um zu* pour); *alles* ~~ *(um jdn gut zu bewirten)* mettre les petits plats dans les grands; *s-e ganze Beredsamkeit* ~~ déployer toute son éloquence (*um zu* pour); **A~ung** *f* convocation; *mil* levée *f; fig* emploi *m,* mise *f* en œuvre; *unter* ~~ *aller Kräfte* en déployant toutes ses forces.

auf≈binden *tr (losmachen)* délier, dénouer; *(Knoten)* défaire; *(hochbinden)* relever *(a. d. Haar); (Rebe)* accoler; *jdm etwas* od *e-n Bären* ~ en faire accroire à qn, la bailler belle à qn; *fam* monter un bateau à qn; *sich etwas* ~ *lassen* se laisser duper, *das können Sie einem andern* ~*!* à d'autres!

auf≈bläh|en *tr* enfler, gonfler, bouffir, boursoufler; *fig* gonfler artificiellement, rendre pléthorique; *sich* ~~ s'enfler, se gonfler, se boursoufler, se ballonner; *fig* se rengorger; **A~ung** *f* enflure *f,* gonflement *m,* boursouflure *f.*

auf≈blasen *tr* gonfler; *sich* ~ *(fig)* se rengorger.

auf≈blättern *tr (Buch)* ouvrir et feuilleter.

auf≈bleiben *itr (nicht zu Bett gehen)* rester debout *od* levé, veiller; *(offenbleiben)* rester ouvert; *lange* ~ veiller tard.

auf≈blend|en *itr mot* mettre en phare; *film* ouvrir en fondu; *kurz* ~~ *(mot)* faire un appel de phare; *aufgeblendet fahren* rouler en pleins phares; **A~ung** *f film* ouverture *f* en fondu.

auf≈blicken *itr* lever les yeux; *ohne aufzublicken* sans lever les yeux, en dessous; *zu jdm (mit Bewunderung)* ~ lever les yeux vers qn, admirer qn; *nicht von der Arbeit* ~ ne pas lever le nez de son ouvrage.

auf≈blitzen *itr (Licht* u. *fig: Gedanke)* jaillir comme un éclair.

auf≈blühen *itr* éclore, s'épanouir; *fig* prendre un essor, prospérer, être florissant; *rasch* ~ être en plein essor; *wieder* ~ revivre, renaître; *wieder* ~ *lassen* faire revivre; **A~** *n* éclosion *f,* épanouissement; *fig* essor *m; zum* ~~ *bringen (a. fig)* faire éclore.

auf≈bocken ['aufbɔkən] *tr mot* mettre sur cales.

auf≈brausen *itr* bouillonner, entrer en effervescence; *fig* se mettre en colère, s'emballer, prendre la mouche; *gleich* od *leicht* ~ avoir la tête près du bonnet; *fam* s'emporter *od* monter comme une soupe au lait; **A~** *n* bouillonnement *m,* effervescence, ébullition *f; fig* emportement *m;* **~d** *a* effervescent *a. fig; fig* emporté, fougueux, irascible; *leicht* ~*~e(r) Mensch m* soupe *f* au lait *fam.*

auf≈brechen *tr* ouvrir (en brisant); éventrer; briser, rompre, casser, fracturer; *(Möbelstück)* forcer; *(Tür)* enfoncer; *(Jägersprache)* = *ausweiden; itr (aufspringen, platzen)* s'ouvrir, percer, éclater, crever; *(Wunde)* se rouvrir; *(Geschwür)* aboutir; *(Knospe)* éclore, s'ouvrir; *(weggehen)* s'en aller, partir, se mettre en route; **A~** *n* ouverture *f;* enfoncement; éclatement; aboutissement *m;* éclosion *f.*

auf≈brennen *tr: e-m Tier ein Zeichen* ~ marquer un animal.

auf≈bring|en *tr (öffnen können)* parvenir *od* réussir à ouvrir; *(Geld)* trouver, mobiliser; *(Kosten, Steuern)* faire face à; *(Gerücht)* lancer; *(Mode)* lancer, introduire; *(Sitte)* introduire, mettre à la mode; *(Schiff)* capturer; *(zornig machen)* irriter, mettre en colère, pousser à bout; *jdn gegen sich* ~~ se mettre qn à dos; *den Mut* ~~ avoir le courage (*etw zu tun* de faire qc); *Verständnis* ~~ montrer de la compréhension; *wieder* ~~ *(Mode)* remettre en usage *od* en vogue; **A~en** *n* lancement *m;* introduction *f;* **A~ung** *f fin* mobilisation *f.*

Aufbruch *m (Abreise)* départ *m; a. fig* mise *f* en route; *fig pol* nouveau départ; *(e-r Nation)* renouveau *m.*

auf≈brühen *tr* faire bouillir; *(Tee)* infuser.

auf≈brummen *tr fig fam: jdm etw* ~ coller, flanquer qc à qn.

auf≈bügeln *tr* repasser, donner un coup de fer à; **A~** *n* repassage, coup *m* de fer.

auf≈bürden *tr, a. fig: jdm etw* ~ mettre qc sur le dos de qn; charger qn de qc, imposer qc à qn.

auf≈deck|en *tr, a. fig (enthüllen)* découvrir; *fig* dévoiler, déceler, révéler; *s-e Karten* ~~ *(a. fig)* découvrir *od* montrer son jeu; *fig a.* montrer patte blanche *fam; sich im Schlaf* ~~ se découvrir *od (von Kindern)* se déborder en dormant; **A~ung** *f fig* découverte *f.*

auf≈donnern, *sich fam* s'attifer, se mettre sur son trente et un.

auf≈drängen *tr* imposer (*jdm etw* qc à qn); *sich* ~ s'imposer *(a. Gedanke),* imposer sa présence (*jdm* à qn); se jeter à la tête (*jdm* de qn); *e-e Frage drängt sich mir auf* une question me brûle les lèvres.

auf≈drehen *tr (drehend öffnen)* ouvrir en tournant; *(Hahn)* ouvrir; *(Uhr)* remonter; *itr fam (sich beeilen)* faire vite, se dépêcher.

auf≈dring|lich *a* importun; **A~lichkeit** *f* importunité *f;* **A~ling** *m* importun; *fam* casse-pieds *m.*

Aufdruck *m* ‹-(e)s, -e› impression; *(auf Briefmarken)* surcharge *f;* **auf≈drucken** *tr* imprimer.

auf≈drücken *tr* presser, appuyer; *(Stempel, Siegel)* mettre, appliquer, apposer; *(durch Drücken öffnen)* ouvrir en poussant, pousser; *med (Geschwür)* crever; *itr (beim Schreiben)* appuyer.

aufeinander [aufaɪ'nandər] *adv*

(räuml.) l'un sur l'autre; *(zeitl.)* l'un après l'autre; *(gegenea.)* l'un contre l'autre; **A~folge** *f* succession *f*; **~≈folgen** *itr* se succéder, se suivre; **~folgend** *a* successif, consécutif; **~≈legen** *tr* mettre l'un sur l'autre; **~≈prallen** *itr* se heurter, s'entrechoquer; *loc (zwei Züge)* se tamponner; **A~prallen** *n loc* tamponnement *m*.

Aufenthalt *m* ⟨-(e)s, -e⟩ ['aufʔɛnthalt] séjour, stationnement; *loc* arrêt; *(Verspätung)* retard, délai *m*; *ohne* ~ sans délai, (tout) d'une traite; *unbekannten ~s* sans domicile connu; *jeden ~ vermeiden (die Fahrt nicht unterbrechen)* brûler les étapes; ~ *unbekannt* sans domicile connu; *längere(r)* ~ séjour *m* prolongé; *5 Minuten ~ (loc)* 5 minutes d'arrêt; **~sdauer** *f* durée *f* du séjour; **~serlaubnis** *f*, **~sgenehmigung** *f* permission *f (Vorgang)*, permis *m (Schein)* de séjour *od* de résidence temporaire; **~sort** *m* (lieu de) séjour *m*; *(Wohnsitz)* demeure *f*, domicile *m*; *adm jur* résidence *f*; **~sraum** *m* salle *f* de séjour; **~sverbot** *n* interdiction *f* de séjour.

auf≈erleg|en *tr (Verpflichtung)* imposer; *(Strafe)* infliger; *sich Zwang ~~* se faire violence; **A~ung** *f* imposition; infliction *f*.

auf≈ersteh|en *f* ⟨-, (-en)⟩ *itr rel* ressusciter; **A~ung** *f* ⟨-, ø⟩ résurrection *f*.

auf≈erweck|en *tr (Toten)* ressusciter; **A~ung** *f* résurrection *f*.

auf≈essen *tr* achever de manger; *itr* manger tout.

auf≈fahr|en *tr (Baumaterial)* amener; *mil (Geschütze)* mettre en batterie; *itr mines* (re)monter; *(Getränke, Speisen)* faire servir; *(anfahren u. Aufstellung nehmen)* se présenter, se ranger; *(aufprallen)* heurter, tamponner (*auf etw* qc); *(Schiff)* échouer, donner (*auf etw* sur qc); *loc* buter (*auf etw* contre qc); *mot* donner (*auf etw* contre qc); *(aus dem Schlaf)* s'éveiller en sursaut; *(im Wachen)* se lever brusquement, sursauter; *(im Zorn)* s'emporter; *gleich, leicht ~~ = gleich, leicht aufbrausen; aus s-n Träumen ~~* être brusquement tiré de ses rêves; **A~t** *f (Aufstieg)* montée, ascension; *(vor e-m Schloß etc)* rampe *f*; *(zur Autobahn)* embranchement *m* d'accès.

auf≈fallen *itr (im günstigen Sinn)* se (faire) remarquer, faire sensation; *(neutral)* se singulariser; *(im ungünstigen Sinn)* s'afficher; *jdm* ~ frapper, étonner, surprendre qn; *nicht* ~ passer inaperçu; *unangenehm* ~ faire (une) mauvaise impression; *es fällt mir auf, daß* ... ce qui me frappe, c'est que ...; **~d** *a = auffällig; ~~e(s) Licht n (phys)* lumière *f* incidente; *adv* remarquablement; *~d schöne(s) Mädchen n* (jeune) fille *f* d'une beauté singulière.

auffällig *a* frappant, étonnant, surprenant, spectaculaire; *(seltsam)* singulier, bizarre; *(Farbe, Kleidung)* voyant, tape-à-l'œil; *adv: sich ~~ benehmen* se singulariser.

Auffang|becken *n tech* bassin *m* de réception; **auf≈fangen** *tr (Gegenstand in der Luft)* saisir au vol, attraper; *(Menschen mit den Armen)* recueillir; *(Stoß)* amortir, absorber; *(Hieb)* parer; *(abstürzendes Flugzeug)* redresser; *(Flüssigkeit)* recueillir; *(Licht)* intercepter, capter; *radio* capter; *(Worte)* intercepter; *(Flüchtlinge, Umsiedler)* accueillir; **~lager** *n* camp *od* centre *m* d'accueil; **~stellung** *f mil* position *f* de repli *od* de refuge.

auf≈fass|en *tr (verstehen)* saisir, concevoir, comprendre; *(deuten)* interpréter, prendre; *falsch ~~* mal comprendre *od* interpréter; *wörtlich ~~* prendre à la lettre; *sich verschieden ~~ lassen* admettre diverses interprétations; **A~ung** *f* conception; vue; *(Deutung)* interprétation; *(Meinung)* opinion *f*, avis *m*, idée *f*; *meiner ~~ nach* à mon avis, à mon idée, selon moi; *sich jds ~~en zu eigen machen* épouser les opinions *od* les idées de qn; **A~ungsgabe** *f* compréhension, intelligence *f*, entendement *m*; *schnelle ~~* esprit *m* prompt.

auffind|bar *a* trouvable; *leicht ~~* facile à trouver; **auf≈finden** *tr* trouver; *(entdecken)* découvrir; *mil (Ziel)* repérer; **A~ung** *f* découverte *f*.

auf≈fischen *tr* pêcher *a. fig*, repêcher, retirer de l'eau; *fig fam* dénicher, *pop* dégot(t)er.

auf≈flackern *itr (Flamme)* s'aviver; *fig (Aufstand, Krankheit)* se raviver, renaître.

auf≈flammen *itr* s'enflammer *a. fig*, lancer des flammes, flamb(oy)er; *chem* déflagrer; *fig* s'allumer; **A~** *n fig* flambée *f*, sursaut *m*; *chem* déflagration *f*.

auf≈flattern *itr* s'envoler en battant des ailes.

auf≈flechten *tr (Zopf)* défaire.

auf≈fliegen *itr (Vogel)* s'envoler, prendre son vol *od* sa volée *od* son essor, s'élever; *(Tür)* s'ouvrir brusquement; *fig fam (ein Ende nehmen, sich auflösen)* éclater.

auf≈forder|n *tr (höflich)* inviter, convier, engager (*zu* à); *(mahnend)* exhorter (*zu* à); *(ersuchen)* requérir, sommer (*zu* de); *(befehlen)* ordonner (*zu* de); *jur* mettre en demeure (*zu* de); *jur mil* sommer (*zu* de); *zum Tanz ~~* inviter à danser; *(gar) nicht zum Tanz aufgefordert werden* faire tapisserie; *zur Übergabe ~~ (mil)* sommer de se rendre; **A~ung** *f* invitation *f*, engagement, appel *m*; *adm* intimation; *jur* mise en demeure, *a. mil* sommation *f*; *auf ~~ (gen)* à la demande *od* requête (de); *e-e ~~ ergehen lassen* faire une demande; *e-r ~~ nachkommen* se conformer à une sommation; *~~ zum Tanz* invitation *f* à danser *od (Musikstück)* à la danse; *~~ zur Übergabe* sommation *f* de se rendre; *~~ zu zahlen* sommation *f* de payer.

auf≈forst|en ['auffɔrstən] *tr* reboiser; **A~ung** *f* reboisement *m*.

auf≈fressen *tr* manger; *a. fig* dévorer; *jdn vor Liebe ~ mögen* manger qn de caresses; *die Arbeit frißt ihn auf (fam)* le travail l'absorbe complètement.

auf≈frisch|en *tr, a. fig* rafraîchir; *(Farben)* raviver; *(el. Batterie)* régénérer; *mil* remettre en condition; *fig (Erinnerung, Bekanntschaft)* raviver, renouveler; *itr (Wind)* fraîchir; **A~ung** *f* rafraîchissement; ravivement *m*; régénération; remise *f* en condition; *fig* renouvellement *m*.

aufführ|bar *a theat* jouable; **auf≈führen** *tr (Gebäude etc)* élever, ériger, exécuter, construire, bâtir; *(verzeichnen)* consigner, mentionner; *(aufzählen)* énumérer; *fin* porter en compte; *jur (Zeugen)* produire; *theat* représenter, jouer, donner; *mus* exécuter; *sich ~ (sich benehmen)* se conduire, se comporter; *sich gut, schlecht ~* avoir une bonne, mauvaise conduite; se conduire bien, mal; *einzeln ~ (in e-r Rechnung)* spécifier; **A~ung** *f* exécution, construction; mention, énumération; *fin* inscription en compte; *jur* production; *theat* représentation; *mus* exécution; *(Betragen)* conduite *f*, comportement *m*; *zur ~~ bringen (theat)* faire jouer; *mus* exécuter; **A~ungsrecht** *n theat* droit de représentation; *mus* droit *m* d'exécution.

auf≈füll|en *tr (Gefäß wieder ganz füllen)* remplir; *(Loch, Lücke)* combler; *(Gelände)* remblayer; *sein Lager ~~ (com)* remonter ses stocks; *die Reserven ~~ (com)* compléter les réserves; **A~ung** *f (e-s Geländes)* remblai, terre-plein *m*.

Aufgabe *f (e-r Postsendung)* expédition, remise *f*; *(e-s Telegramms)* envoi *m*; *loc (des Gepäcks a.)* expédition *f*, enregistrement; *(Pflicht)* devoir *m*; *(Auftrag, Bestimmung)* tâche, mission; *(dienstliche Funktion)* fonction; *(Schul~, mündlich)* leçon *f*, *(schriftlich)* devoir; *math* problème; *jur (Verzicht)* abandon *m*, *a. sport*, renonciation; *(Besitz~)* renonciation *f*, délaissement *m*; *(e-s Amtes)* résignation; *(e-s Geschäftes)* cessation *f*; *laut ~ (com)* suivant avis *od* vos ordres; *s-e ~ erfüllen* remplir sa tâche; *keine leichte ~ haben* ne pas avoir la tâche facile; *es sich zur ~ machen zu* ... prendre à tâche de ... *(lit)*; *e-r ~ gewachsen sein* être à la hauteur d'une tâche; *jdm e-e ~ stellen* donner une tâche à qn; *sich e-e ~ stellen* se donner *od* s'imposer une tâche; *e-e ~ übernehmen* entreprendre une tâche; *jdm e-e ~ übertragen* déléguer une fonction à qn; *es ist ~ der Eltern* c'est le devoir des parents, il appartient aux parents (*etw zu tun* de faire qc); **~bahnhof** *m (Güterverkehr)* gare *f* expéditrice *od* de départ; **~nbereich** *m* ressort *m*, compétence *f*; **~nheft** *n (Schule)* carnet *m* de devoirs; **~nverteilung** *f adm* répartition *f* des attributions; **~ort** *m (Post)* lieu d'expédition *od* de départ; *tele* lieu *m* d'origine;

~schein *m* récépissé *m* d'expédition *od* de dépôt; **~stempel** *m (Poststempel)* cachet *m;* **~tag** *m* date *f* d'expédition *od* de dépôt.
auf=gabeln *tr* piquer à la fourchette *od (mit e-r Heu-, Mistgabel)* fourche; *fig fam (finden)* raccrocher, pêcher, dénicher, attraper; *pop* dégot(t)er.
Aufgang *m astr* levée; *arch* montée, rampe *f; (Treppe)* escalier; *(im Schiff)* escalier *m* des cabines.
auf=geben *tr (Postsendung)* expédier, remettre; *(Telegramm)* envoyer, expédier; *(Inserat)* insérer; *com (Bestellung)* passer, faire; *loc (Gepäck)* expédier, faire enregistrer; *(Schulaufgabe)* donner; *(Rätsel)* poser; *(verzichten auf)* renoncer à, abandonner; *(Amt, Stelle)* résigner; *(Geschäft)* se retirer de; *(abschreiben, nicht mehr glauben an)* enterrer, faire son deuil de; *(Hoffnung)* perdre; *(Schachpartie)* remettre; *itr sport* abandonner, lâcher; *den Geist ~* rendre l'âme *od* l'esprit; *sein Geschäft ~* se retirer des affaires; *die Hoffnung ~* perdre l'espoir; *e-n Kranken ~* abandonner (tout espoir de guérir) un malade; *s-e Meinung ~* revenir de son opinion; *etw zu raten ~* donner qc à deviner; *das Raten ~* donner sa langue au chat; *e-e Schachpartie (als unentschieden) ~* remettre une partie d'échecs; *das Spiel ~* abandonner *od* quitter la partie; *nicht ~ wollen (beim Spiel)* se piquer au jeu; **A~** *n sport* abandon *m.*
aufgebläht *a fig pej* boursouflé.
aufgeblasen *a fig* bouffi d'orgueil, ampoulé, rengorgé, présomptueux, vaniteux, suffisant; **A~heit** *f fig* rengorgement, orgueil *m,* présomption *f.*
Aufgebot *n adm (Aufforderung)* sommation publique; *(von Verlobten)* publication des bans (de mariage); *mil (Tätigkeit)* mise sur pied, conscription, levée *f; mit e-m starken ~ an ...* à grand renfort de ...; *unter ~ aller Kräfte* en convoquant le ban et l'arrière-ban; *ein großes ~ an* un grand déploiement de; *das letzte ~ (mil)* le dernier carré.
aufgebracht *a* fâché, irrité, furieux, indigné (*über etw* de qc).
aufgedonnert *a fam* attifée, parée comme une épousée de village.
aufgedunsen ['aufgədunzən] *a* bouffi, boursouflé.
auf=gehen *itr (astr, Vorhang)* se lever; *(Samen, Teig)* lever; *(sich öffnen)* s'ouvrir; *(Knospe, Blüte)* éclore, s'épanouir; *(Geschwür)* percer, crever, aboutir; *(Haar, Knoten)* se défaire, se dénouer; *(Naht)* se découdre, se défaire; *(Kleidungsstück)* se défaire, se déboutonner; *math* être divisible (sans reste); *in jdm ~ (fig)* s'identifier avec qn; *in der Arbeit ~* être absorbé par le travail; *in Flammen ~* être la proie des flammes; *in Rauch ~* s'en aller en fumée; *mir gingen die Augen auf (fig)* mes yeux se dessillaient; *die Jagd geht auf (nach der Schonzeit)* la chasse est ouverte; *mir geht ein Licht auf (fig).* je commence à y voir clair; *endlich geht mir der Sinn s-r Worte auf* enfin je comprends le sens de ses paroles *od* ce qu'il voulait dire.
aufgehoben *a: gut ~ sein* être en bonnes mains.
aufgeklärt *a* éclairé, instruit; **A~heit** *f* ⟨-, (-en)⟩ vues *f pl* éclairées.
aufgeknöpft *a fig fam (zugänglich)* accessible, d'un abord facile; *(mitteilsam)* communicatif, expansif.
aufgekratzt *a fig fam = aufgeräumt.*
aufgelaufen *a (Zinsen etc)* accumulé.
Aufgeld *n fin (Agio)* agio *m,* prime *f; com (Angeld)* arrhes *f pl.*
aufgelegt *a (gelaunt)* disposé (*zu* à); *~ sein, etw zu tun* être d'humeur à *od* en humeur de faire qc; *gut, schlecht ~ sein* être bien, mal disposé *od fam* luné; être de bonne, mauvaise humeur; être, ne pas être en train.
aufgelöst *a mil* dispersé, à la débandade; *mit ~en Haaren* les cheveux défaits *od* épars; *in Tränen ~* éploré: *in ~er Ordnung* en ordre dispersé.
aufgeräumt *a fig (gutgelaunt)* de bonne humeur; *(heiter)* gai, dispos, enjoué; **A~heit** *f fig* bonne humeur; gaieté *f,* enjouement, entrain *m.*
aufgeregt *a* excité, agité, ému, énervé; *ganz ~ sein* être aux cent coups *od fam* dans tous ses états; **A~heit** *f* excitation, agitation, nervosité *f,* énervement *m.*
aufgeschlossen *a fig (empfänglich)* ouvert, compréhensif; *~ für* sensible à.
aufgeschmissen *a fam* fichu, perdu; *ich bin ~* me voilà dans le pétrin *od* dans de beaux draps.
aufgeschossen *a: hoch ~e(r) Mensch m* grande perche *f; (Gemüse)* monté.
aufgesetzt *a (Tasche)* plaqué.
aufgesprungen *a (Hände)* gercé; *(Lippen)* crevassé.
aufgetakelt *a fig fam = aufgedonnert.*
aufgeweckt *a fig* éveillé, dégourdi, intelligent; **A~heit** *f* ⟨-, ø⟩ *fig* air *od* esprit *m* éveillé, vivacité d'esprit, intelligence *f.*
aufgezwirbelt *a (Schnurrbart)* en croc.
auf=gießen *tr* verser; *den Kaffee, Tee ~* verser de l'eau sur le café, le thé.
auf=glieder|n *tr* diviser (*in* en); classifier; *(einzeln angeben)* spécifier; **A~ung** *f* division, classification; spécification *f.*
auf=greifen *tr* attraper, saisir; *jur* appréhender; *fig (Frage)* soulever; *(Gedanken)* s'inspirer de; *den Faden e-r Erzählung ~* reprendre le fil d'un récit.
aufgrund [auf'grunt] *prp gen = auf Grund.*
Aufguß *m (Küche, pharm)* infusion *f;* **~tierchen** *n* infusoire *m.*
auf=haben *tr (Kopfbedeckung)* avoir sur la tête, porter; *(offen haben, a. Laden)* avoir ouvert; *(Schularbeiten)* avoir à faire *od* à apprendre.
auf=hacken *tr (den Boden, die Erde)* piocher, fouiller avec le pioche.
auf=haken *tr* décrocher, dégrafer.
auf=halsen ['aufhalzən] *tr fam: jdm etw ~* mettre qc sur le dos de qn, charger qn de qc, *fam* coller qc à qn.
auf=halten *tr (offenhalten)* tenir *od* laisser ouvert; *(festhalten)* arrêter, retenir; *(zurückhalten)* retenir; *(verzögern)* retarder; *(Hieb, Schlag)* parer, *sich ~* s'arrêter, s'attarder (*bei* od *mit etw* à qc); *(länger bleiben)* séjourner, faire un séjour; *über etw* trouver à redire à qc, critiquer qc, gloser sur qc; *sich zu lange bei den Einzelheiten ~* s'attarder *od* s'appesantir sur les détails; *ich will Sie nicht (länger) ~* je ne veux pas abuser de votre temps; je ne vous retiens pas.
auf=häng|en *tr* suspendre; *(an e-m Haken* od *Nagel)* accrocher; *(Wäsche)* étendre; *(Gardinen)* pendre; *fam (erhängen)* pendre; *jdm etw (fam: Schund andrehen)* coller qc à qn; *(aufschwindeln)* faire accroire qc à qn; *sich ~~ (fam)* se pendre; *wieder ~~* raccrocher; **A~epunkt** *m tech* point *m* de suspension; **A~er** *m (an Kleidungsstücken)* attache *f;* **A~evorrichtung** *f* dispositif *m* de suspension; **A~ung** *f tech* suspension *f.*
auf=heb|en *tr (vom Boden)* ramasser; *(emporheben)* (sou)lever; *(aufbewahren)* garder, conserver; *(überraschen u. gefangennehmen; abbrechen, beenden)* lever; *(aufhören lassen)* faire cesser; *(Verlobung)* rompre; *(Vertrag)* résilier; *(abschaffen)* abolir, supprimer; *adm (für ungültig, nichtig erklären)* révoquer, annuler; *jur* annuler, rescinder; *(Urteil in letzter Instanz)* casser; *(Gesetz)* abroger; *sich* od *ea. ~~ (ausgleichen)* se compenser, s'annuler; *a. chem* se neutraliser; *die Tafel ~~* se lever de table; *vorläufig ~~* suspendre; **A~~** *n* ramassage *m;* levée *f,* soulèvement *m; (Aufbewahrung)* garde, conservation *f; jdm etw zum A~~ geben* donner à qn qc à garder; *viel ~~s um* od *von etw machen* faire beaucoup de bruit *od* de battage autour de qc, faire grand cas de qc, se faire un monde de qc; **~end** *a jur abrogatoire;* **A~ung** *f (Abbruch, Beendigung)* levée; cessation; *(der Verlobung)* rupture; *(e-s Vertrages)* résiliation; *(Abschaffung)* abolition, suppression; *(Ungültigkeitserklärung)* révocation, annulation; *(e-s Urteils)* cassation, rescision; *(e-s Gesetzes)* abrogation *f; ~~ der gerichtlichen Beschlagnahme* mainlevée *f; ~~ der Bewirtschaftung* suppression *f* du rationnement; *~~ der Blockade* levée *f* du blocus; *~~ der ehelichen Gemeinschaft* séparation *f* de corps; *~~ der Immunität (parl)* retrait *m* de l'immunité; **A~ungsantrag** *m* demande *f* en cassation; **A~ungsklage** *f* action *f* en annulation.
auf=heiter|n *tr* épanouir, dérider, rasséréner, mettre en train, égayer, ragaillardir; *sich ~~ (Mensch)* se

rasséréner, s'égayer, se ragaillardir; *(Gesicht)* s'épanouir, se dérider; *(Himmel)* s'éclaircir; **A~ung** *f (e-s Menschen)* épanouissement, rassérènement, également *m; mete* amélioration; *(vorübergehende)* éclaircie, embellie *f.*

auf=helfen *itr: jdm ~* aider qn à se relever; *jdm (wirtschaftlich) wieder ~* rétablir les affaires de qn, remettre qn à flot.

auf=hell|en *tr* éclaircir *a. fig,* clarifier; *(Himmel)* se dégager; *(Wetter)* se remettre au beau, s'améliorer; *(Gesicht)* éclairer, épanouir; *fig (Geheimnis)* élucider, répandre la lumière sur; *sich ~~* s'éclaircir *a. fig,* se clarifier, s'éclairer, s'épanouir; **A~ung** *f* éclaircissement *m, a. fig; mete a.* amélioration; *fig* élucidation *f.*

auf=hetz|en *tr fig (aufstacheln)* exciter, inciter, provoquer *fam,* monter, *gegen jdn* dresser, *(e-e Gruppe)* ameuter contre qn; **A~ung** *f* excitation, incitation, provocation *f.*

auf=holen *tr (Vorsprung, Zeitverlust)* regagner, rattraper, combler; récupérer; *itr sport* gagner (du terrain).

auf=horchen *itr* dresser *od* tendre l'oreille, écouter; *jdn ~ lassen (fig: neugierig machen)* éveiller l'intérêt de qn.

auf=hören *itr* cesser, (s')arrêter, finir (*etw zu tun* de faire qc); *mit etw* en finir avec qc; *nicht ~* n'en plus finir (*zu ... de ...*); *~, wenn es am besten schmeckt* rester sur la bonne bouche; *wo haben wir aufgehört?* où en sommes-nous restés? *hören Sie auf damit!* finissez-en! *da hört (doch) alles auf! (fam)* c'est la fin de tout, c'est trop fort!

auf=jauchzen *itr* pousser des cris de joie, exulter; *fam* jubiler.

Aufkauf *m* achat en masse *od* en bloc, enlèvement; *(unreeller)* accaparement *m;* **auf=kaufen** *tr* acheter en masse *od* en bloc, enlever; *pej* accaparer; **Aufkäufer** *m* acheteur; *pej* accapareur *m.*

auf=keimen *itr, a. fig* germer; *fig* naître, prendre naissance.

Aufklang *m fig (Beginn)* commencement, début *m,* ouverture *f.*

aufklappbar *a* relevable; *mot (Verdeck)* décapotable; *mit ~em Verdeck* à toit ouvrant; **auf=klappen** *tr (Kragen)* relever; *(Messer, Buch)* ouvrir; *(Verdeck)* décapoter.

auf=klaren *tr mar = aufräumen; itr mar = sich aufklären.*

auf=klär|en *tr (aufhellen)* éclaircir; *fig (erhellen, aufdecken)* éclaircir, tirer au clair, élucider, expliquer, débrouiller; *(Menschen)* éclairer (*über etw* sur qc); *ein Kind ~~* parler de problèmes sexuels avec un enfant; *(Mitteilung machen)* informer, instruire, mettre au fait (*über etw* de qc); *mil* éclairer, reconnaître; *itr mil* aller en reconnaissance; *aero* entreprendre des vols de reconnaissance; *sich ~~ (mete)* s'éclaircir, se remettre au beau; *(Flüssigkeit)* se clarifier; *fig* s'éclaircir; *jdn über e-n Irrtum ~~* tirer qn d'erreur; *es hat sich alles aufgeklärt* tout s'est expliqué; **A~er** *m (hist: Aufklärungsphilosoph)* philosophe des lumières, rationaliste; *mil* éclaireur; *aero* avion *m* de reconnaissance; **~erisch** *a* rationaliste, voltairien.

Aufklärung *f (Aufhellung)* éclaircissement *m; (Unterrichtung)* information *f,* renseignement *m; philos hist* philosophie *f* des lumières, rationalisme *m; (sexuelle)* initiation; *mil (taktische)* reconnaissance *f; von jdm ~ verlangen* demander une explication à qn; *bewaffnete ~* reconnaissance *f* armée *od* en force; *das Zeitalter der ~* le siècle des lumières; **~sabteilung** *f mil* groupe *m* de reconnaissance; **~sdienst** *m mil* service *m* de reconnaissance *od* de renseignements; **~sergebnisse** *n pl* résultats *m pl* de reconnaissance; **~sfilm** *m* film *m* d'initiation sexuelle; **~sflug** *m* vol *m* de reconnaissance; **~sflugboot** *n* hydravion *m* de reconnaissance; **~sflugzeug** *n* avion *m* de reconnaissance; **~sgebiet** *n mil* région *f* de reconnaissance; **~sgruppe** *f aero* groupe *m* d'avions de reconnaissance; **~soffizier** *m* officier *m* de renseignement; **~sraum** *m mil* secteur *m* de reconnaissance; **~stätigkeit** *f* activité *f* de reconnaissance; **~stiefe** *f mil aero* profondeur *f* de la zone de reconnaissance.

Aufklebe|adresse *f,* **~zettel** *m* étiquette *f* (gommée), **auf=kleben** *tr* coller (*auf* sur, à); *e-e Briefmarke auf den Brief* od *die Karte ~* affranchir la lettre *od* la carte.

auf=knacken *tr (Nüsse)* casser.

auf=knöpfen *tr* déboutonner.

auf=knoten *tr* déficeler.

auf=knüpfen *tr (Menschen)* pendre.

auf=kochen *tr* faire bouillir, amener à ébullition.

auf=kommen *itr (aufstehen)* se (re-)lever; *(Kranker* u. *fig)* se relever, se remettre, se rétablir *(von e-r Krankheit* d'une maladie); *(Wind)* se lever; *(entstehen)* naître, faire son apparition; *(Brauch, Mode)* prendre (cours), se répandre, s'introduire; *(Erfolg haben)* prendre, réussir, faire fortune, prospérer; *für etw ~ (etw ersetzen)* répondre de qc, subvenir à qc; *für den Schaden ~ (a. fam)* payer les pots cassés; *gegen jdn nicht ~ können* ne pas être de taille à rivaliser avec qn; *niemanden neben sich ~ lassen* ne pas souffrir de rival; *keinen Zweifel ~ lassen* ne laisser s'élever aucun doute; *für jdn ~ (jdn ernähren) müssen* avoir qn à sa charge; **A~** *n (Aufstehen, Hochkommen, a. fig)* relèvement; *(Genesung)* rétablissement *m; (Entstehung)* naissance; *(e-s Brauches etc)* introduction *f; (Ertrag)* rendement, rapport *m; fin* rentrées *f pl.*

auf=kratzen *tr* gratter, égratigner; *(die Haut)* écorcher.

auf=krempeln *tr (die Ärmel)* (re-)trousser.

auf=kreuzen *itr fam* faire une apparition.

auf=kriegen *tr fam (aufessen)* manger le tout; *a. = aufbekommen.*

auf=kündig|en *tr (Leihkapital, Hypothek)* donner avis de retrait de; *(Vertrag)* dénoncer, résilier; *jdm den Dienst ~~* donner congé à qn, renvoyer qn; **A~ung** *f* avis *m* de retrait; dénonciation, résiliation *f.*

auf=lachen *itr: laut ~* éclater *od* pouffer de rire, rire aux éclats, s'esclaffer; **A~** *n* éclat(s *pl*) *m* de rire.

auf=lad|en *tr (Last auf e-n Wagen; el: Batterie, Akku)* charger; *tech (Motor)* suralimenter; *jdm etw ~~ (fig)* charger qn de qc, mettre qc sur le dos de qn; *sich etw ~~* se charger de qc; **A~en** *n* chargement *m;* **A~er** *m (Arbeiter)* chargeur *m;* **A~ung** *f el* charge *f; tech* suralimentation *f.*

Auflage *f (Überzug)* revêtement, enduit *m,* couche; *(Verpflichtung)* charge, imposition, obligation; *(Steuer)* charge *f,* impôt *m,* taxe; *(e-s Buches)* édition *f; (e-r Zeitung)* tirage *m; jdm e-e ~ machen* imposer une charge à qn; *durchgesehene, verbesserte, vermehrte ~* édition *f* revue, corrigée, augmentée; **~fläche** *f tech* surface *f* d'appui; **~(n)höhe** *f* tirage *m;* **~r** *n tech* appui, support, coussinet *m.*

auf=lass|en *tr (offenlassen)* laisser ouvert; *(Kopfbedeckung)* garder; *(Brieftauben)* lâcher, lancer; *(Ballon)* lancer; *jur (Grundstück, Recht)* céder; *mines* abandonner, fermer; **A~ung** *f* lâcher, lancer *m; jur* cession *f.*

auf=lasten *tr jdm etw ~* imposer une charge à qn.

auf=lauern *itr* guetter, épier (*jdm* qn).

Auflauf *m* attroupement, rassemblement *m; (Aufruhr)* émeute *f; (Küche)* soufflé *m;* **auf=laufen** *itr mar* (s')échouer (*auf* sur); *fin* s'accumuler; *tr: sich die Füße ~* s'écorcher les pieds en marchant; *auf e-e Mine ~* heurter une mine; *die Zinsen ~ lassen* laisser courir les intérêts.

auf=leben *itr* revivre; *fig* se ranimer, renaître; *wieder ~ (fig)* reprendre; *wieder ~ lassen* faire revivre.

auf=lecken *tr* lécher; *(Tier)* laper.

Aufleg|ematratze *f* matelas *m;* **auf=legen** *tr (Tischdecke, Schallplatte)* mettre; *tele (Hörer)* raccrocher; *(Pflaster)* appliquer; *(Farbe, Schminke)* mettre; *(die Hand aufs Haupt, bes. rel)* imposer; *(Arm aufstützen)* appuyer; *(Faß Bier)* mettre en perce; *(Schiff)* mettre en chantier; *(Anleihe)* émettre, lancer; *(Buch)* éditer; *(Karten)* étaler; *sich (mit dem Arm) ~* s'accouder (*auf* sur); *s. a. aufgelegt; ein Gedeck ~* mettre un couvert; *neu ~ (Buch)* rééditer; *e-e neue (Schall-) Platte ~* changer de disque; **~en** *n* mise *f;* raccrochement *m;* application; imposition *f;* **~ung** *f (e-s Schiffes)* mise en chantier; *(e-r Anleihe)* émission; *(e-s Buches)* édition *f.*

auf=lehn|en, *sich (mit dem Arm)* s'appuyer (*auf* sur, contre); *fig* se soulever, se révolter, s'insurger, se rebeller (*gegen* contre); **A~ung** *f fig* soulèvement *m*, révolte, insurrection, rébellion *f*.

auf=lesen *tr* ramasser, (re)cueillir; *(Ungeziefer, Krankheit)* ramasser; *(Ähren)* glaner; *jdn von der Straße ~* ramasser qn dans le ruisseau.

auf=leuchten *itr* s'allumer, flamboyer.

auf=lichten *tr (Farbe, Wald)* éclaircir.

auf=liefer|n *tr (Postsendung)* expédier; **A~ung** *f* expédition *f*; *(Paket a.)* dépôt *m*.

auf=liege|n *itr (zur Besichtigung)* être exposé *od* présenté; *(Schiff)* être à *od* au sec; *sich (den Rücken) ~~* s'écorcher à force d'être couché; *fest ~~* bien tenir; *zur Zeichnung ~~ (fin)* être offert à la souscription; **A~zeit** *f mar* hivernage *m*.

auf=locker|n *tr (Erdboden)* remuer, rendre meuble, ameublir; *(Federbett)* taper; *(Raum, Vortrag)* égayer; *(Stimmung)* détendre; **A~ung** *f agr* ameublissement *m*; *fig (Wohngebiet, Verkehr)* décongestion *f*.

auf=lodern *itr (Feuer)* monter, jaillir; *fig (Aufstand, Krieg)* s'enflammer, se lever.

auflös|bar *a chem* (dis)soluble; *math* résoluble; **auf=lösen** *tr (in e-r Flüssigkeit)* diluer, délayer; *chem* dissoudre, décomposer, dissocier; *(Chiffre)* décoder, décrypter; *fig (Verein, Versammlung, Parlament, Haushalt)* dissoudre; *(Geschäft)* liquider; *(Rätsel)* résoudre; *(Vertrag)* annuler; *(Verlobung)* rompre; *pol (Organisation)* disperser; *sich ~* se délayer, se diluer; *chem* se dissoudre, se décomposer; *mil* se disperser, se débander; *fig* se dissoudre; *pol (in Teilstaaten)* se démembrer; *sich in nichts ~* se réduire à rien *od* en poussière; *sich in Wohlgefallen ~ (fam)* disparaître; **A~ung** *f (in Wasser)* délayage *m*, dilution, solubilisation; *chem* (dis)solution, décomposition, dissociation; *opt math mus* résolution; *TV (Bild~~)* définition; *(e-s Rätsels, Problems)* solution; *mil* dispersion *f*; *pol* démembrement *m*; *jur parl etc* dissolution; annulation, résiliation; *com* liquidation; *(Zerrüttung)* désorganisation *f*, désordre *m*; **A~ungsvermögen** *n chem* pouvoir dissolvant; *opt* pouvoir *m* résolvant *od* séparateur; **A~ungszeichen** *n mus* bécarre *m*.

auf=löten *tr* souder (*auf* sur).

auf=mach|en *tr (öffnen)* ouvrir; *(Flasche)* déboucher; *(Paket, Knoten, das Haar)* défaire; *(Ware zurechtmachen)* apprêter, arranger, parer; *sich ~~ (aufbrechen, abreisen)* s'en aller, partir, se mettre en route; *(sich anschicken)* se mettre (*zu* à) *od* en devoir (*zu* de); *halb ~~* entrouvrir; *den Mund ~~ (fam: sprechen)* ouvrir la bouche; **A~ung** *f (e-r Ware)* présentation *f*; *fam (des Gesichtes)* maquillage *m*; *in großer ~~ (Frau)* en grande tenue *od* toilette; *(Zeitungsnachricht)* en grande manchette; *in großer ~~ bringen (Zeitung)* mettre en vedette; *das ist nur ~~ (fam)* c'est du battage.

Aufmarsch *m mil* déploiement *m*; *(strategisch)* concentration *f*; *(Parade)* défilé *m*; *fig* entrée *f* en lice; **~bewegung** *f* mouvement *m* de concentration; **~gebiet** *n* zone *f* de déploiement *od* de concentration; **auf=marschieren** *itr* se déployer, entrer en ligne; se concentrer; *(bei e-r Parade)* défiler; *~~ lassen (mil)* déployer; *a. fig* faire entrer en ligne; **~plan** *m* plan *m* de concentration.

auf=meißeln *tr* ouvrir au ciseau; *med* trépaner.

auf=merk|en *itr* dresser l'oreille, écouter; *auf etw* faire attention, prêter (son) attention à qc; **~sam** *a* attentif (*auf* à); *(höflich)* attentionné, plein d'attentions, prévenant, empressé; *jdn auf etw ~~ machen* attirer l'attention de qn sur qc, faire remarquer *od* observer qc à qn; *adv (betrachten, prüfen) a.* de près; **A~samkeit** *f* attention *f*; *meist pl (Höflichkeiten)* attentions, prévenances *f pl*, égards, petits soins *m pl*; *jds ~~ ablenken* détourner l'attention de qn; *~~ erregen* exciter l'attention; *jdm ~~en erweisen* avoir des égards *od* de grandes attentions pour qn; *jds ~~ auf etw lenken* appeler l'attention de qn sur qc; *jds ~~ in Anspruch nehmen* occuper l'attention de qn; *s-e ~~ auf etw richten* porter *od* fixer son attention sur qc; *jdm, e-r S ~~ schenken* prêter attention à qn, à qc; *die ~~ auf sich ziehen* retenir l'attention.

auf=möbeln *tr fam (aufmuntern)* ravigoter.

auf=mucken ['aufmukən] *itr fam (aufbegehren)* se rebiffer (*gegen* contre); *fam* rouspéter.

auf=munter|n ['aufmuntərn] *tr* (r)animer; *fig* encourager, remonter le moral à; *(anstacheln)* stimuler; *(aufheitern)* distraire, égayer, émoustiller; **A~ung** *f* encouragement *m*; stimulation; distraction *f*.

Aufnahme *f (Empfang)* accueil *m*, réception; *(in e-e Schule, e-n Verein, ein Krankenhaus)* admission *f* (*in* à); *fin (von Kapital)* emprunt *m*; *(in e-e Zeitung)* insertion; *(e-s Wortes in e-e Sprache)* adoption *f*; *com (des Warenbestandes)* inventaire; *(e-s Protokolls)* établissement; *(topographische)* levé *m*; *phot (Vorgang)* pose; *(Bild auf d. Filmstreifen)* image; *(Foto)* photo(graphie); *film* prise *f* de vues et de son; plan; *(Ton~ auf Platte od Band)* enregistrement; *(~ von Beziehungen)* établissement *m* (*von* de), entrée (*von* en); *(von Verhandlungen)* ouverture *f*; *durch ~ e-r Anleihe* en contractant un emprunt; *in ~ bringen (einführen)* mettre en vogue, lancer; *gute ~ finden* être bien reçu; *in ~ kommen* s'introduire; *e-e ~ machen (phot)* faire une photo; *jdm die ~ verweigern* refuser d'admettre qn; *Achtung, ~! (film)* silence, on tourne! *~ in die Tagesordnung (pol)* inscription *f* à l'ordre du jour; **~apparat** *m* = *~gerät*; **~bedingung** *f* condition *f* d'admission; **a~fähig** *a (zulassungsfähig)* admissible; *physiol (empfänglich)* réceptif (*für* à); *(geistig)* compréhensif; *com (Markt)* capable d'absorber; **~fähigkeit** *f* admissibilité; réceptivité; *(e-s Marktes)* capacité d'absorption; *(e-r Schule)* capacité *f* d'accueil; **~gebiet** *n com* territoire *m* réceptionnaire; **~gebühr** *f* droit(s *pl*) *m* d'admission *od* d'entrée; **~gerät** *n film* appareil de prise de vues; *(für Ton~)* appareil *m* d'enregistrement; **~gesuch** *n* demande *f* d'admission; **~lager** *n (für Flüchtlinge)* camp *od* centre *m* d'accueil; **~land** *n (von Flüchtlingen)* pays *m* d'accueil; **~leiter** *m film* directeur de la photographie; *radio (Tonmeister)* ingénieur *m* du son; **~prüfung** *f* examen *od* concours *m* d'admission *od* d'entrée; **~raum** *m film* salle *f* de prise de vues, set *m*; *radio* cabine *f* d'enregistrement; *a. TV* studio *m*; **~verfahren** *n (Schule, Verein)* procédure *f* d'admission.

auf=nehmen *tr (aufheben)* (re)lever, soulever, ramasser; *(Masche)* reprendre; *(empfangen)* accueillir, recevoir (*in* dans); *(in e-e Schule, e-n Verein etc)* admettre (*in* à); *fin (Geld, Kapital)* emprunter; *(Anleihe)* contracter; *(Hypothek)* prendre; *(in e-e Zeitung)* insérer; *(Wort in e-e Sprache)* adopter; *com (den Warenbestand)* faire l'inventaire de, inventorier; *(Protokoll)* établir; *(topographisch)* lever, faire le relèvement de; *phot* prendre *od* faire une photo de, photographier; *film* tourner, réaliser; *(Schallplatte, Tonband, radio)* enregistrer; *(e-e Tätigkeit beginnen)* commencer; *(Arbeit)* embrayer; *(Verhandlungen)* engager; *(ansehen, beurteilen)* prendre; *gut, schlecht, aufgenommen werden* être bien, mal accueilli; *es mit jdm ~* se mesurer avec qn; tenir tête à qn; défier, affronter qn; *jdn freundlich ~* faire bon accueil à qn; *etw gut, übel ~* prendre qc en bonne, mauvaise part; *den Handschuh ~ (fig)* relever le gant; *e-e Hypothek ~* prendre une hypothèque; *den Kampf ~* accepter *od* engager le combat; *jdn in ein Krankenhaus ~* hospitaliser qn; *den Schaden ~* constater les dégâts; *mit jdm Verbindung ~* entrer en relation(s) avec qn; *ich nehme es mit jedem auf* je ne crains personne; *wie hat sie die Nachricht aufgenommen?* comment a-t-elle pris la nouvelle?

auf=nötigen *tr*, **auf=oktroyieren** [-oktroa'ji:rən] *tr* imposer (*jdm etw* qc à qn).

auf=opfer|n, *sich* faire abnégation de soi; *für jdn* se sacrifier pour qn; **A~ung** *f* sacrifice *m*.

auf=pass|en *itr* faire attention, prêter son attention (*auf* à); *(auf der Hut sein)* être *od* se mettre sur ses gardes; *auf jdn, etw ~~* prendre garde à qn, à qc; *(zuhören)* écouter; *~~! aufgepaßt!* attention! **A~er** *m* surveillant, guetteur; *(Spitzel)* espion, mouchard *m*; *ein guter, schlechter ~~ sein* être de bonne, mauvaise garde.

auf=peitschen *tr fig (Sturm das*

Meer) soulever; *(Leidenschaft)* exciter.
auf⸗pflanzen *tr (Fahne)* planter, arborer; *(das Seitengewehr)* mettre au canon; *mit aufgepflanztem Seitengewehr* baïonnette au canon; *sich vor jdm* ~ se planter devant qn.
auf⸗pfropfen *tr (Reis)* greffer; *fig* rapporter, rajouter; *aufgepfropft wirken* avoir l'air rapporté
auf⸗picken *tr (Körner)* picorer; *(Baumrinde)* ouvrir à coups de bec.
auf⸗platzen *itr* crever, éclater.
auf⸗plustern [-'plu:stərn] , *sich (Vogel)* s'ébouriffer; *fig fam (Mensch)* se rengorger, faire la roue, se guinder, se donner des airs.
auf⸗polieren *tr* (re)polir.
Aufprall *m* choc, heurt *m;* **auf⸗prallen** *itr* heurter (*auf etw* qc); tamponner (*auf etw* qc); *aufea.* ~ se tamponner.
Aufpreis *m* majoration *f* (de prix).
auf⸗probieren *tr (Hut)* essayer.
auf⸗protzen *tr mil* atteler l'avant-train à.
auf⸗pulvern ['-pulvərn, -fərn] *sich (fam)* se doper, prendre des stimulants.
auf⸗pumpen *tr (Reifen)* gonfler, donner un coup de pompe à.
auf⸗putschen *tr = aufhetzen.*
auf⸗putzen *tr (aufwischen)* nettoyer, laver.
auf⸗raffen *tr (Kleid)* relever, retrousser; *(Münzen, Scheine)* ramasser vivement; *sich* ~ *(zu e-m Entschluß, zu e-r Tat)* faire le saut; *sich (wieder)* ~ *(von e-r Krankheit)* se ressaisir, se reprendre, se remonter, se retaper.
auf⸗ragen *itr* s'élever, se dresser.
auf⸗rappeln, *sich (fam)* se retaper, reprendre le dessus.
auf⸗rauhen ['-rauən] *tr arch* granuler.
auf⸗räum|en *tr* ranger; *(Zimmer a.)* faire; *(von Trümmern befreien)* déblayer; *itr fig: mit etw* ~~ faire table rase de qc; *unter der Bevölkerung* ~~ ravager la population; **A~en** *n* rangement; déblaiement *m; beim* ~~ *des Zimmers* en faisant la chambre; **A~ungsarbeiten** *f pl* travaux *m pl* de déblaiement.
auf⸗rechn|en *tr (ausgleichen)* compenser; *die Forderungen gegenea.* ~~ *(fin)* compenser l'une des créances par l'autre; **A~ung** *f* compensation *f.*
aufrecht ['aufrɛçt] *a, a. fig* droit; *(senkrecht)* vertical; *fig (redlich)* loyal, intègre; *adr* debout; *(sich)* ~ *halten* (se) tenir droit; *sich* ~ *hinsetzen* se mettre sur son séant; ~ *stehen* être *od* se tenir debout; ~ *stellen* mettre debout; *~e Haltung f (biol: des Menschen)* station *f* droite; **~⸗erhalten** *tr fig (Behauptung)* maintenir; **A~erhaltung** *f* maintien *m;* **A~stehen** *n* station *f* debout.
auf⸗reden *tr: jdm etw* ~ persuader qn de prendre qc.
auf⸗reg|en *tr* émouvoir, agiter, exciter, irriter, énerver; *sich* ~~ s'émouvoir, s'irriter (*über* de); s'énerver; se faire du mauvais sang (*wegen e-r S* pour qc); *regen Sie sich nur nicht auf!* ne vous en faites pas! *fam;* **~end** *a* émouvant, irritant, énervant, horripilant; *(Buch, Erzählung)* passionnant, palpitant; **A~ung** *f* émoi *m,* agitation, excitation, irritation *f,* énervement *m; in* ~~ *versetzen* mettre en émoi; = *~en; kein Grund zur* ~~ pas de raison de *od fam* de quoi s'énerver; *allgemeine* ~~ *(a.)* hourvari *m.*
auf⸗reiben *tr (wund reiben)* écorcher, érafler; *fig (jds Kräfte)* épuiser, exténuer; *(jds Gesundheit)* miner, user, ruiner; *mil* exterminer, anéantir; *sich* ~ *(durch aufopfernde Tätigkeit)* s'user, s'exténuer; **~d** *a (Arbeit)* épuisant, exténuant.
auf⸗reihen *tr* ranger; *(auf e-n Faden)* enfiler.
auf⸗reißen *tr* déchirer *(a. e-e Wunde),* arracher *(a. d. Straßenpflaster); (schnell öffnen)* ouvrir brusquement *od* violemment; *(Brief a.)* décacheter; *die Augen (weit)* ~ écarquiller les yeux; *sich die Hand an e-m Nagel* ~ s'érafler la main avec un clou; *Mund und Nase (vor Staunen)* ~ *(fam)* rester bouche bée; *e-e alte Wunde* ~ *(fig)* retourner le fer dans la plaie.
auf⸗reiz|en *tr* irriter, exciter; *fam* crisper; **~end** *a (erregend)* irritant, provocant; *(hetzerisch)* excitant, provocateur; **A~ung** *f* irritation, provocation, excitation *f.*
auf⸗richt|en *tr* mettre debout, dresser, élever; *(errichten)* ériger; *aero* rétablir l'assiette de; *fig (trösten)* consoler, remonter; *sich* ~~ se mettre debout, se (re)dresser, se lever; *(im Bett)* se mettre sur son séant; *wieder* ~~ relever, redresser; **~ig** *a* sincère, droit, franc, candide, de bonne foi; *mein ~~es Beileid* mes sincères condoléances; **A~igkeit** *f* sincérité, droiture, franchise, candeur, bonne foi *f,* **A~ung** *f* élévation; érection; *fig (Tröstung)* consolation *f.*
auf⸗riegeln *tr* déverrouiller; *itr* tirer le verrou.
Aufriß *m (senkrechte Darstellung)* dessin en élévation, plan *m* vertical.
auf⸗ritzen *tr* égratigner, érafler.
auf⸗rollen *tr (zs.rollen)* (en)rouler; *(ausea.rollen)* dérouler; *mil (Stellung)* bousculer par une attaque de flanc, culbuter; *fig (Frage)* entamer, examiner, mettre tur le tapis; *sich* ~ *(zs.rollen)* s'enrouler; **A~** *n* enroulement *m.*
auf⸗rücken *itr mil (zs.rücken)* serrer les rangs; *(im Dienstgrad)* monter en grade, prendre du galon; **A~** *n (im Dienstgrad)* avancement *m,* promotion *f.*
Aufruf *m* appel *m; (Aufforderung)* sommation; *adm* proclamation *f; (von Banknoten)* retrait *m; namentliche(r)* ~ appel *m* nominal; **auf⸗rufen** *tr* appeler (*zu* à); *(auffordern)* sommer (*zu tun* de faire); *jur (die Parteien)* faire l'appel de; *(Zeugen)* citer; *(Schüler)* interroger; *(Banknoten für ungültig erklären)* annuler; *namentlich* ~ *(bes. mil)* faire l'appel nominal de.
Aufruhr *m* ⟨-(e)s, (-e)⟩ ['-ru:r] *allg* tumulte; *(Aufstand)* soulèvement *m,* émeute, insurrection, rébellion, révolte, sédition *f; in* ~ en tumulte; *in* ~ *geraten* se soulever, s'insurger, se rebeller, se révolter; ~ *stiften* fomenter des troubles; *in* ~ *versetzen* soulever, révolter.
auf⸗rühr|en *tr (umrühren)* remuer, agiter; *fig (in Erinnerung bringen, wieder aufleben lassen)* réveiller; **A~er** *m* émeutier, insurgé, rebelle *m;* **~erisch** *a* insurrectionnel, rebelle, séditieux; *~~e(r) Geist m (a.)* esprit *m* de fronde; *~~e Reden f pl* discours *m pl* incendiaires.
auf⸗runden *tr (Zahl, Summe)* arrondir.
auf⸗rüst|en *tr u. itr* (ré)armer; **A~ung** *f* (ré)armement *m.*
auf⸗rütteln *tr, a. fig* secouer.
auf⸗sagen *tr* réciter; *a. = aufkündigen.*
auf⸗sammeln *tr* ramasser, recueillir.
aufsässig ['-zɛsıç] *a* insubordonné, récalcitrant; rebelle, séditieux; ~ *sein (a.)* avoir mauvais esprit; **A~keit** *f* insubordination *f.*
Aufsatz *m (arch* u. *Möbel)* chapiteau *m; (Schornstein~)* mitre; *(Kamin~)* garniture *f; (Tafel~)* surtout; *tech* chapeau *m,* capote *f; fig (Abhandlung)* essai; *(Zeitungs~)* article *m; (Schul~)* rédaction, *(in der Oberstufe)* dissertation *f;* **~thema** *n (Schule)* sujet *m* de composition *od* de dissertation.
auf⸗saug|en *tr, a. fig* absorber; *med (resorbieren)* résorber; **A~ung** *f* absorption; résorption *f.*
auf⸗schauen *itr* lever les yeux (*zu jdm* vers qn, *bewundernd* avec admiration).
auf⸗scheuchen *tr (Wild)* débucher, débusquer; *(a. Menschen)* effaroucher.
auf⸗scheuern *tr (die Haut)* écorcher.
auf⸗schicht|en *tr* entasser, amonceler, empiler; *(in Schichten legen)* disposer par couches; **A~ung** *f* entassement, amoncellement, empilement, empilage *m.*
auf⸗schieb|en *tr (Schiebetür)* ouvrir; *fig* différer, remettre, reculer; *(vertagen)* ajourner; *jur* proroger; *aufgeschoben ist nicht aufgehoben (prov)* partie remise n'est pas perdue; (ce qui est) différé n'est pas perdu; *besser aufgeschoben als aufgehoben (prov)* mieux vaut tard que jamais; **A~ung** *f = Aufschub.*
auf⸗schießen *itr (Flammen)* s'élever, s'élancer; *bot* pousser (vite); *(Salat)* monter; *fam (Kind)* pousser comme un champignon; *lang aufgeschossene(r) Junge (fam)* grande perche, échalas.
Aufschlag *m (am Ärmel, an der Hose)* revers; *(am Kleid)* parement *m; (Aufprall)* chute *f; (e-s Geschosses)* impact; *(Tennis)* service *m; com (Preis~)* augmentation, majoration, hausse *f; ohne* ~ *(Hose)* sans revers;

~bombe *f* bombe *f* percutante; **auf=schlagen** *tr (Nuß, Ei)* casser; *(Eis)* percer; *(Buch, Stelle in e-m Buch)* ouvrir; *(Ball beim Tennis)* servir; *(Bett)* monter; *(Zelt, Lager)* dresser; *(die Ärmel)* retrousser; *(Kragen)* remonter; *(Schleier)* relever; *(Spielkarte)* retourner; *itr (beim Fall)* tomber (*auf* sur); donner (*auf* contre); *(Geschoß, Flugzeug)* percuter; *(Flamme: emporschlagen)* jaillir; *(Preis)* monter, augmenter, hausser, (r)enchérir; *(Kaufmann)* augmenter *od* hausser ses prix; *die Augen ~* lever *od* ouvrir les yeux; *sich den Kopf, das Knie ~* se blesser à la tête, au genou; *s-n Wohnsitz ~* s'établir; **~feld** *n (Tennis)* zone *f* de service; **~granate** *f* obus *m* percutant; **~linie** *f (Tennis)* ligne *f* de service; **~stelle** *f (e-r Granate)* point *m* d'impact; *(e-r Bombe)* point *m* de chute; **~winkel** *m (e-s Geschosses)* angle *m* d'impact; **~zünder** *m mil* fusée *f* percutante; **Aufschläger** *m (Tennis)* servant *m*.

Aufschlämmung *f chem* suspension *f*.

auf=schließen *tr (mit Schlüssel)* ouvrir; *chem (löslich machen)* décomposer, désagréger; *itr mil* serrer les rangs; *nach vorn ~* serrer sur l'avant; *jdm sein Herz ~* ouvrir son cœur *od* s'ouvrir à qn.

auf=schlitzen *tr* fendre, taillader; *jdm, sich den Bauch ~* éventrer qn, s'éventrer.

auf=schluchzen *itr* pousser un gémissement, éclater en sanglots.

Aufschluß *m (Mitteilung)* renseignement *m*, information; *(Erklärung)* explication *f*, éclaircissements *m pl*; *jdm über etw ~ geben* renseigner qn sur qc, informer qn de qc, mettre qn au fait de qc; donner *od* fournir des explications sur qc à qn; *von jdm über etw ~ verlangen* demander à qn des éclaircissements sur qc; *sich ~ über etw verschaffen* prendre des informations sur qc; s'informer de qc; **a~reich** *a* instructif; significatif, révélateur.

auf=schlüsseln *tr (verteilen)* répartir; *com* ventiler; *(entschlüsseln)* déchiffrer, décoder.

auf=schnallen *tr (befestigen)* boucler; *(Sattel)* mettre; *(lösen)* déboucler.

auf=schnappen *tr (mit der Schnauze, dem Schnabel fangen)* happer, attraper; *fig fam (zufällig hören)* apprendre par hasard, saisir au vol; *itr (Tür, Schloß: aufspringen)* s'ouvrir de soi-même.

auf=schneid|en *tr* couper *(a. Buch)*, ouvrir en coupant; *(Fleisch)* découper, trancher; *med* inciser; *(Geschwür a.)* percer; *itr fig fam* blaguer; hâbler, fanfaronner, gasconner, conter des sornettes, faire de l'esbroufe; **A~er** *m fig fam* blagueur, esbroufeur; hâbleur, fanfaron, gascon, faiseur d'embarras; *pop* monteur *m* de coups; **A~erei** *f* ⟨-, -en⟩ [-'raɪ] *fig fam* blague, esbroufe; hâblerie, fanfaronnade, gasconnade, galéjade; **~erisch** *a* hâbleur.

auf=schnellen *itr* se détendre; s'élancer brusquement.

Aufschnitt *m*: *(kalter ~)* viande froide, charcuterie; *(Platte mit kaltem ~)* assiette *f* anglaise; **~maschine** *f (des Fleischers)* machine *f* à jambon.

auf=schnüren *tr (lösen)* déficeler, dénouer, délier; *(Paket)* défaire; *(die Schuhe)* délacer.

aufschraub|bar *a* à vis, vissant; **auf=schrauben** *tr (festschrauben)* visser, boulonner (*auf* sur); *(öffnen)* dévisser, déboulonner.

auf=schrecken *tr (bes. Tiere)* effaroucher, effrayer; *(Menschen)* alarmer; faire réveiller en sursaut; *itr* sursauter (de peur); *aus dem Schlaf ~* s'éveiller en sursaut.

Aufschrei *m* (grand) cri, cri *m* perçant *od* strident; **auf=schreien** itr pousser un *od* des cri(s); *vor Schmerz ~* crier de douleur.

auf=schreiben *tr* écrire, mettre par écrit, noter, prendre note de; *jdn ~ (vom Verkehrspolizisten)* dresser procès-verbal à qn.

Aufschrift *f allg* inscription; *(auf e-r Postsendung)* adresse; *(auf e-r Ware)* étiquette *f*, écriteau *m*; *(auf e-r Münze)* légende; *(Inschrift)* inscription, épigraphe *f*.

Aufschub *m* délai *m*; *(absichtlich)* remise *f*, renvoi; *(Verzögerung)* retard; *(Vertagung)* ajournement; *(Frist)* répit *m*; *jur* prorogation *f*; *(e-r Strafe)* sursis *m*; *ohne ~* sans délai, sans retard; *e-n ~ bewilligen* accorder un délai; *um ~ bitten* demander un délai; *keinen ~ dulden* n'admettre aucun retard; *~ verlangen* demander terme; *~ der Strafvollstreckung* sursis *m* à l'exécution; *~ der Zahlung(sfrist)* atermoiement, moratoire *m*.

auf=schürzen *tr* retrousser.

auf=schütt|eln *tr* secouer, remuer; *(Kissen)* tapoter; **~en** *tr* verser (*auf* sur); *(aufhäufen)* entasser; *(Erde)* rapporter; *(Straße)* remblayer; *(Damm)* élever; *Kohlen ~~* enfourner du charbon; *Pulver ~~ (mil hist)* amorcer le fusil; **A~ung** *f* entassement; *(Erd~~)* terrassement; *(e-r Straße)* remblai *m*; *(e-s Dammes)* élévation; *(aufgeschüttete Erhebung)* levée *f*.

auf=schwatzen *tr*: *jdm etw (e-e Ware) ~* persuader qn d'acheter qc; *fam* coller qc à qn.

auf=schwingen, *sich* s'élancer, se hisser; *(Vogel)* prendre l'essor *od* son essor; *fig (Geist, Phantasie)* prendre son essor; *sich zu etw ~ (fig: sich entschließen)* se résoudre à qc.

Aufschwung *m sport (am Reck)* saut en suspension; *fig* élan, essor; *com* redressement *m*, extension, expansion *f*; *sich in vollem ~ befinden* être en plein essor; *e-r S e-n ~ geben* faire refleurir qc; *e-n neuen ~ nehmen* reprendre; *e-n ungeahnten ~ nehmen* prendre une extension inespérée.

auf=seh|en *itr* = *aufschauen*; **A~en** *n* sensation *f*; *um jedes ~~ zu vermeiden* pour éviter tout incident; *~~ erregen* faire sensation *od* de l'éclat *od* du bruit; *großes ~~ erregen* faire sensation *od* grand bruit *od* beaucoup d'éclat, avoir un grand retentissement; **~enerregend** *a* sensationnel, retentissant; *e-e ~~e Tat* un coup d'éclat; **A~er** *m* contrôleur, inspecteur, visiteur; *(Wächter)* garde, gardien; *(in e-m französ. Internat)* surveillant, maître d'études; *arg* pion *m*.

auf=sein *itr (geöffnet sein)* être ouvert; *(nicht im Bett sein)* être levé *od* sur pied.

auf seiten *prp (gen)* du côté (de).

auf=setzen *tr* mettre, poser (*auf* sur); *(Flugzeug)* poser; *(Kopfbedeckung)* mettre; *(Brille)* mettre, *fam* chausser; *(Topf)* mettre sur le feu; *(Flikken)* appliquer; *(Siegel)* apposer; *(schriftlich)* mettre par écrit, rédiger, composer; *jur* libeller; *(Rechnung, Vertrag)* dresser, établir; *(Urkunde)* minuter; *itr aero* se poser, toucher des roues; *sich (im Bett) ~* se mettre *od* se dresser sur son séant; *s-n Dickkopf ~ (fam)* s'entêter, se buter, s'opiniâtrer, être cabochard; *ein Gesicht ~* prendre une mine; *jdm Hörner ~ (fig)* faire qn cocu, cocufier qn; *den Hut ~ (a.)* se couvrir; *jdm die Krone ~* couronner qn; *Lichter ~ (Malerei)* répartir des lumières; *e-e beleidigte Miene ~* prendre un air offensé; *ein Stockwerk ~* ajouter un étage; *das setzt allem die Krone auf!* c'est le bouquet.

Aufsicht *f* surveillance, garde; inspection *f*, contrôle *m*; *die ~ über etw führen* od *haben* surveiller qc; *unter (polizeilicher) ~ stehen* être sous surveillance; *jdn unter ~ stellen* placer qn sous surveillance; *e-r ~ unterstehen* être soumis à un contrôle; *staatliche ~* contrôle *m* de l'État *od* public, surveillance *f* de l'État; **a~führend** *a (Schule)* surveillant; **~führende(r)** *m* surveillant *m*; **~samt** *n* surveillance, inspection *f*, contrôle *m*; **~sbeamte(r)** *m* inspecteur, contrôleur, surveillant *m*; **~sbehörde** *f* autorité de contrôle *od* de surveillance, administration *f* supérieure; **~sorgan** *n* organe *m* de contrôle *od* de surveillance; **~sperson** *f* surveillant, agent *m* de surveillance; **~spersonal** *n* personnel *m* de surveillance; **~spflicht** *f* obligation *f* de surveillance; **~srat** *m com* conseil *m* de surveillance *od* d'administration; **~sratsmitglied** *n* membre *m* du conseil de surveillance; **~srecht** *n* droit *m* de contrôle *od* de surveillance.

auf=sitzen *itr (aufs Pferd steigen)* monter à cheval, se mettre en selle; (*auf ein Fahr- od Motorrad steigen)* monter sur le siège; *mar* échouer; *hinten* od *mit ~ (auf e-m Pferd)* monter en croupe; *jdn ~ lassen (fig fam; zum Narren halten, hintergehen)* laisser qn en plan, plaquer qn, poser un lapin à qn; *jdn hinter sich ~*

lassen prendre qn en croupe; *~! aufgesessen! (bes. mil)* en selle!

auf≈spannen *tr (Leine, Saite, Leinwand)* tendre; *(Schirm)* ouvrir; *(Segel)* déployer; **A~** *n* montage; étendage; déploiement *m.*

auf≈sparen *tr* réserver, mettre en réserve, économiser; *das Beste bis zuletzt ~* garder qc pour la bonne bouche.

auf≈speicher|n *tr agr* engranger; *com* emmagasiner, stocker; *(Energie, bes. el)* accumuler; **A~ung** *f* engrangement; emmagasinage, stockage *m;* accumulation *f.*

auf≈sperren *tr (öffnen)* ouvrir tout grand; *(aufschließen)* ouvrir; *(die Augen)* écarquiller; *das Maul ~ (pop: zum Reden)* ouvrir la gueule; *Mund und Nase ~ (fam)* rester bouche bée.

auf≈spielen *itr (zum Tanz)* jouer (une danse); *sich ~ (fig)* se donner des airs *od* de grands airs, faire l'important *od* le matamore; *sich ~ als* se poser en.

auf≈spießen *tr* embrocher, enferrer; *(mit e-m Pfahl)* empaler.

auf≈springen *itr (Mensch: vom Sitz)* sauter (sur ses pieds), sursauter, bondir; *(auf ein Pferd, Fahrzeug)* monter; *(Schi)* se poser, atterrir; *(Ball)* rebondir; *(Tür: sich öffnen)* s'ouvrir (brusquement); *(platzen)* éclater, crever; *(die Haut)* (se) gercer, se crevasser.

auf≈spritzen *itr (Flüssigkeit)* (re)jaillir; *(Schmutz)* faire des éclaboussures; *tr: Farbe ~* peindre au pistolet; **A~** *n* jaillissement *m;* peinture *f* au pistolet.

Aufsprung *m (Schi)* atterrissage *m; beim ~* en touchant le sol; **~bahn** *f* piste *f* d'atterrissage.

auf≈spul|en *tr tech* (em)bobiner; **A~-rahmen** *m* (métier) renvideur *m.*

auf≈spür|en *tr (Wild)* flairer, dépister; *(chem, Radar)* détecter; *fig* flairer, découvrir; **A~en** *n* dépistage *m;* **A~ung** *f (chem, Radar)* détection *f.*

auf≈stachel|n *tr, a. fig* aiguillonner; *fig = aufhetzen; (Leidenschaft)* exciter; **A~ung** *f = Aufhetzung.*

auf≈stampfen *itr: (mit dem Fuß) ~* frapper du pied, piétiner, trépigner.

Aufstand *m* soulèvement *m,* insurrection, sédition, rébellion, révolte *f.*

aufständisch *a* insurrectionnel, séditieux, rebelle; **A~e(r)** *m* insurgé, rebelle *m.*

auf≈stap|eln *tr* mettre en pile, empiler, amonceler, entasser; *com* emmagasiner, stocker; **A~(e)lung** *f* empilage; stockage *m.*

auf≈stauen *tr (Wasser)* refouler.

auf≈stechen *tr* ouvrir (en piquant), percer; *med* crever.

auf≈stecken *tr (mit Stecknadeln befestigen)* épingler; *(Kerzen auf e-n Leuchter, Christbaum)* mettre (*auf* sur); *(Haar, Vorhang)* relever; *(Kleid)* retrousser; *fig fam (aufgeben)* abandonner, renoncer à, laisser tomber; *ein böses Gesicht ~* faire mauvaise mine; *jdm ein Licht ~ (fig)* ouvrir les yeux à qn.

auf≈stehen *itr (vom Boden, vom Stuhl, aus dem Bett)* se lever (*vom Tisch* de table); *pol (sich erheben)* se soulever, s'insurger, se rebeller, se révolter (*gegen* contre); *früh ~* se lever de bonne heure; *(gewohnheitsmäßig)* être très matinal; *vom Krankenbett* od *wieder ~* relever de maladie, quitter le lit *od* la chambre; *vor jdm ~* se lever par respect pour qn; *mit dem linken Fuß zuerst aufgestanden sein (fig)* s'être levé du pied gauche; *da hätten Sie früher ~ müssen, wenn ... (fam)* vous ne vous êtes pas levé assez tôt pour ...; **A~** *n* lever *m; beim ~~* au lever, au saut du lit.

auf≈steigen *itr (aufs Pferd, auf ein Fahrzeug; Saft in der Pflanze)* monter; *(Mensch im Ballon)* faire une ascension; *(Rauch, Nebel)* s'élever; *(Gestirn, Rakete)* se lever; *(Flugzeug)* prendre l'air, décoller; *fig (beruflich)* avancer; *mir stieg der Gedanke auf* il me vint l'idée; *mir stieg der Verdacht auf* le soupçon s'éveilla en moi, je fus pris de soupçon; **~d** *a* montant; *(Gestirn, Wind)* ascendant; *~~e Linie f (der Verwandtschaft)* ligne *f* ascendante; *Verwandte(r) in ~~er Linie* ascendant *m.*

auf≈stell|en *tr* mettre (debout), placer, poser; *(aufrichten)* élever; *(errichten)* ériger; *(anordnen)* (ar)ranger, disposer; *(Bett)* monter, dresser; *(Leiter, Kegel, Schachfiguren)* dresser; *(Falle)* tendre; *(Maschine)* monter, installer; *mil (Geschütz)* mettre en batterie; *(Posten)* placer, poster; *(Truppe)* mettre sur pied, former; *(Liste, Inventar, Bilanz, Rechnung)* faire, dresser, établir; *(Programm, Haushaltsplan)* établir; *(Theorie)* échafauder; *sich ~~* se placer, se poster; *(hinterea.)* faire la queue; *mil* se former; *e-e Behauptung ~~* faire une assertion; *e-e Gleichung ~~ (math)* poser une équation; *e-n Grundsatz ~~* établir un principe; *e-n Kandidaten ~~* présenter un candidat; *sich als Kandidaten ~~ lassen* se porter candidat; *e-n Rekord ~~* établir *od* réaliser un record; *neu aufgestellte Truppe f* troupe *f* de récente formation; **A~ung** *f* placement *m,* pose; élévation, érection *f; (Anordnung)* (ar)rangement *m,* disposition *f; (e-r Maschine)* montage *m,* installation; *mil (e-s Geschützes)* mise en batterie; *(der Posten)* disposition; *(der Truppe)* mise en place; *sport (e-r Mannschaft)* composition *f; (e-r Liste, e-s Inventars, e-r Bilanz, e-s Programms)* établissement *m; in ~~ (Truppe)* en formation; *laut ~~ (com)* suivant compte; *e-e ~~ machen* faire *od* dresser *od* établir une liste; *~~ e-s Rekordes* établissement *m* d'un record; **A~ungskosten** *pl tech* frais *m pl* de montage; **A~ungsplan** *m mil* plan *m* de mise sur pied; **A~ungsraum** *m mil* zone *f* de mise sur pied; **A~ungszeit** *f mil* période *f* de mise sur pied.

auf≈stemmen *tr* ouvrir à la pince à levier; *sich ~* s'appuyer (*auf* sur), s'accoter, s'arc-bouter (*auf* contre).

auf≈stieben *itr* s'élever en tourbillons; s'égailler.

Aufstieg *m* ‹-(e)s, -e› ['-ʃti:k, -gə] *(a. Schi)* montée; *(e-s Ballons od Luftschiffs)* ascension *f; (e-s Flugzeugs)* départ, décollage; *fig (beruflicher)* avancement *m,* ascension *f; soziale(r) ~* promotion *f* sociale; *~ zum Direktor* promotion *f* au rang de directeur; *~ der Wirtschaft* expansion *f* économique; **~smöglichkeiten** *f pl (berufliche)* perspectives *f pl* de carrière, évolution *f* future.

auf≈stöbern *tr (Wild)* lever, forlancer; *a mil* débusquer; *fig (Kostbarkeit, Seltenheit)* déterrer, dénicher.

auf≈stock|en *tr arch* surélever, exhausser (*um* de); *fin* augmenter; **A~ung** *f arch* surélévation; *fin* augmentation *f.*

auf≈stöpseln *tr* déboucher.

auf≈stören *tr* effaroucher.

Aufstoß *m = Aufprall;* **auf≈stoßen** *tr* ouvrir en poussant, pousser; *(eindrücken)* enfoncer; *(Faß)* défoncer; *itr* heurter (*auf etw* contre qc); *mar* toucher (le fond); *(rülpsen)* avoir des renvois *od* des éructations, éructer, *pop* roter; *(Getränk)* donner des renvois; *es stößt mir sauer auf* j'ai des aigreurs; *das könnte dir noch sauer ~* tu pourrais bien t'en mordre les doigts; **~en** *n (Rülpsen)* renvois *m pl,* éructation *f; pop* rot *m; saure(s) ~~* aigreurs *f pl.*

auf≈streben *itr (Berg, Turm etc)* se lever, se dresser; **~d** *a fig* ascendant.

auf≈streichen *tr* étendre, étaler (*auf* sur); *(Farbe)* appliquer (*auf* sur); *Butter ~* beurrer (*auf etw* qc); **A~** *n* étalage *m,* application *f.*

auf≈streifen *tr (die Ärmel)* retrousser.

Aufstrich *m (in der Schreibschrift)* délié; *mus* coup *m* d'archet.

auf≈stülpen *tr (Hut)* enfoncer (sur la tête).

auf≈stützen *tr (die Arme)* appuyer (*auf* sur); *sich ~* s'appuyer (*auf* sur); *sich mit den Ellbogen ~* s'accouder (*auf* sur, à).

auf≈suchen *tr (besuchen)* rendre visite à; *e-n Arzt ~* consulter un médecin; *das Hotel ~* aller à l'hôtel.

auf≈takeln *tr mar* gréer; *sich ~ (fig fam)* s'attifer, s'accoutrer, s'affubler; *fam* se requinquer.

Auftakt *m mus* ouverture; *fig (Eröffnung, Beginn)* ouverture *f,* prélude, début *m; den ~ zu etw geben* donner le branle à qc, mettre qc en branle.

auf≈tanken *itr mit* faire son plein d'essence, (re)faire le plein.

auf≈tauchen *itr (Fels, Gegenstand)* émerger; apparaître à la surface; *(U-Boot)* émerger, faire surface; *(Lebewesen)* remonter à la surface; *fig fam* faire une apparition; *wieder ~* faire sa réapparition, *fam* refaire surface.

auf≈tauen *tr* dégeler *(a. fin: Kapital); (Tiefkühlkost)* décongeler; *itr* dégeler; *(schmelzen)* fondre; *fig (gesselli-*

ger werden) se dégeler, se dégourdir; **A~** *n* dégel *m; (der Tiefkühlkost)* décongélation; *(Schmelzen)* fonte *f.*

auf⸗teil|en *tr (Erbschaft etc)* répartir, partager; *(Baugelände)* lotir; *(Grundbesitz)* morceler; *(Staat)* démembrer; **A~ung** *f* répartition *f,* partage; lotissement; morcellement; démembrement *m.*

auf⸗tischen ['-tɪʃən] *tr* servir *(jdm etw* qc à qn), régaler *(jdm etw* qn de qc); *fig (alte Geschichten)* débiter.

Auftrag *m* charge *f; (Befehl)* ordre *m; (Besorgung)* course; *com* commission; *(Bestellung)* commande *f,* ordre *m; (höherer ~, bes. mil pol rel)* mission *f; jur* mandat *m; im ~ (gen)* par ordre *od* délégation (de), de la part (de), au nom (de); *im ~ und auf Rechnung von* d'ordre et pour le compte de; *in besonderem ~* en mission spéciale; *e-n ~ ausführen* exécuter une commande; *e-n ~ ausrichten* faire une commission; *s-n ~ erfüllen* remplir sa mission; *jdm e-n ~ erteilen* passer une commande à qn; *etw in ~ geben* commander qc; *jdm e-n ~ geben* charger qn d'une mission; *den ~ haben zu ...* être chargé de ...; *e-n ~ rückgängig machen* annuler un ordre; *~ zur Regierungsbildung* investiture *f;* **~bürste** *f* brosse *f* à cirer; **auf⸗tragen** *tr (Speisen)* servir, apporter; *(Farbe)* mettre, étaler; *(Kleidungsstück)* user (jusqu'à la corde); *fig: jdm etw ~* charger qn de qc; *itr fig fam: dick ~* bluffer, exagérer, forcer la note; *pop* charrier; *(zu) dick ~ (Maler)* charger le tableau; *jdm Grüße an e-n andern ~* charger qn de salutations pour un autre; **~geber** *m* commettant; *jur* mandant *m;* **a~gemäß** *adv* suivant votre *etc* ordre; **~nehmer** *m jur* mandataire *m;* **~sbestand** *m* commandes *f pl* en carnet *od* en portefeuille; **~sbestätigung** *f* confirmation *f* de commande; **~sbuch** *n* livre *m* de(s) commandes; **~serteilung** *f* (passation de) commande *f; zahlbar bei ~~* payable à la commande; **~sformular** *n* formulaire *m* de commande; **~slenkung** *f* répartition *f* des commandes; **~srückgang** *m* ralentissement *m* des commandes; **~ssperre** *f* blocage *m* de commandes; **~sstreichung** *f* annulation *f* de commande; **~walze** *f typ* rouleau *m* toucheur *od* encreur; **a~sweise** *adv* en commission; **~szettel** *m* fiche *f od* bon *m* de commande.

auf⸗treiben *tr (Staub, Wellen)* soulever; *(Wild)* lever, forlancer, débucher; *fig (bekommen, finden)* déterrer, dénicher; trouver; *(Reifen auf Faß* od *Rad)* serrer; *(anschwellen lassen)* gonfler; *med* ballonner; *itr mar* échouer.

auf⸗trennen *tr* découdre; *(Naht)* défaire.

auf⸗treten *tr (Nüsse)* ouvrir à coups de pied; *(Tür)* enfoncer (à coups de pied); *itr* marcher; *(in Erscheinung treten)* se présenter *(als* comme); se produire; *(sich benehmen)* se conduire; faire figure *(wie ein, als* de); *(sich ausgeben)* se poser *(als* en); *(handeln)* faire acte *(als* de); *(in die Schranken treten)* prendre parti *(gegen jdn* contre qn); *theat* entrer en scène, faire son entrée; *(Krankheit)* se déclarer, se manifester; *fest ~* marcher d'un pas ferme; *als Kandidat ~ (pol)* se porter candidat; *als Kläger ~ (jur)* se constituer demandeur; *zum ersten Male ~ (theat)* débuter, faire ses débuts; *sicher ~ (fig)* avoir de l'aplomb; *als Verteidiger (für den Angeklagten) ~* plaider (pour l'accusé); *als Zeuge (vor Gericht) ~* comparaître en témoin; **A~** *n* marche; *(Erscheinen)* présentation *f,* maintien *m; (Benehmen)* conduite, attitude *f,* manières *f pl; theat* entrée *f* (en scène); *erste(s) ~~* début *m; sichere(s) ~~ (fig)* assurance *f,* aplomb *m.*

Auftrieb *m (Vieh auf e-m Markt)* arrivage *m; (Alm~)* montée à l'alpage; *phys aero* portance (aérodynamique), sustentation, poussée (verticale); *fig (Anstoß)* impulsion *f,* élan, essor *m; e-r S neuen ~ geben* donner un nouvel essor à qc; **~sanzeiger** *m aero* indicateur *m* de sustentation; **~skraft** *f phys aero* force *f* ascensionnelle *od* sustentatrice; **~sverlust** *m aero* perte *f* de portance.

Auftritt *m theat (Vorgang)* entrée (en scène); *(Teil e-s Aufzuges; fig)* scène *f; e-n ~ mit jdm haben* avoir une scène avec qn; *jdm e-n ~ machen* faire une scène à qn; *den ~ verpassen (theat)* manquer son entrée; *es kam zu e-m peinlichen ~* il y eut une scène pénible.

auf⸗trocknen *tr* u. *itr* sécher.

auf⸗trumpfen *itr* (lui, leur) dire son fait *od fam* river son clou; jouer son atout majeur.

auf⸗tun *tr: den Mund nicht ~ (fam)* ne pas dire un *od* souffler mot, ne pas desserrer les dents; *sich ~* s'ouvrir; *fig (Möglichkeit)* se présenter; *fam (Geschäft)* s'établir; *(Verein)* se former.

auf⸗türmen *tr* amonceler, entasser; *sich ~ (Wolken)* s'amonceler; *fig (Hindernisse, Schwierigkeiten)* surgir, s'accumuler.

auf⸗wachen *itr* s'éveiller, se réveiller; **A~** *n* réveil *m.*

auf⸗wachsen *itr (Kind)* grandir; être élevé.

auf⸗wall|en *itr (kochen, a. fig: Zorn)* bouillonner, être en ébullition; **A~en** *n,* **A~ung** *f fig* bouillonnement *m;* ébullition *f; fig* emportement *m,* transports *m pl.*

Aufwand *m* ⟨-(e)s, ø⟩ *(Anwendung)* déploiement *m; (Verbrauch)* consommation; *(Ausgabe)* dépense *f; fin* intrants, facteurs *m pl* de production; *(Luxus, Pomp)* luxe *m,* pompe *f,* faste; *(Zurschaustellung)* étalage *m; mit großem ~ an Kosten* à grands frais; *unter großem ~ von* à grand renfort de; *großen ~ machen* od *treiben* mener grand train, vivre sur un grand pied; **~sentschädigung** *f* indemnité *f* de représentation; défraiement *m.*

auf⸗wärmen *tr (Speise)* réchauffer; *(Tiefkühlkost)* = *auftauen; fig pej (Vergangenes)* réveiller, ressusciter; *alte Geschichten ~* ressasser; *aufgewärmte(r) Kohl m (fig fam)* réchauffé, rabâchage *m.*

Aufwart|efrau *f* femme *f* de ménage; **auf⸗warten** *itr* servir *(jdm* qn, *bei Tisch* à table); *mit etw* offrir qc à qn; **~ung** *f* service *m; (Höflichkeitsbesuch)* visite *f; a.* = *~efrau; jdm s-e ~~ machen* rendre visite, présenter ses civilités *od* hommages, faire sa révérence à qn.

Aufwärter *m* domestique, garçon *m* (d'hôtel); **~in** *f* femme de ménage, servante *f.*

aufwärts ['aufvɛrts] *adv* en haut, vers le haut; en montant; *(strom~)* en amont; *e-n Fluß ~ fahren* remonter une rivière; **A~bewegung** *f com fin (der Preise u. Kurse)* hausse, reprise *f;* **A~entwicklung** *f* extension *f,* progrès *m;* **~⸗gehen** *itr fig (Fortschritte machen)* faire des progrès; *(besser werden)* s'améliorer; **A~haken** *m (Boxen)* uppercut *m;* **A~hub** *m,* **A~schub** *m mot aero* course *f* ascendante *od* montante; **A~transformator** *m el* survolteur *m.*

Aufwasch *m* ⟨-(e)s, ø⟩ ['-vaʃ] vaisselle *f* à laver; **~becken** *n* évier *m;* **auf⸗waschen** *tr* laver *od* faire la vaisselle; **~en** *n* lavage *m* de la vaisselle; **~frau** *f* laveuse *f* de vaisselle; **~küche** *f* lavoir *m;* **~wasser** *n* eau de vaisselle; *fig fam pej (dünne Suppe)* lavasse *f.*

auf⸗wecken *tr* réveiller, éveiller.

auf⸗weichen *tr* (r)amollir; *(Weg)* détremper.

auf⸗weisen *tr* présenter, montrer, offrir; *ein Defizit ~* accuser un déficit.

auf⸗wend|en *tr* mettre en œuvre; *(Geld)* mettre, dépenser; *alles ~~* remuer ciel et terre; *viel Mühe ~~* se donner beaucoup de peine; *umsonst, unnütz ~~ (a.)* gaspiller, dissiper; **~ig** *a (luxuriös)* luxueux; coûteux; *sehr ~ leben* vivre sur un grand pied; **A~ung** *f* dépense *f; ~~en machen* faire des dépenses.

auf⸗werfen *tr (Wall, Damm, Grabhügel)* élever; *fig (Frage)* soulever, mettre sur le tapis; *den Kopf ~ (mutwillig)* lever la tête; *die Lippen ~* faire une moue; *sich zum Richter ~* s'ériger en juge.

auf⸗wert|en *tr fin* revaloriser; **A~ung** *f* revalorisation *f;* **A~ungshypothek** *f* hypothèque *f* revalorisée; **A~ungssatz** *m* taux *m* de revalorisation.

auf⸗wickel|n *tr* (en)rouler *(auf* sur); *(das Haar auf Lockenwickler rollen)* mettre en bigoudis *od* en papillotes; *(Garn)* pelot(onn)er; *tech* (em)bobiner; *(lösen)* dérouler, développer; *(Garn)* dévider; **A~spule** *f* bobine *f* réceptrice.

auf⸗wieg|eln *tr* agiter, provoquer, inciter, exciter, soulever, ameuter, révolter; **A~(e)lung** *f* agitation, provocation, incitation, excitation *f,* soulèvement *m;* **A∼ler** *m* agitateur, provocateur, factieux, émeutier, mutin, fauteur *m* de troubles; **∼lerisch** *a* provocant, factieux, séditieux, rebelle; *∼∼e Rede f* discours *m* incendiaire.

auf≈wiegen *tr, a. fig* contrebalancer; *fig* compenser; *mit Gold ∼* payer au poids de l'or; *das ist nicht mit Gold aufzuwiegen (fig)* cela n'a pas de prix.

Aufwind *m mete* vent ascendant; *aero* courant *m* ascendant, ascendance *f; thermischer ∼* vent *m* ascendant thermique.

auf≈wirbeln *tr (Staub, Sand, Schnee, Blätter)* soulever (des tourbillons de); *viel Staub ∼ (fig)* faire de la poussière, faire grand bruit; *itr* monter en tourbillons.

auf≈wisch|en *tr* enlever avec un torchon *od* une serpillière, torcher, essuyer; *(scheuern, reinigen)* récurer; **A∼lappen** *m* torchon *m; (Scheuertuch)* serpillière *f.*

auf≈wühlen *tr (die Erde)* retourner, fouiller, creuser; *(Tier, bes. Maulwurf)* fouir; *(das Wasser* u. *fig)* soulever, troubler; *fig* remuer, retourner, bouleverser.

Aufwurf *m (Aufschüttung, Damm)* remblai *m,* jetée, levée *f.*

auf≈zähl|en *tr* énumérer, dénombrer; *(Geld)* compter; **A∼ung** *f* énumération *f,* dénombrement *m.*

auf≈zäumen *tr* brider, mettre la bride à; *das Pferd beim Schwanz ∼ (fig)* mettre la charrue devant les bœufs.

auf≈zehren *tr (aufessen)* manger, consommer; *(aufsaugen)* absorber; *(auf-, verbrauchen)* consumer; *(erschöpfen)* épuiser; *sein Vermögen ∼* manger sa fortune.

auf≈zeichn|en *tr* dessiner; *(aufschreiben)* noter, prendre note de, marquer; *(registrieren)* enregistrer; **A∼ung** *f* dessin *m; (Notiz)* note *f; (Registrierung)* enregistrement *m; pl (Gedächtnisstütze)* aide-mémoire *m.*

auf≈zeigen *tr* montrer, présenter, faire voir, mettre en évidence.

auf≈zieh|en *tr (hochziehen)* tirer en haut, faire monter; *(bes. Vorhang, Schlagbaum, Zugbrücke)* lever; *(Fahne)* hisser; *(Segel)* mettre; *(Uhr)* remonter; *(Schublade öffnen)* tirer; *(Flasche)* déboucher; *(Schleife, Knoten ausea.ziehen)* défaire; *(Gewebe, Strickwaren)* démailler; *(auf e-e Schnur ziehen)* enfiler; *(auf e-n Rahmen, Saite auf ein Instrument)* monter; *(auf Leinwand)* entoiler; *fig (Veranstaltung, Unternehmung)* organiser; *(Pflanzen)* cultiver; *(Tiere)* élever; *(Kind)* élever, nourrir; *(nekken)* railler, taquiner, berner; *fam* faire marcher, monter un bateau à; *itr mil (Wache)* monter; *(Wolken)* monter; *(Gewitter)* se préparer, approcher, s'élever; *andere Saiten ∼∼ (fig)* changer de ton; *gelindere Saiten ∼∼* mettre de l'eau dans son vin; *sich automatisch ∼∼de Armbanduhr f* montre-bracelet *f* (à remontage) automatique; *∼∼de Wache f (mil)* garde *f* montante; *wie aufgezogen, aufgezogen wie e-e Uhr (ganz regelmäßig)* réglé comme une horloge; **A∼en** *n (Uhr)* remontage; *(Saite)* montage; *(Karte)* entoilage *m; fig* organisation *f;* **A∼vorrichtung** *f (Förderanlage)* dispositif *m* de levage.

Aufzucht *f* ‹-, ø› *(von Pflanzen)* culture *f; (von Tieren)* élevage *m.*

Aufzug *m (für Lasten)* élévateur, monte-charge(s); *(Speisen∼)* monte-plats; *(Fahrstuhl)* ascenseur; *(festlicher Aufmarsch)* cortège *m,* procession; *(Reiter∼)* cavalcade *f; fam pej (lächerlicher ∼)* accoutrement, affublement, harnachement; *theat* acte *m; zweite(r) ∼* second acte; **∼führer** *m* garçon d'ascenseur, liftier *m;* **∼schacht** *m* cage *f* d'ascenseur.

auf≈zwingen *tr: jdm etw ∼* forcer qn à accepter qc, imposer qc à qn (de force).

Augapfel ['auk-] *m* globe *m* de l'œil; *etw wie s-n ∼ hüten* tenir à qc comme à la prunelle de ses yeux.

Auge *n* ‹-s, -n› ['augə] œil *m, pl* yeux *(a. auf d. Suppe u. bot); bot (Knospe) a.* pointe *f,* bourgeon *m;* gemme; *(Pfropf∼)* greffe *f; (Würfel-, Kartenspiel)* point; *(Blick)* regard *m; (Sehen)* vue *f; Auge in ∼* les yeux dans les yeux; *in meinen ∼n* à mes yeux; *mit bloßem ∼* à l'œil nu; *mit eigenen ∼n* de mes *etc.* (propres) yeux; *mit offenen, geschlossenen ∼n (a. fig)* les yeux ouverts, fermés; *mit den ∼n e-s, e-r ... (fig: wie)* avec les yeux d'un, d'une ..., à travers le prisme du, de la ...; *so weit das ∼ reicht* aussi loin que porte le regard *od* la vue, à perte de vue; *um deiner schönen ∼n willen (iron)* pour tes beaux yeux; *unter vier ∼n* entre quatre yeux, tête à tête, seul à seul; *vor aller ∼n* au vu et au su de tout le monde; *vor ∼n* sous les yeux; *vor meinen ∼n* sous mes yeux; *jdm etw an den ∼n ablesen* lire qc dans les yeux de qn; *etw mit anderen ∼n ansehen (fig)* voir qc d'un autre œil *od* avec d'autres yeux; *die ∼n aufhaben (fig)* ouvrir l'œil; *die ∼n aufschlagen (öffnen)* ouvrir la paupière; *sich die ∼n auskratzen (fig fam)* se sauter aux yeux, s'arracher les yeux, se manger le blanc des yeux; *im ∼ behalten (fig)* garder à vue, ne pas perdre de vue; *mit e-m blauen ∼ davonkommen* l'échapper belle; *in die ∼n fallen* od *springen* od *stechen* sauter aux yeux, attirer l'œil; *etw ins ∼ fassen* envisager qc; *jdm etw vor ∼n führen* démontrer qc à qn; *blaue ∼n haben* avoir les yeux bleus; *ein blaues ∼ haben (durch e-n Schlag)* avoir l'œil poché *od* au beurre noir; *gute, schwache ∼n haben* avoir la vue bonne, faible; *e-n Schleier vor den ∼n haben (fig)* avoir un voile sur les yeux; *etw im ∼ haben (fig)* avoir des visées *od* des vues sur qc; *∼n im Kopfe haben (fig)* avoir des yeux; *keine ∼n im Kopfe haben (fig fam)* avoir des œillères; *s-e ∼n überall haben* avoir l'œil à tout; *sich etw vor ∼n halten* se rappeler qc; *mit den ∼n klimpern (fam)* battre des paupières; *nicht aus den ∼n lassen* ne pas quitter des yeux; *große ∼n machen* ouvrir de grands yeux, avoir les yeux écarquillés; *fam* faire des yeux en boule de loto; *jdm schöne ∼n machen* faire les yeux doux *od fam* de l'œil à qn; *verliebte ∼n machen* jouer des yeux *od* de la prunelle; *jdm die ∼n öffnen* ouvrir *od* dessiller les yeux à qn (*über* sur); *s-e ∼n auf etw richten* braquer les yeux sur qc; *die ∼n rollen* rouler les yeux; *s-e ∼n auf etw ruhen lassen* se reposer les yeux *od* la vue sur qc; *die ∼n (für immer) schließen* fermer les yeux (pour toujours); *e-r Gefahr ins ∼ sehen* faire face à un danger; *dem Tod ins ∼ sehen* voir la mort de près; *jdn mit keinem ∼ gesehen haben* n'avoir pas vu l'ombre de qn; *jdm ein Dorn im ∼ sein (fig)* être la bête noire de qn; *ganz ∼ und Ohr sein* être tout yeux et tout oreilles; *mit den ∼n sprechen* jouer de la prunelle; *jdm in die ∼n stechen (fig)* donner dans l'œil *od* dans les yeux *od* dans la vue, *fam* taper dans l'œil de qn; *jdm etw vor ∼n stellen* mettre qc sous les yeux de qn; *jdm Sand in die ∼n streuen (fig)* jeter de la poudre aux yeux de qn; *mit den ∼n suchen* chercher des yeux; *s-n ∼n nicht trauen* ne pas en croire ses yeux; *jdm unter die ∼n treten* paraître devant qn; *sich die ∼n verderben* s'abîmer *od* se crever les yeux; *die ∼n verdrehen* faire les yeux blancs, *fam* faire des yeux de merlan frit; *mit den ∼n verfolgen* suivre des yeux; *nicht aus den ∼n verlieren* ne pas quitter des yeux; *fig* ne pas perdre de vue; *vor etw die ∼n verschließen (fig)* fermer les yeux sur qc; *mit den ∼n verschlingen* dévorer *od* manger des yeux; *s-e ∼n weiden an* se repaître la vue de; *sich die ∼n aus dem Kopf weinen* pleurer toutes les larmes de son corps *od* comme une Madeleine; *kein ∼ wenden von* ne pas détourner les yeux de, couver des yeux; *ein ∼ werfen auf* jeter les yeux, *fam* son dévolu sur; *ein ∼ zudrücken (fig)* ne pas y regarder de trop près; *bei etw* fermer les yeux sur qc; *beide ∼n zudrücken (fig)* ne rien voir, n'avoir rien vu, laisser passer qc; *e-m Toten die ∼n zudrücken* fermer les yeux à un mort; *(die ganze Nacht) kein ∼ zutun (können)* ne pas fermer l'œil, ne pouvoir fermer les yeux (de toute la nuit); *ich habe ihn immer vor ∼n* son image ne me quitte pas; *ich habe es mit eigenen ∼n gesehen (a.)* je l'ai vu de mes yeux, mes yeux en furent témoins; *die ∼n gehen mir auf* je commence à voir clair; *mir fallen (vor Müdigkeit) die ∼n zu* j'ai les yeux qui se ferment de sommeil; *die ∼n gingen mir über* mes yeux se remplirent de larmes; *s-e ∼n blitzten* od *funkelten vor Zorn* ses yeux lançaient des éclairs; *s-e ∼n sind größer als sein Magen* il a les yeux plus grands que le ventre; *die ∼n traten ihm aus dem Kopf* les yeux lui sortirent de la tête; *aller ∼n waren auf mich gerichtet* j'étais le point de mire de tous; *man sieht nicht die Hand vor den ~n* on n'y voit goutte; *der Schelm sieht ihm aus den ~n* il a l'air d'un franc coquin; *geh mir aus den ~n!* qu'on ne te voie plus! hors de ma vue! *~n geradeaus! (mil)* fixe! *~n rechts! (mil)* tête droite! *~ um ~, Zahn um Zahn, (Bibel, prov)* œil pour œil, dent pour dent; *aus den ~n, aus dem Sinn (prov)* loin des yeux, loin du cœur; *magische(s) ~ (in der Haus-* od *Wohnungstür)* microviseur; *radio* œil *m* magique; *ins ~ springend* en vedette.

äug|eln ['ɔʏgəln] *itr* jouer des prunelles; lancer des œillades (*mit jdm* à qn); *(Zeichen geben)* faire signe des yeux; *a. = okulieren;* **~en** *itr* regarder attentivement; **Ä~lein** ['ɔʏk-] *n pl* petits yeux *m pl.*

Augen|abstand ['augən-] *m* écart *m* interpupillaire; **~arzt** *m* oculiste, ophtalmologiste, ophtalmologue *m;* **~aufklärung** *f mil* reconnaissance *f* visuelle *od* à vue; **~bad** *n med* bain *m* d'yeux; **~binde** *f* bandeau *m* (sur les yeux); **~blick** *m* clin d'œil, moment, instant *m; alle ~~e = jeden ~~; für den ~~* pour le moment *od* le présent; *im ~~ (im Nu)* en un clin d'œil, en moins de rien; *(gleich)* à l'instant, tout de suite; *(jetzt)* à l'heure qu'il est, pour le moment; *im ersten ~~* au premier abord; *im nächsten ~~* l'instant d'après; *im ~~, wo...* au moment où...; *in diesem ~~* à *od* en ce moment; *jeden ~~* à tout (tous) moment(s), à tout *od* chaque instant, d'un moment *od* instant à l'autre, d'instant en instant; *vom ersten ~~ an* dès l'abord, de prime abord; *keinen ~~ für sich selbst haben* n'avoir pas un moment à soi; *keinen ~~ zur Ruhe kommen* n'avoir pas le temps de respirer; *er muß jeden ~~ kommen* il devrait être là d'un instant à l'autre; *das ist Sache e-s ~~s* c'est l'affaire d'un instant; *einen ~~!* un instant! un moment! (une) minute! attendez (donc)! *der günstige ~~* le moment propice *od* psychologique; *lichte ~~e (pl)* intervalles *m pl* lucides; *der rechte ~~* la bonne heure; *unbedachte(r) ~~* moment *m* d'oubli; **a~blicklich** *a* momentané, instantané; *(gegenwärtig)* présent, actuel; *adv* momentanément, à l'instant, sur *od* pour le moment; *(sofort, gleich)* tout de suite, sur-le-champ; **~blickserfolg** *m* succès *m* instantané; **~blickswirkung** *f* effet *m* instantané; **~braue** *f* sourcil *m;* **~brauenstift** *m* crayon *m* à sourcils; **~brauenwulst** *m* arcade *f* sourcilière; **~diener** *m* flatteur *m;* **~dienerei** *f* ‹-, ø› [-'raɪ] servilité *f;* **~entzündung** *f* inflammation des yeux, ophtalmie *f;* **~erkundung** *f = ~aufklärung;* **a~fällig** *a* apparent, évident, clair; qui saute aux yeux; **~farbe** *f* couleur *f* des yeux; **~fehler** *m med* défaut *m* de (la) vision; **~flüssigkeit** *f: wässerige ~~ (anat)* humeur *f* aqueuse; **~gläser** *n pl (Brille)* verres *m pl,* lunettes *f pl;* **~haut** *f: weiße ~~ (anat)* sclérotique *f;* **~heilkunde** *f* ophtalmologie *f;* **~höhe** *f: in ~~* au niveau de l'œil; **~höhle** *f anat* orbite *f;* **~klappe** *f (für Pferde)* œillère *f; med* couvre-œil *m;* **~klinik** *f* clinique *f* ophtalmologique; **~krankheit** *f* maladie *f* des yeux; **~licht** *n (Sehkraft)* vue *f;* **~lid** *n* paupière *f;* **~maß** *n* mesure *f* à vue (d'œil); *nach ~~* à vue d'œil *od fam* de nez; *ein gutes ~~ haben* avoir le coup d'œil, avoir le compas dans l'œil; **~merk** *n* ‹-(e)s, ø› ; *sein ~~ auf etw richten* faire attention à qc; viser à qc, avoir des visées sur qc, avoir qc en vue; **~operation** *f* opération *f* de l'œil *od* des yeux; **~optiker** *m* opticien *m* (lunetier); **~pulver** *n pharm* collyre *m* sec; **~salbe** *f pharm* collyre *m* mou; **~schein** *m* ‹-(e)s, ø› apparence, évidence; *jur (Besichtigung)* inspection *od* descente *f* sur les lieux; *dem ~~ nach* selon l'apparence; *etw in ~~ nehmen* inspecter, examiner qc, faire la reconnaissance de qc; *sich durch den ~~ von etw überzeugen* constater de visu; *jur* faire une descente sur les lieux; *das lehrt der ~~* c'est évident; **a~scheinlich** *a* apparent, évident; *adv a.* selon toute apparence; **~schirm** *m* visière *f;* **~schmerzen** *m pl* mal *m* aux yeux; **~spiegel** *m med* ophtalmoscope, rétinoscope *m;* **~sprache** *f* langage *m* des yeux; **~tropfen** *m pl,* **~wasser** *n pharm* collyre *m* liquide; **~trost** *m bot* euphraise *f;* **~weide** *f* régal *m* pour l'œil, récréation *f* des yeux; **~winkel** *m* coin *m* de l'œil; **~zahn** *m (Eckzahn)* dent œillère, (dent) canine *f;* **~zeuge** *m* témoin *m* oculaire; **~zittern** *n med* nystagmus *m;* **~zwinkern** *n* clignement *m* d'yeux.

Augiasstall [au'gi:as-] *m* écuries *f pl* d'Augias.

Augur *m* ‹-s/-en, -en› ['augur, -'gu:rən] *rel hist* augure *m;* **~enlächeln** *n* sourire *m* de complicité.

August *m (Vorname)* ['august] Auguste; *(Monat) m* ‹-(e)s/-, -e› [au'gust] août *m; dumme(r) ~* auguste, clown, paillasse; *fam* gugusse *m;* **~iner** *m* ‹-s, -› [-'ti:nər] *rel* augustin *m.*

Auktion *f* ‹-, -en› [auktsi'o:n] vente aux enchères, criée *f; in ~ geben* mettre aux enchères *od* à l'encan; *gerichtliche ~* vente *f* judiciaire; **~ator** *m* ‹-s, -en› [-'na:tɔr, -na'to:rən] commissaire-priseur *m;* **a~ieren** [-'ni:rən] *tr* vendre aux enchères; **~sgebühren** *f pl* droits *m pl* de vente aux enchères; **~shalle** *f* salle *f* des ventes; **~shaus** *n,* **~slokal** *n* hôtel *m* des ventes.

Aula *f* ‹-, -len/-s› ['aula(s), -lən] *(Schule: Festsaal)* salle *f* des fêtes.

Aurikel *f* ‹-, -n› [au'ri:kəl] *bot* oreille-d'ours *f.*

aus [aus] **1.** *prp (räuml.: ~ ... heraus)* de; *~ der Kiste, ~ dem Hause, ~ der Stadt, ~ dem Lande, ~ Paris, ~ Deutschland* de la caisse, de la maison, de la ville, du pays, de Paris, d'Allemagne; *~ der Hand fressen (Tier)* manger dans la main; *etw ~ e-r Schublade, ~ e-m Schrank nehmen* prendre qc dans un tiroir, dans une armoire; *~ e-r Tonne, ~ e-m Teich schöpfen* puiser dans un tonneau, dans un étang; *~ dem Fenster sehen* regarder par la fenêtre; *~ e-m Glas, e-r Tasse trinken* boire dans un verre, dans une tasse; *jdn ~ dem Hause werfen* mettre qn à la porte; **2.** *(zeitl.) ~ der Zeit Ludwigs XIV., ~ dem 18. Jahrhundert, ~ dem Jahre 1843, ~ meiner Jugendzeit* du temps de Louis XIV, du 18ᵉ siècle, de l'année 1843, de ma jeunesse; **3.** *(Stoff)* de, en; *~ Eisen, Gold, Holz, Glas, Gummi, Kunststoff* de *od* en fer, or, bois, verre, caoutchouc, matière plastique; *ein Kleid ~ etw schneidern* tailler une robe dans qc; **4.** *(Herkunft)* de; *~ gutem Hause* de bonne famille; *~ guter Quelle* de bonne source; *~ erster Hand* de première main; *~ dem Französischen (übersetzt)* du français; **5.** *(kausal)* par, pour, de; *~ Achtung vor* par respect pour; *~ Angst* de peur (*vor* de); *~ Ehrgeiz* par ambition; *~ Erfahrung* par expérience; *~ Freundschaft* par amitié; *~ Furcht* par crainte (*vor* de); *~ Gefälligkeit* par complaisance; *~ Geiz* par avarice; *~ diesem Grunde* pour cette raison; *~ Grundsatz* par principe; *~ Haß gegen* par haine de; *~ Höflichkeit* par courtoisie; *~ Liebe* par amour (*zu* de); *~ Mangel an* faute de; *~ Mitleid* par pitié; *~ Not* par besoin; *~ sich selbst heraus* de soi-même; *~ Stolz* par orgueil; *~ Überzeugung* par conviction; *~ Unwissenheit* par ignorance; *~ reiner Verzweiflung* en désespoir de cause; **6.** *(modal) ~ Leibeskräften* de toutes mes *etc* forces; *~ dem Kopf (auswendig)* par cœur; **7.** *(Trennung) ~ dem Gebrauch* hors d'usage; *~ der Mode* passé de mode; **8.** *adv (vorbei, vorüber)* fini, passé; *(Feuer, Licht)* éteint; *(Aufschrift auf Geräten)* arrêt; *sport* hors jeu; *(Tennis)* dehors, out; *von hier ~* d'ici; *von meinem Fenster ~* de ma fenêtre; *von Grund ~* de fond en comble; *fig* à fond; *von Haus ~* de naissance; *von mir ~* quant à moi; *(meinetwegen)* si tu veux, si tu y tiens; *von diesem Standpunkt ~* de ce point de vue; *auf etw ~ sein* chercher qc, aspirer à qc; *darauf ~sein, etw zu tun* chercher à faire qc; *bei jdm ~ und ein gehen* avoir ses entrées chez qn; *nicht (mehr) ~ noch ein wissen* ne plus savoir sur quel pied danser, ne plus savoir à quel saint se vouer; *alles ist ~* tout est fini, c'est la fin de tout; *es ist ~ (damit)* c'(en) est fini; *es ist ~ mit mir* c'en est fait de moi; *fam* je suis frit *od* fichu; *pop* je suis foutu; *Licht ~!* éteignez la lumière!

aus=arbeit|en *tr* élaborer; *(schriftlich)* composer, rédiger; *(vollenden)* (par)achever; *itr: ausgearbeitet haben* avoir cessé de travailler; *sich (körperlich) ~~* se dépenser physiquement; *sorgfältig ~~* fignoler, ouvrager; **A~ung** *f* élaboration; com-

position, rédaction *f;* (par)achèvement *m.*
aus≈art|en *itr* dégénérer (*in, zu* en); **A~ung** *f (Vorgang)* dégénération; *(Zustand)* dégénérescence *f.*
aus≈atm|en *tr* expirer; *(ausdunsten)* exhaler; *itr* expirer; **A~ung** *f* ‹-, (-en)› expiration; *(Ausdünstung: Vorgang)* exhalation *f.*
aus≈baden *tr: etw ~ müssen (fig fam)* avoir à payer les pots cassés; *pop* devoir trinquer.
aus≈bagger|n *tr* draguer, curer, excaver; **A~ung** *f* dragage *m,* excavation *f.*
aus≈balancieren *tr* équilibrer.
aus≈baldowern [-bal'do:vərn] *tr fam (auskundschaften)* renifler, espionner; *itr fam* obtenir des tuyaux.
Ausbau *m* ‹-(e)s, -ten› *arch* menus ouvrages *m pl;* aménagement; *mines (e-s Stollens)* boisage, soutènement, support; *mil (e-r Stellung)* aménagement; *fig (Erweiterung)* élargissement, agrandissement *m,* extension *f; (Vollendung)* achèvement; *tech (Herausnehmen)* démontage *m; eiserne(r) ~ (mines)* blindage *m;* **aus≈bauen** *tr arch (Haus, Wohnung)* aménager; *mines* boiser, soutenir; *mil* aménager; *fig (erweitern)* élargir, agrandir, étendre; *(ergänzen)* étoffer; *(entwickeln)* développer; *(Beziehungen)* intensifier; *(vollenden)* achever; *tech (herausnehmen)* démonter; **a~fähig** *a* aménageable; *fig* susceptible d'agrandissement *od* de développement.
aus≈bauch|en *tr (wölben)* bomber; *tech metal* emboutir; *sich ~~* se bomber; **A~ung** *f* bombement; emboutissage *m.*
aus≈bedingen *tr, bes. jur* stipuler; *sich etw ~* se réserver qc.
aus≈beißen *tr* arracher avec les dents; *sich e-n Zahn ~* se casser une dent; *sich an etw die Zähne ~ (fig)* s'user les dents à qc; *du kannst dir die Zähne daran ~* c'est un vrai casse-tête; tu auras beaucoup de mal avec cela.
aus≈besser|n *tr allg* réparer, refaire; *bes. mar* radouber; *(Straßenpflaster)* refaire; *(Kleidung, Wäsche)* ravauder; *(flicken)* raccommoder; *(stopfen)* repriser, faire des reprises à; *(Gemälde)* restaurer; **A~ung** *f* réparation, réfection *f;* radoub; repiquage, repiquement; ravaudage, raccommodage *m,* reprise; restauration *f;* **A~ungsarbeiten** *f pl* travaux *m pl* de réparation; **~ungsbedürftig** *a* qui a besoin de réparation.

Ausbeut|e *f* rendement, produit; *(Gewinn)* gain, profit, bénéfice *m; mines (Fördermenge)* extraction *f,* **aus≈beuten** *tr agr mines* exploiter *a. fig, fig* tirer parti *od* profit de, profiter de; *jdn ~ (ausnutzen)* abuser de qn, gruger qn; *jdn systematisch ~* mettre qn en coupe réglée; **~er** *m* exploitant, *pej* exploiteur *m;* **~erei** *f pej,* **~ung** *f* ‹-, (-en)› *a. fig* exploitation *f;* **~ungssystem** *n* système *m* d'exploitation; **~ungsverfahren** *n* procédé *m* d'exploitation.
aus≈beuteln *tr (Mehl)* bluter.
aus≈bezahl|en *tr (Geld)* payer (entièrement), débourser; *(Menschen mit Anrechten)* désintéresser; *bar ~~* payer comptant; *auf Heller und Pfennig ~~* payer rubis sur l'ongle; *voll ~~* payer intégralement; *sich (s-n Anteil) ~~ lassen* se faire payer (sa part); **A~ung** *f* paiement *m* (intégral).
aus≈biegen *tr* enlever en pliant *od* courbant à l'envers; *itr (ausweichen: Fußgänger)* s'effacer; *(Fahrzeug)* se garer.
aus≈bieten *tr com* offrir, offrir *od* mettre en vente; *etw wie saures Bier ~ (fam)* offrir qc à tout venant; **A~** *n* offre, mise *f* en vente.
aus≈bild|en *tr* former, développer; *(unterrichten, a. mil)* instruire (*in etw* en qc); *(üben)* exercer; *bes. sport* entraîner; *(vervollkommnen)* perfectionner; *sich ~~* se former; se perfectionner; *er läßt sich in Gesang ~~* il prend des cours de chant; **A~er** *m, bes. mil* instructeur, moniteur *m;* **A~ung** *f* ‹-, (-en)› formation *f,* développement; *(e-s Lehrlings)* apprentissage *m; (Unterricht, a. mil)* instruction *f; (Übung)* exercice; *bes. sport* entraînement; *(Vervollkommnung)* perfectionnement *m; militärische ~~* instruction *f od* entraînement *m* militaire; **A~ungsflug** *m aero* vol *m* d'instruction; **A~ungskurs** *m,* **A~ungslehrgang** *m* cours *m* d'instruction; **A~ungslager** *n* camp *m* d'entraînement; **A~ungsprogramm** *n* programme *m* de formation; **A~ungsstand** *m* degré *m* d'entraînement; **A~ungsvorschrift** *f* règlement *m* d'instruction; **A~ungszeit** *f* période *f* de formation *od* d'instruction.
aus≈bitten *tr: sich etw ~* demander qc; *(fordern)* exiger qc, insister sur qc; *das bitte ich mir aus!* je vous (t'en) en prie!
aus≈blasen *tr (Streichholz, Kerze)* souffler, éteindre en soufflant; *(Hochofen)* éteindre; mettre hors feu; *(reinigen)* purger; *jdm das Lebenslicht ~ (fig)* ôter la vie à qn.
aus≈bleiben *itr* ne pas venir *od* rentrer; *lange ~* se faire attendre; *die ganze Nacht ~* ne pas rentrer de toute la nuit; *das kann nicht ~* c'est inévitable; *der Erfolg blieb aus* ce fut un échec; **A~** *n (Abwesenheit)* absence *f; ~~ der Milch (med)* refus *m* de lait.
aus≈bleichen *tr* décolorer; *(Farbe)* affaiblir; *itr* se décolorer; s'affaiblir.
Ausblick *m* vue; *(Durchblick)* échappée; *fig (Aussicht)* perspective *f; ~ in die Zukunft* perspective d'avenir; **aus≈blicken** *itr: nach jdm ~~* chercher qn du regard.
aus≈blühen *itr: ausgeblüht haben* avoir cessé de fleurir, avoir défleuri.
aus≈bluten *itr (verbluten)* perdre tout son sang; *~ lassen* laisser saigner; **A~** *n* saignée *f.*
aus≈bohr|en *tr* forer, creuser, aléser, tarauder; *(aushöhlen)* (é)vider; **A~en** *n,* **A~ung** *f* forage, creusement, alésage, taraudage *m.*
aus≈booten *tr mar* u. *fig* débarquer; *fig fam* dégommer, *mil pol* limoger, *fam* virer.
aus≈borgen *tr (entlehnen)* emprunter (*von* à).
aus≈brech|en *tr* enlever en arrachant, arracher; *(wieder von sich geben)* vomir, rendre; *itr (Mensch aus d. Gefängnis, Tier aus d. Käfig)* s'évader, s'échapper; *(Rennpferd vor e-r Hürde)* se dérober; *mil* faire une sortie; *(Vulkan)* faire éruption; *(Feuer)* prendre; *(Feuer, Krankheit)* se déclarer; *(Krieg)* éclater; *in Gelächter ~~* éclater de rire; *in schallendes Gelächter ~~* pouffer de rire; *in Klagen ~~* se répandre en plaintes; *in Tränen ~~* fondre en larmes; *jdm die Zähne ~~* édenter qn; *sich e-n Zahn ~~* se casser une dent; *sich ein Stück aus e-m Zahn ~~* s'ébrécher une dent; *in Zorn ~~* se mettre en colère; *der (Angst-) Schweiß brach mir aus* j'en ai eu une suée; **A~en** *n (aus d. Gefängnis, Käfig)* évasion; *(e-s Pferdes)* dérobade *f;* **A~er** *m* évadé, échappé *m.*
aus≈breit|en *tr (a. d. Arme)* étendre; *(entfalten, aufspannen, a. e-n Schirm, die Flügel)* déployer; *(ausea.falten)* déplier; *(aufrollen)* dérouler; *(Waren auslegen)* étaler; *phys* diffuser; *fig* répandre, propager; *sich ~~ (Feuer)* se propager; *(Krankheit, phys: Wellen)* se répandre; *(Unsitte)* faire tache d'huile; *(Ebene)* s'étendre; **A~en** *n* extension *f;* déploiement; étalage *m;* **A~ung** *f* ‹-, (-en)› *phys* diffusion; *(des Lichtes)* propagation; *(e-r Krankheit)* extension *f.*
aus≈brennen *tr (verbrennen, völlig austrocknen)* brûler; *med (Wunde)* cautériser; *itr (innen verbrennen)* être consumé par le feu; *(aufhören zu brennen)* cesser de brûler, s'éteindre; *ausgebrannter Vulkan m* volcan *m* éteint; **A~** *n (e-r Wunde)* cautérisation *f.*
aus≈bringen *tr mar (Boot)* mettre à l'eau; *tech (leisten)* rendre, produire; *jds Gesundheit ~* boire à la santé de qn; *e-n Trinkspruch auf jdn ~* porter un toast à qn; **A~** *n mar* mise *f* à l'eau.
Ausbruch *mil (Ausfall)* sortie; *(e-s Vulkans)* éruption, explosion; *(e-r Krankheit)* apparition; *(e-r Seuche)* invasion *f; (e-s Krieges)* déclenchement; *(e-s Gefühls)* déchaînement; *(der Freude)* transport *m; (der Heiterkeit)* explosion *f; (e-s Gelächters)* éclat; *(des Zornes)* sursaut *m; bei ~ des Krieges* lorsque la guerre éclata, à l'ouverture des hostilités; *zum ~ kommen (Krankheit)* se déclarer; **~sversuch** *m (e-s Sträflings)* tentative d'évasion; *mil* tentative *f* de sortie.
aus≈brüten *(Eier)* couver; *(Junge)* faire éclore; *fig (aushecken)* couver, échafauder, machiner, *fam* concocter; **A~** *n* couvaison, incubation *f.*
aus≈bucht|en ['-buxtən] *tr (wölben)*

bomber; *tech* emboutir; **A~ung** *f (Wölbung)* bombement; *tech (Vorgang)* emboutissage; *mil (der Front)* saillant *m*.
aus≈buddeln ['-budəln] *tr fam* déterrer.
aus≈bügeln *tr* repasser; *(Falte)* repasser à plat; *fig (schlichten)* arranger, réparer.
Ausbund *m* ‹-(e)s, ø› *(von e-m Menschen: Muster)* modèle, parangon *m; ein ~ von Gelehrsamkeit* un prodige d'érudition; *ein ~ von Frechheit* un insolent *od* impertinent fieffé.
aus≈bürger|n ['-bʏrgərn] *tr* déclarer déchu de sa nationalité, expatrier; **A~ung** *f* privation *f* de nationalité.
aus≈bürsten *tr* brosser, donner un coup de brosse à; *(abstauben)* épousseter.
Ausdauer *f* ‹-, ø› endurance, persévérance, persistance, constance, ténacité; *(Geduld) patience; (Widerstandsfähigkeit)* résistance *f; ~ haben (bes. sport)* avoir du fond; **a~nd** *a* endurant, persévérant, persistant, constant, tenace; *(geduldig)* patient; *(widerstandsfähig)* résistant; *bot* vivace.
aus≈dehn|en *tr* étendre, élargir; *phys* dilater, amplifier; *(verlängern)* allonger; *(zeitl.)* prolonger; *fig* étendre; *(vergrößern)* agrandir; *(erweitern)* amplifier; augmenter; *sich ~~* s'étendre *a. fig*, s'élargir, se dilater; s'allonger; se prolonger; *fig* s'agrandir; augmenter; **A~ung** *f (Vorgang)* extension *f*, élargissement *m; phys* dilatation; *(Weite, Umfang)* étendue *f; (Verlängerung)* allongement *m; (zeitl.)* prolongation *f; (Vergrößerung)* agrandissement *m*, augmentation *f; (Ausweitung, bes. pol)* expansion *f*; **A~ungskoeffizient** *m phys* coefficient *m* de dilatation; **A~ungsmesser** *m phys* dilatomètre *m;* **A~ungsvermögen** *n* force *f* d'extension.
ausdenkbar *a* imaginable; **aus≈denken** *tr* imaginer; *(ersinnen)* concevoir; *(erfinden)* inventer; *sich etw ~* s'imaginer qc; *das* od *es ist nicht auszudenken* c'est inimaginable.
aus≈deut|en *tr (erklären)* expliquer, interpréter; **A~ung** *f* explication, interprétation; *(Text)* explication *f* de texte.
aus≈dienen *itr: ausgedient haben (mil)* avoir achevé son service; *(Gebrauchsgegenstand)* être usé; *(Kleidungsstück a.)* n'en pouvoir *od* vouloir plus.
aus≈drehen *tr tech (auf der Drehbank)* aléser; *(Gas)* fermer, éteindre; *(Licht)* éteindre.
aus≈dreschen *tr* battre.
Ausdruck *m* ‹-(e)s, ⸚e› *allg* expression *f; (Fach~)* terme *m; (Redensart)* locution *f; zum ~ bringen* exprimer, formuler; *(e-m Gefühl) ~ geben* exprimer (un sentiment); *zum ~ kommen (Gefühl)* se traduire (*durch* par); *sich im ~* od *in s-n Ausdrücken mäßigen* mesurer ses expressions; *nach e-m passenden ~ suchen* chercher le mot *od* terme propre; *bildliche(r) ~* expression imagée *od* figurée, métaphore *f*, trope *m; gebräuchliche(r)* od *geläufige(r) ~* locution *f* courante; *glückliche(r) ~* expression *f* heureuse; *juristische(r) ~* terme *m* juridique *od* de droit; *schiefe(r)* od *ungenaue(r) ~* impropriété *f* de terme; *veralterte(r) ~* locution *f* vieillie *od* obsolète, archaïsme *m;* **aus≈drucken** *tr typ (Wort)* imprimer en toutes lettres; *(Buch)* achever d'imprimer; *itr (Stelle) schlecht ~* sortir mal; *nicht ausgedruckte Stelle f* moine *m;* **a~slos** *a* sans expression, inexpressif; *(Stil)* sans vigueur, sans relief, plat; **~smittel** *n* moyen *m* d'expression; **~stanz** *m* danse *f* d'expression; **a~svoll** *a* plein d'expression, expressif; **~sweise** *f* manière *od* façon de s'exprimer, phraséologie; *(Sprechweise)* manière de parler, diction, élocution *f; (Schreibart, Stil)* style *m*.
aus≈drück|en *tr (Zitrone, Schwamm)* presser; *(Saft e-r Frucht)* extraire, pressurer, exprimer; *(Zigarette)* écraser; *fig (zum Ausdruck bringen)* exprimer; *(äußern)* énoncer; *sich ~~* s'exprimer; s'énoncer; *(Gefühl)* se traduire (*durch* par); *etw klar* od *deutlich ~~* expliciter qc; *sich klar und deutlich ~~ (a.)* mettre les points sur les i; *sich unbeholfen ~~* s'exprimer avec maladresse *od* gaucherie; *sich vorsichtig ~~ (a.)* mesurer ses expressions; *sich nicht ~~ lassen* être inexprimable; **~lich** *a* explicite; exprès, formel, strict; *~~e(r) Befehl m* ordre *m* formel, injonction *f*.
aus≈dulden *itr: ausgeduldet haben* être au terme de ses souffrances.
aus≈dunst|en *tr* exhaler; **A~ung** *f (Vorgang)* exhalation, évaporation, émanation; *physiol* transpiration; *(das Ausgedunstete)* exhalaison *f; giftige ~~* miasme *m*.
aus≈dünst|en *tr,* **A~ung** *f = ausdunsten etc.*
auseinander [aus?aɪ'nandər] *adv* séparés, éloignés *a pl* (l'un de l'autre); *~ legen* od *rücken* od *setzen* od *stellen, ~ schreiben* séparer; *~ liegen* od *sitzen* od *stehen* être séparés (l'un de l'autre); *die beiden sind 7 Jahre ~* ils ont 7 ans de différence; **~≈brechen** *tr* rompre, casser; *itr* (se) casser; **~≈bringen** tr séparer, désunir; *(Sache)* disjoindre; **~≈fahren** *itr fig* se séparer, s'écarter brusquement; **~≈fallen** *itr* tomber en morceaux, se défaire; *(Partei)* se disloquer; **~≈falten** *tr (Taschen-, Mundtuch etc)* déplier; **~≈fliegen** *itr* se disperser; **~≈gehen** *itr* se separer; *(Volksmenge)* se disperser, s'égailler; *(sich lockern)* se disloquer; *(aus den Fugen gehen)* se disjoindre; *(sich auflösen)* se dissoudre; *(strahlenförmig verlaufen)* diverger; *fam* grossir, prendre de l'embonpoint *fig (Meinungen)* diverger, différer, ne pas concorder; *im guten ~~* se séparer à l'amiable; *unsere Ansichten (und Gewohnheiten) gehen weit auseinander (a.)* nous ne nous chauffons pas du même bois; **~≈geraten** *itr (sich aus d. Augen verlieren)* se perdre de vue; **~≈halten** *tr fig* distinguer, discerner, démêler; **~≈jagen** *tr* disperser; **~≈klaffen** *itr* béer, être béant; **~≈kommen** *itr* se séparer; **~≈laufen** *itr* se disperser, s'égailler; *mil* se débander; *(strahlenförmig verlaufen)* diverger; **~≈legen** *tr = ~falten;* **~≈nehmen** *tr (zerlegen)* déboîter, défaire, démonter; *(Balken, Bretter)* désassembler; **~≈reißen** *tr* déchirer, rompre, mettre en morceaux; **~≈rücken** *itr* s'écarter, s'espacer, se mettre à distance; **~≈setzen** *tr (erklären)* expliquer, exposer; *im einzelnen* détailler; *sich mit jdm über etw ~~* s'expliquer avec qn sur qc; *sich mit e-m Problem ~~* réfléchir à un problème; *sich mit s-n Gläubigern ~~* s'arranger *od (fam)* s'expliquer avec ses créanciers; *sich mit jdm ordentlich ~~* avoir une franche explication avec qn; **A~setzung** *f (Streit)* discussion, dispute, querelle *f*, démêlé; *com jur* arrangement, accord *m; mit jdm e-e ~~ haben* avoir une discussion avec qn; *bewaffnete ~~* conflit *m* armé; **~≈sprengen** *tr mil (Truppen)* dissocier, disperser; **~≈stieben** *itr* se disperser précipitamment; **~≈streben** *itr* tendre à se séparer; **~≈treiben** *tr* disperser; **~≈treten** *itr* se séparer; **~≈ziehen** *tr* séparer (en tirant); *(Fahrzeuge)* disperser; *mil (Truppen)* étirer; *sich ~~* s'étirer; se disperser.
auserkoren ['ausɛrko:rən] *a lit poet = auserwählt.*
auserlesen *a* choisi, de choix, sélectionné; *(nur Sache)* exquis; *das A~ste* le fin du fin.
ausersehen *tr* choisir; *(bestimmen)* désigner, destiner (*zu* à); *a = auserwählt.*
aus≈erwähl|en *tr* choisir, élire; *(bestimmen)* désigner, destiner (*zu* à); *rel* prédestiner; **~t** *a* choisi; *bes. rel* élu; *die A~~e f (Braut)* l'élue *f; die A~~en m pl* les élus *m pl; viele sind berufen, aber wenige sind ~~* il y a beaucoup d'appelés, mais peu d'élus; *das ~~e Volk (rel)* le peuple élu; **A~ung** *f* prédestination *f*.
aus≈essen *tr (s-n Teller)* achever, vider; *itr* manger tout; *fig fam: man muß ~, was man sich eingebrockt hat* le vin est tiré, il faut le boire.
ausfahr|bar *a tech* à chariot; **aus≈fahren** *tr (spazierenfahren)* promener; *tech (Fahrgestell)* sortir, baisser, descendre; *mil (Panzerturm)* extraire; *mar (Sehrohr)* sortir; *itr* aller se promener *od* sortir en voiture; *mines* (re)monter, sortir; **A~en** *n mines* remontée *f;* **A~t** *f (Herausfahren)* sortie; *(Spazierfahrt)* sortie *od* promenade en voiture; *(~sstelle)* sortie de voiture; *mines* remontée; *loc* sortie *f; ~~ freihalten!* sortie de voiture.
Ausfall *m (beim Fechten)* attaque, passe, fente, botte; *mil* sortie; *(a. mit Worten)* attaque; *fig (Beleidigung)* offense, insulte, algarade *f; (Wegfallen)* manque *m*, perte *f*, *(e-r Silbe)* chute *f; com* moins-perçu *m*, dif-

férence *f* en moins; *fin (Fehlbetrag)* déficit; *tech mot* arrêt *m*, panne; *loc (von Zügen)* suppression; *(Ausgang, Ergebnis)* issue *f*, résultat *m; e-n ~ machen (beim Fechten)* se fendre, pousser une botte; **~bürge** *m jur* arrière-garant *m;* **~bürgschaft** *f* arrière-caution *f;* **aus=fallen** *itr (Haare, Zähne)* tomber; *(Samenkörner)* s'égrener; *(beim Fechten)* se fendre, pousser une botte; *mil* faire une sortie; *(wegfallen)* manquer, faire défaut; *tech mot* s'arrêter, tomber en panne; *(Veranstaltung)* n'avoir pas lieu; *(a. loc: Zug)* être supprimé; *(ausgehen, zu e-m Ergebnis kommen)* être, tourner, réussir; *falls jem ausfällt* en cas de défaillance de qn; *gut ~* avoir un bon résultat; être bon *od* une réussite; *schlecht ~* avoir un mauvais résultat; *~ lassen* supprimer; *die Schule fällt aus* il n'y aura pas classe; *wie ist das Spiel ausgefallen?* quel est le résultat du match? **~en** *n (der Haare, Zähne)* chute *f;* **a~end** *a fig = ausfällig;* **~straße** *f* route *f* de sortie; **~winkel** *m phys* angle *m* de réflexion.

aus=fäll|en *tr chem (ausscheiden)* précipiter; **~ig** *a (beleidigend)* agressif, offensant, insultant.

aus=fasern *tr* effil(och)er; *itr* s'effil(och)er.

aus=fechten *tr: e-n Streit ~* vider une querelle.

aus=fegen *tr* balayer, nettoyer.

aus=feilen *tr* limer; *fig (sprachlich)* limer, raboter, châtier; *fam* fignoler.

aus=fertig|en *tr (Urkunde)* rédiger, dresser; *jur* grossoyer; *(Vertrag)* dresser; *ausgefertigt (pp) a.* fait; **A~ung** *f (e-r Urkunde)* rédaction, passation; *jur* grosse *f; (Exemplar e-r Urkunde)* exemplaire *m; in doppelter, dreifacher ~~* en double, triple exemplaire; *zweite ~~* duplicata, double *m*, copie *f; dritte ~~* triplicata *m.*

aus=findig *a: ~ machen* trouver, découvrir, déterrer, dénicher; *mil (orten)* repérer.

aus=fischen *tr (Teich)* dépeupler.

aus=fliegen *itr* s'envoler, quitter le nid; *a. fig fam (von Menschen)* prendre la poudre d'escampette; *(das Weite suchen)* prendre la clé des champs.

aus=fließen *itr* s'écouler, fuir; *fig (entströmen, ausgehen)* émaner (*von* de); *~ lassen* faire écouler.

Ausflucht *f* ‹-, ⸚e› *fig* faux-fuyant, subterfuge *m*, échappatoire, tergiversation *f*, détour; *(Vorwand)* prétexte *m; Ausflüchte machen* faire des détours, tergiverser, biaiser; *fam* tortiller; *leere Ausflüchte f pl* pauvres excuses *f pl.*

Ausflug *m (aus d. Nest)* envol *m*, sortie; *fig* excursion, randonnée *f*, tour *m; e-n ~ machen* faire une excursion; **~sdampfer** *m* vedette *f* d'excursion; **~sverkehr** *m* trafic *m* d'excursion.

Ausflügler *m* ‹-s, -› ['-fly:klər] excursionniste, touriste *m.*

Ausfluß *m* écoulement *m*, fuite; *(~öffnung)* issue, embouchure; *(e-s Teichs)* décharge *f; med* écoulement, flux; *(Eiter)* pus *m; fig (Auswirkung)* émanation *f;* **~menge** *f (Wasserbau)* dépense *f;* **~rohr** *n* tuyau *m* de décharge; **~ventil** *n* soupape *f* de décharge.

aus=forschen *tr (Sache)* chercher à découvrir, explorer; *(Person)* sonder.

aus=fragen *tr* questionner, interroger; *fam* mettre sur la sellette; *(Angeklagten) raffiniert ~ (fam)* cuisiner; **A~** *n* interrogation *f.*

aus=fransen *tr* effranger, effilocher.

aus=fräs|en *tr tech* fraiser; **A~ung** *f* fraisure *f.*

aus=fressen *tr (Krippe, Trog, Napf)* vider; *(alles fressen)* tout manger; *etw ausgefressen haben (fig fam)* avoir qc sur la conscience.

Ausfuhr *f* ‹-, -en› exportation, sortie *f;* **~artikel** *m* article *m* d'exportation; **~bedingungen** *f pl* conditions *f pl* d'exportation; **~beschränkung** *f* restriction *f* à l'exportation *od* aux exportations; **~bestimmungen** *f pl* règlements *m pl* de l'exportation; **~bewilligung** *f*, **~genehmigung** *f* licence *f od* permis *m* d'exportation; **~erklärung** *f* déclaration *f* d'exportation; **~hafen** *m* port *m* d'exportation; **~handel** *m* commerce *m* d'exportation; **~industrie** *f* industrie *f* exportatrice; **~land** *n* pays *m* exportateur; **~möglichkeit** *f* possibilité *f* d'exportation; **~prämie** *f* prime *f* à l'exportation; **~sperre** *f* prohibition *f* d'exportation; **~subvention** *f* subvention *f* à l'exportation; **~überschuß** *m* excédent *m* d'exportation; **~verbot** *n* défense *f* d'exporter, embargo *m;* **~zoll** *m* droit(s *pl*) *m* d'exportation.

ausführ|bar *a (durchführbar)* faisable, exécutable, réalisable; *(Plan)* réalisable, viable; *(ausfuhrfähig)* exportable; **A~barkeit** *f* ‹-, (-en)› possibilité *f* d'exécuter *od* de réaliser; faisabilité, viabilité *f;* **aus=führen** *tr (spazierenführen)* sortir, promener; *com* exporter; *(durchführen)* effectuer, venir à bout de; *(Auftrag, Befehl)* exécuter, accomplir; *(Plan)* mettre en action, réaliser; *(Bau)* élever; *(darlegen)* traiter, exposer, développer, expliquer; **A~ende(r)** *m mus* exécutant, interprète *m;* **~lich** *a* ample, détaillé, circonstancié; *adv* en détail; *~~ beschreiben* décrire longuement; *~~ erzählen* raconter par le menu; *~~ über etw sprechen* discourir sur *od* de qc; **A~lichkeit** *f* ‹-, ø› abondance des détails; *(Weitschweifigkeit)* prolixité *f;* **A~ung** *f (e-r Arbeit, e-s Auftrags)* exécution *f*, accomplissement *m; (e-s Plans)* réalisation, mise en action; *(Bauart, Stil, mus)* facture; *(Anfertigung)* confection *f; (Herstellungsweise, Modell)* type, modèle *m; (Buch: Ausstattung)* présentation; *(Qualität)* qualité *f; (Darlegung: Tätigkeit)* développement *m*, explication *f; (das Dargelegte)* exposé *m; in ~~* en cours d'exécution; *zur ~~ bringen* mettre à exécution; *zur ~~ kommen* être exécuté; se réaliser; *zur ~~ schreiten* venir au fait; **A~ungsbestimmungen** *f pl* disposition *od* ordonnance *f* d'exécution *od* d'application; *pol* décret *m* d'application; **A~ungsfehler** *m* vice *m* d'exécution; **A~ungsgesetz** *n* loi *f* d'exécution; **A~ungskommando** *n mil* commandement *m* d'exécution.

aus=füll|en *tr (Loch, Graben)* combler (*mit* de); *(aufschütten)* remblayer; *(Formular)* remplir; *(Posten, Stellung)* tenir, remplir; *s-e Freizeit ~~* meubler ses loisirs; *die Lücken ~~* combler les lacunes; **A~steg** *m typ* garniture *f;* **A~ung** *f* remblayage; remplissage *m.*

Ausgabe *f (Verteilung)* distribution; *(von Banknoten und Wertpapieren)* émission; *(von Fahrkarten etc)* délivrance; *(Geld~)* dépense; *(e-s Buches)* édition *f; jds ~n bestreiten* subvenir aux dépenses de qn; *sinnlose ~n machen* faire des folies; *amtliche ~ (Druckwerk)* édition *f* officielle; *kleine ~n pl* menues dépenses *f pl; laufende ~n* dépenses courantes; *die neueste ~ (e-s Buches)* la dernière édition (d'un livre); **~nbuch** *n* livre *m* des dépenses; **~stelle** *f* centre *od mil* poste *m* de distribution.

Ausgang *m* sortie *f; (e-s Engpasses)* débouché *m; (Ende)* fin *f*, dénouement; *(Ergebnis)* résultat *m; pl (ausgehende Post)* courrier *m* à poster; *~ haben (Hausangestellte)* avoir sortie; *mil* être de sortie, avoir quartier libre; *s-n ~ nehmen von* tirer son origine de, avoir son origine dans; *keinen guten ~ nehmen* finir mal; *kein ~!* sortie interdite, impasse; *unglückliche(r) ~* catastrophe *f; Unfall m mit tödlichem ~* accident *m* mortel; **~sbasis** *f* base *f* de départ; **~sbeschränkung** *f (für Zivilisten)* couvre-feu *m;* **~serlaubnis** *f (schriftliche)* exeat *m;* **~shafen** *m* port *m* de départ; **~slage** *f* situation *f* initiale *od* de départ; **~sleistung** *f radio* puissance *f* de sortie; **~smaterial** *n* produit *m* de base *od* de départ; **~spreis** *m* prix *m* de départ; **~spunkt** *m* point de départ, point zéro; *scient* épicentre *m; (e-r Bahnlinie)* tête *f* de ligne; **~sschein** *m* bulletin *m* de sortie; **~sstellung** *f* position *f* initiale *od* de départ; *sich in s-e ~~ zurückziehen (mil)* se replier sur ses bases; **~sstufe** *f* étage *m* de sortie; **~sverbot** *n* consigne *f.*

aus=geben *tr (verteilen)* distribuer; *(Banknoten und Wertpapiere)* émettre, mettre en circulation; *(Fahrkarten etc)* délivrer; *(Ertrag geben)* rendre, être rentable; *(Geld)* dépenser, débourser; *(Befehl, mil: Parole)* donner; *(Bericht)* publier; *sich ~* se donner, se dépenser; *(sich) ~ als, für* (se) faire passer pour, (se) donner pour; *ohne e-n Pfennig auszugeben* sans bourse délier; *einen ~ (fam: etw spendieren)* payer une bouteille *od* un coup à boire *pop; das Geld mit vollen Händen ~* gaspiller l'argent.

ausgebildet *a, a. mil* instruit.

ausgeblutet *a* saigné à blanc.

ausgebombt *a* sinistré (par les bombardements).
ausgebrannt *a* brûlé.
Ausgeburt *f* avorton, produit *m*, création *f*; ~ *der Hölle* monstre *m* échappé de l'enfer.
ausgedehnt *a* étendu; *(groß)* vaste.
ausgedient *a mil (entlassen)* libéré, *fam (pensioniert)* retraité, en retraite; *(Gebrauchsgegenstand)* hors d'usage *od* de service, usé.
ausge|dorrt *a*, **~dörrt** *a (Boden)* desséché.
ausgefallen *a (seltsam, selten)* étrange, singulier, rare.
ausgefranst *a* effrangé, effil(och)é.
ausgeglichen *a (in der Form)* (bien) proportionné; *(Budget)* en équilibre; *(Mensch)* (bien) équilibré; *(Charakter)* pondéré, harmonieux; **A~heit** *f* équilibre *m*; pondération, harmonie *f*.
aus=geh|en *itr* sortir; *(Haare)* tomber; *(Feuer, Licht, Zigarre)* s'éteindre; *(Ware, Geld)* commencer *od* venir à manquer; *(Vorrat)* s'épuiser; *(enden)* finir, tourner (*gut* bien, *schlecht* mal); *(Wort)* se terminer (*auf* en, *auf e-n Vokal* par une voyelle); ~~ *von (herkommen, s-n Ausgang nehmen)* partir de, commencer par; *fig* se dégager de, émaner de; *auf etw* ~~ tendre, viser, aspirer à qc; *darauf* ~~ *zu* ... *(a.)* avoir pour but de ...; *auf Abenteuer* ~~ chercher aventure; *auf Betrug* ~~ essayer de tromper; *frei* ~~ (en) être quitte; *gut* ~~ *(a.)* avoir une heureuse issue; *leer* ~~ revenir les mains vides *od* bredouille; *ungestraft* ~~ rester impuni, échapper à la punition; *vom Volk* ~~ *(pol: Gewalt)* émaner du peuple; *wieder* ~~ *(Genesender)* quitter la chambre; ~~ *lassen (Feuer)* laisser éteindre *od* tomber; *(Hochofen)* mettre hors feu; *der Atem ging mir aus* je perdis haleine; *die Geduld geht mir aus* ma patience est à bout; *mir ist das Geld ausgegangen* je suis à sec; **A~tag** *m (Hausangestellte)* jour *m* de sortie; **A~uniform** *f* tenue *f* de sortie *od* de ville; **A~verbot** *n mil* consigne *f*.
ausgehungert *a* affamé, famélique.
ausgeklügelt *a* raffiné.
ausgekocht *a fig fam (gerissen)* retors, roublard.
ausgelassen *a* gaillard, folâtre; mutin, pétulant, exubérant; ~ *sein (a.)* prendre ses ébats; **A~heit** *f* gaillardise, folâtrerie; pétulance, exubérance *f*.
ausgeleiert *a (abgenutzt)* usé, fatigué; *(Redensart)* rebattu; ~ *sein* avoir du jeu.
ausgelernt *a (Handwerker)* sorti d'apprentissage.
ausgemacht *a (vereinbart)* entendu, arrêté; *(Preis)* convenu; *fig pej (Schelm, Narr)* fieffé, consommé; ~er Blödsinn stupidité pure; ~! entendu! d'accord!
ausgemergelt *a* vidé jusqu'à la moelle, émacié, hâve.
ausgenommen *prp* excepté, à l'exception de, exception faite de; *lit* hormis; *bes. jur* sauf; ~, *wenn* ... excepté si ..., à moins de *inf*; *mich* ~ *(a.)* à part *od* sans moi.
ausgepicht ['-gəpıçt] *a (Kehle)* blindé.
ausgeprägt *a fig* marqué, prononcé; *scharf* ~ *(Profil)* accusé; *(Gesichtszüge)* accentué.
ausgepumpt *a fam (ermüdet)* fatigué, épuisé, las.
ausgerechnet *adv* justement, précisément.
ausgereift *a, a. fig* bien mûri.
ausgeruht *a* bien reposé.
ausgerüstet *a* garni, muni, pourvu (*mit* de); *mar* armé (*mit* de).
ausgeschlossen *a* exclu; *(unmöglich)* impossible; ~! impossible!
ausgeschnitten *a (Kleid)* décolleté.
ausgeschrieben *a (nicht abgekürzt)* en toutes lettres.
ausgesetzt *a*: *e-r S* ~ *sein* être exposé *od* en butte à qc; *e-r S wehrlos* ~ *sein* être en proie à qc.
ausgesprochen *a fig* prononcé, marqué; *e-e* ~*e Trinkernase* un nez caractéristique d'ivrogne; *adv* décidément, nettement, carrément; *ein* ~ *hübsches Kind* un enfant vraiment très joli.
aus=gestalt|en *tr* former, façonner; *(entwickeln)* développer; **A~ung** *f* formation *f*, façonnage; développement *m*.
ausgestorben *a*: *wie* ~ *(pred)* désert.
Ausgestoßene(r) *m* banni, réprouvé *m*.
ausgesucht *a* choisi, sélectionné; recherché; *fam* select; *(köstlich)* exquis; *com* de première qualité.
ausgetragen *a (Kind)* venu à terme.
ausgetreten *a (Weg)* battu; ~*e Wege gehen* suivre les sentiers battus; *med* hernié.
ausgewachsen *a* formé, fait; qui a terminé sa croissance; *(erwachsen)* adulte.
ausgewählt *a* sélectionné, choisi.
Ausgewiesene(r) *m* expulsé *m*.
ausgewogen *a (ebenmäßig)* (bien) proportionné; *(ausgeglichen)* équilibré; *(Satz)* arrondi; **A~heit** *f* balancement *m*.
ausgezeichnet ['---- / '--'--] *a* excellent; insigne, signalé, distingué; *adv a.* à merveille *(oft iron)*; *jdm* ~ *passen (Kleidungsstück)* aller à qn comme un gant; *etw* ~ *verstehen* savoir qc sur le bout du doigt; *das* od *es geht* ~ ça va on ne peut mieux *fam*; ~! parfait! fameux! à merveille! *fam* chic alors!
ausgiebig *a* ample, copieux, abondant; ~*en Gebrauch von etw machen* faire ample usage de qc; **A~keit** *f* abondance *f*.
aus=gieß|en *tr (Flüssigkeit)* verser, répandre; *(ausschütten)* déverser; *(Gefäß)* vider; *fig sein Herz* ~ s'épancher; *(tech: füllen)* couler (*etw mit Zement* du ciment dans qc); **A~en** *n* (dé)versement; *tech* coulage *m*; **A~ung** *f*: ~~ *des Heiligen Geistes* descente *f* du Saint- -Esprit.
Ausgleich *m (Ausgleichung, a. sport)* égalisation; *(von Gegensätzen)* harmonisation; *(gleichmäßige Verteilung von Steuern etc)* péréquation *f*; *(Vergleich, a. pol)* arrangement, accord, accommodement, compromis *m*; (~ *e-s Kontos, des Haushalts)* balance *f*, équilibre *m*; *(Ersatz)* compensation *f*; *sport (Vorgabe)* handicap *m*; *zum* ~ *für* en compensation de; *als* od *zum* ~ *Ihrer Rechnung (com)* pour solde de votre compte; *e-n* ~ *schaffen* égaliser; compenser; **~betrag** *m (Restbetrag)* montant *m* du solde; **~bremse** *f tech* servofrein *m*; **~düse** *f tech* gicleur *m* de compensation; **aus=gleichen** *tr (Unebenheiten, a. sport)* égaliser; *(Gegensätze)* harmoniser; *(gleichmäßig verteilen)* faire la péréquation de; *(Konto, Haushalt)* balancer, équilibrer; *(Verlust)* compenser; *(Schaden)* réparer; *(Defizit)* combler; *(Rechnung)* solder, régler; *(Streit)* arranger, accommoder; *sport* handicaper; *sich* ~ s'égaliser; *(sich aufheben)* se compenser; *(sich das Gleichgewicht halten)* s'équilibrer; *(nach e-m Streit)* en venir à un accord; *(sich aussöhnen)* se concilier; *sich gegenseitig* ~ se contre-balancer; *sich mit s-n Gläubigern* ~ s'accommoder avec ses créanciers; **a~end** *a* compensateur; ~~*e Gerechtigkeit f* justice *f* distributive; **~er** *m tech* égalisateur; *tele* rectificateur; *radio* redresseur *m*; **~gewicht** *n* contrepoids *m* d'équilibre; **~maschine** *f el* compensatrice *f*; **~sentschädigung** *f* indemnité *f* compensatrice; **~sfonds** *m* fonds *m* de péréquation *od* de compensation; **~sgetriebe** *n mot* (engrenage) différentiel *m*; **~skasse** *f* caisse *f* de compensation; **~sposten** *m com* poste *m* de compensation; **~sprämie** *f* prime *f* de compensation; **~stor** *n sport* but *m* égalisateur; **~strom** *m el* courant *m* compensateur; **~sverfahren** *n fin (Verrechnungsverfahren)* clearing *m*; **~szahlung** *f* paiement *m* pour solde; **~ung** *f (Herstellung des Gleichgewichts)* égalisation; péréquation *f*; **~welle** *f mot* arbre *m* du différentiel.
aus=gleiten *itr*, **aus=glitschen** *itr fam* glisser, faire une glissade.
aus=glühen *tr tech* (re)cuire; *chem* calciner; *itr* s'éteindre, se consumer.
aus=grab|en *tr allg* déterrer; *(Verschütteten)* dégager; *(Leiche)* exhumer; *(Archäologie, Paläontologie, zu Forschungszwecken)* fouiller; *fig (wieder ans Licht ziehen)* déterrer; réveiller; *fam* ressortir; *(literarisches Werk)* exhumer, redécouvrir; **A~ung** *f* déterrement; dégagement *m*; exhumation; *(des Forschers)* fouille(s *pl*) *f*.
aus=greifen *itr (bes. Pferd, Mensch fam)* allonger le pas; **~d** *a fig*: *weit* ~~*e Pläne m pl* projets *m pl* de grande portée.
Ausguck *m* <-(e)s, -e> [-'gʊk] poste *m* d'observation; *mar* vigie; *(Mastkorb)* hune *f*; *auf dem* ~ *stehen* épier; **aus=gucken** *itr*; *nach jdm* ~ attendre qn; *tr*: *sich die Augen* ~ écarquiller les yeux.

Ausguß *m (in der Küche)* évier; *metal* déversoir *m;* **~eimer** *m* seau *m* à eaux sales; **~rohr** *n* tuyau *m* d'écoulement.
aus⸗hacken *tr* arracher (*mit dem Schnabel* à coups de bec; *mit der Hacke* à coups de pioche); *(die Augen)* crever; *e-e Krähe hackt der ander(e)n kein Auge aus (prov)* les loups ne se mangent pas entre eux.
aus⸗haken *tr* dégrafer, décrocher; *itr fam* ne plus tourner rond, foirer.
aus⸗halten *tr (Druck, Belastung, a. fig)* soutenir; *fig (ertragen)* supporter, endurer; *(Ton)* tenir; *(Menschen unterhalten, ernähren)* entretenir; *itr (durchhalten)* tenir (bon), durer, persévérer; *es vor ... nicht mehr ~* n'en pouvoir plus de ...; *ich halte es nicht mehr aus* je n'en puis plus; *es ist nicht (mehr) zum A~* c'est à n'y plus tenir.
aus⸗handeln *tr (durch Verhandlung festlegen)* négocier.
aus⸗händig|en ['-hɛndɪgən] *tr* remettre (en mains propres); délivrer; **A~ung** *f* remise, délivrance *f.*
Aushang *m (Plakat)* affiche *f,* placard, écriteau *m; durch ~ bekanntgeben* annoncer par voie d'affiche(s).
Aushäng|ebogen *m typ* bonne feuille *f;* **aus⸗hängen** *tr (Fenster)* décrocher; *(Tür)* déboîter; *tech* dé(sem)brayer, démonter; *(Anschlag, Plakat, Schild)* afficher; *itr (Plakat)* être affiché; *sich ~* se décrocher; *(Kleidung)* se défroncer; **~eschild** *n* enseigne *f; als ~~ dienen (fig: Reklame machen)* servir d'argument publicitaire *od* de faire-valoir.
aus⸗harren *itr* persévérer (*in* dans); *(sich gedulden)* patienter; **A~** *n* persévérance *f.*
aus⸗hauchen *tr* expirer, exhaler; *s-e Seele ~* rendre le dernier soupir *od* l'âme.
aus⸗hauen *tr tech* tailler.
aus⸗heb|en *tr (Erde, Steine, Bäume, Wurzeln)* extraire, enlever; *(Graben, a. mil)* creuser, déblayer; *tech (aus der Gießform nehmen)* démouler; *(Tür)* déboîter; *(Fenster)* décrocher; *(Vögel aus dem Nest, a. fig: Verbrecher)* dénicher; *mil (feindliche Stellung)* dénicher, déloger; *mil (Truppen)* lever, recruter; **A~en** *n* extraction *f,* enlèvement; creusage, creusement; démoulage; dénichement *m, a. fig;* **A~ung** *f mil* levée *f,* recrutement *m,* conscription *f.*
aus⸗hecken *tr fam (ersinnen)* machiner, tramer, ourdir; élucubrer, imaginer, *fam* concocter, pondre.
aus⸗heilen *tr* u. *itr* guérir (complètement).
aus⸗helfen *itr* aider, assister (*jdm mit etw* qn de qc); *jdm* tirer qn d'affaire *od* d'embarras, donner un coup de main à qn; *fam* dépanner qn.
Aushilf|e *f* aide, assistance *f,* secours *m; Stenotypistin zur ~~* sténo *f* intérimaire; = *~skraft;* **~skellner** *m* extra *m;* **~skraft** *f* aide, auxiliaire *m f;* **a~sweise** *adv* à titre provisoire, provisoirement.
aus⸗höhl|en *tr* creuser, excaver; *tech* évider; *fig* vider (de sa substance); **A~ung** *f* creusage, creusement *m,* a excavation *f;* évidage *m.*
aus⸗holen *itr (zum Schlag)* lever *od* allonger le bras, lever la main; *tr fam = aushorchen; weit ~ (fig: in der Erzählung)* remonter au déluge; *weiter ~ (fig)* reprendre de plus haut *od* de plus loin; *jdn ~* sonder qn.
aus⸗holzen *tr (Wald)* déboiser, éclaircir.
aus⸗horchen *tr: jdn ~* sonder qn (*über* sur); tâter le pouls à qn; *fam* tirer les vers du nez à qn; surprendre les paroles de qn; *sich ~ lassen* se laisser pénétrer.
aus⸗hungern *tr mil* réduire par la famine.
aus⸗husten *tr* expectorer (en toussant); *Schleim ~* grailloner; *itr: ausgehustet haben* avoir cessé de tousser.
aus⸗kämmen *tr (ordnen)* peigner, démêler; *(entfernen)* enlever avec le peigne; *fig (Personal)* trier, filtrer.
aus⸗kämpfen *tr (Kampf)* terminer, vider; *(Sache)* essayer d'acquérir de haute lutte; *itr: ausgekämpft haben* avoir cessé de combattre *od* de lutter.
aus⸗kaufen *tr (Laden)* acheter toutes les marchandises de; *(Teilhaber)* désintéresser.
aus⸗kegeln *tr: etw ~ (um etw kegeln)* jouer qc aux quilles; *fig fam = verrenken.*
aus⸗kehl|en *tr arch tech* canneler; **A~ung** *f* cannelure *f.*
aus⸗kehr|en *tr* balayer, nettoyer; *flüchtig ~~* donner un coup de balai à; **A~icht** *m* ⟨-s, ø⟩ ['-keːrɪçt] balayures *f pl.*
aus⸗kennen, *sich* s'y connaître; *fig* s'y retrouver; *sich nicht mehr ~* ne plus s'y reconnaître, y perdre son latin; *sich in etw genau* od *gut ~* en savoir long, être ferré sur qc.
aus⸗kernen *tr (Äpfel)* ôter les pépins de, épépiner; *(Kirschen)* ôter les noyaux de.
aus⸗kippen *tr (Ladung)* verser, décharger.
aus⸗klagen *tr jur (Sache)* actionner.
aus⸗klammern *tr math* enlever les parenthèses de; *allg fig* exclure, ignorer, laisser de côté.
Ausklang *m fig (e-s Festes)* fin *f.*
ausklappbar *a tech* amovible, escamotable.
aus⸗klauben *tr, a. fig* éplucher; *mines* trier.
aus⸗kleid|en *tr* déshabiller; *mit etw (Fläche, Raum)* revêtir *od* garnir de qc; *sich ~~* se déshabiller; **A~eraum** *m* vestiaire *m;* **A~ung** *f (Verzierung; Tätigkeit)* revêtement *m; (Sache)* garniture *f.*
aus⸗kling|eln *tr (Bekanntmachung)* annoncer au son d'une clochette; **~en** *itr (Ton)* cesser de résonner, expirer, mourir; *fig* s'achever (*mit* par); *harmonisch ~~ (Fest)* se terminer dans la bonne entente.
aus⸗klink|en *tr tech* déclencher; *(Segelflugzeug)* larguer; **A~vorrichtung** *f* mécanisme de déclenchement *od aero* de largage, déclic *m.*
aus⸗klopf|en *tr (Kleider, Teppich)* battre, frapper, épousseter; *(Pfeife)* débourrer; *tech (Kessel)* piquer; **A~er** *m (Gerät)* tapette; *(Stock)* baguette *f* à épousseter.
aus⸗klügeln *tr* imaginer.
aus⸗kneifen *itr fig fam* filer, se défiler, s'esquiver, se tirer des pieds, prendre la poudre d'escampette.
aus⸗knipsen *tr fam (Licht)* éteindre.
aus⸗knobeln *tr fam: etw ~ (um etw würfeln)* jouer qc aux dés; *fig fam = ausklügeln.*
ausknöpfbar *a (Mantelfutter)* amovible, mobile.
aus⸗kochen *tr (Fleisch)* faire bien cuire; *(den Saft)* extraire par la cuisson; *(Wäsche)* faire bouillir; *med (Instrumente)* stériliser; **A~** *n med* stérilisation *f.*
aus⸗kommen *itr (Vogel) = ausschlüpfen; mit jdm ~* s'entendre avec qn; *mit etw ~* avoir assez de qc, se tirer d'affaire avec qc; *mit s-m Gelde (gerade) ~* joindre les deux bouts; *mit jdm gut ~* s'accorder bien *od* être en bons termes avec qn; *ohne etw ~ können* savoir se passer de qc; **A~** *n: sein ~~ haben* avoir de quoi vivre *od fam* la matérielle; *sein gutes ~~ haben* avoir largement de quoi vivre; *es ist kein ~~ mit ihm* on ne sait par quel bout *od* par où le prendre, il est insupportable; **auskömmlich** ['auskœmlɪç] *a (Gehalt)* suffisant; *adv* suffisamment, assez.
aus⸗körnen *tr (Ähre, Maiskolben)* égrener.
aus⸗kosten *tr (genießen)* jouir de ... (jusqu'au bout), savourer; *etw bis zur Neige ~* boire qc jusqu'à la lie.
aus⸗kotzen *tr pop* dégueuler.
aus⸗kramen *tr fam (Behälter)* vider; *(Waren, fig: Neuigkeiten)* déballer, étaler; *sein Wissen ~ (a.)* vider son sac.
aus⸗kratz|en *tr* effacer en grattant, gratter, racler; *(die Augen)* arracher (avec les ongles); *med* cureter; *itr fig fam = auskneifen; ea. die Augen ~~* s'arracher les yeux; **A~ung** *f med* curetage *f.*
aus⸗kugeln *tr: sich den Arm ~* se démettre le bras; **A~** *n med* dislocation *f.*
aus⸗kundschaften *tr (erforschen)* explorer; *(ausspionieren)* espionner; *mil* reconnaître; **A~** *n* exploration *f;* espionnage *m;* reconnaissance *f.*
Auskunft *f* ⟨-, ⸚e⟩ ['-kunft, '-kʏnftə] information *f;* renseignement *m* (*über* sur); *die ~* le bureau d'information, *(Bahnhof)* les renseignements *m pl; um ~ bitten* demander des renseignements; *über jdn, etw Auskünfte einholen* prendre des renseignements sur qn, sur qc; *~ über etw erteilen* renseigner sur qc; *(nähere) ~ erteilen* donner *od* fournir des renseignements (détaillés); *nähere ~ erteilt* od *erteilen ...* pour de plus amples renseignements s'adresser à ...; **~ei** [-'taɪ] *f* bureau *m od* agence *f od* service de renseignements, bureau

od centre *m* d'informations; **~sbeamte(r)** *m* agent *m* de renseignements; **~sersuchen** *n* demande *f* de renseignements; **~smittel** *n* expédient *m*, ressource *f*; **~spflicht** *f* obligation *f* de fournir des renseignements; **~sstelle** *f* = *~ei*.

aus=kupp|eln *tr tech* déclencher, débrancher; *loc* désaccoupler; *mot* débrayer; **A~(e)lung** *f* déclenchement, débranchement; désaccouplement; débrayage *m*.

aus=kurieren *tr* guérir d'une manière radicale.

aus=lachen *tr: jdn ~* rire, se moquer, se gausser de qn.

aus=lad|en *tr* décharger; *mar (Waren)* débarquer, débarder, *(Schiff)* décharger; *(Gast)* désinviter, décommander l'invitation de; *itr, bes. arch (weit vorstehen)* faire saillie; **A~en** *n* déchargement; *mar* débarquement, débardage, délestage *m*; **~end** *a, bes. arch* saillant, en saillie, proéminent; *(Hüfte)* large; *(Boot)* aux formes lourdes; *weit ~~ (Geste, Gebärde)* démonstratif, oratoire; **A~eplatz** *m* = *A~estelle;* **A~er** *m (Arbeiter)* déchargeur; *mar* débardeur, docker *m*; **A~estelle** *f* débarcadère *m*; **A~ung** *f arch* saillie *f*, surplomb *m*; *tech (Spannweite)* volée; *(e-s Krans)* portée *f*.

Auslage *f com* étalage *m*; montre *f*; *(vor dem Laden)* éventaire *m*; *(Fechten)* (position de) garde *f*; *pl (Geld~n)* débours *m (pl)*; *(Kosten)* frais *m pl*; *(Ausgaben)* dépenses *f pl*; *die ~n decken (com)* couvrir les frais; *jdm die* od *s-e ~n (zurück)erstatten* od *vergüten* rembourser ses frais *od* dépenses à qn, rembourser qn de ses frais *od* dépenses; *allgemeine, sonstige ~n* frais *m pl* généraux, divers; **~nerstattung** *f* remboursement *m* des frais.

Ausland *n* ‹-(e)s, ø› étranger, extérieur *m*; *Kapital im ~ anlegen* exporter des capitaux; *ins ~ gehen* aller à l'étranger; *aus dem ~ kommen* venir de l'étranger; *im ~ leben* vivre à l'étranger; **~sanleihe** *f* emprunt *m* extérieur; **~saufenthalt** *m* séjour *m* à l'étranger; **~sauftrag** *m com* commande étrangère; *pol* mission *f* à l'étranger; **~sbesitz** *m* propriété *f* à l'étranger; **~sbeziehungen** *f pl* relations *f pl od* rapports *m pl* avec l'étranger; **~sdeutsche(r)** *m* Allemand *m* vivant à l'étranger; **~sdienst** *m* service *m* à l'étranger; **~serzeugnis** *n* produit *m* étranger; **~sforderungen** *f pl* créances *f pl* sur l'étranger; **~sgelder** *n pl* capitaux *m pl* étrangers; **~sgeschäft** *n* opération *f* avec l'étranger; **~sgespräch** *n tele* communication *f* internationale; **~sguthaben** *n* avoir *m* à l'étranger; **~shandel** *m* commerce *m* extérieur; **~shilfe** *f* aide *f* à l'étranger; **~skorrespondent** *m (e-r Zeitung)* correspondant à l'étranger; *(e-r Firma)* correspondancier *m* pour l'étranger; **~skredit** *m* crédit *m* (de l')étranger; **~slieferung** *f (ins Ausland)* livraison *f* (destinée) à l'étranger; **~smarkt** *m* marché *m* étranger *od* extérieur; **~snachrichten** *f pl* nouvelles *f pl* de l'étranger; **~sporto** *n* port pour l'étranger, tarif *m* international; **~spostanweisung** *f* mandat *m* (de poste) international; **~spresse** *f* presse *f* étrangère; **~sreise** *f* voyage *m* à l'étranger; **~sscheck** *m* chèque *m* à l'étranger; **~sschulden** *f pl* dettes *f pl* à l'étranger; *pol* dette *f* extérieure; **~starif** *m* tarif *m* international; **~stelegramm** *n* télégramme *m* international; **~svertreter** *m com* agent *m* commercial à l'étranger; **~svertretung** *f* représentation *f* à l'étranger; **~sware** *f* marchandise *f* provenant de l'étranger; **~swechsel** *m fin* lettre *f* de change étrangère; **~swerbung** *f* publicité *f* étrangère; **~swerte** *m pl fin* valeurs *f pl* étrangères, titres *m pl* étrangers.

Ausländ|er *m* ‹-s, -› étranger *m*; *unerwünschte(r) ~~* indésirable; *(in Frankr.)* métèque *m*; **a~erfeindlich** *a* xénophobe; **a~erfreundlich** *a* xénophile; **~erin** *f* étrangère *f*; **a~isch** *a* étranger; *com* provenant de l'étranger; *~~e Zahlungsmittel n pl* devises *f pl*.

aus=langen *itr fam* = *ausholen (itr)*.

Auslaß *m* ‹-sses, ⸚sse› ['-las(ə)s, -lɛsə] *tech (Öffnung)* sortie, issue *f*; *tech (Auspuff)* échappement *m*; **~rohr** *n* tuyau *m* d'échappement; **~ventil** *n* soupape *f* d'échappement.

aus=lass|en *tr (Saum am Kleid)* défaire, sortir; *(Fett)* faire fondre; *(weglassen)* omettre, oublier; *(absichtlich)* supprimer, retrancher; *sich über etw ~~ (äußern)* s'étendre, s'expliquer sur qc; *s-e schlechte Laune an jdm ~~* passer sa mauvaise humeur sur qn; *e-e Note ~~ (mus, a. fam)* croquer une note; *s-e Wut an jdm ~~* passer *od* décharger sa colère sur qn; **A~ung** *f (Weglassung)* omission; *(Streichung)* suppression *f*, retranchement *m*; *jur* = *Aussage;* **A~ungspunkte** *m pl gram* points *m pl* de suspension; **A~ungssatz** *m gram* ellipse *f*; **A~ungszeichen** *n gram* apostrophe *f*.

aus=last|en *tr tech* utiliser (à plein), charger; **A~ungsgrad** *m* degré *m* d'utilisation, taux *m* de charge.

Auslauf *m* ‹-(e)s, (⸚e)› *(des Geflügels)* basse-cour *m*; *(Schi)* piste *f* de descente; *(e-s Schiffes)* départ; *aero (beim Landen)* roulement à l'atterrissage; dégagement, espace libre; *(Pisten~)* bout *m* de piste; **aus=laufen** *itr* sortir; *(Schiff)* partir (*nach* pour), prendre la mer; *(abfließen)* (s'é)couler, fuir; *(Gefäß, Behälter)* fuir; *(zuletzt übergehen in)* se terminer (en); *fig (enden)* s'arrêter; finir (*auf* par), aboutir (*auf* à); *sich ~ (fam)* faire une longue marche; *spitz ~* se terminer en pointe; *~ lassen (Schiff)* mettre à la mer; *(com) e-e Serie ~ lassen* épuiser une série; **~strecke** *f aero* distance *f* de roulement à l'atterrissage.

Ausläufer *m (Laufjunge)* garçon de course(s), saute-ruisseau; *(e-s Hotels)* chasseur; *(e-s Gebirges)* contrefort *m*.

aus=laug|en *tr (den Boden)* amaigrir, appauvrir; *chem* extraire, lessiver; *ich bin wie ausgelaugt* je suis fourbu *od fam* lessivé; **A~en** *n*, **A~ung** *f* appauvrissement *m*; extraction *f*, lessivage *m*.

Auslaut *m gram* son *m* final, finale *f*; *im ~* en position finale, à la fin (d'un mot); **aus=lauten** *itr (Wort)* se terminer (*auf* par *od* en).

aus=läuten *tr (durch Läuten bekanntgeben)* annoncer au son des cloches; *itr: ausgeläutet haben* avoir cessé *od* achevé de sonner.

aus=leben, *sich* vivre sa vie; *sich hemmungslos ~* s'abandonner à la luxure.

aus=lecken *tr* lécher, *(Tier)* laper (complètement).

aus=leer|en *tr* vider; *(Grube)* vidanger; *(den Darm)* évacuer; **A~ung** *f* vidage *m*; vidange; évacuation *f*.

aus=leg|en *tr (Waren)* étaler; *(Kabel)* dérouler; *(verkleiden, überziehen)* revêtir, garnir (*mit* de); *(Boden)* recouvrir (*mit* de); *(inkrustieren)* incruster, marqueter; *(Geld vorschießen)* avancer; *(deuten)* interpréter; *(erklären)* expliquer, commenter; *falsch ~~* mal interpréter; *übel ~~* prendre en mauvaise part; **A~er** *m (e-s Krans)* bras *m*, flèche, volée *f*; *mar* balancier; *fig (Deuter)* interprète; commentateur *m*; **A~erboot** *n (der Polynesier)* pirogue *f* à balancier; **A~erkran** *m* grue *f* à flèche; **A~ung** *f fig* interprétation; explication *f*, commentaire *m*; *(der Bibel)* exégèse *f*; *verschiedene ~~en zulassen* souffrir plusieurs interprétations; **A~ungsvorschrift** *f* disposition *f* interprétative.

aus=leiden *itr: ausgelitten haben* avoir cessé de souffrir.

Ausleih|e *f* ‹-, -n› *(von Büchern)* prêt *m* à domicile; *(Raum)* salle *f* de prêt; **aus=leihen** *tr* prêter; *sich etw von jdm ~* emprunter qc à qn; **~ung** *f* prêt *m*.

aus=lernen *tr* achever d'apprendre; *itr (Handwerkslehrling)* finir son apprentissage; *man lernt nie aus (prov)* on n'a jamais fini d'apprendre.

Auslese *f* choix; *(durch Sortieren)* tri(age) *m*; *bes. biol* sélection *f*; *(Wein)* grand vin, vin *m* de cru; *(Blütenlese, Buch)* anthologie; *(Elite)* élite, *fam* crème *f*; **aus=lesen** *tr (auswählen)* choisir, élire; *(sortieren)* trier; *bes. biol* sélectionner; *(zu Ende lesen)* lire jusqu'au bout, achever de lire; **~prüfung** *f* examen de sélection, concours *m*.

aus=lichten *tr (Baum)* dégarnir, élaguer, émonder.

aus=liefer|n *tr (Ware)* (dé)livrer, expédier; *(Verbrecher)* remettre, extrader; *jdm, e-r S ausgeliefert sein (fig)* être à la merci de qn, de qc; **A~ung** *f (von Waren)* délivrance, livraison, expédition; *(e-s Verbrechers)* extradition *f*; **A~ungsantrag** *m jur pol* demande *f* d'extradition; **A~ungstag** *m com* jour *m* de livraison;

A~ungsvertrag *m jur pol* traité *m* d'extradition.
aus=liegen *itr (Ware)* être étalé *od* à l'étalage; *(Buch)* être en consultation *od* sur présentoir; *(Zeitung)* être à la disposition des clients.
Auslobung *f* ‹-, -en› ['-lo:buŋ] *jur* promesse *f* de récompense.
aus=löffeln *tr* manger (à la cuiller); *die Suppe ~ müssen (fig)* (avoir à) payer les pots cassés; *die Suppe, die man sich eingebrockt hat, muß man auch ~ (prov)* quand le vin est tiré, il faut le boire.
aus=logieren *tr* déloger.
aus=löschen *tr (Feuer, Licht)* éteindre; *(Schrift* u. *fig)* effacer; **A~** *n* extinction *f;* effacement *m.*
Auslös|ehebel *m (z. B. e-r Büromaschine)* levier *m* de déclenchement *od* de débrayage; **~eknopf** *m tech* déclencheur *m;* **aus=lösen** *tr (Pfand)* dégager, retirer; *(Wechsel)* acquitter; *(Gefangenen)* racheter; *tech phot fig (veranlassen)* déclencher; *tech* débrayer; *fig (Empfindungen, Gefühle)* provoquer, susciter; **~er** *m tech phot* déclencheur *m;* **~evorrichtung** *f* dispositif de déclenchement, déclic *m;* **~ung** *f* dégagement; acquittement; rachat; déclenchement; débrayage *m.*
aus=los|en *tr (verlosen)* mettre en loterie; *(Wertpapiere)* amortir par voie de tirage; *itr (losen)* tirer au sort *od* à la courte paille; **A~ung** *f* ‹-, (-en)› *(Verlosung)* mise *f* en loterie; *(das Losen)* tirage (au sort); *(Tilgung durch ~~)* amortissement *od* remboursement *m* par tirage *od* par voie de tirage; **A~ungsschein** *m fin* bon *od* bulletin *m* de tirage.
aus=loten *tr (die Senkrechte bestimmen)* mesurer au plomb; *mar, a. fig* sonder.
aus=lüften *tr* donner de l'air à; *(Kleidung)* exposer à l'air, éventer.
Auslug *m* ‹-(e)s, -e› = *Ausguck.*
aus=machen *(Kartoffeln aus d. Erde)* arracher; *(Hülsenfrüchte aus d. Schale)* écosser; *(Feuer, Licht)* éteindre; *(Hochofen)* mettre hors feu; *radio* fermer; *(sichten)* trouver, détecter, distinguer; *mil (Ziel)* repérer, identifier; *(verabreden)* convenir de, arrêter, décider, fixer, stipuler; *(e-e größere Einheit bilden)* former, constituer; *e-n Preis ~* convenir d'un prix; *das macht nichts aus* cela ne fait *od* gâte rien; *das ist noch nicht ausgemacht* nous n'en sommes pas encore là; *das war nicht ausgemacht* cela n'était pas convenu; *was macht das aus?* qu'importe? *würde es Ihnen etwas ~, wenn ich rauche?* cela vous dérange que je fume? *das müssen* od *sollen sie unter sich ~!* à eux de décider entre eux!
aus=mahl|en *tr (Korn)* moudre; **A~ungssatz** *m* taux *m* de blutage.
aus=malen *tr (Raum)* peindre; *(kolorieren)* colorier, enluminer; *fig (schildern, ausschmücken)* dépeindre, broder; *sich etw ~ (fig)* se figurer, s'imaginer qc.
Ausmarsch *m, bes. mil* sortie *f; (für lange)* départ *m;* **aus=marschieren** *itr* sortir (*aus* de).
Ausmaß *n* mesure, étendue, dimension *f; in geringem, großem ~* dans une faible, large mesure; *beträchtliche ~e annehmen* prendre des proportions considérables; *katastrophale ~e* ampleur *f* catastrophique.
aus=mauern *tr arch* maçonner, murer, hourder.
aus=mergeln *tr* exténuer, épuiser.
aus=mer|zen ['-mɛrtsən] *tr (als wertlos aussondern)* éliminer, retrancher; *(Worte aus e-m Text)* supprimer; *(vernichten)* extirper, anéantir; *die anstößigen Stellen aus e-m Buch ~~* épurer un livre; **A~ung** *f* élimination *f,* retranchement *m;* suppression; extirpation *f,* anéantissement *m.*
aus=mess|en *tr* mesurer, prendre les mesures de; *(nach Metern)* métrer; *(Flächeninhalt)* arpenter; *(Rauminhalt)* cuber; *mar (Tonnage)* jauger; **A~ung** *f* mesurage; métrage; arpentage; cubage; jaugeage *m.*
aus=misten *tr (Stall)* nettoyer de son fumier, enlever le fumier de; *fig fam* mettre de l'ordre dans; *itr* faire le nettoyage par le vide.
aus=mitt|eln *tr,* **A~(e)lung** *f* = *ermitteln etc.*
aus=münzen *tr (Metall)* monnayer, battre monnaie de; *sein Wissen ~* monnayer ses connaissances.
aus=muster|n *tr (verlesen)* trier; *(genau prüfen)* passer en revue; *(verwerfen, ausscheiden)* rejeter, rebuter; *mil* réformer; *ausgemusterte(s) Pferd n (mil)* cheval *m* de réforme; **A~ung** *f* tri(age); rejet *m; mil* réforme *f.*
Ausnahme *f* exception (*von* à); *(von e-r Bestimmung)* dérogation *f; bis auf eine ~* à une exception près; *mit ~ (gen)* excepté, à l'exception (de), exception faite (de), sauf; *ohne jede ~* sans aucune exception; *e-e ~ bilden* faire exception; *keine ~ gestatten* od *zulassen* n'admettre aucune exception; *bei jdm e-e ~ machen* faire une exception pour *od* en faveur de qn; *~n bestätigen die Regel (prov)* l'exception confirme la règle; *keine Regel ohne ~ (prov)* pas de règle sans exception; **~fall** *m* cas *m* exceptionnel, exception *f;* **~gesetz** *n* loi *f* d'exception *od* discriminatoire; **~preis** *m* prix *m* exceptionnel; **~stellung** *f* position *f* privilégiée; **~zustand** *m* état *m* d'exception *od* d'urgence.
ausnahms|los *a* u. *adv* sans exception; **~weise** *adv* par exception, exceptionnellement, à titre exceptionnel.
aus=nehmen *tr (Eier, junge Vögel)* dénicher; *(Wild, Geflügel, Fisch)* vider; *(Bienenstock)* châtrer; *(ausschließen)* excepter, faire exception de, exclure; *fam (beim Spiel)* décaver; *sich ~ wie* avoir l'air de, faire l'effet de; *sich gut ~* avoir de l'allure, faire bien; *sich gut, schlecht ~* faire bon, mauvais effet; **~d** *adv (sehr)* extraordinairement, extrêmement.
aus=nutz|en *tr (Sache)* utiliser, exploiter, profiter de, bénéficier de, tirer profit de, mettre à profit; *pej (Person)* abuser de, exploiter; *voll ~~* profiter à plein de; *alle Vorteile ~~* faire flèche de tout bois; *s-e Zeit ~~* profiter de tout son temps; **A~ung** *f* utilisation, exploitation, mise *f* à profit.
aus=packen *tr (Paket od Behälter u. Inhalt)* déballer; *(Inhalt)* dépaqueter; *(Koffer)* défaire; *fig fam (Neuigkeiten)* faire un déballage de; *itr fig fam* dire ce qu'on a sur le cœur, vider son sac; *(Enthüllungen machen)* se mettre à table, manger le morceau *arg;* **A~** *n* déballage, dépaquetage *m.*
aus=peitsch|en *tr* fouetter, fustiger; **A~ung** *f* fustigation *f.*
aus=pellen, *sich, pop (sich ausziehen)* se défrusquer, se défringuer.
aus=pennen, *sich (fam)* dormir son content *od* tout son soûl.
aus=pfeifen *tr (Schauspieler etc)* siffler, huer.
aus=pichen ['-piçən] *tr (Faß)* poisser; *mar* goudronner; *e-e ausgepichte Kehle haben (fig fam)* avoir le gosier blindé.
aus=pinseln *tr med (Hals)* badigeonner.
Auspizien [aus'pi:tsiən] *n pl (Aussichten)* auspices *m pl; unter günstigen ~* sous des auspices favorables; *unter jds ~ (Leitung)* sous les auspices de qn.
aus=plaudern *tr* raconter, redire, colporter, divulguer, ébruiter; *das Geheimnis ~ (a. fam)* vendre la mèche; **A~** *n* colportage, ébruitement *m.*
aus=plünder|n *tr* dévaliser, détrousser, dépouiller; **A~ung** *f* détroussement, dépouillement *m.*
aus=polster|n *tr* rembourrer, capitonner; *(mit Kissen)* matelasser; **A~ung** *f* rembourrage *m.*
aus=posaunen *tr fig fam* trompeter, claironner, tambouriner, crier sur les toits.
aus=prägen *tr (Metall)* monnayer; *sich ~ (fig)* s'exprimer nettement.
aus=pressen *tr (Früchte)* press(ur)er; *(Saft)* exprimer; *(Öl)* extraire; *fig (Menschen)* pressurer, extorquer, exploiter; *(durch Fragen)* tourner et retourner.
aus=probieren *tr (versuchen)* essayer (*an* sur); *(erproben)* éprouver, mettre à l'épreuve *od* à l'essai; *(Mittel, Verfahren)* expérimenter.
Auspuff *m mot* échappement *m; freie(r) ~* échappement *m* libre; **~dampfmaschine** *f* machine *f* à vapeur à échappement libre; **aus=puffen** *itr (Gas)* s'échapper; **~gase** *n pl* gaz *m pl* d'échappement; **~geräusch** *n* bruit *m* d'échappement; **~kanal** *m,* **~öffnung** *f* orifice *m* d'échappement; **~rohr** *n* conduite *f od* tuyau *m* d'échappement; **~topf** *m* pot d'échappement, silencieux *m;* **~ventil** *n* soupape *f* d'échappement.
aus=pumpen *tr (Raum, Behälter)* pomper, vider (avec une pompe); *(Flüssigkeit)* pomper; *med (den Magen)* laver; *(luftleer machen)* faire le vide dans.

aus=punkten *tr (Boxen)* battre aux points.
aus=pusten *tr fam* souffler.
Ausputz *m (Verzierung)* décor *m*, garniture *f*, enjolivement *m*; **aus=putzen** *tr (innen reinigen)* nettoyer; *(Faß)* rincer; *(Baum)* émonder, élaguer; *(schmücken)* décorer, garnir, enjoliver, parer, orner; *fam (ausessen)* vider; **~en** *n* nettoyage; rinçage; élagage *m*.
aus=quartie|ren ['-kwarti:rən] *tr* déloger; **A~ung** *f* délogement *m*.
aus=quatschen, *sich (pop: sich aussprechen)* vider son sac.
aus=quetschen *tr (Frucht)* press(ur)er; *fig fam (ausfragen)* presser de questions, mettre *od* tenir sur la sellette, tourner et retourner; *arg* cuisiner.
aus=radieren *tr* effacer; *(mit e-m Messer)* gratter; *(mit e-m Gummi)* gommer.
aus=rangieren *tr (Sache)* mettre au rebut *od* au rancart *od* hors de service; *fam* réformer.
aus=rauben *tr* = *ausplündern*.
aus=rauchen *tr (Zigarre, Zigarette)* finir.
aus=räuchern *tr (Wespennest etc)* enfumer; *(mit Schwefel)* soufrer; *(Zimmer)* brûler des parfums dans; *(Fuchs, Dachs)* faire sortir par la fumée.
aus=raufen *tr (Haare)* arracher.
aus=räum|en *tr (Möbelstück, Schublade)* vider; *(Zimmer)* démeubler, dégarnir; *(Wohnung)* déménager; *(Grube)* vidanger; *(Kanal)* nettoyer, curer; **A~ung** *f* vidage; démeublement; déménagement *m*; vidange *f*; nettoyage, curage *m*.
aus=rechn|en *tr* calculer, compter; *(überschlagen)* supputer; **A~ung** *f* calcul, compte *m*; supputation *f*.
aus=recken *tr (ausea.ziehen)* étirer; *(den Arm)* étendre.
Ausrede *f (Ausflucht)* détour, faux-fuyant, subterfuge *m*, échappatoire, tergiversation *f*; *(Vorwand)* prétexte *m*; *(Entschuldigung)* excuse *f*; *e-e ~ haben (a.)* répondre par une échappatoire; *um e-e ~ nie verlegen sein* trouver toujours des excuses; *da hilft keine ~ (a. fam)* il n'y a pas à tortiller; *faule ~* pauvre excuse *f*; **aus=reden** *tr: jdm etw ~* dissuader qn de qc, ôter qc de l'esprit *od* de la tête de qn; *jdm ~, etw zu tun* dissuader qn de faire qc; *itr* finir de parler; *jdn nicht ~ lassen* couper la parole à qn; *sich ~* vider son sac; *lassen Sie mich (doch) ~!* laissez-moi finir.
aus=reichen *itr* suffire; avoir assez (*mit etw* de qc); **~d** *a* suffisant, à *od* en suffisance; *adv* suffisamment; *~~e Kalorienmenge f* suffisance *f* énergétique.
aus=reifen *itr, a. fig* (bien) mûrir; *~ lassen (Wein)* laisser reposer.
Ausreise *f* sortie *f*, départ *m*; **~erlaubnis** *f*, **~genehmigung** *f* permis *m* de sortie; **aus=reisen** *itr* sortir du pays, passer la frontière; **~visum** *n* visa *m* de sortie.
aus=reiß|en *tr (Haare, Unkraut)* arracher; *(entwurzeln)* déraciner; *itr (sich abtrennen)* se déchirer; *(Naht)* se découdre; *fig fam (weglaufen)* détaler, décamper, déguerpir, lever le pied, faire une fugue; *mil fam* déserter; *sich kein Bein ~~ (fig)* ne pas se mettre en quatre, ne pas se casser la tête; **A~er** *m fam* fuyard, évadé; *mil* déserteur *m*.
aus=reiten *tr (Pferd)* promener; *itr* sortir *od* se promener à cheval.
aus=renk|en ['-rɛŋkən] *tr med* démettre, déboîter, luxer, disloquer, désarticuler; *sich den Arm ~~* se démettre le bras; **A~ung** *f* déboîtement *m*, luxation, dislocation, désarticulation *f*.
aus=richt|en *tr* axer (*auf* sur); *mil* aligner; *fig* mettre au point; *pol* mettre au pas *od* à l'alignement; *(Fest vorbereiten)* arranger, préparer; *(Auftrag)* exécuter; *(Bestellung)* faire, s'acquitter de; *(Botschaft)* remettre; *(Gruß)* transmettre; *sich ~~ (mil)* s'aligner; *fig, a. pol* s'orienter (*auf* sur); *etwas ~~ (zuwege bringen)* arriver à qc, réussir (à faire qc); *nichts ~~* ne pas réussir, revenir bredouille; *damit ist nichts ausgerichtet* cela n'avance à rien; *richten Sie ihm e-n Gruß aus!* saluez-le de ma part; **A~en** *n mil* alignement *m*; *(e-s Auftrags)* exécution; *(e-r Botschaft)* remise *f*; **A~ung** *f (geistige, a. pol)* orientation *f*.
Ausritt *m* ‹-(e)s, -e› sortie *od* promenade *f* à cheval.
aus=roden *tr (Baum, Strauch, Stumpf)* déraciner.
aus=rollen *tr (Teig)* étendre (au rouleau); *(Kabel)* dérouler; *itr aero* rouler (à *od* après l'atterrissage); **A~** *n aero* roulement *m* (à *od* après l'atterrissage).
aus=rott|en ['-rɔtən] *tr, a. fig* extirper, exterminer; **A~ung** *f* extirpation, extermination *f*.
aus=rück|en *tr tech* déclencher, dé(sem)brayer; *(Kupplung)* désaccoupler; *(Zahnräder)* désengrener; *itr mil* sortir, partir, se mettre en marche; *fam (weglaufen) = ausreißen*; **A~hebel** *m tech* levier *m* de débrayage; **A~vorrichtung** *f tech* dispositif *od* mécanisme *m* de débrayage.
Ausruf *m* exclamation *f*, cri *m*; **aus=rufen** *tr (Waren, Zeitungen)* crier; *(bekanntmachen)* publier; *(feierlich)* proclamer (*jdn zum König* qn roi); *itr* (s'é)crier, s'exclamer; **~er** *m* crieur *m* public; **~esatz** *m gram* proposition *f* exclamative; **~ewort** *n gram* interjection *f*; **~ung** *f (öffentliche)* publication; *(feierliche)* proclamation *f*; **~ungszeichen** *n gram* point *m* d'exclamation.
aus=ruhen *tr (Arme, Beine)* reposer; *itr* u. *sich ~* se reposer, se délasser (*von* de); *sich ~ lassen* laisser reposer; **A~** *n* repos, délassement *m*.
aus=rupfen *tr* arracher; *die Federn ~* plumer (*e-r Gans* une oie).
aus=rüst|en *tr mil mar* équiper, armer; *fig* munir, pourvoir (*mit* de); *mit Werkzeug(en) ~~* outiller; **A~ung** *f mil mar* équipement, armement; *(Material)* matériel(s *pl*); *(mit Werkzeug)* outillage *m*; *in voller ~~ (mil)* en tenue de campagne; *hist* équipé de pied en cap; **A~ungsgegenstände** *m pl* (matériel d')équipement *m*.
aus=rutschen *itr* glisser, faire une glissade *od* un faux pas; *mot* déraper, chasser; *ich bin ausgerutscht* le pied m'a glissé.
Aussaat *f* ‹-, (-en)› *(Handlung u. Zeit)* semailles *f pl*.
aus=säen *tr* semer *a. fig*.
Aussage *f* énoncé *m*, énonciation, déclaration *f*, rapport, dire *m*; *jur (Zeugen~)* déposition *f*, témoignage *m*; *nach jds ~* au dire de qn, d'après les dires de qn, sur le rapport de qn; *s-e ~ beeiden* faire sa déposition sous serment; *bei s-r ~ bleiben* maintenir sa déposition; *e-e falsche ~ machen* faire une fausse déposition; *e-e schriftliche ~ machen* déposer par écrit; *die ~ verweigern* refuser le témoignage; *s-e ~ widerrufen* se rétracter, se dédire; *eidliche ~* déposition *od* déclaration *f* sous serment; **aus=sagen** *tr* énoncer, déclarer, rapporter, dire; *itr jur* déposer (en justice), témoigner (*über* de); **~satz** *m gram* proposition *f* affirmative; **~verweigerung** *f jur* refus *m* de témoignage; *Recht n der ~~* droit *m* de refuser le témoignage; **~weise** *f gram (Modus)* mode *m*.
aus=sägen *tr* découper (à la scie).
Aussatz *m* ‹-es, ø› ['-zats] *med (Lepra)* lèpre *f*.
aus=sätzig ['-zɛtsıç] *a* lépreux; **A~e(r)** *m* lépreux *m*.
aus=saufen *tr (leer saufen, von Tieren)* vider; *(Flüssigkeit)* boire; *(von Menschen) pop* sécher; *(Getränk)* avaler.
aus=saugen *tr* sucer, vider en suçant; *fig (Menschen)* gruger, plumer, exploiter; *jdn völlig ~ (fig)* saigner qn à blanc.
aus=schaben *tr* gratter.
aus=schacht|en ['-ʃaxtən] *tr* excaver, foncer, creuser; **A~ung** *f* excavation *f*, fonçage, creusage, creusement *m*.
aus=schalen *tr (Obst)* peler; *(Hülsenfrüchte)* écosser; *arch (verschalen)* coffrer; *(ausspülen, vom Wellenschlag)* éroder, miner.
aus=schalt|en *tr tech mot* arrêter, mettre au point mort; *(elektr. Strom)* mettre hors circuit, couper, interrompre; *(Licht)* éteindre; *radio* fermer; *fig* écarter, éliminer, exclure; *fam* limoger; **A~en** *n* mise au point mort; *el* mise hors circuit, coupure, interruption, disjonction *f*; **A~er** *m el* interrupteur, disjoncteur *m*; **A~ung** *f fig* élimination; exclusion *f*.
Ausschank *m* ‹-(e)s, ⸚e› ['-ʃaŋk, '-ʃɛŋkə] débit *m* de boissons.
Ausschau *f* ‹-, ø› *~ halten* scruter l'horizon; *nach jdm* chercher qn des yeux *od* du regard; **aus=schauen** *itr* regarder; *nach jdm ~* chercher qn des yeux *od* du regard; *wie ... ~* avoir l'air de ...
aus=schaufeln *tr (Erde)* enlever

avec la pelle; *(Verschütteten)* délivrer (avec la pelle); *(Hohlraum)* creuser; *(leer schaufeln)* vider.
aus≈scheid|en *tr chem* dégager, extraire; *physiol* sécréter, éliminer; *(herausnehmen u. wegtun)* écarter; *sport* éliminer; *itr (aus e-r Gemeinschaft)* se séparer, sortir (*aus* de); *sport* être éliminé; *aus dem Dienst ~~* quitter le *od* sortir du service, se retirer, prendre sa retraite; *(höherer Beamter)* démissionner; *aus dem Geschäft ~~* se retirer des affaires; *turnusmäßig ~~* sortir à tour de rôle; *das scheidet aus (kommt nicht in Betracht)* cela n'entre pas en ligne de compte; cela est exclu; **A~en** *n (aus d. Dienst)* retraite; démission *f;* **A~ung** *f chem* dégagement *m,* extraction; *physiol* sécrétion, excrétion, élimination; *sport* élimination *f;* **A~ungskampf** *m sport* (épreuve *f od* match *m*) éliminatoire *f;* **A~ungsrunde** *f sport* ronde *f od* tour *m* éliminatoire; **A~ungsspiel** *n sport* match éliminatoire *od* de sélection, éliminatoire *f.*
aus≈schelten *tr* gronder, réprimander, tancer, houspiller.
aus≈schenken *tr* verser (à boire); *(gewerblich)* débiter.
aus≈scheren *itr mar aero* quitter la ligne; *mot* changer de file.
aus≈schicken *tr (Boten)* envoyer; *nach jdm, etw ~* envoyer chercher qn, qc.
aus≈schießen *tr (ein Auge)* crever d'un coup de feu; *(Brot aus dem Backofen)* défourner; *typ* imposer; *(e-n Preis)* jouer au tir; *(als minderwertig aussondern)* éliminer, rebuter.
aus≈schiff|en, *sich* débarquer; **A~ung** *f* débarquement *m.*
aus≈schimpfen *tr = ausschelten; (mit Schimpfwörtern belegen) fam* passer un savon à; *pop* engueuler.
aus≈schirren *tr (Pferd)* déharnacher, dételer.
aus≈schlacht|en *tr (Tier)* dépecer; *(Maschine, Auto)* démonter, casser; *fam (Menschen ausbeuten)* gruger, exploiter; *(Nachricht)* exploiter, faire un sort à, monter en épingle; **A~ung** *f* dépeçage; démontage *m* pour la réutilisation.
aus≈schlafen *itr* u. *sich ~* dormir son content, faire la grasse matinée; *tr: s-n Rausch ~* cuver son vin.
Ausschlag *m (der Waage)* trait *m; (des Pendels)* oscillation; *(der Magnetnadel)* déviation *f; mar mot (Steuerungs~)* braquage *m; med (Haut~)* éruption *f,* eczéma, exanthème *m; den ~ geben (fig)* faire pencher *od* emporter la balance, l'emporter; décider, être décisif; *bei Stimmengleichheit den ~ geben* départager les voix; **aus≈schlagen** *tr (Zahn)* casser; *(Auge)* crever; *(Löcher, Figuren in Blech, Pappe etc)* découper; *(Metall hämmern)* battre; *(Raum verkleiden)* garnir, tendre, tapisser (*mit* de); *fig (zurückweisen)* refuser, rejeter, repousser; *(Erbschaft)* répudier; *(ablehnen)* décliner; *itr (Pferd)* ruer; *(Waage)* pencher, trébucher; *(Pendel)* osciller; *(Zeiger, Magnetnadel)* dévier; *(Wand)* suer, suinter; *(Baum)* bourgeonner, pousser; *(ausgehen, ein Ende nehmen)* tourner (*zu jds Vorteil, Nachteil* à l'avantage, au désavantage de qn); *ausgeschlagen haben (Uhr)* avoir achevé de sonner; *(Herz)* avoir cessé de battre; *e-m Faß den Boden ~* défoncer un tonneau; *so etwas schlägt man nicht aus* cela ne se refuse pas, ce n'est pas de refus; *das schlägt dem Faß den Boden aus (fam)* ça, c'est le bouquet; cela passe la mesure; **~en** *n (der Bäume)* bourgeonnement; *fig (Zurückweisung, Ablehnung)* refus, rejet *m; (e-r Erbschaft)* répudiation *f;* **a~gebend** *a* décisif, déterminant, capital, crucial; *e-e ~~e Stimme haben* avoir voix prépondérante.
aus≈schlämmen *tr (Graben, Teich)* débourber, curer.
aus≈schließ|en *tr: jdn ~~* fermer la porte à clé derrière qn; *(aus e-r Gemeinschaft)* exclure (*aus* de); *sport* disqualifier; *typo* justifier; *(ausnehmen)* excepter; *sich ~~* s'exclure (*von* de); *um Mißverständnisse auszuschließen* pour éviter des malentendus; *die Öffentlichkeit ~~ (jur)* ordonner le huis clos; **~lich** *a* exclusif; *prp gen* à l'exclusion de; **A~lichkeit** *f* exclusivité *f;* **A~ung** *f = Ausschluß.*
aus≈schlüpfen *itr (aus d. Ei)* éclore; **A~** *n* éclosion *f.*
aus≈schlürfen *tr* vider à petits traits; *(genießerisch)* siroter, gober.
Ausschluß *m (aus e-r Gemeinschaft)* exclusion; *sport* disqualification *f; unter ~ (gen)* à l'exclusion (de); *unter ~ der Öffentlichkeit (jur)* à huis clos; *unter ~ des Rechtsweges* sans la possibilité d'un recours aux tribunaux; *den Antrag auf ~ der Öffentlichkeit stellen* demander le huis clos; *zeitweilige(r) ~ (sport)* suspension *f.*
aus≈schmieren *tr (Hohlraum)* graisser; *fig jdn ~* rouler qn.
aus≈schmück|en *tr* orner, décorer, parer (*mit* de); *a. fig* embellir, enjoliver; *fig (Erzählung)* broder, enrichir; **A~ung** *f* ornementation *f,* décor(ation *f*); *a. fig* embellissement, enjolivement; *fig* enrichissement *m.*
aus≈schnauben, *sich (fam)* se moucher.
Ausschneid|ebogen *m (Spielzeug)* découpages *m pl;* **aus≈schneiden** *tr (her~)* découper (*aus* dans); *(Kleid)* échancrer; *(am Hals)* décolleter; *(Baum)* élaguer, émonder; *med* exciser, extirper; **~en** *n* découpage; décolletage; élagage, émondage *m; med* excision, extirpation *f.*
Ausschnitt *m (Zeitungs~)* coupure; *(Bild~)* coupe *f; (Film)* extrait *m,* séquence *f; (aus e-m Gemälde etc)* détail, fragment *m; (e-s Kleides)* découpe; *(Ärmel~)* échancrure *f; (am Hals)* décolleté *m.*
aus≈schöpfen *tr (Behälter, Brunnen)* épuiser, mettre à sec; *(Flüssigkeit)* puiser; *(Wasser aus e-m Boot)* écoper; *alle Möglichkeiten ~ (fig)* épuiser toutes les possibilités.
aus≈schrauben *tr* dévisser; *(Bolzen)* déboulonner.
aus≈schreib|en *tr (Wort)* écrire en toutes lettres *od* en entier; *(abschreiben)* transcrire, copier; *(Rechnung)* dresser, établir; *(Scheck, Wechsel)* remplir; *(bekanntmachen)* publier, annoncer; *(öffentliche Arbeit)* mettre en adjudication; *(Stelle, Amt)* déclarer vacant, mettre au concours; *(Wettbewerb)* ouvrir; *(neue Steuern)* imposer; *Wahlen ~~* annoncer des élections; *e-e ausgeschriebene Handschrift haben* avoir une écriture très personnelle; **A~en** *n* transcription, copie *f;* établissement *m;* publication *f;* **A~ung** *f (von Arbeiten)* avis *m* d'appel d'offres; mise au concours; ouverture; imposition *f; auf dem Wege der* od *durch ~~ (adm)* par (voie d')adjudication.
aus≈schrei|en *tr (Waren, Zeitungen)* vendre à la criée; *sich ~~* s'époumoner, s'égosiller; **A~er** *m* crieur *m* public.
aus≈schreit|en *tr (ausmessen)* arpenter; *itr* marcher à grands pas, allonger le pas, enjamber; *tüchtig ~~* aller bon train; **A~ung** *f fig (Gewalttat)* excès, acte *m* de violence; *es kam zu ~~en* il y eut des excès de commis.
Ausschuß *m (Austrittsstelle e-s Geschosses)* sortie *f; (minderwertige Ware)* (marchandise *f* de) rebut, fond *m* du panier, camelote; *tech* pièce *f* manquée; *(Kommission)* comité *m* commission *f; e-n ~ einsetzen* constituer un comité; *an e-n ~ überweisen* remettre à un comité; *an e-n ~ zurückverweisen* renvoyer devant un comité; *beratende(r) ~* comité *m* consultatif; *gemischte(r) ~* commission *f* mixte; *geschäftsführende(r) ~* comité *m* exécutif *od* gérant; *ständige(r) ~* comité *m* permanent; **~mitglied** *n* membre *m* d'un *od* du comité; **~papier** *n* maculature *f;* **~sitzung** *f* session *f* du comité; **~ware** *f* marchandise de rebut, camelote *f.*
aus≈schütteln *tr* secouer.
aus≈schütt|en *tr (Inhalt)* verser, répandre; *(Gefäß)* vider; *(Dividende)* distribuer, répartir; *sein Herz ~~* épancher *od* ouvrir son cœur, s'épancher; *das Kind mit dem Bade ~~* jeter l'or avec les crasses; *(Neologismus)* jeter l'enfant avec l'eau du bain; *sich vor Lachen ~~* rire aux éclats; **A~ung** *f fin* distribution, répartition *f.*
aus≈schwärmen *itr (Bienen)* essaimer; *mil* se déployer en tirailleurs; **A~** *n* essaimage; déploiement *m.*
aus≈schweben *itr aero* allonger le vol *od* la descente.
aus≈schwefeln *tr (Faß)* soufrer; **A~** *n* soufrage *m.*
aus≈schweif|en *tr (bogenförmig ausschneiden)* échancrer; *tech* contourner, chantourner; *fig* s'écarter du sujet, s'égarer; **~end** *a (Phantasie)* extravagant, déréglé; *(Leben)* déréglé, dissolu; *ein ~~es Leben füh-*

ren se livrer à la débauche; **A~ung** *f (Bogen)* échancrure *f; tech* chantournement; *fig* excès *m*, débauche, crapule *f; pl a.* saturnales *f pl.*
aus≈schweigen, *sich* garder le silence (*über* sur).
ausschwenkbar *a tech (horizontal)* basculant; *(senkrecht)* pivotant; **aus≈schwenken** *tr tech* basculer, pivoter; *(spülen)* rincer.
aus≈schwitzen *tr physiol* u. *med* exsuder; **A~** *n* exsudation *f.*
aus≈sehen *itr* chercher du regard *od* des yeux (*nach jdm* qn); *(wirken)* paraître (*jung* jeune); avoir l'air, faire l'effet (*wie* de; *als ob* ... de *inf*); *fam* faire (*jung* jeune); *(ähnlich sehen)* ressembler (*wie* à); *älter, jünger ~ als man ist* paraître plus, moins que son âge; *böse ~* avoir l'air *od* paraître méchant; *gut ~ (Mensch)* être bien (fait de sa personne); *gut, schlecht* od *nicht gut ~ (gesundheitlich)* avoir bonne, mauvaise mine; *gutmütig ~* avoir l'air bon; *ganz harmlos ~* avoir l'air inoffensif; *lekker ~ (Speise)* être appétissant, avoir bonne mine; *mürrisch, verdrießlich ~* avoir l'air mécontent; faire la mine, faire grise mine; *vornehm ~* avoir l'air distingué; *er sieht ganz danach aus* il en a bien l'air; *es sieht ganz danach aus* cela en a tout l'air; *es sieht ganz danach aus, als ob* on a bien l'impression que; *es sieht nach Regen aus* le temps est à la pluie, on dirait qu'il va pleuvoir; *das sieht genauso aus (wie etw anderes)* c'est à s'y tromper; *wie siehst du (nur) aus!* de quoi as-tu l'air! *so siehst du aus! (fam iron)* penses-tu! *pop* et ta sœur? **A~** *n* air *m; (Ausdruck)* mine, figure *f; (Anblick)* aspect *m; (Anschein)* apparence; allure *f; nach dem (bloßen) ~~* selon l'apparence; *nach dem ~~ zu urteilen* à en juger sur l'apparence; *das ~~ verleihen* donner l'aspect (*e-s, e-r* d'un, d'une).
aus≈sein *itr (zu Ende sein)* être fini.
außen ['ausən] *adv* (en *od* au) dehors, à l'extérieur; *nach ~* en dehors, vers l'extérieur; *von ~* de dehors; *von innen nach ~* du dedans au dehors; *von ~ (gesehen)* du dehors, vu de l'extérieur; *nach ~ aufgehen (Tür)* s'ouvrir en dehors *od* vers l'extérieur; **A~** *m* (-s, -) *sport* ailier *m.*
Außen|antenne ['ausən-] *f* antenne *f* extérieure; **~aufnahme** *f film* extérieur *m; ~~n machen* filmer en extérieur; **~bahn** *f sport* piste *f* extérieure; **~beamte(r)** *m* agent *m* du service extérieur; **~beleuchtung** *f* éclairage *m* extérieur; **~bezirk** *m (e-r Stadt)* quartier extérieur; *(Vorstadt)* faubourg *m;* **~bordmotor** *m mar* (moteur) hors-bord *m; aero* moteur *m* extérieur; **~bordmotorboot** *n* hors-bord *m;* **~dienst** *m (mil, Polizei, adm)* service extérieur; *com* service *m* de diffusion; **~durchmesser** *m* diamètre *m* extérieur: **~fläche** *f* surface *f* extérieure; **~gewinde** *n tech* filet *m* extérieur; **~gitter** *n radio* grille *f* extérieure; **~hafen** *m mar* avant-port *m;* **~handel** *m* commerce *m* extérieur; **~handelsbilanz** *f* bilan *m od* balance *f* du commerce extérieur; **~handelsförderung** *f* encouragement *m* du commerce extérieur; **~handelsmonopol** *n* monopole *m* du commerce extérieur; **~handelsstelle** *f* office *m* du commerce extérieur; **~haut** *f mar aero* revêtement *m* extérieur; **~hof** *m* cour *f* extérieure; **~landung** *f aero* atterrissage *m* en pleine *od* en rase campagne; **~leiter** *m el* conducteur *m* extérieur; **~leitung** *f el* ligne *f* extérieure; **~luft** *f aero* air *m* extérieur; **~mauer** *f* mur extérieur, gros mur *m;* **~minister** *m* ministre des Affaires étrangères; *(von Großbritannien)* secrétaire d'État aux Affaires étrangères; *(der USA)* secrétaire *m* au Département d'État **~ministerium** *n* ministère *m* des Affaires étrangères; **~panzer** *m (e-s Kriegsschiffes)* cuirasse *f* latérale; **~plattform** *f (loc, Straßenbahn)* plate-forme *f* ouverte; **~politik** *f* politique *f* extérieure *od* étrangère; **a~politisch** *a* de la politique extérieure *od* étrangère; *auf ~~em Gebiet* dans le domaine extérieur; *~~e(r) Ausschuß m* commission *f* des affaires étrangères; *~~e Lage f* situation *f* extérieure; **~posten** *m mil* poste *m* avancé; **~reede** *f mar* grande rade *f;* **~seite** *f* (côté) extérieur *m*, face *f* extérieure; *a. fig (von Menschen)* dehors *m; arch (Fassade)* façade; *(e-s Stoffes)* face *f*, endroit *m;* **~seiter** *m sport* u. *allg* outsider *m;* **~stände** *m pl com* créances (à recouvrer), dettes *f pl* actives; *~~ eintreiben* od *einziehen* opérer des rentrées; **~station** *f (im Weltraum)* station *f* spatiale; **~stehende(r)** *m (Laie, allg)* profane *m;* **~stelle** *f com* agence *f;* **~stürmer** *m sport* ailier *m;* **~temperatur** *f* température *f* extérieure; **~wand** *f* = *~mauer;* **~welt** *f* monde *m* extérieur; *sich gegen die ~~ verschließen a.* se replier sur soi-même; **~werke** *n pl mil* ouvrages *m pl* avancés, approches *f pl;* **~winkel** *m math* angle *m* externe.
aus≈send|en *tr (Boten)* envoyer; *lit (Strahlen)* darder, lancer; **A~ung** *f* envoi *m.*
außer ['ausər] **1.** *prp (örtl. u. zeitl. nur noch in bestimmten Wendungen, s. u.; ausgenommen, ohne)* excepté *(vor- od nachgestellt)* à l'exeption de, sauf, sans; *lit* hormis; *(neben, über ... hinaus)* en dehors de, outre, à côté de; *(zusätzlich zu)* en sus de; *~ Atem* hors d'haleine, essoufflé; *~ Betrieb, ~ Dienst (nicht im Dienst)* hors de service; *(im Ruhestand)* en retraite, retraité; *~ Fassung* décontenancé, déconcerté, désarçonné; *~ Frage* hors de doute; *~ Gefahr (a. med)* hors de danger; *~ Haus* en ville; *~ Hörweite* hors de portée acoustique; *~ Konkurrenz* hors concours; *~ Landes* à l'étranger; *~ Schußweite* hors de portée; *~ Sicht* hors de vue; *~ der Zeit* hors de saison, mal à propos; *~ allem Zweifel* sans aucun doute; *~ sich geraten* s'exaspérer; *fam* sortir de ses gonds; *~ Gebrauch kommen* tomber en désuétude; *~ acht lassen* ne pas tenir compte de, négliger; *~ Betracht lassen* ne pas prendre en considération, faire abstraction de; *sich ~ Atem laufen* courir à perdre haleine; *~ dem Hause schlafen* découcher; *~ sich sein* être hors de soi; *~ sich sein vor Freude* être transporté *od* ivre de joie, ne pas se tenir *od* se sentir *od* se posséder de joie; *~ sich sein (vor Zorn)* être outré (de colère); *~ Haus sein* être sorti *od* en ville, ne pas être chez soi; *~ Betrieb setzen* mettre hors (de) service; *~ Gefecht setzen (mil* u. *fig)* mettre hors de combat; *~ Kraft setzen* annuler, abroger; *~ Kurs setzen (fin)* retirer de la circulation; *~ Dienst stellen (Schiff)* mettre hors (de) service; *er ist ganz ~ sich (a.)* les yeux lui sortent de la tête; **2.** *~ daß (conj)* sauf que, sinon que, sauf si; *~ wenn (conj)* à moins que *subj.*
außer|amtlich ['ausər-] *a* non officiel; officieux; privé; **~beruflich** *a* en dehors du travail professionnel; **A~betriebsetzung** *f* mise hors (de) service *od* d'usage; *(e-r Fabrik, e-s Bergwerks)* cessation *f* de l'exploitation; **~börslich** *a* hors bourse; **~dem** ['-de:m, --'-] *adv* en outre, outre cela, de *od* en plus, au surplus; *(obendrein)* par-dessus le marché; *(übrigens)* d'ailleurs, par ailleurs, du reste; **~dienstlich** *a* en dehors du service; **A~dienststellung** *f (von Personen)* mise en non-activité; *(von Sachen)* mise *f* hors (de) service *od* d'usage; **~ehelich** *a* extraconjugal; *(Kind)* hors du mariage, illégitime, naturel; *(Kind) als ~~ erklären* désavouer; *~~e Beziehungen f pl* rapports *m pl* extra-conjugaux; **~etatmäßig** *a* en dehors du budget, extra-budgétaire: **~europäisch** *a* extra-européen; **~fahrplanmäßig** *a loc* non prévu (dans l'horaire), supplémentaire; **~gerichtlich** *a* extrajudiciare, en dehors de la voie judiciaire; *(gütlich)* à l'amiable; **~gewöhnlich** *a* insolite, hors ligne *od* classe; exceptionnel, extraordinaire; **~halb** *adv* au dehors, à l'extérieur; *prp (gen)* hors (de), en dehors (de); *von ~~* du dehors; *~~ der Geschäftsstunden* hors des heures de bureau; *~~ der Stadt* hors (de la) ville; **A~kraftsetzung** *f* abrogation, annulation, invalidation *f;* **A~kurssetzung** *f fin* mise *f* hors de cours *od* de circulation; **~ordentlich** *a* extraordinaire; *adv a.* extrêmement; *~~e(r) Professor m* professeur sans chaire, chargé *m* de cours; **~parlamentarisch:** *~~e Opposition (APO) f* opposition *f* extra-parlementaire; **~planmäßig** *a* extraordinaire, hors cadre, hors programme; *(Beamter)* surnuméraire; **~stand(e)** *adv: ~~sein, etw zu tun* être hors d'état *od* incapable de faire qc; **~vertraglich** *a* extra-contractuel.
äußer|e(r, s) ['ɔysərə] *a* extérieur, externe; extrinsèque; *das* **Ä~e** (-(e)n,

ø› *(Erscheinungsbild)* l'extérieur *m*, les dehors *m pl; (e-s Menschen a.)* le physique; *(Schein)* apparences; *pol* les affaires *f pl* étrangères; *jdn nach dem ~~en beurteilen* juger qn sur l'extérieur *od* sur la mine; *zuviel auf das ~~e geben* se fier trop aux apparences; *ein angenehmes ~~(s) haben* avoir un physique agréable; *auf sein ~~es halten* avoir toujours une mise soignée; *Minister (-ium n) m des ~~en = Außenminister(ium).*

äußerlich ['ɔʏsərlɪç] *a* extérieur, externe; *(oberflächlich)* superficiel; *(unwesentlich)* non essentiel; *(scheinbar)* apparent; *pharm* pour l'usage externe; *adv a.* en apparence; *~! (pharm)* réservé à l'usage externe; **Ä~keit** *f* formalité *f; sich an die ~~en halten* s'attacher aux dehors; *das sind (bloße) ~~en* ce ne sont que des détails (de forme).

äußer|n ['ɔʏsərn] *tr (aussprechen)* dire, proférer, émettre; *(Wunsch)* exprimer; *sich ~~ (sich zeigen)* se manifester; *sich zu etw ~~* dire son avis sur qc; **Ä~ung** *f (Worte)* dires *m pl*, propos; *jur* dire *m; (Ausdruck)* expression; *(Bekundung)* manifestation *f.*

äußerst ['ɔʏsərst] *adv* extrêmement, au plus haut degré, au dernier point, du dernier, on ne peut plus, à outrance; **~enfalls** *adv* à la rigueur; *(schlimmstenfalls)* au pis aller; **~e(r, s)** *a (räuml.)* le plus éloigné; *fig* extrême; *(Preis)* dernier; *am ~en Ende (gen)* à l'extrémité (de); *aufs ~e = ~; im ~en Falle = ~enfalls; mit ~er Anstrengung* en y mettant toute sa force; *in ~er Not* dans l'extrémité; *von ~er Wichtigkeit* de toute importance; *die ~e Linke f (pol)* l'extrême gauche *f; ~e(r) Termin m* dernier délai *m; das* **Ä~e** l'extrême *m; (Ende)* l'extrémité *f; wenn es zum ~~n kommt* à la dernière extrémité; *aufs ~~ gefaßt sein* s'attendre au pire; *bis zum ~~n gehen* aller jusqu'a l'extrême; *zum ~~n gezwungen sein* être réduit à l'extrême; *etw aufs ~~ treiben* pousser qc à l'extrémité, mettre qc à bout; *jdn zum ~~n treiben* pousser qn à bout; *sein ~~s tun* faire (tout) son possible; *das ist das ~~, was ich tun kann* c'est tout ce que je peux faire.

aus=setz|en *tr (das Allerheiligste)* exposer; *(Boot)* mettre à la mer; *(Menschen auf e-e einsame Insel, neugeborenes Kind)* abandonner; *(Belohnung)* offrir; *(Preis)* proposer; *(Rente)* constituer; *(Vermächtnis)* faire *(jdm* pour qn); *(unterbrechen)* interrompre; *(aufschieben)* remettre, suspendre; *jur (bes. Strafe)* surseoir (à); *itr (stocken, s-e Tätigkeit unterbrechen)* cesser, (s')arrêter; *(e-e Pause machen)* s'interrompre, faire une pause; *(Motor)* rater; *(zeitweise ~~)* être intermittent; *mit etw* interrompre, suspendre qc; *sich ~~ (der Witterung, den Blicken, dem Spott)* s'exposer *(dat* à); *sich der Gefahr ~~, überfahren zu werden* risquer d'être écrasé; *etw an e-r S auszusetzen haben* trouver à redire à qc; *an allem etwas auszusetzen haben* trouver à redire *od* à reprendre à tout, chercher la petite bête; *an jedem etwas auszusetzen haben* médire du tiers et du quart; *e-r S ausgesetzt sein* être exposé *od* en butte à qc; *den Angriffen ausgesetzt sein* être exposé aux attaques; *auf s-n Kopf sind 10.000 DM ausgesetzt* sa tête est mise à prix pour 10.000 DM; **A~en** *n (Stocken, Aufhören)* cessation *f*, arrêt *m;* interruption, pause *f; mot* raté *m; (zeitweiliges)* intermittence *f;* **A~ung** *f (e-s Bootes)* mise *f* à la mer; *(von Menschen)* abandon *m; (e-r Belohnung)* offre; *(e-s Preises)* proposition; *(e-r Rente)* constitution *f; jur (e-r Strafe)* sursis *m.*

Aussicht *f* vue *(auf* sur); *(Fernsicht)* perspective *a. fig; fig (Erfolgs~)* chance; *(Hoffnung)* espérance *f; mit schöner ~ (Gebäude etc)* panoramique; *jdm (neue) ~en eröffnen* ouvrir des horizons à qn; *etw in ~ haben (fig)* avoir qc en vue; *glänzende ~en haben (fig)* avoir un brillant avenir devant soi; *gute ~en haben (fig)* avoir de bonnes chances *(zu* de); *geringe ~en haben (fig)* avoir peu de chances *(zu* de); *etw in ~ nehmen* envisager, se proposer qc; *in ~ stehen* être en perspective; *jdm etw in ~ stellen* faire entrevoir qc à qn; *jdn für etw in ~ genommen haben* avoir qn en vue pour qc; *es besteht kaum ~, daß* il n'y a guère de chances pour que; *die ~en sind gleich* les chances sont égales; *~ auf Erfolg* chance *f* de succès; **a~slos** *a* sans espoir, sans chance de succès, voué à l'échec; *(zwecklos)* inutile; *(vergeblich)* vain; *~~e(r) Fall m (a. med)* cas *m* désespéré; **~slosigkeit** *f* inutilité, vanité *f;* **~spunkt** *m* point *m* de vue; **a~sreich** *a*, **a~svoll** *a* plein de promesses, prometteur, de grand avenir; **~sturm** *m* belvédère *m;* **~swagen** *m loc* voiture *f* panoramique.

aus=sieben *tr fig (sorgfältig prüfen u. ausscheiden)* éliminer après examen.

aus=söhn|en *tr* réconcilier, raccommoder *(mit* avec); *sich ~~* se réconcilier, se raccommoder, faire la paix *(mit* avec); *sich mit etw ~~* s'accommoder de qc; **A~ung** *f* réconciliation *f*, raccommodement *m.*

aus=sonder|n *tr*, **A~ung** *f = aussortieren etc.*

aus=sortier|en *tr* trier, mettre à part; **A~ung** *f* tri(age) *m.*

aus=spähen *itr* chercher des yeux *od* du regard *(nach etw* qc).

Ausspann *m (für Pferde)* relais *m;* **aus=spannen** *tr* (é)tendre, déployer; *(herausnehmen)* détendre; *(Pferd)* dételer; *fig fam (stibitzen)* chiper, chaparder *(jdm etw* qc à qn); *(abspenstig machen)* souffler *(jdm sein Mädchen* sa maîtresse à qn); *itr fig, (entspannen, sich erholen)* se détendre, se délasser, se reposer, prendre du repos; *fam* se relaxer; *geistig ~* se rafraîchir l'esprit; **~en** *n* déploiement; *(der Pferde)* dételage *m;* **~ung** *f fig (Entspannung)* détente *f*, délassement, repos *m*, récréation *f.*

aus=spar|en *tr (beim Schreiben od Setzen)* laisser en blanc; *tech* ménager, évider; **A~ung** *f* blanc; *tech* ménagement, évidement *m.*

aus=speien *tr* cracher; *(Vulkan)* cracher, vomir; *(wieder von sich geben)* rendre, vomir.

aus=sperr|en *tr* fermer la porte à; *(Arbeiter)* lock-outer; **A~ung** *f (Kampfmaßnahme der Arbeitgeber)* lock-out *m.*

aus=spielen *tr (Karte)* jouer; *(Spiel)* finir; *s-n letzten Trumpf ~ (fig)* jouer son va-tout, brûler sa dernière cartouche; *itr (im Kartenspiel)* jouer le premier, avoir la main; *sport* servir; *ausgespielt haben (fig fam)* avoir joué sa dernière carte, être au bout de son rouleau, être un homme fini; *wer spielt aus?* à qui l'entame?

aus=spinnen *tr fig (Gedanken)* développer; *fam* délayer.

aus=spionieren *tr* espionner.

Aussprache *f* prononciation *f; (e-s bestimmten Wortes a.)* phonétisme *m; (deutliche)* articulation *f; (Tonfall)* accent *m; (Erörterung)* explication, discussion *f; parl* débat *m, meist pl; e-e ~ eröffnen* ouvrir une discussion; *e-e feuchte ~ haben (fam)* envoyer des postillons, postillonner; *ich wünsche e-e offene ~ mit Ihnen* j'aimerais m'expliquer franchement avec vous; **~bezeichnung** *f* prononciation *f* figurée; **~fehler** *m* faute *f* de prononciation; **~zeichen** *n* signe *m* de prononciation.

aussprech|bar *a* prononçable; *(ausdrückbar)* exprimable; **aus=sprechen** *tr (sagen)* dire, proférer; *(Gedanken)* énoncer; *(Wunsch)* exprimer, form(ul)er; *(Urteil)* rendre, prononcer; *(lautlich wiedergeben)* prononcer; *(deutlich)* articuler; *(zu Ende sprechen)* finir, achever; *itr: ausgesprochen haben* avoir achevé de parler; *sich ~ (s-e Meinung sagen)* s'exprimer; *(sein Herz ausschütten)* s'épancher; *für, gegen jdn, etw* se prononcer, se déclarer pour, contre qn, qc; *(sich mit jdm od gegenseitig)* s'expliquer *(über etw* sur qc); *jdm das Vertrauen ~ (parl)* voter la *od* accorder sa confiance à qn; *lassen Sie mich (doch) ~!* laissez-moi finir.

aus=sprengen *tr lit (Gerücht)* répandre.

aus=spritzen *tr* faire jaillir; *physiol (Samenflüssigkeit)* éjaculer; *(Gift)* lancer; *(durch Spritzen auswaschen)* laver (avec un jet d'eau); *med (Wunde)* injecter.

Ausspruch *m (e-s Weisen od Dichters)* sentence, parole *f* (sentencieuse), mot *m.*

aus=spucken *tr* cracher; *(fig fam) Geld ~* cracher au bassinet.

aus=spül|en *tr* rincer, laver; *geol* éroder; *den Mund ~~* se rincer la bouche; **A~en** *n* rinçage, lavage *m;* **A~ung** *f geol* érosion *f.*

aus=staffier|en ['ausʃtaˌfiːrən] *tr* garnir, équiper *(mit* de); *pej (Menschen)* accoutrer, affubler (*mit* de); *sich ~~ (pej)* s'accoutrer, s'affubler; *(sich) neu ~~ (a. fam)* (se) requinquer; **A~ung** *f* ‹-,(-en)› équipement; *pej* accoutrement, affublement *m.*

Ausstand *m (Streik)* grève *f; sich im ~ befinden* faire grève; *in den ~ treten* se mettre en grève.

aus=ständ|ig *a (im Streik befindlich)* en grève; **A~ler** *m* gréviste *m.*

aus=stanzen *tr tech* découper, poinçonner.

aus=statt|en ['ausʃtatən] *tr (versehen mit)* garnir, munir, équiper, pourvoir (*mit* de); *(Haus, Wohnung, Zimmer a.)* meubler; *(schmücken)* orner, parer, décorer (*mit* de); *(e-e Aussteuer geben)* donner un trousseau à; *fig (Menschen mit Anlagen)* douer (*mit* de); *sich mit etw ~~* se munir, s'équiper, se pourvoir de qc; *jdn mit e-r Vollmacht ~~* donner *od* conférer plein pouvoir à qn, fonder qn de pouvoir; **A~ung** *f* équipement; *(e-r Wohnung)* ameublement; mobilier *m; (Ausschmückung)* décoration; *(e-s Buches)* présentation *f; (Mitgift)* trousseau; *theat* décor *m; (mit Vermögen, Einkünften)* dotation *f;* **A~ungsfilm** *m* film *m* à grande mise en scène *od* à grand spectacle; **A~ungsstück** *n theat* pièce *f* à grande mise en scène *od* à grand spectacle.

aus=stech|en *tr (Rasen)* enlever; *(Torf)* extraire, fouir; *(die Augen)* crever; *hist (aus dem Sattel heben, a. fig)* désarçonner, démonter; *fig* supplanter, évincer, éclipser; *fam* couper l'herbe sous le pied (*jdn* à qn), damer le pion (*jdn* à qn); *sich (gegenseitig) auszustechen suchen (a.)* chercher à s'exclure; **A~form** *f (des Bäckers)* moule *m* à découper.

aus=stehen *itr (noch erwartet werden)* être en retard *od* en souffrance, se faire attendre; *tr (ertragen)* endurer, supporter, subir; *etw, jdn ~* supporter, souffrir qc, qn; *Angst ~* avoir peur; *bei jdm nichts auszustehen haben* ne manquer de rien, être comme coq en pâte chez qn; *jdn nicht ~ können* ne pouvoir voir qn en peinture; *den Kerl kann ich nicht ~* il est ma bête noire; *die Antwort steht noch aus* on n'a pas encore de réponse; *die Entscheidung steht noch aus* l'affaire est encore en suspens; *die Rechnung steht noch aus* le compte n'a pas encore été apuré; **~d** *a (Geld)* dû, non rentré, à recouvrer; *~~ Forderung f* créance *f* ouverte; *~~e Schuld f* dette *f* active.

aus=steigen *itr* descendre (*aus* de); mettre pied à terre; *mar* débarquer; *aero arg = abspringen; auf der falschen Seite ~ (loc)* descendre à contre-voie; *fam aus e-m Unternehmen ~* se retirer d'un projet; *alles ~! (loc)* tout le monde descend! **A~** *n* descente *f* (de voiture); *mar* débarquement *m; beim ~~* à la descente (de voiture).

aus=steinen ['ausʃtaɪnən] *tr (Steinobst)* ôter les noyaux de, dénoyauter.

aus=stell|en *tr (Waren)* étaler, mettre à l'étalage; *(auf e-r Messe od Ausstellung)* exposer; *mil (Posten)* poster, disposer; *(Urkunde)* dresser; *(Bescheinigung, Zeugnis, Paß)* délivrer; *(Rechnung)* établir; *(Scheck)* tirer; *(Wechsel)* tirer (*auf jdn* sur qn); souscrire; *(tadeln)* blâmer, critiquer; **A~er** *m (auf e-r Messe)* étalagiste: *(auf e-r Ausstellung)* exposant; *(e-s Schecks)* tireur; *(e-s Wechsels)* tireur, souscripteur; *m* **A~ung** *f* étalage *m;* exposition *f,* salon *m; mil* disposition; *(e-s Schriftstücks, Zeugnisses, Passes)* délivrance *f;* établissement; *(e-s Schecks, Wechsels)* tirage *m,* création *f; (Tadel)* blâme *m,* critique *f; ~~en machen an od gegen* trouver à redire à; *landwirtschaftliche ~~* concours *m* agricole; **A~ungsdatum** *n (e-r Urkunde)* date de délivrance; *(e-r Rechnung)* date d'établissement; *(e-s Wechsels)* date *f* d'émission; **A~ungsgebäude** *n* bâtiment *m* d'exposition; **A~ungsgelände** *n* terrain *m* d'exposition *od* de l'exposition; **A~ungshalle** *f* salle *f od* hall *od* pavillon *m* d'exposition; **A~ungskatalog** *m* catalogue *m* de l'exposition; **A~ungsort** *m (e-s Wechsels)* lieu *m* d'émission; **A~ungsraum** *m* salle *f od* hall *m* d'exposition; **A~ungsstand** *m* stand *m* (d'exposition); **A~ungsstück** *n* objet *m* exposé; **A~ungstag** *m = A~ungsdatum;* **A~ungswagen** *m* camion(nette *f*) *m* d'exposition.

aus=stemmen *tr tech* creuser au ciseau *od* au fermoir; *ein Zapfenloch ~* mortaiser (*in etw* qc).

Aussterb|eetat *m: auf dem ~~ stehen (fig)* être condamné à disparaître; **aus=sterben** *itr (Familie)* s'éteindre; *biol* disparaître; **~en** *n* extinction; disparition *f; im ~~ begriffen* menacé de disparition.

Aussteuer *f* ‹-, ø› *(e-r Braut)* trousseau *m,* dot *f;* **~versicherung** *f* assurance *f* dotale.

Ausstieg *m (Straßenbahn-, Bustür)* sortie *f.*

aus=stochern *tr: sich die Zähne ~* se curer les dents.

aus=stopf|en *tr (Tierbalg)* empailler; **A~er** *m (von Tierbälgen)* empailleur *m.*

Ausstoß *m* ‹-ßes, (¨ße)› ['-ʃto:s] *tech com* rendement; *(bes. von Bier)* débit *m;* **aus=stoßen** *tr (Menschen aus e-r Gemeinschaft)* expulser, exclure (*aus* de); chasser; *(verbannen)* bannir, exiler; *rel* excommunier; *tech* éjecter; *(Torpedo)* lancer; *(Laut; Beleidigung, Drohung, Fluch)* proférer; *(Schrei, Seufzer)* pousser; *gram (Vokal)* élider; *tech com (herstellen u. verkaufen)* produire, débiter; *Beleidigungen ~ (a. pop)* vomir des injures; *e-m Faß den Boden ~* défoncer un tonneau; *Feuer ~ (Vulkan)* cracher du feu; **~rohr** *n mar (für Torpedos)* lance-torpilles *m;* **~ung** *f* expulsion, exclusion *f;* bannissement *m; rel* excommunication; *tech* éjection *f; mil* lancement *m; gram (e-s Vokals)* élision *f;* **~vorrichtung** *f tech* éjecteur *m;* **~ziffer** *f tech com* chiffre *m* de production.

aus=strahl|en *tr (Licht, Wärme)* répandre; *radio* diffuser, émettre; *itr* émettre des rayons, rayonner, irradier; **A~ung** *f* ‹-, (-en)› *(von Licht, Wärme)* rayonnement *m,* (ir)radiation, émanation; *radio* diffusion, émission *f.*

aus=strecken *tr (den Arm)* étendre, allonger; *(die Hand)* tendre; *sich (lang) ~* s'étendre (tout de son long); *mit ausgestrecktem Arm* à bras tendu; *sich behaglich ~* s'étirer *fam.*

aus=streichen *tr (Geschriebenes)* rayer, radier, raturer, biffer, barrer; *(Fuge)* jointoyer; *(Backform mit Fett)* graisser, enduire de graisse; *itr geol (zutage treten)* affleurer; **A~** *n geol* affleurement *m.*

aus=streu|en *tr* disperser, disséminer, répandre; *fig (Gerücht)* répandre, divulguer, diffuser; **A~ung** *f* dispersion, dissémination; *fig* divulgation, diffusion *f.*

Ausström|düse *f aero* tuyère *f* d'éjection; **aus=strömen** *itr* ‹*aux: sein*› *(Flüssigkeit)* s'écouler; *(Dampf)* s'échapper; *(Gas)* fuir; *(Licht, Geruch)* se répandre; *(Duft)* s'exhaler; *chem* se dégager; *phys* u. *fig* émaner; *tr* ‹aux: **haben**› *(Wärme, Geruch)* répandre; *(Duft)* exhaler; *chem* dégager; *phys* émettre; **~en** *n* écoulement *m;* exhalaison *f;* échappement *m;* fuite *f; chem* dégagement *m; phys* émanation *a. fig,* émission *f.*

aus=studieren *tr (Buch)* étudier jusqu'au bout; *itr: ausstudiert haben* avoir terminé ses études.

aus=suchen *tr (auswählen)* choisir.

Austausch *m* ‹-(e)s, ø› échange; *(Tauschhandel)* commerce d'échange, troc *m; (Gedanken~)* communication *f; im ~ gegen* en échange de; **a~bar** *a, a. tech* échangeable, interchangeable; **~barkeit** *f* interchangeabilité *f;* **aus=tauschen** *tr* échanger *(gegen* contre); *(im Tauschhandel)* troquer (*gegen* contre); *mit jdm etwas ~* faire un échange avec qn; **~partner** *m* échangiste m; **~professor** *m* professeur *m* d'échange; **~student** *m* étudiant *m* d'échange.

aus=teil|en *tr (verteilen)* distribuer, répartir, partager; *(Schläge)* donner; *rel (Sakrament)* administrer; **A~ung** *f* distribution, répartition *f,* partage *m; rel* administration *f.*

Auster *f* ‹-, -n› ['austər] *zoo* huître *f; pop (Auswurf)* crachat *m;* **~nbank** *f* banc *m* d'huîtres, huîtrière *f;* **~nfang** *m* pêche *f* aux huîtres; **~nfischer** *m* pêcheur d'huîtres; *orn* huîtrier *m;* **~ngabel** *f* fourchette *f* à huîtres; **~nhändler** *m* marchand d'huîtres, écailler *m,* **~nmesser** *n* couteau *m* à huîtres; **~nöffner** *m* ouvre-huître(s) *m;* **~npark** *m* parc *m* à huîtres; **~nschale** *f* écaille *f* d'huître; **~nzucht** *f* ostréiculture; industrie *f* huîtrière; **~nzüchter** *m* ostréiculteur *m.*

aus=tilg|en *tr* exterminer, extirper; **A~ung** *f* extermination, extirpation *f.*

aus≠toben, *sich (s-n Zorn ~)* donner libre cours à *od* décharger sa colère; *(sich ausleben)* s'abandonner à ses passions, se dépenser physiquement: *(Kinder)* s'en donner à cœur joie, s'ébattre librement; *(sich die Hörner abstoßen)* jeter sa gourme; *Jugend muß sich ~ (prov)* il faut que jeunesse se passe.
aus≠tollen, *sich* se dépenser physiquement.
Austrag *m* ⟨-(e)s, ø⟩ *zum ~ bringen (regeln)* régler, arranger, vider; *zum ~ kommen* être réglé *od* arrangé; **aus≠tragen** *tr (Waren, Zeitungen)* porter à domicile; distribuer; *(ein Kind)* porter jusqu'au terme; *fig (Streit regeln)* régler, arranger, vider; *sport* disputer; **~en** *n* portage *m;* distribution *f;* **~ung** *f* règlement, arrangement *m;* **~ungsspiel** *n sport* match *m* décisif.
Austräger *m (von Waren)* porteur; *(Verteiler)* distributeur; *(Briefträger)* facteur *m.*
Austral|ien [aus'tra:liən] *n* l'Australie *f;* **~ier(in *f*)** *m* ⟨-s,-⟩ [-liər] Australien, ne *m f;* **a~isch** [-'tra:-] *a* australien, d'Australie.
aus≠treib|en *tr* expulser, chasser (*aus* de); *(Vieh)* mener paître, conduire au pâturage; *(bösen Geist, den Teufel)* exorciser; *fig (Unart, Mucken, Hochmut)* faire passer; **A~ung** *f* expulsion *f;* exorcisme *m; jur (aus dem Besitz)* éviction *f.*
aus≠treten *tr* ⟨*aux: haben*⟩ *(Feuer)* éteindre avec le(s) pied(s); *(Schuhe)* éculer; *(Treppe)* user; *itr* ⟨*aux: sein*⟩ *(aus e-r Gemeinschaft)* sortir de, quitter, se retirer de; *(zur Toilette gehen)* sortir; *fam* aller quelque part; *(Blut)* s'extravaser; *(Gas)* s'échapper, fuir; *aus e-r Partei ~* quitter un parti; *die Kinderschuhe ausgetreten haben* être sorti de l'enfance; **A~** *n: beim ~~* en sortant.
aus≠trinken *tr (ganz trinken)* boire; *(Trinkgefäß leeren)* vider, finir, achever; *itr* achever de boire; *bis auf den letzten Tropfen ~* boire jusqu'à la dernière goutte; *mit* od *in einem Zug ~* vider d'un seul trait.
Austritt *m (aus e-r Gemeinschaft)* sortie *f,* retrait *m; (des Blutes aus den Gefäßen)* extravasation *f; (e-s Gases)* échappement *m,* fuite *f;* **~serklärung** *f* déclaration *f* de sortie *od* de démission; **~sgeschwindigkeit** *f (e-s Geschosses)* vitesse *f* de sortie; **~skanal** *m (e-r Dampfmaschine)* conduit *m* d'échappement; **~sstelle** *f tech* endroit *m* de sortie; *med* émergence *f;* **~stemperatur** *f* température *f* de sortie; **~sventil** *n* soupape *f* d'échappement; **~swinkel** *m phys* angle *m* d'émergence.
aus≠trockn|en *tr* ⟨aux: haben⟩ dessécher, assécher, mettre à sec; *(Quelle, Wasserlauf)* tarir; *itr* ⟨*aux: sein*⟩ se dessécher, s'assécher; *(Quelle etc)* tarir; **A~ung** *f* dessèchement, assèchement *m,* dessiccation *f;* tarissement *m.*
aus≠trompeten *tr, a. fig fam* annoncer *od* publier à son de trompe; *fig fam* trompeter, tambouriner.
aus≠tüfteln *tr fam* ratiociner; *(herausbekommen)* finir par trouver.
aus≠üb|en *tr (Beruf, Amt)* exercer; *(Amt, Funktion a.)* remplir; *(freien Beruf, Kunst; Pflicht, Macht, Druck, Reiz, Einfluß)* exercer; *(Wirkung)* produire; *(Recht)* user de; *den ärztlichen Beruf ~~* pratiquer la médecine; *e-n Einfluß auf jdn ~~ (a.)* influer sur qn; **~end** *a* pratiquant; *~~e Gewalt f* (pouvoir) exécutif *m; ~~e(r) Künstler m* exécutant *m;* **A~ung** *f* exercice *m;* pratique *f; in ~~ s-s Berufes, Dienstes* dans l'exercice de sa profession, de ses fonctions.
Ausverkauf *m com* soldes *m pl; (Total~)* liquidation *f; ~ wegen Geschäftsaufgabe* liquidation *f* pour cause de cessation de commerce; **aus≠verkaufen** *tr* solder; *a. itr* liquider; *ausverkauft haben* avoir tout vendu; **a~t** *a (Ware)* épuisé; *vor ~~em Haus spielen* faire salle comble; jouer à bureaux fermés; *~~! (theat)* complet!
aus≠wachsen *tr* ⟨*aux: haben*⟩ *ein Kleidungsstück ~ fam* grandir dans un vêtement; *itr* ⟨*aux: sein*⟩ *bot (Samen)* germer; *ausgewachsen sein (sein Wachstum beendet haben)* avoir terminé sa croissance, ne plus croître *od* pousser; *sich zu etw ~* devenir, engendrer qc; **A~** *n; das ist ja zum ~~! (fam)* c'est tuant *od* assommant *od* insupportable.
Auswahl *f* ⟨-, ø⟩ *(Vorgang)* choix *m,* sélection *f; (Ergebnis)* choix *m* (*an* de); *(von Menschen)* élite *f; com* assortiment; *(aus e-m Buch* od *Gesamtwerk)* choix *m; zur ~* au choix; *e-e große ~ haben (com)* être bien assorti; *e-e ~ treffen* faire un choix; **~kampf** *m sport* épreuve *f* de sélection; **~mannschaft** *f sport* équipe sélectionnée, sélection *f;* **~sendung** *f com* envoi *m* d'assortiment; **~spiel** *n sport* match *m* de sélection; **~spieler** *m* joueur *m* sélectionné.
aus≠wählen *tr* choisir, sélectionner; *sorgfältig ~* trier sur le volet; *ausgewählte Gedichte n pl* choix *m* de poésies; *ausgewählte Werke n pl* œuvres *f pl* choisies.
aus≠walzen *tr metal* laminer; **A~** *n* laminage *m.*
Auswander|er *m* émigrant *m;* **~erschiff** *n* navire *m* d'émigrants; **aus≠wandern** *(ist ausgewandert) itr* émigrer, quitter sa patrie, s'expatrier; **~ung** *f* ⟨-, (-en)⟩ émigration *f.*
auswärt|ig ['ausvɛrtıç] *a pol* extérieur, étranger; *das A~e Amt* le ministère des Affaires étrangères; *~~e Angelegenheiten f pl* affaires *f pl* étrangères; *~~e(s) Mitglied n (e-r Gesellschaft)* membre *m* correspondant; *~~e Politik f* politique *f* extérieure; *~~e(r) Schüler m* élève *m* de l'extérieur; **~s** *adv* (en) dehors, au-dehors; hors de la ville; *nach ~~* en dehors; *von ~~* de *od* du dehors; *~~ essen* manger en ville; *~~ schlafen* découcher; **~ssetzen** *tr: die Füße ~~* mettre les pieds en dehors; **A~sspiel** *n sport* match *m* à l'extérieur.
aus≠wasch|en *tr (Schmutz, Fleck)* enlever *od* ôter (en lavant); *(Kleidung, Wäsche; Wunde)* laver; *(Gefäß)* rincer; *geol* ronger; *sich die Augen ~~* se baigner les yeux; **A~en** *n* lavage *m;* **A~ung** *f geol* érosion *f.*
auswechs|elbar *a* échangeable; *bes. tech* amovible; *(unterea. ~~)* interchangeable; *(ersetzbar)* remplaçable; **A~elbarkeit** *f* amovibilité; interchangeabilité *f;* **aus≠wechseln** *tr* (é)changer, rechanger; *(ersetzen)* remplacer; **A~(e)lung** *f* échange, rechange; remplacement *m.*
Ausweg ['ausve:k] *m* sortie; *a. fig* issue *f; (aus e-m Engpaß)* débouché; *fig* moyen, expédient, biais *m; e-n ~ finden* trouver un moyen *od* un expédient; *sich e-n ~ freihalten* se ménager une issue; *jdm keinen ~ lassen (fig)* mettre qn au pied du mur; *immer e-n ~ wissen* avoir toujours une porte de sortie; *fam* être débrouillard; *es gibt für mich keinen ~ mehr (fig)* je suis dans une impasse; *einzige(r) ~* seul parti *m* à prendre; *letzte(r) ~* dernière issue *f;* **a~los** *a fig* sans issue; *in e-r ~~en Lage* dans une situation désespérée.
aus≠weich|en ⟨*ist ausgewichen*⟩ *itr* se garer, se ranger (de côté), s'effacer; *jdm, e-r S* faire place, céder le pas *od* la route à qn, à qc, *(aus dem Wege gehen)* éviter qn, qc; *fig* se dérober, se soustraire à qn, à qc; *e-r S ~~ (etw umgehen)* éluder qc; *e-m Schlag, e-r Schwierigkeit geschickt ~~* esquiver un coup, une difficulté; *rechts ~~, links überholen!* se ranger à droite, doubler à gauche! **~end** *a (Antwort)* évasif; *adv: ~~ antworten* répondre évasivement, faire une réponse normande; **A~flugplatz** *m* aéroport *m* de dégagement; **A~gleis** *n loc* voie *f* d'évitement *od* de garage; **A~klausel** *f jur* clause *f* échappatoire; **A~krankenhaus** *n* hôpital *m* auxiliaire; **A~lager** *n com* magasin *m* auxiliaire; **A~möglichkeit** *f* possibilité *f* d'évitement; **A~raum** *m mil* zone *f* de repli; **A~stelle** *f loc* gare d'évitement; *(an e-m Kanal)* gare *f* d'eau; **A~stellung** *f mil* position *f* de repli; **A~welle** *f radio* onde *f* auxiliaire; **A~ziel** *n mil* objectif *m* secondaire.
aus≠weiden *tr (Wild etc)* éventrer, étriper, vider; **A~** *n* étripage *m.*
aus≠weinen, *sich* pleurer son content, se soulager en pleurant; *sich die Augen ~* pleurer toutes les larmes de son corps.
Ausweis *m* ⟨-es, -e⟩ ['ausvaıs, -zə] pièce *f* d'identité; laissez-passer *m;* papiers *m pl; nach ~ (gen) = a~lich, den ~ vorzeigen* montrer ses papiers; **aus≠weisen** *tr* expulser, bannir, chasser (*aus* de); *sich ~* établir *od* prouver *od* décliner son identité; **~hülle** *f* porte-carte(s) *m* **~karte** *f* carte *f* d'identité; **a~lich** *prp gen* d'après, selon; **~papiere** *n pl* papiers *m pl* d'identité; **~ung** *f* expulsion *f,*

bannissement *m; (Aufenthaltsverbot)* interdiction de séjour; *(aus dem Besitz)* éviction, dépossession *f;* **~ungsbefehl** *m* ordre *od* arrêté *od* décret *m* d'expulsion.

aus=weit|en *tr (erweitern)* élargir, évaser; *a. fig (Handel, Macht etc)* étendre; *mil (Erfolg)* exploiter; *sich ~~ (a.)* prendre de l'ampleur; **A~en** *n* élargissement, évasement *m;* **A~ung** *f fig* extension, expansion; *mil* exploitation *f.*

auswendig *a vx (äußere)* extérieur; *adv vx* à l'extérieur; *fig (aus dem Gedächtnis)* par cœur; de mémoire; *~ können, lernen* savoir, apprendre par cœur; *etw (in- und) ~ können* savoir qc sur le bout du doigt.

aus=werf|en *tr (Angel, Netz, Anker)* jeter; *(Erde)* jeter (avec une pelle); *(Graben)* creuser; *tech mil (Patronenhülsen)* éjecter; *(Asche, von e-m Vulkan)* lancer, vomir; *fin (Betrag)* allouer, assigner, affecter; *(Rente)* constituer (*jmd* à qn); *com (Posten im Rechnungsbuch)* émarger; **A~en** *n* jet; creusement *m; mil* éjection, extraction *f;* lancement, vomissement *m; fin* allocation, assignation, affectation; constitution *f;* **A~er** *m tech mil* éjecteur; *mil a.* extracteur *m.*

aus=wert|en *tr (Nutzen ziehen aus)* faire valoir, mettre en valeur, exploiter, utiliser, tirer profit de; *(Unterlagen, Statistiken)* exploiter, dépouiller; *phot mil* interpréter; **A~er** *m phot mil* interprétateur *m;* **A~estelle** *f mil* centre *m* d'exploitation; *(für Luftbilder)* section *f* d'interprétation photographique; **A~everfahren** *n* procédé *m* d'exploitation *od* d'interprétation **A~ung** *f (Nutzbarmachung)* mise en valeur, exploitation, utilisation *f;* dépouillement *m; (wissenschaftliche)* interprétation *f.*

aus=wetzen *tr (Scharten aus e-r Klinge)* enlever (en aiguisant); *e-e Scharte ~ (fig)* réparer un échec.

aus=wickeln *tr* ôter l'enveloppe de, désenvelopper; *(Säugling)* démailloter.

aus=winden *tr (Wäsche) = auswringen.*

aus=winter|n *itr (Saat)* gâter (par l'effet du froid); **A~ungsschäden** *m pl* dégâts *m pl* causés par le froid.

aus=wirk|en *tr (Teig kneten)* pétrir; *(erwirken, verschaffen)* obtenir (*jdm e-e Vergünstigung* une faveur à qn); *sich ~~* se répercuter, retentir, avoir tel ou tel effet (*auf etw* sur qc); *sich voll ~~* produire son plein *od* tout son effet *(auf* sur); **A~ung** *f* effet *m,* conséquence, incidence *f,* retentissement *m; (Rückwirkung)* répercussion *f,* choc *m* en retour.

aus=wischen *tr (Gefäß)* essuyer; torchonner; *(Geschützrohr)* écouvillonner; *(Staub, Schmutz)* enlever (avec un chiffon *od* un torchon); *(Schrift)* effacer; *(mit e-m Schwamm)* éponger; *sich die Augen ~* se frotter les yeux; *jdm eins ~ (fig fam)* donner un coup de dent *od* faire une crasse à qn.

aus=wittern *itr (sich ausscheiden, bes. a. Mauerwerk)* (s')effleurir.

aus=wringen *tr (Wäsche)* tordre, essorer.

Auswuchs *m allg* excroissance; *(Mißbildung)* difformité, monstruosité; *bot* loupe; *med* tumeur *f; pl fig (Übertreibungen)* excès, abus *m; Auswüchse der Phantasie* produits *m pl* monstrueux de l'imagination.

aus=wuchten *tr tech (auslasten)* équilibrer.

Auswurf *m physiol* crachat; *(dicker, schleimiger)* graillon *m; med* expectoration; *tech* éjection; *fig (Abschaum)* déjection *f,* rebut *m,* lie, écume *f;* **~vorrichtung** *f tech* dispositif *m* d'éjection.

aus=zack|en *tr* denteler, créneler; **A~ung** *f* dentelure, crénelure *f.*

aus=zahl|en *tr* payer; *(Rente)* servir, verser; *(Arbeiter, Angestellten)* payer; *(Teilhaber)* désintéresser; *(Gläubiger)* désintéresser, rembourser; *sich ~~ (fam: sich lohnen)* être payant; **A~ung** *f* paiement *m; (Lohn~~)* paye, paie *f;* désintéressement, remboursement *m; telegraphische ~~* mandat *m* télégraphique; **A~ungsanweisung** *f* ordre *od* mandat *m* de paiement; **A~ungsbescheinigung** *f* certificat *m* de paiement; **A~ungsbetrag** *m* montant *m* du paiement; **A~ungsschein** *m* avis *m* de paiement.

aus=zähl|en *tr: die Stimmen ~~ (parl)* dépouiller le scrutin; *(Boxer)* compter out; **A~ung** *f part* dépouillement *m* (du scrutin).

aus=zehr|en *tr* consumer *a. fig; fig* épuiser, ronger; **A~ung** *f med* consomption *f;* épuisement *m; (Kräfteverfall)* cachexie; *(Schwindsucht)* phtisie *f.*

aus=zeichn|en *tr (kennzeichnen)* marquer; *(Waren)* étiqueter, coter; *typ* mettre en vedette; *(Menschen)* distinguer; *(mit e-m Orden)* décorer; *sich ~~* se distinguer, se faire remarquer, se signaler (*durch* par); *sich in etw ~~* exceller dans qc; **A~ung** *f* marquage *m; com* indication *f* du prix, étiquetage *m;* distinction; mention *f* honorable; *(bes. Schule)* accessit *m; mil* récompense; citation (à l'ordre du jour); *(mit e-m Orden)* décoration *f; die Prüfung mit ~~ bestehen* passer l'examen avec mention.

auszieh|bar *a (Tisch)* extensible, à rallonge(s); *(nach Art e-s Fernrohrs)* télescopique; **A~brett** *n (an e-m Möbelstück)* tirette *f;* **aus=ziehen** *tr* ⟨*aux: haben*⟩ *(Nagel, Zahn)* arracher, extraire; *(Tisch)* rallonger; *(Kleidungsstück)* ôter, retirer, enlever; *(entkleiden)* déshabiller; *(ausplündern)* dépouiller, détrousser; *metal (strecken)* étirer, étendre; *(Linie)* tirer, tracer; *(Zeichnung mit Tusche)* passer à l'encre; *(Stoffe aus e-r Pflanze; Sonne: Farbe* od *Feuchtigkeit; Schrift (-steller) exzerpieren)* extraire; *itr* ⟨*aux: sein*⟩ partir (*zu* pour); *(aus e-r Wohnung)* déménager, déloger; *sich ~* se déshabiller; *auf Abenteuer ~* partir à l'aventure, courir l'aventure; *den alten Adam ~* dépouiller le vieil homme; *die Handschuhe ~ (a.)* se déganter; *heimlich ~* déménager à la cloche de bois; *(ohne zu zahlen)* mettre la clé sous la porte; *die Kinderschuhe ~ (fig)* sortir de l'enfance; *die Schuhe ~* se déchausser; *die Uniform ~ (s-n Abschied nehmen)* quitter l'armée; **A~en** *n (der Kleider)* déshabillage; *metal* étirage *m;* **A~er** *m tech* extracteur *m;* **A~fallschirm** *m* parachute *m* extracteur; **A~feder** *f* tire-ligne *m;* **A~leiter** *f* échelle *f* à coulisse; **A~platte** *f (e-s Tisches)* rallonge *f;* **A~tisch** *m* table *f* à rallonges *od* à tirants; **A~tusche** *f* encre *f* de Chine; **A~vorrichtung** *f tech* dispositif *m* d'extraction.

aus=zimmern *tr mines* boiser.

aus=zirkeln *tr* mesurer au compas.

aus=zischen *tr (Redner, Schauspieler)* siffler, huer.

Auszug *m (aus Pflanzenstoffen, aus e-m Register)* extrait; *(Abriß, Zs.fassung)* extrait, abrégé, précis, résumé, sommaire *m; mus* réduction *f; (Rechnungs-, Konto~)* relevé; *(aus e-r Wohnung)* déménagement, délogement; *(Auswanderung)* exode *m,* émigration *f;* = *Altenteil; im ~* en abrégé; **~mehl** *n* farine *f* de gruau; *(feinstes) ~~* fleur *f* de farine; **a~sweise** *adv* par extraits, en abrégé.

aus=zupfen *tr (Haare)* arracher; *(Gewebe)* effiler; *die Haare ~* épiler (*aus etw* qc).

autark [au'tark] *a* autarcique, se suffisant à soi-meme; **A~ie** *f* ⟨-,(-n)⟩ [-'ki] autarcie *f.*

authent|isch [au'tɛntɪʃ] *a* authentique; **A~izität** *f* ⟨-, ø⟩ [-titsi'tɛ:t] authenticité *f.*

Auto *n* ⟨-s, -s⟩ ['auto, -to:s] *(kurz für: ~mobil)* auto, voiture *f; ein ~ fahren* conduire une auto; *(im) ~ fahren* aller en auto; **~anruf(stelle** *f***)** *m* téléphone *m* de la station de taxis; **~antenne** *f* antenne *f* de voiture; **~bahn** *f* autoroute, autostrade *f; gebührenpflichtige ~~* autoroute *f* à péage; *(in Kanada)* superboulevard *m;* **~bahnauffahrt** *f* bretelle *f* d'accès; **~bahnbau** *m* construction *f* des autoroutes; **~bahnbrücke** *f* pont *m* d'autoroute; **~bahnnetz** *n* réseau *m* d'autoroutes; **~bahnraststätte** *f* restoroute *m;* **~bahnring** *m* circuit *m* périphérique; **~bahnschnittpunkt** *m* carrefour *m* autoroutier; **~bahnstrecke** *f* voie *f* autoroutière; **~box** *f* box *m;* **~brille** *f* lunettes *f pl* d'automobiliste; **~bücherei** *f* bibliothèque *f* itinérante; **~bus** *m* autobus; *fam* bus; *(Überland-, Reisebus)* autocar *m; zweistöckige(r) ~~* autobus *m* à impériale; **~busbahnhof** *m* gare *f* routière; **~bushalle** *f* garage *m* des autobus *od* des cars; **~buslinie** *f* ligne *f* d'autobus; **~droschke** *f* taxi *m;* **~fähre** *f* bac *m* à voitures; **~fahrer** *m (Herrenfahrer)* automobiliste; *(Führer)* chauffeur *m; schlechte(r)* od *rücksichtslose(r) ~~ (a. fam)* chauffard *m;* **~fahrschule** *f* auto-école *f;* **~fahrt** *f* promenade *f* en auto *od* en voiture; **~falle** *f* traquenard *m* à auto(s); **~friedhof** *m* cimetière *m* de voitures; **~händler** *m* concessionnaire *m* en automobiles; **~hebebühne** *f* élévateur *m* de voitures; **~heber** *m* cric *m;* **~hilfsdienst** *m* poste *m* de dépannage; **~karte** *f* carte *f* routière; **~kino** *n* autorama *m;* **~kolonne** *f* convoi *m* automobile; **~lotsendienst** *m* service *m* de pilotage; **~marder** *m* voleur *m* de voitures; **~mechaniker** *m* = *~schlosser;* **~nummer** *f* numéro *m* d'immatriculation; **~radio** *n* radio-auto *f,* poste-voiture *m;* **~reifen** *m* pneu(matique); *fam* caoutchouc *m;* **~reisezug** *m* train *m* auto-couchettes; **~rennbahn** *f* autodrome *m;* **~rennen** *n* course *f* d'automobiles; **~rennfahrer** *m* coureur *m* automobile; **~reparaturwerkstatt** *f* atelier de réparation (d'autos), service de dépannage, garage *m;* **~rufnummer** *f* numéro *m* téléphonique de taxis; **~schlange** *f* file *f* de voitures; **~schlosser** *m* mécanicien (d'automobiles *od* en automobiles), (monteur-) dépanneur, garagiste; *fam* mécano *m;* **~schlüssel** *m pl* clés *f pl* de voiture; **~tour** *f* = *~fahrt;* **~tunnel** *m* tunnel *m* pour automobiles; **~unfall** *m* accident *m* d'auto; **~verkehr** *m* trafic *m od* circulation *f* automobile; **~vermietung** *f* location *f* de voitures; **~versicherung** *f* assurance *f* automobile; **~vertretung** *f* garage *m* concessionnaire; **~zubehör** *n* accessoires *m pl* d'auto.

Auto|biographie *f* ⟨-, -n⟩ [autobiogra'fi:] autobiographie *f;* **a~biographisch** [-'gra:fɪʃ] *a* autobiographique; **~didakt** *m* ⟨-en, -en⟩ [-di'dakt] autodidacte *m;* **a~didaktisch** *a* autodidacte; **a~gen** [-'ge:n] *a:* *~~e Schweißung f* soudage *m od* soudure *f* autogène; **~giro** *n aero (Tragschrauber)* autogire *m;* **~gramm** *n* autographe *m;* **~krat** *m* ⟨-en, -en⟩ [-'kra:t] *pol* autocrate *m;* **~kratie** *f* ⟨-, -n⟩ [-kra'ti:] autocratie *f;* **a~kratisch** [-'kra:tɪʃ] *a* autocratique; **a~nom** [-'no:m] *a (eigengesetzlich, unabhängig)* autonome; **~nomie** *f* ⟨-, -ien⟩ [-no'mi:] autonomie *f;* **~nomist** *m* ⟨-en, -en⟩ [-'mɪst] autonomiste *m;* **~suggestion** *f* autosuggestion *f;* **~typie** *f typ (Rasterätzung)* similigravure, autotypie *f.*

Autodafé *n* ⟨-s, -s⟩ [autoda'fe:] *rel hist* autodafé *m.*

Automat *m* ⟨-en, -en⟩ [auto'ma:t] automate *m;* machine *f* automatique; *(Spiel~)* machine à sous; *(Waren~)* distributeur automatique; *tech (Dreh~)* tour *m* automatique; **~enrestaurant** *n* restaurant *m* automatique; **~ik** *f* ⟨-, -en⟩ [-'ma:tɪk] automaticité *f;* automatisme *m;* **~ion** *f* ⟨-, ø⟩ [-tsi'o:n] automation *f;* **a~isch** [-'ma:-] *a* automatique; *hum* pousse-bouton; *~~e Sicherung f (el)* disjoncteur *m;* **a~isieren** [-ti'zi:rən] *tr* automatiser; **~isierung** *f* automatisation *f;* **~ismus** *m* ⟨-, -men⟩ [-'tɪsmus, -mən] automatisme *m,* automaticité *f.*

Automobil *n* ⟨-s, -e⟩ [automo'bi:l] automobile *f; vgl. Auto;* **~ausstellung** *f* salon *m* de l'automobile; **~bau** *m* construction *f* d'automobiles; **~industrie** *f* industrie *f* automobile; **~ist** *m* ⟨-en, -en⟩ [-'lɪst] automobiliste *m;* **~klub** *m* club *m* automobile; **~preis** *m: der Große ~~* le Grand Prix Automobile; **~produktion** *f* production *f* automobile; **~sport** *m* automobilisme *m.*

Autor *m* ⟨-s, -en⟩ ['autɔr, -'to:rən] auteur *m;* **~enexemplar** *n* exemplaire *m* d'auteur; **~enhonorar** *n* droits *m pl* d'auteur; **~(en)korrektur** *f typ* correction *f* d'auteur; **~enrechte** *n pl jur* droits *m pl* d'auteur; **~in** *f* (femme *f*) auteur *m;* **a~isieren** [-tori'zi:rən] *tr* autoriser (*zu* à); *~isierte Übersetzung f* traduction *f* autorisée; **a~itär** [-ri'tɛ:r] *a* autoritaire; *~~e(r) Charakter m, Haltung f (a.)* autoritarisme *m;* **~ität** *f* ⟨-, -en⟩ [-'tɛ:t] autorité *f* (*über* sur); *s-e ~~ festigen* raffermir son autorité; *als ~~ gelten* faire autorité; *~~ genießen* jouir d'une autorité; **a~itativ** [-ta'ti:f] *a (maßgeblich)* autorisé; **~itätsprinzip** *n* principe autoritaire, autoritarisme *m;* **~schaft** *f* ⟨-, ø⟩ qualité d'auteur, paternité *f* littéraire.

autsch [autʃ] *interj,* **auweh** *interj* aïe!

Aval *m* ⟨-s, -e⟩ [a'val] *fin jur (Wechselbürgschaft)* aval, cautionnement *m;* **a~ieren** [-'li:rən] *tr (Wechsel als Bürge unterschreiben)* avaliser, donner son aval à, cautionner.

avancieren [avɑ̃'si:rən] *itr* ⟨*aux: sein*⟩ ⟨*befördert werden, aufrücken*⟩ avancer, prendre du galon: *zum Oberst ~* être promu *od* passer colonel.

Avantgard|e *f* ⟨-, -n⟩ [a'vɑ̃:gardə] *(in der Kunst)* avant-garde *f;* **~ist** *m* ⟨-en, -en⟩ [-'dɪst] homme *od* artiste *m* d'avant-garde; **a~istisch** *a* d'avant-garde.

avisieren [avi'zi:rən] *tr (benachrichtigen)* aviser, donner avis à, prévenir.

Aviso *m* ⟨-s, -s⟩ [a'vi:zo] *mar (kleines Kriegsschiff)* aviso *m.*

axial [aksi'a:l] *a (achsig, achsrecht)* axial.

Axiom *n* ⟨-s, -e⟩ [aksi'o:m] *philos math (Grundsatz)* axiome *m;* **~atik** *f* ⟨-, ø⟩ [-'ma:tɪk] axiomatique *f;* **a~atisch** *a* axiomatique.

Axt *f* ⟨-, ⸚e⟩ [akst, 'ɛkstə] hache, cognée *f; die ~ an die Wurzel legen (fig)* couper le mal à la racine; **~hieb** *m* coup *m* de hache; **~stiel** *m* manche *m* de hache.

Azal|ee *f* ⟨-, -n⟩ [atsa'le:ə, -(ə)n] , **~ie** *f* ⟨-, -n⟩ [a'tsa:liə] *bit* azalée *f.*

Azoren [a'tso:rən] *die, pl geog* les Açores *f pl.*

Azur *m* ⟨-s, ø⟩ [a'tsu:r] *poet* azur *m;* **a~blau** a, **a~n** *a (himmelblau)* azuré.

azyklisch ['a-/a'tsy:klɪʃ] *a (ohne Zyklus)* acyclique.

B

B, b *n* ⟨-, -⟩ [be:] *(Buchstabe)* B, b *m; mus* si *m* bémol; **B-Dur** *n* si *m* bémol majeur; **b-Moll** *n* si *m* bémol mineur.

babbeln ['babəln] *itr fam* babiller, jacasser.

Babbittmetall ['bɛbɪt-] *n chem mot* régule, métal *m* antifriction.

Baby *n* ⟨-s, -s⟩ ['be:bi] bébé *m;* **~artikel** *m pl* articles *m pl* pour bébés; **~ausstattung** *f,* **~wäsche** *f* layette *f;* **~jäckchen** *n* brassière *f;* **~sitter** *m* garde *f* d'enfants.

Babylon ['ba:bylɔn] *n* Babylone *f;* **~ier(in** *f***)** *m* ⟨-s, -⟩ [-'lo:niər] Babylonien, ne *m f;* **b~isch** [-'lo:-] *a* babylonien, de Babylone.

Bacch|anal *n* ⟨-s, -e/-ien⟩ [baxa'na:l, -ə, -liən] *hist (Bacchusfest)* bacchanales *f pl; fig (Orgie)* orgie *f;* **~ant (-in** *f***)** *m* ⟨-en, -en⟩ [-'xant] bacchant, e *m f;* **b~antisch** *a* bachique; *fig (ausgelassen)* effréné; **~us** ['baxus] *m* Bacchus *m;* **~usfest** *n* bacchanales *f pl.*

Bach *m* ⟨-(e)s, ⸚e⟩ [bax, 'bɛçə] ruisseau *m; das ist den ~ hinunter (pop)* c'est terminé (une fois pour toutes); **~forelle** *f* truite *f* de rivière; **~schnake** *f ent* tipule *f;* **~stelze** *f orn* bergeronnette *f; (weiße) ~~* hochequeue *m;* **~weide** *f* osier *m* vert.

Bache *f* ⟨-, -n⟩ ['baxə] *(Wildsau)* laie *f;* **~r** *m* ⟨-s, -⟩ *(zweijähr. Keiler)* ragot *m.*

Bächlein *n* ⟨-s, -⟩ ['bɛçlaɪn] ruisselet, ru *m.*

back [bak] *adv dial u. mar* en arrière.

Back *f* ⟨-, -en⟩ [bak] *mar (Aufbau)* gaillard *m* d'avant; *(gemeinsamer Tisch u. Schüssel)* gamelle *f; (Fußball)* arrière *m.*

Backbord ['bak-] *n mar (linke Schiffsseite, von hinten gesehen)* bâbord *m;* **~motor** *m* moteur *m* de bâbord.

Backe *f* ⟨-, -n⟩ ['bakə] joue *(a. der Zange); (Schraubstock)* mâchoire *f; mit vollen ~n kauen* manger à belles dents; *au ~!* malheur! mince alors! *geschwollene, (fam) dicke ~* joue *f* enflée; **~n** *m* = *~.*

backen ⟨*bäckt, backte, hat gebakken*⟩ *tr* cuire, faire; *(in der Pfanne)* frire; *itr (kleben)* ⟨*fb: hat gebackt*⟩ coller *(an* à), s'agglutiner; *(Schnee)* prendre; **B~** *n* cuisson *f.*

Backen|bart ['bakən-] *m* favoris *m pl, fam* côtelettes *f pl;* **~brecher** *m tech* broyeur, concasseur *m* à mâchoires; **~bremse** *f* frein *m* à sabot; **~futter** *n tech* mandrin *m* à griffes *od* à mâchoires *od* à mordaches; **~knochen** *m* os *m* de la pommette; **~streich** *m* soufflet *m,* gifle, claque *f;* **~tasche** *f zoo* abajoue *f;* **~zahn** *m* (dent) molaire, *pop,* grosse dent *f.*

Bäcker *m* ⟨-s, -⟩ ['bɛkər] boulanger *m;* **~ei** *f* ⟨-,(-en)⟩ [-'rai] boulangerie *f;* **~geselle** *m* garçon boulanger, mitron *m;* **~handwerk** *n* boulangerie; *fam* boulange *f;* **~innung** *f* corporation *f od* corps *m* de métier des boulangers; **~junge** *m* mitron *m;* **~laden** *m* boulangerie *f;* **~lehrling** *m* apprenti *m* boulanger; **~meister** *m* maître *m* boulanger; **~(s)frau** *f* boulangère *f.*

Back|fisch ['bak-] *m* poisson frit; *fig fam* tendron *m,* jouvencelle, petite jeune fille *f;* **~fischalter** *n* âge *m* ingrat; **~form** *f* moule *m* (à pâtisserie); **~geld** *n* fournage *m;* **~haus** *n* fournil *m;* **~hühnchen** *n* poulet *m* rôti; **~kohle** *f* houille(s *pl*) *f* grasse(s); **~mulde** *f* pétrin *m;* huche *f;* **~obst** *n* fruits *m pl* séchés *od* secs; **~ofen** *m* four *m; fig* fournaise *f;* **~pfeife** *f* gifle, claque, *fam* taloche, *pop* mornifle *f;* **~pfeifengesicht** *n* tête *f* à claques; **~pflaume** *f* pruneau *m;* **~pulver** *n* levure *f* en poudre *od* chimique *od* alsacienne, levain *m* en poudre; **~stein** *m* brique *f;* **~steingotik** *f* gothique *m* de brique(s); **~steinhaus** *n* maison *f* de brique(s); **~stube** *f* fournil *m,* boulangerie *f;* **~trog** *m* = *~mulde;* **~waren** *f pl* pain et pâtisserie; **~werk** *n* pâtisserie *f.*

Bad *n* ⟨-(e)s, ⸚er⟩ [ba:t, 'bɛ:dər] bain; *(~eanstalt)* établissement *m* de bain(s); *(~ezimmer)* salle de bains; *(Hallenbad, Freibad)* piscine; *(~eort)* station thermale, (ville *f* d')eaux *f pl; (Seebad)* station *f* balnéaire; *(Handlung)* bain *m,* baignade *f; das Kind mit dem ~e ausschütten (fig)* jeter l'or avec les crasses *od (néologisme)* l'enfant avec l'eau du bain; *ein ~ nehmen* prendre un bain; *ein kurzes ~ nehmen (fam)* faire trempette; *ins ~ reisen* aller aux eaux; *ins ~ steigen* entrer dans le bain.

Bade|anstalt ['ba:də-] *f* établissement *m* de bain(s), bains-douches *m pl,* piscine *f;* **~anzug** *m* costume *od* maillot *m* de bain; **~arzt** *m* médecin *m* des bains *od* eaux; **~frau** *f* baigneuse *f;* **~gast** *m* baigneur, se *m f;* **~hose** *f* caleçon de bain, slip *m* (de bain); **~kabine** *f* cabine *f* de bain(s); **~kappe** *f* bonnet *m* de bain; **~kur** *f* cure *f* thermale *od* balnéaire; *e-e ~~ machen* prendre une cure thermale *od* balnéaire; **~mantel** *m* peignoir *m* (de bain), sortie *f* de bain; **~matte** *f* descente *f* de bain; **~meister** *m* maître *m* baigneur *od* nageur; **~mütze** *f* = *~kappe.*

baden ⟨*hat gebadet*⟩ ['ba:dən] *tr* baigner; donner un bain *(jdn* à qn); *itr u. sich ~* prendre un bain; *(im Freien)* se baigner; **B~** *n* bain *m,* baignade *f.*

Bad|en ['ba:dən] *n (ehem. Land)* le pays de Bade; **~ener(in** *f***)**, **~enser (-in** *f***)** *m fam* Badois, e *m f;* **~en-Württemberg** *n* le Bade-Wurtemberg; **b~isch** *a* badois.

Bade|ofen ['ba:də-] *m* chauffe-bain *m;* **~ort** *m* station *f* thermale *od* hydrominérale, (ville *f* d')eaux *f pl; (Seebad)* station *f* balnéaire; **~platz** *m* baignade *f.*

Bader *m* ⟨-s, -⟩ ['ba:dər] *hist* barbier-chirurgien *m.*

Bäder|kunde ['bɛ:dər-] *f* balnéographie *f;* **~wesen** *n* thermalisme *m.*

Bade|reise ['ba:də-] *f* voyage *m* aux eaux; **~saison** *f* saison *f* balnéaire; **~salz** *n* sel *m* de bain; **~schuhe** *m pl* chaussures *f pl* de bain; **~schwamm** *m* éponge *f* de toilette; **~strand** *m* plage *f;* **~tasche** *f* sac *m* de bain; **~tuch** *n* serviette *f od* drap *m od* sortie *f* de bain; **~wanne** *f* baignoire *f;* **~wasser** *n* eau *f* pour le *od* du bain; **~zeit** *f (am Tage)* heure du bain; *(im Jahr)* saison *f* balnéaire; **~zelle** *f* cabine *f* (de bain); **~zeug** *n* affaires *f pl* de bain; **~zimmer** *n* salle *f* de bains; **~zimmereinrichtung** *f* installation *f* de salle de bains.

baff [baf] *a fam* soufflé, épaté, ebahi, interloqué, sidéré; *da bist du ~! (fam)* ça t'en bouche un coin!

Bagage *f* ⟨-,(-n)⟩ [ba'ga:ʒə] *fam (Gesindel)* racaille, canaille *f;* bagages *m pl.*

Bagatell|e *f* ⟨-, -n⟩ [baga'tɛlə] bagatelle *f;* **b~isieren** [-tɛli'zi:rən] minimiser; *alles ~~* regarder par le grand bout de la lorgnette; **~sachen** *f pl jur* affaires *f pl* de simple police; **~schaden** *m* dommage *m* insignifiant; **~schulden** *f pl* menues dettes *f pl.*

Bagger *m* ⟨-s, -⟩ ['bagər] excavateur *m,* excavatrice *f; (Schwimmbagger)* drague *f;* **~eimer** *m* godet *m,* cuiller *od* cuillère (de drague), hotte *f;* **~gut** *n* matériaux *m pl* dragués, curure *f;* **b~n** *itr* excaver; draguer; **~n** *n* dragage *m;* **~prahm** *m,* **~schiff** *n* bateau *m* dragueur, marie-salope *f;* **~tieflader** *m* semi-remorque *f* porte-pelle; ~**trommel** *f* tambour *m* de drague.

bah [ba:] *interj* bah! heu!

bäh|en ['bɛ:ən] *tr med (durch warme Umschläge erweichen)* fomenter; **B~ung** *f* fomentation *f*.

Bahn *f* ‹-, -en› [ba:n] *(Weg)* voie *f*, chemin *m*, route; *sport* piste *f; (e-s einzelnen Wettkämpfers)* couloir; *(Eisen~)* chemin *m* de fer; *(~hof)* gare; *(Strecke)* ligne, voie *f* ferrée; *(Straßen~)* tram(way); *phys* parcours *m; (Flug~)* trajectoire *f; astr* cours *m*; orbite *f (a. d. Elektronen); anat med* trajet *m*, voie; *tech* table; *(Amboß)* table, face; *(Hammer)* face, frappe *f; (Axt)* biseau *m; (Säge)* voie *f; (Hobel)* plan *m*, semelle; *(Schneidewerkzeuge)* face *f; (Tuch)* lé *m*, laize *f*, panneau, pan; *fig* chemin *m*, carrière *f*, cours *m; an der ~* à la gare; *mit der ~, per ~* par voie ferrée, par chemin de fer; *sich ~ brechen* se frayer un chemin, se faire jour; *jdn zur ~ bringen* conduire qn à la gare; *mit der ~ fahren* voyager par le train; *die ~ frei machen (fig)* déblayer le terrain; *jdn auf die rechte ~ führen* mettre *od* ramener qn dans *od* sur la bonne voie; *auf die schiefe ~ geraten* s'écarter du droit chemin, suivre une mauvaise voie; *freie ~ haben* avoir le champ libre; *in andere ~en lenken* dévier; *in die richtige ~ lenken* mettre sur la (bonne) voie; *aus der ~ geworfen werden (fig)* être détourné de son chemin; *aus der ~ geschleudert werden (fig)* perdre son emploi; échouer; *~ frei!* (attention!) cédez la piste! laissez le passage! **b~amtlich** *a: ~~e(s) Rollfuhrunternehmen n* service *m* de factage; ~**anlagen** *f pl* installations *f pl* ferroviaires; ~**anschluß** *m* raccordement *m* au chemin de fer *od* à la voie ferrée; ~**arbeiter** *m* ouvrier *m* des chemins de fer; ~**bau** *m loc* construction *f* de chemins de fer; ~**beamte(r)** *m* employé de chemin de fer, *fam* cheminot *m;* ~**betrieb** *m* service *m* des chemins de fer; **b~brechend** *a* qui ouvre *od* fraie de nouvelles voies, qui fait époque, initiateur; ~**brecher** *m* pionnier, initiateur *m;* ~**damm** *m* (ligne *f* en) remblai *m;* ~**ebene** *f (der Flug~)* plan *m* de la trajectoire; ~**eigentum** *n* propriété *f* (de l'administration) des chemins de fer; ~**einschnitt** *m (ins Gelände)* ligne *f* en déblai; ~**elektronen** *n pl* électrons *m pl* orbitaux.

bahnen ['ba:nən] *tr (e-n Weg, a. fig)* frayer, percer; *e-e Gasse ~ (fig)* ouvrir la voie (*e-r Sache* à qc); *sich e-n Weg ~* se frayer un chemin *od* une route *od* un passage (*durch* par, *durch die Menge* à travers *od* parmi la foule).

Bahn|fahrer ['ba:n-] *m sport* coureur sur piste, pistard *m;* ~**fahrt** *f* voyage *m* en *od* par le train; ~**fracht** *f* port *m;* ~**gelände** *n* emprises *f pl* de la voie.

Bahnhof ['ba:n-] *m* gare, station *f; frei ~* rendu *od* arrivé en gare; *durch e-n ~ durchfahren (fam)* brûler une gare; ~**sbuchhandlung** *f* librairie *f* de gare; ~**sgebäude** *n* (bâtiment *m* de la) gare *f;* ~**shalle** *f* hall *m* (de la gare); ~**skommandant** *m* commissaire *m* (militaire) de gare; ~**skommandantur** *f* bureau *m* du commissaire de gare; ~**suhr** *f* horloge *f* de gare; ~**svorsteher** *m* chef *m* de gare; ~**swirtschaft** *f* buffet *m* (de la gare); *(einfache)* buvette *f*.

Bahn|körper ['ba:n-] *m* terre-plein, terrassement *m*, plate-forme *f* de la voie ferrée, corps *m* de la voie; ~**kreuzung** *f* croisement *m* de voies, traversée *f* de voie; **b~lagernd** *adv* en gare (bureau restant), en dépôt (de gare), gare restante; ~**linie** *f* ligne *f* de chemin de fer; **b~mäßig** *adv: ~~ verpackt* emballé pour le transport par voie ferrée; ~**meister** *m* surveillant *m* de la voie; ~**polizei** *f* police *f* des chemins de fer; ~**post** *f* bureau *m od* poste *f* ambulant(e); ~**postamt** *n* bureau *m* (de) gare; **b~postlagernd** *adv* gare restante; ~**rennen** *n sport* course *f* sur piste; ~**rennfahrer** *m sport* coureur *m* de piste; ~**schranke** *f* barrière *f;* ~**schutz** *m* garde *f* des voies et communications; ~**station** *f* station, gare *f;* ~**steig** *m* quai *m;* ~**steigkante** *f* bordure *f* de quai; ~**steigkarte** *f* billet *od* ticket *m* de quai; ~**steigkartenautomat** *m* distributeur *m* (automatique) de billets *od* tickets de quai; ~**strecke** *f* ligne *f od* parcours *m* (de chemin de fer); *(Teilstrecke)* section *f od* tronçon *m* de voie; ~**transport** *m* transport *m* par chemin de fer *od* voie ferrée *od* wagon; ~**überführung** *f* passage *m* supérieur; ~**übergang** *m: schienengleiche(r) ~~* passage *m* à niveau; *(un)beschrankte(r) ~~* passage *m* à niveau (non) gardé; ~**unterführung** *f* passage *m* souterrain; ~**verbindung** *f* communication *f* par voie ferrée; ~**verkehr** *m* trafic *m* ferroviaire; ~**versand** *m* expédition *f od* envoi *m* par chemin de fer; ~**wärter** *m* garde-barrière, garde-voie *m;* ~**wärterhäuschen** *n* maison *f* du garde-barrière; ~**zeit** *f* heure *f* légale.

Bahr|e *f* ‹-, -n› ['ba:rə] civière *f*, brancard *m; (Totenbahre)* bière *f; von der Wiege bis zur ~~* du berceau à la tombe; *auf e-r ~~ transportieren* brancarder; ~**tuch** *n* drap mortuaire, linceul *m*.

Bai *f* ‹-, -en› [baı] *(Bucht)* baie *f*, golfe *m; (kleine)* crique, anse *f;* ~**salz** *n* sel *m* marin.

Baiser *n* ‹-s, -s› [bɛ'ze:] *(Gebäck)* meringue *f*.

Baisse *f* ‹-, -n› ['bɛ:sə] *fin* baisse *f; auf ~ spekulieren* spéculer *od* jouer *od* miser à la baisse; ~**klausel** *f* clause *f* de baisse; ~**spekulant** *m* baissier *m;* ~**spekulation** *f* spéculation *f* à la baisse; ~**tendenz** *f* tendance *f* à la baisse.

Bajonett *n* ‹-(e)s, -e› [bajo'nɛt] baïonnette *f; mit aufgepflanztem ~* baïonnette au canon; *das ~ fällen* croiser la baïonnette; ~**angriff** *m* charge *f* à la baïonnette; ~**fassung** *f tech* douille *f* à baïonnette; ~**griff** *m tech* manette *f* à douille de baïonnette; ~**stoß** *m* coup *m* de baïonnette; ~**verschluß** *m tech* fermeture *f od* verrouillage *m od* monture *f* à baïonnette.

Bake *f* ‹-, -n› ['ba:kə] *mar* balise, bouée *f; pl* balisage *m; (Meßstange)* jalon *m; mit ~n bezeichnen, bezeichnet* baliser, balisé; ~**nkennung** *f aero (Radar)* identification *f* des balises; ~**nmeister** *m* baliseur *m;* ~**nsender** *m aero (Radar)* radiobalise *f*, radiophare *m*.

Bakelit *n* ‹-s, ø› [bake'li:t, -'lıt] *(Kunststoff)* bakélite *f*.

Bakkarat *n* ‹-s, ø› ['bakara(t), -'ra] *(Kartenglücksspiel)* baccara *m*.

Bakteri|e *f* ‹-, -n› [bak'te:riə(n)] bactérie *f;* microbe *m;* **b~ell** [-teri'ɛl] *a* bactérien; ~**enkrieg** *m* guerre *f* bactérienne *od* bactériologique; ~**enkultur** *f* culture *f* bactérienne; ~**enstamm** *m* souche *f* bactérienne; ~**enzüchtung** *f = ~enkultur;* ~**ologe** *m* ‹-n, -n› [-rio'lo:gə] bactériologiste, bactériologue *m;* ~**ologie** *f* ‹-, ø› [-lo'gi:] bactériologie *f;* **b~ologisch** [-'lo:-] *a* bactériologique; ~**ophage** *m* ‹-n, -n› [-'fa:gə] bactériophage *m;* **b~zid** [-'tsi:t] *a* bactéricide.

Balalaika *f* ‹-, -s/-ken› [bala'laıka, -ka:s/-kən] *mus* balalaïka *f*.

Balanc|e *f* ‹-en, -› [ba'lã:s(ə)] equilibre *m; die ~~ halten, verlieren* tenir, perdre l'équilibre; **b~ieren** [-'si:rən] *tr* balancer, *(Ball)* faire tenir en équilibre; *itr* se balancer, se tenir en équilibre; ~**ieren** *n* balancement *m;* ~**ierstange** *f (d. Seiltänzer)* balancier *m*.

bald [balt] *adv (in naher Zukunft)* bientôt, sous peu, avant peu, dans peu de temps; *(früh)* tôt; *(beinahe)* presque; *(leicht)* facilement; *möglichst ~, so ~ als* od *wie möglich* aussitôt que possible, le plus tôt possible, au plus tôt; *nicht so ~* (ne ...) pas de sitôt, (ne ...) pas si vite; *~ ..., ~ ...* tantôt ..., tantôt ...; *~ da, ~ dort* tantôt ici, tantôt là; un peu partout; *~ darauf* aussitôt *od* peu (de temps) après; *~ hierhin, ~ dorthin* çà et là; *~ etw tun (a.)* ne pas tarder à faire qc; *ich hätte ~ gesagt* j'allais dire; *ich wäre ~ hingefallen* j'ai failli tomber; *das ist ~ gesagt* c'est facile à dire, c'est vite dit; ~**ig** [-dıç] *a* prochain; *auf ~~es Wiedersehen!* à bientôt! ~**igst** *adv* au plus tôt; ~**möglichst** *adv* le plus tôt possible, aussitôt que possible, dans le plus bref délai.

Baldachin *m* ‹-s, -e› ['baldaxi:n] baldaquin, dais; *aero* (plan *m* de) cabane *f*.

Bälde ['bɛldə] *f: in ~* dans un proche avenir, très prochainement; *vgl. bald (in naher Zukunft)*.

Baldrian *m* ‹-s, -e› ['baldria:n] *bot pharm* valériane *f;* ~**tropfen** *m pl* teinture *f* de valériane.

Balearen [bale'a:rən] *die pl* les (îles) Baléares *f pl*.

Balg 1. *m* ‹-(e)s, ⸚e› [balk, 'bɛlgə] peau, dépouille *f; anat* follicule;

(Puppe) mannequin; *mus* soufflet *m;* **~en** *m* ‹-s, -› *phot* soufflet *m;* **b~en,** *sich (fam)* se chamailler, s'accrocher; **~erei** *f* [-'raɪ] *fam* chamaill(eri)e, bagarre, rixe, querelle *f;* **~gebläse** *n* soufflet *m;* **~geschwulst** *f med* kyste *m* sébacé, loupe *f;* **~treter** *m (an d. Orgel)* souffleur *m* d'orgues.

Balg 2. *m* od *n* ‹-(e)s, ⸚er› [balk, 'bɛlgər] *fam (ungezogenes Kind)* gamin, e *m f,* marmot, moutard; *arg* loupiot *m.*

Balkan ['balka(:)n] *der (Gebirge)* les (monts) Balkans *m pl;* = *~länder;* **~halbinsel,** *die* la péninsule des Balkans, les Balkans *m pl;* **b~isch** [-'ka:-] *a* balkanique; **~länder,** *die n pl* les Balkans *m pl;* **~staaten,** *die m pl* les États *m pl* des Balkans.

Balken *m* ‹-s, -› ['balkən] poutre, solive; *(kleiner)* poutrelle *f,* soliveau; *(Waage)* bras, fléau; *mar* bau, barrot; *typ* filet *m* mat; *tele* barre *f; e-n ~ behauen, einziehen* équarrir, traverser une poutre; *lügen, daß sich die ~ biegen* mentir comme un arracheur de dents; *(Holz) zu ~ schneiden* équarrir; *Wasser hat keine ~ (prov)* l'onde est perfide; *bewehrte(r) ~* poutre *f* armée; *gekrümmte(r) ~* poutre *f* courbée *od* cintrée; *verdübelte(r) ~* poutre *f* jointe par des clefs en bois; *verschränkte(r) ~* poutre *f* jointe par des encoches alternatives; *verzahnte(r) ~* poutre *f* assemblée à dents de scie, poutre en crémaillère; *zs.gesetzte(r) ~* poutre *f* rapportée; **~abstand** *m* entrevous *m;* **~brücke** *f* pont *m* à longerons *od* à poutres; **~decke** *f* plafond *m* à solives *od* enfoncé; **~gerüst** *n* chaise *f;* **~kopf** *m* about *m;* **~lage** *f* charpente, solivure *f;* **b~los** *a (Decke)* sans nervures; **~rost** *m* grillage *m;* **~schalung** *f* coffrage *m* de poutres; **~sperre** *f mar* estacade *f;* **~träger** *m* sommier, pointal, étai *m;* **~waage** *f* peson *m,* romaine, balance *f* à fléau; **~werk** *n* poutrage, solivage *m,* charpente *f.*

Balkon *m* ‹-s, -s/-e› [bal'kɔ̃:(s), -'ko:n(e)] *(a. theat, Kino)* balcon *m,* galerie *f;* **~tür** *f* porte de balcon, porte-fenêtre *f;* **~zimmer** *n* pièce *f* avec balcon.

Ball *m* ‹-(e)s, ⸚e› [bal, 'bɛlə] **1.** balle *f; (großer, a. Fußball)* ballon *m; (Kugel)* boule *(a. Billard),* pelote *f; den ~ abgeben* passer le ballon (*an jdn* à qn); *den ~ anspielen* servir la balle *od* le ballon; *den ~ einwerfen* mettre la balle *od* le ballon en jeu; *den ~ schießen* od *werfen* envoyer le ballon; *den ~ schneiden* couper la balle; *~ spielen* jouer à la balle; *jdm die Bälle zuspielen (fig)* tendre la perche à qn; *geschnittene(r) ~* balle *f* coupée; *scharfe(r) ~ (Tennis)* balle *f* appuyée; **~beherrschung** *f (Fußball)* maîtrise *f* du ballon; **b~en** *tr (die Faust)* fermer, serrer; *sich ~~* se pelotonner, se serrer; *(Wolken)* s'amasser; **b~förmig** *a* en forme de balle; **~gefühl** *n* touche *f* de balle; **~hammer** *m* marteau *m* à balle; **~haus** *n hist* Jeu *m* de Paume; **b~ig** *a* bombé; **~junge** *m* ramasseur *m* de balles; **~spiel** *n* jeu *m* de balle *od* de paume, paume *f; baskische(s) ~~* pelote *f* basque; **~spieler** *m* joueur *m* de balle *od* de pelote *od* de paume; **~technik** *f* technique *f* de balle; **~ung** *f* amas *m,* agglomération; *mil* concentration; *fig* condensation *f;* **~ungsgebiet** *n geog* concentration urbaine, région *f* à grande densité démographique.

Ball *m* ‹-(e)s, ⸚e› [bal, 'bɛlə] **2.** *(Tanz)* bal *m; auf dem ~* au bal; *auf den ~ gehen* aller au bal; **~gesellschaft** *f* soirée *od* matinée *f* dansante; **~kleid** *n* robe *f* de bal **~saal** *m* salle *f* de bal; **~schuhe** *m pl* souliers *m pl* de bal; **~toilette** *f* toilette *od* parure *f* de bal.

Ballad|e *f* ‹-, -n› [ba'la:də] ballade *f;* **b~enhaft** *a: ~~ sein* ressembler à une ballade; **b~esk** [-'dɛsk] *a* = *~enhaft.*

Ballast *m* ‹-(e)s, (-e)› ['balast, -'-] lest, ballast; *fig* fatras, remplissage *m; ~ abwerfen (a. fig)* jeter du lest; *aero* délester; *mit ~ beladen* od *beschweren* lester; *Abwerfen n des ~es (aero)* délestage *m;* **~sack** *m* sac *m* de lest; **~schiff** *n* lesteur *m;* **~widerstand** *m el* résistance *f* fixe *od* de charge.

Ballen *m* ‹-s, -› ['balən] *com* balle *f; (kleiner)* ballot *m; (Zählmaß für Papier: 10 Ries)* dix rames *f pl; anat* thénar *m,* saillie, éminence *f; (Rapier)* bouton *m,* mouche; *(Hobel)* poignée *f; in ~ (ver)packen* mettre en balles; **b~weise** *adv* par ballots.

Ballerina *f* ‹-, -en› [balə'ri:na, -nən] *(Tänzerin)* ballerine *f.*

ballern ['balərn] *itr fam (schießen)* tirer, faire du tapage; *tr (Tür)* claquer.

Ballett *n* ‹-(e)s, -e› [ba'lɛt] ballet *m;* **~euse** *f* ‹-, -n› [-'tøzə] danseuse *f* de ballet; **~korps** *n* corps *m* de ballet; **~meister** *m* maître *m* de ballet; **~musik** *f* musique *f* de ballet; **~ratte** *f fam* (petit) rat *m* (de l'Opéra); **~röckchen** *n* tutu *m;* **~schuhe** *m pl* chaussons *m pl* de danse; **~(t)änzer(in *f*)** *m* danseur, se *m f de ballet; f* ballerine *f;* **~truppe** *f* = *~korps.*

ballhornisieren [balhɔrni'zi:rən] *tr (Text: entstellen)* défigurer, massacrer.

Ballist|ik *f* ‹-, ø› [ba'lɪstɪk] balistique *f;* **b~isch** *a* balistique.

Ballon *m* ‹-s, -s/-e› [ba'lɔ̃:(s), -'lo:n(s), -'lo:nə] ballon; *(kleiner)* ballonnet; *(Luftballon)* ballon, aérostat; *(Korbflasche)* ballon *m;* bonbonne, tourie, dame-jeanne; *pop (Kopf)* boule, calebasse *f;* **~aufstieg** *m* ascension *f* d'un ballon: **~beobachter** *m* observateur *m* en ballon; **~beobachtung** *f* observation *f* en ballon; **~fahrt** *f* ascension *f* en ballon; **~führer** *m* pilote d'aérostat, aérostier *m;* **~halle** *f* hangar *m* de l'aérostation; **~hülle** *f* enveloppe *f* d'aérostat; **~reifen** *m* pneu *m* ballon; **~seide** *f* soie *f* pour ballons; **~sonde** *f radio* radiosonde *f;* **~sperre** *f* barrage *m* de ballonnets; **~station** *f* station *f* de ballons captifs; **~-Sternfahrt** *f* rallye-ballon *m.*

Ballot|age *f* ‹-, -n› [balo'ta:ʒə] *parl* scrutin *m; zweite ~~* ballottage *m;* **b~ieren** [-'ti:rən] *itr* voter (*zum zweiten Mal* au second tour).

Balsam *m* ‹-s, -e› ['balza(:)m] *a. fig* baume *m; ~ auf e-e Wunde träufeln (fig)* verser *od* répandre du baume sur une blessure; **~baum** *m* balsamier, baumier *m;* **b~ieren** [-'mi:rən] *tr* embaumer; **~ierung** *f* embaumement *m;* **~ine** *f* ‹-, -n› [-'mi:nə] *bot* balsamine *f;* **b~isch** [-'za:mɪʃ] *a* balsamique; embaumé; *~~ duften* fleurer bon *od* comme baume; **~kraut** *n* balsamite *f.*

Balt|e *m* ‹-n, -n› ['baltə], **~in** *f* Balte *m f;* **~ikum** ['baltikum] *das* les pays *m pl od* provinces *f pl* baltiques; **b~isch** *a* baltique.

Balust|er *m* ‹-s, -› [ba'lustər] *(Geländerstütze)* balustre *m;* **~rade** *f* ‹-, -n› [-'tra:də] balustrade *f,* garde-fou, garde-corps *m.*

Balz *f* ‹-, -en› [balts] , **~zeit** *f orn* pariade *f;* **b~en** *itr* être en chaleur; **b~end** *a* en chaleur.

Bambus *m* ‹-/-sses, -sse› ['bambus] *bot* bambou *m;* **~bär** *m zoo* ours des bambous, ailurope *m;* **~rohr** *n,* **~stab** *m,* **~stock** *m* (bâton *m od* canne *f* de) bambou *m.*

Bammel *m* ‹-s, ø› ['baməl] *pop (Angst)* trac *m,* frousse, trouille *f; (e-n) ~ haben (a.)* avoir les foies *od* les jetons, serrer les fesses; **b~n** *itr fam (baumeln)* pendiller.

banal [ba'na:l] *a* banal, plat, fade; **B~ität** *f* ‹-, -en› [-li'tɛ:t] banalité, platitude, fadeur *f; (Gemeinplatz)* lieu *m* commun.

Banane *f* ‹-, -n› [ba'na:nə] banane *f;* **~ndampfer** *m* (vapeur) bananier *m;* **~npflanzung** *f* bananeraie *f;* **~nstaude** *f* bananier *m;* **~nstecker** *m el* fiche *f* banane.

Banaus|e *m* ‹-n, -n› [ba'nauzə] homme *m* terre à terre *od (fam)* popote; **~entum** *n* ‹-s, ø› manque *m* d'idées élevées; platitude, sécheresse *f;* **b~isch** *a* pédant, terre à terre.

Band 1. *n* ‹-(e)s, ⸚er› [bant, 'bɛndər] ruban *m; (schmales Seidenband)* faveur; *(Bindfaden, Schnur)* ficelle *f; (Haar-, Stirn-, Mützenband)* bandeau *m; (Kinnband)* bride; *(Kleiderbesatz)* bande; *agr (Stroh)* accolure *f; (Eisen)* feuillard; *(Faßband)* cerceau *m; (Gurt-, Förderband)* courroie; *typ* brochette; *(Zimmerei)* moise *f; arch* ruban, bandeau *m,* bandelette *f,* cordon; *anat (Gelenkband)* ligament, tendon; *(Zunge)* filet; *radio (Bereich)* ruban *m; am laufenden ~* à la chaîne, constamment; *fig fam* sans repos; *auf ~ aufnehmen* enregistrer sur bande (magnétique); *das Blaue ~* le ruban bleu; *endlose(s), laufende(s) ~* bande *od* chaîne *od* plate-forme *od* table *f* roulante, tapis *m* roulant; **2.** *n* ‹-(e)s, -e› [bant, -də] *fig (innere Bindung)* lien *m; (Fesseln)* liens, fers *m pl; außer Rand und ~* sorti de ses gonds, déchaîné, hors de soi, forcené; *in ~en liegen* être dans les fers; *in ~e* *schlagen* mettre aux fers, enchaîner; *die ~e sprengen, zerreißen* rompre les fers; *das ~ der Ehe* le lien conjugal; **3.** *m* ‹-(e)s, ⸚e› [bant, 'bɛndə] volume; *(starker)* tome *m; (Einband, in Zssgen)* reliure *f; Bände sprechen (fig)* en dire long; **~antenne** *f* antenne *f* tressée en ruban; **~arbeit** *f* travail *m* à la chaîne; **b~artig** *a* rubané, en ruban; *anat* ligamenteux; **~aufnahme** *f* enregistrement *m* sur bande *od* sur ruban magnétique; *von etw e-e ~~ machen* enregistrer qc sur bande; **~bezeichnung** *f typ* tomaison *f;* **~breite** *f radio* largeur *f* de bande; **~bremse** *f mot* frein *m* à ruban *od* à courroie *od* à sangle; **~eisen** *n* fer en ruban; feuillard *m,* bande *f;* **~fertigung** *f* fabrication *f* à la chaîne; **~filter** *m* od *n radio* filtre *m* de bande; **~förderer** *m tech* transporteur *m* à ruban *od* à courroie, bande *f* transporteuse; **~förderung** *f* transport *m* par bande; **b~förmig** *a* en forme de ruban; **~führung** *f (Schreibmaschine)* guidage *m* du ruban; **~keramik** *f* céramique *f* rubanée; **~maß** *n* mètre *m od* mesure *od* jauge *f* à ruban, ruban-mesure *m,* roulette *f* d'arpentage; **~mikrophon** *n radio* microphone *m* avec plaque; **~montage** *f* montage *m* à la chaîne; **~nagel** *m* cheville *f* de lien *od* de moise; **~nummer** *f typ* tomaison *f;* **~ornament** *n arch* ruban *m;* **~säge** *f* scie *f* à ruban; **~scheibe** *f anat* disque *m;* **~schreiber** *m* enregistreur *m* à papier déroulant; **~stadt** *f* cité linéaire, ville *f* ruban; **~stahl** *m* acier *m* feuillard; **~straße** *f tech* train *m* à feuillards; **~wirker** *m* rubanier *m;* **~wirkerei** *f* rubanerie *f;* **~wurm** *m* ver solitaire, ténia *m;* **~wurmmittel** *n* ténifuge *m.*

Band 4. *f* ‹-, -s› [bɛnt(s)] *(Kapelle)* orchestre *m.*

Bandag|e *f* ‹-, -n› [ban'da:ʒə] *med (a. Schutzbinde)* bandage *m; tech* garniture *f;* **b~ieren** [-'ʒi:rən] *tr* bander; **~ist** *m* ‹-en, -en› [-'ʒɪst] bandagiste *m.*

Bänd|chen *n* ‹-s, -› ['bɛntçən] petit ruban *m,* bandelette, faveur *f; (kleines Buch)* petit volume *m;* **b~ern** *tr* rubaner; **~ermeer** *n* flots *m pl* de rubans.

Bande *f* ‹-, -n› ['bandə] **1.** *(Billard)* bande *f; auf ~ spielen* bricoler; *den Ball an die ~ spielen* jouer (la boule) par la bande; **~nstoß** *m* (coup *m* de) bricole *f.*

Band|e *f* ‹-, -n› ['bandə] **2.** *(Gruppe, Schar)* bande, horde, troupe *f,* troupeau *m,* volée, *fam* smalah *f; (Verbrecherbande)* gang *m; feige ~~! (pop)* bande de lâches! **~enführer** *m* chef de meute *od* de brigands, meneur *od* chef *m* de (la) bande; **~enkrieg** *m* guérilla *f;* **~enmitglied** *n* membre de la bande; gangster *m;* **~en(un)wesen** *n* banditisme *m;* **~it** *m* bandit, brigand *m.*

Banderole *f* ‹-, -n› [bandə'ro:lə] banderole, bandelette; *(Zigarre)* bague *f* fiscale.

bändig|en ['bɛndɪgən] *tr (zähmen)* dompter, apprivoiser; *fig* maîtriser, mater, contrôler, refréner, mettre un frein à; **B~er** *m* ‹-s, -› dompteur *m;* **B~ung** *f* ‹-, (-en)› domptage, apprivoisement *m; fig* maîtrise, refrénation *f.*

Bandon|eon *n* ‹-s, -s› [ban'do:neɔn] , **~ion** *n* ‹-s, -s› [-niɔn] *mus* bandonéon *m.*

bang|(e) [baŋ(ə)] *a* craintif, peureux, anxieux; *(besorgt)* inquiet; *in ~er Erwartung* plein d'inquiétude; *jdm ~e machen* faire peur à qn, intimider qn; *nicht ~e (dreist) sein (fam)* n'être pas timide, *pop* n'avoir pas froid aux yeux, être gonflé; *mir ist (angst und) ~e* j'ai grand-peur (*vor* de), je tremble (*vor* devant); *davor ist mir nicht ~e* je n'en ai pas peur; **B~büx(e)** *f* ‹-, -en› [-byks(ə)] *fam (Angsthase)* froussard *m,* trouillard, e *m f pop;* **B~e** *f* ‹-, ø› : *(haben Sie) keine ~~!* n'ayez pas peur; ne vous inquiétez pas; **B~emacher** *m* alarmiste *m;* **~en** *(aux: haben) itr* avoir peur (*vor* de), appréhender, redouter (*vor etw* qc); craindre, trembler (*um* pour); *mir ~t davor* j'en ai peur, je tremble à cette idée; **B~en** *n* angoisse, inquiétude *f; mit Hangen und ~~* à grand'peine, tant bien que mal; **B~igkeit** *f* ‹-, (-en)› angoisse, anxiété, inquiétude *f;* **bänglich** *a* = *bang(e).*

Banjo *n* ‹-s, -s› ['banjo, 'bɛndʒo, 'bandʒo] *mus* banjo *m.*

Bank 1. *f* ‹-, ⸚e› [baŋk, 'bɛŋkə] *(Möbel)* banc *m; loc mot* banquette *f; (Werkbank)* établi; *(Verkaufstisch)* étal; *geol (Lager, Schicht)* banc, sillon, lit; *(Sandbank)* banc (de sable); *(Untiefe)* haut-fond; *(Wolkenbank)* rideau *m* (de nuages); **2.** *f* ‹-, -en› *fin* banque; *(Spielbank)* banque, maison *f* de jeu; *durch die ~* sans distinction *od* exception, en tas; *Geld auf der ~ haben* avoir de l'argent en banque; *die ~ halten* faire banco; *auf die lange ~ schieben* faire traîner, remettre; *vor leeren Bänken spielen (theat)* jouer pour les banquettes; *die ~ sprengen* faire sauter la banque; **~abschluß** *m* bilan *m* bancaire; **~agent** *m* agent *m* de banque; **~ agio** *n* agio *m* (de banque); **~aktie** *f* action *f* de banque; **~akzept** *n* acceptation *f* de banque; **~angestellte(r m)** *f* employé, e *m f* de banque; **~anweisung** *f* chèque *m* (bancaire), assignation *f* sur une banque; **~aufsichtsbehörde** *f* autorité *f* de contrôle bancaire; **~auftrag** *m* ordre *m* de banque; **~ausweis** *m* bilan *m od* situation *f* d'une *od* de la banque; **~auszug** *m* relevé *m* de banque; **~aval** *m* (od *n*) garantie *f* de banque; **~beamte(r)** *m* employé *m* de banque; **~betrieb** *m* activité *f* bancaire; **~bote** *m* garçon *m* de caisse; **~buch** *n* carnet de compte, carnet *od* livret *m* de banque; **~darlehen** *n* prêt *m* de banque; **~depot** *n* dépôt *m* (en banque); **~direktor** *m* directeur *m* d'une *od* de la banque; **~diskont** *m* escompte *m* bancaire; **~einlage** *f* dépôt *m* en banque; **~eisen** *n tech* patte-fiche *f;* **~enkonsortium** *n* syndicat *m* de banques; **~fach** *n: im ~~ tätig sein* travailler dans la banque, être dans la finance; **b~fähig** *a* bancable, négociable; **~fähigkeit** *f* négociabilité *f;* **~filiale** *f* succursale *f* d'une banque; **~forderungen** *f pl* créances *f pl* bancaires; **~geheimnis** *n* secret *m* de banque; **~geschäft** *n (Institut)* établissement *m* de banque *od* bancaire; *(Vorgang)* opération *f* de banque *od* bancaire; **~gewerbe** *n* métier *m* de banque; **~guthaben** *n* avoir *od* dépôt *m* en banque; **~halter** *m (Spiel)* banquier *m;* **~haus** *m* siège *m* de banque; **~ier** *m* ‹-s, -s› [-ki'e:] banquier, financier *m;* **~institut** *n* établissement *m* bancaire; **~kapital** *n* capital *m* de (la) banque *od* bancaire; **~kommission** *f* commission *f* de banque *od* bancaire; **~konto** *n* compte *od* dépôt *m* de *od* en banque *od* bancaire; **~krach** *m* krach *m;* **~kredit** *m* crédit *m* bancaire *od* de *od* en banque; **b~mäßig** *a* bancaire; *(Wertpapier)* négociable en banque; **~meißel** *m* ciseau *m* à froid; **~messer** *n* couperet *m;* **~monopol** *n* monopole *m* d'émission de billets de banque; **~nebenstelle** *f* succursale *f* d'une banque; **~note** *f* billet *m* de banque; **~notenausgabe** *f* émission *f* de billets de banque; **~notenfälscher** *m* faux-monnayeur, falsificateur *m* de billets de banque; **~notenpresse** *f* planche *f* à billets; **~notenumlauf** *m* circulation *f* monétaire *od* de billets de banque; **~prokura** *f* procuration *f* de banque; **~provision** *f* commission *f* de banque *od* bancaire; **~raub** *m* coup à main armée *od* hold-up *m od* agression *f* contre une banque; **~satz** *m* taux *m* officiel; **~schalter** *m* guichet *m* de banque; **~scheck** *m* chèque *m* bancaire; **~schließfach** *n* coffre-fort *m;* **~schraubstock** *m* étau *m* d'établi; **~schuld** *f* dette *f* bancaire; **~schwindel** *m* agiotage *m;* **b~technisch** *a* bancaire; **~überweisung** *f* virement *m* de banque *od* bancaire; **b~üblich** *a* selon la coutume bancaire; **~verbindlichkeiten** *f pl* engagements *m pl* en banque; **~verbindung** *f* relation *f* bancaire; **~verkehr** *m* transactions *od* opérations *f pl* bancaires; **~vollmacht** *f* procuration *f* de banque; **~wechsel** *m* effet *m od* traite *f* bancaire; **~werte** *m pl* valeurs *f pl* bancaires; **~wesen** *n* système *m* bancaire, banques *f pl;* **~zinsen** *m pl* intérêts bancaires; *(zu zahlende)* intérêts *m pl* de prêts bancaires; **~zinssatz** *m* taux *m* légal (d'intérêt).

Bänk|chen *n* ‹-s, -› ['bɛŋkçən] petit banc *m;* **~elsänger** *m* chanteur *m* ambulant.

Bankert *m* ‹-s, -e› ['baŋkərt] bâtard, enfant *m* naturel.

Bankett *n* ‹-(e)s, -e› [baŋ'kɛt] banquet, festin, dîner *m* de gala; *a.* **~e** *f* ‹-, -n› *(Straße)* banquette *f,* accotement *m; (Berme)* berme; retraite *f* d'une digue; **b~ieren** [-'ti:rən] *itr (tafeln)* banqueter.

Bankrott *m* ‹-(e)s, -e› [baŋ'krɔt] banqueroute; *a. fig* faillite *f;* ~ *machen* tomber en *od* faire faillite, sauter; *fig* échouer; *betrügerische(r)* ~ banqueroute *od* faillite *f* frauduleuse; **b~** *a* en faillite, insolvable; *für* ~~ *erklären* déclarer *od* mettre en faillite; ~~ *gehen* = ~ *machen;* **~erklärung** *f* déclaration *f* de faillite; **~eur** *m* ‹-s, -e› [-'tø:r] banqueroutier, failli *m.*

Bann *m* ‹-(e)s, ø› [ban] *hist* ban; *rel* anathème *m,* excommunication *f; fig (Zauber)* charme *m,* fascination *f; mit dem* ~ *belegen (hist)* mettre au ban, prononcer l'interdit contre; *rel* excommunier, anathématiser, frapper d'anathème; *den* ~ *brechen (fig)* rompre le charme; *in* ~ *schlagen (fig)* hypnotiser; *unter jds* ~ *stehen (fig)* être sous le charme de qn; *in Acht und* ~ *tun (hist)* = *mit dem* ~ *belegen; fig* bannir; **~bulle** *f rel* bulle *f* d'excommunication; **b~en** *tr fig (vertreiben)* bannir; *(Gefahr)* conjurer; *(einnehmen, fesseln)* captiver, charmer, fasciner; *(wie) gebannt auf etw starren* regarder qc fixement; **~fluch** *m rel* anathème *m,* excommunication *f,* foudres *f pl* de l'Église; **~kreis** *m hist jur* juridiction; *fig* (sphère d')influence *f;* **~meile** *f hist* banlieue *f;* **~strahl** *m poet* = *~fluch; den* ~~ *gegen jdn schleudern* lancer l'interdit contre qn; **~ware** *f* contrebande *f.*

Banner *n* ‹-s, -› ['banər] bannière *f,* étendard; *hist* gonfalon, gonfanon *m;* **~träger** *m mil* porte-bannière, porte-étendard; *hist* gonfalonnier *m.*

bannig ['banıç] *a dial (groß)* grand; *adv (sehr)* très, fort.

Bantamgewicht ['bantam-] *n sport* poids *m* coq.

Baobab *m* ‹-s, -s› ['ba:obap] *bot* baobab *m.*

Baptist *m* ‹-en, -en› [bap'tıst] baptiste *m;* **~erium** *n* ‹-s, -ien› [-'te:rium, -riən] *(Taufkapelle)* baptistère *m.*

bar [ba:r] *a (nur mit s im gen) lit (ohne)* dépourvu, dénué, démuni, exempt de; *fin* comptant; liquide, effectif; *adv fin* comptant; *gegen* ~, *in* ~*(em Gelde)* au comptant, en espèces, en numéraire; ~ *bezahlen* payer (en argent) comptant *od* en espèces; *etw für* ~*e Münze nehmen* prendre qc pour argent comptant; *das ist* ~*er Unsinn* c'est pure sottise; ~*e(s) Geld n* argent *m* comptant *od* liquide, espèces *f pl,* numéraire *m;* **B~abfindung** *f* indemnité *f* en espèces; **B~auslagen** *f pl* dépenses *f pl* nettes; **B~auszahlung** *f* paiement *m* en espèces; **B~bestand** *m* avoir *m* en espèces, disponibilités *od* espèces *f pl* en caisse, encaisse *f;* **B~betrag** *m* montant *m* en espèces; **B~bezüge** *m pl* rémunération *od* rétribution *od* prestation *f* pécuniaire en espèces; **B~deckung** *f* couverture métallique; garantie *f* en espèces; **B~eingänge** *m pl,* **B~einnahme** *f* recettes *od* entrées *f pl* de caisse, rentrée *f* en numéraire; **B~einzahlung** *f* versement *m* en espèces; **B~entnahme** *f* prise *f* d'espèces; **B~ertrag** *m* produit *m* net; **~fuß, ~füßig** *a u. adv* nu-pieds; *adv* pieds nus; **B~füßer** *m* ‹-s, -› ['-fy:sər] *rel (Franziskaner)* cordelier; *(Karmeliter)* carme *m* déchaussé *od* déchaux; **B~geld** *n* = *~e(s) Geld;* **~geldlos** *a* par virement *od* mandat; ~~*e(r) Zahlungsverkehr m* transactions *f pl* par virement; **B~geldumlauf** *m* circulation *f* monétaire; **B~geldverkehr** *m* opérations *f pl* d'espèces; **B~geschäft** *n* marché *m* comptant; **B~guthaben** *n* avoir en espèces, fonds *m* en caisse; **~haupt, ~häuptig** *a u. adv* nu-tête; *adv* tête nue; **B~kauf** *m* achat *m* au comptant; **B~kredit** *m* crédit *m* à découvert *od* libre; **B~leistung** *f* prestation *f* en espèces *od* en argent; **B~lohn** *m* salaire *m,* rétribution *f* en espèces; **B~mittel** *n pl* disponibilités *f pl* en espèces; **B~preis** *m* prix *m* comptant; **B~schaft** *f* argent *m* comptant; **B~scheck** *m* chèque *m* ordinaire *od* payable au comptant; **B~sendung** *f* envoi *m* d'espèces; **B~sortiment** *n* sortiment *m* en gros; *(Kommissionsbuchhandlung)* librairie *f* commissionnaire; **B~vergütung** *f* rémunération *od* rétribution *f* pécuniaire; **B~verkauf** *m* vente *f* au comptant; **B~verkehr** *m* = *B~geldverkehr;* **B~verlust** *m* perte *f* en argent comptant; **B~vermögen** *n* capital *m* de *od* en numéraire; **B~vorschuß** *m* avance *f* en espèces; **B~wert** *m* valeur *f* au comptant; **B~zahlung** *f* paiement *m* comptant *od* en espèces; *nur gegen* ~~ payable au comptant, exclusivement contre paiement en argent comptant; **B~zahlungsrabatt** *m* escompte *m* au comptant.

Bar 1. *f* ‹-, -s› [ba:r] bar *m;* **~dame, ~frau** *f* barmaid *f;* **~hocker** *m* tabouret *m* de bar; **~keeper** *m,* **~mixer** *m* barman *m;* **~tisch** *m* bar *m.*

Bar 2. *n* ‹-s, -s, aber 5 Bar› [ba:r] *(Luftdruck von 1 Million dyn/qcm)* bar *m.*

Bär *m* ‹-en, -en› [bɛ:r] ours *m; jdm e-n* ~*en aufbinden* faire prendre à qn des vessies pour des lanternes; en conter *od* dire de belles à qn; *pop* monter un bateau à qn; *Sie wollen mir e-n* ~*en aufbinden* vous me la baillez belle *od* bonne; *der Große, Kleine* ~ *(astr)* la Grande, Petite Ourse; **b~beißig** *a* hargneux, bourru, grognon; ~~*e(r) Mensch m* ours *m;* **~beißigkeit** *f* caractère *m od* humeur *f* de dogue; **~endienst** *m: jdm e-n* ~~ *erweisen* rendre un mauvais service à qn; **~endreck** *m (Lakritze)* réglisse *f;* **~enfell** *n* peau *f* d'ours; **~enführer** *m* montreur *m* d'ours; **~enhaut** *f: auf der* ~~ *liegen (fam)* fainéanter; **~enhunger** *m fam* faim *f* de loup *od* du diable; *e-n* ~~ *haben (a.)* avoir l'estomac dans les talons; **~enjunge(s)** *n* ourson *m;* **~enklau** *m bot* acanthe *f;* **~enmütze** *f* bonnet *m* à poil; **~ennatur** *f: e-e* ~~ *haben* se porter comme un charme; **~enzwinger** *m* fosse *f* aux ours; **~in** *f* ourse *f;* **~lapp** *m bot* lycopode *m;* **~lappgewächse** *n pl* lycopodinées *f pl.*

Baracke *f* ‹-, -n› [ba'rakə] baraque *f;* **~nlager** *n* baraquement *m;* **~nviertel** *n* bidonville *m.*

Barbar|(in *f***)** *m* ‹-en, -en› [bar'ba:r] barbare *m f;* **~ei** *f* [-'raı] barbarie *f;* **b~isch** [-'ba:rıʃ] *a* barbare; **~ismus** *m* ‹-, -men› [-'rısmus, -mən] *gram* barbarisme *m.*

Barbe *f* ‹-, -n› ['barbə] *(Fisch)* barbeau *m.*

Barbier *m* ‹-s, -e› [bar'bi:r] *vx* barbier, coiffeur *m;* **b~en** *tr vx* raser; *jdn über den Löffel* ~~ *(fam)* attraper, rouler qn.

Barbitursäure [barbi'tu:r-] *f chem* acide *m* barbiturique.

Barchent *m* ‹-s, -e› ['barçənt] *(Textil)* futaine *f.*

Barde *m* ‹-n, -n› ['bardə] *hist (keltischer Sänger)* barde *m.*

Barett *n* ‹-(e)s, -e/-s› [ba'rɛt] barrette; toque *f.*

Bariton *m* ‹-s, -e› ['ba:ritɔn, '-to:nə] *mus* baryton *m.*

Barium *n* ‹-s, ø› ['barium] *chem* baryum *m;* **~hydroxyd** *n* baryte *f.*

Bark *f* ‹-, -en› [bark] *mar* trois-mâts *m;* **~asse** *f* ‹-, -n› [-'kasə] barcasse *f;* **~e** *f* ‹-, -n› barque, barge *f,* caïque *m; (kleine)* barquette, nacelle *f.*

barmherzig [barm'hɛrtsıç] *a* miséricordieux, charitable; ~*er Gott!* (Dieu de) miséricorde! *B~e Schwester f (rel)* sœur *f* de la Miséricorde; **B~keit** *f* ‹-, ø› miséricorde, pitié, charité *f;* ~~ *üben* faire la charité; ~~*!* grâce!

Barock *n* od *m* ‹-s, ø› [ba'rɔk] baroque *m;* **b~** *a (Kunst u. fig)* baroque; *fig* bizarre; **~stil** *m* style *m* baroque.

Baro|graph *m* ‹-en, -en› [baro'gra:f] barographe, baromètre *m* enregistreur; **~meter** *n* baromètre *m; das* ~~ *steht auf veränderlich* le baromètre est au variable; **~meterdose** *f* capsule *f* barométrique; **~metersäule** *f* colonne *f* barométrique; **~meterskala** *f* échelle *f* barométrique; **~meterstand** *m* hauteur *od* cote *f* barométrique *od* du baromètre; **b~metrisch** *a* barométrique.

Baron *m* ‹-s, -e› [ba'ro:n] baron *m;* **~esse** *f* ‹-, -n› [-ro'nɛsə], **~in** *f* baronne *f.*

Barras *m* ‹-, ø› ['baras] *fam* militaire *m; beim* ~ dans le militaire, à l'armée.

Barre *f* ‹-, -n› ['barə] *(Stange; Sandbank)* barre *f.*

Barren *m* ‹-s, -› ['barən] *(Handelsform d. Metalle)* lingot *m,* barre *f; sport* barres *f pl* parallèles; **~gold** *n* or *m* en lingots *od* en barres.

Barriere *f* ‹-, -n› [bari'ɛ:rə] barrière *f a. fig; sport* main *f* courante.

Barrikad|e *f* ‹-, -n› [bari'ka:də] barricade *f;* **~enkämpfe** *m pl* combats *m pl* sur les barricades; **~enkämpfer** *m* combattant *m* des barricades.

Barsch *m* ‹-(e)s, -e› [ba:rʃ] *(Fisch)* perche *f.*

barsch [barʃ] *a* brusque, rude, âpre;

~ *antworten* répondre sur un ton dur; **B~heit** *f* brusquerie, rudesse *f.*

Bart *m* ‹-(e)s, ⁻e› [ba:rt, 'bɛ:rtə] barbe; *bot* arête, barbe *f; (des Schlüssels)* panneton *m; tech (Gußnaht)* bavure *f; in den ~ brummen* murmurer *od* parler entre ses dents, grommeler; *jdm um den ~ gehen* courtiser, flatter qn, passer la main dans le dos à qn; ~ *haben* avoir de la barbe; *sich den* od *e-n ~ wachsen* od *stehen lassen* se laisser pousser sa barbe; *e-n ~ machen (fig fam)* faire une drôle de tête; *jdm Honig um den ~ schmieren* aduler, flagorner qn; *um des Kaisers ~ streiten* avoir une querelle d'Allemand, se disputer pour un rien; *der ~ ist ab (fig fam)* c'est fini; *das hat so einen ~ (fam)* cela date du *od* remonte au déluge; **~binde** *f* fixe-moustache *m;* **~fäden** *m pl zoo* barbillons *m pl;* **~flechte** *f bot med* lichen; *med* sycosis *m;* **~haar** *n* poil *m* de la barbe; **b~los** *a* imberbe, sans barbe; **~wuchs** *m* barbe *f.*

Bärt|chen *n* ‹-s, -› ['bɛ:rtçən] barbiche *f;* **b~ig** *a* barbu, poilu.

Baryt *m* ‹-(e)s, -e› [ba'ry:t, -'rʏt] *min* baryte *f;* **b~haltig** *a* barytifère.

Basalt *m* ‹-(e)s, -e› [ba'zalt] *min* basalte *m;* **b~en** *a* basaltique; **~felsen** *m* roche *f* basaltique; **~schiefer** *m* basalte *m* schisteux.

Basar *m* ‹-s, -e› [ba'za:r] *(Verkaufsstätte)* bazar *m; (Wohltätigkeitsveranstaltung)* vente *f* de charité.

Base *f* ‹-, -n› ['ba:zə] **1.** cousine *f;* ~ *1., 2. Grades (a.)* cousine *f* germaine, issue de germains.

Bas|e *f* ‹-, -n› ['ba:zə] **2.** *chem* base *f;* **b~ieren** [ba'zi:rən] *tr* baser, fonder (*auf* sur); *itr* se baser, se fonder (*auf* sur); **~is** *f* ‹-, -sen› ['ba:zɪs, -zən] *arch* base *f,* fondement *m; math* base; *fig (Grundlage)* base *f,* principe *m;* **b~isch** ['ba:-] *a chem* basique; **~izität** *f* ‹-, ø› [-zitsi'tɛ:t] basicité *f.*

Baseball *m* ‹-s, ø› ['be:sbo:l] *sport* base-ball *m.*

Basedowsche Krankheit ['ba:zədoʃə-] *f* maladie *f* de Basedow, goitre *m* exophtalmique.

Basel ['ba:zəl] *n* Bâle *f.*

Basil|ie(nkraut *n) f* ‹-, -n› [ba'zi:liə-] *bot* basilic *m;* **~ika** *f* ‹-, -ken› [-'zi:lika -kən] *arch* basilique *f;* **~isk** *m* ‹-en, -en› [-'lɪsk] *zoo* basilic *m.*

Basisgruppe *f pol* groupe *m* de base.

Bask|e *m* ‹-n, -n› ['baskə] , **~in** *f* Basque *m,* Basquaise *f;* **~enland** *n* pays *m* basque; **~enmütze** *f* béret *m* basque.

Basketball *m* ‹-s, ø› ['ba(:)skətbal] *sport* basket-ball *m;* **~spieler** *m* basketteur *m.*

Basrelief *n* ‹-s, -s/-e› ['bareliɛf, bareli'ɛf] *(Kunst)* bas-relief *m.*

Baß *m* ‹-sses, ⁻sse› [bas, 'bɛsə] *(Stimme u. Sänger)* basse; *(Instrument)* contre-basse *f; erste(r) ~* basse-taille *f; seriöse(r) ~* basse *f* noble; *zweite(r) ~* basse-contre *f;* **~geige** *f* = ~ *(Instrument);* **~schlüssel** *m* clef *f* de fa; **~spieler** *m* contrebassiste; **~stimme** *f* (voix de) basse *f.*

Bassin *n* ‹-s, -s› [ba'sɛ̃:] bassin *a. mar,* réservoir *m.*

Bassist *m* ‹-en, -en› [ba'sɪst] *(Spieler)* contrebassiste *m; (Sänger)* basse *f.*

Bast *m* ‹-(e)s, -e› [bast] liber *m,* fibre végétale; *(Rinde)* écorce; *(Werg)* filasse *f; (der Nadelpalme)* raphia; *(vom Hirschgeweih)* frayoir *m;* **~faser** *f* fibre *f* d'écorce; **~hut** *m* chapeau *m* de raphia; **~matte** *f* natte *f* de fibre végétale) *od* de raphia *od* de rabane; **~seide** *f* soie *f* écrue *od* grège; **~seil** *n* corde *f* de filasse *od* de chanvre *od* de liber.

basta ['basta] *interj* assez! baste! *und damit ~!* pas un mot de plus! un point, c'est tout.

Bastard *m* ‹-(e)s, -e› ['bastart, -də] *(uneheliches Kind)* bâtard, enfant naturel; *(Mischling)* hybride, métis *m;* **~feile** *f* lime *f* bâtarde; **b~ieren** [-'di:rən] *tr (kreuzen)* abâtardir, hybrider; **~pflanze** *f* plante *f* hybride; **~schrift** *f typ* (écriture) bâtarde *f.*

Bast|ei *f* ‹-, -en› [bas'taɪ] , **~ion** *f* ‹-, -en› [-ti'o:n] *mil* bastion *m.*

Bast|elei *f* ‹-, -en› [bastə'laɪ] , **~eln** ['bastəln] *n* bricolage *m;* **b~eln** *tr* u. *itr* bricoler; **~ler** *m* ‹-s, -› bricoleur *m.*

Bataillon *n* ‹-s, -e› [batal'jo:n] bataillon *m;* **~sabschnitt** *m* zone *f* du bataillon, quartier *m;* **~sadjutant** *m* capitaine *m* adjudant-major; **~sführer** *m* commandant de bataillon (en fonction), chef *m* de bataillon; **~skommandeur** *m* commandant *m* de bataillon (en titre); **~sstab** *m* état-major *m* de bataillon; **~sstärke** *f* effectif *m* d'un bataillon.

Batate *f* ‹-, -n› [ba'ta:tə] *bot* patate *f.*

Batik *m* (od *f*) batik *m.*

Batist *m* ‹-(e)s, -e› [ba'tɪst] *(Textil)* batiste *f.*

Batterie *f* ‹-, -n› [batə'ri:] *mil* batterie; *el* batterie, pile *f,* accumulateur *m; mot* pile *f* (d'allumage); *e-e ~ (ent)laden* (dé)charger une batterie; *die ganze ~ (fig hum)* tout le tas; *hinterea.geschaltete ~* batterie *f* montée en série; **~chef** *m mil* chef *m* de batterie; **~elektrode** *f* borne *od* électrode *f* de la batterie; **~element** *n* élément *m* de batterie; **~empfänger** *m,* **~gerät** *n radio* poste *m* sur accu; **~klemme** *f* borne *f* de batterie; **~spannung** *f* tension *f od* voltage *m* de batterie; **~widerstand** *m* resistance *f* de batterie *od* intérieure de la pile; **~zündung** *f mot* allumage *m* par batterie *od* accumulateur.

Batzen *m* ‹-s, -› ['batsən] *(Klumpen)* masse *f; ein (schöner) ~ Geld* une forte somme.

Bau *m* ‹-(e)s, -ten› [bau, -tən] *(Tätigkeit u. Gebäude)* construction; *(Tätigkeit)* édification *f; (Gebäude)* bâtiment *m,* bâtisse *f,* édifice; *zoo* terrier *m; allg (Gefüge, Gliederung)* architecture, structure, organisation; *arg mil* tôle *f; pl (~ten) film* décors *m pl; im ~ (befindlich)* en (cours *od* voie de) construction *od* (d')édification, en chantier; *nicht aus dem ~ gehen* *(fam)* ne pas sortir de son nid, ne pas mettre le nez dehors; *vom ~ sein (fam)* être du bâtiment, être du métier; **~abschnitt** *m* période de construction, tranche *f* (des travaux); **~abteilung** *f adm* service *m* des bâtiments; **~akademie** *f etwa:* école *f* d'architecture; **~amt** *n* office *m* des constructions, inspection *f* des bâtiments; service *m* des travaux publics; **~anschlag** *m* devis *m* de construction estimatif; **~arbeiten** *f pl* travaux *m pl* de construction *od* du bâtiment *od* en cours; *(Achtung) ~~!* Travaux! **~arbeiter** *m* ouvrier *od fam* gars *m* du *od* en bâtiment(s); **~art** *f* architecture, structure *f;* genre *m* de construction; *tech* construction *f;* **~aufseher** *m* inspecteur *m* des travaux; **~aufsicht** *f* surveillance *f* des travaux; **~ausführung** *f* réalisation *f* d'une construction; **~ausschreibung** *f* mise *f* au concours d'un *od* du projet de construction; **~baracke** *f* baraque *f* de chantier; **~bataillon** *n* bataillon *m* de pionniers; **~bedarf** *m* matériaux *m pl* de construction; **~beginn** *m* début *m* de la construction, mise *f* en chantier; **~beschreibung** *f* notice *f* descriptive; **~büro** *n* bureau *m* de construction; **~denkmal** *n: geschützte(s) ~~* monument *m* public; **b~en** *tr* bâtir, construire, édifier; *(errichten)* élever, dresser; *tech* construire; *(Tunnel)* percer; *(Nest)* faire; *agr (anbauen)* planter, cultiver; *fig* baser, fonder (*auf* sur); *fam (e-e Prüfung)* faire; *itr* travailler à la construction (*an* de); *fig* compter (*auf jdn* sur qn); *(Häuser) auf jdn ~~* avoir confiance en qn; *Luftschlösser ~~* faire des châteaux en Espagne; *solide ~~* bâtir à chaux et à ciment *od* sur le roc; *am Haus wird noch gebaut* la maison est encore en construction; *so wie du gebaut bist ...* solidement bâti comme tu l'es...; **~entwurf** *m* projet *m* de construction; **~fach** *n* bâtiment *m;* **b~fällig** *a* croulant, délabré, vétuste; *~~ sein* menacer ruine; **~fälligkeit** *f* délabrement *m,* vétusté *f;* **~finanzierung** *f* financement *m* de construction *od* des travaux; **~firma** *f* entreprise *f* de construction; **~flucht** *f* alignement *m;* **~führer** *m* maître d'œuvre, chef de chantier (de construction); conducteur *m* de travaux; **~gelände** *n* terrain *m* à bâtir; **~genehmigung** *f* permis *m* de construire, autorisation *f* de construire *od* de bâtir *od* de construction; **~genossenschaft** *f* coopérative *f* de construction; **~gerüst** *n* échafaudage *m;* **~geschäft** *n* entreprise *f* de construction; **~gesellschaft** *f* société *f* de construction *od* immobilière; **~gesuch** *n* demande *f* de construction; **~gewerbe** *n* (industrie *od* profession *f* du) bâtiment *m;* **~glas** *n* verre *m* de construction; **~glied** *n* élément *m* de construction; **~grube** *f* fouille *f* de construction; **~grund** *m* sol *m* à bâtir *od* d'infrastructure; **~grundstück** *n* terrain *m* à bâtir;

~handwerk *n* artisanat *m od* industrie de construction, (industrie *f* du) bâtiment *m;* **~handwerker** *m* ouvrier *m* du bâtiment; **~herr** *m* maître d'œuvre, promoteur *m;* **~hof** *m* chantier *m* (de construction); **~holz** *n* bois *m* de charpente *od* d'œuvre *od* de construction; **~hütte** *f* baraque *f* de chantier; **~ingenieur** *m* ingénieur *m* des travaux publics; **~jahr** *n* année *f* de construction *od* de fabrication; **~kasten** *m* boîte *f od* jeu *m* de construction; **~klotz** *m* bloc *m* de jeu de construction; *~klötze staunen* être ébahi; **~kolonne** *f mines* équipe *f* de boisage; **~kompanie** *f mil* compagnie *f* de pionniers; **~körper** *m: unfertige(r) ~~* tas *m;* **~kosten** *pl* frais *m pl* de construction; **~kostenvoranschlag** *m = ~anschlag;* **~kostenzuschuß** *m* subvention de construction, quote-part *f* des frais de construction; **~kran** *m* grue *f* de chantier; **~kredit** *m* crédit *m* de construction; **~kunst** *f* architecture *f;* **~land** *n* zone *f* à bâtir; **~landumlegung** *f* remembrement *m* des terrains à bâtir; **~leiter** *m* directeur de(s) travaux, chef *m* de chantier; **~leitung** *f* direction *f* des travaux; **b~lich** *a* architectonique; architectural; constructif; *~~e Anordnung f* disposition *f* architectonique; *in gutem ~~em Zustand* en bon état; habitable; **~lichkeit** *f* bâtiment *m,* bâtisse *f;* **~linie** *f* alignement *m;* **~lokomotive** *f* locomotive *f* de chantier; **b~lustig** *a* bâtisseur; **~material** *n* matériaux *m pl* de construction; **~meister** *m* architecte; *allg* constructeur *m;* **~narr** *m* bâtisseur *m;* **~ordnung** *f* règlement *m* sur les constructions; **~plan** *m arch* plan *od* projet *od* programme de construction; *tech* plan *m* de montage; **~platz** *m* terrain à bâtir; *(nach Beginn d. Arbeiten)* chantier *m* (de construction); **~polizei** *f* police *f* des constructions; **~preis** *m* prix *m* du bâtiment; **~programm** *n* programme *m* de construction; **~rat** *m* architecte *m;* **b~reif** *a* prêt à la construction; **b~sachverständig** *a* expert *m* en architecture; **~sachverständige(r)** *m* expert *m* en matière de construction; **~sand** *m* sable *m* à mortier; **~schlosser** *m* serrurier *m* en bâtiments; **~schreiner** *m* menuisier *m* en bâtiments; **~schreinerei** *f* menuiserie *f* en bâtiments; **~schule** *f* collège *m* technique de construction; **~schutt** *m* décombres *m pl;* **~sektor** *m* secteur *m* du bâtiment; **~skizze** *f* esquisse *f* de construction; *fam* topo *m;* **~sohle** *f mines* étage *m;* **~sparen** *n* épargne-construction, épargne-logement *f;* **~sparkasse** *f* caisse d'épargne de construction; société *f* d'épargne pour prêts de construction; **~sparvertrag** *m* contrat *m* d'épargne (en vue) de (la) construction; **~stahl** *m* acier *m* de construction; **~stein** *m* pierre *f* à bâtir; *fig* élément *m* constitutif; **~stelle** *f* chantier *m* (de construction); *~~!* Travaux! *Betreten der ~~ verboten!* chantier interdit au public; **~stellensignalanlage** *f* signalisation *f* de chantier; **~stellenüberwachung** *f* surveillance *f* de chantier; **~stil** *m* style *m;* **~stoffe** *m pl* matériaux *m pl* de construction; **~stoffhändler** *m* négociant *m* en matériaux de construction; **~stoffhandlung** *f* commerce *m* de matériaux de construction; **~stoffindustrie** *f* industrie *f* des matériaux de construction; **~stofflager** *n* entrepôt *m* de matériaux de construction; **~tätigkeit** *f* activité *f* sur le plan de la construction; **~teil** *n* pièce *f* détachée; élément *m* de construction *od* fabriqué; **~tischler** *m* menuisier *m* en bâtiments; **~tischlerei** *f* menuiserie *f* en bâtiments; **~trupp** *m* équipe *f* de montage; **~unternehmen** *n* entreprise *f* de bâtiment; **~unternehmer** *m* entrepreneur *m* de travaux publics *od* de bâtiment(s) *od* de construction; **~verbot** *n* interdiction *f* de construire; **~vertrag** *m* contrat *m* de construction; **~volumen** *n* volume *m* de la construction; **~vorhaben** *n* projet *m* de construction *od* de travaux; **~vorschrift** *f* règlement *m* sur les constructions; **~weise** *f* méthode *f od* mode *od* genre *od* type *m* de construction, structure *f;* **~werk** *n* édifice, bâtiment *m,* bâtisse, construction *f,* ouvrage *m; (geschütztes) ~~* monument *m* (public); **~wesen** *n* bâtiment *m;* constructions *f pl,* travaux *m pl* publics, génie *m* civil; **~willige(r)** *m* bâtisseur *m;* **~wirtschaft** *f* industrie *f* du bâtiment; **~zaun** *m* clôture *f* de chantier; **~zeichnung** *f arch* plan *m* de constructions **~zeit** *f* durée *f* de la *od* délai *m* de construction.

Bauch *m* ‹-(e)s, ¨-e› [baux, ˈbɔʏçə] ventre; *(Unterleib)* abdomen; *(starker Leib)* embonpoint *m, fam (Schmerbauch)* panse; *pop* bide, bidon *m,* brioche *f; (Flasche, allg: Ausbauchung)* ventre *m; ~ ansetzen, e-n ~ bekommen* prendre du ventre *od* de l'embonpoint; *den ~ einziehen* rentrer le ventre; *jdm ein Loch in den ~ fragen* accabler qn de questions; *sich den ~ füllen* se remplir l'estomac; *e-n ~ haben* avoir du ventre; *sich den ~ vor Lachen halten* se tenir les côtes *od* se pâmer de rire; *sich auf den ~ legen, auf dem ~ liegen* se coucher, être à plat ventre; *sich den ~ vollschlagen (pop)* se remplir le jabot, *arg* s'en flanquer *od* s'en foutre plein la lampe; *volle(r) ~* ventrée *f pop;* **~atmung** *f* respiration *f* abdominale; **~binde** *f* ceinture *f* (abdominale), bandage *m* (de corps), ventrière; *fam (Zigarre)* bague *f* (de cigare); **~fell** *n anat* péritoine *m;* **~fellentzündung** *f* péritonite *f,* **~flosse** *f* nageoire *f* pelvienne *od* ventrale *od* abdominale; **~grimmen** *n* coliques *f pl;* **~gurt** *m* sous-ventrière *f;* **~höhle** *f* cavité *f* abdominale; **b~ig** *a* bombé, convexe; **~laden** *m* éventaire *m;* **~landung** *f aero* atterrissage *m* sur le ventre *od* train rentré; *e-e ~~ machen* se poser sur le ventre *od* train rentré; **~muskel** *m* muscle *m* abdominal; **~partie** *f* région *f* abdominale; **~redner** *m* ventriloque *m;* **~schmerzen** *m pl* mal *m* au ventre; **~schwangerschaft** *f* grossesse *f* abdominale *od* extra-utérine; **~speck** *m (Küche)* petit lard, lard *m* maigre; **~speicheldrüse** *f anat* pancréas *m;* **~tanz** *m* danse *f* du ventre; **~typhus** *m* fièvre *f* typhoïde; **~ung** *f* convexité *f; (Schwellung)* renflement, évasement *m;* **~wassersucht** *f* hydropisie du péritoine, ascite *f;* **~weh** *n* mal *m* au ventre; colique *f.*

Bäuch|lein *n* ‹-s, -› [ˈbɔʏçlaɪn] embonpoint *m;* **b~lings** *adv* à plat ventre.

Bauer 1. *m* ‹-n/(-s), -n› [ˈbauər] *(Landwirt)* paysan; *(Pächter)* fermier; *(Landmann)* agriculteur, cultivateur, laboureur; *(Landbewohner)* campagnard, villageois; *pej* bouseux, plouc, péquenot; *(Schach)* pion; *(Kartenspiel: Bube)* valet; *fig pej (Grobian)* rustaud, rustre, manant *m.*

Bauer 2. *n, a. m* ‹-s, -› *(Käfig)* cage *f* (d'oiseau).

Bäuer|in [ˈbɔyərɪn] *f* paysanne, fermière; campagnarde, villageoise *f;* **b~isch** *a (seltener für:) bäurisch (s. d.);* **b~lich** *a* paysan, rustique, campagnard; *(ländlich)* rural, champêtre.

Bauern|aufstand *m* [ˈbauərn-] révolte des paysans, jacquerie *f;* **~befreiung** *f* émancipation *f* des paysans; **~brot** *n* pain *m* de campagne; **~bursche** *m* jeune paysan *m;* **~fänger** *m fam* bonneteur, tricheur, escamoteur, emberlificoteur *m;* **~fängerei** *f* tricherie *f;* attrape-nigaud *m;* **~gut** *n,* **~haus** *n* ferme *f;* **~hochzeit** *f* noces *f pl* de village *od* villageoises; **~hof** *m* ferme, métairie *f;* **~knecht** *m* valet *m* de ferme; **~krieg,** *der* la guerre des Paysans; **~lümmel** *m* rustaud, rustre, manant, lourdaud *m;* **~mädchen** *n* jeune paysanne *f;* **~möbel** *n pl* meubles *m pl* rustiques; **~partei** *f* parti *m* paysan; **~regel** *f (Wetterregel)* dicton *m* sur le temps; **~schaft** *f* paysans *m pl;* **~schenke** *f* auberge *f* de village; **b~schlau** *a* malin, madré, finaud, astucieux, rusé; **~schläue** *f* ruse *f* paysanne; **~stand** *m* paysannerie, classe *f* paysanne; **~stück** *n theat* paysannerie *f;* **~tum** *n* paysannerie *f;* **~verband** *m* syndicat *m* paysan.

Bauers|frau *f* [ˈbauərs-] paysanne, fermière *f;* **~leute** *pl* paysans *m pl;* **~mann** *m* ‹-s, -leute› paysan, laboureur *m.*

Baum *m* ‹-(e)s, ¨-e› [baum, ˈbɔʏmə] arbre *m; zwischen ~ und Borke (fig)* entre l'arbre et l'écorce, entre l'enclume et le marteau; *ich könnte Bäume ausreißen* je pourrais soulever des montagnes; *er sieht den Wald vor (lauter) Bäumen nicht* les arbres lui cachent la forêt; *es ist zum auf die Bäume klettern (fam)* j'enrage; *es ist dafür gesorgt, daß die Bäume nicht in den Himmel wachsen (prov)* on ne saurait chanter plus haut que la bouche; *alte Bäume versetzt man nicht (prov)* les vieux arbres ne se transplantent pas; *der ~ der Erkenntnis* l'arbre *m* de la science du bien et du mal; **b~artig** *a* arborescent; **~bestand** *m* peuplement *m* forestier; **b~bestanden** *a* planté d'arbres; **~blüte** *f (Vorgang und Zeit)* floraison, fleuraison *f*; **~falke** *m orn* hobereau *m*; **~frevel** *m* délit *m* forestier; **~garten** *m* verger, jardin *m* fruitier; **~grenze** *f geog* limite *f* d'arbres; **~gruppe** *f* bosquet, bouquet *m* d'arbres; **~hacker** *m orn* = *~läufer*; **~knorren** *m* loupe *f*; **~krone** *f* cime *f* d'arbre; **~kuchen** *m* pièce *f* montée; **b~lang** *a*; *ein ~~er Kerl* un type élancé, *fam* un grand gaillard; **~läufer** *m orn* grimpereau, grimpart *m*; **b~los** *a* sans arbres, dépourvu d'arbres; **~marder** *m* martre *f* (commune); **~pfahl** *m* tuteur *m*; **~reihe** *f* rangée *f* d'arbres; **~rinde** *f* écorce *f* d'arbre; **~säge** *f* (scie) égoïne *od* égohine *f*; **~schere** *f* sécateur *m*, cisailles *f pl* de jardinier; **~schule** *f* pépinière *f*; **~schützer** *m* grillage *m* de protection; **~schwamm** *m* fistuline *f*; **~sperre** *f mil* abattis *m*; **~stamm** *m* tronc d'arbre; fût *m*; **b~stark** *a* fort comme un chêne *od* un Turc; **~stumpf** *m* souche *f* d'arbre, chicot *m*; **~verhau** *m* od *n* = *~sperre*; **~vögel** *m pl* (oiseaux) percheurs *m pl*; **~wachs** *n* mastic *m* à greffer; **~wanze** *f ent* punaise *f* des bois; **~wiese** *f* prairie *f* verger.

Bäum|chen *n*, **~lein** *n* ⟨-s, -⟩ ['bɔʏm-] arbrisseau, petit arbre *m*.

baumeln ⟨*aux: haben*⟩ ['baʊməln] *itr* pendre, pendiller, brandiller, baller; *~ lassen (die Beine)* balancer.

bäumen ['bɔʏmən] *tr (Weberei: die Kette)* ensoupler; *sich ~* se cabrer, se dresser.

Baumwoll|abfälle *m* ['baʊmvɔl-] *pl* déchets *m pl* de coton; **~aufbereitung** *f* cinglage *m* du coton; **~e** *f* coton *m*; **b~en** *a* de *od* en coton; **~ernte** *f* récolte *f* du coton; **~faden** *m* fil *m* de coton; **~garn** *n* coton *m* à coudre; **~gewebe** *n* tissu *m* de coton; **~industrie** *f* industrie *f* cotonnière *od* du coton; **~kämmer** *m* peigneur *m* de coton; **~köper** *m* croisé, sergé *m*; **~leinen** *n* toile *f* de coton; **~pflanzung** *f* cotonnerie; plantation *f* de coton; **~pflückmaschine** *f* machine à cueillir le coton, cueilleuse mécanique *od* éplucheuse *f* de coton; **~saat** *f*, **~samen** *m* graine *f* de coton; **~samt** *m* velours *m* de coton; **~spinnerei** *f* filature de coton, cotonnerie *f*; **~staude** *f* cotonnier *m*; **~stoff** *m* cotonnade, étoffe *f* de coton; **~waren** *f pl*, **~zeug** *n* cotonnades *f pl*, articles *m pl* en coton; **~weberei** *f* tissage *m* de coton; **~zwirn** *m* fil *m* retordu de coton; **~zwirnerei** *f* atelier *m* de retordage de coton.

bäurisch ['bɔʏrɪʃ] *a* rustique; *pej* rustaud, rustre.

Bausch *m* ⟨-(e)s, -e/⸗e⟩ [baʊʃ-, 'bɔʏʃə] *(fester)* bourrelet, coussinet; *(Wattebausch)* tampon; *(lockerer)* bouffant, renflement *m*; *in ~ und Bogen (a. kaufen)* en bloc; **~betrag** *m*, **~summe** *f* somme *f* globale *od* forfaitaire *od* à forfait; **b~en** *tr* faire bouffer; *itr (Segel)* s'enfler; *sich ~~* bouffer, blouser; **b~ig** *a* bouffant.

Bauxit *m* ⟨-s, -e⟩ [baʊ'ksi:t, -'ksɪt] *min* bauxite *f*.

Bay|er(in *f***)** *m* ⟨-s, -⟩ [baɪər] Bavarois e *mf*; **~ern** *n* la Bavière; **b~(e)risch** *a* bavarois.

Bazill|enträger *m* [ba'tsɪlən-] *med* porteur *m* de germes *od* de bacilles; **~us** *m* ⟨-, -llen⟩ [-lʊs, -lən] bacille *m*.

beabsichtig|en *tr* vouloir, entendre, compter, penser (*etw zu tun* faire qc); avoir l'intention, envisager, projeter, se proposer (*etw zu tun* de faire qc); songer, viser (*etw zu tun* à faire qc); intentionner (*etw* qc); **~t** *a bes. jur* intentionnel; *das hatte ich nicht ~~* je ne l'ai pas fait exprès; *die ~~e Wirkung* l'effet *m* voulu *od* recherché.

beacht|en *tr* faire attention, avoir égard (*etw* à qc); *(bemerken)* remarquer; *(berücksichtigen)* tenir compte (*etw* de qc), considérer, prendre en considération; *(befolgen) (Rat)* suivre, écouter, *(Regel, Vorschrift)* observer, respecter; **~enswert** *a* remarquable, notable; **~lich** *a* appréciable, considérable, important; **B~ung** *f* ⟨-, (-en)⟩ attention; *(Berücksichtigung)* considération; *(Befolgung)* observation *f*; *unter ~~ (gen)* tenant compte (de); *~~ finden* intéresser; *jdm, e-r S ~~ schenken* avoir égard, faire attention à qn, à qc; *~~ verdienen* mériter attention.

beackern *tr agr* labourer; *fig (gründlich bearbeiten)* travailler.

Beamt|e(r) *m allg* agent; *(Staatsbeamter)* fonctionnaire, officier; *(Justiz-, Verwaltungsbeamter)* magistrat; homme de robe; *(sonstiger)* employé *m*; *~~ sein (in der Justiz a.)* porter la robe; *~~ im Ruhestand* retraité *m*; **~enapparat** *m* appareil *m* administratif; **~enbeleidigung** *f* outrage *m od* injure *od* insulte *f* à (un) agent (de la force publique) *od* à magistrat; **~enbesoldung** *f* traitement *m* des fonctionnaires *od* des employés; **~enbestechung** *f* corruption *f* de fonctionnaires *od* d'employés; **~engehalt** *n* traitement *m* de fonctionnaire *od* d'employé; **~engesetz** *n* loi *f* sur les fonctionnaires; **~enlaufbahn** *f* carrière *f* de fonctionnaire; **~enschaft** *f* ⟨-, ø⟩, **~entum** *n* ⟨-s, ø⟩ (corps *m* des) fonctionnaires *m pl*; fonction *f* publique; **~enverhältnis** *n*; *im ~~ stehen* être fonctionnaire; *ins ~~ übernehmen* titulariser; **b~et** *a* titulaire; en charge; **~in** *f* (femme) fonctionnaire; employée *f*.

beängstig|en *tr* faire peur, causer de l'angoisse (*jdn* à qn); angoisser, inquiéter, alarmer (*jdn* qn); **~end** *a* angoissant, inquiétant, alarmant; **B~ung** *f* angoisse, anxiété, inquiétude *f*.

beanspruch|en *tr* réclamer; prétendre (*etw.* à qc); *(fordern)* revendiquer; *(gebrauchen)* employer, utiliser, faire usage de; *(erfordern)* demander, exiger, nécessiter; *(Aufmerksamkeit, Kraft)* absorber; *(Zeit)* prendre; *tech* employer, solliciter, soumettre à un *od* des effort(s), fatiguer; *jds Hilfe ~* mettre qn à contribution; **~t** *a (vielbeschäftigt)* occupé; *(finanziell) ~~* engagé; **B~ung** *f* réclamation; revendication *f*; emploi *m*, utilisation *f*, usage *m*; sollicitation, fatigue; occupation *f*, engagement *m*; *höchstzulässige ~~ (tech)* effort *m* maximum admissible.

beanstand|en ⟨*fb*⟩ *tr* réclamer (*etw* contre qc); *(Einwendungen machen)* faire *od* formuler des objections *od* des critiques (*etw* à qc); *die Qualität e-r Ware ~ (Einspruch erheben)* contester; faire une opposition (*etw* contre qc); *etw zu ~~ haben* trouver à redire; **B~ung** *f* réclamation; objection, critique; contestation, opposition *f*; *Anlaß zu ~~en geben* donner lieu à des réclamations *od* objections *od* contestations.

beantrag|en ⟨*fb du beantragst, hat beantragt*⟩ *tr* demander (par requête), solliciter; *ein Stipendium ~* faire une demande de bourse; *(vorschlagen)* proposer; faire la proposition (*etw* de qc); *jur* requérir; **B~ung** *f* demande; proposition *f*.

beantwort|en *tr* répondre (*etw* à qc); **B~ung** *f* réponse *f* (*e-r S* à qc); *in ~~ Ihres Schreibens vom* ... en réponse à votre lettre du ...; *bei ~~ bitte angeben* prière de rappeler dans votre réponse.

bearbeit|bar *a tech* usinable; **~en** *tr (arbeiten an)* travailler, œuvrer à, manier; *(sich befassen mit)* s'occuper (*etw* de qc), mettre à l'étude; traiter *a. jur*; *(ausarbeiten)* élaborer; *(gestalten)* former; *(redigieren)* rédiger; *(überarbeiten)* remanier, refondre; *mus* arranger; *theat film radio* adapter (*für die Bühne, den Film, den Funk, das Fernsehen* à la scène, à l'écran, à la radio, à la télévision); *tech* travailler, usiner, façonner, tailler; *agr* cultiver; *fig fam (Menschen zu überreden suchen)* travailler; *mit den Fäusten ~~* tambouriner; *jdn mit den Fäusten ~~* bourrer qn de coups: *iron* arranger qn; **B~er** *m (e-s Buches)* rédacteur; *mus* arrangeur; *theat film* adaptateur *m*; **B~ung** *f* travail; traitement *m a. jur*; formation; rédaction *f*; remaniement *m*, refonte *f*; *mus* arrangement *m*; *theat film* adaptation *f* (*für die Bühne, den Film, den Funk, das Fernsehen* à la scène, à l'écran, à la radio, à la télévision); *tech* travail *m*, (opération *f* d')usinage, façonnage, façonnement *m*; *in ~~* en préparation, en étude; *fam (Buch etc)* sur le bureau, en chantier; **B~ungsart** *f tech* méthode *f od* procédé *m* d'usinage; **B~ungsmaschine** *f* machine-outil *f*; **B~ungsspur** *f* trace *f* d'usinage *od* d'outil; **B~ungszugabe** *f tech* surépaisseur *f* nécessaire à l'usinage.

beargwöhnen *tr* soupçonner, suspecter.

beaufsichtig|en *tr* surveiller, contrôler, inspecter, garder; **B~ung** *f* surveillance *f*, contrôle *m*, inspection, garde *f*.

beauftrag|en ‹*fb du beauftragst, hat beauftragt*› *tr* charger *(a. e-n Rechtsanwalt) (jdn mit etw* qn de qc); mandater, commettre, déléguer (*jdn mit etw* qn à qc); *mit etw ~t sein* avoir mission de *od* pour qc; **B~te(r)** *m* chargé d'affaires *od* de mission, mandataire, délégué, commissionnaire *m*.

bebaken *tr mar* baliser.

bebändern *tr* garnir de rubans, enrubanner.

bebau|en *tr (Grundstück, Gelände)* bâtir, couvrir de bâtiments; **~t** *a* bâti; *~~e(s) Grundstück n* terrain *m* bâti; **B~ung** *f* construction *f* de bâtiments (*e-s Geländes* sur un terrain); *geschlossene ~~* ensemble *m* de constructions accolées; **B~ungsplan** *m* plan *m* d'aménagement.

beben ['be:bən] *itr* ‹*aux: haben*› trembler, frémir; *um jdn ~* trembler pour qn; *vor Zorn ~* bouillonner de colère; **B~** *n* tremblement, frémissement; *(Erdbeben)* tremblement (de terre), séisme *m*; **~d** *a* tremblant.

bebilder|n *tr* illustrer; **B~ung** *f* illustration *f*.

bebrillt *a* portant lunettes.

Béchamelsoße [beʃa'mɛl-] *f (Küche)* béchamel *f*.

Becher *m* ‹-s, -› ['bɛçər] gobelet *m*, timbale *f; (Trinkglas)* verre à boire; *mil* quart; *(kleiner; Baggereimer)* godet *m; bot* cupule *f*, *(der Eichel)* godet *m*; **b~förmig** *a* en forme de gobelet; **~kette** *f tech* chaîne *f od* transporteur à godets, convoyeur *m* à godets; **b~n** *itr fam* picoler, pinter; **~werk** *n* élévateur *m* à godets.

becircen [bə'tsɪrtsən] *tr fam (bezaubern)* charmer; *(ein Mädchen)* baratiner (une fille).

Becken *n* ‹-s, -› ['bɛkən] *(flaches Gefäß)* bassin *m (a. Hafen-, Schwimmbecken, geog, anat); (Waschbecken)* cuvette; *(Brunnenbecken)* vasque; *(Hafenbecken, bes. in Mittelmeerhäfen)* darse, darce, *(kleines)* darsine, darcine *f; pl mus* cymbales *f pl*; **~höhle** *f anat* cavité *f* pelvienne; **~knochen** *m* os *m* du bassin; **~schläger** *m mus* cymbalier *m*.

bedach|en *tr* couvrir (d'un toit); poser la toiture *od* couverture (*etw* à qc); **B~ung** *f* toiture, couverture *f*.

bedacht ‹*pp von: bedenken*› *a: auf etw ~ sein (nach etw streben)* songer à qc; avoir grand soin, être soucieux, s'inquiéter de qc; **B~** *m: mit ~~* avec circonspection, à tête reposée; *(mit Absicht)* de propos délibéré; *mit vollem ~~* en connaissance de cause; *ohne ~~* irréfléchi, sans réflexion; *auf etw ~~ nehmen* prendre qc en considération, avoir égard à qc, tenir compte de qc; **B~e(r)** *m jur* légataire *m*; **~sam** *a (besonnen)* réfléchi; *(umsichtig)* circonspect, discret; **B~samkeit** *f* ‹-, ø› réflexion, circonspection, discrétion *f*.

bedächtig [bə'dɛçtɪç] *a (besonnen)* réfléchi; *(gesetzt)* posé; *(vorsichtig)* prudent; *adv* avec circonspection; posément; **B~keit** *f* ‹-, ø› réflexion, prudence *f*.

bedanken, *sich* remercier (*bei jdm für etw* qn de qc); *(ablehnen)* refuser (avec politesse) (*für etw* qc); *fam iron* tirer sa révérence; *dafür bedanke ich mich! (fam iron)* grand merci!

Bedarf *m* ‹-(e)s, ø› [bə'darf] besoins *m pl* (*an* de), quantité nécessaire; *(Nachfrage)* demande (*an* de); *(Verbrauch)* consommation *f; bei ~* en cas de besoin, si besoin est, si nécessaire; *nach ~* selon *od* suivant les besoins, au fur et à mesure des besoins; *den ~ decken* couvrir les besoins *od* la consommation, satisfaire aux besoins; *s-n ~ decken* couvrir ses besoins; *~ haben an* avoir besoin de; *den ~ übersteigen* excéder les besoins; *Gegenstände m pl des täglichen, gehobenen ~s* articles *m pl* d'usage courant, de demi-luxe; *vordringliche(r) ~* demande *f* primordiale; **~sartikel** *m* article *m* courant; *pl* fournitures *f pl*; **~sdeckung** *f* satisfaction *f* des demandes *od* des besoins; **~sermittlung** *f* détermination *f* des besoins; **~sfall** *m: im ~~* en cas de besoin, au besoin; **~sgüter** *n pl* biens *m pl* de consommation; **~shaltestelle** *f* arrêt *m* facultatif; **~slenkung** *f* direction *f* des besoins; **~sträger** *m* consommateur *m*; **~szug** *m* train *m* facultatif.

bedauer|lich *a* regrettable, déplorable, fâcheux; *(beklagenswert)* lamentable; *es ist ~~, daß* il est à regretter *od* regrettable que; **~licherweise** *adv* malheureusement; **~n** ‹*ich bedauere*› *tr (Sache)* regretter; *(beklagen)* déplorer; *(Menschen)* plaindre, avoir pitié de; *zu ~~ sein* être à plaindre; *(ich) bedauere* je regrette; mille regrets! *ich bedauere sehr* j'en suis navré; **B~n** *n* regret *m; (Mitleid)* pitié; *(Anteilnahme)* compassion *f; mit ~~* avec regret; *zu meinem (großen) ~~* à mon (grand) regret *od* désespoir; *sein ~~ äußern* od *ausdrücken* od *zum Ausdruck bringen* exprimer *od* présenter ses regrets; **~nswert** *a* lamentable, déplorable, pitoyable; *(bedauerlich)* regrettable.

bedeck|en *tr* couvrir, recouvrir, revêtir (*mit* de); *(verhüllen)* envelopper, habiller, garnir (*mit* de); *(verbergen)* cacher; *(schützen)* abriter; *mil* couvrir, abriter; *mit Küssen ~~* couvrir de baisers; *sich ~~ (den Hut aufsetzen)* se couvrir *(a. vom Himmel); sich mit Ruhm ~~* se couvrir de gloire; *der Himmel bedeckt sich* le temps se couvre; **~t** *a (Himmel)* couvert, voilé; *(Gelände)* couvert; *~~e(s) Gelände n* (terrain) couvert *m*; **~tsamig** *a: ~~e Pflanzen f pl* angiospermes *f pl*; **B~ung** *f* ‹-, (-en)› couverture *f; (Schutz)* abri *m; mil* couverture, escorte; protection; *astr* occultation *f; unter ~~ (mil)* sous escorte.

bedenk|en ‹*dachte, dacht, dächte*› *tr (erwägen)* considérer, prendre en considération; penser, songer (*etw* à qc); *(überlegen)* réfléchir (*etw* à qc), délibérer (*etw* de qc), préméditer; *(beachten)* prendre garde à, tenir compte de; *sich ~~* réfléchir, délibérer, reconsidérer; *(zaudern)* hésiter, balancer; *wenn man ~t, daß ...* dire que ...; *sich anders ~~* changer d'avis, se raviser; *zu ~~ geben* donner à réfléchir; *die Folgen ~~* peser les conséquences; *er hat mich bedacht mit (e-m Geschenk, im Testament)* il m'a offert ..., il m'a légué ...; **B~en** *n (Erwägung)* réflexion; délibération, considération; *(Zögern)* hésitation *f; pl (Zweifel, Befürchtungen)* doutes *m pl*, préoccupations *f pl; nach reiflichem ~~* après mûre réflexion; *ohne ~~* sans hésiter, sans hésitation, en toute assurance; *gegen etw ~~ äußern* faire *od* formuler des réserves sur qc; *~~ haben* od *tragen* hésiter (*etw zu tun* à faire qc); *wegen etw* se faire un scrupule de qc; **~enlos** *adv* sans hésitation, sans scrupule; **~lich** *a (unentschlossen)* irrésolu; *(zweifelhaft)* douteux; *(besorgniserregend)* inquiétant; *(ernst)* sérieux, grave; *(gefährlich)* dangereux, scabreux; *(heikel)* délicat, précaire; *mit ~~en Mitteln* par des moyens douteux *od* suspects; *das macht* od *stimmt ~~* cela donne à réfléchir; **B~lichkeit** *f* ‹-, (-en)› irrésolution *f*; doute; scrupule *m; (der Lage)* précarité *f*; **B~zeit** *f* temps *m* de (la) réflexion; *sich ~~ erbitten* demander à réfléchir; *jdm drei Tage ~~ geben* donner trois jours de réflexion à qn.

bedeppert [bə'dɛpərt] *a fam (bedrückt, ratlos)* abattu, accablé.

bedeut|en *tr (besagen)* signifier, vouloir dire; *soviel ~~ wie* être synonyme de; *(vorbedeuten)* présager; *(darstellen)* représenter; *(mit sich bringen)* comporter, entraîner; *(zu verstehen geben)* signifier, notifier (*jdm etw* qc à qn); *etwas ~~ (wichtig sein)* avoir de l'importance, être de conséquence; *jdm etwas ~~ (wert sein)* être quelque chose à qn; *die Kinder ~~ ihr alles* les enfants sont tout pour elle; *das ~et, daß ...* autant dire que ...; *das hat etwas zu ~~* il y a anguille sous roche; *das hat nichts zu ~~* cela n'a aucune *od* pas d'importance, c'est sans importance, cela ne compte pas, cela ne signifie rien, ce n'est rien; *das soll nicht ~~, daß ...* ce n'est pas à dire (pour cela) que ...; *das ~et nichts Gutes* cela ne présage rien de bon; *was soll das ~~?* qu'est-ce que cela signifie *od* veut dire? qu'est-ce à dire? **~end** *a (wichtig)* important; *(hervorragend)* éminent; *(beachtlich, beträchtlich)* notable, remarquable; *adv* considérablement, sensiblement; **~sam** *a* significatif, révélateur; **B~samkeit** *f* importance *f*; **B~ung** *f (Sinn)* signification *f*, sens *m; (e-s Wortes)* acception *f; (Vorbedeutung)* présage *m; (Wichtigkeit)* importance, valeur; *(Tragweite)* portée, étendue, conséquence *f; ohne (jede) ~~* sans aucune importance; *ein Mann von ~~* une personnalité; *von (ausschlaggebender) ~~* d'importance (décisive); *e-r S ~~ beimessen* attacher de l'importance *od* de la valeur *od* du poids à qc; *~~ gewinnen* prendre *od* revêtir de l'importance; *~~ haben* importer (*für etw* pour qc); *von ~~ sein* être d'importance *od* de conséquence, avoir de l'importance, tirer à conséquence; *an ~~ verlieren* perdre de son importance; *s-e ~~ verlieren* se vider de sens; perdre son importance; *eigentliche, übertragene ~~* sens *m od* acception *f* propre, figuré(e); **~ungslos** *a* insignifiant, futile, négligeable; peu important, de peu *od* sans importance; *~~ sein bei* ... entrer pour rien dans ...; *~~ werden* se vider de sens; *rechtlich ~~* sans effet juridique; *völlig ~~* d'une nullité complète; **B~ungslosigkeit** *f* insignifiance *f;* **~ungsvoll** *a* significatif; *(gewichtig)* important; **B~ungsumfang** *m* étendue; *(e-s Wortes)* aire *f* sémantique; **B~ungsverschiebung** *f (e-s Wortes)* glissement *m* de sens; **B~ungswandel** *m* changement *m* de *od* du sens.

bedien|en *tr (Menschen, Maschine, schwere Waffe)* servir; *tech (Apparat, Maschine) a.* manier, manœuvrer, manipuler, conduire, surveiller; *itr* servir (*bei Tisch* à table); *(Kartenspiel)* fournir, donner; *sich ~~* se servir (*e-r S* de qc), user, employer (*e-r S* qc); *~~ Sie sich!* servez-vous (, s'il vous plaît); **~stet** [-'di:nstət] *a* au service (*bei* de); **B~stete(r)** *m* employé *m; ~***t** *a: ich bin ~~! (fam) (habe die Nase voll)* j'ai compris, cela me suffit; **B~te(r)** *m* serviteur, domestique, valet, laquais *m;* **B~ung** *f (Tätigkeit)* service; *tech* maniement *m,* manœuvre, conduite, surveillance, commande *f; (Personal)* gens *pl* de service, personnel *m,* domestiques *m pl; (Kellnerin)* serveuse *f; mil=B~ungsmannschaft; ~~ einbegriffen* service compris; **B~ungsfehler** *m tech* erreur *f* de commande; **B~ungsgeld** *n* service *m;* **B~ungshebel** *m tech* levier *m* de manœuvre *od* de commande *od* de réglage; **B~ungsknopf** *m radio* bouton *m* de réglage; **B~ungsmann** *m* ‹-s, männer› *(e-r Maschine)* machiniste, opérateur *m;* **B~ungsmannschaft** *f mil* servants *m pl* (d'une *od* de la pièce), équipe *f* de pièce; **B~ungspersonal** *n* personnel *m* exploitant; **B~ungsschalter** *m tech el* commutateur *m* de commande *od* de réglage; **B~ungsstand** *m* poste *m* de commande *od* de manœuvre; **B~ungstafel** *f* tableau *m* de service; **B~ungsvorschrift** *f* instructions *f pl* d'utilisation *od* d'emploi.

beding|en [bə'dɪŋən] *tr (voraussetzen)* conditionner, présupposer; *(erfordern)* exiger, nécessiter; *(verursachen)* causer, occasionner; *(vereinbaren)* convenir de, arrêter; **~t** *a* conditionnel *a. jur; (beschränkt)* limité; *~~ durch* dû à; *adv* sous (certaines) réserve(s); relativement; *~~e(r) Straferlaß m (jur)* condamnation *f* avec sursis; *~~e(r) Reflex m* réflexe *m* conditionné; **B~theit** *f* limitation, relativité *f;* **B~ung** *f (Voraussetzung)* condition; *(Erfordernis)* exigence; *(Vertragsbestimmung)* stipulation; clause; modalité *f; pol* préalable *m; pl (Verhältnisse)* conditions, modalités *f pl; unter der ~~, daß* ... sous condition de *inf,* que ..., à (la) condition que ... *(subj); unter diesen ~~en* dans la situation actuelle; dans ces conditions; *unter gewissen, günstigen ~~en* à certaines conditions, à des conditions favorables; *e-e ~~ erfüllen* remplir une condition; *etw zur ~~ machen* imposer qc comme condition; *~~en stellen* poser des conditions; **B~ungsform** *f gram* conditionnel *m;* **~ungslos** *a* inconditionné, inconditionnel; *adv* sans condition, sans réserve; *~~e Kapitulation f* capitulation *f* inconditionnelle; **B~ungssatz** *m gram* proposition *f* conditionnelle; **~ungsweise** *adv* conditionnellement; sous condition, sous réserve.

bedräng|en *tr (bestürmen)* presser, talonner, poursuivre, tourmenter, embarrasser; *(belästigen)* importuner; *(bedrücken)* oppresser, affliger, gêner; *hart ~~* serrer de près; *in ~ter Lage* dans l'embarras; *(finanziell)* dans la gêne; **B~nis** *f* ‹-, -sse›, **B~ung** *f* embarras *m; (Notlage)* gêne; *fig* affliction, oppression; détresse *f; in äußerster B~nis sein* être aux abois.

bedroh|en *tr* menacer; *tätlich ~~* menacer de voies de fait; **~lich** *a* menaçant; **~t** *a* menacé; **B~ung** *f* menace *f; ~~ des Friedens* menace *f* pour la paix; *~~ der öffentlichen Sicherheit* atteinte *f* à la sécurité publique.

bedruck|en *tr* imprimer; **~t** *a* imprimé.

bedrück|en *tr (niederhalten)* contraindre, accabler; *fig* oppresser, opprimer, déprimer, accabler, affliger; **~end** *a* oppressif, accablant; **B~er** *m* oppresseur *m;* **~t** *a* accablé, déprimé, affligé; **B~theit** *f* dépression *f,* accablement, serrement *m* de cœur; **B~ung** *f* oppression *f; fig* accablement *m.*

Beduine *m* ‹-n, -n› [bedu'i:nə] Bédouin *m.*

bedürf|en ‹*bedurfte, bedurft, wenn ich bedürfte*› *itr* avoir besoin (*e-r S* de qc); *(erfordern)* nécessiter, demander, exiger (*e-r S* qc); *es bedarf großer Anstrengungen* il faut de grands efforts; *das bedarf e-r Erklärung* cela demande des explications; *es bedarf nur e-s Wortes* il suffit d'une parole, une parole suffit; **B~nis** *n* ‹-sses, -sse› besoin *m; (Erfordernis)* nécessité (*nach* de), exigence; *(Nachfrage)* demande *f* (*nach* en); *e-m ~~ abhelfen* pourvoir *od* subvenir à un besoin; *jds ~~se befriedigen* satisfaire *od* pourvoir *od* subvenir aux besoins de qn; *ein ~~ befriedigen (physiol)* faire *od* satisfaire ses besoins; *s-e ~~se befriedigen* se satisfaire; *ein ~~ verspüren* éprouver *od* ressentir un besoin; *es ist mir ein ~~ zu* ... j'éprouve le besoin de ...; **B~nisanstalt** *f* cabinet d'aisance, édicule *m; (nur Pissoir)* vespasienne *f,* urinoir, pissoir *m;* **~nislos** *a* frugal, sans besoins; *(bescheiden)* modeste; **B~nislosigkeit** *f* frugalité, absence *f* de besoins; **~tig** *a* indigent, besogneux, nécessiteux; pauvre; *~~ sein* être dans le besoin; *e-r S* avoir besoin de qc; **B~tigkeit** *f* ‹-, ø› indigence, misère *f;* **B~tigkeitsnachweis** *m* certificat *m* d'indigence.

beduselt *fam (betrunken)* éméché, pompette.

Beefsteak *n* ‹-s, -s› ['bi:fste:k] bifteck *m; deutsche(s) ~* boulette *f; blutende(s), leicht angebratene(s), halb durchgebratenes, ganz durchgebratene(s) ~* bifteck *m* bleu, saignant, à point, bien cuit.

beehren *tr* honorer (*mit* de); *sich ~* avoir l'honneur (*etw zu tun* de faire qc).

beeid|(ig)en *tr (Aussage)* affirmer sous serment; *(nur:)* **~en:** *(Person)* assermenter; faire prêter serment (*jdn* à qn); **~igt** *a (Aussage)* sous serment; *(Person)* assermenté, juré; **B~igung** *f* ‹-, (-en)› *(eidliche Aussage)* affirmation *od* confirmation par serment; *(Vereidigung)* assermentation *f.*

beeilen, *sich* se dépêcher, se hâter, se presser; s'empresser (*etw zu tun* de faire qc), faire diligence; *(beim Gehen)* se précipiter.

beeindrucken *tr* impressionner; faire (une) impression, avoir prise sur.

beeinflu|ßbar [-flus-] *a* influençable; **~ssen** *tr* influencer, influer sur, exercer une influence sur; *zu ~~ suchen (a.)* travailler *fam;* **B~ssung** ‹-, (-en)› *f* influence (*gen* sur), emprise *f; unzulässige ~~ (jur)* influence *f* illégitime.

beeinträchtig|en *tr* porter préjudice *od* atteinte à, préjudicier à, attenter à, déroger à; *(ein Recht)* léser, empiéter sur; **B~ung** *f* préjudice *m,* atteinte, dérogation; lésion *f,* empiètement *m.*

Beelzebub *m* Belzébuth *m; den Teufel mit ~ austreiben* déshabiller saint Pierre pour habiller saint Paul; tomber de Charybde en Scylla.

beend|(ig)en *tr* terminer, finir, achever, mettre fin à; *(vollenden)* achever, accomplir, parfaire, parachever; *(aufhören mit)* cesser; *(Diskussion)* clore; *(Streit)* vider; *glücklich ~~* mener à bonne fin; *die Sitzung ~~* clore *od* lever la séance; **B~igung** *f* ‹-, ø› achèvement *m,* finition; cessation *f.*

beeng|en *tr* (res)serrer, rétrécir, étrangler; gêner *a. fig; fig* oppresser; *sich ~t fühlen* se sentir à l'étroit *od* gêné; *~t leben* vivre à l'étroit; **B~theit** *f* ‹-, ø› resserrement, étranglement *m;* gêne; oppression *f.*

beerben *tr* hériter (*jdn* de qn).

beerdig|en [bə'e:rdɪgən] *tr* enterrer, inhumer, ensevelir, mettre *od* porter en terre; **B~ung** *f* enterrement *m,* inhumation *f,* ensevelissement *m;*

sépulture *f; (feierliche Handlung)* funérailles, obsèques *f pl;* **B~ungsinstitut** *n* pompes *f pl* funèbres; **B~ungskosten** *pl* frais *m pl* funéraires; **B~ungsschein** *m* permis *m* d'inhumer; **B~ungsunternehmer** *m* entrepreneur *m* de pompes funèbres.

Beere *f* ‹-, -n› ['be:rə] baie *f; (Weinbeere)* grain *m;* **b~nförmig** *a* bacciforme; **~nfrüchte** *f pl,* **~nobst** *n* baies *f pl;* **b~ntragend** *a* baccifère.

Beet *n* ‹-(e)s, -e› [be:t] *agr* planche; *(Rabatte)* plate-bande *f,* parterre *m.*

befähig|en *tr* rendre apte (*zu* à); rendre capable (*zu* de), qualifier (*zu* pour); **~t** *a* apte (*zu* à), capable (*zu* de), qualifié (*zu* pour); **B~ung** *f* ‹-, (-en)› aptitude, capacité (*zu* à), qualification (*zu* pour); *jur* habilitation *f; s-e ~~ nachweisen* justifier son aptitude *od* sa capacité; **B~ungsnachweis** *m* certificat *od* brevet *od* bulletin *m* d'aptitude *od* de capacité.

befahr|bar *a (Straße)* carrossable, praticable; *mit dem Rad ~~* cyclable; *nicht ~~* impraticable; **B~barkeit** *f* viabilité, praticabilité; *(Fluß)* navigabilité *f;* **~en** *tr* circuler, passer (*etw* sur qc); *mar* naviguer (*etw* sur qc); *mines* descendre (*e-n Schacht* dans un puits); *~~ werden (mines)* être exploité; *a (Straße)* fréquenté; *(Seemann)* amariné; *sehr ~~ (Straße)* très fréquenté, animé, à forte *od* grande circulation.

Befall *m* ‹-(e)s, ø› *(durch Parasiten)* envahissement *m;* **b~en** *tr (Ungeziefer)* envahir, infester; *(Krankheit)* attaquer, atteindre, saisir; *(Furcht)* saisir; *von Furcht ~~ werden* être pris de peur; *a med* affecté (*von* de); *das Land wurde von e-r Seuche ~~* une épidémie s'abattit sur le pays.

befangen *a (eingeschüchtert, verwirrt)* intimidé, embarrassé, gêné, perplexe; *(voreingenommen)* prévenu; *(parteiisch)* partial; *sich für ~ erklären (jur)* se récuser; *in e-m Irrtum ~ sein* être dans l'erreur; *in Vorurteilen ~* imbu de préjugés; **B~heit** *f* ‹-, ø› timidité *f;* embarras *m,* gêne; prévention; partialité *f; wegen ~~ ablehnen (jur)* récuser pour prévention.

befassen, *sich* s'occuper, se mêler, se charger (*mit* de), s'employer (*mit* à); *(fam)* se mêler (*mit* de); *(prüfen)* examiner (*mit etw* qc); *(handeln von)* traiter (*mit* de); *befaßt sein mit (jur)* être saisi de.

befehd|en [bə'fe:dən] *tr a. fig* combattre, guerroyer contre, faire la guerre à; *sich* od *ea. ~~* se combattre, se faire la guerre; **B~ung** *f* combats *m pl* (*gen* contre), guerre *f* (*gen* à *od* contre).

Befehl *m* ‹-(e)s, -e› [bə'fe:l] ordre, commandement *m; (Anweisung)* instruction *f,* directives *f pl; auf ~* par ordre; *gen* sur ordre de; *unter dem ~ (gen)* sous les ordres (de); *e-n ~ ausführen* exécuter un ordre; *e-n ~ bekommen* od *erhalten* recevoir un ordre; *e-n ~ erteilen* donner un ordre; *unter jds ~ stehen (mil)* marcher sous les ordres de qn; *den ~ übernehmen* prendre le commandement; *~ ist ~* un ordre est un ordre; *was steht zu ~?* qu'y a-t-il pour votre service? *zu ~!* à vos ordres! *ausdrückliche(r)* od *strikte(r) ~* injonction *f; höhere(r) ~* ordre *m* d'en haut; **b~en** ‹*befiehlt, befahl, befohlen*› [i:, a:, o:] *tr* ordonner, commander, donner (l')ordre (*etw zu tun* de faire qc); *(anweisen)* désirer; décréter; donner ordre (*jdm etw zu tun* à qn de faire qc); *(biblisch: anvertrauen)* recommander; *itr (herrschen)* avoir le commandement; *über* être (le) maître de; *sich ~~ (biblisch)* se recommander (*jdm* de qn), s'en remettre (*jdm* à qn); *wie Sie ~~* comme vous voudrez, comme il vous plaira; *Sie haben mir nichts zu ~~* je n'ai pas à recevoir d'ordres de vous; **b~end** *a,* **b~erisch** *a* impérieux, dictatorial; **b~igen** *tr* commander; exercer le commandement (*jdn* sur qn); **~sausgabe** *f mil* rapport *m* journalier; transmission *od* diffusion *f* des ordres; **~sbereich** *m* zone *f* d'action; **~sempfänger** *m mil* agent *m* de liaison; **~sform** *f gram* impératif *m;* **b~sgemäß** *a* conforme aux ordres (reçus); *adv* selon *od* suivant les ordres reçus; **~sgewalt** *f* commandement *m;* **~shaber** *m* commandant, chef *m; oberste(r) ~~* commandant *m* en chef; **~sstand** *m,* **~sstelle** *f mil* poste de commandement; quartier *m* général; **~ston** *m* ton *m* de dictateur; **~sübermitt(e)lung** *f* transmission *f* des ordres; **~sverweigerung** *f* refus *m* d'obéissance, désobéissance *f* dans le service; **~swagen** *m* voiture *f* de commandement; **b~swidrig** *a* contraire aux ordres.

befeinden, *jdn ~* s'opposer à qn; *sich mit jdm ~* être ennemis, se brouiller avec qn.

befestig|en [bə'fɛstɪgən] *tr* fixer, attacher (*an* à), affermir; *(Straße)* revêtir; *mil* fortifier; *(durch Schanzarbeiten)* retrancher; *fig* fortifier, (r)affermir; *a. com* consolider, stabiliser; **B~ung** *f* ‹-, (-en)› *(Festmachen)* fixation *f; tech* serrage *m; mil* fortification *f,* retranchement; *fig com* raffermissement *m,* consolidation *f;* **B~ungsanlagen** *f pl* organisations *f pl* fortifiées; **B~ungsklemme** *f el* borne *f* de fixation; **B~ungsring** *m tech* bague *f* de fixation; **B~ungsschraube** *f* vis *f* de fixation *od* d'assemblage; **B~ungsvorrichtung** *f* dispositif *m* de fixation.

befeucht|en *tr* humecter, mouiller, tremper; arroser (*mit* de); **B~ung** *f* ‹-, (-en)› humectation *f,* mouillage *m.*

befeuer|n *tr aero* baliser; *fig* inspirer, passionner; **B~ung** *f* ‹-, (-en)› balisage *m.*

Beffchen *n* ‹-s, -› ['bɛfçən] *rel* rabat *m.*

befind|en *tr (erachten)* trouver, juger; *itr jur (entscheiden)* juger, décider (*über* de); *sich ~~ (örtlich)* se trouver, être; *geog* être situé; *(gesundheitlich)* se porter, se trouver; *für gut ~~* juger bon; *jdn für schuldig ~~* juger *od* déclarer qn coupable; *für tauglich ~~ (mil)* reconnaître apte; *nur der Richter kann darüber ~~* seul le juge peut se prononcer là-dessus; *wie ~~ Sie sich?* comment allez-vous? **B~en** *n (Meinung)* avis *m,* opinion *f; (gesundheitlich)* (état *m* de) santé *f; sich nach jds ~~ erkundigen* demander des nouvelles de la santé de qn; **~lich** *a: in etw ~~ sein* se trouver, être (situé) dans qc; *im Bau ~~* en construction.

befingern *tr fam* tripoter.

beflagg|en *tr* pavoiser; **B~ung** *f* pavoisement *m.*

befleck|en *tr* tacher (*mit* de); *(beschmutzen)* salir, souiller, maculer, polluer; *fig* entacher, souiller, ternir, flétrir; *mit Blut ~~* ensanglanter; **B~ung** *f* ‹-, (-en)› tache; souillure *f.*

befleißigen, *sich* s'appliquer (*e-r S* à qc), prendre à tâche (*e-r S* qc).

befliegen *tr aero: e-e Flugstrecke* od *Luftverkehrslinie ~* emprunter une route aérienne, desservir une ligne aérienne; **B~** *n: ~~ e-r Luftlinie* exploitation *f* d'une ligne aérienne.

beflissen [bə'flɪsən] *a (eifrig)* empressé, zélé, assidu, appliqué; **B~heit** *f* ‹-, ø› empressement *m,* assiduité, application *f;* soins, efforts *m pl;* **~tlich** *adv* avec empressement; soigneusement.

beflügel|n *tr fig* rendre agile; *(s-e Schritte)* accélérer, hâter; **~t** *a fig* ailé, rapide.

befluten *tr (unter Wasser setzen)* inonder.

befolg|en *tr (Rat, Beispiel)* suivre; *(Anweisung)* observer, obéir à; *(Befehl)* exécuter; *(Gesetz)* accomplir; **B~ung** *f* ‹-, (-en)› observation; obéissance (*e-r S* à qc); *(Durchführung)* exécution *f* (*e-r S* de qc).

beförder|bar *a* transportable; **B~er** *m* transporteur, expéditeur *m;* **~n** *tr (transportieren)* transporter; expédier, acheminer; *(Telegramm)* transmettre; *(fördern, unterstützen)* favoriser, protéger; *(die Verdauung)* stimuler; *(im Rang)* promouvoir (*zu etw* qc), élever (*zum* od *zur* au rang de); donner de l'avancement (*jdn* à qn); *arg mil* grader; *~t werden* monter en grade, être promu; avancer, avoir de l'avancement; *mil (a. fam)* prendre du galon; *zum* od *zur ... ~t werden* passer ...; *zs. ~t worden sein* être de la même promotion; *jdn ins Jenseits ~~ (hum)* expédier qn dans l'autre monde; **B~ung** *f* ‹-, -en› transport *m;* expédition *f,* acheminement *m; tele* transmission; *(im Rang)* promotion *f;* avancement *m; ~~ per Achse* transport *m* routier *od* par route; *~~ per Bahn* transport *m* ferroviaire *od* par voie ferrée *od* par chemin de fer; *~~ im Binnenschifffahrtsverkehr* transport *m* fluvial; *~~ auf dem Land-, Wasser-, Luftwege* transport *m* par (voie de) terre, par eau, aérien; *~~ auf dem Land- und Wasser- bzw. Luftwege* transport *m* mixte; **B~ungsart** *f* mode *m* de transport *od* d'expédition; **B~ungsbedingungen** *f pl* conditions *f pl* de *od* du transport; **B~ungskosten** *pl* frais *m pl* de transport; coût *m* du transport; **B~ungsliste** *f* tableau *m* d'avancement; **B~ungsmittel** *n* moyen *m* de transport; **B~ungsschein** *m* bulletin *m* de transport *od* d'expédition; **B~ungssteuer** *f* impôt *m* sur les transports; **B~ungsvermerk** *m (Post)* acheminement *m;* **B~ungsvertrag** *m* contrat *m* de transport; **B~ungsweg** *m* voie *f* de transport; **B~ungswesen** *n* transports *m pl.*

befracht|en *tr (Wagen)* charger; *mar* affréter; **B~er** *m* chargeur, expéditeur; affréteur *m;* **B~ung** *f* ‹-, (-en)› chargement; affrètement *m; (Fracht)* charge *f;* fret *m;* **B~ungsmakler** *m* affréteur *m;* **B~ungsvertrag** *m* contrat *m* d'affrètement, charte-partie *f.*

befrag|en *tr* interroger; *(um Rat fragen)* consulter; *(ausfragen)* questionner, interviewer; *(verhören)* questionner; *jdn um etw ~~* demander qc à qn; *sich ~~* s'informer (*über etw* de qc, *bei jdm* auprès de qn); **B~en** *n: auf ~~* sur demande; **B~ung** *f* ‹-, (-en)› consultation; interview; information *f; jur* interrogatoire; *(Umfrage)* sondage *m,* enquête *f.*

befrei|en *tr* libérer, délivrer, mettre en liberté; *(Sklaven)* affranchir; *(Gefangenen, Sträfling)* relâcher; *(von e-r Hülle)* débarrasser, dégager; *(aus d. Abhängigkeit)* émanciper; *(entlasten)* dégager, décharger; *(etw erlassen)* dispenser, tenir quitte (*jdn von etw* qn de qc); *(freistellen)* exempter, exonérer; *(retten)* sauver; *(aus e-r Gefahr)* tirer, sauver *(aus* de); *sich ~~* se libérer; se débarrasser (*aus, von* de); *sich aus e-r schwierigen Lage ~~* se sortir *od* se tirer d'une position difficile; *vom Wehrdienst ~t* libéré des obligations militaires; **B~er** *m* libérateur; émancipateur; sauveur *m;* **B~ung** *f* ‹-, (-en)› libération, délivrance, mise *f* en liberté; affranchissement *m;* émancipation *f;* dégagement *m;* décharge; dispense; *mil* exemption; *fin* exonération *f;* **B~ungsantrag** *m* demande *f* de dispense; **B~ungsgrund** *m* motif *m* de dispense; **B~ungskrieg** *m* guerre *f* d'indépendance.

befremd|en *tr* surprendre désagréablement, étonner, frapper, déconcerter; *(abstoßen)* répugner; **B~en** *n* **B~ung** *f* surprise *f,* étonnement *m;* **~end** *a,* **~lich** *a* surprenant, étrange, insolite.

befreund|en, *sich* se lier d'amitié (*mit jdm* avec qn); *fig (sich gewöhnen an)* se familiariser (*mit etw* avec ac); **~et** *a: mit jdm (eng) ~~ sein* être (très) lié avec qn; *mitea. (eng) ~~ sein* être amis (intimes); *ich bin eng mit ihm ~~ (a.)* je suis un de ses amis intimes; *e-e ~~e Firma* une firme alliée; *ein ~~es Land* un pays ami.

befried|en *tr pol (beruhigen)* pacifier; *agr (einfrieden)* enclore; **B~ung** *f* ‹-, ø› pacification *f,* apaisement *m;* **B~ungspolitik** *f* politique *f* pacificatrice *od* de pacification.

befriedig|en [bəfri:dɪgən] *tr (zufriedenstellen)* satisfaire, contenter; *(beschwichtigen)* apaiser, calmer; *(Wunsch, Bedürfnis)* donner satisfaction à; *(Begierde, Trieb)* assouvir; *(Anspruch)* régler; *(Gläubiger)* désintéresser, payer; *schwer zu ~~(d)* difficile à contenter *od* satisfaire; **~end** *a* satisfaisant; *fam* pas mal; *etw zu e-m ~~en Abschluß bringen* mener qc à bien; **B~ung** *f* ‹-, ø› *(Zufriedenheit)* contentement *m,* satisfaction *f; (e-r Begierde, e-s Wunsches)* apaisement, assouvissement; *(e-s Anspruchs)* règlement, paiement; *(e-s Gläubigers)* désintéressement *m; jdm ~~ geben* od *gewähren* donner satisfaction à qn; **B~ungsvorrecht** *n* droit *m* de préférence.

befrist|en *tr* soumettre à un délai; fixer un délai *od* une limite (*etw* pour *od* à qc); **~et** *a com fin* limité, à terme; *lang, kurz ~~* à long, court terme; *~~e Verbindlichkeit f* obligation *f* à terme; **B~ung** *f* ‹-, ø› fixation *f* d'un délai (*e-r S* pour qc).

befrucht|en *tr a. fig* féconder; être fécond pour; *künstlich ~~* inséminer; **~end** *a* fécond; **B~ung** *f* ‹-, (-en)› fécondation *f; künstliche ~~* fécondation artificielle, insémination *f;* **~ungsfähig** *a* fécondateur.

befug|en *tr* autoriser (*zu etw* à qc), donner pouvoir *od* droit (*jdn zu etw* à qn de qc); **B~nis** *f* ‹-, -sse› autorisation *f,* pouvoir, droit *m,* attribution; *(Zuständigkeit)* compétence *f; ~~ haben, etw zu tun* être autorisé à faire qc; *s-e ~~se überschreiten* outrepasser *od* excéder ses pouvoirs *od* droits, sortir du cadre de ses fonctions; **~t** *a* autorisé (*zu* à); *~~ sein zu* être en droit de, avoir qualité pour *od* faculté de.

befühlen *tr* palper, tâter, toucher.

befummeln *tr fam* tripoter; *(fig) e-e Sache ~* goupiller une affaire.

Befund *m* ‹-(e)s, -e› *(Zustand)* état *m* (de choses), situation; *(Feststellung)* constatation *f; (Bericht)* rapport *m; (Gutachten)* expertise *f; ohne ~ (o. B.)* néant; *ärztliche(r) ~* rapport *m* médical.

befürcht|en *tr* craindre, avoir peur de, appréhender, redouter; *es ist* od *steht zu ~~, daß ...* il est à craindre que *(subj); es ist nichts zu ~~* il n'y a rien à craindre, il n'y a pas de danger; **B~ung** *f* crainte; appréhension *f; keinen Anlaß zu ~~en geben* ne pas donner d'inquiétudes.

befürwort|en *tr* parler en faveur de, recommander, plaider pour, préconiser, parrainer; *(unterstützen)* appuyer; **B~er** *m* préconiseur, préconisateur, avocat *m;* **B~ung** *f* avis *m* favorable, recommandation; préconisation *f;* appui *m.*

begab|t [bə'ga:pt] *a* doué (*für* pour); *fam* talentueux; *~~ sein (a.)* avoir de l'étoffe; **B~ung** [-buŋ] *f* don; talent *m,* aptitude; capacité; *allg* intelligence *f.*

begaffen *tr* regarder bouche bée.

begangen [bə'gaŋən] *a: viel, wenig ~* très, peu fréquenté.

begatt|en, *sich* s'accoupler; **B~ung** *f* coït *m,* copulation *f; (bei Tieren)* accouplement *m.*

begaunern *tr* filouter, duper, délester.

begeb|bar [-'ge:p-] *a fin* négociable, commerçable, bancable; **B~barkeit** *f* négociabilité *f;* **~en** [-bən] *tr (Anleihe)* émettre, mettre en circulation; *(Wechsel)* négocier; *sich ~~ (jur lit: aufgeben)* se désister, se dessaisir, se départir, se démunir (*e-r S* de qc), renoncer (*e-r S* à qc); *(gehen, fahren)* se rendre, aller, se diriger, s'acheminer (*nach* vers); *an etw* se mettre à qc; *impers (sich ereignen)* arriver, se passer, se produire, avoir lieu; *sich in Gefahr ~~* encourir un danger, s'exposer à un danger; *sich an Ort und Stelle ~~* se rendre *od* se transporter sur les lieux, se rendre sur place; *sich zur Ruhe ~~* aller se coucher; **B~enheit** *f* événement, incident, épisode *m;* **B~ung** *f (Anleihe)* émission; *(Wechsel)* négociation *f; jur (Aufgabe)* dessaisissement *m.*

begegn|en ‹*aux: sein*› [bə'ge:gnən] *itr (treffen)* rencontrer, croiser (*jdm* qn); *fig (entgegentreten)* prévenir, détourner, empêcher (*e-r S* qc); *(behandeln)* traiter, accueillir, recevoir (*jdm* qn); *jdn abweisend ~~* faire grise mine à qn; *impers (widerfahren)* arriver; *sich* od *ea. ~~* se rencontrer, se croiser; **B~ung** *f* rencontre, entrevue *f.*

begeh|en ‹*beging, hat begangen*› *tr (Weg)* passer sur, parcourir; *(prüfend)* inspecter; *(Tat, Verbrechen)* commettre, perpétrer, consommer, accomplir; se rendre coupable de; *(Sünde)* commettre; *(Fest)* célébrer, fêter; *e-e Dummheit, e-n Fehler ~~* faire une bêtise, faire *od* commettre une faute; commettre une erreur; *(Tag) feierlich ~~* commémorer; *Selbstmord ~~* se suicider, se donner la mort; **B~ung** *f (Prüfung)* inspection; *(Verbrechen)* perpétration, consommation; *(Fest)* célébration *f.*

Begehr|(en *n***)** *m* od *n* ‹-s, ø› [bə'ge:r] désir *m,* envie; demande, requête *f; was ist Ihr ~? (lit)* quel est votre désir? **b~en** *tr* désirer, convoiter, envier, jalouser, ambitionner; *(verlangen)* demander (*zu* de); exiger, réclamer; *ein Mädchen zur Frau ~~* vouloir épouser une fille; **b~enswert** *a* désirable, convoitable; **b~lich** *a* avide, convoiteur; *(lüstern)* concupiscent; **~lichkeit** *f* avidité, convoitise; cupidité; *(Lüsternheit)* concupiscence *f;* **b~t** *a* recherché; *com* demandé.

begeifern *tr* couvrir de bave, baver sur; *fig* calomnier, déblatérer contre, répandre son venin sur.

begeister|n *tr* enthousiasmer, passionner, enflammer, exalter, exciter, inspirer; *fam* emballer; *sich ~~* s'enthousiasmer, se passionner, s'enflammer, se prendre de passion (*für etw* pour qc); *das kann mich nicht ~~* cela me laisse froid; **~nd** *a* enthousiasmant; **~t** *a* enthousiaste, passionné; *fam* emballé, mordu; *hell ~~* ardent, fervent, fanatique; *~~e(r) Anhänger m* fanatique; *fam* fan *m;* **B~ung** *f* ‹-, ø› enthousiasme *m,* passion; exaltation, verve, fougue, griserie *f; ein Sturm der* ~~ un enthousiasme frénétique.

begicht|en [-'gıçt-] *tr metal* charger; **B~ung** *f* chargement *m;* **B~ungskübel** *m* benne *f* de chargement.

Begier *f* ‹-, ø› [bə'gi:r] , **~de** *f* ‹-, -n› désir *m,* envie; avidité, convoitise, cupidité (*nach* de); *(Lüsternheit)* concupiscence, appétence *f,* appétits *m pl; fig (Verlangen)* soif *f* (*nach* de); **b~ig** *a* désireux, envieux, avide, cupide (*auf, zu* de); *(lüstern)* concupiscent; *(bedacht auf)* désireux (*auf* de); *adv* avidement.

begieß|en ‹*begoß, begossen*› *tr (a. beim Braten mit Fett* u. *fig: Beförderung feiern)* arroser; *das müssen wir* ~~ *(fam)* ça s'arrose! **B~ung** *f med* traitement *m* par douche froide.

Beginn *m* ‹-(e)s, ø› [bə'gın] commencement; début *m; (Ursprung)* origine, naissance *f; (Ausgangspunkt)* (point de) départ *m; bei* ~ au commencement, à l'entrée (*gen* de); *zu* ~ au départ; *gleich zu* ~ dès le début; **b~en** ‹*begann, hat begonnen*› *tr* commencer, amorcer, ouvrir; *(unternehmen)* entreprendre; *(tun)* faire; *(Gespräch)* engager, entamer; *itr* commencer, débuter, entrer; *mit* se mettre à, procéder à; commencer par, s'ouvrir sur; **~en** *n lit (Handlungsweise)* manière *f* d'agir.

beglaubig|en *tr* attester, certifier, vérifier, authentiquer, authentifier, faire foi de; *(Unterschrift)* légaliser; vidimer; *(e-n Diplomaten)* accréditer (*bei jdm* auprès de qn); *etw* ~~ *lassen (a.)* demander acte de qc; *Abschrift* ~*t* copie conforme; *notariell* ~*t* notarié; **B~ung** *f* attestation, certification, vérification; légalisation *f; zur* ~~ *(adm)* pour ampliation; *zur* ~~ *dessen (jur)* en foi de quoi; **B~ungsschreiben** *n (e-s Diplomaten)* lettres *f pl* de créance.

begleich|en *tr (bezahlen)* régler, payer, solder, acquitter; **B~ung** *f* ‹-, (-en)› règlement, paiement, acquittement *m.*

Begleit|adresse [bə'glaıt-] *f* bulletin *m* d'expédition, fiche *f* postale; **~artillerie** *f* artillerie *f* d'accompagnement *od* d'appui; **~brief** *m* lettre *f* de voiture; bordereau *m* d'expédition, feuille *od* lettre *f* d'accompagnement; **b~en** *tr* accompagner *a. mus* (*auf d. Klavier* au piano); *(Anstandsdame)* chaperonner; *mil* escorter; *mar* convoyer; *nach Hause* ~~ raccompagner, reconduire; *jdn ein Stück* ~~ faire un pas *od* bout de conduite à qn; ~*et von* sous l'escorte de; *mus* accompagné par; **~er** *m* compagnon; *(e-r Dame)* cavalier; *(Beschützer)* protecteur; *mus mil* accompagnateur *m; jds ständiger* ~~ *sein (von e-m Gegenstand)* accompagner toujours qn; **~erin** *f* dame *f* de compagnie; *(Anstandsdame)* chaperon *m; mus* accompagnatrice *f;* **~erscheinung** *f* phénomène *m* concomitant; **~feuer** *n mil* feu *od* tir *m* d'accompagnement; **~flugzeug** *n* avion *m* d'escorte *od* d'accompagnement, escorte *f;* **~jäger** *m aero* chasseur *m* d'escorte; **~kommando** *n mil* détachement *m* d'accompagnement *od* d'escorte; **~kompanie** *f* compagnie *f* d'accompagnement; **~mannschaft** *f* escorte *f;* **~musik** *f* accompagnement *m; film* musique *f* scénique; **~offizier** *m* officier *m* accompagnateur; **~panzer(wagen)** *m* char *m* d'accompagnement; **~papiere** *n pl* feuilles *f pl* de route; **~person** *f* convoyeur, escorteur *m;* **~schein** *m* feuille de route, lettre *f* de voiture, bordereau d'envoi *od* d'expédition; *(Zoll)* acquit-à-caution *m;* **~schiff** *n* convoyeur, escorteur *m;* **~schreiben** *n* lettre *f* d'envoi; **~schutz** *m aero* escorte *f;* **~umstände** *m pl* faits *m pl* concomitants; *jur* circonstances *f pl* accessoires; **~ung** *f a. mus* accompagnement *m; (Gefolge)* compagnie *f,* cortège *m,* suite *f; mar* convoyage, convoiement *m; mil* escorte *f; in* ~~ *(gen)* en compagnie de, accompagné *od* suivi de; **~vene** *f anat* veine *f* satellite; **~waffe** *f* arme *f* d'accompagnement *od* d'appui; **~wort** *n* préface *f,* préambule *m; pl (zu e-m Kulturfilm)* commentaire *m;* **~zettel** *m* = ~*schein.*

beglück|en *tr* rendre heureux, ravir; *jdn* ~~ faire plaisir à qn; **~end** *a* réjouissant, béatifique;**~t** *a* heureux, ravi, comblé de bonheur; **~wünschen** *tr* féliciter, congratuler (*zu* de); *jdn* ~~ complimenter, féliciter qn; **B~wünschung** *f* félicitation, congratulation *f.*

begnad|en *tr* accorder sa grâce à, bénir; **~et** *a* béni, doué; **~igen** *tr* faire grâce, accorder la grâce à, gracier, amnistier; **B~igte(r)** *m* amnistié *m;* **B~igung** *f* grâce *f,* pardon *m;* amnistie *f;* **B~igungsgesuch** *n* recours *m* en grâce; **B~igungsrecht** *n* droit *m* de grâce.

begnüg|en [bə'gny:gən] , *sich* se contenter, être content (*mit* de); **~sam** *a* modeste; *(schlicht)* sobre.

Begonie *f* ‹-, -n› [be'go:niə] *bot* bégonia *m.*

begönnern *tr: jdn* ~ se faire le protecteur *od* le mécène de qn; *pej (mit Herablassung)* traiter avec condescendance.

begraben *tr* enterrer *a. fig (bes. Hoffnung),* inhumer, ensevelir; *fig* abandonner, renoncer à; *etw endgültig* ~ *(fig)* faire *od* mettre une croix sur qc; *alle Hoffnung* ~ renoncer à *od* abandonner tout espoir; *die Streitaxt* ~ faire la paix; *dort möchte ich nicht* ~ *sein* je ne voudrais pas y être, même en peinture.

Begräbnis *n* ‹-sses, -sse› [bə'grɛ:pnıs] enterrement *m;* inhumation *f,* ensevelissement *m;* sépulture *f;* **~feier** *f* funérailles, obsèques *f pl;* **~kosten** *pl* frais *m pl* funéraires; **~ort** *m,* **~platz** *m* lieu *m* de sépulture.

begradig|en [bə'gra:dıgən] *tr* rectifier *(a. e-n Fluß, e-e Straße, mil: die Front);* **B~ung** *f* rectification *f.*

begreif|en *tr (verstehen)* comprendre, saisir, entendre, concevoir; *(umfassen, enthalten)* embrasser, comprendre, inclure, renfermer, contenir; *schwer* ~~ *(a.)* avoir la tête dure; *das* ~*e ich nicht (a.)* cela me dépasse; **~lich** *a* compréhensible, concevable, intelligible; *jdm etw* ~~ *machen* faire comprendre qc à qn, faire entrer qc dans la tête de qn; *das ist* ~~ cela se comprend, c'est naturel; **~licherweise** *adv* naturellement.

begrenz|en *tr* limiter, borner; *(abgrenzen)* délimiter, circonscrire; *(einschränken)* restreindre; **~end** *a* limitatif, restrictif; **~t** *a* limité, restreint; *(Verstand)* borné; ~~ *haltbar (Lebensmittel)* périssable; **B~theit** *f* ‹-, (-en)› caractère *m* limité, étroitesse *f; (Grenzen)* bornes *f pl;* **B~ung** *f* limitation; délimitation; restriction *f;* **B~ungsfläche** *f* plan *m* de contact; **B~ungsleuchte** *f mot* feu *m* latéral; **B~ungslinie** *f* ligne *f* de délimitation.

Begriff *m* notion *f,* concept *m,* idée *f;* ~ *für ...* synonyme *m* de ...; *im* ~ *zu* sur le point de, au bord de, près de, en train *od* en voie de, à la veille de; *im* ~ *abzureisen* sur le départ; *nach meinen* ~*en* selon ma conception; *e-n* ~ *von etw haben* avoir une idée *od* notion de qc; *sich e-n* ~ *von etw machen* s'imaginer qc; *sich e-n falschen* ~ *von etw machen* se faire une fausse idée de qc; *sich keinen* ~ *von etw machen* n'avoir pas la moindre notion de qc; *schwer von* ~ *sein (fam)* avoir la tête dure; *das geht über meine* ~*e (fam)* cela me dépasse; *das übersteigt alle* ~*e* cela dépasse tout ce qu'on peut imaginer; *ist dir das ein* ~*?* est-ce que cela te dit quelque chose? **b~en** *a: in ...* ~~ en cours *od* voie de; *im Bau* ~~ en (cours de) construction; *im Entstehen* ~~ en (voie de) formation; *mitten in den Vorbereitungen* ~~ en pleins préparatifs; **b~lich** *a* conceptuel; abstrait; ~~ *bestimmen* définir; **~sanalyse** *f* analyse *f* conceptuelle; **~sbestimmung** *f* définition *f;* **~sform** *f* catégorie *f;* **b~smäßig** *a* par définition; **b~sstutzig** *a:* ~~ *sein* avoir la tête dure; **~sverwirrung** *f* confusion *f* d'idées.

begründ|en *tr (gründen)* fonder, créer, établir, constituer; *(den Grund angeben für)* motiver; *(bes. Anspruch)* justifier; *ein Urteil* ~~ justifier, motiver un jugement; **B~er** *m (Gründer)* fondateur *m;* **~et** *a* motivé; (bien) fondé; *(berechtigt)* justifié; *nicht* ~~ sans *od* dénué de fondement; **B~etheit** *f* ‹-, ø› *jur* bien-fondé *m;* **B~ung** *f (Gründung)* fondation *f,* établissement *m; (Motivierung)* motivation *f,* exposé *m* des motifs; *(Rechtfertigung)* justification *f; mit der* ~~*, daß* pour motif que; *zur* ~~ *(gen)* pour justifier; **B~ungsfrist** *f* délai *m* pour la présentation des motifs.

begrüß|en *tr* saluer; rendre hommage (*jdn* à qn); *(feierlich)* souhaiter la bienvenue (*jdn* à qn); *(gern sehen)* se réjouir, se féliciter (*etw* de qc);

~enswert *a* dont on peut se réjouir; **B~ung** *f* salutation *f,* salut *m;* **B~ungsansprache** *f,* **B~ungsrede** *f* discours *m* de réception, allocution *f* de bienvenue.

begucken *tr* regarder, contempler, *fam* lorgner.

begünstig|en [bəˈgʏnstɪgən] *tr* favoriser, avantager, privilégier; *(bevorzugen)* préférer; *(fördern)* appuyer, protéger; *pop* pistonner; *jur (Verbrechen)* prêter assistance à; **B~ung** *f* traitement de faveur *od* préférentiel; *(Förderung)* appui *m,* protection *f; pop* piston *m; (Bevorzugung)* préférence; *jur* complicité *f* après coup; **B~ungsklausel** *f* clause *f* de faveur; **B~ungswesen** *n* favoritisme *m;* **B~ungszoll** *m* droit *m* préférentiel.

begutacht|en *tr* faire une expertise sur, expertiser; *allg* donner *od* émettre son avis sur, juger de; **B~ung** *f* expertise *f; allg* avis, jugement *m.*

begütert [-ˈgyː-] *a* aisé, fortuné, riche; *~ sein* avoir de la fortune *od* des moyens.

begütig|en *tr* apaiser, calmer; **B~ung** *f* apaisement *m.*

behaar|en *sich* se couvrir de poils; **~t** *a* poilu; *(Kopf)* chevelu; *bot* peluché; *dicht* od *stark ~~* velu; **B~ung** *f* ⟨-, (-en)⟩ poils *m pl; (Haarwuchs)* chevelure; *scient* pilosité, *zoo* vestiture *f.*

behäbig [bəˈhɛːbɪç] *a* à son aise; tout en rondeur; *(bequem)* commode; *(behaglich)* confortable; *ein ~er Mann* un homme tout en rondeur; *er ist im Alter ~ geworden* l'âge l'a alourdi; **B~keit** *f* ⟨-, ø⟩ aisance; commodité *f;* confort *m.*

behaftet *a* atteint, affecté (*mit* de).

behag|en [bəˈhaːgən] *itr impers* plaire, convenir, être agréable, faire plaisir (*jdm* à qn); *das ~t mir nicht* cela ne me plaît pas; **B~en** *n* aise, aisance *f,* bien-être, confort; *(Vergnügen)* agrément, plaisir *m; mit ~~* à mon *etc* aise; avec plaisir; **~lich** *a* confortable, agréable; *sich ~~ fühlen* être à son aise; **B~lichkeit** *f* ⟨-, (-en)⟩ bien-être *m,* aises *f pl,* confort *m.*

behalten *tr* garder, conserver; *(im Gedächtnis)* retenir; *etw im Auge ~* ne pas perdre qc de vue; *etw im Kopf ~ (fam)* retenir qc; *den Kopf oben ~* ne pas perdre courage; *das Leben ~* rester en vie, conserver la vie; *die Oberhand ~* garder la haute main, avoir le dessus, l'emporter (*über* sur); *recht ~* avoir finalement raison; *etw für sich ~* garder qc pour soi.

Behält|er *m* ⟨-s, -⟩ [bəˈhɛltər], *a.* **~nis** *n* ⟨-sses, -sse⟩ récipient, réceptacle; *(für Flüssigkeiten)* réservoir *m,* citerne *f; (Akku)* bac; *loc* container *m;* **~erverkehr** *m loc* transport *m* container *od* combiné *od* porte à porte; **~erwagen** *m mot* camion-citerne; *loc* wagon-citerne *m.*

behand|eln *tr (Menschen, Sache, Thema)* traiter (*jdn als* qn en; *etw (ein Thema)* de qc); *(Kranken)* soigner; donner *od* prodiguer des soins à; *(Wunde)* soigner; *(handhaben)* manier; *erschöpfend ~~ (Thema)* traiter à fond, épuiser; *jdn von oben herab ~~* traiter qn de haut; *schlecht ~~* maltraiter; *jdn* en faire voir à qn (de toutes les couleurs); *sich ~~ lassen (med)* se faire soigner, suivre un traitement; *~~de(r) Arzt m* médecin *m* traitant; **B~lung** *f* traitement *m; med* soins *m pl* (médicaux); thérapeutique *f; (Handhabung)* maniement *m; bei richtiger ~~* traité correctement; *in ~~* en traitement; *ärztliche ~~* traitement *m* médical, soins *m pl* médicaux; *sachgemäße, schonende ~~* traitement *m* approprié, soigneux; **B~lungsart** *f,* **B~lungsweise** *f* manière *f* de traiter, (mode de) traitement *m; med* thérapeutique *f;* **B~lungskosten** *pl* frais *m pl* de traitement.

Behang *m (Wandbehang)* tenture; tapisserie *f; (Weihnachtsbaum)* ornement *m; (Obstbaum)* charge *f; (Jägersprache: Hängeohren)* oreilles *f pl* pendantes.

behängen ⟨*fb*⟩ *tr (verkleiden)* tendre (*mit* de); *(Wand)* tapisser; *(drapieren)* draper (*mit* de); *(mit Schmuck)* orner, garnir (*mit* de); *sich mit etw ~ (fam pej)* se parer de qc.

beharken *tr arg mil u. aero* bombarder.

beharr|en ⟨*aux: haben*⟩ *itr* persévérer, persister (*auf, in etw* dans qc); *(auf e-r Meinung)* insister (*auf* sur), tenir ferme (*auf etw* à qc); *(sich versteifen)* s'obstiner, s'opiniâtrer, s'acharner, s'entêter (*auf, in etw* à qc); *fam* ne pas démordre (*auf etw* de qc); *bei s-m Entschluß ~~* maintenir fermement sa décision; **~lich** *a* persévérant, persistant, constant; opiniâtre, acharné; *(hartnäckig)* tenace, entêté, coriace; *sich ~~ weigern* refuser obstinément; **B~lichkeit** *f* ⟨-, ø⟩ esprit *m* de suite, persévérance, persistance, constance; opiniâtreté, ténacité *f;* **B~ungsvermögen** *n phys* (force d')inertie *f.*

behauen ⟨*-haute, hat behauen*⟩ *tr (Steine)* tailler; *(a. Holz)* dégrossir, façonner; *(Holz)* charpenter, dégauchir; *vierkantig ~* équarrir; *pp, a* taillé.

behaupt|en *tr (die B~ung aufstellen)* prétendre, avancer; *(beteuern)* maintenir, affirmer, assurer, soutenir, défendre; *(erfolgreich verteidigen)* tenir, soutenir; *mil* tenir; rester maître (*etw* de qc); *sich ~~* se maintenir, tenir bon *od* ferme; *(Preise, Kurse)* être ferme; *wie ... ~et* au dire de, selon le dire de; *das Feld ~~* rester maître du champ de bataille *od* du terrain; *etw steif und fest* od *felsenfest* od *mit Sicherheit ~~* soutenir qc mordicus *od* avec assurance; *das habe ich nicht ~et* je n'ai pas dit cela; *es wird ~et, daß ...* on dit que ...; *wie können Sie so etwas ~~? (a.)* de quoi vous avisez-vous? comment pouvez-vous affirmer pareille chose? **B~ung** *f* affirmation, allégation; assertion *f; (Halten, Wahrung)* maintien *m; die ~~ aufstellen, daß ...* avancer *od* prétendre que ...; *bei der ~~ bleiben, daß ...* maintenir, en revenir à dire que ...; *das ist e-e bloße ~~* c'est une affirmation gratuite.

Behausung *f (Wohnung)* demeure *f,* logement *m,* habitation *f; ärmliche ~* taudis, galetas *m.*

beheben ⟨*hat behoben*⟩ *tr (Mißstand abstellen)* écarter, lever, enlever, faire disparaître *od* cesser, aplanir, remédier à, supprimer; *den Schaden ~* réparer le dommage.

beheimatet *a* originaire (*in* de), domicilié (*in* à).

beheiz|en *tr* chauffer; **B~ung** *f* ⟨-, ø⟩ chauffage *m.*

Behelf *m* ⟨-(e)s, -e⟩ [bəˈhɛlf] expédient, moyen de fortune; *jur* moyen *m* subsidiaire; **b~en,** *sich* s'arranger, se tirer d'affaire *od* d'embarras, s'en tirer; *fam* se débrouiller; *sich mit etw ~~* recourir, avoir recours à, se contenter de qc; *sich ohne etw ~~* se passer de qc; **~sbau** *m* construction *f* provisoire; **~sbrücke** *f* pont *m* provisoire *od* de fortune; **~sflugplatz** *m* champ *m* d'aviation provisoire; **~sheim** *n* logement *m od* habitation *f* provisoire *od* de fortune; **~slieferwagen** *m* camionnette *f* de fortune; **~slösung** *f* palliatif, pis-aller *m;* **b~smäßig** *a* provisoire, improvisé, de fortune; *adv* provisoirement; *~~e(r) Verband m (med)* pansement *m* de fortune; **~smittel** *n* moyen *m* de fortune; **~ssiedlung** *f* cité *f* d'urgence.

behellig|en [bəˈhɛlɪgən] *tr lit* importuner, molester; **B~ung** *f* molestation *f.*

behend|(e) [bəˈhɛnt,-də] *a (flink)* agile, leste, alerte, preste, prompt; *(gewandt)* habile; **B~igkeit** *f* agilité, promptitude; habileté *f.*

beherberg|en *tr* héberger, loger, recevoir chez soi, donner l'hospitalité (*jdn* à qn); **B~ung** *f* hébergement, logement *m;* **B~ungsgewerbe** *n* hôtellerie, industrie *f* hôtelière.

beherrsch|en *tr pol* régner sur, dominer, être *od* se rendre maître de, commander, contrôler; *fig (großen Einfluß haben)* avoir de l'emprise *od* de l'ascendant (*jdn* sur qn); *(Leidenschaft in der Gewalt haben)* maîtriser, avoir de l'empire sur; *(e-e Kunst, e-e Sprache)* posséder; *(übertragen)* dominer; *sich ~~* se dominer, se maîtriser, se contenir, se contrôler, se contraindre, prendre sur soi; avoir de l'empire sur soi; *ich kann mich ~~ (iron)* je me ferai une raison; je m'en garderais bien; **~end** *a* dominant; **~t** *a* maître de soi; **B~theit** *f* ⟨-, ø⟩ maîtrise *f* de *f od* empire *m* sur soi(-même); **B~ung** *f* ⟨-, (-en)⟩ domination *f* (*gen* de), empire *m* (*gen* sur), emprise *f* (*gen* sur); *(a. Können)* maîtrise *f* (*gen* de).

beherz|igen [bəˈhɛrtsɪgən] *tr* prendre à cœur; *(Rat)* suivre; **~igenswert** *a* digne de considération *od* d'être considéré; **B~igung** *f* ⟨-, (-en)⟩ (prise en) considération *f;* **~t** *a* courageux, brave, vaillant, hardi, intrépide; *(entschlossen)* résolu, décidé; **B~theit** *f*

⟨-, ø⟩ courage *m,* bravoure, vaillance, hardiesse *f,* cœur *m;* résolution *f.*

behexen *tr* ensorceler, envoûter, jeter un sort (*jdn* sur qn).

behilflich *a* secourable, serviable; *jdm ~ sein* aider qn (*bei etw* à qc); porter secours à qn *fam* donner un coup de main *od* d'épaule à qn, prêter la main *od* l'épaule à qn.

behinder|n *tr* gêner, embarrasser, empêcher, entraver, faire *od* mettre obstacle à, handicaper; **B~ung** *f* empêchement *m,* entrave *f,* handicap *m;* **B~ungsfeuer** *n mil* tir *m* d'interdiction.

Behörd|e *f* ⟨-, -n⟩ [bə'hø:rdə] autorité, administration *f; die ~~n (pl)* les pouvoirs *m pl* publics; *die obersten ~~n (pl)* les grands corps *m pl* de l'État; *die vorgesetzte ~~* l'autorité *f* supérieure; *die zuständige ~~* l'autorité *f* compétente; **~enangestellte(r)** *m* employé *od* agent *m* de l'administration publique; **b~lich** *a* officiel; administratif; *mit ~~er Genehmigung, ~~ genehmigt* autorisé par les autorités; *die ~~en Vorschriften f pl* les règlements *m pl* officiels.

Behuf *m* ⟨-(e)s, -e⟩ *(Kanzleistil: Zweck): zu diesem ~(e)* à cet effet, à cette fin; **b~s** *prp (mit gen) (Kanzleistil: betreffs)* en vue de, à l'effet de.

behüt|en *tr* garder (*vor* de); sauvegarder, protéger (*vor* contre, de); préserver, garantir (*vor* de); *~e! (fam)* jamais! *Gott ~e!* à Dieu ne plaise!

behutsam [bə'hu:tza:m] *a* précautionneux, circonspect, prudent; *adv* avec précaution *od* ménagement; *fam* doucement; *~ vorgehen* agir en douceur; **B~keit** *f* ⟨-, (-en)⟩ précaution; circonspection, prudence *f.*

bei [baı] *prp dat* **1.** *(örtlich: in der Nähe von)* près de, auprès de; *~ Paris* près de Paris; *~m Bahnhof* (au)près de la gare; *~m Ofen* auprès du poêle; *nahe, dicht ~* tout près de; *die Schlacht ~ Marathon* la bataille de Marathon; *(räumliche Bezogenheit:) ~ jdm (in der Wohnung)* chez qn; *(auf Briefen)* aux bons soins de; *~ sich (unterwegs mitgeführt)* avec soi; *(in der Kleidung)* sur soi; **2.** *(zeitlich: während, gleichzeitig mit)* à, pendant, lors de, au moment de; *~ (der) Abfahrt des Zuges* au départ du train; *~ meiner Ankunft* à mon arrivée; *~ meinem Besuch* lors de ma visite; *~m Eintritt in ...* en entrant *od* au moment d'entrer dans ...; *~ jds Lebzeiten* du vivant *od* du temps de qn; *~m Lesen* en lisant; *~m Mittagessen* au *od* pendant le déjeuner; *~ Tag, Nacht* le *od* de jour, la *od* de nuit; *~ e-m Unfall (während e-s Unfalles)* dans un accident; *~ diesen Worten* à ces mots; **3.** *(begründend: in Hinblick* od *mit Rücksicht auf)* en considération de, tenant compte de, étant donné, eu égard à; *~ deiner Erkältung* enrhumé comme tu l'es; *~ so vielen Schwierigkeiten* en considération de tant de difficultés; **4.** *(einräumend: trotz)* malgré, en dépit de, avec; *~ alledem* malgré tout cela; *~ aller Vorsicht* malgré *od* en dépit de toute précaution; *~m besten Willen* avec la meilleure volonté du monde; **5.** *(verschiedene Wendungen:) ~m alten (unverändert)* comme par le passé, *~m Bäcker* chez le boulanger; *~ den Chinesen (von Zuständen, Gewohnheiten, Sitten)* chez les Chinois; *~ meiner Ehre!* parole d'honneur; *~ Gelegenheit* à l'occasion; *~m Gericht (tätig sein)* au tribunal; *~ der Hand (nehmen)* par la main; *~ Hof(e)* à la cour; *~ Jahren* d'un certain âge; *~ Kasse (fam)* en fonds; *~m Kragen (packen)* par le col, au collet; *~ guter, schlechter Laune* de bonne, mauvaise humeur; *~ Licht* à la lumière; *~ der Luftwaffe (fam)* dans l'aviation; *~ Molière (in den Werken M.s)* chez *od* dans Molière, sous la plume de Molière; *~ Nacht und Nebel* à la faveur de la nuit; *~ Stimme (Sänger)* en voix; *~ Strafe* sous peine; *~ e-m Unfall (im Falle e-s Unfalls)* en cas d'accident; *~ Wasser und Brot* au pain et à l'eau; *~ weitem* de loin, de beaucoup; *~ gutem, schlechtem Wetter* par beau, mauvais temps; *~ sich anfangen* commencer par soi-même; *~ Kräften sein* avoir toutes ses forces; *nicht ganz ~ Trost sein (fam)* n'y être plus; *ich dachte ~ mir* je pensais en moi-même; *~ Gott!* par Dieu! *~ meiner Ehre!* sur mon honneur!

bei=behalt|en *tr* garder, conserver; **B~ung** *f* ⟨-, ø⟩ conservation *f.*

Beiblatt *n (e-r Zeitung)* supplément *m.*

Beiboot *n* canot *m* de bord.

bei=bring|en ⟨*hat beigebracht*⟩ *tr (Unterlagen)* fournir, présenter; *(Zeugen)* produire; *(zufügen)* infliger, faire subir; *fam (lehren)* apprendre, enseigner, inculquer (*jdm etw* qc à qn); *jdm etw schonend ~~* dire qc à qn avec ménagement; *dir werde ich es noch ~~!* tu ne perds rien pour attendre; **B~ung** *f* ⟨-, (-en)⟩ fourniture, présentation; production *f.*

Beicht|e *f* ⟨-, -n⟩ [baıçtə] confession *f; e-e ~~ ablegen* faire une confession; *jds ~~ abnehmen* od *hören* confesser qn; *zur ~~ gehen* aller à confesse; **b~en** ⟨*aux: haben*⟩ *tr* confesser; *(gestehen)* avouer; *itr* se confesser; **~geheimnis** *n* secret *m* de la confession; **~iger** *m* = *~vater;* **~kind** *n* pénitent *m;* **~siegel** *n* sceau *m* de la confession; **~spiegel** *m* questionnaire *m* pour la confession; **~stuhl** *m* confessionnal *m;* **~vater** *m* confesseur; directeur *m* de conscience *od* spirituel; **~zettel** *m* billet *od* bulletin *m* de confession.

beid|e(s) [baıdə] *a* les deux, tous (les) deux, l'un et l'autre; *die ~en* les deux; *alle ~e* tous les deux; *einer, eins, von ~en* l'un ou l'autre, l'un des deux; *jeder von ~en* chacun des deux; *keiner von ~en* aucun des deux, ni l'un ni l'autre; *wir ~e* nous deux; *meine ~en Brüder* mes deux frères; *in ~en Fällen* dans les deux cas; *zu ~en Seiten* des deux côtés, de côté et d'autre, de part et d'autre; *mit ~en Armen halten* soutenir à bout de bras; *es gibt nur eins von ~en* c'est l'un ou l'autre; *zehn ~e (sport)* dix à dix; **~emal** *adv* les deux fois; **~erlei** ['-'laı] *a inv* des deux sortes *od* espèces; *~~ Geschlechts* des deux sexes; *gram* des deux genres; *in ~~ Gestalt (rel: Abendmahl)* sous les deux espèces; **~erseitig** *a* des deux côtés; bilatéral; *(gegenseitig)* réciproque, mutuel, respectif; *adv: ~~ tragbar (Kleidung)* réversible; **~erseits** *adv* des deux côtés *od* parts, de part et d'autre; **B~händer** *m* ambidextre *m;* **~lebig** *a zoo* amphibie; **B~recht** *n (beiderseitig gleiches Gewebe)* tissu *m* sans envers; **~seitig** *a* des deux côtés.

bei=drehen *itr mar* mettre en panne.

beieinander [-'nandər] *adv* ensemble; l'un avec l'autre.

Beifahrer *m mot (Mitfahrender)* occupant *m,* compagnon de route.

Beifall *m* ⟨-s, ø⟩ *(durch Klatschen)* applaudissement(s *pl*) *m; (durch Zurufe)* acclamation(s *pl*); *(Zustimmung)* approbation *f,* assentiment *m; ~ ernten* être applaudi (*jds* par qn); recueillir des applaudissements; avoir du succès; *~ finden* = *~ ernten; (Zustimmung)* être approuvé (*jds* par qn); *viel ~ finden* avoir grand succès; *~ klatschen* od *spenden* applaudir; *stürmische(r) ~* tonnerre *m* d'applaudissements; **~sklatschen** *n* applaudissements *m pl;* **~sruf** *m* bravo *m;* **~ssturm** *m* rafale *f od* tonnerre *m* d'applaudissements.

beifällig *a* approbateur; *adv* dans un sens favorable.

Beifilm *m* film de première partie, court-métrage *m.*

beifolgend *a* ci-inclus, ci-joint; *adv* sous ce pli.

bei=füg|en *tr* ajouter; *(bes. in e-m Brief)* joindre, annexer; **B~ung** *f (Zugabe, Nachtrag)* addition, adjonction, annexe; *gram (Attribut) (a)* épithète *f, (s)* complément *m* de nom; *unter ~~ (gen)* en ajoutant ...

Beifuß *m* ⟨-ßes, ø⟩ *bot* armoise *f.*

Beigabe *f* addition *f,* supplément *m; com* prime *f, fam* extra *m.*

beige ['bɛ:-, 'be:ʒə] *a (sandfarben)* beige.

bei=geben *tr* ajouter, (ad)joindre; *itr: klein ~ (fam)* filer doux, battre en retraite, baisser le ton, en rabattre.

Beigeordnete(r) *m* adjoint; *(Belgien)* échevin *m.*

Beigeschmack *m* ⟨-(e)s, ø⟩ arrière-goût; *fig* relent *m; e-n ~ haben (fig)* sentir (*von etw* qc).

bei=gesellen *tr* donner pour compagnon (*jdm* à qn); *sich jdm ~* s'associer, se joindre à qn.

Beiheft *n* supplément *m.*

Beihilfe *f* aide *f,* secours *m;* assistance *f;* concours *m,* coopération; *fin* subvention, contribution; *(Unterstützung)* allocation; *jur* complicité *f* par assistance; *jdm ~ leisten (jur)* agir de complicité avec qn, se faire le complice de qn.

bei=holen *tr mar (d. Segel)* border.

Beikoch *m* second cuisinier *m.*

bei=kommen *itr (Schwierigkeiten)* maîtriser, venir à bout de; *sich etw ~*

(einfallen) lassen s'aviser de qc; *ihm ist nicht beizukommen* il ne donne pas prise sur lui; *wie wäre ihm beizukommen?* par quel biais le prendre?

Beikost *f* ⟨-, ø⟩ régime *m* additionnel.

Beil *n* ⟨-(e)s, -e⟩ hache, hachette *f.*

bei≈lad|en *tr* charger en supplément; **B~ung** *f* charge *f* supplémentaire.

Beilage *f allg* pièce *f* jointe; *(zur Zeitung)* supplément *m; (Küche)* garniture *f; mit ~ (Küche)* garni.

Beilast *f* ⟨-, ø⟩ *mar* pacotille *f.*

beiläufig *a (Bemerkung)* fait en passant; *adv* en passant, par parenthèse, entre parenthèses.

bei≈leg|en *tr (beifügen)* ajouter, joindre, annexer; inclure *(e-m Brief* dans une lettre); *(zuschreiben)* attribuer, prêter, imputer; *(Titel geben)* conférer, donner; *(Streit: schlichten)* arranger, régler; terminer, cesser, vider; *e-r Sache große Bedeutung ~~* attacher beaucoup d'importance à quelque chose; *gütlich, friedlich ~~* régler à l'amiable, par des voies pacifiques; *itr mar (Schiff)* mettre à la cape; **B~en** *n (Beifügung)* addition, inclusion; *mar* mise *f* à la cape; **B~ung** *f* ⟨-, (-en)⟩ *(e-r Eigenschaft* attribution *f; (e-s Streites)* arrangement, règlement *m,* cessation *f; gütliche ~~* arrangement *od* règlement à l'amiable, accommodement *m.*

beileibe [baɪ'laɪbə] *adv: ~ nicht!* pas du tout! en aucun cas!

Beileid *n* ⟨-(e)s, ø⟩ condoléances *f pl; jdm sein ~ aussprechen, bezeigen* présenter des, exprimer ses condoléances, témoigner sa sympathie à qn; **~sbesuch** *m* visite *f* de condoléances; *von ~~en bitten wir abzusehen* la famille s'excuse de ne pas recevoir; sans visites; **~sbezeigung** *f* marque *f* de sympathie, condoléances *f pl;* **~sbrief** *m,* **~sschreiben** *n* lettre *f* de condoléances; **~skarte** *f* carte *f* de condoléances; **~stelegramm** *n* télégramme *m* de condoléances.

bei≈liegen ⟨*hat beigelegen*⟩ *itr* être joint (*e-r S* à qc); *mar* être à la cape; **~d** *a* ci-joint, ci-inclus; *adv* sous ce pli.

bei≈meng|en *tr,* **B~ung** *f s. beimischen etc.*

bei≈mess|en *tr (Bedeutung, Wert)* attacher, attribuer; *e-r S Glauben ~~* ajouter foi à qc; *jdm die Schuld ~~* imputer la faute à qn; **B~ung** *f* attribution *f.*

bei≈misch|en *tr* mélanger (*e-r S etw* qc et qc), mêler (*e-r S* à qc); ajouter (*e-r S* à qc), additionner *(e-r S etw* qc de qc); **B~ung** *f (Vorgang u. Stoff)* addition *f;* mélange *m.*

Bein *n.* ⟨-(e)s, -e⟩ [baɪn] *(Mensch, Pferd)* jambe; *pop* gambette, gigue, *arg* guibolle; *(Tier)* patte *f; (Tisch, Stuhl)* pied *m; (Kompaß)* branche *f; (Knochensubstanz)* os *m; pl arg* paturons *m pl; (wieder) auf den ~en* sur pied; *mit dem linken ~ zuerst aufstehen (fam)* se lever du pied gauche; *sich kein ~ ausreißen (fam)* ne pas se fouler *od* se casser; *etw ans ~ binden (fig)* faire son deuil de qc; *auf die ~e bringen (fig)* mettre sur pied *od* debout; *wieder auf die ~e bringen (e-n Kranken)* remettre sur pied, revigorer, *fam* ravigoter; *(immer wieder) auf die ~e fallen* (re-) tomber sur ses pieds *od* debout; *flinke ~e haben* avoir des jambes de cerf; *lange ~e haben* avoir de grandes jambes; *schöne, häßliche ~e haben (a.)* être bien, mal jambé; *schöne ~e haben (a.)* avoir la jambe bien faite; *sich nicht mehr auf den ~en halten können* ne plus pouvoir se tenir sur ses jambes, tomber de fatigue; *jdm wieder auf die ~e helfen (a. fig)* remettre qn sur ses pieds, *fig* à flot; *auf einem ~ hüpfen* sauter à cloche-pied; *wieder auf die ~e kommen (fig)* se remettre à flot; *jdm ~e machen (fig)* faire partir *od (fam)* décamper qn; *sich auf die ~e machen* se mettre en route; *die ~e unter den Arm nehmen* prendre ses jambes à son cou, jouer des jambes; *Stein und ~ schwören* jurer ses grands dieux; *auf den ~en sein* être en mouvement, *pop* sur ses quilles; *früh auf den ~en sein* se lever tôt; *gut auf den ~en sein* avoir de bonnes jambes; *immer auf den ~en sein* être toujours debout; *schwach auf den ~en sein* avoir les jambes molles; *mit beiden ~en im Leben stehen (fig)* avoir les deux pieds sur terre; *mit einem ~ im Grabe stehen* avoir un pied dans la tombe; *sich die ~e in den Leib stehen* faire le pied de grue; *jdm ein ~ stellen* faire un croc-en-jambe à qn; *sich die ~e vertreten* se dégourdir les jambes; *jdm e-n Knüppel zwischen die ~e werfen (fig)* mettre à qn des bâtons dans les roues; *auf einem ~ ist nicht gut stehen* on ne s'en va pas sur une jambe; *Lügen haben kurze ~e (prov)* le menteur ne va pas loin; *krumme ~e (pl)* jambes *f pl* cagneuses *od* torses; *lange, dünne ~e (pl)* flûtes *f pl fam;* **~arbeit** *f sport* jeu *m* de jambes; *gute ~~ leisten* avoir un beau jeu de jambes; **~bandage** *f med* jambière *f* orthopédique; **~bruch** *m* fracture de la jambe; jambe *f* fracturée *od* cassée; **~chen** *n* petite jambe *f;* **b~ern** *a* d'os, en os; **~haus** *n* ossuaire, charnier *m;* **~kleider** *n pl lit* pantalon *m;* **~ling** *m (Teil des Strumpfes)* tige, jambe *f* (de bas); **~prothese** *f* jambe *f* artificielle *od* articulée; **~schiene** *f hist* jambière *f a. sport,* cuissard *m; med* éclisse, attelle *f;* **~stellen** *n sport* croc-en-jambe *m* **~stoßen** *n sport* savate *f;* **~stumpf** *m* moignon *m* de jambe; **~wurz** *f bot pharm* consoude *f* officinale.

beinahe [baɪ'naːə] *adv* presque, à peu (de chose) près, pour un peu, quasi; peu s'en faut; *~ eine Million* près d'un million; *ich wäre ~ gefallen* j'ai failli tomber *od* manqué de tomber.

Beiname *m* surnom; *(Spitzname)* sobriquet *m; mit dem ~n ...* surnommé ...

beinhalten ⟨*beinhaltet(e), hat beinhaltet*⟩ [bəˈʔɪnˈhaltən] *tr (Kanzleistil: zum Inhalt haben, von e-m Schreiben)* comprendre, comporter.

bei≈ordn|en *tr* adjoindre; coordonner; **~end** *a: ~~e Konjunktion f (gram)* conjonction *f* de coordination; **B~ung** *f* ⟨-, (-en)⟩ adjonction; coordination *f.*

Beipferd *n (Handpferd)* cheval de main, sous-verge *m.*

bei≈pflicht|en ⟨*aux: haben*⟩ *itr* être de l'avis, se ranger à l'avis, abonder dans le sens, adopter l'opinion (*jdm* de qn); approuver (*jdm* qn, *e-r S* qc); consentir, accéder *(e-r S* qc); adhérer (*e-r S* à qc); **B~ung** *f (Zustimmung)* assentiment *m;* approbation *f;* consentement *m.*

Beirat *m* ⟨-(e)s, ¨e⟩ *(Person)* conseiller *m* (adjoint); *(Körperschaft)* conseil *od* comité *m* consultatif.

beirren *tr* déranger, déconcerter, embarrasser; *sich nicht ~ lassen* aller droit devant soi, aller son (petit bonhomme de) chemin.

beisammen [baɪ'zamən] *adv* ensemble; *s-e Gedanken nicht ~ haben* être distrait; *~ sein* être réunis; **B~sein** *n* réunion *f.*

Beisatz *m gram* apposition *f.*

bei≈schießen *tr (Geld)* contribuer *(zu* à).

Beischlaf *m* ⟨-(e)s, ø⟩ coït *m,* cohabitation *f.*

Beischläfer(in) *f m* concubin(e *f*) *m.*

Beischlag *m arch* perron *m.*

bei≈schließen *tr* ajouter, joindre, inclure; **B~schluß** *m (Anlage)* pièce *f* jointe.

Beisegel *n* voile secondaire, bonnette *f.*

Beisein *n* présence *f; im ~ (gen)* en présence (de).

beiseite [baɪ'zaɪtə] *adv* à part, de côté, à l'écart; *~ lassen* laisser de côté, négliger; *~ legen* mettre à part; *(sparen)* mettre de côté; *~ nehmen* prendre à part; *~ schaffen* mettre à l'écart; faire disparaître; *~ schieben* écarter *a. fig; ~ stehen* se tenir à l'écart; *~ treten* se mettre à l'écart; *Scherz* od *Spaß ~!* trêve de plaisanteries *od* railleries! **B~schaffung** *f; ~~ von Vermögenswerten* recel *od* recèlement *m* de biens.

bei≈setz|en *tr loc* adjoindre; *(Segel)* déployer, mettre; *(beerdigen)* enterrer, inhumer; **B~ung** *f (Beerdigung)* enterrement *m,* inhumation *f,* funérailles, obsèques *f pl; die ~~ fand in aller Stille statt* les obsèques ont eu lieu dans l'intimité.

Beisitzer *m jur* assesseur; *(Richter)* juge *m* assesseur.

Beispiel *n* exemple; *(Vorbild)* modèle, idéal *m; als ~* à titre d'exemple; *nach dem ~ (gen)* à l'exemple (de); *zum ~* par exemple; *als ~ dienen* servir d'exemple (*für* à); *dem allgemeinen ~ folgen* suivre l'exemple général, faire comme tout le monde; *ein (gutes) ~ geben* donner l'exemple *od* le bon exemple, prêcher par l'exemple; *jdm* donner un modèle à qn; *sich an jdm ein ~ nehmen* prendre modèle *od* exemple sur qn, prendre qn pour modèle; *mit gutem ~*

vorangehen prêcher l'exemple, donner l'exemple *od* le bon exemple; **b~haft** *a* exemplaire; **b~los** *a* sans exemple, sans précédent, sans antécédents; sans pareil, sans égal; *(unvergleichlich)* incomparable; *(unerhört)* inouï; **~sfall** *m* précédent *m;* **b~shalber** *adv,* **b~sweise** *adv* à titre d'exemple, par exemple.
bei=springen *itr: jdm ~* aider, secourir qn, venir à la rescousse de qn.
beiß|en ‹biß, gebissen› ['baɪsən, (gə)'bɪs(ən)] *tr* mordre; *(stechen)* piquer; *itr (brennen)* brûler; *(kratzen, jucken)* gratter, démanger, picoter; *sich ~~ (Farben)* jurer; *in den sauren Apfel ~~ (müssen) (fig)* avaler la pilule; *(Rauch) in den Augen ~~* piquer les yeux; *ins Gras ~~ (müssen)* passer l'arme à gauche; *sich auf die Lippen ~~* se mordre les lèvres; *nichts zu ~~ haben (fam)* n'avoir rien à se mettre sous la dent; **~end** *a* mordant, piquant *a fig; (scharf)* acéré, âcre *a. fig; fig* caustique, virulent, amer; sarcastique, satirique; **B~erchen** *n* ‹-s, -› *(Kindersprache: Zahn)* quenotte *f;* **B~zange** *f* tenaille(s *pl*), pince *f* coupante.
Beistand *m (Hilfe)* main-forte, (entr-) aide *f,* secours *m,* assistance *f;* appui, soutien; conseil; *(Person)* soutien, défenseur; conseiller; *(Rechtsbeistand)* conseiller juridique, jurisconsulte, avocat; *(Sekundant)* témoin, second *m; jdm ~ leisten* prêter assistance *od* son appui *od* son concours, *bes. jur* main-forte à qn; **~spakt** *m pol* pacte *od* accord *m* d'assistance.
bei=stehen ‹*aux: haben*› *itr* secourir, aider, assister, seconder (*jdm* qn).
Beisteuer *f (Zuschuß)* contribution *f,* subside, secours *m* en argent; *(staatliche)* subvention *f;* **b~n** *tr* contribuer (*zu* à); *itr: dazu ~~* donner sa quote-part.
bei=stimm|en *itr* consentir; approuver (*jdm* qn); être de l'avis, se ranger à l'avis, abonder dans le sens, adopter l'opinion (*jdm* de qn); *(einwilligen)* donner son assentiment (*zu* à); **B~ung** *f* consentement *m,* approbation *f; (Einwilligung)* assentiment *m.*
Beistrich *m (Komma)* virgule *f.*
Beitrag *m* contribution *f,* apport *m* (*zu* à) *a. fig; (Anteil)* (quote-)part, cotisation *f,* prorata, écot *m; (Mitgliedsbeitrag)* cotisation *f; (Zeitungsartikel)* article *m; e-n ~ leisten* contribuer (*zu etw* à qc); *s-n ~ leisten* apporter sa contribution (*zu* à), payer son écot; **bei=tragen** *tr* contribuer, concourir, aider (*zu* à) *etw zur Sache ~* faire avancer les choses; *viel zu etw ~* entrer pour beaucoup dans qc; *wesentlich, wenig, nichts ~~ zu etw* être pour beaucoup, peu, rien dans qc; **~seingang** *m* rentrée *f* des cotisations; **b~sfrei** *a (Person)* non-contribuable; *(Sache)* gratuit; **~smarke** *f* timbre *m* de cotisation; **b~spflichtig** *a* assujetti à des cotisations; **~spflichtige(r)** *m* contribuable, assujetti, cotisant *m;* **~szahlung** *f* cotisation *f.*
beitreib|bar *a* recouvrable, récupérable; **~en** *tr* recouvrer, faire rentrer; *mil* réquisitionner; **B~ung** *f* recouvrement *m,* rentrée; *mil* réquisition *f;* **B~ungskosten** *pl* frais *m pl* de recouvrement.
bei=treten ‹*aux: sein*› *itr (e-m Verein etc)* adhérer, s'affilier (*dat* à), s'enrôler, entrer (*dat* dans); *(e-r Partei, e-m Vertrag)* adhérer (*dat* à); *e-r Meinung ~* souscrire à une opinion.
Beitritt *m* ‹-(e)s, ø› affiliation, adhésion (*zu* à); entrée *f* (*zu* dans); *s-n ~ erklären* donner son adhésion; **~serklärung** *f* déclaration *f* d'accession; *(Schein)* acte *od* bulletin *m* d'adhésion.
Beiwagen *m (am Motorrad)* remorque *f* latérale, side-car *m.*
Beiwerk *n* accessoires *m pl,* hors-d'œuvre *m; modische(s) ~* accessoires *m pl* de mode.
bei=wohnen *itr* assister, participer, être présent, prendre part (*e-r S* à qc); *(beischlafen)* cohabiter, avoir des rapports sexuels (*jdm* avec qn).
Beiwort *n* ‹-(e)s, ⸚er› adjectif *m; schmückende(s) ~* épithète *f.*
Beize *f* ‹-, -n› ['baɪtsə] *tech* corrodant, mordant; *(für Metall)* produit *od* agent *od* liquide de décapage, décapant; *(Gerberei)* tan *m; (Küche)* marinade *f;* **b~n** *tr tech* corroder, mordre; *(Metall)* décaper, mordancer; *(Holz)* teindre; *(Färberei)* aluner; *(Tabak)* saucer; mouiller; *(Küche)* mariner; *schwarz ~~* ébéner; **~n** *n* corrosion *f,* décapage, mordançage *m.*
beizeiten [baɪ'tsaɪtən] *adv (früh)* de bonne heure; *(rechtzeitig)* à temps; en temps utile *od* opportun.
bei=zieh|en *tr (Sachverständigen)* adjoindre; faire appel (*jdn* à qn); **B~ung** *f* appel *m.*
Beiz|jagd ['baɪts-] *f (Falkenjagd)* chasse au faucon, fauconnerie *f;* **~vogel** *m* oiseau *m* dressé à la chasse.
bejah|en *tr* affirmer; *(gutheißen)* approuver; **~end** *a* affirmatif; *~~ antworten* répondre affirmativement; **~endenfalls** *adv* dans l'affirmative; **B~ung** *f* affirmation; réponse *f* affirmative.
bejahrt [bə'ja:rt] *a* âgé, vieux.
bejammern *tr* déplorer; se lamenter (*etw* sur qc); **~swert** *a* déplorable, lamentable, pitoyable, misérable.
bekämpf|en *tr* combattre; lutter (*etw* contre qc); faire la guerre (*etw* à qc); *(unterdrücken)* réprimer; **B~ung** *f* combat *m,* lutte (*e-r S* contre qc); *(Vernichtung)* destruction *f.*
bekannt [bə'kant] *a* connu (*als* comme; *für* pour; *bei* de); *(Sache)* public, notoire; *(berühmt)* renommé, célèbre, fameux; *persönlich ~* connu de sa personne; *jdn mit jdm ~ machen* présenter qn à qn, faire faire la connaissance de qn à qn; *allgemein ~ sein* être notoire *od* de notoriété; *dafür ~ sein, daß...* être connu pour *inf; mit jdm ~ sein* connaître qn; *etw als ~ voraussetzen* supposer la connaissance de qc; *~ werden* se faire connaître *od* un nom *od* une réputation; *(Sache)* s'ébruiter; *er ist mir ~* je le connais; *es ist mir ~* je le sais; *es ist mir ~, daß* je sais que; *es ist (allgemein) ~, daß* on sait que, on n'ignore pas que; *ein ~es Gesicht* une figure *od* un visage de connaissance; *~ wie ein bunter Hund* connu comme le loup blanc; *ein ~er Name (a.)* un nom-pilote; **B~e(r** *m***)** *f* connaissance *f; ein B~er, e-e B~e von mir* une personne de ma connaissance, un(e) de mes ami(e)s; *unter B~en* en pays de connaissance; **B~enkreis** *m* cercle *m* d'amis; **~ermaßen** *adv* notoirement; **B~gabe** *f* communication, notification *f;* **~geben** *tr* communiquer, notifier, donner avis de, annoncer, publier; **~lich** *adv* comme on sait; **~machen** *tr* annoncer, porter à la connaissance du public, rendre public, publier, afficher; divulguer; **B~machung** *f* annonce *f,* avis *m,* publication *f; amtliche* od *öffentliche ~~ (Anschlag)* avis *m* (au public); **B~schaft** *f* connaissance *f; (Personenkreis)* connaissances *f pl; bei näherer ~~ gewinnen* gagner à être connu; *jds* od *mit jdm ~~ machen* faire la connaissance de qn, faire *od* lier connaissance avec qn; *meine ~~ mit ihm ist schon alt* je le connais *od* nous nous connaissons déjà depuis longtemps.
Bekassine *f* ‹-, -n› [beka'si:nə] *(Sumpfschnepfe)* bécassine *f.*
bekehr|en *tr* convertir (*zu* à); *fig* persuader, gagner; **B~ung** *f* conversion *f;* **B~ungseifer** *m* zèle propagateur, prosélytisme *m.*
bekenn|en ‹*hat bekannt*› *tr* confesser; avouer; *sich ~~ zu (bes. rel)* professer, suivre; *Farbe ~~ (fig)* lever le masque, *fam* annoncer la couleur; *sich offen zu etw ~~* professer qc; *sich schuldig ~~* s'avouer coupable, avouer sa culpabilité; **B~er** *m rel* confesseur, fidèle; *allg* adepte, partisan *m;* **B~tnis** *n* ‹-sses, -sse› confession *f a. rel;* aveu *m; (Glaubensbekenntnis)* profession *f* de foi, credo; *(Sünden-, Schuldbekenntnis)* confiteor *m;* **B~tnisschule** *f* école *f* confessionnelle.
beklag|en *tr* déplorer, plaindre, regretter; *(bemitleiden)* s'apitoyer (*jdn* sur qn); *sich ~~* se plaindre (*bei jdm über etw* de qc à qn), réclamer (*bei jdm* auprès de qn); *Menschenleben sind nicht zu ~~* il n'y a pas de morts; **~enswert** *a,* **~enswürdig** *a* déplorable, regrettable; *(bemitleidenswert)* digne de pitié *od* compassion, à plaindre; **B~te(r** *m***)** *f jur* défendeur *m,* défenderesse *f.*
bekleben *tr* coller (*etw mit etw* qc sur qc).
bekleckern *tr fam* barbouiller.
beklecksen *tr* couvrir de taches; tacher (*mit Tinte* d'encre).
bekleid|en *tr* habiller, vêtir (*mit* de); *(ein Amt)* occuper, remplir, exercer; *ein Amt ~~* occuper *od* remplir un emploi *od* une charge, exercer une fonction; **B~ung** *f* habillement, vêtement(s *pl*) *m;* **B~ungsamt** *n mil* magasin *od* atelier *m* d'habillement;

B~ungsgegenstände *m pl* effets *m pl* d'habillement; **B~ungshaus** *n* maison *f* de confection; **B~ungsindustrie** *f* industrie *f* du vêtement.
beklemm|en *tr* oppresser, serrer le cœur à; **~end** *a* angoissant, étouffant; **B~ung** *f* oppression *f*, serrement *m* de cœur, angoisse *f; (Atemnot)* étouffement *m*.
beklommen [bəˈklɔmən] *a* oppressé, serré; mal à l'aise; **B~heit** *f* ‹-, ø› serrement *m* de cœur, angoisse *f*.
bekloppt [bəˈklɔpt] *a pop (dumm)* gourde, *arg* toc; *~ sein* en avoir une couche.
bekohl|en *tr mar loc* approvisionner *od* ravitailler en charbon; **B~ung** *f* approvisionnement *od* ravitaillement *m* en charbon.
bekommen *tr* recevoir; *(durch Bemühung)* obtenir; *(e-e Krankheit)* attraper, contracter; *itr* ‹*aux: sein*› *impers (guttun)* réussir, faire du bien (*jdm* à qn); *Angst ~* prendre peur; *e-n Bauch ~* prendre du ventre; *zu Gesicht ~* voir; *graue Haare ~* grisonner; *Hunger, Durst ~* commencer à avoir faim, soif; *Junge ~* mettre bas; *ein Kind ~ (schwanger sein)* être enceinte; *(niederkommen)* accoucher (d'un enfant); *e-n Korb ~ (fig)* essuyer un refus; *Lust ~* avoir envie (*etw zu tun* de faire qc); *e-n Orden ~* recevoir une décoration; *Schläge ~* être battu; *e-n Schnupfen ~* s'enrhumer; *von etw Wind ~ (fig)* avoir vent de qc; *Zähne ~* faire ses dents; *den Zug ~* attraper le train; *ich habe es geschenkt ~* on me l'a offert; *das bekommt mir gut* cela me fait du bien; *das bekommt mir nicht* cela ne me vaut rien; *das ist mir schlecht ~* cela ne m'a pas réussi; *davon habe ich nichts zu sehen ~* on ne m'en a rien fait voir; *er bekommt e-n Bart* la barbe lui pousse; *es ist nirgends zu ~* on ne le trouve nulle part; *wir werden Regen ~* il pleuvra, il va pleuvoir; *~ Sie schon?* on vous sert? *was ~ (wünschen) Sie?* vous désirez? *was* od *wieviel ~ Sie?* je vous dois combien? *wo bekommt man ...?* où trouve-t-on ...? *wohl bekomm's!* à votre santé! grand bien vous fasse!
bekömmlich [bəˈkœmlıç] *a (Speise)* digest(ibl)e, sain et léger, **B~keit** *f* ‹-, ø› digestibilité *f*.
beköstig|en [bəˈkœstıgən] *tr* nourrir; **B~ung** *f* ‹-, (-en)› nourriture, alimentation *f*.
bekräftig|en [bəˈkrɛftıgən] *tr* confirmer, (ré)affirmer, corroborer; *eidlich ~~* affirmer par serment; **B~ung** *f* confirmation, affirmation, corroboration *f; zur ~~ s-r Worte* à l'appui de ses paroles.
bekränz|en *tr* couronner (*mit* de); **B~ung** *f* couronnement *m (mit* de).
be=kreuz|en *tr* faire le signe de la croix (*jdn* sur qn); **~igen,** *sich* se signer.
bekriegen *tr* faire la guerre (*jdn* à qn).
bekritteln *tr* gloser; épiloguer (*etw* sur qc), critiquer.
bekritzeln *tr* griffonner (*etw* sur qc).
bekümmer|n *tr* chagriner, peiner, affliger; *sich ~~* se soucier (*um* de); s'occuper, avoir soin (*um* de); **B~nis** *f* ‹-, -sse› chagrin *m*, peine, affliction *f*; souci *m;* **~t** *a* chagrin, peiné, affligé.
bekund|en *tr* manifester, montrer, exprimer, traduire, révéler; *(durch Worte)* dire; proclamer; témoigner (*etw* de qc); *jur* déclarer, déposer; **B~ung** *f* manifestation, expression *f;* témoignage *m;* déclaration, déposition *f*.
belächeln *tr* sourire, (*jdn, etw* de qn, de qc).
belad|en *tr* charger (*mit* de); *fig* accabler (*mit* de); *pp a* chargé (*mit* de); **B~ung** *f* chargement *m*.
Belag *m* ‹-(e)s, ¨-e› [bəˈla:k, -ˈlɛgə] couche *f*, enduit; *(Verkleidung)* revêtement, doublage, garnissage; *(Spiegel)* tain; *(Brücke)* tablier; *(Straße)* tapis *m* (routier); *(Küche)* garniture *f; med (Zahnbelag)* dépôt *m; e-n ~ auf der Zunge haben* avoir la langue chargée.
Belager|er *m* ‹-s, -› assiégeant *m;* **b~n** *tr* assiéger; **~ung** *f* siège *m; die ~~ aufheben* lever le siège; **~ungszustand** *m pol* état *m* de siège; *den ~~ verhängen* déclarer *od* proclamer l'état de siège.
Belang *m* ‹-(e)s, -e› [bəˈlaŋ] *(nur in bestimmten Wendungen); pl* intérêts *m pl; von ~* d'importance; *nicht von ~, ohne ~* sans importance *od* conséquence, insignifiant; *von ~ sein* compter; *jds ~e wahrnehmen* servir *od* seconder *od* favoriser les intérêts de qn; *das ist (hier) ohne ~* cela n'a pas d'importance; **b~en** *tr: (gerichtlich) ~~* traduire *od* attaquer en justice; intenter des poursuites (*jdn* contre qn); déférer à la justice, prendre à partie; *was mich ~t* quant à moi; **b~los** *a* sans importance, insignifiant, futile, négligeable, de peu de poids, de rien; **~losigkeit** *f* insignifiance, futilité, ténuité; *(eine bestimmte)* quantité *f* négligeable; **b~reich** *a* important, d'importance, de conséquence; **~ung** *f jur* poursuites *f pl*.
belassen *tr* laisser; *es dabei ~* s'en tenir là.
Belast|barkeit *f* capacité *od* charge *f* admise: **b~en** *tr* charger (*mit* de); poser sur; *tech (beanspruchen)* soumettre à un effort; *com (Person)* inscrire *od* porter (*etw* qc) au débit (*jdm* de qn); *(Konto)* débiter (*mit* de); *(Grundstück)* grever d'une hypothèque, hypothéquer; *(mit Steuern)* grever (*mit* de); *(beschuldigen)* charger, incriminer, compromettre; *fig* grever, accabler; *jur* incriminer; *vorweg ~~ (fig)* hypothéquer; *sich ~~* se charger (*mit* de); **b~end** *a: ~~e(s) Material n (jur)* pièces *f pl* à conviction; **b~et** *a: erblich ~~* héréditairement taré; *erblich ~~ sein* avoir une lourde hérédité *od* de qui tenir; *(mit e-r Hypothek) ~~* grevé d'une hypothèque, hypothéqué; *mit Schulden ~~* accablé *od* grevé de dettes, endetté; **~ung** *f* charge *f; tech (Beanspruchung)* effort, travail *m*. sollicitation *f; tele* débit *m; com* inscription au débit (*e-s Kontos* d'un compte), imputation (*e-s Kontos* à un compte); *(e-s Grundstücks)* hypothèque; *jur* charge, incrimination *f; fig* accablement *m; erbliche ~~* tare *f* héréditaire, fardeau *m* génétique; *steuerliche ~~* charge *f* fiscale; *zulässige ~~ (tech)* charge *f* admissible; **~ungsanzeige** *f fin* avis *m* de débit; **~ungsfähigkeit** *f tech* capacité *f;* **~ungsfaktor** *m tele* facteur de charge, coefficient *m* d'utilisation; **~ungsgrenze** *f tech* degré *m od* limite *f* de charge; **~ungsmaterial** *n jur* pièces *f pl* à conviction; **~ungsprobe** *f tech* essai *m* de charge; *fig* épreuve *f;* **~ungsschwankung** *f tech* variation *od* fluctuation *f* de charge; **~ungsspitze** *f* pointe *f* de charge; **~ungszeuge** *m jur* témoin *m* à charge.
belästig|en [-ˈlɛst-] *tr* incommoder, importuner, molester, tracasser, harceler, tirailler; *fam* tarabuster, turlupiner; *(stören)* déranger, gêner; *jdn mit Fragen ~~* accabler qn de questions; **B~ung** *f* molestation, tracasserie *f*, harcèlement, dérangement *m*.
belaub|en, *sich* se couvrir *od* se garnir de feuillage *od* de verdure; **~t** *a* feuillu; *dich ~~* touffu.
belauern *tr* guetter, épier.
belaufen: *sich ~ auf* s'élever à, se chiffrer à *od* par, s'établir à; *sich insgesamt ~ auf* se totaliser à, *com* totaliser.
belauschen *tr* épier (les paroles de); *(Geheimnis)* surprendre.
Belchen ‹-s› [ˈbɛlçən]*: der Elsässer ~ (Berg)* le Ballon d'Alsace.
beleb|en *tr* (r)animer, vivifier, aviver; *(ermutigen)* encourager; *med* stimuler; *sich ~~* s'animer, se ranimer; **~end** *a* animateur, vivifiant, vivificateur; *med* stimulant, *fam* remontant; **~t** *a (lebend)* vivant, animé; *(lebhaft)* vif; *(verkehrsreich)* fréquenté, animé, passant, vivant; **B~theit** *f* ‹-, ø› *(e-r Straße, e-s Platzes)* animation *f;* **B~ung** *f* ‹-, ø› animation; stimulation; *com* reprise *f; ~~ der Wirtschaft* redressement *m* économique.
belecken *tr* lécher.
Beleg *m* ‹-(e)s, -e› [beˈle:k, -gə] *(Beweis)* preuve; *(Beweisstück)* pièce *f* à l'appui *od (bes. com)* justificative, document; *(Beispiel)* exemple attesté *m; als ~* à titre documentaire; *für* à l'appui de; *kann ich für diesen Betrag e-n ~ haben?* est-ce que je peux avoir une facture pour cette somme? **b~en** *tr (bedecken)* (re)couvrir (*mit* de); *(verkleiden, überziehen)* revêtir, plaquer, incruster (*mit* de); *(Spiegel)* étamer; *(Scheibe Brot)* garnir (*mit* de); *agr (weibl Tier)* couvrir; *(e-n Platz)* retenir, réserver; marquer; *(Zimmer, Haus)* occuper; *(Vorlesung)* s'inscrire à; *(mit Abgaben)* grever (*mit* de); *fig (durch ein Schriftstück beweisen)* prouver, justifier, documenter; appuyer (*mit* par); *mit dem Bann ~~ (rel)* excom-

munier, anathématiser; *mit Beschlag ~~* saisir, confisquer; *mit Bomben ~~* bombarder; *mit Feuer ~~ (mil)* prendre sous le feu; *mit Fliesen ~~* daller, carreler; *den zweiten* etc *Platz ~~ (sport)* se classer *od* placer deuxième *etc; mit Steuern ~~* grever d'impôts, imposer, taxer; *jdn mit e-r Strafe ~~* infliger une peine à qn; **~-exemplar** *n* exemplaire *m* justificatif; **~nummer** *f* numéro *m* justificatif; **~quittung** *f* quittance *f* comptable; **~schaft** *f* personnel *od* effectif *m od* équipe *f* d'une *od* de l'entreprise, ensemble *m* des salariés *od* des employés; *mines (Schicht)* équipe *f;* **~schaftsmitglied** *n* membre *m* du personnel; **~stelle** *f* référence, citation *f,* passage *m* (à l'appui); **~stück** *n* pièce *f* à l'appui *od* justificative, document *m;* = *~exemplar;* **b~t** [-'le:kt] *a (Platz)* réservé; occupé *a. tele; (Stimme)* couvert, voilé; *(Wortform)* attesté; *(Zunge)* chargé, empâté; *~~e(s) Brot n* sandwich *m;* **~ung** *f* ‹-, (-en)› [-gʊŋ] recouvrement; revêtement, placage *m,* incrustation *f;* étamage *m; mil* occupation; *(Vorlesung)* inscription; *fig (Beweis)* preuve, justification, documentation; *(durch Beispiele)* illustration *f.*

belehn|en *tr hist: jdn mit etw ~~* donner qc en fief à qn; **B~ung** *f* inféodation; investiture *f.*

belehr|en *tr* instruire, renseigner (*jdn über etw* qn sur qc), informer (*jdn über etw* qn de qc), faire savoir (*jdn über etw* qc à qn); *(aufklären)* éclairer; *jdn e-s Besser(e)n ~~* détromper qn, ouvrir les yeux à qn; *sich (nicht) ~~ lassen* (ne pas) entendre raison; **B~ung** *f* instruction *f,* renseignement *m,* information; leçon; *(Berichtigung)* rectification *f.*

beleibt [bə'laɪpt] *a* corpulent, replet, gros, pansu; *fam* ventru, ventripotent; **B~heit** *f* ‹-, ø› corpulence *f,* embonpoint *m.*

beleidig|en [-'laɪd-] *tr* offenser, insulter, injurier, faire un affront à, outrager; *(kränken)* blesser, froisser; *(Ohr, Auge)* offenser, offusquer, *ea. ~~* se renvoyer des injures; *schwer ~~* piquer au vif; *jdn tätlich ~~* se livrer à des voies de fait contre qn; *sich ~t fühlen* se sentir offensé; *gleich* od *leicht ~t sein* se vexer pour un rien, prendre la mouche; **~end** *a* injurieux, offensant, insultant, outrageant; **B~er** *m* ‹-s, -› offenseur, insulteur *m;* **B~te(r)** *m* offensé, insulté *m;* **B~ung** *f* offense, insulte, injure *f,* affront, outrage *m; (Kränkung)* blessure *f,* froissement *m; in ~~en ausbrechen* exploser en injures; *~~en ausstoßen* proférer des injures; *e-e ~~ hinnehmen* od *einstecken* souffrir une insulte, avaler un affront; *~~en einstecken* avaler des couleuvres; *e-e ~~ nicht auf sich sitzenlassen* laver une insulte; *öffentliche ~~* affront *m* public; *schwere ~~* injure *f* grave; *tätliche ~~* voies *f pl* de fait; **B~ungsklage** *f* plainte *f* en diffamation; **B~ungsprozeß** *m* procès *m* en diffamation.

beleih|en *tr (Geldgeber)* prêter *od* avancer sur; *(Geldnehmer)* gager (un emprunt sur); **B~ung** *f* mise *f* en gage, prêt *m* sur gage.

Belemnit *m* ‹-en, -en› [belɛm'ni:t, -'nɪt] *geol* bélemnite *f,* téton *m* du diable.

belesen *a* qui a beaucoup lu; *(gebildet)* lettré, instruit; *~ sein (a.)* avoir des lettres; **B~heit** *f* ‹-, (-en)› instruction *f.*

beleucht|en *tr* éclairer; *(festlich)* illuminer; *fig* éclaircir; donner des éclaircissements sur; *es näher ~~* y regarder de plus près; **B~er** *m* ‹-s, -› *theat film* électricien *m;* **B~ung** *f* ‹-, (-en)› éclairage *m;* illumination *f;* embrasement; *fig* éclaircissement *m; elektrische ~~* éclairage *m* électrique; *indirekte ~~* éclairage *m* indirect; *künstliche ~~* éclairage *m* artificiel; **B~ungsanlage** *f* installation *f* d'éclairage; **B~ungsarmatur** *f* appareillage *m* d'éclairage; **B~ungsingenieur** *m* ingénieur *m* éclairagiste; **B~ungskörper** *m* appareil d'éclairage, luminaire *m;* **B~ungskosten** *pl* frais *m pl* d'éclairage; **B~ungsstärke** *f* intensité *f* d'éclairage; **B~ungstechnik** *f* technique *f* de l'éclairage; **B~ungstechniker** *m* éclairagiste *m.*

beleum(un)det [bə'lɔʏm(un)dət] *a: gut, schlecht ~ sein* avoir une bonne, mauvaise réputation.

belfern ['bɛlfərn] *itr fam (laut schimpfen)* criailler, clabauder, aboyer.

Belg|ien *n* ‹-s› ['bɛlgiən] la Belgique; **~ier(in** *f***)** *m* ‹-s, -› [-giər] Belge *m f;* **b~isch** *a* belge.

belicht|en *tr phot* exposer; **~et** *a* exposé; **B~ung** *f* ‹-, (-en)› exposition, pose *f;* **B~ungsdauer** *f* (temps *m* de) pose *f;* **B~ungsmesser** *m* posemètre *m;* **B~ungstabelle** *f* indicateur *m* de temps de pose; **B~ungszeit** *f* = *B~ungsdauer.*

belieb|en *itr (wünschen, geruhen)* daigner (*zu tun* faire), condescendre (*zu tun* à faire); *es ~t mir zu tun* il me prend la fantaisie de faire; *wie es mir ~t* à ma fantaisie; *wie es Ihnen ~t* à votre aise *od* gré *od* guise; *wenn es Ihnen ~t* si bon vous semble; *Sie ~~ zu scherzen* vous plaisantez; *wie ~t?* plaît-il? **B~en** *n* volonté *f,* gré; (bon) plaisir; goût *m,* convenance *f; nach ~~* à volonté, à discrétion, à mon *etc* gré, librement; *(ganz) nach Ihrem ~~* comme il vous plaira, à votre gré *od* convenance; *es steht (ganz) in Ihrem ~~ zu tun* vous êtes libre de faire; *handeln Sie ganz nach Ihrem ~~!* faites ce que bon vous semble! **~ig** *a* au choix, quelconque, n'importe quel; *(wahlfrei)* facultatif; *adv* = *nach B~en; jeder B~~e* le premier venu, qui que ce soit, n'importe qui; *von ~~er Größe* de la dimension qu'on voudra; *zu jeder ~~en Zeit* à n'importe quelle heure; *~~ viel(e)* n'importe combien; **~t** *a* favori, aimé, en faveur, populaire; *(Sache)* recherché, en vogue; *sich ~~ machen* se faire bien voir; *bei jdm* se faire bien voir de qn, s'insinuer dans les bonnes grâces de qn; *bei jdm ~~ sein* être en grâce auprès de qn *od* dans les bonnes grâces de qn; **B~theit** *f* ‹-, ø› popularité *f; sich großer ~~ erfreuen* jouir d'une grande popularité.

beliefer|n *tr* fournir (*jdn mit etw* qc à qn); approvisionner (*mit* de, en); **B~ung** *f* fourniture *f;* approvisionnement *m* (*mit* de, en).

Belladonna *f* ‹-, -nnen› [bɛla'dɔna] *bot* belladone *f.*

bellen ['bɛlən] *itr* aboyer; *(Fuchs)* glapir; **B~** *n* aboiement; glapissement *m.*

Belletrist *m* ‹-en, -en› [bɛle'trɪst] homme *m* de lettres (*pl* gens *pl* de lettres), littérateur *m;* **~ik** *f* ‹-, ø› [-'trɪstɪk] (belles-)lettres *f pl;* **b~isch** *a* littéraire.

belobig|en *tr* louer; *öffentlich ~~* citer à l'ordre du jour; **B~ung** *f* louange *f;* éloge *m; öffentliche ~~ (a. Schule)* accessit *m.*

belohn|en *tr* récompenser (*für* de); **B~ung** *f* récompense *f; zur ~~* pour récompense; *für* en récompense de; *e-e ~~ aussetzen* offrir une récompense.

belüft|en *tr tech* aérer, ventiler; **B~ung** *f* ‹-, (-en)› aérage *m,* aération, ventilation *f;* **B~ungsanlage** *f* installation *f* d'aération, aérateur *m.*

belügen *tr* mentir, dire un mensonge (*jdn* à qn).

belustig|en *tr* amuser, réjouir, égayer, divertir; **~t** *a* amusé (*über* de); **B~ung** *f* ‹-, (-en)› amusement, divertissement *m,* réjouissance *f.*

bemächtigen [-'mɛçt-] , *sich* s'emparer (*e-r S* de qc); *sich des Thrones ~* usurper le trône.

bemäkeln [bə'mɛ:kəln] *tr* critiquer.

bemal|en *tr* peindre; **B~ung** *f* peinture *f.*

bemängeln *tr* critiquer, blâmer; trouver regrettable (*daß* que) **B~(e)lung** *f* critique *f.*

bemann|en *tr mar* équiper; armer; **~t** *a (Rakete, Raumfahrzeug)* habité (*mit* par); occupé par des hommes, avec équipage; **B~ung** *f* équipement; armement *m.*

bemäntel|n [bə'mɛntəln] *tr* pallier; voiler; masquer, déguiser, dissimuler, camoufler; *(beschönigen)* farder; **B~ung** *f* déguisement, camouflage *m.*

bemast|en *tr mar* mâter; **B~ung** *f* mâture *f.*

bemeiern [bə'maɪərn] *tr fam (reinlegen)* filouter, rouler, duper.

bemeistern, *sich* se maîtriser.

bemerk|bar *a: sich ~~ machen* se faire remarquer *od* sentir; *(Person)* se mettre en évidence; **~en** *tr (wahrnehmen)* percevoir, apercevoir, s'apercevoir de, aviser, observer; noter; remarquer *(a. äußern); (erwähnen)* mentionner, signaler; **~enswert** *a* remarquable, notable; **B~ung** *f* remarque, observation, note *f; e-e ~~ über etw machen* faire

une remarque sur qc; *boshafte ~~en (pl)* gloses, méchancetés *f pl.*
bemess|en *a: knapp ~* mesuré trop juste; chichement compté; **B~ungsgrundlage** *f adm* base *f* de calcul.
bemitleiden [bə'mɪt'laɪdən] *tr* s'apitoyer (*jdn* sur qn), avoir pitié (*jdn* de qn), avoir de la compassion (*jdn* pour qn); *du bist zu ~* tu es à plaindre; **~swert** *a* digne de pitié, pitoyable.
bemittelt *a* fortuné, aisé.
bemogeln [bə'mo:gəln] *tr fam (betrügen)* filouter, rouler; *pop* refaire.
bemoost [bə'mo:st] *a* moussu, couvert de mousse; *~e(s) Haupt n* tête *f* chenue.
bemüh|en [bə'my:ən] *tr* donner de la peine (*jdn* à qn), mettre en peine, déranger, incommoder; *jdn ~~, etw zu tun* prier qn de faire qc; *sich ~~* se donner de la peine *od* du mal (*um etw* pour qc), prendre à tâche (*um etw* qc); *etw zu tun* prendre la peine *od* se mettre en peine *od* s'efforcer de faire qc; *(sich Mühe geben)* faire des efforts (*etw zu tun* pour faire qc); *sich ins Haus ~~* prendre la peine d'entrer; *(um e-e Stellung)* solliciter, briguer (*um etw* qc); *für jdn* faire des démarches pour qn; *sich sehr* od *eifrig um jdn ~~* être assidu auprès de qn, s'affairer autour de qn; *jdn umsonst ~~* faire courir qn; *sich umsonst* od *vergeblich ~~* perdre son temps; *fam* se battre les flancs; *~~ Sie sich nicht!* ne vous dérangez pas; **~t** *a: (darum) ~~ sein, etw zu tun* s'efforcer de faire qc; **B~ung** *f* effort *m,* peine *f,* empressement *m; s-e ~~en bedauern* regretter sa peine; *ärztliche ~~en (pl)* soins *m pl* médicaux; *erfolgreiche, ergebnislose ~~en (pl)* efforts *m pl* couronnés de succès, infructueux.
bemüßigt [bə'my:sɪçt] *a: sich ~ fühlen* od *sehen* se voir contraint *od* obligé.
bemuttern *tr* entourer de soins maternels; *iron* dorloter.
benachbart [-'nax-] *a* voisin, avoisinant; circonvoisin, d'alentour.
benachrichtig|en [-'na:x-] *tr* informer, aviser, avertir, prévenir, mettre au courant *od* fait (*von etw* de qc); *arg* rencarder; **B~ung** *f (Vorgang)* information *f,* avertissement; *(Nachricht)* avis *m,* communication *f,* faire-part *m; ohne vorherige ~~* sans avis préalable; *ohne weitere ~~* sans autre avis; *schriftliche ~~* avis *m* par écrit.
benachteilig|en [-'na:x-] *tr* désavantager, défavoriser, handicaper *a. sport; (schädigen)* porter préjudice, faire tort (*jdn* à qn); *jur* léser; **~t** *a* désavantagé, défavorisé, handicapé; **B~ung** *f* désavantage, handicap *m.*
benageln *tr (Schuhe)* clouter.
benagen *tr* ronger.
benamsen [bə'na:mzən] *tr* nommer, appeler, dénommer, surnommer.
benebelt *a fam (betrunken)* gris.

Benediktiner|(in *f***)** *m* ‹-s, -› [benedɪk'ti:nər] *rel* bénédictin, e *m f; (Likör)* bénédictine *f;* **~orden** *m* ordre *m* de Saint-Benoît, (ordre *m* des) Bénédictins *m pl.*
Benefizvorstellung [bene'fi:ts-] *f* représentation *f* à bénéfice.
benehmen *tr (nehmen)* enlever, ôter, prendre; *sich ~* se comporter, se conduire, s'y prendre (*wie, als* comme, en); faire œuvre (*als* de); *jdm den Atem ~* couper le souffle *od* la respiration à qn; *sich (gut) ~* bien se conduire; *jdm den Mut ~* décourager qn; *sich ~ können* avoir du savoir-vivre; **B~** *n* comportement *m,* conduite *f,* procédé(s *pl*) *m,* manières *f pl;* allure(s *pl*) *f; sich mit jdm ins ~~ setzen* entrer en rapport avec qn, prendre contact avec qn, contacter qn; se concerter avec qn; *gute(s) ~* bonne conduite *f,* bonnes manières *f pl;* savoir-vivre, usage *m* du monde; *schlechte(s) ~~* mauvaise conduite *f; ungeschickt(s) ~~* gaucherie *f.*
beneid|en *tr* envier (*jdn um etw* qc à qn), porter envie (*jdn um etw* à qn de qc); *er ~et dich um dein Glück* il est jaloux de ton bonheur; **~enswert** *a* enviable, digne d'envie.
Benelux(staaten *mpl***)** ['be:-, bene'luks] pays *m pl* du Benelux *od* Bénélux.
benenn|en *tr* nommer, appeler; dénommer, désigner; *(Straße)* baptiser; *(vorschlagen)* proposer (*als* comme); *(festsetzen, bestimmen)* fixer; *pp (benannt) math* concret; **B~ung** *f* appellation, dénomination, désignation *f; Einteilung und ~~ (scient)* nomenclature *f.*
benetzen [bə'nɛtsən] *tr lit poet* humecter, arroser (*mit* de); *chem* mouiller.
bengalisch [bɛŋ'ga:lɪʃ] *a: ~e(s) Feuer n* feu *m* de Bengale.
Bengel *m* ‹-s, -/-s› ['bɛŋəl] gamin, galopin, polisson, *fam* gosse *m.*
benommen *a* engourdi, abasourdi; *~ sein* avoir la tête lourde; *von etw ~ sein* être sous le coup de qc; **B~heit** *f* ‹-, (-en)› engourdissement *m;* lourdeur *f* de tête.
benötig|en [bə'nø:tɪgən] *tr* avoir besoin (*etw* de qc), nécessiter; *etw dringend ~~* avoir grand besoin *od* un besoin urgent de qc; **~t** *a (erforderlich)* nécessaire.
benummern *tr* numéroter.
benutz|bar *a* utilisable; *(Weg, Straße)* praticable; *nicht ~~* inemployable; *(Weg, Straße)* impraticable, non carrossable; **~en, benützen** *tr* utiliser, employer; user, faire usage (*etw* de qc); mettre en œuvre; se servir (*etw* de qc); *(Weg, Fahrzeug)* emprunter; *(Fahrkarte)* utiliser; *die Gelegenheit ~~* profiter de l'occasion; *ich habe die Nächte dazu ~t* je prenais sur mes nuits; *das Zimmer wird nicht ~t* la pièce ne sert pas; *nicht mehr ~t* désaffecté; **B~er** *m* ‹-s, -› usager, utilisateur *m;* **B~ung** *f* utilisation *f,* emploi; usage *m; mit, unter ~~ (gen)* à l'aide (de); **B~ungsgebühr** *f* droit *m* d'utilisation, *(Straße)* de péage; **B~ungsrecht** *n* droit *m* d'usage *od* de jouissance.
Benzin *n* ‹-s, -e› [bɛnt'si:n] *mot chem* benzine; *mot (Petroleumbenzin)* essence *f;* **~behälter** *m* réservoir *m* d'essence; **~faß** *n* fût *m* d'essence; **~feuerzeug** *n* briquet *m* à essence; **~filter** *m* filtre *m* à essence; **~hahn** *m* robinet *m* d'essence; **~kanister** *m* bidon *m* d'essence, nourrice *f* à essence, jerrycan *m;* **~kocher** *m* réchaud *m* à essence; **~lager** *n* dépôt *od* entrepôt *m* d'essence; **~leitung** *f mot* tuyauterie *f* d'essence; **~mangel** *m mot* panne *f* d'essence *od* sèche; **~motor** *m* moteur *m* à essence *od* à pétrole; **~-Öl-Gemisch** *n* essence *f* graissée à l'huile; **~pumpe** *f* pompe *f* à essence; **~stand** *m* niveau *m* d'essence; **~standsmesser** *m* jauge *f* à essence, indicateur *m* d'essence; **~tank** *m* réservoir *m* à essence; **~verbrauch** *m* consommation *f* d'essence; **~zapfstelle** *f* distributeur *m* d'essence; **~zufuhr** *f* arrivée *f* d'essence; **~zuleitung** *f* tuyau *m* de prise d'essence.
Benzoe *f* ‹-, ø› ['bɛntsoe] *(Harz)* benjoin *m;* **~baum** *m* badamier *m;* **~säure** *f* acide *m* benzoïque; **~tinktur** *f pharm* lait *m* virginal.
Benzol *n* ‹-s, -e› [bɛn'tso:l] *chem* benzène *m.*
beobacht|en [bə'ʔo:baxtən] *tr* observer; *(genau)* examiner, scruter; *(heimlich)* épier; *(überwachen)* surveiller; *(beachten)* suivre; *(einhalten)* observer, garder; *Stillschweigen ~~* garder le silence; **~end** *a* observateur; **B~er** *m* ‹-s, -› observateur; *(Zuschauer)* spectateur *m;* **B~ung** *f a. tech* observation *f;* examen *m;* surveillance; *rel jur* observance *f; e-e* od *die ~~ machen* observer; *unter ~~ (med)* en observation; *unter ~~ stehen* être surveillé; **B~ungsballon** *m* ballon *m* d'observation; **B~ungsbühne** *f* plate-forme *f* d'observation; **B~ungsflugzeug** *n* avion *m* d'observation; **B~ungsgabe** *f* pouvoir *od* esprit *m* d'observation; **B~ungsoffizier** *m* officier-conseil *m;* **B~ungsposten** *m,* **B~ungsstand** *m mil* poste *m* d'observation; **B~ungswert** *m (Statistik)* observation *f.*
beorder|n *tr* commander; donner l'ordre (*jdn etw zu tun* à qn de faire qc); envoyer (*zu* chez; *nach* à); **~t** *werden* recevoir ordre (*zu* de); **B~ung** *f* commandement, ordre *m.*
bepack|en *tr* charger (*mit* de); *schwer ~t* lourdement chargé.
bepflanz|en *tr* planter (*mit* de); **B~ung** *f* plantation *f.*
beplanken *tr mar* border.
bequem [bə'kve:m] *a* commode, aisé, à l'aise, facile; *(behaglich)* confortable; *(passend)* large; *(Ausrede)* (trop) facile, commode; *(Mensch: umgänglich)* facile, agréable; qui aime ses aises; *fam (träge)* paresseux; *es sich ~ machen* se mettre à l'aise; *machen Sie es sich ~!* mettez-vous à l'aise *od* à votre aise! *adv* facilement, aisément, *fam* à l'aise; **~en,** *sich* s'accomoder, condescendre, se prêter (*zu etw* à qc), daigner (*etw zu tun* faire qc); *(sich fügen)* se confor-

mer, se plier (*zu* à); **B~lichkeit** *f* commodité *f,* aises *f pl,* confort *m; paresse,* nonchalance *f; in aller ~~ (a. fam)* en pantoufles; *der ~~ wegen* pour plus de facilités; *die ~~ lieben* aimer son confort *od* ses aises; *mangelnde ~~en* inconfort *m.*

Berapp *m* ⟨-(e)s, ø⟩ *(Verputz)* crépi *m;* **b~en 1.** *tr* ravaler.

berappen 2. *tr fam (bezahlen)* abouler.

berat|en *tr* conseiller; donner des conseils (*jdn* à qn); *itr* u. *sich ~~ (ratschlagen)* délibérer, conférer (*über etw* sur qc); réfléchir (*ob* pour savoir si); tenir conseil; *jdn gut, schlecht ~~* donner de bons, mauvais conseils à qn; *pp u. a: gut, schlecht ~~* bien, mal conseillé *od* avisé; **~end** *a* consultatif; *~~e Stimme haben* avoir voix consultative; *~~e(r) Arzt m* médecin *m* consultant; *~~e(r) Ausschuß m* comité *m* consultatif; **B~er** *m* ⟨-s, -⟩ conseiller; *jur* conseil; *(Industrieberater)* expert *m* conseil; *technische(r) ~~* ingénieur *m* conseil; **~schlagen** *itr* ⟨*du beratschlagst, er beratschlagte, hat beratschlagt*⟩ = *~en itr* u. *sich ~en;* **B~schlagung** *f* délibération, conférence *f;* **B~ung** *f bes. jur med* consultation *f;* = *B~schlagung; zur ~~ stellen* mettre en délibération; *ärztliche ~~* consultation *f* médicale; **B~ungsstelle** *f* service *m* de consultation; **B~ungszimmer** *n* salle des délibérations, chambre *f* du conseil.

beraub|en *tr* voler, dépouiller, dévaliser, piller, spolier; *pop* détrousser; *fig (e-s Rechts, e-s Vorteils)* priver (*gen* de); **B~ung** *f* dépouillement *m,* spoliation *f.*

beräucher|n *tr* [bəˈrɔʏçərn] enfumer; *(mit Weihrauch)* encenser *a. fig; fig (umschmeicheln)* aduler, flagorner; **B~ung** *f* ⟨-,(-en)⟩ encensement *m;* adulation *f.*

berausch|en *tr a. fig* griser, enivrer; *fig* passionner, enthousiasmer; *sich ~~ (a. fig)* se griser, s'enivrer (*an* de); **~end** *a* capiteux; *a. fig* grisant, enivrant; *~~e Schönheit f* beauté *f* ravissante; **~t** *a* gris; *a. fig* ivre; **B~theit** *f* ⟨-,(-en)⟩ *a. fig* griserie, ivresse *f.*

Berberitze *f* ⟨-, -n⟩ [bɛrbəˈrɪtsə] *bot* épine-vinette *f.*

berechenbar *a* [bəˈrɛçən-] calculable; *(abschätzbar)* évaluable, appréciable; **B~keit** *f* appréciabilité *f.*

berechn|en *tr* calculer, compter (*jdm etw* qc à qn); *(schätzen)* évaluer, estimer, supputer; *(in Rechnung stellen)* mettre en compte, porter *od* inscrire au débit (*jdm* de qn); **~end** *a* calculateur; *(auf s-n Vorteil bedacht)* intéressé, égoïste; **~et** *a: auf etw ~~ sein* être destiné *od* fait pour qc; **B~ung** *f* calcul, compte *m;* évaluation, estimation, supputation *f; (Voranschlag)* devis *m; (Anrechnung)* facturation, mise en compte; *fig (Absicht)* politique *f; aus ~~* par politique, par calcul; *~~en anstellen* faire *od* effectuer des calculs; *überschlägliche ~~* calcul *m* approximatif; **B~ungsgrundlage** *f* base *f* de calcul.

berechtig|en [-ˈrɛç-] *tr* autoriser, donner droit, habiliter (*zu* à); conférer le droit (*jdn etw zu tun* à qn de faire qc); **~t** *a (Anspruch, Forderung etc, a. fig)* juste, légitime, fondé, justifié; *~~ sein zu* être autorisé à; *jur* avoir qualité pour, être (fondé) en droit de, avoir le droit de *od* droit à, jouir du droit de; **~terweise** *adv* légitimement; **B~te(r)** *m* ayant droit, intéressé *m; an, durch den ~ten* à, par qui de droit; **B~ung** *f* ⟨-, (-en)⟩ autorisation *f,* droit (*zu* à); pouvoir *m,* qualité *f,* titre (*zu* de); *jur* bien-fondé *m; mit voller ~~* à juste titre; **B~ungsnachweis** *m* légitimation *f;* **B~ungsschein** *m* titre *m,* licence *f,* permis *m;* **B~ungsunwesen** *n* mandarinisme *m.*

bered|en *tr* parler (*etw* de qc), discuter, débattre; *(überreden)* persuader, convaincre (*jdn zu etw* qn de qc), décider (*jdn zu etw* qn à qc); *sich ~~* conférer, se concerter, s'entendre (*mit jdm über etw* avec qn au sujet de qc); **B~samkeit** *f* ⟨-, ø⟩ éloquence *f; e-e große ~~ entwickeln* faire assaut d'éloquence; **~t** *a* éloquent, disert; *(vielsagend)* significatif, expressif.

beregn|en *tr* arroser; **B~ung** *f* arrosage *m;* **B~ungsanlage** *f* installation *f* d'arrosage.

Bereich *m, a. n (Gebiet)* région, étendue, zone *f;* district; *fig* secteur, rayon, cadre *m,* sphère *f,* domaine; *(Aufgaben~)* ressort *m,* attributions *f pl; tech, a. radio* gamme; *radio* bande *f; im ~ der Möglichkeit* dans le domaine du possible.

bereicher|n *tr* enrichir; *sich ~~* s'enrichir (*um etw* de qc; *an etw* grâce à, sur qc, *fam* sur le dos de qn); *sich unrechtmäßig ~~* s'enrichir frauduleusement; **B~ung** *f* ⟨-, (-en)⟩ enrichissement *m; (des Wissens)* augmentation *f.*

bereif|en *tr (Faß)* cercler; *mot* munir *od* équiper de pneus *od* de bandages; **B~ung** *f* ⟨-, (-en)⟩ *(Faß)* cerclage; *mot* (équipement *m* de) bandages *od* pneus *m pl.*

bereift *a (mit Rauhreif)* givré, givreux.

bereinig|en *tr (Angelegenheit)* arranger, mettre ordre à; *(Schuld)* régler; *(Rechnung, Konto)* apurer; **B~ung** *f* ⟨-, (-en)⟩ arrangement; règlement; apurement *m.*

bereisen *tr* voyager (*ein Land* dans un pays).

bereit [bəˈraɪt] *a* prêt, disposé (*zu* à), sur pied; *(verfügbar)* disponible; *sich ~ erklären zu* consentir à; *sich ~ finden zu* être prêt *od* disposé à, en passer par; *sich ~ halten* se tenir prêt; *wir sind gern ~* nous sommes tout disposés (*zu* à); **~en** *tr* **1.** *(vorbereiten)* préparer, apprêter, disposer (*zu* à); *(zubereiten)* préparer, faire; *(herstellen)* faire, fabriquer; *(Leder)* corroyer; *fig (verursachen)* faire, causer, occasionner; *(Empfang)* réserver; *(Niederlage)* infliger; *jdm Kummer ~~* affliger qn; **~halten** *tr* tenir prêt; **~legen** *tr* mettre en place, préparer; **~machen** *tr* préparer, disposer; *sich ~~ zu* se préparer, se disposer, s'apprêter à; **~s** *adv* déjà; **B~schaft** *f* disposition; disponibilité; *(e-r bestimmten Gruppe)* permanence *f;* (état *m* d')alerte *f; in ~~* en alerte; *~~ haben* être de permanence *od* de piquet; **B~schaftsdienst** *m* service *m* de permanence *od* de réserve; *~~ haben = B~schaft haben; ärztliche(r) ~~* permanence *f* médicale, service *m* d'urgence; **B~schaftsstellung** *f* position *f* d'attente; **B~schaftstasche** *f phot* sac *m* toujours prêt; **B~schaftswagen** *m* fourgon *m* de secours; **~stehen** *itr* être prêt (*zu* à); *(verfügbar sein)* être à la disposition (*für jdn* de qn); **~stellen** *tr* mettre à la disposition (*jdm* de qn); *(auf Lager halten)* stocker; **B~stellung** *f* mise *f* à la disposition; stockage *m; mil* mise en place; base *f; pl mil* troupes *f pl* sur la base de départ; *~~ der Wagen (loc)* manutention *f;* **B~stellungsraum** *m mil* zone *f* d'attente; **B~ung** *f* préparation; *(Herstellung)* fabrication *f; (Leder)* corroyage *m;* **~willig** *a* disposé, prêt; *(eifrig)* empressé; *(dienstfertig)* obligeant; *adv* volontiers, avec empressement; de bonne grâce; **B~willigkeit** *f* disposition *f;* empressement *m;* obligeance, complaisance *f,* bon vouloir *m.*

bereit|en *tr* **2.** *(zureiten)* dresser; **B~er** *m* dresseur, piqueur, écuyer *m.*

bereuen *tr* se repentir (*etw* de qc); *(bedauern)* regretter; *schwer ~ (fam)* se mordre les doigts (*etw* de qc); *das wirst du noch ~! (fam)* tu t'en repentiras!

Berg *m* ⟨-(e)s, -e⟩ [bɛrk, -gə] *allg* montagne *f; (bes. in Namen)* mont *m; (kleinerer)* colline *f,* monticule *m; (Steigung)* côte; *mines* gangue *f* stérile; *fig* montagne *f;* tas *m; pl (Gebirge)* montagne *f; mines a.* terres *f pl; über ~ und Tal* par monts et par vaux; *zu ~e fahren (auf e-m Fluß)* remonter le courant; *mit etw (nicht) hinter dem ~e halten* (ne pas) cacher, dissimuler qc; *mit s-r Meinung hinter dem ~e halten* mettre son drapeau dans sa poche; *(noch nicht) über den ~ sein* (r')avoir (pas encore) fait le plus difficile; *~e versetzen (fig)* déplacer des montagnes; *goldene ~e versprechen* promettre monts et merveilles; *mir stehen die Haare zu ~e* j'ai les cheveux qui se dressent sur la tête; *er ist über alle ~e* il est (parti) bien loin; *der ~ kreißt und gebiert e-e Maus* la montagne accouche d'une souris; **b~ab** [-ˈʔap] *adv* en descendant; *(beim Abstieg)* à la descente; *(auf e-m Fluß)* en aval; *~~ gehen (Geschäft)* être *od* aller à la dérive; *es geht mit ihm ~~ (geschäftlich)* ses affaires vont mal; *(gesundheitlich)* il baisse, il décline; **~akademie** *f* école *f* (supérieure) des mines; **~amt** *n* administration *f od* service *od* bureau *m* des mines; **b~an** [-ˈʔan] *adv* en montant; **~arbeit** *f* travail *m* de(s) mineurs; **~arbeiter** *m (a. im Kohlenbergbau)* (ouvrier) mineur *m;* **~arbeiterhaus** *n,* **~arbeitersiedlung** *f* coron *m;* **~arbeiterstreik** *m* grève *f* des mineurs; **~arbeiterverband** *m* fédération *f* des mineurs; **b~auf** [-ˈʔauf] *adv* en montant; *(beim Aufstieg)* à la montée; *(auf e-m Fluß)* en amont; *es geht mit ihm ~~ (geschäftlich)* ses affaires vont bien; *(gesundheitlich)* il va mieux; **~bahn** *f* chemin *m* de fer de montagne; **~bau** *m* exploitation des mines, industrie *f* minière; *~~ betreiben* exploiter une mine; *~~ und Industrie der Steine und Erden* industrie *f* extractive; **~baugebiet** *n* région *f* minière, bassin *m* minier; **~baugesellschaft** *f* société *f* minière; **~bauingenieur** *m* ingénieur *m* des mines; **~baukunde** *f* science *f od* art *m* des mines; **~bauschule** *f* école *f* des mines; **~behörden** *f pl* administration *f* des mines; **~besteigung** *f* ascension *f;* **~bewohner(in *f*)** *m* montagnard, e *m f;* **~dorf** *n* village *m* de montagne; **b~(e)hoch** *a* haut comme une *od* des montagne(s); **~(es)halde** *f mines* terril *m;* **~eversatz** *m mines* remblai, remblayage *m;* **~fahrt** *f (Wagen)* montée *f; (Schiff)* remontée *f;* **b~fertig** *a mines* invalide; **~fex** *m* ‹-es/(-en), -e/(-en)› alpiniste *m* enragé; **b~freudig** *a mot* qui grimpe bien; **~fried** *m* ‹-(e)s, -e› [-fri:t] *arch hist* donjon *m;* **~führer** *m* guide *m* de montagne; **~geist** *m* génie *m* des montagnes; **~hauptmann** *m* inspecteur *m* des mines; **~hilfsarbeiter** *m mines* galibot *m;* **b~ig** *a* montagneux, montueux; **~kette** *f* chaîne *f* de montagnes; **~kiefer** *f* pin *m* nain; **~krankheit** *f (Höhenkrankheit)* mal *m* des montagnes; **~kristall** *m* cristal *m* de roche *od* de montagne; **~kupfer** *n* cuivre *m* natif; **~kuppe** *f* sommet (arrondi), ballon, mamelon *m;* **~land** *n* pays *m* de montagnes; **~mann** *m* ‹-(e)s, -leute› = *~arbeiter;* **b~männisch** *a* de mineur; **~massiv** *n* massif *m* (montagneux); **~meister** *m* = *~bauingenieur;* **~ordnung** *f* règlement *m* de l'exploitation des mines; **~polizei** *f* police *f* des mines; **~predigt** *f* sermon *m* sur la montagne; **~rat** *m* ‹-(e)s, ⸚e› *(Person)* conseiller *m* des mines; **~recht** *n* droit des mines; code *m* minier; **~regal** *n* régale *f* minière; **~rücken** *m* croupe *f* (de montagne); **~rutsch** *m* glissement *m* de terrain; **~schaden** *m* dommage *m* minier; **~schrund** *m* rimaye *f;* **~schuhe** *m pl* chaussures *f pl* de montagne; **~steigen** *n* alpinisme *m;* **~steiger** *m* alpiniste, ascensionniste; **~steigerausrüstung** *f* équipement *m* de montagne; **~stock** *m* bâton ferré, alpenstock *m;* **~straße** *f* route *f* de montagne; **~sturz** *m* = *~rutsch;* **~tour** *f* course *f;* **~-und-Tal-Bahn** *f* montagnes *f pl* russes; **~verwaltung** *f* administration *f* des mines; **~wacht** *f* secours *m* en montagne; **~wand** *f* paroi *f,* flanc *m;* **~wanderung** *f* excursion *f* en montagne; **~warte** *f* poste *m* de montagne; **~werk** *n* mine; *(Kohlenbergwerk)* houillère *f,* charbonnage *m,* mine *f* de charbon; **~werksabgabe** *f* redevance *f* minière; *(Steuer)* impôt *m* sur les mines; taxe *f* minière; **~werksanteil** *m* part de mine *od* minière, action *f* de mine; **~werksbedarf** *m* matériel *m* de fond; **~werksgesellschaft** *f* = *~baugesellschaft;* **~werkskonzession** *f* concession *f* minière; **~werkssteuer** *f* impôt *m* sur les mines; **~zinn** *n* étain *m* natif.

Berg|egeld [ˈbɛrg-] *n,* **~elohn** *m* droit *m od* prime *od* indemnité *f* de sauvetage; **b~en** ‹*birgt, barg, hat geborgen*› *tr (retten)* sauver; *(in Sicherheit bringen)* mettre en sûreté *od* à l'abri, abriter; *(Tote)* dégager, ramener à la surface; *(einbringen, -fahren)* rentrer, garer; *(Segel)* affaler; *fig (enthalten)* contenir, renfermer, comprendre; comporter; **~ung** *f* sauvetage *m;* **~ungsarbeiten** *f pl* travaux *m pl* de sauvetage; **~ungsdienst** *m* service *m* de sauvetage; **~ungsgut** *n* biens *m pl* sauvés; épaves *f pl* recueillies; **~ungskosten** *pl* frais *m pl* de sauvetage; **~ungsmannschaft** *f* colonne *f* de sauvetage; **~ungsschiff** *n* bateau *od* navire *m* de sauvetage.

Bericht *m* ‹-(e)s, -e› [bəˈrɪçt] rapport, exposé, compte rendu, aperçu, mémoire; *(längerer)* récit *m,* relation *f; (amtlicher)* communiqué *m,* notification *f; (Zeitung, radio)* reportage *m;* nouvelles *f pl; laut ~* suivant avis; *e-n ~ entgegennehmen* entendre un rapport; *~ erstatten* rapporter (*über etw* qc), faire un rapport (*über* sur); *jdm* faire rapport à qn; **b~en** *tr* rapporter, exposer; rendre compte de; *(erzählen)* relater, raconter; *(amtlich)* communiquer; *itr* faire un rapport (*über* de); *über etw* faire le récit de qc; *von sich ~* parler de soi *od* de ce qu'on a fait; **~erstatter** *m allg (a. auswärtiger ~~ e-r Zeitung)* correspondant; *(Zeitung)* reporter, échotier; *radio* radioreporter; *pol (Referent)* rapporteur; *jur* juge *m* rapporteur; **~erstattung** *f allg* rapport *m,* relation, chronique *f; (Zeitung)* reportage *m;* correspondance *f; radio* radioreportage *m;* **~sjahr** *n adm fin com* exercice *m;* **~smonat** *m* mois *m* de rapport; **~swoche** *f* semaine *f* de rapport; **~szeit** *f* période *f* de rapport.

berichtig|en *tr* corriger, rectifier, redresser; *tech* mettre au point *od* en ordre, régler; *zu ~~(d)* rectifiable; **~end** *a* rectificatif; **B~ung** *f* correction, rectification *f,* redressement; *jur* (acte) rectificatif *m; tech* mise *f* au point, réglage *m; ~~ vorbehalten* sauf correction; **B~ungsanzeige** *f* avis *m* de rectification *od* rectificatif; **B~ungsfaktor** *m* terme *m* correctif; **B~ungstabelle** *f* table *f* de correction; **B~ungsurkunde** *f jur* (acte) rectificatif *m.*

beriechen *tr* sentir, flairer.

beriesel|n *tr* irriguer, arroser; *fig (mit Musik, Reklame)* abreuver, inonder (*mit* de); **B~ung** *f* irrigation *f,* arrosage, épandage, ruissellement; *fig (mit Musik, Reklame etc)* flot *m* ininterrompu; **B~ungsanlage** *f* installation *f* d'irrigation *od* d'arrosage; **B~ungskühler** *m tech* refroidisseur *m* à ruissellement.

bering|en ‹*beringte*› *tr (Vogel)* baguer; **~t** *a (Vogel)* bagué; *(Hand)* garni *od* chargé de bagues; **B~ung** *f (Vogel)* baguage *m.*

beritten *a* monté, à cheval; *~e Polizei f* police *f* montée; **B~e(r)** *m* homme à cheval, cavalier *m.*

Berlin|er [bɛrˈli:nər] *a inv* berlinois; *~~ Blau n* bleu *m* de Prusse; **~er(in *f*)** *m* ‹-s, -› Berlinois, e *m f;* **b~(er)isch** *a* berlinois.

Berlocke *f* ‹-, -n› [bɛrˈlɔkə] *(Uhrkettenschmuck)* breloque *f.*

Berme *f* ‹-, -n› [ˈbɛrmə] *(Böschungsabsatz)* berme *f; (Straße)* accotement *m; (Gehweg)* banquette *f.*

Bern [bɛrn] *n geog* Berne *f.*

Bernhard [ˈbɛrnhart] *m* Bernard; **~iner(hund)** *m* ‹-s, -› [-ˈdi:nər] saint--bernard *m.*

Bernstein *m* ‹-(e)s, ø› [ˈbɛrn-] ambre jaune; succin *m;* **b~ern** *a* d'ambre; **b~farben** *a* ambré; **~säure** *f* acide *m* succinique.

Berserker *m* ‹-s, -› [bɛrˈzɛrkər] guerrier *m* sauvage.

bersten ‹*birst, barst, ist geborsten*› [ˈbɛrsten, -i-, -a-, -ɔ-] *itr* se fendre, se crevasser; *(platzen, a. fig)* crever, éclater; *(explodieren)* exploser, détoner; *~ vor Wut* crever de rage; **B~** *n* crevassement; éclatement *m; zum ~~ voll* plein comme un œuf *od* à craquer.

berüchtigt [bəˈrʏçtɪçt] *a* mal famé.

berücken *tr (betören)* enchanter, charmer, fasciner; **~d** *a* captivant, ravissant, séduisant.

berücksichtig|en [-ˈrʏkzɪçt-] *tr (erwägen)* considérer, prendre en considération; *(beachten)* faire la part (*etw* de qc); avoir égard (*etw* à qc); tenir compte (*etw* de qc); *~t (bedacht) werden* entrer en considération; *die Kosten ~~* regarder à la dèpense; **B~ung** *f* (prise en) considération *f;* égard *m; in ~~, daß...* considérant que...; *ohne ~~ (gen)* sans égard pour; *unter ~~ (gen)* en considération de, tenant compte de, compte tenu de, eu égard à; *unter ~~ aller Umstände* (le) tout bien considéré, tout compte fait; *~~ finden* entrer en considération *od* en ligne de compte.

Beruf *m* ‹-(e)s, -e› profession *f,* métier *m; (Laufbahn)* carrière *f; freie(r) ~* profession *f* libérale; *ohne ~* sans profession; *von ~* de (son) métier; *e-n ~ ausüben e-m ~ nachgehen* exercer une profession *od* un métier; *e-n ~ ergreifen* choisir une profession; embrasser une carrière; *s-n ~ verfehlt haben* avoir manqué *od* raté sa profession; *s-n ~ an den Nagel hängen* jeter le froc aux orties; *s-n ~ wechseln* changer de métier; **b~en** *tr (ernennen)* nommer, appeler (*zu* à); destiner (*zu* à); *sich ~~ auf* se référer, se reporter, se rapporter, en appeler à, se réclamer, se prévaloir de, s'appuyer sur; *etw* invoquer, alléguer qc; *jdn (als Zeugen)* prendre qn à témoin; *a (befähigt)* qualifié; *(zuständig)* compétent; *(befugt)* autorisé; *zu etw ~~ sein* avoir mission de *od* pour *od* la vocation de qc; *ich fühle mich nicht dazu ~~* ce n'est pas mon affaire; *(Bibel) viele sind ~~* il y a beaucoup d'appelés; **b~lich** *a* professionnel; *~~e Eignung f* aptitude *od* qualification *f* professionnelle; *~~ tätig sein* exercer une profession *od* un métier; *ich war ~~ verhindert* mes affaires m'ont retenu; **~s...** professionnel; *(vor e-r Berufsbezeichnung)* de métier; **~arbeit** *f* travail *m* professionnel; **~sausbildung** *f* formation *f* professionnelle; **~sausübung** *f* exercice *m* d'une *od* de sa profession; **~sbeamtentum** *n (Gruppe)* corps *m* des fonctionnaires de carrière; **~sbeamte(r)** *m* fonctionnaire *m* de carrière; **b~sbedingt** *a* professionnel; **~sbefähigung** *f* qualification *od* capacité *f* professionnelle; **~sberater** *m* conseiller d'orientation professionnelle, orienteur *m;* **~sberatung** *f* orientation *f* professionnelle; **~sberatungsstelle** *f* office *od* service *m* d'orientation professionnelle; **~sblindheit** *f fig* cécité *f* professionnelle; **~sboxer** *m* boxeur *m* professionnel; **~sehre** *f* honneur *m* professionnel; **~seignung** *f* aptitude *f* professionnelle; **~serfahrung** *f* expérience *f* professionnelle; **~sgeheimnis** *n* secret *m* professionnel; **~sgenossenschaft** *f* syndicat *m od* corporation *f* professionnel(le); **~sgruppe** *f* groupe *m* professionnel; **~sheer** *n* armée *f* de métier; **~sinteressen** *n pl* intérêts *m pl* professionnels; **~skleidung** *f* vêtements *m pl* de travail; **~skrankheit** *f* maladie *f* professionnelle; **~skunde** *f* professiographie *f;* **~sleben** *n* vie *f* professionnelle; *im ~~ stehen* exercer une profession; **~slenkung** *f* direction *f* des professions; **b~smäßig** *a* professionnel; **~smöglichkeiten** *f pl* débouchés *m pl* professionnels; **b~smüde** *a* las de sa profession; **~soffizier** *m* officier *m* de carrière *od* d'active; **~sorganisation** *f* organisation *f* professionnelle; **~spflicht** *f* devoir *m* professionnel; **~spraxis** *f* pratique *f* professionnelle; **~srichter** *m* juge *od* magistrat *m* de carrière; **~sschule** *f* école *f* professionnelle *od* d'apprentissage; **~sschulpflicht** *f* fréquentation *f* obligatoire d'une école professionnelle; **~sschulunterricht** *m* enseignement *m* professionnel; **~ssoldat** *m* militaire de carrière, soldat *m* de carrière *od* de métier; **~sspieler** *m* (joueur) professionnel *m;* **~ssportler** *m* professionnel *m;* **~ssportlertum** *n* professionnalisme *m;* **~sstand** *m* état *m* professionnel; **b~sständisch** *a* socio-professionnel; **b~stätig** *a* qui exerce une profession *od* un métier; *~~ sein* exercer une profession *od* un métier; *~~e Bevölkerung f* population *f* active; **~stätigkeit** *f* activité *f* professionnelle; **~sverband** *m* syndicat *m od* organisation *od* association *od* fédération *od* union *f* professionnel (-le); **~sverbot** *n* mise *f* à pied, interdiction professionnelle; **~sverkehr** *m: Zeit f des ~~s* heures *f pl* d'affluence; **~svertretung** *f* représentation *f* professionnelle; **~swahl** *f* choix *m* de la profession; **b~swidrig** *a* antiprofessionnel; **~szweig** *m* branche, spécialité *f.*

Berufung *f (innere)* vocation, mission (*zum* od *zur* ... de ...); *(Ernennung)* nomination, promotion *f; jur* appel, recours *m; (sport)* sélection *f; unter* od *mit ~ auf* se référant à, excipant de; *vorbehaltlich ~* sauf appel; *e-e ~ ab-* od *zurückweisen* od *verwerfen* rejeter un appel; *jds ~ abweisen (etc)* débouter qn de son appel; *~ einlegen (jur)* interjeter appel, se pourvoir en appel, former *od* interjeter recours, recourir à un tribunal supérieur; *gegen etw* (en) appeler de qc, faire appel de qc; *bei* porter l'appel devant; *in die ~ gehen* porter *od* se pourvoir en appel, se porter appelant; *e-r ~ stattgeben* admettre un appel; *die ~ zurückziehen* se désister de l'appel; **~sabteilung** *f* division *f* d'appel; **~sabweisung** *f* rejet *m* d'appel *od* de l'appel; **~sbeklagte(r)** *m* appelé, intimé *m;* **~seinlegung** *f* acte *od* avis *m* d'appel; **~sfrist** *f* délai *m* d'appel; **~sgebühr** *f* taxe *f* d'appel; **~sgericht** *n* cour d'appel, justice *f* de ressort; **~sgründe** *m pl* griefs *m pl* d'appel; **~sinstanz** *f* tribunal *m* d'instance *f od* d'appel; **~skammer** *f* chambre *f* d'appel; **~sklage** *f* appel *m;* **~skläger** *m* appelant *m;* partie *f* appelante; **~skosten** *pl* frais *m pl* d'appel; **~srecht** *n jur* droit *m* d'appel; **~srichter** *m* juge *m* d'appel; **~sschrift** *f* acte *m* d'appel; **~sstrafkammer** *f* tribunal *m* correctionnel; **~surteil** *n* jugement *m* rendu en (cause d')appel; **~sverfahren** *n* procédure de recours, instance *f* d'appel; **~sverhandlung** *f* audition *f* d'appel; **~sweg** *m: auf dem ~~ (jur)* par voie d'appel; **~szurückweisung** *f* rejet *m* de l'appel.

beruh|en *itr* reposer, être fondé, être établi, se baser, s'appuyer (*auf* sur); *(s-e Ursache haben in)* provenir (*auf* de), tenir (*auf* à), relever, dépendre (*auf* de); *auf e-m Irrtum ~~* provenir d'une erreur; *auf Wahrheit ~~* être vrai; *etw auf sich ~~ lassen* laisser dormir qc, laisser qc en sommeil; *es auf sich ~~ lassen* s'en tenir là, en demeurer là; *das ~t auf Gegenseitigkeit* c'est réciproque; **~igen** *tr* tranquilliser, calmer, rassurer, apaiser, rasséréner, remettre, lénifier; mettre à l'aise *od* à son aise; *(entspannen)* détendre; *(trösten)* consoler; *sich ~~* se tranquilliser, se calmer, se rassurer, se remettre; *(Meer)* se calmer; *(Wind)* tomber; *(Wetter, Lage)* s'arranger; *da bin ich (ja) ~igt!* me voilà tranquille; *seien Sie ~igt!* soyez tranquille, rassurez-vous; **~igend** *a* rassurant, reposant; *med* calmant, sédatif, lénifiant, lénitif; **B~igung** *f* ‹-, (-en)› apaisement, soulagement *m; (Entspannung)* détente; *(Trost)* consolation *f; zur ~~ des Gewissens* par acquit de conscience; **B~igungsmittel** *n med* tranquillisant, calmant, sédatif, lénitif *m.*

berühmt *a* célèbre, illustre, fameux, réputé, renommé; *~ machen (a.)* illustrer; *das ist nicht ~ (hum)* ce n'est pas fameux; **B~heit** *f* célébrité *(a. Person),* renommée *f,* renom *m; ~~ erlangen* devenir célèbre.

berühr|bar *a* tangible; **~en** *tr* toucher (à); *(streifen)* effleurer, frôler, friser, coudoyer; *fig (e-n Ort auf d. Reise)* passer par; *(erwähnen)* effleurer, mentionner; *(angehen)* toucher, regarder, concerner, affecter, intéresser; *sich ~~* se toucher; *fig* rejoindre; avoir des points communs (*mit jdm* avec qn); *jdn (un-) angenehm ~~* être (dés)agréable à qn; *jdn peinlich ~~* être désagréable à qn; **~end** *a: sich ~~ (math)* tangent; **B~ung** *f* contact, attouchement; effleurement, frôlement; rapport *m; math* tangence; *(Erwähnung)* mention *f; in ~~ bringen* mettre en contact; *in ~~ kommen mit* entrer en rapport avec; **B~ungsebene** *f math* plan *m* tangent; **B~ungselektrizität** *f* électricité *f* par contact; galvanisme *m;* **B~ungsfläche** *f* surface *f* de contact *od* osculatrice; **B~ungslinie** *f* ligne *f* osculatrice; **B~ungspunkt** *m a. fig* point *m* de contact.

berußen [-'ru:sən] *tr* noicir *od* couvrir de suie.

Beryll *m* ‹-(e)s, -e› [be'rʏl] *min* béryl, béril *m;* **~ium** *n* ‹-s, ø› [-lium] *chem* béryllium, glucinium *m.*

besä|en *tr* ensemencer, emblaver; semer (*mit* de); **~t** *a fig* (par)semé; jonché (*mit* de).

besag|en *tr (bedeuten)* dire, signifier; stipuler; *fam (beweisen)* prouver; *das hat nichts zu ~~* cela ne prouve rien; **~t** *a* susmentionné, susnommé, susdit; *jur (Person)* ledit.

besaiten *tr (Instrument)* mettre *od* monter des cordes à; *neu ~* recorder.

besam|en *tr* ensemencer; *sich ~~* monter en graine; **B~ung** *f* ‹-, (-en)› ensemencement *m; künstliche ~~ f* insémination *f* artificielle.

Besan *m* ‹-s, -e› [be'za:n] *(Segel am Besanmast)* brigantine *f;* **~mars** *m* hune *f* d'artimon; **~mast** *m* mât *m* d'artimon.

besänftig|en *tr* apaiser, adoucir, amadouer; **B~ung** *f* apaisement, adoucissement *m.*

Besatz *m (Textil)* garniture *f,* passement *m; (Borte)* bordure *f;* **~stickerei** *f* garniture *f* brodée.

Besatzung *f (Garnison)* garnison *f; (Truppen)* troupes *f pl* d'occupation; *mar aero (Bemannung)* équipage *m;* **~sarmee** *f,* **~sheer** *n* armée *f* d'occupation; **~sbehörden** *f pl* autorités *f pl* d'occupation *od* occupantes;

~sgebiet *n* zone *f* d'occupation; **~skosten** *pl* frais *m pl* d'occupation; **~smacht** *f* puissance occupante *od* d'occupation; force *f* d'occupation; **~smitglied** *n mar aero* membre *m* de l'équipage; **~sraum** *m aero* habitacle *m;* **~sschäden** *m pl* dommages *m pl* d'occupation; **~sstatut** *n* statut *m* d'occupation; **~sstreitkräfte** *f pl* forces *f pl* d'occupation; **~struppen** *f pl* troupes *f pl* d'occupation; **~szeit** *f* occupation *f;* **~szone** *f* zone *f* d'occupation.

besaufen, *sich, pop* se soûler, se saouler, se cuiter, prendre une biture; **Besäufnis** *n* ‹-sses, -sse› *hum* soûlographie; *pop* soûlerie *f.*

beschädig|en [-'ʃɛ:d-] *tr* endommager, détériorer, dégrader, esquinter, gâter, abîmer; *bes. mar* avarier; *med* blesser, léser; **B~ung** *f (Vorgang)* endommagement *m,* détérioration, dégradation *f; (Zustand)* dommage, dégât *m; bes. mar* avarie; *med* blessure, lésion *f.*

beschaff|en ‹*fb: beschaffte*› *tr* procurer, faire provision de; pourvoir, approvisionner (*jdm etw* qn de qc); *(liefern)* fournir; *sich etw ~~* se procurer qc, faire provision de qc; *Arbeit ~~* procurer du travail; *(sich) Geld ~~* trouver *od* se procurer de l'argent; **~en** *a: gut schlecht ~~* en bon, mauvais état; en bonne, mauvaise condition *od* qualité; de bonne, mauvaise qualité; *so ~~, daß* de nature à; *ich bin nun einmal so ~~* oui, je suis comme ça; *wie ist es mit ... ~~?* où en est ...? **B~enheit** *f* ‹-, (-en)› *(Zustand)* état *m,* condition; *(Art)* nature, constitution, essence; *(Eigenschaft)* qualité, propriété *f;* **B~ung** *f* ‹-, (-en)› approvisionnement *m,* acquisition; *(Lieferung)* fourniture *f;* **B~ungsamt** *n* bureau *m* d'approvisionnement; **B~ungskosten** *pl* frais *m pl* d'acquisition, prix *m* d'achat; **B~ungsstelle** *f* centre *m* d'approvisionnement.

beschäftig|en [-'ʃɛft-] *tr* occuper (*mit* à); *(als Arbeitskraft)* employer; *fig (geistig)* (pré)occuper; donner à réfléchir (*jdn* à qn); *sich ~~* s'occuper (*mit* de); *sich intensiv mit etw ~~* s'adonner, s'attacher, s'acharner à qc; **~t** *a* occupé (*mit* à); *dauernd mit etw ~~ sein (a.)* avoir toujours le nez sur qc, ne pas lever le nez de dessus qc; *bei jdm ~~ sein* faire partie du personnel de qn; *stark ~~* affairé; absorbé, accaparé (*mit* par); **B~ung** *f* occupation *f; (durch e-n Arbeitgeber)* emploi; *(Arbeit)* travail *m;* activité *f; (Zeitvertreib)* passe-temps *m; ohne ~~* sans occupation; *(arbeitslos)* sans emploi *od* travail; **B~ungsgrad** *m* degré *m* d'occupation *od* d'activité; **~ungslos** *a* sans occupation; *(untätig)* inactif; *(arbeitslos)* sans emploi *od* travail; **B~ungsmöglichkeit** *f* possibilité *f* d'emploi; **B~ungsnachweis** *m* certificat *m* d'emploi; **B~ungsstand** *m* chiffre *m* d'emploi.

beschäl|en *tr (Stute)* monter, saillir, couvrir; **B~er** *m* ‹-s, -› *(Hengst)* étalon *m;* **B~ung** *f* ‹-, (-en)› monte, saillie *f.*

beschäm|en *tr* humilier, confondre, faire honte à, rendre honteux *od* confus; *(in den Schatten stellen, übertreffen)* surpasser, éclipser; **~end** *a* humiliant; **~t** *a* honteux, confus, confondu; **B~ung** *f* ‹-, (-en)› *(Vorgang)* humiliation; *(Zustand)* honte; confusion *f.*

beschatten *tr* ombrager, couvrir d'ombre, donner de l'ombre à; *fig (heimlich überwachen)* filer, prendre en filature; **B~** *n fig* filature *f.*

Beschau *f (Untersuchung)* contrôle *m,* inspection; *(Beglaubigung)* vérification *f;* **b~en** *tr* regarder, contempler, observer; *(prüfen)* inspecter, examiner, contrôler; **~er** *m* spectateur; *(Prüfer)* inspecteur *m;* **b~lich** *a* contemplatif; pensif; **~lichkeit** *f* contemplation *f;* **~ung** *f* ‹-, ø› *(Betrachtung)* contemplation *f.*

Bescheid *m* ‹-(e)s, -e› *(Mitteilung)* avis *m,* communication; *(Antwort)* réponse *f; (Auskunft)* renseignement *m,* information *f; (Anweisung)* ordre; *(behördlicher)* décret *m; (Entscheidung)* décision *f, bes. jur* arrêt *m; ohne vorherigen ~~* sans avis préalable; *bis auf weiteren ~* jusqu'à nouvel ordre; *~ bekommen* avoir une réponse; recevoir un avis; *abschlägigen ~ bekommen* essuyer *od* éprouver *od* s'attirer un refus; *jdm ~ geben* avertir, renseigner, informer qn; répondre, donner une réponse à qn; *~ hinterlassen* laisser un mot; *~ sagen = ~ geben; jdm gehörig* od *tüchtig ~ sagen (fam)* dire son fait, faire la leçon à qn; *jdm ~ tun (beim Trinken)* trinquer avec qn; *~ wissen* y voir clair, être fixé, savoir à quoi s'en tenir; *damit* savoir s'y prendre; *über etw* être au courant *od* au fait *od* ferré, en savoir long sur qc; *(an e-m Ort)* s'y connaître; *über etw gut* od *genau ~ wissen* connaître le fond de qc; *in e-m Haus gut ~ wissen* bien connaître une maison; *ich weiß dort ~* je m'y connais; *da weiß ich ~! (fam)* je connais la musique; *nun wissen Sie ~!* maintenant vous savez; *abschlägige(r) ~* refus, rejet *m; gerichtliche(r) ~* exploit *m* d'huissier; **b~en** *tr (benachrichtigen)* informer, renseigner; *(beordern)* mander, citer; *(vorladen)* assigner; *sich ~~ (sich begnügen)* se contenter (*mit* de); se résigner (*mit* à); *abschlägig beschieden werden* essuyer un refus; *jur* être débouté; *es ist mir beschieden* il m'est donné, il m'est échu en partage (*zu* de); *ihm war kein Erfolg beschieden* il était dit qu'il ne réussirait pas; **b~en** *a* modeste; humble; discret; *(anspruchslos)* simple, uni; *(gering)* petit; *(mäßig)* modéré; *(Preis)* modique, bas; *in ~~em Maße* od *Umfang* peu; **B~enheit** *f* ‹-, ø› modestie; humilité; discrétion; simplicité; modicité *f; in aller ~~* en toute humilité.

bescheinen *tr, pp: (von der Sonne) beschienen* ensoleillé.

bescheinig|en [-'ʃaɪn-] *tr* attester, certifier; *den Empfang e-s Briefes ~~* accuser réception d'une lettre; **B~ung** *f (Vorgang u. Schriftstück)* attestation *f; (Schriftstück)* certificat *m; e-e ~~ ausstellen* donner *od* délivrer un certificat.

bescheißen *tr vulg* chier sur; *fig (betrügen)* rouler, filouter, mettre dedans; *(beim Spiel)* tricher.

beschenk|en *tr* faire un cadeau (*jdn* à qn); *jdn mit etw* faire cadeau de qc à qn; offrir qc à qn; gratifier qn de qc; *reichlich ~~* combler de cadeaux; **B~te(r)** *m jur* donataire *m.*

bescheren 1. ‹*beschor(en)*› [-'ʃe:rən, -o:-] *tr (beschneiden)* tondre.

bescher|en 2. ‹*fb: bescherte*› [-'ʃe:rtə-] *tr* donner, offrir; *(zuteil werden lassen)* accorder; **B~ung** *f* distribution *f* des étrennes; *das ist ja eine schöne ~~! da haben wir die ~~!* nous voilà dans de beaux draps! ça y est! nous voilà servis!

beschick|en *tr* envoyer *(e-n Kongreß mit jdm* qn à un congrès; *e-e Ausstellung mit etw* qc à une exposition); *tech (Ofen)* alimenter, charger; *(erledigen erreichen)* régler, obtenir; **B~ung** *f* envoi *m; tech* alimentation *f,* chargement *m;* **B~ungsanlage** *f* installation *f* de chargement; **B~ungsbühne** *f* plate-forme *f* de chargement; **B~ungsgut** *n,* **B~ungsmaterial** *n* charge, fournée *f;* **B~ungsmaschine** *f* enfourneuse *f;* **B~ungstrichter** *m* trémie *f* de chargement; **B~ungswagen** *m* benne *f* de chargement.

beschieß|en *tr* faire feu sur, tirer contre *od* sur; *(mit MG)* mitrailler; *(mit schweren Waffen)* canonner, bombarder; *arg mil* marmiter; *(Atomphysik)* irradier *(mit Neutronen* par des neutrons); **B~ung** *f* tir; bombardement *m;* irradiation *f.*

beschilder|n *tr (mit Verkehrsschildern versehen)* signaler; **B~ung** *f* signalisation *f.*

beschimpf|en *tr* insulter, injurier, outrager, invectiver; *pop* engueuler; *(entehren)* déshonorer; **B~ung** *f* affront *m,* insulte, injure *f,* outrage *m,* invectives *f pl.*

beschirm|en *tr* abriter, mettre à l'abri, préserver (*vor* de), protéger (*vor* contre *od* de); **B~er** *m* ‹-s, -› protecteur *m;* **B~ung** *f* ‹-, (-en)› protection *f.*

Beschiß *m* ‹-sses, ø› [-'ʃɪs] *vulg (Betrug)* filoutage *m,* filouterie; *(im Spiel)* tricherie *f;* **beschissen** *a vulg (lumpig)* merdeux; *es ist ~* c'est emmerdant.

beschlafen *tr: es ~ (fam)* consulter son oreiller.

Beschlag *m (Metallteile auf Holz)* garniture, armature, ferrure *f,* frettes *f pl; (Hufbeschlag)* ferrure *f,* fers *m pl; (Radbeschlag)* bandages *m pl; (Feuchtigkeit auf Glas etc)* buée; *(Schimmel)* moisissure; *chem* efflorescence *f,* enduit *m; mit ~ belegen (jur mar mil) = ~nahmen; fig hum (bes. Menschen)* accaparer; **b~en** *tr* garnir, armer, ferrer; *(mit Nägeln)* clouter; *(Pferd)* ferrer; *(Rad)* embattre; *(Segel)* ferler; *itr (Glas etc)* se couvrir de buée, s'embuer, suer, se ternir; *(schimmeln)* moisir; *a* armé, garni, ferré; *(mit Nägeln)* clouté; *(angelaufen)* embué; *fig* versé (*in* dans); *fam* ferré, calé (*in* en); *in s-m Fach, auf s-m Gebiet sehr ~~ sein* être rompu au métier; **~enheit** *f* savoir *m*, connaissances *f pl;* **~nahme** *f jur* saisie; mainmise *f*, (mise *f* sous) séquestre *m*, séquestration *f; mar* embargo; *mil* réquisition(nement *m) f; die ~~ aufheben* lever la saisie *od* l'embargo; **b~nahmefrei** *a* insaisissable; **b~nahmen** *fb (beschlagnahmst, -nahmtest) tr jur* saisir, confisquer, séquestrer, mettre sous séquestre, mettre la main sur; *mil* réquisitionner; *mar* mettre l'embargo sur; **~nahmeverfügung** *f* ordonnance de saisie; saisie *f;* **b~sicher** *a (Glas)* antibué.

beschleichen ‹*beschlich, beschlichen*› *tr (Wild)* s'approcher sans bruit de; *(Mensch)* s'emparer de, gagner.

beschleunig|en *a* [-'ʃlɔyn-] *tr* accélérer, dépêcher, activer; *(vorverlegen)* avancer, hâter, précipiter, brusquer; *die Gangart ~~* forcer l'allure; *s-e Schritte ~~* presser le pas; **B~er** *m* ‹-s, -› *tech* accélérateur *m;* **~t** *a* accéléré; *(Puls a.)* rapide; *gleichmäßig ~~e Bewegung f (phys)* mouvement *m* uniformément accéléré; **B~ung** *f* accélération *f;* **B~ungshebel** *m* accélérateur *m;* **B~ungsmesser** *m* accélérographe *m;* **B~ungspedal** *n mot* accélérateur *m*, pédale *f* d'accélération.

beschließ|en *tr (beenden)* terminer, achever, finir, accomplir, conclure; mettre fin à; *(e-e Reihe)* fermer; *(den Beschluß fassen)* décider, résoudre, se proposer (*zu* de); se décider, se résoudre, se déterminer (*zu* à); *(übereinkommen)* convenir (*zu* de); *jur* décréter, décerner, statuer, arrêter; *parl* voter; *sein Leben ~~* achever ses jours; *es ist beschlossene Sache* la décision est prise; **~end** *a (Stimme)* délibératif; **B~er(in *f*)** *m* ‹-s, -› dépensier, ère *m f*.

Beschluß [-'ʃlus] *m (Schluß)* clôture, fin; *(Entscheid)* conclusion, résolution, délibération, *a. jur* décision *f; jur* décret, arrêt(é); *parl* vote *m; e-n ~ fassen* adopter une résolution, prendre une décision; *e-n Antrag zum ~ erheben (pol)* déposer une motion de clôture; **b~fähig** *a (parl)* en nombre; **~fähigkeit** *f; die ~~ feststellen* constater que le quorum est atteint; *Zahl f der zur ~~ erforderlichen Abgeordneten* quorum *m;* **~fassung** *f* résolution, délibération, décision *f;* **b~unfähig** *a: ~~ sein* n'être pas en nombre: **~unfähigkeit** *f* empêchement *m* de délibérer valablement.

beschmieren *tr* barbouiller, mâchurer; maculer, poisser; *(bestreichen)* enduire (*mit* de).

beschmutzen *tr a. fig* salir, souiller, encrasser; tacher, crotter.

Beschneid|emaschine *f (für Papier, bes. Buchbinderei)* rogneuse *f*, massicot *m;* **~emesser** *n (Buchbinderei)* coupoir *m;* **b~en** *tr* couper, cisailler; *(bes. Buchbinderei)* rogner; *(Baum)* tailler, ébrancher, émonder; *rel* circoncire; *fig* rogner, retrancher; restreindre, réduire; *jdm die Flügel ~~ (fig)* rogner les ailes à qn; **~en** *n* coupe; *(Baum)* taille *f*, ébranchage, émondage *m; (Hecke)* tonte *f; (Buch)* rognage *m;* **~ung** *f rel* circoncision; *fig* restriction, réduction; *(e-s Rechtes)* amputation *f*.

beschnitten *a (Buch)* rogné.

beschnüffeln *tr a. fig* flairer; *alles ~* fourrer son nez partout.

beschnuppern *tr* flairer.

beschönig|en *tr* embellir, enjoliver; colorer, farder, pallier, gazer; **B~ung** *f* enjolivement *m;* palliation *f*, euphémisme *m*.

beschotter|n [-'ʃɔt-] *tr* empierrer, caillouter; *loc* ballaster; **B~ung** *f* empierrement, cailloutage; *loc* ballastage *m*.

beschränk|en *tr* limiter, borner, restreindre, réduire (*auf* à); rétrécir; *(begrenzen)* circonscrire, délimiter; *sich ~~* se limiter, se borner, se restreindre (*auf* à); **~t** *a fig* limité, borné, restreint; *(knapp)* étroit; *(Geist)* borné, rétréci; *adv* avec des restrictions; *in ~~en Verhältnissen leben (wohnen)* être (logé) à l'étroit; *~~ geschäftsfähig* de capacité limité *od* restreinte; *~~e Geschäftsfähigkeit f* capacité *f* limitée *od* restreinte; *~~ haftende(r) Teilhaber m* commanditaire *m; (Gesellschaft mit) ~~e(r) Haftung* (société à) responsabilité *f* limitée; **B~theit** *f* ‹-, ø› *(geringer Umfang)* limites, bornes *f pl (Knappheit)* gêne, insuffisance; *(geistige)* étroitesse *od* médiocrité *f* d'esprit; **B~ung** *f (Vorgang u. Zustand)* limitation, restriction; *(Vorgang)* réduction *f; (sich) ~~en auferlegen* (s')imposer des restrictions (*jdm* à qn); *~~en unterliegen* être soumis à des restrictions.

beschreiben *tr (Papier)* écrire (*etw* sur qc), couvrir d'écriture, noircir; *(schildern)* décrire, (dé)peindre; tracer; *(genau)* détailler; *math (Kurve)* décrire, tracer, dessiner; *(Person)* signaler; *nicht zu ~~(d)* indescriptible; **~end** *a* descriptif; **B~ung** *f* description, peinture *f; das spottet jeder ~~* cela défie toute description, on n'a pas idée de cela.

beschreien *tr (loben)* louer, vanter.

beschreiten *tr: den Rechtsweg ~* prendre les voies de droit, recourir à la justice, avoir recours aux tribunaux; *neue Wege ~* quitter les sentiers battus.

beschrieben *a* écrit (*auf beiden Seiten* des deux côtés).

beschrift|en *tr* inscrire, mettre une inscription (*etw* sur qc); *(etikettieren)* étiqueter; **B~ung** *f (Tätigkeit)* étiquetage *m; (Ergebnis)* inscription, légende; étiquette *f*.

beschroten [-'ʃro:t-] *tr (Münze)* ébarber.

beschuht [-'ʃu:t] *a* chaussé.

beschuldig|en *tr* inculper, incriminer, accuser (*e-r S* de qn); imputer (*jdn e-r S* qc à qn); taxer (*e-r S* de qc); **~t** *a a.* prévenu; **B~te(r)** *m* inculpé, accusé, prévenu *m;* **B~ung** *f* inculpation, incrimination, accusation; imputation *f; e-e ~~ gegen jdn erheben* porter une accusation contre qn.

beschummeln [-'ʃuməln] *tr fam* carotter, rouler, estamper, filouter; *(beim Spiel)* tricher.

Beschuß *m* ‹-sses, ø› [-ʃus] = *Beschießung; unter ~ halten* od *nehmen = beschießen.*

beschütz|en *tr* protéger, abriter; couvrir, mettre à l'abri; *(verteidigen)* défendre (*gegen* contre), soutenir; *(protegieren)* protéger, patronner; **B~er** *m* protecteur; défenseur; patron *m;* **B~ung** *f* protection; défense *f*.

beschwatzen *tr (einreden auf)* bavarder, papoter (*jdn* avec qn); *(überreden)* enjôler, *fam* embobiner, embobeliner.

Beschwerde *f* ‹-, -n› [-'ʃve:rdə] *(Mühe)* peine, fatigue; *(Bürde)* charge *f*, poids; *(Leiden)* malaise *m*, infirmité *f*, troubles *m pl; (Klage)* plainte, charge, réclamation *f*, grief; *jur* pourvoi, recours *m; pl (körperliche)* incommodités; *jur* doléances *f pl; ~ erheben* interjeter recours; *gegen jdn ~ erheben* od *führen* porter plainte contre qn; élever *od* former des réclamations contre qn; *über etw ~ führen* réclamer qc (*bei jdm* auprès de qn); *zu ~n Anlaß geben* donner lieu à des réclamations; *e-e ~ zurückweisen* rejeter un recours; *dienstliche ~* recours *m* hiérarchique; **~abteilung** *f* service *m* des réclamations; **~ausschuß** *m* comité *m* des réclamations; **~brief** *m* lettre *f* de réclamation; **~buch** *n* livre *od* registre des réclamations, registre des plaintes; *hist* cahier *m* de doléances; **~frist** *f* délai *m* de pourvoi; **~führer** *m* réclamant, requérant, appelant *m;* **~gegenstand** *m* objet *m* de *od* du recours; **~gericht** *n* tribunal *m* saisi du recours; **~grund** *m* sujet de plainte, grief *m;* **~recht** *n* droit *m* de recours *od* de plainte; **~schrift** *f* acte *m* de pourvoi, plainte *f*, griefs *m pl;* **~verfahren** *n* procédure *f* de recours *od* de pourvoi; **~weg** *m: auf dem ~~* par voie de recours.

beschwer|en *tr (belasten)* alourdir, charger, lester; peser (*etw* sur qc); *(Magen)* charger, embarrasser, peser sur; *(behindern)* incommoder; importuner; *(mit Auflagen)* grever (*mit* de); *fig* contrister, peiner; *sich ~~* se plaindre (*bei jdm* à qn, *über jdn, etw* de qn, qc); porter plainte (*über jdn* contre qn); = *Beschwerde erheben* od *führen; jds Gewissen ~~* troubler qn; *jds Herz ~~* affliger, contrister, peiner qn; **~lich** *a* pénible; fatigant, accablant; malaisé, incommode; difficile; *(lästig)* importun; *(hinderlich)* embarrassant, gênant; **B~lichkeit** *f* peine *f*, fatigues *f pl*, accablement *m;* incommodité, difficulté, importunité *f;* embarras *m;* **B~ung** *f (Belastung)* alourdissement, chargement *m*.

beschwichtig|en [-'ʃvɪçt-] *tr* apaiser, calmer, tranquilliser assoupir; **B~ung** *f* apaisement, assoupissement *m.*
beschwindeln *tr* tromper, berner, mentir, monter le coup *od* un bateau (*jdn* à qn); *(täuschen)* duper, mystifier.
beschwingt *a* enjoué, gai, bien luné, riant; *(Gang)* léger; *~en Fußes* d'un pas léger.
beschwipst *a fam* gris, éméché, pompette.
beschwör|en *tr jur* affirmer par serment, jurer; *(Geister)* conjurer, évoquer; *(Schlangen)* charmer; *(anflehen)* adjurer, conjurer; supplier, implorer; **B~ung** *f* affirmation par serment; évocation *f,* conjurations *f pl,* adjuration; supplication, imploration, déprécation *f;* **B~ungsformel** *f* incantation *f.*
beseel|en *tr* animer, vivifier, inspirer; **~t** *a* animé; **B~ung** *f* animation, inspiration *f.*
besehen *tr* regarder (de près); *(Ort)* visiter, inspecter; *sich ~* se regarder, *(im Spiegel) a.* se mirer; *pp: bei Lichte ~* regardé de près *od* au grand jour.
beseitig|en *tr* écarter, éloigner; supprimer, faire disparaître; se débarrasser (*etw* de qc); *(wegschaffen)* enlever, éliminer; *(abschaffen)* abolir, abroger, faire cesser; *(beheben)* réparer; remédier (*etw* à qc); relever, faire cesser; *(Hindernis)* éliminer, écarter, balayer, aplanir; *(Schwierigkeit)* lever; *(Zweifel)* dissiper; *fig (Menschen entfernen)* éliminer, mettre à l'écart; se débarrasser (*jdn* de qn); *(verschwinden lassen)* supprimer; *fam* liquider; se défaire (*jdn* de qn); **B~ung** *f* éloignement; enlèvement *m,* élimination; abolition, cessation; réparation *f; (e-r Schwierigkeit)* aplanissement *m;* solution, dissipation; *fig* liquidation, suppression *f.*
beselig|en *tr* rendre heureux; enchanter, ravir; **~end** *a* béatifique; **~t** *a* heureux; **B~ung** *f* enchantement, ravissement *m.*
Besen *m* ‹-s, -› ['be:zən] balai *m; fig pop pej (Weibsbild)* garce, mégère *f,* poison *m; mit eisernem ~ auskehren (fig)* donner un grand coup de balai à; *ich fresse e-n ~, wenn ...* je veux qu'on me pende si ...; *neue ~ kehren gut (prov)* tout nouveau, tout beau; **~binder** *m* faiseur *m* de balais; **~ginster** *m* genêt *m* à balais; **~schrank** *m* placard *m* à balais; **~stiel** *m* manche *m* à balai.
besessen [-'zɛsən] *a (innerlich erfüllt)* obsédé (*von* de *od* par); fanatique; *pej* maniaque; *(vom bösen Geist)* possédé du démon, démoniaque; *wie ~ (adv)* comme possédé (du démon) *od* désespéré; *wie ~ rennen* brûler le pavé; *von e-r Leidenschaft ~ sein* avoir une passion exclusive (*für* pour); **B~e(r)** *m* maniaque; possédé, démoniaque, énergumène *m; wie ein ~er arbeiten* travailler comme un damné; **B~heit** *f* ‹-, ø› obsession, hantise *f;* fanatisme *m.*

besetz|en *tr (mit Besatz)* garnir (*mit* de); *(besäen)* piqueter (*mit Sternen* d'étoiles); *(mit Speisen)* charger (*mit* de); *(e-n Platz)* occuper; *mil: (ein Land, e-e Stadt)* occuper (militairement); *mar (bemannen)* équiper; *(Stelle)* pourvoir à; *theat film (die Rollen)* distribuer; *(Gewässer mit Fischen)* empoissonner, peupler; *(mit Fischbrut)* aleviner; *mines (Bohrloch), tech (Ofen)* charger; *mit Pelz ~~* garnir de fourrure; *mit e-r Tresse ~~* galonner; **~t** *a* garni (*mit* de); chargé; *(Platz)* occupé; réservé; *mil tele* occupé; *(Fahrzeug)* complet; *~~ halten (mil)* occuper; *immer voll ~~ sein* ne pas désemplir; *~~e(s) Gebiet n* territoire *m* occupé; **B~tprobe** *f tele* test *m* de ligne occupée; **B~tzeichen** *n tele* signal *m* de ligne occupée; **B~ung** *f* garniture; *mil* occupation; *theat film* distribution *f; (mit Fischen)* empoissonnement, peuplement *m.*
besichtig|en *tr* regarder; visiter; inspecter; faire la reconnaissance de; *(prüfend)* examiner; *mil* passer en revue; **B~ung** *f* visite; inspection *f;* examen *m; mil* revue *f;* **B~ungsfahrt** *f* tournée *f* d'inspection; **B~ungsreise** *f* voyage *m od* tournée *f* d'inspection; **B~ungszeit** *f* heures *f pl* d'ouverture.
besied|eln *tr* coloniser; *(bevölkern)* peupler; **~elt** *a* colonisé; peuplé; *dicht, dünn ~~* surpeuplé, souspeuplé; **B~(e)lung** *f* colonisation *f,* peuplement *m.*
besieg|eln *tr* sceller *a. fig; (entscheiden)* décider (*etw* de qc); *mit (s-m) Blut ~~* sceller de son sang; *sein Schicksal ist ~t* il est condamné; **B~(e)lung** *f* apposition *f* du sceau.
besieg|en *tr* vaincre; *a. sport* battre; *a. fig* l'emporter (*jdn, etw* sur qn, qc); triompher (*jdn, etw* de qn, qc); *fig* surmonter, dompter, maîtriser; **~t** *a: sich für ~~ erklären* se déclarer vaincu; mettre bas les armes; **B~te(r)** *m* vaincu *m.*
besingen *tr* chanter; *(preisen)* célébrer.
besinn|en, *sich (überlegen)* réfléchir; *(sich erinnern)* se souvenir (*auf etw* de qc), se rappeler (*auf etw* qc); *(es aufgeben)* revenir sur ses pas; *ohne sich (lange) zu ~~* sans hésiter; *sich anders* od *e-s anderen ~~* changer d'avis *od* d'idée; *sich e-s Besseren ~~* se raviser; *sich nicht lange ~~* ne faire ni une ni deux; **~lich** *a (Mensch)* pensif, songeur, méditatif; *(Zeit)* calme, paisible; *e-e ~~e Stunde verbringen* passer une heure à méditer; **B~ung** *f (fast nur in Wendungen): jdn zur ~~ bringen* ramener qn à la raison; *(wieder) zur ~~ kommen* reprendre connaissance, revenir (à soi); *fig* revenir à la raison; *nicht zur ~~ kommen lassen* tenir en haleine; *die ~~ verlieren* perdre connaissance, s'évanouir, se trouver mal; *fig* perdre la tête; **~ungslos** *a* sans connaissance, évanoui; *fig* hors de soi, étourdi; **B~ungslosigkeit** *f* évanouissement; *fig* étourdissement *m.*

Besitz *m* possession, propriété; *jur* détention; *(Vermögen)* fortune *f,* biens *m pl,* avoir; patrimoine *m; im ~ (gen)* en possession (de); *von etw ~ ergreifen, etw in ~ nehmen* prendre possession de qc, entrer en possession de qc; se rendre maître de qc; *(wieder) in den ~ e-r Sache gelangen* (r)entrer en possession de qc; (re)prendre possession de qc; *etw in ~ haben* posséder, détenir qc; *im ~ e-r S sein* être en possession *od* détenteur de qc, jouir de qc; *(sich) in den ~ e-r S setzen* (se) mettre en possession de qc; *jdn aus dem ~ vertreiben* od *bringen* déposséder, exproprier, évincer, expulser qn; *gemeinsame(r) ~* copropriété *f; tatsächliche(r) ~* possession *f* de fait; *(un-)mittelbare(r) ~* possession *f* (im)médiate; *(un)rechtmäßige(r) ~* détention *f* (il)légale; **~anspruch** *m* droit *m* de possession; **b~anzeigend** *a gram: ~~e(s) Fürwort n* pronom *m* possessif; **~einweisung** *f* mise *f* en possession; **b~en** *tr* posséder; être en possession de; *(innehaben)* détenir; avoir; être pourvu *od* muni de; être le maître de; *gemeinsam ~~* posséder en commun; *buchstäblich nichts ~~* n'avoir absolument rien à soi; **~ende** *m pl die ~~n* les possédants *m pl;* **~entziehung** *f jur* dépossession, expropriation; éviction, expulsion *f;* **~entziehungsklage** *f jur* réintégrande *f;* **~er(in *f*)** *m* possesseur; *(Eigentümer)* propriétaire; *jur* détenteur; *(Inhaber)* porteur *m; rechtmäßige(r) ~~* possesseur *m* légitime; *unrechtmäßige(r) ~~* possesseur illégitime, usurpateur *m; den ~~ wechseln* changer de main(s) *od* de propriétaire, passer en d'autres mains; **~ergreifung** *f* entrée en possession, prise *f* de possession; **b~erlos** *a* abandonné; **b~fähig** *a jur* apte à posséder; **~gegenstand** *m* objet *m* possédé; **~gemeinschaft** *f* copropriété *f;* **~klage** *f jur* action *f* possessoire; **b~los** *a* sans biens, pauvre; **~nachfolger** *m* propriétaire subséquent, ayant cause *m;* **~recht** *n* (droit de possession *od*) possessoire *m;* **~stand** *m* état de possession; *com* actif *m;* **~stück** *n* = *~gegenstand;* **~titel** *m* titre *m* de propriété *od* de possesseur; **~tum** *n* possession, fortune *f,* biens *m pl;* avoir *m;* **~übertragung** *f* transfert *m* de propriété *od* de titre; **~ung** *f (Landgut)* propriété *f,* terres *f pl,* fonds (de terre), domaine *m; (Kolonie)* colonie *f,* possessions *f pl;* territoires *m pl; überseeische ~~en* territoires *m pl* d'outre-mer; **~urkunde** *f* titre *m* (constitutif) de propriété; **~verteilung** distribution *f* de la propriété; **~wechsel** *m* changement *m* de propriétaire; *jur* mutation *f* de propriété.
besoffen *a pop* soûl, saoul, plein, rond, paf; *arg* noir; *~ machen (pop)* soûler; *~ sein (a.)* avoir sa cuite, cuver son vin; *total ~* soûl comme un Polonais, rond comme une bille; **B~heit** *f* ivresse *f.*

besohl|en *tr* ressemeler, mettre des semelles à; **B~ung** *f* ‹-, (-en)› ressemelage *m.*

besold|en [-ˈzɔld-] *tr* salarier; *(höher)* appointer; **~et** *a: (fest) ~~ sein* toucher un traitement (fixe); **B~ung** *f* ‹-, (-en)› *mil* solde *f; allg* paiement *m,* rémunération, rétribution *f; (Angestellte)* salaire *m; (höher)* appointements *m pl; (Beamte)* traitement *m; (Hausangestellte)* gages *m pl;* **B~ungsgruppe** *f* groupe *m od* catégorie *f od* échelon *m* de traitement; **B~ungsliste** *f* feuille *f* d'émargement *od* de paie; **B~ungs(neu)regelung** *f* (re)classement *m* des salaires; **B~ungsskala** *f* échelle *f* des traitements.

besonder|e(r, s) [-ˈzɔndər-] *a* spécial, particulier; *(gesondert)* séparé, individuel; *(unterschiedlich)* distinct, différent; *(eigentümlich)* particulier, singulier; *(ungewöhnlich)* exceptionnel; *etwas B~es* quelque chose de spécial; *etwas B~es sein (a.)* être quelqu'un (à part); *nichts B~es* pas grand-chose, peu de chose; *das ist nichts B~es (a.)* cela se voit tous le jours; *fam* ça ne casse rien; *im ~en* en particulier; *im ~en Sinn* par excellence; *~e Kennzeichen n pl* signes *m pl* particuliers; *~e Wünsche m pl* vœux *m pl* particuliers; **B~heit** *f* spécialité, particularité; individualité, spécificité; manière d'être; *(einzelne)* caractéristique, singularité; bizarrerie *f;* **~s** *adv (insbesondere)* spécialement, particulièrement, en particulier, notamment; *(hauptsächlich)* surtout, par-dessus tout, principalement; *(außerordentlich)* exceptionellement, extraordinairement; *(ausdrücklich)* expressément; *nicht ~~ ...* pas trop ..., pas tellement ..., pas autrement ...; *das ist nicht so ~~ (fam)* ce n'est pas fort.

besonnen 1. *a* réfléchi; *(vernünftig)* raisonnable; *(ausgeglichen)* pondéré; *(gesetzt)* posé; *(vorsichtig)* prudent, circonspect, avisé; **B~heit** *f* réflexion, sagesse; pondération; prudence, circonspection; *(Geistesgegenwart)* présence *f* d'esprit.

besonn|en 2. *tr. sich ~~ lassen* se dorer au soleil; **~t** *a* ensoleillé.

besorg|en *tr vx (befürchten)* craindre, appréhender (*daß* que); *(betreuen)* avoir *od* prendre soin (*etw* de qc); *(erledigen)* faire, expédier; s'acquitter (*etw* de qc); *(beschaffen)* procurer; pourvoir, approvisionner (*jdm etw* qn de qc); *(einkaufen)* acheter; *(sich) etw ~~* (se) procurer, acheter qc; *den Haushalt ~~* faire le ménage; *dem habe ich's aber gründlich ~t! (fam)* je ne le lui ai pas envoyé dire; *was du heute kannst ~~, das verschiebe nicht auf morgen (prov)* il ne faut jamais remettre au lendemain ce que l'on peut faire le jour même; **B~nis** *f* ‹-, -sse› crainte, appréhension; inquiétude *f,* souci *m,* préoccupation, sollicitude *f; ~~ erregen, zu ~~ Anlaß geben* donner de l'inquiétude; *ernste ~~* graves soucis *m pl;* **~niserregend** *a* inquiétant, préoccupant; **~t** *a* inquiet, soucieux, préoccupé; *(fürsorglich)* soigneux, prévoyant; empressé, plein d'égards; *(sehr) ~~ sein um* être en souci de, se faire du souci *od* des soucis pour; **B~theit** *f* ‹-, ø› inquiétude, préoccupation, sollicitude *f;* **B~ung** *f (Wartung)* entretien; soin(s *pl*) *m,* conduite; *(Auftrag)* commission; *(Erledigung)* course, expédition, exécution *f; (Beschaffung)* approvisionnement *m,* fourniture *f; (Einkauf)* achat *m,* emplette *f; ~~en machen* faire des courses *od* des commissions; **B~ungsgebühr** *f* droit *m* de commission.

bespann|en *tr* atteler (*e-n Wagen mit Pferden* des chevaux à une voiture); *(Instrument mit Saiten)* tendre (avec); *(Fläche, Wand, Rahmen)* tendre, revêtir, garnir (*mit* de); *neu ~~* recorder; *mit Stoff ~~ (a. aero)* entoiler; **~t** *a (Fahrzeug)* à traction animale *od (mil)* hippomobile; **B~ung** *f* ‹-, (-en)› attelage *m; mus* cordes *f pl; allg* revêtement *m,* garniture *f;* entoilage *m;* **B~ungsstoff** *m* toile *f* de revêtement.

bespeien *tr* conspuer; cracher sur.

bespickt *a fig* chargé, *fam* truffé (*mit* de).

bespiegeln, *sich* se mirer.

bespielen *tr (Schallplatte, Tonband)* enregistrer; *theat (e-n Ort)* jouer dans.

bespitzeln *tr* moucharder, espionner.

besprech|en *tr (sprechen über)* commenter; *(rezensieren)* critiquer, faire le compte rendu de; *(e-n Vortrag halten über)* conférer (*etw* sur qc); *(beraten)* discuter, débattre; délibérer (*etw* de, sur qc); *(magisch beschwören)* conjurer; *sich ~~* s'aboucher *(mit jdm* avec qn); *(sich verständigen, sich einigen)* s'entendre, se concerter (*mit jdm* avec qn); se mettre d'accord, convenir (*über* de); *(Schallplatte, Tonband)* enregistrer; **B~er** *m* commentateur; critique *m* (littéraire); **B~ung** *f* commentaire *m;* critique *f,* compte *m* rendu; conférence *f; (Unterredung)* entretien, colloque *m;* discussion *f,* débats *m pl; (Beschwörung)* conjuration *f; (Schallplatte, Tonband)* enregistrement *m; zur gefälligen ~~* prière d'insérer; *~~ auf höchster Ebene* rencontre *f* au sommet; **B~ungsexemplar** *n,* **B~ungsstück** *n* exemplaire *m* de presse *od* pour compte rendu.

besprengen *tr* asperger, arroser, mouiller, humecter.

bespringen *tr (weibl. Tier)* couvrir, monter, saillir.

bespritz|en *tr* mouiller; *(mit Schmutz)* éclabousser; *(mit Farbe, Blut)* tacher (*mit* de); *agr (zur Schädlingsbekämpfung)* pulvériser; **B~ung** *f agr (mit d. Spritzpistole)* pulvérisation *f,* seringage *m.*

bespülen *tr* arroser (*mit* de), laver; *poet (Fluß)* baigner.

Bessemer|birne [ˈbɛsəmər-] *f,* **~konverter** *m* convertisseur *m* Bessemer; **~stahl** *m* acier *m* Bessemer; **~verfahren** *n* procédé *m* Bessemer.

besser [ˈbɛsər] *(Komparativ von: gut) a* meilleur; *adv* mieux; *immer ~* de mieux en mieux, de plus en plus beau; *je eher, je* od *desto ~* le plus tôt sera le mieux; *um so ~* tant mieux; *~ gesagt (adv)* pour mieux dire; *~ gehen (Geschäfte)* aller mieux; *es ~ haben* vivre mieux; *etw ~ können* savoir mieux faire qc; *es ~ machen* faire mieux (*als irgend jemand sonst* que personne); *~ sein (a.)* valoir mieux; *~ (daran) tun* faire mieux; *~ werden* se bonifier, s'améliorer, être en voie d'amélioration; *es ~ wissen* en savoir davantage *od* plus (long); *es geht mir* od *mir ist ~* je suis *od* vais mieux; *das ist ~ als nichts* c'est déjà quelque chose; *es ist ~, du kommst sofort* il vaut mieux que tu viennes tout de suite; *es wäre ~* mieux vaudrait (*zu gehen* aller); *~ spät als nie (prov)* mieux vaut tard que jamais; *~e(s) Befinden n* mieux-être *m; meine ~e Hälfte (hum)* ma moitié; *ein ~er Herr* un monsieur bien; **B~e(s)** *n* (le *od* du) meilleur; *in Ermangelung eines ~en* faute de mieux; *zum ~en* en mieux; *jdn eines ~en belehren* détromper qn; *sich eines ~en besinnen* se raviser; *~es leisten* faire mieux; *sich zum ~en wenden, e-e Wendung zum ~en nehmen* changer en mieux, prendre une meilleure tournure; *ich habe ~es zu tun als* j'ai autre chose à faire que de; *ich könnte nichts ~es tun als ...* je ne saurais faire mieux que de ...; *das ~e ist des Guten Feind (prov)* le mieux est l'ennemi du bien; *Wendung f zum ~en* changement *m* en mieux; **~gestellt** *a* plus riche; **~n** *tr (sittlich)* amender; *sich ~~* devenir meilleur, s'améliorer, se bonifier, se réformer; être en voie d'amélioration; *(bes. sittlich)* s'amender; *(Gesundheit)* se rétablir, aller mieux; *(Wetter)* se remettre (au beau), s'améliorer; **~stellen** *tr jdn ~~* augmenter (le salaire de) qn; **B~ung** *f (a. med com mete)* amélioration *f; (sittlich)* amendement; *(Gesundheit)* rétablissement *m; auf dem Wege der ~~ sein* aller mieux; *es ist e-e merkliche ~~ eingetreten* il y a un mieux sensible; *gute ~~!* meilleure santé! *sittliche ~~* moralisation *f;* **B~ungsanstalt** *f* maison *f* de correction; **~ungsfähig** *a* corrigible; **B~wisser** *m* ergoteur; *fam* donneur *m* de leçons.

bestall|en *tr (in ein Amt einsetzen)* nommer, installer; **B~ung** *f* nomination, installation *f.*

Bestand *m (Bestehen)* existence; *(Fortdauer)* persistance, permanence, continuité, durée; *(Dauerhaftigkeit)* consistance, stabilité *f; com (Vorrat)* stock *m; (Reserve)* réserve; *(Kassenbestand)* encaisse *f; (Saldo)* solde; *mil (Stärke)* état numérique; *(Viehbestand)* cheptel *m; mit reichem ~* bien fourni; *ohne ~* instable *a; den ~ aufnehmen* faire *od* dresser *od* établir l'inventaire; *~ haben, von ~ sein* durer, persister, subsister;

eiserne(r) ~ stock *m* permanent; **b~en** *a (mit Pflanzen)* couvert (*mit* de); *(Straße mit Bäumen)* bordé (*mit* de); *fig (Prüfung)* réussi; **~saufnahme** *f* (établissement) *m* de l'inventaire *m; ~~ machen = den ~ aufnehmen;* **~sbuch** *n* livre d'inventaire, état *m;* **~sliste** *f,* **~sverzeichnis** *n* inventaire *m;* **~smeldung** *f* état *m* des niveaux; **~teil** *m (stofflich)* ingrédient, *bes. chem* composant *m; allg* partie *f* (constituante); élément *m; sich in seine ~~e auflösen* se désintégrer; *e-n ~~ bilden* entrer dans la composition (*gen* de); *wesentliche(r) ~~* partie *f* constitutive *od* intégrante, élément *m* constitutif *od* essentiel.

beständig *a (dauerhaft)* constant, permanent, persistant, persévérant, durable; *a. chem mete fin* stable; *tech* résistant, inattaquable; *(Farbe)* indélébile; *(andauernd)* continu(el), ininterrompu; *adv (immer)* constamment, continuellement, incessamment, assidûment, sans cesse, sans relâche; **B~keit** *f* ‹-, (-en)› constance, permanence, persistance, persévérance, durabilité; stabilité; résistance; indélébilité; continuité *f.*

bestärk|en *tr* confirmer, corroborer; *jdn in etw* fortifier, (r)affermir qn dans qc; **B~ung** *f* confirmation, corroboration *f;* (r)affermissement *m.*

bestätig|en [-ˈʃtɛːt-] *tr* confirmer, constater, (ré)affirmer, vérifier; *(bekräftigen)* confirmer, corroborer; *(bescheinigen)* attester, certifier, entériner; *(anerkennen)* reconnaître; *sport* homologuer; *(zustimmen)* approuver; *(Urteil)* valider; *sich ~~* se confirmer, se vérifier; s'avérer; *amtlich* od *gerichtlich ~~* légaliser, sanctionner, ratifier, homologuer, entériner; **B~ung** *f* confirmation, constatation, affirmation, vérification, corroboration; attestation, certificat(ion *f*) *m;* approbation; validation; *sport* homologation *f; e-r ~~ bedürfen* mériter confirmation; *amtliche* od *gerichtliche ~~* légalisation *f,* sanctionnement *m,* ratification, homologation *f,* entérinement *m;* **B~ungsschreiben** *n* lettre *f* de confirmation; *pol* lettres *f pl* de créance; **B~ungsurkunde** *f* acte *od* certificat *m de confirmation.*

bestatt|en *tr* inhumer, enterrer; **B~ung** *f* inhumation *f,* enterrement *m;* sépulture *f,* funérailles, obsèques *f pl.*

bestäub|en [-ˈʃtɔʏb-] *tr bot* féconder; **B~ung** *f bot* fécondation, pollinisation *f.*

bestech|en *tr* corrompre, acheter; soudoyer; *fam* graisser la patte (*jdn* à qn); *(e-n Zeugen)* suborner; *fig* séduire, éblouir; *sich ~~ lassen (Beamter)* trafiquer; **~end** *a fig* séduisant, éblouissant; **~lich** *a* corruptible, vénal; **B~lichkeit** *f* corruptibilité, vénalité; corruption *f;* **B~ung** *f* corruption; *(von Zeugen)* subornation *f; passive ~~* trafic *m* d'influence; *versuchte ~~ = B~ungsversuch;* **B~ungsaffäre** *f* affaire *f* de prévarication; **B~ungsgeld(er** *pl)* *n* pot-de-vin *m;* **B~ungsvergleich** *m* tentative *f* de corruption.

Besteck *n* ‹-(e)s, -/(-s)› [-ˈʃtɛk] *(Eßbesteck)* couvert *m; med* trousse *f; das ~ machen (mar)* faire le point; **b~en** *tr* piquer (*mit* de); *(garnieren)* garnir (*mit* de); **~fabrikant** *m* fabricant *m* de couverts; **~kasten** *m* casier à couverts, ramasse-couverts *m,* ménagère; *med* boîte *f* à chirurgie; **~korb** *m* panier *m* à argenterie; **~schrank** *m* argentier *m.*

Besteg *m geol* veine *f.*

bestehen *tr (Kampf, Probe)* soutenir; *(Prüfung)* subir, passer; réussir à; *itr (existieren)* exister, être; *(dauern)* durer, subsister, persister; *(leben)* vivre, subsister; *(Gültigkeit haben)* valoir, être en vigueur; *auf etw ~* insister, appuyer sur qc; s'obstiner à qc, persister dans qc; *auf s-m Recht ~* faire valoir obstinément ses droits; *darauf ~, daß* insister (à nouveau) pour que; *~ aus* se composer, être composé de, être constitué par; *~ in* consister dans *od* en; *darin ~, daß* consister à *inf; gegen jdn ~* tenir tête à qn; *vor jdm, etw ~* soutenir son rôle devant qn, qc; s'imposer; *zu Recht ~* être justifié; *es besteht nicht (kein)* il n'y a pas (de); *Schönheit vergeht, Tugend besteht (prov)* la beauté passe, la vertu reste; **B~** *n* réussite; existence, persistance; subsistance; insistance; obstination *f; seit ~~ unserer Firma* depuis la fondation *od* la création de notre maison; *seit ~~ der Welt* depuis la création du monde; **~bleiben** *itr* rester, demeurer, continuer; *auf etw ~~* en revenir à qc; **~d** *a* existant; *(gegenwärtig)* présent; *(Gesetz)* établi, en vigueur.

bestehlen *tr* voler, dévaliser.

besteig|en *tr* monter sur; *(Berg)* gravir, escalader; faire l'ascension de; *(Fahrrad)* enfourcher; *das* od *ein Pferd ~~* monter à cheval; *mit Steigeisen ~~* cramponner; *den Thron ~~ (fig)* accéder au trône; **B~ung** *f (e-s Berges)* ascension; *(des Thrones)* accession *f.*

Bestell|buch *n* livre *od* carnet *m* de(s) commandes; **b~en** *tr agr* cultiver, labourer, mettre en valeur; *(Sendung)* délivrer, remettre, distribuer; *(Nachricht)* communiquer; *(Grüße)* transmettre; *com* commander, passer (une) commande de; *(reservieren lassen)* retenir; *(kommen lassen)* faire venir; *jdn* mander, citer, convoquer; donner rendez-vous (*jdn* à qn); *(ernennen)* nommer, instituer (*zu etw* qc); désigner (*zu* pour); *auf 2 Uhr ~t sein* avoir rendez-vous à 2 heures; *das Aufgebot ~~* publier les bans; *sein Haus ~~ (fig)* régler *od* (re-)mettre de l'ordre dans ses affaires; *e-e Hypothek ~~* créer *od* constituer une hypothèque; *e-e Sicherheit ~~* fournir caution; *es ist schlecht um mich ~t* mes affaires vont mal; **~er** *m com* commettant; *(Abonnent)* abonné *m;* **~erliste** *f* liste *f* des abonnés; **~formular** *n* formulaire *m* de commande; **~karte** *f* carte *f* de commande; **~nummer** *f com* numéro *m* de commande *od* de rappel; **~schein** *m com* bon *od* bulletin de commande; *(Bibliothek)* bulletin *m* de demande; **~ung** *f agr* mise *f* en valeur; *(Sendung)* délivrance, remise, distribution; *(Nachricht)* communication; *(Grüße)* transmission; *com* commande *f,* ordre *m,* commission; *(Hypothek)* constitution; *(Ernennung)* nomination, institution, désignation *f; auf ~~* sur commande; *bei ~~* à la commande; *bei ~~ von* sur la commande de; *laut ~~* d'après la commande; *e-e ~~ aufgeben* faire une commande (*bei jdm* à qn); *e-e ~~ ausrichten* remplir un message; **~zettel** *m = ~schein.*

best|e(r, s) [ˈbɛst-] *a (Superlativ von: gut)* le, la meilleur, e; *der erste ~e* le premier venu; *am ~en, aufs ~e* le mieux (du monde), au mieux; *im ~en Alter, in den ~en Jahren* à la fleur *od* force de l'âge; *nach ~en Kräften* de son mieux; *beim ~en Willen* avec la meilleure volonté; *nach ~em Wissen und Gewissen* en mon *etc* âme et conscience; *aufhören, wenn es am ~en schmeckt* rester sur son appétit; *etwas zum ~en geben* régaler (*jdm etw* qn de qc); *jdn zum ~en haben* se jouer de qn; *fam* se payer la tête de qn; *es für das ~e halten zu ...* croire que le meilleur *od mieux est* de ...; *auf dem ~en Wege sein* approcher du but; *zu tun* être en voie de faire; *sich zum ~en wenden* prendre excellente tournure; *sich von der ~en Seite zeigen* se montrer à son avantage; *das ~e ist ...* il n'est que de ...; *es ist am ~en, wenn ich gehe* le mieux est de m'en aller; *es wird das ~ sein, wenn* le mieux, c'est que; *~en Dank!* merci bien! grand merci! *(a. iron);* **B~e(r)** *m (e-r Klasse od Gruppe)* le premier, le leader; *jdn für den ~en erklären* décerner la palme à qn; **B~e(s)** *n* le meilleur; le mieux; *das ~e* le dessus du panier, le suc; la fine fleur; *fam* la crème (*an e-r S* de qc); *zu jds ~en* pour le bien *od* dans l'intérêt de qn; *s-n ~ anhaben* être sur son 31; *etw als ~es bis zuletzt aufheben* od *aufsparen* garder qc pour la bonne bouche; *sein ~es geben* od *tun, das ~e herausholen* faire de son mieux; *hoffen wir das ~e!* espérons que tout ira pour le mieux; **~enfalls** *adv* dans le meilleur des cas, dans le cas le plus favorable; *(höchstens)* (tout) au plus, au maximum; **~ens** *adv* au mieux; parfaitement; **~gehaßt** *a* le plus haï; **B~leistung** *f sport* record *m;* **~möglich** *a* le meilleur ... possible; **B~wert** *m fin* valeur *f* optimale; **B~zeit** *f* temps *m* record.

besternt *a (ordensgeschmückt)* constellé *od* couvert de décorations.

besteuer|bar *a* imposable, taxable; **~n** *tr* imposer, taxer; *(hoch)* grever d'impôts; *zu hoch ~~* surimposer, surcharger d'impôts; **B~ung** *f* imposition, taxation *f; erhöhte ~~* renforcement *m* de la taxation; **B~ungsart** *f* mode *m* d'imposition.

besti|alisch [bɛsti'a:lɪʃ] *a* bestial; **B~alität** *f* ‹-, (-en)› [-ali'tɛ:t] bestialité *f*; **B~e** *f* ‹-, -n› ['bɛstiə] bête féroce; *fig (Mensch)* brute *f*.
besticken *tr* garnir de broderies.
bestielen *tr* emmancher.
bestimm|bar *a* déterminable, définissable, qualifiable; **~en** *tr (festsetzen)* décider, déterminer, désigner, fixer, établir; *(anordnen)* ordonner, commander, arrêter, décréter; *(genau festlegen)* préciser, spécifier, qualifier, déterminer; *(Begriff)* définir; *(Pflanze)* identifier; *(überreden)* décider, déterminer, persuader (*zu tun* à faire); *(ernennen)* nommer, désigner; *(zuweisen, zudenken)* destiner, affecter (*für* à), désigner, prévoir (*für* pour); *(Summe)* appliquer (*zu* à); *itr (entscheiden)* décider (*über* de); *(verfügen)* disposer (*über* de); *über jdn* faire *od* dicter la loi à qn; *durch Wahl ~~* désigner par un vote; **~end** *a* déterminant, décisif; **~t** *a (festgelegt)* décidé, déterminé, résolu; *(Artikel)* défini; *(Zeitpunkt, Preis)* fixé; *(entschieden)* décisif, catégorique; *(gewiß)* sûr, certain; *(genau)* précis, spécifié, explicite; *(deutlich)* net; *(endgültig)* définitif; *(vorgeschrieben)* prescrit; ordonné, décrété; *(zugedacht)* destiné, affecté (*für* à), désigné, prévu (*für* pour); *(fest in der Haltung)* ferme; *(selbstsicher)* assuré; *(Ton)* affirmatif; *adv* sûrement, certainement, à coup sûr, pour sûr, *fam* sans faute; *(sicherlich)* sans doute; *ganz ~~* sans aucun doute; il n'y a pas d'erreur; *etw ganz ~~ tun* ne pas manquer de faire qc; **B~theit** *f* ‹-, ø› décision, détermination, résolution; sûreté, certitude; précision; netteté; fermeté; assurance *f*; *mit ~~* avec conviction; avec emphase; **B~ung** *f (Entscheidung)* décision; *(Festsetzung)* détermination, fixation; *(Anordnung)* ordonnance *f*, décret, arrêt *m*, prescription; *(genaue Festlegung)* précision, spécification, détermination; *(e-s Begriffes)* définition; *gram* détermination; *(e-r Pflanze)* identification *f*; *(Ernennung)* désignation; *(Zuweisung)* destination, affectation; désignation; *(Vertragsbestimmung)* stipulation, clause; *(a. gesetzliche)* disposition; *(Berufung)* vocation, mission *f*; *(Schicksal)* destin *m*, destinée *f*, sort *m*; *mit der ~~, daß* à condition que; *nach den geltenden ~~en* d'après les dispositions en vigueur; *unter die gesetzlichen ~~en fallen* tomber sous le coup de la loi; **B~ungsbahnhof** *m* gare *f* destinataire *od* de destination; **B~ungsflughafen** *m* aéroport *m* de destination; **B~ungsland** *n* pays *m* de destination; **B~ungsort** *m* (lieu *od* point *m* de) destination *f*; *am ~~ eintreffen* arriver à destination.
bestirnt *a poet* étoilé, constellé.
bestoßen *tr* heurter, endommager; *tech* couper, tailler, écorner, mortaiser.
bestraf|en *tr* punir (*für etw, mit etw* de qc), mettre en pénitence; *(züchtigen)* corriger, châtier; **B~ung** *f* punition; correction *f*, châtiment *m*.
bestrahl|en *tr* éclairer (de ses rayons); *phys* irradier; *(der Bestrahlung aussetzen)* exposer *med* traiter aux rayons; **B~ung** *f phys* irradiation; *(Lichtbad)* exposition à l'action des rayons, séance *f* de rayons; *radioaktive ~~* irradiation *f* radio-active; **B~ungsapparat** *m*, **B~ungsgerät** *n* appareil *m* à radiations; **B~ungslampe** *f* lampe *f* d'irradiation.
bestreb|en, *sich* s'efforcer (*etw zu tun* de faire qc), s'appliquer, chercher (*etw zu tun* à faire qc), tâcher (*etw zu tun* de faire qc); **B~en** *n* effort *m*, application, aspiration *f*; **~t** *a*: *~~ sein = sich bestreben*; **B~ung** *f (meist pl)* tentative *f*, essai; effort *m*.
bestreichen *tr* enduire (*mit* de); *mil (Gelände)* balayer, battre; *mit Butter ~* beurrer; *mit Fett ~* graisser; *mit e-m Magneten ~* aimanter.
bestreiken *tr (Betrieb)* immobiliser par une grève.
bestreit|bar *a* contestable, controversable, discutable; **~en** *tr* contester, controverser, disputer; *(abstreiten)* (dé)nier; se défendre (*etw* de qc), s'inscrire en faux (*etw* contre qc); démentir, désavouer; *(Kosten)* payer; subvenir, pourvoir, fournir (*etw* à qc); *(Unterhalt)* suffire, faire face (*etw* à qc); *die Unterhaltung ~~* faire les frais de la conversation; *das ~e ich nicht* je ne dis pas le contraire.
bestreuen *tr* répandre (*e-e S mit etw* qc sur une chose); (par)semer, sémailler (*mit* de); *(mit Salz, Zucker, Mehl)* saupoudrer (*mit* de); *mit Blumen ~* joncher de fleurs; *mit Sand ~* sabler.
bestrick|en *tr fig* ensorceler, charmer, enchanter, envoûter, fasciner; **~end** *a* charmant, fascinant, captivant, engageant; **B~ung** *f* enchantement *m*, fascination *f*.
bestück|en *tr mil mar* armer de canons; *tech* équiper, munir; **B~ung** *f* armement; *tech* équipement *m*.
bestürmen *tr* assaillir *a. fig*, donner l'assaut à; *mit Fragen* od *Bitten ~* assaillir, assiéger, presser de questions *od* demandes.
bestürz|end *a* bouleversant, stupéfiant, affolant; **~t** *a* bouleversé, confondu, stupéfait, consterné, effaré, affolé, ahuri, ébahi; **B~ung** *f* bouleversement *m*, stupéfaction, consternation *f*, effarement, affolement, ahurissement, ébahissement *m*.
Besuch *m* ‹-(e)s, -e› [bə'zu:x] visite; *(Besichtigung)* inspection *f*; *(Aufenthalt)* séjour *m*; *(häuslicher od regelmäßiger)* fréquentation *f*; *(Gast)* visiteur, hôte *m*; *auf* od *zu ~* en visite; *jdm e-n ~ abstatten* od *machen* faire *od* rendre visite à qn; *jds ~ erwidern* rendre sa visite à qn; *~ haben* avoir du monde; *zu jdm auf ~ kommen* venir voir qn; *es ist ~ da* il y a du monde; *kurze(r) ~* apparition *f*; **b~en** *tr* aller *od* venir voir, faire *od* rendre visite à; visiter *a. med u. com*; *(häufig od regelmäßig)* fréquenter; *(häufig, eifrig)* courir, hanter; *com (Kunden, a.)* travailler; *die Schule ~~* aller à *od* fréquenter l'école; *das Theater, das Kino ~~* aller au théâtre, au cinéma; *e-e Versammlung ~~* assister à une réunion; *e-e Vorlesung ~~* suivre un cours; **~er** *m* ‹-s, -› visiteur, hôte *m*; **~erring** *m theat* abonnés *m pl*; **~erzahl** *f* nombre *m* des visiteurs; **~skarte** *f* carte *f* (de visite); **~szeit** *f* heures *f pl* de visite; **~szimmer** *n* salon *m*; **~t** *a*: *gut ~~* suivi; *viel ~~ (Ort)* fréquenté.
besud|eln *tr* barbouiller; *a. fig* souiller, salir; *fig* entacher, polluer; **B~(e)lung** *f* souillure; pollution *f*.
betagt [-'ta:kt] *a* (très) âgé, d'un âge (très) avancé, vieux.
betakel|n *tr mar* gréer; **B~ung** *f* gréement *m*; *(Takelwerk)* agrès *m pl*.
betasten *tr* tâter, palper; toucher (*etw* à qc); **B~** *n* attouchement *m*; *med* palpation *f*.
Betastrahlen ['be:ta-] *m pl* rayons *m pl* bêta.
betätig|en *tr tech* commander, manœuvrer; *(a. Waffe)* actionner; *sich ~~ (sich beschäftigen)* s'occuper, travailler; *(mitmachen)* prendre part, participer (*bei* à); *sich politisch ~~* avoir *od* exercer une activité politique; **B~ung** *f tech* commande, manœuvre *f*; *(Beschäftigung)* travail *m*; occupation, activité; *(Teilnahme)* participation *f*; **B~ungsfeld** *n* champ *m* d'activité; **B~ungshebel** *m* levier *m* de commande *od* de manœuvre; **B~ungsverbot** *n* mise *f* à pied.
betätscheln *tr fam* tripoter.
betäub|en *tr (durch Lärm)* assourdir, abasourdir, étourdir; *(Schmerz)* assoupir, engourdir; *(Gefühl, Gewissen)* tromper; *med* endormir, insensibiliser, anesthésier; *mit Äther ~~* éthériser; *mit Chloroform ~~* chloroformer; *örtlich ~~* anesthésier localement; *sich ~~* se distraire; **~end** *a (Lärm)* assourdissant; *fig (Duft)* entêtant; *med* stupéfiant, narcotique; **B~ung** *f* assourdissement, étourdissement, assoupissement; engourdissement *m*, torpeur, léthargie; *med* anesthésie, narcose; *fig* stupeur, stupéfaction *f*; *örtliche ~~* anesthésie *f* locale; **B~ungsmittel** *n* anesthésique, narcotique, stupéfiant *m*.
Betbruder ['be:t-] *m* bigot, rat *m* d'église.
Bete *f* ‹-, -n› ['be:tə] *rote ~ (Rübe)* betterave *f* rouge.
beteilig|en *tr* faire participer, intéresser (*jdn an etw* qn à qc); *com* accorder un intérêt (*jdn* à qn); *sich ~~* se joindre, s'intéresser (*an etw* à qc); *(beteiligt sein)* participer, prendre part (*an etw* à qc); partager (*an etw* qc); *(mitarbeiten)* collaborer, coopérer (*an* à); *sich finanziell an etw ~~* prendre un intérêt dans qc; *jdn am Gewinn ~~* intéresser qn aux bénéfices; **~t** *a com* intéressé (*an* à, dans); *~~ sein = sich ~en*; *daran ~~ sein* en faire partie; *mit e-m Drittel, zur Hälfte an etw ~~ sein* être pour un tiers, de moitié dans qc; *an*

e-m Unfall ~~ *sein* être impliqué dans un accident; *an e-m Verbrechen* ~~ *sein* être complice d'un crime; tremper dans un crime; **B~te(r)** *m* participant, intéressé; *(Teilhaber)* associé, partenaire; *(Vertragspartei)* contractant *m,* partie *f* contractante *od* intéressée; *(an e-m Verbrechen)* complice *m;* **B~ung** *f* participation *f; com* intérêt *m (an etw* à *od* dans qc); *(Mitwirkung)* collaboration, coopération *f;* concours *m;* contribution; assistance; *(an e-m Verbrechen)* complicité *f; pl fin* titres *m pl* de participation; **B~ungsgeschäft** *n* association *f* en participation; **B~ungsgesellschaft** *f* société *f* par intérêts.

Betel *m* ⟨-s, ø⟩ [ˈbeːtəl] *(Genußmittel),* **~nußpalme** *f,* **~pfeffer** *m bot* bétel *m.*

bet|en [ˈbeːtən] *tr* u. *itr* prier (*zu Gott* Dieu); *itr* dire une *od* sa prière; *den Rosenkranz* ~~ dire son chapelet; **B~fahrt** *f* pèlerinage *m;* **B~saal** *m* oratoire *m;* **B~schwester** *f* bigote; *pop* grenouille *f* de bénitier; **B~stuhl** *m* prie-Dieu *m.*

beteuer|n *tr* affirmer; protester (*etw* de qc); *hoch und heilig* ~~ affirmer bien haut; **B~ung** *f* affirmation; protestation *f.*

Beting *m* ⟨-s, -e⟩ od *f* ⟨-, -e⟩ [ˈbeːtɪŋ] *mar* bitte *f.*

betitel|n *tr* intituler, appeler, nommer; donner le titre de ... (*jdn* à qn); *pej* traiter, qualifier (*als* de); **B~ung** *f* intitulé *m.*

Beton *m* ⟨-s, -s⟩ [beˈtɔ̃:, -ˈto:n] béton *m;* **~bau** *m* construction *f* en béton; **~bettung** *f* couche *f od* lit *m* de béton; **~block** *m* bloc *m* de béton; **~brücke** *f* pont *m* en béton; **~dekke** *f arch* plafond en béton; *(Straße)* pavé *m* en béton; **~fußboden** *m* plancher *m* en béton; **b~ieren** [-toˈni:rən] *tr* bétonner; **~ieren** *n,* **~ierung** *f* bétonnage *m;* **~kies** *m* gravier *m* à béton; **~mantel** *m* revêtement *m* en béton; **~mast** *m* pylône *m* en béton; **~mischer** *m,* **~mischmaschine** *f* bétonnière *f,* malaxeur *od* mélangeur *m* à béton; **~pfeiler** *m* pilier *od* pieu *m* en béton; **~platte** *f* plaque *f* de béton; **~rohr** *n* tuyau *m* en béton; **~schicht** *f* couche *f* de béton; **~stampfer** *m* pilon *m* à béton; **~stein** *m* bloc *m* en béton; **~straße** *f* route *f* bétonnée *od* en béton; **~verkleidung** *f* revêtement *m* en béton.

beton|en [-ˈto:n-] *tr* mettre l'accent (*etw* sur qc); *a fig* accentuer; *fig* souligner, faire ressortir, mettre en relief *od* en évidence; appuyer, insister (*etw* sur qc); **~t** *adv fig* ostensiblement; **B~ung** *f* accentuation *f,* accent *m; fig* insistance *f* (*gen* sur); *falsche* ~~ *(gram)* contretemps *m.*

betonn|en [-ˈtɔn-] *tr mar* baliser; **B~ung** *f* balisage *m.*

betör|en [-ˈtø:r-] *tr* tromper; *a. fig* éblouir; *(verführen)* séduire; *fig* fasciner, enjôler, magnétiser; tourner la tête (*jdn* à qn); **~end** *a* enjôleur, enchanteur; **B~ung** *f* séduction; fascination *f,* enjôlement *m.*

Betracht *m* ⟨-(e)s, ø⟩ [bəˈtraxt] *außer* ~ *bleiben* ne pas être pris en considération; *(nicht) in* ~ *kommen* (ne pas) entrer en ligne de compte *od* en considération, (ne pas) être en jeu; *außer* ~ *lassen* faire abstraction, ne pas tenir compte (*etw* de qc); laisser de côté, ne pas prendre en considération; *in* ~ *ziehen* prendre en considération, faire entrer en ligne de compte; tenir compte, faire état (*etw* de qc); avoir égard (*etw* à qc); *er kommt für diesen Posten nicht in* ~ il est exclu qu'il occupe ce poste; **b~en** *tr* regarder, contempler; *(genau)* étudier; *(prüfen)* examiner, scruter; *(halten für)* regarder, considérer (*als* comme); tenir, compter (*als* pour); *genau* ~*et (adv)* tout bien considéré, tout compte fait; **~er** *m* ⟨-s, -⟩ contemplateur, spectateur, observateur *m;* **~ung** *f* contemplation *f; (Prüfung)* examen *m (Überlegung)* contemplation, considération, méditation, réflexion *f; bei näherer* ~~ à y regarder de plus près; *ernsthafte* ~~*en anstellen* faire de sérieuses réflexions; **~ungsweise** *f* manière *f* de voir.

beträchtlich [-ˈtrɛçt-] *a* considérable, notable, important; *adv* nettement, sensiblement.

Betrag *m* montant *m,* somme *f; (Rechnungs-, Buchungsposten)* poste *m; (Wert)* valeur *f; aus kleinsten Beträgen* sou à *od* par sou; *(bis zum) im* ~ *von* (jusqu')à concurrence de; ~ *erhalten (Quittungsformel)* reçu, pour acquit; *volle(r)* ~ montant *m* entier; *zuviel bezahlte(r)* ~ surpaie, surpaye *f;* ~ *in Worten* somme *f* en (toutes) lettres; **b~en** *itr (sich belaufen auf)* faire; s'élever, (se) monter, se chiffrer à; totaliser; *sich* ~~ *(sich benehmen)* se conduire, se comporter; **~en** *n* conduite *f,* manières, façons *f pl; schlechte(s)* ~~ inconduite *f.*

betrauen *tr* confier (*jdn mit etw* qc à qn); charger (*mit etw* de qc).

betrauern *tr* porter le deuil (*jdn* de qn), pleurer (*jdn* qn); *(e-n Verlust)* regretter, déplorer.

beträufeln *tr* arroser goutte à goutte.

Betreff *m* ⟨-(e)s, (-e) ø⟩ *(Kanzleisprache)* référence *f,* rapport *m; in b~ (gen)* concernant, touchant; en ce qui concerne, pour ce qui est (de), pour le compte (de), relativement (à), quant (à), au sujet (de), à propos (de), à l'égard (de); **b~en** *tr (Unglück)* atteindre, frapper; *(angehen)* concerner, toucher, regarder, intéresser; *(sich beziehen auf)* se rapporter, avoir rapport *od* trait à; *betroffen sein von* être affecté de; *er wurde dabei betroffen, als ...* il fut attrapé *od* surpris à *inf; betrifft (im Brief)* objet; *was ... betrifft* = *in b~; was das betrifft* pour cela, quant à cela, pour ce qui est de cela; *was mich betrifft* quant à moi, à mon égard, pour ma part, en ce qui me concerne; *das betrifft mich* cela me concerne; *das betrifft mich nicht* cela ne me regarde pas; **b~end** *a* en question; *(erwähnt)* mentionné, cité (ci-dessus); *(jeweilig)* relatif; *(einschlägig)* respectif; *(zuständig)* compétent; *prp* concernant, touchant; relatif à; *der* ~*ende (Person)* l'intéressé *m;* **b~s** *prp gen* = *in b~.*

betreib|en *tr (durchführen)* poursuivre, mener; *(eifrig)* se livrer à; *(dringen auf)* activer, pousser; *(Beruf, Gewerbe)* exercer; *(Handwerk)* suivre; *(Geschäft)* tenir, exploiter; *(Politik)* pratiquer; *(Prozeß)* poursuivre; *(Studien)* faire, poursuivre; *zugleich* ~~ mener de front; ~*ende Partei f (jur)* partie *f* la plus diligente; *elektrisch betrieben (loc)* à traction électrique; **B~en** *n; auf jds* ~~ à l'instigation, sous l'impulsion, *jur* à la diligence de qn; **B~ung** *f (Durchführung)* poursuite *f.*

betret|en *tr (Haus, Raum)* entrer, mettre le pied (*etw* dans qc); *(Rasen)* marcher sur; *a (Weg)* frayé, battu, fréquenté; *fig (verlegen)* gêné, embarrassé, confus; *adv:* ~~ *abziehen* s'en aller l'oreille basse; **B~en** *n* accès; passage *m;* ~~ *verboten!* défense d'entrer, interdit; ~~ *des Rasens verboten* ne pas marcher sur la pelouse, pelouse interdite; **B~ungsfall** *m: im* ~~ en cas de contravention.

betreu|en *tr* soigner; prendre *od* avoir soin, s'occuper (*jdn* de qn, *etw* de qc); entretenir (*etw* qc); *(beaufsichtigen)* avoir la garde *od* charge (*jdn* de qn), surveiller; parrainer; *(leiten)* être en charge (*etw* de qc); **B~er** *m sport* soigneur *m; (DDR)* parrain *m,* correspondant *m;* **B~ung** *f* ⟨-, ø⟩ soin *m,* assistance *f;* encadrement *m; (Aufsicht)* surveillance *f,* contrôle *m; ärztliche* ~~ surveillance *f* médicale.

Betrieb *m* entreprise, exploitation; *tech (Arbeiten)* marche *f,* fonctionnement, mouvement; *(Bedienung)* service, maniement *m; (Verkehr)* circulation *f,* trafic; *(Rummel)* mouvement *m;* activité, animation *f; außer* ~ hors service; arrêté, désaffecté; *(nicht betriebsfähig)* en panne; *in* ~ en marche, en service; en exploitation; *tech* en jeu; *in vollem* ~ en pleine activité *od* marche; *nicht in* ~ dans l'inaction; inexploité; *den* ~ *(wieder)aufnehmen* reprendre le travail (d'une exploitation); *den* ~ *einstellen* arrêter *od* suspendre l'exploitation; *in* ~ *nehmen* mettre en service, ouvrir à l'exploitation; *in* ~ *sein* marcher, être en marche *od* action *od* exploitation; *außer* ~ *setzen* mettre hors marche, arrêter; *in* ~ *setzen* mettre en marche *od* action *od* activité *od* exploitation, faire marcher, actionner; *e-n* ~ *verlegen* déplacer une exploitation; *vorübergehend außer* ~*!* arrêt momentané; *elektrische(r)* ~ traction *f* électrique; *gemeinnützige(r)* ~ exploitation *f* d'utilité publique; *handwerkliche(r)* ~ entreprise *f* artisanale; *kaufmännische(r)* ~ entreprise *f* commerciale; *landwirtschaftliche(r)* ~ exploitation *f* agricole; *lebhafte(r) ~ (Straße)* animation *f;* **b~lich** *a* de l'entreprise, de l'exploitation; **~sabrechnung** *f* décompte *m* d'entreprise; **b~sam** *a* actif, agissant; affairé; **~samkeit** *f* activité *f,* affairement *m;* **~sanforderungen** *f pl* exigences *f pl* d'exploitation; **~sangehörige(r** *m)* *f* ressortissant, e *m f* d'une *od* de l'entreprise *od* exploitation; *m pl* personnel *m* de l'entreprise *od* exploitation; **~sanlagen** *f pl* installations *f pl* (industrielles); **~sanweisung** *f* instruction *f* de service; **~sarzt** *m* médecin *m* d'entreprise; **~sausflug** *m* excursion *f* de l'entreprise; **~sausschuß** *m* délégation *f* d'entreprise; **~sbedingungen** *f pl* conditions *f pl* d'exploitation *od* de fonctionnement; **b~sbereit** *a* prêt à être mis en service *od* en marche, prêt à marcher *od* à fonctionner; **~sbudget** *n* prévision *f* d'exploitation; **b~seigen** *a* appartenant à l'entreprise; **~seinnahmen** *f pl* recettes *f pl* d'exploitation; **~seinrichtung** *f* installation *f;* **~seinschränkung** *f* réduction *f* de l'activité; **~seinstellung** *f* arrêt *m od* suspension *f* de l'exploitation; **b~sfähig** *a* en état d'exploitation, exploitable; prêt à marcher *od* à fonctionner *od* pour le service, en ordre de marche; *~~e(r) Zustand m,* **~sfähigkeit** *f* état *m* d'exploitation; **~sferien** *pl* fermeture *f* annuelle; **~sfest** *n* fête *f* de l'entreprise; **~sforschung** *f* recherche *f* opérationnelle; **b~sfremd** *a* étranger à l'entreprise; **~sführer** *m* chef d'entreprise *od* d'exploitation, directeur d'exploitation *od* d'usine, gérant *m* (d'entreprise *od* d'affaires); **~sführung** *f* gestion de l'entreprise; direction *f* de l'exploitation; **~sgebäude** *n pl* bâtiments *m pl* de l'entreprise; **~sgeheimnis** *n* secret *m* d'entreprise; **~sgelände** *n* terrain *m* de l'exploitation; **~sgewinn** *m* bénéfice *m* d'exploitation; **~singenieur** *m* ingénieur *m* exploitant; **~sjahr** *n* exercice *m;* **~skalkulation** *f* établissement *m* du prix de revient; **~skapital** *n* fonds *m pl* de roulement; capital *m* d'exploitation; **~skosten** *pl* frais *m pl* d'exploitation *od* généraux; **~skrankenkasse** *f* caisse *f* de maladie de l'entreprise; **~sleistung** *f* rendement *m* d'exploitation; **~sleiter** *m* = *~sführer;* **~sleitung** *f* direction *f* d' *od* de l'entreprise; **~smittel** *n pl* moyens *m pl* d'exploitation; *loc* matériel *m* roulant *od* d'exploitation; **~snudel** *f hum* boute-en-train *m;* **~sobmann** *m* délégué ouvrier, homme *m* de confiance; **~sordnung** *f* règlement *m* d'entreprise *od* d'exploitation *od* de service, consignes *f pl* d'exploitation; **~sorganisation** *f* organisation *f* de l'entreprise; **~sprüfung** *f* examen *m* fiscal de l'entreprise; **~srat** *m* ⟨-(e)s, ⸚e⟩ délégués *m pl* du personnel; comité *od* conseil *m* d'entreprise; **~sratsvorsitzende(r)** *m* président *m* du comité d'entreprise; **~srisiko** *n* risque *m* d'exploitation; **~sschalter** *m el* interrupteur *m* de service; **~ssicherheit** *f* sécurité d'exploitation *od* de l'exploitation du service *od* de fonctionnement; *loc* sûreté *f* de la circulation; **~sspannung** *f el* tension *f od* voltage *m* de régime *od* de service; **~sstätte** *f* lieu *m* d'exploitation; **~sstillegung** *f* arrêt *m* de l'exploitation; fermeture *f* d'(une) *od* de l'entreprise; **~sstockung** *f* dérangement *m* de service; **~sstoff** *m mot (Treibstoff)* carburant *m;* **~sstörung** *f* incident *m od* interruption *f* de *od* dérangement dans le service; arrêt de fonctionnement, dérangement *m,* panne *f;* **~sstrom** *m* courant *m* de régime; **~stemperatur** *f* température *f* de régime; **~süberwacher** *m loc* dispatcher *m;* **~süberwachung** *f* surveillance *f* d'exploitation; contrôle de fabrication; *loc* dispatching *m;* **~s- und Entstörungsdienst** *m* service *m* d'exploitation et de relève des dérangements; **~sunfall** *m* accident *m* du travail; **~sunkosten** *pl* frais *m pl od* charges *od* dépenses *f pl* d'exploitation; *allgemeine ~~* frais *m pl* généraux; **~sunterbrechung** *f* interruption *f* d'exploitation; **~sunterlagen** *f pl* éléments *m pl* d'exploitation; **~sverfahren** *n* système *m* d'exploitation; **~sverhältnisse** *n pl* situation *f* générale de l'exploitation; **~sverlagerung** *f,* **~sverlegung** *f* transfert *m* de l'entreprise; **~svermögen** *n* bien *od* capital d'exploitation, fonds *m* de roulement; **~sversammlung** *f* réunion *f* du personnel; **~svertretung** *f* représentants ouvriers; délégués *m pl* du personnel; **~svorschriften** *f pl* prescriptions *f pl* d'exploitation; **~sweise** *f* méthode *f* d'exploitation *od* de service; **~swirtschaft** *f* économie *f* des entreprises; **~~slehre** *f* micro-économie *f;* **~szählung** *f* recensement *m* industriel; **~szeit** *f* durée *f* de service; **~szustand** *m* état *m* de service; **~szweig** *m* branche *f* d'exploitation.

betrinken, *sich* s'enivrer, se griser; *fam* lever le coude.

betroffen ⟨*pp von: betreffen*⟩ *(gemeint)* intéressé; *(ergriffen, fassungslos)* saisi, consterné, stupéfait; **B~e(r)** *m* victime *f;* **B~heit** *f* ⟨-, ø⟩ saisissement *m,* consternation, stupéfaction *f.*

betrüb|en *tr* attrister, contrister, affliger, chagriner, endolorir; faire de la peine (*jdn* à qn); *(tief)* ~~ désoler; **~lich** *a* triste, affligeant, désolant; *(bedauerlich)* regrettable; **B~nis** *f* ⟨-, -sse⟩ tristesse, affliction *f,* chagrin *m,* douleur, peine; désolation *f;* **~t** *a* triste, affligé; *(tief)* ~~ désolé; **B~theit** *f* = *Betrübnis.*

Betrug *m* ⟨-(e)s, ø⟩ tromperie, fraude, supercherie, imposture; *(Gaunerei)* escroquerie, filouterie, friponnerie, fourberie *f;* carambouillage *m;* *(Täuschung)* duperie, mystification; *(im Spiel)* tricherie *f;* *jur* dol *m;* *fromme(r) ~* fraude *f* pieuse.

betrüg|en [bəˈtryːgən] *tr* tromper *(a. in der Liebe),* frauder, escroquer; *(fam)* refaire; frustrer (*um* de); *(beschwindeln)* duper, mystifier; *(im Spiel)* tricher; *von jdm betrogen (beschwindelt) werden* être la dupe de qn; **B~er** *m* ⟨-s,-⟩ trompeur, fraudeur, imposteur; fourbe; filou, escroc, fripon; tricheur *m;* **B~erei** *f* ⟨-, -en⟩ [-ˈraɪ] = *Betrug;* **~erisch** *a* frauduleux; *jur* dolosif; *adv* par fraude, frauduleusement; *in ~~er Absicht* dans l'intention de frauder, frauduleusement; *~~e(r) Bankrott m* banqueroute *od* faillite *f* frauduleuse.

betrunken *a* ivre, soûl, saoul; *fam* gris; *in ~em Zustand* en état d'ivresse *od* d'ébriété; *völlig ~* ivre mort; **B~heit** *f* ⟨-, ø⟩ ivresse, ébriété *f.*

Bett *n* ⟨-(e)s, -en⟩ [bɛt] *(a. e-s Flusses)* lit *m; lit poet* couche *f; pop* plumard *m; loc* couchette; *mines* couche, veine *f; tech* banc *m,* table *f,* plateau; radier *m; ein ~ aufschlagen* dresser *od* monter un lit; *zu ~ bringen* coucher, mettre au lit *od (Kindersprache)* dodo; *morgens nicht aus dem ~ finden* avoir du mal à se lever le matin; *jdn aus dem ~ holen (fam)* tirer qn du *od* de son lit; *zu ~ gehen, sich zu ~ legen* aller se coucher, aller *od* se mettre au lit; *das ~ hüten, ans ~ gefesselt sein* garder le lit, être alité; *sich ins ~ legen* se mettre au *od* prendre le lit; *(Kranker)* s'aliter; *sich ins gemachte ~ legen (fig)* trouver nappe mise; avoir une situation toute faite; *sich wieder ins ~ legen* se remettre au lit; *im ~ liegen* être au lit; *im ~ liegen müssen (a.)* être sur le flanc *fam; das ~ machen* faire le lit; *das ~ überziehen* mettre des draps; *elende(s) ~* grabat *m;* **~bezug** *m* draps *m pl od* garniture *f* de lit; **~chen** *n* ⟨-s, -⟩ petit lit; *(Kindersprache)* dodo *m;* **~couch** *f* divan-lit, divan *m* transformable; **~decke** *f* couverture *f* de lit; **b~en** *itr* faire le(s) lit(s); *tr* coucher, mettre au lit; *sich ~~* s'allonger, se coucher; *nicht auf Rosen ge~et sein (fig)* n'être pas sur un lit de roses; *wie man sich ~et, so schläft man (prov)* comme on fait son lit, on se couche; **~federn** *f pl* duvet; *(Sprungfedern)* ressorts *m pl;* **~flasche** *f* bouillotte *f;* **~genosse** *m,* **~genossin** *f* compagnon *m,* compagne *f* de lit; **~gestell** *n* bois de lit, châlit *m;* **~himmel** *m* ciel *m* de lit; **~jäckchen** *n,* **~jacke** *f* liseuse *f;* **b~lägerig** *a* alité; **~lägerigkeit** *f* alitement *m; scient* immobilisation *f;* **~laken** *n* drap *m* (de lit); **~nässen** *n med* incontinence d'urine, énurésie *f;* **~pfosten** *m* colonne *f* de lit; **~rahmen** *m* fond *m* de lit; **~ruhe** *f* repos *m* au lit; **~schüssel** *f* bassin de lit *od* hygiénique, plat *m* de lit; **~stelle** *f* = *~gestell; eiserne ~~* lit *m* de fer; **~(t)uch** *n* = *~laken;* **~ung** *f tech* lit, radier; *loc* ballast *m; mil* plate-forme *f;* **~ungsmaterial** *n loc* ballast *m;* **~vorhang** *m* rideau *m* de lit; **~vorlage** *f,* **~vorleger** *m* descente *f* de lit; **~wanze** *f* punaise *f* des lits; **~wäsche** *f* linge *m* de lit, blanc *m;* **~zeug** *n,* literie *f.*

Bettel *m* ‹-s, ø› mendicité *f; fig (Plunder)* fatras *m,* guenille, vétille *f;* **b~arm** *a* pauvre comme Job *od* comme un rat d'église, miséreux, gueux; **~armut** *f* grande pauvreté *f,* dénuement *m;* **~ei** *f* [-'lai] mendicité; *fig* demande *f* importune; **b~haft** *a* gueux; *(elend)* misérable; **~kram** *m* = **~**; **~mann** *m* ‹-s, -leute› = *Bettler;* **~mönch** *m* moine mendiant, frère *m* quêteur; **b~n** *itr* mendier; demander l'aumône *od* la charité; *fam* mendigoter; *fig* quémander; *~~ gehen* = *~~; ~~ ist besser als stehlen (prov)* mieux vaut mendier que voler; **~n** *n* = *~ei; fig (Flehen)* supplication *f;* **~orden** *m* ordre *m* mendiant; **~sack** *m* besace *f;* **~stab** *m: an den ~~ bringen* réduire à la mendicité *od* besace; **~volk** *n* gueusaille *f.*

Bettler *m* ‹-s, -› mendiant, gueux; *fam* mendigot *m; lästige(r), aufdringliche(r) ~* quémandeur *m; zum ~ machen* réduire à la mendicité; **~stolz** *m* orgueil *m* de gueux.

betucht [bə'tu:xt] *a pop (reich)* rupin, galetteux.

betulich [bə'tu:lıx] *a* affairé, empressé, prévenant.

betupfen *tr* tamponner.

beug|bar *a gram* flexionnel; **B~e** *f* ‹-, n› ['bɔʏgə] *(Biegung)* tournant, virage; *sport* flexion *f,* fléchissement *m;* **B~emuskel** *m* fléchisseur *m;* **~en** *tr* (in)fléchir, plier, ployer, courber; *fig (demütigen)* humilier; *(den Stolz)* rabattre; *phys (Licht)* diffracter; *gram (Hauptwort)* décliner; *(Zeitwort)* conjuguer; *sich ~~* se plier, se courber, fléchir; se pencher; s'incliner (*dat* od *vor mit dat* devant); se soumettre (*dat* od *vor (mit dat)* à); *(sich demütigen)* s'humilier (*vor* devant); *sich jds Ansicht ~~* se rendre à l'avis de qn; *das Recht ~~* faire une entorse à la loi; **~end** *a phys* diffractif; **B~er** *m* ‹-s, -› *anat* fléchisseur *m;* **B~ung** *f* fléchissement *m,* flexion; *phys* diffraction; *gram* flexion; déclinaison; conjugaison; *(Verdrehung)* infraction, entorse *f* (*des Rechts* à la loi); **~ungsfähig** *a gram* déclinable; conjugable; **B~ungsgitter** *n phys* réseau *m* à diffraction.

Beul|e *f* ‹-, -n› ['bɔʏlə] *allg* bosselure; bosse *a. med; med (Schwellung)* enflure *f; (Pestbeule)* bubon *m; ~~n bekommen (allg)* se bosseler; *e-e ~~ bekommen (med)* se faire une bosse; **~enpest** *f* peste *f* bubonique.

beunruhig|en *tr* inquiéter, donner de l'inquiétude à, préoccuper, agiter, alarmer; troubler; *mil* harceler; *sich ~~* s'inquiéter, se préoccuper, se mettre en peine (*über* de); **~end** *a* inquiétant, préoccupant, alarmant, alarmiste; troublant; **~t** *a* inquiet, préoccupé, agité, alarmé; **B~ung** *f* inquiétude préoccupation, agitation *f;* trouble; harcèlement; *(Sorge)* souci *m.*

beurkund|en *tr (schriftlich)* dresser *od* passer un acte de; documenter, constater, attester, certifier, authentifier; *(urkundlich belegen)* prouver *od* confirmer par des titres *od* documents; *~~ lassen* demander acte (*etw* de qc); **B~ung** *f* documentation, constatation, attestation, certification, authentification; preuve *od* confirmation *f* par des titres *od* documents; *öffentliche ~~* attestation *f* officielle.

beurlaub|en *tr* donner (un) congé, *mil* une permission (*jdn* à qn); *(entlassen)* congédier, licencier, donner congé à; *(Beamten)* suspendre; **~t** *a* en congé; *mil* en permission, *arg* en perme; *(entlassen)* disponible; **B~tenstand** *m mil* disponibilité *f;* **B~ung** *f* mise en congé; permission; *(Entlassung)* mise *f* en disponibilité.

beurteil|en *tr* juger (*etw* de qc); porter un jugement (*etw* sur qc); *(abschätzen)* estimer, apprécier; *(Kunstwerk)* critiquer; *soweit sich das ~~ läßt* autant qu'on puisse en juger; *falsch ~~* méconnaître; **B~er** *m* ‹-s, -› juge, critique *m;* **B~ung** *f* jugement *m,* appréciation; critique *f; ~~ der Lage* examen *m* de la situation.

Beute *f* ‹-, ø› ['bɔʏtə] *allg u. mil* butin *m;* dépouilles *f pl; (Raub)* rapine, *(a. von Raubtieren)* proie; *mar* prise; *(Fang)* capture *a. mar; fig (Opfer)* proie, victime *f; auf ~ ausgehen* chercher une proie; *jdm zur ~ fallen* tomber entre les mains de qn; *~ machen* faire du butin; *ohne ~ (von der Jagd) zurückkehren* revenir bredouille; *reiche ~* dépouilles *f pl* opimes; **b~gierig** *a* avide de butin, âpre à la curée; **~gut** *n* butin *m,* dépouilles *f pl;* **~sammelstelle** *f mil* centre *m* de récupération; **~zug** *m* razzia *f.*

Beutel *m* ‹-s, -› ['bɔʏtəl] sac, sachet *m; (Geldbeutel)* bourse *f,* porte-monnaie; *(Mehlbeutel)* blutoir *m; zoo* poche *f; an den ~ gehen* coûter, être onéreux; *tief in den ~ greifen (fig)* être généreux; *tief in den ~ greifen müssen (fam)* être obligé de les aligner; *e-n leeren ~ haben (fig)* avoir la bourse plate; **b~n** *tr* secouer; *(jdm Geld abnehmen)* délester; *(Mehl)* bluter; *sich ~~* goder; **~n** *n* blutage *m;* **~ratte** *f* rat *m* à bourse, sarigue *f od m,* opossum *m;* **~schneider** *m* coupeur de bourse; *allg* filou *m;* **~schneiderei** *f* filouterie *f;* **~tiere** *n pl* marsupiaux *m pl.*

bevölker|n [-'fœlk-] *tr* peupler (*mit* de); **~t** *a* peuplé; *dicht* od *stark ~~* très peuplé, populeux, à population dense; *dünn* od *schwach ~~* peu peuplé; **B~ung** *f* ‹-, (-en)› *(Besiedlung)* peuplement *m; (Einwohner)* population *f;* habitants *m pl; eingesessene ~~* indigénat *m;* **B~ungsabnahme** *f* diminution *od* décroissance *f* de la population; **B~ungsaufbau** *m* structure *f* de la population; **B~ungsbewegung** *f* mouvement *od* courant *m* de la population; **B~ungsdichte** *f* densité *f* de la population *od* d'habitants; **B~ungsdruck** *m* pression *f* de la population; **B~ungspolitik** *f* politique *f* de peuplement; **B~ungsrückgang** *m* = *B~ungsabnahme;* **B~ungsstand** *m* état *m* de la population; **B~ungsstatistik** *f* statistique *f* démographique; **B~ungsüberschuß** *m* excédent *m* de population; **B~ungsverschiebung** *f* déplacement *m* de la population; **B~ungsziffer** *f* démographie *f;* **B~ungszunahme** *f* accroissement *m* démographique *od* de la population, augmentation *f* démographique; **B~ungszuwachs** *m: jährliche(r) ~~* taux *m* d'accroissement annuel de la population.

bevollmächtig|en [-'fɔlmɛçt-] *tr* revêtir de pouvoirs; donner pouvoir *od* procuration (*jdn* à qn); *com* fonder de procuration; *(ermächtigen)* autoriser, habiliter (*zu* à); déléguer, mandater; **~t** *a* autorisé, habilité (*zu* à); *pol* plénipotentiaire; **B~te(r)** *m* mandataire; *com* fondé de pouvoir, procureur; *pol* plénipotentiaire; délégué *m* spécial; *als ~ter* par procuration; **B~ung** *f* ‹-, (-en)› procuration, autorisation, habilitation *f.*

bevor [bə'fo:r] *conj* avant que *subj;* avant de *inf.*

bevormund|en *tr fig* tenir en tutelle; mener en laisse; **B~ung** *f fig* tutelle *f; (Politik f der) ~~* paternalisme *m.*

bevorrechtig|en *tr* privilégier; **~t** *a* privilégié; *~~e Straße f* route *f* à priorité.

bevorschussen *tr* avancer (*etw* sur qc).

bevor=stehen *itr* être imminent *od* en perspective *od* sur le point d'arriver; attendre (*jdm* qn); *(drohen)* menacer (*jdm* qn); *das steht mir bevor* ça me pend au (bout du) nez *pop;* **~d** *a* imminent, proche.

bevorworten *tr (mit e-m Vorwort versehen)* préfacer.

bevorzug|en *tr* préférer, aimer mieux; donner *od* accorder la préférence à; *(begünstigen)* favoriser, avantager; *zoo (als Aufenthaltsort)* se plaire dans; *~t werden* avoir un tour de faveur; **~t** *a: ~~e Behandlung f* traitement *m* de faveur; *~~ behandelt werden* jouir d'un traitement de faveur; **B~ung** *f* préférence *f;* traitement *m* de faveur; *ungerechte ~~* passe-droit *m.*

bewach|en *tr* garder; *(überwachen)* surveiller; veiller (*etw* sur qc); **~t** *a (Parkplatz)* gardé; *~~e(r) Parkplatz m (a.)* parking *od* garage *m* payant; **B~ung** *f* gardiennage *m;* surveillance; protection *f; unter ~~* sous garde; gardé à vue; *jds Haus unter ~~ stellen* mettre qn en résidence surveillée.

bewachsen [-'vaksən] *a* recouvert (*mit* de).

bewaffn|en *tr* armer, équiper (*mit* de); **~et** *a* armé; à main armée *a. adv; bis an die Zähne ~~* armé jusqu'aux dents; *~~e Aufklärung f (mil)* reconnaissance *od* exploration *f* armée; *~~e Intervention f* intervention *f* armée; *~~e Macht f* force *f* armée; *~~e Neutralität f* neutralité *f* armée; **B~ete(r)** *m* homme *m* armé; **B~ung** *f* ‹-, (-en)› armement, équipement *m* (en armes); *(Waffen)* armes *f pl; atomare ~~* armement *m* atomique *od* nucléaire.

Bewahr|anstalt [bəˈvaːr-] *f (für Kleinstkinder)* crèche *f;* **b~en** *tr* garder (*vor* de); *(schützen)* protéger (*vor* contre), préserver (*vor* de); *(erhalten)* conserver; maintenir, entretenir; *ein Geheimnis ~~* garder un secret; *Stillschweigen ~~* garder *od* observer le silence; *jdm die Treue ~~* rester fidèle à qn; *(Gott) ~e!* à Dieu ne plaise! jamais de la vie! **~er** *m* ‹-s, -› gardien; protecteur; conservateur *m;* **~ung** *f* ‹-, (-en)› garde; protection (*vor* contre, de), préservation (*vor* de); conservation *f.*

bewähr|en [-ˈvɛːr-] , *sich* faire ses preuves; *donner de bons résultats; sich als treuer Freund ~~* se montrer ami fidèle; *sich nicht ~~* ne pas résister à l'épreuve; **~t** *a* éprouvé, à toute éprouve; **B~ung** *f* épreuve *f; jur* sursis *m;* **B~ungsfrist** *f jur* sursis *m; mit ~~* avec sursis.

bewahrheit|en, *sich* s'avérer, se prouver, se confirmer; **B~ung** *f* vérification, confirmation *f.*

bewald|en, *sich* se boiser; **~et** *a* boisé, couvert de bois; **B~ung** *f* ‹-, ø› boisement *m.*

bewältig|en [-ˈvɛlt-] , *tr (Arbeit)* venir à bout (*etw* de qc); *(Schwierigkeit)* surmonter; *(Strecke zurücklegen)* faire, couvrir; **B~ung** *f* ‹-, (-en)› *(e-r Arbeit)* accomplissement *m.*

bewandert *a* versé (*in* dans); au fait (*in* de); *fam* ferré, calé, fort (*in* en).

Bewandtnis *f* ‹-, -sse› *das hat e-e andere ~* la chose est tout autre; *damit hat es s-e (eigene) ~* c'est une chose à part; *damit hat es folgende ~* voici ce qu'il en est.

bewässer|n [-ˈvɛs-] *tr* irriguer, arroser; **B~ung** *f* irrigation *f,* arrosage *m;* **B~ungsanlage** *f* installation *f od* système *m* d'irrigation; **B~ungsgraben** *m* canal *m* d'irrigation *od* irrigateur.

beweg|en *tr* **1.** ‹*fb*› mouvoir, remuer; *a. fig* agiter; *(in Gang bringen, bes. tech)* actionner, mettre en marche *od* en mouvement *od* en action; animer; *(befördern)* transporter; *fig* émouvoir, toucher, attendrir; *(erregen)* exciter, irriter; **2.** ‹*bewog, bewogen*› *(zu dem Entschluß bringen)* amener, porter, pousser, inciter, déterminer (*zu* à); *sich ~~* se mouvoir, (se) remuer, bouger, se déplacer, évoluer; *tech* marcher, fonctionner; *sich frei ~~ können* être libre de ses mouvements; *sich in der vornehmen Gesellschaft ~~* fréquenter la haute société; *sich im Kreise ~~* tourner en rond; *sich nicht von der Stelle ~~* rester sur place; **B~grund** *m* motif, mobile *m,* cause, raison *f;* **B~kraft** *f* force *f* motrice; **~lich** *a* mobile, mouvant; *(transportierbar)* (trans-)portable; *(gelenkig)* agile, souple; *(regsam)* actif; *(lebhaft)* vif, animé; *tech* articulé, volant; *jur* mobilier, meuble; *~~e Habe f (jur)* biens *m pl* meubles *od* mobiliers; **B~lichkeit** *f* mobilité; agilité; activité; vivacité, animation *f;* **~t** *a* en mouvement, agité; *(See)* agité, houleux, gros; *(Stimme)* tremblant; *fig* ému, touché; attendri; ébranlé; *(Leben)* mouvementé, accidenté, agité, turbulent; **B~theit** *f* agitation *a. fig, fig* animation, émotion *f;* attendrissement *m;* **B~ung** *f* mouvement *m,* agitation *f; (mit der Hand)* geste *m; tech* marche *f,* fonctionnement *m,* action *f; (Beförderung)* déplacement, transport *m; (Verkehr)* circulation; *mil* manœuvre; *fig* émotion, agitation *f,* attendrissement, saisissement; *pol* mouvement *m; bei der geringsten ~~* au moindre geste; *in ~~* en mouvement; *tech* en marche; *nicht genug ~~ haben* manquer d'exercice; *sich ~~ machen* od *verschaffen* se donner du mouvement, prendre *od* faire de l'exercice; *immer* od *dauernd in ~~ sein* ne faire qu'aller et venir; *fam* avoir la bougeotte; *in ~~ setzen* mettre en marche *od* en mouvement *od* en branle; *sich in ~~ setzen* se mettre en marche *od* en mouvement *od* en branle *a. loc mot;* s'ébranler; *alle Hebel* od *Himmel und Hölle in ~~ setzen* remuer ciel et terre; *(gleichförmig) beschleunigte, verzögerte ~~ (phys)* mouvement *m* (uniformément) accéléré, retardé; *gesicherte ~~ (mil)* mouvement *m* en garde; *(körperliche) ~~* exercice *m; rückläufige ~~ (fig)* mouvement *m* rétrograde; *(un)gleichförmige ~~ (phys)* mouvement *m* uniforme (varié); **B~ungsempfindungen** *f pl physiol* kinesthésie *f;* **B~ungsenergie** *f* énergie *f* cinétique; **B~ungsfreiheit** *f* liberté *f* des mouvements, *fig* d'action *od* de manœuvre; *~~ haben* avoir les coudées franches; **B~ungskrieg** *m* guerre *f* de mouvement *od* d'évolution; **~ungslos** *a* immobile, sans mouvement; **B~ungslosigkeit** *f* immobilité *f;* **B~ungsnerven** *m pl* nerfs *m pl* moteurs; **B~ungsrichtung** *f* sens *m* du mouvement; **B~ungsspiele** *n pl sport* jeux *m pl* d'action *od* en *od* de plein air; **B~ungsstudie** *f (Kunst)* étude *f* de mouvement; **B~ungstherapie** *f* kinésithérapie *f;* **B~ungsübertragung** *f phys* transmission *f* de mouvement; **~ungsunfähig** *a* incapable de bouger, immobile; *med* impotent; **B~ungsunfähigkeit** *f* immobilisation; *med* impotence *f.*

bewehr|en *tr mil* mettre en état de défense; armer *a. arch tech;* **~t** *a* armé (*mit* de); **B~ung** *f* armature *f.*

beweibt [-ˈvaɪpt] *a* marié.

beweihräucher|n *tr a. fig* encenser; **B~ung** *f a. fig* encensement *m.*

bewein|en *tr* pleurer, déplorer; **B~ung** *f; ~~ Christi (Kunst)* déposition *f* de croix.

Beweis *m* ‹-es, -e› [-ˈvaɪs] preuve, justification (*für* de); *math philos* démonstration *f; (~grund)* argument *m; (~stück)* pièce *f* justificative; *(Zeichen)* signe *m,* marque *f; als* od *zum ~ für* comme preuve de, à l'appui de, en témoignage de; *bis zum ~ des Gegenteils* jusqu'à preuve du contraire; *den ~ antreten* od *bei-* od *erbringen* od *führen* od *liefern* fournir *od* produire *od* apporter *od* établir la *od* des preuve(s); *etw unter ~ stellen* faire preuve *od* acte de qc; *schlagende(r), schlüssige(r), zwingende(r) ~* preuve *f* éclatante, concluante *od* formelle, irrécusable; *Freispruch m mangels ~* acquittement *m* faute de preuves; *~ der Unmöglichkeit* réduction *f* à l'impossible; **~antrag** *m* ordre *m* de preuve, offre *f* de prouver; **~aufnahme** *f* audition *od* administration des preuves, procédure *f* probatoire; *Schluß m der ~~* clôture *f* de l'administration des preuves; **~aufnahmeverfahren** *n* procédure *f* d'administration des preuves; **b~bar** *a* prouvable, démontrable; **~barkeit** *f* démontrabilité *f;* **b~en** ‹ie, ie› [-iː-] *tr* prouver, démontrer; faire preuve *od* foi de; *(bezeigen)* manifester, témoigner; *klar (und deutlich) ~~* prouver par A plus B; **~erhebung** *f* = *~aufnahme;* **~führung** *f* démonstration; argumentation *f,* raisonnement *m;* **~grund** *m* argument *m,* raison *f* probante; *~gründe anführen* argumenter (*gegen* contre); **~kraft** *f* force *f* démonstrative *od* probante; *~~ haben* faire foi; **b~kräftig** *a* probant, concluant; démonstratif; **~last** *f* charge *f od* fardeau *m* de la preuve; *die ~~ ruht auf ...* la preuve incombe à ...; **~material** *n* preuves; pièces *f pl* à l'appui; *~~ sammeln* rassembler des preuves; *urkundliche(s) ~~* documentation *f;* **~mittel** *n* moyen *m od* pièce *f* justificatif, ve; **~pflicht** *f* obligation *f* de faire la preuve; **b~pflichtig** *a: ~~ ist ... ~~* la preuve incombe à ...; **~stück** *n* preuve, pièce *f* justificative *od* probante *od* à *od* de conviction *od* à l'appui, instrument de preuve; *(Corpus delicti)* corps *m* du délit; **~würdigung** *f* appréciation *f* des preuves.

bewenden *itr: es bei etw ~ lassen* se borner, s'en tenir, en rester à qc; se contenter de qc; **B~** *n: damit sein ~~ haben* en demeurer là; *mag es mit ... sein ~~ haben!* passe pour ...!

bewerb|en, *sich* ‹*bewirbt, bewerben, beworben*› [-ˈvɛrbən] demander (*bei jdm um etw* qc à qn); aspirer (*um etw* à qc); *(um ein Amt, e-e Stelle)* offrir ses services; solliciter, postuler (*um etw* qc); *(kandidieren)* présenter sa candidature, se porter candidat (*als* au poste de); *sich gemeinsam ~~* concourir (*um* pour); *sich um ein Mädchen ~~* demander la main d'une jeune fille; **B~er** *m* ‹-s, -› aspirant, solliciteur, postulant, candidat; impétrant, brigueur; *(Mitbewerber)* concurrent; *(Freier)* soupirant, prétendant *m;* **B~ung** *f* demande (d'emploi), offre de service; sollicitation; candidature; concurrence; demande *f* en mariage; **B~ungsfrist** *f* délai *m* de sollicitation; **B~ungsschreiben** *n* lettre *f* de demande d'emploi *od* de sollicitation.

bewerfen *tr* jeter (*etw mit etw* qc sur qc; *jdn mit etw* qc à qn); *(e-e Mauer)* crépir, ravaler; *mit Bomben ~* bombarder; *jdn mit Schmutz ~ (fig)* couvrir qn de boue.

bewerkstellig|en *tr* effectuer, réaliser, mettre en œuvre, exécuter, accomplir; venir à bout (*etw* de qc); ~~, *daß* arriver à ce que, s'arranger pour que; **B~ung** *f* réalisation, mise en œuvre, exécution *f*, accomplissement *m*.
bewert|en [-ˈveːrt-] *tr (abschätzen)* évaluer, taxer, supputer; *(einschätzen)* estimer, apprécier, priser; *(Schule)* noter; *sport* classer; *zu hoch* ~~ surévaluer, surestimer; *zu niedrig* ~~ sous-évaluer, sous-estimer; *richtig* ~~ estimer à sa juste valeur; **B~ung** *f* évaluation, taxation, supputation; estimation, appréciation; cotation *f*; *sport* classement *m*; ~~ *nach Punkten (sport)* pointage *m*; **B~ungsgrundlage** *f* base *f* d'évaluation; **B~ungsmaßstab** *m* échelle *f* d'évaluation *od* de taxation; **B~ungsrichtlinien** *f pl* directives *f pl* d'évaluation.
bewetter|n *tr mines* aérer, ventiler; **B~ung** *f* aération *f*, aérage *m* ventilation *f*.
bewillig|en *tr* accorder, octroyer, concéder, autoriser; *(bes. Geld)* allouer; *(genehmigen)* permettre; *parl* voter; **B~ung** *f* octroi *m*, concession, autorisation; allocation; permission *f*; *(Dokument)* permis *m*; *(bewilligtes Recht)* licence *f*; **B~ungsausschuß** *m parl* comité *m* de répartition des fonds de budget.
bewillkommn|en *tr* souhaiter la bienvenue (*jdn* à qn), saluer; recevoir, (bien) accueillir; **B~ung** *f* salutation; réception *f*, bon accueil *m*.
bewirken *tr* effectuer, opérer; occasionner, causer; provoquer, produire, amener, avoir pour conséquence; *(zustande bringen)* accomplir, réaliser; *~de(s) Zeitwort (gram)* factitif *m*.
bewirt|en *tr (mit Essen u. Trinken)* régaler, traiter; *jdn fürstlich* ~~ traiter qn comme un prince; **~schaften** *tr agr* exploiter, faire valoir, cultiver; *adm com* réglementer, contingenter, rationner; *(zweckmäßig)* ~~ aménager; **~schaftet** *a* soumis au rationnement; **B~schaftung** *f* ⟨-, (-en)⟩ exploitation *f*, faire-valoir *m*, culture; réglementation *f*; contigentement, rationnement *m*; *(zweckmäßige)* ~~ aménagement; **B~schaftungsart** *f agr* mode *m* d'exploitation; **B~schaftungsbestimmung** *f* prescription *f* de réglementation; **B~schaftungssystem** *n* système *m* de réglementation; **B~ung** *f* ⟨-, (-en)⟩ traitement *m*.
bewohn|bar *a* habitable; **B~barkeit** *f* habitabilité *f*; **~en** *tr* habiter; habiter *od* demeurer à *od* dans; *(Haus)* occuper; **B~er** *m* ⟨-s, -⟩ habitant; *fig* hôte *m*; **B~erschaft** *f* ⟨-, ø⟩ habitants *m pl*.
bewölk|en [-ˈvœlk-] , *sich* se couvrir de nuages, s'ennuager; **~t** *a* couvert de nuages, nuageux; **B~ung** *f* ⟨-, ø⟩ nuages *m pl*; nébulosité *f*; **B~ungsgrad** *m* degré *m* de nébulosité *f*; **B~ungszunahme** ennuagement *m*.
Bewund(e)r|er *m* ⟨-s, -⟩ [-ˈvʊnd(ə)r-] admirateur *m*; **b~n** *tr* admirer; **b~nswert** *a*, **b~nswürdig** *a* admirable, digne d'admiration; **~ung** *f* ⟨-, (-en)⟩ admiration *f*; ~~ *erregen* exciter l'admiration; *die* ~~ *aller erregen* faire l'admiration de tous; *in* ~~ *vor etw versinken* tomber en admiration devant qc.
Bewurf *m arch* crépi *m*, crépissure *f*, ravalement, enduit *m*.
bewußt [bəˈvʊst] *a* conscient; *(besagt)* en question, dénommé; *jur (überlegt)* délibéré, réfléchi, intentionnel; *adv* sciemment, en connaissance de cause; *sich e-r S* ~ *sein* avoir conscience de qc; *sich e-r S nicht mehr* ~ *sein* ne plus se souvenir de *od* se rappeler qc; *sich keiner Schuld* ~ *sein* n'avoir rien à se reprocher; *sich e-r S vollkommen* ~ *sein* avoir pleine conscience de qc; *sich e-r S* ~ *werden* prendre conscience de qc; se rendre compte de qc; **B~heit** *f* ⟨-, ø⟩ conscience *f*; **~los** *a* sans connaissance, évanoui, inanimé; ~~ *werden* = *das B~sein verlieren*; **B~losigkeit** *f* ⟨-, ø⟩ perte de connaissance; inconscience *f*, évanouissement *m*, défaillance, pâmoison; *scient* syncope *f*; *bis zur* ~~ *(fig fam)* à n'en plus finir; **B~sein** *n* ⟨-s, ø⟩ conscience, connaissance *f* de soi; sentiment *m*; *(nicht) bei vollem* ~~ *(med)* (in)conscient; *im* ~~ *(gen)* fort (de); *ohne* ~~ sans connaissance; *jdm etw zum* ~~ *bringen* faire sentir qc à qn; *wieder zu(m)* ~~ *kommen* od *das* ~~ *wiedererlangen* reprendre connaissance; *bei vollem* ~~ *sein* avoir toute sa connaissance; *das* ~~ *verlieren* perdre connaissance *od* l'usage de ses sens, s'évanouir, défaillir, se pâmer; *fam* tourner de l'œil; *es kam mir zum* ~~ je m'en rendis compte; *sittliche(s)* ~~ conscience *f* morale; **~seinserweiternd** *a* psychedélique; **B~seinsspaltung** *f* ⟨-, ø⟩ *med* dédoublement *m* de la personnalité, schizophrénie *f*; *an* ~~ *leiden* se dédoubler; **B~seinstrübung** *f* engourdissement *m* mental; **B~werden** *n* prise *f* de conscience.
bezahl|en *tr* payer (*etw, für etw* qc); *(Rechnung a.)* régler; *(Schuld)* régler, acquitter, liquider, *(Wechsel)* honorer; *(Auslagen)* rembourser; *(entlohnen)* payer, rémunérer, rétribuer, salarier; *(Arzt, Anwalt)* honorer; *bar* ~~ payer en espèces; *auf Heller und Pfennig* ~~ payer rubis sur l'ongle; *s-n Sieg mit dem Leben* ~~ vaincre au prix de sa vie; *teuer* ~~ *(a. fig)* payer cher; *im voraus* ~~ payer d'avance; *jdn teuer* ~~ *lassen (fig)* tenir la dragée haute à qn; *sich ~t machen* valoir la peine, *fam* payer; **B~er** *m* ⟨-s, -⟩ payeur *m*; **B~ung** *f* paiement; règlement; acquittement *m* liquidation *f*, amortissement; remboursement *m*; rémunération, rétribution *f*, salaire *m*; honoraires *m pl*; *gegen* ~~ contre *od* moyennant paiement.
bezähm|bar *a* domptable, maîtrisable; **~en** *tr* dompter, maîtriser; *(zügeln)* refréner; *sich* ~~ se maîtriser, se dominer, se contrôler; **B~ung** *f* ⟨-, ø⟩ maîtrise, refrènement *m*.
bezauber|n *tr* enchanter, charmer, fasciner, séduire; **~nd** *a* enchanteur; charmant, fascinant, captivant, séduisant, envoûtant; **B~ung** *f* enchantement, charme *m*, fascination, séduction *f*.
bezeichn|en *tr (mit e-m Zeichen versehen, kennzeichnen)* marquer, étiqueter, repérer; *(benennen)* désigner, (dé)nommer, appeler; qualifier, traiter (*als* de); *(kennzeichnen, charakterisieren)* caractériser, spécifier, définir; *(angeben)* indiquer, dénoter; *diese Tat ~et ihren Mann* c'est signé; **~end** *a* significatif; caractéristique, typique, symptomatique; **B~ung** *f* marque, étiquette *f*, repère, indice; *a. math mus* signe *m*; *(Benennung)* désignation, dénomination; appellation; qualification; *(nähere Kennzeichnung)* caractérisation, spécification, définition; *(Angabe)* indication *f*.
bezeig|en *tr* montrer, manifester, témoigner, marquer, exprimer; donner des signes de; **B~ung** *f* manifestation, démonstration *f*, témoignage *m*, expression *f*.
bezeug|en *tr* témoigner, attester; faire foi de; *(bescheinigen)* certifier, faire foi de; **B~ung** *f* témoignage *m*, attestation *f*.
bezichtig|en *tr* accuser, inculper, incriminer (*jdn e-r S* qn de qc); **B~ung** *f* accusation, inculpation, incrimination *f*.
bezieh|bar *a (Wohnung)* livrable, habitable; **~en** *tr (überziehen, bedekken)* couvrir, revêtir, garnir (*mit* de); *(Bett)* mettre des draps à; *(Kopfkissen)* mettre une taie à; *(Wohnung, Haus)* aller occuper; s'établir, s'installer dans *od a.* à; *(Universität)* aller (étudier) à; *(Markt, Messe)* exposer à; *mil (besetzen)* occuper; s'établir dans; *(bekommen)* percevoir, recevoir, avoir; *fam* récolter; *pop (Schläge)* encaisser; *(Ware)* acheter; *(bestellen)* commander (*bei* chez); *(Zeitung)* être abonné à; *(Geld)* toucher; *auf etw* appliquer, rapporter à qc; *sich* ~~ *(Himmel)* se couvrir, s'ennuager; *auf etw* se référer à qc, se recommander de qc, *a. gram* se rapporter à qc; *(Sache)* avoir rapport *od* trait à qc, porter sur qc, concerner qc; *e-e Bemerkung auf sich* ~~ prendre pour soi une remarque; *Quartier* ~~ *(mil)* prendre ses quartiers; *Stellung* ~~ *(fig)* prendre position; *der Himmel ~t sich* le temps se couvre; **B~er** *m* ⟨-s, -⟩ *(e-r Ware)* acheteur; *(e-r Zeitung)* abonné *m*; **B~erliste** *f* liste *f* des abonnés, répertoire *m* d'abonnements; **B~ung** *f* relation, correspondance *f*, *a. gram* rapport *m*; *(Verbindung)* liaison *f*, contact *m*, connexion *f*, commerce *m*; *in dieser* ~~ à ce sujet, à cet égard, sous ce rapport; *in gewisser* ~~ à certains égards, sous certains rapports; *in jeder* ~~ à tous (les) égards, dans tous les domaines, sur toute l'échelle, sous toutes ses for-

mes; *in mancher ~~* à maints égards; *in tatsächlicher und rechtlicher ~~* en fait et en droit; *in politischer ~~* politiquement; *in wirtschaftlicher ~~* du point de vue économique; *mit guten ~~en (bes. com)* qui a de bonnes relations; *alle ~~en zu jdm abbrechen* rompre *od* cesser tous rapports avec qn; *~~en zu jdm aufnehmen, mit jdm in ~~en treten* entrer en rapport avec qn, établir des relations avec qn; *ausgedehnte ~~en haben* avoir de nombreuses relations; *geschlechtliche ~~en haben* avoir des rapports intimes (*mit* avec); *gute ~~en haben (fam)* avoir du piston; *pop* être dans les huiles; *weitreichende ~~en haben* avoir le bras long; *gute ~~en pflegen* entretenir de bons rapports; *in ~~ setzen zu* mettre en rapport avec; *in ~~ stehen zu* être en rapport *od* en relation avec, avoir rapport *od* trait à, se rapporter à, concerner; *zu jdm in engen ~~en stehen* être intime avec qn; *zu jdm in freundschaftlichen ~~en stehen* être en bons termes avec qn; *~~en unterhalten* entretenir des rapports; *diplomatische ~~en unterhalten mit* entretenir des relations diplomatiques avec; *enge, freundschaftliche, geschäftliche, nachbarliche ~~en* rapports *m pl* intimes, amicaux, d'affaires *od* commerciaux, de voisinage; **~ungslos** *a* incohérent, décousu; **~ungsweise** *adv* respectivement; ou (bien), ou encore, ou plutôt.

beziffer|n *tr* numéroter, chiffrer; *(schätzen)* évaluer, estimer, supputer (*auf* à); sich ~~ monter, s'élever (auf à); se chiffrer (*auf* par); *~te(r) Baß m (mus)* basse *f* chiffrée; **B~ung** *f* numérotage, chiffrage *m;* évaluation, estimation, supputation *f.*

Bezirk *m* ‹-(e)s, -e› district *m;* circonscription; *(Gebiet)* zone, région *f; (Stadtbezirk)* quartier; *(Bereich)* secteur, rayon *m; fig* sphère *f,* domaine *m;* **~sausgabe** *f (Zeitung)* édition *f* locale; **~sdirektion** *f* direction *f* régionale; **~sdirektor** *m* directeur *m* régional; **~sgericht** *n* tribunal *m* cantonal; **~skommando** *n mil* bureau *m* de recrutement; **~sverkehr** *m tele* trafic *m* régional; **~svertreter** *m com* agent *m* local; **~svorsteher** *m* préfet *m* régional; **b~sweise** *adv* par districts, par régions.

bezogen ‹*pp von: beziehen*› *a* garni, gainé (*mit* de); **B~e(r)** *m fin* tiré *m.*

Bezug *m (Überzug)* revêtement *m,* garniture; *(Hülle)* housse, poche *f; (Bett)* drap *m; (Kissen)* taie; *(Erhalt)* perception, réception *f; (von Ware)* achat *m,* acquisition; commande *f; (Zeitung)* abonnement *m; pl (Einkommen)* émoluments *m pl,* rémunération *f,* revenu; *(Gehalt)* traitement; *(Lohn)* salaire *m; bei ~ von (com)* à la commande de; *in b~ auf* par rapport à, relativement à, à l'égard de, au sujet de, à l'endroit de; touchant, concernant; quant à, en ce qui concerne, pour ce qui est de; *auf etw ~ haben* se rapporter, avoir rapport *od* trait à qc; *auf etw ~ nehmen* se référer, se rapporter à qc; faire état de qc; **~nahme** *f* référence *f; unter ~~ auf* (en) nous référant à; **~sbedingungen** *f pl (Zeitung)* conditions d'abonnement; *(gedruckter Bestandteil)* manchettes *f pl* commerciales; **~sberechtigte(r)** *m adm* ayant droit, bénéficiaire *m;* **~schein** *m* bon *m* d'achat; **b~scheinpflichtig** *a* rationné; **~sdauer** *f* période *f* d'abonnement; **b~sfertig** *a (Haus)* prêt à être occupé, livrable; **~spreis** *m (Zeitung)* prix *m* d'abonnement; **~spunkt** *m* point *m* fixe *od* de repère *od* de référence; **~squelle** *f* source d'approvisionnement, ressource *f;* **~squellennachweis** *m* répertoire *m* publicitaire; **~srecht** *n* droit *m* de souscription *od* d'option; **~sstoff** *m* étoffe *f od* tissu *m* d'ameublement.

bezüglich [-ˈtsy:k-] *a* relatif (*auf* à); concernant, touchant; *prp gen = in bezug auf; ~e(s) Fürwort n* pronom *m* relatif.

bezwecken *tr fig* avoir pour objet *od* pour but; viser; tendre (*etw* à qc).

bezweifeln *tr* douter (*etw* de qc), mettre *od* révoquer en doute; *nicht zu ~(d)* (absolument) sûr.

bezwing|en *tr (besiegen)* vaincre; *(unterwerfen)* soumettre, assujettir; *(Herr werden über)* triompher (*etw* de qc); *(bewältigen)* venir à bout (*etw* de qc); *(meistern)* maîtriser; *(Schwierigkeit)* surmonter; *(Gefühl, Leidenschaft)* dompter, mater; *sich ~~* se maîtriser; se dominer; se contraindre (*zu* à); **B~er** *m* vainqueur *m;* **B~ung** *f* soumission *f,* assujettissement *m.*

Bibel [ˈbi:bəl] , *die* la Bible, l'Écriture sainte; *fig* la bible *f;* **~auslegung** *f* exégèse *f* (biblique); **b~fest** *a* versé dans la Bible; **~spruch** *m,* **~vers** *m,* **~wort** *n* verset *m;* **~stelle** *f* passage *m* (de l'Écriture); **~stunde** *f* instruction *f* biblique; **~text** *m* texte *m;* **~übersetzung** *f* traduction *f* de la Bible.

Biber *m* ‹-s, -› [ˈbi:bər] *zoo (a. Pelz)* castor *m;* **~bau** *m,* **~burg** *f* hutte *f od* terrier *m* de castor; **~geil** *n pharm* castoréum *m;* **~pelz** *m* (peau *od* fourrure *f* de) castor *m;* **~schwanz** *m (Ziegel)* tuile plate *od* à écaille; *(Handsäge)* (scie à manche d')égoïne *f.*

Biblio|graph *m* ‹-en, -en› [biblioˈgra:f] bibliographe *m;* **~graphie** *f* ‹-, -n› [-graˈfi:] bibliographie *f;* **b~graphisch** [-ˈgra:-] *a* bibliographique; **b~phil** *a; ~~e Ausgabe f* édition *f* pour bibliophiles; **~phile(r)** *m* ‹-n, -n› [-ˈfi:lə(r)] bibliophile *m;* **~philie** *f* ‹-, ø› [-ˈli:] bibliophilie *f;* **~thek** *f* ‹-, -en› [-ˈte:k] bibliothèque *f; öffentliche, wissenschaftliche ~~* bibliothèque *f* publique, de recherche; **~thekar** *m* ‹-s, -e› [-ˈka:r] bibliothécaire, conservateur *m* de bibliothèque; **~thekswissenschaft** *f* bibliothéconomie *f.*

biblisch [ˈbi:blɪʃ] *a* biblique; *B~e Geschichte f* histoire *f* sainte.

Bichromat *n* ‹-(e)s, -e› [ˈbi:-, bikroˈma:t] *chem* bichromate *m.*

Bickbeere *f* ‹-, -n› [ˈbɪk-] *dial (Heidelbeere)* myrtille, airelle *f.*

bieder [ˈbi:dər] *a* brave, honnête, probe; *(redlich)* loyal, droit; *(einfältig)* simple; **B~keit** *f* ‹-, ø› honnêteté, probité; loyauté, droiture; simplicité *f;* **B~mann** *m* ‹-s, -männer› brave *od* honnête homme, homme de bien; *pej* bon bourgeois *m;* **~meierlich** *a* louis-philippard; **B~meierstil** *m* style *m* Restauration *(1814 bis 1830) od* Louis-Philippe *(1830 bis 1848).*

Bieg|ebeanspruchung [ˈbi:gə-] *f* effort *m* de flexion; **~efestigkeit** *f* résistance *f* à la flexion; **~egrenze** *f* limite *f* de flexion; **~emaschine** machine à cintrer *od* à rouler, cintreuse, rouleuse *f;* **b~en** ‹*bog*› [ˈbi:gən, -o:-] *tr* ‹*hat gebogen*› courber, plier, ployer, fléchir, arquer, cambrer; *tech* cintrer, couder; *itr* ‹*ist gebogen*› (con)tourner (*um etw* qc); *sich ~~* se courber, se plier, se ployer; *um die Ecke ~~* prendre le tournant; *kalt, warm ~~* cintrer à froid, à chaud; *sich ~~ vor Lachen* se tordre de rire, rire à se tordre; *fam* se rouler, *pop* se marrer; *lieber ~~ als brechen* mieux vaut plier que rompre; **~en** *n* courbement, pliage, pliement, ployage, ploiement, cintrage *m; auf ~~ oder Brechen* quoi qu'il advienne; **~epresse** *f* presse à cintrer *od* à courber, cintreuse *f;* **~eprobe** *f* essai *m od* épreuve *f* de flexion; *(Prüfstück)* échantillon *m* de pliage; **~espannung** *f* tension *f* de flexion; **~ewalze** *f* cylindre *m* à cintrer; **b~sam** [ˈbi:k-] *a* flexible, pliable, ployable, pliant, souple, élastique; *fig (geschmeidig)* souple, agile, maniable, malléable, ductile; **~samkeit** *f* flexibilité, souplesse, élasticité; *fig* souplesse, agilité, malléabilité *f;* **~ung** [-gʊŋ] *f* courbure *f,* pliage; pli, ploiement, fléchissement *m,* flexion *f;* cintrage; *(e-r Straße)* tournant *m; (Krümmung)* cambrure; *bes. med* incurvation *f; (Windung, bes. e-s Flusses)* coude, repli, méandre *m,* sinuosité *f;* **~ungs . . .:** = *Biege . . .;* **~ungsachse** *f* axe *f* de flexion; **~ungselastizität** *f* élasticité *f* de flexion; **~ungsspannung** *f* tension *f* de flexion.

Biel [bi:l] *n geog* Bienne *f; ~er See m* lac *m* de Bienne.

Biene *f* ‹-, -n› [ˈbi:nə] abeille, mouche *f* à miel; **~nbestand** *m* cheptel *m* apicole; **~nfleiß** *m* zéle *m,* ardeur *f* de bénédictin; **~nfresser** *m zoo* guêpier *m;* **~nhaus** *n* rucher *m;* **~nhonig** *m* miel *m* d'abeille(s); **~nkönigin** *f* reine (des abeilles), abeille mère, mère *f* abeille; **~nkorb** *m* ruche *f;* **~nschwarm** *m* essaim *m* d'abeilles; ruchée *f;* **~nstaat** *m* cité *f* des abeilles; **~nstich** *m* piqûre *f* d'abeille; **~nstock** *m* ruche *f;* **~nvolk** *n* ruche, ruchée *f;* **~nwabe** *f* rayon *od* gâteau *m* de miel; **~nzucht** *f* apiculture *f;* **~nzüchter** *m* apiculteur *m.*

Bier *n* ‹-(e)s, -e› [bi:r] bière *f; ~ anstechen* mettre de la bière en perce; ~

aus-, einschenken débiter, verser de la bière; ~ *brauen* brasser; ~ *auf Flaschen ziehen* mettre de la bière en bouteilles; *dünne(s)* ~ petite bière, *pop* bibine *f; Glas n* ~ bock, demi *m; helle(s), dunkle(s)* ~ bière *f* blonde, brune; *ober-, untergärige(s)* ~ bière *f* de fermentation haute, basse; **~baß** *m fam* voix *f* de rogomme; **~bauch** *m fam* bedaine *f* de brasserie; **~bottich** *m* bac *m,* cuve *f;* **~brauer** *m* brasseur *m;* **~brauerei** *f* brasserie *f;* **~deckel** *m* dessous, rond *m;* **~druckapparat** *m* appareil *m* de pression pour débit de bière; pompe *f* à bière; **~fahrer** *m* voiturier *m;* **~faß** *n* tonneau *m* à bière; **~filz** *m* = *~deckel;* **~flasche** *f* bouteille *f* à bière; **~flaschenfüllapparat** *m* soutireuse *f* pour bouteilles à bière; **~glas** *n* verre *m* à bière; **~hahn** *m* robinet *m* à bière; **~hefe** *f* levure *f* de bière; **~idee** *f* idée *f* saugrenue; **~kanne** *f,* **~krug** *m* cruche *f* *od* cruchon *od* pot *m* à bière; **~keller** *m* cave *f* à bière; **~kutscher** *m* = *~fahrer;* **~leitung** *f* conduite à bière; **~lokal** *n* brasserie *f;* **~reise** *f* *fam* bamboche, *pop* vadrouille *f;* **~seidel** *n* chope *f;* **~stube** *f* = *~lokal;* **~suppe** *f* potage *m* à la bière; **~untersatz** *m* = *~deckel;* **~verlag** *m* dépôt *m* de brasserie; **~wagen** *m* haquet *m* de brasseur; **~wärmer** *m* chauffe-bière *m;* **~würze** *f* moût *m* de bière; **~zelt** *n* tente *f* à bière.

Biese *f* ⟨-, -n⟩ ['bi:zə] *mil* passepoil *m.*

Biest *n* ⟨-(e)s, -er⟩ [bi:st] *fam pej* bête *f,* animal *m,* brute, garce, intrigante *f; gemeine(s)* ~ sale bête, vache *f.*

biet|en ⟨*bot, geboten*⟩ ['bi:tən] *tr* offrir; proposer; *(auf e-r Versteigerung)* miser; *sich* ~~ *(bes. Gelegenheit)* se présenter, s'offrir; *jdm den Arm* ~~ présenter *od* offrir le bras à qn; *jdm e-n Gruß* ~~ souhaiter le bonjour à qn; *jdm die Hand* ~~ *(a. fig)* prêter la main à qn *(zu* à); *die Wange zum Kuß* ~~ tendre sa joue pour le baiser; *höher* ~~ *als jmd (Versteigerung)* mettre sur qn; *Schach* ~~ faire échec *(jdm* à qn); *Schwierigkeiten* ~~ présenter *od* faire des difficultés; *jdm die Spitze* od *die Stirn* od *Trotz* ~~ faire front à qn; braver, défier qn; *sich etw* ~~ *lassen* accepter, souffrir qc; *sich alles* ~~ *lassen* encaisser tout (en silence), se laisser arracher la barbe poil à poil; *das lasse ich mir nicht* ~~ je vous, te, lui, leur montrerai de quel bois je me chauffe; **B~er** *m* ⟨-s, -⟩ offrant; *(Versteigerung)* enchérisseur *m.*

Bigam|ie *f* ⟨-, -en⟩ [biga'mi:] bigamie *f;* **b~isch** [-'ga:-] *a* bigame; **~ist** *m* ⟨-en, -en⟩ [-ga'mɪst] bigame *m.*

bigott [bi'gɔt] *a* bigot; hypocrite; **B~erie** *f* ⟨-, -n⟩ [-tə'ri:] bigoterie *f,* bigotisme *m.*

Bikini *m* ⟨-s, -s⟩ [bi'ki:ni] *(zweiteiliger Badeanzug)* bikini, deux-pièces *m.*

bikon|kav [bikɔn'ka:f] *a opt* biconcave; **~vex** [-'vɛks] *a* biconvexe.

Bilanz *f* ⟨-, -en⟩ [bi'lants] *a. fig* bilan *m;* balance *f* (des comptes); *fig* résultat *m;* ~ *der Kapitalbewegungen* balance *f* des mouvements de capitaux; *die* ~ *aufstellen* dresser *od* établir *od* arrêter le bilan, faire la balance; *die* ~ *frisieren* arranger *od* truquer le bilan; *die* ~ *verschleiern* maquiller *od* masquer *od* camoufler le bilan; *die* ~ *ziehen (fig)* faire le bilan *od* la balance; *aktive, passive* ~ bilan *m* excédentaire, déficitaire; **~abschluß** *m* clôture *f* de bilan; **~aufstellung** *f* établissement *m* du bilan; **~auszug** *m* relevé *m* du bilan; **~buch** *n* livre *m* des bilans; **~fälschung** *f* falsification *f* du bilan; **~gewinn** *m* bénéfice *m* établi par le bilan; **b~ieren** [-'tsi:rən] *itr* = *die* ~ *aufstellen;* **~ierung** *f* établissement *m* du bilan; **~posten** *m* poste *m* de bilan; **~prüfung** *f* vérification *f od* contrôle *m* du bilan; **~saldo** *m* solde *m* du bilan; **~stichtag** *m* (jour *m* de l'é)chéance *f* du bilan; **~summe** *f* total *m* du bilan; **~verlust** *m* perte *f* établie par le bilan; **~verschleierung** *f* maquillage *od* camouflage *m* de bilan, dissimulation *f* d'actif; **~wert** *m* valeur *f* de bilan *od* d'inventaire; **~ziehung** *f* établissement *m* du bilan.

Bild *n* ⟨-(e)s, -er⟩ [bɪlt, -dər] image *f* *a. phot film tele; (Ölbild)* tableau; *(Bildnis)* portrait *m; (Abbildung)* illustration, figure; *(auf Spielkarten)* figure; *(auf Münzen)* effigie; *(Lichtbild)* photo(graphie); *(Abzug)* épreuve *f; theat* tableau *m; (Götzenbild)* idole *f; (Sinnbild)* symbole *m; (Gleichnis)* parabole; *(Redefigur)* métaphore, figure; *(Vorstellung)* idée *f; sich ein* ~ *von etw machen* se faire une idée de qc; *im ~e sein (fam)* y voir clair, être à la page *od* au fait *od* au courant, y être, connaître le dessous des cartes *od* les tenants et les aboutissants; *jdn, sich ins* ~ *setzen* mettre qn, se mettre au courant; *jetzt bin ich über ihn im ~e* il m'a édifié sur son compte *iron; du machst dir kein* ~ *davon* tu ne saurais te l'imaginer; *lebende(s)* ~ *(theat)* tableau *m* vivant; *ein* ~ *des Jammers* un aspect lamentable; un spectacle de désolation; *ein* ~ *von e-m Menschen* un homme de toute beauté; **~abtaster** *m TV* balayeur *m;* **~abtastung** *f TV* balayage *m;* **~archiv** *n* archives *f pl* photographiques, photothèque *f;* **~aufklärung** *f aero* reconnaissance *f* photo(graphique); **~ausschnitt** *m* détail *m;* **~auswertung** *f mil aero* interprétation *f* des photos (aériennes); **~band** *m* livre-album *m;* **~beilage** *f* supplément *m* illustré; **~bericht** *m* reportage *m* illustré *od* par l'image; **~bericht(erstatt)er** *m* reporter *m* photographe; **~berichterstattung** *f* information *f* par l'image; **~betrachter** *m film (Gerät)* = *~werfer;* **~ebene** *f phot* plan *m* de l'image; **~eindruck** *m TV* aspect *m* de l'image; **~empfänger** *m TV* récepteur *m* d'images; **~fenster** *n* *phot* voyant *m;* **~fläche** *f* surface *f* de l'image; *film* écran *m; auf der* ~~ *erscheinen (fig)* apparaître; *wieder auf der* ~~ *erscheinen* faire sa réapparition; *von der* ~~ *verschwinden* disparaître, s'éclipser; **~folge** *f film* séquence *f;* **~frequenz** *f TV* fréquence *f;* **~funk** *m* téléphoto(graphie), transmission d'images; *TV* télévision *f;* **~funkgerät** *n* appareil *m* téléphotographique; **~gerät** *n* appareil *m* photo(graphique); *eingebaute(s)* ~~ appareil *m* photo(graphique) fixe; **~größe** *f* grandeur *f* de l'image; **b~haft** *a* métaphorique; fleuri; **~hauer** *m* sculpteur, statuaire *m;* **~hauerei** *f,* **~hauerkunst** *f* sculpture, statuaire *f;* **b~hübsch** *a* ravissant; **~karte** *f (Kartenspiel)* figure *f;* **~kunst** *f; volkstümliche* ~~ imagerie *f* populaire; **b~lich** *a* figuré, métaphorique, figuratif; *adv* au figuré, figurément; *~~e(r) Ausdruck* *m* expression figurée, métaphore *f;* *~~e Darstellung f* figuration *f;* **b~mäßig** *a* pictural; **~material** *n* illustrations *f pl;* **~meldung** *f* rapport *m* d'interprétation photographique; **~meßgerät** *n phot* appareil *m* photogrammétrique *od* de mesure photographique; **~mitte** *f* centre *m* de l'image *a. TV;* **~ner** *m* ⟨-s, -⟩ ['bɪldnər] artiste; sculpteur; *fig* créateur *m;* **~nerei** *f* ⟨-, ø⟩ [-'raɪ] art *m;* sculpture *f;* **b~nerisch** *a* artistique; créatif; **~nis** *n* ⟨-sses, -sse⟩ [-tn-] portrait *m; (auf Münzen)* effigie *f;* **~plan** *m phot aero* mosaïque *f* contrôlée; **~raum** *m TV* espace *m* image; **~reportage** *f* = *~bericht;* **~reporter** *m* = *~berichter;* **b~sam** *a* souple, plastique; *fig* docile, éducable; **~samkeit** *f* souplesse, plasticité; *fig* docilité *f;* **~säule** *f* statue ; *wie e-e* ~~ *dastehen (fig)* être immobile comme une statue; **~schärfe** *f phot* netteté, clarté *f* de l'image; **~schirm** *m film* écran; *TV* télécran *m;* **~schnitzer** *m* sculpteur *m* sur bois; **~schnitzerei** *f* sculpture *f* sur bois; **b~schön** *a* beau comme un astre *od* le jour; **~sendeleistung** *f TV* puissance *f* de sortie; **~sender** *m* téléautographe *m;* **~stelle** *f* laboratoire *m* photo(graphique); **~stock** *m rel* statu(ett)e *f* de saint(e); **~streifen** *m* *phot* pellicule *f,* film *m;* **~sucher** *m* *phot* viseur *m;* **~tafel** *f (Buch)* hors-texte *m,* planche *f;* **~telegramm** *n* phototélégramme *m;* **~telegraphie** *f* phototélégraphie *f;* **~telephonie** *f* phonévision *f;* **~übertragung** *f* transmission de l'image; *scient* téléphotographie *f;* **~unterschrift** *f* légende *f;* **~verstärker** *f TV* amplificateur *m;* **~weite** *f* distance *f* de l'image; **~werbung** *f* publicité *f* par images; **~werfer** *m* projecteur; appareil *m od* lanterne de projection, diascope *m; film* visionneuse *f; mit dem* ~~ *betrachten (film)* visionner; **~werk** *n* sculpture *f;* **~wörterbuch** *n* dictionnaire *m* illustré; **~zeile** *f TV* ligne *f* d'analyse *od* d'exploration; **~zerlegung** *f;* ~~ *mit Kathodenstrahlröhre (RV)* exploration *f od* balayage *m* électronique.

bilden ['bɪldən] *tr (gestalten)* former, façonner; modeler; *(schaffen)* créer, faire; *gram (Wort, Satz)* former; *(zs.*

stellen, organisieren) former, organiser, établir; *(Menschen)* cultiver, humaniser; *(den Geist, Verstand)* former; *(darstellen, sein)* constituer, être; *sich ~ (entstehen)* se former, se développer, naître; *(Mensch)* se cultiver; *(lernen)* s'instruire; *e-e Regierung ~* former un gouvernement; **~d** *a (gestaltend)* formateur; *(belehrend, erzieherisch)* formatif; instructif; éducateur, éducatif; *die ~~en Künste f pl* les arts *m pl* plastiques.

Bilder|bibel ['bɪldər-] *f* Bible *f* illustrée; **~bogen** *m* feuille *f* d'images; **~buch** *n* livre *m* d'images; **~dienst** *m* service *m* photographique; *rel* idolâtrie *f;* **~fibel** *f* abécédaire *m* illustré; **~galerie** *f* galerie *f* de tableaux, musée *m* de peinture; **~haken** *m* crochet *m;* **~rahmen** *m* cadre *m;* **~rätsel** *n* rébus *m;* **b~reich** *a* riche en images, imagé, figuré, fleuri; **~reichtum** *m* richesse *f* en images; **~sammlung** *f* collection de tableaux; **~schrift** *f* écriture figurative *od* pictographique *od* idéographique, idéographie *f;* **~sprache** *f* langage *m* imagé *od* fleuri; **~stürmer** *m rel hist* iconoclaste, briseur *m* d'images; **~stürmerei** *f* iconoclasme *m;* **~verehrer** *m rel* iconolâtre *m;* **~verehrung** *f* iconolâtrie *f,* culte *m* des images; **~wand** *f rel* iconostase *f;* **~zeichen** *n* script *m.*

Bildung *f* ['bɪldʊŋ] *allg (Vorgang u. Zustand)* formation *f; (Entwicklung)* développement *m,* évolution; *(Schaffung)* création, élaboration; organisation *f,* établissement *m; (Gründung)* fondation; *(Aufbau)* structure, organisation; *(Erziehung)* éducation, culture; *allgemeine ~* culture générale; *(Wissen)* instruction *f,* connaissances *f pl; (Gelehrsamkeit)* érudition *f; von hoher ~* très cultivé *od* instruit, lettré; *ohne ~* inculte; sans éducation; *politische ~* éducation *f* politique; **~sanstalt** *f* maison d'éducation; école *f;* **b~sfähig** *a* éducable; **~sfähigkeit** *f* éducabilité *f;* **~sgang** *m* formation *f;* **~sgrad** *m* = *~sstufe;* **~shunger** *m* désir *m* de s'instruire; **~slücke** *f* ignorance, lacune *f* dans les connaissances; **~sstand** *m* niveau *m* culturel; **~sstätte** *f* = *~sanstalt;* **~sstufe** *f* degré d'instruction; niveau *m* culturel; **~strieb** *m* = *~shunger;* **~swesen** *n* enseignement *m.*

Billard *n* ‹-s, -e› ['bɪljart, -də] billard *m; ~ spielen* jouer au billard; *Partie f ~* partie *f* de billard; **~kugel** *f* bille *f* de billard; **~spiel** *n* billard *m;* **~stock** *m* queue *f;* **~tuch** *n* tapis *m* (de billard); **~zimmer** *n* salle *f* de billard.

Billiarde *f* ‹-, -n› [bɪli'ardə] *(1000 Billionen)* mille billions *m pl.*

billig ['bɪlɪç] *a (gerecht)* équitable, juste; *(vernünftig)* raisonnable, acceptable; *(wohlfeil)* bon marché (*Komparativ:* meilleur marché), de prix modique *od* modéré, pas cher, à bon compte; *fig pej* sans valeur, (trop) simple; facile; mauvais; *~e Ausrede* mauvaise excuse; *~ kaufen* acheter bon marché; *~er werden* diminuer de prix; *das ist nicht mehr als recht und ~* ce n'est que juste; *was dem einen recht ist, ist dem ander(e)n ~* il ne doit pas y avoir deux poids et deux mesures; **~denkend** *a* bien pensant; **~en** [-gən] *tr* approuver, agréer, souscrire; consentir à; trouver bon (*daß* que); **~ermaßen** *adv,* **~erweise** *adv* équitablement, en toute équité; à bon droit; **B~keit** ‹-, ø› *(Gerechtigkeit)* équité, justice; *(Ware)* modicité *f* du prix, bas prix, bon marché *m;* **B~keitsanspruch** *m* prétention *f* légitime, juste titre *m;* **B~keitsgründe** *m pl; aus ~~n* pour des raisons d'équité; **B~keitsrecht** *n* droit *m* équitable; **B~ung** *f* approbation *f,* agrément, consentement, assentiment *m.*

Billion *f* ‹-, -en› [bɪli'o:n] billion *m.*

Bilsenkraut ['bɪlzən-] *n* jusquiame *f.*

Biluxlampe ['bi:luks-] *f* ampoule *f* bilux.

bim [bɪm] *interj; ~ bam!* bim, bam, bum! din, din, don! drelin, drelin! **B~bam** *m* ['bɪm'bam] *; heiliger ~~!* bon Dieu! bonté divine!

Bimetallismus *m* ‹-, ø› [bimeta'lɪsmus] *(Doppelwährung)* bimétallisme *m.*

Bimmel *f* ‹-, -n› ['bɪməl] *fam* sonnette, clochette *f;* **~bahn** *f loc hum* brouette *f;* **b~n** *itr fam (läuten)* tintinnabuler, tinter; *dauernd ~~* sonnailler; **~n** *n* tintement *m.*

bims|en ['bɪmzən] *tr* poncer, astiquer; *(prügeln)* rosser; *fig* asticoter, dresser; *(Vokabeln)* s'appuyer, *(pop)* s'enfiler; **B~stein** *m* pierre *f* ponce.

Binde *f* ‹-, -n› ['bɪndə] *allg* bande *f,* bandeau; *med* bandage *m; (zum Abbinden)* ligature; *(Schlinge)* écharpe *f; einen hinter die ~ gießen (fam)* od *kippen (pop)* s'enfiler un verre *fam; pop* se rincer la dalle, s'humecter le gosier; *e-e ~ vor den Augen haben (fig)* avoir un bandeau sur les yeux; *jdm die ~ von den Augen nehmen (fig)* ouvrir les yeux à qn; *den Arm in der ~ tragen* porter le bras en écharpe; **~draht** *m* fil *m* à lier *od* de ligature; **~garn** *n* fil *m* d'attache; **~gewebe** *n anat* tissu *m* conjonctif; **~glied** *n* lien *m;* **~haut** *f anal* conjonctive *f;* **~hautentzündung** *f* conjonctivite *f;* **~kraft** *f* pouvoir *m* adhésif, adhésivité *f;* **~mäher** *m agr* moissonneuse-lieuse *f;* **~mittel** *n tech* matière *f* agglutinante, agglutinant, agglomérant *m; (Küche)* liaison *f;* **~salat** *m* laitue *f* romaine; **~strich** *m* trait *m* d'union; **~wort** *n gram* conjonction *f.*

binden ‹*band, gebunden*› ['bɪndən] *tr* lier, nouer; *(befestigen)* attacher; *(fesseln)* enchaîner; ligoter; *(Garbe, Bürste, Besen, Schleife)* faire; *(Krawatte)* nouer; *(Blumen)* faire un bouquet de; *(Buch)* relier; *(Faß)* relier, cercler; *(Küche)* lier; *chem* lier, combiner; *(absorbieren)* absorber; *(Wärme)* conserver, emmagasiner; *mil (Kräfte), fin (Geldmittel)* engager; *(Phonetik, mus)* lier; *fig (verpflichten)* obliger, engager, assujettir, astreindre (*an* à); *itr (Phonetik, mus)* faire la liaison; *sich ~ (fig)* s'engager, s'obliger (*jdm gegenüber* envers qn); *jdm etw auf die Nase ~* casser le morceau à qn; *jdm etwa auf die Seele ~* remettre qc à la conscience de qn; **~d** *a fig* obligatoire; engageant; *~~ sein* faire loi; *langsam, schnell ~~ (Zement)* à prise lente, rapide *od* prompte.

Binder *m* ‹-s, -› *(Krawatte)* cravate; *agr* botteleuse; *arch* boutisse *f,* parpaing *m;* **~balken** *m arch* entrait *m;* **~farbe** *f* peinture *f* d'émulsion.

Bind|faden ['bɪnt-] *m* ficelle *f; es regnet ~fäden* il pleut des cordes *od* des hallebardes *od* à verse; **~fadenrolle** *f* ficel(l)ier *m;* **~ung** [-dʊŋ] *f* fixation *(a. med u. Schi),* liaison *f; (Band)* lien *m,* attache *f; (Textil)* croisement *m;* armure *f; chem* liaison; *(Absorbierung)* absorption *f; mil fin* engagement *m; fig (Verpflichtung)* obligation *f,* engagement *m; pl fig* liens *m pl,* attaches *f pl; rechtliche ~~* lien *m* de droit; **~ungsenergie** *f* énergie *f* de liaison; **~ungswärme** *f* chaleur *f* de combinaison.

binnen ['bɪnən] *prp* dans, dans le délai de, en l'espace de; *~ kurzem* sous *od* avant *od* d'ici peu; *~ 48 Stunden* dans les *od* sous 48 heures; **~bords** *adv* à bord; **B~fischerei** *f* pêche *f* en eau douce; **B~gewässer** *n pl* eaux *f pl* intérieures *od* continentales; **B~hafen** *m* port *m* intérieur *od* fluvial; **B~handel** *m* commerce *m* intérieur; **B~land** *n* intérieur *m* (du pays); **~ländisch** *a* intérieur; **B~markt** *m* marché *m* intérieur *od* national; **B~meer** *n* mer *f* intérieure; **B~reede** *f mar* petite rade *f;* **B~reim** *m* rime *f* intérieure; **B~schiffahrt** *f* navigation *f* intérieure *od* fluviale; **B~schiffahrtsstraße** *f* voie *f* de navigation intérieure; **B~schiffahrtsverkehr** *m* trafic *m* fluvial; **B~see** *m* lac *m* intérieur; **B~transport** *m* transports *m pl* intérieurs; **B~verkehr** *m* circulation *f* intérieure; **B~wasserstraße** *f* voie *f* fluviale; **B~zölle** *m pl* douanes *f pl* à l'intérieur.

binokular [binoku'la:r] *a* binoculaire.

Binom *n* ‹-s, -e› [bi'no:m] *math* binôme *m;* **b~isch** *a* binôme.

Binse *f* ‹-, -n› ['bɪnzə] jonc *m; in die ~n (gegangen) (pop) (Sache)* grillé; *in die ~n gehen (fig fam)* aller à vau-l'eau; être fichu; **~ngewächse** *n pl* joncacées *f pl;* **~nwahrheit** *f* vérité de La Palice *od* Palisse, lapalissade *f;* truisme *m.*

Bio|chemie *f* ‹-, ø› [bio-] biochimie, chimie *f* biologique; **~chemiker** *m* biochimiste *m;* **b~chemisch** *a* biochimique; **~genese** *f* biogénèse *f;* **b~genetisch** *a* biogénétique; **~graph** *m* ‹-en, -en› [-'gra:f] biographe *m;* **~graphie** *f* ‹-, -n› [-'fi:] biographie *f;* **b~graphisch** [-'gra:-] *a* biographique; **~loge** *m* ‹-n, -n› [-'lo:gə] biologiste *m;* **~logie** *f* ‹-, ø› [-'gi:] biologie *f;* **b~logisch** [-'lo:-] *a* biologique; *~~ gesehen* biologiquement; **~metrie** [-me'tri:] *f* biométrie *f;* **~physik** biophysique *f;* **~technik** *f* biotechnique *f.*

Bioxyd, *(fachsprachl.)* **Bioxid** *n chem* bioxyde *m.*

Birett *n* ⟨-(e)s, -e⟩ [bi'rɛt] *rel* barrette *f.*

Birk|e *f* ⟨-, -n⟩ ['bɪrkə] bouleau *m;* **b~en** *a* de bouleau; **~e(nholz** *n***)** *f* (bois de) bouleau *m;* **~enmaser** *f* madrure *f* de bois de bouleau; **~ensaft** *m* sève *f* de bouleau; **~enwald** *m* boulaie *f;* **~hahn** *m orn* coq de bouleau, petit tétras *m;* **~huhn** *n* poule *f* de bouleau.

Birma ['bɪrma] *n* la Birmanie; **~ne** *m* ⟨-n, -n⟩ [-'ma:nə], **~nin** *f* Birman, e *m f;* **b~nisch** *a* birman.

Birn|baum ['bɪrn-] *m (a. Holz)* poirier *m;* **~e** *f* poire; *el* ampoule; *pop (Kopf)* fraise *f,* citron *m,* caboche *f; arg* ciboulot *m; e-e weiche ~~ haben (fam)* avoir le cerveau ramolli; **b~enförmig** *a* en poire; **~enmost** *m* poiré *m.*

bis [bɪs] *prp (zeitl. u. räuml.)* jusque, jusqu'à, à; *poet* jusques; *(zwischen zwei aufea.folgenden Zahlen das Ungefähre ausdrückend)* entre ... et ..., ... ou ...; *~ auf (außer)* sauf, excepté, à l'exception de; *~ zu (Reihenfolge)* jusqu'à; à ... près; *conj (a.: ~ daß)* jusqu'à ce que, en attendant que, d'ici à ce que; *von Anfang ~ Ende* depuis le début jusqu'à la fin, du début à la fin; *von früh ~ spät* du matin au soir; *von Kopf ~ Fuß, vom Scheitel ~ zur Sohle,* de la tête aux pieds, de pied en cap; *~ bald* à bientôt; *~ aufs Blut (a. fig)* jusqu'au sang; *~ da-* od *dorthin* jusque-là; *~ einschließlich* ... jusque et y compris ...; *~ zu Ende* jusqu'au bout, jusqu'à la fin; *~ ans Ende der Welt* jusqu'au bout du monde; *~ gleich!* à tout à l'heure! *~ auf den letzten Heller* jusqu'au dernier centime; *~ heute* jusqu'aujourd'hui, jusqu'à ce jour; *~ hier(her) (a. fig)* jusqu'ici; *~ jetzt* jusqu'à présent, jusqu'ici; *~ jetzt noch nicht* pas encore; *~ ins kleinste* jusqu'au moindre détail; *~ an die Knie* jusqu'aux genoux, *~ auf den letzten Mann* tous (sans exception), jusqu'au dernier; *~ (spät) in die Nacht (hinein)* jusque (tard) dans la nuit; *~ wann?* jusqu'à quand? *~ auf weiteres* jusqu'à nouvel ordre; pour le moment; *~ auf Widerruf* jusqu'à nouvel ordre; *~ über die Ohren in Schulden stecken* être dans les dettes jusqu'au cou; *Kampf m ~ aufs Messer* lutte *f* au couteau *od* sans merci; *naß ~ auf die Haut* trempé jusqu'aux os; *~ an die Zähne bewaffnet* armé jusqu'aux dents; **~her** [bɪs'he:r] *adv,* **~lang** [bɪs'laŋ] *adv* jusqu'ici, jusqu'à présent; *~her* od *~lang noch nicht* pas encore; **~weilen** [bɪs'vaɪlən] *adv* parfois, quelquefois, de temps en temps.

Bisam *m* ⟨-s, -e/-s⟩ ['bi:zam] *(Droge)* musc *m;* = *~fell;* **~fell** *n,* **~ratte** *f* rat *m* musqué.

Bischof *m* ⟨-s, ⸚e⟩ ['bɪʃɔf, -ø:fə/-fœfə] évêque *m;* **~samt** *n* épiscopat, évêché *m;* **~smütze** *f* mitre *f; (Serviette)* bonnet *m* d'évêque; **~ssitz** *m* siège épiscopal; évêché *m;* **~sstab** *m* crosse, houlette *f;* **~swürde** *f* dignité *f* épiscopale, épiscopat *m.*

bischöflich *a* épiscopal.

bisexuell [bizɛksu'ɛl] *a* bis(s)exuel, bis(s)exué.

Biskaya [bɪs'ka:ja], *die* la Biscaye; *der Golf von ~* le Golfe de Gascogne.

Biskuit *n* od *m* ⟨-(e)s, -s/(-e)⟩ [bɪs'kvi:t] biscuit *m;* **~porzellan** *n* biscuit *m.*

Bismarckhering ['bɪsmark-] *m* hareng *m* mariné.

Bison *m* ⟨-s, -s⟩ ['bi:zɔn] *zoo* bison *m.*

Biß *m* ⟨-sses, -sse [bɪs, -sə] *(Tätigkeit)* coup *m* de dent; *(Ergebnis)* morsure *f;* = *~wunde; (Schlangenbiß)* piqûre *f;* **~wunde** *f* morsure *f.*

bißchen ['bɪsçən] *: ein ~ (...)* un *od* quelque peu (de); un doigt *od* une pointe (de); *fam* un atome, un brin, une idée; *das ~ ...* le peu de ...; *ein klein(es) ~* un tantinet (de); *ein ganz kleines ~* un tout petit peu, un tant soit peu; *kein, nicht ein ~* rien de tout; pas du tout; *mein ~ Geld* le peu d'argent que j'ai *od* je possède.

Biss|en *m* ⟨-s, -⟩ ['bɪsən] morceau *m; (Mundvoll)* bouchée *f; keinen ~~ hinunterbringen (können)* ne pas pouvoir avaler une bouchée; *jdm die ~~ nachzählen* od *im Munde zählen* compter *od* reprocher les morceaux *od* la nourriture à qn; *ihm blieb der ~~ im Halse stecken* il manqua s'étrangler; *ein fetter ~~ (fig)* une aubaine; **b~enweise** *adv* par couchées; **b~ig** *a (Hund)* méchant, hargneux; *fig (Bemerkung)* mordant, incisif, caustique, virulent, sarcastique; *sehr ~~ sein (fig)* emporter la pièce; *Vorsicht, ~~er Hund!* chien méchant; *~~e(r) Mensch m* emporte-pièce *m;* **~igkeit** *f* méchanceté *f; fig* mordant *m,* causticité, virulance *f,* sarcasme *m.*

Bistum *n* ⟨-s, ⸚er⟩ ['bɪstu:m, -ty:mər] évêché; *(Diözese)* diocèse *m*

Bitt|brief ['bɪt-] *m* requête, pétition *f;* **~e** *f* prière, demande; *(Ansuchen)* requête; *(Bittschrift)* pétition *f; dringende* od *inständige* od *flehentliche ~~* supplication, adjuration, conjuration, instance, sollicitation, déprécation *f; auf jds ~~* à la prière *od* demande *od* requête de qn; *e-e ~~ abschlagen* rejeter *od* repousser *od* refuser une demande; *e-e ~~ äußern* faire *od* formuler *od* présenter une demande; *e-r ~~ entsprechen* répondre *od* donner suite à une demande; *e-e ~~ gewähren* accorder *od* exaucer *od* satisfaire une demande; *e-e ~~ an jdn richten* adresser une demande à qn; *ich habe e-e ~~ an Sie* j'ai une prière à vous faire, je voudrais vous demander une faveur; *~~ um Auskunft* demande *f* d'information; **b~e** *interj* s'il vous, te plaît; je vous, te prie; de grâce; *(auf Schildern)* S.V.P.; *(e-r Bitte nachkommend) ~~ schön!* je vous, t'en prie; à votre service; *wie ~~?* vous dites? **b~en** ⟨*bat, gebeten*⟩ ['bɪtən] *tr* prier *(jdn, etw zu tun* qn de faire qc); demander *(jdn um etw* qc à qn); *dringend* od *inständig od flehentlich ~~* implorer, supplier, adjurer, conjurer *(jdn* qn); solliciter *(um etw* qc); *jdn um Erlaubnis ~~, etw zu tun* demander la permission à qn de faire qc; *um Frieden ~~* demander la paix; *jdn zu Gast ~~* inviter qn (à table); *jdn um e-n Gefallen ~~* demander une faveur à qn; *um Hilfe ~~* demander secours; *jdn um Verzeihung ~~* demander pardon à qn; *ums Wort ~~* demander la parole; *sich lange ~~ lassen* se faire prier *od (fam)* tirer l'oreille; *ich lasse ~~* faites entrer; *ich ~e Sie darum* je vous en prie; *ich ~e um Ruhe!* silence, s'il vous plaît! *ich ~e um Verzeihung* je vous demande pardon; excusez-moi; *darf ich ~~? (zum Tanz)* puis-je me permettre? *darf ich Sie um Ihren Namen ~~?* puis-je vous demander votre nom? *darf ich Sie um das Salz ~~?* voudriez-vous me passer le sel? *aber ich ~e dich* od *Sie!* mais bien sûr! mais voyons! *(aber) ich ~e Sie! da muß ich doch sehr ~~!* de grâce! allons donc! *wenn ich ~~ darf* je vous prie; **~gang** *m rel* procession *f;* pèlerinage *m;* **~schrift** *f* pétition; *pol* supplique *f,* placet *m; e-e ~~ einreichen* pétitionner; **~steller** *m* pétitionnaire, solliciteur *m.*

bitter ['bɪtər] *a a. fig* amer; *fig* acerbe, aigre, acrimonieux; *(a. Kälte)* piquant; *(Armut, Not)* extrême; *das ist ~* c'est dur; *e-n ~en Geschmack im Munde haben* avoir un goût amer dans la bouche; *~ schmecken* avoir un goût amer; *~e Tränen weinen* pleurer à chaudes larmes; *~er Ernst werden* devenir très sérieux, prendre une tournure (très) grave; *es ist ~ kalt* il fait un froid de loup; *du hast es ~ nötig* tu en as vraiment besoin; *~e(s) Gefühl n (fig), ~e(r) Geschmack m* amertume *f;* **~böse** *a* très mauvais; *(sehr erzürnt)* très fâché; **B~e(r)** *m (Branntwein)* amer, bitter *m;* **B~erde** *f* magnésie *f;* **~ernst** *a* très sérieux; **B~keit** *f* amertume *a. fig; fig* aigreur, âcreté, acrimonie, acerbité *f; (Groll)* ressentiment *m; ein Gefühl der ~~ haben* ressentir de l'amertume; **~lich** *adv fig* amèrement; **B~ling** *m* ⟨-s, -e⟩ *(Fisch)* bouvière *f;* **B~mandelöl** *n* essence *f* d'amandes amères; **B~nis** *f* ⟨-, -sse⟩ = *B~keit;* **B~orange** *f* bigarade *f;* **B~see** *m geog* lac *m* amer; **B~stoff** *m* chicotin *m;* **~süß** *a* doux amer.

Bitum|en *n* ⟨-s, -/-mina⟩ [bi'tu:mən, -mina] *(Art Teer)* bitume *m;* **~enanstrich** *m* enduit *m* bitumineux; **~endachpappe** *f* carton *m* bitumé; **b~inös** [-mi'nø:s] *a* bitumineux.

Biwak *n* ⟨-s, -e/-s⟩ ['bi:vak] bivouac *m;* **~feuer** *n* feux *m pl* de bivouac; **b~ieren** [-'ki:rən] *itr* bivouaquer.

bizarr [bi'tsar] *a* bizarre, fantasque; biscornu, singulier; **B~erie** *f* ⟨-, -n⟩ [-tsarə'ri:] bizarrerie, singularité *f.*

Bizeps *m* ⟨-(es), -e⟩ ['bi:tsɛps] *anat* biceps *m.*

blaffen, bläffen ['bla-, 'blɛfən] *itr (bellen)* aboyer.
Blage *f* ⟨-, -n⟩ ['bla:gə] *fam (Kind)* gamin, e *m f,* gosse *m f.*
bläh|en ['blɛ:ən] *tr* gonfler, enfler, ballonner; *itr physiol* causer des vents *od* des flatuosités, ballonner; *sich ~~* se gonfler; (s')enfler, ballonner; **~end** *a physiol* flatueux, venteux; **B~ung** *f physiol* flatulence, flatuosité *f,* vent *m; (lautlose)* vesse *f; med* tympanisme *m,* tympanite *f.*
blaken ['bla:kən] *itr dial (schwelen)* charbonner, fumer.
blam|abel [bla'ma:bəl] *a* honteux; **B~age** *f* ⟨-, -n⟩ [-'ma:ʒə] (courte) honte *f;* **~ieren** [-'mi:rən] *tr* discréditer; ridiculiser; *sich ~~* se couvrir de honte, se rendre ridicule.
blank [blaŋk] *a (glänzend)* brillant, (re)luisant; poli; *(glatt)* lisse; *(hell)* clair; *(sauber)* propre; *(bloß, nackt)* nu, dénudé; *fig fam (ohne Geld)* raide; *mit ~er Waffe* à l'arme blanche; *~ putzen (allg)* astiquer; *(Metall)* fourbir; *(Leder, Schuhe)* lustrer; *~ reiben* od *scheuern (Kleidung)* lustrer; *~ sein (fig fam)* être à sec *od* sans le sou; *pop* être fauché; *~e(r) Draht m (el)* fil *m* nu; **~≈geben,** *sich (fig fam)* se mettre à sec; **B~vers** *m* vers *m* blanc; **~≈ziehen** *itr* mettre sabre au clair, tirer l'épée.
Blank|ett *n* ⟨-(e)s, -e⟩ [blaŋ'kɛt] *fin* carte *f* blanche, blanc-seing *m;* quittance *f* en blanc; **b~o** ['blaŋko] *a fin jur* en blanc, à découvert; **~oakzept** *n* acceptation *f* en blanc *od* à découvert; **~okredit** *m* crédit *m* en blanc *od* à découvert; **~oquittung** *f* quittance *f* en blanc; **~oscheck** *m* chèque *m* en blanc; **~ounterschrift** *f* signature *f* en blanc; **~ovollmacht** *f* plein pouvoir, blanc-seing *m,* procuration *f* en blanc; **~owechsel** *m* traite *od* lettre *f* de change en blanc.
Bläschen *n* ⟨-s, -⟩ ['blɛ:sçən] petite bulle; *anal med* vésicule *f;* **b~artig** *a* vésiculeux; **~flechte** *f med* herpès *m;* **b~förmig** *a* vésiculaire.
Blase *f* ⟨-, -n⟩ ['bla:zə] bulle; *(in zähflüssiger Masse)* boursouflure, cloque; *anat* vessie; *med* ampoule; *fig pop* bande *f;* **b~nartig** *a* vésiculeux; **~nausschlag** *m med* éruption *f* bulleuse; **~nbildung** *f* formation de bulles (d'air); *med* vésiculation; *(durch ein Mittel)* vésication *f;* **~nentzündung** *f* inflammation de la vessie, (uro)cystite *f;* **b~nfrei** *a tech* sans soufflures; **~ngrieß** *m med* gravelle *f;* **~nhals** *m* col *m* de la vessie; **~nleiden** *n* affection *f* vésicale; **~npflaster** *n* vésicatoire *m;* **~nschnitt** *m* cystotomie *f;* **~nstein** *m* calcul vésical, urolithe *m; pl* lithiase *f* vésicale; **b~nziehend** *a pharm* vésicant.
Blas|ebalg ['bla:s-] *m* soufflet *m; den ~~ treten* souffler; **b~en** ⟨*bläst, blies, geblasen*⟩ ['bla:zən] *tr allg (a. Glas)* souffler; *mus* sonner (*ein Instrument* d'un instrument); *zum Angriff ~~* sonner la charge; *in dasselbe Horn ~~* être d'intelligence *od* de connivence *od fam* de mèche; *jdm den Marsch ~~ (fig)* dire son fait à qn; sonner les cloches à qn; *jdm etw in die Ohren ~~* souffler à qn sa leçon; *zum Rückzug ~~* sonner la retraite; *Trübsal ~~* broyer du noir, *fam* avoir le cafard; **~instrument** *n* instrument *m* à vent; **~kapelle** *f;* **~orchester** *n* orchestre *m* à cuivres; **~rohr** *n* sarbacane *f.*
Bläser *m* ⟨-s, -⟩ ['blɛ:zər] *mus* joueur (d'un instrument à vent); *tech* souffleur *m.*
blasiert [bla'zi:rt] *a* blasé, désabusé, hautain; **B~heit** *f* orgueil *m;* attitude *f* désabusée.
blasig ['bla:zıç] *a* bulleux, vésiculeux; *~ werden* se boursoufler.
Blasphem|ie *f* ⟨-, -n⟩ [blasfe'mi:] *(Gotteslästerung)* blasphème *m;* **b~isch** [-'fe:-] *a* blasphématoire.
blaß [blas] *a* pâle; *(bleich)* blême, blafard, hâve; *(fahl)* livide, terreux; *(farblos, a. fig)* décoloré; *(Erinnerung)* vague; *keine blasse Ahnung* od *keinen blassen Schimmer von etw haben* ne pas avoir la moindre idée de qc; *~ werden* pâlir d'envie, être dévoré *od* rongé d'envie; **~blau** *a* bleu pâle; **~grün** *a* vert pâle; **~violett** *a* violet pâle.
Blässe ['blɛsə] *f* pâleur *f.*
Bläß|huhn ['blɛs-] *n orn* foulque, poule *f* d'eau; **b~lich** *a* pâlot.
Blatt *n* ⟨-(e)s, ¨er⟩ [blat, 'blɛtər] *(bot, Papier, Zeitung)* feuille *f; (Buch)* feuillet, folio *m; tech (Metallscheibe)* lame; *(Ruder, Propeller)* pale; *(Fleischerei; Schulter)* épaule; *(Kartenspiel)* main *f; (Spiel) ein gutes ~ haben* avoir une belle main; *vom ~ (mus)* à première vue, à livre ouvert; *kein ~ vor den Mund nehmen* parler sans détours *od* sans ambages; ne pas l'envoyer dire, ne pas mâcher ses mots *od* paroles, ne pas y aller par quatre chemins; *ein unbeschriebenes ~ sein (fig)* être page blanche, ne pas avoir encore fait ses preuves; *vom ~ singen, spielen* chanter, jouer à première vue; *(beides a.)* lire, déchiffrer; *das ~ hat sich gewendet* la chance a tourné; *das steht auf einem anderen ~* c'est une autre histoire *od* une autre paire de manches; *lose(s) ~* feuille *f* détachée, papier *m* volant; **b~artig** *a* foliacé; **~bräune** *f bot* brunissure *f;* **~feder** *f tech* ressort *m* à lames; **b~förmig** *a* foliacé; **~gold** *n* or *m* en feuilles *od* en paillettes *od* laminé; **~grün** *n* vert *m* des feuilles, matière verte, chlorophylle *f;* **~halter** *m typ* visorium *m;* **~holz** *n* contre-plaqué *m;* **~kranz** *m bot* verticille *m;* **~laus** *f* puceron *m;* **~metall** *n* métal *m* en feuilles; **~pflanze** *f* plante *f* verte *od* à feuilles *od* d'ornement; **~rippe** *f* côte de feuille, nervure *f;* **~stiel** *m* pétiole *m;* **~ung** *f tech* écart *m;* **~vergoldung** *f* dorure *f* en feuilles; **b~weise** *adv* par feuilles; **~wender** *m mus* tourne-feuilles *m;* **~werk** *n* feuillage *m,* feuilles *f pl; (Kunst)* rinceau *m;* **~wespe** *f* mouche à scie, tenthrède *f;* **~zählung** *f typ* foliotage *m;* **~zinn** *n* étain *m* en feuilles; feuille d'étain, étamure *f.*
Blätt|chen *n* ⟨-s, -⟩ ['blɛtçən] *bot* foliole; *allg* petite feuille; *(dünnes)* lamelle *f; tech* feuillet *m;* **b~chenförmig** *a* lamelliforme; **b~erig** *a* lamellaire; lamellé, feuillu; **~ermagen** *m* feuillet *m;* **b~ern** *itr* feuilleter (*in e-m Buch* un livre); **~erpilz** *m bot (Gattung)* champignon *m* à lamelles; *pl (Familie)* agaricinées, agaricacées *f pl;* **~erteig** *m* pâte *f* feuilletée, (gâteau) feuilleté, mille-feuille *m;* **~erteigpastete** *f* vol-au-vent *m;* **~erwerk** *n* = *Blattwerk.*
Blatter|n ['blatərn] *f pl med* variole, petite vérole *f;* **~narbe** *f* marque *f* de petite vérole; **b~narbig** *a* marqué de (la) petite vérole, vérolé, grêlé.
blau [blau] *a* bleu; *(himmelblau)* azur(é); *fig fam (besoffen)* plein; *pop* rond, noir; *~ anlaufen (lassen)* bleuir; *sich grün und ~ ärgern* avoir des colères noires; *mit einem ~en Auge davonkommen* l'échapper belle; *sein ~es Wunder erleben* ne pas en croire ses yeux; *~en Montag machen* fêter la Saint-Lundi; *jdn braun und ~ schlagen* rouer qn de coups; *~ (besoffen) sein (a.)* avoir une cuite; *jdm ~en Dunst vormachen* raconter des histoires *od* des sornettes à qn; *~ werden* bleuir, *pop (besoffen)* prendre une cruite; *mir wird grün und ~ vor Augen* la tête me tourne; *~e(r) Anton m (fam: Arbeitsanzug)* bleu *m; ~e(s) Auge n* œil *m* poché, *fam* au beurre noir; *das B~e Band* le ruban bleu; *~e(s) Blut n* sang *m* bleu *od* noble; *~e Bohne f arg mil* prune *f,* pruneau *m; ~e(r) Fleck m med* bleu *m; ~e(r) Montag m* la Saint-Lundi; **B~** *n* ⟨-s, -(s)⟩ bleu *m;* **~äugig** *a* aux yeux bleus; **B~bart** *m (Märchenfigur)* Barbe-Bleue *m;* **B~beere** *f* airelle, myrtille *f;* **~blütig** *a (adlig)* de sang bleu *od* noble; **B~e,** *das: ins ~~ hinein (fam)* à tort et à travers; *ins ~~ hinein reden* parler à tort et à travers *od* en l'air *od* dans le vide; *das ~~ vom Himmel versprechen* promettre la lune; *für jdn das ~~ vom Himmel herunterholen wollen* vouloir décrocher la lune pour qn; *Fahrt f ins ~~* voyage-surprise *m;* **~en** *itr* bleuir, devenir bleu; **B~färbung** *f (Vorgang)* bleuissement *m; (Zustand)* couleur *f* bleue; **B~felchen** *m (Fisch)* ombre bleu, lavaret *m;* **B~fuchs** *m* renard *m* bleu; **~gestreift** *a* à rayures bleues; **B~glas** *n* smalt *m;* **~grau** *a* gris bleu; **~grün** *a* vert bleu; **B~hai** *m* (requin) bleu *m;* **B~holz** *n* (bois *m* de) campêche *m;* **B~jacke** *f (Matrose)* col-bleu *m;* **B~kehlchen** *n orn* gorge-bleue *f;* **B~meise** *f* mésange *f* bleue; **B~öl** *n* cérulignone *m;* **B~pause** *f* (calque) bleu *m;* **~rot** *a* rouge bleu; **~sauer** *a: ~saure(s) Salz n* cyanure *m;* **B~säure** *f chem* acide *m* prussique *od* cyanhydrique; **~schwarz** *a* noir bleuâtre; **B~stift** *m* crayon *m* bleu; **B~strumpf** *m fig* bas *m bleu;* **B~sucht** *f med* cyanose *f;* **~violett** *a* bleu violacé.
Bläu|e *f* ⟨-, ø⟩ ['blɔʏə] bleu *m,* couleur *f* bleue; **b~en** *tr* bleuir; *(Wäsche)*

passer au bleu; *(leicht)* bleuter; **b~lich** *a* bleuâtre, céruléen; bleuté; *(fahl)* livide; *~~ angelaufen (Haut)* violâtre.

Blech *n* ‹-(e)s, -e› [blɛç] tôle *f; (Weißblech)* fer-blanc; *(Kuchenblech)* plafond; *(Orchester)* les cuivres *m pl; fig fam (Quatsch)* radotage *m,* bêtises *f pl,* non-sens *m; ~ reden (fig fam)* dire des bêtises, radoter; **~abfälle** *m pl* déchets *m pl* de tôle; **~arbeit** *f* tôlerie *f;* **~bearbeitung** *f* travail *od* façonnage *m* des tôles; **~bearbeitungsmaschine** *f* machine *f* à travailler les tôles; **~behälter** *m* récipient *m* en tôle; **~belag** *m* revêtement *od* recouvrement *m* en tôle; **~biegemaschine** *f* machine *f* à cintrer les tôles; **~büchse** *f,* **~dose** *f* boîte *f* de fer-blanc; **~druck** *m typ* impression *f* sur tôle *od* fer-blanc; **~druckmaschine** *f* machine *f* pour l'impression sur tôle; **b~en** *tr pop (bezahlen)* cracher, abouler; *itr arg* casquer; **b~ern** *a* de *od* en tôle *od* fer-blanc; *(Klang, Stimme)* creux, blanc; **~gefäß** *n* récipient *m* en tôle; **~geschirr** *n* vaisselle en fer-blanc; *mil* gamelle *f;* **~instrument** *n mus* (instrument de) cuivre *m;* **~kanister** *m* bidon *m* en tôle; **~kanne** *f* pot *m* en fer-blanc; **~kern** *m el* noyau *m* en tôle; **~laden** *m fig pop (Ordensreihe(n) auf d. Brust)* batterie *f* de cuisine; **~mantel** *m* revêtement *m* en tôle; **~musik** *f* (musique *f* de) cuivres *f pl;* **~napf** *m* gamelle *f;* **~platte** *f* plaque *f* de tôle; **~schere** *f* cisailles *f pl* à tôle *od* de ferblantier; **~schild** *n* panneau *m* métallique; **~schmied** *m* tôlier, ferblantier *m;* **~schmiede** *f* tôlerie, ferblanterie *f;* **~straße** *f* laminoir *od* train *m* à tôles; **~trommel** *f* tambour *m* en fer-blanc; **~verarbeitung** *f* usinage *m* de tôles; **~verkleidung** *f* revêtement *m* en tôle; **~walze** *f* cylindre à tôle; laminoir *m;* **~walzwerk** *n* tôlerie *f,* laminoir *m* à tôles; **~waren** *f pl* tôlerie, ferblanterie *f.*

blecken ['blɛkən] *tr: die Zähne ~* montrer les dents.

Blei 1. *n* ‹-(e)s, -e› [blaɪ] *(Metall)* plomb; saturne; *(Lot)* fil *m* à plomb; *mar* sonde *f; mil ~ belegen* od *beschweren* plomber; *es liegt mir wie ~ in den Gliedern* j'ai les membres comme du plomb; *das liegt wie ~ im Magen* c'est un plomb sur l'estomac; **~abfälle** *m pl* déchets *m pl* de plomb; **~akkumulator** *m* accumulateur *m* au plomb; **~arbeiter** *m* plombier *m;* **~asche** *f* cendres *f pl* de plomb; **~batterie** *f = ~akkumulator;* **~baum** *m* arbre *m* de Saturne; **~behälter** *m* récipient *m* en plomb; **~benzin** *n* essence *f* au plomb; **~bergwerk** *n* mine *f* de plomb; **~dach** *n* couverture *od* toiture *f* en plomb; **~dämpfe** *m pl* fumée *f* de plomb; **~dichtung** *f* joint *m* au plomb; **~draht** *m* fil de plomb, plomb *m* filé; **b~en** *tr (mit Blei versehen)* plomber; **~erde** *f* cérusite *f* terreuse; **b~ern** *a a. fig* de plomb; **~erz** *n* minerai *m* de plomb; **~essig** *m pharm* sous-acétate *m* de plomb; **~farbe** *f* couleur *f* de plomb; **b~farben** *a* plombé; livide, blafard; **~folie** *f* feuille *f* de plomb, plomb *m* en feuilles; **~glanz** *m min* galène *f; chem* sulfure *m* de plomb; **~glas** *n* verre *m* au plomb; **~glasur** *f* vernis *m* de plomb; **~glätte** *f min* massicot *m,* litharge *f;* **~gummi** *n* (od *m*) gomme *f* à crayon; **~haltig** *a* plombifère; **~hütte** *f* plomberie *f;* **~kabel** *n* câble *m* sous plomb *od* armé de plomb; **~kammer** *f chem* chambre *f* de plomb; **~kolik** *f med* colique *f* de plomb *od* saturnine; **~kristall** *n* cristal *m* au plomb; **~kugel** *f* balle *f* de plomb; **~mantel** *m tech* gaine *od* enveloppe *f* de plomb; **~mine** *f* mine *f* de plomb; **~oxyd** *n chem* oxyde *m* de plomb; **~rohr** *n* tuyau *od* conduit *m* de *od* en plomb; **~salbe** *f* onguent *m* de Saturne; **~salz** *n* sel *m* de plomb; **b~schwer** *a fig* lourd comme du plomb; **~sicherung** *f* (coupe-circuit à) plomb fusible, plomb *m;* **~soldat** *m* soldat *m* de plomb; **~stift** *m* crayon *m;* **~stifthalter** *m* porte-crayon *m;* **~stifthülse** *f* protège-mine, protège-pointe *m;* **~stiftmine** *f* mine *f* de crayon; **~stiftspitzer** *m* taille-crayon(s) *m;* **~stiftskizze** *f* esquisse *f od* croquis *m* au crayon; **~stiftspitzmaschine** *f* machine *f* à tailler les crayons; **~stiftzeichnung** *f* dessin *m* au crayon (noir); **~sulfat** *n* sulfate *m* de plomb; **~verarbeitung** *f* plomberie *f;* **~vergiftung** *f* intoxication *f od* empoisonnement *m* saturnin(e), saturnisme *m;* **~verglasung** *f* résille *f;* **~waren** *f pl* articles *m pl* de plomb; **~wasser** *n* eau *f* blanche; **~weiß** *n* blanc *m* de plomb, céruse *f;* **~zucker** *m chem* acétate de plomb, sucre *m* de Saturne.

Blei 2. *m* ‹-(e)s, -e› [blaɪ] *(Fisch)* brème *f.*

Bleibe *f* ‹-, (-n)› [blaɪbə] gîte, asile; logis *m; keine ~ haben* être sans logis, vagabonder; n'avoir ni feu ni lieu.

bleiben ‹*blieb, geblieben*› ['blaɪbən] *itr* rester, demeurer; *(andauern)* durer, se maintenir; *(weiterexistieren, -leben)* survivre; *(beharren)* persister (*bei* dans); *die Antwort schuldig ~* rester en dette d'une réponse; *bei s-r Aussage ~* persister dans ses déclarations; *im Bett ~* rester au lit; *dabei ~ (fig)* en demeurer là; *zu (inf)* persister à; *daß* en revenir à dire que; *draußen ~* rester dehors; *erhalten ~* survivre; *ernst(haft) ~* garder son sérieux; *fest* od *standhaft ~* tenir bon; ne pas céder; *ohne Folgen ~* ne pas être de *od* tirer à conséquence; *gesund ~* rester en bonne santé; *sich gleich ~* ne pas changer; *zu Hause ~* rester à la maison *od* chez soi; *am Leben ~* rester en vie; *über Nacht ~* passer la nuit; *ruhig ~* rester tranquille; *bei der Sache* od *(fam) Stange ~* ne pas sortir *od* s'écarter du sujet; *treu ~* rester fidèle; *bei der Wahrheit ~* s'en tenir à la vérité; *nicht wissen, wo man ~ soll* ne savoir où se mettre; *hier bleibe ich nicht lange* je ne vais pas moisir ici *fam; das bleibt abzuwarten* il faut attendre; *es bleibt alles beim alten* rien n'est changé; *dabei wird es nicht ~* cela ne va pas s'arrêter *od* en rester là; *wo bleibt er nur?* où peut-il bien être? *wo ist mein Hut geblieben?* où est passé mon chapeau? *wo bleibt mein Kaffee?* et mon café? *~ wir dabei!* restons-en-là! *~ Sie mir weg damit!* épargnez-moi cela; *~ Sie am Apparat! (tele)* ne quittez pas (l'écoute); *dabei bleibt's! es bleibt dabei!* il n'y a rien à rabattre, ce qui est dit est dit; *das muß dahingestellt ~* laissons cela pour le moment; *das bleibt unter uns!* que cela reste entre nous; *Schuster, bleib bei deinem Leisten! (prov)* à chacun son métier; **B~** *n; hier ist meines ~~s nicht länger* je ne peux *od* veux pas rester; **~d** *a* durable; permanent; *~~e(s) Geschenk n, ~~e(r) Wert m* cadeau *m,* valeur *f* durable; *~~e(r) Zahn m* dent *f* permanente *od* de (la) seconde dentition; **~=lassen** laisser, se garder de; *laß das ~!* laisse cela! *wenn Sie nicht wollen, lassen Sie es ~!* c'est à prendre ou à laisser.

bleich [blaɪç] *a* blême, blafard, hâve; *(blaß)* pâle; *~ werden* blêmir, pâlir; **B~anstalt** *f,* **B~e** *f* ‹-, -n› blanchisserie *f;* **~en** *tr* blanchir; *(die Haare)* décolorer, platiner; **B~en** *n* blanchiment, blanchissage *m;* **B~erei** *f* ‹-, -en› [-'raɪ] blanchisserie *f;* **B~ert** *m* ‹-s, -e› ['-çərt] *(Wein)* clairet, vin *m* rosé; **B~gesicht** *n* visage *m* pâle; **B~mittel** *n* décolorant, produit *m* de blanchiment; **B~soda** *f (n)* soude *f* à blanchir; **B~sucht** *f* ‹-, ø› anémie, chlorose *f,* pâles couleurs *f pl;* **~süchtig** *a* anémique, chlorotique.

Blend|arkade *f* ['blɛnt-] fausse-arcade *f;* **~e** *f* ‹-, -n› [-də] *; (Scheuklappe)* œillère *f; (Lichtschirm)* écran; *phot* diaphragme *m,* ouverture *f; (Öffnung)* ouverture; *(blinde(s) Fenster, Tür)* fausse fenêtre, porte; *(Nische)* niche *f; mil* masque *m* de créneaux, blindes *f pl,* blindage *m; mines (Lampe)* lampe de mine; *(Mineral)* blende *f;* **b~en** *tr* crever les yeux à, rendre aveugle; *a. fig* aveugler; *(vorübergehend durch Licht u. fig)* éblouir; *fig* fasciner, séduire; *fam* éberluer; *(täuschen)* tromper; *mil* camoufler; *(Pelze)* ternir; *itr (Lichtreflexe bilden)* jeter des reflets variés; *fig (schillern)* miroiter; *auf e-m Auge ~~* éborgner; *sich ~~ (täuschen) lassen* se laisser éblouir *od* tromper; *geblendet sein* n'y voir que du feu; **b~end** *a* aveuglant, resplendissant; *a. fig* éblouissant; *fig* éclatant, brillant; *fam (ausgezeichnet)* formidable, excellent; **b~endweiß** *a* d'ivoire; **~enlamelle** *f phot* lamelle *f* (du diaphragme); **~enöffnung** *f* ouverture *f* (du diaphragme); **~er** *m* ‹-s, -› *fig fam* fumiste *m;* **b~frei** *a* sans éblouissement, anti-éblouissant; **~laterne** *f* lanterne *f* sourde; **~rahmen** *m* châssis, dormant *m;* **~schutz** *m* protection *f* contre l'éblouissement, écran *od* dispositif *m* anti-éblouissant; **~schutzscheibe** *f mot* pare-soleil *m;* **~stein** *m* pierre *f* de parement; **~ung** *f* ‹-, -en› aveuglement; *a. fig* éblouissement *m; fig (Täuschung)* tromperie *f;* **~werk** *n* illusion *f;* mirage *m; (Betrug)* tromperie, duperie, fumisterie *f;* trompe-l'œil *m.*

Blesse *f* ‹-, -n› ['blɛsə] *(weißer Stirnfleck e-s Tieres)* étoile *f.*

bleuen ['blɔʏən] *tr fam (schlagen)* rosser.

Blick *m* ‹-(e)s, -e› [blɪk] regard; *(kurzer* od *rascher)* coup *m* d'œil; *(verstohlener* od *liebvoller)* œillade; *(An-, Ausblick)* vue; *phot film* plongée *f; auf den ersten ~* du premier coup d'œil, à première vue, de prime abord; *mit ~ auf* face à, avec vue sur; *mit einem ~* d'un seul regard; *mit e-m schnellen ~* d'un coup d'œil; *jds ~en aussetzen* exposer aux regards *od* aux yeux de qn; *jds ~ begegnen* rencontrer le regard *od* les yeux de qn; *jdm mit dem ~ folgen* suivre qn du regard; *e-n ~ für etw haben* avoir l'œil pour qc; *e-n scharfen* od *sicheren ~ haben* avoir le coup d'œil sûr; *die ~e auf sich lenken* concentrer les regards sur soi; *s-n ~ richten auf* lever les yeux sur, porter ses regards sur; *niemandes ~ scheuen* marcher *od* porter la tête haute; *wütende ~e schleudern* lancer des regards furieux; *s-e ~e schweifen lassen* promener ses regards; *den ~ senken* abaisser son regard; *e-n ~ in ein Buch tun* jeter un coup d'œil dans un livre; *den ~ von etw wenden* détacher *od* détourner les yeux de qc; *e-n ~ werfen auf* jeter un coup d'œil sur; *e-n neugierigen ~ werfen auf* jeter un regard curieux sur; *e-n schnellen ~ auf etw werfen* envelopper qc d'un regard rapide; *jdn keines ~es würdigen* ne pas daigner honorer qn d'un regard; *die ~e auf sich ziehen* attirer les regards; *jds ~e auf sich ziehen* faire loucher qn *pop; jdm verliebte ~e zuwerfen* faire les doux yeux *od* les yeux doux à qn; *jdm e-n vernichtenden ~ zuwerfen* mitrailler qn du regard; *wenn ~e töten könnten* si tes, vos, ses, leurs yeux étaient des pistolets; *böse(r) ~* mauvais œil *m; forschende(r) ~* regard *m* investigateur; *verstohlene(r) ~* regard *m* furtif *od* en coulisse; *~ in die Ferne* vue *f* sur le lointain; **b~en** *itr* regarder; *~~ lassen* montrer; sich *~~* lassen se faire voir; *tief ~~ lassen* donner à entendre; **~fang** *m* point de mire; *pej* tape-à-l'œil *m;* **~feld** *n* champ visuel *od* de vision; *fig* horizon *m;* **~punkt** *m opt* point de vue; *fig* point *m* de mire *od* principal; **~richtung** *f* direction *f* de regard *od* de visée; **~winkel** *m* angle de regard *od* de visée *od* visuel; *fig* angle *m.*

blind [blɪnt, -də] *a, a. fig* aveugle (*gegen, für* pour); *(glanzlos)* terne, mat; *(vorgetäuscht, falsch)* feint, fictif, faux; *(Schuß)* à blanc; *adv* = *~lings; ~ einsetzen (arch)* aveugler; *~ darauf losgehen* ne douter de rien; *~ sein (fig)* avoir un bandeau sur les yeux; *für etw* s'aveugler sur qc, ne pas (vouloir) voir qc; *nicht ~ sein (fig)* avoir des yeux; *~ werden* perdre la vue; *(Spiegel)* se ternir; *~er Eifer schadet nur (prov)* trop de zèle nuit; *Liebe macht ~ (prov)* l'amour est aveugle; *~e(r) Alarm m* fausse alarme *od* alerte *f; ~e(r) Eifer m* zèle *m* outré; *~ vor Eifersucht* aveuglé par la jalousie; *~e(s) Fenster n* fausse fenêtre *f; ~e(r) Fleck m (anal)* tache *f* aveugle *od* de Mariotte; *~e(r) Gehorsam m* obéissance *f* aveugle; *~e(r) Haß m* haine *f* aveugle; *~e(r) Lärm m = ~e(r) Alarm; ~e(r) Passagier m* passager *m* clandestin; *~e(r) Schacht m (mines)* faux puits *m; ~e Tür f* fausse-porte *f;* **B~darm** *m* cæcum; *(Wurmfortsatz)* appendice *m;* **B~darmentzündung** *f* appendicite; typhlite *f;* **B~darmoperation** *f* appendicectomie *f;* **B~ekuh (-spiel** *n***)** *f* colin-maillard *m;* **B~enanstalt** *f* institution *f* d'aveugles; **B~enfürsorge** *f* assistance *f* aux aveugles; **B~enheim** *n* maison *f od* foyer *m* d'aveugles; **B~enhund** *m* chien *m* d'aveugle; **B~enschreibmaschine** *f* machine *f* à écrire pour aveugles **B~enschrift** *f* (écriture *f*) braille *m;* **B~enschule** *f* école *f* des aveugles; **B~enstock** *m* bâton *m* d'aveugle; **B~e(r** *m***)** *f* aveugle *m f; das sieht ja ein B~er!* cela saute aux yeux; *unter den B~en ist der Einäugige König (prov)* au royaume des aveugles les borgnes sont rois; **B~flug** *m aero* vol sans visibilité *od* aux instruments, pilotage *m* sans visibilité; **B~flugausbildung** *f* entraînement *m* au pilotage sans visibilité; **B~fluglehrgang** *m* cours *m* de vol sans visibilité; **B~flugübung** *f* exercice *m* de vol sans visibilité; **B~gänger** *m mil* obus *m od* grenade *f* non-éclaté(e); *tech* raté; *fig fam* soliveau *m;* **~geboren** *a* aveugle-né, aveugle de naissance; **B~geborene(r** *m***)** *f* aveugle-né, e *m f;* **B~heit** *f* ‹-, ø› cécité *f; fig* aveuglement *m; mit ~~ geschlagen (fig)* aveuglé; *mit ~~ geschlagen sein (fig)* avoir la berlue; **B~landegerät** *n aero* appareil *m* d'atterrissage sans visibilité; **B~landung** *f* atterrissage *m* en aveugle *od* sans visibilité; **~lings** *adv* aveuglément, en aveugle, à l'aveuglette, à tâtons; *(aufs Geratewohl)* au hasard, d'estoc et de taille; *(ungestüm)* à corps perdu, à tête baissée; **B~material** *n typ* espaces *f pl,* blancs *m pl;* **B~prägung** *f,* **B~pressung** *f (Vorgang)* gaufrage *m* (à sec); *(Zustand)* gaufrure *f;* **B~schacht** *m mines* puits intérieur, faux puits *m,* bure *f;* **B~schleiche** *f* orvet, serpent *m* aveugle *od* de verre; **B~start** *m aero* décollage *m* en aveugle *od* sans visibilité; **B~strom** *m el* courant *m* déwatté *od* réactif; **B~widerstand** *m el radio* réactance *f.*

blink|en ['blɪnkən] *itr* clignoter, scintiller, étinceler; *mil (Blinkzeichen geben)* faire des signaux lumineux; *tr* signaler par moyens optiques; **B~en** *n* clignotement *m; (Signalisieren)* signalisation *f* (par moyens) optique(s); **B~er** *m* ‹-s, -› *(Mensch)* signaleur; *(Gerät)* appareil de signalisation optique; *mot* (feu) clignotant *m;* **B~feuer** *n mar aero* feu *m* clignotant *od* à éclipses *od* tournant; **B~folge** *f* période *od* suite *f* d'éclats (lumineux); **B~gerät** *n = B~er (Gerät);* **B~licht** *n* feu *m od* lumière *f* clignotant(e); **B~meldung** *f,* **B~spruch** *m* message *m od* communication *f* optique; **B~stelle** *f* poste *m* optique; **B~verbindung** *f* liaison *f* optique; **B~zeichen** *n* signal *m* lumineux *od* par projecteur.

blinzeln ['blɪntsəln] *itr* cligner les *od* des yeux, clignoter, papilloter, battre des paupières; *fortwährend ~* clignoter les *od* des yeux; **B~** *n* clign(ot)ement *m.*

Blitz *m* ‹-es, -e› [blɪts] éclair *m,* foudre *f (poet a. m); wie der ~* comme un éclair; *wie ein geölter ~ davonsausen (fam)* décamper en moins de deux; *ein ~ aus heiterem Himmel (fig)* un coup de foudre *od* de tonnerre; *vom ~ getroffen* foudroyé; *wie vom ~ getroffen* comme frappé par la foudre; **~ableiter** *m* paratonnerre, parafoudre; *fig fam* bouc *m* émissaire; **b~artig** *a* foudroyant; *adv* en un éclair, comme l'éclair; **b~blank** *a* brillant, reluisant; **b~en** *itr (funkeln)* fulgurer, étinceler, briller; *(Augen)* flamboyer; *vor Zorn ~~ (Augen)* lancer des éclairs; *es ~t* il fait des éclairs; **~esschnelle** *f: mit ~~* en moins de rien; **~gefahr** *f* danger *m* de foudre; **~gespräch** *n tele* entretien-éclair *m,* conversation-éclair *f;* **~kerl** *m fam* gars *m* du tonnerre; **~krieg** *m* guerre-éclair *f;* **~licht** *n* ‹-(e)s, -er› *phot* flash *m,* lumière *f* au magnésium; **~lichtaufnahme** *f* prise au magnésium, photo *f* au flash; **~lichtgerät** *n* lampe-flash *f,* flash *m;* **~lichtpulver** *n* poudre *f* fulminante; **~lichtvorrichtung** *f: elektronische ~~ (im Fotoapparat)* prise *f* de flash; **~mädel** *n fam* fille *f* du tonnerre; **b~sauber** *a* éclatant de propreté; **~scheidung** *f* divorce-éclair *m;* **~schlag** *m* coup *m* de foudre; **b~schnell** *a* rapide comme l'éclair; *adv* comme un éclair *od* la foudre, avec la rapidité de la foudre; **~schutz** *m* protection *f* contre la foudre; *el* parafoudre *m;* **~schutzsicherung** *f el* fusible *m* de parafoudre; **~strahl** *m* foudre *f;* **~streik** *m* grève-surprise *f;* **~telegramm** *n* télégramme-éclair *m;* **~versicherung** *f* assurance *f* contre la foudre; **~zug** *m loc* train *m* ultra-rapide.

Block *m* [blɔk] bloc; *(Holzblock)* billot *m,* bille; *(Felsblock)* roche *f; (Gußblock)* lingot *m,* barre *f; (Schokolade)* bâton; *(Notiz-, Brief-, Zeichenblock)* bloc; *(Häuserblock)* pâté *m; (Flaschenzug)* poulie *f; loc (Streckenblock)* cantonnement; *fig pol parl* bloc *m; e-n ~ bilden* faire bloc; *vorgewalzte(r) ~ (metal)* bloom *m; ~ der Länder mit Goldwährung* bloc-or *m;* **~ade** ‹-, -n› [-'ka:də] *pol* blocus; *typ* blocage *m; die ~~ aufhe-*

ben lever le blocus; *die ~~ brechen* forcer le blocus; *die ~~ verhängen* faire le blocus; **~adebrecher** *m* forceur *m* de blocus; **~adezustand** *m* état *m* de blocus; **~apparat** *m loc* bloc *m;* **~bildung** *f pol* formation *f* d'un bloc; **~buch** *n hist* livre *m* xylographique; **~flöte** *f* flûte *f* à bec *od* douce; **b~frei** *a pol* non-engagé, non-aligné; *die B~~en m pl* les non-engagés *m pl;* **~freiheit** *f pol* non-alignement, non-engagement *m; Politik f der ~~* politique *f* de non-alignement *od* de non-engagement; **~haus** *n* maison *f* en bois *od* blindée; *mil* blockhaus *m;* **b~ieren** [-'ki:rən] *tr* bloquer *a. loc typ;* barrer, barricader; *tech* verrouiller; *fin (sperren)* bloquer, barrer; **b~iert** *a fig* gelé; **~ierung** *f* blocage; *tech* verrouillage *m;* **~kondensator** *m radio* condensateur *m* à bloc *od* de blocage; **~meißel** *m* tranchet *m;* **~motor** *m mol aero* moteur *m* monobloc; **~satz** *m typ* composition *f* en forme de carré; **~schrift** *f* (lettres *f pl*) égyptienne(s) *f; in ~~* en gros, en majuscules *f pl* d'imprimerie; **~signal** *n loc* signal *m* de bloc *od* de cantonnement; **~station** *f,* **~stelle** *f loc* poste *m* d'aiguilleur; **~straße** *f metal* blooming *m;* **~system** *n* cantonnement, bloc-système *m;* **~verschluß** *m loc* bloc; blocage *m;* **~wart** *m* ‹-(e)s, -e› chef *m* de bloc *od* d'îlot; **~wärter** *m loc* sémaphoriste *m.*

blöd|(e) [bløt, -də] *a (schwachsinnig)* débile, infirme, imbécile; *(schüchtern)* timide, gauche; *(albern)* niais, inepte; *(dumm)* sot, stupide; *fam (dämlich)* farfelu, gaga; *fam (dumm, ärgerlich)* embêtant, ennuyeux, fâcheux; *ein bißchen ~~* godichon *fam; ~e(r) Kerl m* sot; *fam* crétin *m; sich ~ anstellen (fam)* faire l'idiot *od* l'âne; **~eln** ['-dəln] *itr* dire des sottises; **B~heit** *f* ‹-, -en› *(Schwachsinn)* imbécillité; *(Dummheit)* bêtise, sottise *f;* **B~ian** *m* ‹-(e)s, -e› , [-dia:n] **B~ling** *m* ‹-s, -e› [-lɪŋ] souche *f;* **B~igkeit** *f vx (Schüchternheit)* timidité *f;* **B~sinn** *m (Unsinn)* non-sens *m;* idiotie *f;* bêtises *f pl; so ein ~~!* (que) c'est idiot! **~sinnig** *a (schwachsinnig)* imbécile, idiot; *(dumm)* sot, stupide; *adv fam (übertreibend)* formidablement, énormément; **B~sinnige(r** *m***)** *f* imbécile *m f,* idiot, e *m f.*

blöken ['blø:kən] *itr (Schaf)* bêler.

blond [blɔnt, -də] *a* blond; *~ werden* blondir; **B~e** *f* ‹-, -n› *(Seidenspitze)* blonde, dentelle *f* de soie; **B~ine** *f* ‹-, -n› [-'di:nə] blonde, blondine *f;* **B~kopf** *m* blondin, e *m f;* **~gelockt** *a,* **~lockig** *a* blond; **~ieren** [-'di:rən] *tr* blondir, oxygéner.

bloß [blo:s] *a (nackt)* nu, découvert; *(rein, nichts als)* pur, seul, simple; *adv (nur)* seulement, simplement; ne ... que; *(in abgeschwächter Bedeutung)* donc *(od unübersetzt); der ~e Anblick* le seul fait de voir, la seule vue, *auf der ~en Erde* sur la dure; *auf der ~en Haut* à même la peau; *auf ~en Verdacht* sur un simple soupçon; *mit ~em Auge* à l'œil nu; *mit ~en Füßen* pieds nus, nu-pieds; *mit ~em Kopf* tête nue, nu-tête; *mit dem ~en Schrecken davonkommen* en être quitte pour la peur; *wo bleibst du ~?* où es-tu donc? *wie machst du das ~?* comment arrives-tu à faire cela? *~ nicht!* surtout pas! *~ jetzt nicht!* surtout pas maintenant! *der ~e Gedanke* rien que la pensée; **~=legen** *tr* mettre à nu, dénuder, découvrir; dépouiller; *fig* dévoiler, révéler; **~=stellen** *tr* mettre à nu, démasquer; compromettre; **B~stellung** *f* compromission *f.*

Blöße *f* ‹-, -n› ['blø:sə] nudité; *(Gerberei)* peau planée; *(Lichtung)* clairière *f; fig* (point) faible *m,* faiblesse *f; sich e-e ~ geben* donner prise *od* de l'emprise sur soi, donner prise, prêter le flanc; *sich keine ~ geben* jouer (un jeu) serré.

blubbern *itr* gargouiller.

Bluff *m* ‹-s, -s› [blʊ(œ)f] bluff *m,* fumisterie; *fam* esbroufe *f;* **b~en** *itr* bluffer; **~er** *m* ‹-s, -› bluffeur, fumiste *m.*

blühen ['bly:ən] ‹*hat geblüht*› *itr* être en fleur; *a. fig* fleurir; *fig* être florissant, prospérer; *fam* faire florès; *sein Weizen blüht (fam)* ses affaires von bien; *wer weiß, was uns nocht blüht!* qui sait ce qui nous attend; **B~** *n: zum ~~ bringen* faire éclore; **~d** *a* fleuri, en fleur; *fig* florissant, prospère; *(Stil)* fleuri; *(Schönheit)* éclatant; *im ~~en Alter* à la fleur de l'âge; *wie das ~~e Leben aussehen* avoir une mine de prospérité, avoir l'air en pleine forme, respirer la santé; *~~e(s) Aussehen n* bonne mine *f; ~~e(r) Blödsinn m (hum)* grande idiotie *f.*

Blümchen *n* ‹-s, -› ['bly:mçən] petite fleur, fleurette .

Blume *f* ‹-, -n› ['blu:mə] fleur; *(Bierschaum)* mousse *f; (d. Weines)* bouquet *m; fig (Auslese)* fine fleur, élite, crème; *(Redefloskel)* fleur *f* de rhétorique; *durch die ~* à demi-mot; *mit ~n schmücken* garnir de fleurs, fleurir; *durch die ~ sprechen* parler à mots couverts; **~nbeet** *n* massif de fleurs; parterre *m;* **~nblatt** *n* pétale *m;* **~nfenster** *n* fenêtre *f* fleurie; **~nflor** *m* fleurs *f pl;* **~nfrau** *f* bouquetière, marchande *f* de fleurs; **~ngarten** *m* jardin *m* de fleurs; **~ngärtner** *m* (jardinier) fleuriste *m;* **~ngehänge** *n* guirlande *f;* **~ngeschäft** *n* magasin *m* de fleuriste; **~ngewinde** *f* guirlande *f;* **~nhändler(in** *f***)** *m* fleuriste *m f;* marchand, e *m f* de fleurs; **~nkasten** *m* caisse *f* à fleurs; **~nkohl** *m* chou-fleur *m;* **~nkohlsuppe** *f* potage *m* au chou-fleur; **~nkorb** *m* corbeille *f* de fleurs; **~nkorso** *m* corso *m* fleuri, fête *od* bataille *f* de fleurs; **~nkranz** *m* couronne *f* de fleurs; **~nkultur** *f* culture *f* florale; **~nladen** *m* boutique *f* de fleuriste; **~nmädchen** *n* bouquetière *f;* **~nmuster** *n* dessin floral, fleurage *m;* **~nrohr** *n: Indische(s) ~~ (bot)* balisier *m;* **~nschale** *f* coupe *f* à fleurs; **~nschau** *f* exposition *f* florale, floralies *f pl;* **~nsprache** *f* langage *m* des fleurs; **~nstand** *m* kiosque *m* à fleurs; **~nständer** *m* jardinière *f,* porte-plante *m;* **~nstock** *m* pot *m* de fleurs; **~nstrauß** *m* ‹-ßes, -̈ße› bouquet *m* (de fleurs); *(großer) ~~* botte *f* de fleurs; **~nstück** *n (Kunst)* fleurs *f pl;* **~ntopf** *m* pot *m* à *od* de fleurs; *dabei ist kein ~~ zu gewinnen* il n'y a que de l'eau à boire; **~ntopferde** *f* terre *f* à rempoter; **~ntopfmanschette** *f* cache-pot *m;* **b~nübersät** *a* semé de fleurs; **~nvase** *f* vase à fleurs, bouquetier *m; (kleine) ~~* porte-bouquet *m;* **~nzucht** *f* culture florale, floriculture *f;* **~nzüchter** *m* fleuriste *m;* **~nzwiebel** *f* bulbe, oignon *m* à fleurs.

blümerant [blymə'rant] *a: mir ist ganz ~* la tête me tourne.

blumig ['blu:mɪç, -gə] *a (Wein)* bouqueté; *fig* fleuri; *(Stil)* maniéré.

Bluse *f* ‹-, -n› ['blu:zə] corsage *m;* blouse *f; (Hemdbluse)* chemisier *m,* blouse-chemise *f;* **~neinsatz** *m* gilet *m;* **~nfutter** *n* dessous *m* de blouse; **~nstoff** *m* tissu *m* pour blouses.

Blut *n* ‹-(e)s, ø, *(med) -e*› [blu:t] *a. fig* sang *m; fig (Abstammung)* origine, race *f; bis aufs ~* jusqu'au sang; *von Fleisch und ~* de chair et de sang; *jdn bis aufs ~ aussaugen* sucer qn jusqu'à la moelle, tirer à qn la moelle des os; *wie Milch und ~ aussehen* avoir un teint de lis et de roses; *mit ~ beflecken* ensanglanter; souiller *od* tacher de sang; *ruhig ~ bewahren* conserver son sang-froid; *keinen Tropfen ~ in den Adern haben (fig)* n'avoir pas une goutte de sang dans les veines; *~ geleckt haben (fig fam)* avoir trouvé du gout *böses ~ machen* provoquer le mécontentement; *in s-m ~e schwimmen* baigner dans son sang, être dans une mare de sang; *~ und Wasser schwitzen* avoir une peur bleue; *~ spenden* donner son sang; *~ vergießen* verser du sang; *viel ~ vergießen* se noyer dans le sang; *das ist mir in Fleisch und ~ übergegangen* cela m'est entré dans le sang; *das liegt* od *steckt mir im ~* j'ai cela dans le sang, *fam* dans la peau; *das ~ schoß ihm ins Gesicht* le rouge lui monta au visage; *immer ruhig ~!* du calme! *die Bande des ~es* les liens du sang; *blaue(s) ~* sang *m* bleu; *ein junges ~* une jeune personne; **~ader** *f* veine *f;* **~alkohol** *m* alcoolémie *f;* **~andrang** *m* congestion *f;* **b~arm** *a* anémique; **b~|arm** *fig (sehr arm)* pauvre comme Job; **~armut** *f med* anémie *f; ~~ verursachen* anémier (*bei jdm* qn); **~auffrischung** *f* rafraîchissement *m* du sang; **~auswurf** *m* crachement *m* de sang; hémoptisie *f;* **~bad** *n* bain de sang, massacre, carnage *m;* tuerie, boucherie *f;* **~bank** *f* ‹-, -en› *med* banque *f* de sang; **b~befleckt** *a* taché *od* souillé *od* couvert de sang, ensanglanté; **~bild** *n scient* formule *f* hématologique; **b~bildend** *a* hématopoïétique; **~bildung** *f* hématopoïèse *f;* **~buche** *f bot* hêtre *m* rouge *od* pourpre; **~druck** *m* ‹-(e)s, ø› pression sanguine *od* vasculaire *od* artérielle, tension *f* artérielle; *hohe(r)* od *erhöhte(r), niedrige(r)* od *gesenkte(r)* ~~ hypertension, hypotension *f* (artérielle); **~druckmesser** *m* sphygmomanomètre, oscillomètre, tonomètre *m;* **~druckmessung** *f* tonométrie *f;* **~durst** *m* soif de sang, férocité *f;* **b~dürstig** *a* sanguinaire, féroce, ivre de carnage; **~egel** *m zoo* sangsue *f;* **~empfänger** *m* receveur *m* de sang; **b~en** ‹*hat geblutet*› *itr* saigner (*aus* de); *(Rebe)* pleurer; *wie ein Schwein* ~~ *(pop)* saigner comme un bœuf; ~~ *müssen (fig)* le payer; *mir ~et das Herz (fig)* le cœur me saigne; *meine Nase ~et* je saigne du nez; **b~end** *a* saignant; *~~en Herzens (fig)* le cœur navré; **~entnahme** *f* prise *f* de sang, prélèvement *m* de sang *od* sanguin; **~er** *m* ‹-s, -› *med* hémophile *m;* **~erbrechen** *n* hématémèse *f;* **~erguß** *m* épanchement *m* de sang, hémorragie *f;* **~erkrankheit** *f* hémophilie *f;* **~farbstoff** *m: rote(r)* ~~ hémoglobine *f;* **~faserstoff** *m* fibrine *f;* **~fink** *m orn (Dompfaff)* bouvreuil *m;* **~fleck** *m* tache *f* de sang; **~gefäß** *n anat* vaisseau *m* sanguin; **~gerinnsel** *n* caillot (de sang), thrombus *m;* **~geschwulst** *f* hématome *m;* **~geschwür** *n* furoncle; *pop* clou *m;* **~gier** *f* férocité *f;* **b~gierig** *a* altéré de sang, féroce, sanguinaire; **~gruppe** *f* groupe *m* sanguin; **~harnen** *n* hématurie *f;* **~hochzeit** *f; die Pariser* ~~ *(1572)* (le massacre de) la Saint-Barthélemy; **~hund** *m* bouledogue; *fig (Mensch)* homme sanguinaire, boucher *m;* **~husten** *m med* hémoptysie *f;* **b~ig** *a* sanglant, saigneux, ensanglanté, sanguinolent; *(blutbefleckt)* taché *od* souillé de sang; *(Fleisch)* saignant; ~~ *e(r) Anfänger* parfait débutant *m;* *~~e Tränen f pl* larmes *f pl* de sang; *es ist mein ~~er Ernst* je suis on ne peut plus sérieux; **b~igrot** *a (Himmel)* ensanglanté; **b~jung** *a* très *od* tout jeune, à l'âge tendre; **~klümpchen** *n* = *~gerinnsel;* **~körperchen** *n* globule *m* (du sang); *rote(s)* ~~ globule *m* rouge, hématie *f;* *weiße(s)* ~~ globule blanc, leucocyte *m;* **~krankheit** *f* maladie du sang *od* sanguine, hémopathie *f;* **~kreislauf** *m* circulation *f* du sang *od* sanguine; **~lache** *f* mare *f* de sang; **~laus** *f* puceron *m* lanigère; **b~leer** *a* exsangue; *fig (kraftlos)* anémique; ~~ *sein (fig)* ne pas saigner; **~leere** *f med* ischémie *f;* ~~ *im Gehirn* anémie *f* cérébrale; **~mal** *n* ‹-s, -e› [-ma:l] tache *f* sanguine *od* de vin; nævus *m;* **~orange** *f* orange *f* sanguine; **~plasma** *n* plasma *m* sanguin; **~plättchen** *n* plaquette *f* sanguine; **~probe** *f med* prise *f* de sang, prélèvement *m* de sang *od* sanguin, analyse *f* du sang; *(entnommene ~menge)* échantillon *m* sanguin; **~rache** *f* vendetta *f;* **b~reich** *a* sanguin; **b~reinigend** *a* dépuratif; **~reinigung** *f* dépuration (du sang), désintoxication *f;* **~reinigungsmittel** *n* dépuratif *m;* **b~rot** *a* rouge sang(uin); **b~rünstig** *a* sanguinaire, ivre de sang; **~sauger** *m* suceur de sang; *fig* vampire *m,* sangsue *f;* saigneur *m;* **~schande** *f* inceste *m;* **~schänder(in** *f***)** *m* incestueux, se *m f,* inceste *m f;* **b~schänderisch** *a* incestueux, inceste; **~schuld** *f* crime capital; homicide, meurtre *m;* **~senkung** *f* sédimentation *f* du sang; **~serum** *n* sérum *m* (du sang); **~speien** *n,* **~spucken** *n* crachement *m* de sang, hémoptysie *f;* **~spender** *m* donneur *m* de sang; **~spritzer** *m* éclaboussure *f* de sang; **~spur** *f* trace *f* de sang; **~stein** *m min* sanguine, hématite *f;* **b~stillend** *a* hémostatique; *~~e(s) Mittel n (med)* hémostatique *m;* **~stillung** *f* hémostase *f;* **~stropfen** *m* goutte *f* de sang; *bis zum letzten* ~~ *(fig)* jusqu'à la dernière goutte de sang; **~sturz** *m med* coup *m* de sang, hémoptysie *f* violente; **b~sverwandt** *a* consanguin; **~sverwandte(r)** *m* consanguin *m;* ~~ *mütterlicherseits* cognat *m;* ~~ *väterlicherseits* agnat *m;* **~sverwandtschaft** *f* consanguinité *f;* lien *m* du sang; ~~ *mütterlicherseits (hist jur)* cognation *f;* ~~ *väterlicherseits (hist jur)* agnation *f;* **~tat** *f* crime de sang, meurtre *m;* **b~überströmt** *a* noyé de sang, tout en sang; **~übertragung** *f* transfusion *f* sanguine; **~ung** *f* ‹-, -en› écoulement *m od* perte de sang; *scient* hémorragie *f;* **b~unterlaufen** *a* ecchymosé; **~untersuchung** *f* examen *m* de sang; **~vergießen** *n* effusion *f* de sang; **~vergiftung** *f* empoisonnement *m* du sang; *scient* septicémie *f;* **~verlust** *m* perte *f* de sang; **b~voll** *a fig* vivace, vigoureux; **~wurst** *f* boudin *m;* **~wurz** *f* ‹-, -en› *bot* sanguinaire *f;* **~zentrale** *f* centre *m* de transfusion sanguine; **~zeuge** *m* martyr *m;* **~zoll** *m: e-n hohen* ~~ *fordern* être extrêmement sanglant, faire verser beaucoup de sang; **~zucker** *m* glycémie *f;* **~zuckerspiegel** *m* taux *m* de sucre dans le sang.

Blüte *f* ‹-, -n› ['bly:tə] fleur; *(Zeit)* floraison; *fig (Höhepunkt)* prospérité *f,* apogée *m;* *(Elite)* fleur, élite; *(Stilblüte)* perle *f;* *(falscher Geldschein)* faux billet *m;* *in (voller)* ~ en fleur; *in der ~ der Jahre* dans la fleur de l'âge; *in ~ stehen* être en fleur, fleurir; *~n treiben* pousser des fleurs; *zweite ~ (in einem Jahr)* refleurissement *m;* **~nblatt** *n* pétale *m;* **~nboden** *m* réceptacle *m;* **~nkelch** *m* calice *m;* **~nkelchblatt** *n* sépale *m;* **~nknospe** *f* bouton *m* de fleur; **~nkrone** *f* corolle *f;* **~nlese** *f fig* anthologie *f,* florilège *m;* **~nstand** *m bot* inflorescence *f;* **~nstaub** *m* pollen *m,* poussière *f* des fleurs *od* fécondante; **b~ntragend** *a* florifère; **~ntraube** *f* grappe *f* de fleurs; **b~nweiß** *a* d'ivoire; **~nzweig** *m* rameau *m* en fleurs; **~zeit** *f* floraison; *fig* prospérité *f,* apogée *m.*

Bö *f* ‹-, -en› [bø:, -ən] *(Windstoß)* rafale *f,* grain *m;* *(starke)* risée *f;* *durch e-e ~ beschädigt (a.)* rafalé *mar;* **b~ig** *a/ ~~e(r) Wind m* vent *m* à rafale(s).

Boa *f* ‹-, -s› ['bo:a] *(zoo u. Mode)* boa *m.*

Bob|(sleigh) *m* ‹-s, -s› ['bɔp(sle, 'bɔbslɛı)] bob(sleigh) *m;* **~bahn** *f* piste *f* de bob; **~fahrer** *m* coureur *m* de bob; **~mannschaft** *f* équipe *f* de bob; **~rennen** *n* course *f* de bob.

Bock *m* ‹-(e)s, ¨e› *(Ziegenbock)* bouc; *(Schafbock)* bélier; *(Rehbock)* chevreuil; *tech (Gestell)* chevalet, tréteau, support; *(Turngerät)* cheval d'arçon; *(Kutschbock)* siège *m* du cocher; *fam (Fehler)* bévue *f;* *den ~ zum Gärtner machen* donner la brebis à garder au loup, enfermer le loup dans la bergerie, donner la bourse à garder au larron; *e-n ~ schießen (fig)* faire une gaffe *od* une bourde; gaffer; *pop* se fourrer le doigt dans l'œil (jusqu'au coude); *steife(r) ~ (fig fam)* lourdaud *m;* *sture(r) ~ (fig pop)* Gros-Jean *m;* **b~beinig** *a fig* récalcitrant, entêté, rétif; **~bier** *n* bière *f* de mars *od* forte; **b~en** *itr (Pferd)* se cabrer; *fig* être récalcitrant, s'entêter; faire grise mine, bouder; **b~ig** *a* = *b~beinig;* **~käfer** *m ent* capricorne *m;* **~leiter** *f* échelle *f* double *od* pliante; **~sbart** *m bot* barbe *f* de bouc; **~sgeruch** *m* odeur *f* hircine; **~shorn** *n: jdn ins ~~ jagen (fig fam)* faire peur à qn, intimider qn; *sich nicht ins ~~ jagen lassen* se piquer au jeu; ne pas se laisser intimider; **~springen** *n (Spiel)* saute-mouton, saut *m* de mouton; **~sprung** *m sport* saut *m* au cheval d'arçon; *~sprünge machen* sauter comme un cabri.

Böck|chen *n,* **~lein** *n* ‹-s, -› ['bœkçən, -laın] chevreau *m.*

Boden *m* ‹-s, ¨› ['bo:dən, 'bø:-] *(Erdboden)* sol, fond *m,* terre; *(Ackerboden)* terre *f* arable; *(~fläche)* terrain; *(Grund und Boden)* terroir, fonds *m,* glèbe *f;* *(Meeresboden, ~ e-s Gefäßes od Behälters)* fond; *(Fußboden)* sol, plancher, parquet; *(Dachboden)* grenier; *(Heuboden)* fenil; *fig (Grundlage)* fond *m,* base *f;* *auf festem ~* sur la terre ferme; *auf französischem ~* sur le territoire français; *auf dem ~ der Verfassung* conformément à la constitution; *auf dem ~ der Wissenschaft* en se basant *od* en se fondant sur la science; *dicht am ~* à *od* au ras de la terre *od* du sol; *mit doppeltem ~* à double fond; *jdm ~ abgewinnen (fig)* gagner du terrain sur qn; *zu ~ drücken* écraser; *zu ~ fallen* tomber par terre; *zu ~ gehen (sport)* aller à terre; *(an) ~ gewinnen (fig)* gagner du terrain, faire tache d'huile; *festen ~ unter den Füßen haben (fig)* être sur un terrain solide; *auf den ~ legen* od *stellen* mettre à terre; *am ~ liegen* être à terre; *auf dem ~ der Tatsachen stehen* avoir les pieds sur terre; *sich auf den ~ der Tatsachen stellen* s'en tenir aux faits; *zu ~ strecken* étendre sur le carreau, terrasser, abattre, assommer; *fam* descendre; *an ~ verlieren (fig)* perdre du terrain; *den (festen) ~ unter den Füßen verlieren* perdre pied, se perdre dans le vague; *sich auf den ~ werfen* se plaquer au sol; *der ~ brannte mir unter den Füßen (fig)* le pavé me brûlait les pieds; *(fam)* ça sentait le roussi pour moi; *das ist nicht auf seinem ~ gewachsen (fig)* ce n'est pas de son cru; *das schlägt dem Faß den ~ aus!* c'est le comble! c'est trop fort! *Handwerk hat goldenen ~ (prov)* il n'est si petit métier qui ne nourrisse son homme; *fette(r) ~* terre *f* grasse; *gewachsene(r)* od *ortsgrundständige(r) ~* sol naturel *od* en place, terrain *m* naturel; **~abwehr** *f aero* défense *f* au sol; **~angriff** *m aero* attaque *f* au sol; **~anlage** *f aero* installation *f* au sol; **~art** *f* nature *f* du sol; **~bearbeitung** *f* culture *f* (du sol); **~belag** *m (Platten)* pavage, pavement, dallage; *(Pflaster)* pavé *m;* **~beleuchtung** *f aero* balisage *m;* **~beobachtung** *f aero* observation *f* au sol; **~berührung** *f aero* prise *f* de terrain; **~beschaffenheit** *f* nature *od* qualité *f* du sol; état *m* du terrain; **~bestellung** *f = ~bearbeitung;* **~bewegung** *f (Erdarbeiten)* terrassement *m;* **~brett** *n arch* planche de fond; *(Faß)* pièce *f* de fond; **~druck** *m phys* pression *f* sur le sol; **~erhebung** *f* élévation, éminence *f;* **~ertrag** *m* revenu *m* foncier; **~erwärmung** *f* échauffement *m* du sol: **~falte** *f* pli *m* de terrain; **~fenster** *n* lucarne, (fenêtre à) tabatière *f;* **~feuchtigkeit** *f* humidité *f* du sol; **~form(en** *pl)* *f* tracé *m od* formes *f pl* du terrain; mouvements *m pl* du sol; **~forschung** *f agr* pédologie *f;* **~fräse** *f agr* fraiseuse *f* de labour; **~freiheit** *f tech* dégagement *m;* hauteur; *mol* garde (au sol); *aero* garde *f* d'hélice; **~frost** *m* gelée *f* au sol; **~funkstelle** *f* poste *m* radio à terre, station *f* aéronautique; **~gesetzgebung** *f* législation *f* agraire; **~gestaltung** *f geol* relief *m* du sol; **~hindernis** *n* obstacle *m* du terrain *od* au sol; **~kammer** *f* mansarde *f;* **~klappe** *f* trappe *f;* **~kredit** *m* crédit *m* foncier; **~kreditanstalt** *f* (établissement de) crédit *m* foncier, banque foncière *od* immobilière, caisse *f* hypothécaire; **~kunde** *f* pédologie *f;* **b~los** *a* sans fond; *fig (unerhört)* inouï; *~~e Frechheit f* grande impertinence *f;* **~luke** *f* lucarne *f;* **~merkmal** *n aero* repère *m* au sol; **~nähe** *f: in ~~ (aero)* près du sol; **~nebel** *m* brouillard *m* au sol, mince couche *f* de brouillard; **~organisation** *f aero* organisation au sol *od* à terre *od* terrestre, installation à terre, infrastructure *f;* **~peiler** *m aero* radiogoniomètre *m* d'atterrissage; **~personal** *n aero* personnel *m* au sol *od* non-navigant, employés *m pl* au sol, servants *m pl; arg* personnel *m* rampant, rampants *m pl;* **~platte** *f* plaque (de fond), dalle *f,* carreau *m;* **~preis** *m* prix *m* du terrain; **~raum** *m* grenier *m; pl* combles *m pl;* **~recht** *n* droit *m* foncier; **~reform** *f* réforme *f* agraire; **~reichtum** *m = ~schätze;* **~rente** *f* rente *f* foncière; **~satz** *m chem* résidu, sédiment *m; (in e-m Faß)* baissière *f; (von Wein od Bier)* dépôt *m,* lie *f;* **~schätze** *m pl* richesses *f pl* du sol *od* souterraines *od* minières; **~see,** *der* le Lac de Constance; **~senkung** *f* affaissement du sol, repli *m* (de terrain); **~sicht** *f aero* vue *f* du sol; **~signal** *n* signalisation *f* au sol; **~spant** *n mar* varangue *f;* **b~ständig** *a* natif, du terroir; *(Bevölkerung)* indigène, autochtone; **~station** *f (radio; Raumfahrt)* station *f* au sol; **~streitkräfte** *f pl mil* forces *f pl* de surface; **~stück** *n (Geschütz)* culasse *f;* **~teil** *m (Gasometer)* couronne *f* d'étanchéité; **~temperatur** *f* température *f* au sol; **~teppich** *m* tapis *m* de sol; **~treppe** *f* escalier *m* du grenier; **~tür** *f* porte *f* du grenier; **~turnen** *n* exercices *m pl* (gymnastiques) au sol, gymnastique *f* au sol; **~unebenheit** *f* accident *m* de terrain; **~untersuchung** *f* sondage *m* (du sol); **~verbesserung** *f* amélioration *f* du sol; **~verhältnisse** *n pl* nature *f od* état *m* du sol *od* du terrain; **~verteidigung** *f* défense *f* au sol; **~verteilung** *f* distribution *f* du sol; **~welle** *f radio* onde directe *od* terrestre *od* de sol *od* de surface; *geog* ondulation *f* du terrain, mouvement *m* du sol; **~wert** *m* valeur *f* du fond; **~wind** *m* vent *m* au sol; **~ziel** *n mit aero* objectif *m* terrestre; **~zins** *m = ~rente.*

bodm|en ['bo:dmən] *itr fin mar* prêter à la grosse (aventure); **B~erei** *f* ⟨-, -en⟩ [-'raɪ] (prêt *m* à la) grosse (aventure) *f;* **B~ereigeld** *n* prêt *m* à la grosse (aventure); **B~ereivertrag** *m* contrat *m* à la grosse.

Bogen *m* ⟨-s, -/⸚⟩ ['bo:gən, 'bø:] *(math, arch, Waffe)* arc; *arch (Gewölbebogen)* cintre, arceau *m; (Biegung)* courbe, courbure *f,* coude *m; anat* arcade *f; (Geigenbogen)* archet *m; (Eislauf)* volte *f; (Schisport)* virage *m; (Papier)* feuille *f; in hohem ~ (fig fam)* à la volée; *e-n (großen) ~ um jdn machen* (faire un détour pour) éviter qn; *den ~ raushaben, rauskriegen* connaître le joint, trouver le filon; *mit dem ~ schießen* tirer à l'arc; *den ~ spannen* bander l'arc; *den ~ überspannen (fig)* aller trop loin, en demander trop; **~anleger** *m typ* margeur *m* automatique; **~auswerfer** *m typ* chasse-feuilles *m;* **~brücke** *f* pont *m* en arc; **~fänger (-in** *f)* *m typ* receveur, se *m f;* **~fenster** *n* fenêtre *f* cintrée; **b~förmig** *a* en arc, arqué, cintré, voûté; **~führung** *f typ* transport *m* des feuilles; *mus* coup *m* d'archet; **~gang** *m* arcade *f;* **~geradeleger** *m typ* égaliseur *m* des feuilles; **~gewölbe** *n* voûte *f* en plein cintre; **~lampe** *f* lampe *f* à arc; **~licht** *n* lumière *f* à arc; **~minute** *f math* minute *f* d'arc; **~norm** *f typ* signature *f;* **~offsetpresse** *f* machine *f* offset pour la marge de feuilles; **~(rohr** *n)* *m* raccord *m* courbé; **~satz** *m typ* ensemble *m* de feuilles; **~schießen** *n* tir *m* à l'arc; **~schneider** *m typ* (appareil) coupe-feuilles *m;* **~schütze** *m* archer; *(sport)* tireur *m* à l'arc; **~sekunde** *f math* seconde *f* d'arc; **~strich** *m mus* coup *m* d'archet; **b~weise** *adv (in Papierbogen)* en feuilles; **~werk** *n* arcature *f;* **~zahl** *f typ* nombre *m* des feuilles; **~zähler** *m,* **~zählwerk** *n typ* compteur *m* de feuilles.

Bohle *f* ⟨-, -n⟩ ['bo:lə] *(starkes Brett)* planche *f* (épaisse), madrier, ais *m;* **~nbelag** *m* platelage *m,* couverture *f* en madriers; **~nwand** *f* palée *f.*

Böhm|en *n* ⟨-s⟩ ['bø:mən] la Bohême; **b~isch** *a* bohémien; *das sind ~~e Dörfer für mich* c'est de l'algèbre *od* du grec *od* de l'hébreu pour moi.

Bohne *f* ⟨-, -n⟩ ['bo:nə] *bot* haricot; *(Kaffeebohne)* grain *m; nicht die ~ (fig pop)* rien du tout; *das sind nicht deine ~n (fig pop)* c'est pas tes oignons; *blaue ~ (arg mil)* dragée, prune *f,* pruneau *m; dicke ~n pl* fèves *f pl; grüne, weiße ~n* haricots *m pl* verts, blancs; **~nbaum** *m bot* cytise *m;* **~nkaffee** *m* café *m;* **~nkraut** *n* paille *f* de fèves; **~nsalat** *m* salade *f* de haricots; **~nstange** *f* rame de haricots; *fig fam* (grande) perche *f,* échalas *m;* **~nstroh** *n: dumm wie ~~ (fam)* bête à manger du foin *od* du chardon; **~nsuppe** *f* potage *m* aux haricots.

Bohner *m* ⟨-s, -⟩ ['bo:nər], **~besen** *m* cireuse *f;* **~bürste** *f* brosse *f* à parquet; **~lappen** *m* chiffon *m* à polir; **~maschine** *f* cireuse *f* mécanique; **b~n** *tr* cirer, encaustiquer; *itr* faire le parquet; **~wachs** *n* encaustique; cire *f* (à parquet).

Bohr|anlage ['bo:r-] *f* installation *f* de forage *od* de sondage; **~arbeiten** *f pl* (travaux *m pl* de) forage *od* (de) sondage *m;* **~arbeiter** *m* foreur, sondeur *m;* **b~en** ['bo:rən] *itr* percer, forer, sonder; *(nach Erdöl)* prospecter; *fig fam (nachforschen)* fouiller, fouiner; *(drängen)* presser, insister; *tr (quälen)* tourmenter; *mit dem Finger in der Nase ~~* se mettre le doigt dans le nez; *in den Grund ~~ (mar)* couler, saborder; *ein Loch ~~* percer *od* creuser *od* faire un trou; **b~end** *a (zoo, med, Schmerz)* aigu, térébrant; **~er** *m* ⟨-s, -⟩ *(Werkzeug)* perçoir *m,* perceuse *f,* foret, alésoir, perforateur *m,* perforatrice, vrille; mèche *f; mines* fleuret *m; (des Zahnarztes)* fraise *f* (de dentiste); *(Arbeiter)* foreur, perceur, sondeur *m;* **~erspitze** *f* mèche *f;* **~futter** *n* porte-foret *m;* **~gerät** *n* ustensile *m* de forage *od* de sondage; **~hammer** *m* marteau *m* perforateur; **~kern** *m* carotte *f;* **~kopf** *m* mandrin *m;* tête *f* de (la) sonde; **~lehre** *f* calibre de perçage, gabarit *m* pour le perçage; **~leistung** *f* capacité *f* de perçage; **~loch** *n* forure *f,* trou de forage *od* de sonde; puits *m* de sondage *od* à pétrole; **~maschine** *f* foreuse, perceuse, machine à percer, aléseuse, perforatrice; sondeuse; *fam* chignole; *(Zahnarzt)* fraise *f* (de dentiste); **~mehl** *n* farine de foret; poussière *f* *od* débris *m pl* de forage; **~meißel** *m* trépan (de sondage), fleuret *m;* **~schneide** *f* lame *f* d'alésage; **~späne** *m pl* copeaux *m pl* de forage; **~spindel** *f* barre *f* d'alésage; **~spitze** *f* taillant *m;* **~stahl** *m* acier pour fleurets; *(Werkzeug)* outil *m* à aléser; **~turm** *m* tour *f* *od* chevalement de sondage, derrick *m*, charpente *f* du puits, pylône *m* de forage; **~ung** *f* ⟨-, -en⟩ perçage, alésage; forage, sondage; *(Tunnel)* percement *m;* *(Probebohrung)* prospection *f;* **~winde** *f* vilebrequin *m;* **~wurm** *m* *zoo* taret *m*.

Boiler *m* ⟨-s, -⟩ ['bɔʏlər] *(Warmwasserbereiter)* chauffe-eau *m*.

Boje *f* ⟨-, -n⟩ ['bo:jə] *mar* bouée, balise *f*.

Bolero(jäckchen *n)* *m* ⟨-s, -s⟩ [bo'le:ro] boléro *m*.

Bolivi|aner(in *f)* *m* ⟨-s, -⟩ [bolivi'a:nər] Bolivien, ne *m f;* **b~anisch** *a* bolivien; **~en** *n* ⟨-s⟩ [-'li:viən] la Bolivie.

Böller *m* ⟨-s, -⟩ ['bœlər] *mil* petit mortier, crapouillot *m;* **~schüsse** *m pl* salves *f pl* d'artillerie; **b~n** *itr* tirer le canon.

Bollwerk *n* ⟨-(e)s, -e⟩ ['bɔlvɛrk] bastion, *a. fig* rempart, boulevard *m*.

Bolschew|ik *m* ⟨-en, -i/-en⟩ [bɔlʃe'vɪk] bolchevik, bolchevique *m;* **b~isieren** [-vi'zi:rən] *tr* bolcheviser, communiser; **~isierung** *f* bolchevisation, communisation *f;* **~ismus** *m* ⟨-, ø⟩ [-'vɪsmus] bolchevisme *m;* **~ist** *m* ⟨-en, -en⟩ [-'vɪst] bolcheviste *m;* **b~istisch** [-'vɪstɪʃ] *a* bolcheviste, bolchevique.

Bolzen *m* ⟨-s, -⟩ ['bɔltsən] boulon, goujon *m;* *(Zapfen)* cheville, broche *f*, pivot *m;* **~fabrik** *f* boulonnerie *f;* **b~gerade** *a* droit comme un jonc *od* un i; **~verbindung** *f* boulonnage *m*.

Bombard|e *f* ⟨-, -n⟩ [bɔm'bardə] *mil hist* bombarde *f;* **~ement** *n* ⟨-s, -s⟩ [-bardə'mã, -s] bombardement *m;* **b~ieren** [-'di:rən] *tr mil, a. phys* bombarder; *(mit Artillerie)* canonner *(a. fig fam: bestürmen);* **~ierung** *f* *mil phys* bombardement *m;* **~on** *n* ⟨-s, -s⟩ [-'dõ, -s] *mus* bombardon *m*.

Bombast *m* ⟨-(e)s, ø⟩ [bɔm'bast] *(Schwulst)* emphase, enflure *f;* phrases *f pl* ampoulées; **b~isch** *a (Stil)* emphatique, ampoulé, boursouflé; *fam* pompier.

Bombe *f* ⟨-, -n⟩ ['bɔmbə] bombe *f;* *~n abwerfen* lâcher *od* larguer *od* lancer *od* jeter des bombes (*über* sur); *mit ~n belegen* bombarder; *die ~ zum Platzen bringen (fig)* mettre le feu aux poudres; *wie e-e ~ platzen (fig)* faire l'effet d'une bombe; *die ~ ist geplatzt (fig)* le feu prend aux poudres; la nouvelle s'est répandue, le scandale a éclaté; *~n werfen auf* larguer *od* lancer *od* jeter des bombes sur.

Bomben|abwurf *m* lancement *od* largage de bombes; bombardement *m;* **~abwurfgerät** *n* dispositif *m* de largage des bombes; **~abwurfhebel** *m* levier *m* de lancement des bombes; **~abwurfvorrichtung** *f* lance-bombes, mécanisme *m* de lancement de bombes; **~abwurf-Zielgerät** *n* viseur *m* de bombardement; **~angriff** *m* raid *m* aérien, attaque *f* à la bombe; **~attentat** *n* attentat *m* à la bombe; **~auslöser** *m* déclencheur *m* de bombes; **~auslösung** *f* relaxation *f* des bombes; **~erfolg** *m fam* succès *m* monstre *od* fou; *e-n ~~ haben (theat)* être porté aux nues; **~flugzeug** *n* avion de bombardement, bombardier *m;* **b~geschädigt** *a* sinistré; **~geschädigte(r)** *m* sinistré *m;* **~geschäft** *n fam;* *~~e machen* réaliser de gros gains, faire des affaires d'or; **~hagel** *m* grêle *f* de bombes; **~klappe** *f* trappe *f* *od* panneau *m* de (la soute à) bombes; **~last** *f* charge *f* de bombes; **~magazin** *n*, **~schacht** *m* soute *f* à bombes; **~schaden** *m* dégâts *m pl* causés par les bombes; **~schütze** *m* bombardier *m;* **b~sicher** *a* anti-bombes; *fig fam* absolument sûr; *~~e(r) Unterstand m* abri *m* à l'épreuve des bombes; **~splitter** *m* éclat *m* de bombe(s); **~teppich** *m* tapis *m* de bombes; **~teppichwurf** *m* bombardement *m* en tapis; **~treffer** *m* coup *m* de bombe, bombe *f* au but; **~trichter** *m* entonnoir *m* de bombe; **~wurf** *m* = *~abwurf;* **~zielgerät** *n* viseur *m* de bombardement; **~zünder** *m* fusée *f* de bombe.

Bomber *m* ⟨-s, -⟩ ['bɔmbər] bombardier, avion *m* de bombardement; *leichte(r), mittlere(r), schwere(r), viermotorige(r) ~* bombardier *m* léger, moyen, lourd, quadrimoteur; **~besatzung** *f* équipage *m* (d'un bombardier); **~formation** *f* formation *f* de bombardiers; **~geschwader** *n* escadre *f* de bombardiers *od* d'avions de combat; **~staffel** *f* escadrille *f* de bombardiers; **~verband** *m* = *~formation*.

Bon *m* ⟨-s, -s⟩ [bõ:, -s] *(Gutschein)* bon *m;* **~bon** *m* od *n* ⟨-s, -s⟩ [bõ'bõ:, -s] bonbon *m*, dragée *f;* *gefüllte(r, s) ~~* bonbon *m* fourré; **~bonniere** *f* ⟨-, -n⟩ [bõboni'ɛ:rə] bonbonnière *f*.

Bond *m* ⟨-s, -s⟩ [bɔnt] *(Schuldverschreibung)* obligation *f*.

Bon|ifikation *f* ⟨-, -en⟩ [bonifikatsi'o:n] *com (Vergütung, Gutschrift: Tätigkeit)* bonification *f;* **~ität** *f* ⟨-, (-en)⟩ [-'tɛ:t] *agr* bonté; *fin* solidité, solvabilité *f;* **b~itieren** [-'ti:rən] *tr (schätzen)* estimer; **~itierung** *f* ⟨-, -en⟩ estimation *f;* **~us** *m* ⟨-/-nusses, -/-sse/-ni⟩ ['bo:nus, -nusə, -ni] *com (Vergütung, Gutschrift: Summe)* gratification; prime *f*.

Bonze *m* ⟨-n, -n⟩ ['bɔntsə] *rel* bonze; *pol pej (Parteigröße)* bonze *od* ponte *m* (de parti).

Boot *n* ⟨-(e)s, -e⟩ [bo:t] bateau *m*, embarcation, barque *f*, canot *m*, chaloupe *f;* *(kleines)* batelet; *poet* esquif; *fam* rafiau, rafiot *m*, *ein ~ aussetzen* mettre une embarcation à la mer; *~ fahren* faire du canot; *wir sitzen alle in e-m ~ (fig)* nous sommes tous logés à la même enseigne; **~sbau** *m* construction *f* de bateaux; **~sfahrer** *m* canotier *m;* **~sfahrt** *f* promenade *f* en bateau; **~shaken** *m* gaffe *f;* **~shaus** *n* hangar à bateaux, garage *m* à canots; **~skörper** *m aero* coque *f* (inférieure) d'hydravion; **~smann** *m* ⟨-s, -leute⟩ *(Deckoffizier)* premier maître *m;* **~smannsmaat** *m* second maître *m;* **~srennen** *n* régates *f pl;* **~srumpf** *m* coque de bateau; *aero* coque-fuselage *f;* **~sschuppen** *m* = *~shaus*.

Bor *n* ⟨-s, ø⟩ [bo:r] *chem* bore *m;* **~at** *n* ⟨-(e)s, -e⟩ [bo'ra:t] *(borsaures Salz)* borate *m;* **~ax** *m* ⟨-es, ø⟩ ['bo:raks] *(Natriumborat)* borax *m;* **~id** *n* ⟨-(e)s, -e⟩ [bo'ri:t, -də] *(Borverbindung)* borure *m;* **~salbe** *f* vaseline *f* boriquée; **~säure** *f* acide *m* borique; **~wasser** *n* eau *f* boriquée.

Bord 1. *n* ⟨-(e)s, -e⟩ [bɔrt, -də] *dial ((Bücher-)Brett)* rayon *m*, étagère, tablette *f*.

Bord 2. *m* ⟨-(e)s, -e⟩ [bɔrt, -də] *(Schiffsrand);* bord *m;* *an ~* à bord; *~ an ~* bord à bord; *frei an ~ (com)* franco à bord; *an ~ bringen* embarquer; *über ~ fallen* tomber à la mer; *an ~ gehen* aller à bord, s'embarquer; *über ~ gespült werden* être enlevé par une lame; *über ~ werfen* jeter par-dessus bord; *fig* se débarrasser (*etw* de qc); *Mann über ~! (Notschrei)* un homme à la mer! **~anlagen** *f pl aero* installations *f pl* de bord; **~anlasser** *m aero* démarreur *m* de bord; **~buch** *n mar aero* livre *od* journal *m* de bord; **~flugzeug** *n* avion *m* embarqué; **~funkanlage** *f* *aero* radio *f* de bord; **~funker** *m* *mar aer (radio); aero* radio *m* (de bord *od* navigant); **~funkmeßgerät** *n* radar *m* (d'interception) de bord; **~funkstelle** *f* station *f* de bord; **~ingenieur** *m* mécanicien *m* navigant; **~instrumente** *n pl* appareils *od* instruments *m pl* de bord; **~jagdgerät** *n* radar *m* de bord pour chasseurs; **~kommandant** *m aero* commandant *m* de bord; **~mechaniker** *m aero* mécanicien *m* de bord; **~peiler** *m*, **~peilgerät** *n* radiogoniomètre *m* de bord; **~personal** *n mar aero* personnel *m* de bord; **~schütze** *m* mitrailleur *m* de bord; **~schwelle** *f* = *Bordstein;* **~station** *f* station *f* de bord; **~stein** *m* bordure de trottoir; (pierre de) bordure *f;* **~steinfühler** *m mot* guide-trottoir *m;* **~uhr** *f aero* chronomètre *m* de bord; **~waffen** *f pl aero* armes *f pl* de bord; *mit ~~ beschießen* tirer contre *od* sur ... à l'aide des armes de bord; **~waffenbeschuß** *m* tir *m* à l'aide des armes de bord; **~wand** *f* *mar* bordage *m;* **~wart** *m* ⟨-(e)s, -e⟩ *aero* mécanicien *m* de bord; **~zeitung** *f mar* journal *m* du bord.

Bordell *n* ⟨-s, -e⟩ [bɔr'dɛl] bordel *m*, maison *f* publique *od* de tolérance.

bördel|n ['bœrdəln] *tr tech* border, brider; **B~maschine** *f* machine *f* à border.

bord|ieren [bɔr'di:rən] *tr (einfassen)*

border; galonner; **B~ierung** *f* bordage *m;* **B~üre** *f* ⟨-, -n⟩ [-'dy:rə] bordure *f;* galon *m.*

Borg *m* ⟨-(e)s, ø⟩ [bɔrk, -g(ə)s] *auf ~* à crédit; **b~en** [-g-] . *tr (leihen)* prêter (*jdm etw* qc à qn); *(entleihen)* emprunter (*etw von jdm* qc à qn); **b~weise** *adv* à crédit.

Borgis *f* ⟨-, ø⟩ ['bɔrgɪs] *typ (Schriftgrad von 9 Punkten)* corps *m* neuf.

Bork|e *f* ⟨-, -n⟩ ['bɔrkə] *(Baumrinde)* écorce; *(Kruste)* croûte; *med (Schorf)* croûte, escarre *f;* **~enkäfer** *m ent* bostryche *f;* **b~ig** *a med* croûteux.

Born *m* ⟨-(e)s, -e⟩ [bɔrn] *poet (Brunnen)* puits *m; fig (Quelle)* source *f.*

borniert [bɔr'ni:rt] *a* borné, étroit; *~e(r) Mensch m* crétin *m;* **B~heit** *f* ⟨-, -en⟩ étroitesse *f* (d'esprit).

Börse *f* ⟨-, -n⟩ ['bø:rzə, 'bœrzə] *fin* bourse; *(als Gebäude)* Bourse *f; (Markt)* marché; *(Geldbeutel)* porte-monnaie *m; an der ~* à la bourse; *an der ~ notiert werden* être coté à la *od* en bourse.

Börsen|auftrag *m* ordre *m* de bourse; **~beginn** *m* ouverture *f* de la bourse; **~bericht** *m* bulletin *m* de la bourse *od* financier; **~blatt** *n* bulletin de la bourse; journal *m* financier; **b~fähig** *a* négociable en bourse; *(zur Börse zugelassen)* admis à la bourse; *~~e Papiere n pl* valeurs *f pl* de bourse; **b~gängig** *a* négocié (couramment) en bourse; **~geschäft** *n* opération *od* transaction *f* de bourse; *~~e betreiben* traiter à la bourse; **~index** *m* indice *m* boursier; **~jobber** *m* ⟨-s, -⟩ [-dʒ(j)ɔbər] boursier, tripoteur *m;* **~krach** *m* krach *m,* débâcle *f* boursière; **~kreise** *m pl* milieux *m pl* boursiers; **~krise** *f* crise *f* boursière; **~kurs** *m* cours *m* de bourse, cote *f* de la bourse; **~kurszettel** *m* bulletin *m* des cours; **~lage** *f* position *f* de place; **~makler** *m* agent de change, courtier *m* en valeurs, **~manöver** *n* manœuvre *f* de bourse; **~markt** *m* marché *m* boursier; **b~mäßig** *a* suivant les coutumes boursières; coté en bourse; **~notierung** *f* cotation en bourse, cote *f;* **~ordnung** *f* règlement *m* de la bourse; **~papiere** *n pl* valeurs *f pl od* titres *m pl* de bourse *od* de parquet; **~preis** *m* prix *m* coté à la bourse; **~produkte** *n pl* produits *m pl* cotés à la bourse; **~register** *n* registre *m* de la bourse; **~schluß** *m* clôture *f* de la bourse; *bei ~~* en clôture; **~schwankungen** *f pl* fluctuations *f pl* des cours; **~schwindel** *m* boursicotage, tripotage *m;* **~schwindler** *m* tripoteur *m;* **~spekulant** *m* spéculateur *od* joueur à la *od* en bourse; boursicotier, boursicoteur, agioteur *m;* **~spekulation** *f,* **~spiel** *n* spéculation *f* à la bourse, agiotage *m;* **~sturz** *m* chute *f* de la bourse; **~tag** *m* jour *m* de place; **~termingeschäft** *n* affaire *od* opération *f* de bourse à terme; **~umsätze** *m pl* achats *m pl* et ventes *f pl* au marché; **~umsatzsteuer** *f* impôt *m* sur le chiffre d'affaires *od* les opérations de bourse; **~vorstand** *m (Gremium)* direction *f* de la bourse; *(Person)* directeur *m* de la bourse; **~wert** *m* valeur *f* boursière *od* en bourse; **~wucher** *m* agiotage *m; ~~ treiben* agioter; **~zeitung** *f* journal *m* de la bourse; **~zettel** *m* bulletin *m* de la bourse; informations *f pl* financières; **~zulassung** *f* admission *f* à la bourse *od* cote.

Borst|e *f* ⟨-, -n⟩ ['bɔrstə] soie *f* (de porc); **~entier** *n* porc *m;* **~envieh** *n* espèce *f* porcine; porcs *m pl;* **b~ig** *a* sétifère; hérissé; *fig (Person)* revêche, *(fam)* de mauvais poil.

Borte *f* ⟨-, -n⟩ ['bɔrtə] bordure *f,* passement, passepoil, liséré, galon *m; mit ~(n) einfassen* od *besetzen* border, passementer, galonner; **~nwirker** *m* passementier *m.*

bös|artig [bø:s-] *a* méchant, malin, malfaisant; *(Tier)* malicieux; *med* malin, pernicieux; **B~artigkeit** *f* méchanceté, malignité, malice; *med* malignité, virulence *f;* **~(e)** [bø:s, -zə] *a* méchant, mauvais; *(unartig)* malin, vilain; *(ärgerlich)* fâché, irrité; *(schlimm)* mauvais; grave, fort; *(Krankheit)* dangereux, pernicieux; *in ~er Absicht* dans une intention malveillante *od* méchante; *ohne ~e Absicht* sans mauvaise intention, sans penser à mal; *~e ansehen* regarder de travers; *auf jdn* od *mit jdm ~e sein* être fâché *od* mal, avoir qc avec qn, en vouloir à qn; *~e dran sein* être mal en point *od* en mauvaise posture; *sich ~e sein* être fâchés *od* brouillés; *~e werden* se fâcher, entrer en colère *od* fureur; *es sieht ~ aus fig* ça va mal; *ich hab' es nicht ~ gemeint, es war nicht ~ gemeint* je n'ai pas pensé à mal; *~e Angelegenheit f* sale histoire, vilaine affaire *f; ~e(r) Blick m* mauvais coup d'œil; *pop* sale œil *m; ~e Folgen f pl* conséquences *f pl* fâcheuses; *~e(r) Geist m (rel)* (esprit) malin, démon *m; ~e Zeiten f pl* des temps *m pl* durs *od* difficiles; *e-e ~e Zunge* une méchante *od* mauvaise langue, une langue de vipère; **B~e,** *der* le malin, le diable; **B~e(s)** *n* mal *m; B~es ahnen* présager un malheur; *jdm etw B~es antun* faire du mal à qn; *sich bei etw nichts B~es denken* ne pas entendre malice à qc; *B~es im Sinn haben* od *im Schilde führen* avoir de mauvaises intentions; *B~es tun* pécher; *B~es mit Gutem vergelten* rendre le bien pour le mal; **B~ewicht** *m* ⟨-(e)s, -er/-e⟩ [-vɪçt] méchant, malfaiteur; coquin, vaurien *m;* **~willig** *a* malintentionné, malveillant; malicieux; *adv* par mauvaise volonté, de mauvaise foi; *in ~~er Absicht (jur)* avec intention délictueuse; *~~ verlassen (jur)* abandonner malicieusement; *~~e(s) Verlassen n (jur)* abandon *m* malicieux; **B~willigkeit** *f* malveillance; malice; mauvaise volonté *f.*

Böschung *f* ⟨-, -en⟩ ['bœʃʊŋ] talus *m,* berge, pente *f; (steile) ~* escarpement *m;* **~smauer** *f* mur *n* de talus; **~swinkel** *m* inclinaison d'un *od* du talus; *(Gerät)* équerre *f* à talus.

bos|haft ['bo:shaft] *a* malin, malicieux, malfaisant; *adv a.* par malice; **B~haftigkeit** *f* ⟨-, -en⟩ méchanceté malignité, malice *f;* **B~heit** *f* ⟨-, -en⟩ méchanceté, malice *f,* venin *m; aus reiner ~~* par pure méchanceté *od* malice; *reine ~~* méchanceté *f* gratuite.

Bosnien *n* ⟨-s⟩ ['bɔsniən] la Bosnie.

Bosporus ['bɔsporus] *der, geog* le Bosphore.

boss|eln [bɔsəln] *tr* bricoler; *a. = ~ieren;* **~ieren** [-'si:rən] *tr* bosseler; modeler; **B~ieren** *n* bosselage; modelage *m;* **B~iereisen** *n* ébauchoir *m;* **B~ierer** *m* ⟨-s, -⟩ modeleur *m.*

Botan|ik *f* ⟨-, ø⟩ [bo'ta:nɪk] botanique *f;* **~iker** *m* ⟨-s, -⟩ [-'ta:nikər] botaniste; **b~isch** *a* botanique; *~~e(r) Garten m* jardin *m* botanique *od* des plantes; **b~isieren** [-tani'zi:rən] *itr* botaniser, herboriser; **~isiertrommel** *f* boîte *f* à herboriser *od* d'herboriste.

Bote *m* ⟨-n, -n⟩ ['bo:tə] *(Kurier)* messager, courrier; *(Dienstmann)* facteur, commissionnaire; *fig (Vorbote)* héraut *m; durch ~n!* par porteur *od* messager; *reitende(r) ~* courrier *m* (monté), estafette *f;* **~nfrau** *f* commissionnaire *f;* **~ngang** *m* course, commission *f; ~ngänge machen* faire des courses *od* commissions; **~nlohn** *m* factage *m.*

botmäßig ['bo:tmɛ:sɪç] *a* soumis, obéissant; *pol* tributaire; **B~keit** *f* ⟨-, -en⟩ soumission, obéissance *f; unter seine ~~ bringen* soumettre, mettre sous sa dépendance.

Botschaft *f* ⟨-, -en⟩ ['bo:tʃaft] *(Nachricht)* message *m;* communication; *pol (a. Gebäude)* ambassade *f; e-e ~ übermitteln* transmettre un message; *diplomatische ~* mission *f* diplomatique; **~er(in *f*)** *m* ⟨-s, -⟩ ambassadeur *m,* ambassadrice *f;* **~erposten** *m* poste *m od* charge *f* d'ambassadeur; **~spersonal** *n* personnel *m* de l'ambassade; **~ssekretär** *m* secrétaire *m* d'ambassade.

Böttcher *m* ⟨-s, -⟩ ['bœtçər] tonnelier *m;* **~ei** *f* ⟨-, -en⟩ [-'aɪ] tonnellerie *f.*

Bottich *m* ⟨-(e)s, -e⟩ ['bɔtɪç] cuve *f,* bac, baquet; *(Faß)* tonneau *m.*

Bouillon *f* ⟨-s, -s⟩ [bu'ljɔ̃:, -'jɔ̃:] bouillon, consommé *m;* **~reis** *m* riz *m* au gras; **~würfel** *m* cube *m* de consommé.

Boulevardpresse *f* [bulə'va:r-] presse *f* à sensation *od* de boulevard.

Bovist *m* ⟨-(e)s, -e⟩ ['bo:-, bo'vɪst] *(Pilz)* vesse-de-loup *f; scient* lycoperdon *m.*

Bowle *f* ⟨-, -n⟩ ['bo:lə] *(Getränk)* vin aromatisé; *(Gefäß)* bol *m;* **~nkelle** *f* louche *f* à punch.

Bowling *n* ⟨-s, -s⟩ ['bo:lɪŋ] *sport* bowling *m.*

Box *f (kleiner Raum)* box *m.*

box|en ['bɔksən] *itr* boxer; **B~en** *n* boxe *f;* **B~er** *m* ⟨-s, -⟩ boxeur *m;* **B~handschuh** *m* gant *m* de boxe; **B~kampf** *m* combat *od* match *m* de boxe; **B~ring** *m* ring *m;* **B~sport** *m* boxe *f.*

Boy *m* ‹-s, -s› [bɔʏ] *(Hotelboy)* chasseur *m.*
Boykott *m* ‹-(e)s, -e› [bɔʏ'kɔt] boycottage *m;* **~hetze** *f* incitation *f* au boycottage; **b~ieren** [-'ti:rən] *tr* boycotter.
brach [bra:x] *a* inculte, en friche, en jachère; **B~acker** *m,* **B~e** *f* ‹-, -n› **B~feld** *n,* **B~land** *n* champ *m od* terre en friche *od* jachère *f od* repos, guéret *m;* **~=liegen** *itr* reposer, rester inculte, être en friche *od* jachère; *fig* être en friche, reposer, dormir; *etw ~~ lassen (a. fig)* laisser reposer *od* en friche qc; **B~vogel** *m orn* courlis *m.*
Brachialgewalt [braxi'a:l-] *f (rohe Gewalt)* force *f* brutale.
Bracke *m* ‹-n, -n› *f* ‹-, -n› ['brakə] *(Hühnerhund)* braque *m.*
brack|ig ['brakıç] *a (aus Süß- und Salzwasser gemischt)* saumâtre; **B~wasser** *n* eau *f* saumâtre.
Brahman|e *m* ‹-n, -n› [bra'ma:nə] *rel* brahmane *m;* **b~isch** *a* brahmanique.
Bram *f* ‹-, -en› [bra:m] *mar* perroquet *m;* **~segel** *n* (voile *f* de) perroquet *m;* **~stenge** *f* mât *m* de perroquet.
Bramarbas *m* ‹-, -sse› [bra'marbas] *(Prahlhans)* fanfaron, hâbleur, matamore, bravache, fier-à-bras *m;* **b~ieren** [-'zi:rən] *itr* fanfaronner, hâbler, faire le matamore *od* bravache *od* fier-à-bras.
Branche *f* ‹-, -n› ['brã:ʃə] *com* branche, spécialité *f,* genre *m* d'affaires; **~nadreßbuch** *n* annuaire *m* du commerce; **~(n)kenntnis** *f* connaissance *f* de la partie; **b~(n)kundig** *a* au courant de la branche; **~nverzeichnis** *n* annuaire *m* du commerce et de l'industrie.
Brand *m* ‹-(e)s, ⸚e› [brant, 'brɛndə] *(Feuer)* feu; *(Feuersbrunst)* incendie; *(großer)* embrasement *m; (Verbrennung)* combustion; *tech (Ziegelbrand)* cuite; *bot* rouille *f; (Getreidebrand)* charbon *m,* nielle, carie; *med* gangrène *f,* sphacèle *m,* nécrose; *fig fam (Durst)* soif *f; in ~ geraten* prendre feu, s'enflammer, s'embraser, *e-n ~ (Durst) haben (fam)* avoir la pépie; *etw in ~ setzen* od *stecken* mettre le feu à qc *od* qc en feu, incendier qc; **~bekämpfung** *f* lutte *f* contre le feu; **~binde** *f med* pansement *m* pour brûlures; **~blase** *f* phlyctène de brûlure; *fam* ampoule, cloque *f;* **~bombe** *f* bombe *f* incendiaire; **~brief** *m fam (dringender Bittbrief)* lettre *f* incendiaire; **~er** *m* ‹-s, -› = *~schiff;* **~fackel** *f* torche *f* incendiaire; *fig* brandon *m;* **~flasche** *f mil* bouteille *f* incendiaire; **~fleck** *m* tache *f* de brûlé; **~gefahr** *f* danger *m* d'incendie; **~geruch** *m* odeur *f* de brûlé; *chem a.* **~geschmack** *m* empyreume *m;* **~geschoß** *n* projectile *m od* balle *f* incendiaire; **~granate** *f* obus *m* incendiaire; **~handgranate** *f* grenade *f* incendiaire; **~herd** *m* foyer *od* lieu *m* de l'incendie, source *f* de feu; **b~ig** *a bot* rouillé, charbonné, niellé; *med* gangrené, gangreneux; *~~ werden (bot)* se nieller; *med* se nécroser; **~leiter** *f* échelle *f* à *od* d'incendie *od* de pompiers; **~mal** *n* ‹-s, -e› marque *f* de brûlure; stigmate *m a. fig; fig* marque *f* d'infamie; **~malerei** *f* pyrogravure *f;* **b~marken** *(brandmarkte, hat gebrandmarkt) tr* marquer au fer rouge; stigmatiser *a. fig; fig* flétrir; **~markung** *f fig* flétrissure *f;* **~mauer** *f (zwischen zwei Häusern)* mur mitoyen *od* coupe-feu, pare-feu; *(Rückwand e-s Kamins)* contrecœur *m;* **~munition** *f* munition *f* incendiaire; **b~neu** *a* tout neuf; **~opfer** *n rel* holocauste *m;* **~plättchen** *n* pastille *od* plaque *f* incendiaire; **~rede** *f fig* discours *m* incendiaire; **~salbe** *f* onguent *m od* pommade *f* contre les brûlures; **~schaden** *m* dégâts *m pl* causés par l'incendie, perte *f* par incendie; **b~schatzen** *(brandschatzte, hat gebrandschatzt) tr* rançonner; **~schatzung** *f* rançonnement *m;* **~schiff** *n mar* brûlot *m;* **~sohle** *f* première *f;* **~stätte** *f,* **~stelle** *f* lieu *m* d'incendie; **~stifter** *m* incendiaire *m;* **~stiftung** *f jur* incendie *m* volontaire *od* criminel; **~wache** *f (Person)* piquet *m* d'incendie; **~wirkung** *f* effet *m* incendiaire; **~wunde** *f* brûlure *f;* **~zeichen** *n* marque *f* au fer rouge.
brand|en ['brandən] *itr (Wellen)* déferler *a. fig,* se briser (*gegen* contre); **B~ung** *f* ‹-, (-en)› brisant, déferlement, ressac, coup *m* de mer; **B~ungswelle** *f* vague *f* déferlante.
Branntwein ['brant-] *m* eau-de-vie *f;* alcool *m; ~ brennen* distiller de l'eau-de-vie; **~brenner** *m* distillateur, bouilleur *m* de cru; **~brennerei** *f* distillerie, brûlerie *f;* **~monopol** *n* monopole *m* de l'alcool; **~steuer** *f* impôt *m* sur l'alcool.
Brasil|ianer(in *f)* *m* ‹-s, -› [brazili'a:nər] Brésilien, ne *m f;* **b~ianisch** *a* brésilien; **~ien** *n* ‹-s› [-'zi:liən] le Brésil.
Brasse *f* ‹-, -n› , **~n** *m* ‹-s, -› ['brasə(n)] **1.** *mar (Tau)* bras *m;* **b~n** *tr mar* brasser.
Brassen *m* ‹-s, -› ['brasən] **2.** *(Fisch)* brème *f.*
Brat|apfel ['bra:t-] *m* pomme *f* cuite; **b~en** ‹*brät, briet, hat gebraten*› [brɛ:t, bri:t] *tr (Fleisch)* rôtir, cuire; *(in der Pfanne)* frire; *(auf dem Rost)* griller; *itr* rôtir, cuire, frire, griller; *braun ~~ (itr)* (*tr* faire) rissoler; *(in der Sonne ~~* rôtir, griller; *sich (von der Sonne) braun ~~ lassen* se faire griller; **~en** *n (Tätigkeit)* rôtissage *m,* friture *f;* **~en** *m* ‹-s, -› *(Fleisch)* rôti *m; den ~~ riechen (fig fam)* flairer la mèche; *den ~~ gerochen haben (fig)* avoir la puce à l'oreille; **~enbrühe** *f,* **~ensoße** *f,* **~entunke** *f* sauce *f* de rôti; **~enfett** *n* graisse de rôti, friture *f;* **~enkelle** *f* louche *f* à rôti; **~enrock** *m hum (Gehrock)* redingote *f;* **~ensaft** *m* jus *m* de viande; **~enwender** *m* tourne-broche *m;* **~fisch** *m* poisson *m* à frire *od* frit, friture *f;* **~hering** *m* hareng *m* frit *od* grillé; **~huhn** *n* poulet *m* rôti; **~kartoffeln** *f pl* pommes *f pl* de terre sautées; **~ofen** *m* four *m;* **~pfanne** *f* poêle *f* à frire; **~röhre** *f* (petit) four *m;* **~rost** *m* gril *m;* **~spieß** *m* broche *f* (à rôtir), hâtier *m;* **~spießständer** *m* hâtier *m;* **~spill** *n mar (Winde)* treuil, vindas *m;* **~wurst** *f* saucisse *f* à griller *od* grillée; **~wurstfinger** *m pl hum* doigts *m pl* en saucisson.
Bratsch|e *f* ‹-, -n› ['bra:tʃə] *mus* alto *m;* **~ist** *m* ‹-en, -en› [-'tʃıst] altiste, joueur *m* d'alto.
Bräu *n* ‹-(e)s, -e/-s› [brɔʏ] *(Bier)* bière; *(Brauerei)* brasserie *f.*
Brau|bottich ['brau-] *m* cuve *f* de brasseur; **b~en** *tr (Bier)* brasser; *fam (anderes Getränk)* faire, préparer; *fig* brasser, tramer; **~er** *m* ‹-s, -› brasseur *m;* **~erei** *f* ‹-, en› [-'raı] , **~haus** *n* brasserie *f;* **~gerste** *f* orge *f* germante; **~kessel** *m,* **~pfanne** *f* chaudière *f* à brasser, brassin *m;* **~malz** *n* malt *m* pour brasseries; **~meister** *m* maître *m* brasseur.
Brauch ‹-(e)s, ⸚e› [braux, 'brɔʏçə] *(Sitte, Herkommen)* coutume *f,* usage *m,* tradition *f; das ist so ~* c'est la coutume.
brauchbar ['braux-] *a (verwendbar)* utilisable; *(Kleidung)* mettable; *für, zu etw* bon pour qc, propre *od* utile à qc; *(Mensch)* capable, apte (*zu* à); *nichts B~es fertig-* od *zustande bringen* ne faire rien de valable *od* qui vaille; **B~keit** *f* utilité; capacité, aptitude *f.*
brauch|en ['brauxən] *tr (benutzen)* employer, se servir de, user de, faire usage de, utiliser; *(nötig haben)* avoir besoin de; falloir: *ich ~e Geld* il me faut de l'argent; *ich ~e nicht zu kommen* je n'ai pas besoin de venir; *etw nicht ~~ (können)* n'avoir que faire de qc; *lange ~~, um zu ...* être long à ...; *zwei Stunden ~~, um zu ...* mettre deux heures à ... *od* pour ...; *ich ~e Ihnen nicht zu sagen, daß ...* je n'ai pas besoin de vous dire que ..., inutile de vous dire que ...; *das ist gerade, was ich ~e* c'est juste ce qu'il me faut, cela fait mon affaire; *man ~t nur zu läuten* on n'a qu'à *od* il n'est que de *od* il suffit de sonner; *Sie ~~ es nur zu sagen* vous n'avez qu'à le dire; *das ~t man nicht zu wissen* on n'a pas besoin *od* ce n'est pas la peine de le savoir; *das ~t niemand zu wissen* cela ne regarde personne; *es ~t nicht erwähnt zu werden* inutile de mentionner; **B~tum** *n* ‹-s, ⸚er› mœurs, coutumes *f pl.*
Braue ['brauə] *f* sourcil *m.*
braun [braun] *a* brun, marron; *(Haar)* brun; *(Pferd)* bai; *(~gebrannt)* basané, bronzé, tanné, hâlé; *~ färben* od *machen* brunir; *~ und blau schlagen* rouer de coups; *~ werden* brunir; *(Mensch in der Sonne)* brunir, se bronzer, se hâler; *~e Butter f* beurre *m* brun *od* noir; *~e Hautfarbe f* hâle *m;* **~äugig** *a* aux yeux bruns; **B~bier** *n* bière *f* brune; **B~eisenstein** *m min* hématite *f* brune; **~gelb** *a* (couleur) feuille mor-

te; **~gebrannt** *a s.* ~; **~haarig** *a* (aux cheveux) brun(s); **B~kehlchen** *n orn* traquet *m;* **B~kohl** *m (Grünkohl)* chou *m* frisé; **B~kohle** *f* lignite *m;* **B~kohlenteer** *m* goudron *m* de lignite; **~rot** *a* brun-rouge, auburn; *(Pferd)* bai; **B~stein** *m min* bioxyde *m* de manganèse.

Bräun|e *f* ⟨-, ø⟩ ['brɔʏnə] couleur *f* brune; *(Hautfarbe)* hâle *m; med* angine *f; häutige ~~ (med)* angine *f* couenneuse; croup *m;* **b~en** *tr* brunir; *(die Haut)* brunir, bronzer, hâler; *(Küche, Fleisch)* rissoler; *(Zucker)* caraméliser; *metal* brunir, bistrer; **b~lich** *a* brunâtre.

Braunsche Röhre ['braunʃə] *f phys* tube *m* à rayons cathodiques; oscillation *f* (à rayons) cathodique(s).

Braunschweig *n* ⟨-s⟩ ['braunʃvaɪk] Brunswick *m.*

Brause *f* ⟨-, -n⟩ ['brauzə] douche *f; (Gießkanne)* arrosoir *m; (~kopf)* pomme *f* d'arrosoir; *(Getränk)* eau *f* gazeuse; **~bad** *n* douche *f; ein ~~ nehmen* se doucher, prendre une douche; **~kopf** *m* pomme d'arrosoir; *fig (Hitzkopf)* tête *f* chaude, homme *m* fougueux *od* emporté *od* emballé; *fam* soupe *f* au lait; **~limonade** *f* limonade *f* gazeuse; **b~n** *itr* bruire; bourdonner, gronder; *(Wind)* souffler; *(Wogen) a.* mugir; *(Fahrzeug)* aller *od* filer à grande vitesse; *fam* être sur les chapeaux de roue; *(aufwallen)* bouillonner, être en effervescence; *sich ~~* se doucher; **b~nd** *a* bruyant, bourdonnant; *~~e(r) Beifall m* tonnerre *m* d'applaudissements; **~pulver** *n* poudre effervescente, limonade *f* sèche.

Braut *f* ⟨-, ⸚e⟩ [braut, 'brɔʏtə] fiancée; *fam* prétendue, promise, future; *(am Hochzeitstag)* (nouvelle) mariée, épousée *f; ~ sein* être fiancée; *~ in Haaren (bot)* nigelle *f;* **~bett** *n* lit *m od* couche *f* nuptial(e); **~führer** *m* garçon *m* d'honneur; **~gemach** *n* chambre *f* nuptiale; **~geschenk** *n* cadeau *m* de fiançailles; *(Blumen am Hochzeitstage)* corbeille *f* de mariage; **~jungfer** *f* demoiselle *f* d'honneur; **~kleid** *n* robe *f* de mariée *od* nuptiale; **~kranz** *m* couronne *f* nuptiale; **~leute** *pl* fiancés, futurs époux *m pl;* **~paar** *n* (nouveaux) mariés *m pl;* **~schau** *f* ⟨-, ø⟩: *auf ~~ gehen (fam)* chercher femme; **~schleier** *m* voile *m* de mariée; **~schmuck** *m* parure *f* de mariée *od* nuptiale; **~stand** *m* (état *m* des) fiançailles *f pl;* **~vater** *m* père *m* de la mariée; **~werbung** *f* demande *f* en mariage; **~zeit** *f* (temps *m* des) fiançailles *f pl.*

Bräut|igam *m* ⟨-s, -e⟩ ['brɔʏtɪgam] fiancé; *fam* prétendu, promis, futur; *(am Hochzeitstag)* (jeune) marié *m;* **b~lich** *a* nuptial, de fiancée.

brav [bra:f, -və] *a* brave; *(gut, nett)* bon, gentil; *(tapfer)* brave, courageux, vaillant; *(Kind)* sage; *sehr ~* sage comme une image.

bravo ['bra:vo] *interj* bravo! **B~ruf** *m* cri *m* de bravo.

Bravour *f* ⟨-, -en⟩ *(Draufgängertum)* bravoure *f;* **~arie** *f mus* air *m* de bravoure; **~stück** *n* morceau *m* de bravoure.

brech|bar ['brɛç-] *a* cassant, fragile; *opt* réfrangible; **B~barkeit** *f* fragilité; *opt* réfrangibilité *f;* **B~bohnen** *f pl* haricots *m pl* mange-tout; **B~durchfall** *m med* cholérine *f;* **B~eisen** *n* pince-monseigneur *f; arg* rigolo *m;* **B~er** *m* ⟨-s, -⟩ *(Sturzwelle)* lame *f* brisante, paquet de mer; *tech* concasseur, broyeur *m;* **B~gefühl** *n: ein ~~ haben* avoir le cœur sur les lèvres; **B~koks** *m* coke concassé, gailleteux *m;* **B~meißel** *m tech* verdillon *m;* **B~mittel** *n pharm* vomitif, émétique *m; das ist ein wahres ~~ (fig)* cela donne la nausée; **B~nuß** *f bot* médicinier *m; pharm* noix *f* vomique; **B~reiz** *m* envie de vomir, nausée *f,* haut-le-cœur *m;* **B~ruhr** *f med = B~durchfall;* **B~stange** *f = ~eisen;* **B~ung** *f* ⟨-, (-en)⟩ *opt* réfraction *f;* **B~ungskoeffizient** *m opt* indice *m* de réfraction; **B~ungswinkel** *m opt* angle *m* de réfraction.

brechen ⟨*bricht, brach, hat gebrochen*⟩ ['brɛçən, brɪçt, bra:x, gə'brɔxən] *tr (entzweibrechen)* rompre; *(zerbrechen)* casser; *(in Stücke ~)* briser, mettre en morceaux, fracasser; *(Steine)* extraire; *(Papier)* plier; *(Hanf)* broyer; *(Flachs)* briser; *(Blumen, Obst)* cueillir; *med (Knochen)* casser, fracturer; *(von sich geben)* vomir; *opt* réfracter; *fig (den Frieden, e-n Vertrag, ein Gelübde)* rompre; *itr (ist gebrochen)* (se) rompre, (se) casser, se briser; *(Damm)* crever; *(Stoff)* se couper; *(sich erbrechen)* vomir, rendre; *fig mit jdm ~* rompre avec qn; *sich ~ (Wellen)* se briser (*an* contre); *(Licht)* se réfracter; *sich den Arm, das Bein ~* se casser *od* se fracturer le bras, la jambe; *e-r S Bahn ~* frayer la voie à qc; *sich Bahn ~* se frayer un chemin; *die Blockade ~* forcer *od* rompre le blocus; *das Brot ~* rompre le pain; *die Ehe ~* violer la foi conjugale; *e-n Eid ~* violer *od* trahir un serment; *jdm das Genick ~ fig* briser, anéantir qn; *den Hals ~ (a. fig)* casser *od* rompre le cou; *etw übers Knie ~* expédier qc; *für jdn e-e Lanze ~* rompre une lance pour qn; *offen mit jdm ~* rompre en visière avec qn; *den Rekord ~* battre le record; *das Schweigen ~* rompre le silence; *den Stab über jdn ~* prononcer la sentence de mort contre qn; *den Streik ~* refuser de faire grève; *e-n Streit vom Zaun ~* chercher une querelle d'Allemand; *die Treue ~* violer la foi donnée; *den Widerstand ~* briser la résistance; *sein Wort ~* manquer à sa parole; *das Auge (e-s Sterbenden) bricht* le regard s'éteint; *mir bricht das Herz* j'ai le cœur brisé; *die Sonne ist durch die Wolken, den Nebel gebrochen* le soleil a percé les nuages, le brouillard; *~d voll* plein à craquer; **B~** *n* rupture *f;* cassement; brisement *m; mines* extraction *f; (des Papiers)* pliage; *(des Hanfs)* broyage; *(Erbrechen)* vomissement *m; (e-s Widerstands)* suppression *f.*

Brei *m* ⟨-(e)s, -e⟩ [braɪ] *(halbflüssige Speise)* bouillie; *(fester)* pâtée; *(Kartoffel-, Erbsbrei)* purée; *(bes. von Obst)* marmelade; *pharm* pulpe; *tech (Masse)* pâte *f; wie die Katze um den heißen ~ gehen* tourner autour du pot; *zu ~ schlagen (fig fam)* réduire en bouillie, hacher (menu) comme chair à pâté; *viele Köche verderben den ~ (prov)* trop de cuisiniers gâtent la sauce; **b~ig** *a* comme de la bouillie; *(Omelett)* baveux; *allg* pultacé; *anat, bot* pulpeux; **~umschlag** *m med* cataplasme *m.*

breit [braɪt] *a* large; *(weit, ausgedehnt)* ample, vaste; *fig (weitschweifig)* ample, prolixe; *1 m ~ liegen (Stoff)* avoir 1 m de large; *~er machen* élargir; *~er werden* s'élargir; *e-n ~en Buckel haben (fig fam)* avoir bon dos; *mach dich nicht so ~! (fam)* ne prends pas toute la place! *1 m ~* large d'un mètre; **~beinig** *adv* les jambes écartées; **~≈drücken** *tr* aplatir; **B~e** *f* ⟨-, -n⟩ largeur; *(Weite, Ausdehnung)* étendue *f; (Stoff)* lé *m,* laize; *geog astr* latitude; *fig (Stil)* ampleur, prolixité *f; in aller ~~* avec force détails; *(1 m) in der ~~* (1 m) de large; *in allen ~~n* sous toutes les latitudes; *in die ~~ gehen* grossir; *höhere ~~n pl (geog)* hautes latitudes *f pl; nördliche ~~* latitude *f* nord; **~en** *tr (ausbreiten)* étendre; **B~enausdehnung** *f* extension *f* en largeur; **B~enentwicklung** *f sport* développement (du sport) de masse; **B~enfeuer** *n mil* tir *m* de fauchage en direction; **B~engrad** *m,* **B~enkreis** *m geog* degré de latitude, parallèle *m;* **B~enstreuung** *f mil* écart *m* en direction; **B~enunterschied** *m geog mar* différence *f* en latitude; **~gestreift** *a* à larges rayures; **~≈machen,** *sich (fam)* s'implanter *a. fig; fig* faire l'important; **~nasig** camus; **~randig** *a* à bord large; *(Buch)* à grande marge; **~≈schlagen** *tr: (sich) ~~ (lassen)* (se laisser) enjôler *od* amadouer *od* persuader; **~schult(e)rig** *a* large *od* carré d'épaules; *~~ sein* avoir les épaules carrées; **B~seite** *f mar* bordée *f;* **~spurig** *a loc* à voie large *od* normale; *fig* arrogant, prétentieux; **~≈treten** *tr fig (e-n Gesprächsgegenstand)* s'appesantir sur, rabâcher; **B~wand** *f film* grand écran, écran *m* panoramique; **B~wandfilm** *m* film *m* sur grand écran.

Bremen *n* ⟨-s⟩ ['bre:mən] Brême *f.*

Brems|ausgleich ['brɛms-] *m mot* compensateur de frein, palonnier *m;* **~backe** *f* mâchoire *f* de frein; **~belag** *m* garniture *od* semelle *f* de frein; **~berg** *m mines* plan *m* incliné; **~betätigung(shebel** *m***)** *f* (levier *m* de) commande *f* de frein; **~dauer** *f* période *f* de freinage; **~druck(regler)** *m* (régulateur *m* de) pression *f* de freinage; **~e** *f* ⟨-, -n⟩ [-zə] **1.** *tech* frein *m; die ~~ anziehen* donner un coup de frein, serrer le frein; *die ~~ lösen* desserrer *od* lâcher le frein; *selbsttätige ~~* frein *m* automoteur; **b~en** ⟨*hat gebremst*⟩ *itr* freiner, serrer le(s) frein(s), donner un coup de frein; *scharf* ~~ freiner brusquement; *tr (a. e-e Bewegung, Geschwindigkeit u. fig fam)* freiner, enrayer; *er ist nicht zu* ~*en! (hum)* on ne peut plus l'arrêter; ~**er** *m* ‹-s, -› *loc* serre-freins, garde-frein *m;* ~**erhäuschen** *n loc* vigie *f* (de frein); ~**ersitz** *m loc* guérite *f;* ~**fallschirm** *m aero* parachute *m* de freinage; ~**fläche** *f* surface *f* de freinage; ~**gestänge** *n* timonerie *f* (des freins); ~**hebel** *m* levier *m od* manette *f* de frein; ~**klappe** *f aero* volet *m* d'atterrissage; ~**klotz** *m* sabot *od* patin *m* de frein, cale *f* de roue; ~**kraft** *f* effort *m* de freinage; ~**kurbel** *f* manivelle *f* de frein; ~**leistung** *f* puissance *f* de freinage *od* au frein; ~**licht** *n* feu *m* d'arrêt *od* de stop; ~**pedal** *n* pédale *f* de frein; ~**prüfung** *f* essai *m* au frein; ~**rakete** *f* rétrofusée *f;* ~**scheibe** *f* disque *m* de freinage; ~**spur** *f* trace *f* de freinage; ~**stand** *m mot* banc *m* d'essai *od* d'épreuve; ~**strecke** *f* = ~*weg;* ~**trommel** *f* tambour *m* de frein; ~**vorrichtung** *f* dispositif *m* de freinage; ~**weg** *m* parcours *m od* course de freinage, distance *od* longueur *f* d'arrêt; ~**wirkung** *f* effet *m* de freinage; ~**zylinder** *m* cylindre *m* de frein.

Bremse *f* ‹-, -n› ['brɛmzə] **2.** *ent* taon *m.*

brenn|bar ['brɛn-] *a* combustible; *(entzündlich)* inflammable; **B~barkeit** *f* combustibilité; inflammabilité *f;* **B~dauer** *f* durée *f* de combustion *od el* d'éclairage; **B~ebene** *f opt* plan *m* focal; **B~eisen** *n (des Hufschmieds)* fer rouge; *(Stempel)* fer à marquer; *med* cautère *m;* ~**en** ‹*brannte, hat gebrannt, wenn es brennte*› ['brɛnən, (-)brant] *itr* brûler, être en flammes; *(Licht)* être allumé; *(Ofen)* marcher; *(auf der Haut)* piquer; *(in der Kehle)* écorcher; *(Augen, Wunde)* cuire; *tr* brûler; *(Porzellan, Kalk, Ziegel)* cuire; *(Kaffee)* torréfier, griller; *(Mandeln)* griller; *(Branntwein)* distiller; *(die Haare)* friser, donner un coup de fer à; *med* cautériser; *(brandmarken)* marquer (au fer rouge); *fig: darauf* ~~, *etw zu tun* être impatient, s'impatienter de faire qc; *vor Ungeduld* ~~ brûler *od* griller d'impatience; *zweimal* ~~ *(Porzellan)* biscuiter; *es brannte mir unter den Füßen* od *Sohlen (fig)* le sol me brûlait les pieds; *diese Arbeit* ~*t mir auf den Nägeln* c'est un travail urgent; *die Sonne brennt* le soleil est brûlant; *das Streichholz brennt nicht, will nicht* ~~ l'allumette ne prend pas; *es brennt (in ...)* il y a le feu (dans, à ...); *es brennt!* au feu! *fam* ça brûle! *(ein) gebranntes Kind scheut das Feuer* chat échaudé craint l'eau froide; **B~en** *n* brûlure; *(Kalk, Ziegel)* cuisson; *(Töpferei)* cuite; *(Kaffee)* torréfaction *f, (a. Mandeln)* grillage *m; (Branntwein)* distillation *f; (e-r Wunde)* sentiment *m* de brûlure; *fig (des Durstes)* ardeur *f;* ~~ *(auf der Haut) verursachend* urticant; ~**end** *a* brûlant, ardent, en feu, en flammes; *(Licht, Streichholz)* allumé; *(Schmerz)* cuisant *a. fig; (Brennen verursachend, von e-r Pflanze* od *e-m Insektenstich)* urticant; *fig* brûlant, ardent; *(Interesse)* vif; *(Problem)* actuel; ~~ *abstürzen (aero)* tomber en flammes; ~~ *heiß* torride; ~~*e(s) Rot n* rouge *m* éclatant; **B~er** *m* ‹-s, -› *(Ziegler, Töpfer)* cuiseur; *(Schnaps~~)* brûleur, distillateur; *(Gerät)* brûleur; *(Gasbrenner)* bec *m;* **B~erei** *f* ‹-, -en› [-'raɪ] *(Ziegelei)* tuilerie; *(Schnapsbrennerei)* distillerie *f;* **B~glas** *n* verre *m* ardent; **B~holz** *n* bois *m* de chauffage; **B~linie** *f opt* ligne *f* focale; **B~material** *n* combustible *m;* **B~(n)essel** *f* ‹-, -n› ['brɛnnɛsəl] *bot* ortie *f;* **B~ofen** *m (Töpferei)* four *m* céramique; **B~öl** *n (für Lampen)* (huile *f*) lampant(e) *m;* **B~punkt** *m phys* foyer *a. fig; scient* focus; *in Zssgen* focal; *fig* centre *m; im* ~~ *stehend (fig)* central; **B~schere** *f* fer *m* à friser; **B~spiegel** *m* miroir *m* ardent; **B~spiritus** *m* alcool *m* à brûler; **B~stempel** *m* fer *m* à marquer; **B~stoff** *m* = *B~material; mot aero* carburant *m,* essence *f;* **B~stoffbehälter** *m mot* bidon d'essence, jerrycan *m;* **B~stoffdüse** *f* jet *m;* **B~stoffersparnis** *f* économie *f* en carburant; **B~stoffgemisch** *n* mélange *m* d'huile et d'essence; **B~stoffverbrauch** *m* consommation *f* de combustible *od* carburant; *geringe(r)* ~~ *(mot)* sobriété *f* en carburant; **B~stoffversorgung** *f* approvisionnement *m* en combustible *od* carburant; **B~stoffzufuhr** *f,* **B~stoffzuführung** *f* alimentation *f* en combustible *od* en carburant; **B~stunde** *f* heure d'allumage, lampe-heure *f;* **B~weite** *f opt* distance du foyer *od* focale, longueur *f* focale; *mit mehreren* ~~*n* multifocal *a;* **B~zeit** *f* durée *f* de combustion; **B~zünder** *m mil* fusée *f.*

brenzlig ['brɛntslɪç] *a (nach Brand riechend* od *schmeckend)* qui sent le brûlé *od* le roussi; *fig fam (bedenklich)* délicat, précaire, critique, suspect; ~ *riechen* sentir le brûlé *od* le roussi; *es wird* ~ *(fig fam: gefährlich)* ça sent le roussi; ~*e(r) Geruch m* odeur *f* de brûlé.

Bresche *f* ‹-, -n› ['brɛʃə] brèche *f; e-e* ~ *schlagen* ouvrir une brèche; *in etw* battre qc en brèche; *in die* ~ *springen (fig)* intervenir.

Bret|agne [bre'tanjə] *die* la Bretagne; ~**one** *m* ‹-n, -n› , ~**onin** [bre'to:nə, -nɪn] *f* Breton, ne *m f;* **b~onisch** *a* breton.

Brett *n* ‹-(e)s, -er› [brɛt] planche *f; vx* ais *m; (e-s Regals)* tablette *f; (Bücherbrett)* rayon *m; fig pop (Frau ohne Figur)* planche *f; die* ~*er pl (Schier)* les skis *m pl; (Boxring)* le ring; *theat (Bühne)* les planches *f pl,* les tréteaux *m pl,* le plateau, la scène; *sich die* ~*er anschnallen* chausser les skis; *die* ~*er betreten (theat)* monter sur les planches; *über die* ~*er gehen (theat)* être représenté, avoir une représentation; *ein* ~ *vor dem Kopf haben (fig)* avoir un bandeau sur les yeux, être aveugle; *bei jdm e-n Stein im* ~ *haben (fig)* être dans les petits papiers de qn; *auf die* ~*er schicken (Boxen)* envoyer au tapis; ~*er schneiden* scier du bois en planches; *dünne(s)* ~ volige *f; Schwarze(s)* ~ tableau (noir), tableau *od* panneau d'affichage, porte-affiches *m;* ~**chen** *n* ‹-s, -› planchette *f;* ~**erbude** *f* guérite *f;* ~**erdach** *n* toit *m* de planches; **b~ern** *a* de *od* en planches; ~**erverschlag** *m* barrage *m* de *od* cloison *f* en planches; ~**erwand** *f,* ~**erzaun** *m* clôture *f* de planches; ~**l** *n* ‹-s, -› ['brɛtəl] *(Kleinkunstbühne)* café-concert, café-théâtre, cabaret, théâtre *m* de variétés; ~**säge** *f* scie *f* à refendre; ~**schneider** *m* scieur *m* de long; ~**spiel** *n* jeu *m* de table.

Brevier *n* ‹-s, -e› [bre'vi:r] *rel* bréviaire *m; sein* ~ *lesen* dire son bréviaire.

Brezel *f* ‹-, -n› ['bre:tsəl] bretzel, craquelin *m.*

Bridge *n* ‹-, ø› [brɪtʃ] *(Kartenspiel)* bridge *m;* ~ *spielen* jouer au bridge; ~**spieler** *m* bridgeur *m.*

Brief *m* ‹-(e)s, -e› [bri:f] lettre; *(Handschreiben)* missive; *rel lit iron* épître *f; (Börse)* papier *m; pop* bafouille *f; (kurzer)* billet *m; e-n* ~ *aufgeben* expédier une lettre; *mit jdm* ~*e wechseln* être en correspondance avec qn; *ich gebe Ihnen* ~ *und Siegel (fig)* vous pouvez m'en croire *od* compter sur moi; *es sind* ~*e für Sie da* il est arrivé des lettres pour vous; *eingeschriebene(r)* ~ lettre *f* recommandée; *ein* ~ *Nadeln* un paquet d'aiguilles; ~**ablage** *f adm com* classement *m;* ~**aufgabe** *f* expédition *f* des lettres; ~**beschwerer** *m* presse-papiers, serre-papiers *m;* ~**block** *m* ‹-s, -s› bloc-correspondance *m;* ~**bogen** *m* feuille *f* de papier à lettres; ~**bote** *m* = ~*träger;* ~**buch** *n com* livre *m* de correspondance; ~**chen** *n* ‹-s, -› [-çən] billet *m;* ~**einwurf** *m* ouverture *f* pour lettres; ~**geheimnis** *n* secret *m* des lettres *od* de la *od* des correspondance(s); ~**karte** *f* carte-lettre *f;* ~**kasten** *m* boîte *f* aux lettres; *(Zeitungsrubrik)* courrier *m* des lecteurs; *den* ~~ *leeren* faire la levée; *in den* ~~ *stecken* od *werfen* déposer dans la boîte aux lettres; *der* ~~ *ist geleert worden* la levée a été faite; *der* ~~ *wird dreimal täglich geleert* il y a trois levées par jour; ~**kopf** *m* tête *f od* en-tête *m* de lettre; ~**kurs** *m fin* cours *m* papier *od* vendeur; **b~lich** *a* u. *adv* par lettre, par écrit, par poste; ~~ *mit jdm verkehren* correspondre avec qn; ~~*e(r) Verkehr m* correspondance *f;* ~**marke** *f* timbre-poste *m; platt wie e-e* ~~ *sein* en être comme deux ronds de flan; ~**markenalbum** *n* album *m* de timbres-poste; ~**markenanfeuchter** *m* mouilleur, mouille-étiquettes, mouille-doigts *m;* ~**markenautomat** *m* distributeur *m* de timbres-poste; ~**markenfigur** *f* figurine *f;* ~**markensammeln** *n* philatélie *f;* ~**markensammler** *m* philatéliste *m;* **~markensammlung** *f* collection *f* de timbres-poste; **~öffner** *m* ouvre-lettres, coupe-papier *m;* **~ordner** *m* classeur *m* (de lettres); **~papier** *n* papier *m* à lettre(s); *~~ mit Trauerrand* papier *m* à lettres de deuil; **~partner(in *f*)** *m* correspondant, e *m f;* **~porto** *n* port (de lettre(s)), affranchissement *m;* **~roman** *m* roman *m* épistolaire; **~schaften** *pl* lettres *f pl,* courrier *m; allg (Papiere)* papiers *m pl;* **~schalter** *m* guichet *m* des affranchissements; **~schlußmarke** *f* timbre *m* (de) vignette; **~schreiber(in *f*)** *m* correspondant, e *m f; (hervorragende(r), eifrige(r))* épistolier, ère *m f;* **~sortierer** *m (Person)* classeur *m* de lettres; **~sortierung** *f* tri *m;* **~steller** *m (Buch)* guide *m* épistolaire; **~stil** *m* style *m* épistolaire; **~tasche** *f* portefeuille; *(kleine)* porte-billets *m;* **~taube** *f* pigeon *m* voyageur; **~taubenzucht** *f* colombophilie *f;* **~telegramm** *n* lettre-télégramme *f,* télégramme-lettre *m;* **~träger** *m* facteur *m;* **~umschlag** *m* enveloppe *f,* pli *m;* **~verschlußmarke** *f* timbre *m* (de) vignette; **~waage** *f* pèse-lettre(s) *m;* **~wahl** *f pol* vote *m* par correspondance; **~wechsel** *m* échange *m* de lettres *od* épistolaire, correspondance *f,* commerce *m* de lettres; *mit jdm in ~~ stehen* correspondre, être en relations épistolaires *od* en correspondance avec qn; *mit jdm in ~~ treten* entrer en correspondance avec qn.

Briekäse ['bri:-] *m* fromage *m* de Brie.

Bries *n* ⟨-es, -e⟩ [bri:s, -zəs] *(Brustdrüse d. Kalbes),* **~chen** *n* ⟨-s, -⟩ [-çən] *(Gericht daraus)* ris *m* de veau.

Brigade *f* ⟨-, -n⟩ [bri'ga:də] *mil* brigade *f;* **~general** *m (Generalmajor)* général *m* de brigade.

Brigantine *f* ⟨-, -n⟩ [brigan'ti:nə] *mar* brigantine *f.*

Brigg *f* ⟨-, -s⟩ [brɪk] *mar* brick *m.*

Brikett *n* ⟨-s, -s/(-e)⟩ [bri'kɛt] briquette *f,* aggloméré *m;* **b~ieren** [-'ti:rən] *tr* briqueter, agglomérer; **~ierung** *f* ⟨-, -en⟩ agglomération *f* en briquettes; **~presse** *f* presse *f* à briquettes.

brillant [bril'jant] *a* brillant, excellent; **B~** *m* ⟨-en, -en⟩ *(Edelstein)* brillant, diamant *m* à facettes; **B~ine** *f* ⟨-, -n⟩ [-ljan'ti:nə] *(Haarsalbe)* crème *f* à coiffer; **B~ring** *m* bague *f* à brillant(s); **B~schliff** *m* polissage *m* à facettes.

Brille *f* ⟨-, -n⟩ ['brɪlə] (paire *f* de) lunettes *f pl; fam* yeux *m pl; (Klosettbrille)* lunette *f; durch die ~ (gen) (fig)* à travers le prisme de; *e-e ~ aufsetzen* mettre des lunettes; *durch e-e rosige ~ sehen (fig)* voir en rose; *randlose ~* lunettes *f pl* à verres non cerclés; *~ mit Rand* lunettes *f pl* à verres cerclés.

Brillen|bügel ['brɪlən-] *m* branche *f* de lunettes; **~etui** *n,* **~futteral** *n* étui *m* à lunettes; **~fassung** *f,* **~gestell** *n* monture *f* de lunettes; **~fernglas** *n* jumelles-lunettes *f pl;* **~glas** *n* verre *m* de lunettes; **~rand** *m* cercle *m* de lunettes; **~schlange** *f zoo* serpent à lunettes, cobra (de) capello, naja *m;* **~steg** *m* arcade *f* de lunettes; **~träger** *m* porteur *m* de lunettes.

Brimborium *n* ⟨-s, -ien⟩ [brɪm'bo:rium, -riən] *fam* bavardage *m.*

bringen ⟨*brachte, gebracht, wenn ich brächte*⟩ ['brɪŋən, -braxt-] *tr* **1.** *(Gegenstand* od *kleines Tier an e-n bestimmten Ort tragen* od *schaffen)* porter, transporter; mettre; *(herbeitragen* od *-schaffen)* apporter; *(Menschen* od *großes Tier an e-n bestimmten Ort führen)* mener, conduire; *(herbeiführen)* amener; **2.** *etw an sich ~* s'emparer de qc; s'approprier qc; *etw wieder an sich ~* recouvrer qc; *jdn auf etwas (e-e Idee) ~* donner l'idée de qc à qn; *es dahin* od *so weit ~, daß* faire en sorte que; en venir à *inf; jdn dahin* od *dazu* od *so weit ~, daß* amener qn à *inf; etw hinter sich ~* en terminer avec qc; *mit sich ~ (zur Folge haben)* traîner (après soi), entraîner, comporter; *es über sich ~* faire un effort sur soi-même; *jdn um etw ~* faire perdre qc à qn; *(berauben)* priver *od* frustrer qn de qc; *es weit ~, es (noch) zu etwas ~* aller loin, *fam* faire son chemin *od* trou; *jdn wieder zu sich ~* rappeler qn à soi; *zustande* od *zuwege ~* réaliser, venir à bout de; **3.** *zum Abschluß ~* mener à terme, terminer, achever; *etw zum Ausdruck ~* exprimer qc; *jdn zum Äußersten ~* pousser qn à bout; *wieder auf die Beine ~* remettre sur pied; *in s-n Besitz ~* se mettre en possession de; *jdm etw zum Bewußtsein ~* faire sentir qc à qn; faire prendre conscience à qn de qc; *unter Dach und Fach ~* mettre à couvert *od* à l'abri; *jdn um die Ecke ~ (pop) (töten)* faire passer à qn l'arme à gauche; *in Einklang ~* mettre d'accord, accorder; *jdm etw in Erinnerung ~* rappeler qc à qn; *jdn aus der Fassung ~* faire perdre contenance à qn; *in Gang ~* mettre en marche; *jdn auf den Gedanken ~* donner l'idée à qn; *auf andere Gedanken ~* faire changer d'idée, distraire; *in Gefahr ~* mettre en danger; *zum Gehorsam ~* réduire à l'obéissance; *in s-e Gewalt ~* soumettre à son pouvoir; *Glück ~* porter bonheur; *jdn um Hab und Gut ~* ruiner qn, frustrer qn de ses biens; *unter die Haube ~* marier; *Hilfe ~* porter secours; *jdm etw zur Kenntnis ~* porter qc à la connaissance de qn; *aus dem Konzept ~* faire perdre le fil, désarçonner; *zum Lachen ~* faire rire; *Leben in e-e Sache ~* mettre de l'animation *od* de l'ambiance dans qc; *ums Leben ~* faire mourir, tuer; *(Nachricht) unter die Leute ~* ébruiter, divulguer; *(Ware) an den Mann ~* placer; *zum Opfer ~* sacrifier, faire le sacrifice de; *etw in Ordnung ~* mettre de l'ordre dans qc; *zu Papier ~* coucher sur le papier; *zum Reden ~* faire parler; *in Sicherheit ~* mettre en sûreté; *in ein System ~* systématiser; *in Verbindung ~ mit* mettre en rapport avec; *in Verlegenheit ~* embarrasser, gêner, mettre dans l'embarras; *zur Vernunft ~* ramener à la raison; *um den Verstand ~* rendre fou; *zum Vorschein ~* produire; *auf die* od *zur Welt ~ (ein Kind)* mettre au monde; *Zinsen ~* porter des intérêts; **4.** *die Menge muß es ~* il faut se rattraper sur la quantité; *die Sonne bringt es an den Tag* tôt ou tard la vérité se fera; *jeder Tag bringt seine Plage* chaque jour amène sa peine; *was ~ die Zeitungen darüber?* qu'en disent les journaux?

Bringschuld ['brɪŋ-] *f* dette *f* portable.

Brisanz *f* ⟨-, -en⟩ [bri'zants] *(Sprengkraft)* force *f* explosive; **~geschoß** *n,* **~granate** *f* obus *m* brisant; **~sprengstoff** *m* explosif *m* brisant.

Brise *f* ⟨-, -n⟩ ['bri:zə] brise *f,* vent *m* frais; *steife ~* grand frais *m.*

Brit|anniametall [bri'tania-] *n (Zinnlegierung)* métal *m* britannia; **~annien** *n* ⟨-s⟩ [-'taniən] *hist* la Grande-Bretagne; **~e** *m* ⟨-n, -n⟩ ['brɪ-, 'bri:tə], **~in** *f* Britannique *m f;* **b~isch** *a* britannique; *die B~~ Inseln f pl* les îles *f pl* Britanniques; *das ~~e Weltreich* l'Empire *m* britannique.

Bröck|chen *n* **~lein** *n* ⟨-s, -⟩ ['brœkçən, -laɪn] petit morceau *m; (Krume)* mie *f;* **b~(e)lig** *a* friable; cassant; **b~eln** *itr* s'émietter.

Brocken *m* ⟨-s, -⟩ ['brɔkən] bribe *f a. fig; (Stückchen)* morceau; fragment; *m; parcelle; (Klumpen)* motte *f; (Splitter)* éclat; *fig fam* brin *m; pl fam (Klamotten)* nippes, hardes; *pop* fringues, frusques *f pl; harte(r) ~ (fig)* tâche *f* ardue, gros morceau *m; das sind harte ~ (fig)* c'est dur à avaler; *ein paar ~ Latein* quelques bribes de latin; *dicke(r)* od *schwere(r) ~ (mil fam)* marmite *f; große(r) ~ (Essen)* morceau *m* de résistance; **b~weise** *adv* par bribes, par (petits) morceaux, par fragments; *fig a.* par miettes.

brod|eln ['bro:dəln] *itr* bouillonner, être en ébullition; **B~em** *m* ⟨-s, ø⟩ ['bro:dəm] vapeur *f* chaude.

Brokat *m* ⟨-(e)s, -e⟩ [bro'ka:t] brocart *m;* **~elle** *f* ⟨-, -n⟩ [-ka'tɛlə] *(Baumwollgewebe)* brocatelle *f.*

Brokkoli ['brɔkoli] *pl (Spargelkohl)* brocoli *m.*

Brom *n* ⟨-s, ø⟩ [bro:m] *chem* brome *m;* **~gelatine** *f phot* gélatino-bromure *m;* **~id** *n* ⟨-(e)s, -e⟩ [bro'mi:t, -də] *(~metall)* bromure *m;* **b~ieren** [-'mi:rən] *tr* bromer; **~ierung** *f* bromuration *f;* **~kali(um)** *n* ⟨-s, ø⟩ ['-kali, -lium] bromure *m* de potassium; **~oform** *n* ⟨-s, ø⟩ [bromo'fɔrm] bromoforme *m;* **~säure** *f* acide *m* bromique; **~silber** *n* bromure *m* d'argent; **~wasserstoffsäure** *f* acide *m* bromhydrique.

Brombeer|e *f* ⟨-, -n⟩ ['brɔmbe:rə] mûre *f* sauvage, mûron *m;* **~strauch** *m* ronce *f.*

bronch|ial [brɔnçi'a:l] *a anat* bronchial, bronchique; **B~ialkatarrh** *m,*

B~itis *f* ‹-, ø› [brɔn'çi:tɪs] bronchite *f;* **B~ien** ['brɔnçiən] *f pl* bronches *f pl.*

Bronz|e *f* ‹-, -n› ['brɔ̃:sə] bronze *m;* **b~efarben** *a* couleur (de) bronze; bronzé; **~emedaille** *f* médaille *f* de bronze; **b~en** *a* de bronze; **~ezeit** *f* âge *m* de bronze; **b~ieren** [-'si:rən] *tr* bronzer.

Brosame *f* ‹-, -n› ['brɔ:za:mə] mie *od* miette *f* (de pain).

Brosch|e *f* ‹-, -n› ['brɔʃə] broche *f;* **b~ieren** [-'ʃi:rən] *tr* brocher; **b~iert** *a* broché; **~ur** *f* ‹-, en› [brɔ'ʃu:r] *englische ~~* emboîtage *m* du fonds; **~üre** *f*-*n*› [brɔ'ʃy:rə] brochure, plaquette *f.*

Brot *n* ‹-(e)s, -e› [bro:t] pain; *pop* brif(e)ton, bricheton *m; arg mil* boule *f; fig (Lebensunterhalt)* (gagne-)pain *m; sich das ~ vom Munde absparen* s'ôter le pain de la bouche; *jdn um sein ~ bringen (fig)* ôter son pain à qn; *sein ~ haben* avoir de quoi vivre *od* son pain cuit; *auf Wasser und ~ setzen* mettre au pain et à l'eau; *sein ~ verdienen* gagner son pain *od* sa vie; *er kann mehr als ~ essen* il sait plus que son bréviaire; *wes ~ ich ess', des Lied ich sing' prov* les payeurs ont toujours raison; *belegte(s) ~* tartine *f,* sandwich *m; geröstete(s) ~* pain grillé, toast *m; Laib m ~* miche *f* (de pain); *lange(s) ~* baguette, flûte *f; Schnitte f ~* tranche *f* de pain; *(zum Eintunken)* trempette *f; schwarze(s) ~* pain *m* noir *od* bis; *Stück n ~* morceau *m* de pain; *das tägliche ~* le pain quotidien; *ungesäuerte(s) ~* pain *m* azyme; **~beutel** *m* panetière; *mil* musette *f;* **~büchse** *f* panetière *f;* **~erwerb** *m* gagne-pain *m;* **~(frucht)baum** *m* arbre à pain, ja(c)quier *m;* **~getreide** *n* céréales *f pl* panifiables; **~herr** *m (Arbeitgeber)* maître, patron *m;* **~kanten** *m,* **~knust** *m* croûton *m;* **~kapsel** *f = ~büchse;* **~korb** *m* panier *m* à pain; *jdm den ~~ höher hängen (fig)* tenir la mangeoire *od* la bride haute à qn, serrer la courroie à qn; **~krume** *f* miette *f* (de pain); **~kruste** *f* croûte *f* de pain; **b~los** *a: jdn ~~ machen* ôter ses moyens d'existence à qn; *~~ werden* perdre ses moyens d'existence; *~~e Kunst f* art *m* peu lucratif; **~neid** *m* jalousie *f* de métier *od* professionnelle; **~preis** *m* prix *m* du pain; **~rinde** *f = ~kruste;* **~röster** *m (Gerät)* grille-pain *m;* **~schneidemaschine** *f* coupe-pain *m;* **~schrift** *f typ (Werkschrift)* caractères *m pl* courants; **~studium** *n* études *f pl* faites pour avoir un gagne-pain; **~suppe** *f* panade *f;* **~trommel** *f = ~büchse.*

Brötchen *n* ‹-s, -› ['brø:tçən] petit pain *m; belegte(s) ~* sandwich *m;* **~geber** *m hum (Arbeitgeber)* singe *m pop.*

brotzeln ['brɔtsəln] = *brutzeln.*

brr [br] *interj (mir ist kalt!)* brr! *(Ruf an Zugtiere)* holà!

Bruch *m* ‹-(e)s, ⸚e› (brux, 'brʏçə] **1.** *(Brechen* cassure, brisure; *a. fig* rupture; *(Zerbrochenes)* casse *f; tech* bris *m; com (Schokolade etc)* débris, déchets *m pl; (Jägersprache: abgebrochener Zweig als Jagdtrophäe)* brisées *f pl; (~stelle)* cassure, crevasse, fente *f; (Falle)* pli *m; geol (Verwerfung)* faille; *med (Knochenbruch)* fracture; *(Eingeweidebruch)* hernie *f, fam* effort *m; math* fraction; *fig (e-s Vertrages etc)* rupture, infraction, violation; *(Spaltung, Zerwürfnis)* scission; *fam (Schund, Dreck)* pacotille *f,* toc *m; e-n ~ einrichten (med)* réduire une fracture *bzw.* hernie; *in die Brüche gehen (fig)* faire le saut, échouer, sombrer; *~ machen (arg aero)* casser du bois; *es ist zwischen uns zum ~ gekommen* la rupture est consommée entre nous; *bewegliche(r) ~ (med)* hernie *f* réductible; *echte(r) ~ (math)* fraction *f* simple; *eingeklemmte(r) ~ (med)* hernie *f* étranglée; *gemeine(r) ~ (math)* fraction *f* ordinaire; *gemischte(r) ~* nombre *m* fractionnaire; *irreponible(r) ~ (med)* hernie *f* irréductible; *unechte(r) ~ (math)* expression *f* fractionnaire; **~band** *n med* bandage *m* herniaire; **~beanspruchung** *f,* **~belastung** *f tech* charge *f* de rupture; **~bude** *f fam* château *m* de cartes, cambuse; *pop* baraque *f;* **~dehnung** *f* allongement *m od* dilatation *f* à la rupture; **b~fest** *a* résistant à la rupture; **~festigkeit** *f* résistance *f* à la rupture; **~fläche** *f* surface *f* de rupture; **~landung** *f; e-e ~~ machen (aero arg)* casser du bois à l'atterrissage; **~last** *f tech = ~belastung;* **~operation** *f med* herniotomie *f;* **~rechnen** *n* calcul *m* fractionnaire; **~risiko** *n com* risque *m* de casse; **b~sicher** *a* incassable; *= b~fest;* **~sicherheit** *f = ~festigkeit;* **~spannung** *f* tension *f od* effort *m* de rupture; **~stein** *m* pierre *f* de taille, moellon *m;* **~stelle** *f* endroit *od* point de rupture; *med* foyer *m* de fracture; *~~n bekommen* se couper; **~strich** *m math* barre *f* de fraction; **~stück** *n* fragment *m;* **b~stückartig** *a* fragmentaire; **b~stückweise** *adv* en *od* par fragments; **~teil** *m* fraction *f; ~~ e-r Sekunde* fraction *f* de seconde; **~zahl** *f* nombre *m* fractionnaire.

Bruch *m* ‹-(e)s, ⸚e/(⸚er)› [bru:x, bry:çə(r)] **2.** *(Sumpf)* marais, marécage *m.*

brüchig [brʏçɪç] *a (zerbrechlich)* fragile; *(spröde)* cassant; *(bröckelig)* friable; *(zerbrochen)* cassé; *(geborsten)* fêlé; *(Textil)* coupé; *(Stimme)* cassé; **B~keit** *f* fragilité; friabilité *f.*

Brücke *f* ‹-, -n› ['brʏkə] pont *a. el sport fig; (Viadukt)* viaduc *m; (Fußgängerbrücke u. mar: Kommandobrücke)* passerelle; *tech (e-r ~nwaage)* plate-forme; *(kleiner Teppich)* carpette *f; (Zahnersatz)* bridge *m; e-e ~ abbrechen* rompre *od* replier un pont; *alle ~n hinter sich abbrechen (fig)* couper les ponts, brûler ses vaisseaux; *jdm goldene ~n bauen* faire un pont d'or à qn; *e-e ~ schlagen (a. fig)* jeter *od* lancer un pont *(über* sur); *e-e ~ sprengen* faire sauter un pont; *fliegende, schwimmende ~* pont *m* volant, flottant.

Brücken|bau ['brʏkən-] *m* construction *f* de ponts, pontage *m;* **~belag** *m tech* tablier *m;* **~bogen** *m* arche *f; kleine(r) ~~* arceau *m;* **~boot** *n* ponton *m;* **~geländer** *n* garde-fou, parapet *m od* balustrade *f* (de pont); **~geld** *n* (droit de) péage *m;* **~joch** *n* palée *od* travée *f* de pont; **~kolonne** *f mil* équipage *m* de pont; **~kopf** *m mil* tête *f* de pont; **~pfeiler** *m* pile *f od* pilier *m* d'un pont; **~schaltung** *f el* treillis *m;* **~schlag** *m fig* rapprochement *m;* **~sperre** *f* barrage *m* de pont; **~waage** *f* pont *m* à bascule; **~zoll** *m = ~geld.*

Bruder *m* ‹-s, ⸚› ['bru:dər, 'bry:-] frère *a rel (Ordensbruder); fam* frangin; *allg* camarade, *pop* copain *m; unter Brüdern* entre amis; *lustige(r) ~, ~ Lustig* joyeux compère, *fam* joyeux drille *m;* **~kind** *n (Neffe)* neveu *m; (Nichte)* nièce *f;* **~krieg** *m* guerre *f* fratricide; **~liebe** *f* amour *m* fraternel; **~mord** *m,* **~mörder** *m* fratricide *m;* **~schaft** *f rel* confrérie, congrégation *f;* **~volk** *n* peuple *m* frère; **~zwist** *m* querelle *f* entre frères.

Brüder|chen *n,* **~lein** *n* ‹-s, -› ['bry:dərçən, -laɪn] petit frère, *fam* frérot *m;* **~gemeine** *f rel (Herrnhuter)* communauté *f* des frères moraves; **b~lich** *a* fraternel, de frère; *adv a.* en frère(s); **~lichkeit** *f* fraternité *f;* **~schaft** *f* frat; *fig (Kollegialität)* confraternité *f; mit jdm ~~ schließen (trinken)* fraterniser avec qn (en trinquant).

Brügge ['brygə] *n geog* Bruges *f.*

Brüh|e *f* ‹-, -n› ['brʏ:ə] *(Fleischbrühe)* bouillon, consommé; *(klare)* coulis *m; (Soße)* sauce *f; (Saft)* jus *m; pej (Schmutzwasser)* eau *f* sale *od* de vaisselle; *fette ~~* bouillon *m* gras; **b~en** *tr (kochen)* ébouillanter, échauder; *(Wäsche)* couler; **b~heiß** *a = b~warm;* **~kessel** *m* échaudoir *m;* **~reis** *m* riz *m* au gras; **b~warm** *a* tout chaud, bouillant; *fig* tout frais; *etw ~~ erzählen* servir une nouvelle toute chaude; **~würfel** *m* cube *m* de consommé.

Brüll|affe ['brʏl-] *m zoo* (singe) hurleur *m;* **b~en** *itr (Rind)* mugir, beugler, meugler; *(Löwe)* rugir; *(Mensch)* beugler, hurler, vociférer; *pop* gueuler; **~en** *n* beuglement, hurlement *m,* vocifération *f;* **~frosch** *m zoo (Ochsenfrosch)* grenouille-taureau *f.*

Brumm|bär [brum-] *m,* **~bart** *m fam (mürrischer Mensch)* ours, grognard, *fam* bougon(neur), gendarme; *pop* ronchonneur *m; alte(r) ~~* vieux grognon *m;* **~baß** *m mus (Orgel)* bourdon *m; fam (sehr tiefe Stimme)* forte voix *f* de basse; **b~eln** *itr u. tr fam* grognonner, grommeler; **b~en** *itr (Bär)* grogner, gronder; *fig (Mensch)* grogner, bougonner, *pop* ronchonner; *(Insekt, Kreisel)* bourdonner; *mot* ronfler; *aero* vrombir; *pop* être en prison; *tr (Mensch)* grogner, grommeler, murmurer; *in den*

Bart ~~ marmonner; *ewig* ~~ *(fam: Mensch)* grognonner; *mir* ~*t der Schädel (pop)* j'ai la tête cassée; **~er** *m* ⟨-s, -⟩ *ent fam (Blaue Schmeißfliege)* mouche *f* bleue *od* à viande; *mus* bourdon *m; (Mensch)* = ~*bär;* **b~ig** *a fam (mürrisch)* grognon, grognard; *fam* bougon; *pop* grincheux; **~kreisel** *m* toupie *f* bourdonnante *od* d'Allemagne; **~schädel** *m pop: e-n* ~~ *haben* avoir mal aux cheveux.

brünett [bry'nɛt] *a* brun, brunet; **B~e** *f* ⟨-, -n⟩ *(Frau)* brune, brunette *f*.

Brunft *f* ⟨-, ⸚e⟩ [brunft, brʏnftə] *(Weidmannsspr.)* rut *m*, chaleur *f;* **b~en** *itr* être en chaleur; **b~ig** *a* en chaleur; **~zeit** *f* temps *m* du rut.

brünier|en [bry'ni:rən] *tr tech* brunir; **B~en** *n* brunissage *m;* **B~stahl** *m* brunissoir *m*.

Brunnen *m* ⟨-s, -⟩ ['brunən] *(Springbrunnen)* fontaine *f; (Ziehbrunnen)* puits *m; (Pumpe)* pompe; *(Heilquelle)* source *f* thermale, eaux *f pl* (minérales); *e-n* ~ *graben, zuschütten* creuser, combler un puits; *artesische(r)* ~ puits *m* artésien; *kleine(r)* ~ *(am Straßenrand)* borne-fontaine *f;* **~becken** *n* bassin *m* de fontaine, vasque *f;* **~gräber** *m* puisatier *m;* **~haus** *n* maisonnette *f* de source; **~kresse** *f bot* cresson *m* de fontaine; **~kur** *f* cure *f* d'eaux minérales; *e-e* ~~ *machen* prendre les eaux; **~rand** *m* margelle *f;* **~röhre** *f* tuyau *m* de fontaine; **~vergifter** *m fig pol* empoisonneur *m;* **~vergiftung** *f fig pol* empoisonnement *m;* **~wasser** *n* eau *f* de puits *od* de fontaine.

Brunst *f* ⟨-, ⸚e⟩ [brunst, brʏnstə] *(Paarung bei gewissen Tieren)* rut *m*, chaleur; *fig (Glut, Leidenschaft)* ardeur, fougue, ferveur *f*.

brünstig ['brʏnstɪç] *a zoo* en chaleur; *fig (heiß, innig)* ardent, fougueux, fervent.

brüsk [brʏsk] *a* brusque, rude, brutal; *adv a.* à brûle-pourpoint; **~ieren** [-'ki:ren] *tr* brusquer, rudoyer, brutaliser.

Brüssel ['brʏsəl] *n* Bruxelles *f; aus* ~, **~er** *a* bruxellois; ~~ *Spitze f* dentelle *f* de Bruxelles; **~er(in *f*)** *m* Bruxellois, e *m f*.

Brust *f* ⟨-, ⸚e⟩ [brust, brʏstə] poitrine *f; (Busen)* sein *m*, gorge; *(Mutterbrust)* mamelle *f*, téton; *(des Pferdes)* poitrail; *(~korb, ~kasten* u. *ent)* thorax; *fig (Herz, Seele)* cœur, sein *m;* ~ *an* ~ corps à corps; *aus voller* ~ à pleine gorge, à gorge déployée, à plein gosier; *jdn an die* ~ *drücken* presser *od* étreindre qn sur sa poitrine; *(e-m Kind) die* ~ *geben* donner le sein *m* (à); *sich jdm auf die* ~ *legen (med)* prendre à la gorge à qn; *sich an die* ~ *schlagen* se frapper la poitrine; *jdm die Pistole auf die* ~ *setzen (fig)* mettre le pistolet *od* le couteau *od* le poignard sous la gorge de qn; *sich in die* ~ *werfen* se rengorger *a. fig; fig* faire le gros dos; *fam* gonfler ses pectoraux, se pavaner, faire l'important; **~beerbaum** *m* jujubier *m;* **~beere** *f bot* jujube *m;* **~bein** *n anat* sternum *m;* **~beutel** *m* sachet *m* porté sur la poitrine; **~bild** *n* (portrait en) buste *m;* **~drüse** *f* glande *f* mammaire; **~fallschirm** *m* parachute *m* de poitrine; **~fell** *n anat* plèvre *f;* **~fellentzündung** *f med* pleurésie *f;* **~flosse** *f zoo* nageoire *f* pectorale; **~harnisch** *m* cuirasse *f*, plastron *m;* **~höhe** *f* hauteur *f* d'appui; **~kasten** *m*, **~korb** *m* cage *f* thoracique, thorax; *fam* coffre *m;* **~kind** *n* enfant *od* bébé *m* à la mamelle; **~krebs** *m* cancer *m* du sein; **~lehne** *f* barre *f* d'appui; **~leiden** *n* maladie *f* de la poitrine; **b~leidend** *a* poitrinaire; **~mittel** *n pharm* médicament *m* pectoral; **~muskel** *m anat* pectoral *m;* **~panzer** *m* = ~*harnisch;* **~riemen** *m (Pferdegeschirr)* poitrail *m;* **~scheibe** *f mil* silhouette *f* buste; **~schild** *m ent* bouclier, corselet *m;* **b~schwimmen** *itr* nager à la brasse; **B~schwimmen** *n* (nage à la) brasse *f;* **~stimme** *f* voix *f* de poitrine *od* de gorge; *mit der* ~~ *singer* chanter de la gorge; **~tasche** *f (äußere)* poche (de) poitrine; *(innere)* poche *f* intérieure; **~tee** *m* tisane *od* potion *f* pectorale; **~ton** *m: im* ~~ *der Überzeugung* d'un ton de profonde conviction; **~tuch** *n* fichu *m;* **~umfang** *m*, **~weite** *f* tour de poitrine; *scient* périmètre *m* thoracique; **~warze** *f* mamelon, tétin *m;* **~wehr** *f* mur *m* d'appui *od* de parapet; **~wirbel** *m anat* vertèbre *f* dorsale.

brüst|en [brʏstən], *sich* se rengorger, se pavaner, faire la roue; *mit etw* se vanter, faire parade, faire étalage, se targuer de qc; **B~ung** *f* ⟨-, -en⟩ balustrade *f*, parapet, appui, garde-fou *m*.

Brut *f* ⟨-, -en⟩ *(das Brüten)* incubation; *(Eier od Junge von Vögeln)* couvée, nichée *f; (Fischbrut)* frai, alevin; *ent* couvain *m; fig pej (von Menschen)* engeance *f;* **~apparat** *m*, **~maschine** *f*, **~ofen** *m* couveuse *f* (artificielle), incubateur *m;* **~ei** *n* œuf à couver; *(angebrütetes)* œuf *m* couvi; **~henne** *f* (poule) couveuse *f;* **~hitze** *f fig fam* chaleur *od* atmosphère *f* d'étuve; **~schrank** *m* = ~*apparat; (für Bakterienkulturen)* étuve *f* bactériologique *od* à culture microbienne; **~stätte** *f fig* foyer *m*, officine *f;* **~zeit** *f* couvaison *f*.

brutal [bru'ta:l] *a* brutal; ~e(r) Mensch m brutal *m*, brute *f;* **B~ität** *f* ⟨-, (-en)⟩ [-tali'tɛ:t] brutalité *f*.

brüt|en ['bry:tən] *itr* couver *a. fig (über etw* qc); *Rache* ~~ couver *od* méditer une vengeance; *die Sonne* ~*et* il fait une chaleur d'étuve; **B~erei** *f* ⟨-, -en⟩ [-'raɪ] *(gewerbl. Unternehmen)* pondoir *m*.

brutto ['bruto] *a* u. *adv com* brut; fort *inv;* **B~betrag** *m* montant *m* brut; **B~einkommen** *n* revenu *m* brut; **B~einnahme** *f* recette *f* brute; **B~ertrag** *m* rendement *od* produit *m* brut; **B~gewicht** *n* poids *m* brut *od* fort; **B~gewinn** *m* bénéfice (s *pl*) *m* brut(s); **B~investition** *f* formation *f* brute de capital; **B~preis** *m* prix *m* fort *od* brut; **B~registertonne** *f mar* tonneau *m* de jauge brut; **B~tonnage** *f* tonnage *m* brut; **B~überschuß** *m* excédent *od* surplus *m* brut; **B~umsatz** *m* chiffre *m* d'affaires brut; **B~verdienst** *m* salaire *m* brut.

brutzeln ['brutsəln] *itr (hörbar braten)* grésiller.

Bub *m* ⟨-en, -en⟩ [bu:p, -bən] *(süddeutsch: Junge)* garçon, gars, gamin, *fam* gosse *m;* **~e** *m* ⟨-n, -n⟩ *(Schurke)* coquin, fripon, fourbe; *(im Kartenspiel)* valet *m;* **~enstreich** *m*, **~enstück** *n* gaminerie, polissonnerie *f;* mauvais tour *m; (Schurkerei)* coquinerie, friponnerie, fourberie *f;* **~ikopf** ['bu:bi-] *m* cheveux *m pl od* tête *f* à la garçonne.

Büb|chen *n*, ⟨-s, -⟩ **~lein** *n* ['by:pçən, -laɪn] petit garçon *od* gamin *m;* **~erei** *f* ⟨-, -en⟩ [-'raɪ] = *Bubenstreich;* **~in** *f vx (Schurkin)* coquine, friponne, canaille *f;* **b~isch** *a* polisson, méchant; fripon, fourbe.

Buch *n* ⟨-(e)s, ⸚er⟩ [bu:x, 'by:çər] livre; *com a.* registre *m; (zu e-r Oper)* livret; *(Zählmaß für Papier);* main *f; wie es (a. er, sie) im* ~ *steht* exemplaire, typique; *pej* le (la) parfait(e) ...; *die Bücher abschließen (com)* arrêter les écritures *od* comptes; *über etw* ~ *führen* tenir registre de qc; *die Bücher führen (com)* tenir les livres *od* les écritures; *wie ein* ~ *reden (fam)* parler comme un livre *od* d'abondance; *über den Büchern sitzen, (fam) hinter den Büchern hocken* être plongé dans les livres, sécher *od* pâlir sur les livres; *zu* ~ *stehen (com)* figurer dans les livres (*mit* à); *man könnte ein* ~ *darüber schreiben* on en ferait un livre; *das ist mir ein* ~ *mit sieben Siegeln* c'est de l'hébreu pour moi; *antiquarische(s)* ~ livre d'occasion, bouquin *m; Goldene(s)* ~ *(e-r Stadt)* livre *m* d'or; *das* ~ *der Bücher (Bibel)* la Sainte Écriture, la Bible; *die fünf Bücher Mose* le Pentateuque; **~abschluß** *m com* arrêté *m* de comptes; **~ausstellung** *f* exposition *f* de livres; **~auszug** *m (Kontoauszug)* extrait d'un compte; *(Aufstellung)* relevé *od* état *m* de compte; **~besprechung** *f (Kritik)* compte *m* rendu; **~binder** *m* relieur *m;* **~binderei** *f (Werkstatt)* atelier *m* de relieur; *(Gewerbe)* reliure *f;* **~bindereimaschine** *f* machine *f* de reliure; **~block** *m* ⟨-s, -s⟩ corps *m* (du volume); **~decke** *f* couverture de livre, reliure *f;* **~drama** *n* drame *m* injouable; **~druck** *m* impression *f* typo(graphique); **~drucker** *m* imprimeur; typographe *m;* **~druckerei** *f* imprimerie, typographie *f;* **~druckerkunst** *f* art *m* typographique; **~druckerschwärze** *f* encre *f* d'imprimerie; **~einband** *m* reliure *f;* **b~en** ['bu:xən] **1.** *tr com* prendre note (*etw* de qc), inscrire dans *od* porter sur les *od* aux livres, passer aux comptes; *sport* marquer; *(Platz, Zimmer)* retenir, réserver; *e-n Erfolg* ~~ *(können)* enregistrer un succès; **~forderung** *f com* créance comptable *od* inscrite, dette *f* active; **~form** *f: in* ~~ comme livre;

~führung *f* tenue des livres, comptabilité *f; einfache, doppelte* **~~** comptabilité *f* en partie simple, double; *nationale* **~~** comptabilité nationale; **~führungsmaschine** *f* machine *f* comptable; **~führungssystem** *n* système *m* comptable, méthode *f* de comptabilité; **~geld** *n com* monnaie *f* scripturale; **~gelehrsamkeit** *f* érudition *f* livresque; **~gemeinschaft** *f* club *m* du livre; **~gewerbe** *n* industrie *f* du livre; **~gewinn** *m com* bénéfice *m* d'écritures; **~gläubiger** *m com* créancier *m* inscrit; **~halter** *m* teneur de livres *od* d'écritures, commis aux écritures, comptable *m;* **~haltung** *f* (service *m* de la) comptabilité *f*, bureau *m* comptable; **~handel** *m* librairie *f; im* **~~** *erschienen* (paru) en librairie; **~händler** *m* libraire *m;* **~handlung** *f* librairie *f;* **~~** *und Antiquariat* librairie *f* ancienne et moderne; **~hülle** *f* liseuse *f*, couvre-livre *m;* **~hypothek** *f* hypothèque *f* inscrite au livre foncier; **~karte** *f* fiche *f* de livre; **~kredit** *m com* crédit *m* compte; **~kunst** *f* art *m* du livre; **~macher** *m sport* bookmaker *m;* **~malerei** *f* peinture *f* de manuscrits; **b~mäßig** *a com* comptable; **~messe** *f* foire *f* du livre; **~prüfer** *m com* expert *od* contrôleur comptable, vérificateur *m* de livres *od* de comptabilité; **~prüfung** *f com* vérification *f* des livres *od* des écritures; **~rücken** *m* dos *m* du livre; **~schuld** *f com* dette *f* comptable; **~schuldner** *m* débiteur *m;* **~tausch** *m* échange *m* de livres; **~titel** *m* titre *m* d'un *od* du livre; **~ung** *f com (Vorgang)* passation d'écriture (en compte *od* sur les livres); *(a. Ergebnis)* écriture, entrée *f; eine* **~~** *vornehmen* passer une écriture; **~ungsbeleg** *m* pièce *f od* document *m* comptable; **~ungsfehler** *m* erreur *f* comptable; **~ungsmaschine** *f* machine *f* comptable; **~ungsnummer** *f* numéro *m* d'enregistrement; **~ungssystem** *n* méthode *f* de comptabilité; **~ungsunterlage** *f* pièce *f od* document *m* comptable; **~verleih** *m* location *f* de livres; **~wert** *m com* valeur *f* comptable *od* en compte.

Buch|e *f* ⟨-, -n⟩ ['bu:xə] *bot* hêtre *m;* **~ecker** *f* faine *f;* **b~en 2.** *a (aus ~enholz)* de *od* en hêtre; **~enhain** *m* bosquet *m* de hêtres; **~enholz** *n* (bois de) hêtre *m;* **~enwald** *m* hêtraie *f;* **~fink** *m* pinson *m;* **~weizen** *m* blé noir, sarrasin *m;* **~weizengrütze** *f* gruau *m* de blé noir.

Bücher|abschluß ['by:çər-] *m com* arrêté *m* de comptes, clôture *f* des livres; **~ausgabe** *f*, **~ausleihe** *f (Einrichtung)* service *m* de prêt; *(Raum)* salle *f* de prêt; **~brett** *n* tablette *f*, rayon *m*, étagère *f;* **~bus** *m (fahrbare Bücherei)* bibliobus *m;* **~ei** *f* ⟨-, -en⟩ [by:çə'raɪ] bibliothèque *f;* **~freund** *m* amateur de livres, bibliophile *m;* **~gestell** *n* tablettes *f pl*, étagère *f;* rayon *od* rayonnage *m* à livres, bibliothèque *f; freistehende(s)* **~~** épi *m* isolé; **~karren** *m* chariot *m* pour les livres; **~kiste** *f* caisse *f* à *od* de livres; **~kunde** *f* bibliographie *f;* **~leihverkehr** *m* service *m* de prêt(s) de livres; **~liebhaber** *m* = *~freund;* **~liebhaberei** *f* bibiliophilie *f;* **~mappe** *f* serviette *f;* **~markt** *m* marché *m* du livre; **~narr** *m* bibliomane *m;* **~revisor** *m* = *Buchprüfer;* **~sammlung** *f* collection de livres, bibliothèque *f;* **~schrank** *m* bibliothèque *f;* **~stapel** *m*, **~stoß** *m* pile *f* de livres; **~stütze** *f* serre-livres *m;* **~verzeichnis** *n* liste *f od* catalogue *m* de livres; **~wand** *f* bibliothèque *f* murale; **~wart** *m* bibliothécaire *m;* **~weisheit** *f* érudition *f* livresque; **~wurm** *m ent* teigne *f* (des livres), ver rongeur; *fig* rat de bibliothèque, fouineur (de bibliothèque), bouquineur *m*.

Buchs|(baum) ['bʊks-] *m bot* buis *m;* **b~baumen** *a (aus ~baum)* de buis.

Buchse *f* ⟨-, -n⟩ ['bʊksə] *tech (Hohlzylinder)* douille *f*, manchon *m*, bague(-coussinet) *f*.

Büchse *f* ⟨-, -n⟩ ['bʏksə] boîte *f; (Kapsel)* étui *m; (Gewehr)* fusil *m*, carabine *f;* **~nfleisch** *n* viande *f* de conserve; *mil arg (Rindfleisch)* singe *m;* **~ngemüse** *n* légumes *m pl* en conserve; **~nmacher** *m* armurier *m;* **~nmilch** *f* lait *m* condensé; **~nobst** *n* fruits *m pl* en conserve; **~nöffner** *m* ouvre-boîtes *m;* **~nschuß** *m* coup *m* de fusil *od* carabine; *e-n* **~~** *entfernt* à portée de fusil.

Buchstab|e *m* ⟨-ns/(-n), -n⟩ ['bu:xʃta:bə] lettre *f*, caractère; *typ a.* type *m; in* **~~n** *(Zahl)* en toutes lettres; *dem* **~~n** *nach* selon la lettre, au pied de la lettre, littéralement; *nach dem* **~~n** *des Gesetzes* à la lettre de la loi; *große(r)* **~~** majuscule *f; kleine(r)* **~~** minuscule *f;* **~enhöhe** *f typ* hauteur *f* d'une *od* de la lettre; **~enrätsel** *n* logogriphe *m;* **~enschloß** *n tech* serrure *f od* cadenas *m* à combinaison; **~entreue** *f* fidélité *f* à la lettre; **b~ieren** [-'bi:rən] *tr* épeler; **B~~** *n* épellation *f;* **~iertafel** *f tele* tableau *m* d'épellation.

buchstäblich ['bu:xʃtɛ:plɪç] *a (wörtlich)* littéral; *adv (wörtlich)* littéralement; *(dem Buchstaben nach)* à la lettre, au pied de la lettre; *fig (geradezu)* littéralement.

Bucht *f* ⟨-, -en⟩ [bʊxt] *geog* baie; *(kleine)* anse, crique *f; (große)* golfe *m; (Verschlag im Stall)* stalle *f; pop (Bett)* pieu, plumard *m;* **b~ig** *a* sinueux.

Buck|el *m* ⟨-s, -⟩ ['bʊkəl] *(Höcker, a. med)* bosse, gibbosité *f; fam (Rükken)* dos *m; (Hügel)* colline; *(erhabene Metallverzierung)* bosse *f; e-n* **~~** *haben* être bossu; *e-n breiten* **~~** *haben (fig)* avoir bon dos; *e-n* **~~** *machen (Katze)* faire le gros dos; *jdm den* **~~** *vollhauen (fam)* rouer qn de coups, rosser qn, tanner le cuir à qn; *du kannst mir den* **~~** *runterrutschen! (fam)* je me fiche de toi! **b~(e)lig** *a* bossu; *klein und* **~~** boscot *pop* **~(e)lige(r)** *m* bossu *m*.

bück|en [bʏkən] , *sich* se baisser (*nach etw* pour ramasser qc); *(sich verneigen)* s'incliner; *(sich krümmen)* se courber; *gebückt (gehen)* (se tenir) courbé (en marchant); *vom Alter gebückt* courbé par l'âge; **B~ling** *m* ⟨-s, -e⟩ **1.** *(Verbeugung)* courbette, révérence *f; fam* salamalec *m; e-n* **~~** *machen* faire une révérence.

Bück|ing *m vx u. dial,* **~ling** *m* ⟨-s, -e⟩ ['bʏk(l)ɪŋ] **2.** *(geräucherter Hering)* hareng *m* saur *od* fumé.

Buddel *f* ⟨-, -n⟩ ['bʊdəl] *fam (Flasche)* bouteille *f*.

buddel|n ['bʊdəln] *itr fam (wühlen)* fouiller, fouir; **B~ei** *f* ⟨-, ø⟩ [-'laɪ] fouille *f*.

Buddh|a ['bʊda] *m rel* Bouddha *m;* **~ismus** *m* ⟨-, ø⟩ [-'dɪsmʊs] bouddhisme *m;* **~ist(in** *f***)** *m* ⟨-en, -en⟩ [-'dɪst] bouddhiste *m f;* **b~istisch** *a* bouddhique.

Bude *f* ⟨-, -n⟩ ['bu:də] *allg* baraque; *(Verkaufsstand)* échoppe; *fam pej (Zimmer)* piaule, *pop* turne *arg* carrée; *hum (Studentenwohnung)* chambre *f* (d'étudiant); *Leben in die* **~** *bringen (fam)* être boute-en-train; *jdm auf die* **~** *rücken (fam)* importuner, relancer qn; **~nzauber** *m fam (privates Gelage)* bamboche *f*.

Budget *n* ⟨-s, -s⟩ [bʏ'dʒe:] *(Haushaltsplan)* budget *m; das* **~** *aufstellen* établir *od* dresser le budget; *das* **~** *einbringen* présenter le budget; *etw im* **~** *vorsehen* inscrire qc au budget; **~beratung** *f* discussion *f* du budget; **~kommission** *f* commission *f* du budget.

Budik|e *f* ⟨-, -n⟩ [bu'di:kə] *fam* bistro(t) *m;* **~er** *m* ⟨-s, -⟩ [-kər] bistro(t), mastroquet *m*.

Büfett *n* ⟨-(e)s, -s/-e⟩ [bʏ'fe:] *(Anrichte)* buffet, bahut; *(Schanktisch)* buffet, comptoir, *pop* zinc *m; kalte(s)* **~** buffet *m* froid; **~fräulein** *n* dame *f* du comptoir; **~ier** *m* ⟨-s, -s⟩ [-fɛti'e:] barman *m*.

Büff|el *m* ⟨-s, -⟩ ['bʏfəl] *zoo* buffle *m;* **~elei** *f* ⟨-, ø⟩ [-laɪ] *fam* bachotage *m; arg* pompe *f;* **b~eln** *itr fam* bûcher, bachoter, potasser; **~ler** *m fam* bûcheur, bachoteur *m*.

Buffobaß *m* ['bʊfo-] *mus* basse *f* bouffe.

Bug *m* [bu:k] **1.** ⟨-s, -e/⸚e⟩ [bu:k, 'by:gə] *(Schulterteil des Pferdes u. des Rindes)* paleron *m;* **2.** ⟨-s, -e⟩ ['by:gə] *mar* proue *f*, avant *m*, épaule *f; mar aero* nez *m;* **~anker** *m* seconde ancre *f;* **~flagge** *f* pavillon *m* d'avant; **~kanzel** *f aero* nez *m* vitré, carlingue *f;* **b~lahm** *a vet* épaulé; **b~lastig** *a aero* lourd de l'avant; **~lastigkeit** *f aero* décentrage *m* vers l'avant; **~leine** *f mar* bouline *f;* **~rad** *n aero* atterrisseur *m* avant; **~radfahrgestell** *n aero* train *m* d'atterrissage tricycle; **~schütze** *m aero* mitrailleur *m* avant; **~see** *f* = *~welle;* **~spriet** *n u. m. mar* beaupré *m;* **~stand** *m aero* poste *m* de tir avant; **~welle** *f mar* lame *od* vague *f* de proue.

Bügel *m* ⟨-s, -⟩ ['by:gəl] *allg* pièce *f* courbe; *(Kleiderbügel)* cintre *m; (Korb)* anse; *(Handtasche)* monture; *(Brille)* branche *f; tech* archet *m*,

(Flansch) bride *f; (Klammer)* étrier *m; (Öse)* fourchette *f; mil (Gewehrabzug)* pontet; *mar (an Mast od Rahe)* cercle *m;* **~brett** *n* planche *f* à repasser, passe-carreau *m;* **~eisen** *n* fer à repasser; *(des Schneiders)* carreau *m* (de tailleur); *elektrische(s)* ~~ fer *m* à repasser électrique; **~falte** *f* pli *m* (de pantalon); **b~fest** *a (Reiter)* ferme sur les étriers; **b~frei** *a* sans repassage; qui ne se repasse pas; **~maschine** *f* machine *f* à repasser; **b~n** *tr (Wäsche, Kleider)* repasser; *(Naht)* rabattre; **~säge** *f* scie *f* à archet *od* étrier; **Büglerin** *f* repasseuse *f.*

Buhl|e *m* ‹-n, -n› ['bu:lə] *f vx poet* = *~er(in);* **b~en** *itr poet* faire la cour (*um jdn* à qn), courtiser (*um jdn* qn); *um jds Gunst* ~~ briguer la faveur de qn; *um die Gunst der Masse* ~~ briguer les suffrages de la foule; **~er** *m* ‹-s, -› *vx lit* amant, galant; courtisan *m;* **~erei** *f* ‹-, -en› [-'raɪ] *(Liebesabenteuer)* galanterie; *(Liebelei)* amourette; *(Gefallsucht)* coquetterie *f;* **~erin** *f* femme galante, courtisane *f;* **b~erisch** *a* amoureux, galant; *(Blick, Gebärde)* lascif; *(gefallsüchtig)* coquet; **~schaft** *f* = *~erei.*

Buhne *f* ‹-, -n› ['bu:nə] *mar (Schutzdamm)* épi; *(Mauer)* quai; *(Flechtwerk)* clayonnage; *(Wellenbrecher)* brise-lames, éperon *m.*

Bühne *f* ‹-, -n› ['by:nə] *theat* scène *f a. fig,* plateau *m; (Theater)* théâtre *m; (Gerüst)* estrade, tribune *f; (Arbeitsbühne)* échafaudage *m,* plate-forme *f; mines (Schachtbühne)* repos; *dial (Dachboden)* grenier *m; die ~ (a.)* les planches *f pl; von der ~ abtreten* quitter la scène; *für die ~ bearbeiten* adapter à la scène; *auf die ~ bringen* mettre *od* porter à la scène, mettre sur la scène *od* au théâtre; monter; *über die ~ gehen (Stück)* être représenté; *zur ~ gehen (Schauspieler werden)* se faire comédien; *sich lange auf der ~ halten (Stück)* tenir la scène.

Bühnen|angestellte(r) ['by:nən-] *m* employé *m* de théâtre; **~anweisung** *f* scénario *m;* **~arbeiter** *m* machiniste *m;* **~aussprache** *f* prononciation *f* de *od* employée au théâtre; **~bearbeitung** *f* adaptation *f* au théâtre; **~beleuchtung** *f* éclairage *m* de (la) scène; **~bild** *n* tableau *m;* **~bildner** *m* peintre *m* décorateur *od* de décors; **~dichter** *m* auteur *m* dramatique; **~dichtung** *f* poésie *f* dramatique; **~himmel** *m* plafond *m* d'air; **~künstler** *m* artiste *m* dramatique; **~maler** *m* = *~bildner;* **b~mäßig** *a* adapté à la scène, scénique; **~musik** *f* musique *f* de scène; **~name** *m* nom *m* de guerre; **~rechte** *n pl* droits *m pl* de représentation; **~spiel** *n* jeu *m* de scène; **~sprache** *f* = *~aussprache;* **~stück** *n* pièce *f* de théâtre; **~tanz** *m* ballet *m;* **~werk** *n* pièce *f* de théâtre; **b~wirksam** *a* scénique; **~wirkung** *f* effet *m* théâtral.

bühnisch ['by:nɪʃ] *a* scénique.

Bukett *n* ‹-(e)s, -e› [bu'kɛt] *(Blumenstrauß; Duft des Weines)* bouquet *m.*

Bulette *f* ‹-, -n› [bu'lɛtə] *(gebratenes Fleischklößchen)* boulette *f.*

Bulgar|e *m* ‹-n, -n› [bʊl'ga:rə] , **~in** *f* Bulgare *m f;* **~ien** [-'ga:riən] *n* la Bulgarie; **b~isch** *a* bulgare; *(das) B~~(e)* le bulgare.

Bull|auge ['bʊl-] *n arch* œil-de-bœuf; *mar aero* hublot *m;* **~dog** *m* ‹-s, -s› [-dɔk] *mot* tracteur *m;* **~dogge** *f zoo* (boule)dogue *m;* **~dozer** *m* ‹-s, -› [-do:zər] *tech (schwere Zugmaschine)* tracteur lourd; *(Planierraupe)* bulldozer *m;* **~e 1.** *m* ‹-n, -n› *(Stier)* taureau; *fig fam (starker Mann)* bœuf, mastodonte *m;* **~enbeißer** *m* = *~dogge; fig (bärbeißiger Mensch)* dogue *m;* **~enhitze** *f fam* chaleur à étouffer, fournaise *f.*

Bulle 2. *f* ‹-, -n› ['bʊlə] *rel* bulle *f* (papale).

bullern ['bʊlərn] *itr dial fam (Feuer im Ofen)* ronfler; *(stark klopfen)* frapper fort; *(heftig sieden)* bouillonner.

Bulletin *n* ‹-s, -s› [byl'tɛ̃:] *(amtl. Bekanntmachung, Tages-, Krankenbericht)* bulletin *m.*

Bumerang *m* ‹-s, -e/-s› ['bu:-, 'bu-məraŋ] *(Wurfholz)* boomerang *m.*

Bumm|el *m* ‹-s, -› ['bʊməl] *fam (Spaziergang)* balade, virée *f; hum* périple *m; pop (Bierreise)* vadrouille *f; e-n ~~ machen* être en goguette, *pop* vadrouiller; *e-n ~ (Schaufenster~) machen* faire du lèche-vitrines; *auf den ~~ gehen* se mettre en goguette; **~elant** *m* ‹-en, -en› [-'lant] *fam* lambin, trainassier *m;* **~elei** *f* ‹-, -en› [-'laɪ] *(Getrödel)* lambinerie *fam; (Langsamkeit)* lenteur; *(Nachlässigkeit)* négligence *f;* **b~(e)lig** *a (langsam)* lambin, lent; *(nachlässig)* négligent; **~elleben** *n* vie *f* de bohème; **b~eln** *itr* ‹*ist gebummelt*› *(umherschlendern)* flâner, se balader; *pop* vadrouiller; *(trödeln)* ‹*hat gebummelt*› traîner, mus(ard)er, lambiner, lanterner; **~elstreik** *m* grève *f* perlée *od* du zèle; **~elzug** *m loc fam* tortillard *m;* **~ler** *m fam (Spaziergänger)* flâneur, *fam* baladeur *m; (Trödler)* = *~elant.*

bums [bʊms] *interj* boum! crac! patatras! **~en** ['bʊmzən] *itr* frapper *od* tomber avec un bruit sourd (*auf* sur); *tr pop* baiser; **B~landung** *f aero fam* atterrissage *m* brutal; **B~lokal** *n fam* bastringue *m.*

Buna *m* od *n* ‹-s, ø› ['bu:na] *(synthetisches Gummi)* buna; caoutchouc *m* synthétique.

Bund 1. *m* ‹-(e)s, ⸚e› [bʊnt, bʏndə] *allg* lien *m; (Band)* bande *f,* bandeau; *(Schleife, Knoten)* nœud; *tech* cercle, anneau, rebord, collier *m; fig (Bündnis)* union, alliance; *(Schutzbündnis)* ligue; *(Staaten~)* confédération, *(zu e-m best. Zweck)* coalition *f; (Vertrag)* pacte *m; im ~e mit* (ré)uni à, avec le concours de; *e-n ~ schließen* contracter une alliance (*mit jdm* avec qn); *mit jdm im ~e sein* être l'allié de qn; *der Dritte im ~e sein* être en tiers, faire partie du trio; *der Alte, Neue ~ (rel)* l'Ancien, le Nouveau Testament; *der Deutsche ~ (1815–66)* la Confédération Germanique; *der Norddeutsche ~ (1867–70)* la Confédération de l'Allemagne du Nord; **~esakte** *f pol* pacte *m* fédéral; **~esangelegenheit** *f pol* affaire *f* fédérale; **~esbahn** *f* chemin *m* de fer fédéral; **~esbehörde** *f* autorité *f* fédérale; **b~esdeutsch** *a* de la République fédérale allemande; **~esgenosse** *m* allié, confédéré *m;* **~esgenossenschaft** *f* alliance, confédération *f;* **b~esgenössisch** *a* fédéral, fédératif; **~esgericht** *n* tribunal *m* fédéral; **~esgesetz** *n* loi *f* fédérale; **~eskanzler** *m* chancelier *m* de la République fédérale (Allemagne, Autriche); **~eskanzleramt** *n* chancellerie *f* fédérale; **~eslade** *f rel* arche *f* d'alliance; **~esminister** *m* ministre *m* de la République fédérale (Allemagne, Autriche); **~esmittel** *n pl pol fin* fonds *m pl* fédéraux; **~espräsident** *m* président (de la République) fédéral(e) (Allemagne, Autriche, Suisse); *(Schweizer)* président *m* de la Confédération; **~esrat** *m (Schweiz, Deutschland)* conseil *m* fédéral; **~esregierung** *f* gouvernement *m* fédéral; **~esrepublik** *f* république *f* fédérale; *die ~~ (Deutschland)* la République fédérale (d'Allemagne); **~esstaat** *m* confédération *f;* État fédératif *od* fédéral *od* confédéré; *(Teilstaat)* État *m* fédéral; **~esstraße** *f* route *f* fédérale; **~estag** *m* diète *f* fédérale; **~esverfassung** *f* constitution *f* fédérale; **~esverfassungsgericht** *n* tribunal *m* constitutionnel de la République fédérale.

Bund 2. *n* ‹-(e)s, -e› [bʊnt, -də] *(Bündel)* faisceau, paquet; *(Garn)* écheveau *m* de fil; *(Stroh, Heu, gewisse Gemüse)* botte *f; (Holz)* fagot; *(Schlüssel~)* trousseau *m;* **~holz** *n* bois *m* en fagots; **b~weise** *adv* par bottes, par fagots; **~weite** *f (Hose)* ceinture *f.*

Bündel *n* ‹-s, -› ['bʏndəl] *(Heu, Stroh)* botte *f; (Reisig)* fagot; *(Pack)* paquet *m,* trousse *f, fam* bal(l)uchon, tapon *m; (Akten)* liasse *f,* dossier; *(Liktoren-, Strahlen~)* faisceau *m; in ein ~ schnüren* taponner; *sein ~ schnüren (fig)* faire son paquet *od* son bal(l)uchon *od* sa malle *od* ses malles; *fam* plier bagage; **~holz** *n* bois *m* en fagots; **~n** *tr* lier ensemble *od* en faisceau, faire un paquet de; *(Heu, Stroh)* botteler; *(Holz)* fagoter; **~pfeiler** *m arch* pilier *m* en faisceau; **b~weise** *adv* par paquets, par bottes, par fagots.

bünd|ig ['bʏndɪç] *a (verbindlich)* obligatoire; *(rechtsgültig)* valide, valable; *(beweiskräftig)* démonstratif, concluant; *(Stil: kurz, gedrängt)* précis, concis, serré, succinct, lapidaire; *arch (in gleicher Höhe)* à fleur (*mit* de); *kurz und ~~* court et frappant; *adv* de manière concise, en peu de mots; **B~igkeit** *f* ‹-, (-en)› *(Verbindlichkeit)* caractère *m* obligatoire; *(Rechtsgültigkeit)* validité; *(Be-*

weiskraft) force concluante; *(des Stils)* précision, concision *f;* **~isch** *a vx* confédéré; **B~~e(r)** *m* membre d'une fédération de la jeunesse; **B~nis** *n* ‹-sses, -sse› = *Bund 1.;* union, alliance; coalition *f; (Vertrag)* pacte *m; ein ~~ schließen, besiegeln* contracter, sceller une alliance; **~nisfrei** *a (neutral)* non-engagé; **B~nispolitik** *f* politique *f* d'alliance; **B~nisvertrag** *m* traité *m* d'alliance.

Bunker *m* ‹-s, -› ['bʊnkər] *mar (Kohlenbunker)* soute *f* à charbon; *mil* abri *m* bétonné *(a. Luftschutzbunker),* casemate; *tech mines* trémie; *arg (Arrest)* taule *f, pop* cachot *m;* **~kohle** *f mar* charbon *m* de soute; **b~n** *tr mar (Kohlen)* mettre en soute; *itr* faire du charbon.

Bunsen|brenner ['bʊnzən-] *m (Gasbrenner)* bec *m* Bunsen; **~element** *n* pile *f* Bunsen; **~flamme** *f* flamme *f* d'un bec Bunsen.

bunt [bʊnt] *a (mehrfarbig)* de diverses couleurs, multicolore, *scient* polychrome; *(farbig)* de *od* en couleur; *(~scheckig)* tacheté, diapré, bariolé, bigarré, *fam* panaché; *fig (verschiedenartig, gemischt)* varié, mélangé; *(verworren)* confus; *adv (~ durchea.)* pêle-mêle; *~ durchea.gehen* aller sens dessus dessous; *~e Reihe machen* faire alterner les places des messieurs et des dames; *bekannt sein wie ein ~er Hund* être connu comme le loup blanc; *es zu ~ treiben* aller trop loin; *alles ~ durchea. werfen* jeter tout pêle-mêle; *das wird mir zu ~!* c'est trop fort! c'en est trop! *es ging ~ zu* tout allait sens dessus dessous; *hier geht es aber ~ zu! fig fam* il y a de l'ambiance ici! *es wird immer ~er* l'affaire se complique de plus en plus; *iron* ça va de mieux en mieux; *~e(r) Abend m* soirée *f* de variétés; *~e(s) Glas n* verre *m* de couleur; *~e Menge f* foule *f* bariolée; *~e Platte f* assiette *f* anglaise; *~e(s) Programm n* programme *m* varié; *der ~e Rock (pop: die Soldatenuniform)* l'uniforme *m; ~e(r) Teller (, auf dem verschiedene Dinge liegen)* assiette *f* garnie; *~e(s) Treiben n* mouvement *m* varié; *~e Weste f* gilet *m* fantaisie; **B~druck** *m typ* impression en couleurs, chromotyp(ograph)ie *f;* **~gefiedert** *a* au plumage bigarré; **~gestreift** *a* à rayures de diverses couleurs; **B~heit** *f* ‹-, ø› diversité de couleurs; *(~scheckigkeit)* bigarrure *f,* bariolage *m; fig* variété, diversité *f;* **B~kupfererz** *n min* cuivre *m* panaché; **B~papier** *n* papier *m* de couleur *od* de fantaisie; **B~sandstein** *m* grès *m* bigarré; **~scheckig** *a* bariolé, bigarré, *fam* panaché; **~schillernd** *a* chatoyant, opalescent; **B~specht** *m* pic *m* rouge, épeiche *f;* **B~stift** *m* crayon *m* de couleur; **B~weberei** *f* tissage *m* en couleurs.

Bürde *f* ‹-, -n› ['bʏrdə] *a. fig* charge *f,* fardeau, faix *m; jdm e-e ~ aufladen, abnehmen* imposer une charge à qn, délivrer qn d'un fardeau.

Bure *m* ‹-, -n› ['bu:rə] Boer *m;* **~nkrieg,** *der (1899 bis 1902)* la guerre des Boers.

Bürette *f* ‹-, -n› [bʏ'rɛtə] *chem (Meßglas)* burette *f.*

Burg *f* ‹-, -en› [bʊrk, -gən] *(Wehrbau)* château (fort), castel; *(Spielzeug)* fort; *fig (Zuflucht)* refuge, asile *m;* **~frau** *f hist* châtelaine *f;* **~fräulein** *n hist* damoiselle *f;* **~frieden** *m hist (Bezirk)* banlieue du château fort; *pol parl* trêve *f* (politique, parlementaire); *~~ schließen (pol parl)* conclure *od* faire une trêve; **~graben** *m* fossé *m* d'un *od* du château, douve *f;* **~graf** *m hist* burgrave *m;* **~grafschaft** *f* burgraviat *m;* **~herr** *m hist* châtelain, seigneur *m;* **~ruine** *f* château *m* en ruine; **~verlies** *n* oubliettes *f pl;* **~vogt** *m hist* intendant *m* d'un *od* du château.

Bürg|e *m* ‹-n, -n› ['bʏrgə] *allg* garant, répondant *m; fin* caution *f,* accréditeur; *(Wechselbürge)* avaliste; *(Geisel)* otage *m; ~~ sein = bürgen; e-n ~~n stellen* fournir caution; **b~en** *itr* garantir; répondre, se porter garant *(für jdn, etw* de *od* pour qn, qc); parrainer qn, qc; *für e-n Wechsel ~~ (fin)* avaliser un effet *od* une traite; *mit s-m Wort ~~* engager sa parole; **~schaft** *f* ‹-, -en› garantie; caution *f,* cautionnement *m; gegen ~~* sous caution; *~~ leisten für* fournir caution pour; *e-e ~~ übernehmen* s'engager par caution; **~schaftserklärung** *f* déclaration *f* de cautionnement; **~schaftsschein** *m* acte *m* de cautionnement; **~schaftssumme** *f* cautionnement *m;* **~schaftsvertrag** *m* (contrat de) cautionnement *m.*

Bürger *m* ‹-s, -› ['bʏrgər] *hist (e-r Stadt), pol* bourgeois; *(Städter)* citadin; *(Staatsbürger)* citoyen *m; akademische(r) ~* étudiant *m; pl* administrés *m pl; ~ werden (hist)* être reçu bourgeois; **~brief** *m hist* lettre *f* de bourgeoisie; **~haus** *n* maison *f* bourgeoise; **~in** *f hist* bourgeoise; citadine, citoyenne *f;* **~könig,** *der (Louis Philippe von Frankreich, 1830–48)* le roi-citoyen; **~krieg** *m* guerre *f* civile *od* intestine; **b~lich** *a hist, (soziologisch)* bourgeois; *(nicht adlig)* roturier; *allg u. jur* civil; *(staatsbürgerlich)* civique; *(in) ~~e(r) Kleidung f* (en) tenue *f* civile; *im ~~en Leben* dans le civil; *~~e Kleidung tragen* revêtir la tenue civile; *B~~e(s) Gesetzbuch n* code *m* civil; *~~e Küche f* cuisine *f* bourgeoise; *~~e(s) Recht n* droit *m* civil; *(Aberkennung f* od *Verlust m der) ~~e(n) Rechte n pl* (dégradation civique, privation *f* des) droits *m pl* civiques; *~~e(s) Schauspiel n theat* drame *m* bourgeois; **~meister** *m (französischer)* maire; *(ausländischer u. in Belgien)* bourgmestre *m; Regierende(r) ~~ (von Berlin)* bourgmestre *m* régnant; *~~-Stellvertreter m* adjoint *m* (au maire); **~meisteramt** *n,* **~meisterei** *f* mairie; *(Belgien, Schweiz)* maison *f* communale; **~pflicht** *f* devoir *m* civique; **~recht** *n* droit de cité *a. fig;* indigénat *m; das ~~ besitzen* avoir droit de cité; **~schaft** *f* ‹-, (-en)› bourgeoisie *f,* bourgeois *m pl;* **~schule** *f vx* collège *m* d'enseignement général (C.E.G.) *od* secondaire (C.E.S.); **~sinn** *m* civisme *m;* **~stand** *m* bourgeoisie *f;* **~steig** *m* trottoir *m;* **~steuer** *f* taxe *f od* impôt *m* civique; **~tugend** *f* morale *f* bourgeoise; **~tum** *n* ‹-s, ø› bourgeoisie *f;* **~versammlung** *f* assemblée *f* communale; **~wehr** *f* milice, garde *f* nationale *od (Belgien)* civique.

Burgund [bʊr'gʊnt] *n* la Bourgogne; **~er(in** *f***)** *m* ‹-s, -› Bourguignon, ne *m f; m pl (hist: germanischer Stamm)* Burgondes *m pl;* **~er** *m* ‹-s› *(Wein)* bourgogne *m;* **~ernase** *f* nez *m* couperosé; **b~isch** *a* bourguignon, de Bourgogne; *B~~e Pforte f (geog)* porte de Bourgogne, Trouée *f* de Belfort.

burlesk [bʊr'lɛsk] *a (possenhaft)* burlesque; **B~e** *f* ‹-, -n› *theat (Posse)* farce *f.*

Burma ['bʊrma] *n geog* la Birmanie.

Burnus *m* ‹-sses, -sse› ['bʊrnʊs] *(Beduinenmantel)* burnous *m.*

Büro *n* ‹-s, -s› [by'ro:] bureau, office *m;* **~angestellte(r** *m***)** *f* employé, e *m f* de bureau; **~arbeit** *f* travail *m* de bureau *od* comptable; **~bedarf** *m* fournitures *f pl od* matériel *m* de bureau; **~bedarfsartikel** *m* article *m* de bureau; *pl = ~bedarf;* **~diener** *m* garçon *m* de bureau; **~einrichtung** *f* équipement *od* mobilier *od* matériel *m* de bureau; **~gebäude** *n,* **~haus** *n* immeuble de bureau, building *m* (administratif *od* commercial); **~klammer** *f* attache *f,* trombone *m;* **~kosten** *pl* frais *m pl* de bureau; **~krat** *m* ‹-en, -en› [-ro'kra:t] bureaucrate *m;* **~kratie** *f* ‹-, -n› [-rokra'ti:] bureaucratie *f,* fonctionnarisme *m;* **b~kratisch** [-'kra:-] *a* bureaucratique; **~kratismus** *m* ‹-s, ø› [-kra'tɪsmʊs] chinoiseries *f pl* administratives; **~maschine** *f* machine *f* de bureau *od* de comptabilité; **~material** *n* matériel *m* de bureau; **~mensch** *m pej* rond-de-cuir *m;* **~möbel** *n pl* meubles *m pl* de bureau; **~personal** *n* personnel *m* de bureau; **~raum** *m* bureau *m;* **~schluß** *m* clôture *f* du bureau *od* des bureaux; **~schrank** *m* armoire *f* à livres, meuble-bibliothèque *m;* **~stunden** *f pl* heures *f pl* de bureau; **~tätigkeit** *f* emploi *m* de bureau; **~vorsteher** *m* chef de bureau, principal (clerc); *(e-s Rechtsanwalts)* premier clerc *m;* **~zeit** *f = ~stunden.*

Bursch *m* ‹-en, -en› [bʊrʃ] *dial (junger Mann)* jeune homme, garçon; *(Student)* étudiant *m;* **~e** *m* ‹-n, -n› *(Kerl)* gaillard, *fam* gars, *pop* type, zig(ue) *m; mil* ordonnance *f* od *m,* brosseur *m; gutmütige(r) ~~* bon garçon *m; die jungen ~~n* les jeunes gens *m pl; lustige(r) ~~* fameux gaillard, joyeux luron *m; üble(r) ~~* vilain monsieur, mauvais sujet *m;* **~enkleidung** *f* vêtement *m* pour jeunes gens; **~enschaft** *f* association *f* d'étudiants; **b~ikos** [-ʃi'ko:s] *a (bur-*

schenhaft, ungezwungen, formlos) sans façons, sans-gêne; cavalier; *fam* décontracté; **Bürschchen** *n*, **Bürschlein** *n* ⟨-s, -⟩ ['bʏrʃçən, -laɪn] petit drôle; *(kleiner Schelm)* petit coquin *m*.

Burse *f* ⟨-, -n⟩ ['burzə] *(Studentenheim)* foyer *m* des étudiants.

Bürste *f* ⟨-, -n⟩ ['bʏrstə] brosse *f*; *el* balai *m*; **b~n** *tr* brosser; *sich die Haare, die Zähne ~~* se brosser les cheveux, les dents; **~nabzug** *m typ* épreuve *f* à la brosse; **~nbinder** *m* brossier; fabricant *m* de brosses; *saufen wie ein ~~ (fam)* boire comme un trou; **~nbinderei** *f*, **~nfabrikation** *f*, **~nhandel** *m*, **~nwaren** *f pl* brosserie *f*; **~nbrücke** *f el* pont *m* de balai; **~nhalter** *m* porte-brosse; *el* porte-balai *m*; **~nwalze** *f* brosse *f* rotative.

Bürzel *m* ⟨-s, -⟩ ['bʏrtsəl] *(Schwanzwurzel der Vögel)* croupion; *(Küche a.)* sot-l'y-laisse *m*.

Bus *m* ⟨-sses, -sse⟩ [bus, -sə] *(Autobus)* (auto)bus *m*.

Busch *m* ⟨-es, ⸚e⟩ [buʃ, 'bʏʃə] *(Strauch)* buisson, arbuste, arbrisseau; *(Gehölz)* petit bois, bosquet, *poet* bocage; *(Dickicht)* taillis, hallier *m*, brousse; *(von Federn* od *Haaren)* touffe *f*; *(Federbusch)* panache *m*, aigrette *f*; *in den ~ gehen (Verbrecher)* prendre le maquis; *hinter dem ~ halten (fig)* cacher son jeu, agir en dessous; *auf den ~ klopfen (fig fam)* battre les buissons, tâter *od* sonder le terrain; *sich in die Büsche schlagen (fig)* s'esquiver, gagner le large, *fam* détaler; *der feurige ~ (rel)* le buisson ardent; **~bohne** *f* haricot *m* nain; **~fieber** *n* jaunisse *f*; **~hemd** *n* chemisette, saharienne *f*; **~holz** *n* buissons *m pl*, broussailles *f pl*; **b~ig** *a (mit Gebüsch bestanden)* buissonneux, broussailleux; *(dicht gewachsen)* touffu; **~klepper** *m (Strauchdieb)* brigand, bandit *m* (de grand chemin); **~krieg** *m* guérilla *f*; **~männer**, *die m pl (südafrikan. Volk)* les Boschimans, les Bushmen *m pl*; **~messer** *n* sabre *m* d'abattis, machette *f*; **~rose** *f (als Pflanze)* rosier *m* buissonnant; **~werk** *n* = *~holz*; **~windröschen** *n bot* anémone, renoncule *f* des bois.

Büschel *n* ⟨-s, -⟩ ['bʏʃəl] *(Bündel)* faisceau *m*; *(Handvoll)* poignée; *(bes. Haare)* touffe *f*, toupet, épi *m*; *(a. Federn)* houppe; *bes. ent* u. *el* aigrette *f*; **~entladung** *f el* décharge *f* en aigrette; **~feuerwerk** *n* bouquet *m*; **b~förmig** *a* en faisceau, en aigrette *a. el*, en touffe; *bot* fasciculé; **b~weise** *adv* par faisceaux, par touffes; **~wurzel** *f bot* racine *f* fasciculée.

Busen *m* ⟨-s, -⟩ ['bu:zən] *(weiblicher)* sein *m*, poitrine *f*; *fam* téton; *(Meerbusen)* golfe *m*, baie *f*; *fig (Innere, Herz)* cœur *m*; *e-e Schlange am ~ nähren (fig)* réchauffer un serpent dans son sein; **~ausschnitt** *m* décolleté *m*; **~freund** *m* ami *m* intime; **~nadel** *f* broche, épingle *f*.

Bussard *m* ⟨-s, -e⟩ ['busart, -də] *orn (Mäusebussard)* buse *f*.

Buß|e *f* ⟨-, -n⟩ ['bu:sə] *bes. rel* pénitence; *(Sühne)* expiation; *jur (Geldbuße)* amende *f*; *jdm e-e ~~ auferlegen (rel)* imposer *od* infliger une pénitence à qn; *jur* frapper qn d'une amende; *~~ predigen* prêcher la pénitence; *~~ tun* faire pénitence; **b~fertig** *a rel* pénitent; *(reuig)* repentant; *(zerknirscht)* contrit; **~fertigkeit** *f rel* pénitence; *(Reue)* repentance; *(Zerknirschung)* contrition *f*; **~prediger** *m* prédicateur *m* de carême; **~predigt** *f* sermon *m* de carême; **~psalmen** *m pl* psaumes *m pl* pénitentiaux; **~tag** *m (~- und Bettag)* jour *m* de pénitence et de prières.

büß|en ⟨*hat gebüßt*⟩ ['by:sən] *tr (sühnen)* expier; *itr* faire pénitence, porter la peine (*für etw* de qc); *für etw ~~ müssen* pâtir *od* être puni de qc; *etw mit s-m Leben ~~ müssen* payer qc de sa vie; *das sollst du mir ~~!* tu me le paieras cher! tu m'en rendras bon compte! **B~er(in *f*)** *m* ⟨-s, -⟩ pénitent, e *m f*; **B~erhemd** *n* haire *f*, cilice *m*; **B~ung** *f* ⟨-, ø⟩ expiation *f*.

Bussole *f* ⟨-, -n⟩ [bu'so:lə] *(Winkelmeßinstrument)* boussole *f*.

Büste *f* ⟨-, -n⟩ ['bʏstə] *(weibl. Brust)* buste, sein *m*, gorge *f*; *(Kunst)* buste *m*; *(großes Dekolleté)* balconnet *m*; **~nhalter** *m* soutien-gorge.

But|adien *n* ⟨-s, ø⟩ [butadi'en] *chem (ungesättigter gasförm. Kohlenwasserstoff)* butadiène *m*; **~an** *n* ⟨-s, ø⟩ [-'ta:n] *chem (gesättigter gasförm. Kohlenwasserstoff)* butane *m*; **~angas** *n* gaz butane, butagaz *m*.

Butt *m* ⟨-(e)s, -e⟩ [but] *zoo (Flunder)* flet *m*.

Bütte *f* ⟨-, -n⟩ ['bʏtə] *(hölzernes Gefäß)* cuve *f*, cuveau, baquet *m*, hotte; *(Rückentrage des Winzers)* hotte *f* de vigneron; **~npapier** *n* papier *m* à la cuve *od* à la main; *holländische(s) ~~* papier *m* de Hollande; **~nrand** *m*: *mit ~~ (Papier)* à la forme.

Buttel *f* ⟨-, -n⟩ ['butəl] = *Buddel*.

Büttel *m* ⟨-s, -⟩ ['bʏtəl] *(Gerichtsdiener)* huissier; *(Gefängniswärter)* geôlier; *(Häscher, Scherge)* sbire; *(Henkersknecht)* valet *m* de bourreau.

Butter *f* ⟨-, ø⟩ ['butər] beurre *m*; *mit ~ bestreichen* beurrer; *in ~ schwenken* faire sauter; *sich die ~ vom Brot nehmen lassen (fig fam)* se laisser manger la laine sur le dos; *es ist alles in ~ (fig fam)* l'affaire est dans le sac; *pop* ça roule; *braune, zerlassene ~* beurre *m* noir, fondu; **b~artig** *a* butyreux; **~birne** *f* beurré, doyenné *m*; **~blume** *f* (renoncule *f*) bouton-d'or *m*, renoncule *f* âcre; **~brot** *n* tartine (de beurre), beurrée *f*; *für ein ~~ (fig fam)* pour une bouchée de pain, au rabais; *~~e streichen* od *machen* tartiner; **~brötchen** *n* petit pain *m* beurré; **~brotpapier** *n* papier *m* à beurre *od* sulfurisé; **~dose** *f (Teller mit Deckel)* boîte *f* à beurre; *(ohne Deckel)* beurrier *m*; **~faß** *n (zum ~n)* baratte *f*; **~fett** *n chem* butyrine *f*; **~form** *f* moule *m* à beurre; **b~gelb** *a* beurre frais; **~keks** *m* petit beurre *m*; **~klumpen** *m* motte *f* de beurre; **~krem** *f* crème *f* au beurre; **~kuchen** *m* gâteau *m* au beurre; **~maschine** *f* machine à beurre *od* à baratter; baratte *f*; **~messer** *n* couteau *m* à beurre; **~milch** *f* lait de beurre, petit lait, babeurre *m*; **b~n** *itr* faire du beurre, battre le beurre, baratter; **~säure** *f* acide *m* butyrique; **~schmalz** *n* beurre *m* fondu (et refroidi); **~schnitte** *f* = *~brot*; **~stulle** *f fam* = *~brot*; **b~weich** *a* mou comme du beurre; *das ist ~~* on y entre comme dans du beurre.

Buty|lalkohol [bu'ty:l-] *m chem* alcool *m* butylique; **~rometer** [butyro'me:tər] *n (Fettgehaltmesser)* butyromètre *m*.

Butz *m* ⟨-en, -en⟩ [buts] *dial (Knirps)* nabot, *fam* mioche, marmot *m*; **~e** *f* ⟨-, -n⟩ *dial (Verschlag)* cagibi, réduit *m*; **~emann** *m* ⟨-s, -männer⟩ *(Kobold)* lutin, farfadet *m*; **~en** *m* ⟨-s, -⟩ *dial (Kerngehäuse)* trognon; *mines* nid *m* (de mineral); **~enscheibe** *f* vitre *f od* vitrail *m* en cul-de-bouteille; **~kopf** *m zoo* épaulard *m*.

Byzantin|er *m* ⟨-s, -⟩ [bytsan'ti:nər] Byzantin *m*; **b~isch** *a* byzantin; **~ismus** *m* ⟨-, ø⟩ [-ɪsmus] *(Kriecherei)* byzantinisme *m*; **Byzanz** [by'tsants] *n geog hist* Byzance *f*.

C

C, c *n* ‹-, -› [tse:] *(Buchstabe)* C, c *m; mus* do, ut *m;* **C-Dur** *n* do *od* ut *m* majeur; **c-Moll** *n* ut *m* mineur; **C--Schlüssel** *m* clef *f* d'ut.

Cachenez *n* ‹-, -› [kaʃ(ə)'ne: *pl* -'ne:s] *(Halstuch)* cache-nez *m.*

Cäcilie [tsɛ'tsi:liə] *f* Cécile *f.*

Caf|é *n* ‹-s, -s› [ka'fe:] *(Kaffeehaus)* café *m;* **~etier** *m* ‹-s, -s› [kafeti'e:] cafetier *m.*

Caisson *m* ‹-s, -s› [kɛ'sɔ̃:] *tech (Senkkasten)* caisson *m.*

Camembert *m* ‹-s, -s› ['kaməmbɛr, kamã'bɛ:r] *(Käsesorte)* camembert *m.*

camp|en ['kɛmpən] *itr fam (zelten)* camper, faire du camping; **C~ing** *n* ‹-s, ø› ['kɛmpɪŋ] camping *m;* **C~ingausrüstung** *f* matériel *m* de camping; **C~inggeschirr** *n* nécessaire *m* de camping; **C~ingplatz** *m* terrain de camping, camp *m;* **C~ingtisch** *m* table *f* de camping.

Candela *f* ‹-, -› [kan'de:la] *phys (Lichtstärkeeinheit)* bougie *f.*

Cäsar *m* ‹-en, -en› ['tsɛ:zar, tsɛ'za:rən] *hist* César *m;* **~entum** *n* ‹-s, ø› = *~ismus;* **~enwahn** *m* folie *f* des Césars; **c~isch** [-'za:-] *a* césarien; **~ismus** *m* ‹-, ø› [-za'rɪsmus] césarisme *m.*

Cäsium *n* ‹-s, ø› ['tsɛ:zium] *chem* césium *m.*

Catcher *m* ‹-s, -› ['kɛtʃər] *(Freistilringkämpfer)* catcheur *m.*

Cell|ist *m* ‹-en, -en› [tʃɛ'lɪst] *mus* violoncell(ist)e *m;* **~o** *n* ‹-s, -li/-s› ['tʃɛlo, -li] violoncelle *m.*

Cellophan *n* ‹-s, ø› [tsɛlo'fa:n] cellophane *f; in ~ verpackt* sous cellophane, cellophané.

Celsiusgrad *m* ['tsɛlzius-] *phys* degré *m* Celsius *od* centésimal.

Cembalo *n* ‹-s, -i/-s› ['tʃɛmbalo, -li] *mus* clavecin *m.*

ces *n* [tsɛs] *mus* ut *m* bémol; **C~-Dur** *n* ut *m* bémol majeur.

Ceylon *n* ['tsaɪlɔn] *geog* Ceylan *m;* **~ese** *m* ‹-n, -n› [-lo'ne:zə], **~esin** *f* Cing(h)alais, e *m f;* **c~esisch** *a* cing(h)alais; **~tee** *m* thé *m* de Ceylan.

Chagrin *n* ‹-s, ø› [ʃa'grɛ̃:] *(Narbenleder)* chagrin *m;* **c~ieren** [-gri'ni:rən] *tr* chagriner.

Chaiselongue *f* ‹-, -n› od *n* ‹-s, -s› [ʃɛz'lɔ̃:g] divan *m.*

Chamäleon *n* ‹-s, -s› [ka'mɛleɔn] *zoo* caméléon *m a. fig; fig (wetterwendischer Mensch)* girouette *f.*

chamois [ʃam'wa] *a (gemsfarben)* chamois.

Champagner *m* ‹-s, ø› [ʃam'panjər] vin de Champagne, champagne *m.*

Champignon *m* ‹-s, -s› ['ʃã:pɪnjɔ̃, ʃãpi'ɲɔ̃] *(Edelpilz)* champignon *m* de culture *od* de couche *od* de Paris.

Chance *f* ‹-, -n› ['ʃã:s(ə), -ən] chance *f; pl (Aussichten) a.* possibilités *f pl; mit gleichen ~n* à chances égales; *jdm e-e ~ geben* donner une chance à qn; *s-e letzte ~ nutzen* jouer sa dernière carte; *die ~ verpassen* manquer le coche *fam.*

Chansonette *f* ‹-, -n› [ʃãsɔ'nɛt(ə)] chanteuse (de variété *od* de café-concert), divette *f.*

Chao|s *n* ‹-, ø› ['ka:ɔs] chaos *m;* **c~tisch** [ka'o:tɪʃ] *a* chaotique.

Charakter *m* ‹-s, -e› [ka'raktər, -'te:rə] caractère *m; (Wesensart)* nature *f,* naturel, tempérament; *(Rang, Titel)* grade *m; e-n guten ~ haben (Mensch)* avoir bon caractère; *vertraulichen ~ haben (Unterredung)* être confidentiel; *ein Mann von ~* un homme de caractère; **~bild** *n* portrait *m* (moral); **~darsteller** *m theat* acteur *m* de rôles de caractère; **~eigenschaft** *f* qualité *f* de caractère; **~fehler** *m* défaut *m* de caractère; **c~fest** *a* d'un caractère ferme; **~festigkeit** *f* fermeté *f* de caractère; **c~isieren** [-teri'zi:rən] *tr (beschreiben)* caractériser, dépeindre, faire le portrait moral de; **~isierung** *f* caractérisation *f;* **~istik** *f* ‹-, -en› [-'rɪstɪk] caractéristique *f a. math; (Personenbeschreibung)* portrait *m* moral, peinture *f* de caractère; **~istikum** *n* ‹-s, -ka› [-'rɪstikum] trait *m* caractéristique; **c~istisch** *a* caractéristique; typique (*für etw* de qc); **~kopf** *m* figure *f* qui a du caractère; **~kunde** *f* caractérologie *f;* **c~lich** [-'rak-] *a* de caractère, caractériel; *adv: ~~ einwandfrei* d'un caractère impeccable; **c~los** *a* sans caractère; *(wankelmütig)* versatile; *~~ sein* manquer de caractère; **~losigkeit** *f* manque *m* de caractère; *(Wankelmut)* versatilité *f;* **~ologie** *f* ‹-,(-en)› [-terolo'gi:] = *~kunde;* **c~ologisch** [-'lo:gɪʃ] *a* caractérologique; **~rolle** *f theat* rôle *m* de composition; **~schilderung** *f* description *od* peinture *f* de caractère; **~schwäche** *f* faiblesse *f* de caractère; **~stärke** *f* force *f* de caractère; **c~voll** *a* de caractère; **~zug** *m* trait de caractère, trait *m* caractéristique.

Charg|e *f* ‹-, -n› ['ʃarʒə] *(Amt)* charge *f,* office, emploi; *mil (Dienstgrad)* grade *m; metal (Beschickung)* charge *f;* **c~ieren** [-'ʒi:rən] *tr metal (beschicken)* charger; **~ierte(r)** *m mil* (soldat *od* homme) gradé; *(e-r student. Verbindung)* membre *m* du comité.

charm|ant [ʃar'mant] *a* charmant, ravissant; **C~e** *m* ‹-s, ø› [ʃarm] charme *m,* appas *m pl.*

Charta *f* ‹-, -s› ['karta] *(Verfassungsurkunde)* charte *f; die ~ der Vereinten Nationen (von 1945)* la Charte des Nations Unies.

Charter|er *m* ‹-s, -› ['(t)ʃartərər] *mar* (commissionnaire) chargeur *m;* **c~n** *tr mar* affréter, prendre à fret, noliser; **~(partie** *f od* **-vertrag)** *m com mar* contrat *m* d'affrètement.

Chassis *n* ‹-, -› [ʃa'si:] *mot radio* châssis *m.*

Chauff|eur *m* ‹-s, -e› [ʃɔ'fø:r] chauffeur, conducteur *m;* **c~ieren** [-'fi:rən] *tr* u. *itr mot* conduire.

Chaussee *f* ‹-, -n› [ʃɔ'se:, -ən] *(Landstraße)* chaussée, (grand-)route *f;* **~graben** *m* fossé *m* de (la) route.

Chauvin|ismus *m* ‹-, ø› [ʃovi'nɪsmus] *(überspitzter Nationalismus)* chauvinisme *m;* **~ist** *m* ‹-en, -en› [-'nɪst] chauvin *m;* **c~istisch** *a* chauvin.

Chef *m* ‹-s, -s› [ʃɛf] chef *a. mil; (e-r Firma)* patron; *arg* singe *m; ~ vom Ganzen (fam)* patron *m* de la barque; *~ des Protokolls* chef *m* du protocole; *~ des Stabes (mil)* chef *m* d'état-major; **~arzt** *m* médecin en chef, médecin-chef *m;* **~dolmetscher** *m* interprète *m* en chef; **~in** *f* patronne; *fam* chef(f)esse *f;* **~ingenieur** *m* ingénieur *m* en chef; **~pilot** *m aero* chef-pilote *m;* **~redakteur** *m* rédacteur *m* en chef.

Chem|ie *f* ‹-, ø› [çe'mi:] chimie *f; analytische, synthetische ~~* chimie *f* analytique, synthétique; *angewandte ~~* chimie *f* appliquée; *anorganische ~~* chimie *f* minérale; *organische ~~* chimie *f* organique; *physikalische ~~* physico-chimie *f; technische ~~* chimie *f* technologique *od* industrielle; **~iefaser** *f* fibre *f* synthétique; **~ieschule** *f* école *f* de chimie; **~iewerte** *m pl fin* valeurs *f pl* chimiques; **~igraph** *m* ‹-en, -en› [-mi'gra:f] *typ (Hersteller)* acido-graveur *m;* **~igraphie** *f* ‹-, ø› [-gra'fi:] *f typ* acido-gravure *f;* **~ikalien** *f pl* [-mi'ka:liən] produits *m pl* chimiques; **c~ikalienfest** *a* résistant aux agents chimiques; **~iker** *m* ‹-s, -› ['çe:mikər] chimiste *m;* **c~isch** ['çe:mɪʃ] *a* chimique, de chimie; *auf ~~em Wege* chimiquement; *~~ reinigen* nettoyer à sec; *~~ untersuchen* faire l'analyse chimique (*etw* de qc); *~~e(r) Aufbau m* structure *f* chimique; *~~e Fabrik f* usine *od* fabrique *f* de produits chimiques; *~~e Formel f* formule *f* chimique *od* de constitution; *~~e(r) Krieg m* guerre *f* chimique; *~~e(s) Laboratorium n* laboratoire *m* de chimie; *~~-physikalisch a* chimico-physique; *~~ rein* chimiquement pur; *~~e Reinigung f* nettoyage *m* à sec; *~~e Technologie f* chimie *f* technologique; *~~e Untersuchung f* analyse *f* chimique; *~~e Verbindung f (Vorgang)* combinaison *f* chimique; *(Produkt)* combiné *m* chimique; *~~e Waffe f* arme *f* chimique; **~ismus** *m* ⟨-, ø⟩ [çe'mɪsmus] *(chemische Vorgänge)* réactions *f pl* chimiques; **c~otherapeutisch** [çemo-] *a med* chimiothérapeutique; **~otherapie** *f med* chimiothérapie *f.*

Cherub *m* ⟨-s, -bim/-binen⟩ ['çe:rup, 'çe:rubi:m, çeru'bi:nən] *rel* chérubin *m.*

Chester(käse) *m* ['tʃɛstər-] chester *m.*

Chiasmus *m* [çi'asmus] chiasme *m.*

Chicorée *f* ⟨-, ø⟩ [ʃiko're] endive *f.*

Chiffr|e *f* ⟨-, -n⟩ ['ʃɪfər] *(Kennziffer, -wort; Geheimschrift)* chiffre; *(Anzeige)* numéro *m; unter der ~~ ...* aux initiales..., sous la rubrique...; **~eadresse** *f* adresse *f* chiffrée; **~e-nummer** *f (e-r Anzeige)* numéro *m;* **~etelegramm** *n* télégramme *m* chiffré; **~ierabteilung** [-'fri:r-] *f mil* (section *f* du) chiffre *m;* **c~ieren** [-'fri:rən] *tr (verschlüsseln)* chiffrer, écrire en chiffre; **~ierer** *m* chiffreur *m* ⟨-s, -⟩ ; **~ierkunst** *f* cryptographie *f;* **~iermaschine** *f* machine *f* à chiffrer; **~ierschlüssel** *m* code *m;* **c~iert** *a* chiffré; **~ierung** *f* ⟨-,(-en)⟩ chiffrage, chiffrement *m;* **~ierverfahren** *n* procédé *m* de chiffrement; **~ierwesen** *n* chiffre *m.*

Chile *n* [çi:le, 'tʃi:le] le Chili; **~ne** *m* ⟨-n, -n⟩ [-'le:-] , **~nin** *f* Chilien, ne *m f;* **c~nisch** *a* chilien; **~salpeter** *m chem* salpêtre *m* du Chili.

Chiliasmus *m* ⟨-, ø⟩ [çili'asmus] *rel* chiliasme *m.*

Chin|a *n* ['çi:na] la Chine; **~apapier** *n* papier *m* de Chine; **~ese** *m* ⟨-n, -n⟩ [-'ne:zə] , **~esin** *f* Chinois, e *m f;* **c~esisch** *a* chinois, de (la) Chine; *die C~e Mauer* la Muraille de Chine; *~~e Tusche f* encre *f* de Chine.

Chin|arinde(nbaum *m***)** *f* ['çi:na-] quinquina *m;* **~in** *n* ⟨-s, ø⟩ [çi'ni:n] *pharm* quinine *f.*

Chiro|mant *m* ⟨-en, -en⟩ [çiro'mant] *(Handliniendeuter)* chiromancien *m;* **~mantie** *f* ⟨-, ø⟩ [-'ti:] chiromancie *f;* **~praktik** *f med* chiropractie, chiropraxie *f;* **~praktiker** *m* chiropracteur *m.*

Chirurg *m* ⟨-en, -en⟩ [çi'rurk, -gən] chirurgien, opérateur *m;* **~ie** *f* ⟨-, -n⟩ [-'gi:] chirurgie, médecine *f* opératoire; **c~isch** [-'rurg-] *a* chirurgical, chirurgique; *~~e(r) Eingriff m* intervention *f* chirurgicale; *~~e(s) Krankenhaus n* centre *m* de traumatologie.

Chlor *n* ⟨-s, ø⟩ [klo:r] *chem* chlore *m;* **~al** *n* ⟨-s, ø⟩ [klo'ra:l] chloral *m;* **~alhydrat** *n pharm* hydrate *m* de chloral; **~at** *n* ⟨-(e)s, -e⟩ [-'ra:t] chlorate *m;* **c~en** *tr* chlorurer; **c~haltig** *a* chloré; **~hydrat** *n* chlorhydrate *m;* **~id** *n* ⟨-(e)s, -e⟩ [-'ri:t, -də] chlorure *m;* **c~ieren** [-'ri:rən] *tr = c~en;* **c~ig** *a* chloreux; **~it** *m* ⟨-(e)s, -e⟩ [-'ri:t, -'rɪt] *min* chlorite *m;* **~kalium** *n* chlorure *m* de potassium; **~kalk** *m* chlorure de chaux, chlore *m* en poudre; **~kalzium** *n* chlorure *m* de calcium; **~natrium** *n (Kochsalz)* chlorure *m* de sodium; **~oform** *n* ⟨-s, ø⟩ [-ro'fɔrm] chloroforme *m;* **c~oformieren** [-'mi:rən] *tr* chloroform(is)er; **~oformmaske** *f* masque *m* anesthésique; **~ophyll** *n* ⟨-s, ø⟩ [-'fʏl] *bot (Blattgrün)* chlorophylle *f;* **~ose** *f* ⟨-, n⟩ [-'ro:zə] *med (Bleichsucht)* chlorose *f;* **~säure** *f* acide *m* chlorique; **~wasserstoff** *m* acide *m* chlorhydrique.

Chol|era *f* ⟨-, ø⟩ ['ko:lera] *med* choléra *m;* **~erabazillus** *m* vibrion *m* cholérique; **~eraepidemie** *f* épidémie *f* de choléra; **~erakranke(r** *m***)** *f* cholérique *m f;* **~eriker** *m* ⟨-s, -⟩ [ko'le:rikər] *(Jähzorniger)* colérique *m;* **c~erisch** [-'le:-] *a* colérique, coléreux; *(sehr reizbar)* bilieux, irascible, irritable; **~esterin** *n* ⟨-s, ø⟩ [çoleste'ri:n] *physiol (Gallenfett)* cholestérol *m,* cholestérine *f.*

Chor 1. *m od n* ⟨-(e)s, ¨-e⟩ [ko:r, 'kø:rə] *mus theat* chœur *m; im ~* en chœur; *im ~ sprechen* faire chorus; **2.** *m, a. n* ⟨-(e)s, -e/¨-e⟩ *arch rel* chœur *m;* **~al** *m* ⟨-s, ¨-e⟩ [ko'ra:l, -'rɛ:lə] choral, cantique *m,* hymne *f;* **~eograph** *m* ⟨-en, -en⟩ [-reo'gra:f] chorégraphe *m;* **~eographie** *f* ⟨-, -n⟩ [-gra'fi:] *(Tanzbeschreibung, -entwurf)* chorégraphie *f;* **~gesang** *m mus* chœur *m; rel* plain-chant *m;* **~gestühl** *n* stalles *f pl;* **~hemd** *n rel* surplis; *(e-s Bischofs)* rochet *m;* **~herr** *m rel* chanoine *m;* **~knabe** *m* enfant de chœur, clergeon *m;* **~leiter** *m* directeur du chœur, *rel* chantre *m;* **~pult** *n* lutrin *m;* **~rock** *m rel* habit *m* de chœur, chape *f;* **~sänger** *m* choriste *m;* **~umgang** *m arch rel* déambulatoire *m.*

Chrestomathie *f* ⟨-, -n⟩ [krɛstoma'ti:] *(Lesebuch)* chrestomathie *f.*

Christ *m* ⟨-en, -en⟩ [krɪst] chrétien *m;* **~abend** *m* veille *f* de Noël; **~baum** *m* arbre *m* de Noël; *aero mil* bombe *f* éclairante à parachute; **~baumschmuck** *m* décor *m* d'arbre de Noël; **~baumständer** *m* support *m* pour arbres de Noël; **~birne** *f* bon-chrétien *m;* **~enheit** *f* ⟨-, ø⟩ chrétienté *f;* **~enpflicht** *f* devoir *m* de chrétien; **~entum** *n* ⟨-, ø⟩ christianisme *m; zum ~~ bekehren* christianiser; **~enverfolgung** *f* persécution *f* des chrétiens; **~fest** *n* Noël *m;* **~kind** *n* petit Noël *m; das ~~ (Jesus selbst)* l'enfant Jésus; **c~lich** *a* chrétien; *C~-Demokratische Union* (Abk.: CDU) Union *f* chrétienne démocrate; *C~~e(r) Verein Junger Männer* Union *f* Chrétienne de Jeunes Gens; *die C~~e Wissenschaft (Sekte)* la Science Chrétienne; *die ~~e Zeitrechnung* l'ère *f* chrétienne; **~messe** *f,* **~mette** *f* messe *f* de minuit; **~nacht** *f* nuit *f* de Noël; **~oph** [-tɔf] *m (Vorname)* Christophe *m;* **~rose** *f bot* rose *f* de Noël, ellébore *m* (noir); **~tag** *m* (jour de) Noël *m;* **~us** ['krɪstus] *m* Jésus-Christ *m,* le Christ; *vor, nach ~i Geburt* avant, après Jésus-Christ; *er sieht aus wie das Leiden ~i* il a une tête d'enterrement.

Chrom *n* ⟨-s, ø⟩ [kro:m] *chem* chrome *m;* **~at** *n* ⟨-(e)s, -e⟩ [kro'ma:t] chromate *m;* **~atik** *f* ⟨-, ø⟩ [-'ma:tɪk] *(Farbenlehre, mus)* chromatique *f;* **~atin** *n biol* chromatine *f;* **c~atisch** [-'ma:-] *a (farbig, mus)* chromatique; *~~e Tonleiter f (mus)* gamme *f* chromatique; **~eisenstein** *m = ~it;* **c~gelb** *a* jaune de chrome; **c~haltig** *a* chromé; **~it** *m* ⟨-s, -e⟩ [-'mi:t, -'mɪt] *min* chromite *f;* **~leder** *n* cuir *m* chromé; **~nickelstahl** *m* acier chromé au nickel, nichrome *m;* **~olithographie** *f typ (Farbensteindruck)* chromo(lithographie *f*) *m;* **~osom** *n* ⟨-s, -en⟩ [-mo'zo:m] *biol* chromosome *m;* **~otypie** *f typ (Farbendruck)* chromotyp(ograph)ie *f;* **~salz** *n* sel *m* chromique; **~säure** *f* acide *m* chromique; **~stahl** *m* acier *m* chromé.

Chron|ik *f* ⟨-, -en⟩ ['kro:nɪk] chronique *f; die Bücher der ~~ (rel)* les Chroniques *f pl;* **c~isch** *a bes. med* chronique; *~~e(r) Charakter m (med)* chronicité *f;* **~ist** *m* ⟨-en, -en⟩ [kro'nɪst] chroniqueur *m;* **~ograph** *m* ⟨-en, -en⟩ [-'gra:f] *tech (Zeitschreiber)* chronographe *m;* **~ographie** *f* ⟨-, -n⟩ [-'fi:] *(Geschichtsschreibung nach der Zeitenfolge)* chronographie *f;* **c~ographisch** [-'gra:-] *a* chronographique; **~ologie** *f* ⟨-, -n⟩ [-nolo'gi:] *(Zeitrechnung, -folge)* chronologie *f;* **c~ologisch** [-'lo:-] *a* chronologique; **~ometer** *n (m)* ⟨-s, -⟩ [-'me:tər] *(Zeit-* od *Taktmesser)* chronomètre *m.*

Chrys|antheme *f* ⟨-, -n⟩ [kryzan'te:mə], **~anthemum** *n* ⟨-s, -men⟩ [çry'zantemum, -'te:mən] *bot* chrysanthème *m;* **~oberyll** *m min* chrysobéryl *m;* **~olith** *m* ⟨-s/-en, -e(n)⟩ [-zoli:t, -'lɪt] *min* chrysolithe *f;* **~opras** *m* ⟨-es, -e⟩ [-pra:s, -zə] *min* chrysoprase *f.*

Cicero *m* ['tsi:-, 'tsitsero] *hist* Cicéron *m; f* ⟨-, -⟩ *typ (Schriftgrad)* cicéro *m.*

Cinerama *n* ⟨-, ø⟩ [sine'ra:ma] *film (Vorführung mit drei Projektoren)* cinérama *m.*

circ|a ['tsɪrka] *adv* environ, à peu près; **C~ulus vitiosus** *m* ⟨-, Circuli vitiosi⟩ ['tsɪrkulus vitsi'o:zus] *(Teufelskreis)* cercle *m* vicieux.

cis *n* ⟨-, -⟩ [tsɪs] *mus* ut *m* dièse; **C~-Dur** *n* ut *m* dièse majeur; **~-Moll** *n* ut *m* dièse mineur.

Claqu|e *f* ⟨-, ø⟩ [klak(ə)] *theat (die Claqueure)* claque *f;* **~eur** *m* ⟨-s, -e⟩ [-'kø:r] claqueur *m.*

Clearing *n* ⟨-s, -s⟩ ['kli:rɪŋ] *fin (Ausgleich)* clearing *m,* compensation *f;* **~abkommen** *n* accord *m* de clearing; **~forderungen** *f pl* créances *f* *pl* de clearing; **~schulden** *f pl* dettes *f pl* de clearing; **~verkehr** *m* opérations *od* transactions *f pl* de clearing.

Clinch *m* ⟨-(e)s, ø⟩ [klın(t)ʃ] *sport* clinch, accrochage *m.*

Clique *f* ⟨-, -n⟩ ['klıkə] clique, coterie *f,* clan *m;* **~nwesen** *n,* **~nwirtschaft** *f* régime *m* de clique *od* de coterie.

Clou *m* ⟨-s, -s⟩ [klu:] *(Glanz-, Höhepunkt)* clou *m.*

Clown *m* ⟨-s, -s⟩ [klaun] clown, paillasse; *fam* gugusse *m.*

Cocktail *m* ⟨-s, -s⟩ ['kɔkte:l] cocktail *m;* **~kleid** *n* robe *f* de cocktail; **~party** *f* cocktail *m.*

Comer See ['ko:mər -] *der* le lac de Côme.

Conférencier *m* ⟨-s, -s⟩ [kõferãsi'e:] *(Ansager)* présentateur, animateur *m.*

Container *m* ⟨-s, -⟩ [kɔn'te:nər] *(Großbehälter)* (gros) container *m.*

Corpus delicti *n* ⟨--, -ra delicti⟩ ['kɔrpus, 'kɔrpora de'lıkti] *jur* corps *m* du délit.

Couch *f* ⟨-, -es⟩ [kautʃ] divan *m;* ~ *mit Regal* cosy-corner *m.*

Couplet *n* ⟨-s, -s⟩ [ku'ple:] *theat* couplet *m,* chanson(nette) *f.*

Coupon *m* ⟨-s, -s⟩ [ku'põ:] *fin (Abschnitt)* coupon, talon *m,* souche *f; (Zinsschein)* coupon *m* d'intérêt; *~s abschneiden* détacher des coupons; **~bogen** *m com* feuille *f* de coupons.

Cour *f* ⟨-, ø⟩ [kuir] *jdm die ~ (den Hof) machen* faire la cour à qn, courtiser qn; **~macher** *m* joli cœur *m.*

Courage *f* ⟨-, ø⟩ [ku'ra:ʒə] *fam* crânerie *f,* cran, courage *m; Angst vor der eigenen ~ haben (fam)* n'avoir pas *od* manquer de courage.

Courtage *f* ⟨-, -n⟩ [kur'ta:ʒə] *(Maklergebühr)* courtage *m;* **~satz** *m* taux *m* de courtage.

Cousin *m* ⟨-s, -s⟩ [ku'zɛ̃:] *(Vetter)* cousin *m;* **~e** *f* ⟨-, -n⟩ [-'zi:nə] *(Base)* cousine *f.*

Cowboy *m* ⟨-s, -s⟩ ['kaubɔʏ] cow-boy *m.*

Creme *f* ⟨-, -s⟩ [krɛ(e):m] crème *f a. fig; die ~ (fig) (das Beste)* le fin du fin; **~farbe** *f,* **c~farben** *a* couleur *(f)* crème; **~törtchen** *n* (petit) gâteau *m* à la crème; **~torte** *f* gâteau *m* à la crème.

Cur|ie *n* ⟨-, -⟩ [kʏ'ri:] *phys (Maßeinheit der Radioaktivität)* curie *m;* **~ium** *n* ⟨-s, ø⟩ ['ku:rium] *chem* curium *m.*

Cut|(away) *m* ⟨-s, -s⟩ ['ka-, 'kœtəwe] jaquette *f;* **~ter** *m* ⟨-s, -⟩ [-tər] *film (Schnittmeister)* monteur *m.*

D

D, d *n* ‹-, -› [de:] *(Buchstabe)* D, d *m; mus* ré *m;* **D-Dur** *n* ré *m* majeur; **d-Moll** *n* ré *m* mineur.

da [da:] **1.** *adv (örtlich)* là, y; *(hier)* ici; ~ *und* ~ à tel (et tel) endroit; *hier und* ~, ~ *und dort* ça et là; par-ci, par-là; de loin en loin; *von* ~ *und dort* de côté et d'autre; ~ *bin ich* me voilà; me voici; (je suis) présent; *ich bin gleich wieder* ~ je reviens tout de suite *od* à l'instant; ~ *ist* od *sind* ... voilà ...; *wer* ~*?* qui va là? *mil* qui vive? ~ *bist du ja!* ah, te voilà! ~*!* ~ *hast du's!* tiens! tenez! voilà! *sieh* ~*!* tiens! tenez! voyez (donc)! *he, Sie* ~*!* *(Anruf)* eh vous, là-bas! *nichts* ~*!* que non! jamais de la vie! *pop* bernique! *das Buch* ~ ce livre-là, le (livre) que voilà; **2.** *adv (zeitlich)* à ce moment; alors; en ce temps(-là); *von* ~ *ab* od *an* dès *od* depuis lors, à partir de ce moment(-là); ~ *siehst du* ... tu vois maintenant ...; ~ *haben wir's!* nous y voilà! ça y est! ~ *haben wir den Salat! (fam)* c'est le bouquet! **3.** *adv (in diesem Fall, in dieser Lage)* alors, en ce cas, dans cette situation *od* ces circonstances; **4.** *conj (kausal)* comme; *(im Nachsatz)* parce que; ~ *doch,* ~ *ja* puisque, étant donné que, attendu que, vu que; ~ *dem so ist* puisqu'il en est ainsi; cela étant.

dabei [da'baı, 'da:bai] *adv (örtlich)* (tout) près, auprès; *(mit* ~*)* de la partie; *(bei dieser Gelegenheit)* à cette occasion, à ce propos; *(übrigens, außerdem)* avec cela, en outre, de *od* en plus; en même temps; *(doch)* cependant, pourtant; *es* ~ *bewenden lassen,* ~ *bleiben* od *verharren (bei e-r Meinung)* en rester là, s'en tenir là; ~ *bleiben, daß* persister à dire que; *nichts Böses* ~ *denken* ne pas penser à mal; ~ *sein zu* ... être en train de ... *od* occupé à ...; = ~*sein; ich befinde mich* od *mir ist wohl* ~ je m'en trouve bien; *ich bin* ~*!* je suis de la partie, j'en suis; *ich kann nichts* ~ *finden* quel mal à cela? ~ *komme ich zu kurz* je n'y trouve pas mon compte; *ich verliere nichts* ~ je n'y perds rien; *das Gute* ~ *ist* ... ce qu'il y a de bon, c'est ...; *das ist das Gute, Schlimme* ~ c'est le bon, mauvais côté de la chose; *es bleibt* ~ c'est entendu; ~ *kommt nichts heraus* il n'en sortira rien (de bon), cela ne mène *od* sert à rien; *es ist nichts* ~ il n'y a rien là-dedans; *(das ist nicht schwer)* ça va (bien); *(das macht nichts)* cela ne fait rien; *was ist (denn) (schon)* ~*!* *(fam)* quel mal *od* danger y a-t-il? où est le mal? **~=bleiben** *itr (nicht weggehen)* rester (là); **~=sein** *itr: (mit)* ~~ y être (présent), participer, en être, être de la partie *od* de la fête; *(beim Unterricht)* faire attention; *überall* ~~ être de toutes les fêtes *od* sorties; **~=sitzen** *itr* être assis auprès; **~=stehen** *itr* se tenir *od* être debout auprès.

da=bleiben *itr* rester (là); *(Schule: nachsitzen)* être en retenue; *Sie können ruhig* ~ *(fam)* vous n'êtes pas de trop.

Dach *n* ‹-s, ¨er› [dax, 'dɛçər] toit *m;* *(Bedachung)* toiture, couverture *f;* *(~stuhl)* comble *m; unterm* ~ au grenier; *unter* ~ *und Fach (fig)* à l'abri, à couvert; *das* ~ *abdecken* enlever la toiture; *unter* ~ *bringen (Bau)* couvrir; *(Ernte)* rentrer; *unter* ~ *und Fach bringen* mettre à l'abri; *das* ~ *decken* couvrir le bâtiment *od* la maison; *kein* ~ *über dem Kopf haben* (n')avoir ni feu ni lieu, être sans feu ni lieu; *unter* ~ *und Fach kommen* trouver un abri *od* un gîte; *eins aufs* ~ *kriegen (fig fam)* recevoir une taloche; se faire rabrouer, essuyer une remontrance; *jdm aufs* ~ *steigen (fig fam)* laver la tête *od* frotter les oreilles à qn; *mit jdm unter e-m* ~ *wohnen* habiter sous le même toit que qn; *die Spatzen pfeifen es von den Dächern* c'est un secret de Polichinelle; *flache(s)* ~ toit *m* plat *od* en terrasse; *zurückschiebbare(s)* ~ *(mot)* toit *m* ouvrant; **~antenne** *f radio* antenne *f* extérieure; **~aufsatz** *m arch* lanterne *f; (kleiner)* lanterneau *m;* **~balken** *m* entrait *m; pl* charpente *f;* **~belag** *m* couverture, toiture *f;* **~binder** *m* *(~stuhl)* ferme *f;* **~boden** *m* grenier *m;* **~bodenraum** *m* local *m* sous toiture; **~decker** *m* couvreur *m;* **~dekkerarbeiten** *f pl* travaux *m pl* de couverture; **~fenster** *n* lucarne *f; (rundes)* œil-de-bœuf *m;* **~first** *m* faît(ag)e *m;* **~garten** *m* jardin-terrasse, jardin *m* suspendu; **~gepäckträger** *m mot* galerie *f* (porte-bagages); **~geschoß** *n* combles *m pl; (ausgebautes)* étage *m* mansardé; **~gesellschaft** *f com* holding *m;* **~gesims** *n* corniche *f* du toit; **~hase** *m hum (Katze)* lapin *od* lièvre *m* de gouttière; **~kammer** *f* chambre mansardée, mansarde *f; pej* galetas *m;* **~latte** *f* latte carrée *od* de toit(ure); **~luke** *f* lucarne, (fenêtre à) tabatière *f;* **~organisation** *f fin com* organisation *f* de contrôle; **~pappe** *f* carton-pierre, carton *od* papier *m* goudronné; **~pfanne** *f* tuile *f* flamande; **~reiter** *m arch* clocheton *m,* tour(elle) *f* du transept; **~rinne** *f* gouttière *f,* chéneau *m;* **~schichten** *f pl mines* bas-toit *m;* **~schräge** *f* pan *m* de comble; **~schwalbe** *f* hirondelle *f* de fenêtre; **~sparren** *m* chevron *m;* **~stroh** *n* chaume *m;* **~stübchen** *n: nicht ganz richtig im* ~~ *sein (fig fam)* avoir le timbre fêlé, avoir une araignée au plafond; **~stube** *f* = *~kammer;* **~stuhl** *m* comble(s *pl*) *m,* ferme *f;* **~stuhlbrand** *m* incendie *m* de comble; **~wohnung** *f* logement *m* mansardé; *fam* pigeonnier *m;* **~ziegel** *m* tuile *f.*

Dachs *m* ‹-es, -e› [daks] *zoo* blaireau *m; freche(r)* ~ *(Mensch)* insolent *m; junge(r)* ~ *(fig fam: Milchbart)* jeune barbe *f;* **~bau** *m* terrier *m* de blaireau; **~haarpinsel** *m* (véritable) blaireau *m;* **~hund** *m* = *Dackel.*

Dackel *m* ‹-s, -› ['dakəl] basset *m.*

Dadaismus *m* ‹-, ø› [dada'ısmus] dadaïsme *m.*

dadurch ['da:-; da'durç] *adv (örtlich)* par(-)là; *(Mittel, Art u. Weise)* par là, par cela, par ce moyen, de cette façon *od* manière, (c'est) ainsi (que); ~, *daß (conj)* étant donné que, du fait que; *(bei gleichem Subjekt in Haupt- und Nebensatz Gerundium:) er rettete sich* ~, *daß er aus dem Fenster sprang* il se sauva en sautant par la fenêtre.

dafür ['da:-; da'fy:r] *adv allg* pour cela; à cela, de cela; y, en; *(zum Ersatz)* en échange, en revanche; *(als Gegenleistung)* en retour; *(zum Lohn)* en récompense; *(aber)* ~ mais; ~, *daß* pour *inf;* ~ *sein* approuver; ~ *oder dagegen sein* être pour ou contre; ~ *sorgen, daß* avoir soin de *od* que; veiller à ce que; *ich bin* ~, *daß* je suis d'avis que *subj; ich bürge* ~, *ich stehe* ~ j'en réponds; *ich halte ihn* ~ je le tiens pour tel *od* crois tel; *ich werde* ~ *sorgen* j'y pourvoirai; *er wird* ~ *gehalten, man hält ihn* ~ il passe pour tel; *was geben Sie* ~*?* qu'en donnez-vous? *sind Sie* ~*?* est-ce votre avis? approuvez-vous cela? *wer kann etwas* ~*?* à qui la faute? *alles spricht* ~, *daß* tout semble indiquer que; **~=halten** *itr (meinen)* être d'avis; **D~halten** *n* opinion *f; nach meinem* ~~ à mon avis, selon moi; **~=können** *itr: ich kann nichts* ~ je n'y puis rien, je n'y suis pour rien, ce n'est pas ma faute; je n'en puis mais.

dagegen ['da:-; da'ge:gən] *adv allg* contre cela; à cela, y; *(im Vergleich dazu)* en comparaison, en regard, auprès de cela, au prix de cela; *(als Gegenleistung, zum Ersatz)* en retour, en échange, en revanche, en compensation; *(hingegen, indessen)* par contre, au contraire, d'autre part; *etwas ~ haben* n'être pas d'accord; *nichts ~ haben* n'avoir rien contre, ne pas s'y opposer; ne pas (y) voir d'inconvénient; *~ handeln od verstoßen* y contrevenir; *~ sein* être contre, être d'(un) avis contraire, s'y opposer; *~ stoßen* (se) heurter contre, donner *od* entrer *od* rentrer dedans; *nichts ~ tun können* ne rien pouvoir faire contre; *ich habe nichts ~ (a.)* je veux bien; *wenn Sie nichts ~ haben (a.)* si vous voulez (bien me le permettre); *~ hilft nichts, ~ ist kein Kraut gewachsen* il n'y a pas de remède à cela, il n'y a rien à faire; *~ handeln* od *~ wirken* contrebattre, s'opposer (à); **~≈halten** *tr (damit vergleichen)* comparer (à cela); *(einwenden)* opposer, rétorquer.

daheim [da'haım] *adv* chez moi, toi *etc;* à la maison; *(in der Heimat)* dans mon, ton *etc* pays; *~ bleiben* od *sein* rester chez soi, être à la maison *od* au logis; *sich wie ~ fühlen* se sentir chez soi; *in etw ~ (bewandert) sein (fam)* être versé dans, *fam* ferré sur qc; *tun Sie, wie wenn Sie ~ wären!* faites comme chez vous; *~ ist es am besten (prov)* on n'est nulle part si bien que chez soi; **D~** *n* ‹-s, ø› chez-soi, foyer, intérieur *m.*

daher ['da:-; da'he:r] *adv (örtlich)* de là, de ce côté(-là); *(kausal)* de là, d'où *(am Satzanfang); das kommt ~, daß* od *weil ...* cela vient de ce que ...; *~ die Aufregung!* d'où l'excitation! *conj (deshalb)* c'est pourquoi, pour cette raison, à cause de cela, par conséquent; *(~ auch)* aussi *(am Satzanfang mit Inversion);* **~≈kommen** *itr* venir, arriver; **~≈reden** *tr* parler sans réfléchir; *itr: dumm ~~* débiter des sottises.

dahin ['da:-; da'hın] *adv (örtlich)* là-(-bas), vers cet endroit(-là); y; *bis ~* jusque là, d'ici là; *(zeitlich: bis ~)* d'ici là, jusqu'alors, jusqu'à ce moment-là; *(vergangen)* passé; *(weg)* parti; *(verloren)* perdu; *(tot)* mort; *fam (futsch)* fichu; *sich ~ äußern* s'exprimer en ce sens; *es ~ bringen, daß ...* arriver, parvenir, réussir à *inf; jdn ~ bringen, daß er ...* amener qn à *inf; etw (so) ~ sagen* venir à dire qc; *~ geh ich nie mehr* od *wieder* je n'y retournerai jamais (plus); *meine Meinung geht ~, daß ...* je suis d'avis que ..., j'incline à croire que ...; *~ gehen* od *zielen meine Wünsche* c'est à quoi tendent mes désirs; *es ist alles ~* tout est fini; *das steht ~* ce n'est pas certain; *~ ist es (nun* od *also) gekommen!* c'est là que les choses en sont venues! on en est donc arrivé là! **~≈dämmern** *itr* somnoler; **~≈eilen** *itr,* **~≈fliegen** *itr (Zeit)* passer rapidement; fuir; **~≈gehen** *itr (Zeit)* passer, fuir; **~≈gehend** *adv (sich äußern)* en ce sens; **~≈leben** *itr (in den Tag hinein)* se laisser vivre; *kümmerlich ~~* végéter, *fam* vivoter; **~≈raffen** *tr* emporter, enlever, faucher, moissonner; **~≈rasen** *itr* filer (à toute allure), aller un train d'enfer; **~≈schwinden** *itr* s'en aller en fumée, (s'en) aller à vau-l'eau; **~≈siechen** *itr* dépérir, aller en dépérissant; **~≈stellen** *tr: ~gestellt sein lassen* laisser en suspens, ne pas se prononcer sur; *das mag ~gestellt bleiben* passons là-dessus; **~≈welken** *itr* se faner, se flétrir.

dahint|en ['da:-; da'hıntən] *adv* là-bas (derrière); **~er** *adv* (là-)derrière; *viel Aufhebens und nichts ~~ fam* du vent! de l'esbroufe! **~er≈kommen** *itr fam (in Erfahrung bringen)* trouver le joint, éventer la mèche, découvrir le pot aux roses; **~er≈stecken** *itr: da* od *es steckt etwas ~er* il y a quelque chose dessous, il y a anguille sous roche; *da* od *es steckt nichts ~er* il n'y a rien derrière.

Dahlie *f* ‹-, -n› ['da:liə] *bot* dahlia *m.*

Daktylus *m* ‹-, len› ['daktylus, -'ty:lən] *(Versfuß)* dactyle *m.*

dalli ['dali] *adv fam: (aber) ~! ~, ~!* dare-dare! et au galop! et que ça saute!

Dalmat|ien *n* [dal'matsiən] *geog* la Dalmatie; **~ika** *f* ‹-, -ken› [-'ma:tika] *rel* dalmatique *f;* **~iner(in *f*)** *m* ‹-s, -› [-ma'ti:nər] Dalmate *m f;* **d~(in)isch** *n* dalmate.

damal|ig ['da:ma:lıç] *a* d'alors, de ce temps-là, de cette époque-là; **~s** *adv* alors; en ce temps-là, à cette époque; *schon ~~* dès lors; *seit ~~* depuis lors.

Damas|kus *n* [da'maskus] *geog* Damas *m;* **~t** *m* ‹-(e)s, -e› [-'mast] *(Textil)* damas *m;* **~tarbeit** *f* damassure *f;* **d~ten** *a (aus Damast)* de damas, damassé; **~tleinwand** *f* damassé *m;* **~tmuster** *n* damassure *f;* **~tweber** *m* damasseur *m;* **~tweberei** *f* damasserie *f;* **~zenerklinge** *f* damas *m;* **~zenerstahl** *m* (acier) damassé *m;* **d~zieren** [-'tsi:rən] *tr (Stahl, Stoff)* damasquiner.

Dämchen *n* ‹-s, -› ['dɛ:mçən] *fam pej* petite dame; péronnelle *f.*

Dame *f* ‹-, -n› ['da:mə] dame *f (a. im Dame-, Schach- u. Kartenspiel); e-e ~ bekommen (im Spiel)* aller à dame; *~ (das Spiel) spielen* jouer aux dames; *die (große) ~ spielen* faire la grande dame, jouer à la madame; *meine ~n und Herren!* mesdames et messieurs! *adlige ~* dame *f* noble; *junge ~* demoiselle, jeune fille *f; die ~ des Hauses* la maîtresse de maison; *~ von Welt* mondaine *f;* **~brett** *n* damier *m;* **~spiel** *n* jeu *m* de dames; *das ~~* les dames *f pl;* **~stein** *m* pion *m.*

Dämel *m* ‹-s, -› ['dɛ:məl] = *Dämlack.*

Damen|abteil *n* ['da:mən-] *loc* compartiment *m* de dames (seules); **~binde** *f* serviette *f* hygiénique; **~doppel** *n (Tennis)* double *m* dames; **~einzel** *n (Tennis)* simple *m* dames; **~(fahr)rad** *n* bicyclette *f* de dame; **~friseur** *m* coiffeur *m* pour dames; **~garnitur** *f (Unterwäsche)* parure *f* de lingerie pour dame; **d~haft** *a* de (grande) dame; *adv pej (von einem Schulmädchen)* comme une dame; **~handtasche** *f* sac *m* de dame; **~hemd** *n* chemise *f* de femme; **~höschen** *n* slip *m* de femme; **~hose** *f* pantalon *m* de femme; **~hut** *m* chapeau *m* de femme; **~kleidung** *f* vêtement de femme, habillement *m* féminin; **~kostüm** *n* (costume) tailleur *m;* **~mannschaft** *f sport* équipe *f* féminine; **~mantel** *m* manteau *m* de dame; *(auf Taille gearbeitet)* redingote *f;* **~mode** *f* mode *f* féminine; **~oberbekleidung** *f* vêtements *m pl* pour dames; **~salon** *m (beim Friseur)* salon *m* de coiffure pour dames; **~sattel** *m* selle *f* de dame; **~schirm** *m* parapluie *m* de dame; **~schlafanzug** *m* pyjama *m* de femme; **~schneider** *m* tailleur *m* pour dames; **~schuh** *m* chaussure *f* de dame; **~sitz** *m: im ~~* à l'écuyère; *im ~~ reiten* monter en amazone; **~slip** *m* = *~höschen;* **~strumpf** *m* bas *m* de femme; **~taschentuch** *n* mouchoir *m* pour dame; **~uhr** *f* montre *f* de dame; **~unterkleidung** *f,* **~unterwäsche** *f* sous-vêtements *m pl* pour dames; **~wahl** *f (Tanz)* choix *m* du cavalier; **~welt** *f* univers *m* féminin.

Dam|hirsch *m* ['dam-] *zoo* daim *m;* **~hirschkuh** *f* daine *f;* **~hirschleder** *n* daim *m;* **~wild** *n* daim(s *pl*), gros gibier *m.*

damit ['da:-; da'mit] *conj.* [da'mit] *adv allg* avec cela; de cela, à cela, en, y; *(dadurch)* par cela, par ce moyen, par là; *conj* afin que, pour que *subj; (bei gleichem Subjekt)* afin de, pour *inf; ich bin ~ einverstanden, zufrieden* j'y consens, cela me va, d'accord là-dessus; *~ ist mir nicht gedient* cela ne me sert à rien, cela ne m'arrange pas du tout; *~ ist alles gesagt* c'est tout dire; *es ist aus ~* c'en est fait; *es ist nichts ~* il n'en est rien; *das hat nichts ~ zu tun* cela n'a rien à faire à cela *od* rien à y voir; *was soll ich ~ (anfangen)!* que voulez-vous que j'en fasse? *was wollen Sie ~ sagen?* que voulez-vous dire par là? *wie steht es ~?* qu'en est-il? où en est l'affaire? *her ~!* donnez-le-moi; allons! vite! *heraus ~! (mit der Sprache)* allons, dites-le-moi! expliquez-vous!

Däm|lack *m* ‹-s, -e/-s› ['dɛ:m-] *pop (Dummkopf)* andouille, tourte *f;* **d~lich** *a fam (dumm)* ballot, jobard; **~lichkeit** *f fam (Eigenschaft)* jobardise; *(Handlung)* jorbarderie *f.*

Damm *m* ‹-(e)s, ⸚e› [dam, 'dɛmə] *(Aufschüttung)* remblai *a. loc,* terrassement *m; (Straße)* chaussée; *(Deich)* digue *a. fig,* levée; *(Hafendamm)* jetée *f,* quai; *(Staudamm)* barrage; *anat* périnée *m; fig (Schranke)* barrière *f; e-n ~ aufschütten* élever une digue; *jdn wieder auf den ~ bringen (fig fam)* remettre qn sur pied; *nicht auf dem ~ sein (fig fam)* n'être pas *od* ne pas se sentir dans son assiette, être vaseux *od* mal fichu; *wieder auf dem ~ sein (fig fam)* être rétabli *od* remis sur pied; *der ~ ist gebrochen* la digue s'est rompue; **~bruch** *m* rupture *f* de (la) digue; **~grube** *f (Gießerei)* fosse *f* de coulée; **~krone** *f (e-s Staudammes)* arasement *m;* **~riß** *m med* rupture du périnée, déchirure *f* périnéale; **~straße** *f*, **~weg** *m* chaussée *f*.

dämm|en ['dɛmən] *tr (Fluß) (meist: eindämmen)* endiguer *a. fig (hemmen)* arrêter, enrayer; *(zügeln)* refréner; *el (isolieren)* isoler; **D~platte** *f* plaque *f* isolante; **D~ung** *f* endiguement *m;* isolation *f*.

Dämmer *m* ⟨-s, ø⟩ ['dɛmər] *poet (Dämmerung)* demi-jour *m;* **d~ig** *a* crépusculaire; *allg* sombre; *es wird ~~ = es dämmert;* **~licht** *n* lueur *f* du crépuscule *od* de l'aube; **d~n** *itr (vom Morgen)* poindre; *impers: es ~t (morgens)* le jour *od* l'aube point, il commence à faire jour; *(abends)* la nuit *od* le soir tombe, il commence à faire nuit; *vor sich hin ~~* somnoler; *jetzt ~t es bei mir (fig fam)* (maintenant) je commence à voir clair, il me vient une lueur; **~schein** *m = ~licht;* **~schlaf** *m* somnolence *f;* **~stunde** *f* heure *f* entre le jour et la nuit; **~ung** *f (Abend~~)* crépuscule *m*, nuit tombante; *(Morgen~~)* aube, point(e *f*) *m* du jour; *in der ~~ (abends)* à la nuit tombante, à la tombée de la nuit, à *od* sur la brune, entre chien et loup; *(morgens)* à l'aube, au point *od* à la pointe du jour; **~ungseffekt** *m radio* effet *m* crépusculaire; **~zustand** *m med* état crépusculaire, engourdissement *m* mental.

Damoklesschwert *n* ['da:moklɛs-] *fig (schwere Gefahr)* épée *f* de Damoclès.

Dämon *m* ⟨-s, -en⟩ ['dɛ:mɔn, dɛ'mo:nən] démon; génie *m; von e-m ~ besessen sein* être possédé d'un démon; *von e-m ~ Besessene(r)* démoniaque *m;* **d~enhaft** [-'mo:-] *a = d~isch;* **~ie** *f* ⟨-, -n⟩ [-mo'ni:] force *f* démoniaque; **d~isch** [-'mo:-] *a* démoniaque; *pej (teuflisch)* diabolique, satanique, infernal; **~ismus** *m* ⟨-, ø⟩ [-mo'nɪsmus] *(~englaube)* démonisme *m*.

Dampf *m* ⟨-(e)s, ¨-e⟩ [dampf, 'dɛmpfə] vapeur; *(~wolke)* buée; *(Rauch)* fumée *f; unter ~ (tech)* sous pression; *den ~ ablassen* lâcher la vapeur; *mit ~ behandeln* traiter à la vapeur; *~ hinter etw machen (fig fam)* pousser qc; *unter ~ setzen* mettre en vapeur *od* pression; *unter ~ stehen* être sous pression; **~antrieb** *m* commande *f od* fonctionnement *m od* traction *f* à la vapeur; *mit ~~* marchant à la vapeur; **~auslaßrohr** *n* tuyau *m* d'échappement (de vapeur); **~bad** *n* bain *m* de vapeur; **~bagger** *m* drague à vapeur, marie-salope *f;* **~barkasse** *f mar* chaloupe *f* à vapeur; **~behandlung** *f (e-s Gewebes)* vaporisage *m;* **~betrieb** *m loc* traction *f* (à) vapeur; **~bildung** *f phys* vaporisation *f;* **~blase** *f* bulle *f* de vapeur; **~druck** *m* pression *od* tension *f* de vapeur; **~druckanzeiger** *m* **~druckmesser** *m* indicateur de pression de la vapeur, manomètre *m;* **~einlaß** *m* (conduit *m* d')admission *f* de la vapeur; **d~en** *itr* dégager des vapeurs, fumer; *die Pferde ~~* les chevaux sont en nage; **~entwicklung** *f* formation *f* de vapeur; **~er** *m* ⟨-s, -⟩ (bateau à) vapeur, steamer *m;* **~erlinie** *f* ligne *f* de navigation; **~gebläse** *n* soufflerie *f* à vapeur; **~hammer** *m* marteau-pilon *m* à vapeur; **~heizung** *f* chauffage *od* calorifère *m* à vapeur; **d~ig** *a* vaporeux; **~kessel** *m* chaudière *f* à vapeur, générateur *m* (de vapeur); **~kochtopf** *m* marmite à pression *od* autocuiseur *m*, cocotte-minute *f;* **~kraft** *f* force *f* motrice à vapeur; **~kraftwerk** *n*, **~kraftzentrale** *f* centrale *f* thermique; **~leitung** *f* conduite *f* de vapeur; **~lokomotive** *f* locomotive *f* à vapeur; **~maschine** *f* machine *f* à vapeur; **~nudel** *f* petit pain *m* au lait; **~pfeife** *f* sifflet *m* à vapeur; **~pflug** *m* charrue *f* à vapeur; **~rohr** *n* tuyau *od* conduit *m* de vapeur; **~roß** *n hum* locomotive *f;* **~schiff** *n = ~er;* **~schiffahrt** *f* navigation *f* à vapeur; **~spritze** *f* pompe *f* (à incendie) à vapeur; **~strahl** *m* jet *m* de vapeur; **~strahlpumpe** *f tech* injecteur *m;* **~turbine** *f* turbine *f* à vapeur; **~überdruck** *m* surpression *f* de vapeur; **~überhitzer** *m* surchauffeur *m* de vapeur; **~ventil** *n* soupape *f* à vapeur; **~verbrauch** *m* consommation *f* de vapeur; **~walze** *f* rouleau *m* compresseur; **~wäscherei** *f* blanchisserie *f* à vapeur; **~winde** *f* treuil *m* à vapeur; **~wolke** *f* buée *f;* **~zuleitung** *f = ~einlaß*.

dämpf|en ['dɛmpfən] *tr allg* traiter à la vapeur; *tech* étouffer; *(Textil)* décatir; *(Küche)* étuver, cuire à l'étuvée; *fig (abschwächen, mildern)* affaiblir, adoucir, mettre en veilleuse; *(Stoß, radio)* amortir; *(Schall)* assourdir; mettre la sourdine à; *(die Stimme)* étouffer; *die Konjunktur ~~ (fin)* donner un coup de frein à l'économie; *mit gedämpfter Stimme* à voix étouffée, à mi-voix; **D~er** *m* ⟨-s, -⟩ *m allg* étouffeur; *(Stoßdämpfer)* amortisseur; *mot (Schalldämpfer)* silencieux; *phys chem* modérateur *m; mus u. fig* sourdine *f; (am Klavier)* étouffoir *m; fig* douche *f; jdm e-n ~~ aufsetzen (fig fam)* doucher qn, faire déchanter qn; *e-r S e-n ~~ aufsetzen (fig fam)* mettre une sourdine à qc; **~ig** *a vet (Pferd)* poussif; **D~ung** *f tech (Textil)* vaporisage, décatissage; *fig (Abschwächung)* affaiblissement, adoucissement; *(e-s Brandes)* étouffement; *(von Stößen, radio)* amortissement; *(von Tönen)* assourdissement; *(der Stimme)* étouffement *m; aero* stabilisation; *TV* fuite *f;* **D~ungsfeder** *f tech* ressort *m* compensateur; **D~ungsflosse** *f*, **D~ungswand** *f aero* stabilisateur *m;* **D~ungsmesser** *m TV* décrémètre *m*.

danach ['da:-; da'na:x] *adv (zeitlich)* après (cela *od* quoi), puis, ensuite; *(in bezug auf ein Ziel)* vers cela; *allg* à *od* de cela, y, en; *fam (demzufolge, dementsprechend)* d'après *od* suivant *od* selon cela, conformément à cela; *bald, kurz, lange, unmittelbar ~* peu, aussitôt, longtemps, immédiatement après; *~ aussehen* en avoir l'air; *sich ~ erkundigen* s'en informer; *nichts ~ fragen* ne s'en soucier guère; *sich ~ richten* s'y conformer; *sich ~ sehnen* soupirer après; *~ streben* y aspirer; *ich frage nichts ~* cela ne m'intéresse pas; *~ habe ich nicht gefragt* ce n'est pas ce que j'ai demandé; *Sie sind nicht der Mann ~* vous n'êtes pas homme à cela; *das ist auch ~ (fam)* il n'y a pas de miracle; *die Ware ist billig, aber sie ist auch ~* la marchandise n'est pas chère, mais cela se voit; *mir steht nicht der Sinn ~* cela ne m'intéresse guère; *richten Sie sich ~!* tenez-vous-le pour dit!

Dän|e *m* ⟨-n, -n⟩ ['dɛ:nə] **~in** *f* Danois, e *m f;* **~emark** ['dɛ:nəmark] *n* le Danemark; **d~isch** *a* danois.

daneben [da'ne:bən; 'da:ne:bən] *adv (örtlich)* à côté (de cela), (au)près (de cela); *dicht ~* tout contre; *(außerdem)* outre cela, en outre, en plus; *(gleichzeitig)* en même temps; **~=gehen** *itr (Schuß)* manquer; *fig fam (fehlschlagen)* donner à côté, échouer, rater; **~=hauen** *itr pop (sich irren)* faire erreur, se tromper; **~=schießen** *itr* tirer à côté.

danieder [da'ni:dər] *adv* en bas, à *od* par terre; **~=liegen** *itr (krank)* être alité, garder le lit; *fig (z. B. Handel)* languir.

Dank *m* ⟨-(e)s, ø⟩ [daŋk] remerciement *m; (~barkeit)* gratitude, reconnaissance *f; mit ~* avec reconnaissance; *zum ~ für* en reconnaissance de; *jdm s-n ~ abstatten* exprimer ses remerciements à qn; *für etw* adresser à qn ses remerciements pour qc; *keinen ~ erhalten:* ne pas être payé de retour; *~ ernten* recevoir des remerciements; *jdm zu ~ verpflichtet sein* être obligé à *od* envers qn; *jdn zu ~ verpflichten* obliger qn; *jdm für etw ~ wissen* savoir (bon) gré à qn de qc; *wir wären Ihnen zu ~ verpflichtet, wenn ...* nous vous saurions gré de *inf; Gott sei ~!* Dieu merci! *besten* od *vielen (herzlichen) ~!* merci beaucoup od bien! grand merci! mes *od* nos meilleurs remerciements! *tausend ~!* mille mercis! mille remerciements! *mit ~ zurück!* avec mes remerciements; **d~** *prp gen* grâce à; à la faveur de; *~~ Ihrer Güte* grâce à votre bonté; *~~ der Dunkelheit* à la faveur de la nuit; **~adresse** *f* adresse *f* de remerciements; **d~bar** *a* reconnaissant *(für* de) *(verpflichtet)* obligé; *fig* agréable; aisé, facile, qui rend bien; *(lohnen)* profitable, lucratif; *theat (Publikum)* excellent; *(Rolle)* à grand effet; *adv* avec reconnaissance *od* gratitude; *jdm für etw ~~ sein* savoir gré de qc à qn; *sich gegen jdn ~~ zeigen* témoigner de la reconnaissance à qn; *ein ~~es Motiv (phot)* un sujet photogénique; **~barkeit** *f* ⟨-, (-en)⟩ *(Gefühl)* gratitude; *(Äußerung)* reconnaissance *f (für* de); *aus ~~* par reconnaissance *(für* de); **~brief** *m* lettre *f* de remerciements; **d~en** *itr* remercier *(jdm für* *etw* qn de *od* pour qc); *a rel* rendre grâce(s) (*jdm* à qn); *(den Gruß erwidern)* rendre le salut; *(höflich ablehnen)* refuser poliment; *tr (verdanken)* devoir (*jdm etw* qc à qn); *(vergelten)* récompenser (*jdm etw* qn de qc); *jdm etw nicht* ~~ savoir peu de *od* ne savoir pas gré à qn de qc; *ich werde es Ihnen ewig* ~~ je vous en serai éternellement reconnaissant; *~end erhalten (com)* pour acquit; *wie soll ich Ihnen das ~~?* comment vous rendre cela? *nichts zu ~~!* (il n'y a) pas de quoi; *~e, gleichfalls!* merci, également! *~e (,nein); nein, ~e!* non, merci! je vous remercie; *~e schön* od *sehr* od *vielmals!* merci bien *od* beaucoup! **d~enswert** *a* digne de reconnaissance; **~gebet** *n* action *f* de grâces; **~gottesdienst** *m (kath.)* messe *f*, *(evang.)* service *m* d'action de grâces; **~opfer** *n* sacrifice *m* offert en action de grâces; **~sagung** *f* remerciement(s *pl*) *m; rel* action *f* de grâces; **~schreiben** *n* = *~brief.*

dann [dan] *adv (darauf)* alors, puis, ensuite, après (cela); *(außerdem)* de plus, en outre, outre cela; *(in diesem Fall)* alors, dans *od* en ce cas; *selbst ~* alors même, même dans ce cas; *selbst ~, wenn* même si; *selbst ~ nicht* même pas dans ce cas(-là); *selbst ~ nicht, als* pas même lorsque; *~ erst* pas plutôt; *~ und wann* de temps en temps, de temps à autre, de loin en loin, par moments; *~ (eben) nicht!* eh bien alors, non! *und* od *was ~* et après? et puis? et ensuite? *erst die Arbeit, ~ das Spiel!* le travail d'abord, le jeu ensuite!

dannen ['danən] *: von ~ (vx)* de là.

daran [da'ran; 'da:ran], *fam* **dran** [dran] *adv (örtlich)* (là-)dessus, dessus, sur cela; *(daneben)* (au)près, à côté; *allg* à *od* de cela; y, en; *oben, unten ~* en haut, en bas; *~ denken, glauben* y penser, croire; *besser ~ sein* être mieux partagé; *gut ~ sein* être en bonne posture; *nahe ~ sein zu ...* être près de ...; *schlecht* od *übel ~ sein* être en mauvaise posture; filer un mauvais coton; *gut ~ tun zu (inf)* faire bien de *inf; ich bin ~ (an der Reihe)* c'est mon tour (*zu* de); *ich bin nicht schuld ~* ce n'est pas ma faute; *ich war nahe ~ zu fallen* j'ai manqué de *od* j'ai failli tomber; *ich denke ja gar nicht ~!* je n'y pense pas, pour moi il n'en est pas question; *~ erkenne ich ihn* je le reconnais bien là; *ich weiß nicht, wie ich ~ bin* je ne sais où j'en suis; *du kommst auch noch dran* ton tour viendra; *er hat ~ glauben müssen (fam)* il a dû en passer par là; *(sterben)* il y est resté; *man weiß nicht, wie man mit ihm ~ ist* on ne sait à quoi s'en tenir avec lui; *es liegt mir viel ~* j'y tiens beaucoup; *es liegt mir wenig ~* peu m'importe (*zu* de); *an dem, an der, da ist nicht viel ~ (fam)* il, elle, ça ne vaut pas grand-chose; *es ist etwas Wahres ~* il y a du vrai là-dedans; *wer ist dran?* à qui le tour? *Sie sind ~!* c'est à vous, c'est votre tour; *~ soll es nicht liegen!* qu'à cela ne tienne! **Darangabe** *f* sacrifice *m;* **~=gehen** *itr* s'y mettre, commencer; **~=machen** *sich* se mettre (*zu* à); **~=setzen** *tr (aufs Spiel setzen)* risquer, hasarder; sacrifier; *alles ~~ (a.)* mettre tout en œuvre, ne négliger aucun effort; *das Letzte ~~* jouer son va-tout.

darauf ['da:-; da'rauf], *fam* **drauf** [drauf] *adv (örtlich)* (là-)dessus, sur cela; *(zeitlich)* puis, ensuite, après (cela *od* quoi), là-dessus, sur ce(la); *allg* à *od* de cela; y, en; *gleich ~* immédiatement après; *kurz ~* peu après; *das Jahr ~* l'année suivante; *ein Jahr ~* un an après; *am Tag ~* le lendemain; *~ achten* y prendre garde; *es ~ ankommen lassen* accepter le risque; *hundert drauf haben (mot fam)* faire du cent; *~ halten, daß ...* tenir à ce que ...; *drauf und dran sein* être sur le point (*zu* de); *~ aus sein, etw zu tun (fam)* penser faire qc; *stolz ~ sein* en être fier; *sich ~ verlassen* compter là-dessus; *~ gebe ich nichts* je n'y attache pas d'importance; *er ist nur ~ aus zu ...* il ne pense qu'à ..., *ich lege keinen Wert ~* je n'y tiens pas; *ich könnte ~ schwören* j'en jurerais, j'en mettrais ma main au feu; *es kommt ~ an, daß ...* il s'agit de *inf; es, (fam) das kommt ~ an* ça dépend, c'est selon; *~ kommt es an* voilà la question; *~ kommt es nicht an* ça n'a pas d'importance; *wenn es ~ ankommt* en cas de besoin; *wie kommst du ~?* d'où te vient cette idée? *~ soll es nicht ankommen!* qu'à cela ne tienne! **~folgend** *a* suivant; *am ~~en Morgen* le lendemain matin; **drauf=gehen** *itr (verbraucht werden) (Person)* disparaître, périr; *(Sache)* être consommé, dépensé; *da geht zuviel ~* ça dépense trop; *es geht viel Geld ~* cela coûte beaucoup d'argent; *mein ganzes Geld ist ~gegangen* tout mon argent y est passé; *es geht viel Zeit ~* cela prend beaucoup de temps; **~hin** [--'-; '---] *adv (zeitlich)* là-dessus, sur ce(la); *(demgemäß)* d'après cela *od* quoi; **drauflos=gehen** *itr: blind ~* foncer dans le brouillard; *gerade ~* ne pas y aller par quatre chemins; **drauflos=reden** *itr* parler à tort et à travers; **drauflos=rudern** *itr: kräftig ~* faire force de rames; **drauflos=schlagen** *itr: blind ~* taper dans le tas, frapper comme un sourd.

daraus ['da:-; da'raus], *fam* **draus** [draus] *adv* de là, de cela, en, par là; *ich mache kein Geheimnis ~* je n'en fais pas de mystère; *ich mache mir nichts ~* je ne m'en soucie guère, je m'en moque; *ich werde nicht klug ~* je n'y comprends rien; *~ folgt, daß ...* il s'ensuit que ...; *~ wird nichts* cela ne donnera rien; cela ne se fera pas; *was soll ~ werden?* qu'en adviendra-t-il? *~ werde einer klug!* on ne s'y reconnaît plus!

darben ['darbən] *itr* être dans le besoin, manquer du nécessaire; *fam* vivoter; *jdn ~ lassen* priver qn du nécessaire.

dar=biet|en ['da:r-] *tr: (sich) ~~* (s')offrir, (se) présenter; *theat* représenter; **D~ung** *f* offre, présentation; *theat* représentation *f; künstlerische ~~* manifestation *f* artistique.

dar=bring|en ['da:r-] *tr* offrir; *bes rel* faire offrande de, sacrifier; **D~ung** *f* ‹-, (-en)› offre; *bes. rel* offrande *f*, sacrifice *m.*

Dardanellen [darda'nɛlən] , *die pl geog* les Dardanelles *f pl.*

darein [da'rain; 'da:rain], *fam* **drein** [drain] *adv* dans ce lieu, là-dedans, y; **~=finden,** *sich* s'y résigner; **~=geben** *tr com* donner par-dessus le marché; **~=mischen,** *sich* s'en mêler; *(vermittelnd)* intervenir, s'interposer; *(störend)* s'ingérer, s'immiscer; **~=reden** *itr* se mêler à *od* intervenir dans la conversation; **~=willigen** *itr* y consentir.

darin ['da:-; da'rin] , *fam* **drin** [drin] *adv* (là-)dedans, en cela, y; *~ inbegriffen* y compris; *es ist nichts ~* il n'y a rien (là-)dedans; *~ haben Sie recht, irren Sie sich!* en cela vous avez raison, vous vous trompez; **~nen,** *fam* **drinnen** *adv* (là-)dedans.

dar=leg|en ['da:r-] *tr* exposer, faire voir, (dé)montrer; *(erklären)* expliquer; *etw ausführlich ~~* faire l'exposition de qc; *etw einzeln ~~* détailler qc; *etw offen ~~* mettre qc en évidence; **D~ung** *f* exposé *m*, exposition, démonstration; explication *f.*

Darlehen *n* ‹-s, -› ['da:r-] prêt *m; als ~* à titre de prêt; *ein ~ aufnehmen* contracter un emprunt; *jdm ein ~ geben, gewähren* faire, accorder un prêt à qn; *ein ~ kündigen* retirer un prêt; *ein ~ zurückzahlen* rembourser un prêt; *(un)verzinsliche(s) ~* prêt *m* à intérêt (prêt gratuit); **~sgeber** *m* prêteur *m* (d'argent); **~skasse** *f* caisse *od* banque *f* de prêts; **~snehmer** *m* emprunteur *m;* **~svertrag** *m* contrat *m* de prêt.

Darm *m* ‹-(e)s, ⁻e› [darm, 'dɛrmə] intestin, boyau *m;* **~bein** *n anat* ilion *m;* **~blutung** *f med* hémorragie *f* intestinale; **~bruch** *m* entérocèle *f;* **~entleerung** *f* évacuation intestinale, défécation *f;* **~entzündung** *f*, **~katarrh** *m* inflammation intestinale, entérite *f;* **~flora** *f* flore *f* intestinale; **~geschwür** *n* ulcère *m* intestinal; **~händler** *m* boyaudier *m;* **~handlung** *f* boyauderie *f;* **~inhalt** *m* contenu *m* intestinal; **~kanal** *m* canal intestinal, canal *od* tube *m* digestif; **~krankheit** *f*, **~leiden** *n* affection *f* intestinale; **~krebs** *m med* cancer *m* intestinal; **~reinigung** *f med* ramonage *m pop;* **~saft** *m* suc *m* intestinal; **~saite** *f (an Geige, Tennisschläger)* corde *f* à *od* de boyau; **~verschlingung** *f* volvulus *m;* **~verschluß** *m* occlusion *f* intestinale, iléus *m;* **~wand** *f* paroi *f* intestinale; **~zotten** *f pl* villosités *f pl* (intestinales).

Darr|e *f* ‹-, -n› ['darə] *tech (Trocken-* od *Röstvorrichtung)* four *m* à sécher; touraille; *vet* consomption *f;* **d~en** *tr* sécher au four *od* à la touraille, tourailler, dessécher; **~en** *n* séchage *m* au four *od* à la touraille; **~malz** *n* touraillon *m.*

dar=reich|en ['da:r-] *tr* tendre, présenter, offrir; *(Arznei, Sakrament)* administrer; **D~ung** *f* présentation, offre; administration *f.*

darstell|bar ['da:r-] *a* représentable *a. theat; theat* jouable; **dar=stellen** *tr (veranschaulichen)* démontrer, exposer; *(vorzeigen)* présenter, produire, mettre sous les yeux; *(mit Worten darlegen)* développer; *(beschreiben)* décrire *a. math,* (dé)peindre; *(bedeuten)* représenter; *theat* représenter, jouer, faire; *chem* préparer; *bildlich* ~ figurer; *falsch* ~ mal représenter; *graphisch* ~ faire un graphique de; *pantomimisch* ~ mimer; *schematisch* ~ schématiser; *sinnbildlich* ~ symboliser; **~end** *a: ~~e Geometrie f* géométrie *f* descriptive; **D~er(in** *f***)** *m theat* interprète *m f,* acteur *m,* actrice *f;* **~erisch** *a* d'interprète; **D~ung** *f* démonstration, exposition; présentation, production *f;* développement *m;* description; représentation, interprétation; *chem tech* préparation *f; (ausgeführte ~~)* exposé *m; bildliche ~~* figuré *m; geschichtliche ~~* historique *m; graphische ~~* graphique, diagramme *m; sinnbildliche ~~* symbolisation *f;* **D~ungskunst** *f* don *od* talent *m* de peindre *od* de représenter; **D~ungsverfahren** *n chem tech* méthode *f* de préparation; **D~ungsweise** *f* manière *f* de décrire *od* de (dé)peindre *od* de (re)présenter; *(Stil)* style *m;* touche *f.*

dar=tun *tr* (dé)montrer, faire voir; *(erklären)* expliquer; *(beweisen)* prouver.

darüber ['da:-; da'ry:bər], *fam* **drüber** ['dry:bər] *adv (örtlich)* au-dessus (de cela), (là-)dessus, par-dessus; *(~ hinweg)* par-delà, au-delà; *(zeitlich)* là-dessus, sur ces entrefaites, pendant ce temps(-là); *(kausal)* à ce sujet, à cause de cela; *allg* là-dessus, de cela, en, y; = ~ *hinaus;* ~ *hinaus (örtl., zeitl.)* au-delà; *fig* en outre, au reste, par-dessus le marché; *und ~ (hinaus)* et plus; *sich ~ freuen* s'en réjouir; ~ *hinweg sein* pouvoir s'en passer; *sich ~ hinwegsetzen* s'en passer; *sich ~ machen* s'y mettre; *ich vergaß ~, daß* cela m'a fait oublier que; *es geht nichts ~* il n'y a rien de mieux; ~ *besteht kein Zweifel* cela ne fait pas de doute; ~ *vergeht die Zeit* et avec cela le temps passe; **~=stehen** *itr: (weit) ~~ (über e-e Beleidigung erhaben sein)* être (bien) au-dessus.

darum ['da:-; da'rum], *fam* **drum** [drum] *adv (örtlich) (~ herum)* autour (de cela), tout autour; *(hinweisend)* pour *od* de cela, en; *(kausal: deshalb)* c'est *od* voilà pourquoi, à cause de cela, pour cette raison; ~ *bringen* en frustrer; *drum und dran hängen (fig)* s'y rattacher; *sich ~ kümmern* s'en soucier; *ich bitte Sie ~* je vous en prie; *ich gäbe viel ~, wenn ...* je donnerais beaucoup pour *inf; ich weiß ~* je suis au courant de l'affaire; *es ist mir nur ~ zu tun zu ...* ce que je demande, c'est uniquement de *inf; es ist mir sehr ~ zu tun zu ...* il m'importe beaucoup de *inf; es handelt sich nicht ~* il ne s'agit pas de cela; *wie steht es ~?* où en est l'affaire? *sei's drum!* soit! tant pis! *warum? ~!* pourquoi? parce que! **~=kommen** *itr fam* manquer; **~=legen** *tr* mettre autour.

darunter ['da:-; da'runtər], *fam* **drunter** ['druntər] *adv (örtlich)* (au-)dessous, là-dessous, par-dessous; *fig (unter e-r bestimmten Anzahl, Größe, Summe)* au-dessous, moins, à moins; *(unter e-r Anzahl)* dans le *od* du nombre; *drunter und drüber* sens dessus dessous; ~ *leiden* en souffrir; *es geht alles drunter und drüber* tout va à vau-l'eau; *was verstehen Sie ~?* qu'entendez-vous par là? **~=liegen** *itr* être *od* se trouver (là-)dessous *od* en bas; **~=mischen** *tr* y mêler; **~=setzen** *tr; s-n Namen* od *s-e Unterschrift ~~* signer.

Darwin|ismus *m* ‹-, ø› [darvi'nısmus] darwinisme *m;* **d~istisch** [-'nıs-] *a* darwinien.

das [das] *(Artikel u. Relativpron) s. der; (Demonstrativpron)* cela, ceci, ce, *fam* ça; ~ *ist, sind* c'est, ce sont; *(wenn gegenwärtig)* voici, *fam* voilà; ~ *bin ich* c'est moi; ~ *sind Deutsche* ce sont des Allemands; ~ *ist meine Frau (a.)* voici ma femme; ~ *ist gut (a.)* voilà qui es bien; *was ist ~?* qu'est-ce (que c'est *od* cela)? *auch ~ noch! und nicht nur ~!* et cela encore en plus! il ne manquait plus que cela! ~ *war e-e Freude!* quelle joie! ~ *ist ja gut!* à la bonne heure! ~ *schon!* ça oui.

da=sein *itr (anwesend, vorhanden sein)* être présent *od* arrivé; être là; *(existieren)* exister; *nicht ~ (a.)* être absent; faire défaut; *es ist alles schon (einmal) dagewesen* il n'y a rien de nouveau sous le soleil; *das ist noch nie dagewesen* c'est sans précédent; *ist jemand dagewesen?* est-ce qu'on m'a demandé? **D~** *n* ‹-s, ø› *(Anwesenheit)* présence; *(Leben)* existence, vie *f; ins ~ treten* naître, voir le jour; **D~sberechtigung** *f* droit *m* à l'existence, raison *f* d'être; **D~skampf** *m* lutte *f* pour la vie.

da=sitzen *itr* être assis (là); *(untätig)* ne rien faire, se croiser les bras.

dasjenige *pron s. derjenige.*

daß [das] *conj allg* que; *(final) (auf ~)* afin que, pour que *subj,* afin de, pour *inf; bis ~;* jusqu'à ce que *subj; (so) ~* de sorte que, de manière que; *es sei denn, ~* à moins que ne *subj; nicht ~ ich wüßte!* pas que je sache; ~ *du mir ja nicht daran gehst!* surtout ne touche pas à ça!

dasselbe *pron s. derselbe; immer ~ sagen* chanter toujours la même chanson; *das ist (genau) ~* c'est exactement la même chose.

da=stehen *itr* être là *od* debout; *wie angewachsen* od *angewurzelt ~* être comme une statue; *mit offenem Munde ~* rester planté là; *wie versteinert ~* rester médusé; *wie stehe ich nun da? (fam)* de quoi ai-je l'air maintenant? *jetzt steht er ganz anders da (fig)* cela lui donne une toute autre envergure.

Dat|enverarbeitung *f* ['da:tən-] traitement *m* de l'information; **~enverarbeitungsmaschine** *f* ordinateur *m* électronique; **d~ieren** [-'ti:rən] *tr* dater, mettre la date à; *itr (bestehen)* dater (*von* de); *d~iert sein* porter une date; **~ierer** *m* ‹-s, -› *typ* dateur *m;* **~ierung** *f* datation *f; falsche* od *unrichtige ~~* erreur *f* de date; **~iv** *m* ‹-s, -e› ['da:ti:f, -və] *gram* datif *m;* **d~o** ['da:to] *adv com (heute)* aujourd'hui; *a ~~* à dater de ce jour; *bis ~~* jusqu'à ce jour; **~owechsel** *m fin* lettre *f* de change à échéance fixe; **~um** *n* ‹-s, -ten› ['da:tum, -tən] date *f; pl (Daten) bes. math (das Gegebene)* données *f pl; unter dem heutigen ~~* en date de ce jour; *jüngeren* od *neueren ~~s* de nouvelle *od* fraîche date; *ein ~~ ausmachen* od *bestimmen* od *festsetzen* fixer la *od* prendre date; *das ~~ einsetzen* mettre la date; *alten ~~s sein* dater de loin; *ein früheres, späteres ~~ auf etw setzen* antidater, postdater qc; *das ~~ vom ... tragen* porter la date du ...; *mit dem ~~ versehen* dater; *welches ~~ haben wir heute?* quel jour, *fam* le combien sommes-nous aujourd'hui? *geschichtliche ~en n pl* dates *od* données *f pl* historiques; *spätere(s) ~~* postériorité *f* de date; *technische ~en* indications *f pl* techniques; *~~ des Poststempels* date *f* de la poste; **~um(s)stempel** *m* (tampon *od* timbre) dateur, composteur *m;* **~um- und Stundenstempel** *m* horodateur *m.*

Dattel *f* ‹-, -n› ['datəl] datte *f;* **~palme** *f* dattier *m.*

Daube *f* ‹-, -n› ['daubə] *tech* douve *f.*

Dauer *f* ‹-, ø› ['dauər] *(Zeit)* durée, période *f,* temps *m; (Fortdauer)* continuité, permanence, persistance; *(Beständigkeit)* durabilité, stabilité, solidité *f; auf die ~* à demeure, à la longue, *fam* à perpette; *für die ~ von ...* pour une durée de ...; *von kurzer, langer ~* de courte, longue durée; *von längerer ~* d'un certain temps; *von ~ sein* se maintenir; *~ e-r Übung (mil)* période *f* d'exercice; **~anlage** *f fin* placement *m* permanent; **~apfel** *m* pomme *f* de garde *od* d'hiver; **~auftrag** *m com* ordre *m* permanent; **~ausscheider** *m med* contact *m;* **~beanspruchung** *f* effort *m* continu *od* soutenu; **~befehl** *m* ordre *m* permanent; **~belastung** *f* charge *f* permanente; **~betrieb** *m* service *m* continu, marche *f* continue; *tech* fonctionnement *m* continu; **~brand** *m (Ofen)* feu *m* continu; **~brandofen** *m* **~brenner** *m* poêle *m* à feu continu; **~debatte** *f parl* débat *m* marathon; **~fahrer** *m sport* cycliste *m* de fond; **~fahrt** *f sport* épreuve *f* de fond, raid *m;* **~festigkeit** *f tech* endurance *f;* **~feuer** *n mil* tir *m* continu; **~flamme** *f (Gas)* veilleuse *f;* ~**flug** *m aero* vol de (longue) durée, raid *m;* ~**freifahr(t)-schein** *m* permis *m* de libre parcours; ~**gemüse** *n* légumes *m pl* de conserve; **d~haft** *a* durable, de durée; *(beständig)* stable; *(fest)* solide; *adv;* ~~ *befestigt* fixé à demeure; ~~ *gearbeitet* fait à profit (de ménage); ~**haftigkeit** *f* ‹-, (-en)› durabilité; stabilité; solidité *f;* ~**karte** *f* carte *f* permanente; *sport* abonnement, forfait *m* ~**kunde** *m* client *m* fidèle *od* régulier; ~**lauf** *m sport* course *f* de fond, raid *m;* ~**leistung** *f tech* puissance *f* continue *od* de durée; débit *m* continu; ~**magnet** *m* aimant *m* permanent; ~**marsch** *m mil* marche *f* d'endurance; **d~n 1.** *itr* durer; *(fortdauern)* continuer, persister, subsister; *nicht lange* ~~ ne pas faire long feu; *es wird lange* ~~ *(a.)* ce sera de longue durée; *das* ~*t nicht lange* cela ne durera pas longtemps; les choses n'iront pas loin; *es* ~*t lange, bis er kommt* il est long à venir; *es* ~*te nicht lange, bis er kam* il ne tarda pas à venir; *es* ~*t (mir) zu lange* c'est trop long (pour moi); *wie lange* ~*t es, bis Sie ...?* combien de temps mettez-vous à *inf*? **d~nd** *a* durable; *(fortdauernd)* continu, persistant; *(ständig)* permanent; *adv* à tout moment, à tous moments; constamment; *für* ~~ pour toujours, à demeure; ~~ *untauglich (mil)* réformé définitivement; ~**obst** *n* fruits *m pl* de garde; ~**passierschein** *m* laissez-passer *m* permanent; ~**probe** *f,* ~**prüfung** *f tech* essai *m* d'endurance *od* de fatigue; ~**rekord** *m* record *m* de durée *od* d'endurance; ~**ritt** *m sport* raid *m;* ~**stellung** *f (im Beruf)* situation stable *od* d'avenir, stabilité d'emploi; *mil* position *f* fixe; ~**störung** *f radio* brouillage *od* parasite *m* permanent; ~**strom** *m el* courant *m* de régime; ~**tanz** *m* danse *f* marathon; ~**ton** *m radio* son *m* continu; ~**übung** *f sport* raid *m;* ~**verbindung** *f tele* liaison *f* directe; ~**vorstellung** *f theat* spectacle *m* permanent; ~**welle(n** *pl***)** *f (Frisur)* permanente, indéfrisable *f;* **d~wellen** *tr (Haar)* permanenter; ~**wirkung** *f* effet *m* persistant; ~**wurst** *f* saucisson *m* de garde; ~**zustand** *m* état *m* permanent *od* endémique.

dauern 2. *tr (leid tun)* faire pitié *(jdn* à qn).

Daumen *m* ‹-s, -› ['daumən] pouce *m; tech (Hebedaumen)* came, broche *f; die* ~ *drehen (vor Langeweile)* se tourner les pouces; *jdm den* ~ *halten (Glück wünschen)* brûler une chandelle pour qn; *auf etw den* ~ *halten* s'accrocher à qc, ne pas vouloir lâcher qc; *am* ~ *lutschen* sucer son pouce; *über den* ~ *peilen (fam)* juger au pifomètre; *über den* ~ *gepeilt* à vue de nez; *einen* ~ *breit* large d'un pouce; ~**abdruck** *m* empreinte *f* du pouce; ~**ballen** *m* éminence *f* thénar; ~**breite** *f* largeur *f* d'un pouce; ~**lutscher** *m* enfant *m* qui suce son pouce; ~**nagel** *m* ongle *m* du pouce; ~**schrauben** *f pl hist* poucettes *f pl; die* ~~ *anziehen (fig)* donner un tour de vis; *jdm die* ~~ *anziehen (a. fig)* serrer la vis *od* les pouces à qn.

Däumling *m* ‹-s, -e› ['dɔʏmlɪŋ] poucier; *(Märchenfigur)* ‹-s, ø› le Petit Poucet *m.*

Daune(n *pl***)** *f* ‹-, -n› ['daunə] duvet *m;* ~**nbett** *n* duvet *m;* ~**ndecke** *f* édredon *m.*

Daus 1. *n* ‹-es, ⸚er/-e› [daus, -zə, 'dɔʏzər] *(Kartenspiel)* as; *(Würfelspiel)* deux *m.*

Daus 2. *m* ‹-es, ø› *(Teufel): was* od *ei der* ~*! (vx)* que diable!

Davit *m* ‹-s, -s› ['de:vɪt] *mar (Kran)* bossoir, portemanteau *m.*

davon ['da:-; da'fɔn] *adv* de là, de cela, en; par là; *etwas* od *mehr* ~ *haben* en profiter, y gagner; ~ *wissen* être au courant; *er ist auf und* ~ il a décampé, il est parti; *das kommt* ~, *daß ...* cela vient de ce que ...; ~ *läßt sich durchaus leben* avec cela on peut vraiment s'en sortir; *was habe ich* ~*?* à quoi cela me sert-il? *genug* ~*!* en voilà assez! *nichts* ~*!* pas de cela! *nichts mehr* ~*!* n'en parlons plus! ~**⸗bleiben** *itr (nicht anfassen)* ne pas y toucher; ne pas s'en mêler; ~**⸗fliegen** *itr* s'envoler; ~**⸗gehen** *itr (weggehen)* s'en aller; ~**⸗kommen** *itr* s'en tirer; *(Kranker)* en revenir, en réchapper; *gut* ~~ s'en tirer à bon compte; *noch mal* ~~ revenir de loin; *gerade noch* ~~ la manquer belle; *mit einem blauen Auge* od *mit knapper Not* ~~ l'échapper belle; *mit heiler Haut* ~~ s'en tirer sain et sauf; *mit dem Leben* ~~ sauver sa vie; *mit dem (bloßen) Schrecken* ~~ en être quitte pour la peur; ~**⸗laufen** *itr (weglaufen)* s'éloigner en courant, détaler, filer; *es ist zum D~~! (fam)* c'est à n'y pas tenir; ~**⸗machen,** *sich* filer, décamper; *fam* plier *od* trousser bagage; *sich heimlich* ~~, ~**⸗schleichen** *itr* s'éclipser, s'esquiver; ~**⸗tragen** *tr* emporter; *von e-m Unfall Verletzungen* ~~ être blessé dans un accident; *den Sieg* ~~ l'emporter, remporter la victoire (*über jdn* sur qn).

davor [da'fo:r; 'da:-] *adv (örtlich)* devant; *allg* de cela, en; *mir graut* ~ j'ai horreur de cela, j'en ai horreur; *Gott behüte* od *bewahre uns* ~*!* Dieu nous en préserve! ~**⸗liegen** *itr,* ~**⸗stehen** *itr* être *od* se trouver devant.

dawider [da'vi:dər; 'da:-] *adv* = *dagegen.*

dazu [da'tsu:; 'da:-] *adv (örtlich)* y; *(zu diesem Zweck)* à cela, pour cela, à cet effet, à cette fin, dans ce but; *(außerdem)* en outre, de *od* en plus, avec cela, en même temps; *noch* ~ par surcroît, par-dessus le marché; en sus; ~ *gehören* en être, en faire partie; ~ *bin ich ja da* c'est pour cela que je suis là; *endlich komme ich dazu zu ...* enfin je parviens à ...; ~ *komme ich nie* je n'en trouve jamais le temps; ~ *kommt, daß* ajoutez (à cela) que; ~ *gehört Geld, Zeit* cela demande de l'argent, du temps; *was sagen Sie* ~*?* qu'en dites-vous? *wie kommen Sie* ~*?* qu'est-ce qui vous a pris? ~**gehörig** *a* qui en fait partie; ~**⸗kommen** *itr (hinzukommen)* survenir; *fig* s'ajouter; *noch* ~~ s'y ajouter; ~**mal** ['---] *adv; Anno* ~~ *(hum)* alors, en ce temps-là; ~**⸗tun** *tr (hinzutun)* (y) ajouter; **D~tun** *n; ohne mein* ~~ sans mon intervention.

dazwischen [da'tsvɪʃən; 'da:-] *adv (örtlich* u. *fig)* entre (les deux); *(zwischendurch)* entre-temps; ~**⸗kommen** *itr* intervenir, venir à la traverse; s'interposer; *(Sache)* survenir; *wenn nichts* ~*kommt* s'il n'arrive rien (d'ici là), sauf imprévu; *mußt du mir immer* ~~*?* cesse de te mêler de mes affaires! ~**⸗rufen** *tr* interrompre *(etw* par qc); ~**⸗treten** *itr* intervenir, s'interposer.

Debatt|e *f* ‹-, -n› [de'batə] *(parl nur)* débat *m; allg* discussion *f; den Schluß der* ~~ *beantragen* proposer la clôture du débat *od* de la discussion; *in die* ~~ *eingreifen* intervenir dans les débats; *die* ~~ *eröffnen, schließen* ouvrir, terminer la discussion *od parl* le débat; *zur* ~~ *stehen* être en question; *zur* ~~ *stellen* (sou)mettre en discussion *od* au débat; *die* ~~ *drehte sich um ...* le débat a roulé *od* porté sur ...; *das steht hier nicht zur* ~ la question n'est pas là; ce n'est pas de cela qu'il s'agit; **d~elos** *a* u. *adv* sans débat; ~**enschrift** *f* sténographie *f* abrégée; **d~ieren** [-'ti:rən] *tr* u. *itr* débattre, discuter (*etw* od *über etw* qc); *itr: über etw* ~~ discuter de *od* sur qc.

Debet *n* ‹-s, -s› ['de:bɛt] *fin (Soll)* débet, débit *m; im* ~ *stehen* être porté au débit; *ins* ~ *stellen* porter au débit; ~ *und Kredit* débit et crédit, doit et avoir *m;* ~**posten** *m* poste *od* compte *m* débiteur; ~**saldo** *m* solde *m* débiteur; ~**seite** *f* (côté du) débit *m.*

debit|ieren [debi'ti:rən] *tr fin (belasten)* débiter (*mit* de); **D~or** *m* ‹-s, -en› ['de:bitɔr, -'to:rən] *(Schuldner)* débiteur *m;* **D~orenkonto** *n* compte *m* débiteur.

Debüt *n* ‹-s, -s› [de'by:] *theat (erstes Auftreten)* début *m;* ~**ant** *m* ‹-en, -en› [-by'tant] débutant *m;* **d~ieren** [-'ti:rən] *itr theat* débuter, jouer son premier rôle.

Dechan|at *n* ‹-(e)s, -e› [dɛça'na:t] *rel (Amt* od *Sprengel e-s* ~*ten)* doyenné *m;* ~**ei** *f* ‹-, -en› [-'naɪ] *(Wohnung e-s* ~*ten)* demeure *f* d'un *od* du doyen; ~**t** *m* ‹-en, -en› [-'çant] doyen *m.*

dechiffrieren [deʃɪ'fri:rən] *tr* déchiffrer.

Deck *n* ‹-(e)s, -s/(-e)› [dɛk] *mar* pont *m; alle Mann an* ~*!* tout le monde sur le pont! ~**adresse** *f* adresse *f* de convention, couvert *m; arg* planque *f;* ~**anruf** *m tele* appel *m* de convention; ~**anstrich** *m* deuxième couche *f;* ~**aufbau** *m mar* superstructure *f* (du pont); ~**bett** *n (Federbett)* édredon *m; (Decke)* couverture *f* (de lit); ~**blatt** *n bot* bractée; *(e-r Zigarre)* feuille de robe; *bes. mil (Berichtigungsblatt)* feuille *f* rectificative; *typ*

(Zusatzblatt) béquet *m;* **~blech** *n* tôle *f* de couverture *od* de protection; *mot* protecteur *m* (de pneu); **~bogen** *m (e-s Papierstapels)* feuille *f* de couverture; **~e** *f* ‹-, -n› *(a. Textil)* couverture *f; (Tischdecke)* tapis *m* de table; *(Pferdedecke)* housse; *(Wagendecke)* bâche; *(deckende Schicht)* couche *f; (Straßendecke)* tapis (routier), revêtement; *(Zimmerdecke)* plafond; *mines* ciel, plafond; *bot, zoo* tégument *m; mot (Reifendecke)* enveloppe *f,* bandage *m; an die ~~ gehen (fig fam)* s'emporter; *unter einer ~~ stecken (fig)* se tenir par la main, s'entendre comme larrons en foire; *mit jdm* être d'intelligence *od fam* de mèche avec qn; *sich nach der ~~ strecken (fig)* s'accommoder aux circonstances, vivre selon ses moyens; *man muß sich nach der ~~ strecken (prov)* où la chèvre est attachée *od* liée il faut qu'elle broute; à petit mercier petit panier; *eingezogene ~~ (arch)* faux plafond *m;* **~el** *m* ‹-s, -› couvercle *m; (Buch)* couverture; *(Taschenuhr)* cuvette *f; (Klappdeckel)* couvercle à charnière; *(Schraubdeckel)* couvercle à vis; *bot, zoo* opercule; dôme; *tech* chapeau *m,* calotte *f; pop (Hut)* galurin, *hum* couvre-chef *m; jdm einen auf den ~~ geben (fig fam)* rabattre la huppe *od* le caquet à qn; *einen auf den ~~ kriegen (fig fam)* recevoir une tuile *od* un coup, en prendre pour son grade; *es ist kein Topf so schief, er findet seinen ~~ (prov)* il n'y a pas de marmite qui ne trouve son couvercle; on trouve toujours chaussure à son pied; *Topf und ~~ (fig)* couple *m* uni; *sie passen zusammen wie Topf und ~(iron)* ils sont (vraiment) faits l'un pour l'autre; **~elkorb** *m* panier *m* couvert; **d~en** *tr (Dach)* couvrir *(a. von e-r Farbe); (Bedarf)* satisfaire à; *(Kosten)* couvrir; *(Fehlbetrag)* combler; *fin (Wechsel)* honorer; *(schützen)* couvrir, abriter, mettre à l'abri, protéger; *agr (beschälen)* couvrir, monter, sauter, saillir; *sich ~~ (bes. math)* coïncider (*mit* avec); *fig (Meinung)* être identique (*mit* à); *jur (Aussagen) a.* se recouper; *bes. fin (sich sichern)* se couvrir, se nantir (*vor* de); *für 6 Personen ~~ (den Tisch)* mettre 6 couverts; *den Rückzug ~~ (mil)* couvrir la retraite; *den Schaden, e-n Verlust ~~* réparer les dégâts, une perte; *den Tisch ~~* mettre le couvert; *es ist gedeckt* le couvert est mis; **~enbeleuchtung** *f* éclairage *m* du *od* illumination *f* de plafond; **~enbespannung** *f* plafond *m* marouflé; **~enbürste** *f* tête *f* de loup; **~engebirge** *n geol* montagne *f* de nappe; **~engemälde** *n* (fresque *f* de) plafond *m;* **~enhaken** *m* tire-fond *m;* **~enlampe** *f* lampe *f* plafonnière; **~enleiste** *f* latte *f* blanche; **~enleuchte** *f* plafonnier *m;* **~enventilator** *m* ventilateur *m* de plafond; **~farbe** *f* couleur *f* opaque; **~flugzeug** *n* avion *m* embarqué; **~garn** *n* fil *m* de couverture; **~gebirge** *n geol* terrains *m pl* de recouvrement; **~glas** *n (Mikroskop)* couvre-objet *m;* **~ladung** *f mar* pontée *f;* **~lage** *f (e-r Straße)* revêtement *m;* **~mantel** *m fig: unter dem ~~ (gen)* sous le manteau *od* couvert (de); **~name** *m* nom d'emprunt *od* de guerre, pseudonyme; *(e-s Schriftstellers) a.* nom *m* de plume; **~offizier** *m mar* sous-officier *m* de marine; **~platte** *f* panneau à recouvrement; *arch (Säulendeckplatte)* tailloir *m;* **~stuhl** *m mar* transatlantique *m;* **~ung** *f* ‹-, (-en)› *mil* couvert, abri *m,* protection; *sport* défense; *fin* couverture, sûreté, garantie *f,* nantissement *m; (e-r Wechselschuld)* provision *f; ohne ~~ (fin)* à découvert; *(Wechsel)* sans provision; *zur ~~ der Kosten* pour couvrir les dépenses; *zur ~~ bringen (bes. math)* faire coïncider; *in ~~ gehen, ~~ nehmen (mil)* se couvrir, se mettre à couvert *od* à l'abri, (se) terrer, se défiler; *~~ haben (fin)* être (à) couvert, avoir des garanties; *ohne ~~ lassen (mil)* laisser (à) découvert; *(Schach)* exposer; *volle ~~! (mil)* à plat! camouflez-vous! *bomben-, schuß-, splittersichere ~~* couverture *f* à l'épreuve des bombes, contre les tirs, à l'épreuve des éclats; *~~ gegen Fliegersicht* protection *f* contre les vues aériennes; *(Tarnung)* camouflage *m;* **~ungsgeschäft** *n com* opération *f od* marché *m* de couverture; **d~ungsgleich** *a math* congruent; **~ungsgraben** *m mil* tranchée-abri *f;* **~ungskapital** *n* capital *od* fonds *m* de couverture; **~ungsloch** *n mil* trou-abri *m;* **~ungsmittel** *n pl fin* moyens *m pl* de couverture; **~weiß** *n* blanc *m* couvrant *od* opaque; **~wort** *n* mot *m* de convention.

Dedi|kation ‹-, -en› [dedikatsi'o:n] *(Widmung)* dédicace *f;* **d~zieren** [-'tsi:rən] *tr (widmen)* dédier, dédicacer; *(schenken)* offrir.

Dedu|ktion *f* ‹-, -en› [deduktsi'o:n] *philos* déduction *f;* **d~ktiv** [-'ti:f] *a* déductif; **d~zieren** [-'tsi:rən] *tr* déduire.

de facto [de: 'fakto] *(tatsächlich)* de fait.

Defät|ismus *m* ‹-, ø› [defɛ'tɪsmus] *(Miesmacherei)* défaitisme *m;* **~ist** *m* ‹-en, -en› [-'tɪst] défaitiste *m;* **d~istisch** [-'tɪstɪʃ] *a* défaitiste.

defekt [de'fɛkt] *a* défectueux; *(beschädigt)* endommagé, gâté; abîmé, en panne; **D~** *m* ‹-(e)s, -e› défaut, manque *m; mot* panne *f,* accident *m;* **D~bogen** *m typ* défet *m;* **D~buchstabe** *m typ* défet *m.*

defensiv [defɛn'zi:f] *a* défensif; **D~e** *f* ‹-, (-n)› défensive *f; in der ~~ (bleiben)* (rester) sur la défensive.

defilieren [defi'li:rən] *itr (vorbeimarschieren)* défiler.

defin|ieren [defi'ni:rən] *tr* définir; **D~ition** *f* ‹-, -en› [-tsi'o:n] définition *f;* **~itiv** [-ni'ti:f] *a* définitif.

Defizit *n* ‹-s, -e› ['de:fitsɪt] *fin* déficit, découvert *m; mit e-m ~ abschließen* se solder par un déficit; *ein ~ aufweisen* accuser un déficit; *ein ~ ausgleichen od decken* combler un déficit; **~jahr** *n* année *f* déficitaire.

Deflation *f* ‹-, -en› [deflatsi'o:n] *fin* déflation *f.*

Deform|ation *f* ‹-, -en› [deformatsi'o:n], **~ierung** *f* ‹-, -en› [-'mi:rʊŋ] *(Formveränderung)* déformation *f;* **d~ieren** [-'mi:rən] *tr* déformer.

Defraud|ant *m* ‹-en, -en› [defrau'dant] *(Betrüger)* fraudeur *m;* **~ation** *f* [-datsi'o:n] *(Unterschlagung)* détournement *m,* soustraction *f;* **d~ieren** [-'di:rən] *tr* frauder.

Degen *m* ‹-s, -› ['de:gən] *(Waffe)* épée *f,* sabre *m,* rapière *f; zum ~ greifen* mettre l'épée à la main; *sich auf ~ schlagen* se battre à l'épée; *den ~ ziehen* dégainer; **~fechter** *m* épéiste; **~gehänge** *n* baudrier *m;* **~stich** *m,* **~stoß** *m* coup *m* d'épée.

Degener|ation *f* ‹-, -en› [degeneratsi'o:n] *(Vorgang)* dégénération; *(Zustand)* dégénérescence *f;* **d~ieren** [-'ri:rən] *itr* dégénérer.

degradier|en [degra'di:rən] *tr mil* dégrader, casser (de son grade); *adm* rétrograder; **D~ung** *f* dégradation; rétrogradation *f.*

dehn|bar ['de:n-] *a* extensible, élastique; *phys* dilatable; *(Gas)* expansible; *(Gewebe, Leder)* souple, qui se prête; *(Metall)* ductile, malléable *fig* élastique; *(Begriff)* vague, mal défini; **D~barkeit** *f* ‹-, ø› extensibilité, élasticité *a. fig;* dilatabilité; expansibilité; souplesse; ductilité, malléabilité *f;* **~en** *tr* étendre; *(in die Breite)* élargir; *(in die Länge)* allonger; *phys* dilater; *(Gewebe, Metall)* étirer; *(Worte)* traîner; *mus* filer; *sich ~~ (sich verziehen, von Gewebe)* se prêter; *die Glieder ~~* s'étirer; *gedehnte Stimme f* voix *f* traînante; **D~ung** *f* extension *f;* élargissement, allongement *m;* dilatation, expansion *f;* étirage *m; med* élongation *f; bleibende ~~ (tech)* allongement *m* permanent; **D~ungskoeffizient** *m* coefficient *m* de dilatation; **D~ungsmesser** *m phys tech* extensomètre, dilatomètre *m.*

dehydrieren [dehy'dri:rən] *tr chem* déshydrogéner.

Deich *m* ‹-(e)s, -e› [daɪç] digue (maritime), levée *f;* **~bruch** *m* rupture *f* d'une *od* de la digue; **d~en** *tr* endiguer; **~graf** *m,* **~hauptmann** *m* intendant *m* des digues.

Deichsel *f* ‹-, -n› ['daɪksəl] timon, limon *m,* flèche; *(Gabeldeichsel)* limonière *f,* brancards *m pl;* **~arm** *m* limon *m;* **d~n** *tr fam (hinkriegen) pop* goupiller; arranger; **~pferd** *n* cheval d'attelage, timonier *m.*

deiktisch [de'ɪktɪʃ] *a* déictique.

dein [daɪn] *pron* ton, ta, *pl* tes; *der, die, das ~e* le tien, la tienne; *die D~en (pl)* les tiens *m pl; ich bin ~* je suis à toi; **~erseits** *adv* de ta part, de ton côté, à ton tour; **~esgleichen** *pron* ton (tes) pareil(s), ton (tes) semblable(s); **~ethalben** *adv,* **~etwegen** *adv,* **~etwillen,** *um (adv)* à cause de toi, pour (l'amour de) toi;

~ige [-nɪgə] *(mit best. Artikel)* = *~e.*
Deismus *m* ⟨-, ø⟩ [de'ɪsmus] *philos* déisme *m.*
Deka|de *f* ⟨-, -n⟩ [de'ka:də] *(Zeitraum von 10 Tagen, a. Jahren)* décade *f;* **~gramm** *n* [-ka'gram] *(10 g)* décagramme *m;* **~liter** *m (n)* [-ka'li:tər] *(10 l)* décalitre *m.*
dekaden|t [deka'dɛnt] *a* décadent, déliquescent; **D~z** *f* ⟨-, ø⟩ [-'dɛnts] décadence, déliquescence *f.*
Dekan *m* ⟨-s, -e⟩ [de'ka:n] *(rel, Univ.)* doyen *m;* **~at** *n* ⟨-(e)s, -e⟩ [-ka'na:t] *rel* doyenné; *(Univ.)* décanat *m.*
dekatieren [deka'ti:rən] *tr tech (Textil)* décatir.
Deklam|ation *f* ⟨-, -en⟩ [deklamatsi'o:n] déclamation, récitation *f;* **d~ieren** [-'mi:rən] *tr (auswendig hersagen)* déclamer, réciter.
Deklar|ation *f* ⟨-, -en⟩ [deklaratsi'o:n] *(grundsätzl. Erklärung)* déclaration *f;* **d~ieren** [-'ri:rən] *tr (bes. gegenüber Zollbehörden)* déclarer.
Deklin|ation *f* ⟨-, -en⟩ [deklinatsi'o:n] *gram phys astr* déclinaison *f;* **d~ieren** [-'ni:rən] *tr gram* décliner.
Dekollet|é *n* ⟨-s, -s⟩ [dekɔl(ə)'te:] *(Kleidausschnitt)* décolleté *m;* **d~iert** [-'ti:rt] *a* décolleté.
Dekor|ateur *m* ⟨-s, -e⟩ [dekora'tø:r] décorateur; *(Polsterer)* tapissier; *(Schaufenster~~)* étalagiste *m;* **~ation** *f* ⟨-, -en⟩ [-tsi'o:n] décoration *f; theat* décor (s *pl*) *m;* **~ationsmaler** *m* peintre décorateur, ornemaniste; *theat* peintre *m* de décors; **~ationsmaterial** *n (für Schaufenster)* matériel *m* de décoration; **~ationsstoff** *m* tissu *m* d'ameublement; **d~ieren** [-'ri:rən] *tr* décorer.
Dekret *n* ⟨-(e)s, -e⟩ [de'kre:t] *(Erlaß)* décret *m;* **d~ieren** [-kre'ti:rən] *tr* décréter.
Deleg|ation *f* ⟨-, -en⟩ [delegatsi'o:n] délégation *f;* **~ationschef** *m* chef *m* de mission; **d~ieren** [-'gi:rən] *tr* déléguer; **~ierte(r)** *m* délégué *m.*
delikat [deli'ka:t] *a (lecker)* délicat, délicieux, fin; *(heikel)* délicat, difficile, épineux, scabreux; **D~esse** *f* ⟨-, -n⟩ [-ka'tɛsə] *(Leckerbissen)* friandise *f;* morceau *m* délicat; *(Zartgefühl)* délicatesse *f; pl com* comestibles *m pl* de choix; **D~essengeschäft** *n* épicerie *f* fine, magasin *m* de comestibles de choix.
Deli|kt *n* ⟨-(e)s, -e⟩ [de'lɪkt] *jur* délit *m,* infraction *f;* **~nquent** *m* ⟨-en, -en⟩ [-liŋ'kvɛnt] délinquant; criminel *m.*
delir|ieren [deli'ri:rən] *itr (irrereden)* délirer; **D~ium** *n* ⟨-s, -rien⟩ [-'li:rium, -riən] *med* délire *m;* *~~ tremens (a.)* délire *m* alcoolique.
Delkredere *n* ⟨-, -⟩ [dɛl'kre:dere] *fin (Bürgschaft)* ducroire *m.*
Delle *f* ⟨-, -n⟩ ['dɛlə] *fam* bosselure *f,* enfoncement *m; (Bodensenkung)* dépression *f.*
Delphin *m* ⟨-s, -e⟩ [dɛl'fi:n] *zoo* dauphin *m.*
Delta *n* ⟨-s, -s/-ten⟩ ['dɛlta] *(griech. Buchstabe, geog)* delta *m;* **~flügel** *m aero* aile *f* en delta; *~~-Rakete f* engin *m* à aile en delta; **d~förmig** *a* deltoïde; **~muskel** *m* muscle *m* deltoïde.
dem [de(:)m] *(dat von: der* u. *das); bei alle~* avec *od* malgré tout cela; *nach ~, was Sie sagen* à *od* d'après ce que vous dites; *wenn ~ so ist (, daß ...)* s'il en est ainsi (si tant est) (que ...); *wie ~ auch sei* quoi qu'il en soit; **~entsprechend** *a* conforme à cela; *adv,* **~gemäß** *adv,* **~nach** *adv,* **~zufolge** *adv* conformément à cela, en conséquence, par conséquent, dès lors; **~gegenüber** *adv* par contre, d'autre part; **~nächst** *adv (nächstens)* bientôt, prochainement, sous peu, un des ces jours, au premier jour; **~ungeachtet** *adv* malgré (cela), en dépit de cela, nonobstant, néanmoins.
Demagog|e *m* ⟨-en, -en⟩ [dema'go:gə] démagogue *m;* **~ie** *f* ⟨-, -n⟩ [-go'gi:] démagogie *f;* **d~isch** [-'go:gɪʃ] *a* démagogique.
Demarkationslinie *f* [demarkatsi'o:ns-] ligne *f* de démarcation.
demaskieren [demas'ki:rən] *tr* démasquer.
Dement|i *n* ⟨-s, -s⟩ [de'mɛnti] démenti *m;* **d~ieren** [-'ti:rən] *tr* démentir; *jdn ~~ (a.)* donner *od* infliger un démenti à qn.
Demission *f* ⟨-, -en⟩ [demisi'o:n] *(Rücktritt, Entlassung)* démission *f;* **d~ieren** [-sio'ni:rən] *itr* démissioner, donner sa démission.
demobilisier|en [demobili'zi:rən] *tr* démobiliser; **D~ung** *f* démobilisation *f.*
Demokrat *m* ⟨-en, -en⟩ [demo'kra:t] démocrate *m;* **~ie** *f* ⟨-, -n⟩ [-kra'ti:] démocratie *f;* **d~isch** [-'kra:tɪʃ] *a (von Sachen)* démocratique; *(von Personen)* démocrate; **d~isieren** [-ti'zi:rən] *tr* démocratiser; **~isierung** *f* ⟨-, (-en)⟩ démocratisation *f.*
demolier|en [demo'li:rən] *tr* démolir; **D~ung** *f* démolition *f.*
Demonstr|ant *m* ⟨-en, -en⟩ [demɔn'strant] *bes. pol* manifestant *m;* **~ation** *f* ⟨-, -en⟩ [-stratsi'o:n] *(Darlegung)* démonstration; *bes. pol* manifestation *f;* **~ationszug** *m* cortège *m* de manifestants; **d~ativ** [-tra'ti:f] *a* démonstratif; **~ativpronomen** *n gram (substantivisches)* pronom démonstratif; *(adjektivisches)* adjectif *m* démonstratif; **d~ieren** [-'stri:rən] *tr (darlegen)* démontrer; *itr bes. pol* manifester, faire une manifestation.
Demont|age *f* ⟨-, -n⟩ [demɔn'ta:ʒə, -mɔ̃-] *tech* démontage *m;* **d~ierbar** [-'ti:r-] *a* démontable; **d~ieren** *tr* démonter.
Demoralis|ation *f* ⟨-, (-en)⟩ [demoralizatsi'o:n] **~ierung** *f* [-'zi:ruŋ] atteinte au moral, démoralisation *f;* **d~ieren** *tr* démoraliser.
Demo|skop|ie *f* ⟨-, -n⟩ étude *od* science *f* de l'opinion; **d~skopisch** *a: D~~e(s) Institut n* Institut *m* d'opinion publique.
Demut *f* ⟨-, ø⟩ ['de:mu:t] humilité, soumission *f;* abaissement *m.*
demütig ['de:my:tɪç] *a* humble; *(unterwürfig)* soumis; *jdn ~ bitten* supplier qn; *~e Bitte f* supplication *f;* **~en** *tr* humilier, abaisser, confondre, mortifier; rabaisser *od* rabattre l'orgueil (*jdn* de qn); *sich ~~* s'humilier, s'abaisser, se prosterner; *rel* se mortifier; **~end** *a* humiliant, abaissant; **D~ung** *f* humiliation *f,* abaissement *m,* mortification, prosternation *f, fam* aplatissement *m; ~~en einstekken* avaler des couleuvres.
denaturier|en [denatu'ri:rən] *tr chem* dénaturer; *~te(r) Alkohol m* alcool *m* dénaturé; **D~ung** *f* dénaturation *f;* **D~ungsmittel** *n* dénaturant *m.*
dengeln ['dɛŋəln] *tr agr (schärfen)* battre, marteler.
Denk|art *f* ['dɛŋk-] manière *od* façon de penser; *(Geistesart)* mentalité *f;* **d~bar** *a* imaginable, concevable; *mit adj im Superlativ* possible; *auf die ~~ einfachste Art* de la plus simple manière possible; **d~en** ⟨*dachte, gedacht, wenn ich dächte*⟩ [dɛŋk-, daxt-, dɛçtə] *tr* penser; croire; voir; *itr* penser (*an* à, *über, von* de), songer (*an* à), présumer (*von* de); *(nachdenken)* réfléchir (*über* à *od* sur); *(sinnen)* méditer (*über* sur); *(vorhaben)* penser, compter (*etw zu tun* faire qc); *(der Ansicht sein)* être d'avis (*daß* que); *sich ~~ (sich vorstellen)* s'imaginer, se figurer, se représenter; *(rechnen mit)* s'attendre à; *(ahnen)* se douter de; *bei sich ~~* penser à part soi; *daran ~~, etw zu tun* penser à faire qc; *edel ~~* penser noblement, avoir des pensées nobles; *gut, schlecht von jdm ~~* avoir bonne, mauvaise opinion de qn; *nicht daran ~~ zu ...* ne pas penser à ...; *gar nicht daran ~~ zu ...* être bien loin de ...; *nicht klar ~~* n'avoir pas une pensée claire; *richtig ~~* penser juste; *an etw nicht mehr ~~* ne plus penser à qc; *vernünftig ~~* raisonner; *zu ~~ geben* donner à penser *od* songer *od* réfléchir; *sich ~~ lassen* se comprendre, se concevoir; *für jdn gedacht (bestimmt) sein* être destiné à qn; *ich ~e, wir warten noch einen Augenblick* attendons un instant; *ich ~e mir die Sache so ...* voilà comment je vois l'affaire ...; *ich ~e mir mein(en) Teil (dabei)* j'ai mon idée à moi; *ich habe mir nichts Böses dabei gedacht* je ne songeais pas à mal; *das kann ich mir ~~* je m'en doute; *das kann ich mir nicht ~~* cela me paraît impossible, cela passe mon imagination; *du wirst noch (mal) daran ~~* tu t'en (res)souviendras; *er ~t, wunder was er ist* il es (très) infatué de sa (petite) personne; *Sie haben an alles gedacht* vous avez tout prévu; *Sie können sich ~~ ...* vous jugerez bien ...; *das übrige können Sie sich ~~* vous devinez le reste; *man ~t nie an alles* on ne peut tout prévoir, on ne saurait parer à tout; *das gibt mir zu ~~* cela me donne à penser, cela m'intrigue; *gedacht, getan* aussitôt dit, aussitôt fait; *wer hätte das gedacht?* qui aurait dit cela? *ich ~e ja gar nicht daran!* je m'en garderai bien! ce n'est nullement

mon intention; *das habe ich mir gedacht!* c'est ce que j'ai pensé, je m'y attendais, je m'en doutais; *wenn ich bloß daran ~e!* rien que d'y penser! *~ste! (fam)* pas question! bernique! pas de ça, Lisette! *~~ Sie mal!* figurez-vous! pensez donc! *wo ~~ Sie hin!* quelle idée! y pensez- -vous! *~~ Sie sich in meine Lage!* mettez-vous à ma place! *der Mensch ~t und Gott lenkt* l'homme propose et Dieu dispose; **~en** *n* pensée; *(Nachdenken)* réflexion, méditation *f; folgerichtige(s), logische(s) ~~* esprit *m* de suite, justesse *f* de pensée; **d~end** *a* pensant; *~~e Maschine f* cerveau *m* électronique; *~~e(r) Mensch m* homme *m* qui réfléchit; **~er** *m* ‹-s, -› penseur; philosophe, esprit *m;* **d~fähig** *a* capable de penser; **~fähigkeit** *f* faculté *f* de penser; **d~faul** *a* paresseux d'esprit; **~faulheit** *f* paresse *f* d'esprit; **~fehler** *m* faute *f* de raisonnement; **~lehre** *f* logique *f;* **~mal** *n* ‹-s, -mäler/(-male)› monument *m; jdm ein ~~ errichten* élever une statue à qn; **~malschutz** *m* protection *f* des monuments; *unter ~~ stehen, stellen* être classé, classer monument historique; **~münze** *f* médaille *f* commémorative; **d~richtig** *a* logique; **~schwach** *a* inapte au raisonnement; **~schrift** *f* mémoire, mémorandum *m;* **~sport(aufgabe *f*)** *m* jeu *m* d'esprit; **~spruch** *m* sentence, devise *f;* **~stein** *m* pierre *f* commémorative; **~vermögen** *n* = *~fähigkeit;* **~weise** *f* = *~art;* **d~würdig** *a* mémorable; **~würdigkeit** *f (Bedeutung)* importance *f; (Ereignis)* événement *m* mémorable; *pl (Lebenserinnerungen)* Mémoires *m pl;* **~zettel** *m (Notiz)* note *f,* mémento *m; fig iron* (bonne) leçon, correction *f; jdm e-n ~~ geben* donner une leçon, administrer une correction à qn.

denn [dɛn] *conj (kausal)* car; *(nach Komparativ: als)* que; *adv (eigentlich, überhaupt)* donc; *mehr ~ je* plus que jamais; *nun* od *wohlan ~!* eh bien! *wieso ~?* comment donc? *es sei ~, daß ...* à moins que ne *subj; wo bist du ~?* où es-tu donc?

dennoch ['dɛnɔx] *adv* u. *conj* cependant, pourtant; néanmoins, quand même, tout de même.

dent|al [dɛn'ta:l] *a gram* dental; **D~al(laut)** *m (Zahnlaut)* dentale *f;* **D~ist** *m* ‹-en, -en› [-'tɪst] *(früher: Zahnarzt ohne Hochschulprüfung)* dentiste *m.*

Denunz|iant *m* ‹-en, -en› [denuntsi'ant] dénonciateur, délateur; *lit* sycophante *m;* **~iation** *f* ‹-, -en› [-tsiatsi'o:n] dénonciation, délation *f;* **d~ieren** [-'tsi:rən] *tr* dénoncer, *jur* déférer; *itr* dénoncer à la justice.

Depesch|e *f* ‹-, -n› [de'pɛʃə] dépêche *f,* télégramme; *fam* câble *m;* **~enbote** *m* télégraphiste *m;* **d~ieren** [-'ʃi:rən] *tr* télégraphier; *itr* envoyer un télégramme.

Depon|ent *m* ‹-en, -en› [depo'nɛnt] *fin* déposant *m;* **d~ieren** [-'ni:rən] *tr* déposer, mettre en dépôt.

Deposit|ar *m,* **~är** *m* ‹-s, -e› [depozi'ta:r, -'tɛ:r] *fin* dépositaire *m;* **~en** [-'zi:tən] *pl fin* dépôt(s *pl*) *m;* valeurs *f pl* en dépôt; **~enbank** *f* banque *f* de dépôts; **~engelder** *n pl* argent *m od* fonds mis en dépôt, dépôts *m pl;* **~enguthaben** *n* avoir *m* en dépôt; **~enkasse** *f* caisse *f* des dépôts (et consignations); **~enkonto** *n* compte *m* de dépôts; **~enschein** *m* reconnaissance *f* de dépôt.

Depot *n* ‹-s, -s› [de'po:] *(Lagerhaus)* dépôt, entrepôt, magasin; *(Bankdepot)* dépôt *m* (en banque); **~schein** *m* récépissé *m* de dépôt.

Depp *m* ‹-s, -e/-en› [dɛp] *dial* benêt, *fam* gobe-mouches, gribouille *m.*

Depress|ion *f* ‹-, -en› [deprɛsi'o:n] *phys mete psych fin* dépression *f;* **~or** *m* ‹-s, -en› [-'prɛsɔr, -'so:rən] *anat* abaisseur *m.*

deprimieren [depri'mi:rən] *tr (seelisch niederdrücken)* déprimer, décourager, accabler.

Deput|at *n* ‹-(e)s, -e› [depu'ta:t] *(Naturallohn)* allocation *od* rémunération *f od* prestations *f pl* en nature; **~ation** *f* ‹-, -en› [-tatsi'o:n] *(Abordnung)* députation, délégation *f;* **d~ieren** [-'ti:rən] *tr* députer, déléguer; **~ierte(r)** *m* député, délégué *m.*

der, die das, *pl* **die** [de(:)r, di(:), das] *(Artikel)* le, la, *pl* les; *(Demonstrativpron) s. dieser; jener; derjenige (Relativpron) s. welcher; ~ und ~* un tel; *zu ~ und ~ Zeit* à telle et telle heure; **~art** *adv* tellement, de telle manière, de la sorte, de ce genre; *(so sehr)* tant; *~~, daß* de sorte que, à tel point que, si bien que, au point de *inf;* **~artig** *a* tel, pareil, semblable, de cette sorte, de ce genre; **~einst** *adv (in später Zukunft)* un jour; *(einstmal) autrefois, une fois, jadis;* **~enthalben** *adv,* **~entwegen** *adv,* **~entwillen,** *um (adv)* à cause *od* pour l'amour de qui *od* duquel, de laquelle, desquel(le)s; **~gestalt** *adv (so); ~~(, daß)* de façon (à ce que), si bien (que); **~gleichen** *a inv* tel, pareil, semblable; *und ~~ mehr* et autres choses semblables, et cætera; *nichts ~~ tun* n'en rien faire; *nichts ~~!* rien de pareil! pas de ça! **~jenige, diejenige, dasjenige,** *pl* **diejenigen** [-je:nɪg-] *pron* celui, celle, *pl* ceux *m,* celles *f* (*welche(r, s)* qui); **~maßen** *adv (so sehr)* tant; *~~, daß* au point de *inf;* **~selbe, dieselbe, dasselbe,** *pl* **dieselben** *pron* le, la même, *pl* les mêmes; **~weilen** *adv* en attendant, cependant, entretemps; **~zeit** *adv* à l'heure qu'il est, à présent, actuellement; **~zeitig** *a* présent, actuel.

derb [dɛrp] *a (fest)* ferme, solide, résistant, compact; *(hart)* dur; *(kräftig)* fort, vigoureux; *(grob)* rude, grossier, vert; *(Ausdruck)* cru, trivial, vulgaire; *~e(r) Witz m* gauloiserie *f;* **D~heit** *f* fermeté, solidité, compacité; dureté; vigueur; rudesse, grossièreté; *(des Ausdrucks)* crudité, trivialité *f.*

Derivat *n* ‹-(e)s, -e› [deri'va:t] *chem* dérivé *m.*

Derwisch *m* ‹-(e)s, -e› ['dɛrvɪʃ] *rel* derviche *m.*

des [dɛs] **1.** *(gen von: der* u. *das);* **~gleichen** *adv* de même, pareillement; item; *bes. com* dito; **~halb, ~wegen** *adv (kausal* u. *final)* c'est *od* voilà pourquoi, pour *od* à cause de cela, pour cette raison, pour raison de quoi; *(final)* à cet effet; *eben ~~ ...* c'est bien pourquoi ...; *~halb, weil* (c'est) parce que; **~ungeachtet** *adv = dessenungeachtet.*

des [dɛs] **2.** *n mus* ré *m* bémol; **Des-Dur** *n* ré *m* bémol majeur.

Desert|eur *m* ‹-s, -e› [dezɛr'tør] déserteur *m;* **d~ieren** [-'ti:rən] *itr* déserter; **~ion** *f* ‹-, -en› [-tsi'o:n] désertion *f.*

Desinfektion *f* ‹-, -en› [dezɪnfɛktsi'o:n] *med* désinfection *f;* **~sanstalt** *f* établissement *m* de désinfection; **~sapparat** *m* appareil *m* désinfecteur; **~smittel** *n* désinfectant; *(für Wunden)* antiseptique *m;* **~sschrank** *m* étuve *f* à désinfection.

desinfizieren [dezɪnfi'tsi:rən] *tr* désinfecter, assainir, aseptiser.

deskriptiv [dɛskrɪp'ti:f] *a (beschreibend)* descriptif.

desodor|(is)ieren [dezodor(iz)'i:rən] *(geruchlos machen)* désodoriser; **D~isierung** *f* désodorisation *f.*

Despot *m* ‹-en, -en› [dɛs'po:t] despote, tyran *m;* **d~isch** *a* despotique, tyrannique; **~ismus** *m* ‹-, ø› [-po'tɪsmus] despotisme *m,* tyrannie *f.*

dessen ['dɛsən] *(gen der Relativpron der u. das u. des Demonstrativpron dieser); = seine(r, s); ich bin mir ~ bewußt* j'ai conscience de cela, j'en ai conscience; **~thalben** *adv,* **~twegen** *adv,* **~twillen,** *um (adv)* à cause de cela; *(relativisch)* à cause de quoi; **~ungeachtet** *adv* malgré cela, nonobstant, néanmoins.

Dessert *n* ‹-s, -s› [de'sɛ:r, -'sɛrt] dessert *m;* **~gabel** *f,* **~löffel** *m,* **~service** *n,* **~teller** *m* fourchette, cuiller *f,* service *m,* assiette *f* à dessert; **~wein** *m* vin *m* de dessert.

Destill|at *n* ‹-(e)s, -e› [dɛstɪ'la:t] *chem* distillat *m;* **~ateur** *m* ‹-s, -e› [-la'tør] *(Branntweinbrenner)* distillateur *m;* **~ation** *f* ‹-, -en› [-latsi'o:n] *chem* distillation *f;* **~e** *f* ‹-, -n› [-'tɪlə] *fam (Branntweinausschank)* bistrot *m;* **~ieranlage** [-'li:r-] *f* distillerie *f;* **~ierapparat** *m* appareil *m* à distiller *od* distillatoire; **d~ieren** [-'li:rən] *tr* distiller, passer à l'alambic; **~ierkolben** *m* matras à distillation, alambic *m,* cucurbite *f.*

desto ['dɛsto] *adv* d'autant; *je ..., ~ ...* plus ..., plus ..; *~ mehr* d'autant plus; *je mehr man hat, ~ mehr will man* plus on a, plus on veut; *~ besser!* tant mieux! *~ schlimmer!* tant pis!

Detail *n* ‹-s, -s› [de'taɪ(l), -'ta(:)j] détail *m; ins ~ gehen* entrer dans le(s) détail(s); **~geschäft** *n* magasin *m* de détail; **~handel** *m* commerce *m* de détail; **d~lieren** [-ta'ji:rən] *tr* *(einzeln darlegen)* détailler, spécifier; *com* détailler, vendre au détail; **~preis** *m* prix *m* de détail; **~zeichnung** *f tech* dessin *m* de détail.

Detektiv *m* ‹-s, -e› [detɛk'ti:f, -və] détective *m*; **~film** *m*, **~roman** *m* film, roman *m* policier.

Detektor *m* ‹-s, -en› [de'tɛktɔr, -'to:rən] *radio* détecteur *m*; **~apparat** *m*, **~empfänger** *m* poste *od* récepteur *m* à galène; **~(en)empfang** *m* réception *f* sur détecteur *od* sur galène *od* sur cadre; **~röhre** *f* lampe *f* détectrice.

Detergentien *pl* [detɛr'gɛntsiən] *(seifenfreie Waschmittel)* détergents *m pl*.

Deton|ation *f* ‹-, -en› [detonatsi'o:n] *(Explosion, Knall)* détonation *f*; **~ator** *m* ‹-s, -en› [-'na:tɔr, -na'to:rən] *(Zündmittel)* détonateur *m*; **d~ieren** [-to'ni:rən] *itr chem* détoner, exploser.

Deut *m* ‹ø, ø› [dɔʏt] *fam: nicht einen* od *keinen ~ haben* ne pas avoir un liard; *keinen ~ für etw geben, wert sein* ne pas donner un liard pour qc, ne pas valoir un liard.

deut|eln ['dɔʏtəln] *itr* subtiliser (*an etw* sur qc); interpréter subtilement (*an etw* qc); **~en** *tr (auslegen) (a. Träume)* interpréter; *(erklären)* expliquer, *itr: auf jdn (mit dem Finger, der Hand) ~~* montrer qn (du doigt, de la main); *auf etw ~~ fig* annoncer, présager qc; *alles ~et darauf hin, daß* tout porte à croire que; **~lich** *a (gut unterscheidbar)* distinct; *(klar)* clair, net, précis; bien défini; *(Schrift)* lisible; *(spürbar)* sensible; *(ausgeprägt)* marqué; *sich ~~ ausdrücken (a.)* mettre les points sur les i; *~~ machen* mettre en lumière; *jdm etw* faire comprendre qc à qn; *e-e ~~e Sprache reden (fig)* parler net; *etwas ~~ sehen (fig)* toucher qc du doigt; *das war aber ~~!* voilà qui est direct! **D~lichkeit** *f* distinction; clarté, netteté, précision; lisibilité *f*; **D~ung** *f* interprétation; explication *f*.

Deuter|ium *n* ‹-s, ø› [dɔʏ'te:rium] *chem* deutérium *n*; **~on** *n* ‹-s, -en› ['dɔʏterɔn, -'ro:nən] *(Atomkern des Deuteriums)* deutéron *m*.

deutsch [dɔʏtʃ] *a* allemand, d'Allemagne; *lit* germanique; *bes. hist* teuton(ique); *auf ~* en allemand; *~er Abstammung* d'origine allemande; *mit jdm ~ (deutlich) reden* parler français à qn; *~-französisch (a)* franco-allemand; *(Wörterbuch)* allemand-français; *der D~e Orden (hist)* l'Ordre *m* Teutonique; *die ~e Schweiz* la Suisse alémanique; *~e Spracheigentümlichkeit f* germanisme *m*; *(das) D~(e)* l'allemand *m*, la langue allemande; **D~enhaß** *m* germanophobie *f*; **D~e(r)** *m*, **~e** *f* Allemand, e *m f*; *die alten D~en* les anciens Germains *m pl*; **~feindlich** *a* germanophobe; **~freundlich** *a* germanophile; **D~freundlichkeit** *f* germanophilie *f*; **D~land** *n* l'Allemagne *f*; **~sprachig** *a* d'expression allemande, germanophone; **D~tum** *n* ‹-s, ø› [-tu:m] nationalité *f* allemande; *(~es Wesen)* génie *od* caractère *m* allemand.

Devalv|ation *f* ‹-, -en› [devalvatsi'o:n] *fin (Währungsabwertung)* dévaluation *f*; **d~ieren** [-'vi:rən] *tr* dévaluer.

Devise *f* ‹-, -en› [de'vi:zə] *(Wahlspruch)* devise *f*; *pl fin* devises *f pl*, changes *m pl*.

Devisen|abschlüsse [de'vi:zən-] *m pl* opérations *f pl* de change; **~abteilung** *f* service *m* des changes; **~ausgleichsfonds** *m* fonds *m* d'égalisation des changes; **~bestand** *m* stock *m* de devises *m*; **~bestimmungen** *f pl* règlement *m* sur les monnaies; **~bewirtschaftung** *f* réglementation *f od* contrôle *m* des devises *od* changes; **~bewirtschaftungsstelle** *f* office *m* des changes; **~gesetz** *n* loi *f* relative à la réglementation des devises; **~handel** *m* commerce *m* du *od* des change(s) *od* des devises; **~inländer** *m* résidant *m*; **~knappheit** *f*, **~mangel** *m* pénurie *f od* manque *m* de devises; **~kurs** *m* cours *m* des changes; **~markt** *m* marché *m* des changes *od* devises; **~notierung** *f* cotation *f* des changes; **~ordnung** *f* règlement *m* de devises; **~recht** *n* législation *f* sur les changes; **~reserve** *f* réserve *f* de devises; **~schieber** *m* trafiquant *m* de devises; **~schmuggel** *m* contrebande *f* de devises; **~sperre** *f* embargo *m* sur les devises; **~stelle** *f* office *m* des changes; **~vergehen** *n* infraction *f* (à la réglementation) des changes; **~verkehr** *m* commerce *m* en devises; **~verordnung** *f* ordonnance *f* de devises; **~zuteilung** *f* octroi *m* de devises.

devot [de'vo:t] *a (gottergeben)* dévot; *(unterwürfig)* soumis; **D~ion** *f* ‹-, -en› [-votsi'o:n] dévotion, soumission *f*; **D~ionalien** *pl* [-tsio'na:liən] objets *od* articles *m pl* religieux.

Dextr|in *n* ‹-s, -e› [dɛks'tri:n] *chem (Klebestärke)* dextrine *f*; **~ose** *f* ‹-, ø› [-'tro:zə] *(Traubenzucker)* dextrose *m*, glucose *m* od *f*.

Dez *m* ‹-es, -e› [de:ts] *pop (Kopf)* caboche, citron *m*, cafetière; *vulg* cocarde *f*.

Dezember *m* ‹-(s), ø› [de'tsɛmbər] décembre *m*.

Dezennium *n* ‹-s, -ien› [de'tsɛnium, -niən] *(Jahrzehnt)* décennie *f*.

dezent [de'tsɛnt] *a (anständig)* décent; *(zurückhaltend)* réservé, discret; *(zart)* tendre, délicat; *mus (gedämpft)* amorti.

Dezern|at *n* ‹-(e)s, -e› [detsɛr'na:t] *adm* ressort, service *m*; **~ent** *m* ‹-en, -en› [-'nɛnt] chef *m* de service.

Dezi|gramm *n* [detsi'gram] décigramme *m*; **~meter** *n* od *m* décimètre *m*.

dezimal [detsi'ma:l] *tr* a math décimal; **D~bruch** *m* (fraction) décimale *f*; **D~stelle** *f* décimale *f*; **D~system** *n* système *m* décimal *od* métrique, numération *f* décimale; **D~waage** *f* bascule *f* décimale; **D~zahl** *f* nombre *m* décimal.

dezimieren [detsi'mi:rən] *tr (große Verluste beibringen)* décimer.

Dia *n* ‹-s, -s› ['di:a], **~positiv** *n* ‹-s, -e› [diapozi'ti:f] *phot* dia(positive) *f*.

Diabet|es *m* ‹-, ø› [dia'be:tɛs] *med (Harnruhr; Zuckerkrankheit)* diabète *m*; **~iker** *m* ‹-s, -› [-'be:tikər] diabétique *m*; **d~isch** *a* diabétique.

diabolisch [dia'bo:lɪʃ] *a (teuflisch)* diabolique, satanique, infernal.

Diadem *n* ‹-s, -e› [dia'de:m] diadème *m*.

Diagno|se *f* ‹-, -n› [dia'gno:zə] *med* diagnostic *m*; *die ~~ stellen* faire *od* établir le dignostic; **~sefehler** *m* erreur *f* de diagnostic; **~stik** *f* ‹-, (-en)› [-'gnɔstɪk] diagnose *f*; **d~stisch** *a* diagnostique; **d~stizieren** [-nɔsti'tsi:rən] *tr* diagnostiquer.

diagonal [diago'na:l] *a math* diagonal; *~ (flüchtig) lesen (fam)* lire en diagonale; **D~e** *f* ‹-, -n› *math* diagonale *f*.

Diagramm *n* ‹-s, -e› [dia'gram] *(Schaubild)* diagramme, graphique *m*.

Diakon *m* ‹-s/-en, -e/-en› [dia'ko:n] *rel* diacre *m*; **~at** *n* ‹-(e)s, -e› [-ko'na:t] diaconat *m*; **~isse** *f* ‹-, -n› [-ko'nɪsə], **~issin** *f* diaconesse *f*.

Dialekt *m* ‹-(e)s, -e› [dia'lɛkt] *(Mundart)* dialecte, patois *m*; **~ik** *f* ‹-, ø› [-'lɛktɪk] *philos* dialectique *f*; **d~isch** *a (mundartlich)* dialectal; *philos* dialectique.

Dialog *m* ‹-(e)s, -e› [dia'lo:k] dialogue *m*; **d~isch** [-lo:gɪʃ] *a* dialogué; **d~isieren** [-logi'zi:rən] *tr (in ~form kleiden)* dialoguer; **~verfasser** *m* dialoguiste *m*.

Dialys|e *f* ‹-, -n› [dialy:zə] dialyse *f*; **d~ieren** [-lyzi:rən] *tr* dialyser.

Diamant *m* ‹-en -en› [dia'mant] diamant *m*; **d~en** *a* de diamant(s); en diamants; *~~e Hochzeit f* noces *f pl* de diamants; **~enhalsband** *n* rivière *f* de diamants; **~händler** *m* diamantaire *m*; **~ring** *m* bague *f* de diamants; **~schleifer** *m* tailleur de diamants, diamantaire *m*; **~schmuck** *m* parure *f* de diamants.

diametral [diame'tra:l] *a* diamétral; *der ~e Gegensatz* le pôle; *adv: ~ entgegengesetzt* diamétralement opposé.

Diarium *n* ‹-s, -rien› [di'a:rium, -riən] *(Tagebuch)* journal *m*.

Diarrhö(e) *f* ‹-, -en› [dia'rø:, -'røən] *med (Durchfall)* diarrhée *f*.

Diät *f* ‹-, ø› [di'ɛ:t] diète *f*; *med* régime *m* (alimentaire); *pl parl (Tagegelder)* indemnité *f* (parlementaire), jetons *m pl* de présence; *~ halten, nach e~r ~ leben* être au *od* suivre un régime; *d~ leben* faire diète; *auf ~ setzen (med)* mettre au régime; *strenge ~* grand régime *m*; **~brot** *n* pain *m* de régime; **~etik** *f* ‹-, -en› [-ɛ'te:tɪk] diététique *f*; **~etiker** *m* ‹-s, -› [-'te:tikər] diététicien *m*; **~fehler** *m* écart *m* de régime.

dich [dɪç] *pron (mit v verbunden)* te; *(unverbunden u. nach prp)* toi.

dicht [dɪçt] *a (~ stehend)* dense *(a. Bevölkerung)*; épais *(bes. Nebel)*; dru *(a. Regen)*; *(buschig)* touffu; *(gedrängt)* serré; *(~ u. fest)* compact, solide, consistant; *(Stoff)* serré; *(luftdicht)* hermétique; *(wasserdicht)* étanche, imperméable; *adv:* ~ *an etw* à même qc; ~ *bei* tout près de; ~ *dabei* tout près; ~ *beim Bau, bei der Arbeitsstelle* à pied d'œuvre; ~ *hinter*... juste derrière ...; ~ *hinter mir* sur mes talons; **D~e** *f* ‹-, (-n)›, **D~igkeit** *f* ‹-, ø› densité *a. phys;* épaisseur; compacité, solidité, consistance; étanchéité, imperméabilité *f;* **~en** *tr* **1.** *tech (verstopfen)* boucher, bourrer, colmater; *(mit Werg)* étouper; étancher; *mar* calfater; **D~everhältnis** *n* rapport *m* de densité; **~=halten** *itr fam (nichts verraten)* garder le secret *od fam* sa langue; *pop* avoir un bœuf sur la langue; **~=machen** *tr fam (Betrieb, Laden)* fermer; **D~ung** *f* **1.** *tech* bourrage, joint *m,* garniture *f; (mit Werg)* étoupement; *(wasserdicht)* étanchement; *mar* calfatage *m;* **D~ungsmaterial** *n* matériel *m* d'étoupage, garniture *f* de joint; **D~ungsring** *m* anneau *m* de joint *od* de garniture; **D~ungsscheibe** *f* rondelle *f* de joint.

dicht|en ['dıçtən] *tr* **2.** *poet* faire, écrire, composer; *itr* faire des vers; **D~en** *n: all sein ~~ und Trachten* toute sa pensée et ses efforts; **D~er** *m* ‹-s, -› poète; *allg* rêveur *m;* **D~erin** *f* femme poète, poétesse *f;* **~erisch** *a* poétique; **D~erling** *m* ‹-s, -e› versificateur, rim(aill)eur *m;* **D~kunst** *f* art *m* poetique, poésie *f;* **D~ung** *f* **2.** *poet* poésie; *(einzelnes Werk)* œuvre *f* poétique; *(Epos)* poème *m; allg* fiction *f.*

dick [dık] *a (dem Durchmesser nach)* épais; *(dem Umfang nach)* gros, fort, corpulent, replet; *(geschwollen, von e~m Körperteil)* enflé, gonflé; = *dicht (stehend);* = *~flüssig; mit jdm durch ~ und dünn gehen* suivre qn toujours et partout; *es ~ haben (fam)* en avoir assez, *pop* en avoir marre; *ein ~es Fell haben (fig)* avoir la peau dure; *es ~ hinter den Ohren haben* être un malin *od* un fin matois; ~ *machen* grossir; *(fett)* engraisser; *~(er) machen (erscheinen lassen)* grossir; *~e Freunde sein* être des amis intimes; *ein(en) Meter ~ sein* avoir un mètre d'épaisseur; ~ *und rund werden (Mensch)* devenir gros et gras, devenir gras comme un moine; *~(er) werden (Mensch)* prendre de l'embonpoint *od* de la graisse, grossir, faire de la graisse; *es ist ~e Luft* il va y avoir du grabuge; ~ *angezogen* très vêtu; *~e(r) Brocken m (mil arg: Granate, Bombe)* marmite *f; fig* sale coup *m* sale histoire *f;* *~e Milch f* lait *m* caillé *od* pris; **D~bauch** *m (Mensch) fam* ventru, pansu, ventripotent *m;* **~bäuchig** *a (Mensch)* ventru, pansu, *fam* bedonnant; **D~darm** *m anat* gros intestin *m;* **D~e** *f* ‹-, -n› épaisseur; grosseur; corpulence *f,* embonpoint *m;* **D~erchen** *n* ‹-s, -› *fam* peloton *m;* **~fellig** *a fig* endurci, insensible; **~flüssig** *a* épais, filant, consistant, visqueux; **D~häuter** *m zoo* pachyderme *m;* **D~icht** *n* ‹-(e)s, -e› [-kıçt] fourré; *(Gebüsch)* taillis *m,* broussailles *f pl;* **D~kopf** *m* forte *od* mauvaise tête *f; fam* mule *f; e-n ~~ haben* avoir la tête dure; **~köpfig** *a* entêté, têtu; *~~ sein* être cabochard; **D~köpfigkeit** *f fig* entêtement *m,* obstination *f;* **~leibig** *a* corpulent, obèse, replet; **D~leibigkeit** *f* corpulence, obésité *f;* **~lich** *a* dodu, replet; **D~mops** *m fam* boule *f;* gros père *m; kleine(r) ~~ (fam)* pot *m* à tabac; **D~schädel** *m fam* mule *f;* **~=tun** *itr fam (angeben)* se rengorger, faire le mariolle; **D~mittel** *n (Küche)* épaississant *m;* **~wandig** *a* à paroi(s) épaisse(s); **D~wanst** *m* patapouf *m;* **D~zirkel** *m* compas *m* d'épaisseur.

Didakt|ik *f* ‹-, ø› [di'daktık] *(Unterrichtslehre)* didactique *f;* **d~isch** [-'taktıʃ] *a (lehrhaft)* didactique.

die [di(:)] *(Artikel, Relativpron) s. der; (Demonstrativpron) s. dieser u. jener.*

Dieb *m* ‹-(e)s, -e› [di:p] voleur, larron; *(Einbrecher)* cambrioleur *m; ~e! haltet den ~!* au voleur! **~erei** *f* ‹-, -en› [-bə'raı] volerie *f;* **~esbande** *f* bande *f* de voleurs; **~esgut** *n* larcin, butin *m;* **d~essicher** *a* à l'abri des voleurs; **~in** *f* voleuse *f;* **d~isch** *a* enclin au vol, voleur; *adv fig: sich ~~ freuen* se frotter les mains; **~stahl** *m* vol *m; pop* fauche *f; (kleiner)* larcin; *(Einbruch)* cambriolage, vol *m* avec effraction; *geistige(r) ~~* plagiat, larcin *m* littéraire; *räuberische(r) ~~* vol *m* à main armée; *schwere(r) ~~ (jur)* vol *m* qualifié; **~stahlversicherung** *f* assurance contre le vol, assurance-vol *f.*

Diel|e *f* ‹-, -n› ['di:lə] *(Brett)* planche *f,* madrier; *dial (Fußboden)* plancher; *(Hausflur)* vestibule *m; (Tanzdiele)* salle *f* de danse, dancing *m;* **d~en** *tr* planchéier.

dien|en ['di:nən] *itr* servir (*jdm* qn, *zu etw* à qc), rendre service (*jdm zu etw* de qc à qn), être utile (*jdm* à qn, *zu etw* à qc); *(helfen)* aider (qn, à qc); *(in Stellung sein)* être en service *od* condition (*bei jdm* chez qn); *mil* servir, faire son service militaire; *als etw ~~* servir de qc, faire fonction *od* office de qc; *als (Ersatz für) etw ~~* tenir lieu de qc, remplacer qc; *von der Pike auf ~~* sortir du rang; *e-m Zweck ~~* répondre à un but; *damit ist mir nicht gedient* cela ne me sert à rien, cela ne fait pas mon affaire; *womit kann ich Ihnen ~~?* qu'y a-t-il pour votre service? **D~er** *m* ‹-s, -› serviteur; *(Dienstbote)* domestique, valet; *(Lakai)* laquais; *(Knecht)* valet; *rel* ministre *m; fig (Verbeugung)* révérence *f; stumme(r) ~~ (Gerät)* serviteur *m* muet; *~~ Gottes* od *der Kirche* ministre *m* de Dieu *od* du Seigneur *od* de Jésus-Christ *od* de la religion *od* de l'Église; **D~erin** *f* servante *f;* **~ern** *itr* faire la révérence; **D~erschaft** *f* ‹-, ø› domestiques, gens *m pl* de maison; **D~ertracht** *f* livrée *f;* **~lich** *a (brauchbar)* utile, propre (*zu* à); *(zweckdienlich)* convenable, expédient; *(heilsam)* salutaire; *zu etw ~~ sein* servir, être utile à qc; *kann ich Ihnen ~~ sein?* puis-je vous être utile? *der Gesundheit ~~* bon pour la santé.

Dienst *m* ‹-es, -e› [di:nst] service; *(Amt)* office *m,* charge; *(Stellung)* place, condition *f,* emploi *m; (Funktion)* fonction *f; (Liebes~)* bon office; *rel* office, ministère *m; außer ~* hors (du) service; *(im Ruhestand) (Abkürzung: a. D.)* en retraite, ancien ...; *im ~ (befindlich)* de service; *(während des ~es)* pendant le service; *im ~ (gen)* au service (de) ...; *in Ausübung des ~es* dans l'exercice de ses fonctions; *um Ihnen einen ~ zu erweisen* pour vous être agréable; *s-e guten ~e anbieten (pol)* offrir ses bons offices; *den ~ antreten* entrer en service; *im ~ ergrauen* blanchir, vieillir sous le harnais; *jdm e-n ~ erweisen* od *leisten* rendre (un) service à qn; *jdm e-n schlechten ~ erweisen* rendre un mauvais service à qn; ~ *haben* être de service, *mil a.* de semaine; *den ~ kündigen* donner congé; *(~boten a.)* donner ses huit jours; *jdm gute, schlechte ~e leisten* rendre de bons, mauvais services à qn; *jds ~e in Anspruch nehmen* utiliser les services de qn; mettre qn à contribution; *in ~ nehmen* prendre à son service, engager, embaucher; *in jds ~ stehen* être au service de qn; *zu jds ~en stehen* être à la disposition *od* aux ordres de qn; *in ~ stellen (mar)* mettre en service; *außer ~ stellen (mar)* mettre hors service, retirer du service; *in jds ~e treten* entrer au service de qn; *s-n ~ versehen* faire son service; *ich stehe Ihnen (gleich) zu ~en* je suis à vous; *meine Beine versagen den ~* mes jambes se dérobent; *was steht zu ~en?* qu'y a-t-il pour votre service? ~ *ist ~!* service d'abord! *rückwärtige ~e (mil)* services *m* pl de l'arrière; *Offizier, Unteroffizier m vom ~* officier, sergent *m* de service; ~ *am Kunden* service *m* après-vente; **~abteil** *n loc* compartiment *m* de service; **~abzeichen** *n (Polizei)* insigne officiel; *mil* insigne *m* réglementaire; **~alter** *n* ancienneté, date *f* du brevet; *nach dem ~~* par rang *od* ordre d'ancienneté; **~alterzulage** *f* prime *f* d'ancienneté; **~älteste(r)** *m* le plus ancien; doyen *m;* **~anschluß** *m tele adm* poste *m* de service; **~antritt** *m* entrée *f* en service *od* en fonction; **~anweisung** *f* instruction de service; *adm* note *od* mention *f* de service; **~anzug** *m mil* tenue *f* de service; **~auffassung** *f* manière *f* d'agir, façon *f* de faire; **~aufsicht** *f adm* contrôle *m* (hiérarchique); **d~bar** *a (zu ~ verpflichtet)* tributaire, sujet; *hist* corvéable; *(gefällig)* serviable, obligeant; *~~e(r) Geist m (hum)* génie *m* domestique; **~barkeit** *f (Abhängigkeit)* sujétion; *hist* servitude *f;* **~bereich** *m* compétence *f;* **d~bereit** *a* serviable, empressé, zélé; *~~e Apotheke f* pharmacie *f* de garde; **~bereitschaft** *f* serviabilité *f,* empressement *m;* **~bescheinigung** *f* certificat *m* de service; **~betrieb**

m marche *f* du service, service *m* officiel; *den ~~ regeln* régler le fonctionnement du service; *wenn es der ~~ erfordert* en cas de nécessité(s) de service; **~bezüge** *m pl* rémunération *f* d'activité; **~bote** *m* domestique *m f;* **~eid** *m* serment *m* professionnel; **~eifer** *m* zèle, empressement *m;* **d~eifrig** *a* zélé, empressé; *(gefällig)* serviable, obligeant; **~einteilung** *f* roulement *m* du service; **~eintritt** *m* entrée *f* en service *od* en fonctions; **~enthebung** *f* suspension, mise *f* à pied; **~entlassung** *f* renvoi, congédiement *m;* (mise *f* en) congé, licenciement *m;* **d~fähig** *a* apte au service; **~fähigkeit** *f* aptitude *f* au service; **d~fertig** *a* = *~bereit;* **d~frei** *a* libre *od* exempt de service; *~~ haben* n'être pas de service; **~gebrauch** *m: nur für den ~~ (mil)* restreint au service; **~geheimnis** *n* secret *m* professionnel; **~gespräch** *n tele* conversation *f* de service; **~grad** *m mil* grade *m* (militaire); **d~habend** *a* de service; **~handlung** *f* acte *m* officiel; *e-e ~~ vornehmen* officier; **~herr** *m (Arbeitgeber)* patron, employeur *m;* **~jahr** *n* année *f* de service; *pl* états *m pl* de service; **~kleidung** *f* vêtements *m pl* de service; **~leistung** *f* (prestation *f* de) service *m; (als Arbeitsentgelt)* rémunération *f* en services; *zur ~~ kommandiert (mil)* stagiaire; **~~sbilanz** *f* bilan *m* des services *od* des invisibles; **~leiter** *m* chef *m* de service; **~leitung** *f tele* ligne *f* de service; **d~lich** *a* officiel; *a. adv* de service, d'office; *in ~~er Eigenschaft* dans l'exercice de ses fonctions; *aus ~~en Gründen* pour des raisons de service; *~~e(r) Befehl m* ordre *m* de service; *~~e Mitteilung f* note *f* de service; *~~ verhindert* retenu par le service; **~mädchen** *n* bonne, domestique *f; ~~ für alles* bonne *f* à tout faire; **~mann** *m (Gepäckträger)* ‹-s, -männer/-leute› commissionnaire, homme de peine; *hist (Vasall)* ‹-s, -leute› vassal *m;* **~marke** *f* timbre *m* de service; **~mütze** *f* bonnet *m* d'ordonnance; **~obliegenheiten** *f pl* fonctions *f pl;* **~ordnung** *f* règlement *m* de service; **~ort** *m* résidence *f* de service; **~pferd** *n mil* cheval *m* de service; **~pflicht** *f* (obligation *f* de) service *m; allgemeine ~~ (mil)* service *m* militaire obligatoire; **d~pflichtig** *a* astreint au service; **~pflichtverletzung** *f* manquement *m* aux devoirs; **~pistole** *f* pistolet *m* d'ordonnance; **~plan** *m* tableau *m* de service; **~rang** *m* grade *m* (militaire); **~raum** *m* local de service, bureau *m;* **~reise** *f* déplacement *m* (de service); **~reisedauer** *f* durée *f* du déplacement; **~sache** *f* affaire *f* de service *od* officielle; *(Schreiben)* pli *m* de service; *portopflichtige ~~* lettre *f* officielle en port dû; **~schreiben** *n* lettre *f* de service; **~siegel** *n* cachet *m* officiel; **~spritze** *f pej (Hausmädchen)* boniche *f;* **~stelle** *f* service, office, bureau *m; vorgesetzte ~~* autorité *f* hiérarchique supérieure; **~stellenleiter** *m* chef *m* de service; **~stellung** *f* fonction *f; mil (zum Unterschied vom ~grad)* emploi *m;* **~strafe** *f* peine *f* disciplinaire; **~strafgewalt** *f* pouvoir *m* disciplinaire; **~strafkammer** *f* cour *f* disciplinaire; **~strafordnung** *f* règlement disciplinaire; *mil* règlement *m* de punitions; **~strafverfahren** *n* procédure *f* disciplinaire; **~stunden** *f pl* heures *f pl* de service; **d~tauglich** *a* apte au service; **~tauglichkeit** *f* aptitude *f* au service; **d~tuend** *a bes. mil* de service; **d~untauglich** *a* inapte au service; *jdn als ~~ entlassen* réformer qn; **~untauglichkeit** *f* inaptitude *f* au service; **~vergehen** *n* infraction *f* de service; **~verhältnis** *n* état *od* rapport *m* de service; *pl* conditions *f pl* de service; *in e-m festen ~~ stehen* avoir un emploi fixe; **~vermerk** *m* indication *f* de service; **~verpflichtung** *f* engagement *m* obligatoire; **~vertrag** *m* contrat *m* de service; **~vorschrift** *f* règlement *m od* instruction *f od* ordre *m* de service; *mil* consigne *f;* **~wagen** *m* voiture *f* de service; **~weg** *m* voie *f* hiérarchique; *auf dem ~~e* par la voie hiérarchique; *den ~~ einhalten* suivre *od* respecter la voie hiérarchique; **d~willig** *a* = *d~bereit;* **~wohnung** *f* logement *m* de service; **~zeit** *f mil* durée *f,* années *f pl* de service; *(Bürostunden)* (temps *m od* heures *f pl* de) service *m; (aktive) ~~ (mil)* présence *f* (réelle) sous les drapeaux; **~zeugnis** *n* certificat *m* (de service).

Dienstag *m* ‹-(e)s, -e› ['di:nsta:k] mardi *m.*

diesbezüglich ['di:s-] *a* relatif; *a. adv.* à ce sujet, à cet effet.

Diesel|antrieb *m* ['di:zəl-] *mot* commande *f* par moteur diesel; **~kraftstoff** *m* combustible *m* pour moteurs diesel; **~lastwagen** *m* camion *m* (à moteur) diesel; **~lok(omotive)** *f* locomotive *f* (à moteur) diesel; **~motor** *m* moteur *m* diesel; **~motorschiff** *n* bateau *m* diesel; **~öl** *n* huile *f* pour moteurs diesel *od* lourde; **~triebwagen** *m loc* autorail *m* diesel; **~zugmaschine** *f* tracteur *m* diesel.

dies|e(r, s) ['di:zə-] *pron* ce (*vor Vokal* cet), cette, *pl* ces; *(substantivisch)* celui-ci, celle-ci, *pl* ceux-ci, celles-ci; *~er und jener* l'un et l'autre, *fam* le tiers et le quart; **~(es)** *(substantivisch)* ceci; *von ~em und jenem sprechen* parler de choses et d'autres *od fam* de la pluie et du beau temps; *~ ist ...* c'est ..., voici ...; **~jährig** ['di:s-] *a* de cette année; **~mal** *adv* cette fois pour le coup; *für ~~* pour cette fois; **~seitig** *a* de ce côté(-ci), en deçà; **~seits** *adv* de ce côté(-ci), en deçà; *prp gen* en deçà de; **D~seits** *n* ‹-, ø› , *das ~~* ce monde.

diesig ['di:zıç] *a* brumeux, nébuleux.

Dietrich *m* ‹-s, -e› ['di:trıç] *(Nachschlüssel)* passe-partout, crochet; *fam* rossignol *m; mit e-m ~ öffnen* crocheter.

diffamier|en [dıfa'mi:rən] *tr (verleumden)* diffamer, calomnier, dénigrer; **D~ung** *f* diffamation, calomnie *f,* dénigrement *m.*

Differ|ential *n* ‹-s, -e› [dıfərɛntsi'a:l] *math* différentielle *f;* **~entialgeometrie** *f* géométrie *f* infinitésimale; **~ential(getriebe)** *n mot* (engrenage) différentiel *m;* **~entialgleichung** *f math* équation *f* différentielle; **~entialrechnung** *f* calcul *m* différentiel; **~entialschaltung** *f el* méthode *f* différentielle; **~enz** *f* ‹-, -en› [-'rɛnts] *(Unterschied)* différence *f; fig (Streit)* différend *m;* **d~enzieren** [-rɛn'tsi:rən] *tr (unterscheiden)* différencier *a. math;* **~enzierung** *f (Unterscheidung)* différentiation *f;* **d~ieren** [-'ri:rən] *itr (vonea. abweichen)* différer, être différents.

diffus [dı'fu:s] *a phys (zerstreut)* diffus; **D~ion** *f* ‹-, -en› [-fuzi'o:n] *phys chem tech* diffusion *f;* **D~ionsvermögen** *n* diffusibilité *f;* **D~or** *m* ‹-s, -en› [-'fu:zɔr, -'zo:rən] diffuseur *m.*

Dikt|aphon *n* ‹-(e)s, -e› [dıkta'fo:n] *(Tonbandgerät)* dictaphone *m,* machine *f* à dicter; **~at** *n* ‹-(e)s, -e› [dık'ta:t] *(Nachschrift)* dictée; *(strenger Befehl)* injonction *f; pol* traité *m* imposé; *nach jds ~~* sous la dictée de qn; *ein ~~ aufnehmen* écrire sous la dictée; *ein ~~ schreiben* faire une dictée; *nach ~~ schreiben* prendre sous dictée; **~ator** *m* ‹-s, -en› [-'ta:tɔr, -'to:rən] dictateur *m;* **d~atorisch** [-'to:rıʃ] *a* dictatorial; **~atur** *f* ‹-, -en› [-'tu:r] dictature *f;* **d~ieren** [-'ti:rən] *tr (Text, Bedingungen)* dicter; *pol* imposer; **~iergerät** [-'ti:r-] *n,* **~iermaschine** *f* = *~aphon.*

dilatorisch [dila'to:rıʃ] *a jur (aufschiebend)* dilatoire.

Dilemma *n* ‹-s, -s/-ata› [di'lɛma, -ta] dilemme *m.*

Dilettant *m* ‹-en, -en› [dilɛ'tant] *(Halbwisser)* dilettante; *(Liebhaber)* amateur *m;* **d~isch** [-'tantıʃ] *a pej* de *od* en dilettante *od* amateur; **~ismus** *m* ‹-, ø› [-'tısmus] dilettantisme *m.*

Dill *m* ‹-s, -e› [dıl] *bot* anet(h); *(Küche: meist)* fenouil *m.*

Diluvium *n* ‹-s, ø› [di'lu:vium] *geol* ère *f* glaciaire, diluvium *m.*

Dimension *f* ‹-, -en› [dimɛnzi'o:n] dimension *f.*

Ding *n* ‹-(e)s, -e› [dıŋ] chose *f; (Gegenstand)* objet *m; (Angelegenheit)* affaire *f; fam (Person)* ‹-(e)s, -er› être *m,* créature *f; in solchen ~en* en pareille matière; *nach Lage der ~e* selon les conditions du moment; *vor allen ~en* avant tout, surtout; *wie die ~e nun einmal liegen* dans les circonstances actuelles, au point où nous en sommes; *den ~en ihren Lauf lassen* laisser aller les choses; *unverrichteterdinge abziehen* s'en retourner comme on était venu, revenir bredouille; *guter ~e sein* être de bonne humeur; *große ~e vorhaben* avoir de grands projets; *das ~*

beim rechten Namen nennen appeler un chat un chat; *das geht nicht mit rechten ~en zu* le diable s'en mêle, ce n'est pas naturel; *das ist ein ~ der Unmöglichkeit* c'est une chose infaisable, c'est impossible; *so liegen die ~e* voilà où en sont les choses; *aller guten ~e sind drei (prov)* jamais deux sans trois; *gut ~ will Weile haben (prov)* il faut reculer pour mieux sauter; *das ~ an sich (philos)* la chose en soi; *ein hübsches ~ (fam)* un beau brin de (jeune) fille; **d~en** *tr (anwerben)* engager, embaucher; *(Mörder)* soudoyer; **~erchen** *n* ‹-s, -› ['dɪŋərçən] *pl fam* petites choses *f pl;* **d~fest** *a: ~~ machen* mettre en état d'arrestation, arrêter; **d~lich** *a jur* réel; *~~e(s) Recht n* droit *m* réel; **~s** *n* ‹-, ø› *fam* chose *f,* machin; truc *m;* **~sda** *m f* ‹-, ø› *fam (unbekannte* od *unbenannte Person)* Chose *m; Herr, Frau ~~* monsieur, madame Chose *od* Machin; *n,* **~skirchen** *n* ‹-s, -› [-'kɪrçən] chose *f,* machin *m.*

dinieren [di'ni:rən] *itr* dîner.

Dinkel *m* ‹-s, ø› ['dɪŋkəl] *bot* épeautre *m.*

Diopt|erlineal *n* [di'ɔptər-] alidade *f;* **~rie** *f* ‹-, -n› [diɔp'tri:] *opt* dioptrie *f.*

Diözes|anverband *m* [diø'tse'sa:n-] association *f* diocésaine; **~e** *f* ‹-, -n› [-'tse:zə] *rel* diocèse *m.*

Diphtherie *f* ‹-, (-n)› [difte'ri:] *med* diphtérie *f;* **~serum** *n* sérum *m* antidiphtérique.

Diphthong *m* ‹-s, -e› [dif'tɔŋ] *gram* diphtongue *f.*

Diplom *n* ‹-(e)s, -e› [di'plo:m] diplôme, brevet *m; fam* peau *f* d'âne; **~at** *m* ‹-en, -en› [-plo'ma:t] diplomate *m;* **~aten(akten)tasche** *f* serviette *f* état-major, *fam* maroquin *m;* **~atenausweis** *m* passeport *m* diplomatique; **~atenschreibtisch** *m* bureau *m* ministre; **~atenschub** *m* mouvement *m* diplomatique; **~atie** *f* ‹-, ø› [-ma'ti:] diplomatie *f;* **~atik** *f* ‹-, ø› [-'ma:tɪk] *(Urkundenlehre)* diplomatique *f;* **~atiker** *m* ‹-s, -› [-'ma:tikər] *(Urkundenkenner)* chartiste *m;* **~atin** *f* [-'ma:tɪn] femme *f* diplomate; **d~atisch** [-'ma:tɪʃ] *a* diplomatique; *(von Personen)* diplomate; *die ~~en Beziehungen abbrechen, (wieder)aufnehmen* rompre, (r)établir les relations diplomatiques; *Abbruch m der ~~en Beziehungen* rupture *f* des relations diplomatiques; *das ~~e Korps* le corps diplomatique; **~ingenieur** *m* ingénieur *m* diplômé; **~kaufmann** *m* diplômé *m* de l'école de commerce; **~landwirt** *m* ingénieur *m* agronome.

Dipolantenne *f* ['di:po:l-] *radio* antenne *f* à dipôle *od* de balise *od* doublet.

dir [di:r] *pron dat (mit v verbunden)* te; *(unverbunden)* à toi; *(mit prp)* toi.

direkt [di'rɛkt] *a* direct, (tout) droit; *(unmittelbar)* immédiat; *adv* directement, en droite ligne, immédiatement; *(geradezu)* absolument; vraiment, véritablement; *es war mir ~ peinlich* je me sentais vraiment gêné; *in ~er Linie (Abstammung)* en ligne directe; *~ beziehen (com)* acheter de première main; *~e Rede f (gram)* discours *m* direct; *~e Steuern f pl* impôts *m pl* directs; **D~flug** *m* vol *m* direct; **D~ion** *f* ‹-, -en› [tsi'o:n] *(Leitung)* direction; *(Verwaltung)* administration *f; (Vorstand)* conseil *m* d'administrateurs *od* de gérants; **D~ive** *f* ‹-, -n› [-'ti:və] *(Weisung)* directive *f; pl* instructions *f pl* (générales); **D~or** *m* ‹-s, -en› [-'rɛktɔr, -'to:rən] *allg adm com* directeur; *adm* gouverneur; *(Geschäftsführer)* gérant; *(e-r staatl. höheren Schule (lycée))* proviseur; *e-r städt. höheren Schule (collège))* principal *m; geschäftsführende(r) ~~* directeur *m* gérant; *stellvertretende(r), Zweite(r) ~~* sous-directeur *m; technische(r) ~~* directeur *m* technique; **D~orat** *n* ‹-(e)s, -e› [-to'ra:t] directorat; *(e-s lycée)* provisorat; *(e-s collège)* principalat *m;* **D~orin** [-'to:rɪn] *f,* **D~rice** *f* ‹-, -n› [-'tri:sə] directrice *f;* **D~orium** *n* ‹-s, -rien› [-'to:rium, -riən] comité *m* directeur; *das ~~ (hist) (1795—99)* le Directoire; **D~übertragung** *f radio TV: als ~~* en direct (*aus* de, *im Fernsehen* à la télévision).

Dirig|ent *m* ‹-en, -en› [diri'gɛnt] *mus* chef *m* d'orchestre; **~entenpult** *n* pupitre *m* d'orchestre; **d~ieren** [-'gi:rən] *tr* diriger; *mus mil* conduire.

Dirndl|(kleid) *n* ‹-s, -› ['dɪrndəl] costume *m* bavarois; **~rock** *m* jupe *f* paysanne *od* bavaroise.

Dirne *f* ‹-, -n› ['dɪrnə] *vx* (jeune) fille; *(Prostituierte)* fille (publique), prostituée, putain; *iron* femme galante, respectueuse, demoiselle; *fam* poule *f.*

dis *n* ‹-, -› [dɪs] *mus* ré *m* dièse; **~-Moll** *n* ré *m* dièse mineur.

Discountgeschäft *n* [dɪs'kaunt-] grand magasin *m* discount.

Disharmon|ie *f* ‹-, -n› [dɪsharmo'ni:] *mus* dissonance, discordance, mauvaise harmonie; *fig* désunion, dissension, discorde *f;* **d~isch** [-'mo:nɪʃ] *a mus* dissonant; *a. fig* discordant.

Diskant *m* ‹-s, -e› [dɪs'kant] *mus* dessus, soprano *m;* **~stimme** *f* voix *f* haute.

Diskont *m* ‹-s, -e› [dɪs'kɔnt] *fin* escompte *m; com (Nachlaß)* réduction, remise *f; den ~ erhöhen, herabsetzen* augmenter, réduire le taux d'escompte; *e-n Wechsel zum ~ geben, nehmen* faire escompter, escompter une lettre de change; *e-n ~ (Nachlaß) gewähren* accorder une réduction; **~bank** *f* banque *f* d'escompte; **~erhöhung** *f* augmentation *f* du taux d'escompte; **d~fähig** *a* escomptable; **d~ieren** [-'ti:rən] *tr* escompter; faire l'escompte de; **~markt** *m* marché *m* d'escompte; **~nehmer** *m* escompteur *m;* **~rate** *f* = *Diskontsatz;* **~rechnung** *f* bordereau *m* d'escompte; **~satz** *m* taux *m* d'escompte; **~senkung** *f* abaissement *m* du taux d'escompte; **~wechsel** *m* lettre *f* de change à l'escompte.

Diskothek *f* ‹-, -en› [dɪsko'te:k] *(Schallplattensammlung)* discothèque *f.*

diskreditieren [dɪskredi'ti:rən] *tr (in Verruf bringen)* discréditer, déprécier, décrier.

Diskrepanz *f* ‹-, -en› [dɪskre'pants] *(Unstimmigkeit)* divergence, disparate *f.*

diskret [dɪs'kre:t] *a* discret; **D~ion** *f* ‹- ø› [-kretsi'o:n] discrétion *f; (strenge) ~~ wird zugesichert* discrétion assurée *od* garantie.

diskriminier|en [dɪskrimi'ni:rən] *tr (herabsetzen)* discriminer; **~end** *a* discriminatoire; **D~ung** *f* discrimination *f.*

Diskus *m* ‹-, -ken/-sse› ['dɪskus] *sport* disque *m; ~ werfen* lancer le disque; **~werfen** *n,* **~wurf** *m* lancement *m* du disque; **~werfer** *m sport* lanceur de disque; *(Kunst)* discobole *m.*

Disku|ssion *f* ‹-, -en› [dɪskusi'o:n] discussion *f,* débats *m pl; sich mit jdm in e-e ~~ einlassen* entrer en discussion avec qn; *e-e ~~ in Gang bringen* od *veranlassen* provoquer *od* déclencher une discussion; *die ~~ eröffnen, schließen* ouvrir, clore la discussion *od* les débats; *etw zur ~~ stellen* mettre qc en discussion; *die ~~ dreht sich um ...* la discussion porte *od* roule sur ...; *das steht nicht zur ~~* la question n'est pas là; **~ssionsgrundlage** *f* base *f* de discussion; **~ssionsleiter** *m* animateur *m* de la discussion; **d~tabel** [-'ta:bəl] *a,* **d~tierbar** [-'ti:r-] *a* discutable; **d~tieren** *tr* discuter, débattre, agiter; *itr* discuter (*über etw* de qc); *lebhaft ~~* discuter le coup *pop.*

Dispens *m* ‹-es, -e› [dɪs'pɛns, -zə] , **~ation** *f* ‹-, -en› [-zatsi'o:n] *(Befreiung)* dispense, exemption *f;* **d~ieren** [-'zi:rən] *tr* dispenser, exempter (*jdn von etw* qn de qc).

Dispo|nent *m* ‹-en, -en› [dɪspo'nɛnt] *com* gérant *m;* **d~nibel** [-'ni:bəl] *a (verfügbar)* disponible; **d~nieren** [-'ni:rən] *tr (einteilen)* disposer (*jdn zu etw* qn à qc); *itr (verfügen)* disposer (*über etw* de qc); *(planen)* projeter; **~sition** *f* ‹-, -en› [-zitsi'o:n] *allg* disposition *f; (Anordnung) a.* arrangement *m; (Anlage) a.* prédisposition, aptitude *f; zur ~~ stellen (Beamten, bes. Offizier)* mettre en disponibilité *od* en non-activité; **~sitionsfonds** *m adm* fonds *m* disponible.

Disput *m* ‹-(e)s, -e› [dɪs'pu:t] dispute, discussion, altercation *f;* **d~ieren** [-pu'ti:rən] *itr* disputer, discuter (*über etw* de *od* sur qc).

Disqualifi|kation *f* ‹-, -en› [dɪskvalifikatsi'o:n], **~zierung** [-'tsi:ruŋ] *f bes. sport* disqualification *f;* **d~zieren** [-'tsi:rən] *tr bes. sport* disqualifier.

Dissertation *f* ‹-, -en› [dɪsɛrtatsi'o:n] *(Abhandlung)* dissertation; *(Doktor~)* thèse *f* de doctorat.

Dissident *m* ‹-en, -en› [disi'dɛnt] *rel* dissident, non-conformiste *m.*

Dissonanz *f* ‹-, -en› [dɪso'nants] *mus* u. *fig* dissonance *f; fig a.* désaccord *m.*

Distanz *f* ⟨-, -en⟩ [dɪs'tants] distance *f a. fig.* écartement *m; auf kurze ~* à courte distance; *~ wahren (fig)* observer les distances; *zu jdm (fig)* tenir qn à distance; **d~ieren** [-'tsi:rən] *tr bes. sport* distancer; *sich von jdm ~~ (fig)* prendre ses distances à l'égard de qn, se désolidariser d'avec qn; **~messer** *m tech* télémètre *m;* **~platte** *f,* **~scheibe** *f tech* plaque *f* d'écartement; **~rohr** *n* tuyau *m* d'écartement.

Distel *f* ⟨-, -n⟩ ['dɪstəl] *bot* chardon *m;* **~fink** *m orn* chardonneret *m.*

Distichon *n* ⟨-s, -chen⟩ ['dɪstiçɔn, -çən] *poet* distique *m.*

Distrikt *m* ⟨-(e)s, -e⟩ [dɪs'trɪkt] district, arrondissement *m.*

Disziplin *f* ⟨-, -en⟩ [dɪstsi'pli:n] *(Zucht)* discipline; *(Fachgebiet)* discipline, branche *od* matière (d'enseignement); spécialité *f; jdn an ~ gewöhnen* discipliner qn; *~ halten* maintenir la discipline; *strenge ~* discipline *f* sévère; **~argericht** [-pli'na:r-] *n* conseil *m* de discipline; **~argerichtsbarkeit** *f* juridiction *f* disciplinaire; **~argewalt** *f* pouvoir *m* disciplinaire; **d~arisch** [-'na:rɪʃ] *a* disciplinaire; **~armaßnahme** *f* mesure *f* disciplinaire; **~arstrafe** *f* punition *od* peine *f* disciplinaire; **~arstrafordnung** *f mil* règlement *m* militaire disciplinaire; **~arverfahren** *n* action *f* disciplinaire; **~arvergehen** *n* infraction *f* contre la discipline; **d~iert** [-'ni:rt] *a* discipliné; **~iertheit** *f* esprit *m* de discipline; **d~los** *a* indiscipliné; **~losigkeit** *f* indiscipline *f.*

dito [di:to] *adv* dito; *allg* idem, de même.

Diva *f* ⟨-, -s/-ven⟩ ['di:va] diva, vedette, star, étoile *f.*

diverg|ent [-'gɛnt] *a (auseinandergehend)* divergent; **D~enz** *f* ⟨-, -en⟩ [-'gɛnts] divergence *f;* **~ieren** [-'gi:rən] *itr* diverger.

Divers|ant *m* ⟨-en, -en⟩ [-vɛr'zant] *pol (Abtrünniger, Saboteur)* diversionniste *m;* **d~e** [di'vɛrzə] *a pl attr* divers, différents; **~e(s)** *n lit (Vermischtes)* miscellanées *f pl; (Zeitung)* faits *m pl* divers.

Divid|end *m* ⟨-en, -en⟩ [divi'dɛnt] *math* dividende *m;* **~ende** *f* ⟨-, -n⟩ [-'dɛndə] *fin* dividende *m; (k)eine ~~ ausschütten* distribuer un (passer le) dividende; **~endenausschüttung** *f* répartition *f* des dividendes; **~endensatz** *m* taux *m* de dividende; **~endenschein** *m* coupon *m* de dividende; **d~ieren** [-'di:rən] *tr math* diviser (*durch* par).

Divinat|ion *f* ⟨-, -en⟩ [divinatsi'o:n] *(Ahnung, Wahrsagung)* divination *f;* **d~orisch** [-'to:rɪʃ] *a (vorahnend)* divinatoire.

Divis *n* ⟨-es, -e⟩ [di'vi:s] *typ (Bindestrich)* trait *m* d'union.

Division *f* ⟨-, -en⟩ [divizi'o:n] *math mil* division; *adm* section *f;* **~sabschnitt** *m* secteur *m* d'une *od* de la division; **~sartillerie** *f* artillerie *f* divisionnaire; **~sgefechtsstand** *m* poste *m* de commandement divisionnaire; **~sgeneral** *m* général de division, divisionnaire *m;* **~skommandeur** *m* général *m* commandant la division; **~sstab** *m* état-major *m* de (la) division; **~sstabsquartier** *n* quartier *m* général divisionnaire; **~sverbandsplatz** *m* poste *m* de secours divisionnaire; **~sverpflegungsamt** *n* intendance *f* divisionnaire.

Divisor *m* ⟨-s, -en⟩ [di'vi:zɔr, -'zo:rən] *math* diviseur *m.*

Diwan *m* ⟨-s, -e⟩ ['di:va(:)n] divan *m.*

D-Mark *f* ['de:-] *(DM)* mark *m* allemand.

doch [dɔx] *adv* u. *conj (jedoch, dennoch)* cependant, pourtant; quand même, tout de même; néanmoins; *(abgeschwächt)* donc *(od bleibt unübersetzt); interj (in Abrede Gestelltes bekräftigend)* si (fait), mais si *od* oui; *du weißt ~, daß ...* tu sais bien que ...; *du hast ihn ~ gegrüßt?* tu l'as salué, au moins? *er ist ~ gesund?* il est bien portant, j'espère? *er ist ~ nicht krank?* il n'est pas malade, par hasard? *könnte ich es ihm ~ sagen!* que ne puis-je le lui dire! *das ist ~ die Höhe!* alors ça, c'est le bouquet!; *kommen Sie ~ herein!* entrez donc! *wenn er ~ käme!* si seulement il venait! *also ~!* qu'est-ce que je disais! *ja ~!* mais oui! mais si! certainement! *nicht ~!* mais non! que non! non pas!

Docht *m* ⟨-(e)s, -e⟩ [dɔxt] mèche *f.*

Dock *n* ⟨-s, -s/(-e)⟩ [dɔk] *mar* dock, bassin *m* (de construction *od* de radoub); cale *f; auf ~ legen = docken 1.;* **~arbeiter** *m* docker *m;* **d~en** *tr* **1.** *(Schiff)* mettre en cale sèche; **~gebühren** *f pl* droits *m pl* de dock *od* de bassin.

Dock|e *f* ⟨-, -n⟩ ['dɔkə] *vx dial (Puppe)* poupée *f; (Garnstrang)* écheveau *m; (Weberei: Rolle)* torque *f;* **d~en** *tr* **2.** *(Garn drehen)* mettre en écheveaux; *(rollen)* torquer.

Doge *m* ⟨-n, -n⟩ ['do:ʒə, 'do:dʒə] *hist* doge *m;* **~npalast** *der (in Venedig)* le palais des doges.

Dogge *f* ⟨-, -n⟩ ['dɔgə] *(Hunderasse)* dogue; *(Bulldogge)* bouledogue *m; junge ~* doguin, e *m f.*

Dogm|a *n* ⟨-s, -men⟩ ['dɔgma] *rel, allg* dogme *m;* **~atiker** *m* ⟨-s, -⟩ [-'ma:tikər] dogmatique *m;* **d~atisch** [-'ma:tiʃ] *a* dogmatique.

Dohle *f* ⟨-, -n⟩ ['do:lə] *orn* choucas *m;*

Dohne *f* ⟨-, -n⟩ ['do:nə] *(Vogelschlinge)* collet *m.*

Doktor *m* ⟨-s, -en⟩ ['dɔktɔr, -'to:rən] *(a. pop: Arzt)* docteur *m (entspricht in Frankr. eher dem deutschen Dr. habil.); den od (fam) s-n ~ machen, ~ werden* passer *od* être reçu docteur, faire *od* passer son doctorat; *Herr ~!* monsieur! *(nur wenn ein Arzt angeredet wird)* docteur! *~ der Ingenieurwissenschaft (Dr.-Ing.), der Medizin (Dr. med.), der Naturwissenschaften (Dr. rer. nat.), der Philosophie (Dr. phil.), des Rechts (Dr. jur.), der Staatswissenschaften (Dr. rer. pol.), der Theologie (Dr. theol.)* ingénieur docteur, docteur *m* en médecine, ès sciences, ès lettres, en droit, ès sciences politiques, en théologie; **~arbeit** *f,* **~dissertation** *f* thèse *f* de doctorat; **~at** *n* ⟨-(e)s, -e⟩ [-to'ra:t], **~grad** *m,* **~titel** *m,* **~würde** *f* doctorat, grade *od* titre *m* de docteur; **~examen** *n,* **~prüfung** *f* doctorat *m;* **~hut** *m* bonnet *m* de docteur; **~in** *f* [-'to:rɪn] *(Ärztin)* femme médecin, doctoresse *f.*

Doktrin *f* ⟨-, -en⟩ [dɔk'tri:n] doctrine *f;* **d~är** [-tri:'nɛ:r] *a* doctrinaire.

Dokument *n* ⟨-(e)s, -e⟩ [doku'mɛnt] document *m,* pièce *f,* certificat; *jur* acte, instrument *m;* **~alist** *m* ⟨-en, -en⟩ [dokumɛnta'lɪst] documentaliste *m;* **~arfilm** [-'ta:r-] *m* (film) documentaire *m;* **d~arisch** [-'ta:rɪʃ] *a* documentaire; **~ation** *f* ⟨-, -en⟩ [-tatsi'o:n] documentation *f;* **d~ieren** [-'ti:rən] *tr* documenter, attester, certifier.

Dolch *m* ⟨-(e)s, -e⟩ [dɔlç] poignard; *(kleiner)* stylet *m; (großer)* dague *f; mit e-m ~ erstechen* poignarder; **~stoß** *m* coup *m* de poignard *a. fig.*

Dolde *f* ⟨-, -n⟩ ['dɔldə] *bot* ombelle *f;* **d~nförmig** *a* ombelliforme; **~ngewächse** *n pl (Familie)* ombellifères *f pl.*

Dole *f* ['do:lə] égout *m.*

Dollar *m* ⟨-s, -s⟩ ['dɔlar] dollar *m;* **~kurs** *m* cours *m* du dollar; **~länder** *n pl* pays *m pl* de la zone dollar.

Dolle *f* ⟨-, -n⟩ ['dɔlə] *mar* tolet, touret *m.*

Dolmetsch|(er) *m* ⟨-s, -⟩ ['dɔlmɛtʃ(ər)] interprète *a. fig (deutsch a.: ~); (im Orient)* drogman; *a. fig (Fürsprecher)* truchement *m;* **d~en** *tr* interpréter; traduire; *itr* servir d'interprète; **~erexamen** *n* examen d'interprète *od* d'interprétariat; **~erschule** *f* école *f* d'interprétariat; **~erwesen** *n* fonction *f* od métier *m* d'interprète; interprétariat *m;* **~offizier** *m* officier-interprète *m.*

Dom *m* ⟨-(e)s, -e⟩ [do:m] *(Bischofskirche)* cathédrale *f; (in Italien)* dôme; *arch (Kuppel)* dôme *m,* coupole *f;* **~herr** *m* chanoine *m;* **~kapitel** *n* chapitre *m* de la cathédrale; **~pfaff** *m orn* bouvreuil *m;* **~prediger** *m* prédicateur *m* à la cathédrale; **~propst** *m* prévôt *m* du chapitre.

Domäne *f* ⟨-, -n⟩ [do'mɛ:nə] terre *f* domaniale; domaine *m* de l'État *od* public.

domin|ant [domi'nant] *a biol* dominant; **D~ante** *f* ⟨-, -n⟩ *bes. mus* dominante *f;* **~ieren** [-'ni:rən] *tr* u. *itr* dominer (*über* sur); **D~ikaner(in *f*)** *m* ⟨-s, -⟩ [-ni'ka:nər] *rel* dominicain, e *m f;* **D~o** ['do:mino] **1.** *m* ⟨-s, -s⟩ *(Maskenkostüm)* domino *m;* **2.** *n* ⟨-s, -s⟩ *(Spiel)* (jeu *m* de) dominos *m pl; ~~ spielen* jouer aux dominos; **D~ostein** *m* domino *m.*

Domizil *n* ⟨-s, -e⟩ [domi'tsi:l] *(Wohnsitz)* domicile *m;* **d~ieren** [-tsi'li:rən] *tr fin* domicilier; **~wechsel** *m fin* lettre *f* de change à domicile.

Dompteur *m* ⟨-s, -e⟩ [dɔmp'tø:r] dompteur *m.*

Donau ['do:nau], *die* le Danube; **~länder,** *die n pl* la région danubienne; **~staaten,** *die m pl* les États *m* danubiens.

Donner *m* ‹-s, -› ['dɔnər] tonnerre; *(Geschützdonner)* grondement *m; ich bin wie vom ~ gerührt* je suis comme frappé de la foudre, les bras m'en tombent; *der ~ grollt* le tonnerre gronde; **~keil** *m geol* téton *m* du diable, *scient* bélemnite *f;* **d~n** *itr* tonner; *(Kanone)* gronder; *fig (Mensch)* tempêter, fulminer (*gegen jdn* contre qn); *es ~t* il tonne; *der Zug ~t über die Brücke* le train passe le pont avec un fracas de tonnerre; **d~nd** *a* tonnant *a. fig; fig* tonitruant; *~~e(r) Beifall m* tonnerre *m* d'applaudissements; **~schlag** *m* coup *m* de tonnerre *od* de foudre; **~stag** *m* jeudi *m;* **~stimme** *f* voix *f* de tonnerre *od* tonnante *od* tonitruante; **~wetter** *n* orage *m,* tempête *f a. fig (Zornausbruch); ~~! (fam)* (mille) tonnerre(s)! sacristi! sapristi!

Dontgeschäft *n* ['dɔ̃:-] *fin* négociation *od* opération *f* à prime.

doof [do:f] *a pop (blöde)* bête, godichon, gourde; *~ sein (a.)* en avoir une couche.

dop|en ['do:pən] *tr sport* doper; **D~ing** *n* ‹-s, -s› ['-pɪŋ] doping, dopage *m.*

Doppel *n* ‹-s, -› ['dɔpəl] *(Duplikat)* double, duplicata; *(Tennis)* double *m; gemischte(s) ~* double *m* mixte; **~ader** *f tele* fil *m* double; **~adler** *m (Wappen)* aigle *f* à deux têtes; **~arbeit** *f* double emploi *m;* **d~armig** *a (Hebel)* à deux branches; **~bad** *n* bains *m pl* jumeaux; **~belichtung** *f phot* double exposition, surimpression *f;* **~besteuerung** *f* double taxation *f;* **~bett** *n* lit *m* à deux personnes *od* de milieu, grand lit; lits *m pl* jumeaux; **~bettzimmer** *n* chambre *f* à grand lit; **~bild** *n TV* image *f* avec réflexion; **~boden** *m* double fond *m;* **~brechung** *f opt* biréfringence *f;* **~buchstabe** *m* lettre *f* double; **~decker** *m aero* biplan *m;* **~deckomnibus** *m* autobus *m* à impériale; **d~deutig** *a* équivoque, ambigu, à double sens; **~ehe** *f* bigamie *f;* **~fagott** *n mus* contrebasson *m;* **~fenster** *n* double fenêtre, contre-fenêtre *f,* vitrage *m* double; **~flinte** *f* fusil *m* à deux coups; **~flugzeug** *n* avion *m* composite; **~gänger** *m* double, sosie *m;* **~griff** *m mus* double corde *f;* **~haus** *n* maison *f* jumelée; **~kinn** *n* double menton *m;* **d~köpfig** *a* bicéphale; **~lauf** *m (Flinte)* canon *m* double; **d~läufig** *a (Flinte)* à deux coups; **~laut** *m gram* diphtongue *f;* **~los** *n (Lotterie)* billet *m* jumelé; **d~n** *tr* doubler; **~name** *m* double nom *m;* **~paddel** *n* pagaie *f* double; **d~polig** *a* bipolaire; **~punkt** *m* deux points *m pl;* **~reifen** *m mot* pneus *m pl* jumelés; **~reihe** *f mil* colonne *f* par deux; *in ~~ antreten!* rassemblement en colonne par deux! **~reim** *m* rimes *f pl* redoublées; **~röhre** *f radio* lampe *f* à deux systèmes; **~rolle** *f theat* deux rôles *m pl;* **~rumpf(flugzeug** *n***)** *m* (avion à) double fuselage *m;* **~schalter** *m el* interrupteur *m* double; **d~seitig** *a (Kleidung)* réversible; *~~e Lungenentzündung f* pneumonie *f* double; *~~e(r) Stoff m* étoffe *f* réversible; **~sinn** *m* double sens *m,* équivoque, ambiguïté *f;* **d~sinnig** *a = doppeldeutig;* **~sohle** *f* double semelle *f;* **~stecker** *m el* prise *f* double *od* bipolaire; **~stern** *m astr* étoile *f* double; **~sternmotor** *m aero* moteur *m* en double étoile; **~steuer(ung** *f***)** *n aero* double commande *f;* **~triebwerk** *n* moteur *m* jumelé; **~tür** *f* contre-porte *f;* **~verdiener** *m* cumulard *m;* **~währung** *f* double étalon, bimétallisme *m;* **d~wertig** *a chem* bivalent; **~zentner** *m* quintal *m* métrique; **~zimmer** *n* chambre *f* à deux lits; **d~züngig** *a fig* double, faux, dissimulé; **~züngigkeit** *f* duplicité *f.*

doppelt ['dɔpəlt] *a* double; *adv* en double, deux fois; *in ~er Ausfertigung* en double; *~ soviel* deux fois autant; *~ bezahlen* payer double; *~ soviel bezahlen* payer le double; *etw ~ haben* avoir qc en double; *~ sehen* voir double; *~ setzen (aus Versehen) (typ)* doubler; *ein ~es Spiel treiben* jouer double jeu; *~ genäht hält besser (prov)* deux précautions valent mieux qu'une; *~ gibt, wer schnell gibt (prov)* qui tôt donne deux fois donne; *~e Arbeit f* double emploi *m; ~e Buchführung f (com)* comptabilité *f* en partie double; **~kohlensauer** *a chem* bicarboné.

Dorf *n* ‹-(e)s, ⸚er› [dɔrf, dœrfər] village; *(Weiler)* hameau; *(Nest)* patelin *m pop;* **~bewohner** *m* villageois *m;* **~musikant** *m* ménétrier *m;* **~pfarrer** *m (kath.)* curé, *(evang.)* pasteur *m* de village; **~roman** *m* paysannerie *f;* **~schenke** *f* cabaret *m* de village; **~schule** *f* école *f* de village; **~trottel** *m* idiot *m* du village.

Dörf|chen [dœrf-] *n* **~lein** *n* petit village *m;* **~ler** *m* villageois *m;* **d~lich** *a* villageois.

Dorn [dɔrn] *m bot* ‹-(e)s, -en/(⸚er)› épine *f,* piquant; *(an e-r Schnalle)* ardillon *m; tech* ‹-(e)s, -e› broche, tige *f,* goujon, mandrin *m,* chevillette *f; sich an e-m ~ ritzen* s'égratigner avec une épine; *jdm ein ~ im Auge sein* être la bête noire de qn, offusquer qn; *fam* hérisser qn; *sich e-n ~ in den Fuß treten* s'enfoncer une épine dans le pied; *keine Rose ohne ~en (prov)* pas de rose sans épines; **~busch** *m* arbuste *m* épineux; *der brennende ~~ (rel)* le buisson ardent; **~(en)hecke** *f* haie *f* d'épines; **~enkrone** *f (rel)* couronne *f* d'épines; **d~enreich** *a,* **d~envoll** *a fig* pénible, plein de difficultés; **d~ig** *a* épineux *a. fig; fig = dornenreich;* **~röschen** *n (Märchengestalt)* la Belle au bois dormant.

dorren ['dɔrən] *itr (dürr werden)* (se des)sécher; *(welken)* se faner.

dörr|en ['dœrən] *tr* (des)sécher; *(rösten)* torréfier, sécher au four; **D~fleisch** *n* viande *f* séchée; **D~gemüse** *n* légumes *m pl* secs *od* séchés *od* déshydratés; **D~obst** *n* fruits *m pl* secs *od* séchés.

Dorsch *m* ‹-(e)s, -e› [dɔrʃ] *zoo* (petite) morue *f.*

dort [dɔrt] *adv* là; y; *da und ~* çà et là; *von ~* de là; en; *~ drüben, hinten* là-bas; *~ oben, unten* là-haut, là-bas; *~ ist, ~ sind* voilà; **~her** *adv* de (par) là, de là-bas, en; *von ~~* de ce côté (-là); **~herum** *adv* quelque part par là; **~hin** *adv* de ce côté-là, par là, là-bas, y; **~hinab** *adv* en descendant par là; **~hinauf** *adv* en montant par là; **~hinaus** *adv* en sortant par là; **~hinein** *adv* là-dedans; **~hinunter** *adv = ~hinab;* **~ig** *a* de *od* situé là-bas, en ce lieu(-là); **~zulande** *adv* dans ce pays-là.

Dose *f* ‹-, -n› ['do:zə] boîte *f; (Behälter)* récipient *m; (Kapsel)* capsule; *(Konservendose)* boîte (de conserves); *el (Steckdose)* (boîte de) prise *f* de courant; **~nbarometer** *n* od *m* baromètre *m* à coquille; **~nmilch** *f* lait *m* (condensé *od* concentré) en boîte; **~nöffner** *m* ouvre-boîtes *m;* **~nschalter** *m el* interrupteur *m* à boîtier.

dös|en ['dø:zən] *itr fam* sommeiller, somnoler; s'abandonner à la rêverie, rêvasser; **~ig** *a fam (schläfrig)* somnolent; *(stumpfsinnig)* hébété, bête.

dos|ieren [do'zi:rən] *tr med pharm fig* doser; **D~ierung** *f* dosage *m;* **D~is** *f* ‹-, Dosen› ['do:zɪs -zən] *med pharm fig* dose, quantité *f.*

Dot|ation *f* ‹-, -en› [dotatsi'o:n] *jur* dotation *f;* **d~ieren** [-'ti:rən] *tr* doter (*mit* de).

Dotter *m* od *n* ‹-s, -› ['dɔtər] jaune d'œuf, *scient* vitellus *m;* **~blume** *f* renoncule *f;* **~sack** *m zoo* poche *f* nutritive.

Double *n* ‹-s, -s› ['du:b(ə)l] *film* doublure *f.*

Doz|ent *m* ‹-en, -en› [do'tsɛnt] maître de conférences, chargé *m* de cours; **d~ieren** [-'tsi:rən] *tr* u. *itr (lehren)* enseigner; professer.

Drache *m* ‹-n, -n› ['draxə] *(Fabeltier)* dragon *m;* **~n** *m* ‹-s, -› *(Spielzeug)* cerf-volant; *fig fam (böse Frau)* dragon *m,* mégère, xanthippe *f; e-n ~~ steigen lassen* faire partir un cerf-volant; **~nsaat** *f fig* engeance *f* de vipères; **~ntöter** *m* tueur *m* de dragon(s); **~nwurz** *f bot* serpentaire *f.*

Dragoner *m* ‹-s, -› [dra'go:nər] *mil hist* dragon; *fig fam (resolute Frau)* grenadier, gendarme *m.*

Draht *m* ‹-(e)s, ⸚e› [dra:t, 'drɛ:tə] fil métallique, *(Eisendraht)* fil de fer; *tele (Kabel)* câble *m; per ~ (tele)* par câble; *den ~ abrollen* développer le fil; *auf ~ sein (fam)* être débrouillard; être en forme, être plein d'allant; *zu ~ ziehen (tech)* tréfiler; *blanke(r) ~* fil *m* nu; *umsponnene(r) ~* fil *m* garni *od* recouvert *od* guipé; *~ unter Spannung* od *Strom* fil *m* sous tension; **~abschneider** *m (Gerät)* (pince *f*) coupe-fil *m;* **~anschrift** *f* adresse *f* télégraphique; **~anweisung** *f tele (von Geld)* mandat *m* télégraphique; **~aufnahme** *f (Tonaufnahme)* enregistrement *m* sur fil;

~auslöser *m phot* déclencheur *m* à fil; **~bericht** *m* rapport *m* télégraphique; **~bürste** *f* brosse *f* métallique; **d~en** *tr* télégraphier, câbler; **~ende** *n* extrémité *f* du fil; **~fernsehen** *n* télévision *f* filaire *od* par fil; **~funk** *m* radiodiffusion par fil, télédiffusion *f;* **~geflecht** *n* tissu *m* métallique; **~gitter** *n* grillage *m* métallique; **~glas** *n* verre *m* filé *od* armé; **~haarfox** *m zoo* fox *m* à poil dur; **d~haarig** *a (Hund)* à poil dur; **~heftklammer** *f* crochet *m;* **~heftmaschine** *f* brocheuse *f* à fil métallique; **~heftung** *f* brochage *m* à fil métallique; **~korb** *m* panier *m* métallique; **~lehre** *f tech* calibre *m* à fils métalliques; **d~lich** *a* télégraphique; *adv a.* par câble *od* télégramme; **~litze** *f* fil *m* de câble laminé; **d~los** *a* radiotélégraphique, radiotéléphonique; *a, adv* sans fil, par radio; *~~ telegraphieren* radiotélégraphier; *~~e Bildtelegraphie f* phototélégraphie *f* sans fil; *~~e Ortsbestimmung f* radiogoniométrie *f; ~~e(s) Telegramm n* radio(télé)gramme *m; ~~e Telegraphie f* télégraphie sans fil (T.S.F.), radiotélégraphie *f; ~~e Telephonie f* téléphonie sans fil, radiotéléphonie *f;* **~nachricht** *f* télégramme *m;* **~netz** *n* treillis *m od* toile *f* métallique; **~rolle** *f* couronne *f* de fil; **~saite** *f mus* corde *f* métallique; **~schere** *f* coupe-fil, bec-de--corbeau *m;* **~seil** *n* câble métallique, filin *m* d'acier; **~seilbahn** *f* (chemin de fer) funiculaire *m;* **~seilbrücke** *f* pont *m* suspendu; **~sieb** *n* crible *m* métallique; **~speichenrad** *n mot* roue à rayons métalliques; **~spule** *f el* bobine *f;* **~stift** *m* clou *m* d'épingle, pointe *f* (de Paris); **~überweisung** *f com* virement *m* télégraphique; **~verhau** *m mil* réseau *m* de barbelés; **~verspannung** *f aero* haubanage *m;* **~walzwerk** *n* laminoir *m* à fils; **~zaun** *m* treillage *m* métallique; **~zieher** *m tech* tréfileur; *fig* meneur, instigateur, machinateur *m* (d'intrigues); *der ~~ sein (fig)* tirer les ficelles; **~zieherei** *f tech* tréfilerie *f.*

Draisine *f* ⟨-, -n⟩ [draı-, drɛ'zi:nə] *hist (Laufmaschine)* draisienne; *loc* draisine *f.*

drakonisch [dra'ko:nıʃ] *a (streng)* draconien.

drall [dral] *a (kräftig, stramm)* vigoureux, plantureux, solide; **D~heit** *f* ⟨-, ø⟩ vigueur, solidité *f.*

Drall *m* ⟨-(e)s, -e⟩ [dral] *(Drehung, a. d. Garnes u. Zwirnes)* tors *m,* torsion; *(Geschoßdrehung)* dérivation; *(Drehung e-s Propellerflugzeugs)* déviation *f; (Windung der Züge in Feuerwaffen)* pas *m* de rayure; *~ haben (Geschoß)* tourner sur soi--même; **d~frei** *a tech* antigiratoire.

Drama *n* ⟨-s, -men⟩ ['dra:ma, -mən] drame *m;* **~tiker** *m* ⟨-s, -⟩ [-'ma:tikər] auteur dramatique, dramaturge *m;* **d~tisch** [-'ma:tıʃ] *a* dramatique, *fig a.* théâtral; **d~tisieren** [-ti'zi:rən] *tr* dramatiser, adapter à la scène; **~turg** *m* ⟨-en, -en⟩ [-'turk, -gən] critique de théâtre (dramatique); théoricien *m* du drame; **~turgie** *f* ⟨-, ø⟩ [-'gi:] dramaturgie *f.*

dran [dran] *adv fam* = *daran.*

drän|ieren [drɛ'ni:rən] *tr (unterirdisch entwässern)* drainer; **D~(ie-r)ung** *f* drainage *m;* **D~rohr** *n* tuyau *m* de drainage.

Drang *m* ⟨-(e)s, (¨e)⟩ [draŋ] *(Druck)* (op)pression *f; (Dringlichkeit)* besoin *m* (urgent), urgence; *(Trieb)* poussée, impulsion *f,* instinct *m; (Hang)* tendance *f,* penchant *(zu* à), désir *m (zu* de); *im ~ der Geschäfte* dans la fièvre des affaires; *der ~ nach dem Osten (hist)* la poussée vers l'est.

Dräng|elei *f* ⟨-, -en⟩ [drɛŋə'laı] *fam* presse *f;* **d~eln** ['drɛŋəln] *tr* u. *itr fam* pousser, bousculer; tarabuster, tanner; *itr a.* jouer des coudes; **d~en** *tr (drücken)* presser, serrer, pousser *(gegen* contre); *fig (antreiben)* pousser *(zu* à), presser *(zu* de); *(e-n Schuldner)* opprimer, obséder, tourmenter; *itr* presser; *auf etw ~~* insister sur qc; *sich ~~* se presser *(um* autour de), se pousser; *sich durch die Menge ~~* fendre la foule; *sich an die Wand ~~ lassen* se laisser passer devant; *sich zwischen die Streitenden ~~* s'interposer entre les combattants; *es ~t mich zu ...* j'ai grande envie, il me tarde de ...; *die Sache ~t* il y a urgence; *die Zeit ~t* le temps presse; **~en** *n* poussée; *fig* oppression, obsession; *(dringende Bitten)* insistance *f; auf jds ~~* sur les instances de qn.

Drangsal *f* ⟨-, -e⟩ ['draŋza:l] *(Bedrängnis)* détresse, calamité *f,* tourment *m,* tribulations *f pl;* **d~ieren** [-'li:rən] *tr (quälen)* tourmenter, tracasser, *fam* tarabuster.

Drap|erie *f* ⟨-, -n⟩ [drapə'ri:] *(Verkleidung, Behang, Faltenwurf)* draperie *f;* **d~ieren** [-'pi:rən] *tr* draper; **~ierung** *f (Draperie)* draperie *f.*

drastisch ['drastıʃ] *a (derb)* fort, vif, vert; *(sehr wirksam)* énergique, rigoureux, draconien.

drauf [drauf] *adv fam* = *darauf.*

Draufgabe *f com* dessous-de-table *m.*

Draufgänger *m* risque-tout, casse--cou, dur, sabreur; **d~isch** *a* audacieux, téméraire, *fam* crâne; **~tum** *n* audace, *fam* crânerie *f,* cran *m.*

Draufgeld *n* = *Draufgabe.*

draußen ['drausən] *adv* (au) dehors; *(im Freien)* en plein air; *(in der Fremde)* à l'étranger; *von ~* de *od* du dehors.

drawidisch *a* [dra'vi:dıʃ] dravidien; *die ~en Sprachen f pl* les langues *f pl* dravidiennes.

Drechs|elbank *f* ['drɛksəl-] tour *m;* **d~eln** *tr* tourner, faire au tour; *fig (Worte)* façonner méticuleusement; **~ler** *m* ⟨-s, -⟩ tourneur *m;* **~lerei** [-slə'raı] *f (Handwerk)* art du tourneur; *(Werkstatt)* atelier *m* de tourneur.

Dreck *m* ⟨-(e)s, ø⟩ [drɛk] saleté, ordure, crasse; *(Straßenschmutz)* boue, crotte *f; (Exkremente)* excréments *m pl,* déjections *f pl,* fiente; *vulg* merde; *pop (Schund)* pacotille, camelote; *pop (Kleinigkeit)* bagatelle, vétille *f; sich über jeden ~ ärgern (pop)* se fâcher pour un rien; *~ am Stecken haben (fig)* avoir de la poix aux mains, être soi-même compromis *od fam* mouillé; *sich um jeden ~ kümmern* fourrer son nez partout; *vor ~ starren* être sale comme un peigne; *im ~ steckenbleiben* s'embourber; *durch den ~ ziehen (fig)* traîner dans la boue; *ich mache mir e-n ~ daraus (pop)* je m'en fous; *kümmere dich um deinen ~! (pop)* mouche ton nez! *das geht Sie e-n ~ an! (pop)* mêlez-vous de vos affaires! *mach deinen ~ allein!* débrouille-toi tout seul! **~arbeit** *f* grosse besogne *f,* gros ouvrage *m;* **~bürste** *f* brosse *f* à décrotter; **~ding** *n fam* guenille *f;* **d~ig** *a* sale, crasseux; *(Straße)* boueux, crotté; *es geht mir (sehr) ~~ (fam)* ça va mal, *pop* je suis dans la mouise, je gratte le pavé; **~loch** *n fam (Pfütze)* patouillis; *fig (Elendswohnung)* nid à rats, taudis *;* **~schnauze** *f vulg* sale gueule *f;* **~wetter** *n* sale temps *m.*

Dreh *m* ⟨-(e)s, -s/-e⟩ [dre:] *fam (Drehung)* tour; *fam (Handgriff, Trick)* truc *m, pop* combine *f; auf den ~ kommen* trouver le truc *od* le joint *od* le filon; *den ~ raushaben* avoir trouvé *od* connaître le truc, avoir le coup, *pop* être à la coule; *üble(r) ~ (pop)* saloperie *f;* **~achse** *f* axe *m* de rotation; **~arbeiten** *f pl film* (travaux *m pl* de) tournage *m; mit den ~~ beginnen* donner le premier tour de manivelle *(für* de); **~automat** *m tech* tour *m* automatique; **~bank** *f* tour *m;* **d~bar** *a* tournant, rotatif; **~beanspruchung** *f* effort *m* de torsion; **~bewegung** *f* mouvement *m* rotatif *od* de rotation; **~bleistift** *m* crayon à coulisse, porte-mine à vis, stylomine *m;* **~bolzen** *m* tourillon *m;* **~brücke** *f* pont *m* tournant; **~buch** *n film* scénario *m;* **~buchautor** *m* scénariste *m;* **~bühne** *f theat* scène *f* tournante; **d~en** *tr allg* tourner *a. tech; (winden)* tordre, tortiller; *(Seide)* retordre; *(Hanf)* corder; *(Pillen, Tüten)* faire; *(Zigarette)* rouler; *(Fahrzeug)* virer; *(Film)* tourner, réaliser; *sich ~~* tourner *(um etw* autour de qc), virer, pivoter; *sich um etw ~~ (fig fam)* tourner autour de qc, s'agir de qc; *(bes. Gespräch)* rouler sur qc; *die Aufnahmen ~~ (film)* prendre les vues; *ein Ding ~~ (pop)* faire un coup, *arg* monter une affaire; *sich im Kreise ~~* tourner sur soi-même, tournoyer, *(auf einem Fuß)* pirouetter; *fig* tourner en rond, *fam* se mordre la queue; *jdm e-e Nase ~~* faire un pied de nez à qn; *sich um e-n Zapfen ~~* pivoter; *~~ und wenden (fig)* torturer, ergoter sur; *sich ~~ und winden (um sich loszureißen)* se débattre; *fig (Ausflüchte machen)* tourner autour du pot, tergiverser; *er ~t alles so, wie er es braucht* il interprète tout à sa manière; *mir ~t sich alles* la tête me tourne; *darum ~t sich alles* tout roule là-dessus; *der Wind ~t sich* le vent tourne; **~er** *m* ‹-s, -› tourneur *m;* **~erei** [-'raɪ] *f (Werkstatt)* atelier *m* de tournage *od* de tourneur; **~feld** *n* champ *m* tournant; **~fenster** *n* fenêtre *f* pivotante; **~flügel** *m aero* voilure *f* tournante; **~flügelflugzeug** *n (Hubschrauber)* avion à voilure tournante, giravion *m;* **~funkfeuer** *n* radiophare *m* tournant; **~geschütz** *n* pièce *f* tournante; **~geschwindigkeit** *f* vitesse *f* de rotation; **~gestell** *n* bo(g)gie *m;* **~kondensator** *m radio TV* condensateur *m* variable; **~kraft** *f phys* force *f* rotatrice; **~kran** *m* grue *f* tournante *od* pivotante; **~krankheit** *f vet* tournis *m;* **~kranz** *m (MG)* tourelle *f;* **~kreuz** *n (Wegsperre)* tourniquet *m;* **~kuppel** *f (e-r Sternwarte, e-s Planetariums)* coupole *f* tournante; **~moment** *n phys* couple *m* de rotation; **~orgel** *f mus* orgue *m* de Barbarie; **~punkt** *m phys* centre de rotation; *a. fig* pivot *m;* **~rahmenantenne** *f radio* cadre *m* tournant; **~richtung** *f* sens *m* de rotation; **~ring** *m tech* émerillon *m;* **~rost** *m tech* grille *f* tournante; **~schalter** *m et* commutateur *m* rotatif; **~scheibe** *f tech* tour *m; loc* plaque *od* plate-forme *f* tournante, pont *m* tournant *od* roulant; **~schieber** *m tech* tiroir *m* rotatif; **~sinn** *m* = *~richtung;* **~span** *m tech* copeau *m,* tournure *f;* **~spannung** *f* tension *f od* effort *m* de torsion; **~spule** *f el* bobine *f* à cadre mobile; **~stab** *m* barre *f* de torsion; **~stahl** *m tech* outil *m* de tour *od* à tourner; **~ständer** *m (für Ansichtskarten)* tourniquet *m;* **~strahlbake(nsender** *m***)** *f* = *~funkfeuer;* **~strom** *m el* courant *m* triphasé; **~strommaschine** *f* alternateur *m* triphasé; **~strommotor** *m* moteur *m* triphasé; **~stromnetz** *n* réseau *m* triphasé; **~stuhl** *m* chaise *f* pivotante *od* tournante *od* à pivot; **~tisch** *m tech* table *f* tournante; **~tür** *f* porte *f* tournante *od* pivotante; **~turm** *m mil mar aero* tourelle *f* tournante *od* pivotante *od* giratoire; **~ung** *f (um sich selbst)* tour, mouvement *m* giratoire, rotation; *halbe ~~ rechts* demi-tour droite; *(um e-n anderen Körper)* révolution; *(Windung)* torsion *f; (Wendung)* virage *m;* **~waage** *f* balance *f* de torsion; **~wurm(krankheit** *f***)** *m vet* ver-coquin *m;* **~zahl** *f tech mot* nombre *m* de tours *od* de rotations; *bei voller ~~* à plein régime; *mit hoher ~~ laufen* tourner à grande vitesse; **~zahlmesser** *m* indicateur de tours, compte-tours; *mot* tachymètre *m;* **~zahlregler** *m* régulateur *m* de vitesse; **~zapfen** *m* pivot, tourillon *m.*

drei [draɪ] *(Zahlwort)* trois; *für ~ essen* manger comme quatre; *nicht bis ~ zählen können (fig)* être bouché *od* bête comme ses pieds; **D~** *f* ‹-, -en› trois *m;* **D~achser** *m mot* camion *m* à trois essieux; **D~achteltakt** *m mus* (mesure *f* à) trois-huit *m;* **~ad(e)rig** *a tech* à trois fils; **D~akter** *m theat* pièce *f* en trois actes; **~armig** *a* à trois bras *od* branches; **~atomig** *a* triatomique; **~basisch** *a chem* tribasique; **D~beinfahrgestell** *n aero* atterrisseur *m* tricycle; **~beinig** *a* à trois pieds; **D~blatt** *n bot* trèfle d'eau, menyanthe *m;* **D~blatt-Luftschraube** *f aero* hélice *f* à trois pales *od* tripale; **~blätt(e)rig** *a* à trois feuilles; **D~bund** *m hist (1882—1914)* Triple-Alliance *f;* **D~decker** *m mar* trois-ponts; *aero* triplan *m;* **~dimensional** *a* à trois dimensions; *~~e(r) Film m (a.)* cinéma *m* en relief; **D~eck** *n math* triangle *m; (Zeichengerät)* équerre *f;* **~eckig** *a* triangulaire; **D~ecksbadehose** *f* slip *m* (de bain); **D~ecksgeschäft** *n* opération *f* triangulaire; **D~eckschaltung** *f el* montage *m* en triangle *od* en delta; **D~ecksverhältnis** *n* ménage *m* à trois; **D~einigkeit** *f rel* trinité *f;* **D~er** *m* ‹-s, -› = *D~;* **~erlei** ['--'laɪ] *a* de trois sortes *od* espèces; *auf ~~ Art* od *Weise* de trois manières (différentes); **D~ersystem** *n pol* tripartisme *m;* **~fach** *a* triple; **D~fachstecker** *m el* fiche *f* tripolaire; **D~fadenlampe** *f el* lampe *f* à trois filaments; **D~faltigkeit** *f* = *Dreieinigkeit;* **D~farbendruck** *m typ* trichromie *f;* **D~felderwirtschaft** *f agr* culture *f* à trois assolements *od* triennale; **D~fuß** *m* trépied *m;* **D~ganggetriebe** *n mot* boîte *f* à trois vitesses; **D~gespann** *n* voiture *f* à trois chevaux; **~geteilt** *a* triparti, tripartite; **D~gitterröhre** *f radio* lampe *f* trigrille; **~glied(e)rig** *a math* à trois membres; *(in drei Reihen)* à trois rangs; *~~e Zahlengröße f (math)* trinôme *m;* **~holmig** *a aero (Tragfläche)* à trois longerons; **~hundert** *(Zahlwort)* trois cent(s); **D~hundertjahrfeier** *f* tricentenaire *m;* **~jährig** *a (drei Jahre alt)* (âgé) de trois ans; *(von ~~er Dauer)* triennal; **D~kampf** *m sport* triathlon *m;* **D~kantfeile** *f* lime *f* triangulaire, tiers-point *m;* **~kantig** *a* triangulaire; **D~käsehoch** *m fam* nabot, marmouset *m;* **D~klang** *m mus* triple accord *m;* **D~königsfest** *n* jour *m od* fête des Rois, Epiphanie *f;* **D~königskuchen** *m* galette *f* des Rois; **D~kreis(empfäng)er** *m radio* récepteur *m* à trois circuits; **D~mächteabkommen** *n pol* convention *f* tripartite; **~malig** *a* triple, fait *od* répété trois fois; **D~master** *m mar* trois-mâts; *fam (Hut)* tricorne *m;* **~monatig** *a* de trois mois; **~monatlich** *a* trimestriel; **~motorig** *a aero* trimoteur; **~phasig** *a el* triphasé; **D~punktaufhängung** *f mot aero* suspension *f* en trois points; **D~punktlandung** *f aero* atterrissage *m* sur trois points; **D~rad** *n* tricycle; *(Lieferdreirad)* triporteur *m;* **D~radfahrgestell** *n* = *Dreibeinfahrgestell;* **~räd(e)rig** *a* à trois roues, tricycle; **~reihig** *a* à trois rangs; **D~röhrenempfänger** *m radio* poste *m* à trois lampes; **D~satz** *m math* règle *f* de trois; **~säurig** *a chem* triacide; **~schiffig** *a arch* à trois nefs; **~seitig** *a math fig* trilatéral; **~silbig** *a* de trois syllabes, trisyllab(iqu)e; *~~e(s) Wort n* trisyllabe *m;* **D~sitzer** *m aero* (avion) triplace *m;* **~sitzig** *a* à trois places, triplace; **~spaltig** *a typ* à trois colonnes; **~spännig** *a* à trois chevaux; **D~speichenlenkrad** *n* volant *m* à trois branches; **D~spitz** *m (Hut)* tricorne *m;* **~sprachig** *a* en trois langues; trilingue; **D~sprung** *m sport* triple saut *m;* **~stellig** *a (Zahl)* de trois chiffres; **~stimmig** *a mus* à trois voix; **~stöckig** *a* à *od* de trois étages; **~stufig** *a* à trois étages *(a. Rakete);* **~tägig** *a* de trois jours; **~teilig** *a* (divisé) en trois parties, triparti, tripartite; *~~e(r) Ausdruck m (math)* trinôme *m;* **D~teilung** *f* division en trois parties; tripartition *a. math; math (e-s Winkels)* trisection *f;* **D~verband** *m hist (seit 1907)* Triple Entente *f;* **D~viertelhose** *f* pantalon *m* corsaire; **~viertellang** *a (Kleidungsstück)* trois-quarts; **D~viertelmehrheit** *f parl* majorité *f* des trois quarts; **D~viertelprofil** *n phot* trois-quarts *m;* **D~viertelstunde** *f* trois quarts *m pl* d'heure; **D~vierteltakt** *m mus* mesure *f* à trois temps; **D~wegehahn** *m tech* robinet *m* à trois voies; **~wertig** *a chem* trivalent; **~wöchig** *a* de trois semaines; **D~zack** *m (des Poseidon)* trident *m;* **~zackig** *a* à trois pointes; *scient* tridenté; **~zehn** *(Zahlwort)* treize; *jetzt schlägt's aber ~~! (fam)* c'est le comble! c'en est trop! **D~zehntel** *n* treizième *m;* **~zehnte(r, s)** *a* treizième; **D~zimmerwohnung** *f* trois-pièces *m inv.*

drein [draɪn] = *darein;* **~≈schlagen** *itr* frapper à tort et à travers.

dreißig ['draɪsɪç] *(Zahlwort)* trente; *etwa ~ (...)* une trentaine (de); *in den ~er Jahren (e-s Jahrhunderts)* dans les années trente (à quarante); **D~er** *m* ‹-s, -› homme *m* de trente ans; **D~erjahre** *n pl: in den ~~n (e-s Menschenlebens) sein* avoir entre trente et quarante ans; **~jährig** *a* de trente ans; *der D~~e Krieg* la guerre de Trente Ans; **D~stel** *n* ‹-s, -› trentième *m;* **~ste(r, s)** *a* trentième.

dreist [draɪst] *a (kühn)* hardi, audacieux; *(frech)* effronté, impertinent, impudent; *fam* culotté; **D~igkeit** *f* hardiesse, audace; *pej* effronterie, impertinence, impudence *f;* front, aplomb, *fam* toupet, culot *m.*

Drell *m* ‹-s, -e› [drɛl] = *Drillich.*

Dresch|e *f* ‹-, ø› ['drɛʃə] *f pop* fessée, rossée, trempe *f;* **d~en** ‹*drischt, drosch, gedroschen*› *tr agr* battre; *pop (prügeln)* fesser, rosser; *leeres Stroh ~~ (fig)* battre l'eau avec un bâton, perdre son temps et sa peine; **~er** *m* ‹-s, -› batteur *m;* **~flegel** *m* fléau *m;* **~maschine** *f* batteuse *f.*

Dresden *n* ['dre:sdən] Dresde *f.*

Dreß *m* ‹-/-sses, (-sse)› [drɛs] vêtement *m od* tenue *f* de sport.

Dress|eur *m* ‹-s, -e› [drɛ'sø:r] dresseur *m;* **d~ieren** [-'si:rən] *tr (Tier ab-*

richten) dresser; **~ur** *f* ‹-, -en› [-'su:r] dressage *m.*

dribbeln ['drɪbəln] *itr sport (den Ball durch kurze Stöße vortreiben)* dribbler.

Drift *f* ‹-, -en› [drɪft] courant *m* de surface, dérive *f.*

Drill *m* ‹-(e)s, ø› [drɪl] *mil* entraînement, dressage; *gram* exercice, drill; *pej* caporalisme *m;* **~bohrer** *m tech* drille *f;* **d~en** *tr tech (mit d. ~bohrer bohren)* forer; *(Textil)* croiser; *agr (in Reihen säen)* semer en ligne; *mil* entraîner, dresser, exercer.

Drillich *m* ‹-s, -e› [-lɪç] *(Stoff)* treillis, coutil *m;* **~zeug** *n mil* vêtement *m* de treillis *od* de travail.

Drilling *m* ‹-s, -e› ['drɪlɪŋ] *(Jagdgewehr)* fusil *m* à trois coups *od* à triple canon; **~e** *pl* triplés *m pl.*

Drillmaschine *f agr* semoir *m* en lignes.

drin, ~nen [drɪn, -ən] = *darin.*

dring|en ‹*drang, gedrungen*› ['drɪŋən] *itr: in etw ~~* entrer, pénétrer dans qc; *durch etw ~~* pénétrer à travers qc, passer par qc; *aus etw ~~* sortir, s'échapper de qc; *auf etw ~~ (fig)* insister sur qc *od* pour avoir qc; *darauf ~~, daß...* insister pour que *subj; in jdn ~~* presser qn (de questions); *in jdn ~~, etw zu tun* presser qn de faire qc; *auf Bezahlung ~~* insister pour être payé; *an die Öffentlichkeit ~~* transpirer dans le public; *in die Tiefe ~~* pénétrer jusqu'au fond; **~end** *a* pressant, urgent, impérieux; *(Bitte)* instant; *in e-r ~~en Angelegenheit* pour une affaire urgente; *in ~~en Fällen* dans les cas urgents *od* d'urgence; *dem D~~sten abhelfen* parer au plus pressé; *etw ~~ benötigen* od *brauchen* avoir grand besoin de qc; *in dem ~~en Verdacht stehen, ~~ verdächtig sein* être très suspect (*zu* ... de ...); *es* od *die Sache ist (sehr) ~~* il y a urgence; *~~e(r) Bedarf m* besoin *m* urgent; *~~e Bitte f* instance *f; ~~e Gefahr f* danger *m* pressant; **~lich** *a* = *~end;* **D~lichkeit** *f* urgence *f; die ~~ beantragen* demander l'urgence; **D~lichkeitsantrag** *m bes. parl* demande *f* d'urgence; *e-n ~~ stellen* demander l'urgence; **D~lichkeitsbescheinigung** *f* certificat *m* d'urgence; **D~lichkeitserklärung** *f* déclaration *f* d'urgence; **D~lichkeitsfolge** *f* ordre *m* d'urgence; **D~lichkeitsfrage** *f* question *f* d'urgence; **D~lichkeitsstufe** *f* degré *m* d'urgence; **D~lichkeitsvermerk** *m* visa *m* d'urgence.

dritt|e ['drɪtə] *a* troisième; *aus ~er Hand* d'un tiers; *in Gegenwart e-s D~en* en présence d'un tiers *od* d'une tierce personne; *in der ~en Person (sprechen)* à la troisième personne; *zu ~* (à) trois; *der D~e im Bunde sein* être en tiers; *der lachende D~e* le troisième larron; *der D~e Orden (rel)* le Tiers ordre; *der ~e Stand (hist)* le Tiers état; **D~el** *n* ‹-s, -› tiers *m,* **~eln** *tr* diviser en trois (parties); **~ens** *adv* troisièmement, en troisième lieu; tertio; **~letzte(r, s)** *a poet* antépénultième.

droben ['dro:bən] *adv* en haut; là-haut.

Drog|e *f* ‹-, -n› ['dro:gɛ] drogue *f;* **~erie** *f* ‹-, en› [-gə'ri:] droguerie *f;* **~ist** *m* ‹-en, -en› [-'gɪst] droguiste *m.*

Droh|brief *m* ['dro:-] lettre *f* de menaces *od* comminatoire; **d~en** *itr* menacer (*mit etw* de qc); *einzustürzen ~~* menacer ruine; *ich ~te zu (fallen)* j'ai manqué de (tomber); *es ~t zu regnen* la pluie menace; *ihm d~t Gefängnis* il est menacé d'emprisonnement; **d~end** *a* menaçant; *bes. jur* comminatoire; *unmittelbar ~~* imminent; *~~e Gefahr f* danger *m* imminent; **~rede** *f* propos *m* menaçant; **~ung** *f* menace *f; ~~en ausstoßen* proférer des menaces; *leere ~~* menace *f* en l'air.

Drohn *m* ‹-en, -en› [dro:n] , **~e** *f* ‹-, -n› *ent* faux(-)bourdon *m,* abeille *f* mâle; *fig (nur f)* ‹-, -n› *(Nichtstuer)* fainéant *m;* parasite *m;* **~enschlacht** *f ent* massacre *m* des faux(-)bourdons.

dröhnen ['drø:nən] *itr* résonner, retentir; *(grollen)* gronder; *(brummen)* bourdonner; *mot aero* vrombir; *mir dröhnt der Kopf* ma tête bourdonne; **~d** *a (Stimme)* tonitruant.

drollig [drɔlɪç] *a* drôle, amusant, comique, *fam* cocasse, *pop* rigolo; **D~keit** *f* drôlerie, *fam* cocasserie *f.*

Dromedar *n* ‹-s, -e› ['dro:-, drome'da:r] *zoo* dromadaire *m.*

Drops *m (n)* ‹-, -› [drɔps] *pl: saure ~* (bonbons) acidulés *m pl.*

Droschke *f* ‹-, -n› ['drɔʃkə] *(Pferde~)* fiacre *m,* voiture *f* de place; *(Auto)* taxi *m;* **~nkutscher** *m* cocher *m* de fiacre.

Drossel *f* ‹-, -n› ['drɔsəl] **1.** *orn (Gattung)* merle *m.* **2.** *tech* étrangleur; *mot* volet *m;* **~hebel** *m* levier *m od* manette *f* d'étranglement; **~klappe** *f* clapet d'étranglement, papillon *m* (de commande); **d~n** *tr tech* étrangler, étouffer, amortir, réduire; *mot* mettre au ralenti; *fig* restreindre, réduire, freiner; **~spule** *f el* bobine *f* de réactance *od* de self; **~ung** *f tech* étranglement *m; fig* restriction *f;* **~ventil** *n* soupape *f* d'étranglement.

drüb|en ['dry:bən] *adv* de l'autre côté, au-delà, par-delà; *hüben und ~~* des deux côtés; **~er** *adv* = *darüber.*

Druck *m* ‹-(e)s, ⸚e› [drʊk, 'drʏkə] *phys tech fig* pression; *(großer Massen, e-s Gewölbes)* poussée; *phys med* compression; *(Bedrückung)* oppression; *typ allg* ‹-(e)s, -e› impression *f, (Vorgang; Auflage)* tirage *m; unter dem ~ der Verhältnisse* sous la pression des circonstances; *e-n ~ausüben* exercer une pression (*auf* sur); *in ~ geben (typ)* livrer à l'impression, faire imprimer; *in ~ gehen (typ)* être imprimé; *unter ~ handeln* agir par contrainte; *im ~ (in Bedrängnis) sein (fam)* être pressé; *typ* être sous presse; *jdn unter ~ setzen* presser qn; *~ hinter etwas setzen* chercher à activer *od* accélérer qc; *unter ~ stehen* être sous contrainte; *steuerliche(r), wirtschaftliche(r) ~* pression *f* fiscale, économique; *unsaubere(r) ~ (typ)* bavochure *f; ~ und Gegendruck* action et réaction *f;* **~abfall** *m phys tech* diminution *od* chute *f* de (la) pression; **~änderung** *f phys tech* changement *m* de (la) pression; **~anstieg** *m* augmentation *f* de (la) pression; **~auftrag** *m typ* commande *f* d'impression; **~ausgleich** *m tech* compensation *f* de pression; *mit ~~* pressurisé; **~beanspruchung** *f phys tech* effort *m* de compression; **~behälter** *m* réservoir *m* à pression; **d~belüften** *tr aero* pressuriser; **~belüftung** *f* aération sous pression, pressurisation *f;* **~berichtigung** *f typ* correction *f;* **~bogen** *m* feuille *f,* placard *m;* **~buchstabe** *m* lettre *f od* caractère *m* d'imprimerie; **d~dicht** *a phys tech* tenant la pression, étanche; **d~elektrisch** *a* piézo-électrique; **~elektrizität** *f* piézo-électricité *f;* **d~en** *tr typ* imprimer, tirer; *heimlich ~~* imprimer clandestinement; *neu ~~* réimprimer; *~~ lassen a.* mettre sous presse; **~er** *m* ‹-s, -› imprimeur, typographe; *fam* typo *m;* **~erei** [-'raɪ] *f* imprimerie *f;* **~(erei)maschine** *f* machine *f* à imprimer; **~erlaubnis** *f* permission *f* d'imprimer, imprimatur *m;* **~ermarke** *f* marque *f* d'imprimeur; **~erpresse** *f* presse *f* d'imprimerie; *frisch aus der ~~ kommen* sortir de presse; **~erschwärze** *f* encre *f* d'imprimerie; **~-Erzeugnis** *n* produit *m* de la presse; **~feder** *f* ressort *m* de (com)pression; **~fehler** *m* faute *od* erreur *f* d'impression *od* typographique; **~fehlerverzeichnis** *n* errata *m;* **d~fertig** *a* bon à tirer; **d~fest** *a tech* résistant à la (com)pression; **~festigkeit** *f* résistance *f* à la (com)pression; **~filz** *m typ* blanchet *m;* **~form** *f* forme *f* d'impression; **~gefälle** *n mete* gradient *m;* **~guß** *m metal* coulée *f* sous pression; **~gußmaschine** *f* machine *f* à mouler sous pression; **~hammer** *m tech* marteau *m* presseur; **~höhe** *f phys tech (~säule)* hauteur *f* de pression *od* manométrique; **~kabine** *f aero* cabine *f* pressurisée; **~knopf** *m (am Kleid)* bouton-pression; *(am Füllfederhalter)* bouton à pression; *el* bouton-poussoir *m;* **~knopfanlasser** *m mot* démarreur *m* à bouton-poussoir; **~knopfauslöser** *m phot* déclencheur *m;* **~knopfschalter** *m radio* interrupteur *m* à bouton-poussoir; **~knopfsteuerung** *f* commande *f* par boutons-poussoirs; **~knopfwähler** *m radio* sélection *f* par boutons; **~kosten** *pl typ* frais *m pl* d'impression; **~legung** *f* mise *f* à l'impression *od* sous presse; **~leitung** *f tech* conduite *f* à *od* sous pression; **~luft** *f* air *m* comprimé; **~luftbohrer** *m mines* perceuse *f* à air comprimé; **~luftbremse** *f* frein *m* à air (comprimé) *od* pneumatique; **~lufthammer** *m* marteau *m* à air comprimé *od* pneumatique; **~maschine** *f typ* machine à imprimer, presse *f* (typographique);

~messer *m tech* indicateur de pression, manomètre *m;* **~mittel** *n fig* moyen *m* de pression *od* de coercition; **~ort** *m typ* lieu *m* d'impression; **~papier** *n* papier *m* d'impression *od* à imprimer; **~platte** *f* estampe *f;* stéréotype *m;* **~posten** *m fam, bes. mil* filon *m,* planque *f;* **~probe** *f tech* épreuve de (com)pression; *typ* épreuve *f* en placard; **~pumpe** *f* pompe *f* de pression *od* foulante; **~punkt** *m* centre de pression, point de poussée; *aero* centre *m* de poussée; *~~ nehmen (am Gewehr)* faire l'action du doigt (sur la détente); **~raster** *m phot* trame *f,* réseau *m;* **~reduzierventil** *n* détendeur *m;* **~regler** *m tech* régulateur *m* de pression; **d~reif** *a typ* bon à tirer, imprimable; **~rohrleitung** *f* conduite *f* forcée; **~sache** *f typ* imprimé *m;* **~schmierung** *f mot* graissage *m* sous *od* par pression; **~schraube** *f tech* vis de pression; *aero* hélice *f* propulsive; **~schrift** *f typ (Schriftart)* caractères *m pl* d'imprimerie *od* typographiques; *in ~~* en capitales d'imprimerie; *(gedrucktes Werk)* (ouvrage) imprimé; livre *m;* **~schwankung** *f tech* variation *f* de pression; **~seite** *f typ* page *f* d'imprimé; **~stift** *m (Schreibgerät)* portemine *m* à répétition; **~stock** *m typ* cliché *m;* **~tastatur** *f radio* clavier *m* sélecteur; **~telegraph** *m* télégraphe imprimeur, typotélégraphe *m;* **~tiegel** *m typ* platine *f;* **~ventil** *n tech* soupape *f* de (com)pression; **~verband** *m med* bandage *m* compressif; **~verhältnis** *n tech* rapport *m* des pressions; **~verlust** *m* perte *f* de pression; **~verminderung** *f* réduction *f* de (la) pression; **~versuch** *m tech fig* essai *m* de pression; **~walze** *f agr* rouleau compresseur; *typ* rouleau *m* d'imprimerie; **~welle** *f phys* onde *f* de pression; **~werk** *n typ* (ouvrage) imprimé *m;* **~zylinder** *m* = *~walze (typ).*

Drück|eberger *m* ['drʏk-] *fam* lâcheur, tire-au-flanc; *m* embusqué *m;* **d~en** *tr* presser, serrer; *(zs.~~)* comprimer; *(Gewichtheben)* jeter; *(Siegel)* appliquer, apposer (*auf* sur); *(Preise)* faire baisser; *fig (bedrükken)* opprimer, oppresser; accabler, affliger; peser sur le cœur (*jdn* à qn); *itr (lasten)* peser, presser (*auf* sur); *(auf e-n elektr. Knopf)* appuyer (*auf* sur), presser (*auf* acc); *(Kleidung, Schuh)* gêner, serrer; *sich ~~ (fam)* filer (en douce), s'esquiver, se tirer, tirer au flanc; *arg* se planquer; *bes. mil* s'embusquer; *sich vor etw ~~* s'efforcer de couper à qc; *glatt ~~ (die Haare)* aplatir; *jdm die Hand ~~* serrer la main à qn; *jdm etw in die Hand ~~* glisser qc dans la main de qn; *ans Herz ~~* serrer sur son cœur; *den Hut tief ins Gesicht ~~* enfoncer son chapeau sur les yeux; *jdn an die Wand ~~ (fig)* acculer qn; *ich weiß, wo dich der Schuh drückt (fam)* je sais où le bât te blesse; **d~end** *a* pesant, lourd; *(Hitze)* accablant, étouffant; *fig* accablant, déprimant; *(Schulden)* écrasant; **~er** *m* ⟨-s, -⟩ *(Türklinke)* poignée, clenche *f,* loquet *m.*

drucksen ['druksən] *itr fam (zögern)* lambiner, hésiter, vaciller.

Drude *f* ⟨-, -n⟩ ['dru:də] *(Hexe)* sorcière *f;* **~nfuß** *m (magisches Zeichen)* pentagramme, pentacle *m.*

Druide *m* ⟨-n, -n⟩ [dru'i:də] *(kelt. Priester)* druide *m.*

drum [drum] *adv = darum; sei 's ~!* soit, tant pis; *das D~ und Dran (fam)* tout le tremblement; *auf das D~ und Dran kommt es an* la sauce fait manger le poisson.

drunt|en ['druntən] *adv* en bas, là-bas; **~er** *adv = darunter.*

Druse *f* ⟨-, -n⟩ ['dru:zə] *min* druse; *vet* gourme *f.*

Drüs|e *f* ⟨-, -n⟩ ['dry:zə] *anat* glande; *(kleine)* glandule *f; endokrine ~~, ~~ mit innerer Sekretion* glande *f* endocrine; **~enentzündung** *f* adénite *f;* **~engeschwulst** *f* adénome *m;* **~enschwellung** *f* tuméfaction *f* ganglionnaire; **d~ig** *a* glanduleux, glandulaire.

Dschiu-Dschitsu ['dʒi:u'dʒɪtsu] = *Jiu-Jitsu.*

Dschungel *m* od *n* ⟨-s, -⟩ *a. f* ⟨-, -n⟩ ['dʒuŋəl] jungle *f.*

Dschunke *f* ['dʒuŋkə] jonque *f.*

du [du:] *pron (mit v verbunden)* tu; *(unverbunden)* toi; *mit ~ anreden* tutoyer; *mit jdm auf ~ und ~ stehen* être à tu et à toi avec qn.

Dual *m* ⟨-s, -e⟩ , **~is** *m* ⟨-, -le⟩ [du'a:l(ɪs)] *gram* duel *m;* **~ismus** *m* ⟨-, ø⟩ [-a'lɪsmus] *rel philos pol* dualisme *m;* **~system** *n math* numération *f* binaire; *Rechnen n im ~~* calcul *m* binaire.

Dübel *m* ⟨-s, -⟩ ['dy:bəl] *tech (Pflock)* cheville *f,* goujon, tampon *m.*

Dubl|ee *n* ⟨-s, -s⟩ [du'ble:] *(Metall mit Überzug)* doublé, plaqué *m;* **~ette** *f* ⟨-, -n⟩ [-'blɛtə] *(Doppelstück)* double; *gram* doublet; *(Jagd: Doppeltreffer)* doublé *m.*

Duckdalbe *m* ⟨-n, -n⟩ ['dukdalbə] *mar* estacade *f.*

duck|en ['dukən] *tr (senken)* baisser; *fig* (r)abaisser, humilier; *sich ~~ (sich bücken)* se baisser; *(niederkauern)* se blottir, se tapir, s'accroupir; *fig* se plier, courber l'échine, s'aplatir (*vor jdm* devant qn), se soumettre, s'humilier; **D~mäuser** *m* ⟨-s, -⟩ ['-mɔʏzər] *(Heuchler)* sournois, hypocrite; *(Feigling)* poltron, *fam* capon, *pop* froussard *m;* **D~mäuserei** [-'raɪ] *f* dissimulation, sournoiserie, hypocrisie; poltronnerie *f;* **~mäuserisch** *a* dissimulé, sournois; poltron.

Dudel|ei *f* ⟨-, (-en)⟩ [du:də'laɪ] *fam* musique d'orgue de Barbarie, ritournelle *f;* **d~n** ['du:dəln] *itr mus* jouer de la cornemuse *od* des ritournelles; **~sack** *m mus* cornemuse, musette *f;* **~sackpfeifer** *m* cornemuseur *m.*

Duell *n* ⟨-s, -e⟩ [du'ɛl] duel *m; jdn zum ~ (heraus)fordern* provoquer qn en duel; *ein ~ auf Pistolen* un duel au pistolet; **~ant** *m* ⟨-en, -en⟩ [-'lant] duelliste *m;* **d~ieren** [-'li:rən], *sich* se battre en duel (*mit jdm* avec qn).

Duett *n* ⟨-(e)s, -e⟩ [du'ɛt] *mus* duo *m.*

Duft *m* ⟨-(e)s, ¨-e⟩ [duft, 'dʏftə] *(Geruch)* odeur *f; (Wohlgeruch)* parfum, arôme *m,* senteur; *(Ausdünstung)* exhalaison; *(Dunst)* vapeur *f* (légère); **d~e** *a (pop)* sacré, chouette; **d~en** *itr* répandre *od* exhaler une odeur *od* un parfum; sentir bon; *nach etw ~~* sentir qc; *es ~et nach Flieder* cela sent le lilas; **d~end** *a* odor(ifér)ant, parfumé, embaumé, aromatique; **d~ig** *a = ~end; fig (leicht u. zart)* léger, flou, aérien; *(zerfließend)* vaporeux; **~kissen** *n (im Wäscheschrank)* sachet *m* parfumé; **~stoff** *m* matière *f* odorante, parfum *m;* **~wolke** *f* bouffée *f* de parfum.

Dukaten *m* ⟨-s, -⟩ [du'ka:tən] *(alte Goldmünze)* ducat *m.*

duld|en ['duldən] *tr (erleiden)* souffrir; *(ertragen)* endurer, supporter; *(über sich ergehen lassen)* subir; *(sich in etw ergeben)* se résigner à; *(zulassen, erlauben)* admettre, permettre; *bes. rel pol* tolérer; *keinen Aufschub ~~* ne souffrir aucun retard *od* point de délai; **D~en** *n (Leiden)* souffrance *f;* **D~er** *m* ⟨-s, -⟩ souffre-douleur, martyr *m;* **~sam** *a (nachsichtig)* indulgent; *bes. rel pol* tolérant; **D~samkeit** *f* ⟨-, ø⟩ indulgence; tolérance *f;* **D~ung** *f* tolérance *f.*

dumm [dum] *a* ⟨dümmer, dümmste(r)⟩ *a* stupide, sot, bête; inintelligent; *(unwissend)* ignorant; *(beschränkt)* borné; *(einfältig)* simple, inbécile; *(blöde)* idiot; *(albern)* inepte, niais; *(von e-r S: unangenehm)* désagréable, ennuyeux, fâcheux; *ein ~es Gesicht machen* avoir l'air bête; *~e Streiche machen* faire des siennes; *~es Zeug reden* dire des bêtises *od* des inepties, radoter; *der D~e dabei sein* être le dindon de la farce; *sich ~ stellen* faire la bête; faire l'âne (pour avoir du son); *jdn für ~ verkaufen* duper, *arg* rouler qn; *du bist nicht ~ (fam)* tu n'es pas bête; *du bist nicht so ~, wie du aussiehst (hum)* tu n'es pas si bête que tu en as l'air; *das wird mir zu ~* j'en ai assez; *da müßte ich ja schön ~ sein!* il faudrait que je sois bien bête; *stell dich doch nicht ~!* ne fais pas la bête! ne fais pas semblant de ne pas comprendre! *das ist (aber) ~!* c'est bête; *pop* ça la fout mal; *~es Zeug!* chansons que tout cela! *die dümmsten Bauern haben die dicksten Kartoffeln (prov)* aux innocents les mains pleines; *der ~e August* l'auguste *m,* le clown; *~ wie Bohnenstroh* bête à manger du foin; *e-e ~e Gans (fig)* une bécassine *od* dinde; *e-e ~e Geschichte* une vilaine histoire; *~e(r) Junge m* blanc-bec *m; ~e(r) Streich m* vilain tour *m;* **D~bart** *m fam hum* imbécile, sot, nigaud *m;* **~dreist** *a* effronté; **D~dreistigkeit** *f* effronterie *f;* **D~ejungenstreich** *m* gaminerie *f;* **D~erchen** *n fam hum* petit(e) sot(te *f*) *m;* **D~erjan** *m* ⟨-s, -e⟩

['--rja:n] = *D~bart;* **D~heit** *f* stupidité, sottise, bêtise; inintelligence; ignorance; imbécillité; idiotie; ineptie, niaiserie; *(Handlung)* sottise, bêtise *f, fam* impair *m; (Schnitzer)* gaffe *f; aus ~~* par sottise; *e-e ~~ nach der ander(e)n* sottise sur sottise; *~~en machen* faire des folies; *e-e große ~~ machen* commettre une énormité; *da haben Sie e-e schöne ~~ gemacht!* vous en avez fait de belles; **D~kopf** *m* sot *m,* idiot, bêta, benêt, imbécile; *fam* crétin *m;* **~stolz** *a* bêtement vaniteux.

dumpf [dumpf] *a (schwül)* lourd, étouffant; *(drückend)* accablant; *(muffig)* moisi; *(Geräusch, Schmerz)* sourd; *(Ahnung)* vague; *(Gefühl)* engourdi, apathique; **D~heit** *f* ⟨-, ø⟩ *fig* engourdissement *m,* torpeur; apathie *f;* **~ig** *a* lourd, étouffant; *~~ riechen* sentir le moisi *od* le renfermé; *~~e(r) Geruch m* odeur *f* de moisi *od* de renfermé.

Dumping *n* ⟨-s, ø⟩ ['dampıŋ] *com (Preisunterbietung)* dumping, gâchage *m* du *od* des prix.

Dün|e *f* ⟨-, -n⟩ ['dy:nə] dune *f;* **~enhafer** *m* = *Strandhafer;* **~ung** *f (Seegang)* houle *f,* ressac *m.*

Dung *m* ⟨-(e)s, ø⟩ [duŋ] engrais *m,* fumure *f,* fumier *m;* **~grube** *f* fosse *f* à fumier; **~haufen** *m* (tas de) fumier *m.*

Düng|emittel *n* ['dyŋə-] = *Dünger;* **d~en** *tr* engraisser, fumer; *itr* servir d'engrais; *mit Kalk ~~* chauler; **~er** *m* ⟨-s, -⟩ engrais *m;* **~erstreumaschine** *f* distributeur *m* d'engrais; **~ung** *f* ⟨-, (-en)⟩ fumage *m,* fumure *f; ~~ mit Kalk* chaulage *m.*

dunkel ['duŋkəl] *a* obscur; *(düster, finster)* sombre, ténébreux; *(Farbe)* foncé; *(Vokal)* sourd; *fig (unverständlich)* obscur, confus; *(unbestimmt)* vague; *(mehrdeutig)* douteux; *(verdächtig)* louche; *im D~n* dans l'obscurité; *jdn im ~n lassen* laisser qn dans l'incertitude; *im D~n tappen* aller à l'aveuglette, marcher à tâtons; *fig (im d~)* marcher dans les ténèbres; *dunkler werden* s'obscurcir, s'assombrir; *ich erinnere mich ~* je me rappelle vaguement; *das ist e-e dunkle Geschichte* c'est une sombre histoire; c'est la bouteille à l'encre *fam; es wird ~* il se fait nuit, la nuit tombe; *im D~n ist gut munkeln (prov)* la nuit est l'amie des secrets; *dunkle(s) Bier n* bière *f* brune; *dunkle Brillengläser n pl* verres *m pl* fumés; *der dunkle Erdteil (Afrika)* le continent noir; *dunkle Geschäfte n pl* affaires *f pl* louches; *das dunkle Mittelalter* la nuit du Moyen Âge; *dunkle Nacht f* nuit *f* épaisse *od* noire; *ein dunkler Punkt (fig)* qc de louche (*in* dans); **D~** *n* ⟨-s, ø⟩ obscurité *f,* ténèbres *f pl; im ~~ (a.)* dans l'ombre; **~blau, ~braun, ~grau, ~grün, ~rot** bleu, brun, gris, vert, rouge foncé; **~blond** châtain; **D~heit** *f* obscurité *f a, fig,* ténèbres *f pl; bei einbrechender* od *Anbruch der ~~* à la nuit tombante; **D~kammer** *f phot* chambre *f* noire; **D~mann** *m* ⟨-s, -männer⟩ obscurantiste *m;* **~n** *itr impers: es ~t* la nuit tombe; **D~nachtjagd** *f aero mil* chasse *f* de nuit dans le noir.

Dünkel *m* ⟨-s, ø⟩ présomption, suffisance, fatuité, infatuation, morgue *f;* **d~haft** *a* présomptueux, suffisant, (in)fat(ué), plein de morgue.

dünken ['dʏnkən] *impers: mich* od *mir dünkt* il me paraît *od* semble; *wie mich* od *mir dünkt* à mon avis; *sich (klug) ~* se croire (sage).

dünn [dʏn] *a (dem Durchmesser nach)* mince; *(Stoff)* léger; *(dem Umfang nach)* menu; *(lang u. ~)* grêle, fluet; *(schlank)* svelte, délié, élancé; *(mager)* maigre, décharné, sec; *(fein)* fin; *(schwach, brüchig)* ténu; *(spärlich, ~gesät)* rare, clairsemé; *(schwach: von e-m Getränk)* clair, faible; *(Luft)* léger; *fig (Leistung)* mince, (un peu) léger, inconsistant; *~(er) machen* amincir, amenuiser; *sich ~ machen (fig fam)* se faire tout petit; *~ säen* semer clair; *~(er) werden* s'amincir, (s')amaigrir; *(Haar, Flüssigkeit)* s'éclaircir; *~ besiedelt* od *bevölkert* peu peuplé; *~e Stimme f* voix *f* grêle, filet *m* de voix; **~bevölkert** *a* peu peuplé; **D~bier** *n* petite-bière *f;* **D~darm** *m anat* intestin *m* grêle; **D~druckausgabe** *f* édition *f* sur papier bible; **D~druckpapier** *n* papier *m* bible *od* indien; **D~e** *f* ⟨-, ø⟩, **D~heit** *f* ⟨-, ø⟩ minceur; légèreté; sveltesse; maigreur; finesse; ténuité; rareté *f;* **~flüssig** *a* fluide, clair; **~gesät** *a* clairsemé *a. fig; fig* rare; **~=machen,** *sich (fig fam) = sich drücken;* **~schalig** *a (Frucht)* à peau fine; **~wandig** *a* à paroi(s) mince(s).

Dunst *m* ⟨-es, ⸚e⟩ [dunst, dʏnstə] *(Dampf)* vapeur; *(schwacher Nebel)* brume légère, nébulosité; *(Ausdünstung)* exhalaison, émanation; *(Feuchtigkeit)* moiteur; *(Wäschedunst)* buée; *(Rauch)* fumée *f; (Vogeldunst)* menu *od* petit plomb *m; in ~ aufgehen, zu ~ werden* s'en aller en fumée; *keinen blassen ~ von etw haben* n'avoir pas la moindre idée *od* le moindre soupçon de qc; *jdm blauen ~ vormachen* en faire accroire à qn, jeter de la poudre aux yeux de qn; *blaue(r) ~ (fig fam)* blague *f;* **d~en** *itr (Dunst verbreiten)* dégager des vapeurs, s'évaporer; **~haube** *f tech* hotte *f* d'aération; **d~ig** *a* vaporeux; *(neblig)* nébuleux; *(feucht)* humide; **~kreis** *m* atmosphère *f;* **~obst** *n* compote *f;* **~schicht** *f* couche *od* nappe *f* de brume (légère); **~schleier** *m* voile *m* de brume.

dünst|en ['dʏnstən] *tr (Küche: dämpfen)* étuver, cuire à l'étuvée; **D~obst** *n = Dunstobst.*

Duo *n* ⟨-s, -s⟩ ['du:o] *mus* duo *m.*

Duodez *n* ⟨-es, ø⟩ [duo'de:ts], **~band** *m,* **~format** *n (Buch)* in-douze *m;* **~fürst** *m* petit prince, roitelet *m.*

düpieren [dy'pi:rən] *tr (an der Nase herumführen)* duper.

Dupl|ikat *n* ⟨-(e)s, -e⟩ [dupli'ka:t] *(Doppel)* duplicata, double *m,* copie *f;* **~izität** *f* ⟨-, -en⟩ [-plitsi'tɛ:t] *(doppeltes Vorkommen)* duplicité *f.*

Dur *n* ⟨-, ø⟩ [du:r] , **~tonart** *f mus* mode *m* majeur; **~tonleiter** *f* gamme *f* majeure.

durabel [du'ra:bəl] *a (dauerhaft)* durable.

Duralumin *n* ⟨-s, ø⟩ [duralu'mi:n] *(Aluminiumlegierung)* duralumin *m.*

durch [durç] **1.** *prp acc (örtlich)* par, par la voie de; *(quer ~)* à travers, au travers de; *(zeitlich)* pendant, durant; *(vermittels)* par, au moyen de, moyennant, à force de; *(dank)* grâce à; *(infolge)* par suite de; *(alle) ~ die Bank* tous autant qu'ils sont; *~ die Post* par la poste; *~ Zufall* par hasard, par accident; *~ den Fluß schwimmen* traverser la rivière à la nage; *~ die Luft fliegen* fendre l'air; *~ die Nase sprechen* parler du nez; *der Schrei ging mir ~ Mark und Bein* le cri m'a transpercé jsuqu'à la moelle; **2.** *adv: ~ und ~* d'un bout à l'autre, de bout en bout, de part en part; *fig* tout à fait; *~ und ~ naß* trempé (*Mensch:* jusqu'aux os); *die ganze Nacht ~* (de) toute la nuit; *~ sein (örtlich)* être passé; *(fertig)* avoir fini (*mit etw* qc); *(außer Gefahr)* être hors de danger; *(~s Examen)* avoir réussi; *(von Sachen: kaputt)* être percé *od* déchiré; *es ist zwei Uhr ~* il est deux heures passées.

'durch=ackern *tr* achever de labourer; *fig (durcharbeiten)* étudier à fond.

'durch=arbeiten *tr* ⟨*aux: haben*⟩ *(durchtrainieren)* entraîner; *(Buch)* étudier à fond; *itr* ⟨*aux: haben*⟩ *(ohne Unterbrechung)* travailler sans interruption *od* sans relâche *od* d'arrache-pied; *fam* bûcher; *sich ~* se frayer un passage *od* un chemin; *die (ganze) Nacht ~* travailler (pendant) toute la nuit.

'durch=atmen *itr* respirer à fond.

durchaus *adv (vollständig)* complètement, entièrement, tout à fait, à fond; *(unbedingt)* absolument; *~ nicht* pas *od* point du tout, pas le moins du monde, nullement.

'durch=backen *tr* bien cuire; *(gut) durchgebacken (pp u. a)* bien cuit; **durch'backen** (faire) cuire (*mit* avec).

'durch=beißen *tr* ⟨*hat durchgebissen*⟩ percer *od* couper d'un coup de dent; *sich ~ (fig)* faire son chemin, se tirer d'affaire; *fam* se débrouiller.

'durch=bekommen *tr* (arriver à) finir, achever; *(Faden)* (arriver à) faire passer.

'durch=betteln *sich* vivre de mendicité.

'durch=bild|en *tr (s-n Körper)* développer; *(gut) durchgebildet (pp u. a) (Körper)* bien fait; **D~ung** *f* bonne formation *f.*

'durch=blättern, durch'blättern *tr* feuilleter; parcourir (en feuilletant), lire du pouce.

'durch=bleuen ⟨*hat durchgebleut*⟩ *tr fam* rosser, rouer de coups.

ˈ**Durchblick** *m* échappée *f;* ˈ**durch≈blicken** *itr (hindurchsehen)* voir *od* regarder à travers; ~ *lassen (fig)* laisser entrevoir, donner à entendre.

durchˈblut|en *tr physiol* irriguer; **D~ung** *f* irrigation *f* sanguine.

durchˈbohr|en, *tr* perforer, (trans-)percer; *(durchlöchern)* trouer; *von Kugeln ~t* criblé de balles; ˈ**durch≈bohren** *tr: ein Loch* ~ percer un trou, trouer; *sich ˈdurchbohren* faire un trou en perçant; **~end** *ppr u. a. (Blick)* perçant; **D~ung** *f tech* forage, percement *m.*

ˈ**durch≈braten** ⟨*hat durchgebraten*⟩ *tr* bien rôtir *od* cuire; *nicht durchgebraten* saignant.

ˈ**durch≈brechen** *tr* ⟨*hat durchgebrochen*⟩ *(zerbrechen)* casser, briser, rompre; *itr* ⟨*ist durchgebrochen*⟩ se casser, se briser, se rompre; *(Keim, Zahn)* percer; *(die Sonne)* percer les nuages *od* le brouillard; *fig* se faire jour, se montrer, se révéler; **durchˈbrechen** *tr* ⟨*pp: hat durchbrochen*⟩ (trans)percer; *(einstoßen)* enfoncer; *mil (die Front)* percer, enfoncer; *fig (Regel)* violer; *(Blockade)* rompre; *die Schallmauer* ~ franchir le mur du son.

ˈ**durch≈brennen** ⟨*ist durchgebrannt*⟩ *itr el (Sicherung)* fondre, fuser, sauter; *(Lampe, Röhre)* brûler; *fig fam (fliehen)* filer, prendre la poudre d'escampette *od* la clef des champs; *er ist von zu Hause durchgebrannt* il est parti de chez lui; *tr* ⟨*hat durchgebrannt*⟩ couper, séparer à l'aide d'une flamme.

ˈ**durch≈bringen** *tr* faire passer *(a. ein Gesetz); (Kandidaten)* faire réussir; *(Kranken)* tirer d'affaire; *(Geld)* dissiper, dilapider, gaspiller, *fam* manger; *sich* ~ gagner sa vie, se tirer d'affaire, se débrouiller; *sich recht und schlecht* od *kümmerlich* ~ s'en tirer vaille que vaille, joindre les deux bouts.

durchˈbrochen *a (Gewebe)* ajouré, à jour.

Durchbruch *m* ⟨-(e)s, ⸚e⟩ [ˈ-brux] *(Vorgang)* percement *m,* percée *a. mil; (Stelle)* rupture; *(Zahn, Krankheit)* éruption; *fig (plötzliches Auftreten)* irruption *f; zum ~ kommen (fig)* se faire jour; **~sgefecht** *n* combat *m* de rupture; **~sschlacht** *f* bataille *f* de rupture; **~sstelle** *f* percée *f;* **~versuch** *m* tentative *f* de percée *od* de rupture.

ˈ**durch≈denken** ⟨*hat durchgedacht*⟩ , **durchˈdenken** ⟨*hat durchdacht*⟩ *tr* approfondir, examiner à fond; méditer, ruminer; *gut durchdacht* bien réfléchi.

ˈ**durch≈drängen** ⟨*hat durchgedrängt*⟩ *tr* faire passer de force; *sich* ~ passer de force, se frayer un passage *od* un chemin, fendre la foule, *fam* jouer des coudes.

ˈ**durch≈drehen** *tr* ⟨*hat durchgedreht*⟩ *(Fleisch)* faire passer (par le hachoir); *mot* virer; *itr* ⟨*ist durchgedreht*⟩ *fam* perdre le contrôle de soi.

durchˈdring|en ⟨*hat durchdrungen*⟩ *tr* pénétrer, (trans)percer; *(Strahlen)* traverser; *(ganz eindringen in)* s'infiltrer dans, imprégner; *von etw durchdrungen (fig)* pénétré, imbu de qc; ˈ**durch≈dringen** ⟨*ist durchgedrungen*⟩ *itr* pénétrer, percer; se frayer un passage; *(Stimme)* porter; *fig (sich durchsetzen)* se faire jour, réussir, l'emporter; *mit s-r Meinung* ~ faire prévaloir son opinion; ˈ**durchdringend** *a (Strahlen, Nässe)* pénétrant; *(Kälte) a.* cuisant; *(Schrei, Blick)* perçant; *(Verstand)* pénétrant; **D~ung** [-ˈ--] *f* pénétration; infiltration *f; friedliche* ~~ pénétration *f* pacifique; *gegenseitige* ~~ interpénétration *f.*

ˈ**durch≈dröhnen** ⟨*hat durchgedröhnt*⟩ *tr* couvrir de son fracas.

ˈ**durch≈drücken** *tr* faire passer *od* entrer de force; *(eindrücken)* enfoncer; *(Breiiges durch ein Sieb)* écraser; *fig fam (durchsetzen)* faire passer *od* admettre; *die Knie* ~ effacer les genoux.

ˈ**durch≈eilen** *itr* ⟨*ist durchgeeilt*⟩ parcourir, traverser à la hâte; **durchˈeilen** ⟨*hat durcheilt*⟩ *tr* parcourir rapidement.

durcheinander [durçˀaɪˈnandər] *adv* pêle-mêle, à la débandade, sens dessus dessous; *(wild)* ~ *(fam)* en pagaille; *ganz* ~ *(verwirrt) sein* avoir la tête à l'envers; **D~** *n* ⟨-s, (-)⟩ *(Unordnung)* confusion *f,* désordre, pêle--mêle, imbroglio; *fam* remue-ménage; hourvari, méli-mélo *m,* pagaille *f; völlige(s)* od *wüste(s)* ~~ chaos, tohu-bohu *m;* **~≈bringen** *tr (Gedanken)* (em)brouiller; *(verwechseln)* confondre; *jdn* renverser l'esprit *od* la cervelle à qn; **~≈laufen** *itr* s'agiter pêle-mêle; **~≈werfen** *tr fig (Begriffe)* (em)brouiller, mettre sens dessus dessous.

durchˈfahr|en ⟨*hat durchfahren*⟩ *tr (Ort, Gegend)* traverser, passer par; *(Fluß)* passer à gué; *ein Schauder durchfährt mich* je frissonne; ˈ**durch≈fahren** ⟨*ist durchgefahren*⟩ *itr* ne pas interrompre le parcours; *(nicht umsteigen)* ne pas changer de train; *die Nacht* ~ ⟨*ist durchgefahren*⟩ passer la nuit en roulant *od* en voiture; *der Zug fährt durch* le train brûle la station; **D~t** *f* [ˈ--] passage *m,* traversée; *(Torweg)* porte *f* cochère; ~~ *verboten!* passage interdit, défense de passer; *enge* ~~ *(mar)* goulet *m;* **D~tsrecht** *n* droit *m* de passage.

Durchfall *m* [ˈ--] chute *f; fig (Versagen)* échec, *fam* fiasco; *theat* four *m; med* diarrhée, *fam* colique *f;* ˈ**durch≈fallen** ⟨*ist durchgefallen*⟩ *itr* tomber à travers; *fig (versagen)* échouer, ne pas réussir; *(bei e-r Prüfung)* être refusé *od* recalé; *fam* être collé; *parl* être blackboulé; *theat* tomber à plat, faire un four; ~ *lassen (bei e-r Prüfung)* refuser, recaler, blackbouler.

ˈ**durch≈fechten** ⟨*hat durchgefochten*⟩ *tr (Kampf)* soutenir; *fig (durchsetzen)* faire triompher; *sich* ~ = *sich durchbetteln.*

ˈ**durch≈feilen** ⟨*hat durchgefeilt*⟩ *tr* percer *od* couper à la lime; *fig (Text)* repasser la lime sur, limer, polir, *fam* fignoler.

durchˈfeuchten *tr* humecter, mouiller.

ˈ**durch≈finden,** *sich* ⟨*hat sich durchgefunden*⟩ trouver son chemin, se retrouver; *fig* se débrouiller.

ˈ**durch≈flechten** entrelacer (*durch* à travers); **durchˈflechten** *tr* entrelacer (*mit* de).

ˈ**durch≈fliegen** ⟨*ist durchgeflogen*⟩ *itr* passer en volant *od* au vol; **durchˈfliegen** ⟨*hat durchflogen*⟩ *tr fig (schnell lesen)* parcourir (rapidement).

durchˈfließen ⟨*hat durchflossen*⟩ *tr (Fluß)* traverser, arroser, baigner; ˈ**durch≈fließen** ⟨*ist durchgeflossen*⟩ *itr* couler à travers.

durchˈforsch|en ⟨*hat durchforscht*⟩ *tr* examiner (à fond), sonder, scruter, approfondir; *(Land)* explorer; **D~ung** [-ˈ--] *f* examen *m* approfondi; exploration *f.*

durchˈforst|en *tr* éclaircir; **D~ung** *f* éclaircissage *m.*

ˈ**durch≈fragen,** *sich* ⟨*hat sich durchgefragt*⟩ demander son chemin.

durchˈfressen ⟨*hat durchfressen*⟩ *tr chem* ronger, corroder; ˈ**durch≈fressen,** *sich* ⟨*hat sich durchgefressen*⟩ se faire un passage en rongeant; *fig fam (schmarotzen)* manger à tous les râteliers.

ˈ**durch≈frieren** ⟨*ist durchgefroren*⟩ *itr* geler *od* se glacer entièrement; mourir de froid; **durchˈfroren** *a* transi (de froid), glacé (jusqu'aux os); *fam* frigorifié.

Durchfuhr *f* ⟨-, -en⟩ [ˈdurçfuːr] passage; *com* transit *m;* **~güter** *n pl* marchandises *f pl* de transit; **~handel** *m* commerce *m* de transit; **~land** *n* pays *m* transitaire; **~zoll** *m* droit(s *pl*) *m* de transit.

durchführ|bar *a* exécutable, faisable, réalisable, viable; **D~barkeit** *f* faisabilité, possibilité *f* de réaliser; **durch≈führen** ⟨*hat durchgeführt*⟩ *tr* exécuter, mettre à exécution, mener à bien *od* à bonne fin; *(verwirklichen)* réaliser; *(vollenden)* accomplir, (par)achever; *e-e Reform* ~ opérer une réforme; *e-e Untersuchung* ~ *(jur)* instruire une enquête; *e-n Versuch* ~ effectuer une expérience; **D~ung** [ˈ---] *f* exécution, réalisation; *(Anwendung)* (mise en) application *f; (Vollendung)* accomplissement, achèvement *m;* **D~ungsbestimmungen** *f pl jur* dispositions *od* modalités *f pl* d'application; **D~ungsverordnung** *f jur* ordonnance *f od* décret *m* d'application.

durchˈfurch|en *tr* sillonner, **~t** *a (Gesicht)* sillonné (par l'âge).

Durchgabe *f* [ˈ---] *(von Nachrichten)* transmission *f.*

Durchgang *m* [ˈ--] passage *m, a. phys astr; (zwischen zwei Mauern)* allée *f; arch* couloir; *com* transit *m;* ~ *verboten! kein ~!* passage interdit, défense de passer, circulation interdite; **~sbahnhof** *m* gare *f* de passage *od* de transit; **~slager** *n* camp *m* de passage *od* de triage; **~sland** *n* pays *m* transitaire; **~slinie** *f loc* ligne *f* principale; **~spunkt** *m (im Verkehr)* point *m* de pénétration; **~srecht** *n* droit *m* de passage; **~sschein** *m* bulletin de transit, passavant *m;* **~sstation** *f* gare *f* de passage *od* de transit; **~sstraße** *f* route directe; *(in Frankr.)* route *f* nationale; **~sverkehr** *m loc* service direct; *com* (trafic de) transit *m;* **~svisum** *n* visa *m* de transit; **~swagen** *m loc* wagon *m* à couloir; **~szoll** *m* droit(s *pl*) *m* de transit; **~szug** *m loc* = *D-Zug.*

Durchgäng|er *m* ['---] *(Entwichener)* fuyard, évadé; *(Pferd)* cheval *m* qui s'emballe; **d~ig** *a* général; *adv* en entier, dans son ensemble.

'durch=geben ⟨*hat durchgegeben*⟩ *tr (Meldung)* transmettre; *(Befehl)* faire passer.

durchgedreht ['---] *a fam (verwirrt)* déconcerté, en désarroi.

'durch=gehen ⟨*ist durchgegangen*⟩ *itr* passer; *(Pferd)* s'emballer; prendre le mors aux dents *(a. von e-m Menschen); fam (Mensch)* filer, décamper, prendre la poudre d'escampette; *(Kassierer)* lever le pied, manger la grenouille; *parl (Antrag)* passer, être adopté; *tr* ⟨*hat durchgangen*⟩ parcourir à pied; *tr fig* ⟨*ist ... durchgegangen*⟩ *(Schriftstück, Buch)* parcourir; *(prüfend)* examiner, contrôler, reviser, passer en revue; *zollfrei* ~ *(Ware)* être exempt de douane; ~ *lassen* (laisser) passer *a. fig* (*jdm etw* qc à qn); *etw* fermer les yeux sur qc; *für diesmal mag es* ~ passe pour cette fois; **~d** ['---] *a* ininterrompu, continu *(a. Arbeitszeit);* *~~e(r) Zug* *m* train *m* direct; **~d(s)** *adv* en général, généralement; *(ohne Ausnahme)* sans exception; *~~ geöffnet (Geschäft)* ouvert sans interruption.

durch'geistigt *a (Gesicht)* transfiguré.

'durch=gerben *tr fig fam: jdn* ~ tanner la peau à qn.

'durch=gießen *tr* faire passer; *(filtern)* filtrer.

'durch=glühen ⟨*hat durchgeglüht*⟩ *tr (Eisen)* faire rougir à blanc; *itr* ⟨*ist durchgeglüht*⟩ rougir à blanc; **durch'glühen** ⟨*hat durchglüht*⟩ *tr fig* enflammer.

'durch=greifen ⟨*hat durchgegriffen*⟩ *itr* passer la main à travers; *fig* prendre des mesures énergiques, trancher net; **~d** *a* énergique, décisif, tranchant, radical; *(wirksam)* efficace.

'durch=gucken *itr* regarder à travers.

'durch=halten ⟨*hat durchgehalten*⟩ *itr (Anstrengung)* soutenir; *mus (Note)* tenir; *itr (bis zum Ende aushalten)* tenir bon *od* ferme, ne pas céder, aller jusqu'au bout, *fam* tenir le coup.

Durchhang *m* ['--] *(in e-m Seil, Draht)* flèche *f.*

'durch=hauen *tr (spalten)* fendre, couper en deux; *(Knoten)* trancher; *sich* ~~ se frayer un chemin.

'durch=hecheln ⟨*hat durchgehechelt*⟩ *tr (Flachs)* passer au peigne; *fig* éplucher, déchirer à belles dents, *fam* éreinter.

'durch=heizen *tr (Raum, Haus)* bien chauffer; *itr* entretenir le feu.

'durch=helfen *itr: jdm* ~ aider qn à passer *od* à se sauver, tirer qn d'affaire, *fam* dépanner qn; *sich* ~ s'en tirer, se tirer d'affaire, *fam* se débrouiller.

Durchhieb *m* ['--] *(Schneise)* clairière *f.*

'durch=kämmen ⟨*pp hat durchgekämmt*⟩ *tr (das Haar)* démêler (avec le peigne); **durch'kämmen** ⟨*habe durchkämmt*⟩ *tr (mil, Polizei)* ratisser, fouiller.

'durch=kämpfen *tr (Kampf)* soutenir, imposer par la force; *sich* ~ s'imposer de haute lutte, se battre.

'durch=kommen *itr* (parvenir à) passer; *(Zahn)* percer (*bei jdm* à qn); *fig (entkommen)* se sauver; *(genesen)* guérir, *fam* en réchapper; *(bei e-r Prüfung)* réussir, être reçu; *(auskommen) fam* y arriver; *gerade* od *kümmerlich* ~ avoir juste de quoi vivre, joindre tout juste les deux bouts; *die Sonne kommt durch* le soleil arrive.

'durch=kosten *tr (Speisen nachea.)* goûter l'un après l'autre; *fig* ressentir, éprouver complètement.

'durch=kreuzen ⟨*hat durchgekreuzt*⟩ *tr (mit e-m Kreuz durchstreichen)* faire une croix sur; rayer, biffer; **durch'kreuzen** ⟨*hat durchkreuzt*⟩ *tr (See)* croiser, traverser; *fig (stören)* contrecarrer, contrarier, se mettre en travers de.

'durch=kriechen ⟨*ist durchgekrochen*⟩ *itr* se glisser à travers; **durch'kriechen** ⟨*hat durchkrochen*⟩ *tr* traverser en rampant.

'durch=laden *tr (Feuerwaffe)* approvisionner, alimenter.

Durchlaß *m* ⟨-sses, ¨sse⟩ ['durçlas, -lɛsə] passage *m; (verbindende Öffnung)* ouverture *f; (einbogige Brükke)* ponceau, pont *m* dormant; *(Schleusentor)* porte *f; (Abzugskanal)* ponceau *m; tech (Sieb)* passoire *f,* crible *m,* couloire *f; (Filter)* filtre *m.*

'durch=lassen ⟨*hat durchgelassen*⟩ *tr* laisser passer, donner *od* livrer passage à; *(sieben)* passer, filtrer; *opt* transmettre; *(bei e-r Prüfung)* ne pas refuser.

durchlässig ['---] *a (bes. für Wasser)* perméable, poreux; *(für Licht)* transparent, diaphane; **D~keit** *f* perméabilité, porosité; *(für Licht)* transparence, diaphanéité *f.*

Durchlaucht *f* ⟨-, -en⟩ ['durçlauxt] : *S-e, (Anrede) Ew.* ~ Monseigneur; **d~ig(st)e(r, s)** [-'-] *a* sérénissime.

'durch=laufen ⟨*ist durchgelaufen*⟩ *itr* passer (en courant) (*durch* par); *(Flüssigkeit)* passer (en coulant), filtrer; *tr* ⟨*hat durchgelaufen*⟩ *(Schuhsohlen)* percer, trouer; user; **durch'laufen** *tr* ⟨*hat durchlaufen*⟩ courir à travers, passer par; *fig* parcourir; *die Schule* ~ faire toutes ses classes.

durch'leben *tr* passer par; *(erleben)* éprouver, voir.

'durch=lesen *tr* ⟨*hat durchgelesen*⟩ lire (entièrement *od* d'un bout à l'autre); *flüchtig* ~ parcourir, *fam* lire en diagonale.

durch'leucht|en ⟨*hat durchleuchtet*⟩ *tr* pénétrer (de lumière); *(Eier)* examiner à la lumière; *med* examiner aux rayons X, radiographier; *fig (aufhellen)* tirer au clair; **'durch=leuchten** *itr* ⟨*hat durchgeleuchtet*⟩ luire à travers; **D~ung** [-'--] *f med* examen *m* radioscopique, radioscopie, radiographie *f.*

'durch=liegen, *sich (sich wund liegen)* s'écorcher à force d'être couché.

'durch=lochen *tr* perforer; **durch'löchern** *tr* perforer, trouer, cribler.

durch'lüft|en ⟨*hat durchlüftet*⟩ *tr* aérer, éventer; **'durch=lüften** ⟨*hat durchgelüftet*⟩ *itr* aérer à fond, bien aérer; **D~ung** [-'--] *f* aérage *m,* aération *f.*

'durch=machen *tr* passer par, traverser; *pop* déguster; *(erleben, bes. Unangenehmes)* voir, éprouver; *(die Schule)* faire (toutes les classes de); *e-e Klasse noch einmal* ~ redoubler une classe; *viel* ~ passer par de rudes épreuves, en voir de dures; *fam* manger de la vache enragée.

Durchmarsch *m* ['--] *mil* passage *m;* **'durch=marschieren** *itr* passer (par).

'durch=mess|en ⟨*hat durchgemessen*⟩ *tr* mesurer tout entier; **durch'messen** ⟨*hat durchmessen*⟩ *tr* parcourir; **D~er** ['---] *m math* diamètre; *tech* calibre *m.*

durch=mustern ['---, -'--] *tr* examiner, vérifier.

durch'nässen [-nɛsən] *tr* ⟨*hat durchnäßt*⟩ *(vom Regen etc)* percer, traverser; **~näßt** *pp u. a* mouillé, trempé; *bis auf die Haut* ~~ trempé jusqu'aux os *od fam* comme une soupe, transi par l'humidité.

'durch=nehmen *tr* ⟨*hat durchgenommen*⟩ *(im Unterricht)* s'occuper de, traiter; *pej* = *durchhecheln (fig).*

'durch=numerieren *tr* numéroter (tout entier).

'durch=pausen *tr* poncer, calquer.

'durch=peitschen *tr* ⟨*hat durchgepeitscht*⟩ fouetter, fouailler, fustiger, cravacher; *fig (Unterrichtsstoff; parl: Gesetz)* expédier; *fam (Schule)* bâcler.

'durch=probieren ⟨*hat durchprobiert*⟩ *tr* essayer, *(Speisen)* déguster l'un après l'autre.

'durch=prügeln *tr* ⟨*hat durchgeprügelt*⟩ rosser, rouer de coups, *fam* passer à tabac.

durch'puls|en ⟨*hat durchpulst*⟩ *tr fig* animer; **~t** *pp* animé (*von* de).

durch'quer|en ⟨*hat durchquert*⟩ *tr* traverser; **D~ung** *f* traversée *f.*

durch'rädeln *tr (Schnittmuster)* tracer à la roulette.

durch'rasen *tr* ⟨*hat durchrast*⟩ traverser à une allure folle; **'durch=rasen** ⟨*ist durchgerast*⟩ *itr* passer à une allure folle.

'durch=rasseln ⟨*ist durchgerasselt*⟩ *itr fam (im Examen)* échouer (à l'examen).

'durch=rechnen *tr* calculer (d'un bout

à l'autre), faire le compte de; *noch einmal* ~ réviser.

'durch=regnen ⟨*hat durchgeregnet*⟩ *itr* pleuvoir à travers; *es regnet durch (a.)* la pluie passe à travers.

Durchreis|e ['---] passage *m; auf der* ~~ de passage; *auf der* ~~ *in X. sein* être de passage à X.; **'durch=reisen** ⟨*ist durchgereist*⟩ *itr* passer; **durch'reisen** ⟨*hat durchreist*⟩ parcourir, traverser; *die Welt* ~ courir le monde; **~ende(r)** ['----] *m* passant, voyageur *m;* **~evisum** *n* visa *m* de transit.

'durch=reißen ⟨*hat durchgerissen*⟩ *tr* déchirer; ⟨*ist durchgerissen*⟩ *itr* se déchirer.

'durch=reiten ⟨*ist durchgeritten*⟩ *itr* passer à cheval; **durch'reiten** ⟨*hat durchritten*⟩ *tr (Land)* parcourir à cheval.

'durch=rieseln ⟨*ist durchgerieselt*⟩ *itr* ruisseler (à travers); **durch'rieseln** ⟨*hat durchrieselt*⟩ *tr fig: es ~t mich kalt* je suis transi d'effroi *od* de peur; *von Wonne ~t* inondé de joie.

'durch=ringen, *sich* ⟨*hat sich durchgerungen*⟩ surmonter tous les obstacles; *zu e-r Überzeugung* s'affermir dans une conviction.

'durch=rosten ⟨*ist durchgerostet*⟩ *itr* se rouiller de part en part, être percé par la rouille.

'durch=rufen ⟨*hat durchgerufen*⟩ *itr tele* téléphoner, donner un coup de téléphone; *mil* faire passer l'ordre.

'durch=rühren *tr (Küche: durch ein Sieb)* passer à la passoire; *gut* ~ bien remuer.

'durch=rütteln *tr* bien secouer, cahoter.

'durch=sacken [-zakən] *itr aero* faire une abattée; **D~** *n* abattée *f.*

Durchsage ['---] *f radio* transmission *f* verbale; **'durch=sagen** *tr mil (Befehl)* faire passer; *radio* transmettre oralement.

'durch=sägen *tr* ⟨*hat durchgesägt*⟩ couper à la scie, scier.

'durch=schalten *tr el* mettre sous courant; *(Kabel)* coupler directement; *tele* transmettre.

'durch=schauen ⟨*hat durchgeschaut*⟩ *itr* regarder à travers; **durch'schau|en** ⟨*hat durchschaut*⟩ *tr fig (Absicht)* percer à jour, pénétrer, déchiffrer; *jdn* voir venir qn; *leicht zu ~ sein* être cousu de fil blanc; *Sie sind ~t* vous êtes grillé *fam.*

'durch=scheinen ⟨*hat durchgeschienen*⟩ *itr* luire à travers, transparaître; **~d** *a* translucide, transparent, diaphane.

'durch=scheuern *tr (Kleidung)* user, trouer.

'durch=schieben *tr* pousser *od* faire glisser à travers.

'durch=schießen ⟨*hat durchgeschossen*⟩ *itr* tirer à travers; **durch'schießen** ⟨*hat durchschossen*⟩ *tr* percer d'une balle; *typ (mit unbedrucktem Papier)* interfolier; *(Zeilen)* espacer, interligner.

'durch=schimmern ⟨*hat durchgeschimmert*⟩ *itr = durchscheinen.*

'durch=schlafen ⟨*hat durchgeschlafen*⟩ *itr* dormir sans se réveiller *od* d'un trait; **durch'schlafen** ⟨*hat durchschlafen*⟩ *tr (Zeit)* passer à dormir.

Durchschlag *m* ['--] *(e-s Geschosses)* pénétration; *mot (e-s Reifens)* crevaison *f; el* percement, claquage; *(Werkzeug)* poinçon *m; (Küche: Sieb)* passoire *f,* passe-bouillon *m; (Schreibmaschine)* copie *f;* **'durch=schlagen** ⟨*hat durchgeschlagen*⟩ *tr (entzweibrechen)* couper en deux; *(filtrieren)* filtrer; *(Küche)* passer; *(Nässe, Farbe)* pénétrer; *(Papier)* boire; *el (Funken)* percer, claquer; *(sich durchsetzen)* être efficace, réussir; *sich* ~ se frayer un passage *od* un chemin; *fam* se défendre; *sich kümmerlich* ~ vivoter, *fam* tirer le diable par la queue; *in ihm ist der Großvater durchgeschlagen* c'est le portrait de son grand-père; **durch'schlagen** ⟨*hat durchschlagen*⟩ *tr (Geschoß)* percer, traverser (*etw* qc); **d~end** *a (wirksam)* efficace; *(entscheidend)* décisif, éclatant, percutant; convaincant; **~papier** *n (Kohlepapier)* papier *m* pelure; **~sicherung** *f el* dispositif *m* de protection contre les claquages; **~skraft** *f (e-s Geschosses)* force *od* puissance de perforation *od* de pénétration; *fig* force *f* percutante.

'durch=schlängeln [-ʃlɛŋəln], *sich* serpenter *od* se glisser à travers; se faufiler; *fig fam* se débrouiller; traverser (en serpentant).

'durch=schleichen, *sich* se glisser à travers; *(entweichen)* s'évader.

'durch=schleppen *tr (wirtschaftlich unterstützen)* sustenter, secourir.

'durch=schleusen *tr (Schiff)* écluser; *fig* faire passer.

'durch=schlüpfen ⟨*ist durchgeschlüpft*⟩ *itr* (se) glisser à travers, se faufiler; *fig* échapper (belle).

'durch=schmuggeln *tr* faire passer en fraude *od* en contrebande.

'durch=schneiden ⟨*hat durchgeschnitten*⟩ *tr* couper (en deux), trancher; **durch'schneiden** ⟨*hat durchschnitten*⟩ *tr* couper, croiser, traverser; **D~** ['---] *n med* section *f.*

Durchschnitt *m* ['--] *(Mittelwert)* moyenne *f; im* ~ en moyenne; *über, unter dem* ~ au-dessus, au-dessous de la moyenne; *e-n ~ von ... erreichen* faire une moyenne de ...; *den ~ nehmen* faire *od* prendre la moyenne; *ungefähre(r)* ~ moyenne *f* approximative; **d~en** *a (Gelände)* accidenté, tourmenté; **d~lich** *a* moyen; *adv = im ~;* **~salter** *n* âge *m* moyen; **~sbelastung** *f* charge *f* moyenne; **~seinkommen** *n* revenu *m* moyen; **~sertrag** *m* rendement *m* moyen; **~sfranzose** *m* Français *m* moyen; **~sgeschwindigkeit** *f* vitesse *f* moyenne; **~sleistung** *f* débit *od* rendement *m* moyen; **~smaß** *n* mesure *f* moyenne; **~smensch** *m* homme *m* du commun; **~spreis** *m* prix *m* moyen; **~stemperatur** *f* température *f* moyenne; **~sverbrauch** *m* consommation *f* moyenne; **~sware** *f* marchandise *f* (de qualité) moyenne; **~swert** *m f* moyenne.

Durchschreibe|block *m* ['---] bloc *m* à calquer; **~buch** *n* livre *m* à calquer; **'durch=schreiben** *tr* calquer; **~papier** *n* papier *m* carbone.

durch'schreiten ⟨*hat durchschritten*⟩ *tr* traverser, franchir; **'durch=schreiten** ⟨*ist durchgeschritten*⟩ *itr* marcher à travers.

Durchschrift *f* ['--] copie *f,* double *m.*

Durchschuß *m* ['--] *mil* perforation *f; (Buch: unbedruckte Blätter)* interfoliage; *typ (Zeilenabstand)* interlignage *m.*

'durch=schütteln *tr* bien secouer, agiter.

durch'schwärmen *tr: die Nacht* ~ passer la nuit à s'amuser.

durch'schweifen *tr* rôder, courir.

'durch=schwimmen ⟨*ist durchgeschwommen*⟩ *itr* passer à la nage; **durch'schwimmen** ⟨*hat durchschwommen*⟩ *tr* traverser à la nage.

'durch=schwitzen ⟨*hat durchgeschwitzt*⟩ *tr* tremper de sueur.

'durch=sehen ⟨*hat durchgesehen*⟩ *tr* parcourir (du regard); *(prüfend)* passer en revue, examiner, vérifier; *typ* corriger; *nochmals* ~ revoir, réviser.

'durch=seihen ⟨*hat durchgeseiht*⟩ *tr* passer au tamis, filtrer, tirer au clair.

'durch=setzen ⟨*hat durchgesetzt*⟩ *tr* faire passer *od* exécuter *od* adopter; venir à bout de, mener à bonne fin; *es ~, daß* obtenir que; *sich* ~ s'imposer, triompher, se faire jour; se faire une place au soleil; *mit Gewalt* ~ emporter de haute lutte; *sich nach und nach* ~ faire tache d'huile; **durch'setzen** ⟨*hat durchsetzt*⟩ *tr (vermischen)* entremêler (*mit* de); *mit Zellen ~ (pol)* noyauter.

Durchsicht ['--] *(zwischen Häusern etc)* échappée; *(im Wald)* percée; *(Prüfung)* inspection *f,* examen *m,* révision; *typ* correction *f; bei ~ der Bücher* à l'examen des livres; *nach ~ der Post* après (le) dépouillement du courrier; *zur* ~ à l'examen; **d~ig** *a (Glas)* transparent; *(Flüssigkeit) a.* limpide; *fig (klar)* clair; *(offensichtlich)* évident, manifeste; **~igkeit** *f* transparence; limpidité; clarté; évidence *f.*

'durch=sickern ⟨*ist durchgesickert*⟩ *itr* suinter à travers; filtrer; *fig (Nachricht, Geheimnis)* transpirer, s'ébruiter.

'durch=sieben ⟨*hat durchgesiebt*⟩ *tr* cribler, tamiser, passer au crible *od* au tamis; **durch'sieben** ⟨*hat durchsiebt*⟩ *tr: mit Kugeln* ~ cribler de balles.

'durch=sitzen ⟨*hat durchgesessen*⟩ *tr (Hose)* user.

'durch=spielen ⟨*hat durchgespielt*⟩ *tr mus theat* jouer d'un bout à l'autre.

'durch=sprechen ⟨*hat durchgesprochen*⟩ *tr (Plan, Problem)* discuter, débattre; *(Nachricht) tele* téléphoner, *radio* transmettre.

'durch=stech|en *itr (Nadel, Messer)* passer à travers; **durch'stechen** *tr* (trans)percer, perforer; **D~erei**

[-ˈraɪ] *f (gemeinsamer Betrug)* collusion, connivence *f.*
ˈdurch=stecken *tr* passer (à travers).
Durchstich *m* [ˈ--] *(Tätigkeit)* percement *m; (Ergebnis)* percée *f,* tranchée *f,* tunnel *m.*
durchˈstöbern ⟨*hat durchstöbert*⟩, **ˈdurch=stöbern** ⟨*hat durchgestöbert*⟩ *tr* fouiller, fureter, retourner.
Durchstoß *m* [ˈ--] *mil* percée, poussée *f;* **ˈdurch=stoßen** ⟨*hat durchgestoßen*⟩ *tr (die Hand, e-n Gegenstand)* pousser à travers; **durchˈstoßen** ⟨*hat durchstoßen*⟩ *tr (Wand, Damm etc)* (trans)percer (*mit* de); *die Wolken ~ (aero)* passer à travers les nuages; **~verfahren** *n radio aero* procédé *m* de percée.
ˈdurch=streichen ⟨*hat durchgestrichen*⟩ *tr (Geschriebenes* od *Gedrucktes)* rayer, barrer, biffer, raturer; **durchˈstreichen** ⟨*hat durchstrichen*⟩ *tr = durchstreifen.*
durchˈstreifen *tr (Gelände)* parcourir (en tous sens); **ˈdurch=streifen** *mil* battre; *das Gelände, die Gegend ~* battre la campagne.
ˈdurch=strömen ⟨*ist durchgeströmt*⟩ *itr (Menschenmassen)* passer à flots; **durchˈströmen** ⟨*hat durchströmt*⟩ *tr (Fluß)* traverser, arroser, baigner.
ˈdurch=studieren ⟨*hat durchstudiert*⟩ *tr (Buch)* étudier d'un bout à l'autre; *fam (Schriftstück)* examiner; *die Nächte ~* passer les nuits à étudier.
durchˈsuch|en ⟨*hat durchsucht*⟩ *tr (Raum, Haus)* fouiller; *(amtlich)* visiter; *jur* perquisitionner; **D~ung** [-ˈ--] *f* fouille; visite; perquisition *f;* **D~ungsbefehl** *jur* ordre *od* mandat *m* de perquisition.
ˈdurch=tanzen ⟨*hat durchgetanzt*⟩ *tr (Sohlen)* user à force de danser; **durchˈtanzen** *(hat durchtanzt) tr: die Nacht ~* danser toute la nuit.
durchˈtränken *tr* imprégner, imbiber (*mit etw* de qc).
ˈdurch=treten ⟨*hat durchgetreten*⟩ *tr (Schuhsohlen, Fußboden)* user; *den Gashebel ~ (mot)* donner des gaz à fond.
durchtrieben *a* [-ˈ--] fin(aud), rusé, madré, matois, *fam* ficelle; **D~heit** *f* finesse, ruse, matoiserie *f.*
durchˈwach|en ⟨*hat durchwacht*⟩ *tr: die Nacht ~~* passer la nuit à veiller, veiller toute la nuit; *durchwachte Nacht f* nuit *f* blanche.
ˈdurch=wachsen ⟨*ist durchgewachsen*⟩ *itr* pousser à travers; **durchˈwachsen** *a (Fleisch)* entrelardé; *(Speck)* maigre.
ˈdurch=wagen, *sich* oser passer.
ˈdurch=walken *tr tech* fouler; *fig fam (verprügeln)* rosser; *jdn* secouer les puces à qn.
durchˈwandern ⟨*hat durchwandert*⟩ *tr* traverser à pied; parcourir; **ˈdurch=wandern** ⟨*ist durchgewandert*⟩ *itr* passer (sans relâche).

durchˈwärmen ⟨*hat durchwärmt*⟩ *tr,* **ˈdurch=wärmen** ⟨*hat durchgewärmt*⟩ *tr* (bien) chauffer; *(Bett)* bassiner.
durchˈwaten ⟨*hat durchwatet*⟩ *tr,* **ˈdurch=waten** ⟨*ist durchgewatet*⟩ *itr* passer à gué.
durchˈweben *tr* entretisser (*mit* de); *fig* entrelacer, entremêler (*mit* de).
durchweg(s) [ˈ--/-ˈ-] [-vɛk/-ve:ks] *adv* d'un bout à l'autre, de bout en bout, toujours et partout; *(ganz allgemein)* généralement; *(ganz u. gar)* tout à fait; *(ausnahmslos)* sans exception.
durchˈweichen ⟨*hat durchweicht*⟩ *tr* tremper, imbiber, amollir; **ˈdurch=weichen** ⟨*ist durchgeweicht*⟩ *itr* tremper, s'imbiber; s'amollir.
ˈdurch=winden, *sich* se faufiler, se tirer d'affaire, se débrouiller.
durchˈwintern *tr (durch den Winter bringen)* faire passer l'hiver; **ˈdurch=wintern** *itr* passer l'hiver.
durchˈwirken *tr* brocher (*mit* de); entrelacer (*mit* de) *a. fig.*
durchˈwühlen ⟨*hat durchwühlt*⟩ *tr,* **ˈdurch=wühlen** ⟨*hat durchgewühlt*⟩ *tr* fouiller; *pop* trifouiller.
ˈdurch=wursteln, *sich (fam)* se débrouiller.
ˈdurch=zählen *tr* compter (un à un).
ˈdurch=zechen *itr* ⟨*hat durchgezecht*⟩ *bis zum Morgen ~* boire toute la nuit; **durchˈzechen** *tr* ⟨*hat durchzecht*⟩ *die Nacht ~* passer la nuit à boire.
ˈdurch=zeichnen *tr* calquer.
ˈdurch=zieh|en *tr* ⟨*hat durchgezogen*⟩ tirer à travers; faire passer; *fig fam = durchhecheln; itr* ⟨*ist durchgezogen*⟩ passer; **durchˈziehen** ⟨*hat durchzogen*⟩ *tr (Land)* parcourir, traverser; **D~stift** [ˈ---] *m* passe-lacet *m.*
durchˈzucken ⟨*hat durchzuckt*⟩ *tr (Blitz den Himmel)* sillonner; *fig (Gedanke e-n Menschen)* traverser comme l'éclair, faire tressaillir.
Durchzug *m* [ˈ--] passage *(a. der Vögel); (Zugluft)* courant *m* d'air.
ˈdurch=zwängen *tr* faire passer de force; *sich ~* passer de force, forcer le passage.
dürfen [ˈdʏrfən] ⟨*durfte, hat gedurft* od *... dürfen*⟩ *itr* avoir la permission *od* le droit de, être autorisé à; pouvoir; *nicht ~* ne pas devoir; *mitreden ~* avoir voix au chapitre; *ich darf keinen Kaffee trinken (a.)* le café m'est défendu; *ich glaube sagen zu ~* je me crois autorisé à dire; *wenn ich bitten darf* s'il vous plaît; *wenn ich so sagen darf* si j'ose m'exprimer ainsi; *Sie ~ nur befehlen* vous n'avez qu'à ordonner; *das ~ Sie mir glauben* vous pouvez m'en croire; *das ~ Sie nicht vergessen* vous ne devez pas oublier cela; *darüber ~ Sie sich nicht wundern* cela ne doit pas vous surprendre; *das dürfte stimmen* je crois que c'est juste *od* comme cela; *darf ich?* puis-je? vous permettez? tu permets? *darf ich Sie bitten? (zum Tanz)* puis-je me permettre? *darf hier geraucht werden?* est-il permis de fumer ici?
dürftig [ˈdʏrftɪç] *a (armselig)* pauvre, chétif, mesquin; *fig (ungenügend)* maigre, insuffisant; *vx = bedürftig;* **D~keit** *f* ⟨-, (-en)⟩ pauvreté; *fig* insuffisance, mesquinerie *f; vx = Bedürftigkeit.*
dürr [dʏr] *a (Pflanzenteil: abgestorben, trocken)* mort; *(Mensch, Tier: mager)* maigre, décharné, grêle; *fig (unfruchtbar)* aride, stérile; *mit ~en Worten* sèchement, en peu de mots; **D~e** *f* ⟨-, -n⟩ *(Trockenheit)* sécheresse; maigreur; *fig* aridité, stérilité *f.*
Durst *m* ⟨-es, ø⟩ [durst] soif *f* (*nach* de) *a. fig; ~ bekommen, (fam) kriegen* commencer à avoir soif; *~ haben* avoir soif, *fam* avoir le gosier sec; *e-n gewaltigen* od *mächtigen ~ haben (fam)* avoir soif à avaler sa langue; *den ~ löschen* étancher *od* apaiser la soif; désaltérer (*jds* qn); *s-n ~ löschen* boire à sa soif, étancher sa soif, se désaltérer; *(Tier)* s'abreuver; *~ machen* donner soif; *jds ~ stillen* désaltérer qn; *einen über den ~ trinken* boire un coup de trop; *vor ~ verschmachten, umkommen, vergehen* mourir de soif; *ich habe e-n furchtbaren* od *schrecklichen ~* je boirais la mer et les poissons; **d~en, dürsten** *itr* avoir soif (*nach* de) *a. fig; nach Rache dürsten (a.)* avoir soif de vengeance; *jdn ~~ lassen* laisser qn sur sa soif; **d~ig** *a* altéré, *bes. fig* assoiffé (*nach* de); *~~ machen* donner soif; *~~ sein* avoir soif; **d~löschend** *a.* **d~stillend** *a* désaltérant.
Dusch|e *f* ⟨-, -n⟩ [ˈdu:-, ˈdʊʃə] douche *f; kalte ~~ (fig)* douche *f* glacée; *wie e-e kalte ~~ wirken* jeter un froid; **d~en** *tr* doucher, donner une douche à; *itr* u. *sich ~~* se doucher, prendre une douche.
Düse *f* ⟨-, -n⟩ [ˈdy:zə] *tech* tuyère, buse *f* diffuseur, ajutage; *mot aero* gicleur, injecteur *m;* **~nantrieb** *m aero* propulsion *f* par réaction; *mit ~~* à réaction, réacteur; *mit doppeltem ~~* biréacteur; **~nbomber** *m* bombardier *m* à réaction; **~nflugzeug** *n* avion *m* à réaction; **~nhubschrauber** *m* hélicoptère *m* à réaction; **~njäger** *m (Flugzeug)* chasseur *m* à réaction; **~nmotor** *m* moteur *m* à réaction; **~nmund** *m* orifice *m* du gicleur; **~nnadel** *f mot* aiguille *f* de l'injecteur; **~nrohr** *n (am Hochofen)* tuyau *m;* **~ntriebwerk** *n* propulseur à réaction, réacteur *m;* **~nvergaser** *m mot* carburateur *m* à gicleur.
Dusel *m* ⟨-s, ø⟩ [ˈdu:zəl] *(Schwindel)* vertige *m; (Rausch)* ivresse, griserie; *fam (Glück)* chance, veine *f; ~ haben* avoir de la veine, être en veine, être verni; *großen ~ haben* avoir une veine de pendu *(fam), was für ein ~!* quelle veine! **~ei** [-ˈlaɪ] *f fam (Schläfrigkeit)* somnolence *f,* assoupissement *m; (Träumerei)* rêv(ass)erie; *(Gedankenlosigkeit)* étourderie *f;* **d~ig** *a fam (schwindlig)* vertigineux; *(wie betäubt)* engourdi; *(schläfrig)* somnolent, assoupi; *(verträumt)* rêveur; *(berauscht)* gris, éméché; **d~n** ⟨*ich dusele*⟩ *itr fam (schwindlig sein)* avoir le vertige; *(wie betäubt sein)* être engourdi; *(schläfrig sein)* somnoler; *(träumen)* rêv(ass)er.
Dussel *m* ⟨-s, -⟩ [ˈdusəl] *fam (Dumm-*

kopf) bêta, gobe-mouches, gribouille *m.*

düster ['dy:stər] *a* sombre, ténébreux, obscur; *fig* sombre; *(traurig)* triste, morne, funèbre; *(unheilverkündend)* lugubre; **D~heit** *f*, **D~keit** *f* ⟨-, ø⟩ obscurité *f; fig* air *m* sombre, tristesse *f.*

Dutt *m* ⟨-(e)s, -s/-e⟩ [dut] *dial (Haarknoten)* toupinard *m fam.*

Dutzend *n* ⟨-s/-e⟩ ['dutsənt] douzaine *f; zu ~en* par douzaines; *im ~ billiger* treize à la douzaine; *halbe(s) ~* demi-douzaine; **d~(e)mal** *adv* des douzaines de fois; **~gesicht** *n* visage *m* insignifiant; **~mensch** *m* homme *m* moyen *od* médiocre *od* très ordinaire; **~ware** *f* marchandise *f* à la douzaine; **d~weise** *adv* à la douzaine, par douzaines.

Duz|bruder *m* ['du:ts-] **~freund** *m* ami *m* qu'on *od* que je *etc* tutoie; *wir sind ~brüder* od *~freunde* nous sommes à tu et à toi; **d~en** *(du duzt) tr* tutoyer; *sich ~~* se tutoyer, être à tu et à toi; **~freundin** *f*, **~schwester** *f* amie *f* qu'on *od* que je *etc* tutoie.

dwars [dvars] *adv dial mar (quer)* à travers; *~ See liegen* être à travers les lames; **D~balken** *m* traversin *m;* **D~linie** *f* loxodromie *f;* **D~see** *f* mer *f* de travers; **D~wind** *m* vent *m* de travers.

Dyn *n* ⟨-s, -⟩ [dy:n] *phys (Krafteinheit)* dyne *f;* **~amik** *f* ⟨-, ø⟩ [dy'na:mɪk] *phys u. fig* dynamique *f; ~~ flüssiger Körper* hydrodynamique *f;* **d~amisch** [-'na:-] *a* dynamique; **~amismus** *m* ⟨-, ø⟩ [-'mɪsmus] *philos* dynamisme *m;* **~amit** *n* ⟨-s, ø⟩ [-na'mɪt, -'mi:t] dynamite *f; mit ~~ sprengen* faire sauter à la dynamite, dynamiter; *Sprengung f mit ~~* dynamitage *m;* **~amo(maschine** *f***)** *m* ⟨-s, -s⟩ [-'na:mo, 'dy-] *el mot* dynamo, génératrice *f;* **~amometer** *n (Kraftmesser)* dynamomètre *m;* **~ast** *m* ⟨-en, -en⟩ [-'nast] *(Herrscher, (kleiner) Fürst)* dynaste, (petit) souverain *m;* **~astie** *f* ⟨-, -n⟩ [-'ti:] dynastie *f;* **d~astisch** *a* dynastique.

D-Zug *m* ['de:-] (train) express *od* rapide *m.*

E

E, e *n* ⟨-, -⟩ [e:] *(Buchstabe)* E, e *m; mus* mi *m;* **E-Dur** *n* mi *m* majeur; **e-Moll** *n* mi *m* mineur.

Ebb|e *f* ⟨-, -n⟩ ['ɛbə] marée *f* basse, reflux, jusant *m; es ist* ~~ la marée descend *od* baisse; *bei mir ist* ~~ *im Portemonnaie (fam)* ma bourse est à sec; ~~ *und Flut f* le flux et le reflux, la marée; **e~en** *itr* descendre; baisser *a. fig; es* od *das Meer* ~*t* la marée baisse; **~strom** *m* marée *f* descendante; jusant, reflux *m.*

eben ['e:bən] *n (flach)* plat; *(Boden)* ras, de plain-pied; *(Weg)* égal; *(glatt)* uni, lisse; *math* plan; *adv (~ gerade)* justement, juste à l'instant, précisément, tout à l'heure, à l'instant même; *zu ~er Erde* au rez-de-chaussée, de plain-pied; *bes. mil* au ras du sol; *(Pferd) ~er Gang* pas égal; *(gerade)so ~ (noch)* de justesse; ~ *das* précisément cela, c'est précisément ce qui; ~ *erst* à peine; ~ *machen (Boden)* affleurer; *ich wollte ~ sagen* j'allais dire; *ich habe ~ gegessen* je viens de manger; *sie ist nicht ~ hübsch* elle n'est pas jolie à proprement parler; *ich will ~ nicht* mais c'est que je ne veux pas; *da kommt er ~* le voilà qui vient; *das nun ~ nicht!* (ce n'est) pas précisément cela! **E~bild** *n* image *f,* portrait *m; er ist das ~~ s-s Vaters* il est tout le portrait de son père; *fam* il est son père tout craché; *das ~~ Gottes* (fait à) l'image *f* de Dieu; **~bürtig** *a* égal (par la naissance) *a. fig;* de même condition; *fig* l'égal (*dat* de), de pair; *sie ist ihm ~~* elle le vaut bien; **E~bürtigkeit** *f* égalité *f* de naissance *od a. fig* de condition *od fig* de valeur; **~da(selbst)** *adv* là-même, au même endroit, ibidem; **~daher** *adv* du même endroit; = *~deshalb;* **~dahin** *adv* au même endroit; **~darum** *adv = ~deshalb;* **~der(selbe)** *pron* juste le même; **~deshalb** *adv,* **~deswegen** *adv* pour la même raison; *a. interj* justement pour cela, voilà justement pourquoi; **~dort** *adv = ~da;* **~erdig** *a* au niveau du sol; **~falls** *adv* également, pareillement, de même, aussi; **E~maß** *n* symétrie, harmonie *f,* proportions *f pl* harmonieuses; **~mäßig** *a* égal, symétrique, bien proportionné; **~so** ['---] *adv* pareillement, semblablement, de même, aussi, non moins; ~~ *wie* aussi bien que, à l'égal de; ~~ ... *wie* ... aussi ... que ...; *es ~~ machen* faire de même; *es geht mir ~~* je me trouve dans le même cas; c'est (exactement) mon cas; il n'en va pas autrement pour moi; *es wäre ~~ gut* autant vaudrait; **~sogut** ['---ˌ-] *adv* tout aussi bien; ~~ *könnte man sagen, daß ...* autant dire que ...; **~sohäufig** *adv = ~sooft;* **~solange** ['---ˌ--] *adv* (tout) aussi longtemps; **~sooft** ['---ˌ-] *adv* (tout) aussi souvent; **~sosehr** *adv,* **~soviel** ['---ˌ-] *adv* (tout, juste) autant (*wie* de, que), d'autant; ~~ *wie* à l'égal de; **~sowenig** ['---ˌ--] *adv* (tout) aussi peu (*wie* de, que), (ne ...) pas plus (*wie* de, que).

Ebene *f* ⟨-, -n⟩ ['e:bənə] plaine *f; (gleiche Höhe)* niveau; *math* plan *m; auf gleicher ~* de niveau, du *od* au niveau (*mit, wie* de); *auf höherer ~ (fig)* sur un plan élevé; *auf höchster ~ (pol)* au niveau le plus élevé, au sommet; *auf kommunaler ~* à l'échelle communale; *schiefe ~* plan *m* incliné.

Ebenholz [*n* ['e:bən-] (bois *m* d')ébène *f.*

Eber *m* ⟨-s, -⟩ ['e:bər] verrat *m; wilde(r) ~* sanglier *m* (mâle); **~esche** *f bot* sorbier *m.*

ebnen ['e:bnən] *tr (Boden)* aplanir, niveler; *a. fig* égaliser, mettre de niveau; *die Wege ~ (fig)* préparer les voies; *jdm den Weg ~ (fig)* frayer la voie *od* le chemin à qn.

Echo *n* ⟨-s, -s⟩ ['ɛço] écho *m a. fig u. tele; ein ~ geben* faire écho; **~empfänger** *m* récepteur *m* d'écho; **e~en** ['ɛçoən] *itr* faire écho; *es ~t* il y a un écho; **~laufzeit** *f* temps *m* de transmission d'écho; **~lot** *n* écho-sonde, sonde-écho *f; aero* altimètre *m* sonique; **~lotung** *f mar* sondage *m* par écho *od* par son *od* acoustique; **~sperre** *f tele* suppresseur *m* d'écho; **~strom** *m tele* courant *m* d'écho; **~weite** *f* portée *f* d'écho; **~welle** *f* onde *f* d'écho.

echt [ɛçt] *a* véritable, vrai; *(unverfälscht)* non falsifié, non frelaté, non adultéré; *(Urkunde)* authentique; *(Farbe)* bon teint, solide, indélébile; *fig* naturel, original; bon, réel, vrai; *(rein)* pur; *(recht-, gesetzmäßig)* légal, légitime; *adv* bien, tout à fait; *~e(s) Bier n* bière *f* d'origine; *~e(r) Edelstein m* pierre *f* précieuse véritable; *~e(s) Gold n* or *m* véritable; *~e Photographie f* photographie véritable, véritable photo *f;* **~deutsch** *a* bien *od* tout à fait allemand; **E~heit** *f* ⟨-, ø⟩ *a. fig* bonne qualité; ver(ac)ité; *(Urkunde)* authenticité; *(Farbe)* solidité *f; fig* naturel *m; (Reinheit)* pureté; *(Recht-, Gesetzmäßigkeit)* légalité, légitimité *f; Bescheinigung f der ~~* certificat *m* d'authenticité.

Eck *n* ⟨-(e)s, -e(n)⟩ [ɛk] *dial = ~e; über ~* en diagonale; **~ball** *m sport* corner *m;* **~brett** *n* étagère d'angle, encoignure *f;* **~couch** *f (mit Regal)* cosy-corner *m;* **~e** *f* ⟨-, -n⟩ coin *m; (Zimmer) a.* encoignure *f; (spitze)* angle *m; (vorspringende, a. arch)* corne *f; (Straße)* tournant; *(Ende)* bout; *fam (kurze Entfernung)* bout *m* de chemin; *an allen ~en und Enden* dans tous les coins, de tous côtés, partout; *um die ~~* au coin, au tournant; *gleich um die ~* (tout) à côté, tout près; *um die ~~ biegen* tourner à l'angle *od* au coin; *um die ~~ bringen (fig fam)* faire disparaître, expédier, assassiner; *in die ~~ schmeißen (fam)* flanquer en l'air; *um ein paar ~n herum verwandt sein* être cousins à la mode de Bretagne; **e~enlos** *a* sans angles; **~ensteher** *m* inspecteur *m* des pavés *hum;* **~fenster** *n* fenêtre *f* de coin; **~flügler** *m ent* vanesse *f;* **~grundstück** *n* immeuble *m* d'angle *od* de coin; **~haus** *n* maison *f* d'angle *od* de coin; **e~ig** *a* anguleux, angulaire; *fig (linkisch)* gauche, maladroit; *(ungeschliffen)* mal dégrossi; *~~e Klammern f pl (typ)* crochets *m pl;* **~laden** *m* boutique *f* d'angle *od* de coin; **~lohn** *m* salaire *m* de référence; **~möbel** *n* encoignure *f;* **~pfeiler** *m* pilier d'angle, pilastre *m* cornier; *(vorspringender)* ante *f;* **~platz** *m* coin *m;* **~schrank** *m* armoire d'angle, encoignure *f;* **~stein** *m arch* pierre *f* angulaire *(a. fig) od* de refend; *(Spielkarte)* carreau *m;* **~stuhl** *m* coin *m* de feu; **~zahn** *m* (dent) canine, dent *f* angulaire; **~zimmer** *n* chambre *f* d'angle.

Ecker *f* ⟨-, -n⟩ ['ɛkər] *lit (Eichel)* gland *m; (Buch~)* faine *f; (Spielkarte)* trèfle *m.*

edel ['e:dəl] *a lit (adlig) u. fig (Charakter; Körperteil)* noble; *fig* généreux; *(Pferd)* de race; *(Frucht)* exquis, sélectionné; *(Wein)* de cru, fin, généreux; *lit (Metall, Stein)* précieux; *(Stil)* élevé, soutenu; *ein edler Mann* un noble cœur; **~denkend** *a,* **~gesinnt** *a,* **~herzig** *a* généreux, de cœur noble; **E~frau** *f* dame *f* noble; **E~fräulein** *n* demoiselle *f* noble; **E~gas** *n* gaz *m* rare; **E~hirsch** *m* cerf *m;* **E~holz** *n* bois *m* précieux; **E~kastanie** *f (Frucht)* châtaigne *f,* marron *m; (Baum)* châtaignier, marronnier *m;* **E~knabe** *m* page *m;* **E~leute** *pl* gentilshommes, nobles *m pl;* **E~mann** *m* ⟨-s, -leute⟩ gentilhomme, noble *m;* **E~marder** *m* mart(r)e *f;* **E~metall** *n* métal *m* précieux; **E~mut** *m* générosité, noblesse *f* (de cœur); **~mütig** *a* généreux, noble; **E~rost** *m* patine *f;* **E~stahl** *m* acier *m* spécial; **E~stein** *m* pierre précieuse, gemme *f; pl* pierreries *f pl; echte(r), falsche(r), synthetische(r)* ~~ pierre *f* précieuse véritable, fausse, artificielle; **E~steinschleifer** *m* lapidaire *m;* **E~tanne** *f* sapin *m* argenté *od* blanc; **E~weiß** *n bot* edelweiss, pied-de-lion *m,* immortelle *f* des neiges; **E~wild** *n* bêtes *f pl* fauves.

edieren [e'di:rən] *tr* publier.

Edikt *n* ‹-(e)s, -e› [e'dɪkt] édit, décret *m,* ordonnance *f; ein ~ erlassen* rendre un édit.

Efeu *m* ‹-s, ø› ['e:fɔʏ] lierre *m;* **e~umrankt** [-um'raŋkt] *a* recouvert de lierre.

Effeff *m* ['ɛf'ɛf]: *aus dem ~ verstehen* savoir sur le bout du doigt *od* sur l'ongle.

Effekt *m* ‹-(e)s, -e› [ɛ'fɛkt] *(Wirkung)* effet *m; tech (Nutzen)* puissance *f,* rendement *m; ~ machen* faire *od* produire de l'effet; **~en** *pl fin (Wertpapiere)* effets, titres *m pl,* valeurs *f pl* mobilières; *(Aktien u. Obligationen)* actions et obligations *f pl;* **~enabteilung** *f* service *m* des titres; **~enbesitz** *m* avoir *m* en titres; **~enbörse** *f* bourse *f* des valeurs; **~enbuch** *n* grand livre *m* des valeurs; **~engeschäft** *n,* **~enhandel** *m* commerce *m* d'effets; **~enhändler** *m* agent *m* de change; **~eninhaber** *m* détenteur *od* porteur *m* de titres; **~enmarkt** *m* marché *m od* bourse *f* des titres *od* des valeurs; **~hascherei** *f* recherche de l'effet, pose *f,* fla-fla *m; aus ~~* pour la galerie; **e~iv** [-fɛk'ti:f] *a* effectif, réel; *~~e(s) Einkommen n* revenu *m* réel; *~~e(r) Preis m* prix *m* réel; *~~e(r) Wert m* valeur *f* effective; **~ivbestand** *m* effectif *m;* **e~uieren** [-tu'i:rən] *tr com* effectuer, exécuter; **e~voll** *a* qui fait de l'effet, à effet.

egal [e'ga:l] *a* égal, pareil; *(fam) das ist ~* c'est la même chose; *das ist mir (völlig, ganz) ~* ça m'est (tout à fait) égal, *fam* je m'en moque *od* fiche (pas mal); *adv (fam)* pareillement; continuellement, tout le temps.

Egel *m* ‹-s, -› ['e:gəl] *zoo* sangsue *f.*

Egge *f* ‹-, -n› ['ɛgə] herse *f;* **e~n** *tr* herser.

Ego|ismus *m* ‹-, (-men)› [ego'ɪsmus] égoïsme; *fam* quant-à-moi, quant-à-soi *m;* **~ist** *m* ‹-en, -en› [-'ɪst] égoïste *m;* **e~istisch** [-'ɪstɪʃ] *a* égoïste; **~tismus** *m* ‹-, ø› [-'tɪsmus] *philos* égotisme *m;* **e~zentrisch** [-'tsɛntrɪʃ] *a* égocentrique, égotiste, centré sur soi-même; **~zentrizität** *f* ‹-, ø› [-tritsi'tɛ:t] égocentrisme *m.*

ehe ['e:ə] *conj* avant que *subj,* avant de *inf;* **~dem** ['e:ə'de:m] *adv lit* autrefois, (au temps) jadis; **~malig** *a* ancien, d'autrefois, ci-devant; *pol* ex-; *~~e(r) Präsident m* ex-président *m;* **~mals** [-ma:ls] *adv* = *~dem;* **~r** ['e:ər] *adv (früher)* plus tôt, avant, antérieurement (*als* à); *(lieber)* plutôt, de préférence; *desto, um so ~~* à plus forte raison, a fortiori, raison de plus (pour); *je ~~, je lieber* od *je ~~, desto besser* le plus tôt sera le mieux; *nicht ~~ als* pas plus tôt que; *ich würde ~~ ... als ...* j'aimerais mieux ... que (de) ...; *nicht ~~ bis (ich zurückkomme)* pas avant (mon retour); *das läßt sich schon ~~ hören* voilà qui sonne mieux à l'oreille; à la bonne heure! **~ste:** *am ~sten (am besten)* ... le mieux est de *inf.;* **~stens** *adv* au plus tôt.

Ehe *f* ‹-, -n› ['e:ə] mariage, ménage *m; aus erster ~ (Kind)* du premier lit; *in zweiter ~ (heiraten)* en secondes noces; *die ~ brechen* commettre un adultère; *e-e ~ eingehen* od *schließen* contracter mariage, conclure un mariage; *in den Stand der ~ treten* se mettre en ménage; *die ~ versprechen* promettre mariage; *rechtsgültige ~* mariage *m* valide; *(un)glückliche ~* mariage (mal)heureux, ménage *m* bien (mal) assortie; *ungültige ~* mariage *m* nul; *wilde ~* union *f* libre, faux ménage, concubinage *m; in wilder ~ leben* vivre en union libre; *zerrüttete ~* ménage *m* désagrégé; *zweite ~* secondes noces *f pl;* **~anbahnungsinstitut** *n* agence *f* matrimoniale; **~berater** *m* conseiller *m* matrimonial; **~bett** *n* lit *m* conjugal; *(Brautbett)* lit *m od* couche *f* nuptial(e); **e~brechen** *itr, nur inf* être adultère; **~brecher(in *f*)** *m* (homme *m,* femme *f)* adultère *m f;* **e~brecherisch** *a* adultère; *in ~~en Beziehungen leben* vivre dans l'adultère; **~bruch** *m* adultère *m; ~~ begehen* commettre un adultère; **~bund** *m,* **~bündnis** *n* union *f* conjugale; **e~fähig** *a jur* nubile, apte à contracter mariage; **~fähigkeit** *f jur* nubilité, capacité *f* matrimoniale; **~frau** *f,* **~gattin** *f* femme (mariée), épouse, conjointe; *pop* bourgeoise *f;* **~gatte** *m* mari, époux, conjoint *m;* **~gemeinschaft** *f* communauté *f* conjugale; **~glück** *n* bonheur *m* conjugal; **~hälfte** *f; meine bessere ~~ (fam)* ma chère moitié *f;* **~hindernis** *n jur* empêchement *m* (dirimant) de *od* du mariage; **~krach** *m* scène de ménage, lune *f* rousse; **~leute** *pl* couple *m,* époux, conjoints *m pl; wie ~~ zs.leben* vivre maritalement; **e~lich** *a* conjugal, *bes. jur* matrimonial; *(Kind)* légitime; *für ~~ erklären* légitimer; **e~lichen** *tr* épouser, prendre en mariage; **~lichkeitsanerkennung** *f* reconnaissance *f* de légitimité; **~lichkeitserklärung** *f* légitimation *f;* **e~los** *a* célibataire, non marié, resté(e) garçon (fille); **~losigkeit** *f* célibat *m;* **~mann** *m* ‹-, -männer› = *~gatte; pop* homme *m; junge(r) ~~* (jeune) marié *m;* **e~männlich** *a: ~~e Gewalt f* pouvoir *m* marital; **~mündigkeit** *f* majorité *f* matrimoniale; **~paar** *n* couple *m,* époux *m pl; das junge ~~* les nouveaux mariés *m pl,* le jeune ménage; **~recht** *n* droit *m* matrimonial; **~ring** *m* alliance *f;* **~scheidung** *f* divorce *m;* **~scheidungsklage** *f* action *f* en divorce; **~scheidungsprozeß** *m* instance *f od* procès *m* en divorce; **~schließung** *f* (conclusion *od* célébration *f* du) mariage *m; Zahl f der ~~en* nuptialité *f;* **~stand** *m* ‹-(e)s, ø› (état de) mariage, ménage *m; in den ~~ treten* se mettre en ménage, se marier; **~standsdarlehen** *n* prêt *m* au mariage; **~stifterin** *f* marieuse *f;* **~streit** *m* querelle conjugale *od* de ménage, discussion *f* de ménage; **~tauglichkeitsbescheinigung** *f,* **~zeugnis** *n* certificat *m* prénuptial; **~versprechen** *n* promesse *f* de mariage; **~vertrag** *m* contrat *m od* articles *m pl* de mariage.

ehern ['e:ərn] *a fig* d'airain; *mit ~er Stirn* d'un front d'airain.

Ehr|abschneider *m* ['e:r-] diffamateur, calomniateur *m;* **~abschneiderei** *f* diffamation, calomnie *f;* **e~bar** *a* honorable, respectable; *(anständig)* honnête, décent; **~barkeit** *f* ‹-, ø› honorabilité, respectabilité; honnêteté, décence *f;* **~begier(de)** *f lit* ambition *f,* goût *m* des honneurs; **e~begierig** *a lit* ambitieux, avide d'honneurs; **~e** *f* ‹-, -n› honneur *m; (Auszeichnung)* distinction; *(Ruhm)* gloire; *(Achtung)* estime, considération; *(Ruf)* réputation *f,* renom *m,* renommée *f; auf ~~, bei meiner ~~* sur l'honneur, sur mon honneur, parole d'honneur, sur ma foi; *auf ~~ und Gewissen* sur mon honneur et conscience; *auf dem Felde der ~~* au champ d'honneur; *in ~en* avec honneur; *in allen ~en* (en tout bien et) en tout honneur; *nur um die ~~, um der ~~ willen* pour l'honneur; *zu jds ~~(n)* en *od* pour l'honneur, à la gloire de qn; *jdm die ~~ abschneiden* flétrir l'honneur *od* la réputation de qn; *sich etw zur ~~ anrechnen* se faire honneur, se donner l'honneur de qc; *zu ~~n bringen* mettre en honneur; *wieder zu ~~n bringen* réhabiliter, faire revivre; *alle ~~ einlegen, um zu* mettre son honneur à; *jdm die ~~ erweisen zu ...* faire à qn l'honneur de ...; *jdm (hohe) ~~n erweisen* rendre des *od* de grands honneurs à qn; *jdm die letzte ~~ erweisen* rendre les derniers devoirs *od* les honneurs funèbres à qn; *jdm die militärischen ~~n erweisen* rendre les honneurs à qn; *jdm die ~~ geben* faire l'honneur à qn; *sich die ~~ geben zu ...* avoir l'honneur de ...; *der Wahrheit die ~~ geben* rendre gloire *od* hommage à la vérité; *jdm zur ~~ gereichen* tourner à la louange de qn; *die ~~ haben zu ...* avoir l'honneur de ...; *jdn, etw in ~~n halten* honorer, respecter qn, tenir qc à honneur; *zu ~~n kommen* arriver aux honneurs; *jdm ~~ machen* faire honneur à qn; *sich e-e ~~ daraus machen zu* se piquer de l'honneur de; *jdn bei der ~~ packen* piquer l'honneur de qn; *s-e ~~ in etw setzen* mettre sa gloire à *od* en qc; *s-e ~~ dareinsetzen zu ...* mettre un point d'honneur à ...; *in (großen) ~~n stehen* être tenu en haute estime; *auf ~~ versichern* assurer sur l'honneur; *es ist mir e-e ~~ zu ...* c'est un honneur pour moi de ...; cela me fait honneur de ...; ~~ *sei ... (dat)* gloire à ...; ~~, *wem* ~~ *gebührt!* à tout seigneur tout honneur! *was verschafft mir die* ~~? qu'est-ce qui me vaut l'honneur? *mit wem habe ich die* ~~? à qui ai-je l'honneur? *die letzte* ~~ les honneurs funèbres *od* suprêmes; *Mann m von* ~~ homme *m* d'honneur; *militärische* ~~*n f pl* honneurs *m pl* militaires; **e~en** *tr* honorer (*durch, mit* de), rendre honneur *od* gloire à, chanter la gloire de; *(achten)* respecter, estimer, considérer; *(huldigen)* rendre hommage (*jdn* à qn); *sich geehrt fühlen* se sentir honoré; *(sehr) geehrter Herr! (Briefanrede)* Monsieur; **~enamt** *n* charge *od* fonction *f* honorifique, poste *m* d'honneur; *pl* honneurs *m pl; ein* ~~ *bekleiden* être revêtu d'une charge honorifique; **e~enamtlich** *a* bénévole; **~enbezeigung** *f a. mil* honneur *m* rendu (à qn), marque *f* de respect; *(Huldigung)* hommage *m; mil (Gruß)* salut *m; e-e* ~~ *machen* rendre les honneurs; *militärische* ~~ honneurs *m pl* militaires; **~enbürger** *m* citoyen *m* d'honneur; *jdn zum* ~~ *machen* nommer qn citoyen d'honneur; **~enbürgerrecht** *n* droit *m* de cité honoris causa; **~endoktor** *m* docteur *m* honoris causa; **~enerklärung** *f* réparation *f* d'honneur; *e-e* ~~ *abgeben* faire amende honorable; **~engast** *m* hôte, convive *m* d'honneur; **~engehalt** *n* pension *f* honorifique; **~engeleit** *n* escorte *f od* cortège *m* d'honneur; **~engericht** *n* cour *f od* tribunal *m* d'honneur; **~engeschenk** *n* cadeau honorifique, hommage *m;* **e~enhaft** *a (Sache)* honorable; *(Person)* honnête; **~enhaftigkeit** *f* ‹-, (-en)› honorabilité; honnêteté *f;* **e~enhalber** *adv* pour l'honneur, honoris causa; **~enhandel** *m* affaire *f* d'honneur; **~enhof** *m arch* cour *f* d'honneur; **~enklage** *f* demande *f* en réparation d'honneur; **~enkompanie** *f* compagnie *f* d'honneur; **~enlegion** *die* la Légion d'honneur; *Kreuz n der* ~~ croix *f* de la Légion d'honneur; *Träger m der* ~~ légionnaire *m;* **~enmal** *n* ‹-(e)s, ¨er/(-e)› monument *m* aux morts *od* aux victimes de la guerre; **~enmann** *m* ‹-s, -männer› homme d'honneur *od* de bien; galant homme *m;* **~enmitglied** *n* membre *m* honoraire *od* d'honneur; **~enparade** *f* revue *f* d'honneur; **~enpforte** *f* arc *m* de triomphe; **~enplatz** *m* place *f* d'honneur *od* de choix; **~enpräsident** *m* président *m* d'honneur *od* honoraire; **~enpreis** *m* prix *m* d'honneur; *bot* véronique *f;* **~enpunkt** *m* point *m* d'honneur; **~enrang** *m* grade *m* honoraire; **~enrat** *m* jury *m* d'honneur; **~enrechte** *n pl: die bürgerlichen* ~~ les droits *m pl* civiques; *im Besitz der bürgerlichen* ~~ *sein* jouir des droits civiques; *Verlust m der bürgerlichen* ~~ dégradation civique, privation *f* des droits civiques; **~enrettung** *f* réhabilitation *f* (d'honneur); *fig (Verteidigung)* apologie *f;* **e~enrührig** *a* injurieux, diffamant, infamant; **~enrunde** *f sport* tour *m* d'honneur; **~ensäbel** *m* sabre *m od* épée *f* d'honneur; **~ensache** *f* point *m* d'honneur; **~ensalve** *f mil* salve *f* d'honneur; **~enschuld** *f* dette *f* d'honneur; **~ensold** *m* honoraires *m pl;* **~nstrafe** *f* peine *f* infamante; **~entafel** *f (für Gefallene)* tableau *m* d'honneur; **~entag** *m* anniversaire; *jds* ~~ jour *m* où qn est à l'honneur; **~entitel** *m* titre *m* honorifique **~enurkunde** *f* diplôme *m* d'honneur; **e~envoll** *a* honorable; *(ruhmreich)* glorieux; *adv* avec honneur; ~~*e(r) Abschied m (mil)* démission *f* honorable; **~enwache** *f* garde *f* d'honneur; **e~enwert** *a* honorable, respectable; **~enwort** *n* ‹-(e)s, -worte› parole *f* d'honneur; *auf* ~~ *entlassen* renvoyer *od mil* libérer sur parole; *sein* ~~ *geben* donner *od* engager sa parole d'honneur; *Gefangene(r) m auf* ~~ prisonnier *m* sur parole; **e~enwörtlich** *a:* ~~*e Erklärung f* déclaration *f* sur l'honneur; **~enzeichen** *n* insigne *m*, décoration *f;* **e~erbietig** *a* respectueux; **~erbietung** *f* (témoignage de) respect *m*, considération, révérence, déférence *f; bei aller* ~~ *vor* malgré tout le respect pour; *jdm s-e* ~~ *erweisen* présenter ses hommages *od* respects à qn; **~furcht** *f (Verehrung)* vénération *f (vor* pour*); (Achtung)* respect *m* (*vor* de, pour); *aus* ~~ *vor* par respect pour *od* de; *jdm* ~~ *einflößen* inspirer du respect à qn; *von* ~~ *ergriffen* plein de respect; **e~furchtslos** irrévérencieux; *a* **e~furchtsvoll** *a*, **e~fürchtig** *a* respectueux; **~gefühl** *n* sens *od* sentiment *m* de l'honneur; *an jds* ~~ *rühren* piquer l'honneur de qn; **~geiz** *m* ambition *f;* amour-propre, désir *m* de vaincre; **e~geizig** *a* ambitieux, âpre à la curée; qui a de l'amour-propre; ~~ *sein (fam a.)* avoir les dents longues; avoir de l'amour-propre; ne pas aimer perdre *od* être le second; **e~lich** *a* honnête; *(ehrenhaft)* honorable; *(rechtschaffen)* probe, loyal, intègre; *(aufrichtig)* sincère, de bonne foi; *auf sein* ~~*es Gesicht hin* sur sa bonne mine; *in* ~~*em Kampf* de bonne lutte; en un combat loyal; ~~ *gesagt* od *gestanden* pour parler franc(hement), à dire vrai; *es* ~~ *mit jdm meinem* agir de bonne foi envers qn; ~~ *gestehen* avouer franchement *od* sincèrement; ~~ *spielen* jouer sans tricher; ~~ *währt am längsten (prov)* avec la bonne foi on va le plus loin; *der* ~~*e Finder (jur)* l'inventeur honnête; *e-e* ~~*e Haut (fam)* une bonne pâte d'homme; ~~*er Leute Kind* fils *m* de braves gens; *sein* ~~*er Name* son nom honorable; **~lichkeit** *f* ‹-, ø› honnêteté; probité. loyauté, intégrité; sincérité, bonne foi *f;* **~liebe** *f* noble ambition *f;* **e~liebend** *a* qui aime l'honneur; **e~los** *a* sans honneur, malhonnête, infâme; **~losigkeit** *f* déshonneur *m*, infamie *f;* **e~sam** *a* honnête, honorable, respectable; **~samkeit** *f* honnêteté, respectabilité *f;* **~sucht** *f* soif des honneurs, ambition *f* (démesurée); **e~süchtig** *a* avide, assoiffé d'honneurs, (très) ambitieux; **~ung** *f* distinction honorifique; honorable distinction *f; (Huldigung)* hommage *m; öffentliche* ~~ distinction *f* honorifique publique; **e~vergessen** *a* = ~*los;* **~verlust** *m* perte de l'honneur *od jur* des droits civiques, dégradation *f* civique; **~würden** *(Anrede): Ew.* ~~*!* Votre Révérence! **e~würdig** *a* vénérable, respectable; *(Geistlicher)* révérend; ~~*e Mutter! (rel)* ma révérende! ~~*er Vater! (rel)* mon révérend!

ei! **[aɪ]** *interj* ah! eh! hé! tiens! ~ ~*!* eh bien! ~, *ja doch!* mais si!

Ei *n* ‹-s, -er› **[aɪ]** œuf *m; wie auf* ~*ern gehen* (avoir l'air de) marcher sur des œufs; *sich gleichen wie ein* ~ *dem andern* se ressembler comme deux gouttes d'eau; ~*er kochen* cuire des œufs; *aus dem* ~ *kriechen* sortir de l'œuf, éclore; ~*er legen* pondre; *wie aus dem Ei gepellt sein* avoir l'air de sortir d'une boîte; *mit faulen* ~*ern werfen* jeter *od* lancer des œufs pourris; *das* ~ *will klüger sein als die Henne* c'est Gros-Jean qui en remontre à son curé; *er ist kaum aus dem* ~ *gekrochen* il sort tout juste de sa coquille; *angebrütete(s)* ~ œuf *m* couvi; *eingelegte* ~*er* œufs *m pl* de conserve; *faule(s)* ~ œuf *m* gâté *od* pourri; *frische(s)* ~ œuf *m* frais *od* du jour; *hartgekochte(s)* ~ œuf *m* dur; *rohe(s)* ~ œuf *m* cru; *russische* ~*er* œufs *m pl* à la russe; *überbackene* ~*er* œufs *m pl* au gratin; *verlorene* ~*er* œufs *m pl* pochés; *verlorene* ~*er kochen* pocher des œufs; *weichgekochte(s)* ~ œuf *m* à la coque; *das* ~ *des Kolumbus* l'œuf de Christophe Colomb; *wie aus dem* ~ *gepellt (fam)* tiré à quatre épingles; **~austauschstoff** *m* succédané *m* d'œuf; **~dotter** *m* od *n* jaune d'œuf, *scient* vitellus *m;* **~erauflauf** *m* omelette *f* soufflée; soufflé *m;* **~erbecher** *m* coquetier *m;* **~erbrikett** *n*, **~erkohle** *f* boulet *m* (de charbon); **~erhandgranate** *f mil* grenade *f* (ovoïde) à main; **~erhändler** *m* marchand *m* d'œufs; **~erisolator** *m el* isolateur *m* ovale; **~erkette** *f el* chaîne *f* d'isolateurs; **~erkuchen** *m* omelette *f; (bretonischer* ~~*)* crêpe *f* (bretonne); **~erlandung** *f aero arg* atterrissage *m* en douceur; **~erleiste** *f (Verzierung)* godron *m;* **~likör** *m* liqueur *f* au jaune d'œuf; **~erlöffel** *m* cuiller *f* à œuf; **~ermilch** *f* lait *m* de poule; **~erpflaume** *f* damas *m;* **~erprüfer** *m (Gerät)* ovoscope *m;* **~erprüflampe** *f* lampe *f* à mirer, mire-œufs *m;* **~erprüfung** *f* mirage *m* des œufs; **~ersammelstelle** *f* dépôt *m* central d'œufs; **~erschale** *f* coquille *f* (d'œuf); **~erschläger** *m (Schneebesen)* fouet *m* à œufs; **~erschaum** *m*, **~erschnee** *m* œufs *m pl* à la neige; **~erspeise** *f* plat *m* aux œufs; **~erstock** *m anat* ovaire *m;* **~ertanz** *m* danse *f* des œufs; **~eruhr** *f* sablier *m;* **~formbrikett** *n* briquette *f* à boulets; **~form-Brikett-**

presse *f* presse *f* à briquettes à boulets; **e~förmig** *a*, **e~rund** *a* ovale, ové, oviforme, ovoïde; **~furchung** *f biol* segmentation *f*; **~gelb** *n* jaune *m* d'œuf; **~leiter** *m anat (Mensch)* trompe *f* utérine; *(Tier)* oviducte *m*; **~pulver** *n* œufs *m pl* en poudre; **~rund** *n* ovale *m*; **~weiß** *n* blanc d'œuf; *scient* albumen *m*; *chem* albumine *f*; *~~ schlagen* battre le blanc d'œuf; *(rohes) ~~* glaire *f*; **~weißabbau** *m chem* protéolyse *f*; **e~weißhaltig** *a* albuminé, albumineux; **~zelle** *f biol* ovule *m*.
Eibe *f* ‹-, -n› ['aɪbə] *bot* if *m*.
Eibisch *m* ‹-(e)s, -e› ['aɪbɪʃ] *bot* guimauve *f*.
Eich|amt *n* ['aɪç-] bureau de vérification des poids et mesures; poids *m* public; **e~en 1.** *tr allg* vérifier; *(Maße u. Gewichte)* étalonner; *(Waage)* ajuster; *(Gefäß)* jauger; *(Waffe)* poinçonner; **~gebühr** *f* taxe *f* de vérification; **~maß** *n* jauge *f*; étalon *m*; **~(meist)er** *m* vérificateur *m* des poids et mesures; **~stab** *m* jauge *f*; **~ung** *f* vérification *f*; étalonnage; ajustage; jaugeage; poinçonnage; calibrage *m*.
Eich|e *f* ‹-, -n› ['aɪçə], **~(en)baum** *m* chêne *m*; *Immergrüne ~e* chêne *m* vert, yeuse *f*; **~el** *f* ‹-, -n› ['aɪçəl] *bot anat* gland *m*; *(Kartenspiel)* trèfle *m*; **~elhäher** *m orn* geai *m*; **~elmast** *f* glandée *f*; **e~en 2.** *a* de *od* en chêne; **~enblatt** *n* feuille *f* de chêne; **~enholz** *n* bois *m* de chêne; **~enkranz** *m* couronne *f* de chêne; **~enlaub** *n* feuilles *f pl* de chêne; **~enstamm** *m* tronc *m* de chêne; **~enwald** *m* forêt de chênes, chênaie *f*; **~hörnchen** *n*, **~kätzchen** *n*, **~katze** *f* écureuil *m*.
Eid *m* ‹-(e)s, -e› [aɪt, -də] serment *m*; *an ~es Statt* à titre de serment; *unter ~* sous la foi du serment; *e-n ~ ablegen* od *leisten* od *schwören* prêter serment; *jdm e-n ~ abnehmen* faire prêter serment à qn; *unter ~ aussagen* attester *od* déposer sous (la foi du) serment; *den ~ brechen* rompre *od* trahir *od* violer son serment, se parjurer; *jdn von s-m ~ entbinden* relever *od* délier qn de son serment: *e-n falschen ~ schwören* faire un faux serment, se parjurer; *unter ~ stehen* être sous la foi du serment; *jdm den ~ zuschieben* déférer le serment à qn; *ich kann* od *könnte e-n ~ darauf schwören* j'en jurerais, *fam* j'en mettrais ma main au feu; *falsche(r) ~* faux serment *m*; *~ vor Gericht* serment *m* judiciaire; **~brecher** *m*, **~bruch** *m* parjure *m*; **e~brüchig** *a* parjure; *~~ werden* se parjurer; **~esablegung** *f* prestation *f* de serment; **~esformel** *f* formule *f* de serment; **~esleistung** *f* prestation *f* de serment; **e~esstattlich** *a*: *~~e Erklärung* od *Versicherung f* déclaration *f* à titre de serment, affidavit *m*; **~esverweigerung** *f* refus *m* de prêter serment; **~genosse** *m* confédéré *m*; **~genossenschaft** *f*: *die Schweizerische ~~* la Confédération helvétique; **e~lich** ['aɪtlɪç] *a* sous serment; *adv* sous (la foi du) serment, par serment; *jdn ~~ vernehmen* entendre *od* interroger qn sous serment; *sich ~~ verpflichten* s'engager *od* se lier par serment; *~~e Aussage f* déposition *f* sous serment.
Eidechse *f* ‹-, -n› ['aɪdɛksə] lézard *m*.
Eider|daune *f* ['aɪdər-] duvet *m* de l'eider; **~ente** *f*, **~gans** *f* eider *m*.
Eifer *m* ‹-s, ø› ['aɪfər] zèle *m*, assiduité *f*; *(Geschäftigkeit)* empressement *m*; *(Leidenschaft)* ardeur, ferveur *f*, feu, fanatisme *m*; *(Zorn)* emportement, *fam* emballement *m*; *im Eifer des Gefechts (fig)* dans le feu de l'action; *im ~ der Rede* dans le feu de la conversation; *in ~ geraten* s'animer, s'emporter, s'échauffer, *fam* s'emballer; *~ an den Tag legen* apporter de l'empressement; *sein ~ ist schon erlahmt* son enthousiasme est déjà tombé; *blinder ~ schadet nur (prov)* trop de zèle nuit, qui trop se hâte reste en chemin; **~er** *m* ‹-s, -› zélateur, fanatique, *pop* fana *m* (*für* de); **e~n** *itr* s'emporter, *fam* s'emballer (*gegen* contre); **~sucht** [-zuxt] *f* jalousie, rivalité *f*; **~süchtelei** [-zʏçtə'laɪ] *f* jalousie *f* mesquine; **e~süchtig** *a* jaloux (*auf* de); **~suchtsanfall** *m* crise *f* de jalousie.
eifrig ['aɪfrɪç] *a* zélé, assidu; *(geschäftig)* empressé; *(leidenschaftlich)* ardent (*in* à), fervent; *adv* avec zèle, avec empressement; *~ bedacht auf* fort soucieux de; *sich ~ bemühen* se donner beaucoup de mal (*etw zu tun* pour faire qc); *~ beschäftigt mit* très occupé *od* appliqué a *inf*; *~e(r) Verfechter e-r Idee* ardent défenseur d'une idée.
eigen ['aɪgən] *a* propre; personnel, privé, à moi *etc*; *(besonderer)* spécial, à part; séparé; *(~tümlich)* particulier, caractéristique, spécifique; *(~artig)* singulier, étrange, curieux; *(wählerisch)* difficile, exigeant; *(sorgfältig, genau)* soigneux, méticuleux, exact; *(heikel)* délicat; *auf ~e Rechnung* pour son propre compte; *aus ~em Antrieb* de son propre chef *od* mouvement; *in ~er Angelegenheit* pour affaires personnelles; *in ~er Person* en personne; *mit ~en Augen* de ses propres yeux; *zu ~* en propre; *Zimmer mit ~em Eingang* pièce avec entrée indépendante; *auf ~e Gefahr* à ses risques et périls; *zu ~en Händen* en main propre; *sich jdm ganz zu ~ geben* se donner à qn corps et âme; *~e Möbel haben* être dans ses meubles; *sich etw zu ~ machen (fig)* s'assimiler, *(Meinung, Gedanken)* épouser qc, *(ganz)* se pénétrer de qc; *sein ~er Herr sein* être son maître; *aus ~er Erfahrung sprechen* en parler par expérience; *das ist mein ~* c'est à moi; *dieser Gang ist ihm ~* il a une démarche bien à lui; *das sind s-e ~en Worte* ce sont ses propres termes; **E~antrieb** *m* autopropulsion *f*; *mit ~~* autopropulsé; **E~art** *f* propriété, particularité, individualité *f*, caractère *m*; **~artig** *a* particulier, caractéristique; *(sonderbar)* singulier, étrange, curieux; **E~bedarf** *m* consommation *f* privée *od* propre; **E~belastung** *f* poids *m* mort; **E~besitz** *m* possession *f* en propre *od* personnelle; **E~bewegung** *f astr* mouvement *m* propre; **E~brötelei** [-brøtə'laɪ] *f* originalité *f*; **E~brötler** *m* ‹-s, -› ['--brøːtlər] original, drôle (de corps); *fam* ours *m*; **~brötlerisch** *a* original; **E~feuchtigkeit** *f* humidité *f* propre; **E~finanzierung** *f* autofinancement *m*; **E~frequenz** *f radio* fréquence *f* propre; **E~geräusch** *n radio* bruit *m* propre; **E~geschwindigkeit** *f aero* vitesse *f* propre; **E~gesetzlichkeit** *f* autonomie *f*; **E~gewicht** *n* poids *m* propre *od* mort; *(Wagen)* tare *f*; **~händig** *a u. adv* de ma *etc* propre main; *~~ übergeben* remettre en main propre; *~~ unterschreiben* signer de sa (propre) main; *~~ (geschrieben)* autographe; *(Testament)* olographe; **E~heim** *n* maison *f* individuelle; **E~heit** *f* particularité, propriété; *(Sonderbarkeit)* singularité *f*; **E~kapital** *n* capital *m* propre, ressources *f pl* personnelles *od* propres, moyens *m pl* propres, apport *m* personnel; *fin* actif net, passif *m* non exigible; **E~liebe** *f* amour-propre, amour *m* de soi; **E~lob** *n* éloge *m* de soi(-même); *~~ stinkt (prov)* qui se loue s'emboue; qui s'élève s'abaisse; **~mächtig** *a* arbitraire, autoritaire; *adv* de ma *etc* propre autorité, de mon *etc* propre chef, *fam* d'office; *~~e Abwesenheit (mil)* absence non justifiée; *~~ handeln (fam)* prêcher sans mission; **E~motor** *m* moteur *m* autonome; **E~name** *m* nom *m* propre; **E~nutz** *m* intérêt particulier *od* personnel, égoïsme *m*; **~nützig** *a* intéressé, égoïste; *adv* par intérêt (particulier *od* personnel); **E~peilgerät** *n aero* radiogoniomètre *m* de bord; **E~peilung** *f mar aero* relèvement *m* par la propre station; **~s** *adv* exprès, spécialement, particulièrement; **E~schaft** *f allg* qualité *f*, caractère, attribut *m*; *scient* propriété *f*; *in s-r ~~ als* en qualité de, à titre de, en tant que; *in s-r ~~ als ... handeln* faire acte de ...; *erworbene, vererbte ~~en pl (biol)* caractères *m pl* acquis, héréditaires; **E~schaftswort** *n* ‹-(e)s, ⸚er› *gram* adjectif *m*; **E~schwingung** *f* oscillation *f* propre; **E~sinn** *m* obstination, opiniâtreté *f*, entêtement *m*; mauvaise tête *f*; *(Launenhaftigkeit)* caprice *m*; **~sinnig** *a* obstiné, opiniâtre, entêté, têtu, indocile; *(launisch)* capricieux; *(rechthaberisch)* ergoteur; *~~ bestehen auf* s'obstiner à, s'entêter dans; *~~ sein* avoir mauvaise tête; **~staatlich** *a* national; **E~stabilität** *f* autostabilité *f*; **~ständig** *a* original; **E~ständigkeit** *f* originalité *f*; **~tlich** *a (wirklich)* réel, vrai, véritable; *(wesentlich)* essentiel, intrinsèque; *im ~~en Sinn* au sens propre; *im ~~en Sinne des Wortes* au sens fort du mot; *das ~~ Frankreich* la France proprement dite; *der ~~ Wert* la valeur intrinsèque; *adv (in Wirklichkeit)* en effet, en réalité, en vérité, au fait; *(genaugenommen)* à

proprement parler, à vrai dire, à dire vrai, proprement dit; *(im Grunde)* au *od* dans le fond; *recht* ~~ par excellence; **E~tum** *n* ‹-s, ø› [-tu:m] propriété *f; als* ~~ *(besitzen* posséder) en propre; *geistige(s), literarische(s)* ~~ propriété *f* intellectuelle, littéraire; **E~tümer** *m* ‹-s, -› [-ty:mər] propriétaire; *arg* proprio *m;* **~tümlich** *a* caractéristique, particulier, spécifique; *(sonderbar)* singulier, curieux, drôle de ...; **E~tümlichkeit** *f* caractère (propre), trait *m* caractéristique; particularité, singularité *f;* **E~tumsbeschränkung** *f* restriction *f* de la propriété; **E~tumsnachweis** *m* certificat *m* de propriété; **E~tumsrecht** *n* droit *od* titre *m* de propriété; **E~tumsübertragung** *f* mutation *f od* transfert *m* de propriété; **E~tumsurkunde** *f* acte *m* de propriété; **E~tumsvergehen** *n* délit *m* contre la propriété; **E~tumsverhältnisse** *n pl* régime *m* de la propriété; **E~tumsvorbehalt** *m* (clause *f od* pacte *m* de) réserve *f* de propriété; **E~tumswechsel** *m* mutation *f* de propriété; **E~tumswohnung** *f* copropriété *f;* **E~versorgung** *f* autarcie *f;* **E~verständigung** *f aero* communication *f* par interphone; **E~wärme** *f* chaleur *f od* calorique *m* spécifique; **E~wille** *m* volontés *f pl;* **~willig** *a* volontaire, arbitraire; capricieux; opiniâtre, entêté, têtu; **E~willigkeit** *f* entêtement, opiniâtreté *f.*

eign|en ['aɪgnən] *itr lit (eigen sein)* être inhérent (*dat* à); *ihr ~et e-e gewisse Schüchternheit* elle a une timidité caractéristique; *sich* ~~ *zu* od *für* être apte *od* propre à *od* qualifié pour, avoir les qualités nécessaires *od* requises pour; *(Sache)* se prêter à; *er ~et sich nicht zum Lehrer* il ne fait pas un bon professeur; **E~ung** *f* ‹-, (-en)› qualification, aptitude *f;* **E~ungsprüfung** *f,* **-test** *m* épreuve *f od* examen d'aptitude, test *m; e-m E~ungstest unterziehen* soumettre à un test psychotechnique; **E~ungszeugnis** *n* certificat *m* d'aptitude.

Eiland *n* ‹-(e)s, -e› ['aɪlant] *poet* île *f,* îlot *m.*

Eil|bestellung *f* ['aɪl-] remise *f* par exprès; **~bote** *m* courrier *m; durch* ~~*n* par exprès; ~~ *bezahlt* exprès payé; **~brief** *m* lettre *f* (par) exprès; **~briefzustellung** *f* = *~bestellung;* **~dampfer** *m* paquebot *m* rapide; **~e** *f* ‹-, ø› hâte, précipitation, promptitude, rapidité *f; in* ~~ à la *od* en hâte; *fam;* à la va-vite; *in aller* ~~ en toute hâte, précipitamment, à toute vitesse; *fam* à la galopade, dare-dare; *in großer* ~~ tambour battant; *in rasender* ~~ à toute pompe *pop; ich habe keine* ~~ je ne suis pas pressé, rien ne me presse; *es hat keine* ~~ cela ne presse pas, rien ne presse; **e~en** ‹*ist geeilt*› *itr (Mensch)* courir, marcher à grands pas; *(Zeit)* passer rapidement, fuir; *(Sache) (hat geeilt)* presser; *sich* ~~ se hâter, se dépêcher, se presser, s'empresser; *zu Hilfe* ~~ voler au secours; *es ~t* cela presse; *es ~ nicht* il n'y a pas d'urgence *od* de presse; *~t! (auf Postsendungen)* urgent; *~t sehr!* très urgent; *~e mit Weile! (prov)* hâte-toi lentement; **e~end** *adv* à la hâte, en hâte; **e~fertig** *a* prompt, (em)pressé; *adv* avec précipitation; **~fertigkeit** *f* promptitude *f,* empressement *m;* **~gebühr** *f* taxe *f od* droit *m* d'exprès; **~gespräch** *n tele* communication *f* urgente; **~gut** *n* (marchandises *f pl od* envoi *m* en) grande vitesse *f;* colis *m* exprès; *als* ~~ en *od* par grande vitesse; **~gutabfertigung** *f (Stelle)* gare *f* des messageries; **~güterzug** *m* train *m* rapide de marchandises; **e~ig** *a* pressant, urgent; *(schnell)* rapide, prompt; *adv* à la hâte; *in* ~~*en Fällen* dans les cas d'urgence; *es* ~~ *haben* être (em)pressé, marcher à grands pas, avoir hâte (*mit, zu* de); *die Sache* od *es ist (sehr)* ~~ cela presse (beaucoup); *(sehr)* ~~*!* (très) urgent! *warum so* ~~*?* pourquoi si vite? **e~igst** *adv* en toute hâte, au plus vite, *fam* dare-dare; **~marsch** *m* marche *f* forcée; **~post** *f* service *m* exprès; **~sendung** *f* envoi *m* exprès; **~transport** *m mar loc* messageries *f pl;* **~triebwagen** *m loc* autorail *m,* micheline *f;* **~zug** *m* rapide, train *m* direct; **~zustellung** *f* = *~bestellung.*

Eimer *m* ‹-s, -› ['aɪmər] seau *m; in den ~ gucken (fam)* en être pour ses frais, pouvoir toujours courir; *im ~ sein (pop)* être dans le lac *od* à l'eau *od* dans le pétrin; *voll wie ein ~ (pop)* rond comme une bille; **~(ketten)bagger** *m* drague *f od* excavateur *m* à (chaîne de) godets; **e~weise** *adv* à seaux.

ein [aɪn] **1.** *(unbest. Artikel u. Zahlwort)* un, une; *der, die ~e (pron)* (l')un *m,* (l')une *f; ~er (jemand)* quelqu'un(e *f*) *m,* on, vous; *~ für allemal* une fois pour toutes, une bonne fois; *~er nach dem andern* l'un après l'autre, chacun à son tour, tour à tour, à tour de rôle; *in ~em fort* continuellement; *~ ums andere Mal* une fois sur deux; alternativement; *wie ~ Mann* comme un seul homme; *geschickt wie nur ~er* adroit comme pas un; *aus ~em Stück* d'une seule pièce; *~es Tages* un jour; *bei jdm ~ und aus gehen (adv)* fréquenter qn; *~er Meinung sein* être du même avis; *weder ~ noch aus wissen (adv)* ne (pas) savoir où donner de la tête; *das tut ~em gut od wohl* cela vous fait de bien; *da gibt es nur ~s* il n'y a pas de milieu; *was ist denn das für ~er? (fam)* quel est cet individu? *der ~e geht, der andere kommt (prov)* un clou chasse l'autre; *~es Mannes Rede ist keines Mannes Rede* qui n'entend qu'une cloche, n'entend qu'un son; *~ und derselbe* le même, une seule et même personne; *der ~e ..., der andere* l'un ..., l'autre; *der ~e oder der andere* le tiers et le quart; *der ~e wie der andere* l'un et l'autre; *entweder das ~e oder das andere* c'est (tout) l'un ou (tout) l'autre; *~er von beiden* l'un des deux, l'un ou l'autre; *~s von beiden* de deux choses l'une; *sein ~ und alles* son unique trésor; *nur ~ Junges zur Welt bringend (zoo)* unipare; **~ander** [-'nandər] *adv* l'un (à) l'autre, les uns aux *od* les autres, mutuellement, réciproquement; ~~ *helfen* s'entraider; ~~ *schaden* s'entrenuire.

ein 2. *interj el (= einschalten!)* fermé; *aero (= Zündung einschalten!)* contact! *adv (auf Geräten)* mise en marche.

Einachs|anhänger *m mot* semi-remorque *f;* **e~ig** *a* à essieu unique.

Einakt|er *m theat* pièce en un acte, petite pièce, saynète *f; (vor e-m größeren Stück)* lever *m* de rideau; **e~ig** *a* en un acte.

ein=arbeit|en *tr: etw in etw* ~~ faire entrer, insérer qc dans qc; *jdn* ~~ initier qn au travail, mettre qn au courant; *sich* ~~ *in* se mettre en train, se mettre au courant de; **E~ung** *f* mise au courant *od* en train, adaptation, formation *f;* **E~ungszeit** *f* période *f* de mise au courant.

einarmig *a* manchot, *~e(r) Hebel m* levier *m* à bras unique.

ein=äscher|n ['-ɛʃərn] *tr* réduire en cendres; *(Leiche)* incinérer; **E~ung** *f* incinération, crémation *f;* **E~ungshalle** *f* crématoire, crématorium *m;* **E~ungsofen** *m* four *m* crématoire

ein=atm|en *tr* aspirer, respirer, inspirer; *med* inhaler; **E~ung** *f* aspiration, respiration, inspiration; inhalation *f.*

einatomig *chem* monoatomique.

einäugig borgne.

einbahn|ig *a* une voie; **E~straße** *f* rue *od* voie *f* à sens unique; (circulation *f* à) sens unique, sens *m* obligatoire.

ein=balsamier|en *tr* embaumer; **E~ung** *f* embaumement *m.*

Einband *m* ‹-(e)s, ⸚e› *(Buch)* reliure *f; in* ...~ sous reliure de ...; **~decke** *f* emboîtage *m.*

einbändig *a* en un volume.

einbasisch *a chem* monobasique.

Einbau *m allg* mise *f* en place; *(von Möbeln)* aménagement, encastrement *m; tech* installation *f,* montage *m;* **ein=bauen** *tr* mettre en place; *(Möbel)* aménager, encastrer; *(fam)* rajouter; *tech* installer, monter, incorporer; *eingebaute(s) Bad n* baignoire *f* encastrée; **~möbel** *n pl* meubles *m pl* encastrés; **~motor** *m (Fahrrad)* moteur auxiliaire, propulseur *m;* **~schrank** *m* placard *m;* **~teil** *n* élément *m* de montage; **~wagenheber** *m mot* cric *m* incorporé.

Einbaum *m (Boot)* pirogue *f.*

ein=be|greifen *tr* (y) comprendre, renfermer, impliquer, inclure, synthétiser; **~griffen** *a* y compris; *(stillschweigend* ~~*)* implicite; *alles* ~~ tout compris.

ein=behalten *tr* retenir (*vom Lohn* sur le salaire).

einbeinig *a* à une jambe, unijambiste.

ein=beruf|en *tr allg* convoquer; *(Wehrpflichtigen)* appeler (sous les drapeaux); *parl* réunir; **E~ene(r)** *m* appelé *m;* **E~ung** *f* convocation *f; mil* appel *m* (sous les drapeaux); ~~

nach Einheiten, Jahrgängen (mil) convocation *f* verticale, horizontale; **E~ungsbefehl** *m mil* ordre *m* d'appel.

ein=betonieren *tr* encastrer en *od* enrober de béton.

ein=bett|en *tr tech* encastrer, enrober; *(Kabel)* noyer; **E~kabine** *f* cabine *f* à une couchette; **E~zimmer** *n* chambre *f* à un lit.

ein=beul|en *tr* bosseler, bossuer, cabosser; **E~ung** *f* boss(elur)e *f.*

ein=biegen *tr ‹hat eingebogen›* courber, arquer, plier en dedans; *itr ‹ist eingebogen› : in etw (Straße) ~* déboucher, entrer dans qc, prendre, enfiler, emprunter qc; *nach links, rechts ~* tourner *od* virer à gauche, à droite.

ein=bild|en, *sich (sich vorstellen)* se représenter, se figurer, s'imaginer; croire; *(überzeugt sein)* être persuadé (*von* de, *daß* que); *sich etwas* od *(fam) was ~~, eingebildet sein* être infatué de soi-même, avoir une opinion exagérée de soi-même; *pop* se monter le bourrichon; *sich etwas ~~ auf* être fier de, tirer gloire *od* vanité de, se prévaloir de, se piquer de; *sich etw steif und fest ~~* se fourrer qc dans la tête; *ich bilde mir nicht ein zu ...* je n'ai pas la prétention de ...; *darauf kann ich mir etwas ~~ (hum)* c'est une plume à mon chapeau; *darauf brauchst du dir (brauchen Sie sich) nichts einzubilden* il n'y a pas de quoi être fier; *bilden Sie sich ja nicht ein, daß ...* n'allez pas croire que ...; **E~ung** *f (Vorstellung)* imagination, fantaisie; *(bloße Annahme)* pure imagination, illusion, chimère; *(krankhafte ~~)* fabulation; *(Dünkel)* prétention, présomption, vanité, infatuation *f; nur in der ~~ existierend* seulement imaginaire; **E~ungskraft** *f* imagination, faculté *od* puissance *f* imaginative; *fam* folle *f* du logis.

ein=binden *tr (Buch)* relier.

ein=blasen *tr* souffler (*in* dans); *med tech* insuffler; *fig* souffler, suggérer, insinuer (*jdm etw* qc à qn); **Einbläser** *m theat* souffleur *m.*

Einblattdruck *m* ‹-(e)s, -e› feuille *f* volante.

einblätt(e)rig *a bot* unifolié.

ein=blend|en *tr film radio TV* enchaîner; **E~ung** *f* enchaînement *m.*

ein=bleuen *tr fam: jdm etw ~* enfoncer qc dans la tête *od* dans le crâne de qn; fourrer qc dans la tête de qn.

Einblick *m* coup *m* d'œil (*in* sur, dans); *fig* aperçu *m (in etw* de qc); *jdm e-n ~ in etw gestatten* od *gewähren* mettre qn au courant de qc, donner un aperçu de qc à qn; *~ in etw gewinnen* pénétrer qc; *in etw ~ nehmen* se mettre au fait de qc; *jdm den ~ in etw verweigern* interdire à qn de regarder *od* voir qc.

ein=brech|en *tr ‹hat eingebrochen› (Tür)* enfoncer, forcer; *itr ‹ist eingebrochen›* faire irruption (*in* dans); *(mit Gewalt)* entrer de force (*in* dans); *(Einbrecher)* cambrioler (*in etw* qc), pénétrer avec *od* par effraction (*in* dans); *mil* percer (*in etw* qc), faire une poche (*in* dans); envahir (*in ein Land* un pays); *(Decke)* s'écrouler, s'effondrer; *(Mensch auf dem Eis)* s'enfoncer; *bei ~ender Nacht* à la nuit tombante; **E~er** *m* cambrioleur, crocheteur de portes *od* de serrures, *arg* rat *m;* **E~erbande** *f* bande *f* de cambrioleurs.

ein=brennen *tr (Zeichen)* brûler, marquer au fer rouge; *(Glasur, Schmelz)* cuire; *(Küche)* roussir.

ein=bring|en *tr (Ernte)* rentrer, engranger; *(Geld)* rapporter, réaliser; *(in die Ehe ~~)* apporter (en mariage); *(Gefangene)* capturer; *jur (Klage)* intenter, introduire; *parl (Antrag, Gesetzentwurf)* déposer; *fig* valoir, mériter (*jdm etw* qc à qn); *(aufholen)* recouvrer, regagner, *(verlorene Zeit)* rattraper; *itr typ* gagner (*e-e Zeile* une ligne); *die Ernte ~~* faire la moisson; *viel ~~* rapporter gros; *viel ~end* de bon rapport, lucratif; *es bringt mehr ein zu* cela rapporte plus de; *das bringt was ein (fam)* cela rend, cela paie; *eingebrachte(s) Gut n (jur)* apport *m;* **E~ung** *f; ~~ der Ernte* rentrée *f* des récoltes.

ein=brocken *tr* tremper; *jdm etw ~ (fig fam)* mettre qn dans le pétrin; *da hast du dir aber etwas Schönes eingebrockt!* tu t'es mis dans de beaux draps *od* dans un sacré pétrin!

Einbruch *m* ‹-(e)s, ¨e› ['-brux] *allg* irruption; *mil* rupture du front, poche; (*in ein Land)* invasion; (*in ein Haus)* effraction *f,* cambriolage; *mines* bouchon *m; bei ~ der Dunkelheit* od *Nacht* à la tombée de la nuit *od* du jour; à la nuit tombante; avec la nuit; *nach ~ der Dunkelheit* à la nuit tombée; **~(s)diebstahl** *m* vol *m* avec effraction, cambriolage *m;* **~sfeuer** *n mil* feu *m* d'assaut; **~sfront** *f (Wetter)* front *m* froid; **e~ssicher** *a* résistant à l'effraction; *(Türschloß)* incrochetable; **~sstelle** *f mil* point *m* de rupture, brèche *f;* **~sversicherung** *f* assurance contre le vol (avec effraction), assurance-vol *f;* **~swerkzeug** *n* outils *m pl* de cambriolage.

ein=bucht|en *tr fam (einsperren)* coffrer; **E~ung** *f* échancrure *f.*

ein=buddeln ['-budəln], *sich (fam)* se terrer.

ein=bürger|n *tr* naturaliser; *fig* donner droit de cité à, introduire; *sich ~~ (fig)* acquérir droit de cité, s'introduire, s'établir, se cantonner, devenir une habitude, passer dans l'usage; **E~ung** *f* naturalisation; *fig* introduction *f.*

Einbuße *f* atteinte, perte *f,* dommage *m; e-e ~ erleiden* subir des pertes (*an* de); **ein=büßen** *tr* perdre, en être pour, essuyer une perte de; *etwas ~* essuyer une perte; *viel ~* essuyer de grosses pertes.

ein=dämm|en *tr* endiguer *a. fig; fig* refréner; *(Brand)* localiser; **E~ung** *f* endiguement *m.*

ein=dampfen *tr chem* évaporer, condenser, concentrer *od* réduire (par évaporation).

ein=deck|en *tr (Haus)* couvrir; *sich ~~ mit* se prémunir de; se pourvoir de, s'approvisionner en; **E~er** *m aero* monoplan *m.*

ein=deich|en *tr* endiguer; **E~ung** *f* endiguement *m.*

eindeutig *a* sans équivoque, clair, univoque; **E~keit** *f* ‹-, (-en)› clarté, univocité *f.*

ein=deutsch|en *tr* rendre allemand, germaniser; **E~ung** *f* germanisation *f.*

ein=dicken *(Küche) tr* épaissir, condenser; *chem* concentrer; **E~** *n* épaississement *m.*

eindimensional *a* à une dimension.

ein=dosen *tr* mettre en boîte *od* en conserve.

ein=drängen, *sich* s'introduire, s'ingérer, entrer de force, se fourrer (*in* dans).

ein=dring|en ‹ist eingedrungen› *itr* pénétrer, entrer de force, faire irruption (*in* dans); forcer l'entrée (*in* de); *(Flüssigkeit, a. mil)* s'infiltrer; *auf jdn ~~ (fig)* presser qn, insister auprès de qn; *tief in etw ~~ (fig)* aller au fond de qc; *in ein Geheimnis ~~* pénétrer un secret; *in ein Land ~~* envahir un pays; **E~en** *n* pénétration *a. fig,* irruption, infiltration *f;* envahissement *m,* invasion *f;* **~lich** *a* pénétrant, pressant, énergique, percutant; *adv* avec insistance; **E~lichkeit** *f* ‹-, (-en)› insistance *f;* **E~ling** *m* ‹-s, -e› [-lɪŋ] intrus; *mil* envahisseur *m;* **E~ung** *f* pénétration *f,* **E~ungsbereich** *m mil aero* zone *f* de pénétration; **E~(ungs)tiefe** *f aero* profondeur *f* de pénétration, rayon *m* d'action.

Eindruck *m* ‹-(e)s, ¨e› empreinte *(a. sport, im Boden),* marque; *fig* impression *f,* effet *m; von etw e-n falschen ~ haben* avoir une opinion fausse de qc; *e-n geringen ~ hinterlassen (a.)* passer inaperçu; *~ machen* faire de l'effet *od* sensation; *auf jdn* faire impression sur qn, impressionner qn; *auf jdn (e-n) großen ~ machen (a. pop)* taper dans l'œil à qn; *auf jdn keinen großen ~ machen* glisser sur (l'esprit de) qn; *e-n guten, günstigen, vertrauenserweckenden ~ machen* faire *od* produire un bon effet, une impression favorable, une impression de confiance; *pop* dégot(t)er bien; *keinen guten, e-n schlechten, verdächtigen ~ machen* faire mauvais effet, une mauvaise impression, une impression douteuse; *den ~ machen, als sei man (reich, glücklich) a.* faire (riche, heureux); *auf jdn keinen ~ machen können* n'avoir pas de prise sur qn; *(stark) unter dem ~ stehen* être sous l'impression, avoir l'esprit frappé (*gen* de); *ich habe den ~, daß* j'ai l'impression que *od* de, il me semble que; *das hat e-n guten, schlechten, tiefen, bleibenden ~ auf mich gemacht* j'en ai reçu une bonne, mauvaise impression, une impression profonde, durable; *ich hatte zunächst keinen guten ~ von ihm* au début il ne m'a pas fait très bonne impression; **e~sfähig** *a* impressionnable; **e~slos** *a* sans impression *od*

effet; **e~svoll** *a* impressionnant, imposant, qui fait de l'effet.
ein≈drücken *tr* empreindre (*in* sur); *(platt drücken)* aplatir; *(einstoßen)* enfoncer; *(zerdrücken)* écraser, casser.
ein≈dünst|en *tr* réduire (par ébullition); **E~apparat** *m* évaporateur *m.*
ein≈ebn|en *tr* aplanir, niveler, égaliser; **E~ung** *f* aplanissement *m.*
Einehe *f* monogamie *f.*
eineiig ['aɪnʔaɪç] *a: ~e Zwillinge m pl* jumeaux *m pl* univitellins, vrais jumeaux.
einen ['aɪnən] *tr (einigen)* uni(fie)r.
ein≈engen *tr* mettre à l'étroit, rétrécir, resserrer; *fig* gêner.
einer ['aɪnər] *s. ein;* **E~** *m* ‹-s, -› *math* unité *f; (Boot)* canot à un rameur, skiff *m;* **~lei** [-'laɪ] *a inv* de la même sorte; *~~ was, wann, wo, wie* n'importe quoi, quand, où, comment; *~~ ob er kommt* qu'il vienne ou non; *das ist ~~* c'est égal, pareil, la même chose; *das ist ganz, völlig ~~* c'est tout un, tout comme; *das ist mir ~~* cela *od fam* ça m'est égal, peu m'importe; **E~lei** *n* ‹-, ø› uniformité, monotonie *f; das tägliche ~~* le train-train quotidien *od* journalier *fam;* **~seits** *adv* d'une part, d'un côté.
ein≈ernten *tr* récolter; *fig* recueillir.
einesteils *adv = einerseits.*
ein≈exerzieren *tr* instruire, exercer.
einfach *a* simple; ordinaire *(a. Brief);* élémentaire; *(leicht zu tun)* facile; *(schlicht)* modeste, naturel; *(Essen)* frugal; *(Farbe)* primitif; *(Stil)* uni, sans recherche; *adv* simplement; *ganz ~ (adv)* tout simplement *od* bonnement, *fam* tout sec, tout de go; *~ falten* plier en deux; *das ist ganz ~* c'est bien simple *od* élémentaire; *das ist nicht so ~, wie es aussieht (a.)* cela ne s'enfile pas comme des perles; *~e Fahrkarte f* aller *m* simple; *die ~en Leute pl* les gens du peuple; *~e Stimmenmehrheit f parl* majorité *f* simple; **E~heit** *f* ‹-, ø› simplicité; frugalité; modestie *f; der ~~ halber* par simplicité, pour des raisons de commodité; **~wirkend** *a tech* à simple action *od* effet.
ein≈fädeln *tr (Nadeln)* enfiler; *fig* engager, entamer, amorcer; *(anzetteln)* tramer, *fam* manigancer.
ein≈fahr|en *tr* ‹*hat eingefahren*› *(Ernte)* rentrer, engranger; *(Pferd)* dresser à la voiture; *mot* roder; *aero (Fahrgestell)* rentrer, escamoter; enfoncer; *unser Zaun wurde von e-m Wagen eingefahren* notre clôture a été enfocée par une voiture; *itr* ‹*ist eingefahren*› *mines* descendre (dans le puits); *mar* rentrer (au port); *loc* entrer (en gare); *sich ~~ (mot)* s'exercer à conduire; **E~t** *f* entrée; *(Torweg)* porte cochère; *mines* descente *f* (dans le puits); *mar* détroit *m; (Kanal)* tête; *(Hafen~~)* entrée de port; *loc* entrée *f* en gare; *keine ~~! ~~ verboten!* sens interdit! *~~ freihalten!* sortie de voiture, prière de ne pas stationner; **E~tgleis** *n loc* voie *f* d'entrée *od* d'arrivée; **E~tschleuse** *f mar* écluse *f* d'entrée; **E~tsignal** *n,* **E~tzeichen** *n loc* signal *m* d'entrée (dans la gare).
Einfall *m phys (Licht* incidence; *tech (Türschloß)* chute du loquet; *mil* invasion, irruption, incursion; *fig (Gedanke)* idée *f; (launiger ~)* caprice *m,* fantaisie, lubie; *(witziger ~)* boutade, saillie, pointe *f,* mot *od* trait *m* d'esprit; *(guter ~)* trouvaille, *fam* inspiration *f; auf den ~ kommen* avoir l'idée, s'aviser (*zu* de); **ein≈fallen** *itr (einstürzen)* s'effondrer, s'écrouler, (s')ébouler, tomber en ruine; *opt* entrer, faire incidence; *geol (Ader)* plonger; *mil* faire irruption (*in* dans), envahir (*in etw* qc); *(in die Rede)* intervenir, placer son mot; *mus* attaquer; *(in den Sinn kommen)* entrer *od* venir à la pensée *od* l'idée *od* l'esprit, passer par la tête; *sich etw ~ lassen* s'aviser de qc; *es fällt mir ein, mir fällt ein* il me vient à l'esprit; *mir ist etw eingefallen* il m'est venu qc à l'idée; *da fällt mir eben ein* à propos; *das fällt mir (gar) nicht ein!* je n'y pense pas; j'en suis bien loin; *was fällt dir (denn) (überhaupt) ein?* qu'est-ce qui te prend? de quoi t'avises-tu? *fam* quelle mouche te pique? *was fällt Ihnen ein!* y pensez-vous? *das fällt mir gerade nicht ein, will mir nicht ~* cela m'a échappé, ne me revient pas; *seine Wangen sind eingefallen* il a les joues creuses *od* creusées; **~slosigkeit** *f* absence *f* d'idées; **~straße** *f* ligne *f* de pénétration; **~swinkel** *m opt* angle *m* d'incidence.
Einfalt *f* ‹-, ø› simplicité, naïveté, ingénuité *f;* **~spinsel** *m* simple, niais, nigaud, benêt, imbécile *m;* **einfältig** *a* simple; innocent, naïf, ingénu, candide; *pej* niais, sot.
ein≈falzen *tr (Zimmerei)* encastrer.
Einfamilienhaus *n* maison à *od* pour une (seule) famille, maison *od* villa *f* individuelle, pavillon *m* familial.
ein≈fangen *tr* prendre, capturer; *(ergreifen)* saisir; *phys (Licht, Elektronen)* capter; *fig (Stimmung, Atmosphäre)* rendre.
einfarbig *a* d'une seule couleur, unicolore; *(Stoff)* uni; *typ* monochrome; *opt (Licht)* monochromatique.
ein≈fass|en *tr (umgeben)* entourer, encadrer, enclore, enceindre; *(Schmuck)* monter, sertir, enchâsser; *(säumen)* border, garnir (*mil* de); **E~ung** *f* bande *f,* (re)bord *m,* ceinture *f; (Einfriedigung)* enclos *m,* enceinte; *(Zaun)* clôture; *(Saum)* bordure, garniture *f,* ourlet *m.*
ein≈fetten *tr* graisser, lubrifier; **E~** *n* graissage *m,* lubrification *f.*
ein≈feuern *itr fam* faire du feu.
ein≈finden, *sich* y être, être présent; se retrouver; se trouver, se rendre (*zu* à).
ein≈flecht|en *tr* entrelacer, entremêler; *fig (Zitat)* insérer (*in* dans); *etw in s-e Rede ~~* entremêler son discours de qc; **E~ung** *f* entrelacement *m;* insertion *f.*
ein≈fliegen *tr* ‹*aux: haben*› *aero* essayer en vol; *itr* ‹*aux: sein*› *aero* entrer, pénétrer; *(in feindl. Absicht)* faire une incursion (*in* dans); **E~** *n* vol *m* d'essai.
ein≈fließen *itr: fig (in e-e Rede) ~ lassen* glisser.
ein≈flöß|en *tr (Flüssigkeit)* instiller, ingurgiter, faire prendre, administrer (*jdm etw* qc à qn); *fig (Gefühl)* inspirer, suggérer, insinuer, *(Achtung)* imposer; **E~ung** *f* installation *f.*
Einflug *m (Biene)* entrée *f; aero* vol *m* de pénétration, *(in feindl. Absicht)* incursion *f* (par voie aérienne); **~schneise** *f aero* axe, faisceau, secteur balisé, axe *m* d'atterrissage; **~zeichen** *n aero* signal *m* de balise.
Einfluß *m fig* influence (*auf* sur), action *f; (Anschein)* crédit *m; auf jdn e-n ~ ausüben, ~ haben* avoir de l'influence *od* de l'emprise sur qn; *~ gewinnen* prendre de l'influence; *auf etw (großen) ~ haben* influer sur qc; *e-n (sehr) großen* od *beherrschenden* od *weitreichenden ~ haben* prendre la haute main, avoir le bras long; *den nötigen ~ haben (pol)* peser *od* faire le poids; *jds ~ ausgesetzt sein, unter jds ~ stehen* être sous l'empire *od* sous la coupe de qn, subir l'influence de qn; *an ~ verlieren (a. fam)* être en perte de vitesse; *ich habe keinen ~ darauf* je n'y peux rien; **~bereich** *m,* **~sphäre** *f* sphère *od* zone *f* d'influence; **e~reich** *a* influent; puissant; *~~ sein* avoir les reins forts *od* solides.
ein≈flüster|n *tr: jdm etw ~~* souffler qc à (l'oreille de) qn; *fig* suggérer, insinuer qc à qn; **E~ung** *f fig* suggestion, insinuation *f.*
ein≈fordern *tr* demander, exiger; *(Schulden)* réclamer.
einförmig *a* uniforme; *fig* monotone; **E~keit** *f* uniformité; *fig* monotonie *f.*
ein≈fressen, *sich* mordre (*in etw* sur qc), corroder (*in etw* qc); *fig (sich festsetzen)* s'incruster.
ein≈fried(ig)|en *tr* (en)clore, clôturer; **E~ung** *f* enclos *m,* clôture, enceinte *f.*
ein≈frieren *itr* geler; *(Schiff)* être pris dans les glaces; *fig fin* geler; **E~** *n fin* congélation *f.*
ein≈fügen *tr* emboîter, encastrer, enchâsser; *fig (Wort)* ajouter, insérer; *sich ~* s'intégrer (*in* dans).
ein≈fühl|en: *sich in jdn, etw ~~* s'identifier à *od* avec qn, qc, se mettre au diapason de qn, de qc; se mettre à la place de qn; *fam* se mettre dans la peau de qn; **E~ung(svermögen** *n) f* intuition *f.*
Einfuhr *f* ‹-, (-en)› importation *f;* **~artikel** *m* article *m* d'importation; **~beschränkung** *f,* **~drosselung** *f* restriction *f* d'importation *od* aux importations; **~bestimmungen** *f pl* règlements *m pl* d'importation; **~bewilligung** *f,* **~erlaubnis** *f,* **~genehmigung** *f* permis d'entrée, permis *m od* autorisation *od* licence *f* d'importation; **~hafen** *m* port *m* d'importation *od* entrée; **~handel** *m* commerce *m* d'importation; **~kontingent** *n* contingent *m* d'importation; **~land** *n* pays *m* importateur; **~liste** *f* liste *f* d'importation; **~prämie** *f* prime *f*

d'importation; **~sperre** *f* interdiction *od* prohibition *f* d'importation; **~überschuß** *m* excédent *m* d'importation; **~verbot** *n* = *~sperre;* **~zoll** *m* droit *m* d'entrée, taxe *f* d'importation.

ein=führ|en *tr (Menschen in e-e Gesellschaft)* introduire (*bei* auprès de, chez), présenter (*in* à); *(in ein Amt)* installer (*in* dans); *(in e-e Tätigkeit, Wissenschaft)* initier (*in* à); *(Ware)* importer; *(Brauch)* introduire, établir, instituer, instaurer; *(Mode)* lancer; *tech (Werkstück), med (Instrument)* introduire, insinuer; **E~ung** *f (Mensch)* introduction, présentation; *(in ein Amt)* installation; *(in e-e Wissenschaft)* initiation; *(Brauch)* introduction *f*, établissement *m*, instauration; *(Ware aus dem Ausland)* importation *f; (in den Handel)* lancement *m; tech* introduction, entrée; *med (Instrument)* introduction, insinuation *f;* **E~ungsdraht** *m tech* fil *m* d'entrée; **E~ungsfeldzug** *m com* campagne *f* de lancement; **E~ungsgesetz** *n* loi *f* d'application *od* d'introduction; **E~ungslehrgang** *m* cours *m* préparatoire; **E~ungspreis** *m com* prix *m* de lancement; **E~ungsschreiben** *n* lettre *f* d'introduction.

ein=füll|en *tr* verser (*in* dans); *(in Fässer)* entonner; *(in Flaschen)* embouteiller; *mot* remplir; **E~stutzen** *m mot (am Tank)* bouchon *od* orifice *m* de remplissage.

Eingabe *f (Schreiben)* demande (par écrit), pétition, supplique, *jur* requête *f; (Denkschrift)* mémoire *m; (Vorgang)* présentation *f; e-e ~ machen* faire une demande, présenter une requête *od* pétition.

ein=gabeln *tr mil (Ziel)* encadrer.

Eingang *m allg* entrée *f; (Zugang)* accès *m; (Einleitung)* introduction *f*, préambule *m; com (Ware)* (r)entrée *f*, arrivage *m*, *(a. Brief)* arrivée; *(Geld)* rentrée, recette *f*, recouvrement *m; pl (eingegangene Waren)* rentrées *f pl; mit eigenem ~ (Zimmer)* indépendant; *nach ~ (com)* après réception, au reçu; *in der Reihenfolge des ~s (com)* par ordre d'arrivée; *~ vorausgesetzt* od *vorbehalten (com)* sauf *od* sous réserve de rentrée; *den ~ erzwingen* forcer la consigne; *~ finden (Person)* trouver accès; *(Sache)* s'introduire (sur le marché), être adopté; *~ verschaffen (e-r Idee)* importer (*dat* qc); *sich ~ verschaffen (Person)* s'introduire; *~ verboten! verbotener ~!* entrée interdite; **e~s** *adv* au commencement; au début, d'abord; *~~ erwähnt* mentionné au début; **~sabteilung** *f com* rayon *m* des entrées; **~sanzeige** *f*, **~sbestätigung** *f* avis d'arrivée *od* de réception, récépissé *m;* **~sbuch** *n com* livre *m* des entrées; **~sformel** *f* formule *f* de début; **~shalle** *f* hall *m* d'entrée; *theat* foyer *m;* **~smeldung** *f* déclaration *f* d'arrivée; **~snummer** *f (Brief)* numéro *m* d'entrée; **~sstollen** *m mines* galerie *f* d'entrée; **~stür** *f* porte *f* d'entrée; **~svermerk** *m* mention *f* de réception.

eingebaut *a* encastré, incorporé; *tech* monté; *(Gerät)* fixe; *~e Antenne f* antenne *f* interne.

ein=geb|en *tr (Arznei)* donner, faire prendre, administrer; *(Gesuch)* présenter, remettre; *fig* suggérer, inspirer, insinuer; **E~ung** *f fig* inspiration *f; man soll immer der ersten ~~ folgen* le premier mouvement est toujours le meilleur.

eingebildet *a (vorgestellt)* imaginaire, fictif; *(eitel)* vaniteux, suffisant, (in)fat(ué); prétentieux, présomptueux; *auf etw ~ sein* se piquer de qc; *furchtbar ~ sein* se croire sorti de la cuisse de Jupiter.

eingeboren *a* indigène, autochtone; **E~e(r)** *m* indigène, natif, aborigène, autochtone *m.*

eingedenk *a: e-r S ~ sein* (bien) se souvenir de qc.

eingefallen *a (Gesicht)* tiré, hâve; *(Wangen)* creux, cave.

eingefleischt *a* invétéré, incorrigible; *~e(r) Junggeselle m* célibataire *m* endurci.

eingefroren *a* soumis à congélation; *a. fin* gelé.

eingegliedert *a* inféodé.

ein=gehen *itr ⟨aux: sein⟩ (Brief)* arriver; *(Geld)* rentrer; *(Stoff)* rétrécir, se raccourcir; *(absterben)* dépérir, s'éteindre; *(Tier)* crever (*an* de); *com (Geschäft)* cesser (d'exister), disparaître; *(Gesellschaft)* se dissoudre; *(Zeitung)* disparaître, cesser de paraître; *tr ⟨aux: sein⟩ (Ehe, Geschäft)* conclure, contracter; *~ lassen (Stelle)* supprimer; *(Geschäft)* abandonner; *(Zeitung)* cesser de publier; *auf etw ~ (e-r S zustimmen)* accepter qc, consentir, souscrire, acquiescer à qc; *(sich zu etw hergeben)* se prêter à qc; *darauf ~* entrer en matière; *auf alles ~* tourner à tous les vents; *auf etw näher ~* entrer dans les détails de qc; *auf jds Bitte, Verlangen ~* se rendre à la demande de qn; *e-e Ehe ~* conclure *od* contracter un mariage; *auf (die) Einzelheiten ~* entrer dans les détails; *auf e-e Frage ~* aborder une question; *ein Geschäft ~* engager une affaire; *e-n Handel ~* conclure *od* faire un marché; *auf ein Kind ~* se mettre à la portée d'un enfant; savoir prendre un enfant; *ein Risiko ~* prendre un risque; *in die ewige Ruhe ~* entrer dans le repos éternel; *e-n Vergleich ~* transiger; *e-e Verpflichtung ~* prendre un engagement; *e-e Versicherung ~* contracter une assurance; *e-n Vertrag ~* conclure un traité, passer un contrat; *e-e Wette ~* faire un pari; *das Lob geht mir ein wie Milch und Honig (hum)* je bois du petit lait; *das geht mir schwer ein (fam)* cela ne m'entre pas dans la tête; *stillschweigende(s) E~ n e-r Verpflichtung* engagement *m* tacite; **~d** *a* détaillé, minutieux, circonstancié; *adv* à fond, longuement; *nicht ~~ (Stoff)* irrétrécissable.

eingekeilt *a* coincé.

eingeklemmt *a med (Bruch)* étranglé.

eingelegt *a (Holz)* incrusté.

Eingemachte(s) *n* conserves; *(Obst)* confitures *f pl.*

ein=gemeind|en *tr* incorporer, recevoir dans une commune, annexer (*in* à), englober; **E~ung** *f* incorporation *f* communale.

eingenäht *a* pris en couture.

eingenommen *a: ~ für, gegen* prévenu en faveur de, contre; *~ von* entiché, engoué, *fam* coiffé de; *von sich (selbst) ~* suffisant, rempli *od* épris *od* infatué de soi-même; *sehr* od *völlig von sich ~* idolâtre de soi-même; *(sehr) von sich ~ sein* se croire (beaucoup); *fam* ne pas se croire rien, se gober; **E~heit** *f fig* prévention *f* (*für* pour, *gegen* contre); engouement *m;* infatuation *f.*

eingeregnet *a* retenu *od* bloqué par la pluie.

eingerichtet: *auf alles ~ sein* faire la part de l'imprévu, *fam* être armé de toutes pièces.

eingerostet *a* rouillé *(a. fig).*

Eingesandt *n ⟨-s, -s⟩ (Zeitung)* communiqué *m.*

eingeschlechtlich *a bot* unisexué, unisexuel.

eingeschnappt *a: gleich ~ sein (fam)* se blesser *od* se froisser pour un rien.

eingeschneit *a* arrêté *od* bloqué par les neiges.

eingeschränkt *a* étroit, borné, restreint.

eingeschrieben *a (Brief)* recommandé; *mittels ~en Briefes* sous pli recommandé.

eingesessen *a (Bevölkerung)* indigène; **E~e(r)** *m* habitant *m* (domicilié).

eingestandenermaßen *adv* de façon avouée; **Eingeständnis** *n* aveu *m.*

eingestehen *tr ⟨hat eingestanden⟩* avouer, reconnaître, confesser; *(zugeben)* admettre; *s-n Fehler ~ (a.)* dire son confiteor.

eingetragen *a adm* déclaré, enregistré, inscrit au registre; *~e Schutzmarke f (com)* marque *f* déposée.

eingewachsen *a med (Nagel)* incarné.

Eingeweide *n (pl)* viscères *m pl*, entrailles *f pl; (Gedärm)* intestins *m pl, (von Tieren)* tripes *f pl;* **~bruch** *m med* hernie (viscérale), éventration *f;* **~würmer** *m pl* vers *m pl* intestinaux.

eingeweiht *a* initié (*in* à), informé (*in* de); *~ sein in* être au fait de; **E~e(r)** *m* initié, adepte *m.*

ein=gewöhnen, *sich* s'habituer (*in* à).

eingewurzelt *a* enraciné, invétéré, tenace.

eingezogen *a fig (zurückgezogen)* retiré, isolé; *(Hund) mit ~em Schwanz zurücklaufen* revenir la queue basse *od* entre les jambes; **E~heit** *f* vie retirée, retraite *f*, isolement *m.*

ein=gießen *tr (Getränk)* verser (*in* dans).

ein=gipsen *tr* sceller en plaître; *med* plâtrer, mettre dans le plâtre.
Einglas *n opt* monocle *m*.
eingleisig *a loc* à voie unique; *~e Strecke f* ligne *f* à voie unique.
ein=gliedern *tr* incorporer, intégrer (*jdn, etw e-r S* qn, qc à qc); *sich ~ in* s'incorporer, s'inféoder à.
ein=graben *tr* mettre en terre, enterrer, enfouir; *(Pfahl)* enfoncer; *(in hartes Material)* graver (*in* sur), (*ins Gedächtnis* dans la mémoire); *sich ~ (mil)* se retrancher; *(Tier)* se terrer.
ein=gravieren *tr* graver (*in* sur).
ein=greifen *itr* mettre la main (*in* dans); *fig* entrer en action *od* jeu, intervenir (*in* dans) *a mil;* se mêler (*in* de); *(ins Gespräch)* interrompre (*in etw* qc); *tech (Maschinenteil)* engrener (*in* avec), mordre *(a. Anker); in jds Rechte ~* porter atteinte à *od* empiéter sur les droits de qn, s'arroger les droits de qn; *rücksichtslos ~* sévir (*gegen jdn* contre qn); *streng ~* trancher dans le vif; **E~** *n* intervention *f; tech* engrenage *m;* **~d** *a (Maßnahme)* énergique, efficace.
Eingriff *m med* intervention (chirurgicale), opération; *(in ein Recht)* atteinte *f* (*in* à), empiétement (*in* sur); *tech (Räder)* engrenage *m*, prise *f; im ~ (Getriebe)* engrené, en prise; *in ~ bringen, stehen (tech)* mettre, être en prise; **~sbereich** *m mil* zone *f* de contact; **~sgetriebe** *n mot* synchroniseur *m*.
Einguß *m metal (Gießform)* moule; *(Gießloch)* bec *m*, trompe *f*, (é)chenal *m*.
ein=haken *tr* agrafer, accrocher; *tech* enclencher; *jdn ~* prendre le bras de qn; *itr (Anker)* mordre; *sich, ea. ~* se prendre le bras; *sich bei jdm ~ = jdn ~;* **eingehakt** *adv* bras dessus bras dessous.
Einhalt *m; e-r S ~ gebieten* arrêter qc, mettre un terme *od* un frein à qc, enrayer qc, couper court *od fam* mettre le holà à qc; **ein=halten** *tr (Bedingung, Frist, Vertrag, Regel)* observer; *(Datum)* respecter; *(Verpflichtung, Versprechen, a. Straßenseite)* tenir; *(Richtung)* suivre; *die Zahlung ~* être exact à payer; *die Zeit ~* être ponctuel *od* à l'heure; *itr mit etw ~* s'interrompre dans qc; cesser de faire qc; *haltet ein!* cessez! **~ung** *f* observation *f*.
ein=hämmern *tr* enfoncer avec un marteau; *fig: jdm etw ~* bourrer le crâne à qn de qc, faire entrer qc dans la tête de qn.
ein=handeln *tr* faire emplette de; *gegen etw ~* échanger contre qc.
einhändig *a* manchot; *mus* à une main. **ein= händigen** *tr* remettre *od* délivrer (en main(s) propre(s)); **E~ung** *f* remise, delivrance *f*.
ein=hängen *tr* (sus)pendre, accrocher (*in* dans); *(Dachziegel)* poser; *(Rad)* enrayer; *(Buch in die Einbanddekke)* emboîter; *tele* (r)accrocher.
ein=hauchen *tr* insuffler; *fig* inspirer.
ein=hauen *tr (Tür, Schädel)* enfoncer; *itr fam: tüchtig ~ (beim Essen)* avoir un bon coup de fourchette.
einhäusig *a bot* monoïque.
ein=heften *tr (Buch)* brocher; *(Akten)* classer.
ein=hegen *tr* (en)clore (d'une haie).
einheimisch *a* du pays, du cru, natif, local, national; *(bes. Sprache)* vernaculaire; *bot zoo* indigène; *(Krankheit)* endémique; **E~e(r)** *m* natif *m*.
ein=heimsen *tr (zs.tragen)* rassembler, engranger; *fig (einstecken)* recueillir, empocher, *fam* encaisser, grignoter.
Einheirat *f* entrée *f* par mariage; **ein=heiraten** *itr* entrer par mariage (*in* dans); *in e-e Familie ~* entrer dans *od* s'allier à une famille.
Einheit *f* ‹-, -en› ['aınhaıt] unité, *f a. math, phys, tech, mil; mil* élément, corps de troupe; *(das Ganze)* ensemble *m; e-e ~ bilden* se grouper; faire corps (*mit* avec); *Tag m der deutschen ~ (17. Juni)* Journée *f* de l'unité allemande; **e~lich** *a* unitaire, uniforme, homogène; *(vereinheitlicht)* unifié, centralisé; *(übereinstimmend)* suivi, conforme à l'ensemble; *mil (Kommando)* unique; *~~e(s) Feld n (phys)* champ *m* unitaire; *~~e Feldtheorie f* théorie *f* du champ unitaire; **~lichkeit** *f* ‹-, (-en)› unité, uniformité, homogénéité; suite, conformité; centralisation *f;* **~s . . .** unique, unifié *a; pol* unioniste; *(Typ)* standardisé; **~sbauart** *f*, **~sbauweise** *f* type *m* standardisé; **~sbestrebungen** *f pl* tendances *f pl* unitaires; **~sbewegung** *f pol* mouvement *m* unitaire; **~serzeugnis** *n* produit *m* standardisé; **~sfront** *f* front *m* unique; **~sführer** *m mil* chef *m* d'unité *od* de l'unité; **~sgeschoß** *n mil* projectile *m* universel; **~sgruppe** *f mil* unité *f* élémentaire; *(Infanterie)* groupe *m* de combat; **~skurzschrift** *f* sténographie *f* standardisée; **~sliste** *f parl* liste *f* unique; **~slohn** *m* salaire *m* unique; **~spartei** *f* parti *m* unifié; **~spreis(geschäft** *n***)** *m* (magasin à) prix *m* unique; **~sschule** *f* école *f* unique; **~sstaat** *m* État *m* unitaire; **~swert** *m fin* valeur *f* standard.
ein=heizen *itr* chauffer; *fig: jdm tüchtig ~ (fam)* secouer les puces à qn; dire son fait *od* ses quatre vérités à qn.
einhellig *a* unanime; *adv* à l'unanimité, d'un commun accord; **E~keit** *f* ‹-, (-en)› unanimité *f*.
einher=|gehen [aın'he:r-] *itr*, **~schreiten** ‹*aux: sein*› *itr* marcher *od* avancer à pas comptés *od* mesurés; **~stolzieren** ‹*aux: sein*› *itr* se pavaner.
ein=holen *tr* aller chercher, acheter; *(die Ernte)* rentrer, engranger; *mar (Segel)* rentrer, mettre dedans; *(Tauwerk)* haler; *(Ruder)* border; *(erreichen)* rejoindre, rattraper *a. fig*, atteindre; *(heimgeleiten)* aller à la rencontre de *od* au-devant de; *itr (einkaufen)* aller aux provisions, faire des courses *od* des emplettes; *e-n Auftrag ~* prendre une commande; *die Fahne ~* baisser le pavillon; *e-e Erlaubnis, Genehmigung ~* demander une autorisation; *ein Gutachten, Auskünfte, Nachrichten ~* (aller) prendre une expertise, des renseignements, des nouvelles; *jds Rat ~* prendre conseil de qn; *ärztlichen Rat ~* consulter un médecin.
Einholm|bauart *f*, **~bauweise** *f aero* construction *f* monolongeron; **~flügel** *m aero* aile *f* monolongeron.
Einhorn *n* licorne *f*.
Einhufer *m pl zoo* équidés, solipèdes *m pl*.
ein=hüll|en *tr* envelopper (*in* dans); *fig* cacher, déguiser; *warm ~~* emmitoufler; **E~ung** *f* enveloppement *m*.
einig ['aınıç] *a (einmütig)* unanime; *sich ~ sein* être d'accord (*über* sur) (*daß* pour dire que); *(sich) nicht ~ sein* différer (*in* en); *(sich) ~ werden* tomber d'accord (*über* sur); *mit sich selbst noch nicht ~ sein (,ob)* ne pas encore savoir très bien (si); *darüber sind sich alle ~* tout le monde est d'accord là-dessus; **~e(r, s)** [-nıgə] *pron a* quelque, un peu de, *fam* une certaine dose de; *pl* quelques; *s pl* quelques-un(e)s *m (f) pl; nach ~r Zeit* au bout d'un certain temps; **~emal** *adv* quelquefois, parfois; **~en** *tr (Land)* unifier; *(in Übereinstimmung bringen)* mettre d'accord; *(aussöhnen)* concilier; *sich über etw ~~* tomber *od* se mettre d'accord sur qc; **~ermaßen** *adv* dans une certaine mesure, en quelque sorte; *(leidlich)* tant bien que mal, passablement, assez bien; *so ~~ (fam)* pas mal; **~es** *pron* quelque chose; **E~keit** *f* ‹-, (-en)› concorde *f; ~~ macht stark (prov)* l'union fait la force; **E~ung** *f* ‹-, (-en)› unification; *(Aussöhnung)* conciliation *f;* **E~ungskrieg** *m* guerre *f* d'unification; **E~ungsverfahren** *n* procédure *f* de conciliation.
ein=igeln, *sich (mil)* former un hérisson, s'enfermer.
ein=impfen *tr* inoculer; *jdm etw ~ (fig)* inculquer qc à qn.
ein=jagen *tr: jdm Furcht ~* faire peur, inspirer de la crainte à qn; *jdm Schrecken ~* effrayer qn; *jdm e-n schönen Schrecken ~ (fam)* faire une belle peur à qn.
einjährig *a (ein Jahr alt)* d'un an; *(ein Jahr dauernd, a. bot)* annuel; *bot* herbacé.
ein=kalkulieren *tr* mettre en ligne de compte; inclure dans ses calculs.
Einkammersystem *n pol* monocamérisme *m*.
ein=kapseln, *sich (med)* s'enkyster; *fig* s'isoler.
ein=kassier|en *tr* encaisser, recouvrer, faire la recette (*etw* de qc); **E~ung** *f* encaissement, recouvrement *m*.
Einkauf *m* achat *m; (kleiner ~)* emplette *f; (s-e) Einkäufe machen* od *tätigen* faire des achats *od* emplettes, faire ses *od* aller aux provisions; **ein=kaufen** *tr* acheter, faire emplette de; *~ gehen, selbst ~* faire son marché *od* ses provisions; *sich in e-e Lebensversicherung ~* s'assurer sur la vie;

~sabteilung *f* service *m* des achats *od* d'approvisionnement; **~sbummel** *m; e-n ~~ machen* courir les magasins; **~sgenossenschaft** *f* coopérative *f*, groupement *m* d'achat(s); **~skorb** *m* panier à provisions, cabas *m;* **~snetz** *n* filet *m* à provisions; **~spreis** *m* prix *m* d'achat *od* coûtant; *zum ~~* au prix coûtant; **~stasche** *f* sac *m* à provisions; **~svertreter** *m* commissionnaire *m* acheteur.

Einkäufer *m* acheteur *m.*

Einkehr *f* ‹-, -en› entrée *f* (dans une auberge); *fig* recueillement *m; ~ halten (fig)* rentrer en soi-même, se recueillir, faire son examen de conscience; **ein=kehren** *itr* ‹*ist eingekehrt*› entrer dans un restaurant; descendre dans un hôtel; *bei jdm* entrer, descendre chez qn.

ein=keilen *tr* caler, coincer; *wie eingekeilt* serrés comme des harengs.

ein=keller|n *tr* encaver, mettre en cave; **E~ung** *f (Wein)* mise *f* sur chai, avalage *m.*

ein=kerben *tr* entailler, (en)cocher.

ein=kerker|n *tr* incarcérer, emprisonner; **E~ung** *f* incarcération *f*, emprisonnement *m.*

ein=kessel|n *tr mil* encercler, cerner; **E~ung** *f mil* encerclement *m.*

Einkindersystem *n* système *m* de l'enfant unique.

einklag|bar *a jur* exigible; **E~barkeit** *f* exigibilité *f;* **ein=klagen** *tr* poursuivre le recouvrement de.

ein=klammern *tr tech* cramponner; *(Wort, a. math)* mettre en(tre) parenthèses *(runde) od* entre crochets *(eckige Klammern).*

Einklang *m* accord, unisson *m*, harmonie; *radio* syntonie *f; sich in ~ befinden, in ~ stehen mit* être en harmonie avec; *in ~ bringen* mettre d'accord, harmoniser, accorder, adapter, (ré)concilier.

ein=kleben *tr* coller (*in* dans).

ein=kleid|en *tr* vêtir; habiller *a. mil; rel (Mönch)* faire prendre l'habit *od (Nonne)* le voile; *fig (Gedanken)* revêtir (*in* de), envelopper (*in* dans); **E~ung** *f* habillement *m a. mil; rel* vêture, prise *f* d'habit *od* de voile; *fig* arrangement *m*, forme *f;* **E~ungsgeld** *n mil* indemnité *f* de première mise.

ein=klemm|en *tr* serrer, coincer; **E~ung** *f med* étranglement *m.*

ein=klinken *tr* enclencher, encliqueter; *(Tür)* fermer au loquet.

ein=knicken *tr* ‹*aux: haben*› plier, briser, casser à demi; *(Papier)* corner, faire une corne à; *itr* ‹*aux: sein*› se plier, se briser.

Einknopfbedienung *f radio* monoréglage *m.*

ein=kochen *tr* ‹*aux: haben*› *(Saft)* concentrer, condenser, réduire par ébullition; *(Obst)* confire; *allg* mettre en conserve; *itr* ‹*aux: sein*› se réduire par ébullition; **E~** *n* réduction *f* (par ébullition).

ein=kommen *itr (Geld)* rentrer; *um etw ~* demander, solliciter qc; *um s-n Abschied ~* demander sa retraite; **E~** *n* ‹s, -› revenu(s *pl*) *m;* rentes *f pl; kein gesichertes ~~ haben* n'avoir ni office ni bénéfice; *ein großes* od *hohes ~~ haben* jouir d'un gros revenu; *arbeitsfreie(s), feste(s), jährliche(s), steuerpflichtige(s) ~~* revenu *m* du capital, fixe, annuel, imposable; **E~sart** *f* genre *m* de revenu; **E~sgrenze** *f* limite *f* de revenu; **E~sgruppe** *f* catégorie *f* de revenus; **E~(s)steuer** *f* impôt *m od* taxe *f* sur le(s) revenu(s); **E~(s)steuererklärung** *f* déclaration *f* d'impôt sur le revenu; **~(s)steuerpflichtig** *a* assujetti à l'impôt sur le revenu.

ein=kopieren *tr phot* surcopier.

Einkreis(empfäng)er *m radio* récepteur *m* à un circuit d'accord.

ein=kreis|en *tr* cerner; encercler *a. mil; pol a.* isoler; **E~ung** *f* encerclement; *pol a.* isolement *m;* **E~ungspolitik** *f* politique *f* d'encerclement *od* d'isolement; **E~ungsversuch** *m* tentative *f* d'encerclement.

Einkünfte *pl* ['-kʏnftə] revenu(s *pl*) *m*, rentes *f pl.*

ein=kuppeln *tr tech* embrayer.

ein=lad|en *tr (verladen)* mettre, charger, embarquer (*in* dans); *(Gast)* inviter, convier, prier (*zu* à); **E~~** *n* chargement, embarquement *m;* **~end** *a* engageant, attrayant, accueillant, séduisant; **E~ung** *f* invitation *f (zu* à); *auf ~~ (gen)* sur l'invitation (de); *e-e ~~ an jdn ergehen lassen, verschicken* adresser, envoyer une invitation à qn; **E~ungsschreiben** *n* lettre *f* d'invitation.

Einlage *f (Schuh)* support, cambrillon; *mot (Reifen)* protecteur intérieur; *(Textil)* droit fil *m; (Zigarre)* tripe; *(Suppe)* garniture *f; (Zahn)* plombage *m; fig allg* insertion *f; theat* entracte *m; fin* mise *f* de fonds; *(Einzahlung)* dépôt; *(~kapital)* apport *m; ~ (in ein Gesellschaftsvermögen)* mise *f* de fonds; **~nbuch** *n fin* carnet *od* livret *m* bancaire; **~nzuwachs** *m* augmentation *f* des dépôts.

ein=lager|n *tr* emmagasiner, entreposer, mettre en dépôt (*bei* chez), stocker; *(in e-n Silo)* ensiler; **E~ung** *f* mise *f* en magasin, emmagasinage, stockage; *(in e-n Silo)* silotage, ensilage *m.*

Einlaß *m* ‹-sses, ⸚sse› ['-las, '-lɛsə] admission *f a. tech mot; ~ begehren* demander la permission d'entrer; **~kanal** *m mot* canal *od* conduit *m* d'admission; **~karte** *f* carte *f* d'admission, billet *m* d'entrée; **~ventil** *n* soupape *f* d'admission.

ein=lass|en *tr* laisser entrer, admettre; *(Wasser)* faire couler; *(einfügen)* encastrer, emboîter, enchâsser; *eingelassene Arbeit f* incrustation *f; sich auf etw ~~* consentir à qc, *fam* s'embarquer dans qc; *sich in etw ~~* s'engager dans qc, se mêler de qc; *sich mit jdm ~~* s'accoler, se commettre, entrer en relations avec qn; *sich mit jdm in ein Gespräch ~~ engager une conversation avec qn;* **E~ung** *f jur* réponse *f.*

Einlauf *m (Post)* (courrier *m* à l')arrivée; *(Küche)* entrée *f; med* lavement *m*, injection intestinale; *tech* alimentation *f;* **ein=laufen** *itr* entrer *loc* en gare, *mar* dans le *od* au port; *(Brief, Nachricht)* arriver; *(Stoff)* (se) rétrécir; *in e-n Hafen ~* gagner un port; *jdm das Haus ~* rebattre les oreilles à qn; *nicht e~end (Stoff)* irrétrécissable; *sich ~~ (Maschine)* se roder; **~en** *n loc* entrée en gare; *mar* entrée *f* au port.

ein=läuten *tr* sonner, annoncer.

ein=leben: *sich ~ in* s'acclimater dans; *fig* s'habituer à, s'adapter à, se familiariser avec.

ein=leg|en *tr* mettre (*in* dans); *(in e-n Brief)* inclure, joindre; *(Heringe)* mariner; *(Früchte)* confire; *(in Holz)* incruster, marqueter; *(in Metall)* damasquiner; *fig* insérer *a. theat; fin* apporter, verser, déposer, placer; *Berufung ~~* faire *od* interjeter appel, se pourvoir en appel; *Ehre mit etw ~~* retirer de la gloire de qc; *e-n Film ~~ (phot)* charger l'appareil; *e-e Lanze für jdn ~~* rompre une lance pour qn; *e-e Pause ~~* faire une pause; *Revision ~~ (jur)* recourir, se pourvoir en cassation; *Verwahrung ~~ gegen* protester contre; *sein Veto ~~ gegen* mettre son veto à; *ein gutes Wort für jdn ~~* intercéder pour *od* en faveur de qn; *eingelegte Arbeit f* incrustation, marqueterie *f;* **E~er** *m (bei der Bank)* déposant *m* (de fonds); **E~esohle** *f* semelle *f* intérieure (pour chaussures); **E~estäbchen** *n (Textil)* verdillon *m.*

ein=leit|en *tr* introduire, commencer; préparer, ménager; *(Buch)* préfacer; *jur* ouvrir; *(Prozeß)* instruire; *(Verfahren)* informer; *(Verhandlungen)* ouvrir, engager, entamer; *mil (Gefecht)* engager; *(Offensive)* lancer; *mus* préluder à; *chem (Reaktion)* amorcer; **~end** *a* introductif, (pré)liminaire; *~~e(s) Gefecht n mil* combat *m* préparatoire; **E~ung** *f* introduction, ouverture *f;* préparatif *m*, *bes. mil* préparation *f; (Vorrede)* préambule *m; (Buch)* préface *f*, avant-propos; *jur* commencement *m*, *(a. Verhandlungen)* ouverture *f ; mus* prélude *m*, ouverture *f; biographische ~~ (Buch)* notice *f* biographique.

ein=lenken ‹*hat eingelenkt*› *tr (in e-e Richtung)* guider, diriger, conduire; *itr fig* se raviser, en rabattre, faire machine arrière; *in e-e Seitenstraße ~* tourner dans une rue latérale.

ein=lesen: *sich (in ein Buch) ~* se familiariser (avec un livre).

ein=leuchten *itr* être *od* paraître clair *od* évident; *das leuchtet ein* cela saute aux yeux, tombe sous le sens; **~d** *a* clair, évident.

ein=liefer|n *tr* (dé)livrer, remettre; *(ins Krankenhaus)* admettre; *ins Gefängnis, ins Krankenhaus* **~~** écrouer, transporter à l'hôpital; **E~ung** *f* livraison, remise *f*, dépôt *m; (ins Gefängnis)* mise en prison; *(ins Krankenhaus)* transport *m* à l'hôpital; **E~ungsschein** *m com* reçu,

récépissé (postal); bulletin de dépôt; *(e-s Strafgefangenen)* écrou *m.*
einliegend *a* ci-inclus, ci-joint.
einlippig *a bot* unilabé.
ein=lochen *tr fam (einsperren)* embarquer, coffrer, boucler.
einlös|bar *a fin* remboursable, convertible; **ein=lösen** *tr* racheter, dégager; *(Pfand)* retirer; *(Banknote)* rembourser; *(Scheck)* toucher, encaisser; *(Wechsel)* acquitter, honorer; *(Wertpapier)* convertir; *(Zinsschein)* payer; *fig (sein Wort, Versprechen)* tenir, s'acquitter de; **E~ung** *f* rachat, dégagement; *(Banknote)* remboursement; *(Pfandschein)* amortissement, dégagement; *(Scheck)* encaissement; *(Wechsel, Zinsschein)* paiement *m; (Wertpapier)* conversion *f;* **E~ungspflicht** *f* obligation *f* de rachat; **E~ungsschein** *m* billet *od* certificat *m* de rachat; **E~ungstermin** *m* date *f* de remboursement.
ein=löten *tr* souder (*in* dans).
ein=lotsen *tr* piloter jusqu'au port.
ein=lullen *tr* assoupir (par des chansons).
ein=mach|en *tr* mettre en conserve, conserver; *(in Zucker od Essig)* confire; **E~glas** *n* bocal à conserves, verre *m* à confiture(s); **E~zucker** *m* sucre *m* à confiture.
ein=maischen ['-maɪʃən] *itr (Brauerei)* encuver le malt.
einmal ['aɪnma:l] *adv* une fois; *(einst)* autrefois, jadis; *(künftig)* un jour; *auf ~ (zugleich)* à la fois, en même temps; *(plötzlich)* tout à coup, soudain; *nicht ~* pas même; *(beim v)* ne ... même pas; *noch ~* encore une fois, de nouveau; *noch ~ so groß wie* deux fois plus grand que, le double de; *ein ums andere Mal* régulièrement, continuellement; *wenn ... ~* une fois que; *~ ..., ~ ...* tantôt ..., tantôt ...; *ich bin nun ~ so* voilà comme je suis; *das ist nun ~ so* voilà, c'est comme ça; tant pis; *es war ~* il y avait *od* il était une fois; *hör ~!* écoute donc! *komm ~ her!* viens un peu ici! *und sei es auch nur ~!* ne serait-ce qu'une fois! *wenn ich ihn ~ sehe* si jamais je le vois; *~ ist keinmal (prov)* une fois n'est pas coutume; **E~eins** *n* ⟨-, -⟩ [-'aɪns] table *f* de multiplication; **~ig** *a* unique *a. fig; fig* exceptionnel, hors série; *nach ~~em Durchlesen* après simple lecture; *~~e Abfindung f (fin)* indemnité *f* en capital; *~~e Gelegenheit f* occasion *f* unique; **E~igkeit** *f* ⟨-, (-en)⟩ originalité, unicité *f.*
Einmarsch *m mil* entrée *f;* **ein=marschieren** ⟨*aux: sein*⟩ *itr* entrer, faire son entrée (*in* dans); **~straße** *f mil* voie *f* de pénétration.
Einmaster *m* vaisseau *m* à un seul mât.
ein=mauer|n *tr* murer; *tech* sceller (dans le mur); **E~ung** *f* murage *m.*
ein=meißeln *tr* ciseler (*in* dans).
ein=mengen = *einmischen.*
ein=mieten *tr* **1.** *agr* ensiler, mettre en silo.
ein=mieten *tr* **2.** *(Person)* arrêter un logement pour; *sich ~* louer un logement.
ein=misch|en: *sich ~~ in* se mêler de *od* à, s'immiscer dans, s'ingérer dans, intervenir dans, *fam* mettre son nez dans; *sich ins Gespräch ~~* se mêler à la conversation; **E~ung** *f* immixtion, ingérence, intervention *f.*
einmotorig *a aero* monomoteur.
ein=motten *tr* mettre à la naphtaline.
ein=mumme(l)n *tr: (sich) ~* (s')emmitonner, (s')emmitoufler.
ein=münd|en *itr (Straße)* entrer (*in* dans), déboucher (*in* sur), aboutir (*in* à, dans, sur); **E~ung** *f (Straße)* entrée *f,* débouché *m.*
einmütig *a* unanime; *adv* à l'unanimité, à l'unisson, d'un commun accord; **E~keit** *f* ⟨-, (-en)⟩ unanimitié *f.*
ein=näh|en *tr* coudre (*in* dans); *(enger machen)* rétrécir; **E~er** *m (Textil)* pince *f.*
Einnahme *f mil (e-r Stadt)* prise; *com fin* recette; *(Steuern)* perception *f; theat* recettes *f pl* de caisse; *pl (Einkommen)* revenu *m; in ~ bringen* od *stellen* porter en recette; *~n und Ausgaben f pl* recettes et dépenses *f pl;* **~buch** *n* livre *m* de(s) recettes; **~budget** *n* budget *m* des recettes; **~nseite** *f* côté *m* des recettes; **~posten** *m* article *m* de recette; **~quelle** *f* source de revenus, ressource *f; ~~n des Staates* ressources *f pl* de l'État; **~überschuß** *m* excédent *m* des recettes.
ein=nebeln *tr mil* dissimuler par la fumée.
ein=nehm|en *tr (Mahlzeit, Arznei, Platz, Stadt)* prendre; *(Arznei)* s'administrer; absorber; *loc, mar (Kohlen, Wasser)* faire (du charbon, de l'eau); *(Geld)* toucher, encaisser; *(Steuern)* percevoir; *(Raum)* occuper; *(Stellung)* tenir; *(Haltung)* observer; *(jdn)* captiver, charmer, séduire; *zum E~~ (pharm)* ingestible; *jdn für, gegen etw ~~* prévenir qn en faveur de, contre qc; *jds Stelle ~~* remplacer qn; *sich von jdm ~~ lassen* se laisser influencer *od* séduire par qn; **~end** *a fig* prévenant, engageant, captivant, séduisant; *~~e(s) Wesen n* manières *f pl* avenantes; **E~er** *m* receveur *m; (Steuer~~)* percepteur *m.*
ein=nicken ⟨*aux: sein*⟩ *itr fam* s'assoupir.
ein=nisten, *sich* se nicher; *fig* s'établir, s'installer; *fig fam* s'implanter, s'incruster, se cantonner.
Einöde *f* ⟨-, -n⟩ ['aɪn'ø:də] lieu *m od* région *f* désert(e), solitude *f.*
ein=ölen *tr* huiler, lubrifier, graisser; **E~** *n* huilage, graissage *m;* lubrification *f.*
ein=ordnen *tr* ranger, caser, classer; *(in Rubriken)* classifier; *sich ~ (lassen)* s'inscrire; *nicht einzuordnen(d)* inclassable; *sich rechts, links, in der Mitte einordnen (mot)* se mettre dans la file de droite, de gauche, du milieu.
ein=packen *tr* empaqueter, *com* emballer; *itr* faire sa malle *od* valise; *fig fam* plier bagage.
Einparteien|regierung *f,* **~system** *n* gouvernement, système *m* monopartite.
ein=passen *tr tech* ajuster, adapter, emboîter.
ein=pauk|en *tr: jdm etw ~~ (fam)* seriner qc à qn, fourrer qc dans la tête à qn; **E~n** *n* bachotage *m;* **E~er** *m* bachoteur *m.*
ein=pferchen *tr (Schafe)* parquer *a. fig; fig* serrer, *fam* entasser.
ein=pflanzen *tr* planter; *fig* implanter.
ein=pfropfen *tr fig* inoculer (*jdm etw* qc à qn).
einphasig *a el* monophasé.
ein=pökeln *tr* saler, mariner.
einpolig *a el* unipolaire.
ein=präg|en *tr* empreindre, imprimer (*in* dans), graver (*in* sur); *fig jdm etw ~~* graver qc dans la mémoire de qn; *sich etw ~~* se graver qc dans la mémoire, fixer qc dans sa mémoire; *das hat sich mir tief eingeprägt* cela m'a fait une impression profonde; **~sam** *a* impressionnant; qui reste *od* marque.
ein=pressen *tr* presser, imprimer, serrer (*in* dans).
ein=prob|en *tr theat* répéter; **~ieren** *tr tech* essayer.
ein=pudern *tr* poudrer.
ein=quartier|en ['-kvarti:rən] *tr* loger, installer, *mil a.* cantonner; *sich ~~* se loger, s'installer, prendre ses quartiers; **E~ung** *f* logement *m,* installation *f, mil a.* (mise *f* en) cantonnement *m; ~~ haben* avoir *od* loger des soldats.
einräd(e)rig *a* monoroue.
ein=rahmen *tr* encadrer.
ein=rammen *tr* enfoncer.
ein=rasten *itr* s'enclencher.
ein=räum|en *tr (Sachen)* ranger, mettre en place; *(Schrank, Wohnung)* aménager; *fig (abtreten)* céder, abandonner; *(Recht)* concéder, reconnaître; *(Frist, Kredit)* accorder; *(zugeben)* admettre (*etw* qc, *daß* que), convenir (*etw* de qc); *jdm Kredit ~~* faire crédit à qn; *~de Konjunktion gram* conjonction marquant la concession, **E~ung** *f* ⟨-, (-en)⟩ rangement; aménagement *m; fig* (con)cession; admission *f;* **~~ssatz** *m gram* (proposition) concessive *f.*
ein=rechnen *tr* comprendre (dans le compte), inclure; *(in Betracht ziehen)* tenir compte de; *(nicht) eingerechnet* y compris (non compris).
Einrede *f* contradiction, objection; *jur* exception *f; e-e ~~ erheben (jur)* opposer *od* soulever une exception; *~~ der Nichtzuständigkeit (jur)* exception *f* déclinatoire; **ein=reden** *tr: jdm etw ~* faire croire *od fam* avaler qc à qn, fourrer qc dans la tête à qn; *sich ~, daß ...* se persuader (à tort) que ...; *itr: auf jdn ~* chercher à persuader qn; *das lasse ich mir nicht ~* on ne me fera pas croire cela.
ein=reib|en *tr* frotter (*mit etw* de qc), frictionner (*mit etw* avec qc); **E~ung** *f* frottement *m,* friction *f;* **E~ungsmittel** *n pharm* friction *f.*

ein=reich|en *tr* présenter, remettre, déposer; *s-n Abschied ~~* donner sa démission; *e-n Antrag, ein Gesuch ~~* déposer *od* faire une demande; *ein Gnadengesuch ~~* se pourvoir en grâce; *e-e Klage gegen jdn ~~* porter plainte contre qn; **E~ung** *f* présentation, remise *f*, dépôt *m*.
ein=reih|en *tr* ranger (*unter* parmi), insérer (*unter* dans); *sich ~~* s'inscrire, s'embrigader, prendre rang (*unter* parmi); **E~er** *m (Mantel)* manteau *m* droit; **~ig** *a* à un seul rang; *(Jacke, Mantel)* droit.
Einreise *f* entrée *f*; **~bewilligung** *f*, **~erlaubnis** *f*, **~genehmigung** *f* permis *m od* autorisation *f* d'entrée; **ein=reisen** *itr* entrer; **~visum** *n* visa *m* d'entrée.
ein=reißen *tr* ⟨*aux: haben*⟩ *(Papier)* faire une déchirure à; *(Kleidung)* faire un accroc à; *(Haus)* démolir, raser, mettre à bas; *itr* ⟨*aux: sein*⟩ *(Papier)* se déchirer; *fig (Unsitte)* prendre racine, s'enraciner.
ein=reiten *tr (Pferd)* dresser.
ein=renk|en ['-rɛŋkən] *tr (Glied)* remettre, réduire, remboîter; *fig fam (wieder ~~)* arranger; **E~ung** *f med* réduction *f*, remboîtement *m*.
ein=rennen *tr: jm das Haus ~ (fig)* assiéger qn; *sich den Schädel ~ (fig)* se casser la tête contre les murs; *offene Türen ~ (fig)* enfoncer des portes ouvertes.
ein=richt|en *tr* arranger, disposer; *(Wohnung)* meubler, aménager; *(Bad, WC)* installer; *(Geschäft)* monter; *(Anstalt)* établir; *(Dienst, Verwaltung)* organiser; *med (Glied)* remettre, réduire, remboîter; *tech (justieren)* ajuster, régler; *mil (Geschütz)* pointer; *typ (Seiten)* justifier; *es* od *sich so ~~, daß* faire en sorte que *subj*, s'arranger pour que *od* de manière à *inf*; *sich ~~* s'installer, s'organiser; *(häuslich)* aller, monter son ménage; *(mit s-n Mitteln)* s'arranger; *sich ~~ müssen* se limiter, se restreindre; *sich auf etw ~~* se préparer à qc; *sich nach etw ~~* se régler sur qc, se conformer à qc; *neu ~~* mettre à neuf; *gut eingerichtete Wohnung f* appartement *m* bien installé; **E~ung** *f* arrangement *m*; mise *f* au point; *(e-r Wohnung)* ameublement, aménagement *m*; *(Ausstattung)* installation *f*, équipement, appareil intérieur; *(e-r Anstalt)* établissement *m*; *(e-r Verwaltung)* organisation; *(öffentliche ~~)* institution, service *m*; *tech (Vorrichtung)* dispositif, mécanisme *m (Anlage)* disposition *f*, *(Justierung)* ajustage, réglage *m*; *typ* justification *f*; *sanitäre ~~* appareil *m* sanitaire; *staatliche ~~* institution *f* d'État **E~ungsgegenstand** *m* pièce *f* d'équipment.
ein=riegeln *tr* enfermer au verrou.
ein=ritzen *tr* graver (*in* sur).
ein=rollen *tr* enrouler; *(Geld)* mettre en rouleaux; *sich spiralig ~ (a.)* vriller.
ein=rosten ⟨*aux: sein*⟩ *itr* (se) rouiller *a. fig*; *fig fam* s'encroûter.
ein=rücken *tr* ⟨*aux: haben*⟩ *typ* (faire) rentrer; *(Anzeige)* insérer; *tech* enclencher; *(Zahnrad)* engrener; *mot (Kupplung)* embrayer; *itr* ⟨*aux: sein*⟩ entrer (*in* dans); *mil* entrer (en garnison), partir (au service militaire); *in jds Stelle ~* succéder à qn dans un emploi.
ein=rühren *tr* délayer; *(Mörtel, Kalk)* gâcher.
eins [aɪns] *(Zahlwort)* un; *die E~ (pl: die Einsen)* le (nombre) un; *~ a (Ia)* excellent, parfait; de premier ordre; *~ ins andere gerechnet* l'un dans l'autre, en moyenne; *um ~ (1 Uhr)* à une heure; *~ (einig) sein* être d'accord; *~ (einig) werden* tomber d'accord; *das ist mir ~* cela m'est égal; *das läuft auf ~ hinaus* cela revient au même; *~ ist not* une chose est nécessaire; *er hat lauter E~en geschrieben* il a eu d'excellentes notes.
ein=sacken *tr* mettre en sac, ensacher; *fig* empocher; *alles ~* faire une rafle.
ein=säen *tr* ensemencer.
ein=salben *tr* oindre, enduire.
ein=salz|en *tr* saler; **E~ung** *f* salaison *f*.
einsam ['-za:m] *a (Mensch)* seul, solitaire; retiré; *(Ort)* isolé, désert; **E~keit** *f* ⟨-, (-en)⟩ solitude *f*, isolement *m*.
ein=sammeln *tr* recueillir *(bes. Geld); (vom Boden, a. die Hefte)* ramasser; *die Stimmen ~ (parl)* prendre les voix.
ein=sarg|en *tr* mettre en bière; **E~ung** *f* mise *f* en bière.
Einsatz *m (Koffer~)* châssis; *(Kleidung)* empiècement; *(Spitzen~)* entre-deux *m*; *(Gasmaske)* cartouche; *(im Spiel)* mise *f* (en jeu), enjeu *m*; *(der ganze ~)* poule; *allg* utilisation *f*, engagement *m*; *(Arbeits~, ~ von Arbeitskräften)* mise au travail; *mil, a. aero* (mise *od* entrée en ligne *od* en) action, mission; *theat* entrée; *mus* attaque, rentrée *f*; *durch ~ (gen)* en utilisant ... ; *im ~* en action; *unter ~ (gen)* au péril de ... ; *unter ~ der letzten Kräfte* en faisant appel à ses dernières ressources; *zum ~ bringen (mil)* faire entrer en action; *mit hohem ~ spielen* jouer gros; *mit kleinen Einsätzen spielen* jouer la carotte; *den ~ verpassen (theat)* manquer son entrée; *persönliche(r) ~* engagement *m* personnel; *taktische(r) ~* emploi *m* tactique; *~ aller Mittel* vatout *m*; **~befehl** *m* ordre *m* d'engagement; **e~bereit** *a allg* disponible; *mil* prêt (à l'action *od* à entrer en ligne); *aero* prêt (à décoller); **~bereitschaft** *f* disponibilité *f*; **~besprechung** *f mil* exposé *m* de la mission; *aero* briefing *m*; **~koffer** *m* marmotte *f* de voyage; **~preis** *m (Auktion)* prix *m* de départ; **~raum** *m mil* zone *f* d'action; **~stück** *n* pièce *f* d'espacement *od* intercalaire; **~verpflegung** *f mil* rations *f pl* spéciales de combat; **~wagen** *m* voiture *f* supplémentaire.
ein=saugen *tr (Luft)* aspirer, inhaler, humer; *(Flüssigkeit)* s'imbiber de, s'imprégner de, absorber.
ein=säumen *tr* border, ourler; *mit Bäumen eingesäumt* bordé d'arbres.
ein=schalen *tr arch* coffrer.
ein=schalt|en *tr* insérer, intercaler, interpoler; *el* mettre en circuit, allumer; *radio mot* mettre; *mot tech* embrayer; *itr el* établir le contact, fermer le circuit; *sich ~~ (fig)* s'interposer, s'immiscer, s'ingérer, entrer en jeu, intervenir; *eingeschaltet (pp el)* en circuit; *(das Licht) ~~* tourner le bouton; *den ersten Gang ~~* passer la première; **E~~** *n el* mise *f* sous courant *od* en circuit; **E~hebel** *m* levier *m* de commande; **E~stellung** *f el* position *f* fermée; **E~ung** *f* ⟨-, (-en)⟩ insertion; intercalation, interpolation; *el* fermeture, mise *f* en circuit *od* sous tension; *tech mot* embrayage *m*; *fig* intervention *f*.
ein=schärfen *tr* inculquer (*jdm etw* qc à qn).
ein=schätzen *tr* estimer, apprécier, évaluer, taxer, prendre les dimensions de; *richtig ~* estimer à sa juste valeur.
ein=schenken *tr* verser; *itr* verser *od* servir à boire; *jdm reinen Wein ~ (fig)* dire ses quatre vérités *od* son fait à qn.
ein=schicken *tr* envoyer; *(Geld)* (faire) remettre.
ein=schieb|en *tr* insérer, intercaler, interpoler; *sich ~~* s'interposer; **E~sel** *n* ⟨-s, -⟩ ['-ʃi:psəl] interpolation *f*.
Einschien|enhängebahn *f* voie *f* suspendue monorail; **e~ig** *a* monorail.
ein=schieß|en *tr (Gewehr)* essayer, éprouver; *tech (Textil)* passer (*in* dans); *(Brot)* mettre au four, enfourner; *sich ~~ (mil)* régler le *od* son tir; **E~~** *n* (tir de) réglage *m*; **E~punkt** *m*, **E~ziel** *n* point *m* de réglage.
ein=schiff|en: *sich ~~ nach* s'embarquer pour; **E~ung** *f* ⟨-, (-en)⟩ embarquement *m*.
ein=schlafen *itr* s'endormir, s'assoupir; *(Glied)* s'engourdir; *(sterben)* s'éteindre, mourir; *fig (allmählich aufhören)* se refroidir, se ralentir; *vor dem E~* avant de s'endormir; *wieder ~* se rendormir; *das Bein ist mir eingeschlafen* j'ai la jambe engourdie; *fam* j'ai des fourmis dans la jambe.
ein=schläfer|n *tr* endormir, assoupir; *fig* bercer d'illusions; **~nd** *a* soporifique, somnifère *a. fig*; **~ig** *a.* **einschläfig** *(Bett)* *a* à une personne; **E~ung** *f* assoupissement *p*.
Einschlag *m (Holz)* coupe, vente; *(Blitz)* chute; *(Geschoß)* arrivée *f* du coup, point *m* de chute *od* d'impact; *(Weberei)* trame *f*; *(Kleidung)* repli; *mot (der Vorderräder)* braquage *m*; *fig (Anflug)* nuance, teinte, pointe *f*; **ein=schlagen** ⟨*aux: haben*⟩ *tr (Nagel, Pfahl)* planter, enfoncer; *(Tür)* enfoncer; *(Fenster, Zähne)* casser; *(Loch)* faire; *(Holz im Wald)* couper; *(Weberei)* tramer; *(Kleiderrand)* rentrer; *(einwickeln)* mettre en papier, envelopper, emballer; *mot (Steuer, Räder)* braquer; *fig (Weg,*

Richtung) prendre, suivre, entrer dans; *itr (auf jdn)* tomber (sur qn) à bras raccourcis; *(in jds Hand)* toper; *(Blitz, Geschoß)* tomber, éclater (*in* sur); *fig (Erfolg haben)* réussir, tourner bien; *(Anklang finden)* être bien accueilli; prendre (*bei* sur); *e-r S den Boden ~* défoncer qc; *eingeschlagen! schlagen Sie ein!* touchez-là! tope (là)! *es hat in etw eingeschlagen* la foudre est tombée sur qc; *viele Kugeln sind hier eingeschlagen* cette zone a subi un bombardement intense; **~papier** *n* papier *m* d'emballage; **~stelle** *f (Geschoß)* point *m* de chute *od* d'impact; **~winkel** *m mot* angle *m* de braquage; **einschlägig** *a* respectif; *(Behörde)* compétent; *~~e Literatur f* littérature *f* relative au sujet.

ein=schleichen, *sich* se glisser, se faufiler, s'introduire, *fig* s'insinuer (*in* dans).

ein=schlepp|en *tr (Seuche)* introduire, importer, amener; **E~ung** *f* introduction, importation *f.*

ein=schließ|en *tr* mettre sous clef; (r)enfermer; serrer; *(umgeben)* entourer, encercler; *(umzäunen)* enclore; *mit (Feind)* envelopper; *(Festung)* cerner, investir, bloquer; *fig* inclure, englober; *(enthalten)* renfermer, contenir, comprendre; *jdn in sein Gebet ~~* prier pour qn; **~lich** *adv* inclusivement; *prp gen* y compris; *bis ~~* jusque(s) et y compris; **E~ung** *f* enveloppement, cernement, investissement, blocus *m.*

ein=schlummern *(aux: sein) itr* s'assoupir; *(sterben)* s'éteindre.

Einschluß *m min* inclusion *f; mit ~ (gen)* y compris.

ein=schmeichel|n: *sich bei jdm ~~* se faire bien voir de qn, s'insinuer auprès de qn *od* dans les bonnes grâces de qn, attirer qn par des caresses; **~nd** *a* insinuant, câlin; **E~ung** *f* insinuation, câlinerie *f.*

ein=schmelz|en *tr* refondre; **E~ung** *f* refonte *f;* **E~ungsprozeß** *m fig* acculturation *f.*

ein=schmieren *tr* enduire (*mit* de); *tech mot* graisser, lubrifier; *(mit Öl)* huiler; *(mit Salbe)* oindre, pommader; **E~** *n tech mot* graissage *m,* lubrification *f.*

ein=schmuggeln *tr* faire passer *od* introduire en contrebande *od* en fraude; *sich ~* s'introduire furtivement.

ein=schnappen ⟨*aux: sein*⟩ *itr tech* se fermer (à ressort); *fig s. eingeschnappt.*

ein=schneiden *tr* inciser, taillader; *(einkerben)* entailler; *(Namen)* graver (*in* sur); *itr* couper; *(ins Fleisch)* entrer (*in* dans); **~d** *a* incisif; *(Maßnahme)* radical, de rigueur.

Einschnitt *m* incision, taillade, (dé)coupure *(a. im Gelände); (Kerbe)* entaille, coche *f; fig (Wendepunkt)* tournant *m; (Vers)* césure *f.*

ein=schnür|en *tr* lacer, serrer; **E~ung** *f* compression *f;* étranglement *m, a. med.*

ein=schränk|en *tr* borner, limiter, restreindre; *sich ~~* se restreindre; *(in seinen Ausgaben)* réduire ses dépenses; **~end** *a (Maßnahme)* restrictif, limitatif; **E~ung** *f* limitation, restriction; *(Herabsetzung)* réduction, mise en veilleuse; *(Vorbehalt)* réserve *f; mit, ohne ~~* sous, sans restriction; *mit der ~~, daß* avec la restriction que; *mit gewissen ~~en* avec certaines réserves.

ein=schrauben *tr* visser (*in* dans); *(Schraube)* faire entrer.

Einschreib|(e)brief *m,* **~(e)sendung** *f* lettre *f,* envoi *m* recommandé(e); **~(e)gebühr** *f (Post)* frais *m pl od* surtaxe *f* de recommandation; *pl allg* droit(s *pl) m* d'inscription *od* d'enregistrement; **ein=schreiben** *tr* inscrire (*in* dans); *(eintragen)* enregistrer; *~ lassen (Brief)* recommander; *sich in ... ~* s'inscrire dans ... ; *sich an e-r Universität ~ lassen* s'inscrire, se faire immatriculer, prendre ses inscriptions (*in* à); **~en** *n* enregistrement *m; (e-s Briefes)* recommandation *f; (Brief)* lettre *f* recommandée; *als ~~* en recommandé; *~~!* recommandé! *(auf Wertbrief)* chargé! **~ung** *f* inscription; *(Universität)* immatriculation *f.*

ein=schreiten ⟨*ist eingeschritten*⟩ *itr* intervenir; prendre des mesures; *gegen jdn gerichtlich ~* procéder contre qn, poursuivre qn en justice; *polizeilich ~ (lassen)* faire intervenir la police; **E~** *n* intervention; *jur* action *f* en justice.

ein=schrumpf|en ⟨*aux: sein*⟩ *itr* (se) rétrécir; *(u. faltig werden)* se ratatiner, se rider; **E~ung** *f* rétrécissement; ratatinement *m.*

Einschub *m* insertion *f.*

ein=schüchter|n *tr* intimider; **E~ung** *f* intimidation *f.*

ein=schul|en *tr* scolariser; mettre à l'école; **E~ung** *f* scolarisation *f.*

Einschuß *m (~stelle)* entrée *f* (d'une balle); *(Textil)* trame *f; com* versement *m* mise *f* (de fonds).

ein=schwärzen *tr typ* noircir.

ein=schwenken *tr tech* tourner, faire pivoter; *itr mil mar* opérer *od* exécuter une conversion; *fig* changer d'avis, se conformer (*in* à).

Einschwimmerflugzeug *n* hydravion *m* à flotteur unique.

ein=segn|en *tr* bénir, consacrer; donner la bénédiction à; *(Kind)* confirmer; *(Priester)* ordonner; **E~ung** *f* bénédiction, consécration; confirmation; ordination *f.*

ein=sehen *tr* regarder dans, jeter un coup d'œil dans *od* sur; *(prüfen)* examiner; *(Akten)* prendre connaissance de; *mil* avoir vue sur; *fig (begreifen)* voir, comprendre, se rendre compte de; *(Fehler)* reconnaître; *etw nicht ~ wollen* fermer les yeux à qc, s'aveugler sur qc; *ein E~ haben* se rendre à la raison; *es ist leicht einzusehen* c'est facile à voir; *Sie sehen ja ein* je ne vous le fais pas dire.

ein=seifen *tr* savonner; *fig fam: jdn ~* rouler qn, mettre qn dedans.

einseitig *a bes. scient jur* unilatéral; *(Schmerzen)* d'un seul côté; *(Ernährung)* mal équilibré; *(Mensch)* étroit, simpliste; trop spécialisé; *(parteiisch)* partial; *adv* d'un seul point de vue, avec étroitesse *od* partialité; **E~keit** *f* simplisme *m,* étroitesse; partialité *f.*

ein=send|en *tr* envoyer, expédier; *(e-r Zeitung)* communiquer; **E~er** *m* expéditeur; *(Zeitung)* correspondant *m;* **E~eschluß** *m* date *f* limite (d'envoi); **E~ung** *f* envoi *m,* expédition *f; (Zeitung)* communiqué *m; gegen ~~ von* contre envoi de.

ein=senken *tr* enfoncer; *bot agr* marcotter, provigner.

ein=setz|en *tr* mettre, placer (*in* dans); *(Pflanze)* planter; *(Flicken)* mettre; *(Fensterscheibe, Stiftzahn)* poser; *(Edelstein)* sertir, enchâsser; *(Pfand)* mettre en jeu, miser; *(Anzeige)* insérer; *(errichten)* instituer, établir; *(Person)* installer, investir, affecter; *mil (Truppen)* engager, mettre en ligne, faire marcher; *(Hunde)* utiliser, faire appel à; *eingesetzt werden (mil)* entrer en action; *itr* commencer, s'ouvrir; *(Sache)* s'amorcer; *mus* attaquer, rentrer; *sich für etw ~~* s'employer à qc; *sich dafür ~~* payer de sa personne; *sich für jdn ~~* intervenir pour *od* en faveur de qn, être *od* se ranger du parti de qn, prendre fait et cause *od* la défense de qn; *alles ~~ (Spiel)* jouer le tout; *in ein Amt ~~* installer dans une charge; *zur Arbeit ~~* affecter à des travaux; *zum Erben ~~* instituer héritier; *s-e Kraft ~~* employer *od* utiliser ses forces; *sein Leben ~~* risquer sa vie; *alle Mittel ~~* mettre tout en œuvre; *zum Richter ~~* constituer juge; *das kalte Wetter hat eingesetzt* le temps froid commence à s'installer; **E~ung** *f* mise; plantation *f;* sertissage, enchâssement *m;* insertion; institution *f,* établissement *m;* installation, investiture; *(zum Erben)* institution, nomination; *(zum Richter)* constitution *f.*

Einsicht *f,* **~nahme** *f* révision, inspection *f,* examen *m,* examination; *~ (Verständnis)* compréhension, intelligence *f,* entendement, discernement, jugement *m; zur ~(nahme)* à l'examen; *in etw ~ nehmen* prendre communication *od* connaissance de qc, prendre qc en communication, examiner qc; *zur ~ kommen, daß* se rendre compte que; *zur ~ kommen* se montrer (enfin) raisonnable; *~ in die Bücher nehmen* consulter les livres *od* la comptabilité; *~(nahme) in die Prozeßakten* communication *f* du procès; **e~ig** *a,* **e~svoll** *a* compréhensif, intelligent, judicieux; **e~slos** *a* sans intelligence *od* compréhension.

ein=sickern *itr* s'infiltrer (*in* dans) *a. fig.*

Einsied|elei *f* ⟨-, -en⟩ [-'laı] ermitage *m;* **~ler** *m* ermite, reclus, anachorète *m;* **e~lerisch** *a* érémitique, reclus, solitaire; **~lerleben** *n: ein ~~ führen* mener une vie érémitique.

einsilb|ig *a gram* monosyllab(iqu)e; *fig (schweigsam)* taciturne; **E~igkeit** *f* ⟨-, ø⟩ *gram* monosyllabisme *m;*

fig taciturnité *f;* **E~(l)er** *m* ⟨-s, -⟩ *(Wort)* monosyllabe *m.*

ein⸗sinken ⟨*aux: sein*⟩ *itr (Mensch, Sache)* (s')enfoncer; *(in den Sand)* s'enliser; *(Boden)* s'affaisser.

Einsitz|er *m aero* monoplace *m;* **e~ig** *a* à une place.

ein⸗spannen *tr (Werkstück)* fixer, serrer; *tech* mettre en serrage; *(in e-n Rahmen)* tendre, mettre (*in* dans, sur); *(Pferd)* atteler, *a. fig fam (Menschen; in etw* à qc).

Einspänn|er *m* voiture *f od* attelage à un cheval, cabriolet; *fig fam (Sonderling)* solitaire, original *m;* **e~ig** *a* à un cheval.

ein⸗spar|en *tr* économiser; **E~ung** *f* économie, compression *f.*

ein⸗sperren *tr* enfermer; *(im Gefängnis)* mettre en prison, emprisonner, incarcérer, écrouer; *fam* coffrer.

ein⸗spiel|en *tr sport* exercer, entraîner (à jouer); *sich ~~ (sport)* s'exercer, s'entraîner (à jouer); *(Waage)* s'équilibrer, *(Wasserwaage, Kompaß)* se stabiliser; *gut eingespielt sein (Orchester, theat, Mannschaft)* être au point; **E~ergebnisse** *n pl film* recettes *f pl.*

ein⸗spinnen, *sich (Seidenraupe)* se mettre en cocon; *fig (Mensch)* s'enfermer dans son cocon.

ein⸗sprengen *tr (Wäsche)* humecter; *eingesprengt (pp geol)* disséminé (*in* dans).

ein⸗springen *itr: für jdn ~* remplacer qn; **~d** *a (Winkel)* rentrant.

Einspritz|düse *f tech* injecteur *m,* buse *f* d'injection, gicleur *m;* **ein⸗spritzen** *tr tech* injecter; *med* seringuer; **~pumpe** *f tech* pompe *f* d'injection; **~ung** *f tech* injection; *med* piqûre *f;* **~vergaser** *m mot* carburateur *m* à giclage.

Einspruch *m* réclamation, objection, protestation, opposition *f,* recours *m; ~ erheben* émettre une protestation, faire opposition (*gegen* à), déposer une réclamation (*gegen* contre); **~sfrist** *f* délai *m* d'opposition; **~srecht** *n* droit *m* d'opposition *od* de veto.

einspurig *a* à une voie; *tech* monotrace.

einst [aɪnst] *adv (ehemals)* une fois, autrefois, (au temps) jadis; *(dereinst)* un jour, quelque jour; **~ens** *adv vx poet = ~ (ehemals);* **~ig** *a (ehemalig)* ancien, d'autrefois; *(künftig)* futur, à venir; **~mals** *adv = ~ (ehemals);* **~weilen** *adv* en attendant, entretemps, d'ici là; provisoirement, par provision; **~weilig** *a* provisoire, par provision, temporaire, intérimaire, *jur* provisionnel; *~~e Verfügung f* mesure *od* ordonnance *f* provisoire; *jur* ordonnance *f od* jugement *m* de référé.

ein⸗stampf|en *tr (in ein Faß)* fouler, pilonner; *(Buch)* mettre au pilon; **E~ung** *f* foulage *m;* mise *f* au pilon.

Einstand *m (Tennis)* égalité *f; den ~ geben* payer sa bienvenue; *fam mil* arroser ses galons; *den ~ feiern* pendre la crémaillère; **~spreis** *m* prix *m* coûtant.

ein⸗steck|en *tr* mettre, fourrer dans sa poche; *(Geld)* empocher; *(Brief)* mettre à la boîte; *(el: Stecker)* ficher; *fam (einsperren)* coffrer, mettre au violon; *fig fam (~~ müssen)* empocher, *(Schlag)* encaisser, *pop* trinquer, *(Beleidigung)* recevoir, avaler; *(Tadel, Vorwurf)* essuyer; **E~kamm** *m* peigne *m* de coiffure; **E~schloß** *n tech* serrure *f* à mortaise; **E~vase** *f* pique-fleurs *m.*

ein⸗stehen ⟨*aux: haben*⟩ *itr: für jdn ~* répondre de qn, prendre le fait de qn, se porter fort pour qn; *jur* se porter garant de *od* pour qn; *für e-e Tat ~* assumer un acte, accepter les conséquences d'un acte; *dafür ~* payer de sa personne.

Einsteig|ediebstahl *m* vol *m* à l'escalade *od* par escalade; **~egriff** *m loc* main *f* courante *od* coulante; **ein⸗steigen** *itr* monter (en voiture); *loc* monter dans le train; *fig fam* s'embarquer (*in* dans); *in ein Geschäft ~ (fam)* s'associer à une affaire; *in e-e Wohnung ~* pénétrer par escalade dans un appartement; *(alles) ~! (loc)* en voiture (, S.V.P.)! **~luke** *f mil (Panzer)* trou *m* d'homme; **~schacht** *m tech* regard *m.*

einstell|bar *a tech* ajustable, réglable; **ein⸗stellen** *tr (Buch im Regal)* mettre en place; *(Pferdewagen)* remiser; *loc mot* garer; *(Arbeitskraft)* embaucher, engager; *tech* ajuster, régler; braquer *(a. Feuerwaffe); phot* mettre au point; *radio (Gerät)* régler, *(Sender)* prendre; *(Fernseher)* mettre (*auf* sur); *(aufhören mit)* cesser, arrêter; *(Zahlungen)* suspendre, arrêter, cesser; *(Betrieb)* suspendre; *jur (Prozeß, Verfahren)* arrêter, mettre hors de cour; *mil (Feuer, Kampf)* cesser; *sich ~ (kommen)* venir, arriver, apparaître; se montrer, se présenter; *(plötzlich)* survenir; *(Schmerz)* se faire sentir; *sich auf etw ~* se préparer à qc; *(sich anpassen)* s'adapter à qc; *sich auf jdn ~* se mettre à la portée *od* au diapason de qn; *die Arbeit ~ (streiken)* se mettre en grève; *er ist gegen mich eingestellt* je lui suis antipathique; *Feuer ~! (mil)* cessez le feu! **E~knopf** *m* bouton *m* d'ajustage *od* de mise au point; **E~marke** *f* repère *m* de réglage; **E~mikroskop** *n* microscope *m* de mise au point; **E~raum** *m mot* garage *m;* **E~scheibe** *f* cadran *m; phot* verre *m* dépoli; **E~schraube** *f* vis *f* de réglage *od* de calage; **E~skala** *f* échelle *f* de calage *od* de mise au point; *radio* cadran *m* des gammes d'ondes; **E~ung** *f (Aufbewahrung)* mise *f* en dépôt; *(von Arbeitern)* embauchage *m,* embauche *f, tech* ajustement, ajustage, réglage *m; phot* mise *f* au point; *radio* réglage, accord *m; (Zahlungen)* suspension; *(Arbeit)* cessation *f; (Betrieb, Verkehr, jur: Verfahren)* arrêt *m; mit (Feuer)* suspension, cessation *f, (Offensive)* arrêt *m; (innere ~~)* manière de voir, attitude *f;* point de vue (*zu* sur); *~~ der Feindseligkeiten (mil)* cessation *f* des hostilités; *~~ des Verfahrens (jur)* abandon *m od* annulation de la poursuite *od* des pourparlers, déclaration *f* de non-lieu; **E~vorrichtung** *f radio* dispositif *m* de réglage.

einstellig *a math* d'un (seul) chiffre.

ein⸗stemmen *tr tech* mater.

Einsternmotor *m aero* moteur *m* à une seule étoile.

Einstich *m med* ponction, piqûre *f.*

ein⸗sticken *tr* broder (*in* sur).

Einstieg *m* entrée *f;* **~klappe** *f aero* trappe *f.*

einstielig *a bot* unicaule.

ein⸗stimmen ⟨*aux: haben*⟩ *itr mus u. fig* joindre sa voix (*in* à); *in ein Lied ~* entonner une chanson; *in e-n Plan ~* souscrire à un projet; *sich auf etw ~* se préparer (psychologiquement) à qc; *alle stimmten ein (mus u. fig)* tous faisaient chorus.

einstimmig *a mus* à une (seule) voix; *fig* unanime; *adv* à l'unanimité (*parl* des voix), d'un commun accord, à l'unisson, unanimement; *nach ~em Urteil* de l'aveu de tout le monde; *~ sagen* s'accorder à dire; *~ gewählt werden (parl)* obtenir l'unanimité des suffrages, avoir toutes les voix; **E~keit** *f* ⟨-, ø⟩ unanimité *f; falls keine ~~ erzielt wird* à défaut d'accord unanime; *es herrscht ~~* il n'y a qu'une voix.

einstöckig *a* à un (seul) *od* d'un étage.

ein⸗stoßen *tr (Tür)* enfoncer, effondrer; *(Fensterscheibe)* casser.

Einstrahlung *f* ⟨-, (-en)⟩ *(der Sonne)* irradiation *f.*

ein⸗streichen *tr fam (Geld)* empocher.

ein⸗streuen *tr (Bemerkungen, Zitate)* insérer, semer (*in* dans).

ein⸗ström|en ⟨*aux: sein*⟩ *itr* affluer *a. fig,* se déverser, *(Luft)* arriver (*in* dans); **E~ung** *f tech* admission *f;* **E~ungsrohr** *n* tuyau *m* d'admission; **E~ventil** *n* soupape *f* d'admission.

ein⸗studier|en *tr theat (Stück)* mettre à l'étude, répéter, réaliser; *(Rolle)* étudier; *~t werden (Stück)* être en répétition; **E~ung** *f theat* répétition, réalisation *f.*

ein⸗stuf|en *tr* classer, classifier (*in* dans); *(in e-e Steuerklasse)* coter; **E~ung** *f* classement *m,* classification; *(in e-e Steuerklasse)* cote *f.*

einstufig *a tech* à un (seul) étage; *(Schule)* à classe unique.

einstündig *a* d'une heure.

ein⸗stürmen *itr: auf jdn ~* fondre sur qn; *(feindlich)* assaillir qn.

Einsturz *m* chute *f,* (é)croulement; *geol* éboulement, effondrement *m;* **~gefahr** *f* danger *m* d'écroulement; **ein⸗stürzen** ⟨*ist eingestürzt*⟩ *itr* tomber en ruine, (s')écrouler, s'effondrer; *(Erdmassen)* (s')ébouler; *einzustürzen drohen* menacer ruine.

eintägig *a* d'un jour.

Eintags... *(in Zssgen) fig* éphémère *a;* **~fliege** *f ent* éphémère *m.*

ein⸗tanzen, *sich* s'exercer à danser.

Eintänzer *m* danseur *m* professionnel.

ein⸗tauch|en *tr* ⟨*aux: haben*⟩ plonger, tremper, immerger; *itr* ⟨*aux: sein*⟩

plonger, s'immerger; *die (Schreib-) Feder ~~* prendre de l'encre; **E~tiefe** *f* profondeur *f* d'immersion.

ein=tauschen *tr* (é)changer, troquer (*gegen* contre); faire l'échange de.

ein=teil|en *tr* diviser (*in* en); *(in Grade)* graduer; *(in Klassen)* class(ifi)er; *(verteilen)* distribuer, partager, répartir; **E~ung** *f* division, graduation *f*, classement *m*, classification; distribution *f*, partage *m*, répartition *f*.

einteilig *a* d'une (seule) pièce, en une pièce; *~e(r) Badeanzug m* maillot *m* une pièce.

eintönig *a* monotone, uniforme; **E~keit** *f* monotonie, uniformité *f*.

ein=tonnen *tr* mettre en baril.

Eintopf(gericht *n***)** *m* plat *m* unique.

Eintracht *f* ⟨-, ø⟩ concorde, harmonie *f*, accord *m*; **einträchtig** *a* uni, en harmonie; *adv* en bonne harmonie *od* intelligence.

Eintrag *m = ~ung; (Schaden): e-r S ~ tun* nuire à qc; **ein=tragen** *tr (in ein Buch, e-e Liste)* inscrire (*in* sur), enregistrer (*in* dans), porter, coucher (*in* sur); *jur* entériner; *(Gewinn)* rapporter, rendre, valoir; *sich ~ lassen* se faire inscrire; *eingetragene(r) Verein m* association *f* déclarée; **~ung** *f* inscription *f*, enregistrement; *jur* entérinement *m*; *e-e ~~ vornehmen* prendre une inscription; **~ungsvermerk** *m* mention *f* d'enregistrement.

einträglich *a* profitable, lucratif, de bon rapport; *~ sein* être en plein rapport, rendre bien; **E~keit** *f* productivité *f*.

ein=tränken *tr: jdm etw ~* faire payer qc à qn.

ein=träufeln *tr* instiller.

ein=treffen ⟨*aux: sein*⟩ *itr (ankommen)* arriver; *(geschehen)* se produire, s'accomplir, se réaliser, s'avérer.

eintreib|bar *a* recouvrable, exigible; **E~barkeit** *f* exigibilité *f*; **ein=treiben** *tr (Herde)* ramener; *(Nagel, Hut)* enfoncer; *(Außenstände, Steuern)* faire rentrer, recouvrer; *nicht, schwer einzutreiben(d) (Schuld)* inexigible, d'une rentrée difficile; **E~ung** *f (von Geldern)* rentrée *f*, recouvrement *m*.

ein=treten *tr* ⟨*aux: haben*⟩ *(Tür)* enfoncer (d'un coup de pied); ⟨*aux: sein*⟩ *itr* entrer (*in* dans); *(in e-n Verein, e-e Partei)* adhérer (*in* à), entrer (*in* dans); *für jdn ~ (jdn vertreten)* remplacer qn; *(für jdn einstehen)* répondre de qn; *(jdn verteidigen)* défendre qn, prendre parti pour qn, être *od* se ranger du parti de qn, épouser la cause de qn, prendre fait et cause pour qn; *für etw ~* défendre, préconiser qc; *(geschehen)* arriver, avoir lieu, s'effectuer, se produire, se présenter, *(überraschend)* survenir; *sich etw (in den Fuß) ~* s'enfoncer qc dans le pied; *in die Tagesordnung ~* passer à l'ordre du jour; *in die Verhandlung ~* entrer en matière; *zs. eingetreten sein* être de la même promotion; *eingetretene Schuhe m pl* chaussures éculées; **~denfalls** *adv* le cas échéant, en l'occurrence, s'il y a lieu.

ein=trichtern *tr fig fam: jdm etw ~* fourrer *od* enfoncer qc dans le crâne *od* dans la tête de qn, seriner qc à qn.

ein=trimmen *tr (Schiff)* équilibrer, donner l'assiette à.

Eintritt *m* entrée; *(in e-n Verein, e-e Partei)* entrée, admission, adhésion; *(e-s Ereignisses, Beginn)* arrivée *f*; *sich den ~ zu jdm erzwingen* forcer la porte de qn; *freien ~ haben* avoir ses entrées libres *od* son entrée (*in* dans); *~ frei!* entrée gratuite! *~ verboten!* entrée interdite! défense d'entrée! *freie(r) ~* entrée *f* gratuite *od* libre; *~(sgebühr f, -geld n* od *-preis m)* (droit, prix *m* d')entrée; cotisation *f* d'admission; **~skarte** *f* (billet *m*, carte *f* d')entrée, carte *f* d'admission, ticket *m*, *theat* place *f*; *halbe ~~* demi-place *f*.

ein=trocknen ⟨*aux: sein*⟩ *itr* (se des)sécher.

ein=trüb|en, *sich* s'assombrir, s'obscurcir; **E~ung** *f* assombrissement, obscurcissement *m*.

ein=tunken *tr* tremper (*in* dans); *(Brot) in die Soße ~* saucer; **E~** *n* trempette *f*.

ein=üben *tr* étudier; *(Person)* exercer.

ein- und ausgehen: *bei jdm ~* avoir ses entrées chez qn; *die Ein- und Ausgehenden* les entrants et les sortants *m pl*; **Ein- und Ausreise** *f* entrée et sortie *f*.

ein=verleib|en ⟨*hat einverleibt*⟩ *tr* incorporer (*in* dans, à), englober (*in* dans); *(Gebiet)* annexer (*in* à); *sich etw ~~ (hum)* engloutir qc, *pop* s'envoyer qc; **E~ung** *f* incorporation; annexion *f*.

Einvernehmen *n* accord *m*, entente, intelligence, compréhension *f*; *im ~ mit* d'accord avec; *in gutem ~* en bonne entente *od* intelligence *od* harmonie, en bons termes; *sich ins ~ setzen* se mettre d'accord, s'entendre (*mit jdm* avec qn), se donner le mot; *gute(s), schlechte(s) ~* bonne, mauvaise entente *f*.

einver|standen *a: ~~ sein* toper, en demeurer d'accord; *mit etw* approuver qc; *mit jdm* être d'accord avec qn; *ich bin damit ~~* j'en conviens, je n'y vois pas d'inconvénient; cela m'arrange tout à fait; *~~!* d'accord! entendu! tope (là)! (ça me) va! **E~ständnis** *n* ⟨-sses, (-sse)⟩ accord, consentement *m*, entente, intelligence; *(strafbares)* connivence, collusion *f*; *im ~~ mit* en accord, de concert avec, *pej* de connivence avec; *in beider-, gegenseitigem ~~* par consentement mutuel, d'un commun accord, de gré à gré; *in vollem ~~* de plein gré.

ein=wachsen 1. ⟨*ist eingewachsen*⟩ *itr (Finger-, Fußnagel, Haar)* s'incarner.

ein=wachsen 2. ⟨*hat eingewachst*⟩ *tr (mit Wachs)* encaustiquer, cirer; *(Schi)* farter.

Einwand *m* ⟨-(e)s, ⸚e⟩ objection, *jur* exception *f*; *e-n ~ erheben* faire *od* élever une objection; élever une contestation (*gegen* sur); *jur* invoquer *od* faire valoir une exception; **e~frei** *a* irréprochable, impeccable, irrécusable, exempt de tout reproche, sans (aucun) défaut.

Einwander|er *m* immigrant *m*; *(Eingewanderter)* immigré *m*; **ein=wandern** *itr* immigrer; **~ung** *f* immigration *f*.

einwärts *adv* en dedans.

ein=weben *tr* tisser (*in* dans).

ein=wechs|eln *tr (Geld)* changer; **E~(e)lung** *f* change *m*.

ein=wecken *tr* mettre en conserves; *(Obst)* confire.

Einweich|bottich *m* trempoire *f*; **ein=weichen** *tr* tremper; *(Wäsche)* tremper, essanger, prélaver; **~en** *n* trempage, prélavage, essangeage *m*.

ein=weih|en *tr rel* consacrer, bénir; *(Gebäude, Denkmal)* inaugurer; *(Gebrauchsgegenstand)* étrenner; *jdn in etw ~~* mettre qn au courant *od* au fait de qc; *eingeweiht sein* être au fait *od* dans le secret; *jdn in ein Geheimnis ~~* initier qn à un secret; *ein Haus, e-e Wohnung ~~* pendre la crémaillère; **E~ung** *f* ⟨-, (-en)⟩ *rel* consécration, bénédiction; *allg* inauguration; *(erster Gebrauch)* étrenne; *(in ein Geheimnis)* initiation *f* (*in* à); **E~ungsfeier** *f* cérémonie *f* inaugurale; **E~ungspredigt** *f* sermon *m* de consécration; **E~ungsrede** *f* discours *m* d'inauguration *od* inaugural.

ein=weis|en ⟨*hat eingewiesen*⟩ *tr* diriger, donner des directives *od* des instructions à, instruire; *(in ein Amt)* introduire, installer (*in* dans); *jdn in ein Krankenhaus ~~* diriger qn sur un hôpital, hospitaliser qn; *mil* guider, jalonner; *jdn in den Besitz e-r S ~~ (jur)* mettre qn en possession de qc; **E~er** *m mil* jalonneur *m*; **E~ung** *f* direction, instruction; introduction, installation; *jur* mise *f* en possession; *mil* jalonnement; *aero* briefing *m*; *~~ in ein Krankenhaus* hospitalisation *f*.

ein=wend|en *tr* objecter, opposer (*gegen* à); *ich habe nichts dagegen einzuwenden* je n'ai rien à dire à cela *od* à l'encontre; *dagegen ist nichts einzuwenden* il n'y a pas d'objection à cela, il n'y a rien à dire à cela; **E~ung** *f* objection, opposition (*gegen* à); *jur* exception *f* (*gegen* à); *~~en gegen etw erheben* faire *od* opposer des objections à qc, form(ul)er opposition contre qc.

ein=werfen *tr (Brief)* mettre (à la boîte), poster; *(Fenster)* casser (*mit … à* coups de …); *sport (Ball)* (re-)mettre en jeu; *fig* objecter; *(ins Gespräch)* intervenir; glisser.

einwertig *a chem* univalent, monovalent.

ein=wickel|n *tr (einrollen)* enrouler; *com* mettre en papier, envelopper; *fig fam (betrügen)* embobiner, rouler; *sich ~~ lassen (fig fam)* se laisser embobiner (*von* par); **E~papier** *n* papier *m* d'emballage.

ein=wiegen *tr* ⟨*stark konjugiert: hat eingewogen*⟩ peser et mettre (*in* dans); ⟨*schwach konjugiert: hat eingewiegt*⟩ *(Kind)* bercer, endormir en berçant; *fig* bercer d'illusions.

ein≈willig|en ⟨*aux: haben*⟩ *itr* consentir, acquiescer (*in* à), agréer (*in etw* qc), donner son assentiment (*in* à), souscrire (*in* à); **E~ung** *f* consentement *m*, approbation *f*, acquiescement, agrément, assentiment *m*, permission *f*.

ein≈wirk|en *itr* agir, influer, exercer une influence (*auf* sur); **E~ung** *f* action, influence *f* (*auf* sur).

Einwohner|(in *f*) *m* habitant(e *f*) *m*; **~meldeamt** *n* bureau *m* d'inscription; **~schaft** *f* ⟨-, (-en)⟩ habitants *m pl*, population *f*; **~zahl** *f* nombre *m* d'habitants.

Einwurf *m sport* (re)mise en jeu; *(Fußball)* touche; *(für Briefe)* ouverture; *(für Münzen)* fente; *fig* objection, remarque, observation *f*.

ein≈wurzeln *itr* u. *sich* ~ *(bot)* prendre racine; s'enraciner.

Einzahl *f gram* singulier *m*.

ein≈zahl|en *tr* payer, verser; *(Aktie)* libérer; **E~er** *m* payeur, déposant *m*; **E~ung** *f* paiement, versement *m*; **E~ungsschein** *m* feuille *f od* bordereau *od* bulletin *m* de versement.

ein≈zäun|en *tr* enclore, entourer d'une clôture *od* haie; **E~ung** *f* clôture, haie *f*.

ein≈zeichn|en *tr* dessiner (*in* dans); *(in e-e Karte)* reporter (*in* sur); *(einschreiben)* inscrire (*in* dans); *sich* ~~ s'inscrire; **E~ung** *f (Karte)* report *m* (*in* sur); *(Einschreibung)* inscription; *(auf e-e Anleihe)* souscription *f*.

einzeilig *a* d'une ligne.

Einzel *n* ⟨-s, -⟩ ['aɪntsəl] *(Tennis)* simple *m*; **~abteil** *n loc* compartiment *m* particulier; **~abwurf** *m aero mil* bombardement *m* coup par coup; **~(an)fertigung** *f* fabrication *f* individuelle *od* par pièces *od* hors série; **~antrieb** *m mot* commande *f* individuelle *od* séparée; **~arrest** *m mil* salle *f* de police; **~aufhängung** *f mot* suspension *f* indépendante; **~aufstellung** *f (schriftlich)* état *m* détaillé, spécification *f*; **~ausbildung** *f* instruction individuelle; *mil* école *f* du soldat; **~ausgabe** *f (Buch)* édition *f* séparée; **~band** *m (Buch)* livre *m* dépareillé; **~betrag** *m* montant *m* particulier; **~bewertung** *f* évaluation *f* individuelle; **~fall** *m* cas *m* isolé *od* d'espèce; **~feuer** *n mil* tir *m* individuel *od* coup par coup; **~firma** *f* raison *f* individuelle; établissement *m* en nom personnel; **~gänger** *m zoo u. fig* solitaire *m*; **~garage** *f* box *n* (individuel); **~haft** *f* emprisonnement *m od* détention *f od* isolement *m* cellulaire; *in* ~~ *halten* détenir isolément; **~handel** *m* commerce de détail, petit commerce *m*; **~handelsgeschäft** *n* magasin *m* de détail *od* détaillant; **~handelspreis** *m* prix *m* de détail; **~händler** *m* (marchand) détaillant, marchand *od* commerçant *m* en détail; **~heit** *f* détail *m* particularité *f*; *in allen* ~~*en (a.)* point par point; *bis in die kleinsten* ~~*en* jusque dans les moindres détails; *sich mit* ~~*en aufhalten* s'attarder aux détails; *(nicht) auf* ~~ *eingehen* (ne pas) entrer dans les détails; *in die* ~~*en gehen* descendre dans le détail; **~kampf** *m* combat *m* individuel; **~kunde** *m* client *m* privé; **~leistung** *f* puissance *od sport* performance *f* individuelle; **~nummer** *f (Zeitung)* numéro *m* isolé; **~person** *f* individu *m*; **~preis** *m* prix unitaire; *(Zeitung)* prix *m* de vente au numéro; **~prokura** *f com* procuration *f* individuelle; **~radaufhängung** *f mot* suspension *f* indépendante pour chaque roue; **~reisen** *f pl* tourisme *m* individuel; **~richter** *m* juge *m* unique; **~schütze** *m mil* combattant *m* individuel; **~stück** *n* exemplaire *m* isolé *od* dépareillé; **~teil** *n* pièce *f* détachée; **~unterricht** *m* enseignement *m* individuel; **~verkauf** *m (Zeitung)* vente *f* au numéro; **~wesen** *n* individu *m*; **~wurf** *m (Bomben)* bombardement *m* coup par coup; **~zelle** *f (Badekabine)* cabine particulière; *(im Gefängnis)* cellule *f* isolée; **~ziel** *n mil* objectif *m* isolé; **~zimmer** *n (im Hotel)* chambre *f* à un lit.

einzellig *a biol* unicellulaire.

einzeln|e(r, s) ['aɪntsəln-] *a (alleinig)* seul, unique; *(Sonder-)* individuel, particulier; *(für sich betrachtet)* particulier; *(abgetrennt)* séparé, détaché, isolé; *(paariger Gegenstand)* dépareillé; ~ *(adv)* individuellement; en particulier, séparément, isolément, un(e) à un(e); *der e~e* l'individu *m*; *im* ~*en* en détail; ~ *angeben* particulariser; ~ *aufführen* spécifier; *ins* ~*e gehen* entrer dans les détails; *ich führe im* ~*en an* je m'explique; *jeder* ~*e* chacun en particulier; *die* ~*en Umstände* les détails.

einzieh|bar *a (Kralle)* rétractile; *(Füllfeder etc)* rentrant, rétractable; *aero (Fahrgestell)* relevable, escamotable; *(Geld)* recouvrable; ~~*e(r) Antennenmast m* mât *m* d'antenne télescopique; **ein≈ziehen** *tr* ⟨*aux: haben*⟩ *(Faden, Band)* faire entrer, introduire (*in* dans); *(Krallen)* rentrer; *(Schultern)* effacer; *(Bauch)* rentrer; *mil (Vorposten)* replier; *(Segel, Flagge)* amener; *aero (Fahrgestell)* escamoter; *(Antenne)* rentrer; *(Luft, Duft)* aspirer, inhaler; *(Flüssigkeit)* absorber; *(Gelder, Wechsel)* encaisser; *(Außenstände, Beitrag)* recouvrer; *(Steuer)* percevoir; *(Geldsorte aus dem Umlauf)* retirer de la circulation; *(beschlagnahmen)* confisquer, saisir; *mil (Rekruten)* appeler (sous les drapeaux), mobiliser, incorporer; *itr (s-n Einzug halten)* ⟨*aux: sein*⟩ entrer, faire son entrée (*in* dans); *(in e-e Wohnung)* emménager; *bei jdm* ~ aller loger chez qn; *(Flüssigkeit)* s'infiltrer (*in* dans), être absorbé (*in* par); *Erkundigungen* ~ prendre des renseignements; *den Schwanz* ~ *(fig fam)* filer doux, *pop* s'écraser; **E~ung** *f aero (des Fahrgestells)* escamotage; *(von Geld)* encaissement; *(von Außenständen)* recouvrement *m*, rentrée; *(von Steuern)* perception; *(Beschlagnahme)* confiscation *f*; *(e-r Geldsorte)* retrait; *mil* appel *m* (sous les drapeaux) mobilisation, incorporation *f*; **E~vorrichtung** *f aero* dispositif *m* à éclipse.

einzig ['aɪntsɪç] *a* seul, unique; *pred fam* extraordinaire; *adv (nur in Wendungen):* ~ *und allein* pur et simple, uniquement; ~ *dastehen* être unique dans son genre; ~ *schön* d'une beauté unique; **~artig** *a* unique (dans son genre), sans pareil, hors ligne, extraordinaire.

Einzimmerwohnung *f* appartement *m* d'une pièce, studio *m*.

ein≈zuckern *tr (mit Zucker überstreuen)* saupoudrer de sucre; *(einmachen)* confire.

Einzug *m (in e-e Stadt)* entrée *f*, *a. mil*; *(in e-e Wohnung)* emménagement; *(von Geld)* encaissement, recouvrement *m*; *(von Steuern)* perception *f*; *s-n* ~ *halten* faire son entrée; *fig* faire irruption (*in* dans); **~sessen** *n* pendaison *f* de crémaillère; **~sfest** *n* entrée *f* solennelle; **~sgebiet** *n* secteur *m od* circonscription *f* de perception.

ein≈zwängen *tr* forcer à entrer, serrer, comprimer (*in* dans).

Einzweck ... *(in Zssgen) tech* à une seule fin.

Einzylindermotor *m* moteur *m* monocylindrique.

Eis *n* ⟨-es, ø⟩ [aɪs] *(a. Speise~)* glace *f*; *das* ~ *brechen (a. fig)* rompre la glace; *das* ~ *zum Schmelzen bringen* fondre la glace; ~ *führen (Fluß)* charrier de la glace; *jdn aufs* ~ *führen (fig)* tendre un piège à qn; *auf* ~ *legen* mettre à la glace; *fig (zurückstellen)* remettre à plus tard; *sich aufs* ~ *wagen (fig)* s'aventurer sur un chemin *od* terrain glissant; *gemischte(s)* ~ glace *f* panachée; *e-e Portion* ~ une glace; *im* ~ *eingeschlossen* bloqué par les glaces; ~ *am Stiel* bâton(net) glacé, esquimau *m* (glacé); **~ansatz** *m aero* dépôt *m* de givre; **~bahn** *f* patinoire *f*; **~baiser** *n* ⟨-s, -s⟩ meringue *f* glacée; **~bank** *f* banc *m* de glace; **~bär** *m* ours *m* blanc; **e~bedeckt** *a* couvert de glace; **~bein** *n (Küche)* jambonneau, jarret *m* de porc; ~~*e haben (fig)* avoir les pieds gelés *od* glacés; **~berg** *m* iceberg *m*, montagne *f* de glace; **~beutel** *m med* vessie *f* à *od* de glace; **~bildung** *f* formation *f* de glace; *aero* givrage *m*; **~blumen** *f pl (am Fenster)* fleurs *f pl* de givre; **~bombe** *f (Küche)* bombe *f* glacée; **~bonbon** *m od n* glaçon *m*; **~brecher** *m mar* brise-glace *m*; *(Brücke)* éperon, avant-bec *m*; **~decke** *f* couche *f* de glace; **~diele** *f* (café) glacier *m*; **e~en** *itr* casser *od* enlever la glace; **~fabrik** *f* fabrique de glace, glacerie *f*; **~fabrikation** *f* fabrication *f* de glace; **~feld** *n* champ *od* banc *m* de glace; **e~frei** *a* débarrassé des glaces; **~gang** *m* débâcle *f*; **e~gekühlt** *a* glacé, *(Wein)* frappé; **~glas** *n* verre *m* craquelé *od* dépoli; **e~grau** *a* blanchi par l'âge, chenu; **~händler** *m* marchand *m* de glace; *(~konditor)* glacier *m; die* **~heiligen** *m pl* les saints *m pl* de glace; **~hockey** *n* hockey *m* sur glace; **~hockeyscheibe** *f* palet, puck *m;* **e~ig** *a, a. fig,* **e~(ig)kalt** *a* glacé *a. fig; fig* glacial, glaçant, de glace; *(Empfang)* glacé; **~jacht** *f* ice-boat *m;* **~kaffee** *m* café *m* glacé *od* liégeois; **~kappe** *f: polare ~~ (geog)* calotte *f* glaciaire; **~kasten** *m* glacière *f;* **~kegeln** *n* curling *m;* **~keller** *m, a. fig fam* glacière *f;* **~konditor** *m* glacier *m;* **~krem** *f* crème *f* glacée, ice-cream *m;* **~(kunst)lauf** *m* patinage *m* (artistique); sports *m pl* de glace; **e~≈laufen** *itr* patiner; **~läufer** *m* patineur *m;* **~laufmeisterschaft** *f* championnat *m* de patinage; **~maschine** *f* machine à glace, glacière, sorbetière *f;* **~meer** *n* mer *f* de glace; *das Nördliche, Südliche ~~* l'océan *m* Glacial Arctique, Antarctique; **~nadel** *f* aiguille *f* de glace; **~pickel** *m (Bergsport)* piolet *m;* **~punkt** *m = Gefrierpunkt;* **~schicht** *f* couche de glace; **~schnellauf** *m* patinage *m* de vitesse; **~scholle** *f* glaçon *m;* **~schrank** *m* glacière *f;* **~segelboot** *n* yacht à patins, ice-boat *m;* **~segeln** *n* yachting *m* sur glace; **~sport** *m* patinage *m;* **~stadion** *n* patinoire *f;* **~tag** *m mete* jour *m* de gel; **~vogel** *m orn* alcyon, martin-pêcheur *m;* **~wasser** *n* eau *f* glacée; **~würfel** *m (für Getränke)* cube de glace, glaçon *m;* **~zapfen** *m* glaçon *m;* **~zeit** *f* période *od* époque *f* glaciaire; **e~zeitlich** *a* glaciaire.

Eisen *n* ⟨-s, -⟩ ['aɪzən] fer *m (a. als Werkzeug); aus ~ (a. fig)* de fer; *in ~ (gekettet)* dans les fers; *heißes ~ anfassen (fig)* marcher sur des charbons ardents; *mehrere, zwei ~ im Feuer haben (fig)* avoir plusieurs *od* plus d'une, deux corde(s) à son arc; manger à plusieurs, deux râteliers; n'avoir pas tous ses œufs dans le même panier; *zum alten ~ gehören (fig fam) (Mensch)* être mûr pour la retraite; *(Sache)* bon pour la casse; *zum alten ~ werfen (fig fam)* mettre *od* jeter aux oubliettes, mettre au rancart; *man muß das ~ schmieden, solange es heiß ist (prov)* il faut battre le fer pendant qu'il est chaud; *heiße(s) ~ (fig)* terrain *m* brûlant; *weiche(s) ~* fer *m* doux; **~abfälle** *m pl* débris *od* déchets *m pl* de fer, ferraille *f;* **e~arm** *a* pauvre en fer; **~band** *n* ruban *m* en fer; **~bergwerk** *n* mine *f* de fer; **~beschlag** *m* garniture de fer, ferrure *f;* **e~beschlagen** *a* armé de fer; **~beton** *m* béton *od* ciment *m* armé; **~betonträger** *m* poutre *f* en béton armé; **~bett(stelle *f*)** *n* lit *m* de fer; **~blech** *n* tôle *f* (de fer), fer battu, fer-blanc *m;* **~brücke** *f* pont *m* en fer (et en acier) *od* métallique; **~draht** *m* fil *m* de fer; **~erz** *n* minerai *m* de fer; **~erzflöz** *n* veine *f* de minerai *n* de fer; **~erzgrube** *f* mine *f* de fer; **~erzlager** *n* gisement *m* de minerai de fer; **~feilicht** *n,* **~feilspäne** *m pl* limaille *f* de fer; **~fresser** *m fig* fanfaron, bravache *m;* **~gehalt** *m* teneur *f* en fer; **~gewinnung** *f* extraction *f* du fer; **~gießer** *m* fondeur *m* de fer; **~gießerei** *f* fonderie *f* (en fer de fonte); **~gitter** *n* grille *f* en fer; **~gittermast** *m* pylône *m* en treillis; **~grube** *f* mine *f* de fer; **~guß** *m* fonte (de fer); *(Werkstück)* pièce *f* de fonte; **e~haltig** *a* ferrugineux; **~handel** *m* commerce *m* de fer; **~händler** *m* quincaillier, ferronnier *m;* **~handlung** *f* quincaillerie *f;* **e~hart** *a* dur comme le fer; **~hut** *m bot* aconit *m;* **~hüttenindustrie** *f* industrie *f* sidérurgique; **~hüttenwerk** *n* usine *f od* établissements *m pl* sidérurgique(s); **~industrie** *f* industrie du fer *od* sidérurgique, sidérurgie, métallurgie *f* de fer; **~klammer** *f tech* bride *f;* **~konstruktion** *f* construction en fer, charpente *f* métallique; **~oxyd,** *scient* **~oxid** *n* oxyde *m* de fer; **~platte** *f* plaque *f* de fer; **~rohr** *n* tuyau *m* de fer; **~rost** *m (Gitter)* grille *f* en fer; **~schlacke** *f* laitier *m* de fer; **~schwamm** *m* éponge *f* de fer; **~späne** *m pl* copeaux *m pl* de fer; **~spat** *m geol* sidérose *f;* **~stange** *f* barre *f* de fer; **~träger** *m* poutre en fer; **e~verarbeitend** *a* sidérurgique; *~~e Industrie f* industrie *f* travaillant le fer; **~vitriol** *n* vitriol *m* vert; **~walzwerk** *n* laminoir *m* à fer, tôlerie *f;* **~waren** *f pl* quincaillerie *f* **~zeit** *f* âge *m* de *od* du fer.

Eisenbahn *f* ['aɪzən-] chemin *m* de fer; *(in bestimmten Zssgen)* voie *f* ferrée, rail *m; mit der ~ fahren* aller en chemin de fer, prendre le chemin de fer; *es ist höchste ~ (fig fam)* il n'y a plus une minute à perdre; **~abteil** *n* compartiment *m;* **~aktie** *f* action *f* de chemin de fer; **~anlagen** *f pl* installations *f pl* ferroviaires; **~arbeiter** *m* homme *m* d'équipe; **~aufmarsch** *m mil* déploiement *m* par la voie ferrée; **~ausbesserungswerk** *n* atelier *m* de chemin de fer; **~bau** *m* construction *f* du *od* des chemin(s) de fer; **~baubataillon** *n mil* bataillon *m* de travaux lourds; **~beamte(r)** *m* employé *m* de chemin de fer; **~betrieb** *m* service *m* des chemins de fer; exploitation *f* ferroviaire; **~betriebskompanie** *f mil* compagnie *f* d'exploitation ferroviaire; **~betriebsmaterial** *n* matériel *m* roulant d'exploitation ferroviaire; **~brücke** *f* pont *m* de chemin de fer; **~damm** *m* remblai *m* de chemin de fer; **~direktion** *f* direction *f* des chemins de fer; **~er** *m* cheminot *m;* **~ergewerkschaft** *f* syndicat *m* des cheminots; **~erstreik** *m* grève *f* des cheminots *od* du rail; **~fähre** *f* ferry-boat *m;* **~(fahr)karte** *f* billet *m* de chemin de fer; **~fahrplan** *m* indicateur *od* horaire *m* (des chemins de fer); **~fahrt** *f* voyage *m* en chemin de fer; **~geschütz** *n* canon *m* sur voie ferrée; **~gesellschaft** *f* compagnie *f* des chemins de fer *od* ferroviaire; **~ingenieur** *m* ingénieur *m* des chemins de fer; **~inspektor** *m* inspecteur *m* des chemins de fer; **~knotenpunkt** *m* nœud *m* ferroviaire; **~kontrollpunkt** *m* point *m* de contrôle ferroviaire; **~kreuzung** *f* intersection *f* de voies; **~linie** *f* ligne *f* de chemin de fer *od* ferroviaire; **~nachschublinie** *f mil* ligne *f* ferroviaire de ravitaillement; **~netz** *n* réseau *m* (de voies) ferré(es) *od* ferroviaire; **~pionier** *m* pionnier *m* de chemin de fer; **~reisende(r)** *m* voyageur *m* en chemin de fer; **~schaffner** *m* contrôleur *m;* **~schiene** *f* rail *m;* **~schranke** *f* barrière *f* de chemin de fer; **~schwelle** *f* traverse *f* de chemin de fer; **~strecke** *f* ligne *od* section *f* de chemin de fer; **~tarif** *m* tarif *m* de chemin de fer *od* ferroviaire; **~transport** *m* transport *od mil* mouvement *m* par voie ferrée; **~tunnel** *m* tunnel *m* de chemin de fer; **~überführung** *f* passage *m* supérieur de chemin de fer; **~unglück** *n* accident *m* de chemin de fer, catastrophe *f* ferroviaire; **~unterführung** *f* (passage) souterrain *m* (de chemin de fer); **~verbindung** *f* communication *od* liaison *f* ferroviaire; **~verkehr** *m* circulation *f od* trafic *m* ferroviaire; **~verkehrsordnung** *f* règlement *m* d'exploitation des chemins de fer; **~verwaltung** *f* administration *f* des chemins de fer; **~wagen** *m* wagon *m,* voiture *f* (de chemin de fer); **~zug** *m* train, convoi *m.*

eisern ['aɪzərn] *a* de fer *a. fig,* en fer; *fig a.* d'airain, de bronze; *(Wille)* tenace; *~e(r) Bestand m* fonds de réserve, stock *m* permanent; *~e(r) Fleiß m* zèle *m* infatigable; *~e Gesundheit f* santé *f* de fer; *E~e(s) Kreuz n* croix *f* de fer; *~e Lunge f (med)* poumon *m* d'acier; *mit ~er Stirn lügen* mentir avec aplomb; *~e Ration f mil* vivres *m pl* de réserve; *das E~e Tor (geog)* les Portes *f pl* de Fer; *~e(r) Vorhang (theat)* rideau *m* de fer; *E~e(r) Vorhang (pol)* rideau *m* de fer.

eitel ['aɪtəl] *a (eingebildet)* vain, vaniteux, frivole, suffisant, présomptueux; *(putz-, gefallsüchtig)* coquet; *(nichtig)* vain, futile; *(rein)* pur; *~ sein auf* tirer vanité de; *~ Gold (poet)* or *m* pur; *~ Sonnenschein m (fig)* joie *f* pure; **E~keit** *f* vanité, présomption, suffisance; coquetterie; *(Nichtigkeit)* vanité, futilité *f.*

Eiter *m* ⟨-s, ø⟩ ['aɪtər] pus *m,* matière *f* purulente; **~ansammlung** *f* empyème *m;* **~beule** *f* abcès *m;* **~herd** *m* foyer *m* purulent; **e~ig** *a* purulent, suppurant; **~kanal** *m* canal *m* purulent; **e~n** ⟨*aux: haben*⟩ *itr* suppurer, former du pus; **~pfropf** *m* bourbillon *m;* **~ung** *f* suppuration *f;* **eitrig** *= e~ig.*

Ekel 1. *m* ⟨-s, ø⟩ ['e:kəl] *(Übelkeit)* nausée *f,* écœurement *a. fig; pop* mal au cœur; *fig* dégoût *m* (*vor* de), aversion (*vor* pour), répugnance *f; ~ vor etw bekommen* prendre qc en dégoût; *~ erregen* soulever le cœur;

fig inspirer du dégoût (*jds* à qn); dégoûter (*jds* qn); ~ *vor etw haben* avoir du dégoût pour qc; **e~erregend** *a*, **e~haft** *a*, **e~ig** *a*, **eklig** *a* nauséabond, écœurant, dégoûtant, répugnant, rebutant, *vulg* dégueulasse; **e~n** *tr od itr, impers: mich* od *mir e~t (es) davor* cela me donne des nausées *od* me soulève le cœur *od* me dégoûte; *sich vor etw ~~* être dégoûté de qc, avoir le dégoût de qc.
Ekel 2. *n* ‹-s, -› répugnant personnage; *pop* affreux *m*.
Eklektizismus *m* ‹-, ø› [eklɛkti'tsɪsmus] éclectisme *m*.
Ekstа|se *f* ‹-, -n› [ɛk'sta:zə] extase *f*; *in ~~ geraten* tomber en extase, s'extasier; *sich in ~~ reden (fam)* monter sur ses échasses *od* ses ergots; **e~tisch** *a* extatique.
Ekzem *n* ‹-s, -e› [ɛk'tse:m] *med* eczéma *m*.
Elan *m* ‹-s, ø› [e'lã:] = *Schwung*.
elast|isch [e'lastɪʃ] *a* élastique, flexible *a. fig*; **E~izität** *f* ‹-, ø› [-itsi'tɛ:t] élasticité, flexibilité *f*, ressort *m*, *a. fig*.
Elba *n* ['ɛlba] *geog* l'île *f* d'Elbe.
Elch *m* ‹-(e)s, -e› [ɛlç] *zoo* élan *m*.
Elefant *m* ‹-en, -en› [ele'fant] éléphant *m*; ~ *im Porzellanladen (fam)* balourd *m*, lourdaud *f*; *sich wie ein ~ im Porzellanladen benehmen* être comme un chien dans un jeu de quilles; *aus e-r Mücke e-n ~en machen (fam)* en faire une montagne; **~enführer** *m* cornac *m*; **~enküken** *n fam* dondon *f*; **~enrüssel** *m* trompe *f* d'éléphant; **~enzahn** *m* dent *od* défense *f* d'éléphant; **~iasis** *f* ‹-, -asen› [-'ti:azɪs, -ti'a:zən] *med* éléphantiasis *f*.
elegan|t [ele'gant] *a* élégant, *fam* chic, chouette; *die ~~ Welt* le beau monde; **E~z** *f* ‹-, ø› [-'gants] élégance *f*, *fam* chic *m*.
Eleg|ie *f* ‹-, -n› [ele'gi:] élégie *f*; **e~isch** [e'le:gɪʃ] *a* élégiaque; *allg* mélancolique.
elektrifizier|en [elɛktrifi'tsi:rən] *tr* électrifier; **E~ung** *f* électrification *f*.

Elektriker *m* ‹-s, -› [e'lɛktrikər] électricien *m*.
elektrisch [e'lɛktrɪʃ] *a* électrique; *adv*: ~ *beleuchten, betreiben* éclairer, actionner à l'électricité; ~ *betätigen, verstellen* commander, régler par électricité; ~ *hinrichten* électrocuter; ~ *vervielfältigen* polycopier électriquement; *negativ, positiv* ~ électronégatif, électropositif; *~e Anlage f* installation *f od* équipement *m* électrique; *~e(r) Antrieb m* actionnement *m* électromoteur; *~e Beleuchtung f* éclairage *m* électrique *od* à l'électricité; *~e Heizung f* chauffage *m* électrique; *~e Kraftübertragung f* transmission *f* de puissance électrique; *~e Ladung f* charge *f* électrique; *~e(s) Licht n* lumière *f* électrique; *~e(r) Strom m* courant *m* électrique; *~e(r) Stromkreis m* circuit *m* électrique; *~e Zelle f (e-s Akku)* élément *m* électrique; *~e Zündung f (mot)* allumage *m* électrique; **E~e** *f* ‹-n, -n› *fam (Straßenbahn)* tram (-way) *m*.
elektrisier|bar [elɛktri'zi:r-] *a* électrisable; **~en** *tr* électriser *a. fig*; **E~maschine** *f* machine *f* électrique (de Wimshurst); **E~ung** *f* électrisation *f*.
Elektrizität *f* ‹-, (-en)› électricité *f*; *atmosphärische, magnetische, negative, positive, statische, strahlende, tierische* ~ électricité *f* atmosphérique, magnétique, négative, positive, statique, rayonnante, animale; *galvanische* ~ galvanisme *m*; **~sgesellschaft** *f* compagnie *f* d'électricité; **~slehre** *f* enseignement *m* de l'électricité; **~smenge** *f* quantité *f* d'électricité; **~smesser** *m (Gerät)* électromètre *m*; **~smessung** *f* électrométrie *f*; **~squelle** *f* source *f* d'électricité; **~sversorgung** *f* alimentation *f* en courant électrique; **~swerk** *n* centrale *od* station *od* usine *f* électrique.
Elektro|biologie *f* [e'lɛktro-] électrobiologie *f*; **~chemie** *f* électrochimie *f*; **e~chemisch** *a* électrochimique; **~diagnose** *f med* électrodiagnostic *m*; **~dynamik** *f* électrodynamique *f*; **e~dynamisch** *a* électrodynamique; **~dynamometer** *n* électrodynamomètre *m*; **e~galvanisch** *a* électrogalvanique; **~gerät** *n* appareil *m* électrique *od* électroménager; **~(hänge)bahn** *f* voie *f* suspendue électrique; **~herd** *m* cuisinière *f* électrique; **~induktion** *f* induction *f* électrique; **~industrie** *f* industrie *f* électrique; **~ingenieur** *m* ingénieur *m* électricien; **~kalorimeter** *n* électrocalorimètre *m*; **~kardiogramm** *n (EKG) med* électrocardiogramme *m*; **~kardiograph** *m med* électrocardiographe *m*; **~karren** *m* chariot *od* véhicule *m* électrique (de quai); **~lyse** *f* ‹-, -n› [-'ly:zə] ; électrolyse *f*; **~lyt** *m* ‹-en/-s, -e/-en› [-'ly:t] électrolyte *m*; **~lytgleichrichter** *m* redresseur *m* électrolytique; **e~lytisch** [-'ly:tɪʃ] *a* électrolytique; **~lytkupfer** *n* cuivre *m* électrolytique; **~magnet** *m* électro-aimant *m*; **e~magnetisch** *a* électromagnétique, hertzien; *~~e Wellen f pl* ondes *f pl* hertziennes *od* électromagnétiques; **~magnetismus** *m* électromagnétisme *m*; **~mechanik** *f* électromécanique *f*; **~mechaniker** *m* électricien *m*; **e~mechanisch** *a* électromécanique; **~metallurgie** *f* électrométallurgie *f*; **~meter** *n* électromètre *m*; **~mobil** *n* électromobile *f*; **~monteur** *m* monteur *od* ouvrier *m* électricien; **~motor** *m* moteur électrique, électromoteur *m*; **e~motorisch** *a* électromoteur; *~~ angetrieben* commandé par moteur électrique; *~~e Kraft f* force *f* électromotrice; **~ofen** *m* four *m* électrique; **~phor** *m* ‹-s, -e› [-'fo:r] électrophore *m*; **~plastik** *f* galvanoplastie *f*; **~schock** *m med* électrochoc *m*; **~schweißung** *f* soudure *f* électrique; **~skop** *n* ‹-s, -e› [-'sko:p] électroscope *m*; **~stahl** *m* acier *m* électrique; **~statik** *f* électrostatique *f*; **e~statisch** *a* électrostatique; **~technik** *f* électrotechnique *f*; **~techniker** *m (Ingenieur)* ingénieur-électricien; *(Handwerker)* électricien *m*; **e~technisch** *a* électrotechnique; **~therapie** *f med* électrothérapie *f*; **e~therapeutisch** *a* électrothérap(eut)ique; **e~thermisch** *a* électrothermique; **~tomie** *f* ‹-, -n› [-to'mi:] *med* électrotomie *f*; **~typie** *f* électrotypie *f*; **~werkzeug** *n* outil *m* électrique; *pl* outillage *m* électrique; **~zaun** *m* treillis *m* à courant électrique.
Elektrode *f* ‹-, -n› [elɛk'tro:də] électrode *f*; **~nabstand** *m* écartement *m* des électrodes.
Elektron *n* ‹-s, -en› ['e:lɛktrɔn, (elɛk'tro:n), -'tro:nən] **1.** *phys (Elementarteilchen)* électron *m*; *freie(s), kreisende(s), langsame(s), schnelle(s)* ~ électron *m* libre, orbital, lent, rapide; **2.** *n* ‹-s, ø› [e'lɛktrɔn] *Legierung* alliage *m* électron.
Elektronen... [elɛk'tro:nən-] électronique *a*; **~bahn** *f* trajectoire *f* électronique; **~beschießung** *f* bombardement *m* électronique; **~bild** *n* image *f* électronique; **~bildwerfer** *m* projecteur *m* d'images électroniques; **~blitz** *m phot* flash *m* électronique; **~bündel** *n* faisceau *m* électronique *od* cathodique; **~emission** *f* émission *f* électronique; **~entladung** *f* décharge *f* électronique; **~fluß** *m* flux *m* électronique; **~gehirn** *n* cerveau électronique, ordinateur *m*; **~geschwindigkeit** *f* vitesse *f* électronique; **~herd** *m* fourneau *m* électronique; **~ingenieur** *m* électronicien *m*; **~kamera** *f* caméra *f* électronique; **~kupp(e)lung** *f* couplage *m* électronique; **~linse** *f* lentille *f* électronique; **~mikroskop** *n* microscope *m* électronique; **~optik** *f* optique *f* électronique; **~rechenmaschine** *f* machine *f* à calcul(er), calculateur *m* électronique; **~röhre** *f* tube *m* électronique; **~röhrengleichrichter** *m* redresseur à électrons, kénotron *m*; **~schalter** *m* commutateur *m* électronique; **~schleuder** *f*, **~strahlerzeuger** *m* canon électronique, cyclotron *m*; **~strahl** *m* faisceau *od* rayon *m* électronique; **~strahlabtaster** *m* iconoscope *m*; **~strahlung** *f* radiation *f* électronique; **~strom** *m* courant *m* électronique; **~technik** *f* électronique *f*; **~vervielfacher** *m* multiplicateur *m* d'électrons; **~volt** *n* électron-volt *m*; **~waage** *f* balance *f* électronique; **~wolke** *f* nuage *m* électronique.
Elektron|ik *f* ‹-, ø› [elɛk'tro:nɪk] électronique *f*; **e~isch** [-'tro:nɪʃ] *a* électronique.
Element *n* ‹-(e)s, -e› [ele'mɛnt] *chem* élément *a. allg*, corps simple; *el* élément *m* (primaire), pile *f*, couple *m*; *die ~e der Physik* les rudiments *m pl* de la physique; *in s-m ~ sein (fig)* être dans son élément *od* sur son terrain *od* comme un poisson dans l'eau; *galvanische(s)* ~ pile *f* électrique; *nasse(s)* ~ élément *m* hydroélectrique; *die vier ~e* les quatre éléments; **e~ar** [-mɛn'ta:r] *a* élémentaire, primaire; **~arbuch** *n* livre *m*

élémentaire; **~argewalt** *f* force *f* élémentaire; **~arladung** *f phys* charge *f* élémentaire; **~arlehrer** *m* instituteur *m* (primaire); **~arquantum** *n phys* charge *f* élémentaire; **~arschule** *f* école *f* primaire; **~arteilchen** *n phys* particule *f* élémentaire; **~arunterricht** *m* enseignement *m* primaire; **~arwelle** *f radio* onde *f* élémentaire.

Elen *n (m)* ⟨-s, -⟩ ['elɛn], **~tier** *n zoo* élan *m*.

Elend *n* ⟨-(e)s, ø⟩ ['e:lɛnt, -d(ə)s] *(Not)* misère, détresse *f*; *(große Armut)* dénuement *m*; *(Jammer)* affliction *f*; *(Unglück)* malheur *m*, calamité; *pop* débine; mouïse *f*; *im äußersten ~* dans le plus complet dénuement; *ins ~ bringen* od *stürzen* réduire à la misère; *fam* mettre sur la paille; *ins ~ geraten* tomber dans la misère; *es ist ein ~, daß, zu* c'est une calamité que, que de; *es ist ein ~ mit ihm (fam)* il fait peine à voir; il est dans un état pitoyable; **e~** *a* misérable; *(kümmerlich)* chétif; *(jämmerlich)* lamentable, pitoyable, piètre; *(unglücklich)* malheureux; *(krank)* malade; *~~ aussehen* avoir (très) mauvaise mine, faire triste figure; *mir ist, wird ganz* od *so ~* j'ai mal au cœur; **~e(r)** *m* misérable, malheureux *m*; **e~ig(lich)** *adv* misérablement; **~squartier** *n* taudis *m*; *pl* immeuble(s *pl*) *od* îlot *m* insalubre(s); **~sviertel** *n* quartier *m* insalubre.

Elevator *m* ⟨-s, -en⟩ [ele'va:tɔr, -'to:rən] *(Aufzug)* élévateur, monte-charge *m*; *(Hebewerk)* noria *f*.

elf [ɛlf] onze; *die E~* le (numéro) onze; *sport* le onze, l'équipe *f*; **~fach** *adv* onze fois (autant); *a: die ~~e Größe, Höhe, Länge* etc *haben* être onze fois plus grand, plus haut, plus long *etc*; **E~metermarke** *f sport* point *m* de 11 mètres *od* de penalty; **~te** *a* onzième; onze; **E~tel** *n* ⟨-s, -⟩ onzième *m*.

Elf *m* ⟨-en, -en⟩ [ɛlf] elfe, sylphe *m*; **~e** *f* sylphide *f* ⟨-, -n⟩ ; **e~enhaft** *a* féerique; **~enreigen** *m* danse *f* des sylphides.

Elfenbein *n* ⟨-(e)s, (-e)⟩ ['ɛlfənbaɪn] ivoire *m*; *künstliche(s) ~* ivorine *f*; **e~ern** *a* en ivoire, d'ivoire; **e~farben** *a* ivoirin; **~küste** *(, die) geog* (la) Côte-d'Ivoire; *von der ~~* ivoirien *a*; **~schnitzer** *m* ivoirier *m*; **~schnitzerei** *f (Kunst u. Gegenstand)* ivoirerie *f*.

Elfer *m* ⟨s, -⟩ *(fam)* penalty *m*.

eliminieren [elimi'ni:rən] *tr* éliminer.

Elisabeth [e'li:zabɛt] *f* Elisabeth *f*; **e~anisch** [-be'ta:nɪʃ] *a hist* élisabéthain.

Elite *f* ⟨-, -n⟩ [e'li:tə] élite, fleur; *fam* crème *f*, dessus du panier; *pop* gratin *m*; *die geistige ~* l'élite intellectuelle; **~einheit** *f mil* unité *f* d'élite; **~truppe** *f* corps *m od* troupe *f* d'élite.

Elixier *n* ⟨-s, -e⟩ [elɪ'ksi:r] élixir *m*.

Ellbogen *m* ⟨-s, -⟩ ['ɛlbo:gən] coude *m*; *jdn mit dem ~ (an)stoßen* pousser qn du coude; *die ~ gebrauchen (a. fig)* jouer des coudes; *sich auf den ~ stützen* s'accouder; **~freiheit** *f* aisance *f* des coudes; *~~ haben (fig)* avoir ses coudées franches; **~gelenk** *n* articulation *f* du coude.

Elle *f* ⟨-, -n⟩ ['ɛlə] *anat* cubitus *m*; *(Maß)* aune *f*; **e~nlang** *a* long d'une aune; *fig fam* long d'une lieue, interminable.

Ellip|se *f* ⟨-, -n⟩ [ɛ'lɪpsə] *math gram* ellipse *f*; **~senzirkel** *m* ellipsographe *m*; **e~tisch** [ɛ'lɪptɪʃ] *a* elliptique.

Elmsfeuer *n* ['ɛlms-] *(Naturerscheinung)* feu *m* Saint-Elme.

Elritze *f* ⟨-, -n⟩ ['ɛlrɪtsə] *(Fisch)* vairon *m*.

Els|aß ['ɛlzas], *das* l'Alsace *f*; **~~-Lothringen** *n* l'Alsace-Lorraine *f*; **~ässer(in *f*)** *m* ⟨-s, -⟩ ['-sɛsər] Alsacien, ne *m f*; **e~ässisch** *a* alsacien, d'Alsace.

Else *f* ⟨-, -n⟩ ['ɛlzə] *(Fisch)* alose *f*.

Elster *f* ⟨-, -n⟩ ['ɛlstər] *orn* pie; *pop* agasse *od* agace *f*.

elterlich ['ɛltərlɪç] *a* des parents; *~e Gewalt f* pouvoir *m od* puissance *f* des parents.

Eltern *pl* ['ɛltərn] parents *m pl*, père et mère; *nicht von schlechten ~ (fam)* pas piqué des vers *od* des hannetons; **~(bei)rat** *m* association *f* des parents d'élèves; **~haus** *n* maison *f* familiale; **~liebe** *f* amour *m* des parents (pour leurs enfants); **e~los** *a* orphelin *a*; **~mörder** *m* parricide *m*; **~schlafzimmer** *n* chambre *f* conjugale; **~vereinigung** *f* association *f* de(s) parents.

Email *n* ⟨-s, -s⟩, **(~le *f*)** ⟨-, -n⟩ [e'ma:j, e'maɪ(l)] émail *m*; **~arbeit** *f* émaillure *f*; **~arbeiter** *m* émailleur *m*; **~belag** *m* feuille *f* d'émail; **~draht** *m* fil *m* émaillé; **~farbe** *f* couleur *f* (d')émail; **~gefäß** *n* vase *m* émaillé; **~geschirr** *n* batterie *f* de cuisine émaillée; **~lack** *m* laque-émail *f*, vernis-émail *m*; **e~lieren** [-'(l)ji:rən] *tr* émailler; **~lierkunst** *f* émaillerie *f*; **~lierofen** *m* four *m* à émailler; **~lierung** *f* émaillage *m*; **~lierwerk** *n* émaillerie *f* industrielle; **~malerei** *f* peinture *f* sur émail; **~schild** *n* plaque *f* émaillée.

Eman|ation *f* ⟨-, -en⟩ [emanatsi'o:n] *phys, chem u. fig* émanation *f*; **e~ieren** [-'ni:rən] *itr* émaner.

Emanzip|ation *f* ⟨-, (-en)⟩ [emantsipatsi'o:n] émancipation *f*; **e~ieren** [-'pi:rən] *tr* émanciper.

Embargo *n* ⟨-s, -s⟩ [ɛm'bargo] embargo *m*; *das ~ aufheben* lever l'embargo; *mit ~ belegen* mettre l'embargo sur.

Embolie *f* ⟨-, -n⟩ [ɛmbo'li:] *med* embolie *f*.

Embryo *m* ⟨-s, -nen⟩ ['ɛmbryo, -'o:nən] *physiol* embryon *m*; **~logie** *f* ⟨-, ø⟩ [-lo'gi:] embryologie *f*; **e~nal** [-'na:l] *a a. fig* embryonnaire; **~nalhaut** *f* membrane *f* amniotique, amnios *m*; **~nalzustand** *m*: *im ~~ (fig)* à l'état embryonnaire.

emeritier|en [emeri'ti:rən] *tr* mettre à la retraite; **~t** *a* en retraite; **E~ung** *f* mise *f* à la retraite.

Emigr|ant *m* ⟨-en, -en⟩ [emi'grant] *pol* émigré *m*; **~ation** *f* ⟨-, -en⟩ [-tsi'o:n] émigration *f*; **e~ieren** [-'gri:rən] *itr* émigrer.

Emir *m* ⟨-s, -e⟩ ['e:mɪr, e'mi:r] émir *m*; **~at** *n* ⟨-(e), -e⟩ [emi'ra:t] émirat *m*.

Emission *f* ⟨-, -en⟩ [emɪsi'o:n] *phys fin* émission *f*; **~sbank** *f* banque *f* d'affaires; **~sfähigkeit** *f phys* pouvoir *m* émissif, faculté *f* d'émettre; **~sgeschwindigkeit** *f phys* vitesse *f* d'émission; **~skurs** *m fin* taux *m* d'émission; **~sstrom** *m phys* courant *m* électronique.

emittieren [emɪ'ti:rən] *tr phys fin* émettre.

Empfang *m* ⟨-(e)s, ⸚e⟩ [ɛm'pfaŋ, -'pfɛŋə] *(Person* od *Sache)* réception *f*; *(Person)* accueil *m*; *(Audienz)* audience; *rel (der Weihen)* susception; *radio* réception, audition, écoute *f*; *bei ~* au reçu; *nach ~* après la réception; *den ~ bescheinigen* od *bestätigen* accuser réception, donner quittance *od* acquit (*e-r S* de qc); *auf ~ bleiben (radio)* rester à l'écoute; *e-n ~ geben* offrir une réception; *auf ~ gehen (radio)* se mettre à l'écoute; *etw in ~ nehmen* prendre livraison *od* réception de qc, réceptionner qc; *auf ~ stehen, stellen (radio)* être, mettre à l'écoute; *den ~ bescheinigt (com)* pour acquit; *drahtlose(r) ~* réception *f* sans fil; *offizielle(r) ~* réception *f* officielle, vin *m* d'honneur; **e~en** ⟨*empfängt, empfing, hat empfangen*⟩ *tr (Person* od *Sache, a. fig)* recevoir; *(Person)* accueillir; *(zustehendes Geld, bes. Lohn u. (mil) Löhnung)* toucher; *radio* recevoir, *fam* prendre; *itr physiol* concevoir, devenir enceinte; *jdn freudig ~~* faire fête à qn; *gut, schlecht ~~ werden* recevoir un bon, mauvais accueil; *jdn nicht ~~ (wollen)* refuser *od* interdire *od* consigner sa porte à qn; *jdn (un)freundlich ~~* faire bonne (mauvaise) mine à qn; **~sanlage** *f radio* installation *f* de réception; **~santenne** *f* collecteur *m* d'ondes; **~sanzeige** *f*, **~sbescheinigung** *f*, **~sbestätigung** *f com* accusé *od* avis de réception, reçu, récépissé *m*; **~sberechtigte(r)** *m* destinataire, consignataire, ayant droit *m*; **~sbereich** *m radio* zone *f* de réception; **~sbüro** *n (Hotel)* (bureau *m* de) réception *f*; **~schef** *m (Hotel)* chef *m* de (la) réception; **~sdame** *f* hôtesse *f* d'accueil; **~sfrequenz** *f* fréquence *f* d'entrée; **~sgerät** *n radio* (poste) récepteur, radiorécepteur *m*; **~skreis** *m radio* circuit *m* de réception; **~slautstärke** *f* intensité *f* de réception; **~sminimum** *n tele* axe *m* d'extinction; **~sröhre** *f radio* lampe *f* d'audition; **~sschein** *m* = *~sbescheinigung*; **~sstärke** *f radio* intensité *f* de réception; **~sstation** *f radio* (poste) récepteur *m*; **~sstörung** *f tele radio* troubles *m pl* de réception; **~stag** *m* jour *m* (de réception); *~~ haben* avoir son jour; **~sverhältnisse** *n pl radio* conditions *f pl* de réception; **~sverstärker** *m radio* amplificateur-récepteur *m*; **~swelle** *f radio* onde *f* de réception; **~szeit** *f* heure *f* de réception; **~szimmer** *n* salon *m* (de réception).

Empfäng|er *m* ‹-s, -› [ɛm'pfɛŋər] *(e-r Postsendung)* destinataire; *(e-r Ware)* consignataire *m*, partie *f* prenante; *(e-r Zahlung)* bénéficiaire; *radio (Gerät)* (poste) récepteur *m*; *~~ mit Batterie und Netzanschluß* récepteur *m* à pile(s) et secteur; **e~lich** *a* accessible (*für* à), susceptible (*für* de), vibrant; *(für Komplimente, Wohltaten)* sensible (*für* à); *(für Eindrücke)* impressionnable; *med* prédisposé, réceptif (*für* à); **~lichkeit** *f* ‹-, (-en)› susceptibilité; sensibilité; impressionnabilité; *med* prédisposition, réceptivité *f*; **~nis** *f* ‹-, (-se)› *physiol* conception *f*; **e~nisverhütend** *a* anticonceptionnel, contraceptif; *~~e(s) Mittel n* contraceptif *m*; **~nisverhütung** *f* contraception *f*.

empfehl|en ‹*empfiehlt, empfahl, empfohlen*› [ɛm'pfe:lə] *tr* recommander; *s-e Seele Gott ~~* recommander son âme à Dieu; *sich ~~* se recommander; *sich verabschieden)* se retirer, prendre congé, tirer sa révérence; *sich französisch ~~ (fig)* filer à l'anglaise; *ich ~e mich (Ihnen)!* j'ai l'honneur de vous saluer; mes hommages! *~~ Sie mich Ihrem Herrn Gemahl!* mes compliments à M. X; *~~ Sie mich Ihrer Frau Gemahlin!* (présentez) mes hommages à Madame X; *es empfiehlt sich* il convient, il y a avantage (*zu* à), il est bon *od* recommandé (*zu* de); **~enswert** *a* recommandable; **E~ung** *f* recommandation *f*; *pl (Zeugnisse)* références *f pl*; *auf ~~ (gen)* sur la recommandation (de); *e-e ~~ nicht beachten* manger la consigne *(fam)*; *~~ an Herrn X, Frau Y* mes compliments à M. X, mes hommages à Mme Y; **E~ungsbrief** *m*, **E~ungsschreiben** *n* lettre *f* de recommandation *od* d'introduction.

empfind|bar *a* perceptible, sensible; **E~barkeit** *f* ‹-, (-en)› perceptibilité, sensibilité *f*; **E~elei** *f* sensiblerie *f*; **~en** ‹*empfand, empfunden*› *tr* sentir, éprouver; *(seelisch)* ressentir; *Freude ~~* ressentir de la joie; *Hunger ~~* sentir la faim, éprouver une sensation de faim; *für jdn Liebe, Freundschaft ~~* éprouver de l'amour, de l'amitié pour qn; *soziale(s) E~~ n* sens *m* social; **~lich** *a* sensible *a. phot* (*für, gegen* à); *(zartfühlend; heikel)* délicat; *(leicht verletzt)* susceptible, chatouilleux; *(reizbar)* irritable *a, med; (Schmerz, Kälte)* vif; *~~e Stelle f* point *m* sensible; *~~e(r) Verlust m* grosse perte; *~~ kränken* toucher au vif; *(sehr) ~~ sein* ne pouvoir souffrir la moindre égratignure, avoir l'épiderme sensible; **E~lichkeit** *f* ‹-, (-en)› sensibilité; délicatesse; susceptibilité; irritabilité *f*; *~~ gegenüber Erschütterungen* vibrotaxie *f*; **~sam** *a* sensible, émotif, sentimental; **E~samkeit** *f* ‹-, (-en)› sensibilité, émotivité, sentimentalité *f*; **E~ung** *f* sensation *f*; *fig (Gefühl)* sentiment *m*; **E~ungs...** *anat* sensoriel; **E~ungsanomalie** *f med* trouble *m* sensitif; **E~ungsfähigkeit** *f*, **-vermögen** *n* faculté perceptive, sensibilité *f*; **e~ungslos** *a* privé de sensibilité; *fig* insensible; **E~ungsnerv** *m* nerf *m* sensoriel.

emphatisch [ɛm'fa:tɪʃ] *a* emphatique.

Empire(stil *m)* *n* ‹-s, ø› [ɑ̃'pi:r, 'ɛmpaiə] style *m* Empire.

empirisch [ɛm'pi:rɪʃ] *a philos* empirique.

empor [ɛm'po:r] *adv* en haut, vers le haut, en l'air; **~=arbeiten,** *sich (fig)* se hisser; *sich wieder ~~ (fig)* revenir à la surface; **E~e** *f* ‹-, -n› [ɛm'po:rə] *(in e-r Kirche)* galerie *f*; *(in e-m Theater)* balcon *m*; **~=kommen** *itr* s'élever *a. fig*; *fig* parvenir, faire son chemin, faire fortune; **E~-kömmling** *m* ‹-s, -e› [-kœmlɪŋ] parvenu, homme *m* nouveau *od* d'hier; **~=ragen** *itr* se dresser, s'élever (*über* au-dessus de); **~=schnellen** *itr* s'élancer, *fig* monter en flèche; **~=schrauben,** *sich (aero)* monter en spirales; **~=schwingen,** *sich* prendre l'essor *od* son essor *od (Vogel)* son vol; **~=streben** *itr fig* avoir de l'ambition.

empör|en [ɛm'pø:rən] *tr* soulever, révolter; *fig (entrüsten)* indigner; *sich ~~* se soulever, se révolter, se rebeller, s'insurger, se mutiner; *fig* s'indigner; **~end** *a* révoltant; **E~er** *m* ‹-s, -› révolté, rebelle, insurgé, mutin, émeutier *m*; **~erisch** *a* insurrectionnel, séditieux, factieux, rebelle; **~t** *a* indigné (*über* de); **E~ung** *f* soulèvement *m*. révolte, rébellion, insurrection, mutinerie, émeute, sédition; *fig (Entrüstung)* indignation *f*.

emsig ['ɛmzɪç] *a* diligent, appliqué, assidu, laborieux, empressé, zélé; **E~keit** *f* ‹-, (-en)› diligence, application, assiduité *f*, empressement, zèle *m*.

emul|gieren [emul'gi:rən] *tr* u. *itr chem* émulsionner; **E~sion** *f* ‹-, -en› [-si'o:n] émulsion *f*.

End|... ['ɛnt-] *(in Zssgen)* final, terminal, définitif; **~abrechnung** *f* compte *m* définitif; **~absicht** *f* but *m* final; **~bahnhof** *m* (gare *f*) terminus *m*; **~bescheid** *m* décision *f* définitive, arrêt *m* définitif; **~bestand** *m fin* actif *m* final; **~buchstabe** *m* finale *f*; **~chen** *n* ‹-s, -› petit bout; *fam* brin *m*; **~e** *n* ‹-s, -n› ['ɛndə] *(räuml.)* bout *m*; *(e-r Kolonne)* queue *f*; *(Geweih)* andouiller *m*; *(zeitl.)* fin; *(Ablauf)* expiration; *(Ausgang)* issue; *(Tod)* fin, mort *f*; *fig* terme *m*, fin *f*; *(Ziel)* but, effet; *tech* about *m*; *das ~~ (der Tod)* l'heure *f od* le moment *od* l'instant *m* suprême; *am ~~* finalement; à la fin, à l'issue (*gen* de); *(ohne Mittel)* à bout, au bout du *od* en fin de compte; *(schließlich)* après tout; *(vielleicht)* peut-être; *am anderen ~~ der Stadt* à l'autre bout de la ville; *am äußersten ~~* tout au bout; *am unteren ~~* au bas (bout) (*gen* de); *am ~~ s-r Kräfte* de guerre lasse, en désespoir de cause; *am ~~ der Welt* au bout du monde, au diable (vau)vert *fam*; *an allen (Ecken und) ~~n* dans tous les coins, de toutes parts; *bis zum (bitteren) ~~* jusqu'au bout, *pop* jusqu'à la gauche; *gegen ~~ (gen)* vers la fin (de); *zu dem ~~ zu ...* pour, en vue de, avec l'intention de ...; *letzten ~~s* au bout du *od* en fin de compte, en dernière analyse; *von Anfang bis zu ~~* d'un bout à l'autre; de bout en bout; *von einem ~~ zum ander(e)n* d'un bout *od* d'une extrémité à l'autre, de bout en bout; *~~ dieses* od *des laufenden (nächsten) Monats* fin courant (prochain); *~~ Mai* (à la) fin (de) mai; *am rechten ~~ anfassen (fig fam)* prendre par le bon bout; *e-r S ein ~~ bereiten* od *machen* mettre fin *od* un terme à qc; *zu ~~ bringen* finir, terminer, achever, venir à bout de; *zu e-m* od *zum guten ~~ bringen* od *führen* mener à bonne fin *od* à bien, faire aboutir; *zu ~~ gehen, s-m ~~ zugehen* od *zuneigen* toucher *od* tirer à sa fin, prendre fin, être à *od* sur son déclin, décliner, s'avancer; *(Frist)* expirer; *ein ~~ haben* od *nehmen* finir, prendre fin; *nicht zu ~~ kommen* rester en route; *zu keinem ~~ kommen* n'en plus finir; *ein ~~ machen (a. fam)* mettre le holà; *ein ~~ mit etw machen* en finir avec qc; *sich s-m ~~ nähern* tirer *od* toucher à sa fin; *ein schlimmes ~~ nehmen* finir mal; *am ~~ sein* être (réduit) à quia; *gen* être à *od* au bout de; *am ~~ s-r Kraft* od *Kräfte sein* n'en pouvoir plus, être au bout de ses forces *od fam* de son rouleau; *sport fam* avoir le coup de pompe; *am ~~ s-r Kunst sein* être au bout de son savoir; *ich bin am ~~ (fig fam)* c'en est fait de moi; *es geht mit ihm zu ~~* il approche de sa fin; *das nimmt kein ~~, das will ja gar kein ~~ nehmen* cela n'en finit jamais, c'est à n'en plus finir; *fam* c'est long comme un jour sans pain; *das muß ein ~~ haben* il faut que cela *od* ça finisse; *es ist bald zu ~~* c'est bientôt la fin; *da ist kein ~~ abzusehen* c'est la mer à boire; *das dicke ~~ kommt nach* à la queue gît le venin; *alles hat einmal ein ~~ (prov)* tout passe, tout lasse, tout casse; *~~ gut, alles gut (prov)* tout est bien qui finit bien, la fin couronne l'œuvre; *das ~~ der Welt* od *der Zeiten (rel)* la fin *od* la consommation du monde *od* des siècles *od* des temps; **e~n** ‹*hat geendet*› *itr* finir (*mit* par), aboutir (*mit* à), cesser, être à sa fin; *(Frist)* expirer; *gram* se terminer (*auf* en); *(sterben)* mourir; *tr* finir, terminer, achever, mettre fin à; *sein Leben ~~* finir ses jours; *nicht ~~ wollende(r) Beifall m* des applaudissements *m pl* à n'en plus finir; *nicht ~~ wollende(s) Gelächter n* rire *m* homérique; **~ergebnis** *n* résultat final *od* définitif, effet *m* final; **~erzeugnis** *n* = *~produkt;* **~esunterzeichnete(r)** *m* soussigné *m*; **~flughafen** *m* aéroport *m* terminus; **~geschwindigkeit** *f* vitesse *f* finale; **~glied** *n* membre *m* terminal; **e~gültig** *a* définitif; **~haltestelle** *f* = *~station;* **e~igen** *v vx* = *~en;* **~kampf** *m* lutte *od* épreuve finale; *sport* finale *f;* **~lauf** *m sport* course *f* finale; **e~lich** *a (begrenzt)* fini, limité; *(abschließend)* final; *(endgültig)* définitif; *~~e Größe* grandeur finie; *adv* enfin, finalement, à la fin, en définitive; *~~ etw tun* finir par faire qc; *~~!* enfin! c'est très *od* bien heureux! **~lichkeit,** *die f philos* la finitude *f,* le fini, le limité; **e~los** *a* infini, interminable, *fam* long comme un jour sans pain; *adv* sans fin, à l'infini, à n'en plus finir, à perte de vue, à perdre haleine; *das dauert ja ~~ lange* mais ça n'en finit plus; **~losigkeit** *f* infinité *f;* **~lösung** *f* solution *f* définitive; **~montage** *f* assemblage *m* final; **~moräne** *f geog* moraine *f* terminale *od* frontale; **~phase** *f* phase *f* finale; **~produkt** *n* produit *m* final; **~punkt** *m* point *m* d'arrêt *od* d'arrivée; **~reim** *m* rime *f* finale; **~resultat** *n* = *~ergebnis;* **~rille** *f (Schallplatte)* sillon *m* terminal; **~runde** *f sport* round *m* final; **~sieg** *m* victoire *f* finale; **~silbe** *f* (syllabe) finale *f;* **~spiel** *n sport* (rencontre *od* poule) finale *f,* match *m* final; **~spurt** *m* finish *m;* **~stadium** *n* phase *f* finale; **~station** *f* (station *f*) terminus *m;* **~strecke** *f (Reise, sport)* dernière étape *f;* **~stück** *n* bout *m;* **~stufe** *f (Rakete)* étage *m* terminal; **~summe** *f* somme *f* totale, total *m;* **~termin** *m* date limite, clôture *f;* **~ung** *f gram* terminaison, désinence *f;* **~ursache** *f* cause *f* finale; **~urteil** *n jur* jugement *m* final; **~verstärkerröhre** *f radio* tube *m* amplificateur d'extrémité; **~wert** *m* valeur *f* finale; **~ziel** *n,* **~zweck** *m* but *od* objectif final, terme *m;* **~zustand** *m* état *m* final.

Endem|ie *f* ⟨-, -n⟩ [ɛnde'mi:] *med* endémie *f;* **e~isch** [-'de:mɪʃ] *a* endémique.

Endivie *f* ⟨-, -n⟩ [ɛn'di:viə] *bot* endive, chicorée *f;* **~nsalat** *m* salade *f* de chicorée.

endo|gen [ɛndo'ge:n] *a scient* endogène; **~krin** [-'kri:n] *a physiol (Drüse)* endocrine.

Energetik *f* ⟨-, ø⟩ [enɛr'ge:tɪk] énergétique *f.*

Energie *f* ⟨-, -n⟩ [enɛr'gi:] *phys* force (motrice), puissance, énergie *a. fig; psych* vigueur, activité *f,* dynamisme *m; fam* poigne *f; ~ entwickeln* déployer de l'énergie; *Erhaltung f der ~* conservation *f* de l'énergie; *chemische, elektrische, kinetische ~* énergie *f* chimique, électrique, de mouvement *od* cinétique; *potentielle ~* od *~ der Lage* énergie *f* potentielle; **~art** *f* forme *f* d'énergie; **~aufspeicherung** *f* accumulation *f* d'énergie; **~bedarf** *m* demande d'énergie, énergie *f* nécessaire; besoins *m pl* énergétiques; **~einheit** *f (Erg)* unité *f* d'énergie; **~erzeugung** *f* production *f* énergétique *od* d'énergie; **~gleichung** *f* équation *f* énergétique; **e~los** *a* sans énergie; **~losigkeit** *f* manque *m* d'énergie; **~menge** *f* quantité *f* d'énergie; **~plan** *m* plan *m* énergétique; **~potential** *n* potentiel *m* énergétique; **~problem** *n* problème *m* énergétique; **~quant(um)** *n* quantum *m* d'énergie; **~quelle** *f* source d'énergie, ressource *f* d'énergie *od* énergétique; **~spender** *m* énergétique *f;* **~übertragung** *f* transmission *f od* transport *m* d'énergie; **~umwandlung** *f* transformation *f* d'énergie; **~verbrauch** *m* consommation *f* d'énergie *od* énergétique; **~vergeudung** *f* dissipation *f* d'énergie; **~verlust** *m* perte *f* d'énergie; **~versorgung** *f* alimentation *f od* approvisionnement *m* en énergie (électrique); **~versorgungsnetz** *n* réseau *m* de distribution; **~-Wirkungsgrad** *m* rendement *m* en énergie; **~wirtschaft** *f* économie de l'énergie (électrique); énergétique *f;* **~zufuhr** *f* apport *m* d'énergie.

energisch [e'nɛrgɪʃ] *a* énergique; *adv* à fond; *~ durchgreifen, vorgehen* ne pas y aller de main morte, couper *od* trancher dans le vif; *~ sein* avoir de l'énergie *od* du nerf; *nicht ~ genug sein* manquer d'énergie.

eng [ɛŋ] *a* étroit *a. fig,* serré; *fig (eingeschränkt)* restreint; *(Beziehung)* intime; *im ~sten Familienkreis* dans la plus stricte intimité; *im ~eren Sinn* au sens étroit, proprement dit; *~er machen (werden)* (se) rétrécir; *~ schreiben* écrire serré; *zu ~ sein (Kleidung)* brider, serrer (*jdm* qn); *(Kragen)* étrangler (*jdm* qn); *~ beiea. sitzen* od *stehen* être serrés; *~ wohnen* être logé à l'étroit; *~ere(r) Ausschuß m* petit comité *m; ~e(r) (Damen-)Rock m* jupe *f* fourreau; *~ere Wahl* (scrutin de) ballottage *m; in die ~ere Wahl kommen* avoir réussi le premier test; avoir subi une première sélection; **~anliegend** *a,* **~anschließend** *a (Kleidung)* collant, juste; **~befreundet** *a* lié d'étroite amitié; **~begrenzt** *a* étroitement borné; **~brüstig** *a* court de souffle, asthmatique; **E~brüstigkeit** *f* asthme *m;* **E~e** *f* ⟨-, -n⟩ ['ɛŋə] étroitesse *f a. fig;* exiguité; *fig* goulot *m* d'étranglement; *jdn in die ~~ treiben* serrer qn de près, coincer *od* acculer qn, mettre qn au pied du mur, mettre *od* pousser à qn l'épée dans les reins; **~herzig** *a* étroit, mesquin; *(prüde)* prude; **E~herzigkeit** *f* sécheresse de cœur, mesquinerie; pruderie *f;* **~maschig** *a* à mailles serrées; **E~paß** *m geog* défilé, goulet *m,* gorge *f; fig com* goulot *m* d'étranglement; **~stirnig** *a* borné; **E~stirnigkeit** *f* étroitesse *f* d'esprit; **~verbunden** étroitement lié.

Engag|ement *n* ⟨-s, -s⟩ [ãgaʒə'mɑ̃:] *(Verpflichtung)* engagement *m,* obligation *f; (Anstellung, bes. theat)* engagement *m; (Stellung)* situation *f,* emploi *m; ein ~~ eingehen* prendre un engagement, s'engager; **e~ieren** [-'ʒi:rən] *tr (verpflichten)* engager, obliger (*zu* à); *(anstellen)* employer, *bes. theat* engager; *sich ~~ (sich binden)* s'engager.

Engel *m* ⟨-s, -⟩ ['ɛŋəl] ange *m (a. als Kosewort); die ~ (im Himmel) singen* od *pfeifen hören (fig)* être aux anges; *jds guter ~ sein* être le bon ange de qn; *ein ~ flog durchs Zimmer (fig)* un ange est passé; *gefallene(r) ~* ange *m* déchu; *rettende(r) ~* bon ange *m;* **~chen** *n,* **~ein** *n* angelot *m;* **e~haft** *a,* **e~(s)gleich** *a,* **e~rein** *a* angélique, séraphique, *pred* comme un ange; **~schar** *f* troupe *f od* chœur *m* des anges; **~sgeduld** *f* patience *f* d'ange; **~shaar** *n* cheveux *m pl* d'ange; **~(s)kopf** *m* tête *f* d'ange; **~szunge** *f: mit (Menschen- und) ~~n reden* parler le langage des anges; déployer tout son art de convaincre *od* toute sa force de persuasion; **~wurz** *f bot* angélique *f.*

Engerling *m* ⟨-s, -e⟩ ['ɛŋərlɪŋ] *ent* ver blanc, turc *m.*

Eng|land *n* ['ɛŋlant] l'Angleterre *f;* **~länder** *m* ⟨-s, -⟩ Anglais *m; tech* clé *f* anglaise; **~länderin** *f* Anglaise *f;* **e~landfeindlich** *a* anglophobe; **~landfeindschaft** *f* anglophobie *f;* **e~landfreundlich** *a* anglophile; **~landfreundschaft** *f* anglophilie *f;* **e~lisch** *a* anglais, d'Angleterre; *(in Zssgn)* anglo-; *(das) E~~(e), die ~~e Sprache* l'anglais, la langue anglaise; *~~e(r) Garten m* jardin *m* anglais; *~~e Krankheit f* rachitisme *m; ~~e(s) Pflaster (med)* taffetas *m* d'Angleterre; *~~e Spracheigentümlichkeit f* anglicisme *m;* **~lischhorn** *n mus* cor *m* anglais; **e~lischsprechend** *a* anglophone.

Englein *n* = *Engelchen.*

en gros [ã'gro:] *adv com* en gros.

Engros|geschäft *n* [ã'gro:-], **~handel** *m* commerce *m* de *od* en gros; **~händler** *m* marchand de *od* en gros, grossiste *m;* **~preis** *m* prix *m* de gros.

Enkel *m* ⟨-s, -⟩ ['ɛŋkəl] **1.** petit-fils *m, pl* petits-enfants *m pl; die ~ m pl (die Nachkommen)* les descendants *m pl; (die Nachwelt)* la postérité; **~in** *f* petite-fille *f;* **~kind** *n* petit-enfant *m.*

Enkel *m* **2.** *(Fußknöchel)* cheville *f.*

Enklave *f* ⟨-, -n⟩ [ɛn'kla:və] *geog* enclave *f.*

enorm [e'nɔrm] *a* énorme; *adv* énormément.

Ensemble *n* ⟨-s, -s⟩ [ã'sãbəl, ã'sã:bl] *(Kleidung, theat mus)* ensemble *m; theat* troupe *f.*

entart|en *itr* ⟨*ist entartet*⟩ *(a. Rasse)* dégénérer (*in, zu* en); *(durch Vermischung)* s'abâtardir; **~et** *a* dégénéré, décadent; *(sittl.)* dépravé, corrompu, dénaturé; **E~ung** *f* ⟨-, (-en)⟩ dégénération, dégénérescence, décadence *f;* abâtardissement *m; fig* dépravation, corruption *f.*

entäußer|n: *sich e-r S ~~* se dessaisir, se défaire, se dépouiller de qc; **E~ung** *f* dessaisissement *m.*

Entballung *f geog* déconcentration, décongestion *f.*

entbehr|en [ɛnt'be:rən] ⟨*aux: haben*⟩ *tr* être dépourvu *od* privé de, manquer de; *(vermissen)* regretter; *etw ~~ können* (pouvoir) se passer *od* n'avoir que faire de qc; **~lich** *a* su-

perflu; **E~lichkeit** *f* superfluité *f;* **E~ung** *f* privation *f.*
ent=beinen *tr (die Knochen herauslösen aus)* désosser.
entbieten *tr: jdn zu sich ~* mander qn; *jdm s-n Gruß ~* présenter ses salutations à qn.
entbind|en *tr fig (von e-r Pflicht, e-m Eid, e-r Aufgabe)* délier, décharger (*von* de); *med* accoucher; *chem* (Gas) dégager; *entbunden werden (med)* accoucher (*von* od *gen* de); **E~ung** *f* déliement *m; med* accouchement *m,* délivrance *f; chem* dégagement *m;* **E~ungsheim** *n* maison d'accouchement, maternité *f.*
entblättern *tr (sich)* (s')effeuiller; *(fam)* se dévêtir.
entblöden: *sich nicht ~ zu tun* ne pas avoir honte de faire, ne pas hésiter à faire, avoir l'audace de faire.
entblöß|en [ɛnt'blø:sən] *tr* découvrir, mettre à nu, dénuder; *(Degen)* dégainer; *mil (die Flanke)* exposer; *sein Haupt ~~* se découvrir; **~t** *a* nu; *fig* dénué, privé, démuni (*e-r S* de qc); *~~en Hauptes* nu-tête; *von Truppen ~t mil* dégarni, découvert; **E~ung** *f* mise à nu, dénudation *f; fig (von Mitteln)* dénuement *m.*
entbrennen ⟨*ist entbrannt*⟩ *itr fig* s'enflammer, s'allumer (*in* de); *(Kampf)* éclater; *in Liebe ~* s'enflammer d'amour (*für jdn* de qn).
Entchen *n* ⟨-s, -⟩ ['ɛntçən] caneton *m.*
entdeck|en *tr* découvrir, *(enthüllen)* dévoiler, éventer; *(mitteilen)* révéler; *mil* repérer; *sich jdm ~~* se découvrir *od* s'ouvrir à qn; *jdm sein Herz ~~ (s-e Liebe erklären)* ouvrir son cœur à qn; **E~er** *m* découvreur, explorateur *m;* **E~ung** *f* découverte *f; (Enthüllung)* dévoilement *m,* révélation *f; mil* repérage *m;* **E~ungsreise** *f* voyage *m* de découverte.
entdunkeln *itr* lever le black-out.
Ente *f* ⟨-, -n⟩ ['ɛntə] canard *m; (weibliche ~)* cane *f; (Zeitungs~)* canard, bobard *m; (Harnglas)* bassin de lit, urinal *m; wie e-e bleierne ~ schwimmen* nager comme un chien de plomb; *junge ~* caneton *m;* **~nbraten** *m* canard *m* rôti; **~nei** ['-tənʔai] œuf *m* de cane; **~ngrütze** *f bot* lentille *f* d'eau; **~njagd** *f* chasse *f* au canard; **~nmuschel** *f* bernacle, bernache *f;* **~nteich** *m* canardière, barbotière *f;* **~rich** *m* ⟨-s, -e⟩ [-rıç] canard *m* mâle.
entehr|en *tr* déshonorer, flétrir; *(entwürdigen)* dégrader, avilir; *(schänden)* mettre à mal; abuser de; **~end** *a* déshonorant; *(Strafe)* infamant; **E~ung** *f* déshonneur *m,* flétrissure; dégradation *f,* avilissement *m.*
enteign|en *tr (Person)* exproprier, déposséder; **E~ung** *f* expropriation, dépossession; séquestration *f.*
enteilen ⟨*ist enteilt*⟩ *itr* s'enfuir; *fig (Zeit)* fuir, passer vite.
enteis|en *tr (Wasserweg, Straße)* déglacer; *aero* dégivrer; **E~er** *m aero* dégivreur *m;* **E~ung** *f* déglaçage; dégivrage *m;* **E~ungsanlage** *f* dispositif *m* de dégivrage.
enteisenen *tr chem* déferrer.
Enter|beil *n* ['ɛntər-] *mar* hache *f* d'abordage; **~brücke** *f* pont *m* d'abordage; **~haken** *m* grappin *m* (d'abordage); **e~n** *tr* accrocher, aborder.
enterb|en *tr* déshériter, *jur* exhéréder; *die E~ten m pl (des Schicksals)* les déshérités *m pl;* **E~ung** *f* déshéritement *m, jur* exhérédation *f.*
entfachen *tr* attiser *a. fig.*
entfahren ⟨*aux: sein*⟩ *itr* échapper (*jdm* à qn).
entfallen ⟨*aux: sein*⟩ *itr* échapper (*den Händen* des mains); *fig* échapper (*jdm* à qn); *(Anteil)* revenir (*auf jdn* à qn); *fin* cesser d'être attribué; *entfällt (auf Formularen)* ne s'applique pas; *das ist mir ~* m'a échappé *od* m'est sorti (de la mémoire); *entfällt (Antwort auf Fragebogen)* néant.
entfalt|en *tr* déplier; *(entrollen)* dérouler; *(Fahne)* déployer; *(öffnen)* ouvrir; *(ausbreiten)* étaler; *mil (Truppen)* déployer; *fig (Fähigkeit, Tätigkeit)* déployer; *(entwickeln)* développer, faire éclore; *sich ~~* se déployer; se dérouler; s'ouvrir; s'étaler; *bot* éclore, s'épanouir; *fig* se développer; **E~ung** *f* dépliage; déploiement; déroulement; étalage; développement *m; bot* éclosion *f,* épanouissement *m; aero (Fallschirm)* ouverture *f;* **E~ungszeit** *f (Fallschirm)* temps *m* d'ouverture.
entfärb|en *tr* décolorer; *(bleichen)* déteindre; *sich ~~* se décolorer, se déteindre, se ternir; *(Gesicht)* changer de couleur, pâlir; **E~er** *m,* **E~ungsmittel** *n* (agent) décolorant *m.*
entfern|en *tr* éloigner; *(wegnehmen)* ôter; *(wegschaffen)* écarter, faire disparaître; *(verweisen, streichen)* exclure; *(Fleck)* enlever; *chem* éliminer; *med* extirper; *(Mandeln)* enlever; *sich ~~* s'éloigner, s'écarter; *(abweichen)* dévier (*von* de); *(weggehen)* partir, *(heimlich)* filer, s'esquiver; *(sich zurückziehen)* se retirer; *operativ ~~* réséquer; *sich von der Truppe ~~ (mil)* s'absenter de la troupe; *nicht zu ~~(d)* indélébile; **E~en** *n med* ablation, évulsion *f;* **~t** *a (räuml. u. zeitl. fern)* lointain, distant; *(abgelegen)* écarté, reculé; *(abwesend)* absent; *nicht im ~~esten* pas le moins du monde; *ich denke nicht im ~~esten daran!* je suis loin d'y penser; loin de moi cette pensée! *weit ~~, daß* od *zu* (bien) loin que *subj od* de *inf; jdn von sich ~~ halten* tenir qn à distance; *gleich weit ~~* à égale distance; *~~e Ähnlichkeit f* petite ressemblance *f; ~~e Möglichkeit f* faible possibilité *f; ~~ verwandt a pl* parents de loin; *~~e Verwandte pl* parents *m pl* éloignés; **E~ung** *f (Wegschaffen)* éloignement *m,* élimination *f; (von Schutt)* déblaiement; *med* extirpation, exérèse; *(aus d. Amt)* révocation *f; (Ferne)* lointain; *(Abstand)* écartement *m,* distance *f,* décalage *m; auf e-e ~~ von* à une distance de; *auf kurze, weite ~~* à courte *od* faible *od* petite, à grande distance; *aus der ~~* à distance; *in einiger, geringer ~~* à quelque distance (*von* de); *über diese ~~* à cette *od* à une telle distance; *die ~~ messen* mesurer la distance; *e-e ~~ schätzen* estimer une distance au jugé; *operative ~~ (med)* ablation, résection; *der Gebärmutter* hystérectomie *f; unerlaubte ~~ von der Truppe* absence *f* illégale de la troupe; *zurückgelegte ~~* distance *f* couverte; *E~~ e-s* od *des Flecks* détachage *m;* **E~ungsanzeiger** *m aero* indicateur *m* de distance; **E~ungsmesser** *m phot* télémètre *m;* **E~ungsschätzen** *n mil* appréciation *od* évaluation *f* des distances; **E~ungsskala** *f phot* échelle *f* de distance; **E~ungsvorhalt** *n mil* correction *f* en distance.
entfessel|n *tr* déchaîner *a. fig; fig (Krieg)* déclencher; **~t** *a fig* déchaîné, débridé; **E~ung** *f fig* déchaînement; *psych* défoulement *m.*
entfett|en *tr* dégraisser; *(Wolle)* dessuinter; **E~ung** *f* dégraissage; dessuintage; *(Abmagerung)* amaigrissement *m;* **E~ungskur** *f* cure *f* d'amaigrissement; **E~ungsmittel** *n chem* dégraissant; *med* moyen *m* amaigrissant.
entflamm|en *tr* ⟨*aux: haben*⟩ *(a. fig)* enflammer, allumer, embraser; *fig* électriser, passionner, enthousiasmer; *itr* ⟨*aux: sein*⟩ s'enflammer, s'allumer, s'embraser *a. fig; von neuem ~~ (Streit)* se rallumer; *fig* s'enthousiasmer; **~t** *a fig* embrasé, enthousiasmé; **E~ung** *f chem* inflammation *f;* **E~ungspunkt** *m* point *m* d'inflammation.
entflecht|en *tr fin* décentraliser, décartelliser; **E~ung** *f* déconcentration, décentralisation, décartellisation *f.*
entfliegen ⟨*aux: sein*⟩ *itr* s'envoler.
entfliehen ⟨*ist entflohen*⟩ *itr* s'enfuir, se sauver; *fig (Zeit)* fuir.
entfremd|en *tr* rendre étranger, aliéner, éloigner, détourner; *wir sind ea. ~et* il y a du froid *od* du refroidissement entre nous; **E~ung** *f* aliénation, désaffection *f.*
entfritt|en *tr radio* décohérer; **E~er** *m* décohéreur *m;* **E~ung** *f* décohésion *f.*
entfrost|en *tr mot* dégivrer; **E~er** *m* dégivreur *m;* **E~ung** *f* dégivrage *m.*
entführ|en *tr* enlever, ravir; *(Kind) a.* kidnapper; **E~er** *m* ravisseur *m;* **E~ung** *f* enlèvement, *(vx)* ravissement, rapt *m; ~~ Minderjähriger (jur)* détournement *m* de mineurs.
entgas|en *tr* dégazer; **E~ung** *f* dégazage *m.*
entgegen [ɛnt'ge:gən] *prp dat (Richtung)* vers, au-devant de, à la rencontre de, à l'encontre de; *(Gegensatz)* contre, contraire à; *~ der Ankündigung* contrairement à ce qui a été annoncé; *mir ~* à ma rencontre; **~=arbeiten** *itr* contrarier, contrecarrer (*jdm* qn), s'opposer, mettre obstacle (*jdm* à qn); **~=bringen** *tr* porter à la rencontre (*jdm* de qn); *fig* présenter; *(Gefühle)* éprouver (*jdm* pour qn);

~=eilen ⟨*ist entgegengeeilt*⟩ *itr* courir à la rencontre (*jdm* de qn); *s-m Verderben* ~~ courir à sa perte; **~=fliegen** *itr aero* (se) porter à la rencontre (*dat* de); **~=gehen** *itr: jdm* ~~ *(zum Geleit)* aller au-devant de qn; *(zum Treffpunkt, freundl. od feindl.)* aller à la rencontre de qn; *s-m Ende* ~~ toucher *od* tirer *od* tendre à sa fin; *e-r Gefahr* ~~ braver *od* affronter un danger; **~gesetzt** *a* contraire, opposé (*dat* à); *im* ~~*en Fall* dans le cas contraire; *in* ~~*er Richtung* dans le sens opposé; ~~*er Meinung sein* être d'opinion contraire; **~=halten** *tr* tendre (*jdm* vers qn), présenter; *(einwenden)* objecter; **~=jubeln** *itr: jdm* ~~ accueillir qn avec des acclamations, acclamer qn; **~=kommen** *itr (Person)* venir au-devant *od* à la rencontre (*jdm* de qn); *(Fahrzeug)* venir en sens inverse; *fig* faire des avances (*jdm* à qn); se montrer complaisant; faire un pas; *um Ihnen entgegenzukommen* pour vous faire plaisir; *e-m Bedürfnis* ~~ répondre à un besoin; *jdm freundlich* ~~ faire bon accueil à qn; *jdm auf halbem Weg* ~~ rencontrer qn à mi-chemin; *ich komme Ihnen sehr* ~ je vous donne la partie belle; *das kommt mir sehr entgegen* cela me convient *od fam* m'arrange tout à fait; **E~kommen** *n* bienveillance, complaisance, obligeance, prévenance *f*, avances, bonnes grâces *f pl*; **~kommend** *a fig* complaisant, prévenant; **~kommenderweise** *adv* de bonne grâce; **~=laufen** *itr: jdm* ~~ courir au-devant de qn; **E~nahme** *f* réception, acceptation *f*; **~=nehmen** *tr* recevoir, accepter; **~=schicken** *tr: jdm* ~~ envoyer à la rencontre de qn; **~=sehen** *itr (e-m Ereignis)* envisager, *com* attendre (*e-r S* qc); **~=setzen** *tr fig* opposer; *Widerstand* ~~ résister (*dat* à); **~=stehen** *itr fig* s'opposer à, être contraire à; *dem steht nichts* ~ il n'y a rien là contre; **~=stellen** *tr* opposer; **~=strecken** *tr (die Hand) jdm* ~~ tendre vers qn; **~=stürzen** *itr* se précipiter au-devant de; **~=treten** *itr* s'opposer (*jdm* à qn); *e-r Gefahr* ~~ affronter un danger; **~=wirken** *itr: jdm, e-r S* ~~ agir contre, s'opposer à, contrarier qn, qc; **~=ziehen** *itr* aller à la rencontre (*jdm* de qn).

entgegn|en [ɛnt'ge:gnən] *tr* répondre, répliquer; *(schnell)* repartir; *(schlagfertig)* riposter; **E~ung** *f* réponse, réplique; repartie; riposte *f*.

entgehen ⟨*aux: sein*⟩ *itr* échapper à; *pop* couper à; *sich etw (nicht)* ~ *lassen* (ne pas) laisser échapper qc; *sich nichts* ~ *lassen* ne se priver de rien; *der Gefahr mit knapper Not* ~ l'échapper belle; *es entgeht mir etw* je perds qc; *mir entgeht nichts* rien ne m'échappe; *das ist mir entgangen* cela m'a échappé; *mir ist kein Wort entgangen* je n'en ai pas perdu un mot; *Sie* ~ *mir nicht!* je saurai vous retrouver; *dir ist wirklich etw entgangen* tu as vraiment manqué qc; *es wird Ihnen nichts* ~ vous ne perdez rien pour attendre.

entgeistert *a* pétrifié, ébahi.

Entgelt *n a. m* ⟨-(e)s, -e⟩ [ɛnt'gɛlt] *(Lohn)* salaire *m*; *(Entlohnung)* rémunération, rétribution; *(Belohnung)* récompense; *(Entschädigung)* compensation *f*, dédommagement *m*; *gegen* ~ à gages, contre rémunération, *jur* à titre onéreux; *als* ~ en retour; *ohne* ~ gratuitement, *fam* gratis; **e~en** *tr (entlohnen)* rémunérer; *fig (büßen)* payer, expier; *jdn etw* ~~ *lassen* s'en prendre à qn de qc; **e~lich** *a u. adv jur* à titre onéreux.

entgift|en *tr pharm* désintoxiquer; *fig (Ausea.setzung)* assainir; **E~ung** *f* dé(sin)toxication *f*.

entgleis|en ⟨*ist entgleist*⟩ *itr loc* sortir des rails; dérailler *a. fig*; *fig (in der Rede)* faire un écart de langage; *(sittl.)* sortir de la bonne voie; *zum E~~ bringen* faire dérailler; **E~ung** *f loc* déraillement *a. fig*; *fig (in d. Rede)* écart de langage; *(sittl.)* écart *m*.

entgleiten ⟨*ist entglitten*⟩ *itr: jdm* ~ échapper *od* glisser des mains de qn.

entgräten *tr (Fisch)* enlever les arêtes de.

enthaar|en *tr* (d)épiler; **E~ung** *f* (d)épilation *f*; **E~ungsmittel** *n* dépilatoire *m*.

enthalt|en *tr* contenir; *(fassen)* tenir; *fig (einschließen, umfassen)* renfermer, comprendre; *(in sich begreifen)* embrasser, impliquer; *sich e-r S* ~~ s'abstenir de qc; *sich nicht* ~~ *können zu* ne pouvoir se défendre *od* s'empêcher de; *sich der Stimme* ~~ *(pol)* s'abstenir de voter; *sich der Tränen* ~~ retenir ses larmes; **~sam** *a* abstinent, tempérant; *(geschlechtl.)* continent, chaste; *(mäßig im Genuß)* sobre; ~~ *leben (geschlechtlich)* vivre dans la continence *od* la chasteté; **E~samkeit** *f* abstinence, tempérance; continence, chasteté; sobriété *f*; **E~ung** *f* = *E~samkeit; pol (Stimm~~)* abstention *f* (de vote).

enthärt|en *tr (Wasser)* adoucir; **E~er** *m* adoucisseur *m*; **E~ung** *f* adoucissement *m*; **E~ungsmittel** *n* agent *m* d'adoucissement.

enthaupt|en *tr* décapiter; guillotiner; *poet* décoller; **E~ung** *f* décapitation; *poet* décollation *f*.

enthäuten *tr* écorcher, dépouiller.

entheb|en *tr (von etw Lästigem)* délivrer, débarrasser, dispenser (*gen* de); *s-s Amtes* ~~ destituer, déposer, relever de sa charge, décharger des ses fonctions; *vorläufig* ~~ suspendre (*gen* de); **E~ung** *f* destitution; suspension *f*.

entheilig|en *tr* profaner, violer; **E~ung** *f* profanation *f*.

enthüll|en *tr* découvrir, dévoiler; *(Denkmal)* inaugurer; *fig* révéler, percer à jour, démasquer; **E~ung** *f* découverte; inauguration *f*; dévoilement *m*, révélation *f*.

enthülsen *tr* écosser, monder, *(Reis)* décortiquer.

Enthusias|mus *m* ⟨-, ø⟩ [ɛntuzi'asmus] enthousiasme *m*; *in* ~~ *geraten über* s'enthousiasmer pour; **~t** *m* ⟨-en, -en⟩ [-zi'ast] enthousiaste *m*; **e~tisch** [-'ziastɪʃ] *a* enthousiaste; *adv* avec enthousiasme.

entjungfern *tr* déflorer, *vulg* dépuceler.

entkalk|en *tr (Boden)* décalcifier; *(Wasser)* décalcairiser; **E~ung** *f med* décalcification *f*.

entkartellisieren *adm tr* décartelliser.

entkeimen *tr (Getreide)* dégermer; *(keimfrei machen)* stériliser, *(Milch)* pasteuriser.

entkernen *tr* ôter les noyaux *od* pépins de, dénoyauter, vider.

entkleid|en *tr* déshabiller, dévêtir; *fig (berauben, entheben)* dépouiller (*e-r S* de qc); *sich* ~~ se déshabiller, se dévêtir; **E~ung(sszene)** *f* déshabillage; *theat* strip-tease *m*.

entkletten *tr (Textil)* échardonner.

entkolonisier|en *tr* décoloniser; **E~ung** *f* décolonisation *f*.

entkommen ⟨*ist entkommen*⟩ *itr* s'échapper (*aus* de), échapper à *a. fig*, se sauver; *mit knapper Not* ~ l'échapper belle; **E~** *n* fuite *f*.

entkopp|eln *tr radio* désaccoupler; **E~(e)lung** *f radio* désaccouplement *m*.

entkorken *tr* déboucher.

entkräft|en *tr* affaiblir, débiliter, exténuer, épuiser, user; *fig (Argument)* infirmer, battre en brèche, annuler; *jur (Beweis, Urteil)* invalider, casser; **E~ung** *f* affaiblissement *m*, débilitation *f*, épuisement *m*, exténuation, langueur, prostration; *med* inanition; *fig* infirmation, annulation, *jur* invalidation, cassation *f*.

Entlad|eanlage *f* installation *f* de déchargement; **~ebrücke** *f* pont *m* de déchargement; **~edauer** *f (Akku)* durée *f od* temps *m* de décharge; **~ehafen** *m* port *m* de débarquement *od* de déchargement; **~ehebel** *m* levier *m* de décharge; **~ekosten** *pl* frais *m pl* de déchargement; **e~en** *tr (ab-, ausladen)* décharger *(a. Gewehr u. el)*; *mar* débarquer, débarder; *fig (s-n Zorn)* décharger, exhaler; *sich* ~~ se décharger *a. el*; *(Feuerwaffe)* partir; *(Gewitter, Zorn)* éclater; **~er** *m el* éclateur *m*; **~espannung** *f el* voltage *od* potentiel *m* de décharge; **~estation** *f* station *f* de déchargement; **~estrom** *m el* courant *m* de décharge; **~ung** *f (Ab-, Ausladen)* déchargement, *mar* débarquement, débardage *m*; *el* décharge (électrique); *(Explosion)* explosion; *(Ausbruch)* éruption *f*; *(Gewitter, Zorn)* éclatement; *(Aufbrausen)* sursaut *m*.

entlang [ɛnt'laŋ] *adv: an* ... ~ u. *prp (nachgestellt mit acc, seltener mit nachfolgendem dat)* le long de; **~=fahren** *itr*, **~=gehen** *itr* longer (*an etw* qc).

entlarven *tr fig* démasquer, arracher *od* ôter le masque à.

entlass|en *tr (bes. Schüler)* renvoyer; *(aus dem Krankenhaus)* sortir; *(verabschieden)* congédier, donner congé à; *(absetzen)* destituer; *(e-n Beamten)* relever de ses fonctions, mettre à pied, révoquer; *(Angestell-*

ten) a. remercier; *(Arbeiter)* licencier, débaucher; *(Offizier)* mettre à la réforme; *(Mannschaftsdienstgrad)* licencier, libérer, démobiliser, *(Gruppe)* renvoyer dans leurs foyers; *(aus der Haft)* libérer, relâcher, relaxer; *(aus e-r Schuld)* acquitter de; *~~ werden* recevoir son congé; *(aus der Schule)* renvoyer; *bedingt, auf Bewährung, auf Ehrenwort ~~ (jur)* libérer conditionnellement, avec sursis, sur parole; *wegen Dienstuntauglichkeit ~~ (mil)* réformer; *fristlos ~~* renvoyer sans préavis; *vorläufig ~~ (jur)* mettre en liberté provisoire; **E~ung** *f* renvoi; congé(diement) *m;* destitution; révocation *f;* licenciement *a. mil,* débauchage *m; mil* mise à la réforme; libération, démobilisation *f;* sortie; renvoi *m* dans les foyers; *jur* libération, relaxe, relaxation *f; um s-e ~~ bitten, s-e ~~ einreichen* donner *od* présenter sa démission; *fristlose ~~* licenciement *m* sans préavis; *vorläufige ~~ (aus d. Amt)* suspension; *(aus d. Haft)* mise *f* en liberté provisoire; **E~ungsgesuch** *n* (demande de *od* lettre de) démission, demande *f* de licenciement; **E~ungslager** *n mil* camp *m* de libération; **E~ungspapiere** *n pl mil* papiers *m pl* de libération; **E~ungsschein** *m* bulletin de sortie; *mil* certificat *m* de démobilisation; **E~ungsschreiben** *n* lettre *f* de congédiement *od* de démission *od* de licenciement; **E~ungsstelle** *f mil* centre *m* de démobilisation.

entlast|en *tr* décharger (*von* de); *tech arch* soulager; *fig (erleichtern)* soulager, alléger, débarrasser; *(von e-r Verpflichtung, e-r Schuld)* décharger, exonérer (*von* de); *(von e-r Steuer; Grundstück von Schuld)* dégrever; *(Straße vom Verkehr)* dégager, décongestionner; *(den Verkehr)* désembouteiller; *mit* dégager; *den Angeklagten (durch s-e Aussage) entlasten* témoigner à la décharge de l'accusé; **~end** *a jur* exonératoire; *~~e(s) Beweismaterial n* preuve *f* à décharge; **E~ete(r)** *m pol* personne *f* exonérée; **E~ung** *f* ⟨-, (-en)⟩ décharge *f; tech* délestage; *fig* soulagement, allégement, débarras; dégrèvement *m; fin* décharge *f,* quitus *m; jur* décharge, exonération *f; mil* dégagement *m; (vom Verkehr)* décongestion *f; jdm ~~ erteilen* donner décharge *od* quitus à qn; **E~ungsangriff** *m mil* (attaque de) diversion *f;* **E~ungsbeweis** *m jur* preuve *f* de disculpation *od* à décharge; **E~ungsoffensive** *f mil* offensive *f* de diversion; **E~ungsstraße** *f* voie *f* de dégagement; **E~ungsversuch** *m mil* tentative *f* de dégagement; **E~ungszeuge** *m* témoin *m* à décharge; **E~ungszug** *m loc (Vorzug)* train *m* supplémentaire; *e-n ~~ einlegen* dédoubler le train.

entlaufen ⟨*ist entlaufen*⟩ *itr (Tier)* échapper.

entlaus|en *tr* épouiller; **E~ung** *f* épouillage *m;* **E~ungsanstalt** *f* établissement *m* d'épouillage.

entledig|en [ɛnt'le:dɪgən] *tr: jdn s-r Fesseln ~~* débarrasser qn de ses fers; *sich s-r Kleider ~~* se défaire de ses vêtements; *sich e-r Last ~~* se débarrasser *od* se décharger *od* se délivrer d'un fardeau; *sich s-r Aufgabe ~~* accomplir, s'acquitter de sa tâche; **E~ung** *f* décharge, délivrance *f.*

entleer|en *tr* vider, dépoter; *(Darm)* évacuer; *(Abort, Benzintank)* vidanger; *(Ballon)* dégonfler; *sich ~~* se vider, se dégonfler; **E~ung** *f* vidage, dépotage *m;* évacuation; vidange *f;* dégonflement *m.*

entlegen [ɛnt'le:gən] *a* éloigné, écarté, lointain, isolé, perdu; **E~heit** *f* ⟨-, ø⟩ éloignement, isolement *m.*

entlehn|en *tr* = *entleihen;* **E~ung** *f* = *Entleihung.*

entleiben, *sich* se donner la mort.

entleih|en *tr* emprunter (*jdm etw* qc à qn); **E~er** *m* emprunteur *m;* **E~-schein** *m* bulletin *m* de sortie; **E~ung** *f* emprunt *m.*

entlob|en, *sich* rompre ses fiançailles; **E~ung** *f* rupture *f* des fiançailles.

entlocken ⟨*hat entlockt*⟩ *tr (Töne e-m Instrument)* tirer (*dat* de); *(Geheimnis)* arracher, soutirer (*jdm etw* qc à qn); *(Geständnis, Tränen)* arracher.

entlohn|en *tr* payer, rémunérer, rétribuer; *in Waren ~~* payer en nature; **E~ung** *f* salaire *m,* rémunération, rétribution *f.*

entlüft|en *tr* (dés)aérer, ventiler; **E~er** *m* évent, aérateur, ventilateur *m;* **E~ung** *f* aérage *m,* aération, ventilation *f;* **E~ungsanlage** *f* installation *f* d'aérage; **E~ungsdüse** *f,* **E~ungsöffnung** *f* buse *od* bouche *f* d'aération; **E~ungshahn** *m* purgeur *m* d'air; **E~ungsrohr** *n mot* cheminée *f* d'aération; **E~ungsventil** *n* ventouse *f.*

entmagnetisieren *tr* désaimanter, démagnétiser.

entmann|en *tr* châtrer, castrer, émasculer; **E~ung** *f* ⟨-, (-en)⟩ castration, émasculation *f.*

entmass|en *tr* défouler; **E~ung** *f* défoulement *m.*

entmenscht [ɛnt'mɛnʃt] *a* déshumanisé, dénaturé.

entmilitarisier|en *tr* démilitariser; **E~ung** *f* démilitarisation *f.*

entminen *tr (Land)* déminer; *mar* draguer.

entmotten *tr* démiter.

entmündig|en *tr* mettre sous tutelle, frapper d'interdiction; **E~ung** *f* mise sous tutelle, interdiction *f.*

entmutig|en *tr* décourager, rebuter, démoraliser; **E~ung** *f* découragement *m,* démoralisation *f.*

Entnahme *f* prise *f; (e-r Probe)* prélèvement; *fin* retrait, décaissement *m.*

entnationalisier|en *tr pol (Wirtschaftszweig)* dénationaliser; **E~ung** *f* dénationalisation *f.*

entnazifizier|en *tr* dénazifier; **E~ung** *f* ⟨-, (-en)⟩ dénazification *f;* **E~ungsausschuß** *m* comité *m* de dénazification.

entnehmen *tr (wegnehmen)* prendre (*dat* de, à); *(Probe)* prélever; *(e-m Buch)* tirer (*dat* de); *(ersehen)* voir, remarquer (*aus* par); *(folgern)* conclure (*aus* de); *fin* retirer.

entnerven *tr* énerver, affaiblir, épuiser; *fam* crisper.

entölen *tr* déshuiler.

entpersönlichen *tr* dépersonnaliser.

entpolitisier|en *tr* dépolitiser; **E~ung** *f* dépolitisation *f.*

entpuppen, *sich* jeter le masque; se dévoiler, se révéler (*als etw* qc).

entrahmen *tr (Milch)* écrémer.

entraten *itr lit* se passer (*e-r S* de qc).

enträtsel|n *tr* débrouiller, dévoiler, résoudre; *(Schrift)* déchiffrer; **E~ung** *f* résolution *f;* déchiffrement *m.*

entrechten *tr* priver de ses droits.

entreißen ⟨*hat entrissen*⟩ *tr* arracher; *fig (Geheimnis)* extorquer, extraire (*jdm etw* qc à qn); *dem Tode ~* arracher à la mort.

entricht|en *tr (Betrag)* acquitter, payer; **E~ung** *f* acquittement, paiement *m.*

entrinden *tr (Baum)* décortiquer.

entrinnen ⟨*ist entronnen*⟩ *itr (Tränen, Zeit)* s'écouler; *(Zeit)* fuir; échapper (*e-r Gefahr* à un danger).

entrollen *tr, a. fig* dérouler, *(bes. Fahne)* déployer.

entrosten *tr* dérouiller.

entrücken *tr* enlever, soustraire, dérober; *(der Welt) entrückt (fig)* dérobé (au monde).

entrümpel|n *tr* déblayer; **E~ung** *f* déblayage, nettoyage *m* des greniers.

entrußen *tr mot* décalaminer.

entrüst|en, *sich* s'indigner, se fâcher (*über* de); *sich über jdn laut ~~* crier haro sur qn; **~et** *a* indigné, outré; *aufs äußerste ~~* exaspéré, hors de soi; **E~ung** *f* ⟨-, (-en)⟩ indignation, exaspération *f.*

entsag|en ⟨*hat entsagt*⟩ *itr* se résigner; *e-r S* résigner qc, renoncer à qc, abandonner qc, se désister de qc; *dem Thron ~~* abdiquer (la couronne); **E~ung** *f* résignation *f,* abandon *m,* abnégation; renonciation *f,* renoncement, désistement *m;* **~ungsvoll** *a* plein d'abnégation.

entsalz|en ⟨*hat entsalzen*⟩ *tr* dessaler *tr;* **E~ung** *f* ⟨-, (-en)⟩ dessalement, dessalage *m,* dessalaison *f.*

Entsatz *m* ⟨-es, ø⟩ *mil (e-r belagerten Stadt)* déblocage *m;* **~angriff** *m* attaque *f* de dégagement; **~heer** *n* armée *f* de dégagement.

entschädig|en *tr* dédommager, *(gesetzlich)* indemniser (*für etw* de qc); *(abfinden)* désintéresser; *sich für etw ~~* se dédommager de qc; *jdn für s-n Verlust ~~* compenser la perte de qn; **E~ung** *f (Vorgang)* dédommagement *m,* indemnisation, réparation *f* du préjudice; *(Abfindung)* désintéressement *m; (Ersatz)* compensation *f; (Schadenersatz)* dommages-intérêts *m pl; (Summe)* indemnité *f; als ~~ für* à titre d'indemnité de; *allg* en compensation de; *gegen e-e ~~ von* moyennant paiement d'une indemnité de; *e-e ~~ leisten* od *zahlen* payer une indemnité;

e-e ~~ verlangen demander des dommages-intérêts, *jur* intenter une action en dommages-intérêts; *jdm e-e ~~ zuerkennen* allouer une indemnité à qn; **E~ungsantrag** *m* demande *f* d'indemnité *od* en dommages-intérêts; **E~ungssumme** *f* somme de dédommagement, indemnité *f*.
entschärfen *tr (Schußwaffe, Munition, Mine, Bombe)* désamorcer.
Entscheid *m* ‹-(e)s, -e› [ɛnt'ʃaɪt, -də], *bes. jur* = *~ung;* **e~en** ‹*entschied, hat entschieden*› *tr (Frage)* décider (*etw* qc, *über etw* de qc), trancher; régler, déterminer; *jur* juger (*über etw* qc), statuer (*über etw* sur qc), prononcer (*auf etw* qc); *(durch Schiedsspruch)* arbitrer; *sich ~~* se décider (*für* pour, à), se déterminer (*für* à); adopter (*für etw* qc); *sich ~~ können* savoir prendre une décision; *nicht wissen, wie man sich ~~ soll* n'avoir que l'embarras du choix; *ich habe mich entschieden für* mon choix s'est fixé sur; *das ist entschieden* c'est (une) chose décidée; *dieser Angriff hat die Schlacht entschieden* cette attaque a décidé du sort de la bataille; *die Mehrheit ~et* la majorité est décisive; *morgen wird sich entscheiden, ob* ... c'est demain qu'on verra si ...; **e~end** *a* décisif, crucial; *(schlüssig)* concluant; péremptoire; *der ~~e Augenblick* le moment psychologique; *im ~~en Augenblick kommen* arriver au moment décisif *od* psychologique; *der ~~e Punkt* le vif; *das ~~e Wort* le fin mot de l'histoire; **~ung** *f* décision; *(Entschluß)* résolution *f; jur (der Geschworenen)* verdict; *(des Gerichts)* jugement; *(der letzten Instanz)* arrêt *m; (des Schiedsgerichts)* (sentence *f* d')arbitrage; *(Verfügung)* arrêté *m; e-e ~~ erzwingen* forcer une décision; *e-e (gerichtliche) ~~ herbeiführen* amener une décision judiciaire; *noch nicht zur ~~ gekommen sein* être (encore) en suspens; *vor e-r schwierigen ~~ stehen* se trouver dans une fâcheuse alternative; *etw zur ~~ stellen* soumettre qc à la décision; *e-e ~~ treffen* prendre une décision; *jur* rendre un prononcé; *e-e ~~ nochmals überprüfen* revenir sur une décision; *von jdm e-e unmittelbare ~~ verlangen* prendre qn au pied levé; *sich die ~~ vorbehalten* se réserver la décision; *vorläufige ~~ (jur)* jugement *m* de référé; *e-e vorläufige ~~ beantragen, treffen* appeler *od* plaider, prononcer en référé; *die ~~ steht noch aus* la décision n'a pas encore été prise; **~ungskampf** *m* combat *m* décisif; **~ungsschlacht** *f* bataille *f* décisive; **~ungsspiel** *n sport* match *m* décisif, belle *f*.
entschieden [ɛnt'ʃi:dən] *a* décidé; *(fest, energisch)* ferme, énergique; *(entschlossen)* résolu, déterminé; *(Ablehnung)* catégorique; *(Abneigung)* prononcé; *(Ton)* affirmatif; *adv* décidément; résolument; catégoriquement; péremptoirement, définitivement, en définitive; **E~heit** *f* ‹-, ø› décision; *(Festigkeit)* fermeté, énergie; *(Entschlossenheit)* résolution, détermination *f*.
entschlack|en *tr med* désintoxiquer; **E~ung** *f* désintoxication *f*.
entschlafen *itr* s'endormir *a. fig (sterben); fig* s'éteindre; *selig ~* s'endormir dans le Seigneur.
entschlagen: *sich e-r S ~* se débarrasser *od* se défaire de qc; *sich der Sorgen ~* bannir les soucis.
entschleiern *tr* dévoiler *a. fig.*
entschließ|en, *sich* se résoudre, se décider, se déterminer (*etw zu tun* à faire qc); prendre un parti, s'exécuter; *sich anders ~~* se raviser, changer d'avis; *sich dazu ~~* en venir là, y venir; **E~ung** *f parl* résolution *f; e-e ~~ annehmen* adopter *od* approuver une résolution.
entschlossen [ɛnt'ʃlɔsən] *a* résolu, décidé, déterminé (*etw zu tun* à faire qc); fixé; *(charakterfest)* ferme, énergique; *fest ~* tête levée, front levé; *kurz ~* sans hésiter; *rasch, schnell ~ sein* ne faire ni une ni deux; *~e(r) Mensch m* homme *m* de tête; **E~heit** *f* ‹-, ø› résolution, (esprit *m* de) décision, détermination; *(Festigkeit)* fermeté, énergie *f*.
entschlummern ‹*aux: sein*› *itr* s'assoupir, s'endormir *a. fig (sterben).*
entschlüpfen *itr* échapper; *das Wort ist mir entschlüpft* le mot m'a échappé.
Entschluß *m* résolution, décision, détermination *f; von schnellem ~* prompt à se décider; *s-n ~ ändern* changer de décision; *sich zu e-m ~ durchringen* franchir le pas, faire le saut; *e-n ~ fassen* prendre un parti *od* une résolution *od* une décision; *an s-m ~ festhalten* s'en tenir à sa décision; *zu e-m ~ kommen* sauter le pas; *in s-m ~ bestärkt werden* se raffermir dans sa résolution; *mein ~ ist gefaßt* mon parti *od* ma décision est pris(e); *Mann m von ~* homme *m* de tête; **~kraft** *f* force *f* de décision.
entschlüssel|n *tr* déchiffrer; **E~ung** *f* déchiffrage, déchiffrement *m*.
entschuld|bar *a* excusable, pardonnable; **~en** *tr* dégrever, désendetter; **~igen** *tr* excuser, pardonner; *(rechtfertigen)* justifier; disculper (*wegen e-r S* de qc); *sich ~~* s'excuser (*bei jdm wegen e-r S* de qc auprès de qn) (*daß — bei gleichem Subjekt —* de *inf*); *bei jdm* faire *od* présenter ses excuses à qn; *mit etw* prendre qc pour excuse, *(als Vorwand)* prétexter qc; *(nicht) zu ~~(d)* (in)excusable, (im)pardonnable; *sich ~~ lassen* s'excuser; *~~ Sie!* excusez-moi! pardon! *~~ Sie, daß* ... pardonnez-moi de *inf; ~~ Sie mich bitte bei* ... veuillez m'excuser auprès de ...; *~~ Sie (den harten Ausdruck), aber* ... révérence parler *fam; ~~ Sie bitte die Störung!* excusez-moi de vous déranger; *das läßt sich nicht ~~* cela est inexcusable; **E~igung** *f* excuse *f*, pardon *m; (Rechtfertigung)* justification, disculpation, apologie *f; (Ausflucht)* subterfuge, faux-fuyant; *(Vorwand)* prétexte *m; als ~~ für* comme excuse de; *jdn um ~~ bitten* demander pardon à qn; *immer e-e ~~ zur Hand haben* avoir toujours une excuse toute prête; *e-e ~~, als ~~ vorbringen* alléguer *od* apporter *od* donner une excuse, pour excuse; *e-m Kind e-e ~~ schreiben* écrire un mot d'excuse pour un enfant; *ich bitte Sie vielmals um ~~* je vous en fais toutes mes excuses; *zu s-r ~~ kann man sagen* ... on peut dire pour son excuse ...; *dafür gibt es keine ~~* c'est inexcusable; **E~igungsgrund** *m* excuse *f;* **E~igungsschreiben** *n* lettre *f* d'excuse(s); **E~igungszettel** *m (Schule)* billet *m* d'excuse *od* de rentrée; **E~ung** *f fin* désendettement *m*.
entschweben *itr* s'envoler.
entschwefeln *tr* désulfurer.
entschwinden *itr* disparaître, se perdre (au loin); *(Ton)* mourir; *das ist mir* od *meinem Gedächtnis entschwunden* je ne m'en souviens plus.
entseelt [ɛnt'ze:lt] *a (tot)* mort.
entsenden *tr* envoyer; *(Vertreter)* déléguer, députer.
entsetz|en ‹*hat entsetzt*› *tr mil (Festung)* débloquer, dégager; *fig (erschrecken)* effrayer, épouvanter; *sich ~~* s'effrayer, s'épouvanter (*über* de); **E~~** *n* ‹-s, ø› frayeur, épouvante, horreur *f*, effroi *m;* **~lich** *a* effrayant, *a. fam (übertreibend)* épouvantable, terrible, horrible, effroyable, affreux, atroce, à faire peur; *es ist ~~* c'est une horreur; *wie ~~!* quelle horreur! **E~lichkeit** *f* horreur, atrocité *f;* **E~ung** *f mil* déblocage *m*.
entseuch|en *tr* décontaminer; **E~ung** *f* décontamination *f*.
entsichern *tr (Schußwaffe)* enlever la sûreté (*etw* de qc), *(Granate)* dégoupiller, *(Mine)* armer.
entsiegel|n *tr* décacheter, *jur* desceller, lever les scellés de; *allg (öffnen)* ouvrir; **E~ung** *f* ‹-, (-en)› levée *f* des scellés.
entsinken ‹*ist entsunken*› *itr* échapper (*den Händen* aux mains); *der Mut entsank mir* je perdis courage, le cœur me manqua.
entsinnen: *sich e-r S ~* se souvenir de qc, se rappeler qc; *ich entsinne mich, daß* il me souvient que; *soviel* od *soweit ich mich ~ kann* si je ne me trompe, autant que je m'en souvienne.
entsittlich|en *tr* démoraliser, corrompre, dépraver; **E~ung** ‹-, (-en)› démoralisation, corruption *od* dissolution des mœurs, dépravation *f*.
entspann|en *tr* détendre, relâcher; *(Bogen) a.* débander; *(Gewehr)* désarmer; *(Muskel)* décontracter; *fig (seelisch, geistig)* détendre, reposer, délasser; *sich ~~* se détendre, se relâcher; *(Muskel, Gesicht)* se décontracter; *fig* se détendre, se délasser, se reposer, *fam* se relaxer; *pol (Lage)* se désamorcer; *sich geistig ~~* se débander l'esprit *(selten);* se changer les idées; *die Lage entspannt sich (pol)* la tension diminue; **~t** *a pol* décontracté; **E~ung** *f* détente *f*, relâchement *m; (Muskel)*

décontraction; *fig* détente *f;* relâchement *m,* relaxation *f; fam* relax; *(Ruhe)* repos, calme; *(Zerstreuung)* délassement *m,* distraction *f; (pol: der Lage)* diminution de la tension, amélioration *f* des relations; **E~ungsübung** *f sport* exercice *m* de détente.

Entsparen *n* ‹-s, ø› *fin* épargne *f* négative.

entspinnen, *sich (beginnen)* commencer, naître, s'amorcer; *(Kampf)* s'engager, s'élever; *(Krieg)* se préparer; *(sich entwickeln)* se développer.

entsprech|en ‹*aux: haben*› *itr dat* correspondre à, être conforme à; *(zuea. passen)* s'accorder à *od* avec; *(e-m Wunsch)* se conformer à, satisfaire (à); *(e-r Bitte, e-m Antrag)* faire droit à, donner suite à, admettre; *den Anforderungen ~~* satisfaire aux exigences; *jds Erwartungen ~~* satisfaire *od* répondre à l'attente de qn; *den Tatsachen, den Vorschriften ~~* se conformer aux faits, aux règlements; **~end** *a* correspondant, conforme, proportionné (*dat* à); *(gleichwertig)* adéquat (*dat* à); analogue; *math chem physiol* homologue; *adv* au fur et à mesure, à l'avenant; *den Umständen ~~* suivant les circonstances, selon le cas; *die ~~e Belohnung bekommen* recevoir sa juste récompense; *die Preise sind ~~ hoch* les prix sont à l'avenant; **E~ung** *f* correspondance, conformité; analogie; homologie *f; (Wort)* équivalent *m; keine ~~ haben* n'avoir pas de correspondant.

entsprießen ‹*entsproß, ist entsprossen*› [ɛnt'ʃpri:sən, -ɔ-] *itr bot* naître (*dat* de); *fig (abstammen)* descendre, tirer son origine (*dat* de); **entsprossen** *a* issu (*dat* de).

entspringen ‹*aux: sein*› *itr* s'évader, s'échapper (*dat* de); *(Fluß)* prendre sa source *od* sa naissance (*in, auf* de); *fig (herrühren)* provenir, descendre (*dat* de); *(entstehen)* naître (*aus* de).

entstaatlich|en *tr* dénationaliser; **E~ung** *f* dénationalisation *f.*

entstammen *itr* descendre, provenir, naître, être issu (*dat* de).

entstauben *tr* dépoussiérer.

entsteh|en ‹*aux: sein*› *itr* naître, prendre naissance, tirer son origine, provenir, résulter (*aus* de); *(sich bilden)* se former; *(Feuer)* se déclarer; *(Streit)* s'élever; *(Schaden)* être causé (*durch* par); *(Kosten)* être occasionné; *(Wörter, Begriffe)* apparaître, se créer; *was auch daraus ~~ mag* quoi qu'il en arrive; *im E~~ begriffen* en voie de formation, en train de naître, naissant; **E~ung** *f* ‹-, (-en)› origine, naissance; formation; *scient* genèse *f;* **E~ungsgeschichte** *f* genèse *f;* **E~ungszeit** *f* temps *m* de la formation *od* de la genèse.

entsteigen ‹*aux: sein*› *itr* sortir, surgir (*dat* de).

entsteinen *tr (Obst)* dénoyauter.

entstell|en *tr (verunstalten)* défigurer, déformer; *fig (die Tatsachen)* dénaturer; *(den Sinn)* altérer, travestir; **~end** *a (Narbe)* inesthétique; **E~ung** *f* défiguration, déformation; dénaturation; altération *f,* travestissement *m.*

entstör|en *tr tech* dépanner; *el* blinder; *radio* déparasiter, antiparasiter; **E~kappe** *f el* blindage *m;* **E~ung** *f* ‹-, (-en)› dépannage; blindage; déparasitage, antiparasitage *m;* **E~ungsdienst** *m radio* service *m* de déparasitage.

Entstrahlung *f (radioaktiv verseuchter Gegenstände)* décontamination *f.*

entströmen ‹*aux: sein*› *itr (Flüssigkeit)* s'écouler, *(Gas)* s'échapper, *(Licht)* rayonner (*dat* de).

enttäusch|en *tr* décevoir, désappointer, désabuser, désillusionner; *(ernüchtern)* désenchanter; **E~ung** *f* déception *f,* désappointement *m,* désillusion *f;* désenchantement *m; e-e ~~ erleben* éprouver une déception.

entthron|en *tr* détrôner *a. fig;* **E~ung** *f* déposition *f.*

enttrümmer|n *tr* déblayer; **E~ung** *f* ‹-, (-en)› déblaiement *m.*

entvölker|n *tr* (*sich* se) dépeupler; **E~ung** *f* ‹-, (-en)› *(Vorgang)* dépeuplement *m; (Ergebnis)* dépopulation *f.*

entwachsen *a: den Kinderschuhen ~* sorti de l'enfance; *der elterlichen Gewalt ~* libéré de la tutelle des parents.

entwaffn|en *tr* désarmer; **E~ung** *f* ‹-, (-en)› désarmement *m.*

entwald|en *tr* déboiser; **E~ung** *f* déboisement *m.*

entwarn|en *itr (nach Fliegeralarm)* sonner la fin de l'alerte; **E~ung** *f* fin *f* d'alerte.

entwässer|n *tr agr* drainer; *(Wiese) a.* saigner; *(trockenlegen)* dessécher, assécher; *chem* déshydrater, concentrer; **E~ung** *f* canalisation *f* d'écoulement, drainage; dessèchement, assèchement *m; chem* déshydratation, concentration; **E~ungsanlage** *f* installation *f* de drainage; **E~ungsgraben** *m agr* fossé *m* d'écoulement; *(Wiese) a.* saignée *f;* **E~ungsmittel** *n chem* agent *m* de déshydratation; **E~ungsrohr** *n agr* tuyau de drainage, drain; *(Kanalisation)* tuyau *m* de canalisation.

entweder [ɛnt've:dər] *conj: ~ ... oder* ou (bien) ... ou (bien), soit ... soit; *~—oder! (fam)* de deux choses l'une! d'une façon ou de l'autre! c'est à prendre ou à laisser! il n'y a pas de milieu!

entweichen ‹*ist entwichen*› *itr* s'évader, (s')échapper *(a. Gas); (Gas) a.* se dégager; *~ lassen (tech)* faire échapper.

entweih|en *tr rel* profaner, violer, polluer; **E~ung** *f* ‹-, (-en)› profanation, pollution *f,* sacrilège *m.*

entwend|en ‹*-wendete, -wendet*› *tr (stehlen)* voler, dérober; *(unterschlagen)* détourner, soustraire; *(sich aneignen)* s'approprier; **E~ung** *f* vol; détournement *m,* soustraction; appropriation *f.*

entwerfen *tr (Plan)* dresser, tracer, dessiner; *(flüchtig beschreiben)* esquisser, ébaucher, crayonner; *(ausdenken)* projeter, étudier; *(Plan)* concevoir, former; *(Vertrag)* rédiger; *(Gesetz)* projeter; *jur (Urkunde)* minuter, faire le brouillon de.

entwert|en [ɛnt've:rtən] *tr* déprécier, avilir; *fin* dévaluer, dévaloriser, *(Geld)* démonétiser; *(Briefmarke)* oblitérer; **E~ung** *f* dépréciation *f,* avilissement *m;* dévaluation, dévalorisation, démonétisation; oblitération *f;* **E~ungsstempel** *m (für Marken)* oblitérateur *m.*

entwes|en [ɛnt've:zən] *tr* désinfester; **E~ung** *f* désinfestation *f.*

entwick|eln *tr* développer *(a. fig u. phot); phot a.* révéler; *chem (Dampf, Gas)* dégager; *mil* déployer; *(wirtschaftlich, tech)* réaliser; *fig (entfalten)* déployer; *(Gedanken, Plan)* concevoir, élaborer, exposer, expliquer; *sich ~~* se développer *(a. fig); chem* se dégager; *mil* se déployer; *fig* se former, évoluer; *sich zu etw ~~* devenir qc, *biol* évoluer en qc; *aus der Raupe ~elt sich der Schmetterling* la chenille devient papillon; **E~~** *n phot* développement *m;* **E~ler** *m phot* révélateur *m;* **E~(e)lung** *f* développement *(a. fig u. phot),* déploiement *a. mil; chem* dégagement *m; (Verwirklichung)* réalisation; *fig* conception, formation, élaboration, exposition, explication; *(Aufwärtsentwicklung)* évolution *f a. biol; theat (Lösung)* dénouement *m; noch in der ~~ (tech)* (encore) à l'étude; **E~lungsabteilung** *f adm tech* bureau *m* d'études; **E~lungsalter** *n,* **-jahre** *n pl,* **-periode** *f* (époque de la) puberté *f;* **E~lungsbad** *n phot* bain *m* révélateur; **~lungsfähig** *a* évolutif; **E~lungsfähigkeit** *f* évolutivité *f;* **E~lungsgang** *m* (marche *f* du) développement *m;* **E~lungsgeschichte** *f biol* génétique *f;* **~lungsgeschichtlich** *a* génétique; **E~lungshemmung** *f biol* arrêt *m* de développement; **E~lungshilfe** *f pol* aide *f* aux pays en voie de développement; **E~lungskolben** *m chem* alambic *m* de dégagement; **E~lungskrankheit** *f* maladie *f* de développement; **E~lungsland** *n pol* pays *m* en voie de développement; **E~lungslehre** *f,* **-theorie** *f* doctrine *od* théorie *f* de l'évolution, évolutionnisme, transformisme *m;* **E~lungslinie** *f* ligne *f* de développement; **E~lungsmöglichkeit** *f* évolution *f* future; **E~lungspapier** *n phot* papier *m* à développement; **E~lungsraum** *m mil* zone *f* de déploiement; **E~lungsreihe** *f biol* série *f;* **E~lungsrichtung** *f,* **-tendenz** *f* tendance *f* de développement; **E~lungsschale** *f phot* cuvette *f* de développement; **E~lungsstadium** *n* stade *m* de développement; **E~lungsstufe** *f* degré *m* d'évolution.

entwinden *tr: jdm etw ~* arracher qc des mains de qn; *sich e-r S ~* s'arracher à qc.

entwirr|en *tr, a. fig* démêler, débrouiller; **E~ung** *f* démêlage; *fig* débrouillement *m*.

entwischen ‹*aux: sein*› *itr fam* (s')échapper, s'évader, s'esquiver.

entwöhn|en [ɛnt'vø:nən] *tr* désaccoutumer, déshabituer (*e-r S* de qc); *(Kind)* sevrer; *sich e-r S ~~* se déshabituer de qc, perdre l'habitude de qc; **E~ung** *f (e-s Kindes)* sevrage *m*.

entwölken [ɛnt'vœlkən], *sich (Himmel)* s'éclaircir, se découvrir.

entwürdig|en *tr* dégrader, avilir, abaisser; **E~ung** *f* dégradation *f*, avilissement, abaissement *m*.

Entwurf *m* ébauche *f*, canevas *m*, linéaments *m pl*, projet, *poet* dessin (*zu* de); *(Konzept)* brouillon *m; (Skizze)* esquisse *f*, croquis *m*, maquette *f*, *fam* topo; *(theat, Roman) a.* scénario *m; (e-r Urkunde)* minute *f; e-n ~ von etw machen* faire le brouillon *od* la minute *etc* de qc; *im ~ sein* être en projet; **~sstadium** *n* phase *f* d'étude.

entwurzel|n *tr* déraciner *a. fig; ein ~ter Mensch* un homme déraciné; **E~ung** *f* déracinement *m*, *a. fig*.

entzauber|n *tr* désensorceler; désenchanter *a. fig (den Nimbus nehmen);* **E~ung** *f* désenchantement *m*.

entzerr|en *tr (Luftaufnahme)* redresser, restituer; *tele radio* corriger la distorsion de; **E~er** *m tele radio* correcteur *m;* **E~ung** *f* ‹-, (-en)› *phot* restitution; *tele radio* correction de distorsion, *radio* régénération *f*.

entzieh|en *tr* retirer, soustraire, enlever, ôter, dérober (*jdm etw* qc à qn), priver (*jdm etw* qn de qc); *(entwöhnen)* sevrer (*jdm etw* qn de qc); *chem* extraire (*e-r S etw* qc à qc); *sich ~~* se dérober, se soustraire (*e-r (unangenehmen) S* à qc), esquiver (*e-r Verpflichtung* une obligation); *sich der Beobachtung ~~* échapper à l'observation; *(sich) jds Blicken ~~* (se) dérober à la vue de qn; *sich der Festnahme od der Verhaftung ~~* éviter l'arrestation; *jdm den Führerschein ~~* retirer le permis de conduire à qn; *die Kohlensäure ~~* décarbonater (*e-r S* qc); *jdm die Nahrung ~~* couper les vivres à qn; *jdn s-m gesetzlichen Richter ~~* distraire qn à son juge légal; *sich den Schlaf ~~* prendre sur son sommeil; *jdm die Staatsangehörigkeit ~~* dénaturaliser qn; *sich der Strafe, der Strafverfolgung ~~* se soustraire à sa punition, à la justice; *jdm das Wahlrecht ~~* priver qn du droit électoral; *jdm das Wort ~~ (parl)* retirer la parole à qn; *etw (ein Gebäude) s-m Zweck ~~* désaffecter qc; *das ~t sich meiner Kenntnis* je ne suis pas au courant; j'ignore; pas que je sache; **E~ung** *f* ‹-, (-en)› *(Wegnahme)* privation *f*, enlèvement; *(e-r Berechtigung, bes. des Führerscheins)* retrait *m*, *(befristet)* suspension; *chem* extraction *f; ~~ der elterlichen Gewalt* déchéance *od* privation *f od* retrait *m* de la puissance paternelle; *~~ der Staatsangehörigkeit* dénaturalisation *f; ~~ des Wahlrechts* privation *f* du droit électoral; **E~ungskur** *f med* cure *f* de désintoxication.

entziffer|bar *a* déchiffrable; **~n** *tr allg* déchiffrer; *(Geheimschrift)* décrypter; *nicht zu ~~(d)* indéchiffrable; **E~ung** *f* déchiffrement; décryptement *m*.

entzück|en *tr* ravir, charmer, enchanter, émerveiller, enthousiasmer, transporter; **E~~** *n* ‹-s, ø› ravissement, enchantement, émerveillement *m; in ~~ geraten* être transporté; **~end** *a* ravissant, à ravir, charmant, enchanteur; **~t** *a* ravi, enchanté (*über, zu* de); **E~ung** *f (seltener für: E~)*.

Entzug *m allg* u. *jur* = *Entziehung*.

entzünd|bar *a* inflammable; **E~barkeit** *f* inflammabilité *f;* **~en** *tr* mettre le feu à; enflammer, allumer *a. fig; sich ~~* prendre feu; s'enflammer *a. fig u. med;* s'allumer *a. fig;* **~et** *a med* enflammé; **~lich** *a* inflammable; **E~ung** *f* ‹-, -en› inflammation *a. med u. tech; med a.* irritation *f; tech a.* allumage *m*, ignition *f; zur ~~ bringen* causer l'inflammation de; **E~ungsgemisch** *n* mélange *m* explosif; **E~ungspunkt** *m* point *m* d'ignition; **E~ungstemperatur** *f* température *f* d'inflammation.

entzwei *adv* en deux; *(in Stücke)* en morceaux; *(zerbrochen)* cassé, rompu, brisé; *(zerrissen)* déchiré; *fam* fichu; **~=brechen** ‹*aux: sein*› *itr* (se) casser, (se) rompre, (se) briser; **~en** ‹*aux: haben*› *tr* désunir, diviser, brouiller; *(entfremden)* aliéner; *sich ~~* se désunir, se diviser, se brouiller; *(streiten)* se quereller; **~= gehen** *itr = ~brechen od ~reißen;* **~=reißen** *tr* ‹*aux: haben*› déchirer (en deux); *itr* ‹*aux: sein*› se déchirer; **~=schlagen** *tr* fendre; **~=schneiden** *tr* couper (en deux); **~t** *a (uneinig)* désuni; **E~ung** *f* désunion, division; *(Streit)* brouill(eri)e, dissension, querelle *f*.

Enzian *m* ‹-s, -e› ['ɛntsia:n] *(bot u. Likör)* gentiane *f*.

Enzyklika *f* ‹-, -ken› [ɛn'tsy:klika] *(päpstl. Rundschreiben)* encyclique *f*.

Enzyklopäd|ie *f* ‹-, -n› [ɛntsyklopɛ'di:] *(Nachschlagewerk)* encyclopédie *f;* **e~isch** [-pɛ:dɪʃ] *a* encyclopédique; **~ist** *m* ‹-en, -en› [-pɛ'dɪst] *hist philos* encyclopédiste *m*.

Enzym *n* ‹-s, -e› [ɛn'tsy:m] *chem* enzyme *f od m*.

Eozän *n* ‹-s, ø› [eo'tsɛ:n] *geol* éocène *m;* **e~** *a* éocène.

Epidem|ie *f* ‹-, -n› [epide'mi:] épidémie *f;* **e~isch** [-'de:mɪʃ] *a* épidémique.

Epidermis *f* ‹-, -men› [epi'dɛrmɪs, -mən] *scient (Oberhaut)* épiderme *m*.

Epidiaskop *n* ‹-s, -e› [epidia'sko:p] *(Bildwerfer)* épidiascope *m*.

Epigone *m* ‹-n, -n› [epi'go:nə] épigone *m;* **e~nhaft** *a* décadent; **~ntum** *n* ‹-s, ø› décadence *f*, académisme *m*.

Epigramm *n* ‹-s, -e› [epi'gram] *(Sinn- od Spottgedicht)* épigramme *f;* **~atiker** *m* ‹-s, -› [-'ma:tikər] auteur *m* d'épigrammes; **e~atisch** [-'ma:tɪʃ] *a (kurz u. treffend)* épigrammatique.

Epigraph|ik *f* ‹-, ø› [epi'gra:fɪk] *(Inschriftenkunde)* épigraphie *f;* **e~isch** *a* épigraphique.

Ep|ik *f* ‹-, ø› ['e:pɪk] poésie *f* épique; **~iker** *m* ‹-s, -› ['e:pikər] poète *m* épique; **e~isch** ['e:pɪʃ] *a* épique; **~os** *n* ‹-, -pen› ['e:pɔs, 'epən] épopée *f*, poème *m* épique.

Epikure|er *m* ‹-s, -› [epiku're:ər] épicurien; *abus (Genießer)* jouisseur, viveur *m;* **e~isch** [-'re:ɪʃ] *a* épicurien; **~ismus** *m* ‹-, ø› [-'ɪsmus] épicurisme *m*.

Epilep|sie *f* ‹-, ø› [epilɛ'psi:] *med* épilepsie *f*, mal caduc, haut mal *m;* **~tiker** *m* ‹-s, -› [-'lɛptikər] épileptique *m;* **e~tisch** [-'lɛptɪʃ] *a* épileptique.

Epilog *m* ‹-s, -e› [epi'lo:k, -gə] épilogue *m*.

Epiphyse *f* ‹-, -n› [epi'fy:zə] *anat* glande pinéale; épiphyse *f*.

episkop|al [epɪsko'pa:l] *a rel* épiscopal; **E~alkirche** *f* Église *f* épiscopale; **E~at** *m* od *n* ‹-(e)s, -e› [-'pa:t] épiscopat *m*.

Episod|e *f* ‹-, -n› [epi'zo:də] épisode *m;* **e~enhaft** *a*, **e~isch** *a* épisodique.

Epistel *f* ‹-, -n› [e'pɪstəl] *lit rel (Brief)* épître *f; jdm die ~ lesen (fig fam)* chapitrer, sermonner qn.

Epithel *n* ‹-s, -e›, **~ium** *n* ‹-s, -lien› [epi'te:l(ium)] *anat (oberste Zellschicht)* épithélium *m;* **~gewebe** *n* tissu *m* épithélial; **~zelle** *f* cellule *f* épithéliale.

Epizentrum *n* [epi'-] *geog* épicentre *m*.

epoch|al [epɔ'xa:l] *a = ~emachend:* **E~e** *f* ‹-, -n› [e'pɔxə] époque *f; ~~ machen* faire époque; **~emachend** *a* qui fait époque *od* date, mémorable, sensationnel.

Eppich *m* ‹-s, -e› ['ɛpɪç] *bot pop (Sellerie)* céleri *m; poet (Efeu)* lierre *m*.

Equilibrist *m* ‹-en, -en› [ekvili'brɪst] *(Seiltänzer)* équilibriste, danseur *m* de corde.

Equipage *f* ‹-, -n› [ek(v)i'pa:ʒə] *(Kutsche; Schiffsmannschaft)* équipage *m*.

er [e:r] *pron (mit v verbunden)* il; *(unverbunden)* lui; *~ selbst* lui-même; *~ ist es* c'est lui; *da ist ~* le voilà.

erachten [ɛr'-] *tr: für gut ~~ (zu ...)* juger à propos (de ...); **E~~** *n: meines ~~s, nach meinem ~~* à mon avis *od* gré *od* jugement, à ce que je pense *od* crois, selon *od* d'après moi.

erarbeiten, *sich etw* acquérier *od* gagner qc par son travail; *fig* acquérir qc.

Erb|adel *m* ['ɛrp-] noblesse *f* héréditaire; **~anlage** *f biol* caractère *m* héréditaire; *Änderung f der ~~* modification *f* génétique; **~anspruch** *m* pétition *f* d'héritage; **~anteil** *m* part *f* d'héritage; **~auseinandersetzung** *f* liquidation *f* d'héritage *od* de succession; **e~bedingt** *a biol* héréditaire; **~bedingtheit** *f* hérédité *f;* **~begräbnis** *n* caveau *m* de famille, concession *f* à perpétuité; **e~berechtigt** *a: ~~ sein* partager dans une succession; **~berechtigte(r** *m*) *f* héritier *m*, héritière *f*; **~e** ['ɛrbə] **1.** *m* ⟨-n, -n⟩ héritier; *(e-s Vermächtnisses)* légataire *m*; *jdn zum ~~n bestimmen, als ~~n einsetzen* nommer qn son héritier, faire son héritier de qn; *gesetzliche(r), mutmaßliche(r) ~~* héritier *m* légitime, présomptif; **2.** *n* ⟨-s, ø⟩ héritage *m*; succession *f*; *(elterliches)* patrimoine *m*; *jur* hérédité *f*; *ein ~~ antreten* recueillir un héritage; **e~eigen** *a* acquis par héritage, héréditaire; **~einsetzung** *f* institution *f* d'héritier; **e~en** ['ɛrbən] *tr* hériter (*etw* de qc; *etw von jdm* qc de qn); **~eneigenschaft** *f* qualité *f* d'héritier; **~engemeinschaft** *f* communauté *f* entre cohéritiers; **e~fähig** *a jur* habile à succéder; **~fähigkeit** *f* habilité *f* à succéder; **~faktor** *m* facteur *m* héréditaire; **~fall** *m* cas *m* de succession; **~fehler** *m* défaut *od* vice *m* héréditaire; **~feind** *m* ennemi *m* héréditaire; **~folge** *f* ordre héréditaire *od* successoral, (ordre *m* de) succession *f*; *(in Zssgen)* successoral *a*; *gesetzliche ~~* ordre *m* légal des successions; **~folgekrieg** *m* guerre *f* de succession; **~gang** *m jur* dévolution, succession *f*; **~gut** *n* bien héréditaire, patrimoine; *biol* patrimoine *m* héréditaire; **~in** *f* héritière *f*; **e~krank** *a* atteint d'un mal héréditaire; **~krankheit** *f*, **~leiden** *n* maladie *f* héréditaire; **~lasser(in** *f*) *m* testateur *m*, testatrice *f*; **e~lich** *a* héréditaire *od* génétique; *biol* transmissible; *adv* à titre héréditaire; par voie d'hérédité; *nicht ~~ (biol)* intransmissible; *~~ belastet* héréditairement taré; *~~e Belastung f* tare *f* héréditaire; **~lichkeit** *f* ⟨-, (-en)⟩, *a. biol* hérédité *f*; **~masse** *f jur* héritage, patrimoine *m*; *biol* idioplasma *m*; **~monarchie** *f* monarchie *f* héréditaire; **~onkel** *m* oncle à héritage, *fam* oncle *m* d'Amérique; **~pacht** *f* emphytéose *f*, bail *m* emphytéotique *od* d'héritage; **~pachtvertrag** *m* bail *m* emphytéotique; **~pächter** *m* emphytéote *m*; **~prinz(essin** *f*) *m* princ(ess)e *m f* héritier (-ère); **~recht** *n* droit *m* de succession *od* à l'héritage *od* successoral; **~schaft** *f* héritage *m*, succession *f*; *e-e ~~ antreten* recueillir un héritage; *e-e ~~ ausschlagen* renoncer à *od* répudier un héritage *od* une succession; *e-e ~~ machen (fam)* faire un héritage; *als* od *durch ~~ zufallen* échoir en héritage; **~schaftsangelegenheiten** *f pl* affaires *f pl* successorales; **~schaftsannahme** *f* acceptation *f* de l'héritage; **~schaftsklage** *f* pétition *f* d'héritage *od* d'hérédité; **~schaftsmasse** *f* masse *f* héréditaire *od* successorale; **~schaftssteuer** *f* droit *od* impôt successoral, impôt *m* sur les successions, taxe *f* successorale; **~schaftsverzicht** *m* renonciation *f* à l'héritage; **~schein** *m* certificat *m* d'héritier, acte *m* de notoriété; **~schleicher** *m* captateur *m* (d'héritage); **~schleicherei** *f* captation *f* (d'héritage); **~stück** *n* objet *m* hérité; **~sünde** *f rel* péché *m* originel; **~tante** *f* tante *f* à héritage; **~teil** *n* od *m* part d'héritage *od* héréditaire, *jur* portion *f* héréditaire; **~teilung** *f* partage *m* successoral; répartition *f* des biens d'une succession; **~übel** *n* défaut *od* vice *m* héréditaire; **~vertrag** *m* contrat *m* d'héritage *od* d'hérédité.

erbarmen [ɛr'barmən] : *sich jds* od *über jdn ~* avoir pitié de qn; *daß (es) Gott erbarm'!* = *zum E~~*; **E~~** *n* ⟨-s, ø⟩ pitié, miséricorde, commisération, compassion *f*; *zum ~~* à faire pitié; **~swert** *a*, **~swürdig** *a* digne de pitié, pitoyable.

erbärmlich *a* pitoyable, piteux, déplorable, misérable, à faire pitié, *fam* fichu; *(gemein)* bas, vil; *(kleinlich)* petit, mesquin; *~er Lohn* salaire de famine, *in e-m ~en Zustand* dans un état déplorable, *fam* lamentable; *~ aussehen* crier misère; *wir haben (ganz) ~ gefroren* nous avons eu horriblement froid; **E~keit** *f* état *m* pitoyable *od* misérable; misère; *(Armseligkeit)* pauvreté; *(Gemeinheit)* bassesse, vilenie; *(Kleinlichkeit)* petitesse, mesquinerie *f*.

erbarmungs|los [ɛr'barmuŋs-] *a* sans merci *od* pitié, impitoyable; **~voll** *a* plein de compassion, compatissant, miséricordieux; **~würdig** *a* digne de compassion.

erbau|en *tr* bâtir, construire, élever; *(Stadt)* fonder; *fig (geistig, bes. rel)* édifier; *sich an etw ~~* être édifié de qc; **E~er** *m* ⟨-s, -⟩ constructeur, architecte; *(Gründer)* fondateur *m*; **~lich** *a rel* édifiant; **~t** *a fig hum: von etw nicht gerade* od *sehr ~~ sein* ne pas être très édifié de qc; **E~ung** *f* ⟨-, (-en)⟩ construction; *(Gründung)* fondation; *fig rel* édification *f*; **E~ungsbuch** *n* livre *m* d'édification *od* de dévotion *od* de piété.

erbeben *itr* trembler, frémir (*vor* de); *fig* tressaillir.

erbetteln *tr* obtenir en mendiant.

erbeuten *tr mil* capturer, enlever, prendre (à l'ennemi); *fam allg* faire un butin de.

erbieten ⟨*hat sich erboten*⟩: *sich ~, etw zu tun* s'offrir à faire qc.

erbitten ⟨*hat erbeten*⟩ *tr: etw von jdm ~* demander qc à qn, solliciter qc de qn; *(durch Bitten erlangen)* obtenir qc de qn par ses prières.

erbitter|n *tr* irriter, aigrir, exaspérer; **~t** *a* exaspéré; *(Kampf, Ringen)* acharné; *sehr ~~* ulcéré; *~~ sein* être irrité (*über etw* de qc); **E~ung** *f* ⟨-, (-en)⟩ irritation, aigreur, exaspération *f*; *mit ~~* avec acharnement.

erblassen ⟨*ist erblaßt*⟩ *itr*, **erbleichen** ⟨*ist erblichen*⟩ *itr* pâlir, blêmir (*vor* de); *poet (sterben)* s'éteindre.

erblicken *tr* voir, apercevoir; *(entdekken)* découvrir; *das Licht der Welt ~* voir le jour.

erblind|en ⟨*ist erblindet*⟩ *itr* devenir aveugle, perdre la vue, être frappé de cécité; **E~ung** *f* ⟨-, (-en)⟩ perte *f* de la vue.

erblühen ⟨*aux: sein*⟩ *itr* fleurir; *fig* s'épanouir.

erbosen [ɛr'bo:zən] *tr: (sich) ~* (s')irriter, (se) dépiter, (se) fâcher, (s')exaspérer.

erbötig [ɛr'bø:tıç] *a* prêt, disposé (*zu* à); *~ sein, etw zu tun* s'offrir à faire qc.

erbrechen *tr (Behältnis)* ouvrir avec effraction, rompre, briser; *(Brief)* décacheter; *(Schloß)* fracturer; *(Tür)* enfoncer, forcer; *itr* u. *sich ~ (med)* vomir; *das Essen ~* rendre son repas; **E~** *n* rupture *f*, *(e-s Briefes)* décachetage; *med* vomissement *m*.

erbringen *tr* apporter; *den Beweis ~* produire la preuve.

Erbs|brei *m* ['ɛrps-] purée *f* de pois *m*; **~e** *f* ⟨-, -n⟩ pois *m*; *junge ~~n* petits pois *m pl*; **~ensuppe** *f* potage *m* aux pois; **~püree** *n* = *~brei*.

Erd|abwehr *f* ['e:rt-] *mil aero* défense *f* terrestre; **~achse** *f* axe *m* de la terre; **~alkalie** *f chem* terre *f* alcaline; **~alkalimetall** *n chem* métal *m* alcalino-terreux; **~altertum** *n geol* ère *f* primaire; **~anker** *m arch* tirant *m*; **~anschluß** *m el* raccord *m* à la terre; **~antenne** *f* antenne *f* à la terre; **~anziehung** *f* gravité *f*; **~apfel** *m (Kartoffel)* pomme de terre, *fam* patate *f*; **~äquator** *m* équateur *m* terrestre; **~arbeiten** *f pl* travaux *m pl* de terrassement; **~arbeiter** *m* terrassier *m*; **~atmosphäre** *f* atmosphère *f* terrestre; **~aufklärung** *f mil* reconnaissance *od* exploration *f* terrestre; **~aufschüttung** *f* terrassement *m*; **~aushub** *m* fouille *f* des terres; **~bahn** *f astr* orbite *f* terrestre; **~ball** *m* globe *m* terrestre; **~beben** *n* tremblement de terre, mouvement sismique, séisme *m*; **~bebenkunde** *f* sismologie *f*; **~bebenmesser** *m* sismographe *m*; **~bebenwelle** *f* onde *f* sismique; **~beere** *f (Frucht)* fraise *f*; *(Pflanze)* fraisier *m*; **~beereis** *n* glace *f* à la fraise; **~beerkuchen** *m*, **-torte** *f* tarte *f* aux fraises; **~beerpflanze** *f* fraisier *m*; **~beobachtung** *f mil aero* observation *f* terrestre; **~beschleunigung** *f* accélération *f* de la pesanteur; **~beschuß** *m mil aero* feux *m pl* terrestres; **~bewegung** *f (Arbeit)* terrassement, déblaiement *m*; **~bewohner** *m* habitant de la terre, terrien *m*; **~boden** *m* sol *m*, terre *f*, terrain *m*; *unmittelbar am ~~* à *od* au ras de la terre; *dem ~~ gleichmachen* raser; *auf dem ~~ schlafen* coucher sur la dure; **~bohrer** *m* tarière, sondeuse *f*; **~bohrung** *f* sondage *m*; **~draht** *m el* fil *m* à la terre; **~drehung** *f* rotation *f* de la terre; **~druck** *m* poussée *f* des terres; **~durchmesser** *m* diamètre *m* de la terre; **~e** *f* ⟨-, (-n)⟩ ['e:rdə] *geog astr* terre *f*; *(Welt)* monde *m*; *(Boden)* terre *f*, terrain, sol *m*; *el radio* terre, masse *f*; *pl chem* terres *f pl*; *auf ~~n (poet)* en ce (bas) monde, ici-bas; *über der ~~* au-dessus du sol; *unter der ~~* sous terre; *etw von der ~~ aufnehmen* ramasser qc par terre; *mit frischer ~~ bedecken (agr)* terrer; *unter die ~~ bringen (vor Kummer)* tuer; *sich in die ~~ eingraben* (se) terrer; *auf die ~~ fallen* tomber à *od* par terre; *auf die ~~ legen* od *stellen* mettre à terre; *unter der ~~ liegen (tot sein)* être sous terre; *auf der bloßen ~~ schlafen* coucher sur la dure; *mit beiden Beinen auf der ~~ stehen (fig)* avoir les pieds sur terre; *in die ~~ versinken mögen (vor Scham)* souhaiter d'être à cents pieds sous terre; *in der ~~ lebend (zoo)* terricole; *seltene ~~n pl* terres *f pl* rares; **e~en** *tr el radio* mettre à la terre *od* à la masse; *itr* établir le contact avec le sol, mettre la prise de terre; **~enbürger** *m poet* mortel *m;* **~englück** *n poet* bonheur *m* terrestre; **~enleben** *n poet* vie *f* terrestre; **~erschütterung** *f* ébranlement *m* de la terre; **e~fahl** *a,* **e~farben** *a* couleur de terre, terreux; **~farbe** *f* couleur *f* de terre; **~ferne** *f (des Mondes)* apogée *m;* **~floh** *m ent* altise *f;* **~funkstelle** *f* station *f* de T.P.S. (télégraphie par le sol); **~gas** *n* gaz *m* naturel; **~geist** *m* gnome *m;* **~geschichte** *f* géologie *f;* **~geschoß** *n arch* rez-de-chaussée *m;* **~halbkugel** *f* hémisphère *m;* **~hülle** *f* environnement *m* terrestre; **e~ig** [-dɪç] *a* terreux; **~innere,** *das* les entrailles *f pl* de la terre; **~kabel** *n el* câble *m* souterrain; **~kampf** *m mil* combat *m* terrestre, lutte *f* au sol; **~karte** *f* planisphère *m* terrestre, mappemonde *f;* **~klemme** *f el* borne *f* de terre; **~klumpen** *m* motte *f* de terre; **~kontakt** *m el* contact *m* terrestre; **~kreis** *der (poet)* le monde (entier); **~krümmung** *f* courbure *f* terrestre; **~kugel** *f* globe *m* (terrestre); **~kunde** *f* géographie *f;* **e~kundlich** *a* géographique; **~leiter** *m,* **~leitungsdraht** *m el* conducteur *od* collecteur de terre, fil *m* de masse *od* de (mise à la) terre; **~leitung** *f el* conduite *f* souterraine; **~loch** *n* puits *m* naturel; **~magnetismus** *m* magnétisme *m* terrestre; **~massen** *f pl* masses *f pl* de terre; **~mittelpunkt** *m* centre *m* de la terre; **e~nah** *a: ~~e(r) Raum m* proche espace *m* circum-terrestre; **~nähe** *f (des Mondes)* périgée *m;* **~nuß** *f bot* arachide, cacah(o)uète *f;* **~nußöl** *n* huile *f* d'arachide; **~oberfläche** *f* surface *f* de la terre; **~öl** *n* huile *f* minérale, pétrole, naphte *m;* **~ölchemie** *f* pétrochimie *f;* **~ölfelder** *n pl* champs *m pl* pétrolifères; **~ölgebiet** *n* région *f* pétrolifère; **~ölindustrie** *f* industrie *f* du pétrole *od* pétrolière; **~ölraffinerie** *f* raffinerie de pétrole, pétrolerie *f;* **~ölvorkommen** *n* gisement *m* pétrolifère; **~pech** *n* poix *f* minérale; **~reich** *n* terre *f,* terrain *m;* **~rinde** *f* écorce terrestre *od* du globe, lithosphère *f;* **~rutsch** *m* glissement de terrain, éboulement *m;* **~schatten** *m astr* ombre *f* de la terre; **~schicht** *f* couche *f* de terre; **~schluß** *m el* contact *m* de terre, perte *f* à la terre; **~scholle** *f* motte, glèbe *f;* **~sicht** *f aero* vue *f* du sol; *Flug mit ~~* vol *m à* vue; **~stoß** *m* mouvement *m* sismique, secousse *f* tellurique; **~strahlung** *f* radiation *f* terrestre; **~strom** *m el geol* courant *m* tellurique; **~teil** *m* partie *f* du monde, continent *m;* **~truppen** *f pl* forces de surface, troupes *f pl* au sol; **~umdrehung** *f (Rotation)* rotation *f* de la terre; **~umkreisung** *f (e-s Satelliten)* révolution *f* autour de la terre, vol *m* orbital; **~umseg(e)lung** *f* circumnavigation *f* de la terre; **~ung** *f el radio* mise à la masse *od* terre; *radio* prise *f* de terre; **~ungsschalter** *m radio* interrupteur *m* de prise de terre; **~vermessung** *f* géodésie *f;* **~wall** *m* levée *f od* rempart *m* de terre; **~wärme** *f* géothermie *f;* **~wärmekraftwerk** *n* centrale *f* géothermique; **~ziel** *n mil aero* objectif *od* but *m* terrestre.

erdenk|en ⟨*hat erdacht*⟩ *tr* imaginer, concevoir, inventer; **~lich** *a* imaginable, concevable; *alle(r, s) ~~e ...* tout le, toute la ... imaginable; *sich alle ~~e Mühe geben* faire tout au monde, se donner toutes les peines du monde.

erdicht|en *tr* inventer, imaginer; *(in böser Absicht)* forger, controuver; **~et** *a* controuvé, fictif.

erdolchen *tr* poignarder.

erdreisten: *sich ~, etw zu tun* avoir l'audace *od* le front *od fam* le toupet de faire qc.

erdröhnen *itr* retentir (*von* de).

erdrosseln *tr* étrangler.

erdrücken *tr (zermalmen)* écraser; *fig (bedrücken)* accabler; *~de Beweise m pl* preuves *f pl* accablantes; *~de Übermacht f* supériorité *f* écrasante.

erdulden *tr (über sich ergehen lassen)* souffrir, subir, recevoir, essuyer.

ereifern, *sich* s'emporter, s'échauffer, s'emballer, se gendarmer (*gegen* contre); *sich unnütz ~* aboyer à la lune.

ereign|en [ɛrˈʔaɪɡnən], *sich* se passer, se produire, arriver, avoir lieu; *(plötzlich)* survenir; **E~is** *n* ⟨-sses, -sse⟩ événement, incident *m; die Kette der ~~se* la chaîne *od* l'enchaînement des événements; *freudige(s) ~~* heureux événement; *unerwartete(s) ~~ (a.)* coup *m* de théâtre; **~islos** *a* vide; **~isreich** *a* mouvementé.

ereilen *tr fig* atteindre, rejoindre, rattraper; surprendre; *der Tod hat ihn ereilt* il a été surpris par la mort.

Eremit *m* ⟨-en, -en⟩ [ereˈmiːt] ermite *m.*

ererben *tr* hériter (*von* de), acquérir par héritage.

erfahr|en *tr (erleben)* faire l'expérience de, éprouver; *(erleiden)* subir, essuyer; *(hören)* apprendre; avoir bruit (*etw* de qc); *etw von jdm ~~ haben* tenir qc de qn; *sie hat viel Leid ~~* elle a fait beaucoup de mauvaises expériences; *~~ a (bewandert)* entendu; versé (*in* dans); *(geschickt)* expert (*in* en), rompu (*in* à); *(gereift)* mûri; **E~enheit** *f* ⟨-, ø⟩ *(nur Zustand)* = *E~ung;* **E~ung** *f (Vorgang u. Endzustand)* expérience *f; (praktische)* usage *m,* pratique *f;* enseignement *m; (meist pej)* routine *f; aus (eigener) ~~* par expérience; *mit ~~ in (Stellenanzeige)* confirmé dans; *in ~~ bringen* apprendre; *~~ haben* avoir de l'expérience; *in etw ~~ haben* avoir l'expérience de qc; *mit etw e-e schlechte ~~ machen* se trouver mal de qc; *aus ~~ sprechen* en parler par expérience; *über ~~ verfügen* avoir de l'expérience; *durch ~~ klug werden* devenir sage par expérience; *aus ~~ wissen* savoir par expérience; *Mangel m an ~~* manque *m* d'expérience; *es ist e-e alte ~~, daß* on sait depuis toujours que; *auf ~~ begründet* empirique; **E~ungsaustausch** *m* échange *m* des expériences; **~ungsgemäß** *adv* par expérience; **E~ungssatz** *m* principe *m* fondé sur l'expérience; **E~ungstatsache** *f* fait *m* d'expérience; **E~ungswert** *m* valeur *f* empirique.

erfass|en *tr (meist fig)* saisir; *fig (geistig)* comprendre, concevoir; *(registrieren)* enregistrer, *bes. mil* recenser; *(durch Werbung)* toucher, atteindre; *mil (Ziel)* saisir; *von einem Lastwagen erfaßt werden* se faire accrocher *od* happer par un camion; **E~ung** *f* ⟨-, (-en)⟩ *(Registrierung)* enregistrement, *mil* recensement *m.*

erfechten *tr (e-n Sieg)* remporter.

erfind|en *tr* inventer, imaginer; *(frei ~~)* controuver, fabriquer, forger, *jur* romancer; *er hat (auch) das Pulver nicht erfunden (fig)* il n'a pas inventé la poudre; **E~er** *m* inventeur *m;* **E~ergeist** *m* génie *m* inventif; **~erisch** *a* inventif; *(findig)* ingénieux; **E~ung** *f* invention; *(freie)* fiction *f;* **E~ungsgabe** *f* faculté imaginative *od* fabulatrice, fabulation *f;* **~ungsreich** *a* fertile en inventions, inventif.

erflehen ⟨*hat erfleht*⟩ *tr* implorer, invoquer.

Erfolg *m* ⟨-(e)s, -e⟩ [ɛrˈfɔlk, -ɡə] *(guter)* succès *m,* réussite; *(Ausgang, Ergebnis)* issue *f,* résultat *m; (Folge, Wirkung)* suite, conséquence *f; mit ~* avec succès; *mit dem Erfolg, daß* si bien que; *ohne ~* sans succès; *zum ~ führen* mener à bien; *~ haben* avoir du succès, réussir, arriver, parvenir; *großen ~ haben* avoir grand succès; *(theat, Kunst)* faire fureur; *keinen ~ haben* ne pas avoir de succès, ne réussir à rien, échouer, avorter, rater, *theat fam* être un four; *auf e-n ~ hoffen* espérer un succès; *des ~es sicher sein* être sûr de réussir; *jdm, e-r S zum ~ verhelfen* contribuer au succès de qn, de qc; *meine Bemühungen blieben ohne ~* mes efforts restèrent sans succès; *guten ~!* bonne chance! *gewaltige(r), ungeheure(r) ~* succès *m* monstre; *von ~ gekrönt* couronné de succès; *halbe(r) ~* demi-succès *m;* **e~en** ⟨*ist erfolgt*⟩ *itr (geschehen)* arriver, se faire, se produire; *(stattfinden)* avoir lieu; *(Zahlung)* être effectué, s'effectuer; *(Angabe, Auskunft)* être donné; **~hascherei** *f* soif *f* de succès; arrivisme *m;* **e~los** *a* sans succès *a. adv,* inutile, infructueux; vain; **~losigkeit** *f* insuccès *m*, inutilité; vanité *f*; **e~reich** *a* couronné de succès; *adv* avec succès; *e-e ~~e Laufbahn* une carrière brillante; *die Konferenz wurde ~~ beendet* la conférence se solda par une réussite; *~~e(r) Mensch m* homme *m* qui fait son chemin; **~s...** à succès; **~saussichten** *f pl* chances *f pl* de succès *od* de réussite; **~sbilanz** *f com u. allg* compte *m* des résultats; **~sbuch** *n* livre *m* à succès; **~srechnung** *f com* compte *m* des profits et pertes *od* des résultats; **e~versprechend** *a* prometteur.

erforder|lich *a* nécessaire, exigé, voulu, *(Alter)* requis; *soweit ~~* en tant que besoin; *~~ machen* = *~n; alles E~~e tun* faire tout ce qu'il faut; **~lichenfalls** *adv* en cas de besoin, au besoin; **~n** *tr* exiger, réclamer, demander, nécessiter; *das ~t viel Zeit, Geduld* cela exige beaucoup de temps, de patience; **E~nis** *n* ‹-sses, -sse› *(Bedürfnis)* exigence *f*, besoin *m*; *(Notwendigkeit)* nécessité; *(Bedingung)* condition *f*; *den ~~sen entsprechen* satisfaire aux exigences; *ein ~~ des Anstandes* une exigence de l'étiquette.

erforsch|en *tr (Land)* explorer; *allg* rechercher, étudier; *(die Meinung)* sonder, scruter; *(Geheimnis)* sonder; *(ergründen)* creuser, approfondir, penétrer; *sein Gewissen ~~* interroger sa conscience, s'examiner; **E~er** *m (e-s Landes)* explorateur *m*; **E~ung** *f* ‹-, (-en)› *(e-s Landes)* exploration; *allg* recherche, étude *f*, sondage *m*; *(Nachforschung)* investigation *f*; *(Ergründung)* approfondissement *m*, pénétration *f*; *(Prüfung)* examen *m*.

erfragen *tr (sich erkundigen nach)* s'informer de; *ich habe es erfragt* je l'ai appris par des questions; *zu ~ bei* s'adresser à.

erfrechen = *erdreisten*.

erfreu|en *tr* réjouir; *(Vergnügen machen)* faire plaisir à, plaire à; *jdn mit e-m Geschenk ~~* faire plaisir à qn en lui offrant un cadeau; *sich e-r S ~~* se réjouir de qc; *sich an etw ~~* avoir *od* prendre *od* trouver plaisir, se délecter à qc; *das Auge ~~* flatter *od* charmer les yeux; *sich e-r guten Gesundheit ~~* jouir d'une bonne santé; *sich großer Nachfrage ~~* être très demandé; *sich e-s guten Rufes ~~* jouir d'une bonne renommée; *ich bin darüber ~t* j'en suis content *od* heureux; **~lich** *a* réjouissant, agréable; *es ist ~~ zu ...* il fait bon de, c'est un plaisir de ...; **~licherweise** *adv* heureusement, par bonheur.

erfrier|en ‹*ist erfroren*› *itr (Pflanze, Körperglied)* geler; *(Mensch, Tier)* mourir *od* périr de froid; **E~ung** *f med* gelure *f*.

erfrisch|en *tr* (*sich* se) rafraîchir; **~end** *a* rafraîchissant; **E~ung** *f (Vorgang u. Getränk etc)* rafraîchissement *m*; **E~ungshalle** *f* kiosque *m* à rafraîchissements; **E~ungsraum** *m* buvette *f*; *(im Warenhaus)* salon *m* de thé.

erfroren [ɛrˈfroːrən] *a (Körperglied)* gelé.

erfüll|en *tr* remplir (*mit* de); *fig (Hoffnung, Wunsch, Versprechen, Pflicht, Aufgabe, Zweck, Schicksal)* remplir; *(Versprechen, Pflicht, Aufgabe)* accomplir, acquitter; *(Gelübde, Verbindlichkeit)* s'acquitter de; *(Bitte)* accorder, accéder à; *(Wunsch)* exaucer; *(Vertrag)* exécuter; *(Bedingung, Voraussetzung)* justifier, *a. math* satisfaire à; *sich ~~ (Hoffnung, Wunsch)* s'accomplir, se réaliser; *s-e Arbeit ~t ihn ganz* son travail l'absorbe complètement; **E~ung** *f (Aufgabe, Pflicht, Versprechen)* accomplissement *m*; *(Vertrag)* exécution; *(Wunsch, Hoffnung)* réalisation; *(Vollendung)* consommation *f*; *in ~~ s-r Pflicht* dans l'exercice de ses fonctions; *in ~~ gehen* s'accomplir, se réaliser; **E~ungsort** *m* lieu *m* d'exécution *od* de paiement *od (Lieferort)* de livraison; **E~ungspolitik** *f* politique *f* de(s) réalisations.

Erg *n* ‹-s, -› [ɛrk] *phys (Energieeinheit)* erg *m*.

ergänz|en [ɛrˈgɛntsən] *tr (vervollständigen)* compléter, parfaire, *(Vorrat)* suppléer à; *(Lücke)* combler; *(lückenhaften Text)* restituer; *gram (mit darunter verstehen)* sous-entendre; *(hinzufügen)* ajouter; *mil* recruter; *sich ~~* se compléter; *mil* se recruter; **~end** *a* complémentaire; *(zusätzlich)* supplémentaire; **E~ung** *f (Vervollständigung)* complément *a. gram math*; *(e-s Vorrats)* complément *m*; *(e-s Textes)* restitution *f*; *(sinngemäß)* sous-entendu; *(Buch)* ajouté, addenda, supplément; *mil* recrutement *m*; **E~ungs...** supplétif *a*, supplémentaire *a*, d'appoint; **E~ungsaufnahmen** *f pl film* scènes *f pl* additionnelles; **E~ungsband** *m (Buch)* (volume) supplément (-aire) *m*; **E~ungsbatterie** *f el* pile *f* supplémentaire; **E~ungsbedarf** *m (an Material)* besoins *m pl* en réapprovisionnement; **E~ungseinheit** *f mil* unité *f* de dépôt; **E~ungsheft** *n (Zeitschrift)* numéro *m* supplémentaire; **E~ungsvorrat** *m* provision *f* supplémentaire; **E~ungswahl** *f parl* élection *f* complémentaire; **E~ungswinkel** *m math* angle *m* complémentaire.

ergattern *tr fam* accrocher, décrocher, *pop* dégo(t)ter.

ergeb|en *tr (zeitigen)* donner, produire, livrer, fournir; *(einbringen)* rapporter; *(sich belaufen auf)* se monter à, s'élever à, se chiffrer à; *sich ~~ (mil)* se rendre, capituler; *(in sein Schicksal)* se soumettre (à), se résigner (à); *(e-m Laster)* se livrer (à), s'a(ban)donner (à); *(folgen)* résulter, s'ensuivre, découler, se dégager (*aus* de); *sich auf Gnade und Ungnade ~~* se rendre à discrétion *od* merci; *es ergibt sich, daß* il arrive que; *es hat sich ~~, daß* on a constaté que; *es ergibt sich die Frage, ob* la question se pose de savoir si; *hieraus* od *daraus ergibt sich, daß* il s'ensuit que, il ressort de là que; *die Umfrage hat ~~, daß* le sondage a révélé que; *~~ a* dévoué; *(gehorsam)* obéissant; *(unterwürfig)* soumis, humble; *(gefaßt)* résigné (*dat* à); *jdm blind* od *völlig ~~ sein* être à la merci de qn; *e-m Laster ~~* adonné à un vice; *Ihr sehr ~~er (Brief)* votre très dévoué; *~~ster Diener* très humble serviteur; **E~enheit** *f* ‹-, (-en)› dévouement, attachement *m*; *(Unterwürfigkeit)* soumission; *(Gefaßtheit)* résignation *f*; **~enst** *adv* très humblement; **E~nis** *n* ‹-sses, -sse› résultat *m*; *(End~~)* conclusion; *(Ausgang)* issue *f*; *(Ertrag)* produit, fruit *m*; *(Folge)* conséquence *f*; *(Wirkung)* effet; *math* résultat; *sport (Punktzahl)* score *m*; *das ~~ beeinflussen* avoir de l'effet sur le résultat; *gute ~~se erzielen* donner de bons résultats; *zu e-m ~~ führen* aboutir à un résultat; **~nislos** *a* sans fruit *od* résultat; *(vergeblich)* inutile, vain; **~nisreich** *a* fécond *od* riche en résultats; **E~ung** *f mil* reddition, capitulation; *(Unterwerfung)* soumission; *(in das Schicksal)* résignation *f* (*in* à).

ergehen ‹*ist ergangen*› *itr (Gesetz, Verordnung)* paraître, être publié; *(Urteil)* être prononcé; *impers* arriver; *~ lassen (Gesetz)* publier, édicter; *sich ~ (poet)* se promener; *fig* se répandre (*in* en); *(sich auslassen)* s'étendre (*über* sur); *etw über sich ~ lassen* essuyer, endurer, supporter, souffrir qc (patiemment); *sich an der Luft ~* prendre l'air; *sich in langen Erklärungen ~* s'engager dans de longues explications; *sich in Hoffnungen ~* se bercer d'espérances; *sich in Vermutungen ~* se perdre en conjectures; *sich in Verwünschungen ~* se répandre en malédictions; *Gnade für Recht ~ lassen* user de clémence; *es ist e-e Einladung, ein Ruf an mich ergangen* j'ai été invité, appelé *od* nommé; *es ist mir ebenso ergangen* il m'est arrivé la même chose; *es ist mir gut ergangen* je m'en suis trouvé bien; *wie ist es dir ergangen?* qu'es-tu devenu? **E~** *n*: *ich fragte nach s-m ~~* je demandai de ses nouvelles.

ergiebig [ɛrˈgiːbɪç] *a agr (Boden)* productif, fertile, fécond, généreux; *(Ernte)* riche, abondant; *(Wolle)* économique; *(Thema)* riche; *~ sein (allg)* rendre bien; **E~keit** *f* ‹-, (-en)› *agr* productivité, fertilité, fécondité; richesse, abondance *f*; *allg* rendement *m*.

ergieß|en *tr* déverser, épandre; *fig (sein Herz)* épancher; *sich ~* se déverser, s'épandre (*über* sur); *(Fluß)* se jeter (*in* dans); *fig* s'épancher; **E~ung** *f fig* épanchement *m*.

erglänzen *itr* se mettre à briller *od* luire; *a. fig* resplendir.

erglühen *itr a. fig* rougir, s'empourprer; s'embraser, s'enflammer (*für* pour); *in Liebe ~ (poet)* s'enflammer *od* brûler d'amour.

ergötz|en [ɛrˈgœtsən] *tr* amuser, réjouir, divertir, délecter, récréer; *sich ~~* s'amuser, se réjouir, se divertir, se délecter, se récréer; **E~~** *n* amuse-

ment *m*, récréation *f*, divertissement, plaisir *m*; **~lich** *a* amusant, réjouissant, divertissant, récréatif; *(spaßig)* plaisant, drôle.
ergrauen ⟨*aux: sein*⟩ *itr (Mensch, Haare)* grisonner; *(Haare)* blanchir.
ergreif|en *tr* saisir (*beim Arm* par le bras), *a. fig*; prendre; *(packen)* empoigner; *(erwischen, fangen)* attraper; *(festnehmen)* arrêter, capturer, *jur* appréhender; *fig (rühren)* toucher, émouvoir, captiver, affecter; *e-n Beruf ~~* embrasser une *od* entrer dans une profession *od* carrière; *Besitz ~~* prendre possession (*von* de); *die Flucht ~~* prendre la fuite; *die Gelegenheit (beim Schopf) ~~* saisir l'occasion (aux cheveux); *die Macht ~~* prendre le pouvoir; *Maßnahmen, -regeln ~~* prendre des mesures; *für, gegen jdn Partei ~~* prendre parti pour, contre qn; *das Wort ~~* prendre la parole; *das Feuer ergriff das Haus* le feu prit à *od* gagna la maison; **~end** *a* saisissant, prenant, touchant, émouvant, pathétique; **E~ung** *f* ⟨-, (-en)⟩ *(Festnahme)* prise, arrestation, capture, *jur* appréhension *f* (au corps).
ergriffen [ɛrˈgrɪfən] *a fig (gerührt)* touché, ému; **E~heit** *f* ⟨-, (-en)⟩ émotion *f* (ressentie); *plötzliche ~~* saisissement *m*.
ergrimmen ⟨*ist ergrimmt*⟩ *itr lit poet* se courroucer, se mettre en courroux *od* colère.
ergründ|en *tr* sonder *a. fig; fig* étudier à fond, approfondir, pénétrer; *(untersuchen)* examiner, scruter; *(herausbekommen)* découvrir; **E~ung** *f* ⟨-, (-en)⟩ *fig* étude *f* approfondie, approfondissement, examen *m*.
Erguß *m* ⟨-sses, ⸚sse⟩ [ɛrˈgʊs, -gʏsə], *a. med u. fig* effusion *f*, épanchement; débordement *m*.
erhaben *a* proéminent, élevé *a. fig*; *(Kunst)* en relief; *fig* éminent, auguste, sublime; *(überlegen)* supérieur (*über* à); *(Stil)* élevé, noble; *über etw ~ sein* être au-dessus de qc; traiter qc par le mépris; *~e Arbeit f (Kunst)* (ouvrage en) relief *m*; **E~heit** *f* proéminence, élévation *a. fig*; *fig* sublimité; *(Überlegenheit)* supériorité; *(Stil)* noblesse *f*.
erhalt|en *tr (bekommen)* recevoir; *(durch Bemühungen)* obtenir; *(Strafe fam)* être condamné; *(verdienen)* gagner; *(bewahren)* conserver, garder; *(in e-m Zustand)* maintenir; *(unterhalten, z. B Straßen)* entretenir; *(ernähren)* entretenir, soutenir, sustenter; *(Endprodukt)* obtenir (*aus* à partir de); *~~ bleiben* subsister; *sich gesund ~~* maintenir sa santé, se maintenir en bonne santé; *jdn am Leben ~~* conserver la vie de qn; *s-e Mutter ist ihm ~~ geblieben* sa mère lui a été conservée; *Betrag (dankend) ~~* pour acquit; *a: gut, schlecht ~~* en bon, mauvais état (de conservation); bien, mal conservé; **E~er** *m* ⟨-s, -⟩ conservateur; *(e-r Familie)* soutien *m*; **E~ung** *f* ⟨-, ø⟩ *(Bewahrung)* conservation *f*; *(Aufrechterhaltung)* maintien; *(Unterhaltung, z. B. von Bauten)* entretien *m*; *~~ der Energie* conservation *f* de l'énergie; **E~ungskosten** *pl* frais *m pl* d'entretien; **E~ungszustand** *m* état *m* de conservation.
erhältlich [ɛrˈhɛltlɪç] *a com* en vente (*bei* chez, *in* dans); *überall ~* en vente partout.
erhandeln *tr (erstehen)* acquérir, faire emplette de, acheter.
erhängen, *sich ~* se pendre; **E~~** *n* pendaison *f*.
erhärten *tr* rendre dur, durcir; *fig (Aussage)* confirmer, corroborer; *itr* u. *sich ~* devenir dur, (se) durcir.
erhaschen *tr (kleines Tier, bes. im Flug)* saisir; attraper *a. fig (Blick, Worte); (Worte)* happer.
erheb|en *tr (Körperteil)* lever; *(Gegenstand)* élever *a. fig; fig* ériger (*zu* en), mettre sur le pied (*zu* de); *(rühmen)* vanter, exalter; *math (in e-e Potenz)* élever; *fin (Gebühr, Abgabe)* lever, *(Steuer)* percevoir; *(Beitrag)* demander; prélever; *sich ~~ (aufstehen, a. Wind)* se lever; *(Vogel)* prendre son vol; *(Flugzeug)* décoller; *über etw* surmonter qc; *fig (Frage, Streit)* s'élever; *(Schwierigkeiten)* surgir; *(sich empören)* se soulever, s'insurger, se révolter; *in den Adelsstand ~~* anoblir; *gegen jdn Anschuldigungen ~~* porter des accusations contre qn; *e-n Anspruch auf etw ~~* prétendre à qc; *gegen etw Einspruch* od *Protest ~~* élever une protestation contre qc; *e-n Einwand ~~* formuler une objection; *ein Geschrei ~~* pousser des cris; *e-e Klage gegen jdn ~~* intenter une action contre qn; *zu e-m Königreich ~~* ériger en royaume; *ins Quadrat ~~ (math)* élever au carré; *s-e Stimme ~~* prendre la parole; **E~~** *n: durch ~~ der Hand, von den Plätzen (abstimmen)* (voter) à main levée, par assis et levé; **~end** *a* qui élève *od* exalte l'âme *od* l'esprit; **~lich** *a* considérable, important; *jur* pertinent, applicable; **E~lichkeit** *f* importance *f*; **E~ung** *f* élévation *a. fig u. math*; *(Bodenerhebung)* éminence; *fig (Umfrage)* enquête, recherche, investigation, levée, *jur* constatation; *(von Abgaben, Steuern)* levée, perception, imposition *f*; *pol (Aufstand)* soulèvement *m*, insurrection *f*; *~~en anstellen* faire des enquêtes *od* levées; *~~ in den Adelsstand* anoblissement *m*.
erheiraten *tr (Mitgift)* épouser.
erheischen *tr lit* demander, réclamer, exiger.
erheiter|n *tr* égayer; *(unterhalten)* amuser, divertir; *fam* dilater *od* désopiler la rate (*jdn* à qn); *sich ~~ (Gesicht)* se dérider; *(sich zerstreuen)* s'égayer, s'amuser, se divertir; **~nd** *a* amusant, récréatif, divertissant, hilarant; **E~ung** *f* amusement, divertissement *m*.
erhellen *tr* éclairer; *(Farbe)* éclaircir; *fig* éclaircir, élucider, répandre de la lumière sur; *itr impers: daraus erhellt, daß* il en ressort *od* résulte que; *sich ~: sein Gesicht erhellt sich* son visage s'éclaire.
erheucheln *tr (vortäuschen)* feindre, simuler, affecter.
erhitz|en *tr* chauffer; *fig* échauffer, exalter; *sich ~~* chauffer; *fig* s'échauffer, s'exalter; **E~ung** *f* chauffage; échauffement *m*, *a. fig; phys* caléfaction *f*.
erhoffen *tr* espérer, s'attendre à, escompter.
erhöh|en *tr, a. fig* élever, relever, hausser; *arch (aufstocken)* surélever, *(a. aufschütten)* exhausser; *fig (Geschwindigkeit, Summe, Wert)* augmenter (*um* de); *(Preise)* majorer (*um* de); *(Löhne, Tarife, Steuern)* relever (*um* de); *(Strafe)* aggraver; *mus* diéser; *sich ~~ (a. fig)* s'élever, hausser, augmenter; *sich ~~ auf* passer (*auf* à); *(Zahl, Summe, Kapital)* augmenter; **~t** *a (Puls)* élevé; *(Tätigkeit)* accru; **E~ung** *f* élévation *a. fig*; *(Anhöhe)* hauteur, éminence *f*; *(Aufschüttung, -stockung)* exhaussement *m*; *fig* augmentation, majoration *f*; relèvement *m*; aggravation *f*; *e-e ~~ erfahren (Preise)* subir une majoration; **E~ungswinkel** *m (Schießlehre)* angle *m* d'élévation *od* de tir; **E~ungszeichen** *n mus* dièse *m*.
erhol|en, *sich (von e-r Krankheit)* se rétablir, se remettre, se remonter, *(von e-m Schrecken)* se remettre, *(von e-r Überraschung)* revenir (*von* de); *(ausruhen)* prendre du repos, se reposer, se récréer, *(sich entspannen)* se délasser, se détendre; *fig com (Preise, Markt)* se refaire, se remettre; *fin (Kurse)* se relever; *(Börse)* reprendre, être en reprise; **~sam** *a* reposant; **E~ung** *f* rétablissement; *(Ruhe)* repos *m*, récréation *f*; *(Entspannung)* délassement *m*, détente *f*; *fin (Kurse)* relèvement *m*, amélioration; *(Börse)* reprise *f*; **E~ungsaufenthalt** *m* séjour *m* de repos; **E~ungsbedürfnis** *n* besoin *m* de repos; **~ungsbedürftig** *a* qui a besoin de repos; **E~ungsheim** *n* maison *f* de repos, préventorium *m*; **E~ungsurlaub** *m* congé *m od mil* permission *f* de détente.
erhör|en *tr (Bitte)* exaucer, accueillir; **E~ung** *f* exaucement *m*; *~~ finden* être exaucé.
Erika *f* ⟨-, -ken⟩ [ˈeːrika] *bot* bruyère *f*.
erinner|lich *a: das ist mir nicht ~~* je ne m'en souviens pas; **~n** *tr: jdn an etw ~~* rappeler qc à qn, faire penser qn à qc, remettre qc en mémoire à qn; *sich an etw ~~* se souvenir de qc, se rappeler qc; *soviel* od *soweit ich mich ~e* autant qu'il m'en souvienne; *soweit ich mich überhaupt ~~ kann* du plus loin que je m'en souvienne; *wenn ich mich recht ~e* si j'ai bonne mémoire; *ich ~e mich, daß ...* je me souviens que, il me souvient que, je me rappelle que ...; *ich ~e mich wieder* la mémoire me revient; *ich kann mich nicht mehr daran ~~* je ne m'en souviens plus; *er ~t mich an jdn* il me rappelle qn; *~~ Sie mich daran!* faites-m'y penser *od* songer, rappelez-le-moi; **E~ung** *f* souvenir

m; in ~~ an etw en mémoire de qc; *zur ~~ an jdn* à la mémoire de qn; *die ~~ an etw auffrischen* renouveler le souvenir de qc; *jdn, etw in ~~ behalten* conserver la mémoire *od* le souvenir de qn, qc; garder qn, qc en mémoire; *jdm etw in ~~ bringen* remettre qc en mémoire à qn, rappeler qc à qn; *sich jdm wieder in ~~ bringen* revenir à la mémoire de qn; *etw (noch) in frischer* od *guter ~~ haben* se rappeler qc encore parfaitement; *alte ~~en* souvenirs *m pl* lointains; *die ~~ wachrufend* évocateur; **E~ungsbild** *n* souvenir *m* visuel; **E~ungsvermögen** *n* mémoire *f.*

erjagen *tr* prendre (à la chasse); *fig (erringen)* gagner.

erkalten *itr* (se) refroidir *a. fig.*

erkält|en, *sich (med)* se refroidir, attraper *od* prendre froid, s'enrhumer; *sich wieder ~~* reprendre un rhume; *~et sein* être enrhumé; **E~ung** *f med* refroidissement, rhume (de cerveau), coup *m* d'air; *sich e-e ~~ holen* od *zuziehen* prendre un refroidissement, attraper un coup de froid.

erkämpfen *tr* gagner de haute lutte; *(Sieg)* remporter.

erkaufen *tr fig* acheter (*mit* par *od* au prix de); payer (*mit* de); *teuer ~* payer cher.

erkenn|bar *a* reconnaissable; *(wahrnehmbar)* perceptible; *(mit dem bloßen Auge)* discernable; *ohne ~~en Grund* sans cause apparente; **~en** ⟨*hat erkannt*⟩ *tr (bes. Menschen)* reconnaître (*an der Stimme* à la voix); *(Flugzeug a.)* identifier; *(wahrnehmen)* (s')apercevoir (de); *(unterscheiden)* distinguer, discerner; *med* dépister; *com* créditer (*jdn für e-e Summe* qn d'une somme); *itr jur* statuer (*in e-r S* sur une cause); juger (*in e-r S* une cause); prononcer (*auf e-e Strafe* une peine); *mil (das Ziel)* repérer; *klar zu ~~ sein* ressortir clairement; *jdn für schuldig ~~* déclarer qn coupable; *zu ~~ geben* donner à entendre, faire voir; *sich zu ~~ geben* se faire (re)connaître; *~~ lassen* révéler; *deutlich* od *klar zu erkennen sein (fig)* ressortir clairement; *das ~t man an ...* cela se reconnaît à ...; *es läßt sich nicht ~~, ob* il est impossible de savoir si; **~tlich** *a (erkennbar)* reconnaissable; *(dankbar)* reconnaissant (*für* de); *jdm ~~ sein* rendre grâce(s) à qn; *sich ~~ zeigen* témoigner de la reconnaissance; **E~tlichkeit** *f* reconnaissance *f* (*für* pour); **E~tnis** *f* ⟨-, -se⟩ connaissance, notion, science; cognition; constatation *f; n jur* jugement *m,* sentence, décision *f,* arrêt *m; in der ~~* reconnaissant (*e-r S* qc, *daß* que); *jdn zur ~~ (s-s Irrtums) bringen* détromper qn; *zur ~~ (s-s Irrtums) kommen* revenir de son erreur; comprendre enfin (*daß* que); *der Baum der ~~ (rel)* l'arbre *m* de la science du bien et du mal; **E~tnistheorie** *f philos* théorie *f* de la connaissance; **E~tnisvermögen** *n* cognition *f,* entendement *m,* intelligence *f;* **E~ung** *f* ⟨-, (-en)⟩ reconnaissance *f; med (e-r Krankheit)* dépistage *m;* **E~ungsdienst** *m (polizeilicher)* service *m* anthropométrique; **E~ungskarte** *f* carte *f* d'identité; **E~ungsmarke** *f mil* plaque *f* d'identité; **E~ungsmelodie** *f* indicatif *m;* **E~ungsring** *m (für Vögel)* bague *f* d'identité; **E~ungssignal** *n mar* signal *m* de reconnaissance; **E~ungswort** *n mil* mot *m* de passe *od* de ralliement *od* d'ordre; **E~ungszeichen** *n* signe *m od* marque *f* de reconnaissance, (in)signe *m* distinctif *a. aero.*

Erker *m* ⟨-s, -⟩ ['ɛrkər] *arch* (pièce en) saillie *f,* encorbellement *m;* **~fenster** *n* fenêtre *f* en saillie; **~stube** *f* chambre *f* en saillie.

erkiesen ⟨*erkor, erkoren*⟩ [ɛr'ki:zən, ˌ'ko:r-] *tr poet* choisir.

erklär|bar *a* explicable, interprétable; **~en** *tr (erläutern)* expliquer, rendre raison de; *(ausführlich)* exposer; *(ein Wort)* définir; *(e-n Text)* commenter; *(auslegen, deuten)* interpréter; *(erhellen)* éclaircir, élucider; *(aussagen)* déclarer; *(verkünden)* proclamer; *jdn für etw ~~* qualifier qn de qc; *zu etw ~~ (adm)* classer qc; *sich ~~ (s-e Meinung)* s'expliquer; *(s-e Absichten)* se déclarer (*für* pour, *gegen* contre); *sich aus etw ~~* s'expliquer par qc, *an e-m Beispiel ~~* expliquer sur un exemple; *es ganz genau ~~* mettre les points sur les i; *den Krieg ~~* déclarer la guerre; *jdm s-e Liebe ~~* déclarer son amour à qn, se déclarer à qn; *jdn für e-n Lügner ~~* qualifier qn de menteur; *für schuldig ~~* déclarer coupable; *für ungültig ~~* déclarer nul *od* non valable; **~end** *a* explicatif; *jur* déclaratif; **~lich** *a* explicable; *(verständlich)* compréhensible; *(augenscheinlich)* évident; *leicht ~~* facile à expliquer; *das ist durchaus ~~* cela s'explique aisément; **~t** *a* déclaré, avoué; *ein ~~er Gegner* un adversaire déclaré; **E~ung** *f* explication; exposition; définition *f;* commentaire *m;* interprétation *f;* éclaircissement *m* élucidation; déclaration, proclamation *f; zur ~~ e-r S* pour expliquer qc; *e-e ~~ abgeben* faire *od* émettre une déclaration (*über* au sujet de); *von jdm e-e ~~ fordern* demander raison à qn; *eidesstattliche ~~* déclaration *f* à titre de serment; *gemeinsame ~~ der Regierungen* déclaration *f* intergouvernementale; *öffentliche ~~ (pol)* manifeste *m; ~~ der Menschenrechte* déclaration *f* des droits de l'homme (et du citoyen).

erklecklich [ɛr'klɛklɪç] *a (ausreichend)* suffisant; *(beträchtlich)* considérable.

erklettern *tr (Baum)* grimper sur; *(Berg)* gravir, faire l'ascension de; *(Hindernis, a. mil)* escalader.

erklimmen *tr (Berg)* gravir.

erklingen *itr* résonner, retentir.

erkoren [ɛr'ko:rən] ⟨*pp von erkiesen*⟩ *a poet* choisi, élu.

erkrank|en ⟨*ist erkrankt*⟩ *itr* tomber malade, attraper *od* contracter *od* prendre une maladie, être pris d'une maladie; *~~ an* être atteint de; *wieder ~~* retomber malade; **E~ung** *f* maladie *f; wegen ~~* pour cause de maladie.

erkühnen, *sich* avoir l'audace (*etw zu tun* de faire qc).

erkund|en *tr* sonder; *(ausspionieren)* espionner; *mil* reconnaître, éclairer; *itr mil* aller en reconnaissance; *das Gelände ~~ (mil u. fig)* sonder, tâter le terrain; **E~er** *m* ⟨-s, -⟩ éclaireur *m; aero* = *E~ungsflugzeug;* **~igen:** *sich bei jdm nach etw ~~* s'informer de qc auprès de qn, se renseigner sur qc auprès de qn, s'enquérir de qc auprès de qn; *sich nach jds Befinden ~~* demander *od* prendre des nouvelles de qn; **E~igung** *f* information *f* (*nach* sur); *(Auskunft)* renseignement (*über* sur); *arg* rancard *m; ~~en anstellen (Polizei)* faire des recherches; *~~en einholen* od *einziehen* prendre des *od* aller aux informations, prendre des renseignements (*über* sur); **E~ung** *f mil* reconnaissance *f; gewaltsame ~~* reconnaissance *f* en force; **E~ungsauftrag** *m* mission *f* de reconnaissance; **E~ungsflug** *m* vol *m* de reconnaissance; **E~ungsflugzeug** *n* avion *m* de reconnaissance; **E~ungsgespräch** *n pol* sondage *m.*

erkünstel|n *tr* affecter; **~t** *a, a.* emprunté.

erlahmen ⟨*ist erlahmt*⟩ *itr fig (nachlassen)* s'affaiblir, diminuer, tomber dans le marasme, *(Eifer)* se refroidir.

erlang|en *tr* atteindre; *(durch Bemühungen)* obtenir; *(Gewißheit)* acquérir; **E~ung** *f* ⟨-, ø⟩ acquisition; accession (*e-r S* à qc); *jur* obtention *f.*

Erlaß *m* ⟨-sses, -sse⟩ [ɛr'las, -sə] *(Befreiung)* dispense, exemption; *(e-r Arbeit, Strafe, Schuld)* remise; *(e-r Sünde)* rémission *f; (Verordnung)* édit *m,* ordonnance *f; (der Regierung)* décret; *(ministerieller)* arrêté *m; (e-s Gesetzes)* promulgation *f; (Bekanntmachung)* avis *m.*

erlass|en *tr: jdm etw ~~* dispenser, exempter qn de qc; *(Arbeit, Strafe, Schuld)* remettre qc à qn; *(Strafe, Schuld)* faire grâce de qc à qn, tenir qn quitte de qc; *(Sünde)* délier qn de qc; *(Gebühren, Steuer, Zoll)* exonérer qn de qc; *(verordnen)* édicter, ordonner, décréter, arrêter; *(Gesetz)* promulguer, publier; *(Verordnung, Urteil)* prononcer; *(Haftbefehl)* décerner; *ihm wurde der Rest der Strafe ~~* il a bénéficié d'une remise de peine; **E~ung** *f* ⟨-, (-en)⟩ *(vgl. Erlaß)* dispense, exemption; remise, rémission *f.*

erlaub|en *tr* permettre (*jdm etw* qc à qn; *jdm, etw zu tun* à qn de faire qc), autoriser (*jdm, etw zu tun* qn à faire qc); *sich ~~, etw zu tun* se permettre de faire qc, oser faire qc, prendre la hardiesse *od* la liberté de faire qc; *(sich anmaßen)* se permettre, s'arroger; *(sich gönnen, sich leisten)* se payer, s'offrir; *wenn ich mir ~~ darf, wenn Sie ~~* si je puis me permettre, si vous permettez; *sich jdm gegenüber zuviel ~~* prendre des libertés avec qn; *was ~~ Sie sich?* que vous permettez-vous? ~~ *Sie, bitte!* permettez, s'il vous plaît; **E~nis** *f* ⟨-, ø⟩ [-'laup-] permission, autorisation *f; (Einwilligung)* consentement *m; um die ~~ bitten zu tun* demander la permission de faire; *jdm die ~~ geben zu tun* donner à qn la permission de faire; **E~nisschein** *m* permis *m; (Konzession)* licence *f;* **~t** *a* permis; *jur* licite.

erlaucht [ɛr'lauxt] *a vx poet* illustre, auguste.

erlauschen *tr* apprendre en écoutant, surprendre, espionner.

erläuter|n *tr* expliquer, clarifier; *(Text)* interpréter; *(kommentieren)* commenter; *(veranschaulichen)* illustrer; **E~ung** *f* explication; interprétation *f;* commentaire *m;* illustration; *(schriftliche)* note *f* explicative; *pl (Schreiben)* exposé *m* des motifs.

Erle *f* ⟨-, -n⟩ ['ɛrlə] au(l)ne *m;* **~nholz** *n* (bois d')au(l)ne*m.*

erleb|en *tr* vivre, voir, connaître; *(durchmachen)* subir, essuyer, éprouver; *etwas ~~* avoir une aventure; *Schlimmes ~~* passer par de rudes épreuves; *wir werden es ja ~~* qui vivra, verra; *die Industrie hat e~n neuen Aufschwung ~t* l'industrie a connu un nouvel essor; *hat man so was schon ~t?* a-t-on jamais vu chose pareille? *der kann was ~~! (iron)* il en entendra parler! **E~nis** *n* chose vécue, expérience *f; (großes)* événement *m; (aufregendes)* aventure *f.*

erledig|en [ɛr'le:dɪgən] *tr (Arbeit)* expédier, finir, terminer; *(Auftrag)* exécuter, s'acquitter de; *(Geschäft)* liquider; *(Angelegenheit)* régler, vider; *(die Post)* mettre à jour; *fam (Person)* exécuter, donner son reste à; *etw rasch ~t haben* avoir vite terminé qc; *etw als ~t ansehen* od *betrachten* tenir qc pour réglé; *du bist (Sie sind) für mich ~t (fam)* tout est fini entre nous; *das ist längst ~t* c'est liquidé depuis longtemps; *der Fall ist ~t* il n'y a pas à y revenir; *die Sache ist ~t* l'affaire est dans le sac, c'est chose faite; **~t** *a (Amt)* vacant; *fam (erschöpft)* rompu de fatigue; *pop* crevé, vanné; *(am Ende)* ratiboisé, fini; *~~ sein (fam: am Ende sein)* être au bout du rouleau; *ich bin ~~ (am Ende)* tout est fini pour moi; *~~e Stelle f* vacance *f;* **E~ung** *f* expédition, terminaison; exécution; liquidation *f;* règlement *m;* mise à jour; *fam (e-r Person)* liquidation *f; ~~ der schwebenden Prozesse* évacuation *f* des procès en cours.

erlegen ⟨*hat erlegt*⟩ *tr (Wild)* tuer; *(Betrag)* acquitter.

erleichter|n *tr fig* alléger; apporter des facilités à, faciliter; *iron fam (um einiges ~~)* délester; *sein Gewissen, sein Herz ~~* s'alléger la conscience, le cœur; **E~ung** *f* allégement *m;* facilitation; décharge *f.*

erleiden ⟨*hat erlitten*⟩ *tr* éprouver, subir, essuyer; *(erdulden)* souffrir; *(ertragen)* supporter; *e-e Niederlage, e-n Verlust, e-n Zs.bruch ~* essuyer une défaite, une perte, un échec.

erlernen *tr* apprendre, faire l'apprentissage de.

erlesen *tr* acquérir par la lecture; *a* choisi, de choix, d'élite, sélectionné.

erleucht|en *tr* éclairer; *fig* éclaircir, illuminer, inspirer; **~et** *a: hell, schwach ~~* bien, mal éclairé; **E~ung** *f fig* éclaircissement *m;* inspiration, intuition *f.*

erliegen ⟨*ist erlegen*⟩ *itr* succomber (*dat* à); **E~~** *n: zum ~~ kommen (Verkehr)* être bloqué, s'arrêter.

erlisten *tr* obtenir par ruse.

Erlkönig ['ɛrl-] *m* roi *m* des elfes *od abus* des au(l)nes.

erlogen [ɛr'lo:gən] *a (unwahr)* inventé, controuvé; *das ist ~* c'est un mensonge.

Erlös *m* ⟨-es, -e⟩ [ɛr'lø:s, -zəs] *(Ertrag)* recette *f,* produit *m;* **e~en** [-'lø:zən] *tr* délivrer (*von* de); *rel* sauver, racheter; **~er** *m* libérateur; *rel* Sauveur, Rédempteur *m;* **~ung** *f* ⟨-, (-en)⟩ délivrance, libération *f; rel* rachat *m,* Rédemption *f.*

erlöschen *itr* s'éteindre *a. fig; fig (Farbe)* pâlir; *(Schrift)* s'effacer; *adm jur* expirer, arriver à expiration, déchoir, se périmer; *(Firma)* cesser d'exister; *(Versicherung)* déchoir; *(verjähren)* se périmer, se prescrire; **E~~** *n* extinction *a. fig; adm jur* expiration, déchéance *f; etw zum ~~ bringen* couper chemin à qc; *~~ e-r Berufung (jur)* désertion *f* d'appel; **erloschen** [ɛr'lɔʃən] *a, a. fig* éteint; *~~e(r) Vulkan m* volcan *m* éteint.

ermächtig|en *tr* autoriser, *jur* habiliter (*zu* à); **E~ung** *f* autorisation; *jur* habilitation *f; pol (Vollmacht)* plein pouvoir *m; schriftliche ~~* autorisation *f* écrite; **E~ungsgesetz** *n* loi *f* des pleins pouvoirs.

ermahn|en *tr* exhorter (*zu* à, *zum Guten* au bien), recommander; *(verwarnen)* admonester; **E~ung** *f* exhortation, recommandation; *(Verwarnung)* admonestation *f.*

ermangel|n *itr: e-r S ~~* manquer de qc; **E~ung** *f: in ~~ (gen)* faute (de), à défaut (de), manque (de); *in ~~ e-s Besseren* faute de mieux.

ermannen, *sich* prendre courage, se ressaisir, s'évertuer (*etw zu tun* à faire qc).

ermäßig|en [ɛr'mɛ:sɪgən] *tr (Preis)* réduire, baisser, diminuer; *zu ~ten Preisen* à prix réduits; *~te(r) Eintritt(spreis) m* réduction *f;* **E~ung** *f com* réduction, baisse, diminution *f.*

ermatt|en *tr (itr)* (se) fatiguer, (se) lasser; (s')affaiblir, (s')épuiser, (s')exténuer; *itr fig* se ralentir; **~et** *a* fatigué, las, exténué; **E~ung** *f* ⟨-, (-en)⟩ fatigue, lassitude *f,* affaiblissement, épuisement *m,* exténuation *f;* **E~ungskrieg** *m* guerre *f* d'épuisement; **E~ungsstrategie** *f* stratégie *f* d'épuisement.

ermeßbar [ɛr'mɛsba:r] *a fig* estimable, concevable.

ermessen *tr fig (abschätzen, überschauen)* estimer, apprécier; *(geistig erfassen)* concevoir, juger de; **E~** *n: nach jds ~~* au jugement de qn, à la discrétion de qn; *nach meinem ~~* selon moi, à mon avis *od* gré, à ma convenance; *nach billigem ~~* par une appréciation équitable; *nach eigenem ~~* à son gré; *aus freiem ~~* de mon *etc* gré, de (mon *etc*) bon gré; *nach freiem ~~* au jugé; *nach menschlichem ~~* humainement parlant; *jds, dem richterlichen ~~ überlassen* laisser à la discrétion de qn, du juge; *freie(s) ~~ (jur)* pouvoir *m* discrétionnaire; *dem freien ~~ überlassen (pp)* discrétionnaire *a; richterliche(s) ~~* pouvoir *m* discrétionnaire du juge; **E~sfrage** *f* question *f* d'appréciation; **E~smißbrauch** *m* abus *m* de discrétion.

ermitt|eln *tr (forschen nach)* rechercher; enquêter; *(ausfindig machen)* trouver, découvrir; *(feststellen)* établir, déterminer, constater; *nicht zu ~~(d)* introuvable; **E~(e)lung** *f (Nachforschung)* recherche, investigation, enquête; *(Ausfindigmachen)* découverte; *(Feststellung)* constatation, vérification; *jur* instruction *f* judiciaire; *~~en anstellen* faire des recherches; *polizeiliche ~~en* enquête *f* de police; **E~lungsverfahren** *n jur* information préliminaire, instruction *f* pénale.

ermöglichen *tr* rendre possible.

ermord|en *tr* assassiner; **E~ung** *f* meurtre, assassinat *m.*

ermüd|bar [ɛr'my:tba:r] *a* fatigable; **E~barkeit** *f* fatigabilité *f;* **~en** [-'my:dən] *tr (itr)* ⟨*hat/ist ermüdet*⟩ (se) fatiguer, (se) lasser; **~end** *a* fatigant; **E~ung** *f* fatigue *a. tech,* lassitude *f;* **~ungsbeständig** *a* résistant à la fatigue; **E~ungsbruch** *m tech* rupture *f* de fatigue; **E~ungserscheinung** *f* symptôme *m* de fatigue *a. tech;* **E~ungsfestigkeit** *f tech* résistance *f* à la fatigue; **E~ungsgrenze** *f* limite *f* de fatigue; **E~ungsprüfung** *f tech* contrôle *m* de fatigue.

ermunter|n *tr (aufheitern)* égayer, récréer; *(anregen)* animer, exciter (*zu* à); *(ermutigen)* encourager, exhorter (*zu* à); *jdn ~nd ansehen* encourager qn du regard; *der Kaffee wird dich wieder ~~* ce café va te ragaillardir; **E~ung** *f* animation, excitation *f;* encouragement *m.*

ermutig|en *tr* encourager; enhardir, exhorter (*zu* à); **E~ung** *f* encouragement *m,* exhortation *f.*

ernähr|en *tr physiol* nourrir; *(verpflegen)* alimenter; *(versorgen)* faire vivre, entretenir, sustenter; *sich ~~* se nourrir (*von* de); *jdn ~~ müssen* avoir qn à sa charge; **E~er** *m* ⟨-s, -⟩ *(e-r Familie)* soutien *m;* **E~ung** *f* ⟨-, (-en)⟩ *physiol* nutrition; *(Verpflegung)* alimentation *f; (Unterhalt)* entretien *m,* sustentation *f; falsche ~~* malnutrition *f; schlechte ~~* sous-alimentation *f;* **E~ungsamt** *n* bureau *m* de ravitaillement; **E~ungshygiene** *f* hygiène *f* alimentaire; **E~ungskrankheit** *f* maladie *f* de la nutrition; **E~ungslage** *f* situation *f* alimentaire; **E~ungsminister(ium** *n***)** *m* ministre (ministère) *m* du ravitaillement; **E~ungsphysiologe** *m* nutritionniste *m;* **E~ungsweise** *f* mode *m* d'alimentation; **E~ungswissenschaft** *f* = *E~ungshygiene;* **E~ungszustand** *m med* état *m* nutritionnel.

ernenn|en ⟨*hat ernannt*⟩ *tr:* *~~ zu* nommer, désigner, établir dans la charge de, promouvoir; **E~ung** *f* nomination, désignation, promotion *f;* **E~ungsurkunde** *f* lettre *f* de service, brevet *m* de nomination.

erneu|e(r)n *tr* renouveler *(a. im Sinne von wieder anfangen, wiederholen); (biol: regenerieren)* régénérer; *(ersetzen, auswechseln)* remplacer; *(wieder instand setzen, auffrischen)* réparer, rénover, remettre en état *od* à neuf; *(Farbe)* rafraîchir; *(Bild)* restaurer; *mot (Reifen)* rechaper; *mot (Öl)* vidanger; *(Beziehungen)* renouer; *(Gefühl)* raviver; *jur (Prozeß)* reprendre; *pol (Vertrag)* prolonger; *den Angriff ~~ (mil)* revenir à la charge; **E~erung** *f* renouvellement *m;* régénération *f;* remplacement *m;* réparation, rénovation *f;* rafraîchissement *m;* restauration *f;* renouement; ravivement *m; jur* reprise; *pol* prolongation *f; poet (~~ der Kunst)* renouveau *m;* **~erungsbedürftig** *a,* **~erungsfähig** *a* renouvelable; **~t** *a* répété, réitéré; *adv* à *od* de nouveau.

erniedrig|en *tr fig (demütigen)* abaisser, humilier, dégrader, avilir, mater; *mus* bémoliser; *sich ~~* s'abaisser, s'humilier, se dégrader, s'avilir; *fam* s'aplatir; **E~ung** *f fig* abaissement *m,* humiliation, dégradation *f;* avilissement; *fam* aplatissement *m;* **E~ungszeichen** *n mus* bémol *m.*

Ernst *m* ⟨-es, ø⟩ [ɛrnst] **1.** sérieux *m; (Würde; Gefährlichkeit)* gravité *f; allen ~es* tout de bon, pour de bon; *im ~* sérieusement; *mit etw ~ machen* prendre qc au sérieux; *nicht im ~ sprechen* plaisanter; *im ~, das ist mein ~* je parle sérieusement, c'est sérieux; *das ist Ihr ~? im ~?* sérieusement? pour de bon? *pop* sans blague? *das ist (doch) nicht Ihr ~!* vous plaisantez, vous n'y pensez pas; **e~** *a* sérieux; *(würdevoll; gefährlich)* grave; *~~ bleiben* garder *od* tenir son sérieux; *(nicht) ~~ nehmen* (ne pas) prendre au sérieux; *alles zu ~~ nehmen* regarder par le petit bout de la lorgnette; *nichts ~~ nehmen* prendre tout à la blague; *es nicht so ~~ nehmen* en prendre et en laisser; *ein ~~es Wort mit jdm reden* parler net à qn; *es wird ~~* la chose prend une tournure grave *od* mauvaise tournure; **~fall** *m mil* cas *m* de conflit *od* guerre; *im ~~* au *od* en cas de besoin, si besoin est, s'il en est besoin, si les choses en arrivent là; **e~gemeint** *a,* **e~haft** *a* sérieux; **~haftigkeit** *f* sérieux *m;* **e~lich** *adv* sérieusement, vraiment.

Ernst *m* **2.** *(Vorname)* Ernest *m.*

Ernte *f* ⟨-, -n⟩ ['ɛrntə] récolte *a. fig; (Getreide)* moisson; *(Heu)* fenaison; *(Obst)* cueillette; *(Wein)* vendange *f; fig (Ertrag)* rapport *m; die ~ einbringen* faire *od* enlever *od* rentrer la récolte *od* la moisson; *zweite ~* récolte *f* dérobée; *~ auf dem Halm* récolte *f* sur pied; **~arbeiten** *f pl* récolte *f;* **~arbeiter** *m* moissonneur *m;* **~ausfall** *m* perte *f* de récolte; **~aussichten** *f pl* prévisions *f pl* de récolte; **~dankfest** *n,* **~danktag** *m* (fête *f* d')actions *f pl* de grâces pour la récolte; **~ertrag** *m* (produit *m* de la) récolte *f;* **~fest** *n* fête *f* de la moisson; **~helfer** *m* aide-moissonneur *m;* **~kranz** *m* couronne *f* d'épis; **~maschine** *f* moissonneuse *f;* **e~n** *tr* récolter *a. fig; (Getreide)* moissonner; *(Obst)* cueillir; *(Kartoffeln)* arracher; *fig* recueillir; *itr* faire la moisson; *Beifall ~~* recevoir des applaudissements; *Dank ~~* trouver de la reconnaissance; *Lob ~~* recevoir des éloges; **~schäden** *m pl* dégâts *m pl* causés à la récolte *od* moisson; **~segen** *m* riche moisson *f;* **~urlaub** *m mil* permission *f* agricole; **~wagen** *m* chariot *m* à gerbes; **~zeit** *f* temps *m* de la moisson.

ernüchter|n *tr* désenivrer; dégriser *a. fig; fig* désenchanter, ramener à la raison, *fam* doucher, faire déchanter; *(enttäuschen)* désillusionner, désappointer; *~~d a fam* refroidissant; **E~ung** *f* dégrisement *a. fig; fig* désenchantement *m, fam* douche; désillusion *f,* désappointement *m.*

Erober|er *m* ⟨-s, -⟩ [ɛr'ʔo:bərər] conquérant *m;* **e~n** *tr, a. fig* conquérir, faire la conquête de; *(Festung, Stadt)* prendre; *(feindl. Stellung)* enlever; *(Kanone)* capturer; *fig (die Herzen)* gagner; **~ung** *f* conquête *a. fig;* prise *f; auf ~~en ausgehen (fig hum)* chercher à faire des conquêtes; **~ungskrieg** *m* guerre *f* de conquête; **~ungslust** *f* goût *od* désir *m* des conquêtes; **e~ungslustig** *a* conquérant; **~ungswelle** *f hist* poussée *f* conquérante.

erodieren [ero'di:rən] *tr geol* éroder.

eröffn|en *tr (bes. Geschäft, Konto, Kredit, Testament)* ouvrir; *(feierlich)* inaugurer; *(anfangen)* commencer, *(bes. Aussprache, Kampf, mil: Gefecht)* engager, entamer; *(mitteilen)* faire savoir, communiquer, signaler, déclarer (*jdm etw* qc à qn), faire part, s'ouvrir (*jdm etw* de qc à qn); *(förmlich)* notifier (*jdm etw* qc à qn); *mil (Feuer)* ouvrir; *sich ~~ (fig)* s'ouvrir, ouvrir son cœur; *(Aussichten)* se présenter; *das Feuer ~~ (mil)* ouvrir le feu; *den Konkurs ~~* déclarer l'ouverture de la faillite; **E~ung** *f* ouverture; inauguration; *(Mitteilung)* communication, déclaration, notification *f; ~~ der Feindseligkeiten (mil)* ouverture *f* des hostilités; **E~ungsansprache** *f* discours *m od* allocution *f* d'ouverture *od* d'inauguration; **E~ungsbilanz** *f com* bilan *m* d'ouverture *od* d'entrée, balance *f* d'entrée; **E~ungsfeier** *f* cérémonie *f* inaugurale; **E~ungskurs** *m* cours *m* d'ouverture; **E~ungsrede** *f* discours *m* d'inauguration; **E~ungssitzung** *f* séance *f* inaugurale *od* d'ouverture; **E~ungsvorstellung** *f* représentation *f* d'ouverture.

erörter|n *tr* discuter, débattre, aborder; **E~ung** *f* discussion *f,* débat *m.*

Erosion *f* ⟨-, -en⟩ [erozi'o:n] *geol* érosion *f.*

Erot|ik *f* ⟨-, ø⟩ [e'ro:tɪk] érotisme *m;* **e~isch** [e'ro:tɪʃ] *a* érotique.

Erpel *m* ⟨-s, -⟩ ['ɛrpəl] *zoo* canard *m* (mâle).

erpicht [ɛr'pɪçt] *a: auf etw ~* avide de qc, à l'affût de qc; *aufs Geld ~* âpre au gain, cupide.

erpress|en *tr* extorquer, *(Geständnis)* arracher (*etw von jdm* qc à qn); *jdn (durch Androhung von Enthüllungen)* faire chanter qn; **E~er** *m* ⟨-s, -⟩ exacteur; maître chanteur *m;* **~erisch** *a* extorsionnaire; **E~ung** *f* extorsion, exaction *f;* chantage *m;* **E~ungsversuch** *m* tentative *f* d'extorsion *od* de chantage.

erprob|en *tr* éprouver, faire l'épreuve de, mettre à l'épreuve; *tech* essayer, expérimenter; **~t** *a* éprouvé, à toute épreuve; **E~ung** *f* épreuve *f,* essai *m,* expérimentation *f; klinische ~~ (med)* expérimentation *f* clinique; **E~ungsflieger** *m* pilote *m* d'essai; **E~ungsflug** *m* vol *m* d'essai; **E~ungsstelle** *f* centre *m* d'essai.

erquick|en *tr* rafraîchir, ranimer, récréer; *(stärken)* restaurer; *fig* réconforter; **~end** *a* rafraîchissant; *fig* réconfortant; **~lich** *a fig* réconfortant, agréable; **E~ung** *f* rafraîchissement *m,* récréation *f; fig* réconfort *m.*

erraten *tr* deviner; *fam* mettre le nez sur; *(Sie haben es) ~!* vous y êtes! *das ~ Sie nie!* je vous le donne en mille.

errechn|en *tr* calculer; **E~ung** *f* calcul *m.*

erreg|bar [ɛr're:kba:r] *a* émotif, émotionnable, susceptible, excitable, irritable; **E~barkeit** *f* ⟨-, ø⟩ émotivité, susceptibilité; excitabilité, irritabilité *f;* **~en** [-'re:gən] *tr (in Erregung bringen)* émouvoir, mettre en émoi, agiter, exciter, irriter; *(aufwiegeln)* soulever; *(hervorrufen)* provoquer, faire naître, causer; *(Begierde)* éveiller; *(Neid)* susciter; *jds Mitleid ~~* émouvoir qn de compassion; *sich über etw ~~* s'émouvoir, s'irriter de qc; **E~er** *m* ⟨-s, -⟩ *med* agent (pathogène); *el* excitateur *m,* excitatrice *f;* **E~erkreis** *m el* circuit *m* d'excitation; **E~erspannung** *f el* voltage *m* d'excitation; **E~erspule** *f el* bobine *f* inductrice; **E~erstrom** *m el* courant *m* d'excitation; **E~erwicklung** *f el* bobine *f* excitatrice; **~t** *a* ému, agité, excité, irrité; *(Diskussion)* animé, vif; **E~ung** *f* émotion, agitation *f,* échauffement *m,* excitation, irritation *f; in ~~ versetzen* mettre en émoi.

erreich|bar *a (zugänglich)* accessible; *fig (Ziel) attr* qu'on peut atteindre; *préd: ~~ sein* pouvoir être atteint; **~en** *tr* arriver à, parvenir à, accéder à, gagner; *(einholen)* rejoindre, rattraper; *fig (Ziel)* atteindre; *(gleichkommen)* égaler (*jdn* qn, *e-e S* qc);

den höchsten Grad ~~ arriver à son comble; *sein Ziel ~~* atteindre son but; **E~ung** *f: nach ~~ s-s Zieles* après avoir atteint son but; *zur ~~ s-s Zieles* pour atteindre son but.

errett|en *tr* sauver; *(befreien)* délivrer; **E~er** *m* sauveur *m;* **E~ung** *f (Befreiung)* délivrance *f; (aus Seenot)* sauvetage *m.*

erricht|en *tr (Gebäude)* construire; *(Gebäude, Denkmal)* élever, ériger; *math (Lot)* élever; *fig (gründen)* ériger, implanter, établir, fonder, créer; *ein Gedankengebäude ~~* échafauder une théorie; **E~ung** *f* construction, élévation, érection *f;* établissement *m,* fondation, création *f.*

erringen *tr* gagner, remporter; *den Sieg ~* remporter la victoire; *e-n Sitz ~ (parl)* enlever un siège.

erröten [ɛrˈrø:tən] ⟨*ist errötet*⟩ *itr* rougir (*über, vor* de), s'empourprer; **E~~** *n* rougeur *f.*

Errungenschaft *f* [ɛrˈrʊŋənʃaft] acquisition *f; jur* acquêts *m pl,* conquêt *m; pl pol a.* acquis *m pl,* conquêtes *f pl;* **~sgemeinschaft** *f jur* (régime *m* de la) communauté *f* réduite aux acquêts.

Ersatz *m* ⟨-es, ø⟩ *(Auswechslung)* remplacement *m; (Erstattung)* restitution *f; (Schadenersatz)* dédommagement *m,* indemnité *f; (gleichwertiger)* équivalent; *(Ersatzstoff)* produit de remplacement, succédané, ersatz *m; med* prothèse; *mil* réserve, recrue *f;* **~...** de rechange, de réserve; *als* od *zum ~* en compensation, en remplacement, en revanche; *für* en échange de, à la place de; *als ~ dienen für* tenir lieu de; *jdm für etw ~ leisten* dédommager qn de qc, donner qc en compensation à qn; *Klage f auf ~ (jur)* action *f* de recours; **~abteilung** *f,* **~bataillon** *n mil* bataillon *m* de dépôt; **~anspruch** *m jur* recours *m;* **~batterie** *f el* pile *f* de rechange; **~blei** *n (für Drehbleistift)* mine *f* de rechange *od* de réserve; **~brennstoff** *m* combustible *m* de réserve; **~dienst** *m mil (für Kriegsdienstverweigerer)* service *m* compensatoire; **~einheit** *f mil* (unité *f* de) dépôt *m,* unité *f* de maintenance; **~erbe** *m* héritier *m* substitué; **~fahrer** *m mot* (chauffeur) remplaçant *m;* **~forderung** *f* demande *f* d'indemnité; **~heer** *n* réserve *f;* **~kasse** *f (priv. Krankenkasse)* caisse *f* privée d'assurance-maladie; **~klage** *f jur* action *f* en dommages-intérêts; **~kompanie** *f* compagnie *f* de dépôt; **~leistung** *f* indemnité *f* compensatrice; **~lösung** *f* solution *f* de rechange; **~mann** *m* ⟨-(e)s, ¨er *od* -leute⟩ remplaçant, suppléant *m; sport s. ~spieler;* **~mannschaft** *f* équipe *f* remplaçante *od* de réserve; **~mine** *f = ~blei; (für Kugelschreiber)* cartouche *f* de rechange; **~mittel** *n* produit de remplacement, succédané, ersatz; *tech* substitut *m;* **~pflicht** *f* obligation *f* d'indemniser; **e~pflichtig** *a* responsable du dommage; **~rad** *n mot* roue *f* de rechange *od* de secours; **~reifen** *m* pneu *m* de rechange *od* de secours; **~reserve** *f mil* réserve *f* complémentaire; **~spieler** *m sport* remplaçant *m;* **~stoff** *m* matière *f* de remplacement; matériau *m* de substitution; **~teil** *n (od m) n tech* élément *m* od pièce de rechange, pièce *f* rapportée *od* de rapport; **~teillager** *m* dépôt *m* de pièces de rechange; **~truppen** *f pl* réserve *f,* troupes *f pl* de dépôt; **~truppenteil** *m* dépôt *m;* **~wahl** *f parl* élection *f* complémentaire; **e~weise** *adv* subsidiairement.

ersaufen ⟨*ist ersoffen*⟩ *itr agr tech mines u. pop (ertrinken)* se noyer; **ersäufen** *tr (ertränken)* noyer.

erschaff|en *tr lit* créer; **E~er** *m (der Welt)* créateur *m* (du monde); **E~ung** *f* ⟨-, (-en)⟩ *(der Welt)* création *f.*

erschallen ⟨*erscholl* od *erschallte; ist erschallt* od *erschollen*⟩ *itr* résonner, retentir; *(Gelächter)* éclater.

erschauern *itr* frissonner (*vor* de); *jdn ~ lassen* donner le frisson à qn, faire frissonner qn.

erschein|en ⟨*ist erschienen*⟩ *itr* paraître, se montrer, se présenter; *als* faire figure de; *(ankommen)* arriver; *(plötzlich, a. von Geistern)* apparaître; *(vor Gericht)* comparaître; *(Buch)* paraître, sortir, être mis en vente; *nicht ~~ (vor Gericht)* faire défaut; *wieder ~~* reparaître, réapparaître; *~ lassen (Geist)* évoquer; *(Buch)* publier; *~t in Kürze (Buch)* va paraître; *es ~t mir merkwürdig, daß* je trouve étrange que; *soeben erschienen (Buch)* vient de paraître; **E~~** *n* arrivée; *(plötzliches, bes. e-s Geistes)* apparition; *jur* comparution; *(Buch)* parution, mise *f* en vente *od* en librairie; *ihr ~~ einstellen (Zeitung, Zeitschrift)* suspendre sa parution; **E~ung** *f (Geister)* apparition; *(inneres Gesicht)* vision *f; (Tatsache)* fait, phénomène; *(Symptom)* symptôme; *(Krankheits~~)* accident *m; in ~~ treten* se montrer; se manifester, se déclarer; *äußere ~~ (e-s Menschen)* aspect, extérieur, physique *m; gute, tadellose ~~ (in Stellenanzeigen)* bonne présentation, présentation *f* excellente; *stattliche ~~ (Mensch)* prestance *f;* **E~ungsdatum** *n (Buch)* date *f* de parution; **E~ungsfest** *n rel* Épiphanie, fête *f* des Rois; **E~ungsform** *f* aspect *m;* **E~ungsweise** *f (Zeitschrift)* mode *m* de parution.

Erschienene(r) *m jur* comparant *m.*

erschieß|en *tr* tuer (d'un coup de feu); *(auf Grund e-s Urteils)* fusiller, passer par les armes, mettre au mur; *sich ~~* se brûler la cervelle; *ich bin erschossen (pop)* je suis complètement crevé; **E~ung** *f mil* exécution *f; standrechtliche ~~* exécution *f* militaire; **E~ungskommando** *n* peloton *m* d'exécution.

erschlaff|en ⟨*ist erschlafft*⟩ *itr med* devenir paralytique; *fig* se relâcher, s'amollir, s'alanguir, s'affaiblir, s'affadir, s'avachir; **E~ung** *f* relâchement, amollissement, alanguissement, affaiblissement, affadissement, avachissement *m; physiol* atonie *f.*

erschlagen *tr* assommer; *vom Blitz ~ werden* être frappé par la foudre; *ich bin ~! (fam)* je n'y comprends rien; je suis mort de fatigue.

erschleich|en ⟨*hat erschlichen*⟩ *tr* obtenir par ruse *od* frauduleusement; *(Erbschaft)* capter; **E~ung** *f* obtention frauduleuse; *(e-r Erbschaft)* captation *f;* **erschlichen** *a jur* subreptice, *(durch Verschweigung)* obreptice.

erschließ|en *tr fig (sein Herz; Markt, Reisegebiet)* ouvrir; *(Land)* aménager; *agr (Land)* ouvrir à l'exploitation; *(Baugelände, Einnahmequelle)* mettre en valeur; *(folgern)* inférer, déduire (*aus* de); *sich ~~ (Blume, Herz)* s'ouvrir, s'épanouir; **E~ung** *f* ouverture; mise *f* en exploitation *od* en valeur.

erschmeicheln *tr* obtenir à force de *od* par des flatteries.

erschöpf|en *tr (fast nur noch im ppr u. pp gebraucht) (Menschen, Tier, Kräfte)* épuiser; *sich ~~* s'épuiser; **~end** *a fig* complet, exhaustif, *(Auskunft)* détaillé; *adv* à fond; *~~ behandeln (Thema, Frage)* épuiser; *~~ Auskunft geben* donner des renseignements détaillés; **~t** *a (Mensch, Tier)* épuisé, exténué, harrassé; *sport fam* sur les rotules; *(Kräfte)* épuisé; *(Geduld)* à bout; *agr (Boden)* fatigué, amaigri; *~~ sein (fam)* avoir le coup de pompe; *meine Mittel sind ~~* je suis au bout de mes moyens; *völlig ~~* à plat *fam;* **E~ung** *f* épuisement *m,* exténuation *f; in e-n Zustand der ~~ geraten* tomber dans l'épuisement; *völlige ~~* mal *m* physiologique *od* de misère; **E~ungskrieg** *m* guerre *f* d'épuisement; **E~ungszustand** *m med* inanition *f.*

erschreck|en ⟨*hat erschreckt*⟩ *tr* terrifier, effrayer, épouvanter, faire peur à; ⟨*erschrak, ist erschrocken*⟩ *itr* s'effrayer, s'épouvanter (*über, vor* de); **~end** *a,* **~lich** *a vx* effroyable, épouvantable.

erschütter|n *tr, a. fig* ébranler, secouer; *fig (seelisch)* émouvoir, frapper, troubler, bouleverser, battre en brèche; **~nd** *a* poignant, bouleversant; **E~ung** *f* trépidation, vibration *f; a. fig* ébranlement *m,* secousse *f,* choc *m; fig* grosse émotion *f,* bouleversement *m; bes. med* commotion *f;* **~ungsfrei** *a* sans vibration, exempt de vibration(s).

erschwer|en *tr (schwieriger machen)* apporter des difficultés à, rendre plus difficile, compliquer; *(verschärfen)* aggraver; *~ende Umstände m pl (jur)* circonstances *f pl* aggravantes; **E~ung** *f* complication; aggravation *f.*

erschwindeln *tr* obtenir par ruse *od* frauduleusement, escroquer.

erschwinglich *a (Preis)* abordable, accessible; *für jeden ~ (a.)* à la portée de toutes les bourses.

ersehen *tr* voir (*aus* dans, par); *daraus ist zu ~* od *ersieht man* on voit par là, il en ressort.

ersehnen *tr* désirer ardemment, souhaiter vivement, soupirer après *od* pour.
ersetz|bar *a* remplaçable; **~en** *tr (auswechseln)* remplacer; *(erstatten)* restituer, rembourser, rendre; *(Verlust, Schaden)* compenser, réparer; *jdm etw* dédommager qn de qc; *(Ersatz bieten für)* suppléer à; *(vertreten)* remplacer, tenir lieu de, suppléer; *jdm s-e Auslagen ~~* rembourser qn de ses frais; **E~ung** *f* remplacement *m;* restitution *f,* remboursement *m;* compensation, réparation *f;* dédommagement *m.*
ersichtlich *a (augenscheinlich)* évident, manifeste; *daraus ist ~* on voit par là, il ressort de là.
ersinnen *tr* imaginer; *(Geschichte)* inventer.
erspähen *tr* épier, découvrir; *mil* repérer.
erspar|en *tr (Geld)* mettre de côté, économiser; *fig (Arbeit, Mühe)* épargner; *jdm etw ~~* épargner, éviter qc à qn, dispenser qn de qc, faire grâce de qc à qn; *es wird Ihnen nichts ~t bleiben* vous ne perdez rien pour attendre; *mir bleibt aber auch nichts ~t!* j'ai vraiment toutes les déveines; **E~nis** *f* économie, épargne *f; ~~se machen* faire *od* réaliser des économies.
ersprießlich *a (heilsam)* salutaire; *(nützlich)* utile, profitable; *(vorteilhaft)* avantageux; *(fruchtbringend)* fructueux; **E~keit** *f* utilité *f,* profit; avantage *m.*
erst [e:rst] *adv (zuerst)* premièrement, en premier lieu; *(anfangs)* d'abord, au commencement; *(vorher)* avant, auparavant, préalablement, au préalable; *(noch, nicht später als)* ne ... que, seulement; *(steigernd: gar)* donc; *(erst einmal)* une fois *(meist nicht zu übersetzen); eben* od *gerade ~* tout à l'heure, il n'y a qu'un instant; *~ gestern* hier seulement; *~ heute morgen* pas plus tôt que ce matin; *~ vor einem Monat* il n'y a qu'un mois; *~ recht* à plus forte raison; *~ recht nicht* bien moins encore; *wenn ich ~ mal weg bin* une fois parti; *ich bin eben ~ angekommen* je viens d'arriver, je ne fais que d'arriver; *es ist ~ 2 Uhr* il n'est que deux heures; *ich kann ~ morgen kommen* je ne peux pas venir avant demain; *wäre ich nur ~ dort!* que je voudrais y être déjà! *und ich ~!* et moi donc! *nun ~ recht!* raison de plus! *nun ~ recht nicht!* moins que jamais! **~e(r, s)** *a* premier, première; *fig a.* meilleur, meilleure; *das ~e* la première chose; *der ~ere* le premier; *als ~er* le premier; *an ~er Stelle* en premier lieu; *aus ~er Hand* de première main; *fürs ~e* premièrement, d'abord; *(einstweilen)* pour le moment; *im 1. Stock* au premier; *in ~er Linie* en premier lieu, au premier chef; *zum ~en Mal* pour la première fois; *als ~er ankommen* arriver le premier; *mit großem Vorsprung* arriver bon premier; *etw als ~er benutzen* avoir l'étrenne de qc; *etw zum ~en Mal benutzen* étrenner qc; *etw als ~er genießen* avoir la primeur de qc; *der, die E~e sein (a.)* remporter la victoire *od* le prix; *das ist das ~e, was ich höre* (c'est la) première nouvelle; *zum ~en! (Auktion)* une fois! *der ~e beste* le premier venu; *dem (den) ~en besten* à tout (tous) venant(s); *E~e Hilfe f* premiers soins *m pl;* secourisme *m; 1. Klasse (loc)* première *f; E~e(r) Liebhaber (theat)* jeune premier *m;* **~ens** *adv* premièrement, primo (1°), d'abord.
Erst|ansteckung *f med* primo-infection *f;* **~aufführung** *f theat* première; *mus* première audition *f;* **~ausführung** *f tech* prototype *m;* **~ausgabe** *f (Buch)* édition *f* originale *od* princeps; **~ausstattung** *f* dotation *f* initiale; **~besteigung** *f (e-s Berges)* première ascension *f;* **~druck** *m typ* premier tirage *m;* **e~geboren** *a* premier-né, aîné; **~geburt** *f jur* primogéniture, aînesse *f; (Bibel)* premier-né *m;* **~geburtsrecht** *n* droit *m* d'aînesse *od* de primogéniture; **e~genannt** *a* premier nommé; **e~klassig** *a* de première qualité, de (premier) choix, d'élite, de premier ordre; **e~lich** *adv* premièrement, d'abord; **~ling** *m* ‹-s, -e› premier-né *m; pl (Früchte)* premiers fruits *m pl,* prémices *f pl;* **~lingsarbeit** *f,* **~lingswerk** *n* premier ouvrage, début *m;* **e~malig** *a* sans précédent; **e~mals** *adv* (pour) la première fois; **e~rangig** *a* de premier rang *od* ordre; **~straffällige(r)** *m jur* délinquant *m* primaire.
erstarken ‹*aux: sein*› *itr* devenir fort, prendre des forces; *fig* se fortifier, se raffermir.
erstarr|en ‹*ist erstarrt*› *itr* (se) raidir; *(Körperglied)* devenir raide, s'engourdir; *(Flüssigkeit, weiche Substanz)* se solidifier, se figer; *fig (Blut)* se glacer; *(Mensch)* être glacé; *~~ lassen* raidir; engourdir; figer; glacer; *das Blut ~~ lassen (fig)* tourner le sang; **~t** *a: vor Kälte ~~* transi (de froid), glacé; *vor Schreck* od *Entsetzen ~~* stupéfait; *er stand wie ~~ (da)* il était là comme pétrifié; **E~ung** *f* raideur *f,* raidissement; engourdissement *m,* torpeur; solidification; *fig* stupeur, stupéfaction *f.*
erstatt|en *tr (bes. Geld)* rendre, rembourser, restituer; *jdm s-e Auslagen ~~* rembourser qn de ses frais; *Bericht ~~* faire *od* soumettre un rapport (*über* sur); **E~ung** *f* restitution *f; (der Auslagen)* remboursement *m;* **E~ungspflicht** *f* obligation *f (zur Rückgabe* de restituer, *zur Rückzahlung* de rembourser).
erstaun|en *tr* ‹*hat erstaunt*› étonner, surprendre; *itr* ‹*ist erstaunt*› s'étonner, s'ébahir (*über* de); **E~~** *n* ‹-s, ø› étonnement *m,* surprise *f,* ébahissement *m;* stupéfaction *f; zu meinem größten ~~* à ma grande surprise; *in ~~ setzen* étonner, ébahir, frapper; *fam* dépasser; *pop* épater; **~lich** *a* étonnant, surprenant; *pop* raide; *adv* étonnamment; **~t** *a* étonné, ébahi; *~~ sein* éprouver de l'étonnement.
erstechen *tr* poignarder.
ersteh|en *tr* acheter, acquérir; *itr* ‹*ist erstanden*› *(Neubau)* être en cours *od* en voie de construction; *erstanden (pp, poet = auferstanden)* ressuscité; **E~er** *m* ‹-s, -› acquéreur; *(Auktion)* adjudicataire *m;* **E~ung** *f* acquisition *f.*
ersteig|en ‹*aux: haben*› *tr* monter, gravir, faire l'ascension de; *bes. mil (Hindernis)* escalader; *fig* parvenir à; **E~ung** *f* ascension; *mil* escalade *f.*
Ersteiger|er *m* adjudicataire *m;* **e~n** *tr* acheter aux enchères, se rendre adjudicataire de; **~ung** *f* achat *m* aux enchères.
erstellen *tr* aménager, élaborer; *(Bau)* construire.
ersterben ‹*aux: sein*› *itr fig lit* s'éteindre.
erstick|en *tr* ‹*hat erstickt*› étouffer, suffoquer; *scient* asphyxier; ‹*ist erstickt*› *itr, a. fig* (s')étouffer, suffoquer (*vor* de), s'asphyxier; *im Keim(e) ~~ (fig)* étouffer dans l'œuf; **E~~** *n* = *E~ung;* **~end** *a* étouffant, suffocant; *(es ist e-e) ~~e Hitze f* (il fait une) chaleur *f* étouffante; **E~ung** *f* étouffement *m,* suffocation; asphyxie *f;* **E~ungsanfall** *m* étouffement *m;* **E~ungstod** *m* mort *f* par asphyxie.
erstorben [ɛr'ʃtɔrbən] *a (Gefühl)* éteint.
erstreben *tr* tendre à, s'efforcer d'atteindre; viser à; *(Amt, Ehre)* aspirer à, prétendre à; **~swert** *a* digne d'efforts.
erstrecken, *sich* s'étendre (*bis an* od *zu* jusqu'à; *über [a. zeitl.]* sur); *sich auf etw ~~ (fig)* s'appliquer à qc, couvrir qc.
erstreiten *tr* conquérir.
erstürm|en *tr* prendre d'assaut, enlever; **E~ung** *f* enlèvement *m.*
ersuchen *tr (bitten)* demander (*jdn um etw* qc à qn; *jdn, etw zu tun* à qn de faire qc); solliciter (*jdn um etw* qc de qn; *jdn, etw zu tun* qn de faire qc); *(auffordern)* requérir, sommer (*jdn, etw zu tun* qn de faire qc); **E~** *n* demande, sollicitation; requête, sommation *f; auf jds ~~* sur la demande, à la requête de qn; *~~ um Auskunft* demande *f* d'information.
ertappen *tr* prendre, attraper, *fam* agrafer, pincer; *(überraschen)* surprendre; *bei e-m Fehler ~* prendre en faute; *auf frischer Tat ~* prendre sur le fait *od* en flagrant délit; *ertappt werden (arg)* être fait.
erteil|en *tr* donner; *e-e Antwort ~~* faire une réponse; *jdm e-n Auftrag ~~* donner *od* passer une commande à qn; *Auskunft ~~* donner des renseignements; *den Befehl ~~* donner *od* intimer l'ordre; *s-e Einwilligung ~~* donner son assentiment (*zu* à); *die Erlaubnis, die Genehmigung, die Konzession, das Recht ~~* donner *od* accorder la permission, l'autorisation, la concession *od* licence, le droit; *ein Patent, ein Visum ~~* délivrer un brevet, un visa; *jdm Prokura ~~* donner procuration à qn; *jdm e-n Rat ~~* donner un conseil à qn, conseiller qn; *e-e Rüge, e-n Verweis ~~*

infliger *od* administrer un blâme, une semonce; *Unterricht ~~* donner des leçons; *jdm Vollmacht ~~* donner procuration à qn, donner *od* conférer pleins pouvoirs à qn, fonder qn de pouvoir; *das Wort ~~* donner *od* accorder la parole; **E~ung** *f* passation; intimation *f;* délivrement *m* (*gen* de).

ertönen ‹*aux: haben*› *itr* retentir, (ré)sonner.

ertöten *tr fig (Gefühl)* étouffer; *(Sinnenlust)* mortifier.

Ertrag *m* ‹-(e)s, ¨-e› [ɛrˈtraːk, -ˈtrɛːgə] rapport, produit; *(e-s landwirtsch. od industr. Betriebs)* rendement; *mines* tonnage; *fin* taux de capitalisation; *(Einnahme)* revenu *m; (Erlös)* recette *f; pl fin* produits *m pl* financiers; *e-n guten ~ bringen* être d'un bon rendement; **e~en** *tr (aushalten)* supporter, soutenir, endurer, *pop* déguster; *(auf sich nehmen)* subir, essuyer, souffrir; *(dulden)* tolérer; *nicht zu ~~(d)* insupportable, intolérable; *schwer zu ~~(d)* difficile à supporter; *fam* dur à digérer; **e~fähig** *a* productif; **~fähigkeit** *f* productivité, capacité *f* de rendement; **e~reich** *a* de bon rapport, à gros rendement, lucratif; **~sminderung** *f* insuffisance *f* de rendement; **~sregelung** *f* aménagement *m;* **~(s)steigerung** *f* augmentation *f* de rendement; **~(s)steuer** *f* impôt *m* sur les produits *od* bénéfices; **~swert** *m* valeur *f* de rendement.

erträg|lich [-ˈtrɛːk-] *a* supportable; *(leidlich)* passable; **E~nis** *n* ‹-sses, -sse› *(seltener für: Ertrag, s. d.).*

ertränken ‹*hat ertränkt*› *tr* noyer; *sich ~* se jeter à l'eau.

erträum|en *tr* rêver; *(sich) ~~* (s')imaginer; **~t** *a* rêvé; imaginaire, chimérique, utopique.

ertrinken ‹*ist ertrunken*› *itr* se noyer; **E~** *n* noyade *f.*

ertrotzen *tr* obtenir par des bravades; *(Erfolg)* forcer.

ertüchtig|en *tr* fortifier, entraîner; *(abhärten)* endurcir; **E~ung** *f* entraînement, endurcissement *m; körperliche ~~* éducation *f od* entraînement *m* physique.

erübrig|en [ɛrˈʔyːbrɪgən] *tr* épargner, économiser; *(Zeit)* trouver; *sich ~~ (überflüssig sein)* être inutile *od* superflu; *es ~t zu tun* il reste à faire.

eruieren [eruˈiːrən] *tr (klarstellen)* tirer au clair.

Erupt|ion *f* ‹-, -en› [eruptsiˈoːn] *geol* éruption *f;* **e~iv** [-ˈtiːf] *a* éruptif; **~ivgestein(e** *pl***)** *n* roche(s *pl*) *f* éruptive(s).

erwach|en ‹*ist erwacht*› *itr* s'éveiller *a. fig,* se réveiller; *aus e-m Traum ~~* sortir d'un rêve; *sein Gewissen ist ~t* sa conscience s'est éveillée; *der Tag ~t* le jour commence à poindre; **E~en** *n* réveil *m; beim ~~* au réveil; à mon, ton *etc* réveil; *geistige(s) ~~* prise *f* de conscience.

erwachsen ‹*ist erwachsen*› *itr lit: ~ zu* grandir et devenir; *fig (hervorgehen)* naître, sortir, résulter (*aus* de); *a (pp)* adulte, grand; **E~e(r)** *m* adulte *m; die E~en (pl)* les adultes *m pl, fam* les grandes personnes *f pl;* **E~enbildung** *f* formation *f* des adultes; **E~enlehrgang** *m* cours *m* d'adultes.

erwäg|en *tr* peser, faire état de; *(bedenken)* considérer; *(prüfen)* examiner (avec soin); songer (*zu* à), penser; *alles wohl erwogen* tout bien pesé; **E~ung** *f* considération *f;* examen *m; in ~~, daß* considérant que; *in ~~ ziehen* prendre en considération.

erwähl|en *tr lit* choisir, se décider pour; *(Beruf)* embrasser; **E~ung** *f* choix *m.*

erwähn|en *tr* mentionner, faire mention de; *ausdrücklich ~~* faire mention expresse de; **E~ung** *f* mention *f; ehrenvolle ~~* mention *f* honorable, accessit *m; mil* citation *f.*

erwärm|en *tr* chauffer; (r)échauffer; *sich ~~* se chauffer; s'échauffer *a. fig* (*für* au sujet de); **E~ung** *f* ‹-, (-en)› (r)échauffement *m.*

erwart|en *tr* attendre, escompter; *(rechnen mit)* s'attendre à; *ich kann es kaum ~~, daß ich ...* il me tarde de ...; *es ist zu ~~, daß* il est à présumer *od* supposer que; *das* od *es war zu ~~* on pouvait s'y attendre; **E~~** *n: über alles ~~* au-delà de toute attente; *wider E~~* contre toute attente; **E~ung** *f* attente, expectative; *(Hoffnung)* espérance *f; entgegen allen ~~en* contre toute attente *od* prévision; *in ~~ (gen)* dans l'attente de ...; *jds ~~en entsprechen* répondre à l'attente de qn; *in der ~~ leben* vivre dans l'expectative; *s-e ~~en zu hoch spannen* avoir des espoirs exagérés; *alle* od *die ~~en übertreffen* dépasser toute attente *od* les attentes *od* les espérances; *voll(er) ~~,* **~ungsvoll** *a* plein d'espoir.

erweck|en ‹*hat erweckt*› *tr fig* éveiller; exciter, susciter, provoquer, faire naître; *vom Tode ~~* ressusciter; **E~ung** *f rel* réveil *m.*

erwehren: *sich jds ~* se défendre de qn; *sich der Tränen nicht ~ können* ne pouvoir retenir ses larmes.

erweichen ‹*fb*› *tr fig (rühren, umstimmen)* fléchir, attendrir, émouvoir; *sich ~ lassen* se laisser fléchir *od* toucher; *sich nicht ~ lassen* être inexorable; *sich durch jds Tränen ~ lassen* se laisser attendrir aux larmes de qn.

Erweis *m* ‹-es, -e› [ɛrˈvaɪs, -zə]: *den ~ erbringen* fournir la preuve; **e~en** *tr (beweisen)* prouver, (dé)montrer; *(Dankbarkeit)* montrer, témoigner; *(e-n Dienst)* rendre; *(e-e Ehre, e-n Gefallen)* faire; *(e-e Gunst)* accorder; *sich ~~* se (dé)montrer, se révéler, se trouver (*als* ... être ...); *jdm die letzte Ehre ~~* rendre les derniers honneurs à qn; **e~lich** *a* démontrable.

erweiter|n *tr* élargir; *(Öffnung)* évaser; *(ausdehnen)* étendre, dilater; *fig (liter. Werk)* amplifier; *(vermehren)* augmenter; *(Geschäft)* agrandir; *sich ~~* s'élargir; s'évaser; s'étendre, se dilater; augmenter; s'agrandir; *(Sammlung)* s'enrichir; **~t** *a physiol (Pupille)* dilaté; **E~ung** *f* élargissement; évasement *m;* extension, dilatation; amplification; augmentation *f;* agrandissement; enrichissement *m;* **E~ungsbau** *m* construction *f* d'agrandissement; **E~ungsprogramm** *n* programme *m* d'élargissement.

Erwerb *m* ‹-(e)s, -e› [ɛrˈvɛrp, -bə] *(Erwerbung)* acquisition *f; (Broterwerb)* gagne-pain, travail; *(Erworbenes)* gain, *jur* acquêts *pl m;* **e~en** *tr (a. sich ~~)* acquérir; *(durch Arbeit u. fig)* gagner; *sich jds Achtung ~~* gagner l'estime de qn; *sein Brot* od *s-n Lebensunterhalt ~~* gagner son pain *od* sa vie; *sich Freunde ~~* se faire des amis; *sich Kenntnisse ~~* acquérir des connaissances; *sich Verdienste um etw ~~* bien mériter de qc; *käuflich erworben* acheté à prix d'argent; *unredlich erworben* mal acquis; **~er** *m* ‹-s, -› acquéreur; *(Käufer)* acheteur *m;* **e~sfähig** *a* capable de gagner sa vie; **~sfähigkeit** *f* capacité *od* faculté *f* de travail; **~sfleiß** *m* activité, industrie *f;* **~sgenossenschaft** *f* société *f* coopérative; **e~slos** *a* sans travail, chômeur; **~slose(r)** *m* sans-travail *inv,* chômeur *m;* **~slosigkeit** *f* chômage *m;* **~squelle** *f* source de revenus, ressource *f;* **~ssinn** *m,* **~strieb** *m* esprit *m* industrieux; **~ssteuer** *f* impôt *m* sur les bénéfices; **e~stätig** *a: ~~ sein* exercer une profession salariée; **~stätigkeit** *f* activité *f* professionnelle; **e~sunfähig** *a* incapable de gagner sa vie; **~sunfähigkeit** *f* incapacité *f* de gagner sa vie; **~szweck** *m: zu ~~en* dans un but lucratif; **~szweig** *m* branche d'exploitation *od* d'industrie, profession *f,* métier *m;* **~ung** *f* acquisition *f.*

erwider|n *tr* répondre (*auf* à), répliquer; *(schlagartig)* riposter, repartir; *(Gruß, Besuch, mil: das Feuer)* rendre; *(Gefühl)* payer de retour; **E~ung** *f* réponse, réplique; *(schnelle)* riposte, repartie *f;* **E~ungsfeuer** *n mil* tir *m* de riposte.

erwiesenermaßen [ɛrˈviːzənər-ˈmaːsən] *adv* il a été prouvé que.

erwirken *tr* obtenir; *jdm etw* procurer qc à qn.

erwisch|en *tr (Delinquenten) fam* attraper, pincer, coincer; *sich ~~ lassen (a.)* se faire prendre *od* pincer; *ich habe den Zug gerade noch ~t* j'ai attrapé mon train de justesse; *wenn ich den ~e!* si je le rattrape! **~t** *pp arg* fait.

erwünscht *a* souhaité, désiré.

erwürg|en *tr* étrangler; **E~ung** *f* étranglement *m.*

Erz 1. [eːrts] *n* ‹-es, -e› *(metallhaltiges Gestein)* minerai; *lit (Bronze)* airain, bronze *m; abbauwürdige(s) ~* minerai *m* exploitable; **~abfälle** *m pl* résidu *m* de minerai; **~ader** *f* filon *m od* veine *f* métallifère; **~aufbereitung** *f* préparation *f* (mécanique) des minerais; **~bergwerk** *n* mine *f* (de minerai); **~brecher** *m (Gerät)* concasseur *m* à minerais; **e~en** *a* d'airain, de bronze; **~förderung** *f* extraction *f* des minerais; **~gang** *m*

= *Erzader;* **~gießer** *m* fondeur *m* en bronze; **~grube** *f* mine *f;* **e~haltig** *a* métallifère; **~klauber** *m mines (Person)* trieur *m;* **~lager(stätte** *f***)** *n mines* gisement *od* gîte *m m* métallifère; **~probe** *f* essai *od* échantillonnage *m* du minerai; **~reichtum** *m* richesse *f* en minerai; **~verhüttung** *f* traitement *m* des minerais; **~wäsche** *f* lavage *m* de minerais, laverie *f.*

Erz... ['ɛrts-] **2.** *(in Zssgen) rel, hist* arch(i)-; *pej* achevé, consommé, fieffé, parfait, grand, maître; **~bischof** *m* archevêque, métropolitain *m;* **e~bischöflich** *a* archiépiscopal, métropolitain; **~bistum** *n* ⟨-s, ¨er⟩ [-bɪstu:m, -ty:mər] *(Gebiet)* archevêché; *(Amt, Würde)* archiépiscopat *m;* **~bösewicht** *m* scélérat *m* achevé; **e~dumm** *a* bête à lier *od* comme une cruche; **~engel** *m* archange *m;* **e~faul** *a* paresseux *od* fainéant comme une couleuvre; **~feind** *m* ennemi juré, grand ennemi *m;* **~gauner** *m,* **~halunke** *m,* **~lump** *m,* **~schelm** *m,* **~spitzbube** *m* maître *m* fripon; **~herzog** *m hist* archiduc *m;* **~herzogin** *f* archiduchesse *f;* **e~herzoglich** *a* archiducal; **~priester** *m* archiprêtre *m;* **~stift** *n* archevêché *m;* **~vater** *m (Abraham, Isaak, Jakob)* patriarche *m.*

erzähl|en *tr* (ra)conter, dire, narrer; *(berichten)* rapporter, détailler; *von etw* faire le récit de qc; *genau ~~* détailler; *nette Geschichten ~~* en raconter de belles; *lang und breit ~~* en raconter; *viel zu ~~ haben* avoir beaucoup à raconter; *ich kann etwas davon ~~* j'en sais qc; *man ~t sich, daß* on dit que; *das ist zu lang zum E~~* c'est toute une histoire; *das kannst du anderen ~~!* à d'autres! *~~ Sie keine Märchen!* à d'autres! **~end** *a* narratif; **E~er** *m* conteur, narrateur; *(Geschichtenerzähler)* raconteur *m; gute(r) ~~* fin diseur *od* conteur *m;* **E~ung** *f (Tätigkeit)* narration *f; (Bericht)* récit *m,* relation; *(Geschichte)* histoire *f,* conte *m; (Novelle)* nouvelle *f.*

erzeigen *tr* montrer, témoigner; *(Ehre)* faire; *sich dankbar ~* montrer de la reconnaissance.

erzeug|en *tr physiol* procréer; engendrer *a. fig; fig (schaffen)* créer, faire naître; *(hervorbringen)* former; *(herstellen)* produire, fabriquer; *chem (Wärme)* dégager; **E~er** *m* procréateur, père; *agr tech* producteur, *tech* fabricant *m; vom ~~ (com)* de provenance directe; **E~erbetrieb** *m* entreprise *f* productrice; **E~er(höchst)preis** *m* prix *m* producteur (maximum); **E~erland** *n* pays *m* producteur; **E~nis** *n* ⟨-sses, -sse⟩ produit *m,* production, fabrication *f; gewerbliche(s), landwirtschaftliche(s) ~~* produit *m* fabriqué *od* industriel *od* manufacturé, agricole; **E~ung** *f (Zeugung)* procréation, génération; *fig (wirtschaftl.)* production, fabrication *f;* **E~ungskosten** *pl* frais *m pl* de fabrication; **E~ungsquote** *f,* **E~ungssatz** *m* taux *m* de production.

erzieh|bar *a: schwer ~~* difficile; **~en** *tr* élever, éduquer, faire l'éducation de; *(schulen)* former, faire; *jdn zur Sparsamkeit ~~* habituer qn à l'économie; *gut, schlecht erzogen* bien, mal élevé; *schlecht erzogen* sans éducation; *schlecht erzogene(r) Mensch m* mal élevé *m;* **E~er** *m* éducateur, pédagogue; *(Hauslehrer)* précepteur *m;* **E~erin** *f* éducatrice; *(Hauslehrerin)* gouvernante, préceptrice *f;* **~erisch** *a* éducatif, pédagogique; *mit ~~er Wirkung* éducatif *a;* **E~ung** *f* ⟨-, ø⟩ éducation, instruction *f; e-e gute ~~ genossen haben* avoir reçu une bonne éducation; *gemeinsame ~~ beider Geschlechter* coéducation *f; staatsbürgerliche ~~* instruction *f* civique; **E~ungsanstalt** *f* institution (d'éducation *od* d'enseignement), maison *f* d'éducation; **E~ungsbeihilfe** *f* allocation *f* scolaire *od* d'apprentissage; **E~ungsheim** *n* maison *f* d'éducation; **E~ungsmethode** *f* méthode *f* pédagogique *od* éducative; **E~ungspflicht** *f,* **-recht** *n (der Eltern)* devoir, droit *m* d'éducation (des parents); **E~ungswesen** *n* instruction *f* publique; **E~ungswissenschaft** *f* pédagogie *f;* **E~ungsziel** *n* but *m* éducatif.

erziel|en *tr (erreichen)* obtenir, atteindre, parvenir à, aboutir à; *(Erfolg)* avoir; *com (Preis)* atteindre, *(Gewinn)* réaliser; **E~ung** *f* obtention, atteinte; réalisation *f.*

erzittern ⟨*ist erzittert*⟩ *itr* (se mettre à) trembler *od* frémir (*vor* de).

erzürnen ⟨*hat (ist) erzürnt*⟩ *tr (itr)* (se) fâcher, (s')irriter, (se) mettre en colère; *sich mit jdm ~* se fâcher *od* se brouiller avec qn.

erzwingen *tr* forcer, obtenir de *od* par force, extorquer (*von jdm* à qn), *jur* exiger sous la contrainte; **erzwungen** *a* forcé; contraint.

es [ɛs] **1.** *pron 1. (stellvertretend für ein s) (Nominativ)* il, elle; *~ (das Blei) ist schwer* il (le plomb) est lourd; *~ (das Blatt) ist leicht* elle (la feuille) est légère; *acc* le, la, l'; *ich sehe ~ (das Buch, das Meer)* je le vois (le livre), je la vois (la mer); *ich habe ~ (das Buch, das Meer) gesehen* je l'ai vu (le livre), je l'ai vue (la mer); *sind Sie der Vater, die Mutter? — ja, ich bin ~* êtes-vous le père, la mère? — oui, je le suis; *2. (unpersönlich) (Nominativ)* il, ce (c'), on, *(bleibt unübersetzt); ~ gibt* il y a; *~ regnet* il pleut; *~ verlangt mich nach* j'ai envie de; *~ ist (nicht) wahr* c'est vrai (ce n'est pas vrai); *~ arbeitet sich hier besser* on travaille mieux ici; *wer ist da? — ich bin ~* qui va là? — c'est moi; *~ klopft* on frappe; *~ lebe der Kaiser!* vive l'empereur! *gen* en; *ich bereue ~* je m'en repens; *dat* y; *ich bin ~ gewohnt* j'y suis habitué; *acc (wird anders ausgedrückt; s. jeweils das v); ich halte ~ nicht mehr aus* je n'y tiens plus; *~ gut haben* être à son aise.

es [ɛs] **2.** *n mus* mi *m* bémol; **Es-Dur** *n* mi *m* bémol majeur; **~-Moll** *n* mi *m* bémol mineur.

Eschatologie *f* ⟨-, ø⟩ [ɛsçatolo'gi:] *rel* eschatologie *f.*

Esche *f* ⟨-, -n⟩ ['ɛʃə] frêne *m;* **e-n** *a* en bois de frêne, en *od* de frêne; **~nholz** *n* (bois de) frêne *m;* **~nwald** *m* frênaie *f.*

Esel *m* ⟨-s, -⟩ ['e:zəl] âne *a. fig pej; (Zuchtesel)* baudet *m; auf e-m ~ (reitend)* à dos d'âne; *ich ~!* bête que je suis! *(du, Sie) ~!* espèce d'animal! *alter ~!* vieille bête! *kleine(r) ~,* **~chen** *n* petit âne, ânon, bourricot, bourriquet *m;* **~ei** [-'laɪ] *f* ânerie, bêtise *f;* **~in** *f* ânesse, bourrique *f;* **~sbrücke** *f fig fam* pont *m* aux ânes, moyen *m* mnémotechnique; **~sgeschrei** *n* braiment *m;* **~sohr** *n (im Buch)* corne *f; ein ~~ machen in (als Lesezeichen)* corner; *~~en machen in* écorner; **~srücken** *m arch* accolade *f;* **~treiber** *m* ânier *m.*

Eskadron *f* ⟨-, -en⟩ [ɛska'dro:n] *mil* escadron *m.*

Eskalation *f* ⟨-, -en⟩ [ɛskalatsi'o:n] *(Steigerung)* escalade *f.*

Eskimo *m* ⟨-s, -s⟩ ['ɛskimo] Esquimau *m;* **e~isch** [-'mo:ɪʃ] *a* esquimau.

Eskort|e *f* ⟨-, -n⟩ [ɛs'kɔrtə] *mil* escorte *f; mil mar* convoi *m;* **e~ieren** [-'ti:rən] *tr* escorter; convoyer.

Esparsette *f* ⟨-, -n⟩ [ɛspar'zɛtə] *bot* sainfoin *m.*

Espe *f* ⟨-, -n⟩ ['ɛspə] *bot* tremble *m;* **~nlaub** *n: wie ~~ zittern* trembler comme une feuille.

Essay *m* od *n* ⟨-s, -s⟩ [ɛ'sɛ, 'ɛse] *lit* essai *m;* **~ist** *m* ⟨-en, -en⟩ [-'ɪst] essayiste *m;* **e~istisch** *a* essayiste.

eß|bar ['ɛsba:r] *a* mangeable, bon à manger; *(genießbar, bes. Pilz)* comestible; **E~besteck** *n* couvert *m.*

Esse *f* ⟨-, -n⟩ ['ɛsə] cheminée; *Schmiede)* forge *f;* **~nkehrer** *m* ramoneur *m.*

essen ⟨*du ißt, er ißt, aß, gegessen*⟩ ['ɛsən, ɪst, a:s, -'gɛsən] *tr* manger; *pop* bouffer, boulotter, croûter; *itr* faire *od* prendre un repas; *zu Abend, zu Mittag ~* dîner, déjeuner; *ohne Appetit, widerwillig ~* manger du bout des dents; *auswärts ~* dîner en ville; *sich dick und rund ~* s'empiffrer; *für drei ~* manger comme quatre; *etw (sehr) gern ~* aimer (être gourmand de) qc; *gierig ~* manger avidement; *sich satt ~* manger à sa faim, se rassasier; *im Stehen ~* manger sur le pouce; *den Teller leer ~* vider son assiette; *tüchtig ~* manger de bon appétit; mordre à belles dents; *jdm zu ~ geben* donner à manger à qn; *gut ~ und trinken* faire bonne chère; *nichts zu ~ haben* n'avoir rien à manger; *den ganzen Tag noch nichts gegessen haben* n'avoir pas encore mangé de la journée; *ich habe drei Tage nicht(s) gegessen* je suis resté trois jours sans manger; *das wird nicht so heiß gegessen (fig)* cela s'arrangera *od* s'apaisera.

Essen *n* ⟨-s, -⟩ ['ɛsən] *allg* manger; *(Speise)* mets, plat; *(Mahlzeit)* repas; *(Mittagessen)* déjeuner; *(Abendessen)* dîner; *(Festessen)* festin, banquet *m; (Imbiß)* collation *f,* casse-croûte *m; (Kost)* nourriture *f; fam* fricot *m; beim ~* pendant le repas; *das ~ abtragen* desservir la table; *das ~ auftragen* servir le repas; *vom ~ aufstehen* se lever de table; *uneingeladen zum ~ (da)bleiben* rester *od* manger à la fortune du pot; *~ fassen (mil)* toucher la subsistance; *ein ~ geben* donner à dîner; *das ~ machen (a. fam)* faire à manger, faire la tambouille; *sich zum ~ setzen* se mettre à table; *fürs ~ sorgen* s'occuper de la cuisine; *das ~ ist hier sehr gut* on mange très bien ici; *das ~ liegt mir wie Blei im Magen* j'ai encore mon dîner sur le cœur; *das ~ steht auf dem Tisch* c'est servi; **~holer** *m mil* homme *m* de corvée de soupe; **~spause** *f mil* grand-halte *f;* **~szeit** *f* heure *f* du repas; **~träger** *m mil (Gefäß)* bouteillon *m; (kleiner)* boîte *f* à fricot.

Essenz *f* ‹-, -en› [ɛ'sɛnts] essence, huile *f* essentielle.

Esser *m* ‹-s, -› ['ɛsər] mangeur *m; schwache(r) ~* petit mangeur *m; starke(r) ~* gros mangeur *m; unnütze(r) ~* bouche *f* inutile.

Eß|geschirr *n* ['ɛs-] service *m* de table; *mil* gamelle *f;* **~gier** *f* voracité, gloutonnerie, goinfrerie *f.*

Essig *m* ‹-s, -e› ['ɛsɪç] vinaigre *m; mit ~ anmachen* vinaigrer; *in ~ einlegen* mariner; *zu ~ werden (fig fam)* tomber à l'eau, rater; tourner en eau de boudin; **~äther** *m* éther *m* acétique; **~bereitung** *f* fabrication *f* du vinaigre; **~brühe** *f* vinaigrette *f;* **~essenz** *f* vinaigre *m* concentré; **~ester** *m = ~äther;* **~fabrik** *f* vinaigrerie *f;* **~fläschchen** *n* vinaigrier *m;* **~gurke** *f* cornichon *m* au vinaigre; **e~sauer** *a chem* acéteux, acétique; *e~saure(s) Salz n* acétate *m; e~saure Tonerde f* acétate *m* d'alumine; **~säure** *f* acide *m* acétique; **~soße** *f = ~brühe.*

Eß|kastanie *f* ['ɛs-] marron *m,* châtaigne *f;* **~kultur** *f* gastronomie *f;* **~löffel** *m* cuiller *od* cuillère *f* à bouche *od* à soupe *od* de table; **~löffelvoll** *m* cuillerée *f* à bouche; **~lokal** *n* bouillon *m;* **~lust** *f* appétit *m;* **~marke** *f* ticket *m;* **~nische** *f (im Wohnzimmer)* coin *m* salle-à-manger; **~schokolade** *f* chocolat *m* à croquer; **~tisch** *m* table *f* (de la salle à manger); **~waren** *f pl* comestibles *m pl,* denrées *f pl* (alimentaires); **~zimmer** *n* salle *f* à manger.

Est|e *m* ‹-n, -n› ['ɛstə, 'e:stə], **~länder** *m* ‹-s, -› Estonien *m;* **~in** *f* Estonienne *f;* **~land** *n* l'Estonie *f;* **e~ländisch** *a,* **e~nisch** *a* estonien.

Ester *m* ‹-s, -› ['ɛstər] *chem* ester, éther-sel *m.*

Estrade *f* ‹-, -n› [ɛs'tra:də] estrade *f.*

Estrich *m* ‹-s, -e› ['ɛstrɪç] aire *f.*

etabl|ieren [eta'bli:rən] *tr (sich)* (s')établir; **E~issement** *n* ‹-s, -s› [etablɪs(ə)'mã:] établissement *m.*

Etage *f* ‹-, -n› [e'ta:ʒə] étage *m;* **~neigentum** *n* propriété *f* d'étages; **~nheizung** *f* chauffage par appartement; chauffage *m* central individuel; **~nleiter** *m (Kaufhaus)* chef *m* de rayon; **~nwohnhaus** *n* maison *f* à appartements (multiples); **~nwohnung** *f* appartement *m;* **~re** *f* ‹-, -n› [-ta'ʒe:rə] *(Möbelstück)* étagère *f.*

Etamin *n* ‹-s, ø›, **~e** *f* ‹-, ø› [eta'mi:n(ə)] *(Gewerbe)* étamine *f.*

Etappe *f* ‹-, -n› [e'tapə] *(Teilstrecke e-r Reise, mil: e-s Marsches)* étape; *mil (rückwärtige Verbindung)* ligne *f* d'approvisionnement; *mil (rückwärtiges Gebiet)* arrière *m;* **~ngebiet** *n mil* zone *f* arrière; **~nhauptort** *m mil* gîte *m* principal d'étapes; **~nhengst** *m arg mil* embusqué *m;* **~nlazarett** *n mil* hôpital *m* d'évacuation primaire; **e~nweise** *adv* par étapes.

Etat *m* ‹-s, -s› [e'ta:] *(Staatshaushalt)* budget *m; den ~ aufstellen* dresser, établir son budget; *den ~ überschreiten* écorner son budget; **~beratungen** *f pl* discussion *f* du budget; **e~mäßig** *a fin* budgétaire.

etepetete [e:təpe'te:tə] *a fam* affecté, cérémonieux.

Eth|ik *f* ‹-, (-en)› ['e:tɪk] éthique, morale *f;* **~iker** *m* ‹-s, -› ['e:tikər] moraliste *m;* **e~isch** ['e:tɪʃ] *a* éthique, (d'ordre) moral.

Ethno|graph *m* ‹-en, -en› [ɛtno'gra:f] ethnographe *m;* **~graphie** *f* ‹-, -n› [-gra'fi:] ethnographie *f;* **e~graphisch** [-'gra:fɪʃ] *a* ethnographique; **~loge** *m* ‹-n, -n› [-'lo:gə] ethnologue *m;* **~logie** *f* ‹-, ø› [-lo'gi:] ethnologie *f;* **e~logisch** [-'lo:gɪʃ] *a* ethnologique.

Etikett *n* ‹-(e)s, -e/-s› [eti'kɛt] *(Schildchen)* étiquette, *com* marque *f;* **~e** *f* ‹-, -n› *(besondere Umgangsformen)* étiquette *f; gegen die ~~ verstoßen* manquer à l'étiquette; **e~ieren** [-'ti:rən] *tr* étiqueter; **~iermaschine** *f* machine *f* à étiqueter; **~ierung** *f* étiquetage *m.*

etliche ['ɛtlɪçə] *pron (s) pl* quelques-un(e)s; *(a) pl* quelques; *ich wüßte ~s darüber zu erzählen* j'aurais mon mot à dire là-dessus; *~ Male,* **~mal** *adv* quelquefois.

Etru|rien *n* [e'tru:riən] *geog hist* l'Etrurie *f;* **~sker** [e'truskər] *,die m pl* les Etrusques *m pl;* **e~skisch** *a* étrusque.

Etui *n* ‹-s, -s› [ɛt'vi:, ety'i:] étui *m,* gaine, trousse *f.*

etwa ['ɛtva] *adv (ungefähr)* environ, autour de, la valeur de; *(vielleicht)* peut-être, *fam* par hasard; *~ hundert* dans les cent; *~ seit* depuis environ; *so ~* comme qui dirait; *vor ~ einer Stunde* il y a environ une heure; *nicht ~, daß ...* non que, ... ce n'est pas que ...; *wenn ~ ...* s'il arrive que ...; *wenn er ~ glaubt ...* s'il s'imagine ...; *denken Sie nicht ~, daß ...* n'allez pas penser que ...

etwaige(r, s) [ɛt'va:ɪç] *a* éventuel.

etwas ['ɛtvas] *pron* **1.** *(s)* quelque chose *m; so ~ wie* comme qui dirait, *fam* un semblant de; *ohne ~ zu sehen* sans rien voir; *~ sein* od *vorstellen (fam)* être quelque chose; *das ist ~ für mich* c'est mon affaire; *das ist immerhin ~* c'est déjà quelque chose, c'est autant de gagné; **2.** *(a)* quelque, un peu de; *das ist ~ anderes* c'est autre chose, c'est différent; *~ Schönes* quelque chose de beau; **3.** *n* ‹-, ø› *ein gewisses E~* un je(-)ne(-)sais(-)quoi; **4.** *adv* un *od* quelque peu.

Etymolog|ie *f* ‹-, -n› [etymolo'gi:] étymologie *f;* **e~isch** [-'lo:gɪʃ] *a* étymologique.

euch [ɔʏç] *pron (dat u. acc von: ihr)* vous; *(dat unverbunden)* à vous; *das gehört ~ (a.)* c'est à vous.

Eudiometer *n* ‹-s, -› [ɔʏdio'me:tər] *chem* eudiomètre *m.*

euer, eu(e)re ['ɔʏər, 'ɔʏrə] *pron* votre, *pl* vos; *der, die, das Eu(e)re, die Eu(e)ren,* le, la, les vôtre(s); **~sgleichen, ~thalben, ~twegen, ~twillen** *s. euresgleichen etc.*

Eugen [ɔʏge:n] /-'-/-'-/ *m* Eugène *m* **~ie** [-'ge:njə] Eugénie *f;* **~ik** *f* ‹-, ø› [-'ge:nɪk] eugénique *f,* eugénisme *m;* **e~isch** [-'ge:nɪʃ] *a* eugénique.

Eukalyptus *m* ‹-s, -/-ten› [ɔyka'lʏptus] *bot* eucalyptus *m.*

euklidisch [ɔʏ'kli:dɪʃ] *a: ~e Geometrie f* géométrie *f* euclidienne.

Eule *f* ‹-, -n› ['ɔylə] *orn* hibou *m;* chouette *f; ~n nach Athen tragen (fig)* porter (de) l'eau à la mer *od* à la rivière; **~nspiegel** *m (Schalk)* espiègle *m;* **~nspiegelei** *f* espièglerie *f.*

Eunuch *m* ‹-en, -en› [ɔʏ'nu:x] eunuque *m.*

Euphem|ismus *m* ‹-, men› [ɔʏfe'mɪsmus] euphémisme *m;* **e~istisch** [-'mɪstɪʃ] *a* euphémistique.

Euphon|ie *f* ‹-, -n› [ɔʏfo'ni:] *gram* euphonie *f;* **e~isch** [-'fo:nɪʃ] *a* euphonique.

Euphor|ie *f* ‹-, ø› [ɔʏfo'ri:] *med* euphorie *f;* **e~isch** [-'fo:rɪʃ] *a* euphorique.

Euras|ien *n* [ɔʏ'ra:zɪən] *geog* l'Eurasie *f;* **e~isch** [-'ra:zɪʃ] *a* eurasien.

eur|erseits ['ɔʏr-] *adv* de votre côté *od* part; **~esgleichen** *pron* vos pareils; **~ethalben** *adv,* **~etwegen** *adv, um* **~etwillen** *adv* à cause de vous, pour (l'amour de) vous; **E~ige** *pron (s): der, die, das ~~, die ~~n* le, la, les vôtre(s).

Europ|a *n* [ɔʏ'ro:pa] l'Europe *f;* **~äer** *m* ‹-s, -› [-'pɛ:ər] Européen *m;* **e~äerfeindlich** *a* antieuropéen, antiblanc; **~äertum** *m* ‹-s, ø› européanisme *m;* **~agedanke** *m* européanisme *m; Anhänger m des ~~ns* européaniste *m;* **e~äisch** [-'pɛ:ɪʃ] *a* européen; *~~-afrikanisch a* euroafricain; *~~e Bewegung f* mouvement *m* européen; *~~e(r) Gedanke m* européanisme *m;* **e~äisieren** [-pɛi'zi:rən] *tr* européaniser; **~äisierung** *f* européanisation *f;* **~ameister(schaft** *f)* *m sport* champion(nat) *m* d'Europe; **~arat** *m* conseil *m* de l'Europe (C.E.).

Eustachische Röhre *f anat* trompe *f* d'Eustache.

Euter *n* ‹-s, -› ['ɔʏtər] pis *m.*

Euthanasie *f* ‹-, ø› [ɔʏtana'zi:] *(Gnadentod)* euthanasie *f.*

evakuier|en [evaku'i:rən] *tr (Gebiet von Menschen; Menschen aus e-m*

Gebiet) évacuer; **E~te(r)** *m* évacué *m;* **E~ung** *f* évacuation *f.*

evangel|isch [evan'ge:lɪʃ] *a* évangélique; protestant; **E~ist** *m* ⟨-en, -en⟩ [-ge'lɪst] évangéliste *m;* **E~ium** *n* ⟨-s, -lien⟩ [-'ge:lium, -liən] *(Lehre)* évangile; *(Buch)* Évangile *m; das ~~ verkünden* évangéliser; *das ist für ihn ein ~~ (fig)* il le prend pour parole d'évangile; *Verkündigung f des ~~s* évangélisation *f.*

Eventu|alantrag *m* [evɛntu'a:l-] *jur* conclusion *f* subsidiaire; **~alität** *f* ⟨-, -en⟩ [-tuali'tɛ:t] éventualité *f;* **e~ell** [-tu'ɛl] *a (adv)* éventuel(lement).

Everglaze *n* ⟨-, -⟩ ['ɛvərgle:s] *(Textil)* coton *m* glacé.

Evol|ute *f* ⟨-, -n⟩ [evo'lu:tə] *math* développée *f;* **~ution** *f* ⟨-, -en⟩ [-lutsi'o:n] *(Entwicklung)* évolution *f;* **~vente** *f* ⟨-, -n⟩ [evɔl'vɛntə] *math* développante *f.*

Ewer *m* ⟨-s, -⟩ ['e:vər] *mar* gabare *f;* **~führer** *m* gabarier *m.*

ewig ['e:vɪç] *a rel philos* éternel; *(immerwährend; a. Schnee)* perpétuel; *fam (dauernd)* continuel, incessant; *pej* sempiternel, qui n'en finit pas; *auf ~* à (tout) jamais, pour jamais; *(dein) auf ~* (à toi) pour toujours, à jamais, *seit ~en Zeiten* de temps immémorial; *in ~er Angst leben* vivre dans une angoisse perpétuelle; *ich habe Sie ~ nicht gesehen (fam)* il y a une éternité que je ne vous ai vu; *das dauert ja ~! (fam)* ça n'en finit pas; *das ist ~ schade! (fam)* c'est grand dommage; *der ~e Friede* la paix perpétuelle; *der E~e Jude* le Juif errant; *~e Klagen (fam)* des plaintes sempiternelles; **E~keit** *f* ⟨-, (-en)⟩ éternité *f; fam* siècle *m; e-e ~~ (fam)* une paie *pop; in (alle) ~~* à tout jamais; *von ~~ zu ~~ (rel)* dans tous les siècles des siècles; *es ist (schon) e-e ~~ her, daß ...* il y a des éternités que ...; *das dauert ja e-e ~~! (fam)* ça n'en finit pas; **~lich** ['e:vɪklɪç] *adv vx poet* éternellement; **E~weibliche,** *das* l'éternel féminin *m.*

exakt [ɛ'ksakt] *a* exact, précis; **E~heit** *f* exactitude, précision *f.*

exaltiert [ɛksal'ti:rt] *a* exalté.

Exam|en *n* ⟨-s, -/-mina⟩ [ɛ'ksa:mən, -mina] examen *m (Redewendungen s. unter: Prüfung);* **~ensangst** *f* trac *m* (avant l'examen); **~ensarbeit** *f* épreuve *f* d'examen; **~ensfrage** *f* question *f* d'examen; **~inand** *m* ⟨-en, -en⟩ [-'nant, -dən] candidat *m;* **~inator** *m* ⟨-s, -en⟩ [-mi'na:tɔr, -'to:rən] examinateur *m;* **e~inieren** [-'ni:rən] *tr* examiner.

Exartikulation *f* ⟨-, -en⟩ [ɛksartikulatsi'o:n] *med (Amputation im Gelenk)* désarticulation *f.*

Exege|se *f* ⟨-, -n⟩ [ɛkse'ge:zə] *rel (Auslegung)* exégèse *f;* **~t** *m* ⟨-en, -en⟩ [-'ge:t] exégète *m.*

Exekutiv|e *f* ⟨-, -n⟩ [ɛkseku'ti:və], **~gewalt** *f* (pouvoir) exécutif *m.*

Exemp|el *n* ⟨-s, -⟩ [ɛ'ksɛmpəl] exemple *m; zum ~~* par exemple; *ein ~~ statuieren* faire un exemple; **~lar** *n* ⟨-s, -e⟩ [-'pla:r] exemplaire *m; er-ste(s) ~~* exemplaire *m* de tête; **e~larisch** [-'pla:rɪʃ] *a* (*adv* de manière) exemplaire.

Exerzier|bombe *f* [ɛksɛr'tsi:r-] bombe *f* maquette; **e~en** *itr mil* faire l'exercice; **~en** *n exercice m;* **E~marsch** *m* pas *m* de parade; **E~ordnung** *f* formation *f* d'exercice; **E~patrone** *f* cartouche *f* inerte *od* d'exercice; **E~platz** *m* champ *m* de mars *od* de manœuvre, place *f* d'armes.

Exhaustor *m* ⟨-s, -en⟩ [ɛks'haustɔr, -'to:rən] *tech* aspirateur *m.*

Exil *n* ⟨-s, -e⟩ [ɛ'ksi:l] exil *m; ins ~ schicken (gehen)* (s')exiler; *im ~ leben* être en exil; **~kubaner** *m* exilé *m* cubain; **~regierung** *f* gouvernement *m* en exil.

exist|ent [ɛksɪs'tɛnt] *a* existant; **E~entialismus** *m* ⟨-, ø⟩ [-tsia'lɪsmus] existentialisme *m;* **E~entialist** *m* ⟨-en, -en⟩ [-'lɪst] existentialiste *m;* **~entiell** [-tɛntsi'ɛl] *a* existentiel; **E~enz** *f* ⟨-, -en⟩ [-'tɛnts] existence *f (a. als Auskommen);* **E~enzbedingungen** *f pl* conditions *f pl* d'existence; **E~enzberechtigung** *f* droit *m* à l'existence, raison *f* d'être; **~enzfähig** *a* capable d'exister; **E~enzfrage** *f* question *f* vitale; **E~enzkampf** *m* lutte *f* pour l'existence; **E~enzminimum** *n* minimum *m* vital *od* nécessaire à l'existence *od* indispensable pour subsister; **E~enzmittel** *n pl* moyens *m pl* d'existence *od* de subsistance; **E~enzphilosophie** *f* = *~entialismus;* **~ieren** [-'ti:rən] *itr* exister; vivre; *(auskömmlich leben)* subsister, vivre; *für jdn nicht mehr ~~ (fam)* être mort pour qn.

exklusiv [ɛksklu'zi:f] *a* exclusif; **E~ität** *f* ⟨-, ø⟩ [-zivi'tɛ:t] exclusivité *f.*

Exkommun|ikation *f* ⟨-, -en⟩ [ɛks-] *rel* excommunication *f;* **e~izieren** [-muni'tsi:rən] *tr* excommunier.

Exkrement *n* ⟨-(e)s, -e⟩ [ɛkskre'mɛnt] *(Ausscheidung, Kot)* excrément *m.*

Exkurs *m* ⟨-es, -e⟩ [ɛks'kurs, -zə(s)] *lit* digression *f;* **~ion** *f* ⟨-, -en⟩ [-zi'on] *(Ausflug)* excursion *f.*

Exlibris *n* ⟨-, -⟩ [ɛks'li:brɪs] *(Bücherzeichen)* ex-libris *m.*

Exmatrikul|ation *f* ⟨-, -en⟩ [ɛksmatrikulatsi'o:n] radiation *f* (de la liste des étudiants); **e~ieren** [-'li:rən] *tr* rayer de la liste (des étudiants); *sich ~~ lassen* se faire rayer de la liste (des étudiants).

Exot|ik *f* ⟨-, ø⟩ [ɛ'kso:tɪk] exotisme *m;* **e~isch** [ɛ'ksotɪʃ] *a* exotique.

Expan|der *m* ⟨-s, -⟩ [ɛks'pandər] *sport* extenseur *m;* **~sion** *f* ⟨-, -en⟩ [-zi'o:n] *phys pol* expansion *f;* **~sionsdrang** *m* expansionnisme *m;* **~sionskraft** *f* force *f* expansive.

Exped|ient *m* ⟨-en, -en⟩ [ɛkspedi'ɛnt] *com* (commis) expéditionnaire *m;* **e~ieren** [-'di:rən] *tr* expédier; **~ition** *f* ⟨-, -en⟩ [-ditsi'o:n] expédition *f; (e-r Zeitung)* bureau *m;* **~itionskorps** *n* corps *m* expéditionnaire.

Experiment *n* ⟨-(e)s, -e⟩ [ɛksperi'mɛnt] expérience *f; ein ~ machen* faire une expérience; **~alphysik** [-'ta:l-] *f* physique *f* expérimentale; **e~ell** [-'tɛl] *a* expérimental; **e~ieren** [-'ti:rən] *itr* expérimenter (*mit etw* qc; *an etw* sur qc).

Expert|e *m* ⟨-n, -n⟩ [ɛks'pɛrtə] expert *m;* **~ise** *f* ⟨-, -n⟩ [-'ti:zə] *(Gutachten)* expertise *f.*

explo|dierbar [ɛksplo'di:r-] *a* explosible; **~dieren** ⟨*ist explodiert*⟩ *itr* exploser, faire explosion, détoner, éclater, crever, sauter; **~sibel** [-'zi:bəl] *a* explosible; **E~sion** *f* ⟨-, -en⟩ [-zi'o:n] explosion, détonation *f,* éclatement *m, fam* crevaison *f;* **E~sionsdruck** *m* pression *f* de l'explosion; **~sionsfähig** *a,* **~sionsgefährlich** *a* = *~sibel;* **E~sionsgefahr** *f* danger *od* risque *m* d'explosion; **E~sionsgemisch** *n mot* mélange *m* explosif; **E~sionsmotor** *m* moteur *m* à explosion; **E~sionsraum** *m mot* chambre *f* d'explosion; **~sionssicher** *a* inexplosible; **E~sionstakt** *m* temps *m* d'explosion; **E~sionswelle** *f* onde *f* explosive; **E~sionswirkung** *f* effet *m* de l'explosion; **~siv** *a* explosif; **E~sivgeschoß** *n* projectile *m* explosif; **E~sivstoff** *m* matière *f* explosive, explosif *m;* composés *m pl* explosifs.

Expon|ent *m* ⟨-en, -en⟩ [ɛkspo'nɛnt] *math* exposant; *fig (Vertreter)* représentant, porte-parole, protagoniste *m;* **e~ieren** [-'ni:rən] *tr (e-r Gefahr aussetzen)* exposer; *sich ~~* s'exposer (*dat* à).

Export *m* ⟨-(e)s, -e⟩ [ɛks'pɔrt] exportation *f;* **~abteilung** *f* service *m* des exportations; **~artikel** *m* article *m* d'exportation; **~bewilligung(santrag** *m***)** *f* (demande en) licence *f* d'exportation; **~eur** *m* ⟨-s, -e⟩ [-'tø:r] exportateur *m;* **e~fähig** *a* exportable; **~firma** *f* firme *f* d'exportation *od* exportatrice; **~förderung** *f* favorisation *f* de l'exportation; **~geschäft** *n (Firma)* maison d'exportation; *(Vorgang)* opération *f* d'exportation; **~handel** *m* commerce *m* d'exportation; **e~ieren** [-'ti:rən] *tr* exporter; **~kaufmann** *m* commerçant *od* négociant *m* exportateur; **~prämie** *f* prime *f* à l'exportation; **~preis** *m* prix *m* d'exportation; **~schlüssel** *m* mode *m* pour le commerce extérieur; **~überschuß** *m* excédent *m* d'exportation; **~ware** *f* marchandise *f* d'exportation.

Exposé *n* ⟨-s, -s⟩ [ɛkspo'ze:] *(Darstellung)* exposé *m; film* synopsis *m.*

expreß [ɛks'prɛs] *adv fam (eilig)* en hâte; *dial (eigens)* exprès; **E~** *m* ⟨-sses, (-sse)⟩ *(fast vx für: Schnellzug)* express, rapide *m;* **E~gut** *n* colis *m* express; **E~zug** *m (fast vx)* = *E~.*

Expression|ismus *m* ⟨-, ø⟩ [ɛksprɛsio'nɪsmus] expressionnisme *m;* **~ist** *m* ⟨-en, -en⟩ [-'nɪst] expressionniste *m;* **e~istisch** [-'nɪstɪʃ] *a* expressionniste.

exquisit *a* exquis, choisi.

Extempor|ale *n* ⟨-s, -lien⟩ [ɛkstɛmpo'ra:lə, -liən] *(Schule)* exercice *m* improvisé; **e~ieren** [-'ri:rən] *tr, itr* improviser.

Exterritorialität *f* ⟨-, ø⟩ [ɛkstɛritoriali'tɛ:t] *pol* franchise *f*.

extra ['ɛkstra] *a, attr inv fam* extra (-ordinaire), additionnel, supplémentaire; *adv (noch dazu)* en plus, en sus; *(absichtlich)* exprès; *~ hergestellt* hors série; **E~blatt** *n (Zeitung)* (édition) spéciale *f*; **~fein** *a* extra-fin, su(pe)rfin; **E~kosten** *pl* frais *m pl* supplémentaires; **E~ordinarius** *m (außerordentl. Professor)* professeur *m* sans chaire; **E~post** *f vx* = *Eilpost;* **E~wurst** *f fig fam: er muß immer e-e ~~ (gebraten) haben* il lui faut toujours qc de particulier; **E~zug** *m loc* train *m* spécial.

extrahieren [ɛkstra'hi:rən] *tr chem* extraire; **E~** *n chem* extraction *f*.

Extrakt *m a. n* ⟨-(e)s, -e⟩ [ɛks'trakt] extrait *m; fig* essence *f*; **~ionsapparat** [-tsi'o:ns-] *m chem* extracteur *m*.

extravagan|t [ɛkstrava'gant] *a* extravagant; **E~z** *f* ⟨-, en⟩ [-'gants] extravagance *f*.

extrem [ɛks'tre:m] *a* extrême; **E~** *n* ⟨-s, -e⟩ extrême *m; von e-m ~~ ins andere fallen* passer d'un extrême à l'autre, tomber d'une extrémité dans l'autre *od* d'un excès dans un autre, aller de la cave au grenier; *die ~~e berühren sich* les extrêmes se touchent; **E~ist** *m* ⟨-en, -en⟩ [-'mɪst] ultra *m;* **E~itäten** [-'tɛ:tən] *f pl anat* extrémités *f pl*.

Exzellenz *f* ⟨-, -en⟩ [ɛkstsɛ'lɛnts] Excellence *f*.

Exzent|er *m* ⟨-s, -⟩ [ɛks'tsɛntər] *tech* excentrique *m;* **e~risch** [-'tsɛntrɪʃ] *a* excentrique *a. fig; fig (überspannt)* exalté, extravagant.

exzerp|ieren [ɛkstsɛr'pi:rən] *tr* faire des extraits de; **E~t** *n* ⟨-(e)s, -e⟩ [ɛks'tsɛrpt] *(Auszug aus e-m Buch)* extrait *m*.

Exzeß *m* ⟨-sses, -sse⟩ [ɛks'tsɛs(əs)] excès *m*.

F

F, f *n* ⟨-, -⟩ [ɛf] *(Buchstabe)* F, f *m; mus* fa *m;* **F-Dur** *n* fa *m* majeur; **f-Moll** *n* fa *m* mineur.

Fabel *f* ⟨-, -n⟩ ['fa:bəl] *(Literaturgattung)* fable *f,* apologue *m; (Handlung e-r Dichtung)* action, intrigue; *allg (erfundene Geschichte)* fiction, invention *f,* conte *m; ins Reich der ~ gehören (fig)* être inventé de toutes pièces, être de la pure fiction; **~dichter** *m* fabuliste *m;* **f~haft** *a (unwirklich, phantastisch)* fabuleux, imaginaire, phantastique; *fam (übertreibend: großartig)* épatant, étonnant; fabuleux; prodigieux, merveilleux; magnifique, extraordinaire; *adv: ~~ eingerichtet* merveilleusement bien installé; **f~n** *itr (sich nicht an die Wahrheit halten)* raconter des histoires; *(phantasieren, Unsinn reden)* radoter, divaguer; **~sammlung** *f (Buch)* recueil de fables, fablier *m;* **~tier** *n,* **~wesen** *n* monstre *m* fabuleux.

Fabrik *f* ⟨-, -en⟩ [fa'bri:k, -'brɪk] usine, fabrique, manufacture; *pop pej* boîte *f; ab* od *frei ~* rendu à l'usine; **~abwässer** *n pl* eaux *f pl* industrielles; **~anlage** *f* établissement(s) *m (pl);* **~ant** *m* ⟨-en, -en⟩ [-'kant] industriel, fabricant, manufacturier, usinier *m;* **~arbeit** *f (Tätigkeit)* travail en usine; *(Erzeugnis)* produit *m* manufacturé; **~arbeiter(in *f*)** *m* ouvrier, ère *m f* (d'usine); **~at** *n* ⟨-(e)s, -e⟩ [-'ka:t] produit *m* (manufacturé); **~besitzer** *m* propriétaire d'usine, industriel *m;* **~direktor** *m* directeur *m* d'usine; **~fußboden** *m* pavement *m* industriel; **~gebäude** *n* bâtiment *m* industriel; **~gelände** *n* zone *f* industrielle; **~marke** *f,* **~zeichen** *n* marque *f* de fabrique; **f~mäßig** *adv: ~~ hergestellt* manufacturé; **f~neu** *a* sortant de l'usine; **~preis** *m* prix *m* de fabrique *od* de revient; **~schornstein** *m* cheminée *f* d'usine; **~sirene** *f* sirène *f* d'usine; **~stadt** *f* ville *f* industrielle; **~ware** *f* produit(s *pl) m* manufacturé(s).

Fabrikation *f* ⟨-, -en⟩ [fabrikatsi'o:n] fabrication *f,* usinage *m;* production *f;* **~sfehler** *m* défaut *od* vice *m* de fabrication; **~sgang** *m* processus *m* de fabrication; **~sgeheimnis** *n* secret *m* de fabrication; **~skosten** *pl* frais *m pl* de fabrication; **~smethode** *f* méthode *f* de fabrication; **~smodell** *n* modèle *m* de fabrication; **~snummer** *f* numéro *m* de fabrication; **~sprogramm** *n* programme *m* de fabrication; **~sweise** *f* mode *m* de fabrication; **~szweig** *m* branche *f* de fabrication.

fabrizieren [fabri'tsi:rən] *tr* fabriquer, usiner; *(erzeugen)* produire; *allg (machen)* faire.

Fabul|ant *m* ⟨-en, -en⟩ [fabu'lant] conteur de fables *od* d'histoires; *(Schwätzer)* conteur *m* de sornettes; **f~ieren** [-'li:rən] *itr* raconter des histoires.

Facett|e *f* ⟨-, -n⟩ [fa'sɛtə] facette *f;* **~enauge** *f ent* œil *m* à facettes; **f~ieren** [-'ti:rən] *tr (in ~en schleifen)* facetter.

Fach *n* ⟨-(e)s, ⸚er⟩ [fax, 'fɛçər] *(in e-m Behälter, bes. e-r Tasche, e-m Koffer)* compartiment *m; (in e-m Möbelstück)* case *f; (in e-m Bücherschrank, -gestell)* rayon; *(Schubfach)* tiroir; *arch tech (Flächenteil)* pan(neau) *m; (Balkenfeld)* travée; *fig (Berufszweig)* branche, spécialité; *(Lehr-, Unterrichtsfach)* discipline, matière *f; unter Dach und ~ bringen* mener à bien; *vom ~ sein* être du métier *od* de la branche; *in s-m ~ sehr beschlagen sein* être rompu au métier; *das schlägt nicht in* od *das ist nicht mein ~* ce n'est pas de mon ressort *od* de ma partie *od* de ma compétence *od fam* de mon rayon; *ein Mann vom ~* un homme du métier *od* de la partie; **~arbeit** *f* travail *m* qualifié; **~arbeiter** *m* ouvrier qualifié *od* spécialisé, professionnel *m; pl* main-d'œuvre *f* spécialisée; **~arzt** *m* médecin *m* spécialiste; **~ausdruck** *m* terme *m* technique *od* de métier, expression *f* technique; **~bibliothek** *f* bibliothèque *f* spéciale; **~buch** *n* livre *m* spécialisé *od* technique; **~gebiet** *n* matière, spécialité *f;* **~gelehrte(r)** *m* spécialiste *m;* **f~gemäß** *a* conforme aux règles; *adv a.* en règle; dans les règles; selon les règles de l'art; **~genosse** *m* confrère *m;* **~geschäft** *n* magasin *m od* maison *f* spécialisé(e); **~gruppe** *f* groupe(ment) *m* professionnel; **~kenntnisse** *f pl* connaissances *f pl* professionnelles *od* spéciales; **~kraft** *f = ~mann, ~arbeiter;* **~kreis** *m: in ~~en* parmi les hommes du métier *od* les experts; **f~kundig** *a* compétent, expert; **f~lich** *a* professionnel; *die ~~en Voraussetzungen erfüllen* être qualifié; **~literatur** *f* littérature *f* spécialisée; **~mann** *m* ⟨-s, ⸚er/-leute⟩ homme de *od* du métier, spécialiste, expert *m; ~~ sein (a.)* s'y entendre; *den ~~ spielen (a.)* faire l'entendu; **f~männisch** *a* professionnel, spécial; d'homme du métier, d'expert; *= f~kundig; adv: sich ~~ beraten lassen* consulter un spécialiste *od* un expert; *~~ beraten werden* être conseillé par un spécialiste *od* un expert; **~presse** *f* presse *f* professionnelle *od* spécialisée; **~richtung** *f* spécialité *f;* **~schaft** *f* groupement *m od* association *od* corporation *f* professionnel(le); **~schule** *f* école *f* professionnelle; **~schulwesen** *n* enseignement *m* technique; **~simpelei** [-simpə'laɪ] *f* manie *f* de parler métier; **f~simpeln** *itr* parler métier *od* travail *od* service; **~sprache** *f* langage technique *od* du métier; *pej* jargon *m;* **~studium** *n* études *f pl* spécialisées; **~unterricht** *m* enseignement *m* professionnel; **~verband** *m = ~schaft;* **~welt** *f* monde *m* technique; **~werk** *n arch* pans *m pl* de bois; **~werkbau** *m* colombage *m,* construction *f* en pans de bois; **~werkhaus** *n* maison *f* en pans de bois; **~wissen** *n = ~kenntnisse;* **~wort** *n* mot *m* technique; **~wörterbuch** *n* dictionnaire *m* spécialisé *od* technique; **~zeitschrift** *f,* **~zeitung** *f* périodique *m od* revue *f,* journal *m* spécial(e) *od* professionnel(le).

fächeln ['fɛçəln] *tr* éventer (*jdn* qn); *itr* jouer de l'éventail; *sich ~* s'éventer.

Fächer *m* ⟨-s, -⟩ ['fɛçər] éventail *m;* **~antenne** *f radio* antenne *f* en éventail; *f~förmig a* en éventail; **~gewölbe** *n arch* voûte *f* en éventail; **f~n** *tr u. itr = fächeln;* **~palme** *f bot* tallipot *m, scient* coryphe *f* parasol.

Fackel *f* ⟨-, -n⟩ ['fakəl] flambeau *m a. fig;* torche *f; (Strohfackel)* brandon *m;* **f~n** *itr fam (zögern)* lanterner; *ohne zu ~~* sans hésiter; *nicht lange ~~* ne faire ni une ni deux; *(gleich zuschlagen)* n'avoir pas les bras gourds; **~träger** *m* porte-flambeau *m;* **~zug** *m* retraite *f* aux flambeaux.

Fäd|chen *n* ⟨-s, -⟩ ['fɛtçən] bout *m* de fil; **f~eln** ['fɛ:dəln] *tr (einfädeln)* enfiler.

fad|(e) [fa:t, -də] *a (Speise u. fig)* fade, insipide; *fam* fadasse; *(nur Speise)* sans saveur; *(abgeschmackt, geistlos)* plat; *~e(s) Zeug n (fig)* fadaises *f pl;* **F~heit** *f* fadeur *f.*

Faden *m* ⟨-s, ⸚⟩ ['fa:-, 'fɛ:dən] *a. fig* fil; *(sehr dünner ~; anat, zoo, bot; Glühfaden)* filament *m; mar (Längenmaß,* ⟨-s, -⟩) brasse *f; keinen trockenen ~ am Leibe haben* n'avoir pas un poil de sec, être trempé jusqu'aux os *od fam* comme une soupe; *die Fäden in der Hand haben* od *halten (fig)* tenir *od* tirer les ficelles; *nur (noch) an e-m (seidenen) ~ hängen* *(fig)* ne tenir (plus) qu'à un fil, tenir à un cheveu; *keinen guten ~ an jdm lassen (fig)* dire pis que pendre de qn; *den ~ (der Rede) verlieren* perdre le fil (de son discours); *(Perlen) auf e-n Faden ziehen* enfiler; *da beißt die Maus keinen ~ ab (fig)* il n'y a rien à faire; *es hing an e-m (seidenen) ~* il s'en est fallu de l'épaisseur d'un fil *od* d'un cheveu; *das zieht sich wie ein roter ~ durch die Erzählung* od *Geschichte* c'est un fil conducteur; *aus Fäden verschiedener Stärke od Farbe gewebt (Textil)* vergé; **f~dünn** *a* mince comme un fil; **f~förmig** *a scient* nématoïde; **~heftung** *f (Buchbinderei)* brochage *m* au fil de lin; **~kreuz** *n opt* réticule *m;* **~nudeln** *f pl* vermicelle *m;* **f~scheinig** *a* usé jusqu'à la corde, élimé, râpé; *fig (Vorwand)* cousu de fil blanc, transparent; *~~ sein (Kleidung a.)* montrer la corde; **~wurm** *m* filaire *m; pl scient* nématodes *m pl;* **f~ziehend** *a (sehr zähflüssig)* filant.

Fading *n* ‹-s, -s› ['fe:dɪŋ] *radio (Schwund)* fading *m.*

Fagott *n* ‹-(e)s, -e› [fa'gɔt] *mus* basson *m;* **~bläser** *m,* **~ist** *m* ‹-en, -en› [-'tɪst] bassoniste *m.*

Fähe *f* ‹-, -n› ['fɛ:ə] *(Jagd: Füchsin)* renarde; *(Wölfin)* louve; *(Hündin)* chienne *f.*

fähig ['fɛ:ɪç] *a (tüchtig, tauglich)* capable (*zu* de); apte (*zu* à); *(bereit)* capable, susceptible (*zu* de); *jur* apte, habile (*zu* à); *dazu ~ (imstande) sein, etw zu tun (a.)* être homme à faire qc; *zu allem ~ (bereit) sein* être capable de tout; *~e(r) (tüchtiger) Mensch m* homme *m* de tête; **F~keit** *f (Tüchtigkeit)* capacité, aptitude, faculté; *jur* capacité, habilité *f.*

fahl [fa:l] *a (von matter, trüber Farbe)* terne; *(bleich)* blême, blafard; *(blaß)* pâle; *(erdfarben)* terreux; *(bleifarben)* livide; **~gelb** *a* d'un jaune terne; **~rot** *a* fauve.

Fähnchen *n* ‹-s, -› ['fɛ:nçən] fanion; *mil* guidon *m; (zur Markierung auf Karten)* flèche; *fig pop (leichtes od zu kurzes Kleid)* robe *f* légère *od* trop courte.

fahnd|en ['fa:ndən] *itr: nach jdm ~~* rechercher qn; **F~ung** *f* recherche(s *pl*) *f;* **F~ungsdienst** *m* police *f* mobile.

Fahne *f* ‹-, -n› ['fa:nə] drapeau; *(Flagge)* pavillon *m; (Banner)* bannière *f; hist* gonfalon *m; pl typ* = *~nabzug; mit fliegenden ~n* bannières déployées; *e-e ~ haben (fam: betrunken sein)* sentir l'alcool à plein nez; *unter jds ~ kämpfen, marschieren* combattre, marcher sous la bannière de qn; *die ~ nach dem Winde drehen* retourner sa veste; *zu den ~n gerufen werden* être appelé sous les drapeaux; *sich um jds ~ scharen* se ranger sous les drapeaux de qn.

Fahnen|abzug *m typ* placard; *die ~abzüge von etw machen* placarder qc; **~eid** *m* serment *m* de fidélité au drapeau; **~flucht** *f* désertion *f;* **f~flüchtig** *a* déserteur; *~~ werden* déserter; **~flüchtige(r)** *m* déserteur *m;* **~junker** *m* enseigne, aspirant *m;* **~korrektur** *f typ* correction *f* des placards; **~mast** *m* mât *m* pour drapeau; **~schaft** *m* hampe *f;* **~stange** *f* lance *f* de drapeau; **~träger** *m, a. fig* porte-drapeau; *hist* cornette; *rel* gonfalonnier *m;* **~weihe** *f* bénédiction *f* des *od* du drapeau(x).

Fähnrich *m* ‹-s, -e› ['fɛ:nrɪç] *hist* cornette, porte-drapeau *m; ~ zur See* enseigne *m* de vaisseau.

Fahr|bahn *f* ['fa:r-] voie; *(Straßendamm)* chaussée; *sport* piste *f; von der ~~ abkommen (a. fam)* entrer dans le décor; **~bahnbreite** *f* largeur *f* de la chaussée; **~bahnmarkierung** *f* signalisation *f* sur la chaussée; **f~bar** *a (beweglich)* mobile; *~~e(r) Heizkessel m* carbo-scooter *m;* **~barkeit** *f* ‹-, ø› mobilité *f;* **~befehl** *m* ordre *m* de circulation; **f~bereit** *a (Fahrzeug)* prêt à faire mouvement; *(Mensch)* prêt à partir; **~bereitschaft** *f (Einrichtung)* service *m* de roulage; **~damm** *m (e-r Straße)* chaussée *f;* **~dienst** *m loc* service *m* des trains; **~dienstleiter** *m loc* chef *m* de service *od* du mouvement; **~er** *m* ‹-s, -› *allg* conducteur; *mot* chauffeur, pilote *m;* **~erflucht** *f* délit *m* de fuite; **~erin** *f allg* conductrice *f;* **~erraum** *m loc* poste *m* de conduite *od* d'équipage; **~ersitz** *m mot* siège *m* du chauffeur; **~gast** *m* passager *m;* **~gastschiff** *n* navire *m* à passagers; **~geld** *n* frais *m pl* de transport; **~gelegenheit** *f* moyen *m* de transport; **~gestell** *n mot* châssis; *aero* train d'atterrissage, atterrisseur *m; das ~~ ausfahren* baisser le train d'atterrissage; *einziehbare(s) ~~* train *m* d'atterrissage escamotable; **f~ig** *a (unruhig)* agité; *(zerstreut)* distrait; *(nervös)* nerveux; **~igkeit** *f* ‹-, ø› agitation; distraction, nervosité *f;* **~karte** *f loc* billet *m; e-e ~~ lösen* prendre un billet; *halbe ~~ (für Kinder)* demi-place *f; kombinierte ~~ (Eisenbahn-Bus)* billet *m* combiné fer-car; *~~ 1., 2. Klasse* billet *m* de première, de seconde; **~kartenausgabe** *f* guichet *m* des billets; **~kartenautomat** *m* distributeur *m* de tickets; **~kartenkontrolle** *f* contrôle *m* (des billets); **~kartenschalter** *m* guichet *m;* **~korb** *m* cabine *f* d'ascenseur; **f~lässig** *a* négligent, nonchalant; *(sorglos)* insouciant; *~~e Körperverletzung, Tötung f* blessure *f,* homicide *m* par imprudence; **~lässigkeit** *f* négligence, nonchalance *f,* laisser-aller *m;* insouciance, incurie *f;* **~lehrer** *m mot* moniteur *m* d'auto-école; **~nis** *f* ‹-, -sse› *jur (bewegl. Vermögen)* biens *m pl* meubles *od* mobiliers; **~plan** *m* horaire; *(in Heftform)* indicateur *m;* **f~planmäßig** *a* prévu; **~preis** *m* prix *m* du transport *od (Taxi)* de la course; *den vollen ~~ bezahlen* payer place entière; *halbe(r) ~~* demi-tarif *m;* **~preisanzeiger** *m (im Taxi)* taximètre, compteur *m;* **~prüfung** *f* examen *m* du permis de conduire; **~rad** *n* bicyclette *f; fam* vélo *m,* bécane *f; ~~ mit Hilfsmotor* bicyclette *f* à moteur auxiliaire, *fam* vélomoteur *m;* **~radklammer** *f* pince *f* à pantalon; **~radklingel** *f* timbre *m;* **~radpumpe** *f* pompe *f* à bicyclette; **~radschuppen** *m* garage *m* pour bicyclettes; **~radständer** *m* support *m* pour bicyclettes; **~rinne** *f mar* chenal *m;* **~schein** *m* ticket *m;* **~schulauto** *n* voiture *f* à double commande; **~schule** *f* auto-école *f;* **~schüler** *m* élève *m* d'auto-école; **~straße** *f* voie *f* carrossable; **~strecke** *f* course *od* distance *f* parcourue; **~stuhl** *m* ascenseur, lift *m;* **~stuhlführer** *m* liftier *m;* **~treppe** *f* = *Rolltreppe;* **~verbot** *n* mise *f* à pied; **~wasser** *n* passe *f,* chenal *m; im richtigen ~~ sein (fig)* être dans son milieu; **~weg** *m* voie *f* carrossable; **~werk** *n aero* = *~gestell;* **~zeit** *f* durée *f* de *od* du parcours *od bes. mar* du trajet; **~zeug** *n* véhicule *m; (Wagen)* voiture *f; mar* bâtiment *m, (kleines)* embarcation *f;* **~zeugbestand** *m* parc de véhicules *od* de voitures, matériel *m* roulant; **~zeughalter** *m jur* détenteur *m* d'un *od* du véhicule; **~zeugkolonne** *f* convoi *m od (zufällige)* file *od* colonne *f* de véhicules.

Fähr|e *f* ‹-, -n› ['fɛ:rə] bac *m; (Seilfähre)* traille *f;* **~geld** *n* batelage, péage *m;* **~mann** *m* ‹-s, ¨er/-leute› batelier, batelier, passeur *m;* **~schiff** *n* ferry-boat *m;* **~seil** *n* va-et-vient *m.*

fahren ‹*fährt, fuhr, ist gefahren*› ['fa:rən] *itr (Fahrzeug)* marcher, se déplacer; *(bes. Auto)* rouler; *(Mensch)* aller *(mit dem Fahrrad, dem Wagen, der Bahn, dem Schiff* à *od* en bicyclette, en voiture, en chemin de fer, en bateau); *(abfahren, -reisen)* partir; *durch* od *über Paris ~* passer par Paris; *in etw ~ (eindringen)* entrer, pénétrer dans qc; *aus etw ~* sortir de qc; *tr* ‹*hat gefahren*› *(ein Fahrzeug)* conduire, piloter; *jdn über den See ~* faire traverser le lac à qn; *(haben, besitzen)* avoir; *(Menschen, Tier)* conduire, transporter; *(Last)* transporter, *(schwere)* charrier; *aus dem Bett ~* sauter en bas du lit; *in die Garage ~* rentrer la voiture au garage; *in die Grube ~ (mines)* descendre au fond; *fig (sterben)* trépasser, mourir; *in Grund und Boden* od *zuschanden ~* abîmer; *gut* od *wohl mit jdm ~* être content de qn; *sich (mit der Hand) in die Haare, über die Stirn ~* se passer vivement la main dans les cheveux, sur le front; *jdn über den Haufen ~ (pop)* renverser qn; *jdn nach Hause ~* ramener qn (à la maison) en voiture; *aus der Haut ~ (fig)* sortir de ses gonds, se mettre hors de soi; *einander in die Haare ~* avoir une prise de bec; *gen Himmel ~ (rel)* monter aux cieux; *in die Höhe ~* sursauter; *jdm an die Kehle ~* se jeter à la gorge de qn, prendre qn à la gorge; *in die Kleider ~* s'habiller en toute hâte; *e-n Mercedes ~* piloter une Mercedes; *rechts, links ~* conduire à droite, à gauche; *rückwärts* ~ reculer, faire marche arrière *od loc* machine arrière; *Schi* ~ faire du ski; *schlecht* od *übel mit jdm* ~ ne pas être content de qn; *schnell* ~ *(a. mar)* faire de la route; *zur See* ~ *(Seemann sein)* être marin; *mit jdm zusammen* ~ faire route avec qn; ~*lassen (loslassen)* lâcher; *sich* ~ *auf dieser Straße fährt es sich gut* c'est une bonne route; *ein Gedanke fuhr mir durch den Kopf* une idée m'a traversé l'esprit *od* m'est passée par la tête; *das Messer ist mir aus der Hand gefahren* le couteau m'est tombé des mains; *der Schreck fuhr mir in die* od *durch alle Glieder* la frayeur m'a coupé bras et jambes; *Sie* ~ *besser, wenn...* *(fam)* vous avez intérêt à *inf; rechts* ~*!* serrez à droite; *fahr in die* od *zur Hölle* od *zum Teufel!* va t'en au diable *od* à tous les diables; *fahr wohl!* adieu! ~**d** *ppr loc* en marche; *a (umherziehend, nicht seßhaft)* errant; ~~*e Habe f (jur)* biens *m pl* meubles *od* mobiliers; ~~*e(r) Ritter m (hist)* chevalier *m* errant; ~~*e(r) Sänger* od *Spielmann m (hist)* ménestrel *m;* ~~*e(s) Volk n (lit)* nomades *m pl.*

Fahrt *f* ⟨-, -en⟩ [fa:rt] *(Bewegung e-s Fahrzeuges)* marche; *(Ortsveränderung mit Hilfe e-s Fahrzeuges)* course *f,* trajet *m; (Ausflug)* promenade, sortie *f; (Reise)* voyage; *(Fahrstrekke)* parcours *m; auf der* ~ en route *(nach* pour); *in (voller)* ~ *(Fahrzeug)* en (pleine) marche; *in* ~ *(fig: in Schwung, in lebhafter Stimmung)* en train, en verve; *fam (in Wut)* en rage, enragé, furieux; *während der* ~ *(e-s Fahrzeugs)* en marche; *freie* ~ *geben (loc)* débloquer la ligne; *auf* ~ *gehen (Gruppe)* faire un camp *od* une sortie; *freie* ~ *haben (Zug)* avoir la voie libre *od* le feu vert; *in* ~ *(Schwung) kommen* être entraîné; se dégeler; *fam* trouver la forme; *das Signal auf* ~ *stellen (loc)* effacer le signal; *gute* ~*!* bonne route! *große* ~ *(mar)* navigation *f* hauturière; ~ *ins Blaue* excursion *f* surprise; ~**auslagen** *f pl* débours *m pl* de voyage; ~**ausweis** *m (e-s Fahrgastes, Reisenden)* titre *m* de circulation *od* de transport; ~**enbuch** *n* livret *m* de transport; ~**enmesser** *n* poignard *m* scout; ~**regler** *m* régulateur *m* de marche; ~**richtung** *f* direction *f* (de course), sens *m* (de circulation *od* de la marche); *in* ~~ *sitzen* être assis dans le sens de la marche; *vorgeschriebene, verbotene* ~~ sens *m* obligatoire, interdit; ~**richtungsänderung** *f* changement *m* de direction *od mar* de cap; ~**richtungsanzeiger** *m mot* indicateur *m* (de changement) de direction, flèche *f; (Lichtsignalanlage)* clignotant *m;* ~**unterbrechung** *f* arrêt *m.*

Fährte *f* ⟨-, -n⟩ ['fɛ:rtə] trace, piste *f; jdn auf die richtige, falsche* ~ *bringen (fig)* mettre qn sur la bonne, mauvaise piste; *auf der falschen* ~ *sein (fig)* faire fausse route; *die* ~ *verloren haben (Jagdhund)* être en défaut; *die* ~ *wiederfinden (Jagdhund)* en reprendre.

fair [fɛ:r] *a* loyal; ~*e(s) Spiel n (sport)* jeu loyal, franc jeu, fair-play *m.*

Fäkal|dünger *m* [fɛ'ka:l-] engrais *m* organique; *getrocknete(r)* ~~ poudrette *f;* ~**ien** [-'ka:liən] *pl (Kot)* matières *f pl* fécales, excréments *m pl.*

Fakir *m* ⟨-s, -e⟩ ['fa:kır, fa'ki:r] fakir *m.*

Faksimil|e *n* ⟨-s, -s⟩ [fak'zi:milə] fac-similé *m;* **f**~**ieren** [-'li:rən] *tr* fac-similer.

fakt|isch ['faktıʃ] *a (tatsächlich)* réel, effectif; *adv. a.* en réalité; **F**~**or** *m* ⟨-s, -en⟩ ['faktɔr, 'to:rən] *math allg* facteur; *typ* prote *m;* **F**~**orei** [-'raı] *f* factorerie *f;* **F**~**otum** *n* ⟨-s, -s/-ten⟩ [-'to:tum] *(Mädchen für alles)* factotum *m;* **F**~**um** *n* ⟨-s, -ten⟩ ['faktum] *(Tatsache)* fait *m;* **F**~**ur** *f* ⟨-, -en⟩ [-'tu:r] *com (Rechnung)* facture *f;* **F**~**urenbuch** *n* facturier *m;* ~**urieren** [-'ri:rən] *tr* facturer; **F**~**uriermaschine** *f* machine *f* à facturer.

Fakult|ät *f* ⟨-, -en⟩ [fakʊl'tɛ:t] *(Univ.)* faculté *f;* **f**~**ativ** [-ta'ti:f] *a. (wahlfrei)* facultatif.

falb [falp] *a (fahlrot)* fauve; *(Pferd)* aubère; **F**~**e** *m* ⟨-n, -n⟩ [-bə] *(Pferd)* cheval *m* aubère.

Falbel *f* ⟨-, -n⟩ ['falbəl] *(Kleidbesatz)* falbala *m;* **fälbeln** ['fɛlbɛln] *tr* garnir de falbalas.

Falk|e *m* ⟨-n, -n⟩ ['falkə] *orn* faucon *m;* ~**enauge** *n:* ~~*n haben (fig)* avoir des yeux de lynx; ~**enbeize** *f,* ~**enjagd** *f,* ~**nerei** *f* fauconnerie *f;* ~**enier** *m* ⟨-s, -e⟩ [-'ni:r] ~**ner** *m* ⟨-s, -⟩ fauconnier *m.*

Fall 1. *m* ⟨-(e)s, ⸚e⟩ [fal, 'fɛlə] *(das Fallen, a. phys u. fig)* chute; *der freie* ~ la chute libre; *(Wasserfall)* cascade *f,* cataracte; *(Umstand)* cas *m,* circonstance, occurrence *f; (Einzelfall, Vorkommen)* cas *m a. med; jur (Strafsache)* affaire *f; gram* cas *m; auf alle Fälle, auf jeden* ~ en tous cas, dans tous les cas; *(unbedingt)* de toute façon *od* manière, à tout prix; *auf keinen* ~ en aucun cas, en aucune façon, à aucun prix; *für alle Fälle* à toute(s) fin(s utiles); *für den* ~*, daß ...; im* ~*e, daß...* au cas où *cond; im besten* od *günstigsten* ~*e* en mettant les choses au mieux; dans le meilleur des cas; *in d(ies)em* ~ en *od* dans ce cas; *im schlimmsten* od *äußersten* ~*e* au pis aller; *im umgekehrten* od *entgegengesetzten* ~*e* dans le cas inverse; *in dringenden Fällen* en cas d'urgence; *von* ~ *zu* ~ selon le cas, suivant les circonstances; *zu* ~ *bringen (fig)* faire tomber, faire faire le saut à; *(Plan, Gesetzesvorlage)* torpiller; *zu* ~ *kommen* tomber; *fig (scheitern)* échouer; *das ist der* ~ c'est (bien) le cas; *das ist nicht der* ~ ce n'est pas le cas, il n'en est rien; *das ist ein klarer* ~ od *(fam) klarer* ~*!* *(fam)* c'est clair comme le jour; *das ist mein* ~ *(paßt mir)* c'est mon fait; *das ist nicht mein* ~ *(fam)* ce n'est pas mon genre; *das ist bei mir der* ~ c'est mon cas, j'en suis là; *setzen wir* od *gesetzt den* ~*, daß ...* supposons *od* supposé que *subj; freie(r)* ~ *(phys)* chute *f* libre; ~**beil** *n* guillotine *f;* ~**bö** *f mete* courant *m* descendant; ~**brücke** *f* = *Zugbrücke;* ~**fenster** *n* fenêtre *f* à guillotine; ~**geschwindigkeit** *f* vitesse *f* de chute; ~**gesetze** *n pl phys* lois *f pl* du mouvement de chute; ~**grube** *f* trappe *f;* ~**hammer** *m tech* marteau-pilon *m;* ~**höhe** *f* hauteur *f* de chute; ~**klappe** *f aero (für Bomben)* trappe *f;* ~**obst** *n* fruits *m pl* tombés *od* talés; ~**raum** *m phys* trajectoire *f* (de chute); ~**reep** *n mar (Außentreppe)* échelle *f* de coupée; ~**rohr** *n* tuyau *m* d'égout; ~**scheibe** *f tele* clapet *m;* ~**schieber** *m tech* registre *m* à guillotine; ~**strick** *m fig* piège *m;* ~**sucht** *f med* haut mal *m,* épilepsie *f;* **f**~**süchtig** *a med* épileptique; ~**tank** *m aero* réservoir *m* en charge; ~**tür** *f* trappe *f;* ~**wind** *m mete* vent *m* rabattant; ~**winkel** *m* angle *m* de chute.

Fall 2. *n* ⟨-(e)s, -en⟩ *mar (Tau)* drisse *f.*

Falle *f* ⟨-, -n⟩ ['falə] *a. fig* piège *m,* attrape *f,* traquenard; *(für Vögel)* trébuchet; *fig* guet-apens; *pop (Bett)* pieu, porte-feuille *m; in die* ~ *gehen (a. fig)* tomber *od* donner dans le piège; *fig* mordre à l'hameçon; *in e-e* ~ *geraten* donner *od* tomber dans un piège; *sich in die* ~ *hauen (pop)* se plumer; *in e-e* ~ *locken* attirer dans une guet-apens; *in der* ~ *sitzen (fig)* être pris au piège; *jdm e-e* ~ *stellen* tendre un piège *od* un guet-apens à qn; ~**nstellen** *n* piégeage *m;* ~**nsteller** *m* piégeur *m.*

fallen ⟨*fällt, fiel, ist gefallen*⟩ [(-)'falən] *itr (stürzen)* tomber, faire une chute; *pop (Mensch: hinfallen)* ramasser une bûche *od* une pelle; *(Soldat im Kriege)* tomber *od* être tué (à la guerre *od* à l'ennemi), rester sur le champ de bataille, y rester; *(Hochwasser, Temperatur, Barometer, Preise etc)* baisser; *(Hochwasser a.)* décroître; *(sich senken, von e-r Fläche, vom Gelände)* s'affaisser; *(Mensch: sich werfen)* se jeter; *(treffen)* tomber *(auf* sur), frapper *(auf etw* qc); *(Blick)* rencontrer *(auf jdn, auf etw* qn, qc); *(Verdacht, Wahl)* se porter; *(Erbschaft: zufallen)* échoir, revenir, passer *(an jdn* à qn); *(Ereignis auf e-n Wochentag)* tomber *(auf e-n Sonntag* un dimanche); *(Licht a.)* venir, pénétrer *(durch etw* par qc); *(in e-n Zustand geraten)* tomber *(mit adverb. Bestimmung);* devenir *(mit a); (unter ein Gesetz etc)* tomber *(unter* sous); *(unter e-n Begriff)* rentrer *(unter* dans); *(Entscheidung: vollzogen werden)* être pris *od* prononcé; *(Schuß)* partir; *impers: es ist Regen, Schnee gefallen* il est tombé de la pluie, de la neige; *jdm in den Arm* ~ *(a. fig)* arrêter le bras à qn; *ea. in die Arme* ~ se jeter dans les bras l'un de l'autre; *in die Augen* ~ *(fig)* sauter aux yeux; *zu Boden* od *auf die Erde* ~ tomber à *od* par terre; *jdm zu Füßen* ~ se jeter aux pieds de qn; *bei jdm ins Gewicht* ~ *(fig)* peser lourd aux yeux de qn; *jdm um* *den Hals* ~ se jeter au cou de qn; *jdm in die Hände* ~ *(fig)* tomber entre les mains *od* dans les griffes de qn; *nicht auf den Kopf gefallen sein (fig)* n'être pas tombé sur la tête; *jdm zur Last* ~ être à charge à qn, importuner qn; *nicht auf den Mund gefallen sein (fig)* n'avoir pas la langue dans sa poche; *in Ohnmacht* ~ tomber sans connaissance, s'évanouir, défaillir; *jdm, e-r S zum Opfer* ~ être victime de qn, de qc; *jdm in die Rede* od *ins Wort* ~ couper la parole à qn, interrompre qn; *aus der Rolle* ~ *(fig)* sortir de son rôle; *jdm in den Rücken* ~ *(fig)* tomber dans le dos de qn; attaquer qn par derrière; *durchs Schwert* ~ périr par le glaive; *immer auf den gleichen Tag* ~ tomber un jour fixe; *mit der Tür ins Haus* ~ *(fig)* ne pas y aller par quatre chemins; mettre les pieds dans le plat; *in Ungnade* ~ tomber en disgrâce; *ins Wasser* ~ *(a. fig)* tomber à l'eau *od fam* dans le lac; *wie aus allen Wolken* ~ tomber des nues; ~ *lassen* laisser tomber *od* choir; *(e-e Masche* ~ *lassen u. fig: ein Wort ~lassen)* lâcher, laisser échapper; *(absichtlich)* glisser; *~lassen (sich nicht mehr kümmern um)* retirer sa main (*jdn* de qn), *pop* semer; *(verzichten auf)* renoncer à; *die Maske ~lassen (fig)* lever le masque; *das fällt mir leicht* ce n'est qu'un jeu pour moi; *das fällt mir schwer* j'ai de la peine à le faire; *er ließ kein Wort darüber* ~ il n'en souffla mot; *mir fiel das Herz in die Hosen (fam)* j'ai eu une peur bleue; *es fiel mir wie Schuppen von den Augen* mes yeux se sont dessillés, des écailles me tombèrent des yeux; *die Tür fiel ins Schloß* la porte claqua; *mir fällt ein Stein vom Herzen* cela m'enlève un poids de l'estomac; *die Würfel sind gefallen* le sort en est jeté; *nicht* ~ *lassen!* attention aux chutes! *der Apfel fällt nicht weit vom Stamm (prov)* bon chien chasse de race; tel père, tel fils; *es ist noch kein Meister vom Himmel gefallen (prov)* apprenti n'est pas maître; *gut ~d (Stoff)* tombant; **F~** *n* chute; *fig (Abnahme)* diminution; *fin* baisse *f.*

fäll|en ['fɛlən] ‹*hat gefällt*› *tr (Baum)* abattre; *chem précipiter; math (Lot)* abaisser; *ein Urteil* ~~ *(jur)* porter *od* rendre un jugement; **F~en** *n* abattage *m;* **~ig** *a fin* écheant, échu; *(zahlbar)* payable, dû; *(Schuld)* exigible; ~~ *werden* venir *od* arriver à échéance; *das ist längst* ~~ *(fam)* la poire est mûre; *noch nicht* ~~ *(Schuld)* inexigible; **F~igkeit** *f fin* échéance; exigibilité *f;* **F~igkeitsdatum** *n* date *f* d'échéance; **F~igkeitstag** *m* jour *m* de l'échéance; **F~igkeitstermin** *m* terme *m* d'échéance; **F~ung** *f* ‹-, (-en)› *chem* précipitation *f; math* abaissement *m.*

falls [fals] *conj* au cas où *cond,* si.

Fallschirm *m* ['falʃırm] parachute; *pop* pépin *m; mit dem* ~ *absetzen (Menschen, bes. mil)* parachuter, larguer; *mit dem* ~ *abspringen* faire une descente *od* sauter en parachute; *mit dem* ~ *abwerfen (Geräte od Material)* parachuter, larguer; *den* ~ *zs.legen* plier le parachute; *der* ~ *entfaltet* od *öffnet sich* le parachute se déploie *od* s'ouvre; **~absprung** *m* descente *f od* saut *m* en parachute; **~abwurf** *m* parachutage, largage *m;* **~-Fangleine** *f* suspente *f* du parachute; **~gurt** *m* ceinture *f* de parachute; **~hülle** *f* voilure *od* calotte *od* cloche *f* du parachute; **~jäger** *m* (chasseur) parachutiste *m;* **~jäger-Division** *f* division *f* parachutiste; **~landung** *f* atterrissage *m od* prise de sol *od* arrivée *f* au sol en parachute; **~-Leuchtbombe** *f* bombe *f* éclairante *à* parachute; **~rakete** *f* fusée *f* à parachute; **~sack** *m* sac *m* du parachute; **~springen** *n* parachutage, parachutisme *m;* **~springer** *m* parachutiste *m;* **~-Sprungturm** *m* tour *f* de lancement pour parachutistes; **~-Tragleine** *f* suspente *f* du parachute; **~truppen** *f pl* unités *f pl* parachutistes.

falsch [falʃ] *a (verkehrt)* faux; *(nicht der richtige, nur mit best. Artikel)* pas le bon, le mauvais; *(irrtümlich)* erroné; *(unkorrekt, unvorschriftsmäßig)* incorrect; *(unpassend)* impropre; *(geheuchelt)* feint, simulé; *(nachgemacht, unecht, bes. von Haaren u. Bärten)* postiche; *(nachgeahmt)* imité; *(künstlich)* artificiel, *(von Zähnen)* faux; *(Würfel, Spielkarte)* faussé, truqué; *(Spielkarte: gezinkt)* biseauté; *(Name)* faux, emprunté, d'emprunt; *(Mensch: unaufrichtig)* faux, pas *od* peu sincère; *(doppelzüngig)* double; *(heuchlerisch)* dissimulé, hypocrite; *(heimtückisch, hinterhältig)* sournois, insidieux; *(heimtückisch, treulos, verräterisch)* perfide, traître; *adv* faux; mal; *es* ~ *anfangen* od *anfassen* s'y prendre de travers; *jdn* ~ *anfassen* od *behandeln* prendre qn à l'envers, *fam* à rebrousse-poil; *etw* ~ *auffassen* od *verstehen* prendre qc de travers; *mit dem ~en Bein zuerst aufgestanden sein (fam)* s'être levé du mauvais pied; ~ *aussprechen* prononcer mal; *etw für* ~ *erklären* s'inscrire en faux contre qc, faire justice de qc; ~ *gehen (Uhr)* n'être pas à l'heure; ~ *handeln* mal agir; ~ *machen* faire de travers; ~ *schreiben* mal orthographier; *etw in ~em Licht sehen (fig)* ne pas voir qc sous son vrai jour; ~ *singen* chanter faux, fausser; ~ *spielen (mus)* jouer faux, fausser; *(beim Kartenspiel)* tricher (au jeu); ~ *sprechen* parler incorrectement; *(Sie sind)* ~ *verbunden* il y a erreur; *sie ist e-e ~e Katze* elle est fausse comme un jeton; *bei ihm ist er an den F~en geraten* avec lui il est mal tombé; *Vorspiegelung f ~er Tatsachen* récit *m* mensonger; *~e(r) Hase m = Hackbraten; ~e(r) Stein m (a.)* doublet *m;* **F~geld** *n* fausse(-) monnaie *f;* **F~heit** *f* ‹-, (-en)› fausseté; duplicité; hypocrisie; sournoiserie; perfidie *f;* **F~meldung** *f* fausse(-)nouvelle *f;* **F~münzer** *m* faux-monnayeur *m;* **F~münzerei** *f* fabrication *f* de fausse monnaie, faux-monnayage *m;* **F~spieler** *m* tricheur *m.*

fälsch|en ['fɛlʃən] ‹*hat gefälscht*› *tr (nachmachen)* falsifier; *(bes. Banknoten, Unterschrift)* contrefaire; *(Wein a.)* frelater, adultérer, falsifier; *(Spielkarte)* truquer, biseauter; *(Würfel)* truquer; *(abändern)* altérer; *(verfälschen, entstellen)* fausser; **F~er** *m* ‹-s, -› falsificateur, faussaire *m;* **~lich** *a* faux, erroné; *adv* faussement, à faux, par erreur; *(zu Unrecht)* à tort; **F~ung** *f (Tätigkeit)* falsification; altération; *(Ergebnis)* contrefaçon *f,* faux *m.*

Falsett *n* ‹-(e)s, -e› [fal'zɛt] *mus* fausset *m.*

Falt|blatt *n* ['falt-] dépliant *m;* **~boot** *n* canot *od* bateau *m* pliant; **~brükke** *f* pont *m* basculant *od* à bascule; **~e** *f* ‹-, -n› pli *m; (Runzel)* ride *f; e-e* ~~ *bekommen (Stoff, Papier)* prendre un pli; *~~n bekommen (Stoff)* goder, grimacer, grigner, faire des grimaces, se chiffonner; *(Gesicht vom Alter)* se rider; *in ~~n legen (Stoff)* plisser; *die Stirn in ~~n legen* od *ziehen* froncer les sourcils; *~~n schlagen* od *werfen (Stoff)* faire des plis; *s-e Stirn legte* od *zog sich in ~~n* il plissa le front; *die geheimsten ~~n des Herzens* les replis *od* les recoins *m pl* du cœur; *(häßliche* od *unerwünschte)* ~~ godage *m;* **f~en** *tr* plier; *die Hände* ~~ joindre les mains; *die Stirn* ~~ froncer les sourcils; **~enbildung** *f geol* plissement *m;* **~engebirge** *n* montagne *f* de plissement; **f~enlos** *a* sans plis; *(Gesicht)* sans rides; **f~enreich** *a (Gesicht)* ridé; **~enrock** *m* jupe *f* plissée; **~enwurf** *m* draperie *f;* **~er** *m* ‹-s, -› *ent* papillon *m;* **~flügel (-flugzeug** *n***)** *m* (avion *m* à) aile *f* repliable; **f~ig** *a* plissé, à plis; ~~ *werden (Stoff)* = *~en bekommen;* **~prospekt** *m* dépliant *m;* **~stuhl** *m* (siège) pliant *m;* **~transparent** *n* dépliorama *m;* **~ung** *f* pliage; *(Textil, geol)* plissement *m.*

Falz *m* ‹-es, -e› [falts] *(Nut)* rainure; feuillure; *(Gleitrille)* coulisse *f; (Buchbinderei)* onglet *m; (Briefmarkenfalz)* charnière *f;* **~bein** *n (Buchbinderei)* plioir *m;* **f~en** *tr (nuten)* rainer; *(Blech)* replier; *(Buchbinderei)* plier, encarter; **~hobel** *m* feuilleret, guillaume *m;* **~maschine** *f (Buchbinderei)* plieuse *f;* **~ziegel** *m* tuile *f* ondulée *od* à coulisse.

famili|är [famili'ɛ:r] *a (vertraut, vertraulich)* familier; *aus ~en Gründen* pour des raisons de famille; **F~arität** *f* ‹-, -en› [-liari'tɛ:t] *(Vertraulichkeit)* familiarité *f;* **F~e** *f* ‹-, -n› [-'mi:liə] famille; *(Verwandtschaft)* parenté *f; zur* ~~ *gehören* faire partie de la famille; *e-e* ~~ *gründen (heiraten)* prendre femme, se marier; *keine* ~~ *(Kinder) haben* ne pas avoir d'enfants; *das kommt in den besten ~~n vor* ça arrive même chez les gens bien; *das liegt in der* ~~ c'est de famille; *große* ~~ *(a. fam)* smala(h) *f;*

Ihre ~~ les vôtres; *kinderreiche* ~~ famille *f* nombreuse.

Familien|ähnlichkeit *f* [fa'mi:liən-] air *m* de famille; **~angelegenheit** *f* affaire *f* de famille; **~anschluß** *m*: *mit* ~~ *(in e-r Anzeige)* vie de famille; **~anzeige** *f* (lettre *f* de) faire-part *m*; déclaration *f* personnelle; **~bande** *n pl fig* liens *m pl* de la famille; **~beihilfe** *f* allocation *od* prestatation *f* familiale; **~betrieb** *m* entreprise *f* familiale; **~drama** *n* drame *m* de famille; **~fest** *n* fête *f* de famille; **~gruft** *f* caveau *m* de famille; **~kreis** *m*: *im* ~~ en famille, au sein de la famille; *im engsten* ~~*e* dans la plus stricte intimité; **~leben** *n* vie *f* de famille; **~mitglieder,** *die n pl* les membres *m pl* de la famille; **~name** *m* nom *m* de famille *od scient* patronymique; **~oberhaupt** *n* chef *m* de famille; **~rat** *m* conseil *m* de famille; **~roman** *m* roman *m* domestique; **~stammbuch** *n* livret *m* de famille; **~stand** *m* état *m* de famille; **~tag** *m* journée familiale, réunion *f* de famille; **~tragödie** *f* tragédie *f* de famille; **~unterstützung** *f* aide *f* familiale; **~vater** *m* père *m* de famille; **~zulage** *f* allocation *f* familiale.

famos [fa'mo:s] *a fam* fameux, épatant.

Fan *m* ‹-s, -s› [fɛn] *pop (Versessener, Narr)* fan(a) *m*.

Fanal *n* ‹-s, -e› [fa'na:l] *(Feuerzeichen)* fanal *m*.

Fanat|iker *m* ‹-s, -› [fa'na:tikər] fanatique *m*; **f~isch** [-'na:tɪʃ] *a* fanatique; **~ismus** *m* ‹-, ø› [-'tɪsmus] fanatisme *m*.

Fanfare *f* ‹-, -n› [fan'fa:rə] *mus* fanfare *f*.

Fang *m* ‹-(e)s, ⸚e› [faŋ, 'fɛŋə] *(Tätigkeit)* capture, prise; *(Ergebnis)* prise; *(Beute)* proie *f*, butin *m*; *(beim Fischen)* pêche; *zoo (Stoßzahn)* défense *f*, croc *m*; *(Raubvogel: Fuß)* serre *f*; *e-n guten* ~ *machen* faire une bonne prise; **~arm** *m zoo (Polytyp)* tentacule, bras *m*; **~ball** *m (Spiel)* jeu *m* de balle; ~~ *spielen* jouer à la balle; *mit jdm* faire son jouet de qn; **~eisen** *n (Falle)* chausse-trape *f*; **f~en** ‹*fängt, fing, gefangen*› ['faŋən] *tr* saisir; *a. fig* prendre, attraper; *sich* ~~ *(in e-r Falle)* se prendre, être pris; *(Wind)* s'engouffrer; *Feuer* ~~ prendre feu; *fig* se ressaisir; *leicht Feuer* ~~ *(fig)* s'enflammer facilement; *Grillen* ~~ *(fig)* se forger des idées, broyer du noir; *nichts gefangen haben (beim Angeln a.)* revenir bredouille; *er hat sich wieder gefangen (fig)* il a retrouvé son équilibre, **~leine** *f (Jagd)* lasso *m*; *(zur Lebensrettung)* corde *f* de sauvetage; *pl (e-s Fallschirms)* suspentes *f pl*; **~schuß** *m (Jagd)* coup *m* de grâce; **~vorrichtung** *f mines* dispositif d'arrêt, parachute *m* de cage.

Fant *m* ‹-(e)s, -e› [fant] *(Laffe, Geck)* fat, freluquet *m*.

Farb|abstufung *f* ['farp-] fondu *m* des couleurs; **~aufnahme** *f* photo *f* en couleurs; ~~*n machen (a.)* faire de la couleur; **~band** *n (der Schreibmaschine)* ruban *m* encreur *od* encré; **~bandspule** *f* bobine *f* du ruban encreur; **~brühe** *f* teinture *f*; **~e** *f* ‹-, -n› [-bə] *a. fig* couleur; *(Färbung)* teinte *f*, coloris; *(Farbton)* ton *m*, nuance *f*; *(Gesichtsfarbe)* teint *m*; *(~~ e-s Pferdes)* robe; *(Klangfarbe)* tonalité; *(Färbemittel)* teinture; *(Material zum Malen, Anstreichen)* peinture, couleur; *typ* encre; *(~~ der Spielkarten)* couleur *f*; *e-e* ~~ *auftragen* étaler *od* mettre une couleur; ~~ *bekennen (fig)* jouer cartes sur table; *nicht* ~~ *bekennen wollen* avoir peur de s'engager; ~~ *bekommen* se colorer; *wieder* ~~ *bekommen* retrouver ses couleurs; *in allen* ~~*n spielen* s'iriser; se diaprer; *die* ~~ *verlieren* perdre ses couleurs; *die* ~~ *wechseln* changer de couleur; *fig* changer de cocarde, tourner casaque; *die* ~ *bröckelt ab* la peinture s'écaille; **f~echt** *a*, **~echtheit** *f* grand teint *m*; **~enabweichung** [-bən-] *f opt* aberration *f* chromatique; **f~enblind** *a med* daltonien; **~enblindheit** *f* daltonisme *m*; **~endruck** *m* ‹-(e)s, -e› impression *f* (en) couleur(s); **f~enempfindlich** *a phot* orthochromatique; **~enempfindlichkeit** *f* orthochromatisme *m*; **~enempfindung** *f physiol* sensation *f* chromatique; **~filter** *m phot* filtre *od* écran coloré, obturateur-écran *m* de couleur; **f~enfreudig** *a*, **f~enfroh** *a* haut en couleur; **~engrund** *m* fond *m*; **~enholzschnitt** *m* gravure *f* en couleurs sur bois; **~(en)kasten** *m* boîte *f* de *od* à couleurs; *typ* encrier *m*; **~enlehre** *f* théorie *f* des couleurs; **~enlithographie** *f* chromolithographie *f*; **~enmischung** *f* mélange *m* des couleurs; **~ennäpfchen** *n* godet *m* à peinture; **~(en)photographie** *f* photographie *f* en couleurs; **~enpracht** *f* éclat *m* (des couleurs); **f~enprächtig** *a* haut en couleur; **~ensinn** *m* sens *m* des couleurs *od* chromatique; **~enskala** *f* gamme *f* des couleurs; **~enspa(ch)tel** *m* amassette *f*; **~enspiel** *n* jeu *m* des couleurs; **~ensteindruck** *m* = *~enlithographie;* **~enstich** *m (Kunst)* gravure *f* en couleurs; **~entopf** *m* camion *m* (de peinture); **~enverteilung** *f* distribution *f* des couleurs; **~enwechsel** *m zoo* caméléonisme *m*; **~enzerstreuung** *f opt* dispersion *f*; **~enzusammenstellung** *f* association *f od* assemblage *m* de couleurs; **~fehler** ['farp-] *m* défaut *m* de chromatisme; **~fernsehen** *n* télévision *f* en couleurs; **~film** *m* film *m* en couleurs; **~foto** *n* photo(graphie) *f* en couleurs; **~gebung** *f* coloration *f*, coloris *m*, **~glas** *n* verre *m* de couleur; **~holz** *n* bois *m pl* tinctoriaux; **f~ig** [-bɪç] *a* coloré, de *od* en couleur; *fig (Stil)* haut en couleur; ~~*e Bevölkerung, Rasse f* population, race *f* de couleur; **~ige(r m)** *f* homme *m*, femme *f* de couleur; **~kissen** ['farp-] *n (zum Stempeln)* tampon *m* (encreur); **~körperchen** *n biol* pigment *m*; **~kraft** *f* intensité *f* de la coloration; **f~kräftig** *a* haut en couleur; **f~los** *a*, *a. fig* incolore, sans couleur; **~losigkeit** *f*, *a. fig* absence *f* de couleur; **~pflanze** *f* plante *f* tinctoriale; **~scheibe** *f phot* écran *m* coloré; **~schreiber** *m tele* appareil *m* encreur *od* enregistreur; **~spritzpistole** *f* pistolet *m* pour la peinture; **~spritz(verfahr)en** *n* peinture *f* au pistolet; **~stift** *m* crayon *m* de couleur *od* (de) pastel; **~stoff** *m* matière *od* substance *f* colorante, produit *m* tinctorial; **~tafel** *f* planche *f* en couleurs; **~ton** *m* ton *m*, teinte *f*; **~treue** *f typ phot* fidélité *f* des couleurs; **~walze** *f typ* rouleau *m* encreur; **~wiedergabe** *f typ* reproduction *f* en couleurs; **~wirkung** *f* effet *m* de couleur.

Färb|eflotte *f* ['fɛrbə-] *tech (Flüssigkeit)* bain *m* de teinture; **~emittel** *n* colorant *m*, teinture *f*; **f~en** *tr* colorer; *(bes. Stoffe, gewerblich)* teindre; *itr (abfärben)* déteindre; *sich* ~~ se colorer; *blau, rot* ~~ teindre en bleu, en rouge; *sich gelb* ~~ prendre un ton jaune; jaunir; **~en** *n* coloration; *(gewerbliches)* teinture *f*; **~er** *m* teinturier *m*; **~erdistel** *f bot* carthame *m* des teinturiers; **~erei** [-'raɪ] *f* teinturerie *f*; **~ereiche** *f* quercitron; *scient* chêne *m* tinctorial; **~errinde** *f* écorce *f* du quercitron; **~erröte** *f bot* garance *f*; **~erwaid** *m* ‹-(e)s, -e› [-vaɪt, -də] *bot* pastel *m*; **~everfahren** *n* procédé *m* tinctorial; **~ung** *f (Farbe)* coloration *f*, coloris *m*, teinte; *(Farbton)* nuance *f*, ton; *scient* chromatisme *m*.

Farc|e *f* ‹-, -n› ['farsə] *(Küche: Füllung; theat: Posse)* farce *f*; **f~ieren** [-'si:rən] *tr (Küche)* farcir.

Farinzucker *m* [fa'ri:n-] cassonade *f*.

Farm *f* ‹-, -en› [farm] exploitation *f* agricole; **~er** *m* ‹-s, -› exploitant *m* agricole.

Farnkraut ['farn-] *n* fougère *f*.

Farre *m* ‹-n, -n› ['farə] *(junger Stier)* jeune taureau *m*.

Färse *f* ‹-, -n› ['fɛrzə] *(junge Kuh)* taure, génisse *f*.

Fasan *m* ‹-(e)s, -e(n)› [fa'za:n] faisan *m*; **~enhenne** *f* poule *f* faisane; **~erie** *f* ‹-, -n› [-nə'ri:] faisanderie *f*.

Faschine *f* ‹-, -n› [fa'ʃi:nə] *mil (Reisiggeflecht)* fascine *f*; **~nmesser** *n* serp(ett)e *f*; **~nwerk** *n* fascinage *m*.

Fasching *m* ‹-s, -e/-s› ['faʃɪŋ] carnaval *n*; **~streiben** *n* liesse *f* du carnaval; **~szeit** *f* jours *m pl* gras; **~szug** *m* cavalcade *f* de carnaval *od* de mi-carême.

Fasch|ismus *m* ‹-, ø› [fa'ʃɪsmus] *pol* fascisme *m*; **~ist** *m* ‹-en, -en› [-'ʃɪst] fasciste *m*; **f~istisch** [-'ʃɪstɪʃ] *a* fasciste.

Fasel|ei *f* ‹-, -en› [fa:zə'laɪ] radotage *m*; **~er** *m* ‹-s, -› ['fa:zələr] , **~hans** *m* ‹-(es), -e/⸚e› radoteur, bavard *m*; **f~ig** *a (wirr im Kopf)* écervelé, évaporé; **f~n** *itr (wirr reden)* dérailler, divaguer, radoter; *(schwatzen)* bavarder; *von etw* ~~ parler à tort et à travers de qc; *der ~t was zusammen!* il dit vraiment n'importe quoi.

Faser *f* ‹-, -n› ['fa:zər] filament *m*, fil *m*; *bes. scient u. tech* fibre *f*;

~geschwulst *f med* squirr(h)e *m;* **f~ig** *a* filamenteux, filandreux; fibreux; **f~n** *itr* s'effil(och)er; **~n** *n* effilochage *m;* **f~nackt** *a* nu comme un ver; **~stoff** *m* fibranne, matière fibreuse; *physiol (im Blut)* fibrine *f;* **~ung** *f* fibration *f.*

Fäserchen *n* ‹-s, -› ['fɛ:zərçən] fibrille *f.*

Faß *n* ‹-sses, ⸚sser› [fas, 'fɛsər] fût *(bes. für Wein)* tonneau *m; (bes. für Bier)* futaille; *(großes)* tonne *f,* foudre; *(kleines)* baril, tonnelet *m; (Stückfaß)* barrique, pièce; *(Butterfaß)* baratte; *(Heringsfaß)* caque *f; in Fässern (Wein)* en fût, en cercles; *vom ~ (Wein)* à la tireuse; *(Bier)* à la pression; *in Fässer füllen* mettre en fûts; *das schlägt dem ~ den Boden aus* c'en est trop; *frisch vom ~ (Wein)* fraîchement tiré; *ein ~ Benzin* un fût d'essence; *ein ~ ohne Boden (fig)* un gouffre; **~band** *n* cercle *m;* **~bier** *n* bière *f* en tonneau; **~binder** *m* tonnelier *m;* **~daube** *f* douve *f;* **~wein** *m* vin *m* en fût.

Fassade *f* ‹-, -n› [fa'sa:də] *arch* façade *f, (e-s repräsentativen Gebäudes)* frontispice *m.*

faßbar ['fasba:r] *a* saisissable; *fig (verständlich)* compréhensible, intelligible, concevable; **F~keit** *f* ‹-, ø› *fig* intelligibilité *f.*

Fäßchen *n* ‹-s, -› ['fɛsçən] baril, tonnelet *m.*

fassen ['fasən] *tr (ergreifen, a. e-n verfolgten Menschen)* saisir, empoigner, prendre; *jur* appréhender; *(festnehmen)* arrêter; *mil (in Empfang nehmen)* toucher; *(in e-n Behälter tun, einfüllen)* mettre (*in* en); *(aufnehmen können, von e-m Behälter)* avoir une contenance de; *(a. von e-m Raum)* contenir; *(einfassen)* sertir, enchâsser; *(einrahmen)* encadrer; *(e-e Quelle)* capter; *fig (begreifen, verstehen)* saisir, comprendre; *itr (halten, festsitzen)* tenir; *sich ~ (sich wieder beruhigen)* se ressaisir, revenir (à soi), se calmer; *jdn am Arm ~* saisir qn par le bras; *etw ins Auge ~ (fig)* envisager qc; *jdn scharf ins Auge ~* regarder qn dans le blanc des yeux; *festen Fuß ~ (fig)* prendre pied; *e-n Gedanken ~* concevoir une idée; *sich in Geduld ~* prendre patience; *jdn bei der Hand ~* prendre la main à qn; *sich ein Herz ~* prendre son courage à deux mains; *sich kurz ~* se résumer, être bref; *Neigung, Abneigung zu jdm ~* concevoir de l'attachement, de l'aversion pour qn; *in Säcke ~* mettre en sacs, ensacher; *Wasser ~* faire eau; *Wurzel ~* prendre racine; *jdn, etw zu ~ bekommen (a.)* s'accrocher à qn, à qc; *etw nicht ~ können (fig)* ne pas pouvoir se faire à l'idée de qc, ne pas revenir de qc; *etw nicht in Worte ~ können* ne pas trouver les mots pour exprimer *od* traduire qc; *ich kann es nicht ~* je n'en reviens pas; *ein Grauen faßte mich* je fus saisi d'horreur; *fasse dich! (a.)* du calme! *das ist nicht zu ~!* c'est impensable! *(ein Glücksumstand)* c'est un rêve!

faßlich ['faslıç] *a (verständlich)* compréhensible, intelligible; *für jdn* à la portée de qn; *leicht ~* facile (à comprendre); **F~keit** *f* ‹-, ø› compréhensibilité, intelligibilité *f.*

Fasson *f* ‹-, -s/(-en)› [fa'sõ:] *(Zuschnitt, Art)* façon; *(Form)* forme *f; aus der ~ sein (Kleidung)* n'avoir plus de forme; *jeder nach seiner ~ (fam)* chacun à sa guise; **f~ieren** [-so'ni:rən] *tr tech (formen)* façonner, profiler; **~teil** *n tech* pièce *f* façonnée.

Fassung *f* ‹-, -en› ['fasuŋ] *(Einfassung)* monture; *(bes. von Edelsteinen)* sertissure; *el* douille *f; mines* cuvelage *m; (Gestaltung, Bearbeitung e-s Kunst-, Literaturwerks, bes. in e-r anderen Sprache)* version *f; in dieser ~ (a.)* sous cette forme; *(die) ~ bewahren (fig)* garder son calme *od* son sang-froid; *jdn aus der ~ bringen* faire perdre contenance à qn, décontenancer, désarçonner qn; *fam* faire sortir qn de ses gonds; *sich nicht aus der ~ bringen lassen* conserver son sang-froid; *nicht aus der ~ zu bringen sein (fam a.)* ne pas se démonter; *aus der ~ geraten od kommen, die ~ verlieren* perdre contenance, s'impatienter; *man muß es mit ~ tragen* il faut rester digne; **~skraft** *f fig (Verständnis)* compréhension, intelligence *f;* **f~slos** *a* décontenancé, déconcerté; **~slosigkeit** *f* ‹-, ø› manque *m* de sang-froid; **~svermögen** *n* contenance, capacité *f,* volume *m.*

fast [fast] *adv* presque, à peu (de chose) près, pour un peu; *ich wäre ~ gefallen* j'ai failli tomber, j'ai manqué de tomber, il s'en est fallu de peu que je ne tombe.

fast|en ['fastən] ‹*hat gefastet*› *itr (nichts essen, bes. rel)* jeûner; *rel (kein Fleisch essen)* faire maigre; **F~en** *n rel* jeûne, *pl* carême *m;* **F~enkur** *f* régime *m* amaigrissant; **F~enspeise** *f* plat *m* maigre; **F~enzeit** *f rel* carême *m;* **F~nacht(streiben** *n***)** *f* mardi *m* gras; **F~tag** *m* jour *m* de jeûne *od* maigre.

Faszikel *m* ‹-s, -› [fas'tsi:kəl] *(Aktenbündel)* fascicule, dossier *m.*

Faszin|ation *f* ‹-, -en› [fastsina-tsi'o:n] fascination *f;* **f~ieren** [-'ni:rən] *tr* fasciner; *(bezaubern)* charmer, enchanter; *(fesseln)* captiver; **f~ierend** *a (bezaubernd)* charmant; *(fesselnd)* captivant.

fatal [fa'ta:l] *a (ärgerlich)* fâcheux, ennuyeux; *(unangenehm)* désagréable, contrariant; *(peinlich)* pénible; *fam (dämlich, blöde)* sale; **F~ismus** *m* ‹-, ø› [-ta'lısmus] fatalisme *m;* **F~ist** *m* ‹-en, -en› [-'lıst] fataliste *m;* **~istisch** [-'lıstıʃ] *a* fataliste; **F~ität** *f* ‹-, -en› [-li'tɛ:t] *(Verhängnis)* fatalité; *(Mißgeschick)* contrariété *f,* désagrément *m;* **Fatum** *n* ‹-s, Fata› ['fa:tum, -ta] *(Schicksal)* sort *m; (Verhängnis)* fatalité *f.*

Fatzke *m* ‹-n/-s, -n/-s› ['fatskə] *fam (Geck)* gommeux, pommadin; fat, freluquet *m.*

fauchen ['fauxən] *itr (Katze)* souffler; *(Lokomotive)* souffler, haleter; *fig fam (schimpfen)* rouspéter, gronder.

faul [faul] *a (träge)* paresseux, fainéant; *fam* flemmard; *(Nahrungsmittel)* gâté, avarié; *(organische Substanz)* pourri, corrompu; *(Zahn)* carié; *fig (fragwürdig)* douteux, véreux, mauvais, vilain, sale; *sich auf die ~e Haut legen (fam)* ne pas lever le petit doigt, *pop* tirer sa flemme; *das sieht ~ aus, das ist e-e ~e Sache* od *~er Zauber* ça ne sent pas bon, c'est une affaire louche; *an der Sache ist etwas ~* il y a quelque chose de louche là-dedans; *~e Ausrede f* faux-fuyant *m,* mauvaise excuse *f; ~e(r) Frieden m* paix *f* boiteuse; *~e Stelle f (im Obst)* gâté *m; ~e(r) Witz m* mauvais jeu *m* de mots; *~e(r) Zahler m* mauvais payeur *m;* **F~baum** *m bot* bourdaine *f;* **~en** *itr* pourrir, se gâter; se corrompre, se décomposer; *nicht ~end (Holz)* imputrescible; **~enzen** ['faulɛntsən] *itr* paresser, fainéanter, flâner, cagnarder; *fam* flemmarder, se la couler douce; **F~enzer** *m* ‹-s, -› paresseux, fainéant; *fam* flemmard *m; ein ~~ sein (pop a.)* avoir un poil dans la main; **F~enzerei** *f* ‹-, (-en)› [-'raı] paresse, fainéantise; *fam* flemme; *pop* rame *f;* **F~heit** *f* ‹-, ø› paresse, fainéantise; *fam* flemme *f;* **~ig** *a* pourri, corrompu; *med* putride; **F~pelz** *m* = *F~enzer;* **F~schlamm** *m geol* boue *f* sapropélique; **F~tier** *n zoo* paresseux; *scient* aï, bradype *m; fig fam* = *F~enzer; pl (als Familie)* tardigrades *m pl.*

Fäul|e *f* ['fɔylə] pourriture; *(Zahnfäule)* carie *f;* **~nis** *f* ‹-, ø› pourriture, décomposition, putréfaction *f;* **~niserreger** *m (Bakterie)* microbe saprogène; agent *m* de décomposition; **f~nishindernd** *a* antiputride, antiseptique.

Faun *m* ‹-(e)s, -e› [faun] *(Mythologie)* faune *m;* **~a** *f* ‹-, -nen› *(Tierwelt)* faune *f;* **f~isch** *a* faunesque; *(geil)* lubrique.

Faust *f* ‹-, ⸚e› [faust, 'fɔystə] poing *m; auf eigene ~* de son propre chef, de sa propre initiative; *mit geballten Fäusten* les poings serrés; *die ~ ballen, e-e ~ machen* serrer le poing; *mit der ~ drohen* menacer du poing; *von der ~ essen* manger sur le pouce; *mit der ~ auf den Tisch hauen* od *schlagen (a. fig)* donner un coup de poing *od* taper du poing sur la table; *jdm die ~ unter die Nase halten* menacer qn du poing; *das paßt wie die ~ aufs Auge* cela rime comme hallebarde et miséricorde; *fam* cela vient comme un cheveu sur la soupe; **f~dick** *a* gros comme le poing; *es ~~ hinter den Ohren haben* être madré *od* un malin *od* un fin matois; **f~en** *tr sport* frapper du poing; **~handschuh** *m* moufle *f;* **~kampf** *m* pugilat *m;* **~pfand** *n* gage *m* mobilier; **~recht** *n hist* droit *m od fig* loi *f* du plus fort; **~regel** *f* règle *f* générale *od* approximative; **~riemen** *m* dragonne *f;* **~schlag** *m* coup *m* de poing; *jdn mit ~schlägen bearbeiten* battre qn à coups de poing.

Fäust|chen *n* ['fɔYst-] *sich ins ~~ lachen* rire dans sa barbe *od* sous cape; **~el** *m* ⟨-s, -⟩ *mines (Hammer)* masset *m;* **~ling** *m* ⟨-s, -e⟩ = *Fausthandschuh.*

Favorit(in *f***)** *m* ⟨-en, -en⟩ [favo'ri:t] favori, ite *m f: m, fam a.* poulain; *sport* favori *m.*

Faxe *f* ⟨-, -n⟩ ['faksə] *(Scherz)* plaisanterie, farce, bouffonnerie, singerie; *(Täuschung)* blague *f,* bluff *m;* **~nmacher** *m* farceur, bouffon; blagueur *m.*

Fayence *f* ⟨-, -n⟩ [fa'jã:s] faïence *f.*

Fazit *n* ⟨-s, -e/-s⟩ ['fa:tsɪt] *(Schlußsumme)* bilan, total; *fig (Ergebnis, Folge)* bilan, résultat *m; das ~ ziehen (fig)* dresser le bilan.

Februar *m* ⟨-(s), -e⟩ ['fe:brua:r] février *m.*

Fecht|bahn *f* ['fɛçt-] piste *f od* champ *od* terrain *m* d'escrime; **~boden** *m* = *~saal;* **~bruder** *m fam* mendiant; *pop* mendigot; *(Landstreicher)* vagabond *m;* **f~en** ⟨*ficht, focht, gefochten*⟩ ['fɛçtən] *itr* se battre (à l'épée *od* au sabre); tirer les armes; *sport* faire de l'escrime; *fam (betteln)* mendier; *mit den Händen in der Luft ~~* gesticuler; **~en** *n* = *~sport;* **~er** *m* ⟨-s, -⟩ *sport* escrimeur, tireur; *hist* gladiateur *m;* **~handschuhe** *m pl* gants *m pl* d'escrime; **~lehrer** *m* maître *m* d'armes; **~maske** *f* masque *m* d'escrime; **~meister** *m* maître *m* d'armes; **~runde** *f* poule *f* d'escrime; **~saal** *m* salle *f* d'escrime *od* d'armes; **~sport** *m* escrime *f;* **~stellung** *f* mise *f* en garde; **~turnier** *n* tournoi *m* d'escrime.

Feder *f* ⟨-, -n⟩ ['fe:dər] *(Vogel- und Stahlfeder)* plume *f; (Sprungfeder)* ressort *m; aus jds ~ (von jdm verfaßt)* de la plume de qn; *e-e scharfe ~ führen* avoir une plume acérée; *zur ~ greifen* mettre la main à la plume; *etw unter der ~ haben (an etw schreiben)* avoir qc en train *od* en chantier *od* sur le chantier; *jdn aus den ~n holen* faire sortir qn du plumard *od* du lit; *~n lassen (fig fam)* (y) laisser des plumes; *seiner ~ freien Lauf lassen* laisser courir la plume; *noch in den ~n (im Bett) liegen* od *stecken (fam)* être encore au plumard *od* au lit; *sich mit fremden ~n schmücken (fig)* se parer des plumes du paon; *die ~n verlieren = sich federn; die ~ sträubt sich* la plume se refuse; **~ball** *m (Spielzeug)* volant; *(Spiel)* badminton *m;* **~bett** *n* édredon *m;* **~blatt** *n tech* lame *f* de ressort; **~busch** *m* plumet, panache *m,* aigrette *f;* **~fuchser** *m fam pej* gratte-papier, scribouillard *m;* **~fuchserei** *f fam pej* chinoiserie *f;* **~gehäuse** *n (Uhr)* barillet *m;* **~gewicht** *n (Boxen)* poids *m* plume; **~halter** *m* porte-plume *m;* **~kasten** *m* plumier *m;* **~kiel** *m* tuyau *m* de plume; **~krieg** *m* discussion *od* controverse littéraire; polémique *f* **f~leicht** *a* léger comme une plume *od fam* comme une fleur; *~~e(r) Anzug m* costume *m* poids plume; **~leichtpapier** *n* papier *m* vélin; **~lesen** *n: nicht viel ~~s machen* ne pas (y) aller par quatre chemins, ne pas prendre de gants; *fam* trancher court *od* net; **~matratze** *f* sommier *m* élastique; **f~n** ⟨*er federt*⟩ *itr tech* faire ressort; *gut ~~ (Wagen)* être bien suspendu; *sich ~~ (die Federn verlieren)* perdre ses plumes, se déplumer; *(sich mausern)* muer; **f~nd** *a (elastisch)* élastique, souple; **~ring** *m* ressort *m* élastique; **~spitze** *f (e-r Schreibfeder)* bec *m* de plume; **~strich** *m: (etw mit e-m) ~~ (erledigen)* (biffer qc d'un) trait *m* de plume; **~ung** *f a. mot* suspension *f* (à ressort); *mot* ressort *m* de voiture; *mit ~~* à ressort(s); **~vieh** *n* volaille *f;* **~waage** *f* peson *m* à ressort; **~wild** *n* gibier *m* à plume; *kleinere(s) ~~* menu gibier *n;* **~wisch** *m* plumeau *m;* **~wischer** *m* essuie-plumes *m;* **~wolke** *f* cirrus *m;* **~zange** *f = Pinzette;* **~zeichnung** *f (Kunst)* dessin *od* croquis *m* à la plume; **~zug** *m tech* action *f* du ressort.

Fee *f* ⟨-, -n⟩ [fe:, -ən] fée *f;* **f~nhaft** *a (märchenhaft)* féerique, fabuleux; *(wunderbar)* merveilleux; *(phantastisch)* phantastique; *(prächtig)* magnifique; **~nhände** *f pl: ~~ haben (geschickt sein)* avoir des doigts de fée; **~nkönigin** *f* reine *f* des fées; **~nmärchen** *n* conte *m* de fées; **~nschloß** *n* château *m* de fée.

Feg|efeuer *n* ['fe:gə-] *rel* purgatoire *m;* **f~en** *tr* ⟨*aux: haben*⟩ balayer, nettoyer; *(Schornstein)* ramoner; *(Metall blank, glatt machen)* fourbir; *itr* ⟨*aux: sein*⟩ *(Wind; fam: Mensch)* passer en tourbillon; *das Gehörn ~~ (Wild)* frayer sa tête; *durch die Straßen ~~ (Wind)* balayer les rues; **~er** *m* ⟨-s, -⟩ balayeur, nettoyeur *m.*

Feh *n* ⟨-(e)s, -e⟩ [fe:, -ə] *(russ. Eichhörnchen; dessen Pelz)* petit-gris *m.*

Fehde *f* ⟨-, -n⟩ ['fe:də] *(Streit, meist hist od fig)* querelle *f,* démêlé *m,* lutte *f; jdm ~ ansagen* défier qn; *mit jdm in ~ liegen* avoir des démêlés avec qn; **~handschuh** *m hist* gant (-elet) *m; jdm den ~~ hinwerfen (fig)* jeter le gant à qn, défier qn; *den ~~ aufheben* od *-nehmen (fig)* relever le gant.

fehl [fe:l] *adv: ~ am Ort* od *Platz* mal placé, déplacé, pas de mise; **F~** *m: ohne ~~* sans défaut; **F~anzeige** *f* état *m* néant; **F~betrag** *m* déficit, écart *m; e-n ~~ aufweisen* être déficitaire *od* en déficit; **F~bitte** *f* prière *f* inutile; *e-e ~~ tun* essuyer un refus; **F~diagnose** *f med* erreur *f* de diagnostic; *e-e ~~ stellen* faire *od* commettre une erreur de diagnostic; **F~druck** *m* ⟨-(e)s, -e⟩ *typ* feuille mal venue, maculature *f;* **F~farbe** *f (Kartenspiel)* carte *f* fausse; *e-e ~~ abwerfen* jeter une carte fausse, se faire une renonce; **F~geburt** *f* fausse couche *f,* avortement *m;* **~=gehen** ⟨*ist fehlgegangen*⟩ *itr (e-n falschen Weg gehen)* se fourvoyer, s'égarer, faire fausse route, se tromper de chemin; *(Schuß)* manquer; *nicht ~~ (fig: sich nicht irren)* ne pas se tromper; **~=greifen** *itr fig* se méprendre, commettre un impair *od* une bévue; **F~griff** *m* méprise *f,* impair *m,* bévue *f;* **F~guß** *m metal (Ergebnis)* pièce *f* manquée; **F~investition** *f fin* mauvais investissement *m;* **F~lage** *f med* présentation *f* pathologique; **F~leistung** *f psych* acte *m* manqué; **~=leiten** *tr* fourvoyer; **F~leitung** *f* fausse direction *f;* **F~meldung** *f = ~anzeige;* **~=schießen** *itr* manquer (son but); *~geschossen! (falsch!)* manqué! vous n'y êtes pas! **F~schlag** *m* coup manqué *od* raté, avorton *m;* **~=schlagen** ⟨*ist fehlgeschlagen*⟩ *itr (erfolglos bleiben)* avorter, échouer, se terminer sur un échec *od* des échecs; **F~schluß** *m* raisonnement *m* faux, conclusion *f* erronée; **F~schuß** *m* coup *m* manqué; **F~sichtigkeit** *f med* défaut *m* de (la) vision; **F~start** *m sport* faux départ, départ manqué; *aero* décollage *od* départ *m* manqué; *e-n ~~ machen (sport)* faire un faux départ; **F~stoß** *m (Billard)* manque *m* de touche; **~=treten** *itr* faire un faux pas, trébucher; **F~tritt** *m a. fig* faux pas *m; e-n ~~ begehen* faire un faux pas; *(Frau) fam a.* fauter; **F~urteil** *n* contrevérité *f; jur* jugement *m* erroné, erreur *f* judiciaire; **F~zündung** *f mil* explosion *f* prématurée; *mot* allumage défectueux, raté *m* d'allumage.

fehl|en ['fe:lən] *tr (Ziel verfehlen)* manquer; *fam* rater; *itr (vorbeischießen)* manquer le but; *(sich verfehlen, unrecht handeln)* commettre *od* faire une faute, fauter, pécher; *(mangeln, nicht vorhanden sein)* manquer, être manquant, faire faute *od* défaut; *(abwesend sein a.)* être absent; *mir ~t etw, es ~t mir (an) etw* il me manque qc, je manque de qc; *es an nichts ~~ lassen* ne rien négliger, faire son possible; *jdm* ne laisser manquer qn de rien; *an mir soll es nicht ~~ (fam)* je ferai mon possible; *mir ~t nichts (ich bin wohlauf)* je suis bien; *du ~st mir sehr* tu me manques beaucoup; *es ~t noch viel daran* il s'en manque de beaucoup; *es ~te nicht viel, es hätte nicht viel gefehlt, es hat* od *hätte wenig (daran) gefehlt* il s'en est fallu de peu, à peu (de chose) près; *und ich wäre ...* j'ai failli *inf,* j'ai manqué de *inf; was ~t dir? wo ~t es?* qu'est-ce que tu as? qu'est-ce qui ne va pas? où as-tu mal? *das ~te (gerade) noch! (iron)* il ne manquait (plus) que cela! *weit gefehlt!* tant s'en faut! erreur! loin de là! **F~en** *n* manque(ment) *m; scient* carence *f.*

Fehler *m* ⟨-s, -⟩ ['fe:lər] *(Mangel, Defekt)* manque, défaut, vice *m; (Versehen, Vergehen)* faute; *(Irrtum)* erreur *f; ohne e-n ~ zu machen* od *zu begehen* sans faire une faute, sans manquer; *s-n ~ einsehen* reconnaître sa faute, revenir sur son erreur; *lit* venir à résipiscence; *e-n ~ machen* od *begehen* faire *od* commettre une faute, manquer; *es hat sich ein ~ eingeschlichen* une erreur s'est glissée (*in* dans); *das ist der geringste s-r ~* c'est là son moindre défaut; *du hast e-n kleinen ~ an dir* tu as un petit défaut; *grammatische(r) ~* faute *f* grammaticale *od* de grammaire, solécisme *m; 0 (null) ~* zéro faute; **f~frei** *a* exempt de défauts, sans défaut(s); correct; *(Schul-, Prüfungsarbeit)* exempt de fautes, sans faute(s); *(Rechnung)* exempt d'erreurs; *~~e(r) Abzug m (typ)* épreuve *f* en bon à tirer; **~grenze** *f* limite *f* d'erreur; **f~haft** *a* défectueux; incorrect; **~haftigkeit** *f* défectuosité; imperfection *f;* **f~los** *a = ~frei;* **~quelle** *f* source *od scient* cause *f* d'erreur; **~sammlung** *f* sottisier *m;* **~zahl** *f* nombre *m* de(s) fautes.

feien ['faɪən] ⟨*hat gefeit*⟩ *tr (durch e-n Zauber schützen)* douer *od* pourvoir d'un charme; *gegen e-e Krankheit gefeit sein* être immunisé contre une maladie.

Feier *f* ⟨-, -n⟩ ['faɪər] *(Festlichkeit)* fête; *(feierliche Handlung)* cérémonie, solennité; *(kleine, bes. Familienfeier)* réunion *f; zur ~ des Tages* pour célébrer le jour; *e-e ~ machen* célébrer une fête; *e-e ~ veranstalten* organiser une fête; **~abend** *m (abendliche Freizeit)* soirée; *(Beginn d. abendl. Freiz., Arbeitsschluß)* cessation *f* du travail; *am* od *nach ~~* pendant la soirée, après la cessation du travail; *~~ machen (aufhören zu arbeiten)* cesser le travail; *schönen ~~!* bonne soirée! **f~lich** *a* solennel; *~~ begehen* célébrer, fêter; *~~ geloben* od *versprechen* promettre solennellement; **~lichkeit** *f (Eigenschaft)* solennité *f,* air *m* solennel; *(Handlung)* solennité, cérémonie *f;* **f~n** *tr* fêter, célébrer; *(Menschen verherrlichen, ehren)* fêter, faire fête à, honorer; *itr (nicht arbeiten)* se reposer, chômer; ne rien faire; *fam* faire la noce; *pop* nocer; *krank~~ (hum)* se faire porter pâle; *vx* fêter la Saint-Lundi; **~schicht** *f (arbeitsfreier Werktag in e-m Betrieb)* journée *f* de chômage; **~stunde** *f = ~lichkeit (Handlung); (freie Stunde)* heure de repos *od* de loisir; *(Schule)* récréation *f;* **~tag** *m rel u. pol* jour de fête; *(freier Tag)* jour *m* férié *od* de repos; *gesetzliche(r) ~~* fête *f* légale; **f~täglich** *a* d'un jour de fête; *~~ aussehen (Mensch)* avoir l'air endimanché; **f~tags** *adv* les jours de fête.

feig|(e) [faɪk, -gə] *a* lâche, poltron, couard; *(ängstlich)* peureux, pusillanime; *pop* froussard; **F~heit** *f* ⟨-, (-en)⟩ lâcheté, poltronnerie, couardise; pusillanimité; *pop* frousse *f;* **F~ling** *m* ⟨-s, -e⟩ lâche, poltron, couard *m; fam* poule *f* mouillée.

Feige *f* ⟨-, -n⟩ ['faɪgə] *bot* figue *f;* **~nbaum** *m* figuier *m;* **~nblatt** *n (Kunst)* feuille *f* de vigne.

Feigwarze *f* ['faɪk-] *med* condylome *m.*

feil [faɪl] *a pej* vénal; *(bestechlich)* corruptible; **~⁼bieten** ⟨*hat feilgeboten*⟩ *tr* mettre en vente, offrir; **F~bietung** *f* mise *f* en vente; **~⁼halten** *tr = ~bieten.*

Feil|bank *f* ['faɪl-] *tech* établi *m* de serrurier; **~e** *f* ⟨-, -n⟩ lime *f; die ~~ an etw legen = ~en (fig);* **f~en** *tr* limer, repasser la lime sur; *fig (Text)* polir; *fam* fignoler; **~enhauer** *m* tailleur *m* de limes; **~enstrich** *m* trait *m* de lime; **~icht** *n* ⟨-s, ø⟩ ['-lɪçt] limaille, limure *f;* **~kloben** *m* étau *m* à main; **~maschine** *f* étau *m* limeur; **~späne** *m pl,* **~staub** *m = ~icht.*

feilschen ['faɪlʃən] *itr a. fig* marchander; **F~** *n* marchandage *m.*

fein [faɪn] *a (dünn, zart)* fin, mince, menu, délié, ténu; *(klein zerteilt)* fin; *(genau)* fin, exact; *(Sinn: scharf)* fin; *(spitzfindig)* subtil; *(~fühlend)* délicat; *(sehr gut, ausgezeichnet)* fin, bon, soigné, raffiné, excellent, exquis; *(vornehm)* distingué, *fam* huppé; *(Herr)* galant, *(Dame)* élégant; *(wohlerzogen)* bien élevé; *e-e ~e Nase haben* avoir le nez fin; *sich ~ machen* se parer; s'endimancher; *pop* se requinquer; *~ (he)raus sein* avoir eu de la chance *od fam* de la veine; *das ist (aber) ~* c'est bon; j'en suis bien aise; *fam* c'est fameux *od* chic; *das riecht ~* cela sent bon; *das schmeckt ~* c'est bon, cela a bon goût; *er ist jetzt ~ heraus* lui s'en est bien tiré; *das hast du ~ gemacht! (fam)* c'est très bien! tu t'en es bien tiré! *~e(s) Benehmen n* bonnes manières *f pl; ~e Dame f (a.)* élégante *f; ~e(r) Herr* od *Mann m (a.)* homme *m* de qualité *od* de bien; **F~abtastung** *f radio* balayage *m* à haute définition; **F~arbeit** *f* travail *m* de précision; **F~bäckerei** *f* pâtisserie *f;* **F~blech** *n* tôle *f* fine; **F~blechstraße** *f tech* train *m* à tôles fines; **F~blech-Walzwerk** *n* laminoir *m* à tôles fines; **F~einsteller** *m radio* démultiplicateur *m;* **F~einstellung** *f* réglage *m* de précision *od* parfait, *radio* démultiplication *f;* **~fühlend** *a,* **~fühlig** *a* délicat, sensible; **F~fühligkeit** *f* délicatesse *f;* **F~gebäck** *n* pâtisserie *f;* **F~gefühl** *n* délicatesse *f,* tact *m;* **F~gehalt** *m (chem u. Edelmetall)* titre *m;* **F~gold** *n* or *m* raffiné *od* fin; **F~heit** *f (Zartheit)* finesse; *(Genauigkeit)* exactitude; *(Spitzfindigkeit)* subtilité; *(~fühligkeit)* délicatesse; *(hohe Qualität)* finesse, excellence *f;* **F~kohle** *f* fines *f pl,* houille *f* menue; **F~korn** *n phot typ* grain *m* fin; *~~ nehmen (beim Zielen)* prendre le guidon fin; **~körnig** *a* à grain(s) fin(s), à petits grains; **F~kost(geschäft, -haus** *n***)** *f* (magasin *m* de) comestibles *m pl;* **~maschig** *a* à mailles fines; **F~mechanik** *f* mécanique *f* de précision; **F~mechaniker** *m* mécanicien *od* ajusteur *m* de précision; **~mechanisch** *a* de mécanique de précision; **F~messung** *f* mesurage *m* de précision; **~⁼schleifen** *tr tech* adoucir; **F~schmecker** *m* gourmet, friand, gastronome; *fam* bec-fin *m;* **F~schnitt** *m (Tabak)* scaferlati *m;* **F~silber** *n* argent *m* raffiné *od* fin; **~sinnig** *a (von gutem Geschmack)* d'un goût exquis; *(~fühlend)* sensible, délicat; **F~sinnigkeit** *f* délicatesse *f;* **F~sliebchen** *n vx poet (Geliebte)* bien-aimée *f,* amour *m;* **F~stahl** *m* acier *m* fin; **F~stbearbeitung** *f* superfinish *m;* **F~ste,** *das* le fin du fin; la fine fleur (*von etw* de qc); **F~stellschraube** *f* vis *f* micrométrique; **F~stwaage** *f* balance *f* de précision; **F~unze** *f fin* once *f* d'or fin; **F~wäsche** *f* linge *m* fin; **F~waschmittel** *n* poudre *f* pour tissus délicats; **F~zerkleinerung** *f mines* broyage *m.*

Feind *m* ⟨-(e)s, -e⟩ [faɪnt, -də] ennemi; *(Gegner)* adversaire; *biol* prédateur *m; jdn zum ~ haben* avoir qn pour ennemi; *sich jdn zum ~ machen* faire de qn son ennemi; *dem ~ nachdrängen (mil)* presser l'ennemi; *zum ~ übergehen* passer à l'ennemi, déserter; *Achtung, ~ hört mit!* attention! l'ennemi vous écoute; *der böse ~ (Teufel)* le malin, le diable; *erklärte(r)* od *geschworene(r) ~* ennemi *m* juré; *vor dem ~e gefallen* tué *od* tombé à l'ennemi; **~beobachtung** *f mil* observation *f* de l'ennemi; **~berührung** *f* contact *m* avec l'ennemi; **~bewegung** *f* mouvement *m* de l'ennemi; **~druck** *m* pression *f* de l'ennemi; **~einwirkung** *f* action *f* de l'ennemi; **~eshand** *f: in ~~* pris *od* occupé par l'ennemi; **~esland** *n: in ~~* en pays ennemi; **~fahrt** *f mar* marche *f* contre l'ennemi; **~flug** *m* vol *m* contre l'ennemi; **f~frei** *a* (ne ...) pas occupé par l'ennemi; **~gebiet** *n* territoire *m* (occupé par l')ennemi; **~kräfte** *f pl* forces *f pl* ennemies; **~lage** *f* situation *f* de l'ennemi; *die ~~ feststellen* renseigner sur la situation de l'ennemi; **f~lich** *a* ennemi *bes. mil;* hostile; *(gegnerisch)* adverse, opposé; **~lichkeit** *f* ⟨-, (-en)⟩ hostilité, inimitié *f;* **~mächte** *f pl pol* puissances *f pl* ennemies; **~nähe** *f* proximité *f* de l'ennemi; **~schaft** *f* inimitié, hostilité; animosité *f; in ~~ leben* être ennemis; *in offener ~~ leben* être à couteaux tirés; *darum keine ~~!* sans rancune; *alte ~~* vieille rancune *f;* **f~schaftlich** *a* hostile; **f~selig** *a* haineux, hostile; **~seligkeit** *f* hostilité *f; die ~~en eröffnen, einstellen* ouvrir, suspendre les hostilités; *Eröffnung, Einstellung f der ~~en* ouverture, suspension *f* des hostilités; **~tätigkeit** *f* action *f* de l'ennemi.

feist [faɪst] *a (fett, dick)* gras, replet, gros; **F~** *n* ⟨-(e)s, ø⟩ *(Jägersprache: Fett)* graisse *f;* **F~e** *f,* **F~heit** *f,* **F~igkeit** *f* ⟨-, ø⟩ obésité *f.*

feixen ['faɪksən] ⟨*hat gefeixt*⟩ *itr fam (grinsen)* ricaner.

Felbel *m* ⟨-s, -⟩ ['fɛlbəl] *(Textil)* panne *f.*

Felchen *m* ⟨-s, -⟩ ['fɛlçən] *(Fisch)* féra *f.*

Feld *n* ⟨-(e)s, -er⟩ [fɛlt, '-dər] *(Gelände)* champs *m pl,* campagne; *(Ebene)* plaine *f; (Geländestück)* terrain; *(Acker)* champ *m,* pièce *f* de terre; *mines* champ; *(Schlachtfeld)* champ de bataille; *(Operationsgebiet)* champ *m* d'opérations; *(~zug)* campagne *f; arch* champ, panneau *m,* travée; *(Schachbrett)* case *f; phys el* champ *m; TV* section *f; fig (Gebiet)* champ, terrain, domaine *m; auf freiem ~e* en pleins champs; *im ~e (mil)* en campagne; *(Wappen) im blauen ~e* sur champ d'azur; *das ~ bebauen* od *bestellen* cultiver les champs; *das ~ behaupten* rester maître du terrain; *auf dem ~e der Ehre fallen* tomber au champ d'honneur; *(Gründe) ins ~ führen* avancer, invoquer; *quer übers ~ gehen* prendre à travers champs; *das ~ räumen (fig)* abandonner le terrain, battre la retraite, *ins ~ rücken* od *ziehen* partir en campagne *od* en guerre; *aus dem ~e schlagen (fig)* évincer; *im ~e stehen (mil)* être aux armées; *zu ~e ziehen gegen (fig)* partir en guerre contre; *das liegt noch im weiten ~e* c'est encore (bien) loin; *das ist ein weites ~ (fig)* c'est un vaste domaine; *mein ~ ist die Welt (prov)* je sème à tout vent; *elektrische(s), magnetische(s) ~* champ *m* électrique, magnétique; **~ahorn** *m bot* érable *m* champêtre; **~altar** *m* autel *m* portatif; **~anzug** *m mil* tenue *f* de campagne; **~apotheke** *f* pharmacie *f* militaire; **~arbeit** *f* travail *m* agricole; *pl a.* travaux *m pl* des champs; **~artillerie** *f* artillerie *f* de campagne; **~arzt** *m mil* chirurgien militaire; *fam* major *m;* **f~aus** *adv s. ~ein;* **~ausrüstung** *f mil* équipement *m* de campagne; **~bäckerei** *f mil* manutention *f;* **~befestigung** *f mil* fortification *f* de campagne; **~bestellung** *f* labour(age) *m;* **~bett** *n mil* lit *m* de camp; **~blume** *f* fleur *f* des champs; **~bluse** *f mil* vareuse *f;* **~bohne** *f* fève *f;* **~brücke** *f mil* pont *m* de campagne *od* militaire; **~dieb** *m* maraudeur *m;* **~diebstahl** *m* maraudage *m;* **~dienst** *m mil* service *m* en campagne; **~dienstordnung** *f* règlement *m* sur le service en campagne; **~dienstübung** *f* exercice *m* de service en campagne; **f~ein** *adv: ~~ und ~aus* à travers champs; **~fernsprecher** *m mil* appareil *m* téléphonique de campagne; **~flasche** *f* bidon *m;* **~frevel** *m* délit *m* rural; **~früchte** *f pl* produits *m pl* des champs; **~geistliche(r)** *m* aumônier *m* (militaire); **~gendarmerie** *f* prévôté, police *f* militaire; **~geschrei** *n mil hist* cri *m* de ralliement; **~gottesdienst** *m mil* office *m* de campagne; **f~grau** *a mil* gris verdâtre; **~hauptmann** *m mil hist* grand capitaine *m;* **~heer** *n* armée *f* de campagne; **~herr** *m* général *m* (commandant en chef); **~herrnkunst** *f* stratégie *f;* **~herrnstab** *m* bâton *m* de commandement; **~hühner** *n pl orn (Unterfamilie)* perdrix *f m pl;* **~hüter** *m* garde *m* champêtre; **~jäger** *m mil* chasseur (à pied); gendarme *m;* **~kaplan** *m mil* aumônier *m* (catholique); **~kessel** *m mil* bouteillon *m;* **~küche** *f mil* (cuisine) roulante *f;* **~kümmel** *m bot* serpolet *m;* **~lager** *n mil* camp, bivouac *m;* **~lazarett** *n* hôpital *m* de campagne, ambulance *f;* **~mark** *f (Gemeindegebiet)* territoire *m;* **~marschall** *m* maréchal *m;* **f~marschmäßig** *a* en tenue de campagne; **~maus** *f* campagnol *m;* **~messer** *m* arpenteur *m;* **~meßkunde** *f* géodésie *f;* **~mütze** *f mil* calot *m;* **~post** *f* poste *f* militaire *od* aux armées; *(Aufschrift auf Sendungen)* franchise militaire (F.M.) **~postamt** *n* bureau *m* postal militaire; **~postleitstelle** *f* bureau *m* central de la poste militaire; **~postnummer** *f* (numéro du) secteur *m* postal; **~prediger** *m = ~geistlicher;* **~salat** *m* mâche, doucette *f;* **~schlacht** *f: offene ~~* bataille *f* rangée; **~schmiede** *f mil* forge *f* volante *od* de campagne; **~spat** *m min* feldspath *m;* **~stärke** *f phys* puissance du champ; *radio* intensité *f* de champ; **~stecher** *m opt* jumelle(s *pl*) *f* de campagne; **~stein** *m* pierre *f; (kleinerer)* gros caillou *m;* **~stuhl** *m* pliant *m;* **~telegraph** *m* télégraphe *m* de campagne; **~truppen** *f pl* formations *f pl* en opération; **~verstärkung** *f el* renforcement *m* de champ; **~webel** *m* adjudant; *fig fam* Monsieur J'ordonne; *hum (Frau)* gendarme, grenadier *m;* **~weg** *m* chemin *m* rural; **~werkstatt** *f mil* équipe *f* mobile de réparation; **~winkelmesser** *m* graphomètre *m;* **~zeichen** *n mil* insigne *m* (militaire); **~zug** *m* campagne, expédition *f; e-n ~~ mitmachen* faire une campagne; **~zugsplan** *m a. fig* plan *m* de campagne.

Felg|e *f* ⟨-, -n⟩ ['fɛlgə] *(Radkranz)* jante *f; sport* soleil *m; auf der ~~ fahren (ohne Luft)* rouler à plat; **f~en** *tr (mit e-r ~e, mit ~en versehen)* janter; **~enbremse** *f* frein *m* sur jante.

Fell *n* ⟨-(e)s, -e⟩ [fɛl] *(Tierhaut)* peau; *(des Pferdes)* robe *f; (Pelz)* pelage *m,* fourrure *f; pop (vom Menschen)* cuir *m; jdm das ~ gerben (fig pop)* tanner (le cuir à) qn; *ein dichtes ~ haben (Tier)* avoir une épaisse fourrure; *ein dickes ~ haben (fig fam)* avoir la peau dure; *sein ~ zu Markte tragen (fam fig)* prendre des risques, se mouiller; *jdm das ~ über die Ohren ziehen (fig fam)* rouler qn; *sich das ~ über die Ohren ziehen lassen* se laisser manger la laine sur le dos; *sich die Sonne übers ~ brennen lassen* paresser; *pop* glandouiller; *dich* od *dir juckt wohl das ~* est-ce que tu veux une volée? **~handel** *m* pelleterie *f;* **~händler** *m* pelletier *m.*

Fellache *m* ⟨-n, -n⟩ [fɛ'laxə] fellah *m.*

Fels *m* ⟨-en, -en⟩, **~en** *m* ⟨-s, -⟩ [fɛls, -zən] roc; *(~hang, ~wand)* rocher *m; (~block, ~gestein)* roche *f;* **~block** *m* (bloc *m* de) roche *f;* **~boden** *m* sol *m* rocheux; **~enbein** *n anat* rocher *m;* **f~enfest** *a fig* inébranlable; *~~ an etw glauben* croire qc dur comme fer *od* fermement; **~engebirge,** *das (die Rocky Mountains)* les montagnes *f pl* Rocheuses; **~eninsel** *f* île *f* rocheuse; **~enkeller** *m* cave *f* dans le roc; **~enküste** *f* côte rocheuse, falaise *f;* **~enriff** *n* récif *m;* **~(en)spitze** *f* pic *m,* aiguille, dent *f;* **~(en)wand** *f* paroi *f* rocheuse; **~gestein** *n* roche *f;* **~grund** *m (Meeresboden)* fond *m* rocheux; **f~ig** *a* rocheux; **~malerei** *f* peinture *f* pariétale *od* rupestre; **~massiv** *n* massif rocheux, groupe *m* de rochers.

Feme ['fe:mə], *die, jur hist* la Sainte-Vehme.

feminin [femi'ni:n] *a a (gram: weiblich)* féminin; *(pej: weibisch)* efféminé; **F~um** *n* ⟨-s, -na⟩ [femi'ni:num, -na] *gram* féminin *m.*

Fenchel *m* ⟨-s, -⟩ ['fɛnçəl] *bot* fenouil, aneth *m* doux.

Fenster *n* ⟨-s, -⟩ ['fɛnstər] fenêtre, croisée; *jur (an der Grundstücksgrenze)* vue *f; zum ~ hinaussehen, -schauen* regarder par la fenêtre; *zum ~ hinauswerfen, aus dem ~ werfen* jeter par la fenêtre; *(fig: das Geld)* jeter l'argent par les fenêtres, brûler la chandelle par les deux bouts; *durchs ~ steigen* passer par la fenêtre; *die ~ des Zimmers gehen auf die Straße* les fenêtres de la chambre donnent sur la rue; **~bank** *f* appui *od* rebord *m* (de la fenêtre); **~beschläge** *m pl* ferrures *f pl* de fenêtre; **~brett** *n* planche *od* tablette *f* d'appui; **~briefumschlag** *m* enveloppe *f* à fenêtre; **~brüstung** *f* appui *m* de fenêtre; **~einfassung** *f* encadrement *m* de fenêtre; **~flügel** *m* battant *m* (de fenêtre); **~glas** *n* verre *m* à vitres; **~kitt** *m* mastic *m* de(s) vitrier(s); **~kurbel** *f mot* manivelle *f* de lève-fenêtre; **~laden** *m* volet; *(äußerer)* contre-vent *m;* **~leder** *n* peau *f* de chamois; **~nische** *f* embrasure *f;* **~öffnung** *f* baie (de fenêtre); *jur* vue *f;* **~pfeiler** *m* trumeau *m;* **~platz** *m* coin-fenêtre *m;* **~putzer** *m* laveur *m* de carreaux; **~rahmen** *m* châssis *m;* **~riegel** *m* targette; crémone *f;* **~rose** *f arch* rosace *f;* **~scheibe** *f* vitre *f,* carreau *m;* **~schutz** *m (gegen Zugluft)* brise-bise *m;* **~sturz** *m* linteau *m* (de fenêtre); **~tür** *f* porte-fenêtre *f;* **~vorhang** *m* rideau; *(dünner)* store *m;* **~wange** *f* jouée *f.*

Ferien *pl* ['fe:riən] vacances *f pl; (Urlaub)* congé *m; jur* vacations *f pl; in die ~ gehen* partir en vacances; *~ machen, (sich) ~ nehmen* prendre des vacances; **~gast** *m* vacancier, estivant *m;* **~heim** *n* centre *m* de vacances; **~karte** *f loc* billet *m* touristique; **~kolonie** *f* colonie *f* de vacances; **~kurs** *m* cours *m* de vacances; **~lager** *n* camp *m* de vacances; **~pläne** *m pl* projets *m pl* de vacances; **~reise** *f* voyage *m* de vacances; **~zeit** *f* temps *m* des vacances.

Ferkel *n* ⟨-s, -⟩ ['fɛrkəl] petit cochon, porcelet, goret; *(Spanferkel)* cochon de lait; *fig fam (schmutziger Mensch)* cochon; *pop* saligaud *m;* **~ei** [-'laı] *f fam* saleté *f;* **f~n** *itr (Sau)* mettre bas; *fig fam* se conduire comme un cochon *od pop* saligaud; *(schmutzige Ausdrücke gebrauchen, schmutzige Witze erzäh-*

len) se livrer à des obscénités; *pop* forniquer.

Fermate *f* ⟨-, -n⟩ [fɛr'ma:tə] *mus* arrêt *m.*

Ferment *n* ⟨-s, -e⟩ [fɛr'mɛnt] *chem biol* ferment *m;* **~ation** *f* ⟨-, -en⟩ [-tatsi'o:n] *(Gärung)* fermentation *f;* **f~ieren** [-'ti:rən] *tr* fermenter.

Fermium *n* ⟨-s, ø⟩ ['fɛrmium] *chem* fermium *m.*

fern [fɛrn] *a* lointain, éloigné, distant; *(a. zeitl.)* reculé; *adv* loin; *aus ~en Tagen* qui remonte loin; *~ von* loin de, à l'écart de; *von nah und ~* de toute part; *von ~ betrachtet* vu de loin; *von ~ her = ~her; in ~en Tagen* dans les siècles à venir; *in nicht zu ~er Zeit* avant peu, sous peu; *die Zeit ist noch nicht ~* il n'y a pas si longtemps; *das sei ~ von mir!* Dieu m'en garde *od* préserve! *der F~e Osten* l'Extrême-Orient *m.*

Fern|amt *n* ['fɛrn-] *tele* (service) interurbain; *fam* inter *m; ~~ bitte!* l'inter, s'il vous plaît; **~anschluß** *m tele* raccordement *m od* communication *od* liaison *f* interurbain(e); **~antrieb** *m tech* transmission à distance, télécommande *f;* **~aufklärung** *f aero mil* reconnaissance *f* à grande distance *od* lointaine; **~aufklärungsflugzeug** *n* avion *m* de grande reconnaissance; **~aufklärungsstaffel** *f* escadrille *f* de grande reconnaissance; **~aufnahme** *f phot* téléphotographie *f;* **~auslöser** *m phot* déclencheur *m* à distance; **~ausschalter** *m el* téléinterrupteur *m;* **~bahn** *f loc* grande ligne *f;* **~beben** *n* tremblement de terre à grande distance; séisme *m;* **f~bedient** *a tech* télécommandé; **f~besprochen** *a* télécommandé par modulation; **f~=bleiben** ⟨*ist ferngeblieben*⟩ *itr* ne pas visiter (*e-r S* qc); ne pas participer, ne pas se mêler (*e-r S* à qc); **~bleiben** *n* absence *f; ~~ von der Arbeit(sstelle)* absence *f* du lieu de travail, absentéisme *m;* **~blick** *m* vue *f* panoramique; **~-D-Zug** *m = ~schnellzug;* **~e** *f* ⟨-, -n⟩ lointain, éloignement *m,* distance *f; aus der ~~* de loin; *in der ~~* au loin, dans le lointain; *in die ~~ sehen* regarder dans le lointain; *das liegt noch in weiter ~~* nous en sommes encore (bien) loin; **f~e** *adv =* **f~** *(adv);* **~empfang** *m* réception *f* à grande distance; **f~er** *adv (außerdem)* en outre; encore; *~~ liefen (beim Rennen* u. *fig)* le (gros du) peloton; *unter „~~ liefen" rangieren (sport)* figurer; **f~erhin** *adv (in Zukunft)* à l'avenir, désormais; **~fahrer** *m* (chauffeur) routier *m;* **~fahrerheim** *n* relais *m* de routiers; **~fahrt** *f* long trajet; *mil* raid *m;* **~flug** *m* vol à (grande) distance; long-courrier; *mil* raid *m;* **~fluglinie** *f* ligne *f* de long-courrier; **~gas** *n* gaz *m* (amené) à longue distance; **~gasleitung** *f* conduite *f* de gaz à longue distance; **f~gelenkt** *a* téléguidé, télécommandé; *~~e(s) Geschoß n* projectile *od* engin télécommandé, missile *m;* **~gespräch** *n tele* conversation *od* communication *f* interurbaine; *~~ mit Voranmeldung* communication *f* avec préavis; **f~gesteuert** *a = f~gelenkt;* **f~getastet** *a aero* télécommandé par manipulation; **~glas** *n* jumelle(s *pl*) *f;* **f~=halten** *tr* tenir éloigné *od* à l'écart (*jdn von etw* qn de qc); *sich von jdm ~~* éviter qn; *von etw* se tenir à l'écart de qc, ne pas se mêler de qc; **~heizung** *f* chauffage *m* à distance *od* urbain; **f~her** *adv* de loin; **~kabel** *n tele* câble *m* à longue distance; **~kampfartillerie** *f* artillerie *f* à grande *od* longue portée; **~kampfflugzeug** *n* avion *m* de bombardement stratégique; **~kurs(us)** *m* cours *m* par correspondance; **~laster** *m fam,* **~lastzug** *m mot* convoi *m;* **~lastfahrer** *m = ~fahrer;* **~leitung** *f tele* circuit *m* interurbain; **~leitungsnetz** *n tele* réseau *m* interurbain; **f~=lenken** *tr* téléguider; **~lenkung** *f* téléguidage *m,* télécommande *f;* **~licht** *n mot* feux *m pl* de route; **f~=liegen** ⟨*hat ferngelegen*⟩ *itr: das liegt mir fern* c'est loin de ma pensée; **~meldeamt** *n* télécommunications *f pl;* **~meldeanlage** *f* installation *f* de télécommunication; **~meldedienst** *m* service *m* de télécommunication; **~meldetechnik** *f* télétechnique *f;* **~meldewesen** *n* télécommunications *f pl;* **~meßgerät** *n* appareil *m* télémétrique; **f~mündlich** *a* téléphonique; *adv* par téléphone; **~ost:** *in ~~ en Extrême-Orient;* **f~östlich** *a* d'Extrême-Orient; **~rakete** *f* fusée *f* intercontinentale; **~rohr** *n* longue-vue, lunette *f* d'approche; **~ruf** *m (Telephongespräch)* appel téléphonique; *(Telefonnummer)* numéro *m* de téléphone; **~schaltung** *f radio* télécommande *f;* **~schnellzug** *m loc* train *m* direct; **~schreiben** *n* télex *m,* lettre *f* télétypée; **~schreiber** *m (Apparat)* téléscripteur, télétype, téléimprimeur, télex *m; (Mensch),* **~schreiberin** *f* télexiste *m f;* **~schreibnetz** *n* réseau *m* télex; **~schreibnummer** *f* numéro *m* de télex; **~schreibstelle** *f* poste télétype, télex *m;* **~schreibteilnehmer** *m* abonné *m* au réseau télex; **~schreibvermittlung(sstelle)** *f* poste commutateur de télétype, centre *m* de téléscription; **~sicherung** *f mil* sûreté *f* éloignée; **~sicht** *f* vue *f* sur le lointain; **f~sichtig** *a,* **~sichtigkeit** *f = weitsichtig etc;* **~spruch** *m* message *m* téléphonique *od* téléphoné; **f~=stehen** *itr: jdm, e-r S ~~* être étranger à qn, à qc; **~steueranlage** *f (für Raketen)* groupe *m* de téléguidage; **f~=steuern** *tr* commander à distance, téléguider; **~steuerung** *f* manœuvre à distance, télécommande *f,* téléguidage *m;* **~trauung** *f* mariage *m* par procuration; **~unterricht** *m* enseignement *m* par correspondance; **~verbindung** *f* télécommunication *f;* **~verkehr** *m* trafic à grande distance; *loc* service des grandes lignes; *tele* service *m* interurbain; **~verkehrsstraße** *f* route *od* voie *f* de *od* à grande circulation; **~warn-Meldegerät** *n* radar *m* de veille éloignée; **~weh** *n* nostalgie *f* du voyage; **~wirkung** *f* effet *m* de distance; **f~=zünden** *tr* allumer à distance; **~zündung** *f* allumage *m* à distance.

Fernseh|ansager(in *f***)** *m* ['fɛrnze:-] speaker(ine *f*) *m* de télévision; **~antenne** *f* antenne *f* de télévision; **~apparat** *m* appareil *od* poste de télévision, téléviseur *m;* **~aufnahme** *f* prise *f* de télévision; **~-Aufnahmeraum** *m = ~studio;* **~-Aufnahmewagen** *m* car *m* de (télé)reportage; **~bearbeitung** *f* adaptation *f* à la télévision; **~bericht** *m* téléreportage *m;* reportage *m* télévisé; **~bild** *n* image *f* télévisée *od* électronique; **~-Bildfläche** *f,* **~-Bildschirm** *m* écran de télévision, télécran, petit écran *m;* **~empfang** *m* réception *f* de télévision; **~empfänger** *m (Gerät)* récepteur *od* poste de télévision, téléviseur *m;* **fern=sehen** ⟨*er sieht fern, hat ferngesehen*⟩ *itr* regarder la télévision; **~en** *n* télévision; *fam* télé *f; im ~~ übertragen* téléviser; *~~ über das Fernsprechnetz* phonévision *f;* **~er** *m (Person)* téléspectateur; *(Gerät)* téléviseur *m;* **~film** *m* film *m* pour la télévision; **~funk** *m* radiotélévision *f;* **~gebühren** *f pl* taxe *f* de télévision; **~gerät** *n* appareil *od* poste *od* récepteur de télévision, téléviseur *m;* **~industrie** *f* industrie *f* de la télévision; **~kamera** *f* caméra de télévision, télécaméra *f;* **~kanal** *m* canal *m* de télévision; **~kino** *n* cinéma à télévision, télécinéma *m;* **~nachrichten** *f pl* journal *m* télévisé; **~netz** *n* réseau *m* télévisé *od* de télévision; **~norm** *f (in Zeilenzahl u. Bildwechsel)* définition *f;* **~programm** *n* programme *m* de télévision; *gefilmte(s) ~~* programme *m* de télévision enregistré sur film(s); **~schirm** *m* écran *m* de télévision; **~sender** *m* émetteur *m od* station *f* de télévision; **~-Senderaum** *m = ~studio;* **~-Sendezentrale** *f* centre *m* visio-émetteur; **~sendung** *f* émission *f* de télévision; **~spiel** *n* jeu *m* télévisé; **~studio** *n* studio *m* (de télévision); **~technik** *f* télétechnique *f;* **~techniker** *m* technicien de la télévision, télétechnicien *m;* **~teilnehmer(in** *f***)** *m* téléspectateur, trice *m f;* **~turm** *m* tour *f* de télévision; **~übertragung** *f* émission *od* transmission *f* de télévision; **~vorführung** *f* représentation *f* de télévision.

Fernsprech|amt *n* ['fɛrnʃprɛç-] bureau téléphonique *od* du téléphone; central *m* (téléphonique); **~anlage** *f* installation *f od* poste *m* téléphonique; **~anschluß** *m (angeschlossener Apparat)* poste *m* d'abonné; **~apparat** *m* appareil *m* téléphonique; **~beamte(r)** *m,* **~beamtin** *f* téléphoniste *m f;* **~betrieb** *m* exploitation *f* des téléphones; **~-Betriebstrupp** *m* équipe *f* d'exploitation téléphonique; **~buch** *n* annuaire *m* téléphonique *od* du téléphone; **~er** *m (Apparat)* appareil téléphonique, téléphone *m; öffentliche(r)* ∼∼ téléphone *m* public; ∼**gebühr** *f* taxe *f* téléphonique; ∼**geheimnis** *n* secret *m* des communications téléphoniques; ∼-**Instandhaltungstrupp** *m* équipe *f* d'entretien téléphonique; ∼**kompanie** *f mil* compagnie *f* d'exploitation téléphonique; ∼**leitung** *f,* ∼**linie** *f* ligne *f* téléphonique; ∼**netz** *n* réseau *m* téléphonique; ∼**nummer** *f* numéro *m* de téléphone; ∼**schrank** *m* standard *m;* ∼**stelle** *f* poste *m* téléphonique; *öffentliche* ∼∼ poste *m* public; ∼**teilnehmer** *m* abonné *m* au téléphone; ∼**trupp** *m* équipe *f* (d'exploitation) téléphonique; ∼**verbindung** *f* communication *f* téléphonique; ∼**verkehr** *m* trafic *m od* communication *f* téléphonique; ∼**vermittlung** *f* central *m* (du téléphone); ∼-**Vermittlungsstelle** *f* standard *m;* ∼**verzeichnis** *n* = ∼*buch;* ∼**wesen** *n* téléphone *m;* ∼**zelle** *f* cabine *f* téléphonique; ∼**zentrale** *f* central *m.*

Ferri|acetat *n* ['fɛri-] *chem* acétate *m* ferrique; ∼**oxyd** *n* oxyde *m* ferrique; ∼**phosphat** *n* phosphate *m* ferrique; ∼**sulfat** *n* sulfate *m* ferrique.

Ferrit *m* ⟨-s, -e⟩ [fɛ'ri:t, -'rɪt] *chem radio* ferrite *f.*

Ferro|chlorid *n* [fɛro-] *chem* protochlorure *m* de fer; ∼**ferrioxyd** *n* hydroxyde *m* ferrosoferrique; ∼**legierung** *f* ferro-alliage *m;* ∼**phosphat** *n* phosphate *m* ferreux; ∼**sulfat** *n* sulfate *m* ferreux.

Ferse *f* ⟨-, -n⟩ ['fɛrzə] *anat (a. des Strumpfes)* talon *m; jdm auf den* ∼*n folgen* être aux trousses de qn, emboîter le pas à qn; *jdm nicht von den* ∼*n gehen* marcher sur les talons de qn, être toujours suspendu aux basques de qn, ne pas quitter qn d'un pas; *sich an jds* ∼*n heften* s'attacher aux pas de qn; *jdm auf den* ∼*n sein* être sur les talons *od* aux trousses de qn, talonner qn, serrer qn de près; *die* ∼*n zeigen fig* prendre la fuite *od fam* la poudre d'escampette; *verstärkte* ∼ *(e-s Strumpfes)* talon *m* renforcé; ∼**nbein** *n anat* calcanéum *m;* ∼**neinlage** *f (e-s Schuhes)* talonnette *f;* ∼**ngeld** *n:* ∼∼ *geben (fam: fliehen)* tourner les talons, lever le pied.

fertig [fɛrtɪç] *a (*∼*gestellt, vollendet)* fini, achevé; *(bereit)* prêt *(zu* à); *fam (erschöpft)* rompu de fatigue; *pop* canné; *fam (erledigt, zugrunde gerichtet)* fini, perdu; *adv (gut, gewandt)* bien, habilement, parfaitement; *(sprechen)* couramment; *mit etw* ∼ *sein* avoir fini *od* terminé *od* achevé qc; *(ganz)* ∼ *sein (fam: erschöpft sein)* être à plat *od* crevé; ∼ *werden* s'achever; *rasch* od *schnell mit etw* ∼ *sein (nicht zögern)* avoir vite fait de qc; *allein* ∼ *werden (a.)* y arriver tout seul; *mit etw* ∼ *werden (etw beenden, vollenden)* finir, terminer, achever qc; *(zustande kommen)* venir à bout, se tirer de qc; *mit jdm* ∼ *werden (s-r Herr werden)* venir à bout de qn; *(jdn loswerden)* se débarrasser, se défaire de qn; *mit jdm nicht* ∼ *werden* ne pas arriver à s'entendre avec qn; *ohne jdn, etw* ∼ *werden* savoir se passer de qn, de qc; *nicht damit* ∼ *werden (sich erfolglos bemühen)* ne pas en sortir; *ich bin gleich* ∼ je suis à vous tout de suite; *ich bin* ∼ *mit ihm (habe mit ihm gebrochen)* tout est fini entre nous; *Sie sind rasch* od *schnell (damit)* ∼ *geworden* vous avez été vite, il ne vous a pas fallu longtemps; *das wird nie* ∼ on n'en verra jamais la fin *od* le bout, c'est toujours à recommencer; *sieh zu, wie du damit* ∼ *wirst!* débrouille-toi tout seul! ∼ *verpackt* préemballé; **F∼bau(weise** *f)* *m* construction *f* en éléments préfabriqués; ∼≈**bekommen** *tr* (pouvoir) finir *od* achever; ∼≈**bringen** ⟨*hat fertiggebracht*⟩ *tr* venir à bout de; *es* ∼∼ *(können)* en trouver le moyen, y arriver; *etw zu tun* être homme à faire qc; ∼**en** [-gən] *tr (herstellen)* fabriquer, produire, faire; **F∼erzeugnis** *n,* **F∼fabrikat** *n* produit *m* fini *od* préfabriqué; **F∼gesenk** *n tech* matrice *f* finisseuse; **F∼haus** *n* maison *f* préfabriquée; **F∼keit** *f (Gewandtheit)* adresse; *(Geschicklichkeit)* habileté, dextérité; *(Geschwindigkeit)* rapidité, vélocité *f; (mit Pluralform)* technique *f,* savoir-faire, tour *m* de main; *(Zungenfertigkeit)* volubilité; **F∼kleidung** *f* (vêtements *m pl*) prêt(s) *m* à porter, confection *f,* tout fait *m;* ∼≈**machen** *tr* achever, finir; *(bereit machen)* préparer; *fig fam (müde u. nervös machen)* esquinter, achever; *(heruntermachen)* rabattre la crête à, déchirer à belles dents; *sich* ∼∼ faire sa toilette; se préparer; *den habe ich aber* ∼*gemacht!* je l'ai drôlement remis à sa place! ∼≈**stellen** *tr* achever, finir; **F∼stellung** *f* achèvement *m,* finition, mise *f* au point; **F∼teil** *n* élément *m* préfabriqué; **F∼ung** *f* ⟨-, (-en)⟩ *tech* usinage *m;* fabrication, production *f;* **F∼ungsingenieur** *m* ingénieur *m* de fabrication; **F∼ungslohn** *m* prix *m* de main-d'œuvre; **F∼ungsprogramm** *n* programme *m* de production; **F∼ungsstadium** *n* stade *m* de fabrication; **F∼ungsstraße** *f tech* train *m* finisseur; **F∼ungszeit** *f* temps *m* d'usinage, durée *f* de la fabrication; **F∼ware** *f* produit *m* manufacturé *od* préfabriqué; **F∼(waren)industrie** *f* industrie *f* de produits finis.

Fes *m* ⟨-/-sses, -/-sse⟩ [fɛs] *(oriental. Kopfbedeckung)* fez *m.*

fes [fɛs] *n mus* fa *m* bémol.

fesch [fɛʃ] *a (schick)* chic, pimpant; *fam* chouette; *(flott, forsch)* fringant.

Fessel *f* ⟨-, -n⟩ ['fɛsəl] lien *m; (Kette)* chaîne *f,* fers *m pl; (Fußfessel; fig: Hindernis, Einengung)* entrave *f; (bei Menschen)* attaches *f pl (Pferd: Fußgelenk)* paturon *m; jdm* ∼*n anlegen, jdn in* ∼*n legen* lier qn, mettre qn aux fers; *in* ∼*n schlagen (fig)* entraver; *die* ∼*n sprengen (fig)* rompre *od* briser ses liens, briser ses fers; *sie hat schlanke* ∼*n* elle a les attaches fines; ∼**ballon** *m* ballon *m* captif; *arg aero* saucisse *f;* ∼**gelenk** *n (des Pferdes)* boulet *m;* ∼**geschwulst** *f vet* javart *m;* **f∼los** *a a. fig* sans entraves, libre; ∼**losigkeit** *f fig* liberté *f;* **f∼n** *tr* ligoter, enchaîner, charger de chaînes *od* de fers; *(Tier)* entraver; *fig* captiver, hypnotiser; *jds Aufmerksamkeit* ∼∼ fixer l'attention de qn; *jdn ans Bett* ∼∼ *(fig)* clouer *od* retenir qn au lit; **f∼nd** *a (spannend)* captivant; ∼**socken** *f pl* mi-chaussettes *f pl;* ∼**ung, Feßlung** *f* ligotage, enchaînement *m.*

fest [fɛst] *a (nicht flüssig)* solide; *(nicht weich)* ferme; *(hart)* dur; *(nicht lose)* fixe; *mil (befestigt)* fortifié; *fig (energisch, unerschütterlich; unabänderlich, endgültig)* ferme; *(beständig, a. von e-m Arbeitsplatz, e-m Börsenkurs)* stable; *(keiner Veränderung, keinem Wechsel unterworfen, a. von Wohnsitz, Preis, Lohn, Gehalt, Kundschaft)* fixe; ∼ *arbeiten* travailler ferme; ∼ *bleiben (standhalten)* tenir ferme; ∼*en Fuß fassen* prendre pied; *e-e* ∼*e Hand haben* avoir la main ferme; ∼ *kaufen, verkaufen* acheter, vendre ferme; ∼ *schlafen* dormir à poings fermés; ∼ *(davon) überzeugt sein, daß ...* avoir la ferme conviction que ...; ∼ *auf den Beinen stehen* être bien d'aplomb sur ses jambes; *sich* ∼ *vornehmen, etw zu tun* prendre la ferme résolution de faire qc; ∼ *werden (erstarren)* se solidifier, faire prise; ∼*e(s) Gehalt n (a.)* fixe *m;* ∼**angestellt** *a* employé en permanence; **F∼angestellte(r)** *m* employé *m* permanent; **F∼antenne** *f radio* antenne *f* fixe; ∼≈**backen** ⟨*hat festgebackt*⟩ *itr (ankleben)* attacher, coller; ∼≈**beißen,** *sich* ne pas démordre; ∼**besoldet** *a* à appointements fixes; ∼≈**binden** *tr* lier *od* attacher solidement; ∼≈ **fahren** ⟨*ist festgefahren*⟩ *itr:* ∼*gefahren sein* être embourbé *od* en panne, ne plus pouvoir avancer; *fig* être au point mort; *sich* ∼∼ *(fig)* s'embourber, s'enferrer, s'enliser; ∼**genäht** *a* solidement cousu; ∼**gesetzt** *a: zur* ∼∼*en Zeit* à l'heure dite, à point nommé; ∼**gewurzelt** *a* (profondément) enraciné; ∼≈**halten** *tr (zurückhalten)* retenir, clouer; *(anhalten)* arrêter; *(gefangenhalten)* détenir; *fig (in Worten im Bild, in der Erinnerung)* retenir; *etw im Bild* ∼∼ fixer qc sur la pellicule *od* la toile; *itr fig* tenir ferme *(an* à); ne pas démordre *(an* de); *sich* ∼∼ ne pas lâcher prise; *an etw* se tenir ferme, s'accrocher à qc; *starr an etw* ∼∼ *(fig)* être entiché de qc; *halten Sie sich* ∼*!* tenez-vous bien; ∼**igen** [-tɪgən] *tr fig* affermir *a. fin;* fortifier, consolider; **F∼igkeit** *f* ⟨-, (-en)⟩ *(*∼*er Zustand)* consistance; *(Dichtigkeit)* compacité; *(Härte)* dureté; *(Widerstandsfähigkeit)* résistance; *(Dauerhaftigkeit)* stabilité; *fig (Standhaftigkeit)* fermeté *f a. fin;* aplomb *m,* persévérance *f;* **F∼igkeitsgrad** *m tech* degré *m* de résistance; **F∼igkeitsprobe** *f,* **F∼igkeitsprüfung** *f* épreuve *f od* essai *m* de résistance; **F∼igung** *f* affermissement *m;* consolidation, solidification *f;* ~≈**keilen** *tr* caler; ~≈**kleben** *tr* coller; *itr (Vorgang)* s'attacher (solidement); *~geklebt sein* être attaché solidement, coller *od* adhérer *od* tenir solidement; **F~land** *n* terre *f* ferme; *(Kontinent)* continent *m;* **~ländisch** *a* continental; **F~landsblock** *m geog* masse *f* continentale; **F~landssokkel** *m* socle *m* continental; ~≈**legen** *tr (bestimmen)* déterminer, établir, arrêter, fixer; *fin* immobiliser; *mil (ausfindig machen)* repérer; *(unbeweglich machen)* immobiliser, bloquer; *jdn auf s-e Äußerung ~~* prendre qn au mot; *sich ~~ (sich binden)* se lier, s'engager (*auf etw* à qc); **F~legen** *n mil* repérage *m;* **F~legepunkt** *m mil* point *m* de repérage; **F~legung** *f* détermination *f,* établissement *m,* fixation; *fin mil* immobilisation *f;* ~≈**liegen** ⟨*hat festgelegen*⟩ *itr a. fin* être immobilisé; ~≈**machen** *tr (befestigen, ~binden)* fixer, attacher, lier; *mar* amarrer; *(abmachen, vereinbaren)* arrêter, fixer; *itr mar* ancrer; **F~meter** *m (cbm Holz)* stère *m;* ~≈**nageln** *tr* clouer; *fig fam* river son clou à; **F~nahme** *f* appréhension, arrestation, capture *f;* ~≈**nehmen** *tr (verhaften)* saisir, appréhender, arrêter; *jdn ~~* s'assurer de la personne de qn; **F~offerte** *f com (~es Angebot)* offre *f* ferme; **F~punkt** *m* point *m* fixé *od* de repère; **F~preis** *m* prix *m* fixe *od* définitif; ~≈**schnallen** *tr* boucler; ~≈**schrauben** *tr* visser; ~≈**setzen** *tr (inhaftieren)* emprisonner, écrouer; *fig (bestimmen)* fixer, arrêter; *sich ~~ (Staub, Schmutz)* se déposer; *(sich niederlassen)* s'établir, se fixer, s'implanter; *Rost hat sich ~gesetzt* il y a des traces de rouille; **F~setzung** *f* emprisonnement; *fig* fixation *f;* ~≈**sitzen** *itr (nicht von der Stelle können)* ne (pas) pouvoir bouger, être immobilisé *od* en panne; *fig fam (nicht weiterkönnen)* être au bout de son latin; ~≈**stampfen** *tr* tasser avec les pieds; ~≈**stecken** *tr* attacher *od* fixer *od* maintenir par des épingles; ~≈**stehen** ⟨*hat festgestanden*⟩ *itr* être posé *od* campé *od* établi solidement; *fig* être arrêté *od* un fait établi, ne faire aucun *od* pas de doute; *impers: es steht fest, daß ...* il est établi, c'est un fait, il est de fait que ...; *eins steht ~* une chose est sûre; *es scheint ~zustehen, daß ...* il paraît acquis que ...; *e-e ~~de Tatsache* un fait établi; **~stellbar** *a (erkennbar)* reconnaissable; ~≈**stellen** *tr tech* arrêter, fixer, bloquer; *fig (erkennen)* constater, vérifier; *(a. = anerkennen)* reconnaître; *(erkennen u. ~halten)* établir; *(Preis)* fixer; *jds Personalien ~~* établir l'identité de qn; **F~steller** *m tech* arrêtoir *m;* **F~stellknopf** *m* bouton *m* de blocage; **F~stellschraube** *f* vis *f* d'arrêt; **F~stelltaste** *f* touche *f* de blocage; **F~stellung** *f tech* arrêt *m,* fixation *f,* blocage *m; fig* constatation, vérification *f;* établissement; *jur* acte *m od* décision *f* déclaratoire; **F~stellungsbescheid** *m* avis *m* de taxation *od* d'estimation; **F~stellungsklage** *f jur* action *f* en constatation de droit; **F~ung** *f* forteresse, place *f* forte; **F~ungsartillerie** *f* artillerie *f* de forteresse *od* de place; **F~ungsbau** *m* fortification *f;* **F~ungsgürtel** *m* ceinture *f* de forteresses; **F~ungshaft** *f* arrêts *m pl* de forteresse; **F~ungsnetz** *n* réseau *m* de forteresses; **F~ungswerk** *n* ouvrage *m* fortifié; **~verzinslich** *a* à taux d'intérêt fixe.

Fest *n* ⟨-(e)s, -e⟩ ['fɛst] fête *f; ein ~ feiern* célébrer une fête, fêter; *für jdn ein ~ veranstalten* donner *od* offrir une fête à qn *od* en l'honneur de qn; *bewegliche(s), unbewegliche(s) ~* fête *f* mobile, fixe; **~abend** *m* soirée *f* de gala; **~akt** *m* cérémonie *f;* **~ausschuß** *m* comité *m* des fêtes; **~beleuchtung** *f* illumination *f,* embrasement *m;* **~essen** *n* banquet, dîner de gala; *fig (übertreibend: gutes Essen)* régal; *pop* gueuleton *m;* **~(es)stimmung** *f: in ~~* en fête; **~gewand** *n* grande tenue *f; im ~~* en grande tenue; **~halle** *f* salle *f* des fêtes; **~ival** *n* ⟨-s, -s⟩ ['fɛst-, fɛsti'val] = *~spiele;* **~ivität** *f* ⟨-, -en⟩ [-vi'tɛ:t] *hum* = *~lichkeit;* **f~lich** *a* de fête; *(feierlich)* solennel; *(prunkvoll)* pompeux; *in ~~er Stimmung* en fête; *~~ begehen* solenniser; *adv: ~~ gekleidet* endimanché; *~~ geschmückt* paré pour la fête; **~lichkeit** *f (Fest)* fête; *(Feier)* cérémonie *f;* **~mahl** *n* banquet *m;* **~ordner** *m* organisateur *m* d'une *od* de la fête; **~platz** *m* place *f* des fêtes; **~rede** *f* discours (solennel); *(kleine)* toast *m;* **~redner** *m* orateur; convive *m* portant un toast; **~saal** *m* = *~halle;* **~schrift** *f* brochure *f* commémorative (*zu* de); *~~ für jdn* publication *f* en l'honneur de qn; **~spiele** *n pl* festival *m;* **~spielhaus** *n* théâtre *m* des fêtes; **~tag** *m* jour *m* de fête *od* férié; **f~täglich** *a* de fête; **f~tags** *adv* les jours de fête; **~vorstellung** *f* (représentation *f* de) gala *m;* **~zug** *m* cortège *m* (solennel).

Fetisch *m* ⟨-(e)s, -e⟩ ['fe:tɪʃ] *rel* u. *fig* fétiche *m;* **~ismus** *m* ⟨-, ø⟩ [-'ʃɪsmʊs] *rel* u. *med* fétichisme *m;* **~ist** *m* ⟨-en, -en⟩ [-'ʃɪst] fétichiste *m.*

fett [fɛt] *a (Tier; Mensch: pop; Fleisch, Speise)* gras; *(Boden)* gras, fertile; *fig (groß, reich)* gros, riche, bon; *(einträglich)* lucratif; *jdn ~ füttern (fam)* empiffrer qn; *das macht den Kohl nicht ~ (fig)* cela ne met pas de beurre dans les épinards; *dick und ~* gros et gras; *zu ~ (Nahrung)* trop riche; *ein ~er Bissen (gutes Geschäft)* un gros coup; *ein ~er Happen* un bon morceau; *die sieben ~en Jahre n pl* les sept années *f pl* de fertilité; *adv ~gedruckt* imprimé en caractères gras; **F~** *n* graisse *f; (~es Fleisch)* gras *m; chem* matière *f* grasse; *pl* corps gras, *scient* lipides *m pl; das ~~ abschöpfen* dégraisser (*von etw* qc); *fig* prendre la meilleure part; *~~ ansetzen (Mensch: dicker werden)* engraisser, grossir, prendre du ventre *od* de l'embonpoint; *jdm sein ~~ geben (fig fam: s-e Meinung sagen)* rendre son paquet à qn; dire son fait à qn; *vom eigenen ~~ zehren (fig)* vivre sur soi-même *od* sur son acquis; *überflüssige(s) ~~ (med)* mauvaise graisse *f;* **F~ablagerung** *f physiol* adipopexie *f; anat* dépôt *m* adipeux; **F~ammer** *f orn* ortolan *m;* **F~auge** *n (auf der Suppe)* œil *m* (de graisse); **F~creme** *f* crème *f* grasse; **F~druck** *m typ: in ~~* en vedette; **~en** *tr* u. *itr* graisser; **F~en** *n tech* graissage *m;* **F~fleck** *m* tache *f* de graisse; **~gedruckt** *a typ* imprimé en (caractères) gras; **F~gehalt** *m* teneur *f* en matières grasses; **F~gewebe** *n anat* tissu *m* adipeux; **F~heit** *f* = *F~leibigkeit;* **F~henne** *f bot* orpin *m;* **~ig** *a* graisseux; *(schmutzig)* crasseux; *(Haut, Haar)* gras; **F~igkeit** *f (Zustand)* graisse *f; pl (~ige Nahrungsmittel)* aliments *m pl* gras; **F~klumpen** *m fig fam pej (Mensch)* boule *f od* peloton *m* de graisse; **F~kohle** *f* houilles *f pl* grasses; **~leibig** *a* obèse, gras; *(dick)* gros, replet; **F~leibigkeit** *f* obésité *f; (Wohlbeleibtheit)* embonpoint *m;* **F~mops** *m: kleine(r) ~~ (fam: Mensch)* pot *m* à tabac; **F~näpfchen** *n: (bei jdm) ins ~~ treten (fig fam)* mettre les pieds dans le plat; **F~papier** *n* papier *m* sulfurisé; **F~polster** *n anat* coussinet de graisse *od* adipeux; *pej* bourrelet *m* de graisse; **F~rand** *m (des Rindermagens)* gras-double *m;* **F~säure** *f chem* acide *m* gras; **F~schicht** *f* couche de graisse; *scient* adiposité *f;* **F~schweiß** *m (der Tiere mit Wollhaaren)* suint *m;* **F~sucht** *f med* adipose *f;* **F~wanst** *m fig fam (Mensch)* mastodonte *m;* **F~wulst** *m* bourrelet *m* de graisse.

Fetus *m* ⟨-sses, -sse⟩ ['fe:tʊs, -sə] *physiol* fœtus *m.*

Fetz|chen *n* ⟨-s, -⟩ ['fɛtsçən] petit bout *m;* **~en** *m* ⟨-s, -⟩ lambeau *a. fig;* chiffon; *(Lumpen)* haillon *m,* guenille *f; in ~~* en haillons, en guenilles; *in ~~ gehen* s'en aller en lambeaux, tomber en loques; *sie prügelten sich, daß die ~ flogen* ils se sont battus comme des chiffonniers.

feucht [fɔʏçt] *a* humide, mouillé, moite; *~ werden* prendre de l'humidité, s'humecter; **F~e** *f* ⟨-, (-n)⟩ = *F~igkeit;* **~en** *itr* être humide; **~heiß** *a* = *~warm;* **F~igkeit** *f* ⟨-, ø⟩ humidité, moiteur *f;* **F~igkeitsgehalt** *m* degré *m* d'humidité, teneur *f* en humidité; *~~ der Luft* état hygrométrique de l'air, degré *m* hygrométrique *od* d'hygrométrie; **~igkeitsliebend** *a bot* uliginaire, uligineux; **F~igkeitsmesser** *m* hygromètre, hygroscope *m;* **~warm** *a* d'une chaleur humide.

feudal [fɔʏ'da:l] *a hist* féodal; *fig fam (piekfein, luxuriös)* somptueux, fastueux, luxueux; **F~herrschaft** *f,* **F~system** *n,* **F~wesen** *n* féodalité *f;* **F~ismus** *m* ⟨-, ø⟩ [-'lɪsmʊs] féodalisme *m.*

Feuer *n* ⟨-s, -⟩ ['fɔʏər] *a. mil* u. *fig* feu

m; lit poet, bes. fig flammes *f pl; (e-s Diamanten)* éclat *m; griechisches ~* feu grégeois; *bei gelindem, starkem ~* à petit, à grand feu; *wie ~ und Wasser* comme le jour et la nuit; *~ (an)machen* od *anzünden* faire du feu, allumer un feu; *mit ~ belegen, unter ~ nehmen (mil)* prendre sous le feu; *jdn um ~ bitten* demander du feu à qn; *das ~ einstellen (mil)* cesser le feu; *das ~ eröffnen (mil)* ouvrir le feu; *~ fangen (a. fig)* prendre feu; *(in Brand geraten)* s'allumer, s'enflammer; *leicht ~ fangen (a. fig)* s'allumer *od* s'enflammer facilement; *fig* avoir l'enthousiasme facile; *~ geben (mil)* faire feu; *für jdn durchs ~ gehen* se jeter au feu, passer dans le feu, se mettre en quatre pour qn; *Öl ins ~ gießen (fig)* jeter de l'huile sur le feu; *für jdn die Kastanien aus dem ~ holen (fig)* tirer les marrons du feu pour qn; *~ an etw legen* mettre le feu à qc; *unter feindlichem ~ liegen* être sous le feu de l'ennemi; *das ~ schüren* souffler le feu; *~ und Flamme sein* être tout feu tout flamme (*für jdn* pour qn); *mit dem ~ spielen* jouer avec le feu; *dafür lege ich die Hand ins ~* j'en mettrais ma main au feu; *~!* au feu! *~ frei! (mil)* feu à volonté! *gebranntes Kind scheut das ~ (prov)* chat échaudé craint l'eau froide; **~alarm** *m* alerte *f* au feu; **~anbeter** *m rel* pyrolâtre, ignicole *m;* **~anforderung** *f mil* demande *f* de tir; **~anzünder** *m* allume-feu *m;* **~aufnahme** *f mil* ouverture *f* du feu; **~befehl** *m mil* ordre *m* de tir; **~bereich** *m mil* zone *f* de tir; **f~bereit** *a mil* prêt à tirer; **f~beständig** *a* résistant au feu; *scient* réfractaire; **~beständigkeit** *f* résistance *f* au feu; **~bestattung** *f* incinération *f;* **~bohne** *f* haricot *m* d'Espagne; **~brücke** *f tech* pont *m* de chauffe; marche *f od* autel *m* de foyer; **~eifer** *m* zèle *m* ardent, ferveur *f;* **~eimer** *m* seau *m* à incendie; **~einheit** *f mil* unité *f* de tir; **~einstellung** *f mil* cessez-le-feu *m;* **~eröffnung** *f mil* ouverture *f* du feu; **f~fest** *a* résistant au feu, incombustible; ignifugé; *~~e(s) Glas n* verre *m* à feu; **~festigkeit** *f* résistance au feu, incombustibilité *f;* **~fresser** *m* ignivore *m;* **~garbe** *f* gerbe *f od* jet *m* de feu; **f~gefährlich** *a* facilement inflammable; **~gefecht** *n* combat *m* par le feu; **~glocke** *f* tocsin *m;* **~haken** *m (Schüreisen)* tisonnier, pique-feu; *(der Feuerwehr)* croc *m* à incendie; **~kraft** *f mil* puissance *od* intensité *f* de *od* du feu; **~land** *n geog* la Terre de Feu; **~länder(in *f*)** *m* Fuégien, ne *m f;* **~leiter** *f* échelle *f* à *od* d'incendie *od* de sauvetage; **~leitung** *f mil* direction *od* conduite *f* du tir; **~lilie** *f* lis *m* orangé; **~loch** *n tech* ouverture *f* de la chauffe; **f~los** *a: ~~e Lokomotive f* locomotive *f* à vapeur sans foyer; **~löscher** *m* extincteur *m* d'incendie; **~löschgerät** *n* prise *f* d'incendie, pare-feu *m;* **~löschstelle** *f* poste *m* d'incendie *od* d'eau; **~löschwagen** *m* fourgon-tonne *m* des pompiers; **~löschwesen** *n* service *m* d'incendie; **~melder** *m* avertisseur *m* d'incendie; **f~n** ⟨*ich feuere, habe gefeuert*⟩ *itr (heizen)* chauffer, faire du feu; *mil* faire feu (*auf* sur); *tr fam* jeter, balancer; *(entlassen)* virer; **~patsche** *f (Luftschutzgerät)* étouffoir *m;* **~pause** *f mil* interruption *od* suspension *f* du feu; **f~rot** *a* rouge feu *od* comme une pivoine; *~~ werden* avoir le visage en feu; **~sbrunst** *f* incendie *m;* **~schein** *m* lueur du feu; *(am Himmel)* lueur *f* d'incendie *od* de l'incendie; **~schiff** *n* bateau-feu, bateau-phare; *hist mil* brûlot *m;* **~schutz** *m* protection *f* contre l'incendie; *mil* feu *m* de protection; **~schwamm** *m bot* amadou *m;* **~sgefahr** *f* danger *m* d'incendie; **f~sicher** *a* à l'épreuve du feu, incombustible; ignifugé; *~~ machen* ignifuger; **~snot** *f: in ~~* menacé par l'incendie *od* par le feu; **f~speiend** *a* qui lance des flammes; *~~e(r) Berg m* volcan *m;* **~sperre** *f mil* barrage *m* de feu; **~spritze** *f* pompe *f* à incendie; **~stärke** *f mil* densité *f* du feu; **~stein** *m* pierre *f* à feu *od* à briquet *od* à fusil; *geol* silex *m;* **~stellung** *f mil* position *f* de tir *od* de feu *od* de batterie; **~stoß** *m mil* rafale *f;* **~taufe** *f* baptême *m* du feu; *die ~~ erhalten* recevoir le baptême du feu; **~tod** *m* supplice *m* du feu; **~überfall** *m mil* tir *m* de surprise; **~überlegenheit** *f* supériorité *f* du feu; **~ung** *f (Tätigkeit)* chauffage; *(Brennmaterial)* combustible; **~stelle** *f* foyer, four, fourneau *m;* **~ungsanlage** *f tech* installation *f* de chauffage; **~unterstützung** *f mil* appui de feu, soutien *m* par le feu; **~vereinigung** *f mil* concentration *f* des feux; **~versicherung** *f* assurance *f* contre l'incendie; **~versicherungsanstalt** *f* bureau *m* d'assurance contre l'incendie; **~versicherungsgesellschaft** *f* société *od* compagnie *f* d'assurance contre l'incendie; **~vorbereitung** *f mil (Vorbereitung des Feuers)* préparation *f* du tir; *(vorbereitendes ~)* tir *m* de préparation; **~vorhang** *m mil* rideau *m* de feu; **~wache** *f* poste d'incendie; *(Wächter)* piquet *m* d'incendie; **~waffe** *f* arme *f* à feu; **~walze** *f mil* barrage *m* roulant; **~wasser** *n (Branntwein)* eau *f* de vie; **~wehr** *f* (corps *m* des) sapeurs-pompiers *m pl;* **~wehrauto** *n* fourgon-pompe *m,* voiture *f* de(s) pompiers; **~wehrleiter** *f* échelle *f* de(s) pompiers; **~wehrmann** *m* (sapeur-)pompier *m;* **~wehrschlauch** *m* manche *f* à incendie; **~werk** *n* feu *m* d'artifice; **~werker** *m a. mil* artificier, pyrotechnicien *m;* **~werkskörper** *m* pièce *f* d'artifice; **~wirkung** *f mil* efficacité *f* du tir; **~zange** *f* pincettes *f pl* (de cheminée); **~zeug** *n* briquet *m;* **~zusammenfassung** *f* concentration *f* du tir.

Feuilleton *n* ⟨-s, -s⟩ [fœj(ə)'tõ(:)] *(e-r Zeitung)* feuilleton *m;* **~ist** *m* ⟨-en, -en⟩ [-to'nɪst] feuilletoniste *m.*

feurig ['fɔʏrɪç] *a* de feu, ardent; *(brennend)* en feu, enflammé; *fig* plein de feu, brûlant, fervent, fougueux, pathétique; *(Pferd)* fringant; *(Wein)* généreux.

Fex *m* ⟨-es/(-en), -e/(-en)⟩ [fɛks] *(Narr)* fou *m.*

Fez *m* **1.** = *Fes.*

Fez *m* ⟨-es, ø⟩ [fe:ts] **2.** *(fam dial: Spaß)* plaisanterie *f.*

ff ['ɛf'ˀɛf] *a com (prima)* de première qualité.

Fiaker *m* ⟨-s, -⟩ [fi'akər] *(Droschke, Droschkenkutscher)* fiacre *m.*

Fiale *f* ⟨-, -n⟩ [fi'a:lə] *arch* clocheton *m.*

Fiasko *n* ⟨-s, -s⟩ [fi'asko] *(Mißerfolg)* fiasco; *theat* four *m; fam* veste *f; ein ~ erleben* ramasser une veste.

Fibel *f* ⟨-, -n⟩ ['fi:bəl] **1.** *(Abc-Buch)* abécédaire; *(in Zssgen: Elementarbuch)* abrégé *m* (de ...), petite histoire *f* (du, de la, des ...). **2.** *hist (Gewandspange)* broche *f.*

Fib|er *f* ⟨-, -n⟩ ['fi:bər] *(Faser)* fibre *f;* **~rille** *f* ⟨-, -n⟩ [fi'brɪlə] *anat* fibrille *f;* **~rin** *n* ⟨-s, ø⟩ [fi'bri:n] *physiol* fibrine *f;* **~rom** *n* ⟨-s, -e⟩ [-'bro:m] *med* fibrome *m;* **f~rös** [-'brø:s] *a anat (aus Bindegewebe)* fibreux.

Fichte *f* ⟨-, -n⟩ ['fɪçtə] *bot* sapin (rouge); *scient* épicéa *m;* **f~n** *a* de *od* en (bois de) sapin; **~nholz** *n* (bois de) sapin *m;* **~nnadel** *f* aiguille *f* de sapin; **~nnadelöl** *n* essence *f* d'aiguilles de sapin; **~nwald** *m* sapinière *f.*

ficken *tr* ['fɪkən] *vulg* baiser.

Fideikommis *n* ⟨-sses, -sse⟩ [fideikɔ'mɪs, 'fi:-] *jur* fidéicommis *m.*

fidel [fi'de:l] *a fam (lustig)* joyeux, gai.

Fidibus *m* ⟨-/sses, -sse⟩ ['fi:dibus] allume-pipe *m.*

Fieber *n* ⟨-s, (-)⟩ ['fi:bər] fièvre; *fig* fièvre, passion *f; ~ bekommen* od *(fam) kriegen* être pris de fièvre; *vor ~ glühen, zittern* brûler, trembler de fièvre; *~ haben* avoir de la fièvre *od* de la température; *fam* faire de la température; *vom ~ geschüttelt werden* être travaillé par la fièvre; *ich habe wieder ~ bekommen* la fièvre m'a repris; *hitzige(s) ~* fièvre *f* chaude; *hohe(s) ~* forte fièvre *f;* **~anfall** *m* accès *m* de fièvre; **f~frei** *a* sans fièvre; *~~e(r) Tag m (med)* jour *m* intercalaire; **~frost** *m* frissons *m pl* (de fièvre); **f~haft** *a a. fig* fiévreux, fébrile; *adv fig a.* avec fièvre; **~hitze** *f* chaleur *f* fébrile; **f~krank** *a* pris de fièvre; **~kurve** *f* courbe *f* de température; **~messer** *m* = *~thermometer;* **~mittel** *n* fébrifuge *m;* **f~n** *itr* avoir de la fièvre *od* de la température, être fiévreux; *nach etw ~~ (fig)* attendre qc fiévreusement; *vor Erregung ~~* être en proie à une agitation fébrile; **~phantasie** *f* hallucination *f;* **~schauer** *m* frisson *m;* **~therapie** *f* pyrétothérapie *f;* **~thermometer** *n* thermomètre *m* médical; **f~treibend** *a* pyr(ét)ogène; **~wahn** *m,* **~zustand** *m* délire *m;* **f~widrig** *a* fébrifuge, antipyrétique; **fieb(e)rig** *a* fiévreux, fébrile.

Fiedel *f* ⟨-, -n⟩ ['fi:dəl] *fam (Geige)* violon; *pop* crincrin *m;* **f~n** *itr fam* râcler du violon; **Fiedler** *m* ‹-s, -› ['-dlər] *fam* râcleur de violon, violoneux *m*.

Figur *f* ‹-, -en› [fi'gu:r] *(Gestalt)* silhouette, stature, taille; *(Standbild)* statue; *(kleinere)* statuette, figurine; *(e-s Schachspiels)* pièce; *(auf e-r Spielkarte)* figure; *(math, Tanz, Eiskunstlauf)* figure; *aero* acrobatie; *(in e-r Handlung, e-m Geschehen)* personne *f*, personnage *m; in ganzer ~ (Malerei)* en pied; *e-e gute Figur haben* être bien fait *od* bien bâti; *e-e tadellose ~ haben* être fait au moule; *e-e verbotene ~ haben (fam)* être fait comme un z; *e-e gute ~ machen* faire (bonne) figure; *keine gute ~ machen (fam)* ne pas faire bonne figure; *komische ~* drôle de bonhomme (*od* bonne femme); *schlanke ~* silhouette fine; *zierliche ~* taille *f* menue; **~ant** *m* ‹-en, -en› [-'rant] *theat* figurant, comparse *m;* **~ation** *f* ‹-, -en› [-ratsi'o:n], **~ierung** *f mus* figuration *f;* **~enscheibe** *f (beim Schießen)* cible-silhouette *f;* **f~ieren** [-'ri:rən] *itr (auf-, in Erscheinung treten)* figurer (*als* acc); donner figure (*als* à); *tr mus* figurer; **~ine** *f* ‹-, -n› [-'ri:nə] *(Kunst, theat)* figurine *f*.

Figür|chen *n* [fi'gy:r-] figurine, statuette *f;* **f~lich** *a* u. *adv gram* au figuré.

Fikt|ion *f* ‹-, -en› [fiktsi'o:n] *(Erdichtung, Unterstellung)* fiction *f;* **f~iv** [-'ti:f] *a (erdichtet, nur gedacht)* fictif.

Filet *n* ‹-s, -s› [fi'le:] *(Textil, Buchbinderei; Küche)* filet; *tech* peigneur *m;* **~arbeit** *f (Textil: Filet)* filet *m;* **~braten** *m* filet *m* (rôti); **~stempel** *m (Buchbinderei)* fer *m* à fileter.

Filial|bank *f* [fili'a:l-] banque *f* à succursales; **~e** *f* ‹-, -n› *com* (magasin *m*) succursale, filiale *f;* **~(groß)betrieb** *m* magasin *m od* entreprise *od* maison *f* à succursales (multiples); **~leiter** *m* gérant *m* d'une *od* de la succursale.

Filigran(arbeit *f***)** *n* ‹-s, -e› [fili'gra:n(-)] *(Textil* u. *fig)* filigrane *m*.

Film *m* ‹-(e)s, -e› [fılm] *(dünne Haut)* film *m; phot (Lichtbildstreifen)* pellicule *f*, film; *(Kunstwerk)* film; *(Lichtspielwesen)* film, cinéma *m; e-n ~ drehen (a. von e-m Schauspieler)* tourner un film; *e-n ~ einlegen (phot)* charger l'appareil *od (Filmapparat)* la caméra; *zum ~ gehen (um ~schauspieler zu werden)* aller faire du cinéma; *beim ~ sein (als Schauspieler)* faire du cinéma; *mit e-m ~ überziehen (tech)* filmer; *e-n ~ vorführen* présenter un film; *der ~ ist noch nicht angelaufen* le film n'est pas encore sorti; *der ~ läuft* on passe le film; *belichtete(r) ~ (phot)* pellicule *f* exposée; *dreidimensionale(r) ~* film *m* à trois dimensions; *kitschige(r) ~* navet *m fam; plastische(r) ~* film *m* en relief; *unbelichtete(r) ~* pellicule *f* vierge; **~archiv** *n* cinémathèque, filmothèque *f;* **~atelier** *m* studio *m;* **~aufnahme** *f* prise *f* de vues de cinéma *od* cinématographiques; **~band** *n* pellicule *f* (de film); **~bearbeitung** *f* adaptation *f* au cinéma; **f~en** *tr* filmer, cinématographier; *itr (a. von e-m Schauspieler)* faire du cinéma, tourner; **~en** *n* filmage *m;* **~festspiele** *n pl* festival *m* cinématographique *od* du cinéma; **~freund** *m* cinéphile *m;* **~gelände** *n* terrain *m* cinématographique; **~gesellschaft** *f* société *f* cinématographique; **~gestalter** *m* ensemblier *m;* **~größe** *f* = *~star;* **~held** *m* héros *m* du cinéma; **~industrie** *f* industrie *f* cinématographique *od* du cinéma; **f~isch** *a* filmique, cinématographique; **~kamera** *f* caméra *f* (de cinéma); **~katalog** *m* filmographie *f;* **~klub** *m* ciné-club *m;* **~kontrolle** *f* censure *f* cinématographique; **~kopie** *f* copie *f* de film; **~kritik** *f* critique *f* cinématographique *od* de cinéma; **~kritiker** *m* critique *m* de cinéma; **~kunst** *f* art *m* cinématographique, cinématographie *f;* **~laufbahn** *f* carrière *f* cinématographique; **~liebhaber** *m* cinéphile *m;* **~magazin** *n (Zeitschrift)* magazine *m* cinématographique; **~pack** *m* pellicule *f* rigide; **~postkarte** *f* photo(graphie) *f* d'artiste; **~probe** *f* (tournage *m* d'une) bande *f* d'essai; **~produktion** *f* production *f* cinématographique; **~produzent** *m* producteur *m* cinématographique; **~projektor** *m* projecteur *m* cinématographique; **~prüfer** *m* contrôleur *m* de films; **~prüfstelle** *f* office *m* de contrôle des films; **~publikum** *n* spectateurs *m pl* de cinéma; public *m;* **~regisseur** *m* metteur en scène, réalisateur *m;* **~reklame** *f* publicité *f* par le film; **~reportage** *f* reportage *m* cinématographique *od* filmé; **~rolle** *f phot* rouleau *m* de film; **~schaffende(r)** *m* cinéaste *m;* **~schauspieler(in** *f***)** *m* acteur, trice *m f* de cinéma; **~schlager** *m mus* air *m* de film en vogue; **~schöpfung** *f* réalisation *f* (cinématographique); **~spule** *f* bobine *f od* rouleau *m* de pelicule *od* de film; **~stadt** *f* ville *f* construite pour un tournage; **~star** *m* vedette de cinéma *od* de l'écran, star *f;* **~sternchen** *n* starlette *f;* **~streifen** *m* (bande *f* de) film *m od* (de) pellicule *f;* **~streifenmarkierung** *f* code *m;* **~studio** *n* = *~atelier;* **~szene** *f* scène *f* de film; *kurze ~~ (a.)* flash *m;* **~theater** *n* (salle *f* de) cinéma *m;* **~transport** *m phot* transport *m* de bande; **~trommel** *f phot* tambour *m* de film *od* à pellicule; **~verleih** *m* location *od* distribution de films; *(einzelnes Unternehmen)* maison *f* de location de films; **~verleiher** *m* distributeur *m* de films; **~vorführer(in** *f***)** *m* opérateur, trice *m f;* **~vorführung** *f* projection *f* de films; **~vorschau** *f* présentation *f* du prochain film; **~vorstellung** *f* séance *f* de cinéma; **~werbung** *f* propagande cinématographique, publicité *f* par film; **~wissenschaft** *f* filmologie *f;* **~wissenschaftler** *m* filmologue *m;* **~zeitschrift** *f* revue *f* de cinéma; **~zensur** *f* censure *f* cinématographique.

Filter *m* od *n* ‹-s, -› ['fıltər] filtre *a. opt phot radio; opt phot a.* écran *m;* **~bett** *n tech* couche *f* filtrante; **~einsatz** *m (d. Gasmaske)* cartouche *f* (du masque à gaz); **~gerät** *n* appareil *m* à filtrer; **~kammer** *f* chambre *f* filtrante *od* de filtration; **~kohle** *f* charbon *m* à filtrer; **~masse** *f* masse *f* filtrante; **~material** *n* matériel *m* de filtrage; **~mundstück** *n (e-r Zigarette)* bout *m* filtre; *Zigarette f mit ~~* cigarette *f* à bout filtre; **f~n** *tr* filtrer; **~papier** *n* papier-filtre *m;* **~tuch** *n* étoffe *f* à filtrer; **~ung** *f* filtrage *m*, filtration *f;* **~zigarette** *f* cigarette-filtre *f*.

Filtr|at *n* ‹-(e)s, -e› [fıl'tra:t] filtrat *m;* **~ation** *f* ‹-, -en› [-tratsi'o:n] = *Filtrierung;* **~ieranlage** [-'tri:r-] *f* installation *f* de filtrage *od* de filtration; **f~ieren** *tr* = *filtern;* **~iergerät** *n* appareil *m* à filtrer; **~ierung** *f* filtration *f*.

Filz *m* ‹-es, -e› [fılts] feutre; *fig fam (Geizhals)* ladre, pingre, grigou; grippe-sou, fesse-mathieu *m;* **~dichtung** *f tech* joint *m* de feutre; **f~en** *tr* feutrer; *(durchsuchen)* fouiller; **~hut** *m* (chapeau de) feutre *m;* **f~ig** *a* feutré; *fig fam* ladre, pingre; *pop* rat; **~igkeit** *f fam* ladrerie, pingrerie *f;* **~laus** *f ent* morpion *m;* **~macher** *m* feutrier *m;* **~pantoffeln** *m pl* pantoufles *f pl* en feutre; **~sohle** *f* semelle *f* de feutre; **~unterlage** *f typ* blanchet *m* (de feutre).

Fimmel *m* ‹-s, -› ['fıməl] *tech (Spaltkeil)* coin *m; fig fam (Besessenheit)* toquade; folie *f*, *e-n ~ haben* être toqué (*für* de).

Final|e *n* ‹-s, -/-s› [fi'na:lə] *mus* finale *m; sport* (épreuve *od* poule) finale *f;* **~satz** *m gram* proposition *f* finale.

Finanz *f* ‹-, -en› [fi'nants] *(Geldwesen; Geldleute)* finance *f; pl (Geldangelegenheiten)* finances *f pl;* **~abkommen** *n* accord *m* financier; **~abteilung** *f* section *f* financière; **~amt** *n* perception *f;* **~ausgleich** *m* peréquation *f* financière; **~ausschuß** *m* comité *m* financier; **~ausweis** *m* état *m* des finances; **~beamte(r)** *m* fonctionnaire *m* aux finances; **~bedarf** *m* besoins *m pl* financiers; **~bericht** *m* = *~ausweis;* **~blatt** *n* journal *m* financier; **~debatte** *f parl* débat *m* sur les finances; **~gebaren** *n* régime *m* financier, politique *f* financière; **~gesetzgebung** *f* législation *f* financière; **~gesundung** *f* consolidation *f* des finances; **~gewaltige(r)** *m*, **~größe** *f* grand *od* puissant *m* de la finance; **f~iell** [-tsi'ɛl] *a* financier; *~~e(r) Zusammenbruch m* krach *m;* **f~ieren** [-'tsi:rən] *tr* financer; **~ierung** *f* financement *m;* **~ierungsplan** *m* plan *m* de financement; **~inspektor** *m* inspecteur *m* des finances; **~jahr** *n* année *f* budgétaire *od* fiscale, exercice *m* (financier); **~konsortium** *n* groupe *od* syndicat *m* financier; **~kontrolle** *f* contrôle *m* financier; **~kreise** *m pl* milieux *m pl* financiers; **~krise** *f* crise *f* financière; **~lage** *f* situation *f* financière, état *m* des finances; **~macht** *f pol* puissance *f* financière; **~mann** *m* ‹-(e)s, -leute› homme de finance, financier *m;* **~minister** *m* ministre *m* des finances; **~ministerium** *n* ministère *m* des finances; **~politik** *f* politique *f* financière *od* des finances *od* budgétaire; **~reform** *f* réforme *f* financière; **~sachverständige(r)** *m* expert *m* financier; **~system** *n* système *m* financier; **~verwaltung** *f* administration *od* régie *f* financière *od* des finances; **~welt** *f* monde *m* financier; **~wesen** *n* finance *f;* **~wirtschaft** *f* régime *m* financier; **~wissenschaft** *f* science *f* financière.

Find|elhaus *n* ['fɪndəl-] hospice *m* des enfants trouvés; **~elkind** *n* enfant *m* trouvé; **f~en** ‹*fand, gefunden*› *tr a. fig* trouver; *(antreffen)* rencontrer; *(entdecken) a.* découvrir, mettre au jour; *sich ~~ (wieder zum Vorschein kommen; vorkommen)* se trouver; *(s-n Weg ~~)* trouver son chemin *od* sa voie; *sich in etw ~~ (schicken)* se faire à qc; *Anerkennung ~~* être reconnu; *Beachtung ~~* intéresser; *Beifall ~~* avoir du succès; *an etw Gefallen* od *Vergnügen ~~* se plaire à qc; *Mittel und Wege ~~* trouver moyen; *Ruhe ~~* trouver la paix; *den Tod ~~* trouver la mort; *sich ins Unabänderliche ~~* se résigner à l'irrémédiable; *Verwendung ~~* être employé *od* utilisé; *nicht zu ~~ sein* être introuvable; *das ~e ich nicht nett von dir* je ne trouve pas ça bien de ta part; *es fand sich, daß* il se trouva que; *ich ~e es hier sehr warm (a.)* il fait très chaud ici, je trouve; *das wird sich (schon) ~~* on va le retrouver; on verra bien; tout va s'arranger; *das ~et man nicht alle Tage* cela ne se rencontre pas tous les jours; *(wie) gefunden (fig)* tout trouvé; **~er** *m* ‹-s, -› trouveur; *jur* inventeur *m;* **~erlohn** *m* droit *m* de trouvaille; **f~ig** *a* ingénieux; inventif; *~~e(r) Kopf m* esprit ingénieux; débrouillard *m;* **~igkeit** *f* ingéniosité, inventivité *f;* **~ling** *m* ‹-s, -e› enfant trouvé; *geol* block *m* erratique.

Finger *m* ‹-s, -› ['fɪŋər] doigt *m; sich die ~ nach etw ablecken (fig)* se lécher les doigts de qc; *an den ~n abzählen* compter sur ses doigts *od* sur les doigts de la main; *etw mit spitzen ~n anfassen* saisir qc du bout des doigts; *jdm in die ~ fallen, unter die ~ kommen* tomber sous la main de qn; *etw an den ~n hersagen* od *herzählen können* savoir qc sur le bout du doigt; *jdm auf die ~ klopfen* taper *od* donner sur les doigts à qn; *die ~ von etw lassen* ne pas se mêler de qc; *krumme* od *lange ~ machen (fig fam)* avoir les doigts *od* les mains crochu(e)s *od fam* la patte croche; *keinen ~ krumm machen (fig)* ne rien faire de ses dix doigts; *für jdn keinen ~ rühren (fig)* ne pas remuer le petit doigt pour qn; *sich etw aus den ~n saugen (fig fam: frei erfinden)* inventer qc de toutes pièces; *sich in den ~ schneiden* se couper le doigt; *jdm auf die ~ sehen (fig)* avoir qn à l'œil; *jdm durch die ~ sehen (fig)* être de connivence avec qn; être indulgent pour qn; *sich die ~ verbrennen* se brûler les doigts *od fig* les ailes *od* à la chandelle; *sich um den ~ wickeln lassen (fig fam)* se laisser faire; *fam* se faire embobiner; *mit dem ~ auf jdn zeigen (a. fig)* montrer qn du *od* avec le doigt; *mir jucken die ~ danach (fig)* les doigts m'en démangent; *den kann man um den ~ wickeln (fig fam)* il est souple comme un gant; *das kann man leicht an den ~n abzählen* le compte est vite fait; *das Geld zerrann ihm unter den ~n* l'argent lui filait entre les doigts; *wenn man ihm den kleinen ~ reicht, nimmt er die ganze Hand* si on lui en donne long comme le doigt, il en prend long comme le bras; *lassen Sie die ~ davon!* ne vous y frottez pas; *wenn mir der zwischen die ~ kommt!* si je le rattrape! *~ weg! (fam)* bas les mains! bas les pattes! *kleine(r) ~* petit doigt, (doigt) auriculaire *m;* **~abdruck** *m* ‹-(e)s, ⸚e› empreinte *f* digitale; **~breit** *m* largeur *f* de doigt; *keinen ~~ davon abgehen* ne pas en céder d'un pouce; **f~dick** *a* gros comme le doigt; de l'épaisseur d'un doigt; **f~fertig** *a* habile de ses doigts *od* de ses mains; *(sehr) ~~ sein (a.)* avoir de l'esprit au bout des doigts; **~fertigkeit** *f* habileté des doigts *od* des mains, dextérité *f;* **~glied** *n anat* phalange *f;* **~hut** *m* dé *m* à coudre; *bot* digitale *f;* **~hutvoll** *m: ein ~~* un doigt (de); **~ling** *m* ‹-s, -e› doigtier *m;* **f~n** *itr: an etw ~~* manier, manipuler, tripoter qc; **~nagel** *m* ongle *m;* **~ring** *m* bague *f;* **~satz** *m mus* doigté *m;* **~spitze** *f* bout *m* du doigt; *mit (den) ~~n* du bout des doigts; **~spitzengefühl** *n fig* doigté; tact *m; kein ~~ haben (a.)* manquer de tact; **~übung** *f mus* exercice *m* de doigté; **~zeig** *m* avertissement *m,* indication *f;* avis *m.*

fingier|en [fɪŋ'gi:rən] *tr (vortäuschen)* feindre, simuler; **~t** *a (erdichtet)* fictif.

Finish *n* ‹-s, -s› ['fɪnɪʃ] *sport* finish *m.*

Fink *m* ‹-en, -en› [fɪŋk] *orn* pinson *m; pl (Familie)* fringillidés *m pl;* **~enschlag** *m* chant *m* du pinson; **~ler** *m* ‹-s, -› *(Vogelsteller)* oiseleur *m.*

Finne ['fɪnə] **1.** *f* ‹-, -n› *(Jugendform der Bandwürmer)* cysterque de ténia; *med* grain *m* de ladre.

Finn|e 2. *f* ‹-, -n› *(Rückenflosse)* nageoire dorsale; *tech* panne *f;* **~wal** *m zoo* rorqual *m.*

Finn|e 3. *m* ‹-n, -n›, **~in** *f* Finlandais, e *m f;* **f~isch** *a* finnois, finlandais; *(das) F~~(e)* le finnois; **~land** *n* la Finlande; **~länder(in** *f***)** *m* Finlandais, e *m f;* **f~ländisch** *a* finlandais.

finster ['fɪnstər] *a* sombre; *(schwarz)* noir; *(dunkel)* obscur; *fig* sombre, ténébreux, morne; *(unheilvoll)* lugubre, sinistre, noir; *ein ~es Gesicht machen* faire grise mine; *im ~n tappen (fig)* errer dans les ténèbres; *es wird ~* il commence à faire sombre *od* noir *od* nuit; *~e Gedanken m pl* idées *f pl* noires; *das ~e Mittelalter* l'obscur moyen âge; *~e Nacht f* nuit *f* noire *od* épaisse; **F~keit** *f = F~nis;* **F~ling** *m* ‹-s, -e› obscurantiste *m;* **F~nis** *f* ‹-, -sse› *a. fig* ténèbres *f pl,* obscurité; *astr* éclipse *f; die Macht der ~~ (fig)* l'esprit *m* des ténèbres; *totale, partielle ~~ (astr)* éclipse *f* totale, partielle.

Finte *f* ‹-, -n› ['fɪntə] *(Scheinhieb)* feinte, fausse attaque; *(List)* ruse *f.*

Firlefanz *m* ‹-es, -e› ['fɪrləfants] *fam (dummes Zeug)* balivernes, niaiseries, histoires *f pl.*

Firm|a *f* ‹-, -men› ['fɪrma, -mən] *com* firme, maison *f* (de commerce), nom *m od* raison *f* social(e); *unter der ~~ ...* sous la raison de ...; **~enbezeichnung** *f* nom *m od* raison *f* social(e); **~eneintragung** *f* inscription *f* d'une *od* de l'entreprise; **~eninhaber** *m* propriétaire *m* de la firme *od* de l'entreprise; **~enname** *m = ~enbezeichnung;* **~enregister** *n* registre *m* du commerce; **~enschild** *n* enseigne *f,* écriteau *m;* **~enstempel** *m* cachet *m* de la maison *od* de la firme; **~enzeichnung** *f* signature *f* sociale; **f~ieren** [-'mi:rən] *tr (unterzeichnen)* signer.

Firmament *n* ‹-(e)s, (-e)› [fɪrma'mɛnt] firmament *m.*

firm|en ['fɪrmən] *tr rel* confirmer; **F~ling** *m* ‹-s, -e› confirmand *m;* **F~ung** *f* confirmation *f.*

Firn(schnee) *m* ‹-(e)s, -e› [fɪrn(-)] *(Altschnee)* neiges *f pl* éternelles *od* perpétuelles.

Firnis *m* ‹-sses, -sse› ['fɪrnɪs] vernis *m;* **f~sen** *tr* vernir, vernisser.

First *m* ‹-(e)s, -e› [fɪrst] *(Dachfirst)* faîte, comble; *(Berggipfel)* sommet *m; (Grat)* crête *f;* **~pfette** *f (~balken)* solive *f* faîtière; **~ziegel** *m* tuile *f* faîtière.

fis *n* ‹-, -› [fɪs] *mus* fa *m* dièse; **F~-Dur** *n* fa *m* dièse majeur; **~-Moll** *n* fa *m* dièse mineur.

Fisch *m* ‹-(e)s, -e› [fɪʃ] poisson *m; pl astr* Poissons *m pl; weder ~ noch Fleisch* ni chair ni poisson; mi-figue, mi-raisin; *faule ~e* boniments; bobards *m pl; das sind kleine ~e (fig fam)* c'est des bagatelles; *munter wie ein ~ im Wasser* (heureux) comme un poisson dans l'eau; *stumm wie ein ~* muet comme une carpe; **~adler** *m* huard *m;* **~bein** *n* (fanon *m* de) baleine *f;* **~besteck** *n* couvert *od* service *m* à poisson; **~blase** *f* vessie *f* natatoire; **~blasenstil** *m (Spätgotik)* gothique *m* flamboyant; **~blut** *n: ~~ haben* avoir du sang de macreuse *od* de navet; **~bratküche** *f* friterie *f;* **~brut** *f* alevin, fretin *m;* **~dampfer** *m* bateau de pêche, pêcheur; chalutier *m;* **f~en** *tr* u. *itr* pêcher; *mit der Angel, mit dem Netz ~~* pêcher à la ligne, au filet; *im trüben ~~ (fig)* pêcher en eau trouble; *~~ gehen* aller à la pêche; **~er** *m* ‹-s, -› pêcheur *m;* **~erboot** *n* bateau *m od* barque *f* de pêche *od* de pêcheur; **~erei** [-'raɪ] *f* pêche *f;* **~ereiaufseher** *m hist* garde-pêche *m; pl* gardes-pêche *m pl;* garde-côte *m* (*pl* gardes-côtes); **~ereibezirk** *m,* **~ereigebiet** *n* pêcherie *f;* **~ereifahrzeug** *n* bateau *m* de pêche; **~ereihafen** *m* port *m* de pêche; **~fang** *m* capture du poisson; pêche *f;* **~gabel** *f* fourchette *f* à poisson; **~gericht** *n* plat *m* de poisson; **~geschäft** *n* poissonnerie *f;* **~gräte** *f* arête *f* de poisson; **~grätenmuster** *n (Textil)* chevrons *m pl;* **~gründe** *m pl* fond *m* de pêche; **~handel** *m* commerce *m* du *od* de poisson, poissonnerie *f;* **~händler(in *f*)** *m* marchand, e de poisson; poissonnier, ère *m f;* **~kasten** *m* vivier *m;* **~konserven** *f pl* conserves *f pl* de poisson; **~korb** *m* panier *m* à poisson; **~kutter** *m* cotre *m* de pêche; **~laich** *m* frai *m;* **~leim** *m* ichtyocolle *f;* **~markt** *m* marché *m* au poisson; **~mehl** *n* farine *f* de poisson; **~netz** *n* filet *m* de pêche; **~otter** *m, a. f* loutre *f;* **~pfanne** *f* poissonnière *f;* **f~reich** *a* poissonneux; **~reiher** *m orn* héron *m* cendré; **~reuse** *f* nasse *f;* **~rogen** *m* œufs *m pl,* rogue *f;* **~schwarm** *m* banc *m* de poissons; **~suppe** *f* soupe *f* de poisson; bouillabaisse *f;* **~teich** *m* vivier *m;* **~tran** *m* huile *f* de baleine *od* de poisson; **~vergiftung** *f* intoxication *f* par le poisson; **~weib** *n pej* poissarde *f;* **~zucht** *f* pisciculture *f;* **~zug** *m a. fig* coup *m* de filet.

Fisimatenten [fizima'tɛntən] *pl fam (Ausflüchte)* pauvres excuses *f pl; machen Sie keine ~!* cessez vos boniments! arrêtez vos histoires!

fisk|alisch [fɪs'ka:lɪʃ] *a adm* fiscal; **F~us** *m* ⟨-, (-ken/-se)⟩ ['fɪskus, -kən] fisc; Trésor *m.*

Fistel *f* ⟨-, -n⟩ ['fɪstəl] *med* fistule *f;* **f~n** *itr (mit ~stimme sprechen)* parler d'une voix de fausset; **~stimme** *f* voix *f* de tête, fausset *m.*

fit [fɪt] *a sport* en forme, en condition physique.

Fittich *m* ⟨-(e)s, -e⟩ ['fɪtɪç] *(Flügel)* aile *f; unter jds ~en* sous l'aile de qn; *jdn unter s-e ~e nehmen (fig)* prendre qn sous son aile.

Fittings *n pl* ['fɪtɪŋs] *tech* raccords *m pl* de tuyauterie.

Fitzbohnen ['fɪts-] *f pl* haricots *m pl* blancs.

fix [fɪks] *a (fest)* fixe; *fam (flink, gewandt)* leste, preste, prompt; *(geschickt)* adroit, habile; *~!* vivement! vite, vite! au trot! et au galop! *~ und fertig* fin prêt; *fam* lessivé, vanné; **F~ativ** *n* ⟨-s, -e⟩ [-sa'ti:f] fixatif *m; mot* dissolution *f* (de caoutchouc); **F~auftrag** *m com* ordre *m* à terme; **F~-Garage** *f mot* housse-garage *f;* **F~-Geschäft** *n* marché *m od* opération *f* à terme; **F~ierbad** [-'ksi:r-] *n* bain *m* de fixage; **~ieren** *tr (festhalten, -machen)* fixer; *(anstarren)* fixer du regard, regarder fixement *od* dans les yeux; **F~iermittel** *n* fixatif *m;* **F~iersalz** *n* fixateur *m;* **F~ierung** *f* fixation *f;* **F~igkeit** *f fam (Schnelligkeit, Gewandtheit)* prestesse, promptitude; adresse, habileté *f;* **F~punkt** *m* = *Festpunkt;* **F~stern** *m* étoile *f* fixe; **F~um** *n* ⟨-s, -a⟩ [fɪksum, -sa] *(festes Gehalt)* fixe *m.*

flach [flax] *a (eben)* plat, plan, ras; *(untief)* bas; peu profond *a. fig; fig (oberflächlich)* superficiel, plat; *mit der ~en Hand* du plat de la main; *~ (auf dem od den Boden)* (tout) à plat; *~ bauen (arch)* surbaisser; *sich ~ auf den Boden od die Erde legen* s'aplatir par terre; *~ machen* aplatir, aplanir; *das liegt auf der ~en Hand (fig)* c'est visible à l'œil nu, c'est manifeste *od* évident; *~e(s) Dach n* toit *m* en terrasse; *~e Hand f* plat *m* de la main, paume *f; ~e(s) Land n* pays *m* plat, rase campagne, plaine *f; ~e See f* mer *f* calme; **F~** *n* ⟨-(e)s, -e⟩ *(Untiefe)* haut-fond *m.*

Flach|bahn *f* ['flax-] *(e-s Geschosses)* trajectoire *f* tendue; **~bahnfeuer** *n* tir *m* tendu; **~bahnschuß** *m* tir *m* à trajectoire tendue; **~bogen** *m arch* arc *m* surbaissé; **~bohrung** *f mines* forage *m* horizontal; **~boot** *n* bateau *m* à fond plat; **~brenner** *m tech* papillon *m;* **~dach** *n* toit *m* plat; **~druck** *m* ⟨-(e)s, -e⟩ *typ* impression *f* à plat; **~druckpresse** *f* presse *f* à plat; **f~=fallen** ⟨*ist flachgefallen*⟩ *itr fig fam* tomber à terre; **~feile** *f* lime *f* plate; **~feuer** *n mil* tir *m* tendu; **~feuergeschütz** *n* pièce *f* à tir tendu; **~hang** *m* pente *f* douce; **~heit** *f* planéité; *fig* platitude *f;* **~küste** *f* côte *f* plate *od* basse; **~land** *n* pays *m* plat; **~meißel** *m* burin *m* plat; **~zange** *f* pince *f* plate *od* serrante.

Fläche *f* ⟨-, -n⟩ ['flɛçə] surface *f a. math; math* plan *m; (Oberfläche)* superficie; *(Ebene)* plaine *f; senkrechte, geneigte ~* plan *m* vertical, incliné.

Flächen|antenne *f* ['flɛçən-] antenne *f* en nappe; **~ausdehnung** *f* superficie *f;* **~belastung** *f* charge *f* de surface *od aero* alaire; **~blitz** *m* éclair *m* en nappe; **~bombardierung** *f* bombardement *m* en tapis; **~brand** *m* incendie *m* en surface; **~druck** *m phys* pression *f* de surface; **~einheit** *f* unité *f* de superficie; **f~gleich** *a math* égal en surface; **f~haft** *a* dans l'étendue; **~inhalt** *m math* superficie, aire *f;* **~maß** *n* mesure *f* de superficie.

Flachs *m* ⟨-es, ø⟩ [flaks] *bot* lin *m;* **~anbau** *m* culture *f* du lin; **f~blond** *a* blond filasse; *~~e Haare n pl* = *~haar;* **~breche** *f* ⟨-, -n⟩ ['-brɛçə] broie *f;* **~darre** *f* séchoir *m* à lin; **~feld** *n* champ *m* de lin; **~garn** *n* fil *m* de lin; **~haar** *n* cheveux *m pl* filasse; **~kopf** *m (Mensch)* blondin *m;* **~röste** *f* rouissage *m* du lin; **~spinnerei** *f* filature *f* du lin.

flachsen ['flaksən] *itr fam (spotten)* se moquer.

flächs|en *a,* **~ern** ['flɛksə(r)n] *a* de lin.

flackern ⟨*hat geflackert*⟩ ['flakərn] *itr* vaciller, danser; **F~** *n* vacillement *m.*

Fladen *m* ⟨-s, -⟩ ['fla:dən] *(flacher Kuchen)* galette; *(Kuhmist)* bouse *f* (de vache).

Flagg|e *f* ⟨-, -n⟩ ['flagə] *mil bes. mar (Fahne)* pavillon *m; unter deutscher ~~* sous pavillon allemand; *die ~~ aufziehen od heißen od hissen* arborer *od* hisser le pavillon; *die französische ~~ führen, unter französischer ~~ segeln* battre pavillon français; *unter fremder, falscher ~~ segeln* naviguer sous pavillon étranger, sous un pavillon d'emprunt; *die ~~ streichen* amener le pavillon, mettre pavillon bas; **f~en** *itr* pavoiser; **~en** *n* pavoisement *m;* **~engruß** *m mar,* **~enparade** *f mil* salut *m* au drapeau; **~ensignal** *n* signalisation *f* par fanions; **~enstock** *m mar* mât *m* de pavillon; **~schiff** *n* vaisseau *m* amiral.

Flak *f* ⟨-, -/(-s)⟩ [flak] *(Kurzwort für: Fliegerabwehrkanone u. -artillerie)* canon *m* contre avion *od* de D.C.A. *od* antiaérien; *(als Waffengattung)* arme antiaérienne, défense contre avions, D.C.A. *f;* **~artillerie** *f* artillerie *f* antiaérienne *od* de défense contre avions *od* de D.C.A.; **~batterie** *f* batterie *f* antiaérienne *od* de défense contre avions *od* de D.C.A.; **~feuer** *n* feu *od* tir *m* antiaérien *od* de D.C.A.; **~geschoß** *n* projectile *m* antiaérien; **~granate** *f* grenade *f* antiaérienne; **~gürtel** *m* cordon *m* D.C.A.; **~helfer** *m* auxiliaire *m* de la D.C.A.; **~kreuzer** *m mar* croiseur *m* antiaérien *od* de D.C.A.; **~leitstand** *m* poste *m* de conduite de tir antiaérien; **~munition** *f* munitions *f pl* de D.C.A.; **~rakete** *f* fusée *f* antiaérienne *od* de D.C.A., engin *m* de D.C.A. *od* de sol-air; **~schütze** *m* décéiste *m;* **~sperre** *f* barrage *m* de D.C.A.; **~stellung** *f* position *f* de D.C.A.; **~treffer** *m* coup au but *od* impact *m* de D.C.A.; **~vierling** *m* pièce *f* quadritube de D.C.A.; **~zug** *m* section *f* de D.C.A.; **~zwilling** *m* pièce *f* jumelée de D.C.A.

Flakon *n* od *m* ⟨-s, -s⟩ [fla'kõ:] *(Fläschchen)* flacon *m.*

Flame *m* ⟨-n, -n⟩ ['fla:mə], **Flamin** *od* **Flämin** *f* Flamand, e *m f.*

fläm|isch ['flɛ:mɪʃ] *a* flamand; *~~e Bewegung f (pol)* flamingantisme *m; ~~e(r) Nationalist m* flamingant *m;* **~isieren** [-mi'zi:rən] *tr* flamandiser; **F~isierung** *f* flamandisation *f.*

Flamingo *m* ⟨-s, -s⟩ [fla'mɪŋgo] *orn* flamant *m.*

Flamm|e *f* ⟨-, -n⟩ ['flamə] flamme *f; ein Raub der ~en werden, in ~en aufgehen* être la proie des flammes; *in ~en stehen* être en flammes; **f~en** *itr* flamber, flamboyer; **~enbogen** *m el* arc *m* électrique à flamme; **f~end** *a* flamboyant, enflammé; *fig* flamboyant, ardent; *~~e Begeisterung f* enthousiasme *m* ardent; *~~e(r) Blick m* regard *m* flamboyant; **~enhauch** *m* souffle *m* enflammé; **f~enlos** *a* sans flammes; **~enmeer** *n* mer *f* de feu; **~enschutz** *m tech* pare-flamme *m;* **~enschwert** *n (Bibel)* épée *f* flamboyante *od* de feu; **f~ensicher** *a* ignifugé; **~enstrahl** *m* jet *m* de flamme(s); **~enwerfer** *m mil* lance-flammes *m;* **~enwerferpanzer** *m* char *m* lance-flammes; ~**garn** *f* fils *m pl* flammés; **f~ig** *a (Textil)* moiré; ~**kohle** *f* charbon *m* flambant; ~**ofen** *m* four *m* à réverbère; ~**punkt** *m tech* point d'inflammation, point-éclair *m;* ~**rohr** *n tech* tube-foyer *m.*

flämmen ['flɛmən] *tr tech (absengen)* flamber.

Flammeri *m* ‹-(s), -s› ['flaməri] *(Süßspeise)* crème *f.*

Flandern ['flandərn] *n* la Flandre; **f~risch** *a* flamand.

Flanell *m* ‹-s, -e› [fla'nɛl] *(Stoff)* flanelle *f;* ~**hose** *f* pantalon *m* de flanelle.

flanieren [fla'ni:rən] *itr (umherschlendern)* flâner.

Flank|e *f* ‹-, -n› ['flaŋkə] *allg* u. *mil (Seite), anat (Weiche)* flanc, côté; *sport* saut *m* de côté; *den Feind in der ~~ angreifen* od *fassen, dem Feind in die ~~ fallen* attaquer l'ennemi de flanc, prendre l'ennemi de *od* en flanc; *dem Feinde die ~~ aufrollen* culbuter *od* bousculer l'ennemi par une attaque de flanc; *die ~~ ungedeckt lassen (mil)* prêter le flanc; ~**enangriff** *m* attaque *f* de flanc; ~**enanlehnung** *f mil* appui *od* encadrement *m od* liaison *f* par le flanc; ~**enbedrohung** *f* menace *f* sur le(s) flanc(s); ~**endeckung** *f,* ~**enschutz** *m* couverture *f* du flanc; ~**enfeuer** *n* feu *m* flanquant; ~**ensicherung** *f (die Soldaten)* flanc-garde *m;* **f~ieren** [-'ki:rən] *tr* flanquer; ~**ierung** *f mil* flanquement *m.*

Flansch *m* ‹-es, -e› [flanʃ] *tech* bride *f;* **f~en** *tr* brider; ~**verbindung** *f* joint *od* raccord *m* à bride(s).

Flappe *f* ‹-, -n› ['flapə] *(schiefer Mund)* moue *f; e-e ~ ziehen* faire la moue.

Flaps *m* ‹-es, -e› [flaps] *fam (Flegel)* paltoquet, mufle, goujat *m;* **f~ig** *a fam* grossier, lourdaud.

Fläschchen *n* ‹-s, -› ['flɛʃçən] petite bouteille *f;* flacon *m;* phiole *f.*

Flasche *f* ‹-, -n› ['flaʃə] bouteille *f; (Saugflasche)* biberon *m; pop pej (Mensch)* cloche, savate *f,* pauvre type *m; in ~n* en bouteilles, embouteillé; *e-r ~ den Hals brechen (fam: sie austrinken)* vider une bouteille; *e-m Kind die ~ geben* donner le biberon à un enfant; *(gleich) aus der ~ trinken* boire à même la bouteille *od* au goulot; *auf ~n ziehen* mettre en bouteilles, embouteiller.

Flaschen|abfüllmaschine ['flaʃən-] *f* soutireuse à bouteilles, remplisseuse *f;* ~**bier** *n* bière *f* en bouteilles *od* canettes; ~**boden** *m* cul-de-bouteille *m;* ~**bord** *m (hinter e-r Theke)* rayon *m* à bouteilles; ~**bürste** *f* goupillon *m;* ~**gas** *n* gaz *m* portatif; ~**gestell** *n* porte-bouteilles *m;* ~**glas** *n* verre *m* à bouteilles; **f~grün** *a* vert bouteille; ~**hals** *m* goulot *od* col *m* de bouteille; ~**kasten** *m* casier *m* à bouteilles; ~**kind** *n* enfant *m* au biberon; ~**korb** *m* panier *m* à bouteilles; ~**kürbis** *m* calebasse *f;* ~**milch** *f* lait *m* en bouteilles; ~**öffner** *m* débouchoir, décapsuleur *m;* ~**pfand** *n* consigne *f* (de bouteilles); ~**post** *f* bouteille *f* à la mer; ~**spüler** *m (Gerät)* rince-bouteilles *m;* ~**untersatz** *m* dessous *m* de bouteille; ~**wein** *m* vin *m* en bouteille(s) *od* bouché; ~**winde** *f* vérin *m* à bouteille; ~**zug** *m tech* moufle *f,* palan *m.*

Flaschner *m* ‹-s, -› ['flaʃnər] *(Klempner, Spengler)* plombier-zingueur *m.*

Flatter|geist ['flatər-] *m* écervelé, cerveau *m* d'oiseau; **f~haft** *a* volage, écervelé, évaporé, léger, inconstant; ~**haftigkeit** *f* humeur volage, légèreté, inconstance *f;* ~**mine** *f mil* fougasse *f;* **f~n** *itr* ‹*ist geflattert*› *(Tier)* voleter, voltiger; *(Fahne etc im Wind)* flotter, s'agiter; *(Segel a.)* battre; *tech mot (Rad)* flageoler; *aero (Tragfläche)* vibrer; ~**n** *n* volettement; flottement; battement *m;* vibration *f;* **flatt(e)rig** *a* = *f~haft.*

flau [flau] *a (schlaff, weich)* mou; *(schwach)* faible; *(Farbe: matt)* mat; *fig (Stimmung)* indolent, languissant; *fin* calme, sans activité; *phot (unscharf)* flou; *~ machen (Stimmung)* baisser; *fin* pousser à la baisse; *die Geschäfte gehen ~ (a.)* c'est le marasme; *mir wird ~ (schlecht)* je vais me trouver mal; **F~heit** *f* ‹-, ø› mollesse; faiblesse; indolence *f;* **F~macher** *m fam (Miesmacher)* défaitiste *m;* **F~te** *f* ‹-, -n› *(Windstille)* calme (plat); *fin* marasme *m;* morte-saison, période *f* creuse.

Flaum *m* ‹-(e)s, ø› [flaum] *(weiche Federn od Haare)* duvet; *(erster Bart)* poil follet, duvet *m;* ~**feder** *f* plumule *f;* **f~ig** *a* duveté, cotonneux; **f~weich** *a a. fig* moelleux.

Flaus *m,* **Flausch** *m* ‹-es, -e› [flaus, -ʃ] *(Textil)* frise *f;* **flauschig** *a (weich)* cotonneux.

Flausen *f pl* ['flauzən] *fam* fariboles, bourdes, sornettes *f pl;* contes *m pl,* histoires, chansons *f pl;* blague *f;* ~**macher** *m fam* blagueur *m.*

Fläz *m* ‹-es, -e› [flɛ:ts] *dial (Tölpel, Lümmel)* rustre, mufle, malotru *m;* **f~en,** *sich (sich hinlümmeln)* se vautrer; **f~ig** *a* malotru, grossier.

Flechs|e *f* ‹-, -n› ['flɛksə] *anat (Sehne)* tendon *m;* **f~ig** *a* tendineux.

Flecht|e *f* ‹-, -n› ['flɛçtə] *(Zopf)* natte, tresse *f; bot* lichen *m; med* dartre, gourme *f;* **f~en** ‹*flicht, flocht, geflochten*› *tr (Zopf)* tresser, natter; *(~werk)* entrelacer, clayonner, clisser; *(Korbwaren)* tresser; *(Stuhl, Kranz)* faire; ~**werk** *n* clayonnage *m,* clisse *f.*

Fleck *m* ‹-(e)s, -e›, ~**en** *m* ‹-s, -› ['flɛk(ən)] *(Flicken, Stück)* pièce *f,* morceau *m; (Schmutz-, Farbfleck)* tache; *(Schmutzfleck)* souillure *f; (Stelle, Ort)* endroit *m;* place *f; e-n ~ bekommen* se tacher; *e-n ~ bilden* faire tache; *e-n ~ entfernen* enlever une tache; *aus etw* détacher qc; *das Herz auf dem rechten ~ haben* avoir le cœur bien placé; *nicht vom ~ kommen* ne pas avancer d'un pouce; *immer noch auf dem alten ~ sein* ne pas avoir progressé; *blaue(r) ~ (med)* bleu *m; scient* ecchymose *f;* ~**en** *m* ‹-s, -› *(Ortschaft)* bourg(ade *f*) *m;* **f~en** *itr (~en machen)* tacher, faire des taches; **f~enlos** *a* sans tache, immaculé; ~**enmittel** *n* détergent *m;* ~**enrand** *m* auréole *f;* ~**enseife** *f* savon *m* à détacher; ~**entfernen** *n* détachage *m;* ~**enwasser** *n* produit *m* à détacher, détacheur, détachant *m;* ~**fieber** *n,* ~**typhus** *m med* typhus *m* (exanthématique); **f~ig** *a (schmutzig)* taché; souillé, sale; *(Obst)* tavelé; *~~e Beschaffenheit f (des Obstes)* tavelure *f.*

fleddern ['flɛdərn] *tr arg (ausplündern)* entôler, dévaliser; *(Leiche)* détrousser.

Fleder|maus *f* ['fle:dər-] *zoo* chauve-souris *f;* ~**wisch** *m* plumeau *m.*

Flegel *m* ‹-s, -› ['fle:gəl] *(Rüpel)* mufle, malotru, goujat; impertinent, malappris, mal élevé *m;* ~**ei** *f* [-'lai] muflerie, goujaterie; impertinence, grossièreté *f;* **f~haft** *a* mufle; impertinent, malappris; grossier; ~**haftigkeit** *f* impertinence, grossièreté *f;* ~**jahre** *n pl* âge *m* ingrat; **f~n, sich** se vautrer.

flehen ['fle:ən] *itr* implorer, supplier (*zu jdm* qn); **F~** *n* imploration, supplication *f;* ~**tlich** *a* instant, fervent; *adv* instamment, avec ferveur; *jdn ~~ bitten* implorer, supplier qn.

Fleisch *n* ‹-(e)s, ø› [flaiʃ] *(am Körper)* chair; *(als Nahrungsmittel u. Speise)* viande; *(Fruchtfleisch)* chair, pulpe *f; ~ essen (rel)* faire gras; *kein ~ essen (rel)* faire maigre; *ins ~ schneiden* couper dans le vif; *(Strick)* entrer dans la chair; *sich ins eigene ~ schneiden (fig)* se faire tort à soi-même; *gekochte(s) ~* viande *f* bouillie; *wilde(s) ~ (med)* granulations *f pl;* ~**bank** *f* étal *m* de boucher; ~**beilage** *f: mit ~~* garni; ~**beschau** *f* inspection *f* sanitaire de la viande; ~**beschauer** *m* inspecteur *m* de la viande de boucherie; ~**brühe** *f* bouillon *m* de viande; *in ~~ gekocht* au gras; *fette ~~* bouillon *m* gras; ~**brühwürfel** *m* dé *m* de bouillon; ~**er** *m* ‹-s, -› boucher; *(~warenhersteller)* charcutier *m;* ~**erei** *f* [-'rai] boucherie; charcuterie *f;* ~**erhaken** *m* croc *od* crochet *m* de boucherie; ~**erhund** *m* mâtin, chien *m* de boucher; ~**eslust** *f* désirs *m pl* charnels, concupiscence *f;* ~**extrakt** *m* extrait *m* de viande; ~**farbe** *f* couleur (de) chair, carnation *f;* **f~farben** *a* couleur chair, incarnat; ~**fliege** *f* mouche *f* à viande; **f~fressend** *a zoo* carnivore; ~**gericht** *n* plat *m* de viande; **f~ig** *a* charnu; *bot* pulpeux; ~**klößchen** *n* ["-'kløsçən] boulette *f* de viande, godiveau *m;* ~**klumpen** *m fam pej* masse *f* de chair; ~**konserven** *f pl* conserves *f pl* de viande; ~**kost** *f* régime *m* carné; **f~lich** *a* charnel, de la chair; ~**lichkeit** *f* = *~eslust;* **f~los** *a (lebende Glieder)* décharné; *(Kost, Mahlzeit)* sans viande, maigre; ~**mehl** *n* farine *f* de viande; ~**polster** *n med* coussinet *m* de chair; ~**produkt** *n* produit *m* carné; ~**schau** *f theat fam* pièce *f* à femmes; ~**speise** *f* plat *m* de viande;

~tag *m* jour *m* gras; **~topf** *m: sich nach den ~töpfen Ägyptens sehnen (fig)* regretter les oignons d'Egypte; **~vergiftung** *f* empoisonnement *m od* intoxication *f* par la viande; **~verkauf** *m: ~~ im großen* vente *f* à la cheville; **~verkäufer** *m (an e-r ~bank)* garçon *m* boucher *od* étalier; **~versorgung** *f* ravitaillement *m* en viande; **~waren** *f pl* charcuterie *f;* **~warenhändler** *m* charcutier *m;* **~warenhandlung** *f* charcuterie *f;* **~werdung** *f rel* incarnation *f;* **~wolf** *m* hachoir, moulin *m* à viande; **~wulst** *m med* bourrelet *m* de chair; **~wunde** *f* blessure *f* qui n'atteint que les chairs.

Fleiß *m* ⟨-es, ø⟩ [flaɪs] application, assiduité; diligence *f*, zèle *m; (Bemühungen)* efforts, soins *m pl*, labeur *m; mit ~ = absichtlich adv; s-n ganzen ~ auf etw verwenden* mettre toute son application à qc; *ohne ~ kein Preis (prov)* nul bien sans peine; **f~ig** *a* appliqué; diligent; laborieux, travailleur; *(Arbeit)* fait avec soin; **~zeugnis** *n* certificat *m* d'assiduité.

flektier|bar [flɛk'tiːr-] *a gram (Nomen)* déclinable; *(Verbum)* conjugable; **~en** *tr gram (beugen)* décliner; conjuguer.

flenn|en ['flɛnən] *itr fam (weinen, heulen)* pleurnicher; **F~erei** *f* ⟨-, (-en)⟩ [-'raɪ] *fam* pleurnicherie *f.*

fletschen ['flɛtʃən] *tr: die Zähne ~* montrer les dents.

flex|ibel [flɛ'ksiːbəl] *a (biegsam)* flexible; *a. = flektierbar;* **F~ion** *f* ⟨-, -en⟩ [-si'oːn] *gram (Beugung)* flexion *f;* **F~ionsendung** *f gram* terminaison, désinence *f;* **~ionslos** *a grams* sans flexion; **F~ur** *f* ⟨-, -en⟩ [-'ksuːr] *geol* flexure *f.*

Flick|arbeit *f* ['flɪk-] rapiècement, rapiéçage; *fig (Stümperei)* fagotage, bousillage *m;* **f~en** *tr* rapiécer; *(ausbessern)* raccommoder, repriser, ravauder; *fam* rafistoler; *(Schuh)* rapetasser; **~en 1.** *n (Tätigkeit)* rapiéçage; raccommodage, reprisage, ravaudage; rapetassage *m;* **2.** *m* ⟨-s, -⟩ *(Stück Stoff)* pièce *f*, morceau *m;* reprise *f;* pan d'étoffe, chiffon *m;* **~erei** *f* [-'raɪ] *fam = ~en 1.;* **~erin** *f* raccommodeuse, ravaudeuse *f;* **~werk** *n = ~arbeit; fam* rafistolage *m; fig (Buch)* compilation *f; (Dichtung)* centon *m;* **~wort** *n gram* mot *m* explétif; *(in Gedichten)* cheville *f;* **~zeug** *n* nécessaire *m* de réparation.

Flieder *m* ⟨-s, -⟩ ['fliːdər] *bot* lilas; *(Holunder)* sureau *m;* **~tee** *m* infusion *f* de sureau.

Fliege *f* ⟨-, -n⟩ ['fliːgə] *(ent* u. *Bärtchen an der Unterlippe)* mouche *f; (Querbinder)* nœud *m* papillon; *zwei ~n mit einer Klappe schlagen (fig)* faire d'une pierre deux coups; *keiner ~ etw tun können* être incapable de faire du mal à une mouche; *ihn ärgert* od *stört die ~ an der Wand* un rien l'irrite; *spanische ~* mouche d'Espagne, cantharide *f* commune; **~ndreck** *m* chiure(s *pl*) *f* de mouches; **~nfänger** *m* attrape-mouches *m;* **~ngewicht** *n* (Boxen) poids *m* mouche; **~ngitter** *n* toile *f* métallique; **~nklappe** *f*, **~nklatsche** *f* tapette *f;* **~nkopf** *m typ* blocage *m;* **~npilz** *m bot* tue-mouches *m*, fausse oronge *f;* **~nschrank** *m* garde-manger *m;* **~nwedel** *m* éventail *m* à mouches.

fliegen ⟨*flog, geflogen*⟩ ['fliːgən, (-)floːg-] *itr* ⟨*aux: sein*⟩ voler; *aero* aller en avion; *fig (geworfener Gegenstand)* être précipité; *durch etw* traverser qc; *gegen etw* frapper, heurter qc; *(Flugzeug)* s'écraser contre qc; *(sich werfen, eilen)* se précipiter, se jeter, sauter; *fam (aus e-r Stelle)* sauter, être viré; *tr* ⟨*aux: haben*⟩ *aero (e-e Maschine)* piloter; *(Person)* transporter par avion; *Passagiere nach Rom ~* conduire des passagers en avion à Rome; *in die Luft ~ (explodieren)* sauter, exploser; *in Stükke ~* voler en éclats; *~ lassen (Vogel)* laisser la liberté; *geflogen werden* être acheminé par avion *(nach* à); *sie flogen einander in die Arme* ils se sont jetés dans les bras l'un de l'autre; **F~** *n* vol *m;* aviation *f;* **~d** *a* volant; *in ~~er Eile* en toute vitesse; *mit ~~en Fahnen (fig)* tambour battant; *mit ~~en Haaren* les cheveux épars; *~~e Festung f (aero)* forteresse *f* volante; *~~e Hitze f (med)* bouffée *f* de chaleur; *der F~e Holländer* le Vaisseau fantôme; *~~e(s) Personal n (aero)* personnel *m* volant *od* navigant; *~~er Puls m* pouls *m* très rapide; *~~e Untertasse f* soucoupe *f* volante.

Flieger *m* ⟨-s, -⟩ ['fliːgər] *(Flugzeug)* avion; *(Flugzeugführer)* aviateur; aéronaute; pilote; *(Luftwaffensoldat)* aviateur *m;* **~abteilung** *f* groupe *m* d'aviation; **~abwehr(kanone)** *f = Flak;* **~abzeichen** *n* insigne *m* d'aviateur *od* d'aviation; **~alarm** *m* alerte *f* aérienne *od* aux avions; *~~ geben* sonner la sirène d'alerte; **~angriff** *m* attaque *f* aérienne *od* par avions, raid *m* aérien; **~aufnahme** *f phot* vue *f* aérienne; **~bombe** *f* bombe *f* aérienne *od* d'avion; **~brille** *f* lunettes *f pl* de vol; **~deckung** *f* abri *m* antiaérien *od* contre avions; **~ei** *f* [-'raɪ] aviation *f;* **~helm** *m* casque *m* de pilote; **~horst** *m* base *f* aérienne *od* d'aviation; **f~isch** *a* aérien; d'aviateur; **~kamera** *f phot* appareil *m* de prises de vues aériennes; **~karte** *f* carte *f* aéronautique; **~kombination** *f* combinaison *f* de pilote; **~krankheit** *f* mal *m* des aviateurs; **~offizier** *m* officier *m* de l'air; **~schule** *f* école *f* d'aviation *od* de pilotage; **~schutzanzug** *m* tenue *f od* équipement *m* de vol; **~schütze** *m* mitrailleur *m* (de bord); **~sicht** *f: gegen ~~ gedeckt* camouflé; dérobé à la vue des avions; **~staffel** *f* escadrille *f* d'avions; **~tätigkeit** *f* activité *f* aérienne; **f~tauglich** *a* apte au vol; **~tauglichkeit** *f* aptitude *f* au vol; **~zulage** *f* prime *f* de vol.

flieh|en ⟨*floh, geflohen*⟩ ['fliːən] ⟨*aux: sein*⟩ *itr* fuir, s'enfuir, prendre la fuite; *vor jdm* s'enfuir devant qn; *zu jdm* se réfugier chez qn; *tr* ⟨*aux: haben*⟩ fuir, éviter; **~end** *ppr* fuyant, en fuite; *a fig (Stirn)* fuyant; **F~ende(n)** *m pl* fugitifs *m pl;* **F~kraft** *f phys* force *f* centrifuge.

Fliese *f* ⟨-, -n⟩ ['fliːzə] dalle *f*, carreau *m;* **f~n** *tr (mit ~n versehen)* daller, carreler; **~nleger** *m* carreleur *m.*

Fließ|arbeit *f* [fliːs-] travail *m* continu; **~band** *n* tapis *m od* chaîne *f* de montage; **~bandarbeit** *f* travail *m* à la chaîne; **~bandfertigung** *f*, **~bandproduktion** *f* production *f* à la chaîne; **f~en** ⟨*floß, ist geflossen*⟩ ['fliːsen] *itr a. fig* couler; *durch etw (von e-m Fluß)* traverser, arroser qc; *in etw (Fluß)* se verser dans, être tributaire de qc; *der Schweiß floß mir von der Stirn* mon front ruisselait de sueur; **~en** *n* écoulement *m;* **f~end** *a* coulant, liquide; *~~e(s) Wasser n (in e-m Zimmer)* eau *f* courante; *adv (sprechen)* couramment; **~laut** *m gram* liquide *f;* **~papier** *n* papier *m* buvard.

Flimmer *m* ⟨-s, -⟩ ['flɪmər] lueur *f* faible et tremblotante; **~haare** *n pl, a.* **~härchen** *n pl zoo* cils *m pl* vibratiles; **f~n** *itr* scintiller; *(Licht)* trembloter; vaciller; *a. film* vibrer; *es ~t mir vor den Augen* j'ai des éblouissements; **~n** *n* scintillement; tremblotement *m*, vibrations *f pl.*

flink [flɪŋk] *a* rapide, prompt; *(behende)* preste, leste, agile; ingambe; *(munter, lebhaft)* alerte, fringant, vif; *immer ~ bei der Hand sein* être toujours prêt à travailler *od* à donner un coup de main; **F~heit** *f* ⟨-, ø⟩ rapidité, promptitude; prestesse, agilité; vivacité *f.*

Flint *m* ⟨-(e)s, -e⟩ [flɪnt] *= Feuerstein;* pierre *f* à fusil; **~e** *f* ⟨-, -n⟩ fusil *m*, carabine *f; die ~~ ins Korn werfen* jeter le manche après la cognée; **~enkugel** *f* balle *f* (de fusil); **~enschuß** *m* coup *m* de fusil.

flirren ['flɪrən] *itr = flimmern.*

Flirt *m* ⟨-s, -s⟩ [flɪrt] flirt *m;* **f~en** *itr* flirter.

Flittchen *n* ⟨-s, -⟩ ['flɪtçən] *fam (leichtes Mädchen)* poule *f.*

Flitter *m* ⟨-s, -⟩ ['flɪtər] *(einzelner)* paillette *f; allg* clinquant *m;* **~glanz** *m* clinquant, faux brillant *m;* **~gold** *n* oripeaux *m pl;* **~kram** *m* colifichets *m pl*, fanfreluches *f pl;* **f~n** *itr = flimmern;* **~wochen** *f pl* lune *f* de miel.

Flitz|bogen *m* ['flɪts-] *(Spielzeug)* arc *m;* **f~en** ⟨*ist geflitzt*⟩ *itr fam (sausen, rennen)* filer comme une flèche; jouer des guibolles.

Flock|e *f* ⟨-, -n⟩ ['flɔkə] flocon *m; in großen, dichten ~~n fallen (Schnee)* tomber à gros flocons *od* à flocons serrés; **f~en** *itr (~en bilden)* floconner, se mettre en *od* faire des flocons; **f~enartig** *a = f~ig;* **~enbildner** *m chem* floculant *m;* **~enbildung** *f* floculation *f;* **~enblume** *f* centaurée *f;* **f~ig** *a* floconneux, pelucheux; **~seide** *f* soie floche, bourre *f* de soie; **~wolle** *f* bourre *f* de laine.

Floh *m* ⟨-(e)s, ⸚e⟩ [floː, 'fløːə] *ent* puce *f; die Flöhe husten hören (fig)* entendre pousser l'herbe; *jdm e-n ~ ins*

Ohr setzen (fig) mettre la puce à l'oreille à qn; **~biß** *m* piqûre *f* de puce; **~kiste** *f pop (Bett)* pucier *m;* **~markt** *m* marché *m* aux puces.

Flor 1. [flo:r] *m* ‹-s, -e› *(Blumenfülle, Blüte)* floraison, fleuraison; **2.** *m* ‹-s, -e/¨-e)› *(Textil)* crêpe, voile *m; (dünner)* gaze *f; im ~ stehen (fig) = f~ieren;* **~a** *f* ‹-, -ren› *(Mythologie)* Flore; *bot* flore *f;* **~band** *n (Trauerflor)* crêpe *m;* **f~ieren** [-'ri:rən] *itr (blühen, fig)* être florissant *od* en fleur; **~ilegium** *n* ‹-s, -gien› [-ri'le:gium, -giən] *(Blütenlese)* florilège *m,* anthologie *f.*

Floren|tiner(in *f)* *m* ‹-s,-› [florɛn'ti:nər] Florentin, e *m f;* **f~tinisch** [-'ti:nɪʃ] *a* florentin; **~z** *n* [-'rɛnts] *geog* Florence *f.*

Florett *n* ‹-(e)s, -e› [flo'rɛt] *(Stoßwaffe)* fleuret *m;* **~fechten** *n* escrime *f* au fleuret; **~fechter** *m* fleurettiste *m;* **~seide** *f* filoselle *f.*

Floskel *f* ‹-, -n› ['flɔskəl] *(Redensart)* fleur *f* de rhétorique; **f~haft** *a (Stil)* fleuri.

Floß *n* ‹-es, ¨-e› [flo:s, 'flø:sə] radeau; train *m* de bois; **~brücke** *f* pont *m* de radeaux; **~holz** *n* bois *m* flotté; **~sack** *m* radeau *m* pneumatique.

flöß|bar ['flø:s-] *a (Fluß)* flottable; **~en** *tr (Holz)* (faire) flotter; **F~er** *m* ‹-s, -› flotteur; batelier *m* d'un radeau; **F~erei** *f* [-'raɪ] flottage *m* (du bois).

Flosse *f* ‹-, -n› ['flɔsə] *zoo* nageoire *f;* aileron; *aero* plan fixe; *(Höhenflosse)* stabilisateur *m; (Seitenflosse)* dérive *f;* **~nfüßer** *m pl zoo* pinnipèdes *m pl.*

Flöt|e *f* ‹-, -n› ['flø:tə] *mus* flûte *f; (Pfeife)* pipe; *(langes Brot)* baguette, flûte *f;* **f~en** *itr* jouer de la flûte; *fig (~~d sprechen od singen)* parler, chanter d'une voix flûtée; **~enbläser** *m* flûtiste *m,* (joueur *m* de) flûte *f;* **f~en=gehen** ‹*ist flötengegangen*› *itr fam (verlorengehen)* se perdre; s'envoler; **~enspiel** *n* jeu *m* de la flûte; **~enspieler** *m,* **~ist** *m* ‹-en, -en› [-'tist] = *~enbläser;* **~enton** *m; jdm die ~entöne beibringen (fig fam)* apprendre la civilité à qn.

flott [flɔt] *a mar* à flot; *fig (flink, leicht)* dégagé, déluré, dégourdi, léger; *(leicht, leichtlebig)* gai, gaillard, joyeux; *(schick)* chic, élégant; *(Stil)* cursif; *~ gehen* marcher d'un pas léger; *fig (Geschäft)* marcher bien; *~ leben* mener joyeuse vie, mener la vie à grandes guides; *wieder ~ werden (mar)* revenir sur l'eau; *hier geht es ~ her* ici on s'amuse bien; *~e(r) Bursche m* gaillard *m;* **~=machen** *tr mar* mettre à flot; *wieder ~~* remettre à flot; **~weg** ['-vɛk] *adv (in einem weg)* d'un trait, en un tour de main *od* tournemain.

Flott *n* ‹-(e)s, ø› [flɔt] *dial* crème *f* de lait.

Flotte *f* ‹-, -n› ['flɔtə] *mar* flotte; *(Marine)* marine *f;* **~nabkommen** *n pol* traité *m* naval; **~nmanöver** *n* manœuvres *f pl* navales; **~nparade** *f* revue *f* navale; **~nstützpunkt** *m* point *m* d'appui de la flotte, base *f* navale.

Flottille *f* ‹-, -n› [flo'tɪl(j)ə] *mar* flottille, escadre *f.*

Flöz *n* ‹-es, -e› [flø:ts] *geol* couche sédimentaire, stratification horizontale; *mines (Nutzschicht, bes. Kohle)* veine *f;* **~gebirge** *n* terrains *m pl* sédimentaires; **~mächtigkeit** *f mines* épaisseur *f* de la veine; **~streifen** *m mines* filet *m.*

Fluch *m* ‹-(e)s, ¨-e› [flu:x, fly:çə] *(Verfluchung)* malédiction, imprécation *f; rel* anathème, blasphème *m; (Unsegen)* malédiction *f,* malheur; *(ungehöriger, derber Ausruf)* juron, gros mot *m; e-n ~ ausstoßen* lancer un juron; **f~beladen** *a* chargé de malédiction(s), maudit; **f~en** *itr* maudire; *jdm* od *auf jdn ~~* maudire qn, donner sa malédiction à qn; *(e-n ~, Flüche ausstoßen)* jurer, pester, maugréer, lancer un *od* des juron(s); *über etw ~~* pester contre qc; *wie ein Landsknecht ~~* jurer comme un charretier; **~en** *n* jurements, jurons *m pl;* **~er** *m* ‹-s, -› blasphémateur *m;* **f~würdig** *a* maudissable; exécrable, abominable.

Flucht *f* ‹-, -en› [fluxt] **1.** *(zu: fliehen)* fuite; *(aus etw)* évasion *f; fig (Verlassen, Auszug)* exode *m; in wilder ~* en pleine déroute; *die ~ nach vorn antreten* pratiquer la (politique de la) fuite en avant; *die ~ ergreifen* prendre la fuite *od fam* le large; *in die ~ schlagen* mettre en fuite *od* en déroute, faire fuir; *auf der ~ sein* être en fuite; *sein Heil in der ~ suchen* chercher son salut dans la fuite; *~ in die Unwirklichkeit* évasion *f* hors de la réalité; **f~artig** *adv* précipitamment; **~geschwindigkeit** *f (Raumfahrt: 11,2 km/sec)* vitesse *f* de libération; **~verdacht** *m* présomption *f* de fuite; **f~verdächtig** *a* suspect de vouloir fuir; **~versuch** *m* tentative *f* de fuite; **~weg** *m* parcours *m* de la fuite.

Flucht *f* ‹-, -en› [fluxt] **2.** *(zu: fliegen; Linie, Richtung)* alignement *m,* enfilade, rangée *f;* **f~en** *tr (in e-e gerade Linie bringen)* aligner; **~linie** *f arch* alignement *m.*

flücht|en ['flʏçtən] *itr* u. *sich ~~* fuir, s'enfuir, prendre la fuite; se sauver; se réfugier; **~ig** *a (fliehend)* fuyant, en fuite; fugitif, fuyard; *(schnell vergehend)* fugitif, fugace, passager, éphémère, rapide; *(oberflächlich)* superficiel; *(Eindruck)* vague; *(nachlässig)* négligent, inattentif, distrait; *chem* volatil; *adv a.* à la hâte; superficiellement; *~~ lesen* parcourir; *fam* lire en diagonale; *etw, jdn nur ~~ gesehen haben* n'avoir vu qc que d'un œil, qn qu'entre deux portes; **F~igkeit** *f* rapidité; négligence, inattention, distraction; *chem* volatilité *f;* **F~igkeitsfehler** *m* faute *od* erreur *f* d'inattention; **F~ling** *m* ‹-s, -e› réfugié; *(politischer)* émigré *m;* **F~lingslager** *n* camp *m* de réfugiés; **F~lingsorganisation** *f* organisation *f* des réfugiés.

Flug *m* ‹-(e)s, ¨-e› [flu:k, 'fly:gə] vol *m* *a. aero;* volée; *fig (der Gedanken)* envol(ée *f*) *m; im ~e* au vol, à la volée; *(flüchtig)* à la hâte; *die Zeit verging (wie) im ~e* le temps passa très vite; *angetriebene(r) ~ (e-r Rakete)* vol *m* propulsé; *antriebslose(r) ~ (e-r Rakete)* vol *m* libre; *~ um die Welt* vol *m* autour du monde; **~abwehr** *f* défense *f* antiaérienne *od* contre avions; **~abwehrkanone** *f* canon *m* antiaérien *od* contre avions; **~abwehrrakete** *f* fusée *f* antiaérienne, engin *m* sol-air; **~asche** *f* cendres *f pl* de carneaux; **~auftrag** *m aero* mission *f* de vol, ordre *m* de mission; **~bahn** *f mil* trajectoire *f; aero* trajet *m;* **~bahnneigung** *f (e-s Geschosses)* inclinaison *f;* **~ball** *m sport* balle *f* à la volée; **~bereich** *m* rayon *m* d'action; **f~bereit** *a aero* prêt à décoller *od* à s'envoler; **~betrieb** *m* service *m* aérien; **~blatt** *n* feuille *f* volante, tract *m; ~blätter abwerfen* lancer des tracts; **~boot** *n* hydravion *m* à coque; *~~ ohne Tragflächen* hydrofin *m;* **~dauer** *f* durée de vol *od* de trajet, autonomie *f* de vol; **~deck** *n (e-s ~zeugträgers)* pont *m* d'envol *od* d'atterrissage; **~dienst** *m* service *m* aérien; **~(eid)echse** *f zoo* ptérosauriens *m;* **~erfahrung** *f aero* expérience *f* aérienne; **f~fähig** *a* capable de voler; **~feld** *n* terrain *m* d'aviation; **~formation** *f* formation *f* de vol; *aufgelockerte* od *geöffnete, geschlossene ~~* formation *f* ouverte, serrée; **~gast** *m* passager (d'un avion), voyageur *m* aérien; **~gastkabine** *f* cabine *f* des passagers; **~gastraum** *m* poste *m* de passager; **~gelände** *n (für Segelflug)* terrain *m* de vol à voile; **~geschwindigkeit** *f* vitesse *f* de vol; **~gesellschaft** *f* compagnie *f* de navigation aérienne; **~hafen** *m* aéroport *m;* **~hafenaufsicht** *f* contrôle *m* de l'aéroport; **~hafenbake** *f* phare *m* d'aéroport; **~hafenbefeuerung** *f* feux *m pl* de l'aéroport; **~hafendienst** *m* service *m* d'aéroport; **~hafengrenze** *f* limite *f* d'aéroport; **~hafenleitung** *f* direction *f* de l'aéroport; **~hafenzone** *f* zone *f* de l'aéroport; **~höhe** *f* altitude *od* hauteur *f* (de vol); *niedrige ~~* faible altitude *f;* **~kapitän** *m* chef-pilote *m;* **f~klar** *a* en état de vol; **~körper** *m* missile *m;* **~lage** *f* position *f* de vol; **~lehrer** *m* moniteur de vol, pilote-instructeur *m;* **~leistung** *f* performance *f* de vol; **~leitung** *f* direction *f* de l'aéroport; **~linie** *f* ligne *f* de vol *od* de navigation *od* aérienne; **~liniennetz** *n* réseau *m* de lignes aériennes; **~maschine** *f* machine *f* volante; **~mechanik** *f* mécanique *f* aéronautique; **~meldedienst** *m* service *m* de surveillance aérienne; **~meldegerät** *n* radar *m* de guet; **~meldestelle** *f* station *f od* poste *m* de surveillance (aérienne); **~meldezentrale** *f* centrale *f* de surveillance aérienne; **~meteorologie** *f* météorologie *f* aéronautique; **~modell** *n* modèle *m* (réduit) volant; **~motor** *m* moteur *m* d'avion; *~~ mit Atoman-*

trieb propulseur *m* atomique d'avion; **~netz** *n* réseau *m* d'aviation; **~personal** *n* personnel *m* navigant; **~plan** *m (Heft)* indicateur *od* horaire *m* aérien; **~platz** *m* aérodrome, champ *m* d'aviation; **~platzgelände** *n* terrain *m* d'aviation; **~platzumrandungsfeuer** *n* éclairage *m* de délimitation; **~prüfung** *f* essai *m* en vol; **~richtung** *f* direction *f* de vol; **~sand** *m* sables *m pl* mouvants; **~saurier** *m* = *~(eid)echse;* **~schein** *m (e-s Piloten)* brevet de pilote aviateur; *(e-s ~gastes)* billet *m* d'avion; **~schiff** *n* hydravion *m* à coque géant; **~schirm** *m bot* aigrette *f; mit ~~ (Samen)* aigretté; **~schlepp** *m* = *~zeugschlepp;* **~schrauber** *m* girodyne *m;* **~schrift** *f* tract, pamphlet, libelle *m,* brochure *f* de propagande; **~schub** *m (e-r Rakete)* poussée *f* en vol; **~schule** *f* école *f* d'aviation; **~schüler** *m* élève-pilote *m;* **~sicherheit** *f* sécurité *f* du vol; **~sicherung** *f* sécurité *f* aérienne; **~sicherungsbezirk** *m* circonscription *f* radioaéronautique; **~sicherungsdienst** *m* service *m* de sécurité aérienne *od* de sécurité en vol; **~steig** *m* aire *f* de débarquement et d'embarquement; **~strecke** *f* = *~linie;* itinéraire *m; (zurückgelegte)* distance *f* parcourue; **~streckenbefeuerung** *f* balisage *m* de ligne; **~streckenkarte** *f* carte *f* d'itinéraire; **~stunde** *f* heure *f* de vol; **~tätigkeit** *f* activité *f* aérienne; **f~tauglich** *a aero* apte à voler; **~tauglichkeit** *f* aptitude *f* au vol; **~taxe** *f* avion *m* taxi; **~technik** *f* aérotechnique *f;* **f~technisch** *a* aérotechnique; *~~e(s) Personal n* personnel *m* technique de l'air; **f~tüchtig** *a aero* navigable; **~tüchtigkeit** *f* navigabilité *f* **~überwachung** *f* contrôle *m* de vol; **f~unfähig** *a zoo* incapable de voler; **~unfall** *m* accident *m* d'aviation; **~verkehr** *m* trafic *m* aérien; **~weg** *m* itinéraire *m* aérien; route *f* aérienne; **~weite** *f aero* autonomie *f* de vol; **~werk** *n* voilure *f; (e-r Rakete a.)* empennage *m;* **~wesen** *n* aviation *f;* **~wetter** *n* temps *m* favorable au vol; **~wetterdienst** *m* service *m* de météorologie aéronautique; **~wetterwarte** *f* poste *m od* station *f* météorogique de l'aviation; **~widerstand** *m* résistance *f* aérodynamique; **~wild** *n* gibier *m* à plume; **~wind** *m* vent *m* relatif; **~winkel** *m (e-s Geschosses)* angle *m* de route; **~zeit** *f* durée *f* de vol *od* de trajet; temps *m* du parcours.

Flügel *m* ⟨-s, -⟩ ['fly:gəl] *zoo* u. *aero* aile *f; (Tragfläche)* plan *m; (e-r Bombe)* ailette; *tech* ailette, pale; *(Windmühlenflügel; arch)* aile *f; (Tür-, Fensterflügel)* battant; *(Altarflügel)* volet; *(Lungenflügel)* lobe *m; (Nasenflügel; mil)* aile *f; mus* piano *m* à queue; *jdm die ~ beschneiden (fig)* couper *od* rogner les ailes *od* les ongles à qn; *die ~ hängenlassen (fig)* baisser l'oreille; *mit den ~n schlagen (Vogel)* battre des ailes; *sich die ~ verbrennen (fig: Schaden nehmen)* se brûler les ailes *od* les doigts; *jdm ~ (fig: Mut und Schwung) verleihen* donner des ailes à qn; **~adjutant** *m mil* aide *m* de camp; **~altar** *m* retable *m* à volets; **~anschluß** *m aero* attache *f* d'aile; **~bombe** *f* bombe *f* à ailettes; **~decke** *f ent* élytre *m;* **~ende** *n aero* bout *m od* extrémité *f* d'aile; **~fläche** *f* surface *f* alaire; **~flattern** *n aero* vibration *f* des ailes; **~gerippe** *n aero* ossature *f* de l'aile; **~haube** *f (kath. Schwester)* cornette *f;* **~holm** *m* longeron *m* (d'aile); **f~lahm** *a: ~~ sein (fig)* avoir du plomb dans l'aile; **~mann** *m* ⟨-(e)s, ¨er/-leute⟩ *mil* guide *m; rechte(r), linke(r) ~~* guide *m* à droite, à gauche; **~mine** *f mil* torpille *f* à ailettes; **~mutter** *f tech* écrou *m* à ailettes *od* à oreilles *od* à papillon; **~oberseite** *f aero* face *f* dorsale, extrados *m;* **~profil** *n aero* profil *m* d'aile; **~rad** *n* roue *f* à ailettes; **~schlag** *m orn* coup *m* d'aile; **~schlagen** *n* battement *m* d'ailes; **~schraube** *f* vis *f* à ailettes; **~schwimmer** *m aero* flotteur d'aile, ballonnet *m;* **~spitze** *f orn* fouet de l'aile, aileron *m;* **~stürmer** *m (Fußball)* ailier *m;* **~tür** *f* porte *f* battante *od* à deux battants; **~unterseite** *f aero* face *f* ventrale, intrados *m;* **~verdrehung** *f aero* déformation *f* de l'aile; **~verspannung** *f aero* haubanage *m* de l'aile; **~wurzel** *f aero* emplanture *f* d'aile *od* de l'aile.

flügge ['flʏgə] *a* prêt à quitter le nid; *~ werden (fig)* prendre sa volée.

flugs [flʊks] *adv* à la volée, rapidement, vite; *(sofort)* aussitôt, tout de suite, sur-le-champ.

Flugzeug *n* ⟨-(e)s, -e⟩ ['flu:ktsɔʏk] avion; *vx* aéroplane *m; das ~ abfangen* redresser l'avion, faire une ressource; *das ~ abheben* (faire) décoller l'avion; *das ~ aufrichten* redresser l'avion; *ein ~ einfliegen* essayer un avion en vol; *ein ~ steuern* piloter un avion; *ein-, zwei-, drei-, vier-, mehrmotorige(s) ~* (avion) monomoteur, bimoteur, trimoteur, quadrimoteur, multimoteur *m; ferngesteuerte(s) ~* avion *m* téléguidé *od* télécommandé; **~absturz** *m* chute *f* d'un avion; **~abwehr(kanone)** *f* = *Flak;* **~bau** *m* construction *f* aéronautique *od* des avions; **~benzin** *n* essence *f* d'avion; **~besatzung** *f* équipage *m* (d'un *od* de l'avion); **~bewaffnung** *f* armement *m* des avions *od* de l'avion; **~fabrik** *f* usine *f* d'avions *od* d'aviation *od* aéronautique; **~führer** *m* pilote *m* (d'avion); **~führerschein** *m* brevet *m* de pilote *od* d'aviateur; **~führerschule** *f* école *f* de pilotage; **~führung** *f* pilotage *m;* **~halle** *f* hangar *m* (d'avion); *in der ~~ abstellen* garer; **~industrie** *f* industrie *f* aéronautique; **~kanone** *f* canon *m* d'avion; **~konstrukteur** *m* constructeur *m* d'avions; **~ladung** *f* charge *f* de l'avion; **~mechaniker** *m* mécanicien *m* d'avion; **~modell** *n* modèle *m* d'avion; **~motor** *m* moteur *m* d'avion; **~mutterschiff** *n* (navire de) transport *m* d'avions; **~ortung** *f* repérage *m* des avions; **~passagier** *m* passager *m* d'un avion; **~personal** *n* personnel *m* de l'avion; **~rumpf** *m* fuselage *m;* **~schlepp** *m* remorquage *m* en vol; **~schleppstart** *m* départ *m* remorqué par avion; **~schleuder** *f* catapulte *f od* dispositif *m* de catapultage pour avions; **~steuerung** *f* commandes *f pl* (des gouvernes); **~träger** *m* (navire) porte-avions *m; auf e-m ~~ landen* apponter; **~trümmer** *pl* débris *m pl;* **~typ** *m* type *m* d'avion; **~unglück** *n* accident *m* d'avion *od* aérien; **~verband** *m* formation *f* (d'avions); **~werk** *n* = *~fabrik.*

Fluidum *n* ⟨-s, -da⟩ ['flu:idʊm, -ida] *psych (Ausstrahlung)* fluide *m.*

Fluktu|ation *f* ⟨-, -en⟩ [flʊktuatsi'o:n] = *F~ieren;* **f~ieren** [-'i:rən] *itr (schwanken, wechseln)* fluctuer; **~ieren** *n* fluctuation(s *pl*) *f.*

Flunder *f* ⟨-, -n⟩ ['flʊndər] *zoo* flet *m.*

Flunker|ei *f* ⟨-, -en⟩ [flʊŋkə'raɪ] *dial (kleine Lüge)* menterie; *(Aufschneiderei)* hâblerie, forfanterie, fanfaronnade, vantardise *f;* **~er** *m* ⟨-s, -⟩ ['flʊŋkərər] *(Lügner)* menteur; *(Aufschneider)* hâbleur, fanfaron, vantard, *fam* blagueur *m;* **f~n** ⟨*hat geflunkert*⟩ *itr (lügen)* mentir; *(aufschneiden)* hâbler, fanfaronner, conter des sornettes.

Fluor *n* ⟨-s, ø⟩ ['flu:ɔr] *chem* fluor *m;* **~eszenz** *f* ⟨-, ø⟩ [fluorɛs'tsɛnts] fluorescence *f;* **f~eszieren** [-'tsi:rən] *itr (aufleuchten)* être fluorescent; **f~eszierend** *a* fluorescent; **~id** *n* ⟨-(e)s, -e⟩ [-'ri:t, -də] **~salz** *n* fluorure *m;* **~wasserstoffsäure** *f* acide *m* fluorhydrique.

Flur 1. *f* ⟨-, -en⟩ [flu:r] *(Wiesen u. Felder)* champs *m pl; durch Feld und ~ schweifen* se promener dans les champs; **~bereinigung** *f* remembrement *od* remaniement *m* parcellaire *od* des parcelles; **~buch** *n* cadastre *m;* **~frevel** *m* délit *m* rural; **~hüter** *m* garde *m* champêtre; **~name** *m* nom toponymique; lieu-dit *m;* **~schaden** *m* dégâts *m pl* causés aux cultures; **~umgang** *m rel* rogations *f pl.*

Flur 2. *m* ⟨-(e)s, -e⟩ [flu:r] *(Hausflur)* vestibule; *(Treppenflur)* palier *m; (Wohnungsflur)* entrée *f,* couloir *m;* **~garderobe** *f* portemanteau *m* (de vestibule).

Fluß *m* ⟨-sses, ¨sse⟩ [flʊs, 'flʏsə] *(fließendes Gewässer)* rivière *f; (Strom)* fleuve; *(Fließen)* écoulement; *(der Tränen)* flot; *(des Blutes)* flux; *fig (der Worte)* flot, flux; *tech* flux *m; (fließende Masse)* coulée *f; (~mittel)* fondant *m; min* = *~spat; in ~ bringen (fig)* mettre en train; *wieder in ~ bringen* remettre en train, renouveler; *in ~ kommen* se mettre en train; *im ~ sein (fig)* être en train; *weiße(r) ~ (med)* pertes *f pl* blanches, leucorrhée *f;* **f~ab(wärts)** *adv* en aval; **~arm** *m* bras *m* de rivière; **f~auf(wärts)** *adv* en amont;

~**bett** *n* lit *m* (d'un fleuve); ~**dampfer** *m* bateau *m* fluvial *od* de rivière; ~**eisen** *n* = *~stahl;* ~**fisch** *m* poisson *m* de rivière *od* d'eau douce; ~**hafen** *m* gare *f* fluviale; ~**insel** *f* île *f* fluviale; ~**krebs** *m* écrevisse *f* à pattes rouges; ~**lauf** *m* cours *m* (de la rivière); ~**mittel** *n tech* fondant *m;* ~**pferd** *n* hippopotame *m;* ~**regulierung** *f* rectification *f* d'un fleuve; ~**sand** *m* sable *m* de rivière; ~**säure** *f* = *Fluorwasserstoffsäure;* ~**schiffahrt** *f* navigation fluviale, batellerie *f;* ~**spat** *m min* spath *m* fluor, fluorine *f;* ~**stahl** *m* acier *m* doux; ~**ufer** *n* rive *f;* bord *m od* berge *f* (d'une *od* de la rivière).

flüssig ['flʏsɪç] *a* liquide, fluide; *(geschmolzen, bes. Metall)* fondu; *fig (Stil)* coulant, aisé; *fin (verfügbar)* liquide, disponible; *kein Geld ~ haben* ne pas avoir d'argent liquide; *~ machen (schmelzen)* liquéfier, rendre liquide; *sehr ~ sprechen* parler très couramment; *~ werden* se liquéfier, entrer en fusion; ~**=machen** *tr fin* liquider, réaliser; **F~machung** *f fin* liquidation, réalisation *f.*

Flüssigkeit *f* ‹-, -en› ['flʏsɪçkaɪt] liquide, fluide *m; (flüssiger Zustand)* liquidité, fluidité; *fig (Stil)* facilité, aisance; *fin* liquidité *f;* ~**sbremse** *f* trein *m* hydraulique; ~**sdruck** *m* pression *f* hydrostatique; ~**sgetriebe** *n* commande *f* hydraulique; ~**skompaß** *m* compas *m* à liquide; ~**smaß** *n* mesure *f* de capacité; ~**smenge** *f* quantité *f* de liquide; ~**smesser** *m* pèse-liquide *m;* ~**spresse** *f* presse *f* hydraulique; ~**sreibung** *f* frottement *m* du liquide; ~**sstand** *m (in e-m Behälter)* hauteur *f* de liquide; ~**sverlust** *m* perte *f* de liquide.

Flüster|er *m* ‹-s, -› ['flʏstərər] chuchoteur *m;* **f~n** *tr* chuchoter, murmurer; *lit* susurrer; *jdm etw ins Ohr ~~* chuchoter *od* glisser qc à l'oreille de qn; ~**n** *n* chuchotement *m;* ~**propaganda** *f* propagande *f* chuchotée *od* clandestine; ~**ton** *m: im ~~ sprechen* parler à voix basse *od* tout bas.

Flut *f* ‹-, -en› [flu:t] flux, flot *m; poet* onde; *(Hochwasser)* inondation *f,* déluge *m; (Gezeitenstand)* marée *f* montante *od* haute; *fig* flot, déluge, torrent *m; pl* vagues *f pl,* flots *m pl; Ebbe und ~* flux et reflux *m,* marée *f* haute et basse; *~ von Schimpfwörtern* déluge *m* d'injures; *~ von Tränen* torrent *m* de larmes; *~ von Worten* flot *m* de paroles; ~**bett** *n (e-s Flusses)* lit *m* majeur; **f~en** *itr* couler *od* arriver à flots; *in* od *über etw ~~ (a. fig)* inonder qc; ~**höhe** *f* hauteur *f* de la marée; ~**kraftwerk** *n* usine *f* marémotrice; ~**licht(lampe** *f)* *n* (projecteur *m* à) flots *m pl* de lumière; ~**motor** *m* marémoteur *m;* ~**strom** *m* courant *m* de flot; ~**stunden** *f pl (Hauptgeschäfts- od -verkehrszeit)* heures *f pl* d'affluence; ~**tor** *n (e-r Schleuse)* porte *f* d'amont *od* de tête; ~**welle** *f* raz *m* de marée; ~**zeit** *f* (heure de la) marée *f.*

Fock *f* ‹-, -en› [fɔk] *mar* misaine *f;* ~**mars** *m* hune *f* de misaine; ~**mast** *m* mât *m* de misaine.

Föder|alismus *m* ‹-s, ø› [fødera'lɪsmus] *pol* fédéralisme *m;* ~**alist** *m* ‹-en, -en› [-'lɪst] fédéraliste *m;* **f~alistisch** [-'lɪstɪʃ] *a* fédéraliste; ~**ation** *f* ‹-, -en› [-tsi'o:n] fédération *f;* **f~ativ** [-ra'ti:f] *a* fédératif; ~**ativstaat** *m (Bundesstaat)* État *m* fédéral.

Fohlen *n* ‹-s, -› ['fo:lən] *zoo* poulain *m; (Stutfohlen)* pouliche *f;* **f~** *itr (ein ~ zur Welt bringen)* pouliner.

Föhn *m* ‹-(e)s, -e› [fø:n] *mete* fœhn *m.*

Föhre *f* ‹-, -n› ['fø:rə] *bot (Kiefer)* pin *m* sylvestre; ~**nwald** *m* pinède, pineraie, pinière *f.*

fok|al [fo'ka:l] *a phys* focal; **F~alinfektion** *f* infection *f* focale; **F~us** *m* ‹-, -/-se› ['fo:kus(ə)] *(Brennpunkt)* foyer *m.*

Folg|e *f* ‹-, -n› ['fɔlgə] *(Ergebnis)* suite, conséquence *f;* résultat, effet *m; (Abfolge, Reihe)* suite, succession, série; *(Fortsetzung)* continuation *f; für die ~~* pour l'avenir; *in der ~~* dans *od* par la suite; *in bunter ~~* pêle-mêle; *in dichter ~~* dru et menu; *ohne ~~* sans lendemain; *die ~~n bedenken, an die ~~n denken* considérer *od* peser les conséquences, réfléchir aux conséquences; *für die ~~n einstehen* endosser toutes les conséquences *od* tous les risques; *e-m Gesuch ~~ geben (adm)* faire droit à une demande; *etw zur ~~ haben* avoir qc pour conséquence; être suivi de qc; entraîner qc à la suite; *~~n haben* être de *od* tirer à conséquence; *weitreichende ~~n haben (a.)* mener loin; *e-r S ~~ leisten* donner suite à qc; *(e-r Aufforderung)* obtempérer; *an den ~~n (gen) sterben* mourir des suites (de); *Sie haben die ~~n zu tragen* vous en supporterez les conséquences; *fam* cela vous retombera sur le dos; *das kann schlimme ~~n haben (a.)* c'est un jeu dangereux; *die ~n sind nicht abzusehen* les conséquences sont incalculables; *die ~~n der Operation (a.)* les suites *f pl* opératoires; ~**eerscheinung** *f* conséquence *f,* effet *m;* **f~en** ‹*ist gefolgt*› *itr (nachgehen)* suivre (*jdm* qn); *fig (befolgen, nachahmen)* suivre (*e-r S* qc); *(gehorchen)* ‹*hat gefolgt*› obéir (*jdm* qn); *(zeitl. ~~)* venir après; *eins auf das andere ~~* se succéder; *e-r S* suivre qc, succéder à qc; *aus e-r S* résulter de qc; *jdm auf dem Fuß ~~* emboîter le pas à qn; *jdm auf Schritt und Tritt ~~* ne pas lâcher qn d'un pas; *(geistig) ~~ (können)* (être capable de) suivre; *ich kann ihm darin nicht ~~* je ne peux le suivre sur ce terrain; *daraus ~t* il en résulte, il s'ensuit *(daß* que); *es ~t, daß (math)* il en résulte que; *wie ~t* comme suit; *Fortsetzung ~t* à suivre; *auf Regen ~t Sonnenschein (prov)* après la pluie le beau temps; **f~end** *a* suivant, successif, subséquent; *~~es* les choses suivantes, ce qui suit; *am ~~en Tage* le lendemain; *in der ~~en Nacht* la nuit suivante; *aus ~~em, durch ~~es* par ce qui suit; *im ~~en* par la suite; *er schreibt ~~es* voici ce qu'il écrit; *der, das F~~e* le suivant; *mit dem F~~en* avec celui qui suit, avec ce qui suit; **f~endermaßen** *adv,* **f~enderweise** *adv* de la façon *od* de la manière suivante; **f~enreich** *a* riche de conséquences, important; **f~enschwer** *a* lourd *od* gros de conséquences, grave; ~**enschwere** *f* gravité *f;* ~**ereaktion** *f* réaction *f* ultérieure; **f~erecht** *a,* **f~erichtig** *a* conséquent, concluant, logique; ~**erichtigkeit** *f* conséquence *f;* **f~ern** *tr* déduire, conclure (*aus* de); ~**erung** *f* déduction, conclusion *f; die ~~ aus etw ziehen* tirer la conséquence de qc; ~**esatz** *m gram* proposition *f* consécutive; **f~ewidrig** *a* inconséquent, illogique; ~**ewidrigkeit** *f* inconséquence *f,* illogisme *m;* ~**ezeit** *f: in der ~~* par la suite; **f~lich** ['fɔlk-] *adv* par conséquent, en conséquence; par suite, partant, dès lors; *(also)* donc, ainsi; **f~sam** *a* obéissant, soumis, docile; ~**samkeit** *f* obéissance, soumission, docilité *f.*

Foli|ant *m* ‹-en, -en› [foli'ant] *(Buch in ~o)* in-folio *m;* ~**e** *f* ‹-, -n› ['fo:ljə] *tech* feuille *f; (des Spiegels)* tain *m;* **f~ieren** [-li'i:rən] *tr (Spiegel)* étamer; *(Buchbogen beziffern)* folioter; ~**o** *n* ‹-s, -s/-lien› ['fo:lio, -liən] *(Buchformat; Blatt im Geschäftsbuch)* folio *m;* ~**oband** *m* in-folio *m;* ~**oblatt** *n* feuille *f* in-folio; ~**oformat** *n* format *m* in-folio.

Folklor|e *f* ‹-, ø› ['fɔlklo:r] *(volkstümliche Überlieferung)* folklore *m;* ~**ist** *m* ‹-en, -en› [-klo'rɪst] folkloriste *m;* **f~istisch** [-'rɪstɪʃ] *a* folklorique.

Follikel *m* ‹-s, -› [fɔ'li:kəl] *physiol* follicule *m.*

Folter *f* ‹-, -n› ['fɔltər] *(~bank)* chevalet *m; (~ung)* torture *f; die ~ anwenden* appliquer la torture; *jdn der ~ unterwerfen* soumettre qn à la torture; *jdn auf die ~ spannen (a. fig)* mettre qn à la torture *od* à la question *od* au supplice; donner la question à qn; *fig* faire mourir qn à petit feu, torturer qn; ~**bank** *f* chevalet *m;* ~**instrument** *n* instrument *m* de torture; ~**kammer** *f* chambre *f* de torture; ~**knecht** *m* tortionnaire *m;* **f~n** *tr* torturer; = *auf die ~ spannen;* ~**ung** *f* torture *f;* ~**werkzeug** *n* = *~instrument.*

Fön *m* ‹-(e)s, -e› [fø:n] *el* séchoir (à cheveux), sèche-cheveux *m.*

Fond *m* ‹-s, -s› [fɔ̃:] *(Hintergrund; Rücksitz)* fond *m.*

Fonds *m* ‹-, -› [fɔ̃:], *des ~* [fɔ̃(s)], *die ~* [fɔ̃:s] *fin* fonds, capital *m.*

Fontäne *f* ‹-, -n› [fɔn'tɛ:nə] jet *m* d'eau.

Fontanelle *f* ‹-, -n› [fɔnta'nɛlə] *anat* fontanelle *f.*

fopp|en ['fɔpən] *tr* mystifier, duper, berner; **F~er** *m* ‹-s, -› mystificateur; mauvais plaisant, farceur *m;* **F~erei** *f* [-'raɪ] mystification, duperie; mauvaise plaisanterie *f.*

forcieren [fɔr'si:rən] *tr (mit Gewalt*

vorantreiben od steigern) forcer; *(übertreiben)* exagérer.

Förder|anlage *f* ['fœrdər-] *mines* installation *f* d'extraction *od* de transport; **~band** *n* transporteur *od* convoyeur *m* à bande *od* à courroie, bande *f* transporteuse; **~brücke** *f* pont *m* transporteur; **~er** *m* ‹-s, -› *(~anlage)* transporteur; *fig (Unterstützer)* promoteur *m;* **~gerüst** *n mines* charpente *f* d'extraction; chevalement *m;* **~gut** *n mines* produit *m* extrait; **~haspel** *f mines* treuil *m* d'extraction *od* de mine; **~höhe** *f* hauteur *f* de levage *od* d'élévation *od mines* d'extraction; **~kohle** *f* tout-venant *m,* houille *f* tout-venante; **~korb** *m* cage (d'extraction), benne *f;* **~kurs** *m* cours *od* stage *m* de perfectionnement; **~leistung** *f* production *f* minière; **f~lich** *a* profitable, utile; **~mann** *m mines* hercheur, rouleur *m;* **~menge** *f* extraction *f;* **f~n** *tr (weiterbringen, unterstützen)* faire progresser *od* avancer, pousser; encourager; favoriser, promouvoir; *mines* extraire; hercher, transporter; *zu Tage ~~ (fig)* mettre au jour; *~~de(s) Mitglied n* membre bienfaiteur, cotisant *m;* **~rinne** *f tech* gouttière *f* transporteuse; **~schacht** *m mines* puits *m* d'extraction; **~schnecke** *f* vis *f* sans fin; **~seil** *n* câble *m* d'extraction *od* de levage; **~stollen** *m,* **~strecke** *f mines* galerie *f* de roulage; **~stufe** *f (Schule)* cycle *m* de promotion; **~tiefe** *f* profondeur *f* (de *od* d'un puits); **~turm** *m* = *~gerüst;* **~ung** *f* avancement; encouragement; secours *m; mines* extraction, récolte *f;* herchage; *tech* transport *m;* **~wagen** *m mines* wagonnet *m* de mine.

forder|n ['fɔrdərn] *tr* demander *(a. e-n Preis); (Anspruch erheben auf)* réclamer; *(erfordern, voraussetzen, erwarten)* exiger; *(zum Duell)* provoquer; *von jdm Genugtuung, Rechenschaft (a. fig) ~~* demander réparation, des comptes à qn; *jdn vor Gericht ~~* citer *od* assigner qn en justice; *viele Opfer ~~* coûter beaucoup de vies humaines; *auf Pistolen ~~* provoquer au pistolet; **F~ung** *f* demande; réclamation *f; philos* postulat *m; (zum Duell)* provocation (en duel); *com* créance *f; fin* réalisable *m; die ~~ erheben* od *geltend machen* prétendre; *e-e ~~ erfüllen* satisfaire à une demande; *~~en an jdn stellen* exiger de qn; *hohe ~~en stellen* demander beaucoup; avoir beaucoup d'exigence(s); *ausstehende ~~ (com)* créance *f* arriérée; *billige, begründete ~~* réclamation *f* fondée; *~~ vor Gericht (jur)* citation *f* en justice.

Forelle *f* ‹-, -n› [fo'rɛlə] truite *f; ~ blau* truite au bleu; **~nzucht** *f* élevage *m* de(s) truites.

forensisch [fo'rɛnzɪʃ] *a jur* judiciaire.

Forke *f* ‹-, -n› ['fɔrkə] *(Heu-, Mistgabel)* fourche *f.*

Form *f* ‹-, -en› [fɔrm] *(äußere Gestalt)* forme *f; fig* formes *f pl,* façon; *gram* forme; *(aktive u. passive)* voix *f; tech* moule *m; aus der ~ (Kleidung)* déformé; *in ~ (sport)* en condition; *in aller ~* en bonne et due forme; *in guter ~ (sport)* en bonne forme; *der ~ wegen* pour la forme; *feste* od *greifbare ~en annehmen (fig)* prendre corps; *gefährliche ~en annehmen* prendre une tournure inquiétante; *unerfreuliche ~en annehmen (fig)* prendre un caractère déplaisant; *die ~ betonen (Kleidung)* mouler; *aus der ~ bringen* déformer; *auf die einfachste ~ bringen* réduire à sa plus simple expression; *e-r S e-e feste ~ geben (fig)* donner une forme plus concrète à qc; *sich gut in ~ halten (sport)* se maintenir en bonne forme; *aus der ~ kommen* se déformer; *in ~ sein (fam)* être en forme *od* d'attaque; *die ~en verletzen (fig)* manquer aux usages; *die ~ nicht verlieren* être indéformable; *die ~(en) wahren* garder les formes; **f~al** [-'ma:l] *a (die ~ betreffend; förmlich)* formel; **~alien** *pl* [-'ma:liɛn] = *~alitäten;* **~alismus** *m* ‹-, -men› [-ma'lɪsmus] *(Überbewertung des Formalen)* formalisme *m;* **~alität** *f* ‹-, -en› [-li'tɛ:t] *(Förmlichkeit)* formalité *f;* **~änderung** *f tech* déformation f; **~at** *n* ‹-(e)s, -e› [-'ma:t] format; *(Bildformat)* cadrage *m; typ* garniture *f; ein Mann, ein Politiker von ~~* un homme, un homme politique d'envergure *od* de grande classe; **~ation** *f* ‹-, -en› [-matsi'o:n] *mil geol* formation *f; geschlossene ~~ (aero)* formation *f* de vol serrée; **f~bar** *a* plastique; **~barkeit** *f* ‹-, ø› plasticité *f;* **f~beständig** *a* indéformable; **~blatt** *n* formulaire *m,* formule *f* imprimée, imprimé *m;* **~brett** *n metal* gabarit *m;* **~dreherei** *f* atelier *m* de profilage; **~eisen** *n* (fer) profilé *m;* **~el** *f* ‹-, -n› *math chem* formule *f; auf e-e ~~ bringen* formuler; **~elbuch** *n* formulaire *m;* **f~elhaft** *a* stéréotypé; **~elhaftigkeit** *f* caractère *m* stéréotypé; **~elkram** *m fam* formalités; *pej* chinoiseries *f pl;* **f~ell** [-'mɛl] *a* formel; *adv a.* selon les formes; **f~en** *tr* former, modeler, façonner; *(machen)* faire; **~enausschießer** *m typ* metteur *m* en forme; **~enlehre** *f gram* morphologie *f;* **f~enreich** *a* aux formes multiples, multiforme; **~enreichtum** *m* richesse *f* des formes; **~enschneider** *m* graveur *m* sur bois; **~er** *m* ‹-s, -› *(Arbeiter)* (ouvrier) mouleur *m;* **~erei** *f* [-'raɪ] moulerie *f,* atelier *m* de moulage; **~fehler** *m* défaut *od jur* vice *m* de forme; **~gebung** *f* moulage, modelage, façonnage *m;* **f~gerecht** *a* en bonne (et due) forme; **~gestalter** *m* styliste *m* industriel; **f~gewandt** *a* qui a des usages *od* du savoir-vivre; **f~ieren** [-'mi:rən] *tr (bilden; mil: aufstellen)* former; **~ierung** *f* formation *f;* **f~los** *a* sans forme; *(unförmig)* informe, difforme; *(ungezwungen)* sans façon(s); **~losigkeit** *f* absence de forme; *(Unförmigkeit)* difformité *f; (Ungezwungenheit)* manque *m* de formes *od* de savoir-vivre; **~mangel** *m adm jur* vice *m* de forme; **~maschine** *f* machine *f* à mouler; **~sache** *f* formalité *f; das ist ~~* ce n'est qu'une formalité; **~schneider** *m* = *~enschneider;* **f~schön** *a* d'une belle forme, harmonieux; **~schönheit** *f* beauté *f* formelle; **~stahl** *m* = *~eisen; (Werkzeug)* outil *m* de profilage; **~stein** *m* brique *f* profilée; **~ular** *n* ‹-s, -e› [-mu'la:r] formulaire *m,* formule *f* (imprimée); *ein ~~ ausfüllen* remplir un formulaire; **f~ulieren** [-'li:rən] *tr* formuler; *(ausdrücken)* exprimer; **~ulierung** *f* formulation *f,* mode *m* d'expression; **~ung** *f* ‹-, (-en)› formation *f; tech* façonnage, moulage *m;* **~veränderung** *f* changement *m* de forme, transformation *f;* **f~vollendet** *a* de forme parfaite.

Formaldehyd *m* ‹-s, eø› ['fɔrmˀaldehy:t] *chem* formaldehyde *m.*

förmlich ['fœrmlɪç] *a (in den gehörigen Formen)* dans les formes, en bonne et due forme; *(steif)* guindé; *(feierlich)* cérémonieux; *(regelrecht, wirklich)* véritable; *adv* formellement, en bonne et due forme; *fam (fast)* presque; littéralement; *e-e ~e Angst ergriff ihn* une véritable angoisse l'étreignit; **F~keit** *f* formalité *f,* respect des formes; *(Steifheit)* caractère *m* guindé; *(feierliche Handlung)* cérémonie *f; ohne ~~en* sans cérémonie.

forsch [fɔrʃ] *a (kräftig, draufgängerisch)* robuste; fringant, plein d'entrain.

forsch|en ['fɔrʃən] *itr* faire des recherches; rechercher, explorer (*nach etw* qc); **F~er** *m* ‹-s, -› chercheur, investigateur; *(Gelehrter)* savant *m;* **F~ergeist** *m* génie *m* investigateur; **F~ung** *f* recherche; investigation, exploration *f; wissenschaftliche ~~* recherche *f* scientifique.

Forschungs|anstalt *f* ['fɔrʃungs-] institut *m* de recherche; **~arbeit** *f* travail *m* de recherche; **~auftrag** *m* mission *f* de recherche; **~gebiet** *n* champ *od* domaine *m* de recherche *od* d'investigation; **~gemeinschaft** *f* communauté *f* de recherche; **~laboratorium** *n* laboratoire *m* de recherche; **~rat** *m* conseil *m* de recherche; **~reise** *f* (voyage *m* d')exploration *f; auf e-e ~~ gehen* partir en exploration; **~reisende(r)** *m* explorateur *m;* **~stätte** *f* centre *m* de recherche; *kernphysikalische ~~* centre *m* de physique nucléaire; **~stelle** *f* station *f* de recherche; **~urlaub** *m* congé *m* de recherche.

Forst *m* ‹-(e)s, -e(n)› [fɔrst] forêt *f;* **~akademie** *f* école *f* (nationale) des eaux et forêts; **~amt** *n* administration *f od* service *m* des eaux et forêts; **~aufseher** *m* garde forestier, inspecteur *m* des eaux et forêts; **~beamte(r)** *m* employé *m* de l'administration des eaux et forêts; **~frevel** *m* délit *m* forestier; **~haus** *n* maison *f* forestière; **f~lich** *a* forestier; **~mann** *m* ‹-(e)s, -männer/ -leute› forestier *m;* **~meister** *m* garde *m* général forestier; **~recht** *n* droit *m* forestier; **~revier** *n* district *m* forestier; **~schule** *f* école *f* forestière; **~schutz** *m* garde *f* des forêts; **~wesen** *n* eaux et forêt *f pl;* **~wirt** *m* sylviculteur, exploitant *m* forestier; **~wirtschaft** *f* sylviculture, exploitation *f* forestière; **~wissenschaft** *f* sylviculture *f.*

Förster *m* ⟨-s, -⟩ ['fœrstər] (garde) forestier *m;* **~ei** *f* [-'raı] emploi *m od* charge *f* de garde forestier; = *~haus;* **~haus** *n* maison *f* forestière *od* du forestier.

fort [fɔrt] *adv (weg)* (ne ...) pas ici *od* là, parti, absent; au loin; *in einem ~* sans relâche *od* discontinuer, d'un trait; *und so ~* et ainsi de suite; *~ dürfen* avoir la permission de s'en aller; *~ können, müssen, wollen* pouvoir, devoir, vouloir partir; *~ sein* être parti; *er ist damit ~* il est parti avec *fam; ~ (mit dir)!* va-t'en!

Fort *n* ⟨-s, -s⟩ [fo:r] *mil* fort; *(kleines)* fortin *m.*

fort|ab *adv,* **~an** [fɔrt'ʔap, -'ʔan] *adv* désormais, dorénavant, dès lors; à l'avenir.

Fortbestand *m* continuation, continuité *f,* maintien *m,* perennité; survivance *f;* **fort=bestehen** ⟨*hat fortbestanden*⟩ *itr* continuer (d'exister), subsister, persister, se maintenir, se perpétuer, durer; survivre.

fort=beweg|en, *sich* avancer; se déplacer; **F~ung** *f* ⟨-, -en⟩ locomotion *f;* mouvement *m* progressif.

fort=bild|en, *sich* continuer *od* poursuivre ses études, se perfectionner; **F~ung** *f* ⟨-, -en⟩ perfectionnement *m;* **F~ungskurs** *m* cours *m* d'adultes; **F~ungsschule** *f* école *f* de perfectionnement; **F~ungsunterricht** *m* instruction *f* postscolaire.

fort=bleiben *itr* ne pas (re)venir; demeurer *od* rester absent.

fort=bringen *tr* déplacer, enlever, emporter; *(Menschen)* emmener; faire partir; *sich ~ (fam)* gagner sa vie.

Fortdauer *f* continuation, persistance, durée *f;* **fort=dauern** *itr* continuer; durer; **f~nd** *a* continu(el), permanent, perpétuel; *adv* continuellement.

fort=eilen ⟨*ist fortgeeilt*⟩ *itr* s'en aller à la hâte, se hâter de partir.

fort=entwick|eln, *sich* continuer à se développer; **F~(e)lung** *f* développement *m* ultérieur.

fort=erben, *sich* se transmettre.

fort=fahren *itr* ⟨*ist fortgefahren*⟩ partir, s'en aller; *fig (weitermachen)* continuer, poursuivre; *tr* ⟨*hat fortgefahren*⟩ *(Sache)* emporter; *(Person)* emmener; *mit verstärktem Eifer ~* recommencer de plus belle; *in s-r Rede ~* continuer son discours.

Fortfall *m* ⟨-(e)s, ø⟩ suppression, abolition *f; in ~ kommen (adm),* **fort=fallen** *itr* être supprimé *od* aboli; *fam* tomber.

fort=fliegen *itr* s'envoler; *aero (Mensch) a.* partir en avion.

fort=führ|en ⟨*hat fortgeführt*⟩ *tr (Menschen)* emmener; *fig (fortsetzen)* continuer, prendre la suite de; **F~ung** *f* ⟨-, (-en)⟩ *(Fortsetzung)* continuation *f.*

Fortgang *m* ⟨-(e)s, ø⟩ *(Weggang)* départ *m; fig (weiterer Ablauf)* suite *f; (im positiven Sinne)* développement, avancement, progrès *m; s-n ~~ nehmen* continuer, (se) poursuivre; se développer, avancer; **fort=gehen** *itr* s'en aller, partir.

fortgeschritten *a fig* avancé, développé; *Kursus m für F~e* cours *m* supérieur.

fortgesetzt *a (andauernd)* continu(el), permanent.

fort=helfen *itr: jdm ~ (das Fortgehen erleichtern)* faciliter le départ *od (die Flucht)* la fuite *od* l'évasion à qn; *(weiterhelfen)* aider qn à continuer, secourir, soutenir qn.

forthin [fɔrt'hın] *adv* à l'avenir, désormais, dorénavant.

fort=jagen *tr* chasser, mettre à la porte.

fort=kommen *itr* (parvenir à) s'en aller, échapper; *fig (weiterkommen)* faire des progrès; faire son chemin, réussir; *(Pflanze: gedeihen)* venir, pousser; *machen Sie, daß Sie ~!* allez-vous-en! décampez! filez! **F~** *n fig* avancement, progrès *m.*

fort=lassen *tr (gehenlassen)* laisser partir; *(auslassen)* omettre; supprimer, retrancher; *nicht ~ (a.)* retenir.

fort=laufen *itr* s'éloigner (en courant) s'enfuir, s'échapper, se sauver; **~d** *a* suivi, continu; *~~ numerieren* numéroter en continu.

fort=leben *itr* continuer de vivre, survivre; *in s-n Kindern, s-n Werken ~* (se) survivre dans ses enfants, dans ses œuvres.

fort=machen, *sich* s'en aller, se sauver; *fam* décamper, déguerpir; *sich heimlich ~* fausser compagnie.

fort=pflanz|en *tr* transmettre; *sich ~~ (biol)* se reproduire; *phys* se propager; *fig* se répandre, se perpétuer; **F~ung** *f* ⟨-, (-en)⟩ *biol* reproduction, génération; *a. phys* propagation *f; geschlechtliche, ungeschlechtliche ~~* génération *f* sexuée, agame; *~~ durch Teilung* scissiparité *f;* **~ungsfähig** *a* reproductif; **F~ungsfähigkeit** *f* pouvoir *m* de reproduction, reproductivité *f.*

fort=räumen *tr* enlever, débarrasser.

fort=reisen ⟨*ist fortgereist*⟩ *itr* partir (en voyage).

fort=reißen *tr: mit sich ~* arracher, entraîner, emporter, enlever; *fig (durch Reden)* entraîner.

fort=reiten *itr* partir (à cheval).

fort=rennen ⟨*ist fortgerannt*⟩ *itr* se sauver à toutes jambes.

Fortsatz *m anat* appendice *m; (Knochenfortsatz)* apophyse *f.*

fort=schaffen *tr* enlever, ôter, faire disparaître; *(Menschen)* emmener.

fort=schicken *tr (Sache u. Person)* expédier; *(Person)* renvoyer, congédier.

fort=schleichen *itr* u. *sich ~* se retirer furtivement; se dérober, s'esquiver.

fort=schleppen *tr (forttragen)* emporter; *(fortschleifen)* traîner derrière soi; *sich ~* se traîner.

fort=schreiten ⟨*ist fortgeschritten*⟩ *itr (Arbeit, Zeit)* avancer; = *Fortschritte machen;* **~d** *a* progressif.

Fortschritt *m* progrès, avancement *m; ~e machen* faire des progrès, progresser; *(Arbeit)* avancer; *materielle(r) ~* mieux-être *m;* **f~lich** *a* progressiste; avancé; *~~e Gesinnung f,* **~lichkeit** *f* progressisme *m;* **~sfeindlichkeit** *f* immobilisme *m;* **~spartei** *f pol* parti *m* progressiste *od* libéral.

fort=sehnen, *sich* désirer être loin.

fort=setz|en *tr (fortfahren mit)* continuer, poursuivre; **F~ung** *f (Vorgang)* continuation; *(Ergebnis)* suite *f; in ~~en* en feuilleton; *~~ folgt* à suivre; **F~ungsartikel** *m (Zeitung)* feuilleton *m;* **F~ungsfilm** *m* film *m* à épisodes; **F~ungsroman** *m* (roman-)feuilleton *m.*

fort=stoßen *tr* pousser.

fort=tragen *tr* emporter, enlever.

fort=treiben *tr* chasser, expulser; *von der Strömung fortgetrieben werden* être emporté par le courant.

fortwährend *a* continuel, constant; *adv* continuellement.

fort=werfen *tr* jeter.

fort=ziehen *tr* ⟨*hat fortgezogen*⟩ tirer, entraîner; *itr* ⟨*ist fortgezogen*⟩ *(aus e-r Wohnung)* déménager; *(aus e-m Lande, a. von Vögeln)* émigrer.

Forum *n* ⟨-s, -ren/-ra/-s⟩ ['fo:rum] *hist (Marktplatz)* forum *m.*

fossil [fɔ'si:l] *a geol* fossile; **F~** *n* ⟨-s, -lien⟩ [-'si:liən] fossile *m.*

Foto|album *n* ['fo:to-] album *m* de photo(graphie)s; **~apparat** *m* appareil *m* photo(graphique); **~atelier** *n* atelier *m* de photographie; **~karte** *f: echte ~~* photographie véritable, véritable photo *f;* **~labor** *n* laboratoire *m* photo(graphique); **~papier** *n* papier *m* photographique; **~reportage** *f* reportage *m* photographique.

Fötus *m* ['fø:tus] = *Fetus.*

Fox|(terrier) ['fɔks(tɛriər)] *m (Hunderasse)* fox-terrier *m;* **~trott** *m (Tanz)* foxtrot *m.*

Foyer *n* ⟨-s, -s⟩ [foa'je:] *theat (Wandelhalle, -gang)* foyer *m.*

Fracht *f* ⟨-, -en⟩ [fraxt] *mar aero* fret *m,* cargaison; *allg* charge *f; (~gebühr, ~geld)* fret *m; ~ führen* transporter une cargaison, être chargé; *~ laden* od *nehmen* prendre du fret; *in ~ nehmen (Schiff)* affréter; **~bedingungen** *f pl* conditions *f pl* d'affrètement *od* de transport; **~brief** *m* lettre *f* de voiture *od* de chargement; *mar* connaissement *m;* **~dampfer** *m,* **~er** *m* ⟨-s, -⟩ cargo *m;* **~flugzeug** *n* avion-cargo, cargo *m* aérien; **f~frei** *a* (en) port *od* fret payé, franco de port; **~führer** *m (Transportunternehmer)* entrepreneur *m* de transport; **~gebühr** *f,* **~geld** *n* frais *m pl* de transport; *mar* fret *m;* **~gut** *n* (marchandise en) petite vitesse *f; als ~~* en *od* par petite vitesse; **~kahn** *m* chaland *m;* **~kosten** *pl* frais *m pl* de transport; **~raum** *m mar* tonnage *m;* **~satz** *m* taux *m* de fret; **~schiff** *n* = *~dampfer;* **~stück** *n* colis *m;* **~tarif** *m* = *~satz;* **f~- und zollfrei** *a* franco de fret et de droits; **~unternehmer** *m* = *~führer;* **~verkehr** *m* transport *m* des marchandises; **~versicherung** *f* assurance *f* sur (le) fret; **~vertrag** *m* charte-partie *f,* connaissement *m.*

Frack *m* ⟨-(e)s, ¨e/-s⟩ [frak, 'frɛkə] habit, frac *m;* **~hemd** *n* chemise *f* d'habit; **~schoß** *m* pan *m* d'habit.

Frage *f* ⟨-, -n⟩ ['fra:gə] question, demande; *bes. gram* interrogation *f; auf die ~* à la question; *ohne ~* sans aucun doute; *fam* pour sûr; *e-e ~ stellen* od *aufwerfen* poser une question; soulever un problème; *e-r ~ ausweichen* éluder une question; *e-e ~ beantworten* répondre à une question; *die ~ bejahen, verneinen* répondre affirmativement, négativement; *jdn mit ~n bestürmen* od *überhäufen* assaillir qn de questions; *in ~ kommen* entrer en ligne de compte; *(Bewerber)* être un candidat valable; *an jdn e-e ~ richten, jdm e-e ~ stellen* adresser *od* poser une question à qn; *etw in ~ stellen* mettre qc en question *od* en doute *od* en cause; *wieder in ~ stellen* remettre en question *od* en doute *od* en cause; compromettre; *auf e-e ~ zurückkommen* revenir sur une question; *das ist die ~* c'est la question; *das ist noch die ~* c'est à savoir; *es ist die ~, ob ...* reste à savoir si ...; *das ist e-e ~ der Zeit* c'est une question *od* affaire de temps; *das kommt nicht in ~* il n'en est pas question; *das steht außer ~* il n'y a pas *od* cela ne fait pas de doute; *dumme ~!* belle *od* quelle question! *aktuelle ~* question *f* d'actualité *od* à l'ordre du jour; *schwebende ~* question *f* (restée) en suspens; *in ~ stehend* en question; **~bogen** *m* questionnaire *m;* **~fürwort** *n* pronom *m* interrogatif; **~satz** *m gram* proposition *f* interrogative; **~stellung** *f gram* forme *f* interrogative; *allg* termes *m pl* du problème; *die ~~ ändern* od *verschieben* changer la thèse; **~-und-Antwort-Spiel** *n (Quiz)* jeu *m* radiophonique; **~wort** *n* = *~fürwort;* **~zeichen** *n* point *m* d'interrogation.

frag|en ['fra:gən] *tr (Sache u. Person)* demander (*jdn nach etw* qc à qn); *(Person be-, ausfragen)* questionner; interroger; *itr: nach* od *wegen etw ~~* demander qc; *sich ~~* se demander (*ob* si); *impers: es ~t sich* c'est *od* reste à *od* il s'agit de savoir (*ob* si); *gern* od *viel ~~* être questionneur; *nicht lange* od *nicht viel ~~* ne pas hésiter, ne pas faire de façons; *jdn um Rat ~~* demander conseil à qn, consulter qn; *jdn nach dem Weg ~~* demander son chemin à qn; *ich ~e nicht viel danach* je ne m'en soucie guère, je m'en moque (bien), je n'en fais pas grand cas; *das ~e ich Sie* je vous demande un peu; *eins muß ich Sie noch ~~* j'ai encore une question à vous poser; *er ~te mich nach meinem Vater* il me demanda des nouvelles de mon père; *da ~~ Sie mich zuviel!* demandez-moi pourquoi; *sehr gefragt (Ware)* très demandé; **F~er** *m* ⟨-s, -⟩ questionneur, interrogateur *m;* **F~erei** *f* [-'raı] *pej* interrogatoire *m;* **~lich** ['fra:k-] *a (zur Rede stehend)* en question, en cause; *(ungewiß)* incertain, peu sûr; mal assuré; *(zweifelhaft)* douteux, problématique; *das ist sehr ~~ (a.)* je n'en sais rien; **F~lichkeit** *f* ⟨-, ø⟩ caractère *m* problématique; **~los** *adv* incontestablement, sans aucun doute; **~würdig** *a (zweifelhaft)* douteux, problématique; **F~würdigkeit** *f* = *F~lichkeit.*

Fragment *n* ⟨-(e)s, -e⟩ [frag'mɛnt] *(Bruchstück)* fragment *m;* **f~arisch** [-'ta:rıʃ] *a* fragmentaire.

Frakt|ion *f* ⟨-, -en⟩ [fraktsi'o:n] *parl* fraction *f,* groupe *m* (parlementaire); **~ionierapparat** [-'ni:r-] *m chem* appareil *m* à fractionner; **f~ionieren** *tr chem* fractionner; **~ionierung** *f chem* fractionnement *m;* **~ionsbeschluß** *m parl* résolution *f* prise par la fraction; **~ionsführer** *m* chef *m* de (la) fraction; **~ionssitzung** *f* séance *f* de la fraction; **~ionszwang** *m* discipline *f* de vote; **~ur** *f* ⟨-, -en⟩ [-'tu:r] *med (Knochenbruch)* fracture *f; typ,* **~urschrift** *f* caractères *m pl* gothiques, gothique *f.*

Francium *n* ⟨-s, ø⟩ ['frantsium] *chem* francium *m.*

frank [fraŋk] *adv: ~ und frei (offen, unverblümt)* franchement, carrément, sans ambages, nettement.

Frank *m* [fraŋk] *(Währungseinheit),* **~en** *m* ⟨-s, -⟩ *(schweiz. Währungseinheit)* franc *m.*

Frank|atur *f* ⟨-, -en⟩ [fraŋka'tu:r] *com* affranchissement *m;* **f~ieren** [-'ki:rən] *tr (Postsendung: freimachen)* affranchir; *ungenügend ~iert (Formel)* affranchissement insuffisant; **~iermaschine** *f* machine *f* à affranchir; **~ierung** *f* affranchissement *m;* **f~o** ['-ko] *adv (postfrei)* franco; franc de port; *~~ Bahnhof, Haus, Schiff* franco en gare, à domicile, à bord.

Frank|e *m* ⟨-n, -n⟩ ['fraŋkə] Franconien; *hist* Franc *m;* **~en** *n geog* la Franconie; **~enland,** *das, geog* le pays des Franconiens, la Franconie; **~enreich,** *das, hist* le royaume des Francs; **~furt** [-fu'rt] *n* Francfort *f; ~~ am Main, an der Oder* Francfort-sur-le-Main, Francfort-sur-l'Oder *f;* **~furter(in** *f***)** *m* ⟨-s, -⟩ Francfortois, e *m f;* **~furter** *(Würstchen n) f* ⟨-, -⟩ saucisse *f* de Francfort; **f~ophil** [-ko'fi:l] *a (franzosenfreundlich)* francophile; **~reich** *n* la France.

Fränk|in *f* ['frɛŋkın] Franconienne *f;* **f~isch** *a geog* franconien; *hist* franc, franque; *(das) F~~(e))Sprache der Franken der Völkerwanderungszeit)* (le) francique.

Franktireur *m* ⟨-s, -e⟩ [frãti'rø:r] *hist (Freischärler)* franc-tireur *m.*

Frans|e *f* ⟨-, -n⟩ ['franzə] frange *f;* **f~en** *tr* u. *itr* franger; **f~ig** *a* frangé.

Franz [frants] *m (Name)* François; *aero arg (Beobachter)* observateur *m;* **~iska** [-'tsıska] *f* Françoise *f;* **~iskaner** *m* ⟨-r, -⟩ [-'ka:nər] franciscain *m;* **~iskanerorden** *m* ordre *m* des Franciscains; **~iskus** [-'tsıskus] *m* François *m.*

Franz|band *m* ['frants-] *(Bucheinband)* reliure *f* en cuir; **~branntwein** *m* eau-de-vie *f* de vin; **~brot** *n* pain *m* blanc; **~mann** *m* ⟨-(e)s, ¨er⟩ *pop,* **~ose** *m* ⟨-n, -n⟩ [-'tso:zə] Français *m;* **~osenfeind** *m* francophobe *m;* **f~osenfeindlich** *a* francophobe; **~osenfeindlichkeit** *f* francophobie *f;* **~osenfreund** *m* francophile *m;* **f~osenfreundlich** *a* francophile; **~osenfreundlichkeit** *f* francophilie *f;* **f~ösieren** [-tsø'zi:rən] *tr (f~ösisch machen)* franciser; **~ösierung** *f* francisation *f;* **~ösin** ['tsø:z-] *f* Française *f;* **f~ösisch** *a* français; *(das) F~~(e)* le français; *sich ~~ empfehlen, ~~en Abschied nehmen* filer à l'anglaise, brûler la politesse; *die ~~e Schweiz* la Suisse romande; *~~e Spracheigentümlichkeit f* gallicisme *m;* **f~ösischsprechend** *a* francophone; **~ösischlehrer** *m* professeur *m* de français.

frapp|ant [fra'pant] *a (auffallend, überraschend)* frappant, surprenant; **~ieren** [-'pi:rən] *tr (leicht unangenehm überraschen)* frapper, surprendre; *(in Eis kühlen)* frapper.

Fräs|arbeit *f* ['frɛ:s-] fraisage *m;* **~e** *f* ⟨-, -n⟩ ['-zə] = *~maschine; fam (Barttracht)* collier *m* de barbe; **f~en** *tr* fraiser, tailler (à la fraise); **~er** *m* ⟨-s, -⟩ *(Arbeiter)* fraiseur *m; (Teil der ~maschine)* fraise *f;* **~erfeile** *f* lime *f* fraisée; **~maschine** *f* fraiseuse *f.*

Fraß *m* ⟨-es, -e⟩ [fra:s] *pop pej* mangeaille, rata(touille *f*) *m,* bouffe, tambouille *f.*

Frater *m* ⟨-s, -tres⟩ [-fra:tɛr, -trɛs] *rel (Bruder)* frère *m;* **f~nisieren** [-ni'zi:rən] *itr (sich verbrüdern)* fraterniser.

Fratz *m* ⟨-es/(-en), -e/-en⟩ [frats] *(Range)* gamin, e, polisson, ne *m f,* garnement *m; (süßer) ~ (kleine Schelmin)* friponne, coquine *f.*

Fratze *f* ⟨-, -n⟩ ['fratsə] grimace; figure grotesque; *fam* gueule *f* d'empeigne *od* de raie; *e-e ~ machen* grimacer; *~n schneiden* faire des grimaces; **f~nhaft** *a* grimaçant; **~nmacher** *m* grimacier *m.*

Frau *f* ⟨-, -en⟩ [frau] femme *f; meine, Ihre ~* ma, votre femme; *Ihre ~ Gemahlin* madame (X); *Ihre ~ Mutter* madame votre mère; *~ X* Madame X; *gnädige ~* Madame; *zur ~ geben* donner pour femme *od* en mariage; *zur ~ haben* avoir épousé; *sich an e-e ~ hängen (fig)* s'enjuponner; *allen ~en nachlaufen* courtiser la brune et la blonde; *sich e-e ~ nehmen* prendre femme, se marier; *zur ~ nehmen* prendre pour femme *od* en mariage, épouser; *Unsere Liebe ~ (rel: Maria)* Notre-Dame *f; die ~ des Hauses* la maîresse de maison; **~chen** *n* petite dame *f;* **f~lich** *a* qui sied à la femme.

Frauen|abteil *n* ['frau-] *loc* compartiment *m* pour dames (seules); **~arbeit** *f* travail *m* féminin *od* de femme; *adm pol* main-d'œuvre *f* féminine; **~arzt** *m* gynécologue *m;* **~bewegung** *f hist* mouvement féministe, féminisme *m;* ~**frage** *f pol* féminisme *m;* ~**funk** *m radio* émissions *f pl* féminines; ~**haar** *n bot* adiante *m;* **f~haft** *a* = *fraulich;* ~**heilkunde** *f* gynécologie *f;* ~**heim** *n* foyer *m* féminin; ~**held** *m* homme *m* à femmes; ~**kirche** *f* (église) Notre-Dame *f;* ~**klinik** *f* clinique gynécologique; maternité *f;* ~**kloster** *n* couvent *m* de femmes; ~**krankheit** *f* maladie *f* de la femme; ~**rechtlerin** *f* féministe *f;* ~**sleute,** *die pl* les femmes *f pl;* ~**sperson** *f* = *~zimmer;* ~**stimmrecht** *n* (droit de) vote *m* des femmes; ~**tracht** *f* costume *m* féminin *od* de femme; ~**verein** *m* association *f* féminine; ~**wahlrecht** *n* = *~stimmrecht;* ~**werk** *n adm* œuvre *f* féminine; ~**zeitschrift** *f* périodique *m* féminin; ~**zimmer** *n meist pej* femme; fille; bougresse; donzelle *f; liederliche(s) ~~* femme *f* de mauvaise vie.

Fräulein *n* ‹-s, -/(-s)› ['frɔʏlaɪn] (ma)demoiselle *f; Ihr ~ Tochter* mademoiselle votre fille; *~ X* Mademoiselle X.; *gnädige(s) ~* Mademoiselle; ~**stift** *n rel* couvent *m* de demoiselles (nobles).

frech [frɛç] *a* insolent, effronté, impertinent, impudent; audacieux; *fam* culotté; *mit ~er Stirn* insolemment, impudemment; *jdn ~ anlügen* mentir effrontément à qn; *jdn ~ ansehen* regarder qn sous le nez; *~ sein (a.)* ne pas manquer d'audace *od fam* de toupet; *pop* avoir de l'estomac; **F~dachs** *m* insolent, audacieux *m;* **F~heit** *f* insolence, effronterie, impertinence, impudence *f; fam* culot, toupet *m; die ~~ besitzen zu ...* avoir l'audace *od fam* le toupet de ...; *so eine ~~!* quelle insolence *od* impertinence! *fam* quel toupet!

Fregatt|e *f* ‹-, -n› [fre'gatə] *mar* frégate *f;* ~**enkapitän** *m* capitaine *m* de frégate; ~**vogel** *m* frégate *f.*

frei [fraɪ] *a* libre (*von* de); *(in F~heit)* en liberté; *(ungebunden, unabhängig)* indépendant; *(befreit)* exempt, quitte (*von* de); *(offen, unbedeckt)* (à) découvert, dégagé; *(unbesetzt)* libre; *(Gebiet)* inoccupé; *(Stelle, Arbeitsplatz)* vacant; *(verfügbar)* disponible; *(gratis)* gratuit; *(Postsendung)* franc *inv* de port, franco *inv; (~gemacht)* affranchi; *(Eintritt)* libre, gratuit; *(Ansichten)* libéral; *(Benehmen)* (trop) libre, sans gêne, sans retenue; *adv (~mütig, offen)* franchement, tout net, sans fard; *~ Bahnhof, Fabrik, Haus (com)* franco *od* rendu en gare, à l'usine, à domicile; *~ nach (Text)* adapté de; *~ Schiff* franco à bord; *auf ~em Felde* en plein champ, en pleine *od* rase campagne; *aus ~en Stücken* de son plein gré, de son propre mouvement, de bon gré, volontairement; spontanément; *unter ~em Himmel (nächtigen)* à la belle étoile; *~ erfinden* improviser; *keinen ~en Augenblick haben* n'avoir pas un moment à soi; *~e Hand haben (fig)* avoir les mains libres; *~e Kost, ~e Wohnung haben* être nourri, logé, *den Rücken ~ haben* être couvert sur ses arrières; *~e Station haben* avoir la table et le logement; *keine ~e Stunde mehr haben* n'avoir plus une heure de liberté; *(die) ~e Wahl haben* avoir libre choix; *~en Zutritt haben* avoir libre accès; *~ lassen (nicht beschreiben)* laisser en blanc; *jdm ~e Hand lassen* donner *od* laisser toute liberté *od* toute latitude à qn, donner carte blanche à qn; *e-r S ~en Lauf lassen* donner libre cours à qc; *~ machen (befreien)* libérer; *sich ~ machen* se déshabiller; *~ schalten und walten* agir en toute liberté; *~ sein (Sache)* être de relais; *sein ~er Herr sein* être son maître; *jdn auf ~en Fuß setzen* mettre qn en liberté, libérer qn; *~ (aus dem Stegreif) sprechen* improviser; *~ stehen (Fußball)* être démarqué; *~ werden (Energie)* se libérer; *(Gas)* se dégager; *(geistiges Eigentum)* tomber dans le domaine public; *ich bin so ~* si vous permettez; *morgen ist ~ (keine Schule* od *Arbeit)* c'est demain congé; *haben Sie noch ein Zimmer ~?* avez-vous encore une chambre libre? *ganz* od *völlig ~ (a.)* libre comme l'air; *zu ~ (von Anstandsregeln)* licencieux; *die ~en Berufe m pl* les professions *f pl* libérales; *~e(r) Fall m (phys)* chute *f* libre; *~ vom Feinde (mil)* non occupé (par l'ennemi); *~e(s) Geleit n* sauf-conduit *m; ~er Journalist m* journaliste *m* indépendant *od* free-lance; *die ~en Künste f pl* les arts *m pl* libéraux; *ein ~es Leben* une vie indépendante; *~e Liebe f* union *f* libre; *~ liegend* à découvert; *der ~e Markt* le marché libre; *~e Reserven f pl (fin)* réserves *f pl* disponibles; *~e(r) Schriftsteller, Journalist m* écrivain, journaliste *m* indépendant; *~ von Schuld* innocent; *~e Seite f (in e-m Buch* od *Heft)* page *f* en blanc; *~ stehend (Baum)* en plein vent; *~e(r) Tag m* jour *m* de congé; *~-tragend (arch)* en porte-à-faux, à portée libre; *~tragende(r) Flügel m (aero)* aile *f* cantilever; *~e Übersetzung f* traduction *f* libre; *~ von Vorurteilen* sans préjugés; *die ~e Welt (pol)* le monde libre; *~e(r) Wille m (philos)* libre *od* franc arbitre *m;* **F~aktie** *f fin* action *f* gratuite; **F~antenne** *f radio* antenne *f* haute; **F~bad** *n* piscine *f* (à ciel ouvert); **F~ballon** *m* ballon *m* libre; **≈bekommen** *tr: e-n Tag ~~* avoir un jour de congé; ~**beruflich** *a* u. *adv: ~~ tätig sein* excercer une profession libérale; **F~betrag** *m fin (Steuer)* montant *m* exonéré, exonération, tolérance *f;* **F~beuter** *m mar* flibustier, pirate, forban *m;* **F~beuterei** *f* flibuste, piraterie *f;* ~**beuterisch** *a* de flibustier, de pirate; ~**bleibend** *a com* facultatif, conditionnel; *adv* sans engagement, sans obligation, sauf variations; **F~bord** *m* franc bord *m;* **F~brief** *m hist* lettre *f* de franchise; *fig (Vorrecht)* privilège *m;* **F~denker** *m* libre penseur *m;* **F~e,** *das n* ‹-n, ø› *im ~~n* en plein air, au grand air; *im ~~n schlafen* coucher *od* dormir à la belle étoile; **F~e(r)** *m (im Gegensatz zum Sklaven)* homme *m* libre; **F~exemplar** *n (Buch)* exemplaire *m* gratuit *od* de presse; **F~fahrkarte** *f* billet *m* (de parcours) gratuit; **F~fahrt** *f* parcours *m* gratuit; **F~fahrtschein** *m* permis *m* de libre parcours *od* de circulation (gratuite); **F~frau** *f,* **F~fräulein** *n* baronne *f;* **F~gabe** *f (nach behördlicher Prüfung)* homologation *f; (aus e-r verhängten Sperre)* déblocage *m; (beschlagnahmten Eigentums)* levée de la réquisition; *(rationierter Lebensmittel)* levée *f* du rationnement; **≈geben** *tr (Menschen)* relâcher, remettre en liberté, relaxer; congédier; *(behördlich)* homologuer; *(aus e-r Sperre)* débloquer; *(Eigentum)* lever la réquisition de *(Lebensmittel)* lever le rationnement de; *itr; (Film)* autoriser la sortie de; *jdm ~~* donner du congé à qn; *für den Verkehr ~~* ouvrir à la circulation; ~**gebig** *a* libéral, généreux; *(sehr) ~~* munificent; *mit etw sehr ~~ sein* ne pas marchander qc; *~~ mit anderer Leute Sachen umgehen (a.)* être généreux avec les affaires d'autrui; **F~gebigkeit** *f* libéralité, générosité, largesse *f; (große) ~~* munificence *f;* **F~geist** *m* libre penseur *m;* **F~geisterei** *f* libre pensée *f;* ~**geistig** *a* libéral, large d'esprit; **F~gelassene(r)** *m (ehemaliger Sklave)* affranchi, émancipé *m;* **F~gepäck** *n* franchise *f* de bagages; ~**geschaufelt** *a (von Schnee)* désenneigé; **F~grenze** *f fin* tolérance, limite *f* d'imposition; **≈haben** *itr* être libre, ne pas être de service; *alles ~~* être défrayé de tout; *(gerade) ~~* être relayé; **F~hafen** *m* port *m* franc *od* ouvert; **≈halten** *tr (nicht versperren)* tenir dégagé; *(Garage)* ne pas stationner devant; *(Stuhl, Platz)* garder; *(beim Trinken)* défrayer, régaler; *Ausfahrt ~~!* sortie de voiture; **F~handbücherei** *f* bibliothèque *f* de consultation sur place; **F~handel** *m* libre-échange *m,* liberté *f* de commerce; **F~handelszone** *f* zone *f* de libre-échange ~**händig** *a* u. *adv com* à l'amiable, de gré à gré; *adv (zeichnen, radfahren)* à main levée; *(schießen)* à bras franc; **F~handschießen** *n* tir *m* à bras franc; **F~handzeichnen** *n* dessin *m* à main levée; **F~heit** *f* liberté; *(Unabhängigkeit)* indépendance; *(Bewegungsfreiheit)* latitude; *(Ungezwungenheit)* franchise; *adm (Befreiung)* exemption; *(Sonderstellung)* immunité *f; (Vorrecht)* privilège *m; (Gebührenfreiheit)* franchise *f; in voller ~~* en toute liberté; *jdn der ~~ berauben* priver qn de sa liberté; *sich gewisse ~~en erlauben* se permettre certaines libertés; *völlige ~~ haben* jouir d'une liberté entière; *sich gegen jdn ~~en herausnehmen* se permettre des familiarités envers qn; *jdm alle* od *volle ~~ lassen* laisser toute latitude, lâcher la bride à qn; *sich die ~~ nehmen zu ...* prendre la liberté *od* la hardiesse de ..., se permettre de ...; *jdm die ~~ schenken* donner la liberté à qn; *in ~~ setzen* mettre en liberté; *dichterische ~~* licence *f* poétique; *persönliche ~~, ~~ der Person* liberté *f* individuelle; *~~ der Meere (pol)* liberté *f* des mers; *Weg m in die ~~* chemin *m* de la liberté; **~heitlich** *a* libéral; **F~heitsberaubung** *f* privation *f* de *od* attentat *m* à la liberté; **F~heitsbeschränkung** *f* restriction *f* de la liberté; **F~heitsdrang** *m* soif de liberté, indépendance *f;* **F~heitsentzug** *m* privation *f* de la liberté; **F~heitskämpfer** *m* champion *m* de la liberté; **F~heitskrieg** *m* guerre *f* d'indépendance; **F~heitsliebe** *f* amour *m* de la liberté; **~heitsliebend** *a* indépendant; **F~heitsstrafe** *f* peine *f* privative de liberté; **~heraus** *adv* franchement; **F~herr** *m* baron *m;* **~herrlich** *a* de baron; **F~in** *f* = *F~räulein;* **F~karte** *f theat* billet *m* de faveur; **F~kauf** *m* rachat *m;* **~≈kaufen** *tr* racheter; **~≈kommen** *itr* trouver la liberté; **F~körperkultur** *f* naturisme *m;* **F~korps** *n mil* corps *m* franc, compagnie *f* franche; **F~land** *n* plein champ *m;* **F~landgemüse** *n* légumes *m pl* de plein champ; **~≈lassen** *tr (Gefangenen)* relâcher, (re)mettre en liberté, relaxer; *(Sklaven)* affranchir, émanciper; **F~lassung** *f* (re)mise en liberté, libération *f,* élargissement; affranchissement *m,* émancipation *f;* **F~lauf** *m (am Fahrrad)* roue *f* libre; *~~ mit Rücktrittbremse* embrayage *m* à roue libre; **~≈legen** *tr* mettre à nu *od* à découvert, dégager; déblayer; *(bei Ausgrabungen)* mettre au jour; **F~legung** *f* mise *f* à nu *od* à découvert, dégagement *m;* mise *f* au jour; **F~leitung** *f el* ligne *f* aérienne; **~lich** *adv (allerdings)* à dire vrai, à vrai dire, à la vérité, il est vrai que...; *~~!* mais *od* ah oui! certainement! bien sûr! je crois bien! **F~lichtbühne** *f* scène *f* en plein air; **F~lichtmalerei** *f* peinture *f* de plein air; **F~lichtmuseum** *n* village *m* reconstitué; **F~lichttheater** *n* théâtre *m* en plein air *od* de verdure; **F~los** *n (bei d. Lotterie)* billet *m* gratuit; **F~luftanlage** *f* installation *f* à ciel ouvert; **F~luftschule** *f* école *f* en plein air; **~≈machen** *tr (Postsendung)* affranchir; **F~machung** *f (Post)* affranchissement *m;* **F~marke** *f* = *Briefmarke;* **F~maurer** *m* franc-maçon *m;* **F~maurerei** *f* franc-maçonnerie; **~maurerisch** *a* franc-maçonnique; **F~mut** *m,* **F~mütigkeit** *f* franchise, rondeur *f,* caractère ouvert, naturel; *(im Reden)* franc-parler *m;* **~mütig** *a* franc, ouvert, sincère; *adv a.* avec rondeur, à cœur ouvert; **~religiös** *a: f~~e Gemeinde f* communauté *f* religieuse libre; **F~schar** *f mil* corps *m* franc; **F~schärler** *m* ‹-s, -› ['-ʃɛːrlər] partisan; *hist* franc-tireur *m;* **~schwebend** *a* à suspension libre; **~≈schwimmen,** *sich* passer son brevet de natation; **F~schwimmer** *m* titulaire *m* du brevet de natation; **~≈setzen** *tr chem* mettre en liberté; **F~sinn** *m* esprit *m* libéral, largeur *f* de vues; *pol vx* libéralisme *m;* **~sinnig** *a* libéral; **~≈spielen,** *sich (sport)* se démarquer; **~≈sprechen** *tr* acquitter; *jur* déclarer non coupable; *rel* absoudre; *man kann ihn von Überheblichkeit nicht ~~* on peut le taxer d'orgueil; **F~sprechung** *f,* **F~spruch** *m jur* (jugement *od* verdict d')acquittement *m;* **F~staat** *m* république *f;* **F~statt** *f,* **F~stätte** *f* asile *m;* **~≈stehen** *itr impers: es steht Ihnen frei zu...* vous êtes libre de..., libre à vous de...; **~stehend** *a (Haus: leer)* inoccupé; **F~stelle** *f (Stipendium)* bourse *f;* **~≈stellen** *tr: jdm ~~, etw zu tun* laisser qn libre *od* laisser à qn le choix *od* permettre à qn de faire qc; **F~stilringen** *n* lutte *f* libre; **F~stilschwimmen** *n* nage *f* libre; **F~stoß** *m (beim Fußball)* coup *m* franc; **F~stück** *n* = *F~exemplar;* **F~stunde** *f* loisir *m,* récréation *f;* **F~tisch** *m* entretien *m od* pension gratuit(e); *(für Studenten)* allocation *f* de repas; **F~tod** *m* mort *f* volontaire; **F~treppe** *f* escalier extérieur, perron *m;* **F~übungen** *f pl sport* exercices *m pl* d'assouplissement *od* à mains libres; **F~umschlag** *m* enveloppe *f* affranchie *od* timbrée; **F~werber** *m* faiseur de mariage, marieur *m;* **F~wild** *n* gibier non gardé; *fig* hors-la-loi *m;* **~willig** *a (Mensch, Handlung)* volontaire; *(Handlung)* spontané; *(Veranstaltung, bes. Unterricht)* facultatif; *adv a.* de bon *od* de son (bon) gré, de plein gré, à titre bénévole, de gaieté de cœur; *sich ~~ melden* prendre *od* contracter un engagement volontaire; *mil a.* devancer l'appel; **F~willige(r)** *m a. mil* volontaire, engagé *m;* **F~willigkeit** *f* spontanéité *f;* bon gré *m;* **F~zeichen** *n tele* retour *m* d'appel; **F~zeit** *f* (heures *f pl* de) loisir *m,* loisirs *m pl; s-e ~~ ausfüllen* occuper *od* meubler ses loisirs; **F~zeitgestaltung** *f* organisation *f* des loisirs; **F~zeithemd** *n* chemise *f* de week-end; **F~zeitjacke** *f* veste *f* de week-end; **F~zeitkleidung** *f* tenue *f* de loisirs; **F~zeitlager** *n* camp *m* de vacances; **F~zone** *f com* zone *f* franche; **~zügig** *a* libre de choisir sa résidence; **F~zügigkeit** *f* liberté *f* du choix de la résidence.

frei|en ['fraɪən] *tr (heiraten)* épouser; *itr* se marier; **F~er** *m* ‹-s, -› prétendant; *fam* amateur *m;* **F~ersfüße** *m pl: auf ~~n gehen* chercher femme.

Freitag *m* ‹-(e)s, -e› ['fraɪtaːk] vendredi *m; der Stille ~ (Karfreitag)* Vendredi *m* saint.

fremd [frɛmt] *a (anderer)* étranger, autre; *(~artig)* différent; étrange, singulier; *(unbekannt)* étranger, inconnu; *(e-m anderen gehörig)* d'autrui; *(geliehen, angenommen)* emprunté; *für ~e Rechnung* pour le compte d'un tiers; *unter e-m ~en Namen* sous un nom emprunté *od* d'emprunt; *~ (von woanders her) sein (a.)* n'être pas du pays *od fam* du cru; *sich ~ fühlen* se trouver dépaysé; *~ tun* être réservé *od* distant; *(die) Lüge ist ihr ~* elle ignore le mensonge; *~e Gelder n pl = ~kapital; ~e(s) Gut n* bien *m* d'autrui; *ein ~es Land* un autre pays; *~e Währung f* monnaie *f* étrangère; **F~arbeiter** *m* = *Gastarbeiter;* **~artig** *a* étrange, singulier, bizarre; exotique; **F~artigkeit** *f* étrangeté *f;* exotisme *m;* **F~e** *f* ‹-, ø› [-də] (pays) étranger *m;* **F~enbuch** *n* registre *m* des voyageurs; **~enfeindlich** *a* xénophobe; **F~enfeindlichkeit** *f* xénophobie *f;* **F~enführer** *m* guide *m;* **F~enheim** *m* maison *f* de repos, hôtel *m* (garni); **F~enindustrie** *f* industrie *f* touristique *od* du tourisme; **F~enlegion** *f mil* légion *f* étrangère; **F~enpolizei** *f* police *f* des étrangers; **F~enverkehr** *m* tourisme *m;* **F~enverkehrsort** *m* lieu *m* de tourisme; **F~enverkehrsverein** *m* syndicat *m* d'initiative; **F~enzimmer** *n* chambre *f;* **F~e(r)** *m* étranger *m;* **F~erregung** *f el* excitation *f* indépendante; **F~finanzierung** *f* financement *m* par capitaux empruntés; **~≈gehen** *(fam)* être infidèle; **F~heit** *f* ‹-, ø› caractère *m* étranger; étrangeté, singularité *f; ein Gefühl der ~~ haben* se trouver dépaysé; **F~herrschaft** *f* domination *f* étrangère; **F~kapital** *n* capitaux *m pl* confiés *od* empruntés; **F~körper** *m* corps *m* étranger; **~ländisch** *a* étranger; **F~ling** *m* ‹-s, -e› étranger *m;* **F~mittel** *n pl fin* moyens *m pl* financiers empruntés; **~rassig** *a* de race étrangère; **F~sprache** *f* langue *f* étrangère; **F~sprachenkorrespondent(in** *f***)** *m* correspondancier, ère *m f* pour les langues étrangères; **F~sprachenstenotypistin** *f* sténotypiste *f* polyglotte; **F~sprachenunterricht** *m* enseignement *m* des langues étrangères; **~sprachig** *a (e-e ~e Sprache sprechend)* parlant une langue étrangère; *(Unterricht: in einer F~sprache gehalten)* en langue étrangère; **~sprachlich** *a (e-e ~e Sprache betreffend)* concernant une langue étrangère; *~~e(r) Unterricht m = F~sprachenunterricht;* **~stämmig** *a* de race étrangère; **F~stoff** *m* matière *f* étrangère; **F~wort** *n* mot *m* étranger *od* d'emprunt; **F~wörterbuch** *n* dictionnaire *m* des mots étrangers.

frenetisch [fre'neːtɪʃ] *a (rasend)* frénétique.

Frequenz *f* ‹-, -en› [fre'kvɛnts] *(Besuch(erzahl))* affluence, fréquentation; *phys radio* fréquence *f;* **~abweichung** *f* radio excursion *f* de fréquence; **~band** *n* bande *f* de fréquences; **~bereich** *m* gamme *f* de fréquences; **~messer** *m el* fréquencemètre *m;* **~steigerung** *f* multiplication *f* de fréquence; **~transformator** *m* transformateur *od* changeur *m* de fréquence.

Fresk|e *f* ‹-, -n›, **~o** *n* ‹-s, -ken› ['frɛskə, '-o] *(Kunst)* fresque *f;* **~omalerei** *f* peinture *f* à fresque.

Fress|alien *pl* [frɛ'saːliən] *hum (Eßwaren)* comestibles *m pl,* manger *m;*

pop bouffe *f;* **~e** *f* ‹-, -n› *vulg (Mund)* gueule *f; jdm in die ~~ schlagen* donner sur la gueule à qn; **f~en** ‹*frißt, fraß, gefressen*› [frɛsən] *tr* u. *itr (Tier)* manger; *vulg (Mensch)* bouffer, bâfrer; *(Rost)* corroder; *(Wagen)* sucer; *jdn gefressen haben (fig fam: nicht leiden können)* avoir qn dans le nez; *sich dick* od *voll ~~* s'empiffrer, se gaver, se taper la cloche; *Kilometer ~~ (mot fam)* avaler *od* dévorer des kilomètres; *wie ein Scheunendrescher ~~* manger comme quatre; *jetzt hat er's endlich gefressen!* il a enfin pigé! **~en** *n (der Tiere)* manger *m; vulg* boustifaille, bâfre *f; der Hund hat sein ~~* on a donné à manger au chien; *das war ein gefundenes ~~ für mich* ce fut une bonne aubaine pour moi; **~er** *m* ‹-s, -› *pop* glouton, goinfre *m;* **~erei** [-'raɪ] *f fam* mangerie, gloutonnerie, goinfrerie; *pop* bâfrée *f,* gueuleton *m.*

Freß|korb *m* ['frɛs-] *fam* panier *m* aux provisions; **~napf** *m (für Hund od Katze)* timbale *f* à mangeaille; **~paket** *n fam* colis *m* de ravitaillement; **~sack** *m pop = Fresser.*

Frettchen *n* ‹-s, -› ['frɛtçən] *zoo* furet *m.*

Freud|e *f* ‹-, -n› ['frɔʏdə] joie; *(Fröhlichkeit, Lustigkeit)* réjouissance; *(Heiterkeit)* gaieté, gaîté, allégresse *f; (Glück)* bonheur; *(Vergnügen)* plaisir *m; (Jubel)* jubilation *f; mit ~~n* avec plaisir; *(außer sich) vor ~~* (transporté) de joie; *~~ an etw haben* trouver plaisir à qc; *viel ~~ an etw haben* goûter un vif plaisir à qc; *sich vor ~~ nicht halten können* ne pas se sentir *od* se tenir de joie; *herrlich und in ~~n leben* avoir *od* mener la belle vie; *~~ machen* donner de la joie; *jdm ~~ machen* faire plaisir à qn; *jdm e-e (kleine) ~~ machen* faire une amabilité à qn; *jds ~~ sein* faire la joie de qn; *vor ~~ außer sich sein* ne pas se sentir de joie; *jds ~~ teilen* partager la joie de qn; *jdm die ~~ verderben* gâter la joie de qn; *es wird mir e-e ~~ sein zu ...* ce sera pour moi un plaisir *od* une joie de ...; *das ist keine ~~* cela n'est pas drôle; *geteilte ~~ ist doppelte ~~ (prov)* plaisir partagé, plaisir doublé; **~enbotschaft** *f* joyeuse nouvelle *f;* **~enfeuer** *n* feu *m* de joie; **~engeheul** *n* cris *m pl* d'allégresse; **~enhaus** *n* maison *f* publique *od* de tolérance; **f~e(n)los** *a,* **~e(n)losigkeit** *f = ~los(igkeit);* **~enmädchen** *n* fille *f* de joie; **f~enreich** *a* plein de joie(s), joyeux; **~enruf** *m,* **~enschrei** *m* cri d'allégresse, hosanna *m;* **~entag** *m* jour *m* de joie; **~entaumel** *m* transport *m* de joie, joie folle, ivresse *f* du plaisir; **~entränen** *f pl* larmes *f pl* de joie; **f~estrahlend** *a* rayonnant de joie, épanoui; **f~etrunken** *a* ivre de joie; **f~ig** *a* joyeux; *(heiter)* gai; *(glücklich)* heureux; **~igkeit** *f* ‹-, ø› joie, gaieté, gaîté, humeur *f* joyeuse; **f~los** *a* sans joie, triste, morne; **~losigkeit** *f* tristesse *f.*

freu|en ['frɔʏən] *, sich* être joyeux *od* heureux; *über etw* se réjouir, être bien aise de qc; *auf etw* se réjouir (d'avance) de qc; *impers: das ~t mich* cela me fait plaisir, j'en suis bien aise *od* heureux; *sich wie ein Kind ~~* avoir une vraie joie d'enfant; *sich s-s Lebens ~~* être heureux de vivre; *das ~t mich sehr* j'en suis ravi; *er ~t sich an s-m Besitz* il goûte les joies du propriétaire; *es ~t mich sehr, Sie zu sehen* je suis ravi *od* enchanté de vous voir.

Freund *m* ‹-(e)s, -e› [frɔʏnt, -də] ami; *(Liebhaber von Sachen)* amateur *m; ein (guter) ~ von mir* un (bon) ami à moi, un de mes (bons) amis; *gegen ~ und Feind* envers et contre tous; *unter ~en* entre amis; *~e gewinnen* gagner *od* se faire des amis; *jdn zum ~ haben* avoir qn pour ami; *dicke ~e sein (fam)* être grands amis; *kein ~ von etw sein* ne pas aimer qc; *kein ~ von vielen Worten sein* ne pas aimer les paroles superflues; *gute(r), intime(r) ~* bon ami, ami *m* intime; *mein lieber ~! (iron)* mon cher; **~eskreis** *m* cercle *m* d'amis *od* des intimes; **~espaar** *n* paire *f* d'amis; **~in** *f* amie *f;* **f~lich** *a (liebenswürdig, nett)* aimable, bienveillant, avenant, accueillant, affable, gracieux; *(herzlich)* cordial, amical; *(Wohnung)* (clair et) accueillant; *(Gegend)* riant; *(Farbe)* gai; *com (Tendenz)* bien disposé; *jdm ~~ begegnen, ~~ gegen jdn* od *zu jdm sein* faire bonne mine à qn, traiter qn amicalement; *das ist sehr ~~ von Ihnen* c'est très aimable à vous, vous êtes tout à fait gentil; *seien Sie so ~~ und ...* ayez l'obligeance de ..., faites-moi l'amitié de ..., soyez assez bon pour ...; *bitte recht ~~! (zum Photographieren)* souriez; *~~e Grüße m pl* amitiés *f pl;* **~lichkeit** *f* amabilité, bienveillance, affabilité *f,* air *m* gracieux; cordialité; *(~liches Entgegenkommen)* marque d'amitié, obligeance, civilité *f;* bon office *m; jdm gegenüber die ~~ selbst sein (a.)* faire mille amabilités à qn; **~schaft** *f* amitié *f; jdm die ~~ kündigen* rompre avec qn; *~~ schließen* contracter *od* lier amitié (*mit jdm* avec qn); *da hört die ~~ auf (fam)* là je (il) ne connais (connaît) *etc* plus d'amis; *strenge Rechnung, gute ~~ (prov)* les bons comptes font les bons amis; **~schaftlich** *a* amical, d'ami; *etw ~~ regeln* régler qc à l'amiable; *~~ gegen jdn gesinnt sein* être bien disposé envers qn; *mit jdm in ~~e Beziehungen treten* prendre qn en amitié; *~~e Beziehungen f pl, ~~e(s) Verhältnis n* relations *f pl* amicales; *~~e(r) Rat m* conseil *m* d'ami; **~schaftsbeteuerungen** *f pl* protestations *f pl* d'amitié; **~schaftsbezeigung** *f* démonstration *f od* témoignage *od* signe *m od* marque *f* d'amitié; **~schaftsdienst** *m* bon office *m;* **~schaftsspiel** *n sport* match *m* amical; **~schaftsvertrag** *m pol* traité *m* d'amitié.

Frev|el *m* ‹-s, -› ['fre:fəl] méfait, forfait, crime; *rel* sacrilège *m;* **f~elhaft** *a* criminel; *rel* sacrilège, impie; **~elhaftigkeit** *f* ‹-, ø› caractère *m* délictueux; *rel* impiété *f;* **~elmut** *m* audace *f* impie; **f~eln** *itr* se rendre coupable d'un crime; *an jdm* commettre un attentat contre qn; **~eltat** *f* méfait, forfait, crime; attentat *m;* **f~entlich** *adv* criminellement; **~ler** *m* ‹-s, -› scélérat, criminel; *rel* sacrilège, impie *m;* **f~lerisch** *a = f~elhaft.*

friderizianisch [frideritsi'a:nɪʃ] *a hist* de Frédéric II (roi de Prusse).

Friede *m* ‹-ns, -n› ['fri:də] *vx = ~n; ~ seiner Asche!* paix à ses cendres; *~ ernährt, Unfriede verzehrt (prov)* la paix amasse, la guerre dissipe.

Frieden *m* ‹-s, -› ['fri:dən] paix *f; fig (Ruhe, Stille)* repos, calme *m,* tranquillité *f; um des lieben ~s willen* pour avoir la paix; *um ~ bitten* demander la paix; *~ bringen* porter la paix; *zum ewigen ~ eingehen (sterben)* entrer dans la paix éternelle; *den ~ herstellen* (r)établir la paix; *in ~ leben* vivre en paix; *~ schließen* faire la paix; *~ stiften* faire régner la paix; *den ~ stören* troubler la paix; *bewaffnete(r) ~ (pol)* paix *f* armée; *häusliche(r) ~* paix *f* du ménage.

Friedens|angebot *n* ['fri:dəns-] proposition *f* de paix; **~bedingung** *f* condition *f* de paix; **~bruch** *m* infraction à *od* rupture *f* de la paix; **~engel** *m* ange *m* de paix; **~gericht** *n* tribunal *m* de paix; **~instrument** *n* instrument *m* de la paix; **~konferenz** *f* conférence *f* de la paix; **~miete** *f* loyer *m* d'avant-guerre; **~partei** *f* parti *m* de la paix; **~pfeife** *f* calumet *m* de la paix; **~politik** *f* politique *f* de paix; **~präliminarien** *pl* préliminaires *m pl* de paix; **~produktion** *f* production *f* d'avant-guerre; **~qualität** *f com* qualité *f* d'avant-guerre; **~richter** *m* juge *m* de paix; **~richteramt** *n* justice *f* de paix; **~schluß** *m* conclusion *f* de la paix; **~stärke** *f mil* effectif *m* de paix; **~(s)tifter** *m* pacificateur *m;* **~(s)törer** *m* fauteur de troubles, perturbateur (de la paix); *pol* agitateur, *fam* trublion *m;* **~verhandlungen** *f pl* négociations *f pl* de paix; **~vermittlung** *f* médiation *f* de la paix; **~vertrag** *m* traité *m* de paix; **~vorverhandlungen** *f pl = ~präliminarien;* **~zeit** *f* temps *m* de paix; *in ~~en* en temps de paix.

Fried|erike *f* [fri:də'ri:kə] Frédérique *f;* **~rich** ['fri:drɪç] *m* Frédéric *m.*

fried|fertig ['fri:t-] *a* pacifique, paisible; **F~fertigkeit** *f* ‹-, ø› caractère pacifique; esprit *m* conciliant; **F~hof** *m* cimetière *m;* **~lich** *a* pacifique; *fig (ruhig)* paisible, calme, tranquille; *mit ~~en Mitteln, auf ~~em Wege* pacifiquement, en paix; *~~e Absichten f pl, Beilegung, Durchdringung f* desseins *m pl,* règlement *m,* pénétration *f* pacifique(s); *~~e Koexistenz f* coexistence *f* pacifique; **~liebend** *a* pacifique, épris de paix; **~los** *a* sans repos, inquiet; **F~losigkeit** *f* ‹-, ø› inquiétude *f.*

frier|en ‹*fror, gefroren*› [fri:rən] *itr* ‹*aux: sein*› *(gefrieren)* geler, se congeler, prendre; ‹*aux: haben*›

(Mensch, Tier) geler, avoir froid; *impers: es ~t* il gèle; *es ~t mich* je gèle, j'ai froid; *es ~t Stein und Bein* il gèle à pierre fendre.

Fries *m* ‹-es, -e› [fri:s, -zə] *(arch, Textil)* frise *f*.

Fries|e *m* ‹-n, -n› ['fri:zə] **~in** *f* Frison, ne *m f;* **f~isch** *a* frison; **~land** *n* la Frise.

Friesel|fieber *n,* **~n** *pl* ['fri:zəl-] *med* fièvre *f* miliaire.

Frik|adelle *f* ‹-, -n› [frika'dɛlə] *(gebratener Fleischkloß)* boulette *f* de viande; **~assee** *n* ‹-s, -s› [-'se:] *(Ragout von weißem Fleisch)* fricassée *f;* **f~assieren** [-'si:rən] *tr (als ~assee zubereiten)* fricasser.

frisch [frɪʃ] *a (in ~em Zustand, bes. von Nahrungsmitteln)* frais; *(Gemüse)* vert; *(Teint)* frais; *(gesund u. munter)* frais, éveillé, dispos, alerte, gaillard; en bonne santé; *(kühl)* frais; *fam* frisquet; *(unverbraucht, neu)* frais, nouveau; *mit ~em Mut* avec entrain; *ein ~es Hemd, ~e Wäsche anziehen* changer de chemise, de linge; *das Bett ~ beziehen* changer les draps du lit; *auf ~er Tat ertappen* prendre en flagrant délit *od* sur le fait; *etw in ~er Erinnerung haben* avoir qc présent à la mémoire; *~e Luft schöpfen* prendre l'air *od* le frais; *~ gestrichen!* prenez garde *od* attention à la peinture, peinture fraîche; *~ gewagt ist halb gewonnen (prov)* la fortune sourit aux audacieux; *~ vom Faß* fraîchement tiré; *~ von der Kuh (Milch)* qui vient d'être trait; *~ gebacken (fig fam: gerade ernannt* od *befördert)* frais émoulu; *~ gepflückt* frais cueilli; *~e Luft f* air frais, grand air *m; ~ und munter* frais et dispos; *~ rasiert* rasé de frais; **F~arbeit** *f metal* affinage *m;* **~auf** *interj* allons! en avant! debout! hardi! courage! **F~e** *f* ‹-, ø› fraîcheur *f,* frais *m; fig* verdeur, vigueur *f; in alter ~~* frais et dispos comme toujours; **F~eisen** *f* fer *m* affiné; **~en** *tr metal* affiner, puddler; **F~en** *n* affinage, puddlage *m;* **F~fleisch** *n* viande *f* fraîche; **F~gemüse** *n* légumes *m pl* verts *od* frais; **F~ling** *m* ‹-s, -e› *zoo* marcassin *m;* **~weg** [-'vɛk] *adv* hardiment, sans hésiter; **F~zellenbehandlung** *f,* **F~zellentherapie** *f med* thérapeutique *f* par (les) cellules fraîches.

Fris|eur *m* ‹-s, -e› [fri'zø:r] coiffeur *m; zum ~~ gehen* aller chez le coiffeur; **~eursalon** *m = ~iersalon;* **~euse** *f* ‹-, -n› [-'zø:zə] coiffeuse *f;* **~iercreme** *f* [-'zi:r-] crème *f* à coiffer; **f~ieren** *tr* coiffer; *fig (wirkungsvoller machen)* arranger; *com (Bilanz)* maquiller; **~ierhaube** *f* filet *od* casque *m* à coiffer; **~iermantel** *m* peignoir *m;* **~iersalon** *m* salon *m* de coiffure; **~iertisch** *m,* **~iertoilette** *f* (table-) coiffeuse *f;* **~ur** *f* ‹-, -en› [-'zu:r] coiffure *f*.

Frist *f* ‹-, -en› [frɪst] *(Termin)* terme, délai; *(Aufschub)* répit *m; com fin* prolongation, prorogation *f;* moratorium; *jur* sursis; *allg (Zeit(raum)* temps *m,* période *f; auf (kurze) ~* à (court) terme; *in kürzester ~* dans le plus bref délai; *nach Ablauf der ~* à terme échu; *zu dieser ~* en ce temps; *e-e ~ ablaufen* od *verstreichen lassen* laisser expirer un délai; *e-e ~ bestimmen* od *festsetzen* fixer *od* déterminer un délai; *e-e ~ bewilligen* od *gewähren* accorder un délai; *die ~ einhalten* observer le délai; *e-n Tag, Monat ~ haben* avoir un jour, un mois de répit; *die ~ überschreiten* dépasser le délai; *die ~ verlängern* prolonger le délai; *die ~ läuft (am ...) ab* le délai échoit (le ...); **~ablauf** *m* expiration *f* du délai; *bei ~~* à l'expiration du terme; **f~en** *tr: kümmerlich sein Leben ~~* vivoter, tirer le diable par la queue; **f~gemäß** *a,* **f~gerecht** *a* ponctuel; *adv a.* au délai fixé *od* convenu; **f~los** *a* u. *adv* sans délai; *~~ entlassen* renvoyer sans préavis; *~~e Entlassung f* renvoi *m* sans préavis.

fritt|en ['frɪtən] *tr tech* fritter; **F~er** *m* ‹-s, -› *el radio* cohéreur *m;* **F~ung** *f el* cohésion *f*.

frivol [fri'vo:l] *a (leichtfertig)* frivole; *(schlüpfrig)* lascif; **F~ität** *f* ‹-, -en› [-voli'tɛ:t] *(Leichtfertigkeit)* frivolité *f;* **F~itätenarbeit** *f (Textil)* frivolité *f*.

froh [fro:] *a* joyeux, bien aise, content; *(erfreut)* ravi; *(heiter)* gai; *~en Mutes* de bonne humeur; *s-s Lebens nicht mehr ~ werden* ne plus avoir de goût à vivre; *ich bin ~ darüber* j'en suis content; *ich bin ~ (darüber), daß ...* je suis content que, je me réjouis du fait que; *die ~e Botschaft (rel)* la bonne nouvelle; **~gelaunt** *a* de bonne humeur; *fam* bien luné; **~gemut** *a* joyeux, réjoui; **~̈locken** *itr ‹hat (ge)frohlockt›* être transporté de joie, pousser des cris de joie *od* d'allégresse; exulter; **F~lockung** *f* exultation, jubilation *f;* **F~mut** *m,* **F~sinn** *m* gaieté, bonne *od* belle humeur *f,* enjouement , jovialité *f;* **~mütig** *a,* **~sinnig** *a* gai, enjoué, jovial.

fröhlich ['frø:lɪç] *a* joyeux, réjoui, enjoué, épanoui, jovial; **F~keit** *f* ‹-, ø› joie *f,* enjouement *m,* jovialité, gaieté, gaîté *f*.

fromm [frɔm] *(frommer* od *frömmer) a* pieux, dévot, religieux; *(Pferd)* doux, docile; *~e(s) Werk n* œuvre *f* pie; *ein ~er Wunsch* un vœu pieux; **F~n** *m: zu jds Nutz und ~n* au profit, pour l'intérêt de qn; **~en** ['frɔmən] *itr a. tr (nutzen, dienlich sein): jdm* od *jdn ~~* être utile, profiter à qn, servir qn.

Frömm|elei *f* ‹-, en› [frœmə'laɪ] fausse dévotion, bigoterie, cagoterie, tartuferie *f;* **f~eln** ['frœməln] *itr* faire le dévot *od* le cagot; **~igkeit** *f* ‹-, ø› piété, dévotion, religiosité *f;* **~ler** *m* ‹-s, -› faux dévot, bigot, cagot, tartufe.

Fron|(arbeit) *f,* **~dienst** ['fro:n-] *m hist u. fig* corvée *f;* **f~en** *itr (~dienste leisten)* faire des corvées.

frönen ['frø:nən] *‹hat gefrönt› itr (e-m Laster huldigen)* s'adonner, s'abandonner à, être l'esclave de.

Fronleichnam|(sfest *n) m* [fro:n-'laɪç-] *rel* Fête-Dieu *f;* **~sprozession** *f* procession *f* de la Fête-Dieu.

Front *f* ‹-, -en› [frɔnt] *arch* façade *f,* frontispice; *mil* front *m;* première ligne *f; mete* u. *fig, bes. pol* front *m; auf breiter, schmaler ~ (mil)* sur front large, étroit; *auf der ganzen ~* sur l'ensemble du front; *mit der ~ nach ...* faisant face à ...; *die ~ abschreiten* passer devant le front; *die ~ durchbrechen* od *durchstoßen* rompre *od* percer le front; *an die ~ gehen* aller au *od* sur le front; *die ~ halten* tenir le front; *~ machen* faire face; *an der ~ stehen* être au *od* sur le front; *die ~ wechseln (a. fig)* faire volte-face; **~abschnitt** *m* secteur *m* (du front); **f~al** [-'ta:l] *a* frontal; **~alangriff** *m* attaque *f* de front; **~antrieb** *m mot* traction *f* avant; **~aufwind** *m aero* ascendance *f* frontale; **~ausbuchtung** *f mil* saillant *m* du front; **~begradigung** *f* rectification *f* du front; **~bereich** *m* front *m;* **~bö** *f aero* grain *m* frontal; **~dienst** *m* service *m* au front; **~einbuchtung** *f* poche *f* (du front); **~einsatz** *m* emploi *m* au front; **~erfahrung** *f* expérience *f* du front; **~flugzeug** *n* avion *m* de première ligne; **~gebiet** *n mil* zone *f* de l'avant; **~kämpfer** *m* combattant du front; *(nach dem Kriege)* ancien combattant *m;* **~leitstelle** *f* poste *m* régulateur de mouvements; **~linie** *f = ~verlauf;* **~lücke** *f* poche *f* (du front); **~offizier** *m* officier *m* de troupe; **~soldat** *m* soldat *m* du front; *= ~kämpfer;* **~verlauf** *m* tracé *m* du front; **~vorsprung** *m* saillant *m* (du front); **~wechsel** *m a. fig* changement *m* de front; **~zulage** *f mil* haute paie *f* (de guerre).

Frosch *m* ‹-(e)s, ⸚e› [frɔʃ, 'frœʃə] grenouille; *(an der Geige)* hausse (d'archet); *tech* came *f; e-n ~ im Halse haben (fig fam)* avoir un chat dans la gorge; *sei kein ~! (ziere dich nicht!)* ne fais pas de manières; ne te fais pas prier; **~biß** *m bot* morrène *f;* **~geschwulst** *f med* ranule *f;* **~kraut** *n* grenouillette *f;* **~laich** *m* frai *m* de grenouille; **~mann** *m* ‹-(e)s, ⸚er› homme-grenouille *m;* **~perspektive** *f* perspective *f* à ras de terre; **~pfeffer** *m = ~kraut;* **~schenkel** *m* cuisse *f* de grenouille; **~teich** *m* grenouillère, mare *f* aux grenouilles.

Frost *m* ‹-(e)s, ⸚e› [frɔst, 'frœstə] gelée *f,* froid *m; starke(r), strenge(r) ~* grand froid *m,* forte gelée *f;* **~aufbruch** *m (der Straßen)* soulèvement *m* dû au gel; **~beule** *f* engelure *f;* **f~empfindlich** *a* sensible au gel; **~empfindlichkeit** *f* sensibilité *f* au gel; **~er** *m* ‹-s, -› *tech* freezer *m;* **f~frei** *a* sans gelée; **f~ig** *a* froid, glacial, glacé, de glace; *fig* froid; **~igkeit** *f* ‹-, (-en)› *fig* froideur *f;* **~milderung** *f* atténuation *f* des gelées; **~schäden** *m pl* dégâts *m pl* dus à *od* causés par la gelée; **~schutzfett** *n* gaisse *f* antigel; **~schutzmittel** *n* (produit) antigel *m;* **~schutzröhre** *f* dégivreur *m;* **~schutzscheibe** *f* *mot* glace *f* antibuée; **~tag** *m (mit zeitweiliger Temperatur unter Null)* jour *m* de gelée; **~wetter** *n* temps *m* de gelée.

fröst|(e)lig ['frœst-] *a* frileux; **~eln** *itr* avoir froid *od* des frissons; *impers: mich ~elt* j'ai des frissons.

Frott|ee(stoff *m***)** *n* od *m* ‹-/-s, -s› [frɔ'te:] tissu-éponge *m;* **f~ieren** [-'ti:rən] *tr* frotter, frictonner; **~ieren** *n* frottement *m,* friction *f;* **~ier(hand)tuch** *n* serviette-éponge *f.*

Frucht *f* ‹-, ¨-e› [fruxt, 'frʏçtə] fruit; *(Leibesfrucht)* fruit, embryon, fœtus; *fig (Ergebnis, Wirkung)* fruit, produit, résultat, effet *m; die ~ (das Getreide)* les blés *m pl,* la récolte; *Früchte ansetzen (Baum)* se mettre à fruit; *Früchte tragen* affruiter; *a. fig* fructifier, porter des fruits; *verbotene Früchte schmecken am besten* les fruits défendus sont toujours les meilleurs; *eingemachte Früchte* des fruits *m pl* confits; *die Früchte des Feldes* les fruits *m pl* de la terre; *e-e ~ der Liebe (uneheliches Kind)* un enfant de l'amour; **f~bar** *a a. fig* fertile, fécond, productif; *(Land a.)* généreux; **~barkeit** *f* ‹-, ø› fertilité, fécondité, productivité *f;* **~boden** *m bot* réceptacle *m;* **f~bringend** *a bot* fructifère; *fig* fructueux, productif; **f~en** *itr: nichts ~~ (nichts nützen)* rester *od* demeurer sans effet; **~fleisch** *n* pulpe *f;* **~folge** *f agr* assolement *m;* **~geschmack** *m: mit ~~* fruité; **f~ig** *a (Wein)* fruité; **~knoten** *m bot* ovaire *m;* **f~los** *a fig* infructueux, inutile, inefficace; sans fruit, sans résultat, sans effet; **~losigkeit** *f* ‹-, ø› inutilité, inefficacité *f;* **~mark** *n (Küche)* pulpe *f* de fruits; **~paste** *f* pâte *f* de fruits; **~presse** *f* presse-fruits *m;* **f~reich** *a fig* fructueux, productif; **~saft** *m* jus *m* de fruits; **~wasser** *n physiol* liquide *m* amniotique; **~wechsel** *m* alternance *f* des cultures; **~zucker** *m* fructose, lévulose *m.*

Frücht|chen *n* ['frʏçt-] *ein nettes ~~ (fig iron)* un joli garnement *od* monsieur *od* moineau; **~ebrot** *n* croquette *f* aux fruits; **f~ereich** *a = fruchtreich.*

frugal [fru'ga:l] *a (einfach, schlicht)* frugal, sobre; **F~ität** *f* ‹-, ø› frugalité, sobriété *f.*

früh [fry:] **1.** *a (vor der festgesetzten Zeit)* avant l'heure fixée; *(vorzeitig)* précoce, prématuré; *(~ am Tage)* matinal; *(Gemüse u. Obst: ~reif)* hâtif; *am ~en Morgen* de grand matin; *~e Kindheit f* première enfance *f; ein ~erer Freund von mir* un ancien ami à moi; *ein ~es Werk* une œuvre de jeunesse; *ein ~er Winter m* un hiver précoce; **2.** *adv* de bonne heure, tôt; *gestern ~* hier matin; *heute ~* ce matin; *von ~ bis spät* du matin (jusqu')au soir; *zu ~* trop tôt, avant l'heure; en avance, d'avance, par avance; *zu ~er Stunde* tôt le matin; aux aurores; *eine Stunde zu ~* avec une heure d'avance; *~ aufstehen* se lever tôt *od* de bonne heure; **F~apfel** *m* pomme *f* d'été; **F~aufsteher** *m* lève-tôt *m fam; ein ~~ sein* être matinal; **F~beet** *n agr* couche *f;* **F~birne** *f* hâtiveau *m;* **F~e** *f* ‹-, ø› *in der ~~* le matin; *in aller ~~* de grand *od* de bon matin; **~er** *(Komparativ von ~, adv) (eher, zeitiger)* plus tôt, de meilleure heure; *(einst, ehemals)* autrefois, jadis; *je ~er, desto besser* le plus tôt sera le mieux; *~~ oder später* tôt ou tard, un jour ou l'autre; **~ere(r, s)** *(Komparativ von ~, a)* antérieur; *(ehemaliger)* ancien; *(erster)* premier; *in ~eren Zeiten* autrefois, au temps jadis; **~estens** *adv* au plus tôt; **~este(r, s)** *(Superlativ von ~, a)* premier; *(ältester)* (le) plus ancien; **F~geburt** *f (Vorgang)* naissance *f* avant terme; *(Kind)* enfant né avant terme, prématuré *m;* **F~gemüse** *n* primeurs *f pl;* **F~geschichte** *f* protohistoire *f;* **~geschichtlich** *a* protohistorique; **F~gotik** *f* gothique *m* primitif; **F~jahr** *n* printemps *m; es geht aufs ~~ zu* le printemps approche; **F~jahrsmesse** *f* foire *f* de printemps; **F~jahrsmüdigkeit** *f* fatigue *f* due au printemps; **F~jahrsputz** *m* nettoyage *m* de printemps; **F~jahrs-Tagundnachtgleiche** *f* équinoxe *m* vernal *od* de printemps; **F~kartoffeln** *f pl* pommes *f pl* de terre nouvelles *od* primeurs; **F~ling** *m* ‹-s, -e› printemps; *poet* renouveau *m;* **~ling(s)haft** *a* printanier, de printemps; **F~lingspunkt** *m astr* point *m* vernal; **F~lingssuppe** *f* potage *m* printanier; **F~mette** *f rel* office *m* du matin; **~morgens** *adv* de grand *od* de bon matin; **F~nebel** *m* brouillard *m od* brume *f* matinal(e); **F~nebelbildung** *f* formation *f* brumeuse matinale; **F~obst** *n* fruits *m pl* précoces; **~reif** *a* hâtif; *a. fig* précoce; **F~reife** *f a. fig* précocité; *fig* maturité *f* précoce; **F~schicht** *f: ~~ haben* être du matin; **F~schoppen** *m* (petit) verre *m* du matin; **F~sport** *m* gymnastique *f* matinale; **F~stück** *n* petit déjeuner *m;* **~stücken** *itr* ‹*hat gefrühstückt*› déjeuner, prendre le petit déjeuner; *pop* casser la croûte; **~vollendet** *a lit psych* trop tôt accompli; **~zeitig** *a* prématuré, précoce; *adv* de bonne heure, tôt; **F~zündung** *f* allumage *(der Munition) od* départ *m (bei e-r Sprengung)* prématuré; *mot* avance *f* à l'allumage.

Fuchs *m* ‹-es, ¨-e› [fuks, 'fʏksə] *(Tier u. Pelz)* renard; *(Pferd)* alezan *m; (rothaariger Mensch)* roux *m,* rousse *f; arg (Student im 1. Jahr)* bizut(h) *m; wo sich ~ und Hase gute Nacht sagen* au fin fond des bois; *alte(r)* od *schlaue(r) ~ (fig)* vieux *od* fin renard, fin *od* rusé compère, rusé, fin merle *m; junge(r) ~* renardeau *m;* **~bau** *m* renardière *f,* terrier *m* de *od* du renard; **~eisen** *n,* **~falle** *f* piège *f* de renard; **f~en,** *sich (fam: sich ärgern)* se faire de la bile *od* du mauvais sang; *pop* bisquer; *impers: das ~t mich* ça m'embête, ça me chiffonne; **~hatz** *f,* **~jagd** *f* chasse *f* au renard; **f~ig** *a = f~rot; = f~(teufels)wild;* **~loch** *n = ~bau;* **~pelz** *m* renard *m;* **f~rot** *a* roux; roussâtre; **~schwanz** *m* queue de renard; *bot* queue-de-renard; *(Säge)* scie *f* égohine; **f~(teufels)wild** *a* fâché tout rouge, hors de ses gonds.

Fuchsie *f* ‹-, -n› ['fuksiə] *bot* fuchsia *m.*

Fuchsin *n* ‹-s, ø› [fu'ksi:n] *chem* fuchsine *f.*

Füchsin *f* ['fʏksɪn] renarde *f.*

Fucht|el *f* ‹-, -n› ['fuxtəl] *(Stock): jdn unter der ~~ haben* avoir qn sous sa coupe; *jdn unter die ~~ nehmen* prendre qn sous sa coupe; *unter jds ~~ stehen (fig)* être sous la férule *od* la coupe de qn; **f~eln** *itr* agiter les bras, gesticuler; *nicht lange ~~ = nicht lange fackeln;* **f~ig** *a fam (wütend)* enragé, en rage, en colère.

Fuder *n* ‹-s, -› ['fu:dər] *(Hohlmaß für Wein)* foudre *m; ein ~ Holz* une charretée de bois; **f~weise** *adv* par charretées; *fig (massenhaft)* en masse.

Fug *m* [fu:k] *mit ~ und Recht* à bon droit, en bonne justice, à bonne raison, de bonne guerre.

Fug|e *f* ‹-, -n› ['fu:gə] **1.** *(Furche)* sillon *m; (Nute)* rainure *f,* joint *m,* jointure *f; aus den* od *allen ~~n gehen* se disjoindre, se disloquer (complètement); **f~en** *tr (~~n ziehen in)* sillonner; *(nuten)* rainer, jointoyer; **f~enlos** *a* sans sillons; sans rainures, sans joints.

Fuge *f* ‹-, -n› ['fu:gə] **2.** *mus* fugue *f.*

füg|en ['fy:gən] *tr tech* joindre, jointoyer, emboîter, assembler; *fig lit (anordnen)* disposer, régler; *sich ~~ (sich einordnen)* se conformer, s'accommoder, s'adapter; *(sich ergeben, resignieren)* se résigner; *sich wieder ~~* rentrer dans son devoir; *Gott, das Schicksal hat es so gefügt* Dieu, le sort en a disposé ainsi; *es ~te sich, daß* le hasard a voulu que; *sich ins Unabänderliche ~~* se résigner à l'inévitable; **~lich** ['fy:k-] *adv (zu Recht)* à bon droit, en bonne justice; **~sam** *a* docile, soumis; **F~samkeit** *f* ‹-,(-en)› docilité, soumission *f;* **F~ung** *f (Schicksal)* destinée *f; ~~ Gottes* od *des Schicksals* coup *m* de la Providence *od* du sort.

fühl|bar ['fy:l-] *a* tangible, palpable, sensible; *(wahrnehmbar)* perceptible; *(spürbar, deutlich)* sensible; *sich ~~ machen* se faire sentir; **F~barkeit** *f* ‹-, ø› tangibilité *f;* **~en** *tr (tasten)* tâter, palper; *(empfinden)* sentir, éprouver; *sich ~~* se sentir; *sich als ... ~~ (sich für ... halten)* se prendre pour ...; *sich für etw verantwortlich ~~* se sentir responsable de qc; *sich nicht wohl ~~* ne pas se sentir bien; *jdm auf den Zahn ~~* sonder qn; *er hat sich angesprochen gefühlt* il l'a pris pour lui; *wie ~st du dich?* comment te trouves-tu? **~end** *a* sensible; **F~er** *m* ‹-s, -› *zoo* tentacule *m,* antenne *f; die ~~ ausstrekken (fig)* lancer un ballon d'essai; **F~faden** *m zoo* tentacule *m;* **F~horn** *n zoo* antenne *f;* **~los** *a* insensible; **F~losigkeit** *f* ‹-, ø› insensibilité *f;* **F~ung** *f* ‹-, ø› contact *m; mit jdm in ~~ kommen, sein* od *stehen, bleiben* entrer, être, rester en contact avec qn; *~~ suchen* chercher du contact; *die ~~ mit dem Feinde verlieren* perdre le contact avec l'ennemi; **F~ungnahme** *f* prise *f* de contact.

Fuhr|e *f* ‹-, -n› ['fu:rə] *(Fahrt)* charriage, roulage, transport; *(Ladung)* charroi *m*, charretée, charge *f;* **~lohn** *m* frais *m pl* de transport *od* de voiture; **~mann** *m* ‹-(e)s, -leute/(-männer)› voiturier, charretier, roulier *m; der ~~ (astr)* le Cocher; **~park** *m (Kraftwagenbestand)* parc *m;* **~unternehmen** *n* entreprise *f* de transports, messageries *f pl;* **~unternehmer** *m* entrepreneur *m* de transports *od* de roulage; **~werk** *n (Transportmittel)* voiture *f; (Fahrzeug)* véhicule; *(Rollwagen)* chariot, camion *m; (Karren)* charrette *f.*

führen ['fy:rən] *tr (geleiten)* conduire, mener, guider; *(leiten)* conduire, guider; *mar* gouverner, barrer; *aero* piloter; *mil* mener, diriger; *(anführen, befehligen)* commander; *(mit sich ~, bei sich haben)* porter, avoir sur *(am Leibe) od* avec *(in der Hand, in e-r Trage)* soi; *(im Wappen)* avoir (dans ses armes); *(Fluß: Geröll, Eis)* charrier; *(Fahrzeug: e-e Ladung)* transporter; *com (e-n Artikel)* tenir, avoir; *(etw Langes und Schmales, e-n Graben, e-e Mauer etc anlegen, ziehen)* établir, dresser; *itr (an erster Stelle stehen)* être en tête, tenir la tête; *sport* mener; *(hinführen, s-e Richtung nehmen)* mener; *sich ~ (sich betragen)* se conduire; *jdm etw vor Augen ~* évoquer qc aux yeux de qn; représenter qc à qn; *den Beweis ~* apporter *od* établir *od* fournir *od* donner la preuve; *den Bogen (der Geige) ~* manier l'archet; *die Bücher ~ (com)* tenir les livres; *e-e gute Ehe ~* être bon époux *od* bonne épouse; être heureux en ménage; *etw zu Ende ~* achever, terminer, finir qc; *zu e-m bösen Ende ~* mener à mal; *zum guten Ende ~* mener à bonne fin; *die Feder ~ (beim Schreiben)* tenir *od* manier la plume; *sich etw zu Gemüte ~ (fam)* déguster qc; *ein Gespräch ~* avoir une conversation; *jdn aufs Glatteis ~ (fig)* tendre un piège à qn; *sich gut ~* avoir une bonne conduite; *jdm (beim Schreiben) die Hand ~* conduire la main à qn; *die Hand zum Munde ~* porter la main à la bouche; *auf den Hof ~ (Tür)* donner sur la cour; *Klage ~ (jur)* porter plainte (*über jdn* contre qn); *Krieg ~* faire la guerre (*mit* à); *ein frommes, liederliches Leben ~* mener une vie pieuse, dissolue; *e-n Namen, Titel ~* porter un nom, un titre; *zu nichts ~* ne mener *od* n'aboutir à rien; *e-n Prozeß ~* mener *od* poursuivre un procès; *schöne Redensarten im Munde ~* se gargariser de formules; *das Ruder ~* tenir le gouvernail, gouverner; *etw im Schilde ~* avoir un dessein caché, couver un dessein; *jdn über die Straße ~* faire traverser la rue à qn; *Verhandlungen ~* négocier; *jdn in Versuchung ~* tenter qn; *den Vorsitz ~* présider; *jdn den rechten Weg ~* mener qn par le bon chemin; *das Wort ~* avoir la parole; *das große Wort ~* avoir le verbe haut; *das führt zu nichts (a.)* cela ne donne rien; c'est une impasse; *das führt zu nichts Gutem* cela ne mène à rien de bon; *das würde zu weit ~* cela nous entraînerait trop loin; *was führt Sie zu mir?* qu'est-ce qui *od* quel bon vent vous amène? *wohin soll das (noch) ~?* à quoi cela aboutira-t-il? *alle Wege ~ nach Rom* tous les chemins mènent à Rome; **~d** *a (Persönlichkeit)* dirigeant; *com (Haus)* le *od* la plus renommé(e) *od* connu(e); *(Hotel)* le meilleur; *~~e(s) Land n* nation-pilote *f; die ~~en Männer m pl* les directeurs, les chefs *m pl; ~~e Stellung f* position *f* en vue.

Führer *m* ‹-s, -› ['fy:rər] chef, directeur, conducteur; *mil* commandant en chef; *pol* leader; *loc* mécanicien; *(e-s öffentl. Verkehrsmittels)* conducteur; *mot* chauffeur; *mar aero* pilote; *(Fremden-, Reiseführer (Buch)* guide; *(Buch, Leitfaden)* livre-guide *m; ~ e-r* od *der Abordnung (pol)* chef *m* de mission; **~besprechung** *f* conférence *f* des chefs *od mil* des commandants en chef; **~eigenschaften** *f pl* qualités *f pl* de chef; **~haus** *n mot* cabine *f;* **~in** *f* directrice, conductrice *f;* **~kabine** *f aero* poste de pilotage, habitacle (du pilote), cockpit *m;* **f~los** *a (fahrendes Fahrzeug)* sans chauffeur; *(Flugzeug)* sans pilote; **~natur** *f* nature *f* de chef; **~prinzip** *n* principe *m* autoritaire; **~raum** *m = ~kabine;* **~schaft** *f (Führer pl)* chefs, directeurs, conducteurs *m pl; pol (Führung)* leadership *m;* **~schein** *m mot* permis de conduire; *aero* brevet *m* de pilote; *s-n ~~ machen* passer son permis de conduire; **~scheinentzug** *m* suspension *f* du permis de conduire; **~scheinprüfung** *f* examen *m* du permis de conduire; **~sitz** *m* siège *m* du chauffeur *(mot) od* du pilote *(aero);* **~stand** *m tech* cabine de conduite *od* de manœuvre; *loc* cabine *f od* poste de mécanicien *od* de conduite *od* d'équipage; *aero* poste *m* de pilotage *od* du pilote.

Führung *f* ‹-, -en› ['fy:rʊŋ] *(Leitung)* conduite, direction, gestion; *(Verwaltung)* administration *f; pol* leadership *m; (Besichtigung)* visite *f* guidée *od* commentée; *tech* guide, guidage *m*, glissière; *(Benehmen)* conduite *f; mit der ~ beauftragt sein* être chargé de la direction *od mil* du commandement; *wegen guter ~ vorzeitig entlassen werden* bénéficier d'une remise de peine pour bonne conduite; *in ~ gehen (sport)* prendre la tête; *die ~ haben, in ~ liegen (sport)* être en tête; *die ~ an sich reißen* se rendre maître; *sich jds ~ überlassen* se livrer à la direction de qn; *die ~ übernehmen* prendre la direction; **~sbahn** *f tech* glissière *f;* **~sbehälter** *m (e-s Gasometers)* charpente *f* de guidage; **~sbügel** *m (des Bogenzirkels)* quart *m* de cercle; **~sfläche** *f = ~sbahn;* **~sgremium** *n pol* noyau dirigeant, organe *m* directeur; **~skraft** *f (leitender Angestellter)* cadre *m;* **~sleiste** *f tech* barre *f* conductrice; **~sring** *m tech* anneau *m* de guidage; *mil* ceinture *f* de projectile; **~srolle** *f tech* galet *m* de guidage; **~sschiene** *f tech* (rail-)guide *m*, glissière; *(für Raketenstart)* rampe *f* de lancement; **~sstab** *m mil* état-major *m* de commandement *od* d'exécution; **~sstange** *f = ~sschiene;* **~sstift** *m* cheville *od* tige *f* de guidage; **~swalze** *f tech* cylindre *m* de guidage; **~szeugnis** *n* certificat *m* de bonne conduite *od* de bonne vie et mœurs.

Füll|anlage *f* ['fʏl-] installation *f* de remplissage; **~ansatz** *m* manche *f* de remplissage; **~apparat** *m* appareil *m* de remplissage; **~bleistift** *m* porte-mine *m;* **~e** *f* ‹-, ø› plénitude; *(große Menge)* grande quantité, masse; *(Reichtum)* richesse, opulence; *(Überfluß)* abondance, profusion *f; (Leibesfülle)* embonpoint *m*, formes *f pl* pleines; *in Hülle und ~~, in verschwenderischer ~~* en abondance, à profusion, à foison; *etw in Hülle und ~~ haben (a.)* regorger de qc; **f~en** *tr* emplir, remplir; garnir (*mit etw* de qc); *(vollstopfen)* bourrer, gonfler; *(Küche)* farcir; *(hohlen Zahn)* plomber, obturer; *(Buch-, Heftseiten)* couvrir; *in ein Faß* od *in Fässer ~~* entonner; *in e-e Flasche* od *in Flaschen ~~* mettre en bouteille(s); *in e-n Sack* od *in Säcke ~~* ensacher; **~er** *m* ‹-s, -› *fam (~halter)* stylo *m; (in der Zeitung)* (annonce *f*) bouche-trou *m;* **~erde** *f* terre *f* de remblai; **~feder(halter** *m*) *f*, **~halter** *m* stylo(graphe), stylo *m* à encre *od* à plume; **~federtinte** *f*, **~haltertinte** *f* encre *f* stylographique *od* à stylo; **~haar** *n* bourre *f;* **~horn** *n* corne *f* d'abondance; **f~ig** *a (rundlich)* rondelet, replet; **~maschine** *f* machine *f* à remplir; **~masse** *f* pâte *f* de remplissage; **~material** *n* matériel *m* de remplissage; **~ort** *m mines* recette d'accrochage *od* du fond, chambre *f* de chargement; **~schrift** *f (der Schallplatten)* microsillon *m;* **~sel** *n* ‹-s, -› ['-zəl] remplissage *m; (Küche)* farce *f;* **~stutzen** *m* clarinette *f;* **~trichter** *m* trémie *f* de chargement; **~ung** *f* remplissage; *(mit Luft, e-m Gas)* gonflement; *(e-s Zahnes)* plombage *m*, obturation; *(Küche)* farce *f; (e-r Tür)* panneau; *arch* entrevous *m;* **~vorrichtung** *f = ~apparat;* **~wagen** *m tech* enfourneuse *f;* **~wort** *n gram* explétif *m.*

Füllen *n* ‹-s, -› ['fʏlən] = *Fohlen.*

fummeln ['fʊməln] *itr fam* tripoter; *(basteln)* bricoler; *in der Tasche ~ fam* farfouiller dans sa poche.

Fund *m* ‹-(e)s, -e› [fʊnt, '-də] *(Auffindung, a. fig)* découverte *f; (~stück)* objet *m* trouvé; *(glücklicher ~)* trouvaille, aubaine *f; e-n (guten* od *glücklichen) ~ machen* faire une trouvaille; **~büro** *n* bureau *m* des objets trouvés; **~gegenstand** *m*

= *~sache;* **~grube** *f fig* mine *f;* **~ort** *m* lieu *m* de découverte; **~sache** *f* objet *m* trouvé; **~stelle** *f bot* lieu *m* de découverte; **~unterschlagung** *f* détournement *m* d'objets trouvés.

Fundament *n* ⟨-(e)s, -e⟩ [fʊnda'mɛnt] *arch* u. *fig* fondation *f,* fondement(s *pl*) *m; fig* base *f; das ~ legen (a. fig)* jeter *od* poser le(s) fondement(s) *(zu* de); **f~al** [-'ta:l] *a (grundlegend)* fondamental; **~albegriff** *m* conception *od* notion *f* fondamentale; **~alsatz** *m* principe *m;* **f~ieren** [-'ti:rən] *tr arch* jeter *od* poser le(s) fondement(s) de; **~ierung** *f* pose *f* du *od* des fondement(s).

Fund|ation *f* ⟨-, -en⟩ [fʊndatsi'o:n] *(Stiftung)* fondation *f;* **f~ieren** [-'di:rən] *tr (gründen, begründen)* fonder; *fin* fonder, consolider; *gut ~iert (pp, fin)* bien fondé; **~ierung** *f* fondation; *fin a.* consolidation *f;* **~us** *m* ⟨-, -⟩ ['-dʊs] *(Grundstück, Bestand)* fonds *m.*

fündig ['fʏndɪç] *a mines* exploitable, riche; *~ werden (ein Lager finden)* découvrir.

fünf [fʏnf] *(Zahlwort)* cinq; *~ gerade sein lassen (fig)* ne pas y regarder de trop près; *das kannst du dir doch an den ~ Fingern abzählen!* c'est pourtant facile à comprendre *od* à saisir; **F~** *f* ⟨-, -en⟩ cinq *m;* **F~eck** *n* pentagone *m;* **~eckig** *a* pentagonal; **F~er** *m* ⟨-s, -⟩ = *F~;* **~erlei** ['--'laɪ] *a* de cinq sortes *od* espèces; **~fach** *a* quintuple; *das F~~e* cinq fois autant; **~fältig** *a* = *~fach;* **F~flächner** *m math* pentaèdre *m;* **F~frankenstück** *n* pièce *f* de cinq francs; **~hundert** *(Zahlwort)* cinq cent(s); **F~jahr(es)plan** *m* plan *m* quinquennal *od* de cinq ans; **~jährig** *a (~ Jahre alt)* (âgé) de cinq ans; *(von ~~er Dauer)* de cinq ans; **F~kampf** *m sport* pentathlon *m;* **F~linge** *pl* quintuplé(e)s *m f pl;* **~mal** *adv* cinq fois; **F~markstück** *n* pièce *f* de cinq marks; **F~pfennigstück** *n* pièce *f* de cinq pfennigs; **~prozentig** *a* à cinq pour cent; **~silbig** *a gram* pentasyllabique; **~stöckig** *a* de cinq étages; **~stündig** *a* de cinq heures; **F~tagewoche** *f* semaine *f* de cinq jours; **~teilig** *a* (divisé) en cinq parties; **F~tel** *n* ⟨-s, -⟩ cinquième *m;* **~tens** *adv* cinquièmement; **~te(r, s)** *a* cinquième; *das ~te Rad am Wagen sein (fam)* être la cinquième roue du carrosse; **F~uhrtee** *m* five o'clock tea, thé *m* (de cinq heures); **~zehn** *(Zahlwort)* quinze; **F~zehntel** *n* quinzième *m;* **~zehnte(r, s)** *a* quinzième; **~zig** *(Zahlwort)* cinquante; **F~ziger(in** *f)* *m* quinquagénaire *m f;* **F~zigmarkschein** *m* billet *m* de cinquante marks; **F~zigpfennigstück** *n* pièce *f* de cinquante pfennigs; **~zigste(r, s)** *a* cinquantième; **F~zimmerwohnung** *f* cinq pièces *m.*

fungieren [fʊŋ'gi:rən] *itr (ein Amt ausüben)* faire fonction (*als* de).

Funk *m* ⟨-s, ø⟩ [fʊŋk] *(Rundfunk; drahtlose Telegraphie)* radio, T.S.F. *f;* **~amateur** *m* amateur *m* de radio; **~anlage** *f* installation *f od* équipement *m* radio; **~anruf** *m* appel *m* radio, **~aufklärung** *f mil* recherche *f* du renseignement par les moyens radio; **~ausbildung** *f* entraînement *m* radio; **~ausstellung** *f* salon *m* de la radio; **~bearbeitung** *f* adaptation radiophonique, mise *f* en ondes; **~beschickung** *f* radio-correction *f;* **~betrieb** *m* trafic *m* radio; **~bild** *n* téléphotographie *f,* bélinogramme; *fam* bélino *m;* **~dienst** *m* service *m* radio; **~einrichtung** *f* = *~anlage;* **f~en** *tr* radiotélégraphier, transmettre par radio; *itr fam* fonctionner, marcher; **~en 1.** *n* radiotélégraphie *f;* **~entstörung** *f* antiparasitage *m;* **~er** *m* ⟨-s, -⟩ *a. mar aero* radio(télégraphiste), opérateur *m* radio; **~erraum** *m aero* poste *m* du radiotélégraphiste; **f~ferngesteuert** *a* radioguidé; **~fernschreiben** *n* message *m* radiotélétypé; **~fernschreiber** *m (Gerät)* radiotélétype, radiotéléimprimeur; *(Mann)* radiotélétypiste *m;* **~fernsprechen** *n* radio(télé)phonie *f;* **~fernsprecher** *m (Gerät)* radiotéléphone *m;* **~fernsteuerung** *f* radioguidage *m;* **~feuer** *n* radiophare *m;* **~frequenz** *f* fréquence *f* radio; **~gerät** *n* appareil *m* (de) radio *od* radioélectrique; **~gespräch** *n* conversation *f* radiophonique; **~haus** *n* station *f* émettrice *od* d'émission(s) *od* de T.S.F.; **~horchdienst** *m* (service *m* d')écoute *f* radio; **~horchstelle** *f* poste *m* d'écoute radio; **~kanal** *m* voie *f* radio; **~kompaß** *m* radio-compas *m;* **~leitstelle** *f* poste *m* directeur; **~meßanlage** *f* installation *f* radar; **~meßgerät** *n* appareil *m* radar; **~meßstörungen** *f pl* brouillage *m* radar; **~meßtechnik** *f* détection électromagnétique, technique du radar, radiogoniométrie *f;* **~nachricht** *f* radiocommunication *f;* **~navigation** *f* radionavigation *f;* **~netz** *n* réseau *m* radio(électrique); **~ortung** *f* repérage radiogoniométrique, radiorepérage *m;* **~peilanlage** *f* installation *f* radiogoniométrique, radiogoniomètre *m;* **~peildienst** *m* service *m* radiogoniométrique; **~peiler** *m,* **~peilgerät** *n* récepteur radiogoniométrique, radiogoniomètre; *fam* gonio *m;* **~peilstation** *f,* **~peilstelle** *f* station *f od* poste *m* radiogoniométrique *od* de repérage; **~peilung** *f* radiogoniométrie *f,* repérage *m;* **~peilwagen** *m* voiture *f* de radiogoniométrie; **~raum** *m* local *m* radio; **~schatten** *m* zone *f* morte dans les radio-émissions; **~sender** *m* émetteur *m* radioélectrique; **~signal** *n* signal *m* radioélectrique; **~sportbericht** *m* radioreportage *m* sportif; **~sprechen** *n* radio(télé)phonie *f;* **~sprecher** *m (Mann)* radiotéléphoniste *m;* **~sprechgerät** *n* appareil *m* de radiotéléphonie; **~sprechtrupp** *m* équipe *f* de radiotéléphonie; **~spruch** *m* radio(télé)gramme, message *m* radio (-phonique), radiocommunication *f;* radio *f; durch ~~* par radio; *e-n ~~ aufnehmen* recevoir un message (radio); **~spruchnetz** *n* réseau *m* radiotélégraphique; **~station** *f,* **~stelle** *f* station *f od* poste radio(télégraphique) *od* de radiodiffusion *od* d'émission *od* de T.S.F.; poste *m* émetteur, station *f* émettrice; **~stille** *f* silence radio, temps *m* mort, suspension *f* (des émissions radio); **~störung** *f (beabsichtigte)* brouillage *m; (unbeabsichtigte)* parasites *m pl,* perturbation *f;* **~streifenwagen** *m* voiture *f* radio; **~technik** *f* technique radiophonique, radiotechnique *f;* **f~technisch** *a* radiotechnique; **~telegramm** *n* radiogramme *m,* radiolettre *f;* **~trupp** *m* équipe *f* radio; **~turm** *m* pylône *m* de T.S.F., tour *f* hertzienne; **~unterricht** *m* enseignement *m* par radio; **~verbindung** *f* liaison *f* (par) radio *od* hertzienne, contact *m* radio; *in ~~ stehen* être en contact par radio; *in ~~ treten* prendre contact par radio; **~verkehr** *m* trafic *m od* communication radio, radiocommunication *f;* **~wagen** *m* voiture *f od* véhicule *m* radio; **~weg** *m: auf dem ~~e* par voie radioélectrique; **~werbung** *f* publicité *od* propagande *f* radiophonique *od* parlée; **~wesen** *n* radiophonie, radiotélégraphie *f;* **~wetterdienst** *m* service *m* de diffusion météorologique; **~zeichengebung** *f mar radio* radiosignalisation *f.*

Fünkchen *n* ⟨-s, -⟩ ['fʏŋkçən] petite étincelle *f; kein ~ ... (nicht ein bißchen)* pas un grain *od* brin de ...; *ein ~ Geist* od *Witz* un grain de sel.

Funk|e *m* ⟨-ns, -n⟩ , **~n 2.** *m* ⟨-s, -⟩ ['fʊnkə(n)] étincelle; *(großer)* flammèche *f; keinen ~en (von) Ehrgefühl, Verstand haben* ne pas avoir un grain *od* un brin d'amour-propre, de raison; *~en aus etw schlagen* faire jaillir des étincelles de qc; *~en sprühen* jeter des étincelles; **f~eln** ⟨*aux: haben*⟩ *itr* étinceler, scintiller, pétiller, éclater; *mit ~~den Augen* les yeux étincelants; **~eln** *n* étincellement, scintillement, pétillement *m;* **f~elnagelneu** *a* (tout) flambant neuf; **~enbildung** *f* formation *f* d'étincelles; **~enflug** *m loc* jet *m* de flammèches; **~enregen** *m,* **~ensprühen** *n* pluie *f* d'étincelles; **f~ensprühend** *a* jetant des étincelles; **~enstrecke** *f el* distance *f* explosive, pont *m* d'éclatement; **~enüberschlag** *m* passage *m* d'une étincelle.

Funkie *f* ⟨-, -n⟩ ['fʊŋkiə] *bot* funkie *f.*

Funktion *f* ⟨-, -en⟩ [fʊŋktsi'o:n] *(Tätigkeit)* fonction, activité; *(Aufgabe)* tâche; *(Amt)* fonction, charge; *math* fonction *f; in ~ treten* entrer en fonction(s); **~är** *m* ⟨-s, -e⟩ [-'nɛ:r] fonctionnaire *m; zu e-m ~~ machen* fonctionnariser; **f~ell** [-'nɛl] *a (Funktions-; wirksam)* fonctionnel; **f~ieren** [-'ni:rən] *itr* ⟨*aux: haben*⟩ fonctionner; *(betriebsfähig sein, a.)* marcher; *gut ~~ (tech)* être au point; **f~sfähig** *a med: wieder ~~ machen* rééduquer; **~sfähigkeit** *f med: Wiedergewinnung f der ~~* réadaptation *f* fonctionnelle; **~shemmung** *f med* inhibition *f;* **~sstörung** *f med* perturbation *f* fonctionnelle; **~sverlust** *m med* inhibition *f.*

Funsel *f,* **Funzel** *f* ‹-, -n› ['funzəl, -tsəl] *fam (schlecht brennende Lampe)* lumignon *m.*

für [fy:r] *prp* **1.** *(zugunsten)* pour; en faveur de; *~ jdn, ~ etw bürgen* se porter garant de qn, de qc; *sich ~ jdn, ~ etw einsetzen, ~ jdn, ~ etw eintreten* prendre fait et cause pour qn, pour qc; prendre le parti de qn, prendre parti pour qc; *~ jdn einspringen* remplacer qn; **2.** *(in bezug auf)* pour; quant à; *~ mich genügt es* pour moi, ça suffit; *ich ~ meine Person* pour ma part, en ce qui me concerne; *das ist das beste ~ dich* c'est la meilleure solution pour toi; *~ sich (allein) bleiben* rester seul; *an und ~ sich* en soi, en lui-même, en elle-même; *~ diesmal* pour cette fois; *~ heute* pour aujourd'hui; *~ zwei Jahre* pour (une durée de) deux ans; **3.** *(im Verhältnis zu)* pour; vu; *~ e-n Ausländer spricht er gut Deutsch* pour un étranger il parle bien l'allemand; *~ sein Alter* pour son âge; *~ die damalige Zeit* pour ce temps-là, pour l'époque; **4.** *(gegen, bes. von Heilmitteln)* pour, contre; *~ den Husten* pour *od* contre la toux; **5.** *(anstelle)* pour; à la place de, en échange de, contre; *~ jdn bezahlen* payer à la place de qn; *ich habe ihm ein Buch ~ das Bild gegeben* je lui ai donné un livre pour *od* en échange de l'image; **6.** *(als)* comme; pour; *~ besser halten* croire préférable; *ich halte ihn ~ ein Genie* je le tiens pour un génie; *ich halte ihn ~ reich* je le crois riche, je crois qu'il est riche; *das halte ich ~ richtig* cela me semble correct; **7.** *(vor): Schritt ~ Schritt* pas à pas; *Mann ~ Mann* l'un après l'autre; *Tag ~ Tag* jour après jour; **8.** *was ~ (ein) ...?* quel ...? *was ~ (ein) ...!* quel ...! *was ~ ein Glück!* quelle chance! **F~** *n: das ~~ und das Wider* le pour et le contre.

Furag|e *f* ‹-, ø› [fu'ra:ʒə] *mil* fourrage *m;* **f~ieren** *itr* fourrager, procurer le fourrage.

Fürbitt|e *f* ‹-, -n› intercession, médiation; prière *f; ~~ einlegen,* **f~en** *itr* intercéder; **~er** *m* ‹-s, -› intercesseur, médiateur *m.*

Furch|e *f* ‹-, -n› ['furçə] *(Ackerfurche)* sillon, rayon; *(Runzel)* sillon *m; e-e ~~ ziehen* tracer un sillon; **f~en** *tr* sillonner; **f~ig** *a* sillonné; *(Gesicht)* ridé; **~ung** *f* sillonnement *m.*

Furcht *f* ‹-, ø› [furçt] crainte; *(Angst)* peur; *(Ängstlichkeit)* timidité; *(Befürchtung)* appréhension *f; aus ~* de crainte (*vor* de); *~ empfinden* od *haben* avoir peur; *~ erwecken* faire peur; **f~bar** *a* redoutable, effrayant; *a. fam (übertreibend)* effroyable; terrible; *adv fam (übertreibend)* énormément, rudement, diablement; *das ist ~~ einfach* c'est simple comme bonjour; *das ist ~~ nett von Ihnen* c'est tout à fait gentil à vous; **f~einflößend** *a* effrayant, atroce; **f~los** *a* sans peur; intrépide, impavide; hardi; **~losigkeit** *f* ‹-, ø› intrépidité, hardiesse *f;* **f~sam** *a* craintif, peureux; *(ängstlich)* timide; *(feige)* poltron; **~samkeit** *f* ‹-,(-en)› timidité; poltronnerie *f;* caractère *m* craintif *od* peureux.

fürcht|en ['fʏrçtən] *tr* craindre; avoir peur de, redouter; *(befürchten)* appréhender; *sich ~~* avoir peur (*vor* de); *für jds Leben ~~* trembler pour la vie de qn; *ich ~e, es ist zu spät* je crains qu'il ne soit trop tard; *er ~et, zu spät zu kommen* il craint d'être en retard; **~erlich** *a a. fam (übertreibend)* effroyable, formidable, terrible, horrible, épouvantable, affreux; *adv fam (übertreibend) = furchtbar adv.*

füreinander [fy:r?aɪ'nandər] *adv* l'un pour l'autre; les uns pour les autres.

Furie *f* ‹-, -n› ['fu:riə] *(Mythologie)* Furie; *fig (wütendes Weib)* furie, harpie, mégère *f.*

Furier *m* ‹-s, -e› [fu'ri:r] *mil* fourrier *m.*

fürliebnehmen *itr = vorliebnehmen.*

Furnier *n* ‹-s, -e› [fur'ni:r] *tech* (feuille *f* de) placage *m;* **f~en** *tr* (contre-)plaquer; **~holz** *n* bois de placage, contre-plaqué *m;* **~ung** *f* placage *m.*

Furore *f* [fu'ro:rə] *: ~ machen (fam: Aufsehen erregen)* faire fureur *od* florès.

Fürsorg|e *f* ‹-, ø› ['fy:rzɔrgə] soins *m pl,* sollicitude *f; = ~eunterstützung; öffentliche ~~* assistance *f* publique; *soziale ~~* assistance *f* sociale; **~eamt** *n* bureau *m* d'assistance publique *od* de bienfaisance; **~eeinrichtung** *f* institution *f* sociale; **~eerziehung** *f* éducation *f* forcée *od* disciplinaire; **~er(in *f*)** *m* ‹-s, -› fonctionnaire *od* employé, e de l'assistance publique, assistant, e *m f* social(e); **~eunterstützung** *f* secours *m;* **~ewesen** *n* assistance *f* sociale; **f~lich** *a* aux petits soins (*gegenüber jdm* auprès de qn).

Für|sprache *f* intervention, intercession *f; ~~ für jdn einlegen* intervenir *od* intercéder en faveur de qn; **~sprecher** *m* intercesseur, porte-parole *m.*

Fürst *m* ‹-en, -en› [fʏrst] prince; *(Herrscher)* souverain *m;* **~abt** *m hist* prince-abbé *m;* **~bischof** *m hist* prince-évêque *m;* **~enbund** *m hist* Ligue *f* des princes; **~enhaus** *n* maison princière, dynastie *f;* **~enhochzeit** *f* mariage *m* princier; **~enhof** *m* cour *f* princière; **~ensitz** *m* siège *m* d'un *od* du prince; **~entum** *n* ‹-s, ¨-er› principauté *f;* **~erzbischof** *m hist* prince-archevêque *m;* **~in** *f* princesse *f;* **~inmutter** *f* princesse-mère *f;* **f~lich** *a* princier *a. fig;* de prince; **~lichkeit** *f (fürstl. Person)* prince *m.*

Furt *f* ‹-, -en› [furt] gué *m.*

Furunk|el *m* ‹-s, -› [fu'ruŋkəl] *med* furoncle, *fam* clou *m;* **~ulose** *f* ‹-, -n› [-'lo:zə] *med* furonculose *f.*

fürwahr [fy:r'va:r] *adv* en vérité, à vrai dire, vraiment.

Fürwort *n* pronom *m.*

Furz *m* ‹-es, ¨-e› [furts, 'fʏrtsə] *pop* pet *m;* **f~en** *itr* péter.

Fusel *m* ‹-s, -› ['fu:zəl] *fam (schlechter Schnaps)* tord-boyaux *m;* **~öl** *n* huile *f* empyreumatique.

Fusion *f* ‹-, -en› [fuzi'o:n] *phys chem (Verschmelzung), com (Zs.schluß)* fusion *f;* **f~ieren** [-zio'ni:rən] *tr (verschmelzen; zs.schließen)* fusionner.

Fuß *m* ‹-es, ¨-e› [fu:s, 'fy:sə] *a. allg* u. *fig* pied; *pop* ripaton; *arg* arpion *m; (bei vielen Tieren, bes. orn* u. *ent)* patte *f; (Maß, Versfuß)* pied *m; am ~e des Berges* au pied de *od* au bas de *od* en bas de la montagne; *festen ~es* de pied ferme; *mit beiden Füßen zugleich* à pieds joints; *stehenden ~es* de ce pas; sur le champ; *trockenen ~es* à pied sec; *zu ~* à pied; *pop* à pinces; *so weit mich meine Füße tragen* tant que mes jambes pourront me porter; *jdm zu Füßen fallen* se jeter aux pieds de qn; *(festen) ~ fassen* prendre pied; *jdm auf dem ~e folgen* emboîter le pas à qn; *zu ~ gehen* aller à pied; *kalte Füße haben* avoir froid aux pieds; *zu ~ latschen (pop)* prendre le train onze, battre la semelle; *auf großem ~e leben* vivre sur un grand pied; mener grand train; *jdm etw zu Füßen legen* déposer qc aux pieds de qn; *gut, schlecht zu ~ sein* être bon, mauvais marcheur; *jdn auf freien ~ setzen* mettre qn en liberté; *mit den Füßen stampfen* taper les pieds; *auf eigenen Füßen stehen (fig)* voler de ses propres ailes; *mit jdm auf gespanntem ~ stehen* avoir des rapports tendus avec qn; *mit jdm auf gutem ~ stehen* être en bons termes avec qn; *mit e-m ~ im Grabe stehen* avoir un pied dans la tombe; *auf schwachen Füßen stehen (fig)* être mal fondé; *über s-e eigenen Füße stolpern (fig)* se noyer dans un verre d'eau; s'empêtrer partout; *jdm auf den ~ treten* marcher sur le pied de qn; *mit Füßen treten (fig)* fouler aux pieds; *sich den ~ verstauchen* se tourner le pied; *sich die Füße vertreten* se dégourdir (les jambes en marchant); *fam* battre la semelle; *sich mit Händen und Füßen dagegen wehren, daß ...* faire des pieds et des mains pour ne pas ...; *er hat* od *ist mir auf die Füße getreten* il m'a marché sur les pieds *od pop* dessus; *der Boden brannte mir unter den Füßen (fig)* je brûlais *od* j'avais hâte de partir; *das hat (doch) Hand und ~* cela se tient; *das hat weder Hand noch ~ (fig)* cela n'a ni queue ni tête; **~abblendschalter** *m mot* inverseur *m* phare-code; **~abstreicher** *m* décrottoir *m;* **~angel** *f mil* chausse-trape *f;* **~bad** *n* bain de pieds, pédiluve *m;* **~ball** *m (Spiel)* football; *(Ball)* ballon *m* (de football); **~ballfanatiker** *m* fanatique *m* du football; **~ballmannschaft** *f* équipe *f* de football; **~ballmeisterschaft** *f* championnat *m* de football; **~ballplatz** *m* terrain *m* de football; **~ballspiel** *n* match *m* de football; **~ball(spiel)er** *m* footballe(u)r *m;* **~ballstiefel** *m pl* chaussures *f pl* de football; **~balltoto** *n* jeu *m* des pronostics sur le football, paris *m pl* de football; **~bank** *f* bout *m* de pied; **~bekleidung** *f* chaussure *f;* **~betrieb** *m tech* mouvement *m od* marche *f* à pédale; **~boden** *m* plancher; sol *m; auf dem ~~ (a.)* sur la dure; *~~ mit Strahlungsheizung* sol *m* chauffant; **~bodenbelag** *m* enduit *m* pour planchers; **~bodendiele** *f* latte *f* de plancher; **~breit** *m* ⟨-, -⟩; *jeden ~~ Landes verteidigen* défendre chaque pied de terrain; *keinen ~~ zurückweichen* ne pas reculer d'une semelle; **~bremse** *f mot* frein *m* à pédale; **f~en** ⟨*hat gefußt*⟩ *itr fig (beruhen)* être fondé, se fonder, reposer (*auf* sur); **~ende** *n (e-s Bettes)* pied *m* (d'un lit); **~fall** *m* génuflexion *f,* agenouillement *m;* prosternation *f; e-n ~~ vor jdm tun* faire une génuflexion devant qn; se prosterner devant qn, se jeter aux pieds de qn; **f~fällig** *a* à genoux; prosterné; **f~frei** *a (Rock, Kleid)* qui découvre le pied; **~gänger** *m* piéton *m;* **~gängerbrücke** *f* passerelle *f;* **~gängerüberweg** *m* passage *m* pour piétons; **~gelenk** *n* cou-de-pied *m;* **~gicht** *f med* goutte aux pieds, podagre *f;* **f~hoch** *a* haut d'un pied; **f~krank** *a* souffrant du *od* des pied(s); **~lappen** *m pl* chaussettes *f pl* russes; **~latscher** *m mil fam* pousse-cailloux; *arg* biffin *m;* **f~leidend** *a = f~krank;* **~matte** *f* paillasson, tapis-brosse, essuie-pieds *m;* **~note** *f* note (au bas de la *od* des pages), annotation *f;* **~pfad** *m* sentier *m;* **~pflege** *f* soins *m pl* donnés par un pédicure; **~pfleger** *m* pédicure *m;* **~raste(r** *m***)** *f mot* support de pied(s); repose-pied *m;* **~reif** *m (exot. Schmuck)* jambelet *m;* **~reise** *f* voyage *m* à pied; **~sack** *m* chauffe-pieds *m,* chancelière *f;* **~schaltung** *f mot* commande *f* à pied *od* par pédale; **~schemel** *m* petit banc *m;* **~sohle** *f* plante *f* du pied; **~soldat** *m* fantassin *m;* **~spitze** *f* pointe *f* du pied; **~spur** *f,* **~(s)tapfen** *m* empreinte, trace *f,* vestige *m; in jds ~(s)tapfen treten (fig)* marcher sur les pas *od* sur les traces de qn, suivre les brisées de qn; **~steig** *m* sentier; *(Gehweg)* trottoir *m;* **~stütze** *f mot = ~raste;* **~tritt** *m* coup *m* de pied; *tech* marche, pédale *f;* **~truppen** *f pl,* **~volk** *n* infanterie *f,* fantassins *m pl;* **~wanderung** *f* excursion *f* à pied; **~waschung** *f* lavement *m* des pieds; **~weg** *m (neben e-r Landstraße)* accotement, bas-côté *m;* **~wurzel** *f anat* tarse *m.*

Füß|chen *n* ⟨-s, -⟩ ['fy:sçən] petit pied *m;* **~ling** *m* ⟨-s, -e⟩ *(Teil des Strumpfes)* pied *m* de bas.

Fussel *f* ⟨-, -n⟩ ['fusəl] *fam (Fädchen)* petit bout *m* de fil; *e-e ~ am Mantel haben* avoir un fil sur son manteau; **f~ig** *a* effiloché; *sich den Mund ~~ reden (fig fam)* perdre *od* dépenser sa salive; **fußlig** ['fuslıç] *a = f~ig.*

futsch [futʃ] *adv fam (weg)* fichu; *pop* foutu; *~ sein (a.)* être à l'eau *od* dans le lac.

Futter *n* ⟨-s, ø⟩ ['futər] **1.** *(Fressen für Tiere)* nourriture *f;* fourrage *m,* pâture, pâtée, mangeaille *f;* **~beutel** *m* bissac *m,* musette *f;* **~getreide** *n* céréales *f pl* secondaires; **~kartoffeln** *f pl* pommes *f pl* de terre fourragères *od* à consommation animale; **~kasten** *m* caisse *f* à fourrage; **~krippe** *f* mangeoire; *fig* assiette *f* au beurre; **~mangel** *m* disette *f od* manque *m* de fourrage; **~mittel** *n pl* produits *m pl* de fourrage; **f~n** *itr pop (essen)* becqueter, béqueter, bouffer; **~napf** *m = Freßnapf;* **~neid** *m* jalousie *f* du manger; **~pflanze** *f* plante *f* fourragère; **~rübe** *f* betterave *f* fourragère; **~sack** *m (der Pferde)* musette *f;* **~schneidemaschine** *f* hache-fourrage, hache-paille *m;* **~trog** *m* auge, mangeoire *f.*

Futter *n* ⟨-s, -⟩ ['futər] **2.** *(innerer Stoff von Kleidungsstücken)* doublure; *tech* garniture *f; ausknöpfbare(s) ~* doublure *f* (d'hiver) amovible; **~al** *n* ⟨-s, -e⟩ [-'ra:l] étui *m,* gaine *f,* fourreau *m;* **~seide** *f* soie *f* à doublure; **~stoff** *m* étoffe *f* à doublure.

fütter|n ['fʏtərn] *tr* **1.** *(Tier)* donner à manger à, faire manger; **F~ung** *f* distribution *f* de la nourriture.

füttern *tr* **2.** *(Schneiderei)* doubler.

Futur *n* ⟨-s, -e⟩, **~um** *n* ⟨-s, (-ra)⟩ [fu'tu:r(um)] *gram* futur *m;* **~ismus** *m* ⟨-, ø⟩ [-'rısmus] *(Kunst)* futurisme *m;* **~ist** *m* ⟨-en, -en⟩ [-'rıst] futuriste *m;* **f~istisch** [-'rıstıʃ] *a* futuriste.

G

g *n* ‹-, -› [ge:] *mus* sol *m;* **G-Dur** *n* sol *m* majeur; **~-Moll** *n* sol *m* mineur; **G-Saite** *f* grosse corde *f;* **G--Schlüssel** *m* clef *f* de sol.

Gabe *f* ‹-, -n› ['ga:bə] *(Geschenk)* don, présent, cadeau *m; (Opfer~)* offrande; *(milde ~)* aumône, charité *f; (Begabung)* don, talent *n,* faculté, aptitude *f; um e-e (milde) ~ bitten* demander l'aumône *od* la charité; **~ntisch** *m* table *f* des présents *od* des cadeaux.

Gabel *f* ‹-, -n› ['ga:bəl] *(Eß~)* fourchette *a. tele; (Ast~, Heu~, Rad~* etc. *a. mil)* fourche *f;* **~bissen** *m pl* bouchées *f pl;* **~deichsel** *f* brancards *m pl,* limonière *f;* **g~förmig** *a* fourchu; **~frühstück** *n* lunch *m;* **~führung** *f tech* guidage *m* à fourche; **~gelenk** *n mot* chape *f;* **~hebel** *m* levier *m* à fourche; **~ig** *a* fourchu; **g~n,** *sich* bifurquer; **~stange** *f tech* bielle *f* à fourche; **~stapler** *m* chariot *m* élévateur à fourche; **~umschalter** *m tele* interrupteur *m* à bascule; **~ung** *f (Baum, Geweih)* enfourchure *f; (Rohr-, Verkehrs-, Wegegabelung etc)* embranchement *m,* bifurcation *f;* **~weih** *m orn* milan *m;* **gablig** = *~ig.*

gack|ern ['gakərn] *itr (Henne)* caqueter; *(schwatzen, a. ~eln, ~sen)* caqueter, babiller, bavarder, jaser; **G~ern** *n (Henne)* caquet; *(Geschwätz, a. G~elei)* caquet(age), babillage, babillement, bavardage *m.*

Gaffel *f* ‹-, -n› ['gafəl] *mar* corne *f;* **~schoner** *m* goélette *f* franche; **~segel** *n* brigantine *f.*

gaff|en ['gafən] *itr* badauder, bayer aux corneilles; regarder bouche bée; **G~er** *m* ‹-s, -› badaud(e *f*) *m;* **G~erei** [-rai] *f* badauderie *f.*

Gagat *m* ‹-(e)s, -e› [ga'ga:t] *min* jais *m.*

Gage *f* ‹-, -n› ['ga:ʒə] *(e-s Schauspielers)* traitement; *(einmalige)* cachet *m.*

gähn|en ['gɛ:nən] *itr* bâiller (*vor, aus* de); *fig (Abgrund)* s'ouvrir; **G~en** *n* bâillement *m; laute(s) ~~* bâillement *m* bruyant; **G~krampf** *m* bâillement *m* convulsif.

Gala *f* ‹-, ø› ['ga(:)la] (toilette *f* de) gala, habit *m* de cérémonie; *in ~* en tenue de soirée; **~uniform** *f* grande tenue *f; in ~~* en grande tenue; **~vorstellung** *f* (représentation *f* de) gala *m.*

Gala|ktose *f* ‹-, -n› [galak'to:zə] *(Zukker)* galactose *m;* **~lith** *n* ‹-s, ø› [-'lɪt] *(Kunsthorn)* galalithe *f.*

Galan *m* ‹-s, -e› [ga'la:n] galant *m.*

galant [ga'lant] *a* galant, courtois; *~e(s) Abenteuer n* aventure *f* galante; **G~erie** *f* ‹-, -n› [-tə'ri:] galanterie, courtoisie *f;* **G~eriewaren** *f pl* articles de fantaisie, colifichets *m pl.*

Galeere *f* ‹-, -n› [ga'le:rə] galère *f;* **~nsklave** *m,* **~nsträfling** *m* galérien *m.*

Galerie *f* ‹-, -n› [galə'ri:] *arch* galerie *f; theat hum* poulailler, paradis *m.*

Galgen *m* ‹-s, -› ['galgən] potence *f,* fourches *f pl* patibulaires; *(kleiner)* gibet *m; an den ~ kommen* être pendu; **~frist** *f* délai *od* quart *m* d'heure de grâce; **~gesicht** *n* mine *od* face *f od* air *m* patibulaire; **~humor** *m* humour *m* noir *od* macabre; **~strick** *m,* **~vogel** *m* pendard, gibier *m* de potence.

Galic|ien *n* [ga'li:tsiən] *(span. Provinz)* la Galice; **~ier(in** *f***)** *m* ‹-s, -› [-tsiər] Galicien, ne *m f;* **g~isch** [-'li:tsɪʃ] *a* galicien.

Galilä|a *n* [gali'lɛ:a] la Galilée; **~er** *m* Galiléen *m* ‹-s, -› [-'lɛ:ər].

Galiz|ien *n* [ga'li:tsien] *(in Osteuropa)* la Galicie; **~ier(in** *f***)** *m* ‹-s, -› [-'-tsjər] Galicien(ne *f*) *m;* **g~isch** [-'li:tsɪʃ] *a* galicien.

Gall|apfel *m* ['gal-] (noix de) galle *f;* **~äpfelgerbsäure** *f* acide *m* gallique; **~e** *f* ‹-, -n› *anat physiol* bile *f, zoo* fiel; *physiol (bes. Rind)* amer; *fig (Bitterkeit)* fiel *m,* amertume; *tech (Gußblase)* paille, soufflure *f* (de fonte); *Gift und ~~ speien* vomir son venin, cracher feu et flamme; *mir läuft die ~~ (davon) über* ça m'échauffe la bile; je suis hors de moi; **~enanfall** *m* crise *f* de foie; **g~enbitter** *a* amer comme du fiel; **~enblase** *f* vésicule *f* biliaire; **~enfarbstoff** *m* pigment *m* biliaire; **~enfieber** *n* fièvre *f* billieuse; **~engang** *m anat* canal *m* cholédoque; **~enkolik** *f* colique *f* hépatique; **~enleiden** *n* affection *f* biliaire; **~ensteine** *m pl* calculs *m pl* lithiase *f* biliaire(s); **g~ig** *a* bilieux *a. fig; fig* fielleux, plein de fiel; *(griesgrämig)* atrabilaire; *(bissig)* mordant, piquant, caustique; **~wespe** *f* cynips *m.*

Gallert *n* ‹-(e)s, -e›, **~e** *f* ‹-, -n› ['ga-, ga'lɛrtə] gélatine *f* (végétale); *(Sülze, Jus)* gelée *f;* **g~artig** *a* gélatineux; *scient* colloïdal.

Gall|ien *n* ['galiən] la Gaule; **~ier** *m* ‹-s, -› [-liər] Gaulois *m;* **g~isch** *a* gaulois; **~ikanisch** [-li'ka:nɪʃ] *a rel hist* gallican.

Gallone *f* ‹-, n› [ga'lo:nə] *(engl. u. amerik. Hohlmaß)* gallon *m.*

Galopp *m* ‹-s, -s/-e› [ga'lɔp] galop *m, a. Tanz; in gestrecktem* od *rasendem ~ (fig)* au (grand) galop, ventre à terre; *~ anschlagen* prendre le *od* se mettre au galop; *in ~ versetzen* galoper; **g~ieren** [-'pi:rən] *itr* galoper; aller au galop.

Galosche *f* ‹-, -n› [ga'lɔʃə] *(Überschuh)* galoche *f,* caoutchouc *m.*

Galvan|isation *f* ‹-, ø› [galvanizatsi'o:n] *tech med* galvanisation *f;* **g~isch** [-'va:nɪʃ] *a* galvanique; **~isieranstalt** [-ni'zi:r-] *f* atelier *m* de galvanisation; **g~isieren** *tr tech med* galvaniser; **~ismus** *m* ‹-, ø› [-'nɪsmus] galvanisme *m;* **~o** *n* ‹-s, -s› [-'va:no] *typ* galvano(type) *m;* **~ometer** *n* galvanomètre *m;* **~oplastik** *f* galvanoplastie *f;* **g~oplastisch** *a: ~~e Vervielfältigung f* électrotypie *f;* **~otechnik** *f* galvanisation *f;* **~otypie** électrotypie *f.*

Gamasche *f* ‹-, -n› [ga'maʃə] guêtre; *(hohe)* jambière *f;* **~ndienst** *m* caporalisme *m;* **~nhengst** *m mil fam* culotte *f* de peau.

Gamet *m* ‹-en, -en› [ga'me:t] *biol* gamète *m.*

Gammastrahlen *m pl* ['gama-] rayons *m pl* gamma.

gamm|eln ‹*aux: haben*› *itr fam* traînasser; *pop* glander; **G~ler** *m* ‹-s, -› ['gamlər] traîne-savates, *pop* branleur, glandeur.

Gang 1. ‹-s, ⸚e› ['gaŋ, gɛŋə] *(~art)* façon *f* de marcher, allure *f,* train *m;* (dé)marche *(a. einzelner); (einzelner, Besorgung)* course, *(Besorgung)* commission *f; (a. Spazier~)* tour *m; (Spazier~)* promenade; *fig (Verlauf)* marche *f,* cours, train *m; (Geschäft)* marche; *tech* marche *f,* jeu, mouvement, fonctionnement *m,* activité; *mot* vitesse; *arch* galerie *f,* corridor, couloir *a. loc,* passage *m; (zwischen Sitzreihen)* allée *f; bot anat* canal, tube; *anat* conduit *m;* voie; *mines* veine *f,* filon *m; sport* reprise *f; (Fechten)* assaut; *(Küche)* service; *(Speisen)* plat *m; im ~e, in vollem ~(e)* en (pleine) marche *od* activité; *in ~ bringen* faire marcher, mettre en marche *od* en mouvement *od* en route *od* en train *od* en branle, amorcer; *e-n ~ einschalten (mot)* passer (en) une vitesse; *s-n ~ gehen (fig)* aller son train, suivre son cours; *s-n alten ~ gehen* aller son petit train; *in ~ halten (tech)* entretenir; *in ~ kommen* s'amorcer; *in vollem ~e sein* battre son plein; *in ~ setzen* mettre en marche; *tech* commander; *mot* faire démarrer; *ich muß e-n schweren ~ tun* une démarche difficile m'attend; *es geht alles s-n ~* tout va son petit train-train; *direkte(r), große(r) ~ (mot)* prise *f* (directe);

schleppende(r) ~ *(fig)* train *m* de sénateur; *tote(r)* ~ *(tech)* jeu des dents; *(mot)* point *m* mort; *der* ~ *der Ereignisse* la marche *od* le cours des événements; **2.** *f* ‹-, -s› [gɛŋ] *(Gruppe von Verbrechern)* gang *m;* **~art** *f (Mensch)* façon *f* de marcher, (dé)marche, allure *f,* train; *(Pferd)* air *m;* **g~bar** *a (weg)* praticable; *fig* viable; *~~ sein (fig)* avoir cours; **~barkeit** *f* ‹-, ø› *(Weg)* praticabilité; *fig* viabilité *f;* **~gestein** *n mines* gangue *f;* **~schalthebel** *m mot* levier *m* de (changement de) vitesse; **~schaltung** *f mot* changement de vitesse; *(Fahrrad)* dérailleur *m;* **~spill** *n mar* cabestan, vindas *m.*

gang *adj:* ~ *und gäbe* (tout à fait) courant, chose courante.

Gängel|band *n* ['gɛŋɛl-] *am ~~e führen,* **g~n** *tr fig* mener à la lisière *od* en tutelle *od* au doigt et à l'œil, tenir en laisse.

gängig ['gɛŋɪç] *a (gebräuchlich)* usité, courant; *(Ware)* marchand, de bon débit.

Gangster *m* ‹-s, -› ['gɛŋstər] gangster, bandit *m;* **~tum** *n* ‹-s, ø›, **~unwesen** *n* gangstérisme, banditisme *m.*

Gangway *f* ‹-, -s› ['gɛŋwɛɪ] *mar* passerelle *f.*

Gans *f* ‹-; ¨-e› [gans, 'gɛnzə] oie *f; (dumme)* ~ *(fig pej)* oie, dinde, bécasse *f.*

Gänschen *n* ‹-s, -› ['gɛnsçən] petite oie *f,* oison *m; fig pej* bécassine, petite sotte *f.*

Gänse|blümchen *n* ['gɛnzə-] pâquerette *f;* **~braten** *m* oie *f* rôtie; **~feder** *f* plume *f* d'oie; **~fett** *n* graisse *f* d'oie; **~füßchen** *n pl (Satzzeichen)* guillemets *m pl;* **~geier** *m orn* griffon *m;* **~haut** *f fig* chair de poule, *scient* réaction ansérine, horripilation *f; es überläuft mich eine ~~* j'en ai *od* ça me donne la chair de poule; **~klein** *n* abattis *m* d'oie; **~leberpastete** *f* (pâté de) foie *m* gras; **~marsch** *m; im ~~ gehen* marcher à la file indienne *od* à la queue leu leu; *(Studenten)* faire un monôme; **~rich** *m* ‹-s, -e› ['--rɪç] jars *m;* **~schmalz** *n* = *~fett;* **~spiel** *n* jeu *m* de l'oie; **~wein** *m hum* du Château La Pompe.

Ganter *m* ‹-s, -› ['gantər] = *Gänserich.*

ganz [gants] *a* tout, entier, total; *(vollständig, -zählig)* complet; *(unversehrt)* intact; *(vollkommen)* parfait; *s: das G~e* le tout, le total, l'ensemble *m; ein G~es (math)* un entier; *adv* tout (à fait), entièrement, totalement, complètement, absolument; *(vollkommen)* parfaitement; *fam (recht, ziemlich)* assez; *als G~es, im ~en* en bloc, en corps, en entier, dans l'ensemble, au total, par indivis; *im ~en genommen* à tout prendre; an total; *nicht (so)* ~ pas tout à fait; *voll und* ~ à fond, pleinement, sans réserves; ~ *und gar* tout à fait, de fond en comble, rien de moins que; ~ *und gar nicht* (pas *od* point) du tout, pas le moins du monde; ~ *genau (adv)* fort exactement; ~ *oder teilweise* en tout ou en partie; ~ *wenig* bien peu; *ein* ~ *klein wenig* (un) tant soit peu; *ein G~es bilden* faire *od* former corps; *aufs G~e gehen* mettre *od* risquer le tout pour le tout; *er ist ein ~er Kerl* voilà ce qu'on appelle un homme; *ich bin* ~ *Ihrer Meinung* je suis tout à fait de votre avis; *ich bin* ~ *Ohr* je suis tout oreilles *od* tout ouïe; *soweit* ~ *gut!* assez bien! ~ *recht!* c'est vrai, c'est ça, fort bien, parfaitement! ~ *dasselbe* absolument *od* parfaitement la même chose; *~e Note f (mus)* ronde *f; ~e Zahl f (math)* nombre *m* entier; **G~heit** *f philos* intégr(al)ité *f;* **~jährig** *adv* (pendant) toute l'année; **G~leder** *n (Buch)* pleine peau *f;* **G~leder(ein)band** *m* reliure *f* pleine; **G~leinen** *n (Buch)* toile pleine, pleine toile *f;* **G~leinen(ein)band** *m* reliure *f* toile pleine; **G~metallbauweise** *f* construction *f* métal(lique); **G~metallflugzeug** *n* avion *m* (entièrement) métallique; **G~stahlkarosserie** *f* carrosserie *f* acier; **G~tagsbeschäftigung** *f* travail *m* à temps complet; **G~ton** *m mus* seconde *f* majeure; **G~ton-Tonleiter** *f* gamme diatonique; **~wollen** *a* (de) pure laine; **G~zeug** *n (Papierfabrikation)* pulpe *f.*

gänzlich ['gɛntslɪç] *a* entier, total, complet; *adv* entièrement, totalement, complètement, absolument, tout à fait.

gar [ga:r] *a (Küche)* assez *od* bien cuit, à point; *(fertig)* prêt; *(Leder)* tanné; *(Stahl)* affiné; *adv (recht, ganz, sehr)* bien, tout, très, *(bei Verneinung)* du tout; *(sogar)* même; *ganz und* ~ *s. ganz;* ~ *kein* pas de ... du tout; ~ *nicht* pas *od* point du tout, nullement; *(rein)* ~ *nichts* rien du tout, absolument rien; ~ *sehr* très; ~ *wohl* bien; ~ *zu (sehr)* par trop; *das ist noch* ~ *nichts!* c'est encore rien, j'en ai vu bien d'autres; *ist sie* ~ *schon verlobt?* serait elle déjà fiancée? *warum nicht* ~*!* allons donc! (ah!) par exemple! **G~aus** *m: jdm den ~~ machen* donner le coup de grâce à qn, achever qn; **G~küche** *f* rôtisserie, gargote *f.*

Garage *f* ‹-, -n› [ga'ra:ʒə] garage *m; in die* ~ *fahren, stellen* garer, rentrer au garage; **~ninhaber** *m* garagiste *m;* **~ntor** *n* porte *f* de garage.

Garant *m* ‹-en, -en› [ga'rant] garant *m;* **~ie** *f* ‹-, en› [-ran'ti:] garantie; *(Bürgschaft)* caution *f; fig* certificat *m; die ~~ übernehmen* se porter garant *(für etw* de qc); **~ielohn** *m* salaire *m* garanti; **~iepreis** *m* prix *m* garanti; **g~ieren** [-'ti:rən] *tr* garantir; *g~iert (frisch)* garanti (frais); **~ieschein** *m* lettre *f od* bulletin *od* bon *m* de garantie; homologation *f;* **~ieversprechen** *n* promesse *f* de garantie *od* de porte-fort; **~iezeichen** *n* label *m* de garantie.

Garbe *f* ‹-, -n› ['garbə] *agr* gerbe *f; in ~n binden* mettre en gerbes, gerber; **~nbinder** *m (Arbeiter)* botteleur, lieur *m;* **~nbindemaschine** *f* lieuse *f;* **~nzuführer** *m (Arbeiter)* engreneur *m.*

Gardasee ['garda-], *der* le lac *m* de Garde.

Gard|e *f* ‹-, -n› ['gardə] garde *f;* **~eregiment** *n* régiment *m* de garde; **~ist** *m* ‹-en, -en› [-'dɪst] garde *m;*

Garderob|e *f* ‹-, en› [gardə'ro:bə] *(Kleidung)* vêtements *m pl,* garde-robe *f; (Kleiderablage)* garde-robe *f; theat etc* vestiaire *m; (e-s Künstlers)* loge *f; an der ~~ abgeben* déposer au vestiaire; **~enfrau** *f* = *~iere;* **~enmarke** *f* ticket *m* de vestiaire; **~enständer** *m* portemanteau *m;* **~iere** *f* ‹-, -n› [-bi'ɛ:rə] préposée *f* au vestiaire.

Gardine *f* ‹-, -n› [gar'di:nə] rideau *m; hinter schwedischen ~n (fam)* sous les verrous, à l'ombre; *~n aufhängen* poser des rideaux; *die* ~ *auf-, zuziehen* tirer le rideau; **~nhalter** *m* patère *f;* **~npredigt** *f* sermon *m* (conjugal), semonce *f; jdm e-e ~~ halten* sermonner qn; *fam* passer un savon à qn; **~nschlinge** *f* embrasse *f;* **~nschnur** *f* tirette *f,* cordon *m* de rideau; **~nstange** *f* tringle *f* (de rideau).

Gär|bottich *m* cuve *f* de fermentation; **g~en** ['gɛ:rən] ‹*hat gegoren* od *gegärt*› *itr* fermenter; *chem* travailler; *der Wein hat gegoren* le vin a fermenté; *fig: es ~t im Volk* le peuple est en agitation; *(den Geschmack verlieren)* ‹*ist gegoren* od *gegärt*› passer, se piquer; devenir aigre; **G~keller** *m* cave *f* de fermentation; **G~ung** *f* fermentation *f; chem* travail *m; fig (Erregung, Unruhe)* agitation, effervescence *f;* **G~ungslehre** *f* zymologie *f;* **G~ungsprozeß** *m* (processus *m* de la) fermentation *f;* **G~ungsverfahren** *n* procédé *m* de fermentation.

Garn *n* ‹-(e)s, -e› [garn] fil *m; (Netz)* filet, rets *m,* toiles *f pl,* panneau *m; ins* ~ *gehen (fig)* donner *od* tomber dans le piège *od* panneau; *ins* ~ *lokken (fig)* amorcer, appâter, leurrer, séduire; **~knäuel** *m* od *n* pelote *f* de fil; **~nummer** *f* numéro *m* de fil; **~rolle** *f* bobine *f* de fil; **~spinnerei** *f (Fabrik)* filature *f;* **~winde** *f* dévidoir *m.*

Garnele *f* ‹-, -n› [gar'ne:lə] *zoo* crevette *f.*

garn|ieren [gar'ni:rən] *tr (Kleid, Speise)* garnir (*mit* de); **G~ison** *f* ‹-, -en› [-ni'zo:n] garnison *f; in ~~ (liegen)* (être) en garnison; **~isondienstfähig** *a,* **~isonverwendungsfähig** *a* apte au service de place; **G~isonlazarett** *n* hôpital *m* militaire; **G~isonstadt** *f* ville *f* de garnison; **G~itur** *f* ‹-, -en› [-'tu:r] *(Besatz)* garniture *f,* parement; *(Satz zs.gehöriger Dinge)* assortiment, assemblage, jeu; *(Kleidung)* garniture *f; mil* uniforme *m; die erste ~~ (mil)* la grande tenue; *~~ Bettwäsche* garniture *f* de lit.

garstig ['garstɪç] *a (häßlich)* laid, vilain; *(schmutzig)* sale; *(böse)* méchant; *(abstoßend)* repoussant, répugnant, infect; *(unangenehm)* déplaisant; *~e(s) Wetter n* temps *m* affreux; **G~keit** *f* laideur, saleté, méchanceté *f.*

Garten *m* ⟨-s, ⸚⟩ ['gar-, 'gɛrtən] jardin *m; e-n ~ anlegen* planter un jardin; *im ~ arbeiten* jardiner; **~anlage** *f* jardin *m* (public); **~arbeit** *f* jardinage *m;* **~arbeiter** *m* ouvrier *m* jardinier; **~architekt** *m* architecte paysagiste, dessinateur *m* de jardins; **~-aster** *f bot* reine- -marguerite *f;* **~bau** *m* ⟨-(e)s, ø⟩ jardinage *m,* horticulture, culture *f* jardinière; **~bauausstellung** *f* exposition *f* d'horticulture; **~erde** *f* terre *f* franche; **~erzeugnisse** *n pl* produits *m pl* maraîchers; **~fest** *n* garden-party *f;* **~freund** *m* amateur *m* de jardinage; **~gerät** *n* outil *od* ustensile *m* de jardinage; **~gestalter** *m* = *~architekt;* **~gewächs** *n* plante *od* herbe *f* potagère; **~grasmücke** *f orn* fauvette *f* des jardins; **~haus** *n* pavillon *m;* **~kunst** *f* art *m* des jardins; **~land** *n* terrain *m* propre au jardinage; **~laube** *f* tonnelle *f,* berceau *m;* **~lokal** *n* restaurant *m* avec jardin; **~messer** *n* serp(ett)e *f,* émondoir *m;* **~möbel** *n pl* meubles *m pl* de jardin; **~salat** *m* laitue *f* cultivée; **~schau** *f* exposition *f* d'horticulture; **~schere** *f* cisailles *f pl* de jardinier; **~schirm** *m* parasol *m* de jardin; **~schlauch** *m* tuyau *m* d'arrosage; **~spritze** *f* lance *f* d'arrosage; **~stadt** *f* cité-jardin *f;* **~stuhl** *m* chaise *f* de jardin; **~tempel** *m* gloriette *f;* **~theater** *n* théâtre *m* de verdure; **~tisch** *m* table *f* de jardin; **~tür** *f* porte *f* de *od* du jardin; **~weg** *m* allée *f* de jardin; **~wicke** *f bot* pois *m* de senteur; **~wirtschaft** *f* = *~lokal;* **~zaun** *m* clôture *f.*

Gärtner *m* ⟨-s, -⟩ ['gɛrtnər] jardinier, horticulteur, *(Gemüse~)* maraîcher *m;* **~ei** *f* [-'raɪ] *(Gewerbe)* jardinage *m,* horticulture *f; (Betrieb)* maison *f* d'horticulture, établissement *m* horticole; **~inart** *f: nach ~~ (Küche: mit verschiedenen Gemüsen)* jardinière; **g~isch** *a* horticole; *~~e Anlage f* = *Gartenanlage;* **g~n** *itr* jardiner.

Gas *n* ⟨-es, -e⟩ [ga:s, '-zə] gaz *m (a. als Leucht~); das ~ andrehen* ouvrir le gaz; *das ~ abstellen* fermer le gaz; *~ geben (mot fam)* mettre les gaz, accélérer, appuyer sur l'accélérateur *od fam* sur le champignon; *(Küche) aufs ~ setzen* mettre sur le feu; *~ wegnehmen (mot)* couper les gaz; **~abwehr** *f* défense *f* contre les gaz; **~abwehrmaßnahmen** *f pl* mesures *f pl* de protection contre les gaz; **~abzug** *m* évacuation *f* des gaz; **~-alarm** *m* alerte *f* aux gaz; **~angriff** *m* attaque *f* par les gaz; **~anstalt** *f* usine *f* à gaz; **~anzünder** *m (Gerät)* allume-gaz *m;* **~austritt** *m* fuite *f* de gaz; **~automat** *m* distributeur *m* automatique de gaz; **~backofen** *m* four *m* à gaz; **~badeofen** *m* chauffe-bain *m* à gaz; **~ballon** *m aero* ballonnet *m;* **~beleuchtung** *f* éclairage *m* au gaz; **~bereitschaft** *f mil* alerte *f* aux gaz; **~blase** *f* bulle *f* gazeuse; **~bombe** *f* bombe *f* fumigène; **~brenner** *m* brûleur à *od* bec *m* de gaz; **g~dicht** *a* étanche au gaz; **~dichte** *f* densité *f* du *od* des gaz; **~druck** *m phys* pression *od* énergie *f* du gaz; **~entwicklung** *f chem* dégagement *m* de gaz; **~erkennungsdienst** *m mil* service *m* des détecteurs de gaz; **~erzeugung** *f* industrie *f* gazière; **~fabrik** *f* usine *f* à gaz; **~feuerzeug** *n* briquet *m* à gaz; **~flamme** *f* flamme *f* du gaz; *(Brenner)* bec *m* de gaz; **g~förmig** *a* gazéiforme, gazeux; **~förmigkeit** *f* état *m* gazeux, gazéité *f;* **~gangrän (-e** *f***)** *n med* gangrène *f* gazeuse; **~gefahr** *f* danger *m* du *od* des gaz; **g~gefüllt** *a el (Birne)* rempli de gaz; **~gemisch** *n* mélange *m* gazeux; **~generator** *m* gazogène *m;* **~geruch** *m* odeur *f* de gaz; **~geschoß** *n mil* projectile *m* à gaz; **~gewinnung** *f* production *f* de gaz; **~glühlicht** *n* lumière *f* à incandescence; **~granate** *f* obus *m* à gaz; **~hahn** *m* robinet *m* à gaz; **~hebel** *m mot* (pédale *f* d')accélérateur *m,* manette *f* des gaz, levier de démarrage, *fam* champignon *m; aero* manette *f* des gaz; **~(heiz)ofen** *m* poêle *m* à gaz; **~heizung** *f* chauffage *m* au gaz; **~herd** *m* cuisinière *f od* réchaud *od* fourneau *m* à gaz; **~kammer** *f* chambre *f* à gaz; **~kessel** *m* gazomètre *m;* **~kocher** *m* réchaud *m* à gaz; **~krieg** *m* guerre *f* des gaz *od* chimique; **~lampe** *f* lampe *f* à gaz; **~laterne** *f* bec *m* de gaz; **~leitung** *f* conduite *f* de gaz; gazoduc; *tech* feeder *m;* **~licht** *n* lumière *f* du gaz; **~-Luft-Gemisch** *n* mélange *m* d'air et de gaz; **~mann** *m* contrôleur *m* du gaz; **~maske** *f* masque *m* à gaz; **~messer** *m (Gerät)* compteur *m* à gaz; **~motor** *m* gazomoteur *m;* **~ofen** *m* poêle *od* four à gaz, radiateur *m* à gaz; **~öl** *n* gas-oil *m;* **~olin** *n* ⟨-s, ø⟩ [-zo'li:n] gazoline *f;* **~ometer** *m* gazomètre *m;* **~pedal** *n mot* (pédale *f* d')accélérateur *m;* **~raum** *m* chambre *f* à gaz; **~rohr** *n* tuyau *m* à gaz, conduite *f* de gaz; **~ruß** *m* noir *m* de carbone; **~schleuse** *f* écluse *f* à gaz; **~schutz** *m* protection *f* contre les gaz; **~schutzraum** *m* abri *m* contre les gaz; **g~sicher** *a* à l'abri des gaz; **~spürer** *m mil (Gerät)* détecteur *m* de gaz; **~turbine** *f* turbine *f* à gaz; **~turbinenlokomotive** *f* locomotive *f* à turbines à gaz; **~uhr** *f* = *~messer;* **g~vergiftet** *a* gazé; **~vergiftung** *f* empoisonnement *m* par un gaz, intoxication *f* par le gaz; **~versorgung** *f* approvisionnement *m* en gaz; **~werk** *n* usine *f* à gaz; **~zelle** *f aero* ballonnet *m;* **~zufuhr** *f mot* admission *f* des gaz.

Gäßchen *n* ⟨-s, -⟩ ['gɛsçən] ruelle *f.*

Gasse *f* ⟨-, -n⟩ ['gasə] rue (étroite), petite rue, ruelle *f; e-e ~ bilden (fig)* faire la haie; *Hansdampf in allen ~n* la mouche du coche; **~nbube** *m,* **~njunge** *m* gamin, polisson, *pop* voyou, *(in Paris)* titi *m;* **~nhauer** *m* chanson des rues, rengaine *f.*

Gast 1. *m* ⟨-es, ⸚e⟩ [gast, 'gɛstə] hôte, invité; *(Tisch~)* convive; *(Fremder)* étranger; *(Besucher)* visiteur; *(in e-r Gaststätte)* consommateur; *(in e-m Hotel)* voyageur; *(in e-r Pension)* pensionnaire; *(ungebetener)* intrus; *theat* acteur *m* en tournée; *zu ~ bitten* od *laden* inviter; *die Gäste begrüßen* faire les honneurs de la maison *od* de la table; *Gäste haben* avoir du monde; *bei jdm zu* od *jds ~ sein* être l'hôte *od* l'invité de qn; *bei jdm ein gerngesehener ~ sein* être le bienvenu chez qn; *viele Gäste m pl* monde *m* fou; **2.** *m* ⟨-es, en⟩ *mar* matelot *m,* **~arbeiter** *m* ouvrier *m* étranger; *pl* main-d'œuvre *f* étrangère; **~aufnahmevertrag** *m* contrat *m* d'hôtellerie; **~bett** *n* lit *m* d'amis; **~erei** *f* [-'raɪ] festin, banquet *m;* **g~frei** *a,* **g~freundlich** *a* hospitalier, accueillant; **~freund** *m* hôte *m;* **~freundschaft** *f* hospitalité *f;* **~geber(in** *f***)** *m* hôte *m,* hôtesse *f;* amphitryon *m;* **~haus** *n,* **~hof** *m* (petit) hôtel *m,* hôtellerie *f;* **~hörer** *m (Univ.)* auditeur *m* libre; **g~ieren** ⟨*hat gastiert*⟩ [-'ti:rən] *itr theat* jouer en tournée, donner une représentation de tournée; **g~lich** *a* hospitalier; *jdn ~~ aufnehmen* donner l'hospitalité à qn; **~mahl** *n* festin, banquet *m;* **~professor** *m* professeur *m* étranger *od* associé; **~recht** *n* lois *f pl* de l'hospitalité; *jdm ~~ gewähren* donner l'hospitalité à qn; **~spiel** *n* représentation *f* d'acteurs en tournée; **~spielreise** *f* tournée *f;* **~stätte** *f* café *m,* auberge *f;* **~stätten- und Beherbergungsgewerbe** *n* industrie *f* hôtelière; **~stube** *f (in e-r Gaststätte)* salle *f;* **~vorlesung** *f* conférence *f* d'un professeur étranger; **~wirt** *m* hôtelier, aubergiste; *(Schank~)* cafetier, cabaretier; *(Speise~)* restaurateur *m;* **~wirtschaft** *f* = *~stätte;* **~zimmer** *n (Hotel)* salle *f* (d'hôtel).

Gäste|buch *n* ['gɛstə-] livre *m* d'hôtes; **~tafel** *f: gemeinsame ~~* table *f* d'hôte; **~zimmer** *n (privat)* chambre *f* d'amis.

gastrisch ['gastrɪʃ] *a med* gastrique.

Gastronom *m* ⟨-en, -en⟩ [gastro'no:m] gastronome *m;* **~ie** *f* ⟨-, ø⟩ [-no'mi:] gastronomie *f;* **g~isch** [-'no:mɪʃ] *a* gastronomique.

Gatt|e *m* ⟨-n, -n⟩ ['gatə] mari, époux *m; die ~en m pl* les époux *m pl;* **g~en,** *sich (zoo)* s'accoupler; **~enliebe** *f* amour *m* conjugal; **~in** *f* épouse, femme *f;* **~ung** *f (allg. Sammelbegriff)* genre *m;* espèce, sorte *f; bot zoo* genre *m;* **~ungsbegriff** *m* nom *m* collectif *od* commun; **~ungsname** *m allg* nom *m* générique *od (a. gram)* commun.

Gatter *n* ⟨-s, -⟩ ['gatər] grille *f,* grillage *m,* claire-voie, clôture *f;* **~säge** *f* scie *f* à lames multiples.

Gau *m* ⟨-(e)s, -e⟩ [gau] district, canton *m* région, contrée *f.*

Gaudi *n, a. f* ⟨-s/-, ø⟩ ['gaudi] *fam,* **~um** *n* ⟨-s, ø⟩ [-dium] joie *f,* plaisir, amusement *m,* allégresse *f.*

Gauk|elei *f* [gaukə'laɪ], **~elspiel** *n,* **~elwerk** *n* ['gaukəl-] *(Kunststück-*

chen) jonglerie *f,* escamotage, tour *m* de prestidigitation *od* de passe-passe; *(Posse)* bouffonnerie *f; (Täuschung)* truc *m,* tromperie *f;* **g~elhaft** *a (phantastisch)* fantasmagorique; *(trügerisch)* trompeur; **g~eln** *itr (flattern)* voltiger; *(Taschenspieler)* jongler, faire des tours de passe-passe; **~ler** *m* ⟨-s, -⟩ jongleur, prestidigitateur, bateleur, escamoteur; *(Seiltänzer)* saltimbanque; *(Betrüger)* charlatan; *(Spaßmacher)* bouffon, farceur *m.*

Gaul *m* ⟨-(e)s, ¨e⟩ [gaul, 'gɔʏlə] cheval *m; alter ~* rosse, haridelle, *f; pop* canasson, carcan *m; das bringt den stärksten ~ um!* ça, c'est un peu fort! *e-m geschenkten ~ sieht man nicht ins Maul (prov)* à cheval donné, on ne regarde pas à la bouche *od* bride.

Gaumen *m* ⟨-s, -⟩ ['gaumən] palais *m; den ~ kitzeln* chatouiller *od* flatter le palais; *mir klebt die Zunge am ~* j'ai la gorge sèche; **~laut** *m gram* palatale *f;* **~platte** *f* palais *m* artificiel; **~segel** *n anat* voile *m* (du palais).

Gauner *m* ⟨-s, -⟩ ['gaunər] filou, fripon, coquin, gredin; *fam* estampeur; *(Betrüger)* escroc, tricheur, trompeur, fraudeur, imposteur *m;* **~bande** *f* bande *f* d'escrocs; **~ei** *f* [-'raɪ] filouterie, escroquerie, friponnerie, fourberie *f;* **g~n** *itr* vivre en escroc, escroquer, filouter; **~sprache** *f* langue *f* verte *od* du milieu; **~streich** *m* tour (d'escroc), vilain tour *m.*

Gaze *f* ⟨-, -n⟩ ['ga:zə] gaze *f;* **~binde** *f med* gaze *f* de pansement; **~sieb** *n* tamis *m* de gaze.

Gazelle *f* ⟨-, -n⟩ [ga'tsɛlə] *zoo* gazelle *f.*

geachtet *a* de considération.

Geächtete(r) *m* proscrit, banni *m.*

Geächze *n* ⟨-s, ø⟩ gémissement *m.*

geädert *a* veiné; *(marmoriert)* marbré.

Geäst *n* ⟨-(e)s, ø⟩ branches *f pl,* branchage *m,* ramure *f.*

Gebäck *n* ⟨-(e)s, -e⟩ pâtisserie(s *pl*) *f,* (petits) gâteaux *m pl;* **~zange** *f* pince *f* à pâtisserie *f.*

Gebälk *n* ⟨-(e)s, ø⟩ charpente *f,* poutrage *m,* poutres, solives *f pl,* entablement *m.*

geballt *a (Faust)* fermé, serré; *~e Ladung f (mil)* charge *f* concentrée; *~e Kraft f* force *f* conjuguée.

Gebärde *f* ⟨-, -n⟩ [gə'bɛ:rdə] geste *m; ~n machen* faire des gestes, gesticuler; **g~n:** *sich ~~ wie* prendre des allures de; *sich kindisch, närrisch ~~* faire l'enfant, le fou; **~nspiel** *n* gestes *m pl,* gesticulation, mimique *f; theat* jeu, *(stummes)* jeu *m* muet, pantomime *f;* **~nsprache** *f* (langage *m*) mimique *f.*

gebaren [gə'ba:rən], *sich (lit)* se conduire, se comporter; se donner un *od* des air(s) (*wie* de); **G~** *n* façon de se conduire, conduite *f,* airs *m pl.*

gebär|en ⟨*gebiert, gebar, hat geboren*⟩ [ge'bɛ:rən] *tr* accoucher de, mettre au monde, enfanter; **G~en** *n zoo* parturition *f;* **G~maschine** *f pej (kinderreiche Frau)* pondeuse *f;* **G~mutter** *f anat* matrice *f,* utérus *m;* **G~muttervorfall** *m* descente *f* de l'utérus, prolapsus *m* utérin.

Gebäude *n* ⟨-s, -⟩ [gə'bɔʏdə] bâtiment, immeuble *m,* construction *f; (großes)* édifice, monument *m; öffentliche(s) ~* hôtel *m;* **~front** *f* façade *f;* **~komplex** *m* groupe *m* d'édifices; **~steuer** *f* impôt *m* sur la propriété foncière bâtie; **~versicherung** *f* assurance *f* immobilière; **~vorsprung** *m* avant-corps *m.*

gebaut *a: gut ~ (Mensch)* bien bâti *od* fait *od* taillé *od* tourné, *fam* bien fichu, *pop* bien foutu.

Gebein *n* ⟨-(e)s, -e⟩ os *m pl; pl (menschl. Überreste)* ossements *m pl.*

Gebell *n* ⟨-(e)s, ø⟩ aboiement(s *pl*) *m.*

geben ⟨*gibt, gab, gegeben*⟩ ['ge:bən] *tr* donner; *(schenken)* faire cadeau *od* présent de; *(widmen)* vouer, consacrer; *(anbieten)* offrir; *(reichen)* tendre, passer; *(gewähren)* accorder, offrir, procurer; *(zuteilen)* attribuer, assigner; *(Ohrfeige)* donner; *(Karten)* servir; *theat* donner, représenter, jouer; *tele* transmettre; *(Ertrag)* donner, rendre, rapporter; *(liefern)* fournir; *es jdm ~* frotter les oreilles à qn; *etw auf e-e S ~* faire cas de qc; *von sich ~ (Ton)* proférer; *(Nahrung)* rendre; *(Worte)* lâcher, *fam* débagouler; *ge~ sein (math)* être donné; *sich ~* avoir telle ou telle attitude; *sich gelassen ~* jouer les personnes décontractées, prendre un air dégagé; *sich ~ (Kälte)* s'adoucir; *(Schmerz)* s'apaiser; *(Schwierigkeit)* s'arranger, *fam* se tasser; *(Eifer)* se relâcher; *sich in etw ~* se résigner à qc; *zu ge~er Zeit* en temps opportun *od* utile; *ein (gutes, schlechtes) Beispiel ~* donner un (bon, mauvais) exemple; *zum besten ~ (Witz)* raconter, *(Lied)* chanter, *(Stück)* jouer; *zu denken ~* donner à penser *od* à réfléchir; *sich zu erkennen ~* se faire connaître; *zu essen ~ (dat)* donner à manger; *sich geschlagen ~* s'avouer vaincu; *jdm die Hand ~* donner *od* tendre *od* serrer la main à qn; *Kredit, Rabatt ~* faire crédit, un rabais; *jdm Stunden ~* donner un cours à qn; *jdn verloren ~* condamner qn; *sich verloren ~* se croire perdu; *zu verstehen ~* donner à entendre; *viel auf etw ~* faire grand cas de qc; *jdm e-n Wink ~* faire signe à qn; *sich zufrieden~* se contenter (*mit* de); *dem habe ich es aber ordentlich ge~!* je l'ai envoyé promener, je lui ai dit ce que je pensais; *Sie ~ (Karten)* à vous la donne *od* de donner; *wer gibt? (Karten)* à qui la donne? *~ Sie mir Herrn X.! (tele)* passez-moi M. X.! *die Voraussetzungen (dazu) sind nicht ge~* les circonstances ne s'y prêtent pas *od* ne le permettent pas; *das wird sich ~* tout finira par s'arranger, *fam* ça va se tasser; *es gibt* il y a; *ich gäbe etwas darum, wenn ...* je donnerais cher pour ...; *es gibt Leute, die* il y a des gens qui; *was gibt's (Neues)?* qu'est-ce qu'il y a de nouveau? *gibt es Regen?* aurons-nous de la pluie? *er gibt sich, wie er ist* il est très naturel dans son comportement; *das gibt es nicht* cela n'existe pas; *(das) gibt's nicht!* jamais! *das* od *sowas gibt es! (fam)* ah par exemple! *G~ ist seliger denn Nehmen (prov)* mieux vaut donner que recevoir; *gibst du mir, so geb' ich dir (prov)* donnant donnant; *gut ge~ (fig)* bien asséné; *fam* envoyé; *ge~e Größe f (math)* donnée *f.*

Geber *m* ⟨-s, -⟩ ['ge:bər] donneur, donateur; *tele (Mensch)* transmetteur; *(Gerät)* appareil *m* de transmission; **~in** *f* donneuse, donatrice *f;* **~laune** *f: in ~~ sein* être en veine de générosité.

Gebet *n* ⟨-(e)s, -e⟩ [gə'be:t] prière, oraison *f, fam* patenôtres *f pl; jdn ins ~ nehmen* confesser qn, tenir qn sur la sellette; *sein ~ sprechen, verrichten* faire sa prière, dire ses prières; *s-e täglichen ~e verrichten* dire ses prières quotidiennes; *stille(s) ~* oraison *f* mentale; *das ~ des Herrn (Vaterunser)* l'oraison *f* dominicale; **~buch** *n* livre *m* d'heures *od* de prières *od* de messe, paroissien *m;* **~smühle** *f* moulin *m* à prières; **~steppich** *m* tapis *m* de prière.

Gebiet *n* ⟨-(e)s, -e⟩ [gə'bi:t] région, zone *f; (Gelände)* terrain; *adm pol* territoire; *fig (Fach(~))* ressort *m,* spécialité, branche; *(geistiges ~)* sphère *f,* domaine *m; auf allen ~en (fig)* dans tous les domaines; *auf dem ~ (der Technik)* en matière (de technique), en ce qui concerne (la t.); *auf diesem ~* dans ce domaine; *ein weites ~ (fig)* un vaste champ; **g~en** *tr (befehlen)* commander, ordonner (*jdm etw* qc à qn); *(einschärfen)* enjoindre (*jdm etw* qc à qn); *(fordern)* exiger, réclamer; *itr* commander (*über ein Volk* à un peuple); *(verfügen)* disposer (*über* de); *e-r S Einhalt ~~* retenir qc; *Ruhe ~~* imposer silence; *Ehrfurcht ~~d* vénérable; *hier ist Vorsicht geboten* la prudence est de mise *od* s'impose ici; **~er** *m* ⟨-s, -⟩ maître, seigneur, souverain *m;* **~erin** *f* maîtresse, souveraine *f;* **g~erisch** *a* impérieux, impératif, dictatorial, despotique; *(anmaßend)* arrogant; *(entschieden)* catégorique, péremptoire; *(unwiderstehlich)* irrésistible; **~sanspruch** *m pol* revendication *f* territoriale; **~serweiterung** *f* agrandissement *m* du territoire; **~shoheit** *f* souveraineté *f* territoriale.

Gebilde *n* ⟨-s, -⟩ *(Schöpfung, Werk)* création, œuvre *f,* produit *m; (Gestalt)* forme, figure, configuration *f;* **g~t** *a* cultivé, civilisé, instruit, lettré; *~~ sein (a.)* avoir des lettres.

Gebimmel *n* ⟨-s, ø⟩ *fam* tintement *m.*

Gebinde *n* ⟨-s, -⟩ *(Bündel)* faisceau; *(Blumen, Garbe)* gerbe *f; (Garn)* écheveau *m; (Faß)* futaille, barrique; *(Dachstuhl)* ferme *f* (de comble).

Gebirg|e *n* ⟨-s, -⟩ [gə'bɪrgə] montagne *f,* monts *m pl; (~smassiv)* massif *m* montagneux; **~ig** *a* montagneux; **~sartillerie** *f* artillerie *f* de montagne; **~sbach** *m* rivière *f od* torrent *m* de montagne; **~sbeschreibung** *f* orographie *f;* **~sdorf** *n* village *m* de montagne; **~sfaltung** *f geol* plissement *m* de montagne; **~sgegend** *f* contrée *f* montagneuse; **~sjäger** *m pl mil* infanterie *f* de montagne, *(speziell)* chasseurs *m pl* alpins; **~skunde** *f* orographie *f;* **~sschlucht** *f* gorge *f;* ravin *m,* ravine *f;* **~ssee** *m* lac *m* de montagne; **~sspalte** *f* fente *od* crevasse *f* de montagne; **~sstock** *m* massif *m* montagneux; **~sstraße** *f* route *f* de montagne; **~ssystem** *n* système *m* montagneux; **~stal** *n* vallée *f* de montagne; **~szug** *m* chaîne *f od* système *m* de montagnes.

Gebiß *n* ⟨-sses, -sse⟩ [gəˈbɪs] *(natürliches)* denture, dentition *f; (künstliches)* appareil dentaire, dentier, *fam (a. natürl.)* râtelier; *(am Zaum)* mors, frein *m.*

gebläht *a: ~e(s) Segel n* voile *f* prise.

Gebläse *n* ⟨-s, -⟩ *tech* appareil *m* soufflant; soufflante, soufflerie *f,* ventilateur; *(am Hochofen)* vent *m;* **~maschine** *f* soufflante *f;* **~motor** *m* moteur *m* à compresseur; **~sand** *m* sable *m* de projection.

Geblök *n* ⟨-(e)s, ø⟩ [gəˈbløːk] *(der Schafe)* bêlement *m.*

geblümt *a (Textil)* à fleurs.

Geblüt *n* ⟨-(e)s, ø⟩ sang *m; aus fürstlichem ~* de souche princière; *Fürst m von ~* prince *m* du sang.

gebogen *a* (re)courbé, courbe, arqué.

geboren ⟨*pp von: gebären*⟩ né, de naissance; *(Frau) ~e X* née X; *~e(r) Deutsche(r) m* Allemand *m* de naissance; *zum Dichter ~* né poète; *~ werden* naître, être né.

Geborenenüberschuß *m* excédent *m* des naissances sur les décès.

geborgen ⟨*pp von: bergen*⟩ sauvé; *a* en sûreté, à l'abri (*vor* de).

Gebot *n* ⟨-(e)s, -e⟩ [gəˈboːt] *vx rel (Befehl)* commandement *m; (Auktion)* offre, enchère *f; ein ~ abgeben, machen* faire une offre; *ein höheres ~ machen* couvrir une enchère, surenchérir; *jdm zu ~e stehen* être à la disposition *od* aux ordres de qn; *Not kennt kein ~ (prov)* nécessité n'a pas de loi; *die Zehn ~e (rel)* les dix commandements; *ein ~ der Menschlichkeit* un devoir d'humanité; *das ~ der Stunde* les nécessités *f pl* de l'heure; **g~en** *a* nécessaire; *~~ sein* s'imposer; *es ist ~~ zu ...* il importe de ..., il convient de ...

Gebräu *n* ⟨-(e)s, -e⟩ [gəˈbrɔY] *(Trank, a. med)* breuvage *m, pej pop* bibine; *allg pej (gemischte Flüssigkeit)* mixture *f.*

Gebrauch *m* ⟨-(e)s, ⸚e⟩ [gəˈbraux, -ˈbrɔYçə] *(Anwendung)* usage, emploi; *(Handhabung)* maniement *m; (Brauch)* coutume, habitude *f; außer ~* hors d'usage; *in ~* en usage, en service; *zu beliebigem ~* à toutes fins utiles; *zum* od *für den (persönlichen) ~* à l'usage (personnel); *außer ~ kommen* tomber en désuétude; *von etw ~ machen* mettre qc en œuvre, user de qc, se servir de qc; *von etw ausgiebigen ~ machen* bien profiter de qc; *in ~ nehmen* mettre en usage; *sparsam im ~* économique; **g~en** *tr* employer, faire usage de, user de, se servir de; *(nutzbar machen)* utiliser; *(handhaben)* manier; *(Arznei)* prendre, user de; *nicht mehr ~~* ne plus faire usage de, ne plus utiliser; *zu allem zu ~~ sein* se prêter à tout, *fam* être bon à toutes les sauces; *zu nichts zu ~~ sein* être la cinquième roue à un carrosse; *nicht mehr zu ~~(d)* hors d'usage *od* de service; *das kann ich gut ~~* voilà qui me sera bien utile; **~sanweisung** *f* mode *m* d'emploi; **~sartikel** *m* article *m* utilitaire; **~sdarlehen** *n* prêt *m* à consommation; **~seignung** *f tech* utilité *f* pratique; **g~sfertig** *a* prêt à l'usage *od* à servir; **~sgegenstand** *m* objet d'usage courant, objet *m* usuel; **~sgraphiker** *m* artiste publicitaire, dessinateur en publicité, affichiste *m;* **~sgüter** *n pl* biens *m pl* de consommation durable; **~skunst** *f* art *m* appliqué; **~smuster(schutz** *m***)** *n* (protection *f* des) modèle(s) *m* déposé(s); **~swert** *m* valeur *f* d'usage; **g~t** *a (schon benutzt)* qui a déjà servi, usagé; *(alt, Buch: antiquarisch)* d'occasion; **~twagen(ausstellung** *f***)** *m* (exposition de) voiture(s) *f od* véhicule(s) *m* d'occasion.

gebräuchlich [gəˈbrɔYçlɪç] *a* en usage; *(üblich)* usuel, d'usage; *(gewöhnlich)* commun; *(herkömmlich)* coutumier; *(Ausdruck)* usité, usuel, courant; *nicht mehr ~* hors d'usage, désuet; *~ sein (a.)* avoir cours.

Gebrause *n* ⟨-s, ø⟩ mugissement, grondement *m.*

Gebrech|en *n* ⟨-s, -⟩ *(Körperfehler)* infirmité *f; allg* défaut *m,* imperfection; *(Schwäche)* faiblesse *f; geistiges ~~* infirmité *f* mentale; **g~en** *v impers lit: es gebricht mir an ...* je manque de ...; **g~lich** *a (körperbehindert)* infirme, invalide; *(schwächlich)* caduc, débile, faible; *(altersschwach)* décrépit; *(zerbrechlich)* frêle, délicat; **~lichkeit** *f* ⟨-, (-en)⟩ infirmité, invalidité; caducité, débilité, faiblesse; décrépitude; délicatesse *f.*

gebrochen *a: an ~em Herzen (sterben)* (mourir) de douleur; *mit ~er Stimme* d'une voix étranglée; *ganz ~ (fig)* accablé de douleur; *adv: ~ Deutsch sprechen* écorcher l'allemand; *~ Französisch sprechen* parler français comme une vache espagnole *fam.*

Gebrodel *n* ⟨-s, ø⟩ bouillonnement *m.*

Gebrüder *pl* frères *m pl; ~ Müller (com)* Muller frères.

Gebrüll *n* ⟨-(e)s, ø⟩ *(Rinder u. fig)* mugissement; *(wilde Tiere)* rugissement *m.*

Gebrumme *n* ⟨-s, ø⟩ *(Insekt)* bourdonnement; *fig (Mensch)* grognement, grondement *m.*

Gebühr *f* ⟨-, -en⟩ [gəˈbyːr] *(Pflicht, Schicklichkeit; nur noch in bestimmten Wendungen; meist pl)* tarif *m; (Abgaben)* taxe *f,* droit(s *pl*), impôt *m; nur pl* vacations *f pl; (Arzt, Rechtsanwalt)* honoraires *m pl; nach ~* dûment, comme il convient; *über ~* outre mesure, plus que de raison; *zu ermäßigter ~* à tarif réduit; *e-e ~ erheben* lever *od* percevoir une taxe; *jdm die ~en erlassen* dispenser qn de la taxe; *doppelte ~* taxe *f* double; *gesetzliche ~* taxe *f* légale; **~enansage** *f tele* indication *od* notification *f* de la taxe; **~enberechnung** *f jur* taxation *f;* **~enerhöhung** *f* supplément *m* de taxe, majoration *f* des droits; **~enerlaß** *m* remise *f* des droits; **~enermäßigung** *f* modération d'impôt *od* de taxe, réduction *f* des droits; **~enfestsetzung** *f* fixation *f* des droits; **g~enfrei** *a* exempt de droits *od* taxes, en franchise; **~enfreiheit** *f* franchise *f;* **~ennachlaß** *m* dégrèvement *m* d'impôt *od* de taxe; **~enordnung** *f* tarif des *od* barême *m* d'honoraires; **g~enpflichtig** *a* soumis aux droits *od* à la taxe, taxé; *(Straße, Brücke)* à péage; *~~e Verwarnung f* contravention *f;* **~ensatz** *m* taux *m* de taxation; **~ensätze** *m pl* tarif *m; die ~~ aufstellen für* tarifer; **~envorschuß** *m* forfait *m.*

gebühr|en ⟨*hat gebührt*⟩ [gəˈbyːrən] *itr* être dû, revenir de droit (*jdm* à qn); *wem es ~t* à qui de droit; *wie es sich ~t* comme il se doit, comme il convient; *Ehre, wem Ehre ~t* à tout seigneur tout honneur; **~end** *a,* **~lich** *a (schuldig)* dû (*dat* à); *(verdient)* mérité; *(zukommend)* qui revient, revenant, *jur* afférent (*dat* à); *(angemessen)* convenable; *(anständig)* décent; *(gerecht)* juste; *adv* dûment, comme il se doit; **~endermaßen** *adv,* **~enderweise** *adv* dûment, comme il faut, comme de droit; *(verdienterweise)* selon mes, tes *etc* mérites.

Gebund *n* ⟨-(e)s, -e⟩ faisceau *m, (Stroh)* botte *f; (Garn)* tortis *m;* **g~en** *a (Buch)* relié; *mus* lié; *fig* engagé, assujetti (*an* à); *in ~~er Form* en vers; **~enheit** *f (Zwang)* obligation, contrainte *f,* assujettissement *m,* sujétion *f.*

Geburt *f* ⟨-, -en⟩ [gəˈbuːrt] naissance *a. fig; (Vorgang)* mise *f* au monde, enfantement, accouchement; *(Leibesfrucht)* fruit *m; Abstammung, Ursprung)* origine *f; von ~ an* de naissance; *vor, nach Christi ~* avant Jésus-Christ, de l'ère chrétienne; *das war e-e schwere ~ (fig)* cela a été laborieux; *Deutscher m von ~* Allemand de naissance; *Zahl f der (un-)ehelichen ~en* natalité *f* (il)légitime; **~enbeschränkung** *f* limitation *f* des naissances; **g~enfördernd** *a,* **g~enfreundlich** *a* nataliste; **~enkontrolle** *f,* **~enregelung** *f* contrôle *m od* régulation *f* des naissances; **~enprämie** *f* prime *f* à la naissance; **~enrückgang** *m* réduction des naissances, diminution de la natalité, dénatalité *f;* **~enüberschuß** *m* excédent *m* des naissances; **~enziffer** *f* natalité *f;* **~sadel** *m* noblesse *f* héréditaire; **~sanzeige** *f (vor dem Standesamt)* déclaration *f* de naissance; *(in der Zeitung)* faire-part *m* de naissance; **~sdatum** *n* date *f* de naissance; **~sfehler** *m* tare *f* congénitale; **~shaus** *n* maison *f* natale; **~shelfer** *m* accoucheur *m;* **~shilfe** *f* obstétrique *f;* **~sjahr** *n* année *f* de la naissance; **~sjahrgang** *m: ~~ 1950* génération *f* de l'année 1950; *mil* classe *f;* **~sort** *m* lieu *m* de naissance *od* natal; **~sregister** *n* registre *m* des naissances; **~sschein** *m* extrait *od* bulletin *m* de naissance; **~sstadt** *f* ville *f* natale; **~stag** *m* jour *m* de (la) naissance; *(als Fest)* anniversaire *m;* **~stagsfeier** *f* célébration *f* de l'anniversaire; **~stagsgeschenk** *n* cadeau *m* d'anniversaire; **~stagskind** *n* celui, celle qui fête son anniversaire; **~stagstisch** *m* table *f* des cadeaux; **~surkunde** *f* acte *m* de naissance; **~swehen** *f pl* mal d'enfant, travail *m;* **~szange** *f* forceps *m,* fers *m pl.*

gebürtig [gə'bʏrtɪç] *a: ~ aus* natif de, originaire de, né à.

Gebüsch *n* ‹-(e)s, -e› buissons *m pl; (Dickicht)* fourré, taillis, hallier *m.*

Geck *m* ‹-en, -en› [gɛk] *(Modenarr)* fat, dandy, gandin, freluquet, *fam* gommeux, pommadin *m; alte(r) ~* vieux beau *m;* **g~enhaft** *a* fat, *fam* zazou; **~enhaftigkeit** *f* fatuité, pose *f.*

gedacht *a* imaginaire.

Gedächtnis *n* ‹-sses, -sse› [gə'dɛçtnɪs] mémoire; *(Erinnerung)* commémoration *f,* souvenir *m; aus dem ~* de mémoire; *(auswendig)* par cœur; *zum ~ (gen)* en mémoire *od* en commémoration (de); *im ~ behalten* garder en mémoire; *sein ~ mit etw belasten* s'encombrer la mémoire de qc; *ein gutes ~ für etw haben* avoir une bonne mémoire de qc; *jdm etw ins ~ zurückrufen* remémorer qc à qn, rafraîchir la mémoire à qn à propos de qc; *sich etw ins ~ zurückrufen* se remémorer qc; *mein ~ läßt mich im Stich* la mémoire me fait défaut; *im ~ haftengeblieben* gravé dans la mémoire; *ein schlechtes ~, ein ~ wie ein Sieb* une mémoire de lièvre; **~hilfe** *f = ~stütze;* **~kirche** *f* église *f* commémorative; **~lücke** *f* trou *m* de mémoire; **~schwäche** *f* défaillance *f* de mémoire; **~stütze** *f* moyen *m* mnémotechnique; **~übung** *f* exercice *m* de mémoire.

gedämpft *a (Küche)* à l'étouffée; *(Schall)* amorti; *mit ~er Stimme* à voix étouffée, à mi-voix.

Gedanke *m* ‹-ns, -n› pensée; *(Einfall)* idée, conception; *(Absicht)* intention *f; (Plan)* projet, dessein *m; (Begriff)* notion *f,* concept *m; pl (Denken)* pensées *f pl,* réflexion, méditation *f; in ~n* en pensée; *(aus Zerstreutheit)* par distraction, sans y penser; *auf den ~n bringen, daß* amener à penser que; donner l'idée de *inf; jdn auf andere ~n bringen* changer les idées à qn; distraire qn; *e-n ~n fassen* concevoir une idée; *keinen klaren ~n fassen können* s'affoler; *den guten ~n haben zu* avoir la bonne idée de; *s-e ~n nicht beisammenhaben* ne pas pouvoir rassembler ses idées, être distrait *od fam* dans les nuages; *auf den ~n kommen zu ...* s'aviser de ...; *~n lesen* lire dans la pensée; *sich ~n machen* s'inquiéter, être préoccupé (*über* de), se mettre martel en tête (*über* sur), *pop* se faire de la mousse; *sich um jdn ~n machen* être en peine de qn; *sich keine ~n machen* ne s'inquiéter de rien; *sich jds ~n zu eigen machen* épouser les idées de qn; *schwarzen ~n nachhängen* avoir des idées noires, broyer du noir; *s-e ~n sammeln* se concentrer; *in ~n bei jdm sein* suivre qn par la pensée; *mit dem ~ spielen zu ...* nourrir *od* caresser l'idée de ...; *sich mit dem ~n tragen, mit dem ~n umgehen zu ...* songer à ..., avoir l'intention de ...; *s-e ~n zs.nehmen* rassembler ses idées; *ich werde den ~n nicht los* je ne puis m'ôter cette idée *od* cela de la tête; *ich bin nie auf den ~n gekommen* cette pensée ne m'a jamais effleuré; *auf diesen ~n wäre ich nie gekommen* cette idée ne me serait jamais venue; *mir kam der ~* j'eus l'idée (*zu* de); *kein ~!* pas d'idée! y pensez-vous? *~n sind zollfrei* la pensée est libre; *der bloße ~, schon der ~* la seule pensée, rien que d'y penser; *gute(r) ~* bonne idée *f; traurige ~n pl* papillons *m pl* noirs; *fam* cafard *m; in ~n (versunken)* plongé dans la *od* ses méditation(s); **~narmut** *f* manque *m* d'idées, pauvreté *f* d'esprit; **~naustausch** *m* échange *od* commerce des idées, échange *m* d'idées *od* de vues; **~nflug** *m* élévation *f* de (la) pensée; **~nfreiheit** *f* liberté *f* de penser; **~ngang** *m* fil *m* des idées; **g~nlos** *a* irréfléchi, étourdi, distrait; *(mechanisch)* machinal; *adv a.* sans réfléchir, sans y penser, à l'étourdie; marchinalement; **~nlosigkeit** *f* irréflexion, étourderie *f; aus ~~* par étourderie *od* inadvertance; **~nlyrik** *f* poésie *f* (lyrique) philosophique; **~nsplitter** *m pl* pensées *f pl* détachées, aphorismes *m pl;* **~nstrich** *m* tiret *m;* **~nübertragung** *f* transmission *f* de pensée **~nverbindung** *f* iation *f* d'idées; **g~nvoll** *a (nachdenklich)* pensif; **~nwelt** *f* monde *m* des idées.

gedanklich *a* mental, idéel, intellectuel.

Gedärm *n* ‹-(e)s, -e› [gə'dɛrm] boyaux, intestins *m pl.*

Gedeck *n* ‹-(e)s, -e› couvert; *(im Gasthaus)* repas *m* à prix fixe; **g~t** *a (Neubau)* hors d'eau.

gedehnt *adv: ~ sprechen* traîner la voix *od* sur les mots.

Gedeih *m: auf ~ und Verderb* à la grâce de Dieu; **g~en** ‹*gedieh, ist gediehen*› [gə'daɪən, -di:-] *itr bot* pousser *od* venir bien; *allg* prospérer; *(sich entwickeln)* se développer; *nicht ~~ (bot) a.* se déplaire; *prächtig ~~* être en pleine prospérité; *fig* ne faire que croître et embellir; *die Sache ist so weit gediehen, daß* la chose en est arrivée au point que; *wie weit sind die Verhandlungen gediehen?* où en sont les négociations? *unrecht Gut gedeihet nicht (prov)* bien mal acquis ne profite jamais; **~en** *n allg* prospérité *f,* développement *m,* réussite *f,* succès *m;* **g~lich** *a (günstig)* profitable.

Gedenk|ausgabe *f* édition *f* commémorative; **g~en** ‹*gedacht, hat gedacht*› [gə'dɛŋkən, -daxt] *itr: jds (ehrend) ~~* évoquer la mémoire de qn; *e-r Sache ~~* se souvenir de qc, garder le souvenir de qc; *(in der Rede)* faire mention de qc; *(beabsichtigen)* penser, compter (*zu tun* faire), avoir l'intention, se proposer (*zu tun* de faire); *~e mein! (vx poet)* pense à moi; **~en** *n* ‹-s, ø› mémoire, commémoration *f* (*an* de); **~feier** *f* fête *f* commémorative; **~marke** *f (Post)* timbre-poste *m* commémoratif; **~spruch** *m* devise, sentence *f;* **~stein** *m* monument *m* commémoratif; **~tafel** *f* plaque *f* commémorative; **~tag** *m* anniversaire *m.*

Gedicht *n* ‹-(e)s, -e› *(längeres)* poème *m, (kurzes)* poésie *f;* **~sammlung** *f* recueil *m* de poésies *od* de poèmes, anthologie *f* (lyrique).

gediegen *a (rein) (Metall)* natif, vierge, pur; *fig allg (echt)* vrai, de bon aloi; *(zuverlässig)* ferme; solide; *(Arbeit)* bien fait; *(Wissen)* solide, approfondi; *ein ~er Charakter* un homme (*od* qn de) solide; **G~heit** *f* ‹-, ø› *min* pureté (native); *fig* fermeté, solidité *f.*

Gedinge *n* ‹-s, -› *mines (Verabredung von Akkordarbeit)* accord, forfait *m; im ~ arbeiten* travailler à la tâche *od* à forfait.

gedörrt *a (Obst)* tapé.

Gedräng|e *n* ‹-s, ø› presse, cohue; *(Menge)* foule *f; fig (Notlage)* embarras *m; ins ~~ kommen* se trouver dans l'embarras, *fam* se trouver coincé; *es herrscht ein tolles ~~* il y a un monde fou; **g~t** *a* pressé, serré, compact; *(Stil)* concis, dense; *~~ voll (von Menschen)* comble, bondé; **~theit** *f* entassement, encombrement *m,* compacité; *(Stil)* concision *f.*

gedrechselt *a: wie ~ (fig)* châtié.

gedrückt *a arch* surbaissé; *fig (Mensch)* déprimé; *(Lage)* pénible, gêné; *~ sein (fig. Mensch)* être dans le marasme; **G~heit** *f* ‹-, ø› *(Niedergeschlagenheit)* dépression *f,* abattement *m; (der Lage)* situation *f* pénible.

gedrungen *a (Körper)* trapu, ramassé; **G~heit** *f* ‹-, ø› taille *f* ramassée.

Geduld *f* ‹-, ø› [gə'dʊlt] patience; *(Nachsicht)* indulgence; *(Langmut)* longanimité *f; jds ~ erschöpfen* épuiser *od* pousser à bout la patience de qn; *mit ~ (er)tragen* prendre en patience; *sich in ~ fassen* prendre patience; *~ haben* avoir de la patience, patienter; *mit jdm* faire preuve de patience envers qn, avoir de l'indulgence pour qn; *jds ~ auf die (eine harte) Probe stellen* mettre la patience de qn à (rude) l'épreuve; *die ~ verlieren* perdre patience, s'impatienter; *sich mit ~ wappnen* s'armer de patience; *mir geht die ~ aus, meine ~ geht zu Ende* ma patience commence à être à bout; *jede ~ hat ein Ende* *(prov)* la patience a des limites; **g~en** [-dən] , *sich* prendre patience, patienter; **g~ig** *a* patient; *(nachsichtig)* indulgent; *~~ ertragen* prendre en patience; *Papier ist ~~* le papier ne refuse pas l'encre; **~sfaden** *m: mir reißt der ~~* la patience m'échappe, ma patience est à bout; **~sprobe** *f* épreuve *f;* ouvrage *m* de patience; **~sspiel** *n* jeu *m* de patience.

gedungen [gə'duŋən] *a: ~e(r) Mörder m* tueur *m* à gages.

gedunsen [gə'dunzən] *a* bouffi, boursouflé.

geehrt *a* honoré; *sehr ~er Herr!* Monsieur; *Ihr ~es Schreiben* votre honorée.

geeignet *a* apte, propre (*zu, für* à); *(passend)* convenable (*zu* à); *(fähig)* capable (*zu* de); *(Person, Mittel)* approprié; *(Augenblick)* favorable.

geerdet [gə'e:rdət] *a el radio* mis à la terre *od* à la masse.

Geest *f* ‹-, -en› lande *f* (dans la région de la mer du Nord).

Gefahr *f* ‹-, -en› danger, péril *m; (Drohung)* menace *f; (Wagnis)* risque *m; auf die ~ (gen) hin* au risque de; *auf die ~ hin, daß* quitte à, même si; *auf eigene ~* à ses risques; *auf Ihre Rechnung und ~* à vos risques et périls; *außer ~* hors de danger; *bei ~* en cas de danger; *in ~* en danger; *zu* sous la menace de; *unter der ~ (gen)* au péril (de); *e-r ~ aussetzen* exposer à un péril *od* à un danger; *sich e-r ~ aussetzen* courir un risque; *sich in ~ begeben* od *bringen* s'exposer au danger, se mettre en péril; *in ~ bringen* mettre en danger *od* péril; *~en mit sich bringen* comporter des risques; *~ laufen zu* courir le danger *od* risque de; *in ~ schweben* od *sein* être en danger; *außer ~ sein* être hors de danger *od* d'affaire; *es besteht keine ~* il n'y a pas de danger; *wer sich in ~ begibt, kommt darin um* qui cherche le péril y périt; **~engebiet** *n* zone *f* dangereuse; **~enherd** *m pol* foyer *m* de troubles; **~enklasse** *f* catégorie *f* de risques; **~enmeldung** *f* avertissement *m* de danger; **~enpunkt** *m* point *m* de danger; **~enquelle** *f* source *f* de périls; **~enzone** *f* = *~engebiet;* **~enzulage** *f* indemnité *f* de risques; **g~los** *a* sans danger *od* risque, sûr; **~losigkeit** *f* sûreté, sécurité *f;* **g~voll** *a* dangereux.

gefähr|den [gə'fɛ:rdən] *tr* mettre en danger; **~det** *a* menacé, en danger; **G~dung** *f* danger (*gen* pour), risque *m (gen* de); **~lich** *a* dangereux, *(nur Sache)* périlleux; *(gewagt)* hasardeux, risqué; *(ernst)* grave, sérieux; critique; *e-e ~~e Sache f* une affaire dangereuse; *~~ verletzt* od *verwundet* grièvement blessé; **G~lichkeit** *f* ‹-, (-en)› danger *m; (e-r Krankheit)* gravité *f.*

Gefährt *n* ‹-(e)s, e› [gə'fɛ:rt] véhicule *m;* **~e** *m* ‹-n, -n› compagnon; camarade *m;* **~in** *f* compagne; camarade *f.*

Gefälle *n* ‹-s, -› inclinaison, déclivité *(a. Fluß); loc* pente, rampe; *(Wasserkraftwerk)* différence de niveau; *phys el* chute *f,* gradient *m; bei e-m ~ von 2% (loc)* en rampe de 2 pour cent.

gefallen 1. ‹*gefällt, gefiel, hat gefallen*› [gə'falən] *itr (angenehm sein)* plaire, agréer (*jdm* à qn); *(befriedigen)* satisfaire (*jdm* qn); *(passen)* convenir (*jdm* à qn); *sich ~ in* se (com)plaire à *od* en *od* dans; *sich etw ~ lassen* encaisser qc *fam; sich alles ~ lassen* encaisser tout *fam;* se laisser tondre la laine sur le dos; *das gefällt mir (gut)* cela me plaît (bien), *fam* ça me botte; *so gefällt es mir* voilà qui me plaît; *das gefällt mir nicht* cela ne me plaît pas; *es gefällt mir hier (gut)* je me plais ici; *es gefällt mir hier nicht* je me déplais ici; *das lasse ich mir nicht ~* je te, lui *etc* montrerai de quel bois je me chauffe; *das lasse ich mir ~!* à la bonne heure! *wie gefällt Ihnen der Film?* comment trouvez-vous le film? **G~ 1.** *m* ‹-s, (-)› complaisance *f,* service; *jdm zu ~~* pour faire plaisir à qn; *jdm e-n ~~ tun* od *erweisen* rendre un service à qn, obliger qn; *jdm den ~ tun zu* ... faire à qn le plaisir de ... **2.** *n* ‹-s, ø› plaisir *m; (Belieben)* gré *m; nach ~~* à mon *etc* gré; *an etw ~~ finden* se (com)plaire à, trouver *od* prendre plaisir à qc; *ich finde ~~ an ihm* il me plaît.

gefallen 2. ‹*pp von: fallen*› tombé; *a mil* mort; **G~e(r)** *m: die ~en (mil)* les morts *m pl;* **G~endenkmal** *n* monument *m* aux morts.

gefällig [gə'fɛlıç] *a* complaisant, aimable, accommodant; *(dienstfertig)* obligeant, serviable; *(zuvorkommend)* avenant, prévenant, empressé; *(angenehm)* agréable, plaisant; *wenn es Ihnen ~ ist* s'il vous plaît; *was ist Ihnen ~?* qu'y a-t-il pour votre service? que désirez-vous? *jdm ~ sein* obliger qn; *Ihrer ~en Antwort entgegensehend (com)* en attendant votre réponse; **G~keit** *f* complaisance; obligeance *f,* service *m;* prévenance *f,* empressement *m; aus ~~* par complaisance; *jdn um e-e ~~ bitten* demander un service à qn, solliciter les services *od* les bons offices de qn; *jdm e-e ~~ erweisen* obliger qn; *ich tue es nur aus ~~ Ihnen gegenüber* je le fais parce que c'est vous; **G~keitsakzept** *n,* **G~keitswechsel** *m (fin)* billet *od* effet *m* de complaisance; **~st** *adv* s'il vous plaît; *hör ~~ zu* voudrais-tu m'écouter? *sieh ~~ nach!* prends la peine de regarder.

Gefall|sucht *f* coquetterie *f;* **g~süchtig** *a* coquet.

gefangen *a* en prison, prisonnier, captif; *(inhaftiert)* détenu; *sich ~ geben* se constituer prisonnier, se rendre; *(Truppe)* mettre bas *od* rendre les armes; **G~e(r)** *m* prisonnier *bes. mil,* captif; *(Inhaftierter)* détenu *m;* **G~enaussage** *f mil* déposition *f* de prisonnier; **G~enaustausch** *m* échange *m* de prisonniers; **G~enlager** *n* camp *m* de prisonniers; **G~enregister** *n* registre *od* livre *m* d'écrou; **G~ensammelstelle** *f* point *m* de ralliement des prisonniers (de guerre); **G~entransport** *m* convoi *m* de prisonniers; **G~envernehmung** *f* interrogatoire *m* (du *od* des prisonnier(s)); **G~enwagen** *m* voiture *f* cellulaire, *pop* panier *m* à salade; **G~enwärter** *m* gardien de prison, porte-clefs *m;* **~=halten** *tr* tenir en captivité, retenir prisonnier; **G~nahme** *f,* **G~nehmung** *f* arrestation *f,* emprisonnement *m; mil* capture *f;* **~=nehmen** *tr* arrêter, emprisonner; *mil* faire prisonnier, capturer; **G~schaft** *f* ‹-, (-en)› captivité; *(Haft)* détention *f; aus der ~~ entlassen (inf)* libérer (de captivité); *in ~~ geraten (mil)* être fait prisonnier; *Rückkehr f aus der ~~* retour *m* de captivité; **~=setzen** *tr* emprisonner.

Gefängnis *n* ‹-sses, -sse› [gə'fɛŋnıs] *(Ort)* prison, maison *f* centrale *od* de réclusion; *(Strafe)* prison *f; ins ~ schicken, stecken* envoyer, mettre en prison; *~ bis zu 3 Jahren* jusqu'à 3 ans de prison; **~arbeit** *f* travail *m* pénitentiaire; **~arzt** *m* médecin *m* de la prison; **~aufseher** *m* gardien *m* de prison; **~direktor** *m* directeur *m* de prison; **~hof** *m* préau *m;* **~ordnung** *f* régime *m* des prisons; **~strafe** *f* peine *f* de prison; *zu e-r ~~ verurteilen* condamner à la prison; **~verwaltung** *f* administration *f* de la prison; **~wärter** *m* gardien de prison, porte-clefs *m.*

Gefäß *n* ‹-es, -e› [gə'fɛ:s] vase, récipient; *anat bot* vaisseau *m; kommunizierende ~e pl (phys)* vases *m pl* communiquants; **~bildung** *f physiol* vascularisation *f;* **g~erweiternd** *a physiol* vaso-dilatateur; **~erweiterung** *f* vaso-dilatation *f;* **~system** *n physiol* vascularisation *f;* **g~verengend** *a* vaso-constricteur; **~verengung** *f* vaso-constriction *f.*

gefaßt [gə'fast] *a (innerlich vorbereitet)* préparé (*auf* à); *(ergeben)* résigné; *(entschlossen)* résolu; *(ruhig)* calme, tranquille; *sich auf etw ~ machen, auf etw ~ sein* s'attendre *od* faire face à qc; *sich auf alles* od *aufs Schlimmste ~ machen, auf alles* od *aufs Schlimmste ~ sein* être prêt à tout, s'attendre à tout *od* au pire; *machen Sie sich auf allerlei ~!* tenez-vous bien!

Gefecht *n* ‹-(e)s, -e› [gə'fɛçt] *(Kampfhandlung)* action, affaire *f; (Zs.stoß)* engagement *m; (Treffen)* rencontre *f; (Kampf)* combat *m; (Schlacht)* bataille *f; außer ~ setzen* mettre hors de combat; *hinhaltende(s) ~* action *f* retardatrice; *klar zum ~ (mar)* disposé pour le combat; **~sabschnitt** *m* secteur *m* de combat; **~saufklärung** *f* reconnaissance *f* de contact *od* combat; **~saufstellung** *f* disposition *f* des troupes; **~sauftrag** *m* objectif *m* de combat; **~sausbildung** *f* instruction *f* sur *od* exercice *m* pour le combat; **~sbereich** *m* zone *f* d'action; **g~sbereit** *a* en garde, prêt à combattre; *~~ machen* mettre en garde; **~sbereitschaft** *f* état *m* d'alerte; *~~ befeh-*

len (mar) donner l'ordre d'être paré pour le combat; (Einnehmen n der) ~~ mise f en garde; **~sbericht** m bulletin m de combat; **~sberührung** f contact m; **~sbreite** f largeur f du front de bataille; **~sentwicklung** f déploiement m de la bataille; **~sfeld** n terrain m de combat; **~sgliederung** f dispositif m de combat; **~slage** f situation f tactique; **~smeldung** f rapport m de bataille; **~spause** f accalmie f (du combat); **~sraum** m zone f d'action; **~sstand** m poste m de combat od de commandement; aero (MG-Turm) tourelle f; **~sstärke** f effectif m; **~sstreifen** m = ~sraum; **~sübung** f petite guerre f; **~sverlauf** m cours m de l'action; **~svorposten** m avant-poste m; **~szone** f zone f d'action od de combat.

gefedert a (Möbel, Wagen) à ressort(s), (Wagen) suspendu.

gefeit [gə'faɪt] a (geschützt) invulnérable (gegen à).

Gefieder n ‹-s, -› [gə'fi:dər] plumage m; **g~t** a emplumé; bot penné; (Pfeil) empenné.

Gefilde n ‹-s, -› [gə'fɪldə] (pl) poet (Fluren) guérets, sillons m pl; die ~ der Seligen les champs m pl Elysées, l'Elysée m.

geflammt a tech flambé; (Textil) ondé.

Geflatter n ‹-s, ø› volettement m.

Geflecht n ‹-(e)s, -e› entrelacs; (aus Zweigen) treillis m; (aus Weidenruten) claie f, clayon; anat plexus m.

gefleckt a (gesprenkelt) tacheté, marqueté, moucheté.

geflissentlich [gə'flɪsəntlɪç] a intentionnel, prémédité; adv à dessein, exprès, avec préméditation, de propos délibéré.

Geflügel n ‹-s, ø› volaille f; Stück n ~ morceau m de volaille; **~farm** f ferme f avicole; **~fleisch** n viande f blanche; **~händler** m marchand m de volaille; **~schere** f cisailles f pl à volaille; **g~t** a orn ailé; ent alifère; ~~e Worte n pl sentences f pl, adages m pl; **~zucht** f aviculture f; **~züchter** m aviculteur m.

Geflunker n ‹-s, ø› [gə'flʊŋkər] (Aufschneiderei) fanfaronnade, gasconnade, hâblerie f, blagues f pl.

Geflüster n ‹-s, ø› chuchotement; fig murmure m.

Gefolg|e n ‹-s, (-)› suite f, suivants m pl, cortège m, escorte f; im ~~ haben (fig) être suivi de; **~schaft** f suite f; (Betriebsangehörige) personnel m; pol (Anhänger) partisans, adhérents; (Schüler, Jünger) disciples m pl; **~smann** m ‹-(e)s, -männer/-leute› partisan hist vassal m.

gefragt a (begehrt) en faveur; stark ~ très demandé od recherché; wenig ~ peu demandé.

gefräßig [gə'frɛ:sɪç] a glouton, vorace; **G~keit** f ‹-, ø› gloutonnerie, voracité f.

Gefreite(r) m caporal; brigadier; mar quartier-maître m de deuxième classe.

Gefrier|anlage f installation f de congélation; **~apparat** m appareil frigorifique, congélateur m; **g~bar** a congelable; **g~en** itr ‹aux: sein› (se) geler, se congeler; (Gewässer) prendre; **~fleisch** n viande f frigorifiée, pop viande f de frigo; **~punkt** m point od degré m od température f de congélation; auf, über, unter dem ~~ à, au-dessus de, au-dessous de zéro; **~schutzmittel** n mot antigel m; **~truhe** f surgélateur m.

gefroren a gelé; **G~e(s)** n ‹-n, ø› glace f.

Gefüg|e n ‹-s, -› [gə'fy:gə] (Balken) assemblage m; geol stratification; fig (Struktur) structure f; **g~ig** a (fügsam) accommodant, docile; **~igkeit** f fig docilité f, caractère m accommodant.

Gefühl n ‹-(e)s, -e› sentiment m, émotion f; (Tastsinn) toucher m; (Sinnesempfindung) sensation f; (Sinn, Verständnis) sens (für etw de qc); (Takt) tact m; für mein ~ à mon sens; mit ~ avec âme; ~ haben avoir du sentiment od de l'âme; das ~ haben, als ob ... avoir l'intuition de od que ...; für être sensible à; s-n ~en freien Lauf lassen donner libre cours à ses sentiments; das habe ich so im ~ je le sens, mais je ne peux l'expliquer; tun Sie Ihren ~en keinen Zwang an (hum) ne vous gênez pas; bleibende(s), starke(s) ~ sentiment m durable, émotion f forte; ~ der Wärme sensation f de chaleur; **g~los** a insensible (für à), apathique, sans âme, froid, de marbre; (leidenschaftslos) impassible; (hartherzig) dur, cruel; **~losigkeit** f insensibilité, apathie; impassibilité; dureté (de cœur), cruauté f; **~sausbruch** m transport m de passion; **~sduselei** f fam sensiblerie f; **~sleben,** das la vie affective; **~smensch** m sentimental m; **~smoment** n élément m passionnel; **~swert** m valeur f sentimentale; **g~voll** a plein de sentiment, sentimental; (empfindsam) sensible; fig (zärtlich) tendre, affectueux.

gefüllt a (Blume) double; ~e(r od s) Bonbon m od n bonbon m fourré.

gefüttert a (Kleidungsstück) doublé; (mit Pelz od Wolle) fourré.

gegeben a: zu ~er Zeit en temps voulu od utile; **~enfalls** adv le cas échéant, à l'occasion, s'il y a lieu; jur si le cas y échoit, s'il y échoit.

gegen ['ge:gən] prp (feindlich) contre, à l'encontre de; (meist freundlich) envers, pour; (entgegen) contraire à; ~ meinen Willen (a.) malgré moi; (im Tausch) en échange de, pour, contre; (auf ... zu) vers; (Zeit) vers, sur; (etwa) à peu près, environ, autour de; (im Vergleich zu) auprès de, comparé à, en comparaison de; ~ bar au comptant; ~ Bürgschaft sous caution; ~ Mittag vers midi, aux environs de midi; ~ 4 Uhr vers (les) 4 heures; ~ Quittung contre quittance, sur reçu; (gut) ~ Kopfweh (bon) pour le mal de tête; ich wette 10 ~ 1 je parie à dix contre un.

Gegenabdruck m contre-épreuve f.

Gegenangebot n contre-offre f.

Gegenangriff m contre-attaque, contre-offensive f.

Gegenanspruch m demande f reconventionnelle.

Gegenantrag m contre-proposition f.

Gegenauftrag m contre-mandat m.

Gegenaussage f déposition f contraire.

Gegenbedingung f contre-condition f.

Gegenbefehl m contrordre m.

Gegenbeschuldigung f récrimination f; ~en erheben (jur) récriminer.

Gegenbesuch m: e-n ~ machen rendre une visite.

Gegenbewegung f tech mouvement m opposé; pol réaction f.

Gegenbeweis m preuve f (du) contraire; den ~ liefern fournir la preuve du contraire.

Gegenblockade f blocus m de rétorsion.

Gegenbuch n com contrepartie f.

Gegenbuchung f contre-passation, écriture f inverse.

Gegenbürg|e m arrière-garant m; **~schaft** f arrière-caution f.

Gegend f ‹-, -en› ['ge:gənt] (Landstrich) contrée, région f, site; (Stadtviertel) quartier; (Landschaft) paysage m.

Gegendampf m contre-vapeur f; ~ geben renverser la vapeur.

Gegendienst m; jdm e-n ~ leisten payer qn de retour; zu ~en stets bereit toujours disposé à vous rendre service.

Gegendruck m tech contre-pression; fig réaction, résistance f.

gegeneinander [-'nandər] adv l'un contre od envers od pour l'autre; (gegenseitig) mutuellement, réciproquement; ~ halten (vergleichen) comparer; ~ stellen mettre l'un contre l'autre, opposer.

Gegenerklärung f contre-déclaration, réplique f.

Gegenforderung f contre-demande; (geldliche) contre-créance; jur demande f reconventionnelle.

Gegenfüßler m antipode m.

Gegengeschenk n: ein ~ machen rendre un cadeau.

Gegengewicht n contrepoids m; das ~ halten contrebalancer (e-r S qc).

Gegengift n contrepoison, antidote m, antitoxine f.

Gegengrund m raison f contraire.

Gegengruß m salut rendu; mar contre-salut m.

Gegengutachten n expertise f contradictoire.

Gegenkandidat m pol candidat m de l'opposition.

Gegenklage f jur action od demande reconventionnelle, plainte f récriminatoire.

Gegenkläger m demandeur reconventionnel, reconvenant m.

Gegenkraft f force f antagoniste.

Gegenkurs m mar route f opposée.

gegenläufig a tech contraire, opposé.

Gegenleistung f contre-valeur, contrepartie, prestation en retour; (Ent-

schädigung) indemnité, compensation, rémunération *f; als ~ für* en échange de; *ohne ~* sans rémunération.
Gegenlicht *n* contre-jour *m, a. phot;* **~blende** *f phot* pare-soleil *m.*
Gegenliebe *f: keine ~ finden* ne pas être aimé en retour.
Gegenmaßnahme *f* contre-mesure; *(gewaltsame)* mesure *f* de rétorsion, représaille(s *pl*) *f; ~~n ergreifen* od *treffen* prendre des contre-mesures; user de représailles.
Gegenmine *f mil* contre-mine *f.*
Gegenmittel *n* antidote *m.*
Gegenmutter *f tech* contre-écrou, écrou *m* de blocage.
Gegenoffensive *f* contre-offensive *f,* retour *m* offensif.
Gegenpapst *m* antipape *m.*
Gegenpart *m (Gegner)* adversaire, antagoniste *m.*
Gegenpartei *f pol* parti *m* d'opposition; *jur* partie *f* adverse.
Gegenpol *m phys* pôle opposé; *fig* contraire *m.*
Gegenprobe *f* essai *m* contradictoire; contre-épreuve *f, a. pol.*
Gegenpropaganda *f* contre-propagande *f.*
Gegenquittung *f* contre-quittance *f.*
Gegenrechnung *f* contre-mémoire *m; (Ausgleich)* contre-partie *f.*
Gegenrede *f (Widerspruch)* contradiction; *(Erwiderung)* réplique; *jur* contre-déclaration *f.*
Gegenreformation *f rel hist* Contre-Réforme *f.*
Gegenrevolution *f* contre-révolution *f;* **~är** *m* contre-révolutionnaire *m.*
Gegensatz *m* contraire, opposé; *(Widerspruch)* contraste *m,* opposition, contradiction; *(Logik)* antithèse *f; fam* repoussoir *m; im ~ zu* au contraire de, contrairement à, par contraste avec, à l'opposé de, au rebours de; *jdm* à l'encontre de qn; *e-n ~ bilden zu* contraster avec; *die Gegensätze berühren sich, ziehen sich an* les extrêmes se touchent, s'attirent.
gegensätzlich *a* opposé, contrastant; antithétique.
Gegenschlag *m* contrecoup *m.*
Gegenschrift *f (Widerlegung)* réfutation; *jur* défense *f.*
Gegenseit|e *f* côté opposé; *(Rückseite)* revers *m; fig* opposition; *jur* partie *f* adverse; **g~ig** *a* mutuel, réciproque; *adv a.* par réciprocité; *in ~~em Einvernehmen* d'un commun accord; *sich ~~ helfen* s'entraider; **~igkeit** *f* mutualité, réciprocité *f; auf (der Grundlage der) ~~* à charge de revanche, à titre de réciprocité; *das beruht auf ~~* c'est réciproque, c'est à charge de revanche; *Versicherung f auf ~~* assurance *f* mutuelle.
Gegensignal *n* contresignal *m.*
Gegensonne *f astr* anthélie *f.*
Gegenspieler *m (im Glücksspiel)* ponte; *fig* rival, adversaire, antagoniste *m.*
Gegenspionage *f* contre-espionnage *m.*
Gegensprechverkehr *m tele* transmission *f* duplex.
Gegenstand *m* objet *m; (Angelegenheit)* affaire *f; (Thema)* sujet *m,* matière *f; ~ e-r S sein* faire l'objet de qc; *~ der Beratung* objet *m* de délibération; **g~slos** *a* sans objet *od* intérêt *od* raison d'être; *etw ~~ machen* ôter la raison d'être à qc; *~~ werden* perdre sa raison d'être.
gegenständlich *a* matériel; objectif.
Gegenstoß *m* contrecoup, retour *m* offensif; *(Fechten)* riposte; *mil* contre-attaque *f* immédiate.
Gegenstrich *m (Textil)* rebours; *(Haar)* contre-poil *m.*
Gegenstrom *m* contre-courant *a. el; el* courant *m* inverse.
Gegenströmung *f* contre-courant *m.*
Gegenstück *n* pendant, homologue *m; das ~ bilden zu* faire pendant à.
Gegentakt *m tech* push-pull, *el* va-et-vient *m;* **~schaltung** *f* montage *m* en push-pull.
Gegenteil *n* contraire, opposé, inverse *m; im ~* au contraire, à l'opposé; *das ~ sagen* od *tun (a.)* prendre le contre-pied; *ins ~ verkehren* renverser; *du erreichst nur das ~ (mit deinem ...)* tu obtiens le résultat inverse (avec ton ...); **g~ig** *a* contraire, opposé.
Gegenterror *m* contre-terrorisme *m.*
Gegenturbine *f* turbine *f* à réaction.
gegenüber [-'ʔy:bər] *adv* vis-à-vis, en face; *das Haus ~* la maison d'en face; *prp dat* vis-à-vis de, en face de; *fig (im Vergleich mit)* en face de, auprès de, par rapport à; *(angesichts)* en présence de; *mir ~ (im Umgang mit mir)* envers moi, à mon égard; *Zeugen ~* devant témoins; **G~** *n* ‹-s, -› *(Person)* vis-à-vis *m;* **~=liegen,** *sich (feindliche Truppen)* se faire face; **~liegend** *a* d'en face, opposé; **~=stehen,** *sich* se faire face; **~stehend** *a typ* en regard; **~=stellen** *tr* mettre en face, opposer; *fig* mettre en regard (*dat* de); *jur* confronter (*dat* avec); *ea. ~~ (vergleichen)* comparer, rapprocher; **G~stellung** *f* opposition; *jur* confrontation; *fig* comparaison *f;* **~=treten** *itr* faire face (*dat* à).
Gegenunterschrift *f* contreseing *m.*
Gegenverkehr *m* circulation *f* en sens inverse *od* à contre-voie.
Gegenversicherung *f* contre-assurance, réassurance *f.*
Gegenvormund *m jur* subrogé tuteur *m.*
Gegenvorschlag *m* contreproposition *f.*
Gegen|wart *f* ‹-, ø› ['ge:gənvart] présence *f; (Jetztzeit)* temps présent, notre temps *m,* époque *f* actuelle *od* contemporaine; *gram* présent *m; in ~~ (gen)* en face (de), *(fig)* à la face (de); en présence (de); *in meiner ~~* en ma présence; *in ~~ aller Beteiligten* en présence de tous les intéressés; **g~wärtig** *a* présent; *(jetzig)* actuel; moment; *fig (erinnerlich)* présent à l'esprit; *adv* à présent, présentement, actuellement, à l'heure actuelle; *in der ~~en Lage* dans la situation présente; **g~wartsnah** *a: ~~ gestalten* moderniser; *~~e Gestaltung f* modernisation *f;* **~wartsproblem** *n: ~~e behandelnde Literatur f* littérature *f* engagée; **~wartswert** *m* valeur *f* actuelle.
Gegenwehr *f* défense, résistance *f.*
Gegenwert *m* contre-valeur, contrepartie *f,* équivalent *m.*
Gegenwind *m* vent *m* contraire *od* debout.
Gegenwinkel *m math* angle *m* opposé.
Gegenwirkung *f* réaction *f.*
gegen=zeichn|en *tr* contresigner; **G~ung** *f* contreseing *m.*
Gegenzeuge *m* témoin *m* adverse.
Gegenzug *m (Schach)* riposte *f; fig* contrecoup; *loc* train *m* en sens inverse.
Gegner|(in *f***)** *m* ‹-s, -› ['ge:gnər] adversaire *m f,* antagoniste *m f; jur* opposant(e *f*) *m; (Nebenbuhler)* rival(e *f*) *m; (Feind)* ennemi(e *f*) *m; es mit e-m starken ~ zu tun haben* avoir à faire à forte partie; *ein ~ der Todesstrafe sein* être ennemi de la peine de mort; **g~isch** *a, a. jur u. pol* adverse, opposé, *mil* ennemi; **~schaft** *f* ‹-, ø› opposition *f,* antagonisme *m,* rivalité *f.*
Gegröle *n* ‹-s, ø› [gə'grø:lə] *pop (Geschrei)* beuglement *m.*
Gehabe *n* ‹-s, ø› manières *f pl* affectées, affectation, afféterie *f, fam* chichi *m,* girie *f;* **g~n,** *sich: gehab(e) dich wohl!* adieu!
Gehackte(s) *n* ‹-n, ø› *(Hackfleisch) f* viande *f* hachée.
Gehalt [gə'halt] **1.** *m* ‹-(e)s, -e› *(Anteil, bes. chem min)* teneur *f,* titre *m; fig (Wesen, Qualität, Wert)* consistance *f,* fond *m,* solidité, valeur *f;* **2.** *n* ‹-(e)s, ¨er› *(der Staatsbeamten)* traitement *m; (der Offiziere)* solde *f; (der Angestellten)* appointements; *(der Hausangestellten)* gages *m pl; sein ~ beziehen* toucher son traitement *od* ses appointements, être aux appointements (*von* de), émarger (*aus der Staatskasse* au budget); *das ~ erhöhen, kürzen* augmenter, réduire le traitement, les appointements; *feste(s) ~* traitement *m* fixe; **g~en** *a: ~~ sein zu schweigen* être tenu *od* obligé de se taire; **g~los** *a (Erz)* pauvre; *fig* vide, futile, insignifiant, superficiel, sans valeur; **~losigkeit** *f* ‹-, ø› pauvreté *f; fig* vide *m;* insignifiance, futilité *f;* **g~reich** *a,* **g~voll** *a (Erz)* riche (*an* en), de bon aloi; *(Nahrung)* substantiel, nutritif; *fig* fondé, solide; **~sabbau** *m* diminution *f* des traitements; **~sabzug** *m* retenue *f* sur le traitement; **~sangabe** *f* déclaration *f* de traitement; *(Liste)* liste *f* des salariés; **~sansprüche** *m pl* prétentions *f pl;* **~saufbesserung** *f* augmentation *f od* relèvement *m* de traitement; **~s(aus)zahlung** *f* paiement *m* des traitements; **~sempfänger** *m* salarié, employé *m;* **~serhöhung** *f* = *~saufbesserung; um ~~ bitten* demander une augmentation de traitement; *jdm e-e ~~ gewähren* aug-

menter qn; ~**sforderung** *f* = ~*sansprüche;* ~**sgruppe** *f* groupe *m od* catégorie *f* de traitement; ~**skürzung** *f* réduction de traitement; diminution *f* des appointements *od* des traitements; ~**sliste** *f* feuille *f* d'émargement *od* de paie; ~**snachzahlung** *f* rappel *m* de traitement; ~**sstufe** *f* échelon *m* de traitement; ~**stabelle** *f* grille *f* des salaires; ~**szulage** *f* supplément *m* de traitement.

Gehänge *n* ‹-s, -› *(Früchte, Blumen)* grappe *f,* feston *m; (Schmuck)* pendeloque, breloque *f.*

geharnischt [gəˈharnɪʃt] *a fig* énergique; *(Antwort)* vert.

gehässig [gəˈhɛsɪç] *a* haineux; *(zänkisch)* hargneux; *(gallig, giftig)* fielleux; **G~keit** *f* haine; hargne *f;* fiel *m.*

Gehäuse *n* ‹-s, -› *tech* abri, carter, boisseau, *(a. Uhr)* boîtier *m; (Wanduhr)* cage *f; (Rundfunkgerät)* coffre *m; (Kerngehäuse)* trognon *m; (Schneckenhaus)* coquille *f.*

Gehege *n* ‹-s, -› [gəˈheːgə] (en)clos *m,* enceinte *f; (für Tiere)* parc *m; (Kaninchen~)* garenne; *(Jagd)* réserve *f* de chasse; *jdm ins ~ kommen (fig)* aller *od* marcher sur les brisées, *fam* marcher sur les plates-bandes de qn.

geheim [gəˈhaɪm] *a* secret; *(versteckt)* caché, dérobé; *(okkult)* occulte; *(unbekannt)* inconnu; *(heimlich)* clandestin; *(vertraulich)* confidentiel; *(vertraut)* intime; *(in Titeln)* privé, intime; *im ~en* en secret, en cachette; *in ~er Sitzung* à huis clos; *streng (vertraulich und) ~* strictement confidentiel; **G~abkommen** *n* traité *m* secret; **G~agent** *m* agent secret, affidé *m;* **G~befehl** *m* ordre *m* secret; **G~bericht** *m* rapport *m* confidentiel; **G~bund** *m* alliance *f* secrète; **G~dienst** *m* service *m* secret; **G~druckerei** *f* imprimerie *f* clandestine; **G~fach** *n* compartiment *m* à secrets; **G~fonds** *m* fonds *m* secret, caisse *f* noire; **G~gesellschaft** *f* société *f* secrète; ~**=halten** *tr* tenir secret; **G~haltung** *f* conservation *f* du secret; **G~lehre** *f rel* doctrine *f* ésotérique; **G~mittel** *n* remède secret, arcane *m;* **G~nis** *n* ‹-sses, -sse› secret; *bes. rel* mystère *m; das ~~ (be-)wahren* garder le secret; *in das ~~ einweihen* mettre dans le secret; *jdm sein ~~ entlocken* tirer les vers du nez à qn; *vor jdm ein ~~ haben* cacher qc à qn; *das ~~ lüften* dévoiler le secret; *aus etw ein ~~ machen* faire un secret *od* mystère de qc; *das ~~ verraten* trahir le secret, *fam* vendre la mèche; *das ist ein ~~* c'est un secret; *das ist das ganze ~~* c'est tout ce qu'il y a de plus simple; *das ist ein offenes ~~* c'est un secret de Polichinelle; *er macht kein ~~ daraus, daß* il ne cache pas que *od* il ne se cache pas de *inf;* **G~niskrämer** *m* cachottier *m;* **G~niskrämerei** *f* cachotterie *f;* ~**nisvoll** *a* mystérieux; *adv* mystérieusement; *~~ tun* faire le mystérieux, y mettre du mystère; **G~polizei** *f* police *f* secrète; **G~polizist** *m* agent de la police secrète, détective *m;* **G~rat** *m* conseiller *m* privé *od* intime; **G~schrift** *f* cryptographie *f;* **G~sprache** *f* langage *m* secret *od tele* chiffré; **G~tinte** *f* encre *f* sympathique; **G~tuer** *m* cachottier *m;* **G~tuerei** *f* cachotterie *f;* **G~treppe** *f* escalier *m* dérobé; **G~tür** *f* porte *f* dérobée *od* secrète; **G~vertrag** *m* traité *m* secret; **G~wissenschaft** *f* occultisme *m;* **G~zeichen** *n* signe *m* secret; *pl* caractères *m pl* cryptographiques.

Geheiß *n* ‹-es, ø› *auf jds ~* sur l'ordre de qn.

gehemmt *a psych* refréné.

geh|en ‹*ging, ist gegangen*› [ˈgeːən, gɪŋ, -ˈgaŋ-] **1.** *itr allg* aller; *(zu Fuß)* aller à pied, marcher, cheminer; *(spazierengehen)* se promener; *(nach links, rechts)* prendre (à gauche, à droite); *(weggehen)* s'en aller, partir; *(Zug, Schiff: abfahren)* partir; *tech (a. Uhr)* marcher, fonctionner; *(Ware)* se vendre, se débiter; *(Geschäft)* marcher, réussir; *(Gerücht)* courir, circuler; *(Teig)* lever; *(Tür)* battre, claquer; *auf* ouvrir sur, *(Fenster)* donner sur; *bis an (Kleid)* s'arrêter à; *mit jdm ~~* accompagner qn; *(mit e-m Mädchen)* fréquenter qn; *zu jdm ~~ (jdn besuchen)* aller voir qn; *zum Arzt, Friseur* aller chez le médecin, le coiffeur; *in sich ~~* rentrer en *od* descendre en *od* se replier sur soi-même; **2.** *vor Anker ~~* mouiller; *auf und ab ~~* se promener de long en large, *fam* battre la semelle; *auf die 50 ~~* aller sur ses 50 ans, friser *od* frôler la cinquantaine; *nach dem Äußeren ~* juger sur les apparences; *bei jdm aus und ein ~~* fréquenter qn; *jdm um den Bart ~~* flatter *od* courtiser qn; *essen ~~* aller déjeuner *od* dîner; *s-n Gang* od *vor sich ~~* aller *od* suivre son cours; *e-r S auf den Grund ~~* aller au fond de qc; *gut ~~ (com)* bien marcher, se vendre facilement; *jdm zur Hand ~~* aider *od* assister qn; *zu Herzen ~~* aller droit au cœur; *über jds Horizont ~~* dépasser qn; *jdm durch den Kopf ~~* passer par la tête à qn; *nicht viel unter Menschen ~* vivre retiré; *rascher, schneller ~~* aller *od* marcher plus vite, hâter *od* presser le pas; *schlafen ~~* aller se coucher; *in Seide ~~* porter des vêtements *od* une robe de soie; *um sicherzu~~* pour avoir toutes les garanties possibles, pour être sûr de son fait; *in Stücke ~~* se casser; *in gleiche Teile ~~* être partagé en parts égales; *vonstatten ~~* marcher, avancer; *so weit ~~ zu* en venir jusqu'à; *etw zu tun* aller jusqu'à faire qc; *behutsam, vorsichtig zu Werke ~~* procéder avec prudence; *einen ~~ lassen (vulg)* faire *od* lâcher un pet; **3.** *ich ~e jetzt* je vous laisse *(fam); ~ (doch* od *schon)!* va (donc)! *~! ~!* taratata! *~ mir aus den Augen!* loin d'ici! **4.** *impers: es ~t* ça va *(a. gesundheitlich); es ~t abwärts mit mir, dir etc* mes, tes, *etc* affaires vont mal; *es ~t nicht anders* c'est le seul moyen, il faut en passer par là; *es ist anders gegangen (als)* les choses se sont passés autrement (que); *es ~t auf Mittag* il va être midi, midi approche; *es ~t mir besser* je vais *od* suis mieux; *es ~t (alles) drunter und drüber* tout va sens dessus dessous; *es ~t mir gut* je vais *od* me porte bien, *fam* ça va bien; *es ~t ihm leicht von der Hand* il a le travail facile; *es* od *das ~t nicht* cela ne se peut pas, (ça,) c'est impossible, il n'y a pas moyen; *es ~t mir schlecht* je ne vais pas bien, *fam* ça va mal, ça ne va pas; *es ~t wie am Schnürchen* cela va comme sur des roulettes; *es ~t schon, es wird schon ~~* cela s'arrangera, ça ira; *es ~t (so, einigermaßen) (fam)* ça va *od* ça marche (pas trop mal); *es ~t mir auch so* il en est de même pour moi, c'est la même chose pour moi; *so ~t es nicht* cela ne va pas comme ça; *so ~t es, wenn ...* il en va ainsi lorsque ..., voilà ce que c'est que de ...; *das ~t mir über alles* je mets cela au-dessus de tout; *es ~t nichts über ...* il n'y a rien de tel que ...; *es ~t um* il y va de; *darum ~t es (hier) nicht* la question n'est pas là; *es ~t um Leben und Tod* c'est une question de vie ou de mort, il y va de la vie; *das ~t auf dich* c'est toi qui es visé; *fam* attrape! *das ~t vorbei* od *vorüber* ça passera; *fam* ça va se tasser; *das ~t zu weit* cela va trop loin, c'en est trop; *worum ~t's?* de quoi s'agit-il? *wie ~t es Ihnen?* comment allez-vous? comment vous portez-vous? *wie ~t's (noch)? (fam)* comment cela va-t-il? (comment) ça va? *das wird schon ~~!* cela s'arrangera; *mag es ~~, wie es will!* quoi qu'il arrive, advienne que pourra! *wenn es nach mir ginge* si ce n'était que de moi; *wenn es nach dir ~t* si l'on s'en remet à toi; *wenn es (gar) nicht anders ~t* si c'est indispensable; *es ~t sich gut in diesen Schuhen* ces chaussures sont pratiques pour la marche; *~~=lassen (in Ruhe l.)* laisser tranquille; *sich ~~=lassen (im Benehmen)* se laisser aller; *(in der Kleidung)* se laisser aller, se négliger; **G~~** *n* marche *f, a. sport; im ~~* en marchant; *das ~~ wird mir sauer* j'ai de la peine à marcher; *das Kommen und ~~* le va-et--vient; **G~er** *m* ‹-s, -› *sport* marcheur *m;* **G~rock** *m* redingote; *(e-s kath. Geistlichen)* soutanelle *f;* **G~störungen** *f pl* troubles *m pl* de la démarche; **G~versuch** *m: e-n ~~ machen* essayer de marcher; **G~weg** *m* trottoir *m;* **G~werk** *n (Uhr)* mouvement *m.*

gehetzt *a fig* traqué, bousculé.

geheuer [gəˈhɔʏər] *a (nur verneint): hier ist es nicht ~* cela n'inspire pas confiance; *das kommt mir nicht ~ vor* l'affaire est suspecte.

Geheul *n* ‹-(e)s, ø› hurlement(s *pl*) *m; (Sturm)* mugissement *m.*

Gehilf|e *m* ‹-n, -n›, ~**in** *f* aide *m f,* assistant(e *f*) *m; (Amts~~)* adjoint(e *f*) *m; (Angestellter)* employé(e *f*) *m,* commis, *(e-s Anwalts)* clerc; *(Geselle e-s Handwerkers)* compagnon *m.*

Gehirn *n* ⟨-(e)s, -e⟩ *(als Substanz)* cervelle *f; (als Organ)* cerveau *m;* **~blutung** *f* hémorragie *f* cérébrale; **~entzündung** *f* fièvre *f* cérébrale; **~erschütterung** *f* commotion *f* cérébrale; **~erweichung** *f* ramollissement *m* cérébral; **~fortsatz** *m anat* processus *m* cérébelleux; **~haut** *f* méninge *f;* **~hautentzündung** *f* méningite *f;* **~mark** *n* pulpe *f* cérébrale; **~masse** *f* matière *f* cérébrale; **~schale** *f* crâne *m;* **~schlag** *m* apoplexie, congestion *od* embolie *f* cérébrale, *fam* coup *m* de sang; **~substanz** *f: graue ~~* corps *m* strié; **~tätigkeit** *f physiol* cérébration *f;* **~tumor** *m med* tumeur *f* cérébrale; **~verletzung** *f* lésion *f* cérébrale; **~wäsche** *f pol* lavage *m* de cerveau; **~wassersucht** *f* hydrocéphalie *f;* **~zelle** *f anat* cellule *f* cérébrale.

Gehöft *n* ⟨-(e)s, -e⟩ [gə'hø:ft] ferme, métairie *f.*

Gehölz *n* ⟨-es, -e⟩ [gə'hœlts] bois, bosquet, boqueteau *m.*

Gehör *n* ⟨-(e)s, -e⟩ *(Sinn)* ouïe; *(Sinn für Musik)* oreille *f; nach ~ (mus)* d'oreille; *nach ~ aufnehmen (tele)* lire au son; *~ finden* être écouté, se faire écouter; trouver un accueil favorable; *bei jdm* avoir, trouver audience auprès de qn; *ein gutes ~ haben* avoir l'oreille fine; *kein musikalisches ~ haben* ne pas avoir d'oreille; *jdm ~ schenken* ouvrir *od* prêter l'oreille à qn; *sich ~ verschaffen* se faire écouter; **~fehler** *m* défaut *m* d'ouïe; **~gang** *m anat* conduit *m* auditif *od* auriculaire; **g~los** *a* sourd; **~losigkeit** *f* surdité *f;* **~nerv** *m* nerf *m* auditif; **~organ** *n* organe *m* de l'ouïe; **~sinn** *m* (sens *m* de l')ouïe *f.*

gehorchen ⟨*hat gehorcht*⟩ *itr* obéir (*jdm* à qn); marcher au pas; *jdm nicht ~* désobéir à qn.

gehör|en *itr (a. als Besitz)* appartenir, être (*dat* à); *(als Teil)* faire partie (*zu* de); *(zu e-r Zahl, Gemeinschaft)* être (au nombre, au rang) de; *wie es sich ~t* selon les règles, en bonne règle, comme il faut *od* convient; *bestraft ~~* devoir être puni; *dazu~~* en faire partie; *zur Sache ~~* toucher à la question; *jdm beibringen, was sich ~t* apprendre les bonnes manières à qn; *das ~t sich (so)* c'est l'usage, c'est convenable; *das ~t sich nicht (a.)* cela ne se fait pas; *dazu ~t nicht viel* il ne faut pas être grand clerc *od* sorcier pour cela, ce n'est pas sorcier; *diese Frage ~t nicht hierher* cette question n'a rien à voir ici; *du ~st ins Bett* tu devrais être au lit; *dazu ~t Zeit* il faut du temps pour cela; *alles, was dazu~t (jur)* circonstances et dépendances *f pl;* **~ig** *a (gehörend)* appartenant (*jdm* à qn); *zu etw* faisant partie de qc; *(gebührend)* dû; *(nötig)* nécessaire, requis; *(passend)* convenable; *(tüchtig)* bon, grand; *adv (gebührend)* dûment, comme il faut, bien; en toute franchise; *in ~~er Form* en bonne et due forme; *es jdm ~~ geben* dire son fait *od* ses vérités à qn; *nicht zur Sache ~~* étranger à *od* en dehors de la question; *e-e ~~e Tracht Prügel* une bonne rossée.

Gehörn *n* ⟨-(e)s, -e⟩ *(Hörner)* cornes *f pl; (Geweih)* bois *m;* **g~t** *a* encorné, cornu.

gehorsam [gə'ho:rza:m] *a* obéissant, docile; **G~** *m* ⟨-s, ø⟩ obéissance, docilité *f; zum ~~ bringen* contraindre à l'obéissance; *sich ~~ verschaffen* se faire obéir; **~st** *adv* très humblement; **G~sverweigerung** *f mil* insubordination *f.*

Gehr|e *f* ⟨-, -n⟩ ['ge:rə] , **~ung** *f (Tischlerei)* (joint à) onglet, biais(ement) *m.*

Geier *m* ⟨-s, -⟩ ['gaɪər] vautour *m.*

Geifer *m* ⟨-s, ø⟩ ['gaɪfər] *(bei Kindern)* bave *a. fig; (bei Epileptikern* od *Tieren)* écume *f; fig (Bosheit)* venin *m;* **g~n** *itr* baver; *bes. fig* écumer (*vor Wut* de rage); **g~nd** *a* baveux.

Geige *f* ⟨-, -n⟩ ['gaɪgə] violon *m; auf der ~ kratzen* racler du violon; *die erste ~ spielen (fig)* jouer le premier rôle; *die zweite ~ spielen (fig)* être le sous-fifre, jouer un bout de rôle; *der Himmel hängt ihm voller ~n* il est aux anges, il baigne dans la joie; **g~n** *itr* jouer du violon; *tr* jouer au violon; **~nbau** *m* lutherie *f;* **~nbauer** *m* luthier *m;* **~nharz** *n* colophane *f;* **~nkasten** *m* boîte *f* à violon; **~nspieler** *m* joueur de violon, violoniste *m;* **~nvirtuose** *m* violoniste *m* virtuose; **~r** *m = ~nspieler.*

Geigerzähler *m* ['gaɪgər-] *phys* compteur *m* (de) Geiger.

geil [gaɪl] *a (Erde) (fett)* (très) gras; *bot (üppig, wuchernd)* luxuriant, exubérant; *zoo (brünstig)* chaud, en chaleur, en rut; *(Mensch: wollüstig)* luxurieux, lascif, salace; excité (*auf* par); *~e Triebe m pl (bot)* gourmands *m pl;* **G~heit** *f* ⟨-, ø⟩ *bot* luxuriance, exubérance; *zoo* chaleur *f,* rut *m;* luxure, lasciveté, salacité *f.*

Geisel *f* ⟨-, -n⟩ (*od m* ⟨-s, -⟩) ['gaɪzəl] otage *m; ~n stellen* donner des otages; **~nahme** *f* prise *f* d'otage(s).

Geiser *m* ⟨-s, -⟩ ['gaɪzər] *(heiße Springquelle auf Island)* geyser *m.*

Geiß *f* ⟨-, -en⟩ [gaɪs] chèvre *f;* **~bart** *m bot* ulmaire *f;* **~blatt** *n bot* chèvrefeuille *m;* **~bock** *m* bouc *m.*

Geiß|el *f* ⟨-, -n⟩ ['gaɪsəl] fouet *m, a. fig; rel* discipline *f; fig (Plage)* fléau *m;* **g~eln** *tr* fouetter; fustiger *a. fig; rel* flageller *a. fig; fig* châtier, stigmatiser; **~(e)lung** *f* peine du fouet; fustigation; *rel* flagellation *f;* **~ler** *m* ⟨-s, -⟩ *rel hist* flagellant *m.*

Geist 1. *m* ⟨-es, -er⟩ [gaɪst] esprit; *(Genius)* génie *m; (Verstand)* intelligence *f,* entendement; *(Gespenst)* fantôme, spectre, revenant *m; den ~ aufgeben* rendre l'âme *od* l'esprit; *den ~ bilden* former *od* cultiver l'esprit; *im ~e bei jdm sein* être auprès de qn en esprit *od* en pensée; *vom bösen ~ besessen sein* être possédé du malin; *von ~ sprühen* avoir de l'esprit jusqu'au bout des doigts; *von allen guten ~ern verlassen sein* avoir perdu le sens; *ich weiß, wes ~es Kind er ist* je sais de quel bois il se chauffe; *der ~ ist willig, aber das Fleisch ist schwach (prov)* l'esprit est prompt, mais la chair est faible; *der böse ~* l'esprit malin; *der Heilige ~* l'Esprit saint, le Saint-Esprit; *ein ~ der Kameradschaft* un esprit de camaraderie; *Leben n im ~e (rel)* vie *f* spirituelle; *ein Mann von ~* un homme (remarquablement) intelligent; **2.** *m* ⟨-es, -e⟩ alcool, esprit.

Geister|beschwörer *m* ['gaɪstər-] *(der herbeiruft)* nécromancien; *(der austreibt)* exorciste *m;* **~beschwörung** *f (Herbeirufung)* nécromancie, conjuration, évocation *f* des esprits; *(Austreibung)* exorcisme *m;* **~bild** *n = ~erscheinung; tele* écho *m;* **~erscheinung** *f* apparition, vision *f;* **~glaube** *m* spiritisme *m;* **g~haft** *a* spectral, fantômatique, surnaturel; *~~e Blässe f* pâleur *f* mortelle; **g~n** *itr* rôder (en fantôme); **~reich** *n = ~welt;* **~seher** *m* visionnaire *m;* **~stunde** *f* heure *f* des revenants; **~welt** *f* monde *m* des esprits *od* invisible.

geistes|abwesend ['gaɪstəs-] *a* absent, distrait; *zeitweilig ~~ sein* avoir des absences; **G~abwesenheit** *f* absence (d'esprit), distraction *f;* **G~arbeit** *f* travail *m* intellectuel; **G~arbeiter** *m* (travailleur) intellectuel; cérébral *m;* **G~bildung** *f* culture *f* (intellectuelle); **G~blitz** *m* éclair *od* éclat de génie, trait *m* d'esprit, saillie, boutade *f;* **G~freiheit** *f* liberté *f* d'esprit; **G~gabe** *f* don de l'esprit, talent *m;* **G~gegenwart** *f* présence *f* d'esprit; **~gestört** *a* aliéné; *~~ sein* avoir l'esprit dérangé; **G~gestörtheit** *f* trouble *m od* aliénation *f* mental(e); **G~haltung** *f* état *m od* tournure *f* d'esprit, mentalité *f;* **~krank** *a* aliéné; **G~kranke(r** *m***)** *f* malade *m f* mental(e); **G~krankheit** *f* maladie *od* aliénation *f* mentale; **G~leben** *n* vie *f* intellectuelle; **G~richtung** *f* tendance *f* (d'esprit); **G~schärfe** *f* acuité d'esprit, sagacité *f;* **~schwach** *a* faible d'esprit; imbécile, idiot; **G~schwäche** *f* débilité mentale, imbécillité, idiotie *f;* **G~schwache(r)** *m a.* débile *m* mental; **~verwandt** *a* congénial (*jdm* à qn); **G~wissenschaften** *f pl* lettres *f pl;* **G~zustand** *m* état *m* mental; *jdn auf s-n ~~ untersuchen* soumettre qn à un examen mental.

geistig ['gaɪstɪç] *a* intellectuel, mental; *(immateriell)* spirituel, immatériel; *(alkoholisch)* spiritueux; *~e Arbeit f* travail *m* intellectuel; *~e(s) Eigentum n* propriété *f* intellectuelle *od* littéraire et artistique; *~e Fähigkeiten f pl* capacités *od* facultés *f pl* intellectuelles; *~e Getränke n pl* spiritueux *m pl; ~ Größe f* grand esprit *m; ~e Kraft f* force *f* de l'esprit; *~ zurückgeblieben* retardé; *~ umnachtet sein* avoir l'esprit trouble; *~e(r) Vorbehalt m* réservation *od* restriction *f* mentale; **G~keit** *f* ⟨-, ø⟩ nature intellectuelle; spiritualité *f.*

geistlich ['gaɪstlɪç] *a rel* spirituel; *(kirchlich)* ecclésiastique; *(klerikal)* clérical; *mus* sacré; *die ~e Macht f* le spirituel; **G~e(r)** *m allg* ecclésiastique, clerc; *(kath. Pfarrer)* curé, prêtre; *(evang. Pfarrer)* pasteur, ministre *m* (de l'Évangile); **G~keit** *f* ‹-, ø› clergé *m*, gens *pl* d'église.

geist|los ['gaɪstlo:s] *a* sans esprit; *(dumm)* stupide; *(nichtssagend)* banal, insignifiant; *(langweilig)* insipide, fade; **G~losigkeit** *f* ‹-, ø› manque *m* d'esprit; stupidité; banalité; insipidité, fadeur *f*; **~reich** *a* spirituel; *sehr ~~ sein* avoir de l'esprit jusqu'au bout des ongles; *~~e(r) Mann m* homme *m* d'esprit; **~sprühend** *a* pétillant d'esprit; **~tötend** *a fig* abrutissant, assommant; **~voll** *a* plein d'esprit, spirituel; *~~ sein* avoir de l'esprit.

Geitau *n* ['gaɪ-] *mar* cargue *f*.

Geiz *m* ‹-es, ø› [gaɪts] avarice; *(übertriebene Sparsamkeit)* parcimonie; *(Knauserei)* ladrerie, lésine, mesquinerie *f*; *pl bot (Schößlinge)* rejetons *m pl*; **g~en** *itr* être avare (*mit* de); *nach etw (vx)* être avide de qc; *tr agr (Rebe)* essarmenter, *(Tabak)* rejetonner; *mit jedem Pfennig ~~* être très près des ses sous; **~hals** *m*, **~kragen** *m* avare, ladre, lésineur; *fam* grippe-sou; rat, pingre; *pop* radin, grigou *m*; **g~ig** *a* avare, avaricieux; *(zu sparsam)* parcimonieux; *(knauserig)* ladre; lésinant, lésineur; mesquin, chiche, *fam* dur à la détente, *pop* radin, rat.

Gejammer *n* ‹-s, ø› plaintes, lamentations, jérémiades *f pl*.

Gejauchze *n* ‹-s, ø› cris *m pl* de joie, exultation *f*.

Gejohle *n* ‹-s, ø› criaillerie *f*; *(Hohngeschrei)* huées *f pl*.

Gejubel *n* ‹-s, ø› jubilation *f*.

gekachelt *a* en carreaux de faïence.

Gekeife *n* ‹-s, ø› criailleries *f pl*.

Gekicher *n* ‹-s, ø› rires *m pl* étouffés; ricanement *m*.

Gekläff *n* ‹-(e)s, ø› jappement, glapissement; *a. fig fam* clabaudage *m*.

Geklapper *n* ‹-s, ø› claquement; *(der Störche)* craquètement *m*.

Geklatsche *n* ‹-s, ø› claquement (des mains); *fig (Geschwätz)* bavardage, commérage *m*.

gekleidet ‹*pp von: kleiden*› vêtu, *gut ~* bien vêtu, *fam* beau comme un astre; *schlecht, (fam) mies ~* mal vêtu, *fam* mal ficelé, fichu comme l'as de pique.

Geklimper *n* ‹-s, ø› *(auf d. Klavier)* pianotage *m*.

Geklingel *n* ‹-s, ø› tintement *m*; *(Gebimmel)* drelins *m pl*.

Geklirr *n* ‹-(e)s, ø› cliquetis *m*.

Geknatter *n* ‹-s, ø› pétillement *m*; pétarade *f*, *a. mot*.

geknickt *a fig* abattu, accablé.

Geknister *n* ‹-s, ø› crépitation *f*, crépitement, pétillement, craquètement; *(von Seide)* frou-frou *m*.

gekonnt [gə'kɔnt] *a (Darbietung)* bien exécuté, très réussi.

geköpert *a (Textil)* croisé à grains d'orge.

gekörnt *a (Leder)* grainé, grené, grenu; *metal* grenu, granulé.

Gekose *n* ‹-s, ø› caresses *f pl*.

Gekrächze *n* ‹-s, ø› croassement(s *pl*) *m*.

gekränkt *a* offensé; *tief ~ sein* être ulcéré.

Gekreisch *n* ‹-(e)s, ø› criaillerie(s *pl*) *f*, cris *m pl* aigus; *(von Vögeln)* piaillerie *f*.

Gekritzel *n* ‹-s, ø› griffonnage *m*; écriture *f* de chat, pattes *f pl* de mouche.

gekröpft *a arch tech* coudé.

Gekröse *n* ‹-s, -› [gə'krø:zə] *anat (Bauchfellfalte)* mésentère *m*; *(Küche)* fraise *f*, tripes *f pl*.

gekünstelt *a (Benehmen)* affecté; *(Stil)* apprêté, affété, artificiel, factice; *(unnatürlich)* forcé; *(gesucht)* recherché; étudié; *(geziert)* maniéré; *(geschraubt)* guindé; *~ sein* sentir l'étude.

Gelächter *n* ‹-s, -› [gə'lɛçtər] rire; *(Hohn~)* ricanement *m*; *in ~ ausbrechen* partir d'un éclat de rire, éclater de rire; *sich dem ~ aussetzen* s'exposer à la risée; *(allgemeines) ~* hilarité *f* (générale); *schallendes ~* éclats *m pl* de rire.

gelackmeiert [gə'lakmaɪərt] *a fam (angeführt): der G~e sein* s'être fait avoir.

Gelage *n* ‹-s, -› banquet, festin *m*; *(Zech~)* beuverie, goguette, orgie, bacchanale; *fam* bamboche *f*.

gelagert *a: in besonders ~en Fällen* dans des cas particuliers.

gelähmt *a* paralysé, perclus; **G~e(r)** *m* paralytique, paraplégique; *(durch Kinderlähmung)* poliomyélitique *m*.

Gelände *n* ‹-s, -› [gə'lɛndə] *geog mil* terrain; *(Gebiet)* territoire *m*; *(Stück Land)* (pièce de) terre *f*; *(Bau~)* terrain à bâtir, emplacement *m*; *im ~* sur le terrain; *in freiem ~* en rase campagne; *das ~ abtasten* tâter *od* sonder le terrain; *sich dem ~ anpassen* s'adapter au terrain; *das ~ ausnützen* utiliser le terrain; *~ gewinnen, verlieren* gagner, perdre du terrain; *bedeckte(s) ~* terrain *m* couvert; *durchschnittene(s) ~* terrain *m* divisé; *ebene(s) od flache(s) ~* terrain *m* plat *od* de niveau; *nicht einsehbare(s) ~* terrain *m* caché; *hügelige(s) ~* terrain *m* accidenté; *offene(s) ~* terrain *m* découvert; **~abschnitt** *m* secteur *m* de terrain; **~anpassung** *f* adaptation *f* au terrain; **~aufnahme** *f* lever *od* levé *m* du terrain; *aero* reconnaissance *f* du terrain; **~ausbildung** *f mil* instruction *f* sur le terrain; **~ausnutzung** *f* utilisation *f* du terrain; **~ausschnitt** *m* portion *f* de terrain; **~auswertung** *f* évaluation *f* du terrain; **~beschaffenheit** *f* nature *f* du terrain; **~beschreibung** *f* description *od* étude *f* du terrain; **~besprechung** *f* critique *f* sur le terrain; **~beurteilung** *f* appréciation *od* étude *f od* examen *m* du terrain; **~darstellung** *f* représentation *f* topographique, figuré *m* du terrain; **~dienst** *m* exercices *m pl* sur le terrain; **~einschnitt** *m* coupure, combe *f*; **~erkundung** *f* reconnaissance *f* du terrain; **~fahrt** *f* cross-country *m*; *~~ machen* faire du tout-terrain; **~fahrzeug** *n* véhicule *m* tout-terrain; **~falte** *f* pli *m* (du terrain); **~formen** *f pl* formes *f pl od* figuré *m* du terrain; **~gang** *m mot* vitesse *f* tout-terrain; **g~gängig** *a* tout-terrain; **~gängigkeit** *f* capacité tout-terrain, aptitude *f* au tout-terrain; **~gestaltung** *f* configuration *f* du terrain; **~gewinn** *m* gain *m* de terrain; **~kette** *f mot* chenille *f*; **~kunde** *f* topographie *f*; **~lauf** *m sport* cross-country *m*; **~orientierung** *f* orientation *f* sur le terrain, tour *m* d'horizon; **~punkt** *m* point du terrain; *(Richtungspunkt)* point *m* de repère; **~querschnitt** *m* coupe *f* de terrain; **~reifen** *m* pneu *m* tout-terrain; **~ritt** *m* chevauchée *f* sur le terrain; **~schwierigkeiten** *f pl* difficultés *f pl* du terrain; **~skizze** *f* croquis du terrain *od* topographique, *fam* topo *m*; **~sport** *m* sport *m* en terrain varié; **~streifen** *m* bande *f* de terrain; **~übung** *f* exercice(s *pl*) *m* sur le terrain; **~unebenheit** *f* accident *m* de terrain; **~verhältnisse** *n pl* conditions *f pl* du terrain; **~wagen** *m mot* voiture *f* tout-terrain.

Geländer *n* ‹-s, -› [gə'lɛndər] balustrade *f*, parapet, accoudoir; *(an Brücken, Ufern etc)* garde-fou *m*; *(Treppen~)* rampe *f*; *tech u. mar* garde-corps *m*.

gelangen ‹*ist gelangt*› [gə'laŋən] *itr* (par)venir, arriver, atteindre (*zu, nach* à; *bis zu* od *nach* jusqu'à); *in den Besitz e-r S ~* acquérir *od* gagner qc; *zu Reichtum ~* faire fortune; *zum Ziel ~* arriver au but, atteindre son but.

Gelärme *n* ‹-s, ø› bruit *m* continuel.

Gelaß *n* ‹-sses, -sse› [gə'las] pièce, chambre *f*, *(kleines)* cabinet *m*.

gelassen *a (ruhig)* calme, tranquille, placide, rassis; *(gleichmütig)* impassible; *(geduldig)* patient; *(ergeben)* résigné; *(beherrscht) attr* de sang-froid, *pred* maître de soi; *adv* sans s'émouvoir; *~ bleiben* garder son calme; **G~heit** *f* ‹-, ø› calme *m*, placidité, sérénité; impassibilité; patience; résignation *f*; sang-froid *m*; maîtrise *f* de soi.

Gelatine *f* ‹-, ø› [ʒela'ti:nə] *(Küche)* gélatine *f* culinaire; **~kapsel** *f pharm* gélule *f*.

Gelaufe *n* ‹-s, ø› va-et-vient *m*, allées et venues *f pl*.

geläufig [gə'lɔʏfɪç] *a (Ausdruck, Redensart)* courant; *jdm ~ sein* être familier à qn; *er spricht ~ Französisch* il parle français couramment; **G~keit** *f* ‹-, ø› *(des Ausdrucks)* aisance *f*.

gelaunt *a* disposé; *gut, schlecht ~* bien, mal disposé *od fam* luné; de bonne, mauvaise humeur.

Geläut *n* ‹-(e)s, -e› , **~ e** *n* ‹-s, -› sonnerie *f*; *(von Glöckchen)* tintement *m*; *unter dem ~ der Glocken* au son des cloches.

gelb [gɛlp] *a* jaune; *~e Rübe f* carotte *f*; *~ färben* od *werden* jaunir; **~braun** *a* brun jaune; **G~fieber** *n* fièvre *f* jaune; **G~filter** *m* od *n phot* filtre *od* écran *m* jaune; **G~gießer** *m* fondeur en laiton, dinandier *m;* **G~kreuz(gas)** *n mil* gaz *m* croix jaune, ypérite *f;* **~lich** *a* jaunâtre; **G~sucht** *f* jaunisse *f, scient* ictère *m;* **~süchtig** *a* ictérique.

Geld *n* ⟨-(e)s, ′-er⟩ [gɛlt, -dər] argent *m, (bes. kleineres)* monnaie *f; arg* pèse *od* peze, fric, pognon *m*, galette, oseille *f; für ~* à prix d'argent; *nicht für ~ und gute Worte* ni pour or ni pour argent; *mit gutem ~e* en belle et bonne monnaie; *~ anlegen* faire un placement; *mit s-m ~e auskommen* joindre les deux bouts; *jdm ~ geben (fig fam)* arroser qn; *~ haben (pop: reich sein)* avoir de quoi; *~ genug haben* ne pas être dans le besoin; *~ wie Heu haben* rouler sur l'or, être tout cousu d'or; *pop* être plein aux as; *kein ~ haben* manquer d'argent; *kein ~ bei sich haben* n'avoir point d'argent sur soi; *kein ~ (mehr) haben* avoir le gousset vide *od* percé, *fam* être fauché; *keinen Pfennig ~ haben* n'avoir pas le sou, être sans le sou; *(kein) ~ herausrükken* délier *od* dénouer (tenir serrés) les cordons de la bourse; *das* od *sein ~ zum Fenster hinauswerfen (fig)* jeter l'argent par les fenêtres; *sein ~ nicht zum Fenster hinauswerfen* ne pas attacher ses chiens avec des saucisses; *für teures ~ kaufen* acquérir à prix d'or; *zu ~ kommen* faire fortune; gagner de l'argent; *wieder zu seinem ~ kommen* récupérer son argent; *~ springen lassen* od *verschwenden* faire danser les écus; *vom ~e leben* vivre de ses rentes; *zu ~ machen* convertir en argent; *alles zu ~ machen* faire ressource de tout; *~ prägen* battre monnaie; *aus allem ~ schlagen* faire argent de tout; *im ~e schwimmen* rouler sur *od* nager dans l'or, être tout cousu d'or; *ohne (e-n Pfennig) ~ sein* être démuni d'argent, *fam* être à sec; *um ~ spielen* jouer pour de l'argent; intéresser la partie; *sich ~ verschaffen* se procurer de l'argent; *~ verdienen* gagner de l'argent; *~ (bei e-r S) verlieren* manger de l'argent, *fam* en être de sa poche; *sein ~ im voraus verzehren* manger son blé en herbe; *im ~e wühlen (fig)* remuer l'argent à la pelle; *sein ~ zurückbekommen* rentrer dans ses fonds; *~ zurücklegen* faire *od* réaliser des économies; *das ist (so gut wie) bares ~* c'est de l'or en barre; *das ist nicht mit ~ zu bezahlen* c'est impayable; *~ ist knapp* l'argent est rare; *~ kommt immer zu ~ (prov)* l'eau va toujours à la rivière; *~ regiert die Welt (prov)* l'argent mène le monde; *fest angelegte(s) ~* capital *m* immobilisé; *bare(s) ~* argent comptant *od* en caisse, numéraire *m*, espèces *f pl; echte(s), falsche(s) ~* monnaie forte, fausse monnaie *f; fremde(s) ~ (in e-m Unternehmen)* capitaux *m pl* empruntés; *öffentliche ~er pl* deniers *m pl* publics; *~ und ~eswert* argent *et* valeurs; *f pl zu ~ zu machen(d), in ~ umsetzbar* monnayable; **~abfindung** *f* indemnité *f;* **~abwertung** *f* dépréciation *od* dévaluation *f* monétaire *od* de l'argent; **~angebot** *n* offre *f* d'argent; **~angelegenheit** *f* affaire *f* pécuniaire *od* d'intérêt; **~anhäufung** *f* accumulation *f* d'argent; **~anlage** *f* placement *m* de fonds; *in Grundstücken* immobilisation *f;* **~anspruch** *m* créance *f* d'argent; **~anweisung** *f* mandat *m;* **~aufwertung** *f* revalorisation *f* (de l'argent); **~ausgabe** *f* dépense *f;* **~bedarf** *m* besoin *m* d'argent; **~beschaffung** *f* mobilisation *f* de fonds; **~bestand** *m* fonds *m pl* de caisse; encaisse *f;* **~betrag** *m* somme *f* (d'argent); **~beutel** *m (fast nur noch fig)* bourse *f;* **~bewegung** *f* mouvement *m* monétaire *od* financier *od* de fonds; **~bewilligung** *f* allocation *f;* **~bezüge** *pl mil* prestation *f* en argent *od* en espèces; **~brief** *m* lettre *f* chargée; **~briefträger** *m* facteur *m* qui apporte de l'argent; **~buße** *f* amende *f;* **~eingang** *m* rentrée *f* d'argent; **~einlage** *f* apport *m od* mise *f* de fonds; **~einnehmer** *m* receveur, encaisseur *m;* **~einsatz** *m* mise *f* d'argent; **~einwurf** *m (Schlitz am Automaten)* fente *f;* **~entschädigung** *f* indemnité, restitution *f* en valeur; **~entwertung** *f* dépréciation monétaire *od* de l'argent, démonétisation, dévaluation, dévalorisation, inflation *f;* **~ersparnis** *f* économie *f* d'argent; **~forderung** *f* créance *f* monétaire *od* d'argent; **~frage** *f* question *f* d'argent *od* financière *od fam* de gros sou; **~geber** *m* prêteur (d'argent), bailleur *m* de fonds; **~geschäft** *n* opération *f* financière *od* d'argent; **~geschenk** *n* don *m* d'argent; **~gier** *f* cupidité *f;* **g~gierig** *a* avide d'argent, cupide; **~hamsterer** *m* thésauriseur; accapareur *od* stockeur *m* d'argent; **~heirat** *f* mariage *m* d'argent; **~herrschaft** *f* ploutocratie *f;* **~hortung** *f* thésaurisation *f;* **~institut** *n* institut *m* bancaire; **~kassette** *f* cassette *f;* **~knappheit** *f* pénurie d'argent, rareté *f* de l'argent; **~kurs** *m* cours des espèces; *(Wechselkurs)* cours *m* de change; **g~lich** *a* pécuniaire, financier; **~mangel** *m* manque *m* d'argent; **~mann** *m* ⟨-(e)s, -leute/(-männer)⟩, **~mensch** *m* homme *m* d'argent; **~markt** *m* marché *m* monétaire *od* d'argent; **~mittel** *n pl* ressources *f pl* financières *od* en argent; **~not** *f* pénurie *f* d'argent; *in ~nöten (befindlich)* pressé d'argent; **~posten** *m* poste *m* d'argent; **~quelle** *f* ressource *f* (d'argent); **~reserve** *f* réserve *f* monétaire; **~sache** *f* affaire *f* d'intérêt; **~sammlung** *f* collecte, quête *f;* **~schein** *m* billet de banque, *pop* fafiot *m;* **~schrank** *m* coffre(-fort) *m;* **~schrankknacker** *m* perceur *m* de coffres-forts; **~sendung** *f* envoi *m* d'argent; **~sorte** *f* espèce *f;* **~spende** *f* don *m* d'argent; **~strafe** *f* amende *f;* **~stück** *n* pièce *f* de monnaie; **~summe** *f* somme *f* d'argent; **~tasche** *f* sacoche *f;* **~überhang** *m* surplus de la circulation (monétaire), (excédent) monétaire *m*, inflation *f* fiduciaire; **~überweisung** *f* virement *m* de fonds; *telegraphische ~~* mandat *m* télégraphique; **~umlauf** *m* circulation *f* monétaire; **~umsatz** *m* mouvement *m* de fonds; **~verknappung** *f* resserrement *m* du marché monétaire; **~verlegenheit** *f* embarras *m* d'argent; *in ~~ sein* avoir un grand besoin d'argent; **~verlust** *m* perte *od* plaie *f* d'argent; **~verschwendung** *f* gaspillage *m* d'argent; **~wechsel** *m* change *m;* **~wert** *m* valeur *f* monétaire *od* en argent; **~wesen** *n* finances *f pl; allg* régime *od* système *m* monétaire.

Gelee *n* od *m* ⟨-s, -s⟩ [ʒeˈleː] gelée *f.*

gelegen *a (örtlich)* situé; *(Zimmer)* donnant (*nach* sur); *(passend)* opportun; *adv* à propos, à point; *zu ~er Zeit* à propos; *es ist mir daran ~, daß* il m'importe que *subj; das kommt mir sehr ~* cela arrive à point nommé pour moi, cela m'arrange (très) bien; *mir ist nicht viel daran ~* peu m'importe; *was ist daran ~?* qu'importe? **G~heit** *f (Anlaß, Möglichkeit)* occasion; *(günstige)* chance, facilité (*zu* de); *(Zufall)* occurrence; *arg* occase *f; ein Kleid für besondere ~~en* une robe pour les grandes occasions; *bei ~~* à l'occasion; *gen* à l'occasion de, à propos de; *bei dieser ~~* en cette occurrence *od* en l'occurrence; *bei der ersten (besten) ~~* à la première occasion (venue); *bei jeder (passenden) ~~* en toute occasion, à tout propos, *fam* à tout bout de champ; *bei der nächsten ~~* à la prochaine occasion; *bei passender ~~* à propos, en temps et lieu; *bei verschiedenen ~~en* en diverses occasions; *bei vielen ~~en* en mainte(s) occasion(s); *die ~~ ergreifen* saisir l'occasion *od* le moment favorable; *die ~~ beim Schopf ergreifen* saisir l'occasion aux cheveux, saisir la balle au bond; *~~ geben zu* donner l'occasion de; *~~ haben zu* avoir l'occasion de; *sich die ~~ entgehen lassen, die ~~ verpassen* laisser échapper, manquer *od* rater l'occasion, *fam* manquer le coche; *die ~~ nutzen* profiter de l'occasion; *es bietet sich e-e ~~* il se présente une occasion; *~~ macht Diebe (prov)* l'occasion fait le larron; *e-e gute, günstige ~~* une bonne *od* belle occasion, une occasion favorable; **G~heitsarbeit** *f* travail *m* occasionnel *od* de circonstance; **G~heitsarbeiter** *m* travailleur occasionnel, bricoleur *m;* **G~heitsgedicht** *n* vers *m pl* de circonstance, à-propos *m;* **G~heitskauf** *m* (achat *m* d')occasion *f;* **G~heitskunde** *m* client *m* de passage; **G~heitsstück** *n theat* à-propos *m;* **~tlich** *a* occasionnel, de rencontre; *(zufällig)* accidentel; *adv* occasionnellement, par occurrence, à ses heures, *fam* des fois.

gelehr|ig *a* docile (d'esprit); *(klug)* intelligent; **G~igkeit** *f* ⟨-, ø⟩ docilité (à apprendre); intelligence *f;* **G~samkeit** *f* ⟨-, ø⟩ érudition *f,* savoir *m;* **~t**

a savant, érudit, docte; *~te(s) Haus n (hum)* puits *m* de science; **G~te(r)** *m* savant, érudit, homme *m* d'étude; **G~tenrepublik** *f* république *f* des lettres; **G~tenwelt** *f* monde *m* savant *od* lettré.

Geleier *n* ⟨-s, ø⟩ [gəˈlaɪər] *fig pej (beim Aufsagen)* monotonie *f.*

Geleise *n* ⟨-s, -⟩ *(vgl. Gleis) (Wagenspur)* ornière *a. fig; loc* voie *f* (ferrée), rails *m pl; aus dem ~ bringen (fig)* dérouter; *wieder ins ~ bringen (fig)* remettre dans la bonne voie; *aus dem ~ kommen* sortir de l'ornière; *wieder ins ~ kommen (fig)* reprendre son train accoutumé; *auf ein totes ~ schieben (fig)* mettre sur une voie de garage; *aus dem ~ springen* dérailler.

Geleit *n* ⟨-(e)s, -e⟩ *(Begleitung)* accompagnement *m,* (re)conduite; *mil* escorte *f; mil mar* convoi; *(Trauer~)* cortège *m; jdm das ~ geben* faire escorte à qn; *freie(s) ~* sauf-conduit *m;* **~brief** *m, a. fig* (lettre *f* de) sauf-conduit *m;* **g~en** *tr* accompagner, (re)conduire; *mil* escorter, *mar* convoyer; **~fahrzeug** *n* escorteur *m;* **~flugzeug** *n* avion *m* d'escorte; **~kreuzer** *m mar* croiseur *m* d'escorte; **~mannschaft** *f* escorte *f;* **~schein** *m com* acquit-à-caution *m;* **~schiff** *n* navire d'escorte, escorteur, convoyeur *m;* **~schutz** *m* convoyage *m;* **~wort** *n (Buch)* préface *f,* avant-propos *m;* **~zug** *m mar* convoi *m.*

Gelenk *n* ⟨-(e)s, -e⟩ *anat bot* jointure, articulation *f; tech* joint *m* (articulé); **~entzündung** *f* arthrite *f;* **~fortsatz** *m anat* apophyse *f* articulaire; **~fügung** *f anat* attache *f;* **g~ig** *a (gegliedert)* articulé; *(biegsam)* pliant, pliable, flexible; *(geschmeidig)* souple; **~igkeit** *f* flexibilité; souplesse *f;* **~kupp(e)lung** *f tech* accouplement *m* articulé; **~maßstab** *m* mètre *m* pliant; **~muffe** *f = ~stück;* **~pfanne** *f anat* glène *f; scient* acétabule; *tech* coussinet *m* de rotule; **~rheumatismus** *m* rhumatisme *m* articulaire; **~schmiere** *f anat* synovie *f;* **~stück** *n tech* joint *m* articulé; **~stütze** *f tech* support *m* articulé; **~tuberkulose** *f* tuberculose *f* articulaire; **~verbindung** *f tech* raccord *m* à rotule, articulation *f;* **~wassersucht** *f med* hydarthrose *f;* **~welle** *f tech* arbre *m* à cardan.

gelernt *a: ~e(r) Arbeiter m* ouvrier *m* qualifié; *~e(r) Facharbeiter* ouvrier *m* professionnel (O.P.).

gelesen ⟨*pp von: lesen*⟩ *~ und genehmigt* lu et approuvé.

Gelichter *n* ⟨-s, ø⟩ *(Gesindel)* canaille *f.*

geliebt *a* aimé, chéri; **G~e(r** *m***)** *f* bien-aimé(e *f*) *m; m fam* gigolo *m; f* maîtresse *f.*

Geliermittel [ʒeˈliːr-] *n (Küche)* gélifiant *m.*

gelind|(e) [gəˈlɪnt, (-də)] *a (mild, sanft)* doux, modéré, faible; *bei ~em Feuer (Küche)* à feu doux; *~e gesagt* au bas mot; pour ne rien dire de plus; *~ere Saiten aufziehen* adoucir *od* baisser le ton, filer doux; *mich packte e-e ~e Wut* j'ai eté pris d'une sainte colère.

gelingen ⟨*gelang, ist gelungen*⟩ [gəˈlɪŋən, -ˈlaŋ, -ˈlʊŋ-] *itr (Unternehmen)* réussir, venir à bien; *impers: es gelingt mir* je réussis (*zu* à), j'arrive (*zu* à); *es will mir nichts ~* je ne réussis à rien; *es gelingt ihm alles* il réussit en tout, tout lui réussit; **G~** *n* réussite *f,* succès *m.*

Gelispel *n* ⟨-s, ø⟩ zézaiement; *(Geflüster)* chuchotement *m.*

gellen ⟨*hat gegellt*⟩ [ˈgɛlən] *itr* retentir, résonner; *es gellt mir in den Ohren* les oreilles me tintent; **~d** *a* perçant, strident, aigu, aigre, à percer les oreilles *od* l'air.

geloben *tr* promettre, (solennellement), faire vœu de; *das Gelobte Land (rel)* la Terre promise.

Gelöbnis *n* ⟨-sses, -sse⟩ [gəˈløːpnɪs] promesse *f* (solennelle), vœu *m.*

gelt [gɛlt] **1.** *a (bes. von Kühen: unfruchtbar)* stérile; *(nicht tragend)* non pleine. **2.** *interj* n'est-ce pas?

gelten ⟨*gilt, galt, hat gegolten*⟩ [ˈgɛltən, galt, -ˈgɔlt-] *tr (wert sein)* valoir; *itr (gültig sein)* être valable *od* valide *od* en vigueur, avoir cours; *(maßgebend sein)* faire autorité *od* loi; *(betreffen)* regarder (*jdm* qn), concerner (*jdm* qn), s'adresser (*jdm* à qn); *als, für* être réputé *od* passer pour; *impers: es gilt zu* il s'agit de, il faut, c'est le moment de; *etwas ~* être estimé *od* en réputation, avoir du crédit, faire bonne figure; *~ lassen* laisser passer, admettre; *das gilt mir (a.)* c'est une pierre dans mon jardin; c'est moi qui suis visé; *das gilt Ihnen* c'est à votre adresse; *das gilt nicht* cela ne compte pas, *fam* cela n'est pas de jeu; *es gilt als ausgemacht, daß ...* il est communément admis que ...; *da gilt keine Ausrede* les faux-fuyants ne sont pas de mise; *das gleiche gilt von ihm* on peut en dire autant pour lui; *es gilt das Leben* il y va de la vie; *wem soll das ~?* à qui en voulez-vous? *was gilt die Wette?* que pariez-vous? *es gilt!* va! tope! **~d** *a (Bestimmung, Gesetz)* en vigueur; *~~ machen (sich berufen auf)* se prévaloir de; *(durchsetzen)* faire valoir, affirmer; *für sich ~~ machen* se prévaloir de; **G~dmachung** *f* ⟨-, ø⟩ *(Berufung (auf ein Recht))* exercice *m; (Durchsetzen)* mise *f* en valeur; *gerichtliche ~~* action *f* en revendication, demande *f* en justice.

Geltung *f* ⟨-, (-en)⟩ [ˈgɛltʊŋ] *(Gültigkeit)* validité, vigueur *f; (Ansehen)* crédit *m,* autorité; *(Bedeutung)* importance *f; zur ~ bringen* mettre en valeur, faire valoir; *~ haben* faire autorité; *(gültig sein)* être valable *od* applicable; *zur ~ kommen* se faire valoir; *(Bild, Kleid)* faire de l'effet; *die Figur (gut) zur ~ kommen lassen (Kleid etc)* dégager la taille; *e-r S ~ verschaffen* faire respecter qc; *sich ~ verschaffen* se faire valoir, s'imposer; **~sbedürfnis** *n,* **~strieb** *m* besoin *m* de se faire valoir; **~sbereich** *m* domaine *od* champ *m* d'application; **~sdauer** *f* durée *f* de la validité.

Gelübde *n* ⟨-s, -⟩ [gəˈlʏpdə] promesse *f* solennelle, engagement (religieux), vœu *m; ein ~ ablegen od tun* faire un vœu.

Gelumpe *n* ⟨-s, ø⟩ *pej (Klamotten)* hardes *f pl.*

gelungen ⟨*pp von: gelingen*⟩ bien réussi *od* venu, *(Kompliment)* bien tourné; *a fam* fameux; *(eigenartig, komisch)* drôle.

Gelüst *n* ⟨-(e)s, -e⟩ , **~e** *n* ⟨-s, ø⟩ [gəˈlʏst(ə)] désir *m,* envie, convoitise *f;* **g~en** *impers: mich ~et nach* j'ai grande envie de.

Gemach *n* ⟨-(e)s, ¨er⟩ [gəˈmaːx, -ˈmɛːçər] chambre *f; (kleines)* cabinet *m;* **g~!** *interj* doucement!

gemächlich [gəˈmɛ(ː)çlɪç] *a (ruhig, gemütlich)* nonchalant; *adv a.* à son aise; *(langsam)* lentement; **G~keit** *f* ⟨-, ø⟩ nonchalance; aise, lenteur *f.*

gemacht *a fam (affektiert)* artificiel.

Gemahl *m* ⟨-(e)s, -e⟩ [gəˈmaːl] époux *m;* **~in** *f* épouse *f; Ihre Frau ~~* Madame N.

gemahnen *tr: jdn an etw ~* rappeler qc à qn.

Gemälde *n* ⟨-s, -⟩ [gəˈmɛːldə] *allg* peinture *f; (Tafelbild)* tableau *m; (auf Leinwand)* toile; *pej* croûte *f; kleine(s) ~* tableautin *m;* **~ausstellung** *f* exposition *f* de peinture *od* de tableaux, salon *m;* **~galerie** *f* galerie *f od* musée *m* de peinture *od* de tableaux; **~sammlung** *f* collection *f* de tableaux; = *~galerie.*

Gemarkung *f* ⟨-, -en⟩ *(Grenze)* limites *f pl; (Feldmark, Gemeindegebiet)* finage *m.*

gemasert *a* veiné.

gemäß [gəˈmɛːs] *a (entsprechend)* conforme (*dat* à); *prp (a. angehängt)* conformément à, en conformité de *od* avec, par application de, selon, suivant, d'après; **G~heit** *f* conformité *f;* **~igt** *a* modéré; *(Klima)* tempéré.

gemasselt [gəˈmasəlt] *a tech* en tire-bouchon.

Gemäuer *n* ⟨-s, -⟩ [gəˈmɔʏər] murailles *f pl,* masure *f.*

Gemecker(e) *n* ⟨-s, ø⟩ [gəˈmɛkər(ə)] *(Nörgeln)* rouspétance *f.*

gemein *n* [gəˈmaɪn] *a* commun; *(gewöhnlich)* ordinaire, vulgaire; *pej* bas, vil(ain), infâme; *(fig: schmutzig)* sordide; *pop* vache; *etw mit jdm ~ haben* avoir qc de commun avec qn; *manches ~ haben mit* avoir des points communs avec; *~ (frech) werden* tomber dans le vulgaire; *ich will nichts mit ihm ~ haben* je ne veux rien avoir à faire avec lui; *~e(r) Bruch m (math)* fraction *f* ordinaire; *~e(r) Kerl m* gredin, gueux *m,* canaille *f;* **G~eigentum** *n* ⟨-s, ø⟩ collectivité *f; in ~~ überführen* collectiviser; **G~e(r)** *m mil* simple soldat *m;* **~gefährlich** *a* constituant un danger public; **G~geist** *m* esprit *m* public *od* de corps; **~gültig** *a* généralement admis *od* reçu *od* applicable; **G~gut** *n* bien *m* commun, choses *f pl* communes, domaine *m* public; *zum ~~ machen* populariser, vulgariser;

G~heit *f (Gesinnung)* vulgarité, bassesse; vilenie, infamie, *fam* saleté *f;* **~hin** *adv* ordinairement, d'ordinaire; **G~nutz** *m* intérêt *m* général; *~~ geht vor Eigennutz (prov)* l'intérêt particulier doit céder à l'intérêt général; **~nützig** *a* d'intérêt général, d'utilité publique; *~~e Einrichtung f* institution *f* d'utilité publique; **G~platz** *m* lieu *m* commun, banalité *f,* propos *m pl* banals, poncif, cliché *m;* **~sam** *a* commun, collectif; *adv* en commun; *(mitea.)* ensemble; *~~e Sache machen* se solidariser, faire cause commune (*mit jdm* avec qn); *~~e Erklärung f der Regierungen* déclaration *f* intergouvernementale; *der G~~e Markt* le marché commun; *~~(s) Oberkommando n (mil)* commandement *m* interarmées; **G~schaft** *f* communauté, collectivité; *rel* communion *f; (Beziehungen)* commerce *m,* relation(s *pl*) *f; in ~~ mit* en société de; *häusliche ~~* communauté *f* de ménage; **G~schaftsantenne** *f* antenne *f* collective; **G~schaftsarbeit** *f* travail *m* d'équipe; **G~schaftsbaden** *n (der Geschlechter)* bain *m* mixte; **G~schaftsbetrieb** *m* entreprise *f* en participation; **G~schaftsbewußtsein** *n* solidarité *f;* **G~schaftseigentum** *n* copropriéte *f;* **G~schaftsempfang** *m radio* réception *od* écoute *f* collective; **G~schaftserziehung** *f (der Geschlechter)* coéducation *f;* **G~schaftsgefühl** *n,* **-geist** *m* solidarité *f;* sentiment *m* du coude à coude; **G~schaftshaftung** *f* responsabilité *f* solidaire; **G~schaftsleben** *n* vie *f* en commun; **G~schaftsproduktion** *f film* coproduction *f;* **G~schaftsraum** *m* salle *f* commune; **G~schaftsschule** *f* école *f* interconfessionnelle; **G~schaftsspiel** *n sport* jeu *m* collectif; **G~schaftsverpflegung** *f mil* ordinaire *m;* **G~schaftsvermögen** *n* masse *f* sociale, biens *m pl* indivis; **G~schaftswerbung** *f* publicité *f* collective; **G~schuldner** *m* débiteur *m* en faillite; **G~sinn** *m = Gemeinschaftsgeist;* **~verständlich** *a* populaire, à la portée de tous; *~~ darstellen* populariser, vulgariser; **G~wesen** *n* communauté *f;* **G~wohl** *n* bien *m* public.

Gemeinde *f* ⟨-, -n⟩ [gəˈmaındə] *adm* commune; *rel (Pfarr~)* paroisse; *(Ordensgemeinschaft)* communauté *f; (beim Gottesdienst)* assistance *f;* **~ammann** *m (Schweiz)* syndic *m;* **~anger** *m = ~weide;* **~beamte(r)** *m* officier *od* fonctionnaire *od* employé *m* communal; **~behörde** *f* autorité *f* communale; **~betrieb** *m* entreprise *od* exploitation *f* communale; **~diener** *m rel* appariteur *m;* **~eigentum** *n* propriété *f* de la commune; **~einnahmen** *f pl* recettes *f pl* communales; **~finanzen** *f pl* finances *f pl* communales; **~haus** *n rel* maison *f* paroissiale; **~haushalt** *m* budget de la commune; *(franz. Schweiz)* ménage *m* communal; **~kasse** *f* caisse *f* communale; **~mitglied** *n* membre de la commune; *rel* paroissien *m;* **~ordnung** *f* loi *f* sur les communes; **~politik** *f* politique *f* communale; **~rat** *m (Körperschaft)* conseil *m* municipal; *(Person = ~ratsmitglied)* conseiller *m* municipal; **~schule** *f* école *f* communale; **~schwester** *f* infirmière *f* paroissiale; **~steuer** *f* impôt *m od* taxe communal(e), taxe *f* locale; **~straße** *f* chemin *m* vicinal; **~verband** *m* association *f* intercommunale; **~vertreter** *m* délégué *m* communal *od* municipal; **~vertretung** *f* délégués *m pl* communaux *od* municipaux; **~verwaltung** *f* administration municipale, municipalité *f;* **~vorstand** *m (Körperschaft) = ~rat;* **~vorsteher** *m* maire *m;* **~wahl** *f* élection *f* municipale; **~weide** *f* pâturage *m* communal.

Gemeng|e *n* ⟨-s, -⟩ mélange; *geol* agrégat *m;* **~sel** *n* ⟨-s, -⟩ [-ˈ-zəl] mélange *m.*

gemessen *a* mesuré, précis; *fig (bedächtig, ernst)* réservé, grave; *in ~em Abstand* à bonne distance; *~en Schrittes* à pas mesurés; **G~heit** *f* ⟨-, ø⟩ mesure, précision; réserve, gravité *f.*

Gemetzel *n* ⟨-s, -⟩ massacre, carnage *m,* tuerie, *fam* boucherie *f.*

Gemisch *n* ⟨-(e)s, -e⟩ mélange *m,* mixture *f; (Treibstoff~)* polycarburant *m; gasreiche(s) ~ (mot)* mélange *m* riche; **g~t** *a* mélangé; *(Ehe, Schule, Zug)* mixte; *(Körperschaft)* mi-parti; *(Gesellschaft, Gefühle)* mêlé, *(Gesellschaft)* mélangé; *(Gefühl)* empreint (*mit* de); *~~e(s) Eis n* glace *f* panachée; *~~e(s) Obst, Gemüse n* macédoine *f* de fruits, de légumes; *~~e(r) Salat m* salade *f* panachée; *~~e(r) Verband m (mil)* formation *f* de toutes armes.

Gemme *f* ⟨-, -n⟩ [ˈgɛmə] gemme, pierre *f* gravée.

Gems|bart [ˈgɛms-] *m* touffe *f* de poils de chamois; **~bock** *m* chamois *m* mâle; **~e** *f* ⟨-, -n⟩ [-zə] chamois; *(in d. Pyrenäen)* isard *m;* **g~farben** *a* chamois *inv;* **~jagd** *f* chasse *f* au chamois; **~jäger** *m* chasseur *m* de chamois; **~leder** *n* (peau *f* de) chamois *m.*

Gemunkel *n* ⟨-s, -ø⟩ *(heimliches Gerede)* chuchotements *m pl,* rumeurs *f pl.*

Gemurmel *n* ⟨-s, ø⟩ murmure(s *pl*), marmottement *m.*

Gemurre *n* ⟨-s, ø⟩ [gəˈmurə] grondement(s *pl*) *m.*

Gemüse *n* ⟨-s, -⟩ [gəˈmy:zə] légume(s *pl*) *m; gemischte(s) ~* macédoine *f* (de légumes); **~bau** *m* culture *f* maraîchère; **~beilage** *f: mit ~~ (Küche)* garni; **~garten** *m* jardin maraîcher, (jardin) potager *m;* **~gärtner** *m* maraîcher; primeuriste *m;* **~händler(in *f*)** *m* marchand, e *m f* de légumes *od* de primeurs; **~konserven** *f pl* légumes *m pl* en conserve; **~pflanze** *f* plante *f* potagère; **~quetsche** *f* presse-purée *m;* **~suppe** *f* potage aux *od* bouillon *m* de légumes, julienne *f.*

Gemüt *n* ⟨-(e)s, -er⟩ [gəˈmy:t] âme *f,* cœur, sentiment(s *pl*) *m; die ~er pl* les esprits *m pl; sich etw zu ~e führen (fam)* déguster qc, se régaler de qc; *sich etw zu ~e führen* prendre qc à cœur; **g~lich** *a* confortable, agréable, intime; *(Mensch)* bonhomme, débonnaire; aimable; *adv (in Ruhe)* doucement; *ganz ~~ (adv)* à la papa *fam; ~~ leben* avoir la vie douce; *es sich ~~ machen* se mettre à l'aise; *hier ist es ~~* il fait bon ici; *es war sehr ~~* il régnait une agréable intimité *od* une bonne ambiance; **~lichkeit** *f* ⟨-, ø⟩ confort(able) *m,* intimité *f; da hört doch die ~~ auf!* c'est inouï; cela n'a pas de nom! **g~los** *a* sans cœur, sans âme, froid; **~losigkeit** *f* manque *m* de cœur *od* d'âme *od* de sentiment, froideur *f;* **g~voll** *a* plein de cœur, cordial.

Gemüts|art *f,* **~beschaffenheit** *f* [gəˈmy:ts-] naturel, tempérament, caractère *m,* complexion *f;* **~bewegung** *f* émotion *f;* **g~krank** *a* aliéné; **~krankheit** *f,* **~leiden** *n* maladie *f* mentale; **~leben** *n* vie *f* affective *od* sentimentale; **~mensch** *m fam* homme *m* de cœur; *fam* bonne pâte *f* d'homme; **~ruhe** *f* tranquillité *f* d'âme, calme; sang-froid *m; in aller ~~ (fam)* tout doucement; **~stimmung** *f,* **~verfassung** *f,* **~zustand** *m* état *m* d'âme, disposition d'esprit, humeur *f,* moral *m.*

gen [gɛn] *prp vx poet = gegen; ~ Himmel* vers le ciel.

Gen *n* ⟨-s, -e⟩ [ge:n] *biol* gène *m* (héréditaire).

genannt *a* nommé, appelé, dit; surnommé.

genau [gənau] *a* exact; *(bestimmt)* précis; *(regelmäßig)* régulier; *(ausführlich)* détaillé; *(richtig, knapp)* juste; *(peinlich ~)* scrupuleux, minutieux; *(streng)* strict, rigoureux; *(sparsam)* économe, *pej* parcimonieux; *adv a.* au juste, avec justesse, de près, à *od* au pied de la lettre; *~ um 3 Uhr* à trois heures précises; *ohne G~eres anzugeben* sans rien préciser; *~ angeben* od *bestimmen* préciser; *~ erzählen* détailler; *~ gehen (Uhr)* aller juste; *sich ~ halten an* se tenir étroitement à; *nicht so ~ hinsehen* ne pas y regarder de si près; *jdn ~ kennen* connaître qn à fond; *~ nehmen* prendre à la lettre *od* au pied de la lettre; *es ~ nehmen mit (gewissenhaft beachten)* suivre à la lettre; *es nicht so ~ nehmen* ne pas y regarder de si près; *~ passen* aller juste; *es ganz ~ sagen* mettre les points sur les i; *sich etw ~ überlegen* réfléchir bien à qc; *das darf man nicht so ~ nehmen* il ne faut pas y regarder de si près; *das ist ~ dasselbe* c'est absolument la même chose; *~ere Angaben, Mitteilungen f pl* de plus amples détails *m pl,* informations *f pl;* **~genommen** *adv* strictement parlant; **G~igkeit** *f* ⟨-, (-en)⟩ exactitude; précision, *(e-r Waage)* sensibilité; régularité; justesse; minutie; rigueur; économie, *pej* parcimonie; *(in der Wiedergabe)* fidélité *f; peinliche ~~* exactitude *f* méticuleuse; **G~igkeitsgrad** *m* degré *m* de précision; **~so** *adv: ~~ gut* aussi bien, autant.

Gendarm *m* ‹-en, -en› [ʒan'darm] gendarme *m;* **~erie** *f* ‹-, -n› [-mə'ri:] gendarmerie *f; (Polizeistation)* poste *od* commissariat *m* de police.

Genealog|e *m* ‹-n, -n› [genea'lo:gə] généalogiste *m;* **~ie** *f* ‹-, ø› [-'gi:] généalogie *f;* **g~isch** [-'lo:gıʃ] *a* généalogique.

genehm [gə'ne:m] *a pred: jdm ~ sein* convenir à qn, être agréable à qn; **~igen** *tr (billigen)* consentir à, approuver, agréer; *(gestatten, zulassen)* permettre, autoriser; *(gewähren)* accorder; *sich ~~ (fam)* s'envoyer, se taper *(ein Gläschen* un verre*); amtlich* od *behördlich, gerichtlich ~~* homologuer; **G~igung** *f* consentement, assentiment *m,* approbation *f,* agrément *m;* permission, autorisation *f; mit ~~ (gen)* avec l'autorisation (de); *die ~~ einholen* demander l'autorisation; *e-e ~~ erteilen* accorder *od* octroyer une permission; *nach vorheriger ~~* sur autorisation préalable; *amtliche* od *behördliche, gerichtliche ~~* homologation *f; schriftliche ~~* autorisation *f* par écrit; **~igungspflichtig** *a* soumis à l'approbation *od* à une autorisation.

geneigt *a (abfallend)* incliné, penché; *(abschüssig)* (en) déclive; *fig (aufgelegt)* d'humeur, disposé *(zu* à); *(gesonnen)* porté, enclin *(zu* à); *~ machen* disposer *(zu* à); *~ sein* incliner, avoir un penchant *od* une disposition *(zu* à); **G~heit** *f* ‹-, ø› inclinaison, pente; déclivité; *fig* disposition *f (zu* à); *(fig: Hang)* penchant *m,* inclination, disposition, tendance; *(Wohlwollen)* bienveillance *f.*

General *m* ‹-s, -e/¨-e› [gene'ra:l] général *m; kommandierende(r) ~* général *m* en chef; **~agentur** *f* agence *f* générale; **~anwalt** *m* avocat *m* général; **~arzt** *m* médecin *m* colonel; **~baß** *m mus* basse *f* continue; **~bevollmächtigte(r)** *m* fondé *od* mandataire *m* général; **~direktion** *f* direction *f* générale; **~direktor** *m* directeur général, gouverneur *m;* **~feldmarschall** *m* feld-maréchal *m;* **~gouverneur** *m* gouverneur *m* général; **~inspekteur** *m* inspecteur *m* général; **~intendant** *m mil* intendant en chef; *theat* directeur *m* général; **g~isieren** [-li'zi:rən] *tr (verallgemeinern)* généraliser; **~issimus** *m* ‹-, -mi/-musse› généralissime *m;* **~ität** [-li'tɛ:t] *die (mil)* les généraux; **~kommando** *n* état-major *m* de corps d'armée; **~konsul** *m* consul *m* général; **~konsulat** *n* consulat *m* général; **~leutnant** *m* général de corps d'armée, *(früher)* général *m* de division; **~major** *m* général de division, *(früher)* général *m* de brigade; **~marsch** *m: den ~~ blasen* battre la générale; **~oberst** *m* général *m* membre du Conseil supérieur de la guerre; **~probe** *f theat* (répétition) générale *f;* **~prokura** *f* procuration *f* générale; **~quartiermeister** *m* sous-chef *m* d'état-major; **~sekretär** *m* secrétaire *m* général; **~sekretariat** *n* secrétariat *m* général; **~staatsanwalt** *m* procureur *m* général; **~stab** *m: Große(r) ~~* état-major *m* général; *im ~~ (Offizier)* breveté; *~~ des Heeres, der Luftwaffe* état-major *m* de l'armée, de l'air; **~stäbler** *m* (officier) breveté *m;* **~stabsarzt** *m* médecin *m* inspecteur; **~stabschef** *m* chef *m* d'état-major général; **~stabskarte** *f* carte *f* d'état-major, *fam* topo *m;* **~stabsoffizier** *m* officier *m* d'état-major; **~stände** *m pl hist* États *m pl* généraux; **~streik** *m* grève *f* générale; **~überholung** *f mot* révision *f* générale; **~versammlung** *f* assemblée *f* générale; **~vertreter** *m* agent *m* général; **~vollmacht** *f* mandat *m od* procuration *f* général(e).

Gener|ation *f* ‹-, -en› [generatsi'o:n] génération *f;* **~ationswechsel** *m biol* génération *f* alternante; **~ator** *m* ‹-s, -en› [-'ra:tɔr, -'to:rən] *el* générateur *m,* dynamo *f; (Gas~~)* gazogène *m;* **~atorgas** *n* gaz *m* de gazogène; **g~ell** [-'rɛl] *(allgemein) a* général; **g~isch** [-'ne:rıʃ] *a (Gattungs-)* générique.

genes|en ‹*genas, ist genesen*› [gə'ne:zən, -'na:s-] *itr* guérir, se rétablir, recouvrer la santé; *gerade ~~ sein von* sortir de; **G~ende(r)** *m* convalescent *m;* **G~ung** *f* ‹-, ø› guérison *f,* rétablissement *m,* convalescence *f; auf dem Wege der ~~* en convalescence; **G~ungsheim** *n* maison *f* de convalescents, centre *m* de post-cure; **G~ungskompanie** *f mil* compagnie *f* des convalescents; **G~ungsurlaub** *m mil* (congé *m od* permission de) convalescence *f.*

Gene|sis ['ge:nezıs], *die (das 1. Buch Mose)* la Genèse; **~tik** *f* ‹-, ø› [-'ne:tik] *(Vererbungsforschung)* génétique *f;* **~tiker** *m* ‹-s, -› [-'ne:tıkər] généticien *m;* **g~tisch** [-'ne:tıʃ] *a* génétique.

Genever *m* ‹-s, -› [(g)ʒə'ne:vər] *(Schnaps)* genévrette *f.*

Genf [gɛnf] *n* Genève *f;* **~er** *m* ‹-s, -› Genevois *m; der ~~ See* le (lac) Léman, le lac de Genève; *das ~~ Abkommen* la convention de Genève; **g~erisch** *a* genevois.

genial [geni'a:l] *a* génial, de génie; **G~ität** *f* ‹-, ø› [-li'tɛ:t] génialité *f,* génie *m.*

Genick *n* ‹-(e)s, -e› nuque *f; (Hals)* cou *m; (sich) das ~ brechen* (se) casser *od* (se) rompre le cou *a. fig;* **~fänger** *m* couteau *m* de chasse; **~schuß** *m* coup *m* de pistolet dans la nuque; **~starre** *f* méningite *f* cérébro-spinale.

Genie *n* ‹-s, -s› [ʒe'ni:] (homme de) génie *m; pej* original *m; verkannte(s) ~* incompris *m;* **~streich** *m* coup *m* de génie; *hum pej* bêtise *f.*

genieren [ʒe'ni:rən] *tr (belästigen)* gêner; *sich ~* se gêner, éprouver de la gêne *od* de l'embarras, *fam* s'en faire; *vor jdm (a.)* se sentir gêné devant qn; *sich nicht ~* n'être pas gêné; *~ Sie sich nicht!* ne vous gênez pas!

genieß|bar [gə'ni:s-] *a (Speise)* mangeable, bon à manger; *(Getränk)* potable, buvable, bon à boire; **G~barkeit** *f (Getränk)* potabilité *f;* **~en** ‹*genoß, hat genossen*› [gə'nɔs-] *tr (Speise)* manger; *(Getränk)* boire, prendre; *(mit Genuß verzehren)* savourer; *fig* jouir de; *nicht zu ~~(d) (Speise)* immangeable; *(Getränk)* imbuvable; *fig* insupportable, *fam* imbuvable; *etw als erster ~~* avoir la primeur de qc; *e-e gute Erziehung genossen haben* avoir reçu une bonne éducation; *Kredit ~~* avoir du crédit; *etw voll und ganz ~~* jouir pleinement de qc; **G~er** *m* ‹-s, -› jouisseur; *(Feinschmecker)* gourmet *m;* **~erisch** *adv* en gourmet *od* connaisseur.

Genital|apparat *m* [geni'ta:l-] appareil *m* génital;**~ien** *f pl anat* parties *f pl* génitales.

Genitiv *m* ‹-s, -e› ['ge:-, geni'ti:f, -və] *gram* génitif *m.*

Genius *m* ‹-, -nien› ['ge:nıus, -niən] génie *m; mein guter ~* mon ange gardien.

genormt *a* standard(isé); *~e Größe f* format *m* standard.

Genoss|e *m* ‹-n, -n› [gə'nɔsə] *(Kamerad)* camarade *a. pol,* compagnon, *fam* compère, copain; *(Helfershelfer)* complice, acolyte *m; und ~en (pej)* et consorts; **~enschaft** *f com* association; (société) coopérative *f,* syndicat *m; (sich) zu e-r ~~ zs.schließen* (se) syndiquer; *landwirtschaftliche ~~* syndicat *m* agricole; **g~enschaftlich** *a* coopératif; **~enschaftsbank** *f* banque *f* coopérative; **~enschaftswesen** *n* système coopératif, coopératisme *m;* **~in** *f* camarade *a. pol,* compagne, *fam* copine *f.*

Genoveva [geno'fe:fa, -'ve:va] Geneviève *f.*

Genre *n* ‹-s, -s› [ʒɑ̃:r] *(Kunst)* genre *m;* **~bild** *n* tableau *m* de genre; **~malerei** *f* peinture *f* de genre.

Gent *n* [gɛnt] Gand *f.*

Genu|a ['ge:nua] *n* Gênes *f;* **~ese** *m* ‹-n, -n› [-'e:zər] Génois *m;* **g~esisch** *a* génois.

genug [ge'nu:k] *adv* assez (de), suffisamment; en suffisance; *gerade ~* juste assez; *nicht ~ (a.)* trop peu; *~ haben* avoir son content *od* son compte; *von* avoir assez de; *an* se contenter de; *mehr als ~ haben* avoir plus qu'il n'en faut *od* à revendre; *~ zum Leben haben* avoir de quoi vivre; *es damit nicht ~ sein lassen* ne pas en rester là; *Manns ~ sein* être homme *(zu* à); *sich selbst ~ sein* se suffire à soi-même; *ich habe ~* j'en ai assez; *das ist ~* cela suffit; *das Beste ist gerade gut ~ für ihn* rien n'est trop beau pour lui; *hast du noch nicht ~?* ça ne te suffit pas (encore)? *~!* assez! *~ davon! ~ geredet! ~ der Worte!* assez (parlé) là-dessus! trêve de discussions! **~tun** *itr* contenter, satisfaire *(jdm* qn); *sich nicht*

~~ *zu* ne pas cesser de, ne pas tarir de; **G~tuung** *f* satisfaction; *(nur: gegebene)* réparation *f; von jdm für etw ~~ fordern* od *verlangen* demander satisfaction *od* réparation *od* raison de qc à qn; *jdm ~~ geben* donner satisfaction, faire réparation, rendre raison à qn; *sich ~~ verschaffen* se satisfaire, se faire rendre raison.

Genüg|e *f* ‹-, ø› [gə'ny:gə] *(nur in Wendungen): zur ~~* assez, en suffisance, suffisamment; *jdm ~~ leisten* od *tun* satisfaire *od* contenter qn; *e-r S ~~ leisten* faire face à qc; **g~en** *itr* suffire; *jdm* satisfaire *od* contenter qn; *sich an etw ~~ lassen* se contenter de qc; *den Anforderungen ~~* satisfaire aux exigences; *das ~t* cela suffit, cela fera l'affaire; *es ~t nicht zu* ce n'est pas tout de, c'est peu (que) de; **g~end** *a* suffisant, satisfaisant; *(wertend)* passable, *pred* assez bien; **g~sam** *a* facile à satisfaire, content de peu; *(mäßig)* sobre, frugal, tempérant; *(bescheiden)* modéré, modeste; **~samkeit** *f* ‹-, ø› sobriété, frugalité, tempérance; modération, modestie *f.*

Genus *n* ‹-, -nera› ['ge:nus, -nera] , *bes. gram* genre *m.*

Genuß *m* ‹-sses, ⸚sse› [gə'nus, -'nʏsə] *(Besitz)* jouissance *f; (Gebrauch)* usage; *jur (Nießbrauch)* usufruit *m; (Verzehr)* consommation *f; (Vergnügen)* plaisir *m,* jouissance, délectation *f; sich dem ~ hingeben* s'adonner à la jouissance *od* au plaisir; *in den ~ e-r S kommen* entrer en jouissance de qc; *es ist ein ~, sie singen zu hören* elle chante à ravir; **~fähigkeit** *f* capacité *f* de jouir; **~mensch** *m* jouisseur, viveur, *fam* noceur *m;* **~mittel** *n* produit *m* de consommation de luxe; **g~reich** *a* délicieux; **~sucht** *f* goût *m* du plaisir; **g~süchtig** *a* avide de jouissances *od* de plaisir, adonné aux plaisirs.

Geo|däsie *f* ‹-, ø› [geodɛ'zi:] *(Erdvermessung)* géodésie *f;* **~dät** *m* ‹-en, -en› [-'dɛ:t] *(Landmesser)* géodèse, géodésien *m;* **g~dätisch** [-'dɛ:tɪʃ] *a* géodésique; **~graph** *m* ‹-en, -en› [-'gra:f] géographe *m;* **~graphie** *f* ‹-, ø› [-'fi:] géographie; *f beschreibende, historische, mathematische, physische, politische ~~* géographie *f* descriptive, historique, mathématique, physique, politique; **g~graphisch** [-'gra:fɪʃ] *a* géographique; **~loge** *m* ‹-n, -n› [-'lo:gə] géologue *m;* **~logie** *f* ‹-, ø› [-'gi:] géologie *f;* **g~logisch** [-'lo:gɪʃ] *a* géologique; **~meter** *m* ‹-s, -› [-'me:tər] géomètre *m;* **~metrie** *f* ‹-, -n› [-'tri:] géométrie *f; analytische, darstellende, ebene, nichteuklidische ~~* géométrie *f* analytique, descriptive, plane, non euclidienne; **g~metrisch** [-'me:trɪʃ] *a* géométrique; **~physik** *f* géophysique *f;* **g~physikalisch** *a* géophysique; **~physiker** *m* géophysicien *m;* **~politik** *f* géopolitique *f.*

geöffnet *a* ouvert; *in ~er Ordnung (mil)* en ordre déployé; *ganzjährig ~ (Hotel)* ouvert toute l'année; *weit ~* (tout) grand ouvert.

Georg *m* ['ge:ɔrk, ge'ɔrk] Georges *m;* **~ia** *m* ['dʒɔ:dʒə] *(USA)* la Georgie; **~ien** *n* [ge'ɔrgiən] *(UdSSR)* la Géorgie; **~ier** *m* ‹-s, -› [-'ɔrgiər] Géorgien *m;* **~ine** *f* ‹-, -n› [-'gi:nə] *bot* dahlia *m;* **g~isch** [-'ɔrgɪʃ] *a* géorgien.

Gepäck *n* ‹-(e)s, ø› [gə'pɛk] bagage(s *pl*) *m,* effets *m pl; mil* paquetage *m; sein ~ aufgeben* (faire) enregistrer ses bagages; *diplomatische(s) ~* valise *f* diplomatique; **~abfertigung** *f,* **~annahme** *f,* **~aufgabe** *f (Stelle)* (bureau d')enregistrement *m* des bagages; **~aufbewahrung** *f* consigne *f* (des bagages); **~(aufbewahrungs)schein** *m* bulletin *m* de consigne; **~ausgabe** *f* livraison *f* des bagages; **~bahnsteig** *m* quai *m* de chargement; **~halter** *m (Fahrrad)* porte-bagages *m;* **~karren** *m* chariot *m* à bagages; **~kontrolle** *f* contrôle *m* des bagages; **~marsch** *m* marche *f* avec chargement; **~netz** *n* filet *m* (à bagages); **~raum** *m* compartiment *m od* soute *od aero* cale *f* à bagages; **~revision** *f* visite *f* des bagages; **~schalter** *m* guichet *m* des bagages; **~schließfach** *n* consigne *f* automatique; **~schuppen** *m* dépôt *m* des bagages; **~stück** *n* colis *m;* **~träger** *m (Person)* porteur *(a. e-s Hotels),* commissionnaire; *(am Fahrrad)* porte-bagages *m; mot* galerie *f;* **~versicherung** *f* assurance *f* des bagages; **~wagen** *m* fourgon, wagon *m, (kleiner)* chariot *m* à bagages; **~zustellung** *f (ins Haus)* livraison *f* des bagages à domicile.

gepanzert *a, a. mar u. zoo* cuirassé; *mil* blindé.

Gepard *m* ‹-s, -e› ['ge:part, -də] *zoo* guépard *m.*

gepfeffert *a* poivré *a. fig; fig (Preis, Rechnung)* salé; *e-n ~en Preis verlangen (a. pop)* saler (*für etw* qc).

gepflegt *a* soigné; *(Haus)* entretenu, bien tenu.

Gepflogenheit *f* ‹-, -en› [-'pflo:g-] coutume *f.*

gepfropft [gə'pfrɔpft] *adv: ~ voll* plein comme un œuf.

Gepiep(s)e *n* ‹-s, ø› [gə'pi:p(s)ə] *(der Küken)* piaulement; *(kleiner Singvögel)* pépiement *m.*

Geplänkel *n* ‹-s, -› [gə'plɛŋkəl] *mil* escarmouche *f.*

Geplapper *n* ‹-s, ø› [gə'plapər] babil(lage), bavardage, caquet *m.*

Geplärr *n* ‹-(e)s, ø›, **~e** ‹-s, ø› [gə'plɛr(ə)] criaillerie, *fam* piaillerie *f.*

Geplätscher *n* ‹-s, ø› gazouillement *m.*

Geplauder *n* ‹-s, ø› causerie *f,* bavardage *m.*

Gepolter *n* ‹-s, ø› fracas, vacarme *m.*

Gepräge *n* ‹-s, -› empreinte; *fig* marque *f,* cachet, coin *m.*

Gepränge *n* ‹-s, ø› [gə'prɛŋə] parade, pompe *f,* luxe, faste *m.*

Geprassel *n* ‹-s, ø› pétillement; *(Feuer)* crépitement *m.*

Gequake *n* ‹-s, ø› *pej (der Frösche, a. von Menschen)* coassement *m.*

Gequassel *n* ‹-s, ø› *pop* jactance *f.*

Gequatsche *n* ‹-s, ø› *pop* baratin *m.*

gerade [gə'ra:də] *a (geradlinig)* droit, aligné; *fig (unmittelbar)* direct; *(Charakter)* droit, sincère, franc, loyal; *(Zahl)* pair; *adv* droit, en ligne droite; directement; *(genau)* juste (-ment), précisément, exactement; *(soeben)* tout à l'heure; *fam (absichtlich)* exprès; *nicht ~ (nicht eben)* pas précisément; *~ so eben* de justesse; *~ das Gegenteil* tout *od* juste le contraire; *~ ein Jahr* juste un an; *~ recht (zeitl.)* à point nommé; *~ wie* tout comme; *fünf ~ sein lassen* ne pas y regarder de trop près; *ich bin ~ gekommen* je viens d'arriver; *ich will ~ gehen* je suis en train *od* sur le point de partir; *da fällt mir ~ ein* à propos; *das fehlte ~ noch!* il ne manquait plus que cela! *nun ~!* exprès! *nun ~ nicht!* maintenant, je ne (le) veux pas; **G~** *f* ‹-n, -n› (ligne) droite *f;* **G~(r)** *m (Boxen): rechte(r), linke(r) ~~* direct *m* du droit, du gauche; **~aus** *adv* tout droit; *~~ gehen* aller droit devant soi; *gehen Sie immer ~~!* allez droit devant vous; *Augen ~~! (mil)* fixe! **G~ausempfänger** *m radio* récepteur *m* (à montage) direct; **G~ausflug** *m* vol *m* en ligne droite; **~=biegen** ‹*hat geradegebogen*› *tr fig* redresser; **G~halter** *m med* appareil *m* orthopédique; **~heraus** *adv* franchement, sans détour, à brûle-pourpoint, *fam* carrément; **~so** *adv* pareillement; **~=stehen** ‹*hat geradegestanden*› *itr* se tenir droit; *für etw ~~ (fig)* répondre de qc; *für alles ~~* répondre de tout; payer les pots cassés; **~(s)wegs** *adv* directement, droit fil; **~zu** *adv* tout droit, directement; *fig (freimütig)* franchement, rondement, sans façons, *fam* carrément; *(sogar)* même; *das ist ja ~~ Wahnsinn* c'est tout simplement de la folie *od* de la folie pure et simple; *er ist ~~ grotesk* il est franchement *od* absolument grotesque; *es ist ~~ ein Wunder* c'est un véritable miracle.

gerädert *a: wie ~* rompu *od* brisé *od* assommé *od* accablé *od fam* claqué de fatigue, vanné, flapi; *wie ~ sein* être rompu de fatigue *od* tout moulu.

Gerad|flügler *m pl* [gə'ra:t-] *ent* orthoptères *m pl;* **~führung** *f tech* glissière *f,* guides *m pl;* **~heit** *f* ‹-, ø› rectitude *a. fig; fig (Redlichkeit)* droiture, probité, sincérité, loyauté *f;* **g~linig** *a math* rectiligne; *allg* en ligne droite; **~linigkeit** *f* cours *m* rectiligne; **g~sinnig** *a* droit, sincère; **g~zahlig** *a math* pair.

gerammelt [gə'raməlt] *adv: ~ voll (fam)* archicomble.

Geran|ie *f* ‹-, -n› , **~ium** *n* ‹-s, -nien› [ge'ra:niə(n), -nium] *bot* géranium *m.*

Gerassel *n* ‹-s, ø› [gə'rasəl] *(von Metallteilen)* cliquetis; *(von Wagen)* roulement(s *pl*) *m.*

Gerät *n* ‹-(e)s, -e› [gə'rɛ:t] ustensile(s *pl*); *(notwendiges ~)* nécessaire; *(Werkzeug)* outil(s *pl*), outillage; *(Mal-, Jagd-, Fisch~)* attirail; *a. mil* engin; *(komplizierteres)* instrument; *(Apparat)* appareil; *radio* poste; *(Hausrat)* mobilier *m,* meubles *m pl;*

(Turn~) agrès *m pl; tech mil (Ausrüstung)* équipement; *mil* matériel, *arg* fourbi *m; (Schiffs~)* apparaux *m pl;* **~ebestand** *m* parc *m* de matériel; **~ekammer** *f mil* magasin *m* du matériel technique; **~ekasten** *m* boîte *f* à outils; **~etasche** *f tech* havresac *m;* **~eturnen** *n* gymnastique *f* avec agrès, exercices *m pl* aux agrès; **~ewagen** *m* voiture *f* d'outillage; **~schaften** *f pl* ustensiles, outils *m pl,* outillage *m.*

geraten 1. ⟨*gerät, geriet, ist geraten*⟩ [gə'ra:tən *itr (zufällig kommen)* arriver (par hasard), parvenir (*an* à); entrer (*in* dans), tomber (*in* dans *od* entre); *(auf e-n Weg)* s'engager (*auf* dans); *(ausfallen)* tourner; *(gelingen)* réussir; *(gedeihen)* prospérer; *an jdn* tomber sur qn; *außer sich ~* sortir de ses gonds; *in Brand ~* prendre feu; *an den Falschen ~* mal tomber; *in schlechte Gesellschaft ~* tomber en mauvaise compagnie; *in Schulden ~* s'endetter; *in Vergessenheit ~* tomber dans l'oubli; *in Verlust ~* être perdu; *pp, a: gut, schlecht ~ (Sache)* bien, mal réussi; *(Lebewesen)* bien, mal tourné; *er ist ganz nach seinem Vater ~* c'est le portrait de son père.

geraten 2. *(pp von: raten): für ~ halten* juger à propos (*zu* de).

Geratewohl *n* [ge'ra:te'vo:l, -'---]: *aufs ~* au hasard, à tout hasard, au petit bonheur, à l'aventure, de but en blanc.

geraum *a attr: ~e Zeit (lange)* longtemps; *seit ~er Zeit* depuis longtemps; *vor ~er Zeit* il y a longtemps.

geräumig [gə'rɔʏmɪç] *a* spacieux, vaste, ample, grand; **G~keit** *f* ⟨-, ø⟩ ampleur, grandeur *f.*

Geräusch *n* ⟨-(e)s, -e⟩ bruit *m; beim leisesten ~* au moindre bruit; **g~arm** *a* silencieux; **~ingenieur** *m film radio* bruiteur *m;* **~kulisse** *f film radio* bruitage *m; e-e ~~ verwenden* bruiter; **g~los** *a* sans bruit; **~losigkeit** *f* ⟨-, ø⟩ absence *f* de bruit, silence *m;* **g~voll** *a* bruyant.

gerb|en ['gɛrbən] *tr (Felle)* corroyer; *(rot ~~)* tanner; *(Stahl)* corroyer, raffiner; *jdm das Fell ~~ (fig)* rosser qn; **G~en** *n* corroi, corroyage *(a. von Stahl),* tannage *m;* **G~er** *m* ⟨-s, -⟩ corroyeur, tanneur *m;* **G~erei** *f* [-'raɪ] corroierie, tannerie *f;* **G~erlohe** *f* tan *m;* **G~säure** *f* acide *m* tannique; **G~stoff** *m* tan(n)in *m.*

gerecht *a* juste; *(rechtschaffen)* probe, honnête, brave; *(Person: unparteiisch; Sache: angemessen)* équitable; *(Forderung, Anspruch)* légitime; *(Strafe)* mérité; *den Schlaf des G~en schlafen* dormir du sommeil du juste *od* comme un bienheureux; *jdm ~ werden* rendre justice à qn; apprécier qn à sa juste valeur; *e-r S ~ werden* faire justice à qc, satisfaire à qc; *die ~e Sache* la bonne cause; **G~igkeit** *f* justice; probité, honnêteté *f; ~~ fordern* demander justice; *jdm ~~ widerfahren lassen* faire *od* rendre justice à qn; *ausgleichende, göttliche, menschliche ~~* justice *f* commutative, divine, humaine; **G~igkeitsliebe** *f* amour *m* de la justice; **G~igkeitssinn** *m* esprit *m* de justice; **G~same** *f* ⟨-, -n⟩ droit *m,* franchise, concession *f,* privilège *m.*

Gerede *n* ⟨-s, ø⟩ verbiage; *(Geschwätz)* bavardage *m,* racontars *m pl,* potin(s *pl*) *m; ins ~ bringen* décrier, compromettre, *(Frau)* afficher; *ins ~ kommen* être décrié *od* affiché; *(sich nicht um das) ~ der Leute (kümmern)* (ne pas se soucier du) qu'en-dira-t'on *m; ... leere(s) ~* paroles *f pl* en l'air, *fam* vent *m.*

gereichen *itr: jdm zu ... ~* servir, contribuer à ... de qn; *jdm zur Ehre, Schande ~* faire honneur, honte à qn; *jdm zum Nachteil* od *Schaden ~* porter préjudice à qn; *jdm zum Vorteil* od *Nutzen ~* tourner à l'avantage de qn.

gereizt *a* irrité; **G~heit** *f* irritation *f.*

gereuen *impers: es gereut mich* je m'en repens, je le regrette.

Gerhard *m* ['ge:rhart] Gérard *m.*

Gericht *n* ⟨-(e)s, -e⟩ **1.** *jur (Behörde)* cour (de justice), justice *f,* tribunal; *(Gebäude)* palais *m* de justice; *(die Richter)* les juges *m pl; (Sitzung)* audience; *(~sbarkeit)* juridiction, justice *f; auf Anordnung des ~s, von ~s wegen* par ordre judiciaire, sur l'ordre du tribunal; *vor ~* en justice, devant le juge; à la cour, au tribunal; *~ abhalten* siéger; *das ~ anrufen* se pourvoir en justice; *vor ~ auftreten* ester en justice; *jdn vor ~ bringen* traduire *od* déférer qn en justice; *etw vor(s) ~ bringen* saisir le tribunal de qc; *vor ~ erscheinen* (com)paraître à la barre; *mit jdm ins ~ gehen (fig)* critiquer, juger qn; *vor ~ gehen* se pourvoir en justice; *~ halten* siéger; *über jdn* juger qn; *vor ~ kommen* être traduit en justice; *vor ~ laden* appeler *od* citer en justice, mander à la barre; *über jdn, über etw zu ~ sitzen* juger qn, porter jugement sur qc; *sich dem ~ stellen* se présenter à la justice; se mettre à la disposition de la justice; *jdn vor ~ stellen* mettre *od* faire passer qn en jugement; *das höchste* od *oberste ~* la Cour suprême *od* la Haute Cour de Justice; *das Jüngste ~ (rel)* le Jugement dernier; *über-, untergeordnete(s) ~* tribunal *m* supérieur, inférieur; *zuständige(s) ~* justice *f* de ressort. **2.** *(Küche)* mets, plat *m; fertige(s) ~* plat *m* cuisiné.

gerichtet *a tele* dirigé.

gerichtlich *a* judiciaire; *(rechtsförmig)* juridique; *(adv) auf ~em Wege* par voie de droit; par les voies légales; *jdn ~ belangen* od *verfolgen* poursuivre qn en justice, intenter des poursuites contre qn; *~ bestätigen* homologuer; *~ geltend machen* faire valoir en justice; *~ vorgehen* se pourvoir en justice; *~e Untersuchung f* enquête *f* judiciaire; *~e(s) Verfahren n* procédure judiciaire, poursuite *f* en justice, procès *m; ~e Verfügung f* acte *m* judiciaire, ordonnance *f,* mandat *m; ~e(s) Vergleichsverfahren n* liquidation *f* judiciaire; *~e Vorladung f* citation *f* en justice.

Gerichts|akten *f pl* [gə'rɪçts-] dossier *m* judiciaire; **~arzt** *m* médecin *m* légiste; **g~ärztlich** *a* médico-légal; **~barkeit** *f* juridiction *f;* **~beamte(r)** *m* officier de la justice *od* ministériel, magistrat *m;* **g~bekannt** *a* notoire; **~beschluß** *m* ordonnance *f* de justice; **~bezirk** *m* juridiction *f;* **~chemiker** *m* chimiste *m* légiste; **~diener** *m* huissier *m* (audiencier); **~entscheid** *m* décision *f* judiciaire; **~ferien** *pl* vacances judiciaires, vacations *f pl;* **~gebäude** *n* palais *m* de justice; **~gebühren** *f pl* droits *m pl* de justice *od* judiciaires; **~herr** *m* justicier *m;* **~hof** *m* cour *f* (de justice), tribunal, siège *m; hohe(r) ~~* haute cour *f* (de justice); *oberste(r) ~~* Cour suprême *od* Haute Cour *f* de Justice; **~kanzlei** *f* greffe *m;* **~kosten** *pl* frais *m pl* de justice *od* de procédure; **~medizin** *f* médecine *f* légale; **~mediziner** *m* médecin *m* légiste; **~offizier** *m mil* officier *m* de la justice militaire; **~person** *f* homme *m* de robe; *pl* gens *pl* de justice; **~saal** *m* audience *f,* auditoire *m;* **~schreiber** *m* greffier *m* du tribunal; **~sprache** *f* langage *m* judiciaire *od* juridique *od* du palais; **~stand** *m* lieu *m* de juridiction; **~stand(s)klausel** *f* clause attributive *f* de juridiction; **~stil** *m* style *m* du palais; **~tag** *m* (jour *m* d')audience *f;* **~urkunde** *f* acte *m* judiciaire; **~verfahren** *n* procédure *f* (judiciaire); **~verfassung** *f* organisation *f* judiciaire; **~verhandlung** *f* débat(s *pl*) *m* judiciaire(s); **~vollzieher** *m* huissier *m;* **~wesen** *n* justice, organisation *f od* système *m* judiciaire.

gerieben [gə'ri:bən] *a* fin(aud), rusé, retors, malin, madré, matois; *fam* futé, roublard; *~e(r) Kerl m* malin, rusé (compère) renard *m,* fine mouche, *fam* ficelle *f,* débrouillard, roublard *m; ~e Person f* rusée (commère), fine mouche, roublarde *f;* **G~heit** *f* ⟨-, ø⟩ finesse; *fam* roublardise *f.*

gering [gə'rɪŋ] *a* petit; *(Qualität)* bas, inférieur; *(Preis)* bas, modique; *(schwach)* faible; insignifiant, *pej* pauvre, mesquin, piètre; *(Mensch)* bas, humble; *nichts G~eres als* rien de moins que; *kein G~erer als* nul autre que; *nicht im ~sten* (ne ...) pas le moins du monde, (ne ...) pas du tout; *um ein ~es (ein wenig)* un peu; *von ~em Bleigehalt* à faible teneur en plomb; *wenn auch im ~sten* pour *od* si peu ... que *subj; mit ~en Ausnahmen* à peu d'exceptions près; *~ von jdm denken* avoir peu de considération pour qn; *nicht die ~ste Ahnung haben* n'avoir pas la moindre idée; *ich zweifle nicht im ~sten daran* pour moi, cela ne fait pas l'ombre d'un doute; *das ist meine ~ste Sorge* c'est le moindre *od* le cadet de mes soucis; *das ist das G~ste, was man verlangen kann* c'est le moins qu'on puisse demander; *der G~ste unter uns* le moindre d'entre nous;

~≈achten ⟨*pp: geringgeachtet*⟩ *tr* faire peu de cas de; mépriser; **G~achtung** *f* mépris *m;* **~fügig** *a* petit; *(unbedeutend)* de peu d'importance, insignifiant, futile, mince; **G~fügigkeit** *f* petitesse *f;* peu *m* d'importance; insignifiance, futilité *f;* **~≈schätzen** ⟨*pp: geringgeschätzt*⟩ *tr* estimer peu, mépriser, dédaigner; **~schätzig** *a* méprisant, dédaigneux; **G~schätzung** *f* mépris, dédain *m;* **~wertig** *a* de faible *od* de peu de valeur.

gerinn|bar [gəˈrɪn-] *a* coagulable; **G~barkeit** *f* coagulabilité *f;* **~en** ⟨*gerann, ist geronnen*⟩ [-ˈran-, -ˈrɔn-] *itr* se figer, prendre, faire prise, se coaguler; *(Milch)* se cailler; *zum G~~ bringen, ~~ lassen* figer, coaguler, cailler; **G~sel** *n* ⟨-s, -⟩ [-ˈ-zəl] ruisselet, filet *m* d'eau; **G~ung** *f* coagulation *f.*

Geripp|e *n* ⟨-s, -⟩ [gəˈrɪpə] squelette *m,* ossature; *zoo mar aero* carcasse; *arch u. fig* charpente *f;* **g~t** *a (Textil)* côtelé.

gerissen *a (zerrissen, geplatzt)* déchiré, crevé, en deux; *fig (schlau) = gerieben;* **G~heit** *f* ⟨-, ø⟩ *= Geriebenheit.*

German|e *m* ⟨-n, -n⟩ [gɛrˈmaːnə], **~in** *f* Germain, *e m f;* **~ien** *n* [-niən] *hist* la Germanie; **g~isch** *a* germanique; *hist* germain; **g~isieren** [-miˈsiːrən] *tr* germaniser; **~isierung** *f* germanisation *f;* **~ismus** *m* ⟨-, -men⟩ [-ˈnɪsmus, -mən] *(deutsche Spracheigentümlichkeit)* germanisme *m; ~ismen gebrauchen* germaniser; **~ist** *m* ⟨-en, -en⟩ [-ˈnɪst] germaniste; *(Student a.)* germanisant *m;* **~istik** *f* ⟨-, ø⟩ [-ˈnɪstɪk] germanistique *f.*

gern [gɛrn] *adv* volontiers, avec plaisir, de bon gré, de bon cœur, de bonne grâce; *nicht ~ (a.)* à contre-cœur; *gut und ~* aisément, sans problèmes; au moins; *herzlich ~* de gaieté de cœur; de tout mon cœur; *~ essen, trinken* aimer; *sich ~ reden hören* s'écouter parler; *~ mögen* aimer; *~ tun* aimer faire; *es ~ tun* le faire volontiers; *ich glaube es ~* je veux bien le croire, je le crois sans peine; *ich hätte gern ...* je voudrais bien ...; *ich möchte ~ wissen* je voudrais bien savoir; *ich bin ~ in Paris* je me plais à Paris, j'aime Paris; *das habe ich nicht ~ getan (fam)* je ne l'ai pas fait exprès; *sehr ~!* bien volontiers! je ne demande pas mieux! *~ geschehen* (il n'y a) pas de quoi; *~ haben:* aimer; *du kannst mich mal ~~* fiche-moi le camp! je ne veux plus rien savoir de toi! **G~egroß** *m* ⟨-es, -e⟩ fanfaron, hâbleur *m.*

Geröchel *n* ⟨-s, ø⟩ [gəˈrœçəl] râle (-ment) *m.*

Geröll *n* ⟨-(e)s, -e⟩ [gəˈrœl] éboulis *m,* galets *m pl.*

geröstet [gəˈrøːstət] *a: ~e(s) Käse-, Schinkenbrot n* croque-monsieur *m.*

Gerste *f* ⟨-, (-n)⟩ [ˈgɛrstə] orge *f;* **~nkorn** *n* grain d'orge *a. med; med* orgelet, *fam* compère-loriot *m.*

Gerte *f* ⟨-, -n⟩ [ˈgɛrtə] verge, baguette; *(Reit~)* badine, gaule *f.*

Geruch *m* ⟨-(e)s, ¨-e⟩ [gəˈrux, -ˈrʏçə] odeur *f; (Sinn)* odorat; *(Spürsinn)* flair *n; (Wohl~)* senteur *f,* parfum; *(Wild~)* fumet *m; fig (Ruf)* odeur, réputation *f; im ~ der Heiligkeit* en odeur de sainteté; *den ~ e-r S annehmen* prendre un goût de qc; *e-n ... geruch haben* sentir le ...; *in den ~ e-s od e-r ... kommen* prendre la réputation de ...; **g~los** *a* inodore, sans odeur; **~losigkeit** *f* ⟨-, ø⟩ absence *f* d'odeur; **~snerv** *m* nerf *m* olfactif; **~ssinn** *m* odorat *m.*

Gerücht *n* ⟨-(e)s, -e⟩ [gəˈrʏçt] bruit *m,* rumeur *f; fam* bobard *m; ein ~ verbreiten* faire courir un bruit; *es geht das ~* le bruit court; *bloße ~e n pl* bruit *m* en l'air; **~emacher** *m* alarmiste *m;* **g~weise** *adv* d'après la rumeur publique.

gerufen *a: wie ~* à point nommé; *wie ~ kommen* arriver *od* venir à propos, arriver comme marée en carême.

geruh|en *itr* daigner (*zu tun* faire); **~sam** *a* calme, paisible.

Gerumpel *n* ⟨-s, ø⟩ [gəˈrumpəl] bruit *od* roulement *m* de(s) voitures.

Gerümpel *n* ⟨-s, ø⟩ [gəˈrʏmpəl] , *(altes) ~* bric-à-brac, fatras *m,* vieux meubles *m pl.*

Gerundium *n* ⟨-s, -dien⟩ [geˈrundium, -diən] *gram* gérondif *m.*

Gerüst *n* ⟨-(e)s, -e⟩ *(Bau~)* échafaudage; *(Gestell)* tréteau, chevalet *m; (Schau~)* tribune *f; (Gebälk, Gerippe)* charpente *f; fig (Vortrag)* ossature *f;* grandes lignes *f pl; ein ~ aufschlagen* monter *od* dresser un échafaudage; **~klammer** *f* clameaux *m pl,* crampon *m;* **~stange** *f* perche d'échafaudage, écoperche *f.*

Gerüttel *n* ⟨-s, ø⟩ secousses *f pl; (Wagen)* cahotage *m,* cahots *m pl.*

ges *n* ⟨-, -⟩ [gɛs] *mus* sol *m* bémol; **Ges-Dur** *n* sol *m* bémol majeur.

gesagt ⟨*pp von: sagen*⟩ *: ~, getan* aussitôt dit, aussitôt fait.

Gesalbte|(r) *m: der ~ des Herrn* l'oint *m* du Seigneur.

gesalzen *a, a. fig fam* salé, de haut goût; *~e Rechnung f a.* coup *m* de fusil.

gesamt [gəˈzamt] *a* total, (tout) entier, global, collectif; tout le, tout la.

Gesamt *n* ⟨-s, ø⟩ (le) total, (la) totalité, (l')ensemble *m,* (le) tout; *(in Zssgen) = gesamt;* **~absatz** *m* ventes *f pl* totales; **~ansicht** *f* vue *f* d'ensemble *od* générale; **~aufkommen** *n* rendement *m* total; **~auflage** *f (Buch)* tirage *m* global; **~aufstellung** *f* état *m* général; **~ausfuhr** *f* total *m* des exportations; **~ausgabe** *f* édition *f* complète; *pl (an Geld)* frais *m pl* totaux; **~bedarf** *m* besoin *m* total; **~betrag** *m* montant *m,* somme *f* total(e), total *m;* **~bevölkerung** *f* population *f* entière; **~breite** *f* largeur *f* extérieure *od* hors-tout; **g~deutsch** *a* panallemand; *Bundesminister m für ~~e Fragen* ministre *m* fédéral pour les questions panallemandes; **~deutschland** *n* l'Allemagne *f* (tout) entière; **~eigentum** *n* propriété *f* commune *od* indivise *od* collective; **~eigentümer** *m* propriétaire *m* collectif; **~eindruck** *m* effet *m od* vue *f* d'ensemble; **~einfuhr** *f* total *m* des importations; **~einkommen** *n* revenu *m* global; **~einnahme** *f,* **~erlös** *m* recette *f* totale; **~erbe** *m* héritier *m* universel; **~ergebnis** *n* résultat *m* total; **~ertrag** *m* produit *m* total; **~forderung** *f com* créance *f* totale; **~gewicht** *n* poids *m* total; **~gewinn** *m* total *m* des bénéfices; **~gläubiger** *m* créancier *m* solidaire; **~haftung** *f* responsabilité *f* solidaire; **~heit** *f* totalité *f,* tout, ensemble *m; (von Menschen)* collectivité *f,* corps *m;* **~kapital** *n* capital *m* total; **~kosten** *pl* coût *m* total; **~lage** *f* situation *f* générale; **~länge** *f* longueur *f* totale; **~leistung** *f* effet *od* rendement *m* total, *el* puissance *f* totale; **~masse** *f fin* masse *f* totale; **~note** *f,* **~prädikat** *n (Schule)* note *f* d'ensemble; **~plan** *m* plan *m* d'ensemble; **~preis** *m* prix *m* global *od* d'ensemble; **~produktion** *f* production *f* totale; **~prokura** *f* procuration *f* collective; **~rechnung** *f fin* comptabilité *f* nationale; **~schaden** *m* dommage *m* total; **~schuld** *f* dette *f* solidaire; **~schuldner** *m* débiteur *m* solidaire; **~schuldverhältnis** *n* solidarité *f;* **~stimmenzahl** *f* total *m* des votes; **~strafe** *f* peine *f* collective *od* d'ensemble; **~summe** *f* somme *f* totale; **~tonnage** *f* tonnage *m* global; **~überblick** *m: e-n ~~ gewinnen (a. fig)* faire un tour d'horizon, avoir une vue d'ensemble; **~übersicht** *f* plan d'ensemble, exposé *m* général; **~umfang** *m fig* étendue *f* totale; **~umsatz** *m* chiffre *m* d'affaires total; **~unkosten** *pl* total *m* des frais encourus; **~verantwortung** *f* responsabilité *f* collective; **~verlust** *m* perte *f* totale; **~vermögen** *n* totalité *f* des biens, avoir *m* total; **~verpflichtungen** *f pl* obligations *f pl* solidaires; **~wert** *m* valeur *f* totale; **~wirtschaft** *f* économie *f* nationale; **~zahl** *f* nombre *m* total.

Gesandt|e(r) *m pol* envoyé (extraordinaire), ministre *m* plénipotentiaire; **~schaft** *f* légation *f;* **~schaftsattaché** *m* attaché *m* de légation; **~schaftsgebäude** *n,* **~schaftspersonal** *n* personnel *m* de la légation *f.*

Gesang *m* ⟨-(e)s, ¨-e⟩ [gəˈzaŋ, -ˈzɛŋə] chant; *orn a.* ramage; *rel (Choral)* cantique, *(Lob~)* hymne; *(Teil e-s Epos)* chant *m;* **~buch** *n rel* livre *m* de cantiques; **~lehrer** *m* professeur *m* de chant; **~stimme** *f* partie *f* vocale; **~verein** *m* société chorale *od* de chant, chorale *f,* orphéon *m.*

Gesäß *n* ⟨-es, -e⟩ [gəˈzɛːs] séant *m,* fesses *f pl,* derrière *m;* **~tasche** *f* poche *f* revolver; **~weite** *f (d. Hose)* tour *m* de hanches.

Gesause *n* ⟨-s, ø⟩ sifflement *m.*

Gesäusel *n* ⟨-s, ø⟩ *n* murmure *m.*

Geschädigte(r) *m* victime *f.*

Geschäft *n* ⟨-(e)s, -e⟩ [gəˈʃɛft] *(Vorgang)* affaire; *(Beschäftigung)* occupation, besogne *f; (Gewerbe)* métier *m; (Handel)* affaires *f pl,* commerce, négoce *m; (Unternehmen, Firma)* entreprise *f,* fonds *m od* maison *f* de commerce, établissement; *(Büro)* bureau; *(Laden)* magasin *m, (kleinerer)* boutique *f (für etw* de qc); *fam (Notdurft)* besoins *m pl; in ~en* pour affaires; *im Drang der ~e* dans la fièvre des affaires; *ein ~ abschließen* conclure un marché; *ein ~ betreiben* exercer un commerce; tenir boutique; *sich auf ein ~ einlassen* s'engager *od fam* s'embarquer dans une affaire; *in ein ~ wieder einsteigen* se rembarquer dans une affaire; *ein schlechtes ~ gemacht haben* avoir fait une *od* de mauvaise(s) affaire(s); *ein (gutes) ~ machen* faire une (bonne) affaire, faire un bon marché; *gute* od *große ~e machen* faire de bonnes affaires, gagner gros; *dunkle* od *unsaubere ~e machen* faire des affaires louches, tripoter; *jdm das ~ verderben* gâter le marché *od* le métier à qn; *sein ~ verstehen* entendre bien son métier, mener bien sa barque; *sich von den ~en zurückziehen* se retirer des affaires; *meine ~e stehen schlecht* mes affaires vont mal; *wie geht das ~?* comment vont les affaires? *faule(s) ~* affaire *f* véreuse, tripotage *m; gute(s), schlechte(s) ~* bon(ne), mauvais(e) marché *m od* affaire *f;* **~emacher** *m* affairiste *m;* **~emacherei** *f* affairisme *m;* **g~ig** *a* affairé, empressé, agissant, actif; *~~ sein* s'activer; *~~ tun* faire l'empressé; **~igkeit** *f* ⟨-, ø⟩ affairement; empressement *m,* activité *f;* **g~lich** *a* d'affaires; commercial; *adv* pour affaires; *jdn ~~ sprechen* parler affaires avec qn; *~~e Angelegenheit f* affaire *f* (de commerce); *~~e Empfehlung f* référence *f; ~~ tätig* dans les affaires; *~~ verhindert* empêché par les affaires; *~~ verreist* en voyage d'affaires.

G(e)schaftlhuber *m* [g(ə)'ʃaftəl-] brasseur *m* d'affaires.

Geschäfts|abnahme *f* [gə'ʃɛfts-] diminution *f* des affaires; **~abschluß** *m* conclusion d'une *od* de l'affaire *od* d'un *od* du marché; opération, transaction *f;* **~adresse** *f* adresse *f* de bureau; **~anschluß** *m tele* poste *m* d'affaires; **~anteil** *m* part *f* sociale; **~anzeige** *f* annonce *f;* **~aufgabe** *f* cessation d'affaires *od* de commerce; *(Liquidation)* liquidation *f;* **~aufschwung** *m* essor *m* des affaires; **~aussichten** *f pl* perspectives *f pl* commerciales; **~banken** *f pl* établissements *m pl* de crédit; **~bedingungen** *f pl* conditions *f pl* d'exploitation; **~beginn** *m* début *m* des affaires; **~belebung** *f* reprises *f* des affaires; **~bereich** *m* champ d'activité, cercle d'affaires; *pol* portefeuille; *adm* ressort *m,* compétence *f;* **~bericht** *m com* rapport *m* d'affaires *od* d'exploitation *od* commercial; *allg* compte rendu de gestion; *(e-s Vereins)* bilan *m* de société; **~betrieb** *m* négoce *m,* exploitation *f;* **~beziehungen** *f pl* relations *f pl* d'affaires; **~bilanz** *f* balance *f* des écritures; **~brief** *m* lettre *f* d'affaires; **~buch** *n* livre *m* de commerce *od* de comptabilité; **~einlage** *f* part *f* sociale, apport *m;* **~entwicklung** *f* développement *m* des affaires; **~erfahrung** *f* expérience *od* pratique *f* des affaires; **~eröffnung** *f* ouverture *f* de l'entreprise *od* du magasin; **g~fähig** *a* capable de contracter *od* de disposer; *~~ sein* avoir capacité de disposer; **~fähigkeit** *f* capacité *f* de contracter *od* négociante; **~frau** *f* marchande *f;* **~freund** *m* correspondant *m;* **g~führend** *a* gérant, gestionnaire; **~führer** *m com* gérant (d'affaires), directeur gérant; *adm* administrateur; *(e-s Vereins)* secrétaire *m;* **~führung** *f* gestion *od* direction des affaires; gérance *f;* **~gang** *m (Besorgung)* course *f* pour affaires; *(Gang der Geschäfte)* courant *m od* marche *od* allure *f* des affaires; *adm* ordre *m* des travaux; *schlechte(r) ~~* dépression *f;* **~gebaren** *n com* comportement *m* en affaires; politique *f* d'affaires; **~gebäude** *n* immeuble *m* commercial; **~geheimnis** *n* secret *m* commercial; **~geist** *m* esprit *m* du commerce; **g~gewandt** *a* versé dans les affaires; **~grundlage** *f* base *f* commerciale; **~gründung** *f* fondation *f* d'une *od* de la maison; **~haus** *n* maison *f* (de commerce), établissement *m;* **~inhaber** *m* propriétaire *m* d'une maison de commerce *od* d'un magasin; **~interesse** *n* intérêt *m* des affaires; *pl* intérêts *m pl* commerciaux; **~jahr** *n* année *f* commerciale *od* sociale; exercice *m;* **~kapital** *n* fonds, capital de roulement, capital *m* engagé; **~kenntnis** *f* connaissance *f* des affaires; **g~kundig** *a* rompu aux affaires; **~lage** *f* conjoncture, situation *f* des affaires *od* commerciale; *in guter ~~* bien situé; **~leben** *n* vie *f* commerciale, affaires *f pl;* **~leiter** *m* = *~führer;* **~leitung** *f* gestion des affaires, direction *f;* **~leute** *pl* gens d'affaires, commerçants, négociants *m pl;* **~lokal** *n (Büro)* bureau *m;* **g~los** *a (Börse)* inactif, sans activité; *~~e Zeit f* morte-saison *f;* **~mann** *m* ⟨-(e)s, -leute/(-männer)⟩ homme d'affaires, négociant, commerçant *m: ein geborener ~~ sein* avoir la bosse du commerce *fam; kein ~~ sein* ne pas s'entendre aux affaires; *kleine(r) ~~* petit commerçant *m;* **g~mäßig** *a* propre aux affaires; *adv* selon l'usage des affaires; *(nach der Routine)* en style d'affaires; **~methoden** *f pl* méthodes *f pl* d'affaires; **~ordnung** *f adm* règlement *m* intérieur; *pol parl* règlement; *e-e ~~ aufstellen, sich e-e ~~ geben* arrêter *od* établir son règlement; *die ~~ einhalten* observer le règlement; *das Wort zur ~~ verlangen* soulever une question d'ordre; *zur ~~!* point d'ordre! **~papiere** *n pl* papiers *m pl* d'affaires; **~räume** *m pl* bureaux *m pl;* **~reise** *f* voyage *od* déplacement *m* d'affaires; *auf ~~* en voyage d'affaires; **~reisende(r)** *m* voyageur *od* voyageur-représentant de commerce, *vx* commis *m* (voyageur); **~risiko** *n* risque *m* des affaires; **~rückgang** *m* ralentissement *m* des affaires; **~sache** *f* affaire *f* de commerce; **~schluß** *m* heure *f* de fermeture; **~sitz** *m* siège *m* commercial; **~sprache** *f* langage *m* commercial *od* des affaires; **~stelle** *f* bureau, secrétariat *m; (untergeordnete)* agence *f;* **~stockung** *f* stagnation *f* des affaires; **~straße** *f* rue *f* marchande *od* commerçante; **~stunden** *f pl* heures *f pl* de bureau; **~tätigkeit** *f* activité *f* commerciale; **~träger** *m pol* chargé *m* d'affaires; **g~tüchtig** *a* habile en affaires; **~übernahme** *f* reprise *f* d'une *od* de l'affaire; **~umsatz** *m* chiffre *m* d'affaires; **g~unfähig** *a* incapable de contracter; **~unfähigkeit** *f* incapacité *f* légale (de contracter); **~unkosten** *pl* frais *m pl* généraux; **~verbindlichkeit** *f* obligation *f* commerciale; **~verbindung** *f* relations *f pl* d'affaires; *mit jdm in ~~ stehen, treten* avoir affaire, entrer en relations d'affaires avec qn; **~verkehr** *m* mouvement *m* d'affaires, opérations *f pl;* **~verlegung** *f* déplacement d'une *od* de l'entreprise; transfert *m* d'un *od* du magasin; **~viertel** *n* quartier *m* d'affaires *od* commercial *od* de commerce; **~welt** *f* monde *m* des affaires *od* commercial, milieux *m pl* commerciaux; **~zeit** *f (Büro)* heures *f pl* de bureau *od (Laden)* d'ouverture; **~zentrum** *n* centre *m* des affaires; **~zimmer** *n* bureau *m;* **~zweck** *m: für ~~e* pour affaire.

geschärft *a (Bombe)* armé; *~e(r) Arrest m (mil)* cellule *f.*

geschätzt *a (geachtet)* estimé, en estime.

gescheh|en ⟨*geschieht, geschah, ist geschehen*⟩ [gə'ʃe:ən, -ʃi:t, -'ʃa:] *itr* arriver, se passer, se produire; *(stattfinden)* avoir lieu, se faire; *(zustoßen)* advenir; *(getan werden)* être fait, s'accomplir; *als wenn nichts ~~ wäre* comme si de rien n'était; *(das ist) gern ~~!* (il n'y a) pas de quoi; *ich wußte nicht, wie mir geschah* je ne savais pas ce qui m'arrivait; *es ist um mich ~~ (vorbei mit mir)* c'en est fait de moi; *das geschieht dir (ganz) recht (so)* c'est bien fait pour toi, tu as ce que tu mérites, tu l'as voulu, *pop* ça te fera les pieds; *es soll dir nichts ~~* on ne te fera pas de mal; *was ~~ ist, ist ~~* ce qui est fait, est fait; *was ist ~~?* que s'est-il passé? *was soll damit ~~?* que faut-il en faire? *es muß etwas ~~!* il faut faire qc! *dein Wille geschehe! (rel)* que ta volonté soit faite! *was auch ~~ mag* quoi qu'il advienne; **G~nis** *n* ⟨-sses, -sse⟩ événement; *(Vorfall)* fait; *(Zwischenfall)* incident *m.*

gescheit [gə'ʃaɪt] *a (klug)* intelligent; *(vernünftig)* raisonnable, sensé; *(scharfsinnig)* judicieux, sagace; *wie nicht ~ (adv)* comme un fou; *daraus werde ich nicht ~* je n'y comprends rien, je m'y perds, j'y perds mon latin; *du bist (wohl) nicht recht ~!* tu n'as pas tout ton bon sens; *fam* tu as un grain (de folie); *sei doch ~!* sois donc raisonnable! ne fais pas l'enfant! **G~heit** *f* ‹-, (-en)› intelligence *f;* bon sens; esprit judicieux, jugement *m,* sagacité *f.*

Geschenk *n* ‹-(e)s, -e› don, présent; *(kleines)* cadeau; *(Ehren~)* hommage *m; (großzügiges)* largesse; *(Schenkung)* donation *f; jdm etw zum ~ machen* faire présent *od* cadeau de qc à qn; *kleine ~e erhalten die Freundschaft* les petits présents entretiennent l'amitié; **~artikel** *m pl* cadeaux, articles *m pl* pour offrir; **~exemplar** *n (Buch)* exemplaire *m* pour offrir; **~gutschein** *m* chèque-cadeau *m;* **~kiste** *f* caisse-cadeau *f;* **~packung** *f* emballage *m* de présentation; **g~weise** *adv* en cadeau; à titre gracieux.

Geschicht|chen *n* [gə'ʃɪçt-] historiette, anecdote *f;* **~e** *f* ‹-, -n› *(Wissenschaft u. wissenschaftliche Darstellung)* histoire; *(Erzählung)* histoire *f,* conte; récit *m; (Angelegenheit)* affaire *f; (Ereignis)* événement *m; der ~~ angehören* appartenir à l'histoire; *alte ~~n aufrühren* réveiller le chat qui dort; *nette, schöne ~~n erzählen (iron)* en raconter de belles, en conter *od* dire de bonnes; *schöne ~~n machen (iron)* en faire de belles; *das ist e-e alte ~~ (a. fam)* c'est du réchauffé; *das ist e-e dumme, (iron) schöne ~~* c'est une vilaine, belle histoire; *er hat e-e Magengeschichte (fam)* il a des ennuis avec son estomac; *mach keine ~~n! (fam)* ne fais pas d'histoires; *Alte, Mittlere, Neuere, Neueste ~~* histoire *f* ancienne, du Moyen Âge, moderne, contemporaine; *Biblische ~~* histoire *f* sainte; *die ganze ~~ (fam)* tout ça; **g~lich** *a* historique; *etw in s-m ~~en Zusammenhang darstellen* faire l'historique de qc; *~~e(r) Überblick m* historique *m.*

Geschichts|auffassung *f* [gə'ʃɪçts-] **~bild** *n* conception *f* de l'histoire; **~buch** *n* livre *m* d'histoire; **~forscher** *m* historien *m;* **~forschung** *f* étude *f* de l'histoire; **~klitterung** *f* altération *f* de l'histoire; **~lehrer** *m,* **~professor** *m* professeur *m* d'histoire; **~philosophie** *f* philosophie *f* de l'histoire; **~schreiber** *m* historien, historiographe *m;* **~studium** *n* étude *f* de l'histoire; **~stunde** *f* leçon *f od* cours *m* d'histoire; **~tabelle** *f* tableau *m* historique; **~unterricht** *m* enseignement *m* de l'histoire; **~werk** *n* ouvrage *m* d'histoire; **~wissenschaft** *f* (science de l')histoire *f.*

Geschick *n* ‹-(e)s, -e› [gə'ʃɪk] *(Schicksal)* sort, destin *m,* destinée *f;* **(= ~lichkeit *f*)** ‹-, ø› adresse, habileté, dextérité *f,* savoir-faire *m;* **~lichkeitsprüfung** *f* épreuve *f* d'adresse; **~lichkeitsspiel** *n* jeu *m* d'adresse; **g~t** *a* adroit, habile (*in etw* dans qc, *im ...* à *inf*); *~~ sein* n'être pas manchot; *in etw* être rompu à qc; *sehr ~~ sein (im Nähen) a.* avoir des doigts de fée; *sich ~~ aus der Affäre ziehen* s'en tirer élégamment.

Geschiebe *n* ‹-s, -› *geol* ébouilis *m;* **~mergel** *m* boue glaciaire, marne *f* à blocaux.

geschieden [gə'ʃi:dən] *a* séparé; *(Familienstand)* divorcé (*von jdm* d'avec qn); *wir sind ~e Leute* tout est fini entre nous.

Geschieße *n* ‹-s, ø› *fam* fusillade *f;* tir *m* continuel.

Geschimpfe *n* ‹-s, ø› *fam* engueulade *f pop.*

Geschirr *n* ‹-(e)s, -e› [gə'ʃɪr] *(Tafel-, Tisch~)* vaisselle; *(Küchen~)* batterie *f* de cuisine; *(Pferde~)* harnais, harnachement *m; sich ins ~ legen (fig)* donner un coup de collier, faire force de voiles, mettre toutes les voiles au vent; *(das) ~ spülen* faire la vaisselle; **~abtrockner (in *f*)** *m* essuyeur, se *m f* de vaisselle; **~schrank** *m* vaisselier, buffet *m;* **~spülautomat** *m,* **~spülmaschine** *f* machine *f* à laver la vaisselle; lave-vaisselle *m;* **~spüler(in *f*)** *m* plongeur, se *m f; m a. = ~spülautomat;* **~tuch** *n* torchon *m;* **~wärmer** *m* chauffe-plats *m inv.*

geschlagen *a: e-e ~e Stunde* une grande heure.

Geschlecht *n* ‹-(e)s, -er› [gə'ʃlɛçt] *(Familie)* famille, race, lignée, descendance; *(Menschenalter)* génération *f; biol* sexe; *gram* genre *m; die kommenden ~er* nos enfants *m pl; das schöne ~* le beau sexe; *das schwache, starke ~* le sexe faible, fort; **~erfolge** *f* génération, filiation *f;* **g~lich** *a* sexuel; **~sakt** *m* acte sexuel, coït *m;* **g~skrank** *a* attent d'une maladie vénérienne; **~skranke(r *m*)** *f* vénérien, ne *m f;* **~skrankheit** *f* maladie *f* vénérienne; **~sleben** *n* vie *f* sexuelle; **g~slos** *a biol* asexué; *a. gram* neutre; **~sorgan** *n* organe *m* génital; **~sreife** *f* puberté, maturité *f* sexuelle; **~steile** *n (a. m) pl* parties *f pl* génitales; **~strieb** *m* instinct *m* sexuel *od* génésique; **~sverkehr** *m* rapports *m pl* sexuels *od* intimes; **~swort** *n gram* article *m.*

geschliffen *a (Stein)* taillé; *(Glas)* poli, biseauté; *fig (Rede, Schrift)* concis; travaillé; *fam* léché.

Geschlinge *n* ‹-s, -› *(Eingeweide von Schlachttieren)* fressure *f.*

geschlitzt *a: ~e Tasche f (am Mantel)* poche *f* fendue.

geschlossen ‹*pp von: schließen*› *adv (ausnahmslos)* à l'unanimité, en corps; *mil* en formation serrée *od* dense *od* compacte; *~! (theat)* relâche! *~e Gesellschaft f* société fermée; réunion *f* privée; *~e Ortschaft f* agglomération *f; ~e Siedlung f* habitat *m* concentré; **G~heit** *f* ‹-, ø› ensemble; accord *m,* harmonie *f.*

Geschluchze *n* ‹-s, ø› sanglots *m pl.*

Geschmack *m* ‹-(e)s, ¨-e, *hum* ¨-er› [gə'ʃmak] *(Speise)* goût *m* (*nach etw* de qc); *(Wohl~)* saveur *f; fig* goût *m; mit ...geschmack* parfumé au, à la ...; *nach jds ~* au *od* du goût de qn, au gré de qn, à *od* selon la guise de qn; *e-r S ~ abgewinnen* prendre goût à qc; *jdn auf den ~ bringen* en donner le goût à qn; *an etw ~ finden* prendre (du) goût à qc, goûter qc; *~ haben (fig)* avoir du goût; *e-n bitteren ~ auf der Zunge haben* avoir la bouche amère; *e-n unangenehmen ~ im Munde haben* avoir mauvaise bouche *od* un mauvais goût dans la bouche; *jeder nach s-m ~* chacun son goût; *das ist nicht mein ~* cela n'est pas à mon goût; cela ne me plaît pas; *über den ~ soll man nicht streiten (prov)* des goûts et des couleurs il ne faut pas discuter; *gute(r), schlechte(r) ~ (a. fig)* bon, mauvais goût *m;* **g~los** *a* sans goût, sans saveur; *(fade)* fade, insipide; *fig* de mauvais goût; *sich ~~ anziehen* od *kleiden (fam a.)* se fagoter, se ficeler; **~losigkeit** *f* fadeur, insipidité *f; fig* mauvais goût; *(Taktlosigkeit)* manque *m* de goût; **~sbecher** *m,* **~sknospe** *f anat* papille *f* gustative, bourgeon *m* gustatif; **~seindruck** *m,* **~sempfindung** *f* impression *od* sensation *f* gustative; **~snerv** *m* nerf *m* gustatif; **~sorgan** *n* organe *m* du goût; **~(s)sache** *f: das ist ~~* c'est une affaire de goût; **~sverirrung** *f* aberration du *od* erreur *f* de goût; **g~voll** *a, a. fig* de bon goût *od* ton; *(Kleidung)* élégant; *~~ gekleidet* mis avec goût *od* élégance.

Geschmeide *n* ‹-s, -› [gə'ʃmaɪdə] *lit poet* joyaux, bijoux *m pl,* parure *f.*

geschmeidig *a (biegsam)* pliant, flexible, souple; *(elastisch)* élastique; *hämmerbar)* ductile, malléable; *fig (wendig)* souple, maniable; *(Mensch)* adroit, diplomate; *(Sache) (gefügig)* maniable, traitable, docile; *~ sein (a.)* avoir les reins souples; **G~keit** *f* ‹-, ø› flexibilité, souplesse *a. fig,* élasticité; ductilité, malléabilité; *fig* docilité *f.*

Geschmeiß *n* ‹-es, ø› vermine; *fig* racaille, canaille *f.*

Geschmetter *n* ‹-s, ø› *(von Trompeten)* bruit *m* de trompettes, fanfare *f.*

Geschmier *n* ‹-s, ø›, **~e** *n* ‹-s, ø› barbouillage, gribouillis *m;* **g~t** *adv: das geht (ja) wie ~~ (fam)* cela va comme sur des roulettes.

geschmort *a (Küche)* daubé, en daube.

Geschnatter *n* ‹-s, ø› *(Gans)* criaillerie *f; (Ente)* cancan; *(Weiber)* babil(lage), bavardage, verbiage *m.*

geschniegelt *a: ~ und gebügelt* tiré à quatre épingles.

Geschöpf *n* ‹-(e)s, -e› créature *f.*

Geschoß *n* ‹-sses, -sse› [gə'ʃɔs] projectile, engin *m* balistique; *(Gewehr)* balle *f; (Stockwerk)* étage *m; (fern-)gelenkte(s) ~* engin *m* (télé)guidé; **~bahn** *f* trajectoire *f;* **~garbe** *f* gerbe *f* d'éclatement; **~hülse** *f* étui *m* de projectile; **~kern** *m* noyau *m* du projectile; **~wirkung** *f* puissance *f* du projectile.

geschraubt *a (Haltung, Benehmen)* affecté, guindé, gourmé; *(Sprache, Stil)* apprêté, forcé, recherché, affecté, afféte, maniéré, contourné, guindé, *fam* tarabiscoté.

Geschrei *n* ‹-(e)s, ø› cris *m pl,* criaillerie, clameur *f,* vociférations *f pl,* éclats de voix, *pop* gueulements *m pl;*

fig bruit, tapage; *(des Esels)* braiment *m; mit lautem ~* à grands cris; *viel ~ machen* faire beaucoup de tapage; *um etw* faire grand bruit autour de qc; *viel ~ um nichts* beaucoup de bruit pour rien.

Geschreibsel *n* ‹-s, ø› [gəˈʃraɪpsəl] griffonnage, *fam* gribouillage *m.*

Geschütz *n* ‹-es, -e› pièce (d'artillerie), bouche *f* à feu, canon *m; ein ~ auffahren* mettre un canon en batterie; *schweres ~ auffahren (fig)* dresser ses batteries; **~bedienung** *f (Mannschaft)* (canonniers) servants *m pl;* **~donner** *m* bruit *m* des canons; **~feuer** *n* tir *m* d'artillerie; canonnade *f;* **~führer** *m* chef *m* de pièce; **~gießerei** *f* fonderie *f* de canons; **~park** *m* parc *m* d'artillerie; **~stand** *m* emplacement *m* de pièce; **~stellung** *f* position *f* de (la) pièce; *eingegrabene ~~* alvéole *m;* **~turm** *m mar* tourelle *f.*

geschützt *a: ~ gegen* od *vor* à l'abri de.

Geschwader *n* ‹-s, -› [gəˈʃva:dər] *mar aero* escadre *f;* **~flug** *m* vol *m* d'escadre; **~führer** *m aero* chef *m* d'escadre; **~kommandant** *m mar* commandant *m* d'escadre.

Geschwätz *n* ‹-es, ø› [gəˈʃvɛts] babil(lage), bavardage, caquet; *(Klatsch)* potin *m,* racontars *m pl,* ragot, cancan *m; (dummes) ~* idioties *f pl;* **g~ig** *a* bavard, loquace; *(Kind; Vogel)* babillard; **~igkeit** *f* ‹-, ø› loquacité, verbosité, incontinence *f* de langage.

geschweift *a (gebogen)* arqué; *tech* échancré.

geschweige *adv: ~ (denn) (um so mehr)* à plus forte raison; *(um so weniger)* encore (bien) moins.

geschwind [gəˈʃvɪnt] *a (schnell)* rapide, prompt; *adv a.* vite; **G~igkeit** *f phys tech (a. geringe)* vitesse; *(hohe)* rapidité, célérité; *(im Handeln)* promptitude; *(Eile, Eifer)* diligence *f; mit e-r ~~ von* à la vitesse de; *mit zu hoher, mit voller ~~* à trop vive, à toute allure; *die ~~ erhöhen, vermindern* augmenter, diminuer la vitesse; *überhöhte ~~* vitesse *f* excessive; **G~igkeitsbegrenzung** *f* limitation *f* de (la) vitesse; **G~igkeitsmesser** *m* compteur (de vitesse), tachymètre, *mar aero* indicateur *m* de vitesse; **G~igkeitsregler** *m mot* régulateur *m* de vitesse; **G~igkeitsschwankung** *f* fluctuation *f* de vitesse; **G~igkeitsüberschreitung** *f* excès *m* de vitesse; **G~igkeitsverlust** *m aero* perte *f* de vitesse; **G~schritt** *m* pas *m* accéléré *od* doublé; *im ~~* tambour battant.

Geschwirr *n* ‹-s, ø› *(von Insekten)* bourdonnement; *(von Pfeilen)* sifflement *m.*

Geschwister *pl* [gəˈʃvɪstər] frère(s) et sœur(s); **~kinder** *n pl* cousins *m pl* germains; **g~lich** *a* fraternel; **~liebe** *f* amour *m* fraternel; **~paar** *n* frère et sœur.

geschwollen *a med* enflé, *(entzündet)* tuméfié; *(Auge)* bouffi; *(Ader)* gonflé; *(Stil)* ampoulé; *~ reden* parler avec emphase.

Geschworen|e(r) *m* [-ˈʃvo:r-] *jur* juré *m; die ~en* les jurés *m pl,* le jury; **~enbank** *f* (banc du) jury *m; = ~e;* **~engericht** *n* (cour *f* d')assises *f pl;* **~enliste** *f* liste *f* des jurés; **~enobmann** *m* chef *m* de jury.

Geschwulst *f* ‹-, ⸚e› enflure; *(entzündete)* tumeur *f.*

Geschwür *n* ‹-(e)s, -e› [gəˈʃvy:r] ulcère, abcès *m;* **~bildung** *f* ulcération *f;* **g~ig** *a* ulcéreux.

Geseich *n* ‹-(e)s, ø› *pop (Geschwätz)* baratin *m.*

Gesell|e *m* ‹-n, -n› [gəˈzɛlə] *(Handwerks~~)* compagnon, garçon *(z. B.: Schneider~~* garçon tailleur); *(Kerl)* gaillard *m; faule(r) ~~* paresseux *m; lustige(r) ~~* joyeux compère *od* drille *m;* **g~en** *tr* joindre, assembler, associer, réunir; *sich ~~* se joindre *(zu* à), s'assembler, s'associer, se réunir *(zu* avec); **~enjahre** *n pl,* **~enzeit** *f* (années *f pl* de) compagnonnage *m;* **~enprüfung** *f* épreuve *f* de compagnon, examen *m* de fin d'apprentissage artisanal; **g~ig** *a* sociable, liant; *zoo (~~ lebend)* grégaire; *~~e(s) Beisammensein n* réunion amicale *f;* **~igkeit** *f* sociabilité, mondanité; réunion *f* amicale.

Gesellschaft *f* ‹-, -en› compagnie; *(organisierte u. soziologische)* société; *(Organisation a.)* association *f; (kleinere)* club, cercle *m; theat* troupe; *pej* clique; *(gesellschaftl. Veranstaltung)* réunion; *(Abend~)* soirée *f; in ~* de *od* en compagnie; *in guter, schlechter ~* en bonne, mauvaise compagnie; *zum erstenmal in der ~ erscheinen* faire son entrée dans le monde; *e-e ~ geben* donner une soirée, recevoir; *~ haben* avoir du monde; *jdm ~ leisten* tenir compagnie à qn; *die ~ unterhalten* amuser la galerie; *komische ~!* drôle d'équipe! *die bessere ~* la haute volée *od* société; le beau monde; *eingetragene ~* société *f* enregistrée; *gelehrte ~* société *f* savante; *gemischte ~* société *f* mêlée *od* mélangée; *geschlossene ~* société *f* fermée; réunion *f* privée; *die gute ~* la bonne société; *lustige ~* bande *f* joyeuse; *~ mit beschränkter Haftung (GmbH)* société *f* à responsabilité limitée (S.A.R.L.); *die ~ Jesu* la Compagnie *od* Société de Jésus; **~er** *m allg* compagnon; *com* sociétaire, associé *m; als ~~ annehmen (com)* s'associer; *ein angenehmer ~~ sein* être d'une compagnie agréable; *unbeschränkt haftende(r) ~~* associé *m* indéfiniment responsable; *stille(r) ~~ (com)* commanditaire *m; tätige(r) ~~* associé *m* actif; *gute(r) ~~* homme *m* de bonne compagnie; **~erin** *f* dame *od (ledige)* demoiselle *f* de compagnie; **g~lich** *a* social; de société, mondain; *~~e Veranstaltung f* manifestation mondaine, mondanité *f.*

Gesellschafts|anteil *m* part *f* sociale; **~anzug** *m* tenue *f* de soirée; *(Frack)* habit *m; große(r) ~~* habit *m* de cérémonie; *in großem ~~* en grande tenue; **~dame** *f* dame *f* de compagnie; **g~fähig** *a* présentable; **~inseln,** *die f pl* l'archipel *m* de la Société; **~kapital** *n* capital *od* fonds *m* social; **~kleidung** *f* tenue *f* de soirée; **~kreise** *m pl* milieu *m pl* de la société; **~lehre** *f* sociologie *f;* **~omnibus** *m* (touring) car *m;* **~ordnung** *f* ordre *od* édifice *m* social; **~raum** *m,* **~zimmer** *n* salon *m;* **~recht** *n* droit *m* social *od* des sociétés; **~register** *n* registre *m* du commerce; **~reise** *f* voyage *m* organisé *od* en groupe *od* d'entreprise; *pl* tourisme *m* collectif; **~reisezug** *m* train-croisière *m;* **~schicht** *f* couche *f* sociale; **~spiel** *n* jeu *m* de société; **~stück** *n theat* comédie *f* de mœurs; **~tanz** *m* danse *f* de société; **~vermögen** *n* fortune *od* masse *f od* avoir *od* patrimoine *m* social(e); **~vertrag** *m hist pol* contrat social; *com* acte *od* contrat *m* de société; **~wissenschaft** *f = ~lehre.*

Gesenk *n* ‹-(e)s, -e› *(Schacht) tech* étampe, matrice *f; mines* puits *m; im ~ schmieden* étamper, matricer; **~presse** *f* presse *f* à étampe; **~schmieden** *n* étampage *m.*

Gesetz *n* ‹-es, -e› loi *f, a. fig; im Namen des ~es* au nom de *od* de par la loi; *im Sinne des ~es* dans l'esprit de la loi; *nach dem ~* d'après la loi; *ein ~ abändern* amender une loi; *ein ~ annehmen* adopter une loi; *ein ~ aufheben* abroger une loi; *unter ein ~ fallen* tomber sous le coup d'une loi; *~e geben* od *machen* légiférer; *als ~ gelten* faire loi; *sich etw zum ~ machen* se faire une loi de qc; *ein ~ übertreten* contrevenir à une loi; *(zum) ~ werden* entrer dans la législation; *mosaische(s) ~ (rel)* mosaïsme *m; ungeschriebene(s) ~* loi *f* non écrite; *das ~ von Angebot und Nachfrage* la loi de l'offre et de la demande; **~auslegung** *f* définition *f* légale; **~blatt** *n* bulletin *od* corps *od* recueil des lois, bulletin *m* officiel; **~buch** *n* code *m;* **~entwurf** *m* projet *m* de loi; **~esänderung** *f* modification *f* à la loi; **~esbestimmung** *f* article *m* de loi, disposition *f* de la loi; **~esinitiative** *f* initiative *f* législative; **~eskraft** *f:* *~~ erlangen, haben* acquérir, avoir force de loi; **~eslücke** *f* lacune *f* de la loi; **~estafeln** *f pl rel* tables *f pl* de la loi; **~estext** *m* texte *m* légal; **~esübertretung** *f* infraction *f* à la loi; **~esumgehung** *f* manière *f* de contourner la loi; transgression *f* de la loi; **~esvorlage** *f* projet *m* de loi; *e-e ~~ einbringen* présenter un projet de loi; **g~gebend** *a* législatif; **~geber** *m* législateur *m;* **~gebung** *f* législation *f;* **g~lich** *a* légal; *(gesetzmäßig)* conforme à la loi; *(rechtmäßig)* légitime; *~~e(s) Alter n* âge *m* légal; *~~e(r) Anspruch m* prétention *f* légitime; *~~e Bestimmungen f pl* dispositions *f pl* légales; *~~e(r) Erbe m* héritier *m* légitime; *~~e(r) Feiertag m* fête *f* légale; *~~ (urheberrechtlich) geschützt* breveté; marque déposée; *~~e(r) Vertreter m* mandataire, représentant *m* légal; *~~e(s) Zahlungsmittel n* cours *m od* monnaie *f* légal(e); **~lichkeit** *f* légalité; *(Rechtmäßigkeit)* légitimité *f;* **g~los** *a* sans loi, anarchique; **~lose(r)** *m* hors-la-loi *m;* **~losigkeit** *f* anarchie *f;* **g~mäßig** *a* conforme à la loi, légal; *(rechtmäßig)* légitime; *scient* régulier; *adv* d'après la loi; **~mäßigkeit** *f* légalité; légitimité; *scient* régularité *f;* **~sammlung** *f* recueil *m* de lois; **g~widrig** *a* contraire aux lois, illégal; *(unrechtmäßig)* illégitime; **~widrigkeit** *f* illégalité; illégitimité *f.*

gesetzt ⟨*pp von: setzen*⟩ *typ* sur le marbre; *a (ruhig)* posé, rassis; *(ernst)* sérieux, grave; *(nüchtern)* sobre; *(bescheiden)* modeste; *~ den Fall(, daß)* soit, supposons (que); *~e(s) Alter n* âge *m* mûr; *~e(s) Wesen n,* **G~heit** *f* ⟨-, ø⟩ esprit *m* mûr; pondération *f.*

gesichert *a* assuré, en sûreté (*gegen* contre); sûr, à couvert, à l'épreuve (*gegen* de); *(Gewehr)* (mis) au cran d'arrêt; *tech* bloqué; *~e Position f* situation *f* stable.

Gesicht 1. *n* [gəˈzɪçt] ⟨-(e)s, -er⟩ visage *m,* figure; *scient lit poet* face, *(~ssinn)* vue; **2.** *(Vision, Erscheinung) n* ⟨-(e)s, -e⟩ vision, apparition *f; ins ~ (fig)* en face; *ins ~ (hinein) (fig)* à brûle-pourpoint; *ein anderes ~ bekommen (fig)* prendre un autre aspect; *zu ~ bekommen* voir; *die Sonne im ~ haben* avoir le soleil en face; *das Zweite ~ haben* avoir un don de double vue; *jdm ins ~ lachen* rire au nez de qn; *über das ganze ~ lachen* rire à gorge déployée; *ein böses* od *finsteres ~ machen* faire grise mine *od* la mine; *ein erschrockenes, erstauntes ~ machen* avoir une mine effrayée *od* étonnée; *wieder ein freundliches ~ machen* se dérider; *ein langes ~ machen* avoir la mine longue, *fam* faire un nez; *ein ~ wie sieben Tage Regenwetter machen* avoir une mine d'enterrement *od* déconfite, faire un visage long comme un jour sans pain; *ein saures ~ machen* avoir une mine renfrognée; *ein schiefes ~ machen* od *ziehen* faire la moue *od* grimace *od fam* tête; *jdm etw ins ~ sagen* dire qc à qn en face; *jdm ins ~ schlagen* frapper qn au visage; *jdm ins ~ sehen* regarder qn en face; *~er schneiden* faire des grimaces; *jdm wie aus dem ~ geschnitten sein* être le portrait du qn; *jdm ins ~ springen (fig)* sauter à la gorge de qn; *jdm gut zu ~ stehen* aller bien à qn; *jdm im ~ geschrieben stehen (fig)* se lire sur le visage de qn; *über das ganze ~ strahlen* avoir une mine joyeuse; *das ~ verlieren (fig)* perdre la face; *das ~ verziehen* se renfrogner; *das ~ wahren* sauver la face; *jdm etw ins ~ werfen* od *schleudern* jeter qc à la face *od* au nez de qn; envoyer qc à la figure de qn, lancer qc à qn; *man muß den Dingen ins ~ sehen* il faut voir les choses en face; *blöde(s) ~* visage *m* de bois; *lange(s), schmale(s) ~ (a.)* visage *m* en lame de couteau; *verwitterte(s) ~* visage *m* buriné; *Zweite(s) ~ (fig)* double vision, voyance *f; das ~ e-r Stadt* la physionomie d'une ville; **~chen** *n* petite figure *f,* minois *m; (e-s Kindes)* frimousse *f.*

Gesichts|ausdruck *m* [gəˈzɪçts-] expression du visage; physionomie *f;* **~bildung** *f* moulage *m* facial, physionomie *f;* **~farbe** *f* teint *m; e-e gesunde ~~ haben* avoir le teint coloré *od* bonne mine; **~feld** *n* champ *m* visuel *od* de vision; **~index** *m (Anthropologie)* indice *m* facial; **~kreis** *m* horizon *m, a. fig;* **~massage** *f* massage *m* facial; **~muskel** *m* muscle *m* facial; **~nerv** *m* nerf *m* facial; **~pflege** *f* soins *m pl* du visage; **~puder** *m* poudre *f* de riz; **~punkt** *m fig* point de vue, aspect *m; unter diesem ~~* de ce point de vue, sous cet angle; **~sinn** *m* vue *f;* **~wasser** *n* lotion *f* faciale; **~winkel** *m anat* angle facial; *opt* angle visuel; *fig* aspect *m;* **~züge** *m pl* traits *m pl.*

Gesims *n* ⟨-es, -e⟩ [gəˈzɪms, -zə] *arch (tragendes Mauerwerk)* entablement *m; (Zierleiste)* moulure, corniche *f; (Tür, Fenster)* chambranle *m.*

Gesinde *n* ⟨-s, -⟩ [gəˈzɪndə] domestiques *m pl,* gens *pl* de maison; *pej* valetaille *f;* **~l** *n* ⟨-s, ø⟩ canaille, racaille, mauvaise graine *f.*

gesinn|t *a (nur in Zssgen)* intentionné, pensant; *feindlich ~~* hostile; **G~ung** *f* ⟨-, (-en)⟩ *(Denkart)* manière de penser; *(Überzeugung)* conviction, opinion *f, a. pol; pol* principes *m pl; liberale ~~* largeur *f* d'esprit; *niedrige ~~* bassesse *f;* **G~ungsgenosse** *m* ami *m* politique; **~ungslos** *a* sans aveu; **G~ungslosigkeit** *f* manque *m* de principes; **G~ungslump** *m* sale type, *pop* salaud *m;* **~ungstreu** *a,* **~ungstüchtig** *a* loyal; **G~ungstreue** *f* loyauté *f,* loyalisme *m;* **G~ungswechsel** *m* changement *m* d'opinion, volte-face *f.*

gesitt|et *a (von guten Umgangsformen)* de bonnes manières, civil; *(kultiviert)* civilisé; *~~ machen* civiliser, humaniser; **G~ung** *f* ⟨-, ø⟩ civilité *f,* bonnes manières *f pl;* civilisation *f.*

Gesocks *n* ⟨-es, ø⟩ [gəˈzɔks] *pop* canaille, racaille *f.*

Gesöff *n* ⟨-(e)s, -e⟩ [gəˈzœf] *pop* bibine, lavasse *f.*

gesonnen [gəˈzɔnən] *a* disposé (*zu* à); *~ sein, etw zu tun (a.)* avoir l'intention de faire qc.

Gespann *n* ⟨-(e)s, -e⟩ *(Zugtiere)* attelage *m,* paire *f; fig (Menschen)* couple *m.*

gespannt *a allg* tendu; *(Muskel, Sehne, Feder tech)* bandé; *(Pistole, Revolver)* armé; *fig (Mensch)* suspendu (*auf* à), captivé; *(Aufmerksamkeit)* soutenu; *(Lage, Verhältnisse)* tendu; *mit ~en Erwartungen* impatiemment; *mit jdm auf ~em Fuße stehen* avoir des rapports tendus avec qn; *ich bin ~ auf deinen Freund* je suis curieux de voir ton ami; *ich bin ~, was er berichten wird* j'attends son récit avec impatience; **G~heit** *f* ⟨-, ø⟩ *fig* attention soutenue, impatience *f; (der Beziehungen, der Lage)* tension *f.*

Gespenst *n* ⟨-(e)s, -er⟩ [gəˈʃpɛnst] fantôme, spectre; *(Geist e-s Toten)* revenant *m; ~er sehen* voir des revenants, avoir des visions, rêver tout éveillé; *überall ~er sehen* se faire des fantômes de rien; **~ergeschichte** *f* histoire *f* de revenants; **g~erhaft** *a,* **g~ig** *a,* **g~isch** *a* fantomal, fantomatique, spectral; **~erschiff** *n,* **~erstadt** *f* vaisseau *m,* ville *f* fantôme.

Gesperr|e *n* ⟨-s, -⟩ *tech* fermoir, arrêt, cliquet *m; typ* frisquette *f;* **g~t** *pp a (Weg)* barré; *(Konto)* bloqué; *~~ gedruckt* espacé; *~~!* interdit!

Gespiel|e *m* ⟨-n, -n⟩, **~in** *f lit poet* camarade *m f* de jeu.

Gespinst *n* ⟨-(e)s, -e⟩ [gəˈʃpɪnst] *(Textil)* tissu; *(feinstes)* filé; *ent* cocon *m.*

gesponnen [gəˈʃpɔnən] *a, a. fig* tissu.

Gespons *m* ⟨-es, -e⟩ [gəˈʃpɔns] *hum* mari, fiancé *m; n* ⟨-es, -e⟩ femme, fiancée *f.*

Gespött *n* ⟨-(e)s, ø⟩ moquerie, raillerie, dérision *f; sich zum ~ (gen) machen, zum ~ (gen) werden* devenir la risée (de).

Gespräch *n* ⟨-(e)s, -e⟩ [gəˈʃprɛːç] conversation *f, a. tele,* entretien, dialogue *m; (Plauderei)* causerie *f; (gelehrtes)* colloque; *(Debatte)* débat *m,* discussion; *tele* communication *f; pl pol* dialogue *m; ein (Telefon-)~ abhören* suivre une conversation (téléphonique) sur table d'écoute; *mit jdm ein ~ anknüpfen* lier conversation avec qn; *ein ~ anmelden (tele)* demander une communication; *mit jdm ein ~ über etw beginnen. (a. fam)* entreprendre qn sur qc; *das ~ auf etw bringen* faire tomber la conversation sur qc; *sich mit jdm in ein ~ einlassen* entrer en conversation avec qn; *mit jdm ein ~ führen* s'entretenir avec qn; *ein ~ verlängern (tele)* prolonger une communication; *sie war das ~ der ganzen Stadt* elle était le sujet de conversation de toute la ville; *dringende(s) ~ (tele)* communication *f* urgente; *~ unter vier Augen* tête-à-tête *m; ~ mit Voranmeldung (tele)* communication *f* avec préavis; **g~ig** *a* causeur, communicatif; *pej* bavard, loquace; *jdn ~~ machen* délier *od* dénouer la langue à qn; **~igkeit** *f* ⟨-, ø⟩ humeur causeuse; *pej* loquacité *f;* **~sdauer** *f tele* durée *f* de conversation; **~sform** *f: in ~~* sous forme de dialogue; **~sgegenstand** *m* sujet *m* de conversation; **~sgrundlage** *f* base *f* de discussion; **~sgruppe** *f* aparté *m;* **~spartner(in *f*)** *m* interlocuteur, trice *m f; tele a.* correspondant, e *m f;* **~sstoff** *m = ~sgegenstand; den ~~ abgeben* faire l'entretien; **~sthema** *n = ~sgegenstand; ~~ sein* être le sujet de (la) conversation, être sur le tapis; **g~sweise** *adv* au cours d'une conversation.

gespreizt *pp, a (ausea.stehend)* écarté; *fig* affecté, précieux, guindé; *(Stil)* apprêté, bouffi, ampoulé;

G~heit *f fig* affectation, bouffissure *f*.

gesprenkelt *a* tacheté, moucheté.

gesprungen *a (Glas)* fêlé.

Gestade *n* ‹-s, -› [gəˈʃtaːdə] *poet* rivage *m*, rive *f*.

gestaffelt *a fin (Steuer)* progressif.

Gestalt *f* ‹-, -en› forme, figure; *(Figur, Körperbau)* figure, tournure, *(Wuchs)* stature, taif; lit personnage *m; in ~ (gen)* sous (la) forme (de), sous la figure (de), en la personne (de); *in beiderlei ~ (rel: Abendmahl)* sous les deux espèces; *(feste) ~ annehmen* prendre corps, se former, *(Plan)* se dessiner, se concrétiser; *die ~ (gen) annehmen* prendre la forme (de); *e-e andere ~ annehmen* épouser *od* revêtir une autre forme, changer d'aspect; *sich in s-r wahren ~ zeigen* se montrer sous son vrai jour; *menschliche ~* figure d'homme, forme *f* humaine; *der Ritter von der traurigen ~ (Don Quichotte)* le chevalier de la Triste Figure; **g~en** *tr* former, figurer, façonner; *sich ~~* se former, prendre corps, se développer; *zu etw* devenir qc; *sich ganz anders ~~ (als)* prendre une tout autre allure (que); **~lehre** *f* morphologie *f;* **g~los** *a* sans forme, informe, amorphe; *(unkörperlich)* immatériel; **~losigkeit** *f* absence *f od* manque de forme, amorphisme *m;* **~psychologie** *f* psychologie *f* de la forme, gestaltisme *m;* **~ung** *f* (con)formation, configuration; *min* figuration *f; (Formgebung)* façonnement *m; (Kunst)* réalisation *f;* **~ungskraft** *f* force fixatrice, *lit poet* faculté *f* fabulatrice; **~wandel** *m* métamorphose *f*.

Gestammel *n* ‹-s, ø› balbutiements, bégaiements *m pl*.

geständ|ig *a: ~~ sein* faire des *od* passer aux aveux, avouer; **G~nis** *n* ‹-sses, -sse› aveu *m*, confession *f; ein ~~ ablegen = ~ig sein; über etw* faire l'aveu de qc.

Gestänge *n* ‹-s, -› [gəˈʃtɛŋə] *(Geweih)* bois *m*, ramure *f; allg* appui *m; tech* tiges, tringles *f pl*, tringlerie; *mines* voie *f* ferrée.

Gestank *m* ‹-(e)s, ø› [gəˈʃtaŋk] mauvaise odeur, puanteur *f*.

gestatten [gəˈʃtatən] *tr* permettre; *(gewähren)* accorder; *wenn Sie (mir) ~* si vous voulez bien me permettre, sauf votre respect *od* honneur; *wenn es gestattet ist* s'il (m')est permis; *~ Sie!* permettez, pardon (... Monsieur, Madame, Mademoiselle).

Geste *f* ‹-, -n› [ˈgɛstə] geste *m*.

gesteh|en ‹*hat gestanden*› *tr (bekennen)* confesser, avouer, faire l'aveu de; *itr* faire des aveux; *jur arg* se mettre à table; *(zugeben)* admettre, convenir de; *offen gestanden* à vrai dire, à dire vrai; **G~ungskosten** *pl*, **G~ungspreis** *m* prix *m* coûtant *od* de revient.

Gestein *n* ‹-(e)s, -e› pierres *f pl; min* roche(s *pl*) *f*, minéral *m; taube(s) ~* stérile *m;* **~sbohrer** *m* perforateur *m*, perforatrice *f;* **~sgang** *m* filon *m;* **~shalde** *f* terril *m;* **~shammer** *m* marteau *m* de géologue; **~skunde** *f* pétrographie *f;* **~smasse** *f* masse *f* minérale; **~ssammlung** *f* collection *f* de minéraux; **~sschichten** *f pl* couches *f pl* minérales.

Gestell *n* ‹-(e)s, -e› bâti; *(Stütze)* support; *(Bock)* tréteau, chevalet; *(Brettergerüst)* échafaudage *m; (Möbel)* étagère *f; (Sockel)* piédestal *m; (Brille)* monture châsse *f; (Wagen)* train; *(Fahr~) mot* châssis, *aero* train d'atterrissage, atterrisseur *m;* **~ung** *f* ‹-, (-en)› *mil* présentation *f*, appel *m; (von Material)* fourniture *f;* **~ungsaufschub** *m* sursis *m* d'appel; **~ungsbefehl** *m* ordre *m* d'appel, convocation *f;* **~ungspflicht** *f* obligation *f* de se présenter (au conseil de révision); **g~ungspflichtig** *a* astreint à se présenter (au conseil de révision).

gesteppt [gəˈʃtɛpt] *a* matelassé.

gestern [ˈgɛstərn] *adv* hier; *~ früh* od *morgen, abend* hier matin, soir; *~ in acht Tagen* d'hier en huit; *~ vor acht Tagen* il y a eu huit jours hier; *nicht von ~ sein (fig fam)* n'être pas tombé de la dernière pluie, n'être pas né d'hier; *ich kenne ihn nicht erst seit ~* ce n'est pas d'aujourd'hui que je le connais; *mir ist, als ob es ~ gewesen wäre* il me semble que c'était hier.

gesteuert *a* contrôlé; *(Geschoß, Rakete)* commandé, guidé; *(Maschinengewehr, radio)* synchronisé.

gestiefelt *a: der G~e Kater* le chat botté.

gestielt *a* emmanché; *bot* pétiolé; *bot zoo* pédiculé.

Gestikul|ation *f* ‹-, -en› [gɛstikulatsiˈoːn] gesticulation *f;* **g~ieren** [-ˈliːrən] *itr* gesticuler, faire des gestes; *lebhaft ~~* faire de grands gestes.

Gestirn *n* ‹-(e)s, -e› [gəˈʃtɪrn] astre *m*, étoile *f;* **g~t** *a (Himmel)* étoilé, (par) semé d'étoiles.

Gestöber *n* ‹-s, -› tourbillon *m* (de neige).

Gestöhn *n* ‹-(e)s, ø›, **~e** *n* ‹-s, ø› gémissements *m pl*.

gestört *a* en dérangement; *geol* accidenté; *radio* brouillé; *er ist geistig ~* il est dérangé; *(fam)* il a un grain.

Gestotter *n* ‹-s, ø› bégaiements, balbutiements *m pl*.

Gesträuch *n* ‹-(e)s, -e› buissons *m pl*, broussailles *f pl;* arbustes, arbrisseaux *m pl*.

gestreift *a* rayé, à raies, à rayures, zébré; strié.

gestreng *a* sévère, rigoureux.

gestrich|elt *a: ~~e Linie f* ligne *f* discontinue; **~en** *a (bemalt)* peint; *(Vorsicht,) frisch ~~!* attention *od* prenez garde à la peinture, peinture fraîche; *~~ voll (Maß)* ras.

gestrig [ˈgɛstrɪç] *a* d'hier; *am ~en Tage* hier.

Gestrüpp *n* ‹-(e)s, -e› [gəˈʃtrʏp] broussailles *f pl*, fourré; *fig (der Paragraphen)* maquis *m*.

Gestühl *n* ‹-(e)s, -e› *(e-r Kirche)* bancs *m pl; (Chor~)* stalles *f pl*.

Gestümper *n* ‹-s, ø› bousillage, *fam* bâclage *m*.

Gestüt *n* ‹-(e)s, -e› [gəˈʃtyːt] haras *m*.

Gesuch *n* ‹-(e)s, -e› [gəˈzuːx] demande, *bes. jur* requête; *(Bewerbung)* sollicitation; *(Bittschrift)* pétition, supplique *f; ein ~ einreichen* faire *od* formuler *od* présenter une demande, présenter requête (*an* à); *e-m ~ entsprechen* faire droit à une demande; *~ um Waffenhilfe* demande *f* d'armes; **~steller** *m* requérant, pétitionnaire *m*.

gesucht *a com* demandé; *(begehrt)* recherché; *fig (gekünstelt)* affecté, maniéré; **G~heit** *f* ‹-, ø› recherche; affectation, afféterie *f*, *(bes. Kunst)* maniérisme *m*.

Gesudel *n* ‹-s, ø› barbouillage, gribouillis *m*.

Gesumm *n* ‹-(e)s, ø›, **~e** ‹-s, ø› bourdonnement *m*.

gesund [gəˈzʊnt] *a* sain *a. fig;* en bonne santé; *pred* bien (portant); *(kräftig)* valide; *(Gesichtsfarbe)* frais; *(Appetit, Schlaf)* bon; *(heilsam, z. B. Klima)* sain, salubre; *fig* salutaire, bon; *(Verstand, Urteil)* sain; *in ~en und kranken Tagen* en période de santé et de maladie; *~ aussehen* avoir un air de santé; *ein ~es Urteil haben* avoir du jugement; avoir le jugement sain; *~ machen* guérir; *wieder ~ werden = ~en; das ist für ihn ganz ~* cela lui fait du bien; *~e(r) Menschenverstand m* bon sens, sens *m* commun; *~ und munter* (frais et) gaillard; **G~brunnen** *m* source *f* thermale *od* minérale; **~en** ‹*ist gesundet*› [-dən] *itr* guérir, se rétablir, recouvrer la santé; **G~heit** *f* santé; *(Heilsamkeit)* salubrité *f; sich e-r guten ~~ erfreuen* jouir d'une bonne santé; *bei bester ~~ sein* être en parfaite santé; *von ~~ strotzen* éclater de santé; *auf jds ~~ trinken* boire à la santé de qn, porter une santé à qn; *die ~~ untergraben* épuiser *od* miner la santé *fam; s-e ~~ wiederherstellen* se refaire la santé; *~~!* à vos souhaits! *gute, schwache ~~* belle, mauvaise santé *f; zerrüttete ~~* santé *f* délabrée; **~heitlich** *a* sanitaire, hygiénique; *adv* quant à la santé; *aus ~~en Gründen* pour raison de santé; *es geht mir ~~ gut* je suis en bonne santé; **G~heitsamt** *n* office *m* de la santé *od* d'hygiène, service *m* d'hygiène; **G~heitsappell** *m mil* visite *f* médicale; **G~heitsattest** *n* billet *m* de santé; **G~heitsdienst** *m* service *m* de santé; **~heitsfördernd** *a* salubre, salutaire; **~heitsgefährdend** *a* malsain, insalubre; **G~heitsgründe** *m pl: aus ~~n,* **~heitshalber** *adv* pour raison *od* cause de santé; **G~heitslehre** *f* hygiène *f;* **G~heitsministerium** *n* ministère *m* de la santé publique; **G~heitspaß** *m* passeport *m* sanitaire; *mar* patente *f* de santé; *mil* livret *m* médical, *mar* lettre *f* de santé; **G~heitspolizei** *f* police *f* sanitaire; **~heitspolizeilich** *a: ~~e Maßnahmen f pl* régime *m* sanitaire; **G~heitsregel** *f* règle *f* d'hygiène; **~heitsschädlich** *a* malsain, insalubre, nuisible à la santé; *~~e Wirkung f* morbidité *f;* **G~heitsstand** *m (e-r Bevölkerung)* état *m* sanitaire; **G~heitsverhältnisse** *n pl* (état *m* de) santé *f;* **G~heitswesen** *n* régime *m* sanitaire; **G~heitszustand** *m: (allgemeiner) ~~* état *m* (général) de la santé; *gute(r), schlechte(r) ~~* bonne, mauvaise santé *f;* **~≈ stoßen** *itr: sich (an etw) ~gestoßen haben (fam pej)* s'en sortir avantageusement; **G~ung** *f: ~~ der Wirtschaft* rétablissement *m* économique.

Getäfel *n* ⟨-s, ø⟩ [gəˈtɛ:fəl] lambris(sage) *m*, boiserie *f.*

Getändel *n* ⟨-s, ø⟩ badinage, flirt *m.*

geteilt *a* partagé; *~ sein* se partager; *~er Meinung sein* n' être pas du même avis.

Getier *n* ⟨-(e)s, ø⟩ animaux *m pl.*

getigert *a* tigré.

Getöse *n* ⟨-s, ø⟩ fracas, vacarme, *fam* brouhaha, tintamarre; *(Aufruhr)* tumulte *m; mit ~ (a.)* à cor et à cri.

getragen *a (Kleidung)* usagé; *fig (Gesang etc)* solennel.

Getrampel *n* ⟨-s, ø⟩ trépignements, piétinements *m pl.*

Getränk *n* ⟨-s, -e⟩ boisson *f*, breuvage *m; geistige ~e* spiritueux *m pl;* **~esteuer** *f* droit *od* impôt sur les boissons, droit *m* de consommation.

Getratsch *n* ⟨-s, ø⟩, **~e** *n* ⟨-s, ø⟩ [gəˈtra:tʃ(ə)] bavardage (interminable), commérage *m.*

getrauen, *sich ⟨hat sich getraut⟩* oser (*zu tun* faire), se faire fort (*zu tun* de faire).

Getreide *n* ⟨-s, -⟩ céréales *f pl*, blé *m*, grains *m pl;* **~(an)bau** *m* céréaliculture *f;* **~art** *f* espèce *od* sorte *f* de céréales; **~boden** *m (Land)* terre *f* à céréales; **~börse** *f* bourse *f* des céréales *od* des blés *od* des grains; **~ernte** *f* récolte *f* des grains *od* des blés; **~feld** *n* champ *m* de blé; **~handel** *m* commerce *m* des céréales *od* des blés *od* des grains; **~händler** *m* négociant *m* en blés; **~heber** *m* élévateur *m* de grain; **~krankheit** *f* maladie *f* du blé; **~markt** *m* marché *m* céréalier; **~produkt** *n* produit *m* de céréales; **~produktion** *f* production *f* céréalière; **~reiniger** *m* **~reinigungsmaschine** *f* nettoyeuse *f* à grains, tarare *m;* **~rost** *m (Pilzkrankheit)* rouille *f;* **~silo** *m* silo *m* à blé; **~speicher** *m* grenier *od* magasin *m* à blé; **~vorrat** *m* provision *f* de blé; **~zoll** *m* droit *m* sur les céréales.

getrennt *adv* séparément.

getreu *a* fidèle, loyal; *~e Wiedergabe* reproduction fidèle; **~lich** *adv* fidèlement, loyalement.

Getriebe *n* ⟨-s, -⟩ *tech* train (d'engrenages), engrenage, rouage, harnais *m*, transmission *f;* organes *m pl* de commande; *(Betriebsamkeit)* agitation *f*, mouvement *m; das ~ der Welt* le train *m* de monde *lit; im ~ stecken (fig)* être pris *od* saisi dans l'engrenage; **~bremse** *f* frein *m* sur transmission; **~deckel** *m* couvercle *m* de boîte de vitesses; **~fett** *n* graisse *f* à engrenages; **~gang** *m* vitesse *f;* **~gehäuse** *n*, **~kasten** *m* boîte *f* de vitesses; **~motor** *m* moteur *m* à engrenages; **~rad** *n* roue *f* d'engrenage *od* de transmission; **~übersetzung** *f* multiplication *f* par engrenage; **~umschaltung** *f* changement *m* de vitesse; **~welle** *f* arbre *m* de transmission *od* de changement de vitesse; **~zahnrad** *n* pignon *m* de boîte de vitesses.

getrost [gəˈtro:st] *a* confiant, plein de confiance, tranquille; *adv* avec confiance, en toute tranquillité.

getrösten, *sich* avoir confiance, prendre patience.

Getto *n* ⟨-s, -s⟩ [ˈgɛto] *(Judenviertel u. fig)* ghetto *m.*

Getue *n* ⟨-s, ø⟩ [gəˈtu:ə] manières *f pl* (affectées), affectation, minauderie *f*, cérémonies *f pl; fam* chichi, fla-fla *m.*

Getümmel *n* ⟨-s, -⟩ [gəˈtʏməl] *(Gedränge)* presse, cohue *f; (Tumult)* tumulte, vacarme, brouhaha *m; (Kampf~)* mêlée *f.*

getüpfelt [gəˈtʏpfəlt] *a (gefleckt)* moucheté; *(Stoff)* à pois; *weiß ~* à pois blancs.

geübt *a* exercé, entraîné; *(geschickt)* adroit; **G~heit** *f* ⟨-, ø⟩ expérience, pratique; adresse, dextérité *f.*

Gevatter *m* ⟨-s/-n, -n⟩ [gəˈfatər] compère; parrain; *(Anrede)* tonton *m;* **~in** *f* commère *f;* **~schaft** *f* compérage *m.*

Geviert *n* ⟨-(e)s, -e⟩ [gəˈfi:rt] carré *m; ins ~* carré *a.*

Gewächs *n* ⟨-es, -e⟩ [gəˈvɛks] plante *f*, végétal; *(Wein)* cru *m; med* végétation *f*, *scient* néoplasme *m*, néoplasie *f; er ist ein eigenartiges ~ (fig fam)* c'est un drôle d'outil *od* drôle de pistolet; **~haus** *n* serre *f.*

gewachsen *a: jdm ~ sein* tenir tête à qn; *e-r S ~ sein* être à la hauteur de qc; *gut ~* d'une belle venue; *(Mensch)* bien bâti *od* fait, d'une taille bien prise; *schlecht ~ (Mensch)* mal fait, *fam* mal fichu; *~e(r) Boden m* sol *m* naturel.

gewagt *a* osé, risqué, hasardé, hasardeux; *ein ~es Spiel treiben* jouer gros (jeu); *e-e ~e Sache* un saut périlleux.

gewählt *a (bes. Ausdruck)* choisi.

gewahr *a: ~ werden (gen),* **~en** *tr* voir, remarquer, s'apercevoir de.

Gewähr *f* ⟨-, ø⟩ [gəˈvɛ:r] garantie, caution, sûreté *f; ohne ~* sans garantie; *für etw ~ leisten* garantir qc, se porter garant *od* répondre de qc; **g~en** *tr (Bitte)* accorder, accueillir; accéder à; *(Kredit)* accorder, octroyer; *(Entschädigung)* allouer; *fig (geben, verschaffen)* donner, offrir, procurer; *jdn ~~ lassen* laisser faire qn; *Vorteile ~~* offrir des avantages; **g~≈leisten** *⟨hat gewährleistet⟩ tr* garantir, se porter garant de; **~leistung** *f* (prestation de) garantie *f;* **~smann** *m* agent *m* de renseignement; **~sträger** *m* garant, répondant *m;* **~ung** *f* accord; octroiement; *(e-r Entschädigung, e-s Kredits)* allocation *f.*

Gewahrsam *m* ⟨-s, -e⟩ *(Obhut)* garde; *(Haft)* détention *f; n* ⟨-s, -e⟩ *(Gefängnis)* prison *f; in sicherem ~* en lieu sûr; *in ~ haben* avoir sous sa garde; *in ~ nehmen* prendre en garde *od* sous sa garde; **~smacht** *f*, **~sstaat** *m pol* puissance *f* détentrice.

Gewalt *f* ⟨-, -en⟩ *(zwingende Kraft)* force; *(Zwang)* contrainte *f; (Macht)* pouvoir *m*, puissance; *(staatliche, a. sittliche)* autorité *f; (großer Einfluß)* ascendant; *(Herrschaft)* empire; contrôle *m; (~tätigkeit)* violence; *(Heftigkeit)* véhémence *f; mit ~* de *od* par force, de haute lutte, à la point de l'épée; *(auf Biegen oder Brechen)* à l'arraché; *mit aller ~* à toute force; à tour de bras, à bras raccourcis; *mit nackter* od *roher ~* de vive force; *mit voller ~* à toute force; *jdm ~ antun* faire force *od* violence à qn, violenter qn; *~ anwenden* od *gebrauchen* recourir à *od* employer la force; user de violence, employer la *od* user de violence (*gegen* contre); *sich aus jds ~ befreien (a. fam)* se tirer *od* s'échapper des pattes de qn; *der ~ mit ~ begegnen* résister à la force par la force; *jdn in s-e ~ bringen* mettre *od* porter la main sur qn; *in jds ~ geraten (a.)* tomber sous la patte de qn *fam; jdn in der ~ haben* avoir prise sur qn, tenir qn sous sa patte; *über jdn ~ haben* avoir autorité sur qn; *sich in der ~ haben* être maître de soi, se maîtriser, se posséder; *etw in s-r ~ haben* avoir qc en son pouvoir *od* sa puissance; *in jds ~ sein* être entre les mains *od* à la merci *od fam* entre les pattes de qn; *die ~ über den Wagen verlieren* perdre le contrôle de sa voiture; *die ~ geht vom Volk aus* le pouvoir émane du peuple; *~ geht vor Recht (prov)* la force prime le droit, force passe droit; *gesetzgebende, richterliche, vollziehende ~* pouvoir *m* législatif, judiciaire, exécutif; *höhere ~ (jur)* force *f* majeure; *die höchste ~ (pol)* le pouvoir suprême; *die öffentliche ~* la force publique; *unumschränkte ~* autorité *f* absolue; *väterliche, elterliche ~* autorité *f* paternelle; *die ~ des Wassers* l'effort *m* de l'eau; **~akt** *m* acte *m* de violence; **~anwendung** *f* emploi *od* usage *m* de la force; **~enteilung** *f pol* division *od* séparation *f* des pouvoirs; **~haber** *m*, **~herrscher** *m* autocrate, dictateur, despote, tyran *m;* **~herrschaft** *f* autocratie, dictature, tyrannie *f;* despotisme *m;* **g~ig** *a (mächtig)* puissant; *(stark)* fort; *(heftig)* violent, rude; *(sehr groß)* gros, énorme, immense, vaste, colossal, *fam* fier, épique, grandissime, super; *adv* grandement, *pop* foutrement, sacrément; *sich ~~ irren* se mettre le doigt dans l'œil *pop;* **~leistung** *f* tour *m* de force; **~losigkeit** *f* ⟨-, ø⟩ *pol* non-violence *f;* **~marsch** *m mil* marche *f* forcée; **~mensch** *m* tyran; *(Rohling)* brutal *m*, brute *f;* **~mißbrauch** *m* abus *m* de pouvoir; **g~sam** *a* violent; *(Tod)* sanglant; *adv a.* de *od* par force; *~~ öffnen*

(Tür) forcer; *~~e Erkundung f (mil)* reconnaissance *f* en force; *~~e(r) Umsturz m* révolution *f* sanglante; **~samkeit** *f* violence *f;* **~streich** *m* coup *od* de force; *mil* coup *m* de main; **~tat** *f* acte *m* de violence; *jur* voie *f* de fait; **g~tätig** *a* violent, brutal; **~tätigkeit** *f* violence, brutalité *f.*
Gewand *n* ⟨-(e)s, ¨er⟩ vêtement, habit *m.*
gewandt [gəˈvant] *a (flink)* agile, leste; *(geschmeidig)* souple; *(geschickt)* adroit, habile (*in* en); *(erfahren)* expérimenté, versé; *(Stil)* aisé, coulant; *etw ~ tun* être habile à faire qc; **G~heit** *f* agilité; souplesse; adresse, habileté; facilité (*zu* à); expérience; *(Stil)* aisance *f.*
gewärtig [gəˈvɛrtɪç] *a: e-r S ~ sein* s'attendre à qc; **~en** *tr: zu ~~ haben* devoir s'attendre à.
Gewäsch *n* ⟨-(e)s, ø⟩ [gəˈvɛʃ] bavardage, commérage, verbiage *m,* menus propos *m pl; fam* papotage *m.*
Gewässer *n* ⟨-s, -⟩ [gəˈvɛsər] *pl geog* eaux *f pl; scient* hydrographie *f; mar* parages *m pl; fließende, stehende ~* eaux *f pl* courantes, dormantes *od* stagnantes; **~kunde** *f* hydrographie *f.*
Geweb|e *n* ⟨-s, -⟩ [gəˈve:bə] tissu *m, a. anat u. fig; ein ~~ von Lügen* un tissu de mensonges; *(Webart)* texture *f,* tissage *m;* **~slehre** *f anat* histologie *f;* **~sneubildung** *f physiol* reformation *f* des tissus; **~süberpflanzung** *f,* **~sübertragung** *f med* homogreffe *f.*
geweckt *a fig* vif, éveillé; **G~heit** *f* ⟨-, ø⟩ esprit *m* vif *od* éveillé.
Gewehr *n* ⟨-(e)s, -e⟩ fusil *m;* arme *f; das ~ abnehmen* reposer l'arme; *zum ~ greifen, ins ~ treten* prendre les armes; *~ bei Fuß stehen* être l'arme au pied; *an die ~e!* aux armes! *~ — ab!* reposez — arme! *das ~ — über!* l'arme sur l'épaule — droite! *~ umhängen!* arme à la bretelle! *präsentiert das ~!* présentez arme! *setzt die ~e — zusammen!* formez les faisceaux! **~auflage** *f* appui *m* pour le fusil; **~feuer** *n* feu *m* d'infanterie; **~führer** *m* chef *m* de pièce; **~granate** *f* grenade *f* à fusil; **~griffe** *m pl* maniement *m* du fusil; **~kolben** *m* crosse *f;* **~kugel** *f* balle *f* de fusil; **~pyramide** *f* faisceau *m* (de fusils); **~schuß** *m* coup *m* de fusil; **~schütze** *m* (grenadier-)voltigeur, tireur *m;* **~ständer** *m* râtelier *m* d'armes; **~zubehör** *n* garnitures *f pl* de fusil.
Geweih *n* ⟨-(e)s, -e⟩ bois *m,* ramure, tête *f.*
gewellt *a (wellig)* ondulé.
Gewerbe *n* ⟨-s, -⟩ (arts et) métier(s) *m (pl),* industrie *f,* commerce; *allg* travail *m,* activité; *(Beruf)* profession *f; ein ~ betreiben* exercer un métier; *aus allem ein ~ machen* tirer profit de tout; *ambulante(s) ~* commerce *m* ambulant; **~aufsicht(samt** *n***)** *f* inspection *f* des métiers, (office *m* d')inspection *f* du travail; **~aufsichtsbeamte(r)** *m* inspecteur *m* du travail; **~ausstellung** *f* exposition *f* industrielle; **~bank** *f* banque *f* industrielle; **~betrieb** *m* exploitation *f* industrielle *od* commerciale; **~erzeugnis** *n* produit *m* fabriqué; **~fleiß** *m* industrie *f;* **~freiheit** *f* liberté *f* industrielle *od* de l'industrie *od* des professions; **~gericht** *n* conseil *m* des prud'hommes; **~hygiene** *f* hygiène *f* professionnelle; **~museum** *n* conservatoire *m* des arts et métiers; **~ordnung** *f* réglementation des *od* loi *f* sur les professions; **~schein** *m* patente, licence *f;* **~schule** *f* école *f* professionnelle *od* industrielle *od* des arts et métiers; **~steuer** *f* patente *f;* **~treibende(r)** *m: selbständige(r) ~~* travailleur indépendant; chef *m* d'entreprise.
gewerb|lich [gəˈvɛrplɪç] *a* industriel; professionnel; *~~e(s) Eigentum n* propriété *f* industrielle; *~~ genutzte(s) Fahrzeug n* véhicule *m* utilitaire; *~~e(r) Raum m* local *m* professionnel; **~smäßig** *a* professionnel, de profession, de métier; *~~e Unzucht f* prostitution *f.*
Gewerkschaft *f* [-ˈvɛrk-] syndicat *m,* union *od* association *f* syndicale; *e-r ~ beitreten* se syndiquer; **~(l)er** *m* ⟨-s, -⟩ syndiqué, syndicaliste, unioniste *m;* **g~lich** *a* syndical(iste); *sich ~~ zs.schließen* se syndiquer; *~~ organisiert* syndiqué; **~sausschuß** *m* comité *m* de *od* du syndicat; **~sbewegung** *f* mouvement syndical; syndicalisme *m;* **~sbund** *m* confédération *f* syndicale ouvrière; **~sführer** *m* dirigeant *m* syndicaliste; **~sfunktionär** *m* fonctionnaire *m* de syndicat; **~shaus** *n* bourse *f* du travail; **~smitglied** *n* membre d'un syndicat, syndiqué *m;* **~ssekretär** *m* secrétaire *m* de syndicat; **~sunterstützung** *f* assistance *f* pour les syndiqués; **~sversammlung** *f* bourse *f* du travail; **~svertreter** *m* représentant *m* syndical; **~swesen** *n* syndicalisme *m;* **~szugehörigkeit** *f* qualité *f* de syndiqué.
Gewicht *n* ⟨-(e)s, -e⟩ [gəˈvɪçt] poids *m, a. fig; fig (Wichtigkeit)* importance *f; nach ~ (com)* au poids; *e-r S ~ beimessen, auf etw ~ legen* attacher du poids *od* de l'importance à qc, tenir à qc; *ins ~ fallen* être de poids, avoir de l'importance; *schwer ins ~ fallen* être d'une grande importance; *volles ~ geben* faire bon poids; *sein ~ verlegen (Ski)* déplacer son poids; *an ~ verlieren* perdre de son poids; *es fehlt am ~* le poids n'y est pas; *spezifische(s) ~* poids *m* spécifique; *tote(s) ~* poids *m* à vide; **~heben** *n sport* poids et haltères *m pl,* haltérophilie *f;* **g~ig** *a fig* de (grand) poids, important; **~igkeit** *f* ⟨-, ø⟩ *fig* (grand) poids *m,* importance *f;* **~sabgang** *m* déchet *m od* perte *f* de poids; **~sabnahme** *f* diminution *f* du poids; **~sangabe** *f* déclaration *od* indication *f* du poids; **~seinheit** *f* unité *f* de poids; **~stabelle** *f* spécification *f* des poids; **~sunterschied** *m* différence *f* de poids; **~sverlust** *m* perte *f* de poids; **~sverteilung** *f* répartition *f* du poids; **~szunahme** *f* augmentation *f* du poids.
gewieft [gəˈvi:ft] *a,* **gewiegt** *a fam (schlau)* futé, *pop* roublard.
Gewieher *n* ⟨-s, ø⟩ hennissements *m pl; fig fam (lautes Gelächter)* fou rire *m.*
gewillt *a* disposé, d'humeur (*zu* à); *~ sein zu* avoir l'intention de *inf.*
Gewimmel *n* ⟨-s, ø⟩ fourmillement, grouillement *m.*
Gewimmer *n* ⟨-s, ø⟩ gémissements *m pl,* lamentations *f pl.*
Gewinde *n* ⟨-s, -⟩ *tech* filet, pas *m* de vis; *(Girlande)* guirlande *f,* feston *m; ein ~ in etw schneiden* fileter, tarauder qc; **~bohrer** *m* taraud *m;* **~bohrmaschine** *f* taraudeuse *f;* **~buchse** *f* tampon *m* de vissage, douille *f* taraudée; **~drehbank** *f* tour *m* à fileter; **~gang** *m* spire *f,* filet, pas *m* de vis; **~nippel** *m* bague *f* filetée; **~schneidkopf** *m* filière *f;* **~schneidmaschine** *f* machine *f* à fileter *od* tarauder (les vis).
Gewinn *m* ⟨-(e)s, -e⟩ [gəˈvɪn] *(Vorteil)* avantage; *(Nutzen)* profit; *(Verdienst m)* gain; *com* bénéfice, lucre; *(Ertrag)* revenu, rendement, produit; *(im Spiel, durch Spekulation)* gain; *(in der Lotterie)* lot *od* billet *od* numéro gagnant; *(Überschuß)* boni *m; (un)ausgeschüttete(r) ~* bénéfice *m* (non) distribué; *~ abwerfen* od *bringen* donner du bénéfice *od* des profits, rendre un profit, rapporter des bénéfices; *am ~ beteiligt sein* être intéressé aux bénéfices, *fam* avoir part au gâteau; *e-n ~ erzielen* réaliser un bénéfice; *~e erzielen* faire des bénéfices; *große ~e erzielen* od *(fam) einstreichen* faire de beaux bénéfices, réaliser de gros gains; *mit ~ lesen* lire avec profit; *den ~ teilen (a. fam)* partager le gâteau *fam; mit ~ verkaufen* vendre avec bénéfice; *aus etw ~ ziehen* tirer profit de qc; *das ist (schon) ein ~* c'est autant de gagné; *~ und Verlust* profits et pertes; *~e pl (e-r Partei bei e-r Wahl)* progression *f;* **~abschöpfung** *f* prélèvement *m* du bénéfice; **~absicht** *f: mit ~~ (jur)* à but lucratif; **~anteil** *m* part *f* de bénéfice *od* bénéficiaire *od* de profit; **~ausfall** *m* perte *f* de profit; **~ausschüttung** *f* distribution d'un *od* du bénéfice, répartition *f* de(s) bénéfice(s); **~aussicht** *f: pl* chances *f pl* de profit; *mit sicherer ~~* à jeu sûr; **~beteiligung** *f* participation *f* aux bénéfices; **g~bringend** *a* profitable, lucratif; *~~ anlegen (Geld)* faire profiter; **~chance** *f: mit gleichen ~~n (a.)* à deux de jeu; **g~en** ⟨*gewann, gewonnen*⟩ *tr* gagner *a. fig; (Preis im Wettkampf)* remporter; *(für e-e Gruppe, Partei)* enrôler, *(für e-e Partei)* engager (*für* dans); *fig* prendre, (s')attirer; *mines chem* extraire; *(durch Verarbeitung)* tirer (*aus* de); *itr (an Wert zunehmen)* gagner (*an* en); *es über sich ~~ zu* prendre sur soi de; *Boden ~~ (fig)* gagner du terrain; *Einfluß ~~* prendre de l'influence *od* de l'ascendant (*auf* sur); *jdn für sich ~~* obtenir les bonnes grâces de qn, séduire qn; *jds Gunst ~~* s'attirer la

faveur de qn; *die Oberhand ~~* prendre le dessus, l'emporter (*über* sur); *den Prozeß ~~ (a.)* avoir gain de cause; *Zeit ~~* gagner du temps; *sich ~~ lassen für* se laisser faire pour; *jdn (für e-e Sache) zu ~~ suchen* travailler qn; *damit ist nicht viel gewonnen* on n'y gagne guère; nous ne sommes pas plus avancés; *er ~t bei näherer Bekanntschaft* il gagne à être connu; *wer nicht wagt, der nicht ~t; frisch gewagt ist halb gewonnen (prov)* qui ne risque rien n'a rien; *wie gewonnen, so zerronnen (prov)* ce qui vient par la flûte s'en retourne par le tambour; **g~end** *ppr a* gagnant; *fig (Äußeres, Wesen)* séduisant; **~er** *m* ‹-s, -› gagnant; vainqueur *m; unter den ~~n sein* sortir vainqueur; **~liste** *f* liste *f* des (numéros) gagnants; **~los** *n* billet *m* gagnant; **~(n)ummer** *f* numéro *m* gagnant; **g~reich** *a* profitable, lucratif; **~saldo** *m* solde *m* bénéficiaire; **~spanne** *f* marge *f* bénéficiaire *od* de bénéfice; **~steuer** *f* impôt *m* sur les bénéfices; **~streben** *n* amour *m* du gain; **~sucht** *f* âpreté *f* au gain, amour *od* esprit *m* du lucre; **g~süchtig** *a* âpre à la curée *od* au gain, avide de gain; **~überschuß** *m* solde *m* bénéficiaire; **Gewinn-und--Verlust-Konto** *n* compte *m* des profits et pertes; **~ung** *f mines chem* extraction *f;* **~verteilung** *f* répartition *f* des bénéfices.

Gewinsel *n* ‹-s, ø› gémissements *m pl.*

Gewirr *n* ‹-(e)s, -e› *(Wirrwarr)* embrouillement, imbroglio, labyrinthe, *fam* brouillamini *m.*

gewiß [gəˈvɪs] *a* sûr, assuré, certain; *(festgelegt)* fixe; *adv* sûrement, assurément, certainement, certes, à coup sûr, pour sûr, sans aucun doute, sans faute; *(unbetont, im Sinne von: wohl)* sans doute; *interj* mais oui! bien sûr! *ganz ~!* sans aucun doute, infailliblement; *bis zu e-m gewissen Grade, in gewissem Sinn* dans une certaine mesure; *e-r S ~ sein* être sûr de qc; *s-r S ~ sein* être sûr de son fait; *so viel ist ~, daß ...* toujours est-il que ...; ce qu'il y a de certain, c'est que ...; *du kannst meiner Unterstützung ~ sein* mon soutien t'est acquis; *gewisse(s) Etwas n* je-ne-sais--quoi *m; ein gewisses Gefühl* un sentiment vague; *ein gewisser Jemand* un quidam; *gewisse Leute pl* certaines gens *pl; ein gewisser N* un certain *od* nommé N, **gewissermaßen** *adv* en quelque sorte, de quelque manière; pour ainsi dire; comme qui dirait, quasi; **G~heit** *f* certitude, assurance *f; ~~ erlangen* obtenir des certitudes; *sich ~~ über etw verschaffen* s'assurer de qc; **~lich** *adv* certainement.

Gewissen *n* ‹-s, -› conscience *f* (morale); *auf Ehre und ~* en mon âme et conscience; *mit gutem ~* en bonne conscience; *nach bestem Wissen und ~* en toute conscience; *um sein ~ zu beruhigen* par acquit de conscience; *das ~ belasten* peser sur la conscience; *sein ~ beruhigen* apaiser *od* tranquilliser sa conscience; *sein ~ entlasten* od *erleichtern* décharger *od* soulager sa conscience; *sein ~ erforschen* od *prüfen* faire son examen de conscience, s'examiner; *etw auf dem ~ haben* avoir qc sur la conscience; *ein gutes* od *reines ~ haben* avoir la conscience nette *od* pure *od* tranquille *od* en repos *od* en paix; *ein schlechtes ~ haben* avoir mauvaise conscience; *ein weites ~ haben* avoir la conscience large *od fam* élastique; *sich ein ~ aus etw machen* se faire un cas de conscience *od* un scrupule de qc; *etw auf sein ~ nehmen* charger sa conscience de qc; *jdm ins ~ reden* faire appel *od* s'adresser à la conscience de qn; *mir schlägt das ~* j'ai des remords; *ein gutes ~ ist ein sanftes Ruhekissen (prov)* une conscience pure est un bon oreiller; *mein künstlerisches ~* mes goûts *od* convictions artistiques; *Stimme f des ~s* voix *f* de la conscience; **g~haft** *a* consciencieux, scrupuleux; *(peinlich genau)* minutieux, méticuleux; *etw ~~ machen* mettre de la conscience à qc; **~haftigkeit** *f* ‹-, ø› (délicatesse de) conscience, probité *f;* scrupules *m pl;* **g~los** *a* sans scrupules, sans principes; **~losigkeit** *f* ‹-, ø› manque *m* de conscience *od* de scrupules; **~sangst** *f* trouble *m od* tourments *m pl* de la conscience; **~sbisse** *m pl* reproches de la conscience, remords; *(vor d. Tat)* scrupules *m pl; sich ~~ machen* se faire un cas de conscience; *von ~~n gepeinigt werden* être torturé par sa conscience, avoir la conscience ulcérée; **~serforschung** *f* examen *m* de conscience; **~sfrage** *f* cas *m* de conscience; **~sfreiheit** *f* liberté *f* de conscience; **~skonflikt** *m* conflit *m* de conscience; **~sruhe** *f* tranquillité *f* de conscience; **~ssache** *f* affaire *f* de conscience; **~szwang** *m* contrainte *f* morale

Gewitter *n* ‹-s, -› orage *m,* tempête *f; es ist ein ~ im Anzug* le temps est à l'orage; **~bildung** *f* formation *f* orageuse; **~bö** *f* rafale *f* d'orage, grain *m* orageux; **~front** *f* front *m* d'orage; **~herd** *m* foyer *m* orageux; **gewitt(e)rig** *a* orageux; **~luft** *f* atmosphère *f* d'orage; **g~n** ‹*aux: haben*› *itr* faire de l'orage; **~neigung** *f* tendance *f* orageuse; *zunehmende ~~* aggravation *f* orageuse; **~regen** *m* pluie *f* d'orage; **~schauer** *m* averse *f* d'orage; **g~schwanger** *a,* **g~schwer** *a* gros d'orage; **~schwüle** *f* chaleur *f* orageuse; **~wolke** *f* nuage *m* orageux.

gewitz(ig)t *a* débrouillard, déluré; *(schlau)* rusé, malin.

Gewoge *n* ‹-s, ø› *(der See, fig: e-r Menschenmenge)* ondoiement *m.*

gewogen [gəˈvo:gən] *a: jdm ~ sein* être bien disposé pour *od* envers qn *od* à l'égard de qn, avoir de l'inclination *od* de l'affection *od* un faible pour qn; *sich jdn ~ machen* gagner les faveurs de qn; **G~heit** *f* ‹-, ø› inclination, bienveillance, faveur *f,* bonnes grâces *f pl.*

gewöhn|en [gəˈvø:nən] *tr: (sich) ~~ an* (s')accoutumer à, (s')habituer à, (se) familiariser avec; *jdn an etw ~~* habituer qn à qc; *sich an etw ~~ (a.)* prendre l'habitude de qc, *fam* se faire à qc; *sich ans Klima ~~* s'acclimater; *man ~t sich an alles* on se fait à tout; **G~ung** *f* accoutumance *f;* **G~ungsmarsch** *m mil* marche *f* d'endurance.

Gewohn|heit *f (persönliche)* habitude, accoutumance, coutume *f,* usage *m,* pratique *f; aus ~~* par habitude; *nach alter ~~* selon une vieille habitude; *die ~~ ablegen* se déshabituer; *alte ~~en ablegen* sortir de l'ornière; *s-e schlechten ~~en ablegen (a.)* dépouiller le vieil homme; *die ~~ annehmen zu* prendre *od* contracter l'habitude de, s'accoutumer à; *e-e schlechte ~~ annehmen (a.)* prendre un mauvais pli; *die ~~ haben, etw zu tun* avoir coutume de faire qc; *aus der ~~ kommen* perdre l'habitude; *sich etw zur ~~ machen* se faire une habitude, faire profession de qc; *zur ~~ werden* tourner en habitude, passer en coutume; *die Macht der ~~* la force de l'habitude; **g~heitsmäßig** *a* habituel; routinier; *adv* par habitude, (comme) de coutume; **~heitsmensch** *m* homme d'habitude, routinier *m;* **~heitsrecht** *n* droit *m* coutumier, loi *f* coutumière; **~heitstrinker** *m* buveur *m* invétéré; **~heitsverbrecher** *m* récidiviste *m, fam* cheval *m* de retour; **g~t** *a (Sache, Vorgang)* habituel, coutumier, d'usage; *etw ~~ sein* être habitué *od* accoutumé *od* fait à qc, avoir l'habitude de qc; *~~ sein, etw zu tun* avoir l'habitude *od* coutume de faire qc.

gewöhnlich [gəˈvø:n-] *a (gewohnt)* habituel; *(üblich)* usuel; *(alltäglich)* ordinaire, terre-à-terre; *(mittelmäßig)* commun; *(einfach)* simple; *(unfein, gemein)* vulgaire; *adv* d'habitude; d'ordinaire, en (règle) général(e); *wie ~* comme à l'ordinaire, comme d'habitude; *unter ~en Umständen* dans des circonstances normales; *das ist das G~e* c'est la règle, c'est normal; *das ~e Essen* l'ordinaire *m;* **G~keit** *f* caractère *m* ordinaire, banalité; trivialité, vulgarité *f.*

Gewölb|e *n* ‹-s, -› [gəˈvœlbə] voûte *f; (Gruft)* caveau *m;* **~ebogen** *m* arceau, berceau *m;* **~ejoch** *n* travée *f;* **~ekappe** *f* trompe *f;* **~espannweite** *f* échappée *f* de voûte; **~ezwickel** *m* rein *m;* **g~t** *a arch* voûté, cintré; *allg* bombé.

Gewölk *n* ‹-(e)s, -ø› nuages *m pl.*

Gewühl *n* ‹-(e)s, ø› [gəˈvy:l] *(Menschenmenge)* foule, presse, cohue *f.*

gewunden *a (gedreht)* tors, tortu, spiral, en spirale; *(Weg: sich schlängelnd)* tortueux; *(Fluß)* sinueux; *fig (geschraubt)* contourné; *(Winkelzüge machend)* tortueux.

gewürfelt *a* coupé en petits carrés; *(Stoff)* quadrillé.

Gewürm *n* ‹-(e)s, ø› [gəˈvyrm] vermine *f, a. fig pej (Menschen).*

Gewürz *n* ‹-es, -e› [gəˈvyrts] épice *f,* condiment *m; (~waren)* épiceries *f* *pl;* **~essig** *m* vinaigre *m* épicé; **~gurke** *f* cornichon *m;* **~handel** *m* épicerie *f;* **~händler** *m* épicier *m;* **g~ig** *a* aromatique; **~kräuter** *n pl* fines herbes, herbes *f pl* aromatiques; **~nelke** *f* (clou de) girofle *m;* **g~t** *a* épicé, aromatisé; *stark ~~* relevé.

gezackt *a* denté, dentelé, crénelé; *bot* créné, déchiqueté.

gezahnt *a,* **gezähnt** *a (mit Zähnen versehen)* dentu; *(Rad)* denté; = *gezackt.*

Gezänk *n* ⟨-(e)s, ø⟩ [gəˈtsɛŋk] , **Gezanke** *n* ⟨-s, ø⟩ [gətsaŋə] querelles, criailleries, gronderies *f pl.*

Gezappel *n* ⟨-s, ø⟩ [gəˈtsapəl] frétillements *m pl.*

gezeichnet *a fig* stigmatisé.

Gezeiten *pl* marées *f pl;* **~bewegung** *f* flux et reflux; mouvement *m* des marées; **~hub** *m* amplitude *f* de la marée; **~kraftwerk** *n* usine *f* marémotrice; **~strom** *m,* **~strömung** *f* courant *m* de marée; **~tafel** *f* annuaire *m* des marées; **~wechsel** *m* changement *m* de marée.

Gezerre *n* ⟨-s, ø⟩ [gəˈtsɛrə] tiraillements *m pl.*

Gezeter *n* ⟨-s, ø⟩ [gəˈtse:tər] clameurs, vociférations; *(Streit)* criailleries *f pl,* altercation *f.*

geziemen, *sich (impers)* convenir, être convenable; *wie es sich geziemt* comme il convient, comme il faut, dûment; **~d** *a* convenable, décent, (bien)séant; *adv* comme il se doit; dans les formes.

Gezier|e *n* ⟨-s, ø⟩ [gəˈtsi:rə] manières *f pl* affectées, afféterie *f,* simagrées *f pl,* minauderie, coquetterie *f;* **g~t** *a (gekünstelt)* affecté; maniéré, recherché, mièvre, précieux; **~theit** *f* ⟨-, ø⟩ affectation, préciosité, mièvrerie, coquetterie, minauderie *f.*

Gezirp *n* ⟨-(e)s, ø⟩ , **~e** *n* ⟨-s, ø⟩ [gəˈtsɪrp(ə)] *ent* chant, grésillement *m.*

Gezisch *n* ⟨-(e)s, ø⟩ , **~e** *n* [gəˈtsɪʃ(ə)] sifflements *m pl; (Auszischen)* huées *f pl; theat* sifflets *m pl;* **~el** *n* ⟨-s, ø⟩ chuchotement(s *pl*) *m.*

Gezücht *n* ⟨-(e)s, -e⟩ [gəˈtsʏçt] *pej* engeance, race, espèce *f.*

Gezweig *n* ⟨-(e)s, ø⟩ ramure *f,* branchage *m.*

Gezwitscher *n* ⟨-s, ø⟩ gazouillement, ramage *m.*

gezwungen *a (Miene, Lachen)* de commande; *~ lachen (lächeln)* (sou)rire du bout des lèvres *od* des dents; *~e(s) Lachen n* rire *m* jaune; **~ermaßen** *adv* obligatoirement; **G~heit** *f* ⟨-, ø⟩ ; contrainte *f;* air *m* contraint *od* gêné.

Ghana [ˈga:na] *n geog* le Ghana.

Gicht [gɪçt] *f* ⟨-, ø⟩ *med* goutte, arthrite *f; f* ⟨-, -en⟩ *tech* gueulard *m;* **~anfall** *m* accès *m* de goutte; **~gase** *n pl* gaz *m pl* de haut fourneau; **g~isch** *a* goutteux, arthritique; **~knoten** *m med* nodosité *f* goutteuse, tophus *m;* **~öffnung** *f tech* gueulard *m.*

Giebel *m* ⟨-s, -⟩ [ˈgi:bəl] *arch* pignon, fronton *m;* **~feld** *n* tympan *m;* **~fenster** *n* lucarne *f* faîtière; *(rundes)* œil-de-bœuf *m;* **~seite** *f* frontispice *m;* **~wand** *f* pan *m* de pignon.

Gier *f* ⟨-, ø⟩ [gi:r] *(Begierde)* avidité, soif (*nach* de); *(Freß~)* gloutonnerie, voracité; *(Geld~)* cupidité *f;* **g~en** ⟨*hat gegiert*⟩ *itr* **1.** désirer avidement, convoiter (*nach etw* qc); **g~ig** *a* avide (*nach* de), âpre (*nach* à); *(freß~~)* glouton, vorace; *(geld~~)* cupide.

Gier|bewegung [ˈgi:r-] *f mar* embardée *f; aero* (mouvement de) lacet *m;* **g~en** *itr* **2.** *mar* embarder; *aero* faire des mouvements de lacet.

Gieß|bach [ˈgi:s-] *m* torrent *m,* ravine *f;* **~bett** *n tech* lit *m* de coulée; **g~en** ⟨*goß, gegossen*⟩ *tr* verser; répandre (*über* sur); *(Glas, Metall)* fondre, couler; *(Bildwerk)* jeter en fonte, mouler; *itr impers: es ~t* il pleut à verse; *einen hinter die Binde ~~ (fam)* se rincer la dalle; *Öl ins Feuer ~~ (fig)* jeter *od* verser de l'huile sur le feu; *es ~t wie aus Kübeln* od *in Strömen* il pleut à seaux *od* à verse; *wie aus Erz gegossen* pétrifié; **~er** *m* ⟨-s, -⟩ *(Arbeiter)* fondeur; *(Former)* mouleur; *(Glas~~)* verseur *m;* **~erei** [-ˈraɪ] *f* fonderie *f;* atelier *m* de moulage; moulerie *f;* **~form** *f* moule *m;* **~kanne** *f* arrosoir *m;* **~kelle** *f,* **~löffel** *m tech* puisoir *m,* poche *f* à fonte *od* de coulée; **~ofen** *m* fourneau *m* (de fonderie).

Gift *n* ⟨-(e)s, -e⟩ [gɪft] poison; *(tierisches, a. fig: Bosheit)* venin *m; sein ~ verspritzt haben (fig)* avoir vidé son carquois; *~ sein für (fig fam)* être meurtrier pour; *~ und Galle sein (fig)* n'être que fiel *od* sel et vinaigre; *~ und Galle speien* vomir *od* cracher son venin, épancher sa bile *od* son fiel; *darauf könnte ich ~ nehmen* j'en mettrais ma main au feu; *darauf können Sie ~ nehmen* j'en donnerais ma tête à couper; *blonde(s) ~ (hum) (Frau)* blonde *f* incendiaire; *schleichende(s) ~* poison *m* lent; **~becher** *m* coupe *f* empoisonnée *od* de ciguë; **~drüse** *f* glande *f* à venin; **~gas** *n* gaz *m* toxique; **g~grün** *a* vert acide; **g~ig** *a zoo* venimeux; *(bot min)* vénéneux; *(vergiftet)* empoisonné; *scient* toxique, virulent; *fig* envenimé, plein de fiel; *(boshaft)* malicieux; *~~ wie e-e Natter* méchant comme une vipère; *~~e(r) Blick m (a.)* regard *m* venimeux; *~~e Zunge f* langue *f* de vipère; **~igkeit** *f* ⟨-, ø⟩ toxicité, virulence; *(Bosheit)* malice; *(Wut)* rage, fureur *f;* **~kröte** *f fig fam* teigne *f;* **~mischer(in** *f***)** *m* empoisonneur, euse *m f;* **~mord** *m* meurtre *m* par empoisonnement; **~nudel** *f pop (Person)* poison *m;* **~pflanze** *f* plante *f* vénéneuse; **~pille** *f* pilule *f* de poison; **~pilz** *m,* **~schwamm** *m* champignon *m* vénéneux; **~schlange** *f* serpent *m* venimeux; **~schrank** *m fig (Bibliothek)* armoire *f* interdite; **~spinne** *f* araignée *f* venimeuse; **~stoff** *m* toxique; *med* virus *m,* toxine *f;* **~zahn** *m* crochet *m* (à venin).

Gigant *m* ⟨-en, -en⟩ [giˈgant] géant *m;* **g~isch** *a* gigantesque, colossal.

Gigerl *m, a. n* ⟨-s, -n⟩ [ˈgi:gərl] dandy, pommadin, gommeux *m.*

Gilde *f* ⟨-, -n⟩ [ˈgɪldə] *(Zunft)* corporation *f;* corps *m* de métier.

Gimpel *m* ⟨-s, -⟩ [ˈgɪmpəl] *orn* bouvreuil; *fig* serin, dindon, sot, nigaud *m;* **~fang** *m* attrape-nigauds *m.*

Ginster *m* ⟨-s, -⟩ [ˈgɪnstər] *bot* genêt *m.*

Gipfel *m* ⟨-s, -⟩ [ˈgɪpfəl] *(e-s Berges)* sommet *m,* tête; *(steiler)* cime *f; fig (Höhepunkt)* pinacle, comble, point culminant, zénith, apogée *m; das ist (doch) der ~!* c'est un comble! *der ~ der Frechheit* le comble de l'insolence; **~höhe** *f aero* plafond *m; in ~~ fliegen* plafonner; **~konferenz** *f,* **~treffen** *n pol* conférence *od* rencontre *od* session *f* au sommet; **~leistung** *f* record *m;* **g~n** ⟨*aux: haben*⟩ *itr fig* atteindre son point culminant, culminer, parvenir à son apogée; **~punkt** *m* point *m* culminant; **g~ständig** *a bot* terminal.

Gips *m* ⟨-es, -e⟩ [gɪps] *min* gypse; *(gebrannt)* plâtre *m; in ~ (legen) med* (mettre) dans le plâtre; **~abguß** *m* moulage *m* (en plâtre); **~bewurf** *m* enduit *od* crépi *m* de plâtre; **~brei** *m* pâte *f* de plâtre; **~brennerei** *f,* **~bruch** *m* plâtrière *f;* **~decke** *f* plafond *m* en plâtre; **~diele** *f* carreau *m od* dalle *od* planche *f* en plâtre; **g~en** *tr* plâtrer; **~er** *m* ⟨-s, -⟩ plâtrier *m;* **~erarbeiten** *f pl* petite maçonnerie *f;* **~figur** *f* moulage, plâtre *m;* **g~haltig** *a* gypseux; **~marmor** *m* faux marbre *m;* **~mehl** *n* plâtre *m* en poudre; **~modell** *n* modèle *m* en plâtre; **~ofen** *m* four *m* à plâtre; **~platte** *f* plaque *f* de plâtre; **~putz** *m* enduit *m* de plâtre; **~stein** *m* pierre *f* à plâtre; **~verband** *m med* bandage *m* plâtré.

Giraffe *f* ⟨-, -n⟩ [giˈrafə] girafe *f;* **~nhals** *m* cou *m* de girafe.

Gir|algeld *n* [ʒiˈra:l-] monnaie *f* scripturale; **~ant** *m* ⟨-en, -en⟩ [ʒiˈrant] *fin* endosseur *m;* **~at** *m* ⟨-en, -en⟩ [-ˈra:t] endossé *m;* **g~ierbar** *a* endossable; **g~ieren** ⟨*girierte, giriert*⟩ [-ˈri:rən] *tr* transférer; *(Wechsel)* passer à l'ordre d'un tiers, endosser.

Girlande *f* ⟨-, -n⟩ [gɪrˈlandə] guirlande *f,* feston *m.*

Giro *n* ⟨-s, -s⟩ [ˈʒi:ro] *(bargeldlose Überweisung)* virement, transfert; *(durch Indossament)* endossement *m;* **~einlagen** *f pl* dépôts *m pl* à vue *od* en compte courant; **~kasse** *f* banque *f* de virement; **~konto** *n* compte *m* de virement; **~verband** *m* association *f* des banques de virement; **~verkehr** *m* transactions *od* opérations *f pl* de virement; **~zentrale** *f* banque *f* centrale de virement.

girren [ˈgɪrən] *itr (Taube)* roucouler.

gis *n* ⟨-, -⟩ [gɪs] *mus* sol *m* dièse; **~-Moll** *n* sol *m* dièse mineur.

Gischt *m* ⟨-(e)s, (-e)⟩ *od f* ⟨-, (-en)⟩ [gɪʃt] écume *f; (Meer)* embrun *m.*

Gitarre *f* ⟨-, -n⟩ [giˈtarə] guitare *f.*

Gitter *n* ⟨-s, -⟩ [ˈgɪtər] grille *f,* grillage, treillage, treillis *m,* claire-voie *f; radio* grille *f;* **~batterie** *f radio* batterie *f* de grille *od* de haute tension; **~bett** *n* lit *m* treillissé; **~brücke** *f* pont *m* à grille *od* en treillis; **~fenster** *n* fenêtre *f* grillagée *od* à barreaux; **g~förmig** *a* treillissé, grillagé; **~gleichrichter** *m radio* rectificateur *m* par grille; **~kondensator** *m el* condensateur *m* de grille; **~konstruktion** *f* charpente *f* à treillis; **~mast** *m* mât *od* poteau *od* pylône *m* en treillis; **~modulation** *f radio* modulation *f* par la grille; **~spannung** *f radio* potentiel *m od* tension *f* de grille; **~stab** *m* barre *f* de treillis; **~strom** *m radio* courant *m* de grille; **~tor** *n*, **~tür** *f* grille *f*; **~werk** *n* grillage, treillage, treillis *m*; **~widerstand** *m radio* résistance *f* de grille; **~zaun** *m* clôture *f* à claire-voie, treillis *m*.

Glacéhandschuhe *m pl* [gla'se:-] gants *m pl* glacés.

Gladi|ator *m* ‹-s, -en› [gladi'a:tɔr] *hist* gladiateur *m*; **~ole** *f* ‹-, -n› [-di'o:lə] *bot* glaïeul, lis *m* de Saint-Jean.

Glanz *m* ‹-es, ø› [glants] *(blendender, a. fig)* éclat; *(heller, a. fig)* brillant; *(e-r glatten Fläche)* lustre; *(Schimmer)* luisant, *(e-s Stoffes)* lissé; *tech (Leder, Stoff, Papier)* apprêt *m*; *fig (Pracht, Herrlichkeit)* splendeur, magnificence; *(Jugend, Blütezeit)* fleur; *(Ruhmes~)* gloire, illustration *f*; *mit ~ (bestehen) (fam)* en beauté; *auf ~ bringen (fam)* requinquer *pop*; *~ verleihen* donner de l'éclat (*e-r S* à qc); *s-n ~ verlieren* perdre son éclat, se ternir; *er flog mit ~ hinaus (hum)* il a été viré en beauté; **~bürste** *f* brosse *f* à reluire; **~garn** *n* fil *m* brillant; **~gold** *n* or *m* imité; **~kalander** *m tech* calandre *m* à lustrer; **~kattun** *m* lustrine *f*; **~leder** *n* cuir *m* brillant *od* verni; **~leistung** *f* brillante performance *f*; **g~los** *a* sans lustre; *(matt)* mat; *(trübe)* terne; *(Augen)* éteint; *fig* sans éclat, modeste, obscur; **~nummer** *f* clou *m fam*; **~papier** *n* papier *m* lissé *od* glacé *od* satiné; **~silber** *n* argent *m* imité; **~stärke** *f* empois *m* luisant; **~vergoldung** *f* dorure *f* en détrempe; **g~voll** *a fig* brillant, magnifique, glorieux; **~weiß** *n* blanc *m* brillant; **~zeit** *f* fleur *f*, apogée *m*.

glänzen ['glɛntsən] ‹*hat geglänzt*› *itr* briller *a. fig*; *(schimmern, leuchten)* (re)luire; *(strahlen)* resplendir, rayonner; *(blitzen, blinken)* éclater; *fig (in e-m Fach)* exceller (*in* en), *fam* faire des étincelles; *tr tech (polieren)* polir; *(Metall)* brunir; *(Papier)* lisser; *(Stoff)* lustrer, *(Leder)* vernir; *durch Abwesenheit ~ (fam)* briller par son absence; *mit etw ~* exhiber, faire étalage de qc; *es ist nicht alles Gold, was glänzt (prov)* tout ce qui brille n'est pas or; **G~** *n* luisance *f*; resplendissement, rayonnement; *tech* polissage; brunissage; lissage; lustrage; vernissage *m*; **~d** *a* brillant; *(schimmernd)* (re)luisant; *(leuchtend)* radieux; *(strahlend)* resplendissant, rayonnant; *(blitzend, blinkend)* éclatant; *tech (poliert)* poli; *(Metall)* bruni; *(Papier)* lissé; *(Stoff)* lustré; *(Leder)* verni; *fig* splendide, superbe, magnifique; *adv fig* avec éclat; *e-e ~~e Idee* une idée de génie.

Glas 1. *n* ‹-es, ¨-er› [gla:s, -zəs, 'glɛ:zər] verre *m*; *(Brille)* verres *m pl*, lunettes *f pl*; *(Fernglas)* jumelle(s *pl*) *f*; *tech* tube *m* (à essai); *mit den Gläsern anstoßen* choquer les verres, trinquer; *zu tief ins ~ gucken* boire plus que de raison; *zu ~ verarbeiten* vitrifier; *Vorsicht, ~!* verre(s)! *Bild n unter ~* sous-verre *m*; *farbige(s) ~* verre *m* de couleur; *geschliffene(s) ~* verre *m* taillé; *ein ~ Wasser* un verre d'eau; **2.** *n* ‹-es, -en› [gla:s, -zən] demi-heure *f*; **g~artig** *a* vitreux; **~auge** *n* œil artificiel *od* de verre; *(Pferd, Hund)* œil *m* vairon; **g~äugig** *a (Pferd, Hund)* vairon; **~ballon** *m (Korbflasche)* dame-jeanne *f*; *chem* ballon *m* (de verre); **~baustein** *m* dalle *f* de verre *od* lumineuse; **~bearbeitung** *f* hyalotechnie *f*; **~behälter** *m* récipient *m* en verre; **~blasen** *n* soufflage *m*; **~bläser** *m* souffleur (de verre), verrier *m*; **~bläserei** *f* verrerie *f*; **~dach** *n* toit *m* en verre; **~deckel** *m* couvercle *n* de verre; **~druck** *m typ* hyalographie *f*; **~er** *m* ‹-s, -› vitrier *m*; **~erarbeit** *f* vitrage *m*; **~erdiamant** *m* diamant *m* de vitrier; **~erei** [-'rai] *f* vitrerie *f*; **~erkitt** *m* mastic *m* de(s) vitrier(s); **~fabrik** *f* verrerie *f*; **~fabrikation** *f*, **~fertigung** *f* fabrication *f* du verre; **~faden** *m* fil *m* de verre; **~faser** *f* fibre *f* de verre; **~fluß** *m* vitrification *f*; **~gefäß** *n* = *~behälter*; **~gespinst** *n* soie *f* de verre; **~glocke** *f* globe *m*; *(über e-r Pflanze)* cloche *f*; **~handel** *m* vitrerie *f*; **~haus** *n* serre *f*; **~haut** *f anat* membrane *f* hyaloïde; **~herstellung** *f* hyalotechnie *f*; **g~ieren** [gla'zi:rən] *tr tech* émailler, vernir, vernisser; *(a. Konditorei)* glacer; **~ierung** *f* émaillage; vernissage; glaçage *m*; **g~ig** *a (a. Blick)* vitreux; **~industrie** *f* verrerie *f*; **~kasten** *m* cage vitrée, vitrine *f*; **~kiste** *f* harasse *f*; **~knopf** *m* bouton *m* de verre; **~kolben** *m* ballon, matras; *(Retorte)* alambic *m*, cornue *f*; **~körper** *m anat (Auge)* humeur *f* hyaloïde *od* vitrée; *a. tech* corps *m* vitré; **~maler** *m* apprêteur *m*; **~malerei** *f* peinture *f* d'apprêt; **~masse** *f tech* verre *m* en fusion, fritte *f*; **~ofen** *m* four *m* de verrerie; **~papier** *n* papier *m* de verre *od* verré; **~perle** *f* perle *f* de verre; **~platte** *f* plaque *f* de verre; **~pulver** *n tech* grésil *m*; **~röhre** *f* tube *m* de verre; **~sand** *m* sable *m* vitrifiable; **~scheibe** *f* vitre *f*, carreau *m* (de verre); **~scherbe** *f* tesson *m* de verre; **~schleifer** *m* tailleur *m* de verre; **~schleiferei** *f* atelier *m* de tailleur de verre; **~schrank** *m* armoire vitrée, vitrine *f*; **~seide** *f* = *~gespinst*; **~splitter** *m* éclat *m* de verre; **~stab** *m* bâton *m* en verre; **~staub** *m* poussière *f* de verre; **~stöpsel** *m* bouchon *m* en verre; **~tür** *f* porte-fenêtre, porte *f* vitrée; **~ur** *f* ‹-, -en› [-'zu:r] *tech* émail; *(Porzellan)* vernis *m*, glaçure *f*; *(Leder, Stoff)* glacé *m*; *(Küche)* glace *f*; **~urfarbe** *f* couleur *f* vitrifiable; **~veranda** *f* véranda *f* vitrée; **~versicherung** *f* assurance *f* contre le bris des glaces; **~waren** *f pl* verrerie *f*; **g~weise** *adv (trinken)* par verres; **~wolle** *f* laine *f* de verre.

Gläs|chen *n* ‹-s, -› ['glɛ:sçən] *ein ~~ (Schnaps)* un petit verre; **~erbekken** ['-zər-] *n* verrière *f*; **~erkorb** *m* verrier *m*; **g~ern** *a* de verre; *(Klang)* cristallin; **~ertuch** *n* essuie-verres *m*.

Glast *m* ‹-es, ø› [glast] *poet (Glanz)* éclat *m*.

glatt [glat] *a* lisse; *(Stoff)* uni; *(Haut)* doux; lisse, sans rides; *(Haare)* plat, lisse; *(kahl)* ras, sans poil, glabre; *(~rasiert)* ras(é); *(sauber)* net; *(geglättet)* poli, lissé; *(schlüpfrig)* glissant; *fig (einfach, z. B. Rechnung)* simple; *(strikt, z. B. Weigerung)* catégorique; *(wendig)* souple; *(einschmeichelnd)* insinuant, patelin, flatteur, mielleux; *das ist (ja) ~er Betrug!* c'est une escroquerie pure et simple! *e-e ~e Rechnung* un compte rond; *adv* facilement, aisément, sans difficulté, sans encombre, sans accroc, sans anicroche; *fam* = *~weg*; *fam (restlos, ganz)* complètement, entièrement, absolument; *~ anliegen (Kleid)* coller; *~ durchgehen* passer haut la main *od fam* comme une lettre à la poste; *~ landen (aero)* faire un atterrissage parfait; *das ging ihm ~ ein* il l'avala comme du lait doux; *das hätte ich ~ vergessen* un peu plus, j'allais l'oublier; *er hat es mir ~ abgeschlagen* il me l'a carrément refusé; **~=bürsten** *tr* coucher (*das Fell* le poil); **G~eis** *n* verglas *m*; *jdn aufs ~~ führen (fig)* tendre un piège à qn; **~=gehen** ‹*ist glattgegangen*› *itr fig fam* ne pas faire un pli, aller comme sur des roulettes, passer comme une lettre à la poste; **G~haarterrier** *m* terrier *m* à poil ras; **~=hobeln** *tr tech* blanchir; **~rasiert** *a* rasé de près; **~weg** ['-vɛk] *adv* nettement, (tout) net, sans façon, bel et bien; **~züngig** *a* flatteur, patelin, doucereux, mielleux.

Glätt|e *f* ‹-, -n› ['glɛtə] lisse *m*; *(Glatteis)* état *m* glissant; *(Benehmen)* manières *f pl* insinuantes; *(Stil)* élégance *f*; **~ebildung** *f* formation *f* de verglas; **g~en** *tr* lisser, effacer les plis de; *(Falten)* effacer; *tech* polir, planer; *(Holz)* unir; *(Metall)* adoucir, brunir; *(Papier)* satiner; *(Stoff)* lustrer; *fig (den Stil)* limer, polir; *sich ~~ (Gesichtszüge)* se dérider; **~er** *m* ‹-s, -› *(Arbeiter)* lisseur; polisseur, planeur; brunisseur; satineur; lustreur *m*; **~maschine** *f (Papierfabrikation)* machine *f* à lisser, lissoir *m*; *(Textilindustrie)* lissoir *m*, lisseuse *f*.

Glatz|e *f* ‹-, -n› ['glatsə] tête *f* chauve, crâne *m* dénudé; *fam* tête *f* pelée, *pop* genou *m*; *e-e ~~ haben* être chauve; *pop* n'avoir plus un poil sur le caillou; **~kopf** *m fam* pelé, chauve *m*; **g~köpfig** *a fam* pelé, chauve.

Glaube *(seltener ~n)* *m* ‹-ns, (-n)› ['glaubə(n)] *rel (e-s einzelnen)* foi, croyance (*an etw* à qc, *an Gott* en Dieu): *allg* créance *f*, crédit *m*; *(Überzeugung)* conviction; *(Mei-*

nung) opinion; *(Konfession, Religion)* foi, confession, religion *f; in gutem ~n* en toute *od* de bonne foi; *jdm, e-r S ~n beimessen* ajouter foi aux paroles de qn, à qc; *~n finden (Mensch)* trouver créance, se faire croire; *(Worte)* trouver crédit; *jdm, e-r S ~n schenken* donner créance *od* faire crédit à qn, ajouter foi à qc.

glauben ['glaubən] *tr (für wahr halten)* croire (*jdm* qn, *etw* qc); *(meinen)* penser; *(vermuten)* supposer, présumer; *(vertrauen auf)* avoir confiance en; *itr rel* avoir foi *(an* en), croire (*an* à); *an Gott ~* croire en Dieu; *wenn man ihm ~ darf* à l'en croire; *dran ~ müssen (fam)* déchanter; faire son deuil (de qc); *fam* passer le pas; *ich glaube ja, nein* je crois que oui, non; *ich glaube dir aufs Wort* je te crois sur parole; *das glaube ich gern* je veux bien le croire; *ich glaube es Ihnen* je crois ce que vous dites; *das glaube ich nicht* je ne (le) crois pas; *ich glaube nicht daran* je n'y crois pas; *das glaube ich nicht von ihr* od *ihm* je ne l'en crois pas capable; *das glaube ich schon* je crois bien; *ich möchte fast ~ ...* j'ai presque l'impression ...; *man könnte ~, daß* on dirait que; *das ist nicht* od *kaum zu ~* c'est à n'y pas croire; *glaub mir's!* va! *fam; ~ Sie mir!* croyez-moi; *ob du es glaubst oder nicht!* que tu le croies ou non; *wer das glaubt!* à d'autres!

Glaubens|artikel *m* ['glaubəns-] article *m* de foi; **~bekenntnis** *n* profession de foi, confession *f* (de foi); credo *m, a. pol; das Apostolische ~~* le Credo; **~bewegung** *f* mouvement *m* religieux; **~eifer** *m* zèle *m* religieux; *übertriebene(r) ~~* fanatisme *m* religieux; **~freiheit** *f* liberté *f* religieuse *od* des cultes; **~genosse** *m* coreligionnaire *m;* **~krieg** *m* guerre *f* de religion; **~lehre** *f* dogmatique *f;* **~sache** *f* matière *f* de foi; **~satz** *m* article de foi, dogme *m;* **~spaltung** *f* schisme *m;* **~zwang** *m* contrainte *f* religieuse.

Glaubersalz *n* ['glaubər-] *pharm* sel de Glauber; *chem* sulfate *m* de sodium.

glaub|haft ['glaup-] *a* croyable, digne de foi; *(verbürgt)* authentique; *etw ~~ machen* donner créance à qc; **G~haftigkeit** *f* crédibilité; *(Verbürgtheit)* authenticité *f;* **G~haftmachung** *f jur* établissement *m* de l'authenticité; **~lich** *a: es ist kaum ~~* c'est difficile à croire; **~würdig** *a* digne de foi; *(verbürgt)* authentique; **G~würdigkeit** *f* crédibilité; authenticité *f.*

gläubig ['glɔʏbɪç] *a rel* croyant, fidèle; **G~e(r)** *m rel* croyant, fidèle *m;* **G~er** *m* ⟨-s, -⟩ [-gər] *com* créancier, créditeur *m; die ~~ befriedigen* satisfaire *od* désintéresser les créanciers; *bevorrechtigte(r) ~~* créancier *m* privilégié; **G~erausschuß** *m* direction *f* des créanciers; **G~ernation** *f* nation *f* créditrice; **G~erversammlung** *f* assemblée *od* réunion *f* des créanciers; **G~keit** *f* ⟨-, ø⟩ [-bɪç-] foi, religiosité *f.*

glazial [glatsi'a:l] *a geol,* **G~...** *(in Zssgen)* glaciaire.

gleich [glaɪç] *a* égal *a. math; (identisch)* identique, le *od* la même, *pred* la même chose; *(~artig)* pareil, semblable; *(entsprechend)* analogue; *adv (ebenso)* aussi, autant, également; *(anschließend)* d'emblée, *fam* de suite; *(sofort)* aussitôt, tout de suite, à l'instant, immédiatement, sur-le-champ; *(bald)* tout à l'heure, dans un moment; *~ als ...* dès que ...; *~ aus etw (trinken)* (boire) à même qc; *(ganz) ~ (pred)* tout comme; *~ zu Anfang* dès le début, dès l'abort, au premier *od* de prime abord; *im ~en Augenblick* au même moment; *~ breit, groß, hoch* de la même largeur, grandeur *od* taille, hauteur; *~ dabei* od *daneben* tout près; *~ darauf* l'instant d'après; *~ heute* dès aujourd'hui; *~, ob er kommt* qu'il vienne ou non; *~ viel (die ~e Menge)* autant; *in ~er Weise* également, semblablement; *~ weit (entfernt)* à égale distance; *~ wie* n'importe comment; *zu ~er Zeit* en même temps; *jdm, e-r S ~ sein* égaler qn, qc; *immer der ~e sein* être toujours égal à soi-même; *mit jdm auf ~em Fuße stehen* être sur un pied d'égalité *od* pair et compagnon avec qn; *in zwei ~e Teile teilen* od *zerlegen* partager *od* couper par moitié; *das ~e tun* faire la même chose *od* de même; *G~es mit G~em vergelten* rendre la pareille, rendre la monnaie de sa pièce; *das dachte ich mir ~* je m'en doutais bien; *ich komme ~* je viens tout de suite; *ich bin ~ wieder da* je reviens tout de suite, je ne fais qu'aller et venir; *das ist mir ~* cela m'est égal; *mir ist alles ~* tout m'est égal; *das ist (ganz) ~, das bleibt sich ~* c'est tout un, *fam* c'est tout comme; *das läuft aufs ~e hinaus* cela revient au même; *das ist ~ geschehen* c'est l'affaire d'un moment; *habe ich das nicht ~ gesagt!* ne l'avais-je pas dit? *fam* qu'est-ce que je disais! *wie war doch ~ Ihr Name?* quel est votre nom déjà? *~!* un moment! on y va! *bis ~!* à tout à l'heure, à tout de suite, à tantôt; *~ und ~ gesellt sich gern (prov)* qui se ressemble s'assemble; **~alt(e)rig** *a* du même âge; **~artig** *a* du même genre, similaire, homogène, analogue; **G~artigkeit** *f* similarité, similitude, parité, homogénéité, analogie *f;* **~bedeutend** *a* équivalent (*mit* à); **~berechtigt** *a* égal en droits; à droits égaux; **G~berechtigung** *f* égalité des droits; *jur* concurrence *f;* **~=bleiben,** *sich* rester le *od* la même; **~bleibend** *a* toujours égal; *med* continent; *(unveränderlich)* invariable, fixe; **~en** ⟨*glich, hat geglichen*⟩ [(gə)glɪç(ən)] *itr (sehr ähneln)* ressembler (*jdm* à qn), être semblable (*e-r S* à qc); *sie ~~ sich wie ein Ei dem anderen, sie ~~ einander aufs Haar* ils se ressemblent comme deux gouttes d'eau; **~ergestalt** *adv,* **~ermaßen** *adv,* **~erweise** *adv* pareillement, de la même façon *od* manière; **~falls** *adv* également, pareillement, semblablement, de même; *danke, ~~!* merci, également *od* pour vous de même! **~farbig** *a* de la même couleur; *scient* isochromatique; **~förmig** *a phys tech* homogène; *(übereinstimmend)* conforme (*mit* à); *(einförmig)* uniforme; *(eintönig)* monotone; *~~ buchen* od *vortragen (com)* passer écriture conforme; **G~förmigkeit** *f* homogénéité; conformité; uniformité; monotonie *f;* **~gerichtet** *a el* redressé; **~geschaltet** *a pol* mis au pas; **~geschlechtlich** *a* homosexuel; **~gesinnt** *a* sympathisant; **~gestellt** *a* du même rang; **~gestimmt** *a* à l'unisson, en harmonie; **G~gewicht** *n* équilibre *m,* balance *f, a. pol; im ~~* en équilibre; *das ~~ bewahren* garder *od* maintenir l'équilibre; *ins ~~ bringen* mettre en équilibre, équilibrer, balancer; *aus dem ~~ bringen* déséquilibrer, désaxer; *aus dem ~~ geraten* perdre l'équilibre; *im ~~ halten* maintenir d'aplomb, balancer; *sich das ~~ halten* se faire équilibre; *das ~~ herstellen* faire l'équilibre; *das ~~ stören* déranger *od* troubler *od* rompre l'équilibre; *das ~~ verlieren* perdre l'équilibre; *sein ~~ wiedergewinnen* retrouver son équilibre; *das ~~ wiederherstellen* rétablir l'équilibre; *das europäische ~~* l'équilibre *m* européen; *labile(s), stabile(s) ~~* équilibre *m* instable, stable; *seelische(s) ~~* équilibre *m* moral *od* psychologique; *Verlust m des ~~s* rupture *f* d'équilibre; **~gewichtsgestört** *a* déséquilibré; **G~gewichtslage** *f* position *f* d'équilibre; **G~gewichtssinn** *m* sens *m* de l'équilibre; **G~gewichtsstörung** *f* déséquilibre *m;* **G~gewichtsübung** *f* exercice *m* d'équilibre; **G~gewichtszustand** *m* état *m* d'équilibre; **~gültig** *a* indifférent (*gegen* à); *(uninteressiert)* détaché, désintéressé; *(abgestumpft)* insensible, impassible, apathique; *adv* avec indifférence; *gegen Vorwürfe ~~* insensible aux reproches; *gegen etw ~~ werden* se désintéresser de qc; *das ist mir ~~* cela m'est égal *od* indifférent, cela ne m'intéresse pas, peu m'importe; *das ist ~~* peu importe, cela ne fait ni chaud ni froid; *~~, ob er kommt* qu'il vienne ou non; **G~gültigkeit** *f* indifférence *f;* détachement, désintéressement *m;* insensibilité, impassibilité, apathie, *f; rel* indifférentisme *m; pop* je-m'en-foutisme *m;* **G~heit** *f* ⟨-, ø⟩ égalité, parité, *(Gleichartigkeit)* similarité, similitude *f;* **G~heitszeichen** *n math* signe *m* d'égalité; **G~klang** *m mus* unisson *m,* consonance; *(a. der Wort- od Satzendungen u. fig)* consonance, homophonie *f; fig (Übereinstimmung)* accord *m,* harmonie *f;* **~=kommen** *itr: jdm ~~* égaler qn (*an* en); *e-r S ~~ (fast gleich sein)* égaler (presque) qc; **G~lauf** *m tech* synchronisme *m;* **~laufend** *a* parallèle; *tech* synchron(iqu)e; **~lautend** *a*

(Texte) identique, conforme, similaire; *gram* homonyme, homophone; *~~e Abschrift f* copie *f* conforme; **~=machen** ⟨*hat gleichgemacht*⟩ *tr* rendre égal, égaliser, niveler; *dem Erdboden ~~* raser; **G~macher** *m pol* égalitaire, niveleur *m;* **G~macherei** *f* manie *f* d'égaliser *od* de niveler; **~macherisch** *a* égalitaire; **G~maß** *n* (bonnes) proportion(s *pl*), harmonie *f;* **~mäßig** *a* régulier; *phys tech* homogène; *adv* régulièrement; *~~ verteilt* régulièrement distribué, (au fur et) à mesure; **G~mäßigkeit** *f* régularité; *phys tech* homogénéité *f;* **G~mut** *m* ⟨-(e)s, ø⟩, *selten f* ⟨-, ø⟩ égalité *f* d'âme *od* d'humeur; stoïcisme *m; (Gelassenheit)* impassibilité *f,* calme *m;* **~mütig** *a* d'humeur égale, stoïque; *(gelassen)* impassible, calme; **~namig** *a* du même nom; *math* correspondant, homogène; *phys* de même signe; *~~ machen (math: Bruch)* réduire au même dénominateur; **G~namigkeit** *f* homonymie; *math* homogénéité *f;* **G~nis** *n* ⟨-sses, -sse⟩ *(Bild)* image *f; (Sinnbild)* symbole *m; (Vergleich)* comparaison; *(bildl. Ausdruck)* figure, métaphore; *(bildl. Erzählung)* allégorie, parabole *f;* **~nisweise** *adv (sprechen)* par paraboles; **~=richten** *tr el* redresser; **G~richter** *m el* redresseur; *radio* rectificateur, détecteur *m;* **G~richterröhre** *f el* tube redresseur, lampe *f* redresseuse; *radio* tube rectificateur, kénotron *m;* **G~richterstufe** *f radio* étage *m* de détection; **G~richterwerk** *n el* poste *m* de redressement; **G~richtung** *f el* redressement *m;* **~sam** *adv* pour ainsi dire, en quelque sorte; *fam* quasi(ment); *(wie)* comme; **~=schalten** ⟨*hat gleichgeschaltet*⟩ *tr allg tech* synchroniser; *pol* mettre au pas, uniformiser; **G~schaltung** *f allg* action de coordination, synchronisation; *pol* mise au pas, uniformisation *f;* **~schenk(e)lig** *math* isocèle; **G~schritt** *m, bes. mil* pas *m* cadencé; cadence *f; im ~~* au pas cadencé; *im ~~! marsch!* en avant! marche! **~seitig** *a math* équilatéral; **~silbig** *a* parisyllabique; **~=stehen** ⟨*hat gleichgestanden*⟩ *itr* égaler (*jdm* qn); *sport* être à égalité (*jdm* avec qn); **~=stellen** ⟨*hat gleichgestellt*⟩ *tr* égaler (*jdm* à qn), mettre à parité (*mit* avec), mettre au même niveau *od* rang, mettre sur le même pied; *jur* assimiler; **G~stellung** *f jur* assimilation; *(bürgerliche) ~~* émancipation *f;* **G~strom** *m el* courant *m* continu; **G~stromempfänger** *m radio* récepteur *m* à courant continu; **G~strommotor** *m* moteur *m* à courant continu; **G~stromnetz** *n* réseau *m* à courant continu; **~=tun** ⟨*hat gleichgetan*⟩ *tr: es jdm ~~* égaler qn; *es jdm ~~ wollen* rivaliser avec qn; **G~ung** *f math* équation *f; lineare, quadratische ~~* od *~~ ersten, zweiten Grades* équation *f* du premier, second degré; *~~ mit einer, mit mehreren Unbekannten* équation *f* à une, à plusieurs inconnue(s); *die ~~ geht auf* l'équation a une solution; **~viel** *adv* tout autant; *~~, ob* peu importe que *subj; ~~ wer* n'importe qui; *~~ wohin* où que *subj;* **~wertig** *a* équivalent; *chem gram* de même valence; **~wie** *conj* comme, ainsi que, de même que; **~wink(e)lig** *a math* équiangle, isogone; **~wohl** *adv* pourtant, cependant, toutefois, tout de même, néanmoins; **~zeitig** *a* simultané, concomitant; *phys tech* synchron(iqu)e; *(zeitgenössisch)* contemporain (*mit* de); *(zs.treffend)* coïncident; *adv* en même temps, du coup, simultanément; *~~ betreiben* od *(durch)führen* mener de front; **G~zeitigkeit** *f* simultanéité, concomitance *f;* synchronisme, isochronisme *m;* coïncidence *f.*

Gleis *n* ⟨-es, -e⟩ [glaɪs, -zə(s)] = *Geleise;* **~abschnitt** *m loc* section *f* de bloc; **~abstand** *m* entrevoie *f;* **~abzweigung** *f* embranchement *m;* **~anlage** *f* (installation des) voie(s *pl*) *f* ferrée(s); **~anschluß** *m (e-r Fabrik)* raccordement de voie ferrée, raccord *m* à la voie, jonction *f; mit ~~* embranché sur le chemin de fer; **~arbeiten** *f pl* travaux *m pl* de voie ferrée; **~bettung** *f* ballastage *m* de voie; **~dreieck** *n* jonction *f* (de voies) triangulaire; **~heber** *m* pince *f* à rails; **~kette** *f mot* chenille *f;* **~kettenantrieb** *m* commande *f* par chenilles; **~kettenfahrzeug** *n* véhicule *m* chenillé, autochenille *f;* **~kreuzung** *f* croisement *m* de voies; **~netz** *n* réseau *m* de voies; **~überführung** *f* saut-de-mouton *m.*

Gleisner *m* ⟨-s, -⟩ ['glaɪsnər] *(Scheinheiliger)* hypocrite, tartufe, papelard *m;* **~ei** *f* [-'raɪ] hypocrisie, tartuferie, papelardise *f;* **g~isch** *a* hypocrite, papelard.

gleißen ['glaɪsən] *itr* ⟨*hat gegleißt*⟩ *(glänzen)* (re)luire, briller.

Gleit|angriff *m* ['glaɪt-] *mil aero* attaque *f* en vol plané; **~bahn** *f (Schlittenbahn)* glissoire, glissade; *tech* glissière *f;* **~bombe** *f* bombe *f* planante; **~boot** *n* hydroplane, hydroglisseur *m;* **g~en** ⟨*glitt, ist geglitten*⟩ [(-)glɪt(-)] *itr* glisser; *mot* déraper; *aero* planer; *tech (in e-r Vorrichtung)* coulisser; *(nicht fassen)* patiner; *auf dem Wasser ~~ (a.)* hydroplaner; *~~ lassen (Hand)* glisser; *(Blick)* laisser errer; *~~de Arbeitszeit f* horaire *m* souple; *~~de Lohnskala f* échelle *f* mobile des salaires; **~en** *n* glissement; *mot* dérapage *m; das ~~ verhindernd* antidérapant; **~fläche** *f* surface glissante, glissière *f;* **~flug** *m* vol *m od* descente *f* plané(e); *im ~~ niedergehen* descendre en vol plané; **~flugzeug** *n* (avion) planeur *m;* **~kufe** *f aero* patin *m* d'atterrissage; **~lager** *n tech* palier lisse, coussinet *m;* **~landung** *f* atterrissage *m* plané; **~laut** *m* son *m* transitoire; **~metall** *n chem mot* régule *m; mit ~~ ausgießen (mot)* réguler; **~mittel** *n* lubrifiant *m;* **~riegel** *m* targette *f;* **~rolle** *f el* trolley *m;* **~schiene** *f* glissière *f;* **~schritt** *m (Tanz)* chassé *m;* **~schuh** *m tech* patin *m;* **~schutz** *m mot* (enveloppe *f*) antidérapant(e) *m;* **~schutzkette** *f* chaîne *f* antidérapante; **~schutzreifen** *m* pneu *m* antidérapant; **~stück** *n tech* glissoir *m;* **~tisch** *m tech* table *f* glissoire; **~verdeck** *n mot* capote *f* pliante; **~verhältnis** *n aero* finesse *f;* **~weg** *m aero* courbe *f od* trajet *m* d'atterrissage; **~wegsender** *m aero* émetteur *m* du trajet d'atterrissage; **~widerstand** *m* résistance *f tech* de, *aero* au glissement; **~winkel** *m aero* angle *m* de finesse; **~zahl** *f aero* finesse *f.*

Glencheck *m* ⟨-(s), -s⟩ pied-de-poule *m.*

Gletscher *m* ⟨-s, -⟩ ['glɛtʃər] glacier *m;* **~bach** *m* torrent *m* glaciaire; **~brand** *m med* dermite *f* des neiges; **~bruch** *m* sérac *m;* **~garten** *m* jardin *m* des glaciers; **~kunde** *f* glaciologie *f;* **~landschaft** *f* paysage *m* glaciaire; **~mühle** *f,* **~topf** *m* marmite *f* glaciaire, pot *m* de glacier; **~see** *m* lac *m* glaciaire; **~spalte** *f* crevasse *f* de glacier; **~tal** *n* vallée *f* glaciaire; **~tisch** *m* table *f* glaciaire; **~tor** *n* porte *f* de glacier; **~wind** *m* vent *m* glaciaire.

Glied *n* ⟨-(e)s, -er⟩ [gli:t, 'gli:dər] membre *m a. math (Gleichung)* membre *m; (Finger~)* phalange *f; (des Bandwurmes)* segment; *(Ketten~)* chaînon, maillon *m; gram (Satz~)* partie *f,* terme; *mil* rang *m,* file *f; in Reih und ~* en rangs; *bis ins vierte ~* jusqu'à la quatrième génération; *kein ~ rühren können* ne pouvoir remuer ni pied ni patte *fam; die ~er (st)recken* s'étirer; *aus dem ~ treten (mil)* sortir des rangs; *an allen ~ern zittern* trembler de tous ses membres; *ins ~ zurücktreten* rentrer dans les rangs; *männliche(s) ~* membre *m* viril; **~erbau** *m* membrure, structure; *(Aufbau)* organisation *f;* **~erfüßer** *m pl zoo* arthropodes *m pl;* **g~erlahm** *a* perclus; **g~ern** *tr* diviser (*in* en); *(inea.fügen)* articuler; *(ordnen, einrichten)* organiser; *(einteilen)* grouper, classifier; *(logisch anea.reihen)* enchaîner; *mil* diviser (par files *od* rangs), articuler; *(staffeln)* échelonner; *sich ~~ in* se diviser en; **~erpuppe** *f (Spielzeug)* poupée *f* articulée; *(Schneiderpuppe)* mannequin *m;* **~erreißen** *n* rhumatisme *m;* **~ertiere** *n pl* articulés *m pl;* **~erung** *f anat* articulation; *allg* division; *(Aufbau)* organisation *f; (Einteilung)* groupement *m,* classification *f; (logische Verknüpfung)* enchaînement *m; (e-r Rede)* structure *f,* plan *m; mil* division, articulation, organisation, structure *f; (für den Angriff)* dispositif; *(Tiefen~~)* échelonnement *m* (en profondeur); *berufliche ~~* répartition *f* par profession; **~erzuckungen** *f pl* convulsions *f pl;* **~maßen** *f pl* membres *m pl,* extrémités *f pl* (du corps); **g~weise** *adv* membre par membre; *mil* par rangs *od* files.

glimm|en ⟨*glomm / glimmte; hat geglommen / geglimmt*⟩ [glɪmən,

(-)glɔm(-)] *itr* jeter une faible lueur, brûler sans flamme; *(unter Asche)* couver; **G~er** *m* ⟨-s, -⟩ *min* mica *m;* **G~erschiefer** *m min* micaschiste *m;* **G~erstein** *m* aventurine *f;* **G~stengel** *m fam* cigarette, *pop* cibiche *f.*

glimpflich ['glımpflıç] *adv: jdn ~ behandeln* user de bons procédés envers qn; *~ davonkommen* s'en tirer à bon compte.

glitschen ['glıtʃən] *itr* glisser; **~ig** *a* glissant.

glitzern ['glıtsərn] ⟨*hat geglitzert*⟩ *itr* étinceler, scintiller.

glob|al [glo'ba:l] *a* global; **G~~steuerung** *f fin* direction *f* globale; **G~us** *m* ⟨-/-ses, -ben/-busse⟩ ['glo:bus] globe *m* (terrestre).

Glöck|chen, ~lein ['glœk-] *n* clochette, sonnette *f,* grelot *m;* **~ner** *m* ⟨-s, -⟩ sonneur *m* (de cloches).

Glocke *f* ⟨-, -n⟩ ['glɔkə] cloche *f; (e-r Lampe)* globe *m; (Klingel)* sonnette *f; (am Fahrrad)* timbre *m; bot* cloch(ett)e *f; tech (Luftpumpe)* récipient *m; (Gasometer)* cuve *f; an die große ~ hängen* crier sur les toits, carillonner, livrer à la publicité; *die ~n läuten (tr)* sonner les cloches; *wissen, was die ~ geschlagen hat* savoir à quoi s'en tenir; **~nblume** *f* campanule, clochette *f;* **~nboje** *f* bouée *f* à cloche; **g~nförmig** *a* en (forme de) cloche; *~~ fallen (Kleid)* s'évaser; **~ngeläut(e)** *n* carillon *m; unter ~~* au son des cloches; **~ngießer** *m* fondeur *m* de cloches; **~ngießerei** *f* fonderie *f* de cloches; **~nguß** *m* fonte *f* d'une *od* de la cloche; **~ngut** *n,* **~nmetall** *n,* **~nspeise** *f* métal *m* de cloche; **g~nhell** *a (Ton)* argentin; **~nisolator** *m el* isolateur *m* en cloche, cloche *f* isolante; **~nrock** *m* jupe *f* cloche *od* clochée; **~nschlag** *m* coup *m* de cloche; *auf den ~~* à l'heure sonnante; **~nspiel** *n* carillon *m;* **~nstuhl** *m* beffroi *m;* **~nturm** *m* clocher, campanile, beffroi *m; (kleiner)* clocheton *m;* **~nzug** *m* cordon *m* de sonnette.

Glor|ie *f* ⟨-, -n⟩ ['glo:riə] gloire *f;* **~ienschein** *m* gloire, auréole *f,* nimbe *m;* **g~ifizieren** [-rifi'tsi:rən] *tr* glorifier; **~iole** *f* ⟨-, -n⟩ [-ri'o:lə] *(Kunst)* gloire *f;* **g~reich** *a* glorieux.

Gloss|ar *n* ⟨-s, -e⟩ [glɔ'sa:r(ə)] glossaire *m;* **~e** *f* ⟨-, -n⟩ [glɔsə] note marginale, glose *f, a. pej; pl* commentaire *m, a. pej; ~~n machen über,* **g~ieren** [-'si:rən] *tr* gloser sur, commenter; *pej* gloser.

Glotz|auge ['glɔts-] *n med* œil-de-bœuf *m; ~~n machen (pop)* faire les yeux ronds; ouvrir ses quinquets; **g~en** ⟨*hat geglotzt*⟩ *itr* ouvrir de grands yeux, *fam* faire des yeux ronds.

gluck [gluk] *interj; ~, ~!* glouglou! **G~e** *f* ⟨-, -n⟩ **G~henne** *f* (poule) couveuse *f;* **~en** *itr (Glucke)* glousser; **~ern** *itr,* **~sen** *itr (Flüssigkeit)* glouglouter; **G~ern** *n,* **G~sen** *n* glouglou *m.*

Glück *n* ⟨-(e)s, ø⟩ [glʏk] *(gutes ~)* bonheur *m, fam* veine; *(~s-, Zufall)* fortune *f,* coup *m* de chance; *(Erfolg)* (bonne) chance, bonne fortune *f,* succès *m, fam* veine; *(dauerndes)* prospérité; *(inneres)* félicité *f; auf gut ~* à tout hasard, au petit bonheur, à l'aventure, à tâtons; *zum ~* par bonheur, heureusement; *~ bedeuten* od *verkünden* être de bon augure; *~ bringen* porter bonheur; *~ haben* avoir de la chance *od fam* de la veine, *fam* être verni *od* veinard; *~ im Unglück haben* avoir de la chance dans son malheur; *mehr ~ als Verstand haben* avoir plus d'heur que de science, être plus heureux que sage; *sein ~ machen* faire fortune; *von ~ sagen können, daß* pouvoir s'estimer heureux de ce que; *sein ~ suchen* chercher fortune; *sein ~ versuchen* tenter sa chance; *jdm zu etw ~ wünschen* féliciter qn pour *od* de qc; *es war mein ~, daß* ... bien me prit de *inf; ein ~, daß* ...*!* quelle chance que *subj; das ist ein großes* od *seltenes ~* c'est une chance *od* veine peu commune; *viel ~!* bonne chance! *~ und Glas, wie leicht bricht das! (prov)* le bonheur est aussi fragile que le verre; *er ist ein Kind des ~es* il est né coiffé; *jeder ist s-s ~es Schmied (prov)* chacun est l'artisan de sa fortune; *vom ~ begünstigt* fortuné, *fam* béni des dieux; **g~bringend** *a* heureux, qui porte bonheur, favorable; **g~en** ⟨*ist geglückt*⟩ *itr (gelingen)* réussir; *es ist mir geglückt* j'ai réussi *(zu* à); *es will mir nicht ~~* je n'y réussis pas; *das ist schlecht geglückt* c'est manqué; **g~lich** *a allg* heureux; *(vom ~ gesegnet)* fortuné; *(erfolgreich)* prospère; *(günstig)* favorable, avantageux; *adv* bien; *sich ~~ fühlen* se trouver heureux; *e-e ~~e Hand haben* avoir la main heureuse; *~~ machen* rendre heureux; *sich ~~ schätzen* s'estimer heureux; *Sie G~~er!* heureux que vous êtes! *~~e Reise!* bon voyage! **g~licherweise** *adv* heureusement, par bonheur; **~sbringer** *m* porte-bonheur *m;* **g~selig** *a* bienheureux; **~seligkeit** *f* félicité, *rel* béatitude *f;* **~sfall** *m* coup *m* de bonheur *od* de chance *od* de hasard *od* du ciel, baraka, aubaine *f;* **~sgöttin,** *die* Fortune *f;* **~sgüter** *n pl* dons *m pl* de la fortune; **~skäfer** *m* bête *f* à bon Dieu; **~skind** *n* enfant *m* gâté de la fortune; **~spilz** *m* veinard, chançard *m; ein ~~ sein (a.)* être né coiffé; **~srad** *n* roue *f* de la Fortune; *(der Spielbank)* roulette *f;* **~sritter** *m* aventurier *m;* **~ssache** *f: das ist ~~* c'est un coup de dé(s); **~sspiel** *n* jeu *m* de hasard; **~sstern** *m* bonne étoile *f;* **~stag** *m* jour *m* heureux; **~stopf** *m (bei e-r Verlosung)* urne *f;* **g~strahlend** *a* rayonnant de bonheur, radieux; **~sumstände** *m pl* circonstances *f pl* heureuses; **g~verheißend** *a* de bon augure; **~wunsch** *m* vœux, compliments, souhaits *m pl,* félicitations *f pl;* congratulation *f; herzlichen ~~! herzliche ~wünsche!* toutes mes félicitations; *~wünsche m pl zum Jahreswechsel* vœux *m pl* de bonne année; **~wunschkarte** *f,* **~wunschschreiben** *n,* **~wunschtelegramm** *n* carte, lettre *f,* télégramme *m* de félicitation(s) *od* de luxe.

Glüh|birne ['gly:-] *f el* ampoule *f;* **g~en** ⟨*hat geglüht*⟩ *itr* être ardent *od* rouge; *fig* brûler *(vor Eifer* de zèle), être enflammé; *tr metal* faire rougir (au feu), recuire; *chem* calciner; *zu stark ~~* surchauffer; *er ~t danach, sich zu rächen* il brûle de se venger; *mir ~t der Kopf* la tête me brûle, j'ai la tête en feu; **g~end** *a* brûlant, rouge; *fig* ardent, fervent, volcanique; *in ~~en Farben schildern* dépeindre sous les couleurs les plus vives; *~~ heiß* brûlant; *(Luft)* torride; *~~e Hitze f* fournaise *f;* **~faden** *m el* filament *m* (à incandescence); **~hitze** *f tech* chauffe, chaude *f* (vive); **~kauter** *m med* électrocautère *m;* **~licht** *n* lumière *f* à incandescence; **~ofen** *m tech* four *m* (céramique); *metal* chaufferie *f;* **~strumpf** *m* manchon *m* à incandescence; **~wein** *m* vin *m* chaud; **~würmchen** *n* ver *m* luisant, luciole *f;* **~zündung** *f* allumage par incandescence, auto-allumage *m* par point chaud.

Glut *f* ⟨-, -en⟩ [glu:t] chaleur ardente, ardeur; *(Feuer)* braise *f,* brasier *m; (Hitze)* chaleur torride; *fig* chaleur, ardeur, ferveur, passion *f,* feu *m;* **~hauch** *m* souffle *m* embrasé *od* ardent; **g~rot** *a* rouge ardent.

Glyzerin *n* ⟨-s, ø⟩ [glytse'ri:n] glycérine *f;* **~säure** *f* acide *m* glycérique; **~seife** *f* savon *m* à la glycérine.

Gnade *f* ⟨-, -n⟩ ['gna:də] grâce; *(Erbarmen)* miséricorde; *(Milde)* clémence; *(Gunst)* faveur; *(des Siegers)* merci *f; (Schonung)* pardon, *mil* quartier *m; auf ~ und Ungnade (mil)* à discrétion; *aus ~ und Barmherzigkeit* par grâce; *von Gottes ~n* par la grâce de Dieu; *um ~ bitten* demander grâce *od* miséricorde *od mil* quartier *(jdn* à qn); *e-e ~ erbitten* demander une grâce; *sich jdm auf ~ und Ungnade ergeben* se livrer à la merci de qn; *jdm e-e ~ erweisen* faire une grâce à qn; *bei jdm, vor jds Augen ~ finden* trouver grâce aux yeux de qn; *~ vor Recht ergehen lassen* préférer miséricorde à justice; *~ walten lassen* faire grâce, user de clémence *od* d'indulgence; *von jdm wieder in ~n aufgenommen werden* rentrer en grâce auprès de qn; *~!* grâce! *Euer ~n!* votre Grâce; *Jahr n der ~* an *m* de grâce; *Stand m der ~* état *m* de grâce.

Gnaden|akt *m* ['gna:dən-] acte *m* de grâce; **~ausschuß** *m pol (für Begnadigungen)* commission *f* de grâce; **~bezeigung** *f* grâce *f;* **~bild** *n rel* image *f* miraculeuse; **~brot** *n: das ~~ bekommen* od *essen* être entretenu par charité; **~erlaß** *m* amnistie *f;* **~frist** *f* délai *m* de grâce; **~gehalt** *n,* **~sold** *m* pension *f* octroyée; **~geschenk** *n* gratification *f;* **~gesuch** *n* demande *f od* recours *m* en grâce; *ein ~~ einreichen* former un recours en grâce, se pourvoir en grâce; **g~reich** *a* plein de grâce;

~stoß *m* coup *m* de grâce; *den ~~ geben (dat; Jagd)* achever *tr;* **~wahl** *f rel* prédestination *f;* **~weg** *m* voie *f* de la grâce; *auf dem ~~ (adm)* à titre de grâce.

gnädig ['gnɛ:dɪç] *a (huldreich)* gracieux, clément; *(gütig)* bénin; *(wohlwollend)* bienveillant; *(günstig gesinnt)* favorable, propice; *(herablassend)* condescendant; *Gott sei mir ~!* que Dieu me soit en aide! *~e Frau!* Madame; *~es Fräulein!* Mademoiselle.

Gneis *m* ‹-es, -e› [gnaɪs, -ze] *min* gneiss *m.*

Gnom *m* ‹-en, -en› [gno:m] *(Zwerg)* gnome *m;* **g~enhaft** *a* nain, nabot.

Gnos|is *f* ‹-, ø› ['gno:zɪs] , **~tik** *f* ‹-, ø› ['gnɔstɪk] *rel hist* gnose *f,* gnosticisme *m;* **~tiker** *m* ‹-s, -› ['gnɔstikər] gnostique *m;* **g~tisch** ['gnɔstɪʃ] *a* gnostique.

Gobelin *m* ‹-s, -s› [gobə'lɛ̃:] tapisserie *f.*

Gockel(hahn) *m* ‹-s, -› ['gɔkəl(-)] *fam* coq *m.*

Gold *n* ‹-(e)s, ø› [gɔlt, -dəs] or *m; mit ~ aufwiegen (fig)* acheter au poids de l'or; *im ~e schwimmen* rouler sur l'or; être cousu d'or; *nicht mit ~ aufzuwiegen sein, ~ wert sein* valoir son pesant d'or; *~ in der Kehle haben (fig)* avoir une voix d'or; *treu wie Gold* franc comme l'or; **~abfluß** *m fin* sortie *f* de l'or; **~ammer** *f orn* bruant *m;* **~amsel** *f orn* loriot *m;* **~anleihe** *f* emprunt *m* en or; **~arbeit** *f* orfèvrerie *f;* **~arbeiter** *m* orfèvre *m;* **~barren** *m* barre *f od* lingot *m* d'or; **~basis** *f fin* base-or *f;* **~bestand** *m* réserve d'or, encaisse-or *f;* **~blättchen** *n* feuille *f* d'or; **~blech** *n* or *m* laminé; **~block** *m fig pol* bloc-or *m;* **~borte** *f* galon *m* d'or; **g~braun** *a* mordoré; **~brokat** *m* brocart *m* d'or; **~buchstabe** *m* lettre *f* d'or; **~deckung** *f fin* couverture-or *f;* **~dollar** *m* dollar-or *m;* **~dublee** *n* doublé *m* (d')or; **g~en** ['-dən] *a* d'or, en or: *(~farbig)* doré; *jdm ~~e Berge versprechen* promettre monts et merveilles à qn; *~~e Hochzeit f* noces *f pl* d'or; *der ~~e Mittelweg* le juste-milieu; *~~e Uhr f* montre *f* en or; *das G~~e Zeitalter* l'âge *m* d'or; **~faden** *m* fil *m* d'or; **~fasan** *m* faisan *m* doré; **~feder** *f (am Füller)* plume *f* en or; **~fisch** *m* poisson *m* rouge *od* doré, daurade *f* chinoise, cyprin *m* doré; **~flitter** *m* paillette *f* (d'or); **~folie** *f* feuille *f* d'or; **~fuchs** *m fig pop (~stück)* jaunet *m;* **g~führend** *a* aurifère; **~gehalt** *m* titre *m* en or; **g~gelb** *a* (jaune) doré; **~gewinnung** *f* production *f* aurifère; **g~glänzend** *a* doré; **~gräber** *m* chercheur *m* d'or; **~grube** *f* mine *f* d'or *a. fig;* **~grund** *m (Kunst)* fond *m* d'or; **~hähnchen** *n orn* roitelet *m;* **g~haltig** *a* aurifère; **g~ig** ['-dɪç] *a* doré; *fig fam* joli (petit), mignon; **G~käfer** *m* scarabée *od* escarbot *m* doré; **~kind** *n: mein ~~!* mon bijou; **~klausel** *f fin* clause d'or, clause-or *f;* **~klumpen** *m* pépite *f;* **~körnchen** *n* grain *m* d'or; **~kurs** *m* prix-or *m;* **~lack** *m bot* giroflée *f* jaune; **~legierung** *f* demi-fin *m;* **~leiste** *f* bande *f* dorée; **~macher** *m* alchimiste *m;* **~mark** *f* mark-or *m;* **~markt** *m* marché *m* de l'or; **~medaille** *f* médaille *f* d'or; **~münze** *f* pièce *od* monnaie *f* d'or; **g~plattiert** *a* plaqué-or; **~rand** *m: innere(r) ~~ (Teller)* (filet de) marli *m;* **~regen** *m bot* cytise *m;* **~reserve** *f* réserve *f* d'or; **~sand** *m* sable *m* aurifère; **~schaum** *m* or *m* en feuilles; *(Filter~)* oripeau, clinquant *m;* **~scheider** *m* affineur *m* d'or; **g~schimmernd** *a* doré; **~schläger** *m* batteur *m* d'or; **~schlägerhaut** *f* baudruche *f;* **~schmied** *m* orfèvre *m;* **~schnitt** *m (Buch)* dorure *f* sur tranche; *mit ~~* doré sur tranche; **~standard** *m* étalon-or *m;* **~staub** *m* or *m* moulu; **~stickerei** *f* broderie *f* d'or; **~stück** *n (Münze)* pièce *od* monnaie *f* d'or *fam* jaunet *m;* **~sucher** *m* chercheur *m* d'or; **~tresse** *f* galon *m* d'or; **~- und Devisenreserven** *f pl* réserves *f pl* en or et en devises; **~vorkommen** *n mines* gisement *m* aurifère; **~vorrat** *m* réserve *f* d'or; **~waage** *f* trébuchet *m; auf die ~~ legen (fig)* peser; **~währung** *f* étalon-or *m;* **~waren** *f pl* orfèvrerie *f;* **~warenhändler** *m* orfèvre *m;* **~wäscher** *m* laveur d'or, orpailleur *m;* **~wasser** *n (Danziger ~~)* eau *od* liqueur *f* d'or; **~wert** *m* valeur-or *f;* **~zahlung** *f* versement *m* en or.

Golf [gɔlf] **1.** *m* ‹-(e)s, -e› *geog* golfe *m;* **~strom,** *der* le Gulf Stream.

Golf 2. *n* ‹-s, ø› *sport* golf *m;* **~ball** *m* balle *f* de golf; **~hose** *f* culotte *f* de golf; **~junge** *m* caddie, cadet *m;* **~klub** *m* golf-club *m;* **~platz** *m* terrain *m* de golf; **~schläger** *m (Gerät)* club *m;* **~(spiel)er** *m* golfeur *m.*

Gond|el *f* ‹-, -n› ['gɔndəl] gondole; *aero* nacelle *f;* **~elführer** *m,* **~oliere** *m* ‹-,-ri› [-doli'e:rə, -ri] gondolier *m;* **~ellied** *n* barcarolle *f;* **g~eln** ‹*ist gegondelt*› *itr* aller en gondole; *fam allg (fahren)* rouler, voyager.

Gong *m (a. f)* ‹-s, -s› [gɔŋ] gong *m.*

Goniometr|ie *f* ‹-, ø› [goniome'tri:] *math* goniométrie *f;* **g~isch** [-'me:trɪʃ] *a* goniométrique.

gönn|en ['gœnən] *tr (nicht neiden)* ne pas envier (*jdm etw* qc à qn); *(gewähren)* accorder; *nicht ~~* envier (*jdm etw* qc à qn); *sich etw ~~* s'accorder qc; *ich ~e es dir* grand bien te fasse, tant mieux pour toi; *ich ~e dir das Vergnügen* je ne suis point jaloux de ton plaisir; **G~er(in *f*)** *m* ‹-s, -› protecteur, trice *m f; (Wohltäter)* bienfaiteur, trice *m f,* patron, ne *m f; (e-s Künstlers)* mécène *m;* **~erhaft** *a* protecteur; **G~ermiene** *f* air protecteur, air *m* de protection; **G~erschaft** *f* ‹-, ø› protection *f;* patronage; mécénat *m.*

Göpel *m* ‹-s, -› ['gø:pəl], **~werk** *n tech* manège *m.*

Gör *n* ‹-(e)s, -en› , **~e** *f* ‹-, -n› petit(e) enfant *m f; fam* gosse *m f,* gamin, e *m f; arg* loupiot *m.*

gordisch ['gɔrdɪʃ] *a: der G~e Knoten* le nœud gordien.

Gorilla *m* ‹-s, -s› [go'rɪla] *zoo* gorille *m.*

Gösch *f* ‹-, -en› [gœʃ] *mar* pavillon de beaupré, jack *m.*

Gosse *f* ‹-, -n› ['gɔsə] caniveau, ruisseau *m; aus der ~ auflesen (fig)* ramasser dans le ruisseau; *durch die ~ ziehen (fig)* traîner dans la boue; *er wird noch in der ~ enden* il finira dans la rue; **~nstein** *m (Ausguß)* évier *m.*

Gössel *n* ‹-s, -/-n› ['gœsəl] *(Gänschen)* oison *m.*

Got|en *m pl* ['go:tən] *hist* Goths *m pl;* **~ik** *f* ‹-, ø› [-tɪk] (style) gothique *m;* **g~isch** ['-tɪʃ] *a (Sprache)* gothique *(Kunst)* gothique; *~~e Schrift f* gothique *m.*

Gott *m* ‹-(e)s, ¨er› [gɔt, 'gœtər] *(der eine)* Dieu; *(heidnischer)* dieu *m; in ~es Namen* au nom de Dieu; *leider ~es* hélas, malheureusement; *mit ~es Hilfe* grâce(s) à *od* par la grâce de Dieu; *so ~ will* s'il plaît à Dieu; *um ~es willen* pour l'amour de Dieu; *an ~ glauben* croire en Dieu; *den lieben ~ e-n guten Mann sein lassen* ne se soucier de rien; *~ lästern* blasphémer Dieu; *wie ~ in Frankreich leben* vivre comme un coq en pâte *od* être comme un poisson dans l'eau; *alles in ~es Hand legen* se remettre entre les mains de Dieu; *auf ~ vertrauen* s'en remettre à Dieu; *du bist wohl ganz von ~ verlassen! (fam)* es-tu fou? *behüt' dich ~!* Dieu te garde *od* conduise! *bei ~!* par Dieu! *großer ~! o (mein) ~!* grand *od* juste Dieu! mon Dieu! *grüß ~!* bonjour; *vergelt's ~!* Dieu vous (te) le rende! *weiß ~!* Dieu sait! *das wissen die Götter!* Dieu seul le sait; *~ bewahre! da sei ~ vor!* Dieu m'en, t'en *etc* préserve! à Dieu ne plaise! *~ gebe, daß ...!* fasse Dieu que *subj; so wahr mir ~ helfe!* que Dieu me soit en aide; *~ sei Dank!* Dieu merci! Dieu soit loué! *~ verdamm' mich!* Dieu me damne! *woll(t)e ~!* Dieu le veuille! plaise *od* plût à Dieu! *das weiß ~!* Dieu seul le sait; *an ~es Segen ist alles gelegen (prov)* à qui Dieu n'aide rien ne succède; *der liebe ~* le bon Dieu; *wie ihn ~ geschaffen hat* dans le plus simple appareil, en tenue d'Adam; **g~ähnlich** *a* semblable à *od* fait à l'image de Dieu, divin; **~ähnlichkeit** *f* nature divine, divinité *f;* **g~begnadet** *a* qui a reçu la grâce divine; inspiré par Dieu; **g~ergeben** *a* soumis à la volonté divine.

Götter|bild *n* ['gœtər-] idole *f;* **~bote** *m* messager *m* des dieux; **~dämmerung** *f* crépuscule *m* des dieux; **g~gleich** *a* semblable aux dieux, divin; **~sage** *f* mythe *m;* **~speise** *f* ambroisie *f, a. fig;* **~trank** *m* nectar *m, a. fig.*

Gottes|acker *m* ['gɔtəs-] cimetière *m;* **~anbeterin** *f ent* mante *f* religieuse *od* prie-Dieu; **~dienst** *m* service divin, office (divin), culte *m; ~~ halten* célébrer l'office, officier; **g~dienstlich** *a* de l'office, du culte;

~frieden *m hist* trêve *od* paix *f* de Dieu; **~furcht** *f* crainte de Dieu; piété, religion *f;* **g~fürchtig** *a* craignant Dieu; pieux, religieux; **~gabe** *f* don *m* du ciel; **~geißel** *f* fléau *m* de Dieu; **~gericht** *n* = *~urteil;* **~glaube·***m* croyance *f* en Dieu; **~gnadentum** *n* droit *m* divin; **~haus** *n* maison *f* de Dieu *od* du Seigneur; **~lästerer** *m* blasphémateur, sacrilège *m;* **g~lästerlich** *a* blasphématoire, sacrilège; **~lästerung** *f* blasphème, sacrilège *m;* **~leugner** *m* athée *m;* **~leugnung** *f* athéisme *m:* **~lohn** *m; um ~~* pour l'amour de Dieu; **~mann** *m* homme *m* de Dieu; **~mutter** *f* mère *f* de Dieu; **~sohn** *m* fils *m* de Dieu; **~urteil** *n hist* ordalie *f,* jugement *m* de Dieu; **~vorstellung** *f* idée *f* de Dieu; **~wort** *n* parole *f* de Dieu.

gott|gefällig ['gɔt-] *a* agréable à Dieu; *(Werk)* pie; **~gläubig** *a* croyant en Dieu; **~gleich** *a* semblable à Dieu, divin; **G~heit** *f (göttl. Natur)* divinité; *(Gott)* déité *f.*

Gött|in *f* ['gœt-] déesse *f;* **g~lich** *a* divin; *fig allg, a. iron* sublime; **~lichkeit** *f* ‹-, ø› divinité, nature *f* divine.

gott|lob ['gɔt'lo:p-] *interj* Dieu (en) soit loué! **~los** *a* athée, irréligieux; *pej* impie; **G~losenbewegung** *f* mouvement *m* irréligieux; **G~losigkeit** *f* athéisme *m,* irréligiosité; impiété *f;* **G~mensch** *m* homme-Dieu *m;* **G~seibeiuns** *m* ‹-, ø› [-'---/--'-], *der* le diable; le Malin; **~selig** *a* pieux, dévot; **G~seligkeit** *f* piété, dévotion *f;* **~serbärmlich** *a,* **~sjämmerlich** *a* piteux, pitoyable, misérable, navrant; **G~vater** *m* Dieu le Père; **~verlassen** *a (verdammt)* réprouvé, maudit; *fam (abgelegen)* solitaire; **G~vertrauen** *n* confiance *f* en Dieu; **~voll** *a* inspiré par Dieu, divin; *fig fam, oft iron* délicieux, impayable.

Götze *m* ‹-n, -n› ['gœtsə] faux dieu *m,* idole *f;* **~nbild** *n* idole *f;* **~ndiener** *m* idolâtre *m;* **~ndienst** *m* idolâtrie *f.*

Gouvern|ante *f* ‹-, -n› [guvɛr'nantə] gouvernante *f;* **~eur** *m* ‹-s, -e› [-'nø:r] gouverneur *m.*

Grab *n* ‹-(e)s, ⸚er› [gra:p, 'grɛ:bər] tombeau *m; lit* tombe *f,* sépulcre *m; (~stelle, Grube)* fosse *f; am ~e (sprechen)* sur la tombe; *jdn zu ~e geleiten* accompagner qn à sa dernière demeure, rendre les derniers devoirs à qn; *mit ins ~ nehmen (fig: ein Geheimnis)* emporter dans la tombe; *sich sein (eigenes) ~ schaufeln (fig)* creuser sa (propre) fosse *od* son (propre) tombeau; *am Rande des ~es* od *(fam) mit einem Bein* od *Fuß im ~e stehen (fig)* être au bord de la *od* avoir un pied dans la tombe, *pop* sentir le sapin; *zu ~e tragen* porter en terre; *sich im ~e umdrehen (fig)* se retourner dans sa tombe; *das Heilige ~ (Jesu)* le saint sépulcre; *stumm* od *verschwiegen wie ein ~* muet comme la tombe; *das ~ des Unbekannten Soldaten* le Tombeau du Soldat inconnu; **~(denk)mal** *n* monument *m* funéraire; **~en** *m* ‹-s, ⸚› fossé *a. geol; (Wasser~~)* canal *m,* rigole; *mil* tranchée *f; in den ~~ fahren (mot)* verser dans le fossé; *der vorderste ~~ (mil)* la tranchée de première ligne; **g~en** ‹*gräbt, grub, gegraben*› *tr (Loch)* creuser; *(Brunnen)* foncer, forer; *mines* extraire; *itr* fouiller; *agr* bêcher; *(Ausgrabungen machen)* faire des fouilles; *nach Gold ~~* chercher de l'or; **~enbagger** *m* excavateur *m* de fossés; **~enböschung** *f,* **~enwand** *f mil: innere ~~* escarpe; *äußere ~~* contrescarpe *f;* **~enkampf** *m,* **~enkrieg** *m* guerre *f* de(s) tranchées; **~ensohle** *f* fond *m* du fossé *od (mil)* de la tranchée; **~enstellung** *f* retranchement *m;* **~enwehr** *f* parapet *m.*

Gräber *m* ‹-s, -› ['grɛ:bər] *agr* bêcheur; *mines* mineur *m.*

Gräberfunde *m pl* fouilles *f pl.*

Grab|esdunkel *n* ['gra:-] nuit *f* du tombeau; **~esruhe** *f,* **~esstille** *f* silence *m* du tombeau; **~esstimme** *f* voix *f* sépulcrale *od* caverneuse; **~geläut(e)** *n* glas *m* funèbre; **~geleit(e)** *n* convoi mortuaire, cortège *m* funèbre; **~gesang** *m* chant *m* funèbre; **~gewölbe** *n* caveau *m;* **~hügel** *m* tombe *f; hist* tumulus *m;* **~kammer** *f* chambre *f* sépulcrale; **~kapelle** *f* chapelle *f* funéraire; **~kreuz** *n* croix *f* funéraire; **~legung** *f (Kunst)* mise *f* au tombeau; **~mal** *n* tombeau; monument *m* funéraire; **~platte** *f* dalle funéraire *od* tumulaire, pierre *f* sépulcrale *od* tombale; **~rede** *f* oraison *f* funèbre; **~schändung** *f* violation *f* de sépulture *od* de tombeau; **~scheit** *n* bêche *f;* **~schrift** *f* épitaphe, inscription *f* funéraire; **~stätte** *f* tombeau *m,* tombe *f,* sépulcre *m,* sépulture *f;* **~stein** *m* pierre *f* tombale *od* tumulaire *od* sépulcrale *od* funéraire; **~stichel** *m tech* burin, ciselet, poinçon, traçoir *m;* **~ung** *f (archäologische)* fouilles *f pl.*

Grad *m* ‹-(e)s, -e› [gra:t, -də] degré *m, a. math phys geog; (Univ.: Würde)* grade *m; bei 10 ~ Kälte* par dix degrés au-dessous de zéro; *bis zu e-m gewissen ~* jusqu'à un certain degré *od* point, dans une certaine mesure; *in hohem ~* à un haut degré; extrêmement; *in sehr hohem ~e* à un degré éminent; *im höchsten ~e* au plus haut *od* au dernier degré; *ein hoher ~ der Vollkommenheit* un haut degré de perfection; *zweiten ~es (Verwandtschaft)* au deuxième degré; *fam* à la mode de Bretagne; *math* du deuxième degré; *in ~e einteilen* graduer; *um einen ~ fallen, steigen (Temperatur)* baisser, monter d'un degré; *akademische(r) ~* grade *m* universitaire; *drei ~ Celsius, Wärme, Kälte* trois degrés centigrades, au-dessus de zéro, au-dessous de zéro; **~einteilung** *f* graduation, division en degrés; *(System)* échelle *f* de graduation *od* graduée; **g~ieren** [-'di:rən] *tr (Sole)* faire la graduation de; **~ierhaus** *n,* **~ierwerk** *n* bâtiment *m* de graduation; **~ierung** *f (der Sole)* graduation *f;* **~messer** *m* échelle graduée; *fig* échelle *f;* **~netz** *n geog* canevas *m* de lignes géographiques *od* géodésiques; **g~uieren** [-du'i:rən] *tr (in Grade einteilen)* graduer; *(e-n akadem. Grad erteilen)* attribuer un diplôme à.

Graf *m* ‹-en, -en› [gra:f] comte *m;* **~schaft** *f* comté *m.*

Gräf|in *f* ['grɛ:fın] comtesse *f;* **g~lich** *a* comtal, de comte.

Gral *m* ‹-s, ø› [gra:l] *der Heilige ~* le Saint Gral.

Gram *m* ‹-(e)s, ø› [gra:m] chagrin, tourment *m,* affliction *f;* **g~** *a: jdm ~~ sein* en vouloir *od* garder rancune à qn; **g~gebeugt** *a,* **g~voll** *a* accablé de chagrin, tourmenté.

gräm|en ['grɛ:mən] , *sich* se chagriner, s'affliger, s'affecter (*über etw* de qc); *sich zu Tode ~~* mourir de chagrin; **~lich** *a* chagrin, morose, hargneux; **G~lichkeit** *f* ‹-, (-en)› humeur chagrine, morosité *f.*

Gramm *n* ‹-s, -e› [gram] gramme *m;* **~atik** *f* ‹-, -en› grammaire *f;* **g~at(ikal)isch** [-'ma(ti'ka:l)ıʃ] *a* grammatical; *~~e(r) Fehler m* faute *f* de grammaire; **~atiker** *m* ‹-s, -› [-'matikər] grammairien *m;* **~ophon** *n* ‹-s, -e› [-'fo:n] phono(graphe) *m;* **~ophonnadel** *f* aiguille *f* pour phono(graphe); **~ophonplatte** *f* disque *m.*

Granat *m* ‹-(e)s, -e› [gra'na:t] *min* grenat *m;* **~apfel** *m bot* grenade *f;* **~(apfel)baum** *m* grenadier; **~e** *f* ‹-, -n› *mil* obus *m;* **~feuer** *n* tir *m* à obus; **~hülse** *f* douille *f* d'obus; **~splitter** *m* éclat *m* d'obus; **~trichter** *m* trou d'obus, puits d'éclatement, entonnoir *m;* **~werfer** *m mil (Waffe)* lance-grenades *m.*

Grand|e *m* ‹-n, -n› ['grandə] grand *m* (d'Espagne); **g~ios** [-di'o:s] *a* grandiose.

Granit *m* ‹-s, -e› [gra'ni:t, '-nıt] *min* granit *m;* **g~artig** *a* granitique; **~block** *m* bloc *m* de granit.

Granne *f* ‹-, -n› ['granə] *bot* arête *f; pl* barbe *f; mit ~n versehen (pp)* barbé.

Granul|ation *f* ‹-, (-en)› [granulatsi'o:n] *med tech* granulation *f;* **g~ieren** [-'li:rən] *tr tech* granuler; **g~iert** *a med* granulé; **~ose** *f* ‹-, ø› [-'lo:zə] *med* ophtalmie *f* granuleuse.

Graph|ik *f* ‹-, -en› ['gra:fık] art *m* graphique; *(graphische Blätter)* estampes *f pl;* **~iker** *m* ‹-s, -› ['-fikər] dessinateur *m;* **g~isch** *a* graphique; *~~e Anstalt f* établissement *m* graphique; *~~e Darstellung f* graphique, diagramme *m; ~~e(s) Gewerbe n* industrie *f* polygraphique; **~it** *m* ‹-(e)s, -e› [-'fi:t, '-fıt] *min* graphite *m,* plombagine *f; tech* mine *f* de plomb; **~itschmiere** *f* graisse *f* de graphite; **~ologe** *m* ‹-n, -n› [-'lo:gə] graphologue *m;* **~ologie** *f* ‹-, ø› [-lo'gi:] graphologie *f.*

graps(ch)en ['grapsən, -ʃən] *tr fam* agripper.

Gras *n* ‹-es, ⸚er› [gra:s, 'grɛ:zər] herbe *f; scient* gramen *m; pl bot (Familie)* gramin(ac)ées *f pl; ins ~ beißen (müssen)* passer le pas; *fam* mordre la poussière, passer l'arme à gauche, *pop* aller manger les pissenlits par la racine, casser sa pipe; *das ~ wachsen hören* se croire très fin; *über etw ~ wachsen lassen* laisser faire le temps; *darüber ist längst ~ gewachsen* c'est une affaire oubliée depuis longtemps; *wo er hinhaut, wächst kein ~ mehr* il a la main lourde; **~affe** *m fam* béjaune *m*; **g~artig** *a* herbacé; **g~bewachsen** *a* herbeux, herbu; **~decke** *f* couche *f* végétale; **g~en** ⟨*hat gegrast*⟩ *itr* paître, brouter; **~fleck** *m* petit gazon *m; (in e-m Kleidungsstück)* tache *f* d'herbe; **~frosch** *m* grenouille *f* rousse; **g~grün** *a* vert comme l'herbe; **~halm** *m* brin *m* d'herbe; **~hüpfer** *m ent* sauterelle *f*; **g~ig** *a* herbeux, herbu; **~land** *n* prairie *f*; **~mäher** *m*, **~mähmaschine** *f* faucheuse *f*; **~mücke** *f orn* fauvette *f*; **~narbe** *f* = *~fleck*; **~samen** *m* semence *f* d'herbe; **~schuppen** *m agr* herbier *m*; **~steppe** *f* savane *f*.

Gräs|chen *n* ['grɛ:s-], **~lein** *n* brin *m* d'herbe.

grassieren [gra'si:rən] *itr med (wüten)* régner, sévir.

gräßlich ['grɛslɪç] *a* horrible, affreux, atroce, épouvantable *a. fam (übertreibend); (widerlich)* dégoûtant, hideux, *fam* assommant; **G~keit** *f* horreur, atrocité *f*.

Grat *m* ⟨-(e)s, -e⟩ [gra:t] *geog (Kammlinie)* crête, arête; *arch (Dach~)* arête *f*; **~sparren** *m* arêtier *m*.

Grät|e *f* ⟨-, -n⟩ ['grɛ:tə] arête *f*; **g~enlos** *a* sans arêtes; **~ig** *a* plein d'arêtes; *fig (Mensch)* irritable, grincheux.

Gratifikation *f* ⟨-, -en⟩ [gratifikatsi'o:n] gratification, prime *f* d'encouragement; supplément *m*, surpaye *f*.

gratis ['gra:tɪs] *adv* gratis, gratuitement, à titre gracieux, *fam* à l'œil; *~ und franko* franc de port et de tous frais; **G~angebot** *n* offre *f* gratuite; **G~beilage** *f* supplément *m* gratuit; **G~exemplar** *n (Buch)* exemplaire *m* gratuit; **G~kostprobe** *f* dégustation *f* gratuite; **G~probe** *f* essai *m* gratuit.

Grätsche *f* ⟨-, -n⟩ ['grɛ:tʃə] *sport* écart *m*; *Sprung m in die ~* saut *m* à l'écart; **g~n** *tr: die Beine ~~* écarter les jambes; *itr* faire un saut carpé.

Gratul|ant *m* ⟨-en, -en⟩ [gratu'lant] congratulateur *m nur fam hum*; **~ation** *f* ⟨-, -en⟩ [-latsi'o:n] félicitation(s *pl*) *f*; **g~ieren** ⟨*hat gratuliert*⟩ [-'li:rən] *itr: jdm zu etw ~~* féliciter qn de *od* pour qc; *ich ~iere Ihnen herzlich* toutes mes *od* je vous présente mes félicitations cordiales.

grau [grau] *a* gris; *fig (düster)* sombre; *vor ~en Jahren* au temps jadis; *~ in ~ (be)malen* grisailler; *fig* faire un tableau très sombre (de la situation); *~ werden (Haare)* grisonner; *(Himmel)* s'assombrir; *darüber lasse ich mir keine ~en Haare wachsen* je ne m'en soucie pas, c'est le moindre *od* le cadet de mes soucis, *fam* je ne m'en fais pas pas pour cela; *das ~e Altertum, die ~e Vorzeit* la (plus) haute antiquité, la nuit des temps; **G~** *n* ⟨-s, -/(-s)⟩ gris *m*, couleur *f* grise; **G~bart** *m* barbe *f* grise; **~blau** *a* gris(-)bleu; **~braun** *a* gris(-)brun, bis; **G~brot** *n* pain *m* bis; **G~bünden** *n* les Grisons *m pl*; **G~chen** *n (Eselchen)* ânon *m*; **~en** *itr* **1.**: *der Tag ~t* le jour commence à poindre; **G~guß** *m metal* fonte *f* moulée; moulage *m* en fonte grise; **~haarig** *a* à cheveux gris; **G~kopf** *m* tête *f* grise, *fam pej* barbon *m*; **~lich** *a*, **gräulich** *a* grisâtre; **~meliert** *a (Haar)* grisonnant, *fam* poivre et sel; **G~schimmel** *m* cheval *m* pommelé; **G~schleier** *m phot* voile *m* gris; **G~specht** *m orn* pic *m* cendré; **G~tier** *n (Esel)* grison *m*; **G~wacke** *f geol* grès *m* des houillères; grauwacke *f*; **G~werk** *n (Pelz)* petit-gris *m*.

grauen ['grauən] *itr* **2.** *impers: mir graut davor* cela me fait horreur, j'en ai la hantise; **G~** *n (Schauder)* (frisson *m* d')horreur *f*, effroi *m*; *von ~~ gepackt* saisi d'horreur; **~erregend** *a*, **~haft** *a*, **~voll** *a* horrible, affreux, atroce.

graulen ['graulən] *sich, fam* avoir peur; *impers: mir grault* j'ai peur.

Graup|eln *f* ['graupəln] *pl mete* grésil *m*; **g~eln** *itr impers* grésiller; *es g~elt* il grésille; **~eln** *n* grésillement *m*; **~elschauer** *m*, **~elwetter** *n* giboulée *f*; **~en** *f pl*, **~enschleim** *m* orge mondé; *(~~ von Perlgraupen)* orge *m* perlé; **~ensuppe** *f* potage *m* à l'orge mondé.

Graus *m* ⟨-es, ø⟩ [graus] horreur *f*, effroi *m*, épouvante *f*.

grausam ['grauza:m] *a* cruel; *(wild)* féroce; *(barbarisch)* barbare; *(unmenschlich)* inhumain; *adv fig fam (sehr)* énormément; *~e(r) Mensch m* (cœur de) tigre *m*; **G~keit** *f* cruauté; férocité; inhumanité *f*.

graus|en ⟨*hat gegraust*⟩ ['grauzən] *itr impers: mir ~t* j'ai horreur, je frémis *od* je frissonne d'horreur (*vor* devant); **G~en** *n* horreur, épouvante *f*, effroi *m*; **~enerregend** *a*, **~ig** *a*, **~lich** *a* horrible, épouvantable, affreux.

Grav|eur *m* ⟨-s, -e⟩ [gra'vø:r] graveur *m*; **~ieranstalt** *f* [-'vi:r-] atelier *m* de gravure; **g~ieren** *tr* graver; **~ierkunst** *f* art *m* de la gravure; **~iernadel** *f* burin, ciselet, poinçon, traçoir *m*; **~ierung** *f*, **~ur** *f* ⟨-, -en⟩ [-'vu:r] *(Tätigkeit)*, **~üre** *f* ⟨-, -n⟩ [-'vy:rə] *(graphisches Blatt)* gravure *f*.

Gravit|ation *f* ⟨-, ø⟩ [gravitatsi'o:n] *phys astr* gravitation *f*; **~ationsgesetz** *n* loi *f* de la gravitation; **g~ätisch** [-'tɛ:tɪʃ] *a* grave, solennel; **g~ieren** [-'ti:rən] *itr phys* graviter.

Grazi|e *f* ⟨-, -n⟩ ['gra:tsiə] (bonne) grâce *f*; *die drei ~~n* les trois Grâces *f pl*; **g~ös** [-'tsiø:s] *a* gracieux; *(reizend)* charmant.

Greif *m* ⟨-(e)s/-en, -e/-en⟩ [graɪf] *(Fabeltier)* griffon *m*.

Greif|bagger *m* ['graɪf-] excavateur *m od* grue *f* à grappin *od* à benne preneuse; **g~bar** *a (zur Hand)* à portée de la main; *com (Ware)* sous la *od* en main, disponible; *fin (Wert)* tangible; *fig (konkret, real)* saisissable, palpable, tangible; *in ~~er Nähe* tout proche; **g~en** ⟨*griff, gegriffen*⟩ [(-)grɪf(-)] *tr* prendre, (se) saisir (de); *(packen)* empoigner, *fam* agripper; *mus (Saite)* toucher; *itr: an etw ~~* faire main basse sur qc; s'emparer de qc; *zu etw ~~ (fig)* avoir recours à qc; *um sich ~~ fig* s'étendre, se répandre, se propager, gagner du terrain, faire tache d'huile; *jdm unter die Arme ~~ (fig)* donner un coup d'épaule à qn; *jdm an die Ehre ~~* attenter à l'honneur de qn; *zur Feder ~~* prendre la plume; *in die Tasche ~~ (fig)* mettre la main au portefeuille; *ins volle ~~* dépenser sans compter; *zu den Waffen ~~* prendre les armes; *das ist zu hoch gegriffen* c'est exagéré; *das ist aus der Luft gegriffen* c'est inventé de toutes pièces, ce sont des paroles en l'air; *die Räder ~~ nicht* les roues patinent; **~er** *m* ⟨-s, -⟩ *tech* griffe *f a. typ*, harpon; *(e-s Baggers)* grappin *m*, benne *f* preneuse; *(der Nähmaschine)* crochet *m* (tournant); **~erbagger** *m*, **~erkran** *m* = *~bagger*; **~erkübel** *m* benne *f* preneuse; **~schwanz** *m zoo* queue *f* prenante; **~werkzeug** *n zoo* appareil *m* de préhension; **~zange** *f* tenailles *f pl*; **~zirkel** *m* compas *m* d'épaisseur.

greinen ⟨*hat gegreint*⟩ ['graɪnən] *itr* pleurnicher, larmoyer.

Greis *m* ⟨-es, -e⟩ [graɪs, -zə] vieillard *m*; **g~** *a attr* vieux, âgé; **~enalter** *n* vieillesse *f*; **g~enhaft** *a* sénile; **~enhaftigkeit** *f* sénilité *f*; **~in** *f* vieille (femme) *f*.

grell [grɛl] *a (Farbe)* cru, voyant, criard, tapageur, violent; *(Licht)* cru, vif, éblouissant; *(Ton)* strident, aigu, perçant, cru; *~ beleuchtet* éclairé violemment; **~bunt** *a* tape-à-l'œil; **G~e** *f* ⟨-, ø⟩ *(Farbe, Ton)* crudité *f*; *(Licht)* éclat *m* (trop vif).

Gremium *n* ⟨-s, -mien⟩ ['gre:mium, -miən] *pol* organe *m*.

Grenadier *m* ⟨-s, -e⟩ [grena'di:r] grenadier(-voltigeur) *m*; **~bataillon** *n* bataillon *m* de grenadiers(-voltigeurs) *od* d'infanterie.

Grenz|auffanglager *n* ['grɛnts-] camp *m* de passage; **~aufseher** *m*, **~er** *m* ⟨-s, -⟩ garde-frontière; *m*; **~bahnhof** *m* gare *f* frontière; **~befeuerung** *f aero* balisage *m* périphérique; **~berichtigung** *f* rectification *f* de frontière; **~bestimmung** *f*, *a. fig* délimitation *f*; **~bewohner** *m* frontalier *m*; **~bezirk** *m* district *m* frontalier, région *f* front(al)ière *od* limitrophe; **~e** *f* ⟨-, -n⟩ *allg* limite; *pol* frontière *f*; *(~gebiet)* confins *m pl*; *(~punkt)* terme *m*; *(Schranke)* borne(s *pl*) *f*; *(Rand)* bord *m*; *(Saum)* lisière; *(äußerste ~)* extrémité *f*, confins *m pl*; *an der ~~ (pol)* à *od* sur la frontière; *an der ~~ des guten Geschmacks* à la limite du mauvais goût; *über die grüne ~~ gehen* passer la frontière en fraude;

sich in ~~n halten (fig) rester dans les bornes; *e-r S ~~n setzen* mettre des bornes à qc; *die ~~ überschreiten* passer la frontière; *die ~~n überschreiten (fig)* dépasser *od* franchir les bornes; *jdn in s-e ~~n verweisen* remettre qn à sa place; *alles hat s-e ~~n* il y a une limite à tout, il y a raison en *od* pour tout; *äußerste ~~* extrémité *f*; **g~en** ‹*aux: haben*› *itr: ~~ an* être attenant *od* contigu, confiner, être voisin *od* limitrophe de; *fig* approcher, tenir de, friser; *das ~t an Wahnsinn* cela frise la démence; *das ~t ans Wunderbare* cela tient du miracle; **g~enlos** *a* sans bornes *od* limites, illimité; *(unendlich)* infini; *fig* immense, *fam* énorme; **~enlosigkeit** *f* infinité, immensité *f*; **~fall** *m* cas *m* limite *od* extrême; **~festlegung** *f* délimitation *f* des frontières; **~festung** *f* place *f* frontière; **~fläche** *f* surface *f* de contact; **~gänger** *m* travailleur *m* frontalier; **~gebiet** *n* = *~bezirk;* **~gemeinschaft** *f jur* mitoyenneté *f*; **~graben** *m* fossé *m* mitoyen; **~korrektur** *f pol* rectification *f* de la frontière; **~konsumquote** *f* propension *f* marginale à consommer; **~kosten** *pl* coût *m* marginal; **~krieg** *m* guerre *f* frontalière; **~land** *n* pays *m* limitrophe; **~lehre** *f tech* gabarit *m*; **~linie** *f* ligne *f* limitrophe *od* de démarcation; *fig* limite *f*; **~mark** *f hist* marche *f*; **~nachbar** *m* voisin *m*; **~pfahl** *m* poteau *m* frontière; **~posten** *m* garde-frontière(s), poste *m* frontière; **~schein** *m* laisser-passer *m* frontalier; **~schutz** *m* garde *f* des frontières; **~spannung** *f tech* tension *f* limite; **~sparquote** *f* propension *f* marginale à épargner; **~sperre** *f* fermeture *f* de la frontière; **~stadt** *f* ville *f* frontière; **~station** *f* station *f* frontière; **~stein** *m* borne frontière, pierre *f* de bornage; **~streit(igkeiten** *f pl***)** *m* différend *m od* querelle *f* de frontière; **~truppen** *f pl* troupes *f pl* frontalières; **~übergang(sstelle** *f***)** *m* point *m* frontière; **~überschreitung** *f*, **~übertritt** *m* passage *m* de la frontière; **~verkehr** *m* trafic *m* frontalier; *kleine(r) ~~* circulation *f* frontalière; **~verletzung** *f* violation *f* de frontière; **~wache** *f*, **~wacht** *f* = *~schutz;* **~wächter** *m* = *~aufseher;* **~wert** *m math* valeur limite; *tech* limite *f*; **~zone** *f* zone *f* frontière; **~zwischenfall** *m* incident *m* de frontière.

Greuel *m* ‹-s, -› ['grɔʏəl] horreur, abomination *f*; *er ist mir ein ~* je l'ai en *od* il me fait horreur, *fam* c'est ma bête noire; **~märchen** *n* atrocité; **~propaganda** *f* propaganda *f* d'atrocités; **~tat** *f* atrocité *f*; **greulich** *a* horrible, abominable, exécrable, atroce.

Griebe *f* ‹-, -n› ['gri:bə] creton *m*.

Griebs *m* ‹-es, -e› [gri:ps] *(Kerngehäuse)* trognon *m*.

Griech|e *m* ‹-n, -n› ['gri:çə] Grec *m*; **~enland** *n* la Grèce; **~entum** *n* ‹-s, ø› hellénisme *m*; **~in** *f* Grecque *f*; **g~isch** *a* grec, hellénique; *g~~e(s) Feuer n* feu *m* grégeois.

Gries|gram *m* ‹-(e)s, -e› ['gri:sgra:m] grincheux, bourru, grognon; *pop* pisse-vinaigre *m*; **g~grämig** *a* morose, grincheux, bourru, grognon.

Grieß *m* ‹-es, -e› [gri:s, -səs] *(grober Sand)* gravier *m*; *(Küche)* semoule; *med* gravelle *f*; **~brei** *m* bouillie *f* de semoule; **g~ig** *a (körnig)* graveleux *a. med;* **~suppe** *f* potage *m* à la semoule.

Griff *m* ‹-(e)s, -e› [grɪf] *(beim Ringen)* prise *f*; *(Stiel)* manche *m*; *(Tür, Koffer, Stock, Degen)* poignée; *(Schere)* branche; *(Henkel)* anse; *tech* attelle; *(zoo, Kralle)* griffe, serre *f*; *(Fingerspitzengefühl für Stoffe)* toucher *m*; *mus* touche *f*; *pl mil* maniement *m* d'armes; *etw im ~ haben (fig)* avoir l'habitude de qc; *ein paar ~e machen (Klavier)* jouer *od* plaquer quelques accords; *sich am ~ festhalten* se tenir à la poignée; *e-n ~ nach etw tun* étendre la main vers qc; *e-n guten ~ tun (fig)* avoir la main heureuse; *es ist mit e-m ~ getan* c'est fait en un tournemain *od* en un clin d'œil; *ein guter ~ (fig)* un coup heureux; *alle Kniffe und ~e* toutes les astuces *fam;* **g~bereit** *a* à portée de la main; **~brett** *n (Geige)* touche *f*; **g~ig** *a (Autoreifen)* antidérapant; *~~ sein (mot)* adhérer à la route; **~igkeit** *f* ‹-, ø› adhérence; *(Reifen)* propriété *f* antidérapante.

Griffel *m* ‹-s, -› ['grɪfəl] crayon d'ardoise; *hist* style; *(Stichel)* burin; *bot* style, pistil *m*.

Grill *m* ‹-s, -s› [grɪl] *(Küche)* gril *m*; **g~en** *tr* griller; **~en** *n* grillage *m*.

Grille *f* ‹-, -n› ['grɪlə] *zoo* grillon, *pop* cricri; *(Laune)* caprice *m*, chimère, fantaisie, *fam* lubie *f*; *~n fangen (fig)* se forger des idées; **~nfänger** *m fig* songe-creux *m*; **g~nhaft** *a fig* capricieux, fantasque, lunatique; **~nhaftigkeit** *f* caractère *m* capricieux *od* fantasque.

Grimasse *f* ‹-, -n› [gri'masə] grimace *f*; *~m schneiden* faire des grimaces, grimacer.

Grimm *m* ‹-(e)s, ø› [grɪm] fureur, rage *f*, *lit* courroux *m*; **g~ig** *a* furieux, enragé, féroce, farouche; *~~e Kälte f* froid *m* de canard *od* de loup; *~~ kalt* horriblement froid.

Grind *m* ‹-(e)s, -e› [grɪnt, -də] *med* teigne, escarre *f*; **g~ig** *a* teigneux.

grinsen ‹*aux: haben*› ['grɪnzən] *itr* ricaner; **G~** *n* ricanement *m*.

Grippe *f* ‹-, -n› ['grɪpə] grippe, influenza *f*; *an ~ erkrankt* grippé; *die ~ haben* être grippé; **grippal** *a*, **g~artig** *a* grippal.

Grips *m* ‹-es, -e› [grɪps] *pop; ~ (Köpfchen) haben* avoir de la jugeotte; *wenig ~ haben (pop)* ne pas avoir beaucoup de jugeotte, manquer de cervelle.

grob [gro:p] *(gröber) a* gros, taillé à coups de serpe; *(plump)* grossier; *(bäurisch)* lourdaud, rustaud; *(unhöflich)* impoli, mal embouché; *(roh)* rude, brutal; *(ordinär)* vulgaire; *ganz ~ (adv)* à vue de nez; *~ fahrlässig (adv)* par négligence grave; *in ~en Zahlen* approximativement; *in ~en Zügen (schildern)* d'une manière globale; à grands traits; *jdn ~ anfahren* brusquer qn; *~ bearbeiten* dégrossir; *aus dem G~en bringen (fig fam)* dégrossir; *ich bin aus dem Gröbsten heraus, das Gröbste ist getan* le plus gros est fait; *die ~en Arbeiten* les gros travaux; *~e Beleidigung f* injure *f* grossière; *~e Fahrlässigkeit f* négligence *f* grave; *~e(r) Fehler m* faute *f* grossière *od* grave; *~e Worte n pl* gros mots *m pl;* *~e Zahl f* nombre *m* approximatif; **G~abstimmung** *f radio* syntonisation *f* grossière; **G~blech** *n* tôle *f* forte; **G~einstellung** *f radio* réglage *m* approximatif *od* grossier; mise *f* rapide; **~fädig** *a* à gros fil; **~faserig** *a (Holz)* à fibres grossières; **G~feile** *f* grosse lime *f*; **G~heit** *f* grossièreté; *(bäurisches Wesen)* rusticité; *(Unhöflichkeit)* impolitesse; *(Roheit)* rudesse, brutalité; *(~e Worte)* gros mot *m*; *sich ~~en an den Kopf werfen* s'engueuler comme du poisson pourri *pop;* **G~ian** *m* ‹-(e)s, -e› ['gro:bia:n] grossier, lourdaud, rustre, ours *m* mal léché; **~körnig** *a* à gros grains; **~maschig** *a* à grosses mailles; **G~sand** *m* gros sable *m*; **~schlächtig** *a* de nature grossière; **G~schmied** *m* forgeron; **G~struktur** *f phys* macrostructure *f*.

gröblich ['grø:plɪç] *a* gros(sier); *adv* grossièrement.

Grog *m* ‹-s,-s› [grɔk] grog *m*.

grölen ‹*aux: haben*› *itr* bramer; *tr* brailler.

Groll *m* ‹-(e)s, ø› [grɔl] ressentiment *m*, rancœur; rancune; *(Verbitterung)* aigreur, amertume; *(Feindseligkeit)* animosité; *(Zorn)* colère *f*; *~ hegen (gegen)* = *g~en;* **g~en** ‹*aux: haben*› *itr* entretenir des ressentiments; *jdm* garder rancune, en vouloir à qn, bouder qn; *der Donner ~t* le tonnerre gronde; **g~end** *a* plein de ressentiments, rancunier; *(zornig)* courroucé.

Grön|land *n* ['grø:n-] le Grœnland; **g~ländisch** *a* grœnlandais.

Gros *n* ‹-sses, -sse› [grɔs] *(144 Stück)* grosse *f*; *n* ‹-, -› [gro:, *gen, pl* gro:s] *mil* gros *m*; *das ~ des Heeres* le gros de l'armée.

Groschen *m* ‹-s, -› ['grɔʃən] *der ~ ist gefallen (fig fam)* j'y suis, tu y es *etc;* **~roman** *m* roman *m* de quatre sous.

groß [gro:s] ‹*größer*› *a* grand; *(~ u. dick)* gros; *(ausgedehnt)* vaste, ample; *(geräumig)* spacieux; *(lang, a. zeitl.)* long; *(hoch)* haut; *(hochgewachsen)* de grande *od* haute taille; *(erwachsen)* adulte; *(wichtig)* important; *(bedeutend)* grand; *(Fehler)* gros, grave; *(Hitze)* gros, fort; *(Kälte)* intense; *im ~en* en grand; *com* en gros; *im ~en (und) ganzen* en gros, en général, en somme, somme toute, à tout prendre, en substance; *mit ~er Mühe* à grand-peine; *in ~en Zügen (fig)* à grands traits; *jdn ~ anschauen* od *ansehen* regarder qn avec surprise; ouvrir grand les yeux en voyant qn; *nur ~es Geld haben* ne pas avoir de monnaie; *~e Stücke auf jdn halten, von jdm ~ denken* avoir une haute opinion de qn; *~ herausstellen (fig)* mettre en vedette; *~en Wert auf etw legen* faire grand cas de qc; *~e Augen machen* ouvrir de grands yeux; *~e Buchstaben schreiben* écrire gros; *größer machen* agrandir; *~ (mit ~em Anfangsbuchstaben) schreiben* écrire avec une majuscule; *gleich ~ sein* être de la même taille; *~* od *größer werden* grandir, croître, pousser; *immer größer und schöner werden* ne faire que croître et embellir; *lange Kleider sind jetzt ~e Mode* la grande mode actuellement, ce sont les robes longues; *wie ~ bist du?* quelle est ta taille? *wie ~ war (meine Freude)!* quel(le) fut (ma joie)! *ganz ~ (fam)* sensationnel; *der G~e Bär (astr)* la grande Ourse; *die ~en Drei (hist)* les Trois Grands; *~e(r) Gang m (mot)* prise *f* directe; *~ und klein* grands et petits; *das G~e Los* le gros lot; *der G~e Ozean* le Pacifique; *~e(s) Paket n, ~e Packung f (com)* paquet *m* géant; *e-e größere Summe* une assez grosse somme; *die ~e Zehe* le gros orteil; *der ~e Zeiger* la grande aiguille, l'aiguille *f* des minutes; **G~abnehmer** *m* gros consommateur *m;* **G~admiral** *m* grand amiral *m;* **G~agrarier** *m = G~grundbesitzer;* **G~aktionär** *m* gros actionnaire, actionnaire *m* principal; **G~angriff** *m* attaque de grand style, offensive *f* générale; **~artig** *a* grandiose, magnifique, imposant, monumental; *(ausgezeichnet)* excellent; *(erhaben)* sublime, majestueux; *fam* fameux, épatant, grandissime, super; *adv* à merveille; *sich ~~ machen (fam)* faire merveille; *das haben Sie ~~ gemacht* vous vous en êtes très bien tiré; *(a.)* je vous retiens; *das ist (ja) ~~! (fam)* c'est sensationnel; *~~e Idee f* idée *f* géniale *od* de génie; **G~artigkeit** *f* grandeur, magnificence; excellence; sublimité, majesté *f;* **G~aufnahme** *f film* gros plan *m; in ~~* en gros plan; **G~auftrag** *m com* grande *od* grosse commande *f;* **G~-Berlin** *n* l'agglomération *f* berlinoise; **G~betrieb** *m* grande entreprise *od* exploitation, exploitation *f* en grand; **G~brand** *m,* **G~feuer** *n* incendie *m* géant; **G~britannien** *n* la Grande-Bretagne; **~britannisch** *a* britannique; **G~buchstabe** *m* lettre majuscule *od* capitale, majuscule *f;* **G~einkauf** *m* achat *m* en gros; **G~einsatz** *m mil u. allg* vaste opération *f; (e-r Waffe)* emploi *m* massif; **G~eltern** *pl* grands-parents *m pl;* **~enteils** *adv* en grande partie; **G~e(r)** *m pol* grand *m; fam (Erwachsener)* grande personne *f;* **G~flugzeug** *n* avion gros porteur, avion *m* géant; **G~format** *n* grand format *m; Zigarette f in ~~* cigarette *f* géante; **G~funkstation** *f* poste à grandes distances, grand poste *m* radiotélégraphique; **G~fürst** *m hist* grand-duc *m;* **G~fürstin** *f* grande-duchesse *f;* **G~grundbesitz** *m* grande propriété *f* (foncière); **G~grundbesitzer** *m* grand propriétaire, (gros) propriétaire *m* terrien; **G~handel** *m* commerce *m* en *od* de gros; **G~handelsgeschäft** *n* maison *f* de commerce en gros; **G~handelsindex** *m* indice *m* (des prix) de gros; **G~handelspreis** *m* prix *m* de gros; **G~handelsrabatt** *m* rabais *m* de gros; **G~handelsunternehmen** *n* entreprise *f* de gros; **G~handelsvertreter** *m* représentant *m* en gros; **G~händler** *m* marchand *od* négociant en gros, grossiste *m;* **G~handlung** *f* magasin *m* de gros; **~herzig** *a* magnanime, généreux; **G~herzigkeit** *f* magnanimité, générosité *f;* **G~herzog** *m* grand-duc *m;* **G~herzogin** *f* grande-duchesse *f;* **~herzoglich** *a* grand-ducal; **G~herzogtum** *n* grand-duché *m;* **G~hirn** *n* cerveau *m;* **G~hirnrinde** *f* écorce *f* cérébrale; **G~industrie** *f* grande *od* grosse industrie, industrie *f* manufacturière; **G~industrielle(r)** *m* gros industriel *m;* **G~inquisitor** *m rel hist* grand inquisiteur *m;* **~jährig** *a* majeur; *~~ werden (a.)* atteindre sa majorité; **G~jährigkeit** *f* majorité *f;* **G~kampf(tag)** *m* (journée de) grande bataille *f;* **G~kapitalist** *m* gros capitaliste *m;* **G~kaufmann** *m = G~händler;* **G~kind** *n* petit-fils *m,* petite-fille *f;* **G~knecht** *m agr* premier valet *m;* **G~kraftwerk** *n* station à *od* de grande puissance, supercentrale *f;* **G~kreuz** *n (Orden)* grand-croix *f; Ritter* od *Inhaber m des ~~es* grand-croix *m;* **G~loge** *f (Freimaurerei)* grande loge *f;* **G~macht** *f pol* grande puissance *f;* **~mächtig** *a* très puissant; **G~mama** *f fam* grand-maman, bonne-maman, mémère *f;* **G~mannssucht** *f = Größenwahn(sinn);* **G~markt** *m* marché-gare *m;* **G~mars** *m mar* grand-hune *f;* **G~mast** *m mar* grand mât *m;* **G~maul** *n* vantard, fanfaron, hâbleur, fier-à-bras, *pop* gueulard *m;* **~mäulig** *a* vantard, fanfaron, *pop* gueulard; **G~meister** *m* grand maître *m;* **G~mogul** *m hist* grand mogol *m;* **G~mut** *f,* **G~mütigkeit** *f* magnanimité, générosité *f;* **~mütig** *a* magnanime, généreux; **G~mutter** *f* grand-mère *f;* **~mütterlich** *a* de grand-mère; **G~neffe** *m* petit-neveu *m;* **G~nichte** *f* petite-nièce *f;* **G~oheim** *m,* **G~onkel** *m* grand-oncle *m;* **G~oktav** *n typ* grand in-octavo *m;* **G~papa** *m fam* grand-papa, bon-papa, pépère *m;* **G~-Paris** *n* l'agglomération *od* la région *f* parisienne; **G~rabbiner** *m* grand rabbin *m;* **G~raum** *m* grand espace *m;* **G~raumpolitik** *f* politique *f* des grands espaces; **G~raumraupenwagen** *m* tombereau *m* à chenilles; **G~raumübersichtsgerät** *n* radar *m* de grande distance; **G~raumwirtschaft** *f* économie *f* des grands espaces; **G~reinemachen** *n* grand nettoyage *m;* **G~schnauze** *f pop* grande gueule *f;* **~schnäuzig** *= ~mäulig;* **G~segel** *n* grand-voile *f;* **G~siegelbewahrer** *m* garde *m* des sceaux; **G~sohn** *m* petit-fils *m;* **~sprecherisch** *a,* **~spurig** *a* prétentieux, suffisant; *~~ auftreten* parader; **G~staat** *m* grand État *m;* **G~stadt** *f* grande ville *f;* **G~stadtmensch** *m,* **G~städter** *m* habitant *m* d'une grande ville; *pl* habitants *m pl* des grandes villes; **~städtisch** *a* des grandes villes, métropolitain; **G~stadtluft** *f* atmosphère *f* d'une *od* des grande(s) ville(s); **G~stadtverkehr** *m* trafic *m* des grandes villes; **G~tante** *f* grand-tante *f;* **G~tat** *f* haut fait, exploit *m;* **G~teil** *m* grande partie *f;* **G~tochter** *f* petite-fille *f;* **~≈tun** ⟨*hat großgetan*⟩ *itr* prendre des airs, se donner de grands airs, faire l'important; **G~unternehmen** *n* grande entreprise *f;* **G~vater** *m* grand-père *m;* **~väterlich** *a* de grand-père; **G~veranstaltung** *f* grande manifestation *f;* **G~verbraucher** *m* gros consommateur *m;* **G~verkauf** *m* vente *f* en gros; **G~vieh** *n* gros bétail *m;* **G~wesir** *m* grand vizir; **G~wild** *n* gros gibier *m;* **G~würdenträger** *m* grand dignitaire *m;* **~≈ziehen** ⟨*hat großgezogen*⟩ *(aufziehen) tr* élever; **~zügig** *a (in der Form)* de grand style; *(in den Ansichten)* large d'esprit, à larges vues; *(freigebig)* généreux, libéral; *adv (geben)* généreusement; *~~ (tolerant) sein* avoir l'esprit large; *(freigebig)* avoir le cœur sur la main, se livrer à des liberalités; **G~zügigkeit** *f* largeur de vues; générosité, libéralité *f.*

Größ|e *f* ⟨-, -n⟩ [ˈgrøːsə] grandeur *a. fig; (Dicke, Stärke)* grosseur; *(Ausdehnung, Umfang)* étendue; *(Weite)* ampleur *f; (Rauminhalt)* volume *m; (Fassungsvermögen)* contenance, capacité; *(Länge, a. zeitl.)* longueur; *(Höhe)* hauteur; *(Körper~~)* taille *f; (Papier, Buch, a. fig)* format *m; (Kleidungsstück: Nummer)* taille; *(Hut, Handschuhe, Schuhe)* pointure; *math* grandeur, quantité; *astr (e-s Sternes)* magnitude; *(Stärke)* force, intensité; *(Erhabenheit)* sublimité, majesté; *(berühmte Person)* célébrité *f,* grand personnage; *fam (auf e-m Gebiet)* as *m, sport* vedette *f; der ~~ nach* par ordre de grandeur, par rang de taille; ... *in jeder ~~* toute la gamme des ...; *in natürlicher ~~ (Kunst, Abbildung)* en grandeur nature; *unbekannte ~~ (math)* inconnue *f; von der ~~ e-s, e-r ...* de la taille d'un, d'une ...; *welche ~~ haben Sie? (com)* quelle est votre taille *od* pointure? *fam* quelle taille *od* pointure faites-vous? *Stern m erster ~~* étoile *f* de magnitude 1; **~enordnung** *f* ordre *m* de grandeur; *in der ~~ (gen)* de l'ordre (de); **~enverhältnis** *n* proportion *f;* **~enwahn (-sinn)** *m* folie des grandeurs, mégalomanie *f;* **g~enwahnsinnig** *a* mégalomane; **g~tenteils** *adv* pour la plus grande partie, pour la plupart; *(zeitl.)* la plupart du temps; **g~tmöglich** *a* aussi grand que possible.

Grossist *m* ⟨-en, -en⟩ [grɔˈsɪst]

grossiste, négociant *od* marchand *m* engros.
grotesk [gro'tɛsk] *a* grotesque; **G~e** *f* ‹-, -n› grotesque *m.*
Grotte *f* ‹-, -n› ['grɔtə] grotte *f.*
Grüb|chen *n* ‹-s, -› ['gry:pçən] fossette *f;* **~elei** *f* [-bə'laı] rêverie *f;* **g~eln** *itr* ruminer; **~ler** *m* ‹-s, -› ['gry:blər] rêveur *m;* **g~lerisch** *a* rêveur.
Grube *f* ‹-, -n› ['gru:bə] fosse *f, a. anat;* creux *m, a. anat; mines* mine, *(offene)* carrière *f; wer andern e-e ~ gräbt, fällt selbst hinein (prov)* tel est pris qui croyait prendre; **~nausrüstung** matériel *m* de fond; **~nbahn** *f* voie *f* de mine; **~nbau** *m,* **~nbetrieb** *m* exploitation *f* minière *od* de mine; **~nbrand** *m* incendie *od* feu *m* de mine; **~nexplosion** *f* explosion *f* de mine; **~nfeld** *n* champ *m* minier; **~ngas** *n* grisou *m; ~~ enthaltend* grisouteux; **~nholz** *n* bois *m* de mine; **~nkies** *m* gravier *m* de carrière; **~nlampe** *f* lampe *f* de mineur; **~nlokomotive** *f* locomotive *f* de mine *od* du fond; **~nraum** *m* puits *m* de mine; **~nsand** *m* sable *m* de fouille *od* fouillé; **~nschacht** *m* puits *m* de mine; **~nunglück** *n* accident *m* minier, catastrophe *f* minière; **~nwasser** *n* eau *f* de mine; **~nwetter** *n* coup *m* de grisou.
Grude(koks *m)* *f* ‹-, -n› ['gru:də(-)] coke *m* de lignite.
Gruft *f* ‹-, ⸚e› [gruft, 'grʏftə] *(Grab)* fosse, tombe *f; (Grabgewölbe)* caveau *m; (Krypta)* crypte *f.*
Grum(me)t *n* ‹-(e)s, ø› ['grum(ə)t] regain *m,* recoupe *f.*
grün [gry:n] *a* vert; *(Frucht: unreif)* vert; *(Getreide)* en herbe; *fig fam (neu, unerfahren)* neuf, inexpérimenté; *am ~en Tisch* autour du tapis vert; *vom ~en Tisch (aus) (fig)* en théorie; *sich ~ und gelb ärgern* être fou furieux *fam; auf keinen ~en Zweig kommen* ne pas réussir; *jdm nicht ~ sein* en vouloir à qn, avoir une dent contre qn; avoir qn en grippe; *~ werden* verdoyer; *(er~en)* verdir; *~e(r) Hering m* hareng *m* frais; *~e(r) Junge m* blanc-bec *m; ~e(s) Licht n (a. fig.)* feu *m* vert; *~e Saat f* blé *m* en herbe; *~e Welle* feux *m pl* synchronisés; *~e Welle haben (fig)* n'avoir que des feux verts; *~e(r) Salat m* salade *f* verte; **G~anlage** *f (kleinere)* îlot *m* de verdure; **G~donnerstag** *m* Jeudi *m* saint; **G~(e)** *n* ‹-s, -› vert *m; (Natur)* verdure *f; im G~en* dans la verdure; *mitten in G~en* en pleine verdure; *ins G~e hinausziehen* se mettre au vert *fam; bei Mutter G~ schlafen* dormir *od* coucher à la belle étoile; *das ist dasselbe in G~ (fam)* c'est du pareil au même *(fam);* **G~fink** *m* verdier *m;* **G~fläche** *f* espace *m* vert; **G~futter** *n* (fourrage) vert, herbage *m;* **~gelb** *a* jaune verdâtre; **G~gürtel** *m (e-r Stadt)* ceinture *f* verte *od* de verdure; **G~kern(suppe** *f)* *m* (potage aux) grain(s) *m* de blé vert; **G~kohl** *m* chou *m* frisé; **G~kram** *m* légumes *m pl* verts; **~lich** *a* verdâtre; **G~schnabel** *m* blanc-bec, béjaune *m,* jeune barbe *f;* **G~span** *m* vert-de-gris *m; ~~ ansetzen* se vert-de-griser; **G~specht** *m* pivert *m;* **G~streifen** *m (e-r Stadt)* zone *f* de verdure, espace *m* vert; *(entlang e-r Straße)* ligne *f* de verdure; **G~zeug** *n* herbes *f pl* potagères.
Grund *m* ‹-(e)s, ⸚e› [grunt, 'grʏndə] *(tiefste Stelle)* fond; *(Erdboden)* sol, terrain; *(Niederung)* bas-fond; *(flaches Tal)* vallon *m,* vallée *f; (Bodensatz)* dépôt, sédiment; *(~lage)* fondement *m,* base; *fig (Ursache)* cause, raison, source *f; (Beweg~)* motif; *(Beweis~)* argument; *(Anlaß)* sujet *m; auf ~ (a. aufgrund) (gen)* en raison *od* vertu *od* faveur (de), sur la base (de); *auf eigenem ~ und Boden* sur mes, tes *etc* terres (et biensfonds); *aus dem ~e, daß* pour la (bonne) raison que; *aus Gründen (gen)* par mesure (de); *aus bekannten Gründen* pour des raisons manifestes; *aus diesem ~e* pour cette raison, en raison de quoi, de ce chef; *aus dem gleichen ~e* pour la même raison; *aus gutem ~* et pour cause; *aus irgendeinem ~e* pour n'importe quelle raison; *aus welchem ~?* pour quel motif? à quel propos? à propos de quoi? pourquoi? *(ein Glas) bis auf den ~ (leeren)* jusqu'au fond; *im ~e (genommen)* au fond, das le fond, après tout, au fait; *im ~e meines Herzens* au fond de mon cœur; *ohne ~* sans raison *od* motif *od* cause, pour des prunes; *ohne rechten ~* saus raison valable; pour un oui, pour un non; *von ~ auf* od *aus* à fond, de fond en comble, du tout au tout; *in den ~ bohren (mar)* envoyer par le fond, couler (bas); *e-r S auf den ~ gehen* aller au fond *od* à la racine de qc; *~ haben (im Wasser)* avoir pied; *(allen) ~ haben zu* avoir (tout) lieu de; *s-e guten Gründe haben* avoir de bonnes raisons; *~ haben anzunehmen* od *zu glauben* être fondé à croire; *keinen ~ mehr haben, den ~ verlieren (im Wasser)* perdre pied *od* terre; *den ~ zu etw legen* jeter les fondements de qc; *der ~ dafür ist, daß* voici pourquoi; *es besteht ~ zu ...* il y a lieu de ...; *das hat s-e guten Gründe* cela s'appuie sur de bonnes raisons; *das ist ein ~ mehr* raison de plus; *das ist kein ~ zum Lachen* il n'y a pas là matière à plaisanterie; il n'y a pas de quoi rire; *ich habe meine Gründe* j'ai mes raisons; *feste(r) ~ (fig)* solide *m; sachliche(r) ~ (jur)* motif *m* de fond; *triftige(r) ~* raison *f* valable; *zureichende(r) ~ (philos)* raison *f* suffisante; *zwingende(r) ~* motif *m* contraignant, raison *f* impérieuse; **~akkord** *m mus* accord *m* fondamental; **g~anständig** *a = g~ehrlich;* **~anstrich** *m* (couche *f* de) fond *m,* couche *f* d'apprêt; **~ausbildung** *f mil* instruction *f* élémentaire; **~bedeutung** *f* sens *m* premier *od* primitif; **~bedingung** *f* condition *f* fondamentale; **~begriff** *m* notion *od* conception *f* fondamentale; **~besitz** *m* propriété foncière *od* immobilière, possession *f* foncière; **~besitzer** *m* propriétaire *m* foncier *od* terrien; **~bestandteil** *m* élément *m* constitutif; *chem* (composé *m* de) base *f;* **~buch** *n* cadastre, livre *od* registre *m* foncier; **~buchamt** *n* bureau *m* du livre foncier *od* du conservateur des hypothèques, conservation *f* des hypothèques; **~buchbeamte(r)** *m* conservateur *m* des hypothèques; **g~ehrlich** *a* foncièrement honnête; **~eigentum** *n,* **~eigentümer** *m = ~besitz(er);* **~eis** *n* glaces *f pl* de fond; **~empfang** *m radio* réception *f* par accord primaire; **~erfordernis** *n* exigence *f* primaire; **~erwerb** *m* acquisition *f* de terrain; **g~falsch** *a* absolument faux; **~farbe** *f phys* couleur *f* simple *od* primaire; *(Malerei, Zeugdruck)* fond *m; = ~anstrich;* **~fehler** *m* vice *m* radical; **~feste** *f: in s-n ~~n erschüttern* ébranler jusque dans ses fondements; **~fläche** *f math* base *f,* plan *m* inférieur; **~form** *f* forme *f* primitive; *gram* infinitif *m;* **~gebühr** *f* taxe de base *od* fixe; *tele* taxe *f* d'abonnement; **~gedanke** *m* idée *f* fondamentale *od* dominante; **~gehalt** *n* traitement *m* de base; **g~gelehrt** *a* d'un profond savoir; **g~gescheit** *a: ~~ sein* avoir de l'esprit jusqu'au bout des doigts; **~gesetz** *n (Verfassung)* loi *f* fondamentale *od* constitutionnelle *od* organique *od* constitutive, statut *m* organique; **g~häßlich** *a* laid comme un pou *od* une chenille; **~herr** *m hist* seigneur *m;* **~herrschaft** *f* seigneurie *f;* **g~ieren** [-'di:rən] *tr (Malerei)* apprêter, imprimer; *(Färberei)* piéter; **~ierfirnis** *m* vernis *m* de fond; **~ierlack** *m* laque *f* de première couche; **~ierung** *f (Malerei)* couche *od* peinture de fond, apprêt *m;* **~ierungsmittel** *n (Malerei)* apprêt *m;* **~industrie** *f* industrie *f* de base; **~irrtum** *m* erreur *f* fondamentale *od* foncière; **~kapital** *n* fonds *m* social; **~kost** *f* régime *m* de base; **~lage** *f* base *f,* fondement *m; fig* assise, pierre *f* fondamentale; *auf der ~~ (gen)* à partir de; *die ~~ bilden, als ~~ dienen* servir de base; *zur ~~ haben* reposer sur; *die ~~n legen* jeter *od* poser les fondements; jeter les bases *(für etw* de qc) **~lagenforschung** *f* recherche(s) *f* fondamentale(s) *od* de base; **g~legend** *a* fondamental, foncier; *von ~~er Bedeutung* d'une importance capitale, *adv* complètement, du tout au tout; **~lehre** *f* doctrine *f* fondamentale, principes, éléments *m pl;* **~linie** *f* (ligne de) base; *sport* ligne *f* de fond; **~lohn** *m* salaire *m* de base; **g~los** *a (Gewässer)* sans fond, insondable; *(Weg)* défoncé; *fig (unbegründet)* sans fondement *od* motif; **~losigkeit** *f fig* absence *f od* manque *m* de fondement; **~masse** *f geol* pâte *f;* **~mauer** *f* (mur *m* de) fondation *f od* soubassement; embasement *m;* **~moräne** *f geog* moraine *f* de fond; **~pfandrecht** *n* droit *m* hypothécaire *od* d'hypothèque; **~pfandverschreibung** *f* hypothèque *f;* **~pfeiler** *m* pilier de fondation; *fig* soutien

m; ~**platte** *f tech* sole *f;* ~**preis** *m* prix *m* de base; ~**prinzip** *n* principe *m* de base; ~**problem** *n* problème *m* fondamental; ~**rechnungsart** *f: die vier* ~~*en* les quatre opérations *f pl* fondamentales; ~**recht** *n* droit *m* foncier *od pol* fondamental; ~**regel** *f* règle *f* fondamentale, principe *m;* ~**rente** *f* rente *f* foncière; ~**riß** *m arch* plan *m od* section horizontal(e), vue *f* en plan; ~**satz** *m* principe, axiome *m; (Lebensregel)* maxime *f; e-n* ~~ *aufstellen* poser un principe; *als* ~~ *aufstellen* poser en principe; *(starr) an s-n* ~*sätzen festhalten* tenir (bon) à ses principes; *nach s-n* ~*sätzen leben* vivre selon ses principes; *(sich) etw zum* ~~ *machen* poser qc en principe, se faire un principe de qc; *mein* ~~ *heißt* ... j'ai pour principe (de) ...; ma devise c'est de ...; *ein Mensch mit* od *von* ~*sätzen* quelqu'un qui a des principes; ~**satzerklärung** *f pol* déclaration *f* de principes; **g**~**sätzlich** *a* fondé sur des principes; *adv* par *od* en principe; **g**~**satzlos** *a* sans principes; ~**schuld** *f* dette *f* foncière; ~**schuldbrief** *m* titre *m* de dette foncière; ~**schule** *f* école *f* élémentaire *od* primaire; ~**schulunterricht** *m* enseignement *m* primaire; ~**see** *f geol* lame *f* de fond; ~**sprache** *f* langue *f* primitive *od* mère; ~**stein** *m arch* pierre de base, première pierre; *fig* pierre *f* fondamentale; *den* ~~ *legen* poser la première pierre *od fig* les fondements; *fig* asseoir les fondations (*zu* de); ~**steinlegung** *f (feierl.)* pose *f* de la première pierre; ~**stellung** *f mil* position *f* normale; ~**steuer** *f* impôt *m* foncier *od* immobilier, cote *od* contribution *od* taxe *f* foncière; ~**steuerrolle** *f* matrice *f* cadastrale; ~**stock** *m fin* base *f*, capital *m;* ~**stoff** *m chem* corps simple, élément *m; tech (Rohstoff)* matière *f* première *od* de base, produit *m* de base; ~**stoffindustrie** *f* industrie *f* primaire *od* de base, service *m* de base; ~**strich** *m (Schrift)* jambage, plein *m;* ~**stück** *n* (bien-)fonds, bien foncier, terrain *m; die angrenzenden* ~~*e* les tenants et aboutissants *m pl; (un)bebaute(s)* ~~ terrain *m od* propriété *f* (non) bâti(e); ~**stücksmakler** *m* agent immobilier *od* d'affaires, courtier *m* en immeubles; ~**stückspfändung** *f* saisie *f* réelle; ~**stücksrecht** *n* droit *m* foncier; ~**stückssachverständige(r)** *m* expert *m* foncier; ~**stücksverwaltung** *f* gérance *f* d'immeubles; ~**thema** *n mus* thème *m* dominant; ~**ton** *m mus* (note) tonique; *(Malerei)* nuance de fond; *fig (e-r Rede)* note *f* générale; ~**übel** *n* vice *od* mal foncier, grand mal *m;* ~**umsatz** *m physiol* métabolisme *m* basal; ~**ursache** *f* cause *f* fondamentale; **g**~**verschieden** *a* tout à fait différent; ~~ *sein (a.)* différer du tout au tout; ~**wahrheit** *f* vérité *f* fondamentale; ~**wasser** *n* eau(x *pl*) *f* souterraine(s); ~**wassereinbruch** *m* venue *f* souterraine; ~**wasserspiegel** *m* nappe *f* souterraine *od* phréatique; ~**wasserstand** *m* niveau *m* d'eau souterraine; ~**wert** *m* valeur *f* fondamentale; ~**zahl** *f gram* nombre *m* cardinal; *math* base *f;* ~**zins** *m* rente *f* foncière; ~**zug** *m* trait *m* fondamental *od* principal; *pl (e-r Wissenschaft)* éléments *m pl.*

gründ|en ['grʏndən] *tr* fonder; *(einrichten)* établir; *(errichten)* ériger; *(be*~~*. stiften)* instituer; *(ins Leben rufen)* créer; *fig (stützen)* appuyer *od* baser *od* faire reposer (*auf* sur); *sich* ~~ *auf* être fondé *od* se fonder *od* s'appuyer *od* reposer sur; *fest gegründet* solidement fondé; **G**~**er** *m* ‹-s, -› fondateur; créateur *m;* **G**~**eraktie** *f* part *f* de fondateur; **G**~**erjahre** *n pl hist (nach 1871)* années *f pl* de fondation *od* de spéculation; ~**lich** *a* solide, profond; *(exakt)* détaillé, scrupuleux; *adv* profondément; à fond, de fond en comble, du tout au tout; *jdm* ~~ *die Meinung sagen* dire ses vérités à qn; *er hat sich* ~~ *blamiert* il a été totalement ridicule; ~~*e Kenntnisse f pl* connaissances *f pl* approfondies; **G**~**lichkeit** *f* solidité; *(Tiefe)* profondeur; *(Genauigkeit)* exactitude, minutie *f;* **G**~**ling** *m* ‹-s, -e› *(Fisch)* goujon *m;* **G**~**ung** *f* fondation *f;* établissement *m;* institution; création *f;* **G**~**ungsjahr** *n* année *f* de (la) fondation; **G**~**ungsurkunde** *f* acte *m* constitutif; **G**~**ungsversammlung** *f* assemblée *f* constitutive.

grunzen ['grʊntsən] *itr* grogner; **G**~ *n* grognement(s *pl*) *m.*

Grüppchen *n* ‹-s, -› ['grʏpçən] *pej fam* poignée *f.*

Grupp|e *f* ‹-, -n› ['grʊpə] *allg* groupe, groupement *m, a. com pol mil; (Klasse)* classe, catégorie; *(organisierte)* troupe, formation *f; (Besoldungs*~~*)* échelon; *mil* groupe *m; (Korporalschaft)* escouade *f*, peloton *m; (von Arbeitern od Sportlern)* équipe *f; in der* ~~ en groupe; *in* ~~*n* en *od* par groupes; ~**enarbeit** *f* travail *m* d'équipe; ~**enaufnahme** *f*, ~**enbild** *n phot* groupe *m;* ~**enausbildung** *f mil* instruction *od* école *f* du groupe; ~**enbildung** *f* groupement *m;* ~**enführer** *m mil* chef *m* de groupe *od* de file; ~**eninteressen** *n pl* intérêts *m pl* des différents groupes; ~**enkampf** *m sport* match *m* par groupes; ~**enschaltung** *f el* montage *m* en série parallèle; ~**enübung** *f (Turnen)* exercice *m* d'ensemble; ~**enversicherung** *f* assurance *f* collective *od* de groupe; **g**~**enweise** *adv* par *od* en groupes; **g**~**ieren** [-'pi:rən] *tr (anordnen)* grouper, masser, disposer en groupes; *mil* articuler; *(klassifizieren)* classifier; *sich* ~~ se grouper, se masser; ~**ierung** *f* groupement *m*, disposition en groupes; *mil* articulation; classification *f.*

Grus *m* ‹-es, -e› [gru:s, -zə(s)] *(Kies)* petit gravier *m;* = ~**kohle** *f* charbon menu, poussier, grésillon *m.*

grusel|ig ['gru:zəlıç] *a* qui fait frissonner *od* dresser les cheveux, qui donne le frisson *od* la chair de poule; ~**n** *impers: mir* od *mich* ~*t's* j'ai le frisson.

Gruß *m* ‹-es, ⸚e› [gru:s, 'gry:sə] salut *m, a. mil; (Begrüßung)* salutation(s *pl*) *f; (schriftlicher)* compliments, respects, hommages *m pl; mit besten* od *herzlichen Grüßen, viele liebe Grüße (sendet Dir* od *Ihnen)* bien des choses (de ma part), mon meilleur souvenir, avec toutes mes amitiés; *jdm herzliche Grüße ausrichten* dire bien des choses à qn; *Grüße bestellen* transmettre des amitiés; *e-n* ~ *erwidern* rendre un salut; *richten Sie ihm meine herzlichsten Grüße aus!* faites-lui mes amitiés; ~ *aus X. (auf Andenken)* souvenir de X.; ~**formel** *f* formule *f* de politesse; ~**pflicht** *f mil* devoir *m* de saluer.

grüßen ['gry:sən] *tr* saluer; *mil* faire le salut militaire (*jdn* à qn); *jdn nicht* ~ *(a.)* ignorer qn; faire semblant de ne pas voir qn; *jdn* ~ *lassen* dire bien des choses, faire ses amitiés à qn; *sei mir gegrüßt!* salut! ~ *Sie ihn von mir!* faites-lui mes amitiés.

Grütz|beutel ['grʏts-] *m med* kyste *m* sébacé, loupe *f;* ~**e** *f* ‹-, -n› gruau *m.*

guck|en ['gʊkən] *itr fam* regarder, jeter un coup d'œil; *(verstohlen)* lorgner, guigner (*nach etw* qc); *aus dem Fenster* ~~ regarder par la fenêtre; *(Unterrock)* dépasser; *aus der Tasche* ~~ sortir de la poche; ~ *mal!* regarde (donc); **G**~**fenster** *n* vasistas *m;* **G**~**kasten** *m* kaléidoscope *m;* **G**~**loch** *n* judas *m.*

Guerillakrieg *m* [ge'rıl(j)a-] guérilla *f.*

Guillotin|e *f* ‹-, -n› [gıljo'ti:nə, gijo'ti:nə] guillotine *f;* **g**~**ieren** [-ni:rən] *tr* guillotiner.

Guinea [gi'ne:a] *n* la Guinée.

Gulasch *n* od *m* ‹-(e)s, -e› ['gu:-, 'gʊlaʃ] goulasch *m;* ~**kanone** *f fam* (cuisine) roulante *f.*

Gulden *m* ‹-s, -› ['gʊldən] florin *m.*

gültig ['gʏltıç] *a* valable; de mise *(a. Geld); jur* valide; *(gesetzlich)* légal, légitime; *(kirchlich* ~*)* canonique; *in* ~*er Form* valablement; *für* ~ *erklären* rendre valable, valider; légaliser, légitimer; ~ *sein* être valable; *ab* ... ~ *sein* s'appliquer à compter de ...; *(Geld)* avoir cours; ~*e Stimme f (Wahl)* suffrage *m* valable; **G**~**keit** *f* ‹-, ø› validité, *jur* vigueur; légalité, légitimité *f; (Geld)* cours *m;* **G**~**keitsdauer** *f* durée *od* période *f* de validité; **G**~**keitserklärung** *f jur* validation *f.*

Gumma *n* ‹-s, -mata/-men› ['gʊma(ta)] *med* gomme *f.*

Gummi *n* od *m* ‹-s, -[s]› ['gʊmi] *(Material)* caoutchouc *m; (Radier*~*)* gomme *f* (à effacer); ~**absatz** *m (am Schuh)* talon *m* de caoutchouc; ~**arabikum** *n* gomme *f* arabique; **g**~**artig** *a* caoutchouteux, gommeux; gommeux; ~**ball** *m* balle *f* de caoutchouc *od* élastique; ~**band** *n* ruban élastique *od* caoutchouté, élastique *m;* ~**baum** *m* caoutchouc, gommier *m;* ~**belag** *m* tapis de caoutchouc, caoutchoutage *m;* ~**bereifung** *f* bandage *m* de caoutchouc; ~**dichtung**

f joint m de *od* en caoutchouc; **~einlage** *f* noyau *m* de caoutchouc; **g~eren** [-'mi:rən] *tr* gommer; *(Stoff)* caoutchouter; *(Papier)* dextriner, encoller; *g~erte(s) Papier n* papier *m* gommé; **~erung** *f* gommage; caoutchoutage, encollage *m;* **~finger** *m* doigtier *m* en caoutchouc; **~gutt** *n* gomme-gutte *f;* **g~haltig** *a bot* gommifère; **~handschuh** *m* gant *m* de caoutchouc; **~harz** *n* gomme-résine *f;* **~hülle** *f* revêtement *m* en caoutchouc; **~kissen** *n* coussin *m* en caoutchouc; **~knoten** *m med* gomme *f;* **~knüppel** *m* matraque *f* de caoutchouc; **~lack** *m* gomme *f* laque; **~lagerung** *f tech* suspension *f* sur caoutchouc; **~lösung** *f mot* dissolution *f* (de caoutchouc); **~mantel** *m* manteau de caoutchouc, imperméable *m;* **~pflaster** *n pharm* diachylon *m* gommé; **~pfropfen** *m* bouchon *m* de caoutchouc; **~raupenkette** *f mot* chenille *f* en caoutchouc; **~reifen** *m* pneu(matique) *m;* **~ring** *m* bague *f* de caoutchouc; **~scheibe** *f tech* rondelle *f* de caoutchouc; **~schlauch** *m (am Rad)* chambre *f* à air; *(Wasserschlauch)* tuyau de *od* boyau *m* en caoutchouc; **~schuhe** *m pl* caoutchoucs *m pl;* **~schwamm** *m* éponge *f* de caoutchouc; **~seil** *n aero* sandow *m;* **~sohle** *f* semelle *f* en *od* de caoutchouc; **~stempel** *m* timbre *m* en caoutschouc; **~stiefel** *m pl* bottes *f pl* en caoutchouc; **~stöpsel** *m* = *~pfropfen;* **~strumpf** *m* bas *m* élastique; **~überzug** *m* revêtement *m* en caoutchouc; **~unterlage** *f* appui de *od* isolant *m* (en) caoutchouc; **~walze** *f* rouleau *m* en caoutchouc; **~waren** *f pl* articles *m pl* en caoutchouc; **~wärmflasche** *f* bouillotte *f* en caoutchouc; **~zelle** *f* cabanon *m;* **~zug** *m* bande *f* élastique.

Gunst *f* ⟨-, ø⟩ [gʊnst] faveur; *(Wohlwollen)* grâce *f,* bonnes grâces *f pl,* bienveillance; *(Unterstützung)* protection *f; (Vorteil)* avantage *m; zu jds ~en* en faveur, *com a.* au bénéfice de qn; *jdm e-e ~ erweisen* faire une faveur à qn; *bei jdm in ~ stehen* être en grâce *od* en faveur auprès de qn, être dans les bonnes grâces de qn; **~beweis** *m,* **~bezeigung** *f* (marque de) faveur *f.*

günst|ig ['gʏnstɪç] *a* favorable, propice, opportun; *(vorteilhaft)* avantageux; *zu ~~en Bedingungen* à *od* sous des conditions avantageuses; *im ~~sten Fall* = *~~stenfalls; bei ~~em Wetter* par un temps favorable *od* propice; *jdm ~~ gesinnt sein* favoriser qn; *ein ~~es Licht auf jdn werfen* montrer qn sous un jour favorable; *das ist sehr ~~ (a.)* c'est tout profit; **~igstenfalls** *adv* en mettant les choses au mieux; **G~ling** *m* ⟨-s, -e⟩ favori; *(Liebling)* enfant gâté, préféré, chouchou *m;* **G~lingswirtschaft** *f* favoritisme *m.*

Gurgel *f* ⟨-, -n⟩ ['gʊrgəl] gosier *m,* gorge, *arg* dalle *f; jdn an* od *bei der ~ packen* saisir *od* tenir *od* prendre qn à la gorge; **g~n** ⟨*aux: haben*⟩ *itr (gluckern)* gargouiller; *(die ~ spülen)* se gargariser; **~n** *n* gargouillement; gargarisme *m.*

Gurke *f* ⟨-, -n⟩ ['gʊrkə] concombre; *(kleine)* cornichon; *pop (Nase)* pif *m; saure ~* cornichon *m* au vinaigre; **~nsalat** *m* salade *f* de concombres.

gurren ⟨*aux: haben*⟩ ['gʊrən] *itr (Taube)* roucouler.

Gurt *m* ⟨-(e)s, -e⟩ [gʊrt] *(Riemen)* courroie, bande; *(Bett~, Sattel~)* sangle; *(Gürtel)* ceinture *f, mil* ceinturon *m; (Trag~)* bretelle; *aero* ralingue *f;* **~bett** *n* lit *m* de sangle; **~bogen** *m arch* arc-doubleau *m;* **~förderer** *m tech* convoyeur à courroie, transporteur *m* à bande *od* à ruban, bande *f* transporteuse; **~trommel** *f mil* bande *f* enroulée, chargeur *m* circulaire; **~ung** *f aero* barre *f;* **~zufuhr** *f tech* alimentation *f* par bande.

Gürtel *m* ⟨-s, -⟩ ['gʏrtəl] ceinture *f, a. fig; (Absperrung)* cordon *m; geog* zone *f; sich den ~ enger schnallen (fig)* se serrer la ceinture, *fam* se la serrer; **~rose** *f med* zona, herpès *m* zoster; **~schlaufe** *f* passe-ceinture *m;* **~schnalle** *f* boucle *f* de ceinture; **~tier** *n* tatou *m;* **~weite** *f* tour *m* de taille.

gürt|en ['gʏrtən] *tr* ceindre; *sich ~~ mit* se ceindre de; **G~ler** *m* ⟨-s, -⟩ = *Gelbgießer.*

Guß *m* ⟨-sses, ⸚sse⟩ [gʊs] *(Wasserstrahl)* jet *m,* douche; *(Regen~)* averse, ondée, *fam* saucée, *pop* rincée; *tech* fonte, coulée *f;* = *~stück; aus einem ~* d'un seul jet *a. fig; fig* tout d'une venue; **~beton** *m* béton *m* coulé; **~blase** *f* soufflure *f* de fonte; **~bruch** *m* mitraille *f* de fonte; **~eisen** *n* fer *m* coulé *od* de fonte, fonte *f* (de fer); **g~eisern** *a* de *od* en fonte; **~fehler** *m* défaut *m* de coulée; **~form** *f* moule *m* à fonte, lingotière *f;* **~loch** *n* jet *m* de coulée; **~naht** *f* bavure, ébarbure *f;* **~platte** *f* taque *f;* **~rohr** *n* tuyau *m* de *od* en fonte; **~stahl** *m* acier *m* coulé *od* fondu; **~stück** *n* pièce *f* coulée.

gut [gu:t] ⟨*besser, am besten*⟩ *a* bon; de bon aloi; *(~mütig, gütig)* bon; *(sittlich ~, rechtschaffen)* bon, vertueux, honnête, brave; *(richtig)* juste, correct; *(nützlich)* utile; *(dienlich)* propre *(zu* à); *(angemessen)* convenable; *(förderlich, heilsam)* salutaire; *(vorteilhaft)* avantageux; *(~ erhalten)* en bon état; *(reichlich)* bon, considérable; *(Gedächtnis)* bon, fidèle; *fin (Scheck)* bon, valable; *adv* bien; *(günstig)* favorablement; *(richtig, einwandfrei)* correctement; *(angemessen)* convenablement; *(gehörig)* dûment, comme il faut; *(ausreichend)* suffisamment; *(reichlich)* amplement, abondamment; *das G~e* le bien; le bon; *die G~en* les gens de bien, les bons; *im ~en* amicalement, à l'amiable, de gré à gré; *~und gern* bel et bien; *im ~en oder im bösen* bon gré, mal gré; de gré ou de force; *im ~en Sinne (verstehen)* en bonne part; *in ~em Glauben* de bonne foi; *kurz und ~* bref, en un mot; *zu ~er Letzt* en fin de compte; *mehr als ~ ist* plus que de raison; *so ~ wie* pour ainsi dire, presque; *so ~ wie möglich* aussi bien que possible, le mieux possible; *so ~ es (eben) geht* tant bien que mal; *so ~ es (irgend) geht* le *od* du mieux possible; *wenn alles ~geht* si tout va bien; *nichts G~es erwarten* n'attendre *od* n'espérer *od* ne présager rien de bon *(von* de); *das G~e vorweg genießen* manger son pain blanc le premier; *es ~ haben* être à son aise *od* heureux; vivre bien; *es ~ mit jdm meinen* vouloir du bien à qn; *~ messen* faire bonne mesure; *~ von jdm reden* parler de qn en bons termes; *~ riechen (itr)* sentir bon; *zu etw ~ sein* être bon à qc; *zu allem ~ (genug) sein (fam)* être la bonne à tout faire; *jdm ~ sein* aimer qn, vouloir du bien à qn; *des G~en zuviel sein* passer la mesure; *mit jdm (sehr) ~ stehen* être bien *od* en bons termes (au mieux) avec qn; *es ~ treffen* bien tomber, avoir de la chance; *~ (daran) tun zu* faire bien de; *wieder ~ werden* s'arranger; *~ wiegen (com)* faire bon poids; *es geht mir ~* je vais bien, je me porte bien; *es ist mir noch nie so ~ gegangen* cela n'a jamais été si bien pour moi; *mir ist nicht ~* je suis indisposé; j'ai un malaise; je ne me sens pas bien; *uns steht nichts G~es bevor* il y a des points noirs à l'horizon; *Sie haben ~ reden, lachen* vous avez beau dire, rire; *es ist ~ (genug)* c'est bien *od* bon; *es ist ~, daß ...* il est bon que *subj,* heureusement que; *das sieht ~ aus* cela fait bien, *fam* ça a de l'allure; *eins ist so ~ wie das andere* cela se vaut; *für diesmal mag es ~ sein* passe pour cette fois; *wozu ist das ~* od *soll das ~ sein?* à quoi cela sert-il? à quoi bon? *das trifft sich ~* cela tombe bien; *lassen wir es ~ sein!* n'en parlons plus! brisons là(-dessus)! *seien Sie so und ...* ayez la bonté de ..., soyez assez bon pour ..., veuillez ...; *Sie sind ~! (fam)* vous êtes bon! *pop* vous en avez une santé; *alles G~e!* bonne chance! *~e Besserung!* meilleure santé! prompt rétablissement! *~ (so)!* bon! *(nun) ~! (es ist ja) schon ~!* soit! passe! va! (c'est) entendu! ne m'en parlez pas! *das ist ja ~! (iron)* c'est magnifique! *das Bessere ist des G~en Feind (prov)* le mieux est l'ennemi du bien; *Ende ~, alles ~ (prov)* tout est bien qui finit bien; *~e(r) Anzug m* costume *m* du dimanche; *etwas G~es (a.)* du gâteau; *~e(s) Gewissen n* conscience *f* nette; *~e Kenntnisse f pl* grandes *od* vastes connaissances *f pl; ein ~er Mensch* un homme de bien; *~e Stube f* salon *m; e-e ~e Weile* un bon moment, assez longtemps; *~e(s) Wetter n* beau temps *m.*

Gut *n* ⟨-(e)s, ⸚er⟩ [gu:t, 'gy:tər] *(Besitz)* bien *m; (Vermögen)* fortune *f;* patrimoine *m; (Land~)* (fonds *m* de) terre, propriété *f,* domaine *m; (Pacht~, Bauern~)* ferme; *pl (Waren)* marchandises *f pl; unrecht ~ gedeihet nicht (prov)* bien mal acquis ne profite jamais; *geistige Güter n pl* biens *m pl* immatériels; *Güter erster, ... Ordnung* biens *m pl* de premier, ... rang; *das höchste* ~ le souverain bien; *materielle Güter n pl* biens *m pl* matériels *od* corporels; *unkörperliche Güter n pl* biens *m pl* immatériels *od* incorporels.

Gut|achten *n* ['gu:t-] avis (consultatif *od* d'expert), rapport *m* (d'expert), expertise *f; jur pol* mémoire *m; ein* ~~ *abgeben* donner un avis, rendre un rapport; *ein* ~~ *einholen* recueillir un avis; *ärztliche(s)* ~~ avis *od* rapport *m* médical, expertise *f* médicale; *gerichtsärztliche(s)* ~~ rapport *m* médico-légal; **~achter** *m* expert *m;* **g~achtlich** *a* consultatif; *adv* sous forme d'avis; **g~artig** *a (Tier)* inoffensif; *med* bénin; **~artigkeit** *f med* bénignité *f;* **g~aussehend** *a* qui a bonne mine; **g~≈bringen** = *~schreiben;* **~dünken** *n: nach* ~~ à volonté, à discrétion; *nach jds* ~~ au gré de qn; **g~≈gehen** *itr: das geht nicht gut!* ça finira mal! ça va se gâter! **g~gehend** *a (Geschäft)* bien achalandé; **g~gelaunt** *a* de bonne humeur; **g~gemeint** *a* fait dans une bonne intention; **g~gläubig** *a* de bonne foi; *(leichtgläubig)* crédule; **~gläubigkeit** *f* bonne foi; crédulité *f;* **g~≈haben** *tr com* avoir à son crédit *od* actif; **~haben** *n fin* avoir, actif; *(Spareinlage)* dépôt; *(Überschuß)* boni *m; (Forderung)* créance *f;* **~habenposten** *m* poste *m* créditeur; **g~≈heißen** ⟨*hat gutgeheißen*⟩ *tr* approuver; acquiescer à; **~heit** *f* bonté *f;* **g~herzig** *a* bon; **~herzigkeit** *f* bonté *f* de cœur; **g~mütig** *a* bon; ~~ *sein (a.)* être bon enfant *od (von e-r Frau)* bonne personne; *zu, allzu* ~~ débonnaire, bonasse; *~~e(r) Mensch m* bonne pâte *f* d'homme; **~mütigkeit** *f* bonté, bonhomie *f,* bon cœur *m;* **g~nachbarlich** *a* de bon voisinage; **g~≈sagen** *itr: für jdn* ~~ répondre de qn, se porter garant pour qn; **~sbesitzer** *m,* **~sherr** *m* propriétaire *m* foncier *od* terrien; **~schein** *m* bon; *(Anteilschein)* coupon *m;* **g~≈schreiben** ⟨*hat gutgeschrieben*⟩ *tr fin: jdm etw* ~~ porter qc à l'avoir *od* à l'actif *od* au crédit de qn, passer qc au crédit de qn; **~schrift** *f* créance *f; zur* ~~ *auf* à porter au crédit de; **~schriftsanzeige** *f* avis *m* de crédit *od* de virement, note *f* d'avoir *od* de crédit; **~sherrschaft** *f hist* seigneurie *f;* **~shof** *m* ferme *f;* **g~situiert** *a (Mensch)* aisé; **~sverwalter** *m* directeur d'exploitation, gérant *m* d'un domaine *od* d'une propriété; **~tat** *f* bonne action *f,* bienfait *m;* **g~≈tun** ⟨*hat gutgetan*⟩ *itr: jdm* ~~ faire du bien à qn; **g~willig** *a* de bonne volonté; *adv* de son gré, de (son) bon gré; **~willigkeit** *f* bonne volonté *f.*

Güt|chen ['gy:t-] *n* petite propriété *f;* **~e** *f* ⟨-, ø⟩ *(e-s Menschen)* bonté; *(Herzens~~)* bénignité; *(Freundlichkeit)* bienveillance, douceur; *(Gefälligkeit)* obligeance, complaisance; *(e-r Ware)* (bonne) qualité; *(Gediegenheit)* solidité; *(Vortrefflichkeit)* supériorité; *f; du meine* ~~*!* mon Dieu! *erster* ~~ *(com)* de première classe; *auf dem Wege der* ~~ *(jur)* à l'amiable; *sich in* ~~ *einigen* se mettre d'accord à l'amiable; *die* ~~ *haben zu ...* avoir la bonté *od* la complaisance de ...; *haben Sie die* ~~ *zu ...* ayez la bonté de, veuillez ...; **~egrad** *m* degré *m* de qualité; **~everfahren** *n jur* procédure *f* de conciliation; **~ezeichen** *n* marque *f* de qualité, label *m* de qualité *od* de garantie, estampille *f;* **g~ig** *a* bon; *(gutmütig)* bénin; *(freundlich)* aimable; *(zuvorkommend)* obligeant; *(nachsichtig)* complaisant; *Sie sind zu* ~~ vous me comblez; **g~lich** *a* amiable; *adv* u. *auf* ~~*em Wege* à l'amiable, amicalement, de gré à gré; ~~ *beilegen* arranger à l'amiable; *sich* ~~ *einigen* s'arranger à l'amiable; *sich* ~~ *tun* se donner du bon temps, se régaler (*an etw* de qc); *~~e Regelung f* arrangement *m* à l'amiable.

Güter|abfertigung *f* ['gy:tər-] (bureau *m* d')expédition *f* de(s) marchandises; **~austausch** *m* échanges *m pl* commerciaux; **~bahnhof** *m* gare *f* de(s) *od* aux marchandises; **~beförderung** *f* transport *m* de marchandises; **~eilverkehr** *m loc mar* messageries *f pl;* **~fernverkehr** *m* transport *m* à longue distance; **~gemeinschaft** *f: eheliche* ~~ communauté *f* des biens, régime *m* de (la) communauté (des biens); **~nahverkehr** *m* transport *m* à courte distance; **~recht** *n* régime *m* des biens; **~schuppen** *m* dépôt *m,* halle *f* à marchandises; **~stand** *m: (ehelicher)* ~~ régime *m* matrimonial; *gesetzliche(r)* ~~ régime *m* légal; **~tarif** *m* tarif *m* marchandises; **~transport** *m* transport *m* de marchandises; **~trennung** *f jur* séparation *f* de biens, régime *m* de la séparation des biens *od* exclusif de communauté *od* dotal; *in* ~~ *leben* être séparé de biens; **~umschlag** *m* roulement *m* de marchandises; **~verkehr** *m* trafic *od* mouvement *m od* circulation *f* des marchandises; **~verteilung** *f (Soziologie)* répartition *f* des richesses; **~wagen** *m* wagon *m* de marchandises; flache(r), gedeckte(r), offene(r) ~~ wagon *m* plat, couvert, découvert; **~zug** *m* train *m* de marchandises; ~~ *mit Personenwagen* train *m* mixte.

Guttapercha *f* ⟨-, ø⟩ od *n* ⟨-s, ø⟩ [guta'pɛrça] gutta-percha *f.*

guttural [gutu'ra:l] *a (Kehl-) anat med gram* guttural; *e-e ~e Aussprache haben* parler gras; **G~(laut)** *m* ⟨-s, -e⟩ gutturale *f.*

Gymnas|ialdirektor *m* [gymnazi'a:l-] *(in Deutschl.)* directeur; *(in Frankr.: lycée)* proviseur, *(collège)* principal *m;* **~iallehrer** *m* professeur *m* (de lycée *od* collège); **~ialunterricht** *m* enseignement *m* secondaire; **~iast** *m* ⟨-en, -en⟩ [-zi'ast] lycéen, collégien *m;* **~ium** *n* ⟨-s, -sien⟩ [-'na:zium, -ziən] *(deutsches u. schweizerisches; altgriechisches)* gymnase; *(französisches, staatliches)* lycée, collège; *(nichtstaatliches)* collège *m* privé; **~tik** *f* ⟨-, ø⟩ [-'nastık] gymnastique *f;* **g~tisch** *a* gymnastique.

Gynäkolog|e *m* ⟨-n, -n⟩ [gynɛko'lo:gə] *(Frauenarzt)* gynécologue, gynécologiste *m;* **~ie** *f* ⟨-, ø⟩ [-lo'gi:] *(Frauenheilkunde)* gynécologie *f;* **g~isch** [-'lo:gıʃ] *a* gynécologique.

H

H, h *n* ‹-, -› [ha:] *Buchstabe* H, h *m; mus* si *m;* **H-Dur** *n* si *m* majeur; **h-Moll** *n* si *m* mineur.

ha [ha] *interj* ha! *fam* hein!

Haag *m* [ha:k] *den ~* la Haye; *im ~* à la Haye; *das ~er Abkommen* la Convention de la Haye; *der ~er Internationale Schiedsgerichtshof* la Cour Internationale de justice de la Haye.

Haar *n* ‹-(e)s, -e› [ha:r] *(Kopfhaar)* cheveu *m; das ~, die ~e (des Kopfes)* les cheveux *m pl,* la chevelure, *arg* les tiffes *m pl; (Bart-, Körper-, Tier-, Pflanzenhaar)* poil *m; aufs ~* exactement, au plus juste, *fam* au poil; *mit Haut und ~en (fig)* à corps perdu, totalement; *um ein ~* à peu de chose près; d'un rien; à un cheveu près; *ein ~ in der Suppe finden* trouver à redire (à qc); *sich in die ~e geraten* s'attraper *od* se prendre aux cheveux, se crêper le chignon; *~e auf den Zähnen haben (fig: von Frauen)* savoir se défendre; avoir toujours le dernier mot; être un dragon; *jdm kein ~ krümmen* ne pas toucher un cheveu à qn; *sich keine grauen ~e wachsen lassen (fig)* ne pas se faire des cheveux (blancs); *~e lassen (müssen) (fig)* laisser des plumes; *an jdm kein gutes ~ lassen* déchirer qn à belles dents; *jdm die ~e zu Berge stehen lassen* faire dresser à qn les cheveux sur la tête; horripiler qn; *sich in den ~en liegen* être aux prises, s'arracher les yeux, se prendre aux cheveux; *fam* se crêper le chignon, se manger *od* se bouffer le nez; *sich die ~e raufen* s'arracher les cheveux; *fig* se mordre les doigts *fam; sich die ~e schneiden (lassen)* se (faire) couper les cheveux; *die ~e spalten (fig)* couper les cheveux en quatre; *die ~e verlieren* perdre ses cheveux; *darum lasse ich mir keine grauen ~e wachsen (fam)* il n'y a pas de quoi se pendre, c'est le moindre de mes soucis; *da stehen einem die ~e zu Berge* cela fait dresser les cheveux sur la tête; *das ist an den ~en herbeigezogen* c'est tiré par les cheveux; *blonde, braune, schwarze; glatte, wellige, krause; lange, kurze ~e* cheveux *m pl* blonds, bruns, noirs; lisses, ondulés, crépus; longs, courts; *lange ~e, kurzer Verstand (prov)* cheveux longs et idées courtes; **~ausfall** *m* chute des cheveux, *scient* dépilation, alopécie *f; kreisförmige(r) ~~ (med)* pelade *f;* **~balg** *m anat* follicule *m* pileux, matrice *f* de poil; **~band** *n* bandeau *m;* **~besen** *m* balai *m* de crin; **~boden** *m* cuir *m* chevelu; **~breit** *n: um ein ~~* à un cheveu (près), il s'en est fallu d'un cheveu (que); **~bürste** *f* brosse *f* à cheveux; **~büschel** *n* touffe de cheveux; *(Tolle)* houppe *f;* **h~en,** *sich (Tier, Fell, Pelz)* perdre son poil; **~entfernung** *f* épilation *f;* **~entfernungskrem** *f, a. m* crème *f* à épiler; **~entfernungsmittel** *n* dépilatoire *m;* **~esbreite** *f: um ~~ = um ein ~breit* **~farbe** *f* couleur de cheveux; *zoo* couleur *f* du pelage; **~färbemittel** *n* teinture *f* pour les cheveux; **h~fein** *a* fin comme un cheveu, capillaire; *fig* subtil; **~festiger** *m* fixant *m;* **~feuchtigkeitsmesser** *m* hygromètre *m* à cheveu; **~gefäß** *n anat* vaisseau *m* capillaire; **h~genau** *adv fam* très exactement; *(erzählen)* par le menu, ric-(à-)rac; **h~ig** *a* poilu, velu; *fig (unangenehm)* désagréable, sale; **~klammer** *f* pince *f* à cheveux; **~klauberei** *f = ~spalterei;* **~kleid** *n zoo* pelage *m;* **h~klein** *adv = h~genau;* **~knoten** *m* chignon *m;* **~künstler** *m hum* artiste capillaire, figaro *m;* **~locke** *f* boucle *f* de cheveux; **h~los** *a* sans cheveux *od* poils; *(kahl)* chauve, glabre; **~mode** *f* mode *f* capillaire; **~nadel** *f* épingle *f* à cheveux; **~nadelkurve** *f (Straße)* virage *od* tournant *m* en épingle à cheveux; **~netz** *n* filet *m* à cheveux, résille *f;* **~öl** *n* brillantine *f;* **~pflege** *f* soins *m pl* de la chevelure; **~pflegemittel** *n* produit *m* capillaire; **~pinsel** *m* pinceau *m* fin; **~pomade** *f* crème *f* à coiffer; **~riß** *m (feiner Riß)* fendille *f;* **~röhrchen** *n* tube *m* capillaire; **h~scharf** *a* bien affilé, tranchant; *fig* très exact *od* précis; *adv (ganz dicht)* tout près (*an ... vorbei* de); **~schleife** *f* ruban, *(im Haar)* nœud *m;* **~schmuck** *m* parure *f* (dans les cheveux); **~schneidemaschine** *f* tondeuse *f;* **~schneiden** *n* coupe *od* taille *f* des cheveux; *~~, bitte!* une coupe, s'il vous plaît! **~schnitt** *m = ~schneiden; (Frisur)* coiffure *f;* **~schopf** *m* toupet *m* (de cheveux); *wilde(r) ~~* tignasse *f;* **~schwund** *m = ~ausfall;* **~seil** *n med* séton *m;* **~sieb** *n* tamis *m* de crin; **~spalter** *m* éplucheur, tatillon, vétillard *m;* **~spalterei** *f* subtilité *f; ~~ treiben* couper les cheveux *od* un cheveu en quatre; **~spray** [-s(ʃ)pre:] *m* od *n* laque *f;* **~strähne** *f* mèche *f* (de cheveux); **h~sträubend** *a* horripilant; à faire dresser les cheveux sur la tête; **~strich** *m (Schrift)* délié *m;* **~tolle** *f = ~schopf;* **~tonikum** *n* tonique *m* pour les cheveux; **~tour** *f (Toupet)* tour *m* de cheveux; **~tracht** *f* coiffure *f;* **~trockner** *m* sèche-cheveux *m;* **~waschen** *n,* **~waschmittel** *n* shampooing *m;* **~wasser** *n* lotion *f* capillaire; **~wild** *n (kleineres)* gibier *m* a poil; **~wirbel** *m* épi *m;* **~wuchs** *m (Vorgang)* pousse *f* des cheveux; *(Zustand)* chevelure *f;* **~wuchsmittel** *n* produit *m* capillaire; **~wulst** *m* bourrelet de cheveux, chignon *m;* **~wurzel** *f* racine *f* capillaire *od* des cheveux, bulbe *od* follicule *m* pileux; **~zange** *f* pincette, pince *f* à épiler.

Hab [ha:p] : *mein (ganzes) ~ und Gut n* tout mon avoir *m,* toutes mes affaires *f pl;* **~e** *f* ‹-, ø› ['ha:bə] bien, avoir *m; (persönliche)* effets *m pl* (personnels); *(Eigentum)* propriété; *(Besitz)* possession *f; bewegliche* od *fahrende ~~ (jur)* biens *m pl* meubles *od* mobiliers; *unbewegliche* od *liegende ~~ (jur)* immeubles *m pl;* **h~en** ‹*hatte, hätte; habe gehabt*› ['hatə, gə'ha:pt] *tr* avoir; *(besitzen)* posséder, (dé)tenir; *(erhalten haben)* tenir (*von* de); *(enthalten)* contenir; *sich ~~ (fam: so tun)* se conduire, se comporter; faire des manières; *(wichtig tun)* faire l'important; *bei sich ~~ (am Körper)* avoir *od* porter sur soi; *etwas für sich ~~ (fig)* avoir quelque chose de bon; *das für sich ~~, daß* avoir cela de bon que; *gegen jdn etwas ~~* avoir de l'animosité *od* une dent contre qn; *mit jdm etwas ~~* avoir des histoires avec qn; *es mit jdm zu tun ~~* avoir affaire à qn; *jdn über sich ~~ (fig)* avoir qn pour supérieur; *jdn unter sich ~~ (fig)* avoir qn sous ses ordres; *unter sich ~~ (Abteilung)* être à la tête de; *(Sache)* tenir; *etw (e-e Eigenschaft) von s-m Vater ~~* tenir qc de son père; *etw im Auge ~~* avoir qc dans l'œil; *fig* avoir des vues sur qc; *jdn zum besten ~~* (se) jouer (de) qn; *nichts dagegen ~~* n'avoir rien contre, le vouloir bien; *Durst ~~* avoir soif; *Eile* od *es eilig ~~* être pressé; *Fieber ~~* avoir (de) la fièvre, *fam* faire de la température; *jdn zum Freund ~~* avoir qn pour ami; *Geld ~~* avoir de l'argent; *Geduld ~~* avoir de la patience; *es gut ~~* être à son aise *od* heureux; vivre bien; *es im Halse ~~* avoir mal à la gorge; *Hunger ~~* avoir faim; *e-e Krankheit ~~ (a.)* faire une maladie *fam; lieber ~~* aimer mieux, préférer; *am liebsten ~~* aimer le mieux; *e-n Namen ~ (fig)* être qn; *etw nötig ~~* avoir besoin de qc; *recht ~~* avoir raison; *s-e Richtigkeit ~~* être en ordre; *Schwierigkeiten ~~* avoir des difficultés; *unrecht ~~* avoir tort; *jdn in Verdacht ~~*

soupçonner qn; *die Wahl ~~* avoir le choix; *jdn bei sich wohnen ~ (fam)* avoir qn qui vit chez soi; *Zeit ~~* avoir le temps; *zu ~~ sein (com)* se vendre, être en vente; *etw ~~ wollen* vouloir qc; *(fordern)* exiger qc; *ich hab's* j'y suis; *ich hätte gern* je voudrais bien; *beinahe hätte ich* ... j'ai failli *inf; ich ~ ihn (erwischt)* je le tiens; *wir ~~ jetzt Winter* (maintenant) nous sommes en hiver; *es hat den Anschein, daß* il semble, il paraît que; *das hat nichts auf sich* od *nichts zu sagen* cela ne veut rien dire, ce n'est rien; *das hat keine Eile* od *keine Not, damit hat es gute Weile* cela ne presse pas, rien ne presse, ce n'est pas urgent; *das ~ wir schon gehabt (im Unterricht)* nous l'avons déjà fait (en cours); *wir ~'s noch weit* nous avons encore un bon bout de chemin *fam; dafür bin ich nicht zu ~* je ne veux pas être mêlé à cela; *was ~e ich (denn) davon?* qu'est-ce que j'y gagne? *welchen Tag, (fam) den wievielten ~~ wir heute? — wir ~~ den 10. Juni* quel jour *od fam* le combien sommes-nous aujourd'hui? — nous sommes le 10 juin; *was hast du? (was ist dir?)* qu'est-ce que tu as? *welche Größe, Nummer ~~ Sie?* quelle est votre taille, pointure? *pop* quelle taille, pointure faites-vous? *wir ~'s ja! (fam hum)* pourquoi nous priver! au diable l'avarice! *er hat es so an sich* il est comme ça *fam; und damit hat sich's (fam)* et voilà! c'est fini! *davon ~e ich was! (iron)* cela me fait *od* fera une belle jambe! *da ~~ wir's!* od *(fam) die Bescherung!* od *(pop) den Salat!* nous voilà propres *od* bien lotis *od fam* dans de beaux draps! *da hast du's!* te voilà propre! *da ~~ Sie's!* vous voilà propre! *hat sich was!* allons donc! **~en** *n* ⟨-s, ø⟩ *com* avoir, crédit *m; Soll und ~~* doit et avoir, débit et crédit *m;* **~enichts** *m* ⟨-/-es, -e⟩ pauvre hère *od* diable, sans-le-sou, va-nu-pieds *m; pl* gens *pl* de rien *od* de peu; **~enposten** *m* poste *m* créditeur; **~ensaldo** *m* solde *m* créditeur; **~enseite** *f* côté *m* du crédit; **~enzinsen** *m pl* intérêts *m pl* créditeurs; **~gier** *f* avidité, cupidité, rapacité; *(Geiz)* avarice *f;* **h~gierig** *a* avide, cupide, rapace; *(geizig)* avare; **h~haft** *a: jds, e-r S ~~ werden* s'emparer de, se saisir de, mettre la main sur qn, qc; **~schaft** *f = ~e;* **~seligkeiten** *f pl (Klamotten) fam* nippes, frusques *f pl,* tout le saint-frusquin *od* saint-crépin; **~sucht** *f = ~gier;* **h~süchtig** = *h~gierig.*

Habicht *m* ⟨-s, -e⟩ ['ha:bɪçt] *orn* autour *m;* **~snase** *f* nez *m* aquilin.

Habilit|ation *f* ⟨-, -en⟩ [habilitatsi'o:n] admission *f* à l'enseignement supérieur; **~ationsschrift** *f* thèse *f* donnant accès à l'enseignement supérieur; **h~ieren** [-'ti:rən] *sich* être inscrit sur la liste d'aptitude aux fonctions de professeur d'université; se qualifier pour l'enseignement supérieur.

Habitus *m* ⟨-, ø⟩ ['ha:bitus] *(Erscheinungsbild, Anlage, Körperbau)* constitution *f,* habitus *m.*

Hack|beil *n* ['hak-] hachette *f;* **~braten** *m* rôti de viande hachée; *(als Aufschnitt)* pâté *m* de viande; **~brett** *n* hachoir; *mus* tympanon *m; (schlechtes Klavier)* casserole *f;* **~e** *f* ⟨-, -n⟩ . **1.** houe; *mines* sape *f;* **h~en** *tr (den Boden)* houer, piocher; *(Holz)* fendre; *(Fleisch)* hacher; *(pikken)* becqueter; **~fleisch** *n* viande *f* hachée; hachis *m;* **~klotz** *m* billot *m;* **~maschine** *f agr tech* piocheuse; *(Fleischwolf)* machine *f* à hacher, hachoir *m;* **~messer** *n* hachoir, couperet *m.*

Hacke *f* ⟨-, -n⟩ **2.**, **~n** *m* ⟨-s, -⟩ ['hakə(n)] *(Ferse)* talon *m; jdm auf den ~n sein (fig)* être sur les talons de qn; *die ~n zs.klappen (mil)* claquer les talons.

Häck|erling *m* ⟨-s, ø⟩ ['hɛkərlɪŋ] *dial,* **~sel** *n (a. m)* ⟨-s, ø⟩ [-səl] paille *f* hachée; **~selmaschine** *f* hache-paille *m.*

Hader *m* ⟨-s, ø⟩ ['ha:dər] *lit (Zank)* querelle, dispute, discorde *f;* **h~n** *itr: mit jdm ~~* se quereller avec qn; *mit dem Schicksal ~~* accuser son sort.

Hadern *m pl* ['ha:dərn] *(Lumpen)* chiffons *m pl;* **~papier** *n* papier *m* de chiffons.

Hafen *m* ⟨-s, ⸚⟩ ['ha:-, 'hɛ:fən] **1.** port *m, a. fig; e-n ~ anlaufen* faire escale dans un port; *aus e-m ~ auslaufen* quitter un port; *in den ~ einlaufen* entrer au port; *im sicheren ~ landen (fig)* arriver à bon port; *im sicheren ~ sein (fig)* être en lieu sûr; **~abgaben** *f pl = ~gebühren;* **~amt** *n* bureau *m* du port; **~anker** *m* ancre *f* à demeure, corps *m* mort; **~anlagen** *f pl* installations *f pl* portuaires; **~arbeiter** *m* ouvrier portuaire, docker *m;* **~arbeiterstreik** *m* grève *f* des dockers; **~aufseher** *m* garde-port *m;* **~bahnhof** *m* gare *f* maritime; **~barkasse** *f* chaloupe, barcasse *f;* **~becken** *n* bassin *m,* darse *f;* **~behörde** *f* service *m* portuaire, autorités *f pl* du port; **~betrieb** *m* activité *f* portuaire; **~damm** *m* jetée *f,* môle, quai *m;* **~dienst** *m* service *m* portuaire; **~einfahrt** *f* entrée *f* du port; *enge ~~* goulet *m;* **~gebühr (-en** *pl***)** *f,* **~geld** *n* droits *m pl* de port, droit *m* de quai; **~kran** *m* grue *f* de port; **~lotse** *m* pilote *m* lamaneur; **~meister** *m* capitaine du port; *(e-s Binnenhafens)* garde-port *m;* **~polizei** *f,* **~wache** *f* police *f* de(s) port(s); **~stadt** *f* ville *f* portuaire, port *m* (de mer); **~überwachung** *f* contrôle *m* portuaire.

Hafen *m* **2.** *dial (Topf)* pot *m.*

Hafer *m* ⟨-s, (-)⟩ ['ha:fər] avoine *f; ihn sticht der ~ (fig)* sa fortune lui monte à la tête; il a la tête enflée; **~brei** *m* bouillie *f* d'avoine; **~flocken** *f pl* flocons *m pl* d'avoine; **~grütze** *f,* **~mehl** *n* farine *f* d'avoine; **~korn** *n* grain *m* d'avoine; **~quetsche** *f* concasseur *m* d'avoine; **~schleim** *m* crème *f* d'avoine.

Haff *n* ⟨-(e)s, -s/-e⟩ *geog* haff *m.*

Hafner *m* ⟨-s, -⟩ ['ha:fnər] *dial (Töpfer)* potier *m.*

Haft *f* ⟨-, ø⟩ [haft] détention, prison *f,* emprisonnement *m,* garde *f* à vue; *in ~* détenu *a;* en prison; *aus der ~ entlassen* relâcher, libérer, élargir; *in ~ halten* détenir; *in ~ nehmen* arrêter, emprisonner; **~anstalt** *f* maison *f* d'arrêt; **h~bar** *a* responsable; *jdn für etw ~~ machen* rendre qn responsable de qc; *persönlich ~~* contraignable par corps; **~barkeit** *f* responsabilité *.f;* **~befehl** *m* mandat d'arrêt *od* de dépôt, ordre *m* d'écrou, (ordonnance de) prise *f* de corps; *gegen jdn e-n ~~ erlassen* décerner un mandat d'arrêt contre qn; **~beschwerde** *f* pourvoi *m* contre un mandat d'arrêt; **h~en** ⟨*hat gehaftet*⟩ *itr (festsitzen)* coller, tenir, s'attacher, adhérer (*an* à); *im Gedächtnis ~~* s'imprimer dans la mémoire; *für etw ~~ (verantwortlich sein)* répondre de qc; *(garantieren)* se porter garant de qc; **h~en=bleiben** ⟨*ist haftengeblieben*⟩ *itr: im Gedächtnis ~~* se graver dans la mémoire; **~entlassung** *f* levée *f* d'écrou; *bedingte ~~* libération *f* conditionnelle; *~~ unter Sicherheitsstellung* libération *f* sous caution; **~gläser** *n pl opt* verres *m pl* de contact; **~pflicht** *f* responsabilité *f* civile (*für* de); **h~pflichtig** *a* civilement responsable; *~~ werden* encourir une responsabilité; **~pflichtversicherung** *f* assurance responsabilité *f* civile; **~schalen** *f pl = ~gläser;* **~streifen** *m* bande *f* d'agrafure; **~ung** *f* ⟨-, (-en)⟩ responsabilité *f; die ~~ ablehnen, die ~~ nicht übernehmen* décliner la responsabilité; *für etw die ~~ übernehmen* assumer *od* prendre la responsabilité de qc; *(un-) beschränkte ~~* responsabilité *f* (il-)limitée; *Gesellschaft mit beschränkter ~~ (GmbH)* société *f* à responsabilité limitée; **~ungsausschluß** *m* exonération *f* de la responsabilité; **~vermögen** *n phys* adhésion, adhérence *f;* **~wurzel** *f bot* racine *f* à crampons.

Häftling *m* ⟨-s, -e⟩ ['hɛftlɪŋ] détenu *m.*

Hag *m* ⟨-(e)s, -e⟩ [ha:k] *poet (Hecke)* haie *f; (Gehege)* enclos; *(Hain)* bosquet *m;* **~ebuche** *f* charme *m;* **~ebutte** *f* cynorhodon, fruit *m* de l'églantier *od* du rosier; *pop* gratte-cul *m;* **~edorn** *m* aubépine *f.*

Hagel *m* ⟨-s, -⟩ ['ha:gəl] grêle *f (a. fig von Steinen, Pfeilen etc); ein ~ von Faustschlägen* une grêle de coups; *ein ~ von Schimpfworten* une bordée d'injures; **~bildung** *f* formation *f* de grêle; **~korn** *n* grêlon *m;* **h~n** ⟨*es hat gehagelt*⟩ *impers* grêler; *es h~t (a.)* il tombe de la grêle; *es h~t (nur so) Schläge* les coups tombent comme (la) grêle *od* dru comme grêle; **~rakete** *f* fusée *f* paragrêle; **~schaden** *m* dommage *m* causé par la grêle; **~schauer** *m* orage *m* de grêle; **~schlag** *m* chute *f* de grêle; **~schutzkanone** *f* canon *m* paragrêle; **~schutzrakete** *f* fusée *f* paragrêle; **~versicherung** *f* assu-

rance *f* contre la grêle; **~wetter** *n* = *~schauer.*
hager ['ha:gər] *a (mager)* maigre, (grand et) sec, grêle, décharné; *(abgezehrt)* hâve, émacié; **H~keit** *f* ‹-, ø› maigreur *f.*
Hagestolz *m* ‹-es, -e› ['ha:gəʃtɔlts] vieux garçon, célibataire *m* endurci.
haha [ha'ha(:)] *interj (da muß ich lachen)* hi, hi, hi!
Häher *m* ‹-s, -› ['hɛ:ər] *orn* geai *m.*
Hahn *m* ‹-(e)s, ⸚e› [ha:n, 'hɛ:nə] *orn* coq; *tech* robinet *m; (Faß)* cannelle *f; (Gewehr)* chien *m; den ~ aufdrehen* od *öffnen* tourner *od* ouvrir le robinet; *den ~ zudrehen* fermer le robinet; *es kräht kein ~ danach* personne ne s'en soucie *od* n'y fait attention; *~ im Korb* coq *m* du village; *~ im Korb sein* être entouré de femmes; être comme dans un harem; **~enfuß** *m bot* renoncule *f;* **~enkamm** *m bot* crête-de-coq *f;* **~enkampf** *m* combat *m od* joute *f* de coqs; **~enschrei** *m: beim ersten ~~* au chant du coq; **~entritt** *m (im Ei)* chalaze *f;* **~entritt(muster** *n***)** *m* pied-de-poule *m;* **~rei** *m* ‹-(e)s, -e› ['ha:nraɪ] *(betrogener Ehemann) pop* cornard, cocu *m.*
Hähnchen *n* ‹-s, -› ['hɛ:nçən] petit coq, cochet *m.*
Hai(fisch) *m* ‹-(e)s, -e› [haɪ(-)] requin, squale *m.*
Hain *m* ‹-(e)s, -e› [haɪn] *poet* bois, bosquet *m.*
Häkchen *n* ‹-s, -› ['hɛ:kçən] (petit) crochet *m.*
Häkel|arbeit *f* ['hɛ:kəl-] **~ei** *f* [-'laɪ] ouvrage *m* au crochet; **~garn** *n* fil *m* à crocheter; **h~n** *tr* faire au crochet; *itr* faire du crochet; **~nadel** *f* crochet *m* (à dentelle).
Haken *m* ‹-s, -› ['ha:kən] croc; *(kleiner)* crochet *m; (Kleider-, Wandhaken)* patère *f,* portemanteau; *(Angelhaken)* hameçon *m; (Klammer)* agrafe *f; arch* crampon *m,* harpe *f,* harpon *m; tech* griffe *f; (Boxen)* crochet *m; vom ~ nehmen* décrocher; *e-n ~ schlagen (Hase, a. fig)* faire un crochet; *die Sache hat e-n ~* il y a un accroc *od pop* un cheveu dans l'affaire, *fam* ça accroche, *arg* il y a un os; *da sitzt der ~!* voilà le hic; **h~** *tr* accrocher (*an* à); *itr* u. *sich ~~* s'accrocher (*an* à); **h~förmig** *a* crochu; **~kreuz** *n* croix *f* gammée, svastika *m;* **~nase** *f* nez *m* crochu *od* busqué; **~zahn** *m* croc(het) *m.*
Halali *n* ‹-s, -s/-› [hala'li] *(Jagdruf)* hallali *m.*
halb [halp] *a* demi; *(in Zssgen)* demi-, mi-, semi-, quasi-; *adv* à demi, (à) moitié; *~ und ~* moitié moitié, entre les deux; *(so) ~ und ~ (fam)* couci-couci, couci-couça, presque; *~ umsonst* presque pour rien; *nicht ~ so viel (wie)* (ne ...) pas la moitié autant (que); *auf ~e, in ~er Entfernung* à mi-distance; *auf ~er Höhe* à mi-côte, à mi-hauteur; *auf ~em Wege* à moitié chemin, à mi-chemin; *um ~ drei* à deux heures et demie; *zum ~en Preis* à moitié prix; *~ öffnen* entrebâiller, entrouvrir; *ein ~er Mensch sein* être très diminué; *hum* ne pas être tout à fait soi-même; *auf ~em Wege (stehenbleiben)* (s'arrêter) à mi-chemin; *~ totschlagen* faire mourir sous le bâton; *nichts ~ tun* ne pas y aller de main morte; ne rien faire à moitié; *nur mit ~em Ohr zuhören* n'écouter que d'une oreille; *es schlägt ~* la demie sonne; *das ist ~ so schlimm (fam)* ce n'est qu'un demi-mal; *das ist nichts H~es und nichts Ganzes* ce n'est ni fait ni à faire; *ein ~es Dutzend* une demi-douzaine; *(Karte f zum) ~e(n) Fahrpreis m* (billet) demi-tarif *m; ein ~es Jahr* six mois *m pl; ~ lachend, ~ weinend* partagé entre le rire et les larmes; *~e Maßnahmen f pl (pej)* demi-mesures *f pl; ~e Note f (mus)* blanche *f; e-e ~e Stunde* une demi-heure; *~e(r) Ton m (mus)* demi-ton *m; ~e Volte f (Fechten)* demi-volte *f;* **H~affe** *m zoo* prosimien *m;* **~amtlich** *a* semi-officiel, officieux; *~~e(r) Charakter m* officiosité *f;* **H~atlas** *m (Textil)* satinette *f;* **H~automat** *m* machine *f* semi-automatique; **~automatisch** *a* semi-automatique; **H~baumwolle** *f* mi-coton *m;* **H~bildung** *f* demi-savoir *m;* **H~blut(pferd)** *n* demi-sang *m;* **H~bruder** *m* demi-frère; *(väterlicherseits)* frère consanguin; *(mütterlicherseits)* frère *m* utérin; **H~damast** *m (Textil)* damas-cafard *m;* **H~dunkel** *n* demi-jour *m;* **H~edelstein** *m* pierre *f* demi-précieuse; **H~fabrikat** *n,* **H~fertigware** *f* produit (de)mi-fini *od* semi-fini, demi-produit *m;* **~fett** *a (Kohle, typ)* demi-gras; **H~flügler** *m pl ent* hémiptères *m pl;* **H~franz(band** *m***)** *n* demi-reliure *f;* **~gar** *a* à moitié cuit **~gebildet** *a* semi-cultivé; **~geschlossen** *a* mi-clos; **H~geschwister** *pl* enfants *m pl* de deux lits; **H~gott** *m* demi-dieu *m;* **H~heit** *f (Unvollkommenheit)* imperfection, insuffisance; *(~e Maßregel)* demi-mesure *f;* **~ieren** *‹hat halbiert›* [-'bi:rən] *tr* partager *od* couper en deux *od* par le milieu; **~iert** *a* mi-parti; **H~ierung** *f* mi-partition; *math* bissection *f;* **H~insel** *f* presqu'île; *(große)* péninsule *f;* **H~interne(r)** *m (Schüler)* demi-pensionnaire *m;* **H~jahr** *n* semestre *m;* **H~jahresbilanz** *f com* bilan *m* semestriel; **~jährig** *a* (âgé) de six mois; **~jährlich** *a* semestriel; *adv* tous les six mois, par semestre; **H~ketten(kraft)fahrzeug** *n* semi-chenille *f;* **H~kreis** *m* demi-cercle, hémicycle *m;* **~kreisförmig** *a = ~rund;* **H~kugel** *f* hémisphère *m;* **~kugelförmig** *a* hémisphérique; **~lang** demi-long; **~laut** *a* u. *adv* à (de)mi-voix; **H~leder(ein)band** *m* demi-reliure *f;* **H~leinen** *n* mi-fil *m; (Buch)* demi-toile *f;* **H~leinen(ein)band** *m* reliure *f* demi-toile; **H~links** *m* ‹-, -› *sport* inter *m* gauche; **H~maske** *f* masque à domino, loup *m;* **~mast** *adv: auf ~~* en berne; *~~ flaggen (itr)* mettre le pavillon en berne; *~~ hissen (tr)* mettre en berne; **H~messer** *m* rayon *m;* **~monatlich** *a* bimensuel; **H~monatsschrift** *f* journal *m* bimensuel; **H~mond** *m* demi-lune *f, (a. als Symbol)* croissant *m;* **~mondförmig** *a* en demi-lune; **~nackt** *a* à demi *od* à moitié nu; **~offen** *a (Tür)* entrouvert; *(Vokal)* (de)mi-ouvert; **~öffentlich** *a* semi-public; **~part** *adv* part à deux, de compte à demi; *mit jdm ~~ machen* être *od* se mettre de moitié avec qn; **H~pension** *f* demi-pension *f;* **H~rechts** *m sport* inter *m* droit; **~rund** *a* semi-circulaire; *~~e(r) Platz, Tisch m* demi-lune *f;* **H~rund** *n arch theat* hémicycle *m;* **H~schatten** *m* pénombre; *(Kunst)* demi-teinte *f;* **H~schlaf** *m* demi-sommeil *m,* somnolence *f;* **H~schuh** *m* chaussure *f* basse; **H~schwergewicht** *n sport* poids *m* mi-lourd; **H~schwester** *f* demi-sœur *f;* **H~seide** *f* (de)mi-soie *f;* **~seiden** *a* mi-soie; **H~seite** *f typ* demi-page *f;* **~seitig** *a: ~~e Lähmung f* hémiplégie *f;* **H~starke(r)** *m* demi-sel, blouson *m* noir; **~starr** *a aero* semi-rigide; **H~stiefel** *m* bottine, mi-botte *f,* brodequin, bottillon *m;* **~stündig** *a* d'une demi-heure; **~stündlich** *adv* toutes les demi-heures; **H~tag** *m* demi-journée *f;* **~tägig** *a* d'une demi-journée, semi-diurne; **H~tagsarbeit** *f,* **H~tagsbeschäftigung** *f* travail *od* emploi *m* à temps partiel *od* à mi-temps; **H~ton** *m mus* demi-ton *m;* **~tot** *a* (de)mi-mort, à demi *od* à moitié mort; **H~trauer** *f* demi-deuil *m;* **H~vers** *m* hémistiche *m;* **H~vokal** *m* semi-voyelle *f;* **~voll** *a* à moitié plein; **~wach** *a* à moitié éveillé; **H~waise** *f* orphelin, e *m f* de père *od* de mère; **~wegs** ['-ve:ks] *adv (leidlich)* passablement, tant bien que mal; **H~welt** *f* demi-monde *m;* **H~weltdame** *f* demi-mondaine *f;* **H~wertzeit** *f phys chem* vie *f* moyenne; **H~wissen** *n* demi-science *f,* demi-savoir *m;* **~wöchentlich** *a* bihebdomadaire; *adv* deux fois par semaine; **H~wolle** *f* (de)mi-laine *f;* **~wollen** *a* mi-laine; **~wüchsig** *a* adolescent; *(Junge)* imberbe; **H~wüchsige(r)** *m* adolescent *m;* **H~zeit** *f sport* mi-temps *f;* **H~zeug** *n = H~fabrikat; (Papierherstellung)* demi-pâte *f,* défilé *m;* **H~zug** *m mil* demi-section *f.*
halber ['halbər] *prp (nachgestellt, a. angehängt)* pour (des raisons de), à cause de; *der Ehre ~ (ehrenhalber)* pour l'honneur.
Halde *f* ‹-, -n› ['haldə] *(Hang)* pente *f,* versant, coteau; *(Schutthalde)* éboulis *m; mines* halde *f,* terril, carreau *m;* **~nbestand** *m* **~nvorrat** *m* stock *m* sur le carreau.
Hälfte *f* ‹-, -n› ['hɛlftə] moitié *f; bis zur ~ (Mitte)* jusqu'au milieu; *um die ~* de moitié; *um die ~ mehr* moitié plus; *zur ~* à *od* par moitié; *zur ~ beteiligen, beteiligt sein (com)* mettre, être de moitié; *zur ~ tragen (Kosten)* se partager (les frais); *davon muß man die ~ streichen* od *abziehen (fig)* il faut en rabattre la *od* de moi-

tié; *meine bessere ~ (hum: Ehefrau)* ma moitié.

Halfter *m* od *n* ‹-s, -› ['halftər] licou *m;* **h~n** *tr* mettre le licou à, enchevêtrer.

Halle *f* ‹-, -n› ['halə] *(Saal)* salle *f,* hall *m; (langer Saal)* galerie *f; (Eingang)* vestibule, hall; *(Bahnhof)* hall; *aero* hall, hangar *m;* **~nbad** *n* piscine *f* (couverte); **~nbahn** *f* piste *f* couverte; **~nbau** *m* bâtiment *m* à halls multiples; **~neisbahn** *f* patinoire *f* couverte; **~nkampf** *m sport* match *m* sur terrain couvert; **~nsport** *m* sport *m* sur terrain couvert; **~ntennis** *n* tennis *m* (sur court) couvert; **~nturnen** *n* gymnastique *f* de salle; **~nvorfeld** *n aero* aire *f* de stationnement.

hallen ‹*hat gehallt*› ['halən] *itr (schallen)* résonner, retentir.

hallo [ha'lo:, 'halo] *interj* eh *od* hé (là-bas)! ho! hep! holà! *tele* allô! **H~** *n* ‹-s, -s› [-'lo:] *fig fam (lautes Hin u. Her)* vacarme, brouhaha, *fam* hourvari *m; ein großes ~~ machen über* crier haro sur.

Hallstattzeit *f* ['halʃtat-] *hist* époque *f* halstattienne.

Halm *m* ‹-(e)s, -e› [halm] brin; *(Getreidehalm)* chaume, tuyau *m; auf dem ~ (agr)* sur pied.

Hälmchen *n* ‹-s, -› ['hɛlmçən] petit brin *m; ~ ziehen* tirer à la courte paille.

Hals *m* ‹-es, ¨-e› [hals, 'hɛlzə] cou *m; (Kehle)* gorge *f,* gosier; *pop* sifflet, goulot *m; (Pferd)* encolure *f; (Flasche)* col; *(Geige)* manche *m; aus vollem ~e* à pleine gorge, à gorge déployée, à pleins poumons; *bis an den ~, bis zum ~* par-dessus la tête; *bis es einem zum ~e raushängt (fam)* (jusqu')à satiété; *~ über Kopf* précipitamment, la tête la première, *pop* cul par-dessus tête; *sich den ~ brechen* se casser *od* se rompre le cou; *~ über Kopf davonrennen* prendre ses jambes à son cou; *jdm um den ~ fallen* se jeter *od* sauter au cou de qn; *es im ~e haben* avoir mal à la gorge, *hum* avoir un chat dans la gorge; *e-n rauhen ~ haben* être enroué; *jdn, etw auf dem ~e haben* avoir qn, qc sur les bras *od* sur le dos; *jdn jdm auf den ~ hetzen* mettre qn aux trousses de qn; *den ~ kosten* coûter la tête *od* la vie; *im ~e kratzen* racler le gosier; *in den falschen ~ kriegen* avaler de travers; *fig* prendre en mauvaise part; *aus vollem ~e lachen* rire à plein gosier *od* à pleine gorge *od* à gorge déployée; *sich etw auf den ~ laden (fam)* se mettre qc sur les bras; *jdm auf dem ~e liegen (fig)* être sur le dos de qn; *e-n langen ~ machen, den ~ recken (um etw zu sehen)* allonger le cou; *jdm auf den ~ rücken* tomber sur le dos de qn; *sich jdn, etw vom ~ schaffen* se débarrasser, se défaire de qn, de qc; *bis an den ~ in Schulden stecken* être dans les dettes jusqu'au cou; *jdm den ~ umdrehen* tordre le cou, couper la gorge à qn; *sich jdm an den ~ werfen* se jeter au cou de qn; *das hängt mir zum ~(e) raus (fig fam)* j'en ai par-dessus la tête, ça me fait suer, *arg* j'en ai marre; *dabei kann man sich (ja) den ~ brechen* c'est un jeu à se rompre le cou *od* les jambes; *er kann den ~ nicht voll genug kriegen (fam)* il est insatiable; *bleiben Sie mir damit vom ~e!* ne m'embêtez pas *od* laissez-moi tranquille *od fam* fichez-moi la paix avec cela! *lange(r) ~* cou *m* de girafe; *steife(r) ~ (med)* torticolis *m;* **~abschneider** *m fig fam (Wucherer)* requin *m;* **~ader** *f* (veine) jugulaire *f;* **~ausschnitt** *m* encolure, échancrure *f;* décolleté *m;* **~band** *n* collier *m;* **~binde** *f* cravate *f;* **~bräune** *f med* diphtérie *f,* croup *m;* **h~brechend** *a,* **h~brecherisch** *a* à se casser le cou, périlleux; **~eisen** *n* carcan *m* **~entzündung** *f* inflammation de la gorge, angine *f;* **~kette** *f* collier *m;* **~krause** *f hist* collerette; fraise *f;* **~länge** *f: um e-e ~~ gewinnen* gagner d'une encolure; **~-, Nasen- und Ohrenkrankheiten** *f pl* affections *f pl* oto-rhino-laryngologiques; **~ring** *m (Säule)* astragale *m;* **~schlagader** *f* carotide *f;* **~schmerzen** *m pl* mal *m* de gorge; *~~ haben* avoir mal à la gorge; **~schmuck** *m* collier *m;* **h~starrig** *a* obstiné, opiniâtre, entêté, têtu (comme un mulet); **~starrigkeit** *f* obstination, opiniâtreté *f;* entêtement *m;* **~tuch** n cache-col *m,* écharpe *f,* cache-nez, foulard, *(für Damen)* fichu *m;* **~weh** *n* = *~schmerzen;* **~weite** *f* encolure *f;* **~wirbel** *m* vertèbre *f* cervicale.

Halse *f* ‹-, -n› ['halzə] *mar* amure *f.*

Halt *m* ‹-(e)s, -e› [halt] *(Anhalten)* arrêt *m;* halte *f; (Stütze, Unterstützung)* appui, soutien, support *m; fig (Festigkeit)* fermeté, fixité, solidité; *(innerer ~)* consistance, tenue *f; ohne ~* instable, inconstant, sans caractère; *(beim Klettern) keinen ~ finden* ne pas trouver de prise; *jdm e-n ~ geben* être un soutien pour qn; *e-r S ~ gebieten* arrêter qc; *(e-n) ~ machen* faire (une) halte, s'arrêter; *den ~ verlieren (fig)* perdre pied; **h~ 1.** *interj* halte(-là)! holà! stop! arrêtez-vous! *~~! wer da? (mil)* halte-là! qui vive? **h~bar** *a (dauerhaft)* durable, consistant, résistant, *(Lebensmittel)* de garde; *(stabil)* stable, solide; *tech* soutenable; *~~ machen (Lebensmittel)* conserver; *garantiert ~~* garanti à l'usage; *nicht ~~ (Material) (a.)* altérable; **~barkeit** *f* ‹-, ø› endurance, durabilité, consistance, résistance *f,* bon usage *m;* stabilité, solidité *f;* **~barmachung** *f (von Lebensmitteln)* conservation *f;* **~efeder** *f* ressort *m* de retenue; **~eleine** *f aero* câble *m* de retenue *od* d'amarrage; **~emast** *m aero* mât *m* d'amarrage; **h~en** ‹*hält, hielt, hat gehalten*› *tr* tenir; *mus (Ton)* soutenir; *(stützen, festhalten)* soutenir, supporter; *(anhalten)* arrêter; *(zurückhalten)* retenir; *(aufrechterhalten)* maintenir; conserver; *(enthalten)* contenir; *(einhalten)* garder, observer; *(Versprechen)* tenir; *(besitzen, unterhalten)* avoir, entretenir; *(abhalten, begehen, feiern)* célébrer; *itr (anhalten, stehenbleiben)* s'arrêter, faire (une) halte; *(mit dem Wagen)* arrêter sa voiture; *(stehenbleiben ohne auszusteigen)* stationner; *(festsitzen)* tenir (ferme); *(dauern, dauerhaft sein)* tenir, durer, être solide *od* de bon usage; *sich ~~ (sich aufrecht ~~)* se (main)tenir, se soutenir, se tenir debout; *(sich verhalten)* se conduire, se comporter; *(dauern, bleiben, nicht vergehen)* durer; *(Lebensmittel)* se conserver; *(Farbe)* tenir; *(Wetter)* persister, se maintenir, être constant; *(Preise)* être stable; *mil* se tenir; **1.** *~~ für* prendre pour, regarder *od* considérer comme, croire, juger; *für zwanzig ~~ (fam)* donner vingt ans à; *für (recht, wahr, nötig) ~~* tenir pour, croire (juste, vrai, nécessaire); *für gut ~~* trouver bon; *ge~~ werden für* passer pour; *es mit jdm* od *zu jdm ~~* être pour qn *od* du côté de qn; *große Stücke auf jdn ~~* avoir une haute opinion de qn; *sich an etw ~~ (fest~~)* se tenir, s'accrocher à qc; *fig* s'en tenir à qc; *sich an jdn ~~ (jdm nachfolgen)* marcher sur les traces de qn; *wegen e-r S* s'en tenir à qn pour qc; *an sich ~~* se contenir, se retenir; **2.** *die Bank ~~ (Spiel)* tenir la banque; *s-n Einzug ~~* faire son entrée; *etwas auf sich ~~* se croire quelqu'un; *mit jdm Freundschaft ~~* être en relations amicales avec qn; *sich frisch ~~* se garder frais; *sich gerade ~~* se tenir droit; *Gericht ~~* rendre la justice; *die Tür, das Fenster geschlossen ~* garder la porte, la fenêtre fermée; *das Gleichgewicht ~~* garder l'équilibre; *sich gut ~~ (Mensch)* se tenir *od* conduire bien; *(Lebensmittel)* se garder bien, être de bonne garde; *an der Hand ~~* tenir par la main; *Hochzeit ~~* célébrer les noces; *kurz ~~ (itr) (mit e-m Fahrzeug)* stationner; *auf Lager ~~* avoir en magasin; *auf dem laufenden ~~* tenir au courant; *ans, gegen das Licht ~~* tenir au, contre le jour *od* à contre-jour; *Mahlzeit ~~* prendre un repas; *den Mund ~~* tenir sa langue, se taire; *sich nicht* od *schlecht ~~ (Lebensmittel)* se conserver mal; *nichts von etw ~~* ne faire aucun cas de qc; *Ordnung ~~* maintenir l'ordre; *in Ordnung ~~* tenir en ordre; *sich auf e-m Posten ~~* se maintenir à un poste; *e-e Predigt ~~* faire un sermon; *Rat ~~* tenir conseil; *e-e Rede ~~* faire *od* prononcer un discours; *mit jdm Schritt ~~* aller du même pas que qn; *jdn streng ~~ (fig)* serrer la bride *od* la vis à qn; *sein Versprechen nicht ~~* trahir sa promesse; *viel von jdm ~~* avoir qn en grande estime; *(nicht) viel von etw ~~* faire grand (ne faire aucun) cas de qc; *Vorlesungen ~~* faire des cours; *(sein) Wort ~~* tenir (sa) parole; *im Zaum ~~ (fig)* tenir la bride haute (*jdn* à qn); *e-e Zeitung ~~* être abonné à un journal; *sich an jdn ~~ a.* s'adresser à qn; *jur* se retourner contre qn, tenir qn pour responsable; rester près de qn; *sich Pferde ~~* avoir une écurie; *sich nicht ~~ können (fig)* manquer de souffle; *sich vor Lachen nicht mehr ~~ können* ne plus se tenir de rire; **3.** *ich h~e Sie nicht, gehen Sie nur!* je ne vous retiens plus; *ich h~e es so* je fais comme cela; *ich weiß, was ich davon zu ~~ habe* je sais à quoi m'en tenir; *das hält* cela tient; *das hält nicht* cela ne tient pas (debout); *wofür ~~ Sie mich denn eigentlich* od *überhaupt?* mais pour qui me prenez-vous? *was ~~ Sie davon?* qu'en pensez-vous? que vous en semble? **~en** *n (e-s Wagens)* stationnement *m; mus (e-s Tons)* tenue *f;* **~eplatz** *m loc* halte, station; *(Rastplatz)* halte *f* (de routiers); **~epunkt** *m loc* halte, station *f; mil (beim Schießen)* point *m* d'arrêt *od* de visée; **~er** *m* ‹-s, -› *(Federhalter)* porte-plume, stylo *m; (Besitzer, Inhaber)* détenteur *m;* **~eseil** *n arch tech mar* hauban *m;* **~esignal** *n loc* signal *m* d'arrêt; **~estation** *f loc* gare *f* d'arrêt; **~estelle** *f* station *f,* (point d')arrêt *m;* **~etau** *n mar* amarre; *aero* corde *f od* câble *m* de manœuvre; **~everbot** *n mot* interdiction *f* de stationner; **~evorrichtung** *f* dispositif *m* de serrage; **~ezeit** *f* temps *m* d'arrêt *od mot* de stationnement; **h~los** *(Mensch)* sans consistance, faible, mou; instable; *(Behauptung)* insoutenable, sans fondement; **~losigkeit** *f (Mensch)* inconsistance, faiblesse, mollesse *f; (Behauptung)* manque *m* de fondement; **h~=machen** ‹*hat haltgemacht*› *itr* s'arrêter, faire (une) halte; **~ung** *f (Körperhaltung)* tenue *f,* maintien *m; (Stellung)* posture, position, pose *f; fig* état *m* moral; *(Einstellung)* attitude; *(Verhalten)* conduite *f,* maintien *m,* tenue *f; die ~~ eines Autos* l'entretien *m* d'une voiture; *s-e ~~ (Einstellung) ändern* changer d'attitude; *(stramme) ~~ annehmen (mil)* se mettre au garde-à-vous; *die ~~ bewahren* faire bonne contenance *od* figure; *e-e feste ~~ bewahren* garder une attitude ferme; *e-e ~~ einnehmen* prendre une attitude; *e-e drohende ~~ einnehmen* se dresser sur ses ergots; *die ~~ verlieren* perdre contenance; *aufrechte ~~ (biol: als Merkmal des Menschen)* station *f* verticale; *geduckte ~~* accroupissement *m; innere ~~* état *m* moral; *politische ~~* attitude *f* politique; *stramme ~~ (mil)* garde-à-vous *m.*

halt 2. *adv dial (eben, nun mal)* justement; ma foi; c'est que.

Halunke *m* ‹-n, -n› [ha'lʊŋkə] coquin *a. hum,* fripon, gredin, forban, chenapan *m,* canaille *f.*

Hämat|in ‹-s, ø› [hɛma'ti:n] *(Farbstoff)* hémat(os)ine *f;* **~ologie** *f* ‹-, ø› [-tolo'gi:] *(Lehre vom Blut)* hématologie *f.*

hämisch ['hɛ:mɪʃ] *a* méchant, malicieux, sournois, hargneux; *~e(s) Lachen n* rire *m* sardonique.

Hammel *m* ‹-s, -/⸚› ['ha-, 'hɛməl] mouton *m;* **~braten** *m* rôti de mouton, mouton *m* rôti; **~fett** *n* graisse *f od* suif *m* de mouton; **~fleisch** *n* mouton *m; ~~ mit Rüben und Kartoffeln* haricot *m* de mouton; **~herde** *f pej* troupeau *m;* **~keule** *f* gigot *m;* **~kotelett** *n* côtelette *f* de mouton; **~ragout** *n* ragoût *m* de mouton; *~~ mit Rüben (und Kartoffeln)* navarin *m* (aux pommes); **~rücken** *m* selle *f* de mouton; **~sprung** *m parl* vote *m* par portes séparées; **~talg** *m* = *~fett.*

Hammer *m* ‹-s, ⸚› ['ha, 'hɛmər] marteau *a. anat; (Schmiedehammer)* martinet; *(Holzhammer)* maillet *m; (~werk)* forge, usine *f* métallurgique; *unter den ~ kommen (a. fig)* être vendu aux enchères; *~ und Sichel (pol)* la faucille et le marteau; **~schlag** *m* coup de marteau; *(Eisensplitter)* mâchefer *m;* **~werfen** *n sport* lancement *m* du marteau.

hämmer|bar ['hɛmər-] *a* malléable; **H~barkeit** *f* malléabilité *f;* **~n** *tr* battre au marteau, marteler; *itr* marteler, *bes. fig (Herz)* battre.

Hämo|globin *n* ‹-s, ø› [hɛmoglo'bi:n] *(roter Blutfarbstoff)* hémoglobine *f;* **~rrhoidalknoten** *m* [-mɔroi'da:l-] bourrelet *m;* **~rrhoiden** *f pl* [-ro'i:dən] *med* hémorroïdes *f pl.*

Hampelmann *m* ‹-(e)s, ⸚er› ['hampəl-] pantin *m.*

Hamster *m* ‹-s, -› ['hamstər] *zoo* hamster *m;* **~er** *m* ‹-s, -› accapareur (de marchandises), thésauriseur *m;* **~fahrt** *f* voyage *m* de ravitaillement; **h~n** *tr* accaparer; *itr (~~ gehen)* aller au ravitaillement; **~n** *n* accaparement *m.*

Hand *f* ‹-, ⸚e› [hant, 'hɛndə] main *(a. = ~schrift); pop* patte *f;* **1.** *an, bei der ~ (nehmen)* par la main; *an ~ (gen)* au moyen de; en s'appuyant sur; *aus erster, zweiter ~* de première, seconde main; *bei der ~* à la main, sous (la) main, en main, à portée de la main; *durch s-r Hände Arbeit* à force de bras; *in der ~* à *od* dans la main, en main; *in der, die ~ Gottes* dans la main *od* entre le mains de Dieu; *~ in ~* la main dans la main; *mit der ~* manuellement, à la main; *mit aufgestützten Händen* les mains sur les hanches; *mit beiden Händen* à *od* des deux mains; *mit eigener ~* de sa (propre) main, de ses mains; *mit gefalteten Händen* les mains jointes; *mit vollen Händen* à pleines mains; *a. fig* à poignée, sans compter; *unter der ~ (unterderhand) (fig)* en sous-main, sous le manteau, en secret; *von langer ~ (vorbereitet)* de longue main; *von ~ zu ~* de main en main; *zur ~ = bei der ~; zu Händen (gen) (Post)* aux bons soins de, à l'attention de, à remettre à; *zur linken, rechten ~* à (main) gauche, droite; **2.** *mit leeren Händen abziehen* s'en aller les mains vides; *um jds ~ anhalten* od *bitten* demander la main de qn *od* qn en mariage; *selbst ~ anlegen* mettre la main à la pâte, prêter la main; *jdm in die Hände arbeiten* faire le jeu *od* les affaires de qn; *die ~ ballen* serrer le poing; *freie ~ behalten* garder les mains libres; *s-n Wagen in der ~ behalten (mot)* rester maître de sa voiture; *jdm die ~ bieten (zur Hilfe)* prêter la main à qn; *mit leeren Händen dastehen (fig)* être bredouille; *jdm die ~ drücken* serrer *od* toucher la main, donner une poignée de main à qn; *gegen jdn die ~ erheben* lever la main sur qn; *mit der ~ über etw fahren* passer la main sur qc; *jdm in die Hände fallen (Sache)* tomber sous la main de qn; *in jds Hände fallen (Person)* tomber au pouvoir *od* aux mains de qn; *jdm aus der ~ fressen (Tier, a. fig von Menschen)* manger dans la main à *od* de qn; *jdm die ~ geben* tendre la main à qn; *jdm freie ~ geben = jdm freie ~ lassen; jdm an die ~ gehen* donner un coup de main à qn; *durch jds Hände gehen* passer par les mains de qn; *mit jdm ~ in ~ gehen* marcher la main dans la main avec qn; *von ~ zu ~ gehen* passer de main en main; *in jds Hände geraten* tomber sous la coupe de qn; *jdm wieder in die Hände geraten (Sache)* repasser par les mains de qn; *(fest) in Händen haben* avoir la haute main sur; *jdn in der ~ haben (fig)* avoir qn sous sa coupe; *zur ~ haben* avoir sous la main *od* à sa disposition; *aufgesprungene Hände haben* avoir les mains crevassées; *eine flinke ~ haben* être habile *od* adroit de ses mains; *freie ~ haben (fig)* avoir les mains libres *od* le champ libre, avoir carte blanche; *~ und Fuß haben (fig)* tenir debout; *weder ~ noch Fuß haben (fig)* n'avoir ni queue ni tête; *geschickte Hände haben (beim Nähen)* avoir des doigts de fée; *e-e glückliche ~ haben* avoir la main heureuse *od (im Spiel)* un beau jeu; *das Heft in der ~ haben (fig)* mener la barque; *kalte Hände haben* avoir froid aux mains; *e-e leichte ~ haben (in der Menschenführung)* avoir la main légère; *bei etw s-e ~ im Spiel haben* avoir la main, être pour quelque chose dans qc; *die rechte, linke ~ verloren haben* être manchot de la main droite, gauche; *alle Hände voll zu tun haben* être débordé de travail, ne savoir où donner de la tête; *jdn an der ~ halten, führen* tenir, mener qn par la main; *in jds Hände kommen* tomber entre les mains de qn; *in andere Hände kommen (fig)* changer de mains; *aus der ~ lassen* lâcher, se dessaisir de; *die Hände von etw lassen (fig)* ne pas se mêler de qc; *jdm freie ~ lassen* laisser les mains libres *od* le champ libre *od* toute liberté d'action *od* toute latitude à qn; *jdn s-e ~ fühlen lassen (fig)* appesantir sa main sur qn; *sich mit Händen greifen lassen (fig)* tomber sous le sens; *von der ~ in den Mund leben* vivre au jour le jour, tirer le diable par la queue; *von s-r Hände Arbeit leben* vivre du travail de ses mains; *~ an etw legen* mettre la main à qc; ~

an jdn legen mettre la main sur qn; ~ *an sich legen* attenter à ses jours, se donner la mort; *die ~ auf etw legen (a. fig)* mettre la main sur qc; *aus der ~ legen* mettre de côté; *die letzte ~ an etw legen* mettre la dernière main à qc, donner la dernière touche à qc; *s-e ~ für etw ins Feuer legen (fig)* mettre sa main au feu pour qc; *die Hände in den Schoß legen* se croiser les bras; *sich die Hände frei machen* se délier les mains; *sich die Hände schmutzig machen* se salir les mains; *jdn bei der ~ nehmen* prendre qn par la main; *etw in die ~ nehmen (a. fig)* prendre qc en main(s); *die Sache in die ~ nehmen (fig)* prendre l'affaire en mains; *jdm die ~ reichen* tendre la main à qn; *die Hände ringen* se tordre les mains; *die Hände rühren* faire œuvre de ses dix doigts; *jdm etw aus der ~ schlagen* faire tomber qc des mains de qn; *nicht die ~ vor den Augen sehen* ne voir goutte; *in jds ~* od *Händen sein* être entre les mains *od* sous la griffe *od* entre les pattes *od* au pouvoir de qn; *zur ~ sein* être à portée de la main; *gut zur ~ sein (Sache)* être à portée de la main; *mit der Antwort schnell bei der ~ sein* avoir la repartie prompte; *an Händen und Füßen gebunden sein (fig)* avoir pieds et poings liés; *jdm etw in die Hände spielen* livrer (involontairement) qc à qn; faire tomber qc entre les mains de qn; *jdn auf Händen tragen (fig)* faire tout pour qn; *in andere Hände übergehen* changer de mains; *die Hände in der Tasche vergraben* enfouir ses mains dans ses poches; *von langer ~ vorbereiten* préparer de longue main *od* date; *s-e Hände in Unschuld waschen* s'en laver les mains; *sich mit Händen und Füßen dagegen wehren, daß ...* faire des pieds et des mains pour ne pas ...; *von der ~ weisen* repousser, rejeter; *mit beiden* od *vollen Händen zugreifen* prendre à pleines mains; *s-e ~ zurückziehen (a. fig)* retirer sa main; *die Hände über dem Kopf zs.schlagen (erstaunt)* lever les bras au ciel; *(verzweifelt)* s'arracher les cheveux; **3.** *das habe ich bei der ~* c'est à ma portée; *er hat alle Trümpfe in der ~* il a tous les atouts en main; *da lasse ich die Hände davon* je ne m'en mêle pas; *dafür lege ich meine ~ ins Feuer* j'en mettrais ma main au feu; *mir sind die Hände gebunden (fig)* j'ai les mains liées; *das ist nicht von der ~ zu weisen* cela mérite considération, ce n'est pas méprisable; *es ist meinen Händen entglitten* cela m'a glissé des mains; *die ~ juckt mir (fig)* les doigts me démangent; *die Arbeit geht ihm leicht von der ~* il travaille vite; *das hat weder ~ noch Fuß (fig)* cela n'a ni rime ni raison *od* ni queue ni tête; *das liegt auf der ~ (fig)* c'est manifeste *od* évident *od* une chose évidente; ~ *aufs Herz!* la main sur la conscience! ~ *drauf!* tope (là), touchez là! *Hände hoch!* haut les mains! *Hände weg!* bas les mains! *fam* (à) bas les pattes! *e-e ~ wäscht die andere (prov)* une main lave l'autre; donnant donnant; **4.** *flache ~* plat *m* de la main, paume *f; hohle ~* creux *m* de la main; *die öffentliche ~* les pouvoirs *m pl* publics, le fisc; *rechte ~ (fig: unentbehrlicher Helfer)* bras droit, *fam* sous-verge *m; (Recht n der) Tote(n) ~ f* mainmorte *f; nicht von der ~ zu weisen(d)* irréfragable; **~abzug** *m typ* impression *f* faite à la main; **~amboß** *m* tasseau *m;* **~antrieb** *m* commande *f* à la main; *mit ~~* commandé à la main; **~apparat** *m tele* combiné *m;* **~arbeit** *f (Tätigkeit)* travail *od* ouvrage *m* manuel, main-d'œuvre; *(Produkt)* travail *m od* fabrication *f* à la main, ouvrage *m* fait à la main; *pl (weibliche)* ouvrages *m pl* de dames; **~arbeiter** *m* travailleur manuel, manœuvre *m;* **~arbeitslehrerin** *f* maîtresse *f* de travail manuel; **~arbeitsunterricht** *m* travail *m* manuel; **~atlas** *m* atlas *m* portatif; **~auflegen** *n rel* imposition *f* des mains; **~ausgabe** *f (Buch)* édition *f* portative; **~ball** *m (Spiel)* handball; *(Ball)* ballon *m* de handball; **~ballspieler** *m, fam* **~baller** *m* handballeur *m;* **~betrieb** *m* exploitation *f* à bras d'homme; **~bewegung** *f* geste *m* de la main; **~bibliothek** *f,* **~bücherei** *f* bibliothèque *f* de consultation sur place; **~bohrer** *m* tourniquet *m;* **~bohrmaschine** *f* perceuse *od mines* perforatrice *f* à main; **~breit** *f: keine ~~ Landes* pas un pouce de terrain *od* terre; **~bremse** *f mot* frein *m* à main; *die ~~ ziehen* mettre le frein à main; **~bremshebel** *m* levier *m* de frein à main; **~buch** *n* manuel *m;* **~druck** *m typ* impression *f* à la main; **~einband** *m (Buch)* reliure *f* privée; **~exemplar** *n (Buch)* exemplaire *m* d'auteur; **~fertigkeit** *f* habileté *f* manuelle; **~fertigkeitsunterricht** *m* éducation *f* manuelle; **h~fest** *a* solide, fort, robuste, vigoureux; *ein ~~er Bursche* un rude gaillard; **~feuerlöscher** *m* extincteur *m* à main; **~feuerwaffe** *f* arme *f* à feu portative; **~fläche** *f* paume *f od* plat *m* de la main; **h~gearbeitet** *a* fait à la main; **~gebrauch** *m: zum ~~* à l'usage ordinaire; **~geld** *n (Vorschuß)* avance *f; (Aufgeld)* arrhes *f pl; (für Vermieter)* pas de porte; *(für Hausangestellte)* denier *m* à Dieu, *a. mil* prime *f* d'engagement; **~gelenk** *n* poignet *m; aus dem ~~ (fig)* en un tour de main; *ein loses ~~ haben (fig)* avoir la main légère *od* leste; **h~gemacht** *a* fait à la main; **h~gemein** *a: ~~ werden* en venir aux mains; **~gemenge** *n* corps à corps *m,* mêlée *f;* **h~genäht** *a* (cousu) main; **~gepäck** *n* bagages à main, petits bagages *m pl;* **~gepäckraum** *m* dépôt *m* des bagages; **h~geschmiedet** *a* forgé (à la) main; **h~geschöpft** *a (Papier)* à la main *od* forme *od* cuve; **h~geschrieben** *a* écrit à la main, manuscrit; **h~gewebt** *a* tissé (à la) main; **~granate** *f* grenade *f* (à main); *scharfe ~~* grenade *f* réelle; **h~greiflich** *a fig* palpable, évident, manifeste; *jdm etw ~~ klarmachen* faire toucher du doigt qc à qn; *~~ werden* passer à des voies de fait; **~greiflichkeit** *f fig* évidence *f; pl* voies *f pl* de fait; **~griff** *m (zum Handhaben od Festhalten)* poignée, manette; *mot* brassière, croisée *f; (Bewegung)* tour de main; *(Kunstgriff)* truc *m,* ficelle *f;* **~habe** *f fig* prise *f; e-e ~ bieten* donner prise; **h~haben** ‹*du handhabst, du handhabtest, hast gehandhabt*› *tr* manier, manipuler, employer; *tech* manœuvrer; *fig (anwenden)* appliquer; *leicht zu ~~(d)* maniable; **~habung** *f* maniement *m,* manipulation *f,* emploi *m; tech* manœuvre; *fig* application *f; sichere ~~* sécurité *f* d'emploi; **~harmonika** *f* accordéon *m;* **~hebel** *m* levier *m* à main; **~karren** *m* charrette à bras, poussette *f;* **~koffer** *m* valise, mallette *f;* **h~koloriert** *a* colorié à la main; **~kurbel** *f mot* manivelle *f;* **~kuß** *m* baisemain *m;* **~lampe** *f* baladeuse *f;* **~langer** *m* manœuvre *a. fig,* homme de peine; *(e-s Maurers)* aide-maçon; *fig* suppôt *m;* **~leder** *n* manicle, manique *f;* **~leiste** *f (am Geländer)* main *f* courante; **~leuchter** *m* bougeoir *m;* **h~lich** *a* maniable, facile à manier; **~lichkeit** *f* ‹-, ø› maniabilité *f;* **~linie** *f* ligne *f* de la main; *die ~~n deuten* lire dans la main *od* les lignes de la main; **~liniendeutung** *f* chiromancie *f;* **~massage** *f* massage *m* manuel; **~mühle** *f* moulin *m* à bras; **~pferd** *n* cheval de main; *mil* sous-verge *m;* **~pfleger(in** *f***)** *m* manucure *m f;* **~presse** *f typ* presse *f* à bras; **~ramme** *f tech* hie *f,* pilon *m,* demoiselle, dame *f; (zum Eintreiben von Pfählen)* mouton *m* à bras; **~reichung** *f* coup de main, service *m;* **~rücken** *m* dos *od* revers *m* de la main, arrière-main *f;* **~säge** *f* scie *f* à main; **~satz** *m typ* composition *f* à la main *od* manuelle; **~schaltung** *f mot* changement *m* de vitesse à main; **~schellen** *f pl* menottes *f pl, jdm ~~ anlegen* menotter qn; **~schlag** *m* coup *m od* poignée *f* de main; *ohne e-n ~ (zu tun)* sans y mettre la main; *etw durch ~~ bekräftigen* toper pour qc; *keinen ~~ tun* ne faire œuvre de ses dix doigts; **~schreiben** *n* (lettre) missive *f;* **~schrift** *f* main, écriture *f; (handgeschriebenes Buch)* manuscrit *m;* **h~schriftlich** *a* écrit à la main, manuscrit; *adv* par écrit; **~schuh** *m* gant *m; jdn (nicht) mit seidenen ~~en anfassen* (ne pas) mettre *od* prendre de gants avec qn; **~schuhfabrik** *f,* **~schuhgeschäft** *n,* **~schuhindustrie** *f,* **~schuhmacherei** *f* ganterie *f;* **~schuhformer** *m (Arbeiter)* apprêteur *m* de gants; **~schuhkasten** *m* boîte *f* à gants; **~schuhleder** *n* cuir *m* de poule; **~schuhmacher** *m* gantier *m;* **~schuhnummer** *f* pointure *f; ~~ 7 haben* ganter du sept; **~schuhweiter** *m* ouvre-gants *m;* **~schutz** *m* garde-main, pare-main, *(am Gewehr)* protège-main *m;* **~setzer** *m typ* compositeur *m* à la main; **~siegel** *n* sceau *m* privé; **~spiegel** *m* miroir *m od* glace *f* à main; **~stand** *m sport* arbre *m* droit sur les mains; **~steuerung** *f* commande *f* à main; **~stikkerei** *f* broderie *f* à la main; **~streich** *m, bes. mil* coup *m* de main; **h~stricken** *tr* tricoter à la main; **~täschchen** *n,* **~tasche** *f* sac *m* à main; **~teller** *m* paume *f;* **~tuch** *n (einfaches)* essuie-main(s) *m; (Toiletten~~)* serviette *f* (de toilette); **~tuchhalter** *m* porte-serviette(s) *m;* **~umdrehen** *n: im ~~* en un tour de main *od* tournemain; *pop* en cinq sec; **~voll** *f* ‹-, -›: *e-e ~~ (gen)* une poignée de; **~wagen** *m* voiture à bras, voiturette *f;* **~wärme** *f (e-r Flüssigkeit)* température *f* supportable à la main *od* au toucher; **~webstuhl** *m* métier *m* à bras; **~werk** *n* métier *m; das ~~ (die ~werker)* le corps de métier, l'artisanat *m; ein ~~ lernen, betreiben* apprendre, exercer un métier; *jdm das ~~ legen (fig)* mettre fin aux menées *od* agissements de qn; *jdm ins ~~ pfuschen* od *reden* vouloir en remontrer à qn; *sein ~~ verstehen (fig)* connaître *od* savoir son métier; *~~ hat goldenen Boden (prov)* il n'est si petit métier qui ne nourrisse son maître; **~werker** *m* artisan, homme *m* du métier; **~werksbedarf** *m* fourniture *f* aux artisans du bâtiment; **~werksbetrieb** *m* entreprise *f* artisanale; **~werksbursche** *m* compagnon; *(Landstreicher)* vagabond, chemineau *m;* **~werkskammer** *f* chambre *f* des métiers; **~werksmeister** *m* maître artisan, patron *m;* **~werkszeug** *n* outils *m pl,* outillage *m;* **~wörterbuch** *n* lexique *m;* **~wurzel** *f anat* carpe *m;* **~zeichnung** *f* dessin *m.*

Händ|chen *n* ‹-s, -› ['hɛntçən] petite main; *(Kindersprache)* menotte *f;* **~edruck** *m* ‹-(e)s, ⸚e› ['-də-] poignée *f od* serrement *m* de main; **h~eringend** *a adv* se tordant les mains.

Handel *m* ‹-, ø› ['handəl] *(Gewerbe)* commerce; *(Großhandel)* négoce; *(Wirtschaftszweig)* trafic; *(einzelner Vorgang)* marché; *(Tausch)* troc *m; fig (Angelegenheit, Geschichte)* affaire *f; nicht im ~ (befindlich)* hors commerce; *e-n ~ abschließen, (mit jdm) eingehen* conclure *od* faire un marché (avec qn); *e-n ~ rückgängig machen* annuler une affaire *od* un contrat; *in den ~ bringen* mettre *od* introduire sur le marché, commercialiser; *~ treiben* faire du commerce *od* du négoce; *mit jdm* faire du commerce, commercer avec qn; *im ~ hört die Freundschaft auf (prov)* les affaires sont les affaires; *ein ehrlicher ~* un marché loyal; *~ und Wandel (lit)* l'économie *f.*

Händel *m pl* ['hɛndəl] querelle, dispute *f; mit jdm ~ suchen* chercher chicane *od* querelle *od* noise à qn; **~sucht** *f* humeur *f* querelleuse; **h~süchtig** *a* querelleur, chicaneur.

handeln ‹*ich handle* od *handele*› ['handəln] *itr* agir; *(verfahren)* procéder; *(Handel treiben)* faire du commerce *od* négoce; *mil etw* faire le commerce de qc, trafiquer qc; *(feilschen)* marchander; *allg (tätig sein)* agir (*an jdm* envers qn); *(Literaturwerk, Buch)* traiter (*von etw* de qc), avoir pour sujet (*von etw* qc); *tr: gehandelt werden (an der Börse)* se négocier; *sich ~ (impers): es handelt sich um* il s'agit de, il est question de; il y va de; *ebenso ~* en faire autant, faire de même; *mit sich ~ lassen* se montrer accommodant; *jdn zum H~ veranlassen* faire agir qn; *jdn zum H~ zwingen* forcer la main à qn; *das ist nicht wie ein Ehrenmann gehandelt (lit)* voilà qui n'est pas d'un homme de bien; *es handelte sich um ... (es war e-e Sache von ...)* c'était l'affaire *od* une affaire de ...; *worum handelt es sich (eigentlich)?* de quoi s'agit-il? **H~** *n (Feilschen)* marchandage *m;* **~d** *a* agissant, actif; *~~e Person f (theat)* personnage, acteur *m.*

Handels|abkommen *n* ['handəls-] accord *m od* convention *f* commercial(e); **~adreßbuch** *n* annuaire *m* du commerce; **~agent** *m* agent *m* commercial; **~artikel** *m* article *m* de commerce; **~bank** *f* banque *f* commerciale *od* de commerce; **~bericht** *m* rapport *od* bulletin *m* commercial; **~beschränkungen** *f pl* restrictions *f pl* des échanges commerciaux; **~besprechungen** *f pl pol* pourparlers *m pl* commerciaux; **~betrieb** *m* entreprise *f* commerciale; **~bezeichnung** *f* nom *m* commercial; **~beziehungen** *f pl* relations *f pl* commerciales, échange(s *pl*) *m* commercial (commerciaux); **~bilanz** *f* bilan *m od* balance *f* commercial(e); **~blatt** *n* journal *od* bulletin *m* du commerce; **~börse** *f* bourse *f* de commerce; **~brauch** *m* usage *m* de commerce, usance *f;* **~dampfer** *m* vapeur marchand, cargo *m;* **h~einig** *a,* **h~eins** *a: ~~ sein, werden* être, tomber d'accord en affaire; *~~ werden* convenir du prix; **~erlaubnis** *f* carte de commerce, patente *f;* **h~fähig** *a* commercialisable; **~firma** *f* maison (de commerce), firme; *jur* raison *f* sociale; **~flagge** *f* pavillon *m* marchand; **~flotte** *f* flotte *f* commerciale; **~freiheit** *f* liberté *f* de *od* du commerce; **~garten** *m* jardin *m* maraîcher; **~gärtner** *m* horticulteur *m;* **~gärtnerei** *f* horticulture *f;* **~genossenschaft** *f* coopérative *f* commerciale; **~gericht** *n* tribunal *m* de commerce; **h~gerichtlich** *adv: ~~ eingetragen* enregistré; **~gerichtsbarkeit** *f* justice *f* commerciale; **~geschäft** *n* opération *f* commerciale; **~gesellschaft** *f* société *od* association *od* compagnie *f* de commerce *od* commerciale; *Offene ~~* société *f* en nom collectif; **~gesetz** *n* loi *f* commerciale; **~gesetzbuch** *n* code *m* de commerce; **~gesetzgebung** *f* législation *f* commerciale; **~gewicht** *n* avoirdupoids *m;* **~gewinn** *m* bénéfice *m* d'exploitation; **~größe** *f* taille *f* marchande; **~hafen** *m* port *m* de commerce *od* marchand; **~haus** *n* maison *f* (de commerce); **~hochschule** *f* école supérieure de commerce; *(in Paris)* École *f* des Hautes Etudes Commerciales; **~index** *m* indice *m* de commerce; **~kammer** *f* chambre *f* de commerce; **~korrespondent** *m* correspondancier *m;* **~korrespondenz** *f* correspondance *f* commerciale; **~kredit** *m* crédit *m* commercial; **~krieg** *m* guerre *f* de commerce *od* commerciale; **~krise** *f* crise *f* commerciale; **~luftfahrt** *f* aviation *f* commerciale; **~mann** *m* ‹-(e)s, -leute/(-männer)› marchand, commerçant *m;* **~marine** *f* marine *f* marchande; **~minister(ium** *n***)** *m* minist(è)re *m* du commerce; **~mission** *f* mission *f* commerciale; **~name** *m* nom *m* commercial; **~niederlassung** *f (im Ausland)* factorerie *f,* comptoir *m;* **~organisation** *f* organisation *f* commerciale; **~platz** *m* place *f* marchande *od* de commerce; **~politik** *f* politique *f* commerciale; **~recht** *n* droit *m* commercial; **~register** *n* registre *m* du commerce; **~reisende(r)** *m* voyageur de commerce; *(kleiner)* commis *m* voyageur; **~richter** *m* juge au tribunal de commerce, magistrat *m* consulaire; **~schiff** *n* navire *od* vaisseau *od* bâtiment *m* marchand *od* de commerce; **~schiffahrt** *f* navigation *f* commerciale; **~schranken** *f pl* barrières *f pl* commerciales; **~schule** *f* école *f* de commerce *od* commerciale; **~spanne** *f* marge *f* commerciale; **~sperre** *f* prohibition *f* commerciale, embargo *m;* **~stadt** *f* ville *f* marchande *od* de commerce; **~statistik** *f* statistique *f* commerciale *od* du commerce; **~teil** *m (e-r Zeitung)* rubrique *f* commerciale; **h~üblich** *a* d'usage; *adv* suivant les usages du commerce; **~ und Zahlungsabkommen** *n* convention *f* de commerce et de paiement; **~unternehmen** *n* entreprise *od* exploitation *f* commerciale; **~verbindung** *f* liaison *f* commerciale; **~verkehr** *m* mouvement *od* trafic *m* commercial; **~vertrag** *m* traité de commerce; contrat *m* de société; **~vertreter** *m* représentant de commerce, agent *m* commercial; **~vertretung** *f* agence *f* commerciale; **~vollmacht** *f* pouvoir *m* commercial; **~ware** *f* article *m* de commerce; **~wechsel** *m* effet *m* de commerce; **~weg** *m* voie *od* route *f* commerciale; **~wert** *m* valeur *f* marchande; **~zentrum** *n* centre *m* commercial; **~zweig** *m* branche *f* de commerce.

handeltreibend *a* commerçant, marchand; **H~e(r)** *m* commerçant, marchand *m.*

handikape|n ‹*hat gehandikapt*› ['hɛndikɛpən] *tr fam* handicaper; **H~er** *m (Pferderennen)* handicapeur *m.*

Händler *m* ‹-s, -› ['hɛndlər] marchand, commerçant, *a. pej* trafiquant;

(Kleinhändler) débitant *m; ambulante(r)* ~ (marchand) forain *m;* **~preis** *m* prix *m* pour revendeur; **~rabatt** *m* rabais *m* de gros.

Handlung *f* ⟨-, -en⟩ ['handlʊŋ] *(Tätigkeit)* action *f; (Tat)* acte, fait *m; theat film* action; *(Roman)* affabulation *f; (Geschäft)* commerce *m; (Handelshaus)* maison (de commerce); *(Laden)* boutique *f,* magasin *m; Einheit der ~ (theat)* unité *f* de l'action *od* d'action; *strafbare, unerlaubte ~ (jur)* acte *m* punissable, illicite; **~sbevollmächtigte(r)** *m com* mandataire commercial, fondé *m* de pouvoir; **h~sfähig** *a* capable d'agir; **~sfähigkeit** *f* capacité *f* d'agir *od jur* d'exercice des droits civils; **~sfreiheit** *f* liberté *f* d'action; **~sgehilfe** *m (kaufmänn. Angestellter)* commis *m;* **~sreisende(r)** *m = Handelsreisender;* **h~sunfähig** *a* incapable d'agir; **~svollmacht** *f* plein pouvoir *m,* procuration *f;* **~sweise** *f* manière *od* façon *f* d'agir.

hanebüchen ['ha:nəby:çən] *a (unerhört)* inouï, incroyable; *(grob)* grossier.

Hanf *m* ⟨-(e)s, ø⟩ [hanf] *bot* chanvre *m; ~ brechen* broyer du chanvre; **~acker** *m* chènevière *f;* **~bereiter** *m* chanvrier *m;* **~breche** *f* brisoir *m,* broie *f;* **~dichtung** *f tech* étoupage *m* en chanvre; **h~en** *a,* **hänfen** ['hɛnfən] *a* de chanvre; **~feld** *n = ~acker;* **~garn** *n* fil *m* de chanvre; **~leinen** *n* toile *f* de chanvre; **~öl** *n* huile *f* de chènevis; **~samen** *m* chènevis *m;* **~seil** *n* corde *f* de chanvre.

Hänfling *m* ⟨-s, -e⟩ ['hɛnflɪŋ] *orn* linot(te) *m (f).*

Hang *m* ⟨-(e)s, ⸚e⟩ [haŋ, 'hɛŋə] *(Abhang)* pente *f; lit* penchant, versant; *fig (Neigung)* penchant *m,* inclination (*zu* pour), propension, tendance, disposition *f* (*zu* à), goût *m* (*zu* pour); **~(auf)wind** *m* ascendance *f* (orographique), courant *m* de pente; **~ende(s)** *n geol* salbande *f* supérieure.

Hangar *m* ⟨-s, -s⟩ [haŋ'ga:r, '--] *aero* hangar *m.*

Hänge|backe *f* ['hɛŋə-] bajoue, joue *f* pendante; **~bahn** *f loc* voie *f* suspendue; **~balken** *m arch* poutre *f* suspendue; **~bank** *f mines* recette *f,* palier *m* de déchargement; **~bauch** *m* ventre *m* pendant; **~boden** *m arch* soupente *f;* **~brücke** *f* pont *m* suspendu; **~brust** *f* sein *m* pendant; **~decke** *f arch* plafond *m* suspendu; **~gerüst** *n* échafaudage *m* volant; **~hose** *f pop (Angsthase)* foireux, se *m f vulg;* **~lager** *n tech* palier *m* suspendu; **~lampe** *f* (lampe à) suspension *f;* **~lippe** *f* lèvre *f* pendante; **~matte** *f* hamac *m;* **~motor** *m* moteur *m* à suspension; **h~n** *tr ⟨hängte, gehängt⟩ (aufhängen)* (sus)pendre; *(auf e-n Haken)* accrocher; *(henken)* pendre; *itr ⟨hängt, hing, hat gehangen⟩* [hiŋ, -haŋ-] pendre, être (sus)pendu; *(an e-m Haken)* être accroché; *(haften)* adhérer (*an* à); *fig* tenir, être attaché (*an* à); *(in der Schwebe sein)* être *od* rester en suspens; *(Schule fam)* avoir des difficultés (*in* en); *sich an jdn, etw ~~* s'attacher, *pej* s'agripper, s'accrocher à qn, qc; *am* od *an e-m seidenen Faden ~~ (fig)* ne tenir qu'à un cheveu; *am Leben ~~* tenir à la vie; *den Mantel nach dem Winde ~~ (fig)* voir d'où vient le vent, s'accommoder aux circonstances; *an den Nagel ~~ (fig) (aufgeben)* pendre au clou; *schlecht* od *ungünstig ~~ (Bild)* n'être pas dans un bon éclairage; *sehr an etw ~~* tenir beaucoup à qc; *ihm hängt der Himmel voller Geigen* il voit la vie en rose; *ich hänge bei ihm mit 100 Mark (fam)* j'ai une ardoise de cent marks chez lui; *sie hängt sich ihr ganzes Geld auf den Leib (fam)* elle se colle tout son argent sur le dos; *das hat am* od *an e-m seidenen Faden gehangen* il s'en est fallu de peu; **~n** *n (Aufhängung)* suspension; *(Henken)* pendaison *f; mit ~~ und Würgen (fam)* à grand-peine; **h~n⸗bleiben** *⟨ist hängengeblieben⟩ itr* s'accrocher, s'attraper (*an etw* à qc); *fig fam (nicht wegfinden)* prendre racine; *(in der Schwebe bleiben)* rester en suspens; **h~nd** *a* pendant; suspendu; **h~n⸗lassen** *tr (vergessen)* laisser, *den Kopf* od *(fam) die Ohren ~~lassen* baisser l'oreille, *pop* avoir le cafard, ne pas avoir le moral *fam;* oublier; **~ohren** *n pl* oreilles *f pl* pendantes.

Hannibal *m* ['hanibal] *hist* Annibal *m.*

Hannover *n* [ha'no:fər] Hanovre *f; (ehem. Königreich u. preuß. Provinz)* le Hanovre.

Hans [hans] *m* Jean *m; ~ Liederlich* noceur *m;* **~dampf** *m: ~~ in allen Gassen* brasseur *m* d'affaires; **~narr** *m (Spaßvogel)* farceur; *(Dummkopf)* (maître) sot *m;* **~wurst** *m* ⟨-(e)s, -e/(⸚e)⟩ bouffon, paillasse, baladin, pitre; *hist theat* arlequin, polichinelle *m;* **~wurstiade** *f* ⟨-, -n⟩ [-ti'a:də] bouffonnerie, paillasserie *f,* baladinage *m,* pitrerie, arlequinade *f.*

Hans|a, ~e, *die* ['hanza, -zə] *(hist)* la Hanse; **h~eatisch** [-ze'a:tɪʃ] *a,* **h~isch** ['hanziʃ] *a,* **h~estädtisch** *a* hanséatique; **~estadt** *f* ville *f* hanséatique.

Häns|elei *f* ⟨-, -en⟩ [hɛnzə'laɪ] taquinerie, brimade *f;* **h~eln** ['hɛnzəln] *tr* taquiner, brimer, lutiner.

Hantel *f* ⟨-, -n⟩ ['hantəl] *sport* haltère *m;* **h~n** *itr* faire des haltères.

hantier|en ['han'ti:rən] *itr (handhaben)* manier, manipuler (*mit etw* qc); *(sich zu schaffen machen)* être à la besogne, s'affairer, s'occuper; **H~ung** *f (Handhabung)* maniement *m,* manipulation; *(Tätigkeit)* occupation *f,* affairement *m,* besogne *f.*

hapern ['ha:pərn] *itr (nicht recht funktionieren)* boiter; *fam* accrocher; *impers: es hapert* il y a une anicroche; *fam* c'est coton; *an etw* il y a qc qui ne marche pas, *(fehlt)* il y a qc qui manque; *im Rechnen hapert's bei ihm* il a quelques difficultés en calcul; *woran hapert's? (fam)* qu'est-ce qui ne colle pas?

Häppchen *n* ⟨-s, -⟩ ['hɛpçən] petit morceau *m.*

Happ|en *m* ⟨-s, -⟩ ['hapən] morceau *m,* bouchée *f; e-n guten ~~ lieben* aimer les bons morceaux; *leckere(r) ~~* morceau *m* friand; **h~ig** *a (gierig)* avide, glouton; *das ist ein bißchen ~~ (fam)* c'est un peu fort.

Här|chen *n* ⟨-s, -⟩ ['hɛ:rçən] cheveu; poil; *(Flaumhaar)* duvet *m; ~~ (pl) in der Nase* vibrisses *f pl;* **h~en** *a (aus Haar)* de cheveux, de poil, de crin; *~~e(s) Gewand n* haire *f,* cilice *m;* **h~en:** *sich ~~ = sich haaren.*

Harem *m* ⟨-s, -s⟩ ['ha:rɛm] harem *m.*

Häre|sie *f* ⟨-, -n⟩ [hɛre'zi:] *(Ketzerei)* hérésie *f;* **~tiker** *m* ⟨-s, -⟩ [-'re:tikər] hérétique *m;* **h~tisch** [-'re:tɪʃ] *a* hérétique.

Harfe *f* ⟨-, -n⟩ ['harfə] harpe *f; ~ spielen,* **h~n** *itr* jouer de la harpe; **~nist** *m* ⟨-en, -en⟩ [-'nɪst] joueur de harpe, harpiste *m;* **~nspiel** *n* jeu *m* de la harpe.

Harke *f* ⟨-, -n⟩ ['harkə] râteau *m; dem werde ich zeigen, was 'ne ~ ist (fam)* je vais lui montrer comment je m'appelle *od* lui dire ses quatre vérités *od* lui dire son fait; **h~n** *tr* ratisser.

Harlekin *m* ⟨-s, -e⟩ ['harleki:n] arlequin *m;* **~ade** *f* ⟨-, -n⟩ [-ki'na:də] arlequinade *f.*

Harm *m* ⟨-(e)s, ø⟩ [harm] *(Kummer)* affliction *f,* chagrin, tourment *m;* **h~los** *a (ungefährlich)* inoffensif, *bes. med* bénin, anodin; *(unschuldig, friedlich)* innocent, ingénu, paisible; **~losigkeit** *f* caractère *m* inoffensif; *med* bénignité; innocence, ingénuité *f.*

härmen ['hɛrmən], *sich* s'affliger, se chagriner, se tourmenter (*um etw* de qc).

Harmon|ie *f* ⟨-, -n⟩ [harmo'ni:] *mus* harmonie *f, a. fig;* **~ielehre** *f mus* (science de l')harmonie *f;* **h~ieren** *⟨hat harmoniert⟩* [-'ni:rən] *itr* s'accorder (*mit* avec); *mitea. ~~* s'entendre, être à l'unisson; **~ika** *f* ⟨-, -s, . . .ken⟩ [-'mo:nika] *(Mund- od Zieh~~)* harmonica; *(Zieh~~)* accordéon *m;* **~ikatür** *f* porte *f* en accordéon *od* à soufflet; **h~isch** [-'mo:nɪʃ] *a mus* harmonique; *allg* harmonieux, (bien) proportionné; **~ium** *n* ⟨-s, -nien⟩ [-'mo:nium, -niən] *mus* harmonium *m.*

Harn *m* ⟨-(e)s, e⟩ [harn] urine *f; vulg* pissat *m;* **~abgang** *m,* **~abfluß** *m: unwillkürliche(r) ~~ (med)* incontinence *f* d'urine; **~ausscheidung** *f* élimination *f* urinaire; **~beschwerden** *f pl* dysurie *f;* **~blase** *f* vessie *f;* **~brennen** *n med* brûlures *f pl* d'urine; **~drang** *m = ~zwang;* **h~en** *itr* uriner; *vulg* pisser; **~en** *n* miction *f;* **~glas** *n* urinal *m;* **~grieß** *m med* gravelle *f;* **~leiter** *m anat* uretère *m;* **~röhre** *f* urètre *m;* **~ruhr** *f* diabète *m,* diurèse *f;* **~säure** *f* acide *m* urique; **~sperre** *f* anurie *f;* **~stein** *m* calcul urinaire, urolithe *m;* **~stoff** *m chem* urée *f;* **~strang** *m anat* ouraque *m;* **h~treibend** *a* diurétique;

~untersuchung *f* uroscopie *f;* **~vergiftung** *f* urémie *f;* **~verhaltung** *f med* rétention d'urine, anurie *f;* **~zwang** *m* strangurie *f,* ténesme *m.*

Harnisch *m* ‹-(e)s, -e› ['harnıʃ] harnais *m; (Brust~)* cuirasse; *(Rüstung)* armure *f; jdn in ~ bringen* mettre qn en colère, échauffer la bile, chauffer les oreilles à qn; *in ~ geraten* se mettre en colère, s'emporter. prendre le mors aux dents.

Harpun|e *f* ‹-, -n› [har'pu:nə] harpon *m;* **h~ieren** [-'ni:rən] *tr* harponner.

harren ['harən] *itr lit* attendre (*e-r S* od *auf etw* qc), être dans l'attente (*e-r S* od *auf etw* de qc); *auf Gott ~* espérer en Dieu; **H~** *n* attente (*auf* de); *(Ausharren)* persévérance *f.*

harsch [harʃ] *a* dur, rude, âpre; **H~** *m* ‹-es, ø› *(Schnee)* neige *f* croûtée.

hart [hart] *(härter) a* dur *a. fig; (fest)* ferme, solide, résistant; *(rauh)* rude, âpre; *(drückend)* lourd, pesant; *(schwer, mühsam)* difficile, rude, pénible; *(streng)* sévère, rigoureux; *(unbeugsam)* inflexible, raide, de fer; *(~herzig, gefühllos)* endurci, insensible; *(grausam)* cruel; *adv (dicht, sehr nahe): ~ an* tout près de; *~ am Wind (mar)* au plus près du vent; *jdn ~ anfahren* rudoyer qn; *jdn ~ anfassen* mener qn durement; *jdn ~ bedrängen, jdm ~ zusetzen* serrer qn de près; *jdm gegenüber e-n ~en Stand haben* avoir à faire à forte partie avec qn; *jdm e-e ~e Nuß zu knacken geben* donner du fil à retordre à qn; *~ machen* rendre dur, *a. fig* (en)durcir; *chem* solidifier; *~ im Nehmen sein (Boxer)* encaisser bien; *~ werden* (se) durcir, prendre; *chem* se soldifier *es geht ~ auf ~* c'est un combat acharné; ils ne se font pas de cadeaux *fam;* ils se rendent coup pour coup; *es fielen ~e Worte zwischen ihnen* ils ont eu des mots très durs l'un pour l'autre; *~e Droge f* drogue *f* forte; *~e(r) Kampf m* combat *m* acharné; *~e Landung f (aero)* atterrissage *m* brutal; *~e(s) Los* od *Schicksal n* sort *m* cruel; *ein ~es Spiel spielen* jouer gros; *~e Währung f* devise (s *pl*) *f* forte(s) *od* appréciée(s); *~e(s) Wasser n* eau *f* dure; **H~blei** *n* plomb *m* dur(ci); **H~faserplatte** *f* panneau *m* dur, plaque *f* en fibre dure; **H~futter** *n (Körnerfutter der Pferde)* grains *m pl;* **~gefroren** *a* gelé, glacé; **~gekocht** *a (Ei)* dur; **H~geld** *n* monnaie *f* (métallique), argent *m* sonnant, espèces *f pl* sonnantes, numéraire *m;* **H~geldvorrat** *m;* encaisse *f* métallique ; **~gelötet** *a* brasé; **~gesotten** *a* (cuit) dur; *fig* endurci, inflexible, *fam* dur à cuire; **H~glas** *n* verre *m* durci *od* trempé; **H~gummi** *m* caoutchouc *m* durci, ébonite *f;* **H~guß** *m* fonte *f* en coquilles; **H~gußform** *f* lingotière *f;* **H~harz** *n* résine *f* durcie; **~herzig** *a* dur, impitoyable; *~~ sein (a.)* avoir le cœur dur; *~~e(r) Mensch m (a.)* (cœur de) tigre *m;* **H~herzigkeit** *f* dureté *od* sécheresse *f* de cœur; **H~holz** *n* bois *m* dur; **~hörig** *a* dur d'oreille; **H~hörigkeit** *f* dureté *f* d'oreille; **~leibig** *a* constipé; *~~ sein* avoir le ventre dur; **H~leibigkeit** *f* constipation *f;* **~≈löten** *tr* braser; **~mäulig** *a (Pferd)* dur de la bouche; *fig* difficile à gouverner; **H~metall([l]egierung** *f***)** *n* alliage *m* dur; **~näckig** *a* opiniâtre, obstiné, tenace, acharné, entêté, têtu; *med* persistant; *adv fam* mordicus; *~~ bestehen auf* s'obstiner à; *er bestand ~~ darauf* il n'en voulut pas démordre; **H~näkkigkeit** *f* opiniâtreté, obstination, ténacité *f,* acharnement, entêtement *m; med* persistance *f;* **H~spiritus** *m* alcool *m* solidifié.

härt|bar ['hɛrt-] *a (Stahl)* trempant; **H~barkeit** *f* trempabilité *f;* **H~e** *f* ‹-, -n› ['hɛrtə] dureté *a. fig; (Haut)* rudesse; *(Stahl)* trempe; *(Farbe)* sécheresse; *fig (Maßnahme, Schicksal)* rigueur; *(Strenge)* sévérité; *(Roheit)* rudesse, cruauté *f; die ~~n mildern (fig)* arrondir les angles; *unbillige ~~ (jur)* iniquité *f;* **H~ebad** *n (Stahl)* bain *m* de trempe; **H~egrad** *m* degré de dureté; *(Stahl)* degré *m* de trempe; **~en** *tr* (en)durcir; *(Stahl)* tremper, *(kalthämmern)* écrouir; *sich ~~* (se) durcir, s'endurcir; **H~eofen** *m* four *m* de trempe *od* à tremper; **H~eprüfung** *f* essai *m* de dureté; **H~erei** *f* [-'raı] *tech* tremperie *f;* **H~ewert** *m* cote *f* de dureté; **H~ung** *f* durcissement; *(Stahl)* trempage *m,* trempe *f;* **H~ungsverfahren** *n* procédé *m* de trempe.

Harz *n* ‹-es, -e› [ha:rts] résine *f; (Geigen~)* colophane *f; ~ abzapfen* résiner (*e-m Baum* un arbre); **h~en** *itr (Baum)* être résineux; **h~ig** *a* résineux.

Hasard(spiel) *n* ‹-s, ø› [ha'zart(-)] jeu *m* de hasard.

Hasch|ee *n* ‹-s, -s› [ha'ʃe:] *(Hackfleisch)* hachis *m,* viande *f* hachée; **h~ieren** [-'ʃi:rən] *tr* hacher.

haschen ['haʃən] *tr* attraper (au vol), saisir au vol, happer; *itr* chercher à attraper *od* saisir (*nach etw* qc), faire la chasse (*nach etw* à qc); courir (*nach etw* après qc); *fig* viser, aspirer, tendre (*nach etw* à qc); *nach Effekt ~* viser à l'effet; **H~** *n (Spiel): ~~ spielen* jouer à s'attraper.

Häschen *n* ‹-s, -› ['hɛ:sçən] levraut *m; mein ~! (fam)* mon petit lapin!

Hase *m* ‹-n, -n› ['ha:zə] lièvre; *(Rammler)* bouquin *m; alte(r) ~ (fig)* vieux renard *m; wir werden ja sehen, wie der ~ läuft (fam)* attendons la suite; *wissen, wie der ~ läuft (fig)* y voir clair, *pop* connaître la musique; *mein Name ist ~ (fam)* je ne suis au courant de rien; *da liegt der ~ im Pfeffer!* c'est là que gît le lièvre! voilà le hic! *falsche(r) ~ m (Hackbraten)* pâté *m* de viande; **~nbraten** *m* lièvre *m* rôti; **~nfuß** *m,* **~nherz** *n fig* poltron *m,* poule *f* mouillée; **~njagd** *f* chasse *f* au lièvre; **~npanier** *n: das ~~ ergreifen* prendre la poudre d'escampette; **~npfeffer** *m (Ragout)* civet *m* de lièvre; **~nscharte** *f med* bec-de-lièvre *m.*

Hasel|(busch *m***)** *f* ‹-, -n› ['ha:zəl(-)], **~strauch** *m* noisetier, coudrier *m;* **~gerte** *f,* **~rute** *f* baguette *f* de coudrier; **~huhn** *n* gelinotte *f;* **~maus** *f* muscardin *m;* **~nuß** *f* noisette *f.*

Häsin *f* ‹-, -nnen› ['hɛ:zın] hase *f.*

Haspe *f* ‹-, -n› ['haspə] *(Tür-, Fensterangel)* gond *m; (Tür-, Fensterband)* penture *f; (Klammer)* crampon *m,* happe *f.*

Haspel *f* ‹-, -n› ['haspəl] *(Garnwinde)* dévidoir; *(Winde, bes. mines)* treuil *m;* **h~n** *tr (Garn)* dévider; *(hochwinden)* guinder; *fig fam (hastig reden)* bredouiller, bafouiller; **~rahmen** *m* tournette *f.*

Haß *m* ‹-sses, ø› [has] haine (*gegen* de, pour, contre); *(Erbitterung)* animosité; *(Groll)* rancune *f,* ressentiment *m; aus ~ gegen* par haine de; *~ gegen jdn empfinden, e-n ~ auf jdn haben* éprouver de la haine pour *od* contre qn; *von ~ erfüllt sein* avoir de la haine au cœur; **~ausbruch** *m* explosion *f* de haine; **h~erfüllt** *a* haineux.

hassen ['hasən] *tr* haïr, avoir en haine, détester; *jdn ~ lernen* prendre qn en haine; **~swert** *a* haïssable, odieux.

häßlich ['hɛslıç] *a* laid *a. fig,* hideux, affreux; *arg* toc; *(Figur)* difforme; *fig (Worte, Charakter)* vilain; *(widerlich)* odieux; *~ machen, ~ werden* enlaidir; *~ sein wie die Nacht* être laid comme un pou *od* un singe; **H~keit** *f* laideur; difformité *f.*

Hast *f* ‹-, ø› [hast] hâte, précipitation *f; in großer ~* en toute hâte, précipitamment; **h~en** ‹*ist gehastet*› *itr* se hâter, se précipiter; *(Volksmenge)* se presser, se bousculer; **h~ig** *a* précipité; *fig (aufgeregt)* emporté; *adv* en hâte; **~igkeit** *f* ‹-, ø› = ~.

hätscheln ['hɛ(:)tʃəln] *tr (liebkosen)* caresser, cajoler; *(verzärteln)* choyer, dorloter.

Hatz *f* ‹-, -en› [hats] *(Hetzjagd)* chasse *f* à courre.

Hau *m* ‹-(e)s, -e› [haʊ] *dial (Forstrevier)* triage *m;* **~degen** *m (Mensch)* sabreur, baroudeur *m; alte(r) ~~* grognard, soudard *m;* **~e** *f* ‹-, -n› *(Hacke)* houe, pioche *f,* pic *m; fam (Schläge)* fessée, rossée, *pop* raclée *f;* **h~en** ‹*haute/hieb, gehauen*› [hi:p] *tr (schlagen)* battre, frapper, taper; *(prügeln) fam* rosser, *pop* cogner; *(Holz)* fendre; *mines* extraire; *(Stein, Feile)* tailler; *sich ~~* se battre, *fam* se rosser, *pop* se cogner; *um sich ~~* distribuer des coups; *ein Loch ~~* faire un trou; *jdn übers Ohr ~~ (fig)* tromper, attraper, duper, escroquer qn, *fam* mettre qn dedans, estamper qn; *ich haute mir schnell zwei Eier in die Pfanne (fam)* je me suis fait en vitesse deux œufs sur le plat; *er haut gern über die Stränge* il lui arrive souvent de se laisser aller; *aus Stein ~~* sculpter; *in Stücke ~~* morceler, casser; **~er** *m* ‹-s, -› *(Eckzahn e-s Ebers)* défense, broche *f;* (*a.* **Häuer** *m* ‹-s, -› ['hɔʏər]) abatteur, haveur, mineur *m;* **~klotz** *m* billot *m.*

Häubchen *n* ‹-s, -n› ['hɔʏpçən]

béguin; *(Kinderhäubchen)* petit bonnet *m.*

Haube *f* ⟨-, -n⟩ ['haubə] bonnet *m,* capeline; *(Trachten- und Schwestern~)* coiffe *f; (e-r Krankenschwester)* bandeau *m; orn* h(o)uppe, crête *f; (Falken~)* chaperon *m; arch (Dach~),* calotte; *tech* hotte *f; (Hochofen)* bonnet; *mot aero* capot *m; unter die ~ bringen* marier, *fam (Mädchen)* caser; **~nlerche** *f orn* alouette *f* huppée *od* à huppe; **~nsteißfuß** *m* **~ntaucher** *m orn* grèbe *m* huppé; **~nverschluß** *m mot* attache-capot *m.*

Haubitze *f* ⟨-, -n⟩ [hau'bɪtsə] *mil* obusier *m.*

Hauch *m* ⟨-(e)s, (-e)⟩ [haux] souffle *m, a. fig; (Ausdünstung)* exhalaison; *(Duft)* odeur *f,* parfum *m; gram* aspiration; *fig (Spur, Andeutung, Anflug)* trace, idée *f,* soupçon *m;* **h~dünn** *a* mince comme un fil; **h~en** *tr* souffler; *(flüstern)* chuchoter, susurrer; *gram* aspirer; **~laut** *m gram* consonne *f* aspirée; **h~zart** *a* léger comme un souffle.

Haufe *m* ⟨-ns, -n⟩ *(seltener für:)* **~n** *m* ⟨-s, -⟩ ['haufə] tas, amas, monceau *m, fam* tapée *f; (wertloser)* ramassis *m; (geschichteter)* pile *f; (große Zahl)* grand nombre *m,* quantité; *(Anhäufung)* accumulation, agglomération *f,* agrégat *m; (Schar)* groupe *m,* troupe, bande *f, pej* troupeau *m; (Volks~~)* foule, multitude; *(Masse)* masse *f; in dichten* od *hellen ~~* en masse; *e-n ~~ Geld ausgeben* dépenser une fortune; *in ~~ legen* mettre en tas; *über den ~~ schießen* abattre; *über den ~~ werfen* renverser, bouleverser, culbuter; *fig* jeter par-dessus bord, *fam* chambarder; *(Berechnungen)* tromper; *der ganze ~~ (pop: Menschen)* tout le tremblement; *der große ~~ (Menschen)* la foule, la masse, le commun, le vulgaire, *fam* le populo; *ein ~~ Arbeit, Fragen (fam)* un tas de travail, de questions; *~~ Kinder (fam)* marmaille *f;* **~nschichtwolke** *f* stratocumulus *m;* **h~nweise** *adv* en masse, en quantité, en foule, en *od* par bandes; **~nwolke** *f* cumulus *m.*

häuf|eln ['hɔyfəln] *tr agr* butter, terrer; **~en** *tr* entasser, accumuler, amonceler, amasser; *sich ~~ (fig)* s'accumuler, s'amonceler, s'amasser, se multiplier; *ge~te(s) Maß n (fig)* mesure *f* comble; **~ig** *a* fréquent; *(zahlreich)* nombreux; *(wiederholt)* répété; *adv* fréquemment, bien des fois, souvent; *~~ besuchen* fréquenter; **H~igkeit** *f* ⟨-, (-en)⟩ grand nombre *m,* fréquence *f a. scient;* **H~lein** *n* (*a.* **H~chen** *n*) petit tas *od* monceau *m; (Menschen)* poignée *f; wie ein ~~ Unglück (fam)* tout triste; **H~ung** *f* entassement *m,* accumulation *f,* amoncellement *m; fig* multiplication *f.*

Haupt *n* ⟨-(e)s, ¨er⟩ [haupt, 'hɔyptər] tête *f, a. fig; (Ober~, Führer)* chef; *(e-s Geschäfts)* patron; *(e-r Partei) a.* leader, coryphée *m; (in Zssgen)* principal *a,* capital *a,* cardinal *a,* général *a,* central *a; entblößten ~es, mit entblößtem ~* nu-tête, tête nue; *erhobenen ~es, mit erhobenem ~* la tête haute, le nez en l'air *od* au vent; *gesenkten ~es* la tête basse; *zu Häupten (gen (e-r liegenden Person))* à la tête (de); *das ~ abschlagen* décapiter (*jdm* qn); *aufs ~ schlagen (mil fam)* défaire, mettre en déroute; infliger une défaite capitale (*jdn* à qn); *gekrönte(s) ~* tête *f* couronnée; **~absatzgebiet** *n* marché *od* débouché *m* principal; **~abschnitt** *m* partie *f* principale; **~abteilung** *f* section *f* principale; **~achse** *f* axe *m* principal; **~agentur** *f* agence *f* générale *od* centrale; **~aktionär** *m* actionnaire *m* principal; **~altar** *m* maître-autel *m;* **~amt** *n* bureau *m* central; **h~amtlich** *a adv* à titre professionnel; **~anschluß** *m tele* raccordement *m od* ligne *f* principal(e); **~arbeit** *f* gros *m* de l'ouvrage, grosse besogne *f;* **~armee** *f* armée *f* principale; *(Kern e-r Armee)* gros *m* de l'armée; **~artikel** *m com* article *m* principal; **~ast** *m* maîtresse *od* mère branche; *fig* branche *f* mère; **~aufgabe** *f* tâche *od* mission *od adm* fonction *f* principale; **~augenmerk** *n: sein ~~ richten auf* diriger son attention principalement sur; **~ausschuß** *m* comité *m* central; **~bahn** *f loc* ligne principale, grande ligne *f;* **~bahnhof** *m* gare *f* centrale; **~bedeutung** *f (e-s Wortes)* sens *m* principal; **~bedingung** *f* condition *f* essentielle; **~beruf** *m* profession *f* principale; **h~beruflich** *a adv* à temps complet *od* plein; **~beschäftigung** *f* occupation *f* principale; **~bestandteil** *m* élément *m* principal *od* dominant *od* constitutif; **~bibliothek** *f* bibliothèque *f* centrale; **~blatt** *n (e-r Zeitung)* feuille *f* principale; **~buch** *n com* grand livre, sommier *m;* **~buchhaltung** *f* comptabilité *f* générale; **~darsteller(in** *f***)** *m theat* premier rôle *m,* vedette *f,* protagoniste *m;* **~deck** *n mar* pont *m* principal; **~eigenschaft** *f* qualité *f* dominante *od* maîtresse; **~einfahrt** *f,* **~eingang** *m* entrée *f* principale; **~einflugzeichen** *n aero* signal *m* principal (de périphérie); **~einkommensquelle** *f* source *f* principale de revenu(s); **~erbe** *m* héritier *m* principal; **~eslänge** *f: jdn um ~~ überragen* dépasser qn de la tête; **~fach** *n (Schule)* matière *od* discipline principale; *(persönl. Sondergebiet)* spécialité *f;* **~fahrwerk** *n aero* atterrisseur *m* principal; **~farbe** *f* couleur *f* dominante; **~feder** *f tech* ressort *m* principal; **~fehler** *m (Schuld)* principale faute *f; (Schwäche)* défaut *m* capital; **~feind** *m* ennemi *m* principal; **~feldwebel** *m* adjudant-chef *m* de compagnie; **~figur** *f* personnage *m* principal; **~film** *m (e-s Filmprogramms)* grand film, film *m* à long métrage; **~fluglinie** *f* grande ligne *f* aérienne; **~funkfeuer** *n aero radio* radiophare *m* central; **~funkstelle** *f* poste *m* central de T.S.F.; **~gasleitung** *f* conduite *f* principale de gaz; **~gebäude** *n (e-r Stadt)* édifice principal; *(e-s Gebäudekomplexes)* corps *m* de bâtiment *od* de logis; **~gedanke** *m* idée *f* maîtresse *od* fondamentale; **~gericht** *n (e-r Mahlzeit)* plat *m* de résistance; **~geschäft** *n* maison *f* principale *od* mère; **~geschäftsführer** *m* directeur *m* gérant; **~geschäftsstunden** *f pl,* **~geschäftszeit** *f* heures *f pl* d'affluence *od* de pointe; **~gewinn** *m (Lotterie)* gros lot *m;* **~gläubiger** *m* principal créancier *m;* **~grund** *m* raison *f* principale; **~haar** *n* cheveux *m pl,* chevelure *f;* **~hahn** *m tech* robinet *m* principal; **~heer,** *das* le gros de l'armée; **~inhalt** *m (geistiger Gehalt)* substance *f; (Übersicht)* aperçu; *(kurze Inhaltsangabe)* argument, sommaire *m;* **~kampffeld** *n* zone *f* principale de combat; **~kasse** *f* caisse *f* centrale; **~kirche** *f* basilique *f;* **~knotenpunkt** *m loc* jonction *f* principale; **~kräfte** *f pl mil* gros *m* des forces; **~kriegsverbrecher** *m* grand criminel *m* de guerre; **~ladung** *f mil* charge explosive; *(e-r Rakete)* charge *f* propulsive; **~lager** *n mil* dépôt principal; *tech* palier *m* principal; **~lehrer** *m* professeur *m* principal; **~leitung** *f tech el* conduite principale; *loc* ligne *f* principale; **~macher** *m fam* matador *m;* **~macht** *f mil* gros *m* de l'armée; **~mahlzeit** *f* repas *m* principal; **~mann** *m* ⟨-(e)s, -leute⟩ *mil* capitaine; *allg* chef *m;* **~masse** *f* masse *f* principale; *mil* gros *m;* **~mast** *m mar* grand mât *m;* **~merkmal** *n* caractère *m* principal *od* distinctif; **~messe** *f rel* grand-messe *f;* **~mieter** *m* locataire *m* principal; **~moment** *n* moment *m* principal; **~motiv** *n* thème *m* dominant; **~nahrungsmittel** *n* aliment *m* principal; **~nenner** *m math* dénominateur *m* commun; **~niederlage** *f com* dépôt *m* principal *od* central; **~ort** *m* chef-lieu *m;* **~person** *f* personnage principal *od* central *od* de premier plan, *fam* grand manitou *m; ~~ sein (fam)* jouer le premier rôle, **~post (-amt** *n***)** *f* (bureau *m* de) poste central(e), grande poste *f,* hôtel *m* des Postes; **~posten** *m (e-r Rechnung)* article *m* principal; **h~postlagernd** *a* poste restante bureau central; **~problem** *n* problème *m* cardinal; **~punkt** *m* point capital; *(Kernpunkt)* point essentiel, nœud *m,* quintessence *f;* **~quartier** *n: das (Große) ~~ (mil)* le (grand) Quartier *m* général; **~quelle** *f a. fig* source *f* principale; **~richtung** *f mil* repère *m* principal; **~richtungspunkt** *m mil* point *m* de repère d'ensemble; **~rohr** *n (e-r Leitung)* tuyau *m* principal; **~rolle** *f theat, a. fig* premier rôle; *fig* rôle *m* principal; *die ~~ spielen (theat u. fig)* avoir la vedette; **~sache,** *die* la chose principale, le principal, l'essentiel *m,* le vif; *in der ~~* en substance; *(im Grunde)* au fond; *der ~~ nach* en principal, en substance; *zur ~~ kommen* en venir au fait; *das ist die ~~ (a.)* c'est le principal *od* l'essentiel; *die ~~ dabei ist zu* le tout est de; *die ~~ fehlt noch* ce n'est pas le tout; **h~sächlich** *a* principal, essentiel, capital, majeur; *adv* principalement, notamment, surtout, avant tout; **~saison** *f* saison *f* de pointe; **~satz** *m gram* proposition *f* principale; *mus* thème, motif *m;* **~schacht** *m mines* puits *m* principal; **~schalter** *m el* commutateur *m* central; **~schalttafel** *f el* tableau *m* de commande *od* de distribution principal; **~schlagader** *f* aorte *f;* **~schlager** *m fig* clou *m;* **~schlüssel** *m* passe-partout *m;* **~schriftleiter** *m* rédacteur *m* en chef; **~schuld** *f* faute principale; *fin* dette *f* principale; **~schuldige(r)** *m jur* principal coupable; *pol* grand criminel *m;* **~schuldner** *m* débiteur *m* principal; **~schwierigkeit** *f* principale difficulté *f;* **~sender** *m radio* principal poste *m* d'émission; **~sicherung** *f el* coupe-circuit *m* principal; **~signal** *n loc* signal (d'arrêt) absolu; *aero* phare *m* lumineux principal; **~sitz** *m* siège *m* principal *od com* d'exploitation; **~sorge** *f* préoccupation *f;* **~spaß** *m fam* fameuse plaisanterie *f;* **~stadt** *f* capitale, *allg* métropole *f;* **h~städtisch** *a* de la capitale, métropolitain; **~straße** *f (in e-r Stadt)* grande rue, grand-rue *f;* **~strecke** *f loc* ligne *f* principale; *sport* parcours *m* principal; **~streckenfeuer** *n aero* phare *m* lumineux principal; **~strom** *m geog* fleuve principal; *el* courant *m* principal; **~stromkreis** *m el* circuit *m* principal; **~stück** *n* pièce *f* principale; morceau principal; *rel* article principal; *(Essen)* plat *m* de résistance; **~stütze** *f* principal soutien; *fig a.* pivot *m,* clef *f* de voûte; **~stützpunkt** *m mil* point *m* d'appui principal; **~summe** *f* somme *f* totale, total *m;* **~tank** *m mot* grand réservoir *m* d'essence; **~täter** *m jur* auteur *m* principal; **~teil** *m* partie *f* principale; **~titel** *m typ* grand titre *m;* **~ton** *m gram* accent tonique; *mus* son *m* tonique; **~treffer** *m (Lotterie)* gros lot *m;* **~treppe** *f* grand escalier *m;* **~triebfeder** *f* ressort *m* principal *a. fig: fig* cheville *f* ouvrière; **~uhr** *f (e-s elektr. Uhrennetzes)* horloge *f* régulatrice; **~unterschied** *m* différence *f* capitale *od* essentielle; **~ursache** *f* cause *f* principale; **~verband(s)platz** *m mil* poste *m* de secours principal; **~verfahren** *n jur* procédure *f* principale; **~verhandlung** *f jur* audience *f* principale; **~verkaufssaison** *f* saison *f* de pointe; **~verkehrsstraße** *f* grande route, route *od* artère principale, route *od* voie *f* à grande circulation; **~verkehrsstunden** *f pl,* **~verkehrszeit** *f* heures *f pl* d'affluence *od* de pointe; **~vermittlung** *f tele* bureau *m* central (téléphonique); **~versammlung** *f* assemblée *f* générale; **~vertreter** *m com* agent *m* principal; **~verwaltung** *f* direction *f* générale; **~vorkommen** *n geol mines* gisement *m* principal; **~wache** *f mil* corps de garde, *(Polizei)* poste *m* de police; **~wachtmeister** *m* adjudant-chef *m* de compagnie; **~weg** *m* grand chemin *m;* **~werk** *n (e-s Autors)* œuvre *f* maîtresse; **~wirkung** *f* effet *m* principal; **~wort** *n gram* nom, substantif *m;* **~zeuge** *m jur* témoin *m* principal; **~ziel** *n,* **~zweck** *m* but *od* objet *m* principal; **~zollamt** *n* bureau *m* central des douanes.

Häuptling *m* ‹-s, -e› ['hɔʏptlɪŋ] chef *m* de tribu.

Haus *n* ‹-es, ⸚er› [haus, 'hɔʏzər] maison; *fam* bâtisse *f; (Gebäude)* bâtiment, édifice; *(herrschaftl. Stadthaus)* hôtel; *(Herrenhaus e-s Gutes)* manoir *m; (Wohnhaus)* habitation; *(Wohnung)* demeure *f,* domicile, logis; *(Heim)* foyer; *(~halt)* ménage *m; (Dienerschaft, Personal)* maison *f,* personnel *m; (Familie)* famille, lignée; *(Fürsten~)* maison, dynastie; *(Handels~, Firma)* maison (de commerce), firme; *theat* salle *f* (de spectacles); *(Publikum)* public *m; parl (Kammer)* chambre *f;* **1.** *aus gutem ~e* de bonne famille, bien né; *außer (dem) ~(e)* en ville; *frei ~ (com)* franco *od* rendu à domicile; *in jds ~ (dat u. acc)* chez qn; *ins ~ (com)* à domicile; *nach ~(e)* à la maison, chez soi; *von ~ aus* d'origine, originairement, de naissance; à l'origine; *von ~ zu ~ gehen* aller de porte en porte; *com* faire du porte-à-porte; *von zu ~e* de chez soi; de sa famille; de son pays; *zu ~e* à la maison, au logis, chez soi; *bei mir zu ~e (in meiner Heimat)* dans mon pays; **2.** *vom ~e abholen (com)* prendre à domicile; *jdn nach ~e begleiten* od *bringen* reconduire qn chez lui; *sein ~ bestellen* régler ses affaires; *a.* faire son testament; *zu ~e bleiben* rester à la maison *od* chez soi, garder le logis; *ein volles ~ bringen (theat)* faire salle comble; *das ganze ~ nach jdm, e-r S durchsuchen* chercher qn, qc de la cave au grenier; *sich (ganz) wie zu ~e fühlen* être comme chez soi, ne pas se gêner; *sich nicht zu ~e fühlen* se trouver dépaysé; *ein großes ~ führen* mener grand train; *nach ~e gehen* rentrer (à la maison *od* chez soi); *ein eigenes ~ haben (a.)* avoir pignon sur rue; *ein offenes ~ haben (fig)* tenir maison ouverte; *das ~ hüten* garder la maison; *ins ~ liefern (com)* livrer *od* remettre à domicile; *jdn ins ~ nehmen* recueillir qn chez soi; *für jdn zu ~e sein* y être pour qn; *in etw zu ~e sein (fig fam: beschlagen, bewandert sein)* être sur son terrain; *in Paris zu ~e sein* être de Paris, habiter Paris; *überall zu ~e sein* être chez soi partout; *wie zu ~e sein = sich wie zu ~e fühlen; vor ausverkauftem (leerem) ~ spielen* jouer à bureaux fermés (devant *od* pour les banquettes); *jdm das ~ verbieten* interdire l'accès de sa maison à qn; fermer *od* défendre *od* (faire) refuser sa porte à qn; *in demselben ~ wohnen* habiter sous le même toit; **3.** *wo sind Sie zu ~e?* d'où êtes-vous? *ich bin für ihn nicht zu ~e* je ne veux pas le recevoir; *tun Sie (ganz), als ob Sie zu ~e wären!* faites comme chez vous! ne vous gênez pas! *auf ihn kannst du Häuser bauen* tu peux avoir toute confiance en lui; *herzliche Grüße von ~ zu ~!* bien des choses de nous tous à tous les vôtres! *jeder ist Herr˜in s-m ~e (prov)* charbonnier est maître chez lui; *alleinstehende(s) ~* maison *f* isolée; *Dame* od *Frau f des ~es* maîtresse *f* de maison; *fideles ~ (fam)* joyeux compère *od* drille *m; gelehrte(s) ~ (fam)* puits *m* de science, encyclopédie *f* vivante; *Herr m des ~es* maître *m* de maison; *junge(r) Mann m aus gutem ~e* fils *m* de famille; *öffentliche(s) ~* maison *f* publique *od* de tolérance, *pop* bordel *m; volle(s) ~ (theat)* salle *f* comble; *das Weiße ~* la Maison Blanche; *~ des Herrn* maison *f* de Dieu *od* du Seigneur; *~ ersten Ranges* hôtel *m* de premier ordre; **~andacht** *f* culte *m* domestique; **~angestellte(r** *m***)** *f* employé, e *m f* de maison; *pl* gens *pl* de maison; **~anschluß** *m tele* branchement *m od* ligne *f* d'abonné, poste *m* privé; **~apotheke** *f* armoire à pharmacie, pharmacie *f* de famille; **~arbeit** *f (der Hausfrau)* travaux *m pl* domestiques *od* intérieurs *od* du ménage, travail *m* ménager; *s. a. ~aufgabe;* **~arrest** *m* privation *f* de sortie; **~arzt** *m* médecin *m* de famille *od* habituel; **~aufgabe** *f (Schule)* devoir *m;* **h~backen** *a fig* terre-à-terre, prosaïque; terne; *fam* pot-au-feu, pantouflard; **~ball** *m* bal *m* privé; **~bar** *f: fahrbare ~~* chariot *m* à liqueurs; **~bau** *m* construction *f* de la *od* des maison(s); **~bedarf** *m* besoins *m pl* du *od* des ménage(s); **~besitzer(in** *f***)** *m* propriétaire *m f* (de la maison); *~~ sein (a.)* avoir pignon sur rue; **~bewohner** *m* habitant *m* de la maison; **~brand** *m (Heizung)* chauffage *m* domestique; *(Material)* combustibles *m pl* domestiques; **~brandkohle** *f* charbon *m* domestique; **~dame** *f* dame *f* de compagnie; **~diener** *m* domestique, valet *m;* **~drachen** *m (böses Weib)* mégère, xanthippe *f;* **~einfahrt** *f* porte *f* cochère; **h~en** ‹*hat gehaust*› *itr pej u. fam* gîter, nicher, percher; *übel ~~* faire des ravages; *zs. ~~* manger à la même écuelle; **~flur** *m* vestibule *m;* **~frau** *f* ménagère; *(in der Statistik)* femme *f* au foyer; **h~fraulich** *a* de (bonne) ménagère; **~freund** *m* ami de la maison; *pej* sigisbée *m;* **~frieden** *m* paix *f* domestique *od* du foyer; **~friedensbruch** *m* violation *f* de *od* du domicile; **~garten** *m* jardin *m* particulier; **~gebrauch** *m: für den ~~* à usage domestique; **~gehilfin** *f* aide de ménage *od* domestique, bonne *f* (à tout faire); **~gemeinschaft** *f* maisonnée *f fam;* **~götter** *m pl* dieux domestiques, (dieux) lares; pénates *m pl;* **~halt** *m* ‹-(e)s, -e› *(a. com)* ménage; *(Staats~~)* budget *m; den ~~*

ausgleichen (pol) équilibrer le budget; *(jds* ~~ od *jdm) den* ~~ *führen* od *besorgen* tenir le ménage *od* la maison (de qn); *gemeinsamen* ~~ *führen* faire popote ensemble *fam; mit jdm* faire ménage (commun) avec qn; *s-n eigenen* ~~ *haben* avoir son *od* être en ménage; *den* ~~ *verabschieden (parl)* approuver le budget; *ausgeglichene(r)* ~~ budget *m* en équilibre; *außerordentliche(r)* ~~ *(pol)* budget *m* extraordinaire; *gemeinsame(r)* ~~ ménage *m* commun; **h~≈halten** *‹hat hausgehalten› itr* tenir le ménage *od* la maison; *sparsam* ~~ économiser; *mit s-n Kräften* ~~ ménager ses forces; **~hälterin** *f* femme *f* de ménage; **h~hälterisch** *a* ménager, économe; *adv* avec économie; *mit etw* ~~ *umgehen* ménager, éconimiser qc; **~halt(s)artikel** *m pl* articles *m pl* de ménage; **~halt(s)gerät** *n* ustensile *m* de ménage; **~haltsansatz** *m* = *~haltsvoranschlag;* **~haltsausschuß** *m parl* commission *f* du budget; **~haltsbewilligung** *f* vote *m* du budget; **~haltsbuch** *n* agenda *m;* **~haltsdebatte** *f parl* débat *m od* discussion *f* budgétaire; **~haltseinrichtung** *f* équipement *m* ménager; **~haltsfehlbetrag** *m pol* mécompte *m* budgétaire; **~haltsführung** *f pol* gestion *f* budgétaire; **~haltsgeld** *n* argent *m* du ménage; **~haltsgesetz** *n* loi *f* budgétaire; **~haltsjahr** *n* année *f od* exercice *m* budgétaire; **~haltskommission** *f* = *~haltsausschuß;* **~haltsnachtrag** *m* budget *m* supplémentaire; **~haltsplan** *m* budget *m; den* ~~ *aufstellen* établir *od* fixer le budget; **~haltsschule** *f* école *f* ménagère, centre *m* d'enseignement ménager; **~haltsvoranschlag** *m* prévisions *f pl* budgétaires; projet *m* du budget, évaluation *f* budgétaire; **~halt(s)waren** *f pl* = *~halt(s)artikel;* **~halt(s)wäsche** *f* linge *m* de cuisine *od* de ménage; **~haltung** *f* ménage, *adm* foyer *m* domestique; **~haltungskosten** *pl* dépenses *f pl* du ménage; **~haltungsvorstand** *m* chef de ménage, chef *od* soutien *m* de famille; **~herr (-in** *f***)** *m* maîtr(ess)e *m f* de maison, maître *m* de céans; *(Gastgeber)* hôt(ess)e *m f;* **h~hoch** *a fig (Überlegenheit)* écrasant; ~~ *schlagen (sport)* écraser; **~hofmeister** *m* intendant, maître *m* d'hôtel; **h~ieren** *itr* faire du porte-à-porte, colporter (*mit etw* qc) *a. fig;* **~ieren** *n* [-ˈziːrən] = *~ierhandel;* **~ierer** *m* ‹-s, -› colporteur, porte-balle, marchand *m* ambulant; **~ierhandel** *m* colportage *m;* **~jacke** *f* veston d'intérieur, coin-de-feu *m;* **~kleid** *n* robe *f* d'intérieur; négligé, deshabillé *m;* **~korrektur** *f typ* épreuve *f* première; **~lehrer** *m* précepteur *m;* **~lehrerin** *f* gouvernante *f;* **~mädchen** *n* servante, bonne *f* (à tout faire); **~mannskost** *f* nourriture *f* ordinaire; **~mantel** *m* manteau *m* d'appartement; **~marder** *m zoo* fouine *f;* **~marke** *f (des Handwerkers)* marque *f* de tâcheron; **~meier** *m hist* maire *m* du palais; **~meister** *m* concierge, portier *m;* **~mittel** *n pharm* remède *m* de bonne femme; **~mutter** *f* mère *f* de famille; **~nummer** *f* numéro *m* d'habitation; **~ordnung** *f (e-r Anstalt)* règlement *m* intérieur; **~personal** *n* personnel *m od* gens *pl* de maison; **~putz** *m* nettoyage *m;* **~rat** *m* ustensiles *m pl* de ménage; *jur* meubles *m pl* meublants; **~ratte** *f* rat *m* noir; **~ratversicherung** *f* assurance *f* mobilière; **~recht** *n* droit *m* du maître de maison; **~rock** *m (Jacke)* coin de feu *m; (Schlafrock)* robe *f* de chambre; **~sammlung** *f* quête *f* à domicile; **~schlachtung** *f* abattage *m* domestique; **~schlüssel** *m* clé *f* de la maison; **~schuhe** *m pl* chaussons *m pl,* pantoufles *f pl;* **~schwalbe** *f* hirondelle *f* de fenêtre; **~schwamm** *m* bolet destructeur, *scient* fungus *m;* **~stand** *m* ménage *m; e-n eigenen* ~~ *gründen* se mettre en ménage, fonder une famille; **~suchung** *f jur* visite domiciliaire, perquisition domiciliaire *od* à domicile, fouille à domicile, *jur* descente *f* de justice; *bei jdm e-e* ~~ *vornehmen* faire une descente de justice chez qn; **~suchungsbefehl** *m* mandat *m* de perquisition; **~telefon** *n* téléphone privé, interphone *m;* **~tier** *n* animal *m* domestique; **~tochter** *f* bonne *f* (à tout faire); **~tür** *f* porte *f* de la maison; **~türkontakt** *m el* voleur *m;* **~(- und Grund)besitzer** *m* propriétaire *m* (immobilier); **~urne** *f hist* urne *f* funéraire en forme de maison; **~vater** *m* père *od* chef de famille; *(e-r Anstalt)* intendant *m;* **~verwalter** *m* gérant *m* d'immeubles; **~wart** *m* = *~meister;* **~wäsche** *f* linge *m* de maison; **~wesen** *n* ménage *m;* **~wirt(in** *f***)** *m* propriétaire *m f, arg* proprio *m;* **~wirtschaft** *f* économie *f* domestique; ~~ *(und Heimgestaltung)* art(s *pl*) *m* ménager(s); **h~wirtschaftlich** *a* ménager; **~zeitschrift** *f (e-r Firma)* revue *f* d'entreprise; **~zelt** *f* tente *f* familiale; **~zins** *m* loyer *m;* **~zinssteuer** *f* impôt *m* sur les loyers.

Häus|chen *n* ‹-s, -› [ˈhɔʏsçən] maisonnette *f* pavillon *m; ganz aus dem* ~~ *(fig fam)* hors de soi, estomaqué; *ganz aus dem* ~~ *geraten, sein* se mettre, être dans tous ses états; *vor Freude ganz aus dem* ~~ *sein* (se) pâmer de joie; *bescheidene(s)* ~~ taupinière *f;* **~erblock** *m* îlot *od* pâté *m* de maisons; **~ergruppe** *f* groupe *m* de maisons; **~erkampf** *m mil* combat *m* de rues; **~erreihe** *f* rangée *f* de maisons, **~erverwaltung** *f* gérance *f* d'immeubles; **h~lich** *a* domestique; *(Mensch)* sédentaire, casanier; *sich* ~~ *einrichten* se mettre en ménage; *sich* ~~ *niederlassen (fam)* s'installer, planter sa tente; *~~e Angelegenheit f* affaire *f* privée; *~~e(s) Leben n* vie *f* de famille; **~lichkeit** *f (Ort)* intérieur, chez-soi; home *m; fig* (goût *m* de la) vie *f* de famille.

Hausen *m* ‹-s, -› [ˈhauzən] *zoo (Stör)* esturgeon *m;* **~blase** *f (Fischleim)* colle *f* de poisson.

Hausse *f* ‹-, -n› [ˈhoːs(ə)] *fin (Steigen der Kurse)* hausse *f; auf* ~ *spekulieren* spéculer à la hausse; **~bewegung** *f,* **~tendenz** *f* tendance *f* à la hausse; **~geschäft** *n* opération *f* à la hausse; **~spekulant** *m* haussier *m;* **~spekulation** *f* spéculation *f* à la hausse.

Haut *f* ‹-, ⸚e› [haut, ˈhɔʏtə] peau *f, (Tierhaut)* cuir *m; (abgeworfene* od *abgezogene)* dépouille *f; zoo bot* tégument *m,* tunique; *(e-r Frucht)* peau, pelure; *(Milch)* peau; *(flache, gespannte)* membrane *f; mar (Beplankung)* revêtement; *aero (Metallhaut)* recouvrement *m* métallique; *auf der bloßen* ~ à cru, à même la peau; *mit* ~ *und Haaren* cuir et poil, tout cru, tout entier; *unter der, die* ~ entre cuir et chair; *unter die* ~ *(med)* sous-cutané *a; die* ~ *abziehen* dépouiller, écorcher (*e-m Tier* un animal); *(bei e-m Geschäft)* plumer *fam; mit heiler* ~ *davonkommen* s'en tirer sain et sauf *od* sans une égratignure, l'échapper belle, *fam* sauver sa peau; *sich die* ~ *einreiben* s'enduire la peau (*mit* de); *aus der* ~ *fahren* éclater, sortir de ses gonds, se mettre dans tous ses états; *auf der faulen* ~ *liegen* ne faire rien, *fam* se la couler douce; *nicht aus s-r* ~ *können (fig)* être coincé *fam;* être incapable de se laisser aller; *nichts wie* ~ *und Knochen sein* n'avoir que la peau et les os *od* les os et la peau; *s-e* ~ *zu Markte tragen* faire bon marché de sa peau; payer de sa personne; *sich s-r* ~ *wehren* défendre sa peau; *sich in s-r* ~ *wohl fühlen* se trouver bien dans sa peau; *ich möchte nicht in s-r* ~ *stecken* je ne voudrais pas être dans sa peau; *niemand kann aus seiner* ~ *(heraus)* on est ce qu'on est *fam; ehrliche* ~ *(fig)* bonne pâte *f* (d'homme), bon bougre *od* diable *m; bis auf die* ~ *durchnäßt* trempé jusqu'aux os; **~abschürfung** *f* excoriation *f;* **~arzt** *m* dermatologue *m;* **~atmung** *f* respiration *f* cutanée; **~ausschlag** *m* éruption *f* cutanée; **~blase** *f med* ampoule *f;* **~creme** *f* crème *f* de beauté; **h~eng** *a (Hose, Kleid)* collant, qui moule les formes **~entzündung** *f* inflammation de la peau, derm(at)ite *f;* **~farbe** *f* teint *m; braune* ~~ teint *m* hâlé *od* bronzé; **~farbstoff** *m* pigment *m;* **~fetzen** *m* lambeau *m* de peau; **~flügler** *m pl ent* hyménoptères *m pl;* **~jucken** *n* démangeaison *f,* prurit *m;* **~krankheit** *f,* **~leiden** *n* maladie de la peau, dermatose *f;* **~krebs** *m* cancroïde *m;* **~pflege** *f* hygiène *f* de la peau; **~pflegemittel** *n* cosmétique *m;* **~reaktion** *f* réaction *f* cutanée; **~reiz(ung** *f***)** *m* irritation *f* de la peau; **~talg** *m physiol* sébum *m;* **~übertragung** *f anat* transplantation *f* cutanée; **~unreinheit** *f* impureté *f* de la peau; **~verfärbung** *f* dyschromie *f;* **~wassersucht** *f* œdème *m,* anasarque *f.*

Häut|chen *n* ‹-s, -› ['hɔʏtçən] pellicule; *anat* membrane, *a. bot* cuticule *f; (auf e-r Flüssigkeit, tech)* film, *tech (auf Öl)* feuil *m;* **h~en** *tr* enlever la peau à, écorcher, dépouiller; *sich ~~ (die Haut verlieren)* peler; *(die Haut erneuern)* quitter sa *od* changer de peau, faire peau neuve; *zoo* se dépouiller, muer; **h~ig** *a (mit e-r Haut überzogen)* recouvert d'une peau *od* d'une membrane; *(hautartig)* membraneux; **~ung** *f zoo* mue *f.*
Hautevolee *f* ‹-, ø› [(h)o:tvo'le:] grand monde; *pop* gratin *m,* haute *f.*
Hautgout *m* ‹-s, ø› [o'gu] *(Wildgeschmack)* faisandé *m; ~ haben* être un peu avancé.
Havanna *n* [ha'vana] *(Stadt)* La Havane; *f u.* **~zigarre** *f* havane *m.*
Havarie *f* ‹-, -n› [hava'ri:] *(Seeschaden)* avarie *f; ~ erleiden* s'avarier; **~agent** *m* dispacheur *m;* **~klausel** *f* clause *f* d'avaries; **h~rt** *a* avarié.
he [he:] *interj* hé! eh! ohé! hep! holà!
Heavisideschicht *f* ['hɛvɪsaɪd-] *(Schicht der Ionosphäre)* couche *f* de Heaviside.
Hebamme *f* ‹-, -n› ['he:p'amə, 'he:bamə] sage-femme, accoucheuse *f;* **~nschule** *f* maternité *f.*
Heb|ebaum *m* ['he:b-] anspect *m;* **~ebock** *m mot* chèvre *f,* vérin *m;* **~ebühne** *f mot* plate-forme *f* d'élévation, pont élévateur, élévateur *m* d'auto(mobile)s; **~eeisen** *n* levier *m* de fer, pince *f;* **~el** *m* ‹-s, -› ['-bəl] levier *m, a. fig; (kleiner)* manette *f; e-n ~~ ansetzen* engager un levier; *alle ~~ in Bewegung setzen* faire jouer tous les ressorts, mettre tout en œuvre, faire flèche de tous bois, remuer ciel et terre (*um zu* pour); **~elantrieb** *m* commande *f* par levier; **~elarm** *m* bras *m* de levier; **~elkraft** *f phys* moment *m;* **~elschalter** *m el* interrupteur *m* à levier; **~elwaage** *f* pont *m* à bascule; **~elwirkung** *f* effet *m* de levier; **~emaschine** *f* engin *m* de levage; **~emuskel** *m* (muscle) élévateur *m;* **h~en** ‹*hob, gehoben*› *tr (hochheben)* lever, élever, soulever; *(hochwinden)* hisser, guinder; *(Schiff)* renflouer; *(Auto)* soulever, hausser; *(anheben, erhöhen, a. fig)* lever, hausser; *fig (die Stimme)* élever, hausser; *(Stimmung)* relever; *(vermehren, steigern)* augmenter; *(verbessern)* améliorer, réformer; *(fördern)* relever, encourager; *(hervorkehren)* relever, mettre en relief, faire ressortir, rehausser; *sich ~~* se lever, s'élever *a. fig, fig* se relever, reprendre; *(steigen)* hausser; *(zunehmen)* augmenter; *einen ~~ (fam) (trinken)* boire un coup, lever *od* hausser le coude, s'arroser *od* se rincer *od* s'humecter le gosier; *aus den Angeln ~~ (Tür)* soulever de ses gonds; *(fig)* faire sortir de ses gonds; *in den Himmel ~~ (fig)* porter aux nues; *aus dem Sattel ~~ (a. fig)* désarçonner; *in den Sattel ~~* mettre en selle; *aus der Taufe ~~* tenir sur les fonts baptismaux; *gehobener Stil m* style *m* soutenu; *gehobene Stimmung f* atmosphère *f* animée; ambiance *f* joyeuse; **~eprahm** *m mar* prame *f* de levage; **~er** *m* ‹-s, -› *(Saugheber)* siphon *m;* **~erolle** *f (Steuerliste)* (matrice *f* du) rôle *m* des contributions; **~esatz** *m (Steuer)* taux *m* des contributions; **~evorrichtung** *f* appareil *m* de levage *od* élévateur; **~ewerk** *n* appareil de levage *od* élévatoire; *mar* élévateur *m* à bateaux; **~ung** *f* levée *f,* levage; *(e-s Schiffes)* renflouage *m; (des Bodens)* élévation *f,* soulèvement *m; fig (Vermehrung)* augmentation *f; (Steigerung)* relèvement; *(Förderung)* encouragement *m; com* reprise; *(im Vers)* syllabe accentuée, tonique; *f; ~~ der Sittlichkeit* moralisation *f.*
Hebrä|er *m* ‹-s, -› [he'brɛ:ər] Hébreu *(nur m);* **h~isch** *a* hébraïque; *(das) H~~(e) (Sprache)* l'hébreu *m.*
Hechel *f* ‹-, -n› ['hɛçəl] *tech* séran, peigne *m;* **h~n** *tr* sérancer, peigner; carder.
Hecht *m* ‹-(e)s, -e› [hɛçt] brochet *m; ein toller ~ (pop)* un rude gaillard *od* lapin; *~ im Karpfenteich (fig)* loup *m* dans la bergerie; **~sprung** *m (Schwimmsport)* saut *m* de carpe.
Heck *n* ‹-(e)s, -e/-s› [hɛk] *mar* poupe *f; mot aero* arrière *m; aero* queue *f;* **~fenster** *n* lunette *f* arrière; **~flagge** *f mar* pavillon *m* de poupe; **~geschütz** *n* canon *m* de retraite; **~kanzel** *f aero* carlingue *f* de queue; **h~lastig** *a aero* lourd de l'arrière; **~laterne** *f,* **~licht** *n mar* feu *m* de poupe *od aero* de queue; **~motor** *m mot* moteur *m* à l'arrière; **~rad** *n mar* roue *f* d'arrière *od aero* de queue; **~raddampfer** *m* vapeur *m* à roue d'arrière; **~schütze** *m aero* mitrailleur *m* arrière.
Hecke *f* ‹-, -n› ['hɛkə] **1.** *(Einfriedung)* haie *f* (vive); *mit e-r ~ umgeben* entourer d'une haie; *lebende ~* haie *f* vive; **~nrose** *f (Strauch)* églantier, rosier *m* sauvage; *(Blüte)* églantine, rose *f* sauvage *od* des chiens; **~nschere** *f* cisailles *f pl,* sécateur *m;* **~nschütze** *m* franc-tireur *m;* **~nspringen** *n aero (Tiefflug)* vol *m* en rase-mottes.
Heck|e 2. *(Heck-, Zuchtbauer für Vögel)* nichoir *m;* **h~en** *itr (Vögel: Junge zur Welt bringen)* faire des petits, couver; *(nisten)* nicher; **~en** *n,* **~zeit** *f* couvaison, ponte *f.*
heda ['he:da] *interj* hé! ho(là)!
Hederich *m* ‹-s, -e› ['he:dərɪç] *bot* lierre *m* terrestre.
Heer *n* ‹-(e)s, -e› [he:r] armée *f* (de terre); *(Unzahl)* légion, foule, multitude, masse *f; ein ganzes ~ von* un régiment de; *stehende(s) ~* armée *f* permanente; **~bann** *m hist* ban et arrière-ban *m;* **~esbäckerei** *f* manutention *f;* **~esbericht** *m* bulletin de l'armée, communiqué *m;* **~esdienst(vorschrift** *f***)** *m* (règlement du) service *m* dans l'armée; **~esflak** *f* artillerie *f* antiaérienne de l'armée de terre; **~esflieger** *m* aviateur *m* à la disposition de l'armée; **~esgruppe** *f* groupe *m* d'armées; *~~ Mitte* groupe *m* d'armée du centre; **~esgruppenkommando** *n* état-major *m* de groupe d'armée; **~esleitung** *f* direction *f* de l'armée; **~esmacht** *f* force *f* armée; **~espersonalamt** *n* direction *f* du personnel de l'armée de terre; **~esstandort** *m* garnison *f* d'armée; **~eswaffenamt** *n* direction *f* des études et fabrications d'armement; **~eszug** *m,* **~fahrt** *f* expédition *f* militaire; **~führer** *m* commandant d'armée; *allg* général, capitaine *m;* **~lager** *n a. fig* camp *m;* **~scharen** *f pl fig* légions *f pl; die himmlischen ~~* les légions *od* la milice céleste(s); **~schau** *f (nur noch fig)* parade *f;* **~wesen** *n* affaires *f pl* militaires.
Hefe *f* ‹-, -n› ['he:fə] levain *m, (bes. Bierhefe)* levure; *(bes. Weinhefe)* lie; *(Bodensatz)* lie *f; die ~ des Volkes* la lie *od* le rebut du peuple, les bas-fonds *m pl; den Kelch bis auf die ~ geleert haben* avoir toute honte bue; avoir vidé le calice jusqu'à la lie; **~pilz** *m* levure *f;* **~teig** *m* levain *m.*
Heft *n* ‹-(e)s, -e› [hɛft] *(Griff)* manche *m; (e-r Waffe)* poignée *f; (Schreib~)* cahier; *(Notiz~)* carnet *m; (Lese~)* brochure; *(Lieferung e-s Buches)* livraison *f,* fascicule *m; das ~ in d. Hand haben (fig)* tenir les commandes; *fam* tenir la queue de la poêle, être du côté du manche; **~el** *n (Schließe)* agrafe *f;* **h~en** *tr (mit Nadeln befestigen)* épingler; *(mit Nägeln)* clouer; *(mit Fäden)* faufiler; *(anhaken)* agrafer; *(kleben)* coller; *(Buch)* brocher; *(Kleid)* bâtir; *fig (s-n Blick)* fixer (*auf* sur), plonger (*auf* dans); *sich an etw ~~ (fig)* s'attacher à qc; *sich an jds Fersen ~~* suivre qn comme son ombre; *sich auf etw ~~ (Blick)* se fixer, s'arrêter sur qc; **~er** *m* ‹-s, -› *(Schnell~~)* classeur *m;* **~faden** *m* faufil; *(des Schneiders)* bâti; *(des Buchbinders)* fil *m* à brocher; **~klammer** *f (der ~maschine)* agrafe *f;* **~lade** *f (des Buchbinders)* cousoir *m;* **~maschine** *f* agrafeuse *f, (für Bücher)* brocheuse *f;* **~nadel** *f (des Buchbinders)* aiguille à relier; *med* aiguille *f* à suture; **~naht** *f* faufilure *f;* **~pflaster** *n* emplâtre (adhésif *od* agglutinant), agglutinatif, taffetas d'Angleterre, sparadrap *m; ein ~~ auflegen* appliquer, mettre un emplâtre; **~pflasterstreifen** *m* bandelette adhésive, bande *f* de sparadrap; **h~weise** *adv (in Lieferungen)* par livraisons; **~zwecke** *f* punaise *f.*
heftig ['hɛftɪç] *a* violent, véhément; *(stark)* fort, intense; *(Regen)* abondant; *(Wind)* grand; *(Schmerz)* aigu; *(Tadel)* brusque; *(Streit)* animé; *(Leidenschaft)* ardent; *(stürmisch, ungestüm)* rude, impétueux; *(aufbrausend)* emporté, irascible; *adv* violemment; fortement; à corps perdu; *jdn ~ anfahren* brusquer qn; *~ weinen* pleurer à chaudes larmes; *~ werden* s'emporter; **H~keit** *f* ‹-, ø› violence, véhémence; intensité, acuité; brusquerie; ardeur; rudesse, impétuosité *f;* emportement *m,* irascibilité *f.*
Heg|e *f* ‹-, ø› ['he:gə] *(des Wildes)*

conservation *f;* **~emeister** *m* garde--chasse *m;* **h~en** *tr (erhalten, schonen)* conserver; *(für die Erhaltung (bes. des Wildes) sorgen)* avoir *od* prendre soin de; *(schützen)* protéger, garder; *fig (Gefühle)* avoir, éprouver, entretenir, nourrir; *(Hoffnung a.)* caresser; *~~ und pflegen* choyer; **~er** *m = ~emeister.*

Hegemonie *f* ‹-, -n› [hegemo'ni:] *(Vorherrschaft)* hégémonie *f.*

Hehl *n, a. m* [he:l]: *lit* dissimulation *f,* déguisement *m; ohne ~ (offen)* sans déguisement, franchement, ouvertement; *kein(en) ~ aus etw machen* ne pas se cacher de qc; ne pas faire mystère de qc, ne pas dissimuler qc; **h~en** *tr lit (verheimlichen)* dissimuler, déguiser, celer, cacher; *jur* receler; **~er** *m* ‹-s, -› receleur *m;* **~erei** *f* [-'raı] recel, recèlement *m.*

hehr [he:r] *a poet (erhaben)* auguste, sublime, majestueux.

Heia *f* ‹-, -(s)› ['haıa] *(Kindersprache: Bettchen)* dodo *m.*

Heide 1. *f* ['haıdə] ‹-, -n› *bot* bruyère; *(Landschaft)* lande(s *pl*); *(Ödland)* garrigue, varenne *f;* **~honig** *m* miel *m* de bruyère; **~kraut** *n* bruyère, *(Büschel)* brande *f;* **~lbeere** *f* myrtille, airelle *f.*

Heide 2. *m* ‹-n, -n› *rel* païen *m; pl a* gentils *m pl;* **~enangst** *f fam* peur bleue, *pop* frousse *f;* **~enarbeit** *f: das ist e-e ~~* c'est le diable à confesser; c'est un travail de bénédictin; **~engeld** *n: ein ~~* un argent fou; **~enlärm** *m* vacarme infernal, tapage; *fam* chambard; *pop* bastringue *m;* **~enmission** *f rel* missions *f pl* étrangères; **~enspaß** *m* plaisir *m* fou; **~enspektakel** *m* tapage *m* de tous les diables; **~entum** *n* ‹-s, ø› paganisme *m;* **~in** *f* païenne *f;* **h~nisch** *a* païen; *(ungläubig)* mécréant.

heikel ['haıkəl] *a (kitzlig)* délicat, précaire; *(mißlich)* épineux, scabreux; *(Person: schwierig, wählerisch)* difficile.

Heil *n* ‹-(e)s, ø› [haıl] *(Glück)* bonheur *m,* félicité; *(Gedeihen)* prospérité *f; bes. rel* salut *m; ~ (dat)* gloire (à); *im Jahre des ~s* en l'an de grâce; *sein ~ versuchen* tenter sa fortune *od* sa chance, chercher une chance de salut; *~!* salut! *~ und Segen* salut et prospérité; **h~** *a (ganz, unbeschädigt)* entier, intact, indemne; *~ und gesund* sain et sauf; **~and** *m* ‹-(e)s, -e›, *der* le Sauveur; **~anstalt** *f* établissement *m* hospitalier; **~bad** *n* station *f* thermale; **h~bar** *a* guérissable, curable; **~barkeit** *f* ‹-, ø› curabilité *f;* **~behandlung** *f* traitement *m* médical; **h~bringend** *a* salutaire; **~butt** *m zoo* flétan *m;* **h~en** *tr* ‹*hat geheilt*› u. *itr* ‹*ist geheilt*› guérir (*von* de); *itr (Wunde)* (se) cicatriser; **h~end** *a* curatif; **~erde** *f* terre *f* curative; **~erfolg** *m* succès *m* du traitement; **~fasten** *n* cure de jeûne, diète *f;* **h~froh** *a* très content (d'en avoir fini); **~gehilfe** *m* aide-médecin *m;* **~gymnastik** *f* gymnastique *f* médicale *od* fonctionnelle; **~gymnastiker(in** *f***)** *m* kinésithérapeute *m f.*

heilig ['haılıç] *a* saint, sacré; *(unverletzlich)* inviolable; *bei allem, was ~ (mir) ist* par tout ce qu'il y a de plus sacré (pour moi); *hoch und ~ versprechen* promettre solennellement; *der H~e Abend* la veille de Noël; *der H~e Geist* le Saint-Esprit, l'Esprit Saint; *das H~e Grab* le saint sépulcre; *~er Himmel!* juste ciel! bonté divine! *die H~en Drei Könige* les Rois mages; *das H~e Land* la Terre sainte; *die H~e Schrift* l'Écriture *f* sainte; *der H~e Stuhl* le Saint- Siège; *der H~e Vater (Papst)* le Saint-Père; **H~e(r** *m***)** *f* saint, e *m f; ein wunderlicher ~~r* un drôle de paroissien; **~en** *tr* sanctifier; *(weihen)* consacrer; *fig (rechtfertigen)* justifier, sanctionner; *der Zweck ~t die Mittel (prov)* la fin justifie les moyens; **H~enbild** *n* image *f* de saint(e); **H~enleben** *n (Lebensbeschreibung)* hagiographie *f;* **H~enschein** *m* auréole; *(Kunst)* gloire *f,* nimbe *m;* **~=halten** ‹*hat heiliggehalten*› *tr* sanctifier; **H~haltung** *f* sanctification *f;* **H~keit** *f* ‹-, ø› sainteté *f; Seine ~~ (der Papst)* Sa Sainteté; **~=sprechen** ‹*hat heiliggesprochen*› *tr* canoniser; **H~sprechung** *f* canonisation *f;* **H~tum** *n (Tempel)* sanctuaire, lieu *m* saint; *(Gegenstand)* chose *f* sainte *od* sacrée; **H~ung** *f* ‹-, (-en)› sanctification; *(Weihe)* consécration *f.*

Heil|kraft *f* ['haıl-] vertu *f* médicinale *od* curative; **h~kräftig** *a* curatif, médicamenteux, salutaire; **~kräuter** *n pl* herbes *od* plantes *f pl* médicinales *od* officinales, *(einheimische)* simples *m pl;* **~kunde** *f* médecine, science *f* médicale; **~kundige(r)** *m,* **~praktiker** *m* guérisseur *m;* **h~los** *a (unselig)* malheureux, *(bedauerlich)* déplorable; *(unabänderlich)* irrémédiable; *(furchtbar, schrecklich)* terrible; **~massage** *f* massage *m* thérapeutique; **~methode** *f* méthode de traitement *od* thérapeutique, médication *f; abwartende ~~* expectation *f;* **~mittel** *n* remède, médicament *m;* **~pädagogik** *f* pédagogie *f* thérapeutique; **~pflanze** *f* plante *f* officinale, *(einheimische)* simple *m;* **~quelle** *f* source *f* médicinale *od* thermale; **h~sam** *a (gesund, wirkungsvoll, gut)* salutaire; **~sarmee,** *die* l'armée *f* du salut; *Angehörige(r m) f der ~~* salutiste *m f;* **~serum** *n* sérum *m* antitoxique; **~sgeschichte** *f rel* histoire *f* sainte; **~stätte** *f* station *f* thérapeutique, sanatorium *m;* **~ung** *f* ‹-, (-en)› guérison *f,* rétablissement *m;* cure; *(e-r Wunde)* cicatrisation *f;* **~ungsprozeß** *m* marche *f* de la guérison; **~verfahren** *n* traitement *m* curatif; **~wirkung** *f* effet *m* curatif.

Heim *n* ‹-(e)s, -e› [haım] domicile *m,* habitation *f; (soziale Einrichtung)* foyer *m,* maison *f,* home; *(eigenes, trautes)* intérieur, chez-soi, home *m;* **h~** *adv* à la maison, chez soi; dans son pays; **~arbeit** *f* travail *m* à domicile; *~~ machen* travailler à domicile; *etw in ~~ nehmen* prendre *od* travailler qc à façon; **~arbeiter** *m* façonnier, ouvrier à façon, travailleur *m* à domicile; **~at** *f* ‹-, (-en)› ['-ma:t] pays *m,* patrie *f; mil* intérieur *m; aus der ~~ vertreiben* expatrier; *in die ~~ zurückkehren* réintégrer (son pays); *in die ~~ zurückschicken* rapatrier; **~atbahnhof** *m* gare *f* d'attache; **~atdichter** *m* poète *m* régional; **~atflughafen** *m* aéroport *m* de rattachement; **~athafen** *m* port *m* d'attache; **~atheer** *n* armée *f* territoriale; **~atjagdstreitkräfte** *f pl aero* aviation *f* légère de défense; **~atkunde** *f* régionalisme *m;* **~atkunst** *f* art *m* régional; **~atland** *n* pays *m* (natal), patrie *f;* **h~atlich** *a* du *od* de mon, ton *etc* pays; **h~atlos** *a* sans patrie; *jur* apatride; **~atlose(r)** *m* sans-patrie, apatride *m;* **~atlosigkeit** *f* ‹-, ø› errance; *jur* apatridie *f;* **~atnachrichten** *f pl radio* journal *m* parlé *od* informations *f pl* régional(es); **~atort** *m* lieu *m* natal *od* d'origine; **~atrecht** *n* droit de domicile *od* de naturalité, indigénat *m;* **~atschein** *m* acte *m* d'indigénat; **~atstaat** *m* État *m* d'origine; **~atstadt** *f* ville *f* natale; **~atvertriebene(r)** *m* expulsé *m;* **h~=begeben,** *sich* rentrer; **h~=begleiten** *tr* raccompagner, ramener, reconduire; **h~=bringen** *tr (Sache)* rapporter; *(Person) = h~begleiten;* **~chen** *n zoo* grillon, *fam* cricri *m;* **h~=fahren** ‹*ist heimgefahren*› *itr* rentrer; **~fahrt** *f* retour *m; auf der ~~* en rentrant; **~fall** *m jur* retour *m,* réversion *f;* **h~=fallen** ‹*ist heimgefallen*› *itr jur* faire retour, tomber en déshérence; **~fallsrecht** *n* droit *m* de retour; **h~=finden** ‹*hat heimgefunden*› *itr* retrouver son chemin; **h~=führen** *tr = h~bringen; (Frau)* épouser; **~gang** *m (Tod)* décès, trépas *m;* **h~=gehen** *itr* rentrer; *fig (sterben)* décéder, trépasser; **h~=holen** *tr* aller prendre; **~industrie** *f* industrie *f* domestique; **h~isch** *a* local, du pays; *sich ~~ fühlen, ~~ sein* être (comme) chez soi; *~~ machen (werden)* (s')acclimater, (s')habituer; **~kehr** *f* retour *m,* rentrée *f;* **h~=kehren** ‹*ist heimgekehrt*› *itr* retourner *od* rentrer chez soi; *im Begriff sein* od *stehen heimzukehren* être sur le retour; **~kehrer** *m* (prisonnier de guerre) rapatrié *m;* **h~=kommen** *itr = h~kehren;* **h~=leuchten** ‹*hat heimgeleuchtet*› *itr: jdm ~~ (fig fam)* envoyer promener qn; **h~lich** *a* secret, ni vu ni connu, clandestin, dérobé; *(verstohlen)* furtif; *adv a.* en secret, en cachette, à la dérobée; en dessous, en sous-main, par derrière, sous le manteau, en tapinois, en catimini; *~~, still und leise (adv pop)* en douce; *~~ in etw hineingreifen* glisser une main furtive dans qc; **~lichkeit** *f* clandestinité *f; in aller ~~* dans le plus grand secret; *~~en vor jdm haben* (avoir à) cacher qc à qn; **~lichtuer** *m* cachottier *m;* **~lichtuerei** *f* cachotterie *f;* **h~lich=tun**

⟨*hat heimlichgetan*⟩ *itr* se donner des airs mystérieux; **~reise** *f* retour *m;* **h~=schicken** *tr* renvoyer; **~stätte** *f* habitat; *fig* asile *m; (Siedlung)* cité *f;* **h~=suchen** *tr (Krankheit, Unwetter, Naturkatastrophe)* toucher, atteindre, frapper, harceler, affliger, éprouver; **~suchung** *f* affliction, épreuve, plaie, tribulation *f; die ~~ Mariä (rel)* la Visitation de la Vierge; **~tücke** *f* malice, malignité, sournoiserie; traîtrise, perfidie; fausseté *f;* **h~tückisch** *a* malicieux, malin *(a. Krankheit),* sournois; *(verräterisch)* traître, perfide; *(falsch)* faux; **h~wärts** *adv* chez soi, à la maison; **~weg** *m* retour *m; auf dem ~~* au retour, en rentrant; *sich auf den ~~ machen* prendre le chemin du retour; **~weh** *n* mal *m* du pays, nostalgie *f; fam* vague à l'âme, cafard *m; ~~ haben* avoir le mal du pays *od fam* le cafard; **~wehr** *f* garde *f* nationale; **h~=zahlen** *tr fig: es jdm ~~* rendre la pareille à qn, rendre à qn la monnaie de sa pièce; *das werden Sie mir ~~!* je vous le revaudrai, vous ne l'emporterez pas en paradis.

Hein *m* [haın]: *Freund ~* la Mort; **~rich** *m,* **~z** *m* Henri *m;* **~zelmännchen** *n* lutin *m.*

Heirat *f* ⟨-, -en⟩ ['haıra:t] mariage *m; standesgemäße ~* mariage *m* de convenance; **h~en** ⟨*hat geheiratet*⟩ *tr* épouser; prendre *(vom Mann)* pour épouse *od* femme, *(von der Frau)* pour époux *od* mari; *itr* se marier; *unter s-m Stande ~~* se mésallier; **~sabsichten** *f pl: ~~ haben* avoir des projets de mariage; **~santrag** *m* proposition de *od* demande *f* en mariage; *jdm e-n ~~ machen* demander qn en mariage; **~sanzeige** *f (Bekanntmachung)* annonce *f od* faire-part *m* de mariage; *(Ehewunsch)* annonce *f* matrimoniale; **~serlaubnis** *f* autorisation *f* de mariage; **h~sfähig** *a* mûr pour le mariage, mariable; *(Mädchen)* nubile; *jur* habile à contracter mariage; *~~e(s) Alter n* âge *m* nubile; *~~e Tochter f* fille *f* à marier; **~sgut** *n* dot *f;* **~skandidat** *m* prétendant, épouseur *m;* **h~slustig** *a* désireux de se marier; **~sregister** *n adm* registre *m* des mariages; **~surkunde** *f* acte *m* de mariage; **~svermittler(in** *f***)** *m* courtier, ère *m f* matrimonial(e), agent *m* matrimonial, *fam* faiseuse *f* de mariages; **~svermittlung(sbüro** *n***)** *f* agence *f* matrimoniale; **~sversprechen** *n* promesse *f* de mariage; **~svertrag** *m* contrat *m* de mariage.

heischen ['haıʃən] *tr* demander, réclamer, exiger.

heiser ['haızər] *a (durch Erkältung* od *Schreien)* enroué; *(von Natur, krächzend)* rauque, éraillé; *sich ~ schreien* s'égosiller; *~ sein* avoir là gorge prise *od fam* un chat dans la gorge; *~ werden* s'enrouer; **H~keit** *f* ⟨-, (-en)⟩ enrouement *m;* voix rauque, raucité *f,* éraillement *m; völlige ~~* extinction *f* de voix.

heiß [haıs] *a* chaud; *(Zone)* torride; *fig* ardent, fervent, passionné; *(Tränen)* brûlant; *~ machen* chauffer; *jdm die Hölle ~ machen (fam)* retourner qn sur le gril; *~ werden* chauffer; *es ist ~* il fait chaud; *mir ist ~* j'ai chaud; *es ging ~ her* ça chauffait; *es wird ~ hergehen* ça va chauffer (dur) *pop; es wird ~! (Spiel)* vous brûlez; *~e Quelle f* source *f* thermale; **~blütig** *a fig* chaud, passionné, fougueux; *~~ sein (a.)* avoir le sang chaud; **H~dampf** *m tech* vapeur *f* surchauffée; **~ersehnt** *a* vivement désiré; **~geliebt** *a* passionnément aimé; **H~hunger** *m* faim dévorante *od* féroce; *med* boulimie *f;* **~hungrig** *a* affamé; *(gierig)* vorace; *med* boulimique; **~=laufen,** *sich (tech)* s'échauffer, surchauffer; **H~laufen** *n tech* échauffement *m;* **H~luft** *f* air *m* chaud; **H~luftballon** *m* ballon *m* à air chaud, montgolfière *f;* **H~luft-Strahlantrieb** *m aero* thermopropulsion *f;* **H~luft-Strahltriebwerk** *n aero* thermojet, thermopropulseur *m;* **H~mangel** *f* repasseuse *f* mécanique; **H~sporn** *m* ⟨-(e)s, -e⟩ tête *f* chaude; *pol a.* extrémiste, ultra *m;* **H~wasserheizung** *f* chauffage *m* à eau chaude; **H~wasserspeicher** *m* accumulateur *m* d'eau chaude.

heißen ⟨*hieß, hat geheißen*⟩ ['haısən, hi:s] *tr (nennen)* appeler, nommer; *(bedeuten)* vouloir dire, signifier; *(befehlen:) jdn etw tun ~* ordonner *od* commander *od* dire à qn de faire qc; *itr* s'appeler, se nommer, avoir nom; *willkommen ~* souhaiter la bienvenue à; *es heißt, daß ...* on dit, le bruit court que ...; *in diesem Buch heißt es, daß ...* dans ce livre, il est dit que ...; *es soll nicht ~, daß ...* je ne veux pas qu'on dise que ...; *das heißt* c'est-à-dire; ou du moins; *das heißt mit anderen Worten* cela revient à dire; *das soll nicht ~, daß* cela ne veut pas dire *od* ce n'est pas pour cela; ... pour autant; *hier heißt es schnell handeln* là, il s'agit de faire vite; *das will nicht viel ~* cela ne dit pas grand-chose; *wie ~ Sie?* comment vous appelez-vous? quel est votre nom? *wie heißt dieser Ort?* quel est le nom de ce lieu? *wie heißt das auf französisch?* comment cela se dit-il en français? *was soll das ~?* qu'est-ce à dire? qu'est-ce que cela veut dire? *fam* à quoi ça rime?

heiter ['haıtər] *a* serein, hilare, gai, joyeux; *(Himmel)* clair, pur; *das kann ja ~ werden! (fam)* ça s'annonce bien! **H~keit** *f* ⟨-, ø⟩ sérénité, hilarité, gaieté *f,* enjouement *m;* clarté, pureté *f; ~~ erregend (a.)* hilarant; **H~keitserfolg** *m: e-n ~~ haben* provoquer le rire.

Heiz|anlage *f* ['haıts-] installation de chauffage, chaufferie *f; elektrische ~~* équipement *m* de chauffage électrique; **~apparat** *m* appareil de chauffage, calorifère *m;* **h~bar** *a: ~~e(s) Zimmer n* chambre *f* avec possibilité de chauffage; **~batterie** *f radio* batterie *f* de chauffage; **~decke** *f el* couverture *f* chauffante; **~draht** *m* fil *m* de chauff(ag)e; **~effekt** *m* effet *m* calorifique; **~element** *n el* élément *m* de chauffage; **h~en** ⟨*du heizt* od *heizest; hast geheizt*⟩ *tr* chauffer (*mit* à); *itr* chauffer, faire du feu; **~er** *m* ⟨-s, -⟩ chauffeur *m;* **~faden** *m* filament *m* de chauffage; **~fläche** *f* surface *f* de chauffe; **~gas** *n* gaz *m* de chauffage; **~gerät(e** *pl***)** *n* garniture *f* de foyer; **~gitter** *n* grille *f* de chauffage; **~kessel** *m* chaudière *f* (de chauffage); **~kissen** *n* coussin *m* électrique; **~körper** *m (d. Zentralheizung)* corps de chauffage; radiateur *m* (d'appartement); **~körperrippe** *f* élément *m* de radiateur; **~körperverkleidung** *f* revêtement *m* de *od* du *od* des radiateur(s); **~kraft** *f* puissance *f* calori(fi)que; **~loch** *n tech* ouverture *f* de la chauffe; **~lüfter** *m* radiateur *m* soufflant; **~material** *n,* **~stoff** *m* combustible *m;* **~ofen** *m: elektrischer ~~* radiateur *m* électrique; **~öl** *n* mazout, fuel, pétrole *m* combustible; **~platte** *f* réchaud *m od* chaufferette électrique, plaque *f* chauffante *od* de chauffe *od* de cuisson; **~raum** *m* chaufferie; *(im Ofen)* chambre *f* de chauffe; **~rohr** *n,* **~röhre** *f* tube *m* de chauffage; **~schlange** *f* serpentin *m* réchauffeur; **~sonne** *f: elektrische ~~* radiateur *m* électrique; **~spannung** *f radio* tension *f* de chauffage; **~strom** *m radio* courant *m* de chauffage; **~stromkreis** *m radio* circuit *m* de chauffage; **~ung** *f (Heizen)* chauffage *m,* chauffe *f; (Anlage)* chauffage *m; (Raum)* chaufferie *f; die ~~ an-, abstellen* faire marcher, arrêter le chauffage; *elektrische ~~* chauffage *m* électrique *od* radiant; **~ungsanlage** *f* = *~anlage;* **~wert** *m* pouvoir *m od* valeur *f* calorifique; **~widerstand** *m el* résistance *f* de chauff(ag)e; *radio* rhéostat *m* (de chauffage); **~wirkung** *f* effet *m* calorifique.

Hekt|ar *n (a. m)* ⟨-s, -e⟩ [hɛk'ta:r, '--] hectare *m;* **h~ographieren** [-togra'fi:rən] *tr* polycopier, autographier, ronéotyper *od* ronéoter; **~oliter** *n (a. m)* [-to'li:tər] hecto(litre) *m.*

hektisch ['hɛktıʃ] *a med* hectique.

Held *m* ⟨-en, -en⟩ [hɛlt, -dən] héros; *(Vorkämpfer)* champion *m; jugendlicher ~ (theat)* jeune premier *m; der ~ des Tages* l'homme *m od* l'idole *f* du jour; **~endichtung** *f* poésie *f* héroïque; **~enfriedhof** *m* cimetière *m* militaire; **~engedicht** *n* épopée; *(bes. altfranzösisches)* chanson *f* de geste; **h~enhaft** *a,* **h~enmütig** *a* héroïque; **~enkeller** *m arg mil (Unterstand)* cagna *f;* **~enmut** *m* héroïsme *m;* **~ensage** *f* légende *f;* **~entat** *f* action héroïque, prouesse *f,* haut fait, exploit *m;* **~entenor** *m theat* fort ténor *m;* **~entod** *m* mort *f* héroïque; *den ~~ sterben* mourir au champ d'honneur; **~entum** *n* ⟨-s, ø⟩ héroïsme *m;* **~enverehrung** *f* vénération *f od* culte *m* des héros; **~in** *f* héroïne *f;* **h~isch** *a* héroïque.

helf|en ⟨*hilft, half, geholfen*⟩ ['hɛlfən] *itr* aider, assister, secourir, seconder (*jdm* qn); *(unterstützen)* donner un coup d'épaule (*jdm* à qn); soutenir (*jdm* qn); *(nützen)* être utile, profiter (*jdm* à qn); *ea.* ~~ s'entraider; *gegen etw* ~~ *(Arznei)* être bon pour *od* efficace contre qc; *jdm bei der Arbeit* ~~ aider qn dans son travail; *jdm in den Mantel* ~~ aider qn à mettre son manteau; *jdm aus der Verlegenheit* ~~ tirer qn d'embarras, tendre la perche à qn, dépanner qn; *sich zu* ~~ *wissen* ne pas être embarrassé; *fam* savoir se débrouiller *od* se tirer d'affaire; *sich nicht zu* ~~ *wissen (a.)* se noyer dans un verre d'eau; *ich habe ihn suchen* ~~ od *geholfen* je l'ai aidé dans ses recherches; *ich kann mir nicht* ~~, *ich muß es sagen* je ne puis m'empêcher de le dire; *ich weiß mir nicht mehr zu* ~~ je ne sais plus que faire; *dir ist nicht mehr zu* ~~ tu es perdu; *das hilft nichts* cela ne sert à rien; *da* od *es hilft alles nichts* tout est en vain; *es hilft nichts, du mußt* ... rien à faire, il faut que tu ...; *hilf dir selbst, so hilft dir Gott! (prov)* aide-toi, le Ciel t'aidera; **H~er** *m* ‹-s, -› aide, assistant *m;* **H~erin** *f* aide, assistante *f;* **H~ershelfer** *m* homme de main, complice, suppôt, séide, acolyte *m.*

Helikopter *m* ‹-s, -› [heli'kɔptər] *aero (Hubschrauber)* hélicoptère *m.*

Helio|gravüre *f* [heliogra'vy:rə] *typ (Lichtdruck)* héliogravure *f;* **~therapie** *f med* héliothérapie *f;* **~trop** *n* ‹-s, -e› [-'tro:p] *bot, m min* héliotrope *m;* **~tropin** *n* ‹-s, ø› [-tro'pi:n] *chem* héliotropine *f;* **h~zentrisch** *a* héliocentrique.

Helium *n* ‹-s, ø› ['he:lium] *chem* hélium *m;* **~kern** *m* hélion *m;* **~röhre** *f* tube *m* d'hélium.

hell [hɛl] *a* clair; *(erleuchtet)* éclairé; *(leuchtend)* luisant, lumineux, brillant, éclatant, *(Licht, Schein)* vif; *(klar, durchsichtig)* clair, limpide; *fig (Klang, bes. Stimme)* clair; *(Kopf)* lucide; *fam (aufgeweckt, klug)* prudent, circonspect, perspicace, clairvoyant; *am ~en Tag* en plein *od* au grand jour; *in e-m ~en Augenblick* dans un moment de lucidité; *in ~en Scharen* en masse; *in der ~en Sonne* au grand soleil; ~ *glänzen* jeter un vif éclat; *bis in den ~en Tag hinein schlafen* faire la grasse matinée; *der Mond scheint* ~ il fait un beau clair de lune; *es ist* ~ il fait clair; *es ist schon ~(er Tag)* il fait déjà grand jour; *es wird* ~ le jour se lève, il commence à faire jour; *das ist (ja) ~er Wahnsinn!* c'est de la folie pure! *ich war* ~ *begeistert* j'étais absolument enthousiaste; *ein H~es!* une blonde! *~e(s) Bier n* bière *f* blonde; *~e Nacht f (im nördl. Sommer)* jour *m* perpétuel; **~blau** *a* bleu clair; **~blond** *a* blond; **~braun** *a* havane; **H~dunkel** *n (Kunst)* clair-obscur *m;* **~e** *a fam (klug):* ~~ *sein* avoir l'œil (américain) *od* la comprenette facile; *sie ist recht ~e (fam)* elle n'est pas bête; **H~e** *f* ‹-, ø› *strahlende* ~~ brillance, vive lumière *f,* éclat *m;* **~farbig** *a* de couleur claire; **~gelb** *a,* **~grau** *a,* **~grün** *a* jaune, gris, vert clair; **~hörig** *a:* ~~ *sein* avoir l'oreille *od* l'ouïe fine; *(Wohnung)* être sonore; ~~ *werden (fig)* dresser les oreilles; **H~igkeit** *f* ‹-(en)› clarté, lumière *f;* **H~igkeitsgrad** *m (TV)* intensité lumineuse, luminosité *f;* **H~igkeitsmesser** *m* photomètre, luxmètre *m;* **H~igkeitsunterschied** *m* différence *f* de luminosité; **~(l)euchtend** *a* vif, éclatant; **~(l)icht** *a: am ~~en Tage = am ~en Tage;* **~rot** *a* rouge clair; **H~sehen** *n* seconde *od* double vue, voyance *f;* **H~seher(in** *f***)** *m* (clair)voyant, e *m f;* **~seherisch** *a* (clair)voyant; **~sichtig** *a (weitblikkend)* clairvoyant, lucide; **H~sichtigkeit** *f (Weitblick)* clairvoyance, lucidité *f;* **~wach** *a* éveillé.

Hellebarde *f* ‹-, -n› [hɛlə'bardə] hallebarde *f.*

Hellen|e *m* ‹-n, -n› [hɛ'le:nə] *(Grieche)* Hellène *m;* **h~isch** *a* hellénique; **h~isieren** [-ni'si:rən] *tr* helléniser; **~isierung** *f* hellénisation *f;* **~ismus** *m* ‹-, ø› [-'nɪsmus] hellénisme *m;* **h~istisch** [-'nɪstɪʃ] *a* hellénistique.

Heller *m* ‹-s, -› ['hɛlər] *(alte Scheidemünze): auf ~ und Pfennig bezahlen* payer rubis sur l'ongle *od* recta.

Helling *f* ‹-, -en› ['hɛlɪŋ] *mar* cale *f od* berceau de construction, bâti *m* de montage.

Helm *m* ‹-(e)s, -e› [hɛlm] casque; *hist* heaume; *arch* dôme *m,* coupole; *mar* barre (du gouvernail); *chem (e-r Retorte)* chape *f,* chapiteau *m;* **~busch** *m* panache *m.*

Hemd *n* ‹-(e)s, -en› [hɛmt, -dən] chemise; *pop* bannière; *arg* liquette *f; kein (ganzes) ~ auf dem Leibe (fig)* vivre dans la misère; *pop* être dans la panade *s-e Meinung wie sein ~ wechseln* changer d'avis comme de chemise; **~bluse** *f* chemisier *m;* **~brust** *f* plastron *m;* **~einsatz** *m* devant *m* de chemise; **~(en)knopf** *m* bouton *m* de chemise; **~enmatz** *m fam* marmot *m* en chemise; **~enstoff** *m* tissu *m od* toile *f* pour chemises; **~hose** *f* combinaison *f;* **~kragen** *m* col de chemise, faux-col *m;* **~särmel** *m: in ~~n* en manches *od* bras de chemise; **h~särmelig** *a* en manches de chemise; **~träger** *m* épaulette *f.*

Hemisphäre *f* ‹-, -n› [hemi'sfɛ:rə] hémisphère *m.*

hemm|en ['hɛmən] *tr (anhalten)* arrêter, retenir; *(verlangsamen)* ralentir; *(verzögern)* retarder; *(bremsen)* freiner, *(hindern, a. fig)* gêner, entraver, embarrasser; *fig (zügeln)* enrayer, freiner, mettre un frein à, *bes. psych* refréner, inhiber; **~end** *a (hinderlich, a. fig)* gênant, embarrassant; **H~nis** *n* ‹-sses, -sse› entrave *f,* embarras; *(Hindernis)* obstacle, empêchement *m;* **H~schuh** *m* patin *od* sabot d'enrayage, sabot *m* d'arrêt; *loc* cale *f; fig = H~nis;* **H~ung** *f* arrêt *m,* rétention *f;* ralentissement *m;* retardement *m;* freinage; *(Behinderung, a. fig)* empêchement; *tech* arrêt; *(Uhr)* échappement; *psych (Zügelung)* refrènement *m,* inhibition *f; pl (Schüchternheit)* gêne *f; (keine) ~~en haben* être gêné; être inhibé; (ne pas se gêner); **~ungslos** *a* effréné, sans frein; **H~ungslosigkeit** *f* impétuosité *f,* emportement *m.*

Hengst *m* ‹-es, -e› [hɛŋst] cheval entier; *(Zucht~)* étalon *m.*

Henkel *m* ‹-s, -› ['hɛŋkəl] *(Tasse, Topf)* oreille; *(Korb)* anse; *(Handtasche)* poignée *f;* **~korb** *m* panier *m* à anse.

henk|en ['hɛŋkən] *tr* pendre; **H~en** *n* pendaison *f;* **H~er** *m* ‹-s, -› bourreau *m; jdn dem ~~ übergeben* livrer qn au bourreau; *zum ~~ (mit ...)!* au diable ...! *hol' dich der ~~!* que le diable t'emporte! **H~ersbeil** *n* hache *f* du bourreau; **H~ersdienst** *m* office *m* de bourreau; **H~ersfrist** *f* grâce *f, fig* délai *m* extrême; **H~ersknecht** *m* valet *m* de bourreau; **H~ersmahl(zeit** *f***)** *n* dernier repas du condamné; *fig* dîner *m* d'adieu.

Henne *f* ‹-, -n› ['hɛnə] poule *f; junge ~* poulette *f.*

Hennegau, *der* ['hɛnəgau] *geog* le Hainaut.

her [he:r] *adv (örtlich)* (par) ici, de ce côté(-ci); *um ... ~* autour de ...; *von ... ~* de ...; *(zeitlich) von ... ~ (seit)* depuis ...; *es ist ... ~* il y a ...; *hin und ~* çà et là; par-ci, par-là; de côté et d'autre; *Freund hin, Freund ~ ...* ami ou pas ...; *von alters ~* de temps immémoriaux; *hinter etw ~ sein (fam)* être après qc; *hinter jdm ~ sein* être après qn *od* sur la piste de qn; *das ist nicht* od *damit ist es nicht weit ~ (fam)* ce n'est pas grand-chose, ça ne va pas loin; *das ist (schon) lange ~* il y a (bien) longtemps; *es ist (bald) ein Jahr ~* ça fait (va faire) un an; *wo hast du (denn) das ~?* où as-tu pris cela? *wo kommst du (denn) ~?* d'où viens-tu? *wie lange ist das ~?* cela s'est passé, il y a combien de temps? *komm ~!* viens (ici *od* par ici); *~ damit! (pop)* aboule!

herab [hɛ'rap] *adv* en bas, vers le bas; *von ... ~* en *od* au bas de, du haut de; *von oben ~ (fig)* de haut; *(sprechen)* du haut de sa grandeur; **~=blicken** *itr: auf jdn ~~ (fig)* regarder qn de haut; **~=fallen** *itr* tomber; **~=lassen** *tr* descendre; *sich (an e-m Seil) ~~* se laisser descendre (le long d'une corde); *(fig)* s'abaisser; condescendre (*zu etw* à qc); *etw zu tun* s'abaisser jusqu'à *od* à faire qc, daigner faire qc; **~lassend** *a* condescendant, protecteur; *(verächtlich)* dédaigneux; *adv = mit H~lassung;* **H~lassung** *f* condescendance *f; (mit) ~~* (d'un) air *m* protecteur; **~=schrauben** *tr: s-e Ansprüche ~~* en rabattre; **~=sehen** *itr = ~blicken;* **~=setzen** *tr (Preis)* (a)baisser, réduire, diminuer; *jur (Strafe)* réduire; *fig = ~würdigen;* **H~setzung** *f (der Geschwindigkeit)* réduction, diminution *f; (des Preises)* abaissement *m,* réduction *f,* rabais *m; jur* commutation; *fig = H~würdigung;* **~=stürzen** *itr* fondre (*auf* sur); **~=würdigen** *tr* abaisser, dégrader, déprécier, avilir; *sich* ~~ *(a.)* se manquer à soi-même; **H~würdigung** *f* abaissement *m*, dégradation, dépréciation *f*, avilissement *m*.

Herald|ik *f* ⟨-, ø⟩ [he'raldɪk] héraldique *f*, blason *m*; **h~isch** [-'raldɪʃ] *a* héraldique.

heran [hɛ'ran] *adv* tout près; *(nur* od *immer)* ~! approche(z) (donc)! avance(z)! **~≈arbeiten,** *sich* se frayer un chemin (*an etw* jusqu'à qc); **~≈bilden** *tr* former; **H~bildung** *f* formation *f*; **~≈bringen** *tr* apporter; (r)approcher (*an* de); **~≈drängen,** *sich* se presser pour approcher (*an jdn* qn); **~≈fahren** *itr: rechts, links* ~~ serrer à droite, gauche; **~≈gehen** *itr: mit Eifer an e-e S* ~~ s'attaquer à qc; **~≈holen** *tr (Sache)* apporter; *(Person)* amener; *radio fam (einstellen)* capter; **~≈kommen** *itr* (s')approcher (*an jdn, etw* de qn, qc); arriver (*an jdn, etw* sur qn, qc); *fig (sich vergleichen können)* égaler (*mit jdm, etw* qn, qc); *an sich* ~~ *lassen* attendre (patiemment); *die Dinge an sich* ~~ *lassen* temporiser, prendre une attitude passive; voir venir; **~≈machen,** *sich* s'approcher (*an jdn* de qn), accoster (*an jdn* qn); *an etw* se mettre à qc; **~≈nahen** ⟨*ist herangenaht*⟩ *itr (örtl. u. zeitl.)* (s')approcher; **H~nahen** *n* approche *f*; *beim* ~~ *(gen)* à l'approche (de) ...; **~≈pirschen,** *sich* = *~schleichen;* **~≈reichen** *itr: an etw* ~~ atteindre à qc; *an jdn* ~~ *(fig)* égaler qn; **~≈rücken** *itr* (s')approcher *(a. zeitl.); mil* (s')avancer; **~≈rufen** *tr* appeler, héler; **~≈schleichen** ⟨*ist herangeschlichen*⟩ *itr* u. *sich* ~~ (s')approcher tout doucement *od* à pas de loup (*an* de); **~≈schleppen** *tr* apporter à grand-peine; **~≈tragen** *tr* apporter; *(fig) e-e Sache an jdn* ~~ soumettre qc (*an jdn* à qn); **~≈treten** *itr* (s')approcher; *fig: an jdn* s'adresser à qn, aborder qn; **~≈wachsen** *itr* croître, grandir; **H~wachsende(r** *m)* *f* jeune homme *m*, jeune fille *f* (de 18 à 21 ans); **~≈wagen,** *sich* oser approcher (*an etw* de qc); **~≈wälzen,** *sich (Menschen)* arriver en masse; **~≈ziehen** *tr* attirer, tirer à soi; *itr* (s')approcher; *jdn zu etw* ~~ soumettre qn à qc; *jdn zur Mitarbeit* ~~ utiliser les services de qn, se servir de qn.

herauf [hɛ'rauf] *adv* en haut, vers le haut; **~≈beschwören** ⟨*hat heraufbeschworen*⟩ *tr* évoquer; *(e-e Gefahr, ein Unheil)* provoquer, amener, susciter, déclencher; **~≈bringen** *tr (Sache)* porter en haut, monter; *(Person)* conduire en haut; **~≈führen** *tr* conduire en haut; **~≈helfen** *itr: jdm* ~~ aider qn à monter; **~≈holen** *tr (Sache)* monter; *(Person)* faire monter; **~≈kommen** *itr* monter; **~≈schalten** *itr mot* passer à une vitesse supérieure; **~≈setzen** *tr (Preis)* hausser, augmenter, majorer; **~≈ziehen** *tr* tirer en haut; *mar (Tau, Kette)* haler; *itr (Gewitter)* monter, s'élever, s'approcher.

heraus [hɛ'raus] *adv* (en) dehors; *aus* ... ~ hors (de); *von innen* ~ du dedans; *vorn* ~ *(wohnen)* sur le devant; ~ *sein (Zahn, Nagel, Fremdkörper; fam: Buch (erschienen))* être sorti; *(Geheimnis)* avoir transpiré, être public; *es ist* ~ *(es ist gesagt)* le mot est lâché; ~ *damit!* ~ *mit der Sprache!* parlez! expliquez-vous! *fam* accouchez! **~≈arbeiten** *tr (plastisch)* faire (res)sortir, dégager; *(profilieren)* profiler; *sich* ~~ se tirer d'affaire *od* d'embarras, se débrouiller, *fam* s'en sortir; **~≈beißen** *tr* arracher avec les dents; **~≈bekommen** *tr (Nagel, Zahn)* parvenir à arracher; *(~finden)* (re)trouver; *(raten)* deviner; *(lösen)* résoudre; *(als Ergebnis erhalten)* obtenir, recevoir; *aus jdm nichts* ~~ *(durch Fragen)* ne povoir rien tirer de qn; *ich bekomme 3 Mark* ~ il me revient 3 marks; **~≈bilden** *tr* former, développer; **~≈bringen** *tr* porter dehors, sortir; *(Fleck)* enlever, faire partir; *(Ware)* sortir, lancer; *(Buch)* éditer, publier; *theat* porter à la scène; *film* porter à l'écran; *(raten)* deviner; *(in Erfahrung bringen)* savoir; *aus jdm nichts* ~~ ne pouvoir rien tirer de qn; *kein Wort* ~~ *können* ne pouvoir dire *od* proférer un (seul) mot; **~≈drücken** *tr (Saft)* extraire; **~≈fahren** ⟨*hat herausgefahren*⟩ *tr (Wagen aus der Garage)* sortir; *itr* ⟨*ist herausgefahren*⟩ sortir; *(Wort)* échapper; **~≈finden** *tr* (re)trouver, découvrir, dénicher, déchiffrer; *itr* u. *sich* ~~ trouver la sortie; s'en sortir; **~≈fliegen** *tr (Eingeschlossene)* évacuer par avion; **~≈fließen** *itr* s'écouler; **H~forderer** *m* provocateur; *sport* challenger *m*; **~≈fordern** *tr* provoquer (*zu* à); *(zum Duell)* provoquer en duel; *sport* challenger; *zu e-m Boxkampf, Wettlauf* ~~ défier à la boxe, à la course; **~fordernd** *a* provocant *(a. Blick)*; provocateur; *(anmaßend, frech)* arrogant, insolent; *(kampflustig)* agressif; **H~forderung** *f* provocation *f*; défi; *sport* challenge *m*; *die* ~~ *annehmen* relever le gant; **H~forderungskampf** *m sport* match *m* de défi; **~≈fühlen** *tr* sentir, deviner; **H~gabe** *f (Übergabe)* remise; *(Rückgabe)* restitution *f*; *(Freigabe)* dessaisissement *m*; *(e-s Buchs)* publication *f*; **~≈geben** *tr (durch e-e Öffnung)* tendre; *(ausliefern)* délivrer; *(zurückerstatten)* restituer; *(Buch)* éditer; *(veröffentlichen)* publier; *(Geld)* donner en retour, rendre; *itr (auf 10 Mark)* rendre (la monnaie sur 10 marks); **H~geber** *m (e-s Buches)* éditeur; *(e-r Zeitung)* (administrateur-)gérant *m*; **~≈gehen** *itr (Fleck)* partir, s'en aller; *(Fenster, Zimmer)* donner (*auf, nach* sur); *aus sich* ~~ *(fig)* parler franchement; perdre sa timidité; se dégeler; **~≈greifen** *tr* retirer (*aus* de); *(auswählen)* choisir (au hasard); **~≈gucken** *itr fam (aus e-m Fenster)* regarder dehors; *aus e-r Tasche* ~~ sortir; **~≈haben** *tr: es* ~~ toucher *od* frapper au but; *den Bogen* ~~ *(fam)* avoir trouvé le truc; savoir s'y prendre; **~≈halten,** *sich aus etw* rester en dehors de qc; ne pas vouloir être mêlé à qc; **~≈hängen** *tr* suspendre au dehors; **~≈heben** *tr* faire sortir, enlever; *(aus e-m Wagen)* descendre; *(hervortreten lassen)* faire ressortir, relever; *(hervorheben, betonen)* accentuer, souligner; **~≈helfen** *itr* aider à sortir (*jdm aus etw* qn de qc); *sich* ~~ s'en sortir, se débrouiller; **~≈holen** *tr* sortir; *fig (Gewinn, Vorteil)* tirer; *etw* ~~ *aus* tirer profit de; *er holt aus allem noch was* ~ il tirerait de l'huile d'un mur; *man muß jedes Wort aus ihm mühsam* ~~ il faut lui arracher les mots de la bouche; **~≈jagen** *tr* chasser, mettre dehors; **~≈kehren** *tr: den Vorgesetzten* ~~ faire le chef; **~≈klauben** *tr* éplucher; **~≈klingeln** *tr* faire sortir en sonnant; **~≈kommen** *itr* sortir, déboucher (*aus* de); *(die Folge sein)* résulter, être le résultat (*bei* de); *(bekanntwerden)* transpirer, s'ébruiter, se répandre; *(Buch)* sortir, paraître; *(Gesetz)* être publié; *(Los)* gagner; *aus dem Staunen nicht* ~~ ne pas revenir de son étonnement; *das kommt auf eins* ~ cela revient au même; *dabei kommt nichts* ~ cela ne mène à rien, c'est peine perdue; **~≈kriechen** *itr* sortir en rampant; **~≈kriegen** *fam für: ~bekommen;* **~≈kristallisieren,** *sich (fig)* résulter; **~≈lassen** *tr* laisser *od* faire sortir; **~≈laufen** *itr* courir dehors, sortir (en courant); **~≈lesen** *tr (aus e-m Text)* retirer; **~≈locken** *tr* attirer dehors; *etw aus jdm* ~~ soutirer qc à qn; **~≈machen** *tr (Fremdkörper)* extraire; *(Fleck)* enlever; *sich* ~~ *(sich entwickeln)* se développer; **~≈nehmen** *tr* sortir, retirer, enlever, ôter; prendre (*aus* dans); *sich etwas* od *manches* od *allerhand* od *allerlei* od *zuviel* ~~ prendre des libertés; *jdm gegenüber* prendre des licences *od* des privautés avec qn; *jdm die Mandeln* ~~ opérer qn des amygdales; **H~nehmen** *n med (der Mandeln)* éradication *f*; **~≈platzen** *itr: mit etw* ~~ laisser échapper qc; **~≈pressen** *tr fig (Geld)* extorquer, *(Geständnis)* arracher (*aus jdm* à qn); **~≈putzen** *tr* parer, accoutrer, *fam* attifer; *(Kind)* bichonner; *(lächerlich)* affubler; **~≈ragen** ⟨*hat herausgeragt*⟩ *itr* faire saillie; *aus etw* s'élever au-dessus de qc, dominer qc; **~≈reden,** *sich* trouver une bonne excuse; s'en tirer avec de belles paroles; **~≈reißen** *tr* arracher; *(schlechte Zensur)* racheter, compenser; *(sich)* ~~ *(aus e-r üblen Lage) (fig)* (se) tirer d'affaire; **~≈rollen** *itr aero (aufs Rollfeld)* rouler dehors; **~≈rücken** *tr (Geld)* financer, *fam* casquer; *(Stuhl)* écarter, pousser; *itr* faire voir (*mit etw* qc), *fam* accoucher (*mit etw* de qc); *nichts mehr* ~~ *(fam)* fermer le robinet; *mit d. Sprache* ~~ *(fam)* accoucher; *etw wieder* ~~ rendre qc; **H~ruf** *m theat* rappel *m*; **~≈rufen** *tr* appeler (au dehors); *theat* rappeler; **~≈schauen** *itr* = *~gucken;* **~≈schinden** *tr pop,* **~≈schlagen** ⟨*hat herausgeschlagen*⟩ *tr fam (Vorteil,*

Gewinn) gratter; tirer (*aus* de), *nebenbei* grappiller; *itr* ⟨*ist herausgeschlagen*⟩ *(Flamme)* sortir; **~⸗schleppen** *tr* traîner dehors; **~⸗schneiden** *tr* (dé)couper (*aus* dans); *med* exciser, extirper, réséquer; **~⸗sehen** = *~gucken;* **~⸗springen** *itr* sauter dehors; *fig fam (Vorteil)* résulter; **~⸗spritzen** ⟨*aux: sein*⟩ *itr* jaillir, gicler; **~⸗stecken** *tr* mettre dehors; **~⸗stellen** *tr* mettre dehors; *fig (hervorheben)* mettre en évidence *od* en lumière *od* en vedette *od* en relief; *sich ~~ (sich zeigen)* se montrer, apparaître, se faire jour; *als* se révéler, s'avérer (*als richtig* juste); *er hat sich als Betrüger ~gestellt* il s'est révélé être un escroc; *es hat sich ~gestellt, daß* il est apparu que; **~⸗strecken** *tr* tendre, présenter; *die Zunge ~~* tirer la langue; **~⸗streichen** *tr (aus e-m Text)* barrer, biffer, effacer; *fig fam (hervorheben: Sache)* mettre en relief, *(Person)* faire mousser; **~⸗stürzen** ⟨*aux: sein*⟩ *itr* se précipiter dehors; **~⸗suchen** *tr* choisir (*aus* dans); **~⸗treten** *itr* sortir; **~⸗wachsen** ⟨*aux: sein*⟩ *itr* sortir (*aus* de); *ich bin aus meinen Sachen ~gewachsen* mes habits sont devenus trop petits; *das wächst mir zum Hals ~ (fam)* j'en ai marre; **~⸗waschen** *tr* enlever (en lavant); **~⸗werfen** *tr (Sache)* jeter dehors; *(Person)* mettre à la porte; **~⸗winden,** *sich* se tirer d'embarras; **~⸗wirtschaften** *tr (Gewinn)* tirer (*aus* de); **~⸗ziehen** *tr* (re)tirer, arracher (*aus* de).

herb [hɛrp] *a (im Geschmack)* revêche, âpre, acerbe; *(Wein)* sec, vert; *fig (bitter)* amer, acerbe, *(Worte) a.* dur, rude, vert; *allg (streng, rauh)* austère; **H~e** *f* ⟨-, ø⟩ [-bə], **H~heit** *f* ⟨-, ø⟩ âpreté; *(des Weines)* verdeur *f,* vert *m; fig* amertume, acerbité; *(der Worte)* rudesse, verdeur; *allg* austérité *f.*

Herbarium *n* ⟨-s, -rien⟩ [hɛr'ba:rium, -rien] herbier *m.*

herbei [hɛr'baɪ] *adv* (par) ici, de ce côté-ci; *~!* approchez! (venez) à moi! **~⸗eilen** *itr* ⟨*ist herbeigeeilt*⟩ accourir; **~⸗führen** *tr fig (verursachen)* causer, occasionner; *(absichtlich)* arranger; **~⸗holen** *tr* (aller) chercher; **~⸗lassen,** *sich* consentir *od* condescendre (*zu etw* à qc); **~⸗rufen** *tr* appeler, faire venir, héler; **~⸗schaffen** ⟨*hat herbeigeschafft*⟩ *tr (~bringen)* apporter; *(beschaffen)* procurer; *(Person)* faire venir; **~⸗sehnen** *tr,* **~⸗wünschen** *tr* désirer (ardemment); **~⸗ziehen** *tr: an den Haaren ~~ (fig)* tirer par les cheveux.

her⸗bemühen *tr* prier de venir; *sich ~* prendre *od* se donner la peine de venir.

Herberg|e *f* ⟨-, -n⟩ ['hɛrbɛrgə] *(Unterkunft)* gîte, logis *m;* **h~en** *itr* être hébergé *od* logé (*bei jdm* par qn).

her|⸗bestellen *tr* faire venir, mander; **~⸗beten** *tr (herunterleiern)* psalmodier; **~⸗bitten** *tr* prier de venir; **~⸗bringen** *tr (Sache)* apporter; *(Person)* amener.

Herbst *m* ⟨-(e)s, -e⟩ [hɛrpst] automne *m; (Erntezeit)* récolte; *(Weinlese)* vendange *f; im ~ bestellen (agr)* hiverner; **~abend** *m* soirée *f* d'automne; **~aster** *f bot* marguerite *f* de la Saint-Michel; **h~en** *itr impers: es ~et* l'automne approche; **h~lich** *a* d'automne, automnal; **~manöver** *n (pl) mil* manœuvre *f* d'automne, grandes manœuvres *f pl;* **~tag** *m* jour *m* d'automne; **~-Tagundnachtgleiche** *f* équinoxe *m* d'automne; **~zeitlose** *f bot* colchique, *pop* tue-chien *m.*

Herd *m* ⟨-(e)s, -e⟩ [he:rt, -də] *(Feuerstelle)* foyer, âtre; *(Küchenherd)* fourneau *m* (de cuisine), cuisinière; *mines* table *f; fig (Ausgangspunkt)* foyer *m; am häuslichen ~* au coin du feu; *Haus und ~ haben* avoir un chez-soi; *eigener ~ ist Goldes wert (prov)* rien ne vaut son chez-soi; *elektrische(r) ~* cuisinière *f od* fourneau *m* électrique; **~platte** *f* sole *f;* **~ring** *m (zum Verkleinern der Öffnung)* diminutif *m.*

Herde *f* ⟨-, -n⟩ ['he:rdə] troupe a. fig; **~nmensch** *m: ein ~~ sein* avoir l'esprit moutonnier *od* des réactions grégaires; **~nmenschentum** *n* grégarisme *m;* **~ntier** *n* bête *f* de troupeau; **~ntrieb** *m* instinct grégaire *a. fig; fig* esprit *m* moutonnier; **h~nweise** *adv fig* en masse.

herein [hɛ'raɪn] *adv* (en) dedans; *~!* entrez! *hier ~, bitte!* (entrez) par ici, s'il vous plaît! **~⸗bekommen** *tr* (parvenir à) faire entrer; *com (Ware)* recevoir; *radio (Sender)* capter; **~⸗bemühen** *tr* prier d'entrer; *sich ~~* se donner la peine d'entrer; **~⸗bitten** *tr* prier d'entrer; **~⸗brechen** ⟨*aux: sein*⟩ *itr (Unglück)* fondre (*über jdn* sur qn); *(Nacht)* tomber, descendre, arriver; **~⸗bringen** *tr (Sache)* (ap)porter dedans; *(Person)* (parvenir à) faire entrer; **~⸗fallen** *itr fig fam (betrogen werden)* tomber dans le piège *od* dans le panneau; *fam* donner dedans *od* dans le panneau; *auf etw* couper dans qc; *auf jdn* se faire avoir *od* posséder par qn *pop; darauf fällt jeder ~* chacun s'y laisse prendre; **~⸗gehen** *itr fam* = *~passen;* **~⸗holen** *tr (Sache)* aller chercher; *(Person)* faire entrer, amener; **~⸗kommen** *itr* entrer; *(Geld)* entrer dans la caisse; **~⸗lassen** *tr* laisser *od* faire entrer; **~⸗legen** *tr fig fam (betrügen, anführen)* mettre *od* ficher *od* fourrer dedans, faire une attrape à; *nach Strich und Faden ~~* en faire voir de toutes les couleurs à; *pop* posséder dans les grandes largeurs; *sich ~~ lassen* se laisser envelopper (*von* par); **~⸗locken** *tr,* **~⸗lotsen** *tr fam* attirer; **~⸗passen** *itr (in e-e Öffnung)* entrer (*in* dans); **~⸗platzen** ⟨*aux: sein*⟩ *itr fig fam* arriver *od* tomber à l'improviste; **~⸗regnen** *itr impers: es regnet ~* la pluie entre; **~⸗rufen** *tr* appeler; **~⸗schleichen** *itr* entrer d'un pas furtif; **~⸗schneien** ⟨*aux: sein*⟩ *itr fig fam: ~geschneit kommen* = *~platzen;* **~⸗stürmen** ⟨*aux: sein*⟩ *itr* entrer en coup de vent; **~⸗treten** *itr* entrer; **~⸗ziehen** *tr* tirer dedans.

her|⸗fahren *tr* amener (en voiture); **~⸗fallen** *itr: über etw, über jdn ~~* tomber, fondre, se jeter, se ruer sur qc, sur qn; *über jdn* tomber sur le dos de qn; **~⸗finden** *itr* trouver le chemin; **~⸗führen** *tr* amener; **H~gang** *m fig (Verlauf)* marche, succession *f; (Einzelheiten)* détails *m pl;* **~⸗geben** *tr* donner, passer, remettre, céder; *wieder ~~* rendre; *das Letzte ~~* se donner complètement; fournir l'effort maximum; *sich zu etw ~~* se prêter à qc, prêter la main à qc; *dieses Buch gibt wenig her* ce livre n'apporte pas grand-chose; **~gebracht** *a* traditionnel, coutumier, d'usage; **~⸗gehen** *itr: hinter jdm ~~* suivre qn; *über etw ~~* se jeter sur qc; *über jdn ~~ (fig fam)* tomber sur qn (à bras raccourcis); *es ging arg über meine Vorräte her* ils ont fait une brèche dans mes provisions; **~gelaufen** *a: ~~e(r) Mensch m* homme *m* de rien *od* sans aveu; *~~e(s) Volk n* gens *pl* sans aveu *od* sans feu ni lieu; **~⸗halten** *tr (ausstrekken)* tendre; *itr (leiden)* souffrir; *für jdn ~~ (zahlen)* payer pour qn; *müssen* devoir payer, être le souffre-douleur *od* la tête de Turc; **~⸗holen** *tr (Sache)* aller chercher; *(Person)* amener; **~⸗hören** *itr* écouter.

Hering *m* ⟨-s, -e⟩ ['he:rɪŋ] hareng; *(Zeltpflock)* piquet *m* (de tente); *wie die ~e (zs-gedrängt)* comme des harengs (en caque); *grüne(r), marinierte(r) ~* hareng *m* frais, mariné; **~sbändiger** *m pop pej (Krämer)* margoulin *m;* **~sfang(zeit** *f*) *m* harengaison *f;* **~sfaß** *n* baril *m* à harengs, caque *f;* **~sfischerei** *f* pêche *f* du hareng; **~snetz** *n* harenguière *f;* **~sräucherei** *f* saurisserie *f;* **~szug** *m* banc *m* de harengs.

her|⸗kommen *itr* venir (ici); *(sich nähern)* (s')approcher; *(herrühren)* provenir (*von* de); *(Wort: sich ableiten)* être dérivé (*von* de); *(die Folge sein)* résulter (*von* de); **H~kommen** *n* tradition *f;* **~kömmlich** *a* = *~gebracht;* **H~kunft** *f* ⟨-, ø⟩ *(Abstammung)* naissance; *(soziale)* extraction; *(Ursprung)* origine; *com (von Waren)* provenance; *(Ableitung e-s Wortes)* dérivation, étymologie *f; niederer ~~* de bas étage; *s-e ~~ nicht verleugnen können* sentir le terroir; *niedere ~~* basse extraction *od* naissance *od* origine *f;* **H~kunftsbezeichnung** *ff* d'origine; **~⸗leiern** *tr* psalmodier; *(Rede)* débiter; **~⸗leiten** *tr* conduire (ici), amener; *fig (ableiten)* dériver (*von* de); *(folgern)* déduire (*aus* de); *sich ~~* tirer son origine (*von* de); **~⸗lokken** *tr* allécher, attirer; **~⸗machen:** *sich über etw ~~* se mettre à qc, se jeter sur qc; *(etw in Angriff nehmen)* entreprendre, attaquer qc; *über jdn* fondre, tomber, se jeter sur qn.

Herme *f* ⟨-, -n⟩ ['hɛrmə] *(Kunst)* (buste en) hermès *m.*

Hermelin *n* ⟨-s, -e⟩ [hɛrmə'li:n] *zoo*

hermine *f;* **~(pelz** *m)* *m* ‹-s, -e› hermine *f, com* roselet *m.*
hermetisch [hɛr'me:tɪʃ] *a* hermétique.
hernach [hɛr'na:x] *adv* après (cela), puis, ensuite, par la suite, plus tard.
her≈nehmen *tr* prendre, tirer.
hernieder [hɛr'ni:dər] *adv* en bas, vers le bas.
Hero|enkult *m* [he'ro:ən-] culte *m* des héros; **~enzeitalter** *n* âge *m* héroïque; **~in 1.** *f (Heldin),* **~ine** *f theat (Heldendarstellerin)* héroïne *f;* **h~isch** [-'ro:ɪʃ] *a* héroïque; **~ismus** *m* ‹-s, ø› [-ro'ɪsmus] héroïsme *m;* **~s** *m* ‹-, -roen› ['he:rɔs, -'ro:ən] héros *m.*

Heroin 2. *n* ‹-s, ø› [hero'i:n] *pharm* héroïne *f.*
Herold *m* ‹-(e)s, -e› ['he:rɔlt, -də] héraut; *fig* messager, précurseur *m;* **~sstab** *m* caducée *m.*
Herr *m* ‹-n, -en› [hɛr] *allg* monsieur; *(beim Tanz)* cavalier; *(Gebieter)* maître; *(Eigentümer)* propriétaire; *(Arbeitgeber)* chef, patron; *(Vorgesetzter)* supérieur; *(Adliger, hist: Lehnsherr)* seigneur; *(Herrscher)* souverain *m; der ~ (Gott)* le Seigneur; *aus, in aller ~en Ländern* de, dans tous les coins du monde; *im Jahre des ~n* en l'an de grâce; *sich zum ~n über... aufwerfen* se rendre maître de ...; *über etw ~ sein* être maître de qc; *~ über sich (selbst) sein* être libre de sa personne; *sein eigener ~ sein* être son maître; *~ im Hause sein* être maître chez soi; *~ der Lage sein* être maître de la situation; *~ über Leben und Tod sein* avoir droit de vie et de mort; *~ über s-e Leidenschaften sein* être maître de *od* commander à ses passions; *~ seiner selbst sein* être maître de soi; *den (großen) ~n spielen* jouer au maître *od* au grand seigneur; *e-r S ~ werden* vaincre qc; *mein* od *gnädiger* od *(im Brief) sehr geehrter ~!* monsieur; *meine ~en!* messieurs; *~ X!* monsieur (M) X; *~ General! ~ Feldwebel!* mon général! mon adjudant! *~ Unteroffizier! ~ Gefreiter!* sergent! caporal! *niemand kann zwei ~en dienen (prov)* nul ne peut servir deux maîtres, on ne peut sonner les cloches et aller à la procession; *wie der ~, so 's Gescherr* tel maître, tel valet; *ältere(r) ~* homme *m* d'un certain âge; *feine(r) ~* beau monsieur *m; ein feiner ~! fam* drôle d'oiseau! *meine (Damen und) ~en!* (Mesdames et) Messieurs! *der ~ des Hauses* le maître de la maison; *der Tag des ~n (Sonntag)* le jour du Seigneur; **~enartikel** *m pl* articles *m pl* pour messieurs; **~en(be)kleidung** *f* vêtements *m pl* pour hommes, habillement *m* masculin; **~endoppel** *n (Tennis)* double *m* messieurs; **~eneinzel** *n (Tennis)* simple *m* messieurs; **~enessen** *n* dîner *od* repas *m* entre hommes; **~enfriseur** *m* coiffeur *m* pour hommes; **~engarnitur** *f (Manschettenknöpfe u. Krawattenhalter)* parure *f* pour hommes; **~enhaus** *n (e-s Gutes)* maison *f* seigneuriale, manoir, château *m; hist parl* Chambre *f* haute *od* des pairs; **~enhose** *f* pantalon *m* d'homme; **~enkonfektion** *f* confection *f* masculine; **~enleben** *n: ein ~~ führen* mener grand train; *a (Mensch)* sans maître; *(Tier, Sache)* abandonné, non réclamé; *jur* vacant; *~~ werden* tomber en déréliction; *~~e(s) Gut n* épave *f;* **~enmantel** *m* pardessus *m* d'homme; **~enmode(n** *pl)* *f* mode(s *pl)* *f* masculine(s); **~enoberbekleidung** *f* = *~(be)kleidung;* **~enschirm** *m* parapluie *m* d'homme; **~enschneider** *m* tailleur *m* pour hommes; **~enschnitt** *m (Frisur)* coupe *f* à la garçonne; **~enschuh** *m* chaussure *f* d'homme; **~ensitz** *m: im ~~ (Dame)* à califourchon; **~entaschentuch** *n* mouchoir *m* d'homme; **~entoilette** *f* W.-C. *m* pour hommes; **~enunterkleidung** *f,* **~enunterwäsche** *f* sous-vêtements *m pl* pour hommes; **~enzimmer** *n* cabinet *m* de travail; **~gott,** *der* le Seigneur, Dieu *m;* **~gottsfrühe** *f: in aller ~~* de bon *od* grand matin; **~in** *f* maîtresse; *(e-s Landes)* souveraine; *(e-s Betriebes)* patronne *f;* **h~isch** *a* de maître, impérieux, magistral, despotique; *(barsch)* brusque; *(stolz)* hautain; *adv* en maître; **h~je** [hɛr'je:] *interj* ventre-saint-gris! **h~lich** *a (großartig)* magnifique, superbe; *(ausgezeichnet)* excellent; *(prächtig)* somptueux; *(glänzend)* brillant, splendide; *(ausgesucht)* exquis; *(köstlich)* délicieux; *(wunderbar)* merveilleux; *(glorreich)* glorieux; *adv a.* à merveille; **~lichkeit** *f* magnificence; excellence; somptuosité, pompe; *(Glanz)* splendeur *f,* éclat *m; bes. rel* gloire; *(Erhabenheit)* grandeur, majesté *f;* **~schaft** *f (Beherrschung)* domination, maîtrise *f* (*über* de) *a. fig; (Befehlsgewalt)* commandement *m* (*über* de, sur), autorité *f; (Regierung e-s Fürsten)* règne, empire *m; (Herrschergewalt)* souveraineté; *hist (Lehnsherrschaft)* seigneurie *f; (Gebiet)* domaine *m; die ~~* les maîtres, les patrons *m pl, (in der Sprache der Dienerschaft)* Monsieur et Madame; *meine ~~en! (Anrede)* Mesdames et Messieurs! *~~ des Volkes* souveraineté *f* populaire; **h~schaftlich** *a (grundherrlich)* seigneurial; *(Wohnung)* de maître, grand et beau; **h~schen** *itr (Herr sein)* dominer (*über* sur); *(befehlen)* commander (en maître); *(Fürst)* régner (*über* sur); *(regieren)* gouverner; *fig (Seuche, Not)* sévir; *(Ordnung, Ruhe)* régner; *es herrscht Schweigen* le silence règne; **h~schend** *a (vorherrschend)* régnant, (pré)dominant; *(im Schwange)* en vogue; **~scher** *m* ‹-s, -› *(Gebieter)* dominateur, maître; *(Landesherr)* souverain; *(regierender Fürst)* prince (régnant), potentat *m;* **~schergewalt** *f* autorité *f* souveraine; **~scherhaus** *n* dynastie, maison *f* (régnante); **~schsucht** *f* soif *f* de pouvoir, caractère despotique, despotisme *m;* **h~schsüchtig** *a* impérieux, autoritaire; *(tyrannisch)* tyrannique, despotique.
her|≈reichen ['he:r-] *tr* passer, tendre, présenter; **~≈richten** *tr* arranger; *neu ~~* mettre à neuf; **~≈rufen** *tr* appeler; **~≈rühren** ‹*hat hergerührt*› *itr* (pro)venir, prendre source (*von* dans); *(s-n Grund haben)* tenir (*von* à); **~≈sagen** *tr* dire, réciter *(aus dem Kopf* par cœur); **~≈schaffen** *tr (Sache)* apporter, procurer; *(Person)* amener, faire venir; **~≈schauen** *itr* = *~sehen;* **~≈schicken** *tr* envoyer (ici); **~≈sehen** *itr* regarder (ici, par ici); **~≈stammen** *itr* avoir son origine (*von* dans), tirer son origine (*von* de); provenir (*von* de); **~stellbar** *a* qui peut être produit *od* fabriqué; **~≈stellen** *tr (hierher stellen)* mettre ici; *(produzieren)* produire, faire, fabriquer, manufacturer, confectionner, créer; *(fabrikmäßig)* usiner; *(schaffen, ins Leben rufen)* créer, réaliser; *tele (Verbindung)* établir; *das Gleichgewicht ~~* établir l'équilibre; **H~steller** *m* producteur, fabricant, manufacturier; *allg* réalisateur *m;* **H~stellung** *f* production, fabrication, manufacture, confection; création, réalisation *f; tele* établissement *m; zur ~~ e-r S dienen* entrer dans la fabrication *od* confection de qc; **H~stellungsgenehmigung** *f* licence *f* de fabrication; **H~stellungskosten** *pl* frais *m pl* de fabrication *od* de production; *(Selbstkosten)* prix *m* de revient; **H~stellungsland** *n* pays *m* producteur; **H~stellungspreis** *m* prix *m* de fabrique *od* de production; **H~stellungsverfahren** *n* procédé *od* mode *m* de fabrication; **H~stellungszeit** *f* temps *m* d'usinage; **~≈tragen** *tr* apporter.
Hertz *n* ‹-, -› [hɛrts] *el* hertz *m,* période *f* par seconde.
herüber [hɛ'ry:bər] *adv* par ici, de ce côté-ci, en deçà; *~ und hinüber* deçà (et) delà; **~≈geben** *tr,* **~≈reichen** *tr* passer; **~≈kommen** *itr* venir (par) ici.
Herübersetzung *f* ['he:r-] *(in die Muttersprache)* version *f.*
herum [hɛ'rum] *adv* autour, à l'entour; *um ... ~ (prp; räuml.)* autour de, à l'entour de; *(zeitl.)* autour de, *(gegen)* vers; *(bei Zahlenangaben)* environ; *um Weihnachten ~* aux environs de *od* vers Noël; *um 2 Uhr ~* vers *od* aux environs de 2 heures; *im Kreise ~* à la ronde; *~ sein (fam: zeitl.)* être fini; *immer um jdn ~ (fig: bemüht) sein* s'empresser autour de qn; **~≈albern** ‹*aux: haben*› *itr fam* s'amuser à des niaiseries; **~≈balgen,** *sich* se colleter, se battre, se quereller; **~≈bekommen** *tr,* **~≈bringen** *tr fam (Schlüssel)* arriver à faire tourner; *(überreden)* faire changer d'idée; gagner à ses idées; **~≈biegen** *tr* courber, plier; **~≈brüllen** *itr pop* gueuler; **~≈bummeln** *itr* flâner, battre le pavé, traîner; *fam* se balader, courir la pretantaine *od* pretentaine; **~≈doktern** *itr fam: an jdm ~~* droguer qn; *an etw ~~ fam* bricoler sur qc; **~≈drehen** *tr* (re)tourner; *sich ~~*

se retourner, faire demi-tour; *den Schlüssel zweimal* ~~ fermer à double tour; **~drücken,** *sich (fam)* traîn(ass)er; **~fahren** *itr fam (ziellos)* aller çà et là *od* par-ci, par-là; *(sich umdrehen)* se retourner; = *~fuchteln; tr fam* promener (en voiture); *um e-e Ecke* ~~ tourner un coin; *um ein Kap* ~~ doubler un cap; **~faulenzen** *itr fam* tirer sa flemme; **~flattern** *itr* voltiger; **~fliegen** *itr* voler (*um* autour de); *(planlos)* voltiger; **~fragen** *itr* s'informer partout; **~fuchteln** *itr: mit dem Säbel* ~~ ferrailler; **~führen** *tr* mener, conduire (*um* autour de); conduire çà et là; *(in der Stadt)* piloter; *jdn an der Nase* ~~ mener qn par le bout du nez; *itr* contourner (*um etw* qc); **~fummeln** *itr fam* tripoter (*an etw* qc); **~gehen** *itr* circuler, se promener, flâner; passer (de mains en mains); *(Zeit)* passer, s'écouler; contourner; *das geht mir im Kopf* ~ cela me trotte dans la tête *od* la cervelle; **~hetzen** *tr* tracasser, éreinter; **~horchen** *itr* écouter partout; *(spionieren)* espionner; **~hüpfen** *itr* sautiller; frétiller, se trémousser; **~irren** *itr* errer; **~jagen** *tr* = *~hetzen;* **~kommen** *itr: um etw nicht* ~~ *(fam)* ne pas pouvoir échapper *od fam* couper à qc; *weit in e-m Lande* ~~ voir un pays; *in der Welt* ~~ voyager beaucoup, courir le monde, voir du pays, *pop* bourlinguer; *ich bin darum ~gekommen (fam)* cela m'a été épargné; **~kramen** *itr fam* (far)fouiller (*in* dans); **~kriechen** *itr (planlos)* ramper çà et là; **~kriegen** *tr fam* = *~bekommen;* **~laufen** *itr* faire le tour (*um* de); *(ziellos)* courir çà et là; *in der Stadt* ~~ courir la ville; *so kannst du nicht ~~!* tu ne peux tout de même pas sortir dans cette tenue! **~liegen** *itr (unordentlich)* traîner; **~lungern** *itr* battre le pavé; traîner la savate; *arg* glander; **~meckern** *itr fam,* **~nörgeln** *itr* geindre *fam;* râler *pop;* **~pfuschen** *itr* bousiller; **~reichen** *tr* faire passer; **~reisen** *itr (planlos)* voyager çà et là; voir du pays; *(in e-m Lande)* faire le tour (*in* de); **~reiten** *itr* se promener à cheval; *fig* être à cheval *od* insister (*auf etw* sur qc); **~schlagen,** *sich* se battre, *fig (mit Worten)* batailler, *fam* se chamailler (*mit jdm* avec qn); **~schlendern** *itr* flâner, *fam* se balader; **~schleppen** *tr: etw mit sich* ~~ traîner *od fam* trimbaler qc avec soi; *e-e Erkältung mit sich* ~~ se trimbaler avec un rhume; **~schmarotzen** *itr* piquer l'assiette; **~schmökern** *itr (in Büchern)* fourrager; bouquiner *fam;* **~schnippeln** *itr* tailler et rogner; **~schnüffeln** *itr* mettre *od* fourrer son nez *od* fureter partout; **~schreien** *itr* gueuler *pop;* **~sitzen** *itr fig (nichts tun)* ne rien faire; **~sprechen,** *sich* passer de bouche en bouche, se divulguer; se répandre; **~stehen** *itr (Sachen)* traîner; *(Mensch)* badauder, bayer aux corneilles; **~stöbern** *itr* fouiller, fureter (*in* dans); **~stochern** *itr: in den Zähnen* ~~ se curer les dents; **~stolzieren** ⟨*aux: sein*⟩ *itr* se montrer (partout); **~streiten,** *sich* se prendre de parole *od fam* de bec; **~streunen** *itr* traîner la savate *fam;* **~strolchen** *itr* vagabonder, rôder; **~suchen** *itr* chercher partout; **~tanzen** *itr: jdm auf der Nase* ~~ se moquer de qn; **~toben** *itr* faire le diable (à quatre); **~tragen** *tr (Neuigkeit)* colporter; **~trampeln** *itr: auf jdm* ~~ *(fig)* marcher sur les pieds de qn; **~treiben,** *sich* traîner, vagabonder, courir les cafés *od fam* le guilledou; *wo hast du dich (denn) wieder herumgetrieben?* où étais-tu encore passé? **H~treiberin** *f* galvaudeuse *f;* **~tummeln,** *sich* prendre ses ébats; **~wälzen,** *sich* se rouler; se vautrer; *sich (im Bett)* ~~ se tourner et se retourner (dans son lit); **~werfen** *tr: das Steuer* ~~ *(fig)* renverser la vapeur; **~wühlen** *itr* = *~stöbern; fig* fourrager, tripoter (*in* dans); **~zanken,** *sich* se quereller, se disputer, batailler, *fam* se chamailler; **~zerren** *tr* tirailler (*an* à); **~ziehen** *itr* flâner, vagabonder, rôder; *sich um etw* ~~ contourner, entourer qc; **~ziehend** *a* ambulant; nomade.

herunter [hɛ'runtər] *adv* en bas, à bas, à terre, du haut; *a fam (gesundheitl.)* bas; *von ...* ~ *(prp)* du haut de *a. fig,* à bas de; *von oben* ~ du haut en bas; *ich kann nicht* ~ je ne puis descendre; *~!* descends! descendez! **~bringen** *tr (Sache)* (ap)porter en bas, descendre; *(Person)* faire descendre; **~drücken** *tr* presser vers le bas; *(Preis)* baisser, réduire; **~fallen** *itr* tomber; **~gehen** *itr fig (Fieber)* diminuer; *(Preis)* baisser; **~gekommen** *a fig* à la dérive, en dérive, *fam* déliquescent; qui a beaucoup baissé; **~handeln** *tr (e-n Betrag)* gagner en marchandant; **~hauen** *tr: jdm eine* ~~ gifler qn; **~helfen** *itr* aider à descendre (*jdm* qn); **~holen** *tr (Sache)* descendre; *(Person)* faire descendre; *(Vogel, Flugzeug)* descendre, abattre; **~klappbar** *a* rabattable; **~klappen** *tr (Kragen, Sitz)* rabattre; *(Verdeck)* baisser; **~kommen** *itr* venir en bas, descendre; *fig (sittlich)* s'encanailler; *er ist sehr heruntergekommen* il est très diminué; il a beaucoup baissé; il se laisse aller; **~laßbar** *a (Fenster)* inclinable; **~lassen** *tr (Menschen)* faire *od* laisser descendre; *(Vorhang)* baisser; *(Autofenster)* baisser, ouvrir; **~leiern** *tr* ânonner, bêler; **~machen** *tr fig (schmähen)* ravaler, mettre à bas, rabaisser; *(nur Person)* rabattre la crête à, déchirer à belles dents, sabrer; **~nehmen** *tr* descendre, dépendre, décrocher; **~purzeln** *itr* dégringoler; **~putzen** *tr fig* morigéner, houspiller, chapitrer; **~reißen** *tr* arracher; *fig (scharf kritisieren)* esquinter, déchirer (à belles dents), *fam* éreinter; **~schalten** *itr mot* rétrograder; **~schlagen** *tr (Nüsse)* gauler; *(Verdeck)* baisser; *(Kragen)* rabattre; *(Kopf)* trancher; **~schlucken** *tr* avaler; **~sehen** *itr* = *herabblikken;* **~werfen** *tr* jeter (en) bas; **~wirtschaften** *tr* ruiner; **~ziehen** *tr* tirer en bas; *(Fenster)* baisser.

hervor [hɛr'fo:r] *adv* en avant; dehors; *unter dem Bett* ~ de dessous le lit; **~brechen** ⟨*ist hervorgebrochen*⟩ *itr* s'élancer, jaillir; *mil* déboucher (*aus* de); **~bringen** *tr* produire, engendrer, créer, enfanter, faire naître; *(Ton, Wort)* proférer; *(bewirken)* opérer; **H~bringung** *f* production, création *f;* **~gehen** *itr fig (herkommen)* sortir, provenir (*aus* de); *(sich ergeben)* relever, ressortir, résulter, s'ensuivre (*aus* de); *als Sieger aus ...* ~~ sortir vainqueur de ...; *daraus geht ~, daß ...* il en résulte, il ressort de là, il s'ensuit, *jur* il appert que ...; **~heben** *tr fig* faire ressortir, donner du relief à, mettre en relief *od* en évidence *od* en valeur *od* en vedette, mettre l'accent sur, accentuer, souligner; appuyer sur, rehausser; *(Umrisse)* dessiner, accuser; *sich* ~~ s'élever, ressortir; **H~hebung** *f* mise *f* en évidence; **~holen** *tr* tirer (*aus* de); **~kehren** *tr fig* faire valoir, étaler; **~kommen** *itr* sortir (*aus* de); *(auftauchen)* apparaître, surgir; *(Gestirn)* percer (*aus den Wolken* à travers les nuages); **~leuchten** *itr* (re)luire, briller (*aus* à travers); **~locken** *tr* attirer (dehors); **~ragen** *itr* s'élever au-dessus de *a. fig;* avancer, saillir, être en saillie; émerger (*aus* de); *fig* se distinguer, exceller; *über jdn, etw* dépasser qn, qc; **~ragend** *a* saillant, en saillie, proéminent; *fig* (pré)éminent, excellent, marquant, remarquable, exceptionnel, hors ligne *od* classe; *(Person a.)* de marque; **~rufen** *tr (Schauspieler)* rappeler (par des applaudissements); *(verursachen)* causer, faire surgir *od* naître, engendrer, *med* provoquer; *(erregen)* soulever, susciter; *(Bewunderung)* exciter; *Bestürzung* ~~ semer la consternation; **~stechend** *a fig (auffallend)* saillant, éminent, frappant; **~stürzen** *itr* se précipiter dehors *od* en avant, s'élancer; **~suchen** *tr (ausgraben)* déterrer, exhumer; **~treten** *itr* sortir, (s')avancer; *arch* faire saillie; *(auftauchen)* émerger, surgir; *fig* apparaître; *(sich abheben)* se détacher, ressortir, se dessiner; *(hervorragen)* avoir du relief, marquer; ~~ *lassen (fig)* donner du relief à, faire ressortir, mettre en valeur, mettre l'accent sur, marquer; *(Kunst)* rehausser, *(Umrisse)* accuser; **~tretend** *(plastisch)* en relief; **~tun,** *sich* se mettre en évidence, se faire remarquer, se distinguer, se signaler, s'illustrer, exceller; *(pej)* se mettre en avant; *pop* la ramener; **~wagen,** *sich* oser sortir; **~zaubern** *tr* faire apparaître (comme) par enchantement; **~ziehen** *tr* tirer, sortir (*aus etw* de qc; *unter etw* de dessous qc).

her|wärts ['he:rvɛrts] *adv* vers ici, de

ce côté(-ci); **H~weg** *m: auf dem ~~* (en) venant ici.

Herz *n* ‹des -ens, dem -en, die -en› [hɛrts] cœur *m (a. im Kartenspiel u. fig); fig a.* entrailles *f pl; (Gemüt, Seele)* âme; *(Mitleid)* pitié *f; (Mut)* courage; *(Kern, Mittelpunkt)* cœur, centre *m; im ~en Deutschlands* au cœur de l'Allemagne; *aus vollem ~en* de grand cœur, avec effusion; *mit klopfendem ~en* le cœur battant; *leichten ~ens* d'un cœur léger; *schweren ~ens* le cœur gros; *von ganzem ~en* de tout mon *etc* cœur, de tout *od* grand cœur, de toute mon *etc* âme; *von ~en gern* de bon cœur; bien volontiers; je ne demande pas mieux; *sein ~ ausschütten* décharger *od* ouvrir *od* épancher son cœur, s'épancher *(jdm* à qn); vider son sac; *das ~ bedrücken* serrer le cœur; *es nicht übers ~ bringen zu ...* ne pas avoir le cœur *od* le courage de ...; *jdn an sein ~ drücken* presser *od* serrer *od* étreindre qn contre *od* sur son cœur; *sein ~ erleichtern* décharger son cœur, s'épancher; *sich ein ~ fassen* prendre courage, *fam* prendre son courage à deux mains; *jdm zu ~en gehen* aller *od* parler au cœur de qn; *jds ~ gewinnen* se faire aimer de qn; *alle ~en gewinnen* attirer *od* gagner tous les cœurs; *etw auf dem ~en haben* avoir qc sur le cœur; *pop* en avoir gros sur la patate; *ein gutes ~ haben (fig)* avoir bon cœur, être généreux; *kein ~ haben (fig)* n'avoir pas de cœur; *das ~ auf dem rechten Fleck haben* avoir le cœur bien placé; *jdn in sein ~ geschlossen haben* porter qn dans son cœur; *das ~ auf der Zunge haben* avoir le cœur sur les lèvres; *jds ~ höher schlagen lassen* faire battre le cœur à qn; *jdm ans ~ legen, etw zu tun* conjurer qn de faire qc; *von ~en lieben* aimer d'amour; *jdm am ~en liegen* tenir à cœur à qn; *s-m ~en Luft machen (fam)* se décharger la rate; *jdm das ~ schwermachen* peser sur le cœur à qn; *sich etw zu ~en nehmen* prendre qc à cœur; *jdn auf ~ und Nieren prüfen* sonder les reins et le cœur de qn, examiner qn sur toutes les coutures; *jdm sein ~ schenken* donner son cœur à qn; *jdn ins ~ schließen* s'attacher à qn; *jdm ans ~ gewachsen sein* tenir au cœur à qn; *ein ~ und eine Seele sein* ne faire qu'un, n'être qu'un en deux corps; *fam* être compère et compagnon; *sein ~ sprechen lassen* laisser parler son cœur; *an gebrochenem ~en sterben* mourir le cœur brisé; *unter dem ~en tragen* porter dans son sein; *das ~ auf der Zunge tragen* être expansif; *das ~ blutet mir* j'ai le cœur qui saigne; *mir fällt ein Stein vom ~en* je me sens soulagé d'un (grand) poids; *mir fiel das ~ in die Hosen (fig fam)* le cœur me manqua; *das geht mir (sehr) zu ~en* cela me retourne; *mir klopft das ~* mon cœur bat; *es liegt mir am ~en zu ...* j'ai à cœur de ...; *das ~ schlug ihm bis zum Hals* son cœur bondit; *mir wir das ~ schwer* j'ai le cœur gros; *Hand aufs ~!* la main sur la conscience! *wes das ~ voll ist, des geht der Mund über (prov)* de l'abondance du cœur la bouche parle; *die Dame meines ~ens* la dame de mes pensées; *so recht nach meinem ~en* tout à fait à mon goût; tel que je l'aime; *ein weiches ~ in rauher Schale* mauvaise tête et bon cœur; *von ~en kommend* cordial, sincère; **~ader** ... cardiovasculaire *a;* **~allerliebste(r** *m***)** *f* bien-aimé(e *f*) *m;* **~anfall** *m* défaillance *od* crise *f* cardiaque; **~beklemmung** *f* serrement *m* de cœur; **~beschwerden** *f pl* troubles *m pl* cardiaques; **~beutel** *m anat* péricarde *m;* **~beutelentzündung** *f* (péri)cardite *f;* **~beutelwassersucht** *f* hydropisie *f* du péricarde; **~bewegung** *f* rythme *m* cardiaque; **~blatt** *n bot* petite feuille *f* centrale; **~bräune** *f* angine *f* de poitrine; **h~brechend** *a* navrant; **~bube** *m (Karte)* valet *m* de cœur; **~chen** *n: mein ~~!* mon chou! mon (ma) petit(e) chéri(e)! **~dame** *f (Karte)* dame *f* de cœur; **~eleid** *n* affliction *f,* chagrin, crève-cœur *m;* **h~en** *tr* presser contre *od* sur son cœur, caresser, cajoler; **~ensangelegenheit** *f* affaire *f* de cœur; **~ensangst** *f* angoisse, détresse *f;* **~ensbildung** *f* noblesse *f* de cœur; **~ensbrecher** *m* bourreau *m* des cœurs; **~(ens)bruder** *m* ami *m* cher à mon *etc* cœur; **~ensgrund** *m: aus ~~* du fond du cœur; **h~ensgut** *a* d'un cœur d'or; **~ensgüte** *f* bonté de cœur; **~enslust** *f: nach ~~* à cœur joie, tout son content, *fam* à gogo; **~enswunsch** *m* désir *m* profond; *nach ~~* à souhait; **h~ergreifend** *a* touchant, saisissant; **~erweiterung** *f* dilatation *f* du cœur; **~fehler** *m* vice *m* du cœur, *scient* déficience *f* cardiaque; **h~förmig** *a* en (forme de) cœur; *scient* cordiforme; **~gegend** *f* région *f* du cœur; **~geräusch** *n* souffle *m* du cœur; **~gift** *n* cardiotoxique *m;* **~grube** *f anat* creux *m* de l'estomac *od scient* épigastrique; **h~haft** *a* brave, courageux, hardi; bon; *adv: ~~ lachen* rire de bon cœur; **~haftigkeit** *f* courage *m,* hardiesse *f;* **h~ig** *a* mignon, charmant, gentil; **~infarkt** *m* infarctus *m* du myocarde; **h~innig** *a* cordial, tendre; **~insuffizienz** *f* insuffisance *f* cardiaque; **~kammer** *f anat* ventricule *m* du cœur; **~kirsche** *f* bigarreau *m,* guigne *f;* **~klappe** *f anat* valvule *f* du cœur; **~klappenfehler** *m* affection *f* valvulaire; **~klopfen** *n* battement *m* du cœur, palpitations *f pl; ich habe ~~* j'ai le cœur qui bat; **~krampf** *m* spasme *m* cardiaque; angine *f* de poitrine; **h~krank** *a,* **h~leidend** *a* cardiaque; **~krankheit** *f,* **~leiden** *n* maladie de cœur; *scient* affection cardiaque, cardiopathie *f;* **~lähmung** *f* paralysie *f* cardiaque; **h~lich** *a* cordial, sincère, affectueux; *adv a.* bien; de tout mon *etc* cœur; *~~ gern* très volontiers, de bon cœur, avec le plus grand plaisir; je ne demande pas mieux; *(mit) ~~e(n) Grüße(n)* cordialement, amicalement; avec toutes mes *etc* amitiés; **~lichkeit** *f* ‹-, (-en)› cordialité, tendresse, affection *f;* **~linie** *f math* cardioïde *f;* **h~los** *a fig* sans cœur, de *od* froid comme un marbre, dur, sec, insensible; *~~e(r) Mensch m* sans-cœur *m;* **~losigkeit** *f* dureté, sécheresse, insensibilité *f;* **~-Lunge(n)-Maschine** *f med* machine *f* cœur-poumon; **~mittel** *n* cardiotonique *m;* **~muskel** *m* myocarde *m;* **~muskelentzündung** *f* myocardite *f;* **~neurose** *f* névrose *f* tachycardique; **~schlag** *m med* arrêt *m* du cœur; insuffisance *f* cardiaque; **~spezialist** *m* cardiologue *m;* **~spitze** *f* pointe *f od* sommet *m* du cœur; **h~stärkend** *a* cordial, cardiaque, réconfortant; **~stillstand** *m* arrêt *m* du cœur; **~stück** *n* partie centrale; *loc (e-r Weiche)* pointe *f* de cœur; **~tätigkeit** *f* activité *f* fonctionnelle du cœur; **~ton** *m* bruit *m* du cœur; **~verfettung** *f* dégénérescence *f* graisseuse du cœur; **~vorhof** *m* oreillette *f* du cœur; **~wand** *f* paroi *f* du cœur; **h~zerreißend** *a* déchirant, poignant, navrant, à fendre le cœur *od* l'âme.

her=|zählen *tr: an den Fingern ~~ können* savoir sur le bout du doigt; **~=ziehen** *tr* attirer; *itr* venir demeurer *od* habiter ici; *über jdn ~~ (schimpfen)* dire du mal de qn, *fam* taper sur qn, casser du sucre sur le dos de qn.

Herzog *m* ‹-(e)s, ⸗e/(-e)› ['hɛrtso(:)k] duc *m;* **~in** *f* duchesse *f;* **h~lich** *a* ducal; **~tum** *n* duché *m.*

herzu [hɛr'tsu:] *adv* (par) ici, de ce côté(-ci).

Hess|e *m* ‹-n, -n› ['hɛsə] Hessois *m;* **~en** *n* la Hesse; **h~isch** *a* hessois, de (la) Hesse.

Hetäre *f* ‹-, -› [he'tɛ:rə] *hist* hétaïre *f.*

hetero|gen [hetero'ge:n] *a (ungleich)* hétérogène; **H~genität** *f* ‹-, ø› [-'tɛ:t] hétérogénéité *f;* **H~plastik** *f med* hétéroplastie *f.*

Hetz|artikel *m* ['hɛts-] article *m* incendiaire *od* de provocation; **~blatt** *n* journal *m* provocateur; journal à sensations; **~e** *f* ‹-, -n› *(Eile)* hâte, précipitation *f;* **h~en** ‹*du hetzt; hat gehetzt*› *tr (jagen)* chasser, traquer; *(Hund)* lâcher (*auf* sur); *(Menschen: verfolgen)* pourchasser, traquer, talonner; poursuivre, persécuter; *(Redensart)* user jusqu'à la corde; *itr (eilen) (ist gehetzt)* être pressé; *(Hetzreden halten)* tenir des propos incendiaires; *(den Streit schüren)* souffler la discorde; *gegen jdn ~~* exciter les passions contre qn; *zu Tode ~~ (Wild)* forcer, mettre aux abois; *fig (Redensart)* répéter à satiété; *mit allen Hunden gehetzt sein (fig)* avoir plus d'un tour dans son sac; **~er** *m* ‹-s, -› *(Jagd)* piqueur, traqueur; *fig pol* (agent) provocateur, agitateur *m;* **~erei** *f* [-'raɪ] = *~e;* **h~erisch** *a* provocateur; **~jagd** *f* chasse *f* à courre; *fig* = *~e;* **~kampagne** *f pol* campagne *f* d'agitation; **~presse** *f* presse *f* incendiaire;

~rede *f* discours *m* provocateur *od* incendiaire; **~redner** *m* aboyeur *m;* **~schrift** *f* écrit *m* incendiaire.

Heu *n* ⟨-(e)s, ø⟩ [hɔʏ] foin *m;* ~ *machen* faire les foins, faner; *Geld wie ~ haben* remuer l'argent à la pelle, être cousu d'or; **~boden** *m* grenier à foin, fenil *m;* **~bündel** *n* botte *f* de foin; **h~en** *itr* = ~ *machen;* **~er** *m* ⟨-s, -⟩ *(Arbeiter)* faneur *m;* **~ernte** *f* récolte des foins, fenaison *f;* **~fieber** *n* fièvre *f* des foins; **~gabel** *f* fourche *f* à foin; **~haufen** *m* tas *m od* meule *f* de foin; **~loch** *n (im ~boden)* abat--foin *m;* **~schnupfen** *m* rhume *m* des foins; **~schober** *m,* **~schuppen** *m,* **~stadel** *m* fenil *m;* **~schrecke** *f ent* sauterelle, locuste *f;* **~schrekkenkrebs** *m* squille *f;* **~schreckenschwarm** *m* vague *f* de sauterelles; **~wagen** *m* chariot *m* à foin; **~wender** *m (Gerät)* faneuse *f.*

Heuch|elei *f* ⟨-, -en⟩ [hɔʏçə'laɪ] hypocrisie, affectation, feinte, dissimulation; *(Betrug)* imposture; *(Falschheit)* fausseté, duplicité *f; (Scheinheiligkeit)* pharisaïsme *m,* tartuferie, papelardise *f;* **h~eln** ['hɔʏçəln] *tr (vortäuschen)* feindre, affecter, simuler; *itr (sich verstellen)* feindre, faire semblant; **~ler(in** *f***)** *m* ⟨-s, -⟩ hypocrite, grimacier, ère *m f;* faux dévot *m,* fausse dévote *f,* tartufe *m,* cafard, e *m f;* **h~lerisch** *a (falsch)* faux, dissimulé, hypocrite, grimacier; *(scheinheilig)* cafard, cagot.

Heuer *f* ⟨-, -n⟩ ['hɔyər] *mar (Lohn)* paie *f,* salaire *m,* solde *f; (Anmusterung)* enrôlement *m;* **~brief** *m (für ein Schiff)* contrat *m* d'affrètement, charte-partie *f;* **h~n** *tr (Matrosen)* engager; *(Schiff)* affréter; **~vertrag** *m (mit e-m Matrosen)* contrat *m* d'engagement.

heu|er ['hɔyər] *adv* cette année; **~rig** *a* de cette année; **H~rige(r)** *m* vin *m* nouveau.

Heul|boje *f* ['hɔyl-] *mar* bouée *f* à sifflet; **h~en** *itr* hurler; *fam (weinen)* pleur(nich)er; *(Kind)* piailler, piauler; *(Sturm)* gémir, mugir; *(Sirene)* hurler; *mit den Wölfen ~~ (fig)* hurler avec les loups; *vor Wut ~~* hurler de rage; *es ist zum H~ (fam)* c'est à en pleurer; **~en** *n* hurlement *m; ~~ und Zähneklappern* des pleurs et des grincements de dents; **~er** *m* ⟨-s, -⟩ pleurnicheur *m;* **~erei** *f* ⟨-, (-en)⟩ [-'raɪ] pleurnicherie; *fam* piaillerie *f; pop* piaulement *m;* **~suse** *f* ⟨-, -n⟩ ['-zu:zə] *fam* pleurnicheuse *f.*

heut|e ['hɔʏtə] *adr* aujourd'hui; = *~zutage; ab ~~, von ~~ ab* od *an* à partir d'aujourd'hui; *bis ~~* jusqu'à aujourd'hui; *noch ~~, ~~ noch* aujourd'hui même, dès aujourd'hui; *(noch immer)* encore aujourd'hui; *von ~~ auf morgen* du jour au lendemain; *~~ abend* ce soir; *~~ früh, ~~ morgen* ce matin; *~~ (nach)mittag* cet après-midi; *~~ nacht* cette nuit; *~~ vormittag* ce matin; *~~ in acht, vierzehn Tagen* (d')aujourd'hui en huit, quinze; (~~) *vor 8 Tagen* il y a (aujourd'hui) huit jours; *was du ~ kannst besorgen, (das) verschiebe nicht auf morgen* ne remets pas au lendemain ce que tu peux faire le jour même; **~ig** *a* d'aujourd'hui, de ce jour; *(gegenwärtig)* présent; *(neuzeitlich)* actuel, moderne; *der ~~e Tag* ce jour; *mein H~~es (Schreiben)* la présente; **~zutage** *adv* de nos jours.

Hex|e *f* ⟨-, -n⟩ ['hɛksə] sorcière, magicienne *f; alte ~~ (Schimpfwort)* vieille sorcière, mégère *f; kleine ~~ (hum)* petite coquine *od* friponne *f;* **h~en** *itr* être sorcier *od* sorcière, pratiquer la magie; *ich kann nicht ~~* je ne suis pas sorcier; **~enkessel** *m fig* chaudron *m* aux sorcières; **~enmeister** *m* sorcier, ensorceleur, magicien *m;* **~enprozeß** *m* procès *m* de sorcellerie; **~ensabbat** *m* sabbat *m;* **~enschuß** *m med* tour de reins, lumbago *m;* **~enverfolgung** *f a. fig* chasse *f* aux sorcières; **~enwahn** *m* croyance *f* aux sorcières; **~erei** *f* [-'raɪ] sorcellerie, magie *f;* sortilège, maléfice *m.*

hie [hi:] *adv* = *hier; ~ und da* par-ci, par-là; **~nieden** ['--- / -'--] *adv lit* ici--bas, en ce monde.

Hieb *m* ⟨-(e)s, -e⟩ [hi:p, -bə] coup *m* (tranchant *od* de taille); *(Baum~)* coupe; *(Feilen~)* taille *f; fig (bissige Bemerkung)* coup *m* de bec *od* dent *od* patte; *auf den ersten ~* du premier coup; *auf ~ und Stoß* d'estoc et de taille; *~e bekommen* recevoir des coups; *jdm e-n ~ versetzen (a. fig)* porter un coup à qn; *fig* donner un coup de griffe à qn; *der ~ galt mir (fig)* c'est moi qui étais visé; *du hast wohl e-n Hieb? (fam)* tu n'est pas bien? *der ~ sitzt* le coup a porté; *sonst setzt es ~e!* (sinon) gare aux coups *od fam* à la casse! **h~fest** *a* invulnérable; **h~reif** *a (Wald)* mûr pour l'abattage; **h~- und stichfest** *a fig* à toute épreuve, irréfutable; **~- und Stoßwaffe** *f* arme *f* d'estoc et de taille; **~wunde** *f* balafre *f.*

hier [hi:r] *adv* ici; en ce lieu; *(postalisch)* en ville; *(auf Erden)* en ce monde; *(in diesem Augenblick)* à ce moment; *(bei diesen Worten)* à ces mots; *attr (nachgestellt)* -ci: *dieser ~* celui-ci, *d(ies)er Brief ~* cette lettre--ci, la lettre que voici; *~ und da* çà et là; par-ci, par-là; de loin en loin; *von ~* d'ici; *von ~ an* à partir d'ici; *~ draußen, drinnen, oben, unten* là dehors, dedans, en haut, en bas; ici; *~ ist, sind* voici, *fam* voilà; *~ bin ich* me voici *od fam* voilà; *ich bin nicht von ~* je ne suis pas d'ici; *es steht mir bis ~ (fam)* j'en ai jusqu'ici; *hier X. (tele)* X. à l'appareil; *~ irren Sie* c'est là en quoi vous vous trompez; *~! (mil)* présent! **~an** *adv* à *od* en ceci; *~~ sehen Sie* vous voyez par là; **~auf** *adv (örtl.)* sur cela, là-dessus; *(zeitl.)* après cela, ensuite; **~aus** *adv fig* de ceci, de *od* par là; **~bei** *adv* à ceci, à cela; *(zeitl.)* en même temps; **~≈bleiben** rester (ici); **~durch** *adv fig* de cette façon, comme cela; *(im Brief)* par la présente; **~ein** *adv* dans *od* en ceci; **~für** *adv* pour ceci *od* cela; **~gegen** *adv* contre cela, là-contre; **~her** *adv* (par) ici, de ce côté-ci; *~~! (a.)* à moi! *(Jagd)* hourvari! *bis ~~ (örtl. u. zeitl.)* jusqu'ici; *(zeitl.)* jusqu'à présent; *das gehört nicht ~~* cela n'a rien à voir *od* à faire ici; **~herum** *adv* par ici; **~hin** *adv* (vers) ici, par ici; *~~ und dorthin* çà et là; par-ci, par-là; **~in** *adv* là-dedans; *fig* en cela; **~≈lassen** *tr* laisser (ici); **~mit** *adv* avec cela; c'est ainsi que; *(im Brief)* par la présente; **~nach** *adv* après cela, là-dessus; *fig (demzufolge)* en conséquence; **~neben** *adv* à côté; *(im Brief)* ci--contre; **~orts** *adv* en ce pays-ci; **~≈sein** *itr* être présent; **H~sein** *n* présence *f;* **~selbst** *adv* ici-même; *(postalisch)* en ville; **~über** *adv (Richtung)* par ici, de ce côté-ci; *fig* là-dessus; **~um** *adv* autour de cela; *(deswegen)* pour cela; **~unter** *adv, a. fig* là-dessous; *~~ versteht man* on entend par là; **~von** *adv* de cela, en; **~zu** *adv (zu diesem)* à ceci, à cela; y; *(zu diesem Zweck)* à cet effet; *(außerdem)* en outre, de plus; *~~ kommt noch, daß* ajoutez que; **~zulande** *adv* chez nous, dans *od* en ce pays-ci; **~zwischen** *adv* entre les deux.

Hier|archie *f* ⟨-, -n⟩ [hierar'çi:] hiérarchie *f;* **h~archisch** [-'rarçɪʃ] *a* hiérarchique; **~oglyphe** *f* ⟨-, -n⟩ [-ro'gly:fe] hiéroglyphe *m.*

hiesig [-hi:zɪç] *a* d'ici, de cet endroit, de cette ville, de ce pays; *(örtlich)* local.

Hifthorn *n* ['hɪft-] cor *m* de chasse.

Hilf|e *f* ⟨-, -n⟩ ['hɪlfə] aide *f,* secours; *(Unterstützung)* appui *m; (Beistand, bes. med)* assistance *f; (~sperson)* auxiliaire *m f; mit ~~ (gen)* à l'aide (de), au *od* par le moyen (de), à la faveur (de), au prix (de); *mit Gottes ~~* avec l'aide de Dieu; *ohne fremde ~~* tout seul; sans l'aide de personne; par moi-(toi-, lui- elle-)même; *jdn um ~~ bitten* demander du secours *od* de l'aide à qn; *jdm zu ~~ kommen* venir en aide à qn *od* au secours *od* à la rescousse de qn; *jds Gedächtnis zu ~~ kommen* aider qn à se rappeler qc; *jdm ~~ leisten* donner *od* porter *od* prêter secours *od* assistance à qn; *jdm tatkräftige ~~ leisten* prêter main-forte à qn; *um ~~ rufen* crier *od* appeler au secours; *jdn zu ~~ rufen* appeler qn à l'aide *od* à son aide; *(zu) ~~!* à l'aide! au secours! à moi! *Erste ~~ (med)* secourisme *m; die Erste ~~* les premiers secours *od* soins *m pl; gegenseitige ~~* entraide *f;* **h~ebringend** *a* portant secours; **h~eflehend** *a* implorant du secours; **~eleistung** *f* secours *m,* assistance *f, bes. med; unterlassene ~~ (jur)* non--assistance *f* à personne en danger; **~eruf** *m* appel *m* à l'aide *od* au secours; **h~los** *a* impuissant; *(Kranker)* impotent; *(ratlos)* embarrassé; qui ne sait pas se tirer d'affaire; *pop* empoté; **~losigkeit** *f* impuissance, impotence *f;* embarras *m;* **h~reich** *a* secourable, serviable; *~~ sein* avoir le cœur sur la main.

Hilfs| . . . ['hɪlfs-] *(Ersatz-)* auxiliaire *a,*

de secours, de fortune; **~angebot** *n* offre *f* d'aide; **~arbeiter** *m* manœuvre, homme de peine, ouvrier *m* d'extra; **~arzt** *m* médecin *m* assistant; **h~bedürftig** *a* qui a besoin d'aide; **~bedürftigkeit** *f* besoin *m;* **h~bereit** *a* secourable, serviable; **~bereitschaft** *f* serviabilité *f;* **~dienst** *m* secours; service *m* de secourisme *od mil* auxiliaire; **~fonds** *m* fonds *m* de secours; **~frequenz** *f radio* fréquence *f* auxiliaire; **~gelder** *n pl* subsides *m pl;* **~kasse** *f* caisse *f* de secours; **~komitee** *n* comité *m* de soutien; **~kraft** *f (Person)* aide *m f;* **~lehrer(in** *f***)** *m* instituteur *m,* trice *f od* professeur *m* remplaçant(e) *od* adjoint(e) d'enseignement, maître(sse *f*) *m* auxiliaire; **~linie** *f math* ligne auxiliaire; *mus* ligne *f* additionnelle; **~maßnahmen** *f pl:* *~~ (treffen* prendre des) mesures *f pl* d'assistance; **~mittel** *n* moyen (d'action), expédient *m,* ressource *f;* **~motor** *m (a. am Fahrrad)* moteur auxiliaire, servo-moteur *m;* **~organisation** *f* organisation *f* d'aide; **~personal** *n* personnel *m* auxiliaire; **~polizei** *f* police *f* auxiliaire; **~prediger** *m (kath.)* vicaire; *(evang.)* pasteur *m* adjoint; **~programm** *n* programme *m* d'aide; **~quellen** *f pl* ressources *f pl;* **~ richter** *m* juge *m* suppléant; **~schule** *f* = *Sonderschule;* **~sender** *m radio* émetteur *m* auxiliaire; **~truppen** *f pl* troupes *f pl* auxiliaires; **~verb(um)** *n,* **~zeitwort** *n* (verbe) auxiliaire *m;* **~vorrichtung** *f* servo-mécanisme *m;* **~werk** *n* œuvre *f* sociale *od* de secours; **~wissenschaft** *f* science *f* accessoire; **~zug** *m loc* train *m* de secours.

Himbeer|e *f* ‹-, -n› ['hɪmbe:rə] framboise *f;* **~eis** *n* glace *f* à la framboise; **~geist** *m* eau-de-vie *f* de framboises; **~saft** *m,* **~sirup** *m* sirop *m* de framboises; **~strauch** *m* framboisier *m.*

Himmel *m* ‹-s, -› ['hɪməl] ciel *a. rel* (*pl* cieux); *(am Bett)* ciel (de lit) (*pl* ciels); *(Thron~, Altar~)* baldaquin *m; am ~* au *od* dans le ciel; *im ~* au ciel; *unter freiem ~* en plein air; *(schlafen)* à la belle étoile; *vom ~* du ciel *od* d'en haut; *gen ~ fahren* monter au ciel; *jdn in den ~ heben (fig)* porter qn aux nues, élever qn jusqu'au ciel, dire merveilles de qn; *das Blaue vom ~ herunter lügen* mentir comme un arracheur de dents; *in den ~ kommen* aller au ciel, gagner le ciel; *zwischen ~ und Erde schweben* être suspendu entre ciel et terre; *im sieb(en)ten ~ sein* être au septième ciel *od* aux anges; *~ und Hölle in Bewegung setzen* remuer ciel et terre; *~ und Hölle versprechen* promettre la lune; *das schreit zum ~* cela crie vengeance; c'est un scandale! *das weiß der ~!* Dieu (seul) le sait! *du lieber ~!* Dieu du ciel! *gerechter ~!* juste ciel! *ums ~s willen!* au nom du ciel! pour l'amour de Dieu! *offene(r) ~ (Kunst)* gloire *f; ~ und Hölle (Kinderspiel)* marelle *f* (à cloche-pied); *wie vom ~ gefallen (fam)* abasourdi, stupéfait; **h~an** *adv,* **h~auf** *adv* vers le ciel; **h~angst** *a: mir ist ~~* j'ai une peur du diable; **~bett** *n* lit *m* à ciel *od* à baldaquin; **h~blau** *a* bleu (de) ciel *od* horizon *od* azuré, azur; **~fahrt** *f: Christi ~~* l'Ascension *f; Mariä ~~* l'Assomption *f;* **~fahrtskommando** *n mil arg* mission-suicide *f;* **~fahrtsnase** *f fam* nez *m* en pied de marmite *od* en trompette; **h~hoch** *a fig fam* très grand; *adv* jusqu'au ciel, extrêmement; *er ist ihm ~~ überlegen* il lui est bien supérieur; **~reich** *n* royaume *m* des cieux *od* céleste *od* éternel; **~sbahn** *f poet* route *f* céleste; **h~schreiend** *a* qui crie vengeance, révoltant, inouï, scandaleux; **~serscheinung** *f* météore *m;* **~sgegend** *f* région *f;* **~sgewölbe** *n* voûte *f* céleste, firmament *m;* **~sglobus** *m* globe *m* céleste; **~skarte** *f* carte *f* astronomique *od* céleste; **~skörper** *m* corps *m* céleste; **~sleiter** *f* échelle *f* de Jacob; **~smechanik** *f* mécanique *f* céleste; **~srichtung** *f* point *m* cardinal; **~sschrift** *f* publicité *od* réclame *f* aérienne; **~(s)schlüssel** *m bot* coucou *m;* **~sstrich** *m* climat *m,* zone, région *f;* **~szelt** *n* = *~sgewölbe;* **h~wärts** *adv* vers le ciel; **h~weit** *a: das ist ein ~~er Unterschied* c'est tout à fait différent, cela fait une grosse différence.

himmlisch ['hɪmlɪʃ] *a* céleste, du ciel; *(göttlich)* divin; *das ist ja ~!* c'est divin *od* sublime *od* superbe.

hin [hɪn] *adv (örtl.)* y, là; *a pred fam (verflossen)* fini, passé, *(kaputt)* fichu, flambé, *pop* foutu; *an etw ~* le long de qc; *auf etw ~ (auf Grund e-r S)* sur, à cause de qc; *auf die Gefahr ~, daß* au risque de; *über ... ~* par; *~ und her* çà et là; deçà, delà; de côté et d'autre; de long en large; en long et en large; *~ und wieder* parfois, de temps en temps *od* à autre, de loin en loin; *~ und zurück (loc)* aller et retour; *(sich) ~ und her bewegen* (s')agiter; *~ und her drehen* tourner et retourner; *~ und her gehen, laufen, fahren, reisen* faire la navette; *~ und her gehen* faire les cent pas; *~ und her schwanken* balancer; *fig (zögern)* hésiter; *ganz ~ sein vor ... (fam)* n'en pouvoir plus de ...; être éperdu de ...; *jdn auf etw ~ untersuchen* examiner qn pour voir s'il a qc; chercher à déceler qc chez qn; *~ und wieder recht nett* od *vernünftig sein* avoir de bons moments; *~ und her überlegen* peser et repeser, tourner et retourner; *ich bin ganz ~ (~gerissen)* je ne me tiens plus; *das ist ~ wie her* c'est blanc bonnet et bonnet blanc; *das ist noch lange ~* c'est encore bien loin; d'ici là il passera encore de l'eau sous le pont; *~ ist ~* ce qui est passé est passé; *Dankbarkeit ~, Dankbarkeit her!* gratitude par-ci, gratitude par-là! *wo ist er ~?* où est-il allé? *wo will das noch ~?* à quoi cela aboutira-t-il? *das H~ und Her* le va-et-vient, les allées et venues *f pl; fig* le flux et reflux, la houle; *nach langem* od *vielem H~ und Her* après d'interminables débats; **~- und hergerissen** *pp: ~~ werden (fig)* être tiraillé entre des sentiments contraires; **H~- und Rückfahrt** *f* aller et retour *m.*

hinab [hɪ'nap] *adv* en bas; en descendant; *hinauf und ~* en montant et en descendant; **~≈fahren** *itr,* **~≈gehen** *itr,* **~≈steigen** *itr* descendre; **~≈schauen** *itr,* **~≈sehen** *itr* regarder en bas; **~≈schleudern** *tr* lancer *od* précipiter en bas; **~≈stürzen** *itr* tomber, dégringoler.

hinan [hɪ'nan] *adv* en haut, vers le haut; *den Berg ~* en montant sur la montagne; **~≈gehen** *itr,* **~≈steigen** *itr* monter, gravir.

hin≈arbeiten *itr: auf etw ~* poursuivre qc, viser à qc.

hinauf [hi'nauf] *adv* en haut, vers le haut; en montant; *da ~* par là; **~≈arbeiten,** *sich (fig)* parvenir à force de travail; se hisser à la force du poignet; **~≈fahren** *itr* monter; *(e-n Fluß)* remonter; **~≈gehen** *itr* aller en haut, monter; *(Preis)* monter, s'élever (*auf* à), être en hausse, augmenter; **~≈kriechen** *itr* monter en rampant; **~≈setzen** *tr (Preis)* élever (*auf* à), augmenter; **~≈steigen** *itr* monter; **~≈transformieren** *tr el* survolter; **~≈treiben** *tr* pousser en haut, faire monter; *(Preis)* surélever, hausser; **~≈ziehen** *tr* tirer en haut; *itr* monter.

hinaus [hi'naus] *adv* (en) dehors, vers le dehors; *auf Monate ~* pour des mois; *da ~* par là; *darüber ~* au-delà; *fig* par-dessus le marché; *hier ~* par ici; *nach vorn, hinten ~ (Zimmer)* sur le devant, sur la cour; *oben ~* par en haut; *über ... ~ (räuml.)* au-dessus de, au-delà de; *(zeitl.)* au-delà de; *(mehr als)* au-dessus de, en sus de; *über das Grab ~* au-delà de la tombe; *zum Fenster, zur Tür ~* par la fenêtre, par la porte; *zum Haus ~* hors de la maison; *ich muß ~* il faut que je sorte; *ich bin längst darüber ~* il y a longtemps que j'ai dépassé ce stade; *wo geht es ~?* où est la sortie? *worauf geht* od *soll das ~?* à quoi cela aboutira-t-il? *~ mit Ihnen!* sortez! **~≈begleiten** *tr* reconduire; **~≈blicken** *itr* regarder (en) dehors; **~≈ekeln** *tr fam: jdn ~~* éliminer *od* faire partir qn en le dégoûtant; **~≈gehen** *itr* aller dehors, sortir; *auf etw ~~ (abzielen)* tendre à qc; *über etw ~~* dépasser qc; **~≈jagen** *tr* chasser; **~≈komplimentieren** *tr* envoyer promener *fam od* bouler *pop;* **~≈lassen** *tr* laisser *od* faire sortir; **~≈laufen** *itr* sortir en courant; *auf etw ~~ (fig)* aboutir *od* se ramener *od* se réduire à qc; *auf eins* od *dasselbe ~~* revenir au même; **~≈lehnen,** *sich* se pencher en dehors; *nicht ~~!* ne pas se pencher en dehors; **~≈ragen** *itr: über etw ~~* s'élever au-dessus de qc, dépasser qc; **~≈schicken** *tr* envoyer dehors, faire sortir; **~≈schieben** *tr* pousser dehors; *fig (aufschieben)* remettre, différer, ajourner, reporter; *(Frist)* prolonger; *(auf die lange Bank schieben)* traîner en longueur;

~≈schießen *itr: übers Ziel ~~ (fig fam)* dépasser le but; **~≈schleichen,** *sich* se glisser dehors, sortir furtivement, s'esquiver tout doucement; **~≈schmeißen** *tr: jdn ~~ (fam)* flanquer *od* ficher qn à la porte, dégommer, virer qn; **~≈stellen** *tr* mettre dehors; **~≈stürzen** *itr* se précipiter *od* s'élancer dehors; **~≈wagen,** *sich* oser sortir; **~≈weisen** *tr* éconduire, montrer la porte (*jdn* à qn); **~werfbar** *a aero* éjectable; **~≈werfen** *tr (Sache)* jeter dehors *od* par la fenêtre; *(Person)* mettre à la porte *(a. aus e-r Stelle) od* dehors; *sein Geld zum Fenster ~~ (fig)* jeter son argent par les fenêtres; **~≈wollen** *itr* vouloir sortir; *auf etw ~~ (hinzielen)* viser, vouloir en venir à qc; *hoch ~~* avoir de hautes visées; *zu hoch ~~ (a. fam)* péter *od* peter plus haut que l'on a le derrière *fam od vulg* le cul; *worauf ich ~will, ist* je veux dire que; *ich sehe, worauf Sie ~~* je vous vois venir; *worauf wollen Sie ~?* où voulez-vous en venir? **~≈ziehen** *tr* tirer *od* traîner dehors; *(sich) ~~ (in die Länge ziehen)* traîner en longueur, (se) prolonger; *itr* sortir.

Hin|blick *m; im ~~ auf* en considération *od* vue de, par égard à *od* pour, en égard à; **h~≈bringen** *tr (Sache)* y porter; *(Person)* y conduire *od* accompagner; *s-e Zeit mit ... ~~* passer son temps à ...; *sein Leben kümmerlich ~~* traîner sa misère, végéter, vivoter; **h~≈brüten** *itr: vor sich ~~* couver des idées noires; broyer du noir; **h~≈dämmern** *itr* sommeiller, somnoler, rêvasser.

hinder|lich ['hındərlıç] *a (lästig, störend)* gênant, embarrassant, encombrant; *(ungelegen)* importun; *jdm ~~ sein (Person)* gêner, contrarier qn; **~n** *tr (versperren)* encombrer; *(hemmen)* empêcher, entraver; *(behindern)* contrarier, faire obstacle à; *(stören)* déranger, gêner, incommoder, embarrasser; *ich ~e dich nicht daran zu (inf)* je ne t'empêche pas de *inf; ich weiß nicht, was mich daran ~t* je ne sais ce qui me retient; **H~nis** *n* ‹-sses, -sse› *allg* obstacle; *fig* pierre *f* d'achoppement; *(Behinderung)* empêchement *m; (Schwierigkeit)* difficulté *f,* embarras *m,* traverses *f pl; allen ~~sen zum Trotz* contre *od* malgré vent et marée; *jdm ~~se in den Weg legen* mettre des obstacles, apporter des difficultés à qn, mettre à qn des bâtons dans les roues; *ein ~~ nehmen (sport)* franchir un obstacle; *ein ~~ aus dem Weg räumen* lever *od* écarter un obstacle; *kein ~~ sein (jur)* n'être pas rédhibitoire; *auf ein ~~ stoßen* rencontrer un obstacle; *pop* tomber sur un bec; **H~nisbahn** *f sport* parcours *m* d'obstacles; **H~nisfeuer** *n mil u. aero* feu *m* de balisage; **H~nislauf** *m,* **H~nisrennen** *n* course *f* d'obstacles *od* de steeple *od* de haies; *(nur Rennen)* steeple (-chase) *m;* **H~nisspringen** *n* saut *m* d'obstacles; **H~ung** *f* empêchement *m,* contrariété *f;* **•H~ungsgrund** *m* (motif *m* d') empêchement *m.*

hin≈deuten *itr* montrer, désigner (du doigt) (*auf etw* qc); *fig (andeuten)* donner à entendre; faire allusion (*auf etw* à qc); laisser prévoir (*auf etw* qc); *(hinweisen)* indiquer (*auf etw* qc).

Hindin *f* ‹-, -nnen› ['hindin] *vx (Hirschkuh)* biche *f.*

Hindu *m* ‹-(s), -(s)› ['hındu] Hindou *m;* **~ismus** *m* ‹-, ø› [-'ısmus] hindouisme *m;* **~kusch** [-'kuʃ], *der (Gebirge)* l'Hindou-Kouch *m;* **~stan** [-s'ta:n, '---] *n (Nordindien)* l'Hindoustan *m;* **~stani** [-s'ta:ni] *n (Sprache)* hindoustani *m.*

hindurch [hın'durç] *adv (örtl.)* à travers; *durch etw ~* à travers qc, au travers de qc, en traversant qc; *(zeitl)* pendant, durant; *das ganze Jahr ~* pendant toute l'année; *Jahre ~* des années entières *od* durant; *mitten ~* en traversant en plein milieu; *lange Zeit ~* pendant longtemps; **~≈arbeiten,** *sich* se frayer un chemin; *(durch ein Buch)* en venir à bout (*durch* de); **~≈dringen** *itr* pénétrer (*durch etw* qc), passer au travers (*durch etw* de qc), se frayer un passage (*durch etw* à travers qc); **~≈fallen** *itr* tomber à travers; **~≈fließen** *itr,* **~≈gehen** *itr* passer (*durch* à travers, par); traverser (*durch etw* qc); **~≈lassen** *tr* laisser passer; **~≈laufen** *itr* traverser (en courant) (*durch etw* qc); **~≈lavieren,** *sich,* **~≈winden,** *sich (fig)* nager entre deux eaux; **~≈leiten** *tr* conduire à travers; **~≈streichen** *itr (Wind)* passer (*durch* par, à travers); **~≈ziehen** *tr* tirer (*durch* par); *(Faden)* (faire) passer (*durch* par); *(Linie)* tracer *(durch* à travers).

hinein [hı'naın] *adv* dedans; *~ in* dans; *mitten in etw ~* au beau milieu de qc; *(bis) tief in die Nacht ~* bien avant dans la nuit; *in den Tag ~ leben* vivre au jour le jour; **~≈arbeiten** *tr* faire entrer; *sich in etw ~~* se familiariser avec (un travail), se mettre au fait de qc; se roder *fam;* **~≈bringen** *tr* porter *od* mettre dedans; **~≈denken:** *sich in etw ~~* bien se représenter qc, s'identifier avec qc; *sich in jds Lage ~~* se mettre à la place de qn; *sich in e-e Rolle ~~* entrer dans un rôle; **~≈dringen** *itr* entrer de force, pénétrer; **~≈finden:** *sich in etw ~~* se familiariser avec qc, s'accommoder de qc, se faire à qc; **~≈gehen** *itr* entrer; *(~passen)* entrer, tenir (*in* dans); **~≈geraten** *itr: in etw ~~* tomber *od* donner dans qc; **~≈hauen** *itr fam: tüchtig ~~ (essen)* manger à belles dents; **~≈knien:** *sich in etw ~~ (fig)* s'atteler à qc; prendre qc à bras-le-corps; **~≈lachen** *itr: in sich ~~* rire sous cape; **~≈legen** *tr fig (prellen)* mettre dedans; **~≈mischen:** *sich in etw ~~* se mêler de qc; **~≈passen** *tr* ajuster, emboîter; *itr* entrer, tenir (*in* dans); *nicht ~~ (fig: in e-e Gesellschaft)* être déplacé; **~≈reden** *itr: in etw ~~* se mêler de qc; **~≈stecken** *tr* mettre *od* fourrer dedans; *(den Finger)* introduire; *sein Geld in etw ~~* engager son argent dans qc; *s-e Nase in alles ~~* fourrer son nez partout; **~≈stehlen,** *sich* se glisser, s'insinuer (*in* dans); **~≈steigern** *sich* s'exalter; se monter *fam;* **~≈treiben** *tr* faire entrer (de force); *(Nagel)* enfoncer; **~≈tun** *tr* mettre dedans; **~≈versetzen:** *sich in jds Lage ~~* se mettre à la place de qn; **~≈wagen,** *sich* oser entrer (*in* dans); **~≈wollen** *itr* vouloir entrer; *das will mir nicht in den Kopf ~* cela ne veut pas m'entrer (dans la tête), cela me dépasse; **~≈ziehen** *tr* (en)traîner (*in* dans); *jdn in etw ~~ (fig: verwickeln)* engager *od* impliquer qn dans qc; **~≈zwängen** *tr* faire entrer de force.

hin|≈fahren *tr* y conduire (en voiture); *(Lasten)* y transporter *od* charrier; *itr* y aller; *über etw ~~* passer la main sur qc; **H~fahrt** *f* aller *m; auf der ~~* à l'aller; *(nur) ~~! (loc)* aller *m* simple; **~≈fallen** *itr* tomber (par terre), *fam* s'affaler, se flanquer *od* se ficher par terre, ramasser une bûche *od* une gamelle *od* une pelle; *lang od der Länge nach ~~* s'étaler de tout son long; *~~ lassen* laisser tomber; **~fällig** *a (schwach)* faible, débile; *(gebrechlich)* infirme, fragile, caduc; *(vor Alter)* décrépit; *(haltlos)* illusoire, vain, insoutenable; *(ungültig)* caduc, (an)nul(é), périmé; *~~werden* devenir caduc; *(Bestimmung, Gesetz)* cesser d'être en vigueur; *(Vertrag)* se périmer; **H~fälligkeit** *f* faiblesse, débilité; infirmité, fragilité, caducité; décrépitude; illusion, vanité; nullité *f;* **~≈finden** *itr* trouver son chemin; **~≈fliegen** *itr* aller (quelque part) en avion; voler; *tüchtig ~~ (fam)* ramasser une bonne pelle; **H~flug** *m aero* vol *m* aller; **~fort** [-'-] *adv* désormais, dorénavant, à l'avenir; **~≈führen** *tr* y conduire; *zu* conduire à, chez, vers; *fig* mener (*zu* à); *wo soll das ~~?* où cela nous mènera-t-il? **H~gabe** *f* don de soi, abandon; *(Ergebenheit)* dévouement; *(Eifer)* zèle *m,* application *f;* **H~gang** *m (Tod)* décès, trépas *m;* **~≈geben** *tr* donner; *(überlassen)* laisser; *(preisgeben)* abandonner; *(opfern)* sacrifier; *sich ~~* se donner (*jdm* à qn); s'adonner (*e-r S* à qc), suivre (*e-r S* qc); *sich jdm ganz ~~* se donner à qn corps et âme; *sich e-r S ganz ~~ (a.)* s'inféoder à qc; *sich trügerischen Hoffnungen ~~* se nourrir de vains espoirs; *sich Illusionen ~~* se repaître de chimères; **~gebend** *a = ~gebungsvoll;* **H~gebung** *f* abandon; *(Ergebenheit)* dévouement *m;* **~gebungsvoll** *a (ergeben)* dévoué; *adv* avec abandon; **~gegen** [-'--] *adv* au contraire, par contre; **~≈gehen** *itr* (y) aller, s'y rendre; *(Zeit)* (se) passer; *jdm etw ~~ lassen* passer qc à qn; *diesmal mag es noch ~~* passe pour cette fois; *das kann nicht so ~~* cela ne se passera pas ainsi; **~≈gehören** *itr* avoir sa place; être à sa place; **~≈geraten** *itr* tomber; **~gerissen** *a* transporté, ravi, *fam* emballé; ~~

sein (a.) vibrer; **~geschlampert** *a,* **~gesudelt** *a* fait *od* taillé à coups de hache; **~⸗halten** *tr* tendre, présenter; *fig (warten lassen)* faire attendre, lanterner, amuser; *s-n Kopf für etw ~~* assumer pleinement (la responsabilité de) qc; *mit Versprechungen ~~* payer de promesses; **~haltend** *a* dilatoire; *~~e Verteidigung f (mil)* action *f* retardatrice; **~⸗hängen** *tr* (sus)pendre, accrocher; **~⸗hauen** *tr fam (Arbeit)* trousser, bâcler, *pop* torcher; *itr: das haut hin! (pop)* c'est bien tapé! ça fait le poids! c'est au poil! ça gaze! *das haut nicht hin* ça ne colle pas; **~⸗horchen** *itr,* **~⸗hören** *itr* écouter; prêter l'oreille (*auf* à).

hinken ['hıŋkən] *itr* boiter (*auf dem rechten, linken Fuß* du pied droit, gauche); clocher *a. fig (Vergleich); fam* clopiner; **~d** *a* boiteux *a. fig; adv* clopin-clopant.

hin|⸗knien *itr* u. *sich ~~* se mettre à genoux, s'agenouiller, mettre le genou à *od* en terre; **~⸗kommen** *itr* (y) venir; *(gerade) ~~ (fam)* avoir (juste) de quoi vivre, y arriver (juste); *wo ist ... ~gekommen?* qu'est devenu ...? **~⸗langen** *itr fam* tendre la main (*nach* vers); **~länglich** *a* suffisant; *adv a.* assez; **~⸗lassen** *tr* (y) laisser aller (*zu* à, chez); **~⸗legen** *tr* mettre, (dé)poser, placer; *(Musik, Theater)* exécuter, jouer; *sich ~~* s'étendre, s'allonger; *(zu Bett gehen)* se coucher; *(infolge Krankheit)* s'aliter; *~~! (mil)* couchez-vous! **~⸗leiten** *tr,* **~⸗lenken** *tr* diriger (*auf* sur, vers); **~⸗lümmeln,** *sich* se vautrer; **~⸗nehmen** *tr* prendre, accepter; *fig (erdulden)* supporter; *(einstecken, hinunterschlucken)* avaler; **~⸗neigen** *itr* pencher, incliner (*zu etw* à qc); **H~neigung** *f* inclination *f.*

hinnen ['hınən] *adv: von ~ gehen (fig)* s'en aller; *(hinscheiden)* trépasser.

hin|⸗opfern *tr* sacrifier, immoler; **~⸗passen** *itr* être à sa place; **~⸗pfuschen** *tr fam (Arbeit)* bâcler, trousser, *pop* torcher, saloper; **~⸗raffen** *tr* enlever, emporter; **~⸗reichen** *tr* tendre, passer; *itr (genügen)* suffire; **~reichend** *a* suffisant; *adv a.* assez; **H~reise** *f* (voyage) aller *m; auf der ~~* à l'aller; **~⸗reisen** *itr* y aller; se rendre (*zu* à, chez) **~⸗reißen:** *sich ~~ lassen zu* se laisser entraîner *od* aller à, s'abandonner à; *sich vom Zorn (dazu) ~~ lassen* se laisser emporter par la colère; **~reißend** *a* entraînant, ravissant, à ravir; **~⸗richten** *tr (töten)* exécuter; *durch elektrischen Strom ~~* électrocuter; **H~richtung** *f* exécution *f* (capitale), supplice *m; ~~ durch elektrischen Strom* électrocution *f;* **H~richtungskommando** *n mil* peloton *m* d'exécution; **~⸗rücken** *tr* approcher; **~⸗sagen** *tr: das habe ich nur so ~gesagt* j'ai dit cela comme ça *od* sans penser à mal; **~⸗sausen** *itr fam = ~fallen;* **~⸗schaffen** *tr* transporter (*zu* à, chez); **~⸗schicken** *tr* envoyer (*zu* à, chez); **~⸗schlachten** *tr* massacrer; **~⸗schlagen** *itr fam = ~fallen;* **~⸗schlampern** *tr fam,* **~⸗schludern** *tr fam = ~pfuschen,* **~⸗schleifen** *tr,* **~⸗schleppen** *tr* (y) traîner; *sich ~schleppen* se traîner; **~⸗schmeißen** *tr fam* jeter, flanquer (à terre); **~⸗schreiben** *tr (niederschreiben)* écrire; **~⸗schwinden** *itr* disparaître, s'evanouir; **~⸗sehen** *itr* y regarder; *genau ~~* regarder de près; *ohne ~zusehen* sans regarder; **~⸗setzen** *tr* (y) mettre, placer, poser; *(abstellen)* déposer; *sich ~~* s'asseoir; **H~sicht** *f* égard, point *m* de vue; *(Erwägung)* considération *f; (Beziehung)* rapport *m; in ~~ auf* en considération de, en ce qui concerne, eu égard à; *in dieser ~~* à cet égard, à ce sujet, sous ce rapport, de ce côté; *in einer ~~* en un sens; *in mehr als einer ~~* à plus d'un titre; *in gewisser ~~* à certains égards; *in jeder ~~* à tous égards, sous tous les rapports, de *od* en tout point; *in mancher ~~* à maints égards; *in vieler ~~* à beaucoup d'égards; **~sichtlich** *prp* à l'égard de, par rapport à, en ce qui concerne, quant à; **~⸗sinken** *itr* tomber lourdement; s'écrouler, s'affaisser; **~⸗sollen** *itr fam: wo sollen die Blumen hin?* où est-ce qu'on met les fleurs? **~⸗stellen** *tr* (y) mettre, placer, poser; *sich ~~* se placer, se planter, se poster (*vor jdn* devant qn); *(sich) ~~ als* (se) donner pour; *wieder ~~* remettre, replacer; **~⸗sterben** *itr: darüber werde ich ~~* je mourrai avant (de voir cela).

hintan|⸗stellen [hınt'ˀan-] *tr (zurückstellen)* remettre; *(aufschieben)* ajourner; **H~stellung** *f* négligence *f; unter* od *mit ~~ (s-r Person)* au mépris de (sa personne).

hinten ['hıntən] *adv* derrière, à l'arrière; *(hinter anderen)* en arrière, en queue; *(im Hintergrund)* au fond; *(am Ende)* au bout, à la *od* en queue; *nach ~* en arrière; *nach ~ hinaus s. hinaus; von ~* par derrière, de dos; *von vorn bis ~* d'un bout à l'autre; *~ im Buch* à *od* vers la fin du livre; *~ vorbei an* par derrière; *von ~ anfangen (Roman)* commencer *od* prendre par la fin; *~ aufsitzen (auf dem Pferd)* monter en croupe; *~ ausschlagen (Pferd)* ruer, regimber; *sich von ~ und vorn bedienen lassen* se faire servir par tout le monde; **~herum** *adv* par derrière; *etw ~~ kriegen (com fam)* obtenir qc par la bande; **~nach** [--'-] *adv (örtl.)* derrière; *(zeitl.)* après, ensuite; *(zu spät)* après coup; **~über** [--'--] *adv* à la renverse.

hinter ['hıntər] *prp (örtl.)* derrière; en arrière de; *(in der Reihenfolge)* après, à la suite de; *einer ~ dem andern* l'un après l'autre, à la file, à la queue leu leu; *~ den Kulissen (fig)* dans la coulisse; *~ Schloß und Riegel* sous les verrous; *~ sich* derrière soi; *etw ~ sich bringen* en finir avec qc, parvenir au bout de qc; *(Entfernung)* couvrir; *etw ~ sich haben* en avoir fini avec qc; venir de faire *od* vivre qc; *~ etw kommen (entdecken)* découvrir qc; *(erkennen)* saisir, comprendre *qc; ~ sich lassen (überholen)* dépasser, devancer, distancer; *(übertreffen)* surpasser; *~ jdm, etw her sein* être après qn, qc, suivre qn, qc; *(verfolgen)* être aux trousses de qn, traquer qn; *~ e-r S stecken* être derrière qc; *die Tür ~ jdm zumachen* fermer la porte sur qn; **H~achsantrieb** *m mot* traction *f* arrière; **H~achse** *f loc mot* essieu, *mot a.* pont *m* arrière; **H~backe** *f* fesse *f;* **H~bein** *n* patte *f* de derrière; *sich auf die ~~e stellen (Pferd)* se cabrer; *fig* regimber, se dresser *od* monter sur ses ergots; **H~bliebenen,** *die* la famille (du défunt); *adm jur* les ayants cause *od* droit; **H~bliebenenrente** *f* pension de survie, rente *f* des ayants cause; **~bringen** *tr (heimlich mitteilen)* rapporter, dénoncer; **H~bringer** *m* rapporteur, dénonciateur *m;* **H~bringung** *f* rapport *m;* dénonciation *f;* **~drein** [--'-] *adv = ~her;* **~e** *a* arrière, de derrière; *(im Hintergrund befindlich)* du fond, reculé; **~einander** [---'--] *adv (örtl.)* l'un(e) derrière l'autre, à la file, en file, d'affilée; *el* en série; *(zeitl.)* l'un après l'autre; *(Reihenfolge)* successivement; *sich ~~ aufstellen* prendre la file; *zwei Jahre ~~* deux ans de suite, deux années consécutives; *drei Tage ~~* trois jours de suite; *~~ gehen, laufen, marschieren* aller à la file, marcher l'un après l'autre; **~einander⸗schalten** *tr el* monter en série; **H~einanderschaltung** *f el* montage *m* en série; **H~feder** *f mot* ressort *m* arrière; **H~front** *f arch* façade *f* postérieure; **H~fuß** *m* pied *m* de derrière; **H~gabel** *f (Motor-, Fahrrad)* fourche *f* arrière; **H~gebäude** *n* bâtiment de derrière, arrière-bâtiment *m;* **H~gedanke** *m* arrière-pensée, pensée *f* de derrière la tête; *ohne ~~n* sans arrière-pensée; **~⸗gehen** *tr (betrügen)* tromper, duper, abuser, frauder; **H~gestell** *n (Wagen)* arrière-train *m;* **H~grund** *m* fond *m (a. Kunst); theat u. fig* arrière-plan *m; pl fig* dessous *m pl; im ~~ bleiben (fig)* rester dans l'ombre; *in den ~~ drängen (fig)* reléguer à l'arrière-plan; *sich im ~~ halten (fig)* se tenir derrière le rideau; *die geheimen H~gründe kennen* connaître le dessous des cartes; *in den ~~ treten (fig)* passer à l'arrière-plan; **H~grundmusik** *f* musique *f* de fond, fond *m* musical *od* sonore; **H~halt** *m* embuscade *f;* guet-apens; *(Stütze)* soutien, appui *m; in e-n ~~ geraten* tomber dans une embuscade; *sich in e-n ~~ legen* s'embusquer; *in e-n ~~ locken* attirer dans une embuscade; *auf jdn aus dem ~~ schießen* canarder qn; **~hältig** *a* insidieux, sournois, dissimulé; **H~hältigkeit** *f* sournoiserie *f;* **H~hand** *f (Pferd)* arrière-main *f; die ~~ haben (im Kartenspiel)* jouer le dernier; **H~hang** *m (im Gelände)* contre-pente *f;* **H~hangstellung** *f mil* position *f* de contre-pente; **H~haupt** *n anat* occiput *m;* **H~haupt(s)bein** *n* os *m* occipital; **H~haupt(s)lappen** *m* lobe *m* occipital; **H~haupt(s)loch** *n* trou *m* occipital; **H~haus** *n* bâtiment *m od* maison *f* sur (la) cour, arrière--corps *m;* **~her** ['---/--'-] *adv (als letzter)* après les autres, *fam* à la queue; *(nachher)* après coup, plus tard; **~her≈laufen** *itr* courir après; **H~hof** *m* arrière-cour *f;* **H~kante** *f aero (des Flügels)* bord *m* arrière; **H~kopf** *m* derrière de la tête, occiput *m;* **H~lader** *m* fusil *m* se chargeant par la culasse; **H~land** *n* arrière-pays, hinterland *m;* **~lassen** *tr (e-e Nachricht)* laisser, déposer; *(unordentliches Zimmer)* laisser derrière soi; *(als Erbe)* laisser en mourant, transmettre; **H~lassenschaft** *f* héritage *m; jur* succession *f;* **~lastig** *a aero* lourd de l'arrière; **H~lauf** *m (Wild)* pied *m* de derrière; **~legen** *tr (Gepäck)* mettre en dépôt (*bei* chez), consigner; *(Geld)* déposer; **H~leger** *m* déposant *m;* **H~legung** *f* (mise, remise *f* en) dépôt *m;* consignation *f; jur* apport *m; gegen ~~ (gen)* sur nantissement (de); **H~legungsschein** *m* bulletin *od* récépissé de dépôt, *jur* acte *m* de produit; **H~leib** *m ent* abdomen *m;* **H~list** *f* ruse *f,* artifice, guet-apens *m; (Verschlagenheit)* astuce *f;* **~listig** *a* rusé, artificieux; astucieux; *(~hältig)* sournois, insidieux; **H~mann** *m* ‹-(e)s, ¨er› homme de derrière, suivant; *fig (Helfer)* soutien; *(Drahtzieher)* instigateur, machinateur; *fin* endosseur *m* (subséquent); *mein (etc) ~~* l'homme *m* derrière moi *etc;* **H~n** *m* ‹-s, -› *fam* derrière, postérieur *m; jdm in den ~~ kriechen (fig vulg: schmeicheln)* baiser le cul à qn; *jdn in den ~~ treten* donner un coup de pied dans le derrière *od* aux fesses de qn, botter le derrière *od* les fesses à qn; *jdm den ~~ versohlen* fesser qn, donner sur les fesses à qn; **H~nvoll** *m* ‹-, -› fessée *f;* **H~pommern** *n geog* la Poméranie postérieure; **H~rad** *n* roue *f* arrière *od* de derrière; **H~radantrieb** *m mot* commande *f* aux roues arrière; **H~radaufhängung** *f mot* suspension *f* arrière; **H~radbremse** *f* frein *m* arrière; **~rücks** *adv* par derrière; *fig (heimtückisch)* insidieusement; *(verräterisch)* traîtreusement; *jdn ~~ überfallen* tirer dans les jambes de qn; **H~schiff** *n mar* arrière *m,* poupe *f;* **H~sitz** *m mot* siège *m* arrière; **~ste(r, s)** *a* dernier; **H~steven** *m mar* étambot *m;* **H~teil** *m* partie *f* postérieure; *n fam = H~n; (e-s Tieres)* arrière-train *m; (des Pferdes)* croupe *f;* **H~treffen** *n mil* arrière--garde *f; ins ~~ geraten* od *kommen (fig)* être en perte de vitesse *od* éclipsé; **~treiben** *tr* faire échouer, déjouer, traverser, contrecarrer; **H~treibung** *f* empêchement *m;* **H~treppe** *f* escalier *m* de service; **H~treppenroman** *m* roman *m* de concierge; **H~tür** *f* porte *f* de derrière *od* de sortie *od* dérobée; *sich eine ~~ (ein H~türchen) offenhalten* od *-lassen (fig)* se ménager une porte de sortie; **H~viertel** *n (Schlachttier)* quartier *m* de derrière; *fam (Mensch)* fesse *f;* **H~wäldler** *m* homme *m* des bois; **~wärts** *adv* en arrière; **~ziehen** *tr (Geld)* détourner, soustraire; *Steuer, Zoll ~~* frauder l'impôt, les droits de douane; **H~ziehung** *f* détournement *m,* soustraction *f;* **H~zimmer** *n* chambre *f* de derrière.

hin|≈tragen *tr* (y) porter; **~≈treten** *itr* se placer (là), se mettre; **~≈tun** *tr* (y) mettre, (y) placer.

hinüber [hɪ'ny:bər] *adv* au-delà, de l'autre côté; *da ~* par là; *über etw ~* par-dessus qc; *a pred fam (kaputt)* fichu; **~≈blicken** *itr* regarder de l'autre côté; *zu jdm ~~* regarder du côté de qn; **~≈bringen** *tr* (trans)porter de l'autre côté; **~≈fahren** *tr ‹hat hinübergefahren› = ~bringen; itr ‹ist hinübergefahren› ;* **~≈gehen** *itr* passer (de l'autre côté); *über etw ~fahren, ~gehen itr* traverser, franchir qc; *(fam)* décéder; mourir; **~≈gelangen** *itr* parvenir de l'autre côté; **~≈lassen** *tr* laisser passer de l'autre côté; **~≈reichen** *tr* passer; *itr: ~~ (über)* s'étendre (jusqu')au-delà (de); **~≈schaffen** *tr = ~bringen; math* transposer; **~≈schauen** *itr,* **~≈sehen** *itr = ~blicken;* **~≈schwimmen** *itr: über den Fluß ~~* traverser la rivière à la nage; **~≈setzen** *itr* passer de l'autre côté, traverser; *tr* faire passer de l'autre côté, faire traverser.

Hinübersetzung *f* ['hɪn-] *(in e-e fremde Sprache)* thème *m.*

hinüber|≈springen *itr* sauter de l'autre côté; *über etw* sauter par-dessus qc; **~≈tragen** *tr* (trans)porter de l'autre côté; **~≈werfen** *tr* jeter de l'autre côté; **~≈wollen** *itr* vouloir passer de l'autre côté; **~≈ziehen** *tr* tirer de l'autre côté; *itr* passer de l'autre côté.

hinunter [hɪ'nʊntər] *adv* en bas; *(zur Erde)* à *od* par terre; *(da) ~!* descendez *bzw* descends (par là); *den Berg ~* en descendant la montagne; *~ von* à bas de; **~≈blicken** *itr* regarder en bas; **~≈bringen** *tr (Sache)* porter en bas, descendre; *(Person)* faire descendre; **~≈fahren** *itr,* **~≈gehen** *itr* descendre; **~≈fallen** *itr* tomber (à terre); **~≈kippen** *tr,* **~≈spülen** *tr, pop (Getränk)* lamper, siffler; **~≈purzeln** *itr* dégringoler; **~≈schauen** *itr,* **~≈sehen** *itr = ~blicken;* **~≈schlingen** *tr,* **~≈würgen** *tr* ingurgiter, engouffrer; **~≈schlucken** *tr* avaler, engloutir, gober; *s-n Ärger ~~* ravaler sa colère; **~≈werfen** *tr* jeter en bas; *jdn die Treppe ~~* jeter qn au bas de l'escalier.

Hinweg *m* ['hɪnve:k] aller *m; auf dem ~* à l'aller, en y allant.

hinweg [hɪn'vɛk] *adv* (au) loin; *~!* loin d'ici! *~ mit dir!* va-t'en! *~ damit!* ôtez cela de ma vue! *~ sein itr: über etw ~ ~* en avoir fini avec qc; **~≈begeben,** *sich* s'en aller, partir; **~≈gehen** *itr: über jdn ~~ (a. fig)* passer sur le corps *od* le ventre de qn; *(flüchtig) über etw ~~* glisser, passer, ne pas insister sur qc; **~≈kommen** *itr: über etw ~~ (fig)* se consoler de qc; **~≈raffen** *tr* enlever, emporter, faucher; **~≈sehen** *itr* regarder (*über* par-dessus); *fig* fermer les yeux (*über* sur); *darüber will ich noch ~ (, aber)* passe encore (, mais); **~≈setzen:** *sich über etw ~~* se mettre au-dessus de qc, passer par-dessus qc; *sich über alles ~~ (bes. Frau)* jeter son bonnet par-dessus les moulins.

Hin|weis *m* ['hɪnvaɪs] mention, indication *f,* renseignement, avertissement *m; (Anweisung)* directive; *(Verweisung)* référence *f,* renvoi *m* (*auf* a); *unter ~~ auf* avec mention de; **h~≈weisen** *tr: jdn auf etw ~~* faire observer *od* donner à entendre qc à qn; *(verweisen)* renvoyer (*auf* à); *itr: auf etw ~~* indiquer, signaler qc; *darauf ~~, daß* mentionner, faire observer que, attirer l'attention sur le fait que; **h~weisend** *a gram: ~~e(s) Fürwort n* pronom *m* démonstratif; **~weisung** *f = ~weis;* **~weiszeichen** *n* signe *m* de renvoi; **h~≈welken** *itr* se faner, se flétrir, dépérir; **h~≈werfen** *tr* jeter (à terre); *fig (Zeichnung)* esquisser; *(Gedanken)* ébaucher; *ein Wort ~~* jeter un mot en passant; **h~wieder(um)** [--'-(-)] *adv* en revanche; **h~≈wollen** *itr* vouloir y aller; **h~≈zeigen** *itr: auf etw ~~* montrer qc (du doigt); **h~≈ziehen** *tr* tirer (*zu* vers); *fig (zeitl.)* traîner (en longueur), retarder; prolonger; partir, aller s'installer (*nach* à); *sich ~~ (räuml.)* s'étendre; *(zeitl.)* se prolonger, se traîner en longueur; *sich zu jdm hingezogen fühlen* être *od* se sentir attiré par qn; *sich zu etw hingezogen fühlen* avoir de l'inclination pour qc; *es zieht mich nach ... hin* je me sens attiré par ...; **h~≈zielen** *itr: auf etw ~~* viser à qc.

Hinz [hɪnts] *m: ~ und Kunz (alle Welt)* Pierre et Paul; *(pej)* n'importe qui; *~ und Kunz zs.trommeln* convoquer le ban et l'arrière-ban.

hinzu [hɪn'tsu:] *adv (außerdem)* de *od* en plus, en outre, en sus; **~≈denken** *tr* ajouter par la pensée; *(ein Wort)* suppléer; *das übrige können Sie sich ~~* vous devinez le reste; **~≈dichten** *tr* ajouter en controuvant; **~≈eilen** *itr* accourir; **~≈fügen** *tr* ajouter (*zu* à); *(im Brief beilegen)* joindre (à); **H~fügung** *f* addition, adjonction *f; unter ~~ (gen)* en y joignant; **H~gekommene(r)** *m: neu ~~* nouveau venu *m;* **~≈gesellen,** *sich ~~* se joindre, s'associer (*zu* à); **~≈kommen** *itr* s'approcher, (sur-)venir; *(Sache)* s'ajouter, servir de rallonge (*zu* à); *es kommt noch ~, daß; ~ kommt noch, daß* à cela s'ajoute que, joignez à cela que; **~≈legen** *tr,* **~≈rechnen** *tr,* **~≈schreiben** *tr,* **~≈setzen** *tr* ajouter (*zu* à); **~≈lernen** *tr etw ~~* apprendre qc de plus; **~≈treten** *itr (herantreten)* (s')approcher (*zu* de); **~≈tun** *tr* ajouter, joindre (*zu* à); **H~tun** *n: ohne mein ~~* sans mon intervention; **~≈wählen** *tr* coopter, élire par cooptation; **~≈zählen** *tr* ajouter (en comptant) (*zu*

à); **~ziehen** *tr* faire prendre part *od* participer (*jdn zu etw* qn à qc); *(zur Beratung)* s'adjoindre, faire appel à, *(Arzt)* consulter; *e-n Spezialisten ~~* avoir recours à un spécialiste; **H~ziehung** *f*: *unter ~~ (gen)* en y joignant.
Hiob ['hi:ɔp] *m* Job *m*; **~sbotschaft** *f*, **~spost** *f* mauvaise nouvelle *f*.
Hippe *f* ‹-, -n› ['hɪpə] *agr* serp(ett)e *f*.
Hippodrom *m* od *n* ‹-s, -e› [hɪpo'dro:m] *(Reitbahn)* hippodrome *m*.
Hirn *n* ‹-(e)s, -e› [hɪrn] *(Organ)* cerveau *m*; *(Substanz u. Speise)* cervelle; *fig (Verstand)* cervelle *f*, cerveau *m*; *sich das ~ zermartern* se creuser la cervelle; **~anhang** *m anat* hypophyse *f*; **~gespinst** *n* chimère *f*, fantôme *m*, utopie, billevesée, élucubration *f*; *pl* idées *f pl* creuses *od* extravagantes; **~haut** *f* méninge *f*; *harte ~~* dure-mère *f*; **~hautentzündung** *f* méningite *f*; **~kasten** *m fam* = *~schale*; **~lappen** *m* lobe *m* du cerveau; **h~los** *a fig (kopflos)* écervelé, étourdi, sans cervelle; **~masse** *f* matière cérébrale, cervelle *f*; **~schale** *f* boîte *f* crânienne, crâne *m*; **~substanz** *f*: *graue ~~* matière *f* grise; **h~verbrannt** *a fam* complétement fou, absurde.
Hirsch *m* ‹-(e)s, -e› [hɪrʃ] cerf *m*; **~fänger** *m* couteau de chasse, coutelas *m*; **~geweih** *n* bois *m od* ramure *f* de cerf; **~horn** *n* corne *f* de cerf; **~hornsalz** *n chem (Backpulver)* carbonate *m* d'ammonium neutre, levure *f* en poudre; **~jagd** *f* chasse *f* au cerf; **~käfer** *m* cerf-volant, lucane *m*; **~kalb** *n* faon *m*; **~keule** *f* cuissot *m* de cerf; **~kuh** *f* biche *f*; **~leder** *n* peau *f* de cerf *od* de daim; **h~ledern** *a* en (peau de) daim; **~ziemer** *m* cimier *m* de cerf; **~zunge** *f bot* scolopendre *f*.
Hirse *f* ‹-, ø› ['hɪrzə] *bot* millet, mil *m*; **~brei** *m* bouillie *f* de millet.
Hirt *m* ‹-en, -en› [hɪrt] pâtre; *a. fig (Seelenhirt)* pasteur; *(Schaf~)* berger *m*; *der gute ~ (Jesus)* le bon Pasteur; **~e** *m* ‹-n, -n› *vx u. poet* = *~*; **~enamt** *n rel* fonctions *f pl* pastorales; **~enbrief** *m rel* lettre *f od* mandement *m* pastoral(e); **~enflöte** *f* chalumeau, pipeau *m*; **~engedicht** *n* pastorale, églogue, bucolique *f*; **~enhund** *m* chien *m* de berger; **~enknabe** *m* jeune berger, *poet* pastoureau *m*; **~enmädchen** *n* jeune bergère, *poet* pastourelle *f*; **~enstab** *m* bâton *m* de berger, houlette; *rel* crosse *f*; **~enszene** *f (Kunst)* pastorale *f*; **~entäschel** *n bot* bourse-à-pasteur *f*; **~in** *f (Schaf~~)* bergère; *poet* pastourelle *f*.
his *n* ‹-, -› [hɪs] *mus* si *m* dièse.
hissen ['hɪsən] *tr* hisser; *bes. mar* arborer.
Hißtau *n* ['hɪstau] *mar* drisse *f*.
Histolog|ie *f* ‹-, ø› [hɪstolo'gi:] *anat (Gewerbelehre)* histologie *f*; **h~isch** [-'lo:gɪʃ] *a* histologique.
Histor|ie *f* ‹-, -n› [hɪs'to:riə] histoire *f*; **~ienmalerei** *f* peinture *f* historique; **~iker** *m* ‹-s, -› [-'to:rikər] historien *m*; **h~isch** [-'to:rɪʃ] *a* historique; *~~ sein* appartenir à l'histoire.
Hitz|bläschen *n* ['hɪts-] **~blatter** *f* bouton *m* de chaleur, papule *f*; **~draht(instrument** *n***)** *m el* (instrument à) fil *m* thermique; **~e** *f* ‹-, ø› chaleur; *(Erregung)* irritation *f*; *(Zorn)* emportement *m*; *in ~~ geraten* s'échauffer, s'emporter *in der ~~ des Gefechts* au fort du combat; *fig* dans le feu de l'action *od* de la discussion; *drückende ~~* chaleur *f* accablante *od* étouffante; *fliegende ~~ (med)* bouffée *f* de chaleur; *tropische ~~* chaleur *f* tropicale; **h~ebeständig** *a* résistant à la chaleur; *~~ sein* aller au feu; **~ebeständigkeit** *f* résistance *f* à la chaleur; **~eeinwirkung** *f* effets *m pl* de la chaleur; **h~eempfindlich** *a* sensible à la chaleur; **~egrad** *m* degré *m* de chaleur; **~emesser** *m* pyromètre, pyroscope *m*; **~estrahlung** *f* radiation *f* de la chaleur; **~ewelle** *f* vague *od* onde *f* de chaleur; **h~ig** *a med* fébrile; *(Fieber)* aigu; *(leicht erregbar)* très irritable; irascible; *(heftig, ungestüm)* impétueux, bouillant; *(Debatte)* violent; *~~ werden* s'échauffer, se monter; *nicht so ~~!* doucement! **~kopf** *m* tête *f* chaude; *ein ~~ sein* avoir la tête chaude *od* près du bonnet; **~pickel** *m*, **~pocke** *f* bouton *m* de chaleur; **~schlag** *m* coup *m* de chaleur, insolation *f*.
hm [hm] *interj* hem! heu!
Hobby *n* ‹-s, -s› ['hɔbi] *(Steckenpferd, fig)* cheval de bataille, dada *m*.
Hobel *m* ‹-s, -› ['ho:bəl] rabot *m*; **~bank** *f* établi *m* (de menuisier); **~maschine** *f* raboteuse *f*; **~messer** *n* lame *f* de rabot; **h~n** *tr* raboter; *wo gehobelt wird, fallen Späne (prov)* on ne peut pas faire une omelette sans casser d'œufs; **~span** *m* copeau *m*.
hoch [ho:x] *(höher, höchst) a* haut (*zehn Meter* de dix mètres); *fig (Ton)* élevé, aigu; *(Stellung, Zahl, Preis)* élevé; *(Strafe)* sévère; *(Geldstrafe)* fort; *(erhaben)* sublime; *(hervorragend, bedeutend)* grand, éminent; *adv fig* beaucoup, bien, fort, très; *auf hoher See* en pleine mer, au large; *im hohen Norden* à l'extrême Nord; *drei Mann ~* au nombre de trois; *drei Treppen ~* au 3e (étage); *~ in den Jahren* d'un âge avancé; *~ erfreut* très heureux; *nicht zu ~ gegriffen (Zahl)* pas exagéré, raisonnable; *wenn es ~ kommt* tout au plus; *wie ~? (com fin)* à combien? *~ oben* tout en haut; *~ zu Roß* à cheval; *~ 4 (math)* à la puissance 4; *jdm etw ~ anrechnen* tenir grand compte de qc à qn; savoir gré à qn de qc; *~ aufhorchen* dresser l'oreille; *e-n hohen Begriff von etw haben* avoir une haute idée de qc; *e-e hohe Meinung von jdm haben* tenir qn en grande estime; *auf dem hohen Roß sitzen (fig)* être monté sur ses grands chevaux; *~ spielen* jouer gros; *in hohem Ansehen stehen* jouir de beaucoup de considération; *in hoher Blüte stehen* être dans un état florissant; *den Kopf ~ tragen (fig)* porter la tête haute; *~ und heilig versprechen* promettre solennellement; *es ~ und heilig versprechen* jurer ses grand dieux; *~ hinauswollen* avoir de hautes visées; *(zu) ~ hinauswollen* viser (trop) haut; *das ist* od *(fam) hängt mir zu ~* cela me dépasse, cela passe ma portée, c'est au-dessus *od* hors de ma portée; *die See geht ~* la mer ist agitée *od* houleuse; *es ist hohe Zeit* il est grand temps; *es geht ~ her* on s'en donne à cœur joie; *wie ~ schätzen Sie ...?* à combien évaluez-vous ...? Hände ~! haut les mains! *~ lebe der König!* vive le roi! *er lebe ~!* vivat! *der hohe Adel* la haute noblesse; *hohe(s) Alter n* grand *od* bel âge, âge *m* avancé; *hohe Ehre f* grand honneur *m*; *hohe(r) Feiertag m* grande fête *f*; *hohe(s) Fieber n* forte fièvre, *fam* fièvre *f* de cheval; *das hohe Gericht* la Haute Cour; *hohe(r) Gewinn m* gros gain *m*; *~ und niedrig* les grands et les petits; *hohe(r) Offizier m* officier *m* supérieur; *hohe Persönlichkeit f* grand personnage *m*; *Hohe Schule f (Reitkunst)* haute école *f*; *die höheren Sphären* les hautes sphères; *hohe(s) Spiel n (Glücksspiel u. fig)* gros jeu *m*; *hohe(s) Verdienst n* grand mérite *m*; *hohe Zinsen m pl* gros intérêts *m pl*; **H~** *n* ‹-s, -s› *mete* (zone de) haute pression *f*, anticyclone *m*; *(Hochruf)* vivat *m*; *ein ~ ausbringen* pousser un vivat (*auf jdn* en l'honneur de qn), *ein dreifaches ~ für ...!* trois hourras pour ...! **H~achse** *f aero* axe *m* de lacet *od* de giration; **~achtbar** *a* très estimable; **~achten** *tr* estimer beaucoup, avoir *od* tenir en haute *od* grande estime; **H~achtung** *f* haute considération, grande estime *f*, grand respect *m*; *Zeichen n der ~~* marque *f* de considération; *mit vorzüglicher ~~*, **~achtungsvoll** *adv (am Briefende)* avec mes (nos) salutations distinguées; agréez *od* veuillez agréer l'assurance de ma (notre) considération distinguée *od* de mes (nos) sentiments distingués; recevez mes (nos) salutations (les plus) distinguées; **H~altar** *m* maître-autel *m*; **H~amt** *n rel* grand-messe, messe *f* solennelle; **H~anflug** *m aero* approche *f* à grande altitude; **H~angriff** *m aero* attaque *f od (mit Bomben)* bombardement *m* horizontal(e) à haute altitude; **H~antenne** *f radio* antenne *f* extérieure; **~arbeiten,** *sich (fig)* se hisser à la force du poignet; **H~ätzung** *f* gravure *f* en relief; **H~aufnahme** *f phot* vue *f* en hauteur; **H~bahn** *f* chemin de fer *od* métro *m* aérien; **H~bau** *m* construction au-dessus du sol, superstructure *f*; **H~bauarbeiten** *f pl* travaux *m pl* de superstructure; **~begabt** *a* extrêmement doué; **~beglückt** *a* comblé de joie; **H~behälter** *m* réservoir *m* surélevé; **~beinig** *a* haut sur jambes; **~berühmt** *a* illustre; **~betagt** *a* chargé d'ans *od* de jours; **H~betrieb** *m* grande activité; acti-

vité *f* intense; *(zeitweiliger)* coup *m* de feu, pointe *f;* **≈bringen** *tr pop (auf die Palme bringen)* faire enrager; mettre hors de soi; *wieder ~~ (pop: wieder auf die Beine bringen)* retaper, requinquer; **H~bunker** *m mil* abri *m* en surface, tour-abri *f;* **H~burg** *f fig pol* citadelle *f,* fief *m;* **H~decker** *m aero* avion *m* (monoplan) à ailes hautes; **~deutsch** *a* haut-allemand; *(das) H~~(e)* (le) haut-allemand; **H~druck** *m tech mete* haute pression; *typ* impression *od* gravure *f* en relief; *mit ~~ (fig)* sous pression; **H~druckbehälter** *m* réservoir *m* à haute pression; **H~druckdampfkessel** *m* chaudière *f* à vapeur à haute pression; **H~druckgebiet** *n mete* région *od* zone de haute pression; (zone *f*) anticyclon(iqu)e *m;* **H~druckreifen** *m mot* pneu *m* à haute pression; **H~druckventil** *n* soupape *f* à haute pression; **H~druckzentrum** *n mete* centre *m* d'anticyclone; **H~ebene** *f,* **~fläche** *f* haut plateau *m;* **~empfindlich** *a* très sensible; **~erfreut** *a* enchanté, ravi; **~explosiv** *a* brisant; **≈fahren** *itr: aus dem Schlaf ~~* se réveiller en sursaut, sursauter; **~fahrend** *a* hautain, altier, arrogant, orgueilleux; **~fein** *a* superfin, extra-fin; **H~finanz,** *die* la haute finance; **~fliegend** *a fig* élevé, ambitieux, vaste; **~flüchtig** *a chem* très volatil; **H~flut** *f fig* flot *m,* masse *f;* **H~form** *f: in ~~ sein (sport)* être en pleine forme; **H~format** *n* format *m* en hauteur *od* à la française *od* à l'italienne; **~frequent** *a el* à haute fréquence; **H~frequenz** *f* haute fréquence, hyperfréquence *f;* **H~frequenzbereich** *m radio* gamme *f* des hautes fréquences; **H~frequenzfeld** *n* champ *m* électrique de haute fréquence; **H~frequenzkabel** *n* câble *m* à haute fréquence; **H~frequenzschwingung** *f* oscillation *f* à haute fréquence; **H~frequenzstrom** *m* courant *m* à haute fréquence; **H~frequenztechnik** *f* technique *f* de haute fréquence; **H~frequenztelephonie** *f,* **-telegraphie** *f* téléphonie *f,* télégraphie *f* à haute fréquence; **H~frequenzverstärker** *m* amplificateur *m* à haute fréquence; **~geachtet** *a* très estimé; **~gebildet** *a* très cultivé; **H~gebirge** *n* haute montagne *f;* **~geboren** *a* de haute naissance, illustre; **~geehrt** *a* très honoré; **H~gefühl** *n* exaltation *f,* enthousiasme *m;* **≈gehen** *itr (Vorhang)* se lever; *mil (Mine)* sauter; *fam (zornig werden)* s'échauffer, s'emporter, se monter; **~gehend** *a: ~~e See f* mer *f* forte *od* houleuse; **~gelegen** *a geog* haut; **~gelehrt** *a* très savant, docte; **~gemut** *a* plein de confiance (en soi); **H~genuß** *m* haute jouissance *f,* délice *m,* volupté *f;* **H~gericht** *n hist (Richtstätte)* lieu du supplice; *(Galgen)* gibet *m;* **~geschätzt** *a* fort estimé; **~geschlossen** *a (Kleid)* montant; **~gesinnt** *a* noble; **~gespannt** *a el* à haute tension; *fig: ~~e Erwartungen f pl* grands espoirs *m pl;* **~gestellt** *a* haut placé; **~gewachsen** *a* grand, de haute taille; **H~glanz** *m* poli, lustre *m; auf ~~ polieren* faire briller *od* reluire; **H~gotik** *f* gothique *m* rayonnant; **~gradig** *a* d'un haut degré; *fig* intense, excessif, extrême; *adv* à un haut degré; **≈halten** *tr (hochheben)* relever; *fig (achten)* tenir en haute estime; **H~haus** *n* immeuble-tour, building *m;* **≈heben** *tr* (é)lever, relever, soulever; **~heilig** *a* très saint, sacré; **~herzig** *a* généreux, magnanime; **H~herzigkeit** *f* générosité, magnanimité *f;* **~kant** *a* de champ, debout; **H~keil** *m mete* dorsale *f* anticyclonique; **H~kirche** *f: die (englische) ~~* l'Église *f* épiscopale *od* anglicane; **≈klappen** *tr* relever; **≈kommen** *itr (nach e-r Krankheit)* se rétablir, refaire surface *fam; allg* se ressaisir; *impers: das kommt mir ~ (fam)* cela m'écœure *pop;* **H~kommissar** *m* haut-commissaire *m;* **H~konjunktur** *f* haute conjoncture, période *f* de prospérité; **~konzentriert** *a* très concentré; **H~land** *n* massif *m* montagneux; **H~leistung** *f, a. sport* performance *f;* **H~leistungs...** *(in Zssgen)* à ... *(in Zssgen)* à *od* de grande capacité *od* puissance, à *od* de grand débit *od* rendement, de haute performance; **H~meister** *m* grand maître *m;* **~modern** *a* ultra-moderne; **H~moor** *n* fagne; tourbière *f* émergée; **H~mut** *m* hauteur *f,* orgueil *m,* arrogance, présomption, suffisance, morgue *f; ~~ kommt vor dem Fall (prov)* lorsque l'orgueil chemine devant, honte et dommage suivent de bien près; quiconque s'élève sera abaissé; **~mütig** *a* altier, hautain, orgueilleux, arrogant, présomptueux, suffisant; **~näsig** *a fam* guindé; qui prend de grands airs; *~~ sein* se tenir sur son quant-à-soi; *ein ~~es Frauenzimmer* une pimbêche; **H~nebel** *m* brouillard *m* élevé; **~notpeinlich** *a jur* criminel; **H~ofen** *m* haut fourneau *m;* **H~parterre** *n* rez-de-chaussée *m* surélevé; **~prozentig** *a* d'un pourcentage élevé; **~qualifiziert** *a* très *od* hautement qualifié; **≈rappeln:** *sich wieder ~~ (pop: Kranker)* se requinquer; **≈reißen** *tr: das Flugzeug ~~* faire une montée en chandelle; **H~relief** *n (Kunst)* haut-relief, plein relief, relief *m* entier; **~rot** *a* haut en couleur, vermeil, ponceau; *(Gesicht)* rubicond; **H~ruf** *m* vivat *m;* **H~saison** *f* pleine saison *f,* plein *m* de la saison; *in der ~~* en pleine saison; **≈schätzen** *tr = ~achten;* **H~schätzung** *f = H~achtung;* **≈schlagen** *tr (Kragen)* relever; **≈schrauben** *tr: s-e Ansprüche ~~* devenir très exigeant; augmenter ses exigences; **H~schulamt** *n* office *m* d'études universitaires; **H~schulbildung** *f* formation *f* universitaire; **H~schule** *f* école supérieure, académie, université *f; technische ~~* école *f* supérieure d'enseignement technique; *tierärztliche ~~* école *f* vétérinaire; *~~ für Lehrerbildung f* école *f* normale primaire; *~~ zur Ausbildung der Lehrer an höheren Schulen (in Frankr.)* école *f* normale supérieure; **H~schüler** *m* étudiant *m;* **H~schulführer** *m (Buch)* guide *m* universitaire; **H~schulleben** *n* vie *f* universitaire; **H~schullehrer** *m* professeur *m* de faculté; **H~schulstudium** *n* études *f pl* supérieures *od* universitaires; **H~schulunterricht** *m* enseignement *m* supérieur; **~schwanger** *a* en état de grossesse avancée; **H~see** *f* haute mer *f;* **H~seeaufklärer** *m,* **H~seeaufklärungsflugzeug** *n* avion *m* de reconnaissance de haute mer; **H~seefischerei** *f* grande pêche *f;* **H~seeflotte** *f* flotte *f* de haute mer; **H~seeflugzeug** *n* hydravion *m* de haute mer; **H~seeschiffahrt** *f* navigation *f* au long cours *od* hauturière; **~sinnig** *a* noble; **H~sitz** *m (Jagd)* affût *m* perché; **H~sommer** *m: im ~~* en plein été; au fort de l'été; **H~spannung** *f el* haute tension *f;* **H~spannungskabel** *n* câble *m* à haute tension; **H~spannungsleitung** *f* ligne *f* à haute tension; **H~spannungsmast** *m* pylône *m* métallique à haute tension; **H~spannungsnetz** *n* réseau *m* de haute tension; **H~sprache** *f* langage *m* écrit *od* littéraire; **H~sprung** *m sport* saut *m* en hauteur; **~stämmig** *a (Baum)* à haute tige; *(Wald)* de haute futaie; **H~stand** *m (Ausguck)* poste *m* d'observation; **H~stapelei** *f* imposture, escroquerie, flibusterie *f;* **H~stapler** *m* chevalier d'industrie, aigrefin, escroc, flibustier, imposteur, *fam* rasta(quouère) *m;* **~stehend** *a* élevé; *(im Rang)* haut placé; **≈stellen** *tr (auf e-n höheren Platz)* poser plus haut; **H~stimmung** *f* exaltation *f;* **H~ton** *m gram* accent *m* principal; **~tönend** *a fig* emphatique; *~~e Worte n pl* grands mots *m pl;* **~tourig** *a* à plein rendement; **H~tourist** *m* alpiniste *m;* **~trabend** *a fig* emphatique; prétentieux, pompeux, fastueux, grandiloquent, ronflant; **≈treiben** *tr (Preis)* hausser; *die Preise ~~ (bei e-r Versteigerung)* pousser les enchères; **~verdient** *a* qui a bien mérité (*um* de); **H~verrat** *m* (crime *m* de) haute trahison *f;* **H~verräter** *m* coupable *m* de haute trahison; **~verräterisch** *a* de haute trahison; **~verzinslich** *a adv* à gros rendement; **H~wald** *m* (haute) futaie *f;* **H~wasser** *n (e-s Flusses)* crue, inondation; *(des Meeres)* marée *f* haute; **H~wassermarke** *f* marque *f* des plus hautes eaux; **H~wasserschaden** *m* dégâts *m pl* causés par l'inondation; **~wassersicher** *a* à l'abri des inondations; **~wertig** *a* de haute qualité, de qualité supérieure; *com* de prix; *(Erz)* de haute teneur, riche (*an* en); **~wichtig** *a* de grande importance; **H~wild** *n* gros gibier *m;* **~willkommen** *a* fort bienvenu; **≈winden** *tr* monter, hisser, guinder; *(Auto)* lever (au moyen d'un cric); **~wirksam** *a* très efficace; **H~wür-**

den: *Ew. ~~! (Anrede e-s Bischofs od e-s höheren evang. Geistlichen)* monseigneur; Votre Grandeur *vx*; **~würdig** *a* révérend; **~würdigst** *a* révérendissime; **~=ziehen** *tr aero* = *~reißen.*

höchlich ['hø:çliç] *adv* hautement, bien, fort, très.

höchst ['hø:çst] *adv* tout à fait, extrêmement, au suprême degré, au dernier point, du dernier; **~e(r, s)** *a (Superlativ von: hoch)* le plus haut, le plus élevé *a. fig; (größte)* le plus grand; *fig (äußerste)* extrême, suprême, dernier, ultime; en chef; *aufs ~e, im ~en Grad, in höchstem Maße* = *~ adv; es ist ~e Zeit* il est grand temps; *~e(r) Punkt m* point *m* culminant; *das H~e Wesen* l'Être Suprême.

Höchst| ... *(in Zssgen, bes. scient u. tech)* maximum *a*, maxima *a, a.* maximal *a*; **~alter** *n* âge *m* limite; **~auftrieb** *m aero* portance *f* maxima, maximum *m* de portance; **~beanspruchung** *f* effort *m* maximum; **~bedarf** *m* besoin *m* maximum; **~belastung** *f* charge maximum, limite *f* de charge; **~betrag** *m* montant *m* maximum; *bis zum ~~ von* jusqu'à concurrence de; **h~ens** *adv* tout au plus, à la rigueur, au maximum; **~fall** *m*: *im ~~* au maximum; **~gebot** *n* offre maximum *od* la plus élevée, enchère *f* maximum; **~gehalt** *n* traitement *m* maximum; **~geschwindigkeit** *f* vitesse *f* maximum *od* maxima *od* plafond; *zulässige ~~* limitation *f* de vitesse; *mit ~~ fahren* rouler à fond; **~gewicht** *n* poids *m* maximum; **~grenze** *f* plafond *m; die ~~ festsetzen für* plafonner; *die ~~ überschreiten* crever le plafond; **~leistung** *f tech* effet *od* rendement *od* débit *m od* puissance *od* capacité *f* maximum; *sport* record *m*; **~lohn** *m* salaire *m* maximum; **~maß** *n* mesure *f* maximale, maximum *m; ein ~~ an Verantwortung* un maximum de responsabilité; **h~persönlich** *a u. adv* en personne; **~preis** *m* prix *m* maximum *od* limite *od* plafond; **~satz** *m fin* taux *m* maximum; **~stand** *m (der Preise)* niveau *m* le plus élevé *od* maximum; *auf den ~~ bringen* porter au maximum; **~strafe** *f* maximum *m* de la peine; **h~wahrscheinlich** *adv* selon toutes probabilités; **~wert** *m* valeur *f* maximum.

Hochtour *f* ‹-, en› course *f od* sortie *f* de haute montagne; *auf ~en* à plein régime *od* rendement, en pleine activité; *auf ~en laufen* battre son plein; *jdn auf ~en bringen* faire turbiner qn *fam.*

Hochzeit *f* ['hɔx-] *(Trauung)* mariage *m; (~sfest)* noce(s *pl*) *f; ~ halten* célébrer ses noces; *man kann nicht auf zwei ~en tanzen (prov)* on ne peut pas sonner et aller à la procession *od* être en même temps à la cave et au grenier *od* être à la fois au four et au moulin; *silberne, goldene, diamantene ~* noces *f pl* d'argent, d'or, de diamant; **~er(in f)** *m* ‹-s, -› (jeune) marié, e *m f*; **h~lich** *a* nuptial; **~sbrauch** *m* coutume *f* nuptiale; **~sessen** *n* banquet nuptial *od* de noce(s), repas *od* festin *m* de noce(s); **~sfeier** *f* célébration *f* du mariage; **~sfest** *n* noce(s *pl*) *f*; **~sflug** *m (der Bienen)* vol *m* nuptial; **~sgast** *m* invité *m* de mariage; **~sgedicht** *n* épithalame *m*; **~sgeschenk** *n* cadeau *od* présent *m* de noce(s) *od* de mariage; **~skleid** *n orn* robe *f* nuptiale; **~smahl** *n* festin *od* repas *m* de noce(s), **~snacht** *f* nuit *f* de noce(s); **~sreise** *f* voyage *m* de noces; **~stag** *m* jour des noces; *(jährlich wiederkehrender)* anniversaire *m* de mariage; **~szug** *m* cortège *m* nuptial.

Hock|e *f* ‹-, n› ['hɔkə] **1.** *sport* accroupissement *m*, saut *m* accroupi; *in die ~~ gehen* s'accroupir; *Gehen n in der ~~ (mil)* pas *m* de canard; **h~en** ‹*hat gehockt*› *itr* être accroupi, *fam (sitzen)* être assis, ne pas bouger; *über den Büchern ~~* sécher sur ses livres; *immer zu Hause ~~* être casanier *od fam* pantouflard; **~er** *m* ‹-s, -› *(Schemel)* tabouret, escabeau *m*; **~stellung** *f sport* = *~e.*

Hocke *f* ‹-, -n› ['hɔkə] **2.** *agr (Haufen)* tas *m* de gerbes.

Höcker *m* ‹-s, -› ['hœkər] *(Auswuchs)* excroissance, protubérance; *med* gibbosité, tubérosité; *(Buckel, a. d. Kamels)* bosse; *mil* dent *f* de dragon; **h~ig** *a (uneben)* bosselé, raboteux, accidenté, inégal; *(buckelig)* bossu; *med* gibbeux.

Hockey *n* ‹-s, ø› ['hɔki] *sport* hockey *m*; **~ball** *m* balle *f* de hockey; **~schläger** *m* crosse de hockey, canne *f*; **~spieler** *m* hockeyeur *m.*

Hode *f* ‹-, -n› od *m* ‹-n, -n› **~n** *m* ‹-s, -› ['ho:də(n)] *anat* testicule *m, vulg* couille *f*; **~nbruch** *m med* hernie *f* scrotale; **~nentzündung** *f* orchite *f*; **~nsack** *m* scrotum *m*, bourses *f pl.*

Hof *m* ‹-(e)s, ¨-e› [ho:f, 'hø:fə] cour *f*; *(Kloster~, Krankenhaus~, Gefängnis~, überdachter Schul~)* préau *m*; *(Bauern~)* ferme, métairie; *(Gerichts-, Fürsten~)* cour; *astr* auréole *f*, halo *m*; *am* od *bei ~e* à la cour; *auf dem ~* dans la cour; *jdm den ~ machen* faire la cour, conter fleurette à qn, courtiser qn; *von Haus und ~ vertreiben* évincer; **~amt** *n* charge *f* à la cour; **~dame** *f* dame *f* d'honneur; **h~fähig** *a* admis à la cour; *fig fam* présentable; **~fest** *n* fête *f* à la cour; **~gänger** *m (Bauerngut)* journalier *m*; **h~=halten** ‹*hat hofgehalten*› *itr* tenir sa cour, résider; **~haltung** *f* cour *f*; **~hund** *m* chien de garde, mâtin *m*; **h~ieren** [-'fi:rən] *tr* faire la cour (*jdm* à qn), courtiser (*jdm* qn); **~kanzlei** *f* chancellerie *f* aulique; **~kreise** *m pl* (gens *pl* de) la cour, entourage *m* du roi *etc*; **~leben** *n* vie *f* de cour; **~leute** *pl* gens *pl* de la cour; **~lieferant** *m* fournisseur *m* de (la) cour; **~mann** *m* ‹-(e)s, -leute› courtisan *m*; **~marschall** *m* maréchal *m* du palais; **~meister** *m* intendant, majordome; *(Prinzenerzieher)* gouverneur, précepteur *m*; **~narr** *m* bouffon (de la cour), fou *m*; **~prediger** *m* prédicateur *m* à la cour; **~rat** *m (Beamter)* conseiller *m* aulique; **~raum** *m* cour *f*; **~schranze** *m* od *f* (vil) courtisan *m*; **~seite** *f (Rückseite e-s Hauses)* côté *m* cour; **~staat** *m* cour; maison du roi; *(Gefolge)* suite *f*; **~tor** *n* porte *f* cochère; **~trauer** *f* deuil *m* de la cour; **~tür** *f* porte *f* sur la cour.

Hoffart *f* ‹-, ø› ['hɔfart] arrogance, présomption, suffisance *f*; **hoffärtig** *a* arrogant, présomptueux, suffisant.

hoff|en ['hɔfən] *itr* espérer (*auf etw* (en) qc, *auf jdn* en qn); *(erwarten)* (s')attendre (*auf* à); *auf bessere Zeiten ~~* espérer des temps meilleurs; *auf die Zukunft ~~* espérer en l'avenir; *ich ~e es* j'espère, je l'espère; *ich ~e nicht, ich will nicht ~~* j'espère que non; *ich will es ~~* j'y compte bien; *ich ~e, Sie zu sehen* j'espère vous voir; *~~ wir das Beste!* espérons que tout ira pour le mieux! ayons bon espoir! **H~en** *n: ~~ und Harren macht manchen zum Narren (prov)* l'espoir est souvent une chimère; **~entlich** *adv* espérons que, il faut espérer que; *~~!* espérons-le! *~~ kommst du!* j'espère (nous espérons) que tu viendras; **H~nung** *f (unbestimmte)* espérance *f*; *(bestimmte)* espoir *m* (*auf* de); *(Erwartung)* attente *f*; in der *~~* avec *od* dans l'espoir (*zu* de, *daß* que); *die ~~ aufgeben* perdre tout espoir; *zu großen ~~en berechtigen* donner de grandes espérances; *in jdm ~~en erwecken* donner de l'espoir à qn; *alle ~~ fahrenlassen* abandonner tout espoir; *der ~~ Ausdruck geben* exprimer l'espoir; *keine ~~ mehr haben* n'avoir plus d'espoir; *sich ~~en hingeben, sich ~~en machen* entretenir des espoirs; *sich falschen ~~en hingeben* se leurrer de vaines espérances, se bercer d'illusions; *jdm ~~ machen* donner l'espoir à qn; encourager qn; *sich ~~en machen* se nourrir de l'espoir; *jdm alle ~~ nehmen* ôter toute espérance à qn; *wieder ~~ schöpfen* reprendre espoir, renaître à l'espoir; *guter ~~ sein (Frau)* avoir des espérances; *s-e ~~ auf etw, jdn setzen* mettre, placer ses espérances dans qc, mettre son espoir en qn; *auf jdn, etw große ~~en setzen* fonder de grands espoirs sur qn, qc; *e-e ~~ wecken* faire naître, éveiller un espoir; *sich in falschen ~~en wiegen* se bercer de faux espoirs; *die ~~en zerstören* anéantir *od* briser *od* détruire les espérances; *letzte ~~* suprême espérance *f*; *~~ auf Besserung* espoir *m* d'(une) amélioration; **~nungsfroh** *a* plein d'espérance, optimiste; **~nungslos** *a* sans espoir, désespéré; *(Sache)* sans issue; **H~nungslosigkeit** *f* désespérance *f*, désespoir *m*; **H~nungsschimmer** *m*, **H~nungsstrahl** *m* lueur *f*, rayon *m* d'espérance *od* d'espoir; **~nungsvoll** *a* plein d'espoir; *(vielversprechend)* qui donne de grandes espérances, qui promet beaucoup, prometteur.

höf|isch ['høfıʃ] *a* de (la) cour, de courtisan; **~lich** *a* poli, civil; *(ritterlich)* galant, courtois; **H~lichkeit** *f* politesse, civilité; galanterie, courtoisie; obligeance *f; jdm e-e ~~ erweisen* faire une politesse à qn; **H~lichkeitsbesuch** *m* visite *f* de courtoisie *od* de cérémonie; **H~lichkeitsbezeigung** *f* compliment *m;* **H~lichkeitsformeln** *f pl* formules *f pl* de politesse; **H~ling** *m* ‹-s, -e› courtisan *m.*

Höhe *f* ‹-, -n› ['hø:ə] hauteur *f, a. math; (Anhöhe)* haut *m,* élévation, éminence *f; (Gipfel~)* sommet, point *m* culminant; *(Meeres~, ~ über dem Erdboden, astr)* altitude *f; (gleiche ~, bes. d. Wassers, fig)* niveau *m; mus (Ton~)* hauteur, acuité *f; fin (e-s Betrages)* montant; *(~ d. Steuer etc, Satz)* taux; *typ (a. Anzeige)* lignage *m; auf der ~ von* à la hauteur de; *auf gleiche(r) (geogr.) ~* au même niveau, de front; *(Stadt, Ort)* à la même latitude; *auf gleicher ~ mit, in gleicher ~ wie* au niveau de, de niveau avec, de plain-pied avec, au ras de, à fleur de; *auf* od *in halber ~* à mi-côte; *auf der ~ des Ruhmes* au faîte *od* à l'apogée de la gloire; *auf der ~ der Zeit* à la hauteur de son temps, à la page, *fam* dans le mouvement, dans le vent; *bis zur ~ von ... (Betrag)* jusqu'à concurrence de ...; *in der* od *die ~* en haut; *in die ~* en l'air; *in ~ von ... (Betrag)* d'un montant de ...; *(Betrieb) wieder in die ~ bringen* remettre à flot; *in die ~ fahren (auf-, hochfahren)* sursauter, avoir un haut-le-corps; *auf ~ gehen, ~ gewinnen (aero)* prendre de la hauteur *od* de l'altitude; *in die ~ gehen (Preise)* monter, hausser; *(wütend werden)* s'emporter, enrager; *in die ~ heben = hochheben; in die ~ schießen (bot)* monter en graine; *(Mensch)* pousser comme un champignon; *in die ~ schnellen* faire un bond; *nicht auf der ~ sein (körperlich)* ne pas être *od* se sentir bien d'aplomb *od* dans son assiette; *fam* ne pas être très en forme; *wieder auf der ~ sein (fig)* avoir repris du poil de la bête *fam; in die ~ treiben (Preis, Kurs)* hausser, faire monter; *~ verlieren (aero)* perdre de la hauteur *od* de l'altitude; *das ist (doch) die ~! (fam)* (ça,) c'est le comble! c'est la fin de tout *od* des haricots! on aura tout vu! *lichte ~ (arch)* hauteur *f* du jour; *(Brücke)* tirant *m* d'air; *~ des Lebens* midi *m* de la vie; **~nabstand** *m* intervalle *m* vertical; **~nangabe** *f* cote *f* d'altitude; **~nangriff** *m aero* bombardement *m* à haute altitude; **~anzug** *m aero* scaphandre *m* d'altitude, **~natmer** *m,* **~natmungsgerät** *n aero* inhalateur *m* d'altitude; **~nflosse** *f aero* plan *m* (fixe) horizontal; **~nflug** *m* vol *m* en (haute) altitude; **~nflugzeug** *n* avion *m* stratosphérique; **~ngewinn** *m aero* gain *m* en altitude; **~nkabine** *f aero* cabine *f* étanche; **~nklima** *n* climat *m* des montagnes; **~nkorrektur** *f aero* correction *f* altimétrique; **~nkrankheit** *f* mal *m* des montagnes *od* des aviateurs; **~nkur** *f* cure *f* d'altitude; **~nkurort** *m* station *f* d'altitude *od* de montagne; **~nlader** *m aero* compresseur d'altitude, pressurisateur *m;* **~nlage** *f geog* altitude *f;* **~nleistung** *f aero* puissance *f* en altitude; **~nleitwerk** *n aero* empennage *m* horizontal; **~nmarke** *f* repère *m* de nivellement; **~nmesser** *m (Gerät)* baromètre altimétrique, altimètre, hypsomètre *m;* **~nmotor** *m aero* moteur *m* d'altitude; **~nrauch** *m* brouillard *m* sec; **~nrekord** *m* record *m* d'altitude; **~nrücken** *m geog* dos *m* de terrain, croupe, crête *f;* **~nruder** *n aero mar* gouvernail *m* de profondeur; **~n(schicht)linie** *f geog* courbe de niveau, isohypse *f;* **~nschreiber** *m (Gerät)* altimètre *od* baromètre *m* enregistreur; **~nsonne** *f (Gerät)* lampe *f* (électrique) à rayons ultra-violets *od* en quartz; *mit ~~ bestrahlen* exposer aux rayons ultraviolets; **~nstellung** *f mil* position *f* installée sur une hauteur; **~nsteuer** *n = ~nruder;* **~nsteuerung** *f aero* commande *f* de profondeur; **~nunterschied** *m* différence de niveau; *(Straße, Bahnlinie)* dénivellation *f;* **~nverlust** *m aero* perte *f* d'altitude; **~nwind** *m* vent *m* en altitude; **~nwinkel** *m mil* site *m;* **~nzahl** *f* cote *f* de niveau; **~nzug** *m geog* chaîne *f* de collines; **~punkt** *m* point culminant; *(Gipfel)* sommet, faîte; *fig* comble, summum, apogée, acmé, *bes. med* paroxysme *m; auf dem ~~ der Macht* à l'apogée du pouvoir; *der ~~ des Lebens (a.)* le beau moment de la vie.

Hoheit *f* ‹-, -en› ['ho:haıt] *(Erhabenheit)* grandeur, noblesse, sublimité *(Majestät)* majesté *pol* souveraineté: *(Anrede)* (votre) Altesse *f; Königliche ~* Altesse royale; **h~lich** *a* de souverain, régalien; **~sabzeichen** *n = ~szeichen;* **~sakt** *m* acte *m* de souveraineté; **~sgebiet** *n* territoire *m* national; **~sgewässer** *n pl* eaux *f pl* territoriales, mer *f* territoriale *od* littorale *od* juridictionnelle; **~sgrenze** *f* frontière *f* territoriale; *(Dreimeilengrenze)* rayon *m* de 3 milles; **~srecht** *n* droit de souveraineté *od* régalien; *hist* régale *f;* **h~svoll** *a* majestueux; **~szeichen** *n* insigne *od* emblème *m* de souveraineté *od* de nationalité *od* national; *aero* cocarde *f.*

Hohe|lied ['ho:ə-], *das (Buch d. Bibel)* le Cantique des Cantiques; **~priester** *m* grand prêtre, pontife *m;* **~priesteramt** *n* pontificat *m;* **h~priesterlich** *a* pontifical.

höher ['hø:ər] *a (Komparativ von: hoch)* plus haut; *(~liegend)* plus élevé; *fig* supérieur (*als* à); *auf ~en Befehl* par ordre supérieur; *~en Orts* en haut lieu; *ein Gelände ~ legen* élever le niveau d'un terrain; *~ stimmen (mus)* hausser; *das Herz schlug ihm ~* son cœur se mit à battre plus fort; *~e(r) Beamte(r) m* haut fonctionnaire *m; ~e Bildung f* instruction *f* supérieure; *~e(s) Gebot n (com)* surenchère *f; ~e Gewalt f* force *f* majeure; *~e Instanz f* instance *f* supérieure; *~e Mathematik f* hautes mathématiques, mathématiques *f pl* supérieures *od* transcendantes; *~e Schule f* école *f* secondaire; *~e(r) Steuersatz m* surtaxe *f.*

hohl [ho:l] *a* creux, cave; *(konkav)* concave; *(ausgekehlt)* creusé, évidé; *(Klang)* caverneux; *fig (leer)* creux, vide; *(nichtssagend)* vain, futile; *~ klingen* sonner creux; *~ machen* creuser; *~ werden* se creuser; *die See geht ~* il y a de la houle; *die ~e Hand* le creux de la main; *ein ~er Kopf (fig)* une tête creuse; *~e Phrasen* formules *f pl* creuses; *hum* paroles *f pl* verbales; *~e See f* houle *f; ~e Stimme f* voix *f* creuse *od* caverneuse; *~e Wangen f pl* joues *f pl* creuses; *~e(r) Zahn m* dent *f* creuse *od* cariée; **H~ader** *f anat* veine *f* cave; **~äugig** *a* aux yeux enfoncés; **H~blockstein** *m* brique *f* creuse; **H~bohrer** *m* évidoir *m;* **~geschliffen** *a* concave; **H~glas** *n* verre *m* concave; **H~glasfabrikation** *f,* **H~glashandel** *m* gobeleterie *f;* **H~heit** *f* ‹-, (-en)› *fig (Leere)* vide *m;* **H~kehle** *f* gorge, cannelure *f,* cavet *m; arch* cimaise *f,* membre *m* creux; **H~klinge** *f* lame *f* évidée; **H~kopf** *m* tête creuse *od* vide; *fam* tête de linotte, buse *f;* **H~körper** *m* corps *m* creux; **H~kugel** *f* sphère *f* creuse; **H~ladung** *f mil* charge *f* perforante; **H~maß** *n* mesure *f* de capacité; **H~meißel** *m* évidoir *m,* gouge *f,* bec-de-corbin *m;* **H~raum** *m* espace *m* creux *od* vide, cavité, *geol* vacuole *f;* **H~saum** *m* ourlet *m* à jour; **H~schliff** *m opt* concavité *f;* **H~spiegel** *m* miroir *m* concave; **H~steg** *m typ* bois *m* de fond; **H~stein** *m* brique *f* creuse; **~wangig** *a* aux joues creuses; **H~weg** *m* chemin *m* creux; **H~ziegel** *m* tuile creuse *od* en S; *(Ziegelstein)* brique *f* creuse; **H~zirkel** *m* compas *m* d'intérieur *od* à jauge; **H~zylinder** *m* cylindre *m* creux.

Höhl|e *f* ‹-, -n› ['hø:lə] *(in d. Erde)* caverne *f; (Hohlraum)* creux *m,* cavité *f; (~~ wilder Tiere)* tanière *f,* terrier, repaire; *poet* antre *m; anat* cavité *f,* ventricule *m; in die ~~ des Löwen gehen (fig)* se jeter *od* se mettre dans la gueule du loup; **h~en** *tr* creuser, excaver; **~enbär** *m* ours *m* des cavernes; **~enbewohner** *m (Mensch)* habitant des cavernes; *(Tier)* cavernicole *m;* **~enforscher** *m* spéléologue *m;* **~enforschung** *f,* **~enkunde** *f* spéléologie *f;* **~enmensch** *m* homme des cavernes, troglodyte *m;* **~ung** *f* cavité; *anat zoo bot geol* vacuole *f.*

Hohn *m* ‹-(e)s, ø› [ho:n] dérision, raillerie, moquerie; *(feiner)* ironie *f; (bitterer)* sarcasme *m; ein ~ auf* un affront à; *jdm zum ~* en dépit de qn; par défi; *ein ~ sein auf = ~sprechen (dat); es ist ein ~ zu* c'est une moquerie que de; **~gelächter** *n* rire de dérision, ricanement *m;* **~geschrei** *n* huées *f pl; mit ~~* od *~rufen empfangen* huer; **h~lachen** ‹*hohnlacht, hohnlachte / lachte hohn, hohngelacht*› *itr* ricaner; **~rufe** *m pl = ~geschrei;* **h~=sprechen** *itr (ein ~ sein auf)* braver, défier (*dat* qc); insulter (*dat* à qc).

höhn|en ['hø:nən] *tr* railler, bafouer; se moquer de; **~isch** ['hø:nıʃ] *a* railleur, moqueur, ironique, sarcastique; *(Lachen)* sardonique; *adv* d'un air moqueur; *~~ lachen* ricaner.

Höker *m* ‹-s, -› ['hø:kər] *(Kleinhändler)* revendeur; *(Straßenhändler)* camelot, marchand *m* des quatre-saisons; **~ei** *f* [-'raı] petit commerce *m;* **~in** *f,* **~weib** *n* revendeuse, marchande *f* des quatre-saisons; **~kram** *m* déballage *m* (de revendeur); **~laden** *m* petite boutique *od* épicerie *f;* **h~n** *itr* tenir un petit commerce.

hokus ['ho:kus]: *~ pokus, verschwindibus!* passez muscade! **H~pokus** *m* ‹-, ø› [--'--] tour *m* de bateleur *od* passe-passe, jonglerie; *pej* charlatanerie, duperie *f.*

hold [hɔlt] *a (geneigt, vom Glück)* favorable, propice; *(anmutig)* gracieux, charmant, doux; *jdm ~ sein (lit, von Personen)* accorder ses faveurs, vouloir du bien à qn; *das Glück ist mir ~* la fortune me sourit; **~selig** *a (anmutig)* (très) gracieux, plein de grâces; **H~seligkeit** *f* grâce *f,* charme *m.*

Holdinggesellschaft *f* ['houldıŋ-] *fin* holding, omnium *m.*

hol|en ['ho:lən] *tr* aller *od* venir chercher *od* prendre *od* quérir; *sich ~~ (fam: e-e Krankheit)* attraper; *sich e-e Abfuhr ~~* essuyer un camouflet *od* une rebuffade; *e-n Anzug von der Reinigung ~~* aller chercher un costume à la teinturerie; *Atem ~~* prendre haleine; *jdn aus dem Bett ~~ (fam)* tirer qn de son lit; *sich bei jdm Rat ~~* prendre conseil de qn, consulter qn; *sich e-e Erkältung, e-n Schnupfen ~~* attraper un rhume; *~~ lassen* envoyer chercher, faire venir; *den Arzt ~~ lassen* faire appeler le médecin; *da ist nichts zu ~~ (fam)* il n'y a rien à y gagner; c'est sans intérêt; *hier ist nichts (mehr) zu ~~ (fam)* il n'y a (plus) rien à chercher ici; *~' dich der Teufel od Henker! (interj fam)* que le diable t'emporte! **H~schuld** *f* dette (re)quérable, quérabilité *f.*

holla ['hɔla] *interj* holà! hé! ho!

Holl|and *n* ['hɔlant] la Hollande; **~änder** *m* ‹-s, -› Hollandais; *(Käse)* hollande; *(Spielzeug)* cyclorameur; *(Papierfabrikation)* moulin *m od* pile *f* à cylindres; *der Fliegende ~~ (Oper)* le Vaisseau fantôme; **~änderei** *f* [-'raı] *(Meierei)* laiterie *f;* **~änderin** *f* Hollandaise *f;* **h~ändisch** *a* hollandais, de Hollande; *(das) ~~(e)* le hollandais.

Höll|e *f* ‹-, (-n)› ['hœlə] enfer(s *pl*) *m, a. fig; in die ~~ kommen* aller en enfer, être damné; *jdm die ~~ heiß machen (fig fam)* retourner qn sur le gril, échauffer les oreilles de qn, rompre la tête à qn; *jdm das Leben zur ~~ machen* rendre à qn la vie impossible; empoisonner qn *pop; das Leben dort ist e-e ~~* la vie est infernale là-bas; *die ~~ ist los* le diable est déchaîné; *der Weg zur ~~ ist mit guten Vorsätzen gepflastert (prov)* l'enfer est pavé de bonnes intentions; *der Fürst der ~~* le prince *m* des ténèbres; **~enangst** *f* angoisse mortelle, peur *f* bleue; **~enbrut** *f* engeance *f* infernale; **~enfahrt** *f rel* descente *f* aux enfers; **~enfeuer** *n fig* feu *m* d'enfer *od* à rôtir un bœuf; **~enfürst** *m* prince *m* des ténèbres; **~engestank** *m* puanteur *f* de tous les diables; **~enlärm** *m* bruit d'enfer, bruit *od* tapage *od* vacarme infernal, tapage *m* de tous les diables; *e-n ~~ machen (a. pop)* faire un foin du diable; **~enmaschine** *f* machine *f* infernale; **~enqualen** *f pl* supplices *m pl* éternels; *~~ ausstehen* souffrir comme un damné; **~enspektakel** *m = ~enlärm;* **~enstein** *m pharm* pierre *f* infernale; **~entempo** *n: ein ~~ (drauf) haben* aller un train d'enfer; *(Autofahrt)* rouler à tombeau ouvert; **h~isch** *a* d'enfer, infernal; *(teuflisch)* diabolique; *fam (riesig)* énorme, colossal.

Hollerithmaschine *f* ['hɔlərıt-, -'rıt-] *(Lochkarten-Buchungsmaschine)* machine *f* à cartes perforées.

Hollywoodschaukel *f* ['hɔlıwud-] balancelle *f.*

Holm *m* ‹-(e)s, -e› [hɔlm] **1.** *(an Leitern)* montant *m; (des Barrens)* barre *f; aero* longeron *m;* **~gurt** *m aero* bride *f* de longeron.

Holm *m* **2.** *(kleine Insel)* îlot *m.*

holp|erig ['hɔlpərıç] *a = ~rig;* **~ern** ‹*ist geholpert*› *itr (sich ungleichmäßig fortbewegen)* (s')avancer d'un pas inégal; *(stolpern)* broncher; *(Wagen)* cahoter; **~(e)rig** *a (Weg)* cahoteux, raboteux, rude, inégal; *fig (Stil)* raboteux, rocailleux, heurté.

holterdiepolter [hɔltərdi'pɔltər] *adv* précipitamment, à la hâte.

Holunder *m* ‹-s, -› [ho'lundər] *bot* sureau *m;* **~baum** *m* sureau *m;* **~beere** *f* baie *f* de sureau; **~blüte** *f* fleur *f* de sureau; **~blütentee** *m* infusion *f* de (fleurs de) sureau; **~busch** *m,* **~strauch** *m* (buisson *m od* touffe *f* de) sureau *m.*

Holz *n* ‹-es, ⸚er› [hɔlts, 'hœltsər] *(Material u. kleinerer Wald)* bois *m; (größerer Wald)* forêt *f; (Orchester)* (les) bois *m pl; ~ auflegen* mettre, *nachlegen* remettre du bois (dans le feu); *~ sägen (fam hum: schnarchen)* ronfler; *ins ~ schießen (Baum)* pousser à bois; *in ~ schneiden* graver sur bois; *aus einem ~ geschnitzt sein (fig)* être du même bois; *ich bin nicht aus ~ (fig)* je ne suis pas de bois; *ich weiß, aus welchem ~ er geschnitzt ist* je sais de quel bois il est fait; *dürre(s)* od *trockene(s) ~* bois *m* mort; *gelagerte(s)* od *luftgetrocknete(s) ~* bois *m* séché à l'air; *grüne(s) ~* bois *m* vert *od* vif; **~abfälle** *m pl* bois *m* de rebut; **~abfuhr** *f* transport *m* du bois; **~apfel** *m* pomme *f* sauvage; **~art** *f* espèce *f* de bois; **h~artig** *a* ligneux; **~baracke** *f* baraque *f* en planches; **~bau(weise** *f)* *m* construction *f* en bois; **~bearbeitung** *f* travail *m* (industriel) du bois; **~bearbeitungsmaschine** *f* machine *f* à travailler le bois; **~blasinstrumente,** *n pl die* les bois; **~block** *m* bloc *m* de bois; **~bock** *m ent* capricorne *m;* **~boden** *m (unter dem Dach)* grenier *m* à bois; **~bohrer** *m ent* xylophage; *(Gerät)* foret *m* à bois; **~dübel** *m* cheville *f* de bois; **~einschlag** *m* coupe *od* récolte *f* du bois; **h~en** *itr* couper du bois; **~er** *m* ‹-s, -› *= ~fäller; (roher Fußballspieler)* footballeur *m* rude *od* brutal; **~erei** *f* [-'raı] *(Fußball)* jeu *m* rude *od* brutal; *fam (Schlägerei)* rixe *f;* **~essig** *m* vinaigre de bois, acide *m* pyroligneux; **~fäller** *m* bûcheron *m;* **~faser** *f* fibre *f od* fil *m* de bois; **~faserplatte** *f* panneau *m* de fibres de bois isolant *od* d'aggloméré; **~faserstoff** *m* pâte de bois, lignocellulose *f;* **~feuer** *n* feu *m* de bois; **~feuerung** *f* chauffage *m* au bois; **~fräsmaschine** *f* toupie *f;* **h~frei** *a (Papier)* sans bois, exempt de pâte mécanique; **~gas** *n* gaz *m* de bois; **~gaser** *m (Kraftwagen mit Holzgasantrieb)* gazo-bois *m;* **~(gas)generator** *m* gazogène *m* à bois; **~gasmotor** *m* moteur *m* à gaz de bois; **~geist** *m chem* esprit-de-bois, alcool *m* de bois; **~gerechtsame** *f* affouage *m;* **~hacker** *m (~spalter)* coupeur de bois; *(~fäller)* bûcheron *m;* **~hammer** *m* maillet *m;* **~handel** *m* commerce *m* de bois; **~händler** *m* marchand *m* de bois; **~hauer** *m = ~fäller;* **~haufen** *m* tas *m* de bois; **~haus** *n* maison *f* de *od* en bois; **~hieb** *m = ~einschlag;* **h~ig** *a (h~artig)* ligneux; *(hart, von Gemüse)* dur; **~imprägnierung** *f = ~tränkung;* **~käfer** *m* xylophage *m;* **~kasten** *m,* **~kiste** *f (zum Aufbewahren des ~es)* caisse *f* à bois; **~kitt** *m* pâte *f* de bois; **~klotz** *m* billot *m* de bois; **~kohle** *f* charbon *m* de bois; **~kohlenteer** *m* goudron *m* de bois; **~konservierung** *f* conservation *f* du bois; **~konstruktion** *f* construction *f* en bois; **~kopf** *m fig pej (Dummkopf)* lourdaud, balourd *m, fam* cruche *f;* **~lager** *n* dépôt de bois, chantier *m* à bois; **~lege** *f* cave *f* à bois, bûcher *m;* **~leiste** *f* liteau *m; (Zierleiste)* bordure *od* moulure *f* en bois; **~masse** *f* pâte *f* de bois; **~nagel** *m* cheville *f* de bois; **~pantine** *f* sabot *m* (de bois), galoche *f;* **~pflaster** *n (e-r Straße)* pavé *m* en bois; **~platz** *m = ~lager;* **~schleiferei** *f* fabrique *f* de cellulose *od* de pâte de bois; **~schleifmaschine** *f* machine *f* à poncer le bois; **~schliff** *m* pâte *f* de bois; **~schliffpapier** *n* papier *m* de pâte de bois; **~schneidekunst** *f* gravure sur bois, xylographie *f;* **~schneider** *m* graveur sur bois, xylographe *m;* **~schnitt** *m* gravure sur bois, estampe *f* en bois;

~schnitzer *m* sculpteur *m* sur bois; **~schnitzerei** *f* sculpture *f* sur bois; **~schuh** *m* sabot *m;* **~schuhmacher** *m* sabotier *m;* **~schuhtanz** *m* sabotière *f;* **~schuppen** *m* hangar *m od* remise *f* à bois, bûcher *m;* **~schwamm** *m bot* bolet *m* destructeur; **~sohle** *f* semelle *f* de bois; **~span** *m* copeau *m* (de bois); **~stall** *m* bûcher *m;* **~stapel** = *~stoß;* **~stich** *m typ* gravure *f* sur bois; **~stift** *m* = *~nagel;* **~stoff** *m* pâte à papier, cellulose; *chem* lignine *f;* **~stoß** *m* pile *f* de bois, bûcher *m;* **~täfelung** *f* boiserie *f,* lambris(sage) *m;* **~taube** *f orn (Große ~~)* ramier *m;* **~teer** *m* goudron *m* végétal; **~träger** *m arch* poutre *f* en bois; **~tränkung** *f* imprégnation *f* de bois; **~ung** *f* coupe *f* du bois; **h~verarbeitend** *a: ~~e Industrie f* industrie *f* travaillant le bois; **~verarbeitung** *f* = *~bearbeitung;* **~verkleidung** *f* boiserie *f,* boisage, revêtement *m* en bois; **~wand** *f* cloison *f* de bois; **~weg** *m* chemin *m* forestier; *auf dem ~~ sein (fig)* faire fausse route, se fourvoyer; *pop* se gourer; *da bist du auf dem ~~ (fam)* je t'en fiche; **~wolle** *f* fibre *od* laine *f* de bois; **~wurm** *m* ver du bois, perce-bois, xylophage *m;* **~zellstoff** *m* cellulose de bois, lignocellulose *f;* **~zement** *m* béton *m od* pâte *f* de bois.

Hölz|chen *n* ‹-s, -› ['hœltsçən] petit (morceau de) bois *m,* bûchette *f;* **h~ern** *a* de *od* en bois; *fig (steif)* raide, sec; *(schwerfällig)* lourd; *er benimmt sich ~~* il est très raide dans son comportement.

homerisch [ho'me:rɪʃ] *a: ~e(s) Gelächter* rire *m* homérique *od* inextinguible.

Hominiden *m pl* [homi'ni:dən] *biol (Familie der Menschenartigen)* hominiens *m pl.*

homogen [homo'ge:n] *a (gleichartig)* homogène: **~isieren** [-geni'zi:rən] *tr (innig vermischen)* homogénéiser; **H~ität** *f* ‹-, ø› [-geni'tɛ:t] homogénéité *f.*

homolog [homo'lo:k] *a (übereinstimmend)* homologue.

Homonym *n* ‹-s, -e› [homo'ny:m] *(gleichlautendes Wort)* homonyme *m;* **h~** *a (gleichlautend)* homonyme.

Homöopath *m* ‹-en, -en› [homøo'pa:t] homéopathe *m;* **~ie** *f* ‹-, ø› [-pa'ti:] *(Heilverfahren)* homéopathie *f;* **h~isch** [-'patɪʃ] *a* homéopathique.

Homosexu|alität [homosɛksuali'tɛ:t] *f* homosexualité, inversion *f* sexuelle, *pej* mœurs *f pl* spéciales; **h~ell** *a* homosexuel; **~elle(r)** *m* homosexuel, inverti *m.*

Honig *m* ‹-s, (-e)› ['ho:nɪç] miel *m; mit ~ bestreichen* od *süßen* emmieller; *~ sammeln (Biene)* butiner; *jdm ~ ums Maul schmieren (fig fam)* passer de la pommade, cirer les bottes à qn, caresser qn dans les sens du poil; *mit ~ gesüßt* miellé; **h~artig** *a* mielleux; **h~bereitend** *a zoo* mellifère, mellifique; **~bereitung** *f* mellification; **~biene** *f* mouche *f* à miel; **~farbe** *f* couleur *f* miellée; **~geruch** *m* odeur *f* miellée; **~kuchen** *m* pain *m* d'épice; **~mond** *m (Flitterwochen)* lune *f* de miel; **~scheibe** *f,* **~wabe** *f* rayon *od* gâteau *m* de miel; **~schleuder** *f* extracteur *m;* **~seim** *m* miel *m* vierge; **~sirup** *m pharm* mellite *f;* **h~süß** *a* doux comme le miel, miellé; *fig pej* mielleux.

Honor|ar *n* ‹-s, -e› [hono'ra:r] *(Arbeitsvergütung)* honoraire *m (meist pl); (Autoren~)* droits *m pl* d'auteur; **~arprofessor** *m* professeur *m* honoraire; **~atioren** *pl* [-ratsi'o:rən] notabilités *f pl;* **h~ieren** [-'ri:rən] *tr (Anwalt, Arzt)* honorer; *fin (Wechsel)* faire honneur à, honorer, accepter **~ierung** *f* paiement *m* (des honoraires).

Hopfen *m* ‹-s, -› ['hɔpfən] houblon *m; da ist ~ und Malz verloren (fig)* c'est peine perdue; *mit ~ versehen,* **h~** *tr* houblonner; **~anbau** *m* culture *f* du houblon; **~bauer** *m* houblonnier *m;* **~darre** *f* touraille *f* à sécher le houblon; **~ernte** *f* récolte *f* du houblon; **~feld** *n* houblonnière *f;* **~mehl** *n* lupulin *m;* **~stange** *f* perche à houblon; *fig (langer Mensch)* (grande) perche *f, fam* manche *m* à balai, asperge *f,* échalas *m, pop (Frau)* grande bringue *f.*

hopp ['hɔp] *interj: ~, ~!* et au galop! *fam* et que ça saute!**~eln** *itr (hüpfen)* saut(ill)er. **~la** *interj fam* hop (là)! pardon!

hops [hɔps] *a fam (verloren)* fichu, perdu; *pop* foutu; *~ gehen (pop: verlorengehen)* se perdre, s'égarer; *(sterben)* crever, casser sa pipe; **H~** *m* ‹-es, -e› gambade *f;* **~a** *interj fam* hop (là)! **~en** ‹*ist gehopst*› *itr fam* saut(ill)er, gambader; *das ist gehopst wie gesprungen fam* c'est bonnet blanc et blanc bonnet; **H~er** *m* ‹-s, -› = *~ m.*

Hör|... ['hø:r-] *(in Zssgen)* auditif; **~apparat** *m* = *~gerät;* **h~bar** *a* perceptible (à l'oreille), audible; *kaum ~~* presque imperceptible; **~barkeit** *f* ‹-, ø› perceptibilité, audibilité *f;* **~bereich** *m allg* fréquences *f pl* audibles; *radio (e-s Senders)* zone *f* d'audibilité; portée *f;* **h~bereit** *a tele* à l'écoute; **~bereitschaft** *f: die ~~ unterbrechen (tele)* quitter l'écoute; **~bericht** *m radio* reportage radio(phonique), radioreportage *m;* **~brille** *f (Brille mit ~gerät)* lunettes *f pl* acoustiques *od* auditives; **~prothese** *f* prothèse *f* auditive.

Horch|dienst *m* ['hɔrç-] *mil* service *m* d'écoute; **h~en** *itr* écouter (*an etw* à qc; *auf etw, jdn* qc, qn; *ob* pour voir si), prêter l'oreille, être aux écoutes, avoir l'oreille au guet; *(spionieren)* espionner; **~er** *m* ‹-s, -› écouteur (aux portes), indiscret; *(Spion)* espion *m;* **~gerät** *n* appareil *od* récepteur *m* d'écoute; **~posten** *m mil* poste *m* d'écoute; **~sappe** *f mil* sape *f* d'écoute; **~stollen** *m mil* galerie *f* d'écoute; **~taste** *f tele* clé *f* d'écoute; **~trichter** *m aero* pavillon *m* d'écoute; **~trupp** *m* équipe *f* d'écoute.

Horde *f* ‹-, -n› ['hɔrdə] **1.** *(Flechtwerk)* claie *f;* **2.** *(ungezügelte Schar)* horde, bande, troupe *f.*

Hör|empfang *m* ['hø:r-] *radio* réception *f* auditive; **h~en** *tr* entendre; *(erfahren)* apprendre, savoir; *itr (lauschen, a. radio)* écouter; *radio* être *od* se mettre à l'écoute; *(achtgeben)* faire attention (*auf etw* à qc); *(gehorchen)* obéir (*auf jdn* à qn); *auf die Eltern ~~* écouter ses parents; *von jdm ~~* entendre parler de qn; *gut ~~* avoir l'ouïe *od* l'oreille bonne *od* fine; *die Messe ~~* entendre la messe; *auf den Namen ... ~~ (bes. Hund)* répondre au nom de ...; *nur auf e-m Ohr ~~* n'entendre que d'une oreille; *fig* faire la sourde oreille; *sich gern reden ~~* s'écouter parler; *regelmäßig ~~ (radio: Sendung)* suivre; *schwer* od *schlecht ~~* être dur d'oreille; *e-e Vorlesung ~~* suivre un cours; *sich ~~ lassen* se faire entendre; *fig (gut klingen)* sonner bien; *(nichts) von sich ~~ lassen* (ne pas) donner de (ses) nouvelles; *nichts ~~ wollen* ne pas vouloir entendre parler, ne vouloir rien savoir (*von etw* de qc); se boucher *od* détourner les oreilles; *das ~e ich lieber* j'aime mieux cela; *das ist das erste, was ich ~e* première nouvelle! *mir ist H~~ und Sehen vergangen* j'en ai vu trente-six chandelles; *soviel ich ~e* à ce qu'on me dit; *wenn man Sie ~t!* à vous entendre; *~ mal!* voyons! tiens! *(na) ~~ Sie mal!* attendez (donc)! allons! dites (donc)! tenez! *Sie werden noch von mir ~~!* vous aurez de mes nouvelles; *da wird Ihnen H~~ und Sehen vergehen!* je vous en ferai voir de belles! *das läßt sich (schon) ~~!* à la bonne heure! *wer nicht ~~ will, muß fühlen (prov)* la désobéissance se paie toujours; **~ensagen** *n* ouï-dire *m; vom ~~* par ouï-dire, de réputation; **~er** *m* ‹-s, -› *(Person, a. radio)* auditeur; *(ständiger) radio* usager; *(Gerät, tele)* récepteur *m; den ~~ abnehmen, auflegen (tele)* décrocher, raccrocher le récepteur; **~erbefragung** *f radio* (enquête *f* par) sondage *m* des auditeurs; **~erecho** *n radio* écho *m* des auditeurs; **~ergabel** *f tele* fourchette *f* de téléphone; **~erkreis** *m,* **~erschaft** *f* auditoire *m; radio* auditeurs *m pl;* **~ermuschel** *f tele* pavillon *m;* **~ertribüne** *f radio* tribune *f* des auditeurs; **~fehler** *m* erreur *f* d'audition; *med (Gebrechen)* défaut *m* de l'ouïe; **~folge** *f radio (Programm)* ordre *m* des auditions; *(Sendereihe)* série *f* radiophonique; **~frequenz** *f radio* fréquence acoustique, audiofréquence *f;* **~gerät** *n (für Schwerhörige)* appareil *m* auditif, aide-ouïe *f;* **h~ig** *a (leibeigen)* serf; *fig: jdm ~~ sein* être l'esclave de qn; être entièrement soumis à qn; **~igkeit** *f* ‹-, ø› *hist* servage *m; fig* sujétion *f;* dépendance *f* totale; **~muschel** *f tele* écouteur *m;* **~nerv** *m anat* nerf *m* auditif; **~organ** *n* organe *m* de l'ouïe; **~probe** *f radio (für Künstler)* audition *f;* **~rohr** *n* *(für Schwerhörige)* cornet acoustique; *med* stéthoscope *m;* **~saal** *m* salle *f* de cours *od* de conférences; *(stufenförmiger)* amphithéâtre *m;* **~schärfe** *f* acuité *f* auditive; **~schwelle** *f* seuil *m* d'audibilité; **~spiel** *n radio* pièce radiophonique, audition *f* théâtrale; **~vermögen** *n physiol* capacité *f* auditive; **~weite** *f* portée *f* d'ouïe; *außer ~~* hors de portée d'ouïe; *in ~~* à perte d'ouïe; **~zeichen** *n* signal *m* acoustique.

Horizont *m* ⟨-(e)s, -e⟩ [hori'tsɔnt] horizon *m, a. fig;* ligne *f* d'horizon; *am ~* à l'horizon; *s-n ~ erweitern (fig)* élargir son horizon; *e-n engen ~ haben (fig)* avoir l'esprit étroit; *das geht über meinen ~* cela me dépasse, cela est hors de portée pour moi *od* hors de ma portée; *geistige(r) ~* horizon *m* de l'esprit; *politische(r) ~* horizon *m* politique; **h~al** [-'ta:l] *a (waagerecht)* horizontal; de niveau; **~alantenne** *f* antenne *f* horizontale; **~ale** *f* ⟨-, -n⟩ (ligne) horizontale *f;* **~alebene** *f* plan horizontal, niveau *m;* **~alflug** *m* vol *m* horizontal; **~alprojektion** *f* plan *m od* projection *f* horizontal(e).

Hormon *n* ⟨-s, -e⟩ [hɔr'mo:n] *physiol* hormone *f;* **~präparat** *n* préparation *f* hormonale; **~therapie** *f* hormonothérapie *f.*

Horn *n* ⟨-(e)s, ⸚er⟩ [hɔrn, 'hœrnər] *(Körperteil, Substanz, Gerät)* corne *f; mus (Blasinstrument)* cor, clairon; *geog (Bergspitze)* pic *m,* dent, aiguille *f; sich die Hörner abstoßen* od *(abus) ablaufen (fig)* jeter sa gourme; *jdm Hörner aufsetzen (fig)* faire porter des cornes à qn; *pop* cocufier qn; *das ~ blasen* sonner du cor; *ins ~ stoßen* donner du cor; *ins gleiche ~ stoßen (fig)* s'entendre comme larrons en foire; **h~artig** *a* corné; **~brille** *f* lunettes *f pl* (à monture) de corne *od* d'écaille; **~fisch** *m* baliste *m;* **~haut** *f* callosité *f, (Schwiele)* durillon *m; (des Auges)* cornée *f;* **~hautentzündung** *f med* kératite *f;* **~hautfleck** *m: weiße(r) ~~ (Auge)* taie *f;* **~hauttrübung** *f med* opacité *f* de la cornée; **~hautübertragung** *f med* greffe de la cornée, kératoplastie *f;* **~hecht** *m (Fisch)* orphie *f;* **h~ig** *a* corné; *(Haut)* calleux; **~ist** *m* ⟨-en, -en⟩ [-'nɪst] corniste, cor; *bes. mil* clairon *m;* **~kluft** *f,* **~spalte** *f vet* seime *f;* **~knopf** *m* bouton *m* en corne; **~ochse** *m (Dummkopf)* benêt, idiot *m;* **~signal** *n* sonnerie *f;* **~vieh** *n* bêtes *f pl* à cornes; **~viper** *f zoo* céraste *m.*

Hörn|chen *n* ⟨-s, -⟩ ['hœrnçən] petite corne *f; (Gebäck)* croissant *m; pl zoo (Familie der Nagetiere)* sciuridés *m pl;* **h~en** *a (gehörnt)* cornu; *itr (die Hörner abwerfen)* jeter sa tête; **~erblitzableiter** *m* paratonnerre *m* à cornes; **~erklang** *m* son *m* du cor; **h~ern** *a* de *od* en corne.

Hornisse *f* ⟨-, -n⟩ [hɔr'nisə, 'hɔr-] *ent* frelon *m.*

Horoskop *n* ⟨-s, -e⟩ [horo'sko:p] horoscope *m; jds ~ stellen* tirer *od* dresser *od* faire l'horoscope de qn.

Horst *m* ⟨-(e)s, -e⟩ [hɔrst] *bot* touffe *f; (Raubvogelnest)* nid *m; (e-s Adlers)* aire; *aero (Flieger~)* base *f* aérienne; **h~en** *itr (nisten, von Raubvögeln)* faire son nid, nicher; **~peiler** *m aero (Gerät)* goniomètre *m* d'atterrissage.

Hort *m* ⟨-(e)s, -e⟩ [hɔrt] *(Schatz)* trésor; *fig (Zufluchtsort)* rempart, asile *m,* retraite *f; (Schutz)* appui, soutien; *(Kinder~)* crèche, garderie *f* (d'enfants); **h~en** *tr (Geld, Waren)* thésauriser, stocker, accumuler; **~nerin** *f (Kindergärtnerin)* jardinière *f* d'enfants; **~ung** *f (von Geld, Waren)* thésaurisation *f,* stockage *m* (excessif), accumulation *f.*

Hortensie *f* ⟨-, -n⟩ [hɔr'tɛnziə] *bot* hortensia *m.*

Hose *f* ⟨-, -n⟩ ['ho:zə] *fam a. pl (lange)* pantalon *m; (kurze* od *Knie~)* culotte *f; (enganliegende Damen~)* collant; *arg* froc, grimpant; *hist* haut-de-chausses *m; die ~n anhaben (fig hum)* porter la culotte; *die ~n voll haben (fig vulg: Angst haben)* avoir la chiasse; *in die ~n machen (pop, a.: fig: vor Angst)* faire dans sa culotte; *sich auf die ~n setzen (fig fam: fleißig lernen)* bûcher; *e-m Kind die ~n strammziehen* donner *od fam* flanquer une fessée à un enfant; *das Herz fiel mir in die ~n (fig fam)* le cœur me manqua; *das ist Jacke wie ~* c'est bonnet blanc et blanc bonnet; *ein Paar ~n (fam)* un pantalon, une paire de culottes; **~naufschlag** *m* revers *m* de pantalon; **~nbandorden,** *der* l'ordre *m* de la Jarretière; **~nbein** *n* jambe *f* de pantalon; **~nboden** *m* fond *m* de culotte; **~nbund** *m,* **~ngurt** *m* ceinture *f* de pantalon; **~nklammer** *f (für Radfahrer)* pince *f* à pantalon; **~nklappe** *f,* **~nlatz** *m* pont *m* (de pantalon), braguette *f;* **~nknopf** *m* bouton *m* de culotte; **~nmatz** *m fam* bambin, marmot *m;* **~nnaht** *f* couture *f* de pantalon; **~nrock** *m* jupe-culotte *f;* **~nrolle** *f theat* travesti *m;* **~nscheißer** *m fig vulg* foireux, péteur *m;* **~nschlitz** *m* braguette *f;* **~nsteg** *m* sous-pied *m;* **~nstoßband** *n* talonnette *f;* **~ntasche** *f* poche *f* de pantalon; *mit den Händen in der ~~* les mains dans ses poches; **~nträger** *m (pl)* bretelles *f pl.*

Hosp|ital *n* ⟨-s, -e/⸚er⟩ [hɔspi'ta:l(ə), -'tɛ:lər] hôpital *m;* **~itant** *m* ⟨-en, -en⟩ [-'tant] *(Gasthörer)* auditeur libre; *(Praktikant)* stagiaire *m;* **h~itieren** [-pi'ti:rən] *itr* suivre un cours en auditeur libre; faire un stage; **~iz** *n* ⟨-es, -e⟩ [-'pi:ts] hospice *m.*

Hostie *f* ⟨-, -n⟩ ['hɔstiə] *rel* hostie *f;* **~nteller** *m* patène *f.*

Hotel *n* ⟨-s, -s⟩ [ho'tɛl] hôtel *m;* **~besitzer** *m* hôtelier *m;* **~boy** *m* chasseur, groom *m;* **~dieb** *m* rat *m* d'hôtel; **~diener** *m* garçon *m* d'hôtel; **~gewerbe** *n* industrie hôtelière, hôtellerie *f;* **~ier** *m* ⟨-s, -s⟩ [-təli'e:] = *~besitzer;* **~rechnung** *f* note *f* d'hôtel; **~zimmer** *n* chambre *f* d'hôtel.

hott [hɔt] *interj* hue! haïe! **H~ehü** *n* ⟨-s, -s⟩ [hɔtə'hy:] *(Kindersprache: Pferd)* dada m.

hu [hu:] *interj* hou! *(Ausdruck der Furcht)* brrr!

hü [hy:] *interj* hue! haïe! *der eine will ~ und der andere hott (fig)* l'un tire à hue et l'autre à dia.

Hub *m* ⟨-(e)s, ⸚e⟩ [hu:p, 'hy:bə] *tech,* **~e** *f* ⟨-, -n⟩ *(e-s Gasometers)* levée *f;* **~geschwindigkeit** *f* vitesse *f* de levage; **~höhe** *f* = *~;* **~kraft** *f,* **~leistung** *f* poussée *f;* **~länge** *f* jeu *m;* **~pumpe** *f* pompe *f* élévatoire; **~raum** *m mot* cylindrée *f;* **~schraube** *f* hélice *f* sustentatrice, rotor *m;* **~schrauber** *m aero* hélicoptère *m; mit ~~(n) befördert, ~~- (in Zssgen)* héliporté *a;* **~schrauberlandeplatz** *m* héliport *m,* héligare *f;* **~werk** *n* dispositif *od* treuil *m* de levage.

hüben ['hy:bən] *adv: ~ und drüben* des deux côtés.

hübsch [hʏbʃ] *a* joli; *(schön)* beau; *(niedlich)* mignon; *(reizend)* charmant, gentil; *adv* joliment, gentiment, bien; *ganz ~ (adv) (nicht wenig)* pas mal; *es ~ bleibenlassen* s'en garder bien; *sich ~ machen (fam)* se pomponner; *das ist ~ von Ihnen* c'est gentil *od* bien aimable à vous; *das ist nicht ~ von Ihnen* ce n'est pas bien de votre part; *~ artig a* bien sage; *eine (ganz) ~e Summe f* une coquette somme; une somme rondelette.

Hucke *f* ⟨-, -n⟩ ['hʊkə] *pop (Rücken)* dos *m;* **h~pack** [-pak] *adv fam (auf dem Rücken): jdn ~~ tragen* porter qn sur son dos *od* à califourchon; **~packverkehr** *m loc* transport *m* par fer de semi-remorques.

Hud|elei *f* ⟨-, (-en)⟩ [hu:də'laɪ] *dial (Pfuscherei)* bousillage *m;* **h~eln** ['hu:dəln] *itr dial (pfuschen)* bousiller; **~ler** *m* ⟨-s, -⟩ ['-dlər] bousilleur *m.*

Huf *m* ⟨-(e)s, -e⟩ [hu:f] sabot, ongle *m; ungeduldig mit den ~en scharren (Pferd)* gratter la terre du pied, piaffer; **~beschlag** *m* ferrure *f;* **~eisen** *n* fer *m* à cheval; **~eisenbogen** *m arch* arc *m* en fer à cheval *od* outrepassé; **h~eisenförmig** *a* en fer à cheval; **~eisenmagnet** *m* aimant *m* en fer à cheval; **~lattich** *m bot* pas-d'âne, tussilage *m;* **~nagel** *m* clou *m* à cheval; **~schlag** *m (Tritt)* ruade; *(Geräusch)* battue *f;* **~schmied** *m* maréchal-ferrant *m;* **~schmiede(handwerk** *n)* *f* maréchalerie *f;* **~tiere** *n pl* ongulés *m pl.*

Hüft|bein *n* ['hʏft-] *anat* os *m* iliaque; **~e** *f* ⟨-, -n⟩ hanche *f; bis an die ~~* à mi-corps; *jdn um die ~~ fassen* prendre qn par la taille; *mit den ~~n wackeln* tortiller des hanches; **~gegend,** *die* les reins *m pl;* **~former** *m,* **~gürtel** *m,* **~halter** *m* gaine *f;* **~gelenk** *n* articulation *f* de la hanche *od scient* coxofémorale; **~gelenkpfanne** *f* cavité *f* cotyloïde; **h~lahm** *a* déhanché; **~umfang** *m* tour *m* de hanches; **~verrenkung** *f* tour *m* de reins, luxation *f* de la hanche; **~weh** *n* sciatique, coxalgie *f;* **~weite** *f* tour *m* de hanches.

Hügel *m* ⟨-s, -⟩ ['hy:gəl] colline *f,* coteau *m*, butte; *(Anhöhe)* élévation, éminence *f*; *(kleiner)* monticule, tertre; *(rundlicher)* mamelon *m*; **h~ig** *a* montueux, vallonné, mamelonné; *(uneben)* accidenté; **~kette** *f* chaîne *f* de collines; **~land** *n* (pays *m* de) collines *f pl*.

Hugenott|e *m* ‹-n, -n› [hugə'nɔtə] **~in** *f* huguenot, e *m f*; **h~isch** *a* huguenot.

Huhn *n* ‹-(e)s, ⸚er› [hu:n, 'hy:nər] *(Henne)* poule *f*; *(als Art)* coq *m*; *pl a.* volaille *f*; *mit den Hühnern zu Bett gehen (fig)* se coucher comme les poules; *da lachen ja die Hühner! (fig fam)* c'est parfaitement ridicule! *gebratene(s) ~* poulet *m* rôti; *gemästete(s) ~* poularde *f*; *junge(s) ~* poulette *f*; *verrückte(s) ~ (fig fam)* fou *m*, folle *f*; toqué, e *m f*; *~ in* od *auf Reis* poule *f* au riz.

Hühnchen *n* ‹-s, -› ['hy:nçən] *(a. Hähnchen)* poulet *m*; *mit jdm noch ein ~ zu rupfen haben (fig fam)* avoir maille à partir *od* un compte à régler avec qn.

Hühner|auge *n* ['hy:nər-] *med* cor, œil-de-perdrix *m*; **~augenmittel** *n pharm* coricide *m*; **~augenoperateur** *m* pédicure *m*; **~braten** *m* poulet *m* rôti; **~brühe** *f* consommé *m* de poulet; **~brust** *f (Küche)* blanc de poulet; *med* thorax *m* en entonnoir; **~dieb** *m* voleur *m* de volaille; **~ei** *n* œuf *m* de poule; **~farm** *f* ferme *f* à poulets; **~habicht** *m orn* autour *m*; **~hof** *m* basse-cour *f*; **~hund** *m* chien d'arrêt, braque *m*; **~jagd** *f* chasse *f* à la perdrix; **~korb** cage *f* à poules; **~leiter** *f* échelle *f* de poulailler; **~stall** *m* poulailler *m*; **~stange** *f* perchoir, juchoir *m*; **~suppe** *f* bouillon *m* de poule; **~vögel** *m pl (Ordnung)* gallinacés *m pl*; **~zucht** *f* élevage *m* de (la) volaille, aviculture *f*; **~züchter** *m* éleveur *m* de volaille.

huhu [hu'hu:] *interj* hi, hi, hi!

hui [huɪ] *interj* vlan! v'lan! **H~** *s: im* od *in e-m ~~* en un clin d'œil.

Huld *f* ‹-, ø› [hʊlt] *(Geneigtheit)* grâce; *(Gunst)* faveur; *(Wohlwollen)* bienveillance; *(Milde)* clémence *f*; **h~igen** ['-dɪgən] *itr*, *a. fig* rendre hommage (*jdm* à qn); *(e-r Dame)* faire la cour (*dat* à); *(e-r Ansicht)* adhérer (*dat* à); *(e-r Gewohnheit, e-m Laster)* aimer (*e-r S* qc), s'adonner (*dat* à); *sich ~~ lassen* recevoir les hommages; **~igung** *f* hommage(s *pl*) *m*; *jdm s-e ~~ darbringen* présenter *od* offrir *od* faire agréer ses hommages à qn; **~igungseid** *m* serment *m* d'allégeance; **h~reich** *a*, **h~voll** *a* plein de grâce, gracieux; *(wohlwollend)* bienveillant; *(milde)* clément.

Hüll|e *f* ‹-, -n› ['hʏlə] enveloppe; *(Dekke, Umschlag)* couverture *f*; *(Gehäuse)* étui *m*, gaine *f*; *(Buch)* emboitage *m*; *(Fallschirm)* voilure *f*; *(Kleidung)* vêtement(s *pl*) *m*; *(Schleier)* voile *m*; *bot zoo* peau *f*, tégument; *bot (Blütenhülle)* involucre *m*; *in ~~ und Fülle* en abondance, en masse, à profusion, à foison, *fam* à gogo; *die sterbliche ~~* la dépouille mortelle; **h~en** *tr (einwickeln)* envelopper, draper (*in* de); *(bedecken)* couvrir (*in* de); *in Dunkel ~~* obscurcir, assombrir; *fig (verschleiern)* voiler; *sich in Schweigen ~~* se renfermer dans le silence; **h~enlos** *a (unverhüllt, nackt, a. fig)* (à) nu.

Hüls|e *f* ‹-, -n› ['hʏlzə] *bot* peau; *(Schote)* cosse, gousse; *(Geschoß~~, tech)* douille *f*; **h~en** *tr (ent~~)* écosser, écaler; **~enfrüchte** *f pl bot* légumineuses *f pl*; *(trockene)* légumes *m pl* secs; **h~entragend** *a bot* légumineux; **h~ig** *a bot* muni d'une cosse *od* d'une gousse.

human [hu'ma:n] *a* humain; **H~iora** [-mani'o:ra] *, die pl (die klassischen Fächer)* les humanités *f pl*; **H~ismus** *m* ‹-, ø› [-'nɪsmus] humanisme *m*; **H~ist** *m* ‹-en, -en› [-'nɪst] humaniste *m*; **~istisch** [-'nɪstɪʃ] *a* humaniste; classique; *~~e Bildung f* formation *f* classique; *~~e(s) Gymnasium n (als Einrichtung)* enseignement *m* secondaire classique; **~itär** [-ni'tɛ:r] *a* humanitaire; **H~ität** *f* ‹-, ø› [-'tɛ:t] humanité *f*; **H~itätsduselei** *f pej* humanitarisme *m* déplacé.

Humbug *m* ‹-s, ø› ['humbuk] *(Unsinn)* non-sens *m*, folie, absurdité; *(Schwindel)* charlatanerie, mystification, blague *f*.

Hummel *f* ‹-, -n› ['huməl] *ent* bourdon *m*.

Hummer *m* ‹-s, -› ['humər] *zoo* homard *m*; **~mayonnaise** *f* homard *m* mayonnaise.

Humor *m* ‹-s, (-e)› [hu'mo:r] humour *m*; *(fröhliche Stimmung)* bonne humeur *f*; *~ haben* avoir de l'humour; *mit ~ hinnehmen* prendre en riant; **~eske** *f* ‹-, -n› [-'rɛskə] *(Erzählung)* histoire humoristique; *theat* pièce *f* humoristique; **~ist** *m* ‹-en, -en› [-'rɪst] humoriste *m*; **h~istisch** [-'rɪstɪʃ] *a*. **h~voll** *a* humoristique; **h~los** *a* sans humour, dépourvu d'humour.

humpeln *‹(ist/hat gehumpelt)›* ['humpəln] *itr* boiter, clocher; *fam* clopiner, aller clopin-clopant; *er ist nach Hause gehumpelt* il est rentré chez lui en boitillant; *nach s-m Unfall hat er lange gehumpelt* il a boité longtemps après son accident.

Humpen *m* ‹-s, -› ['humpən] hanap *m*.

Humus *m* ‹-, ø› ['hu:mus] *agr* humus, terreau *m*, terre *f* végétale; **~bildung** *f* formation *f* de l'humus; **~boden** *m*, **~erde** *f* terre *f* végétale; **~decke** *f*, **~schicht** *f* couche *f* de terre végétale; **h~sauer** *a chem* ulmique.

Hund *m* ‹-(e)s, -e› [hunt, -də] chien *(a. Weberei)*; *mine (Förderwagen)* chien *m*, berline *f*, wagonnet *m*; *pl zoo (als Gattung)* canins; *(als Familie)* canidés *m pl*; *wie ein begossener ~ abziehen* partir l'oreille basse *od* tout penaud; *auf den ~ bringen* ruiner; *vor die ~e gehen, auf den ~ kommen* faire le saut, tomber dans la misère; *wie Katze und ~ leben* vivre comme chien et chat; *jdm wie ein ~ nachlaufen* suivre qn comme un chien *od* un caniche; *auf dem ~ sein* être sur la paille *od fam* dans une misère noire *od pop* dans la débine; *bekannt sein wie ein bunter ~* être connu comme le loup blanc; *das ist ein dicker ~!* quelle bévue! *a.* c'est un sacré problème! *er ist mit allen ~en gehetzt* il a plus d'un tour dans son sac; *den letzten beißen die ~e* c'est le dernier qui trinque *fam*; *damit lockt man (bei mir) keinen ~ hinterm Ofen hervor* cela ne prend pas (avec moi); *da liegt der ~ begraben* c'est là que gît le lièvre, voilà le hic; voilà le fond de l'affaire; *ein toter ~ beißt nicht mehr (prov)* chien mort ne mord plus; *~e, die bellen, beißen nicht (prov)* (tous les) chien(s) qui aboie(nt) ne mord(ent) pas; *bei diesem Wetter jagt man keinen ~ vor die Tür* c'est un temps à ne pas mettre un chien dehors; *kommt man über den ~, so kommt man auch über den Schwanz (prov)* quand on a avalé le bœuf, il ne faut pas s'arrêter à la queue; *böser ~, zerrissenes Fell (prov)* chien hargneux a toujours l'oreille déchirée; *falsche(r) ~ (pop)* faux jeton *m*; *fliegende(r) ~ (Fledermaus)* roussette *f*; *junge(r) ~* chiot *m*; *mit allen ~en gehetzt (fam)* retors *a*; **~eausstellung** *f* exposition *f* canine *od* de chiens; **~ebiß** *m* morsure *f* de chien; **h~eelend** *a: mir ist ~~* je suis malade comme un chien; **~efahrkarte** *f loc* billet *m* de chien; **~ehütte** *f* niche *f* (à chien), chenil *m*; **~ekälte** *f* froid *m* noir *od* de loup *od* de canard; **~ekuchen** *m* biscuit *m* pour chiens; **~eleben** *f fig* vie *f* de chien; **~eleine** *f* laisse *f*, **~eliebhaber** *m* amateur *m* de chiens; **~eloch** *n fig fam (Elendsquartier)* chenil, taudis *m*; **~emarke** *f* plaque *f* de chien; *arg mil (Erkennungsmarke)* plaque *f* d'identité; **h~emüde** *a pred* exténué, harassé, éreinté, *fam* vanné, sur les dents; *ich bin ~~ (a.)* je tombe de fatigue; **~enase** *f* truffe *f*; **~epeitsche** *f* fouet *m*; **~erasse** *f* race *f* canine *od* de chiens; **~erennen** *n* course *f* de chiens *od* de lévriers; **~esteuer** *f* taxe *f od* impôt *m* sur les chiens; **~ewache** *f mar* quart *m* de minuit à 4 heures; **~ewetter** *n fam* temps de chien, chien *od* diable *m* de temps; **~ezucht** *f* élevage *m* de chiens; **~ezwinger** *m* chenil *m*; **~sfott** *m* canaille *f*; *pop* salaud, jean-foutre *m*; **~sfötterei** *f* [-fœtə'raɪ] infamie, canaillerie; *pop* cochonnerie *f*; **h~sföttisch** ['-fœtɪʃ] *a* salaud *pop*; **h~sgemein** *a* ignoble, infâme, abject; **~shai** *m zoo* (petite) roussette *f*; **h~smiserabel** *a fam* très mauvais; *mir ist ~~*; *s. h~eelend*; **h~smüde** = *~emüde*; **~srose** *f bot* = *Heckenrose*; **~sstern,** *der (astr)* la canicule, Sirius *m*; **~stage,** *die* les jours *m pl* caniculaires, la canicule.

hundert ['hundərt] cent; *gegen* od *etwa* od *ungefähr* od *circa* od *an die ~* une centaine; *alle ~ Jahre stattfindend* centennal, séculaire; **H~** *n* ‹-s, -e› cent *m*, centaine *f*; *zu ~~en* par centaines; *vom ~~* pour cent; **H~er** *m* ‹-s, -› *math* centaine *f*; *(Geld-*

schein) billet *m* de cent; **~erlei** ['---'laɪ] *a* de cent espèces; *allg (mancherlei)* trente-six choses; **~fach** *a,* **~fältig** *a* centuple; *adv* au centuple; **~gradig** *a (Winkelmaß)* centigrade; **H~jahrfeier** *f* [-'ja:rfaɪər] centenaire *m;* **~jährig** *a* centenaire, séculaire; **H~jährige(r)** *m* centenaire *m;* **H~kilometertempo** *n* vitesse *f* de 100 km (à l'heure); **~köpfig** *a* aux cent têtes; **~mal** *adv* cent fois; **H~meterlauf** *m sport* course *f* de 100 mètres plat; **~prozentig** *a u. adv* à cent pour cent; **H~satz** *m* pourcentage *m;* **H~schaft** *f* centurie *f;* **H~stel** *n* ‹-s, -› centième *m;* **~ste(r, s)** *a* centième; *vom H~~n ins Tausendste kommen* parler à bâtons rompus, faire des coq-à-l'âne; **~tausend** cent mille; **H~tausende** *pl* des centaines de mille (*von* de).

Hünd|in *f* ['hʏnd-] chienne *f;* **h~isch** *a fig (kriecherisch)* rampant, servile; *(gemein)* vilain.

Hüne *m* ‹-n, -n› ['hy:nə] géant, colosse *m;* **~ngestalt** *f* stature *f* gigantesque; **~ngrab** *n* dolmen *m,* table *f* du diable; **h~nhaft** *a* gigantesque, colossal.

Hunger *m* ‹-s, ø› ['hʊŋər] faim (*nach* de); *fig (Verlangen)* faim, soif *f,* appétit *m* (*nach* de); *~ bekommen* commencer à avoir faim; *(keinen) ~ haben* (n')avoir (pas) faim, *fam* avoir la dent; *großen ~ haben* avoir très *od* bien faim, *fam* avoir l'estomac dans les talons; *~ leiden* souffrir de la faim; *~s sterben* mourir de faim; *s-n ~ stillen* apaiser *od* assouvir *od* calmer *od* rassasier sa faim; *vor ~ umfallen* tomber d'inanition; *~ ist der beste Koch (prov)* il n'est sauce que d'appétit; **~blockade** *f* blocus *m* de la famine; **~jahr** *n* année *f* de famine *od* de disette; **~künstler** *m* jeûneur *m;* **~kur** *f med* diète *f* absolue, régime *m* de jeûne; **~leider** *m* famélique, claquefaim, meurt-de-faim, *fam* traîne-malheur, traîne-misère, *pop* crève-la-faim *m;* **~lohn** *m* salaire *m* de famine *od* dérisoire; **h~n** *itr* ne pas manger à sa faim; *(fasten)* jeûner; *(aus gesundheitlichen Gründen)* faire diète; **~ödem** *n med* œdème *m* d'alimentation *od* de carence *od* de dénutrition *od* épidémique *od* de guerre; **~quelle** *f* source *f* intermittente; **~snot** *f* famine; *(Teuerung)* disette *f;* **~streik** *m* grève *f* de la faim, jeûne *m* de protestation; **~tod** *m: den ~~ sterben* mourir de faim *od* d'inanition; **~tuch** *n: am ~~ nagen* manger de la vache enragée, tirer le diable par la queue; **hungrig** ayant faim, affamé; *(sehr) ~~ sein = (großen) Hunger haben.*

Hunne *m* ‹-n, -n› ['hʊnə] *hist* Hun *m.*

Hupe *f* ‹-, -n› ['hu:pə] *mot* (cornet) avertisseur *m,* corne, trompe *f;* klaxon *m;* **h~n** *itr* donner un coup de corne, corner; klaxonner; **~n** *n* coup *m* de trompe *od* de klaxon; *~~ verboten!* avertisseurs sonores interdits.

hüpfen ‹*ist gehüpft*› ['hʏpfən] *itr* sautiller; bondir; *(springen)* sauter; *auf einem Bein ~~* sauter à cloche-pied; *das ist gehüpft wie gesprungen (fig)* c'est bonnet blanc et blanc bonnet *od* chou vert et vert chou.

hupp [hʊp] *interj* houp!

Hürde *f* ‹-, -n› ['hʏrdə] claie *f,* clayon *m; sport* haie *f; e-e ~ nehmen* franchir *od* sauter une haie; **~nlauf** *m,* **~nläufer** *m sport* course *f,* coureur *m* de haies; **~nsprung** *m* saut *m* de haie.

Hur|e *f* ‹-, -n› ['hu:rə] prostituée, coureuse, fille, femme de mauvaises mœurs, *fam* grue, *vulg* putain, catin, garce, salope, saleté *f;* **h~en** *itr* forniquer; se débaucher; **~enbock** *m vulg* putassier *m;* **~enhaus** *n vulg* maison *f* publique *od* de tolérance, bordel *m;* **~enkind** *n* bâtard *m;* **~ensohn** *m vulg* fils *m* de putain; **~erei** *f* [-'raɪ] prostitution; paillardise; mœurs *f pl* licencieuses; *allg (außerehelicher Geschlechtsverkehr)* fornication.

hurra [hʊ'ra:, 'hʊra] *interj* hourra!; *~ rufen, ~ schreien* pousser des hourras, chanter victoire; **H~patriot** *m* chauvin, patriotard *m;* **H~patriotismus** *m* chauvinisme, patriotisme *m* cocardier.

hurtig ['hʊrtɪç] *a (flink)* preste, diligent, agile, leste; *(schnell)* rapide, prompt; *(munter)* alerte, allègre, gai; **H~keit** *f* ‹-, ø› prestesse, diligence, agilité; promptitude *f.*

Husar *m* ‹-en, -en› [hu'za:r] *mil* hussard *m;* **~enmütze** *f* colback *m.*

husch [hʊʃ] *interj: ~, ~!* hop(, hop)! vite (, vite)! **H~** *m* ‹-es, -e›: *im ~~* au galop; *ich war (nur) auf e-n ~~ bei ihm* je ne fis qu'un saut chez lui; **~en** ‹*ist gehuscht*› *itr* (se) glisser *od* passer rapidement *od* furtivement.

hüsteln ['hy:stəln] *itr* toussoter.

Husten *m* ‹-s, (-)› ['hu:stən] toux *f,* rhume *m* de poitrine; *den ~ haben* tousser, être enrhumé; **h~** *itr* tousser; *auf etw ~~ (fig)* cracher sur qc, faire fi de qc; *Blut ~~* cracher le sang; *die Flöhe ~~ hören (hum)* se croire plus fin que les autres; *ich werde dir was ~~!* je t'en donnerai; tu peux toujours courir *pop;* **~anfall** *m* quinte *f* de toux; **~bonbon** *m* od *n* pastille *f* contre la toux; **h~lindernd** *a,* **h~stillend** *a* béchique, pectoral; **~mittel** *n* béchique *m;* **~reiz** *m* irritation des bronches, envie *f* de tousser; **~saft** *m* sirop *m* contre la toux.

Hut 1. *m* ‹-(e)s, ⸚e› [hu:t, 'hy:tə] chapeau *a. bot (Pilz); pop* galurin; *arg* bitos *m; mit dem ~ in der Hand* le chapeau à la main; *vor jdm den ~ abnehmen* od *ziehen* ôter son chapeau, mettre chapeau bas, donner un coup de chapeau à qn, se découvrir devant qn; *den ~ aufbehalten* garder son chapeau, rester couvert; *den ~ aufsetzen* mettre son chapeau; *unter einen ~ bringen (fig)* mettre d'accord; harmoniser; *den ~ in die Stirn drücken* enfoncer son chapeau; *den ~ lüften* soulever son chapeau; *da geht einem (ja) der ~ hoch* c'est à n'y plus tenir; *das kannst du dir an den ~ stecken! (fam)* je m'en moque; *~ ab!* chapeau bas! *alter ~ (fig fam)* vieille histoire; de l'histoire ancienne; **~band** *n* ruban *m* de chapeau; **~besatz** *m* garniture *f* de chapeau; **~bürste** *f* brosse *f* à chapeau(x); **~fabrik** *f* chapellerie *f;* **~former** *m (Gerät)* forme *f* à chapeaux, conformateur *m;* **~formerin** *f* apprêteuse *f;* **~futter** *n* coiffe *f* (de chapeau); **~garniererin** *f* garnisseuse *f* de chapeaux; **~geschäft** *n* chapellerie *f;* **~krempe** *f* bord *m* d'un *od* du chapeau; **~macher** *m* chapelier *m;* **~nadel** *f* épingle *f* à chapeau; **~schachtel** *f* carton *m* à chapeau; **~schleier** *m* voilette *f;* **~schnur** *f* cordon *m* de chapeau; *das geht mir über die ~~ (fig fam)* j'en ai par-dessus la tête; **~ständer** *m* porte-chapeau(x) *m;* **~stepper(in** *f***)** *m* garnisseur, se *m f* de chapeaux; **~stumpen** *m* forme *f;* **~zucker** *m* pain *m* de sucre.

Hut 2. *f* ‹-, ø› [hu:t] *(Aufsicht, Schutz)* garde, surveillance *f; in jds ~* sous la garde de qn; *auf der ~ sein* être *od* se tenir sur ses gardes, se tenir sur la réserve, être sur le qui-vive, se mettre sur ses gardes, prendre garde, veiller au grain.

Hütchen *n* ‹-s, -› ['hy:tçən] *fam (Damenhütchen)* bibi *m.*

Hüt|ebub ['hy:tə-] *m,* **~ejunge** *m* gardeur *m;* **h~en** *tr (bewachen)* garder, surveiller; veiller sur *od* à; *~~ vor (schützen)* préserver de, garantir de *od* contre; *sich ~~ vor* se garder de, prendre garde à; *sich ~~, etw zu tun* se garder de faire qc; *das Bett, Zimmer, Haus ~~ (wegen Krankheit)* garder le lit, la chambre, la maison; *ich werde mich ~~!* je m'en garderai bien! *hüte dich, daß du nicht ...* prends garde à ne pas ...; *~~ Sie sich!* soyez sur vos gardes! **~er** *m* ‹-s, -› gardien; *(Aufseher)* surveillant; *(Wärter)* garde; *(Viehhüter)* gardeur *m;* **~erin** *f* gardienne; surveillante; garde; gardeuse *f.*

Hütte *f* ‹-, -n› ['hʏtə] *(kleines, ärmliches Haus)* cabane; *(mit Strohdach)* chaumière; *(aus Holz)* baraque; *(kleine ~, bes. primitiver Völker)* hutte, case, cahute; *(kleine, bes. Wald~)* loge *f; (Berg-, bes. Senn~)* chalet *m; (elende)* masure; *tech (Eisen~)* usine métallurgique, aciérie; *(meist pl)* forge; *(Schmelz~)* fonderie *f;* **~narbeiter** *m* ouvrier *m* métallurgiste; **~nbesitzer** *m* maître *m* de forges; **~nbetrieb** *m* exploitation *f* métallurgique; **~nerzeugnis** *n* produit *m* métallurgique; **~nindustrie** *f* industrie *f* métallurgique; **~nkunde** *f* métallurgie *f;* **~nmeister** *m* inspecteur *m* d'une *od* de la fonderie; **~nwerk** *n* usine *f* métallurgique; **~nwesen** *n* métallurgie *f.*

Hutzel *f* ‹-, -n› ['hʊtsəl] *dial (Dörrobst)* fruit *m* séché; *fig (altes Weiblein)* petite vieille *f;* **~brot** *n (Früchtebrot)* pain *m* aux fruits secs; **h~ig** *a,* **hutzlig** *a (schrumpelig)* ratatiné.

Hyäne *f* ‹-, -n› [hy'ɛ:nə] *zoo* hyène *f.*

Hyazinthe *f* ‹-, -n› [hya'tsɪntə] *bot* jacinthe *f;* **~nzwiebel** *f* bulbe *m* de jacinthe.

Hybrid|e *f (a. m)* ‹-n, -n› [hy'bri:də] *scient (Bastard)* hybride *m;* **h~(isch)** *a* hybride.

Hydrant *m* ‹-en, -en› [hy'drant] *tech* bouche à eau *od* d'incendie, borne d'incendie, prise *f* d'eau.

Hydrat *n* ‹-(e)s, -e› [hy'dra:t] *chem* hydrate *m.*

Hydraul|ik *f* ‹-, ø› [hy'draulɪk] *phys tech* hydraulique *f;* **h~isch** [-'draulɪʃ] *a* hydraulique.

Hydrier|anlage *f* [hy'dri:r-] **~werk** *n chem tech* installation *f* d'hydrogénation; **h~en** *tr* hydrogéner; **~ung** *f* hydrogénation *f.*

Hydro|dynamik [hydrody'na:mik] *f phys (Strömungslehre)* hydrodynamique *f;* **~genium** *n* ‹-s, ø› [-'ge:nium] *chem (Wasserstoff)* hydrogène *m;* **~graphie** *f geog (Gewässerkunde)* hydrographie *f;* **~lyse** *f* ‹-, -n› [-'ly:zə] *chem* hydrolyse *f;* **h~lytisch** [-'ly:tɪʃ] hydrolytique; **~mechanik** *f phys (Mechanik der Flüssigkeiten)* mécanique *f* des fluides; **~meter** *n* hydromètre *m;* **~statik** *f phys* hydrostatique *f;* **h~therapeutisch** *a med* hydrothérapeutique; **~therapie** *f (Wasserheilkunde)* hydrothérapie *f.*

Hygien|e *f* ‹-, ø› [hygi'e:nə] hygiène *f;* **h~isch** [-gi'e:nɪʃ] *a* hygiénique.

Hygro|meter *n* [hygro'metər] hygromètre *m;* **h~phil** [-'fi:l] *a bot (wasserliebend)* uliginaire, uligineux; **~skop** *n* ‹-s, -e› [-'sko:p] hygroscope *m;* **h~skopisch** [-'sko:pɪʃ] *a (Feuchtigkeit an sich ziehend)* hygroscopique.

Hymn|e *f* ‹-, -n› ['hʏmnə] hymne *m, rel f;* **h~isch** *a* hymnique; **~us** *m* ‹-, -nen› hymne m.

Hyperbel *f* ‹-, -n› [hy'pɛrbəl] *(math; Redekunst: Übertreibung)* hyperbole *f.*

Hypno|se *f* ‹-, -n› [hʏp'no:zə] hypnose *f;* **h~tisch** [-notiʃ] *a* hypnotique; **~tiseur** *m* ‹-s, -e› [-ti'zø:r] hypnotiseur *m;* **h~tisieren** [-ti'zi:rən] *tr* hypnotiser.

Hypochond|er *m* ‹-s, -› [hypo'xɔndər] hypocondriaque *m;* **~rie** *f* ‹-, ø› [-xɔn'dri:] hypocondrie *f;* **h~risch** [-'xɔndrɪʃ] *a* hypocondriaque.

Hypophyse *f* ‹-, -n› [hypo'fy:zə] *anat (Hirnanhang)* hypophyse, glande *f* pituitaire.

Hypostase *f* ‹-, -n› [hypo'sta:zə] hypostase *f; (Sprachwissenschaft)* translation *f.*

Hypothenuse *f* ‹-, -n› [hypote'nu:zə] *math* hypoténuse *f.*

Hypothek *f* ‹-, -en› [hypo'te:k] hypothèque *f* (*auf* sur); *e-e ~ ablösen* od *abtragen* od *abzahlen* od *tilgen* amortir *od* purger une hypothèque; *e-e ~ aufnehmen* asseoir *od* lever *od* prendre une hypothèque; *mit e-r ~ belasten* grever d'une hypothèque, hypothéquer; *e-e ~ bestellen* constituer une hypothèque; *e-e ~ kündigen (Gläubiger)* donner avis de retrait d'une hypothèque; *e-e ~ löschen* radier une hypothèque; *erste, zweite ~* hypothèque *f* de premier, second rang; *Belastung f mit e-r ~* dette *f* hypothécaire; **h~arisch** [-te'ka:rɪʃ] *a* hypothécaire; *~~ belasten, sichern* hypothéquer; *~~e Sicherheit f* gage *m* hypothécaire; *gegen ~~e Sicherheit* sur hypothèque; **~enanleihe** *f* emprunt *m* hypothécaire *od* sur hypothèque; **~enbank** *f* banque *f* hypothécaire *od* foncière *od* immobilière; **~enbestellung** *f* constitution d'une hypothèque, affectation *f* hypothécaire; **~enbrief** *m* lettre *od* cédule *f od* titre *m* hypothécaire *od* d'hypothèque; **~enforderung** *f* créance *f* hypothécaire; **h~enfrei** *a* libre d'hypothèques; **~engläubiger** *m* créancier hypothécaire, prêteur *m* sur hypothèque; **~enlast** *f* charge *f* hypothécaire; **~enpfandbrief** *m* obligation *f* hypothécaire *od* foncière; **~enrecht** *n* droit *m* hypothécaire *od* d'hypothèque; **~enschuld** *f* dette *f* hypothécaire; **~enschuldner** *m* débiteur *m* hypothécaire; **~enzinsen** *m pl* intérêts *m pl* hypothécaires.

Hypothe|se *f* ‹-, -n› [hypo'te:zə] hypothèse; *(Annahme)* supposition, présomption *f;* **h~tisch** [-'te:tɪʃ] *a* hypothétique.

Hyster|ie *f* ‹-, -n› [hʏste'ri:] *med* hystérie *f;* **~iker(in *f*)** *m* ‹-s, -› [-'te:rikər] hystérique *m f;* **h~isch** [-'te:rɪʃ] *a* hystérique.

I

I, i *n* ⟨-, -⟩ [i:] *(Buchstabe)* I, i *m; es fehlt nicht der Punkt auf dem i (fig)* il ne manque pas un iota; **I-Punkt** *m* point *m* sur l'i; **I-Tüpfelchen** *n fig fam* iota *m.*

i [i:] *interj* fi! pouah! *~ bewahre! ~ wo!* mais non! allons donc! y pensez-vous?

I a *a (sprich: eins a)* marqué de l'A.

iahen [i'a:ən] *itr (schreien, vom Esel)* braire.

iberisch [i'be:rɪʃ] *a geog* ibérique; *die I~e Halbinsel* la péninsule ibérique.

ich [ɪç] *pron (mit v verbunden)* je; *(unverbunden)* moi; *pop* bibi; *~ auch nicht* (ni) moi non plus; *~ für meine Person (fam)* quant à moi; *~ selbst* moi-même; *~ bin's* c'est moi; *hier bin ~* me voici; *~ Ärmster!* malheureux que je suis! *und ~ erst!* et moi donc! **I~,** *n* ⟨-/-s, -/-s⟩ *das* le moi; *mein früheres ~~* mon moi antérieur; *das liebe ~~* ma, ta, sa petite personne; *ein zweites ~~* un autre moi-même; **I~bewußtsein** *n* conscience *f* du moi; *ein starkes ~~ haben* avoir conscience de sa propre valeur; **I~bezogenheit** *f* égocentrisme *m;* **I~-Roman** *m* roman *m* autobiographique; **I~sucht** *f* égoïsme; *(Eigenliebe)* amour-propre, amour *m* de soi.

Ichneumon *m* od *n* ⟨-s, -e/-s⟩ [ɪç'nɔʏmɔn] *zoo* ichneumon *m,* mangouste *f.*

Ichthyo|l *n* ⟨-s, ø⟩ [ıçty'o:l] *pharm* ichthyol *m;* **~logie** *f* ⟨-, ø⟩ [-lo'gi:] *(Fischkunde)* ichthyologie *f;* **~saurier** *m* ⟨-s, -⟩ [-'zauriər] **~saurus** *m* ⟨-, -rier⟩ [-'zaurus, -riər] *zoo* ichthyosaure *m.*

Ideal *n* ⟨-s, -e⟩ [ide'a:l] idéal; *(Muster)* prototype *m; das ~ e-s, e-r* ... un, une ... par excellence; **i~** *a* idéal, parfait; **~fall** *m* cas *m* idéal; **i~isieren** [-ali'zi:rən] *tr* idéaliser; **~ismus** *m* ⟨-, ø⟩ [-'lɪsmus] idéalisme *m;* **~ist** *m* ⟨-en, -en⟩ [-'lɪst] idéaliste *m;* **i~istisch** [-'lɪstɪʃ] *a* idéaliste; **~welt** *f* monde *m* idéal.

Idee *f* ⟨-, -n⟩ [i'de:, i'de:ən] idée; *(Vorstellung)* conception; *(Begriff)* notion *f,* concept *m; (Gedanke)* pensée; *(Einfall)* inspiration; *(Vorschlag)* suggestion *f; e-e ~ (fam: ein ganz klein wenig)* une idée, un tout petit peu; *e-e ~ Salz* un soupçon *m* de sel; *keine ~ von etw haben (fam), sich keine ~ von etw machen* ne pas avoir la moindre idée de qc; *voller ~n stecken* être plein d'idées; *das ist e-e ~!* tiens! c'est une idée; *fixe ~* idée fixe, obsession *f; geniale ~ (a.)* idée *f* de génie; **i~ll** [ide'ɛl] *a (vorgestellt, gedacht)* idéel, idéal; *(der Möglichkeit nach vorhanden)* virtuel; **~nassoziation** *f* association *f* d'idées *od* des idées; **i~nreich** *a* riche en idées; **~nwelt** *f* monde *m* des idées.

Iden *pl* ['i:dən] *hist: die ~ des März* les ides *f pl* de mars.

ident|ifizieren [idɛntifi'tsi:rən] *tr* identifier; **I~ifizierung** *f* identification *f;* **~isch** [i'dɛntɪʃ] *a* identique *(mit* à); **I~ität** *f* ⟨-, ø⟩ [-ti'tɛ:t] identité *f;* **I~itätsnachweis** *m* preuve *f* d'identité.

Ideolog|e *m* ⟨-n, -n⟩ [ideo'lo:gə] idéologue *m;* **~ie** *f* ⟨-, -n⟩ [-lo'gi:] idéologie *f;* **i~isch** [-'lo:gɪʃ] *a* idéologique.

Idiom *n* ⟨-s, -e⟩ [idi'o:m] *(Sprache)* idiome *m,* langue *f;* **i~atisch** [-'ma:tɪʃ] *a* idimatique.

Idiosynkrasie *f* ⟨-, -n⟩ [idiozʏnkra'zi:] *med (Überempfindlichkeit), psych (starke Abneigung)* idiosyncrasie *f.*

Idiot *m* ⟨-en, -en⟩ [idi'o:t] idiot, *fam* fou, *arg* tordu *m; halbe(r) ~ (fam)* gaga *m;* **~ie** *f* ⟨-, -n⟩ [-'ti:] idiotie, *fam* folie *f;* **i~isch** [idi'o:tɪʃ] *a* idiot, *fam* fou.

Idol *n* ⟨-s, -e⟩ [i'do:l] idole *f.*

Idyll *n* ⟨-s, -e⟩ [i'dʏl], **~e** *f* ⟨-, -n⟩ *(Literatur, Kunst)* idylle *f;* **i~isch** [i'dʏlɪʃ] *a* idyllique.

Igel *m* ⟨-s, -⟩ ['i:gəl] *zoo* hérisson *m;* **~stellung** *f mil* hérisson *m.*

Ignor|ant *m* ⟨-en, -en⟩ [igno'rant] ignorant; *(Dummkopf)* sot, imbécile *m;* **~anz** *f* ⟨-, ø⟩ [-'rants] ignorance *f;* **i~ieren** [-'ri:rən] *tr (nicht wissen wollen)* ignorer; *(nicht beachten)* faire semblant *od* affecter *od* feindre de ne pas connaître (*jdn* qn); ne pas tenir compte (*etw* de qc).

ihm [i:m] *pron (mit v verbunden* u. *mit prp)* lui; *(unverbunden)* à lui.

ihn [i:n] *pron (mit v verbunden)* le; *(unverbunden)* (c'est) lui (que); *(mit prp)* lui.

ihnen [i:nən] *pron (mit v verbunden)* leur; *(unverbunden)* à eux *m,* à elles *f; (mit prp)* eux *m,* elles *f;* **I~** *(Höflichkeitsanrede, sing u. pl) (mit v verbunden* u. *mit prp)* vous; *(unverbunden)* à vous.

ihr [i:r] *pron (dat von: sie (sing); mit v verbunden)* lui; *(unverbunden)* à elle; *(mit prp)* elle; *pl* vous; *(possessiv) (ein weibl. Besitzer)* son *m,* sa *f,* ses *pl; (mehrere Besitzer)* leur *sing,* leurs *pl; der, die, das ~(ig)e (ein weibl. Besitzer)* le sien, la sienne; *(a. die I~(ig)en)* les siens *m pl; (mehrere Besitzer)* le, la leur; *(a. die I~(ig)en)* les leurs; **I~** *pron (possessiv, Höflichkeitsform)* votre; *pl (~~e)* vos; *der, die, das ~~(ig)e,* le, la vôtre; *das ist ~~e Sache* od *Angelegenheit* c'est votre affaire; *tun Sie das ~~e!* faites votre devoir; *auf das ~~e! (Wohl; entgegnend)* à la vôtre! *ganz der ~~e* tout à vous; **~er** ⟨*Genitiv von „sie" (pl)*⟩ d'eux, d'elles; *es waren ~ drei* ils, elles étaient trois; **~erseits** *adv (auf eine weibl. Person bezogen)* de sa part, de son côté; *(auf mehrere Personen bezogen)* de leur part *od* côté; **I~erseits** *adv (Höflichkeitsform)* de votre part *od* côté; **~esgleichen** *pron (auf eine Person bezogen)* son, *(auf mehrere)* leur pareil; **I~esgleichen** *pron (Höflichkeitsform)* votre pareil; **~ethalben** *adv,* **~etwegen** *adv,* **~etwillen,** *um (adv)* à cause d'elle, d'eux, d'elles; pour elle, eux, elles; *(mit großen Anfangsbuchstaben, Höflichkeitsform)* à cause de *od* pour vous.

Ileus *m* ⟨-, Ileen⟩ ['i:leus, -leən] *anat* occlusion *f* intestinale.

Ilias *f* ⟨-, ø⟩ ['i:lias] l'Iliade *f.*

illegal ['ɪ-, ɪle'ga:l] *a (ungesetzlich, unrechtmäßig)* illégal; **I~ität** *f* ⟨-, ø⟩ [-'tɛ:t] illégalité *f.*

illegitim ['ɪ-, ɪlegi'ti:m] *a (ungesetzlich; unehelich)* illégitime; **I~ität** *f* ⟨-, ø⟩ [-'tɛ:t] illégitimité *f.*

illiquid ['ɪ, ɪlik'vi:t] *a fin* insolvable.

illoyal ['ɪ-, ɪloa'ja:l] *a (unehrlich; staatsfeindlich)* déloyal; **I~ität** *f* ⟨-, ø⟩ [-'tɛ:t] déloyauté *f.*

Illumin|ation *f* ⟨-, -en⟩ [ɪluminatsi'o:n] *(Festbeleuchtung)* illumination *f;* **~ator** *m* ⟨-s, -en⟩ [-'na:tor, -'to:rən] *(Buchmaler)* enlumineur *m;* **i~ieren** [-'ni:rən] *tr (festlich beleuchten)* illuminer; *(Buch ausmalen)* enluminer.

Illus|ion *f* ⟨-, -en⟩ [ɪluzi'o:n] illusion *f; sich ~~en hingeben, sich ~~en machen* se faire des illusions, se flatter *od* se bercer d'illusions, s'illusionner (*über* sur); se faire des idées *od* de fausses espérances, se repaître de chimères, être sa (propre) dupe *od* la dupe de soi-même; *sich keine ~~en machen über* ne pas se dissimuler; **i~orisch** [-'zo:rɪʃ] *a* illusoire.

Illustr|ation *f* ⟨-, -en⟩ [ɪlustratsi'o:n] illustration *f;* **i~ieren** [-'tri:rən] *tr* illustrer *a. fig (anschaulich machen);* **i~iert** *a* illustré; *~~e Zeitung f,* **~ierte** *f* (journal) illustré *m.*

Iltis *m* ⟨-sses, -sse⟩ ['ɪltɪs] *zoo* putois *m.*

im [ɪm] = *in dem.*

imaginär [imagi'nɛ:r] *a, a. math* imaginaire.

Imbiß *m* ⟨-sses, -sse⟩ ['ɪmbɪs] collation *f, fam* casse-croûte *m; e-n ~*

nehmen prendre une collation, manger un morceau, *fam* casser une *od* la croûte; **~halle** *f*, **~stube** *f* buvette *f*, bar *m*.

Imit|ation *f* ⟨-, -en⟩ [imitatsi'o:n] imitation; *(Fälschung)* falsification *f*; *(unechter Schmuck)* simili *m*; **i~ieren** [-'ti:rən] *tr* imiter; *(fälschen)* contrefaire, falsifier, fausser.

Imker *m* ⟨-s, -⟩ ['ɪmkər] apiculteur *m*; **~ei** [-'raɪ] *f* apiculture *f*; **~maske** *f* masque *m* d'apiculteur.

immanen|t [ɪma'nɛnt] *a philos (innewohnend)* immanent; **I~z** *f* ⟨-, ø⟩ [-'nɛnts] immanence *f*.

immateriell ['ɪ-, ɪmateri'ɛl] *a* immatériel.

Immatrikul|ation *f* ⟨-, -en⟩ [ɪmatrikulatsi'o:n] *(Univ.)* immatriculation, inscription *f*; **~ationsurkunde** *f* certificat *m* d'immatriculation; **i~ieren** [-'li:rən] *tr* immatriculer, inscrire; *sich ~~ (lassen)* se faire inscrire, s'inscrire, prendre ses inscriptions (*in* à).

Imme *f* ⟨-, -n⟩ ['ɪmə] *vx, dial (Biene)* abeille *f*.

immens [ɪ'mɛns] *a* immense; *adv* immensément.

immer ['ɪmər] *adv* toujours; *(unaufhörlich)* sans cesse, continuellement, constamment; *wann auch ~* ... à quelque moment que *subj*; *was auch ~* quoi que *subj*; *wer auch ~* ... qui que ce soit qui *subj*; *wie auch ~* ... de quelque façon que *subj*; *wo auch ~* ... où que *subj*; *auf* od *für ~* pour toujours, à (tout) jamais, à perpétuité; sans retour, à la vie et à la mort; *noch ~*, *~ noch* toujours, encore; *schon ~* (depuis) toujours; de tout temps; *~ besser* de mieux en mieux; *~ größer* de plus en plus grand; *~ mehr* de plus en plus; *~ schlimmer* de plus en plus mauvais *a*, mal *adv*; de mal en pis *adv*; *~ weniger* de moins en moins; *~, wenn* ... toutes les fois que; *~ wieder* toujours; *~ größer werden (a.)* grandir de jour en jour; *fangen Sie ~ an!* commencez donc! *er kommt ~ noch nicht* il ne vient toujours pas; **~dar** *adv lit* toujours, à jamais; **~fort** *adv* continuellement, constamment, sans cesse; **~grün** *a bot* à feuilles persistantes; **I~grün** *n* ⟨-s, -e⟩ *bot* pervenche *f*; **~hin** *adv* toujours (est-il que), toutefois; en tout cas; *(wenigstens)* du moins; *das ist ~~ (et)was* c'est toujours ça; *er hat sich ~~ entschuldigt* en tout cas, il s'est excusé; *~~! (meinetwegen!)* à la bonne heure! soit! *(im Ton des Vorwurfs)* tout de même! **~während** *a* continuel, perpétuel; **~zu** *adv* toujours, sans cesse *od* arrêt.

Immobil|iarkredit *m* [ɪmobili'a:r-] crédit *m* immobilier; **~ien** *pl* [-'bi:liən] immeubles, biens *m pl* immeubles *od* immobiliers *od* fonciers; **~iengesellschaft** *f* société *f* immobilière; **~ienhandel** *m* commerce *m* d'immeubles; **~ienmarkt** *m* marché *m* immobilier *od* d'immeubles.

Immortelle *f* ⟨-, -n⟩ [ɪmɔr'tɛlə] *bot* immortelle *f*.

immun [ɪ'mu:n] *a med* immunisé (*gegen* contre); *parl* jouissant de l'immunité parlementaire; *fig* blindé; *~ machen = ~isieren*; *fig* blinder; **~isieren** [-ni'zi:rən] *tr med* immuniser; **I~isierung** *f med* immunisation *f*; **I~ität** *f* ⟨-, ø⟩ [-ni'tɛ:t] *med jur parl* immunité *f*; *diplomatische, parlamentarische ~~* immunité *f* diplomatique, parlementaire.

Imperativ *m* ⟨-s, -e⟩ ['ɪm-, ɪmpera'ti:f] *gram* impératif *m*.

Imperfekt *n* ⟨-s, -e⟩ ['ɪm-, ɪmpɛr'fɛkt] *gram* imparfait *m*.

Imperial|ismus *m* ⟨-, ø⟩ [ɪmperia'lɪsmus] *pol* impérialisme *m*; **~ist** *m* ⟨-en, -en⟩ [-'lɪst] impérialiste *m*; **i-i~stisch** [-'lɪstɪʃ] *a* impérialiste.

impertin|ent [ɪmpɛrti'nɛnt] *a* impertinent, insolent; *(zudringlich)* importun; **I~enz** *f* ⟨-, -en⟩ [-'nɛnts] impertinence, insolence; importunité *f*.

Impf| ... ['ɪmpf-] *(in Zssgen)* vaccinal; **~arzt** *m* vaccinateur *m*; **i~en** *tr (Menschen)* vacciner (*gegen* contre); *(mit ~stoff)* inoculer; **~en** *n*, **~ung** *f* vaccination, inoculation *f*; **~gegner** *m* antivaccinateur *m*; **~ling** *m* ⟨-s, -e⟩ vacciné, e *m f*; **~nadel** *f* vaccinostyle *m*; **~pflicht** *f*, **~zwang** *m* vaccination *f* obligatoire; **~schein** *m* certificat *m* de vaccination; **~stoff** *m* vaccin *m*.

Imponderabilien *pl* [ɪmpɔndera'bi:liən] impondérables *m pl*.

imponieren ⟨*hat imponiert*⟩ [impo'ni:rən] *itr*: *jdm ~* en imposer à qn, impressionner qn; **~d** *a* imposant.

Import *m* ⟨-(e)s, -e⟩ [ɪm'pɔrt] *com* importation *f*; **~agent** *m* commissionnaire *m* importateur; **~artikel** *m* article *m* d'importation; **~e** *f* ⟨-, -n⟩ *(echte Havannazigarre)* véritable havane *m*; **~eur** *m* ⟨-s, -e⟩ [-'tø:r] importateur *m*; **~firma** *f* firme *od* maison *f* d'importation; **~geschäft** *n*, **~handel** *m* commerce *m* d'importation; **i~ieren** [-'ti:rən] *tr* importer.

imposant [impo'zant] *a* imposant.

impoten|t ['ɪmpotɛnt, ɪmpo'tɛnt] *a med* impuissant; **I~z** *f* ⟨-, -en⟩ ['impotɛnts, impo'tɛnts] impuissance *f*.

imprägnier|en [ɪmprɛ'gni:rən] *tr chem* imprégner, imbiber (*mit* de), *(wasserdicht machen)* imperméabiliser; *(sättigen)* saturer (*mit* de); **I~ung** *f* imprégnation *f*.

Impresario *m* ⟨-s, -s/-ri⟩ [ɪmpre'za:rio, -ri] imprésario *m*.

Impression|ismus *m* ⟨-, ø⟩ [ɪmprɛsio'nɪsmus] impressionnisme *m*; **~ist** *m* ⟨-en, -en⟩ [-'nɪst] impressionniste *m*; **i~istisch** [-'nɪstɪʃ] *a* impressionniste.

Impressum *n* ⟨-s, -ssen⟩ [ɪm'prɛsum] *typ* enseigne *f* d'imprimeur.

Improvis|ation *f* ⟨-, -en⟩ [ɪmprovizatsi'o:n] improvisation *f*; **i~ieren** [-vi'zi:rən] *tr u. itr* improviser.

Impuls *m* ⟨-es, -e⟩ [ɪm'puls, -lzə] impulsion; *phys* quantité de mouvement; *radio* impulsion *f*; **i~iv** [-'zi:f] *a* impulsif; *~~e(r) Mensch m* impulsif *m*; **~peiler** *m radio* goniomètre *m* à impulsion.

imstande [ɪm'ʃtandə] *a*: *~ sein zu* être de force *od* homme, femme à *od* en état *od* à même *od* capable de *od* en mesure de.

in [ɪn] *prp (Grundbedeutung)* dans, en; à; **1.** *(räuml.) ~ der Hand, Tasse, Kiste* dans la main, tasse, caisse; *~ e-m Wagen* dans une *od* à bord d'une voiture; *~ dem* od *im Zimmer, Haus(e), Gebiet, Land(e)* dans la chambre, la maison, le district, le pays; *~ Deutschland* en Allemagne; *im katholischen Spanien* dans l'Espagne catholique; *~ Brasilien* au Brésil; *~ den Vereinigten Staaten* aux États-Unis; *es ~ sich haben (fig) (Mensch)* tromper son monde, être plus fort qu'on n'en a l'air; *(Sache)* être plus difficile qu'on ne croyait; *im Garten* au jardin; *~ disem Garten* dans ce jardin; *~ der Stadt (allg)* dans la ville; *(nicht zu Hause)* en ville; *~ Paris* à Paris; *(innerhalb, im Gebiet von)* dans Paris; *~ der Schule, im Theater (im Gebäude)* dans l'école, dans le théâtre; *(beim Unterricht, bei der Vorstellung)* à l'école, au théâtre; *~ der Heimat, ~ der Fremde* au *od* dans son pays, à l'étranger; *~ der Mitte* au milieu; *im Norden* au nord; *im Regen* sous la pluie; *im ersten Stock* au premier (étage); *~ ...einband* sous reliure de ...; *im Buch, Roman, Film* dans le livre, roman, film; **2.** *(zeitl.)*: *im Anfang* au commencement, au début; *~ der, aller Frühe* au matin; de grand matin; *~ der Nacht* dans *od* pendant la nuit; *~ e-r kalten Nacht* par une nuit froide; *~ diesen Tagen* ces jours-ci; *~ der nächsten Woche* la semaine prochaine; *im Mai* en mai; *im Monat Mai* au mois de mai; *im Frühling* au printemps; *im Sommer, Herbst, Winter* en été, automne, hiver; *~ diesem Jahre* cette année; *im Jahre 1970* en 1970; *im vorigen Jahr* l'année dernière; *~ zehn Jahren (zukünftiger Zeitpunkt)* dans dix ans; *(Zeitraum)* en dix ans; *~ kurzer Zeit* en peu de temps; *~ kurzem* sous peu; *~ meinem ganzen Leben* de toute ma vie; *im Alter* pendant la vieillesse; *im Alter von* ... à l'âge de ...; **3.** *(Art u. Weise)*: *im Chor* en chœur; *~ Eile* à la hâte; *~ eigener Person* lui-même *od* elle-même; en personne; *~ strengem Ton* d'un ton sévère; *(Stoff) ~ Gold, Marmor, Leder* en or, marbre, cuir; *er spricht ~ Rätseln* il parle par énigmes; **4.** *~ die Schule gehen* aller à l'école; *etw ~ der Hand haben* od *halten* avoir *od* tenir qc à la main; *~ drei Teile teilen* diviser en trois parties; *ins Wasser werfen* jeter à l'eau; *~ der ...straße wohnen* habiter rue ...

inaktiv ['ɪnˀakti:f, inˀak'ti:f] *a (untätig)* inactif; *(außer Dienst)* retraité, pensionné.

Inangriffnahme *f* commencement *m* des travaux, mise *f* en œuvre *od* pratique.

Inanspruchnahme *f (e-s Gegenstan-*

des) utilisation; *(e-s Menschen)* occupation; *(von Hilfsquellen)* mise *f* à contribution; *unter ~ (gen)* par le moyen *od (e-r Behörde)* les voies (de); *völlige ~ (Beschäftigtsein)* absorption *f (durch* dans).

Inaugenscheinnahme *f* inspection; *jur* descente *f* sur les lieux.

Inbegriff *m (Wesen)* substance, quintessence; *(Verkörperung)* incarnation, personnification *f;* parangon *m (lit); der ~ der Dummheit* la sottise personnifiée *od* en personne; **i~en** *a* (y) compris, inclusivement.

Inbesitznahme *f* prise *f* de possession.

Inbetrieb|nahme *f* mise *f* en activité *od* exploitation *od* service; **~setzung** *f tech* mise *f* en exploitation *od* marche *od* mouvement, démarrage *m.*

In|brunst *f* ‹-, ø› ['ınbrʊnst] ferveur, ardeur *f;* **i~brünstig** *a* fervent, ardent; *adv a.* avec ferveur.

Indanthrenfarbstoffe *m pl* [ından'tre:n-] indanthrènes *m pl.*

indem [ın'de:m] *conj (während)* pendant que; *(dadurch, daß)* en ...; *er bleibt in Form, ~ er ständig trainiert* il reste en forme grâce à un entraînement suivi; *~ er das sagte (a.)* en disant cela.

Indemnität *f* ‹-, ø› [ındɛmni'tɛ:t] *parl* indemnité *f.*

Inder *m* ‹-s, -› ['ındər] Indien, Hindou *m.*

indes(sen) [ın'dɛs(ən)] *adv (zeitlich)* pendant ce temps, cependant, en attendant, sur ces entrefaites; *(einräumend)* cependant, pourtant, néanmoins, toutefois; *conj (einräumend)* tandis que.

Index *m* ‹-/-es, -e/Indizes› ['ındɛks, '-ditsɛs] *math com* indice; *(Register)* index *m a. rel,* table *f* alphabétique; *auf den ~ setzen (rel)* mettre à l'index; *auf dem ~ stehen* être à l'index; *mit e-m ~ versehen (com)* indexer; **~zahl** *f com* chiffre-indice *m.*

Indian|er *m* ‹-s, -› [ındi'a:nər] Indien *m;* **~ergeschichte** *f* histoire *f* de Peaux-Rouges; **~erhäuptling** *m* chef *m* indien; **~erreservat** *n* réserve *f* indienne; **~erstamm** *m* tribu *f* indienne; **i~isch** *a* indien.

Indien *n* ['ındiən] les Indes *f pl,* l'Inde *f.*

Indienststellung *f* entrée en service; *mil* mise en activité; *mar, aero* mise *f* en service *od* armement.

indifferen|t [ındıfe'rɛnt, 'ın-] *a phys* indifférent; *chem* neutre, inerte; *fig (teilnahmslos, gleichgültig)* indifférent, inerte; **I~z** *f* ‹-, -en› [-'rɛnts] *phys chem fig* indifférence *f;* **I~zlinie** *f el* ligne *f* neutre.

Indigo *m* od *n* ‹-, (-s)› ['ındigo] *(Farbstoff)* indigo *m;* **i~blau** *a* indigo.

Indikat|iv *m* ‹-s, -e› ['ın-, -dika'ti:f] *gram* indicatif *m;* **~or** *m* ‹-s, -en› [indi'ka:tɔr, -'to:rən] *tech chem* indicateur *m.*

indirekt ['ın-, ındi'rɛkt] *a* indirect *(a. Beleuchtung); adv a.* par contrecoup *od* ricochet; *~e(s) Licht n* faux jour *m.*

indisch ['ındıʃ] *a* indien, hindou, des Indes; *der I~e Ozean* l'océan *m* Indien.

indiskret ['ın-, -dis'kre:t] *a* indiscret; *(taktlos)* indélicat; *(neugierig)* curieux; **I~ion** *f* ‹-, -en› [-tsi'o:n] indiscrétion; indélicatesse; curiosité; *pol* fuite *f.*

individu|alisieren [ındividuali'zi:rən] *tr* individualiser; **I~alismus** *m* ‹-, ø› [-'lısmus] individualisme *m;* **I~alist** *m* ‹-en, -en› [-'lıst] individualiste *m;* **~alistisch** [-'lıstıʃ] *a* individualiste; **I~alität** *f* ‹-, -en› [-'tɛ:t] individualité *f;* **~ell** [-du'ɛl] *a* individuel; **I~um** *n* ‹-s, -duen› [ındi'vi:duum, -duən] individu.

Indizien [ın'di:tsiən] *n pl* indices *m pl;* **~beweis** *m jur* preuve *f* par indices *od* présomption.

indizier|en [ındi'tsi:rən] *tr scient (anzeigen)* indiquer; *~t a (angezeigt, ratsam)* indiqué.

Indo|china *n* [ındo'çi:na] l'Indochine *f;* **~chinese** *m* Indochinois *m;* **i~chinesisch** *a* indochinois; **~germanen,** *die m pl* les Indo-européens *m pl;* **i~germanisch** *a* indo-européen; **~loge** *m* ‹-n, -n› [-'lo:gə] indianiste *m;* **~logie** *f* ‹-, ø› [-lo'gi:] indianisme *m,* **~nesien** *n* [-'ne:ziən] l'Indonésie *f;* **~nesier(in** *f)* *m* ‹-s, -› [-'ne:ziər] Indonésien, ne *m f;* **i~nesisch** *a* indonésien.

indolen|t ['ın-, -do'lɛnt] *a* indolent; **I~z** *f* ‹-, -en› [-'lɛnts] indolence *f.*

Indoss|ament *n* ‹-s, -e› [ındɔsa'mɛnt] *fin* endos(sement) *m;* **~ant** *m* ‹-en, -en› [-'sant] endosseur *m;* **~at** *m* ‹-en, -en› [-'sa:t], **~~ar** *m* ‹-s, -e› [-'ta:r] endossé, endossataire *m;* **i~ieren** *tr (Wechsel)* endosser; **~ierung** *f* endossement *m.*

Indukt|anz *f* ‹-, ø› [ınduk'tants] *el* inductance *f;* **~ion** *f* ‹-, (-en)› [-tsi'o:n] *philos, el* induction *f;* **~ionselektrizität** *f* électricité *f* d'induction *od* induite; **~ionsspule** *f el* bobine *f* d'induction *od* de self, self *m;* **~ionsstrom** *m el* courant *m* d'induction *od* induit; **i~iv** [ınduk'ti:f, 'ın-] *a philos, el* inductif; **~ivität** *f* ‹-, -en› [-'tɛ:t] *el* coefficient *m* d'induction, inductance *f;* **~or** *m* ‹-s, -en› [-'duktɔr, -'to:rən] *el* inducteur *m; tele* magnéto *f* d'appel.

industrial|isieren [ındustriali'zi:rən] *tr* industrialiser; *sich ~~ (a.)* s'équiper; **I~isierung** *f* industrialisation *f,* équipement *m* industriel.

Industrie *f* ‹-, -n› [ındus'tri:] industrie *f; chemische ~* industrie *f* chimique; *holz-, eisenverarbeitende ~* industrie *f* travaillant le bois, le fer; *verarbeitende ~* industrie *f* de transformation *od* transformatrice *od* utilisatrice; *~ der Steine und Erden* industrie *f* extractive; *~ zur Verarbeitung landwirtschaftlicher Erzeugnisse* industrie *f* agricole; **~abwässer** *n pl* eaux *f pl* industrielles; **~anlage** *f* installation *f* industrielle; **~arbeiter** *m* ouvrier *m* d'usine; **~arbeiterschaft** *f* ouvriers *m pl* d'usine; **~ausrüstung** *f* équipement *m* industriel; **~ausstellung** *f* exposition *f* industrielle; **~diamant** *m* diamant *m* pour l'industrie; **~erzeugnis** *n* produit *m* industriel *od* fabriqué *od* manufacturé; **~erzeugung** *f* production *f* industrielle; **~gas** *n* gaz *m* industriel; **~gebiet** *n* district *m od* région *f* industriel(le); **~gelände** *n* terrain *m od* zone *f* industriel(le); **~gewerkschaft** *f* syndicat *m* des ouvriers industriels *od* d'usine; **~kapazität** *f* capacité *f* industrielle; **~kapitän** *m* chef *m* d'industrie; **~kartell** *n* entente *f* industrielle; **~konzern** *m* trust *m* industriel; **~kreise** *m pl* cercles *m pl* industriels; **~land** *n* pays *m* industriel; **~landschaft** *f* paysage *m* usinier; **i~ll** [-tri'ɛl] *a* industriel; **~lle(r)** *m* industriel *m;* **~magnat** *m* magnat *m* de l'industrie; **~messe** *f* foire *f* industrielle; **~monopol** *n* monopole *m* d'industrie; **~papiere** *n pl,* **~werte** *m pl fin* valeurs *f pl* industrielles; **~potential** *n* potentiel *m* industriel; **~produkt** *n* produit *m* industriel; **~produktion** *f* production *f* industrielle; **~staat** *m* État *m* industriel; **~stadt** *f* ville-usine *f;* **~- und Handelskammer** *f* Chambre *f* du Commerce et de l'Industrie; **~unternehmen** *n* entreprise *f* industrielle; **~verband** *m* fédération *f* industrielle; **~verlagerung** *f* déplacement *m* de l'industrie; **~werte** *m pl fin* valeurs *f pl* industrielles; **~wirtschaft** *f* économie *f* industrielle; **~zentrum** *n* centre *od* foyer *m* industriel; **~zweig** *m* branche *f* d'industrie *od* de l'industrie.

ineinander [ın'ʔaı'nandər] *adv* l'un(e) dans l'autre, les un(e)s dans les autres; **~=fließen** *itr (sich vermischen)* se fondre; **~=fügen** *tr* emboîter; **~=greifen** ‹*hat ineinandergegriffen*› *itr* s'engrener; *fig* s'enchaîner; *(zs.arbeiten)* collaborer, coopérer; **I~greifen** *n tech* engrenage; *fig* enchaînement *m,* action *f* combinée; *(Zs.arbeit)* collaboration, coopération *f;* **~=laufen** *itr (Farben)* = *~fließen;* **~schiebbar** *a* télescopique; *~~e Betten n pl* lits *m pl* jumeaux gigognes; *~~e Schachteln f pl (Spielzeug)* boîtes *f pl* gigognes; **~=schieben,** *sich* se télescoper.

infam [ın'fa:m] *a* infâme, éhonté; **I~ie** *f* ‹-, -n› [-'mi:] infamie *f.*

Infant *m* ‹-en, -en› [ın'fant] *hist* infant *m;* **~in** *f* infante *f.*

Infanterie *f* ‹-, -n› [ınfantə'ri:] *mil* infanterie *f;* **~angriff** *m* assaut *m* d'infanterie; **~ausbildung** *f* instruction *f* d'infanterie; **~begleitwaffen** *f pl* engins *m pl* d'accompagnement d'infanterie; **~division** *f* division *f* d'infanterie; **~flieger** *m* aviateur *m* à la disposition de l'infanterie; **~flugzeug** *n* avion *m* d'accompagnement d'infanterie; **~geschoß** *n* balle *f;* **~geschütz** *n* canon *m* d'infanterie; **~regiment** *n* régiment *m* d'infanterie; **~spitze** *f* pointe *f* d'avant-garde; **~stellung** position *f* d'infanterie; **~unterstützung** *f* appui *od* soutien *m* d'infanterie; **Infanterist** *m* ‹-en, -en› [-'rıst] fantassin *m.*

infantil [ınfan'ti:l] *a (kindlich, unreif)*

infantile; **I~ismus** *m* ‹-, -men› [-'lɪsmʊs] *med* infantilisme *m.*
Infarkt *m* ‹-(e)s, -e› [ɪn'farkt] *med* infarctus *m.*
Infektion *f* ‹-, -en› [ɪnfɛktsi'o:n] *med* infection *f;* **~sherd** *m* foyer *m* d'infection; **~skrankheit** *f* maladie *f* infectieuse.
Inferiorität *f* ‹-, ø› [ɪnferiori'tɛ:t] infériorité *f.*
infiltrieren [ɪnfɪl'tri:rən] *tr* (*itr* s')infiltrer.
Infinit|esimalrechnung *f* [ɪnfinitezi'ma:l-] calcul *m* infinitésimal; **~iv** *m* ‹-s, -e› ['ɪn-,-fini'ti:f] *gram* infinitif *m.*
infizier|en [ɪnfi'tsi:rən] *tr med* infecter (*mit* de); **I~ung** *f* infection *f.*
Inflation *f* ‹-, -en› [ɪnflatsi'o:n] inflation *f; angebotsbedingte ~* inflation par l'offre; *galoppierende ~* inflation galopante, hyperinflation *f; schleichende ~* inflation *f* rampante; **i~istisch** [-'nɪstɪʃ] *a* inflationniste; **~sgefahr** *f* danger *m* d'inflation; **~sgewinn** *m* profit *m* d'inflation; **~sgewinnler** *m* profiteur *m* d'inflation; **~szeit** *f* époque *f* d'inflation.
Influenz *f* ‹-, -en› [ɪnflu'ɛnts] *el* influence *f;* **~a** *f* ‹-, ø› [-'ɛntsa] *med vx* influenza, grippe *f.*
infolge [ɪn'fɔlgə] *prp gen* par suite de, en conséquence de; **~dessen** *adv* par suite, par conséquent, en conséquence (de quoi), dès lors, *fam* du coup.
Inform|ation *f* ‹-, -en› [ɪnfɔrmatsi'o:n] information; *(Nachricht)* nouvelle *f; (Auskunft)* renseignement *m; (Anweisung)* instruction *f; ~~en einholen* prendre des renseignements; **~ationsbüro** *n* agence *f* de renseignements; **~ationsgespräch** *n pol* entretien *m* d'information; **~ationsminister(ium** *n***)** *m* minist(è)re *m* de l'information; **~ationsquelle** *f* source *f* d'information; **~ationstagung** *f* session *f* d'information; **i~atorisch** [-ma'to:rɪʃ] *a* informatif, instructif; **i~ieren** [-'mi:rən] *tr* informer, mettre au courant (*über* de); renseigner (*über* sur); *über etw i~iert sein* avoir connaissance de qc; **i~iert** *a: (gut* od *genau, schlecht* od *ungenau) ~~* (bien, mal) informé.
infra|rot ['ɪnfraro:t] *a* infrarouge; **I~rotstrahlung** *f* radiation *f* infrarouge; **I~struktur** *f* infrastructure *f.*
Inful *f* ‹-, -n› ['ɪnful] *(Bischofsmütze)* mitre *f.*
Infus|ionstierchen *n pl* [ɪinfuzi'o:ns-], **~orien** *n pl* [-'zo:riən] infusoires *m pl;* **~orienerde** *f geol (Kieselgur)* terre *f* d'infusoires.
Ingang|bringen *n,* **~setzung** *f* mise en marche *od* train, (re)mise *f* en route, démarrage *m.*
Ingebrauchnahme *f* (mise *f* en) usage *m.*
Ingenieur *m* ‹-s, -e› [ɪnʒeni'ø:r] *m; leitende(r) ~* ingénieur *m* en chef; **~büro** *n* bureau *m* des constructions.
Ingredien|s *n* ‹-, dienzien›, **~z** *f* ‹-, -dienzen› [ɪn'gre:diɛns(ts), di'ɛnts(i)ən] *(beide meist pl) (Bestandteil, Zutat)* ingrédient *m.*
Ingrimm *m* ‹-(e)s, ø› ['ɪngrɪm] rage contenue, fureur rentrée; *(Groll)* rancune *f,* ressentiment *m;* **i~ig** *a* rageur, enragé.
Ingwer *m* ‹-s, (-)› ['ɪŋvər] *(bot u. Gewürz)* gingembre *m.*
Inhaber *m* ‹-s, -› ['ɪnha:bər] *(e-s Geschäftes)* détenteur, propriétaire, patron; *(e-r Gaststätte)* tenancier; *(Besitzer)* possesseur; *(Eigentümer)* propriétaire; *(e-s Amtes, Titels (a. sport), e-r Urkunde, e-s Ausweises)* titulaire; *(e-r Berechtigung, e-s Patentes, e-r Aktie, sport: e-s Titels)* détenteur; *(e-s Ausweises, e-r Aktie; fin: Überbringer)* porteur *m; (e-r Schuldverschreibung)* obligataire *m; auf den ~ lauten (fin)* être (libellé) au porteur; **~aktie** *f* action *f* au porteur; **~papiere** *n pl* papiers *od* effets *od* titres *m pl od* valeurs *f pl* au porteur; **~scheck** *m* chèque *m* au porteur; **~wechsel** *m* lettre *f* de change au porteur.
inhaftier|en *tr.* arrêter, emprisonner; **I~ung** *f* arrestation *f,* emprisonnement *m,* détention *f.*
Inhal|ation *f* ‹-, -en› [ɪnhalatsi'o:n] *med* inhalation *f;* **~ations-, ~ierapparat** *m* inhalateur *m;* **i~ieren** [-'li:rən] *tr* inhaler; *itr* prendre *od* faire des inhalations.
Inhalt *m* ‹-(e)s, -e› ['ɪnhalt] *(e-s Behälters* od *Gefäßes, von etw Gesprochenem, Geschriebenem* od *Gedrucktem)* contenu; *math (Rauminhalt)* volume *m, (Flächeninhalt)* contenance; *jur (e-s Textes)* teneur; *(Gegenstand e-r Äußerung)* matière; *(~sverzeichnis)* table *f* (des matières); *folgenden ~s* de la teneur suivante; *dem ~ nach* en substance; *s-m ganzen ~ nach* dans tous ses détails; *ohne ~ (fig)* vidé de sa substance; *(Leben)* privé de sens, vide; *zum ~ haben* avoir pour sujet; *Form und ~* la forme et le fond; *wesentliche(r) ~* fond, essentiel *m;* **i~lich** *a* concernant le contenu; *adv* quant au *od* dans le contenu; **~sangabe** *f* résumé, sommaire, précis, abrégé *m,* analyse; *(bei Postsendungen)* déclaration *f* (du contenu); **i~(s)leer** *a,* **i~(s)los** *a* vide, creux; *fig* sans fond, superficiel; **i~(s)reich** *a,* **i~(s)schwer** *a,* **i~(s)voll** *a* substantiel; *(bedeutsam)* significatif; *(tief)* profond; **~sübersicht** *f,* **~sverzeichnis** *n* table *f* analytique *od* des matières.
inhärent [ɪnhɛ'rɛnt] *a (innewohnend)* inhérent.
Inhibitor *m* ‹-s, -en› [ɪnhi'bi:tɔr, -'to:rən] *chem* substance *f* inhibitrice.
Initial|e *f* ‹-, -n› [initsi'a:lə] *typ* (lettre) initiale, lettrine, lettre *f* en marqueterie; **~sprengstoff** *m* explosif *m* d'amorçage; **~zündung** *f* amorçage *m* initial.
Initiat|ive *f* ‹-, -n› [initsia'ti:və] initiative *f; (Unternehmungsgeist)* esprit *m* d'entreprise; *auf jds ~~ (hin)* à l'initiative, à l'instigation de qn; *aus eigener ~~* de sa propre initiative, de son propre chef *od* mouvement; *die ~~ ergreifen* prendre l'initiative; **~or** *m* ‹-s, -en› [-tsi'a:tɔr, -'to:rən] animateur, promoteur *m.*
In|jektion *f* ‹-, -en› [ɪnjɛktsi'o:n] *med* injection, piqûre *f;* **i~jizieren** [-ji'tsi:rən] *tr* injecter.
Injurie *f* ‹-, -n› [ɪn'ju:riə] *jur (Beleidigung, Verbal~)* injure, offense, diffamation *f; (Unrecht, Real~)* outrage *m* par voie de fait, violence *f.*
Inkarnation *f* ‹-, -en› [ɪnkarnatsi'o:n] *rel (Fleischwerdung), fig (Verkörperung)* incarnation *f.*
Inkasso *n* ‹-s, -s/- ...ssi› [ɪn'kaso] *com* encaissement, recouvrement *m;* **~abteilung** *f* rayon d'encaissements, service *m* de recouvrement; **~auftrag** *m* ordre *m* d'encaissement; **~büro** *n* agence *f od* bureau *m* d'encaissements *od* de recouvrements; **~gebühren** *f pl* droits *m pl* d'encaissement; **~spesen** *pl* frais *m pl* d'encaissement; **~wechsel** *m* lettre *f* de change d'encaissement, effet *m* à l'encaissement.
Inklination *f* ‹-, -en› [ɪnklinatsi'o:n] *phys* inclinaison *f.*
inklusive [ɪnklu'zi:və] indclusivement, (y) compris.
inkognito [ɪn'kɔgnito] *adv* incognito; **I~** *n* ‹-s, -s› incognito *m.*
Inkohlung *f geol* carburisation *f.*
inkommensurabel [ɪnkɔmɛnzu'ra:bəl] *a math* incommensurable.
inkompetent ['ɪn-,-kɔmpe'tɛnt] *a* incompétent.
inkonsequen|t ['ɪn-,-kɔnze'kvɛnt] *a* inconséquent; **I~z** *f* ‹-, -en› ['ɪnkɔnzekvɛnts, -'kvɛnts] inconséquence *f.*
inkorrekt ['ɪn-,-kɔ'rɛkt] *a* incorrect; **I~heit** *f* incorrection *f.*
Inkraft|setzung *f* mise *f* en vigueur; **~treten** *n* entrée *f* en vigueur; *Zeitpunkt m des ~~s* date *f* d'entrée en vigueur.
Inkreis *m math* cercle *m* inscrit.
inkriminieren [ɪnkrimi'ni:rən] *tr (beschuldigen)* incriminer.
Inkrust|ation *f* ‹-, -en› [ɪnkrustatsi'o:n] *(Kunstgewerbe u. chem)* incrustation *f;* **i~ieren** [-'ti:rən] *tr (durch Einlagen verzieren)* incruster.
Inkubat|ionsstadium [ɪnkubatsi'o:ns-] *n med* stade *m* d'incubation; **~ionszeit** *f* période *f* d'incubation; **~or** *m* ‹-s, -en› [-'ba:tɔr, -'to:rən] *(Brutapparat)* étuve *f* à incubation.
Inkunabel *f* ‹-, -n› [ɪnku'na:bəl] *typ hist* incunable *m.*
Inland *n* intérieur *m;* **~eis** *n geog* icefield *m;* **~sabsatz** *m* vente *f* intérieure; **~sauftrag** *m* commande *f* intérieure; **~sbedarf** *m* besoins *m pl* intérieurs; **~serzeugnis** *n* produit *m* national; **~serzeugung** *f* production *f* nationale; **~sgeschäft** *n,* **~shandel** *m* commerce *m* intérieur; **~smarkt** *m* marché *m* intérieur *od* national; **~sporto** *n* affranchissement *m* en régime intérieur; **~spreis** *m* prix *m* intérieur; **~sprodukt** =

~serzeugnis; **~sverbrauch** *m* consommation *f* intérieure.
Inländ|er *m* ⟨-s, -⟩ habitant du pays *m;* **i~isch** *a* intérieur; *(Erzeugnis)* national, du pays.
Inlaut *m gram* son *m* médial.
Inlett *n* ⟨-(e)s, -e⟩ ['ɪnlɛt] enveloppe *f* d'édredon.
inliegend *a* ci-inclus, ci-joint.
Inmarschsetzung *f mil* mise *f* en marche.
inmitten [ɪn'mɪtən] *prp gen* au milieu de.
inne=|haben ⟨*hat innegehabt*⟩ *tr* avoir (en sa possession); *(Amt, Stellung)* occuper, exercer; *sport (Titel)* détenir; **~=halten** ⟨*hat innegehalten*⟩ *tr (einhalten)* observer; *(Weg)* suivre (toujours); *itr (aufhören)* s'arrêter; *~~ mit* cesser de; **~=werden** ⟨*ist innegeworden*⟩ *itr:* e-r S ~~ s'apercevoir de qc, se rendre compte de qc; **~=wohnen** ⟨*hat innegewohnt*⟩ *itr* être inhérent (*dat* à).
innen ['ɪnən] *adv* à l'intérieur, (au *od* en) dedans; *nach ~* en dedans, vers le dedans, vers l'intérieur; *von ~ (heraus)* du *od* en dedans, de l'intérieur; **I~ansicht** *f* intérieur *m;* **I~anstrich** *m* enduit *m* intérieur; **I~antenne** *f radio* antenne *f* intérieure; **I~architekt** *m* architecte-décorateur, ensemblier *m* (décorateur); **I~aufnahme** *f photo* od *film* scène *f* d'intérieur; prise de vue *f* en intérieur; **I~beleuchtung** *f* éclairage *m* intérieur; **I~dienst** *m* service de bureau; *mil* service *m* intérieur; **I~einrichtung** *f* aménagement *od* équipement *od* appareillage *m* intérieur; **I~fläche** *f* surface *f* intérieure; **I~gewinde** *n tech* taraudage *m;* **I~hof** *m* cour *f* intérieure; **I~leben** *n* vie *f* intérieure; **I~minister(ium n)** *m* minist(è)re *m* de l'intérieur; **I~politik** *f* politique *f* intérieure; **~politisch** *a* dans le domaine intérieur; **I~raum** *m* intérieur *m;* **I~seite** *f* côté *m od (Zeitung)* page *f* intérieur(e); *arch (e-r Wölbung)* intrados *m;* **I~stadt** *f* centre *m* de la ville, cité *f;* **I~steuerung** *f mot* conduite *f* intérieure; **I~wand** *f* mur *m* de refend, cloison, paroi *f;* **I~welt** *f* monde *m* intérieur.
Inner|asien ['ɪnər-] *n* l'Asie *f* centrale; **i~atomar** *a* intra-atomique; **i~betrieblich** *a* interne de l'exploitation; **i~deutsch** *a* interne de l'Allemagne; **i~dienstlich** *a* interne du service; **~eien** [-'raɪən] *f pl (Fleisch)* cinquième quartier *m;* abats *m pl;* **i~e(r, s)** *a (räumlich)* intérieur; *adm* interne; *(häuslich)* domestique; *med* interne; *(körpereigen)* intestin; *(Gefühl)* intime; *(wesentlich, eigentlich)* intrinsèque; *~e Angelegenheit f* affaire *f* intérieure *od* interne; *~e Anleihe, Schuld f (fin)* emprunt *m,* dette *f* intérieur(e); *~e(r) Halt m* consistance *f; ~e Medizin f* pathologie *f* interne; *~e(r) Monolog m* monologue *m* intérieur; *~e Stadt f* centre *m* de la ville; *~ste Überzeugung f* conviction *f* intime; *~e(r) Wert m* valeur *f* intrinsèque; *es fehlt ihm an ~em Halt* il est inconsistant *od* il manque d'équilibre *od* il a une personnalité peu structurée; *das* **I~e** *(räumlich)* l'intérieur, le dedans, le centre; *fig (der Kern)* les entrailles *f pl,* le cœur, l'âme *f; im ~n* au dedans; *von (geog)* à l'intérieur de, au fond de; *in meinem ~n, im ~n* dans *od* en mon for intérieur; *im tiefsten ~n (gen)* au fin fond (de); *(beim Suchen) das ~ nach außen kehren* mettre tout sens dessus dessous (pour trouver qc); *Minister(ium n) m des ~n = Innenminister(ium);* **i~halb** *prp gen (örtl.)* à l'intérieur de, au *od* en dedans de, dans, en, au sein de; *(zeitl.)* dans *od* en l'espace de, dans le délai de, en, *(Belgien)* endéans; *adv* à l'intérieur, au dedans; *~~ dreier Tage nach Empfang (com)* dans les trois jours après (la) *od* qui suivent la réception; **i~lich** *a* intérieur; interne; *(seelisch)* intime; *(tief)* profond; *(herzlich)* cordial; *(aufrichtig)* sincère; *adv* intérieurement, dans le fond du cœur; *~~ (med: anzuwenden)* ingestible; *~~ ausgeglichen (Mensch)* équilibré; **~lichkeit** *f* ⟨-, ø⟩ profondeur *f* des sentiments, profondeur et sincérité *f;* **i~molekular** *a scient* intra-moléculaire; **i~politisch** *a = innenpolitisch;* **i~sekretorisch** *a physiol* à sécrétion interne *od* endocrine; **i~ste(r, s)** *a (räuml.); = innere(r, s); fig* intime; (le) plus profond *od* secret; *im ~sten Herzen* au fond du cœur; **I~ste,** *das* le centre; le noyau; *bis ins ~~* jusqu'au fond des entrailles, jusqu'à la moelle; *in meinem ~~n* au fond de mon cœur; au fond de mon âme, de toute mon âme.
Innerv|ation *f* ⟨-, ø⟩ [ɪnɛrvatsi'o:n] *physiol* innervation *f;* **i~ieren** [-'vi:rən] *tr* innerver.
innig ['ɪnɪç] *a (tiefempfunden, herzlich)* cordial; *(stark, heiß)* fervent, ardent; *(lebhaft)* vif; *(aufrichtig)* sincère; *(zärtlich)* tendre; *(vertraut)* intime; **I~keit** *f* ⟨-, (-en)⟩ cordialité; ferveur, ardeur; vivacité; sincérité; tendresse; intimité *f.*
Innung *f* ⟨-, -en⟩ ['ɪnʊŋ] corporation *f;* corps *m* de métier.
inoffiziell ['ɪn-, -ˀɔfitsi'ɛl] *a* non officiel.
Inquisit|ion *f* ⟨-, -en⟩ [ɪnkvizitsi'o:n] *rel hist* inquisition *f;* **~ionsgericht** *n* saint-office *m;* **~or** *m* ⟨-s, -en⟩ [-'zi:tɔr, -'to:rən] inquisiteur *m;* **i~orisch** [-'to:rɪʃ] *a* inquisitorial.
ins [ɪns] = *in das;* **~besondere** *adv* surtout, spécialement, particulièrement, notamment; **~geheim** *adv* secrètement, en secret, en cachette, sous le manteau; **~gemein** *adv* communément, en général, d'ordinaire; **~gesamt** *adv* tous (ensemble), dans l'ensemble, en totalité, au total, en tout, en corps; *sich ~~ belaufen auf* se monter en total à, former un total de.
Insasse *m* ⟨-n, -n⟩ *(e-r Anstalt)* pensionnaire; *(e-s Fahrzeugs)* occupant *m.*
Inschrift *f* inscription, *scient* épigraphe *f;* **~enkunde** *f* épigraphie *f;* **i~lich** *a* épigraphique.
Insekt *n* ⟨-(e)s, -en⟩ [ɪn'zɛkt] insecte *m;* **i~enfressend** *a zoo* insectivore; *~~e Pflanze f (a.)* attrape-mouches *m;* **~enfresser** *m zoo* insectivore *m;* **~enkunde** *f,* **~enlehre** *f* entomologie *f;* **~enmittel** *n* insecticide *m;* **~enpulver** *n* poudre *f* insecticide; **~enstich** *m* piqûre *f* d'insecte *f.*
Insel *f* ⟨-, -n⟩ ['ɪnzəl] île *f; auf e-r ~* dans une île; *kleine ~* îlot *m; schwimmende ~* île *f* flottante; **~bewohner** *m* insulaire, îlien *m;* **~charakter** *m,* **~lage** *f* insularité *f;* **~gruppe** *f* groupe *m* d'îles; **~meer** *n,* **~welt** *f* archipel *m;* **~reich** *n* empire *m* insulaire; **i~reich** *a* riche en îles; **~stadt** *f* ville *f* insulaire.
Inser|at *n* ⟨-(e)s, -e⟩ [ɪnze'ra:t] annonce *f; ein ~~ aufgeben = inserieren;* **~atenannahme** *f,* **~atenbüro** *n* bureau *m* d'annonces; **~atenteil** *m* colonne des annonces, page *f* des annonces classées; **~ent** *m* ⟨-en, -en⟩ [-'rɛnt] annonceur *m;* **i~ieren** [-'ri:rən] *tr* mettre une annonce.
Insignien [ɪn'zɪgniən] *pl* insignes, emblèmes; *hist* honneurs *m pl.*
inso|fern ['ɪnzo:fɛrn, --'-] *adv,* **~weit** *adv* jusqu'à ce point, dans cette mesure; *conj* en tant que, dans la mesure où.
insolven|t ['ɪn-,-zɔl'vɛnt] *a fin (zahlungsunfähig)* insolvable; **I~z** *f* ⟨-, -en⟩ [-'vɛnts] insolvabilité, déconfiture; *(Bankrott)* faillite, banqueroute *f.*
insonderheit [ɪn'zɔn-] *adv = insbesondere.*
in spe [ɪn'spe:] *fam* en herbe.
Inspekt|eur *m* ⟨-s, -e⟩ [ɪnspɛk'tø:r] inspecteur, surveillant, visiteur *m;* **~ion** *f* ⟨-, -en⟩ [-tsi'o:n] inspection; *(Aufsicht)* surveillance *f; (Prüfung)* contrôle *m;* **~ionsfahrt** *f,* **~ionsreise** *f* tournée *f* d'inspection; **~or** *m* ⟨-s, -en⟩ [-'spɛktɔr, -'to:rən] = *~eur; agr* gérant *od* administrateur d'un *od* du domaine; *loc* inspecteur *m* (des chemins de fer).
Inspiz|ient *m* ⟨-en, -en⟩ [ɪnspitsi'ɛnt] *mil theat* inspecteur *m;* **i~ieren** [-'tsi:rən] *tr* inspecter, surveiller.
Install|ateur *m* ⟨-s, -e⟩ [ɪnstala'tø:r] installateur, appareilleur; *(Rohrleger)* plombier-zingueur; *(Elektriker)* électricien *m;* **~ation** *f* ⟨-, -en⟩ [-tsi'o:n] installation *f;* **~ationsarbeiten** *f pl* travaux *m pl* d'installation; **~ationsgeschäft** *n* plomberie *f,* installations *f pl* sanitaires; **i~ieren** [-'li:rən] *tr* installer; *tech* équiper; *sich ~~ (fig: sich niederlassen)* s'établir.
instand [ɪn'ʃtant] **:** *~ halten* ⟨*hat instand gehalten*⟩ *(tr)* entretenir, (main)tenir en (bon) état; *(wieder) ~ setzen* ⟨*hat instand gesetzt*⟩ *(tr) (befähigen)* mettre en état (*zu* de); *(reparieren)* (re)mettre en (bon) état, remettre à neuf, réparer, *fam* retaper; *mot a.* dépanner; *(ausbessern, flicken)* rapiécer, raccommoder; **I~haltung** *f* ⟨-, (-en)⟩ entretien *m,* maintenance *f;* **I~haltungsarbeiten** *f pl* travaux *m pl* d'entretien; **I~haltungsdienst** *m* service *m* d'entre-

tien; **I~haltungskosten** *pl* frais *m pl* d'entretien; **I~setzung** *f* (re)mise en état, réparation *f; mot a.* dépannage; rapiéçage, raccommodage *m;* **I~setzungsarbeiten** *f pl* travaux *m pl* de remise en état *od* de réparation; **I~setzungsdienst** *m* service *m* de réparation; **I~setzungsfahrzeug** *n* véhicule *m* de dépannage; **I~setzungskosten** *pl* frais *m pl* de réparation *od* de remise en état.

inständig ['ɪnˈʃtɛndɪç] *a* pressant, instant; *adv: ~ bitten* prier instamment, implorer, adjurer, demander en grâce (*jdn um etw* qc à qn); *~e Bitten f pl (a.)* instances *f pl.*

Instanz *f* ⟨-, -en⟩ [ɪnˈstants] *jur* instance *f; in erster, letzter ~* en première, dernière instance, en premier, dernier ressort; *in letzter ~ entscheiden* juger sans appel; *sich an e-e ~ wenden* s'adresser à une instance *f; höhere ~ (jur)* instance *od adm* autorité *f* supérieure; **~enweg** *m: (auf dem) ~~* (par la) voie *f* hiérarchique; *den ~~ einhalten* suivre la voie hiérarchique; **~enzug** *m* ordre *m* des instances *od* de juridiction.

Instinkt *m* ⟨-(e)s, -e⟩ [ɪnˈstɪŋkt] instinct *m; aus ~* d'instinct, par instinct, instinctivement; *~ haben* avoir de l'instinct; *e-n untrüglichen ~ haben* avoir un instinct infaillible; *aus ~ handeln* agir d'instinct; **i~iv** [-ˈtiːf] *a,* **i~mäßig** *a* instinctif.

Institut *n* ⟨-(e)s, -e⟩ [ɪnstiˈtuːt] institution *f; (Anstalt)* établissement; *(Lehranstalt)* institut; *(für Mädchen)* pensionnat *m;* **~ion** *f* ⟨-, -en⟩ [-tsiˈoːn] *(Einrichtung)* institution *f.*

instru|ieren [ɪnstruˈiːrən] *tr* instruire, donner des instructions à; **I~ktion** *f* ⟨-, -en⟩ [-struktsiˈoːn] instruction; *(Anweisung)* direction, directive; *mil* consigne *f;* règlement *m;* **I~ktionsstunde** *f mil* théorie *f.*

Instrument *n* ⟨-(e)s, -e⟩ [ɪnstruˈmɛnt] instrument *a. mus; phys a.* appareil; *(Werkzeug)* outil; *(Gerät)* ustensile; *jur (Urkunde)* instrument, acte (juridique), document *m* officiel; *optische ~e n pl* instruments *m pl* d'optique; **~albegleitung** *f mus* accompagnement *m* d'instrument(s); **~almusik** *f* musique *f* instrumentale; **~alsatz** *m mus* composition *f* instrumentale; **~ation** *f* ⟨-, -en⟩ [-tatsiˈoːn] = *~ierung;* **~enbrett** *n mot mar aero* tableau *m* de bord; **~enflug** *m aero* vol *m* aux instruments; **~enlandung** *f aero* atterrissage *m* aux instruments *od* sans visibilité; **~enmacher** *m mus* fabricant d'instruments de musique; *(Geigenbauer)* luthier *m;* **~enschrank** *m* armoire *f* à instruments; **i~ieren** [-ˈtiːrən] *tr mus (selten)* orchestrer, *(selten)* instrumenter; **~ierung** *f* instrumentation, orchestration *f.*

Insulaner *m* ⟨-s, -⟩ [ɪnzuˈlaːnər] insulaire, îlien *m;* **~in** *n pharm* insuline *f.*

Insur|gent *m* ⟨-en, -en⟩ [ɪnzurˈgɛnt] *(Aufständischer)* insurgé *m;* **~rektion** *f* ⟨-, -en⟩ [inzurɛkˈtsjoːn] *(Aufstand)* insurrection *f.*

inszenier|en [ɪnstseˈniːrən] *tr theat film* mettre en scène; *fig* arranger, monter; **I~ung** *f theat film* mise en scène, *theat a.* présentation *f.*

intakt [ɪnˈtakt] *a (unberührt, unbeschädigt)* intact.

Intarsia *f* ⟨-, -sien⟩ [ɪnˈtarzia, -ziən] marqueterie *f.*

Integr|al *n* ⟨-s, -e⟩ [ɪnteˈgraːl] *math* intégrale *f;* **~alrechnung** *f* calcul *m* intégral; **~ation** *f* ⟨-, -en⟩ [-gratsiˈoːn] *(Vervollständigung, Zs.schluß)* intégration *f;* **i~ieren** [-ˈgriːrən] *tr (ergänzen, zs.schließen) a. math* intégrer; *~~de(r) Bestandteil m* partie *f* intégrante; **~ität** *f* ⟨-, ø⟩ [-griˈtɛːt] *(Unversehrtheit, Unbescholtenheit)* intégrité *f.*

Intell|ekt *m* ⟨-(e)s, ø⟩ [ɪnteˈlɛkt] intellect *m;* **i~ektuell** [-tuˈɛl] *a* intellectuel; **~ektuelle(r)** *m* intellectuel *m; die ~ektuellen pl (a.)* l'intelligentsia *f;* **i~igent** [-tɛliˈgɛnt] *a* intelligent; **~igenz** *f* ⟨-, -en⟩ [-ˈgɛnts] intelligence *f* supérieure; *die ~~ (Schicht der wissenschaftl. Gebildeten)* les intellectuels *m pl,* l'intelligentsia *f;* **~igenzprüfung** *f* test *m* d'intellgence, épreuve *f* de niveau mental; **~igenzquotient** *m* quotient *m* intellectuel.

Intendant *m* ⟨-en, -en⟩ [ɪntɛnˈdant] intendant *m a. mil theat;* **~ur** *f* ⟨-, -en⟩ [-ˈtuːr] intendance *f a. mil.*

Intens|ität *f* ⟨-, (-en)⟩ [ɪntɛnziˈtɛːt] intensité *f;* **i~iv** [-tɛnˈziːf] *a* intense; *bes. agr u. tech* intensif; **i~ivieren** [-ˈviːrən] *tr* intensifier; **~ivierung** *f* intensification *f.*

interess|ant [ɪnterɛˈsant] *a* intéressant; *(anziehend, reizvoll)* attirant, attrayant; **I~e** *n* ⟨-s, -n⟩ intérêt *m (an* à, *für* pour); *im ~~ der Allgemeinheit* dans l'intérêt public; *von allgemeinem ~~* d'intérêt général; *~~ bekommen an = ~~ nehmen an; jdm. e-r S ~~ entgegenbringen* porter intérêt à qn, qc; *~~ erregen* od *erwecken* od *finden* susciter *od* éveiller de l'intérêt; *an etw ~~ finden, an* od *für etw ~~ haben* s'intéresser à qc; *an etw ~~ haben* être intéressé par, avoir envie d'acheter qc; *an* od *für etw kein ~~ haben* ne pas s'intéresser à qc, se désintéresser de qc, n'avoir que faire de qc; *mit jdm gemeinsame ~~n haben* avoir partie liée avec qn; *die gleichen ~~n haben (a.)* manger à la même écuelle; *in jds ~~ liegen* être dans l'intérêt de qn; *~~ nehmen an* prendre (de l')intérêt à; *das ~~ an etw verlieren* se désintéresser de qc; *jds ~~n vertreten* défendre les intérêts de qn; *jds ~~n wahren* sauvegarder les *od* veiller aux intérêts de qn; *jds ~~n wahrnehmen* entrer dans les intérêts de qn; *sein besonderes ~~ gilt (dat)* il s'intéresse tout particulièrement à . . .; *auseinandergehende* od *-strebende ~~n* intérêts *m pl* divergents; *das öffentliche ~~* l'intérêt *m* commun *od* général *od* public, la chose publique; *Wahrung f der ~~n* sauvegarde *f* des intérêts; **~elos** *a* désintéressé; **I~elosigkeit** *f* désintéressement *m;* **I~engemeinschaft** *f* communauté *f* d'intérêts; *~~,* **I~engruppe** *f* groupement *m od* association *f* d'intérêts; **I~enkonflikt** *m* conflit *m od* discussion *f* d'intérêts; **I~ensphäre** *f pol* sphère *f* d'intérêt; **I~ent** *m* ⟨-en, -en⟩ [-ˈsɛnt] intéressé *m;* **~ieren** [-ˈsiːrən] *tr* intéresser; *sich für jdn, etw ~~* s'intéresser à qn, qc; *jdn nicht ~~ (a.)* glisser sur (l'esprit de) qn.

Interfer|enz *f* ⟨-, -en⟩ [ɪntɛrfeˈrɛnts] *phys radio* interférence *f;* **~enzstreifen** *m* frange *f* d'interférence; **~ometer** *n* ⟨-s, -⟩ interféromètre *m.*

Interieur *n* ⟨-s, -s/-e⟩ [ɛ̃nteriˈøːr] *(Innenraum)* intérieur *m.*

Interim *n* ⟨-s, -s⟩ [ˈɪnterɪm] *(vorläufige Regelung)* intérim *m;* **i~istisch** [-ˈmɪstɪʃ] *a* intérimaire, provisoire, temporaire; *adv a.* par intérim; **~saktie** *f* action *f* provisoire; **~slösung** *f* solution *f* intérimaire; **~sschein** *m fin* certificat *od* titre provisoire, script *m;* **~swechsel** *m fin* lettre *f* de change provisoire.

Interjektion *f* ⟨-, -en⟩ [ɪntɛrjɛktsiˈoːn] *gram* interjection *f.*

interkonfessionell [ɪntɛrkɔnfɛsioˈnɛl] *a* interconfessionnel.

interkontinental [ɪntɛrkɔntinɛnˈtaːl] *a* intercontinental.

Interlinearübersetzung *f* [ɪntɛrlineˈaːr-] traduction *f* interlinéaire.

Intermezzo *n* ⟨-s, -s/. . .zzi⟩ [intɛrˈmɛtso] *theat mus* intermède *a. fig,* divertissement *m.*

intermittierend [ɪntɛrmɪˈtiːrənt] *a scient* intermittent.

intern [ɪnˈtɛrn] *a* interne; **I~at** *n* ⟨-(e)s, -e⟩ [-ˈnaːt] internat *m,* maison *f* d'éducation; **I~e(r)** *m* interne, pensionnaire *m;* **~ieren** [-ˈniːrən] *tr* interner; **I~ierte(r)** *m* interné *m;* **I~ierung** *f* internement *m;* **I~ierungslager** *n* camp *m* d'internement; **I~ist** *m* ⟨-en, -en⟩ [-ˈnɪst] *(Arzt)* spécialiste *m* des maladies internes.

international [ɪntɛrnatsioˈnaːl] *a* international; **I~e,** *die (pol)* l'Internationale *f;* **~isieren** [-ˈziːrən] *tr* internationaliser; **I~ismus** *m* ⟨-, -en⟩ [-ˈlɪsmus] internationalisme *m.*

interparlamentarisch [ɪntɛrparlamɛnˈtaːrɪʃ] *a: I~e Union f* union *f* interparlementaire.

Interpell|ation *f* ⟨-, -en⟩ [ɪntɛrpɛlatsiˈoːn] *parl* interpellation *f;* **i~ieren** [-ˈliːrən] *itr* interpeller.

interplanetarisch [ɪnterplaneˈtarɪʃ] *a* interplanétaire.

interpolieren [ɪntɛrpoˈliːrən] *tr (einschalten, a. math)* interpoler.

Interpret *m* ⟨-en, -en⟩ [ɪntɛrˈpreːt] interprète *m;* **~ation** *f* ⟨-, -en⟩ [-tsiˈoːn] *(Auslegung)* interprétation *f;* **i~ieren** [-ˈtiːrən] *tr (deuten)* interpréter; *(erklären)* expliquer.

interpunkt|ieren [ɪntɛrpʊŋkˈtiːrən] *tr* ponctuer; *itr* mettre la ponctuation; **I~ion(szeichen** *n***)** *f* ⟨-, (-en)⟩ [-pʊŋktsiˈoːn] (signe *m* de) ponctuation *f.*

Intervall *n* ⟨-s, -e⟩ [ɪntɛrˈval] *mus* intervalle *m.*

interven|ieren [ɪntɛrveˈniːrən] *itr pol* intervenir; **I~tion** *f* ⟨-, -en⟩

[-vɛntsi'o:n] intervention *f; bewaffnete* ~~ intervention *f* armée.

Interview *n* ‹-s, -s› [ɪntɛr'vju:, 'ɪn-] interview *f;* **i~en** [-'vju:ən] *tr* interviewer, soumettre à une interview; **~er** *m* ‹-s, -› interviewer *m.*

Interzonen|handel [ɪntɛr'tso:nən-] *m,* **~verkehr** commerce, trafic *m* interzones; **~paß** *m,* **~schein** *m* passeport *od* laissez-passer *m* interzones.

Inthronisation *f* ‹-, -en› [ɪntroniza-tsi'o:n] intronisation *f.*

intim [ɪn'ti:m] *a* intime; *(vertraut)* familier; *~er Verkehr m* rapports *m pl* sexuels; **I~ität** *f* ‹-, -en› [-mi'tɛ:t] intimité *f;* **I~us** *m* ‹-, -mi› ['ɪntimʊs] ami *m* intime.

intoleran|t ['ɪntolerant, ɪntole'rant] *a* intolérant; **I~z** *f* ‹-, (-en)› [-'rants] intolérance *f.*

intonieren [ɪnto'ni:rən] *tr mus* entonner.

intrans|igent [ɪntranzi'gɛnt] *a (unversöhnlich)* intransigeant; **I~igenz** *f* ‹-, ø› [-'gɛnts] intransigeance *f;* **~itiv** [-zi'ti:f, 'ɪn-] *a gram* intransitif, neutre.

intravenös [ɪntrave'nø:s] *a med* intraveineux; *durch ~e Einspritzung* par voie intraveineuse.

intrig|ant [ɪntri'gant] *a* intrigant; **I~ant(in** *f***)** *m* ‹-en, -en› intrigant, e; finassier, ère *m f;* **I~e** *f* ‹-, -n› [-'tri:gə] intrigue, cabale *f;* **I~enspiel** *n* intrigues *f pl;* **I~enstück** *n theat* comédie *f* d'intrigue; **~ieren** [-'gi:rən] *itr* intriguer (*gegen* contre); *fam* intrigailler; *arg* magouiller.

Inumlaufsetzen *n fin* mise en circulation, émission *f.*

in- und auswendig *adv: ~ kennen* savoir sur le bout du doigt.

Invalid|e *m* ‹-n, -n› [ɪnva'li:də] invalide; *mil* mutilé *m;* **~enrente** *f* pension *od* rente *f* d'invalidité, invalides *m pl;* **~enversicherung** *f* assurance contre l'invalidité, assurance-invalidité *f;* **~ität** *f* ‹-, ø› [-di'tɛ:t] invalidité *f.*

Invasion *f* ‹-, -en› [ɪnvazi'o:n] invasion *f.*

Invent|ar *n* ‹-s, -e› [ɪnvɛn'ta:r] inventaire *m; das ~~ aufnehmen* faire *od* dresser *od* établir l'inventaire; *lebende(s) (Viehbestand), tote(s) ~~* cheptel *m* vif, mort; **~araufnahme** *f,* **~arisation** *f* ‹-, -en› [-rizatsi'o:n] établissement *m* de l'inventaire; **i~arisieren** [-ri'zi:rən] *tr* inventorier, faire l'inventaire de; **~arstück** *n* pièce *f* d'inventaire, objet *m* inventorié; **~arverzeichnis** *n* registre *m* d'inventaire; **~ur** *f* ‹-, -en› [-'tu:r] *com* inventaire *m; ~~ machen* dresser *od* établir *od* faire l'inventaire; **~urausverkauf** *m* solde *m* pour cause d'inventaire, liquidation *f* après inventaire, soldes *m pl;* **~urverzeichnis** *n* état *m* de l'inventaire.

invest|ieren [ɪnvɛs'ti:rən] *tr (in ein Amt einweisen)* investir; *fin (anlegen)* placer, investir, engager; **I~ierung** *f,* **I~ition** *f* ‹-, -en› [-titsi'o:n] *com* placement, investissement *m;* **I~itionsgüter** *n pl* biens *m pl* d'investissement; **I~itionsneigung** *f* propension *f* à investir; **I~itionsquote** *f* taux *m* des investissements; **I~or** *m* ‹-s, -en› [ɪn'vɛstɔr] investisseur *m.*

inwendig *a* intérieur; *adv* à l'intérieur, au-dedans.

inwie|fern, ~weit [--'-] *adv* combien, dans quelle mesure, (jusqu')à quel point.

Inzahlungnahme *f* reprise *f* en compte.

Inzucht *f* ‹-, ø› *(unter Vieh)* croisement *m* d'animaux apparentés; *(unter Menschen)* union *f* consanguine.

inzwischen *adv* entre-temps, en attendant; provisoirement; *(bis dahin)* d'ici là.

Ion *n* ‹-s, -en› [i'o:n] *phys* ion *m;* **~isation** *f* ‹-, (-en)› [-nizatsi'o:n] *phys* ionisation *f;* **i~isieren** [-ni'zi:rən] *tr phys* ioniser; **~isierung** *f = ~isation;* effet *m* électronique; **~osphäre** *f* ‹-, ø› [-no'sfɛ:rə] ionosphère *f.*

ionisch [i'o:nɪʃ] *a geog hist* ionien; *arch* ionique; *das I~e Meer* la mer Ionienne; *~e Säulenordnung f* ordre *m* ionique.

Iran *m* [i'ra:n] l'Iran *m;* **~er(in** *f***)** *m* ‹-s, -› [i'ra:niər] Iranien, ne *m f;* **i~isch** [i'ra:nɪʃ] *a* iranien.

ird|en ['ɪrdən] *a* de *od* en terre; *~~e(s) Geschirr n* poterie *f;* **~isch** *a astr* terrestre; *(nicht himmlisch)* de ce monde, d'ici-bas.

Ir|e *m* ‹-n, -n› ['i:rə] **~in** *f* Irlandais, e *m f;* **i~isch** *a* irlandais, d'Irlande; *der I~~e Freistaat* la République irlandaise; *die I~~e See* la mer d'Irlande; **~land** *n* l'Irlande *f;* **~länder** *m = ~e;* **i~ländisch** *a = i~isch.*

irgend ['ɪrgənt] *adv: wenn ich ~ kann, wenn es ~ geht* od *möglich ist* pour peu que ce soit possible, s'il y a la moindre possibilité; *so gut es ~ geht* du mieux possible; *~ etwas* n'importe quoi; quelque chose; *~ jemand* n'importe qui; quelqu'un; **~ein(e)** [-'ʔaɪn] *pron a* quelconque, n'importe quel, quelque; **~eine(r)** *pron s* n'importe lequel, laquelle; quelqu'un(e); **~einmal** *adv* une fois, un jour (quelconque); n'importe quand; *wenn ~~* si jamais; **~wann** *adv* n'importe quand, en quelque temps *od* à quelque moment que ce soit; **~wie** *adv* n'importe comment, d'une manière quelconque; **~wo** *adv,* **~wohin** *adv* quelque part, n'importe où; **~woher** *adv* de n'importe où.

Iridium *n* ‹-s, ø› [i'ri:dium] *chem* iridium *m.*

Iris *f* ‹-, -› ['i:rɪs] *anat bot* iris *m;* **~blende** *f phot* diaphragme *m* (iris); **i~ieren** [iri'zi:rən] *itr* s'iriser; **~ieren** *n* irisation *f;* **i~ierend** *a* iridescent, irisé.

Iron|ie *f* ‹-, -n› [iro'ni:] ironie *f; ~~ des Schicksals* ironie *f* du sort; **i~isch** [i'ro:nɪʃ] *a* ironique; **i~isieren** [ironi'zi:rən] *tr* ironiser.

irrational ['ɪ-, ɪratsio'na:l] *a, a. math* irrationnel; **I~zahl** *f* nombre *m* irrationnel.

irr|(e) ['ɪr(ə)] *a (verrückt)* fou, dément, aliéné; *~~ (verwirrt) sein* être déconcerté *od* perplexe; *(im Irrtum)* être dans l'erreur; *an jdm ~~ werden* ne plus savoir que penser de qn; perdre la confiance en qn; **I~e f** ‹-, ø›: *in die ~~ führen* égarer; *fig (täuschen)* mystifier, duper; *in die ~~ gehen* s'égarer; **I~e(r** *m***)** *f* fou, folle *m f,* dément *m,* aliéné, e *m f;* **~e=führen** ‹*hat irregeführt*› *tr fig* induire en erreur, donner le change à, tromper; **~eführend** *a (täuschend)* trompeur, faux; *~~e Werbung f* publicité *f* mensongère; **I~eführung** *f* tromperie, duperie, mystification *f;* **~e=gehen** ‹*ist irregegangen*› *itr* s'égarer, faire fausse route, se fourvoyer; *(Brief)* s'égarer; *fig* se tromper; **~egeleitet** *a fig* mis hors de la bonne route; **~e=leiten** ‹*hat irregeleitet*› *tr* tromper, duper; **~e=machen** ‹*hat irregemacht*› *tr* déconcerter, désorienter; *(von s-r Meinung abbringen)* faire changer d'avis; *sich nicht ~~ (von s-r Meinung abbringen) lassen* ne pas démordre de son opinion, *fam* ne pas perdre le nord; **~en** *itr (umherschweifen)* ‹*ist geirrt*› errer; *fig (Gedanken)* vaguer; *(falscher Meinung sein)* ‹*hat (sich) geirrt*› être dans l'erreur; *sich ~~* se tromper (*in* dans, *in jdm* sur le compte de qn), se méprendre, s'abuser, être dans l'erreur, faire fausse route; *sich gewaltig* od *schwer ~~ (fam)* se ficher *od* se fourrer dedans, se mettre *od* se ficher *od* se fourrer le doigt dans l'œil; *pop* prendre des vessies pour des lanternes; *sich im Datum, in der Zeit ~~* se tromper de date, d'heure; *sich in der Person ~~* faire erreur sur la personne; *sich sehr ~~* être loin de son compte; *wenn ich (mich) nicht ~e* si je ne me trompe *od* si je ne m'abuse, si j'ai bonne mémoire, sauf erreur de ma part; *ich habe mich gründlich in ihm geirrt* je me suis complètement trompé sur son compte; **I~enanstalt** *f,* **I~enhaus** *n* asile *od* hospice *m od* maison d'aliénés, maison *f* de santé; **I~enarzt** *m* psychiatre *m;* **~e=reden** ‹*hat irregeredet*› *itr (unzs.hängend reden)* tenir des propos incohérents, divaguer; *med* délirer; **I~esein** *n med* folie, démence, aliénation *f* mentale; **I~fahrt** *f* course vagabonde, odyssée *f;* **I~garten** *m* labyrinthe, dédale *m;* **I~glaube** *m rel (Ketzerei)* hérésie, hétérodoxie *f;* **~gläubig** *a* hérétique, hétérodoxe; **~ig** *a (falsch)* erroné, faux; **~igerweise** *adv* par erreur; **I~läufer** *m (Post)* envoi en souffrance; *loc (Wagen)* dévoyé *m;* **I~lehre** *f = I~glaube;* **I~licht** *n* ‹-(e)s, -er› feu *m* follet; **I~sinn** *m* ‹-(e)s, ø›, *a. fam (übertreibend)* folie; démence *f;* **~sinnig** *a* fou, dément, aliéné; **I~tum** *m* ‹-s, ⸚er› *(falsche Meinung)* erreur *f; (Mißverständnis)* malentendu *m; (Versehen)* méprise, bévue *f; jdn über e-n ~~ aufklären* tirer qn d'erreur; *sich im ~~ befinden, im ~~ sein* être dans l'erreur; *e-n ~~ begehen* commettre *od* faire une erreur; *s-n ~~ einsehen* revenir de son erreur, se détromper; *sich als ~~ herausstellen* se révéler (être) une erreur; *Sie sind* od *da sind Sie im ~~* vous vous trompez; *das ist ein ~~* il y a malentendu *od fam* maldonne; *das war ein ~~ von mir* j'ai fait erreur, je me suis trompé; ~~ od *~tümer vorbehalten (com)* sauf erreur (ou omission); *materielle(r) ~~* erreur *f* de fait; **~tümlich** *a* erroné; *adv* par erreur *od* méprise; **I~ung** *f* erreur, méprise *f;* **I~weg** *m fig* mauvais chemin *m,* fausse voie *f; auf ~~e geraten (fig)* s'écarter du bon *od* droit chemin, s'égarer; **I~wisch** *m* ⟨-s, -e⟩ = *I~licht; (Kobold)* farfadet, lutin *m.*

irreal ['ɪ-, ɪre'a:l] *a* irréel; **I~ität** *f* ⟨-, -en⟩ [-'tɛ:t] irréalité *f.*

Irredentismus *m* ⟨-, ø⟩ [ɪredɛn'tɪsmus] *pol* irrédentisme *m.*

irregulär ['i-, iregu'lɛ:r] *a* irrégulier.

irrelevant ['ɪ-, ɪrele'vant] *a* insignifiant, sans importance.

irrelig|iös ['ɪ-, ɪreligi'ø:s] *a* irréligieux; **I~iosität** *f* ⟨-,(-en)⟩ [-'tɛ:t] irréligiosité *f.*

Irrigator *m* ⟨-s, -en⟩ [ɪri'ga:tɔr, -'to:rən] *med* injecteur, bock *m* à injections.

irritieren [ɪri'ti:rən] *tr (reizen)* irriter, agacer; *(verwirren)* déconcerter.

isabellfarben [iza'bɛl-] *a* isabelle.

Ische *f* ⟨-, -n⟩ ['ɪʃə] *pop (Jüdin)* youpine *f.*

Ischias *f, a. m* od *n* ⟨-, ø⟩ ['ɪʃias] goutte *f* sciatique.

Isegrim *m* ⟨-s, -e⟩ ['i:zɛgrɪm] *fig (mürrischer Mensch)* grognon *m.*

Islam *m* ⟨-s, ø⟩ ['ɪslam, ɪs'la:m] *rel* Islam, islamisme *m;* **i~isch** [-'la:mɪʃ] *a allg* islamique; **~it** *m* ⟨-en, -en⟩ [-'mi:t] islamite *m;* **i~itisch** [-'mi:tɪʃ] *a* islamite.

Is|land *n* ['i:slant] l'Islande *f;* **~länder(in *f*)** *m* Islandais, e *m f;* **i~ländisch** *a* islandais; *I~~e(s) Moos n (bot)* lichen *m* d'Islande.

Iso|bare *f* ⟨-, -n⟩ [izo'ba:rə] *mete* isobare *f;* **~hypse** *f* ⟨-, -n⟩ [-'hʏpsə] *geog* courbe *f* de niveau; **~kline** *f* ⟨-, -n⟩ [-'kli:nə] *geog* (ligne) isocline *f;* **~merie** *f* ⟨-, ø⟩ [-me'ri:] *bot chem* isomérie *f;* **~therme** *f* ⟨-, -n⟩ [-'tɛrmə] *mete geog* isotherme *f;* **~top** *n* ⟨-s, -e⟩ [-'to:p] *chem* isotope *m.*

Isolat|ion *f* ⟨-, -en⟩ [izolatsi'o:n] *(Absonderung)* isolement *m; el* isolation *f;* **~ionismus** *m* ⟨-, ø⟩ [-'nɪsmus] *pol* isolationnisme *m;* **~or** *m* ⟨-s, -en⟩ [-'la:tɔr, -'to:rən] *el* isolateur *m,* isoloir, isolant *m.*

Isolier|anstrich *m* [izo'li:r-] enduit *m* isolant; **~band** *n* ruban *m od* bande isolant(e), bande *f* isolatrice, chatterton *m;* **~draht** *m* fil *m* isolateur; **i~en** *tr* isoler *a. el;* **~fähigkeit** *f el* pouvoir *m* isolant; **~glocke** *f* cloche *f* isolante; **~haft** *f* mise *f* au secret; régime *m* de l'isolement carcéral; **~klemme** *f* pince *f* isolante; **~masse** *f* pâte *f* isolante; **~material** *n,* **~mittel** *n* matière *f* isolante, isolant *m,* matériaux *m pl* isolants; **~pappe** *f* carton *m* isolant; **~platte** *f* plaque *f* isolante *od* d'isolation; **~raum** *m med* chambre *f* d'isolement, *(kleiner)* box *m;* **~schemel** *m* isoloir *m;* **~schicht** *f* chape *f* isolante; *el* couche *f od* bourrage *m* isolant(e); **~schutz** *m* revêtement *m* isolant; **~überzug** *m* pellicule *f* isolante; **~ung** *f (Absonderung)* isolement *m; el (Vorgang)* isolation; *(Material)* enveloppe *f* isolante; **~zelle** *f jur* prison *f* cellulaire.

Israel *n* ['ɪsraɛl] *(Staat, hist u. rel: Volk)* Israel *m;* **~i** *m* ⟨(-s),(-s)⟩ [-ra'e:li] *f pol* Israélien, ne *m f;* **i~isch** [-'e:lɪʃ] *a* israélien; **~it(in *f*)** *m* ⟨-en, -en⟩ [-e'li:t] *rel u. hist* Israélite *m f;* **i~itisch** [-'li:tɪʃ] *a* israélite.

Ist| ... ['ɪst-] ... effectif, réel; **~-Bestand** *m* (inventaire) effectif *m;* **~-Stärke** *f mil* effectif net *od* réel, chiffre *m* des effectifs.

Isthmus *m* ⟨-, -men⟩ ['ɪstmus, -mən] *geog (Landenge)* isthme *m.*

Ital|ien *n* [i'ta:liən] l'Italie *f;* **~iener(in *f*)** *m* ⟨-s, -⟩ [-li'e:nər] Italien, ne *m f;* **i~ienisch** [-li'e:nɪʃ] *a* italien, d'Italie; *(das) I~~(e) n* l'italien *m;* **~iker** *m* ⟨-s, -⟩ [i'ta:likər] *pl hist* Italiotes *m pl;* **i~isch** [i'ta:lɪʃ] *a hist* italique.

Itzig *m* ⟨-(e)s, -e⟩ ['ɪtsɪç] *pop (Jude)* youpin *m.*

J

J, j *n* ‹-, -› [jɔt] J, j *m.*
ja [ja:] *(bejahend)* oui; *(einräumend)* bien, mais; *(sogar)* et même; *~?* tu dis? vous dites? *fam* hein? *aber ~!* mais si! *na ~! (fam)* après tout; enfin! *nun ~!* hé, hé! *o ~!* mais oui! oh oui! oh oui! certes! *~ dann* alors; *~ doch!* mais oui! mais si! si, si! si fait! *~ freilich (adv)* bien sûr; sans doute, vraiment; *interj* mais oui! *~ sogar* et même, voire même; *~ was?* eh mais? *mit Ja antworten* répondre affirmativement; *~ sagen* dire que oui; *zu etw* consentir à qc; *zu allem ~ (und amen) sagen* consentir à tout; être un béni-oui-oui *fam; mit Ja stimmen (parl)* voter pour; *ich glaube, sage ~ (betont)* je crois, dis que oui; *ich habe es ~ gesagt* je l'avais bien dit; *das kann ich verstehen, ~ sogar billigen* je comprends et même j'approuve cela; *Sie wissen ~ ...* vous savez bien ...; *~ oder nein?* oui ou non? c'est à prendre ou à laisser; *glaube ~ nicht ...!* ne va pas croire ..., ne crois surtout pas ...; *sage ~ nicht ...!* ne va pas dire ..., garde-toi bien de dire ..., surtout ne dis pas ..., ne dis pas ..., je t'en prie; *da bist du ~!* mais te voilà! tiens, te voilà! te voilà enfin! *das ist ~ furchtbar* od *schrecklich!* mais c'est terrible! *das ist ~ e-e schöne Geschichte! (iron)* en voilà une belle affaire! **J~sager** *m* béni-oui-oui *m;* **~wohl** (mais) oui! parfaitement!
Jacht *f* ‹-, -en› [jaxt] *mar* yacht *m;* **~klub** *m* yacht-club *m.*
Jäckchen *n* ‹-s, -› ['jɛkçən] brassière *f.*
Jack|e *f* ‹-, -n› ['jakə] *(Herrenjacke)* veston *m,* veste; *(Damenjacke, Kostümjacke)* veste, jaquette *f; (Unterjacke)* gilet *m* de laine; *das ist ~~ wie Hose (fig)* c'est bonnet blanc et blanc bonnet, *pop* le même tabac, c'est kif-kif (bourricot); **~enkleid** *n* deux-pièces *m;* **~ett** *n* ‹-(e)s, -e/-s› [ʒa'kɛt] = *~e.*
Jagd *f* ‹-, -en› [ja:kt, -dən] chasse; *(Verfolgung)* poursuite *(auf* de); *(~wesen)* vénerie *f;* = *~gebiet; auf die ~ gehen* aller *od* partir à la chasse; *auf etw ~ machen* faire la chasse à qc; *die wilde ~* la chasse infernale; *die ~ nach dem Glück* la recherche frénétique du bonheur; la course au bonheur; **~abschnitt** *m aero* zone *f* de chasse; **~abwehr** *f aero* défense *f* contre les chasseurs; **~anzug** *m* costume *m* de chasse; **~aufseher** *m* garde-chasse *m;* **~ausdruck** *m* terme *m* de vénerie; **~ausrüstung** *f* équipement *m* de chasse; **j~bar** *a* bon à chasser; **~beute** *f* tableau *m* de chasse; **~bomber** *m* chasseur *m* bombardier; **~eindecker** *m aero* (avion) monoplan *m* de chasse; **~einsitzer** *m aero* (avion) monoplace *m* de chasse; **~flieger** *m aero* pilote *m* de chasse; **~fliegerei** *f* (aviation de) chasse *f;* **~flugzeug** *n* avion de chasse, chasseur *m;* **~frevel** *m* délit de chasse, braconnage *m;* **~gebiet** *n* (domaine *m* de) chasse *f;* **~geschichte** *f* récit *m* de chasse; **~geschwader** *n aero* (escadre de) chasse *f;* **~gesellschaft** *f* participants *m pl* d'une chasse; **~gewehr** *n* fusil *m* de chasse; **~haus** *n* rendez-vous *m* de chasse; **~horn** *n mus* cor *m* de chasse, trompe *f;* **~hund** *m* chien de chasse; *(Vorstehhund)* chien *m* d'arrêt; **~hüter** *m* garde-chasse *m;* **~hütte** *f* pavillon *m* de chasse; **~kommando** *n mil* détachement *m* de chasse; **~maschine** *f aero* = *~flugzeug;* **pacht** *f* bail *m* de chasse; **~recht** *n* droit *m* de chasse; **~revier** *n* réserve *f* de chasse; **~schein** *m* permis *m* de chasse; **~schloß** *n* château *m* de chasse; **~schutz** *m aero: mit ~~* escorté de chasseurs; **~sperre** *f aero* barrage *m* de chasseurs; **~staffel** *f aero* escadrille *f* de chasse; **~streife** *f aero* patrouille *f* de chasse; **~tasche** *f* gibecière, carnassière *f;* **~verband** *m aero* formation *f* de chasseurs; **~waffe** *f aero* chasse *f;* **~zeit** *f* saison *f* de la chasse.
jagen ‹*hat gejagt*› ['ja:gən] *tr* chasser, faire la chasse à; *(verfolgen)* poursuivre, pourchasser; *itr* ‹*ist gejagt*› chasser; *(dahinjagen)* courir, galoper, aller à toute vitesse *od* à fond de train; *fig* aller *od* prendre le grand galop; *nach etw ~* courir après qc; *aus dem Hause ~* chasser de la maison, mettre à la porte; *zu Tode ~ (Pferd)* crever; *damit kannst du mich ~* ça me dégoûte; *ein Ereignis jagt das andere* les événements se succèdent rapidement.
Jäger *m* ‹-s, -› ['jɛ:gər] chasseur *a. mil; aero* avion de chasse, chasseur *m;* **~ei** *f* ‹-, ø› [-'raɪ] chasse, vénerie; *(Haus)* maison *f* de garde-chasse; **~in** *f* chasseuse *f;* **~latein** *n* histoires *f pl od* argot *m* de chasseurs; **~meister** *m* louvetier, lieutenant *m* de louveterie; **~patrouille** *f aero* patrouille *f* de chasse; **~sprache** *f* argot *m* des chasseurs.
Jaguar *m* ‹-s, -e› ['ja:gua:r] *zoo* jaguar *m.*
jäh [jɛ:] *a (steil)* escarpé, raide, abrupt, rapide; *(plötzlich)* soudain, brusque; *(überstürzt)* précipité; *(ungestüm)* impétueux; *(aufbrausend)* fougueux; *adv a. (mit plötzlicher Heftigkeit)* brusquement; **Jäheit** *f* ‹-, ø› précipitation; impétuosité *f;* **~lings** *adv* soudain(ement), subitement; précipitamment; **J~zorn** *m (Eigenschaft)* caractère emporté, tempérament *m* colérique, irascibilité; *(Zornausbruch)* colère *f* subite, accès de colère, emportement *m;* **~zornig** *a* irascible; colère, coléreux, colérique; emporté, fougueux.
Jahr *n* ‹-(e)s, -e› [ja:r] *(als bloße Zeiteinheit)* an *m; (in s-m Verlauf, mit Bezug auf s-n Inhalt)* année; *arg* berge *f; alle ~e* tous les ans; *alle zwei ~e* tous les deux ans; *auf viele ~e hinaus* pour bien des années; *ein paar* od *einige ~e (lang)* quelques années; *einmal im ~* une fois par an; *~ für ~* chaque année; une année après l'autre; *die dreißiger ~e* les années trente; *das ganze ~ (hindurch* od *über)* (pendant) toute l'année; *im ~, aufs ~ gerechnet* par an; *im ~e 1960* en (l'an) 1960; *einmal im ~* une fois par an; *in den besten ~en (im besten Alter)* à la fleur de l'âge; *in einem ~, übers ~* dans un an, d'ici un an; au bout d'un an; *in mittleren ~en* entre deux âges; *jedes ~* tous les ans; *letztes* od *vergangenes* od *voriges ~* l'an dernier *od* passé, l'année dernière *od* passée; *mit den ~en* avec les années *od* le temps *od* l'âge; l'âge venant; *nächstes ~* l'année prochaine; *seit ~ und Tag* depuis (bien) longtemps; *viele ~e lang* pendant bien des années; *von ~ zu ~* d'année en année; *vor (vielen) ~en* il y a bien des années; *vor einem ~* il y a un an; *die besten ~e hinter sich haben* n'être plus tout jeune; *seine ~e spüren* sentir le poids des ans; *noch nicht die ~e haben zu ...* n'être pas encore en âge de ...; *in die ~e kommen (alt werden)* prendre de l'âge; *bei ~en sein* être avancé en âge; *jdm ein glückliches neues ~ wünschen* souhaiter la bonne année à qn; *die besten ~e (des Lebens)* les belles années; *ein dreiviertel, ein halbes ~* neuf, six mois *m pl; das laufende ~* l'année *f* courante; *das neue ~* la nouvelle année.
jahr|aus [ja:r'ʔaus] *adv; ~~: ~ein* bon an, mal an; d'une année à l'autre; **J~buch** *n* ['ja:r-] annuaire, almanach *m; pl* annales *f pl,* chronique *f;* **~elang** *a* qui a *od* avait duré des années; *adv* pendant de longues années.

Jahres|abonnement *n* ['ja:rəs-] abonnement *m* annuel; **~abrechnung** *f,* **~abschluß** *m,* **~bilanz** *f com* comptes *m pl* de fin d'année, règlement *m* annuel des comptes, clôture *f* annuelle des livres, bilan *m* annuel *od* de fin d'année; **~abschlußprämie** *f* prime *f* de fin d'année; **~anfang** *m* commencement *m* de l'année; **~ausweis** *m,* **~bericht** *m com* compte rendu *od* rapport *m* annuel; **~beitrag** *m* cotisation *f* annuelle; **~durchschnitt** *m* moyenne *f* annuelle; **~einkommen** *n* revenu *m* annuel; **~einnahme** *f* recette *f* annuelle; **~ende** *n* fin *f* d'année *od* de l'année; *vor ~~* avant la fin de l'année; **~erzeugung** *f* production *f od* rendement *m* annuel(le); **~frist** *f: binnen* od *in ~~* d'ici un an; *nach ~~* au bout d'un an; *vor ~~* il y a un an; **~gehalt** *n* traitement *m* annuel; **~inventur** *f* inventaire *m* annuel; **~lauf** *m* cours *m* de l'année; **~miete** *f* loyer *m* annuel; **~mittel** *n mete* moyenne *f* annuelle; **~produktion** *f* = *~erzeugung;* **~rate** *f* annuité *f;* **~rente** *f* rente annuelle, annuité *f;* **~ring** *m bot* couche *f* annuelle, cerne *m;* **~schluß** *m* fin *f* d'année; **~schnitt** *m: im ~~* bon an, mal an; **~tag** *m* anniversaire *m;* **~tagung** *f* congrès *m* annuel; **~umsatz** *m* chiffre *m* d'affaires *od* transactions *f pl* annuel(les); **~urlaub** *m* congé *m od* vacances *f pl* annuel(les), *mil* permission *f* annuelle; **~verbrauch** *m* consommation *f* annuelle; **~versammlung** *f* assemblée *f* annuelle; **~wechsel** *m,* **~wende** *f* nouvel an *m;* **~zahl** *f* (chiffre *m* de l')année *f; (auf Münzen)* millésime *m;* **~zahlung** *f* paiement *od* versement *m* annuel, annuité *f;* **~zeit** *f* saison *f;* **j~zeitlich** *a* saisonnier.

Jahr|fünft *n* [ja:r'fʏnft] ‹-(e)s, -e› espace de 5 ans, lustre *m;* **~gang** *m (Geburtsjahrgang)* génération annuelle; *(Rekrutenjahrgang)* classe; *(Schule)* promotion; *(Wein, Zeitschrift)* année *f;* **~hundert** *n* ‹-s, -e› [ja:r'hʊndərt] siècle *m;* **j~hundertealt** *a* multiséculaire; **j~hundertelang** *adv* pendant des siècles; **~hundertfeier** *f* (fête *f* du) centenaire *m;* **~hundertwende** *f* tournant de *od* changement *m* de siècle; **~markt** *m* foire *f;* **~marktsbude** *f* baraque *f* foraine; **~tausend** *n* millénaire *m;* **~tausendfeier** *f* (fête *f* du) millénaire *m;* **~zehnt** *n* ‹-(e)s, -e› [ja:r'tse:nt] période de dix ans, décennie *f;* **j~zehntelang** *adv* pendant des dizaines d'années.

jähr|en ['jɛ:rən], *sich: sein Tod ~t sich heute zum erstenmal* il y a aujourd'hui un an qu'il est mort; *der Tag ~t sich bald, an dem ...* c'est bientôt l'anniversaire du jour oû ...; **~ig** *a* d'un an; *(an eine Zahl angehängt)* de ... ans; **~lich** *a* annuel; *adv* par an; *einmal ~~* une fois par an; **J~ling** *m* ‹-s, -e› animal *m* d'un an.

Jakob ['ja:kɔp] *m* Jacques; *(Bibel)* Jacob; **~iner** *m* ‹-s, -› [-ko'bi:nər] *hist* jacobin *m;* **~inermütze** *f* bonnet *m* phrygien *od* rouge.

Jalousie *f* ‹-, -n› [ʒalu'zi:] *(zum Ziehen)* jalousie; *(zum Klappen)* persienne *f.*

Jammer *m* ‹-s, ø› ['jamər] *(Elend)* misère, calamité, détresse *f; (Kummer)* chagrin *m,* affliction; *(Verzweiflung)* désolation *f,* désespoir *m; (Wehklagen)* plaintes, lamentations, jérémiades *f pl; es ist ein ~ (, daß ...)* c'est malheureux, quel malheur (que ...); *daß, zu* c'est une misère que, que de; *es wäre ein ~, wenn* il serait vraiment dommage que *subj;* **~bild** *n* aspect pitoyable, tableau de désolation, spectacle *m* lamentable; **~geschrei** *n* cris *m pl* lamentables, lamentations *f pl;* **~gestalt** *f* figure *f* pitoyable; **~lappen** *m fam* geignard, mollasson, pleure-misère, lavette *m;* **j~n** *itr* se lamenter; *(klagen)* se plaindre; *(seufzen)* gémir, geindre; *nach jdm* od *etw ~~* réclamer qn *od* qc d'un ton plaintif; *das ~t mich* cela me fait pitié; **~n** *n* lamentations *f pl;* **j~schade** *a: das ist ~~!* c'est grand dommage, c'est déplorable; **~tal** *n* vallée *f* de larmes; **j~voll** *a* = *jämmerlich.*

jämmerlich ['jɛmərlɪç] *a (elend)* misérable; *(erbärmlich)* pitoyable, piteux, minable, *(mitleiderregend)* à faire pitié; *(herzzerreißend)* déchirant, navrant; *(beklagenswert)* déplorable, lamentable; *(traurig)* triste, affligeant; **J~keit** *f* ‹-, (-en)› *(Elend)* misère *f; (Erbärmlichkeit)* état *m* pitoyable *od* lamentable.

Janhagel *m* ‹-s, ø› [jan'ha:gəl, 'jan-] *(Pöbel)* populace, plèbe, tourbe, canaille *f.*

Jänner *m* ‹-(s), -› ['jɛnər], **Januar** *m* ‹-(s), -e› ['janua:r] janvier *m.*

Japan ['ja:pan] *n* le Japon; **~er(in** *f)* *m* ‹-s, -› [ja'pa:nər] Japonais, e *m f;* Nippon, ne *m f;* **j~isch** [-'pa:nɪʃ] *a* japonais, du Japon, nippon; *(das) J~isch(e)* (le) japonais; **~papier** *n* papier *m* du Japon.

Jargon *m* ‹-s, -s› [ʒar'gɔ̃:] *Berufssprache)* jargon *m.*

Jasmin *m* ‹-s, -e› [jas'mi:n] *bot* jasmin *m.*

Jaspis *m* ‹-sses, -sse› ['jaspɪs, -sə] *min* jaspe *m.*

jät|en ['jɛ:tən] *tr agr* sarcler; *(entkrauten)* désherber; **J=maschine** *f* sarcleuse *f.*

Jauche *f* ‹-, -n› ['jauxə] *agr* purin *m,* eaux-vannes *f pl; med (Eiter)* sanie *f,* ichor *m;* **~(n)faß** *n* tonneau *m* à purin; **~(n)grube** *f* fosse *f* à purin, purot *m.*

jauchz|en ‹*du jauchzt, a. jauchzest*› ['jauxtsən] *itr* pousser des cris d'allégresse, exulter, *fam* jubiler; **J~en** *n* cris *m pl* d'allégresse, exultation *f;* **J~er** *m* ‹-s, -› cri *m* d'allégresse.

jaulen ['jaulən] *itr (Hund)* pleurer.

Jazz *m* ‹-, ø› [dʒɛs, jats] jazz *m;* **~fanatiker** *m* fanatique *m* du jazz; **~kapelle** *f* orchestre de jazz, jazz-band *m;* **~musik** *f* (musique *f* de) jazz *m.*

je [je:] *adv (jemals)* jamais; *(vor e-r Zahl)* chaque, chacun *(nachgestellt);* à la fois; *~ ..., desto ... (mit Komparativen)* plus ..., plus ... *(mit Positiven); ~ mehr, weniger ..., desto mehr, weniger ...* plus, moins ... plus, moins ...; *~ nachdem* c'est selon; *~ nachdem, ob* selon que, suivant que; *~ und ~* en tout temps; *~ nach Größe* par rang de taille; *~ nach dem Fall, den Umständen* selon le cas, les circonstances; *~ eher, ~ lieber* le plus tôt sera le mieux; *~ länger, desto besser* plus cela dure, mieux cela vaut; *~ mehr, desto besser* plus il y en a, mieux cela vaut; *~ weiter wir kommen* à mesure que nous avançons; *wer hätte das ~ gedacht!* comment imaginer une chose semblable! **~her** *adv: von ~~* de tout temps, depuis toujours; de mémoire d'homme, depuis que le monde est le monde; **~mals** *adv* jamais; **~weilig** *a (derzeitig)* actuel; *(betreffend)* respectif; **~weils** *adv (jedesmal)* chaque fois.

jed|enfalls [je:d-] *adv* en tout cas, de toute façon, quoi qu'il en soit, toujours est-il que; **~e(r, s)** *pron a* tout; chaque; *~e(r, s) dritte etc ...* un(e) ... sur trois *etc; ~er von uns* chacun d'entre nous; *s (alleinstehend)* chacun, tout le monde; *~er, der* quiconque; *~en Augenblick* à tout moment, d'un moment à l'autre; *in ~er Hinsicht* à tous égards; *ohne ~en Zweifel* sans aucun doute; *das kann ~er* c'est à la portée de tout le monde; *~em das Seine* à chacun le sien; *~er beliebige* le premier venu; *~er einzelne* chacun en particulier; **~erlei** ['--'laɪ] *a* de toute sorte; *auf ~~ Weise* de toute façon; **~ermann** *pron* chacun, tout le monde; **~erzeit** *adv* en tout temps, à tout moment, à tous moments; à toute(s les) heure(s), toujours; **~esmal** *adv* (*pop* à) chaque fois, toutes les fois; *~~, wenn (conj)* chaque fois que, toutes les fois que; **~esmalig** *a* (de) chaque (fois).

jedoch [je'dɔx] *adv* cependant, pourtant, toutefois.

Jelängerjelieber *n* ‹-s, -› [-'---'--] *bot (Geißblatt)* chèvrefeuille *m.*

jemand ['je:mant] *pron* quelqu'un; *(verneint)* personne, aucun; *es ist ~ da* il y a quelqu'un *od* du monde; *ein gewisser J~* certaine personne, un quidam; *~ anders, sonst ~* quelqu'un d'autre; *~ Fremdes* quelqu'un d'étranger, quelque étranger, un étranger.

Jena *n* ['je:na] *geog* Iéna *f; ~er Glas n* pyrex *m.*

jen|e(r, s) ['je:n-] *pron a* ce(t) *m,* cette *f,* ces *pl* (*mit angehängtem* -là); *an ~em Tage* ce jour-là; *s* celui-là *m,* celle-là *f,* ceux-là *m pl,* celles-là *f pl; n* cela, *fam* ça; *dieser und ~er* celui-ci et celui-là; *a.* l'un ou l'autre, quelques-uns; *bald dieser, bald ~er* tantôt l'un, tantôt l'autre; *dies und ~es* ceci et cela; *über dies und ~es reden* parler de choses et d'autres; **~seitig** *a* de l'autre côté, au-delà, ultérieur; *am ~~en Ufer* sur l'autre rive; **~seits** *adv* de l'autre côté, au-delà; *prp gen* de l'autre côté de, au-delà de, par-delà; *~~ der Alpen,*

des Atlantiks, des Kanals, des Rheins (gelegen) transalpin, transatlantique *od* d'outre-Atlantique, d'outre-Manche, transrhénan *od* d'outre-Rhin; **J~seits,** *das* l'au-delà, l'autre monde *m; ins ~~ befördern (pop)* expédier dans l'autre monde.
Jeremiade *f* ‹-, -n› [jeremi'a:də] *(Klagelied)* jérémiade *f.*
Jesu|it *m* ‹-en, -en› [jezu'i:t] jésuite *m;* **~itenorden,** *der* la Société *od* Compagnie de Jésus; **j~itisch** [-'i:tɪʃ] *a* jésuitique; **~s** *m* ['je:zus] Jésus *m; ~~ Christus m* Jésus-Christ *m; das Buch ~~ Sirach* l'Ecclésiastique *m;* **~skind** *n (Kunst)* jésus *m.*
jetz|ig [jɛtsɪç] *a* présent, actuel; d'aujourd'hui, d'à présent, de nos jours; *in der ~~en Zeit* actuellement; **~t** [jɛtst] *adv* maintenant, à présent, présentement, actuellement, à l'heure qu'il est; *(dann)* alors; *bis ~~* jusqu'à présent, jusqu'ici; *eben ~~* à l'instant (même); *erst ~~ ...* ce n'est que maintenant que ...; *für ~~* pour le moment *od* l'instant; *gerade ~~* juste en ce moment; *von ~~ an* à partir de maintenant, désormais, dorénavant, à l'avenir; *~~ oder nie* maintenant ou jamais; **J~tzeit** *f* (temps) présent *m.*
jeweil|ig *a* respectif; correspondant; du moment; du jour (du mois, de l'année ...); *(Preise)* courant; **~s** *adv* chaque fois; respectivement.
Jiu-Jitsu *n* ‹-(s), ø› ['dʒi:u 'dʒɪtsu] *sport* jiu-jitsu *m.*
Job *m* ‹-s, -s› [dʒɔb] *fam* travail; boulot *m;* **j~ben** *itr* travailler (occasionnellement); avoir un job.
Joch *n* ‹-(e)s, -e› [jɔx] joug *m; arch* travée *f; geog (Paß)* col *m; el* culasse *f; sein ~ abschütteln (fig)* secouer son joug; *ein ~ Ochsen* une paire de bœufs; **~bein** *n anat* os de la pommette *od* malaire, zygoma *m;* **~weite** *f arch* portée *f* de travée.
Jockei *m* ‹-s, -s› ['dʒɔki] jockey *m.*
Jod *n* ‹-(e)s, ø› ['jo:t, -dəs] *chem* iode *m;* **j~haltig** *a* iodifère; **~id** *n* ‹-(e)s, -e› [-'di:t, -də] iodure *m;* **~kalium** *n* iodure *m* de potassium; **~natrium** *n* iodure *m* de sodium; **~oform** *n* ‹-s, ø› [-do'fɔrm] *pharm* iodoforme *m;* **~silber** *n* iodure *m* d'argent; **~tinktur** *f pharm* teinture *f* d'iode; **~vergiftung** *f* intoxication *f* par l'iode, iodisme *m.*
jod|eln ['jo:dəln] *tr* u. *itr* iouler, jodler; **J~ler** *m* ‹-s, -› ['-dlər] *(Person)* iouleur *m; (das Jodeln)* tyrolienne *f.*
Joghurt *m* od *n* ‹-s, -s› ['jo:gurt] yaourt, yogourt *m.*
Johann|(es) *m* ['jo:han, jo'han(əs)] Jean *m; ~es der Täufer* (Saint) Jean-Baptiste; **~i(s)** *n,* **~istag** *m* [-'hani, -nɪs-] *(24. Juni)* la Saint-Jean; **~isbeere** *f* groseille *f; schwarze ~~* cassis *m;* **~isbrot** *n bot* caroube *f;* **~isbrotbaum** *m* caroubier *m;* **~isfeuer** *n* feu *m* de la Saint-Jean; **~iskäfer** *m* ver luisant, *scient* lampyre *m;* **~iter** *m* ‹-s, -› [-'ni:tər] chevalier *m* de Saint-Jean; **~iterorden,** *der* l'ordre *m* de Saint-Jean.
johlen ['jo:lən] *itr* criailler, hurler, *fam* brailler, beugler.
Jolle *f* ‹-, -n› ['jɔlə] *mar* yole; nacelle *f.*
Jongl|eur *m* ‹-s, -e› [ʒɔ̃'glø:r] jongleur *m;* **j~ieren** [-'gli:rən] *itr* jongler.
Joppe *f* ‹-, -n› ['jɔpə] veston *m,* vareuse *f.*
Jordan ['jɔrdan] *der* le Jourdain; **~ien** *n* [-'da:niən] la Jordanie; **~ier(in** *f***)** *m* ‹-s, -› [-'da:nɪər] Jordanien, ne *m f;* **j~isch** [-'da:nɪʃ] *a* jordanien.
Journal *n* ‹-s, -e› [ʒur'na:l] *(Tagebuch)* journal (intime); *com* livre journal *m; ins ~ eintragen* noter sur son journal; **~ismus** *m* ‹-, ø› [-'lɪsmus] journalisme *m;* **~istenberuf** *m,* **~istik** *f* ‹-, ø› [-'lɪstɪk] journalisme *m;* **~ist** *m* ‹-en, -en› [-'lɪst] journaliste *m;* **j~istisch** [-'lɪstɪʃ] *a* journalistique.
jovial [jovi'a:l] *a* jovial, gaillard; *(leutselig)* affable; **J~ität** *f* ‹-, ø› [-'tɛ:t] jovialité, humeur joviale, gaillardise; affabilité *f.*
Jubel *m* ‹-s, ø› ['ju:bəl] jubilation, exultation *f;* cris d'allégresse, transports *m pl* de joie; **~jahr** *n* année *f* jubilaire, jubilé *m; alle ~~e (einmal)* bien rarement; **j~n** *itr* exulter, triompher, pousser des cris d'allégresse, *fam* jubiler.
Jubil|ar(in *f***)** *m* ‹-s, -e› [jubi'la:r] personne *f od* celui *m* (celle *f*) qui fête son anniversaire *od* jubilé; **~äum** *n* ‹-s, -läen› [-'lɛ:um, -ən] fête *f* anniversaire; *fünfzigjährige(s) ~~* jubilé *m;* **j~ieren** [-'li:rən] *itr jubeln.*
juch|he(i), ~heisa, ~heißa, ~heirass(ass)a [jux'he:, -'haɪ, -za, -sa, -'haɪras(as)a] *interj* gué!
Juchten|(leder *n***)** *n* od *m* ‹-s, ø› ['juxtən] cuir *m* de Russie; **j~** *a* de cuir de Russie.
juck|en ['jukən] *itr u. tr (Körperstelle)* démanger (*jdn* à qn); *impers: es ~t mich* cela me démange, j'ai des démangeaisons; *sich ~~* se gratter; *mir ~t's in den Fingern (fig)* les doigts me démangent; *wen's ~t, der kratze sich (prov)* qui se sent galeux se gratte; **J~en** *n,* **J~reiz** *m* démangeaison(s *pl*) *f; med* prurit *m;* **~end** *a med* prurigineux; **J~pulver** *n* poil *m od* poudre *f* à gratter.
Jud|äa *n* [ju'dɛ:a] la Judée; **~e** *m* ‹-n, -n› ['ju:də] juif *m; der Ewige ~~* le Juif errant; **~enchristentum** *n hist rel* judéochristianisme *m;* **~engegner** *m* antisémite *m;* **j~engegnerisch** *a* antisémite; **~enschule** *f: es geht hier zu wie in e-r ~~* c'est un véritable sabbat; **~entum** *n* ‹-s, ø› judaïsme *m;* **~enverfolgung** *f* persécution *f* des juifs; **~enviertel** *n* quartier des juifs, ghetto *m.*
Jüd|in *f* ‹-, -nnen› ['jy:d-] juive *f;* **j~isch** *a* juif; *rel* judaïque; *pop* youpin.
Jugend *f* ‹-, ø› ['ju:gənt] jeunesse; *(Kindheit)* enfance; *(Jünglingsalter)* adolescence *f; die ~ (die jungen Leute)* la jeunesse *f,* les jeunes gens *pl; in der Blüte der ~* à la fleur de l'âge; *von (früher) ~ an* dès sa jeunesse, dès l'âge tendre; *~ muß sich austoben* il faut que jeunesse se passe; *~ hat keine Tugend (prov)* jeunesse n'a pas de sagesse; *frühe ~* première jeunesse *f;* **~alter** *n* jeune âge *m,* jeunesse, adolescence *f;* **~amt** *n* office *m* de la jeunesse *od* de l'enfance *od* des mineurs; **~anwalt** *m* avocat *m* des mineurs; **~bewegung** *f* mouvement *m* de jeunesse; **~buch** *n* livre *m* pour la jeunesse; **~erinnerung** *f* souvenir *m* de jeunesse; **~freund** *m (alter Freund)* ami *od* camarade d'enfance; *(Freund der ~)* ami *m* de la jeunesse; **~frische** *f* fraîcheur de la jeunesse, verdeur *f;* **~fürsorge** *f* aide *f* sociale à la jeunesse; **j~gefährdend** *a* dangereux pour la jeunesse; **~gericht** *n* tribunal *m* pour enfants *od* de mineurs; **~gruppe** *f* groupement *m* de(s) jeunes; **~haft** *f* détention *f* juvénile; **~herberge** *f* auberge *f* de jeunesse; **~jahre** *n pl* (années *f pl* de) jeunesse *f;* **~kriminalität** *f* délinquance *f* juvénile; **~lager** *n* camp *m* de jeunes; **~leiter** *m* animateur *m* de jeunesse; **j~lich** *a* juvénile; *(jung)* jeune, adolescent; *(von ~~er Frische)* frais, vigoureux; *~~ aussehen* avoir l'air jeune, faire jeune; *~~e(s) Aussehen n* air *m* de jeunesse; *~~e(r) Liebhaber(in f) m (theat)* jeune premier, ère *m f; ~~e(r) Verbrecher m* délinquant *m* mineur; **~liche(r)** *m* mineur *m; ~~e unter 16 Jahren haben keinen Zutritt* interdit aux moins de seize ans; *~~e(r) m unter 18 Jahren* mineur *m* de dix-huit ans; **~lichkeit** *f* ‹-,(-en)› juvénilité, jeunesse *f; (Aussehen)* air *m* jeune; **~liebe** *f (Person)* premier amour; amour *m* de jeunesse; **~literatur** *f* littérature pour la jeunesse; **~pflege** *f = ~fürsorge;* **~psychologie** *f* psychologie *f* de l'adolescent; **~richter** *m* juge *m* pour enfants *od* mineurs; **~schrift** *f* lecture *f* pour la jeunesse; **~schutz** *m* protection *f* de l'enfance *od* de la jeunesse; **~stil** *m* modern style *m;* **~strafanstalt** *f* maison *f* de correction; **~streich** *m,* **~sünde** *f* écart *m* de jeunesse; **~wandern** *n* excursions *f pl* de la jeunesse; **~werk** *n (e-s Dichters)* œuvre *f* de jeunesse; **~wettkämpfe** *m pl* épreuves *f pl* pour juniors; **~zeit** *f* jeunesse, adolescence *f;* **~zeitschrift** *f* revue *f od* périodique *od* journal *m* pour la jeunesse *od* des jeunes.
Jugoslaw|e *m* ‹-n, -n› [jugo'sla:və], **~in** *f* Yougoslave *m f;* **~ien** [-'sla:viən] *n* la Yougoslavie; **j~isch** [-'sla:vɪʃ] *a* yougoslave.
Juli *m* ‹-s,(-s)› ['ju:li] (mois de) juillet *m.*
jung [juŋ] *(jünger) a* jeune; *fig* nouveau; *in ~en Jahren* dans la jeunesse; *von ~ auf* de jeunesse; dès son (mon, ton) jeune âge; *~ aussehen* avoir l'air jeune, faire jeune; *~ machen, wieder ~ werden* rajeunir; *~ gewohnt, alt getan (prov)* ce que poulain prend en jeunesse, il continue en vieillesse; on garde ses habitudes de jeunesse; *nicht mehr ~ (Mensch)* d'un certain âge, entre deux âges; *noch ~* d'hier; *~ und alt*

jeunes et vieux; *~e Erbsen f pl* petits pois *m pl; ~e(s) Gemüse n* légumes *m pl* frais; *~e(r) Wein m* vin *m* nouveau *od* vert; **J~akademiker** *m* jeune universitaire *m;* **J~brunnen** *m* fontaine *f* de Jouvence; **J~e** *m* ⟨-n, -n/Jungs/-ns⟩ garçon, gars, gamin, *fam* gosse, *pop* moutard *m; alter ~~! (fam)* vieille branche! *dumme(r) ~~* nigaud *m; kleine(r) ~~* garçonnet, *fam* bambin, mioche *m; schwere(r) ~~ (pop)* caïd *m; ungezogene(r) ~~* polisson *m;* **J~e** *n* ⟨-n, -n⟩ *(Tier)* petit *m; ~~e werfen,* **~en** *itr* mettre bas; **~enhaft** *a* puéril; *pej* de gamin; **J~enhaftigkeit** *f* ⟨-, ø⟩ puérilité *f;* **J~enstreich** *m* tour *m* de gamin, gaminerie, polissonnerie *f;* **J~fer** *f* ⟨-, -n⟩ ['-fər] = *J~frau; vx (junges Mädchen)* demoiselle; *hum* jouvencelle; *tech (Ramme)* demoiselle, dame, hie *f; alte ~~* vieille fille *f;* **J~fernfahrt** *f mar* croisière *f* inaugurale; **J~fernflug** *m aero* baptême de l'air, premier vol *m;* **J~fernhäutchen** *n anat* hymen *m;* **J~fernrede** *f* début *m* oratoire; **J~fernschaft** *f* = *J~fräulichkeit;* **J~frau** *f* vierge, pucelle *f; die ~~ (astr)* la Vierge; *die Heilige ~~* la sainte Vierge; *die ~~ von Orléans* la Pucelle d'Orléans; **~fräulich** *a* virginal, (de) vierge; *(keusch)* chaste; **J~fräulichkeit** *f* virginité *f,* pucelage *m; (Keuschheit)* chasteté *f;* **J~geselle** *m* célibataire, (vieux) garçon *m; eingefleischte(r) ~~* célibataire *m* endurci; **J~gesellenabschiedsfeier** *f* enterrement *m* de la vie de garçon; **J~gesellenleben** *n* vie *f* de garçon; **J~gesellentum** *n* célibat *m;* **J~gesellenwirtschaft** *f pej* ménage *m* de garçon; **J~gesellenwohnung** *f* garçonnière *f,* logement *m* de garçon; **J~gesellin** *f* garçonne *f;* **J~holz** *n* taillis *m;* **J~lehrer** *m* instituteur *m* stagiaire; **J~steinzeit** *f* néolithique *m;* **~steinzeitlich** *a* néolithique; **J~vermählte** *pl* jeunes mariés *m pl;* **J~vieh** *n* jeunes bêtes *f pl.*

Jüng|elchen *n* ⟨-s, -⟩ ['jʏŋəlçən] garçonnet, petit garçon; *pej* jeunot *m;* **j~er** *a (Komparativ von: jung)* plus jeune; *(Bruder, Schwester)* cadet, puîné; *~~ machen, werden* rajeunir; *er ist 5 Jahre ~~ als ich* il est mon cadet de 5 ans; *er sieht ~~ aus, als er ist* il ne paraît pas son âge; *der J~~e (von zwei Künstlern gleichen Namens)* le jeune; *(als Sohn)* fils; **~er** *m* ⟨-s, -⟩ disciple *m;* **j~ferlich** *a* de fille; **~ling** *m* ⟨-s, -e⟩ *vx u. poet* jeune homme, adolescent, *lit* éphèbe; *hum, sonst vx* jouvenceau *m;* **j~st** *adv* dernièrement, (tout) récemment; **j~ste(r, s)** *a (Superlativ von: jung)* (le, la) plus jeune; *(letzter)* dernier; *der, die J~ste (Bruder, Schwester)* le, la cadet(te); *in der ~sten Zeit* ces derniers temps; *das J~ste Gericht, der J~ste Tag (rel)* le Jugement dernier.

Juni *m* ⟨-(s), -s⟩ ['ju:ni] (mois de) juin *m;* **~käfer** *m* hanneton *m* de la Saint-Jean.

junior ['ju:niɔr] *a (nachgestellt)* junior, fils; **J~chef** *m* chef *m* junior.

Junker *m* ⟨-s, -⟩ ['jʊŋkər] gentilhomme campagnard *od* terrien, *pej* hobereau; *hist (junger Edelmann)* jeune noble, cadet *m;* **~tum** *n* ⟨-s, ø⟩ aristocratie *f* terrienne; *pej* hobereaux *m pl.*

Jupiter *m* ['ju:pitɛr, -tər] *rel hist, astr* Jupiter *m;* **~lampe** *f film* lampe *f* à arc.

Jur|a 1. *n* ['ju:ra] *pl (die Rechte): ~~ studieren* étudier le *od* faire son droit; **~isprudenz** *f* ⟨-, ø⟩ [jurispru'dɛnts] jurisprudence, science *f* juridique; **~ist** *m* ⟨-en, -en⟩ [-'rist] juriste, homme de loi, légiste; *(Rechtsgelehrter)* jurisconsulte; *(Student)* étudiant *m* en droit; *die ~~en pl* les gens *pl* de robe, *pej* la basoche; **~istensprache** *f* style *m* du palais; **j~istisch** [-'rɪstɪʃ] *a* juridique; *~~e(r) Beistand m* conseiller *m* juridique; *~~e Fakultät f* faculté *f* de droit; *~~e Person f* personne *f* juridique *od* civile *od* morale; **~isterei** *f* ⟨-, ø⟩ [-'raɪ] *fam* = *~isprudenz;* **~y** *f* ⟨-, -s⟩ [ʒy'ri:, 'ʒy:ri] *(Schwur-, Preisgericht)* jury *m.*

Jura ['ju:ra] **2.,** *der (geog)* le Jura; *der Schweizer, Schwäbische, Fränkische ~* le Jura franco-suisse, souabe, franconien; **~(formation** *f***)** *m geol* jurassique *m.*

just [just] *adv* juste(ment), précisément; **~ieren** [-'ti:rən] *tr tech* ajuster, régler, *(d. Spielraum)* rattraper; *typ* justifier; **J~ierschraube** *f* vis *f* d'ajustage *od* de réglage; **J~ierung** *f* ajustage, réglage, rattrapage *m; typ* justification *f.*

Justiz *f* ⟨-, ø⟩ [jus'ti:ts] justice *f;* **~beamte(r)** *m* magistrat *m* (judiciaire); **~behörde** *f* autorité *f* judiciaire; **~gebäude** *n* palais *m* de justice; **~irrtum** *m* erreur *f* judiciaire *od* de justice; **~minister** *m* ministre de la justice; *(in Frankreich a.)* garde *m* des sceaux; **~ministerium** *n* ministère *m* de la justice; **~mord** *m* meurtre *m* judiciaire; **~palast** *m* = *~gebäude;* **~rat** *m (Titel)* conseiller *m* à la cour; **~verwaltung** *f* administration *f* de la justice.

Jute *f* ⟨-, ø⟩ ['ju:tə] *(bot u. Textil)* jute *m;* **~spinnerei** *f* filature *f* de jute.

Juwel *m* od *n* ⟨-s, -en *fig* -e⟩ [ju've:l] joyau, bijou *m; pl a.* joaillerie *f;* **~endiebstahl** *m,* **~enraub** *m* vol *m* de pierres précieuses; **~enhandel** *m* joaillerie, bijouterie *f;* **~enhändler** *m,* **~ier** *m* ⟨-s, -e⟩ [-ve'li:r] joaillier, (orfèvre) bijoutier *m;* **~iergeschäft** *n,* **~ierladen** *m* bijouterie *f.*

Jux *m* ⟨-es, -e⟩ [juks] *fam* plaisanterie, bouffonnerie, farce, *fam* blague, *pop* rigolade *f; (sich) e-n ~ machen* rigoler *pop; sich e-n ~ aus etw machen* prendre qc à la rigolade.

K

K, k *n* ‹-, -› [ka:] *(Buchstabe)* K, k *m*.
Kabale *f* ‹-, -n› [ka'ba:lə] cabale, intrigue, brigue, trame *f*.
Kabarett *n* ‹-s, -s/-e› [kaba'rɛt, -'re:] cabaret *m* (artistique), *fam* boîte *f* de nuit; **~ist(in** *f***)** *m* ‹-en, -en› [-'tɪst] fantaisiste *m f*; **~sänger(in** *f***)** *m* chansonnier *m*, divette *f*.
kabbel|ig ['kabəlɪç] *a (gekräuselt; von der See)* moutonné; **~n** *itr (sich kräuseln)* moutonner; *a.: sich ~~ (fam: sich zanken)* se chamailler, se prendre de bec.
Kabel *n* ‹-s, -› ['ka:bəl] *tech* câble *m*; **~auftrag** *m* ordre *m* télégraphique; **~bauarbeiter** *m* ouvrier *m* câbleur; **~bericht** *m* rapport *m* par câble; **~gramm** *n* câblogramme *m*; **~klemme** *f* serre-câble *m*; **~länge** *f* encablure *f*; **~leger** *m mar* mouilleur *m* de câbles; **~muffe** *f* boîte *f* de jonction; **k~n** *tr u. itr* câbler; **~rolle** *f* tambour *m* à câble; **~schacht** *m* puits *m* à câbles; **~schuh** *m* raccord *m* de câble; **~verbindung** *f* liaison par câble; *(Stelle)* jonction *f* de câble; **~winde** *f* treuil *m* à câble; **~zuführung** *f* arrivée *f* de câble.
Kabeljau *m* ‹-s, -e/-s› ['ka:bəljau] *zoo* cabillaud *m*, morue *f*.
Kabine *f* ‹-, -n› [ka'bi:nə] cabine; *aero* carlingue *f*, habitacle *m*; **~naufladung** *f aero* pressurisation *f*; **~nflugzeug** *n* avion *m* à cabine *od* à habitacle; **~nkoffer** *m* malle-cabine *f*; **~nroller** *m mot* scooter *m* à cabine.
Kabinett *n* ‹-s, -e› [kabi'nɛt] *(kleines Zimmer, Museum, pol)* cabinet; *pol a.* ministère *m*; **~sbeschluß** *m* décision *f* du cabinet; **~schef** *m* chef *m* de cabinet; **~sfrage** *f parl* question *f* de cabinet; **~skrise** *f* crise *f* ministérielle; **~srat** *m (Ministerrat)* conseil *m* des ministres; **~ssitzung** *f* séance *f* du conseil des ministres; **~stück** *n* pièce *f* de musée; **~sumbildung** *f* remaniement *m* du cabinet.
Kabriolett *n* ‹-s, -s› [kabrio'lɛt] cabriolet *m a. mot; mot* décapotable *f*.
Kabuff *n* ‹-s, -e/-s› [ka'buf] *pop pej (kleiner Raum)* réduit *m*, cage *f* à poules *fam*.
Kachel *f* ‹-, -n› ['kaxəl] carreau *m*; **~ofen** *m* poêle *m* de *od* en faïence.
Kack|e *f* ‹-, ø› ['kakə] *vulg* caca, bran *m*; **k~en** *itr vulg* faire caca.
Kadaver *m* ‹-s, -› [ka'da:vər] cadavre *m*; *pop* macchabée *m*; *(Aas)* charogne *f*; **~gehorsam** *m* obéissance *f* aveugle.
Kadenz *f* ‹-, -en› [ka'dɛnts] cadence *f*.
Kader *m* ‹-s, -› ['ka:dər] *mil (Stamm)* cadre *m*; *die ~ aufstellen (mil)* encadrer (*e-r Einheit* une unité).
Kadett *m* ‹-en, -en› [ka'dɛt] *mil* cadet, élève-officier *m*; **~enanstalt** *f* école *f* militaire.
Kadmium *n* ‹-s, ø› ['katmium] *chem* cadmium *m*.
Käfer *m* ‹-s, -› ['kɛ:fər] coléoptère *m*.
Kaff *n* ‹-s, -s/-e› [kaf] *pop pej (Ort)* patelin, bled *m*.
Kaffee *m* ‹-s, (-s)› ['kafe, ka'fe:] *(bot u. Getränk)* café; *arg mil* jus *m* (de chaussettes); *~ kochen, trinken* faire, prendre *od* boire du café; *(un)gebrannte(r) ~* café *m* torréfié (vert); *(un)gemahlene(r) ~* café *m* en poudre (en grains); *schwarze(r) ~* café noir *od* nature, *fam* noir, *pop* jus *m*; *Tasse f ~* tasse *f* de café; *~ mit Milch* café crème *od* au lait, crème *m*; *~ mit Schnaps* café *m* arrosé *pop*; **~bohne** *f* grain *m* de café; **k~braun** *a* café *inv*; **~brenner** *m (Gerät)* torréfacteur *m*; **~-Ersatz** *m* succédané *m* de café; **~-Extrakt** *m* essence *f* de café; **~gedeck** *n* café *m* complet; **~grund** *m* = *~satz*; **~haus** *n* café *m*; **~hausbesitzer** *m* cafetier *m*; **~kanne** *f* cafetière *f*; **~löffel** *m* cuiller à café, petite cuiller *f*; **~maschine** *f* cafetière *f* automatique, percolateur *m*; **~mischung** *f* mélange *m* de café; **~mühle** *f* moulin *m* à café; **~mütze** *f* = *~wärmer*; **~pause** *f* pause *f* café; **~pflanzer** *m* caféier *m*; **~pflanzung** *f*, **~plantage** *f* plantation de café, caféière *f*; **~satz** *m* marc *m* de café; **~service** *n* service *m* à café; **~strauch** *m* caféier *m*; **~tasse** *f* tasse *f* à cafè; **~wärmer** *m* couvre-cafetière, cosy *m*.
Kaffer 1. *m* ‹-s, -› ['kafər] *fam* idiot *m*, bête *f*.
Kaffer 2. ‹-n, -n› ['kafər] *(meist) die Kaffern m pl (Bantuvolk)* les Cafres *m pl*; **~hirse** *f bot* blé *m* de Guinée.
Käfig *m* ‹-s, -e› ['kɛ:fɪç] cage *f*.
kahl [ka:l] *a (Kopf, Mensch)* chauve; pelé *(a. Gegend)*, dégarni *(a. Baum, Zimmer)*; *(Baum, Gegend, Zimmer, Wand)* nu; dépouillé; *fig (ärmlich)* pauvre, triste, misérable; *~ scheren* tondre; *arg* mettre la boule à zéro; *~ werden (Mensch, Kopf) a. fam* se peler, se dégarnir, se déplumer; *allg* se dénuder, se dépouiller; **~=fressen** *tr* tondre; **~geschoren** *a* tondu; **K~heit** *f* ‹-, ø› *(Mensch)* calvitie; *allg* nudité; *fig (Ärmlichkeit)* pauvreté *f*; **K~kopf** *m* (tête *f*) chauve, *fam* pelé *m*; **~köpfig** *a* chauve, pelé; **K~köpfigkeit** *f* ‹-, ø› calvitie *f*; **K~schlag** *m (Wald)* coupe *f* blanche *od* nette.
Kahn *m* ‹-(e)s, ¨-e› [ka:n, 'kɛ:nə] canot *m*, barque; *(kleiner)* petite barque, nacelle *f*; *(größer)* bateau; *(Lastkahn)* chaland *m*; *(Schleppkahn)* péniche *f*; *aero arg* avion *m* de transport; *~ fahren* faire du canotage, canoter; *alte(r) ~ (pop pej: Schiff)* rafiot *m*; **~bein** *n anat* os *m* scaphoïde; **~fahrt** *f*, **~partie** *f* promenade *f* en canot *od* sur l'eau.
Kai *m* ‹-s, -e/-s› [kaɪ] *mar* quai; *(Landungsstelle)* débarcadère *m*; *franko ~* livré à quai; **~anlagen** *f pl* quais *m pl*; **~gebühren** *f pl*, **~geld** *n* droits *m pl* de quai, quayage *m*; **~mauer** *f* mur *m* d'un *od* du quai.
Kaiser *m* ‹-s, -› ['kaɪzər] empereur *m*; *sich um des ~s Bart streiten* disputer de la chape de l'évêque; *wo nichts ist, hat der ~ sein Recht verloren (prov)* où il n'y a pas de quoi, le roi perd son droit; **~adler** *m orn* aigle *m* royal; **~haus** *n (Dynastie)* maison *f* impériale; **~in** *f* impératrice *f*; **~krone** *f a. bot* couronne *f* impériale; **k~lich** *a* impérial, d'empereur; *Seine K~~e Majestät* Sa Majesté impériale; **~reich** *n* empire *m*; **~schnitt** *m med* (opération) césarienne, hystérotomie *f*; **~schwamm** *m bot* oronge *f* vraie; **~tum** *n* ‹-s, ø› *(Reich)* empire *m*; *(Würde)* dignité *f* impériale; **~wahl** *f* élection *f* de l'empereur; **~würde** *f* dignité *f* impériale.
Kajak *m, a. n* ‹-s, -s› ['ka:jak] *(Paddelboot)* kayac *m*.
Kajüte *f* ‹-, -n› [ka'jy:tə] *mar* cabine *f*, salon *m*.
Kakadu *m* ‹-s, -s› ['kakadu] *orn* cacatoès, cacatois *m*.
Kakao *m* ‹-s, (-s)› [ka'ka:o, -'kau] cacao *m*; *jdn durch den ~ ziehen (fig fam)* jeter le ridicule sur qn, tourner qn en ridicule, blaguer qn, dauber sur qn, se payer la tête de qn; **~baum** *m* cacaotier, cacaoyer *m*; **~bohne** *f* (amande *f* de) cacao *m*; **~butter** *f*, **~öl** *n* beurre *m* de cacao; **~pflanzung** *f* cacaotière, cacaoyère *f*; **~pulver** *n* cacao *m* en poudre.
Kakerlak *m* ‹-s/-en, -en› ['ka:kərlak] *ent* blatte *f*, cafard, cancrelat; *(Albino)* albinos *m*.
Kakifeige *f* kaki *m*.
Kak|teen [kak'te:ən] *f pl bot (Familie)* cactées, plantes *f pl* grasses; **~tus** *m* ‹-/-sses, -teen/-sse› ['kaktus, -sə] cactus, cactier *m*.
Kalander *m* ‹-s, -› [ka'landər] *tech* calandre *f*; **k~n** *tr* calandrer.
Kalauer *m* ‹-s, -› ['ka:lauər] calembour *m*; **k~n** *itr* faire des calembours.
Kalb *n* ‹-(e)s, ¨-er› [kalp, 'kɛlbər] veau *m*; **k~en** *itr* vêler; **~fell** *n* peau *f* de

veau; **~fleisch** *n* veau *m*, viande *f* blanche; **~sbraten** *m* veau rôti, rôti *m* de veau; **~sfrikassee** *n* blanquette *f* (de veau), sauté *m* de veau; **~shachse, ~shaxe** *f* jarret *m* de veau; **~skeule** *f* cuisseau *m*; **~skotelett** *n* côte *f* de veau; **~sleber** *f* foie *m* de veau; **~(s)leder** *n* veau; *(Schuhe, Taschen)* box *m*; *in ~~ (gebunden* relié) en veau; **~snierenbraten** *m* longe *f* de veau; **~sschnitzel** *n* escalope *f* de veau.

Kaldaunen [kal'daunən] *f pl (Gekröse der Schlachttiere)* tripes *f pl*.

Kaleidoskop *n* ‹-s, -e› [kalaɪdo'sko:p] kaléidoscope *m*; **k~isch** [-'sko:pɪʃ] *a* kaléidoscopique.

Kalend|arium *n* ‹-s, -rien› [kalɛn'da:rium, -iən] calendrier *m*; **~er** *m* ‹-s, -› [-'lɛndər] calendrier; *(Buch)* almanach *m*; *immerwährende(r) ~* calendrier *m* perpétuel; **~erblock** *m* bloc-calendrier *m* éphéméride *f*; **~erjahr** *n* année *f* civile; **~ertag** *m* jour *m* du calendrier.

Kalesche *f* ‹-, -n› [ka'lɛʃə] calèche *f*.

kalfatern [kal'fa:tərn] *tr mar (abdichten)* calfater, aveugler.

Kali *n* ‹-s, -s› ['ka:li] *min* potasse *f*, kali *m*; **~bergbau** *m* industrie *f* extractive de la potasse; **~bergwerk** *n* mine *f* de potasse; **~dünger** *m* engrais *m* potassique; **~lauge** *f* lessive *f* de potasse; **~salpeter** *m* nitrate *m* de potassium; **~salz** *n* sel *m* potassique.

Kalib|er *n* ‹-s, -› [ka'li:bər] *mil tech* calibre; *fig fam (Mensch)* acabit *m*; *schweren ~~s* de gros calibre; **~ermaß** *n* calibre *m*; **~erring** *m mil* lunette *f*; **k~rieren** [-'bri:rən] *tr mil tech* calibrer.

Kalif *m* ‹-en, -en› [ka'li:f] calife *m*; **~at** *n* ‹-(e)s, -e› [-'fa:t] califat *m*.

Kaliforn|ien *n* [kali'fɔrniən] la Californie; **k~isch** [-'fɔrnɪʃ] *a* californien.

Kaliko *m* ‹-s, -s› ['kaliko] *(Kattun)* calicot *m*.

Kalium *n* ‹-s, ø› ['ka:lium] potassium *m*; *doppeltkohlensaure(s) ~* bicarbonate *m* de potassium; *chlorsaure(s) ~*, **~chlorat** *n* chlorate *m* de potassium; **~chlorid** *n (Chlorkalium)* chlorure *m* de potassium; **~permanganat** *n* permanganate *m* de potassium.

Kalk *m* ‹-(e)s, -e› [kalk] chaux *f*; *~ brennen* cuire de la chaux; *mit ~ düngen* chauler; *(un)gelöschte(r) ~* chaux *f* éteinte (vive); **~ablagerung** *f* dépôt *m* calcaire; **~anstrich** *m* enduit *m* de chaux; **k~arm** *a* pauvre en chaux; **k~artig** *a* calcaire; **~bewurf** *m* crépi *m* (à la chaux); **~bildung** *f* formation *f* calcaire; **~brenner** *m (Arbeiter)* chaufournier *m*; **~brennerei** *f* chaufournerie *f*; **~bruch** *m* carrière *f* de pierre à chaux; **~dünger** *m* engrais *m* potassique; **~düngung** *f* chaulage *m*; **k~en** *tr (tünchen)* enduire de chaux, blanchir à la chaux; *agr* chauler; **~felsen** *m pl* roches *f pl* calcaires; **~gehalt** *m* teneur *f* en chaux; **~grube** *f* fosse *f* à chaux; **~(halt)ig** *a* calcaire, calcarifère; **~mangel** *m* manque *m* de chaux; **~milch** *f* lait *m* de chaux; **~ofen** *m* four à chaux, chaufour *m*; **~sinter** *m* concrétion *f* calcaire; **~stein** *m* pierre *f* à chaux, calcaire *m*; **~tuff** *m* travertin *m*; **~wasser** *n* blanc *m od* eau *f* de chaux; **~werk** *n* usine *f* à chaux.

Kalkül *m, a. n* ‹-s, -e› [kal'ky:l] *math* calcul *m*.

Kalkul|ation *f* ‹-, -en› [kalkulatsi'o:n] *com* calcul *m*; **~ationsfehler** *m* erreur *f* de calcul; **~ationsgrundlage** *f* base *f* de calcul; **~ationspreis** *m* prix *m* calculé; **~ator** *m* ‹-s, -en› [-'la:tɔr, -'to:rən] *(Angestellter)* calculateur *m*; **k~ieren** [-'li:rən] *tr u. itr* calculer; *a. fig* faire le décompte (de); *falsch ~~* faire une erreur de calcul; *scharf ~~* calculer au (plus) juste.

Kalor|ie *f* ‹-, -n› [kalo'ri:] calorie *f*; *große ~~ (1000 ~~n)* frigorie *f*; **~ienbedarf** *m* besoins *m pl* énergétiques; **~ienmenge** *f*: *ausreichende ~~* suffisance *f* énergétique; **~ik** *f* ‹-, ø› [-'lo:rɪk] *(Wärmelehre)* thermologie *f*; **~imeter** *n* calorimètre *m*.

kalt [kalt] *(kälter) a* froid; *pop* frisquet; *(kühl)* frais; *(eis~)* glacé, glacial; *geog (arktisch)* arctique; *fig* froid, glacial; *(unempfindlich, gefühllos)* frigide; *(leidenschaftslos)* impassible; *(gleichgültig)* indifférent; *(hart, schroff, scharf)* sec; *adv* u. *auf ~em Wege (tech)* à froid; *~ baden (itr)* prendre un *od* des bain(s) froid(s); *~es Blut bewahren* garder son sang-froid; *~ essen* manger froid; *~ hämmern (tech)* écrouir; *~ werden* (se) refroidir; *das läßt mich ~ (fig)* cela me laisse froid, je le vois d'un œil indifférent, cela ne me fait ni chaud ni froid; *es lief mir ~ über den Rücken, es überlief mich ~* cela m'a fait froid dans le dos, j'ai eu des frissons, je frissonnais; *mir ist ~* j'ai froid; *es ist ~* il fait froid; **~=bleiben** = *~es Blut bewahren*; **K~blüter** *m zoo* animal *m* à sang froid; **~blütig** *a zoo* à sang froid; *fig* de sang-froid; *adv* avec sang-froid, sans sourciller; *(mit Überlegung)* de propos délibéré; **K~blütigkeit** *f* ‹-, ø› *fig* sang-froid *m*; *(Geistesgegenwart)* présence *f* d'esprit; **~brüchig** *a (Metall)* aigre; **K~färben** *n* teinture *f* à froid; **K~front** *f mete* front *m* froid; **K~hämmern** *n* écrouissage *m*; **~lächelnd** *a* cynique; **~=legen** *tr (Hochofen)* mettre hors feu; **K~leim** *m* colle *f* à froid; **K~licht** *n* lumière *f* froide; **K~luft** *f mete* air *m* froid; **K~lufteinbruch** *m* descente *f* d'air froid; **~=machen** ‹*hat kaltgemacht*› *tr pop (töten)* descendre *arg*; **K~nadelradierung** *f* gravure *f* à la pointe-sèche; **K~schale** *f (Küche)* potage *m* froid aux fruits; **K~schlagen** *n (Öl)* pression *f* à froid; **K~schmieden** *n* écrouissage *m*; **~schnäuzig** *a* insolent, effronté; **K~start** *m mot* démarrage *m* à froid; **~=stellen** ‹*hat kaltgestellt*› *tr fig pol* mettre à pied *od* sur une voie de garage, éliminer, limoger, *fam* débarquer, dégommer, exécuter, fendre l'oreille à; **K~stellung** *f pol* élimination *f*; **K~verformung** *f tech* écrouissage *m*; **~walzen** *tr tech* laminer à froid; **K~wasserbehandlung** *f*, **K~wasserheilanstalt** *f* traitement *m*, établissement *m* hydrothérapique; **K~wasserkur** *f* traitement *m* hydrothérapique; **K~welle** *f (Frisur)* permanente, indéfrisable *f* à froid; **K~ziehen** *n tech* étirage *m* à froid.

Kälte *f* ‹-, ø› ['kɛltə] *(tiefe Temperatur)* froid *m*; *(Winterkälte)* froidure *f*; *(Frost)* gel *m*; gelée; *fig (Gefühlskälte)* froideur, frigidité, apathie; *(Gleichgültigkeit)* indifférence *f*; *vor ~ zittern* grelotter; *wir haben 5° ~* il fait cinq degrés de froid; *fam* il fait moins cinq; *große* od *strenge ~* grand froid *m*; **~anlage** *f* installation *f* frigorifique; **k~beständig** *a* résistant au froid; **~beständigkeit** *f* résistance *f* au froid; **~einbruch** *m* coup *m* de froid; **k~empfindlich** *a* sensible au froid; **~gefühl** *n* sensation *f* de froid; **~grad** *m* degré *m* de froid; **~industrie** *f* industrie *f* du froid; **~maschine** *f* machine *f* frigorifique; **~mischung** *f* mélange *m* frigorifique *od* réfrigérant; **~mittel** *n* agent *m* frigorifique; **~periode** *f* période *f* de froid; **~rückfall** *m* retour *m* du froid; **~schauer** *m* frisson, saisissement *m*; **~schutz** *m* protection *f* contre le froid; **~schutzmittel** *n mot* antigel *m*; **~technik** *f* froid *m*; **~techniker** *m* (technicien) frigoriste *m*; **~welle** *f* vague *f* de froid.

Kalvarienberg *m* [kal'va:riən-] *rel* calvaire *m*.

Kalvin|ismus *m* ‹-, ø› [kalvi'nɪsmus] *rel* calvinisme *m*; **~ist(in** *f***)** *m* ‹-en, -en› [-'nɪst] calviniste *m f*; **k~(ist)isch** [-'vi:nɪʃ, -vi'nɪstɪʃ] *a* calvinien (calviniste).

Kalzin|ation *f* ‹-, ø› [kaltsinatsi'o:n] **,~ierung** *f* [-'ni:r-] *chem* calcination *f*; **k~ieren** [-'ni:rən] *tr chem* calciner.

Kalzium *n* ‹-s, ø› ['kaltsium] *chem* calcium *m*.

Kambodscha *n* [kam'bɔdʒa] le Cambodge; **k~nisch** [-'ʒa:nɪʃ] cambodgien.

Kamee *f* ‹-, -n› [ka'me:(ə)] camée *m*.

Kamel *n* ‹-(e)s, -e› [ka'me:l] chameau; *fig fam pej* imbécile, nigaud *m*, bête *f*; *~!* espèce d'idiot! **~flausch** *m*, **~haar** *n* poil *m* de chameau; **~haardecke** *f* couverture *f* en poil de chameau; **~hengst** *m* chameau *m* mâle; **~reiter** *m* méhariste *m*; **~stute** *f* chamelle *f*; **~treiber** *m* chamelier *m*.

Kamelie *f* ‹-, -n› [ka'me:liə] *bot* camélia *m*.

Kamelle *f* ‹-, -n› [ka'mɛlə] *: alte ~n pl* vieillerie *f*.

Kamera *f* ‹-, -s› ['kamera] appareil *m* (photographique); *film* caméra *f*; **~mann** *m* ‹-(e)s, -männer/-leute› *film* caméraman, opérateur *m*; **~wagen** *m film* chariot *m* pour caméra.

Kamerad *m* ‹-en, -en› [kamə'ra:t, -dən] camarade, compagnon, *fam* copain *m*; **~schaft** *f* ‹-, (-en)› camaraderie *f*; **k~schaftlich** *a* de bon camarade; *adv* en bon camarade;

~schaftsgeist *m* esprit *m* de camaraderie *od* d'équipe *od* de corps.

Kamille *f* ‹-, -n› [ka'mɪlə] *bot* camomille *f;* **~ntee** *m* infusion *f* de camomille.

Kamin *m* ‹-s, -e› [ka'mi:n] *(a. im Gebirge)* cheminée *f; am ~* au coin *m* du feu; **~aufsatz** *m* manteau *m* de cheminée; **~garnitur** *f (Uhr, Vasen* od *Leuchter)* garniture *f* de cheminée; **~kehrer** *m* ramoneur *m;* **~platte** *f* contrecœur, contre-feu *m;* **~schirm** *m* garde-feu, pare-étincelles, écran *m.*

Kamm *m* ‹-(e)s, ⸚e› [kam, 'kɛmə] peigne; *(weiter)* démêloir *m; (Hahnen~, Wellen~)* crête; *(Gebirgs~)* crête, arête *f; (Fleischerei: Nackenstück)* collet *m; alles über einen ~ scheren (fig)* mettre tout dans le même sac; *ihm schwillt der ~ (fig)* il lève la crête, il a la tête enflée; *a.* il monte sur ses grands chevaux; **~garn** *n* fil d'étaim, (fil *m* de) laine *f* peignée, peigné *m;* **~garnspinnerei** *f* filature *f* de peigné; **~(m)acher** *m* peignier *m;* **~(m)uschel** *f zoo* peigne, *scient* pecten *m;* **~rad** *n tech* roue *f* à cames *od* à dents, pignon *m;* **~wolle** *f* laine *f* peignée.

kämmen ['kɛmən] *tr* peigner *(a. Textil);* donner un coup de peigne à; *sich ~* se peigner; *nach vorn ~* ramener en avant.

Kammer *f* ‹-, -n› ['kamər] *(kleines Zimmer)* chambre *a. pol jur com tech; (Schlafzimmer)* chambre *f* à coucher; *mil* magasin; *tech* alvéole *m;* **~diener** *m* valet *m* de chambre; **~frau** *f* femme de chambre, caméриste *f;* **~herr** *m pol* chambellan *m;* **~jäger** *m* chasseur *m* de parasites; **~musik** *f* musique *f* de chambre; **~spiele** *n pl* théâtre *m* intime; **~ton** *m mus* la *m* du diapason; **~unteroffizier** *m* garde-magasin *m;* **~zofe** *f* femme de chambre; *bes. theat* soubrette *f.*

Kämmer|chen *n* ‹-s, -› ['kɛmərçən] chambrette *f;* **~ei** *f* [-'raɪ] *(Stadtkasse)* recette *f* municipale; **~er** *m* ‹-s, -› *(Kammerherr)* chambellan; *(päpstlicher)* camérier; *(Schatzmeister)* trésorier; *(Stadt~~)* trésorier *m* municipal; **~lein** *n* = *~chen.*

Kämpe *m* ‹-n, -n› ['kɛmpə] *lit* champion, jouteur *m; wackere(r) ~* rude jouteur *m.*

Kampf *m* ‹-(e)s, ⸚e› [kampf, 'kɛmpfə] *allg. a. fig* lutte *f; (Gefecht, ~handlung)* combat *m,* action *f; (Zs.stoß)* choc *m; (Geplänkel)* escarmouche; *(Schlacht)* bataille; *(Krieg)* guerre *f a. fig; (Ausea.setzung)* conflit *m; (Streit)* querelle, dispute, controverse, altercation; *(Schlägerei)* bagarre, rixe *f, fam* grabuge *m; (Wettkampf)* compétition *f,* concours, match, championnat *m; in ehrlichem ~* de bonne lutte; *den ~ aufgeben* abandonner le combat; *den ~ aufnehmen (fig)* se jeter dans l'arène; *e-n ~ austragen (sport)* disputer un match; *den ~ eröffnen* ouvrir *od* engager le combat; *im ~e fallen* tomber sur le champ de bataille *od* au combat; *e-r S den ~ angesagt haben* faire la guerre à qc; *im ~ liegen mit* être aux prises avec; *jdn zum ~ stellen* imposer le combat à qn; *sich zum ~ stellen* accepter le combat; faire face à l'ennemi; *das kostet mich e-n schweren ~* cela me coûte beaucoup; *heftige(r) ~* haute lutte *f; schwere(r) ~* rude combat *m; ~ ums Dasein* lutte *f* pour la vie *od* l'existence; *~ auf Leben und Tod* lutte *f* mortelle; *~ um die Macht* lutte *f* pour le pouvoir; *~ bis zum letzten Mann* jusqu'auboutisme *m; ~ bis aufs Messer* lutte *f* à couteaux tirés; **~abschnitt** *m* secteur *m* de combat; **~ansage** *f* défi *m;* **~bahn** *f sport* stade *m,* arène *f;* **~begier(de)** *f* envie de combattre, combativité, ardeur au combat *od* belliqueuse, agressivité *f;* **k~bereit** *a* prêt au combat *od* à se battre, en état de se battre; *mar* paré; *immer ~~ sein* être toujours sur la brèche; **~bund** *m* ligue *f;* **~einheit** *f* unité *f* tactique; **k~erfahren** *a: ~~ sein* avoir l'expérience du combat; **k~erprobt** *a* aguerri; **~eslust** *f* = *~begier(de);* **k~esmüde** *a* de guerre lasse; **k~fähig** *a* en état de combattre; apte au combat; **~fahrzeug** *n* véhicule *m* de combat; **~feld** *n,* **~gebiet** *n* zone *f* de combat, champ *m* de bataille; **~flieger** *m* aviateur *od* pilote *m* de combat; **~fliegerei** *f* aviation *f* de combat; **~flugzeug** *n* avion *m* de combat; **~front** *f* front *m* (de combat); **~führung** *f* tactique *od* conduite *f* du combat; **~gas** *n* gaz *m* de combat; **~gefährte** *m* compagnon *m* d'armes; **~geist** *m* esprit *m* combatif *od* d'attaque; **~gelände** *n* terrain *m* de combat; **~geschwader** *n aero* escadre *f* de combat; **k~gewohnt** *a* aguerri; **~gewühl** *n* mêlée *f;* **~gruppe** *f mil* groupe de combat, groupement *m* interarmes *od* tactique; **~hahn** *m* coq *m* de combat; **~handlung** *f* opération, action *f; die ~~en beginnen* od *eröffnen, beenden* od *einstellen* ouvrir, cesser *od* suspendre les hostilités; *Beginn m* od *Einstellung f der ~~en* ouverture, cessation *od* fin *f* des hostilités; **~kraft** *f* combativité, force *od* valeur *f* combative, potentiel *m* combatif, puissance *f* offensive; **~lage** *f* situation *f* tactique; **k~los** *adv* sans combattre; **~lust** *f* = *~begier(de);* **k~lustig** *a* batailleur *a;* **~mittel** *n pl* moyens *od* engins *m pl* de combat; **~platz** *m* champ *m* de bataille *a. fig; fig* lice, arène *f; den ~~ betreten* entrer en lice; **~preis** *m* palme *f;* **~richter** *m sport* arbitre *m;* **~spiel** *n* lutte *f,* combat; *(Turnier)* tournoi *m;* **~stand** *m* poste de combat, abri *m* actif; *aero* tourelle *f;* **~stärke** *f* effectif *m* de combat; **~stellung** *f* position *f* de combat; **~stoff** *m* gaz de combat, agent *m* de guerre chimique; **~tätigkeit** *f* activité *f* combative; **~truppe** *f* troupe *f* de combat; **k~unfähig** *a* hors de combat; *~~ machen* mettre hors de combat; **~verband** *m* formation *f* de combat *od aero* de bombardiers *od* d'avions de chasse; **~wagen** *m* char *m* de combat *od* d'assaut; **~wert** *m* valeur *f* combative; **~wille** *m* volonté *f* de combattre; **~ziel** *n* objectif *m;* **~zone** *f* zone *f* de combat.

kämpf|en ['kɛmpfən] *itr allg. a. fig* lutter; *bes. mil* combattre *(gegen jdn* qn); livrer bataille; se battre, être aux prises *(mit jdm* avec qn); *(streiten)* se quereller, se disputer *(mit jdm* avec qn); *(im Wettkampf)* jouter *(mit jdm* avec qn); *(im Widerstreit sein)* être en conflit *(mit* avec); *mit Schwierigkeiten zu ~~ haben* avoir à combattre *od* à essuyer des difficultés; *mit sich selbst ~~ (fig)* faire un effort sur soi-même; prendre sur soi *(zu* de); *mit den Tränen ~* refouler *od* retenir ses larmes; se retenir de pleurer; **~end** *a: die ~~e Truppe* la troupe combattante; **K~er** *m* ‹-s, -› lutteur; *mil* combattant; *(Krieger)* guerrier; *(Ringer)* athlète; *(Boxer)* boxeur; *fig (Vor~)* champion, protagoniste, militant; *arch* sommier *m;* **~erisch** *a* combatif.

Kampfer *m* ‹-s, ø› ['kampfər] *pharm* camphre *m; mit ~ versetzen* camphrer; **~baum** *m* camphrier *m;* **~kraut** *n* camphrée *f;* **~öl** *n* huile *f* camphrée; **~spiritus** *m* alcool *m* camphré.

kampieren [kam'pi:rən] camper.

Kanad|a ['kanada] *n* le Canada; **~ier(in** *f***)** *m* ‹-s, -› [-'na:diər] Canadien, ne *m f;* **k~isch** [-'na:dɪʃ] *a* canadien, du Canada.

Kanal *m* ‹-s, ⸚e› [ka'na:l, -'nɛ:lə] canal *m; dial* bouque *f; (Abwasser~)* égout; *tech, anat* conduit; *anat med* trajet; *anat bot* tube *m; der ~ (Ärmel~)* la Manche; *jenseits des ~s* outre-Manche; **~deckel** *m* bouche *f* d'égout, tampon *m* de fosse; **~inseln,** *die f pl* les iles *f pl* anglo-normandes; **~isation** *f* ‹-, -en› [-lizatsi'o:n], **~isierung** *f* canalisation *f* d'écoulement; **k~isieren** [-'zi:rən] *tr* canaliser; **~netz** *n* réseau *m* de canaux, *od (für Abwässer)* de la canalisation; **~reiniger** *m* égoutier *m.*

Kanapee *n* ‹-s, -s› ['kanape, kana'pe:] *(fast vx)* canapé *m.*

Kanar|ienvogel [ka'na:riən-] *m* canari *m;* **k~isch** [-'na:rɪʃ] *a: die K~~en Inseln f pl* les îles *f pl* Canaries.

Kandare *f* ‹-, -n› [kan'da:rə] *(Gebiß des Zaumes)* mors *m; jdn an die ~ nehmen* tenir la bride haute à qn, faire marcher *od* mener qn à la baguette.

Kandelaber *m* ‹-s, -› [kande'la:bər] candélabre *m.*

Kandid|at *m* ‹-en, -en› [kandi'da:t] candidat *(für* à); *(Bewerber)* aspirant; *(für e-e Akademie)* récipiendaire *m; e-n ~~en aufstellen* présenter un candidat; **~atenliste** *f* liste *f* des candidats; **~atur** *f* ‹-, -en› [-da'tu:r] candidature *f; von s-r ~~ zurücktreten* retirer sa candidature; **k~ieren** [-'di:rən] *itr* se porter candidat, poser sa candidature *(für* à).

kand|ieren [kan'di:rən] *tr (Küche)* faire candir; confire; *itr* u. *sich ~~ (Früchte)* (se) candir; *~ierte Früchte* *f pl* fruits *m pl* confits; **K~is(zukker)** *m* ⟨-, ø⟩ ['kandɪs] (sucre) candi *m.*

Kaneel *m* ⟨-s, -e⟩ [ka'ne:l] *(Zimt)* cannelle *f.*

Kanevas *m* ⟨-/-sses, -/-sse⟩ ['kanəvas, -sə] *(Gittergewebe)* canevas *m.*

Känguruh *n* ⟨-s, -s⟩ ['kɛŋguru] *zoo* kangourou *m.*

Kaninchen *n* ⟨-s, -⟩ [ka'ni:nçən] lapin *m; junge(s)* ~ lapereau *m; wilde(s), zahme(s)* ~ lapin *m* de garenne, de clapier; **~bau** *m* terrier *m* de lapin; **~fell** *n* peau *f* de lapin; **~fleisch** *n a.* viande *f* blanche; **~gehege** *n* garenne *f;* **~jagd** *f* chasse *f* au lapin; **~stall** *m* clapier *m.*

Kanister *m* ⟨-s, -⟩ [ka'nɪstər] bidon *m.*

Kännchen *n* ⟨-s, -⟩ ['kɛnçən] petit pot *m;* burette *f.*

Kanne *f* ⟨-, -n⟩ ['kanə] pot; *(kleine)* pichet; *(große)* broc, bidon *m; es gießt (wie) aus ~n fam* il pleut des hallebardes; *er hat zu tief in die ~ geguckt* il a bu un (petit) coup de trop; il a un verre dans le nez; **~gießer** *m* politicien *m* de café; **k~gießern** ⟨*ich kannegießere; hat gekannegießert*⟩ *itr* faire de la politique de café, politiquer; **k~nweise** *adv* par bidons.

kannelier|en [kanə'li:rən] *tr* canneler, évider; **K~ung** *f* cannelure *f,* évidage, évidement *m.*

Kannibal|e *m* ⟨-n, -n⟩ [kani'ba:lə] cannibale, anthropophage; *fig a,* ogre *m;* **k~isch** [-'ba:lɪʃ] *a* de cannibale; *fig* sauvage, rude; *adv fam (mordsmäßig)* diablement; **~ismus** *m* ⟨-, ø⟩ [-'lɪsmus] cannibalisme *m,* anthropophagie *f.*

Kann-Vorschrift *f* disposition *f* facultative.

Kanon *m* ⟨-s, -s⟩ ['ka:nɔn, -nonɛs] canon *m;* **~iker** *m* ⟨-s, -⟩ [-'no:nikər] , **~ikus** *m* ⟨-, -kər⟩ [-'no:nikus] *(Domherr)* chanoine *m;* **k~isch** [-'no:nɪʃ] *a* canonique, canonial; **k~isieren** [-ni'zi:rən] *tr (heiligsprechen)* canoniser; **~isierung** *f* canonisation *f.*

Kanon|ade *f* ⟨-, -n⟩ [kano'na:də] *mil* canonnade *f;* **~e** *f* ⟨-, -n⟩ [-'no:nə] canon *m,* pièce (d'artillerie) *od* bouche *f* à feu; *fig fam, bes. sport* as *m; mit ~~n auf* od *nach Spatzen schießen (fig)* tirer *od* user sa poudre aux moineaux; *das ist unter aller ~~ (fam)* c'est au-dessous de tout, cela ne vaut pas un fétu *od* un zeste *od pop* tripette; **~enboot** *n* canonnière *f;* **~endonner** *m* bruit *od* grondement *m* du *od* de(s) canon(s); **~enfutter** *n fig fam* chair *f* à canon; **~enkugel** *f* boulet *m;* **~enofen** *m* poêle *m* cylindrique en fonte; **~enrohr** *n* canon *m,* bouche *f* à feu; **~enschuß** *m* coup *m* de canon; **~enstand** *m aero* tourelle *f* à canon; **~ier** *m* ⟨-s, -e⟩ [-'ni:r] canonnier, artilleur *m.*

Känozoikum *n* ⟨-s, ø⟩ [kɛno'tso:ikum] *geol* ère *f* cénozoïque.

Kantate *f* ⟨-, -n⟩ [kan'ta:tə] *mus* cantate *f.*

Kant|e *f* ⟨-, -n⟩ ['kantə] arête *f* (vive); *(Rand)* bord *m,* bordure; *(Saum)* lisière *f; (Ski~)* carre *f; sich etw auf die hohe ~~ legen (fig fam)* mettre qc de côté, en mettre à gauche; **k~en** *tr (auf die ~e stellen)* mettre sur la carne, pencher, *(Faß)* hausser; *(mit e-m Rand versehen)* garnir d'une bordure; *(beim Skilaufen)* mettre de la carre; *(Stein)* tailler; *(Holz)* équarrir; *nicht ~~!* ne pas culbuter; **~en** *m* ⟨-s, -⟩ *(Brotrest)* croûton, quignon *m;* **~haken** *m tech* renard, grappin *m; jdn beim ~~ kriegen (fam)* saisir qn au collet; **~holz** *n* bois *m* équarri *od* carré *od* à arêtes vives; **k~ig** *a* carré, équarri, à arête(s) vive(s); *(Form, bes. Gesicht)* anguleux; *~~ behauen* od *schneiden* équarrir.

Kantine *f* ⟨-, -n⟩ [kan'ti:nə] *(mil u. Werks~)* cantine *f;* **~nwirt** *m* cantinier *m.*

Kanton *m* ⟨-s, -e⟩ [kan'to:n] *(Verwaltungsbezirk)* canton *m;* **k~al** [-to'na:l] *n (~s-)* cantonal; **~ist** *m* ⟨-en, -en⟩ [-'nɪst] *unsichere(r) ~~* planche *f* pourrie; *fam* fumiste *m.*

Kantor *m* ⟨-s, -en⟩ ['kantɔr, -'to:rən] chantre, maître *m* de chapelle.

Kanu *n* ⟨-s, -s⟩ ['ka:nu, ka'nu:] *sport* canoë, canot *m,* pirogue *f,* canadien *m; ~ fahren* faire du canoë; **~fahren** *n,* **~sport** *m* canoéisme, canotage *m;* **~fahrer** *m* canoéiste *m.*

Kanüle *f* ⟨-, -n⟩ [ka'ny:lə] *med* canule *f.*

Kanzel *f* ⟨-, -n⟩ ['kantsəl] *rel* chaire; *aero* coupole (avant) *f,* nez du fuselage, balcon *m; die ~ besteigen* monter en chaire; *von der ~ herab verkünden* annoncer en chaire; **~redner** *m* prédicateur *m.*

Kanzl|ei *f* ⟨-, -en⟩ [kants'laɪ] chancellerie, secrétairerie *f,* secrétariat; *jur* bureau *m;* **~eibeamte(r)** *m* employé *m* de chancellerie; **~eidiener** *m* huissier *m;* **~eigebühr** *f jur* droit *m* de greffe; **~eipapier** *n* papier *m* ministre *od* écu; **~eischreiber** *m* greffier *m;* **~eistil** *m* style *m* du palais *od* administratif; **~eivorsteher** *m* chef *m* de bureau; **~er** *m* ⟨-s, -⟩ ['kantslər] chancelier *m;* **~erschaft** *f* chancellerie *f;* **~ist** *m* ⟨-en, -en⟩ [-'lɪst] greffier *m.*

Kaolin *n* n *m* ⟨-s, -e⟩ [kao'li:n] *(Porzellanerde)* kaolin *m.*

Kap *n* ⟨-s, -s⟩ [kap] *geog* cap, promontoire *m; das ~ der Guten Hoffnung* le cap de Bonne-Espérance.

Kapaun *m* ⟨-s, -e⟩ [ka'paun] *(verschnittener Hahn)* chapon *m.*

Kapazität *f* ⟨-, -en⟩ [kapatsi'tɛ:t] capacité *a. fig (Mensch); (e-r Maschine) a.* puissance *f; fig (Mensch)* expert *m,* autorité *f; die ~ ausnutzen* exploiter la capacité.

Kap|ee *n* [ka'pe:] *: schwer von ~~ (pop)* lourd (d'esprit), nigaud; *schwer von ~~ sein a.* avoir la comprenette lente *fam;* **k~ieren** [-'pi:rən] *tr pop* comprendre, saisir, *arg* piger.

Kapell|e *f* ⟨-, -n⟩ [ka'pɛlə] *rel arch* chapelle *f; mus* orchestre *m; mil* musique; *chem metal* coupelle *f,* têt *m;* **~enofen** *m metal* fourneau *m* de coupelle; **~meister** *m* chef *m* d'orchestre, *mil* de musique.

Kaper 1. *f* ['ka:pər] ⟨-, -n⟩ *(Gewürz)* câpre *f.* **2.** *m* ⟨-s, -⟩ *vx (Seeräuber)* corsaire *m;* **k~n** *tr* capturer, prendre, enlever; *fig* accaparer; *ge~te(s) Schiff n* prise *f.*

Kapillar|gefäße [kapɪ'la:r-] *n pl anat* vaisseaux *m pl* capillaires; **~röhre** *f* tube *m* capillaire.

Kapital *n* ⟨-s, -e/-ien⟩ [kapi'ta:l, -liən] capital, principal *m;* fonds *m pl; (am Bucheinband)* tranchefile *f; fixes, stehendes ~* capital fixe; *konstantes ~* capital constant; *variables ~* capital variable; *das ~ angreifen* entamer le capital; *das ~ aufbringen* réunir les fonds (*für* de); *~ aufnehmen* se procurer *od* trouver des capitaux; *das ~ erhöhen* faire une augmentation de capital; *~ aus etw schlagen (fig)* exploiter qc, tirer profit de qc; *sein ~ in etw stecken* investir son capital dans cq; **~abfindung** *f* indemnité *f* en capital; **~abgabe** *f* prélèvement *m* sur le capital *od* les capitaux; **~abschöpfung** *f* absorption *f* de capital; **~abwanderung** *f* fuite *f od* exode *m* des capitaux; **~anlage** *f* placement de capital *od* de capitaux, investissement *m* de fonds; **~anteil** *m* part *f* du capital; **~aufbringung** *f* mobilisation *f* de capital; **~ausfuhr** *f* exportation *f* de capitaux; **~bedarf** *m* besoin *m* en capital; **~beschaffung** *f* financement *m* du capital (de l'entreprise); **~beteiligung** *f* part *f* du capital; **~bilanz** *f* balance *f* des capitaux *od* des mouvements de capitaux; **~bildung** *f* formation *od* constitution de *od* du capital *od* des capitaux, capitalisation *f;* **~einlage** *f* mise *f* de fonds; **~einsatz** *m* capitaux *m pl* utilisés; **~einziehung** *f* réduction *f* de capital; **~erhöhung** *f* augmentation *f* de *od* du capital; **~ertrag** *m* rendement *od* produit d'un *od* du capital, revenu *m* mobilier; **~ertrag(s)steuer** *f* impôt *m* sur le revenu (du capital); **~flucht** *f* émigration *od* fuite *f od* exode *m* de(s) capitaux; **~gesellschaft** *f* société *f* de capitaux; **k~isieren** [-li'zi:rən] *tr (in Kapital umwandeln)* capitaliser; **~isierung** *f* capitalisation *f;* **~ismus** *m* ⟨-, ø⟩ [-'lɪsmus] capitalisme *m;* **~ist** *m* ⟨-en, -en⟩ [-'lɪst] capitaliste *m;* **k~istisch** *a* capitaliste; **k~kräftig** *a* bien pourvu de fonds; **~mangel** *m* manque *m od* pénurie *f* de capitaux; **~markt** *m* marché *m* financier *od* des valeurs; **~schöpfung** *f* création *f* de capitaux; **~schwund** *m* consomption *f* des capitaux; **~umsatz** *m* mouvement *m* des capitaux; **~umschlag** *m* rotation *f* des capitaux; **~verbrechen** *n* crime capital; **~verkehr** *m* mouvement *m od* circulation *f* des capitaux; **~~sbilanz** *f* balance *f* des opérations en capital; **~verlust** *m* perte *f* en capital *od* en capitaux; **~vermögen** *n* fortune *f* en capital; **~zusammenfassung** *f* groupement *m* de capitaux; **~zusammenlegung** *f* fusion *f* de capitaux.

Kapitän *m* ‹-s, -e› [kapi'tɛ:n] *mar* capitaine; *(auf kleinen Fahrzeugen)* patron; *aero* commandant *m;* ~ *zur See (Dienstgrad)* capitaine *m* de vaisseau; **~leutnant** *m* lieutenant *m* de vaisseau.

Kapitel *n* ‹-s, -› [ka'pɪtəl] chapitre *m a. rel; das ist ein* ~ *für sich* c'est une affaire à part; **~einteilung** *f* division *f* en chapitres; **k~fest** *a fam (beschlagen, bewandert)* versé, ferré; **~überschrift** *f* titre *m* du *od* tête *f* de chapitre.

Kapitell *n* ‹-s, -e› [kapi'tɛl] *arch* chapiteau *m.*

Kapitol [kapi'to:l] , *das (in Rom u. Washington)* le Capitole.

Kapitul|ar *m* ‹-s, -e› [kapitu'la:r] *(Domherr)* chanoine *m;* **~ation** *f* ‹-, -en› [-latsi'o:n] *mil* capitulation *f;* **k~ieren** [-'li:rən] *itr* capituler, se rendre.

Kaplan *m* ‹-s, ¨-e› [ka'pla:n, -'plɛ:nə] *rel* vicaire, chapelain *m.*

Kapok *m* ‹-s, ø› ['ka:pɔk] *(Pflanzenwolle)* kapok *m;* **~wollbaum** *m* kapokier *m.*

kapores [ka'po:rəs] *a pred fam* = *kaputt.*

Kappe *f* ‹-, -n› ['kapə] bonnet *m,* toque, calotte *f; (enganliegende)* serre-tête; *(am Schuh)* bout *m; tech* chape, coiffe *f; (Dach)* chaperon *m; (flaches Tonnengewölbe)* calotte surbaissée; *(Fallschirm)* voilure *f; etw auf s-e* ~ *nehmen (fig)* prendre qc sous son bonnet; *jedem Narren gefällt seine* ~ à chaque fou sa marotte.

kappen ['kapən] *tr (Baum: entwipfeln)* étêter; *(Hahn: verschneiden)* chaponner; *mar (Mast: abschlagen; Tau, Anker: abschneiden)* couper.

Käppi *n* ‹-s, -s› ['kɛpi] *(Soldatenmütze)* képi *m.*

Kapr|iccio *n* ‹-s, -s› [ka'prɪtʃo] *mus* caprice *m;* **~iole** *f* ‹-, -n› [kapri'o:lə] *(Luftsprung)* cabriole *f; (närrischer Einfall)* caprice *m;* **k~iziös** [-pritsi'ø:s] *a (launenhaft)* capricieux.

Kapsel *f* ‹-, -n› ['kapsəl] capsule *a. bot; (Behälter)* boîte *f,* étui *m; (Quecksilber~)* cuvette; *tech (Gießerei)* enveloppe; *(Keramik)* cassette *f;* **~barometer** *n* baromètre *m* à cuvette; **k~förmig** *a* capsulaire; **~maschine** *f* capsuleuse *f;* **~uhr** *f* (montre *f* à) savonnette(s) *f.*

kaputt [ka'put] *a fam (zerbrochen)* cassé; *fam* fichu; *pop* foutu; *(erschöpft)* fourbu, épuisé; *(Tier, verendet)* erevé; **~=arbeiten,** *sich* s'abrutir de *od* se tuer au travail, **~=gehen** ‹*ist kaputtgegangen*› *itr* se casser; **~=machen** *tr (Sache)* esquinter, abîmer; *pop* amocher, bigorner; *alles* ~~ être brise-tout; *die Arbeit macht mich ganz* ~ le travail me tue *fam; (Person)* tuer, *pop* étendre.

Kapuz|e *f* ‹-, -n› [ka'pu:tsə] capuchon *m,* capuche; *(am Hals geschlossene)* cagoule *f;* **~iner(mönch)** *m* ‹-s, -› [-pu'tsi:nər] capucin *m;* **~inerkresse** *f bot* capucine *f.*

Karabiner *m* ‹-s, -› [kara'bi:nər] *mil* carabine *f;* **~haken** *m* porte-mousqueton *m.*

Karaffe *f* ‹-, -n› [ka'rafə] carafe *f; (kleine)* carafon *m.*

Karambol|age *f* ‹-, -n› [karambo'la:ʒə] *(Billard, fam: mot)* carambolage *m;* **k~ieren** [-'li:rən] *itr (Billard u. mot)* caramboler.

Karamel *m* ‹-s, ø› [kara'mɛl] caramel *m;* **~bonbon** *m* od *n,* **~le** *f* caramel *m;* **~zucker** *m* caramel *m.*

Karat *n* ‹-(e)s, -e› [ka'ra:t] carat *m;* . . . **karätig** *a (an e-e Zahl angehängt)* de . . . carats.

Karawan|e *f* ‹-, -n› [kara'va:nə] caravane *f;* **~serei** *f* ‹-, -en› [-vanzə'raɪ] caravansérail *m.*

Karbid *n* ‹-(e)s, -e› [kar'bi:t, -də] carbure *m;* **~lampe** *f* lampe *f* à acétylène.

Karbol|ineum *n* ‹-s, ø› [karboli'ne:um] carbolinéum *m;* **~säure** *f* [-'bo:l-] *chem* acide *m* phénique.

Karbon *n* ‹-s, ø› [kar'bo:n] *geol* carbonifère *m;* **~at** *n* ‹-(e)s, -e› [-bo'na:t] *chem (kohlensaures Salz)* carbonate *m;* **k~isieren** [-ni'zi:rən] *tr* carbonater.

Karbunkel *m* ‹-s, -› [kar'bʊŋkəl] *med* charbon, anthrax *m.*

Kardan|gelenk *n* [kar'da:n-] *mot* joint *m* de cardan; **~getriebe** *n mot* transmission *f* à cardan; **~welle** *f tech* (arbre à) cardan *m.*

Kardätsch|e *f* ‹-, -n› [kar'dɛ:tʃə] *(Pferdebürste)* brosse *f* pour chevaux; **k~en** *tr* brosser.

Karde *f* ‹-, -n› ['kardə] *bot* cardère; *tech* carde *f.*

Kardinal *m* ‹-s, ¨-e› [kardi'na:l, -'nɛ:lə] *rel* cardinal *m;* **~frage** *f* question *f* principale; **~skollegium** *n* sacré collège *m;* **~swürde** *f* cardinalat *m;* **~tugend** *f* vertu *f* théologale; **~zahl** *f gram* nombre *m* cardinal.

Kardiogramm *n* ‹-(e)s, -e› [kardio'gram] *med* cardiogramme *m.*

Karenz(frist, -zeit) *f* ‹-, -en› [ka'rɛnts] *(Warte-, Sperrzeit)* délai *m* (de carence).

Karfreitag *m* [ka:r'fraɪta:k] Vendredi *m* saint.

Karfunkel *m* ‹-s, -› [kar'fʊŋkəl] *min* escarboucle *f.*

karg [kark] ‹*karger/kärger, kargste/kärgste*› *a (sparsam)* économe, ménager; *(geizig)* avare *(mit* de); *(knauserig)* parcimonieux, chiche, ladre; *(ärmlich, dürftig, von e-r Sache)* maigre, mesquin; *(Mahl)* frugal; *(Boden)* pauvre *(an* en); **~en** *itr* être avare *(mit etw* de qc); *(knausern)* lésiner *(mit etw* sur qc); **K~heit** *f* ‹-, (-en)› parcimonie, mesquinerie, lésinerie; *(Dürftigkeit, Armut)* indigence *f.*

kärglich ['kɛrklɪç] *a* pauvre, maigre, chiche, mesquin; *(Mahlzeit)* frugal, maigre; *in* ~*en Verhältnissen leben* vivre petitement *od* chichement.

kariert [ka'ri:rt] *a (Papier)* quadrillé; *(Stoff)* à carreaux.

Kari|es *f* ‹-, ø› ['ka:riɛs] *med* carie *f;* **k~ös** [-ri'ø:s] *a* carié.

Karik|atur *f* ‹-, -en› [karika'tu:r] caricature *f,* (portrait-)charge *f (m);* **~aturenzeichner** *m,* **~aturist** *m* ‹-en, -en› [-tu'rɪst] caricaturiste *m;* **k~ieren** [-'ki:rən] *tr* caricaturer, charger.

karitativ [karita'ti:f] *a* charitable, de charité, de bienfaisance.

Karl [karl] *m* Charles *m;* ~ *der Große* Charlemagne *m;* ~ *V. (deutscher Kaiser)* Charles-Quint *m.*

Karmeliter(in *f***)** *m* ‹-s, -› [karme'li:tər] carm(élit)e *m (f).*

Karm(es)in *n* ‹-s, ø› [kar'm(e'z)i:n] *(roter Farbstoff),* **~rot** *n* carmin, cramoisi *m;* **k~rot** *a* carmin, cramoisi.

Karneol *m* ‹-s, -e› [karne'o:l] *min* cornaline *f.*

Karneval *m* ‹-s, -e/-s› ['karnəval] carnaval *m.*

Karnies *n* ‹-es, -e› [kar'ni:s, -zə] *arch* corniche; doucine *f;* **~hobel** *m* doucine *f.*

Kärnt|en *n* ['kɛrntən] la Carinthie; **~ner** *m* ‹-s, -› Carinthien *m;* **k~nerisch** [-nərɪʃ] *a* carinthien.

Karo *n* ‹-s, -s› ['ka:ro] carreau *m (a. Spielkarte).*

Karolinger *m* ‹-s, -› ['ka:rolɪŋər] *hist* Carolingien *m.*

Kaross|e *f* ‹-, -n› [ka'rɔsə] carrosse *m;* **~erie** *f* ‹-, -n› [-sə'ri:] *loc mot* carrosserie *f; mot* châssis *m* d'automobile; **~eriebau** *m (Industrie)* carrosserie *f;* **~eriebauer** *m mot* carrossier *m.*

Karotin *n* ‹-s, ø› [karo'ti:n] *chem biol* carotène *m.*

Karotte *f* ‹-, -n› [ka'rɔtə] carotte *f.*

Karpaten [kar'pa:tən] , *die pl* les Karpates *f pl.*

Karpfen *m* ‹-s, -› ['karpfən] carpe *f; junge(r)* ~ carpeau *m,* carpette *f;* ~ *blau (Küche)* carpe *f* au bleu; **~teich** *m* carpier *m.*

Karre *f* ‹-, -n›, **~n 1.** *m* ‹-s, -› ['karə(n)] *(vierrädrig)* chariot *m; (zweirädrig)* carriole, charrette; *(nur:* ~*) pop (Fahrrad)* bécane *f; alte Karre (Auto) pop* chignole *f,* vieux clou *m; den* ~*n in den Dreck fahren (fig fam)* jeter la carriole dans l'ornière, gâter les affaires *od* les choses; *den* ~*n aus dem Dreck ziehen* tirer le char de l'ornière; **k~n** *tr* charrier, brouetter; **~nladung** *f* charretée *f.*

Karree *n* ‹-s, -s› [ka're:] *(mil u. Küche)* carré *m.*

Karren *m* ‹-s, -› **2.** *geol* lapiez, lapiaz *m pl.*

Karriere *f* ‹-, -n› [kari'ɛ:rə] *(des Pferdes)* galop *m* de charge; *fig (Laufbahn)* carrière *f;* ~ *machen* faire carrière *od* son chemin; **~macher** *m* arriviste *m.*

Kärrner *m* ‹-s, -› ['kɛrnər] charretier; *(Fuhrmann)* voiturier *m.*

Karst *m* ‹-(e)s, -e› [karst] **1.** *(Hacke)* houe, pioche *f.*

Karst *m* ‹-(e)s,(-e)› [karst] **2.** *geog* Karst *m.*

Kartätsch|e *f* ‹-, -n› [kar'tɛ:tʃə] *mil* boîte à mitraille *f;* **k~en** *itr* mitrailler.

Kartäuser *m* ‹-s, -› [kar'tɔʏzər] chartreux *m;* **~kloster** *n (Kartause)* chartreuse *f.*

Karte *f* ⟨-, -n⟩ ['kartə] *allg (Land-, Spiel-, Speise-, Post-, Visitenkarte)* carte *f; (Karteikarte)* fiche *f; (Eintritts-, Fahrkarte)* billet, ticket *m; nach der ~ (essen)* à la carte; *statt ~n* cet avis tient lieu de faire-part; *e-e ~ abwerfen* se débarrasser *od (bes. beim Bridge)* se défausser d'une carte; *s-e ~ aufdecken (a. fig)* montrer *od* étaler *od* découvrir son jeu; *die (Land)~ aufschlagen* déplier la carte; *gute, schlechte ~n haben (Spiel)* avoir du, ne pas avoir de jeu; *niemanden* od *sich nicht in die ~n sehen lassen (a. fig), fig: mit verdeckten ~n spielen* cacher *od* couvrir son jeu; *die ~n legen* tirer les cartes; *die ~n auf den Tisch legen* abattre son jeu; *alles auf eine ~ setzen (fig)* jouer son va-tout, risquer le tout pour le tout, mettre tous ses œufs dans le même panier; *~n spielen* jouer aux cartes; *mit offenen ~n spielen (fig)* jouer cartes sur table, jouer *od* y aller franc jeu; *ein Spiel ~n* un jeu de cartes.

Kartei *f* ⟨-, -en⟩ [kar'taɪ] fichier *m;* cartothèque *f;* **~karte** *f* fiche *f,* feuillet *m* mobile; **~kasten** *m* fichier, casier, classeur *m.*

Kartell *n* ⟨-s, -e⟩ [kar'tɛl] *(Vereinigung)* association, entente, fédération, union *f;* groupement *m* professionnel; *com* cartel *m;* **~bildung** *f,* **~ierung** *f* cartellisation *f;* **~gesetz** *n* loi *f* sur les cartels; **k~ieren** [-'liːrən] *tr* réunir en cartel; **~vertrag** *m* accord *m* de cartel.

Karten|automat *m* ['kartən-] distributeur *m* de tickets; **~blatt** *n geog* feuille, carte *f;* **~brief** *m* carte-lettre *f;* **~geben** *n (beim Spiel)* donne *f;* **~halter** *m* pince *f* porte-carte; **~haus** *n mar* chambre *f* à cartes; *fig* château *m* de cartes; *wie ein ~~ zs.fallen* s'effondrer comme un château de cartes; **~kunde** *f* cartographie *f;* **~kunststück** *n* tour *m* de cartes; **~kurs** *m aero* cap *m* vrai; **~legen** *n* cartomancie *f;* **~legerin** *f* tireuse de cartes, cartomancienne *f;* **~lesen** *n mil* lecture *f* de la carte; **~material** *n* matériel *m* cartographique; **~netz** *n* canevas *m;* **~projektion** *f* projection *f* cartographique; **~raum** *m* salle *f* des cartes; **~reiter** *m* cavalier *m* (pour fiches); **~schlägerin** *f* = *~legerin;* **~spiel** *n* jeu *m od* partie *f* de cartes; **~spieler** *m* joueur *m* de cartes; **~ständer** *m* support *m* pour cartes; **~stelle** *f adm* office de ravitaillement; *mil* bureau topographique, service *m* cartographique; **~tasche** *f* étui à cartes, porte-cartes *m;* **~tisch** *m* table *f* à cartes; **~verlag** *m* édition *f* de géographie; **~vorverkauf** *m theat* location *f;* **~werk** *n (Buch)* atlas *m.*

Kartoffel *f* ⟨-, -n⟩ [kar'tɔfəl] pomme de terre; *fam* patate *f; ~n schälen* éplucher *od* peler des *od* les pommes de terre; *die ~n von unten besehen (pop fig)* manger les pissenlits par la racine; *die dümmsten Bauern haben die größten ~n (prov)* aux innocents les mains pleines; *der hat aber eine ~! pop* il a un sacré pif! *pop;* **~anbau** *m* culture *f* des pommes de terre; **~brei** *m* purée *f* de pommes de terre; **~ernte** *f* récolte *f* des pommes de terre; **~käfer** *m ent* doryphore *m;* **~kloß** *m,* **~knödel** *m* croquette *f* de pommes de terre; **~kraut** *n* fanes *f pl* de pommes de terre; **~mehl** *n,* **~stärke** *f* fécule *od* farine *f* de pommes de terre; **~nase** *f pop* pif, *arg* tarin *m;* **~puffer** *m* crêpe *f* aux pommes de terre; **~püree** *n* = *~brei;* **~quetsche** *f (Küche)* presse-purée, passe-purée, écraseur *m* à pommes de terre; **~roder** *m,* **~schleuder** *f (Gerät)* arracheur, arrachoir *m,* arracheuse *f;* **~salat** *m* salade *f* de pommes de terre; **~schalen** *f pl* épluchures, pelures de pommes de terre *f pl;* **~suppe** *f* potage *m* aux pommes de terre.

Karto|graph *m* ⟨-en, -en⟩ [karto'graːf] cartographe, ingénieur *m* géographe; **k~graphisch** *a* cartographique; *~~ aufnehmen* (re)lever; **~thek** *f* ⟨-, -en⟩ [-'teːk] = *Kartei.*

Karton *m* ⟨-s, -s/(-e)⟩ [kar'tɔ̃ː, -'toːn(s/ə)] *(Pappe)* carton (d'emballage); *(Pappschachtel; Kunst)* carton *m;* **~age** *f* ⟨-, -n⟩ [-to'naːʒə] cartonnage *m;* **~agenfabrik** *f* cartonnerie *f;* **k~ieren** [-to'niːrən] *tr (Buch)* cartonner.

Kartusch|e *f* ⟨-, -n⟩ [kar'tuʃə] *mil* cartouche, gargousse *f; (Kunst)* cartouche *m;* **~enhülse** *f* douille *f* de cartouche.

Karussell *n* ⟨-s, -s/-e⟩ [karu'sɛl] manège de chevaux de bois, carrousel *m.*

Karwoche *f* ['kaːrvɔxə] semaine *f* sainte.

Karzer *m* ⟨-s, -⟩ ['kartsər] cachot *m.*

Kaschemme *f* ⟨-, -n⟩ [ka'ʃɛmə] *fam* cabaret borgne, *pop* caboulot *m.*

kaschieren [ka'ʃiːrən] *tr (überkleben, bes. typ)* doubler.

Kaschmir *n* ['kaʃmɪr, kaʃ'miːr] *(Land)* le Cachemire; *m* ⟨-s, -e⟩ *(Textil)* cachemire *m.*

Käse *m* ⟨-s, -⟩ ['kɛːzə] fromage *m; fig fam* baratin *m,* imbécillités *f pl; Schweizer ~* fromage de Gruyère, gruyère *m;* **k~artig** *a* caséeux; **~bereitung** *f,* **~fabrikation** *f* fromagerie *f;* **~bildung** *f* caséification *f;* **~blatt** *n fam pej (Provinzzeitung)* feuille *f* de chou; **~brot** *n* tartine *f* de fromage; **~fabrikant** *m* fromager *m;* **~geschäft** *n,* **~handel** *m* fromagerie *f;* **~glocke** *f* cloche *f* à fromage; **~händler** *m (Grossist)* négociant *m* en fromages; **~kuchen** *m* gâteau *m* au fromage; **~made** *f* ver du fromage, asticot *m;* **~messer** *n* couteau *m* à fromage; **~milbe** *f* mite *f* du fromage; **k~n** *itr* faire du fromage; *(Milch)* se cailler *od* coaguler; *~~ lassen (Milch)* caséifier; **~platte** *f* plateau *m* de fromage; **~rei** *f* [-'raɪ] fromagerie *f;* **~reibe** *f* râpe *f* à fromage; **~stoff** *m,* **Kasein** *n* [kaze'iːn] *chem* caséine *f.*

Kasel *f* ⟨-, -n⟩ ['kaːzəl] *rel* chasuble *f.*

Kasematte *f* ⟨-, -n⟩ [kazə'matə] *mil* casemate *f.*

Kasern|e *f* ⟨-, -n⟩ [ka'zɛrnə] *mil* caserne *f,* quartier *m;* **~enbereich** *m* casernement *m;* **~enhof** *m* cour *f* de (la) caserne; **~enhofgeist** *m* caporalisme *m;* **~enstube** *f* chambre *f* de caserne; **k~ieren** *tr* (en)caserner.

käsig ['kɛːzɪç] *a* caséeux; *fig fam (Gesichtsfarbe)* blême.

Kasino *n* ⟨-s, -s⟩ [ka'ziːno] casino, club, cercle; *mil* cercle militaire, mess *m.*

Kaskade *f* ⟨-, -n⟩ [kas'kaːdə] cascade *f.*

Kaskoversicherung *f* ['kasko-] assurance tous risques, assurance-corps *f.*

Kasperle *n* od *m* ⟨-s, -⟩ ['kaspərlə] polichinelle, guignol, pantin *m;* **~theater** *n* guignol *m.*

Kassa|buch *n* ['kasa-] livre *m* des opérations au comptant; **~geschäft** *n* marché *m od* opération *od* transaction *f* au comptant.

Kassation *f* ⟨-, (-en)⟩ [kasatsi'oːn] *(Ungültigmachung e-r Urkunde)* annulation; *(Aufhebung e-s Gerichtsurteils)* cassation; *(Dienstentlassung)* destitution *f,* congédiement, renvoi *m;* **~sgericht** *n* tribunal *m od* cour *f* de cassation.

Kasse *f* ⟨-, -n⟩ ['kasə] *(Behälter)* caisse *f; (Zahltisch)* comptoir *m; (Raum)* caisse *f,* comptoir *m; (Zahlstelle, Institut)* caisse; *(Bargeld)* encaisse *f,* fonds *m pl,* espèces *f pl,* comptant *m; bei sofortiger* od *gegen ~* (au) comptant; *mit der ~ durchgehen, (fam) durchbrennen* partir avec la caisse, *fam* manger la grenouille; *die ~ führen* tenir la caisse *od* les cordons de la bourse; *gemeinsame ~ führen* faire caisse commune; *getrennte ~ führen* avoir des comptes séparés; payer chacun pour soi; *~ machen* faire sa *od* la caisse; *(gut) bei ~ sein* avoir la bourse bien garnie, être à flot *od* en fonds *od pop* argenté; *schlecht* od *knapp* od *nicht bei ~ sein* avoir la bourse plate, être à court d'argent; être raide *fam; gemeinsame ~* bourse commune; *pop* grenouille *f;* **~nabschluß** *m* balance *f od* arrêté *m* de caisse; **~nanweisung** *f* bon *m* de caisse; **~narzt** *m* médecin *m* de caisse *od* conventionné; **~nbeamte(r)** *m* caissier *m;* **~nbeleg** *m* pièce *f* de caisse; **~nbericht** *m* rapport *od* compte *m* rendu de la caisse; **~nbestand** *m* fonds *m* *od* argent *m* en caisse, encaisse *f,* fonds *m* de roulement; **~nbilanz** *f* balance *f* de caisse; **~nblock** *m* bloc *m* de caisse; **~nbote** *m* garçon *m* de recette(s); **~nbuch** *n* livre *m* de caisse; **~ndefizit** *n,* **~nfehlbetrag** *m* déficit *m od* tare *f* de caisse; **~ndiebstahl** *m* détournement *m* de fonds, déprédation *f;* **~neingang** *m* entrée *od* recette *f* de caisse; **~nerfolg** *m theat* pièce *f* à succès; **~nführer** *m* caissier *m;* **~nführung** *f* gestion *f* de la caisse; **~nprüfung** *f* vérification *f* de la caisse; **~nschein** *m (Anweisung)* bon de caisse; *(Banknote)* billet *m* de banque; **~nskonto** *n* escompte *m* au comptant; **~nstand** *m* situation *f* de la caisse; **~nstunden** *f pl* heures *f pl* d'ouverture des guichets; **~ntag** *m* jour *m* de caisse *od* de recette; **~nüberschuß** *m* excédent *m* de caisse; **~numsatz** *m*, **~nverkehr** *m* mouvement *m* de caisse; **~nzettel** *m* bordereau *m* de caisse.

Kasserolle *f* ‹-, -n› [kasəˈrɔlə] *(Stieltopf)* casserole *f*.

Kass|ette *f* ‹-, -n› [kaˈsɛtə] cassette *f*; *(für ein Buch)* emboîtage *m*, châsse *f*; *phot* châssis; *arch* caisson *m*; **~ettendecke** *f arch* plafond *m* à caissons; **~ettenrahmen** *m phot* (cadre) intermédiaire *m*; **k~ieren** [-ˈsi:rən] *tr (ein~~)* encaisser, faire la recette (*etw* de qc); *fig fam (entwenden)* se mettre dans la poche, ramasser; *(für ungültig erklären)* annuler, rescinder, invalider, vicier, rendre nul; *(Gerichtsurteil)* casser, infirmer; **~ier(er)** *m* ‹-s, -› [-ˈsi:r(ər)] caissier, buraliste; garçon *m* de recettes; **~ierin** *f (in e-m Geschäft)* caissière *f*.

Kassiber *m* ‹-s, -› [kaˈsi:bər] *arg* message *m* clandestin (d'un prisonnier).

Kastagnette *f* ‹-, -n› [kastanˈjɛtə] castagnette *f*.

Kastanie *f* ‹-, -n› [kasˈta:niə] *(Roß- u. Eßkastanie)* châtaigne *f*; *(Eßkastanie)* marron *m*; *die ~n aus dem Feuer holen (fig)* tirer les marrons du feu; *kandierte ~* marron *m* glacé; **~nbaum** *m (Eß~)* châtaignier, marronnier; *(Roß~)* marronnier *m* (d'Inde); **k~nbraun** *a* marron *inv*; **~nröster** *m* grille-marron(s) *m*; **~nwäldchen** *n (von Eß~n)* (petite) châtaigneraie *f*.

Kästchen *n* ‹-s, -› [ˈkɛstçən] boîte *f*, *(bes. Schmuck~)* coffret *m*.

Kaste *f* ‹-, -n› [ˈkastə] caste *f*; **~ngeist** *m* esprit *m* de caste.

kastei|en [kasˈtaɪən] *tr rel* mortifier, macérer, châtier; **K~ung** *f* mortification, macération *f*.

Kastell *n* ‹-s, -e› [kasˈtɛl] *allg* fortification *f*; *(Burg)* château *m* fort; **~an** *m* ‹-s, -e› [-ˈla:n] intendant *m* d'un *od* du château.

Kasten *m* ‹-s, ¨/(-)› [ˈkas-, ˈkɛstən] *allg* caisse, boîte *f*; *(mit Fächern)* boîtier; *(Truhe)* coffre, bahut *m*; *(Schrank)* armoire; *pop pej (Haus)* boîte; *pop (Gefängnis) fam* cage *f*, *pop* violon *m*, *arg mil* taule *f*; *alte(r) ~ (fam: Auto)* bagnole, chignole *f*; vieux tacot *m*; **~aufbau** *m mot* fourgon *m*; **~möbel** *n pl* meubles *m pl* de rangement; **~wagen** *m* caisson; *loc* wagon à caisse; *mot* fourgon *m*.

Kastr|at *m* ‹-en, -en› [kasˈtra:t] castrat, eunuque *m*; **~ation** *f* ‹-, (-en)› [-tratsiˈo:n] castration, émasculation *f*; **k~ieren** [-ˈtri:rən] *tr* châtrer, émasculer; *(Tier)* bistourner.

Kas|uistik *f* ‹-, ø› [kazuˈɪstɪk] casuistique *f*; **~us** *m* ‹-, -› [ˈka:zus] *gram* cas *m*.

Katafalk *m* ‹-s, -e› [kataˈfalk] catafalque *m*.

Katakombe *f* ‹-, -n› [kataˈkɔmbə] catacombe *f*.

Katalog *m* ‹-(e)s, -e› [kataˈlo:k, -gə] catalogue *m*, liste, nomenclature; *com* documentation *f*; **k~isieren** [-giˈzi:rən] *tr* cataloguer; **~isierung** *f* catalogage *m*; **~karte** *f* fiche *f*; **~kasten** *m* tiroir *m* à fiches; **~nummer** *f* cote *f*; **~preis** *m* prix *m* de catalogue *od* marqué *od* tarif.

Katalysator *m* ‹-s, -en› [katalyˈza:tɔr, -ˈto:rən] *chem* catalyseur *m*.

Katapult *m* od *n* ‹-(e)s, -e› [kataˈpult] catapulte *f*; **~anlage** *f aero* installation *f* de catapultage; **k~ieren** [-ˈti:rən] *tr aero* catapulter; **~schlitten** *m aero* chariot *m* de catapultage; **~start** *m aero* décollage *od* lancement par catapulte *od* catapulté, catapultage *m*.

Katarakt *m* ‹-(e)s, -e› [kataˈrakt] *(Wasserfall)* cataracte *f*.

Katarrh *m* ‹-s, -e› [kaˈtar] *med* catarrhe, rhume *m*.

Katast|er *m* od *n* ‹-s, -› [kaˈtastər] cadastre *m*; **~eramt** *n* bureau *od* office *m* du cadastre; **~erauszug** *m* extrait *m* du cadastre; **k~rieren** [-ˈtri:rən] *tr* cadastrer.

katastroph|al [katastroˈfa:l] *a* catastrophique; **K~e** *f* ‹-, -n› [-ˈtro:fə] catastrophe *f*; cataclysme *m*.

Katech|et *m* ‹-en, -en› [katɛˈçe:t] *rel* catéchiste *m*; **~ismus(unterricht)** *m* ‹-, -men› [-ˈçɪsmus, -mən] catéchisme *m*; *den ~ismus lehren* catéchiser (*jdn* qn).

Kategor|ie *f* ‹-, -n› [kategoˈri:] catégorie *f*; **k~isch** [-ˈgo:rɪʃ] *a* catégorique; *(im weiteren Sinne a.)* péremptoire.

Kater *m* ‹-s, -› [ˈka:tər] chat (mâle), matou; *fig fam (Katzenjammer)* mal *m* aux cheveux; *e-n ~ haben (fig fam)* avoir mal aux cheveux, avoir la gueule de bois, être vaseux; *der Gestiefelte ~* le chat botté.

Kathed|er *n, a. m* ‹-s, -› [kaˈte:dər] chaire *f*; **~erweisheit** *f iron* sagesse *f* professorale; **~rale** *f* ‹-, -n› [-teˈdra:lə] cathédrale *f*; **~ralglas** *n* verre *m* cathédrale.

Kathod|e *f* ‹-, -n› [kaˈto:də] *el* cathode *f*; **~enstrahlen** *m pl* rayons *m pl* cathodiques.

Kathol|ik(in *f***)** *m* ‹-en, -en› [katoˈli:k] catholique *m f*; **k~isch** [-ˈto:lɪʃ] *a* catholique; *die ~~e Welt* la catholicité; **k~isieren** [-toliˈzi:rən] *tr (katholisch machen)* convertir au catholicisme; *itr (zum Katholizismus neigen)* pencher vers *od* incliner au catholicisme; **~izismus** *m* ‹-, ø› [-liˈtsɪsmus] catholicisme *m*; **~izität** *f* ‹-, ø› [-litsiˈtɛ:t] *(kath. Rechtgläubigkeit)* catholicité *f*.

Kattun *m* ‹-s, -e› [kaˈtu:n] *(Baumwollstoff)* toile de coton, cotonnade *f*, calicot *m*; *bedruckte(r) ~* indienne *f*; **k~en** *a* de coton.

katz|balgen [ˈkats-] *sich* ‹*haben sich gekatzbalgt*› se prendre aux cheveux; **K~balgerei** *f* échange *m* de coups; **~buckeln** ‹*hat gekatzbuckelt*› *itr* faire patte de velours *od* la chattemite; *vor jdm* cirer *od pop* lécher les bottes de qn.

Kätzchen *n* ‹-s, -› [ˈkɛtsçən] chaton *a. bot*, petit chat; *fam* minet, te *m f*.

Katze *f* ‹-, -n› [ˈkatsə] *(als Art u. allg)* chat *m*; *(nur weibl.)* chatte *f*; *für die Katz(e) (vergeblich)* en pure perte; *pop* pour la peau; *wie die ~ um den heißen Brei gehen* tourner autour du pot; *die ~ im Sack kaufen (fig)* acheter chat en poche *od* les yeux fermés; *die ~ aus dem Sack lassen (fig)* livrer un secret; *fam* vendre la mèche; *der ~ die Schelle umhängen (fig)* attacher le grelot; *das ist für die Katz* c'est pour le roi de Prusse *od fam* pour des prunes; *die ~ läßt das Mausen nicht (prov)* qui naît poule aime à gratter; chassez le naturel, il revient au galop; *bei Nacht sind alle ~n grau (prov)* la nuit, tous les chats sont gris; *wenn die ~ nicht zu Hause ist, tanzen die Mäuse (prov)* le chat parti, les souris dansent; *falsche ~ (fig)* chattemite *f*; *neunschwänzige ~ (Peitsche)* chat *m* à neuf queues; *wildernde ~* (chat) haret *m*; **k~nartig** *a* félin; **~nauge** *n (Rückstrahler)* réflecteur rouge, cataphote *m*; **k~nfreundlich** *a* félin, câlin; *~~ sein* faire patte de velours; **~nfreundlichkeit** *f* chatterie *f*; **~ngold** *n min* mica *m* jaune; **~nhai** *m zoo* roussette *f*; **~njammer** *m*: *~~ haben* avoir mal aux cheveux; **~nmusik** *f fig* charivari *m*, musique *f* de chiens et de chats *od* enragée; **~nsilber** *n min* mica *m* blanc; **~nsprung** *m fam* enjambée; *das ist nur ein ~~ (von hier)* c'est à deux pas (d'ici); **~nwäsche** *f*: *~~ machen (fam)* se laver le bout de nez.

Kauderwelsch *n* ‹-(s), ø› [ˈkaudərvɛlʃ] baragouin, charabia *m*; **k~en** ‹*hat gekauderwelscht*› *itr* baragouiner, parler bas breton *od* grec *od* hébreu *od* petit nègre.

Kaue *f* ‹-, -n› [ˈkauə] *mines* lavoir *m*.

kau|en [ˈkauən] *tr* mâcher; *scient* mastiquer; *langsam* od *mühsam ~~* mâchonner; *an den Nägeln ~~* se ronger les ongles; *Tabak ~~* chiquer; **K~gummi** *m* chewing-gum *m*; **K~muskel** *m* muscle masticateur, masséter *m*; **K~tabak** *m* tabac *m* à chiquer; *Rolle f ~~* torque *f*; *Stück n ~~* chique *f*.

kauern ‹*hat gekauert*› [ˈkauərn] *itr* se tenir accroupi *od* à croupetons; *sich ~* s'accroupir, se tapir, se blottir; **K~** *n* accroupissement *m*.

Kauf *m* ‹-(e)s, ¨e› [kauf, ˈkɔʏfə] achat *m*; *(kleiner)* emplette; *(Erwerbung)* acquisition *f*; *durch ~* à titre d'achat; *e-n ~ abschließen* arrêter *od* conclure *od* passer un marché; *e-n ~ rückgängig machen* révoquer un marché; *etw (mit) in ~ nehmen* s'accommoder de qc; *sehr günstige(r)* od *vorteilhafte(r) ~* affaire *f* d'or, marché *m* en or; *~ nach Ansicht* vente *f* après examen; *~ auf, nach Probe* vente *f* à l'essai, après essai; *~ auf Raten* achat *m* à tempérament; *~ auf feste Rechnung* marché *m* ferme; *~ mit Rückgaberecht* achat *m* à condition; *~ auf Ziel* achat *m* à terme; **~abschluß** *m* (conclusion *f* d'un *od* du) marché *m*; **~auftrag** *m* ordre *m* d'achat; **~brief** *m* lettre *f* d'achat, acte de vente; titre *m* de propriété; **k~en** *tr* acheter (*etw* *von jdm* qc à qn); faire emplette de; acquérir; *(bestechen)* acheter; *sich jdn ~ (fig)* demander des comptes à qn; *den werde ich mir ~~! (fig fam)* il me le paiera! **~geld** *n* prix *m* d'achat *od* de vente; **~haus** *n* grand magasin *m;* **~herr** *m* négociant *m;* **~kraft** *f* pouvoir *m* d'achat; **~kraftüberhang** *m* excédent de pouvoir d'achat, pouvoir *m* d'achat excédentaire; *den ~~ abschöpfen* absorber *od* éponger le pouvoir d'achat excédentaire; **~laden** *m* boutique *f,* magasin *m;* **~leute** *pl: unter ~~n* de marchand à marchand; **~lust** *f* demande *f,* intérêt *m;* demande, propension *f* à l'achat; **~lustige(r)** *m* amateur *m;* **~mann** *m* ‹-(e)s, -leute› *(Krämer)* épicier; *(mit Ladengeschäft)* marchand; *(Großkaufmann)* commerçant, négociant; *(Geschäftsmann)* homme *m* d'affaires; **k~männisch** *a: ~~e(r) Angestellte(r) m* employé *m* de commerce; *~~e(r) Betrieb m* exploitation *f* commerciale; **~mannschaft** *f* corps *m* des marchands *od* commerçants, négociants *m pl,* monde commercial; commerce *m;* **~preis** *m,* **~summe** *f* prix *m* d'achat; **~schein** *m* bordereau *m* d'achat; **~vertrag** *m* contrat *m* d'achat *od* de vente; **~wert** *m* valeur *f* d'achat; **~zwang** *m* obligation *f* d'achat; *kein ~~* entrée libre.

Käuf|er *m* ‹-s, -› ['kɔʏfər] acheteur, acquéreur; *(Abnehmer)* preneur; *(Kunde)* client *m; als ~~ auftreten* être acheteur; *e-n ~~ finden (Ware)* trouver acheteur *od* preneur; **~erstreik** *m* grève *f* des achats; **k~lich** *a fig (bestechlich)* vénal, corruptible, mercenaire; *adv: ~~ erwerben* acquérir par (voie d')achat *od* à titre onéreux; *~~ sein* mettre sa conscience à l'encan, être vénal; **~lichkeit** *f* ‹-, (-en)› *(Bestechlichkeit)* vénalité *f.*

Kaulquappe *f* ‹-, -n› ['kaulkvapə] *zoo* têtard *m.*

kaum [kaum] *adv (nur mit Mühe)* à grand-peine; *(nicht viel, schwerlich)* ne ... guère; sans doute pas; *(gerade, eben)* à peine; *etw ~ erwarten können* attendre qc avec impatience; *ich kann es ~ glauben* j'ai de la peine à le croire; *er wird es ~ tun (können)* il y a peu de chances pour qu'il le fasse; cela m'étonnerait qu'il le fasse; *~ war er zu Hause, da rief er mich an* à peine arrivé chez lui, il m'appela au téléphone.

Kausal|gesetz *n* [kau'za:l-] principe *m* de causalité; **~ität** *f* ‹-, (-en)› [-zali'tɛ:t] causalité *f;* **~zusammenhang** *m* rapport *m* de causalité *od* causal, relation *f od* lien de cause à effet, lien *m* causal.

Kaution *f* ‹-, -en› [kautsi'o:n] *jur* caution, garantie *f; (~ssumme)* cautionnement *m; gegen ~* sous caution; *e-e ~ stellen* verser une *od* fournir (une) caution; **k~sfähig** *a* capable de fournir caution; **k~spflichtig** *a* sujet à cautionnement.

Kautschuk *m* ‹-s, -e› ['kautʃuk] caoutchouc *m;* **~milch** *f* latex *m.*

Kauz *m* ‹-es, ¨-e› [kauts, 'kɔʏtsə] *orn* chevêche *f; komische(r) ~ (fig)* drôle *m* de citoyen *od* de paroissien *od* de type *od (fam)* de coco.

Kavalier *m* ‹-s, -e› [kava'li:r] cavalier, galant homme, homme *m* du monde; **~sdelikt** *n* peccadille *f;* **~(s)start** *m aero* départ *m* en chandelle.

Kavaller|ie *f* ‹-, (-en)› [kavalə'ri:] *mil* cavalerie *f;* **~ist** *m* ‹-en, -en› [-'rɪst] cavalier *m.*

Kaviar *m* ‹-s, (-e)› ['ka:viar] caviar *m.*

keck [kɛk] *a* hardi, audacieux, osé; *(tapfer)* brave; *(mutig)* courageux; *(verwegen)* téméraire; *(forsch)* fringant; *(frech)* effronté, impertinent, impudent, désinvolte; *adv a.* à la dragonne; **K~heit** *f* hardiesse, audace; bravoure *f;* courage *m;* témérité *f;* effronterie, impertinence, impudence, désinvolture *f.*

Kegel *m* ‹-s, -› ['ke:gəl] *math* cône *m; (Berg~)* montagne conique; *(des Spiels)* quille *f; typ (Schrift~)* corps *m* (de lettre); *die ~ aufstellen* planter les quilles; *~ schieben* jouer aux quilles; *gerade(r), schiefe(r), abgestumpfte(r) ~ (math)* cône *m* droit, oblique, tronqué; **~abtastung** *f radio* balayage *m* conique; **~bahn** *f* jeu *m* de quilles; **~fläche** *f,* **~mantel** *m math* surface *f* conique; **k~förmig** *a* conique; **~junge** *m* garçon *m* qui plante les quilles; **~kugel** *f* boule *f* (du jeu de quilles); **k~n** *itr* jouer aux quilles; **~projektion** *f geog* projection *f* conique; **~rad** *n tech* roue *f od* pignon *m* conique; **~radgetriebe** *n* engrenage *m* à roues coniques; **~schatten** *m* cône *m* d'ombre; **~schnitt** *m math* section *f* conique; **~spiel** *n* jeu *m* de quilles; **~stumpf** *m math* cône tronqué, tronc *m* de cône; **Kegler** *m* joueur *m* de quilles.

Kehl|deckel *m* ['ke:l-] *anat* épiglotte *f;* **~e** *f* ‹-, -n› gorge *f,* gosier, *fam* sifflet *m,* avaloire *f, pop* goulot *m; arch (Hohlkehle)* cannelure, gorge *f; aus voller ~~* à pleine gorge, à gorge déployée; *die ~~ anfeuchten* od *begießen (fam) pop* s'humecter *od* se rincer la dalle; *e-e ausgepichte ~~ haben (fam)* avoir le gosier pavé *od* l'entonnoir *od* la dalle en pente; *e-e trockene ~~ haben* avoir le gosier sec *od* la pépie; *etw in die falsche ~~ kriegen (fam)* avaler qc de travers; *sich die ~~ aus dem Halse schreien (fig fam)* s'égosiller; *jdm das Messer an die ~~ setzen (fig)* mettre à qn le couteau sous la gorge *od* l'épée dans les reins; *jdm an die ~~ springen* sauter à la gorge de qn; *die ~~ zuschnüren (fig)* serrer la gorge; *mir war die ~~ wie zugeschnürt* j'avais la gorge serrée; *das Wort blieb mir in der ~~ stecken* je demeurai court; **k~en** *tr* canneler, évider; **~kopf** *m anat* larynx *m;* **~kopfentzündung** *f* laryngite *f;* **~kopfmikrophon** *n* microphone de larynx, laryngophone *m;* **~kopfschnitt** *m med* laryngotomie *f;* **~kopfspiegel** *m* miroir laryngien, laryngoscope *m;* **~laut** *m* gutturale *f;* **~leiste** *f arch* talon *m,* doucine *f;* **~stimme** *f* voix *f* de gorge *od* de tête; **~ung** *f arch tech* cannelure; moulure *f;* **~ziegel** *m* noue *f.*

Kehr|aus *m* ‹-, ø› ['ke:rˀaus] *(letzter Tanz)* dernier tour de danse, branle *m; den ~~ machen* renvoyer tout le monde; *fam* donner un (bon) coup de balai; **~besen** *m* balai *m;* **~blech** *n* = *~ichtschaufel;* **k~en** *tr* **1.** *(fegen)* balayer; *(den Schornstein)* ramoner; *~e vor deiner eigenen Tür!* mêle-toi de tes affaires! **~icht** *m* od *n* ‹-(e)s, ø› [-rɪçt] balayures, ordures *f pl;* **~ichteimer** *m* boîte à ordures, poubelle *f;* **~ichthaufen** *m* tas *m* de balayures; **~ichtschaufel** *f* pelle *f* à poussière *od* à ordures; **~maschine** *f* balayeuse *f;* **~walze** *f* rouleau *m* balayeur.

Kehr|bild *n* ['ke:r-] *opt* image *f* inversée; **~e** *f* ‹-, -n› tournant; *(Kurve)* virage *m; sport* volte-face; *loc* boucle *f; aero* renversement *m; ~~ (über den Flügel) (aero)* vrille *f* horizontale, tonneau *m;* **k~en** *tr* **2.** *(wenden)* tourner; *sich ~~ an* se soucier de, faire attention à *od* cas de, tenir compte de; *das Oberste zuunterst ~~* mettre tout sens dessus dessous; *jdm den Rücken ~~* tourner le dos à qn; *rechtsum ~t! (mil)* demi-tour, droite! *in sich ge~t* replié sur soi-même; **~reim** *m* refrain *m;* **~seite** *f* envers, *fig (der Medaille)* revers (de la médaille); *(Schattenseite)* mauvais côté *m;* **k~t=machen** ‹*hat kehrtgemacht*› *itr (umkehren)* revenir sur ses pas, rebrousser chemin; *mil* faire demi-tour; **~twendung** *f* volte-face *f a. fig; fig* retournement; *mil* demi-tour; *aero* renversement *m.*

keifen ['kaɪfən] *itr (schimpfen)* gronder, *(schreien)* cri(aill)er, *fam* brailler; *pop* ronchonner, rouspéter, grincher.

Keil *m* ‹-(e)s, -e› [kaɪl] coin *m; (Stoffkeil, Zwickel)* élargissure *f; tech* coin *m,* clavette; *(Bremsklotz)* cale *f; ein ~ treibt den anderen (prov)* un clou chasse l'autre; **~absatz** *m* talon *m* américain; **~bein** *n anat* (os *m*) cunéiforme *od* sphénoïde *m;* **~e** *f* ‹-, ø› *fam (Schläge)* raclée, rossée *f;* **k~en** *tr tech (ver~~, fest~~)* coincer, claveter, caler; *typ* serrer; *(für e-e student. Verbindung werben)* racoler; *pop (prügeln)* rosser; *sich ~~ (pop)* se rosser; **~er** *m* ‹-s, -› *zoo* sanglier *m* mâle; *alte(r) ~~* solitaire *m;* **~erei** *f* [-'raɪ] *fam* bagarre, rixe, chamaillerie *f,* grabuge *m;* **k~förmig** *a* en forme de coin; *scient* cunéiforme; **~haue** *f mines* pic *m;* **~hose** *f* (pantalon) fuseau *m;* **~kissen** *n* traversin *m;* **~rahmen** *m* châssis *m* à coins; **~riemen** *m mot* courroie *f* trapézoïdale; **~schrift** *f* écriture *f* cunéiforme.

Keim *m* ‹-(e)s, -e› [kaɪm] *allg* u. *fig* germe, *scient* u. *fig* embryon *m; fig* semence *f; im ~ ersticken* étouffer dans l'œuf, couper à la *od* dans les racine(s); *den ~ legen für (fig)* être à l'origine de; *den ~ e-r Krankheit in sich tragen* couver une maladie; *~e treiben* germer; **~bläschen** *n biol* vésicule *f* germinative; **~blatt** *n bot* cotylédon *m;* **~drüse** *f anat* glande *f* génitale; **k~en** ‹*hat gekeimt*› *itr* germer *a. fig; fig (entstehen)* naître, se préparer; **k~end** *a* en germe; *fig* naissant; **k~fähig** *a* germinatif; **~fähigkeit** *f* pouvoir *m* germinatif, faculté *f* germinative; **k~frei** *a* stérilisé, aseptique; *(Milch)* pasteurisé; *~~ machen* stériliser; *(Milch)* pasteuriser; *(desinfizieren)* désinfecter; **~gang** *m bot* funicule *m;* **~körper** *m* gemmule *f;* **~ling** *m* ‹-s, -e› *bot* germe, embryon *m;* **k~tötend** *a* antiseptique, germicide, bactéricide; **~ung** *f* germination *f;* **~zelle** *f biol* cellule germinale; *fig* semence, origine *f.*

kein [kaın] *pron a* (ne ...) pas *od* point (de), ne ... aucun; *~ ... mehr* (ne ...) plus (de); *~ anderer (als er)* personne d'autre (que lui); *~ Mensch fam* personne; pas un chat; **~e(r, s)** *s* pas un(e) *od* aucun(e) *od* nul(le) *od* personne (... ne); *~e(r, s) von beiden* ni l'un ni l'autre, aucun des deux (... ne); **~erlei** ['--'laı] *a* (ne ...) aucun, nul; **~erseits** *adv* (ne ...) de nulle part *od* d'aucun côté; **~esfalls** *adv,* **~eswegs** *adv* (ne ...) en aucun cas, en aucune façon, en rien (du tout), rien moins que, pas *od* point du tout, aucunement, nullement; **~mal** *adv* (ne ...) pas une (seule) fois; *einmal ist ~~ (prov)* une fois n'est pas coutume.

Keks *m* od *n* ‹-/-es, -/e› [ke:ks] biscuit(s *pl*), gâteau(x *pl*) *m* sec(s); **~fabrik** *f* biscuiterie *f.*

Kelch *m* ‹-(e)s, -e› [kɛlç] coupe *f; bot rel* calice *m; den ~ bis zur Neige leeren (fig)* boire la coupe *od* le calice jusqu'à la lie; **~blatt** *n bot* sépale *m;* **k~förmig** *a* en forme de coupe; **~glas** *n* coupe *f.*

Kelle *f* ‹-, -n› ['kɛlə] cuiller à pot, louche *f,* puisoir *m; (der Maurer)* truelle *f.*

Keller *m* ‹-s, -› ['kɛlər] cave *f; (kleiner)* caveau; *(Weinkeller, nicht gewölbt)* cellier *m;* **~assel** *f zoo* cloporte *m;* **~ei** *f* [-'raı] caves *f pl;* **~fenster** *n,* **~loch** *n* soupirail *m;* **~geschoß** *n* sous-sol *m;* **~gewölbe** *n* voûte *f* de cave; *pej (schlechte Wohnung)* trou *m;* **~meister** *m* caviste, sommelier; *com* maître de chai; *(im Kloster)* cellérier *m;* **~treppe** *f* escalier *m* de la cave; **~tür** *f* porte *f* de cave; **~wechsel** *m fin* lettre *f* de change fictive *od* en l'air, effet *m* de complaisance; **~wohnung** *f* sous-sol *m.*

Kellner *m* ‹-s, -› ['kɛlnər] garçon *m* (de café, d'hôtel); **~in** *f* serveuse, fille *f* de salle.

Kelt|e *m* ‹-n, -n› ['kɛltə] Celte *m;* **k~isch** *a* celtique.

Kelter *f* ‹-, -n› ['kɛltər] pressoir *m;* **k~n** *tr* press(ur)er.

Kenn|buchstabe *m* ['kɛn-] lettre *f* distinctive; **k~en** ‹*kannte, gekannt, wenn ich kennte*› ['kantə, 'kɛntə] *tr* connaître; savoir; *etw in- und auswendig ~~* connaître qc comme sa poche, savoir le fonds et le tréfonds de qc; *jdn dem Namen nach ~~* connaître qn de nom; *nicht ~~ (a.)* ignorer, être ignorant de; *jdn überhaupt nicht ~~* ne connaître qn ni d'Ève ni d'Adam; *keine Rücksicht ~~* être impitoyable *od* sans scrupules; *sich vor Wut nicht mehr ~~* ne plus se connaître *od* posséder de colère; *jetzt ~e ich ihn (iron)* il m'a édifié sur son compte; *ich ~e meine Pappenheimer (fam)* je sais à qui j'ai affaire; je connais mes clients *od* mes lascars; **k~en=lernen** ‹*hat kennengelernt*› *tr* faire la connaissance (*jdn* de qn), faire *od* lier connaissance (*jdn* avec qn); apprendre à connaître (*etw* qc); *jdn näher ~~* faire plus ample connaissance de *od* avec qn; *bei näherem K~~ gewinnen* gagner à être connu; *Sie werden mich noch ~~! (iron)* vous aurez de mes nouvelles! **~er** *m* ‹-s, -› connaisseur, bon juge; *(Sachverständiger)* expert *m; (Autorität)* autorité *f; den ~~ spielen (a.)* faire l'entendu; **~erblick** *m* regard *od* œil *m* de connaisseur; *mit ~~* en connaisseur; **~ermiene** *f* air *m* entendu; **~gerät** *n aero* interrogateur-répondeur *m;* **~karte** *f* carte *f* d'identité; **~(n)ummer** *f* numéro *m* indicatif; **k~tlich** *a* (re)connaissable (*an* à); *(unterscheidbar)* facile à distinguer; *(bezeichnet)* marqué; *(deutlich)* distinct, net, clair; *~~ machen* marquer, désigner; **~tnis** *f* ‹-, -sse› connaissance, notion *f; pl a. (Wissen)* savoir *m,* intelligence, instruction *f; in ~~ der Sachlage* en connaissance de cause; *jdm etw zur ~~ bringen* od *geben* porter qc à la connaissance de qn; *von etw ~~ erhalten* prendre connaissance de qc; *~~e erwerben* s'instruire; *jdm von etw ~~ geben, in ~~ setzen* donner notification de qc à qn; informer *od* instruire *od* prévenir qn de qc, mettre qn au fait de qc, communiquer qc à qn; *von etw ~~ haben* avoir communication de qc; *von etw ~~* od *etw zur ~~ nehmen* prendre connaissance *od* acte de qc; *sich ~~ von etw verschaffen* se mettre au fait de qc; *über ausgebreitete* od *solide ~~ verfügen* connaître beaucoup de choses; avoir (eu) une formation très solide; **~tnisnahme** *f: nach ~~* après avoir pris connaissance; *zur ~~* à titre d'information; pour votre information; **k~tnisreich** *a* fort instruit, savant; **~wort** *n mil* mot *m* d'ordre *od* de passe *od* de ralliement; **~zeichen** *n* marque *f,* signe, indice *m,* indication, caractéristique; *(Unterscheidungsmerkmal)* marque *f* distinctive, critère, critérium; *(Merkzeichen)* repère *m; amtliche(s) ~~ (mot)* numéro *m* d'immatriculation; *besondere ~~ (Paßvermerk)* signes *m pl* particuliers; **~zeichenleuchte** *f mot* feu *m* éclaire-plaque; **~zeichenschild** *n* plaque *f* minéralogique *od* d'immatriculation; **k~=zeichnen** *tr* marquer; *fig* caractériser; **k~zeichnend** *a* caractéristique; **~zeichnung** *f* marquage *m;* **~ziffer** *f math* index *m; (Logarithmus)* caractéristique *f; com* chiffre-indice, code *m;* **~~anschrift** *f* adresse *f* codée.

kenter|bar ['kɛntər-] *a: nicht ~~ (mar)* inchavirable; **~n** ‹*ist gekentert*› *tr mar* chavirer.

Keram|ik *f* ‹-, -en› [ke'ra:mık] céramique; *(Gegenstände)* poterie *f;* **k~isch** *a* céramique.

Keratom *n* ‹-s, -e› [kera'to:m] *med (Schwiele)* kératose *f.*

Kerb|e *f* ‹-, -n› ['kɛrbə] (en)coche, entaille *f,* cran *m; in die gleiche ~~ hauen (fig)* enfoncer le même clou; **k~en** *tr* (en)cocher, marquer d'une coche, entailler; *(auszacken)* denteler, créneler; **~holz** *n* ['kɛrp-] taille *f,* bois *m* entaillé; *etw auf dem ~~ haben (fig)* avoir qc sur la conscience; **~messer** *n* cochoir *m;* **~tier** *n* insecte *m.*

Kerker *m* ‹-s, -› ['kɛrkər] geôle *f,* cachot *m;* **~meister** *m* geôlier *m.*

Kerl *m* ‹-(e)s, -e/(-s)› [kɛrl] homme, individu, garçon, *fam* gaillard, drôle, lascar, *pop* type, bougre, zig(ue), *arg* gonze, gus, mec, zèbre *m; pej (mit a)* espèce *f* de *(mit s); anständige(r) ~* honnête homme *m; arme(r) ~* pauvre diable *od* hère *m; blöde(r)* od *dämliche(r)* od *dumme(r) ~* espèce *f* d'imbécile, nigaud *m; ekelhafte(r) ~ (fam)* salaud *m; feine(r) ~* chic type, type *m* bien; *ganze(r) ~* ce qu'on appelle un homme; *gemeine(r), gräßliche(r) ~* vilain monsieur; fripon, filou *m; fam* fripouille *f,* sale type *m; hübsche(r) ~* beau bambin, bel enfant; *prächtige(r) ~ (fam)* bonne pâte *f* (d'homme); *gräßliche(r), widerliche(r) ~* vilain moineau *od* oiseau *m; kleine(r) ~ = ~chen; komische(r) ~* drôle *m* de lascar; *schlechte(r) ~* mauvais sujet *m; ich kann den ~ nicht leiden* je ne peux pas supporter ce type; **~chen** *n* petit bonhomme, *pop* moucheron *m.*

Kern *m* ‹-(e)s, -e› [kɛrn] *(e-r Steinfrucht)* pépin; *(e-r Steinfrucht)* noyau *m; (e-r Nuß)* amande; *(e-r Melone, e-s Kürbisses, e-r Gurke)* graine *f; biol (Zellkern), phys (a. Atomkern), tech (Formkern), fig (~punkt)* noyau *m; fig (die Hauptsache, das Wesentliche)* substance, quintessence *f,* cœur, essentiel, suc, vif *m; e-n guten ~ haben (Mensch)* avoir un bon fond; *auf den ~ der Sache kommen, zum ~ der Sache vordringen* od *vorstoßen* entrer dans le vif du sujet; *das also ist des Pudels ~ (Goethe)* c'était donc cela! voilà le fin mot de l'histoire! **~beißer** *m orn* gros-bec *m;* **~beschuß** *m* bombardement *m* atomique; **~bohrung** *f mines* sondage à carotte, carottage *m;* **~brecher** *m mines* brise-carotte *m;* **k~deutsch** *a* foncièrement allemand; **~energie** *f* énergie *f* nucléaire; **~explosion** *f* explosion *f* nucléaire; **~forschung** *f* recherche *od* science *f* nucléaire; *europäische Organisation f für ~~* conseil *m* européen de la recherche nucléaire (*Abk:* C.E.R.N.) **~frage** *f* question *f* capitale; **~frucht** *f* fruit *m* à pépins; **~gehäuse** *n,* **~haus** *n (e-r ~frucht)* trognon *m;* **k~gesund** *a* foncièrement sain, plein de santé; **k~haft** *a* = *k~ig fig;* **~holz** *n* cœur *m* du bois; **k~ig** *a (Frucht)* plein de pépins; *fig (kräftig)* vigoureux, solide; *(Nahrung)* substantiel; *(markig)* nerveux, énergique; **~ladung** *f phys* charge du noyau; *(Rakete)* tête *f* atomique; **~leder** *n* cuir *m* de choix; **k~los** *a* sans pépins; **~obst** *n* fruits *m pl* à pépins; **~physik** *f* physique *od* science *f* nucléaire; **~problem** *n* problème *m* principal; **~punkt** *m* vif *m;* **~reaktion** *f phys* réaction *f* nucléaire; **~reaktor** *m* réacteur *m* nucléaire, pile *f* atomique; **~schatten** *m* noyau *m* d'ombre, ombre *f* pure; **~seife** *f* savon *m* de Marseille; **~spaltung** *f* fission *f* nucléaire; **~spruch** *m* sentence *f;* **~strahlung** *f* radiation *f* nucléaire; **~stück** *n* pièce *od* partie essentielle, pièce *f* maîtresse, noyau, cœur *m;* **~teilchen** *n phys* nucléon *m;* **~teilung** *f biol* mitose (du noyau), caryocinèse, karyokinèse *f;* **~truppen** *f pl* troupes *f pl* d'élite; **~umwandlung** *f phys* transformation *f* nucléaire; **~verschmelzung** *f phys* fusion *f* nucléaire; **~waffen** *f pl* armes *f pl* nucléaires; **~waffenversuch** *m* essai *m* nucléaire; **~wissenschaft** *f* nucléonique *f;* **~wolle** *f* laine *f* mère; **~zerfall** *m phys* désintégration *f* du noyau.

Kerosin *n* ‹-s, ø› [kero'zi:n] *(Petroleum)* kérosène *m.*

Kerze *f* ‹-, -n› ['kɛrtsə] *(Talgkerze)* chandelle; *(Wachs-, Stearinkerze)* bougie *f; rel (große Wachskerze)* cierge *m; mot (Zündkerze)* bougie *f* (d'allumage); **k~ngerade** *a* droit comme un cierge *od* un manche *od* une statue; **~nhalter** *m* chandelier; *(kleiner)* bougeoir *m;* **~nlicht** *n: bei ~~* aux chandelles; **~nstärke** *f el* puissance *f* en bougies.

keß [kɛs] *(kesser)* ['kɛsər] *a fam (schneidig)* déluré, aguichant; *kesse Motte (fig fam)* luron, ne *m f.*

Kessel *m* ‹-s, -› ['kɛsəl] chaudron *m; (großer, bes. tech)* chaudière; *(Kochtopf)* marmite; *(Teekessel)* bouilloire; *(Talkessel)* vallée *f* encaissée, cirque *m; mil* zone d'encerclement; *(Jagd)* enceinte *f;* **~anlage** *f tech* installation *f* de chaudière; **~armatur** *f* garniture *f* de chaudière; **~behälter** *m* container-citerne *m;* **~druck** *m* pression *f,* timbre *m;* **~flicker** *m* rétameur *m;* **k~förmig** *(Tal)* encaissé; **~haken** *m* crémaillère *f;* **~haus** *n* salle de chauffe *od* des chaudières, chaufferie *f;* **~pauke** *f mus* timbale *f;* **~schlacht** *f* bataille *f* d'encerclement; **~schmied** *m* chaudronnier *m;* **~stein** *m* (dépôt de) tartre *m,* incrustations *f pl; pop* calcaire *m; den ~~ entfernen* détartrer (*aus etw* qc); *Entfernung f des ~~s* détartrage *m;* **~treiben** *n (Jagd)* battue *f; fig* encerclement *m;* **~wagen** *m loc* wagon-citerne, wagon-réservoir; *mot* camion-citerne *m.*

Kette *f* ‹-, -n› ['kɛtə] chaîne *f; (Halskette)* collier *m; tech (Raupenkette)* chenille; *(Weberei)* chaîne; *(Bergkette)* chaîne *f* (de montagnes); *(Postenkette)* cordon *m; (Rebhühner)* compagnie; *aero (3 Flugzeuge)* patrouille *f; e-e ~ bilden* faire la chaîne; *an die ~ legen (Hund)* mettre à la chaîne; *in ~n legen (Menschen)* mettre aux fers; **k~ln** *tr (Textil)* entrelacer; **k~n** *tr (verbinden)* lier, joindre; *an jdn gekettet sein (fig)* être attaché à qn; **~nantrieb** *m* commande *od* transmission *f* par chaîne; **~nbaum, Kettbaum** *m (Weberei)* ensouple *f;* **~nbrief** *m* lettre *f* boule de neige; **~nbruch** *m math* fraction *f* continue; **~nbrücke** *f* pont *m* suspendu; **~nfahrzeug** *n* véhicule *m* à chenilles; **~nführer** *m aero* chef *m* de patrouille; **~ngelenk** *n,* **~nglied** *n* chaînon, anneau *m;* **~ngetriebe** *n* engrenage *m* à chaîne; **~nhandel** *m* commerce *m* par intermédiaires; **~nhund** *m* chien *m* d'attache; **~nkasten** *m tech mot* carter de chaîne; *mar* puits *m* aux chaînes; **~npanzer** *m hist* cotte *f* de mailles; **~nrad** *n (Uhr)* roue *f* à chaîne; **~nraucher** *m* fumeur *m* acharné *od* enragé; **~nreaktion** *f phys chem fig* réaction *f* en chaîne *od* caténaire; **~nstich** *m (Stickerei)* point *m* de chaînette.

Ketzer *m* ‹-s, -› ['kɛtsər] hérétique, hétérodoxe *m;* **~ei** *f* [-'raı] hérésie, hétérodoxie *f;* **~gericht** *n* inquisition *f;* **k~isch** *a* hérétique, hétérodoxe; **~richter** *m* inquisiteur *m;* **~verbrennung** *f* autodafé *m;* **~verfolgung** *f* persécution *f* des hérétiques.

keuch|en ['kɔʏçən] *itr* haleter, souffler; *med* anhéler; **K~husten** *m* coqueluche *f.*

Keule *f* ‹-, -n› ['kɔʏlə] *(Waffe)* massue *f; sport* mil *m; (Kalb)* cuisse; *(Rind)* culotte *f; (Hammel)* gigot; *(Wild)* cuissot; *(Geflügel) fam* pilon *m;* **k~nförmig** *a* en forme de massue; **~nschlag** *m* coup *m* de massue *a. fig;* **~nschwingen** *n sport* exercice *m* aux mils.

keusch [kɔʏʃ] *a* chaste, continent; *(rein)* pur; *(schamhaft)* pudique; *(sittsam)* vertueux; **K~heit** *f* ‹-, ø› chasteté, continence; pureté; pudicité *f.*

Khaki *n* ‹-s, ø› *(Farbe), m* ‹-s, ø› *(Stoff)* ['ka:ki] kaki *m;* **k~farben** *a* kaki *inv.*

Kichererbse *f bot* pois *m* chiche.

kichern *itr* ['kıçərn] rire sous cape, ricaner; *dauernd ~* être rieur; **K~** *n* ricanement, rire *m* étouffé.

Kiebitz *m* ‹-es, -e› ['ki:bıts] *orn* vanneau *m.*

kiebitzen ‹*du kiebitzt; hat gekiebitzt*› ['ki:bıtsən] *itr fam (beim Spiel ungebeten zuschauen)* faire galerie; assister en badaud à qc.

Kiefer *m* ['ki:fər] **1.** ‹-s, -› *anat* mâchoire *f, scient* maxillaire *m;* **~klemme** *f med* trisme *m;* **~knochen** *m* mâchoire *f,* os *m* maxillaire.

Kiefer 2. *f* ‹-, -n› *bot* pin *m; gemeine ~* pin *m* sylvestre; **~nspanner** *m ent* phalène *f* du pin; **~nwald** *m* pinède *f;* **~nzapfen** *m* cône *m od* pomme *f* de pin.

Kieker *m* ‹-s, -› ['ki:kər] *auf dem ~ sein (fam: aufpassen)* être sur le qui-vive; *er hat mich auf dem ~ (fam)* je suis sa bête noire.

Kiel [ki:l] *m* ‹-(e)s-, -e› **1.** *(Feder~)* tuyau *m.* **2.** *(Schiff)* quille, carène *f;* **~bogen** *m arch* accolade *f;* **k~holen** *tr* caréner; **~legung** *f* mise *f* sur cale *od* en chantier; **~linie** *f mar* ligne *f* de file; **k~oben** *adv* la quille en l'air; **~raum** *m* (fond *m* de) cale *f; im ~~* à fond de cale; **~wasser** *n* sillage *a. fig.* remous *m,* houache *f.*

Kiemen *f pl* ['ki:mən] *zoo* branchies, ouïes *f pl;* **~atmung** *f* respiration *f* branchiale.

Kien *m* ‹-(e)s, ø› [ki:n] **~holz** *n* bois *m* de pin *od* résineux; **~apfel** *m* pomme *f* de pin; **~span** *m* copeau *m* résineux.

Kiepe *f* ‹-, -n› ['ki:pə] *(Rückentragkorb)* hotte *f.*

Kies *m* ‹-es, -e› [ki:s, -zə(s)] gravier *m; (grober)* pierraille *f; (Geröll)* galets *m pl; arg (Geld)* galette *f; mit ~ bestreuen* graveler; **~grube** *f* gravière *f;* **k~ig** ['zıç] *a* graveleux; **~weg** *m* sentier *m* recouvert de gravier.

Kiesel *m* ‹-s, -› ['ki:zəl] *(rauher)* caillou, *(glatter)* galet *m;* **~erde** *f min* terre siliceuse; *chem* silice *f;* **~gur** *f* farine fossile, terre *f* d'infusoires; **k~haltig** *a* siliceux; **k~n** *tr (mit Kies bestreuen)* graveler; **~säure** *f* acide *m* silicique.

kikeriki [kikəri'ki:] *interj* cocorico, coquerico.

kill|en ['kılən] *tr arg* estourbir; **K~er** *m* ‹-s, -› *allg* tueur; *(Messerstecher) arg* chourineur *m.*

Kilo|(gramm) *n* ‹-s, -/-s› ['ki:lo] kilo (-gramme) *m;* **~(gramm)kalorie** *f phys* kilocalorie, grande calorie *f; 1000 ~~n* thermie *f;* **~grammeter** *n* kilogrammètre *m;* **~hertz** *n radio* kilocycle *m;* **~meter** *m* kilomètre *m;* ... *~~ fahren* faire ... kilomètres; *~~ fressen (fam)* avaler *od pop* bouffer des kilomètres, faire de la route; **~meterfresser** *m fam* mangeur *m* de kilomètres; **~metergeld** *n* indemnité *f* kilométrique; **~meterstein** *m* borne *f* kilométrique; **~meterzähler** *m mot* compteur kilométrique, kilométreur *m;* **~volt** *n el* kilovolt *m;* **~watt** *n* kilowatt *m;* **~wattstunde** *f* kilowatt-heure *m,* calorie-heure *f.*

Kimm *f* ‹-, ø› [kım] *geog mar aero (Horizont)* horizon *m;* **~tiefe** *f geog* abaissement *m;* **~ung** *f* = *~; mar (Luftspiegelung)* mirage *m.*

Kimme *f* ‹-, -n› ['kımə] *(Einschnitt)* (en)taille, encoche, rainure *f; (am Faß)* jable; *mil (Teil der Visiereinrichtung)* cran *m* de mire.

Kind *n* ‹-(e)s, -er› [kınt, -dər] enfant *m f, fam* gamin, e *m f,* gosse *m f, arg* môme, mouftet, moutard *m; von ~ auf* dès mon *etc od* dès l'enfance; *mit ~ und Kegel (fam)* avec armes et bagages, avec toute la smala(h); *an ~es Statt annehmen* adopter; *das ~ mit dem Bade ausschütten (fig)* jeter l'or avec les crasses; *od (Neologismus)* jeter l'enfant avec l'eau du bain; *ein ~ bekommen, (fam) kriegen* avoir un enfant; *ein ~ erwarten (schwanger sein)* attendre un enfant; *~er haben (a.)* être chargé de famille; *sich bei jdm lieb ~ machen* s'attirer les bonnes grâces de qn; *das ~ beim (rechten) Namen nennen* appeler un chat un chat; *kein ~ mehr sein* être sorti de l'enfance; *Sie sind ein ~ des Todes* vous êtes un homme mort; *man sieht, wes Geistes ~ Sie sind* on voit bien quelle espèce d'homme vous êtes *od* de quel bois vous êtes fait *od* vous vous chauffez; *das weiß jedes ~* c'est enfantin; *das ist ein totgeborenes ~! (fig)* l'affaire est condamnée *od fam* ratée d'avance; *was für ein ~ Sie sind!* quel enfant vous êtes! *gebranntes ~ scheut das Feuer (prov)* chat échaudé craint l'eau froide; *~er und Narren sagen die Wahrheit (prov)* enfants et sots sont devins; *aus ~ern werden Leute (prov)* on ne voit pas grandir ses enfants; *wer sein ~ liebhat, züchtigt es (prov)* qui aime bien, châtie bien; *~er und ~eskinder* enfants et petits-enfants; *~ der Liebe* enfant *m* naturel *od* illégitime; *ein ~ s-r Zeit* un enfant de son époque; **~bett** *n* couches *f pl; im ~~* en couches; **~bettfieber** *n* fièvre *f* puerpérale *od* de lait; **~chen** *n* petit enfant, bébé, *fam* fanfan, petiot, marmot *m.*

Kinder|arbeit *f* [ˈkɪndər-] travail *m* des enfants *od* des mineurs; **~arzt** *m* pédiatre *m;* **~ball** *m* bal *m* d'enfants; **~beihilfe** *f* allocations *f pl* familiales; **~bett(stelle *f*)** *n* lit *m* d'enfant; **~brei** *m* bouillie *f* (de bébé); **~buch** *n* livre *m* d'enfant *od* pour enfants; **~ei** *f* [-ˈraɪ] enfantillage *m,* puérilité; *(Streich)* gaminerie; *(Belanglosigkeit)* bagatelle *f,* rien *m;* **~erholungsheim** *n* home *m* d'enfants; **~ermäßigung** *f* réduction *f* pour les enfants; **~fahrkarte** *f* billet *m* demi-tarif; **~fest** *n* fête *f* enfantine; **~frau** *f* bonne d'enfants; *(Amme)* nourrice *f;* **~fräulein** *n* gouvernante, bonne *f* d'enfants; **~freund** *m* ami *m* des enfants; **~funk** *m* émissions *f pl* enfantines; **~fürsorge** *f* assistance *od* aide *f* à l'enfance; **~garten** *m* jardin *m* d'enfants, (école) maternelle, crèche, garderie *f;* **~gärtnerin** *f* jardinière *od* gardienne d'enfants, institutrice *f* d'école maternelle; **~geld** *n* allocation *f* familiale; **~geschrei** *n* cris *m pl od* criailleries *f pl* d'enfants *od* des enfants; **~gesellschaft** *f* matinée *f* enfantine; **~glaube** *m* croyance *f* enfantine; **~gottesdienst** *m* service *m (evang.) od* messe *f (kath.)* d'enfants; **~heilkunde** *f* médecine infantile, pédiatrie *f;* **~heilstätte** *f* sanatorium *m* d'enfants; **~heim** *n* maison *f od* home *m* d'enfants; **~hort** *m* crèche, garderie *f;* **~kleid** *n* robe *f* de fillette; **~klinik** *f* clinique *f* pédiatrique *od* pour enfants; **~krankheit** *f* maladie *f* des enfants *od* d'enfants *od* infantile; **~lähmung** *f; spinale ~~* paralysie infantile, poliomyélite *f;* **k~leicht** *a* simple comme bonjour, enfantin; **k~lieb** *a: ~~ sein* aimer les enfants; **~lied** *n* chanson *f* enfantine; **k~los** *a (Ehepaar)* sans enfant(s); *(Ehe)* stérile; **~losigkeit** *f* ⟨-, ø⟩ manque *m od* absence *f* d'enfants; *(Unfruchtbarkeit)* stérilité *f;* **~mädchen** *n* bonne *f* d'enfants; **~mantel** *m* manteau *m* d'enfant; **~märchen** *n* conte *m* d'enfants; **~mehl** *n* farine *f* lactée; **~nährmittel** *n* aliment *m* infantile *od* pour bébé; **~nahrung** *f* alimentation *f* infantile; **~narr** *m* ami *m* passionné des enfants; **~psychologie** *f* psychologie *f* de l'enfant; **k~reich** *a: ~~e Familie f* famille *f* nombreuse; **~schreck** *m* loup-garou, croque-mitaine *m;* **~schuhe** *m pl* chaussures *f pl* d'enfant; *noch in den ~~en stecken* être encore dans les langes *od* au maillot *od* à l'état embryonnaire, ne faire encore que de naître; *den ~~en entwachsen (a)* sorti de l'enfance; **~schürze** *f* tablier *m* d'enfant; **~schwarm** *m* marmaille *f;* **~spiel** *n* jeu *m* d'enfant *a. fig;* **~spielplatz** *m* terrain *m* de jeux pour enfants; **~spielzeug** *n* jouet *m* d'enfant, *fam* babiole *f;* **~sprache** *f* langage *m* enfantin; **~sterblichkeit** *f* mortalité *f* infantile; **~stube** *f fig: e-e gute, schlechte ~~ gehabt haben* avoir été bien, mal élevé; **k~tümlich** *a* à la portée des enfants; **~waage** *f* pèse-bébé *m;* **~wagen** *m* voiture *f* d'enfant; **~wäsche** *f* layette *f;* **~zeit** *f* enfance *f;* **~zimmer** *n* chambre *f* d'enfant(s); **~zulage** *f* allocation *f* familiale; **~zuschlag** *m* supplément *m* pour enfants à charge; supplément *m* familial (de traitement).

Kindes|alter *n* [ˈkɪndəs-] enfance *f,* bas âge *m;* **~aussetzung** *f* abandon *m* d'enfant; *jur* exposition *f* de part; **~beine** *n pl: von ~~n an* dès la *od* sa *etc* plus tendre enfance; **~entführer** *m* ravisseur *m* d'enfant; **~entführung** *f* enlèvement *m* d'enfant; **~liebe** *f* amour *m* filial; **~mord** *m* meurtre d'un enfant, infanticide *m;* **~mörder(in *f*)** *m* infanticide *m f;* **~pflicht** *f* devoir *m* filial; **~raub** *m* rapt *m* d'enfant; **~unterschiebung** *f,* **~vertauschung** *f* supposition *od* substitution *f* d'enfant *od jur* de part.

Kind|heit *f* ⟨-, ø⟩ [ˈkɪnthaɪt] enfance *f,* bas âge *m;* **~heitserinnerungen** *f pl* souvenirs *m pl* d'enfance; **k~isch** [-dɪʃ] *a (Mensch)* enfantin, niais; *(Handlung)* puéril; *sich ~~ benehmen* od *gebärden* faire l'enfant, *fam* le bébé; *~~ sein* être enfant; *~~ werden* tomber en enfance *od* dans le radotage; *~~e(r) Alte(r m) f* gâteux, se *m f, m fam* gaga *m;* *~~e(s) Wesen n* puérilité *f;* **k~lich** *a* enfantin, d'enfant; *(unschuldig)* innocent, candide; *(naiv)* naïf, ingénu; **~lichkeit** *f* ⟨-, (-en)⟩ caractère *m* enfantin; innocence, candeur; naïveté, ingénuité *f;* **~skopf** *m fig* grand enfant; *(Dummkopf) fam* bêta, niais *m;* **~spech** *n physiol* méconium *m;* **~taufe** *f* baptême *m.*

kinetisch [kiˈneːtɪʃ] *a phys (Bewegungs~)* cinétique.

Kinkerlitzchen *pl* [ˈkɪŋkərlɪtsçən] *fam (Plunder, Tand)* fanfreluches *f pl,* colifichets *m pl; (Albernheiten)* sottises *f pl.*

Kinn *n* ⟨-(e)s, -e⟩ [kɪn] menton; *vorspringende(s), zurücktretende(s) ~* menton *m* saillant, fuyant; *spitze(s) ~ (a. fam)* menton *m* de *od* en galoche; **~backe(n *m*)** *f,* **~lade** *f* mâchoire, mandibule *f;* **~bart** *m,* **~bärtchen** *n* barbiche, impériale *f, fam* bouc *m;* **~haken** *m sport* crochet à la mâchoire, uppercut *m; (am Zaum)* gourmette *f.*

Kino *n* ⟨-s, -s⟩ [ˈkiːno] cinéma, *pop* ciné, *arg* cinoche *m; ins ~ gehen* aller au cinéma; **~besitzer** *m* exploitant *m* de cinéma; **~besuch** *m* fréquentation *f* des cinémas; **~besucher** *m* spectateur *m* de cinéma; **~orgel** *f* orgue *m* de cinéma; **~reklame** *f* publicité dans les cinémas, réclame par le cinéma, propagande *f* cinématographique; **~vorstellung** *f* séance *f* cinématographique *od* de cinéma.

Kiosk *m* ⟨-(e)s, -e⟩ [kiˈɔsk] kiosque *m.*

kipp|bar [ˈkɪp-] *a* à bascule; **K~e** *f* ⟨-, -n⟩ *(Kante)* arête *f; fam (Zigarettenstummel) pop* mégot *m; auf der ~~ stehen* être en équilibre instable; *fig* ne tenir qu'à un fil; **~(e)lig** *a* branlant; **~eln** *itr* chanceler, basculer; **~en** *tr ⟨hat gekippt⟩* pencher, faire basculer; *(umkippen)* renverser, culbuter; *itr ⟨ist gekippt⟩ (umkippen)* faire la bascule, chavirer; *aus den Latschen ~~ pop fig* tomber sur le derrière; en rester comme deux ronds de flan; **K~er** *m* ⟨-s, -⟩ culbuteur, basculeur, verseur *m;* **K~frequenz** *f radio* frèquence *f* de balayage; **K~hebel** *m tech* basculeur *m;* **K~karren** *m* brouette *f* à bascule; tombereau *m;* **K~kübel** *m* benne *f* basculante; **K~lade** *f* abattant *m;* **K~lastwagen** *m* camion *m* basculant; **K~lore** *f* wagonnet *m* à bascule; **K~schalter** *m* interrupteur *m* culbuteur *od* à bascule; **K~schaltung** *f* bascule *f;* **~sicher** *a* inversable; **K~sicherung** *f tech* stabilisateur *m;* **K~vorrichtung** *f* dispositif d'inclinaison, basculateur *m;* **K~wagen** *m* wagon *m* basculant *od* à bascule, benne *f* basculante.

Kirche *f* ⟨-, -n⟩ [ˈkɪrçə] *(Gebäude)* église, *(evang.)* temple *m; (Einrichtung)* Église *f; pej* goupillon; *(Gottesdienst)* service (divin *od* religieux), office *m; in die* od *zur ~ gehen, die ~ besuchen* aller à l'église; *~ halten (kath.)* célébrer l'office divin; *(evang.)* faire le prêche; *die ~ im Dorf lassen (fig)* garder la tête froide; *die streitende, triumphierende ~* l'Église *f* militante, triomphante.

Kirchen|älteste(r) *m* [ˈkɪrçən-] ancien *m;* **~bann** *m* excommunication *f,* interdit *m; in den ~~ tun* excommunier; **~behörde** *f* autorité *f* ecclésiastique; **~besuch** *m* fréquentation *f* des offices; **~buch** *n* registre *m* paroissial; **~buße** *f* pénitence *f;* **~chor** *m* lutrin *m,* maîtrise *f;* **~chorleiter** *m* maître *m* de chapelle; **~diener** *m (Küster) (kath.)* sacristain, bedeau;

(evang.) marguillier *m;* **~fahne** *f* bannière *f,* gonfalon, gonfanon *m;* **k~feindlich** *a* anticlérical, voltairien; **~fenster** *n* vitrail *m* (*pl* vitraux); **~fest** *n* fête *f* religieuse; **~fürst** *m* prince *m* de l'Église; **~gemeinde** *f* paroisse *f;* **~gesang** *m (das Singen)* chant *m* d'église; **~geschichte** *f* histoire *f* ecclésiastique; **~jahr** *n* année *f* ecclésiastique *od* religieuse; **~konzert** *n* concert *m* spirituel; **~lehrer** *m* docteur *m* de l'Église; **~licht** *n fig: er ist kein (großes) ~~* ce n'est pas une lumière; **~lied** *n* cantique *m;* **~maus** *f: arm wie e-e ~~* pauvre comme un rat d'église *od* comme Job; **~musik** *f* musique *f* religieuse *od* sacrée *od* d'église; **~ordnung** *f* règlements *m pl od* règles *f pl* de l'Église; **~rat** *m (evang. kirchl. Behörde)* consistoire; *(Person)* membre du consistoire, conseiller *m* ecclésiastique; **~recht** *n* droit *m* canon; **~rechtler** *m* canoniste *m;* **k~rechtlich** *a* canonique; **~reform** *f* réforme *f* de l'Église; **~schändung** *f* profanation *f,* sacrilège *m;* **~spaltung** *f* schisme *m;* **~staat,** *der* les États *m pl* de l'Église; **~steuer** *f* impôt *m* ecclésiastique; **~tag** *m: Deutsche(r) Evangelische(r) ~~* Congrès *m* synodal de l'Église évangélique allemande; **k~treu** *a* bien pensant; **~vater** *m hist* Père *m* de l'Église; **~versammlung** *f (kath.)* concile; *(evang.)* synode *m;* **~vorstand** *m (kath.)* conseil de fabrique; *(evang.)* conseil *m* presbytéral; **~vorsteher** *m* membre du conseil; *nur kath.* conseiller de fabrique, marguillier *m;* **~zucht** *f* discipline *f* ecclésiastique.

Kirch|gang *m* ['kırç-] *erste(r) ~~ (e-r Wöchnerin)* relevailles *f pl;* **~hof** *m (Friedhof)* cimetière *m;* **~lein** *n* petite église, chapelle *f;* **k~lich** *a* ecclésiastique, religieux, spirituel; de l'Église; *sich ~~ trauen lassen* se marier à l'église; *~~e Trauung f* mariage *m* religieux; *~~e(r) Würdenträger m* dignitaire *m* ecclésiastique; **~spiel** *n* paroisse *f;* **~turm** *m* clocher *m,* tour *f* d'église; **~turmpolitik** *f* politique *f* de clocher; **~weih** *f* fête patronale, kermesse *f.*

kirre ['kırə] *a fam (zahm)* apprivoisé, soumis; *jdn ~ machen* apprivoiser, *fam* amadouer qn; *~ werden* s'apprivoiser, filer doux; **~n** *tr = ~ machen.*

Kirsch *m* ‹-(e)s, -› [kırʃ] = *~wasser;* **~baum** *m* cerisier *m;* **~blüte** *f* fleur *f* de cerisier; **~e** *f* ‹-, -n› cerise *f; mit ihm ist nicht gut ~en essen* il ne fait pas bon se frotter à lui, il est mauvais coucheur, c'est un rude joueur; **~kern** *m* noyau *m* de cerise; **~kernbeißer** *m orn* gros-bec *m* commun; **~kuchen** *m* tarte *f* aux cerises; **~lorbeer** *m bot* laurier-cerise *m;* **k~rot** *a* rouge cerise; **~saft** *m* jus *m* de cerises; **~torte** *f* tarte *f* aux cerises, clafouti(s) *m;* **~wasser** *n (Schnaps)* kirsch *m.*

Kissen *n* ‹-s, -› ['kısən] coussin; *(Kopfkissen)* oreiller; *tech* matelas *m;* **~bezug** *m,* **~überzug** *m* taie *f* d'oreiller.

Kiste *f* ‹-, -n› ['kıstə] caisse; *(kleinere, bes. Zigarrenkiste)* boîte *f; (alte ~) (fam: Auto)* tacot *m,* bagnole, guimbarde *f; (Flugzeug)* coucou, *arg* zinc *m;* **~ndeckel** *m* couvercle *m* de caisse; **~nheber** *m* lève-caisses *m;* **~nöffner** *m* ouvre-caisses *m.*

Kitsch *m* ‹-(e)s, ø› [kıtʃ] œuvre *f* de basse qualité, tape-à-l'œil; *(Neologismus)* kitsch *m; (Schund)* toc, chiqué *m,* camelote *f;* **~film** *m* navet *m;* **k~ig** *a* de mauvais goût; *(Neologismus)* kitsch; *~~e(s) Bild n* croûte *f.*

Kitt *m* ‹-(e)s, -e› [kıt] *(Glaserkitt)* mastic; *chem tech* lut *m;* **k~en** *tr* mastiquer; luter.

Kittchen *n* ‹-s, -› ['kıtçən] *pop (Gefängnis)* bloc, violon *m,* taule *f,* cabanon *m; ins ~ bringen (pop)* coffrer, foutre au bloc.

Kittel *m* ‹-s, -› ['kıtəl] *(Arbeits~)* blouse *f; (Fuhrmanns~)* sarrau *m,* souquenille *f;* **~schürze** *f* blouse-tablier *f,* tablier-blouse *m.*

Kitz *n* ‹-es, -e›, **~e** *f* ‹-, -n› ['kıts(ə)] *(Zicklein)* chevreau; *(Reh)* faon *m.*

Kitz|el *m* ‹-s, ø› ['kıtsəl] chatouillement *m; (Jucken)* démangeaison *a. fig; fig (Gelüst)* envie *f;* **k~(e)lig** *a* chatouilleux; *fig (heikel)* délicat, graveleux, scabreux; **k~eln** *tr u. itr* chatouiller, titiller; *(jucken)* démanger; *tr fig* flatter; *es kitzelt mich zu* j'ai terriblement envie de; **~ler** *m* ‹-s, -› *anat* clitoris *m.*

Klabautermann *m* ‹-(e)s, ¨er› [kla'bautərman] *(Schiffskobold)* lutin *m* marin.

Kladde *f* ‹-, -n› ['kladə] *(erste Niederschrift)* brouillon *m; com* main *f* courante; *(Buch)* brouillard *m.*

Kladderadatsch *m* ‹-(e)s, ər› [kladəra'datʃ] *fam (Spektakel)* charivari, pétard, chambard *m; (Zs.bruch)* catastrophe, débâcle *f.*

klaffen ‹*hat geklafft*› ['klafən] *itr* béer, bâiller, être entrouvert; **~d** *a (Wunde)* béant.

kläff|en ['klɛfən] *itr (Hund)* japper, glapir; *(Jagdhund)* clabauder; *fig (Mensch)* criailler, clabauder, déblatérer; **K~er** *m* ‹-s, -› *(Hund)* jappeur, roquet; *a. fig (Mensch)* clabaud(eur); *fig* aboyeur *m.*

Klafter *m od n* ‹-s, -› ['klaftər] *(altes Längenmaß)* toise; *(Holzmaß)* corde *f;* **k~n** *tr (abmessen)* toiser; *(Holz)* corder.

klag|bar ['kla:k-] *a: ~~ sein (Sache)* donner lieu à une plainte; *~~ werden* porter plainte (*gegen jdn* contre qn, *wegen etw* pour qc); **K~e** *f* ‹-, -n› [-gə] *allg u. jur* plainte; *jur* demande, action; *(Beschwerde)* (com)plainte *f,* doléances *f pl,* grief *m; e-e ~~ abweisen* rejeter une demande; *jdn mit s-r ~~ abweisen* débouter qn de sa demande; *in ~~n ausbrechen* se répandre en plaintes; *e-e ~~ einreichen* formuler *od* déposer une plainte, intenter un procès; *gegen jdn (a.: anstrengen)* porter plainte contre qn, (faire) appeler qn en justice, intenter un procès à qn; *~~ erheben* intenter une action; *gegen jdn* porter une accusation contre qn; *~~ führen über* se plaindre de; **K~eabweisung** *f* jugement *m* de rejet *od* de débouté; **K~ebegründung** *f* motivation *f* de la plainte; **K~egeschrei** *n* lamentations *f pl;* **K~egrund** *m jur* grief *m;* **K~elaut** *m: keinen ~~ von sich geben* ne pas laisser échapper une plainte; **K~elied** *n* complainte *f, pej* jérémiades *f pl; ~~er singen (fig)* chanter le miséréré, se répandre en jérémiades; **K~emauer** *f (in Jerusalem)* Mur *m* des Lamentations; **~en** *itr* se plaindre (*über etw* de qc); *(jammern)* se lamenter; *(wehklagen)* gémir; *jur* porter plainte (en justice) (*gegen jdn* contre qn, *wegen etw* pour qc); *furchtbar* od *mächtig ~~ (fam)* crier misère; *„...", klagte er* «...», dit-il d'un ton plaintif *od* chargé de reproches; **K~epunkt** *m jur* chef *m* d'accusation; **K~erecht** *n* droit *m* d'action; **K~erücknahme** *f jur* désistement *m* (d'instance); **K~eruf** *m* cri *m* plaintif; **K~esache** *f jur* procès *m,* cause *f;* **K~eschrift** *f jur* plainte (écrite), demande *f;* **K~eweg** *m: auf dem ~~e* par voie de justice; **K~eweib** *n* pleureuse *f;* **K~ezustellung** *f jur* signification *f* de la demande.

Kläg|er(in *f***)** *m* ‹-s, -› ['klɛ:gər] *jur* plaignant, e *m f,* demandeur *m,* demanderesse *f; öffentliche(r) ~~* plaignant *m* public; **k~erisch** *a: der ~~e Anwalt* l'avocat *m* du demandeur *od* de la partie plaignante; **k~lich** ['-klıç] *a (jammernd)* plaintif, dolent; *(beklagenswert)* lamentable, déplorable; *(jämmerlich)* pitoyable, piteux, misérable; *der Versuch ist ~~ mißlungen* la tentative a lamentablement échoué; **~lichkeit** *f* ‹-, (-en)› état *od* caractère *m* lamentable *od* déplorable *od* pitoyable.

Klamauk *m* ‹-s, ø› [kla'mauk] *fam* chambard, chahut, *pop* bousin, boucan, barouf(le) *m.*

klamm [klam] *a (eng)* étroit, serré; *(feucht)* moite; *(starr vor Kälte)* (en) gourd(i); *~ an Geld fam* raide.

Klamm *f* ‹-, -en› [klam] *(Felsschlucht mit Wasserlauf)* gorge *f,* ravin *m.*

Klammer *f* ‹-, -n› ['klamər] pince *f,* crochet *m; med* agrafe *f; (Krampe)* crampon *m,* crampe, happe, harpe *f,* harpon *m; mus typ* accolade *f; pl (Krampen) a.* clameaux; *in ~n setzen* mettre entre parenthèses; *mit ~n verbinden (typ)* accoler; *runde, eckige ~~* parenthèse *f,* crochet *m;* **k~n** *tr (befestigen)* fixer avec des pinces; *med* agrafer; *(mit Krampen)* cramponner; *sich ~~ an* se raccrocher, se cramponner à *a. fig.*

Klamotten *f pl* [kla'mɔtən] *fam pej (Plunder)* nippes, hardes *f pl; pop* fringues, frusques *f pl; in alten ~* mal nippé.

Klampe *f* ‹-, -n› ['klampə] *mar* taquet *m.*

Klampfe *f* ‹-, -n› ['klampfə] *(Gitarre) mus* guitare *f.*

Klang *m* ‹-es, ¨e› [klaŋ, 'klɛŋə] son, ton; *(der Stimme)* timbre *m; (e-s be-*

wegten Gegenstandes) résonance *f; e-n guten ~ haben* sonner bien; *fig: sein Name hat e-n guten ~* il jouit d'une bonne réputation; *dumpfe(r), helle(r), tiefe(r) ~* son *m* sourd, clair, grave *od* bas; **~farbe** *f* timbre *m; radio* tonalité *f;* **~(farben)regelung** *f radio* réglage *m* de la tonalité; **~(farben)regler** *m radio* régulateur *od* contrôleur *m* de la tonalité; **~figur** *f phys* figure *f* sonore; **~fülle** *f* puissance du son, sonorité *f;* **k~getreu** *a: ~~e Wiedergabe f* haute fidélité *f;* **~instrument** *n* instrument *m* sonore; **k~los** *a phys* sourd, insonore; *(Stimme)* blanc; **~malerei** *f,* **~nachahmung** *f* onomatopée *f;* **~reflektor** *m film radio* drapeau *m;* **k~rein** *a* net, pur; **~reinheit** *f* netteté, pureté; *radio* pureté de la réception *od* de l'audition, fidélité, musicalité *f;* **~stärke** *f radio* puissance *f* du son; **~stufe** *f mus* intervalle *m;* **k~voll** *a* sonore; *(Stimme)* étoffé, vibrant; **~welle** *f phys* onde *f* sonore; **~wirkung** *f mus* effet *m* musical.

Klapp|bett *n* ['klap-] lit pliant, lit-cage *m;* **~brücke** *f* pont *m* basculant *od* à bascule; **~deckel** *m* couvercle à charnière, boîtier *m;* **~e** *f* ‹-, -n› trappe *f,* abattant *m,* patte *f; (~deckel)* couvercle; *(e-s Briefumschlags)* rabattant *m; (Schneiderei)* patte *f; (e-r Tasche)* rabat (de poche); *mus (Blasinstrument)* clé; *anat, bot* valvule; *(~ventil)* valve *f,* clapet *m; mines* bille *f; tele aero* volet; *pop (Bett)* pieu, pucier *m; pop (Mund)* gueule *f,* bec *m; die ~~ aufreißen (pop)* avoir une grande gueule; la ramener; *zwei Fliegen mit e-r ~~ schlagen (fig)* faire d'une pierre deux coups; *halt die ~~! (pop)* ta gueule! boucle-la! **k~en** *itr (schlagen)* claquer, battre; *fam fig (in Ordnung gehen)* marcher à souhait; *zum K~ kommen* aller se déclencher; *die Sache ~t (fam)* ça colle; *es hat geklappt (fam)* ça a marché; *es ~t alles tadellos* od *wie am Schnürchen (fam)* tout va très bien *od* comme sur des roulettes; c'est réglé comme du papier à musique; **~enschrank** *m tele* tableau annonciateur *od* à volets, standard téléphonique, commutateur *m* à clapets; **~enventil** *n* clapet *m;* **~horn** *n mus* (cornet à) piston *m;* **~(p)ult** *n* pupitre *m* pliant; **~sitz** *m* strapontin, siège abattant *od* rabattable *od* basculant *od* escamotable; *theat mot* strapontin *m;* **~stuhl** *m* chaise *f* pliante, (siège) pliant *m;* **~stulle** *f fam* sandwich *m;* **~tisch** *m* table *f* pliante; **~treppe** *f* escalier *m* pliant; **~verdeck** *n mot* capote *f* (amovible); **~zylinder** *m* (chapeau) claque *od* gibus *m.*

Klapper *f* ‹-, -n› ['klapər] claquet *m,* claquette, cliquette; *(Knarre)* crécelle *f; (Spielzeug)* hochet *m, (Tanzklapper)* castagnette *f;* **k~dürr** *a* maigre comme un clou, d'une maigreur squelettique, *fam* sec comme une trique *od* un coup de trique; **~gestell** *n fam (dürrer Mensch)* squelette *m; fam (altes Auto)* os; tas *m* de ferraille; **k~ig** *a* branlant, fragile; *fig fam (Mensch)* rabougri; **~kasten** *m fam (Klavier)* chaudron *m,* casserole *f; tech* clou; *mot* tacot, tapecul *m;* **k~n** *itr* claquer, cliqueter; *(Storch)* craqueter, claqueter; *(Mühle)* faire tic tac; **~n** *n* bruit de ferraille; *(Schreibmaschine)* cliquetis *m; ~~ gehört zum Handwerk (prov)* il faut savoir faire valoir sa marchandise; **~schlange** *f zoo* serpent à sonnettes, crotale *m;* **~storch** *m fam* cigogne *f;* **klapprig** = *~erig.*

Klaps *m* ‹-es, -e› [klaps] *fam* tape, claque, taloche *f; e-n ~ haben* avoir un grain (de folie) *od* une araignée au plafond; *kleine(r) ~* tapette *f;* **k~en** *tr* taper, claquer.

klar [kla:r] *a (hell)* clair; *(rein)* pur; *(deutlich)* net, distinct; *(durchsichtig)* transparent; *(Himmel, Flüssigkeit)* limpide; *(Wetter) a.* serein; *(Verstand) a.* lucide; *fig (deutlich)* clair; *(verständlich)* intelligible; *(offenbar)* évident; *mar (bereit)* dégagé, paré; *~ und deutlich (adv)* avec précision; *sich über etw im ~en sein* voir clair dans qc; *sich über etw ~ werden* (commencer à) comprendre qc; *das ist doch ~* cela s'entend, c'est évident *od* une chose évidente, *fam* c'est couru; *~? (fam)* nous y sommes? *~er Fall! (fam)* évidemment! *~ Schiff! (mar)* paré! **~blikkend** *a* clairvoyant, perspicace; **K~heit** *f* ‹-, ø› clarté; pureté; netteté; transparence, limpidité; sérénité; lucidité; évidence *f; ~~ in etw bringen (fig)* éclaircir qc; **~=legen** ‹*hat klargelegt*› *tr,* **~=machen** ‹*hat klargemacht*› *tr fig* expliquer, exposer, éclaircir; *jdm etw ~machen* faire comprendre qc à qn; *sich etw ~machen* se rendre compte de qc; *das Schiff ~machen (mar)* appareiller; **K~scheibe** *f mot* disque *m* antibuée; **K~schrift** *f: in ~~ (nicht chiffriert)* en clair; **~=sehen** ‹*hat klargesehen*› *itr* voir clair; **K~sichtscheibe** *f* vitre *f* anti-buée; **~=stellen** ‹*hat klargestellt*› *tr* (re)mettre au point, mettre en évidence; **K~stellung** *f* mise *f* au point; **K~text** *m (nicht chiffriert)* texte *m* en clair.

Klär|anlage *f* ['klɛ:r-] station d'épuration, installation *f* de clarification *od* de décantation *od* de décantage; **~becken** *n* bassin *m* de décantation *od* de décantage *od* de dépôt; **k~en** *tr* clarifier; *(Flüssigkeit)* décanter; *chem* dépurer; *fig* éclaircir, tirer au clair, élucider; *sich ~~* se clarifier; *fig (sich aufklären)* s'éclaircir, s'élucider; **~mittel** *n* clarifiant *m;* **~ung** *f* ‹-, (-en)› clarification; décantation *f; fig* éclaircissement *m,* élucidation *f.*

Klarinett|e *f* ‹-, -n› [klari'nɛtə] *mus* clarinette *f;* **~ist** *m* ‹-en, -en› [-'tɪst] clarinettiste *m.*

Klasse *f* ‹-, -n› ['klasə] classe *(a. bot, zoo, Soziologie, Schule, sport, loc, mar); allg a.* catégorie, division *f; a pop (prima)* bath, chouette; *erster ~ (attr)* de première classe; *in ~n einteilen* class(ifi)er, répartir par classes; *erster ~ fahren* voyager en première classe; *e-e ~ überspringen, wiederholen* sauter, redoubler une classe; *die besitzende ~* les possédants *m pl; er ist große ~ (fam)* il est du tonnerre, il a de la classe; *die unteren ~n (Schule)* les classes élémentaires; **~narbeit** *f,* **~naufsatz** *m* composition *f* (écrite); **k~nbewußt** *a* conscient de sa classe; **~nbewußtsein** *n* conscience *f* de classe; **~nbuch** *n (Schule)* journal *m* (de la classe); **~neinteilung** *f* classement *m,* classification *f;* **~ngeist** *m* esprit *m* de classe; **~nhaß** *m* haine *f* de(s) classes; **~njustiz** *f* justice *f* de classe(s); **~nkamerad** *m* camarade *m* de classe; **~nkampf** *m* conflit *m od* lutte des classes, lutte *f* de classe; **~nlehrer** *m* professeur *m* principal; **~nlotterie** *f* loterie *f* en plusieurs tirages; **~nunterschiede** *m pl* distinction *f* des classes; **~nzimmer** *n* (salle de) classe *f.*

klass|ifizieren [klasifi'tsi:rən] *tr* class(ifi)er; **K~ifizierung** *f* classification *f,* classement *m;* **K~ik** *f* ‹-, ø› ['klasɪk], **K~izismus** *m* ‹-, ø› [-'tsɪsmus] classicisme *m;* **K~iker** *m* ‹-s, -› ['klasikər] classique *m;* **~isch** ['klasɪʃ] *a* classique.

klatsch [klatʃ] *interj* flac! **K~** *m* ‹-(e)s, -e› *(Klaps)* claque *f; fam (Geschwätz)* cancan; caquet, potin *m,* racontar; bavardage, commérage *m;* chronique *f* scandaleuse; **K~base** *f* cancanière, commère; *pop* pipelette *f;* **K~e** *f* ‹-, -n› *(Gegenstand)* claquette *f;* **~en** *itr (klapsen)* claquer; *(fallen) zu Boden ~~* s'écraser; *(Regen)* fouetter; *(schwatzen)* bavarder, jaser; *fam* dégoiser, caqueter, potiner, cancaner; *über jdn (fam)* casser du sucre sur la tête *od* le dos de qn, *pop* débiner (*über jdn* qn); *Beifall ~~* applaudir (*jdm* qn); *in die Hände ~~* battre *od* claquer des mains; *jdm e-e ~~ (fam)* flanquer une gifle à qn; *~~de(r) Regen m* pluie *f* battante; **~haft** *a* bavard, cancanier, potinier; **K~haftigkeit** *f* ‹-, ø› manie *f* de faire des cancans; **K~maul** *n* potinier, ère; cancanier, ère *m f;* **K~mohn** *m,* **K~rose** *f* pavot, coquelicot *m;* **~naß** *a* trempé jusqu'aux os; **K~sucht** *f* = *K~haftigkeit;* **K~weib** *n* = *K~base.*

klaub|en ['klaubən] *tr (sortieren)* trier; *fig: Worte ~ ~* ergoter sur les mots, couper les cheveux en quatre; **K~erei** *f* [-'raɪ] *fig* ergotage *m,* subtilités *f pl.*

Klau|e *f* ‹-, -n› ['klauə] *zoo (Kralle)* griffe *f,* ongle *m; (Fuß)* patte *f,* pied *m; tech* griffe, patte *f; fam (unleserliche Schrift)* grimoire *m,* pattes *f pl* de mouche; *pl tech, a. fig* tenailles *f pl; in jds ~en geraten, sein* tomber sous les griffes, être entre les pattes de qn; **k~en** ‹*hat geklaut*› *tr fam (stehlen)* chiper, faucher chaparder, volatiliser, *pop* barboter; *itr* jouer des mains; **~enkupp(e)lung** *f tech* accouplement à griffes *od* à crabots, embrayage *m* à griffes.

Klaus *m* [klaus] Colas, Nicolas *m.*

Klaus|e *f* ‹-, -n› ['klauzə] *(Mönchszel-*

le) cellule *f; (Einsiedelei)* ermitage *m; (Schlucht)* cluse *f,* défilé *m;* **~el** *f* ‹-, -n› clause, réserve, stipulation *f;* **~ner** *m* ‹-s, -› *rel* reclus, ermite, solitaire *m;* **~nerin** *f* recluse *f;* **~ur** *f* ‹-, -en› [-ˈzuːr] *rel* clôture *f; unter ~~* sous surveillance; **~urarbeit** *f* composition *f* faite sous surveillance; devoir *m* sur table; interrogation *f* écrite.

Klaviatur *f* ‹-, -en› [klaviaˈtuːr] *mus* clavier *m.*

Klavier *n* ‹-es, -e› [klaˈviːr] piano *m; am ~* au piano; *~ spielen* jouer du piano; **~auszug** *m* partie *f* de piano; **~begleitung** *f* accompagnement *m* de piano; **~hocker** *m* tabouret *m* de piano; **~konzert** *n (Veranstaltung)* récital de piano; *(Werk)* concerto *m* pour piano; **~lehrer(in *f*)** *m* professeur *m* de piano; **~schule** *f (Buch)* méthode *f* de piano; **~spiel** *n* le piano *m;* **~spieler(in *f*)** *m* pianiste *m f;* **~stimmer** *m* accordeur *m* de pianos; **~stück** *n* morceau *m* de piano; **~stunde** *f* leçon *f* de piano: **~virtuose** *m* pianiste *m* virtuose.

kleb|en [ˈkleːbən] *tr* coller; *(Anschlagzettel)* afficher; *bes. med* agglutiner; *itr (haften)* (se) coller, être collant, (s')attacher, adhérer, tenir (*an* à) *a. fig; fig fam (Mensch)* être attaché (*an* à); *med* s'agglutiner; *jdm eine ~~ (pop)* flanquer une tarte *od* un marron à qn; *mir ~t die Zunge am Gaumen* j'ai la gorge sèche; *an seinen Händen ~t Blut* il y a du sang sur ses mains, ses mains sont souillées de sang; **K~emarke** *f* vignette *f* collante; autocollant *m;* **K~er** *m* ‹-s, -› = *K~stoff; chem* colle *f* végétale, gluten; *(Arbeiter)* colleur *m;* **K~(e)streifen** *m* ruban *m* adhésif *od* de fixage; bande *f* de papier collant; **~rig** *a* collant, gluant, adhésif; *(kleberhaltig)* glutineux; *(zähflüssig)* visqueux; **K~rigkeit** *f* ‹-, (-en)› glutinosité, viscosité *f;* **K~stoff** *m* substance *f* adhésive, agglutinant *m,* colle *f* (blanche).

kleckern [ˈklɛkərn] *itr fam* faire des taches.

Klecks *m* ‹-es, -e› [klɛks] *(bes. Tintenfleck)* tache *f* (d'encre), pâté *m;* **k~en** *itr* faire des taches *od* pâtés; *(Feder)* cracher; *pej (schlecht schreiben* od *malen)* barbouiller; **~er** *m* ‹-s, -› barbouilleur *m;* **~erei** *f* [-ˈraɪ] barbouillage *m; (Bild)* croûte *f;* **k~ig** *a* taché, plein de taches *od* pâtés.

Klee *m* ‹-s, ø› [kleː] *bot* trèfle *m; über den grünen ~ loben* porter aux nues; *vierblättrige(r) ~* trèfle *m* à quatre feuilles; **~blatt** *n* feuille *f* de trèfle; *ein sauberes ~~ (fig iron)* un beau *od* joli trio; **~feld** *n* tréflière *f;* **~salz** *n chem* sel *m* d'oseille.

Kleiber *m* ‹-s, -› [ˈklaɪbər] *orn* sittelle *f.*

Kleid *n* ‹-(e)s, -er› [klaɪt, -dər] *allg* habit, vêtement *m; (Frauenkleid)* robe, *(elegantes)* toilette *f; die ~er wechseln (a.)* se changer; *~er machen Leute (prov)* l'habit fait le moine; **k~en** *tr* habiller; *(gut stehen)* aller bien, seoir (*jdn* à qn); *sich ~~* s'habiller; *in Worte ~~ (fig)* mettre en forme, donner forme à, exprimer; **~erablage** *f* vestiaire *m;* **~erbügel** *m* cintre *m;* **~erbürste** *f* brosse *f* à habits; **~erhaken** *m* portemanteau *m,* patère *f;* **~erlaus** *f ent* pou *m* du corps; **~ermotte** *f ent* mite des étoffes, teigne *f* des draps; **~erschrank** *m* garde-robe (*pl* garde-robes), armoire *f* à habits; **~erstoff** *m* tissu *m* pour robes, étoffe *f* pour costumes; **k~sam** *a* seyant; *~~ sein* aller bien; **~ung** *f* habillement *(a. Vorgang),* vêtements, habits *m pl,* costume *m; in bürgerlicher ~~ (nicht in Uniform)* en civil; *getragene ~~* habits *m pl* usagés; **~ungsstück** *n* vêtement *m.*

Kleie *f* ‹-, -n› [ˈklaɪə] son; *(grobe)* bran *m.*

klein [klaɪn] *a* petit *a. fig,* menu; *(winzig)* exigu, infime; *(verschwindend ~)* minuscule, microscopique, imperceptible; *(unbedeutend)* faible, médiocre, insignifiant; *fig (geringfügig, unbedeutend)* minime, médiocre, insignifiant, peu important; *pej (armselig)* mesquin, piètre; *(~lich, engherzig)* borné, étroit, mesquin; *ein ~ wenig* un (tout) petit peu, un tantinet; *im ~en* au petit pied, en miniature; *com* au *od* en détail; *von ~ auf* dès mon *etc* enfance; *~ anfangen (fam)* partir de rien; *~ beigeben (fam)* céder le terrain, filer doux; *e-n k~en sitzen haben (fam)* en avoir un petit coup dans l'aile; *jdn von ~ auf kennen* avoir vu naître qn; *~er machen* diminuer; *~ schreiben (im ganzen)* écrire menu; *(auf) ~ stellen (Gasflamme)* mettre en veilleuse; *im ~en verkaufen* faire le détail; *~er werden* rapetisser, diminuer; *~e(r) Fehler m* faute *f* légère; *~e(r) Geist m* petit esprit, esprit *m* mesquin; *~e(s) Geld n = K~geld; die ~en Leute pl* les petites gens, le petit *od* menu *od* bas peuple; *der ~e Mann (fig)* l'homme du peuple; *~e Terz (mus)* tierce *f* mineure; *das ~ere Übel* le moindre mal; *~ von Wuchs* de petite stature *f.*

Klein *n* ‹-s, ø› [klaɪn] *(~fleisch)* abattis; *mines* amas *m* de pierres, pierraille *f;* **~anzeige** *f* petite annonce *f;* **~asien** *n* l'Asie *f* Mineure; **~bahn** *f loc* (chemin *m* de fer à) voie *f* étroite, petit chemin de fer, *fam* tortillard *m;* **~bauer** *m* petit cultivateur *od* propriétaire *m;* **~besitz** *m* petite propriété *f;* **~betrieb** *m* petite exploitation *od* entreprise *f;* **~bildkamera** *f* appareil *m* pour photos de format réduit; **~buchstabe** *m* (lettre) minuscule, petite lettre *f;* **~bürger** *m* petit bourgeois *m;* **k~bürgerlich** *a* de (la) petit(e) bourgeois(ie); petit bourgeois; **~bürgertum** *n* petite bourgeoisie *f;* **~flugzeug** *n* avionnette *f;* **~format** *n bes. phot* petit format *m;* **~garten** *m* jardin *m* ouvrier; **~geld** *n* (petite *od* menue) monnaie *f;* **~gewerbe** *n* petite industrie *f;* **k~gläubig** *a* pusillanime; **~gläubigkeit** *f* pusillanimité *f;* **~=hacken** *tr* hacher menu; **~handel** *m* petit commerce, commerce *m* de détail; *im ~~* au détail; **~handelsgeschäft** *n* magasin *m* de vente au détail; **~handelspreis** *m* prix *m* de détail; **~händler** *m* détaillant, petit marchand, marchand *m* au détail; **~heit** *f* ‹-, ø› petitesse; *(Geringfügigkeit)* exiguïté *f;* **~hirn** *n anat* cervelet *m;* **~holz** *n* petit *od* menu bois *m; arg aero* casse *f; ~~ machen (arg aero)* casser du bois; **~igkeit** *f* bagatelle *f,* rien *m, fam* vétille, babiole *f; e-e ~~ (fam)* du billard; *pl* menus faits, détails *m pl; sich über jede ~~ ärgern* od *aufregen* se fâcher pour un rien; *sich um ~~en (herum)streiten* chercher la petite bête; *das hat mich (nur) e-e ~~ gekostet* je l'ai eu pour presque rien; *(das ist e-e) ~~!* c'est un jeu d'enfant; la belle affaire! *das ist keine ~~!* ce n'est pas une petite affaire, *fam* ce n'est pas de la tarte! **~igkeitskrämer** *m* pédant, vétillard, tatillon, coupeur de cheveux en quatre, *fam* pinailleur *m;* **~igkeitskrämerei** *f* pédanterie *f;* **~kalibergewehr** *n* carabine *f* de petit calibre *od* miniature; **~kind** *n* petit enfant *m;* **~kram** *m* riens *m pl,* vétilles, *fam* babioles, broutilles *f pl,* menu fretin *m;* **~krieg** *m* guerre de partisans, guérilla *f;* **k~=kriegen** ‹*hat kleingekriegt*› *tr fig fam (e-n Gegner)* aplatir; *nicht k~zukriegen(d) a* de fer; **~kunstbühne** *f* cabaret *m;* **k~laut** *a* décontenancé, interdit, découragé; *jdn ~~ machen* décontenancer qn; *~~ werden* baisser le ton, filer doux; **~lebewesen** *n* micro-organisme, microbe *m; durch ~~ verursacht (med)* microbien; **k~lich** *a* petit, pédant, vétilleux, tatillon; *(genau)* minutieux; *(mit Geld)* chiche; *(engstirnig)* étroit, borné, mesquin; *(schikanös)* chicanier; **~lichkeit** *f* pédanterie; minutie, mesquinerie *f; (Zopfigkeit)* chinoiseries *f pl;* **~möbel** *n pl* petits meubles *m pl;* **~mut** *m,* **~mütigkeit** *f* pusillanimité *f,* esprit timoré; *(Feigheit)* manque *m* de courage; **k~mütig** *a* pusillanime, timoré, découragé; **~od** *n* ‹-(e)s, -e/-dien› [ˈklaɪnoːt, -də, -ˈnoːdjən] *a. fig* bijou; joyau; *fig* trésor *m;* **~rentner** *m* petit rentier *m;* **k~=schneiden** ‹*hat kleingeschnitten*› *tr (Küche)* émincer; **~sparer** *m* petit épargnant *m;* **~staat** *m* petit État *m;* **~staaterei** *f* particularisme *m;* **~stadt** *f* petite ville *f;* **~städter** *m* provincial *m;* **k~städtisch** *a* provincial; **~stkind** *n* bébé, nourrisson *m;* **~stwagen** *m mot* cyclecar *m;* **~tier** *n scient* animalcule *m;* **~verdiener** *m* gagne-petit *m;* **~verkauf** *m* vente *f* au détail; **~verkaufspreis** *m* prix *m* de détail; **~vieh** *n* petit *od* menu bétail *m;* **~wagen** *m mot* voiture *f* de faible cylindrée; **~wild** *n* menu gibier *m.*

Kleist|er *m* ‹-s, -› [ˈklaɪstər] colle *f* (d'amidon *od* de pâte); **k~(e)rig** *a* collant, gluant; *fam (Backwerk)* gluant; **k~ern** *tr* coller; **~erpinsel** *m* brosse *f* à colle; **~ertopf** *m* pot *m* à colle.

Klemm|backe *f* [ˈklɛm-] *tech* griffe *f;* **~bolzen** *m* boulon *m* d'assemblage *od* de serrage; **~e** *f* ‹-, -n› *(Klammer)* pince *f; el* serre-fils *m,* borne *f; fig fam* pétrin *m, (geldlich)* gêne *f; aus der ~~* hors d'affaire; *in die ~~ kommen* od *geraten* avoir des ennuis; *in der ~~ sein* od *sitzen (fam)* être coincé *od* dans le pétrin *od* pris entre deux feux *od* pris en sandwich; *(geldlich)* tirer le diable par la queue, *vulg* être embêté; *aus der ~~ ziehen (fig fam)* repêcher; *sich* tirer son épingle du jeu; se débrouiller; *vulg* se démerder; **k~en** *tr* serrer, presser, pincer; *fam (stehlen)* chiper, chaparder, *pop* barboter; *itr (verklemmt sein)* coincer; **~enkasten** *m el* boîte *f* à bornes; **~enleiste** *f tele* planchette *f* de raccordement; **~enspannung** *f el* tension *f* aux bornes; **~er** *m* ‹-s, -› *opt (Kneifer)* pince-nez *m;* **~schraube** *f* vis *f* de serrage; *el* serre-fils *m.*

Klempner *m* ‹-s, -› ['klɛmpnər] ferblantier; *(~ u. Rohrleger)* plombier(-zingueur) *m;* **~ei** *f* [-'raɪ] ferblanterie; plomberie *f;* **~laden** *m (fig pop) (Ordensreihe(n) auf der Brust)* batterie *f* de cuisine.

Klepper *m* ‹-s, -› ['klɛpər] *fam (schlechtes Pferd)* canasson *m,* rosse, haridelle *f, arg mil* bourrin *m.*

Kleptoman|e *m* ‹-n, -n› [klɛpto'ma:nə] , **~in** *f* cleptomane *m f;* **~ie** *f* ‹-, -n› [-ma'ni:] *(Stehlsucht)* cleptomanie *f.*

kler|ikal [kleri'ka:l] *a pol* clérical; **K~iker** *m* ‹-s, -› ['kle:rikər] *rel* ecclésiastique *m;* **K~us** *m* ‹-, ø› ['kle:rus] *(Geistlichkeit)* clergé *m.*

Klette *f* ‹-, -n› ['klɛtə] *bot* bardane *f,* glouteron; *fig fam (Mensch)* crampon *m; sich wie e-e ~ an jdn hängen* se cramponner à qn; *wie ~n anea. hängen* être comme cul et chemise **~nwolf** *m tech* échardonneuse *f.*

Kletter|eisen *n* ['klɛtər-] crampon, grappin *m;* **~er** *m* ‹-s, -› grimpeur, ascensionniste *m;* **~mast** *m,* **~stange** *f (Turngerät)* mât; *(mit aufgehängten Preisen)* mât *m* de cocagne; **k~n** ‹*ist geklettert*› *itr* grimper *(auf* sur, *an* à); *~~ auf* escalader; **~pflanze** *f* plante *f* rampante; **~rose** *f (als Pflanze)* rosier *m* sarmenteux; **~schuhe** *m pl* étriers *m pl* à grimper; **~seil** *n* corde *f* lisse;**~sprosse** *f bot* vrille *f;* **~vögel** *m pl* grimpeurs *m pl;* **~wand** *f sport (im Gebirge)* école de rocher, varappe *f;* **~weste** *f* veste *f* d'alpiniste.

Klient(in *f*) *m* ‹-en, -en› [kli'ɛnt] *hist jur* client, e *m f.*

Klima *n* ‹-s, -s/-te› ['kli:ma, -'ma:tə] climat *m; (sich) an das ~ gewöhnen* (s')acclimater; **~anlage** *f* conditionnement *m* de l'air, installation *f* de climatisation *f,* climatiseur *m; mit (e-r) ~~ (ausgestattet* od *versehen) a* climatisé, à air conditionné; **~heilbad** *n* station *f* thermale climatique; **~heilkunde** *f,* **~therapie** *f* climatisme *m;* **~kterium** *n* ‹-s, ø› [-mak'te:rium] *physiol* ménopause *f;* **~kunde** *f* climatologie *f;* **k~tisch** [-'ma:tɪʃ] *a* climatique; *~~e(r) Kurort m* station *f* climatique; **k~tisieren** [-ti'zi:rən] *tr (mit e-r ~anlage versehen)* climatiser, conditionner; **~tisierung** *f* climatisation *f,* conditionnement *m* de l'air.

Klimbim *m* ‹-s, ø› [klɪm'bɪm] *fam (Plunder)* fatras, bric-à-brac *m; (Getue, Umstände)* chichi *m; der ganze ~ (pop)* tout le bazar *od* tremblement.

klimm|en ‹*klomm/klimmte; klömme/klimmte; ist geklommen/geklimmt*› ['klɪmən] *itr* grimper; *auf* gravir; **K~zug** *m sport* suspension *f* fléchie.

Klimper|kasten *m* ['klɪmpər-] *fam (Klavier)* chaudron *m;* **k~n** ‹*hat geklimpert*› *itr* tinter; *mus (auf dem Klavier)* tapoter (du piano), *fam* pianoter; *mit dem Geld (in der Tasche) ~~* faire sonner son argent.

Klinge *f* ‹-, -n› ['klɪŋə] lame; *(Degen)* épée *f,* fer *m; die ~n kreuzen* croiser l'épée *od* le fer; *über die ~ springen lassen* passer au fil de l'épée; *er führt e-e gute ~* c'est une bonne *od* fine lame.

Klingel *f* ‹-, -n› ['klɪŋəl] sonnette; *(Schelle)* clochette *f; (am Fahrrad)* timbre *m; (elektrische) ~* sonnerie *f* (électrique); **~anlage** *f* sonnerie *f;* **~beutel** *m rel* bourse *f* à quêter; **~knopf** *m* bouton *m* de sonnette; **k~n** ‹*hat geklingelt*› *itr* sonner; *dauernd ~~ (Mensch)* se pendre à la sonnette; *es ~t* on sonne; *das Telefon ~t* le téléphone sonne; **~schnur** *f,* **~zug** *m* cordon *m* de sonnette; **~zeichen** *n* coup *m* de sonnette.

klingen ‹*klang, hat geklungen*› ['klɪŋən, klaŋ, -kluŋən] *itr* sonner, résonner, retentir; *(Glocke)* tinter; *fig (Worte)* sonner, *(auf den Sinn bezogen)* paraître; *die Gläser ~ lassen* choquer les verres; *die Ohren ~ mir, es klingt mir in den Ohren* les oreilles me tintent; **K~** *n (der Gläser)* tintement *m;* **~d** *a* sonore.

klingklang ['klɪŋklaŋ] *interj* tintin! drelin, drelin!

Klin|ik *f* ‹-, -en› ['kli:nɪk] clinique *f;* **~iker** *m* ‹-s, -› ['kli:nikər] (médecin) clinicien *m;* **k~isch** ['kli:nɪʃ] *a* clinique.

Klink|e *f* ‹-, -n› ['klɪŋkə] *(Türklinke)* poignée, clench(ett)e *f,* loquet *m; tech (Sperr-, Schaltklinke)* cliquet; *tele* jack *m;* **k~en** *itr* presser le loquet.

Klinker *m* ‹-s, -› ['klɪŋkər] *(Baustein)* brique *f* hollandaise *od* recuite *od* vernissée.

klipp [klɪp] *interj: ~, klapp!* clic-clac! flic-flac! *adv: ~ und klar* clair et net; **K~klapp** *n* ['-klap] *(der Mühle)* tic-tac *m.*

Klipp|e *f* ‹-, -n› [klɪpə] écueil, brisant *m;* **~fisch** *m* morue *f* salée *od* verte.

Klipper *m* ‹-s, -› ['klɪpər] *aero* clipper *m.*

klirren ‹*hat geklirrt*› ['klɪrən] *itr* cliqueter; *(Gläser)* tinter.

Klisch|ee *n* ‹-s, -s› [klɪ'ʃe:] *typ* cliché, galvano *m;* **~ieranstalt** *f* clicherie *f;* **k~ieren** [-'ʃi:rən] *tr* clicher; **~ieren** *n* clichage *m.*

Klistier *n* ‹-s, -e› [klɪs'ti:r] *med* lavement, clystère *m; jdm ein ~ geben, jdn* **k~en** *tr* administrer un lavement à qn; **~spritze** *f* seringue *f* à lavements.

klitsch [klɪtʃ] *interj: ~, klatsch!* flic-flac! **K~** *m* ‹-es, -e› *dial pej* bouillie, pâte *f;* **~ig** *a (Backwaren)* pâteux; **~naß** *a* trempé jusqu'aux os *od* comme une soupe.

Klo *n* ‹-s, -s› [klo:] *fam* toilettes *f pl; aufs ~ gehen* aller aux toilettes.

Kloake *f* ‹-, -n› [klo'a:kə] égout; *a. zoo u. fig* cloaque *m.*

Klob|en *m* ‹-s, -› ['klo:bən] *(Holzklotz)* billot *m* de bois, bûche *f; tech* valet *m;* **k~ig** *a (Möbelstück)* massif, trapu; aux lignes lourdes; *(Mensch: plump)* grossier, rude, pataud.

klönen ['klø:nən] *itr fam (plaudern)* babiller, bavarder, causer.

klopf|en ['klɔpfən] *itr* frapper; *(Herz)* battre, palpiter; *(Herz, Motor)* cogner; *tr (ausklopfen, schlagen)* battre; *(klapsen)* taper, *(sanft)* tapoter *(auf etw* qc); *(Steine)* casser; *auf den Busch ~~ (fig)* battre les buissons, *(fig)* sonder *od* tâter le terrain; *jdm auf die Finger ~~* donner sur les doigts à qn; *an die Tür ~~* frapper à la porte; *eher würde ich Steine ~~ (fig)* j'aimerais mieux casser des cailloux; *es ~t* on frappe; **K~en** *n* battement; *mot* cognement *m;* **K~er** *m* ‹-s, -› *(Teppichklopfer)* tapette *f,* battoir; *(Türklopfer)* heurtoir, marteau; *tele* parleur; *radio* décohéreur *m;* **~fest** *a mot* antidétonant; **K~festigkeit** *f mot* pouvoir *m* antidétonant; **K~holz** *n* maillet *m;* **K~peitsche** *f* martinet *m.*

Klöppel *m* ‹-s, -› ['klœpəl] *(Glockenklöppel)* battant; *(Spitzenklöppel)* fuseau *m* (à dentelle); **~kissen** *n* coussinet *m* à dentelles; **k~n** *itr* faire de la dentelle; *tr (Spitzen)* tricoter; **~spitze** *f* dentelle *f* au(x) fuseau(x).

kloppen ['klɔpən] , *sich dial pop (sich schlagen)* se bouffer le nez, se colleter.

Klops *m* ‹-es, -e› [klɔps] *dial (Kloß)* quenelle *f.*

Klosett *n* ‹-s, -e/-s› [klo'zɛt] cabinets, lieux *m pl* d'aisance, water-closet, W.-C., *fam* waters *m pl;* **~becken** *n* cuvette *f* de W.-C.; **~brille** *f* lunette *f;* **~bürste** *f* balai *m* de W.-C.; **~deckel** *m* couvercle *m* de W.-C.; **~papier** *n* papier *m* hygiénique; **~sitz** *m* abattant *m* de cuvette *od* de W.-C.

Kloß *m* ‹-es, ⸚ße› [klo:s, 'klø:sə] *(geformte Kugel)* boule; *(Küche)* boulette *f; e-n ~ im Halse haben (fam) (bedrückt sein)* avoir une boule dans la gorge; **~brühe** *f: klar wir ~~ (hum)* clair comme l'eau de roche.

Kloster *n* ‹-s, ⸚› ['klo:s-, 'klø:stər] monastère, couvent *m; ins ~ gehen* entrer au couvent *od* en religion, se faire moine, prendre l'habit *od* le froc; *(Mädchen)* se faire religieuse, prendre le voile; *ins ~ stecken* mettre en religion; **~bruder** *m* religieux, moine *m;* **~frau** *f* religieuse, *fam* nonne, nonnain *f;* **~kirche** *f* église *f* conventuelle; **~leben** *n* vie *f* monastique *od* monacale; **~schule** *f* école *f* conventuelle *od* monastique.

klösterlich ['klø:stərlıç] *a* conventuel, claustral.

Klotz *m* ‹-es, ⸚/(⸚er)› [klɔts, 'klœtsə] bloc *m* de bois, bûche *f; (Hackklotz)* billot *m; fig fam (Tölpel)* masse *f* de chair, lourdaud, rustre *m, fam* bûche, souche *f; auf e-n groben ~ gehört ein grober Keil (prov)* à rude âne, rude ânier; à vilain, vilain et demi; *grobe(r) ~ (fig)* ours *m* mal léché; **k~ig** *a (massig)* massif; *(schwer)* lourd; *(grob)* grossier; *fig fam (riesig)* énorme; *adv fig fam* énormément, *pop* besef.

Klub *m* ‹-s, -s› [klup] club, cercle *m;* **~kampf** *m sport* match *m* interclub; **~lokal** *n* club *m;* **~mitglied** *n* clubiste *m;* **~sessel** *m* fauteuil-club, fauteuil *m* de cuir *od* bas; **~zimmer** *n* cabinet *m* particulier.

Kluft [kluft] **1.** *f* ‹-, ⸚e› *(Spalte)* fente, crevasse, *geol* faille; *(Schlucht)* ravine, gorge *f; fig* fossé *m.* **2.** *f* ‹-, (-en)› *pop (Kleidung)* frusques *f pl;* uniforme *m.*

klug [klu:k] *(klüger) a* intelligent; *(scharfsinnig)* sagace, perspicace; *(vernünftig)* sensé, judicieux; *(weise)* sage; *(aufgeweckt)* éveillé; *(schlau, vorsichtig)* prudent, avisé; *(listig)* astucieux, rusé, fin; *(erfinderisch)* ingénieux; *~ reden* dire des choses sensées; parler d'or; *~ sein (a.)* ne pas faire l'enfant; *~ genug sein, um zu (a.)* avoir le bon esprit de; *so ~ sein wie zuvor* être Gros-Jean comme devant; *nicht ~ werden aus* ne rien comprendre à; *das war sehr ~ von dir* tu t'y es pris très astucieusement; *man wird nicht ~ daraus* on y perd son latin, c'est la bouteille à l'encre; *da bin ich so ~ wie zuvor* od *um nichts klüger!* me voilà bien avancé! *der Klügere gibt nach (prov)* reculer n'est pas céder; *durch Schaden wird man ~ (prov)* dommage rend sage; **K~heit** *f* ‹-, (-en)› intelligence; sagacité, perspicacité; sagesse; prudence; astuce, finesse; ingéniosité *f;* **~≈reden** ‹*hat kluggeredet*› *itr* faire l'entendu; en remontrer; donner des leçons; **K~redner** *m* raisonneur *m.*

Klügel|ei *f* ‹-, -en› [kly:gə'laı] subtilité, argutie *f;* **k~n** ['kly:gəln] *itr* subtiliser, ergoter.

Klümpchen *n* ‹-s, -› ['klʏmpçən] *(Blut)* caillot; *(Küche)* grumeau *m.*

Klump|en *m* ‹-s, -› ['klumpən] boule, pelote; *(Masse)* masse *f; (Haufen)* tas *m; (Erd-, Butterklumpen)* motte *f; (Metallklumpen)* bloc *m; (Statistik)* grappe *f;* **~fuß** *m* pied *m* bot; **k~ig** *a* grumeleux.

Klüngel *m* ‹-s, -› ['klʏŋəl] *pej (Sippschaft)* clique, coterie *f,* clan *m.*

Kluppe *f* ‹-, -n› ['klupə] *tech (Schneidkluppe)* tenaille, filière; *(Spannkluppe)* mordache *f.*

Klüse *f* ‹-, -n› ['kly:zə] *mar* écubier *m.*

Klüver(baum) *m* ‹-s, -› ['kly:vər] *mar* foc *m.*

knabbern ['knabərn] *tr (a. itr: ~ an)* croquer, grignoter; *nichts zu ~ haben (fam)* danser devant le buffet; *daran wird er noch lange zu ~ haben (fig)* il n'est pas au bout des ses peines.

Knabe *m* ‹-n, -n› ['kna:bə] garçon (-net), enfant *m;* **~nalter** *n* âge *m* enfantin, enfance *f;* **~nanzug** *m* costume *m* de garçonnet; **k~nhaft** *a* enfantin; *pej* puéril; **~nkraut** *n bot* orchis *m.*

Knack *m* ‹-(e)s, -e› [knak] *(leichter Knall)* crac, craquement *m;* **k~** *interj* crac! **k~en** *itr* craquer; *tr (Nüsse)* casser; *(Geldschrank)* forcer, ouvrir par effraction; *fig fam (Rätsel)* deviner, résoudre; **~er** *m* ‹-s, -› : *alter ~~ (fam)* vieux gâteux *m;* **~geräusch** *n radio tele* crépitement *m;* **~laut** *m* explosive *f;* **~s** *m* ‹-es, (-e)› *(Sprung, Riß)* fêlure *f; e-n ~~ haben (fig)* avoir le timbre fêlé.

Knäckebrot *n* ['knɛkə-] galette *f* suédoise *od* croustillante.

Knäkente *f* ['knɛ:k-] *orn* sarcelle *f.*

Knall *m* ‹ -(e)s, -e› [knal] éclat; *(Tür, Peitsche)* claquement *m; (Feuerwaffe)* détonation *f,* coup *m* de feu; *(Explosion, a. mot)* explosion, fulmination *f; ~ und Fall (adv)* au coup de marteau; *~ und Fall entlassen* renvoyer sans autre forme de procès; *sich ~ und Fall verlieben (fam)* avoir le coup de foudre; **~bonbon** *m* od *n* bonbon *m* fulminant; **~effekt** *m theat* coup *m* de théâtre; *fig* mot *m* de la fin; **k~en** *itr* éclater; *(Tür, Peitsche)* claquer; *(Schuß)* partir, retentir; *(explodieren)* faire explosion, exploser, détoner, fulminer; *fam (schießen)* tirer; *jdm eine ~~ (pop) (runterhauen)* flanquer une gifle à qn; *mit der Peitsche ~~* faire claquer son fouet; *den Pfropfen ~~ lassen* faire sauter le bouchon; **~erbse** *f* pois *m* fulminant; **~frosch** *m* pétard *m;* **~gas** *n* gaz détonant *od* oxhydrique, mélange *m* tonnant; **~gasgebläse** *n* chalumeau *m* oxhydrique; **~quecksilber** *n* fulminate *m* de mercure; **k~rot** *a fam* rouge vif.

knapp [knap] *a (eng)* étroit, serré, juste; *(spärlich)* rare, maigre; *(geringfügig)* modique, exigu; *(beschränkt)* borné, limité; *(Zeit)* bref; *(Stil)* concis, succinct; *adv (kaum)* (tout) juste, à peine, ne ... guère; *mit ~er Not* de justesse, à grand-peine; *mit ~er Not davonkommen* l'échapper belle; *~ dran sein, sein ~es Auskommen haben* être juste, avoir tout juste de quoi vivre; *~ bei Kasse sein* être à court d'argent; *~ werden (Ware)* s'épuiser; *und nicht zu ~! (fam)* et comment! *~e Mehrheit f (parl)* faible majorité *f; e-e ~e Stunde* une petite heure; à peine une heure; **~≈halten** ‹*hat knappgehalten*› *tr* traiter chichement; **K~heit** *f* ‹-, (-en)› *(Enge)* étroitesse, justesse; *(Mangel)* rareté, pénurie, disette; *(Geringfügigkeit)* modicité; *(des Stils)* concision *f; ~~ an Arbeitskräften* pénurie *f* de main-d'œuvre.

Knapp|e *m* ‹-n, -n› ['knapə] *hist* écuyer, valet; *mines* mineur *m;* **~schaft** *f mines* personnel *m* d'une *od* de la mine; corporation *f od* corps *m* des mineurs; **~schaftsrente** *f* retraite *f* des mineurs; **~schaftsversicherung** *f* assurance *f* des mineurs.

Knarr|e *f* ‹-, -n› ['knarə] *(Spielzeug)* crécelle *f; pop (Gewehr)* flingot, flingue *m;* **k~en** *itr* craquer; *(Tür)* grincer, gémir.

Knast *m* ‹-(e)s, -e› [knast] *arg (Gefängnis)* taule *f.*

Knaster *m* ‹-s, -› ['knastər] **1.** *fam (bes. schlechter Tabak)* perlot *m arg.*

Knaster(bart) *m* ‹-s, -› ['knastər(-)] **2.** *dial (Brummbär)* grognard, bougonneur *m.*

knattern ['knatərn] *itr* pétiller, *fam* péter; pétarader *a. mot; (knistern)* crépiter, craqueter.

Knäuel *m* od *n* ‹-s, -› ['knɔʏəl] peloton; *fam* tapon *m; (Garn)* pelote *f; fig (Menschen)* tas, attroupement *m.*

Knauf *m* ‹-(e)s, ⸚e› [knauf, 'knɔʏfə] *(Degen)* pommeau; *(Säule)* chapiteau *m.*

Knauser *m* ‹-s, -› ['knauzər] lésineur, ladre, *fam* pingre, rat *m;* **~ei** *f* [-'raı] lésin(eri)e, ladrerie, *fam* pingrerie, économie *f* de bouts de chandelle; **k~ig** *a* lésineur, ladre, chiche, *fam* pingre, dur à la détente, *pop* radin; **k~n** ‹*hat geknausert*› *itr* lésiner; *nicht ~~* faire bien les choses; ne pas être avare (*mit etw* de qc).

knautsch|en ['knautʃən] *tr fam (zerknittern)* froisser, chiffonner; *itr = knittern itr;* **~ig** *a* froissé; **K~lackleder** *n* cuir *m* verni frippé.

Knebel *m* ‹-s, -› ['kne:bəl] *(Spannkeil)* garrot *a. med; mar aero* cabillot; *(zum Verkeilen des Mundes)* bâillon *m;* **~bart** *m* barbiche, impériale *f;* **k~n** *tr a. fig* bâillonner, garrotter; *fig* museler; *(unterdrükken)* supprimer.

Knecht *m* ‹-(e)s, e› [knɛçt] *(Bauern~)* garçon *od* valet de ferme; *(Haus~)* domestique, valet; *allg (Diener)* valet, serviteur; *hist (Unfreier)* serf, esclave *m; ~ Ruprecht* le père Fouettard *m;* **k~en** servir, réduire en servitude; **k~isch** *a* servile; **~schaft** *f* ‹-, (-en)› servitude *f,* servage, esclavage *m;* **~ssinn** *m* servilité *f;* **~ung** *f* ‹-, (-en)› asservissement *m.*

Kneif *m* [knaıf] *(Schustermesser)* tranchet *m.*

kneif|en ‹*kniff, gekniffen*› ['knaıfən] *tr* pincer *(jdn in die Backe* la joue à qn); *itr (Gegenstand am Körper)* pincer; *fig fam (sich drücken)* s'éclipser, flancher, caner; se dérober, s'esquiver; **K~er** *m* ‹-s, -› *opt* pince-nez, lorgnon, binocle *m;* **K~zange** *f* tenailles *f pl,* pince *f.*

Kneip|e *f* ‹-, -n› ['knaıpə] *fam* cabaret, estaminet *m,* buvette *f; fam* bistrot, assommoir, *pej* boui-boui; *pop* bousin *m, pej* boîte *f; von ~~ zu ~~ ziehen* courir *od* tirer une bordée; être en goguette; **k~en** *itr fam (zechen)* chopiner, *pop* riboter; **~erei** *f* ‹-, (-en)› [-'raı] *fam* beuverie, *fam* bamboche, *pop* ribote *f;* **~ier** *m* ‹-s, -s› [-pi'e:] *fam,* **~wirt** *m fam* bistrot, *pop* mastroquet, *arg* taulier *m.*

knet|bar ['kne:t-] *a* pétrissable; **~en** *tr (Teig)* pétrir; *(Ton)* corroyer;

(Wachs) modeler; (weich ~~, massieren) malaxer; (massieren) masser; **K~en** n pétrissage; malaxage; massage m; **K~maschine** f pétrin mécanique, malaxeur m; **K~masse** f plastiline f.

Knick m ⟨-(e)s, -e⟩ [knɪk] (unvollständiger Bruch) brisure f; (Falte) pli m, pliure, froissure f; (Biegung) coude m, courbure; dial (Hecke) haie f (vive); **~ebein** n ⟨-s, ø⟩ crème f à la liqueur; **~~ig** a qui a les jambes torses; qui marche en canard; **k~en** tr (unvollständig brechen) briser; (falten) plier, plisser; (biegen, krümmen) couder, courber; fig (seelisch) affliger, accabler; itr (umknicken) briser; nicht ~~! ne pas plier! **~er** m ⟨-s, -⟩ fam, **k~(e)rig** a, **~(e)rigkeit** f, **k~ern** itr fam = Knauser etc; **~festigkeit** f tech résistance f au flambage; **~flügel** m aero aile f M; **~s** m ⟨-es, -e⟩ révérence f; e-n ~~ machen, **k~sen** itr faire une révérence.

Knickerbocker ['knɪkərbɔkər] pl culotte f de golf.

Knie n ⟨-s, -⟩ [kni:, 'kni:ə] genou a. tech; tech coude; allg (Biegung, bes. e-r Straße, e-s Flusses) coude m; auf den ~n à genoux; sich das ~ aufschlagen s'écorcher le genou; die ~ beugen fléchir les genoux (vor devant); übers ~ brechen (fig) brusquer, décider à la légère; auf die ~ fallen se mettre à genoux; in die ~ gehen (fig) céder, s'incliner, plier le genou; auf den ~ liegen être à genoux; vor jdm auf den ~n liegen être aux genoux de qn; weich in den ~n sein (fam) avoir les jambes en coton; in die ~ sinken tomber à genoux; in die ~ zwingen (faire) mettre à genoux; faire toucher les épaules; fig subjuguer, triompher de; **~beuge** f sport flexion f des genoux; **~beule** f (in der Hose) genou m; **~fall** m génuflexion; fig prosternation f; **k~fällig** adv à genoux; **k~frei** a: ~~e(r) Rock m jupe f arrêtée au-dessus du genou; **~geige** f = Cello; **~gelenk** n articulation od jointure f du genou; tech genou(illère f) m; **k~hoch** adv (bis an die ~) jusqu'aux genoux; **~hose** f hist culotte f de golf; **~kehle** f jarret, creux m poplité; **k~n** ⟨kniete, hat gekniet⟩ itr s'agenouiller, se mettre à genoux; être à genoux (vor jdm devant qn); **k~nd** a à genoux; **~riemen** m (des Schusters) tire-pied m; **~rohr** n tuyau coudé, genou m; **~scheibe** f anat rotule f; **~scheibenreflex** m réflexe m rotulien; **~schützer** m protège-genou m; **~strumpf** m (de)mi-bas m, chaussette f (montante); **~stück** n (Kunst) portrait en demi-grandeur; tech genou, raccord od tuyau m coudé; **~wärmer** m genouillère f.

Kniff m ⟨-(e)s, -e⟩ [knɪf] (Kneifen) pincement; (Falte) pli; fig (Kunstgriff) artifice m, ruse, ficelle, finasserie f, système, truc m; pl tripotage m; **k~en** tr plier, plisser; **k~(e)lig** a (Sache) délicat, subtil, difficultueux, épineux; (Mensch) finassier, finaud; ~~ sein (Mensch) chercher la petite bête.

knipsen ['knɪpsən] itr claquer (mit den Fingern des doigts); fam phot photographier; el tourner le bouton; tr (wegschnellen) lancer du bout des doigts od d'une chiquenaude; (lochen) poinçonner, perforer; phot prendre en instantané, photographier.

Knirps m ⟨-es, -e⟩ [knɪrps] (Mensch) bout d'homme, nabot, fam mioche, marmo(use)t, pop moucheron, courte-botte m; (Taschenschirm, Warenzeichen) tom-pouce m.

knirschen ⟨hat geknirscht⟩ ['knɪrʃən] itr craquer, crier, crisser; vor Wut ~ (fig) écumer de rage; mit den Zähnen ~ grincer des dents.

knistern ⟨hat geknistert⟩ ['knɪstərn] itr craqueter; (Feuer) pétiller; (Stoff) crépiter; (Seide) froufrouter.

Knittelverse m pl ['knɪtəl-] vers m pl raboteux od boiteux; bes. vers m pl de Hans Sachs.

knitt|erfrei ['knɪtər-] a infroissable; **~(e)rig** a froissé; **~ern** ⟨hat geknittert⟩ itr se froisser, se chiffonner, se friper, faire des faux plis.

Knobel|becher m ['kno:bəl-] cornet od gobelet m à dés; mil hum botte f; **k~n** itr (würfeln) jouer aux dés; (losen) tirer au sort; fig (herumraten) se creuser la cervelle; (e-e Entscheidung treffen) jouer à pile ou face.

Knoblauch m ⟨-(e)s, ø⟩ ['kno:plaux] bot ail m; mit ~ zubereiten ailler.

Knöchel m ⟨-s, -⟩ ['knœçəl] anat (Finger) nœud m; (Fuß) cheville, malléole f; **~chen** n osselet m; **~socke** f socquette f.

Knochen m ⟨-s, -⟩ ['knɔxən] os m; bis in die ~ (fam) au fond de l'âme; kein Mark in den ~ haben (fig) n'avoir pas de sang dans les veines; das ist mir so in die ~ gefahren (fig fam) cela m'a cassé bras et jambes; das steckt mir in den ~ (fam) c'est ancré en moi; mir tun alle ~ weh (fam) je suis brisé de fatigue; ~ pl (beim Fleisch) (com) réjouissance f; ein müder ~ (fam) une lavette f; **~bau** m structure f osseuse; **~bildung** f ossification, consolidation f osseuse; **~bruch** m fracture f; **~durchmeißelung** f ostéotomie f; **~erweichung** f med ostéomalacie f; **~fett** n graisse f od suif m d'os; **~fraß** m nécrose f osseuse; **~gerüst** n ossature, charpente f osseuse, squelette m; **~gewebe** n tissu m osseux; **~haut** m périoste m; **~hautentzündung** f périostite f; **~leim** m gélatine (d'os), ostéocolle f; **~mark** n moelle f (osseuse); **~markentzündung** f ostéomyélite f; **~mehl** n poudre od farine od cendre f d'os; **~splitter** m éclat m d'os, esquille f; **~substanz** f substance f osseuse; **k~trocken** a très sec; **~tuberkulose** f tuberculose f osseuse; **~verletzung** f lésion f osseuse.

knöchern ['knœçərn] a osseux, d'os, en os; fig sec, raide, racorni.

knochig ['knɔxɪç] a osseux, décharné; (grob~) ossu.

Knockout m ⟨-(s), -s⟩ [nɔk'aut] sport knock-out m, mise f hors de combat.

Knödel m ⟨-s, -⟩ ['knø:dəl] (Küche) boulette f.

Knoll|e f ⟨-, -n⟩ ['knɔlə] bot tubercule; (Zwiebel) bulbe m; **~en** m ⟨-s, -⟩ (Klumpen) grumeau m; (Schwellung, Auswuchs) tubérosité; (Geschwulst) tumeur; (Höcker) bosse, protubérance f; **~enblätterpilz** m oronge f vineuse; **~engewächs** n bot plante f bulbeuse; **~ensellerie** m céleri-rave m; **k~ig** a (klumpig) grumeleux; bot tubéreux, bulbeux.

Knopf m ⟨-(e)s, ⸚e⟩ [knɔpf, 'knœpfə] bouton m; (Knauf) pomme f, pommeau; (Drücker) poussoir; (Klingelknopf) bouton; tech (Zapfen) mamelon m; fam petit bonhomme m; e-n ~ annähen coudre un bouton; auf den ~ drücken presser le bouton, pousser le od appuyer sur le déclic; du kannst es dir an den Knöpfen abzählen (, ob) il n'y a pas à réfléchir très longtemps (pour savoir si); mir ist ein ~ abgegangen j'ai un bouton qui a sauté; **~haken** m tire-bouton m; **~loch** n boutonnière f; im ~~ à la boutonnière; aus allen ~löchern platzen (fam) éclater dans sa peau; sich e-e Blume ins ~~ stecken fleurir sa boutonnière; blinde(s) ~~ boutonnière f fermée; **~lochseide** f soie f à boutons; **knöpfen** tr boutonner.

knorke ['knɔrkə] a dial pop (prima) épatant, formidable.

Knorp|el m ⟨-s, -⟩ ['knɔrpəl] anat cartilage; (im Fleisch) croquant m; **~elhaut** f anat périchondre m; **k~(e)lig** a cartilagineux.

Knorr|en m ⟨-s, -⟩ ['knɔrən] (im Holz) nœud m; (am Stamm od Ast) loupe f, broussin m, scient exostose f; **k~ig** a noueux, raboteux; (kräftig) vigoureux; (grob) grossier.

Knosp|e f ⟨-, -n⟩ ['knɔspə] (Blatt~~) bourgeon; (Blüten~~) bouton m; (der Fortpflanzung dienende) gemme f; ~~en ansetzen od treiben, **k~en** itr bourgeonner; boutonner; **~ung** f ⟨-, (-en)⟩ : Fortpflanzung f durch ~~ (biol) gemmiparité f.

Knot|en m ⟨-s, -⟩ ['kno:tən] nœud a. mar; bot genou; (Knötchen) nodule; med nodus m, nodosité f, tubercule m; (Beule) bosse f; (Haar) chignon; fig nœud, obstacle m; complication f, fam hic; theat nœud m; das Haar zu einem ~~ aufstecken se faire un chignon; den ~~ durchhauen (fig) trancher le nœud; e-n ~~ machen od schürzen, aufmachen od lösen faire, défaire un nœud; e-n ~ in etw machen faire un nœud à qc; den ~~ schürzen (theat) nouer l'intrigue; da steckt der ~~! (fam) voilà le hic! gordische(r) ~~ nœud m gordien; **k~en** tr nouer; itr faire un nœud; faire du filet; **~enpunkt** m nœud d'assemblage od de communication, point de raccordement, (point m de) jonction, patte-d'oie f; loc nœud m ferroviaire, gare f de jonction od d'embranchement od de bifurcation; **~enstock** m bâton m noueux; **~enwurz** f bot scrofulaire f; **k~ig** a noueux; bot noduleux; fig (plump) grossier, rustre.

Knöterich *m* ‹-s, -e› ['knø:tərɪç] *bot* renouée *f.*

Knuff *m* ‹-(e)s, ⸚e› [knʊf, 'knʏfə] coup de poing, horion *m,* bourrade *f;* **k~en** *tr* donner des coups de poing *od* des bourrades (*jdn* à qn).

Knülch *m* ‹-s, -e› [knʏlç] *fam pej (Kerl)* type *m.*

knüll(e) ['knʏl(ə)] *a fam (betrunken)* gris, ivre.

knüllen ['knʏlən] *tr* froisser, chiffonner.

Knüller *m* ‹-s, -› ['knʏlər] *fam (Schlager, Reißer)* sensation *f; (Lied)* tube *m.*

knüpfen ['knʏpfən] *tr a. fig* nouer, lier; *(Knoten, Netz)* faire; *fig* former; *itr* faire du filet; *(Bande) enger ~* resserrer (les liens); *etw an e-e Bedingung ~* soumettre qc à une condition.

Knüppel *m* ‹-s, -› ['knʏpəl] *(Stock)* bâton, gourdin *m,* matraque, *fam* trique *f; (Rundholz)* rondin *m; tech* billette *f; jdm (e-n) ~ zwischen die Beine werfen (fig)* mettre des bâtons dans les roues à qn; **~damm** *m* chemin *m* de rondins; **k~dick** *a fam: er hat es ~~ hinter den Ohren* c'est un madré; *(besoffen)* soûl *od* saoul; **~holz** *n* bois *m* rond; **~steuerung** *f aero* pilotage *m* au manche.

knurr|en ['knʊrən] *itr (Hund)* gronder; *(Magen)* grouiller, gargouiller; *fig (Mensch)* grogner, *fam* bougonner, *pop* ronchonner; *mein Magen ~t* j'ai des gargouillements; **~ig** *a (Mensch)* grondeur, grognon.

knusp|ern ‹*ich knusp(e)re, du knusperst*› [knʊspərn] *tr* croquer, croustiller, grignoter; **~(e)rig** *a (Küche)* croustillant, croquant; *fig fam (jugendfrisch)* joli à croquer.

Knute *f* ‹-, -n› ['knu:tə] knout *m.*

knutschen ['knu:tʃən] *tr pop (herzen)* caresser, *fam* bécoter, tripoter, *pop* peloter.

Knüttel *m* ‹-s, -› ['knʏtəl] = *Knüppel.*

koagulieren [koagu'li:rən] *chem tr* (*itr* se) coaguler.

Koalition *f* ‹-, -en› [koalitsi'o:n] *pol* coalition *f;* **~sfreiheit** *f pol* liberté *f* d'association; **~skrieg** *m* guerre *f* de coalition; **~srecht** *n* droit *m* de coalition *od* d'association *od* syndical; **~sregierung** *f* gouvernement *m* de coalition.

koaxial *a* coaxial; **K~leitung** *f* câble *m* coaxial.

Kobalt *n* ‹-s, ø› ['ko:balt] *chem* cobalt *m;* **k~blau** *a* cobalt; **~bombe** *f* bombe *f* au cobalt.

Koben *m* ‹-s, -› ['ko:bən] *(Stall)* étable *f.*

Kobold *m* ‹-(e)s, -e› ['ko:bɔlt, -də] lutin, farfadet, esprit *m* follet.

Kobra *f* ‹-, -s› ['ko:bra] *zoo* cobra, serpent *m* à lunettes.

Koch *m* ‹-(e)s, ⸚e› [kɔx, 'kœçə] cuisinier, *mar a.* coq *m; viele Köche verderben den Brei (prov)* trop de cuisiniers gâtent la sauce; *zweite(r) ~* sous-chef *m;* **~buch** *n* livre *m* de cuisine; **k~en** *itr (Flüssigkeit)* bouillir; *(Speise)* cuire; *(die Küche führen)* faire la cuisine; *tr* cuisiner, préparer, faire; *gut ~~ (können)* être bon cuisinier, bonne cuisinière; *vor Wut ~~* bouillir de colère, bouillonner de fureur; **~en** *n (Sieden)* cuisson; *(Aufwallen)* ébullition; *(Tätigkeit)* cuisine *f; zum ~~ bringen* faire bouillir; **k~end** *a* bouillant, en ébullition; **~er** *m* ‹-s, -› *(Gerät)* réchaud *m; elektrisch(r) ~~* réchaud *m* électrique; **k~fest** *a* lavable à l'eau bouillante, garanti à l'ébullition; *~~e Wäsche f* linge *m* qui peut bouillir; **~geschirr** *n* batterie de cuisine; *mil* gamelle *f;* **~herd** *m* fourneau *m* de cuisine, cuisinière *f;* **~kessel** *m* marmite *f,* chaudron fait-tout, faitout *m;* **~kiste** *f* marmite *f* norvégienne; **~kunst** *f* art *m* culinaire, gastronomie *f;* **~löffel** *m* cuiller *f* de bois *od* à pot; **~platte** *f* plaque *f* de cuisson, réchaud *m;* **~rezept** *n* recette *f;* **~salz(lösung** *f***)** *n* (solution *f* de) sel *m* de cuisine; **~schule** *f* cours *m* de cuisine; **~topf** *m* pot *m,* marmite *f; (großer)* fait-tout, faitout *m;* **~zeit** *f* temps *m* de cuisson.

Köcher *m* ‹-s, -› ['kœçər] carquois *m.*

Köchin *f* ‹-, -nnen› ['kœçɪn] cuisinière *f; gute* od *tüchtige ~ (fam)* cordon-bleu *m.*

Kode *m* ‹-s, -s› ['ko:t] *(Schlüssel zu Geheimschriften)* code *m;* **~telegramm** *n* télégramme *m* codé.

Köder *m* ‹-s, -› ['kø:dər] appât *m,* amorce *f;* leurre *m a. fig;* **k~n** *tr* appâter, amorcer, leurrer; *fig* allécher.

Kod|ex *m* ‹-/es, -e/-dizes› ['ko:dɛks, '-ditsɛs] *(alte Handschrift in Buchform)* manuscrit; *(Gesetzbuch u. fig)* code *m;* **k~ifizieren** [-difi'tsi:rən] *tr* codifier; **~ifizierung** *f* codification *f;* **~izill** *n* ‹-s, -e› [-di'tsɪl] *jur (Zusatz)* codicille *m.*

Koedukation *f* ‹-, ø› [koedukatsi'o:n] éducation *f od* enseignement *m* mixte; **~sschule** *f* école *f* mixte *od* géminée.

Koeffizient *m* ‹-en, -en› [koɛfitsi'ɛnt] *math phys* coefficient *m.*

Koexistenz *f* ‹-, ø› [koɛksɪs'tɛnts] *pol* coexistence *f; friedliche ~* coexistence *f* pacifique.

Koffein *n* ‹-s, ø› [kɔfe'i:n] caféine *f;* **k~frei** *a* décaféiné; **k~haltig** *a* caféiné.

Koffer *m* ‹-s, -› ['kɔfər] portemanteau; *(großer)* coffre *m,* malle; *(Handkoffer)* valise, mallette; *mil* cantine *f; s-n ~ packen* faire *od* boucler sa valise *od* sa malle; *s-e ~ pakken (abreisen)* faire *od* boucler ses valises; **~apparat** *m,* **~gerät** *n,* **~radio** *n* poste (de radio) portatif, poste valise *od* en coffre, récepteur *m* portatif; **~fernseher** *m* téléviseur *m* portatif; **~grammophon** *n* valise *od* mallette *f* tourne-disques, tourne-disque(s) *m* portatif; **~raum** *m mot* coffre *m; a. mar aero* soute *f;* **~tisch** *m (Camping)* mallette-table *f.*

Kognak *m* ‹-s, -s› ['kɔnjak] *(offiziell: Weinbrand aus der Gegend von Cognac)* cognac *m; fam* = *Weinbrand m.*

kohä|rent [kohɛ'rɛnt] *a (zs.hängend)* cohérent; **K~renz** *f* ‹-, ø› [-'rɛnts] *(Zs.hang)* cohérence *f;* **K~rer** *m* ‹-s, -› [-'hɛ:rər] *radio* cohéreur *m;* **K~sion** *f* ‹-, ø› [-zi'o:n] *phys* cohésion *f;* **~siv** [-'zi:f] *a (zs.haltend)* cohésif.

Kohl *m* ‹-(e)s, -e› [ko:l] **1.** chou *m; das macht den ~ nicht fett (fig fam)* ça ne met pas de beurre dans les épinards; *aufgewärmte(r) ~ (fig)* du réchauffé; **~dampf** *m fam* faim-valle *f; ~~ schieben (fam)* se mettre la ceinture, *pop* bouffer des briques, se brosser le ventre, claquer du bec, la sauter; **~kopf** *m* (tête *f* de) chou *m;* **~rabi** *m* ‹(-s), (-s)› [-'ra:bi] chou-rave *m;* **~rübe** *f* chou-navet, rutabaga *m;* **~strunk** *m* trognon *m* de chou; **~suppe** *f* soupe *f* aux choux; **~weißling** *m ent* piéride *f* du chou.

Kohl *m* ‹-(e)s, ø› [ko:l] **2.** *fam (Geschwätz, Unsinn)* bavardage, radotage, galimatias *m; ~ reden* baratiner; *das ist doch alles ~* c'est du baratin *od* du verbiage; **k~en** *itr* **1.** *fam (lügen)* mentir.

Kohle *f* ‹-, -n› ['ko:lə] charbon *m; (Steinkohle)* houille *f; (Zeichenkohle)* fusain *m; mit ~n heizen* chauffer au charbon; *auf jds Haupt glühende ~n sammeln (fig)* faire honte à qn; *(wie) auf glühenden* od *heißen ~n sitzen* od *stehen* être sur des charbons ardents, être *od* marcher sur des épines, être sur la braise *od* sur le gril *od* au supplice; *~n übernehmen (mar)* faire du charbon; *tierische ~* noir *m* animal; *weiße ~* houille *f* blanche; **k~beheizt** *a* chauffé au charbon; **~bürste** *f el* balai *m* de charbon; **~hydrate** *n pl chem* hydrates de carbone; *biol* glucides *m pl;* **k~n** *itr* **2.** *(verkohlen)* carboniser, charbonner; *mar* = *~n übernehmen.*

Kohlen|abbau *m* ['ko:lən-] exploitation *od* extraction *f* de la houille; **~aufbereitung** *f* préparation *f od* traitement *m* du charbon; **~becken** *n geol* bassin houiller; *(Gerät)* brasier, brasero *m;* **~bergbau** *m* charbonnage *m;* **~bergwerk** *n* houillère, mine *f* de houille *od* de charbon; **~blende** *f min* anthracite *m;* **~brennen** *n* carbonisation *f* du bois; **~bunker** *m mar* soute *f* à charbon; **~dampfer** *m* charbonnier *m;* **~dioxyd** *n* anhydride *m* carbonique; **~dunst** *m* = *~oxyd;* **~eimer** *m* seau *m* à charbon; **~element** *n el* pile *f* à charbon; **~faden(lampe** *f***)** *m* (lampe *f* à) filament *m* de charbon; **~feuerung** *f* chauffage *m* au charbon; **~filter** *m* od *n* filtre *m* à charbon; **~flöz** *n* couche *od* veine *f* de houille, gîte *m* houiller; **~förderung** *f* production *f* charbonnière *od* houillère; **~formation** *f geol* formation *f* houillère; **~gas** *n* gaz *m* de houille; **~gebiet** *n* bassin *m* houiller; **~gebirge** *n geol* terrain *m* houiller; **~glut** *f* braise *f,* brasier *m;* **~grube** *f* = *~bergwerk;* **~grus** *m* menu (charbon), charbon menu, grésillon *m;* **~halde** *f* stock *m* de charbon, charbonnerie *f;* **k~haltig** *a geol* carbonifère; *mines* houiller, houilleux; **~handel** *m* négoce *m* charbonnier;

~händler *m* charbonnier, *pop* bougnat *m;* **~handlung** *f* commerce *m* de charbon; **~herd** *m* fourneau *m* à charbon; **~hydrate** *n pl* = *Kohlehydrate;* **~kasten** *m* caisse *f* à charbon; **~keller** *m* cave *f* à charbon, charbonnier *m;* **~klein** *n* = *~grus;* **~knappheit** *f* pénurie *f* de charbon; **~lager** *n mines* gisement *m* houiller; *com* dépôt *od* entrepôt *od* stock *m* de charbon; **~lagerplatz** *m* parc *m* à charbon; **~meiler** *m* meule *f od* fourneau *m* à charbon *od* de charbonnier, charbonnière *f;* **~not** *f* disette *f od* manque *m* de charbon; **~ofen** *m* four *od* poêle *m* à charbon; **~oxyd** *n chem* oxyde *m* de carbone; **~revier** *n* = *~gebiet;* **~sack** *m* sac *m* à charbon; **k~sauer** *a* carbonique, carbonaté; *~~e(s) Salz n* carbonate *m;* **~säure** *f* acide *m* carbonique; **k~säurehaltig** *a (Getränk)* gazeux; **~schacht** *m* puits *m* de charbonnage; **~schaufel** *f* pelle *f* à charbon, *tech* à feu *od* de four; **~schiff** *n* (bateau) charbonnier *m;* **~staub** *m* poussier *m;* **~stift** *m (zum Zeichnen)* fusain; *el* crayon *m* de lampe à arc; **~stoff** *m chem* carbone *m;* **k~stoffhaltig** *a* carboneux, carboné, carburé; **~syndikat** *n* syndicat *m* houiller; **~teer** *m* goudron de houille, coaltar *m;* **~teerfarbe** *f* couleur *f* de coaltar; **~träger** *m,* **~trimmer** *m mar* soutier *m;* **~verbrauch** *m* consommation *f* de charbon *od* charbonnière; **~versorgung** *f* alimentation *f od* approvisionnement *m* en charbon; **~vorkommen** *n* gisement *m* houiller; **~vorrat** *m* approvisionnement *od* stock *m* de charbon; **~wagen** *m mines* banne, benne, berline *f; loc* tender *m;* **~wasserstoff** *m chem* carbure *m* d'hydrogène; **~zange** *f* pince *f* à charbon; **~zufuhr** *f tech* amenée *f* de charbon.

Kohle|papier *n* ['ko:lə-] papier *m* carbone; **~skizze** *f* esquisse *f* au charbon; **~zeichnung** *f* (dessin au) fusain *m,* charbonnée *f.*

Köhler *m* ⟨-s, -⟩ ['kø:lər] charbonnier *m;* **~glaube** *m* foi *f* du charbonnier.

Kohlmeise *f* ⟨-, -n⟩ ['ko:lmaızə] *orn* (mésange) charbonnière *f.*

kohl(raben)schwarz ['ko:l-] *a* de jais, noir comme (du) jais *od* de la suie *od* de l'encre *od* un four.

Koitus *m* ⟨-, -⟩ ['ko:itus] *physiol* coït *m.*

Koje *f* ⟨-, -n⟩ ['ko:jə] *mar* cabine, couchette *f.*

Kokain *n* ⟨-s, ø⟩ [koka'i:n] *pharm* cocaïne, drogue blanche, *arg* neige *f;* **~ismus** *m* ⟨-s, ø⟩ [-'nısmus] , **~sucht** *f* cocaïnisme *m;* **~ist(in** *f***)** *m* ⟨-en, -en⟩ [-'nıst] cocaïnomane *m f.*

Kokarde *f* ⟨-, -n⟩ [ko'kardə] cocarde *f.*

Kokerei *f* ⟨-, -en⟩ [ko:kə'raı] cokerie *f.*

kokett [ko'kɛt] *a* coquet; **K~erie** *f* ⟨-, -n⟩ [-tə'ri:] coquetterie *f;* **~ieren** [-'ti:rən] *itr* coqueter, faire le coquet, la coquette, flirter; **K~ieren** *n* flirt *m.*

Kokille *f* ⟨-, -n⟩ [ko'kılə] *tech (Gußform)* coquille, lingotière *f; f;* **~nguß** *m* fonte *f od* moulage *m* en coquille(s).

Kokon *m* ⟨-s, -s⟩ [ko'kõ:] *ent* cocon *m.*

Kokos|faser *f* ['ko:kɔs-] fibre *f* de coco; **~fett** *n* beurre *m* de coco; cocose *f (Markenartikel);* **~makrone** *f* congolais *m;* **~matte** *f* natte *f* (en fibres) de coco; **~milch** *f* lait *m* de coco; **~nuß** *f* noix *f* de coco; **~öl** *n* huile *f* de coco, *pop* de copra(h); **~palme** *f* cocotier *m.*

Kokotte *f* ⟨-, -n⟩ [ko'kɔtə] femme galante, cocotte, *pop* allumeuse *f.*

Koks *m* ⟨-es, -e⟩ [ko:ks] coke *m;* **~ofen** *m tech* four *m* à coke.

Kolben *m* ⟨-s, -⟩ ['kɔlbən] *(Keule)* massue; *(Gewehr~)* crosse *f; (Glasgefäß)* ballon, matras *m; (Retorte)* cornue *f,* alambic; *tech* piston; *bot (Blüten~)* régime *m; (Schilfrohr)* panicule *f; (Mais)* épi *m;* **~boden** *m mot* tête *f* de piston; **~bolzen** *m* axe de piston, (axe de) pied *m* de bielle; **~dichtung** *f tech* garniture *f* de piston; **~flugzeug** *n* avion *m* à piston; **~hieb** *m* coup *m* de crosse; **~hub** *m tech* levée de piston, pulsation *od* course *f* de piston; **~mantel** *m* jupe *f* du piston; **~motor** *m* moteur *m* à piston(s); **~pumpe** *f* pompe *f* à piston; **~spiel** *n* jeu *m* du piston; **~stange** *f* bielle *f* (de piston); **~wasserkäfer** *m ent* hydrophile *m;* **~weg** *m tech* course *f* de piston.

Kolchos *m* ['kɔlçɔs-], **~e** *f* [kɔl'ço:zə] kolkhoze *m;* **~bauer** *m,* **~bäuerin** *f* kolkhozien, ne *m f.*

Kolibakterien *f pl* colibacilles *m pl.*

Kolibri *m* ⟨-s, -s⟩ ['ko:libri] *orn* colibri, oiseau-mouche *m.*

Kolik *f* ⟨-, -en⟩ ['ko:lık, ko:'li:k] *med* colique *f,* tranchées *f pl.*

Kolkrabe *m* ['kɔlk-] corbeau *m.*

Kollaborateur *m* ⟨-s, -e⟩ [kɔlabora'tø:r] collaborateur *m.*

kollationieren [kɔlatsio'ni:rən] *tr (prüfend vergleichen)* collationner.

Kolleg *n* ⟨-s, -s/-gien⟩ [kɔ'le:k, -giən] *(akadem. Vorlesung)* cours *m; ins ~ gehen* aller au cours; **~e** *m* ⟨-n, -n⟩ [-gə] , **~in** *f (Amtsgenosse)* collègue *m f,* confrère *m; pol* homologue *m;* **~geld** *n* droits *m pl* d'inscription; **~heft** *n* cahier *m* de cours; **k~ial** [-gi'a:l] *a* de collègue, de confrère, confraternel; *adv* en collègue, en confrère; **~ium** *n* ⟨-s, -gien⟩ [-'le:gium, -giən] corps *m,* assemblée *f,* conseil; *rel* collège *m;* **~mappe** *f* porte-documents *m.*

Kollekt|e *f* ⟨-, -n⟩ [kɔ'lɛktə] *(Geldsammlung)* collecte, quête; *(Gebet)* collecte *f;* **~ion** *f* ⟨-, -en⟩ [-tsi'o:n] *com* collection *f; e-e ~~ vorführen* od *zeigen* présenter une collection; **~iv** *n* ⟨-s, -e/-s⟩ collectif *m;* **k~iv** [-'ti:f] *a* collectif; *~~e Sicherheit f* sécurité *f* collective; **~ivbewußtsein** *n philos* conscience *f* collective; **~ivhaftung** *f* responsabilité *f* collective; **~ivismus** *m* ⟨-, ø⟩ [-'vısmus] *pol* collectivisme *m;* **~ivschuld** *f* culpabilité *f* collective; **~ivseele** *f* âme *f* collective; **~ivstrafe** *f* punition *od* peine *f* collective; **~ivvertrag** *m jur* contrat *od* accord *m* collectif; **~ivarbeitsvertrag** *m* convention *f* collective; **~ivwirtschaft** *f* économie *f* collectiviste, collectivisme *m;* **~or** *m* ⟨-s, -en⟩ [-'lɛktɔr, -'to:rən] *el* collecteur *m.*

Koller *m* ⟨-s, -⟩ ['kɔlər] *vet (Pferde)* vertigo *m a. fig; fam* (accès *m* de) colère *od* fureur *f;* **k~n** *itr (Eingeweide)* gargouiller, grouiller.

kolli|dieren [kɔli'di:rən] *itr* entrer en collision; *(zeitlich)* coïncider; **K~sion** *f* ⟨-, -en⟩ [-zi'o:n] collision *f.*

Kollier *n* ⟨-s, -s⟩ [kɔli'e:] *(Halsband)* collier, tour *m* de cou.

Kollo|dium *n* ⟨-s, ø⟩ [kɔ'lo:dium] *chem pharm* collodion *m;* **k~id(al)** [-lo'i:t, -i'da:l] *a chem* colloïdal; **~id** *n* ⟨-(e)s, -e⟩ [-'i:t, -də] *chem* colloïde *m.*

Kolloquium *n* ⟨-s, -quien⟩ [kɔ'lo:kvium, -kviən, (-'lɔ-)] *(wissenschaftl. Unterhaltung)* colloque *m.*

Köln *n* [kœln] Cologne *f;* **~ischwasser** *n* eau *f* de Cologne.

Kolon *n* ⟨-s, -s/-la⟩ ['ko:lɔn, '-la] *gram* deux points *m pl.*

kolon|ial [koloni'a:l] *a* colonial; **K~ialwaren** *f pl* denrées *f pl* coloniales, produits *m pl* coloniaux; **K~ialwarenhändler** *m* épicier *m;* **K~ialwarenhandlung** *f* épicerie *f;* **K~ie** *f* ⟨-, -n⟩ [-'ni:] colonie *f; ehemalige ~~* ex-colonie *f;* **K~isation** *f* colonisation *f;* **K~isator** *m* ⟨-s, -en⟩ [-'za:tɔr, -'to:rən] colonisateur *m;* **~isieren** [-'zi:rən] *tr* coloniser; **K~ist** *m* ⟨-en, -en⟩ [-'nıst] colon, planteur *m.*

Kolonn|ade *f* ⟨-, -n⟩ [kolɔ'na:də] *arch* colonnade *f;* **~e** *f* ⟨-, -n⟩ [-'lɔnə] *mil typ* colonne; *(Arbeiter)* équipe *f; in ~~(n)* par colonne(s); *die fünfte ~~ (pol)* la cinquième colonne; *geschlossene ~~ (mil)* colonne *f* serrée; **~enführer** *m mil* chef de brigade; *(Vorarbeiter)* chef *m* d'équipe.

Kolophonium *n* ⟨-s, ø⟩ [kolo'fo:nium] *(Geigenharz)* colophane *f.*

Kolor|atur *f* ⟨-, -en⟩ [kolora'tu:r] *mus* fioritures *f pl,* roulade *f;* **~aturarie** *f* air *m* à vocalises; **~atursängerin** *f,* **~atursopran** *m* soprano *m* à vocalises; **k~ieren** [-'li:rən] *tr* colorier; *mus* orner de fioritures, fioriturer; **~it** *n* ⟨-(e)s, -e⟩ [kolo'ri:t, -'rıt] coloris *m.*

Kolo|ß *m* ⟨-sses, -sse⟩ [ko'lɔs, -sə] colosse *m;* **k~ssal** *a* colossal, énorme; *fam (übertreibend)* formidable, faramineux; **~sseum** [-'se:um] , *das (in Rom)* le Colisée.

Kolport|age *f* ⟨-, (-n)⟩ [kɔlpɔr'ta:ʒə] *com* colportage *m;* **~eur** *m* ⟨-s, -e⟩ [-'tø:r] colporteur *m;* **k~ieren** [-'ti:rən] *tr (hausieren mit, Gerüchte: herumtragen)* colporter.

Kolumne *f* ⟨-, -n⟩ [ko'lumnə] *typ* colonne *f; (im Satz)* paquet *m;* **~nbreite** *f* largeur *f* de colonne; **~ntitel** *m typ* ligne *f* de tête.

Koma *n* ⟨-s, -s/-ta⟩ ['ko:ma, -ta] *med (tiefe Bewußtlosigkeit)* coma *m.*

Kombin|at *n* ⟨-(e)s, -e⟩ [kɔmbi'na:t] combinat *m;* **~ation** *f* ⟨-, -en⟩ [kɔmbinatsi'o:n] *(Verbindung, Zs.-*

stellung, Gedankenfügung; sport) combinaison; *(Vermutung)* conjecture; *(Hemdhose, einteiliger Schutzanzug)* combinaison *f; (Herrenanzug mit unterschiedlicher Hose u. Jacke)* ensemble *m; alpine, nordische ~~ (Skisport)* combiné *m* alpin, nordique; **~ationsgabe** *f,* **~ationsvermögen** *n* esprit *m* de combinaison; **~ationsherd** *m* cuisinière *f* mixte; **~ationsschloß** *n* cadenas *m* à combinaison; **~ationsspiel** *n sport* jeu *m* de combinaisons; **~ationszange** *f* pince *f* universelle; **k~ieren** [-ˈniːrən] *tr* combiner; *(vermuten)* conjecturer; *~ierte(r) Angriff m (mil)* action *f* combinée.

Kombiwagen *m* fourgonnette *f.*

Kombüse *f* ⟨-, -n⟩ [kɔmˈbyːzə] *mar (Küche)* cambuse *f.*

Komet *m* ⟨-en, -en⟩ [koˈmeːt] *astr* comète *f.*

Komfort *m* ⟨-s, ø⟩ [kɔmˈfoːr] confort, standing *m; mit allem ~* grand confort; **k~abel** [-fɔrˈtaːbəl] *a* confortable.

Kom|ik *f* ⟨-, ø⟩ [ˈkoːmɪk] comique *m;* **~iker** *m* ⟨-s, -⟩ [ˈ-mikər] comique *m;* **k~isch** [ˈkoːmɪʃ] *a* comique, bouffon; un, e drôle de ...; *fam* farce, *(seltsam)* étrange; *pop* bidonnant.

Komitee *n* ⟨-s, -s⟩ [komiˈteː] comité *m.*

Komma *n* ⟨-s, -s/-ta⟩ [ˈkɔma, -ta] *gram math* virgule *f.*

Kommand|ant *m* ⟨-en, -en⟩ [kɔmanˈdant] *mil mar* commandant *m;* **~antur** *f* ⟨-, -en⟩ [-ˈtuːr] *mil* état-major *m* de la place; **~eur** *m* ⟨-s, -e⟩ [-ˈdøːr] *mil* commandant, chef (d'unité); *(e-s Ordens)* commandeur *m;* **~euse** *f* ⟨-, -n⟩ [-ˈdøːzə] *hum* (Madame *od* Mademoiselle) J'ordonne *f;* **k~ieren** [-ˈdiːrən] *tr* commander; *(ab~~)* détacher *(zu* à); *itr* avoir *od* exercer le commandement; *jdn ~~ (fam)* faire marcher qn (à la baguette); **k~ierend** *a: ~~e(r) General m* général *m* en chef; **~itgesellschaft** *f* [-ˈdiːt-] *com* (société en) commandite *f; ~~ auf Aktien* société *f* en commandite par actions; **~itist** *m* ⟨-en, -en⟩ [-diˈtɪst] *com* commanditaire *m.*

Kommando *n* ⟨-s, -s⟩ [kɔˈmando] *(formelhafter Befehl; Befehlsgewalt)* commandement; *(Stab)* état-major; *(Abteilung)* détachement *m; (Arbeits~)* équipe, corvée *f; (Sondertruppe)* commando *m; auf ~* au commandement; *das ~ übernehmen, führen, niederlegen* prendre, avoir, déposer le commandement; *die Kompanie hört auf mein ~!* je prends le commandement de la compagnie; **~brücke** *f mar* passerelle *f* (de commandement); **~flagge** *f* fanion, *mar* guidon *od* pavillon *m* de commandement; **~gerät** *n mil* appareil *m* de conduite de tir; **~stab** *m* bâton *m* de commandement; **~stand** *m* réduit de commandement; *(im U-Boot)* kiosque *m;* **~turm** *m mar* tourelle *f* de commandement, blockhaus *m.*

Kommassation *f* remembrement *m* rural.

kommen ⟨*kam, ist gekommen; komm!*⟩ [(-)ˈkɔm-, kaːm] *itr* **1.** venir, *(zu e-m anderen)* aller, *pop* (se) radiner; *(ankommen)* arriver; *(sich nähern)* (s')approcher; *(gelangen)* parvenir *(zu* à); *(eintreffen, -treten)* arriver, se faire, se produire; *(herkommen, -rühren)* résulter, être le résultat *od* la conséquence, (pro)venir *(von* de); *(wohin gehören)* se ranger; **2.** *wenn Sie mir so ~* si vous le prenez sur ce ton-là; *da soll mir einer ~ und sagen ... (fam)* qu'on ose seulement venir me dire ...; *wenn es hoch kommt* tout au plus; *wenn es zum Krieg kommt* si la guerre éclate; *was auch ~ mag* quoi qu'il arrive; **3.** *auf etw ~* trouver, se rappeler qc; *auf etw zu sprechen ~* en venir à parler de qc; *immer wieder auf etw (zu sprechen) ~* revenir toujours, ne pas tarir sur qc; *dazu ~ zu* arriver à, parvenir à; *zu Ende ~* finir; *gegangen, geritten, gefahren, geflogen ~* venir *od* aller *od* arriver à pied, à cheval, en voiture, en avion; *gelaufen* od *gerannt ~* accourir; *sehr gelegen ~* arriver *od* venir fort à propos *od* à point; *hinter etw ~ (fig fam)* trouver, découvrir, éventer qc; *ans Licht, an den Tag ~* venir au jour, percer; *zu etw (einfach) nicht ~ (fig)* ne pas trouver le temps de qc; *zu nichts ~* n'arriver à rien; *todsicher ~* arriver *od* venir comme mars en carême; *um etw ~* perdre qc, être frustré de qc; *unter Menschen ~* être sociable; *ganz nach s-m Vater ~* être bien le fils de son père; *vor jdm ~ (rangieren)* précéder qn; *nicht sehr weit mit etw ~ (fig)* ne pas aller bien loin dans qc; *zu Wort ~* avoir la parole; *wieder zu sich ~* reprendre connaissance *od* ses esprits, revenir à soi *od* d'un évanouissement; **4.** *jdn ~ lassen* faire venir, appeler qn; *es dahin ~ lassen* laisser les choses en venir là; *lange ~ sehen (a. fig)* voir venir à l'avance; *von weitem ~ sehen* voir venir de loin; **5.** *ich komme zu Ihnen* j'irai vous voir; *ich komme auf Sie zu* je viendrai vous voir, j'irai vous trouver; *ich komme nicht darauf* cela ne me revient pas; *so lasse ich mir nicht ~* on ne me parle pas sur ce ton-là; *ich bin nicht aus den Kleidern* od *(fam) Sachen gekommen* je ne me suis pas déshabillé; *mir kam der Gedanke* il me vint l'idée; *das kam mir* od *mich teuer zu stehen* cela m'a coûté cher; *die Tränen kamen ihr* les larmes lui montèrent aux yeux; *das Unglück kam über mich* le malheur s'abattit sur moi; *kein Wort kam über s-e Lippen* il ne proféra pas une (seule) parole; *das Beste kommt noch* vous n'avez pas tout vu; vous verrez encore mieux; *das kommt von ...* cela (pro)vient de ..., c'est l'histoire de ...; *das kommt daher, daß ...* cela vient de ce que, la cause en est que ...; *das ist von (ganz) allein gekommen* cela s'est fait tout seul; *ich habe es ~ sehen* je l'avais bien dit; *das kommt nicht in Frage* il n'en est pas question; *das kommt auf 10 Mark* cela va coûter 10 marks; *dazu kommt noch, daß ...* ajoutez à cela que ...; *es hat so ~ müssen* c'était écrit; *es ist so weit gekommen, daß ...* les choses en sont à un point tel que ...; *da kommt nicht viel bei raus (pop)* ça ne sert pas à grand-chose; *wie komme ich zu der Ehre?* qu'est-ce qui me vaut cet honneur? *(fig) ~ Sie zu uns?* serez-vous des nôtres? *wie ~ Sie dazu?* qu'est-ce qui vous prend? *wie ~ Sie (denn) darauf?* qu'allez-vous chercher là? *(pop); wie kommt es, daß ...?* comment se fait-il que ...? *woher kommt es, daß ...?* d'où vient que ...? *(ich) komme (gleich* od *schon)!* j'arrive! *komm her!* viens (ici); *pop* amène-toi; *komm! komm! (beschwichtigend)* allons! allons! *wo ~ Sie denn her?* d'où sortez-vous (donc)? *komm mir nicht mehr vor die Augen!* ne reparais plus devant mes yeux; *~ Sie mir nicht damit! so können Sie mir nicht ~!* laissez-moi tranquille avec cela; pas de ces manières-là! *da kommt er!* le voilà!; *er soll mir nur ~!* qu'il y vienne! *das kommt davon!* vous y voilà! *das kommt davon, wenn ... (Schadenfreude)* voilà ce qui arrive quand ...; *komme, was da wolle!* advienne que pourra! vogue la galère! **6.** *kommt Zeit, kommt Rat (prov)* la nuit porte conseil; *wer zuerst kommt, mahlt zuerst (prov)* les premiers chaussent les bottes; **K~** *n* venue, arrivée *f; das ~ und Gehen* le va-et-vient, les allées et venues *f pl;* **~d** *a* à venir, qui vient; *die ~~e Woche* la semaine prochaine.

Komment|ar *m* ⟨-s, -e⟩ [kɔmɛnˈtaːr] commentaire *m;* **~ator** *m* ⟨-s, -en⟩ [-ˈtaːtɔr, -ˈtoːrən] commentateur *m;* **k~ieren** *tr* [-ˈtiːrən] commenter.

Kommers *m* ⟨-es, -e⟩ [kɔˈmɛrs, -zə(s)] réunion *od* beuverie *f* d'étudiants; **~buch** *n* recueil *m* de chansons d'étudiants.

kommerz|ialisieren [kɔmɛrtsialiˈziːrən] *tr fin* commercialiser; **K~ialisierung** *f* commercialisation *f;* **~iell** [-tsiˈɛl] *a* commercial.

Kommilitone *m* ⟨-n, -n⟩ [kɔmiliˈtoːnə] camarade *m* d'études.

Kommis *m* ⟨-, -⟩ [kɔˈmiː] *gen* [kɔˈmiː(s)] *pl* [-ˈmiːs] commis, employé *m* de commerce.

Kommiß *m* [kɔˈmɪs] *fam* (service) militaire *m; beim ~* dans le militaire; **~brot** *n* pain *m* de munition, *arg mil* boule *f;* **~kopf** *m pop* culotte *f* de peau *fam;* **~stiefel** *m pl* brodequins *m pl* réglementaires.

Kommiss|ar *m* ⟨-s, -e⟩ [kɔmɪˈsaːr] commissaire *m; Hohe(r) ~~ (pol)* Haut Commissaire *m;* **~ariat** *n* ⟨-(e)s, -e⟩ [-sariˈaːt] commissariat *m;* **k~arisch** [-ˈsaːrɪʃ] *a* (à titre) provisoire; *adv* provisoirement; *~~ vernehmen (jur)* (faire) entendre par juge commis; **~ion** *f* ⟨-, -en⟩ [-siˈoːn] *pol com (Auftrag)* commission *f,* ordre; *(Ausschuß) a.* comité *m; in ~~* en commission, en dépôt; *gemischte ~~* commission *f* mixte;

~ionär *m* ⟨-s, -e⟩ [-sio'nɛ:r] *com* commissionnaire *m;* **~ionsbuchhandel** *m,* **~ionsbuchhandlung** *f* librairie *f* commissionnaire; **~ionsgebühr** *f* provision *f,* (droit *m* de) commission *f;* **~ionsgeschäft** *n* commerce *m* de consignation, maison *f* de commission; *ein ~~ haben* faire la commission; **~ionshandel** *m* commerce *m* de commission; **~ionslieferung** *f* fourniture *f* à titre de dépôt; **~ionsware** *f (Buchhandel)* livres *m pl* à condition.

Kommode *f* ⟨-, -n⟩ [kɔ'mo:də] commode *f.*

Kommodore *m* ⟨-s, -s/-n⟩ [kɔmo'do:rə] *mar* chef *m* d'escadre.

kommun|al [kɔmu'na:l] *a* communal, municipal; **K~alanleihe** *f* emprunt *m* communal *od* municipal; **K~albetrieb** *m* exploitation *f* municipale; **~alpolitik** *f* politique *f* communale; **K~ikant** *m* ⟨-en, -en⟩ [-ni'kant] *rel* communiant *m;* **K~ion** *f* ⟨-, -en⟩ [-ni'o:n] *rel* communion *f; (der Sterbenden)* viatique *m; zur ~~ gehen* aller à la communion *od* communier; **K~iqué** *n* ⟨-s, -s⟩ [-myni'ke:] *pol* communiqué *m;* **K~ismus** *m* ⟨-, ø⟩ [-mu'nɪsmus] communisme *m;* **K~ist** *m* ⟨-en, -en⟩ [-'nɪst] communiste *m;* **~istisch** [-'nɪstɪʃ] *a* communiste; **~izieren** [-ni'tsi:rən] *itr phys* communiquer; *rel* communier.

Kommut|ation *f* ⟨-, -en⟩ [kɔmutatsi'o:n] *math (Vertauschbarkeit)* commutation *f;* **~ator** *m* ⟨-s, -en⟩ [-'ta:tɔr, -'to:rən] *el* commutateur *m;* **k~ieren** [-'ti:rən] *tr el* commuter; **~ierung** *f el* commutation *f.*

Komöd|iant *m* ⟨-en, -en⟩ [kɔmødi'ant] comédien, *pej* histrion, cabotin *m;* **~iantentum** *n* ⟨-s, ø⟩ *pej* cabotinage *m;* **~ie** *f* ⟨-, -n⟩ [-'mø:diə] comédie *f; ~~ spielen (fig)* jouer la comédie.

Kompagnon *m* ⟨-s, -s⟩ [kɔmpan'jɔ̃:] *com* associé *m.*

kompakt [kɔm'pakt] *a* compact; *fig* monolithique; *~e Mehrheit f (parl)* majorité *f* massive; **K~heit** *f* compacité *f;* monolithisme *m.*

Kompanie *f* ⟨-, -n⟩ [kɔmpa'ni:] *mil com* compagnie *f;* **~chef** *m,* **~führer** *m* commandant *m* de compagnie.

Komparativ *m* ⟨-s, -e⟩ ['kɔm-, kɔmpara'ti:f] *gram* comparatif *m.*

Komparse *m* ⟨-n, -n⟩ [kɔm'parzə] *theat film* figurant *m.*

Kompaß *m* ⟨-sses, -sse⟩ ['kɔmpas, -sə(s)] boussole *f; mar aero compas m; nach dem ~* à la boussole, *mar aero* au compas; **~gehäuse** *n* boîte *f* de la boussole; **~häuschen** *n mar* habitacle *m;* **~nadel** *f* aiguille *f* de (la) boussole; **~peilung** *f* relèvement *m* au compas.

Kompen|dium *n* ⟨-s, -dien⟩ [kɔm'pɛndium, -diən] *(Handbuch)* compendium, abrégé, manuel *m;* **~sation** *f* ⟨-, -en⟩ [-zatsi'o:n] compensation *f;* **~sationsgeschäft** *n* opération *od* transaction *f* de compensation; **k~sieren** [-'zi:rən] *tr* compenser; **~sierung** *f* compensation *f.*

kompeten|t [kɔmpe'tɛnt] *a* compétent; **K~z** *f* ⟨-, -en⟩ [-'tɛnts] compétence, attribution; *jur a.* juridiction *f;* **K~zstreit** *m* conflit *m* de compétence *od* d'attribution *od* de juridiction; **K~züberschreitung** *f* excès *m* de pouvoir.

Komplementär *m* ⟨-s, -e⟩ [kɔmplemɛn'tɛ:r] *jur* associé *m* indéfiniment responsable; **~farbe** *f* couleur *f* complémentaire.

Komplet *n* ⟨-(s), -s⟩ [kɔ̃'ple:] *(Kleid mit Jacke od Mantel)* ensemble *m;* **k~t** [kɔm'plɛt] *a* complet, entier; **k~tieren** [-'ti:rən] *tr* compléter.

Komplex *m* ⟨-es, -e⟩ [kɔm'plɛks] complexe *a. psychol; arch* ensemble; *(Häuserblock)* pâté *m* (de maisons); **k~** *a* complexe.

Komplikation *f* ⟨-, -en⟩ [kɔmplikatsi'o:n] complication *f; med* accident *m.*

Kompliment *n* ⟨-(e)s, -e⟩ [kɔmpli'mɛnt] compliment *m; ein unpassendes ~ machen* faire un compliment hors de saison; *mein ~!* mes compliments! *lassen Sie Ihre ~e!* trêve de compliments!

Kompliz|e *m* ⟨-n, -n⟩ [kɔm'pli:tsə] complice, acolyte, *fam* compère *m;* **k~ieren** [-pli'tsi:rən] *tr* compliquer; **k~iert** *a* compliqué; *med (Knochenbruch)* multiple; **~iertheit** *f* ⟨-, (-en)⟩ complication, complexité *f.*

Komplott *n* ⟨-(e)s, -e⟩ [kɔm'plɔt] complot *m,* conspiration *f; ein ~ schmieden* former *od* tramer *od* ourdir un complot; *jdn ins ~ ziehen* mettre qn dans le complot.

Kompo|nente *f* ⟨-, -n⟩ [kɔmpo'nɛntə] composante *f;* **k~nieren** [-'ni:rən] *tr mus* composer; **~nist** *m* ⟨-en, -en⟩ [-'nɪst] compositeur *m;* **~sition** *f* ⟨-, -en⟩ [-zitsi'o:n] *allg (Aufbau), mus* composition *f;* **~situm** *n* ⟨-s, -ta⟩ [-'po:zitum, -ta] *gram* composé *m.*

Kompost *m* ⟨-(e)s, -e⟩ [kɔm'pɔst] *agr* compost *m.*

Kompott *n* ⟨-(e)s, -e⟩ [kɔm'pɔt] compote *f;* **~schüssel** *f* compotier *m;* **~(t)eller** *m* assiette *f* à dessert.

kompr|eß [kɔm'prɛs] *a adv typ* sans interlignes *od* interlignage; **K~esse** *f* ⟨-, -n⟩ [-'prɛsə] *med* compresse *f;* **K~essor** *m* ⟨-s, -en⟩ [-'prɛsɔr, -'so:rən] *mot* compresseur *m.*

komprimier|en [kɔmpri'mi:rən] *tr* comprimer; **~t** *a* comprimé.

Komprom|iß *m* od *n* ⟨-sses, -sse⟩ [kɔmpro'mɪs, -sə] compromis *m; ein(en) ~~ eingehen, schließen* accepter, faire *od* passer un compromis; **~ißbereitschaft** *f* attitude *f* conciliante; **~ißformel** *f pol* formule *f* de compromis; **k~ittieren** [-mi'ti:rən] *(sich)* (se) compromettre.

Komtesse *f* ⟨-, -n⟩ [kɔ̃-, kɔm'tɛsə] comtesse *f.*

Komtur *m* ⟨-s, -e⟩ [kɔm'tu:r] *hist* commandeur *m;* **~ei** *f* ⟨-, -en⟩ [-'raɪ] commanderie *f.*

Kondens|ator *m* ⟨-s, -en⟩ [kɔndɛn'za:tɔr, -'to:rən] *tech* condenseur; *el* condensateur *m;* **k~ieren** [-'zi:rən] *tr* condenser; *~ierte Milch f,* **~milch** *f* lait *m* condensé *od* concentré; **~streifen** *m aero* traînée *f* de condensation; **~wasser** *n* eau *f* de condensation *od* condensée.

Konditionalsatz *m* [kɔnditsio'na:l-] *gram* (proposition) *f* conditionnelle *f.*

Konditor *m* ⟨-s, -en⟩ [kɔn'di:tɔr, -'to:rən] pâtissier (et confiseur) *m;* **~ei** *f* ⟨-, -en⟩ [-'raɪ] , **~waren** *f pl* pâtisserie (et confiserie) *f.*

Kondol|enz *f* ⟨-, -en⟩ [kɔndo'lɛnts] condoléance *f;* **~enzbesuch** *m* visite *f* de condoléance; **k~ieren** ⟨*hat kondoliert*⟩ [-'li:rən] *itr* faire *od* présenter *od* offrir ses condoléances (*jdm* à qn).

Kondom *m* od *n* ⟨-s, -e/(-s)⟩ [kɔn'do:m] *med* préservatif *m.*

Konfekt *n* ⟨-(e)s, -e⟩ [kɔn'fɛkt] (articles *m pl* de) confiserie *f,* sucreries, dragées *f pl,* bonbons *m pl;* **~ion** *f* ⟨-, -en⟩ [-tsi'o:n] *(Fertigkleidung)* confection *f,* (vêtements *m pl* tout faits *od*) prêt(s) *m* à porter; **~ionsanzug** *m* costume *m* de confection; **~ionsgeschäft** *n* maison *f* de confection.

Konfer|enz *f* ⟨-, -en⟩ [kɔnfe'rɛnts] conférence *f; (Lehrerkonferenz)* conseil *m* des professeurs; *e-e ~~ abhalten* tenir conférence; **~enzbeschluß** *m* arrêt *m* de conférence; **~enzdolmetscher** *m* interprète *m* de conférence; **~enzraum** *m* salle *f* de conférence; **~enzteilnehmer** *m* participant *m* à une *od* la conférence; **~enztisch** *m* table *f* de conférence; **~enzzimmer** *n* = *~enzraum; (Schule)* salle *f* du conseil; **k~ieren** [-'ri:rən] *itr* tenir conférence; *mit jdm über etw ~~* conférer avec qn de qc.

Konfession *f* ⟨-, -en⟩ [kɔnfɛsi'o:n] *rel (Bekenntnis)* confession *f;* **k~ell** [-sio'nɛl] *a* confessionnel; **k~slos** *a* sans confession; **~sschule** *f* école *f* confessionnelle; **~swechsel** *m* changement *m* de confession, conversion *f.*

Konfetti *pl* [kɔn'fɛti] confetti *m pl.*

Konfirm|and *m* ⟨-en, -en⟩ [kɔnfɪr'mant, -dən] confirmand *m;* **~andenunterrricht** *m* catéchisme *m;* **~ation** *f* ⟨-, -en⟩ [-matsi'o:n] confirmation *f;* **k~ieren** [-'mi:rən] *tr* confirmer.

Konfis|kation *f* ⟨-, -en⟩ [kɔnfɪskatsi'o:n] confiscation *f;* **k~zieren** [-fɪs'tsi:rən] *tr* confisquer.

Konfitüre *f* ⟨-, -n⟩ [kɔnfi'ty:rə] *(Marmelade)* confiture *f.*

Konflikt *m* ⟨-(e)s, -e⟩ [kɔn'flɪkt] conflit *m; in ~ geraten* entrer en conflit.

Konföderation *f* ⟨-, -en⟩ [kɔnføderatsi'o:n] *(Staatenbund)* confédération *f.*

konform [kɔn'fɔrm] *a* conforme (*mit* à); *adv: ~ gehen mit fam* être d'accord avec.

konfrontieren [kɔnfrɔn'ti:rən] *tr* confronter (*mit* avec).

konfus [kɔn'fu:s] *a* confus, troublé, déconcerté; *~ machen* troubler, déconcerter, embrouiller.

Kongreß *m* ⟨-sses, -sse⟩ [kɔn'grɛs] congrès *m;* **~teilnehmer** *m* membre d'un *od* du congrès, congressiste, délégué *m.*

kongru|ent [kɔngru'ɛnt] *a math* congruent, coïncident; **K~enz** *f* ‹-, -en› [-'ɛnts] *math* congruence, coïncidence *f;* **~ieren** [-gru'i:rən] *itr math u. fig* coïncider (*mit* avec).

König *m* ‹-(e)s, -e› ['kø:nıç -gə] roi *m; im Namen des ~s* de par le roi; *die Heiligen Drei ~e* les rois *m pl* mages; **~in** *f* reine *f;* **~inmutter** *f* reine *f* mère; **~inpastete** *f* bouchée *f* à la reine; **~inwitwe** *f* reine *f* douairière; **k~lich** ['-nıklıç] *a* royal, de *od* du roi; *~~e(s) Schloß n* palais *m* royal; **~reich** ['-nık-] *n* royaume *m;* **~sadler** *m orn* aigle *m* royal; **~skerze** *f bot* molène *f;* **~skrone** *f* couronne *f* royale; **~skuchen** *m* cake *m;* **~smord** *m,* **~smörder** *m* régicide *m;* **~stiger** *m* tigre *m* royal; **~streue** *f* royalisme *m;* **~swürde** *f* dignité royale, royauté *f;* **~tum** *n* ‹-s, ø› royauté *f.*

kon|isch ['ko:nıʃ] *a (kegelförmig)* conique; **K~us** *m* ‹-, -sse/-nen› ['ko:nus, -sə/-nen] *(Kegel)* cône *m.*

Konjug|ation *f* ‹-, -en› [konjugatsi'on] *gram* conjugaison *f;* **k~ieren** [-'gi:rən] *tr* conjuguer; *~iert werden* se conjuguer.

Konjunkt|ion *f* ‹-, -en› [konjuŋktsi'o:n] *gram astr* conjonction *f;* **~iv** *m* ‹-s, -e› ['konjunkti:f, konjunk'ti:f] *gram* subjonctif *m;* **~ur** *f* ‹-, -en› [-'tu:r] *com* conjoncture, situation *f* économique *od* du marché; *(günstige)* marché *m* favorable; *rückläufige ~~* récession *f;* **~uraufschwung** *m* période *f* d'expansion; **~urausgleichsrücklage** *f* réserve *f* pour l'égalisation de la conjoncture; **~urbelebung** *f* relance *f;* **k~urempfindlich** *a* sensible à la conjoncture; **~urentwicklung** *f* évolution *f* économique; **~urforschung** *f* analyse *f od* étude(s *pl*) *f* des marchés; **~urgewinn** *m* profit *m* de conjoncture; **~urinstitut** *n* institut *m* d'études conjoncturelles; **~urritter** *m fam pej* sauteur; *a.* politicien *m* opportuniste; **~urschwankungen** *f pl* fluctuations *f pl* de (la) conjoncture *od* conjoncturelles.

konkav [kon'ka:f] *a bes. opt* concave.

Konkord|anz *f* ‹-, -en› [konkor'dants] *(Zs.stellung)* concordance *f.;* **~at** *n* ‹-(e)s, -e› [-'da:t] concordat *m.*

konkret [kon'kre:t] *a* concret, réel, tangible; *im ~en Fall* dans la réalité; *~e Formen annehmen* se concrétiser.

Konkubin|at *n* ‹-(e)s, -e› [konkubi'na:t] *(wilde Ehe)* concubinage *m;* **~e** *f* ‹-, -n› concubine *f.*

Konkurr|ent *m* ‹-en, -en› [konku'rɛnt] concurrent, rival, compétiteur *m;* **~enz** *f* ‹-, -en› [-'rɛnts] concurrence, rivalité, compétition *f; (die ~enten)* les concurrents *m pl; außer ~~* hors concours; *jdm ~~ machen* faire concurrence à qn, concurrencer qn; **k~enzfähig** *a* capable de concurrencer; *(Preis)* compétitif; **~enzfähigkeit** *f* capacité de concurrence, compétitivité *f;* **~enzfirma** *f* maison *f* concurrente; **~enzkampf** *m* concurrence *f;* **k~enzlos** *a* sans concurrence; *(Ware, Preis)* hors (de) pair; **~enzneid** *m* jalousie *f* de métier; **~enzunternehmen** *n* entreprise *od* maison *f* concurrente *od* rivale; **k~ieren** [-ku'ri:rən] *itr* concourir; *mit jdm ~~* concurrencer qn.

Konkurs *m* ‹-es, -e› [kon'kurs, -zə] *com jur* faillite, banqueroute *f; ~ anmelden* se déclarer en faillite, déposer son bilan; *(den) ~ eröffnen* ouvrir la procédure de (la) faillite; *in ~ geraten, ~ machen* faire faillite; **~anmeldung** *f* dépôt *m* de bilan; **~erklärung** *f* déclaration de *od* mise *f* en faillite; **~eröffnung** *f* ouverture *f* de la faillite; **~forderung** *f* créance *f* de la faillite; **~gläubiger** *m* créancier *m* de la faillite; **~masse** *f* masse *f od* actif *m* de la faillite; **~ordnung** *f* règlement *m* des faillites; **~verfahren** *n* procédure *f* de faillite, procédé *m* en matière de faillite; **~verwalter** *m* administrateur de la faillite, directeur des créanciers, syndic *m* (de la faillite).

können ‹*ich kann; ich konnte; ich könnte; habe gekonnt/...(inf) können*› ['kœnən, kan, (-)'kont-] *aux tr u. itr (unter gewissen Umständen in der Lage* od *imstande sein, die Möglichkeit haben)* pouvoir; *(kunstgerecht ausüben* od *ausführen können, wissensmäßig beherrschen, gelernt haben)* savoir; *(imstande, fähig sein zu)* être capable *od* en mesure *od* à même *od* en état de; *(die Möglichkeit haben zu)* avoir la faculté de; *(dürfen)* pouvoir; *so gut ich (es) kann* de mon mieux; *etwas ~* avoir de l'étoffe; *für etw nichts ~* n'être pour rien dans qc; *nicht mehr ~ (fam)* n'en pouvoir plus; *nicht mehr (laufen) ~* ne plus pouvoir marcher, traîner la jambe; *nicht umhin~ zu* ne pouvoir s'empêcher *od* se retenir de; *ich kann nicht anders* je ne puis faire autrement; *ich kann nichts dafür* je n'y peux rien; *ich kann nicht mehr (fam)* je n'en peux plus; *~ vor Lachen!* comment voulez-vous que je fasse? *wer kann das getan haben?* qui peut bien (en) être responsable? *ich kann es Ihnen (leider) nicht sagen* je ne saurais vous le dire; *ich kann nicht weg* je ne peux pas partir; *ich kann nicht weiter* je ne peux pas aller plus loin; *ich lief, so schnell ich konnte* je courais à toutes jambes; *er kann sich noch so anstrengen* il aura beau faire, quoi qu'il fasse; *Sie ~ es mir glauben* croyez-moi; *das ~ Sie sagen, tun* dites-le! faites-le! *man könnte meinen, daß ...* on dirait que ...; *das kann sein* cela se peut, c'est possible; *es könnte sein, daß* il se pourrait *od* serait possible que *subj; es kann nicht jeder tun, was er will* on ne peut pas toujours faire ce qu'on veut; *mir kann keiner! fam* personne ne peut rien me faire; je ne crains personne; **K~** *n* pouvoir; *(Wissen)* savoir *m; (Fähigkeit)* faculté, capacité; *(Möglichkeit)* possibilité *f.*

Konnex *m* ‹-es, -e› [ko'nɛks] *(Zs.hang)* connexion, liaison *f.*

Konnossement *n* ‹-(e)s, -e› [konosə'mɛnt] *com mar* connaissement *m,* police *f* de chargement.

Konsekutivdolmetschen *n* ['kon-, konzeku'ti:f-] interprétation *f* consécutive.

konsequen|t [konze'kvɛnt] *a* conséquent; *~~ denken* avoir de la suite dans les idées; *~~ sein* avoir l'esprit de suite; **K~z** *f* ‹-, -en› [-'kvɛnts] *(Folgerichtigkeit, Zielstrebigkeit)* conséquence *f,* esprit *m* de suite; *(Folgerung)* conséquence; *(Folge)* conséquence *f,* résultat *m; (weitreichende) ~~en haben* mener loin; *die ~~(en) ziehen* tirer les conséquences.

konserv|ativ [konzɛrva'ti:f] *a* conservateur; **K~ativismus** *m* ‹-s, ø› [-'tivısmus] *pol* conservatisme *m;* **K~ator** *m* ‹-s, -en› [-'va:tor, -'to:rən] conservateur *m* (de musée); **K~atorium** *n* ‹-s, -rien› [-'to:rium, -riən] *mus* conservatoire *m;* **K~e** *f* ‹-, -n› [-'zɛrvə] conserve *f;* **K~enbüchse** *f,* **K~endose** *f* boîte *f* de conserve; **K~enfabrik** *f* conserverie *f;* **K~englas** *n* bocal *m;* **K~enindustrie** *f* industrie *f* des conserves; **~ieren** [-'vi:rən] *tr* conserver; **K~ierung(smittel** *n***)** *f* (substance de) conservation *f.*

Konsign|ation *f* ‹-, -en› [konzıgnatsi'o:n] *com* consignation *f;* **k~ieren** [-'ni:rən] *tr com mil* consigner.

Konsistorium *n* ‹-s, -rien› [konzıs'to:rium, -riən] *rel* consistoire *m.*

Konsol|e *f* ‹-, -n› [kon'zo:lə] *arch* console *f,* corbeau *m; (Brettstütze)* console *f,* support *m;* **k~idieren** [-li'di:rən] *tr* consolider; **~idierung** *f* consolidation *f;* **~s** *m pl* fonds *m pl* consolidés.

Konsonant *m* ‹-en, -en› [konzo'nant] *gram* consonne *f.*

Konsort|en *m pl* [kon'zortən] *jur bes. pej* consorts *m pl; und ~~* et consorts; **~ium** *n* ‹-s, -tien› [-tsium, -tsiən] *com* consortium, syndicat, groupe *m.*

konsta|nt [kon'stant] *a math phys* constant; *allg* stable; **K~nte** *f* ‹-, -n› *math phys* (quantité) constante *f;* **~tieren** [-'ti:rən] *tr* constater.

Konstellation *f* ‹-, -en› [konstɛlatsi'o:n] *astr* constellation *f.*

konsterniert [konstɛr'ni:rt] *a* consterné, déconcerté, désemparé.

konstitu|ieren [konstitu'i:rən] *tr (einsetzen, bestimmen)* constituer; *~~de Versammlung f pol hist* (assemblée) constituante *f;* **K~tion** *f* ‹-, -en› [-tsi'o:n] *pol med* constitution *f;* **~tionell** [-tsio'nɛl] *a* constitutionnel.

konstru|ieren [konstru'i:rən] *tr tech math gram* construire; *(entwerfen)* concevoir, projeter, dessiner; *itr gram* faire la construction (d'une phrase), construire; **K~kteur** *m* ‹-s, -e› [-truk'tø:r] (ingénieur) constructeur *m;* **K~ktion** *f* ‹-, -en› [-tsi'o:n] *tech math gram* construction; *(Entwurf)* conception *f,* projet, dessin *m;* **K~ktionsbüro** *n* bureau *m* d'études *od* de construction; **K~ktionsfehler** *m* défaut *od* vice *m* de construction; **K~ktionsteil** *n tech* pièce *f* de construction; **K~ktionszeichner** *m* dessinateur *m* projecteur; **K~ktionszeichnung** *f* plan *m* de construction.

Konsul *m* ⟨-s, -n⟩ ['kɔnzʊl] consul *m;* **~argerichtsbarkeit** *f* juridiction *f* consulaire; **~at** *n* ⟨-(e)s, -e⟩ [-'la:t] consulat *m;* **~ent** *m* ⟨-en, -en⟩ [-'lɛnt] *jur* consultant *m;* **k~tieren** [-'ti:rən] *tr* consulter.

Konsum *m* ⟨-s, ø⟩ [kɔn'zu:m] consommation *f; öffentliche(r)* od *staatliche(r)* ~ consommation publique; *private(r)* ~ consommation privée; *fam (~verein)* coop *f* od *m;* **~ent** *m* ⟨-en, -en⟩ [-'mɛnt] consommateur *m;* **~genossenschaft** *f,* **~verein** *m* (société) coopérative *f* de consommation *od* de consommateurs; **~gesellschaft** *f* société *f* de consommation; **~güter** *n pl* articles *m pl* de consommation; **~quote** *f* propension *f* à consommer; **k~ieren** [-'mi:rən] *tr* consommer.

Kontakt *m* ⟨-(e)s, -e⟩ [kɔn'takt] contact *m a. el,* relation; *el (Steckkontakt)* prise de courant; *(Stift)* broche *f; mit jdm ~ aufnehmen, in ~ treten* entrer en contact avec qn; *mit jdm ~ haben, in ~ stehen* être en contact avec qn; *fam* avoir le contact avec qn; **~abzug** *m phot* épreuve *f* par contact; **~fähigkeit** *f psych* sens *m* des contacts; **~finger** *m tech* doigt *m* de contact; **~fläche** *f* surface *f* de contact; **~gläser** *n pl opt* verres *m pl* de contact; **~knopf** *m,* **~schalter** *m el* bouton *m* de contact; **~mine** *f mil* mine *f* automatique; **~ring** *m* anneau *m* de contact; **~rolle** *f el* trolley *m;* **~schlüssel** *m mot* clé *f* de contact; **~stift** *m el* broche *f;* **~stöpsel** *m el* fiche *f* (de contact); **~wippe** *f el* commutateur *m* à bascule.

Konten|plan *m* ['kɔntən-] *fin* plan *m* comptable; **~sperre** *f,* **~sperrung** *f* blocage *m* des comptes.

Konter|admiral *m* ['kɔntər-] *mar* contre-amiral *m;* **~bande** *f (Schmuggelware)* contrebande *f;* **~revolution** *f* contre-révolution *f.*

Kontinent *m* ⟨-(e)s, -e⟩ ['kɔn-, kɔnti'nɛnt] continent *m;* **k~al** [-'ta:l] *a* continental; **~alklima** *n* climat *m* continental; **~almacht** *f pol* puissance *f* continentale; **~alsperre** *f hist* blocus *m* continental; **~alverschiebung** *f geol* dérive *f* des continents.

Kontingent *n* ⟨-(e)s, -e⟩ [kɔntɪŋ'gɛnt] *(Anteil)* contingent, quota *m;* **k~ieren** [-'ti:rən] *tr* contingenter, fixer le contingent de; **~ierung** *f* contingentement *m.*

kontinu|ierlich [kɔntɪnu'i:rlɪç] *a* continu(el), suivi; **K~ität** *f* ⟨-, ø⟩ [-i'tɛ:t] continuité *f.*

Konto *n* ⟨-s, -ten/-ti⟩ ['kɔnto, -tən/-ti] *fin* compte *m; ein ~ (ab)schließen* arrêter un compte; *ein ~ eröffnen* ouvrir un compte (*bei* à); *sein ~ überziehen* mettre son compte à découvert; **~abschluß** *m* arrêté *m* de compte; **~auszug** *m* extrait *od* relevé *od* bordereau *m* de compte; *e-n ~~ ausfertigen* od *machen* faire un relevé de compte, relever un compte; **~buch** *n* livre *m* de comptes; **~inhaber** *m* titulaire *m* d'un compte, ayant compte *m;* **~korrent** *n* ⟨-s, ø⟩ [-ko'rɛnt] compte *m* courant; **~korrentbuch** *n* grand livre *m.*

Kontor *n* ⟨-s, -e⟩ [kɔn'to:r] comptoir, bureau *m;* **~ist(in** *f)* *m* ⟨-en, -en⟩ [-'rɪst] employé, e *m f* de bureau.

kontra ['kɔntra] *prp* contre; **K~** *n* ⟨-s, -s⟩ *jdm ~~ geben (Spiel)* contrer qn; **K~baß** *m mus* contrebasse *f;* **K~punkt** *m mus* contrepoint *m.*

Kontrahent *m* ⟨-en, -en⟩ [kɔntra'hɛnt] *jur* contractant *m,* partie *f* contractante.

Kontrakt *m* ⟨-(e)s, -e⟩ [kɔn'trakt] contrat *m,* convention *f,* accord, pacte, traité *m; e-n ~ brechen* rompre un contrat, briser un accord; *e-n ~ schließen* faire *od* passer un contrat, passer *od* conclure un accord; **~bruch** *m* rupture *od* violation *f* de contrat; **k~lich** *a* contractuel; *adv* par contrat.

Kontrast *m* ⟨-(e)s, -e⟩ [kɔn'trast] contraste *m;* **k~ieren** [-'ti:rən] *itr* contraster, être en *od* faire contraste (*mit* avec); *(stark)* trancher (*mit* sur); **k~reich** *a* contrasté; **~wirkung** *f* effet *m* de contraste.

Kontroll|abschnitt *m* [kɔn'trɔl-] coupon *m od* fiche *f od* talon de contrôle, talon *m;* **~apparat** *m tech* appareil *m* de contrôle; **~beamte(r)** *m ~eur;* **~e** *f* ⟨-, -n⟩ contrôle *m; (Prüfung)* vérification; *(Überwachung)* surveillance *f;* **~eur** *m* ⟨-s, -e⟩ [-'lø:r] contrôleur *m;* **~gang** *m* ronde *f;* **~gebiet** *n* zone *f* de contrôle; **~gerät** *n* appareil *m* contrôleur; **k~ierbar** *a* contrôlable; **k~ieren** [-'li:rən] *tr* contrôler, examiner, inspecter, passer en revue; vérifier; *(Rechnung a.)* apurer; *(überwachen)* surveiller; **~karte** *f* carte *f* de contrôle; **~kasse** *f* caisse *f* de contrôle *od* enregistreuse; **~kommission** *f* commission *f* de contrôle; **~(l)ampe** *f tech* lampe-témoin, lampe-pilote, veilleuse *f;* **~(l)icht** *n* voyant *m;* **~(l)iste** *f* liste *f* de contrôle; **~marke** *f* plaque *f* de contrôle; **~maßnahme** *f* mesure *f* de contrôle; **~nummer** *f* numéro *m* de contrôle; **~organ** *n* organe *m* de contrôle; **~punkt** *m,* **~stelle** *f* poste *m* de contrôle; **~rat** *m; der Alliierte ~~* le Conseil de Contrôle Allié; **~schein** *m,* **~zettel** *m* fiche *f* de contrôle; **~system** *n* système *m* de contrôle; **~turm** *m aero* tour *f* de contrôle; **~uhr** *f* montre *od* horloge de contrôle, contrôleuse *f,* contrôle de présence; horloge *f* de pointage; *(d. Wächter)* contrôleur *m* de rondes; **~vorrichtung** *f* mécanisme *m* de contrôle; **~zettel** *m ~schein.*

Kontroverse *f* ⟨-, -n⟩ [kɔntro'vɛrzə] controverse *f.*

Kontur *f* ⟨-, -en⟩ [kɔn'tu:r] contour *m.*

Konus *m* ⟨-, -sse/-nen⟩ ['ko:nus] *math tech* cône *m.*

Konvent *m* ⟨-(e)s, -e⟩ [kɔn'vɛnt] convent *m,* assemblée *f;* **~ion** *f* ⟨-, -en⟩ [-tsi'o:n] convention *f,* accord, traité *m;* **~ionalstrafe** *f* peine conventionnelle *od* contractuelle, clause *f* pénale; **k~ionell** [-tsio'nɛl] *a* conventionnel; *~~e Waffen f pl* armes *f pl* classiques.

converg|ent [kɔnvɛr'gɛnt] *a math phys* convergent; **K~enz** *f* ⟨-, -en⟩ [-'gɛnts] convergence *f;* **~ieren** [-'gi:rən] *itr* converger.

Konversation *f* ⟨-, -en⟩ [kɔnvɛrzatsi'o:n] conversation *f,* entretien, colloque *m;* **~slexikon** *n* encyclopédie *f; wandelnde(s) ~~ (hum)* encyclopédie *f* vivante.

konvert|ierbar [kɔnvɛr'ti:r-] *a fin* convertible; **K~~keit** *f* convertibilité *f;* **~ieren** *tr fin* convertir; *itr rel* se convertir; **K~ierung** *f fin* conversion *f;* **K~ierungsanleihe** *f* emprunt *m* de conversion; **K~it** *m* ⟨-en, -en⟩ [-'ti:t] *rel* converti *m.*

konvex [kɔn'vɛks] *a opt* convexe, bombé.

Konvikt *n* ⟨-(e)s, -e⟩ [kɔn'vɪkt] *rel* foyer *m* de séminaristes.

Konvolut *n* ⟨-(e)s, -e⟩ [kɔnvo'lu:t] *(Sammelband)* recueil *m* factice.

Konzentr|at *n* ⟨-(e)s, -e⟩ [kɔntsɛn'tra:t] *chem geol* concentré *m;* **~ation** *f* ⟨-, -en⟩ [-tratsi'o:n] concentration *f;* **~ationsfähigkeit** *f* faculté *f* de concentration; **~ationslager** *n* camp *m* de concentration; **k~ieren** [-'tri:rən] *tr* concentrer; **k~isch** [-'tsɛntrɪʃ] *a math* concentrique.

Konzept *n* ⟨-(e)s, -e⟩ [kɔn'tsɛpt] brouillon *m,* minute *f; jdn aus dem ~ bringen* faire perdre le fil à qn; *aus dem ~ kommen* perdre le fil; **~papier** *n* papier *m* brouillon *od* bulle.

Konzern *m* ⟨-s, -e⟩ [kɔn'tsɛrn] *fin* groupe, groupement (industriel *od* d'entreprises), trust, cartel, consortium *m.*

Konzert *n* ⟨-(e)s, -e⟩ [kɔn'tsɛrt] *(Musikaufführung)* concert; *(Solokonzert)* récital; *(Musikstück)* concerto *m;* **~büro** *n,* **~direktion** *f* organisateur *m* de concert; **~-Café** *n* café-concert *m;* **~flügel** *m* piano *m* de concert; **~haus** *n* salle *f* de concert; **k~ieren** [-'ti:rən] *itr* donner un concert *od* récital; **~meister** *m* chef *m* d'orchestre *od* de musique; **~saal** *m* salle *f* de concert; **~sänger** *m* chanteur *m* de concert.

Konzession *f* ⟨-, -en⟩ [kɔntsɛsi'o:n] *(Zugeständnis)* concession; *com* concession, licence, patente; *pol (Gebiet)* concession *f; jdm e-e ~ erteilen* accorder une concession à qn; **k~iert** [-sio'ni:rt] *a* licencié, patenté; **~sinhaber** *m* concessionnaire *m.*

Konzil *n* ⟨-s, -e/-lien⟩ [kɔn'tsi:l(ə/iən)] *rel* concile *m;* **~sväter,** *die m pl* les pères *m pl* conciliaires.

konzipieren [kɔntsi'pi:rən] *tr physiol* concevoir; *(entwerfen)* faire un brouillon de.

Koordin|ate *f* ⟨-, -n⟩ [koɔrdi'na:tə] *math* coordonnée *f;* **~atensystem** *n* système *m* de coordonnées *od* d'axes; **~ationsstörung** *f* [-natsi'o:ns-] *med* incoordination *f;* **k~ieren** [-'ni:rən] *tr* coordonner.

Kopenhagen *n* [kopən'ha:gən] Copenhague *f.*

Köper *m* ⟨-s, -⟩ ['kø:pər] *(Textil)* croisé *m;* **k~n** *tr* croiser.

Kopf *m* ⟨-(e)s, ⸚e⟩ [kɔpf, 'kœpfə] tête *f a. fig u. tech; pop* caboche *f,* caisson; *(Briefkopf)* en-tête *m; (Titel)* tête, manchette *f,* chapeau; *(Schlagwort)* mot-vedette *m; (Vorderseite e-r Münze)* face; *(Verstand)* tête *f,* esprit, cerveau *m,* cervelle; *(kluger Mensch)* tête, capacité; *(Person, in Zahlenangaben)* tête, personne *f; am ~ (gen) (fig)* à la tête (de); *~ an ~* serrés les uns contre les autres; *auf den ~ (der Bevölkerung), pro ~* par tête *od* personne; *aus dem ~* par cœur, de mémoire; *im ~* en tête; *(Rechnen)* de tête; *mit bloßem ~ (Mann)* nu-tête, tête nue; *(Frau a.)* en cheveux; *mit klarem ~* à tête reposée; *von ~ bis Fuß* des pieds à la tête, de la tête aux pieds, de pied en cap, jusqu'au bout des ongles; *e-e Belohnung auf jds ~ aussetzen* mettre à prix la tête de qn; *klaren ~ behalten* garder la tête froide; *im ~ behalten* retenir; *auf s-m ~ bestehen* s'entêter, s'obstiner; *mit seinem ~ bezahlen* payer de sa tête; *seinen ~ durchsetzen (fam)* arriver à ses fins; *nur s-m ~ folgen* n'en faire qu'à sa tête; *mit dem ~ durch die Wand gehen (fig fam)* suivre son idée fixe; *im ~ haben (fam)* avoir en tête; *e-n schweren ~ haben* avoir la tête lourde *od* pesante; *den ~ verloren haben (a.)* avoir la tête à l'envers; *ein Brett vor dem ~ haben (fam)* être bouché; *mit s-m ~ für etw haften* répondre de qc sur sa tête; *nur nach s-m ~ handeln* n'en faire qu'à sa tête *od* volonté, faire ses quatre volontés, agir à son idée; *den ~ hinhalten (a. fig)* tendre le cou *od* la gorge; *e-n roten ~ kriegen* piquer un fard; *den ~ hängenlassen (fig)* avoir la tête basse; *pop* broyer du noir; *sich etw durch den ~ gehen lassen* réfléchir à qc; *sich nicht auf dem ~ herumtreten* od *herumtrampeln lassen* ne pas se laisser marcher sur les pieds; *jdm den ~ heiß machen (fig)* échauffer la tête de qn; *jdn (um) e-n ~ kürzer machen (pop)* raccourcir qn d'une tête; *über die Köpfe hinweg reden (fig)* se perdre dans les nues; *sich etw aus dem ~ schlagen* s'ôter qc de la tête *od* de l'esprit; *sich vor den ~ schlagen* se frapper le front; *den ~ schütteln* hocher *od* secouer la tête (*über etw* devant qc); *ein kluger ~ sein* avoir de la tête, être un(e) homme (femme) de tête; *nicht auf den ~ gefallen sein (fam)* ne pas être tombé sur la tête; *wie vor den ~ geschlagen sein (fam)* être hébété; être *od* rester *od* demeurer interdit *od* abasourdi *od* stupéfait; *(um) e-n ~ größer sein als jem* avoir une tête de plus que qn; *sich etw in den ~ setzen* se mettre qc en tête *od* dans la tête *od* dans l'idée; se fourrer qc dans la tête; *e-n Preis auf jds ~ setzen* mettre à prix la tête de qn; *den ~ in den Sand stecken (fig)* adopter la politique de l'autruche; *auf dem ~ stehen* être la tête en bas; *fig* être sens dessus dessous; *zu ~ steigen (Wein)* monter à la tête *a. fig od* au cerveau, porter à la tête, être capiteux, *fam* taper; *auf den ~ stellen (fig)* mettre sens dessus dessous, invertir, dénaturer; *jdn vor den ~ stoßen (fig)* heurter, choquer, brusquer, désobliger qn, heurter qn de front; *den ~ hoch tragen (a. fig)* porter *od* marcher la tête haute; *jdm den ~ verdrehen* (faire) tourner la tête *od* la cervelle à qn; *fam* tournebouler qn; *den ~ verlieren* perdre la tête *od* l'esprit, *fam* le nord *od* la boule, *arg* la boussole; *jdm den ~ waschen (fig fam)* laver la tête, frotter les oreilles, secouer les puces, passer un savon à qn; *jdm etw an den ~ werfen (fig fam)* jeter qc à la face *od* à la figure de qn; *den ~ in den Nacken werfen (fig)* se rengorger; *nicht wissen, wo einem der ~ steht* ne (pas) savoir où donner de la tête *od* de quel côté se tourner *od* où on en est; *mit dem ~ durch die Wand wollen (fig)* donner de la tête contre les murs; *sich den ~ zerbrechen (fig)* se casser *od* se creuser la tête, se creuser la cervelle *od* l'esprit, se mettre l'esprit à la torture, s'ingénier (*wie man tun könnte* à faire); *die Köpfe zs.stecken* chuchoter; *er ist mir über den ~ gewachsen (fig)* je ne viens plus à bout de lui; *das geht mir im ~ herum* cela me trotte dans la tête *od* la cervelle, cela me hante; *das will mir nicht in den ~ hinein* cela ne veut pas m'entrer (dans) la tête, cela me dépasse; *das hat ihn den ~ gekostet* il l'a payé de sa vie; *~ oder Schrift? (Münze)* pile ou face? *~ hoch!* du courage! *~ weg!* gare (à) la tête! *was man nicht im ~ hat, muß man in den Beinen haben (prov)* quand on n'a pas de tête, il faut avoir des jambes; *so viel Köpfe, so viel Sinne (prov)* autant de têtes, autant d'avis; *ein heller ~* un esprit ouvert *od* éveillé; **~arbeit(er** *m***)** *f* travail(leur) *m* intellectuel; **~bahnhof** *m* tête de ligne, gare *f* en cul-de--sac; **~ball** *m sport* tête *f;* **~band** *n* serre-tête, bandeau *m;* **~bedeckung** *f* coiffure *f,* couvre-chef *m; die ~~ aufbehalten* rester couvert; **~bogen** *m* papier *m* à en-tête; **~brett** *n (Bett)* tête *f;* **~deckchen** *n (auf e-r Sessellehne)* appui(e)-tête *m;* **~ende** *n (e-s Bettes)* chevet *m; am ~~ (allg: vorn)* en tête; **~füßer** *m pl zoo* céphalopodes *m pl;* **~grind** *m med* teigne *f;* **~grippe** *f* encéphalite *f;* **~haar** *n* cheveux *m pl,* chevelure *f;* **~haltung** *f* port *m* de tête; **k~hängerisch** *a* pessimiste; **~haut** *f* cuir *m* chevelu; **~hörer** *m tele radio* écouteur, casque *m* d'écoute *od* téléphonique *od* radio; **~hörerbügel** *m* ressort de casque, serre-tête *m;* **~kissen** *n* oreiller *m;* **~kissenbezug** *m* taie *f* (d'oreiller); **~kohl** *m* chou *m* pommé; **k~lastig** *a mar aero* lourd de l'avant, versable; **~laus** *f* pou *m* de tête; **~lehne** *f* appui(e)-tête *m;* **k~los** *a* sans tête; *zoo* acéphale; *fig* écervelé, sans cervelle, étourdi; **~losigkeit** *f fig* étourderie *f;* **~polster** *n* traversin, *fam* polochon *m;* **~putz** *m* coiffure *f;* **~rampe** *f* quai *m* en bout; **~rechnen** *n* calcul *m* mental; **~salat** *m bot* laitue (pommée); *(Küche)* salade *f* de laitue; **k~scheu** *a (Pferd)* ombrageux; *(Mensch)* effarouché; *jdn ~~ machen* effaroucher qn; **~schmerzen** *m pl* maux *m pl* de tête, migraine *f; ~~ haben* avoir mal à la tête *od* des maux de tête *od* la migraine; *sich um etw ~~ machen* se faire du souci *od fam* de la bile pour qc; **~schuß** *m (Verletzung)* blessure *f* par balle à la tête; **~schütteln** *n* hochement *m* de tête; **~schützer** *m* passe-montagne *m;* **~sprung** *m sport* plongeon *m; e-n ~~ machen (a.)* piquer une tête; **~stand** *m sport* arbre fourchu; *aero* capotage *m; e-n ~~ machen (sport)* faire l'arbre fourchu; *aero* capoter; **~steg** *m typ* blanc *m* de tête; **k~≈stehen** ⟨*hat kopfgestanden*⟩ *itr fig* être bouleversé *od* affolé *od fam* tourneboulé; **~stein** *m* pavé *m;* **~steuer** *f hist* capitation, cote *f* personnelle; **~stimme** *f* voix *f* de tête, fausset *m;* **~stück** *n tech* tête *f;* **~sülze** *f (Küche)* hure *f;* **~tuch** *n* foulard, fichu *m,* fanchon; *(warmes)* frileuse *f;* **k~über** *adv* la tête la première; *fig* à corps perdu; **~waschen** *n* shampooing *m;* **~weh** *n* = *~schmerzen;* **~weide** *f* saule *m* têtard; **~zerbrechen** *n* casse-tête; *fam* tintouin *m; jdm ~~ machen* od *verursachen* être un casse-tête pour qn.

Köpf|chen *n* ⟨-s, -⟩ ['kœpfçən] petite tête *f; ~~ haben (fig fam)* avoir de la tête *od fam* de la jugeote; **k~en** *tr* décapiter, guillotiner; *(Baum)* étêter, écimer; *sport* donner un coup de tête à, frapper avec la tête.

Kop|ie *f* ⟨-, -n⟩ [ko'pi:] *(Abschrift; Kunst; film)* copie; *(Nachahmung)* imitation, contrefaçon; *phot* épreuve *f; fertige ~~ (film)* standard *m;* **~ieranstalt** *f* [-'pi:r-] établissement *m* de tirage; **~ierautomat** *m* autocopiste *m;* **~ierbuch** *n com* carnet *m* de copies; **k~ieren** [-'pi:rən] *tr* copier, prendre copie de; *fig* imiter, contrefaire; *phot* tirer; **~iermaschine** *f* machine *f* à copier; **~iermaske** *f phot* cache *m;* **~ierpresse** *f* presse *f à* copier; **~ierrahmen** *m phot* châssis positif, châssis-presse *m;* **~ierstift** *m* crayon *m* à copier; **~iertinte** *f* encre *f* à copier; **~ist** *m* ⟨-en, -en⟩ [-'pɪst] copiste *m.*

Kopilot *m* ['ko:-] *aero* copilote *m.*

Kopp|el *n* ⟨-s, -⟩ ['kɔpəl] *(~riemen)* couple, laisse *f; mil* ceinturon *m; f (durch Riemen verbundene Tiere)* couple *f; f* ⟨-, -n⟩ *(Weide)* pâturage, enclos *m;* **k~eln** *tr (Tiere)* coupler; *allg (verbinden)* jumeler *(mit* à*); el* (ac)coupler, connecter; *radio* accoupler, réagir; **~elnavigation** *f aero* navigation *f* estimée *od* à l'estime; **~(e)lung** *f radio* couplage, accouplement *m;* **~ler** *m* ⟨-s, -⟩ *radio* coupleur *m.*

kopulieren [kopu'li:rən] *tr agr* gref-

fer; **K~** *n* greffe *f* (par rameau détaché).
Koralle *f* ‹-, -n› [ko'ralə] corail *m;* **~nfischer** *m* corailleur *m;* **~nfischerei** *f* pêche *f* du corail; **~ninsel** *f* île *f* corallienne, atoll *m;* **~nkette** *f* collier *m* de corail; **~nriff** *n* récif *m* corallien; **~ntiere** *n pl* polypes coralligènes; lithozoaires *m pl.*
Koran [ko'ra:n, 'ko:ra:n] *der, rel* le Coran.
Korb *m* ‹-(e)s, ⸚e› [kɔrp, 'kœrbə] panier *m; (ohne Henkel)* corbeille, *(länglicher)* bourriche *f,* mannequin *m; (großer, bes. Waschkorb)* manne; *(großer Weidenkorb)* banne; *(großer Gemüsekorb)* couffe *f; (Binsen-, Einkaufskorb)* cabas *m; (kleiner Henkelkorb)* mannette; *(kleiner Weidenkorb)* bannette *f; fig (Absage)* refus *m; e-n ~ bekommen* essuyer *od* s'attirer un refus; *jdm e-n ~ geben* éconduire qn; **~antenne** *f* (antenne *f* en) panier *m;* **~aufhängung** *f aero* suspentes *f pl;* **~ball** *m sport* (ballon de) basket-ball *m;* **~blütler** *m pl bot* compos(ac)ées *f pl;* **~flasche** *f* bouteille clissée; *(große)* dame-jeanne, bonbonne *f;* **~flechter** *m,* **~macher** *m* vannier *m;* **~flechterei** *f,* **~macherei** *f,* **~waren** *f pl* vannerie *f;* **~möbel** *n pl* meubles *m pl* en rotin; **~sessel** *m* fauteuil *m* en rotin; **~voll** *m* panerée, mannée *f;* **~weide** *f bot* osier, saule *m* des vanniers.
Kord *m* ‹-(e)s, -e› ['kɔrt, -də(s)] *(Rippsamt)* velours *m* à côtes *od* côtelé; **~hose** *f* pantalon *m* en velours côtelé.
Kord|e *f* ‹-, -n› ['kɔrdə] tresse *f;* **~el** *f* ‹-, -n› = *Bindfaden; (kurze)* cordelette *f;* **k~ieren** [kɔr'di:rən] *tr (Textil)* moleter.
Koriander *m* ‹-s, (-)› [kori'andər] *bot* coriandre *f.*
Korinthe *f* ‹-, -n› [ko'rɪntə] *(Art Rosine)* raisin *m* de Corinthe.
Kork *m* ‹-(e)s, -e› [kɔrk] *(Material)* liège; *(Propfen)* bouchon *m* (de liège); **~absatz** *m* talon *m* de liège; **~eiche** *f* chêne-liège *m;* **~en** *m* ‹-s, -› = *~ (Pfropfen);* **k~en** *a* de *od* en liège; **~(en)zieher** *m* tire-bouchon; *aero fam* piqué *m* en vrille; **~(en)-zieherlocken** *f pl: (mit) ~~* (frisé en) tire-bouchons *m pl;* **~mundstück** *n* bout *m* de liège; **~platte** *f* plaque *f* de liège; **~presse** *f* mâche-bouchon(s) *m;* **~ring** *m* rondelle *f* en liège; **~sohle** *f* semelle *f* de liège.
Korn *n* ‹-(e)s, ⸚er› [kɔrn, 'kœrnər] grain; *(Getreide)* blé *m,* grains *m pl; typ phot* grain; *m* ‹-(e)s, -e› *(Visiereinrichtung)* guidon (en grain d'orge); *m* ‹-(e)s, ø› *(Schnaps)* eau-de-vie *f* de grain; *jdn, etw aufs ~ nehmen* coucher *od* mettre qn, qc en joue, viser qn, qc; *jdn (fig fam)* repérer qn, avoir qn à l'œil; *gestrichenes ~ nehmen* prendre le guidon affleurant; **~abstufung** *f,* **~größenbestimmung** *f* granulométrie *f;* **~blume** *f* bl(e)uet *m;* **~boden** *m* = *~speicher;* **~branntwein** *m* = *~ m;* **~feld** *n* champ *m od* pièce *f* de blé; **~haus** *n* halle *f* aux blés; **~käfer** *m,* **~wurm** *m* charançon *m;* **~kammer** *f fig* grenier *m;* **~rade** *f bot* nielle *f;* **~silo** *m (od n)* silo *m* à blé; **~speicher** *m* grenier *m* à blé.
Körn|chen *n* ‹-s, -› ['kœrnçən] *fig* grain *m;* **k~en** *tr (körnig formen)* grener; *(zerkleinern)* granuler; **~er** *m* ‹-s, -› *tech* pointeau *m;* **k~ig** *a* grenu, granulaire, granuleux; **~ung** *f* grenure; granulation *f.*
Kornel|iuskirschbaum *m* [kɔr'ne:-lius-] cornouiller *m* (mâle); **~kirsche** *f* cornouille *f.*
Kornett *m* ‹-(e)s, -e/-s› [kɔr'nɛt] *mil vx* cornette *m; n mus* cornet *m.*
Korona *f* ‹-, -nen› [ko'ro:na] *astr el* couronne *f; fam (fröhliche Runde)* joyeuse compagnie *f.*
Körper *m* ‹-s, -› ['kœrpər] *anat phys* corps *m; feste(r) ~* (corps) solide *m;* **~bau** *m* conformation (du corps), *fam* anatomie *f;* **k~behindert** *a* handicapé physiquement, infirme; **~behinderte(r)** *m* infirme, diminué *od* handicapé physique, mutilé *m;* **~chen** *n phys* corpuscule *m;* **~form** *f* forme *f* physique; **~gegend** *f* région *f* du corps; **~geruch** *m* odeur *f* corporelle; **~gewicht** *n* poids *m* (du corps); **~haltung** *f* tenue *f,* port, maintien *m;* **~kraft** *f* force *f* physique; **k~lich** *a* corporel, physique; *(stofflich)* matériel; *~~e Anlage f* immobilisation *f* corporelle; *~~e Ertüchtigung f* entraînement *m* (physique); **k~los** *a* sans corps, incorporel; *(unstofflich)* immatériel; **~pflege** *f* hygiène du corps *od* corporelle, soins *m pl* corporels; **~puder** *m* talc *m;* **~schaft** *f adm* corps *m,* corporation, société *f; gesetzgebende ~~* législature *f; ~~ des öffentlichen Rechts* collectivité de *od* entité *f* du droit public; **k~schaftlich** *a* corporatif; **~schaftssteuer** *f* impôt *m* sur les sociétés *od* sur le revenu des personnes morales; **~teil** *m* partie *f* du corps; **~verletzung** *f* blessure, *jur* lésion corporelle, atteinte *f* à l'intégrité corporelle; *fahrlässige, schwere ~~* lésion *f* corporelle par imprudence, grave; **~welt** *f* monde *m* visible.
Korp|oralschaft *f* ‹-, -en› [kɔrpo'ra:lʃaft] *mil* escouade, chambrée *f;* **k~ulent** [-pu'lɛnt] *a* corpulent, replet, obèse; **~ulenz** *f* ‹-, ø› [-'lɛnts] corpulence, réplétion, obésité *f,* embonpoint *m;* **~us** *m* ‹-, -se› ['kɔrpus] *fam* académie *f; f* ‹-, ø› *typ* (corps) dix *m;* **~us juris** *n* ‹--, ø› corps *m* de droit.
Korps *n* ‹-, -› [ko:r] *gen* [ko:r(s)] *pl* [ko:rs] *mil* corps *m; (Univ.)* corporation *f* d'étudiants; *diplomatische(s) ~* corps *m* diplomatique; **~geist** *m* esprit de corps *od* corporatif, sentiment *m* du coude à coude.
korrekt [kɔ'rɛkt] *a* correct; **K~heit** *f* correction *f* ‹-, ø› ; **K~or** *m* ‹-s, -en› [-'rɛktɔr, -'to:rən] *typ* correcteur (d'imprimerie), réviseur *m;* **K~ur** *f* ‹-, -en› [-'tu:r] correction; *typ* épreuve *f; ~~ lesen* lire ou corriger *od* revoir une (*od* des *od* les) épreuve(s); *die erste ~~ lesen (typ)* lire au pouce; *zweite ~~* révision *f;* **K~urabzug** *m,* **K~urbogen** *m* épreuve *f;* **K~urfahne** *f* (épreuve *f* en) placard *m;* **K~urlesen** *n* correction *f* des épreuves; **K~urzeichen** *n typ* signe *m od* marque *f* de correction.
Korrespond|ent *m* ‹-en, -en› [kɔrɛspɔn'dɛnt] correspondant; *com (Angestellter)* correspondancier *m;* **~enz** *f* ‹-, -en› [-'dɛnts] correspondance *f,* courrier *m;* **~enzbüro** *n* agence *f;* **k~ieren** [-'di:rən] *itr* être en correspondance, correspondre (*mit jdm* avec qn).
Korridor *m* ‹-s, -e› ['kɔrido:r] *(Gang)* corridor; *(kleiner)* couloir; *(Hausflur)* vestibule *m;* **~tür** *f* porte *f* d'appartement.
korrigieren [kɔri'gi:rən] *tr (e-n Text)* corriger *a. typ: (zum zweiten Male)* réviser; *allg* rectifier, amender; *sich ~ (beim Sprechen)* se reprendre.
Korrosion *f* ‹-, -en› [kɔrozi'o:n] *geol chem tech* corrosion *f;* **k~sfest** *a* résistant à la corrosion.
korru|mpieren [kɔrum'pi:rən] *tr* corrompre; **K~ption** *f* ‹-, -en› [-ruptsi'o:n] corruption *f.*
Korsar *m* ‹-en, -en› [kɔr'za:r] *mar* corsaire, pirate *m.*
Kors|e *m* ‹-n, -n› ['kɔrzə], **~in** *f* Corse *m f;* **~ika** *n* ['kɔrzika] la Corse; **k~isch** ['kɔrzɪʃ] *a* corse.
Korsett *n* ‹-(e)s, -e/-s› [kɔr'zɛt] corset *m,* gaine *f;* **~stange** *f* busc *m,* baleine *f* de corset.
Korvette *f* ‹-, -n› [kɔr'vɛtə] *mar* corvette *f;* **~nkapitän** *m* capitaine *m* de corvette.
Koryphäe *f* ‹-, -n› [kory'fɛ:ə] coryphée, *fam* as *m.*
Kosak *m* ‹-en, -en› [ko'zak] *hist* Cosaque *m.*
Koschenille *f* ‹-, -n› [kɔʃə'nɪljə] *ent,* **~(farbe)** *f* cochenille *f.*
koscher ['ko:ʃər] *a rel u. allg* ca(w)-cher.
Kosekante *f* ‹-, -n› ['ko:ze'kantə] *math* cosécante *f.*
kose|n ['ko:zən] *tr* caresser, câliner; *itr* faire le câlin; échanger des caresses; **K~name** *m* nom de tendresse, petit nom *m;* **K~wort** *n* mot *m* tendre.
Kosinus *m* ‹-, -› ['ko:zinus] *pl* [-nu:s] *math* cosinus *m.*
Kosm|etik *f* ‹-, ø› [kɔs'me:tɪk] cosmétique, esthétique *f;* **~etiker(in** *f***)** *m* ‹-s, -› [-'me:tikər] esthéticien, ne *m f;* **k~etisch** [-'me:tɪʃ] *a* cosmétique; **k~isch** ['kɔsmiʃ] *a* cosmique; *~~e Strahlung f* rayons *m pl* cosmiques; **~ogonie** *f* ‹-, -n› [-mogo'ni:] cosmogonie *f;* **k~ogonisch** [-'go:niʃ] *a* cosmogonique; **~ologie** *f* ‹-, -n› [-lo'gi:] cosmologie *f;* **k~ologisch** [-'lo:gɪʃ] *a* cosmologique; **~onaut(in** *f***)** *m* ‹-en, -en› [-mo'naut] cosmonaute *m f;* **~onautik** *f* ‹-, ø› [-'nautɪk] cosmonautique *f;* **~opolit** *m* ‹-en, -en› [-po'li:t] cosmopolite *m;* **k~opolitisch** [-'po'li:tɪʃ] *a* cosmopolite; **~os** *m* ‹-, ø› ['kɔsmɔs] univers *m.*
Kost *f* ‹-, ø› [kɔst] *(Essen)* nourriture, (bonne) chère; *(Verpflegung)* table *f,* manger *m; für ~ und Logis (arbei-*

ten) au pair; *freie ~ haben* être nourri; *jdn in ~ geben, nehmen* mettre, prendre qn en pension; *bei jdm in ~ sein* être en pension chez qn; *geistige ~* nourritures *f pl* spirituelles; *auf schmale ~ setzen* mettre au régime (maigre); *gesunde ~* régime *m* sain *od* équilibré; *schmale ~* maigre pitance *f; schwere ~* régime *m* trop riche; *fig* plat *m* indigeste; **~gänger** *m* pensionnaire *m;* **~geld** *n* (prix *m* de la) pension *f;* **~probe** *f (Tätigkeit)* dégustation *f; (Warenprobe)* échantillon *m;* **~verächter** *m: kein ~~ sein* ne pas bouder la bonne chère.

kost|bar ['kɔst-] *a (wertvoll)* précieux, de (grand) prix; *(prächtig)* magnifique, somptueux; **K~barkeit** *f* grande valeur *f,* grand prix; *(Gegenstand)* objet *m* précieux; **~spielig** *a* cher, coûteux, dispendieux, onéreux; **K~spieligkeit** *f* grands coûts *m pl.*

Kosten *pl* ['kɔstən] *(vgl. Unkosten)* coût *m,* frais, dépens *m pl; (Ausgaben)* dépenses *f pl; auf ~ (gen)* aux frais (de); *fig* au détriment (de); *auf eigene ~* à ses (propres) frais; *mit hohen ~* à grands frais; *mit wenig ~* à peu de frais; *die ~ aufbringen* od *bestreiten* od *tragen* subvenir *od* pourvoir aux dépenses, fournir à la dépense *od* aux frais, faire *od* supporter les frais, *fam* payer les violons; *für die ~ aufkommen* faire face aux frais; *~ mit sich bringen* entraîner des frais; *jdm die ~ ersetzen* od *erstatten* rembourser les frais à qn; *auf s-e ~ kommen* rentrer dans *od* faire ses frais *a. fig,* rentrer dans ses débours, récupérer des frais; *fig* trouver son compte *(bei etw* à qc*);* être content; *(bei e-r Unterhaltung)* s'amuser, se distraire; *dabei auf s-e ~ kommen (pop)* s'y retrouver; *nicht auf s-e ~ kommen (fig)* trouver du décompte; en être de sa poche; *bei etw* être la dupe de qc; *auf jds ~ leben* vivre aux dépens, être *od* vivre aux crochets de qn; *keine ~ scheuen, nicht auf die ~ sehen* ne pas regarder à la dépense; *e-n Teil der ~ übernehmen* participer aux frais; *mit ~ verbunden sein, ~ verursachen* entraîner *od* occasionner des dépenses *od* des frais; *die ~ vergüten* od *zurückerstatten* rembourser les frais; *jdn zur Zahlung der ~ verurteilen (jur)* condamner qn aux frais; *diese Flasche geht auf meine ~* c'est moi qui paie cette bouteille; c'est moi qui arrose *fam;* **~anschlag** *m* évaluation *f* des frais, devis *m;* **~aufstellung** *f* état *od* établissement *m* des frais; **~aufwand** *m* frais *m pl,* dépenses *f pl;* **~beteiligung** *f* participation *f* aux frais; **~deckung** *f: bei ~~* par *od* sous bénéfice d'inventaire; **~ersparnis** *f* économie *f* de frais; **~erstattung** *f* restitution *f* des frais; **~frage** *f* question *f* des frais; **k~frei** *a,* **k~los** *a* sans frais, exempt de frais, gratuit; *adv* gratuitement, à titre gracieux; **k~pflichtig** *a* tenu de payer les frais; *adv: ~~ verurteilt werden* être condamné au fond et aux frais; **~punkt** *m* prix *m;* **~rechnung** *f* compte *od* mémoire *m* de(s) frais; *~~ folgt* sous suite de tous frais; **~übernahme** *f* prise *f* en charge de(s) frais; **~überschlag** *m* aperçu *m* des frais; **~umlegung** *f,* **~verteilung** *f* répartition *f* des frais; **~voranschlag** *m* devis *m* estimatif; *e-n ~~ machen* établir un devis estimatif; **~vorschuß** *m* avance *f* des frais, provision *f.*

kosten ⟨*kostete, hat gekostet*⟩ ['kɔstən] *tr* **1.** *(probieren)* goûter (*etw* (à) qc); *(Getränk)* déguster; *(versuchen)* essayer; **2.** coûter, revenir à, valoir; *fig* prendre, demander, exiger; *es sich etw ~ lassen* ne pas regarder à la dépense, y mettre le prix; *es sich viel Mühe ~ lassen* se donner bien du mal; *viel Zeit ~* prendre beaucoup de *od* bien du temps; *das kostet an die 100 Mark* ça va chercher dans les cent marks; *es hat mich* od *mir einige Überwindung gekostet* il a fallu que je fasse un certain effort; *was kostet das?* combien cela coûte-t-il? *pop* ça fait combien? *koste es, was es wolle!* coûte que coûte!

köstlich ['kœstlıç] *a (Speise)* délicat, délicieux, savoureux; *(ausgezeichnet)* exquis; *(hervorragend)* excellent; *(reizend, reizvoll)* charmant; **K~keit** *f* délicatesse; excellence; *(Sache)* chose *f* exquise.

Kostüm *n* ⟨-s, -e⟩ [kɔs'ty:m] *allg* costume; *(Jackenkleid)* (costume) tailleur; *(Maskenkostüm)* travesti *m,* robe *f* de bal masqué; **~ball** *m,* **~fest** *n* bal *m* costumé *od* travesti; **k~ieren** [-ty'mi:rən] *tr* costumer; *(verkleiden)* travestir; **~probe** *f theat* répétition *f* en costume.

Kot *m* ⟨-(e)s, ø⟩ [ko:t] *(Straßenschmutz)* boue, crotte, fange, gadoue; *(Matsch)* bourbe *f; (Exkremente)* excréments *m pl; (Mist)* fiente *f; mit ~ bespritzen* crotter, éclabousser; *von ~ reinigen* décrotter; *im ~ stekkenbleiben* s'embourber; *sich im ~ wälzen (a. fig)* se vautrer dans la boue; *in den ~ ziehen (a. fig)* traîner dans la boue; **~flügel** *m mot* aile *f,* garde-boue, garde-crotte *m (vx);* **k~ig** *a* boueux, crotté, bourbeux.

Kotau *m* ⟨-s, -s⟩ [ko'tau] *(Fußfall)* prosternation; *fig* salamalecs *m pl.*

Kotelett *n* ⟨-(e)s, -s/(-e)⟩ [kotə'lɛt, ko'tlɛt] *(Küche)* côtelette *f;* **~en** *pl (Backenbart)* favoris *m pl.*

Köter *m* ⟨-s, -⟩ ['kø:tər] *pej* mâtin; *(kleiner) fam; arg* cabot *m.*

Kotierung *f* cotation *f* en bourse; *zur ~ zugelassen werden* être admis à la cote officielle.

kotzen ⟨*du kotzt; hat gekotzt*⟩ ['kɔtsən] *itr pop* dégueuler, dégobiller; *mot pop* bafouiller; *das kotzt mich an (fig vulg)* j'en ai marre; *(a.)* je trouve ça dégueulasse *vulg;* **K~** *n mot pop* bafouillage *m.*

Krabb|e *f* ⟨-, -n⟩ ['krabə] *zoo (Taschenkrebs)* crabe, cancre *m; (Garnele)* crevette *f; arch* crochet; *fig fam (Kind, Mädchen)* marmot, môme *m;* **k~eln** ⟨*ist/hat gekrabbelt*⟩ *itr (Käfer)* marcher, grimper; *fam (Kind)* marcher à quatre pattes; *(wimmeln)* grouiller; *tr* ⟨*hat gekrabbelt*⟩ *fam* démanger, gratter; **~ennetz** *n* haveneau, havenet *m.*

Krach *m* ⟨-(e)s, -e/-s/(¨e)⟩ [krax,('krɛçə)] craquement; claquement; *fam (Lärm)* bruit, tapage, fracas, vacarme, *(Radau)* chahut *m; fam (Streit)* brouillerie *f,* grabuge *m; (laute Szene)* scène *f* violente; *fin* krach *m,* débâcle *f; mit Ach und ~* à grand-peine, de justesse; *~ machen (fam) (lärmen)* faire du chahut; *~ schlagen (fam) (e-n Skandal machen)* faire un esclandre; *es kam zum ~* il y eut un esclandre; **k~** *interj* crac! **k~en** ⟨*hat gekracht*⟩ *itr (Donner)* gronder, rouler; *(Bett, Fußboden)* craquer; *(Tür, Schuß)* claquer; *(bersten)* éclater; **~mandel** *f* amande *f.*

krächzen ['krɛçtsən] *itr (Rabe)* croasser; **~d** *a (Stimme)* criard.

krack|en ['krakən] *tr chem tech* cracker; **K~en** *n,* **K~verfahren** *n* cracking *m.*

Krad *n* ⟨-(e)s, ¨er⟩ [kra:t, 'krɛ:dər] *mil* moto(cyclette) *f;* **~melder** *m* agent *m* de liaison *od* de transmission motocycliste, estafette *f* (motocycliste).

Kraft *f* ⟨-, ¨e⟩ [kraft, 'krɛftə] *allg u. phys* force, énergie; *tech* puissance *f; fig (Macht)* pouvoir *m;* intensité *f,* nerf; *(Schwung)* élan *m; (Tatkraft)* énergie; *(Lebenskraft)* vigueur, sève; *(innewohnende, sittliche ~)* vertu; *(Wirksamkeit)* vertu, efficacité *f; (Hilfs-, Arbeitskraft)* aide *m f; aus eigener ~* par ses propres moyens; *in meinen Kräften* en mon pouvoir; *mit aller ~* de toutes mes *etc* forces; *mit voller ~* à plein rendement, à pleins bras; *nach Kräften, nach (besten) Kräften* de mon *etc* mieux; dans la mesure de mes *etc* moyens; énergiquement, vigoureusement; de toute semes *etc* forces; *jdn wieder zu Kräften bringen* ravigoter qn *fam; s-e ganze ~ einsetzen (a. fig)* mettre (tout) le paquet; *für, (um) zu* mettre, employer, consacrer toute son énergie à; *Kräfte (Personal) einstellen* embaucher du personnel; *mit frischen Kräften* avec de nouvelles forces; *Kräfte haben* avoir du biceps *fam od* du muscle *pop; wieder zu Kräften kommen* reprendre des *od* réparer *od* recouvrer ses forces, se réconforter (*durch* par); *s-e Kräfte mit jdm messen* mesurer ses forces avec qn; *Kräfte sammeln* rassembler ses forces; *neue ~ schöpfen* puiser de nouvelles forces (*in* dans); *am Ende s-r ~ sein* être à bout (de son rouleau); *in ~ sein (adm jur)* être en vigueur; *bei Kräften sein* être vigoureux; *außer ~ setzen* abolir; *(wieder) in ~ setzen* (re)mettre en vigueur; *außer ~ treten* cesser d'être en vigueur; *in ~ treten* entrer en vigueur, prendre effet; *alle Kräfte zs.nehmen* rassembler *od* réunir toutes ses forces; *das geht über meine ~* od *Kräfte* cela sur(p)asse mes forces, c'est au-dessus de mes forces *od* de mes facultés; *meine Kräfte haben nachgelassen* mes forces ont baissé *od* diminué; *innewohnende* ~ virtualité *f; rückwirkende* ~ *(jur adm)* effet *m* rétroactif, force *f* rétroactive; *treibende* ~ force motrice, puissance *f* pilote; **k~** *prp gen* en vertu de; **~anlage** *f* centrale *f* de force motrice; **~anstrengung** *f* effort *m; letzte* ~~ rush *m,* dépenses *f pl* de forces; **~aufwand** *m* dépense *f* d'énergie *od* de(s) forces; *mit dem geringsten* ~~ consommant un minimum de puissance; **~ausdruck** *m* mot fort, gros mot *m;* **~bedarf** *m tech* puissance nécessaire *od* requise, énergie *f* absorbée; **~brühe** *f* consommé, bouillon *m;* **~droschke** *f* taxi *m;* **~einheit** *f phys* unité *f* dynamique; **~ersparnis** *f* économie *f* d'efforts; **~fahrabteilung** *f mil* formation *f* motorisée de transport; **~fahrer** *m* automobiliste, chauffeur *m;* **~fahrsport** *m* automobilisme *m;* **~fahrtruppen** *f pl* formations *f pl* motorisées de transport; **~fahrzeug** *n* (véhicule *m*) automobile *f;* **~fahrzeughändler** *m* concessionnaire *m* en automobiles; **~fahrzeugschein** *m* carte *f* grise; **~fahrzeugsteuer** *f* taxe *f od* impôt *m* sur les véhicules *od* voitures *od* automobiles; **~fahrzeugverkehr** *m* circulation *f* automobile; **~fahrzeugversicherung** *f* assurance *f* (sur les) automobiles; **~feld** *n phys* champ *m* de force; **~futter** *n* fourrage *m* concentré; **~leistung** *f* tour *m* de force, performance *f;* **~linie** *f phys* ligne *f* de force *od* de flux; **k~los** *a* sans force *od* énergie *od* vigueur *od* vie; *(schwach)* faible, débile; *scient* asthénique; *(Stil)* cotonneux; *(wirkungslos)* inefficace; *jur* invalide, nul; *für* ~~ *erklären* déclarer nul, invalider; **~loserklärung** *f* invalidation *f;* **~losigkeit** *f* manque *m* de force *od* de vigueur; *(Schwäche)* faiblesse, débilité, langueur, asthénie; *jur* invalidité, nullité *f;* **~meier** *m* ⟨-s, -⟩ *fam* fanfaron, bravache, rodomont *m;* **~mensch** *m* homme fort, athlète, hercule; *arg* malabar *m;* **~messer** *m (Gerät)* dynamomètre *m;* **~nahrung** *f* aliment *m* énergétique; **~post** *f* poste *f* automobile; **~probe** *f* épreuve *f od* tour *m* de force; **~quelle** *f* source *f* énergétique *od* d'énergie; **~rad** *n* moto(cyclette) *f;* **~radfahrer** *m* motocycliste *m;* **~reserve** *f* réserve *f od* appoint *m* de puissance; **k~spendend** *a (Nahrung)* énergétique; **~stoff** *m mot* essence *f,* carburant *m; klopffeste(r)* ~~ supercarburant *m;* **~stoffgemisch** *n* mélange *m;* **~stoffverbrauch** *m* consommation *f* de carburant; **~strom** *m* force *f* (motrice); **k~strotzend** *a* plein de vigueur; **~überschuß** *m* réserve *f* de puissance, excès *m* de force; **~übertragung** *f* transmission de puissance, télédynamie *f;* **~verbrauch** *m* puissance *f* absorbée; **~versorgungsanlage** *f* installation *f* énergétique; **k~voll** *a* plein de force *od* de vigueur, vigoureux; *(kräftig)* énergique; *(Stimme)* vibrant; **~wagen** *m* auto(mobile), voiture *f;* **~wagenbestand** *m* parc *m* automobile; **~werk** *n* centrale (électrique), station *f* électrique.

Kräft|eersparnis *f* ['krɛftə-] épargne *f* des forces; **~egleichgewicht** *n* équilibre *m* des forces; **~ehaushalt** *m* économie *f* des forces; **~everfall** *m med* dépérissement, marasme *m;* **~everlagerung** *f* déplacement *m* des forces; **~ezersplitterung** *f* éparpillement *m* des forces; **k~ig** *a* fort, robuste, solide, puissant, vigoureux; *(Mensch, Tier)* étoffé; *(Nahrung)* substantiel; **k~igen** *tr* fortifier, affermir, restaurer, donner des forces à; **~igung** *f* renforcement, (r)affermissement *m;* **~igungsmittel** *n med pharm* fortifiant, cordial, tonique *m.*

Kragen *m* ⟨-s, -⟩ ['kra:gən] *(allg)* col; *(Kleid, Rock, Mantel a.)* collet; *(loser Hemd~)* faux col *m; jdn beim* ~ *pakken* saisir *od* prendre qn au collet, mettre la main au collet de qn; *nun geht es ihm an den* ~ le voilà pris à la gorge; ça va mal pour lui *fam; das kann ihm den* ~ *kosten* il y va de sa tête; *da platzt einem ja der* ~! *(fam)* je finirai par éclater!; *(halb)steife(r)* ~ col *m* dur (demi-souple); *weiche(r)* ~ col *m* souple; ~ *mit umgebogenen Ecken* col *m* cassé; **~knopf** *m* bouton *m* de col; **~nummer** *f* = *~weite;* **~schoner** *m* cache-col *m;* **~stäbchen** *n* baleine *f* de col; **~weite** *f* encolure *f.*

Kragstein *m* ['kra:k-] *arch* console *f,* corbeau, tasseau *m.*

Krähe|e *f* ⟨-, -n⟩ ['krɛ:ə] *orn* corneille *f; eine* ~~ *hackt der andern nicht die Augen aus (prov)* les loups ne se mangent pas entre eux; **k~en** *itr (Hahn)* chanter; *fig (Mensch)* crier, piailler; **~enfüße** *m pl (Runzeln)* pattes-d'oie *f pl;* **~ennest** *n* nid *m* de corneille; *fig mar* hune, vigie *f;* **~winkel** *n pej (Nest, Kaff)* Trifouillis-les-Oies *f.*

Krakeel *m* ⟨-s, ø⟩ [kra'ke:l] *fam (Lärm)* tapage, grabuge, chahut *m; (Streit)* querelle *f;* **k~en** ⟨*hat krakeelt*⟩ se disputer *itr* faire du tapage *od* grabuge *od* chahut; **~er** *m* ⟨-s, -⟩ braillard; querelleur; casseur *m* d'assiettes.

Krakelfüße *m pl* ['kra:kəl-] *(Gekritzel)* pattes *f pl* de mouche, griffonnage *m.*

Krall|e *f* ⟨-, -n⟩ ['kralə] ongle *m; (Raubtier, Raubvogel)* griffe; *(Raubvogel)* serre *f; die* ~~*n zeigen (bes. fig)* montrer les griffes; **k~en** *tr (mit den Krallen packen)* griffer; *(kratzen)* égratigner; *die Finger in etw* ~~ s'agripper à qc; labourer qc avec les ongles.

Kram *m* ⟨-(e)s, ø⟩ [kra:m] *pej fam (Plunder)* fatras, fourbi, *m; das paßt mir nicht in den* ~ cela ne fait pas mon affaire; *kümmere dich um deinen* ~! occupe-toi de tes affaires; *alte(r)* ~ vieillerie *f; der ganze* ~ *(pop)* tout le bazar, toute la boutique; **k~en** *itr* fouiller, farfouiller (*in* dans); **~laden** *m pej* bric-à-brac *m.*

Krämer *m* ⟨-s, -⟩ ['krɛmər] *vx* od *fig* épicier, boutiquier *m;* **~geist** *m pej* esprit *m* mercantile *od* marchand; **~seele** *f pej* âme *f* mercantile, épicier *m.*

Krammetsvogel *m* ['kraməts-] grive *f.*

Krampe *f* ⟨-, -n⟩ , **~n** *m* ⟨-s, -⟩ ['krampə(n)] *tech* crampon, cavalier *m;* happe, patte-fiche *f; flache(r)* ~ queue *f* de carpe.

Krampf *m* ⟨-(e)s, ¨-e⟩ [krampf, 'krɛmpfə] *med* crampe, convulsion *f,* spasme *m; (fig fam)* embarras *m pl;* simagrées *f pl; Krämpfe bekommen* être saisi de convulsions; **~ader** *f* varice *f;* **~aderbruch** *m* varicocèle *f;* **~adergeschwür** *n* ulcère *m* variqueux; **k~artig** *a* = *k~haft;* **k~en,** *sich* se crisper, se contracter convulsivement; **k~haft** *a* convulsif, spasmodique; *~~e Anstrengungen machen* faire des efforts désespérés; **k~ig** *a* = *k~haft;* **k~stillend** *a* antispasmodique.

Kran *m* ⟨-(e)s, ¨-e/(-e)⟩ [kra:n, 'krɛ:nə] *tech* grue *f,* appareil de levage; *mar* crône *m;* **~arm** *m* flèche *f* de grue; **~führer** *m* grutier, conducteur *m* de grue; **~ich** *m* ⟨-(e)s, -e⟩ ['-nıç] *orn* grue *f; Gemeine(r)* od *Graue(r)* ~~ grue *f* cendrée; **~waage** *f* bascule *f* à grue; **~wagen** *m loc* wagon-grue; *mot* camion-grue *m,* dépanneuse *f.*

krank [kraŋk] malade; *(leidend)* souffrant; *sich* ~ *lachen* se pâmer *od* se tordre de rire; ~ *machen* rendre malade; *sich* ~ *melden* se faire porter malade; ~ *schreiben* déclarer malade; *sich* ~ *stellen* faire le malade, *fam* tirer au flanc; ~ *werden* tomber malade; attraper *od* contracter une *od* être pris d'une maladie; *wieder* ~ *werden* retomber malade; **K~e(r** *m)* *f* malade *m f; (Patient)* client, e *m f;* **~en** ⟨*hat gekrankt*⟩ *itr* être malade, souffrir, être atteint (*an* de); *fig* pécher (*an* par).

kränk|eln ⟨*ich kränk(e)le, du kränkelst, hat gekränkelt*⟩ ['krɛŋkəln] *itr* être maladif *od* malingre *od* souffreteux *od* toujours souffrant; **~en** *tr (verletzen)* blesser, froisser, mortifier; *(beleidigen)* offenser; *(demütigen)* humilier; *(weh tun)* chagriner, peser sur le cœur (*jdn* à qn); **~lich** *a* maladif, malingre, souffreteux, infirme; **K~lichkeit** *f* ⟨-, ø⟩ état *m* maladif; infirmité *f;* **K~ung** *f* blessure *f,* froissement *m,* mortification; offense; humiliation *f.*

Kranken|abteilung *f* ['kraŋkən-] *mil* infirmerie *f;* **~auto** *n* = *~wagen;* **~besuch** *m* visite *f* à un malade; **~bett** *n* lit *m* de malade; **~buch** *n* registre *m* des malades; **~fürsorge** *f* assistance *f* médicale gratuite; **~geld** *n* allocation *od* prestation de maladie, indemnité *f* de maladie *od* journalière; **~haus** *n* hôpital; *(städtisches)* hôtel-Dieu *m; (privates)* maison *f* de santé; *arg* hosto, hosteau *m; in ein* ~~ *aufnehmen, einliefern, einweisen (a.)* hospitaliser; *Aufnahme, Einlieferung, Einweisung f in ein* ~~ *(a.)* hospitalisation *f;* **~haus-**

anlage *f* cité *f* hospitalière; **~hausarzt** *m* médecin *m* d'hôpital; **~hausaufenthalt** *m,* **~hausbehandlung** *f* hospitalisation *f;* **~kasse** *f* caisse *f* de maladie *od* d'assurance-maladie; **~kost** *f* diète *f,* régime *m;* **~lager** *n* = *~bett;* **~pflege** *f* soins *m pl* (donnés aux malades); **~pfleger(in *f*)** *m* infirmier, infirmière *m f,* garde-malade *m f; f* aide *f* soignante; **~schein** *m* bulletin *od* certificat *m od* feuille *f* de maladie; **~schwester** *f* = *~pflegerin;* **~stube** *f* chambre *f* de malade; **~stuhl** *m* chaise *f* de malade; **~träger** *m* brancardier *m;* **~versicherung** *f* assurance-maladie *f;* **~wagen** *m* (fourgon *od* véhicule *m* d')ambulance, voiture-infirmerie, voiture *f* sanitaire; **~wärter(in *f*)** *m* garde-malade *m f; m* infirmier *m;* **~wein** *m* vin *m* médicinal; **~zimmer** *n (im Privathaus)* chambre *f* de malade; *(im Krankenhaus)* salle *f* des malades; **~zug** *m mil loc* train *m* sanitaire.

krank=feiern ⟨*feierte krank, hat krankgefeiert*⟩ *itr fam* prétexter une maladie (pour ne pas travailler); avoir une maladie diplomatique; *arg mil* se faire porter pâle.

krankhaft ['kraŋkhaft] *a* maladif, morbide, pathologique.

Krankheit *f* ⟨-, -en⟩ ['kraŋkhaıt] maladie *f,* mal *m,* affection; *(Leiden)* souffrance *f; e-e ~ bekommen, sich e-e ~ zuziehen* attraper *od* contracter *od* prendre une maladie, être pris d'une maladie; *sich e-e ~ holen (fam)* prendre mal; *e-e ~ haben (fam a)* faire une maladie; **~sbericht** *m* bulletin *m* de santé; **~sbild** *n* tableau de maladie *od* nosographique, syndrome *m;* **~serreger** *m* agent *od* principe *m* pathogène; **~serscheinung** *f* symptôme *m* de maladie; **~sfall** *m* cas *m* de maladie; **k~shalber** *adv* pour cause de maladie, pour raison de santé; **~shäufigkeit** *f* morbidité *f;* **~sherd** *m* foyer *m* de la maladie; **~skeim** *m* germe *m* pathogène; **~sverlauf** *m* marche *f od* cours *m* d'une *od* de la maladie; **~szeichen** *n* signe *m* de *od* d'une maladie.

Kranz *m* ⟨-es, ⸚e⟩ [krants, 'krɛntsə] couronne; *(Toten~)* couronne mortuaire; *fig (Kreis)* ceinture *f;* **~gesims** *n,* **~leiste** *f arch* corniche *f.*

Kränz|chen *n* ⟨-s, -⟩ ['krɛntsçən] petite couronne *f; fig* (petit) cercle *m,* réunion *f,* cénacle *m;* **k~en** *tr* couronner.

Krapfen *m* ⟨-s, -⟩ ['krapfən] *(Gebäck)* beignet *m.*

Krapp *m* ⟨-(e)s, ø⟩ [krap] *(Färberpflanze)* garance *f.*

kraß [kras] *a* crasse *(nur f),* grossier, cru.

Krater *m* ⟨-s, -⟩ ['kra:tər] *geol* cratère *m.*

Kratz|bürste *f* ['krats-] *fig fam* personne *f* revêche; **k~bürstig** *a fig fam* revêche, rébarbatif, récalcitrant, aimable comme une porte de prison; **~e** *f* ⟨-, -n⟩ *tech* grattoir, racloir, râble *m; (Wollkratze)* carde *f;* **~eisen** *n* décrottoir, racloir *m,* racl(ett)e *f;* **k~en** ⟨*du kratzt/kratzest*⟩ *tr* gratter, racler; *(ritzen)* égratigner; *(Katze)* griffer; *tech (Wolle)* carder; *itr* gratter; *(Schreibfeder)* crier, grincer; *auf der Geige ~~* racler du violon; *im Halse ~~* gratter la gorge; *sich (am Kopf, hinter dem Ohr) ~~* se gratter (la tête, l'oreille); *im Sand ~~ (Hund)* gratter le sable; **~er** *m* ⟨-s, -⟩ *(~spur)* rayure; *(~wunde)* égratignure *f;* **~fuß** *m fam iron (Verbeugung)* courbette, révérence *f;* **~geräusch** *n radio* (bruit *m* de) friture *f.*

Krätz|chen *n* ⟨s, -n⟩ ['krɛtsçən] *mil fam (Feldmütze)* calot *m;* **~e** *f* ⟨-, ø⟩ *med* gale, psore, psora, *arg* gratte *f; tech* déchet *m;* **~er** *m* ⟨-s, -⟩ *(Wein)* piquette *f;* **k~ig** *a med* galeux, psorique; **~milbe** *f ent* sarcopte, acarus *m.*

krauen ['krauən] *tr,* **kraulen** ['kraulən] **1.** *tr* gratter doucement; *(streicheln)* caresser. **2.** *itr sport* nager le crawl.

kraus [kraus] *a (Haar)* crépu, frisé; *(Stirn)* ridé; *(Stoff)* froissé; *fig (Gedanken)* embrouillé, confus; *die Stirn ~ ziehen* froncer les sourcils; **K~e** *f* ⟨-, -n⟩ *hist (Hals~)* fraise, collerette *f;* **K~haar** *n* cheveux *m pl* crépus *od* frisés; **~haarig** *a,* **~köpfig** *a* aux cheveux crépus *od* frisés; **K~kopf** *m* tête *f* crépue *od* frisée.

kräusel|n ['krɔyzəln] *tr (Haare)* fris(ott)er, onduler, boucler; *(Wasser)* rider; *(Stoff)* crêper, froncer, plisser; *sich ~~ (Wasser)* se rider; *(Rauch)* tourbillonner; **K~krepp** *m,* **K~perlon** *n (Textil)* mousse *f* (de) nylon, nylon-mousse *m.*

Kraut *n* ⟨-(e)s, ⸚er⟩ [kraut, 'krɔytər] herbe *f; (Kohl)* chou *m; (Pflanzenabfall)* tiges *f pl* (feuillues); *mit fein(gehackt)en Kräutern (Küche)* aux fines herbes; *wie ~ und Rüben (durchea.)* sens dessus dessous; *Kräuter sammeln* herboriser; *ins ~ schießen* monter en graine; *wider den Tod ist kein ~ gewachsen (prov)* il y a remède à tout, hors à la mort; **k~artig** *a* herbacé; **k~en** *itr (jäten)* sarcler; **~junker** *m pej* hobereau *m;* **~kopf** *m* tête *f* de chou; **~sellerie** *m* (feuilles *f pl* de) céleri *m.*

Kräuter|essenz *f* ['krɔytər-], **~extrakt** *m* jus *m* d'herbes; **~käse** *m* fromage *m* aux herbes; **~sammler** *m* herborisateur *m;* **~suppe** *f* bouillon d'herbes *od* aux herbes, potage *m* aux herbes, julienne *f;* **~tee** *m* tisane, infusion *f.*

Krawall *m* ⟨-s, -e⟩ [kra'val] tumulte *m,* bagarre *f,* tapage, *fam* chahut, *pop* boucan, barouf(e) *m.*

Krawatte *f* ⟨-, -n⟩ [kra'vatə] cravate *f;* **~nhalter** *m* pince *f* à cravate; **~nnadel** *f* épingle *f* de cravate.

kraxeln ⟨*ist gekraxelt*⟩ ['kraksəln] *itr dial u. fam* grimper.

Kreatur *f* ⟨-, -en⟩ [krea'tu:r] créature *f.*

Krebs *m* ⟨-es, -e⟩ [kre:ps] *zoo* écrevisse *f; (Taschenkrebs)* crabe, cancre; *med* cancer, carcinome; *astr* Cancer *m;* **k~artig** *a zoo* crustacé; *med* cancéreux; **~bildung** *f* cancérisation *f;* **k~en** *itr* pêcher l'écrevisse; *fig fam* = *den ~gang gehen;* **k~erregend** *a* cancérigène; **~fischerei** *f* pêche *f* aux écrevisses; **~forscher** *m* cancérologue *m;* **~forschung** *f* cancérologie *f;* **~gang** *m* marche *f* en écrevisse *od* à reculons; *den ~~ gehen* aller *od* marcher comme une écrevisse, aller à reculons; *fig fam* faire des progrès à l'envers; **~geschwulst** *f,* **~geschwür** *n* tumeur *f* cancéreuse, carcinome *m;* **k~krank** *a,* **k~leidend** *a* cancéreux; **k~rot** *a* rouge comme une écrevisse; **~schaden** *m fig* chancre *m,* gangrène *f;* **~schere** *f* pince *f* d'écrevisse; **~suppe** *f* bisque *f;* **~zelle** *f med* cellule *f* cancéreuse.

Kredenz *f* ⟨-, -en⟩ [kre'dɛnts] crédence *f,* dressoir *m;* **k~en** *tr* offrir, présenter.

Kredit 1. *m* ⟨-(e)s, -e⟩ [kre'di:t] *fin* crédit; *fig (Ansehen)* crédit *m* réputation *f;* **2.** *n* ⟨-s, -s⟩ ['kre:dıt] *(Haben)* avoir *m; auf ~* à crédit, à terme; *e-n ~ aufnehmen* avoir recours à un crédit; *jdm e-n ~ einräumen* od *gewähren* od *geben* accorder *od* allouer *od* consentir un crédit à qn; *e-n ~ eröffnen* ouvrir un crédit; *~ haben* avoir du crédit; *fig* jouir d'un (grand) crédit; *jdm ~ verschaffen* accréditer qn; *kurz-, langfristige(r) ~* crédit *m* à court, long terme; **~abkommen** *n* contrat *m* d'emprunt; **~abteilung** *f* service *m* des crédits; **~antrag** *m* demande *f* d'ouverture de crédit; **~anstalt** *f,* **~bank** *f* établissement *m od* institution *od* banque *f* de crédit; **~auskunft** *f* renseignements *m pl* de crédit; **~brief** *m* lettre *f* de crédit, accréditif *m;* **~eröffnung** *f* ouverture *f* de crédit; **k~fähig** *a* solvable; **~fähigkeit** *f* solvabilité *f;* **~geber** *m* créditeur *m;* **~genossenschaft** *f* coopérative *f* de crédit; **~geschäft** *n* opération *f* de crédit; **~gewährung** *f* octroi *m* d'un crédit; **~grenze** *f* limite *f* de crédit; **k~ieren** [-'ti:rən] *tr* créditer *(jdm etw* qn de qc*);* **~institut** *n* = *~anstalt;* **~kauf** *m* achat *m* à crédit *od* à terme; **~markt** *m* marché *m* financier; **~nehmer** *m* emprunteur *m;* **~or** *m* ⟨-s, -en⟩ ['kre:ditɔr, -'to:rən] = *~geber;* **~orenkonto** *n* compte *m* créditeur; **~posten** *m* poste *m* créditeur; **~seite** *f* crédit, avoir *m;* **~system** *n,* **~wirtschaft** *f* régime *m* des crédits; **~wesen** *n* organisation *f* du crédit; **k~würdig** *a* digne de crédit, solide; **~würdigkeit** *f* solidité *f.*

Kreide *f* ⟨-, -n⟩ ['kraıdə] craie *f; geol a.* = *~zeit; bei jdm in der ~ stehen (fam)* avoir une ardoise chez qn; *bunte ~* craie *f* de couleur; *Stück n ~* bâton *m* de craie; **k~artig** *a geol* crayeux, crétacé; **k~bleich** *a,* **k~weiß** *a fig* blanc comme un linge; **~fels(en)** *m* roche *f* crétacée; **k~haltig** *a,* **kreidig** *a* crayeux; **~zeichnung** *f* (dessin au) crayon *m;* **~zeit** *f geol* crétacé *m.*

Kreis *m* ⟨-es, -e⟩ [kraıs, -zə(s)] *math u. fig* cercle; *allg* rond; *fig (bes. Sa-*

gen~) cycle m; (Lebens~, Bereich) sphère f, milieu, domaine; (~ Gleichgesinnter) cercle, (kleiner) cénacle; (Verwaltungsbezirk) district, arrondissement, canton m; im ~e en rond, circulairement; fig (mit gen) au od dans le sein (de); im ~ (herum) à la ronde; in (gut)unterrichteten ~en dans les milieux (bien) informés; im ~e der Seinen od s-r Lieben au sein de sa famille, parmi les siens; e-n ~ beschreiben décrire od tracer un cercle; e-n ~ bilden former un od se ranger en cercle; sich im ~e setzen s'asseoir en rond; im ~ sitzen, tanzen être assis, danser en rond; immer weitere ~e ziehen (fig) (Vorfall) avoir des répercussions de plus en plus larges; amtliche ~e milieux m pl officiels; die führenden ~e les dirigeants m pl; **~abschnitt** m math segment m; **~arzt** m médecin m administratif; **~ausschnitt** m math secteur m; **~bahn** f astr orbite f; in e-e ~~ (um die Erde) bringen mettre en od sur orbite, satelliser; in e-e ~~ treten um s'inscrire sur une orbite autour de; **~bewegung** f mouvement m circulaire od giratoire od de rotation; **~bogen** m math arc m (de cercle); **~el** m ‹-s, -› toupie f; (kleiner) sabot; phys tech gyroscope m; **~elbewegung** f mouvement m gyroscopique; **~elhorizont** m aero horizon m artificiel; **~elkompaß** m mar aero compas m gyroscopique; **k~eln** itr tournoyer, pirouetter, tourbillonner; **~elpumpe** f pompe f rotative od centrifuge; **~elwirkung** f effet m gyroscopique; **k~en** ‹du kreis(es)t; ist/hat gekreist› itr effectuer un mouvement circulaire, tourner (um autour de); (Raubvogel, aero) tournoyer; (Blut, Geld) circuler; (in der Runde) ~~ (Becher) circuler à la ronde; **~fläche** f (aire f du) cercle m; **k~förmig** a circulaire, rond, orbiculaire, en cercle; **~frequenz** f el pulsation f; **~lauf** m mouvement m circulaire, rotation, (Blut) circulation; astr révolution f; (der Natur) cycle m; (der Jahreszeiten) succession f; **~lauforgane** n pl appareil m circulatoire; **~laufstörungen** f pl troubles m pl de la circulation od circulatoires; **~linie** f math ligne f circulaire; **~prozeß** m tech cycle m; **k~rund** a circulaire, rond; **~säge** f scie f circulaire; fam (Strohhut) canotier m; **~stadt** f chef-lieu m (d'arrondissement etc); **~umfang** m math circonférence f (du cercle); **~verkehr** m mot trafic circulaire, sens m giratoire.

kreischen ['kraɪʃən] itr criailler, fam brailler; (Vögel) piailler; (Säge, Tür) crier, grincer; **~d** a (Stimme) aigu, perçant, criard; de crécelle.

kreiß|en ['kraɪsən] itr être en mal d'enfant; **K~ende** f ['-səndə] femme f en mal d'enfant; **K~saal** m salle f de travail.

Krematorium n ‹-s, -rien› [krema'to:rium, -riən] crématorium, (four) crématoire m.

Krempe f ‹-, -n› ['krɛmpə] (Hut) (re-)bord m.

Krempel ['krɛmpəl] **1.** m ‹-s, ø› fam (Kram) fatras m; fourbi, bric-à-brac m; der ganze ~ (pop) tout le bazar od tremblement.

Krempel 2. f ‹-, -n› ['krɛmpəl] tech (Spinnerei) carde, machine f à carder; **k~n** tr tech carder.

Kreol|e m ‹-n, -n› [kre'o:lə], **~in** f créole m f.

krepieren ‹ist krepiert› [kre'pi:rən] itr (Lebewesen) crever; mil éclater; pop (Mensch) a. casser sa pipe.

Krepp m ‹-s, -s/-e› [krɛp] (Flor, Gummi) crêpe m; **~(p)apier** n papier m crêpé od crêpon; **~sohle** f semelle f (de) crêpe.

Kresse f ‹-, -n› ['krɛsə] bot cresson m.

Kret|a n ['kre:ta] geog la Crète; **~er(in f)** m ‹-s, -› Crétois, e m f.

Kreuz n ‹-es, -e› [krɔʏts] allg u. rel croix f; mus dièse; (Kartenspiel) trèfle m; fig (Leid) croix, souffrance, affliction f, chagrin m; anat reins m pl; in die ~ und (in die) Quere, k~ und quer en tous sens, à hue et à dia; über ~ en croix; sich das ~ brechen se casser les reins; aufs ~ fallen (fig fam) tomber des nues; vor jdm zu ~e kriechen fléchir od plier le genou, courber l'échine, s'aplatir devant qn; das ~ predigen (hist) prêcher la croisade; ein ~ schlagen faire le signe de la croix, se signer; ans ~ schlagen attacher à od clouer à od sur la croix, mettre sur la od en croix; mir tut das ~ weh j'ai mal aux reins; es ist ein ~ c'est un malheur od un calvaire; das Eiserne ~ la croix f de fer; **~abnahme** f (Kunst) descente f de croix; **~band** n: unter ~~ sous bande; **~bandsendung** f envoi m sous bande; **~bein** n anat sacrum m; **~blume** f arch fleuron m; **k~brav** a sage comme une image; **~dorn** m bot nerprun m; **k~en** ‹du kreuz(es)t; hat gekreuzt› tr croiser; (Straße) couper; (überschreiten) traverser; (Rassen) croiser, hybrider, métisser; itr mar croiser; (beim Segeln) louvoyer; sich ~~ (Straßen) se couper; (Briefe, Rassen) se croiser; **~er** m ‹-s, -› mar croiseur m; **~erhöhung** f (Kunst) exaltation f de la sainte croix; **~estod** m supplice m de la croix; **~eszeichen** n signe m de la croix; **~fahrer** m hist croisé m; **~fahrt** f hist croisade; mar croisière f; **~feuer** n feu m croisé; ins ~~ nehmen prendre entre deux feux; **k~fidel** a gai comme un pinson; **k~förmig** a en (forme de) croix; scient crucial, bes. bot cruciforme; **~gang** m arch rel cloître m; **~gelenk** n tech articulation f à cardan; **~gewölbe** n arch voûte f d'arête; **~heer** n croisés m pl; **k~igen** tr crucifier; **~igung** f mise en croix, crucifixion f, crucifiement m; **~kopf** m tech mot tête f de od du piston; **~kraut** n bot séneçon m; **k~lahm** a éreinté, fourbu; (Pferd, Hund) épointé; **~mast** m mar mât m d'artimon; **~otter** f vipère f commune; **~ritter** m = ~fahrer; **~schmerzen** m pl mal m aux od de reins; ~~ haben avoir mal aux reins; **~schnabel** m orn bec-croisé m; **~see** f mar mer f contraire; **~spinne** f araignée f porte-croix; **~stich** m (Stickerei) point m de croix od croisé; **~tragung** f (Kunst) portement m de croix; **~ung** f croisement m a. loc biol; (Weg~) croisée f; (Straßen~) carrefour m, intersection f; (Übergang) passage; loc appareil m de voie; biol hybridation f; **k~unglücklich** a fam malheureux comme les pierres; **~ungspunkt** m point m d'intersection; **~verband** m med bandage croisé, spica m; **~verhör** n jur audition f od interrogatoire m contradictoire; ins ~~ nehmen interroger contradictoirement; **~weg** m carrefour; rel chemin m de croix; **k~weise** adv en (forme de) croix; **~worträtsel** n mots m pl croisés; **~zug** m hist croisade f.

kribb|(e)lig [krɪb(ə)lɪç] a fam irritable, nerveux, impatient; **~eln** ‹ich kribble› itr fam (jucken) démanger; (wimmeln) fourmiller, grouiller.

Kricket n ‹-s, ø› ['krikət] sport cricket m.

kriech|en ‹kroch, ist gekrochen› [kri:çən, (-)krɔx(-)] itr ramper, se traîner; bot ramper, tracer; vor jdm (fig) ramper devant qn, cirer les bottes de qn, flagorner qn; zu Kreuze ~~ baisser pavillon, faire amende honorable; **~end** a rampant; **K~er** m ‹-s, -› fig pej reptile, flagorneur, lèche-bottes m; ein ~~ sein (a.) avoir l'échine souple od flexible, avoir les reins souples; **K~erei** f [-'raɪ] pej servilité, flagornerie f; **~erisch** a rampant, servile; **K~tier** n reptile m.

Krieg m ‹-(e)s, -e› [kri:k, -gə(s)] guerre; in ~ und Frieden à la guerre et en temps de paix; sich im ~ befinden être en guerre; jdm den ~ erklären déclarer la guerre à qn; gegen jdn ~ führen faire la guerre à qn; im ~ sein être en guerre, porter les armes; ~ spielen (Kinder) jouer à la petite guerre; in den ~ ziehen (s'en) aller od partir en guerre; ~ ist ~ c'est la guerre; à la guerre comme à la guerre; Eintritt m in den ~ entrée f en guerre; heiße(r), kalte(r) ~ guerre f chaude, froide; totale(r) ~ guerre f totale; zum ~ gerüstet armé pour la guerre; ~ bis aufs Messer guerre f à outrance od à mort; **~er** m ‹-s, -› guerrier, homme m de guerre; alte(r) ~~ vétéran m; **~erdenkmal** n ‹-s, ¨-er› monument m aux morts (de la guerre); **k~erisch** a guerrier, belliqueux, belliciste, martial; ~~e Haltung f bellicisme m; **~erverein** m association f d'anciens combattants; **~erwitwe** f veuve f de guerre; **k~führend** a belligérant; die ~~en Mächte f pl les belligérants; Status m e-r ~~en Macht belligérance f; **~führung** f conduite od direction f de la guerre; oberste ~~ direction f suprême de la guerre.

kriegen ['kri:gən] tr fam (bekommen, erhalten) avoir, recevoir, (Erstrebtes) obtenir; (e-e Krankheit) attraper, prendre; (ein Kind erwarten) attendre, *(zur Welt bringen)* accoucher de; *(es mit der) Angst* ~ prendre peur; *nicht genug* ~ *(können)* ne jamais avoir assez (*von* de); *Hunger, Durst* ~ prendre faim, soif; *geschenkt* ~~ recevoir en cadeau; *er ist nicht totzu*~ il est infatigable *od* increvable; *ich werde dich schon* ~*!* je t'aurai bien, je te retrouverai; je t'attraperai bien; *da kriegst du es mit mir zu tun* tu auras affaire à moi; **K~** *n:* ~~ *spielen* jouer à se poursuivre.

Kriegs|akademie *f* ['kri:ks-] école (supérieure) de guerre, école *f* militaire; **~anleihe** *f* emprunt *m* de guerre; **~ausbruch** *m: bei* ~~ à la déclaration de guerre, au début des hostilités; **~auszeichnung** *f* médaille *f* militaire; **~beil** *n: das* ~~ *begraben, wieder ausgraben* enterrer la hache de guerre, reprendre le sentier de la guerre; **~bemalung** *f* maquillage *m* de guerre; **k~bereit** *a* sur le pied de guerre; **~bereitschaft** *f: in* ~~ sur le pied de guerre; **~bericht(erstatt)er** *m* correspondant *m* aux armées; **~beschädigte(r)** *m* mutilé *m* de (la) guerre; **~blinde(r)** *m* aveugle *m* de guerre; **~brauch** *m* usages *m pl* de la guerre; *nach* ~~ de bonne guerre; **~dienst** *m* service *m* de guerre; **~dienstpflicht** *f* obligation *f* de service de guerre; **~drohung** *f* menace *f* de guerre; **~ende** *n* fin *f* de la guerre; **~entschädigung** *f* indemnité(s *pl*) *f* de guerre; **~ereignisse** *n pl* événements *od* faits *m pl* de guerre; **~erfahrung** *f* expérience *f* de la guerre; **~erklärung** *f* déclaration *f* de guerre; **~fall** *m: im* ~~ en cas de guerre; **~fuß** *m: mit jdm auf dem* ~~ *stehen* être *od* vivre sur le pied de guerre, être brouillé avec qn; **~gefahr** *f* danger *m od* menace *f* de guerre; **~gefangene(r)** *m* prisonnier *m* de guerre; **~gefangenenlager** *n* camp *m* de prisonniers de guerre; **~gefangenschaft** *f* captivité *f; in* ~~ *geraten* od *kommen* être fait prisonnier (de guerre); **~gericht** *n* conseil *m* de guerre, cour *f* martiale; *vor ein* ~~ *stellen* traduire en conseil de guerre; **~gerüchte** *n pl* bruits *m pl* de guerre; **~geschädigte(r)** *m* sinistré *m* de guerre; **~geschichte** *f* histoire *f* militaire; **~gewinn** *m* profit *m* de (la) guerre; **~gewinnler** *m* profiteur de guerre; **k~sgewohnt** *a* aguerri; **~glück** *n* fortune *f* des armes; **~hafen** *m* port *m* de guerre *od* militaire; **~handlung** *f* acte *od* fait *m* de guerre; **~herr** *m: Oberste(r)* ~~ chef suprême, généralissime *m;* **~hetzer** *m* fomentateur *od* fauteur *m* de guerre; **~industrie** *f* industrie *f* (du matériel) de guerre; **~kamerad** *m* compagnon *m* d'armes; **~kind** *n* enfant *m* né pendant la guerre; **~kosten** *pl* frais *m pl* de la guerre; **~kunst** *f* art *m* militaire *od* de la guerre; **~lasten** *f pl* charges *od* contributions *f pl* de guerre; **~list** *f* ruse *f* de guerre, stratagème *m;* **~marine** *f* marine *f* de guerre; **~material** *n* matériel *m* de guerre; **~minister(ium** *n)* *m* minist(è)re *m* de la guerre; **k~müde** *a* las de la guerre; *adv* de guerre lasse; **~opfer** *n* victime *f* de guerre; **~potential** *n* potentiel *m* de guerre; **~psychose** *f* psychose *f* de guerre; **~rat** *m* conseil *m* de guerre; **~recht** *n* droit *m* de (la) guerre, lois *f pl* de la guerre, législation *f* martiale; *nach* ~~ de bonne guerre; **~(sach)schaden** *m* dommage (matériel) *od* sinistre *m* de guerre; **~schauplatz** *m* théâtre *m* de la guerre *od* des opérations; **~schiff** *n* navire *od* bâtiment *od* vaisseau *m* de guerre; **~schuld** *f* responsabilité *f* de (la) guerre; **~schulden** *f pl* dettes *f pl* de guerre; **~schuldfrage** *f* question *f* des responsabilités de la guerre; **~schule** *f* école *f* de guerre; **~spiel** *n* jeu *m* de (la) guerre; **~stärke** *f* effectif(s *pl*) *m* de guerre; **~stärkenachweis** *m* tableau *m* des effectifs de guerre *od* d'effectifs; **~tagebuch** *n* carnet(s *pl*) de guerre; journal *m* de marche; **~taten** *f pl* exploits guerriers, faits *m pl* de guerre *od* d'armes; **~teilnehmer** *m* *(ehemaliger)* ancien combattant *m;* **~teilnehmerabzeichen** *n* médaille *f* commémorative; **~treiber** *m* fauteur de guerre, belliciste *m;* **~verbrechen** *n* crime *m* de guerre; **~verbrecher** *m* criminel *m* de guerre; **~versehrte(r)** *m* = *~beschädigte(r);* **k~verwendungsfähig** *a (k.v.)* apte à faire campagne; **~vorbereitungen** *f pl* préparatifs *m pl* de guerre; **k~wichtig** *a* stratégique; **~wirren** *pl* troubles *m pl* de la guerre; **~wirtschaft** *f* économie *f* de guerre; **~wissenschaft** *f* science *f* militaire; **~zeit** *f* temps *m* de guerre; **~ziele** *n pl* objectifs *m pl* de la guerre; **~zucht** *f* discipline *f* militaire; **~zug** *m* expédition *f* militaire; **~zustand** *m* état *m* de guerre; *sich im* ~~ *befinden* être en guerre; *in den* ~~ *versetzen* mettre sur le pied de guerre.

Krim [krɪm], *die* la Crimée; **~krieg,** *der* la guerre de Crimée; **~stecher** *m* jumelle(s *pl*) *f* (de campagne).

krimin|al [krimi'na:l] *a* criminel; **K~alabteilung** *f* chambre *f* criminelle; **K~albeamte(r)** *m* officier *m* de police judiciaire; **K~alfall** *m* affaire *f* criminelle; **K~alfilm** *m* film *m* policier; **K~algericht** *n* tribunal *m* criminel; **K~alistik** *f* ⟨-, ø⟩ [-'lɪstɪk] criminologie *f;* **K~alität** *f* ⟨-, ø⟩ [-li'tɛ:t] criminalité *f;* **K~alpolizei** *f* police *f* judiciaire; *die* ~~ *(in Frankr.)* la Sûreté; **K~alroman** *m* roman *m* policier; **~ell** [-'nɛl] *a* criminel; **K~ologie** *f* ⟨-, ø⟩ [-nolo'gi:] criminologie *f.*

Krimskrams *m* ⟨-(es), ø⟩ ['krɪmskrams, (-zəs)] *fam (Plunder)* bric-à-brac, fatras, fourbi *m.*

Kringel *m* ⟨-s, -⟩ ['krɪŋəl] *(Gebäck)* craquelin, bretzel *m.*

Krinoline *f* ⟨-, -n⟩ [krino'li:nə] crinoline *f.*

Krippe *f* ⟨-, -n⟩ ['krɪpə] *(Futter~)* mangeoire, crèche; *(Weihnachts~; Anstalt)* crèche *f.*

Kris *m* ⟨-es, -e⟩ [kri:s, -zəs] *(Dolch der Malaien)* criss *m.*

Kris|e *f* ⟨-, -n⟩ ['kri:zə] crise *f; e-e* ~~ *herbeiführen* entraîner *od* provoquer une crise; **k~eln** *itr impers: es* ~*elt* une crise se prépare; **k~enfest** *a* à l'abri des crises; **~engefahr** *f* menace *f* de crise; **~enzeit** *f* temps *m* de crise; **~is** *f* ⟨-, -sen⟩ ['kri:zɪs] = ~*e.*

Kristall *m* ⟨-s, -e⟩ *(Körper), n* ⟨-s, ø⟩ [krɪs'tal] *(geschliffenes Glas)* cristal *m;* **k~ähnlich** *a* cristalloïde; **k~artig** *a* cristallin; **~bildung** *f* cristallisation *f;* **~detektor** *m radio* détecteur *m* à (cristal de) galène; **~eis** *n* glace *f* cristalline; **k~en** *a* de cristal, cristallin; **~fabrik(ation)** *f* cristallerie *f;* **~glas** *n* cristal *m;* **~grube** *f* cristallière *f;* **k~in(isch)** [-'li:n(ɪʃ)] *a* cristallin; **~isation** *f* ⟨-, -en⟩ [-zatsi'o:n] = *~bildung;* **~isationsgefäß** *n* cristallisoir *m;* **k~isieren** [-li'zi:rən] *tr* cristalliser; *itr* (se) cristalliser; **k~klar** *a* cristallin; **~ographie** *f* ⟨-, ø⟩ [-logra'fi:] cristallographie *f;* **~oid** *n* ⟨-(e)s, -e⟩ [-lo'i:t, -də] *chem* cristalloïde *m;* **~sachen** *f pl,* **~waren** *f pl* cristaux *m pl;* **~schleifer** *m,* **~sucher** *m* cristallier *m;* **~zucker** *m* sucre *m* cristallisé.

Krit|erium *n* ⟨-s, -rien⟩ [kri'te:rium, -rien] critérium, critère *m;* **~ik** *f* ⟨-, -en⟩ [-'ti:k] critique *f,* examen *m; (negative a.)* censure *f; unter aller* ~~ au-dessous de tout; *Anlaß zur* ~~ *geben* donner prise *od* se prêter à la critique; *e-e gute* ~~ *haben* être bien accueilli par la critique; ~~ *üben* se livrer à la critique; critiquer (*an etw* qc); **~ikaster** *m* ⟨-s, -⟩ [-ti'kastər] *pej* criticailleur, démolisseur *m;* **~iker** *m* ⟨-s, -⟩ ['kri:tikər] critique, censeur *m;* **k~iklos** *a (Mensch)* sans esprit critique; *adv* sans critiquer; **~iklosigkeit** *f* absence *f od* manque *m* de sens critique; **k~isch** ['kri:tɪʃ] *a* critique; ~~*e(r) Moment m* moment *m* psychologique; **k~isieren** [-ti'zi:rən] *tr* critiquer; *(negativ)* censurer.

kritt|eln ['krɪtəln] *itr* ergoter (*an, über etw* sur qc); **K~ler** *m* ⟨-s, -⟩ critique pédant, chicanier, ergoteur *m.*

Kritz|elei *f* ⟨-, -en⟩ [krɪtsə'laɪ] griffonnage *m;* pattes *f pl* de mouche; **k~(e)lig** *a* griffonné; **k~eln** *tr u. itr* griffonner.

Kroki *n* ⟨-s, -s⟩ [kro'ki:] *mil (Geländeskizze)* croquis *m.*

Krokodil *n* ⟨-s, -e⟩ [kroko'di:l] crocodile *m;* **~stränen** *f pl* larmes *f pl* de crocodile.

Krokus *m* ⟨-, -/-sse⟩ [kro:kus] *bot* crocus *m.*

Kron|e *f* ⟨-, -n⟩ ['kro:nə] couronne *(a. als Währungseinheit, Zahnersatz u. tech); (Baumkrone)* cime, houppe *f; arch* couronnement *m; einen in der* ~~ *(e-n Schwips) haben (fam)* être éméché; *das setzt allem die* ~~ *auf* c'est le comble; *was ist Ihnen in die* ~~ *gefahren? (fam)* quelle mouche vous a piqué? **~enkranich** *m* grue *f* couronnée; **~erbe** *m,* **~gut** *n,* **~juwelen** *n pl* héritier, bien *m,* joyaux *m pl* de la couronne; **~leuchter** *m* lustre *m;* **~prätendent** *m,* **~prinz** *m* prince impérial, royal; *(französischer)* dauphin *m;* **~prinzessin** *f* princesse *f* impériale, royale; **~rat** *m* conseil *m* de la couronne; **~zeuge** *m* témoin principal *od* numéro un, témoin-clé *m.*

krön|en ['krø:nən] *tr a. fig* couronner; *fig* mettre le sceau à; *von Erfolg gekrönt sein (a.)* se solder par un succès; **K~ung** *f* couronnement *m;* *~~ Mariä (Kunst)* couronnement *m* de la Vierge.

Kropf *m* ⟨-(e)s, ¨-e⟩ [krɔpf, 'krœpfə] *orn* jabot, gésier; *med* goitre *m;* **k~ig** *a med* goitreux; **~taube** *f orn* pigeon *m* boulant.

kröpf|en ['krœpfən] *tr (Raubvogel)* manger; *tech* couder, épauler; *Gänse ~~* gaver des oies *f pl;* **~ig** *a med* goitreux; **K~ung** *f tech* coude, étranglement *m.*

Kröseleisen n ['krø:zəl-] *tech* grésoir, grugeoir *m.*

Krösus *m* ⟨-, -sse⟩ ['krø:zus, -sə] *(Reicher)* crésus, nabab *m.*

Kröte *f* ⟨-, -n⟩ ['krø:tə] *zoo* crapaud *m; fig fam pej* teigne *f.*

Krück|e *f* ⟨-, -n⟩ ['krʏkə] béquille; *tech metal* crosse *f,* râble; *(Papierfabrikation)* ferlet; *(zum Kalkrühren)* rabot; *(Brauerei)* brassoir *m; an ~~n gehen* marcher avec des béquilles; **~stock** *m = ~e.*

Kruckenkreuz *n* ['krukən-] croix *f* potencée.

Krug *m* ⟨-(e)s, ¨-e⟩ [kru:k, 'kry:gə] cruche, jarre *f,* broc; *(kleiner)* cruchon, pichet *m; dial (Gasthaus, Schenke)* auberge *f,* cabaret *m; der ~ geht so lange zum Brunnen, bis er bricht (prov)* tant va la cruche à l'eau qu'à la fin elle se casse.

Krume *f* ⟨-, -n⟩ ['kru:mə] *(Brot~)* mie; *(Acker~)* terre *f* arable.

Krüm|el *m* ⟨-s, -⟩ ['kry:məl] *(kleine Krume)* miette *f; allg* brin *m;* **k~(e)lig** *a* friable; **k~eln** ⟨*ich krüm(e)le*⟩ *tr* émietter; *itr* s'émietter.

krumm [krum] *a* courbe, courbé, crochu; *(verkrümmt, verwachsen, schief)* tordu, tors; *~ biegen* courber, tordre; *~e Wege gehen (fig)* suivre des chemins tortueux; *sich ~ (und schief) lachen* se tordre de rire; *~e Finger machen (fam: stehlen)* chiper, chaparder; *keinen Finger ~ machen (fig fam: nichts tun)* ne pas remuer le petit doigt; *etw auf die ~e Tour machen* prendre les chemins de traverse pour arriver à qc; atteindre qc par des voies détournées; *~ und lahm schlagen* rouer de coups; battre comme plâtre; *~ sitzen* se tenir courbé; *~ werden* se courber; se voûter; *metal (beim Härten)* s'envoiler; *~e Beine n pl* jambes *f pl* torses; *~e Linie f* ligne *f* courbe; *~e Nase f* nez *m* crochu; *~e Touren f pl (fam)* voies *f pl* obliques; **~beinig** *a* aux jambes torses, bancal; **K~darm** *m anat* iléon, iléum *m;* **K~holz** *n* bois *m* tortu; **~linig** *a math* curviligne; **~=nehmen** ⟨*hat krummgenommen*⟩ *tr fam (übelnehmen)* prendre de travers; mal prendre; **K~säbel** *m* cimeterre *m;* **K~stab** *m rel* crosse, houlette *f.*

krümm|en ['krʏmən] *tr* (re)courber, (re)plier, cambrer; *(verbiegen)* contourner, déformer; *sich ~~* se courber, se (re)plier; *(sich winden)* se tordre, se tortiller; *sich ~~ vor Lachen, Schmerzen* se tordre de rire, de douleur; *sich ~~ und winden (fig)* tergiverser; se tortiller (pour ne pas dire qc); *ihm wurde kein Haar ge~t* on n'a pas touché (à) un cheveu de sa tête; **K~ung** *f* courbe, courbure, incurvation *f;* **K~ungsradius** *m math* rayon *m* de raccordement.

Krupp *m* ⟨-s, ø⟩ [krup] *med* croup *m.*

Kruppe *f* ⟨-, -n⟩ ['krupə] *(des Pferdes)* croupe *f.*

Krüppel *m* ⟨-s, -⟩ ['krʏpəl] estropié, infirme, invalide; *(einarmiger)* manchot; *(ohne Beine)* cul-de-jatte; *(ohne Arme und Beine)* homme-tronc *m; zum ~ machen* estropier; **k~haft** *a,* **krüpp(e)lig** *a* estropié, infirme.

Krust|e *f* ⟨-, -n⟩ ['krustə] croûte *a. med; med (Schorf) a.* escarre *f;* **~enbildung** *f* encroûtement *m; geol* incrustation; *med* escarrification *f;* **~entier** *n* crustacé *m* **k~ig** *a* en croûte; recouvert d'une croûte.

Kruzifix *n* ⟨-es, -e⟩ ['kru:-, krutsi'fɪks] crucifix *m.*

Krypt|a *f* ⟨-, -ten⟩ ['krʏpta] *arch rel* crypte *f;* **~on** *n* ⟨-s, ø⟩ ['kryptɔn, -'to:n] *chem* crypton *m.*

Kübel *m* ⟨-s, -⟩ ['ky:bəl] baquet, cuveau *m,* benne, tinette *f; (Eimer)* seau *m; mar* baille *f; es gießt wie mit ~n* il pleut à (pleins) seaux.

kub|ieren [ku'bi:rən] *tr (zur 3. Potenz erheben)* cuber; *geläufiger:* élever au cube *od* à la puissance trois; **K~ikmaß** *n* [ku'bi:k-] mesure *f* de volume; **K~ikmeter** *n, a. m* mètre cube; *(Holzmaß)* stère *m;* **K~ikwurzel** *f math* racine *f* cubique; **K~ikzahl** *f* (nombre) cube *m;* **K~ikzentimeter** *n, a. m* centimètre *m* cube; **~isch** ['ku:bɪʃ] *a* cubique; **K~ismus** *m* ⟨-, ø⟩ [-'bɪsmus] *(Kunst)* cubisme *m;* **K~us** *m* ⟨-, -/-ben⟩ ['ku:bus] *pl* ['ku:bus, '-bən] *math (Würfel)* cube *m.*

Küche *f* ⟨-, -n⟩ ['kʏçə] cuisine; *fam* popote, *pop* tambouille; *mar* cambuse *f; die ~ besorgen* faire la cuisine; *in der ~ helfen* aider à la cuisine, mettre la main à la pâte; *sie steht den ganzen Tag in der ~ (fig)* elle n'a pas d'autre horizon que sa cuisine *od* son ménage; *kalte ~* repas *m (pl)* froid(s); *moderne ~* cuisine *f* fonctionnelle; **~nabfälle** *m pl* déchets *m pl* de cuisine, épluchures *f pl;* **~nbenutzung** *f* usage *m od* utilisation *od (Recht)* jouissance *f* de la cuisine; **~nbulle** *m arg mil* cuistot *m;* **~nchef** *m* chef (de cuisine *od* cuisinier), cuisinier *m* chef; **~nfee** *f hum* fée *f* de la cuisine; **~ngarten** *m* (jardin) potager *m;* **~ngerät** *n* ustensile *m* de cuisine; **~ngeschirr** *n* batterie *f* de cuisine; **~nherd** *m* fourneau *m* de cuisine, cuisinière *f;* **~njunge** *m* garçon de cuisine, marmiton *m;* **~nkräuter** *n pl* herbes *f pl* potagères; **~nlatein** *n* latin *m* de cuisine; **~nmädchen** *n* fille *f* de cuisine; **~nmeister** *m = ~nchef;* **~nmesser** *n* couteau de cuisine; *(großes)* coutelas *m;* **~nmöbel** *n pl* meubles *m pl* de cuisine; **~npersonal** *n* cuisine *f;* personnel *m* de la cuisine; **~nschabe** *f ent* cafard, cancrelat *m;* **~nschelle** *f bot* pulsatille *f;* **~nschrank** *m* buffet *m* de cuisine; **~nschürze** *f* tablier *m* de cuisin(ièr)e; **~nstuhl** *m,* **~ntisch** *m,* **~nwaage** *f* chaise, table, balance *f* de cuisine; **~nzettel** *m* menu *m.*

Kuchen *m* ⟨-s, -⟩ ['ku:xən] gâteau *m; (Feingebäck)* pâtisserie *f; Stück n ~* morceau *m od* tranche *f* de gâteau; **~bäcker** *m* pâtissier *m;* **~blech** *n* plaque *f* (à gâteaux); **~form** *f* forme *f od* moule *m* à gâteau(x) *od* à pâtisserie; **~gabel** *f* fourchette *f* à gâteaux; **~ständer** *m* serviteur *m* muet; **~teig** *m* pâte *f* de gâteau; **~teller** *m* assiette *f* à gâteaux.

Küchlein *n* ⟨-s, -⟩ ['ky:çlaɪn] **1.** *(Küchelchen)* petit gâteau *m;* **2.** *orn* poussin *m.*

Kuckuck *m* ⟨-s, -e⟩ ['kukuk] *orn* coucou *m; hol' dich der ~!* que le diable t'emporte! *das weiß der ~!* qui diable peut le savoir! *zum ~ (noch mal)!* au diable! que diable! morbleu! **~sblume** *f* (fleur *f* de) coucou *m;* **~sei** *n* œuf *m* de coucou; *fig (Kind)* enfant *m* substitué; **~sruf** *m* chant *m* du coucou; **~suhr** *f* coucou *m.*

Kufe *f* ⟨-, -n⟩ ['ku:fə] *(Schlitten~)* patin *m a. aero.*

Küfer *m* ⟨-s, -⟩ ['ky:fər] *(Böttcher)* tonnelier; *(Kellermeister)* encaveur, caviste *m;* **~ei** *f* [-'raɪ] tonnellerie *f.*

Kugel *f* ⟨-, -n⟩ ['ku:gəl] *allg* boule *f,* globe *m; (kleine)* bille; *math* sphère *f; (Erd~)* globe *m; (Geschoß)* balle *f; (Kanonen~)* boulet *m; (Billard~, tech)* bille *f; sport (zum Stoßen)* poids *m; jdm, sich e-e ~ durch den Kopf jagen* loger à qn une balle dans la tête; se faire sauter *od* se brûler la cervelle; *e-e ruhige ~ schieben (fam)* se la couler douce; *die ~ stoßen (sport)* lancer le poids; *von e-r ~ getroffen werden* recevoir une balle; *verirrte ~* balle *f* perdue; **~abschnitt** *m math* segment *m* de sphère; **~ausschnitt** *m math* secteur *m* sphérique; **~blitz** *m* éclair en boule, globe *m* fulminant; **~fang** *m* pare-balles *m,* butte *f;* **k~fest** *a* à l'épreuve des balles, pare-balles; **~fläche** *f math* surface *f* sphérique; **~form** *f* forme *f* sphérique; **k~förmig** *a* sphérique, globulaire, globuleux, en boule; **~gelenk** *n tech* articulation *f* sphérique *od* à boulet *od* à rotule; **~gelenklager** *n tech* palier *m* articulé à billes; **~gestalt** *f* sphéricité *f;* **k~ig** *a* globuleux, sphérique; **~kopf** *m tech* rotule *f;* **~lager** *n tech* roulement *od* palier *od* coussinet *m* à billes; **k~n** ⟨*ich kug(e)le, ist/hat sich gekugelt*⟩ *tr* rouler; *itr* u. *sich ~~* rouler (comme une boule); *sich ~~ vor Lachen (fam)* so tordre de rire; **~pfanne** *f tech* coussinet sphérique, alvéole *m;* **~regen** *m* grêle *f* de balles; **k~rund** *a* rond comme une boule; **~scharnier** *n* genou *m;* **~schreiber** *m* stylo *m* à bille; **k~sicher** *a* = *k~fest;* **~spiel (-platz** *m***)** *n* jeu *m* de boules; **~stoßen** *n sport* lancement *m* du poids; **~zapfen** *m tech* rotule *f;* **~zweieck** *n math* fuseau *m;* **kuglig** = *k~ig.*

Kuh *f* ⟨-, ⸚e⟩ [ku:, 'ky:ə] vache *f;* **~euter** *n* pis *m* de vache; **~fladen** *m* bouse *f* de vache; **~glocke** *f* sonnaille, clarine *f;* **~handel** *m fig* marchandage, maquignonnage *m;* **~haut** *f; das geht auf keine ~~ (fig fam)* c'est incroyable *od* inouï; **~hirt** *m* vacher *m;* **~milch** *f* lait *m* de vache; **~pocken** *f pl vet* vaccine *f;* **~pokkenimpfung** *f* vaccination *f* jennérienne; **~reigen** *m* ranz *m* des vaches; **~reiher** *m* garde-bœuf *m;* **~stall** *m* étable à vaches, vacherie *f.*

kühl [ky:l] frais, *fam* frisquet; *fig* froid, glacial, de glace; *(Empfang)* glacé; *im K~en* au frais; *~ werden* se rafraîchir; *~er werden (fig)* (se) refroidir; *~ aufbewahren* od *lagern!* garder au frais! **K~anlage** *f tech* refroidisseur, frigorifique *m;* **K~apparat** *m tech* refroidisseur, réfrigérant *m;* **K~e** *f* ⟨-, ø⟩ frais *m,* fraîcheur; *fig* froideur, sécheresse *f; in der ~~* au frais; **~en** *tr (abkühlen lassen)* refroidir; *(erfrischen)* rafraîchir; *(Lebensmittel, Getränke)* frigorifier; *(mit Eis)* mettre à la glace; *(Getränk)* frapper (*mit Eis* de glace); *phys tech* réfrigérer; *(Glas)* recuire; *fig* refroidir; *(Zorn)* assouvir; **~end** *a* rafraîchissant; réfrigérant; *~~e Umschläge m pl* compresses *f pl* glacées; **K~er** *m* ⟨-s, -⟩ *tech mot* refroidisseur; *mot aero* radiateur *m* (d'automobile, d'avion); **K~ereinfüllstutzen** *m* goulot *m* du radiateur *od* de remplissage; **K~erfigur** *f mot* figurine *f* de bouchon de radiateur; **K~ergitter** *n* volet *m* de radiateur; **K~erhaube** *f* couvre-radiateur, revêtement *m* du radiateur, calandre *f,* capot *m;* **K~erverkleidung** *f* protège-radiateur, grillage *m,* calandre *f;* **K~erverschluß** *m mot* bouchon *m* de radiateur; **K~gefäß** *n* réfrigérant *m;* **K~haus** *n* dépôt *od* entrepôt *od* magasin *m* frigorifique; **K~hauslagerung** *f* entrepôt *m* frigorifique; **K~mantel** *m mil (am MG)* enveloppe *f* réfrigérante; **K~raum** *m* chambre *f* froide *od* frigorifique; **K~rippe** *f tech* ailette *f* de refroidissement; *mil (MG)* aileron *m;* **K~schiff** *n mar* bâtiment *od* navire *m* frigorifique *od* isothermique; **K~schlange** *f tech* serpentin refroidisseur, radiateur *m;* **K~schrank** *m* réfrigérateur *m,* glacière *f;* **K~truhe** *f* vitrine *f* réfrigérante *od* réfrigérée; **K~ung** *f (Erfrischung)* rafraîchissement *m; tech* réfrigération *f; mot* refroidissement *m;* **K~wagen** *m loc* wagon réfrigérant *od* frigorifique *od* isothermique; **K~wasser** *n mot* eau *f* de refroidissement; **K~wassermantel** *m* enveloppe *f* de la circulation d'eau; **K~wasserraum** *m* chambre *f* à eau à refroidissement.

kühn [ky:n] *a* hardi, courageux, audacieux; *(furchtlos)* intrépide; *(forsch)* fringant; *(tollkühn)* téméraire; *(Behauptung)* osé; **K~heit** *f* ⟨-, (-en)⟩ hardiesse *f,* courage *m,* audace; intrépidité; témérité *f.*

Kujon *m* ⟨-s, -e⟩ [ku'jo:n] *fam* fripon, coquin *m;* **k~ieren** [-'ni:rən] *tr fam* vexer, tracasser.

Küken *n* ⟨-s, -⟩ ['ky:kən] *orn* poussin *m.*

kulan|t [ku'lant] *a* arrangeant, accommodant, prévenant; *com* coulant *od* rond en affaires; **K~z** *f* ⟨-, ø⟩ [-'lants] aisance, prévenance *f.*

Kuli *m* ⟨-s, -s⟩ ['ku:li] coolie *m; mot (Gepäckständer)* galerie *f,* porte-bagages *m.*

kulinarisch [kuli'na:rıʃ] *a* culinaire.

Kulisse *f* ⟨-, -n⟩ [ku'lısə] *theat* coulisse *f; pl* cantonade *f; hinter den ~n (a. fig)* dans la coulisse; *com* coulisse *f,* marché *m* libre; *e-n Blick hinter die ~n tun (fam)* voir le dessous des cartes; **~nschieber** *m* machiniste *m.*

Kuller|augen *n pl* ['kulər-] *~~ machen* ouvrir de grands yeux; **k~n** ⟨*ist gekullert*⟩ *itr* = *kollern.*

Kulmin|ation *f* ⟨-, -en⟩ [kulminatsi'o:n] *astr* culmination *f;* **~ationspunkt** *m* point culminant, apogée *m;* **k~ieren** [-'ni:rən] *itr* culminer.

Kult *m* ⟨-(e)s, -e⟩ [kult] *rel* culte *m; e-n ~ mit etw treiben (fig)* idolâtrer qc; **k~isch** *a* cultuel; **~ivator** *m* ⟨-s, -en⟩ [-ti'va:tɔr, -'to:rən] *agr (Gerät)* cultivateur *m;* **k~ivierbar** *a agr* cultivable; **k~ivieren** [-ti'vi:rən] *tr agr u. fig* cultiver; *fig* civiliser; **k~iviert** *a fig* cultivé, civilisé; **~stätte** *f* lieu *m* sacré; **~ur** *f* ⟨-, -en⟩ [-'tu:r] *agr u. fig (e-s einzelnen)* culture; *fig (e-r größeren Gemeinschaft)* civilisation *f;* **~urabkommen** *n pol* accord *m* culturel; convention *f* culturelle; **~uraustausch** *m* échange *m* culturel; **~urboden** *m agr* sol *m* cultivé; **k~urell** [-tu'rɛl] *a* culturel; **k~urfähig** *a agr* cultivable, arable; *fig* civilisable; **k~urfeindlich** *a* hostile à la civilisation; **~urfilm** *m* (film) documentaire *m;* **~urgeographie** *f* géographie *f* démographique et sociale; **~urgeschichte** *f* histoire *f* de la civilisation; **~urgüter** *n pl* biens *m pl* culturels; **~urkampf** *m hist* lutte *f* contre l'ultramontanisme; **~urland** *n agr* terre *f* arable; **~urmensch** *m* homme *m* civilisé; **~urpflanze** *f* plante *f* cultivée; **~urpolitik** *f* politique *f* de propagande intellectuelle; **~ursprache** *f* langue *f* culturelle; **~urstufe** *f* degré *m* de civilisation; **~urträger** *m* élément *od* facteur *m* de civilisation; **~urvolk** *n* peuple *m* civilisé; **~urzentrum** *n* centre *m* culturel; **~us** *m* ⟨-, -te⟩ ['kultus, -tə] *rel* culte *m;* **~usminister(ium** *n***)** *m* minist(è)re *m* de l'éducation nationale et de la culture.

Kümmel *m* ⟨-s, -⟩ ['kʏməl] *(bot, Gewürz)* cumin; *(Schnaps)* kummel *m;* **~türke** *m; schuften wie ein ~~* travailler comme un turc *od* nègre.

Kummer *m* ⟨-s, ø⟩ ['kumər] chagrin *m,* peine, affliction *f; (Sorge)* souci; *(Verdruß)* ennui *m; jdm ~ bereiten* od *machen* causer *od* faire du chagrin, faire de la peine, donner du fil à retordre à qn; *jdm viel ~ machen* abreuver qn de chagrin; *~ haben* avoir *od* ressentir du chagrin, avoir de la peine; **k~voll** *a* chagrin, soucieux.

kümmer|lich ['kʏmərlıç] *a (elend)* misérable; *(erbärmlich)* piteux; *(ärmlich, dürftig)* pauvre, maigre, mesquin, chiche; *(verkümmert, schwach)* chétif, rabougri; *ein ~~es Leben führen* vivre à l'étroit *od* petitement; **~n,** *sich* se soucier, s'occuper, prendre soin (*um* de); *sich um jeden Dreck ~~ (pop)* se mêler de tout; *sich um etw nicht ~~* ne pas se soucier, ne pas avoir cure de qc; *was ~t Sie das?* que vous importe? qu'est-ce que cela peut bien vous faire? *~~ Sie sich (doch) um Ihre Angelegenheiten!* mêlez-vous de vos affaires; **K~nis** *f* ⟨-, -sse⟩ chagrin, souci *m,* affliction *f.*

Kummet *n* ⟨-s, -e⟩ , **Kumt** *n* ⟨-s, -e⟩ ['kum(ə)t] *(Pferdegeschirr)* collier *m* de cheval, attelles *f pl.*

Kump|an *m* ⟨-s, -e⟩ [kum'pa:n] compagnon, camarade, *fam* compère, copain, *pej* acolyte *m; lustige(r) ~~* joyeux luron *m;* **~el** *m* ⟨-s, -e/-s⟩ *mines* (ouvrier) mineur; *allg fam* copain, *vulg* colon, *arg* pote(au) *m.*

Kumulus(wolke *f***)** *m* ⟨-, -li⟩ ['kumulus] cumulus *m.*

kund [kunt] *a: ~ und zu wissen tun* faire savoir; **K~e 1.** *f* ⟨-, (-n)⟩ *(Nachricht)* nouvelle; *(Kenntnis)* connaissance; *(Lehre)* science *f;* **K~e 2.** *m* ⟨-n, -n⟩ , **K~in** *f (Käufer)* client, e; acheteur, se *m f; (Stammkunde)* habitué, e *m f;* pratique *f; m fam pej (Landstreicher)* vagabond, chemineau; *pop (Kerl)* type, copain *m;* **K~endienst** *m* service *m* après-vente(s); **K~enfang** *m* racolage *m,* **K~enkreis** *m* clientèle *f;* **K~enwerber** *m com* démarcheur *m;* **~=geben** ⟨*hat kundgegeben*⟩ *tr* publier, manifester; *(mitteilen)* annoncer, *(äußern, enthüllen)* faire connaître *od* savoir, manifester, révéler; *(bekanntmachen)* annoncer, notifier, publier; **K~gebung** *f allg* démonstration; *pol* manifestation; *(Erklärung)* déclaration; *(Bekanntmachung)* notification, publication *f;* **~ig** *a (unterrichtet, wissend)* instruit, informé (*gen* de); *(erfahren)* entendu (*gen* à), expérimenté, versé (*gen* dans); **~=machen** *tr* publier, notifier, annoncer; *(mitteilen)* faire savoir; **K~machung** *f (Bekanntmachung)* notification, publication *f;* **K~schaft** *f* ⟨-, (-en)⟩ *com* clientèle, pratique *f,* achalandage; *(e-s Rechtsanwalts)* cabinet *m* (d'affaires); *(Nachricht)* nouvelle, information *f; (Erkundung)* nouvelles, informations *f pl,* renseignements *m pl; auf ~~ ausschicken* envoyer aux nouvelles *od* aux informations; *auf ~~ gehen;* **~schaften** ⟨*hat gekundschaftet*⟩ *itr* aller aux nouvelles *od* aux informations *od* à la découverte; **K~schafter** *m* agent d'information; *(Beobachter)* observateur; *(Spion)* espion *m;* **~≈tun** *~geben.*

künd|bar ['kynt-] *a (Vertrag)* résiliable, résoluble; *(Geld)* remboursable; **~en** ⟨*kündete, gekündet*⟩ ['-dən] *tr lit poet* faire savoir; **~igen** *tr allg (z. B. e-e Freundschaft)* retirer; *(Vertrag)* dénoncer, résilier; *fristlos ~~* dénoncer sans préavis; *(Darlehen, Hypothek)* donner avis de retrait de; *itr (dem Arbeitnehmer, Arbeitgeber, Mieter, Vermieter)* donner congé *od* ses huit jours (*jdm* à qn); *ihm ist gekündigt worden* il a reçu son congé *od* avis de licenciement; **K~igung** *f allg (e-s Vertrages)* dénonciation, résiliation *f; (fristgerechte)* préavis; *(e-s Darlehens, e-r Hypothek)* (avis de) retrait; *(e-s Arbeits-* od *Mietverhältnisses)* congé; *(vorherige Benachrichtigung)* préavis *m; mit monatlicher ~~* avec préavis d'un mois; *ordnungsgemäße, rechtzeitige ~~* congé *m* dans les règles, en temps utile; **K~igungsfrist** *f* délai *m od* période *f* de préavis *od* d'avertissement, délai-congé *m;* **K~igungsgrund** *m* motif *m* de congédiement *od* renvoi; **K~igungstermin** *m* terme *m* de congé *od* de préavis.

künftig ['kʏnftɪç] *a* futur, à venir; en herbe; *adv u.* **~hin** *adv* à l'avenir; *(von jetzt ab)* désormais, dorénavant.

Kunst *f* ⟨-, ⸚e⟩ [kunst, 'kʏnstə] art *m; (Geschicklichkeit)* adresse, habileté *f; (~griff)* artifice *m,* ruse *f; am Ende s-r ~ sein* être au bout de son latin *od fam* de son rouleau; *das ist keine ~ (fam)* ce n'est pas sorcier, *pop* ce n'est pas malin; *das ist die ganze ~ (?) (fam)* voilà tout (ce n'est pas plus malin que ça? *pop*); *allen Menschen recht getan ist eine ~, die niemand kann (prov)* on ne peut contenter tout le monde et son père *(La Fontaine); die bildenden Künste* les arts *m pl* plastiques; *die Freien Künste (hist)* les arts libéraux; *die schönen Künste* les beaux-arts *m pl; die Schwarze ~* la magie noire; **~akademie** *f* école *f* des beaux-arts; **~anstalt** *f typ* imprimerie *f* artistique *od* d'art; **~ausdruck** *m* terme *m* technique; **~ausstellung** *f* exposition *f* artistique; **~bauten** *m pl bes. loc* travaux *od* ouvrages *m pl* d'art; **~begeisterung** *f* enthousiasme *m* pour l'art; **~beilage** *f (e-r Zeitschrift)* supplément *m* artistique; **~blatt** *n* gravure *f* d'art; **~druckpapier** *n* papier *m* couché *od* chromo; **~dünger** *m* engrais *m* artificiel *od* chimique; **~eis** *n* glace *f* artificielle; **~erziehung** *f* éducation *f* artistique; **~faser(stoff** *m)* *f* (étoffe de) fibre(s) *f* artificielle(s) *od* synthétique(s); **k~fertig** *a* adroit, habile, ingénieux; **~fertigkeit** *f* adresse, habileté, ingéniosité *f,* savoir-faire *m;* **~fliegerei** *f* acrobaties *f pl* aériennes; **~flug** *m* vol *m* acrobatique *od* de haute école; **~freund** *m* ami *m* des arts; **~gärtner** *m* horticulteur *m;* **~gärtnerei** *f* horticulture *f;* **~gegenstand** *m* objet *m* d'art; **k~gemäß** *a,* **k~gerecht** *a* conforme aux règles de l'art; méthodique; *adv a.* avec méthode; **~geschichte** *f* histoire *f* de l'art; **k~gestopft** *a: ~~e Stelle f* rentraiture *f;* **~gewerbe** *n* art(s *pl*) *m* décoratif(s) *od* appliqué(s) *od* industriel(s); **~gewerbeschule** *f* école *f* des arts et métiers *od* des arts décoratifs *od* d'art industriel; **~griff** *m (Kniff)* tour *m* de main; **~handel** *m* commerce *m* d'objets d'art; **~händler** *m* marchand *m* d'objets d'art; **~handlung** *f* galerie *f* d'art; **~handwerk** *n* métier *od* artisanat *m* d'art; **~handwerker** *m* artisan *m* d'art; **~harz** *n* résine *f* synthétique; **~historiker** *m* historien *m* de l'art; **~honig** *m* miel *m* artificiel; **~kenner** *m* connaisseur *m* d'art; **~kritiker** *m* critique *m* d'art; **~leder** *n* cuir *m* artificiel, imitation *f* cuir, aggloméré de cuir, simili-cuir, synderme *m;* **~licht** *n phot* lumière *f* artificielle; **~liebhaber** *m* amateur *m* d'art; **k~los** *a* sans art; *fig* simple; **~maler** *m* artiste *m* peintre; **~marmor** *m* marbre *m* artificiel; **~mittel** *n* moyen *m* artificiel; **~pause** *f fam* pause *f* intentionnelle; **k~reich** *a* plein d'art, ingénieux; *adv* artistement; **~reiter** *m* écuyer *m;* **~sammlung** *f* collection *f* (d'objets) d'art; **~schreiner** *m* ébéniste *m;* **~schreinerei** *f* ébénisterie *f;* **~seide** *f* soie artificielle, rayonne *f;* **~sinn** *m* sens *m* artistique; **k~sinnig** *a* de goût; **~springen** *n (Schwimmsport)* plongeons *m pl* du tremplin; **~stoff** *m* matière *f* plastique *od* synthétique, plastique, produit *m* artificiel *od* synthétique; **k~≈stopfen** ⟨*hat kunstgestopft*⟩ *tr* stopper; *itr* faire des reprises perdues; **~stopfen** *n* stoppage, rentrayage *m,* reprise *f* perdue; **~stopfer(in** *f)* *m* stoppeur, se; rentrayeur, se *m f;* **~stopferei** *f (Werkstatt)* atelier *m* de stoppage *od* de rentrayage; **~stück** *n* tour *m* d'adresse; *~~e vorführen* bateler, faire des tours d'adresse; *das ist kein (großes) ~~ (fig fam)* ce n'est pas sorcier; **~tischler(ei** *f*) *m* = *~schreiner(ei);* **~verein** *m* société *f* d'amis des arts; **~verlag** *m* (maison d')édition *f* d'œuvres d'art; **~verständige(r)** *m* expert m en art; **~verständnis** *n* intelligence *f* de l'art; **k~voll** *a* = *k~reich;* **~werk** *n* œuvre *f* d'art; **~wert** *m* valeur *f* artistique; **~wolle** *f* laine artificielle, fibran(n)e *f;* **~wort** *n* terme *m* technique; **~zwirn** *m* fil *m* fantaisie.

Künst|elei *f* ⟨-, -en⟩ [kʏnstə'laɪ] raffinements *m pl,* affectation, afféterie *f;* **k~eln** ⟨*ich künst(e)le, du künstelst ...*⟩ ['kʏnstəln] *itr* raffiner, subtiliser (*an etw* sur qc); **~ler(in** *f*) *m* artiste *m f;* **k~lerisch** *a (Person)* artiste; *(Sache)* artistique; *~~e Darbietung f* manifestation *f* artistique; **~lername** *m* nom *m* de guerre *od* d'artiste; **~lerschaft** *f* ⟨-, (-en)⟩ artistes *m pl;* **~lertum** *n* ⟨-(e)s, ø⟩ génie *m* artistique; **k~lich** *a* artificiel; *chem* synthétique; *(nachgemacht)* factice.

kunterbunt ['kuntər-] *a (buntscheckig)* bariolé; *(durcheinander)* pêle-mêle; *hier sieht's ja ~ aus! (hum)* quel beau désordre!

Kupee *n* ⟨-s, -s⟩ [ku'pe:] *loc* compartiment; *mot* coupé *m.*

Kupfer *n* ⟨-s, (-)⟩ ['kupfər] cuivre *m; in ~ stechen* graver sur cuivre; *reine(s) ~* cuivre *m* rouge; **k~artig** *a* cuprique; **~azetat** *n* verdet *m;* **~bergwerk** *n* mine *f* de cuivre; **~blech** *n* feuille *f* de cuivre; **~draht** *m* fil *m* de cuivre; **~erz** *n* minerai *m* de cuivre; **~geschirr** *n* cuivres *m pl;* **k~haltig** *a* cuprifère; **~hütte** *f* cuivrerie *f;* **~kies** *m* cuivre *m* pyriteux; **~lasur** *f* azurite *f;* **k~n** *a* de *od* en cuivre; **~nase** *f* nez *m* couperosé; **k~rot** *a* cuivré; *~~ färben* cuivrer; **~schmied** *m* chaudronnier *m;* **~schmiede** *f* chaudronnerie, cuivrerie *f;* **~stecher** *m* graveur *m* sur cuivre *od* en taille-douce *od* au burin; **~stich** *m* gravure sur cuivre *od* au burin, taille-douce *f;* **~stichkabinett** *n* cabinet *m* d'estampes; **~tiefdruck** *m typ* impression sur cuivre *od* en taille-douce, hélio(gravure) *f;* **~vitriol** *n chem* vitriol *m* de cuivre *od* bleu; **~waren** *f pl* cuivres *m pl,* chaudronnerie *f;* **~warenhändler** *m* chaudronnier *m.*

kupieren [ku'pi:rən] *tr (stutzen)* couper.

Kupolofen *m* [ku'po:l-] *tech* cubilot, coupelot *m.*

Kuppe *f* ⟨-, -n⟩ ['kupə] *(e-s Berges)* sommet (arrondi); *(e-s Fingers)* bout *m.*

Kuppel *f* ⟨-, -n⟩ ['kupəl] *arch* coupole *f,* dôme *m;* **~dach** *n* dôme *m.*

Kupp|elei *f* ⟨-, -en⟩ [kupə'laɪ] proxénétisme *m;* **k~eln** ⟨*ich kupp(e)le, du kuppelst ...*⟩ ['kupəln] *tr* accoupler; *tech* (ac)coupler, accrocher; *loc* atteler, réunir; *mot* embrayer; **~(e)lung** *f tech* couplage, accouplement; *loc* attelage; *mot* embrayage *m;* **~(e)lungsfeder** *f mot* ressort *m* d'embrayage; **~(e)lungshebel** *m mot* levier d'embrayage, embrayeur *m;* **~(e)lungspedal** *n* pédal *f* d'embrayage; **~(e)lungsscheibe** *f* plateau *m* d'embrayage; **~(e)lungsstange** *f tech* bielle *f* d'accouplement; **~(e)lungsstück** *n* raccord *m* de liaison; **~ler(in** *f*) *m* ⟨-s, -⟩ entremetteur, se, proxénète *m f,* maquereau *m,* maquerelle *f.*

Kur *f* ⟨-, -en⟩ [ku:r] *med* cure *f,* traitement *m; e-e ~ machen* faire une cure, suivre un traitement; *zur ~ gehen* aller faire une cure; **~aufenthalt** *m* séjour *m* (dans une station) thermal(e); **~gast** *m* curiste *m;* **~haus** *n* maison *f* de cure, établissement thermal, casino *m;* **k~ieren** [-'ri:rən] *tr (ärztl. behandeln)* traiter, soigner; *(heilen)* guérir; *sich (mit Medikamenten) ~~* se droguer; **~ort** *m* ville d'eau, station *f* thermale; *klimatische(r) ~~* station *f* climatique; **~pfuscher** *m* charlatan, médicastre, médecin *m* marron; **~pfuscherei** *f* charlatanerie *f;* **~saal** *m* casino *m;* **~taxe** *f* taxe *f* de séjour.

Kür *f* ‹-, ø› ['ky:r] *(Wettkampf)* figures *f pl* libres.

Küra|ß *m* ‹-sses, -sse› ['ky:ras, -sə] *(Brustharnisch)* cuirasse *f;* **~ssier** *m* ‹-(e)s, -e› [-ra'si:r] *mil hist* cuirassier *m.*

Kurat|el *f* ‹-, -en› [kura'te:l] *jur* curatelle *f; unter ~~ stehen, stellen* être, mettre en tutelle; **~or** *m* ‹-s, -en› [-'ra:tɔr, -'torən] curateur, syndic *m;* **~orium** *n* ‹-s, -rien› [-'to:rium, -riən] conseil *m* administratif *od* d'administration.

Kurbel *f* ‹-, -n› [kurbəl] manivelle *f;* **~achse** *f* axe *m* coudé; **~antrieb** *m* commande *f* par bielle; **~gehäuse** *n,* **~kasten** *m* boîte de la manivelle, enveloppe *f* du vilebrequin; **k~n** ‹*ich kurb(e)le, du kurbelst ..*› *itr* tourner la manivelle; **~stange** *f tech* bielle *f;* **~welle** *f* arbre *od* essieu coudé, arbre de manivelle, vilebrequin *m;* **~wellenlager** *n* palier *m* de vilebrequin *od* de manivelle.

Kürbis *m* ‹-sses, -sse› ['kʏrbɪs, -sə] citrouille, courge *f,* potiron *m;* **~flasche** *f* calebasse *f.*

Kurd|e *m* ‹-n, -n› ['kurdə] , **~in** *f* Kurde *m f;* **k~isch** *a* kurde; **~istan** *n* ['kurdɪstan] Kurdistan *m.*

kür|en ‹kor, hat gekoren› ['ky:rən, (-)'ko:r(-)] *tr lit poet* choisir; élire; **K~übung** *f sport* exercice *m* libre.

Kurfürst|(in *f*) ['ku:r-] *m hist* Electeur, trice *m f;* **~entum** *n,* **~enwürde** *f* électorat *m;* **k~lich** *a* électoral.

Kurie *f* ‹-, -n› ['ku:riə] *hist u. rel* curie *f.*

Kurier *m* ‹-s, -e› [ku'ri:r] courrier, messager *m;* **~dienst** *m* service *m* du courrier; **~flugzeug** *n* avion-estafette *m.*

kurios [kuri'o:s] *a* curieux, drôle, bizarre; **K~ität** *f* ‹-, -en› [-riozi'tɛ:t] curiosité, bizarrerie; *(einzelne)* chose *f* curieuse.

Kurrentschrift *f* [ku'rɛnt-] écriture *f* courante.

Kurs *m* ‹-es, -e› [kurs, '-zə(s)] *mar* route *f; mar aero* cap *m; (Ortung, fig: Orientierung, a. pol)* orientation *f; fin (Umlauf)* cours *m,* circulation *f; (Rate)* cours, taux, change; *(Kursus)* cours *m; außer ~* hors (de) circulation *od* cours; *zum ~ von (fin)* au cours de; *vom ~ abweichen (mar)* dévier; *den ~ ändern, wechseln, e-n neuen ~ einschlagen (a. fig)* changer de cap; *den ~ halten* maintenir le cap; *~ nehmen auf (mar)* faire route vers; *mar aero* mettre le cap sur; *arg aero* piquer vers; *außer, in ~ setzen (fin)* retirer de la, mettre en circulation; *im ~ stehen (fin)* être coté à la bourse, se coter; *bei jdm hoch im ~ stehen (fig)* être en *od* jouir d'un grand crédit auprès de qn; *e-n falschen ~ steuern (mar, a. fig)* faire faisse route; *amtliche(r), gesetzliche(r) ~* cours *m* officiel, légal; *harter ~ (pol)* ligne *f* dure; **~abweichung** *f mar* variation *f* de *od* du cap; **~anzeiger** *m aero* indicateur *m* de direction; **~bericht** *m com* bulletin *m* de la bourse; **~buch** *n loc* indicateur *m;* **~gewinn** *m fin* bénéfice *m* sur le cours *od* sur le *od* au change; **k~ieren** ‹*ist/hat kursiert*› [-'zi:rən] *itr (Geld)* circuler, avoir cours; *(Gerücht)* courir; **~ive** *f* ‹-, -n› [-'zi:və] *typ* italique *f;* **~ivschrift** *f* cursive *f;* **~makler** *m com* agent de change, courtier *m;* **~notierung** *f fin* cote *f* (des cours); **k~orisch** [-'zo:rɪʃ] *a: ~~e Lektüre f* lecture *f* cursive; **~rückgang** *m com* recul *m* des cours; **~schwankungen** *f pl com* fluctuations *f pl* des cours; **~stabilisierung** *f fin* stabilisation *f* des cours; **~stabilität** *f aero* stabilité *f* de cap; **~stand** *m fin* niveau *m* des cours; **~steigerung** *f com* hausse *f* des cours; **~sturz** *m fin* effondrement *m od* chute *f* des cours; **~teilnehmer** *m* stagiaire *m;* **~treiber** *m fin* haussier *m;* **~us** *m* ‹-, -rse› ['kurzus, -rzə] *(Lehrgang)* cours, stage *m;* **~verlust** *m fin* perte *f* au *od* sur le change; **~wagen** *m loc* voiture *f* directe; **~wert** *m* valeur *f* marchande; **~zettel** *m fin* bulletin *m* des cours *od* changes *od* de la cote, n des changes.

Kürschner *m* ‹-s, -› ['kʏrʃnər] pelletier, fourreur *m;* **~ei** *f* [-'raɪ] pelleterie *f.*

Kurv|e *f* ‹-, -n› [kurvə/-fə] *math* (ligne) courbe; *allg* courbe *f,* tournant; *(Straße, aero)* virage *m; in die ~~ gehen (loc mot)* s'inscrire dans la courbe; *mot* s'engager dans le virage; *die ~~ nehmen* virer, prendre le virage; *aus der ~~ geschleudert werden (mot)* déraper dans le virage; *e-e ~~ schneiden* prendre un virage à la corde; *enge, flache, gedrückte, senkrechte ~~ (aero)* virage *m* serré, à plat, piqué, à la verticale; *überhöhte ~~* virage *m* relevé; **k~en** *itr* virer; **~en(gleit)flug** *m* vol *m* (plané) en virages; **~enlage** *f aero* tenue *f* en virage; **~enlineal** *n* règle *f* courbe, pistolet *m;* **k~enreich** *a* sinueux.

kurz [kurts] *a (räumlich)* court; *(Schritt)* petit; *(zeitlich)* bref, de peu de durée; *(summarisch)* sommaire; *(schroff)* prompt, brusque; *(Schlag)* sec; *adv* bref, brièvement, en somme; *binnen* od *in ~em* dans peu (de temps), avant (qu'il soit) peu, d'ici peu, sous peu, prochainement; *bis vor ~em* jusqu'à une date récente; *in kürzester Zeit* dans le plus bref délai; *mit ~em Kleid* court-vêtu, e; *seit ~em* depuis peu; *über ~ oder lang* tôt ou tard, un jour ou l'autre; *(noch) vor ~em, vor ~er Zeit* il y a peu de temps, il n'y a pas longtemps, l'autre jour; *~ und bündig (adv)* clairement, sans détour; *~ danach* od *darauf* peu de temps après; *~ gesagt, ~ und gut* pour tout dire, en somme, somme toute, en un mot comme en cent; enfin, en un mot; *~ vorher* od *zuvor* peu (de temps) avant; *~ vor dem Winter* à l'approche de l'hiver; *um mich ~ zu fassen* pour abréger; *um es ~ zu machen* pour abréger, pour en finir, pour être bref; *~ anbinden (Tier)* attacher (de) court; *~ erklären* expliquer brièvement *od* en peu de mots; *sich ~ fassen* être bref; *ein ~es Gedächtnis haben* avoir la mémoire courte; *bei etw zu ~ kommen* ne pas trouver son compte à qc; *es ~ machen* ne pas faire de façons; *kürzer machen* raccourcir; *~ und klein schlagen* mettre *od* réduire en miettes, hacher menu comme chair à pâté; *(ganz) ~ schneiden (Haare)* couper (très) court; *kürzer werden* (se) raccourcir; *den kürzeren ziehen* avoir le dessous; *fasse dich ~!* sois bref; *~ von Verstand iron* (un peu) borné, limité; *s-e Freude war ~* sa joie a été de courte durée; *~ angebunden (fig)* avare de paroles, peu aimable; **K~arbeit** *f* travail *m* à temps réduit; chômage *m* partiel; **~atmig** *a* asthmatique, poussif; *~~ sein (a.)* manquer de souffle; **K~atmigkeit** *f* ‹-, ø› asthme *m;* **K~ausbildung** *f* formation *f od mil* entraînement *m* accéléré(e); **~beinig** *a* aux jambes courtes; **K~berichte** *m pl* chroniques *f pl;* **~erhand** *adv* sans hésiter, sans autre forme de procès; **~faserig** *a* à fibre courte; **K~film** *m* (film de) court métrage *m;* **~fristig** *a* à court terme, à bref délai, à courte date *od* échéance; **~gefaßt** *a* bref, concis, succinct, sommaire; **K~geschichte** *f* historiette *f,* récit *m;* **~haarig** *a zoo* à poils courts; *(Textil)* à poil ras; **~≈halten** ‹*hat kurzgehalten*› *tr: jdn ~~* tenir la bride (serrée) à qn; **K~huber** *m* moteur *m* plat; **~lebig** *a* de courte durée, éphémère; **K~nachrichten** *f pl radio* flash *m;* **~≈schließen** ‹*hat kurzgeschlossen*› *tr el* court-circuiter; **K~schluß** *m el* court-circuit *m;* **K~schrift** *f* sténographie *f;* **K~sendung** *f radio* courte émission *f;* **~sichtig** *a, a. fig* myope; *~~ sein (a.)* avoir la vue courte *od* basse; *sehr ~~ sein (a. fig, fam)* ne pas voir plus loin que le bout de son nez; *~~e Politik f* politique *f* à courte vue; **K~sichtigkeit** *f* ‹-, ø› myopie; *a. fig* vue *f* courte *od* basse; **K~socke** *f* mi-chaussette *f;* **~stapelig** *a (Wolle)* cardé; **K~streckenlauf** *m sport* sprint *m;* **K~streckenläufer** *m* coureur de vitesse, sprinter *m;* **~um** *adv* bref, en un mot, enfin; **K~waren** *f pl* (articles *m pl* de) mercerie *f;* **K~warenhändler** *m* mercier *m;* **K~warenhandlung** *f* mercerie *f;* **~weg** *adv* tout court, sans détours, *fam* tout de go; **K~weil** *f* ‹-, ø› passe-temps, amusement, divertissement *m;* **~weilig** *a* amusant, divertissant; **K~welle(n *pl*)** *f radio* onde(s *pl*) *f* courte(s); **K~wellenbereich** *m* gamme *f* des ondes courtes; **K~wellenempfänger** *m,* **K~wellengerät** *n* appareil *m* à ondes courtes; **K~wellensender** *m* émetteur *od* poste *m* à onde(s) courte(s); **K~wort** *n* ‹-(e)s, ⸚er› abréviation *f.*

Kürz|e *f* ‹-, ø› ['kʏrtsə] *(räumlich)* peu *m* de longueur; *(zeitlich)* courte durée, brièveté; *(des Ausdrucks)* brièveté, concision *f; in ~~ (bald)* sous peu, dans peu (de temps) avant peu; *(kurz zs.gefaßt)* en peu de mots, compendieusement; **~el** *n* ⟨-s, -⟩ *(Stenographie)* sigle *m;* **k~en** ⟨*du kürz(es)t*⟩ *tr* raccourcir; *(ab-, ver~~)* écourter, abréger; *(verringern)* diminuer, réduire; *(Beträge)* rogner; *(Kredit)* amputer; *math* réduire, simplifier; **k~lich** *adv* récemment, dernièrement, l'autre jour, ces derniers jours; **~ung** *f* raccourcissement *m; (Abkürzung)* abréviation; *(Verringerung)* diminution, réduction; *math* simplification; *theat* coupure *f.*

kuscheln ['kʊʃəln], *sich* se lover, se pelotonner.

kuschen ⟨hat gekuscht⟩ ['kʊʃən] *itr (Hund)* (se) coucher; *fig fam (den Mund halten)* ne souffler mot; *~ (dich)!* coucher!

Kusine *f* ⟨-, -n⟩ [ku'zi:nə] cousine *f.*

Kuß *m* ⟨-sses, ⸚sse⟩ [kʊs, 'kʏsə] baiser *m;* **k~echt** *a,* **k~fest** *a (Lippenstift)* indélébile; **~hand** *f; jdm e-e ~~ zuwerfen* envoyer un baiser (de la main) à qn; **Küßchen** *n* ⟨-s, -⟩ ['kʏsçən] *fam* bise *f,* bécot *m.*

küssen ['kʏsən] *tr* embrasser; *(Kindersprache)* faire mimi (*jdn* à an); *(die Hand, die Stirn)* baiser.

Küste *f* ⟨-, -n⟩ ['kʏstə] côte *f,* rivage, bord de la mer; *(~ngebiet)* littoral *m; an der ~* sur la côte; *die ~ befahren* caboter; *an der ~ entlangfahren* longer la côte; côtoyer; *der ~ zutreiben* affaler à la *od* gagner la côte.

Küsten|abschnitt *m* ['kʏstən-] division *f* maritime; **~batterie** *f* batterie *f* côtière; **~befestigung** *f* fortification *f* côtière; **~bewohner** *m* habitant du littoral, riverain *m;* **~dampfer** *m,* **~fahrzeug** *n* vapeur de cabotage, caboteur, cabotier *m;* **~fischerei** *f* pêche *f* côtière; **~fluß** *m* fleuve *m* côtier; **~gebiet** *n pol* territoire *m* maritime; zone *f* côtière; **~gewässer** *n pl* mer *f* territoriale; eaux *f pl* territoriales; **~schiffahrt** *f* navigation *f* côtière, cabotage *m; ~~ treiben* caboter; **~schutz** *m* défense *f* côtière; **~straße** *f* route *f* côtière; **~streifen** *m* littoral *m; schmale(r) ~~* cordon *m* littoral; **~wachschiff** *n* (vaisseau) garde-côte *m.*

Küster *m* ⟨-s, -⟩ ['kʏstər] sacristain, bedeau; *(evang.)* marguillier *m.*

Kustos *m* ⟨-, -toden⟩ ['kʊstɔs, -'to:dən] conservateur *m* de musée; *typ* réclame *f.*

Kutsch|bock *m* ['kʊtʃ-] siège *m* (du cocher); **~e** *f* ⟨-, -n⟩ calèche *f; (stattliche)* carrosse, équipage *m;* **~enschlag** *m* portière *f* (de carrosse); **~er** *m* ⟨-s, -⟩ cocher *m;* **k~ieren** ⟨*ist kutschiert*⟩ [-'ʃi:rən] *itr* aller en carrosse; *(selbst fahren)* conduire un équipage; **~pferd** *n* cheval *m* de carrosse.

Kutte *f* ⟨-, -n⟩ ['kʊtə] *rel* froc *m; die ~ ablegen (fam)* se défroquer, *fam* jeter le froc aux orties.

Kutter *m* ⟨-s -⟩ ['kʊtər] *mar* cotre *m.*

Kuvert *n* ⟨-s, -s/-e⟩ [ku'vɛrt, -'vɛ:r] *(Briefumschlag)* enveloppe *f; (Gedeck)* couvert *m.*

Kux *m* ⟨-es, -e⟩ [kʊks] *mines fin* part *od* action *f* minière *od* de mine; **~werte** *m pl* valeurs *f pl* minières.

Kybernetik *f* ⟨-, ø⟩ [kybɛr'ne:tɪk] cybernétique *f.*

kyrillisch [ky'rɪlɪʃ] *a (Schrift)* cyrillique.

L

L, l *n* ‹-, -› [ɛl] *(Buchstabe)* L, l *f* od *m.*

Lab *n* ‹-(e)s, -e› [la:p, -bə] *(Ferment im Kälbermagen)* présure *f;* **~kraut** *n bot* gaillet, caille-lait *m;* **~magen** *m* caillette *f; scient* abomasum *m.*

labb|(e)rig ['lab(ə)rıç] *a dial (fade)* fade, insipide; *(schlaff)* flasque, mou; *fig* mollasse; **~ern** *itr mar (schlaff werden)* faséyer, fasier, fasiller.

Lab|e *f* ‹-, ø› ['la:bə] rafraîchissement; *fig* réconfort *m;* **~eflasche** *f (e-s Sanitäters)* bidon *m* de l'infirmier; **l~en** *tr* rafraîchir; *a. fig* réconforter; *sich ~~ (fig)* se délecter; *an etw* se repaître de qc; **l~end** *a* rafraîchissant; réconfortant; **~etrunk** *m* boisson *f* rafraîchissante; réconfortant *m;* **~sal** *n* ‹-(e)s, -e› soulagement; *fig* réconfort *m;* **~ung** *f* rafraîchissement; réconfort *m.*

labial [labi'a:l] *a bes. gram (Lippen-)* labial; **L~(laut)** *m* ‹-s, -e› (consonne) labiale *f.*

labil [labi:l] *a phys, a. fig* instable; *chem biol, a. fig* labile; **L~ität** *f* ‹-, ø› [-li'tɛ:t] instabilité; *f (seelische) ~~* déséquilibre *m* (psychique).

Labor *n* ‹-s, -s/(-e)› [la'bo:r] *fam (~atorium)* labo *m;* **~ant** *m* ‹-en, -en› [-bo'rant] préparateur *m;* **~antin** *f* préparatrice, laborantine *f;* **~arbeiter** *m* garçon *m* de laboratoire; **~atorium** *n* ‹-s, -rien› [-ra'to:rium, -riən] laboratoire *m;* **~(atoriums-)versuch** *m* essai *m* de laboratoire; **l~ieren** [-'ri:rən] *itr (sich abmühen)* faire des efforts, s'efforcer; peiner; *(sich (mit e-m Leiden) plagen)* être travaillé (*an* par), souffrir (*an* de).

labsalben ['la:pzalbən] *tr mar (teeren)* goudronner.

Labyrinth *n* ‹-(e)s, -e› [laby'rınt] *(Irrgang)* labyrinthe *a. anat;* dédale *m a. fig;* **l~isch** *a* labyrintique.

Lach|anfall *m* ['lax-] éclat *m* de (fou) rire; *e-n ~~ haben* éclater *od* pouffer de rire; **~e** *f* ‹-, (-n)› **1.** *fam (Gelächter)* risée *f,* rire *m;* **l~en** *itr* rire (*über* de); *sich e-n Ast ~~ (pop)* rire comme un bossu; *sich ins Fäustchen ~~* rire sous cape *od* dans sa barbe; *jdm ins Gesicht ~~* rire au nez à qn; *gezwungen ~~* rire du bout des dents *od* des lèvres, rire jaune; *aus vollem Halse ~~* rire à gorge déployée *od* à ventre déboutonné *od* comme un bossu; *hämisch* od *höhnisch ~~* ricaner; *herzlich* od *von Herzen ~~* rire de bon cœur; *sich krank ~~* se pâmer de rire; *sich krank ge~t haben* être malade de rire; *Tränen ~~* rire aux larmes; *nichts zu ~~ haben (fig)* n'être pas couché sur des roses; *darüber kann ich nur ~~* je ne fais qu'en rire; *das Herz lachte mir im Leibe* je me sentais le cœur en fête; *da gibt's nichts zu ~~* il n'y a pas (là) de quoi rire; *daß ich nicht lache!* vous me faites (tu me fais) rire; *Sie haben gut ~~!* vous en riez à votre aise; *da ~~ ja die Hühner!* c'est ridicule *od* grotesque; *das wäre ja gelacht, wenn ...!* il ferait beau voir que ...; *wer zuletzt lacht, lacht am besten (prov)* rira bien qui rira le dernier; **~en** *n* rire *m; sich biegen* od *kugeln* od *wälzen vor ~~ (fam)* se tordre de rire; *jdn zum ~~ bringen* faire rire qn; *fam* dilater la rate à qn; *fam* désopiler qn; *brüllen* od *wiehern vor ~~* s'esclaffer de rire, rire aux éclats; *sich vor ~~ den Bauch halten* se tenir les côtes de rire; *sich nicht halten können vor ~~* ne plus pouvoir se tenir de rire; *zum ~~ herausfordern* prêter à rire; *aus dem ~~ nicht herauskommen* rire sans arrêt; *vor ~~ platzen* étouffer *od* pouffer de rire; *sich das ~~ verbeißen* od *verkneifen* étouffer un rire; *sich das ~~ nicht verbeißen* od *verkneifen können* ne pouvoir s'empêcher de rire; *mir ist (gar) nicht zum ~~ (zumute)* je ne suis pas d'humeur *od* je n'ai pas le cœur à rire; *das Weinen war* od *stand mir näher als das ~~* j'étais plus près des larmes que du rire; *das ist nicht zum ~~* il n'y a pas de quoi rire, il n'y a pas là matière à plaisanterie; *alberne(s) ~~* rire *m* stupide, bête; *gezwungene(s) ~~* rire *m* jaune *od* forcé; *hämische(s)* od *höhnische(s) ~~* ricanement, rire *m* sardonique; *krampfhafte(s) ~~* rire *m* convulsif; **l~end** *a* riant; **~er** *m* rieur *m; die ~~ auf seiner Seite haben* avoir les rieurs de son côté; **~gas** *n* gaz hilarant; *scient chem* protoxyde *m* d'azote; **l~haft** *a* ridicule; **~haftigkeit** *f* ridicule *m;* **~krampf** *m med* rire *m* convulsif; **~möwe** *f* (mouette) rieuse *f;* **~muskel** *m* (muscle) risorius *m* (de Santorini); **~salve** *f* explosion *f* de rire; **~taube** *f* pigeon *m* rieur.

Lache *f* ‹-, -n› ['laxə] **2.** *(Pfütze)* flaque; *(a. Blutlache)* mare *f.*

Lache *f* ‹-, -n› ['laxə] **3.** *(Kerbe im Baum)* entaille *f.*

läch|eln ‹*ich läch(e)le, du lächelst* ...› ['lɛçəln] sourire (*über* de); avoir un sourire; *(kleines Kind u.) im Schlaf ~~* rire aux anges; **L~eln** *n* sourire *m; ein ~~ spielte um s-e Lippen* un sourire errait sur ses lèvres; **~erlich** *a* ridicule; *(zum Lachen)* risible; *sich ~~ machen* se rendre ridicule; se couvrir de ridicule, se ridiculiser, prêter à rire; *jdn ~~ machen* tourner qn en ridicule, couvrir qn de ridicule, ridiculiser qn; jeter du ridicule sur qn; *etw ~~ machen* tourner qc en plaisanterie *od* en ridicule, ridiculiser qc; *ins L~~e ziehen* tourner en ridicule *od* en dérision *od* en plaisanterie, ridiculiser; *mir ist (gar) nicht ~~ zumute* je ne suis pas d'humeur à rire; je n'ai pas envie de rire; *das ist wirklich ~~* cela est d'un ridicule achevé *od* parfait; *machen Sie sich nicht ~~!* ne soyez pas *od* ne vous rendez pas ridicule! *das ist doch ~~!* mais c'est ridicule!

Lachs *m* ‹-es, -e› [laks] *zoo* saumon *m; kleine(r)* od *junge(r) ~* saumoneau *m;* **l~artig** *a* saumoné; **~fang** *m* pêche *f* au *od* du saumon; **l~farben** *a* saumon; **~forelle** *f* truite *f* saumonée; **~schinken** *m* jambon *m* saumoné.

Lack *m* ‹-(e)s, -e› [lak] (gomme) laque *f,* vernis *m;* **~arbeit** *f (Gegenstand)* laque *m;* **l~artig** *a* laqueux; **l~en** *tr = l~ieren;* **~farbe** *f* laque (colorée), peinture *f* laquée; **~firnis** *m* laque *f* (de Chine); vernis *m;* **l~ieren** [-'ki:rən] *tr* laquer, vernir, vernisser; *jdm eine ~~ (fig fam)* flanquer une gifle *od* une taloche à qn; **~ierer** *m* ‹-s, -› laqueur, vernisseur *m;* **~iermaschine** *f* machine *f* à laquer *od* à vernir; **~ierpinsel** *m* queue-de-morue *f;* **~ierte,** *der (fam)* la dupe; **~ierung** *f* laquage, vernissage *m;* **~leder** *n* (cuir) verni *m;* **~schuhe** *m pl* (chaussures *f pl*) verni(e)s *m pl.*

Lackmus *m* od *s* ‹-, ø› ['lakmus] *chem* tournesol *m;* **~flechte** *f bot* orseille *f;* **~papier** *n* papier *m* de tournesol; **~tinktur** *f* teinture *f* de tournesol.

Lade *f* ‹-, -n› ['la:də] *(Truhe)* coffre, bahut *m; allg (Kasten)* caisse *f; (Webstuhl)* battant *m.*

Lade|aggregat *n* ['la:də-] *el* groupe *m* de charge *od* de batterie; **~anlage** *f* installation *f* de transbordement; **~baum** *m* mât *m* de charge, chèvre *f;* **~bühne** *f* rampe *od* plate-forme *f* de chargement; **~damm** *m mar* embarcadère *m;* **~dichte** *f* densité *f* de chargement *od* de la charge; **~druck** *m aero* pression *f* d'admission; **~fähigkeit** *f* capacité de charge(ment), charge *f* utile; **~fläche** *f* surface *f* de chargement; **~gebühr** *f* droits *m pl* de chargement; **~gewicht** *n* poids *m* de chargement; *zulässige(s) ~~* charge *f* admise; **~gleichrichter** *m el* redresseur *m* de charge d'accumulateurs; **~gleis** *n* voie *f* de chargement; **~gurt** *m mil (MG)* sangle à cartouches, bande-chargeur *f;* **~hemmung** *f mil* incident de chargement, enrayage *m;* **~kai** *m* quai *m* d'embarquement; **~kran** *m* grue *f* de chargement; **~luft** *f aero* air *m* d'alimentation; **~luke** *f mar* écoutille *f* de chargement; **~meister** *m* maître *m* débardeur.

laden *tr ‹du lädst, ladest, er lädt, ladet; lud, geladen›* ['la:dən, lɛ:t, lu:t, -dən] **1.** *(Fracht, mil, el)* charger; *mil a.* approvisionner; *sich etw auf den Hals ~ (fig)* se mettre qc sur le dos; *e-e Schuld auf sich ~* se rendre coupable d'une faute; *ge~ sein (fig fam)* être furieux; *auf jdn* avoir une dent contre qn; *schwer ge~ haben (fig fam: betrunken sein)* avoir du vent dans les voiles, être soûl comme une bourrique; *~ und sichern! (mil)* charger, puis mettre à la sûreté; **L~ 1.** *n (Auf-, Be~, a. el)* chargement *m;* **2.** *(einladen)* inviter, convier, prier, *jur (vorladen)* citer, appeler, assigner; *vor Gericht ~* citer en justice; *zu Tisch ~* inviter à déjeuner *od* à dîner.

Laden 2. *m* ‹-s, ⸚› ['la:-, 'lɛ:dən] *(Kauf~)* boutique *f; (größerer)* magasin; *(Geschäft)* fonds (de commerce); *(Fenster~)* volet *m; den ~ schmeißen (fig fam)* en venir à bout; **~besitzer** *m* propriétaire de *od* du *od* d'un magasin, patron *m;* **~dieb** *m* voleur *m* à l'étalage; **~diebstahl** *m* vol *m* à l'étalage; **~einrichtung** *f* établissement *m od* installation *od* fourniture *f* d'un *od* du magasin; **~fenster** *n (Schaufenster)* vitrine, devanture *f;* **~geschäft** *n* magasin *m;* **~hüter** *m (unverkäufliche Ware)* rossignol *m;* **~inhaber** *m* boutiquier, patron *m;* **~miete** *f* loyer *m* de magasin; **~preis** *m* prix de vente *od* de détail; *(Buch)* prix *m* fort *od* de librairie; **~raum** *m* local *m* de magasin; **~schild** *n* enseigne *f;* **~schluß** *m* fermeture *od* clôture *f* des magasins; **~straße** *f* rue *f* commerçante; **~tisch** *m* comptoir *m.*

Lade|pforte *f* ['la:də-] *mar* sabord *m;* **~plan** *m* plan *m* de chargement; **~platz** *m mar* lieu de chargement *od* d'embarquement, embarcadère *m,* **~profil** *n* gabarit *m.*

Lader *m* ‹-s, -› ['la:dər] *Arbeiter)* chargeur *m.*

Lade|rampe *f* ['la:də-] = *~bühne;* **~raum** *m* espace *m* chargeable; *mar* cale; *aero* soute *f;* **~schein** *m* bulletin *m od* lettre *f* de chargement; **~spannung** *f el* tension *f* de charge; **~station** *f el* station *f* de charge; **~stelle** *f* station *f* de (re)charge (-ment), endroit *m* de chargement; **~streifen** *m mil (Gewehr)* lame *f* chargeur; *(Jagdgewehr, Pistole)* chargeur *m;* **~strom** *m el* courant *m* de charge; **~vorrichtung** *f* appareil *od* mécanisme *m* de chargement.

lädieren [lɛ'di:rən] *tr (beschädigen)* endommager.

Ladung *f* ‹-, -en› ['la:duŋ] **1.** *(Nutzlast)* charge *a. el; mar* cargaison *f; fam (Wucht, Essen)* lest *m; mit, ohne ~* en charge, à vide; *die ~ löschen (mar)* décharger la cargaison; *e-e ~ an Bord nehmen* prendre du fret; *~ Pulver (mil)* charge *f* de poudre; **~sbild** *n el* image *f* électronique; **~sdichte** *f el* densité *f* de la charge; **~sfähigkeit** *f* port *m* en lourd; **~sgewicht** *n* poids *m* de charge; **~sverhältnis** *n mil* rapport *m* de la charge au projectile; **~sverlust** *m* perte de charge, fuite *f.* neu: **Ladung** *f* **2.** *jur* citation, assignation *f; jdm e-e ~ zustellen (jur)* signifier une assignation à qn; *~ zu e-m Termin* citation *f* en justice.

Lafett|e *f* ‹-, -n› [la'fɛtə] *mil* affût *m;* **l~ieren** [-'ti:rən] *tr (auf d. Lafette bringen)* affûter; **~ierung** *f* affûtage *m.*

Laffe *m* ‹-, -n› ['lafə] *fam (Geck)* gommeux, freluquet, fat, godelureau *m.*

Lage *f* ‹-, -n› ['la:gə] situation, posture *f; (Verhältnisse)* conditions, circonstances *f pl; (Wohnlage, Standort)* site, emplacement *m; a.* orientation; *(e-s Gebäudes)* exposition *(nach Süden* au midi); *(Stellung)* position, posture; *(Schicht)* couche *f; (~ Papier)* cahier *m; geol* strate *f; mar* gisement *m; (e-s gesunkenen Schiffes)* gîte; *(Runde)* tournée *(Bier* de bière); *bei dieser ~ der Dinge* dans cet état de choses; *in allen ~n* en toute(s) circonstance(s); *die ~ e-r S bestimmen* localiser qc, déterminer la position de qc; *sich in e-e üble ~ bringen (pop a.)* se mettre dans de beaux draps; *die ~ erkunden* reconnaître *od* tâter le terrain; *in der gleichen ~ sein* être dans le même cas *od* logé à la même enseigne; *in e-r heiklen* od *kitzligen ~ sein* être dans une situation critique, tenir le loup par les oreilles; *in e-r schwierigen ~ sein* être en porte-à-faux, ne pas en mener large; *in e-r mißlichen* od *üblen* od *unangenehmen ~ sein* être mal en point, n'être pas à la noce; *in der ~ sein, etw zu tun* être en état *od* en mesure *od* à même de faire qc; *nicht in der ~ sein, etw zu tun* être *od* se trouver dans l'impossibilité de faire qc; ne pas être en mesure de faire qc; *jdn in die ~ versetzen zu ...* mettre qn à même de *od* en état de ...; *sich in jds ~ versetzen* se mettre à la place de qn; *sich in allen ~n zurechtfinden* s'arranger de toute situation; *fam* être débrouillard; *die ~ beruhigt sich* les choses s'arrangent; *richtige ~ (mar)* assiette *f; schwierige ~ (a.)* mauvaise passe *f;* **~bericht** *m* rapport sur la situation, compte rendu *od* exposé *m* de la situation; **~besprechung** *f* analyse *f* de la situation; **~bestimmung** *f* détermination de la position, localisation, orientation *f;* **~plan** *m (Karte)* tracé général; *fig* plan *m* de situation *od* d'ensemble.

Lager *n* ‹-s, -› ['lagər] *(Bett)* couche *f,* lit; *(Unterkunft; ~ wilder Tiere)* gîte *m; (des Hasen)* forme *f; (Truppen-Zelt~)* camp, campement; *fig (Partei, Seite)* camp, côté; *n* ‹-s, -/⸚› *(Depot)* dépôt, magasin, *(Vorrat)* stock, fonds (de commerce); *geol (Vorkommen)* gisement, gîte *m,* couche; *tech* boîte *f,* boîtier, coussinet, palier, roulement; *(Stütze)* appui, roulement *m; ab ~* pris à l'entrepôt, ex magasin; *auf ~* en magasin, en stock, en rayon; *das* od *sein ~ abbrechen* lever le camp; *ein ~ anlegen* constituer un stock; *das ~ aufschlagen* établir le camp; *auf ~ haben* od *halten* avoir *od* tenir en magasin, stocker; *auf ~ nehmen* mettre en magasin *od* en stock, emmagasiner, stocker; *ins andere ~ übergehen (a. fig)* passer dans l'autre camp; *fig* virer de bord; *sein ~ verlassen (Wild)* débucher; *vorgeschobene(s), rückwärtige(s) ~ (mil)* dépôt *m* avant, arrière; **~abbau** *m com* réduction *f* des stocks; **~bestand** *m* stock, stock(s *pl*) *m* disponible(s) *od* en magasin, marchandise *f* en magasin; *den ~~ aufnehmen* établir l'inventaire des marchandises; **~bestandsmeldung** *f mil* état *m* des stocks; **~bier** *n* bière *f* de fermentation basse; **~buch** *n* livre *m* de *od* du magasin *od* des inventaires; **~buchhalter** *m* magasinier-comptable *m;* **~feuer** *n* feu *m* de camp; **~futter** *n tech* garniture *f* de coussinet; **~gebühr** *f* (droit de) magasinage *m,* taxe *f* d'entrepôt; **~halle** *f* halle *f* de dépôt; **~halter** *m* = *~verwalter;* **~haltung** *f* stockage, magasinage *m;* **~haus** *n* entrepôt; *mar* dock *m;* **~ist** *m* ‹-en, -en› [-'rɪst] magasinier *m;* **~kommandant** *m* commandant *m* de camp; **~kosten** *pl* frais *m pl* d'emmagasinage *od* de magasinage *od* d'entreposage; **~leben** *n* vie *f* des camps; **~leiter** *m* chef *m* de camp; **~leitung** *f* commandement *m od* autorités *f pl* du camp; **~metall** *n chem mot* métal *od* alliage antifriction; régule *m; mit ~~ ausgießen (mot)* réguler; **~miete** *f* (droit de) magasinage *m;* **l~n** *itr (auf dem Boden liegen)* être étendu *od* installé par terre; être couché; *fam* gîter; *(kampieren, a. mil)* camper; *(Vorrat, Ware)* être en magasin *od* en stock *od* emmagasiné *od* stocké; *(Wein)* être sur le chantier, reposer; *tr (Ware)* mettre en magasin *od* en dépôt *od* en stock, emmagasiner, stocker; *(Wein)* mettre sur le chantier; *~~ lassen* garder *od* laisser en dépôt; *dieser Fall ist ähnlich gelagert* ce cas présente des ressemblances; **~ordnung** *f* règlement *m* du camp; **~platz** *m (e-s Zeltlagers)* emplacement du camp; *(Warenlager)* chantier, dépôt, lieu *od* emplacement *m* de stockage; **~raum** *m* halle *f* de dépôt; **~schein** *m* bulletin de dépôt, récépissé *m od* quittance *f* d'entrepôt; *durch e-n ~~ sichern* warranter; **~schuppen** *m* hangar *m;* **~stätte** *f geol* gîte *od* gisement *m* (métallifère); **~umschlag** *m com* rotation *f* des stocks; **~ung** *f com* stockage, (em)magasinage, entreposage *m; (Einlagerung)* mise *f* en stock *od* en magasin; *geol* gisement, conditionnement *m; gangförmige, geschichtete, massige ~~ (geol)* gisement *m* en filon, en couche, en amas;

l~ungsfähig *a (Ware)* stockable; **~ungsfähigkeit** *f* stockabilité *f;* **~ungskosten** *pl* = *~kosten;* **~verwalter** *m* magasinier, garde-magasin; chef *m* de magasin; **~verzeichnis** *n* inventaire *m* (des marchandises en stock); **~vorrat** *m* provision *f* en dépôt *od* en magasin, stock *m;* **~zeit** *f* (temps de) magasinage *m.*

Lago Maggiore ['la:go mad'dʒo:re], *der* le lac Majeur.

Lagune *f* ⟨-, -n⟩ [la'gu:nə] *geog* lagune *f; (e-s Atolls)* lagon *m.*

lahm [la:m] *(gelähmt)* paralysé *a. fig;* perclus; *(hinkend)* boiteux; *(schlaff, schwach)* mou, sans force; *fam (ermüdet)* courbatu, éreinté; *tech (Feder)* lâche; *fig* faible, insuffisant, cousu de fil blanc; *(Geschäft)* languissant; **L~e(r)** *m* paralysé; *(Hinkender)* boiteux *m;* **~en** *itr* traîner la jambe; *(hinken)* boiter, être boiteux, clopiner; **L~heit** *f* ⟨-,(-en)⟩ paralysie; *(Schlaffheit)* mollesse; *fig* faiblesse, lenteur *f;* **~≈legen** *tr* paralyser; *jdn (völlig) ~~* couper bras et jambes à qn; **L~legung** *f* arrêt *m.*

lähm|en ['lɛ:mən] *tr med u. fig* paralyser; *jdn völlig ~~ (fig a.)* couper bras et jambes à qn; **~end** *a* paralysant; **L~ung** *f a. fig* paralysie *f; halbseitige ~~ (med)* hémiplégie *f.*

Laib *m* ⟨-(e)s, -e⟩ [laɪp, -bə] *(Brot)* miche; *(Käse)* meule *f.*

Laich *m* ⟨-(e)s, -e⟩ [laɪç] *zoo* frai *m;* **l~en** *itr* frayer; **~en** *n* frai; *(Heringe)* relouage *m;* **~platz** *m* frayère *f;* **~zeit** *f* saison *f* du frai; *(Heringe)* relouage *m.*

Laie *m* ⟨-n, -n⟩ ['laɪə] *rel* laïque, séculier; *(Nichtfachmann)* profane; *pl rel* laïcat *m;* **~nbruder** *m rel* (frère) lai, frère *m* convers; **~nbruderschaft** *f* confrérie *f;* **l~nhaft** *a* de profane; *adv* en profane; **~nrichter** *m* juge *m* laïque.

Laizismus *m* ⟨-, ø⟩ [lai'tsɪsmus] laïcisme *m.*

Lakai *m* ⟨-en, -en⟩ [la'kaɪ] *a. fig (Kriecher)* laquais; *fam* larbin *m;* **l~enhaft** *a fig (kriecherisch)* servile.

Lake *f* ⟨-, -n⟩ ['la:kə] *(Salzlösung)* saumure *f.*

Laken *n* ⟨-s, -⟩ ['la:kən] *(Bettuch)* drap *m* (de lit).

lakonisch [la'ko:nɪʃ] *a* laconique.

Lakritze *f* ⟨-, -n⟩ [la'krɪtsə] (suc *m* de) réglisse *f;* **~nsaft** *m* jus *m* de réglisse *f;* **~nstange** *f* bâton *m* de réglisse.

lallen ['lalən] *itr* bredouiller, bégayer, balbutier; **L~** *n* bégaiement(s *pl*), balbutiement(s *pl*) *m.*

Lama ['la:ma] **1.** *n* ⟨-s, -s⟩ *zoo* lama *m;* **2.** *m* ⟨-(s), -s⟩ *(buddhistischer Priester)* lama *m;* **~ismus** *m* ⟨-, ø⟩ [-'ɪsmus] *rel* lamaïsme *m.*

Lamberts(hasel)nuß *f* ['lambɛrts-] aveline *f.*

Lamell|e *f* ⟨-, -n⟩ [la'mɛlə] lam(ell)e; *tech* ailette, touche *f,* disque, segment *m;* **l~enförmig** *a* lamellaire; **~enkühler** *m mot* radiateur *m* à ailettes *od* à lames; **~enkupp(e)lung** *f* embrayage *m* à disques; **~enmagnet** *m* aimant *m* lamellaire *od* feuilleté; **~ensicherung** *f el* fusible *m* à lame; **l~ieren** *tr tech* feuilleter; **~ierung** *f* feuilletage *m.*

lament|ieren [lamɛn'ti:rən] *itr* se lamenter; **L~o** *no* ⟨-s, -s⟩ [-'mɛnto] *fam (Gejammer)* lamentation *f.*

Lametta *n* ⟨-s, ø⟩ [la'mɛta] *(Metallfäden als Christbaumschmuck)* lamelles *f pl* (de métal).

Lamm *n* ⟨-(e)s, ⸚er⟩ [lam, 'lɛmər] agneau *m; das ~ Gottes (Jesus)* Agneau *m* de Dieu *od* sans tache; **~braten** *m* agneau rôti, rôti *m* d'agneau; **l~en** *itr (Schaf)* agneler; *(Ziege)* chevroter, chevret(t)er; **~sgeduld** *f* patience *f* d'ange; **~fell** *n* peau d'agneau, toison *f;* **~fleisch** *n* agneau *m;* **l~fromm** *a (Pferd)* doux comme un agneau; **~wolle** *f* laine *f* agneline *od* d'agneau.

Lämm|chen *n* ⟨-s, -⟩ ['lɛmçən] petit agneau, agnelet *m;* **~ergeier** *m* vautour des agneaux; *scient* gypaète *m* barbu; **~erwolke** *f* cirrus *m;* **~lein** *n* = *~chen.*

Lamp|e *f* ⟨-, -n⟩ ['lampə] lampe *f; sich einen auf die ~~ gießen (pop: sich besaufen)* s'arroser le gosier; **~enanzünder** *m* allumeur de réverbères, lampiste *m;* **~enfabrikant** *m* lampiste *m;* **~enfabrikation** *f* lampisterie *f;* **~enfieber** *n fam* trac *m;* **~englocke** *f* globe *m; tech* tulipe *f;* **~enlicht** *n* lumière *f* d'une *od* de la lampe; *bei ~~* à la lumière d'une *od* de la lampe; **~enschirm** *m* abat-jour *m;* **~ion** *m* ⟨-s, -s⟩ [lãpi'ɔ̃:] lampion *m;* lanterne *f* vénitienne.

lancier|en [lã'si:rən] *tr* lancer; **L~rohr** *a (für Torpedos)* tube *m* lance-torpilles.

Land *n* ⟨-(e)s, ⸚er⟩ [lant, 'lɛndər] *(im Gegensatz zum Wasser)* terre *f; (Staat)* pays *m; (im Gegensatz zur Stadt)* campagne; *(Ackerland)* terre *f,* champs *m pl,* bien *m; auf dem ~e* à la campagne; *aus aller Herren Ländern* de tous les pays du monde; *an ~ bringen* od *setzen* mettre à terre; *an ~ gehen, ans ~ kommen* aller *od* descendre à terre, débarquer; *aufs ~ gehen* aller à la campagne; *außer ~es gehen* quitter le pays, s'expatrier, s'exiler; *des ~es verweisen* exiler, expulser; *sich aufs ~ zurückziehen* se retirer à la campagne; *(fig a.) fam* aller planter des *od* ses choux; *10 Jahre sind seitdem ins ~ gegangen* dix ans ont passé depuis ce temps(-la); *andere Länder, andere Sitten (prov)* autres pays, autres mœurs; *die blockfreien* od *neutralen Länder* les pays non-engagés, le tiers monde; *das feste ~* la terre ferme; *hum* le plancher des vaches; *das Gelobte, Heilige ~ (Palästina)* la Terre promise, sainte; *im ~e geboren* indigène; *~ und Leute* le pays et ses habitants; **~adel** *m* aristocratie terrienne, noblesse *f* campagnarde; **~arbeit** *f* travail *m* agricole *od* des champs; **~arbeiter** *m* ouvrier *m* agricole; **~arzt** *m* médecin *m* de campagne; **~besitz** *m* propriété *f* rurale; **~besitzer** *m* propriétaire *m* terrien; **~bevölkerung** *f* population *f* rurale *od* de la campagne; **~bewohner** *m* habitant de la campagne, campagnard *m;* **~briefträger** *m* facteur *m* rural; **~brot** *n* pain *m* de campagne; **~brücke** *f geog* pont *m* de terre; **~butter** *f* beurre *m* fermier; **~edelmann** *m* gentilhomme *m* campagnard; **~eigentum** *n,* **~eigentümer** *m* = *~besitz(er);* **l~einwärts** *adv* vers l'intérieur du pays; **~enge** *f* isthme *m;* **~erziehungsheim** *n* internat *m* rural; **~fahrzeug** *n* véhicule *m* terrestre; **~flucht** *f* exode *m* rural, désertion *f* des campagnes; **l~flüchtig** *a* fugitif, réfugié; *~~ werden* s'expatrier, s'exiler; **~frau** *f* campagnarde; *(Bäuerin)* paysanne *f;* **l~fremd** *a* étranger au pays; **~friede(n)** *m* paix *od* sûreté *f* publique; **~friedensbruch** *m* violation *f* de la paix publique; **~funk** *m* émissions *f pl* agricoles; **~funkstelle** *f* station *f* terrestre; **~gemeinde** *f* commune *f* rurale; **~gewinn** *m pol* acquisition *f* territoriale; **~graf** *m hist* landgrave *m;* **~gräfin** *f hist* landgrav(in)e *f;* **~grafschaft** *f hist* landgraviat *m;* **~gut** *n* propriété *f* rurale, fonds de terre, domaine *m;* **~haus** *n* maison de campagne; *kleine(s) ~~ (a.)* cottage *m;* **~heer** *n* armée *f* de terre; **~karte** *f* carte *f* géographique; **~kreis** *m* arrondissement *m* (rural); **~krieg** *m* guerre *f* terrestre; **~kriegführung** *f* conduite *f* des opérations sur terre; **l~kundig** *a* connaissant le pays; **l~läufig** *a* courant, généralement usité, commun (-ément admis); **~leben** *n* vie *f* rurale *od* champêtre *od* à la campagne; **~leute** *pl* gens *pl* de la campagne, campagnards *m pl;* **~luft** *f* air *m* de la campagne; **~macht** *f* puissance *f* continentale; **~mann** *m* ⟨-(e)s, -leute/(-männer)⟩ campagnard; *(Bauer)* paysan *m;* **~maschinen** *f pl* machines *f pl* agricoles; **~messer** *m* arpenteur, géomètre *m;* **~nahme** *f hist* conquête et colonisation *f;* **~partie** *f* partie de campagne, excursion *f;* **~pfarrer** *m* curé *od (evang.)* pasteur *m* de campagne; **~plage** *f* calamité *f* (publique), fléau *m;* **~pomeranze** *f fam* gardeuse d'oies, dindonnière *f;* **~rat** *m (etwa:)* sous-préfet; *(Belgien)* commissaire *m* d'arrondissement; **~ratsamt** *n (etwa:)* sous-préfecture *f; (Belgien)* commissariat *m* d'arrondissement; **~ratte** *f fig fam* terrien *m;* **~recht** *n (allgemeines)* droit *m* commun; **~regen** *m* pluie *f* générale *od* continue; **~rücken** *m* hauteurs *f pl,* hauts *m pl;* **~schildkröte** *f* tortue *f* terrestre; **~schulheim** *n* internat *m* à la campagne; **~seite** *f* côté *m* de la terre; **~siedlung** *f* colonie *f* agricole; **~sitz** *m* maison, propriété *f* de campagne; **~stadt** *f* petite ville *f* (rurale); **~stände** *m pl hist* états *m pl* provinciaux; **~straße** *f* grand-route, route *f* départementale; **~streicher** *m* vagabond, chemineau *m;* **~streicherei** *f* vagabondage *m;* **~streitkräfte** *f pl* forces *f pl* terrestres; **~strich** *m* contrée, région *f;* climat *m;* **~sturm** *m mil* (réserve de l')armée *f* territoriale, arrière-ban *m;* **~tag** *m* diète *f;* **~tier** *n* animal *m* terrestre; **~transport** *m* transport *m* par terre *od* terrestre; **~- und Seestreitkräfte** *f pl* forces *f pl* de terre et de mer; **~urlaub** *m mar* permission *f* de descendre à terre; **~vermessung** *f* géodésie *f,* nivellement; arpentage *m;* **~vogt** *m hist* bailli *m;* **~volk** *n* = *~leute;* **l~wärts** *adv* vers la terre; **~weg** *m* voie *f* de terre *od* terrestre, chemin *m* de terre; *auf dem ~~e* par voie de terre; *den ~~ benutzen* prendre la voie de terre; **~wehr** *f* armée *f* territoriale; **~wein** *m* vin *m* du pays *od* du cru; **~wind** *m* vent *m* de terre; **~wirt** *m* agriculteur, cultivateur, exploitant *m* agricole; **~wirtschaft** *f* agriculture, économie *f* rurale; **l~wirtschaftlich** *a* agricole, rural, agronomique; *~~e(r) Betrieb m* exploitation *f* agricole *od* rurale; *~~e Genossenschaft f* coopérative *f* agricole; *~~e Geräte n pl* outillage *m* agricole; *l~~e Hochschule f* école *f* supérieure d'agriculture, institut *m* agronomique; *~~e Versammlung f* comice *m* agricole; **~wirtschaftsausstellung** *f* exposition *f* agricole, salon *m* de l'agriculture; **~wirtschaftsbank** *f* banque *f* agricole; **~wirtschaftskunde** *f* agronomie *f;* **l~wirtschaftskundlich** *a* agronomique; **~wirtschaftsminister(ium** *n***)** *m* minist(è)re *m* de l'Agriculture; **~wirtschaftsschule** *f* école *f* d'agriculture; **~zunge** *f geog* pointe (de terre), langue *f* de terre.

Landauer *m* ‹-s, -› ['landauər] *(Wagen)* landau *m.*

Ländchen *n* ‹-s, -› ['lɛntçən] petit pays *m.*

Lande|bahn *f* ['landə-] *aero* piste *f* d'atterrissage; **~bahnleuchte** *f* projecteur *m* de piste d'atterrissage; **~deck** *n aero* pont *m* d'atterrissage, plage *f;* **~einrichtungen** *f pl* installations *f pl* d'atterrissage; **~erlaubnis** *f aero* autorisation *f* d'atterrir; **~funkfeuer** *n* radiophare (directionnel) *od* goniomètre *m* d'atterrissage; **~klappe** *f* volet *m* d'atterrissage; **~kopf** *m mil* tête *f* de débarquement; **~kreuz** *n aero* croix *f* d'atterrissage; **~kufe** *f* patin *m* d'atterrissage; **~leitstrahl** *m* faisceau *m* directeur d'atterrissage; **~licht** *n* feu *m* d'atterrissage, balise *f* de piste; **~panzer** *m mil* char *m* amphibie de débarquement; **~platz** *m mar* poste d'accostage; *aero* champ *od* terrain *m* d'atterrissage; *~~ für Hubschrauber* héliport *m,* héligare *f;* **~raum** *m mar* zone de débarquement; *aero* zone *f* d'atterrissage; **~richtung** *f aero* direction *f od* sens *m* d'atterrissage; **~scheinwerfer** *m* projecteur *m* d'atterrissage; **~signal** *n aero* signal *m* d'atterrissage; **~sporn** *m aero* atterrisseur *m* à béquille; **~steg** *m mar* embarcadère *m;* **~stelle** *f mar* lieu de débarquement; *aero* lieu *m* d'atterrissage; **~stoß** *m aero* choc *m* d'atterrissage; **~streifen** *m aero* piste *f* d'atterrissage; **~-T** *n* T *m* d'atterrissage; **~verbot** *n* interdiction *f* d'atterrissage; **~versuch** *m aero* tentative *f* d'atterrissage; **~zeichen** *n* = *~signal;* **~zone** *f aero* zone *f* d'atterrissage.

landen ‹*landete, gelandet*› ['landən] *itr mar* prendre *od* toucher terre, aborder, accoster; *a. aero* atterrir; *aero a.* se poser, arriver; *(auf e-m Flugzeugträger)* apponter; *(auf dem Mond)* alunir; *fig fam* arriver, donner *od* tomber (*in* dans); finir; *tr (an Land setzen, bes. Truppen)* débarquer, mettre à terre; *fig fam (Schlag)* flanquer, porter; *bei mir kannst du damit nicht ~ (fam)* ça ne prend pas avec moi.

Länder|eien *f pl* [lɛndə'raɪən] terres *f pl,* biens *m pl* ruraux; **~kampf** *m* ['lɛndər-] *sport* match *m od* rencontre *f* international(e); **~kunde** *f* géographie *f;* **l~kundlich** *a* géographique; **~mannschaft** *f sport* équipe *f* nationale; **~spiel** *n* = *~kampf.*

Landes|aufnahme *f* ['landəs-] levé *m* de *od* du terrain; *Amt n für ~~* office *m* de cartographie; *topographische ~~* relevé *m* topographique; **~beschreibung** *f* chorographie *f;* **~bischof** *m (evang. dtsch.)* évêque *m* d'une Église provinciale; **~ebene** *f: auf ~~* à l'échelle nationale *od (in Deutschland)* du Land; **~erzeugnis** *n* = *~produkt;* **~farben** *f pl* couleurs *f pl* nationales; **l~flüchtig** *a* = *landflüchtig;* **~grenze** *f* frontière *f;* **~innere,** *das* l'intérieur *m* du pays; **~kind** *n* sujet *m;* **~kirche** *f* Église *f* nationale; *(in Deutschland)* Église (protestante) d'une région; **~kunde** *f (etwa:)* géographie *f* nationale; **l~kundig** *a* connaissant le pays; **l~kundlich** *a* de géographie nationale, géographique; **~planung** *f* (plan d')aménagement *m* du territoire; **~produkt** *n* produit *m* du pays; **~regierung** *f* gouvernement *m* national *od (in Deutschland)* du Land; **~schütze** *m mil* soldat *m* de l'armée territoriale; **~sitten** *f pl* mœurs *f pl* du pays; **~sprache** *f* langue *f* nationale *od* du pays; **~tracht** *f* costume *m* national; **~trauer** *f* deuil *m* national; **l~üblich** *a* en usage dans le pays, usuel; **~vater** *m* souverain *m;* **~verrat** *m* (haute) trahison *f;* crime *m* contre la sûreté extérieure de l'État; **~verräter** *m* traître *m* à son pays; **~verteidigung** *f* défense *f* nationale *od* du territoire; **~verwaltung** *f* administration *f* publique; **~verweisung** *f* expulsion, expatriation, proscription *f,* bannissement *m;* **~verwiesene(r)** *m* expulsé, *a.* exilé, proscrit, banni *m;* **~währung** *f* monnaie *f* nationale.

Länd|ler *m* ‹-s, -› ['lɛntlər] *mus* (danse) tyrolienne *f;* **l~lich** *a* rural, rustique, villageois; champêtre, agreste.

Landschaft *f* ‹-, -en› ['lantʃaft] paysage *(a. Kunst),* site *m; (Gegend)* contrée, région *f;* **l~lich** *a* de *od* du paysage; régional; *adv: ~~ schön* od *reizvoll sein* présenter de beaux paysages; **~sgärtner** *m* (jardinier) paysagiste *m;* **~sgärtnerei** *f* arrangement *m* de jardins; **~sgestalter** *m* architecte *m* paysagiste; **~sgestaltung** *f* architecture *f* de paysage; **~smaler** *m* peintre de paysages, paysagiste *m;* **~sschutz** *m* protection *f* des paysages *od* sites; **~sschutzgebiet** *n* zone *f* protégée.

Landser *m* ‹-s, -› ['lantsər] *fam (Soldat)* troupier, pioupiou; *pop* troufion; *arg* griveton *m.*

Lands|knecht *m* ['lants-] *hist* lansquenet *m;* **~leute** *pl* compatriotes *m pl; wir sind ~~ (a.)* nous sommes du même pays; **~mann** *m* ‹-(e)s, ¨er/ -leute› compatriote *m; was für ein ~~ sind Sie?* d'où *od* de quel pays êtes-vous? **~männin** *f* compatriote *f.*

Landung *f* ‹-, -en› ['landuŋ] *mar (Schiff)* accostage; *(Passagiere)* débarquement *m,* mise *od* descente *f* à terre; *aero (Flugzeug)* atterrissage; *(auf e-m Flugzeugträger)* appontage *m; (Passagiere)* descente *f* d'avion; *zur ~ ansetzen (aero)* amorcer l'atterrissage, s'apprêter à atterrir; *~ frei! (aero)* autorisé à atterrir; *~ auf dem Mond* alunissage *m;* **~sboot** *n* bateau *m* de débarquement; **~sbrücke** *f (Flugzeugträger)* pont d'atterrissage, appontement *m;* **~smanöver** *n aero* manœuvre *f* d'atterrissage; **~splatz** *m mar* poste d'accostage, débarcadère; *aero* terrain *m* d'atterrissage; **~struppen** *f pl* troupes *f pl* de débarquement; **~sversuch** *m* tentative *f* de débarquement *mar od* d'atterrissage *aero.*

lang [laŋ] *a* long; *(mit Zahlenangabe)* d'une longueur de . . ., . . . de *od* en long; *gleich, verschieden ~ (räuml.)* de (la) même longueur, de *od* d'une longueur différente; *(zeitl.)* de (la) même durée, de *od* d'une durée différente; *des ~en und breiten = ~ und breit (adv); vor ~en Jahren, vor ~er Zeit* il y a bien des années, il y a bien longtemps; *vor nicht allzu ~er Zeit* il n'y a pas si *od* très longtemps; *einen ~en Arm haben (fig)* avoir le bras long; *auf die ~e Bank schieben* faire traîner en longueur; *~e Beine haben* avoir de longues jambes; *fam* être haut sur pattes; *das ist e-e ~e Geschichte* c'est toute une histoire; *von ~er Hand (vorbereitet) (fig)* de longue main; *auf ~e Sicht* à long terme; *adv: 10 Jahre ~* dix ans durant, pendant dix ans; *~ und breit (fig)* longuement, en long et en large; *sich ~ und breit über etw auslassen* s'étendre sur qc; *den ganzen Tag ~* tout au long de la journée; *über kurz oder ~* tôt ou tard; *~ hinfallen* tomber de tout son long *od* de sa hauteur.

lang|anhaltend ['laŋ-] *a* long, de longue durée; **~atmig** *a* de longue haleine; **L~baum** *m (Wagenteil)* perche, flèche *f;* **~beinig** *a* à longues jambes, haut sur jambes; **L~eweile** *f* ‹-, ø› ennui *m; aus, vor L~e(r)weile* par ennui, d'ennui; *die ~~ vertreiben* chasser l'ennui; *jdm* désennuyer qn; *mich plagt die ~~* l'ennui me tue; **~faserig** *a (Wolle)* peigné; **L~finger** *m fam (Dieb)* chapardeur, larron *m;* **~fristig** *a* à long terme, à longue date *od* durée *od* échéance; **~gestreckt** *a* allongé, oblong; *(ausgestreckt, von e-m Menschen)* étendu de tout son long; **~gezogen** *a (räuml.)* étiré; *(zeitl.)* prolongé; **L~haardackel** *m* griffon *m* basset; **~haarig** *a (Tier)* à poil(s) long(s); *(Mensch)* aux cheveux longs; **L~haus** *n arch rel* longue nef *f;* **L~holz** *n* bois *m* en long *od* de fil; **L~holzwagen** *m* voiture *f* pour bois en long; **~jährig** *a* qui dure *od* a duré de longues années, long; *(Freund)* vieux; **L~lauf** *m (Schi)* course *f* de fond; **L~laufschi** *m* ski *m* de fond; **~lebig** *a* qui vit longtemps; *scient* macrobite; **L~lebigkeit** *f* longévité *f;* **~≈legen,** *sich (pop)* se pieuter; **~≈liegen** *itr fam (a. krank)* être sur le dos *od* le flanc; **L~loch** *n* trou *m* oblong; **L~mut** *f* ⟨-, ø⟩ longanimité, indulgence, patience *f;* **~mütig** *a* indulgent, patient; **~nasig** *a* à *od* au nez long; **L~ohr** *n: Meister ~~* maître *m* Aliboron; **~sam** *a* lent; *(schleppend)* traînant; *~~er fahren* ralentir; *~~er gehen* ralentir le pas; *~~ heranreifen (fig)* se mijoter; *~~ reifen lassen* mijoter; *~~er werden* diminuer de vitesse, ralentir; *nur* od *immer ~~!* doucement! **L~samflugzeug** *n* avion *m* lent; **L~samkeit** *f* ⟨-,(-en)⟩ lenteur; *(Weitschweifigkeit)* longueur *f;* **~samlaufend** *a* à régime lent *od* réduit, à faible vitesse, au ralenti; **L~schäfter** *m pl fam (Schaftstiefel)* bottes *f pl* à tige; **L~schläfer** *m* grand dormeur *m;* **L~schwelle** *f loc* longrine *f;* **L~spielplatte** *f* (disque) microsillon *m* (de) longue durée; *auf ~~ aufnehmen* graver sur microsillon; **~stielig** *a* à longue tige; *scient* longicaule; **L~streckenbomber** *m* bombardier *m* à grand rayon d'action *od* stratégique *od* transcontinental; **L~strekkenflug** *m* vol *m* de distance; **L~streckenflugzeug** *n* avion *m* à grand rayon d'action; **L~streckenjäger** *m aero* chasseur *m* à grand rayon d'action; **L~strecken-Kurierflugzeug** *n* long-courrier *m;* **L~streckenlauf** *m (über 5000 m) sport* course *f* de (grand) fond; **L~streckenläufer** *m* coureur *m* de fond; **L~streckenrekord** *m* record *m* de fond; **L~strecken-U-Boot** *n* sous-marin *m* de croisière; **L~strekkenverkehr** *m: im ~~* en long-courrier; **L~weile** *f = L~eweile;* **~weilen** ⟨*gelangweilt*⟩ [-'laŋ-] *tr* ennuyer; *fam* embêter, barber, bassiner; *pop* raser; *vulg* emmerder; *entsetzlich* od *zu Tode ~~ (fam)* assommer, empoisonner; *sich* s'ennuyer comme une carpe, mourir *od* périr d'ennui, s'ennuyer à mourir; *(beim Warten)* se morfondre; **~weilig** *a* ennuyeux; *hum* somnifère, soporifique; *(geistlos)* insipide; *(verdrießlich)* fastidieux, fâcheux; *(auf die Nerven gehend)* lassant; *fam* embêtant, assommant, barbant, bassinant; *pop* rasant, rasoir; *~~e(r) Mensch m (a. pop)* raseur, rasoir *m;* *~~e(r) Schwätzer m (a. fam)* robinet *m* d'eau tiède; *~~e(s) Zeug n (pop)* rasoir *m;* **L~welle(n** *pl***)** *f* grandes ondes, ondes *f pl* longues; **~wierig** *a* de longue haleine *od* durée; *das ist e-e ~~e Geschichte* od *Sache* c'est la mer à boire; *~~e Arbeit f* ouvrage *m* de patience; **L~wierigkeit** *f* longue durée *f.*

lange ['laŋə] *adv (lange Zeit)* longtemps; beaucoup; *a. (noch ~)* jusqu'à *od* d'ici (à) demain; *nicht ~ darauf* peu (de temps) après; *noch ~ nicht* pas de sitôt, il s'en faut de beaucoup; *schon ~* depuis longtemps, de loin; *seit ~m* depuis longtemps, de longue date; *so ~ wie* aussi longtemps que, tant que; *wie ~?* combien de temps? *seit ~?* depuis quand? *~ nicht so ...* beaucoup moins ...; *~ vor (zeitl.)* bien avant; *~ aufbleiben* veiller tard; *~ brauchen (viel Zeit benötigen)* mettre longtemps (*zu etw* à faire qc); *~ dauern* être long; *nicht ~ fragen* ne pas s'arrêter à poser des questions; *~ machen (fam)* être long; *nicht mehr ~ machen (fam: dem Tode nahe sein)* ne plus aller loin; *~ reichen (Vorrat)* mener loin; *schon ~ her sein* dater de loin; *~ warten (a. fam)* poireauter; *~ auf sich warten lassen* se faire attendre; *es ist schon ~ her* il y a bien longtemps *od* beau temps *od (fam)* belle lurette; *daß ...* il y a déjà longtemps que ...; *das ist (noch) ~ hin* ce n'est pas demain la veille; *warten Sie schon ~?* y a-t-il longtemps que vous attendez? *da kannst du ~ warten! (fam)* tu peux toujours attendre!

Länge *f* ⟨-, -n⟩ ['lɛŋə] longueur *a. sport; (Dauer)* durée; *geog astr math* longitude; *(lange Silbe)* longue *f; (Filmstreifen)* métrage *m; pl fig (e-s Buches)* longueurs *f pl; der ~ nach* d'après la *od* en longueur; *in die ~* en long; *in die ~ und in die Breite* en long et en large, de long en large; *von 10 m ~* de dix mètres de long; *der ~ nach beschießen* od *bestreichen (mil)* battre *od* prendre d'enfilade; *der ~ nach hinfallen* tomber de tout son long; *(sich) in die ~ ziehen (fig)* tirer *od* traîner en longueur; *sich* faire long feu; *östliche, westliche ~* longitude *f* est, ouest; **~ngrad** *m* degré de longitude, méridien *m;* **~nmaß** *n* mesure *f* de longueur *od* linéaire; **~nmessung** *f* longimétrie *f;* **~nunterschied** *m geog mar* différence *f* en longitude.

langen ['laŋən] *itr* ⟨*hat gelangt*⟩ *fam (genügen)* suffire, être suffisant *od* assez; *(greifen)* saisir, prendre, atteindre (*nach etw* qc); *tr: jdm eine ~ (Ohrfeige)* flanquer une gifle à qn; *mir langt's! (fam)* j'en ai jusque-là; *das langt!* ça suffit; *pop* la barbe!

länger ['lɛŋər] *a (Komparativ von lang)* plus long; *(ziemlich lang)* long, prolongé; *adv (Komparativ von lange)* plus longtemps, davantage; *einen Tag ~* un jour de plus; *je ~, je lieber; je ~, desto besser (zeitl.)* le plus longtemps sera le mieux; *~e Zeit (lange)* (assez) longtemps, quelque *od* un certain temps; *~ dienen (mil)* se rengager, s'être rengagé; *arg* rempiler; *~ dienende(r) Freiwillige(r) m* rengagé; *arg* rempilé *m; ~ machen (tr)* (r)allonger; *~ werden* s'allonger, se rallonger; *(die Tage im Frühling)* allonger, augmenter, croître.

länglich ['lɛŋlıç] *a* allongé, oblong.

Langobarden *m pl* [laŋgo'bardən] *hist* Lombards *m pl.*

längs [lɛŋs] *adv = der Länge nach prp gen* od *dat* le long de; **L~achse** *f* axe *m* longitudinal *od* de roulis; **L~feuer** *n mil* tir *m* d'enfilade; **~gestreift** *a* rayé en long, à raies longitudinales; **L~holm** *m aero* longeron *m* longitudinal; **L~neigungsmesser** *m* inclinomètre *m;* **L~richtung** *f* sens *m* de la longueur *od* longitudinal; **L~schnitt** *m* plan *m od* section *od* coupe *f* longitudinal(e) *od* vertical(e); **L~seite** *f* grand côté *m;* **~seits** *adv mar* le long du bord; *prp gen* le long de; **L~streifen** *m* rayure *f* longitudinale.

längst [lɛŋst] *adv: schon ~* depuis longtemps; *~ nicht so ...* bien loin de ..., beaucoup moins ...; *~ vergessen* bien oublié; **~ens** *adv (spätestens)* au plus tard; tout au plus; **L~lebende,** *der (jur)* le (dernier) survivant.

Languste *f* ⟨-, -n⟩ [laŋ'gustə] *zoo* langouste *f;* **~nnetz** *n* langoustier *m.*

Lanthan *n* ⟨-s, ø⟩ [lan'ta:n] *chem* lanthane *m.*

Lanz|e *f* ⟨-, -n⟩ ['lantsə] lance *f; für jdn e-e ~~ brechen* od *einlegen* rompre une *od* courir une *od* des lance(s) pour qn *od* en faveur de qn; *~en stechen* jouter; **l~enförmig** *a* lanciforme; **~enstechen** *n* joute *f;* **~ette** *f* ⟨-, -n⟩ [-'tsɛtə] lancette; *med* aiguille *f;* **l~ettförmig** *a* lancéolé.

Lao|s *n* ['la:ɔs] le Laos; **l~tisch** [la'o:tıʃ] *a* laotien.

lapidar [lapi'da:r] *a (kurz u. markant)* lapidaire.

Lapislazuli *m* ⟨-, -⟩ ['la:pıs'la:tsuli] *min* lapis(-lazuli) *m,* lazulite *f.*

Lappalie *f* ⟨-, -n⟩ [la'pa:liə] bagatelle, vétille; futilité; *fam* babiole, broutille *f; pl a.* menu fretin *m.*

Lapp|e *m* ⟨-n, -n⟩ ['lapə], **~in** *f,* **~länder(in** *f***)** *m* Lapon, e *m f;* **l~isch** *a,* **l~ländisch** *a* lapon; **~land** *n* la Laponie.

Lappen *m* ⟨-s, -⟩ ['lapən] *(Lumpen)* chiffon, lambeau; *(Wisch~)* torchon; *anat bot* lobe, *a.* appendice *m; pej (Geschriebenes)* chiffon *m; jdm durch die ~ gehen (fam: entwischen)* filer entre les doigts à qn, brûler la politesse à qn.

läpper|n ['lɛpərn] *tr: es ~t sich zs. (fam)* les petits ruisseaux font les grandes rivières; **L~schulden** *f pl* dettes *f pl* criardes.

läppisch ['lɛpıʃ] *a* niais, inepte.

Lapsus *m* ⟨-, -⟩ ['lapsus, *pl* 'lapsu:s] *(Versehen)* lapsus *m,* bévue, faute *f.*

Lärche *f* ⟨-, -n⟩ ['lɛrçə] *bot* mélèze; *scient* larix *m.*

Larifari *n* ⟨-, ø⟩ [lari'fa:ri] niaiserie *f,* non-sens *m;* **l~** *interj* chansons que tout cela!

Lärm *m* ‹-(e)s, ø› [lɛrm] (grand) bruit; *(Krach)* vacarme, fracas, tapage *m;* ~ *machen* = **l~en;** ~ *schlagen (a.)* donner l'alerte; *viel* ~ *um nichts* beaucoup de bruit pour rien; **~bekämpfung** *f* lutte *f* contre le bruit; **l~en** *itr* faire du bruit *od* du tapage, tapager; **l~end** *a* bruyant, tapageur, tumultueux, turbulent; *adv* à grand bruit, à cor et à cri; **~macher** *m* tapageur *m.*

Larve *f* ‹-, -n› [larfə] *(Maske)* masque *m; ent* larve *f; jdm die* ~ *herunterreißen (fig)* arracher son masque à qn; **~ntaucher** *m orn* macareux *m.*

lasch [laʃ] *a dial fam (schlaff)* mou, flasque; mollasse; *(lässig)* nonchalant.

Lasche *f* ‹-, -n› ['laʃə] *tech (Verbindungsstück)* couvre-joint *m,* menotte; *loc* éclisse; *(Schuh)* languette *f;* **~nnietung** *f* rivure *f* à couvre-joint.

Laser *m* ‹-s, -› ['le:zər] laser *m.*

lasieren [la'zi:rən] *tr (mit Lasur versehen)* glacer.

laß [las] *a dial (schlaff, matt)* mou; las, sans vigueur.

lassen ‹*du läßt, er läßt; ließ, gelassen; laß!*› [(-)las(ən), lɛst, li:s] *tr (zulassen)* laisser; *(veranlassen)* faire; *(gestatten)* permettre (*tun* de faire); *(nicht tun)* ne pas faire; *(absehen von)* renoncer (*etw* à qc); *(Gegenstand liegen~* od *stehen~)* laisser; *(Menschen ver-, zurück~)* laisser, quitter; *einen* ~ *(pop: furzen)* péter; *etw auf sich beruhen* ~ ne pas pousser qc plus loin; *es dabei bewenden* od *sein Bewenden haben* ~ s'en tenir là, accepter les choses telles qu'elles sont; *dahingestellt sein* ~ laisser en doute; *e-n Furz* ~ lâcher un pet; *sich etw nicht gefallen* ~ ne pas permettre *od* admettre *od* tolérer qc; *sich gehen~ (fig)* se laisser aller; *gewähren* ~ laisser faire; *jdn grüßen* ~ faire transmettre ses salutations, *fam* donner le bonjour à qn; *holen* ~ envoyer chercher; *von sich hören* ~ donner de ses nouvelles; *jdn* od *von jdm etw machen* ~ faire faire qc à *od* par qn; *sich machen* ~ se faire faire; *sich etw nicht nehmen* ~ *(fig)* ne pas renoncer à qc, ne pas se désister *od* se départir de qc; *sich nichts sagen* ~ ne vouloir écouter personne; *nicht mit sich scherzen* od *spaßen* ~ ne pas entendre raillerie *od* la plaisanterie; *sich sehen* ~ se montrer, se produire; *alles stehen und liegen* ~ abandonner tout; *auf sich warten* ~ se faire attendre; *jdm Zeit* ~ donner du *od* le temps à qn; *sich Zeit* ~ prendre son temps; *sich nicht zwingen* ~ ne pas souffrir de contrainte; *sich vor... nicht zu* ~ *wissen* ne pas se tenir de ...; *ich lasse bitten* faites entrer; *ich habe mir sagen* ~ je me suis laissé dire, j'ai appris, on m'a dit; *ich kann es nicht* ~ c'est plus fort que moi; *er läßt mit sich reden* od *handeln* on peut discuter avec lui; *das läßt sich denken* cela se conçoit *od* s'entend; *darüber läßt sich reden* on peut s'entendre là-dessus; *darüber ließe sich viel sagen* il y aurait beaucoup à dire là-dessus; *das muß man ihm* ~ il faut lui rendre cette justice; ~ *wir das!* n'insistons pas, n'en parlons plus, passons; *laß(t) uns gehen!* partons; *laß das (sein)!* laisse cela! ~ *Sie mich!* laissez-moi! ~ *Sie nur!* allez! ~ *Sie (doch) (das)!* laissez donc! ~ *Sie sich das gesagt sein!* tenez-vous le pour dit! ~ *Sie sich nicht stören!* ne vous dérangez pas! ~ *Sie mich nur machen!* laissez-moi faire! ~ *Sie mal sehen!* faites voir! *tun Sie, was Sie nicht* ~ *können!* faites ce que bon vous semble! *laßt uns singen, beten!* chantons! prions! *das läßt sich hören!* voilà qui s'appelle *od* est parler.

lässig ['lɛsıç] *a* nonchalant; *(gleichgültig)* indolent; *(nachlässig)* négligent; **L~keit** *f* ‹-, (-en)› nonchalance; indolence; négligence, incurie *f.*

läßlich ['lɛslıç] *a (verzeihlich)* pardonnable; *(Sünde)* véniel.

Lasso *m* od *n* ‹-s, -s› ['laso] lasso *m.*

Last *f* ‹-, -en› [last] *(Traglast a. fig)* fardeau; *(Bürde)* faix *m; (Belastung, a. el)* charge; *(Ladung)* cargaison *f,* chargement; *(Gewicht)* poids *m; (undankbare Arbeit)* corvée *f; pl (Abgaben)* charges *f pl; (Steuern)* impôts *m pl; mit voller* ~ à pleine charge; *zu ~en (gen)* à la charge (de); *zu ~en des Haushalts (pol)* sur le budget; *zu Ihren ~en* à votre débit; *jdm zur* ~ *fallen* être à charge à qn, tomber sur le dos *od* sur les bras de qn; *(lästig sein)* importuner qn; *zu jds ~en gehen; fig* être à la charge de qn, être imputable à qn; *jdm etw zur* ~ *legen* mettre qc à la charge *od* sur le compte de qn; *e-e schwere* ~ *zu tragen haben (fig)* traîner un boulet; *zur* ~ *schreiben (com)* passer en dépense; *die* ~ *tragen (fig)* payer la charge; *s-e* ~ *tragen (fig)* porter sa croix; *die* ~ *e-r Sache tragen* (supporter le poids *od* la charge de qc; *er ist mir e-e* ~ il m'est incommode, il me gêne, je le porte sur mes épaules; **~auto** *n* camion; poids *m* lourd; **l~en** ‹*lastete, hat gelastet*› *itr a. fig* peser (*auf* sur); *fig a.* s'appesantir (*auf* sur); **~enaufzug** *m* monte-charge *m;* **~enausgleich** *m adm* compensation *od* répartition *od* péréquation *f* des charges; **~enfallschirm** *m* parachute *m* à matériel *od* de charge; **l~enfrei** *a* exempt de charges; **~ensegler** *m* planeur-cargo, planeur *m* de transport; **~er 1.** *m* ‹-s, -› *fam* = *~auto;* **~kahn** *m* péniche *f,* chaland *m;* **~kraftwagen** *m* = *~auto;* **~pferd** *n* cheval *m* de bât; **~schrift** *f com* note *f* de débit; **~schriftanzeige** *f* avis *m* de débit; **~tier** *n* bête *f* de somme *od* de charge, animal *m* de bât; **~träger** *m* portefaix; *(in Paris)* fort *m* des halles; **~wagen** *m* camion *m; mot* = *~auto;* **~wagenfahrer** *m* camionneur *m;* **~zug** *m* camion à remorque, train *m* routier.

Laster *n* ['lastər] **2.** ‹-s, -› vice *m; e-m* ~ *frönen* od *verfallen sein* être adonné à *od* être l'esclave d'un vice; *lange(s)* ~ *(fam: großer Mensch)* grand flandrin *m;* **l~haft** *a* vicieux, immoral; dépravé, débauché, dissolu; *ein ~~es Leben führen* vivre dans le vice; *~~e(r) Mensch m* vicieux *m;* **~haftigkeit** *f* ‹-,(-en)› immoralité, dépravation *f;* **~höhle** *f* sentine *f* (du vice), antre *m* du vice; **~leben** *n* vie *f* déréglée *od* dissolue, débauches *f pl.*

Läster|er *m* ‹-s, -› ['lɛstərər] médisant; *(Verleumder)* calomniateur, diffamateur; *(Gottes~)* blasphémateur *m;* **l~lich** *a (gottlos)* blasphématoire, impie; **~maul** *n* mauvaise *od* méchante langue; langue *f* de serpent *od* de vipère *od* venimeuse; **l~n** *tr* médire (*jdn* de qn); *(verleumden)* calomnier, diffamer; *(Gott ~~)* blasphémer; *(fluchen)* jurer; **~n** *n,* **~ung** *f* médisance, diffamation *f; (Gotteslästerung)* blasphème *m;* **~zunge** *f* = *~maul.*

lästig ['lɛstıç] *a* importun, embarrassant; *(unbequem)* incommode, gênant, malaisé; *(unangenehm)* désagréable; *(aufdringlich)* fâcheux, *fam* collant; *(unerwünscht)* indésirable; *fam* embêtant; *jdm* ~ *fallen* importuner *od* incommoder qn; *(Lärm, Reden)* casser la tête à qn; *fam* embêter qn; *pop* emmieller qn; *jdm* ~ *werden* commencer à importuner *od* à incommoder qn; *~e(r) Mensch m* importun, fâcheux, gêneur; *pop* emmerdeur *m;* **L~keit** *f* ‹-, ø› importunité, incommodité *f.*

Lasting *m* ‹-s, -s› ['lastıŋ] *(Textil)* lasting *m.*

Lasur *f* ‹-, -en› [la'zu:r] , **~farbe** *f* glacis *m;* **~stein** *m* lapis-lazuli *m,* lazulite *f.*

lasziv [las'tsi:f] *a* lascif, voluptueux; **L~ität** *f* ‹-, -en› [-vi'tɛ:t] lascivité *f.*

Latein *n* ‹-s, ø› [la'taın] latin *m,* langue *f* latine; *mit s-m* ~ *am Ende sein (fig)* être au bout de son latin *od* de son rouleau; **~amerika** *n* l'Amérique *f* latine; **l~amerikanisch** *a* latino--américain; *die ~~en Länder n pl* les pays *m pl* d'Amérique latine; **l~isch** *a* latin; *das L~~e* = *Latein.*

latent [la'tɛnt] *a scient (verborgen; aufgespeichert)* latent.

Latern|a magica *f* ‹-, - (-ae -ae)› [la'tɛrna 'ma:gika, (-nɛ ... -kɛ/-tsɛ)] lanterne *f* magique; **~e** *f* ‹-, -n› [-'tɛrnə] lanterne *f; (Hand~)* falot; *(Straßen~)* réverbère; *(Schiffs-, Signal~)* fanal *m;* **~enanzünder** *m* allumeur *m* de réverbères, lanternier *m;* **~enpfahl** *m* réverbère *m.*

Latifundien *n pl* [lati'fundiən] latifundia *m pl.*

Latin|er *m* ‹-s, -› [la'ti:nər] *hist* Latin *m;* **l~isieren** [-ni'zi:rən] *tr* latiniser; **~ist** *m* ‹-en, -en› [-'nıst] latiniste *m;* **~ität** *f* ‹-, ø› [-'tɛ:t] latinité *f.*

Latrine *f* ‹-, -n› [la'tri:nə] latrines *f pl; pop* gogueneaux *m pl;* **~ngerücht** *n,* **~nparole** *f arg mil* bouthéon, bouteillon *m;* radio *f* cuisine.

Latsche *f* ‹-, -n› ['latʃə] **1.** *bot* pin *m* nain *od* de montagne.

Latsch|e *f* ‹-, -n›, **~n** *m* ‹-s, -› ['la:tʃə(n)] **2.** *fam (Hausschuh)* pantoufle; *(abgetragener Schuh)* savate; *pop* godasse, tatane *f;* **l~en** ‹*ist gelatscht*› *itr* traîner les pieds *od fam* la patte; **l~ig** *a fam (schleppend)* traînant; *(nachlässig)* négligent.

Latte *f* ‹-, -n› ['latə] latte, tringle *f*, liteau *m*; *sport* barre *f*; *lange ~ (fam: großer Mensch)* grande perche *f*, manche *m* à balai; *eine lange ~ (fig fam)* une longue liste; *jdn auf der ~ haben* détester, ne pas pouvoir supporter qn; **~nkiste** *f*, **~ntür** *f* caisse, porte *f* à claire-voie; **~nrost** *m* caillebotis *m*; **~nverschlag** *m*, **~nwerk** *n*, **~nzaun** *m* lattis *m*.

Lattich *m* ‹-s, -e› ['latıç] *bot* laitue *f*.

Latwerge *f* ‹-, -n› [lat'vɛrgə] *pharm* électuaire *m*.

Latz *m* ‹-es, ⸚e› [lats, 'lɛtsə] *(Brust~)* bavette *f*; *(Hosen~)* pont *m*; **~hose** *f* pantalon *m* à bavette, cotte-tablier, cotte *f* américaine.

Lätzchen *n* ‹-s, -› ['lɛtsçən] bavette *f*.

lau [lau] *a* tiède, attiédi; *fig* indifférent; *~ werden* tiédir, *a. fig* s'attiédir; **L~heit** *f* ‹-, ø› tiédeur; *fig* indifférence *f*; **~warm** tiède.

Laub *n* ‹-(e)s, ø› [laup, -bəs] feuillage *m*, feuilles *f pl*, verdure; *(~werk)* frondaison *f*; *(welkes) ~* fanes *f pl*; **~baum** *m* arbre *m* à feuilles (caduques); **~dach** *n* dôme *m od* voûte de feuillage *od* de verdure, ramée *f*; **~fall** *m* chute des feuilles, défeuillaison, effeuillaison *f*; **~frosch** *m* rainette *f*; **~hüttenfest** *n rel* fête *f* des tabernacles; **~säge** *f* scie *f* à chantourner *od* à découper; **~wald** *m* forêt *f* à essences feuillues; **~werk** *n* feuillage *m*, frondaison *f*; *(Kunst)* rinceau *m*.

Laube *f* ‹-, -n› ['laubə] tonnelle; *arch (Bogengang)* arcade *f*; **~ngang** *m* berceau *m*, charmille *f*; **~nkolonie** *f* jardins *m pl* ouvriers; lotissement *m* de jardins.

Lauch *m* ‹-(e)s, -e› [laux] *bot (Porree)* poireau; *(als Gattung)* ail *m*.

Lauer *f* ['lauər] *: auf der ~* au guet; *sich auf die ~ legen* se mettre aux aguets; *auf der ~ liegen* être aux aguets; **l~n** *itr* guetter; *fig a.* attendre (*auf etw* qc).

Lauf *m* ‹-(e)s, ⸚e› [lauf, 'lɔyfə] *(a. Wettlauf)* course *f*; *(Verlauf)* cours, courant; *astr* cours *m*; *tech* marche, allure *f*, fonctionnement; *(Fahrzeug)* roulement; *mus* trait; *(Schußwaffe)* canon *m*; *(Jägersprache: Bein, Fuß)* jambe *f*, pied *m*, patte *f*; *im ~ (beim ~en)* en courant; *im ~e des Gesprächs* au cours de l'entretien; *im ~e der Woche, des Jahres* au cours *od* dans le courant de la semaine, de l'année; *im ~e e-s Jahres* dans *od* en l'espace d'un an; *im ~e der Zeit* avec le temps; *e-r S freien ~ lassen* donner *od* laisser libre cours à qc; *den Dingen ihren ~ lassen* laisser les choses aller leur train; *s-n Tränen freien ~ lassen* laisser couler ses larmes; *aus dem ~ schießen (Fußball)* shooter dans sa foulée; *das ist der ~ der Welt* ainsi va le monde *od* vont les choses; **~achse** *f loc* essieu *m* de support; **~bahn** *f (im Beruf)* carrière; *tech* voie de roulement; *(Torpedo)* trajectoire *f*; *s-e ~~ beginnen (a.)* faire ses premières armes; *e-e ~~ einschlagen* entrer dans *od* choisir *od* embrasser une carrière; **~brücke** *f mil* pont *m* léger pour l'infanterie, passerelle *f*; **~bursche** *m* garçon de courses *od* de magasin *od* livreur; *(bei e-m Rechtsanwalt)* saute-ruisseau; *pop* arpète *m*; **~feuer** *n*: *sich wie ein ~~ verbreiten (fig)* se répandre comme une traînée de poudre; **~fläche** *f tech* surface *f* de roulement; **~frist** *f adm* délai *m* de circulation; **~gewicht** *n (Waage)* poids mobile, curseur *m*; **~graben** *m mil* boyau *m*; **~junge** *m* = *~bursche*; **~karren** *m* pont *m* roulant; **~katze** *f* chariot *od* palan *m* roulant; **~kran** *m* grue *f* locomobile *od* roulante; **~kundschaft** *f* clientèle *f* de passage; **~mädchen** *n* fille *f* de magasin, *vx* trottin *m*; *pop* arpète *f*; **~masche** *f* maille *f* coulée *od* tombée *od* filée; *~~n bekommen* se démailler; *ich habe e-e ~~ im Strumpf* une maille de mon bas a filé, j'ai un bas qui file; **~maschenreparatur** *f* remmaillage *m* (de bas); **~paß** *m*; *jdm den ~~ geben* envoyer qn promener *od* au diable, *fam* envoyer qn paître; **~planke** *f mar* traversine *f*; *pl* passavant *m*; **~rad** *n (Turbine)* rotor *m*, roue *f* mobile *od (Kran)* portante *od loc* porteuse *od aero* d'atterrisseur; **~rädchen** *n* molette *f*; **~richtung** *f tech* direction *f* de la marche; **~rille** *f tech* gorge *f* de roulement; **~rolle** *f tech* galet *m*; **~schiene** *f* glissière *f*; **~schritt** *m* pas *m* (de) gymnastique; *im ~~, marsch, marsch!* pas de gymnastique! en avant, marche! **~sohle** *f* semelle *f* extérieure; **~stall** *m*, **~ställchen** *n* parc *m* pour bébé *f*; **~steg** *m* passerelle *f*; **~vogel** *m* oiseau *m* coureur; **~werk** *n loc* train *od* mécanisme *m* de roulement; **~zeit** *f sport* temps *m* de *od* du parcours; *(Uhr)* durée de marche; *film* durée *f* de projection; *radio* temps *m* de propagation; *(Radar)* période; *allg* durée *f* d'acheminement, délai de circulation, terme *m* d'échéance; *(Brunstzeit bei Hündinnen)* époque des chaleurs *f pl*, rut *m*; **~zettel** *m* feuille de recherches *od* d'enquête; *mil* fiche *f* de circuit.

laufen ‹*du läufst, er läuft; lief, gelaufen; lauf(e)!*› ['laufən, lɔyf-, li:f(-)] *itr* courir; *fam (gehen)* aller à pied, marcher; parcourir (*e-e Strecke* un bout de chemin); *(Maschine)* fonctionner, marcher; *(Motor)* tourner; *(Fahrzeug; Tränen)* rouler; *(Flüssigkeit)* couler; *(Gefäß)* fuir; *jur fin* courir, prendre cours (*von* à partir de); *(Vertrag)* être valide (pour); *film* passer; *durch etw ~* traverser qc; *um etw ~* tourner autour de qc; *ins Geld ~* coûter cher; *auf Grund ~* s'échouer; *in den Hafen ~* entrer au port; *sich müde ~* se fatiguer à courir; *parallel ~ mit* être parallèle à; *jdm in den Weg ~* croiser qn sur son chemin, rencontrer qn inopinément; *mit jdm um die Wette ~* faire une course avec qn; *ge~ kommen* arriver en courant; *nicht mehr ~ können* ne plus pouvoir mettre un pied devant l'autre; *~lassen (freilassen)* laisser partir; *alles (so) ~lassen* laisser tout aller; *die Dinge ~lassen* laisser aller les choses; *langsamer ~ lassen* mettre au ralenti; *ihm läuft die Nase* il a la goutte au nez *od* la roupie; *es läuft mir dabei kalt über den Rükken* cela me fait froid dans le dos, me donne des frissons; *das läuft auf eins hinaus* cela revient au même; **L~** *n* course *f*; *mil* pas *m* de course; *(Gehen)* marche *f*; **~d** *a fig (gegenwärtig, im Ablauf befindlich)* courant, en cours; *adv (durchgehend)* en permanence, sans interruption; *am ~~en Band* à la chaîne; *fig* sans arrêt; *auf dem ~~en bleiben* se tenir au courant; *aufs ~~e bringen* mettre au courant *(Person) od (Sache)* à jour; *(sich) auf dem ~~en halten (Person)* (se) tenir au courant *od* à jour; *über etw* (se) mettre au fait de qc; *auf dem ~~en sein (Person)* être au courant *od* à jour; *(Person od Sache)* être à jour (*mit* de); *~~ unterrichten* tenir au courant (de la situation); *langsam, schnell ~~ (tech)* à régime lent, rapide; *~~e Nummer f* numéro *m* courant *od* d'ordre *od* de série *od* suivi; **Lauferei** *f* [-'raı], *a, pl fam* allées et venues *f pl*.

Läuf|er *m* ‹-s, -› ['lɔyfər] *(Person)* coureur; *(Fußball)* demi; *(Schach)* fou; *(Teppich)* chemin, tapis d'escalier; *(Tischläufer)* chemin de table; *(Schieber)* curseur; *el* rotor, induit *m*; **~erreihe** *f (Fußball)* demis *m pl*; **~erschwein** *n* cochon *m* de lait; **l~ig** *a (Hündin: brünstig)* en chaleur, en chasse; **~igkeit** *f* ‹-, (-en)› rut *m*, chaleur *f*.

Lauge *f* ‹-, -n› ['laugə] lessive *f a. chem*; **l~n** *tr (Wäsche)* lessiver; **~n** *n* lessivage *m*; **l~nartig** *a chem* alcalin; **l~nfest** *a chem* antibase.

Laun|e *f* ‹-, -n› ['launə] *(Stimmung)* humeur *f*; *(Grille, Marotte)* caprice *m*, lubie; *(Einfall)* fantaisie; *(flüchtige Neigung)* passade *f*; *aus ~~* par humeur *od* caprice; *bei guter, schlechter ~~* de bonne, mauvaise humeur; *nach jds ~~* au gré de qn; *je nach ~~* selon mon *etc* caprice; *s-e schlechte ~~ an jdm auslassen* passer sa mauvaise humeur sur qn; *jdn bei guter ~~ erhalten* entretenir qn dans de bonnes dispositions; *~~n haben = launisch sein; gute, schlechte ~~ haben, in guter, schlechter ~~ sein* être de bonne, mauvaise humeur; *fam* être bien, mal luné; *gute ~~ haben (a.)* être dans son bon jour; *schlechte ~~ haben (a.)* avoir de l'humeur, *fam* être de mauvais poil; *schlechte ~~ (a.)* mauvaise humeur, maussaderie, bouderie *f*; **l~enhaft** *a (launisch)* instable, lunatique, d'humeur changeante; *(eigenwillig)* capricieux; **~enhaftigkeit** *f* ‹-, (-en)› caractère *m* changeant *od* capricieux; **l~ig** *a (witzig)* amusant, divertissant; *~~e(r) Einfall m* boutade, saillie *f*; **l~isch** *a ~enhaft*; *~~ sein (a.)* avoir des sautes d'humeur.

Laus *f* ‹-, ⸚e› [laus, 'lɔyzə] pou *m*;

jdm Läuse in den Pelz setzen (fig) donner du fil à retordre à qn; *dir ist wohl e-e ~ über die Leber gekrochen!* quelle mouche t'a piqué? **~bub** *m*, **~ejunge** *m* gamin, mauvais garnement *m*; **l~en** *tr* épouiller; *fig fam (Geld abnehmen)* plumer; *ich denke, mich laust der Affe!* ça m'a coupé la chique; **~enest** *n fig* patelin, bled *m*; **l~ig** *a* pouilleux; *fig fam (armselig)* misérable; *es ist ~~ kalt* il fait un froid de canard.

lausch|en ['laʊʃən] *itr* écouter (attentivement), prêter l'oreille; *(heimlich)* être aux écoutes; **L~er** *m* ⟨-s, -⟩ écouteur *m*; *pl (Jägersprache: Ohren)* oreilles *f pl*; **~ig** *a (traulich)* discret, intime.

Läusekraut ['lɔʏzə-] *n* herbe aux poux, pédiculaire *f*.

Lausitz ['laʊzɪts] *die, geog* la Lusace.

laut [laʊt] **1.** *a* haut; *(~stark, kräftig)* intense, fort; *(lärmend)* bruyant; *(hörbar)* perceptible; *~ werden (Stimmen, Rufe)* s'élever; *(bekanntwerden)* devenir public, s'ébruiter; *~ werden lassen* manifester; *~e(s) Lachen n* éclats *m pl* de rire; **2.** *adv (vernehmlich)* haut; *(kräftig)* fort; *(mit ~er Stimme)* à haute voix; *ganz ~* tout haut; *so ~ ich (etc) konnte* à tue-tête; *~ auflachen* éclater de rire; *~ aufschreien* pousser un cri *od* des cris; *~ denken* penser tout haut; *~ lachen* rire bruyamment *od* aux éclats; *(sehr) ~ reden (a.)* avoir le verbe haut; *~ singen* chanter fort; *~ (und deutlich) sprechen* parler haut (et distinctement); *~er!* plus haut! plus fort! **3.** *prp gen (nach, gemäß)* d'après, suivant, selon; en vertu de, aux termes de, conformément à; *~ Befehl* conformément à l'ordre *od* aux ordres; *~ Gesetz* aux termes de *od* conformément à la loi; *~ Rechnung* suivant compte remis; *~ Weisung* selon les instructions; **~hals** *adv (aus voller Kehle)* à pleine gorge.

Laut *m* ⟨-(e)s, -e⟩ [laʊt] son *m*; *~ geben (Hund)* donner de la voix; *keinen ~ von sich geben* ne souffler mot; **~angleichung** *f* assimilation *f* consonantique; **~bildung** *f* formation *f* des sons; **~gesetz** *n* loi *f* phonétique; **l~getreu** *a* (de) haute fidélité; **l~ieren** [-'ti:rən] *tr* syllabiser; **~lehre** *f* phonétique *f*; **l~lich** *a* phonétique; **l~los** *a* sans bruit, silencieux; *~~e(r) Blähung f* od *Wind m* vesse *f*; *~~e Stille f* silence *m* profond; **~losigkeit** *f* ⟨-, ø⟩ silence *m* profond *od* absolu; **l~malend** *a* onomatopéique; *~~e(s) Wort n*, **~malerei** *f* onomatopée *f*; **~schrift** *f* écriture *f* phonétique; **~signal** *n* signal *m* sonore; **l~stark** *a* intense, fort, puissant; **~stärke** *f* intensité sonore; *radio* puissance *f* du son, niveau *m* (de réception); *mit voller ~~ (radio)* à plein volume; *auf volle ~~ eingestellt sein (radio, a. pop)* beugler; **~stärkeregelung** *f radio* réglage *od* contrôle *m* de volume; **~stärkeregler** *m radio* régleur *m* de puissance; **~verschiebung** *f gram* mutation *f* consonantique; **~verstärker** *m* amplificateur *m* (acoustique); **~wandel** *m* changement *m* phonétique; **~zeichen** *n* signe *m* phonique.

Laute *f* ⟨-, -n⟩ ['laʊtə] *mus* luth *m*; **~nspieler** *m* joueur *m* de luth.

laut|en ⟨*lautete, hat gelautet*⟩ ['laʊtən] *itr (klingen)* sonner; *(folgenden Wortlaut haben)* être, dire, porter; *der Titel ~et* le titre est; *das Urteil ~et auf ...* c'est une sentence de ... ; *wie ~et ... ?* quel(le) est (la teneur de) ... ? *auf Franken ~end* libellé en francs; *auf den Inhaber ~end* (libellé) au porteur, nominatif; *auf jds Namen ~end* fait *od* établi au nom de qn.

läut|en ⟨*läutete, hat geläutet*⟩ ['lɔʏtən] *tr u. itr* sonner; *itr (Glocke) a.* appeler; *ich habe etw ~~ hören* je n'en sais rien de certain; *es hat ge~et* on a sonné; **L~ewerk** *n loc* sonnerie *f*.

lauter ['laʊtər] *a (rein)* pur, net, clair, limpide; *fig (ehrlich)* honnête, sincère; intègre; *adv (nichts als)* rien ... que, ne ... que; *vor ~ Glück habe ich ...* j'étais si heureux que ... ; *das sind ~ Lügen* ce ne sont que des mensonges, c'est pur mensonge; **L~keit** *f* ⟨-, (-en)⟩ pureté, netteté, clarté, limpidité; *fig* honnêteté, sincérité, intégrité *f*.

läuter|n ['lɔʏtərn] *tr chem* épurer, purifier, clarifier, décanter, filtrer, rectifier; *tech* affiner; *fig (charakterlich)* corriger, réformer; **L~ung** *f chem* épuration, purification, clarification, décantation, filtration *f*; *tech* (r)affinage *m*; *fig* correction, réforme *f*.

Lautsprecher *m* ['laʊt-] diffuseur; *radio* haut-parleur *m*; **~reklame** *f* publicité *f* par haut-parleurs; **~übertragung** *f* transmission *f* par haut-parleur(s); **~wagen** *m* voiture *f* haut-parleur.

Lava *f* ⟨-, -ven⟩ ['la:va] *geol* lave *f*; **~strom** *m* coulée *f* de lave.

Lavendel *m* ⟨-s, -⟩ [la'vɛndəl] *bot* lavande *f*; **~wasser** *n* eau *f* de lavande.

lavieren ⟨*hat laviert*⟩ [la'vi:rən] **1.** *itr mar a. fig* louvoyer; *mar* tirer des bordées; *fig* biaiser; **2.** *tr (Kunst)* passer au lavis, délaver.

Lawine *f* ⟨-, -n⟩ [la'vi:nə] *a. fig* avalanche *f*; **l~nartig** *a u. adv* comme une avalanche; *~~ anwachsen* faire boule de neige; **~ngefahr** *f* danger *m* d'avalanche.

lax [laks] *a (schlaff)* lâche; *(Mensch)* veule; *(lässig)* négligent; *(Sitten: lokker)* facile; **L~ativ** *n* ⟨-s, -e⟩ [-'ti:f, -və] *(Abführmittel)* laxatif *m*; **L~heit** *f* laxité *f*.

Lazarett *n* ⟨-(e)s, -e⟩ [latsa'rɛt] hôpital (militaire); *arg mil* hosto *od* hosteau *m*; *in ein ~ einweisen* hospitaliser; *Einweisung f in ein ~* hospitalisation *f*; **~flugzeug** *n* avion *m* sanitaire; **~gehilfe** *m mil* infirmier *m*; **~schiff** *n* navire-hôpital, vaisseau-hôpital *m*; **~zug** *m* train sanitaire.

Lebe|dame *f* femme *f* de mœurs faciles; **~hoch** *n* ⟨-s, -s⟩ [le:be'ho:x] vivat *m*; *ein ~~ auf jdn ausbringen* porter un toast à qn; **~mann** *m* ⟨-(e)s, ⸗er⟩ ['le:bə-] viveur; *fam* noceur *m*; **~wesen** *n* être vivant, organisme *m*; *mikroskopisch kleine(s) ~~* animalcule, microorganisme *m*; **~wohl** *n* ⟨-(e)s, -s/-e⟩ [-'vo:l] adieu *m*; *jdm ~~ sagen* dire adieu *od* faire ses adieux à qn.

leben ['le:bən] *itr* vivre (*von* de), être en vie *od* vivant; exister; *nicht mehr ~* n'être plus de ce monde; *für jdn, etw ~ (fig)* s'être voué à qn, à qc; *~ in (e-m Land, e-r Stadt) a.* habiter *acc*; *flott ~* mener grande vie; *auf großem Fuß ~* vivre sur un grand pied, mener grand train; *gut, schlecht ~* faire bonne, mauvaise chère; *gut, schlecht zusammen ~* vivre en bonne, mauvaise intelligence; *von der Hand in den Mund ~* vivre au jour le jour; *kümmerlich ~* vivoter, végéter; *nicht schlecht ~* faire bonne chère; *zu ~ haben* avoir de quoi vivre *od* son pain assuré; *~ und ~ lassen* vivre et laisser vivre; *zu ~ scheinen (Bildwerk)* paraître animé; *hier lebt es sich gut* il fait bon vivre ici; *~ Sie wohl!* adieu! *es lebe die Freiheit!* vive la liberté!

Leben *n* ⟨-s, -⟩ ['le:bən] vie; existence; *(Beseeltheit)* âme; *(reges ~)* animation *f*; mouvement *m*; *(Lebhaftigkeit)* vivacité *f*, entrain *m*; *(~sweise)* façon *f* de vivre; train *m* de vie; *(~sgeschichte)* vie, biographie *f*; *(Schicksal)* destin(ée *f*) *m*; *am ~* en vie; *auf der Höhe des ~s (Mann)* dans la force *od (Frau)* à la fleur de l'âge; *auf ~ und Tod* à la vie et à la mort; *für mein ~ gern (cond)* je donnerais ma vie pour *(inf)*; *in meinem ganzen ~, mein ganzes ~ hindurch* toute ma vie, ma vie durant; *nie im ~* jamais de la vie; *nach dem ~ (Kunst)* d'après nature; *zwischen ~ und Tod* entre la vie et la mort; *zeit meines ~s, mein ~ lang* (pendant) toute ma vie, ma vie durant; *ein ~ lang* toute une vie; *sein ~ aushauchen* rendre le dernier soupir; *wie das blühende ~ aussehen* avoir l'air en pleine forme, respirer la santé; *sein ~ beschließen* finir ses jours; *mit dem ~ bezahlen* payer de sa vie; *am ~ bleiben* rester en vie; *~ in etw bringen* animer qc; *ums ~ bringen* mettre à mort; *mit dem ~ davonkommen* s'en tirer vivant, *fam* en réchapper; *dem Marmor ~ einhauchen* donner de l'âme au marbre; *sein ~ einsetzen* od *aufs Spiel setzen* od *(fam) in die Schanze schlagen* exposer, risquer sa vie; *am ~ erhalten* maintenir en vie; *zu neuem ~ erwecken (fig)* faire revivre, ressusciter, renouveler; *sein ~ (kümmerlich) fristen* traîner sa misère; vivoter, végéter; *ein lockeres ~ führen* faire la noce; *das ~ genießen* jouir de la vie; *genug zum ~ haben* avoir de quoi vivre *od fam* de quoi faire bouillir la marmite; *ein zähes ~ haben* avoir la vie dure; *am ~ hängen* tenir à la vie; *ums ~ kommen, sein ~ verlieren* perdre la vie, périr; *sein ~ lassen (müssen)* laisser sa vie *od fam* sa peau *od* ses os; *s-m ~ ein Ende machen, sich das ~ nehmen* mettre fin à ses jours, se donner la mort; *fam* se détruire, se supprimer; *jdm das ~ sauer* od *schwer machen* rendre la vie dure à qn; *sich das ~ schön machen* se faire une vie agréable, se donner du bon temps; *sich das ~ schwer machen* se compliquer la vie; *sich das ~ nehmen wollen* attenter à ses jours; *jdm das ~ retten* sauver la vie à qn; *nur sein nacktes ~ retten können* ne pouvoir sauver que sa vie *od fam* sa peau; *etw ins ~ rufen* donner la vie *od* le jour *od* naissance à qc, faire naître *od* surgir qc, promouvoir qc; *aus dem ~ scheiden* quitter la vie; *das ~ schenken (e-m Kind)* donner la vie *od* le jour à; *(e-m Besiegten)* donner *od* faire quartier à, faire grâce de la vie à; *zwischen ~ und Tod schweben* être entre la vie et la mort; *(nicht mehr) am ~ sein* (n')être (plus) en vie; *jdm nach dem ~ trachten* attenter aux jours de qn; *sein ~ teuer verkaufen* vendre chèrement sa vie; *fam* vendre cher sa peau; *(mitten) aus dem ~ gerissen werden* être arraché à la vie; *ins ~ zurückrufen* faire revivre, rappeler *od* ramener à la vie, ressusciter; *das ist kein ~!* ce n'est pas une vie *od* une existence! *und sollte es das ~ kosten!* cela dût-il en coûter la vie; *ein erfülltes ~* une existence bien remplie; *ein lustiges ~* une joyeuse vie; *das öffentliche ~* la vie publique; *rege(s) ~* animation *f; das süße ~* la douceur de vivre; *aus dem ~ gegriffen* pris sur le vif; *das ~ nach dem Tode (rel)* la survie; *~ und Treiben* animation *f;* **l~spendend** *a* vivifiant; *fig* animateur; **l~sprühend** *a* plein de vie, sémillant.

lebend ['le:bənt] *a, a. fig* vivant; *(Vieh)* sur pied; *(Ziel beim Schießen)* animé; *es war kein ~es Wesen zu sehen* il n'y avait âme qui vive; *~e(s) Inventar n (agr jur)* cheptel *m* vif; *~ Sprachen f pl* langues *f pl* vivantes; *~e(s) Wesen n* être *m* vivant; **L~e(r)** *m* vivant; *jur* vif *m; unter L~en (jur)* entre vifs; **~gebärend** *a zoo* vivipare; **L~gewicht** *n* poids *m* vif *od* vivant; *Kilo ~~* kilo vif; **~ig** *a* vivant, vif, animé; *es vom L~igen nehmen (fig)* faire le prix à la tête du client; tondre la laine sur le dos de qn; *bei ~~em Leib verbrennen* être brûlé vif; **~iggebärend** *a = ~gebärend;* **L~igkeit** *f* ⟨-, ø⟩ vivacité, animation *f.*

Lebens|abend ['le:bəns-], *der* le soir de la vie, les vieux jours; **~abriß** *m* notice *f* biographique; **~abschnitt** *m* période *f* de la vie; **~ader** *f fig* artère *f;* **~alter** *n* âge *m;* **~art** *f* genre *m* de vie, manière *f* de vivre; habitudes, manières *f pl;* usage *m; jdm gute ~~ beibringen* apprendre à qn les bonnes manières; *~~ haben* avoir du savoir-vivre *od* des manières; **~aufgabe** *f* but *m* suprême, tâche *f* de toute une vie; **~äußerung** *f* manifestation *f* vitale; **~baum** *m bot* thuya *m;* **~bedingungen** *f pl* conditions *f pl* vitales *od* d'existence; **l~bejahend** *a* optimiste; **~berechtigung** *f* raison *f* d'être; **~bereich** *m* milieu *m* (social), ambiance *f;* **~beschreibung** *f,* **~bild** *n* biographie, vie *f;* **~dauer** *f* durée (de la vie); *tech* durée (d'existence *(Dauerhaftigkeit)* durabilité *f;* **~elixier** *n* élixir *m* de longue vie; **~ende** *n* terme *m* de la vie; *gegen sein ~~* sur le tard; *bis an sein ~~* jusqu'à sa mort; **~erfahrung** *f* expérience *f* de la vie; **~erscheinung** *f* phénomène *m* vital; **~erwartung** *f* durée *f* moyenne de la vie, espérance *f* de vie; **l~fähig** *a biol u. fig* viable; **~fähigkeit** *f* viabilité *f;* **~form** *f* mode *m* d'existence; **~frage** *f* question *f* vitale *od* de vie ou de mort; **l~fremd** *a* qui ne connaît rien de la *od* pas la vie; **~freude** *f* joie *f* de vivre; **l~froh** *a* heureux de vivre, gai (et optimiste); **~gefahr** *f* danger *m* de mort; *unter ~~* au péril de ma *etc* vie; *in ~~ schweben* être entre la vie et la mort; *~~! (Warnschild)* danger de mort! **l~gefährlich** *a* très dangereux, périlleux; **~gefährte** *m* compagnon, époux *m;* **~gefährtin** *f* compagne, épouse *f;* **~gemeinschaft** *f* vie *f* commune; **~genuß** *m* jouissances *f pl* (de la vie); **~geschichte** *f* biographie, (histoire de la) vie *f;* **~gewohnheiten** *f pl* mœurs, habitudes *f pl;* **~glück,** *das* le bonheur de la vie, la félicité; **l~groß** *a* grandeur nature; **~größe** *f (Kunst)* grandeur *f* nature *od* naturelle; *in (voller) ~~* en grand; *über ~~* plus grand que nature; **~haltung** *f* train *m* (de vie); **~haltungsindex** *m* indice *m* du coût de la vie; *dem ~~ anpassen* indexer; *Anpassung f an den ~~* indexation *f;* **~haltungskoeffizient** *m* coefficient *m* du coût de la vie; **~haltungskosten** *pl* coût *m* de la vie, frais *m pl* d'existence; **~hunger** *m* soif *f, od* désir *m* de vivre; **~jahr** *n* année *f* (de la vie); *im 40. ~~ stehen* être dans sa quarantième année; **~kampf** *m* lutte *f* pour la vie; **l~klug** *a* qui a l'expérience *f* de la vie; **~~heit** *f* expérience de la vie, du monde; sagesse *f* pratique; **~knoten** *m anat* nœud *m* vital; **~kraft** *f* force vitale, vitalité *f;* **~kunst** *f* art *m* de vivre; **~künstler** *m; ein ~~ sein* savoir vivre; **~lage** *f; in jeder ~~, in allen ~~n* dans toutes les circonstances; **l~lang** *adv* la vie durant; **l~länglich** *a u. adv, jur* à vie, à perpétuité; *a (Rente)* viager; *~~e Haft f* emprisonnement *m* à vie; **~lauf** *m (geschriebener)* curriculum vitae *m;* **~licht** *n poet* flambeau *m* de la vie; *jdm das ~~ ausblasen* ôter la vie à qn; **~linie** *f (in der Hand)* ligne *f* de vie; **~lust** *f* joie *f* de vivre; **l~lustig** *a* heureux de vivre; attaché à la vie; **~mitte,** *die* le midi de la vie; **~mittel** *n pl* vivres *m pl,* denrées *f pl; (Eßwaren)* comestibles, produits *m pl* alimentaires; *mil* subsistances *f pl;* **~mittelgeschäft** *n* (magasin *m* d')alimentation, épicerie *f;* **~mittelhändler** *m* épicier *m;* **~mittelkarte** *f adm* carte *f* d'alimentation; **~mittelknappheit** *f* rareté *od* pénurie *f* des vivres; **~mittelmarke** *f adm* ticket *m* de ravitaillement; **~mittelpaket** *n* colis *m* de ravitaillement; **~mittelpreise** *m pl* prix *m pl* alimentaires; **~mittelrationierung** *f* rationnement *m* alimentaire; **~mittelversorgung** *f* ravitaillement, approvisionnement *m* en vivres; **~mittelvorrat** *m* provisions *f pl* (de vivres); **l~müde** *a* las de vivre *od* de la vie, dégoûté de la vie; **~mut** *m* courage, espoir, optimisme *m;* **l~nah** *a* actuel, pratique; **~nerv** *m fig* centre *m* vital; **l~notwendig** *a* vital, (absolument) indispensable; **~notwendigkeit** *f* nécessité *f* vitale; **~raum** *m* espace *m* vital; **~regel** *f* règle *od* ligne de conduite, maxime *f;* **~rente** *f* rente *f* viagère; **~retter** *m* sauv(et)eur; *(Gerät)* appareil *m* respiratoire; **~rettungsmedaille** *f* médaille *f* de sauvetage; **~standard** *m* standard *od* niveau *m* de vie; **~stellung** *f* situation *od* position *f* permanente *od* sociale; **l~tüchtig** *a* énergique, pratique; **~überdruß** *m* dégoût *m* de la vie; **l~überdrüssig** *a* dégoûté de la vie; **~unterhalt** *m* subsistance *f,* entretien *m,* moyens *m pl* d'existence; *s-n ~~ verdienen* gagner sa vie; **l~untüchtig** *a* mal adapté à la vie; **~untüchtigkeit** *f* inadaptation *f* à la vie; **~versicherung** *f* assurance sur la vie, assurance-vie; assurance *f* (en cas de) décès; **~versicherungsgesellschaft** *f* compagnie *f* d'assurance sur la vie; **l~voll** *a* plein de vie; **l~wahr** *a* pris sur le vif; vivant, parlant; **~wandel** *m* conduite, vie, manière *f* de vivre; mœurs *f pl; schlechte(r) ~~* mauvaises mœurs *f pl;* **~weg** *m* (chemin *od* cours *m* de la) vie, carrière *f; auf s-m ~~e* au cours de son existence; **~weise** *f* genre *od* train *od* style *m* de vie, manière *f* de vivre; *med* régime *m; zoo* mœurs *f pl; natürliche ~~* naturisme *m;* **~weisheit** *f* sagesse *f* pratique; **~werk** *a (Gesamtwerk)* œuvre *m;* **l~wert** *a (Leben)* digne d'être vécu; **l~wichtig** *a* (d'intérêt) vital; essentiel; *physiol* vital; *~~e Güter n pl* produits *m pl* de première nécessité; *~~e Interessen n pl* intérêts *m pl* vitaux; **~wille** *m* vouloir-vivre *m;* **~zeichen** *n* signe *od scient* indice *m* de vie; *kein ~~ von sich geben* ne pas donner signe de vie; **~zeit** *f; auf ~~* à vie, pour la vie, à perpétuité; **~~rente** *f* rente *f* viagère; **~zweck** *m* raison *f* de vivre.

Leber *f* ⟨-, -n⟩ ['le:bər] foie *m; frisch von der ~ weg* ouvertement, franchement; *was ist dir über die ~ gelaufen* od *gekrochen?* quelle mouche t'a piqué? quel chien t'a mordu? **~blümchen** *n* hépatique *f;* **~entzündung** *f* hépatite *f;* **~fleck** *m* tache *f* hépatique, nævus *m;* **~haken** *m sport* crochet *m* au foie; **~knödel** *m* boulette *f* de foie; **l~krank** *a,* **l~leidend** *a* malade du foie, hépatique; **~kranke(r)** *m* hépatique *m;* **~krankheit** *f,* **~leiden** *n* maladie *f* de *od* du foie; **~krebs** *m med* cancer *m* du foie; ~**lappen** *m anat* lobe *m* du foie; ~**pastete** *f* pâté *m* de foie (gras); ~**schrumpfung** *f* cirrhose *f* atrophique; ~**schwellung** *f* élargissement *m* du foie; ~**tran** *m* huile *f* de foie de morue; ~**wurst** *f* saucisse *f* pâté *m* de foie; *die gekränkte* ~~ *spielen (fam)* prendre la mouche; ~**zirrhose** *f med* cirrhose *f*.

leb|haft ['le:p-] *a (a. Phantasie, Farbe)* vif, plein de vie *od* de vivacité; actif; *(munter)* alerte; fringant; éveillé; *(temperamentvoll)* sémillant; *(Handel, Verkehr)* animé, intense; *(Schilderung)* vivant; *(Stil)* alerte, haut en couleur; *adv* vivement; avec animation; ~~ *empfinden* avoir un sentiment très vif de; **L~haftigkeit** *f* ⟨-, (-en)⟩ vivacité, activité; *(Munterkeit)* alacrité; *(Temperament)* sémillance; *(Behendigkeit)* promptitude; *(Belebtheit)* animation *f*; ~**los** *a (wie tot)* sans vie, inanimé; *(regungslos)* inerte; *(fig)* atone; **L~losigkeit** *f* absence *f* de vie; *fig* manque *m* d'animation; **L~tag** *m*: *mein* ~~ jusqu'à la fin de mes jours; *mein* ~~ *nicht* ne ... de ma vie, jamais de ma vie; **L~zeiten** *f pl*: *zu* ~~ *(gen)* du vivant (de); *zu s-n* ~~ de son vivant.

Lebkuchen *m* ['le:p-] pain *m* d'épice(s).

lechzen ⟨*du lechz(es)t*⟩ ['lɛçtsən] *itr (dürsten)* avoir soif, être assoiffé *od* altéré (*nach* de) *a. fig*; *fig (heftig begehren)* (se) languir, brûler (*nach* de), convoiter ardemment.

Leck *n* ⟨-(e)s, -s⟩ [lɛk] *(undichte Stelle)* fuite; *mar* voie *f* d'eau; *ein* ~ *bekommen* = *l*~ *werden*; **l**~ *a (undicht)*; ~~ *sein* fuir, avoir une fuite *od* une voie d'eau, faire eau; ~~ *werden* faire (une voie d')eau; ~**age** *f* ⟨-, ø⟩ [-'ka:ʒə] *(~stelle)* fuite; *(L~en)* fuite *f*, coulage; *(~verlust)* coulage *m*; **l~en 1.** *itr* fuir, avoir une fuite *od* une voie d'eau.

lecken ['lɛkən] **2.** *tr* lécher; *sich die Finger od die Lippen nach etw* ~ s'en lécher les doigts *od* les lèvres *od pop* les babines; *wie geleckt (fam)* tiré à quatre épingles.

lecker ['lɛkər] *a (schmackhaft)* délicieux, délicat; *(appetitlich)* appétissant; *(wählerisch)* friand, gourmand, difficile; ~ *aussehen (Speise)* avoir bonne mine; **L~bissen** *m*, **L~ei** *f* [-'raı] friandise *f*, morceau *m* friand *od* de choix; **L~maul** *n fam* fine bouche *f*, gourmet *m*, *pop* fine gueule *f*; **L~mäulchen** *n* petit gourmet *m*.

Leder *n* ⟨-s, -⟩ ['le:dər] cuir *m*, peau *f*; *vom* ~ *ziehen* dégainer; *in* ~ *gebunden* relié en cuir; *zäh wie* ~ coriace; ~**absatz** *m* talon *m* en cuir; ~**arbeiter** *m* peaussier *m*; ~**beutel** *m* sac *m* en cuir; ~**einband** *m* reliure *f* en cuir; ~**etui** *n* étui *m* de cuir; ~**fett** *n* graisse *f* à cuir; ~**gamaschen** *f pl (hohe)* houseaux *m pl*; ~**gürtel** *m* ceinture *f* de cuir; ~**handel** *m* peausserie *f*; ~**händler** *m* peaussier *m*; ~**handschuh** *m* gant *m* de peau; ~**haut** *f anat* derme *m*; *(d. Auges)* sclérotique *f*; ~**hose** *f* culotte *f* de cuir *od* de peau; **l~ig** *a (zäh)* coriace; ~**industrie** *f* industrie *f* du cuir; ~**jacke** *f* veste *f* en cuir; ~**koffer** *m* malle *od* valise *f* en cuir; ~**mantel** *m* manteau *m* de cuir; **l~n** *a* de *od* en cuir; de *od* en peau; *fig (zäh)* coriace; *(langweilig)* sec, ennuyeux; ~**riemen** *m* courroie *f*; ~**schürze** *f* tablier *m* de cuir; ~**sohle** *f* semelle *f* de cuir; ~**tasche** *f* sac *m* en cuir; ~**verarbeitung** *f* transformation *f* du cuir; ~**waren** *f pl* articles *m pl* de maroquinerie; ~**warenhandel** *m*, ~**warenhandlung** *f* maroquinerie *f*; ~**warenhändler** *m* maroquinier *m*.

ledig ['le:dıç] *(unverheiratet)* non marié, célibataire; ~ *bleiben (a.)* rester vieux garçon *(Mann) od (Mädchen)* vieille fille; *e-r S* ~ *sein* être délivré *od* libre de qc; ~*e Mutter f* mère *f* célibataire, fille-mère *f*; ~*e(r) Stand m* célibat *m*; ~**lich** [-klıç] *adv* uniquement, purement, simplement; seulement; ne ... que.

Lee *f* ⟨-, ô⟩ [le:] côté *m* sous le *od* abrité du vent; ~**seite** *f* côté *m* sous le vent; **l~wärts** *adv* sous le vent.

leer [le:r] *a* vide; *(geleert)* vidé; *(unbeschrieben)* blanc; *el (Batterie)* à plat; *(nicht möbliert)* non meublé; *(unbesetzt)* inoccupé, libre, vacant; *fig (nichtssagend, wertlos)* vain, sans valeur; *adv bes. tech* à vide; *mit* ~*en Händen* les mains vides; ~ *ausgehen (fig)* revenir les mains vides; *e-n* ~*en Magen haben* avoir le ventre creux; ~ *lassen (Papier)* laisser en blanc; ~ *laufen (Maschine)* tourner à vide; ~*laufen (Gefäß)* se vider; ~ *machen* vider; *vor* ~*em Haus spielen (theat)* jouer pour les banquettes; ~*stehen* être vide *od* inoccupé; ~ *werden* se vider; ~*e Drohungen f pl* menaces *f pl* en l'air; ~*es Geschwätz n* bavardage *m*; ~*e Versprechungen f pl* vaines promesses *f pl*; *das sind* ~*e Worte n pl* ce ne sont que des mots; **L~darm** *m* jejunum *m*; **L~e** *f* ⟨-, ø⟩ vide *m*; *fig* inanité, vanité *f*; ~**en** *tr* vider, désemplir; *(Abort)* vidanger; *(räumen)* évacuer; *fam (Flasche)* mettre sur le côté; *den Briefkasten* ~~ faire la levée; **L~fahrt** *f loc*: *auf* ~~ haut le pied; **L~gewicht** *n* poids *m* à vide; **L~gut** *n loc* emballages *m pl* vides; **L~heit** *f* ⟨-, (-en)⟩ = *L~e*; **L~lauf** *m* marche *f* à vide *a. fig od* au point mort, roulement à vide; *mot aero* ralenti; *fig* piétinement *m*; **L~laufstellung** *f*: *in* ~~ au point mort; en position de ralenti; **L~laufverluste** *m pl* pertes *f pl* à vide; ~**stehend** *a (Wohnung)* vide, inoccupé, libre; **L~taste** *f (Schreibmaschine)* barre *f* d'espacement; **L~ung** *f* vidage *m*, évacuation; *(Abort)* vidange; *(Briefkasten)* levée *f* (du courrier); **L~zug** *m loc* train *m* vide.

Lefze *f* ⟨-, -n⟩ ['lɛftsə] *(Lippe von Tieren)* babine *f*.

legal [le'ga:l] *a* légal; ~**isieren** [-gali'zi:rən] *tr* légaliser; **L~isierung** *f* légalisation *f*; **L~ität** *f* ⟨-, ø⟩ [-li'tɛ:t] légalité *f*.

Legat *m* [le'ga:t] ⟨-en, -en⟩ *(päpstlicher Gesandter)* légat *m*; *n* ⟨-(e)s, -e⟩ *jur (Vermächtnis)* legs *m*; ~**ar** *m* ⟨-s, -e⟩ [-ga'ta:r] *(Vermächtnisnehmer)* légataire *m*; ~**ion** *f* ⟨-, -en⟩ [-tsi'o:n] *pol* légation *f*; ~**ionsrat** *m* conseiller *m* de légation.

Lege|henne *f* ['le:gə-], ~**huhn** *n* (poule) pondeuse *f*; ~**röhre** *f ent* tarière *f*, *scient* oviscapte *m*; ~**zeit** *f* (saison de la) ponte *f*.

legen ['le:gən] *tr* mettre, poser, placer; *(lang hinlegen)* coucher; *(ausbreiten)* étendre (*über* sur); *Karten zum Wahrsagen)* tirer; *(Wäsche)* plier; *(Vögel: Eier)* pondre; *sich* ~ *(sich hinlegen)* se coucher; *(sich ausstrecken)* s'étendre, s'allonger; *(Getreide)* verser; *(nachlassen)* se calmer; *(Wind, Fieber)* s'abattre, s'apaiser, tomber; *sich auf etw* ~ *(fig)* s'adonner à qc; *(sich um etw bemühen)* s'appliquer à qc; *sich aufs Bitten* ~ se mettre à supplier; *in Asche* ~ réduire en cendres *f pl*; *in Falten* ~ mettre en plis, plisser; *in Ketten* ~ enchaîner; *Feuer* ~ *auf (mil)* appliquer un tir sur; *den Grundstein* ~ poser la première pierre; *(die) letzte Hand an etw* ~ mettre la dernière main à qc; *die Hände in den Schoß* ~ se croiser les bras, rester inactif; *jdm das Handwerk* ~ mettre fin aux menées de qn; s'interposer; *jdm etw ans Herz* ~ recommander chaudement qc à qn; *jdm etw in den Mund* ~ *(fig; eingeben)* insinuer, suggérer qc à qn; *etw an den Tag* ~ se manifester *od* se signaler par qc; *Wert auf etw* ~ attacher de l'importance à qc, tenir compte de qc; *das wird sich* ~ *(fam)* ça va se tasser; *legt an! (mil: das Gewehr)* en joue! **L~** *n (Eierlegen)* ponte *f*.

legend|är, ~**enhaft** [legɛn'dɛ:r] *a* légendaire; **L~e** *f* ⟨-, -n⟩ [le'gɛndə] *(Sage; Umschrift, Zeichenerklärung)* légende *f*.

legier|en [le'gi:rən] *tr metal* allier; *(Küche)* lier; **L~ung** *f metal* alliage *m*; **L~ungsbestandteil** *m* élément *m* d'alliage; **L~ungsstahl** *m* acier *m* allié.

Legion *f* ⟨-, -en⟩ [legi'o:n] *a. fig* légion *f*; *ihre Zahl ist* ~ ils sont légion; ~**är** *m* ⟨-s, -e⟩ [-'nɛ:r], ~**ssoldat** *m* légionnaire *m*.

Legislat|ive *f* ⟨-, -n⟩ [legisla'ti:və] *pol* pouvoir *m* législatif; ~**urperiode** *f* [-'tu:r-] *parl* législature *f*.

legitim [legi'ti:m] *a* légitime; **L~ation** *f* ⟨-, -en⟩ [-timatsi'o:n] légitimation; preuve *f* d'identité; **L~ationskarte** *f*, **L~ationspapier** *n* pièce *f* d'identité; ~**ieren** [-'mi:rən] *tr* légitimer; *sich* ~~ *(sich ausweisen)* établir *od* prouver son *od* justifier de son identité; **L~ierung** *f* = *L~ation*; **L~ist** *m* ⟨-en, -en⟩ [-'mıst] *pol* légitimiste *m*; ~**istisch** [-'mıstıʃ] *a* légitimiste; **L~ität** *f* ⟨-, ø⟩ [-'tɛ:t] légitimité *f*.

Leguan *m* ⟨-s, -e⟩ [legu'a:n] *zoo* iguane *m*; *pl (Familie)* iguanidés *m pl*.

Lehen *n* ⟨-s, -⟩ ['le:ən] *hist* fief *m*; *zu* ~ *geben* donner en fief; ~**s...** *(in Zssgen)* = *Lehns-*.

Lehm *m* ⟨-(e)s, -e⟩ [le:m] (terre) glaise, (terre) argil(eus)e *f*; ~**boden** *m* sol *m* glaiseux *od* argileux; **~grube** *f* glaisière *f*; **~hütte** *f* cabane *f* en torchis; **l~ig** *a* glaiseux, argileux; **~wand** *f* torchis *m*; **~ziegel** *m* brique *f* d'argile.

Lehn|e *f* ‹-, -n› ['le:nə] *(Rücken~~)* dos, dossier; *(Arm~~)* accoudoir, bras; *allg (Stütze)* appui, support *m*; *(Abhang)* pente *f*; versant, talus *m*; **l~en** *tr* appuyer (*an* contre), adosser (*an* à); *itr* u. *sich* ~~ s'appuyer (*an* contre), s'adosser (*an* à); *sich aus dem Fenster* ~~ se pencher par la fenêtre; **~sessel** *m*, **~stuhl** *m* fauteuil *m*, bergère *f*; *(niedriger)* crapaud *m*.

Lehns|dienst *m* ['le:ns-] service *m* de vassal; **~eid** *m* prestation *f* de foi et hommage; *den* ~~ *leisten* rendre foi et hommage; **~folge** *f* succession *f* féodale; **~frei** *a jur* allodial; **~herr** *m* suzerain *m*; **~mann** *m* homme lige, feudataire, vassal *m*; **~pflicht** *f* vasselage *m*; **l~pflichtig** *a* lige; **~recht** *n*, **~system** *m* droit, régime *m* féodal; **~träger** *m* = *~mann*; **~wesen** *n* féodalité *f*.

Lehnwort *n* ['le:n-] *gram* mot *m* d'emprunt.

Lehr|amt *n* ['le:r-] fonctions *f pl* d'instituteur *od* de professeur; *(Univ.)* professorat *m*; **~amtskandidat** *m* (instituteur) stagiaire *m*; **~anstalt** *f* établissement *m* d'enseignement, institution *f* (d'enseignement); *höhere* ~~ école *f* secondaire; **~auftrag** *m*: *e-n* ~~ *haben* être chargé de cours; **l~bar** *a* qui peut être enseigné; **~bataillon** *n* bataillon *m* d'instruction; **~beauftragte(r)** *m* chargé *m* de cours; **~befähigung** *f* aptitude *f* à l'enseignement; **~befugnis** *f (Univ.)* droit *m* d'enseigner; ~~ *haben* être certifié; **~beruf** *m* profession *f* d'instituteur *od* de professeur; métier *m* qualifié; **~brief** *m* certificat *m* d'aptitude *f* professionnelle; *(bei Fernlehrgang)* cahier *m* d'enseignement; **~buch** *n allg* livre d'enseignement; *(größeres)* manuel, cours; *(mittleres)* traité; *(kleineres)* précis, abrégé *m*; **~fach** *n* discipline *f*; **~film** *m* film *m* éducatif *od* documentaire *od* d'enseignement; **~freiheit** *f* liberté *f* d'enseignement; **~gang** *m* cours (d'instruction *od* d'études); *(Praktikum)* stage *m*; **~gangsleiter** *m* directeur *m* du cours; **~gangsteilnehmer** *m* stagiaire *m*; **~gebäude** *n (System)* système *m*; **~gedicht** *n* poème *m* didactique; **~geld** *n hist* frais *m pl* d'apprentissage: ~~ *(bezahlen* od *geben (fig)* apprendre à ses dépens; **l~haft** *a* didactique; pédant; **~herr** *m* maître, patron *m*; **~jahr** *n* année *f* d'apprentissage; *pl fig* années *f pl* de formation; **~junge** *m* = *~ling*; **~körper** *m* corps *m* enseignant *od* professoral *od* des professeurs; **~kräfte** *f pl* enseignants *m pl*; **~ling** *m* ‹-s, -e› apprenti; **~lingswart** *m* inspecteur *m* d'apprentissage; **~lingswohnheim** *n* maison *f od* foyer *m* d'apprentis; **~mädchen** *n* apprentie *f*; **~meinung** *f* doctrine *f*; **~meister** *m* = *~herr*; *fig* maître, précepteur; **~methode** *f* méthode *f* d'enseignement; **~mittel** *n pl* matériel *m* d'enseignement; **~mittelfreiheit** *f* gratuité *f* des livres scolaires; **~offizier** *m* officier *m* instructeur; **~personal** *n*, **~personen** *f pl* personnel *m* enseignant; **~plan** *m* programme scolaire, programme *od* plan *m* d'études; **l~reich** *a* instructif; **~saal** *m* salle *f* de cours; **~satz** *m allg* thèse *f*; *math* théorème; *rel* dogme *m*; **~stelle** *f* place *f* d'apprenti; **~stoff** *m* matière *f* d'enseignement; **~stuhl** *m* chaire *f* (*für* de); **~tätigkeit** *f* enseignement *m*; **~vertrag** *m* contrat *m* d'apprentissage; **~werkstatt** *f*, **~werkstätte** *f* centre *od* atelier *m* d'apprentissage; **~zeit** *f* (temps d')apprentissage *m*.

Lehre *f* ‹-, -n› ['le:rə] **1.** *(Vorschrift)* leçon *f*, précepte; *(Warnung)* avertissement *m*; *(Unterweisung)* instruction *f*, enseignement; *(Handwerks~)* apprentissage; *rel* dogme *m*, doctrine; *scient* théorie *f*; *e-e ~ durchmachen* faire un apprentissage; *in die ~ geben* mettre en apprentissage; *jdm e-e ~ sein (fig)* servir de leçon à qn; *aus etw e-e ~ ziehen* tirer une leçon de qc; *das soll mir e-e ~ sein (a.)* cela m'apprendra (à vivre); **2.** *(Meßinstrument)* jauge *f*, calibre, gabarit *m*.

lehren ['le:rən] *tr* enseigner; *jdn etw* apprendre qc à qn, instruire qn dans qc; *die Folge wird es ~* qui vivra verra.

Lehrer(in *f)* *m* ‹-s, -› ['le:rər(-)] *(Volksschule)* instituteur, trice; maître *m*, maîtresse *f*; *(höhere Schule)* professeur *m*; *aufsichtführende(r) ~* surveillant *m*; **~austausch** *m* échange *m* d'instituteurs *od* de professeurs; **~kollegium** *n* corps *m* enseignant *od* des professeurs *od* des instituteurs; **~konferenz** *f* conseil *m* des professeurs *od* des instituteurs; **~mangel** *m* pénurie *f* de professeurs *od* d'instituteurs; **~schaft** *f* corps *m* enseignant, enseignants; professeurs, instituteurs *m pl*; **~streik** *m* grève *f* de l'enseignement.

Leib *m* ‹-(e)s, -er› [laıp, -bər] *(Körper)* corps *a. fig*; *(Bauch)* ventre; *(Unterleib)* abdomen *m*; *fig (Inneres)* entrailles *f pl*, sein *m*; *bei lebendigem ~e* vif; *mit ~ und Seele* corps et âme; *am eigenen ~(e) erfahren* apprendre à ses dépens; *gesegneten ~es sein (vx)* être enceinte; *e-r Sache zu ~e gehen* s'attaquer à qc; *kein Hemd auf dem ~e haben* n'avoir rien à se mettre (sur le dos); *noch nichts im ~ haben* n'avoir encore rien mangé, être à jeun; *fam* avoir le ventre vide; *den Teufel im ~e haben* avoir le diable au corps; *sich jdn vom ~ halten* tenir qn à distance; *jdm auf den ~ rücken* serrer qn de près; *jdm auf den ~ geschrieben sein* être fait sur mesure pour qn; *am ganzen ~e zittern* trembler de tous ses membres, être tout tremblant; *bleiben Sie mir damit vom ~e!* ne m'importunez pas avec cela! ne m'ennuyez pas avec cela! *drei Schritt vom ~!* ne m'approchez pas! *~ und Leben* la vie et l'intégrité corporelle; **~arzt** *m* médecin *m* personnel; **~binde** *f* ceinture *f* hypogastrique *od* orthopédique *od* de soutien; **l~eigen** *a hist* attaché à la glèbe; **~eigene(r)** *m* serf *m* (attaché à la glèbe); **~eigenschaft** *f* ‹-, ø› servage *m*; **l~en** *itr*: *wie er leibt und lebt* (juste) comme il est; *fam* tout craché; **~eserbe** *m* héritier *m* naturel *od* direct; **~eserziehung** *f* éducation *f* physique; **~esfrucht** *f* fruit (des entrailles); *physiol* fœtus; *jur* enfant *m* conçu; **~eskräfte** *f pl*: *aus ~~n schreien* crier de toutes ses forces *od* à plein gosier *od* à tue-tête; **~esstrafe** *f* peine *f* corporelle *od* afflictive, châtiment *m* corporel; **~esübungen** *f pl* exercices *m pl od* culture physique(s), gymnique *f*; **~esvisitation** *f* fouille *f* à corps; **~garde** *f*, **~gardist** *m* garde *f*, *m* du corps; **~gedinge** *n* apanage *m*, rente *od* annuité *f* viagère; **~gericht** *n* mets *od* plat *m* favori *od* préféré *od* de prédilection; **l~haftig** *a* en chair et en os, en personne; personnifié, incarné; **~haftige**, *der (Teufel)* le diable; **l~lich** *a* corporel, physique; *sein ~~er Sohn* son propre fils; *~~e(s) Wohlbefinden n* bien-être *m*; **~rente** *f* rente viagère *od* perpétuelle *od* à fonds perdu, pension *f* viagère; **~riemen** *m* ceinturon *m*; **~schmerzen** *m pl* mal *m* au ventre, douleurs intestinales, coliques *f pl*; **~schneiden** *n* tranchées *f pl*; **~- und Magengericht** *n* = *~gericht*; **~ung** *f arch* embrasure *f*, intrados *m*; **~wache** *f* = *~garde*; **~wächter** *m* = *~gardist*; **~wäsche** *f* linge *m* de corps; **~weh** *n* = *~schmerzen*.

Leich *m vx* lai *m*.

Leiche *f* ‹-, -n› ['laıçə] corps, cadavre; *(Toter)* mort; *(Beerdigung)* enterrement *m*; *(Anatomie)* sujet; *pop* macchabée *m*; *typ* bourdon *m*; *über ~n gehen* être sans scrupules; *nur über meine ~!* il faudrait me passer sur le corps! *wandelnde ~ (fig)* cadavre ambulant, déterré, trompe-la-mort *m*.

Leichen|begängnis *n* ['laıçən-] funérailles, obsèques *f pl*, enterrement *m*; **~beschauer** *m* médecin *m* de l'état civil; médecin *m* légiste; **~bittermiene** *f* mine *f od* air *m od* figure d'enterrement, figure *f* de croque-mort; **l~blaß** *a* pâle comme un mort, plus pâle que la mort, blanc comme un linceul; ~~ *aussehen* avoir l'air d'un déterré; **~gift** *n* virus *m* cadavérique; **~halle** *f*, **~haus** *n* dépôt *m od* maison *f* mortuaire; morgue *f*; institut *m* médico-légal; **~öffnung** *f* autopsie *f*; **~raub** *m* enlèvement *m* de cadavre; **~räuber** *m* détrousseur *m* de cadavres; **~rede** *f* oraison *f* funèbre; **~schändung** *f* violation *f* de sépulture; **~schau** *f* visite *f* de cadavre; **~schauhaus** *n* morgue *f*; **~schmaus** *m fam* repas *m* d'enterrement; **~starre** *f* rigidité *f* cadavérique; **~stein** *m* pierre *f* funéraire; **~träger** *m* porteur (du cercueil); *fam* croque-mort *m*; **~tuch** *n* linceul, suaire, drap *m* mortuaire; **~verbren-**

nung *f* crémation *f;* **~wagen** *m* corbillard, char funèbre, fourgon *m* funéraire; **~zug** *m* cortège funèbre *od* de deuil, convoi *m* funèbre.
Leichnam *m* ‹-(e)s, -e› ['laɪçna:m] = *Leiche.*
leicht [laɪçt] *a (von geringem Gewicht)* léger *(a. Kleidung, Speise, Getränk, Erkältung, Musik etc); (schwach, unbedeutend)* léger, petit, insignifiant; *(Schlaf)* léger, délicat; *(Fehler)* véniel; *(leichtsinnig)* léger, étourdi; *(Arbeit, Aufgabe)* facile; *(bequem)* aisé; *(mühelos)* sans peine; *(einfach)* simple; *(oberflächlich)* superficiel; *~ ansteigen (fin adm)* s'inscrire en légère augmentation; *es ~ haben* avoir la belle vie; *es nicht ~ haben* avoir la vie dure; *das ist mir ein ~es* ce n'est qu'un jeu pour moi; *es wird mir ~(er) ums Herz* je me sens soulagé; *das ist ~ gesagt* cela est vite dit; *es kann ~ anders kommen* il se peut bien que les choses tournent autrement; *das ist ~ zu machen* c'est facile à faire; *das ist ~ möglich* cela se peut bien; *das ist keine ~e Sache* ce n'est pas chose facile; *wie ~ ist ein Unglück passiert!* un malheur est vite arrivé; *zu ~ befrachtet (mar)* lège; *~e(s) Mädchen n* fille de mauvaise vie, femme *f* galante; *~ montierbar* facile à monter; *~e(s) Schanzzeug (mil)* outils *m pl* portatifs; *~e(r) Sieg m* victoire *f* facile; *~e(r) Tod m* belle mort *f; ~ verderblich (Lebensmittel)* périssable; *~ zugänglich* d'accès facile; **L~athlet** *m* sportif *m* pratiquant l'athlétisme; **L~athletik** *f* athlétisme *m;* **L~bau(weise** *f***)** *m* ‹-s, ø› construction *f* légère; **L~benzin** *n* essence *f* légère; **~bewaffnet** *a* légèrement armé; **~≈fallen** *itr impers: jdm ~~* être facile à *od* pour qn; *es fällt mir nicht ~, das zu tun* j'ai de la peine à faire cela; **~faßlich** *a* facile (à comprendre); **~fertig** *a* léger, volage; peu scrupuleux; = *~sinnig; adv* à la légère; sans scrupules; **L~fertigkeit** *f* légèreté, frivolité *f;* = *L~sinn;* **L~flugzeug** *n* avion *m* léger; **~flüssig** *a* liquéfiable, fusible; **L~fuß** *m* étourdi, écervelé; *fam* étourneau *m;* **~füßig** *a* agile, lest, aux pieds légers; **~gepanzert** *a mil* légèrement armé *od* blindé; **L~geschütz** *n* canon *m* sans recul; **L~gewicht** *n (Boxen)* poids *m* léger; **~gläubig** *a* crédule; *(einfältig)* naïf, *fam* jobard; *~~e(r) Mensch m a.* gobeur, gogo *m fam;* **L~gläubigkeit** *f* ‹-, ø› crédulité; *fam* jobarderie, jobardise; naïveté *f;* **~herzig** *a* au cœur léger; gai, enjoué; **L~herzigkeit** *f* ‹-, ø› gaieté, gaîté *f,* enjouement *m;* **~hin** *adv* à la légère; **L~igkeit** *f* ‹-, ø› légèreté; facilité; *(Ungezwungenheit)* aisance; *(Behendigkeit)* agilité *f; mit ~~ (a.)* en se jouant; **~löslich** *a* facilement soluble; **~≈machen** *jdm etw ~machen* rendre qc facile *od* faciliter qc à qn; *es sich ~machen* se donner du bon temps; *fam* en prendre à son aise; **L~matrose** *m* matelot *m* de pont; **L~metall** *n* métal léger; *(Legierung)* alliage *m* léger; **L~metallbau** *m* construction *f* en métal léger; **L~motorrad** *n* vélomoteur *m;* **~≈nehmen** *tr* prendre à la légère; *etw ~nehmen (auf die leichte Schulter ~)* prendre qc à la légère; **L~öl** *n* huile *f* légère; **L~sinn** *m* ‹-(e)s, ø› légèreté; *(Leichtfertigkeit)* frivolité; *(Sorglosigkeit)* insouciance; *(Unbesonnenheit)* étourderie, irréflexion; *(Unbedachtsamkeit)* imprudence *f;* **~sinnig** *a* léger, *fam* tête en l'air; *(flatterhaft)* volage, évaporé; *(vergnügungssüchtig)* dissipé; *(sorglos)* insouciant; imprudent; *(unbesonnen)* étourdi; *(kopflos)* écervelé; *adv* à l'étourdie; *~~e(r) Mensch m* étourdi, écervelé *m;* tête *f* de linotte; **~sinnigerweise** *adv* à la légère, par légèreté; étourdiment; **~verdaulich** *a* facile à digérer, léger; **~verderblich** *a* périssable; **~verletzt** *a,* **~verwundet** *a* légèrement blessé; **L~verletzte(r)** *m,* **L~verwundete(r)** *m* blessé *m* léger; **~verständlich** *a* facile à comprendre.
Leichter *m* ‹-s, -› ['laɪçtər] *mar* allège *f;* **l~n** *tr mar* alléger.
leid [laɪt] *~ tun* faire de la peine; *er tut mir ~, es tut mir ~ um ihn* il me fait pitié *od* de la peine, je le prends en pitié; *das* od *es tut mir (sehr, fam schrecklich) ~* je regrette, j'ai le regret (*daß* que), je suis au(x) regret(s), tous mes regrets, j'en suis navré *od* désolé *od* fâché; *das bin ich ~, ich bin es ~* j'en suis las.
Leid *n* ‹-(e)s, ø› [laɪt(s), -dəs] peine, affliction *f,* tribulations *f pl,* souffrance; *(Schmerz)* douleur *f; (Kummer)* chagrin *m; (Elend)* misère *f; (Übel)* mal *m; jdm ein ~ (an)tun* od *zufügen* faire du mal à qn; *sich ein ~ antun* attenter à ses jours; *jdm sein ~ klagen* conter ses peines à qn; *~ tragen* porter le deuil (*um jdn* de qn); **~tragende(r)** *m* personne qui est en *od* porte le deuil; *fig* victime *f; bei etw der ~tragende sein* avoir à souffrir de qc; **l~voll** *a* douloureux, plein de douleur(s); **~wesen** *n: zu meinem (großen) ~~* à mon (grand) regret *od* déplaisir *od* chagrin.
Leideform *f* ['laɪdə-] *gram* passif *m.*
leiden ‹*litt, gelitten*› ['laɪdən, (-)'lit(-)] *itr allg* souffrir (*an, unter etw* de qc); avoir mal, être souffrant; *an etw ~* être sujet à qc; *fig (Sache)* pécher (*an etw* par qc); *tr (dulden, ertragen)* endurer, éprouver, essuyer, subir; *(dulden, zulassen)* supporter, tolérer, permettre; *keinen Aufschub, keine Unterbrechung ~* ne souffrir aucun retard, aucune interruption; *Mangel ~ an* manquer de, avoir besoin de; *Not ~* être dans la misère; *jdn nicht ~ können* être mal disposé pour *od* envers qn, avoir de l'aversion pour *od* contre qn, avoir qn en aversion, haïr qn, ne pas pouvoir souffrir qn; *jdn nicht mehr ~ können* avoir pris qn en grippe; *sich* od *ea. nicht ~ können* ne pas pouvoir se souffrir, se déplaire, ne pas se sentir; *(gut) ~ mögen* aimer bien; **L~** *n* **1.** souffrance, peine; *(Schmerz)* douleur; *(Krankheit)* affection, maladie *f; er sieht aus wie das ~~ Christi (fam)* il a un visage *od* un air de requiem; **~d** *a* souffrant; *(kränklich)* souffreteux; **L~schaft** *f* passion *f; poet* feu; *allg* emportement; *fam* emballement *m; von e-r heftigen ~~ (für jdn) ergriffen werden* s'éprendre violemment (de qn), se prendre d'une grande passion (pour qn); *e-r ~~ frönen* s'abandonner *od* se livrer à une passion; *meine ~~ ist ...* j'ai la passion de ... ; **~schaftlich** *a* passionné, emporté; *(glühend, feurig)* brûlant, fervent, ardent, fougueux, enragé; *fam* emballé; *adv* passionnément; ardemment; violemment; *~~ erregen* passionner; *~~ lieben* aimer passionnément *od* à la folie; *~~ werden* se passionner; **L~schaftlichkeit** *f* ‹-, ø› passion; *(Inbrunst)* ferveur; *(Heftigkeit)* véhémence, violence *f,* emportement *m;* fougue *f;* **~schaftslos** *a* sans passion; *fig a.* impassible, indolent, flegmatique; *(Stil, Redner)* glacial; **L~schaftslosigkeit** *f* ‹-, ø› impassibilité, apathie, indolence *f,* flegme *m;* **~sfähig** *a* capable de souffrir; **L~sfähigkeit** *f* capacité, *f* de souffrance; **L~sgefährte** *m,* **L~sgenosse** *m* compagnon *od* frère *m* d'infortune; **L~sgeschichte** *f rel* Passion *f;* **L~skelch** *m* calice *m* d'amertume; **L~smiene** *f* mine *f* de martyr; **L~sweg** *m (Christi)* chemin *m* de (la) croix.
Leiden *n* ['laɪdən] **2.** *geog* Leyde *f; ~er Flasche f (phys)* bouteille *f* de Leyde.
leid|er ['laɪdər] *adv* malheureusement; *interj* hélas! *~~ muß ich sagen, daß ...* je regrette d'avoir à dire que ... ; *~~ Gottes!* à mon grand regret; **~ig** *a (ärgerlich)* fâcheux; *(unangenehm)* désagréable, déplaisant; **~lich** ['-tlɪç] *a* passable; *pred* pas trop mal; convenable; *(erträglich)* supportable, tolérable; *adv* passablement, pas trop mal.
Leier *f* ‹-, -n› ['laɪər] *mus* lyre *f; das ist (immer) die alte ~ (fam)* c'est toujours la même chanson *od* litanie *od* rengaine; *die alte ~ (fig fam)* la ritournelle, la scie; **~kasten** *m* orgue *m* de Barbarie; **~(kasten)mann** *m* ‹-(e)s, ⸚er› joueur *m* d'orgue (de Barbarie); **l~n** *itr fig (monoton sprechen)* parler d'une voix monotone; **~schwanz** *m orn* ménure(-lyre), oiseau-lyre *m.*
Leih|amt *n* ['laɪ-] mont-de-piété; *(in Frankr.)* Crédit municipal; *pop* clou *m,* ma tante *f;* **~bibliothek** *f,* **~bücherei** *f* bibliothèque *f* de prêt; **l~en** *tr* prêter (*jdm etw* qc à qn); *etw von jdm* emprunter qc à qn; *nicht gern ~~* n'être pas prêteur; *jdm sein Ohr ~~* écouter qn; **~en** *n (Ausleihen)* prêt; *(Entleihen)* emprunt *m;* **~frist** *f* délai *m* de prêt; **~gabe** *f* prêt, commodat *m;* **~gebühr** *f* taux *m* de prêt; **~haus** *n* = *~amt;* **~schein** *m* bulletin *m* de prêt; **~- und Pachtabkommen** *n hist* accord *m* prêt et bail; **~verkehr** *m (der Bibliotheken)* service *m* de prêt(s); *auswärtige(r)*

~~ prêt de bibliothèque à bibliothèque, service *m* de prêt par correspondance; **l~weise** *adv* à titre de prêt; en location; **~zettel** *m* = *~schein*.

Leim *m* ‹-(e)s, -e› [laɪm] colle *f* forte; *auf den ~ gehen* donner *od* tomber dans le panneau, mordre à l'hameçon, se laisser prendre à l'appeau, *fam* gober l'appât *od* le morceau; *jdm* s'en laisser conter par qn; *aus dem ~ gehen* se décoller, se disloquer, se disjoindre, se défaire; **l~en** *tr* coller; *(Papier, Stoff)* encoller; *fig fam* engluer, duper; **~farbe** *f* peinture à la colle, détrempe *f;* **l~ig** *a* collant, gluant; **~ring** *m agr* ceinture-piège *f;* **~rute** *f* gluau *m; mit ~~n fangen* prendre à la glu; **~sieder** *m* fabricant *m* de colle (forte); **~tiegel** *m,* **~topf** *m* pot *m* à colle; **~ung** *f* encollage *m.*

Lein *m* ‹-(e)s, -e› [laɪn] *bot* lin *m;* **~acker** *m* linière *f;* **~en** *n* ‹-s, -› toile *f* (de lin); *grobe(s) ~~* grosse toile *f; in ~~ (gebunden)* (relié) en toile; **l~en** *a* de lin, de toile, de fil; **~enband** *n* ruban *m* de fil; *m (Buch)* reliure *f* (en) toile; **~endamast** *m* linge *m* damassé; **~enfabrikant** *m,* **~enhändler** *m* toilier *m;* **~enfabrikation** *f,* **~handel** *m* toilerie *f;* **~engarn** *n* fil *m* de lin; **~enindustrie** *f* industrie *f* linière; **~enlaken** *n* = *~entuch;* **~enpapier** *n* papier *m* de lin; **~enschuh** *m* chaussure de toile, espadrille *f;* **~entuch** *n* drap *m* de toile; **~enzeug** *n* linge *m;* **~eweber(ei *f*)** *m* = *~weber(ei);* **~kuchen** *m* tourteau *m* de lin; **~öl** *n* huile *f* de lin; **~ölfirnis** *m* vernis *m* à l'huile de lin; **~saat** *f,* **~samen** *m* graine de lin, linette *f;* **~tuch** *n* = *~entuch;* **~wand** *f* toile *f; film* écran *m; in ~~ verpacken* entoiler; *auf die ~~ bringen (film)* mettre *od* porter à l'écran; *ungebleichte ~~* toile *f* bise *od* écrue; **~weber** *m* toilier *m;* **~weberei** *f* toilerie *f.*

Lein|e *f* ‹-, -n› ['laɪnə] corde *f,* cordeau *m; (Hunde~)* laisse; *(Lauf~)* longe *f; an der ~~ führen* mener *od* tenir en laisse; *an die ~~ nehmen* mettre en laisse; **~pfad** *m (Treidelpfad)* chemin *m* de halage.

leise ['laɪzə] *a (tonschwach)* bas, faible; *(leicht)* léger; *(sanft)* doux; *adv* sans bruit; *(mit ~r Stimme)* bas, à voix basse; *beim ~sten Geräusch* au moindre bruit; *mit ~n Schritten* à pas étouffés *od* feutrés; *auf ~n Sohlen* à pas de loup; *~ gehen* marcher doucement; *e-n ~n Schlaf haben* avoir le sommeil léger; *~er stellen (radio)* baisser; *bitte ~!* silence, s'il vous plaît! *nicht die ~ste Ahnung, Spur* pas l'ombre d'un doute, d'une trace; **L~treter** *m* personne sournoise.

Leiste *f* ‹-, -n› ['laɪstə] bande, latte, tringle *f;* liteau, listel, listeau, liston *m; (Zierleiste)* baguette; *arch* moulure; *typ* bordure; *anat* aine *f;* **~nbeuge** *f anat* (pli *m* de l')aine *f;* **~nbruch** *m med* hernie *f* inguinale; **~ndrüse** *f* ganglion *m* de l'aine; **~ngegend** *f* région *f* inguinale; **~ngrube** *f* fossette *f* inguinale; **~nhobel** *m* tarabiscot *m.*

Leisten *m* ‹-s, -› ['laɪstən] *(Schuhform)* forme *f; alles über e-n ~ schlagen (fig)* mettre tout dans le même sac.

leisten ‹*leistete, geleistet*› ['laɪstən] *tr (tun)* faire, accomplir; *(ausführen)* exécuter, effectuer, réaliser; *(hervorbringen)* produire; *tech* rendre, avoir un rendement de; *etwas, viel ~* travailler bien, beaucoup; *sich etw ~ (gönnen)* se permettre, s'offrir, se payer qc; *e-n Eid ~* prêter serment; *jdm Gesellschaft ~* tenir compagnie à qn; *jdm Hilfe ~* prêter secours à qn, aider qn; *nichts (Rechtes) ~* ne faire rien qui vaille; *etw Tüchtiges ~* faire du bon travail; *Widerstand ~* résister (*jdm, e-r S* à qn, à qc); *sich etw (finanziell) ~ können* avoir les moyens de se payer *od* s'offrir qc; *sich etw ~ (erlauben, herausnehmen) können* pouvoir se permettre qc; *das kann ich mir (finanziell) ~* c'est à ma portée; *das (bisher) Geleistete* les réalisations *f pl; die geleistete Arbeit* les travaux accomplis.

Leistung *f* ‹-, en› ['laɪstʊŋ] *(Ausführung)* accomplissement *m,* exécution, réalisation; *(Beitrag)* contribution; *(Produktion)* production *f; (Zahlung)* paiement *m; ~ in Naturalien* prestation *f* en nature; *(Lieferung)* fourniture *f; tech* travail effectué *od* fourni; *(Ausstoß)* rendement, débit *m;* efficience *f; (~sfähigkeit)* puissance, capacité *f; allg* effort *m; sport* performance; *fin adm (Dienst), jur (Eid)* prestation *f; e-e ~ vollbringen* accomplir un effort *od* un exploit; *große ~* (grand) exploit *m,* prouesse *f,* beau résultat *m; schöpferische ~* effort *m* créateur.

Leistungs|abfall *m* ['laɪstʊŋs-] diminution *od* perte *f* de puissance; **~angabe** *f tech* indication *f* de la puissance; **~anzeiger** *m* indicateur *m* de puissance; **~bedarf** *m tech* puissance *f* requise; **~bereich** *m tech* régime *m;* **l~fähig** *a* efficace; efficient; *tech* puissant; à grande puissance; *com* capable (de produire); **~fähigkeit** *f* énergie productrice; *tech* (capacité *f* de) rendement *m,* puissance *f; körperliche ~~* endurance *f,* moyens *m pl* physiques; *(wirtschaftliche) ~~* capacité *f* de production; **~grad** *m* degré *m* de rendement; **~grenze** *f* limite *f* de puissance *od* de rendement; **~lohn** *m* salaire *m* au rendement; **~prämie** *f* prime *f* de productivité *od* de rendement; **~prüfung** *f* essai *od* test *m* de performance *od* de puissance *od* de rendement; **~schau** *f* concours *m;* **l~schwach** *a* d'un rendement faible; **~soll** *n* production *f* imposée; **~sport** *m* sport *m* de compétition; **~stand** *m* résultats *m pl* obtenus; **l~stark** *a* d'un grand rendement; **~steigerung** *f* augmentation *f* de puissance *od* de rendement; **~verstärker** *m el* amplificateur *m* de puissance; **~zulage** *f* prime *f* de productivité *od* de rendement.

Leit|achse *f* ['laɪt-] *tech* essieu *m* avant *od* directeur; **~artikel** *m* éditorial, article *m* de fond *od* de tête, tête *f,* leader(-article) *m;* **~artikler** *m* éditorialiste *m;* **l~bar** *a* maniable; **~bild** *n* idéal, guide *m;* **~blech** *n loc* écran pare-fumée; *aero* déflecteur *m;* **~faden** *m (Lehrbuch)* manuel, guide; compendium; abrégé, précis *m;* **l~fähig** *a el* conductible; **~fähigkeit** *f* conductibilité *f,* pouvoir *m* conducteur; **~fahrzeug** *n* véhicule-pilote *m;* **~flosse** *f aero* plan *m* fixe de direction; **~fossil** *n geol* fossile *m* caractéristique; **~gedanke** *m* idée générale *od* directrice; idée *f* mère; **~hammel** *m* bélier; *fig* chef de bande, meneur *m; der ~~ sein (fig) a.* mener le branle *od* la danse; **~kranz** *m (Turbine)* diffuseur *m; (Rakete)* couronne *f* directrice; **~linie** *f math* directrice *f;* **~rad** *n* roue *f* directrice; **~rolle** *f tech* poulie de guidage *od* de renvoi, roulette-guide *f;* **~satz** *m* principe *m* directeur, directive *f;* **~schiene** *f loc* contre-rail *m; tech* glissière *f* de guidage; **~seil** *n (~riemen)* guide, longe *f; (Ballon)* guide-rope, câble-guide *m;* **~signal** *n* (signal) pilote *m;* **~stelle** *f mil* poste régulateur (des mouvements); *allg* poste directeur; *tele* poste du chef de réseau; *aero* poste de commande; *radio* poste *m* directeur; **~stern** *m fig* guide *m;* **~strahl** *m aero* axe *m* balisé *od* d'atterrissage; **~strahlbake(nsender *m*)** *f,* **~strahlfunkfeuer** *n aero* radiophare *m* d'alignement; **~strahlverfahren** *n* radioguidage *m;* **~tier** *n* animal *m* de tête; **~vermerk** *m* indication *f* de la route; *(Post)* acheminement *m;* **~vorrichtung** *f* dispositif *m* de guidage; **~weg** *m tele* parcours *m,* route, (voie *f* d')acheminement *m;* **~werk** *n aero* empennage(s *pl*) *m,* gouvernes; *(Bombe)* ail(ett)es *f pl;* **~wert** *m el* conductance *f;* **~zahl** *f (Post)* code *m* postal.

leiten ‹*leitete, geleitet*› ['laɪtən] *tr* mener; *a. phys* conduire; *a. fig* guider, diriger; *(den Vorsitz haben)* présider (*über etw* qc); *(verwalten)* administrer, gérer, diriger; *(befehligen)* commander; *(regieren)* gouverner, régir; *(Verkehr: umleiten)* détourner; *sich von etw ~ lassen* être guidé par qc, s'inspirer de qc; **~d** *a (führend)* dirigeant, principal; en chef; *(anweisend)* directeur; *el* conducteur; *gut schlecht ~~ (el)* bon, mauvais conducteur; *~~e(r) Angestellter m* cadre *m* (supérieur); *~~e Stellung f* situation *f* de premier plan.

Leiter ['laɪtər] **1.** *m* ‹-s, -› *(Führer)* guide, dirigeant, conducteur; *(Dienststellen~)* chef de service; *(Direktor)* directeur; *(Geschäftsführer)* gérant; *(e-r Versammlung, Abordnung)* président; *el* conducteur *m.*

Leiter 2. *f* ‹-, -n› échelle *a. fig; (e-s Wagens)* ridelle; *(Stufen-, Ton~)* gamme *f; von der ~ fallen* tomber en bas de l'échelle; **~wagen** *m* voiture *f od* chariot *m* à ridelles.

Leitung *f* ['laɪtʊŋ] *(Führung)* conduite, direction; *(Verwaltung)* gestion, administration; *(e-r Versammlung od Abordnung)* présidence *f; mil* commandement *m; tech (Rohr~)* tuyauterie, canalisation; *(Gas-, Wasser~)* conduite; *el* ligne *f,* fil, câble *m; tele* ligne, jonction *f; unter der ~ (gen)* sous la direction *od* présidence (de); *sich in die ~ einschalten (tele)* entrer dans le circuit; *e-e lange ~ haben (fig fam)* ne pas avoir la comprenette facile; mettre du temps à comprendre *fam; e-e ~ legen (tele)* établir une ligne; *die ~ schalten auf (tele)* renvoyer le circuit sur; *die ~ e-r S übernehmen* prendre la direction de qc; *die ~ ist besetzt* la ligne est occupée; *durchgeschaltete ~ (tele)* ligne *f* d'interconnexion.

Leitungs|abschnitt *m* ['laıtuŋgs-] *tele* tronçon *m* de ligne; **~bau** *m tele* construction *f* de ligne; **~draht** *m* fil *m* conducteur *od* de ligne; **~führung** *f tele* tracé *m* (de la ligne); **~mast** *m* support de ligne (électrique); *(großer)* pylône *m* (métallique); **~netz** *n (Wasser)* canalisation *f; el* réseau électrique *od* de distribution; *tele* réseau *m* (de lignes); **~rohr** *n* tube *od* tuyau *m* de conduite *od* de canalisation; **~strom** *m* courant *m* conduit *od* de conduction; **~wasser** *n* eau *f* de la ville *od* du robinet; **~weg** *m el* itinéraire *m;* **~widerstand** *m el* résistance *f* de la ligne.

Lekt|ion *f* ⟨-, -en⟩ [lɛktsi'o:n] *a. fig* leçon *f; jdm e-e ~~ erteilen (fig)* donner une leçon à qn; **~or** *m* ⟨-s, -en⟩ ['lɛktɔr, -'to:rən] *(Univ., Verlag, theat)* lecteur *m;* **~orat** *n* ⟨-(e)s, -e⟩ [-to'ra:t] poste *m* de lecteur; **~üre** *f* ⟨-, (-n)⟩ [-'ty:rə] lecture *f.*

Lemniskate *f* ⟨-, -n⟩ [lɛmnıs'ka:tə] *math* lemniscate *f.*

Lemure *m* ⟨-n, -n⟩ [le'mu:rə] *(Gespenst)* lémure *m; pl zoo (Halbaffen)* lémuriens *m pl.*

Lende *f* ⟨-, -n⟩ ['lɛndə] *meist pl. anat* lombes; *(Kreuz)* reins *m pl;* **~nbraten** *m (vom Rind)* (rôti *m* d')aloyau *m;* **~ngegend** *f* région lombaire, (région *f* des) reins *m pl;* **l~lahm** *a* éreinté; *fig (Beweisführung, Entschuldigung)* faible, boiteux; **~nschurz** *m* pagne *m;* **~nstück** *n (Rind)* aloyau, filet *m; untere(s) ~~* bavette *f;* **~nwirbel** *m* vertèbre *f* lombaire.

Lenk|achse *f* ['lɛŋk-] essieu *m* mobile *od* de direction; **l~bar** *a tech* dirigeable, gouvernable; *fig (Mensch)* traitable, docile; *~~e(r) Ballon m* ballon *m* dirigeable; *~~e(s) Luftschiff n (Zeppelin)* dirigeable *m;* **~barkeit** *f* ⟨-, (-en)⟩ *mot* maniabilité; *aero* dirigeabilité; *fig* docilité *f;* **~gehäuse** *n* carter *m od* boîte *f* de direction; **~hebel** *m* levier *m* de direction *od* de manœuvre; **~rad** *n* volant *m* (de direction); **~rakete** *f* fusée *f* (télé)guidée; **l~sam** *a (Mensch)* traitable, docile; **~samkeit** *f* ⟨-, (-en)⟩ docilité *f;* **~säule** *f mot* tube *m od* colonne *f* de direction; **~stange** *f (Fahrrad)* guidon *m; mot* barre de direction *od* directrice; *tech* bielle *f;* **~vorrichtung** *f* mécanisme *m* de direction; **~waffe** *f* engin *m* guidé.

lenk|en ['lɛŋkən] *tr* diriger, guider; *(Fahrzeug)* conduire; *aero* piloter; *(führen)* mener; *fig (Menschen)* gouverner, régir; *adm (Wirtschaft)* planifier; *(Gedanken, Blick)* aiguiller; *auf sich ~~* attirer sur *od* à soi; *jds Aufmerksamkeit auf etw ~~* appeler l'attention de qn sur qc; *das Gespräch auf etw ~~* amener la conversation sur qc; *seine Schritte ~~ nach* diriger ses pas vers; *den Verdacht auf jdn ~~* faire porter le soupçon sur qn; *sich ~~ lassen* être docile; *ge~te Wirtschaft f* économie *f* dirigée; **L~er** *m* ⟨-s, -⟩ *(Fahrer)* conducteur; *(Lenkstange)* guidon; *fig (Gott)* arbitre *m; (prov) der Mensch denkt, Gott lenkt* l'homme propose, Dieu dispose; **L~ung** *f (Leitung, Führung)* direction; *(Ausrichtung)* orientation, régulation *f; ~~ der Wirtschaft* dirigisme *m;* **L~ungsausschuß** *m pol* comité *m* de direction; **L~ungsmaßnahmen** *f pl pol* mesures *f pl* dirigistes; **L~ungsstelle** *f* centre *od* service *m* de direction.

Lenz *m* ⟨-es, -e⟩ [lɛnts] *poet* printemps, renouveau *m; 20 ~e zählen (alt sein)* compter *od* avoir vingt printemps; *der ~ des Lebens* le printemps de la vie.

lenz|en ['lɛntsən] *itr mar (vor dem Sturm laufen)* courir devant le vent; *tr mar (leer pumpen)* pomper l'eau de; **L~pumpe** *f* pompe *f* de cale.

Leopard *m* ⟨-en, -en⟩ [leo'part, -dən] *zoo* léopard *m.*

Leporelloalbum *n* [lepo'rɛlo-] dépliant *m* (en accordéon).

Lepra *f* ⟨-, ø⟩ ['le:pra] *med* lèpre *f;* **l~krank** *a* lépreux; **~kranke(r)** *m* lépreux *m;* **~station** *f* léproserie *f.*

Lerche *f* ⟨-, -n⟩ ['lɛrçə] *orn* alouette *f.*

lern|bar ['lɛrn-] *a* que l'on peut apprendre, qui s'apprend; **L~begier(de)** *f* envie *f od* désir *m* d'apprendre; **~begierig** *a,* **~eifrig** *a* avide *od* désireux d'apprendre, studieux, appliqué; **L~eifer** *m* zèle *m* (pour l'étude), application *f.*

lernen ['lɛrnən] *tr* apprendre (*etw zu tun* à faire qc); *(studieren)* étudier *fam* bûcher, potasser, *itr (in der Lehre sein)* être en apprentissage; *auswendig ~* apprendre par cœur; *Deutsch, Französisch ~* apprendre l'allemand, le français; *gut, schlecht ~* travailler bien, mal en classe; *ein Handwerk ~* apprendre un *od* faire l'apprentissage d'un métier; *etwas Latein ~* se frotter de latin *fam; lesen, schreiben, rechnen ~* apprendre à lire, à écrire, à compter; *man lernt nie aus* on apprend à tout âge; *lerne was, so kannst du was! (prov)* apprends et tu sauras; **L~** *n* études *f pl; (Lehre)* apprentissage *m; das ~~ fällt ihm schwer* il apprend avec difficulté; **L~de(r)** *m (Schüler)* écolier, élève; *(Student)* étudiant; *(Lehrling)* apprenti *m.*

Les|art *f* ['_e:s-] version; *(andere ~~)* variante *f;* **l~bar** *a (leserlich)* lisible, déchiffrable; **~barkeit** *f* ⟨-, ø⟩ lisibilité *f.*

Lesb|ierin *f* ⟨-, -nnen⟩ ['lɛsbiərın] lesbienne *f;* **l~isch** *a* lesbien.

Lese *f* ⟨-, -n⟩ ['le:zə] *(Wein~)* vendange *f.*

Lese|abend *m* ['le:zə-] soirée *f* littéraire; **~brille** *f* lunettes *f pl* pour lire *od* pour la lecture; **~buch** *n* livre *m* de lecture; anthologie, *scient* chrestomathie *f;* **~drama** *n* drame *m* injouable; **~ecke** *f* coin *m* de lecture; **~früchte** *f pl* morceaux choisis *od* extraits *m pl* (de lecture); **~gesellschaft** *f* cercle *m* de lecture *od* littéraire, société *f* littéraire; **~halle** *f* salle *f* de lecture, athénée *m;* **~holz** *n* bois(-)mort *m;* **~hunger** *m* fringale *f* de lecture; **l~hungrig** *a* avide de lecture; **~lampe** *f* veilleuse, lampe *f* de lecture; **~probe** *f* échantillon *m* de lecture; *theat* lecture *f;* **~pult** *n* pupitre; *rel* lutrin *m;* **~ratte** *f* rat *m* de bibliothèque; liseur, se *m f;* **~saal** *m* salle *f* de lecture; **~stoff** *m* lecture *f;* **~stück** *n* (morceau *m* de) lecture *f;* **~übung** *f* exercice *m* de lecture; **~zeichen** *n* liseuse *f; (festes Band)* signet *m;* **~zimmer** *n* salle *f* de lecture; **~zirkel** *m* cercle *m od* réunion *f* de lecture.

lesen ⟨*du liest, er liest; las, gelesen; lies!*⟩ ['le:zən, li:s(-), la:s, -zən] *tr (Text)* lire; *(entziffern)* déchiffrer; *(sammeln, bes. Reisig)* ramasser; *(Ähren)* glaner; *(Trauben)* vendanger; *(pflücken)* cueillir; *(aus-, ver~)* trier; *itr (Kolleg ~)* faire un cours (*über* sur); *(Ähren ~)* glaner; *immer wieder ~* lire et relire; *laut ~* lire à haute voix; *leicht, schwer zu ~ sein* être d'une lecture facile, difficile; **L~** *n* lecture *f;* déchiffrement *m; (der Messe)* célébration *f; (Sammeln)* ramassage; *(Aus-, Ver~)* triage *m; nach einmaligem ~~* après simple lecture; **~swert** *a* digne d'être lu; *~~ sein* mériter d'être lu; **leserlich** *a* = *lesbar;* **Leserlichkeit** *f* ⟨-, (-en)⟩ = *Lesbarkeit.*

Leser *m* ⟨-s, -⟩ ['le:zər] lecteur, liseur *m; pl* public *m;* **~brief** *m (in e-r Zeitung)* lettre *f* à la rédaction; **~ecke** *f (in e-r Zeitung)* courrier *m* des lecteurs; **~kreis** *m,* **~schaft** *f* ⟨-, (-en)⟩ cercle de lecteurs, public *m;* **~zahl** *f (e-r Zeitung)* nombre de lecteurs, degré *m* de lecture; **~zuschrift** *f* = *~brief.*

Lesung *f* ⟨-, -en⟩ ['le:zuŋ] lecture *f; in erster, zweiter ~ (parl)* en première, seconde lecture.

letal [le'ta:l] *a (tödlich)* mortel, délétère.

Letharg|ie *f* ⟨-, ø⟩ [letar'gi:] *(Schlafsucht; Teilnahmslosigkeit)* léthargie *f;* **l~isch** [-'targıʃ] *a* léthargique.

Lett|e *m* ⟨-n, -n⟩ ['lɛtə] , **~in** *f* Letton, ne *m f;* **l~isch** *a* letton; *(das) L~~(e)* le letton, le lette; **~land** *n* la Lettonie.

Letten *m* ⟨-s, -⟩ ['lɛtən] = *Lehm.*

Letter *f* ⟨-, -n⟩ ['lɛtər] *typ* lettre *f,* caractère typographique *od* d'imprimerie, type, plomb *m; bewegliche ~n* caractères *m pl* mobiles; **~nmetall** *n* métal *m* à (fondre des) caractères *od* à lettres.

Lettner *m* ⟨-s, -⟩ ['lɛtnər] *arch rel* jubé *m*.

Letzt *f* [lɛtst] *: zu guter ~* en fin de compte; *fam* à la fin des fins.

letzt|e(r, s) [lɛtst-] *a* dernier, ultime; *(abschließende)* final; *(neueste)* (le) plus récent, (le) dernier; *(äußerste)* extrême, suprême; *als ~es Mittel, als ~e Rettung* en désespoir de cause; *an ~er Stelle* en dernier (lieu); *bis zum ~en* jusqu'au bout; à outrance; *fam* jusqu'à la gauche; *bis auf den ~en Mann* jusqu'au dernier (homme); *das ~e Mal* la dernière *od* l'autre fois; *im ~en Augenblick* au dernier moment; *fam* au pied levé; *in den ~en Jahren, Tagen* ces dernières années, ces derniers jours; *in ~er Zeit* ces derniers temps, ces temps derniers, récemment; *zum ~en Mal* pour la dernière fois; *~en Endes* enfin *od* au bout du compte, en dernière analyse; *~en Montag* lundi dernier; *~e Woche* la semaine dernière; *das L~e daransetzen* jouer son va-tout; *zum ~en Mittel greifen* recourir aux moyens extrêmes; *das L~e* od *sein L~es (her)geben (verschenken)* donner jusqu'à sa dernière chemise, donner tout au monde, se saigner aux quatre veines (*für* pour); *die ~e Hand legen an* mettre la dernière main à; *ich wäre der ~e, der* ... je suis le dernier homme qui ...; *den ~en beißen die Hunde (prov)* au dernier les os; *das wäre das L~e!* ce serait la fin de tout *od* un pis aller; *fam mit ihm ist Matthäi am ~en* il est à l'article de la mort; *der ~e Bissen* le morceau honteux *fam; die L~en Dinge (rel)* les fins dernières, les quatre fins du monde; *die ~en Meldungen* od *Nachrichten* les informations de dernière heure, les dernières nouvelles *f pl; der ~e Schliff (pop)* le fion; *das ~e Viertel (Mond)* le dernier quartier; **L~bietende(r)** *m com* dernier enchérisseur *m;* **~enmal:** *zum ~~* pour la dernière fois; **~ens** *adv* dernièrement, l'autre jour, récemment; **~e-re(r)** ce dernier, celui-ci; **~genann-te(r)** *a* cité en dernier lieu; **~hin** *adv* = *~ens;* **~instanzlich** *a u. adv* en dernier ressort; **~jährig** *a* de l'an dernier, de l'année dernière; **~lich** = *~ens;* = *~en Endes;* **~willig** *a jur* testamentaire; *adv* par testament; *~~e Verfügung f* acte *m* de dernière volonté.

Leu *m* ⟨-en, -en⟩ [lɔʏ] *poet* lion *m*.

Leucht|bake *f* ['lɔʏçt-], **~boje** *f* balise *od* bouée *f* lumineuse; **~bakterie** *f* photobactérie *f;* **~bombe** *f* bombe *f* éclairante; **~dichte** *f phys* brillance, densité *f* lumineuse; **~e** *f* ⟨-, -n⟩ *(Licht)* lumière; *(Lampe)* lampe *f*, appareil *m* d'éclairage; *fig (Mensch)* lumière *f;* aigle; coryphée; *fam* as *m;* **~elektron** *n* photo-électron *m;* **l~en** ⟨*leuchtete, geleuchtet*⟩ *itr* luire, donner de la lumière, être lumineux; *(glänzen)* briller, resplendir; *fig (Augen)* rayonner; *jdm ~~* éclairer qn; **~en** *n* lueur *f;* resplendissement, rayonnement *m; phys* luminescence *f;* **l~end** *a* lumineux; *(Farbe)* vif; *(strahlend)* rayonnant; *fig* éclatant, frappant; *~~e(s) Vorbild n* exemple *m* éclatant; **~er** *m* ⟨-s, -⟩ *(Kerzen~~)* chandelier; *(Hand~~)* bougeoir; *(Arm~~; Kandelaber)* candélabre *m; (Wand~~)* applique *f; (Kron~~)* lustre *m;* **~ertisch** *m* guéridon *m;* **~fallschirmrakete** *f* fusée *f* lumineuse *od* éclairante à parachute; **~farbe** *f* peinture *f* lumineuse; **~feuer** *n mar* fanal, phare *m;* **~fläche** *f* panneau *m* lumineux; **~gas** *n* gaz *m* éclairant *od* d'éclairage; **~geschoß** *n* projectile *m* lumineux *od* éclairant *od* traceur; **~granate** *f* obus *m* éclairant; **~käfer** *m* ver *m* luisant, luciole *f;* **~kompaß** *m* boussole *f* lumineuse; **~körper** *m* corps *m* lumineux *od* éclairant; **~kraft** *f* pouvoir *m* éclairant; puissance *od* intensité *f* lumineuse; **~munition** *f* munition(s *pl*) *f* éclairante(s); **~patrone** *f* cartouche *f* éclairante; **~pistole** *f* pistolet *m* éclairant *od* lance-fusées; **~plakat** *n* affiche *f* lumineuse; **~rakete** *f* fusée *f* éclairante; **~schiff** *n* bateau-feu, bateau-phare *m;* **~schild** *n* enseigne *f* lumineuse; **~schirm** *m* écran *m* fluorescent *od* luminescent *od* actinique; **~signal** *n* signal *m* lumineux; **~spur** *f* trace *f* lumineuse; **~spurgeschoß** *n* projectile *m* traçant *od* traceur, balle *f* traçante *od* traceuse; **~spurmunition** *f* munition(s *pl*) *f* traçante(s) *od* traceuse(s); **~stofflampe** *f*, **~stoffröhre** *f* lampe *f*, tube *m* fluorescent(e); **~turm** *m* phare *m;* **~werbung** *f* = *Lichtreklame;* **~zeichen** *n* appel *od* signal lumineux, voyant *m;* **~zifferblatt** *n* cadran *m* lumineux.

leugn|en ['lɔʏgnən] *tr* nier, désavouer, démentir; *(abstreiten)* contester; *jur* dénier; *ich ~e es nicht (a.)* je ne dis pas le contraire; *das ist nicht zu ~~* c'est indéniable *od* incontestable; *es kann nicht ge~et werden, daß* ... on ne saurait nier que ...; **L~en** *n*, **L~ung** *f* dénégations *f pl*, désaveu *m;* contestation *f*.

Leuk|ämie *f* ⟨-, -n⟩ [lɔʏkɛ'mi:] *med* leu- c(ocyth)émie *f;* **~ozyten** *m pl* [-ko'tsy:tən] *(weiße Blutkörperchen)* leucocytes, globules *m pl* blancs.

Leumund *m* ⟨-(e)s, ø⟩ ['lɔʏmʊnt, -dəs] réputation *f*, renom *m;* renommée *f; gute(r), schlechte(r) ~* bonne, mauvaise réputation *f;* **~szeugnis** *n* certificat *m* de bonne vie et mœurs *od* de bonne conduite.

Leutchen *pl* ['lɔʏtçən] bonnes gens *pl*.

Leute *pl* ['lɔʏtə] gens *m pl (wenn ein a mit weibl. Endung unmittelbar vorausgeht: f pl);* monde *m; (Personal)* gens *pl* de maison, domestiques; *(Arbeitskräfte, Soldaten)* hommes *m pl; unter die ~ bringen* faire circuler, divulguer; *unter die ~ gehen* od *kommen* sortir, aller dans le *od* voir du monde; *nicht unter die ~ gehen* ne voir personne; *s-e ~ kennen* connaître ses gens; *wir sind (fortan) geschiedene ~* tout est fini entre nous (désormais); *die ~ sagen es* on le dit; *was werden die ~ dazu sagen?* qu'en dira-t-on? *alle ~* tout le monde, tous les gens; *die anständigen ~* les honnêtes gens; *die feinen ~* les gens bien; *pop* le gratin; *die großen ~ (die Erwachsenen)* les grandes personnes; *junge, alte ~* jeunes *m*, vieilles *f* gens; *die kleinen ~* les petites gens, les gens de peu, le petit monde, le menu peuple; *lit* les humbles; *fam* le (menu) fretin; *die rechtschaffenen ~* les braves gens; *~ von Rang und Stand* gens de qualité; *es sind ~ bei uns (Besuch)* nous avons du monde; *meine ~ (fam: Familie)* les miens, ma famille; *(Personal)* mes gens; *(Arbeiter, Soldaten)* mes hommes; *armer ~ Kind* de famille pauvre; **l~scheu** *a* farouche, sauvage, peu sociable; **~schinder** *m* exploiteur, requin *m*.

Leutnant *m* ⟨-e, -s/(-e)⟩ ['lɔʏtnant] sous-lieutenant *m; ~ zur See* enseigne *m* de vaisseau de 2e classe; **~sstelle** *f* lieutenance *f*.

leutselig ['lɔʏt-] *a* affable; *(wohlwollend)* bienveillant; **L~keit** *f* affabilité; bienveillance *f*.

Levant|e [le'vantə] , *die* le Levant; **~iner** *m* ⟨-s, -⟩ [-'ti:nər] *pl* Levantins *m pl;* **l~inisch** [-'ti:nɪʃ] *a* levantin.

Levit *m* ⟨-en, -en⟩ [le'vi:t] *rel* lévite *m; jdm die ~en lesen* faire la morale à qn; sermonner, chapitrer, morigéner qn.

Levkoje *f* ⟨-, -n⟩ [lɛf'ko:jə] *bot* giroflée *f*.

Lexik *f* ⟨-, ø⟩ ['lɛksɪk] lexique *m*.

lexik|alisch [-si'ka:lɪʃ] *a* lexical; **L~ograph** *m* ⟨-en, -en⟩ [-ko'gra:f] lexicographe *m;* **L~ographie** *f* ⟨-, ø⟩ [-gra'fi:] lexicographie *f;* **~ographisch** [-'gra:fɪʃ] *a* lexicographique; **L~on** *n* ⟨-s, -ka/-ken⟩ ['lɛksikən, -ka, -kən] dictionnaire; *(Handwörterbuch)* lexique *m; (Konversations~~)* encyclopédie *f; lebende(s)* od *wandelnde(s) ~~ (fam: Mensch)* encyclopédie *f* vivante; **L~onformat** *n*, **L~onoktav** *n* grand in-octavo *m*.

Liane *f* ⟨-, -n⟩ [li'a:nə] *bot* liane *f*.

Liban|ese *m* ⟨-n, -n⟩ [liba'ne:zə] Libanais *m;* **l~esisch** [-'ne:zɪʃ] *a* libanais; **~on** ['li:banɔn], *der (Gebirge)* le Liban; *(der) ~~ m* ⟨-s⟩ *(Staat)* le Liban *m*.

Libelle *f* ⟨-, -n⟩ [li'bɛlə] *ent* libellule, demoiselle *f; (Wasserwaage)* niveau *m* d'eau.

liberal [libe'ra:l] *a pol allg* libéral; *(freigebig a.)* généreux, large; **~isieren** [-li'zi:rən] *tr* libéraliser; **L~isierung** *f* libéralisation *f;* **L~ismus** *m* ⟨-, ø⟩ [-'lɪsmʊs] libéralisme *m;* **~istisch** [-'lɪstɪʃ] *a* libéral; **L~ität** *f* ⟨-, ø⟩ [-li'tɛ:t] *(Freigebigkeit)* libéralité; générosité *f*.

Liberi|a *n* [li'be:ria] *geog* le Libéria; **~(an)er** *m* ⟨-s, -⟩ [-'be:riər] Libérien *m;* **l~anisch** [-ri'a:nɪʃ] *a* libérien.

Librett|ist *m* ⟨-en, -en⟩ [librɛ'tɪst] librettiste *m;* **~o** *n* ⟨-s, -s/-ti⟩ [li'brɛto, -ti] *(Textbuch)* livret *m*.

Liby|en *n* ['li:byən] la Libye; **~er** *m*

‹-s, -› ['li:byər] Libyen *m;* **l~sch** ['li:bɪʃ] *a* libyen.

Licht *n* ‹-(e)s, -er› [lɪçt] lumière *a. fig; (Helligkeit)* clarté *f; (Beleuchtung)* éclairage *m; (~schein)* lueur *f; (Tages~)* jour *m; n* ‹-(e)s, -er/(-e)› **(Talg~)** chandelle; *(Wachs~)* bougie *f; (Verkehrssignal, mar)* feu *m; (Malerei)* tache claire, lumière *f; (Jägersprache: Auge)* œil *m; bei ~* à la lumière; *bei ~ besehen* od *betrachtet* regardé de près; *gegen das ~* à contre-jour; *in anderem ~ (fig)* sous un autre jour; *in falschem ~ (Bild)* en faux jour; *in günstigem ~* sous un jour favorable; *~ (an)machen* od *anzünden* od *einschalten* allumer la lumière *od* l'électricité, tourner le bouton électrique *od* l'interrupteur; *jdm ein ~ aufstecken (fig)* ouvrir les yeux à qn, éclairer la lanterne de qn; *das ~ ausmachen* od *ausschalten* éteindre la lumière, couper l'électricité; *ans ~ bringen (fig)* mettre au jour, dévoiler; *~ in etw bringen (fig)* jeter le *od* du jour sur qc, faire la lumière sur *od* dans qc, éclaircir qc; *das ~ der Welt erblicken* voir le jour *od* la lumière; *etw in günstigem ~ erscheinen lassen* faire voir *od* présenter qc sous un jour favorable *od* avantageux; *jdn hinters ~ führen* donner le change à qn, duper, tromper qn, en faire accroire à qn; *fam* posséder, *pop* monter le coup à qn, mener qn en barque *od* en bateau; *jdm aus dem ~ gehen* s'ôter de devant le jour de qn; *das ~ im Rücken haben* être à contre-jour; *etw ans ~ halten* approcher qc de la lumière; *ans ~ kommen (fig)* se faire jour *od* connaître, se découvrir, se dévoiler; *sein ~ leuchten lassen (fig)* se faire valoir, *pop* mousser; *etw in neuem ~ sehen* voir qc sous un jour nouveau *od* sous un nouvel aspect; *etw ins rechte ~ rücken* od *setzen* od *stellen* mettre qc dans son vrai jour *od* en (bonne) lumière *od* en valeur; *das ~ scheuen (fig)* fuir le jour, redouter la lumière; *sich selbst im ~ sitzen* se faire du tort à soi-même, être assis devant soi; *jdm im ~ stehen* cacher le jour à qn; *sich in ein günstiges* od *ins rechte ~ stellen (fig a.)* se mettre en valeur; *in ein schiefes ~ stellen* présenter sous un faux jour; *sein ~ unter den Scheffel stellen (fig)* mettre sa lumière sous le boisseau; *ein günstiges ~ werfen auf, in günstigem ~ zeigen* od *darstellen* faire voir *od* présenter sous un jour favorable; *ein schlechtes ~ auf jdn werfen* nuire *od* porter atteinte à la réputation de qn, porter atteinte à qn; *mir geht ein ~ auf* il me vient une lueur, je commence à comprendre *od* à y voir clair; *er ist kein großes ~* il n'est pas une lumière; *das ~ ist an, aus* la lumière est allumée, éteinte; *wo viel ~ ist, ist viel Schatten (prov)* toute médaille a son revers; *Ewige(s) ~ (rel)* veilleuse *f* du sanctuaire; *gelbe(s), grüne(s), rote(s) ~* feu *m* orange, vert, rouge; *ein kleines ~ (fig)* un pauvre sire *od* type, un pas grand-chose; *schlechte(s) ~* mauvaise lumière *f; a. fig* faux jour *m; ~ und Heizung* l'éclairage et le chauffage; *das ~ der Öffentlichkeit* le grand jour; **~abschluß** *m: unter ~~* à l'abri de la lumière; **~aggregat** *n* groupe *m* électrogène; **~anlage** *f* installation *f* d'éclairage; *automatische ~~* minuterie *f;* **~bad** *n* bain *m* de lumière; **~behandlung** *f med* photothérapie, héliothérapie *f;* **l~beständig** *a = l~echt;* **~beugung** *f phys* diffraction *f; ~~ bewirkend* diffringent; **~bild** *n* photo(graphie) *f;* **~bildauswertung** *f* interprétation *f* des photos; **~bilderkundung** *f* reconnaissance *f* photographique; **~bildersammlung** *f* photothèque *f;* **~bildervortrag** *m* conférence *f* avec *od* accompagnée de projections (lumineuses); **~bildner** *m* photographe *m;* **l~blau** *a* bleu clair; **~blick** *m* trait *m* de lumière; *fig* éclaircie, perspective *f* réjouissante, rayon d'espérance; signe *od* symptôme *m* réjouissant; **l~blond** *a* blond clair; **~bogen** *m* arc *m* électrique; **~bogenofen** *m* four *m* électrique à arc; **~bogenschweißung** *f* soudure *f* à l'arc; **l~brechend** *a* réfringent; **~brechung** *f* réfraction *f;* **~brechungsvermögen** *n* réfringence *f;* **~bündel** *n* faisceau *od* pinceau *m* lumineux; **~büschel** *n* aigrette *f* lumineuse; **~double** *n film* doublure-lumière *f;* **~druck** *m* phototypie, héliogravure *f;* **l~durchlässig** *a* translucide, diaphane; **~durchlässigkeit** *f* translucidité, diaphanéité *f;* **l~echt** *a* résistant à la lumière; bon *od* grand teint; **~echtheit** *f* solidité *f* à la lumière; **~effekt** *m* effet *m* de lumière; **~einheit** *f* unité *f* de lumière; étalon *m* d'intensité lumineuse; **~einwirkung** *f* action *f* de la lumière; **l~elektrisch** *a* photo-électrique; **l~empfindlich** *a* sensible à la lumière, impressionnable; *~~ machen (phot)* sensibiliser; **~empfindlichkeit** *f phot* sensibilité (à la lumière), impressionnabilité *f;* **~empfindung** *f* sensation *f* de la lumière; **~erglanz** *m (von Kerzen)* éclat *m* des bougies *od (von el. Licht)* des lustres; **l~erloh** *adv: ~~ brennen* être tout en flammes, flamber; **~ermeer** *n poet* océan *m* de lumière; **~fleck** *m (auf d. Radarschirm)* spot *m* (lumineux); **~flut** *f* flot *m* de lumière; **~geschwindigkeit** *f* vitesse *f* de la lumière; **~hof** *m arch* cour *f* intérieure *od* vitrée; *phot* halo *m;* **l~hoffrei** *a phot* antihalo; *~~e Schicht f (phot)* enduit *m* antihalo; **~hupe** *f* avertisseur *m* lumineux; **~jahr** *n astr* année-lumière *f;* **~kegel** *m* cône lumineux *od* de lumière, pinceau de lumière; *(Scheinwerfer)* faisceau *m* lumineux *od* de lumière; **~lehre** *f* optique *f;* **~leitung** *f* câble *od* circuit *m* d'éclairage; ligne *f* électrique; **~loch** *n arch* jour *m,* lunette *f; tech* regard *m;* **~maschine** *f* dynamo, génératrice *f;* **~mast** *m* pylône *m;* **~meß** *f rel* chandeleur *f;* **~messer** *m (Gerät)* photomètre *m;* **~meßtrupp** *m mil* section *f* de repérage optique; **~messung** *f* photométrie *f; mil* repérage *m* optique; **~nelke** *f bot* lychnide *f,* lychnis *m;* **~netz** *n* réseau d'éclairage, secteur *m;* **~pausapparat** *m,* **~pausgerät** *n* appareil *m* à calquer; **~pause** *f* copie *f* héliographique; photocalque *m;* **~pauspapier** *n* papier *m* héliographique *od* photocalque; **~punkt** *m TV* spot *m* d'exploration; **~quant** *n phys* photon *m;* **~quelle** *f* source *od* fontaine *f* lumineuse; **~reflektor** *m film radio* réflecteur *m* (de lumière); **~reflex** *m* reflet *m* de lumière; **~reiz** *m* impression *f* lumineuse; **~reklame** *f* publicité *od* réclame *f* lumineuse; **~schacht** *m* cour *f* intérieure; **~schalter** *m* commutateur *od* interrupteur *m* (électrique); **~schein** *m* lueur *f,* reflet *m* de lumière; **l~scheu** *a* qui craint *od* fuit la lumière *od* le jour; *scient* lucifuge; *fig* ténébreux; *med* photophobe; **~schirm** *m* écran; abat-jour, garde-vue, diffuseur *m;* **~schleuse** *f* sas *m;* **~schranke** *f* barrage *m* optique; **l~schwach** *a* peu lumineux, à *od* de faible luminosité; **~signal** *n* signal lumineux *od* optique; *(Verkehrszeichen)* feu *m* de circulation; **~spielhaus** *n,* **~spieltheater** *n* (théâtre) cinéma(tographe) *m;* **~sprechgerät** *n* photophone *m;* **~sprechverkehr** *m* phototéléphonie *f;* **l~stark** *a* de grande intensité lumineuse; *phot* à grande ouverture; **~stärke** *f* intensité *od* puissance lumineuse; *opt* luminosité *f;* **~strahl** *m* rayon lumineux *od* de lumière; trait *m* de lumière; **~streifen** *m* filet *m* de lumière; **~strom** *m* flux *m* lumineux; **~telegraphie** *f* télégraphie *f* optique; **~telephonie** *f* phototéléphonie *f;* **~- und Schattenseiten** *f pl (fig)* avantages et inconvénients *m pl;* **l~undurchlässig** *a* opaque; **~verhältnisse** *n pl* éclairage *m;* **l~voll** *a* lumineux; *fig* lucide, clair; **~wellen** *f pl* ondes *f pl* lumineuses; **~wendigkeit** *f biol* héliotropisme *m;* **~wesen** *n* être *m* céleste; **~wirkung** *f* effet *m* lumineux.

licht [lɪçt] *a (hell)* clair; *(dünn, spärlich)* clairsemé, rare; *am ~en Tage* au grand *od* en plein jour; *~e Momente haben* avoir des moments de lucidité; *~e Höhe f (arch)* hauteur du jour; *(einer Brücke)* hauteur *f* libre (d'un pont); *~e Stelle f (Wald)* clairière *f; ~e Maschen f pl (Netz)* mailles *f pl* lâches; *~e Weite f (arch)* diamètre *m* intérieur; *tech* alésage.

licht|en ‹*lichtete, gelichtet*› ['lɪçtən] *tr* **1.** *(Wald)* éclaircir; *(Baum)* élaguer; *fig (die Reihen)* décimer; *sich ~~* s'éclaircir, se raréfier, se faire rare; **L~ung** *f (im Walde)* clairière *f.*

lichten *tr* **2.** *den Anker ~* lever l'ancre, appareiller; **L~** *n: ~~ des Ankers* appareillage *m.*

Lid *n* ‹-(e)s, -er› [li:t, (-dər] *anat* paupière *f;* **l~ern** *tr (abdichten)* obturer; garnir (de cuir); **~erung** *f* obturation; garniture *f;* **~flattern** *n* tremblement *m* des paupières; **~rand** *m* bord *m* de la paupière; **~(rand)entzündung** *f* blépharite *f.*

lieb [li:p] *a (wert, teuer)* cher; *(geliebt)* (bien-)aimé, chéri; *(angenehm)* agréable; *(nett)* gentil; *(liebenswürdig)* aimable, charmant; *den ~en langen Tag* toute la sainte journée; *wenn dir dein Leben ~ ist* si tu tiens à la vie; *sich bei jdm ~ Kind machen* s'attirer les bonnes grâces de qn; *das ist mir sehr ~* j'en suis très content; *es wäre mir ~, wenn ...* j'aimerais que ...; *seien Sie so ~ und ...* ayez la bonté de ...; *du ~er Himmel! du ~e Zeit!* mon Dieu! bonté divine *od* du ciel! *mein L~er!* mon cher! *fam* mon vieux! mon brave! mon chéri! **L~** *n* ⟨-s, ø⟩ *lit* bien-aimé, e *m f;* **~äugeln** ⟨*ich liebäugele; hat geliebäugelt*⟩ *itr* jouer de la prunelle; *mit jdm* lancer des œillades, faire de l'œil *od* les yeux doux à qn; *mit etw ~~ (fig)* lorgner qc; caresser (le désir de) qc, désirer qc; **L~chen** *n* bien-aimée, chérie; *pop* petite *od* bonne amie *f;* **L~e** *f* ⟨-, (-en)⟩ ['-bə] amour *m (zu* de, pour, envers), affection, inclination; *(Nächsten~~)* charité *f; aus ~~ zu* par amour pour, pour l'amour de; *vor ~~ auffressen wollen* manger de caresses *od* de baisers; *für jdn ~~ empfinden* éprouver de l'amour pour qn; *vor ~~ vergehen* se consumer d'amour; *mit dem Mantel* od *Mäntelchen der ~~ zudecken* taire par charité; *~~ macht blind (prov)* l'amour est aveugle; *alte ~~ rostet nicht (prov)* on revient toujours à ses premières amours; *die kindliche ~~* la piété filiale; *~~ auf den ersten Blick* coup *m* de foudre; **L~ediener** *m pej* flatteur *m;* **L~edienerei** *f* flatterie, flagornerie, obséquiosité, servilité *f;* **~edienern** ⟨*geliebedienert*⟩ *itr* être obséquieux *od* servile; **L~elei** *f* [-'laɪ] amourette *f,* flirt *m;* aventure galante, intrigue *f* amoureuse; **~eln** *itr* flirter; **~en** *tr* aimer, chérir, affectionner; *über alles ~~* aimer par-dessus *od* plus que tout; *was sich liebt, das neckt sich (prov)* qui s'aime, se chamaille; **L~ende(r** *m*) *f* amant(e *f*) *m,* amoureux, se *m f;* **~enswert** *a* digne d'amour, chérissable; **~enswürdig** *a* aimable, gentil, amène; *das ist sehr ~~ von Ihnen* c'est très aimable à vous; vous êtes trop aimable; *wären Sie so ~~ und ...?* voudriez-vous avoir la gentillesse de ...? **L~enswürdigkeit** *f* amabilité, gentillesse *f;* **~er** *adv (komparativ von: gern)* plutôt, mieux; *~~ haben* aimer mieux, préférer; *etw ~~ tun* aimer mieux *od* préférer faire qc; *das habe ich ~~, das ist mir ~~* j'aime mieux cela; *ich wüßte nicht, was ich ~~ täte* je ne demande pas mieux (*als zu* que de); *laß das* od *es ~~ (sein)!* n'en fais rien! *tue es ~~ nicht!* il vaut mieux que tu ne le fasses pas; *~~ nicht! (fam)* j'aime mieux pas; **L~esabenteuer** *n* aventure *f* amoureuse *od* galante; **L~esbote** *m* messager *m* d'amour; **L~esbrief** *m* lettre *f* d'amour, billet doux; poulet *m;* **L~esdienst** *m* complaisance, obligeance *f; jdm e-n ~~ erweisen* obliger qn; **L~eserklärung** *f* déclaration *f* d'amour; *e-e ~~ machen* se déclarer; **L~esgaben** *f pl* dons *m pl* charitables; **L~esgedicht** *n* poème *m* d'amour; **L~esgeständnis** *n* aveu *m* d'amour; **L~esglück** *n* bonheur *m* d'aimer; **L~esgott,** *der* Amour, Cupidon *m;* **L~esheirat** *f* mariage *m* d'amour; **L~esknochen** *m (Gebäck)* éclair *m;* **~eskrank** *a* malade d'amour; **L~eskummer** *m* chagrin *m* d'amour; **L~esleben** *n* vie *f* sexuelle; **L~eslied** *n* chanson *f* d'amour; **L~esmahl** *n rel* agape *f;* **L~esmüh(e)** *f: verlorene ~~* peines *f pl* (d'amour) perdues; **L~espaar** *n* couple *m* d'amoureux; **L~estragödie** *f* drame *m* passionnel; **L~estrank** *m* philtre *m* (d'amour); **~evoll** *a* affectueux, tendre; **L~frauenkirche** *f* église *f* Notre-Dame; **~≈gewinnen** ⟨*hat liebgewonnen*⟩ *tr: jdn ~~* prendre qn en affection; se prendre d'amitié pour qn, concevoir de l'amitié pour qn; **~≈haben** *tr* aimer; **L~haber** *m* amant, amoureux; *(schmachtender)* soupirant; *fig (Sammler)* amateur *m; jugendliche(r) ~~ (theat)* jeune premier *m;* **L~haberausgabe** *f (Buch)* édition *f* de luxe; **L~haberbühne** *f* théâtre *m* d'amateurs; **L~haberei** *f* passion, prédilection *f; (Steckenpferd)* dada *m; aus ~~* en amateur; **L~haberpreis** *m* prix *m* d'amateur; **L~haberwert** *m* valeur *f* d'amateur; **~kosen** ⟨*hat (ge-) liebkost*⟩ *tr* caresser, cajoler, câliner; *fam* faire des mamours (*jdn* à qn); **L~kosung** *f* caresse, cajolerie; *(Schmeichelei)* câlinerie *f;* **~lich** *a* amène, suave; *(anmutig)* gracieux, riant; *(angenehm)* agréable, plaisant; *(reizvoll)* charmant; *(köstlich)* délicieux; **L~lichkeit** *f* ⟨-, ø⟩ aménité, douceur; grâce *f;* agrément; charme *m;* **L~ling** *m* ⟨-s, -e⟩ chéri, e; mignon, ne; bien-aimé, e *m f; fam* chou, loulou *m;* (m'a)mie *f; (Kind)* enfant gâté, *fam* bichon *m; kleine(r) ~~* (petit) jésus *m;* **L~lings...** *(in Zssgen)* favori, préféré, de prédilection; **L~lingsbuch** *n* livre *m* préféré *od* de chevet; **L~lingsschriftsteller** *m* auteur *m* préféré; **L~lingsspeise** *f* plat *m* préféré; **L~lingssünde** *f* péché *m* mignon; **L~lingsthema** *n* cheval *m* de bataille; **~los** *a* sans amour; *(kalt, hartherzig)* froid, sec, dur; **L~losigkeit** *f* sécheresse de cœur, dureté *f;* **~reich** *a* affecteueux, aimant; **L~reiz** *m* charme *m,* attraits *m pl;* **L~schaft** *f* liaison; amourette *f,* flirt *m;* **~ste(r, s)** *a (Superlativ von: lieb)* = *~lings...; am ~sten (adv, Superlativ von: gern)* de préférence; *am ~sten haben* aimer le mieux; **L~ste(r** *m*) *f* bien-aimé, e *m f;* **L~stöckel** *n* od *m* ⟨-s, -⟩ *bot* livèche *f.*

Lied *n* ⟨-(e)s, -er⟩ [li:t, -dər] chanson *f; (ernstes)* chant; *(Kirchenlied)* hymne, cantique *m; davon kann ich ein ~ singen (fig)* j'en sais quelque chose; j'ai passé par là; je suis payé pour le savoir; *es ist immer das alte ~* c'est toujours la même chanson *od* antienne; *das ist das Ende vom ~* cela devait arriver *od* finir ainsi; *das ~ ist aus (fig)* finie la chanson; *~ ohne Worte (mus)* romance *f* sans paroles; **~chen** *n* chansonnette *f;* **~erabend** *m* récital *m* de chant; **~erbuch** *n* recueil *m* de chansons; **~erkranz** *m,* **~ertafel** *f* orphéon *m,* société *f* chorale.

Lieder|jan *m* ⟨-(e)s, -e⟩ ['li:dərja:n] *fam* noceur, fêtard, viveur, débauché *m;* **l~lich** *a* débauché, déréglé, dissolu, dévergondé; *(unordentlich)* désordonné; *(schlampig)* négligent; *(Arbeit)* négligé, bâclé, *fam* bousillé; *ein ~~es Leben führen* mener une vie dissolue *od fam* de bâton de chaise *od* de patachon; *~~e(r) Kerl* od *Patron m* = *~jan; ~~e(s) Frauenzimmer* od *Weibsbild n* drôlesse, gourgandine, polissonne *f;* **~lichkeit** *f* ⟨-, ø⟩ débauche *f,* dérèglement, dévergondage *m,* inconduite *f,* libertinage; *(Unordentlichkeit)* désordre, manque *m* de soin, négligence *f.*

Liefer|angebot *n* ['li:fər-] = *~ungsangebot;* **~ant** *m* ⟨-en, -en⟩ [lifə'rant] fournisseur, pourvoyeur, approvisionneur *m;* **~auftrag** *m* ordre *m* de livraison, commande *f;* **l~bar** *a* livrable, disponible; *jederzeit* od *sofort ~~* livrable à tout moment; **~bedingungen** *f pl* conditions *f pl od* termes *m pl* de livraison; **~er** *m* ⟨-s, -⟩ = *~ant;* **~fahrrad** *n* bicyclette *f* de livraison; **~firma** *f* fournisseur *m;* **~frist** *f* délai *od* terme *m* de livraison; **l~n** *tr* livrer; fournir; *(Wasser, Strom)* débiter; *fig (Beweis)* fournir, donner, administrer; *an den Strang ~~* livrer au gibet *m; ins Haus ~~* livrer *od* porter à domicile; *geliefert sein (fam fig)* être ruiné *od* perdu; *ich bin geliefert (a.)* je suis fichu; **~ort** *m* lieu *m* de livraison; **~pflicht** *f* obligation *f* de livrer; **~schein** *m* bon *od* bordereau *od* bulletin *od* certificat *od* récépissé *m* de livraison; **~soll** *n* dû *m* (prévu par le plan); **~termin** *m* date *f* de livraison; **~ung** *f* livraison, fourniture, remise; *(Abgabe)* prestation *f; (Sendung)* envoi; *(Buch)* fascicule *m; bei, nach ~~* à, après livraison; *in ~~en (Buch)* par livraisons; *~~ frei Haus* livraison *f* à domicile *od* gratuite; *~~ ins Haus* remise *f* à domicile; **~ungsangebot** *n* soumission *f; ein ~~ machen* soumissionner; **~ungsannahme** *f* agréation *f* de la marchandise livrée; **~ungsbedingungen** *f pl* = *~bedingungen;* **~ungsbewerber** *m* soumissionnaire *m;* **~ungsvertrag** *m* contrat de livraison, marché *m* à livrer; **~ungsverzögerung** *f,* **~ungsverzug** *m* retard *m* de livraison; **~ungszeit** *f* délai *m* de livraison; **~vertrag** *m* = *~ungsvertrag;* **~wagen** *m* voiture de livraison; camionnette, fourgonnette *f; dreirädrige(r) ~~* tricycle *m* à moteur; **~zeit** *f* = *~frist.*

Liege *f* ⟨-, -n⟩ ['li:gə] couchette, chaise *f* longue; **~geld** *n* (droit de) magasinage *m;* **~halle** *f (Sanatorium)* galerie *f* de cure; **~kur** *f* cure *f* de repos; **~platz** *m loc* couchette *f;* **~sessel** *m aero* fauteuil-couchette *m;* **~sitz** *m mot* siège-couchette *m;* **~stuhl** *m* chaise *f* longue; *mar* transatlantique *m;* **~stütz** *m sport* appui *m* avant; **~tage** *m pl mar* estarie *f*, jours *m pl* de planche; **~terrasse** *f (Sanatorium)* terrasse *f* de cure; **~wagen** *m loc* voiture-couchettes *f;* **~wiese** *f* pelouse *f* pour la cure d'air; **~zeit** *f* = *~tage.*

liegen ‹*lag, hat gelegen*› ['li:gən, la:k, gə'le:gən] *itr* être placé *od* couché *od* étendu; *(sich befinden)* se trouver, être; *(Zimmer)* donner (*nach* sur), être exposé (*nach* à), *(geog: gelegen sein)* être situé; *mil (Truppenteil)* être stationné; *mar* mouiller, être amarré; *fig (ruhen)* reposer; *(beruhen)* tenir (*an* à), siéger (*an* dans); *(zusagen, gefallen)* convenir (*jdm* à qn), être dans le genre (*jdm* de qn); *so wie die Dinge ~* dans cet état de choses; *im Bett ~* être au lit; *über, unter dem Durchschnitt ~* être supérieur, inférieur à la moyenne; *auf der Straße ~ (fig) (Mensch)* être sur le pavé; *mot* tenir la route; *im Ziel ~ (sport)* coiffer l'objectif; *das liegt auf der Hand (fig)* c'est évident; *es liegt mir (viel) daran, Ihnen zu sagen* je tiens à vous dire; *es liegt mir (viel) daran, daß Sie kommen* il m'importe que vous veniez; *daran ist mir nicht viel gelegen* je n'y attache pas beaucoup d'importance; *das lag nicht in meiner Absicht* ce n'était pas dans mes intentions, je ne l'ai pas fait exprès; *das liegt mir fern* c'est loin de ma pensée; *das liegt mir nicht* ce n'est pas mon genre; *das liegt mir sehr am Herzen* j'y tiens beaucoup, cela me tient beaucoup à cœur; *das liegt nicht in meiner Macht* ce n'est pas en mon pouvoir; *das liegt an Ihnen* cela dépend de vous; *es liegt nur an Ihnen* il ne tient qu'à vous; *das liegt daran, daß ...* c'est que ...; *daran soll es nicht ~* qu'à cela ne tienne; *zehn Jahre ~ zwischen ... und* dix ans séparent ... et; *an wem liegt das?* à qui la faute? *woran liegt das?* d'où cela vient-il? à quoi cela tient-il? **~=bleiben** ‹*ist liegengeblieben*› *itr (auf dem Boden)* rester par terre; ne pas se relever; *(im Bett)* rester couché (au lit); *(vergessen werden, unerledigt bleiben)* être oublié; rester en souffrance; *pop* rester en carafe; *loc* rester en souffrance *od* détresse; *mot* rester en panne; *(Schnee)* tenir; **~d** *a* couché; *auf dem Bauch ~~* à plat ventre; **L~de(r m)** *f (Kunst: ruhende Figur)* gisant(e *f*) *m;* **~=lassen** *tr* laisser (là *od* traîner), abandonner; *jdn links ~~ (fig)* tourner le dos à qn; **~- und stehen=lassen** *tr* laisser en plan.

Liegenschaft *f* ‹-, -en› ['li:gənʃaft] *(Grundbesitz)* bien foncier, domaine *m* immobilier; *pl* biens-fonds, immeubles *m pl;* **~samt** *n* (bureau du) cadastre *m.*

Liek *n* ‹-(e)s, -en› [li:k] *mar* ralingue *f.*

Lift *m* ‹-(e)s, -e/-s› [lɪft] *(Fahrstuhl)* ascenseur; *(Aufzug)* monte-charge *m;* **~boy** *m* liftier, garçon *m* d'ascenseur.

Liga *f* ‹-, -gen› ['li:ga, -gən] *hist pol sport* ligue; *Sport a.* division *f;* **~spiel** *n* match *m* en division d'honneur *od* en première division.

Ligatur *f* ‹-, -en› [liga'tu:r] *med typ* ligature; *mus* liaison *f; pl typ* accolure *f.*

Lignin *n* ‹-s, -e› [lɪ'gni:n] *(Holzstoff)* lignine *f.*

Liguster *m* ‹-s, -› [li'gustər] *bot* troène *m.*

liier|en [li'i:rən], *sich (sich eng verbinden)* se lier; s'associer (*mit jdm* avec *od* à qn); **~t** *a* lié.

Likör *m* ‹-s, -e› [li'kø:r] liqueur; *(dickflüssiger)* crème *f;* **~fabrikant** *m*, **~händler** *m* liquoriste *m;* **~flasche** *f* bouteille *f* à liqueur; **~glas** *n* verre *m* à liqueur **~schrank** *m* cabaret *m;* **~service** *n* service *m* à liqueur.

Liktorenbündel *n* [lɪk'to:rən-] faisceau *m* de licteur.

lila ['li:la] *a* lilas.

Lilie *f* ‹-, -n› ['li:liə] *bot* lis *m;* **~ngewächse** *n pl bot* liliacées *f pl;* **~nbanner** *n*, **~nwappen** *n hist* fleur *f* de lis.

Liliputaner(in *f***)** *m* ‹-s, -› [lilipu'ta:nər] lilliputien, ne *m f.*

Limon|ade *f* ‹-, -n› [limo'na:də] limonade *f;* **~adeverkäufer** *m* limonadier *m;* **~e** *f* ‹-, -n› [-'mo:nə] *(Zitrone)* limon *m;* **~enbaum** *m* limonier *m.*

Limousine *f* ‹-, -n› [limu'zi:nə] *mot* limousine, conduite *f* intérieure.

lind [lɪnt] *a* **1.** *(lau)* doux, mou, suave; **~ern** ['-dərn] *tr* adoucir, alléger, calmer; *med* soulager, apporter un soulagement à, lénifier; *(Schmerz)* apaiser; **L~erung** *f* ‹-, (-en)› adoucissement, soulagement; apaisement; *fig* baume *m; jdm ~~ verschaffen* soulager qn; **L~erungsmittel** *n* lénitif, palliatif; *(schmerzstillendes)* calmant, sédatif *m.*

lind *a* **2.** *(~grün)* vert tilleul; **L~e** *f* ‹-, -n›, **L~enbaum** *m* tilleul *m;* **L~enblüte** *f* fleur *f* de tilleul; **L~enblütentee** *m* infusion *f* de tilleul.

Lindwurm *m* ['lɪnt-] *(Drachen)* dragon *m.*

Lineal *n* ‹-s, -e› [line'a:l] règle *f; ein ~ verschluckt haben (fig)* avoir avalé son parapluie, se tenir droit *od* raide comme un passe-lacet; *~ mit Maßstab* règle *f* graduée.

linear [line'a:r] *a math* linéaire; **L~zeichnen** *n*, **L~zeichnung** *f* dessin *m* linéaire.

Linguist *m* ‹-en, -en› [lɪŋgu'ɪst] linguiste *m;* **~ik** *f* ‹-, ø› [-'ɪstɪk] linguistique *f;* **l~isch** [-'ɪstɪʃ] *a* linguistique.

Linie *f* ‹-, -n› ['li:niə] ligne *a. math mil; (Genealogie)* branche; *(mar: Äquator)* ligne (équinoxiale); *(öffentlicher Verkehr)* ligne *f; typ* filet *m; die ~ (fam) = die schlanke ~; auf der ganzen ~ (fig)* sur toute la ligne; *in erster ~* en première ligne, en premier lieu; *in gerader ~* en ligne droite; *in zweiter ~* en second lieu, en sous-ordre; *in ~ zu einem Glied (mil)* en ligne sur un rang; *in ~ aufstellen (a.)* aligner; *auf s-e ~ achten* soigner sa ligne; *die ~ passieren (mar)* couper l'équateur; *ab-, aufsteigende ~ (Genealogie)* ligne *f* descendante, ascendante; *fette, gestrichelte ~ (typ)* ligne *f* grasse, discontinue; *männliche, weibliche ~ (Genealogie)* ligne *f* masculine, féminine; *die schlanke ~* la ligne (svelte); **~nblatt** *n* transparent, guide-âne *m;* **~nblitz** *m* éclair *m* fulminant *od* en sillon; **~nführung** *f* tracé *m* (de la ligne); **~nrichter** *m sport* juge *m* de touche; **~nschiff** *n* vaisseau *m* de ligne; **l~ntreu** *a pol* dans la ligne; **~ntreue** *f: Mangel an ~~ (pol)* déviationnisme *m;* **~ntruppen** *f pl* (troupes *f pl* de) ligne *f.*

lin(i)ier|en [lini'i:rən, -'ni:rən] *tr* régler; **L~maschine** *f* régleuse *f;* **~t** *a* réglé; **L~ung** *f* réglage *m;* réglure *f.*

link|e(r, s) [lɪŋk-] *a* gauche; *~er Hand* à (main) gauche, sur la gauche; *zur ~en Hand (Ehe)* de la main gauche; *mit dem ~en Fuß aufgestanden sein (fig)* s'être levé du pied gauche; *mein ~er Nachbar* od *Nebenmann* mon voisin de gauche; *~e Seite f* (côté *m*) gauche *f; (untere Seite)* revers; *(Stoff)* envers; *(e-s Reittieres)* côté *m* du montoir; **L~e** *f* ‹-n, -n› *(~e Hand; parl)* gauche *f; zur ~~n* à gauche; *äußerste ~~ (pol)* extrême gauche *f; gemäßigte ~~ (pol)* centre *m* gauche; **~isch** *a* gauche, maladroit, embarrassé, emprunté, *fam* empoté; *~~e(s) Wesen n* gaucherie, maladresse *f.*

links [lɪŋks] *adv* à gauche, du côté gauche; *(auf der unteren Seite)* à l'envers; *nach ~ (hin)* à gauche; *von ~ (her)* de (la) gauche; *von ~ nach rechts* de gauche à droite; *~ von mir* à ma gauche; *~ fahren* prendre la gauche, tenir sa gauche; *mot* conduire à gauche; *weder ~ noch rechts sehen (fig)* aller son droit chemin; *~ stehen (pol)* être de gauche; *~ marschiert auf!* vers la gauche en ligne! *~ ran!* appuyez à gauche! **L~außen(stürmer)** *m sport* ailier *m* gauche; **L~drall** *m tech* pas *m* gauche; *pol* tendance *f* vers la gauche; **L~drehung** *f* rotation *f* à gauche; **L~er** ‹-s, -› *fam* = *L~händer;* **~gängig** *a (Schraube)* à pas à gauche; **L~gewinde** *n* filet *m* à gauche; **L~händer** *m* ‹-s, -› ['-hɛndər] gaucher *m;* **~händig** ['-hɛndɪç] *a* gaucher; **~herum** *adv* à gauche; **L~innen(stürmer)** *m sport* inter *m* gauche; **L~kurve** *f* virage *m* à gauche; **~läufig** *a tech* tournant à gauche; **L~partei** *f* parti *m* de gauche; **~radikal** *a* de l'extrême gauche; **~rheinisch** *a* de la *od* situé sur la rive gauche du Rhin; **L~ruck** *m pol* coup *m* de barre à gauche; **L~rutsch** *m pol* glissement *m* à gauche; **L~schwenkung** *f pol* virage *m* à gauche; **L~steuerung** *f mot* direction *f* de *od* à gauche; **L~strumpf** *m* bas *m* maille envers; **~um!** *adv mil* à gauche, gauche! **L~verkehr** *m* circulation *f* à gauche.

Linnen *n* ⟨-s, -⟩ ['lɪnən] = *Leinen.*

Linol|eum *n* ⟨-s, ø⟩ [li'no:leʊm] linoléum *m;* **~eumdruck** *m typ* clichage *m* sur linoléum; **~schnitt** *m* gravure *f* sur linoléum.

Linotype|setzer *m* ['laɪnotaɪp-] *typ* linotypiste *m;* **~(setzmaschine)** *f* linotype *f.*

Linse *f* ⟨-, -n⟩ ['lɪnzə] *bot opt* lentille *f; anat* cristallin *m;* **l~nförmig** *a* lentiforme, lenticulaire; **~ngericht** *n: für ein ~~ (fig)* pour un plat de lentilles; **~nsuppe** *f* potage *m* aux lentilles.

Lippe *f* ⟨-, -n⟩ ['lɪpə] lèvre *a. anat; zoo* babine *f; bot* pétale *m od* corolle *f* labié(e); *(Orchidee)* labelle *m; pl a. pop* badigoinces *f pl; sich auf die ~n beißen* se mordre les lèvres; *sich die ~n färben* se mettre du rouge à lèvres; *aufgesprungene ~n haben* avoir les lèvres gercées *od* crevassées; *die ~n zusammenpressen* pincer les lèvres; *an jds ~n hängen (fig)* être suspendu aux lèvres de qn; *e-e ~ riskieren (fam)* lâcher une impertinence; *an die ~n setzen* porter aux lèvres; *kein Wort kam über s-e ~n* il n'a pas desserré les dents *od* soufflé mot; *die Worte fließen ihm leicht von den ~n* il parle avec une grande aisance *f;* **~nbekenntnis** *n* aveu *m od* formule *f* prononcé(e) du bout des lèvres; **~nblütler** *m pl bot* labiacées *f pl;* **l~nförmig** *a* labié; **~nlaut** *m gram* labiale *f;* **~nstift** *m* (bâton *od* crayon de) rouge *m* à lèvres.

liquid [li'kvi:t] *a fin (flüssig, verfügbar)* liquide; **L~a** *f* ⟨-, -den/-dä⟩ [-da, -dən/-dɛ] *gram* (consonne) liquide *f;* **L~ation** *f* ⟨-, -en⟩ [-datsi'o:n] *fin jur* liquidation *f; in ~~ gehen* entrer en liquidation; **L~ationsantrag** *m* demande *f* en liquidation; **L~ator** *m* ⟨-s, -en⟩ [-'da:tɔr, -'to:rən] liquidateur *m;* **~ieren** [-'di:rən] *tr fin (auflösen)* liquider; *(in Rechnung stellen)* compter; *pol* limoger *fam;* **L~ierung** *f pol* limogeage *m fam;* **L~ität** *f fin* liquidité *f.*

Lira *f* ⟨-, -re⟩ ['li:ra, -re] *(italien. Währung)* lire *f.*

lispeln ⟨*ich lisp(e)le, du lispelst*⟩ ['lɪspəln] *itr u. tr* zézayer; bléser; *(flüstern)* susurrer, chuchoter; **L~** *n* zézaiement; susurrement, chuchotement *m.*

Lissabon *n* ['lɪsabɔn] Lisbonne *f.*

List *f* ⟨-, -en⟩ [lɪst] ruse *f; (Trick)* artifice, tour (d'adresse), *fam* truc; *(Kriegslist)* stratagème; = *~igkeit; zu e-r ~ greifen* recourir à la ruse; **l~enreich** *a* plein de ruse *od* d'astuce; **l~ig** *a* rusé, astucieux, fin(aud), subtil, artificieux; **l~igerweise** *adv* par ruse, par finesse, astucieusement; **~igkeit** *f* ⟨-, ø⟩ astuce, malice, finesse *f.*

Liste *f* ⟨-, -n⟩ ['lɪstə] liste *f,* relevé, état, tableau; *(Steuerliste)* rôle; *com* catalogue *m; e-e ~ aufstellen* établir *od* dresser une liste; *in e-e ~ eintragen* inscrire *od* mettre *od* porter sur une liste; *auf der ~ stehen* figurer *od* être sur la liste; *aus der ~ streichen* rayer de la liste; *schwarze ~* liste *f* noire; *auf die schwarze ~ setzen* mettre à l'index; *auf der schwarzen ~ stehen* être à l'index; **~npreis** *m com* prix *m* de catalogue; **~nverbindung** *f pol* apparentement *m;* **~nwahl** *f parl* scrutin *m* de liste.

Litanei *f* ⟨-, -en⟩ [lita'naɪ] *rel* litanies *f pl; fig fam* litanie, antienne, kyrielle *f.*

Litau|en ['lɪtauən, 'li:-] *n* la Lituanie; **~er(in** *f***)** *m* Lituanien, ne *m f;* **l~isch** *a* lituanien; *(das) L~~(e)* le lituanien.

Liter *n* ⟨-s, -⟩ ['li:tər], *fam m* litre; *pop (bes. Wein)* litron *m;* **l~weise** *adv (verkaufen)* au litre; *(trinken)* par litres.

Liter|arhistoriker *m* [lite"ra:r-] historien *m* de la littérature; **l~arisch** [-'ra:rɪʃ] *a* littéraire; **~at** *m* ⟨-en, -en⟩ [-'ra:t] homme de lettres, littérateur; *pej* écrivassier *m; pl* gens *pl* de lettres; **~atur** *f* ⟨-, -en⟩ [-ra'tu:r] littérature *f; schöne ~~* (belles-)lettres *f pl;* **~aturangaben** *f pl* bibliographie *f;* **~aturgattung** *f* genre *m* littéraire; **~aturgeschichte** *f* histoire *f* littéraire *od* de la littérature; **~aturpapst** *m iron* pontife, mandarin *m;* **~aturpreis** *m* prix *m* littéraire; **~aturwissenschaft** *f* lettres *f pl.*

Litewka *f* ⟨-, -ken⟩ [li'tɛfka] *mil* vareuse *f.*

Litfaßsäule *f* ['lɪtfas-] colonne *f* d'affiches; colonne *f* Morris.

Lithograph *m* ⟨-en, -en⟩ [lito'gra:f] lithographe *m;* **~ie** *f* ⟨-, -n⟩ [-gra'fi:] lithographie *f;* **l~ieren** [-'fi:rən] *tr* lithographier; **l~isch** [-'gra:fɪʃ] *a* lithographique; *~~e Anstalt f* atelier *m od* imprimerie *f* lithographique; *~~e(r) Schiefer m* pierre *f* lithographique.

Liturg|ie *f* ⟨-, -n⟩ [litur'gi:] *rel* liturgie *f;* **l~isch** [-'tʊrgɪʃ] *a* liturgique.

Litze *f* ⟨-, -n⟩ ['lɪtsə] cordon, passepoil *m,* soutache *f; mit ~n besetzen* soutacher; **~ndraht** *m* toron *m;* **~nzwirn** *m* fil *m* d'arcade.

Livius *m* ['li:vius] *hist* Tite-Live *m.*

Liv|land *n* ['li:flant] la Livonie; **~länder(i)n** *f***)** *m* Livonien, ne *m f;* **l~ländisch** *a* livonien.

Livree *f* ⟨-, -n⟩ [li'vre:, -'vre:ən] livrée *f.*

Lizentiat *m* ⟨-en, -en⟩ [litsɛntsi'a:t] *(akadem. Grad)* licencié *m.*

Lizenz *f* ⟨-, -en⟩ [li'tsɛnts] *(Genehmigung)* licence *f; in ~* sous licence; *e-e ~ erteilen, zurückziehen* accorder, retirer une licence; **~gebühr** *f* droit *m* de licence, redevance *f;* **~inhaber** *m* porteur de *od* détenteur *m* d'une licence; **~nehmer** *m* licencié *m;* **~vertrag** *m* contrat *m* de licence.

Lizitation *f* ⟨-, -en⟩ [litsitatsi'o:n] licitation, vente *f* aux enchères publiques.

Lob *n* ⟨-(e)s, ø⟩ [lo:p, -bəs] louange *f,* éloge; *(schmeichelhaftes)* compliment *m; mil* félicitations *f pl; (lobendes Zeugnis)* satisfecit; *(ehrenvolle Erwähnung, bes. a. Schule)* accessit *m; zu jds ~* à la louange de qn; *(das höchste) ~ ernten* recevoir des éloges (le plus bel éloge); *jdm ein ~ spenden* louer qn, faire l'éloge de qn; *ein ~ verdient haben* être digne de louange; *mit dem ~ nicht zurückhalten* ne pas ménager ses éloges; *Gott sei ~ und Dank!* Dieu soit loué! *einstimmige(s) ~* concert *m* de louanges; *über alles ~ erhaben* au-dessus de tout éloge; **l~en** ['-bən] *tr* louer, faire l'éloge de; *(überschwenglich)* vanter; *(preisen)* prôner, exalter; *rel* célébrer; *(Gott)* glorifier; *ich kann ihn nur ~~* je n'ai qu'à me louer de lui; **l~end** *a* élogieux; *mit ~~en Worten* en termes élogieux; *sich ~~ über jdn äußern* faire l'éloge de qn; *~~ erwähnen* signaler avec éloge; **l~enswert** *a,* **l~enswürdig** *a* louable, digne d'éloges; **~eserhebung** *f* panégyrique *m;* **~gedicht** *n* dithyrambe *m;* **~gesang** *m rel* hymne *m; pl* laudes *f pl;* **~hudelei** *f* adulation, flagornerie *f;* **l~hudeln** *tr* od *itr* ⟨gelobhudelt⟩ *jdn* od *jdm ~~* aduler, flagorner, encenser, qn; couvrir qn de fleurs, jeter des fleurs à qn; *fam* donner de l'encensoir à qn; **~hudler** *m* adulateur, flagorneur; *(Beweihräucherer)* encenseur, thuriféraire *m;* **~lied** *n: ein ~~ auf jdn singen* chanter *od* célébrer les louanges de qn; **l~preisen** *tr* ⟨*du lobpreis(es)t, lobpreistest / lobpriesest, gelobpreist / lobgepriesen, zu lobpreisen*⟩ exalter; *rel* glorifier, célébrer; **~preisung** *f* glorification *f;* **~rede** *f* éloge, panégyrique *m;* **~redner** *m* apologiste; panégyriste *m;* **l~rednerisch** *a* louangeur, laudatif; **l~singen** ⟨*du lobsingst, lobsang(e)st, lobgesungen, zu lobsingen*⟩ *itr* chanter des louanges; **löblich** ['lø:plɪç] *a* louable.

Loch *n* ⟨-(e)s, ⸚er⟩ [lɔx, 'lœçər] trou *m; (Lücke)* trouée; *(Öffnung)* ouverture; *(Bresche)* brèche *f; (Höhlung)* creux *m,* cavité *f; (im Käse)* œil *m; (Billard)* blouse *f; (Schlag~)* nid-de-poule *m; (in e-r Kanalwand)* larron; *fam (schlechte Wohnung)* trou, taudis, galetas *m,* tanière *f,* chenil *m; pop (Gefängnis)* tôle *f,* trou, bloc *m; ein ~ in etw reißen* faire un trou *od* accroc à qc; *jdm ein ~ in den Bauch fragen (fam)* cribler qn de questions; *ein ~ haben (mot: Reifen)* être crevé; *auf* od *aus dem letzten ~ pfeifen (fig)* être à bout (de ressources) *od* aux abois *od* réduit à la dernière extrémité; ne (plus) battre que d'une aile; *wie ein ~ saufen (pop)* boire comme une éponge *od* un trou, avoir l'avaloir en pente; *jdn ins ~ stecken (fam)* fourrer qn en prison, mettre qn en tôle, coffrer qn; *sich ein ~ in den Bauch stehen (lange warten)* faire le pied de grue; **~abstand** *m film* pas *m* de la perforation; **~eisen** *n* emporte-pièce, mandrin *m; mit dem ~~ durchbohren* équarrir; **l~en** *tr* perforer; poinçonner; **~en** *n* = *~ung;* **~er** *m* ⟨-s, -⟩ perforateur *m;* **~feile** *f* queue-de-rat *f;* **~karte** *f* carte *f* perforée; **~kartenmaschine** *f* machine *f* de mécanographie *od* à statistiques; perforatrice *f;* composteur *m;* **~koralle** *f zoo* madrépore *m;* **~säge** *f* scie *f* à guichet; **~schriftübersetzer** *m (Maschine)* interpréteuse, traductrice *f;* **~stanze** *f* poinçonneuse *f;* **~stickerei** *f* broderie *f* à jour; **~streifen** *m* bande *f* perforée; **~streifenbetrieb** *m* relais *m* par bande perforée; **~streifenmeldung** *f* message *m* relayé par bande perforée; **~streifensender** *m* transmetteur-distributeur *m;* **~taster** *m* maître-à-danser *m;* **~ung** *f* perforation *f,* perçage, poinçonnage *m;* **~zange** *f* emporte- -pièce *m; (für Fahrkarten)* poinçonneuse *f,* perforateur *m;* **~ziegel** *m* brique *f* perforée; **~zirkel** *m* maître-à-danser *m.*

Löch|elchen *n* ‹-s, -› ['lœçəlçən] petit trou *m;* **l~(e)rig** *a* plein de trous; *(durchlöchert)* troué, percé; **l~ern** *tr fig fam* pistonner.

Löckchen *n* ‹-s, -› ['lœkçən] bouclette, frisette *f.*

Lock|e *f* ‹-, -n› ['lɔkə] boucle *f* (de cheveux); *in ~~n legen* mettre en boucles, boucler; *sich in die ~~n fahren* se crêper le chignon; **l~en** *tr* **1.** boucler, friser; *sich ~~* boucler; **~enkopf** *m* tête *f* bouclée; **~enwikkel** *m* papillote *f; (aus Metall)* bigoudi, rouleau *m;* **l~ig** *a* bouclé.

lock|en ['lɔkən] *tr* **2.** *(reizen)* charmer; *(anziehen)* attirer, allécher; *(ködern)* leurrer, appâter; *fig* amorcer; *(Vogel s-e Jungen)* appeler; *in e-e Falle ~~* attirer dans un piège; *jdm das Geld aus der Tasche ~~* soutirer de l'argent à qn; *damit ~t man keinen Hund vom Ofen* ça ne prend pas; *das schöne Wetter ~t mich ins Freie* le beau temps m'engage à sortir; **~end** *a* attrayant, séduisant; **L~mittel** *n* appât *m,* amorce *f;* **L~pfeife** *f (zum Vogelfang)* appeau, pipeau *m; mit der ~~ fangen* piper; **L~ruf** *m (Vogel)* cri *m* d'appel; **L~spitzel** *m* (agent) provocateur; mouchard *m;* **L~ung** *f (Reiz)* charme, attrait, appât *m; (Verführung)* séduction; *(Versuchung)* tentation *f; fig* appel *m;* **L~vogel** *m (Jagd)* appelant, appeau *m,* moquette *f.*

locker ['lɔkər] *a (Masse)* poreux, spongieux; *(Teig, Backware)* léger; *(Erdboden)* meuble; *(schlaff, weich)* lâche; *(lose, wackelnd)* branlant; *(Knoten)* mal *od* peu serré; *fig (Lebenswandel)* léger, relâché, déréglé, dissolu, licencieux, libertin; *ein ~es Leben führen* mener une vie dissolue; *~ lassen = ~n; ~ machen (den Boden auflockern)* rendre meuble; *(zu) ~ sein (Seil, Kette)* avoir du mou; *~ sitzen* avoir du jeu; *~ werden (schlaff werden)* se relâcher; *(sich lockern)* se desserrer; *(Zahn)* se déchausser; **~=lassen:** *nicht ~~ (fam)* ne pas démordre, revenir à la charge; s'obstiner, s'entêter; **~=machen** *tr: Geld ~~ délier la bourse;* **~n** *tr* desserrer; *(den Körper)* assouplir; *fig (die Disziplin)* relâcher; *sich ~~ (a.)* se disloquer; **L~ung** *f (des Bodens)* ameublissement; *(e-s Gewebes)* relâchement; *(des Körpers, von Maßnahmen)* assouplissement; *(e-s Stiftes, e-r Schraube)* desserrage *m; tech (a.)* dislocation *f;* **L~ungsübungen** *f pl sport* exercices *m pl* d'assouplissement.

loco ['lo:ko] *adv com (am Ort, hier)* en ville.

Loden *m* ‹-s, -› ['lo:dən] *(Textil)* loden *m;* **~mantel** *m* (manteau en) loden *m.*

lodern ['lo:dərn] *itr (Feuer)* flamber, flamboyer; **~d** *a fig* ardent, exalté, délirant.

Löffel *m* ‹-s, -› ['lœfəl] cuiller, cuillère; *(Schöpflöffel)* louche; *(Jägersprache: Ohr)* oreille *f; jdn über den ~ barbieren* duper, rouler qn; *jdm einen* od *eins hinter die ~ geben (fam)* frotter les oreilles à qn; *einen* od *eins an die ~ kriegen (fam)* se faire frotter les oreilles; **~bagger** *m* pelle *f* (mécanique *od* à godets); **~biskuit** *m* biscuit *m* à la cuiller; **~bohrer** *m tech* mèche à cuiller, tarière *f* (simple); **~kraut** *n* herbe *f* aux cuillers; *scient* cochléaria *m;* **l~n** *tr* u. *itr* manger *od* puiser à la cuiller; **~reiher** *m orn* spatule *f;* **~schale** *f* cuilleron *m;* **~voll** *m* cuillerée *f;* **l~weise** *adv* par cuillerées.

Log *n* ‹-s, -e› [lɔk, -gə] *mar* loch *m; das ~ werfen* filer le loch; **~buch** *n* journal *od* livre *m* de loch *od* de bord; **l~gen** ['lɔgən] *itr = das ~ werfen;* **~leine** *f* ligne *f* de loch.

Logarith|menrechnung *f* [loga'rıtmən-] calcul *m* logarithmique; **~mentafel** *f* table *f* de(s) logarithmes; **l~misch** *a* logarithmique; **~mus** *m* ‹-, -men› [-mən] logarithme *m.*

Loge *f* ‹-, -n› ['lo:ʒə] *theat* loge, baignoire; *(Freimaurerei)* loge *f;* **~nbruder** *m* frère *m;* **~nmeister** *m* vénérable *m;* **~nschließer(in** *f)* *m theat* ouvreur *m,* ouvreuse *f* (de loges).

Logier|besuch *m* [lo'ʒi:r] invité(s) *m (pl)* qui loge(nt); *~~ haben* loger un, des invité(s); **l~en** *tr* u. *itr* loger; **~gast** *m* invité *m* qui loge.

Log|ik *f* ‹-, ø› ['lo:gık] logique *f;* **~iker** *m* ‹-s, -› ['lo:gikər] logicien *m;* **l~isch** ['lo:gıʃ] *a* logique; **l~ischerweise** *adv* logiquement; **~istik** *f* ‹-, ø› [lo'gıstık] *mil* logistique *f;* **l~istisch** [-'gıstıʃ] *a mil* logistique.

Logis *n* ‹-, -› [lo'ʒi:, *gen* -ʒi:(s), *pl* -ʒi:s] *(Wohnung)* logement, logis *m; Kost und ~ haben* avoir la table et le logis, être logé et nourri.

Loh|brühe ['lo:-] *f (Gerberei)* jusée *f;* **~e** *f* ‹-, -n› **1.** *(Gerbrinde)* tan *m;* **l~en 1.** *tr (Gerberei)* tanner; **l~gar** *a* tanné; **~gerber** *m* tanneur *m;* **~gerberei** *f* tannerie *f;* **~gerbung** *f* tannage *m* végétal; **~grube** *f* fosse *f* à tan; **~kuchen** *m* briquette *f* de tan.

Lohe *f* ‹-, -n› ['lo:ə] **2.** *(Flammen)* flammes *f pl;* **l~n 2.** *itr* flamboyer.

Lohn *m* ‹-(e)s, ⸚e› [lo:n, 'lø:nə] *allg* salaire *m; (Arbeiter)* paie, paye *f; (Hausangestellte)* gages *f pl; fig (Belohnung)* récompense *f; gegen ~* à gages; *zum ~ (zur Belohnung)* pour *od* en récompense; *s-n verdienten ~ erhalten* recevoir sa récompense, être traité selon ses mérites; **~abbau** *m* réduction *od* diminution *f* des salaires; **~abhängige(r)** *m* salarié *m;* **~abkommen** *n* convention *f* salariale; **~abrechnung** *f (Schein)* bulletin *m* de paye; **~absprache** *f* accord *m* sur les salaires; **~abzug** *m* retenue *f* sur le salaire; **~angleichung** *f* alignement *od* rajustement *m* des salaires; **~anhebung** *f* relèvement *m* des salaires; **~arbeit** *f* travail *m* salarié; **~arbeiter** *m* travailleur *od* ouvrier *m* salarié; **~aufbesserung** *f = ~anhebung;* **~aufkommen** *n* masse *f* salariale *od* des salaires; **~ausfall** *m* perte *f* de gain; **~ausgleich** *m* ajustage *od* ajustement *m* des salaires; **~auszahlung** *f* paiement *m* des salaires, paie *f;* **~bewegung** *f* mouvement *m* des salaires; **~buchhaltung** *f,* **~büro** *n* bureau *m* de paie; **~diener** *m* extra *m;* **~empfänger** *m* salarié *m* (payé à l'heure); *pl adm* personnel *m* ouvrier; **l~en** *tr: jdm etw ~~* récompenser qn de qc; *sich ~~* être profitable, donner un rendement, rapporter; *fig* valoir la peine; *es lohnt sich (nicht)* cela (ne *od* n'en) vaut (pas) la peine; *das lohnt sich nicht* le jeu ne *od* n'en vaut pas la chandelle; *ein Besuch lohnt sich (com)* une visite s'impose; **l~end** *a (wieder einbringend)* payant, rémunérateur; *(einträglich)* lucratif; *(vorteilhaft)* avantageux, profitable; **~erhöhung** *f* augmentation *od* majoration *f od* relèvement *m* de *od* du salaire; **~forderung** *f* revendication (s *pl*) *od* demande *f* de salaire; **~index** *m* indice *m* des salaires; **~kampf** *m* lutte *f* pour l'augmentation des salaires; **~kürzung** *f = ~abbau;* **~liste** *f* bordereau *m od* feuille *f* de paie *od* des salaires *od* d'émargement; **~niveau** *n* niveau *m* des salaires; **~skala** *f* échelle *f* des salaires, barème, éventail *m; gleitende ~~* échelle *f* mobile des salaires; **~steuer** *f* impôt *m* sur les salaires (et les traitements); **~stopp** *m* blocage *m* des salaires; **~streifen** *m* bulletin *m* de paie; **~stufe** *f* échelon *od* groupe *m* de salaire; **~summe** *f* total *m* des salaires; **~tabelle** *f* barème *m* des salaires; **~tag** *m* jour *m* de paie; *hum* la Sainte-Touche; **~tarif** *m* tarif *m* de salaires; **~tüte** *f* enveloppe *f* de paie; **~- und Preisstopp** *m* blocage *m* des salaires et des prix; **~vereinbarung** *f* accord *m* salarial; **~verhandlungen** *f pl* négociations *f pl* collectives sur les salaires; **~zahlung** *f* paiement *m* des salaires; **~zettel** *m* fiche *f od* bulletin *m* de paie *od* de salaire; **~zuschlag** *m* surpaie *f.*

löhn|en ['lø:nən] *tr* payer (*jdn* qn), faire la paie (*jdn* de qn); **L~ung** *f* salaire *m,* paie *f; (Hausangestellte)* gages *f pl; mil allg* solde *f; (Offiziere u. Mannschaften)* prêt *m; (Offiziere)* paie *f;* **L~ungstag** *m* jour *m* de paie.

Lok *f* ‹-, -s› [lɔk] = *Lokomotive.*

Lokal *n* ‹-(e)s, -e› [lo'ka:l] *(Raum)* local *m,* salle *f; (Gastwirtschaft)* bar, café; *fam* bistrot *m;* **l~** *a* (d'ordre) local; **~anästhesie** *f* anesthésie *f* locale; **~bahn** *f* chemin *m* de fer vicinal *od* d'intérêt local; **~bericht** *m* information *f* recueillie sur les lieux; **~bericht(erstatt)er** *m* correspondant local, échotier *m;* **~besichtigung** *f jur* reconnaissance *f* des lieux; **~blatt** *n* journal *m* local; **~e(s)** *n (in der Zeitung)* chronique *f od* nouvelles *f pl* locale(s), faits *m pl* divers; **~isation** *f* ⟨-, -en⟩ [lizatsi'o:n], **~isierung** localisation *f;* **l~isieren** [-'zi:rən] *tr* localiser; **~ität** *f* ⟨-, -en⟩ [-li'tɛ:t] localité *f; pl a.* êtres *m pl;* **~kenntnisse** *f pl* connaissance *f* des lieux; **~kolorit** *n* couleur *f* locale; **~nachrichten** *f pl* nouvelles *f pl* locales; *fam* (rubrique *f* des) chiens *m pl* écrasés; **~patriotismus** *m* patriotisme *m* de clocher; **~presse** *f* presse *f* locale; **~teil** *m (e-r Zeitung)* chronique *f* locale; **~termin** *m jur* descente *f* de justice *od* sur les lieux; *e-n ~~ abhalten* descendre sur les lieux.

loko *adv* [lo:ko] = *loco;* **L~markt** *m com* disponible *m;* **L~preis** *m* prix *m* sur place; **L~ware** *f* marchandise *f* disponible *od* sur place.

Lokomotiv|e *f* ⟨-, -n⟩ [lokomo'ti:və] locomotive *f; mit zwei ~~n* à double traction; *elektrische ~~ (E-Lok)* locomotive *f* électrique; **~führer** *m* conducteur de machine; mécanicien; *(Belgien)* machiniste *m;* **~führerstand** *m* cabine *f* du mécanicien; **~heizer** *m* chauffeur *m;* **~schuppen** *m* dépôt *m* des locomotives, rotonde *f.*

Lokus *m* ⟨-, -/-sse⟩ ['lo:kus, -sə] *fam* waters, lieux *m pl* d'aisances.

Lombard *m* od *n* ⟨-(e)s, -e⟩ [lɔm'bart, -də] *fin* prêt *m* sur gage(s) *od* nantissement *od* titre(s); **~bank** *f* banque *f* de prêts (sur gages); **~darlehen** *n* = *~;* **~geschäft** *n* = *~;* emprunt *m* lombard; **l~ieren** [-'di:rən] *tr* prêter sur gages; **~vorschuß** *m* avance *f* sur nantissement.

Lombard|e *m* ⟨-n, -n⟩ [lɔm'bardə], **~in** *f* Lombard, e *m f;* **~ei** [-'daɪ] *, die, geog* la Lombardie; **l~isch** [-'bardɪʃ] *a* lombard.

London *n* ['lɔndɔn] Londres *f;* **~er(in** *f***)** *m* ⟨-s, -⟩ Londonien, ne *m f.*

Longitudinalwellen *f* [lɔŋgitudi'na:l-] *pl phys* ondes *f pl* longitudinales.

Looping *m* od *s* ⟨-s, -s⟩ ['lu:pɪŋ] *aero* looping *m,* boucle *f; ~ nach oben, unten* looping *m* normal, à l'envers.

Lorbeer *m* ⟨-s, -en⟩ ['lɔrbe:r] *(Pflanze u. Zweig)* laurier *m; pl fig (Ruhm)* lauriers *m pl; auf s-n ~en ausruhen (fig)* s'endormir sur ses lauriers; *~en ernten (fig)* moissonner des lauriers; **~baum** *m* laurier *m;* **~(blätter** *n pl***)** *m (Küche)* laurier-sauce *m;* **~kranz** *m* couronne *f* de laurier(s); **~zweig** *m* branche *f* de laurier.

Lore *f* ⟨-, -n⟩ ['lo:rə] *loc* lorry, lori, truc *m.*

Lorenz *m* ['lo:rɛnts] *(Name)* Laurent *m.*

Lorgnette *f* ⟨-, -n⟩ [lɔrn'jɛtə] *opt* face-à-main *m.*

Los *n* ⟨-es, -e⟩ [lo:s, -zə(s)] *(Schicksal)* sort, destin; *(Anteil)* lot; *(Lotterie~)* billet de loterie, lot *m; durch das ~ bestimmen* désigner par tirage au sort; *das Große ~ gewinnen* od *ziehen* gagner le gros lot; *das ~ entscheiden lassen* od *ziehen od vx werfen;* tirer au sort; *~ in der Nähe der Gewinnummer (Lotterie)* approchant *m; das ~ ist gefallen (fig)* le sort en est jeté; **~anleihe** *f* emprunt *m* à lots; **l~en** *itr* tirer (au sort).

los [lo:s] *a (abgegangen, -gerissen, -gebrochen)* dégagé, détaché, défait, dénoué, délié; parti; *vgl. lose; interj* marche! allons! allez! partez! vas-y! allez-y! oust(e)! en vitesse! *(et)was ~ haben (fam)* avoir de l'idée, être calé *od* fort; *in e-r S* être calé *od* fort en qc, se connaître en qc; *etw ~ sein* en être pour qc, être quitte de qc; *(von etw befreit sein)* être débarrassé *od* délivré de qc; *ich weiß (nicht), was mit ihm los ist* je sais bien (je ne sais pas) ce qu'il a; *als ob* od *wenn nichts ~ wäre* comme si de rien n'était; *der Teufel* od *die Hölle ist ~* le diable est déchaîné; *mit ihm ist nicht viel ~ (fig)* ce n'est pas un as, on ne peut pas attendre grand-chose de lui; *da ist nichts (viel, was) ~ (fam)* la vie (n')est (pas) monotone là-bas; *was ist denn mit Ihnen ~? (fam)* qu'est-ce qui vous prend? *was ist (denn) ~?* qu'est-ce qu'il y a? qu'est-ce donc? qu'y a-t-il donc? que se passe-t-il? *war etwas ~?* est-ce qu'il s'est passé quelque chose? *~ geht's!* (et) fouette, cocher! *auf die Plätze! fertig! ~! (sport)* à vos marques! prêts! partez! *mit ihm ist nicht viel ~* ce n'est pas un homme de grande valeur; **~=bekommen** *tr,* **~=bringen** *tr* parvenir à détacher *od* à dégager; **~=binden** *tr* délier, dénouer, détacher, défaire; *mar* démarrer; **~=brechen** *itr fig (Sturm etc)* se déchaîner, éclater; **~=donnern** *itr* tonner (*gegen jdn* contre qn); *fam (Fahrzeug)* partir avec fracas; **~=drücken** *itr (schießen)* appuyer *od* presser sur la détente; **~=eisen** *tr fam* parvenir à libérer; **~=fahren** *itr* démarrer, partir; *auf jdn ~~* foncer sur qn; **~=gehen** *itr fam (weggehen)* s'en aller, partir; *fam (sich lösen)* se défaire, se détacher; *(anfangen)* se déclencher, commencer; *(Gewehr)* se décharger; *(Schuß)* partir; *auf jdn ~~* marcher droit *od* se jeter sur qn; *gerade darauf ~~ (fig)* ne pas y aller par quatre chemins; **~=kaufen** *tr* racheter; **~=kommen** *itr* parvenir à se dégager *od* se débarrasser *od* se libérer (*von* de); *von etw nicht ~~ (fig)* être possédé par qc; **~=kriegen** *tr fam* parvenir à détacher; **~=lachen** *itr: laut ~~* partir d'un éclat de rire; **~=lassen** *tr* lâcher; *jdn nicht mehr ~~ (fig)* retenir l'intérêt de qn, tenir qn sous le charme, fasciner qn; **~=legen** *itr fam* commencer, démarrer; *plötzlich ~~* prendre le mors aux dents; **~=lösen** *tr* détacher; séparer; *sich ~~ (fig)* se libérer (*von* de); **~=machen** *tr* détacher, dégager, défaire; *mar* démarrer; **~=marschieren** *itr* se mettre en marche *od* en route; *auf etw ~~* marcher droit sur qc; **~=platzen** *itr fam (Mensch)* éclater (de rire); **~=poltern** *itr* se gendarmer; **~=reißen,** *sich* s'arracher, se détacher; *sich von etw ~~* s'arracher à qc; **~=sagen,** *sich* se dédire, se désolidariser (*von* de); **~=schießen** *itr fig fam* y aller carrément; *schießen Sie ~!* allez-y carrément! **~=schlagen** *tr fig fam (billig verkaufen)* vendre à bas prix, brader; *itr* commencer l'attaque; frapper (*auf jdn* qn); *fig* tirer le glaive; **~=schnallen** *tr* déboucler; **~=schrauben** *tr* dévisser; **~=sprechen** *tr* déclarer libre; acquitter; *rel* absoudre; *von etw* tenir quitte de qc; **L~sprechung** *f* affranchissement; acquittement *m; rel* absolution *f;* **~=steuern** *itr fam: auf etw ~~* aller droit à qc; **~=stürmen** *itr* partir en courant; *auf jdn, etw ~~* fondre *od* se précipiter sur qn, qc; **~=stürzen** *itr* se précipiter (*auf* sur); **~=werden** *tr* se débarrasser, se défaire de; *ich werde den Gedanken nicht ~* je ne puis m'ôter cela *od* cette idée de la tête; **~=wickeln** *tr* dévider; **~=ziehen** *itr* partir, s'en aller; *fam* se mettre en campagne; *gegen jdn ~~ (fig fam: auf jdn schimpfen)* déblatérer contre qn.

lösbar ['lø:sba:r] *a tech* détachable, amovible; *fig (Probleme)* résoluble.

Lösch|anlage *f* ['lœʃ-] installation *f* d'extinction; **~apparat** *m* extincteur *m;* **~blatt** *n* (papier) buvard *m;* **~eimer** *m* seau *m* à incendie; **l~en** *tr* **1.** *(Feuer, Licht, Kalk)* éteindre; *(Feuer) a.* étouffer; *(den Durst)* étancher, apaiser; *(Schrift)* effacer, biffer, rayer; *(Hypothek)* radier; *tele* annuler; *den Durst ~~ (a.)* se désaltérer; **~en** *n* extinction *f;* étouffement; étanchement, apaisement; effacement *m,* radiation *f;* **~er** *m* ⟨-s, -⟩ *(Tinten~~)* tampon-buvard *m;* **~fahrzeug** *n* voiture *f* de pompiers *od* à incendie; **~flüssigkeit** *f* liquide *m* extincteur; **~gerät** *n* = *~apparat;* **~mannschaft** *f* équipe *f* d'incendie; **~papier** *n* (papier) buvard, papier *m* brouillard; **~stelle** *f* poste *m* d'incendie *od* d'eau; **~taste** *f tele* bouton *m* d'annulation; **~trupp** *m,* **~zug** *m* équipe *f* de pompiers; **~ung** *f* **1.** *(e-r Hypothek)* mainlevée, radiation (hypothécaire); *(e-r Firma; jur: Strafe)* radiation *f.*

lösch|en ['lœʃən] *tr* **2.** *(Schiffsladung)* débarquer, décharger; **L~en** *n,* **L~ung** *f* **2.** débarquement, déchargement *m.*

lose ['lo:zə] *a (locker, wackelnd)* branlant; *tech* volant; *(Blätter Papier) a.* détaché; *(Haare)* flottant; *(Ware)* sans emballage, en vrac; *(Munition)* décaissé; *fig (leichtfertig)* frivole, licencieux; *~ Reden führen* en dire de vertes *fam; ~ sein (Knopf)* s'en aller; *~ sitzen* avoir du jeu; *~ werden (Zähne)* se déchausser; *~(s) Blatt n* papier *m od* feuille *f* volant(e); **L~blattbuch** *n* livre *m* à feuilles mobiles; **L~blattbuchführung** *f* comptabilité *f* à feuille(t)s mobiles.

Lös|egeld *n* ['lø:z-] rançon *f;* **l~en** *tr (losmachen)* desserrer, détacher, séparer; *(aufbinden)* délier; *chem* dissoudre; *math (Aufgabe)* résoudre, solutionner; *(Rätsel)* deviner, déchiffrer; *(Fahrkarte)* prendre; *sich ~~ (Knoten, Haare)* se défaire; *chem* se dissoudre; *sport* décoller; *die Bremse ~~* desserrer le(s) frein(s); *e-e Karte ~~* prendre un billet; *den Knoten ~~ (fig)* dénouer l'intrigue; *sein Verhältnis zu jdm ~~* rompre ses relations avec qn; **l~lich** [-slıç] *a chem* soluble; *nicht ~~* insoluble; **~lichkeit** *f* ⟨-, (-en)⟩ solubilité *f.*

Löß *m* ⟨-ßes/-sses, ø-ße/-sse⟩ [lœs, lø:s] *geol* lœss; diluvium *m* glaiseux; **~mergel** *m* lœss *m* marneux.

Lost *m* ⟨-(e)s, ø⟩ [lɔst] *(Kampfstoff)* ypérite *f.*

Losung *f* ⟨-, -en⟩ ['lo:zuŋ] *mil (Erkennungswort)* mot *m* d'ordre *od* de passe; devise *f; (Jagd)* fiente *f,* fumées *f pl;* **~swort** *n* = *~ mil.*

Lösung *f* ⟨-, -en⟩ ['lø:zuŋ] *(Loslösung)* séparation; *chem* (dis)solution; *math* (ré)solution; *(Rätsel, Problem)* solution *f; bes. theat* dénouement *m; e-e befriedigende ~ finden* recevoir une solution satisfaisante; *der ~ harren (Problem)* rester sans solution *od* en suspens; **~smittel** *n chem* (dis)solvant *m.*

Lot *n* ⟨-(e)s, -e⟩ [lo:t] *(Senkblei)* fil *m* à plomb, *mar* sonde *f; (Setzwaage)* niveau *m* de maçon *od* à perpendicule; *math (Senkrechte)* perpendiculaire, verticale; *(Gewicht)* demi-once *f; im ~* d'aplomb; *ins ~ bringen (fig)* mettre en ordre; *ein ~ fällen* tirer *od* abaisser *od* élever une perpendiculaire (*auf* sur); *im ~ sein (fig)* être en bon ordre *od* en bonne règle; **l~en** *tr* passer au fil à plomb; *mar* sonder; *itr* prendre l'aplomb; **~leine** *f* ligne *f* de sonde; **l~recht** *a* perpendiculaire; d'aplomb; **~ung** *f* sondage, coup *m* de sonde.

Löt|apparat *m* ['lø:t-] appareil *m* à souder; **l~bar** *a* soudable; **l~en** ⟨lötete, gelötet⟩ *tr* souder; *(hart~~)* braser; **~en** *n* soudage *m,* brasure *f;* **~kolben** *m* fer *m* à souder; **~lampe** *f* lampe *f* à souder *od* de soudeur; **~metall** *n* métal *m* de soudure; **~rohr** *n* chalumeau *m;* **~stelle** *f* (point *m* de) soudure *f,* endroit *m* soudé; brasure *f;* **~zinn** *n* étain *m* à souder *od* de soudure.

Lothring|en *n* ['lo:trıŋən] la Lorraine; **~er(in** *f***)** *m* ⟨-s, -⟩ Lorrain, e *m f;* **l~isch** *a* lorrain.

Lotos(blume *f***)** *m* ⟨-, -⟩ ['lo:tɔs] lotus *m.*

Lotse *m* ⟨-n, -n⟩ ['lo:tsə] pilote, lamaneur *m;* **l~n** *tr* piloter; **~n** *n* pilotage, lamanage *m;* **~nboot** *n* bateau-pilote *m;* **~ndienst** *m* pilotage, lamanage *m;* **~nfisch** *m* (poisson) pilote *m;* **~nflagge** *f* pavillon *m* de pilote; **~ngebühr** *f,* **~ngeld** *n* frais *m pl* de lamanage.

Lott|erbett *n* ['lɔtər-] *(österr.)* = *Couch;* **~erbube** *m* vaurien; fainéant *m;* **l~(e)rig** *a (schlampig)* négligent; *(liederlich)* dissolu, bohème; **~erleben** *n* vie dissolue *od* de bohème; *pop* bringue *f;* **~erwirtschaft** *f* laisser-aller *m,* incurie *f.*

Lotterie *f* ⟨-, -n⟩ [lɔtə'ri:] loterie *f;* **~einnehmer** *m* encaisseur *m* de loterie; **~gewinn** *m* lot *od* billet *m* gagnant; **~los** *n* billet de loterie, lot *m.*

Lotto(spiel) *n* ⟨-s, -s⟩ ['lɔto] (jeu de) loto *m.*

Löwe *m* ⟨-n, -n⟩ ['lø:və] lion; *astr* Lion *m; in die Höhle des ~n gehen (fig)* se jeter *od* se mettre dans la gueule du loup; *junge(r) ~* lionceau *m;* **~nanteil** *m: (sich den) ~~ (nehmen)* (se tailler *od* prendre la) part du lion; **~nbändiger** *m* dompteur *m* de lions; **~ngrube** *f* fosse *f* aux lions; **~herz** *n: Richard ~~ (hist)* Richard Cœur de Lion; **~nhof,** *der (d. Alhambra)* la cour des Lions; **~njagd** *f* chasse *f* au lion; **~nmaul** *n* mufle *m* de lion; *bot* muflier *m,* gueule-de-loup *f;* **~nzahn** *m bot* pissenlit *m,* dent-de-lion *f;* **Löwin** *f* lionne *f.*

loyal [loa'ja:l] *a* loyal; **L~ität** *f* ⟨-, (-en)⟩ [-li'tɛ:t] loyauté *f.*

Luchs *m* ⟨-es, -e⟩ [luks] *zoo* lynx, loup-cervier *m;* **~augen** *n pl fig* yeux *m pl* de lynx; **l~en** *itr fam (wie ein ~ aufpassen)* faire bien attention.

Lücke *f* ⟨-, -n⟩ ['lʏkə] lacune, trouée, brèche *f,* vide, *fam* loup *m; fig (Unterbrechung)* solution *f* de continuité; hiatus, trou *m; (frei gelassene Stelle in e-m Schriftstück)* fenêtre *f; e-e ~ schließen* combler une lacune; *mil* colmater une brèche; *auf ~ stehend* (disposé) en quinconce; **~nbüßer** *m* bouche-trou *m;* **l~nhaft** *a* lacuneux; *fig (unvollständig)* défectueux, incomplet; **~nhaftigkeit** *f* défectuosité *f;* **l~nlos** *a* sans lacune(s) *od* vide(s); *(vollständig)* complet; **~nlosigkeit** *f* ⟨-, ø⟩ état *m* complet.

Luder *n* ⟨-s, -⟩ ['lu:dər] *(Jägersprache: Aas)* charogne; *vulg (Weibsbild)* garce, bougresse *f;* **~jan** *m* = *Liederjan;* **~leben** *n* vie *f* crapuleuse, débauches *f pl.*

Ludwig *m* ['lu:tvıç] Louis *m.*

Luft *f* ⟨-, ¨-e⟩ [luft, 'lʏftə] air; *(~zug)* souffle *m; (Atmosphäre)* atmosphère *f; an der freien ~* en plein air, à l'air libre; *in frischer ~* au grand air; *die ~ herauslassen aus* dégonfler; *jdn wie ~ behandeln* ignorer qn; *in die ~ fliegen (explodieren)* sauter; *an die ~ gehen* prendre l'air; *in die ~ gucken* regarder en l'air; *fam* gober les mouches; *in der ~ hängen, schweben* ne pas avoir de base solide; *~ holen* (re)prendre haleine; *in die ~ jagen (sprengen)* faire sauter; *keine ~ kriegen* étouffer; *von ~ und Liebe leben* vivre d'amour et d'eau fraîche; *in der ~ liegen (fig)* être dans l'air; *seinem Ärger ~ machen* se soulager, exhaler son dépit, épancher sa bile; *s-m Herzen ~ machen* ouvrir son cœur; *durch die ~ schießen (Vogel)* fendre l'air; *frische ~ schnappen (fam)* prendre un bol d'air, s'aérer; *nach ~ schnappen* chercher à respirer; *~ schöpfen* prendre l'air; *frische ~ schöpfen* prendre le frais; *wieder ~ schöpfen* reprendre haleine; *für jdn ~ sein* ne pas exister pour qn; *jdn an die ~ setzen (fam)* mettre *od fam* flanquer *od pop* foutre qn à la porte; *fam* flanquer qn dehors; *es hängt noch in der ~ (fig)* c'est encore à l'état de projet; *es liegt etwas in der ~* il y a de l'orage dans l'air; *es ist dicke ~ (fig fam)* il va y avoir du grabuge; ça barde; il y a du pétard; *das ist völlig aus der ~ gegriffen* c'est inventé de toutes pièces, c'est pure invention; *die ~ ist (wieder) rein (fig)* il n'y a (plus) rien à craindre, il n'y a pas (plus) de danger; *frische ~ zehrt* le grand air creuse; *heiße, stickige ~* touffeur *f;* **~abkommen** *n* pacte *m* aérien; **~abschluß** *m: unter ~~* à l'abri de l'air; **~abschnitt** *m* région *f* aérienne; **~abwehr** *f* défense *f* antiaérienne *od* contre avions; **~abzug** *m tech* évent *m;* **~angriff** *m* raid *m* (aérien), agression *od* attaque *f* aérienne; *(schwerer ~~)* bombardement *m* aérien; **~ansaugstutzen** *m* tube *m* d'aspiration d'air; **~anzug** *m* salopette *f;* **~aufklärung** *f* reconnaissance *f* aérienne; **~aufsicht** *f* contrôle *m* local du trafic aérien; **~austritt** *m* sortie *f* d'air; **~bad** *n* bain *m* d'air; **~ballon** *m* aérostat, ballon *m;* **~basis** *f* base *f* aérienne; **~beobachter** *m* observateur *m* aérien; **~beobachtung** *f* observation *f* aérienne; **~bereifung** *f* bandage *m* pneumatique; **~beschaffenheit** *f* qualité *f* de l'air; **~bewegung** *f* vents *m pl;* **~bild** *n* photo(-graphie) *od* vue *f* aérienne; **~bildaufklärung** *f* reconnaissance *f* photo(graphique); **~bildauswertung** *f* interprétation *od* exploitation *f* des photos *od* des vues aériennes; **~bildkarte** *f* carte *f* photographique aérienne *od* aérophotographique; **~bildmessung** *f* aérophotogrammétrie *f;* **~bildvermessung** *f* phototopographie *f;* **~blase** *f* bulle d'air; *metal* soufflure *f;* **~bremse** *f* frein *m* aérodynamique *od* pneumatique; **~brücke** *f* pont *m* aérien; **~brückenkopf** *m* tête *f* de pont aérien; **l~dicht** *a* étanche à l'air, hermétique; *~~ abgeschlossen* isolé hermétiquement; *~~e(r) Abschluß m* étanchéité *f* à l'air; **~dichte** *f* densité *f* de l'air; **~druck** *m* pression *f* atmosphérique *od* barométrique; **~druckbremse** *f* frein *m* pneumatique *od* à air (comprimé); **~druckhammer** *m* marteau *m* à air comprimé; **~druckregulierung** *f* pressurisation *f;* **~druckschwankungen** *f pl* variations *f pl* barométriques; **~druckwelle** *f* onde *f* explosive; **~druckwirkung** *f (bei e-r Explosion)* effet *m* du souffle; **l~durchlässig** *a* perméable à l'air; **~einlaß**

m admission *f* d'air; **~einsatz** *m mil aero* opération *f* aérienne; **~eintritt** *m tech* entrée *f* d'air; **~elektrizität** *f* électricité *f* atmosphérique; **~erkundung** *f aero mil* reconnaissance *f* aérienne; **~erneuerung** *f* renouvellement *m* de l'air; **~fahrt** *f* aviation, aéronautique, navigation *f* aérienne; *zivile ~~* navigation *f* aérienne civile; **~fahrtausstellung** *f* salon *m* de l'aviation; **~fahrtforschung** *f* recherche *f* aéronautique; **~fahrtgesellschaft** *f* compagnie *f* (de navigation) aérienne *od* d'aviation; **~fahrtmedizin** *f* médecine *f* de l'aviation; **~fahrtministerium** *n* ministère *m* de l'air; **~fahrttechnik** *f* technique *f* aéronautique; **~fahrtweg** *m* route *f* de l'air; **~feuchtigkeit** *f* humidité *f* atmosphérique; **~feuchtigkeitsmesser** *m* hygromètre, hygroscope *m;* **~filter** *m* od *n* filtre *m* à air; **~flotte** *f* flotte *f* aérienne; **~fracht** *f* fret *m* aérien; **~~brief** *m* lettre *f* de transport aérien; **l~gefährdet** *a* exposé aux attaques aériennes; **~gefecht** *n* combat *m* aérien; **~geist** *m* esprit de l'air; sylphe *m,* sylphide *f;* **l~gekühlt** *a mot* refroidi par air; **~geschwader** *n* escadre *f* aérienne; **~gewehr** *n* fusil *m od* carabine *f* à air comprimé; **~hafen** *m* aéroport *m;* **~hauch** *m* souffle *m* d'air; *warme(r) ~~* bouffée *f* de chaleur; **~herrschaft** *f* suprématie *f* aérienne; **~hoheit** *f* souveraineté *f* aérienne; **~hülle** *f* atmosphère *f;* **l~ig** *a (frisch)* exposé à l'air, aéré; *(leicht)* aérien, vaporeux, léger; *fig (leichtsinnig)* évaporé, écervelé, volage, léger; *sehr ~~ wohnen* être logé aux quatre vents; **~igkeit** *f* ‹-, ø› légèreté *f;* **~ikus** *m* ‹-, -sse› ['luftikus, -sə] *fam* hurluberlu, écervelé *m;* **~inspektion(szone)** *f* (zone d')inspection *f* aérienne; **~kabel** *n* câble *m* aérien; **~kampf** *m* combat *od (zwischen zwei Flugzeugen)* duel *m* aérien; **~kanal** *m* conduit *m* à air, buse *f* d'aérage, évent *m;* **~kissen** *n* coussin à air *od* pneumatique; coussin *m* d'air; **~klappe** *f* volet *m* d'aération; *tech* ventouse *f; mot* régulateur *m* d'air; **~koffer** *m* valise *od* mallette *f* pour (l')avion; **~korridor** *m* corridor *od* couloir *m* aérien; **l~krank** *a* atteint du mal de l'air; *~~ sein* avoir le mal de l'air; **~krankheit** *f* mal *m* de l'air; **~krieg** *m* guerre *f* aérienne; **~kühlung** *f* refroidissement *m* par air; **~kur** *f* cure *f* d'air; **~kurort** *m* station *f* climatique; **~lage** *f aero mil* situation *f* aérienne; **~landedivision** *f* division *f* aéroportée; **~landekopf** *m* tête *f* de pont aérien; **~landekorps** *n* corps *m* aéroporté; **~landemanöver** *n* manœuvre *f* aéroportée; **~landepanzer** *m* char *m* aéroporté; **~landetruppen** *f pl* troupes *f pl* aéroportées *od* parachutées; **~landung** *f* débarquement aéroporté, parachutage *m;* **l~leer** *a* vide (d'air); *~~e(r) Raum m* vide *m;* **~leitung** *f* aérien *m;* **~linie** *f* ligne droite; *aero* ligne *f* aérienne; *in der ~~* à vol d'oiseau, en ligne droite; **~linienentfernung** *f* distance *f* en ligne droite; **~loch** *n tech* évent *m,* ventouse *f; aero* trou *m* d'air, cheminée *f;* **~mangel** *m* manque *m* d'air; **~manöver** *n* manœuvres *f pl* aériennes; **~matratze** *f* matelas *m* pneumatique; **~mine** *f* mine aérienne *od* à paroi mince, torpille *f* aérienne; **~navigation** *f,* **~ortung** *f* navigation *f* aérienne; **~pistole** *f* pistolet *m* à vent; **~polizei** *f* police *f* aérienne; **~post** *f* courrier *m* aérien, poste *f* aérienne, service *m* postal aérien; *(mit) ~~!* par avion; **~postbrief** *m* lettre-avion *f;* **~postgesellschaft** *f* compagnie *f* aéropostale; **~postleichtbrief** *m* aérogramme *m;* **~postpapier** *n* papier *m* pelure *od* par avion; **~pumpe** *f* pompe *f* à air *od* à pneumatiques; *mot* gonfleur *m;* **~raum** *m aero* espace *od* domaine *m* aérien; **~reifen** *m* pneu(matique) *m;* **~reiniger** *m* épurateur *m* d'air; **~reinigung** *f* épuration *f* de l'air; **~reklame** *f* publicité *od* réclame *f* aérienne; **~röhre** *f anat* trachée(-artère) *f,* conduit *m* respiratoire; **~röhrenentzündung** *f med* trachéite *f;* **~röhrenschnitt** *m med* trachéotomie *f;* **~sack** *m aero* ballonnet *m;* **~schacht** *m* puits *m* d'air *od* d'aérage *od mines* d'aération; **~schicht** *f* couche *f* atmosphérique *od* d'air; **~schiff** *n* aéronef *m; lenkbare(s) ~~* dirigeable *m;* **~schiffahrt** *f* aérostation *f;* **~schiffer** *m,* **~schiffführer** *m* aérostier *m;* **~schiffhalle** *f* hangar *m;* **~schirm** *f aero mil* couverture *f* aérienne; **~schlacht** *f* bataille *f* aérienne; **~schlange** *f (aus Papier)* serpentin *m;* **~schleuse** *f* écluse *f* à air; **~schloß** *n* château *m* en Espagne; *~schlösser bauen* faire *od* bâtir des châteaux en Espagne; rêver tout éveillé; **~schneise** *f* couloir *m* aérien; **~schraube** *f* hélice *f;* **~schraubenantrieb** *m* commande *f* de l'hélice; **~schraubenblatt** *n,* **~schraubenflügel** *m* pale *f* d'hélice; **~schraubenstrahl** *m* sillage *od* souffle *m* de l'hélice; **~schraubentriebwerk** *n* propulseur *m* à hélice; **~schraubenturbine** *f* turbopropulseur *m;* **~schutz** *m* protection *f* (anti)aérienne; *zivile(r) ~~* défense *f* civile *od* passive; **~schutzbunker** *m* abri *m* (bétonné); **~schutzdienst** *m* service *m* de défense passive; **~schutzhelfer** *m* auxiliaire *m* de la protection civile; **~schutzkeller** *m* cave-abri *f;* **~schutzraum** *m* abri *m;* **~schutzübung** *f* exercice *m* de défense passive; **~schutzwart** *m* chef *m* d'îlot; **~schwingung** *f* vibration *f* de l'air; **~sicherung** *f* couverture *f* aérienne; **~sog** *m aero* remous *m;* **~spähdienst** *m* service *m* de guet anti-aérien; **~späher** *m* guetteur *m* anti-aérien; **~spalt** *m el* entrefer *m;* **~sperre** *f* barrage *m* aérien, interdiction *f* de survoler; **~sperrgebiet** *n* zone *f* aérienne interdite; **~spieg(e)lung** *f* mirage *m;* **~sprung** *m (a. e-r Forelle)* saut en l'air; bond *m.* cabriole, gambade; *fam* galipette *f; ~sprünge machen (a.)* voltiger; **~stoß** *m* bouffée *f* d'air, coup de vent; *(bei e-r Explosion)* souffle *m;* **~strahl** *m* filet *m od* veine *f* d'air; **~strahlantrieb** *m,* **~strahltriebwerk** *n* propulseur *m* par réaction; **~strategie** *f* stratégie *f* aérienne; **~streitkräfte** *f pl* forces *f pl* aériennes; **~strom** *m (im Windkanal)* écoulement *m* d'air; *kalte(r), warme(r) ~~* bouffée *f* de froid, de chaleur; **~strömung** *f* courant *m* atmosphérique *od* aérien; **~stutzen** *m aero* prise *f* d'air; **~stützpunkt** *m* base *od* plate-forme *f* aérienne; **~tätigkeit** *f* activité *f* aérienne; **~taxi** *n* avion-taxi *m;* **~temperatur** *f* température *f* de l'air; **~torpedo** *m* torpille aérienne, aérotorpille, bombe *f* planante; **~transport** *m* transport *m* aérien *od* par air *od* par voie aérienne; **~transportflotte** *f* flotte *f* aérienne de transport; **l~trocken** *a* séché à l'air; **l~tüchtig** *a* apte au vol; **~überfall** *m* attaque *f* aérienne par surprise; raid *m* aérien inopiné; **~überlegenheit** *f* supériorité *f* aérienne; **~überwachung** *f* surveillance *f* aérienne; **~unterlegenheit** *f* infériorité *f* aérienne; **~unterstützung** *f mil* appui *od* soutien *m* aérien; **~veränderung** *f* changement *m* d'air; **~verbindung** *f* liaison *f* aérienne; **~verdichtung** *f* compression *f* d'air; **~verdünnung** *f* raréfaction *f* de l'air; **~verflüssigung** *f* liquéfaction *f* de l'air; **~verkehr** *m* circulation *f* aérienne, service *od* trafic *m* aérien; **~verkehrsgesellschaft** *f* compagnie *f* (de navigation) aérienne; **~verkehrslinie** *f* ligne *f* aérienne; **~verkehrsnetz** *n* réseau *m* aérien; **~verkehrsunternehmen** *n* entreprise *f* de transports aériens; **~verteidigung** *f* défense *f* aérienne; **~verteidigungsabschnitt** *m* secteur *m* de défense aérienne; **~verunreinigung** *f* pollution *f* atmosphérique *od* de l'air; **~waffe** *f mil* armée de l'air; force *f* aérienne; *taktische ~~* aviation *f* tactique; **~waffeneinsatz** *m* mission *od* opération *f* aérienne; **~waffenoffizier** *m* officier *m* d'aviation; **~waffenpioniere** *m pl* génie *m* de l'air; **~waffenübungsplatz** *m* base *f* d'entraînement au tir aérien; **~waffenunterstützung** *f* appui *m* aérien; **~waffenverband** *m* grande unité *f* aérienne; *pl* formations *f pl* aériennes; **~waffenverbindungsoffizier** *m* officier *m* de liaison des forces aériennes; **~warndienst** *m* service *m* d'alerte (aérienne); **~wechsel** *m* changement *m* d'air **~weg** *m: auf dem ~~e* par avion; **~widerstand** *m* résistance *f* aérodynamique *od* de l'air; **~wirbel** *m* tourbillon *m* d'air; **~wurzel** *f bot* racine *f* aérienne; **~ziel** *n mil* objectif *m* aérien; **~zufuhr** *f,* **~zuführung** *f* adduction *od* amenée *f* d'air; **~zuführung(sleitung)** *f aero* prise *f* d'air **~zug** *m* courant *m* d'air; **~zwischenfall** *m* incident *m* aérien;

~zwischenraum *m el* entrefer *m*.

Lüft|chen *n* ‹-s, -› ['lʏftçən] souffle (de vent), vent *m* léger, brise *f; es geht kein ~~* il n'y a pas un brin d'air *od* de vent; **l~en** *tr (Zimmer)* aérer, éventer; *(Bett, Kleidung)* mettre à l'air; *(den Hut)* soulever (son chapeau); *itr (die Luft erneuern)* renouveler l'air; *den Schleier ~~ (fig)* lever le voile; **~er** *m* ‹-s, -› ventilateur *m;* **~ung** *f* aération *f;* aérage *m;* ventilation *f;* **~ungsöffnung** *f* buse *f* d'aération; **~ungsrohr** *n* tuyau *m* de ventilation, manche *f* à air; **~ungsschacht** *m* puits *m* d'aérage.

Lug *m* ‹-(e)s, ø› [lu:k] *(Lüge): mit ~ und Trug* frauduleusement.

Lüg|e *f* ‹-, -n› ['ly:gə] mensonge *m; jdn e-r ~~ bezichtigen* accuser qn de mensonge; *jdn ~~n strafen* infliger un démenti à qn, convaincre qn de mensonge; *~~n haben kurze Beine (prov)* le mensonge ne mène pas loin, tout finit par se savoir; *fromme, plumpe ~~* pieux, gros mensonge *m; um keine ~~ verlegen sein* ne pas être à court de mensonge; **l~en** ‹*log, gelogen*› [lo:k, (-)'lo:gən] *itr* mentir, dire un mensonge; *wie gedruckt ~~; ~~, daß sich die Balken biegen; das Blaue vom Himmel herunter ~~ (fam)* mentir comme un arracheur de dents *od* comme on parle *od* respire; *das ist gelogen* il, elle a menti; *wer einmal ~t, dem glaubt man nicht, und wenn er auch die Wahrheit spricht (prov)* a beau dire vrai qui a menti; **~endetektor** *m (Gerät)* détecteur *m* de mensonges, machine *f* à détecter le mensonge; **~enfeldzug** *m pol* campagne *f* de mensonges; **~engeschichte** *f* conte *m* en l'air; **~engewebe** *n* tissu *m* de mensonges; **l~enhaft** *a (Mensch)* menteur, faux; *(Sache)* mensonger, faux, controuvé; **~enhaftigkeit** *f* ‹-, ø (-en)› *(Mensch)* goût du *od* penchant au mensonge; *(Sache)* caractère *m* mensonger; **~enmaul** *n* menteur *m* (effronté); **~ennetz** *n* = *~engewebe;* **~enpropaganda** *f* propagande *f* mensongère; **~ner(in *f*)** *m* ‹-s, -› ['-gnər] menteur, euse *m f;* **l~nerisch** *a* menteur, faux.

lugen ['lu:gən] *itr (spähen)* guetter, épier, scruter, regarder.

Lukas *m* ['lu:kas] Luc *m*.

Luke *f* ‹-, -n› ['lu:kə] *arch* lucarne; *mar* écoutille *f*.

lukrativ [lukra'ti:f] *a (einträglich)* lucratif.

lukullisch [lu'kulɪʃ] *a* plantureux, somptueux.

Lulatsch *m* ‹-(e)s, -e› ['lu:la(:)tʃ] *fam (langer Kerl)* escogriffe; grand flandrin *m*.

lullen ['lulən] *tr: in den Schlaf ~* endormir par des berceuses.

Lumberjack *m* ‹-s, -s› ['lambərdʒɛk] veste-blouson *f*.

Lümmel *m* ‹-s, -› ['lʏməl] mufle, goujat, malotru, malappris; *fam* paltoquet; *pop* pignouf; *(Bauern~)* rustre *m;* **~ei** *f* [-'laɪ] muflerie, goujaterie, grossièreté *f;* **l~haft** *a* malotru, malappris, grossier; **~haftigkeit** *f* grossièreté *f;* **l~n,** *sich* se vautrer.

Lump *m* ‹-en, -en› [lump] mauvais sujet; va-nu-pieds, gueux *m; fam* crapule *f;* gredin; *pop* salaud *m;* **l~en:** *sich nicht ~~ lassen* bien faire les choses, ne pas être chiche; **~en** *m* ‹-s, -› *(Fetzen)* lambeau, haillon *m,* guenille, loque *f; (Lappen)* chiffon; *(Papierfabrikation)* pilot *m; in ~~ (gehüllt)* en guenilles, vêtu de haillons; **~engeld** *n: für ein ~~ (fam)* à vil prix; **~engesindel** *n* canaille, racaille, mauvaise graine; *fam* gueusaille *f;* **~enkerl** *m* = *~;* **~enpack** *n* = *~engesindel;* **~ensammler** *m* chiffonnier; *hum (letzte(r) Bahn, Bus)* balai *m;* **~enwolf** *m tech* effilocheuse *f;* **~erei** *f* [-'raɪ] *(Gaunerei)* gueuserie, vilenie, *fam* crasse; *(~endreck)* bagateille, vétille *f;* **l~ig** *a (niederträchtig)* vil; *(armselig)* mesquin, misérable; *für ~~e 10 Groschen* pour 10 misérables sous.

Lünette *f* ‹-, -n› [ly'nɛtə] *arch* lunette *f*.

Lunge *f* ‹-, -n› ['luŋə] poumon(s *pl*); *(Fleischerei)* mou *m; e-e gute ~ haben* avoir du poumon *od* de bons poumons; *(fam) auf ~ rauchen* avaler la fumée; *sich die ~ aus dem Leib schreien* s'époumoner, s'user les poumons; *er hat es auf* od *mit der ~* il est poitrinaire; *eiserne ~ (med)* poumon *m* d'acier; **~narterie** *f* artère *f* pulmonaire; **~nbläschen** *n* alvéole *m od* vésicule *f* pulmonaire; **~nblutung** *f* hémorragie *f* pulmonaire; **~nembolie** *f* embolie *f* pulmonaire; **~nentzündung** *f* pneumonie *f;* **~nerweiterung** *f* emphysème *m* pulmonaire; **~nfell** *n* plèvre *f;* **~nfellentzündung** *f* pleurésie *f;* **~nflügel** *m* poumon *m;* **~nhaschee** *n (Küche)* hachis *m* de mou; **~nheilstätte** *f* sana(torium), aérium *m;* **l~nkrank** *a* poitrinaire, phtisique, tuberculeux; **~nkranke(r)** *m* poitrinaire, tuberculeux *m;* **~nkrankheit** *f* affection pulmonaire, maladie *f* de poitrine; **~nkraut** *n bot* pulmonaire *f;* **~nkrebs** *m* cancer *m* du poumon; **~nlappen** *m* lobe *m* du poumon; **~nschlag** *m med* embolie *f* pulmonaire; **~nschwindsucht** *f,* **~ntuberkulose** *f* phtisie *od* tuberculose *f* pulmonaire; **~nspitze** *f* sommet *m* du poumon; **~nvene** *f* veine *f* pulmonaire.

lungern ['luŋərn] *itr* traîner, paresser, fainéanter.

Lunker *m* ‹-s, -› ['luŋkər] *metal (Hohlraum)* retassure *f*.

Lunte *f* ‹-, -n› ['luntə] mèche *f; ~ riechen (fig)* éventer *od* découvrir la mèche; éventer la mine.

Lupe *f* ‹-, -n› ['lu:pə] *opt* loupe *f; unter die ~ nehmen (fig)* passer au tamis, scruter, examiner de près.

lupenrein ['lu:pənraɪn] *a fig* irréprochable, au-dessus de tout soupçon (politique).

lupfen ['lupfən] *tr,* **lüpfen** ['lʏpfən] *tr dial (heben)* (sou)lever.

Lupine *f* ‹-, -n› [lu'pi:nə] *bot* lupin *m*.

Luppe *f* ‹-, -n› ['lupə] *metal* loupe *f,* massé, pain *m;* **~neisen** *n* fer *m* en loupes.

Lupulin *n* ‹-s, -› [lupu'li:n] *(Bitterstoff des Hopfens)* glandules *f pl* de houblon, lupuline *f*.

Lurch *m* ‹-(e)s, -e› [lurç] *zoo* amphibie, batracien *m*.

Lust *f* ‹-, ⸚e› [lust, 'lʏstə] *(Freude)* joie *f; (Vergnügen)* plaisir; *(Verlangen)* désir *m,* envie; *(Begierde)* appétence *f,* appétit *m,* convoitise; *(Sinnenlust)* volupté *f; mit ~ und Liebe* avec grand plaisir; *nach ~ und Laune* à mon *etc* gré; au gré de ma *etc* fantaisie; *s-e ~ befriedigen* passer son envie; *s-n Lüsten frönen* être l'esclave de ses passions; *(große) ~ haben zu* avoir (grande) envie de *od* le goût de *od* l'esprit à; être en humeur de; *keine ~ zur Arbeit haben (zeitweise) a. fam* avoir la flemme, tirer sa flemme; *(dauernd)* avoir un poil dans la main; *jdm ~ machen zu* faire à qn envie de; *jdm die ~ zu etw nehmen* enlever *od* ôter *od* faire passer l'envie de qc à qn; *mit ~ und Liebe bei der Sache sein* avoir le cœur à l'ouvrage; *ich bekomme* od *(fam) kriege ~ zu* il me prend l'envie *od* la fantaisie de; *ich habe keine ~ mehr (a.)* cela ne m'intéresse plus; *wenn Sie ~ dazu haben* si le cœur vous en dit; **~barkeit** *f* divertissement *m;* fête *f;* **~garten** *m* jardin *m* d'agrément *od* de plaisance; **l~ig** *a (vergnügt)* joyeux, gai; enjoué; *(unterhaltsam)* plaisant, amusant, drôle, *pop* rigolo; *(Sache)* amusant, réjouissant, divertissant; *sich über jdn ~~ machen* rire *od* s'égayer aux dépens de qn, tourner qn en ridicule, se moquer de qn; *fam* mettre qn en boîte, se payer la tête de qn, se ficher de qn; *pop* se foutre de qn; *über etw* se moquer, se ficher, faire des gorges chaudes de qc; *pop* se foutre de qc; *~~ sein (a.)* s'amuser; *(scherzen) pop* rigoler; *es geht ~~ zu* on s'amuse bien; *~~!* hardi! *Bruder ~~* joyeux compère, loustic, *pop* rigolo *m; ~~e(r) Bruder* od *Kumpan m (fam)* gai luron *m;* **~igkeit** *f* gaieté *f,* enjouement *m,* jovialité *f;* **l~los** *a (Mensch)* sans entrain; *(Geschäft)* languissant; *(Börse)* sans animation; sans affaires; **~losigkeit** *f* langueur *f; (Börse)* manque *m* d'animation; **~molch** *m fam* = *Lüstling;* **~mord** *m* meurtre *m* avec viol; **~schloß** *n* château *m* de plaisance; **~spiel** *n* comédie *f;* **~wäldchen** *n* bosquet *m;* **l~wandeln** *itr* se promener, flâner.

Lüst|er *m* ‹-s, -› ['lʏstər] *(Glanzüberzug; Kronleuchter)* lustre *m;* **l~rieren** [-'tri:rən] *tr (Textil: glänzend machen)* lustrer.

lüst|ern ['lʏstərn] *a (begehrlich)* concupiscent; *(sinnlich)* voluptueux, libidineux; *(geil)* lubrique; **L~ernheit** *f* concupiscence *f,* désir *m* charnel; lubricité *f;* **L~ling** *m* ‹-s, -e› satyre, débauché; *(Lebemann)* polisson; *(Wüstling)* paillard *m*.

Luther|aner *m* ‹-s, -› [lutə'ra:nər] *rel* luthérien *m;* **l~isch** ['lutərɪʃ, lu'te:rɪʃ] *a* luthérien; **~tum** *n* luthéranisme *m*.

lutsch|en ['lʊtʃən] *tr* u. *itr fam* suçoter, sucer; **L~er** *m* ⟨-s, -⟩ sucette; *(Schnuller)* tétine *f*.
Lüttich *n* ['lʏtɪç] Liège *f*.
Luv *f* ⟨-, ø⟩ [lu:f] *mar* lof, côté *m* du vent; **l~en** [-vən/-fən] *itr* lofer, aller au lof; **~seite** *f* = ~; **l~wärts** *adv* au vent, du côté du vent.
Lux *n* ⟨-, -⟩ [lʊks] *opt* lux *m*; **~meter** *n* luxmètre *m*.
Luxemburg ['lʊksəmbʊrk] *n* (*Land:* le) Luxembourg *f (Stadt)*; **~er(in *f*)** *m* Luxembourgeois, e *m f*; **l~isch** *a* luxembourgeois.
luxuriös [lʊksuri'ø:s] *a* luxueux; fastueux, somptueux.
Luxus *m* ⟨-, ø⟩ ['lʊksʊs] luxe *m*, somptuosité *f*; ~ *treiben* faire du luxe; *das ist* ~ c'est du luxe; **~anfertigung** *f* fabrication *f* de luxe; **~artikel** *m* article *od* objet *od* produit *m* de luxe; **~ausführung** *f* présentation *f* de luxe; **~ausgabe** *f (Buch)* édition *f* de luxe; **~hotel** *n* hôtel de luxe, palace *m*; **~jacht** *f mar* cruiser *m*; **~modell** *n* modèle *m* de luxe; **~steuer** *f* taxe *f* de luxe, impôt *m* sur les articles de luxe *od* sur le luxe; **~wagen** *m* voiture *f* de luxe; *loc* pullman *m*.
Luzern *n* [lu'tsɛrn] *geog* Lucerne *f*.
Luzerne *f* ⟨-, -n⟩ [lu'tsɛrnə] *bot* luzerne *f*.
Luzifer *m* ['lu:tsifɛr] *rel* lucifer *m*.
Lymph|bahn *f* ['lʏmf-] *anat* voie *f* lymphatique; **~drüse** *f* = *~knoten;* **~e** *f* ⟨-, ø⟩ *physiol* lymphe *f*; vaccin *m*; **~gefäß** *n anat* vaisseau *m* lymphatique; **~knoten** *m* ganglion *m* (lymphatique).
lynch|en ['lʏnçən] *tr* lyncher; **L~justiz** *f* lynchage *m*.
Lyr|a *f* ⟨-, -ren⟩ ['ly:ra] *mus hist* lyre *f*; **~ik** *f* ⟨-, ø⟩ ['ly:rɪk] poésie *f* lyrique, lyrisme *m*; **~iker** *m* ⟨-s, -⟩ ['-rikər] poète *m* lyrique; **l~isch** ['ly:rɪʃ] *a* lyrique.
Lyzeum *n* ⟨-s, -zeen⟩ [ly'tse:ʊm, -'tse:ən] lycée *m* (de jeunes filles).

M

M, m *n* ‹-, -› [ɛm] *(Buchstabe)* M, m *m* u. *f*.
Mäander *m* ‹-s, -› [mɛ'andər] *(Flußwindung)* méandre *m; (Zierband)* grecque *f*.
Maar *n* ‹-(e)s, -e› [ma:r] *geog* cratère *m*.
Maas *f* [ma:s] *(Fluß)* Meuse *f*.
Maat *m* ‹-(e)s, -e/-en› [ma:t] *mar* matelot, marin; *(Dienstgrad)* second maître *m*.
Mach|art *f* ['max-] mode *m* de fabrication; *(Kleidung)* façon *f*; **~e** *f* ‹-, ø› *fam (Schein)* semblant *m*, apparence *f*; *(Vortäuschung)* bluff *m*; feinte; *(Getue)* affectation *f*; *das ist doch nur ~~* ce n'est que pour la frime; **~enschaft** *f* ‹-, (-en)› *meist pl* menée, machination, intrigue *f*; **~werk** *n* méchant ouvrage, ouvrage *m* gâché; œuvre *f* de basse qualité, avorton *m*.
machen ['maxən] **1.** *tr allg* faire; *(herstellen)* produire, *pop* fabriquer; *(bilden)* former, composer; *(errichten)* construire; *(zustande bringen)* opérer; *(erschaffen)* créer; *(bewirken)* causer; *(in e-n Zustand versetzen)* rendre; *(in Ordnung bringen)* arranger, disposer; *(ernennen)* nommer, faire (*zu etw* qc); *(kosten)* faire, coûter, revenir à; *itr (nur Imperativ) mach, mach!* allons! vite, vite! hâte-toi! dépêche-toi! *sich ~ (fam: gedeihen, vorankommen)* faire des progrès, s'arranger; *sich an etw ~ (etw in Angriff nehmen)* se mettre, s'atteler à qc, commencer qc; *sich aus etw nichts ~* ne pas s'intéresser à qc, ne faire aucun cas *od* se moquer, *fam* se balancer, *pop* se foutre de qc; *sich wenig* od *nicht viel aus etw ~* ne pas tenir à qc; faire peu de cas, ne pas se soucier de qc; *sich davon~* s'en aller, décamper; **2.** *den Anfang mit etw ~* être le premier à faire qc; *Appetit ~* donner de l'appétit; *e-n Besuch ~* rendre visite; *Durst ~* donner soif; *ein Ende ~ mit* mettre fin à; *Ernst ~* agir pour de bon; *mit etw* prendre qc au sérieux; *sich über etw Gedanken machen* s'inquiéter, se faire du souci au sujet de qc; *kein Geheimnis aus etw ~* ne pas faire mystère de qc; *etw zu Geld ~* faire argent de qc; *sich gut ~* faire bien *od* joli; *sich das Haar ~* s'arranger les cheveux; *jdm den Hof ~* faire la cour à qn; *jdm den Kopf heiß ~* monter la tête à qn; *nicht mehr lange ~ (fam)* ne plus aller loin; *Licht ~* donner de la lumière, allumer la lumière; *Mühe ~* donner du mal; *jdm Mut ~* donner du courage à qn; *es jdm recht ~* contenter, satisfaire qn; *es sich zur Regel ~ zu* s'imposer la règle de; *s-e Sache gut ~* jouer bien son jeu; *schöne Sachen ~ (fig iron)* en faire de belles; *sich zu schaffen ~* s'affairer; *schlecht~* noircir, dire du mal de qn; *schnell ~* se hâter, se presser; *Witze ~* plaisanter; *etw ~ lassen* faire faire qc; *nicht wissen, was man ~ soll (a.)* ne savoir sur quel pied danser; *mit jdm (alles) ~ (können), was man will* faire passer qn par où l'on veut, manier qn comme de la cire; *so macht er's immer* il n'en fait jamais d'autres; *mit ihm kann man ~, was man will* od *kann jeder ~, was er will* od *kann man alles ~* on en fait ce qu'on veut; *das wird so gemacht* ça se fait comme ça; *das muß noch mal gemacht werden* c'est à refaire, c'est partie remise; *das* od *so was macht man nicht* ça ne se fait pas; *das macht nichts* cela *od* ça ne fait rien, il n'y a pas de mal; *dagegen ist nichts zu ~* on n'y peut rien; *was ~ Sie (denn)?* que devenez-vous? *was ~ Sie (noch)? (fam)* que faites-vous dans la vie? *was macht es, wenn ...?* quel mal y a-t-il à *inf?* où est le mal si ...? *mach dir nichts d(a)raus!* ne t'en fais pas! *was soll man da ~?* que voulez-vous qu'on y fasse? que pourrait-on bien faire? *was macht das (schon)!* qu'importe! *nichts zu ~!* rien à faire! *nichts mehr zu ~! (fam)* plus rien à faire.
Macher *m* ‹-s, -› ['maxər] homme énergique *od* important, leader.
Machiavell|ismus *m* ‹-, ø› [makiavɛ'lɪsmus] machiavélisme *m*; **m~istisch** [-'lɪstɪʃ] *a* machiavélique.
Macht *f* ‹-, ⸚e› [maxt, 'mɛçtə] pouvoir *m; allg u. mil* force; *bes. pol (Staat als ~)* puissance *f*; *(~bereich)* empire *m*; *(Autorität)* autorité; *(Einfluß)* influence *f*, ascendant *m*; *an der ~ (pol)* au pouvoir; *aus eigener ~* de mon, ton *etc* propre chef; *mit aller ~* de toute ma, ta *etc* force; *die ~ ergreifen* prendre le *od* s'emparer du pouvoir, prendre la haute main; *jdm ~ geben* investir qn d'autorité; *an die ~ kommen* arriver au pouvoir; *in jds ~ liegen* dépendre de qn; *an der ~ sein* être au pouvoir; *bewaffnete ~* force *f* armée; *dunkle* od *geheime Mächte pl* puissances *f pl* occultes; *geistliche ~* pouvoir *m* spirituel; *kriegführende Mächte pl* puissances *od* parties *f pl* belligérentes; *weltliche ~* pouvoir *od* bras séculier, temporel *m*; *die ~ der Gewohnheit* la force de l'habitude; **~befugnis** *f* pouvoir *m*, autorité *f*; *aus eigener ~~* de sa propre autorité, de son propre chef; *richterliche ~~* pouvoir *m od* autorité discrétionnaire, autorité *f* de justice; *Überschreitung f der ~~se* excès *m* de pouvoir; **~bereich** *m* pouvoir *m*; compétence *f*, ressort *m*; *pol* sphère *f* (d'influence); **~ergreifung** *f* prise de pouvoir, arrivée *od* accession *f* au pouvoir; **~haber** *m* homme au pouvoir, potentat *m*; **~kampf** *m* lutte *f* pour le pouvoir; **m~los** *a* impuissant; *(schwach)* faible; *~~ sein (a.)* avoir pieds et poings liés; *dagegen ist man ~~* on n'y peut rien, on ne peut rien contre; **~losigkeit** *f* ‹-, ø› impuissance; faiblesse *f*; **~politik** *f* politique *f* de force; **~probe** *f* épreuve *f* de force; **~spruch** *m* acte *od* coup *m* d'autorité; décision *f* autoritaire *od* souveraine *od* sans appel; **~stellung** *f* position *f* de force; **~streben** *n* aspirations *f pl* au pouvoir; **~übernahme** *f* = *~ergreifung*; **m~voll** *a* puissant; **~vollkommenheit** *f* pouvoir *m* absolu, omnipotence *f*; *aus eigner ~~ = aus eigener ~*; **~wort** *n* parole *f* énergique; *ein ~~ sprechen* faire acte d'autorité.
mächtig ['mɛçtɪç] *a* puissant, fort; *(fähig)* capable; *pred* maître (*e-r S* de qc); *fig, a. fam (sehr groß)* gigantesque, énorme, immense; *adv fam (gewaltig)* énormément; *fam* rudement, bigrement, fichtrement; *~ sein (a.)* avoir les reins solides; *seiner nicht mehr ~ sein* n'être plus maître de soi; *e-r Sprache ~ sein* posséder une langue; **M~e(r)** *m* (homme) puissant *m*; *die ~~n pl* les puissants *m pl*; **M~keit** *f* ‹-, (-en)› *mines* épaisseur *f*.
Mach-Zahl *f* ['max-] *aero* nombre *m* de Mach.
Madagas|kar *n* [mada'gaskar] Madagascar *f*; **~se** *m* ‹-n, -n› [-'gasə], **~sin** *f* Malgache *m f*; **m~sisch** [-'gasɪʃ] *a* malgache.
Mädchen *n* ‹-s, -› ['mɛ:tçən] *(kleines ~)* petite fille, fillette, *fam* gosse, gamine; *(junges ~)* jeune fille *od* personne; *lit* demoiselle; *(Dienst~)* bonne, servante *f*; *leichte(s) ~* gigolette *f*; *~ für alles* bonne *f* à tout faire; **~erziehung** *f* éducation *f* des jeunes filles; **~gymnasium** *n* lycée *m* de jeunes filles; **m~haft** *a* de jeune fille; *adv* comme une jeune fille; **~haftigkeit** *f* ‹-, ø› caractère *m od* manières *f pl* de jeune fille; **~handel** *m* traite *f* des blanches; **~heim** *n* maison *f od* foyer *m* des jeunes filles; **~kammer** *f* chambre *f* de bonne; **~name** *m* nom *m* de jeune fille; **~pensionat** *n* pensionnat *m* de jeu-

nes filles; **~raub** *m* rapt *m* de jeune fille; **~räuber** *m* ravisseur *m* de jeune(s) fille(s); **~schule** *f* école *f* de jeunes filles; **~zimmer** *n* = *~kammer.*

Mad|e *f* ⟨-, -n⟩ ['ma:də] *ent* asticot; *pop* ver *m; wie die ~~ im Speck leben* être (heureux) comme un coq en pâte; **m~ig** *a* véreux, plein de vers; *fam* habité; *~~ machen (fig fam)* éreinter.

Madeira *n* [ma'de:ra] *(Insel)* Madère *f; m* ⟨-s, -s⟩ *(Wein)* madère *m.*

Mädel *n* ⟨-s, -/(-s, -n)⟩ ['mɛ:dəl] *fam* = *Mädchen.*

Madjar *m* ⟨-en, -en⟩ [ma'dja:r] *(Ungar)* Magyar *m;* **m~isch** [-'dja:rɪʃ] *a* magyar.

Madonn|a [ma'dɔna] , *die* la Vierge, la Madone; *(~enbild)* madone, image *f* de la Vierge; **m~enhaft** *a* de madone.

Magazin *n* ⟨-s, -e⟩ [maga'tsi:n] *(Lager)* magasin, dépôt, entrepôt *m; (e-s Museums)* réserves *f pl; (am Gewehr, fest)* magasin; *(beweglich)* chargeur; *(Zeitschrift)* magazine *m;* **~verwalter** *m* magasinier, chef *m* de dépôt.

Magd *f* ⟨-, ¨e⟩ [ma:kt, 'mɛ:kdə] servante; *(Bauern~)* fille de ferme; *vx (Jungfrau)* vierge *f;* **Mägd(e)lein** *n lit* = *Mädchen.*

Magdalena *f* [makda'le:na] Madeleine *f.*

Magen *m* ⟨-s, ¨/-⟩ ['ma:gən] estomac *m; e-n leeren ~ haben* avoir l'estomac *od* le ventre creux *od* vide; *jdm auf dem* od *im ~ liegen (fig)* demeurer *od* rester sur l'estomac *od* sur le cœur à qn; *schwer im ~ liegen* peser sur l'estomac; *sich den ~ überladen* lester son estomac, se lester l'estomac; *sich den ~ verderben* attraper une indigestion; *mir hängt der ~ (schief) (fam)* j'ai l'estomac dans les talons; *einem hungrigen ~ ist schlecht predigen* ventre affamé n'a point d'oreilles; **~ausgang** *m* pylore *m;* **~beschwerden** *f pl* troubles *m pl* gastriques *od* de l'estomac; **~bitter** *m* ⟨-s, -⟩ digestif, amer, bitter *m;* **~blutung** *f* hémorragie gastrique *od* de l'estomac, gastrorragie *f;* **~-Darm-Kanal** *m* tube *m* gastro-intestinal; **~-Darm-Katarrh** *m* gastro-entérite *f;* **~gegend** *f* région *f* gastrique; **~geschwür** *n* ulcère *m* gastrique *od* de l'estomac; **~grube** *f* creux *m* de l'estomac; **~knurren** *n* gargouillement; *scient* borborygme *m;* **~krampf** *m* crampe *f* d'estomac; *scient* gastrospasme *m; pl* tiraillements *m pl* (d'estomac); **~krankheit** *f* maladie *f* de l'estomac; **~krebs** *m* cancer *m* de l'estomac; **~leiden** *n* affection *f* gastrique *od* de l'estomac; **~operation** *f* gastrotomie *f;* **~resektion** *f* gastrectomie *f;* **~saft** *m* suc *m* gastrique; **~säure** *f* acidité *f* gastrique; **~schlag** *m (Boxen)* coup *m* dans l'estomac; **~schleimhautentzündung** *f* gastrite *f;* **~schmerzen** *m pl* douleurs *f pl od* maux *m pl* d'estomac, gastralgie *f;* **~schrumpfung** *f* rétrécissement *m* de l'estomac; **m~stärkend** *a* stomachique, digestif; **~tropfen** *m pl* stomachique *m;* **~verstimmung** *f* embarras *m* gastrique; indigestion *f;* **~wand** *f* paroi *f* de l'estomac.

mager ['ma:gər] *a (a. Küche, Boden)* maigre; *(Mensch a.)* décharné; *fig (dürftig)* maigre, pauvre; *~ machen* rendre maigre, amaigrir; *~ werden* (a)maigir; *etwas* od *ein bißchen ~* maigrelet; *ziemlich* od *reichlich ~* maigrichon *fam; pop* maigriot; *~e(s) Fleisch n* maigre *m; ~e Kost f* maigre chère, pitance *f;* **M~e(s)** *n (Fleisch)* maigre *m;* **M~keit** *f* ⟨-, ø⟩ maigreur *f;* **M~kohle** *f* charbon *m* maigre, houille(s *pl*) *f* maigre(s); **M~milch** *f* lait *m* écrémé; **M~sucht** *f* maigreur *f* (endocrinienne).

Mag|ie *f* ⟨-, ø⟩ [ma'gi:] magie *f;* **~ier** *m* ⟨-s, -⟩ ['ma:giər] magicien; *hist* mage *m;* **m~isch** ['ma:gɪʃ] *a* magique; *~~e(s) Auge n (in d. Haustür)* microviseur, *fam* œil-de-Moscou; *radio* œil *m* magique, mire *f; ~~e(s) Quadrat n (Rätsel)* mots *m pl* carrés.

Magistrat *m* ⟨-(e)s, -e⟩ [magɪs'tra:t] municipalité *f,* conseil *m* municipal; **~ur** *f* ⟨-, -en⟩ [-tra'tu:r] magistrature *f.*

Magma *n* ⟨-s, -men⟩ ['magma] *geol* magma *m.*

Magnat *m* ⟨-en, -en⟩ [ma'gna:t] magnat *m.*

Magnesi|a *f* ⟨-, ø⟩ [-'gne:zia] *chem (Bittererde)* magnésie *f,* oxyde *m* de magnésium; **~um** *n* ⟨-s, ø⟩ [-'gne:zium] magnésium *m;* **m~umhaltig** *a* magnésien; **~um(blitz-)licht** *n* éclair *m* de magnésium; **~umpulver** *n* magnésium *m* pulvérisé *od* en poudre.

Magnet *m* ⟨-(e)s/-en, -e/-en⟩ [ma'gne:t] aimant *m;* **~anker** *m el* armature *f* d'aimant; **~(apparat)** *m mot* magnéto *f;* **~ausschalter** *m el* interrupteur *m* d'excitation; **~band(gerät)** *n* (enregistreur à *od* sur) ruban *m* magnétique; **~eisen** *n* fer *m* magnétique; **~eisenerz** *n* magnétite *f;* **~eisenstein** *m* pierre *f* magnétique; **m~elektrisch** *a* magnéto-électrique; **~feld** *n* champ *m* magnétique; **~feldröhre** *f* magnétron *m;* **m~isch** [-'gne:tɪʃ] *a* magnétique; *(~~ gemacht)* aimanté; *~~ machen* aimanter; *~~ werden* s'aimanter; **~iseur** *m* ⟨-s, -e⟩ [-ti'zø:r] magnétiseur *m;* **m~isieren** [-ti'zi:rən] *tr (Eisen)* aimanter; *(Menschen)* magnétiser; **~isierung** *f* aimantation; magnétisation *f;* **~ismus** *m* ⟨-, ø⟩ [-'tɪsmus] magnétisme *m; tierische(r) ~~* magnétisme *m* animal; **~kern** *m* noyau *m* d'(électro-)aimant; **~mine** *f* mine *f* magnétique; **~nadel** *f* aiguille *f* aimantée; **~ophon** *n* ⟨-s, -e⟩ [-to'fo:n] magnétophone *m;* **~pol** *m* pôle *m* d'aimant; **~spule** *f el* bobine *f* d'induction; **~stab** *m* barre *f* aimantée; **~tonband** *n* bande *f od* ruban *m* magnétique; **~verstärker** *m* amplificateur *m* magnétique; **~zünder** *m* magnéto *f* (d'allumage); **~zündung** *f mot* allumage *m* par magnéto.

Magnolie *f* ⟨-, -n⟩ [ma'gno:liə] *bot* magnolia, magnolier *m.*

Mahagoni(holz) *n* ⟨-s, ø⟩ [maha'go:ni] (bois d')acajou *m.*

Mäh|binder *m* ['mɛ:-] *agr* moissonneuse-lieuse *f;* **~drescher** *m* moissonneuse-batteuse *f;* **m~en 1.** *tr agr* faucher; *(Rasen)* tondre; **~en** *n* fauchage *m;* **~er** *m* ⟨-s, -⟩ faucheur *m;* **~maschine** *f* faucheuse, moissonneuse *f.*

mähen 2. ['mɛ:ən] *itr fam (blöken)* bêler.

Mahl *n* ⟨-(e)s, -/(¨er)⟩ [ma:l] repas; *(Festmahl)* banquet, festin *m;* **~zeit** *f* repas; *e-e ~~ einnehmen (mittags)* déjeuner; *(abends)* dîner; *(gesegnete) ~~!* bon appétit! *prost ~~! (fam iron)* je t'en, je vous en souhaite!

mahl|en ⟨*mahlte, gemahlen*⟩ ['ma:lən] *tr (Körner)* moudre; *allg* broyer, concasser, écraser; *(fein)* triturer, pulvériser; *grob, fein ~~* moudre gros, fin; *gemahlene(r) Kaffee m* café *m* moulu; **M~en** *n* moulure, mouture *f;* concassage *m;* trituration *f;* **M~gang** *m tech* tournant *m;* **M~geld** *n* mouture *f;* **M~strom** *m* malstrom, maelström *m.*

Mahn|brief *m* ['ma:n-] lettre *f* monitoire *od* d'avertissement *od* de rappel, avertissement *m od* sommation *f* écrit(e); **m~en** *tr* exhorter (*zu* à); avertir; *(erinnern)* rappeler (*jdn an etw* qc à qn); *(auffordern)* sommer; *(Schuldner)* mettre en demeure; **~gebühr** *f* frais *m pl* de sommation; **~mal** *n* ⟨-(e)s, -e/(¨er)⟩ mémorial, monument *m* commémoratif; **~ruf** *m* exhortation *f,* avertissement *m;* **~schreiben** *n* (lettre de) sommation *f;* **~ung** *f (Warnung)* avertissement *m; (Aufforderung)* sommation *f; com* rappel *m* de paiement, mise *f* en demeure; *gebührenfreie ~~* avertissement *m* sans frais; **~wort** *n* (parole d')exhortation *f;* **~zettel** *m* avertissement *m.*

Mähne *f* ⟨-, -n⟩ ['mɛ:nə] crinière; *fam pej* tignasse *f.*

Mähre *f* ⟨-, -n⟩ ['mɛ:rə] *(schlechtes Pferd)* canasson *m,* haridelle, rosse *f.*

Mähr|en *n* ['mɛrən] la Moravie; **m~isch** *a* ['mɛ:rɪʃ] morave.

Mai *m* ⟨-(e)s, -⟩ [maɪ] mai *m; des Lebens ~* le printemps de la vie; **~baum** *m* (arbre de) mai *m;* **~feier** *f* fête *f* du 1er mai; **~glöckchen** *n bot* muguet *m;* **~käfer** *m* hanneton *m;* **~käferbekämpfung** *f* hannetonnage *m;* **~wurm** *m ent* méloé *m.*

Maid *f* ⟨-, -en⟩ [maɪt, -dən] *poet hum* jeune fille *f.*

Mai|land ['maɪlant] *n* Milan *m;* **m~ländisch** *a* milanais.

Mainz *n* [maɪnts] Mayence *f.*

Mais *m* ⟨-es, (-e)⟩ [maɪs] maïs, blé *m* d'Espagne *od* de Turquie *od* d'Inde; **~brot** *n,* **~feld** *n,* **~kolben** *m,* **~korn** *n,* **~mehl** *n* pain, champ, épi, grain *m,* farine *f* de maïs.

Maisch *m* ⟨-(e)s, -e⟩ , **~e** *f* ⟨-, n⟩ *(Mischung beim Bierbrauen)* trempe *f;*

~bottich *m* ['maɪʃ-] brassin *m;* **m~en** *tr* mettre en trempe.
Majestät *f* ‹-, -en› [majɛs'tɛ:t] majesté *f; Seine, Ihre ~* Sa Majesté; *Eure ~* Sire, Madame; **m~isch** *a* majestueux; **~sbeleidigung** *f* lèse-majesté *f;* **~sverbrechen** *n* crime *m* de lèse-majesté.
Majolika *f* ‹-, -ken› [ma'jo:lika, -kən] majolique, maïolique *f.*
Majonäse *f* ‹-, -n› [majo'nɛ:zə] mayonnaise *f.*
Major *m* ‹-s, -e› [ma'jo:r] commandant *m;* **~at** *n* ‹-(e)s, -e› [-jo'ra:t] *(Ältestenrecht)* majorat, droit d'aînesse; *(Gut)* majorat *m;* **~domus** *m* ‹-, -› [-'do:mus] *hist* maire *m* du palais; **m~isieren** [-ri'zi:rən] *tr (übereinstimmen)* majoriser; **~ität** *f* ‹-, (-en)› [-ri'tɛ:t] majorité *f.*
Majoran *m* ‹-s, -e› ['ma:-, majo'ra:n] *(Pflanze)* marjolaine *f; (Gewürz)* origan *m.*
Majuskel *f* ‹-, -n› [ma'juskəl] *(Großbuchstabe)* majuscule, capitale *f.*
Makak *m* ‹-s/-en, -en› ['ma:kak, ma'ka(:)k, *pl* ma'ka(:)kən] *(Affe)* macaque *m.*
Makel *m* ‹-s, -› ['ma:kəl] défaut *m;* tache, tare; souillure *f;* **m~los** *a* immaculé, impeccable, irréprochable; sans tache *od* tare *od* défaut(s); **~losigkeit** *f* ‹-, ø› pureté (absolue), perfection *f.*
Mäk|elei *f* ‹-, -en› [mɛ:kə'laɪ] critique *f* mesquine, dénigrement *m;* **m~(e)lig** ['mɛ:k(ə)lɪç] *a fam* grincheux; *(wählerisch)* difficile; *(beim Essen)* délicat; **m~eln** ‹*ich mäkle, du mäkelst ..*› *itr* trouver à redire (*an etw* sur *od* à qc); critiquer, dénigrer (*an jdm, etw* qn, qc); **~ler** *m* ‹-s, -› grincheux, critiqueur, dénigreur, rouspéteur *m.*
Makkaroni [maka'ro:ni] *pl* macaroni *m inv.*
Makler *m* ‹-s, -› ['ma:klər] courtier, agent d'affaires; *(Börsen~)* agent *m* de change; **~gebühr** *f* (droit *m od* prime *od* provision *f* de) courtage *m;* **~geschäft** *n (Gewerbe)* agence *f* d'affaires; *(einzelner Vorgang)* (opération *f* de) courtage *m.*
Mako *f* ‹-, -s› od *m* od *n* ‹-(s), -s› ['mako] *(Textil)* jumel *m.*
Makrele *f* ‹-, -n› [ma'kre:lə] *(Fisch)* maquereau *m.*
Makro|kosmos ['makro-] macrocosme *m;* **~molekül** *n* macromolécule, molécule *f* géante; **m~skopisch** *a* macroscopique; **m~zephal** *a biol* macrocéphale.
Makrone *f* ‹-, -n› [ma'kro:nə] *(Gebäck)* macaron *m.*
Makul|atur *f* ‹-, -en› [makula'tu:r] maculature *f,* papier *m* de rebut; vieux papiers *m pl; allg* rebut *m; pred* bon pour l'épicier; *als ~~ verkaufen* mettre à la rame; **~aturbogen** *m* feuille *f* gâtée; **m~ieren** [-'li:rən] *tr* mettre à la rame; réduire en pulpe.
mal [ma:l] *adv, a. math* fois; *fam (gelegentlich)* des fois; *nicht ~ (fam)* ne ... même pas; *2 ~ 2 ist 4* 2 fois 2 font 4; *ich muß ~ sehen (fam)* je demande à voir; *wir wollen ~ sehen (fam)* allons voir; *ich muß ~ (wohin) (aufs WC, fam)* il faute que j'aille quelque part; *besuchen Sie mich doch ~!* venez donc me voir; *denk (dir) ~!* imagine-toi! *denken Sie ~!* pensez donc! *guck* od *schau ~ her!* regarde-moi ça! *fam* regarde voir! *hör ~ (her* od *zu)!* écoute! *sieh ~! schau ~!* voyons! *hören Sie ~!* écoutez donc! *fam* écoutez voir! *kosten, probieren, versuchen Sie ~!* essayez pour voir! goûtez cela! *versuchen Sie es ~!* essayez donc! (*zu tun* de faire); **M~** *n* ‹-(e)s, -e› **1.** *(nur in adverbialen Bestimmungen)* fois *f; das erste, zweite* etc, *andere, nächste, vorige* od *letzte ~~* la première, deuxième *od* seconde *etc,* l'autre, la prochaine, la dernière fois; *dieses ~~* cette fois; *ein ums andere ~~* une fois sur deux, alternativement; *mit einem ~~* tout à coup, subitement; *(so) manches ~~* mainte(s) fois; *zum ersten* etc, *letzten ~~* pour la première *etc,* dernière fois; *zu wiederholten ~~en* à plusieurs reprises; **~≈nehmen** *tr* multiplier (*5 mit 2* 5 et 2); **M~zeichen** *n math* signe *m* de multiplication.

Mal *n* ‹-(e)s, -e/⸗er› [ma:l, 'mɛlər] **2.** *(Zeichen, Fleck)* signe *m,* marque, tache; *(Mutter~)* envie *f,* stigmate, nævus *m; (Wund~)* cicatrice *f; blaues ~* ecchymose *f, fam* bleu *m; (Denk~)* pierre *f* commémorative.
Malachit *m* ‹-s, -e› [mala'xɪt, -'xi:t] *min* malachite *f.*
Malai|e *m* ‹-n, -n› [ma'laɪə] , **~in** *f* Malais, e *m f;* **m~isch** [-'laɪɪʃ] *a* malais.
Malaria *f* ‹-, ø› [ma'la:ria] malaria *f,* paludisme *m,* fièvre *f* paludéenne; **~kranke(r)** *m* paludéen *m;* **~kur** *f* malariathérapie, paludothérapie *f.*
Malaysia *n* [ma'laɪzia] la Malaisie.
Mal|buch *n* ['ma:l-] livre *m* à colorier; **m~en** *tr* peindre; *(porträtieren)* faire le portrait de; *fig (schildern)* (dé)peindre, représenter; *sich ~~ (sich spiegeln)* se peindre, se refléter, se réfléchir; *zum M~~ (sehr schön)* à croquer; *sich ~~ lassen* faire faire son portrait; **~er** *m* ‹-s, -› *(Kunstmaler)* (artiste) peintre; *(Anstreicher)* peintre *m* (en bâtiment); *schlechte(r) ~~* barbouilleur *m;* **~erarbeit** *f* peinture *f; pl* travaux *m pl* de peinture; **~eratelier** *n* atelier de peintre, studio *m;* **~erei** *f* [-'raɪ] peinture *f; ~~ grau in grau* grisaille *f;* **~erin** *f* femme *f* peintre; **m~erisch** *a* pittoresque; **~erleim** *m* maroufle *f;* **~erschule** *f hist* école *f* de peinture; **~erwerkstatt** *f = ~eratelier;* **~kasten** *m* boîte à *od* de couleurs *od* de peinture; **~weise** *f* manière de peindre, méthode picturale; *(Pinselstrich)* touche *f.*
Mallorca *n* [ma'lɔrka] *geog* Majorque *f.*
Malt|a *n* ['malta] Malte *f;* **~eser(in** *f***)** *m* ‹-s, -› [-'te:zər] Maltais, e *m f; m (Hund)* griffon maltais, bichon *m;* **~eserkreuz** *n* croix *f* de Malte; **~eserorden** *m* ordre *m* de Malte; **~eserriter** *m* chevalier *m* de Malte; **m~esisch** [-'te:zɪʃ] *a* maltais.
Maltose *f* ‹-, ø› [mal'to:zə] *(Malzzukker)* maltose *f.*
Malv|e *f* ‹-, -n› ['malvə] *bot* mauve *f;* **m~enfarbig** *a* mauve; **~engewächse** *n pl* malvacées *f pl.*
Malz *n* ‹-es, ø› [malts] malt *m;* **~bier** *n* bière *f* de malt; **~bonbon** *m* od *n* cachet *m* de malt; **~darre** *f* touraille *f;* **m~en** *tr* malter; **~en** *n* maltage *m;* **~extrakt** *m* extrait *m* de malt; **~kaffee** *m* café *m* de malt; **~keller** *m,* **~tenne** *f* germoir *m;* **~schrot** *m* od *n* malt *m* égrugé; **~zucker** *m* maltose *f.*
Mälzer *m* ‹-s, -› ['mɛltsər] malteur *m;* **~ei** *f* [-'raɪ] malterie *f.*
Mam|a *f* ‹-, -s› ['mama, ma'ma] *fam* maman *f;* **~i** *f* ‹-, -s› *(Kindersprache)* mémé *f.*
Mammon ['mamɔn] *der* le mammon, le veau d'or; *dem ~ dienen* adorer le veau d'or; **~sdiener** *m* adorateur *m* du veau d'or.
Mammut *n* ‹-s, -e/-s› ['mamut, -'mu:t] *zoo* mammouth *m;* **~baum** *m* séquoia, wellingtonia *m.*
Mamsell *f* ‹-, -en/-s› [mam'zɛl] *fam (Köchin)* cuisinière *f.*
man [man] *pron* on, l'on; *(Anrede an Leser)* vous; *adv dial = mal, einmal, nur; ~ muß (inf)* il faut *inf od* que *subj; wenn ~ ihn hört* à l'entendre.
manag|en ['mɛnɪdʒən] *tr fam* diriger; organiser; **M~er** *m* ‹-s, -› manager, organisateur, dirigeant d'entreprise, cadre *m* supérieur (commercial); **M~erkrankheit** *f* surmenage *m* intellectuel *od* nerveux.
manch|(er, e, es) [manç(-)] *pron* maint, certain, tel, plus d'un; **~e** *pl a.* plusieurs, nombre de, (d')aucuns; **~erlei (. . .)** [-'laɪ] divers, différent; toutes sortes (de); **~erorts** *adv* en maints lieux; **~es** (bon) nombre (de); maintes choses; *~~ Mal* maintes fois; *wie ~~ Mal!* combien *od* que de fois! **~mal** *adv* quelquefois, parfois; mainte(s) fois; *pop* des fois.
Manchester *m* ‹-s, ø› [man'ʃɛstər] *(Textil)* velours *m* côtelé.
Mand|ant *m* ‹-en, -en› [man'dant] mandant, commettant; *(e-s Rechtsanwalts)* client *m;* **~at** *n* ‹-(e)s, -e› [-'da:t] *(Auftrag)* mandat (et pouvoir), pouvoir *m; sein ~~ niederlegen (parl)* renoncer à *od* abandonner son mandat; **~atar** *m* ‹-s, -e› [-da'ta:r] mandataire *m;* **~atsgebiet** *n* territoire *m* sous mandat; **~atsmacht** *f* puissance *f* mandataire; **~atsverwaltung** *f* administration *f* du mandat.
Mandarin *m* ‹-s, -e› [manda'ri:n] *(chines. Beamter)* mandarin *m;* **~e** *f* ‹-, -n› mandarine *f;* **~enbaum** *m* mandarinier *m.*
Mandel *f* ‹-, -n› ['mandəl] **1.** *(Frucht)* amande; *anat* amygdale *f; gebrannte ~* amande pralinée, praline *f;* **~augen** *n pl* yeux *m pl* en amande; **~baum** *m* amandier *m;* **~baumpflanzung** *f* amandaie *f;* **~entzündung** *f* amygdalite *f;* **m~förmig** *a* en amande; **~milch** *f* lait *m* d'aman-

des; **~öl** *n* essence *od* huile *f* d'amandes; **~paste** *f* pâte *f* d'amandes; **~seife** *f* savon *m* aux amandes.

Mandel *f* **2.** *vx (15 Stück)* quinzaine *f.*

Mandoline *f* ‹-, -n› [mando'li:nə] mandoline *f;* **~nspieler** *m* mandoliniste *m.*

Mandrill *m* ‹-s, -e› [man'drɪl] *zoo* mandrill *m.*

Mandschu *m* ‹-(s), -› ['mandʒu, 'mantʃu] *(Mensch)* Mandchou *m; n* ‹-(s), ø› *(Sprache)* mandchou *m;* **~rei** [-'raɪ] *die* la Mandchourie; **m~risch** [-'dʒu:-/ -'tʃu:rɪʃ] *a* mandchou.

Manege *f* ‹-, -n› [ma'ne:ʒə] *(Reitbahn)* manège *m.*

Manen *pl* ['ma:nən] *(Geister der Toten)* mânes *m pl.*

Mangan *n* ‹-s, ø› [maŋ'ga:n] *chem* manganèse *m;* **~at** ‹-(e)s, -e› [-ga'na:t], **~säuresalz** *n* manganate *m;* **~blende** *f* manganèse *m* sulfuré; **~dioxyd** *n,* **~(i)oxyd** *n* oxyde *m* manganique; **~erz** *n* minerai *m* de manganèse; **m~haltig** *a* manganésien, manganésifère; **~hydroxyd** *n,* **~it** *m* ‹-s, -e› [-'ni:t] manganite *f;* **~(mon)oxyd** *n* oxyde *m* manganeux.

Mangel 1. *m* ‹-s, ⸚› ['maŋəl, 'mɛŋəl] *(Fehlen)* manque *m,* absence *f,* défaut *m* (*an* de); *(Knappheit)* disette, pénurie *f,* dénuement *m;* indigence, rareté; *scient* carence *f; (Fehler)* défaut *m,* défectuosité; *(Unzulänglichkeit)* insuffisance, imperfection *f, jur* vice *m; aus ~ an* faute de; *aus ~ an Beweisen (jur)* faute de preuves; *~ haben an* manquer de; *~ leiden* être dans le besoin; *daran ist kein ~* ce n'est pas ce qui fait défaut, il n'en manque pas; *~ an Arbeitskräften Arbeitskräfte~; ~ an Gelegenheit, an gutem Willen* manque *m* d'occasion, de bonne volonté; **~artikel** *m* article *m* rare; **~beruf** *m* métier *m* déficitaire; **~erscheinung** *f med* trouble *m* carentiel; **m~haft** *a (unzureichend)* insuffisant, déficient, imparfait; *(fehlerhaft)* défectueux, vicieux; *(unbefriedigend)* peu satisfaisant, médiocre; *adv* insuffisamment, peu, mal; *~~e Ausführung f* malfaçon *f; ~~e Ernährung f* carence *f* nutrive *od* alimentaire; **~haftigkeit** *f* insuffisance, déficience, imperfection; défectuosité *f,* vice *m;* médiocrité *f;* **~krankheit** *f* maladie *f* par carence *od* carentielle; **~lage** *f* pénurie *f;* **m~n 1.** *itr impers* manquer, faire défaut; *es ~t mir an Geld* je manque d'argent, je suis à court d'argent; l'argent me manque *od* me fait défaut; **m~nd** *a: wegen mangelnder Erfahrung* faute d'expérience; *~~e Eignung f* incapacité *f; ~~e Erziehung f* manque *m* d'éducation; *~~e Vorbereitung f* impréparation *f;* **m~s** *prp gen* manque de, à défaut de, faute de; **~ware** *f* marchandise *f* rare.

Mangel 2. *f* ‹-, -n› ['maŋəl] *(Wäscherolle)* calandre *f;* **~holz** *n* rouleau *m* de calandre; **m~n 2.** *tr* calandrer.

Mängelrüge *f* ['mɛŋəl-] avis *m* des défauts, réclamation *f.*

Mangold *m* ‹-s, (-e)› ['maŋgɔlt, -dəs] *bot* bette *f* (à côte *od* à carde).

Man|ie *f* ‹-, -n› [ma'ni:] manie *f;* **m~isch** ['ma:nɪʃ] *a* maniaque, *~~-depressive(s) Irresein n* psychose maniaque-dépressive, folie *f* circulaire *od* périodique.

Manier *f* ‹-, -en› [ma'ni:r] manière, façon *f; (Stil)* style *m; pl* formes *f pl; jdm ~en beibringen* apprendre les bonnes manières à qn, *fam* décrotter qn; *keine ~en haben* manquer de manières; *was sind das für ~en!* en voilà des façons! *das ist keine ~* ce n'est pas une façon d'agir; **m~iert** *a* maniéré, affecté, recherché; **~iertheit** *f,* **~ismus** *m* ‹-, ø› [-ni'rɪsmus] *(Kunst)* maniérisme *m;* **m~lich** [-'ni:rlɪç] *a* poli, civil; qui a de bonnes manières; **~lichkeit** *f* ‹-, ø› bonnes manières *f pl.*

Manifest *n* ‹-es, -e› [mani'fɛst] *pol* manifeste *m;* **m~** *a (offenbar)* manifeste, évident; **m~ieren** [-'ti:rən] *tr* manifester.

Maniküre *f* ‹-, -n› [mani'ky:rə] manucure *f;* **m~en** *tr* manucurer, faire les mains à; **~etui** *n,* **~necessaire** *n* onglier *m,* trousse *f* de manucure.

Manko *n* ‹-s, -s› ['maŋko] *(Fehlbetrag)* déficit; *allg fam (Fehler)* manque, défaut *m.*

Mann *m* ‹-(e)s, ⸚er› [man, 'mɛnər] homme; *(Ehemann)* mari, *fam* légitime; *(Soldat* od *Arbeiter, mit Zahlwort)* homme *m; hist (Dienst-, Lehnsmann) m* ‹-(e)s, -en› féal, homme-lige *m; bis auf den letzten ~* jusqu'au dernier (homme); *~ für ~* un par un, l'un après l'autre; *~ gegen ~* corps à corps; *pro ~* par homme, par tête; *wenn Not am ~ ist* en cas de besoin; *an den ~ bringen (fam: Mädchen)* trouver épouseur pour; *s-e Ware an den ~ bringen* trouver preneur pour *od* débiter sa marchandise; *sich an den ~ gebracht haben (Mädchen)* avoir trouvé à se caser; *es verstehen, s-e Ware (gut) an den ~ zu bringen* vendre bien, faire bien valoir; *s-n ~ finden* trouver son maître *od* à qui parler; *zum ~ haben* avoir pour mari; *bis zum letzten ~ kämpfen* se faire hacher; *e-n toten ~ machen (Schwimmen)* faire la planche; *zum ~ nehmen* prendre pour mari; *ein ganzer ~ sein* être tout à fait un homme; *der ~ für etw sein* être taillé pour qc; *nicht der ~ zu etw sein* n'être pas homme à qc; *~s genug sein, um zu* être homme de taille à; *für einen ~ stehen (einig sein)* être solidaires; *s-n ~ stehen* se montrer à la hauteur de sa tâche, être à son poste, faire bonne figure; *mit ~ und Maus untergehen (Schiff)* périr corps et biens; *Sie sind mein ~* od *der ~, den ich brauche!* vous êtes mon homme, vous faites mon affaire! *das ist der ~, den ich brauche!* voilà mon homme! *mein lieber ~! (fam)* mon cher! *~ über Bord!* un homme à la mer! *alle ~ an Deck!* tout le monde sur le pont! *selbst ist der ~!* ne compte que sur toi; *ein ~, ein Wort! (prov)* homme d'honneur n'a qu'une parole; *ein feiner ~* un homme comme il faut; *ein gemachter ~* un homme arrivé; *junge(r) ~* jeune homme *m; junge(r) ~ aus gutem Hause* fils *m* de famille; *~ von Ehre* homme *m* d'honneur; *~ von Entschluß* homme *m* de tête; *~ der Feder* homme *m* de plume; *~ von Geist* homme *m* d'esprit; *~ von Geschmack* homme *m* de goût; *~ des öffentlichen Lebens* homme *m* public; *der ~ auf der Straße* l'homme *m* de la rue; *~ der Tat* homme *m* d'action *od* de main; *~ aus dem Volk* homme *m* du peuple *od* du commun; *~ von Welt* homme *m* du monde; **m~bar** *a* pubère; *(Mädchen)* nubile; **~barkeit** *f* ‹-, ø› puberté; nubilité *f;* **~esalter** *n* âge *m* adulte *od* mûr *od* viril; *im besten ~~* dans la force de l'âge; **~eskraft** *f* virilité *f;* **~esschwäche** *f* impuissance *f;* **~esstamm** *m* ligne *f* masculine; **~eswort** *n* parole *f* d'honnête homme; **~eswürde** *f* dignité *f* d'homme; **~eszucht** *f* discipline *f* (militaire); **m~haft** *a* vaillant, énergique, courageux, résolu; **~haftigkeit** *f* ‹-, ø› vaillance, énergie *f,* courage *m;* **~heit** *f* ‹-, ø› virilité *f;* **~loch** *n tech* trou *m* d'homme, ouverture *f* de visite; **~sbild** *n pop* (bon)homme *m;* **~schaft** *f mil* troupe; *mil sport* équipe *f; mar* équipage *m; pl mil* hommes *m pl* de troupe; **~schaftsausbildung** *f* instruction *f* collective *od* d'équipe; **m~schaftsbedient** *a: ~~e Waffe f* arme *f* collective *od* d'équipe; **~schaftsdienstgrad** *m mil* grade *m* de troupe; **~schaftsführer** *m sport* capitaine, chef *m* d'équipe; **~schaftsgeist** *m* esprit *m* d'équipe; **~schaftsrennen** *n* course *f* par équipes; **~schaftsspiele** *n pl* sport *m* d'équipe; **~schaftsstand** *m mil: aus dem ~~ hervorgegangen* sorti des rangs; **~schaftstransportwagen** *m mil* véhicule *m* de transport de personnel; **~schaftsunterkünfte** *f pl* caserne *f;* **~schaftsverpflegung** *f mil* ordinaire *m; an der ~~ teilnehmen* vivre à *od* faire l'ordinaire; **~schaftszelt** *n mil* tente *f* collective; **m~shoch** *a* de la hauteur *od* taille d'un homme; **~shöhe** *f: in ~~* à hauteur d'homme; **~sleute** *pl pop,* **~svolk** *n pop* hommes *m pl;* **~sperson** *f pop* homme *m;* **m-stoll** *a* folle des hommes; *scient* nymphomane; **~stollheit** *f* folie (amoureuse); *scient* nymphomanie *f;* **~weib** *n* femme hommasse, virago, amazone *f.*

Manna *n* ‹-(s), ø› od *f* ‹-, ø› ['mana] *od f* manne *f.*

Männ|chen *n* ‹-s, -› ['mɛnçən] *(a.* **~lein** *n)* petit (bon)homme, bout d'homme; *(männl. Tier)* mâle *m; ~~ machen (Tier)* faire le beau; **~erchor** *m* chœur *m* d'hommes; **~ergesangverein** *m* orphéon *m,* société *f* chorale; **~erkleidung** *f* vêtements *m pl* d'homme; **~erstimme** *f* voix *f* d'homme *od* mâle; **~ertreu** *f* ‹-, -› *bot* véronique *f;* **m~lich** *a biol* mâle; *gram* masculin; *(mann-*

haft) viril; ~~ *aussehend, wirkend (Frau)* hommasse; ~~ *und weiblich (gram)* des deux genres; **~lichkeit** *f* ‹-, ø› masculinité; *(Mannhaftigkeit)* virilité *f.*

Mannequin *n a. m* ‹-s, -s› [manəˈkɛ̃:, ˈmanəkɛ̃] mannequin *m.*

mannig|fach [ˈmanıç-] *a.* **~faltig** *a* varié, divers, différent, multiple; *adv* diversement, de différentes manières; **M~faltigkeit** *f* ‹-, ø› variété, diversité *f.*

Manometer *n* ‹-s, -› [manoˈme:tər] manomètre *m.*

Manöv|er *n* ‹-s, -› [maˈnø:vər] *mil u. fig* manœuvre(s *pl*); *fig* ruse *f;* **~ergelände** *n* terrain *m* de manœuvre; **~erleiter** *m* directeur *m* de l'exercice; **~erleitung** *f* direction *f* supérieure des manœuvres; **~erplatz** *m aero* aérodrome *m* de déploiement; **~erschäden** *m pl* dégâts de manœuvre, dommages *m pl* causés au cours de manœuvres; **~rieranweisung** *f* ordre *m* de manœuvre; **m~rieren** [-nøˈvri:rən] *tr u. itr* manœuvrer; *itr* faire les manœuvres; **~rieren** *n* manœuvres *f pl;* **m~rierfähig** *a* manœuvrable; en état de manœuvrer; *aero* maniable; **~rierfähigkeit** *f* ‹-, ø› manœuvrabilité; *aero* maniabilité *f;* **m~rierunfähig** *a* désemparé; *mar* n'obéissant pas à la barre.

Mansarde *f* ‹-, -n› [manˈzardə] mansarde *f;* **~ndach** *n* toit *od* comble *m* à la Mansard *od* en mansarde *od* brisé; **~nfenster** *n* fenêtre *f* mansardée; **~nzimmer** *n* mansarde *f.*

Mansch *m* ‹-es, ø› [manʃ] *fam* flotte *f;* **m~en** *tr u. itr fam* tripoter; **~en** *n,* **~erei** *f* [-ˈraı] *fam* tripotage *m.*

Manschette *f* ‹-, -n› [manˈʃɛtə] manchette *f,* poignet *m; tech* rondelle, rosette, virole *f; (Blumentopf)* cache-pot *m; ~n haben (fig pop)* avoir la frousse; **~nknopf** *m* bouton *m* de manchette.

Mantel *m* ‹-s, ̈-› [ˈmantəl, ˈmɛntəl] manteau; *(Herren~)* pardessus *m; mil* capote *f; tech* manteau *m;* chemise, enveloppe *f; metal* moule; *(MG)* manchon *m; (mot, Fahrrad)* enveloppe *f; den ~ nach dem Winde hängen (fig)* tourner comme une girouette; **~abfertigungsvertrag** *m fin* contrat *m* de cession de corps de titre; **~aufschlag** *m* revers *m* de *od* du manteau; **~blech** *n tech* tôle *f* d'enveloppe; **~geschoß** *n mil* projectile *m* chemisé *od* à chemise; **~kragen** *m* collet *m* de manteau; **~kühlung** *f tech* refroidissement *m* par circulation; **~linie** *f math* génératrice *f;* **~note** *f pol* note *f* d'envoi; **~ring** *m (MG)* frette *f* de manchon; **~rohr** *n (MG)* manchon troué; *(Geschütz)* (canon *m* à) jaquette *f;* **~rohrgeschütz** *n* bouche *f* à feu tubée; **~rolle** *f mil* manteau *m* roulé; **~tarif** *m* tarif *m* collectif; **~tasche** *f* poche *f* de pardessus; **~vertrag** *m* contrat-cadre, contrat-type *m.*

Mantille *f* ‹-, -n› [manˈtıl(j)ə] mantille *f.*

Mantisse *f* ‹-, -n› [manˈtısə] *math* mantisse *f.*

manu|ell [manuˈɛl] *a* manuel; *adv a.* à *od* avec la main; **M~faktur** *f* ‹-, -en› [-fakˈtu:r] *vx (Fabrik)* manufacture *f;* **M~fakturwaren** *f pl* produits *m pl* manufacturés; **M~skript** *n* ‹-(e)s, -e› [-nuˈskrıpt] manuscrit *m; typ* copie *f; film* scénario *m;* **M~skripthalter** *m typ* porte-copie *m.*

Mappe *f* ‹-, -n› [ˈmapə] (grand) portefeuille *m; (Sammel~, Ordner)* chemise *f,* classeur; *(Zeichen~)* carton *m; (Umlauf~)* chemise-bordereau; *(Aktentasche)* serviette *f; (Schul~)* cartable; *(Kolleg~)* porte-documents *m.*

Maquis *m* ‹-, ø› [maˈki:], *gen* [-ˈki:(s)] *pol (im Zweiten Weltkrieg)* maquis *m; in den ~ gehen* prendre le maquis.

Marabu *m* ‹-s, -s› [ˈma:rabu] *orn* marabout *m;* **~t** *m (mohammed. Einsiedler)* marabout *m.*

Maraschino *m* ‹-s, -s› [marasˈki:no] *(Likör)* marasquin *m.*

Marathon|lauf *m* [ˈma:ratɔn-] (course *f*) marathon *m;* **~läufer** *m* coureur *m* de marathon.

Märchen *n* ‹-s, -› [ˈmɛ:rçən] conte *m* (de fées), fable *f; (dummes Zeug)* conte (bleu); *(Lügengeschichte)* conte *m* (en l'air *od* fait à plaisir), histoire *f;* **~buch** *n* livre *m* de contes; **~erzähler** *m* conteur *m;* **m~haft** *a* fabuleux, féerique; **~land** *n* pays *m* féerique *od* des merveilles; **~prinz** *m* prince *m* charmant; **~spiel** *n theat* féerie *f;* **~welt** *f* monde *m* fabuleux *od* féerique.

Marder *m* ‹-s, -› [ˈmardər], **~fell** *n* mart(r)e *f.*

Margarete *f* [margaˈre:tə] Marguerite *f.*

Margarine *f* ‹-, (-n)› [margaˈri:nə] margarine *f.*

Margerite *f* ‹-, -n› [margəˈri:tə] *bot* grande marguerite, marguerite *f* des prés.

Marginalie *f* ‹-, -n› [margiˈna:liə] note *f* marginale.

Mari|a *f* [maˈri:a] , **~e** *f* [-ˈri:] Marie *f;* **~enbild** *n* [-ˈri:ən-] *rel* image de la Vierge, *(Kunst)* madone *f;* **~endienst** *m,* **~enkult** *m rel* marianisme *m;* **~enfest** *n rel* fête *f* de Notre-Dame; **~englas** *n* mica *m;* **~enjahr** *n rel* année *f* mariale; **~enkäfer** *m* coccinelle; *pop* bête *f* à bon Dieu; **~enkirche** *f* (église *od* cathédrale) Notre-Dame *f;* **~ennessel** *f bot* marrube *m;* **~enverehrung** *f* culte *m* de Marie.

Marianen [mariˈa:nən], *die, geog* les Mariannes, les îles *f pl* des Larrons.

Marin|ade *f* ‹-, -n› [mariˈna:də] marinade *f;* **m~ieren** [-ˈni:rən] *tr* mariner.

Marine *f* ‹-, -n› [maˈri:nə] marine; *mil* force(s *pl*) navale(s), armée *f* de mer; **~abschnitt** *m* secteur *m* maritime; **~akademie** *f* école *f* (supérieure de guerre) navale; **~arsenal** *n* arsenal *m* maritime, base *f* navale d'entretien; **~artillerie** *f* artillerie *f* de marine *od* navale; **~arzt** *m* médecin *m* de la marine; **~attaché** *m* attaché *m* naval; **m~blau** *a* bleu marine; **~flak** *f* artillerie *f* contre avions navale; **~flieger(ei** *f***)** *m pl* aéronavale, aéronautique *f* navale; **~flugplatz** *m* terrain *m* d'aéronavale; **~flugstützpunkt** *m* base *f* aéronavale; **~flugzeug** *n* avion *m* de l'aéronavale; **~glas** *n* jumelle (s *pl*) *f* (de) marine; **~infanterie** *f* infanterie *f* de marine; **~ingenieur** *m* ingénieur *m* de marine; **~lazarett** *n* hôpital *m* de la marine; **~leitung** *f* commandement *m* en chef de la marine; **~offizier** *m* officier *m* de marine; **~pioniere** *m pl* génie *m* maritime; **~schule** *f* école *f* navale; **~soldat** *m* soldat *m* de l'infanterie de marine; **~streitkräfte** *f pl,* **~truppen** *f pl* forces *f pl* maritimes *od* navales; **~stützpunkt** *m* base *f* navale; **~unteroffiziere** *m pl* maistrance *f;* **~unteroffizierschule** *f* école *f* de maistrance; **~verwaltungsoffizier** *m* commissaire *m* de la marine.

Marionette *f* ‹-, -n› [marioˈnɛtə] marionnette *f a. fig; fig* putin *m;* **~nregierung** *f* gouvernement *m* fantoche; **~ntheater** *n* théâtre *m* de marionnettes.

Mark *n* [mark] **1.** ‹-(e)s, ø› *anat* moelle; *bes. bot* pulpe *f; (Küche, bes. in Zssgen)* concentré *m; fig (Kern)* (quint)essence, substance *f; jdn bis aufs ~ aussaugen* ronger qn jusqu'aux os; *durch ~ und Bein gehen* pénétrer jusque dans la moelle des os; *kein ~ in den Knochen haben (fig)* n'avoir pas de sang dans les veines; *verlängerte(s) ~ (anat)* bulbe *m* rachidien; **m~erschütternd** *a* déchirant; **m~ig** *a* moelleux; *fig* énergique, vigoureux; **~klößchen** *n* quenelle *f* de moelle; **~knochen** *m* os *m* à moelle.

Mark 2. *f* ‹-, -en› *(Grenzgebiet)* marche *f;* **~graf** *m,* **~gräfin** *f hist* margrave, margravine *f;* **~grafschaft** *f* margraviat *m;* **~scheide** *f mines* borne *f;* **~stein** *m* borne *f; ein ~~ sein (fig)* marquer une étape; **~ung** *f = Feld~.*

Mark 3. *f* ‹-, -› *(Währungseinheit)* mark *m; Deutsche ~* mark *m* allemand; **~stück** *n* pièce *f* d'un mark.

markant [marˈkant] *a (auffallend)* marquant; *(ausgeprägt)* marqué, prononcé, accusé.

Marke *f* ‹-, -n› [ˈmarkə] *(Zeichen)* marque *f,* repère; *(Brief~, Gebühren~)* timbre; *(Lebensmittel~)* ticket; *(Spiel~, Automaten~)* jeton *m; (Erkennungs~)* plaque; *com (Firma)* marque *f; eingetragene ~* marque déposée; *fam pej (Typ, Kerl)* numéro, type *m;* **~nartikel** *m* article *od* produit *m* de marque; **~nschutz** *m* protection *f* de la propriété industrielle; **~nware** *f* marchandise *f* de marque.

Marketender|ei *f* ‹-, -en› [markətɛndəˈraı] cantine *f;* **~in** *f* ‹-, -nnen› [-ˈtɛndərın] cantinière, vivandière *f;* **~ware** *f* [-ˈtɛndər-] articles *m pl* de cantine.

Marketerie *f* ‹-, -n› [marketəˈri:] *(Einlegearbeit)* marqueterie *f.*

markier|en [marˈki:rən] *tr* marquer; *(auf e-r Karte)* repérer; *(Marsch-*

weg) signaler, jalonner; *(betonen, hervorheben)* accentuer, souligner; *fam (simulieren, spielen)* simuler, faire; **M~pflock** *m,* **M~stab** *m* piquet(-repère) *m;* **M~ung** *f* marquage; repérage; jalonnement *m; (Betonung)* accentuation *f;* **M~ungsfähnchen** *n* fanion *m* de marquage; **M~ungsfolien** *f pl* feuilles *f pl* de marquage; **M~ungsfunkfeuer** *n* radio-borne, radiobalise *f;* **M~ungslinie** *f* trait *m* de marquage; **M~ungspunkt** *m* repère *m;* **M~ungszeichen** *n* repère *m,* balise *f.*

märkisch ['mɛrkɪʃ] *a (brandenburgisch)* brandebourgeois.

Markise *f* ‹-, -n› [mar'ki:zə] *(Sonnendach)* marquise *f,* store *m.*

Markt *m* ‹-(e)s, ⸚e› [markt, 'mɛrktə] *(Ort)* marché *m; (Jahr~)* foire *f; (Absatz~)* débouché *m; auf dem ~* au marché; *~ abhalten* tenir un marché; *auf den ~ bringen, kommen* mettre *od* lancer *od* introduire, être mis sur le marché; *den ~ für etw erschließen* ouvrir le marché à qc; *vom ~ verdrängen* refouler du marché; *auf den ~ werfen* jeter *od* déverser sur le marché; *(arabischer) ~* souk *m; einheimische(r) ~* marché *m* national *od* intérieur; *freie(r) ~* marché *m* libre; *der Gemeinsame ~ (pol)* le Marché commun; *graue(r), schwarze(r) ~* marché gris, noir; **~analyse** *f* analyse *f* du marché; **~ausgleich** *m* compensation *f* des cours de marché; **~bericht** *m* rapport *m od* revue *f od* bulletin *m* du marché, mercuriale *f;* **~bude** *f* échoppe *f;* **m~en** *itr* marchander *(um etw* qc); **m~fähig** *a* vendable, négociable; **~flecken** *m* bourg(ade *f*) *m;* **~forscher** *m* enquêteur *m* commercial; **~forschung** *f* recherche(s *pl*) *f od* sondages et études de marché, étude *od* analyse *f* du *od* des marché(s); *~~ treiben* prospecter le marché; **~frau** *f* marchande *od* dame de la halle; *pej* poissarde *f;* **m~gängig** *a* négociable, marchand; **~gebühr** *f* taxe *f od* droits *m pl* du marché; hallage *m;* **~gefälle** *n* différence *f* entre les prix d'achat et de vente; **m~gerecht** *a adv* s'accordant avec les *od* conforme aux conditions du marché (libre); **~halle** *f* halle *f,* marché *m* couvert; **~händler** *m* marchand *m* de la halle; **~lage** *f* situation du marché, position *f* de place; **~ordnung** *f* réglementation *f* du marché; **~platz** *m* (place *f* du) marché *m;* **~preis** *m* cours *od* prix du marché, prix *m* courant; **~schreier** *m* charlatan, bonimenteur, histrion *m;* **~schreierei** *f* charlatanisme *m;* **m~schreierisch** *a* charlatanesque; *fig a.* tapageur; **~schwankungen** *f pl* fluctuations *f pl* du marché; **~tag** *m* jour *m* de marché *od* de foire; **~verkehr** *m* mouvement *m* du marché; **~verlauf** *m* allure *f* du marché; **~wert** *m* valeur *f* marchande, prix *m* courant; **~wirtschaft** *f* économie *f* de marché; *freie ~~* libre discipline *f, soziale ~~* économie *f* sociale de marché.

Markus *m* ['markus] Marc *m;* **~platz** *m (in Venedig)* place *f* Saint-Marc.

Marmelade *f* ‹-, -n› [marmə'la:də] confiture *f;* **~brot** *n* tartine *f* de confiture.

Marmor *m* ‹-s, -e› ['marmɔr] marbre *m;* **~arbeit** *f* marbrerie *f;* **~arbeiter** *m* marbrier *m;* **m~artig** *a* marmoréen; **~bild** *n* statue *f* de marbre; **~block** *m* ‹-(e)s, ⸚e› bloc *m* de marbre; **~bruch** *m* marbrière *f;* **~büste** *f* buste *m* de marbre; **m~ieren** [-mo'ri:rən] *tr* marbrer; **~ierer** *m* ‹-s, -› marbreur *m;* **m~iert** *a* veiné; **~ierung** *f* marbrure *f;* marbre *m* feint; **~industrie** *f* industrie *f* marbrière; **m~n** ['marmɔrn] *a* marmoréen, de marbre; **~papier** *n* papier *m* marbré; **~platte** *f* plaque *f* de marbre; **~säule** *f* colonne *f* de marbre; **~schleifen** *n* polissage *m* de marbre; **~schleifer** *m* tourneur *m* de marbre; **~schleiferei** *f* marbrerie *f;* **~tafel** *f* plaque *f* de marbre; **~werk** *n* marbrerie *f.*

Marod|eur *m* ‹-s, -e› [maro'dø:r] *mil* maraudeur *m;* **m~ieren** [-'di:rən] *itr* marauder.

Marokk|aner(in *f*) *m* ‹-s, -› [marɔ'ka:nər] Marocain, e *m f;* **m~anisch** [-'ka:nɪʃ] *a* marocain; **~o** [-'rɔko] *n* le Moroc.

Marone *f* ‹-, -n› [ma'ro:nə] marron *m,* châtaigne *f.*

Maroquin *m a. n* ‹-s, ø› [maro'kɛ̃:] *(Saffian)* maroquin *m.*

Marotte *f* [ma'rɔtə] marotte *f,* caprice *m; fam* toquade *f.*

Marquis *m* ‹-, -› [mar'ki:] *gen* [-'ki:(s)] *pl* [-'ki:s] **~e** *f* ‹-, -n› [-'ki:zə] marquis, e *m f.*

Mars 1. *m* ‹-, -e› [mars, -zə] *mar* hune *f;* **~rahe** *f: untere ~~* vergue *f* de hune; **~segel** *n* hunier *m.*

Mars 2. *m* ‹-, ø› *rel astr* Mars *m;* **~bewohner** *m* Martien *m;* **~feld** *n* champ *m* de Mars.

marsch [marʃ] *interj* marche! en avant! *mil* en avant, marche! *~, ~! (mil)* pas gymnastique! *ohne Tritt, ~! (mil)* pas de route, marche! *~, hinaus!* hors d'ici!

Marsch 1. *m* ‹-es, ⸚e› [marʃ, 'mɛrʃə] *a. mil mus* marche *f; mil (Bewegung, a. von Fahrzeugen)* mouvement, déplacement *m; (Vormarsch)* progression *f; auf dem ~* en marche, en route; *von ... nach ...* en progression de ... vers ...; *in ~ setzen* mettre en marche *od* en route, acheminer (*nach* sur, vers); **~abstand** *m* distance *f* (de marche); **~anzug** *m* tenue *f* de route; **~befehl** *m (für e-e Einheit)* ordre de marche *od* de mouvement *od* de transport; *(für e-n einzelnen)* ordre *m* de mission; feuille *f* de route; **m~bereit** *a* prêt à marcher *od* à faire mouvement; **~disziplin** *f* discipline *f* de marche; **m~fähig** *a* apte à la marche; **m~fertig** *a = m~bereit;* **~formation** *f* formation *f* de marche; **~gepäck** *n* bagages *m pl od* paquetage *m* de route; **~gliederung** *f* dispositif *od* fractionnement *m* de marche; **~gruppe** *f* groupement *m* de marche; **m~ieren** *itr* marcher; faire mouvement (*auf ... zu* sur, vers); *~~de Kolonne f* colonne *f* en marche; **~kolonne** *f* colonne *f* de marche *od* de route; *(Fahrzeuge)* convoi *m;* **~kompaß** *m* boussole *f* de marche; **~leistung** *f* distance *f* parcourue (à limite d'effort); **~lied** *n* chanson *f* de marche; **~musik** *f* musique *f* militaire; **~ordnung** *f; (in) ~~* (en) formation *f od* ordre *m* de marche; *sich in ~~ aufstellen* se former en colonnes; **~pause** *f* halte *f* (horaire); **~richtung** *f* direction *f* de marche; **~route** *f* itinéraire *m;* **~sicherung** *f* sûreté *f* en marche; **~skizze** *f* croquis *m* d'itinéraire; **~spitze** *f* tête *f* de colonne; **~stiefel** *m* botte de marche, demi-botte *f;* **~strecke** *f* itinéraire *m; (einzelne)* étape *f;* **~tiefe** *f* profondeur *f* de marche *od* de la colonne; **~tritt** *m* pas *m* de route; **~verpflegung** *f* vivres *m pl* de route; **~weg** *m* itinéraire *m;* **~zeit** *f* délais *m pl* de route; **~ziel** *n* objectif de marche, point *m* de destination.

Marsch 2. ‹-, -en› [marʃ], **~boden** *m,* **~land** *n* noue *f.*

Marschall *m* ‹-s, ⸚e› ['marʃal, -ʃɛlə] maréchal *m;* **~rang** *m,* **~würde** *f* maréchalat *m;* **~(s)stab** *m* bâton *m* de maréchal.

Marstall *m* ‹-(e)s, ⸚e› ['marʃtal, -ʃtɛlə] écurie *f* (royale *etc*).

Marter *f* ‹-, -n› ['martər] martyre; *fig* supplice *m,* torture *f;* **m~n** *tr* martyriser; *fig* torturer, mettre au supplice; **~pfahl** *m* poteau *m* de torture(s); **~werkzeug** *n* instrument *m* de torture.

Martha *f* ['marta] Marthe *f.*

martialisch [martsi'a:lɪʃ] *a* martial.

Martin|ofen ['marti:n-] *m metal* four *m* Martin; **~verfahren** *n* procédé *m* Martin.

Märtyrer|(in *f*) *m* ‹-s, -› ['mɛrtyrər] martyr, e *m f; jdn zum ~ machen* faire un martyr de qn; **~krone** *f* couronne *f* de martyr; **~tod** *m* martyre *m;* mort *f* de martyr; **~tum** *n* ‹-s, ø›, **Martyrium** *n* ‹-s, -rien› [-'ty:rium, -rjən] martyre *m.*

Marx|ismus *m* ‹-, ø› [mar'ksɪsmus] marxisme *m;* **~ist** *m* ‹-en, -en› [-'ksɪst] marxiste *m;* **m~istisch** [-'sɪstɪʃ] *a* marxiste.

März *m* ‹-(es)/*poet* -en, -e› [mɛrts] mars *m.*

Marzipan *n, a. m* [martsɪ'pa:n, 'martsɪpa:n] massepain *m.*

Masch|e *f* ‹-, -n› ['maʃə] **1.** *(Schlinge)* maille *f;* point *m; e-e ~~ fallen lassen* laisser tomber *od* filer une maille; **~endraht** *m* treillis *od* grillage *m* de fil de fer *od* métallique; **m~enfest** *a (Strumpf)* indémaillable; **~enwerk** *n* réseau *m* de mailles; **m~ig** *a* de *od* à mailles.

Masche 2. *fam (Trick)* combine *f,* truc, filon *m; die ~ finden* trouver la combine, le filon.

Maschine *f* ‹-, -n› [ma'ʃi:nə] machine *f a. loc; (Gerät)* engin *m;* mécanique *f; aero* appareil *m; auf* od *mit der ~*

schreiben taper (à la machine), dactylographier; **m~geschrieben** *a* écrit à la machine; **m~ll** [-ʃiˈnɛl] *a* mécanique, à la machine; *~~ bearbeiten* usiner; *~~e Bearbeitung f* usinage *m; ~~ hergestellt* fait à la machine.

Maschinen|anlage *f* [maˈʃinən-] machinerie, installation *f* mécanique, équipement *m* moteur; **~antrieb** *m* commande *f* mécanique; **~arbeit** *f* travail *od* ouvrage *m* à la machine; **~bau** *m* construction *f* mécanique *od* de machines; **~bauer** *m* constructeur de machines, mécanicien constructeur, ingénieur *m* mécanicien; **~betrieb** *m: auf ~~ umstellen* mécaniser; **~buchhaltung** *f* mécanographie *f;* **~druck** *m* impression *f* à la machine; **~fabrik** *f* ateliers *m pl* de construction de machines *od* de constructions mécaniques; **~fett** *n* graisse *f* de machines; **~flak** *f* canon *m* mitrailleur contre avions; **~gewehr** *n: schwere(s) ~~ (SMG)* mitrailleuse *f; mit schwerem ~~ beschießen* mitrailler; *leichte(s) ~~ (LMG)* fusil *m* mitrailleur; *überschwere(s) ~~* mitrailleuse *f* lourde (d'infanterie) *od* de grande puissance; **~gewehrfeuer** *n* tir *m* de mitrailleuse; **~gewehr-Hängestand** *m aero* nacelle *f* (de tir); **~gewehrkanzel** *f aero* tourelle *f;* **~gewehrkompanie** *f* compagnie *f* de mitrailleuse(s); **~gewehrnest** *n* nid *od* abri *m* de mitrailleuse; **~gewehrschütze** *m* mitrailleur *m;* **~gewehrstand** *m* emplacement de mitrailleuse, poste *m* de mitrailleur; **~gewehrwagen** *m* voiture porte-mitrailleuse, voiturette *f* à mitrailleuse; **~halle** *f* halle *od* salle *f* des machines; **~haus** *n* bâtiment des *od* pavillon *m* aux machines; **~ingenieur** *m* ingénieur *m* mécanicien; **~kanone** *f* canon automatique, canon- -mitrailleur *m;* **m~mäßig** *a* mécanique; **~meister** *m* (contremaître) mécanicien; *bes. theat* machiniste *m;* **~mensch** *m* robot *m;* **~öl** *n* huile *f* à machines; **~pistole** *f* mitraillette *f,* pistolet *m* mitrailleur; *pop* sulfateuse *f;* **~raum** *m* salle *od* chambre *f* des machines; **~saal** *m* salle *f* des machines; **~satz** *m* groupe *m* (de machines); *typ* composition *f* mécanique; **~schaden** *m* avarie *f* de machine; **~schlosser** *m* serrurier-mécanicien *m;* **~schreiben** *n* dactylographie *f;* **~schreiber(in *f*)** *m* dactylo(graphe) *m f;* **~schrift** *f* écriture *f* à la machine; *in ~~,* **m~schriftlich** dactylographié, écrit *od* tapé à la machine; **~schuppen** *m loc* rotonde *f;* **~sender** *m radio* poste *m* émetteur *od* d'émission automatique; **~sendung** *f radio* transmission *f* automatique; **~setzer** *m* compositeur à la machine, opérateur *m;* **~stickerei** *f* broderie *f* à la machine; **~teil** *n* élément *m* de (la) machine; **~waffe** *f* arme *f* automatique; **~wärter** *m* surveillant *od* soigneur *m* de machines; **~zeitalter** *n* ère *f* du machinisme.

Maschin|erie *f* ‹-, -n› [maʃinəˈri:] machinerie, mécanique *f;* **~ist** *m* ‹-en, -en› [-ˈnɪst] machiniste, mécanicien *m.*

Maser *f* ‹-, -n› [ˈma:zər] *(im Holz)* madrure *f,* veines *f pl,* ronce *f;* **~holz** *n* bois *m* madré *od* veiné, ronce *f;* **m~ig** *a* madré, veiné, ronceux; **m~n** *tr* madrer, veiner; **~ung** *f* madrure *f.*

Masern *pl* [ˈma:zərn] *med* rougeole *f.*

Mask|e *f* ‹-, -n› [ˈmaskə] masque *m; fig* façade *f,* camouflage *m; ohne ~~* à visage découvert; *die ~~ abnehmen* od *lüften* lever le masque, se démasquer; *die~~ fallenlassen (fig)* jeter *od* lever *od* (dé)poser le masque; *jdm die ~~ vom Gesicht reißen (fig)* arracher *od* ôter le masque à qn, démasquer qn; **~enball** *m* bal *m* masqué; **~enbildner** *m* maquilleur *m;* **~enkostüm** *n* travesti, déguisement *m;* **~enzug** *m,* **~erade** *f* ‹-, -n› [-ˈra:də] mascarade *f;* **m~ieren** [-ˈki:rən] *tr a. fig* masquer; **~ierung** *f* déguisement; *fig (Tarnung)* camouflage *m.*

Maskott|chen *n,* **~e** *f* ‹-, -n› [masˈkɔtçən, -ˈkɔtə] mascotte *f.*

Maskulinum *n* ‹-s, -na› [maskuˈli:nʊm, -na] *(gram)* masculin *m.*

Masoch|ismus *m* ‹-, ø› [mazɔˈxɪsmʊs] masochisme *m;* **~ist** *m* ‹-en, -en› [-ˈxɪst] masochiste *m;* **m~istisch** [-ˈxɪstɪʃ] *a* masochiste.

Maß *n* ‹-ßes, -ße› [ma:s] mesure; *(Ausdehnung)* étendue, dimension; *(Verhältnis)* proportion *f; (Eich~)* étalon *m,* jauge *f; fig (Grad)* degré *m; (Schranken)* borne(s *pl*), limite(s *pl*); *(Bierkrug)* ‹-, -(e)› chope *f; pl (~zahlen)* cotes *f pl; im gleichen ~e* au fur et à mesure; *in dem ~e, daß* ... à ce point que, au point de *inf; in dem ~e wie* à mesure que, au fur et à mesure que, dans la mesure où *od* de; *im höchsten ~e* au dernier degré; *in hohem ~e* dans une large mesure; à un haut degré; *in reichem ~e* abondamment, à profusion; *in zunehmendem ~e* de plus en plus; *mit ~ und Ziel* avec mesure; *nach ~* sur mesure; *nach dem ~ (gen)* dans la mesure (de); *ohne jedes ~, ohne ~ und Ziel, über die ~en* outre mesure; *über alle ~en* au-delà de toute expression, (jusqu')à l'excès; *kein ~ kennen* n'avoir pas *od* manquer de mesure; *mit gleichem ~e messen (fig)* tenir la balance égale; *mit zweierlei ~ messen (fig)* avoir deux poids et deux mesures; *~ nehmen* prendre mesure; *zu etw* prendre les mesures de qc; *das ~ vollmachen* combler la mesure, faire déborder le vase; *das ~ ist voll* la mesure est pleine *od* (à son) comble; *es hat alles sein ~ und Ziel (prov)* il y a une limite à tout; *~e und Gewichte* poids et mesures; **~abteilung** *f com* rayon *m* d'habillement sur mesure; **~analyse** *f chem* analyse *f* volumétrique, titrage *m;* **m~analytisch** *a* volumétrique; **~anzug** *m* complet *m* sur mesure; **~arbeit** *f* travail *m* sur mesure; **~einheit** *f* unité *f* de mesure; **~gabe** *f; mit der ~~, daß* ... sous réserve que ...; *nach ~~ (gen)* dans la mesure (de), au fur et à mesure (de), au prorata (de); **m~gebend** *a,* **m~geblich** *a* décisif; déterminant; prépondérant; compétent, autorisé; *~~ sein* faire autorité *od* foi; **m~≈halten** *itr* ‹*hat maßgehalten*› garder la mesure, se modérer; *nicht ~~* manquer de mesure; **~kleidung** *f* habillement *m od* vêtements *m pl* sur mesure; **~konfektion** *f* mesure industrielle *od* américaine, prémesure *f;* **~krug** *m* chope *f;* **~liebchen** *n bot* pâquerette *f;* **m~los** *a* démesuré, sans *od* outre mesure; *(unmäßig)* immodéré; au-delà de toute mesure; *(übermäßig)* excessif; outrancier, à outrance; *(grenzenlos)* immense, sans bornes; **~losigkeit** *f* démesure *f;* excès *m;* immensité *f;* **~nahme** *f (~regel)* mesure; *(Handlung)* opération, action *f; ~~n ergreifen* prendre des mesures; *strenge ~~n ergreifen* recourir à des mesures sévères *od* de rigueur; *einschneidende ~~n treffen* couper dans le vif; *halbe ~~* demi-mesure *f;* **~nehmen** *n* prise *f* des mesures; **~regel** *f* = *~nahme;* **m~regeln** *tr* ‹*er maßregelt/-e, hat gemaßregelt*› prendre des mesures disciplinaires contre; **~reg(e)lung** *f* mesure *f* disciplinaire; **~schuhe** *m pl* chaussures *f pl* faites sur mesure; **~skizze** *f* croquis *m* coté; **~stab** *m (Kartenmaßstab)* échelle; *(Lineal)* règle (graduée); *fig* norme *f; (Vergleich)* critère *m; in großem, kleinem ~~e* sur une grande *od* large, petite échelle; *im ~~ 1 : 100 000* au cent millième; *den ~~ für etw abgeben* mesurer qc; *e-n strengen ~~ anlegen* appliquer *od* utiliser des critères sévères; **m~stäblich** *a,* **m~stab(s)gerecht** *a* à l'échelle; **m~voll** *a* mesuré, avec mesure; *(mäßig)* modéré; **~werk** *n arch* réseau *m;* **~zahl** *f* cote *f;* **~zeichnung** *f* dessin *m* coté.

Mass|age *f* ‹-, -n› [maˈsa:ʒə] *med* massage *m; ~~ und Heilgymnastik* kinésitérapie *f;* **~eur** *m* ‹-s, -e› [-ˈsø:r] masseur *m; ~~ und Heilgymnastiker m* kinésithérapeute, masseur-rééducateur *m;* **~euse** *f* ‹-, -n› [-ˈsø:zə] masseuse *f;* **m~ieren** [-ˈsi:rən] *tr* **1.** *med* masser; **~ieren** *n med* massage *m.*

Massak|er *n* ‹-s, -› [maˈsa:kər] *(Gemetzel)* massacre *m;* **m~rieren** [-ˈkri:rən] *tr* massacrer.

Masse *f* ‹-, -n› [ˈmasə] *(Menge)* masse *a. phys, fin; (bes. Menschen)* foule *f; pop (Haufen)* tas *m,* flopée *f; mil* gros *m; (Teig)* pâte; *(unförmiger Gegenstand)* masse; *(Konkurs~)* masse *f; eine ~ ... (pop) (viel, nicht von Geld)* un tas de; beaucoup de; *~n von (pop)* des masses de; *in ~(n) (pop)* en pagaille; *in der ~ untertauchen* se mêler à la foule; *die breite* od *große ~* la grande masse, les masses *f pl,* le plus grand nombre; **~forderung** *f (beim Konkurs)* créance *f* de la masse; **~gläubiger** *m fin* créancier *m* de la masse; **~schuld** *f fin* dette *f* de la masse; **~schuldner** *m fin* débiteur *m* de la masse; **~verwalter** *m* syndic *m* de la faillite.

Massel *m* ['masəl] **1.** ⟨-s, ø⟩ *arg (Glück)* veine, chance *f*, pot *m;* **2.** *f* ⟨-, -n⟩ *tech* gueuse *f*, gueuset *m*.

Massen|absatz *m* ['masən-] vente *f* en grandes quantités; **~abwurf** *m aero* largage général, arrosage *m;* **~angriff** *m mil* attaque *f* massive *od* en masse *od* en force; **~ansturm** *m com* rush *m* (*auf* sur); **~anziehung** *f phys* gravitation *f;* **~artikel** *m com* article *m* de masse *od* de série, pièce *f* de fabrication en masse; **~aufgebot** *n* levée *f* en masse; **~auflage** *f typ* gros tirage *m;* **~aussperrung** *f* lock-out *m* général; **~auswanderung** *f* émigration *f* en masse, exode *m;* **~bewegung** *f pol* mouvement *m* de masses; **~defekt** *m (Atomphysik)* perte *f od* défaut *m* de masse; **~demonstration** *f* manifestation *f* massive *od* en masse; **~einsatz** *m* emploi *m* en masse; **~einwanderung** *f* immigration *f* en masse; **~elend** *n* paupérisme *m;* **~entlassung** *f* débauchage collectif, coup *m* de balai; **~erhebung** *f pol* levée *f* en masse; **~erzeugung** *f*, **~fabrikation**, **~fertigung** *f* production *od* fabrication *f* en masse *od* en grande série; **~flucht** *f* fuite *f* en masse, exode *m;* **~grab** *n* fosse *f* commune; **~gut** *n* matériaux *m pl* en masses; **~güter** *n pl* marchandises *f pl* en vrac; **m~haft** *a* en masse, massif; **~herstellung** *f* = *~erzeugung;* **~kundgebung** *f* = *~demonstration;* **~medien** *n pl* [-'me:diən] moyens *m pl* audio-visuels; **~mensch** *m* homme de la masse *od* des foules; **~mord** *m* meurtre *m* en masse; **~produktion** *f* = *~erzeugung;* **~psychologie** *f* psychologie *f* des foules; **~suggestion** *f* suggestion *f* grégaire; **~verbrauch** *m* consommation *f* de masse *od* en masse(s); **~verdummung** *f: systematische ~~* obscurantisme *m;* **~verhaftungen** *f pl* arrestations *f pl* massives *od* en masse; **~vernichtung(swaffen** *f pl*) *f* (armes *f pl* de) destruction *f* massive; **~versammlung** *f* réunion *f* de masse, meeting *m* massif; **m~weise** *adv* en masse(s); *fam* comme s'il en pleuvait; **~zerstörungen** *f pl* destructions *f pl* massives.

mass|ieren [ma'si:rən] *tr* **2.** *mil* concentrer, quadriller; *(Kunst)* tasser; **~iert** *a (Angriff)* massif, en masse, en force; **M~ierung** *f* concentration *f*, quadrillage, cumul *m*, abondance *f;* **~ig** ['masıç] *a* massif, en amas; **~iv** [-'si:f] *a* massif; *arch (~~ gebaut)* construit en dur.

mäßig ['mɛ:sıç] *a (gemäßigt)* modéré; *(genügsam)* frugal, sobre; *(mittel~)* moyen, médiocre, passable, tel quel; *(niedrig, bes. Preis)* modéré, modique; **~en** *tr* modérer; *(mildern)* tempérer; *(Worte)* adoucir; *(einschränken)* contenir; *(herabsetzen)* diminuer; *sich im Ausdruck ~~* ménager ses expressions; **M~keit** *f* ⟨-, ø⟩ *(Genügsamkeit)* frugalité, sobriété, tempérance *f;* **M~ung** *f* modération; *(Herabsetzung)* diminution *f*.

Mast [mast] **1.** *m* ⟨-es, -en/(-e)⟩ *(~baum)* mât; *el tele* poteau; *(Gittermast)* pylône *m;* **~baum** *m* mât *m;* **~korb** *m mar* hune *f;* **~werk** *n mar* mâture *f*.

Mast 2. *f* ⟨-, -en⟩ *agr* engraissement *m;* **~darm** *m* rectum *m;* **~futter** *n* engrais *m;* **~gans** *f* oie *f* grasse; **~huhn** *n* poularde *f;* **~kur** *f* cure *f* d'engraissement; **~vieh** *n* bétail *m* à l'engrais; bêtes *f pl* grasses.

mäst|en ['mɛstən] *tr* engraisser, mettre à l'engrais; **M~en** *n*, **M~ung** *f* engraissement *m*.

Mastix *m* ⟨-(es), ø⟩ ['mastıks] *(Harz)* mastic *m*.

Masuren *n* [ma'zu:rən] *geog* la Mazurie.

Masut *n* ⟨-(e)s, ø⟩ [ma'zu:t] *(Brennstoff)* mazout *m*.

Mate *f* ⟨-, -n⟩ ['ma:te] *bot* maté *m;* **~tee** *m* thé *m* du Paraguay *od* des jésuites.

Mater *f* ⟨-, -n⟩ ['ma:tər] = *Matrize.*

Material *n* ⟨-s, -lien⟩ [materi'a:l, -'aliən] matériel *m*, matière *f; (Baustoff)* matériau(x *pl*) *m; (fig: Unterlagen)* documents *m pl*, documentation *f; spaltbare(s) ~* matière *f* fissible; **~abnahme** *f* réception *f* du matériel; **~anforderung** *f* demande *f* de matériel; **~auswechs(e)lung** *f arch* relancis *m;* **~beanspruchung** *f* effort *m* des matériaux; **~beschaffung** *f* fourniture *f* de matériaux; **~fehler** *m* défaut *od* vice *m* de matériel *od* de matière; **m~isieren** [-riali'zi:rən] *tr* matérialiser; **~ismus** *m* ⟨-s, ø⟩ [-'lısmus] matérialisme *m;* **~ist** *m* ⟨-en, -en⟩ [-'lıst] matérialiste *m;* **m~istisch** [-'lıstıʃ] *a* matérialiste; **~knappheit** *f* pénurie *f* du matériel; **~kosten** *pl* dépenses *f pl od* frais *m pl* de matériel; **~lager** *n* dépôt *m* de matériel, de matériaux; **~prüfung** *f* épreuve *f od* examen *m* du matériel *od* des matériaux; épreuve *f* de matériel; **~sammlung** *f* documents; documentation *f;* **~schaden** *m* dégâts *m pl* matériels; **~schlacht** *f* bataille *f* de matériel.

Materi|e *f* ⟨-, -n⟩ [ma'te:riə] matière *a. fig;* substance *f;* sujet, thème *m; mit der ~~ vertraut (a.)* initié; **m~ell** [-teri'ɛl] *a* matériel; *in ~~er Hinsicht* matériellement; *~~e(s) Recht n* fond *m* du droit; *~~e(r) Wert m (a.)* valeur *f* intrinsèque.

Mathemat|ik *f* ⟨-, ø⟩ [matema'ti:k] mathématiques; sciences exactes; *arg (Schule)* math *f pl; höhere ~~* mathématiques *f pl* supérieures *od* transcendantes; *niedere ~~* mathématiques *f pl* élémentaires; *reine, angewandte ~~* mathématiques *f pl* pures, appliquées *od* mixtes; **~iker** *m* ⟨-s, -⟩ [-'ma:tikər] mathématicien *m;* **m~isch** [-'ma:tıʃ] *a* mathématique; *m~~-naturwissenschaftliche Fakultät f* faculté *f* des sciences.

Matjeshering *m* ['matjəs-] hareng *m* vierge.

Matratze *f* ⟨-, -n⟩ [ma'tratsə] matelas, *(Feder~)* sommier *m*.

Mätresse *f* ⟨-, -n⟩ [mɛ'trɛsə] maîtresse; *vx* courtisane *f*.

Matr|iarchat *n* ⟨-(e)s, -e⟩ [matriar'ça:t] *(Mutterrecht)* matriarcat *m;* **~ikel** *f* ⟨-, -n⟩ [-'tri:kəl] *(Verzeichnis)* matricule *f;* **~ikelnummer** *f* numéro *m* (de) matricule; **~ize** *f* ⟨-, -n⟩ [-'tri:tsə] *tech* matrice *f; (mit Maschinenschrift)* stencil *m;* **~one** *f* ⟨-, -n⟩ [-'tro:nə] matrone *f*.

Matrose *m* ⟨-n, -n⟩ [ma'tro:zə] *(a. als Dienstgrad)* matelot; *(Seemann)* marin *m;* **~nanzug** *m* costume *m* marin; **~nbluse** *f* vareuse *f;* **~nkragen** *m* col *m* marin; **~nmütze** *f* béret de marin, bonnet *m* de matelot.

Matsch *m* ⟨-es, ø⟩ [matʃ] *fam (weiche Masse)* gâchis *m; (nasser Schmutz)* boue *f;* **m~ig** *a (schlammig)* boueux; *(Obst)* blet.

matt [mat] *a (glanzlos)* mat, terne, sans lustre; *(Metall)* éteint; *(Glas)* dépoli; *(Schimmer)* pâle, faible; *(Blick)* sans éclat; *(schlaff, abgespannt)* las, sans énergie; fatigué, épuisé; *(Stimme)* mourant; *(Kunst)* sans vigueur; *(Stil)* inexpressif, fade; *(Schach)* échec et mat; *~ schleifen* dépolir; *jdn ~ setzen (Schach u. fig)* faire qn échec et mat, donner échec et mat à qn; **M~glas** *n* verre *m* dépoli; **M~gold** *n* or *m* mat; **M~heit** *f* ⟨-, ø⟩ matité *f*, ton *m* mat; **~ieren** [-'ti:rən] *tr* matir, rendre mat; *(Glas)* dépolir; **M~igkeit** *f* ⟨-, ø⟩ lassitude, langueur *f*, manque *m* d'énergie; fatique *f*, épuisement *m;* **M~scheibe** *f phot* verre *m* dépoli

Matte *f* ⟨-, -n⟩ ['matə] **1.** *(Geflecht)* natte *f; (Fuß~)* paillasson; *sport* tapis *m; auf die ~ legen (sport)* envoyer au tapis.

Matte *f* **2.** *(Alpenweide)* pâturage (alpestre), alpage *m*.

Matterhorn ['matərhɔrn] , *das (geog)* le (mont) Cervin.

Matthäus *m* [ma'tɛ:us] Matthieu; *Matthäi am letzten sein* être à court d'argent; *mit ihm ist Matthäi am letzten* il est à la dernière extrémité; **~evangelium,** *das* l'Évangile *m* selon saint Matthieu.

Mätzchen *n pl* ['mɛtsçən] minauderies, singeries *f pl; ~ machen* minauder.

Matze *f* ⟨-, -n⟩, **~n** *m* ⟨-s, -⟩ ['matsə(n)] pain *m* azyme.

mau [mau] *a fam* moche.

Mauer *f* ⟨-, -n⟩ ['mauər] mur *m;* muraille *f; die Große ~ (der Chinesen)* la Grande Muraille; *für Zssgen s. a. Maurer-;* **~absatz** *m* redan, redent *m;* **~anschlag** *m* affiche *f* murale; **~blümchen** *n: ~~ sein* faire tapisserie; **~ei** *f* [-'raı] = *Maurerei,* **~fläche** *f: glatte ~~* nu *m* de mur; **~fraß** *m (durch Salpeterbildung)* nitrification *f;* **~fuge** *f* ligne *f* de refend; **~gecko** *m zoo* gecko *m* des murailles; **~kappe** *f* chaperon *m*, **m~n** *tr* maçonner; **~öffnung** *f* baie *f;* **~pfeffer** *m bot* poivre *m* de muraille; **~pflanze** *f* plante *f* murale; **~rille** *f* = *~fuge;* **~riß** *m* lézarde, fente *f* dans le mur; **~schwalbe** *f,* **~segler** *m orn* martinet *m;* **~verband** *m arch* liaison *f* de maçonnerie, appareil *m;* **~vorsprung** *m* encorbellement *m;* **~werk** *n* (ouvrage *m* de) maçonnerie *f.*

Mauke *f* ⟨-, ø⟩ ['maukə] *vet* malandre *f.*

Maul *n* ⟨-(e)s, ¨er⟩ [maul, 'mɔʏlər] , *a. pop u. pej* gueule; *pop* goule *f;* mufle *m; das ~ aufreißen (pop)* gueuler, japper; *ein großes ~ haben (fig)* être *od* avoir une grande gueule; *ein loses ~ haben* être une mauvaise *od* méchante langue, avoir la langue bien affilée; *das ~ halten* ne pas ouvrir le bec; *(nichts verraten)* ne pas vendre la mèche; *ein ~ machen (fam)* faire une gueule *od* la moue; *das ~ voll nehmen (fig)* faire le fanfaron; *nicht aufs ~ gefallen sein (fig)* avoir la langue bien pendue, ne pas avoir la langue dans sa poche; *jdm das ~ stopfen (pop)* clore *od* clouer le bec, rabattre le caquet à qn; *halt's ~! (pop)* ta gueule! *~ und Nase aufsperren* être éberlué; *die bösen Mäuler* les mauvaises langues; **~affe** *m: ~~n feilhalten* badauder, bayer aux corneilles; **m~en** *itr* faire la *od* une gueule *od* la moue, faire la *od* sa lippe; bouder; *fam* rouspéter, râler; **m~faul** *a; ~~ sein* ne pas desserrer les dents, ne pas dire mot; **~held** *m* capitan, fanfaron, bravache *m;* **~korb** *m,* **~korbgesetz** *n* muselière *f;* **~schelle** *f fam* taloche, gifle *f; jdm e-e ~~ geben* gifler *od* talocher qn; **~taschen** *f pl (Küche)* ravioli *m pl;* **~- und Klauenseuche** *f vet* fièvre aphteuse; *fam* cocotte *f;* **~werk** *n fam* grande gueule *f; ein gutes ~~ haben* avoir la langue bien pendue.

Maulbeer|baum *m* ['maulbe:r-] mûrier *m;* **~e** *f* mûre *f* **~(seiden)spinner** *m ent* bombyx *m* du mûrier.

Maul|esel *f* ['maul-] (petit) mulet *m;* **~eselstute,** **~tierstute** *f* mule *f;* **~tier** *n* (grand) mulet *m;* **~tierpfad** *m* chemin *m* muletier; **~tiertreiber** *m* muletier *m.*

Maulwurf *m* ['maul-] taupe *f;* **~sfalle** *f* taupière *f;* **~sgrille** *f* taupe-grillon *m,* courtilière *f;* **~shaufen** *m,* **~shügel** *m* taupinière *f.*

Maur|e *m* ⟨-n, -n⟩ [maurə] Maure, More *m;* **~in** *f* Mauresque, Moresque *f;* **m~isch** *a* maur(esqu)e, mor(esqu)e.

Maurer *m* ⟨-s, -⟩ ['maurər] maçon *m;* **~arbeit** *f,* **~ei** *f* [-'rai] maçonnage *m,* maçonnerie *f;* **~geselle** *m* compagnon *m* maçon; **~handwerk** *n* métier *m* de maçon; **~kelle** *f* truelle *f;* **~lehrling** *m* apprenti *m* maçon; **~meister** *m* maître *m* maçon; **~polier** *m* contremaître *m* maçon.

Maus *f* ⟨-, ¨e⟩ [maus, 'mɔʏzə] souris *f; fig meist* rat *m; mit Speck fängt man Mäuse (prov)* on n'attrape pas les mouches avec du vinaigre; *wenn die Mäuse satt sind, schmeckt das Mehl bitter (prov)* au dégoûté le miel est amer; **~efalle** *f* souricière *f;* **~eloch** *n* trou *m* de souris; **m~en** *itr (Mäuse fangen)* prendre des souris; *tr fam hum (stibitzen)* chiper; **m~etot** *a hum* bien *od* raide mort; **m~grau** *a* gris souris.

mauscheln ['mauʃəln] *itr (jiddisch sprechen)* avoir le parler juif; *allg (undeutl. sprechen)* baragouiner.

Mäuschen *n* ⟨-s, -⟩ ['mɔʏsçən] souriceau *m; mein ~!* mon rat! ma chérie! **m~still** *a (Kind)* sage comme une image; *es ist ~~* on entendrait trotter une souris *od* voler une mouche.

Mäuse|bussard *m* ['mɔʏzə-] *orn* buse *f;* **~dreck** *m* crotte *f* de souris; **~fraß** *m* mangeures *f pl* de souris.

Mauser *f* ⟨-, -n⟩ ['mauzər] mue *f; in der ~* en mue; **m~n,** *sich* muer; *fig* faire peau neuve.

mausig ['mauzıç] *a: sich ~~ machen (fam)* se dresser *od* se monter sur ses ergots, faire l'important.

Mausoleum *n* ⟨-s, -leen⟩ [mauzo'le:um, -'le:ən] mausolée *m.*

maxim|al [maksi'ma:l] *a* maximal; *attr* maximum, maxima *inv; adv* au maximum; **M~~...** *(in Zssgen)* = *~~ (a); vgl. Höchst-;* **M~e** *f* ⟨-, -n⟩ [-'si:mə] maxime *f;* **M~um** *n* ⟨-s, -ma⟩ ['maksimum, -ma] maximum *m;* **~~-Minimum-Thermometer** *n* thermomètre *m* à maxima et minima.

Mayonnaise *f* ⟨-, n⟩ [majɔ'nɛ:zə] mayonnaise *f.*

Mazedon|ien [matse'do:niən] *n* la Macédoine; **~ier(in** *f***)** *m* ⟨-s, -⟩ [-'do:niər] Macédonien, ne *m f;* **m~isch** [-'do:nıʃ] *a* macédonien.

Mäzen *m* ⟨-s, -e⟩ [mɛ'tse:n] *(Gönner)* mécène *m;* **~atentum** *n* ⟨-s, ø⟩ [-tse'na:təntu:m] mécénat *m.*

Mazurka *f* ⟨-, -s⟩ [ma'zurka] *(Tanz)* mazurka *f.*

Mechan|ik *f* ⟨-, -en⟩ [me'ça:nık] mécanique *f;* **~iker** *m* ⟨-s, -⟩ [-'ça:nikər] mécanicien; *fam* mécano *m;* **m~isch** [-'ça:nıʃ] *a, a. fig* mécanique; *~~e Werkstatt f* atelier *m* de (construction) mécanique; **m~isieren** [-çani'zi:rən] *tr* mécaniser; **~isierung** *f* mécanisation *f;* **~ismus** *m* ⟨-, -men⟩ [-'nısmus, -mən] mécanisme *m;* **~otherapie** *f med* mécanothérapie *f.*

Mecker|er *m* ⟨-s, -⟩ ['mɛkərər] *fam* rouspéteur, *pop* râleur *m;* **m~n** *itr (Ziege)* chevroter, bêler; *fam (Mensch)* rouspéter; *pop* râler, renauder; **~stimme** *f* voix *f* chevrotante; **~ziege** *f fig pop* rouspéteuse *f.*

Meckifrisur *f* ['mɛki-] cheveux *m pl* en brosse.

Medaill|e *f* ⟨-, -n⟩ [me'daljə] médaille *f;* **~on** *n* ⟨-s, -s⟩ [-l'jɔ̃:] *a. arch* médaillon *m.*

Mediante *f* ⟨-, -n⟩ [me'diantə] *mus* médiante *f.*

Medik|ament *n* ⟨-(e)s, -e⟩ [medika'mɛnt] médicament, remède *m;* **m~amentös** [-mɛn'tø:s] *a* médicamenteux; **~aster** *m (Quacksalber)* médicastre, empirique, empiriste *m;* **~us** *m* ⟨-, -kusse/-ditsi⟩ ['me:dikus] *hum* = *Arzt.*

medio, M~ ['me:dio] *com (Mitte): (M)~ Januar* (à la) mi-janvier; *per M~* à la mi-mois.

mediterran [medite'ra:n] *a geog* méditerranéen.

Medium *n* ⟨-s, -dien⟩ ['me:dium, -diən] *scient* milieu; *(Mittler, bes. beim Spiritismus)* médium *m;* **~ismus** *m* ⟨-, ø⟩ [-diu'mısmus] *(Spiritismus)* médiumnité *f.*

Medizin *f* ⟨-, -en⟩ [medi'tsi:n] *(Heilkunde)* médecine *f; (Heilmittel)* médicament, remède *m; innere ~* médecine *f* interne; **~ball** *m* médecine-ball *m;* **~er** *m* ⟨-s, -⟩ *(Arzt)* médecin; *(Student)* étudiant *m* en médecine; **m~isch** *a (Medizin-)* de médecine; *(ärztlich)* médical; *(arzneilich)* médicinal; *~~e Fakultät f* faculté *f* de médecine; **~mann** *m* ⟨-(e)s, ¨er⟩ sorcier (guérisseur), guérisseur *m;* **~student** *m* étudiant en médecine; *fam* carabin *m;* **~studium** *n* études *f pl* médicales.

Meduse *f* ⟨-, -n⟩ [me'du:zə] *zoo* méduse *f;* **~nhaupt** *n (Mythologie)* tête *f* de Méduse.

Meer *n* ⟨-es, -e⟩ [me:r] mer *f; (Welt~)* océan *m;* **~aal** *m zoo* congre *m;* **~äsche** *f zoo* muge *m;* **~barbe** *f zoo* mulle *m;* **~busen** *m* golfe *m;* **~enge** *f* détroit *m;* **~katze** *f (Affe)* guenon *f, scient* cercopithèque *m;* **~rettich** *m* raifort *m;* **~saline** *f* marais *m* salant, salanque *f;* **~schaum** *m* écume *f* de mer; **~schaumpfeife** *f* pipe *f* d'écume (de mer); **~schweinchen** *n* cochon d'Inde, cobaye *m;* **~wasser** *n* eau *f* de mer; **~wasserentsalzung** *f* dessalement *m* de l'eau de mer.

Meeres|ablagerungen *f pl* ['me:rəs-] sédiments *m pl* marins; **~arm** *m* bras *m* de mer; **~boden** *m* fond *m* de la mer; **~fauna** *f* faune *f* marine; **~flora** *f* flore *f* marine; **~grund** *m* = *~boden;* **~höhe** *f; (mittlere) ~~* niveau *m* (moyen) de la mer; **~insel** *f* île *f* pélagique; **~kunde** *f* océanographie *f;* **~küste** *f* côte *f* de la mer; **~leuchten** *n* brasillement *m;* **~spiegel** *m* niveau *m* *od* surface *f* de la mer; **~stille** *f* calme *m* plat, bonace *f;* **~strand** *m* plage *f;* **~strömung** *f* courant *m* marin.

Mega|hertz *n* ['mega-] *radio* mégacycle *m;* **~lith** *m* ⟨-s/-en, -e/-en⟩ [-'li:t, -'lıt] *(großer Stein)* mégalithe *m;* **m~lithisch** [-'li:tıʃ] *a* mégalithique; **~phon** *n* ⟨-s, -n⟩ [-'fo:n] mégaphone, porte-voix *m;* **volt** *n* mégavolt *m.*

Megäre *f* ⟨-, -n⟩ [me'gɛ:rə] *(böses Weib)* mégère, mâtine, tigresse *f.*

Mehl *n* ⟨-s, (-e)⟩ [me:l] farine; *allg* poudre *f; mit ~ bestreuen* (en)fariner; *grobe(s) ~* grésillon *m;* **m~artig** *a* farinacé; **~beutel** *m* blutoir *m;* **~brei** *m* bouillie *f* (de farine); **m~haltig** *a* farineux; **~handel** *m* minoterie *f;* **~händler** *m* minotier *m;* **m~ig** *a* farineux; **~käfer** *m* ténébrion *m;* **~kloß** *m* quenelle *f* de farine; **~sack** *m* sac *m* à farine; **~schwalbe** *f* hirondelle *f* de fenêtre; **~schwitze** *f (Küche)* roux *m;* **~speise** *f* farineux *m;* **~tau** *m*

(Pflanzenkrankheit) blanc; *(beim Wein)* mildiou *m*; **~wurm** *m (Larve des ~käfers)* ver *m* de farine.

mehr [me:r] *adv (Komparativ von viel)* plus (de); *(alleinstehend)* davantage; ~ *als* plus que; *(vor e-r Zahl)* plus de; ~ *und* ~ de plus en plus; *immer* ~ de plus en plus; *je* ~ ..., *desto* ... plus ... plus ...; *kaum* ~ (ne ...) presque plus; *nicht* ~ ne ... plus; *nicht* ~ *und nicht weniger* ni plus ni moins; *nie* ~ (ne ...) jamais plus; *noch* ~ encore plus, davantage; *noch (weit)* ~ tant et plus; *um so* ~ d'autant plus (*als* que); *(alleinstehend)* à plus forte raison, à fortiori; *und noch* ~ et plus encore; *fam* et le pouce; ~ *denn je* plus que jamais; ~ *noch* bien plus; ~ *als nötig* plus qu'il ne faut; *nach* ~ *schmecken* avoir un goût de revenez-y; *was noch* ~ *ist* qui plus est, bien plus; *man hat* ~ *davon, wenn* ... il est plus profitable de *inf*; *was wollen Sie* ~? que voulez-vous de plus? ~ *als das!* il y a mieux que cela; *kein Wort* ~! plus un mot! tais-toi! taisez-vous! *ein Grund* ~ raison de plus.

Mehr *n* ⟨-, ø⟩ [me:r] plus; *(Überschuß)* surplus, excédent *m*; **m~en** *tr* augmenter; *sich* ~~ augmenter, se multiplier, s'accroître; **m~ere** ['me:rərə] plusieurs *pl*; **m~eres** *n* diverses choses *f pl*; **m~erlei** ['--'laı] = *m~eres*; *a* diverses *pl*; **m~fach** *a* multiple, plural; *(wiederholt)* répété, réitéré; *adv* plusieurs fois, à plusieurs *od* diverses reprises; *mit* ~~*er Schallgeschwindigkeit* d'une vitesse égale à plusieurs fois celle du son; *ein M~~es von etw sein (a.)* être équimultiple de qc; ~~*e Staatsangehörigkeit* cumul *m* de nationalités; **~fachempfang** *m radio* réception *f* multiple *od* sur antennes espacées; **~heit** *f* majorité; *(Vielzahl)* pluralité *f*; *die* ~~ le grand nombre; *in der* ~~ *(befindlich)* majoritaire; *mit absoluter* ~~ *(parl)* à majorité absolue; *die* ~~ *der abgegebenen Stimmen erhalten* od *auf sich vereinigen* recueillir la majorité des suffrages exprimés; *absolute, einfache, kompakte, relative* ~~ majorité *f* absolue, simple, massive, relative; **~heitsbeschluß** *m parl* décision *f* à la *od* de majorité; **~heitspartei** *f* parti *m* majoritaire; **~heitsprinzip** *n pol* majoritarisme *m*; **~heitswahl** *f* suffrage *od* scrutin *m* majoritaire; **m~mals** *adv* plusieurs fois; à plusieurs reprises; **~ung** *f* augmentation *f*, accroissement *m*.

Mehr|achsantrieb *m* ['me:r-] *mot* commande *od* transmission *f* sur essieux multiples; **~achser** *m mot* véhicule *m* à essieux multiples; **~anfall** *m com* arrivages *m pl* plus abondants; **~arbeit** *f* surcroît *m* de travail; **~aufwand** *m* surcroît *m* de dépenses; **~ausgabe** *f* excédent *m* de dépenses; **m~bändig** *a (Buch)* en plusieurs volumes; **~bedarf** *m* besoins *m pl* supplémentaires; **~belastung** *f* surcharge *f*; *e-e* ~~ *mit sich bringen* accroître les charges; **~betrag** *m* (somme *f* en) excédent *m*; **~decker** *m aero* (avion) multiplan *m*; **m~deutig** *a* ambigu; **~deutigkeit** *f* ambiguïté *f*; **~einkommen** *n* revenu *m* en excédent; **~einnahme** *f* excédent *m* de recettes; **~erlös** *m*, **~ertrag** *m* surplus, excédent *m*; **~erzeugung** *f* surproduction *f*; **~familienhaus** *n* immeuble *m* collectif; **~farbendruck** *m* impression *f* (en) couleur(s); **m~geschossig** *a arch* à (plusieurs) étages; **~gewicht** *n* excédent *od* supplément de poids, surpoids *m*; **~gewinn** *m* excédent *m* de bénéfice; **m~gleisig** *a loc* à plusieurs voies; **m~glied(e)rig** *a* à plusieurs rangs *od* rangées; **m~jährig** *a* de plusieurs années; *bot* pluriannuel; **~kanalbetrieb** *m TV* multiplex *m*; **~kanalempfänger** *m TV* appareil *m* à plusieurs canaux; **~kosten** *pl* excédent *m* de frais, frais *m pl od* dépenses *f pl* supplémentaires; **~kreis(empfäng)er** *m radio* récepteur *m* à plusieurs circuits; **~ladegewehr** *n*, **~lader** *m* fusil *m* à répétition; **~leistung** *f* augmentation *f* de rendement; **m~malig** *a* répété, réitéré; **m~motorig** *a* multimoteur; **~parteiensystem** *n* système *m* pluripartite; **~phasenstrom** *m el* courant *m* polyphasé; **m~phasig** *a el* polyphasé; **m~polig** *a el* multipolaire; **~porto** *n* port supplémentaire; excédent *m* de port; **m~rohrig** *a (Feuerwaffe)* multitubulaire; **~scheibenkupp(e)lung** *f mot* embrayage *m* à disques; **m~schichtig** *a u. adv* à plusieurs couches; **m~seitig** *a pol* multilatéral; **m~silbig** *a* polysyllabe; ~~*e(s) Wort n* polysyllabe *m*; **~sitzer** *m aero* (avion) multiplace *m*; **m~sprachig** *a* polyglotte; **m~stellig** *a* à plusieurs chiffres; **m~stimmig** *a* à plusieurs voix; **m~stöckig** *a arch* à plusieurs étages; **~stufenantrieb** *m (Rakete)* (système *m* de) propulsion *f* à plusieurs étages; **~stufenrakete** *f* fusée *f* à *od* de plusieurs étages; **m~stufig** *a (Rakete)* à plusieurs étages; **m~stündig** *a*, **m~tägig** *a* de plusieurs heures, jours; **m~teilig** *a* en plusieurs parties; *bot* pluripartite; **~umsatz** *m com* excédent *m* de vente; **~verbrauch** *m* consommation *f* additionnelle, excédent *m* de consommation; **~wert** *m* plus-value *f*; **m~wertig** *a chem* polyvalent; **~wertigkeit** *f chem* polyvalence *f*; **~wertsteuer** *f* taxe *f* sur la valeur ajoutée (T.V.A.); **~zahl,** *die* la plus grande partie, la majorité, la plupart; *gram* le pluriel; **~zeller** *m biol* organisme *m* pluricellulaire; **m~zellig** *a biol* pluricellulaire; **m~zügig** *a (Schule)* polyvalent; **~zweckfahrzeug** *n* véhicule à usages multiples; *mar* navire *m* de servitude; **~zweckflugzeug** *n* avion *m* à missions multiples *od* toutes missions; **~zylindermotor** *m* moteur *m* multicylindrique.

meiden ⟨*mied, gemieden*⟩ ['maıdən, mi:t/-dən] *tr* éviter; *(ausweichen)* fuir.

Meile *f* ⟨-, -n⟩ ['maılə] mille *m*; lieue *f*; **~nstein** *m* pierre *od* colonne *f* miliaire; **m~nweit** *adv*: ~~ *davon enfernt sein, zu* ... *(fig)* être à cen lieues de ...

Meiler *m* ⟨-s, -⟩ ['maılər] meule (charbon *od* de charbonnier), char bonnière *f*.

mein|(e) [maın] *pron attr* mon, ma; *p* mes; *pred* **~e(r, s)** u. *der, die, da meine* le mien, la mienne; ~ *und dei* le tien et le mien; *für ~(en) Teil* pou ma part; *~es Erachtens* à mon avis *~es Wissens* à ce que je sais; *~e Da men und Herren!* mesdames et mes sieurs! **~er** *(gen von: ich)* de moi; *e gedenkt* ~~ il se souvient de moi; pense à moi; **~erseits** *adv* de mo côté, de *od* pour ma part; quant moi; inversement; **~esgleiche** *pron sing* mon égal; *pl* mes égaux mes semblables, mes pareils **~esteils** *adv* = *~erseits*; **~ethal ben** *adv*, **~etwegen** *adv* à cause d *od* pour moi; ~~! *(ich habe nicht dagegen)* je le veux bien, je ne m' oppose pas; d'accord! soit! passe! va *iron* tant qu'il te, vous plaira! **~et willen** *adv*: *um* ~~ pour moi; **~ige** *der, die, das (pron)* le mien, la mien ne; *die M~~n pl (meine Familie)* le miens, ma famille.

Meineid *m* ⟨-(e)s, -e⟩ ['maın?aıt, -də parjure, faux serment *m*; *e-n* ~ *schwören* se parjurer, faire un par jure *od* faux serment; **m~ig** *a* par jure; ~~ *werden* se parjurer.

meinen ['maınən] *tr* être d'avis; esti mer; dire; *(denken)* penser; *(glau ben)* croire; *(sagen wollen)* entendre (vouloir) parler (de); *dazu* ~ en dire *es ernst* ~ être sérieux, parler sérieu sement; *es gut* ~ faire bien le choses; ne pas avoir de mauvaises in tentions; *mit jdm* vouloir du bien qn, avoir de bonnes intentions enver qn; *ich meine nur so* ce n'est qu'un idée; *damit sind Sie gemeint* cela s'a dresse à vous; *man könnte* od *sollt* ~ on dirait, on aurait dit, il est croire; *es war nicht böse gemeint* n'y avait pas de mauvaise intention *das war nicht so gemeint* c'est un façon de parler; *was* ~ *Sie damit* qu'entendez-vous *od* que voulez -vous dire par là? *was* ~ *Sie dazu* qu'en pensez-vous? *wen* ~ *Sie?* d qui parlez-vous? *wie* ~ *Sie?* vous di siez? plaît-il? *wie* ~ *Sie das?* com ment entendez-vous cela? *das wil ich* ~! je pense bien! je le crois bien *wie Sie* ~! comme vous voudrez.

Meinung *f* ⟨-, -en⟩ ['maınuŋ] *(An sicht)* opinion *f*, avis *m*, manière d voir; *(Idee)* idée, pensée; *pol* optiqu *f*; *meiner* ~ *nach, nach meiner* ~ mon avis, à ce que je pense; *nacl meiner unmaßgeblichen* ~ à mor humble avis; *s-e* ~ *ändern* change d'avis *od* d'idée; virer (de bord), tour ner bride, retourner sa veste; *s-e* ~ *äußern* exprimer *od* faire connaîtr *od* donner son opinion *od* avis; *sicl e-e* ~ *bilden* se faire une opinion; *fü s-e* ~ *eintreten* avoir le courage d ses opinions; *e-e gute, schlechte hohe* ~ *von* ... *haben* avoir une bon ne, mauvaise, haute opinion de ...; *mit s-r ~ hinterm Berg halten (fam)* mettre son drapeau dans sa poche, dissimuler ses opinions; *s-e ~ sagen* dire son avis *od* son opinion, se prononcer; *jdm die* od *s-e ~ sagen* dire son fait *od* ses vérités, faire le leçon à qn; *jdm gehörig die ~ sagen* sonner les cloches à qn *fam; der ~ sein, daß* être d'avis que; *anderer ~ sein* être d'un autre avis; *der gleichen* od *derselben* od *gleicher ~ sein wie, einer ~ sein mit* être du même avis que; partager l'opinion de; *fam* marcher avec, être du bord de; *einer ~ sein* être unanime; *verschiedener ~ sein* différer; *die entgegengesetzte ~ vertreten* faire *od* soutenir la contrepartie; *ich bin ganz Ihrer ~ (a.)* j'abonde dans votre sens; *die ~en gehen ausea.* od *sind geteilt* les avis sont partagés; *es herrscht nur eine ~ darüber* tout le monde est d'accord là-dessus; *ganz meine ~!* je vous *od* te crois; *öffentliche ~* opinion *f* (publique), cri *m* public; *vorgefaßte ~* idée *f* préconçue, parti *m* pris; **~sänderung** *f* volte-face *f; e-e ~~ herbeiführen* ramener l'opinion; **~säußerung** *f* manifestation *f* d'opinion; *(Recht der) freie(n) ~~* liberté *f* d'expression, droit *m* d'exprimer son opinion; **~saustausch** *m* échange *m* de vues; **~sforscher** *m* enquêteur *m;* **~sforschung** *f* sondage *m* d'opinion, enquête *f* par sondage; **~sverschiedenheit** *f* divergence *od* différence d'opinions *od* de vues, dissension *f; (Streit)* différend *m.*

Meiran *m* ‹-s, -e› ['maira:n] = *Majoran.*

Meise *f* ‹-, -n› ['maizə] *orn* mésange *f.*

Meißel *m* ‹-s, -› ['maisəl] ciseau, burin *m; (des Bildhauers)* ognette *f;* **m~n** *tr* ciseler, buriner.

meist [maist] *adv (zeitl.)* le plus souvent, la plupart *od* les trois quarts du temps; *allg* dans la plupart *od* la généralité des cas, généralement; **M~begünstigung** *f* régime *m* préférentiel; **M~begünstigungsklausel** *f pol com* clause *f* de la nation la plus favorisée; **~bietend** *adv* au plus offrant et dernier enchérisseur; *der M~~e* le plus offrant; **~e** *a: der, die, das ~ ...* le plus de, la plupart de ...; *das ~~* le plus, la plus grande partie; *die ~~n (...) pl* la plupart (de); le plus grand nombre, la majeure partie, la majorité; *am ~~n* le plus; *in den ~~n Fällen* dans la majorité des cas; *die ~~n Leute pl* la plupart *od* les trois-quarts des gens; *die ~~ Zeit* la plupart du temps; **~ens** *adv,* **~enteils** *adv = ~;* **M~gebot** *n* dernière enchère *f;* **~gelesen** *a* (le, la) plus lu.

Meister *m* ‹-s, -› ['maistər] maître; *(Chef)* patron; *sport* champion *m; s-n ~ finden (fig)* trouver son maître *od* plus fort que soi; *es ist noch kein ~ vom Himmel gefallen* apprenti n'est pas maître; il y a commencement à tout; *das Werk lobt den ~ (prov)* c'est à l'œuvre qu'on reconnaît l'artiste; *~ vom Stuhl (Freimaurerei)* vénérable *m;* **~brief** *m* brevet *od* diplôme *m* de maîtrise; **m~haft** *a* magistral, parfait; *adv* en maître, magistralement, à la perfection; **~hand** *f: von ~~* de main de maître; **~in** *f* maîtresse; patronne; *sport* championne *f;* **m~lich** *a = m~haft;* **m~n** *tr (Aufgabe)* s'acquitter de, venir à bout de; *(Schwierigkeit)* vaincre, faire face à; **~prüfung** *f* examen *m* de maîtr(is)e; épreuve *f* de maître; **~schaft** *f* maîtrise; *(Kunst)* maestria *f; sport* championnat *m; (Überlegenheit)* supériorité; *(Vollkommenheit)* perfection *f;* **~schaftskampf** *m sport* match *m* de championnat; **~singer** *m* maître *m* chanteur; **~stück** *n,* **~werk** *n* chef-d'œuvre *m.*

Mekka *n* ['mɛka] la Mecque.

Melanchol|ie *f* ‹-, (-n)› [melaŋko'li:] mélancolie *f;* **~iker** *m* ‹-s, -› [-'ko:likər] mélancolique *m;* **m~isch** [-'ko:lıʃ] *a* mélancolique.

Melanes|ien *n* [mela'ne:ziən] *geog* la Mélanésie; **~ier** *m* ‹-s, -› [-'ne:ziər] Mélanésien *m;* **m~isch** [-'ne:zıʃ] *a* mélanésien.

Melasse *f* ‹-, -n› [me'lasə] mélasse *f.*

Melde|amt *n* ['mɛldə-] *(Einwohner~~)* bureau des déclarations; *mil* bureau *m* de recrutement; **~block** *m mil* carnet *m* de messages *od* comptes rendus; **~bogen** *m* feuille *f* de rapport; **~fahrer** *m* estafette *f;* **~flugzeug** *n* avion *m* estafette; **~frist** *f* délai *m* de déclaration; **~gänger** *m mil* estafette *f;* **~hund** *m* chien-estafette *m;* **~liste** *f* liste *f* des inscriptions; **~pflicht** *f (für e-e Person)* inscription *od (für e-e Sache)* déclaration *f* obligatoire; **m~pflichtig** *a (Person)* soumis à l'inscription; *(Sache)* à déclarer; **~reiter** *m* estafette *f* montée *od* à cheval; **~schluß** *m* clôture *f* des inscriptions; **~stelle** *f* bureau de réception *od* de déclaration *od* d'inscription; *(Radar)* centre *m* de détection lointaine; **~tasche** *f* sacoche *f;* **~zettel** *m com* lettre *f* d'avis.

meld|en ‹meldete, gemeldet› ['mɛldən] *tr (ankündigen)* annoncer, apprendre (*jdn* qn; *jdm etw* qc à qn); *(mitteilen)* signaler; avertir, informer (*jdm* etw qn de qc); faire part (*jdm etw* à qn de qc); *(berichten)* rendre compte (*jdm etw* à qn de qc); rapporter; *tele* transmettre (par message); *(anmelden)* faire inscrire; *sich ~~* se présenter (*bei jdm* à *od* chez qn; *zu etw* pour qc); se proposer (*für etw* pour qc); *(sich anmelden)* se faire inscrire; *(Schule)* lever la main; *tele* répondre (à l'appel); *sich freiwillig ~~* s'engager; *sich krank ~~* se faire porter malade; *sich ~~ lassen* se faire annoncer; *es ~et sich niemand (tele)* (ça) ne répond pas; *wen darf ich ~~?* qui dois-je annoncer? **M~er** *m* ‹-s, -› *mil* estafette *f;* agent *m* de transmission; **M~ung** *f* annonce *f;* avertissement, faire-part *m,* notification, information, communication *f;* compte rendu, rapport; *tele* avertissement; *radio* message *m; (An~~, bes. sport)* (demande d')inscription *f; jdm ~~ machen (mil)* rendre compte à qn; *s-e ~~ zurücknehmen* od *zurückziehen (sport)* déclarer forfait; *letzte ~~en (Zeitung)* dernière heure *f.*

meliert [me'li:rt] *a* mélangé; *(Haar)* grisonnant; *grau~ (a.)* poivre et sel.

Melior|ation *f* ‹-, -en› [melioratsi'o:n] *agr* amélioration *f,* amendement *m;* **m~ieren** [-'ri:rən] *tr* améliorer, amender.

Melisse *f* ‹-, -n› [me'lısə] *bot* mélisse *f;* **~ngeist** *m pharm* eau *f* de mélisse.

Melk|eimer *m* ['mɛlk-] seau *m* à traire; **m~en** *tr* traire; **~en** *n* traite, mulsion *f;* **~kübel** *m* bac *m* à traire; **~er** *m* ‹-s, -› trayeur *m;* **~maschine** *f* trayeuse *f;* **~schemel** *m* tabouret *m* pour traire.

Melo|die *f* ‹-, -n› [melo'di:] mélodie *f,* air *m;* **m~dienreich** *a,* **m~diös** [-di'ø:s] *a* mélodieux; **m~disch** [-'lo:dıʃ] *a* mélodique; **~dram(a)** *n* ‹-s, -men› [-lo'dra:m(a)] mélodrame *m.*

Melone *f* ‹-, -n› [me'lo:nə] *bot* melon; *(Hut)* (chapeau) melon *m,* cape *f;* **m~nartig** *a* melonné; **~nbeet** *n* melonnière *f;* **~nkürbis** *m* melonnée *f.*

Meltau *m* ‹-(e)s, ø› ['me:ltau] *(Honigtau)* miellat *m,* miellée *f.*

Membran|(e) *f* ‹-, -(e)n› [mɛm'bra:nə] membrane *f; bes. tele* diaphragme *m;* **~pumpe** *f* pompe *f* à membrane *od* à diaphragme.

Memme *f* ‹-, -n› ['mɛmə] poltron, couard, dégonflé *m; fam* poule *f* mouillée *m.*

Memoiren *pl* [memo'a:rən] mémoires *f pl.*

Memor|abilien *pl* [memora'bi:liən] = *Memoiren;* **~andum** *n* [-'randum, -dən/-da] ‹-s, -den/-da› *pol* mémorandum, aide-mémoire *m;* **m~ieren** [-'ri:rən] *tr* apprendre par cœur.

Menag|e *f* ‹-, -n› [me'na:ʒə] *(Gewürzständer)* huilier *m;* **~erie** *f* ‹-, -n› [-naʒə'ri:] *(Tierschau)* ménagerie *f.*

Menetekel *n* ‹-s, -› [mene'te:kəl] *(Warnung)* avertissement *m* fatidique.

Menge *f* ‹-, -n› ['mɛŋə] quantité; *(große)* multitude *f,* grand nombre *m,* masse; *fam* tapée *f; (Haufen)* tas, amas *m; (Menschen~)* foule, cohue *f; pop* populo *m; e-e (ganze) ~ (gen) (fam)* quantité (de), un tas *od* ramas (de), pas mal (de), force *(ohne Artikel); pop* des masses (de), une flopée (de); *in ~* en quantité, à la douzaine; *in großen* od *(fam) rauhen ~n* à profusion, en masses, par millions, comme s'il en pleuvait; *in kleinen ~n* par petites quantités; *mitten in der ~* au plus épais de la foule; *sich unter die ~ mischen, in der ~ untertauchen* se mêler à *od* avec la foule; *e-e ~ Geld verdienen (fam)* gagner des mille et des cents; **~nbestimmung** *f scient* analyse *f* quantitative; **~neinheit** *f* unité *f* de quantité; **~nlehre** *f meth* théorie *f* des ensembles; **m~nmäßig** *a* quantitatif;

~nverhältnis *n scient* constitution *f* quantitative.

meng|en ['mɛŋən] *tr* mêler; mélanger; **M~futter** *n* dragée *f;* **M~gestein** *n geol* conglomérat *m;* **M~korn** *n (Weizen, Roggen u. Gerste)* mouture *f; (Weizen u. Roggen)* méteil *m;* **M~sel** *n* ‹-s, -› ['-zəl] mélange *m,* mixture *f.*

Menhir *m* ‹-s, -e› ['mɛnhɪr] *hist (Steindenkmal)* menhir *m.*

Meniskus *m* ‹-, -ken› [me'nɪskʊs, -kən] *phys opt anat* ménisque *m.*

Mennige *f* ‹-, ø› ['mɛnɪgə] *(rote Farbe)* minium *m.*

Mensa *f* ‹-, -s/-sen› ['mɛnza, -zən] restaurant *m* universitaire.

Mensch *m* ‹-en, -en› [mɛnʃ] homme, être *m* (humain); *fam péj n* ‹-es, -er› créature *f; liederliches ~* traînée *f; die ~en (poet)* les humains *m pl; kein ~ (niemand)* personne; *nicht (mehr) wie ein ~ aussehen (übertreibend)* n'avoir pas (plus) figure *od* forme humaine; *unter (die) ~en kommen* voir du monde; *~ werden (rel)* s'incarner, se faire homme; *ein (ganz) anderer ~ werden (fig)* faire peau neuve; *er ist auch nur ein ~* c'est un homme comme nous; *so sind die ~en nun einmal* les hommes sont ainsi faits; *es wimmelte von ~en* il y avait foule; *der ~ denkt, Gott lenkt (prov)* l'homme propose et Dieu dispose; *allen ~en recht getan ist eine Kunst, die niemand kann (prov)* qui sert au commun sert à pas un; *~! (interj); ~ Meier!* bigre! diantre! nom d'une pipe *od* de nom! **~heit** *f* ‹-, ø› humanité *f;* genre *m* humain; **m~heitlich** *a* humain; universel; **~heitskultur** *f* civilisation *f* humaine; **m~lich** *a* humain; *durch ~~es Versagen* par le fait de l'homme; *nach ~~er Voraussicht* humainement parlant; **~lichkeit** *f* ‹-, ø› humanité *f;* **~werdung** *f rel* incarnation; *biol* hominisation *f.*

Menschen|affe *m* ['mɛnʃən-] anthropoïde *m;* **~alter** *n* génération *f;* **~art** *f* nature *f* humaine; **~bild** *n philos* conception *f* de l'homme; **~feind** *m* misanthrope *m;* **m~feindlich** *a* misanthrope; **~fleisch** *n* chair *f* humaine; **~fresser** *m* anthropophage *m;* **~fresserei** *f* anthropophagie *f,* cannibalisme *m;* **~freund** *m* philanthrope *m;* **m~freundlich** *a* philanthropique; *a* affable, bienveillant; **~freundlichkeit** *f* philanthropie, humanité *f;* **~führung** *f* conduite *f* des hommes; *mil a.* (exercice du) commandement *m,* action *f* psychologique; **~gedenken** *n: seit ~~* de mémoire d'homme; **~geschlecht,** *das* le genre humain, l'espèce *f,* la race humaine; **~gestalt** *f* forme *f* humaine; **~hand** *f: von ~~* de main d'hommes; **~kenner** *m: ~~ sein* connaître les hommes; **~kenntnis** *f* connaissance *f* des hommes; **~kunde** *f* anthropologie *f;* **~leben** *n* vie *f* humaine; *~~ fordern* od *kosten* faire des victimes; *es ist kein ~~ zu beklagen* il n'y a pas eu mort d'homme; **m~leer** *a* dépeuplé, désert; **~liebe** *f: aus reiner ~~* pour l'amour de Dieu; **~massen** *f pl* masses *f pl;* **~material** *n* matériel *m* humain; **~menge** *f* foule, multitude *f; wogende ~~* houle *f* humaine; **m~möglich** *a* humainement possible; *das ~~e tun* faire tout son possible; **~opfer** *n rel* sacrifice *m* humain; **~pflicht** *f* devoir *m;* **~potential** *n* ressources *f pl* en hommes; **~raub** *m* rapt *m;* **~rechte** *n pl* droits *m pl* de l'homme; **m~scheu** *a* sauvage; *(schüchtern)* timide; *~~e(s) Mädchen n* sauvageonne *f;* **~scheu** *f* sauvagerie *f;* **~schinder** *m* écorcheur; *(Blutsauger)* exploiteur *m;* **~schlag** *m* race *f* d'hommes; **~seele** *f: es war keine ~~ zu sehen* il n'y avait âme qui vive; *fam* il n'y avait pas un chat; **~skind** *n: ~~!* mon vieux! **~sohn,** *der (rel)* le Fils de l'homme; **~strom** *m* flot *m* humain *od* de gens; **~tum** *n* ‹-s, ø› dignité *f* d'homme; **m~unwürdig** *a* indigne d'un homme; **~verstand** *m: gesunde(r) ~~* bon sens, sens *m* commun; **~werk** *n* ouvrage *m* de la main des hommes; œuvre *f* des hommes; **~würde** *f* dignité *f* humaine *od* d'homme.

Menstru|ation *f* ‹-, -en› [mɛnstru-atsi'o:n] *physiol* menstruation *f,* menstrues, règles *f pl;* **~ationsbeschwerden** *f pl* dysménorrhée *f;* **m~ieren** [-'i:rən] *itr* avoir ses règles.

Mensur *f* ‹-, -en› [mɛn'zu:r] *(Duell)* duel *m* d'étudiants; *mus* mesure *f.*

Mentalität *f* ‹-, -en› [mɛntali'tɛ:t] mentalité *f.*

Mentor *m* ‹-s, -en› ['mɛntɔr, -'to:rən] mentor; guide, conseiller *m.*

Menü *n* ‹-s, -s› [me'ny:] menu *m; das ~ zs.stellen* faire *od* établir *od* dresser le menu.

Menuett *n* ‹-(e)s, -e› [menu'ɛt] *(Tanz)* menuet *m.*

Mergel *m* ‹-s, -› ['mɛrgəl] *geol* marne *f; mit ~ düngen* marner; **~boden** *m* sol *m* marneux; **~grube** *f* marnière *f; Arbeiter m in e-r ~~* marneur *m.*

Meridian *m* ‹-s, -e› [meridi'a:n] *geog* méridien *m;* **~höhe** *f astr* hauteur *f* méridienne.

Meringe *f* ‹-, -n› [me'rɪŋə] *(Gebäck)* meringue *f.*

Merino *m* ‹-s, -s› [me'ri:no] mérinos *m;* **~wolle** *f* (laine *f*) mérinos *m.*

merk|bar ['mɛrk-] *a* perceptible, sensible; **M~blatt** *n* feuille *f* de renseignements, (note *f*) aide-mémoire *m;* **M~buch** *n,* **M~büchlein** *n* guide-âne *m; vgl. Notizbuch;* **M~er** *m* ‹-s, -› *e-n guten ~~ haben (fam)* avoir du flair; **~lich** *a* sensible; visible; évident; **M~mal** *n* ‹-s, -e› marque *f* (distinctive), signe (caractéristique); indice *m,* caractéristique *f; (Unterscheidungs~~)* critère *m;* **M~vers** *m* vers *m* mnémotechnique; **~würdig** *a (seltsam)* curieux, singulier; **~würdigerweise** *adv* curieusement, chose curieuse; **M~würdigkeit** *f* curiosité, singularité; chose *f* curieuse *od* étrange; **M~zeichen** *n* repère *m; mit ~~ versehen* repérer; **M~zettel** *m* fiche *f* mémento.

merken ['mɛrkən] *tr* remarquer; *(wahrnehmen)* s'apercevoir de; *(spüren)* sentir; *sich etw ~* retenir, ne pas oublier qc; *nichts ~* n'y voir que du feu; *jdn etw nicht ~ lassen* ne pas laisser entendre *od* paraître *od* voir qc à qn; *ich merke mir alles (a.)* je tiens registre de tout; *das werde ich mir ~* je m'en souviendrai; j'en prendrai (bonne) note; cela me servira de leçon; j'en ferai mon profit; *ich habe schon lange gemerkt, wor auf Sie hinauswollten* je vous ai vu venir de loin; *das muß man sich ~* c'est bon à savoir; *davon ist nicht (mehr) zu ~* il n'y paraît pas (plus); *~ Sie sich das!* retenez bien cela! enfoncez-vous bien ça dans la tête mettez *od* notez cela sur vos tablettes! tenez-vous pour averti! tenez-vous-le pour dit!

Merowinger *m pl* ['me:rovɪŋər] *hist* Mérovingiens *m pl.*

merzerisieren [mɛrtsəri'zi:rən] *t (Textil)* merceriser.

Merzvieh *n* ['mɛrts-] bétail *m* impropre à la reproduction.

meschugge [me'ʃugə] *a pop* maboul louf(oque), cinglé; *arg* dingue.

Mesner *m* ‹-s, -› ['mɛsnər] *rel* sacristain *m.*

Meso|lithikum *n* ‹-s- ø [mezo'li:tikum] *hist* mésolithique *m* **~potamien** *n* [-po'ta:miən] Mésopotamie; **~(tro)n** *n* ‹-s, -en ['me:zɔn, -'zo:nən; 'me:zotrɔn -'tro:nən] *phys* méso(tro)n *m* **~zoikum** *n* ‹-s, ø› [-'tso:ikum] *geo* mésozoïque *m.*

Meß|apparat *m* ['mɛs-] appareil de mesure, indicateur *m;* **m~bar** *a* mesurable, mensurable; **~barkeit** mensurabilité *f;* **~becher** *m (au Blech)* moque *f;* **~behälter** *m (e-Benzinpumpe)* jaugeur *m;* **~bereich** *m* calibre *m;* **~bildverfahren** *n* photogrammétrie *f;* **~daten** *n pl* résultats *m pl* des mesures; **~fehler** *m* erreur *f* de mesure; **~genauigkeit** précision *f* de (la) mesure; **~gerät** appareil de mesure, mesureur *m* **~glas** *n chem* éprouvette *f* graduée **~instrument** *n* instrument *m* de mesure; **~kette** *f,* **~leine** *f* chaîne corde *f* d'arpenteur; **~latte** *f* mire jalon *m;* **~punkt** *m* point *m* de repère *od* de mesure; **~rädchen** *n* curvimètre *m;* **~schnur** *f* cordeau *m* **~stange** *f = ~latte;* **~tisch** *m* planchette *f* (topographique); **~tischblatt** *n* feuille *f* de *od* levé à la planchette, plan *m* directeur; **~trupp** *tele* équipe *f* de mesure *od* de dérangement; **~uhr** *f* indicateur à cadran comparateur; *(Zähler)* compteur *m* **~verfahren** *n* procédé *m* de repérage *od* de mesurage; **~wert** *m* valeur *f* mesurée; **~zahl** *f* nombre index, indice *m; pl (Statistik)* valeurs *pl;* **~zylinder** *m* éprouvette *f* graduée.

Meß|buch *n* ['mɛs-] *rel* livre de messe, missel; paroissien *m;* **~diener** *rel* servant *od* enfant *m* de chœur **~gewand** *n* chasuble *f;* ornement *m* **~kännchen** *n* burette *f;* **~kelch** calice *m;* **~opfer** *n* sacrifice *m* de messe; oblation *f;* **~ordnung** *f rel* ordo *m;* **~tuch** *n rel* corporal *m.*

Messe *f* ⟨-, -n⟩ ['mɛsə] **1.** *rel* messe *f; zur ~ läuten* sonner la messe; *die ~ lesen* dire *od* célébrer la messe; *e-e ~ stiften* fonder une messe; *feierliche* od *öffentliche ~* grand-messe *f; stille ~* messe *f* basse.

Messe 2. *com* foire *f;* **~amt** *n* office *m* de la foire; **~besucher** *m* visiteur *m* de la foire; **~gelände** *n* terrain de (la) *od* champ *m* de foire; **~stand** *m* stand *m* de foire *od* d'exposition.

Messe 3. *mil* mess *m.*

mess|en ⟨*du mißt, er mißt; maß(en), gemessen, miß!*⟩ [(-)'mɛsən, ma:s, mɪs-] *tr* mesurer, prendre la mesure de; *(mit dem Metermaß)* métrer; *fig (mit dem Blick)* toiser; *(groß, lang sein; mit Zahlenangabe)* mesurer (*zwei Meter* deux mètres); *(Lot)* rapporter; *(eichen)* jauger; *(loten)* sonder; arpenter; *sich mit jdm ~* se mesurer, jouter, *fam* s'aligner avec qn; *mit dem Blick ~* mesurer du regard *od* des yeux, toiser; *genau, gut ~ (com)* mesurer ras, comble; *s-e Kräfte mit jdm ~* mesurer ses forces avec qn; **M~ung** *f* mesurage, métrage *m; (Körpermessung)* mensuration *f.*

Messer *n* ⟨-s, -⟩ ['mɛsər] couteau; *arg* surin; *(Operationsmesser)* bistouri *m; bis aufs ~ (fig)* à outrance; *jdn ans ~ liefern* livrer qn à la mort; *jdm das ~ auf die Brust* od *an die Kehle setzen* mettre à qn le couteau *od* le poignard sur *od* sous la gorge; *auf des ~s Schneide stehen (fig)* ne tenir qu'à un fil; *mir sitzt das ~ an der Kehle (fig)* j'ai le couteau sous *od* sur la gorge; **~bänkchen** *n* porte-couteau *m;* **~held** *m* bandit, apache *m;* **~putzmaschine** *f* polissoir *m;* **~schmied** *m* coutelier *m;* **~schmiede(handwerk** *n***)** *f* coutellerie *f;* **~spitze** *f: e-e ~~ ...* une pointe de ...; **~stecher** *m* = *~held;* **~stich** *m* coup *m* de couteau.

messia|nisch [mɛsi'a:nɪʃ] *a* messianique; **M~s** [mɛ'si:as], *der* le Messie.

Messing *n* ⟨-s, (-e)⟩ ['mɛsɪŋ] laiton, cuivre *m* jaune; **~draht** *m* fil *m* de laiton *od* d'archal; **m~en** *a* de laiton.

Mestiz|e *m* ⟨-n, -n⟩ [mɛs'ti:tsə] , **~in** *f* métis, se *m f.*

Met *m* ⟨-(e)s, ø⟩ [me:t] *hist (Getränk)* hydromel *m.*

Metall *n* ⟨-s, -e⟩ [me'tal] métal *m; aus ~* métallique; *mit ~ überziehen* métalliser; *in ~ auszahlbar* métallique; **~ader** *f geol* veine *f* de métal; **~arbeiter** *m* (ouvrier) métallurgiste; *fam* métallo; ouvrier *m* en métaux; **~baukasten** *m* boîte *f* de construction métallique; **~bearbeitung** *f* usinage *m* des métaux; **~bearbeitungsmaschine** *f* machine *f* pour le travail des métaux; **~druck** *m typ* métallographie *f;* **m~en** *a* métallique *a. fig,* de métal; **~fadenlampe** *f* lampe *f* à filaments métalliques; **~geld** *n* monnaie *f* métallique, espèces *f pl* sonnantes; **~glanz** *m* éclat *m od* reflets *m pl* métallique(s); *~~ geben* métalliser (*e-r S* qc); **~guß** *m* métal *m* coulé; **m~haltig** *a* métallifère; **~industrie** *f* industrie *f* métallurgique; **m~isch** *a* métallique; *~~ glänzend* métallin; **m~isieren** [-li'zi:rən] *tr* métalliser; **~könig** *m chem mot* régule *m;* **~kunde** *f* métallographie *f;* **~(l)egierung** *f* alliage *m* métallique; **~ographie** *f* ⟨-, ø⟩ [-logra'fi:] métallographie *f;* **~oid** *n* ⟨-(e)s, -e⟩ [-lo'i:t, -də] *chem (Nichtmetall)* métalloïde *m;* **~putzmittel** *n* brillant *m* (pour métaux); **~reserve** *f fin* réserve *f* métallique; **~säge** *f* scie *f* à métaux; **~schild** *n* enseigne *f* métallique; **~späne** *m pl* battitures *f pl;* **~spritzverfahren** *n* procédé *m* de métallisation au pistolet; **~überzug** *m* revêtement *m* métallique; **~urg** *m* ⟨-en, -en⟩ [-'lʊrk, -gən] métallurgiste *m;* **~urgie** *f* ⟨-, ø⟩ [-lʊr'gi:] métallurgie *f;* **~verarbeitung** *f* usinage *m* des métaux; **~währung** *f* étalon *m* métallique; **~waren** *f pl* articles *m pl* métalliques; **~warenfabrik** *f* usine *f* d'articles métalliques.

Meta|merie *f* ⟨-, ø⟩ [metame'ri:] *chem* métamérie *f;* **~morphose** *f* ⟨-, -n⟩ [-mɔr'fo:zə] *(Verwandlung)* métamorphose *f;* **~pher** *f* ⟨-, -n⟩ [-'tafər] *(bildl. Ausdruck)* métaphore *f;* **m~phorisch** [-'fo:rɪʃ] *a* métaphorique; **~physik** *f philos* métaphysique *f;* **m~physisch** *a* métaphysique; **~these** *f* ⟨-, -n⟩ , **~thesis** *f* ⟨-, -sen⟩ [-'te:zə(n), -'ta:tezɪs] métathèse *f;* **~zoon** *n* ⟨-s, -zoen⟩ [-'tso:ɔn, -ən] *biol* métazoaire *m.*

Meteor *m* od *n* ⟨-s, -e⟩ [mete'o:r] météore, bolide *m;* **~eisen** *n* fer *m* météorique; **m~isch** [-'o:rɪʃ] *a* météorique; **~it** *m* ⟨-s, -e⟩ [-o'ri:t, -'rɪt] = *~stein;* **~ologe** *m* ⟨-n, -n⟩ [-oro'lo:gə] météorologiste, météorologue *m;* **~ologie** *f* ⟨-, ø⟩ [-lo'gi:] météorologie *f;* **m~ologisch** [-'lo:gɪʃ] *a* météorologique; **~stein** *m* aérolithe *m,* pierre *f* météorique; météorite *m.*

Meter *m* od *n* ⟨-s, -⟩ ['me:tər] mètre *m;* **~band** *n (Maß)* mètre *m* souple; **~kilogramm** *n tech* kilogrammètre *m;* **~maß** *n* mesure *f* métrique, mètre; *(Zollstock)* mètre pliant; *(~zahl)* métrage *m;* **~sekunde** *f* mètre *m* par seconde; **m~weise** *adv* par mètres; **~zahl** *f* métrage *m.*

Methan *n* ⟨-s, ø⟩ [me'ta:n] *chem* méthane, gaz *m* des marais.

Methodi|e *f* ⟨-, -n⟩ [me'to:də] méthode *f;* **~ik** *f* ⟨-, en⟩ [-'to:dɪk] méthodologie *f;* **m~isch** [-'to:dɪʃ] *a* méthodique; **~ismus** *m* ⟨-, ø⟩ [-to'dɪsmus] *rel* méthodisme *m;* **~ist** *m* ⟨-en, -en⟩ [-'dɪst] *rel* méthodiste *n;* **m~istisch** [-'dɪstɪʃ] *a rel* méthodiste.

Methyl *n* ⟨-s, ø⟩ [me'ty:l] *chem* méthyle *m;* **~alkohol** *m (Holzgeist)* alcool méthylique, esprit-de-bois, *com* méthylène *m;* **~chlorid** *n* chlorure *m* de méthyle; **~enblau** *m* bleu *m* de méthylène.

Metr|ik *f* ⟨-, ø⟩ ['me:trɪk] métrique *f;* **m~isch** ['me:trɪʃ] *a* métrique; *~~e(s) System n* système *m* métrique; **~ologie** *f* ⟨-, ø⟩ [-trolo'gi:] *(Maß- u. Gewichtskunde)* métrologie *f;* **~onom** *n* ⟨-s, -e⟩ [-'no:m] *mus* métronome *m;* **~opole** *f* ⟨-, -n⟩ [-'po:lə] métropole *f;* **~opolit** *m* ⟨-en, -en⟩ [-po'li:t] *rel* métropolite *m;* **~um** *n* ⟨-s, -tra/-tren⟩ ['metrum, -tra/ -trən] *(Versmaß)* mètre *m.*

Mett *n* ⟨-(e)s, ø⟩ [mɛt] *dial (Hackfleisch)* viande *f* hachée; **~wurst** *f* andouille *f.*

Mette *f* ⟨-, -n⟩ ['mɛtə] *rel* matines *f pl.*

Metteur *m* ⟨-s, -e⟩ [mɛ'tø:r] *typ* metteur *m* en pages.

Metz|elei *f* ⟨-, -en⟩ [mɛtsə'laɪ] massacre *m,* tuerie *f,* carnage *m,* boucherie *f;* **m~eln** ['mɛtsəln] *tr (niedersäbeln)* sabrer, massacrer; *(zerhacken)* tailler en pièces; *dial (schlachten)* tuer, abattre; **~ger** *m* ⟨-s, -⟩ ['-gər] boucher; *(Wurstmacher)* charcutier *m;* **~gerei** *f* [-'raɪ] boucherie; charcuterie *f;* **~gersfrau** *f* bouchère *f.*

Meuch|elmord *m* ['mɔyçəl-] (meurtre avec *od* par) guet-apens *m;* **~elmörder** *m,* **~ler** *m* ⟨-s, -⟩ assassin, meurtrier *m;* **m~eln** *tr* assassiner; **m~lerisch** *a* assassin, meurtrier; **m~lings** *adv* par guet-apens.

Meute *f* ⟨-, -n⟩ ['mɔʏtə] *(Jagd)* meute; *fig* tourbe *f.*

Meuter|ei *f* ⟨-, -en⟩ [mɔʏtə'raɪ] mutinerie, émeute *f;* **~er** *m* ⟨-s, -⟩ ['mɔʏtərər] mutin, émeutier *m;* **m~isch** *a* mutin, séditieux; **m~n** *itr* se mutiner.

Mexik|aner(in *f***)** *m* ⟨-s, -⟩ [mɛksi'ka:nər] Mexicain, e *m f;* **m~anisch** [-'ka:nɪʃ] *a* mexicain; **~o** *n* ['mɛksiko] *(Land)* le Mexique; *(Stadt)* Mexico *m.*

Mezzosopran *m* ['mɛtso-] *mus* mezzo-soprano *m.*

miauen [mi'auən] *itr* miauler; **M~** *n* miaulement *m.*

mich [mɪç] *pron acc* me; *(an den Imperativ angehängt u. alleinstehend)* moi; *pop* bibi; *über ~ (a.)* sur mon compte.

Mich|(a)el ['mɪçaɛl, -çəl] *m* Michel *m;* **~aeli(s)** *n* ⟨-, ø⟩ [-ça'e:li] **~aelstag,** *der (29. Sept.)* la Saint-Michel.

mick(e)rig ['mɪk(ə)rɪç] *a fam (schwach)* faible, faiblard.

Mieder *n* ⟨-s, -⟩ ['mi:dər] corselet *m;* **~waren** *f pl* corsets *m pl.*

Mief *m* ⟨-(e)s, ø⟩ [mi:f] *fam (schlechte Luft)* air *m* vicié *od* confiné.

Miene *f* ⟨-, -n⟩ ['mi:nə] *(Gesichtsausdruck)* mine *f; (Aussehen)* air *m; ~ machen zu* faire mine de; *eine finstere ~ machen* faire grise mine; *gute ~ zum bösen Spiel machen* faire contre mauvaise fortune bon cœur; *keine ~ verziehen* ne pas sourciller; *ohne e-e ~ zu verziehen* sans sourciller; **~nspiel** *n* mines *f pl,* mimique *f; theat* mime *m.*

mies [mi:s] *a fam* mauvais, moche; *~e Sache f* sale histoire *f; mir ist (so) ~* je suis mal fichu; *~ gekleidet* ficelé comme l'as de pique; **M~epeter** *m* ⟨-s, -⟩ ['-zəpe:tə] *fam* pessimiste *m;* **~epet(e)rig** *a fam* pessimiste; **M~macher** *m fam* défaitiste *m;* **M~macherei** *f fam* défaitisme *m.*

Miesmuschel *f* ['mi:s-] *zoo* moule *f.*

Miet|ausfall *m* ['mi:t-] perte *f* de loyer; **~auto** *n* = *~wagen;* **~beihilfe** *f* allocation de logement, allocation-logement *f;* **~e** *f* ‹-, -n› **1.** loyer *m*, location *f; (Vierteljahres~)* terme; *theat* abonnement *m; außer ~~ (theat)* hors série; *in ~~* à louage; *zur ~~* en location; *zur ~~ wohnen* être locataire; **~einkommen** *n*, **~einnahmen** *f pl* revenu *m* locatif; **m~en** ‹*mietete, gemietet*› *tr* louer (*von jdm* à qn), prendre en location *od* à louage *od* à loyer *od* à bail; *(Zimmer)* arrêter; *(Schiff)* affréter, prendre à fret; **~entschädigung** *f* indemnité *f* de location; **~er** *m* ‹-s, -› locataire, preneur; *(Schiff)* affréteur *m; zu Lasten des ~~s gehende Reparatur f* réparation *f* locative; **~erhöhung** *f* hausse *f* des loyers; **~erschaft** *f* locataires *m pl;* **~erschutz** *m* protection *f* des locataires; **~ertrag** *m* rapport *m* locatif; **m~frei** *a* exempt de loyer; *adv* sans payer de loyer; **~freigabe** *f* libération *f* des loyers; **~fuhrwerk** *n* voiture *f* de louage; **~kosten** *pl* charges *f pl* locatives; **~ling** *m* ‹-s, -e› *(Söldner)* mercenaire *m;* **~pferd** *n* cheval *m* de louage; **~preis** *m* prix *m* locatif *od* de location; **~quittung(sbuch** *n***)** *f* (livret *m* de) quittance *f* de loyer; **~rückstand** *m*, **~schulden** *f pl* loyer *m* arriéré; **~senkung** *f* baisse *f* des loyers; **~shaus** *n* maison *f* de rapport, immeuble *m* de rapport *od (Schweiz)* locatif; **~skaserne** *f* caserne, cage *f* à poules; **~(s)mann** *m* ‹-(e)s, -leute› locataire *m;* **~(s)steigerung** *f* = *~erhöhung;* **~stopp** *m* blocage *m* des loyers; **~vertrag** *m* contrat de location, rapport *m* locatif; **~vorauszahlung** *f* avance *f* de loyer; **~wagen** *m* voiture *f* de louage; *(Taxe)* taxi *m;* **m~weise** *adv* à louage, en location; à titre de bail; **~wert** *m* valeur *f* locative; **~wohnung** *f* appartement loué *od* locatif; logement *m* locatif; **~zahltag** *m* terme *m;* **~zins** *m* = *~e.*

Miete *f* ‹-, -n› ['mi:tə] **2.** *agr* meule *f*, silo *m.*

Miez|(e) *f* ‹-, -(e)n› [mi:ts(ə)] **~ekatze** *f fam* minon *m;* minet, te *m f.*

Migräne *f* ‹-, -n› [mi'grɛ:nə] *(Kopfweh)* migraine *f; an ~ leiden* être migraineux.

Mikro|bar *n* ['mikro-] *phys (Druck von 1 dyn/cm²)* barye *f;* **~be** *f* ‹-, -n› [-'kro:bə] microbe *m;* **~benherd** *m* foyer *m* microbien; **~biologie** *f* microbiologie *f;* **~chemie** *f* microchimie *f;* **~film** *m* microfilm *m; auf ~~ aufnehmen* microfilmer; *Herstellung f von ~~en* microcinématographie *f;* **~film-Lesegerät** *n* appareil *m* de lecture pour microfilm(s); **~kokkus** *m* ‹-, -kken› [-'kɔkus] *(Bakterie)* microcoque, micrococcus *m;* **~kopie** *f* microfilm *m; e-e ~~ machen* microfilmer (*von etw* qc); **~kosmos** *m* microcosme *m;* **~meter** *n* micromètre *m;* **~meterschraube** *f* vis *f* micrométrique; **~n** *n* ‹-s, -› ['mi:krɔn] *(1/1000 mm)* micron *m;* **~nesien** *n* [-'ne:ziən] *geog* la Micronésie; **~nesier** *m* ‹-s, -› [-'ne:ziər] Micronésien *m;* **~organismus** *m biol* microorganisme *m;* **~phon** *n* ‹-s, -e› [-'fo:n] microphone, transmetteur; *fam* micro *m;* **~phonkapsel** *f* capsule *f* microphonique, boîtier *m;* **~phonträger** *m film* perchman *m;* **~skop** *n* ‹-s, -e› [-'sko:p] microscope *m;* **m~skopisch** *a* microscopique; *~~e Untersuchung f* microscopie *f;* **~tom** *m* od *n* ‹-s, -e› [-'to:m] microtome *m.*

Milb|e *f* ‹-, -n› ['mɪlbə] *ent* mite *f; (Krätz~)* acarus, sarcopte *m; pl (als Ordnung)* acariens *m pl;* **m~ig** *a* mité.

Milch *f* ‹-, ø› [mɪlç] lait *m; (d. Fische)* lait(anc)e *f; dicke* od *gestandene ~* lait *m* caillé; *kuhwarme ~* lait *m* bourru; **~absonderung** *f* sécrétion mammaire, lactation *f;* **~bar** *f* milkbar *m;* **~bart** *m fam* jeune barbe *f*, poil *m* follet; **~borke** *f med* gourme *f;* **~brötchen** *n* petit pain au lait; *(in Belgien)* pistolet *m;* **~diät** *f* régime *m* lacté; **~drüse** *f* glande *f* mammaire; **m~en** *itr* avoir *od* donner du lait; **m~end** *a bot* lactescent; **~er** *m* ‹-s, -› *(Fisch)* poisson *m* laité *od* à laitance; **~erzeugnisse** *n pl* produits *m pl* laitiers; **~erzeugung** *f* production *f* laitière; **~fieber** *n* fièvre *f* lactée *od* de lait; **~flasche** *f* bouteille *f* à lait; **~frau** *f* laitière *f;* **~gebiß** *n* première dentition, dentition *f* de lait; **~geschäft** *n* crémerie *f;* **~gesicht** *n* blanc-bec, béjaune *m;* **~glas** *n* verre *m* laiteux *od* dépoli; **m~haltig** *a* lactifère; **~händler(in** *f***)** *m* laitier, ère *m f;* **m~ig** *a* laiteux, lacté, lactescent; **m~igweiß** *a* blanc laiteux *od* lacté; **~kaffee** *m* café *m* au lait; **~kännchen** *n* crémier *m;* **~kanne** *f (kleine)* gamelle *f* à lait; *(große)* bidon *m* à lait; **~kuh** *f* vache *f* laitière *od* à lait; **~kur** *f* cure *f* de lait, régime *m* lacté; **~laden** *m* = *~geschäft;* **~ling** *m* ‹-s, -e› *(Pilz)* lactaire *m;* **~mädchen** *n* laitière *f;* **~~rechnung** *f* plans *m pl* sur la comète; **~mann** *m* ‹-(e)s, -männer› laitier *m;* **~messer** *m* lacto(-densi)mètre, pèse-lait *m;* **~ner** *m* ‹-s, -› = *~er;* **~produkte** *n pl* = *~erzeugnisse;* **~pulver** *n* lait *m* en poudre; **~reis** *m* riz *m* au lait; **~saft** *m bot* lait, latex *m;* **m~sauer** *a: ~saure(s) Salz n* lactate *m;* **~säure** *f* acide *m* lactique; **~schokolade** *f* chocolat *m* au lait; **~schorf** *m* = *~borke;* **~speisen** *f pl* laitage *m;* **~spiegel** *m (e-r Kuh)* écusson *m;* **~straße** *f astr* voie *f* lactée; **~straßensystem** *n astr* galaxie *f;* **~suppe** *f* soupe *f* au lait; **~topf** *m* pot *m* à lait; **~verwertung(sindustrie)** *f* industrie *f* laitière; **~waage** *f* pèse-lait *m;* **~wagen** *m* voiture *f* de laitier; **~zucker** *m* sucre *m* de lait; *scient* lactose *f.*

mild [mɪlt] *a* doux; *(Wetter) a.* clément; *(Klima)* tempéré; *(lau)* tiède; *(gütig)* bénin; *(barmherzig)* charitable; *(großmütig)* clément; *(nachsichtig)* indulgent; *(Strafe)* léger; *adv* avec indulgence *od* bienveillance; *~e Gabe f* aumône *f;* **M~e** *f* ‹-, ø› ['-də] douceur; *(Güte)* bonté; *(Großmut)* clémence; *(Nachsicht)* indulgence *f; ~~ walten lassen* agir avec clémence; **~ern** *tr* adoucir; *(lindern)* atténuer; *(abschwächen)* atténuer, mitiger; *(mäßigen)* modérer; *(Strafe)* commuer; **~ernd** *a: ~~e Umstände m pl (jur)* circonstances *f pl* atténuantes; **M~erung** *f (Wetter)* adoucissement *m; (Strafe)* atténuation *f;* **~herzig** *a* bénin; charitable; **M~herzigkeit** *f* ‹-, ø› bonté; charité *f;* **~tätig** *a* charitable; **M~tätigkeit** *f* ‹-, ø› charité *f.*

Milieu *n* ‹-s, -s› [mili'ø:] milieu *m*, ambiance *f.*

militant [mili'tant] *a (kämpferisch)* militant.

Militär *m* ‹-s, -s› [mili'tɛ:r] *(höherer Offizier)* militaire; soldat, homme *m* de guerre; *das ~* ‹-s, ø› l'état *m* militaire; les militaires *m pl*, les troupes *f pl*, l'armée *f; zum ~ gehen* se faire soldat, entrer dans l'armée; **m~ähnlich** *a* paramilitaire; **~anwärter** *m* candidat *m* militaire (à un emploi civil); **~arzt** *m* médecin *m* militaire; **~attaché** *m* attaché *m* militaire; **~befehlshaber** *m* gouverneur *m* en chef; **~behörde** *f* autorités *f pl* militaires; **~bündnis** *n* alliance *f* militaire; **~dienst(zeit** *f***)** *m* service *m* militaire; *s-n ~dienst ableisten* faire son service; **~diktatur** *f* dictature *f* militaire; **~fahrschein** *m* billet *m* militaire; *(für e-e Dienstreise)* feuille *f* de route; **~flugzeug** *n* avion *m* militaire; **~friedhof** *m* cimetière *f* militaire; **~führerschein** *m* permis *m* de conduire militaire; **~gefängnis** *n* prison *f* militaire; **~geistliche(r)** *m* aumônier *m* militaire; **~gericht** *n* tribunal *m* militaire; **~gerichtsbarkeit** *f* juridiction *od* justice *f* militaire; **~gouverneur** *m* gouverneur *m* militaire; **~haushalt** *m* budget *m* militaire; **m~isch** [-'tɛ:rɪʃ] *a* militaire; *~~e Ausbildung f* instruction *f* militaire; *~~e Ehren f pl* honneurs *f pl* militaires; **~kapelle** *f* musique *f* militaire; **~macht** *f* puissance *f* militaire; **~marsch** *m* marche *f* militaire; **~maß** *n (Körpergröße)* taille *f* minimum réglementaire; **~mission** *f* mission *f* militaire; **~musik** *f* musique *f* militaire; **~papiere** *n pl* papiers *m pl* militaires; **~person** *f* (personne *f*) militaire *m;* **~personal** *n* personnel *m* militaire; **~polizei** *f* police *f* militaire; **~regierung** *f* gouvernement *m* militaire; **~revolte** *f* soulèvement *m* militaire; **~seelsorge** *f* aumônerie *f;* **~strafgerichtsbarkeit** *f* juridiction *f* pénale militaire; **~strafgesetzbuch** *n* code *m* (pénal *od* de justice) militaire; **~verwaltung** *f* administration *f* militaire; **~zeit** *f* = *~dienstzeit.*

militar|isieren [militari'zi:rən] *tr* militariser; **M~isierung** *f* militarisation *f;* **M~ismus** *m* ‹-, ø› [-'tarɪsmus] militarisme *m;* **M~ist** *m* ‹-en, -en› [-'rɪst] militariste *m;* **~istisch** [-'rɪstɪʃ] *a* militariste.

Miliz *f* ‹-, -en› [miˈliːts] *(Bürgerwehr)* milice *f*.
Mill|e *n* ‹-, -› [ˈmɪlə] *com (1000 Stück)* mille *m*; **~iampere** *n* [ˈ-li-] *el* milliampère *m*; **~iardär** *m* ‹-s, -e› [-liarˈdɛːr] milliardaire *m*; **~iarde** *f* ‹-, -n› [-liˈardə] milliard *m*; **~ibar** *n mete* millibar *m*; **~igramm** *n* milligramme *m*; **~imeter** *m* od *n* millimètre *m*; **~imeterpapier** *n* papier *m* millimétré; **~ion** *f* ‹-, -en› [-liˈoːn] million *m*; **~ionär** *m* ‹-s, -e› [-lioˈnɛːr] millionnaire *m*; **~ionenerbschaft** *f* héritage *m* à millions; **m~ionenschwer** *a* riche à millions; **m~ionste(r, s)** *a* millionième; **~ionstel** *n* ‹-s, -› [-liˈoːnstəl] millionième *m*.
Milz *f* ‹-, -en› [mɪlts] *anat* rate *f*; **~brand** *m* charbon *m*, pustule *f* maligne; **~entzündung** *f* splénite *f*.
mim|en [ˈmiːmən] *tr fam (nachahmen)* mimer, imiter; *(so tun, als ob)* feindre, simuler, faire; **M~ese** *f* ‹-, -n› [-ˈmeːzə] *biol (Schutztracht)* mimétisme *m*; **M~ik** *f* ‹-, ø› [ˈmiːmɪk] mimique *f*; *theat* jeux *m pl* de physionomie; **M~ikry** *f* ‹-, ø› [ˈmɪmikri] = *~ese*; **~isch** *a* mimique.
Mimose *f* ‹-, -n› [miˈmoːzə] *bot* mimosa *m*; *a. fig* sensitive *f*; **m~nhaft** *a* sensitif.
Minarett *n* ‹-(e)s, -e› [minaˈrɛt] *arch rel* minaret *m*.
minder [ˈmɪndər] *adv (weniger)* moins; *mehr oder ~* plus ou moins; *nicht ~* pas moins; **~begütert** *a* moins riche; **~bemittelt** *a* économiquement faible; *geistig ~~ (hum)* peu doué; **M~einnahme** *f* moins-perçu *m*; **M~heit** *f* minorité *f*; **M~heitenfrage** *f* problème *m* des minorités; **M~heitengruppe** *f* communauté *f* minoritaire; **M~heitenrecht** *n* droit *m* minoritaire *od* des minorités; **M~heitenschutz** *m* protection *f* des minorités; **~jährig** *a* mineur; **M~jährige(r** *m*) *f* mineur, e *m f*; **M~jährigkeit** *f* ‹-, ø› minorité *f*; **~n** *tr* amoindrir, diminuer, réduire; *(herabsetzen)* rabaisser, rabattre; déprécier; *(abschwächen)* atténuer; **M~ung** *f* amoindrissement *m*, diminution, réduction *f*; rabaissement *m*, dépréciation; atténuation *f*; **M~wert** *m* moins-value *f*; **~wertig** *a* de valeur *od* qualité inférieure; *~~ machen* inférioriser; **M~wertigkeit** *f* infériorité *f*; **M~wertigkeitsgefühle** *n pl*, **M~wertigkeitskomplex** *m* sentiment, complexe *m* d'infériorité; **M~zahl** *f*: *in der ~~* en minorité.
Mindest|alter *n* [ˈmɪndəst-] âge *m* minimum *od* requis; **~auflage** *f* tirage *m* minimum; **~betrag** *m* (somme *f*) minimum *m*; **m~e**, *das* le moins, la moindre chose, le minimum; *nicht im ~~n* pas le moins du monde, nullement; *zum ~~n* = *~ens*; *das ist das ~~* c'est le moins; **~einkommen** *n* revenu *m* minimum; **m~ens** *adv* au moins, pour le moins; au minimum, au bas mot; **~ertrag** *m* rendement *m* minimum; **~fordernde(r)** *m*; *dem ~~n zuschlagen* adjuger au rabais; *Zuschlag m an den ~~n* (adjudication *f* au) rabais *m*; **~gebot** *n* enchère *f* minimum; **~gehalt** *n* salaire *m* minimum; appointements *m pl* minima; **~geschwindigkeit** *f* vitesse *f* minima; **~gewicht** *n* poids *m* minimum; **~leistung** *f* puissance *f* minimum; **~lohn** *m* salaire *m* minimum; **~maß** *n* mesure *f* minimale *od* minimum; **~preis** *m* prix minimum, prix-plancher *m*; *zum ~~ berechnen* compter au rabais; **~reservebildung** *f* constitution *f* de réserves minima; **~satz** *m* taux *m* minimum; **~strafe** *f* minimum *m* de la peine; *unter die ~~ hinuntergehen (jur)* descendre au-dessous du minimum de la peine; **~tarif** *m* tarif *m* minimum; **~voraussetzung** *f* condition *f* préalable minimum; **~wert** *m* valeur *f* minimum *od* minima; **~zahl** *f* minimum; *parl (zur Beschlußfähigkeit)* quorum *m*.
Mine *f* ‹-, -n› [ˈmiːnə] *(Bergwerk; Sprengkörper)* mine; *(Drehbleistift)* mine (de plomb), cartouche *f*; *auf e-e ~ laufen* toucher une *od mar* couler sur une mine; *~n legen* poser *od mar* mouiller des mines; *~n räumen* enlever *od mar* draguer des mines; *alle ~n springen lassen (fig)* faire jouer tous les ressorts; *auf e-e ~ treten* marcher sur une mine.
Minen|feld *n* [ˈmiːnən-] champ *m* de mines; **~gürtel** *m* ceinture *f* de mines; **~legen** *n* pose *f od mar* mouillage *m* de mines; **~leger** *m (Mann)* poseur *od (Schiff)* mouilleur *m* de mines; **~legerflugzeug** *n mar* avion *m* mouilleur de mines; **~räumboot** *n* dragueur (de mines), bateau *m* dragueur; **~räumen** *n* déminage *m*; **~sperre** *f* barrage *m* de mines; **~suchboot** *n* dragueur *m* (de mines); **~suchen** *n* détection *f* des mines; **~sucher** *m (Mann)* démineur *m*; **~suchgerät** *n* détecteur *m* de mines; **m~verseucht** *a* infesté de mines; **~werfer** *m* lance-mines *m*.
Mineral *n* ‹-s, -e/-lien› [mineˈraːl, -liən] minéral *m*; *e-r Sache ~ien zusetzen* minéraliser qc; **~bad** *n* station *f* hydrominérale; **~iensammlung** *f* collection *f* de minéraux; **m~isch** [-ˈraːlɪʃ] *a* minéral; **~oge** *m* ‹-n, -n› [-ˈloːgə] minéralogiste *m*; **~ogie** *f* ‹-, ø› [-loˈgiː] minéralogie *f*; **m~ogisch** [-ˈloːgɪʃ] *a* minéralogique; **~öl** *n* huile minérale, essence *f* (minérale); *feste(s) ~~* graisse *f* minérale; **~ölsteuer** *f* taxe *f* sur le pétrole; **~quelle** *f* source *f* d'eau minérale; **~reich** *n* règne *m* minéral; **~salz** *n* sel *m* minéral.
Miniatur *f* ‹-, -en› [miniaˈtuːr] miniature *f*; *in ~* en miniature; **~bild** *n* = *~*; **~maler** *m* miniaturiste *m*; **~malerei** *f* miniature *f*.
minieren [miˈniːrən] *tr (mit unterirdischen Gängen versehen)* miner.
Mini|golf *n* ‹-s, ø› [ˈmiːnigɔlf] golf *m* miniature; **~rock** *m* mini-jupe *f*.

minim|al [miniˈmaːl] *a (Mindest-)* minimal; **M~~. . .** *(in Zssgen)* minimum *a*, minimal; **M~um** *n* ‹-s, -ma› [ˈmiːnimum, -ma] minimum *m*; *auf ein ~~ herabsetzen* minimiser.
Minister *m* ‹-s, -› [miˈnɪstər] ministre *m*; *~ ohne Geschäftsbereich* ministre *m* sans portefeuille; **~amt** *n* ministère *m*; **~bank** *f* banc *m* des ministres; **~ialbeamte(r)** [-teriˈaːl-] *m* fonctionnaire *m* ministériel; **~ialdirektor** *m* directeur *m* au ministère; **~ialdirigent** *m* sous-directeur *m* au ministère; **~ialerlaß** *m* arrêté *od* décret *m* ministériel; **~ialrat** *m* conseiller *m* au minstère; **m~iell** [-teriˈɛl] *a* ministériel; **~ium** *n* ‹-s, -rien› [-ˈteːrium, -riən] ministère *m*; *~~ für Auswärtige Angelegenheiten* od *des Äußeren* ministère *m* des affaires étrangères; **~konferenz** *f* conférence *f* ministérielle; **~posten** *m* portefeuille ministériel; *fam* maroquin *m*; **~präsident** *m* président du conseil; *(jetzt)* Premier ministre *m*; **~rat** *m* conseil *m* des ministres *od* de cabinet; **~resident** *m* (ministre) résident *m*; **~verantwortlichkeit** *f* responsabilité *f* ministérielle; **~wechsel** *m* changement *m* de ministère.
Ministr|ant *m* ‹-en, -en› [minɪsˈtrant] *rel* = *Meßdiener*; **m~ieren** [-ˈtriːrən] *itr* servir la messe.
Minna *f* [ˈmɪna]: *grüne ~ (pop: Polizei-Zellenwagen)* panier *m* à salade.
Minne *f* ‹-, ø› [ˈmɪnə] *poet (Liebe)* amour *m* courtois; **~sang** *m hist* poésie *f* des troubadours; **~sänger** *m*, **~singer** *m hist* troubadour *m*.
Minor|ität *f* ‹-, (-en)› [minoriˈtɛːt] minorité *f*; **M~it** *m* ‹-en, -en› [-noˈriːt] *rel* frère *m* mineur.
Minorka *n* [miˈnɔrka] *geog* Minorque *f*.
minus [ˈmiːnus] *adv* moins; **M~** *n* ‹-, -› différence *f* en moins, déficit *m*; *ein ~ machen* faire du déficit; **M~kel** *f* ‹-, -n› [miˈnuskəl] *hist* lettre *f* minuscule; **M~pol** *m phys* pôle *m* négatif; **M~zeichen** *n* (signe) moins *m*.
Minute *f* ‹-, -n› [miˈnuːtə] minute *f*; *auf die ~ (genau)* à la minute; *auf die letzte ~, in letzter ~* à la dernière minute, au tout dernier moment; *unangenehme* od *bange ~n durchleben* passer un mauvais quart d'heure; *keine ruhige ~ haben* n'avoir pas une minute de repos; **m~nlang** *a* de plusieurs minutes; *adv* pendant des minutes; **~nzeiger** *m* aiguille des minutes, grande aiguille *f*.
Minze *f* ‹-, -n› [ˈmɪntsə] *bot* menthe *f*.
mir [miːr] *pron dat* me; *(an den Imperativ angehängt)* moi; *(alleinstehend)* à moi; *pop* bibi; *von ~ (a.)* sur mon compte; *von ~ aus* quant à moi.
Mirabelle *f* ‹-, -n› [miraˈbɛlə] *bot* mirabelle *f*.
Mirakel *n* ‹-s, -› [miˈraːkəl] miracle *m*.
Misch|apparat *m* [ˈmɪʃ-] mélangeur *m*, mélangeuse *f*; **m~bar** *a* miscible; **~barkeit** *f* miscibilité *f*; **~bauweise** *f* construction *f* mixte; **~becher** *m* mélangeur *m*; **~brot** *n* pain *m* bis; **~ehe** *f* mariage mixte; *(rassische)* mariage *m* interracial; **m~en** *tr* mêler (*mit* avec, à), mélanger; *(Wein)* couper; *(Gift)* préparer; *(die Karten)*

battre; *sich in etw* ~~ se mêler de qc; s'ingérer, s'immiscer (*in etw* dans qc); *sich unter das Volk* ~~ se mêler au peuple; **~er** *m* ⟨-s, -⟩ *(Gerät)* mélangeur *m*, mélangeuse *f*; **m~farben** *a* de couleur mélangée; **~faser** *f* textile *m* métisse; **~futter** *n* mélange *m* de grains; *(für Geflügel)* bisaille *f*; **~gas** *n* mélange *m* de gaz; **~gefäß** *n (offenes)* bac *od (geschlossenes)* récipient *m* de mélange; **~gemüse** *n* macédoine *f* (de légumes); **~gut** *n arch* matériaux *m pl* mélangés *od* à mélanger; **~ling** *m* ⟨-s, -e⟩ métis, hybride, sang *m* mêlé; **~masch** *m* ⟨-(e)s, -e⟩ ['mɪʃmaʃ] pêle-mêle, mic--mac; *fam* tripotage *m*, salade *f*; *fig (Durcheinander)* (em)brouillamini *m fam*, olla-podrida *f*; **~maschine** *f* machine *f* à mélanger, mélangeur *m*, mélangeuse *f*, malaxeur; mixer, mixeur; batteur *m* électrique; **~pult** *n film* table *f* de mixage; **~rasse** *f* race *f* mélangée; **~raum** *m film* salle *f* de mixage; **~sendung** *f com* envoi *m* groupé; **~trommel** *f* tambour *m* mélangeur; **~ung** *f* mélange *m*, mixtion *f*; *(Gemischtes)* composé; *biol (Kreuzung)* métissage; *film (Ton~~)* mixage *m*; **~ungsverhältnis** *n* proportion *f od* rapport *m* de *od* du mélange; **~wald** *m* forêt *f* à essences mixtes.

miserabel [mize'ra:bəl] *a fam* misérable, pitoyable, minable.

Mispel *f* ⟨-, -n⟩ ['mɪspəl] *(Frucht)* nèfle *f*; *(Strauch)* néflier *m*.

mißacht|en [mɪs'ʔ-] *tr* ⟨*hat mißachtet*⟩ mépriser, mésestimer, dédaigner; estimer peu; **M~ung** *f* mépris *m*, mésestime *f*, dédain *m*; *(Verruf)* déconsidération *f*; *(e-s Gesetzes)* non-respect *m*, non-observation *f*; *unter* ~~ *(gen)* au mépris (de).

mißbehagen ['mɪs-] *itr* ⟨*hat mißbehagt, mißzubehagen*⟩ déplaire (*jdm* à qn); **M~~** *n* malaise *m*, gêne *f*.

mißbild|en ['mɪs-] ⟨*er mißbildet(e), hat mißgebildet, mißzubilden*⟩ *tr* déformer; **M~ung** *f* déformation *f*; malformation; difformité, monstruosité *f*; *~~en bewirkend* tératogène.

mißbillig|en [mɪs'bɪlɪgən] *tr* ⟨*er mißbilligt(e), hat mißbilligt*⟩ désapprouver, condamner; *(verwerfen)* réprouver; **~end** *a* désapprobateur, réprobateur; **M~ung** *f* désapprobation, réprobation, animadversion *f*.

Mißbrauch *m* ['mɪsbraux] abus; emploi *m* abusif; *(Entwürdigung)* profanation *f*; ~ *treiben mit* faire abus de; ~ *der Amtsgewalt* abus *m* de pouvoir *od* d'autorité; **m~en** ⟨*er mißbraucht(e), hat mißbraucht*⟩ *tr* abuser de, mal user de, faire mauvais usage de; *(Güte)* exploiter; *(Vertrauen)* trahir; **mißbräuchlich** *a* abusif.

mißdeut|en [mɪs'dɔʏtən] *tr* ⟨*er mißdeutet(e), hat mißdeutet*⟩ mal interpréter; interpréter de travers; **M~ung** *f* interprétation *f* fausse *od* erronée.

missen ['mɪsən] *tr* se passer de.

Mißerfolg *m* ['mɪs-] insuccès, échec *m*, non-réussite, déconvenue *f*.

Mißernte *f* ['mɪs-] récolte déficitaire *od* en déficit, mauvaise récolte *f*.

Misse|tat *f* ['mɪsə-] méfait, forfait, crime *m*; **~täter** *m* malfaiteur, criminel *m*.

mißfallen [mɪs'falən] *itr* ⟨*er mißfällt, mißfiel, hat mißfallen*⟩ déplaire (*jdm* à qn); offusquer (*jdm* qn); *(Anstoß erregen)* choquer (*jdm* qn); **M~** *n* déplaisir *m*; *jds* ~~ *erregen* = *jdm* ~; **mißfällig** *a* déplaisant, offusquant, choquant; défavorable; *adv* avec déplaisir, défavorablement.

Mißfarb|e *f* ['mɪs-] couleur *f* laide; **m~ig** *a* de couleur laide *od* défectueuse.

mißgebildet ['mɪs-] *a* déformé.

Mißgeburt *f* ['mɪs-] monstre; *pej* avorton *m*.

mißgelaunt ['mɪs-] *a* mal luné *od* disposé, maussade, de mauvaise humeur.

Mißgeschick *n* ['mɪs-] disgrâce, mauvaise fortune, adversité, déconvenue, malchance; mésaventure *f*.

Mißgestalt *f* ['mɪs-] *(Ungeheuer)* être difforme, monstre *m*; **m~** *a (von Natur)* difforme, monstrueux; **m~et** *a (von Menschenhand)* contrefait.

mißgestimmt ['mɪs-] *a* = *mißgelaunt*.

mißglück|en [mɪs'glʏkən] *itr* ⟨*es mißglückt(e), ist mißglückt*⟩ ne pas réussir; mal tourner, échouer; *es ist mir ~t* je n'ai pas réussi.

mißgönnen [mɪs'gœnən] *tr* ⟨*er mißgönnt(e), hat mißgönnt*⟩ envier (*jdm etw* qc à qn).

Mißgriff *m* ['mɪs-] faute, erreur; *fam* gaffe *f*; *schwere(r)* ~ énormité *f*.

Miß|gunst *f* ['mɪs-] envie, jalousie *f*; **m~günstig** *a* envieux, jaloux.

mißhand|eln [mɪs'handəln] *tr* ⟨*er mißhandelt(e), hat mißhandelt*⟩ maltraiter, brutaliser; **M~lung** *f* mauvais traitement *m*; *pl a.* sévices *m pl*.

Mißheirat *f* ['mɪs-] mésalliance *f*.

mißhellig ['mɪs-] *a* discordant; *(uneins)* en désaccord; **M~keit** *f* discordance; mésentente, mésintelligence; *(Meinungsverschiedenheit)* dissension *f*; *pl (Streit)* différends *m pl*.

Mission *f* ⟨-, -en⟩ [misi'o:n] *allg* mission *f*; *Innere* ~ *(rel)* œuvres *f pl* charitables; **~ar** *m* ⟨-s, -e⟩ [-sio'na:r] missionnaire *m*; **m~ieren** [-'ni:rən] *itr* faire *od* prêcher la mission; **~sanstalt** *f rel* mission *f*; **~schef** *m pol* chef *m* de mission; **~sgesellschaft** *f* société *f* des missions; **~shaus** *n rel* mission *f*; **~skunde** *f rel* missiologie *f*; **~swesen** *n* mission *f*.

Mißjahr *n* ['mɪs-] mauvaise année *f*.

Mißklang *m* ['mɪs-] *mus* dissonance, note discordante *od* fausse; *(a. sprachlich)* cacophonie *f*; *fig* désaccord *m*.

Mißkredit *m* ['mɪs-] discrédit *m*; *jdn in ~ bringen* jeter le discrédit sur qn, discréditer, déconsidérer qn; *in ~ geraten* od *kommen* tomber en discrédit *od* dans la déconsidération.

mißleiten [-'--] *tr* ⟨*er mißleitet(e), hat mißleitet / mißgeleitet*⟩ égarer, fourvoyer; *(verführen)* séduire.

mißlich ['mɪslɪç] *a (unerfreulich)* fâcheux, désagréable; **M~keit** *f* caractère *m* fâcheux.

mißliebig ['mɪs-] *a* mal vu; impopulaire; *sich ~ machen* se rendre impopulaire; *(bei jdm)* perdre les bonnes grâces de qn; **M~keit** *f* défaveur; impopularité *f*.

mißlingen [mɪs'lɪŋən] *itr* ⟨*es mißlingt, mißlang, ist mißlungen*⟩ ne pas réussir, échouer, faire long feu; *pop* louper; *es mißlingt mir* je ne réussis pas; **M~** *n* non-réussite *f*, insuccès, échec *m*; **mißlungen** *a* mal venu; *~~e(s) Stück n* loup *m*.

Mißmut *m* ['mɪs-] morosité, mauvaise humeur, humeur *f* chagrine; **m~ig** *a* morose, de mauvaise humeur.

mißraten [mɪs'ra:tən] *itr* ⟨*es mißrät, mißriet, ist mißraten*⟩ ne pas réussir, mal tourner; *a (Mensch)* mal tourné, dénaturé.

Mißstand *m* ['mɪs-] inconvénient *m*; *e-n ~ beseitigen* remédier à un inconvénient.

Mißstimmung *f* ['mɪs-] dépit; *(Unbehagen)* malaise *m*; *(schlechte Laune)* mauvaise humeur *f*.

Miß|ton *m* ['mɪs-] son *m* discordant, note discordante; *fig (Disharmonie)* discordance *f*; **m~tönend** *a* discordant.

mißtrau|en [mɪs'trauən] *itr* ⟨*er mißtraut(e), hat mißtraut*⟩ se méfier, se défier (*jdm* de qn); **M~en** *n* ['mɪs-] méfiance, défiance *f* (*gegen* de); *jds ~~ erregen* inspirer de la méfiance à qn; **M~ensantrag** *m*, **M~ensvotum** *n parl* motion *f*, vote *m* de défiance; *konstruktive(s)* ~~ vote *m* de défiance constructif; **~isch** *a* défiant, méfiant; *(argwöhnisch)* soupçonneux; *~~ machen* mettre en défiance; *~~ werden* prendre ombrage.

Mißvergnüg|en *n* ['mɪs-] déplaisir; mécontentement *m*; **m~t** *a* mécontent (*über* de).

Mißverhältnis *n* ['mɪs-] disproportion *f*, déséquilibre *m*, disparité *f*; *fig* discordance, mauvaise harmonie *f*; *in ein ~ bringen* disproportionner; *in e-m ~ stehen* être disproportionné.

mißver|ständlich ['mɪs-] *a* ambigu; *~~ sein (a.)* prêter à malentendu; **M~ständnis** *n* malentendu *m*, méprise *f*; **~stehen** *tr* ⟨*er mißversteht, mißverstand(en)*⟩ mal comprendre, se méprendre sur, prendre *od* tourner en mal.

mißweis|end ['mɪs-] *a*: *~~e(r) Nord m*, *~~e Peilung f* relèvement, nord *m* magnétique; **M~ung** *f* amplitude *od* déclinaison *f* magnétique.

Mißwirtschaft *f* ['mɪs-] mauvaise gérance *od* gestion *od* administration *od* régie *f*.

Mist *m* ⟨-es, ø⟩ [mɪst] fumier *m*; *(Kuh~)* bouse; *(Kol)* fiente; *fig (Dreck, Schund)* camelote *f*; ramassis, fatras; *(Pfusch)* bousillage *m*; *(Blödsinn)* idiotie, bêtise *f*; *~ verzapfen (fam)* dégoiser, débloquer, déconner *(pop)*, dire des âneries, des inepties; *das ist nicht auf seinem ~ gewachsen (fam)* ce n'est pas de son cru; **~beet** *n* couche *f* de fumier; **~e** *f* ‹-, -n› *(~grube)* trou *m* à fumier; **m~en** *tr (Stall)* nettoyer de son fumier; *itr* enlever le fumier; **~fink** *m fam* sale type; cochon; *pop* sal(ig)aud *m;* **~gabel** *f* fourche *f* à fumier; **~haufen** *m* tas *m* de fumier; **m~ig** *a fam* sale, boueux; **~käfer** *m* bousier *m;* **~stück** *n,* **~vieh** *n,* **~zeug** *n pop pej* fumier *m;* **~wagen** *m* chariot *m* à fumier.

Mistel *f* ‹-, -n› ['mɪstəl] *bot* gui *m.*

Miszell(ane)en *pl* [mis'tsɛlən, -'la:neən/-la'ne:ən] *lit* mélanges *m pl.*

mit [mɪt] *prp (Begleitung)* avec; accompagné de; *(instrumental)* de, à, par; *(versehen ~, im Besitz von)* à; *(bei e-m v)* aussi, également, *fam* avec; *~ Absicht* à dessein; *~ offenen Armen* à bras ouverts; *~ blauen Augen* aux yeux bleus; *~ Gewalt* de force; *~ den Jahren* avec le temps; *~ jedem Jahr* d'année en année; *~ zwanzig Jahren* à (l'âge de) 20 ans; *~ offenem Munde* bouche bée; *~ der Post* par la poste; *~ dem heutigen Tage* à partir d'aujourd'hui; *~ einem Wort* en un mot; *~ der Zeit* avec le temps; *etw nicht ~ ansehen können* ne pas pouvoir soutenir qc; *es ~ berücksichtigen* en tenir compte également; *es gut ~ jdm meinen* vouloir du bien à qn; *~ dabei sein* y participer, y être présent, y assister, en être; *~ jdm zu tun haben* avoir affaire à qn; *Böses ~ Gutem vergelten* rendre le bien pour le mal; *es ist aus ~ mir* c'en est fait de moi; *nieder ~ dem Tyrannen!* à bas le tyran!

Mitangeklagte(r) *m* ['mɪt-] coaccusé, coinculpé *m.*

Mitarbeit *f* ['mɪt-] collaboration, coopération *f, unter ~ (gen)* avec la collaboration (de), en collaboration (avec); **mit≈arbeiten** *itr* collaborer, coopérer (*an etw* à qc); **~er** *m* collaborateur; coopérateur *m; ständige(r) ~~ (e-r Zeitung)* correspondant *m* permanent; **~erstab** *m* équipe *f* de collaborateurs.

Mitbegründer *m* ['mɪt-] cofondateur *m.*

mit≈bekommen ['mɪt-] *tr (als Mitgift)* avoir en dot; *fam (verstehen)* piger, comprendre; *was hast du ~?* qu'est-ce qu'on t'a donné (à emporter)?

mit≈benutz|en ['mɪt-] *tr* user *od* employer *od* jouir (*etw* de qc) en commun; **M~ung** *f* usage *od* emploi *m* en commun; **M~ungsrecht** *n* jouissance *f* en commun.

mit≈besitzen ['mɪt-] *tr* posséder en commun.

Mitbestimmung(srecht *n***)** *f* ['mɪt-] (droit *m* de) cogestion *f.*

Mitbewerber *m* ['mɪt-] compétiteur, concurrent *m.*

Mitbewohner *m* ['mɪt-] cohabitant *m.*

mit≈bring|en ['mɪt-] *tr (Person)* (r)amener; *(Sache)* (r)apporter; **M~sel** *n* ‹-s, -› chose *f* apportée; *(Geschenk)* petit cadeau *m.*

Mitbürger *m* ['mɪt-] concitoyen *m.*

Miteigen|tum *n* ['mɪt-] copropriété; copossession *f;* **~tümer** *m* copropriétaire; copossesseur *m.*

miteinander [mɪtʔaɪ'nandər] *adv* ensemble; en commun; l'un avec l'autre, les uns avec les autres; de compagnie; *(gut) ~ auskommen* s'entendre (bien); *alle ~* tous ensemble.

Mit|erbe *m* ['mɪt-], **~erbin** *f* cohéritier, ère *m f.*

mit≈erleben ['mɪt-] *tr* vivre, voir; *(aktiv)* assister, participer (*etw* à qc).

mit≈ess|en ['mɪt-] *itr* manger avec moi *etc;* **M~er** *m med* comédon; *fam* point *m* noir.

mit≈fahren ['mɪt-] *itr* aller avec moi *etc;* m'accompagner *etc; ~ lassen (im Auto)* prendre à bord *fam.*

mit≈fühlen ['mɪt-] *itr: mit jdm ~* partager les sentiments de qn, sympathiser avec qn; **~d** *a* compatissant.

mit≈führen ['mɪt-] *tr* avoir avec soi.

mit≈geben ['mɪt-] *tr* donner (à emporter); *(als Mitgift)* donner (en dot); *jdm e-n Brief ~* charger qn d'une lettre.

Mitgefangene(r) *m* ['mɪt-] codétenu *m.*

Mitgefühl *n* ['mɪt-] compassion *f; (Beileid)* condoléances *f pl.*

mit≈gehen ['mɪt-] *itr* aller avec *fam; mit jdm* aller avec qn; accompagner, suivre qn; *(geistig folgen)* suivre; *~ lassen (fam: stehlen)* subtiliser, chaparder, chiper; *pop* rifler.

mitgenommen ['mɪt-] *a fam (Mensch)* épuisé, fatigué; *(Sache)* défait.

Mitgift *f* ['mɪt-] dot *f;* biens *m pl* dotaux; **~jäger** *m* coureur *m* de dots.

Mitglied *n* ['mɪt-] membre, adhérent, affilié *m; ~ werden* s'affilier (*in* à); *fördernde(s) ~* membre *m* bienfaiteur; *korrespondierende(s), ordentliche(s) ~ (e-r Akademie)* correspondant, membre *m* résidant; **~erversammlung** *f* réunion *f* des membres; **~erzahl** *f (e-r Partei)* effectif *m;* **~sbeitrag** *m* cotisation, contribution *f* **~schaft** *f* qualité de membre, appartenance, adhésion, affiliation *f;* **~skarte** *f* carte *f* de membre *od* d'adhérent; **~(s)staat** *m* État *od* pays *m* membre.

Mithäftling *m* ['mɪt-] codétenu *m.*

Mithaftung *f* responsabilité commune *od* partagée; coresponsabilité *f.*

mit≈halten ['mɪt-] *itr* être de la partie, en être.

mit≈helfen ['mɪt-] *itr* assister, coopérer, concourir (*bei* à); *tüchtig ~* pousser à la roue *fam.*

Mitherausgeber *m* ['mɪt-] coéditeur *m.*

Mithilfe *f* ['mɪt-] assistance, coopération *f,* concours *m.*

mithin [mɪt'hɪn] *adv* ainsi, donc, par conséquent, en conséquence.

mit≈hör|en ['mɪt-] *tr tele* intercepter, capter; *itr allg* écouter; **M~klinke** *f tele* jack *m* d'écoute.

Mitinhaber *m* ['mɪt-] copropriétaire, codétenteur, associé *m.*

mit≈kämpf|en ['mɪt-] *itr* prendre part au combat *od* à la lutte; **M~er** *m* combattant; compagnon *m* d'armes.

Mitkläger *m* ['mɪt-] *jur* codemandeur *m.*

mit≈kommen ['mɪt-] *itr (begleiten)* venir avec *fam;* accompagner (*mit jdm* qn); *(geistig folgen können)* suivre; *nicht ~* n'être pas à la page; *da komme ich nicht mehr mit* cela me dépasse, je m'y perds.

mit≈können ['mɪt-] *itr fam = mitkommen können.*

mit≈kriegen ['mɪt-] *tr fam = mitbekommen.*

mit|≈laufen ['mɪt-] *itr: mit jdm ~~* suivre qn; **M~läufer** *m pol* suiveur, sympathisant *m.*

Mitlaut *m* ['mɪt-] *gram* consonne *f.*

Mitleid *n* ‹-(e)s, ø› ['mɪt-] pitié; *(Mitgefühl)* commisération, compassion *f; jds ~ erregen* od *erwecken* faire pitié à qn; *mit jdm ~ haben* avoir pitié de qn; *kein ~ kennen* n'être pas humain; **~enschaft** *f: in ~~ ziehen* affecter; faire subir les conséquences; **m~erregend** *a* piteux, pitoyable; **m~ig** *a* compatissant; **m~(s)los** *a* impitoyable, sans pitié; **m~(s)voll** *a* plein de pitié, compatissant.

mit≈machen ['mɪt-] *tr (Veranstaltung)* participer, assister, prendre part (*acc* à); *(Mode)* suivre; *itr (dabeisein)* se mettre *od* être de la partie; *allg* être en jeu, en être; *nicht ~ (wollen)* ne pas marcher; *ich mache mit* je suis des vôtres; *ich habe schon ganz was anderes mitgemacht!* j'en ai vu bien d'autres; *machen Sie mit?* en êtes-vous?

Mitmensch *m* ['mɪt-] prochain; semblable *m.*

Mitnahme *f* ['mɪt-]: *unter ~ von Waffen (desertieren) f* avec emport d'armes.

mit≈nehm|en ['mɪt-] *(Sache)* emporter; *(Mensch od größeres Tier)* emmener; *fam (körperlich od seelisch ermüden)* épuiser, secouer; *arg* od *hart ~* malmener; **M~er** *m tech* entraîneur, taquet *od* doigt *m* d'entraînement.

mitnichten [mɪt'nɪçtən] *adv* (ne ...) point du tout *od* nullement *od* aucunement.

Mitra *f* ‹-, -tren› ['mi:tra, -trən] *(Bischofsmütze)* mitre *f.*

mit≈rechnen ['mɪt-] *tr (berücksichtigen)* y comprendre; *itr* compter aussi.

mit≈reden ['mɪt-] *itr: ein Wort mitzureden haben* avoir voix au chapitre; *Sie haben hier nichts mitzureden* cela ne vous regarde pas.

Mitregent *m* ['mɪt-] corégent *m;* **~schaft** *f* corégence *f.*

mit≈reisen ['mɪt-] *itr* voyager avec ...; **M~de(r)** *m* voyageur du même compartiment *od* autocar *etc;* compagnon *m* de voyage; *pl* (les) autres voyageurs.

mit≈reißen ['mɪt-] *tr* exciter, entraîner, enthousiasmer, passionner; *fam* emballer.

mitsamt [mɪt'zamt] *prp dat (zs. mit)* avec.

mit≈schicken ['mɪt-] *tr* envoyer en même temps; *(beifügen)* joindre, ajouter (*mit etw* à qc).

mit=schleppen ['mɪt-] *tr* traîner avec soi; *fam* trimbaler.

mit=schreiben ['mɪt-] *itr* prendre des notes; *tr* prendre note (*etw* de qc).

Mitschuld *f* ['mɪt-] complicité *f;* **m~ig** *a* complice (*an* de); **~ige(r)** *m* complice *m;* **~ner** *m* codébiteur *m.*

Mitschüler(in *f***)** *m* ['mɪt-] condisciple *m f,* camarade *m f* de classe.

mit=schwingen ['mɪt-] *itr (Akustik)* vibrer par résonance; **M~** *n* résonance *f.*

mit=singen ['mɪt-] *itr* chanter (*mit* avec).

mit=spiel|en ['mɪt-] *itr* prendre part *od* participer au jeu; *fig (mitwirken, a. von Sachen)* entrer en jeu; *nicht mehr ~ (fig)* en avoir assez; *jdm übel ~~* jouer un mauvais tour, faire un mauvais parti à qn, (en) donner (pour) son compte à qn; en faire voir à qn (de toutes les couleurs); **M~er** *m theat* acteur; *sport* coéquipier *m.*

Mitsprache(recht *n***)** *f* ['mɪt-] *pol* (droit *m* d')intervention *f;* (droit *m* de) codécision *f;* **mit=sprechen** *itr* dire son mot, intervenir; *fig (Sache)* entrer en considération.

Mittag *m* ['mɪta:k] midi *m; am hellen ~* en plein midi; *gegen ~* vers midi; *heute m~* à midi; *zu ~ essen* déjeuner, luncher; *(in einigen Gegenden Frankreichs, in der Schweiz u. in Belgien noch)* dîner; *nicht zu ~ essen (a.)* dîner par cœur; **~essen** *n* déjeuner, lunch; *(teilweise noch)* dîner *m;* **m~s** *adv* à midi; *(um) 12 Uhr ~~* (à) midi; **~shitze** *f* chaleur *f* du midi; **~shöhe** *f astr* hauteur *f* méridienne; **~slinie** *f* ligne *f* méridienne; **~smahl(zeit** *f***)** *n* = *~essen;* **~spause** *f* pause *f* repas *od* de midi; **~sruhe** *f,* **~(s)schlaf** *m* sieste; *fam* méridienne *f; ~sruhe halten, e-n ~(s)schlaf machen* faire la sieste; **~(s)sonne** *f* soleil *m* de midi; **~(s)stunde** *f: in der* od *um die ~~* vers midi; **~stisch** *m: ~~ von 12 bis 14 Uhr* service *m* de midi à 14 heures; **~szeit** *f* midi *m; um die ~~* vers midi, sur le midi; **mittäglich** *a* de midi.

Mittäter *m* ['mɪt-] complice; *jur* coauteur *m;* **~schaft** *f* complicité *f.*

Mitte *f* ⟨-, -n⟩ ['mɪtə] milieu, centre *m; aus unserer ~* d'entre nous; *in der ~* au milieu, au centre; *in unserer ~* parmi nous; *~ Januar* (à la) mi-janvier; *~ Vierzig* entre quarante et cinquante ans; *die ~ einnehmen, in der ~ liegen* tenir le milieu; *die ~ halten (fig)* garder la mesure; *in die ~ nehmen* encadrer; *die Wahrheit liegt in der ~ (a.)* la vérité est entre les deux; *die goldene ~* le juste milieu.

mitteil|bar ['mɪt-] *a* communicable; **mit=teilen** *tr* communiquer; faire part (*jdm etw* de qc à qn); faire connaître *od* savoir, signaler (*jdm etw* qc à qn); informer, aviser; signaler (*jdm etw* qn de qc); *amtlich ~* notifier; **~sam** *a* communicatif, expansif; **M~samkeit** *f* ⟨-, ø⟩ caractère *m* communicatif, expansion *f;* **M~ung** *f* communication; information *f;* avis; *(amtliche ~~)* communiqué *m,* notification; *(vertrauliche ~~)* confidence *f; jdm vertrauliche ~~en machen (a. fam)* tuyauter qn; *sofern keine entgegengesetzte ~~ erfolgt* sauf avis contraire; *schriftliche ~~* note *f;* **M~ungsbedürfnis** *n* besoin *m* de confidence *od* d'expansion *od* d'épanchement; expansivité *f.*

Mittel *n* ⟨-s, -⟩ ['mɪtəl] moyen; *(Hilfs~)* expédient; *(Träger)* véhicule; *(wirkende Kraft)* agent; *(Heilmittel)* remède *m,* médecine; *(Durchschnitt)* moyenne *f; pl (Hilfs-, Geldmittel)* moyens *m pl,* ressources *f pl; (Gelder, Vermögen)* capitaux, fonds *m pl;* fortune *f; im ~* en moyenne, en terme moyen; *mit allen ~n* par tous les moyens, de toutes les façons; *~ und Wege finden* trouver moyen; *sich ins ~ legen* s'entremettre, s'interposer, intervenir; *ihm ist jedes ~ recht* il fait flèche de tout bois, il s'accroche à toutes les branches; *arithmetische(s), geometrische(s) ~* moyenne *f* arithmétique, géométrique *od* proportionnelle; *öffentliche ~ pl (fin)* deniers *m pl* publics; *örtliche(s) ~ (med)* topique *m; verfügbare ~ pl* moyens *od* fonds *m pl* disponibles, disponibilités *f pl; ~ zum Zweck* moyen *m* d'arriver au but; **~alter** *n* Moyen Âge *m;* **m~alterlich** *a* du Moyen Âge; *lit* médiéval; *fam* moyenâgeux; **~amerika** *n* l'Amérique *f* centrale; **m~amerikanisch** *a* d'Amérique centrale; **m~bar** *a* indirect; **~begriff** *m philos* moyen terme *m;* **~betrieb** *m* exploitation *od* entreprise *f* moyenne; **~buchstabe** *m gram* médiale *f;* **~deutschland** *n* l'Allemagne *f* centrale; *pol* R.D.A.; **~ding** *n fam* chose *f* intermédiaire; **~europa** *n* l'Europe *f* centrale; **m~europäisch** *a: ~e Zeit f* heure *f* de l'Europe centrale; **m~fein** *a* de qualité moyenne; **~finger** *m* doigt du milieu, majeur; *scient* médius *m;* **m~fristig** *a* à moyen terme; **~fuß** *m anat* métatarse *m;* **~gebirge** *n* montagne *f* moyenne; **~gewicht** *n (Boxen)* poids *m* moyen; **~glied** *n philos math* moyen terme *m; anat* phalangine *f; mil* rang *m* du centre; **m~groß** *a* de grandeur *od (Mensch)* de taille moyenne; **~größe** *f* grandeur *f* moyenne; **~grund** *m* second plan *m;* **~hand** *f anat* métacarpe *m;* **m~hochdeutsch** *a* moyen haut allemand; *M~~(e, das)* (le) moyen haut allemand; **~klassen** *f pl (d. höh. Schulen)* classes *f pl* moyennes; **~kurs** *m* cours *m* moyen; **~lage** *f* position *f* centrale; **m~ländisch** *a* méditerranéen; *das M~~e Meer* la Méditerranée; **~latein** *n* bas latin *m;* **~läufer** *m sport* demi-centre *m;* **~linie** *f math* (ligne) médiane; *sport* ligne *f* du milieu; **m~los** *a* dépourvu de *od* sans ressources; démuni; *(völlig ~~)* sans moyens de subsistance *od* d'existence, indigent; *völlig ~~ dastehen* être réduit à rien, *fam* être fauché; **~losigkeit** *f* absence *f* de ressources; dénuement *m,* impécuniosité; indigence *f;* **~mächte,** *die, f pl hist* les puissances *f pl* de l'Europe centrale; **~mars** *m mar* hune *f* de beaupré; **~maß** *n* taille *f* moyenne; **m~mäßig** *a (a. pej)* médiocre, tel quel; *(durchschnittlich)* moyen; **~mäßigkeit** *f* médiocrité *f;* **~meer,** *das* la Méditerranée; **~ohr** *n anat* oreille *f* moyenne; **~ohrentzündung** *f* otite *f* (moyenne); **~partei** *f* parti *m* du centre; *die ~~en pl (a.)* le centre; **~punkt** *m* point central; *allg* centre, milieu; *fig* cœur; *(Brennpunkt)* foyer *m; gemeinsame(r) ~~ (mehrerer Kreise) (math)* homocentre *m;* **~ring** *m (Gewehr)* grenadière *f;* **m~s** *prp gen* moyennant, par le *od* au moyen de; à la faveur de; **~satz** *m philos* moyen terme *m;* **~scheitel** *m* raie *f* au milieu; **~schicht(en** *pl***)** *f* classes moyennes; **~schiff** *n arch rel* nef *f* centrale *od* principale; **~schule** *f* collège *m* d'enseignement général; **~schwanzstück** *n (Rind)* tranche *f;* **~smann** *m* ⟨-(e)s, -leute/-männer⟩, **~sperson** *f* intermédiaire, tiers *m;* médiateur, trice *m f;* personne *f* interposée; **~sorte** *f* qualité *f* moyenne; **~spur** *f (Straße)* voie *f* centrale; **~stab** *m (Zelt)* mât *m* de tente; **~stadt** *f* ville *f* moyenne; **~stand** *m* classe *f* moyenne; **~steg** *m typ* barre *f* du compositeur; **~stellung** *f* position *f* intermédiaire; **~strecke** *f sport* demi-fond *m;* **~streckenlauf** *m,* **~streckenläufer** *m* course *f,* coureur *m* de demi-fond; **~streckenrakete** *f* fusée *f* à portée moyenne; **~streckenrekord** *m* record *m* de demi-fond; **~streifen** *m (der Autobahn)* bande *f* médiane; **~stück** *n* morceau *m* du milieu, partie *f* centrale; **~stufe** *f (Schule)* = *~klassen;* **~stürmer** *m sport* (avant-)centre *m;* **~teil** *m* partie *f* centrale; **~überlassung** *f* attribution *f* de fonds; **~wald** *m* taillis *m* sous futaie; **~wand** *f* mur *m* mitoyen; **~weg** *m fig* moyen terme, compromis *m; e-n ~~ gehen* prendre un moyen terme; **~welle(n** *pl***)** *f radio* onde(s *pl*) *f* moyenne(s); **~wellenbereich** *m* gamme *f* des ondes moyennes; **~wellensender** *m* émetteur *od* poste *m* à onde(s) moyenne(s); **~wert** *m* (valeur) moyenne *f;* **~wort** *n gram* participe *m.*

mitten ['mɪtən] *adv: ~ in* au beau *od* en plein milieu de, en plein centre de, au cœur de, au *od* dans le sein de; *~ aus* du milieu de; *~ durch ...* à travers, au travers de ... *~ unter* en plein milieu de, parmi; *~ ins Herz* en plein cœur; *~ in der Nacht* en pleine nuit; *~ im Winter* en plein hiver; **~drin** ⟨-'-⟩ *adv* au beau *od* en plein milieu; **~durch** ⟨-'-⟩ *adv* par le milieu.

Mitternacht *f* ['mɪtər-] ⟨-, ø⟩ minuit *m; gegen ~* vers minuit; *um ~,* **m~s** *adv* à minuit; **~smesse** *f rel* messe *f* de minuit; **~ssonne** *f* soleil *m* de minuit; **mitternächtig** *a,* **mitternächtlich** *a* de *od* à minuit.

Mittfasten *pl* ['mɪtfastən] mi-carême *f.*

Mittler *m* ‹-s, -› ['mɪtlər] *(Ver~, a. rel)* médiateur *m.*
mittler|e(r, s) ['mɪtlərə-] *a allg* moyen; *(im Mittelpunkt befindlich)* central, du milieu; *(dazwischen befindlich)* intermédiaire; *(mittelmäßig)* médiocre; *im ~en Alter, ~en Alters* entre deux âges; *von ~er Größe* de taille moyenne; *e-e ~e Linie einhalten* tenir le juste milieu; *~e Ortszeit* heure *f* moyenne; *der ~e Osten* le Moyen-Orient; **~weile** *adv* entre(-)temps, en attendant, sur ces entrefaites.
mittschiffs ['mɪtʃɪfs] *adv* au centre *od* milieu du navire, en pleine coque.
Mittsommer *m* ['mɪt-] été *m* de la Saint-Jean.
mit=tun ['mɪt-] *itr = mitmachen.*
Mittwoch *m* ‹-(e)s, -e› ['mɪtvɔx] mercredi *m.*
mitunter [mɪt'ʔuntər] *adv* parfois, quelquefois, de temps en temps, de temps à autre.
Mitunterzeichner *m* ['mɪt-] co(ntre)-signataire *m.*
mitverantwortlich ['mɪt-] *a: ~ sein* partager la responsabilité; **M~keit** *f* responsabilité *f* conjointe.
Mitverbundene(r) *m* ['mɪt-] coobligé *m.*
Mitverfasser(in *f*) *m* ['mɪt-] coauteur *m.*
Mitverschworene(r) *m* ['mɪt-] conjuré *m.*
Mitversicherung *f* ['mɪt-] assurance *f* additionnelle.
Mitvormund *m* ['mɪt-] cotuteur *m.*
Mitwelt *f* ['mɪt-] contemporains *m pl.*
mit=wirk|en ['mɪt-] *itr* apporter son concours (*an, bei etw* à qc); **M~enden,** *die, pl theat* les acteurs; *mus* les exécutants *m pl;* **M~ung** *f* concours *m;* collaboration; participation *f; unter ~~ (gen)* avec le concours (de).
Mitwiss|en *n* ['mɪt-] *: ohne mein ~~* à mon insu; **~er** *m* confident; complice *m;* **~erschaft** *f* complicité *f.*
mit=zählen ['mɪt-] *tr* comprendre (dans le compte); *itr (von Bedeutung sein)* compter, être dans le compte, faire nombre; avoir son importance.
Mix|becher *m* [mɪks-] mixe(u)r *m;* **m~en** *tr* mélanger; **~er** *m* ‹-s, -› *(Bar~)* barman *m;* **~tur** *f* ‹-, -en› [-'tu:r] mixture, mixtion *f.*
Mnemotechn|ik *f* [mnemo'teçnɪk] *(Gedächtniskunst)* mnémotechnie *f;* **m~isch** *a* mnémotechnique.
Moa *m* ‹-(s), -s› ['mo:a] *orn* dinornis *m.*
Mob *m* ‹-s, ø› [mɔp] populace, canaille *f; pop* populo *m.*
Möbel *n* ‹-s, -› ['mø:bəl] meuble *m; pl a.* ameublement, mobilier *m; eigene ~ haben* être dans ses meubles; *antike ~ pl* meubles *m pl* d'époque; **~ausstellung** *f* salon *m* de l'ameublement; **~(bezug[s])stoff** *m* tissu *m* d'ameublement; **~fabrik** *f* fabrique *f* de meubles; **~geschäft** *n* maison *f* d'ameublement; **~händler** *m* marchand *m* de meubles; **~haus** *n* maison *f* d'ameublement; **~politur** *f* encaustique *f;* **~schreiner** *m,* **~tischler** *m* ébéniste *m;* **~schreinerei** *f,* **~tischlerei** *f* ébénisterie *f;* **~speicher** *m* garde-meuble *m;* **~stück** *n* meuble *m;* **~wagen** *m* fourgon *m od* voiture *f* de déménagement; *offene(r) ~~* tapissière *f.*
mobil [mo'bi:l] *a (beweglich)* mobile; *fam (flink)* actif, vif; *~ machen (tr u. itr)* mobiliser; **M~iar** *n* ‹-s, -e› [-bili'a:r] mobilier, ameublement *m;* **M~iarbesitz** *m* propriété *f* mobilière; **M~iarvermögen** *n* biens *m pl* meubles *od* mobiliers; **M~iarversteigerung** *f* vente *f od* enchères *f pl* mobilière(s); **~isieren** [-li'zi:rən] *tr mil* u. *fig* mobiliser; **M~isierung** *f fig* mobilisation *f;* **M~machung** *f mil* mobilisation, mise *f* sur pied de guerre; **M~machungsbefehl** *m* ordre *m* de mobilisation.
möblier|en [mø'bli:rən] *tr* meubler; **~t** *a (Zimmer, Haus)* meublé, garni; *~~ vermieten, wohnen* louer, habiter *od* vivre en meublé *od* garni; *~~e(s) Haus n, ~~e Wohnung f* meublé, garni *m; ~~e(s) Zimmer n* (chambre *f*) meublé(e) *od* garni(e) *m;* **M~ung** *f* ameublement *m.*
Mockturtlesuppe *f* ['mɔktœrtəl-] potage *m* à la fausse tortue.
Modalität *f* ‹-, -en› [modali'tɛ:t] *a. philos* modalité *f.*
Mode *f* ‹-, -n› ['mo:də] mode *f; fam (Brauch)* usage *m,* coutume *f; fig* en vogue; *aus der ~* hors de *od* passé de mode, démodé; *nach der (neuesten) ~* à la (dernière) mode; *in ~ bringen* mettre à la mode; *sich nach der ~ kleiden, die ~ mitmachen* se mettre à la mode, suivre la mode; *aus der ~ kommen* passer de mode; *~ sein* être en vogue; *(Kleidung)* se faire; *~ werden* devenir la mode; *das ist (nun mal) so ~* c'est la mode (ainsi); *die neueste ~* la dernière mode, le dernier cri; **~artikel** *m* article *m* mode *od* fantaisie *od* de Paris; **~blatt** *n hist* gravure *f* de mode; **~farbe** *f* couleur *f* (à la) mode *od* en vogue, coloris *m* mode; **~geschäft** *n* magasin *m* de modes *od* de nouveautés; **~haus** *n = ~geschäft; die führenden ~häuser* la Haute Couture; **~kollektion** *f* collection *f* de mode; **~(n)schau** *f* présentation *f* de collection défilé *m* de mannequins; **~sache** *f: das ist ~~ (fam)* c'est une question de mode, ça change avec la mode; **~salon** *m* maison *f* de couture; **~schaffen** *n* haute couture *f;* **~schöpfer** *m* couturier *m;* **~stoff** *m* étoffe *f* fantaisie; **~waren** *f pl* articles *m pl* de mode *od* de Paris; **~warengeschäft** *n* magasin *m* de modes *od* de fantaisie; **~zeitschrift** *f,* **~zeitung** *f* journal *m* de modes.
Model *m* ‹-s, -› ['mo:dəl] *(Form)* moule *m;* **m~n** *tr* modeler, mouler, façonner.
Modell *n* ‹-s, -e› [mo'dɛl] modèle, type *m,* maquette *f; tech* patron *m; ein ~ von etw anfertigen* modeler qc; *nach e-m ~ arbeiten* travailler sur *od* d'après un modèle; *~ stehen (Kunst)* poser; *(berufsmäßig)* faire le métier de modèle; **~eur** *m* ‹-s, -e› [-'lø:r], **~ierer** *m* ‹-s, -› [-'li:rər] modeleur *m;* **m~ieren** [-'li:rən] *tr* modeler, former, façonner; **~ieren** *n* modelage *m;* **~iermasse** *f* pâte *f* à modeler; **~ierstab** *m* ébauchoir *m;* **~ierton** *m* terre *f* à modeler; **~ierung** *f* modelage, modelé *m;* **~ierwachs** *n* cire *f* à modeler; **~kleid** *n* (robe *f*) modèle *m;* **~kollektion** *f (Mode)* collection *f* de modèles; **~schneider(in *f*)** *m* modéliste *m f;* **~schreiner** *m,* **~tischler** *m* maquettiste *m;* **~schreinerei** *f,* **~tischlerei** *f* atelier *m* de maquettiste; **~vertrag** *m* contrat *m* type; **~zeichner** *m* modéliste *m.*
Moder *m* ‹-s, ø› ['mo:dər] pourri(ture *f*) *m,* moisissure *f;* **~geruch** *m* odeur *f* de moisi; **m~ig** *a,* **modrig** *a* pourri, moisi; **m~n** *itr* pourrir, moisir.
Moderator *m* ‹s, -en› [mo:də'ra:tɔr] *(Radio, Fernsehen)* animateur, meneur *m* de jeu.
modern [mo'dɛrn] *a* moderne, à la mode, de mise; *die M~e (Kunst)* le moderne; *die M~en (Künstler)* les modernes *m pl; ~ werden (aufkommen)* devenir la mode; *~e(r) Charakter m* modernité *f;* **~isieren** [-ni'zi:rən] *tr* moderniser; **M~isierung** *f* modernisation *f;* **M~ismus** *m* ‹-, ø› [-'nɪsmus] *rel* modernisme *m;* **M~ität** *f* ‹-, -en› [-ni'tɛ:t] modernité *f.*
Modifi|kation *f* ‹-, -en› [modifikatsi'o:n] modification *f;* **m~zierbar** [-'tsi:r-] *a* modifiable; **~zierbarkeit** *f* modificabilité *f;* **m~zieren** *tr* modifier; **m~zierend** *a* modifiant, modificateur.
modisch ['mo:dɪʃ] *a* au goût du jour, à la mode, moderne; fantaisie.
Modistin *f* ‹-, -nnen› [mo'dɪstɪn] modiste; marchande *f* de modes *od* de nouveautés.
Modul *m* ‹-s, -n› ['mo:dul] *math phys tech* module *m;* **~ation** *f* ‹-, -en› [modulatsi'o:n] *mus tech* modulation *f;* **m~ieren** [-'li:rən] *tr* u. *itr mus* moduler.
Modus *m* ‹-, -di› ['mo:dus, -di] *allg* u. *gram* mode *m.*
Mog|elei *f* ‹-, -en› [mo:gə'laɪ] *fam* trich(eri)e, fraude *f;* **m~eln** ['mo:gəln] *itr* tricher, frauder; **~ler** *m* ‹-s, -› [-glər] tricheur *m.*
mögen ‹*ich mag; ich mochte, ich möchte; gemocht/mögen*› ['mø:gən, ma:k, 'mɔxtə, 'mœçtə, gə'mɔxt] *tr (gern haben)* aimer; goûter; apprécier; *(haben wollen, wünschen)* vouloir (bien), avoir envie de; désirer; *(können, dürfen)* pouvoir; *gern ~* aimer bien; avoir de l'affection (*jdn* pour qn); *(Speise)* être friand de; *lieber ~* aimer mieux, préférer; *jdn nicht (mehr) ~* avoir pris qn en grippe; *sich nicht ~ (nicht leiden können)* ne pas pouvoir se voir *od* se sentir; *ich möchte* je voudrais; *ich möchte gern* je voudrais *od* j'aimerais bien; *was ich auch tun mag* quoi que je puisse faire, quoi que je fasse; *er mag 10 Jahre alt sein* il peut avoir dix ans; *mag er noch so arm sein* si pauvre qu'il soit; *man möchte mei-*

nen on dirait; *(für) diesmal mag es noch hingehen* passe pour cette fois; *das mag sein* cela se peut; *es mag sein, daß* il se peut que *subj; es mochte 12 Uhr sein* il pouvait être midi; *wo mag er bloß sein* od *(fam) stecken?* où peut-il bien être? *das hätte ich sehen ~!* j'aurais (bien) voulu voir cela; *was mag dies bedeuten?* qu'est ce que cela peut signifier? *du magst sagen, was du willst* tu as beau dire.

möglich ['mø:klıç] *a* possible; *lit* potentiel; *(aus-, durchführbar)* faisable, praticable; *so bald wie ~* le plus tôt possible, aussitôt que possible, au plus tôt; *so gut, so schnell wie ~* aussi bien, aussi vite que possible; le mieux, le plus vite possible; *so oft wie ~* le plus souvent possible; *im Rahmen des M~en* dans la mesure du possible; *so viel wie ~* autant que possible, le plus possible; *so wenig wie ~* le moins possible; *im Bereich des M~en liegen* être du domaine du *od* des choses possible(s); *das ist (durchaus* od *wohl) ~* c'est (bien) possible, cela se peut (bien); *es ist ~, daß ...* il est possible, il se peut que *subj; und wie ist das ~?* et par quel moyen? *wie ist es ~, daß ...?* comment se fait-il que ...? *(das ist ja) nicht ~!* (mais ce n'est) pas possible! (ça) par exemple! *alles ~e* toutes sortes de choses; **~enfalls** *adv*, **~erweise** *adv* peut-être, si c'est possible; **M~keit** *f* possibilité, éventualité; *lit* potentialité; *(Durchführbarkeit)* praticabilité *f; pl a.* éventail *m; nach ~~* dans la mesure du possible, autant que possible; **~st** *adv (vor e-m a od adv) = so ... wie möglich; sein ~~es tun* faire (tout) son possible, faire de son mieux.

Mohairwolle [mo'hɛ:r-] *f* (laine *f*) mohair *m*.

Mohammed *m* ['mo:hamɛt] Mahomet *m;* **~aner(in** *f***)** *m* ‹-s, -› [-me'da:nər] Musulman, e; Mahométan, e *m f;* **m~anisch** [-'da:nıʃ] *a* musulman, mahométan.

Mohn *m* ‹-(e)s, -e› [mo:n] pavot *m;* **~(blume** *f***)** *m (Klatschmohn)* coquelicot *m;* **~kapsel** *f* tête *f* de pavot; **~öl** *n* huile *f* de pavot; **~pflanzen** *f pl (Familie)* papavéracées *f pl;* **~samen** *m* graine(s *pl*) *f* de pavot.

Mohr *m* ‹-en, -en› [mo:r] *vx* nègre *m;* **~enhirse** *f* mil *m* d'Inde *od* d'Afrique *od* à épis; **~enkopf** *m (Gebäck)* chou *m*, profiterole *f;* **~enwäsche** *f (fig)* peine *f* perdue.

Möhre *f* ‹-, -n› ['mø:rə], **Mohrrübe** ['mo:r-] *f* carotte *f*.

Moir|é *m* od *n* ‹-s, -s› [moa're:] *(Textil)* moire *f;* **m~ieren** [-'ri:rən] *tr* moirer; **m~iert** *a* moiré.

mok|ant [mo'kant] *a* moqueur, railleur; **~ieren** [-'ki:rən], *sich* se moquer (*über jdn* de qn), railler (*über jdn* qn).

Mokassin *m* ‹-s, -s/-e› ['mɔk-, moka'si:n], **~slipper** *m* ‹-s, -› mocassin *m*.

Mokka *m* ‹-s, -s› ['mɔka] moka *m;* **~likör** *m* crème *f* de moka; **~schnittchen** *n*, **~torte** *f* moka *m;* **~tasse** *f* tasse *f* à moka.

Molch *m* ‹-(e)s, -e› [mɔlç] *zoo* triton *m*.

Moldau ['mɔldau], *die (Landschaft)* la Moldavie.

Mole *f* ‹-, -n› ['mo:lə] *mar* môle *m*, jetée *f;* **~nkopf** *m* musoir *m*.

Molek|el *f* ‹-, -n› [mo'le:kəl], **~ül** *n* ‹-s, -e› [-le'ky:l] *phys chem* molécule *f;* **m~ular** [-ku'la:r] *a phys chem* moléculaire; **~ulargewicht** *n* poids *m od* masse *f* moléculaire.

Molk|e *f* ‹-, ø› ['mɔlkə] petit-lait *m;* **~erei** *f* [-'rai] laiterie *f;* **~ereiprodukte** *n pl* produits *m pl* laitiers.

Moll 1. *n* [mɔl] ‹-, ø›, **~tonart** *f mus* mode *m* mineur; **~tonleiter** *f* gamme *f* mineure.

Moll 2. *m* ‹-(e)s, -e/-s› *(Textil)* molleton *m*.

mollig ['mɔlıç] *a fam (angenehm warm)* bien *od* agréablement chaud; *(rundlich)* potelé, grassouillet.

Molluske *f* ‹-, -n› [mɔ'luskə] *zoo* mollusque *m*.

Molton *m* ‹-s, -s› ['mɔltɔn] = *Moll 2*.

Molybdän *n* ‹-s, ø› [molyp'dɛ:n] *chem* molybdène *m*.

Moment 1. *m* [mo'mɛnt] ‹-(e)s, -e› *(Augenblick; vgl. d.)* moment, instant *m; im ~ (jetzt)* à cette, heure, à l'heure qu'il est; *(gerade)* justement, à l'instant même; *im letzten ~* au dernier moment; *~ (mal)!* un instant! minute! *den richtigen ~ verpassen* manquer le moment; *lichte(r) ~ (med)* moment *od* intervalle *m* lucide; *psychologische(r) ~* moment *m* psychologique; *der rechte* od *gegebene ~* le bon moment, la bonne heure; **m~an** [-mɛn'ta:n] *a* momentané; *adv* momentanément; pour le moment, pour l'instant; **~aufnahme** *f* (photo *od* prise *f*) instantané(e) *m;* **~verschluß** *m phot* obturateur *m* instantané; **~zündung** *f tech* allumage *m* instantané.

Moment 2. *n* ‹-(e)s, -e› *(Gesichtspunkt)* point de vue; *(Anlaß)* facteur, motif, mobile; *phys tech* moment, facteur *m*.

Monade *f* ‹-, -n› [mo'na:də] *philos* monade *f;* **~nlehre** *f* monadologie *f*.

Monarch *m* ‹-en, -en› [mo'narç] monarque *m;* **~ie** *f* ‹-, -n› [-'çi:] monarchie *f; absolute, konstitutionelle ~~* monarchie *f* absolue, constitutionnelle; **m~isch** [-'narçıʃ] *a* monarchique; **~ist** *m* ‹-en, -en› [-'çıst] monarchiste *m;* **m~istisch** [-'çıstıʃ] *a* monarchiste.

Monat *m* ‹-(e)s, -e› ['mo:nat] mois *m; am 10. dieses ~s* le 10 courant; *im ~ (m~lich)* par mois; *im Laufe des ~s* dans le courant du mois; *im ~ (m~lich)* par mois; *im Laufe des ~s* dans le courant du mois; *im 6. ~ (Schwangere)* enceinte de 6 mois; *im ~ Mai* au mois de mai; **m~elang** *adv* durant des mois, des mois durant; **m~lich** *a* mensuel; *adv* par mois, au mois; *~~e Zahlung f* mensualité *f;* **~sabschluß** *m com* bilan *m* mensuel; **~sausweis** *m = ~sbericht (fin);* **~sbericht** *m allg* rapport *m* mensuel; *fin* relevé *m* de fin de mois, situation *f* mensuelle; **~sbetrag** *m* mensualité *f;* **~sbinde** *f* serviette *f* hygiénique *od* périodique; **~sdurchschnitt** *m* moyenne *f* mensuelle; **~sfluß** *m physiol* règles, menstrues *f pl*, menstruation *f;* **~sfrist** *f: in ~~* dans le délai d'un mois; **~sgehalt** *n* traitement *m od* appointements *m pl* mensuel(s); **~skarte** *f* abonnement *m* mensuel; **~smittel** *n = ~sdurchschnitt;* **~srate** *f* acompte *m* mensuel, mensualité *f; in ~~n* par mensualités; **~srose** *f* rose *f* de tous les mois; **~sschrift** *f* publication *od* revue *f od* journal *m* mensuel(le); **~swechsel** *m fin* traite *f* à trente jours; **m~(s)weise** *adv* au mois.

monaural [monau'ra:l] *a radio* monophone.

Mönch *m* ‹-(e)s, -e› [mœnç] moine *a. typ;* religieux *m;* **m~isch** *a* monacal, monastique; **~sgrasmücke** *f orn* fauvette *f* à tête noire; **~skloster** *n* monastère *m;* **~skutte** *f* froc *m;* **~slatein** *n* latin *m* de bréviaire *od* de sacristie; **~sorden** *m* ordre *m* religieux *od* monastique; **~(s)tum** *n* ‹-s, ø› monachisme *m;* **~szelle** *f* cellule *f* de religieux.

Mond *m* ‹-(e)s, -e› [mo:nt, -də] *(der Erde)* lune *f; astr allg* satellite; *vx poet (Monat)* mois *m; den ~ anbellen* aboyer *od* hurler à la lune; *fig* pester en vain; *zum ~ fliegen* aller dans la lune; *in den ~ gucken (fig fam: nichts kriegen)* revenir les mains vides, en être pour ses frais, faire chou blanc (*bei etw* de qc); *auf dem ~ landen* alunir; *auf dem ~ leben (fig)* vivre dans la lune; *hinterm ~ (rückständig) sein* ne pas être à la page; *der ~ scheint* il fait clair de lune; *Sie kommen wohl vom ~?* descendez-vous de la lune? *abnehmende(r), zunehmende(r) ~* lune *f* décroissante, croissante; **~aufgang** *m* lever *m* de la lune; **~bahn** *f* orbite *f* de la lune; **~finsternis** *f* éclipse *f* de lune; **~fisch** *m* poisson-lune *m*, môle *f;* **~gesicht** *n fam* lune, trogne *f;* **~jahr** *n* année *f* lunaire; **~kalb** *n* môle *f; pej* idiot *m;* **~landschaft** *f* paysage *m* lunaire; **~landung** *f* alunissage *m;* **~licht** *n* clair *m* de lune; **~monat** *m* mois *m* lunaire; **~oberfläche** *f* surface *f* lunaire; **~phase** *f* phase *f* de la lune; **~rakete** *f* fusée *f od* engin *m* lunaire; **~scheibe** *f* disque *m* de la lune; **~schein** *m* clair *m* de lune; *bei ~~* au clair de la lune; **~sichel** *f* croissant *m* de lune; **~stein** *m min* pierre *f* de lune; **~sucht** *f* somnambulisme *m;* **m~süchtig** *a* somnambule; **~umkreisung** *f* vol *m* circumlunaire; **~viertel** *n* quartier *m* de lune; **~wechsel** *m* changement *m* de lune.

mondän [mɔn'dɛ:n] *a* mondain.

Möndchen *n* ‹-s, -› ['mø:ntçən] *anat* lunule *f*.

Monegass|e *m* ‹-n, -n› [mone'gasə] *(Einwohner von Monaco)* Monégasque *m;* **m~isch** [-'gasıʃ] *a* monégasque.

Moneten *pl* [mo'ne:tən] *fam (Geld)*

picaillons *m pl,* fric; *pop* pognon; *arg* grisbi *m,* pépettes *f pl.*
Mongol|e *m* ⟨-n, -n⟩ [mɔŋ'go:lə] , **~in** *f* Mongol, e *m f;* **~ei** [-go'laɪ] , *die* la Mongolie; **m~isch** [-'go:lɪʃ] *a* mongol(ique).
mon|ieren [mo'ni:rən] *tr (mahnen)* réclamer (*wegen e-r S* qc); *(rügen)* blâmer, critiquer; **M~itum** *n* ⟨-s, -ta⟩ ['mo:nitum, -ta] blâme *m.*
Mon|ismus *m* ⟨-, ø⟩ [mo'nɪsmʊs] *philos* monisme *m;* **~ist** *m* ⟨-en, -en⟩ [-'nɪst] moniste *m.*
Mono|chord *n* ⟨-(e)s, -e⟩ [mono'kɔrt, -də] *mus* monocorde *m;* **m~chrom** *a (einfarbig)* monochrome; **~gamie** *f* ⟨-, ø⟩ [-ga'mi:] *(Einehe)* monogamie *f;* **m~gam(isch)** [-'ga:m(ɪʃ)] *a* monogam(iqu)e; **~graphie** *f* ⟨-, -n⟩ [-gra'fi:] monographie *f;* **~gramm** *n* ⟨-s, -e⟩ [-'gram] monogramme *m;* **~kel** *n* ⟨-s, -⟩ [-'nɔkəl] monocle *m;* **~kultur** *f agr* monoculture *f;* **~lith** *m* ⟨-s/-en, -e/-en⟩ [-'li:t/-'lɪt] *(Denkmal aus einem einzigen Steinblock)* monolithe *m;* **~log** *m* ⟨-(e)s, -e⟩ [-'lo:k, -gə] monologue *m; e-n ~~ halten* monologuer; **m~man(isch)** [-'ma:n(ɪʃ)] *a* monoman(iaqu)e; **~manie** *f* ⟨-, -n⟩ [-ma'ni:] *(fixe Idee)* monomanie *f;* **~pol** *n* ⟨-s, -e⟩ [-'po:l] monopole *m;* **m~polisieren** [-poli'zi:rən] *tr* monopoliser; **M~polkapitalismus** *m* capitalisme *m* monopoliste; **~polstellung** *f* situation *f* de monopole; **~theismus** *m* monothéisme *m;* **~theist** *m* monothéiste *m;* **m~theistisch** *a* monothéiste; **m~ton** [-'to:n] *a* monotone; *~~ lesen (a.)* ânonner; **~tonie** *f* ⟨-, -n⟩ [-to'ni:] monotonie *f.*
Monster|essen *n* ['mɔnstər-], **~konzert** *n,* **~prozeß** *m* dîner, concert, procès *m* monstre.
Monstranz *f* ⟨-, -en⟩ [mɔn'strants] *rel* ostensoir *m.*
monstr|ös [mɔn'strø:s] *a* monstrueux; **M~osität** *f* ⟨-, -en⟩ [-trozi'tɛ:t] monstruosité *f;* **M~um** *n* ⟨-s, -tren/-tra⟩ ['mɔnstrʊm, -trən/ -tra] monstre *m.*
Monsun *m* ⟨-s, -e⟩ [mɔn'zu:n] *mete* mousson *f.*
Montag *m* ⟨-(e)s, -e⟩ ['mo:nta:k] lundi *m; blauen ~ machen* fêter (la) Saint-Lundi.
Mont|age *f* ⟨-, -n⟩ [mɔn'ta:ʒə] montage *a. phot film;* assemblage *m;* **~agearbeiten** *f pl* travaux *m pl* de montage; **~ageband** *n* tapis *m* roulant de montage; **~agebau** *m* construction *f* en éléments préfabriqués *od* en série; **~agehalle** *f* hall *od* atelier *m* de montage; **~agetisch** *m* table *f* de montage; **~eur** *m* ⟨-s, -e⟩ [-'tø:r] (ajusteur-)monteur, assembleur *m;* **~euranzug** *m* salopette *f,* bleu *m;* **~iereisen** *n* [-'ti:r-] démonte-pneu *m;* **m~ieren** *tr* monter, assembler; **~ierung** *f* montage, assemblage *m;* **~ur** *f* ⟨-, -en⟩ [-'tu:r] *mil* tenue *f,* uniforme; *(Ausrüstung)* équipement *m.*
Montan|industrie *f* [mɔn'ta:n-] industrie *f* minière et métallurgique, mines et métallurgie *f pl;* **~union** *f hist* Communauté *f* Européenne du Charbon et de l'Acier; pool *m* charbon-acier.
Monument *n* ⟨-(e)s, -e⟩ [monu'mɛnt] monument *m;* **m~al** [-'ta:l] *a* monumental; **~albau** *m* édifice *m* monumental; **~alfilm** *m* superproduction *f.*
Moor *n* ⟨-(e)s, -e⟩ [mo:r] marécage, marais *m;* **~bad** *n* bain *m* de boue; **m~ig** *a* marécageux.
Moos *n* ⟨-es, -e⟩ [mo:s, -zə] **1.** *bot* mousse *f; Isländische(s) ~* lichen *m* d'Islande; **m~grün** *a* vert mousse; **m~ig** ['-zɪç] *a* moussu, couvert de mousse; **~rose** *f* rose-mousse *f.*
Moos *n* ⟨-es, ø⟩ [mo:s, -zəs] **2.** *arg u. fam (Geld)* trèfle *m,* oseille *f,* pognon *m.*
Mop *m* ⟨-s, -s⟩ [mɔp] balai *m* à franges; **m~pen** *tr* reluire avec un balai (à franges).
Moped *n* ⟨-s, -s⟩ ['mo:pɛt/('mope:t)] cyclomoteur *m;* **~fahrer** *m* cyclomotoriste *m.*
Mops *m* ⟨-es, ⁻e⟩ [mɔps, 'mœpsə] carlin; *fig fam (Fett~)* pot *m* à tabac; **m~en** *tr fam (stehlen)* chiper, gripper.
Moral *f* ⟨-, ø⟩ [mo'ra:l] morale; *(Nutzanwendung)* morale, moralité *f;* **m~isch** *a* moral; *~~e Betrachtungen anstellen,* **m~isieren** [-rali'zi:rən] *itr* moraliser; **~ist** *m* ⟨-en, -en⟩ [-'lɪst] moraliste *m;* **~ität** *f* ⟨-, (-en)⟩ [-li'tɛ:t] *(Sittlichkeit)* moralité; *(Sittenlehre)* morale *f;* **~prediger** *m pej* moralisateur; prêcheur, sermonneur; prédicateur *m;* **~predigt** *f* homélie *f; jdm e-e ~~ halten* faire la morale à qn.
Moräne *f* ⟨-, -n⟩ [mo'rɛ:nə] *geol* moraine *f.*
Morast *m* ⟨-(e)s, -e/⁻e⟩ [mo'rast(ə), -'rɛstə] bourbe *f,* marais; *pop* patrouillis *m; fig pej* fange *f; im ~ stekkenbleiben* s'embourber; **m~ig** *a* bourbeux; marécageux.
Moratorium *n* ⟨-s, -rien⟩ [mora'to:rium, -riən] *(Aufschub)* moratoire, sursis; atermoiement *m.*
morbid [mɔr'bi:t] *a* morbide; **M~ität** *f* ⟨-, ø⟩ [-idi'tɛ:t] *(Krankheitsziffer u. fig)* morbidité *f.*
Morchel *f* ⟨-, -n⟩ ['mɔrçəl] *bot* morille *f.*
Mord *m* ⟨-(e)s, -e⟩ [mɔrt, -də] meurtre, assassinat *m; e-n ~ begehen* commettre un meurtre; *es wird ~ und Totschlag geben* il y aura des morts; **~anklage** *f: unter ~~ stehen* être accusé de meurtre; **~anschlag** *m* attentat *m* à la vie (*auf jdn* de qn); **~brenner** *m* incendiaire *m;* **m~en** ⟨*mordete, gemordet*⟩ *tr* assassiner; *itr* commettre un *od* des meurtre(s); **m~gierig** *a* sanguinaire; **~s . . .** *(in Zssgen) pop* rude; **~shunger** *m* faim de loup, fringale *f;* **~skerl** *m* rude gaillard, type épatant *m od* formidable; **~slärm** *m* vacarme infernal *od* de tous les diables; **m~smäßig** *a fam* rude, formidable, terrible, fou, énorme; **~sspaß** *m: es gab e-n ~~* on s'est payé une bosse de rire; **~tat** *f = ~;* **~verdacht** *m: unter ~~ stehen* être soupçonné de *od* d'avoir commis un meurtre; **~versuch** *m* tentative *f* d'assassinat; **~waffe** *f* arme *f* meurtrière.
Mörder *m* ⟨-s, -⟩ ['mœrdər] meurtrier, assassin; homicide *m; (Hilfe) ~!* au meurtre! **~grube** *f: aus s-m Herzen keine ~~ machen* parler à cœur ouvert, avoir le cœur sur les lèvres; **~hand** *f: von ~~ sterben* être assassiné; **~in** *f* meurtrière *f;* **m~isch** *a* meurtrier, homicide; *fig* sanglant; **m~lich** *adv fam (sehr)* effroyablement, épouvantablement, terriblement, énormément; *~~ schreien* crier à tue-tête.
Mores *pl* ['mo:rɛs]: *ich will dich ~ lehren!* je t'apprendrai la politesse.
Morgen *m* ⟨-s, -⟩ ['mɔrgən] matin *m; (Vormittag)* matinée *f; (Feldmaß)* arpent *m; am ~* le matin; *am anderen* od *nächsten ~* le lendemain matin; *eines (schönen) ~s* un (beau) matin, un de ces matins; *früh am ~* le matin de bonne heure; de bon *od* grand matin; *jdm e-n guten ~ wünschen* souhaiter *od* donner le bonjour à qn; *guten ~!* bonjour! **~andacht** *f* prière *f od* office *m* du matin; **~ausgabe** *f (Zeitung)* édition *f* du matin; **~blatt** *n* journal *m* du matin; **~dämmerung** *f* aube; pointe *f* du jour; **m~dlich** [-tlɪç] *a* matinal, du matin; **~gebet** *n* prière *f* du matin; **~grauen** *n: im ~~* à l'aube; à la pointe du jour, au petit jour; **~kaffee** *m* café matinal; petit déjeuner *m;* **~kühle** *f: in der ~~* à la fraîche; **~land,** *das vx poet* l'Orient *m;* le Levant; **~luft** *f* air *m* du matin; *~~ wittern (fig fam)* flairer une bonne occasion; **~post** *f* courrier *m* du matin; **~rock** *m* robe *f* de chambre, saut-de-lit, peignoir *m* (d'appartement); **~rot** *n,* **~röte** *f* aurore *f;* **m~s** *adv (am Morgen)* le matin; *(nach e-r Zeitangabe)* du matin; **~sonne** *f* soleil *m* levant; **~ständchen** *n* aubade *f;* **~stern** *m* étoile matinale *od* du matin; *hist (Waffe)* masse *f* d'armes; **~stunde** *f* heure *f* matinale; **~unterhaltung** *f: musikalische ~~* matinée *f* musicale; **~veranstaltung** *f* matinée *f; literarische ~~* matinée *f* littéraire; **~zeitung** *f = ~blatt.*
morgen ['mɔrgən] *adv* demain; *ab ~, von ~ an* à partir de demain, dès demain; *(noch) bis ~ (früh)* (jusqu')à demain, d'ici (à) demain; *von heute auf ~* du jour au lendemain; *~ früh, mittag, abend* demain matin, midi, soir; *~ in acht Tagen, ~ über acht Tage* demain en huit; *~ ist Sonntag* c'est demain dimanche; *~ ist auch (noch) ein Tag* demain il fera jour; à demain les affaires.
morgig ['mɔrgɪç] *a* de demain; *der ~e Tag* la journée de demain.
Moritz *m* ['mo:rɪts] Maurice *m.*
Mormone *m* ⟨-n, -n⟩ [mɔr'mo:nə] *rel* mormon *m;* **~ntum** *n* ⟨-s, ø⟩ mormonisme *m.*
Morph|eus *m* ['mɔrfɔʏs] *: in ~~' Armen (poet: im Schlaf)* dans les bras de Morphée; **~inismus** *m* ⟨-, ø⟩

[-fiˈnɪsmus] morphinomanie *f;* **~inist** *m* ‹-en, -en› [-ˈnist] morphinomane *m;* **~ium** *n* ‹-s, ø› [ˈmɔrfium] morphine *f;* **~iuminjektion** *f,* **~iumspritze** *f* piqûre *od* injection *f* de morphine; **m~iumsüchtig** *a* morphinomane; **~iumvergiftung** *f* morphinisme *m.*

Morpholog|ie *f* ‹-, ø› [mɔrfoloˈgi:] *(Gestalt-, Formenlehre)* morphologie *f;* **m~isch** [-ˈlo:gɪʃ] *a* morphologique.

morsch [mɔrʃ] *a* pourri; **M~heit** *f* ‹-, ø› pourriture *f.*

Morse|alphabet *n* [ˈmɔrze-] alphabet *m* morse; **~apparat** *m* télégraphe *m* morse; **m~n** *itr* ‹*du morst/(morsest)*› télégraphier; **~zeichen** *n* signal *m* morse.

Mörser *m* ‹-s, -› [ˈmœrzər] *(Küche, pharm, mil)* mortier *m;* **~stößel** *m* pilon *m.*

Mortalität *f* ‹-, ø› [mɔrtaliˈtɛ:t] *(Sterblichkeit)* mortalité *f.*

Mörtel *m* ‹-s, -› [ˈmœrtəl] mortier *m;* **~kelle** *f* truelle *f.*

Mosaik *n* ‹-s, -e(n)› [mozaˈi:k] *a. fig* mosaïque *f; mit ~en ausstatten* mosaïquer; **~fußboden** *m* sol *m* en mosaïque; **~künstler** *m* (artiste *m*) mosaïste *m;* **~tisch** *m* table *f* en mosaïque.

mos|aisch [moˈza:ɪʃ] *a rel* mosaïque; **M~es** *m* [ˈmo:zəs] Moïse *m; die fünf Bücher M~e* od *M~is* le Pentateuque.

Moschee *f* ‹-, -n› [mɔˈʃe:, -ən] *rel* mosquée *f.*

Moschus *m* ‹-, ø› [ˈmɔʃus] *(Riechstoff),* **~tier** *n* musc *m.*

Mosel [ˈmo:zəl] , *die* la Moselle; **~(wein)** *m* moselle *m.*

Moskau *n* [ˈmɔskau] Moscou *f;* **~er(in** *f***)** *m* ‹-s, -› Moscovite *m f;* **~er** *a* moscovite.

Moskito *m* ‹-s, -s› [mɔsˈki:to] *ent* moustique *m;* **~netz** *n* moustiquaire *f.*

Moslem *m* ‹-s, -s› [ˈmɔslɛm] Musulman *m.*

Most *m* ‹-(e)s, -e› [mɔst] *(Trauben~)* moût; *(Apfel~)* cidre *m;* **~äpfel** *m pl* pommes *f pl* à cidre; **~erei** *f* [-ˈrai] cidrerie *f;* **~obst** *n* fruits *m pl* à cidre.

Motel *n* ‹-s, -s› [moˈtɛl] motel *m.*

Motette *f* ‹-, -n› [moˈtɛtə] *mus* motet *m.*

Motiv *n* ‹-s, -e› [moˈti:f, -və] *(Beweggrund)* motif, mobile; *jur* considérant; *mus* motif; *lit poet* thème *m;* **m~ieren** [-ˈvi:rən] *tr* motiver; **~ierung** *f* motivation *f.*

Motor *m* ‹-s, -en› [ˈmo:tɔr/moˈto:r(ən)] moteur; *mit abgestelltem, laufendem ~* moteur arrêté, en marche; *den ~ abstellen* arrêter le moteur; *den ~ anlassen* mettre le moteur en marche; *e-n ~ einbauen* motoriser (*in etw* qc); *den ~ warm werden lassen* faire chauffer le moteur; *mit e-m ~ versehen* motoriser; *der ~ springt an* le moteur part; **~anlage** *f aero* groupe-moteur *m;* **~antrieb** *m* commande *f* par moteur; *mit ~~* commandé par moteur; **~ausfall** *m* arrêt *m* du moteur; **~barkasse** *f* chaland *m* automobile *od* à moteur; **m~betrieben** *a* à moteur; **~block** *m* ‹-s, ⸚e› bloc-moteur *m;* **~bock** *m* bâti-moteur, berceau-moteur *m;* **~boot** *n* canot *m* automobile *od* à moteur; **~bremse** *f* frein *m* moteur; **~defekt** *m* défectuosité *od* panne *f* de *od* du moteur; **~drescher** *m* motobatteuse *f;* **~enanlage** *f* installation *f* à force motrice; **~enbau** *m* construction *f* de moteurs; **~engeräusch** *n,* **~enlärm** *m* bruit *m* du *od* des moteur(s); **~enkraftstoff** *m* combustible *od* carburant *m* pour moteur(s); **~enöl** *n* huile *f* pour moteur(s); **~enschlosser** *m* mécanicien *m* de moteur; **~fahrzeug** *n* véhicule *m* à moteur; **~flugzeug** *n* avion *m* à moteur; **~gehäuse** *n* carcasse *f od* bâti *m* de moteur; **m~gezogen** *a* à traction automobile; **~gondel** *f aero* fuseau-moteur *m,* **~haube** *f* capot *m* de *od* du moteur; **m~isch** [-ˈto:rɪʃ] *a physiol* moteur; **m~isieren** [-toriˈzi:rən] *tr* motoriser; *m~isierte Landwirtschaft f* motoculture *f;* **~isierung** *f* motorisation *f;* **~jacht** *f* yacht *m* à moteur; **~karren** *m* diable *m* à moteur; **~lagerung** *f* suspension *f od* berceau *m* du moteur; **~leistung** *f* puissance *f* du moteur; **~lokomotive** *f* locomotive *f* à moteur; **m~los** *a* sans moteur; **~mäher** *m* motofaucheuse *f;* **~panne** *f* panne *f* de moteur; **~pflug** *m* charrue *f* automobile *od* à moteur, motoculteur *m;* **~pumpe** *f* pompe à moteur, motopompe *f;* **~rad** *n* motocyclette; *fam* moto *f; ~~ fahren* faire de la moto; *~~ mit Beiwagen* motocyclette *f* à remorque latérale *od* à side-car; **~radfahrer** *m* motocycliste *m;* **~radrennen** *n* course *f* motocycliste; **~radrennfahrer** *m* coureur *m* motocycliste; **~radsport** *m* motocyclisme *m;* **~raum** *m* compartiment *m* pour le moteur; **~roller** *m* scooter *m;* **~säge** *f* scie *f* à moteur; **~schaden** *m = ~defekt;* **~schiff** *n* bateau à moteur, automoteur *m;* **~schlepper** *m* tracteur *m;* **~schlitten** *m* traîneau *m* à moteur; **~segler** *m* planeur *m* à moteur auxiliaire; **~spritze** *f (Feuerwehr)* motopompe *f;* **~störung** *f* panne *f* de moteur; *eine ~~ beheben* dépanner un moteur; **~triebwagen** *m* autorail *m,* micheline *f;* **~- und Segelflugzeug** *n: kombinierte(s) ~~* motoplaneur *m;* **~verkleidung** *f* revêtement *od* carénage *m* du moteur; **~wagen** *m* voiture *f* automobile; **~wassersport** *m* sport motonautique, motonautisme *m;* **~welle** *f* arbre *m* moteur.

Motte *f* ‹-, -n› [ˈmɔtə] mite, teigne, gerce *f;* **m~nfest** *a* antimite; **~nfraß** *m* mangeure *f* de mites; **~nkiste** *f fig* magasin *m* aux accessoires; **~nloch** *n* trou *m* de mite; **~nsack** *m* housse *f* antimite; **~nschutzmittel** *n* antimite *m;* **m~nzerfressen** *a* mité.

Motto *n* ‹-s, -s› [ˈmɔto] devise, épigraphe *f.*

moussieren [muˈsi:rən] *itr (schäumen)* mousser.

Möwe *f* ‹-, -n› [ˈmø:və] mouette *f;* *(große)* goéland *m.*

Mucke *f* ‹-, -n› [ˈmukə] *(Laune)* caprice *m,* lubie *f.*

Mücke *f* ‹-, -n› [ˈmʏkə] *allg* moucheron; *(Stechmücke)* cousin, moustique *m; aus e-r ~ e-n Elefanten machen (fig)* faire une montagne d'un rien; **~nschwarm** *m* essaim *m* de moucherons; **~nstich** *m* piqûre *f* de moustique.

Mucker *m* ‹-s, -› [ˈmukər] sournois; grognon; *(Frömmler, Heuchler)* bigot, cagot *m;* **m~isch** *a* sournois; grognon; bigot, cagot; **~tum** *n* ‹-s, -› bigoterie, cagoterie *f.*

Muck|(s) *m* ‹-(e)s, -e› [muk(s)] *fam: keinen ~~ tun, (sich) nicht* **m~sen** *(sich nicht rühren, ganz still sein)* ne pas broncher, ne souffler mot; **m~smäuschenstill** *a (Kind)* sage comme une image.

müd|e [ˈmy:də] *a (ermüdet)* fatigué; *(abgespannt)* las; *(erschöpft)* éreinté, fourbu, harassé; *fam (hundemüde)* vanné; *(schläfrig)* pris de sommeil; *sich ~~ laufen* se fatiguer à force de courir; *~~ machen* fatiguer, lasser; *~~ (schläfrig) sein* avoir sommeil; *e-r S ~~ sein* être las de qc; *~~ werden* se fatiguer, se lasser; *nicht ~~ werden, etw zu tun* ne pas se lasser de faire qc; **M~igkeit** *f* ‹-, ø› fatigue; lassitude *f; vor ~~* de fatigue; *(Schläfrigkeit)* de sommeil; *vor ~~ umfallen (a.)* n'avoir plus de jambes; dormir debout.

Muff [muf] **1.** *m* ‹-(e)s, ø› *(Schimmel)* moisissure; *(Geruch)* odeur *f* de moisi; **m~ig** *a (schimmelig)* moisi; *~~ riechen* sentir le renfermé *od* le moisi *od* le remugle.

Muff 2. *m* ‹-(e)s, -e› *(Handwärmer)* manchon *m,* **~e** *f tech* manchon, raccord *m;* **~enkupp(e)lung** *f* accouplement *m* par manchon; **~enrohr** *n* tuyau *m* à manchon.

Muff|el 1. *m* [ˈmufəl] ‹-s, -› *fam (brummiger Mensch)* grognon, ronchonneur *m;* **m~(e)lig** *a* grognon, grincheux.

Muffel 2. *f* ‹-, -n› *tech* moufle *m;* **~ofen** *m* fourneau *m* à coupelle.

Muffel 3. *n* ‹-s, -› *(Mufflon)* mouflon *m.*

Müh|e *f* ‹-, -n› [ˈmy:ə] peine *f; (Anstrengung)* effort *m; (Schwierigkeit)* difficulté *f; mit ~~* péniblement, avec peine; *mit geringer ~~* sans beaucoup d'effort; *mit großer* od *vieler ~~* avec bien des efforts; *mit ~~ und Not* à grand-peine; *sich ~~ geben* se donner de la peine (*zu* de) *od* du mal (*zu* pour), s'efforcer (*zu* de *od* à); s'évertuer (*zu* à); *sich alle* od *die größte* od *alle erdenkliche ~~ geben* se donner toutes les peines du monde, faire tout au monde (*um zu* pour); se tuer (*um zu* à); *sich (sehr) viel ~~ geben* se donner bien du mal, faire des pieds et des mains; *sich die ~~ machen zu* se donner le mal *od* la peine, prendre la peine de; *sich unnütze ~~ machen* perdre son temps;

sich viel ~~ machen se donner du mal *od* un mal de chien; *keine ~~ scheuen* ne pas ménager sa peine *od* la fatigue, ne ménager aucun effort; *der ~~ wert sein* valoir la peine *od fam* le coup; *nur mit ~~ tun können* avoir de la peine à faire; *das ist verlorene* od *vergebliche ~~* c'est peine perdue; *geben Sie sich keine (weitere) ~~!* ne vous donnez pas la peine; inutile d'insister; n'insistez pas! **m~elos** *a* aisé, facile; *adv* sans peine *od* effort *od* difficulté; facilement; *(spielend)* haut la main, par-dessous la jambe; *~~ zum Ziel gelangen (a.)* arriver dans un fauteuil; **~elosigkeit** *f* ‹-, ø› facilité *f;* **m~en,** *sich* se donner du mal; *sich umsonst ~~* perdre sa peine; **m~evoll** *a* pénible, difficile; **~ewaltung** *f* peines *f pl,* efforts *m pl;* **~sal** *f* ‹-, -e› peines *f pl; (schwere Arbeit)* labeur, travail *m* pénible; **m~sam** *a,* **m~selig** *a* pénible; *(schwierig)* difficile; *adv a.* avec peine *od* difficulté; **~seligkeit** *f* peines *f pl,* efforts *m pl.*

Mühl|bach *m* ['my:l-] chenal *m;* **~e** *f* ‹-, -n› moulin *m; fam (Maschine, Fahrrad)* bécane; *(altes Auto)* bagnole *f,* tacot *m;* **~enbesitzer** *m* minotier *m;* **~graben** *m* bief *m;* **~rad** *n* roue *f* de moulin; **~stein** *m* meule *f;* **~werk** *n* moulage *m; wie ein ~~* comme le claquet d'un moulin.

Mulatt|e *m* ‹-n, -n› [mu'latə], **~in** *f* mulâtre, esse *m f; fam (dunkler Typ)* moricaud *m.*

Mulde *f* ‹-, -n› ['muldə] *(Trog)* auge; *geog* auge *f,* bassin *m,* vallée *f* synclinale; **m~nförmig** *a* en (forme d')auge; **~nkipper** *m (Lastwagen)* basculeur *m* à auge.

Mülhausen *n* [my:l'hauzən] *(im Elsaß)* Mulhouse *m.*

Mull *m* ‹-(e)s, -e› [mul] *(Textil)* voile *m* de mousseline; **~binde** *f* (bande de) gaze *f.*

Müll *m* ‹-(e)s, ø› [myl] ordures; *(Kehricht)* balayures *f pl;* **~abfuhr** *f (Tätigkeit)* enlèvement *od* ramassage *m od* collecte *f* des ordures (ménagères); *(Organisation)* ordures *f pl* ménagères, voirie *f;* **~eimer** *m* boîte à *od* aux ordures, poubelle *f;* **~fuhrmann** *m* (é)boueur, boueux *m;* **~grube** *f* fosse *f* à *od* aux ordures; **~haufen** *m* tas *m* d'ordures; **~kasten** *m* boîte *f* à ordures; **~kutscher** *m* = *~fuhrmann;* **~schlucker** *m* vide-ordures *m;* **~tonne** *f* poubelle *f;* **~verwertung** *f* utilisation *f* des immondices; **~verwertungsanlage** *f* dépotoir *m;* **~wagen** *m* tombereau de nettoyage, camion-benne *m.*

Müller *m* ‹-s, -› ['mylər] meunier *m;* **~ei** [-'rai] *f* meunerie *f.*

Mulm *m* ‹-(e)s, ø› [mulm] *dial (lokkere Erde)* terre pulvérulente; *(faules Holz)* vermoulure *f;* **m~ig** *a* pulvérulent; vermoulu; *fig fam (faul, bedenklich)* louche, précaire; *es wird ~~* ça va barder; *das ist e-e ~~e Sache* c'est la bouteille à l'encre.

multi|lateral ['multi-] *a (mehrseitig)* multilatéral; **M~millionär** *m* multimillionnaire *m;* **M~plikation** *f* ‹-, -en› [-plikatsi'o:n] multiplication *f;* **~plizieren** [-pli'tsi:rən] *tr* multiplier.

Mumi|e *f* ‹-, -n› ['mu:miə] momie *f;* **m~fizieren** [mumifi'tsi:rən] *tr* momifier; **~fizierung** *f* momification *f.*

Mumm *m* ‹-s, ø› [mum] *fam (Schneid)* poigne *f; ~ haben (a.)* avoir du cran *od* de l'estomac, en avoir.

Mummelgreis *m* ['muməl-] vieillard *m* édenté.

Mummenschanz *m* ['mumən-] mascarade *f.*

Mumpitz *m* ‹-es, ø› ['mumpɪts] *fam (Quatsch)* blagues *f pl;* ineptie *f;* non-sens *m.*

Mumps *m* ‹-, ø› [mumps] *med* oreillons *m pl.*

Münch|en ['mʏnçən] *n* Munich *m;* **~(e)ner(in** *f***)** *m* ‹-s, -› Munichois, e *m f;* **~(e)ner** *a* munichois; *~~ (Bier) n* bière *f* de Munich.

Münchhausen *m* ['mʏnçhauzən] Monsieur *m* de Crac; **~(en)iade** *f* ‹-, -n› [-zi'a:də] fanfaronnade *f.*

Mund *m* ‹-(e)s, ⸚er› [munt, 'myndər] bouche *f; ohne den ~ aufzutun* sans desserrer les dents; *von ~ zu ~* de bouche en bouche *od* à oreille; *sich das Brot vom ~e absparen* s'ôter le pain *od* les morceaux de la bouche, prendre sur sa nourriture; *~ und Nase aufsperren (fam), mit offenem ~e dastehen* être *od* rester bouche bée *od* éberlué; *den ~ nicht auftun* ne pas ouvrir la bouche *od* desserrer les dents; *jdm über den ~ fahren (fig)* couper la parole à qn; *im ~e führen* avoir à la bouche; *zum ~e führen* porter à la bouche *od* aux lèvres; *nicht auf den ~ gefallen sein (fig fam)* être prompt à la riposte *od* à la réplique, ne pas avoir la langue dans sa poche; *von ~ zu ~ gehen* passer de bouche en bouche; *den ~ halten* tenir *od* avaler sa langue; *reinen ~ halten* demeurer bouche cousue; savoir tenir sa langue; garder le secret; *den ~ nicht halten können* avoir la langue trop longue; *an jds ~e hängen* être suspendu aux lèvres de qn; *jdm den ~ wässerig machen* faire venir l'eau à la bouche de qn; *jdm nach dem ~e reden* flatter qn; *sich den ~ fusselig reden* dépenser sa salive; *aus dem ~e riechen* sentir de la bouche; *in aller ~e sein* être dans toutes les bouches; *jdm den ~ stopfen* fermer la bouche, clouer le bec, mettre un bouchon *od* un bâillon à qn; *jdm den ~ verbieten* interdire à qn de parler; *sich den ~ verbrennen (fig)* avoir un mot malheureux; *den ~ verziehen* faire la petite bouche; *pop* pincer le bec; *den ~ voll nehmen (fig fam)* fanfaronner, faire le fanfaron, y aller fort; *das Wasser läuft einem im ~e zs.* l'eau en vient à la bouche; *das ist in aller ~e* tout le monde en parle; *halt den ~!* (ferme) ta bouche! **~art** *f (Dialekt)* dialecte, patois *m; ~~ sprechen* patoiser; **m~artlich** *a* patois, dialectal; **~atmung** *f* inspiration *f* par la bouche; **m~en** *itr: jdm ~~* être au goût de qn; **m~faul** *a* avare de paroles, peu loquace; **~fäule** *f* aphte *m;* **m~gerecht** *a: es (den Leuten) ~~ machen (fig)* employer des paroles sucrées; **~harmonika** *f* harmonica *m;* **~höhle** *f* cavité *f* buccale *od* orale; **~loch** *n tech* œil *m; (Tunnel)* embouchure; *(Stollen)* ouverture *f;* **~pflege** *f* hygiène *f* de la bouche; **~raub** *m* vol *m* de nourriture; **~schenk** *m hist* échanson *m;* **~stellung** *f* position *f* de la bouche; **~stück** *n (Blasinstrument)* embouchure *f,* embouchoir, bec; *(Zigarette)* bout *m;* **m~tot** *a: ~~ machen* museler, bâillonner; **~tuch** *n* serviette *f* (de table); **~voll** *m* bouchée *f;* **~vorrat** *m* provisions *f pl* de bouche; **~wasser** *n* eau *f* dentifrice; *pharm* collutoire *m;* **~werk** *n fam: ein gutes ~~ haben* avoir la langue bien pendue *od* bien déliée; *pop* avoir du bagou(t); **~winkel** *m* coin *m* de la bouche, commissure *f* des lèvres; **~-zu-~-Beatmung** *f (Erste Hilfe)* bouche-à-bouche *m.*

Münd|el *m* ‹-s, -› ['myndəl] pupille *m f;* **~elgeld** *n* capital *m* de mineur; **m~elsicher** *a jur* de tout repos; *~~e Anlage f* placement *m* de père de famille; **m~ig** *a* majeur; *für ~~ erklären* déclarer majeur, émanciper; *~~ werden* arriver à sa majorité; **~igkeit** *f* ‹-, ø› majorité *f;* **~igkeitserklärung** *f* déclaration *f* de la majorité.

münd|en ['myndən] ‹*mündete, ist/hat gemündet*› *itr (Fluß)* se jeter (*in* dans), être tributaire (*in* de); *(Abwasserkanal)* se déverser (*in* dans); *(Straße)* déboucher (*in* dans), aboutir (*in* od *auf* à); **~lich** ['-tlıç] *a* oral, verbal; *adv a.* de vive voix; *~~e Prüfung f, M~liche(s) n* (examen) oral *m;* **M~ung** *f allg* bouche; *(Fluß a.)* embouchure *f; (Delta)* bouches *f pl; tech a.* orifice *m,* ouverture, entrée; *(Schußwaffe)* bouche *f;* **M~ungsarm** *m (Fluß)* bras *m* de l'embouchure; **M~ungsfeuer** *n mil* lueur *f* à *od* de la bouche; **M~ungsgebiet** *n geog* delta *m;* **M~ungskappe** *f mil* couvre-bouche *m;* **M~ungsschoner** *m mil* protège-bouche *m.*

Munition *f* ‹-, -en› [munitsi'o:n] munition(s *pl*) *f; s-e ~ verschießen* épuiser ses munitions; **~sanforderung** *f* demande *f* de munitions; **~sarbeiter** *m* ouvrier *m* d'une fabrique de munitions; **~sbehälter** *m* container *m* à munitions; **~sdepot** *n* dépôt *m* de munitions, cartoucherie *f;* **~sfabrik** *f* cartoucherie *f;* **~skiste** *f* caisse *f* à munitions; **~skolonne** *f* colonne *od* section *f* de munitions; **~slager** *n* = *~sdepot;* **~snachschub** *m* ravitaillement *od* réapprovisionnement *m* en munitions; **~sschiff** *n* (navire-)transport *m* de munitions; **~sschütze** *m,* **~sträger** *m* pourvoyeur *m;* **~svorrat** *m* stock *m* de munitions; **~swagen** *m loc* fourgon *od* wagon à munitions; *mot* caisson *m od* voiture *f* à munitions; **~szug** *m* train *m* de munitions.

munkeln ['muŋkəln] *itr fam (heimlich reden)* chuchoter.

Münster *n* ⟨-s, -⟩ ['mʏnstər] cathédrale *f*.
munter ['muntər] *a (wach)* éveillé; *(lebhaft)* vif; *(flink)* alerte; *(fröhlich)* gai, allègre, enjoué; *(forsch)* fringant; ~ *machen* (r)éveiller; *gesund und ~ sein (a.)* se porter comme un charme; ~ *werden* s'éveiller, se réveiller; ~ *wie ein Fisch im Wasser* heureux comme un poisson dans l'eau; **M~keit** *f* ⟨-, ø⟩ *(Lebhaftigkeit)* vivacité *f*, entrain *m; (Fröhlichkeit)* gaîté, gaieté, gaillardise *f; (Aufgewecktheit)* esprit *m* éveillé.
Münz|anstalt *f* ['mʏnts-] atelier *m* monétaire; **~e** *f* ⟨-, -n⟩ monnaie *f; (~amt)* Hôtel *m* des monnaies, Monnaie *f; mit klingender ~~ (bar)* en espèces sonnantes (et trébuchantes); *mit gleicher ~~* en *od* de même monnaie; *jdm mit gleicher ~~ heimzahlen* payer qn de retour; le rendre; rendre la pareille, rendre *od* donner à qn la monnaie de sa pièce; *etw für bare ~~ nehmen* prendre qc pour (de l')argent comptant; *fam* gober qc; **~einwurf** *m (an Automaten)* fente *f* pour la monnaie; **m~en** *itr* battre monnaie; *tr* monnayer; *das ist auf mich gemünzt* c'est une pierre dans mon jardin; **~fernsprecher** *m* taxiphone *m;* **~fuß** *m* étalon *m* monétaire; **~gold** *n* or *m* monnayé; **~kabinett** *n* cabinet *m* de médailles; **~kenner** *m* numismate, médailliste *m;* **~kunde** *f* numismatique *f;* **~prägung** *f* frappe des monnaies, monétisation *f;* **~prüfer** *m* essayeur *m;* **~recht** *n* droit *m* de frapper *od* battre monnaie; **~sammler** *m* collectionneur de médailles, médailliste *m;* **~sammlung** *f* collection *f* de médailles, médaillier *m;* **~schrank** *m* médaillier *m;* **~stätte** *f* atelier *m* monétaire; **~stempel** *m* coin *m;* **~umlauf** *m* circulation *f* des pièces de monnaie *od* métallique; **~waage** *f* trébuchet *m;* **~wesen** *n* système monétaire; *adm* monnayage *m*.
mürb|e ['mʏrbə] *a (Küche)* tendre; *(gut gebacken* od *gekocht)* bien cuit; *(bröckelig)* friable; *(brüchig)* cassant, fragile; *(abgenutzt)* usé; *~~ machen (Fleisch)* mortifier; *(Menschen)* mater, dompter; **M~ebraten** *m* filet *m;* **M~egebäck** *n* gâteau *m* mousseline; **M~eteig** *m* pâte *f* brisée; **M~heit** *f* ⟨-, ø⟩ ['mʏrp-] friabilité *f*.

Murks *m* ⟨-es, ø⟩ [murks] *dial fam (Pfuscharbeit)* bâclage, bousillage *m;* **m~en** *itr fam* bâcler, bousiller.
Murmel *f* ⟨-, -n⟩ ['murməl] *(Spielkügelchen)* bille *f*.
murmeln ['murməln] *tr u. itr* murmurer, grommeler, marmotter, marmonner; *in den Bart ~* marmotter entre ses dents.
Murmeltier *n* ['murməl-] marmotte *f; wie ein ~ schlafen* dormir comme une marmotte *od* un loir *od* une souche *od* un plomb.
murren ['murən] *itr* gronder (*über* de); grogner; *fam* grognonner; **M~** *n* grondement, grognement *m*.
mürrisch ['mʏrɪʃ] *a (griesgrämig)* grincheux, morose; *(brummig)* grognon; *~e(s) Wesen n* morosité *f*.
Mus *n* ⟨-es, -e⟩ [mu:s, -zə] marmelade, purée *f*.
Muschel *f* ⟨-, -n⟩ ['muʃəl] *zoo* coquillage *m; (Mies~)* moule; *(Schale)* coquille *f; (Ohr~)* pavillon; *tele (Hör~)* écouteur *m;* **~erde** *f* falun *m;* **~fleisch** *n* coquillage *m;* **m~förmig** *a* en forme de coquille; **m~haltig** *a geol* coquillier; **~kalk** *m geol* coquillart *m;* **~sammlung** *f* collection *f* de coquillages, coquillier *m;* **m~übersät** *a* coquilleux; **~werk** *n* arch coquillages *m pl; (in Grotten)* rocaille *f;* **~zucht** *f* élevage *m* des moules, industrie *f* moulière; **~züchterei** *f* moulière *f*.
Muschkote *m* ⟨-n, -n⟩ [muʃ'ko:tə] *mil fam* tourlourou; *arg* troufion, pioupiou *m*.
Mus|e *f* ⟨-, -n⟩ ['mu:zə] muse *f;* **~eum** *n* ⟨-s, -seen⟩ [mu'ze:um, -ən] musée; *(für Naturkunde)* muséum *m;* **~eumswärter** *m* gardien *m* de musée; **m~isch** *a* artistique; littéraire; musicien.

Musel|man(n) *m* ⟨-en, -en⟩ ['mu:zəlman, -manən/-ma:nən], **~manin** [-ma:-], **~männin** [-mɛ-] *f* musulman, e *m f;* **m~manisch** [-'ma:-], **m~männisch** [-mɛ-] *a* musulman.
Musik *f* ⟨-, -en⟩ [mu'zi:k] musique; *arg* zizique *f; ~ machen* faire de la musique; *in ~ setzen* mettre en musique, musiquer, composer; *leichte ~* musique *f* légère; *pej* musiquette *f; mechanische, elektronische ~* musique *f* mécanique, électronique; **~abend** *m* soirée *f* musicale; **~akademie** *f* conservatoire *m* (de musique); **~alien** [-zi'ka:liən] *pl* musique *f;* **~alienhändler** *m* marchand *m* de musique; **~alienhandlung** *f* magasin *m* de musique; **m~alisch** [-'ka:lɪʃ] *a (Musik-)* musical; *(~begabt)* musicien; *~~ sein (a.)* être doué pour la musique; **~alität** *f* ⟨-, ø⟩ [-kali'tɛ:t] *(musikalisches Empfinden)* sens *m* de la musique; *(musikalische Wirkung)* effet *m od* qualité *f* musical(e); **~ant** *m* ⟨-en, -en⟩ [-'kant] musicien; *(Dorf~~)* ménétrier *m;* **~antenknochen** *m anat fam* petit juif *m;* **~begleitung** *f* accompagnement *m;* **~box** *f* juke-box *m;* **~direktor** *m* chef *m* de musique; **~drama** *n* drame *m* musical; **~er** *m* ⟨-s, -⟩ ['mu:zikər] musicien *m;* **~freund** *m* mélomane, amateur *m* de musique; **~hochschule** *f = ~akademie;* **~instrument** *n* instrument *m* de musique; **~kapelle** *f* orchestre *m; mil* musique *f;* **~kritiker** *m* critique *m* musical; **~leben** *n* vie *f* musicale; **~lehrer(in** *f***)** *m* professeur *m* de musique; **~meister** *m mil* chef *m* de musique; **~pavillon** *m* kiosque *m* à musique; **~schrank** *m* combiné-radio *m;* **~schriftsteller** *m* écrivain *m* musical; **~stück** *n* morceau *m* de musique; **~truhe** *f = ~schrank;* **~verlag** *m* édition *f* de musique; **~werk** *n* composition *f;* **~wissenschaft** *f* musicologie *f;* **~wissenschaftler** *m* musicologue *m*.
Musivgold *n* [mu'zi:f-] or *m* mussif.
musizieren [muzi'tsi:rən] *itr* faire de la musique, musiquer; **~d** *a* musicien.
Muskat *m* ⟨-(e)s, -e⟩ [mus'ka:t] muscade *f;* **~blüte** *f (Gewürz)* macis *m;* **~eller(wein)** *m* ⟨-s, -⟩ [-ka'tɛlər] (vin) muscat *m;* **~nuß** *f* (noix) muscade *f;* **~nußbaum** *m* muscadier *m;* **~reibe** *f* râpe *f* à muscade.
Muskel *m* ⟨-s, -n⟩ ['muskəl] muscle *m; ~n haben (fam)* avoir du muscle *od* du biceps; **~faser** *f* fibre *f* musculaire; **~kater** *m* courbature *f;* **~kraft** *f* force *f* musculaire; *mit ~~* à bras; **~protz** *m fam* costaud *m pop;* **~riß** *m med* déchirure *f* musculaire; *fam* effort *m;* **muskulös** *a* musculeux, musclé; vigoureux.
Muß *n* ⟨-, ø⟩ [mus] nécessité *f;* **~-Vorschrift** *f* disposition *f* impérative.
Muße *f* ⟨-, ø⟩ ['mu:sə] loisir *m;* **~stunden** *f pl,* **~zeit** *f* temps *m od* moments *m pl od* heures *f pl* de loisir.
Musselin *m* ⟨-s, -e⟩ [musə'li:n] *(Stoff)* mousseline *f*.
müssen ⟨*ich muß; ich mußte; ich müßte; gemußt/müssen*⟩ [mʏsən, (-)mus(-)] *itr: ich muß tun (Notwendigkeit)* il faut que je fasse, il me faut faire; *(Zwang)* je suis contraint *od* forcé de faire; *(Verpflichtung)* je dois faire, j'ai à faire, je suis obligé de faire; *(nicht umhinkönnen)* ne pas s'empêcher de faire, ne pas pouvoir ne pas faire; *(oder) ich müßte mich sehr irren* ou je ne m'y connais plus; *er muß gleich kommen* il va venir tout de suite; *das muß wahr sein* ce doit être vrai; *er müßte denn krank geworden sein* à moins qu'il ne soit tombé malade; *drei Jahre mußten vergehen, bis* ... il a fallu attendre trois ans pour que *subj; muß ich Ihnen sagen, daß ...?* est-il besoin de vous dire que ...?
müßig ['mʏsɪç] *a (untätig)* oisif, désœuvré; *(nutzlos)* oiseux, inutile; inoccupé; fainéant; **M~gang** *m* ⟨-(e)s, ø⟩ oisiveté *f*, désœuvrement *m; ~~ ist aller Laster Anfang (prov)* l'oisiveté est (la) mère de tous les vices; **M~gänger** *m* oisif; désœuvré *m;* **~gängerisch** *a* fainéant.
Muster *n* ⟨-s, -⟩ ['mustər] modèle, type; exemple *(Prototyp)* prototype; *(Vorbild)* idéal; *(Probe)* spécimen, échantillon; *(Zeichnung)* dessin; *(Schnittmuster)* patron *m; nach dem ~ (gen)* à l'instar (de); *als ~ dienen* servir de modèle; *als ~ hinstellen* proposer en exemple; *nach ~ kaufen* acheter sur échantillon; *zum ~ nehmen* prendre pour modèle; *~ ohne Wert* échantillon *m* sans valeur; **~anstalt** *f* établissement *m* modèle; **~beispiel** *n* exemple typique; modèle *m;* **~betrieb** *m* exploitation *od* entreprise *f* modèle; **~bezirk** *m* région-pilote *f;* **~brief** *m* lettre *f* type; **~buch** *n com* livre *m* d'échantillons; **~exemplar** *n* exemplaire *m* modèle *od* type; **m~gültig** *a* exem-

plaire; **~gültigkeit** *f* ‹-, ø› perfection *f;* **~gut** *n* ferme *f* modèle; **m~haft** *a* = *m~gültig;* **~haftigkeit** *f* ‹-, ø› = *~gültigkeit;* **~heft** *n* cahier *m* d'échantillons; **~knabe** *m* enfant *m* modèle; **~koffer** *m* boîte *od* valise *f* à échantillons, marmotte *f;* **~kollektion** *f* collection *f* de modèles *od* d'échantillons, échantillonnage *m;* **~messe** *f com* foire *f* d'échantillons; **m~n** *tr (prüfen)* examiner; *(inspizieren)* inspecter; *(Truppen)* passer en revue; *(Wehrpflichtigen)* faire passer devant le conseil de révision; **~prozeß** *m* procès-pilote *m;* **~schule** *f* école *f* modèle; **~schüler** *m* écolier *od* élève *m* modèle; **~schutz** *m* protection *f* des modèles (déposés); **~staat** *m* État *m* modèle; **~stadt** *f* cité *f* modèle; **~ung** *f (Prüfung)* examen *m; (Besichtigung)* inspection; *mil* revue; *(Wehrpflichtiger)* révision *f;* **~ungsbescheid** *m* (notification de la) décision *f* du conseil de révision; **~ungskommission** *f* conseil *m* de révision; **~vertrag** *m* traité *m* type; **~zeichnung** *f* tracé *m.*

Mut *m* ‹-(e)s, ø› [mu:t] courage *m; (Tapferkeit)* bravoure, vaillance; *(Kühnheit)* audace, hardiesse; *(Unerschrockenheit)* intrépidité *f; (Schneid)* cran *m; mit frischem ~* avec entrain; *~ fassen* prendre courage; *wieder ~ fassen* reprendre courage *od* cœur, relever la tête; *fam* reprendre du poil de la bête; *jdm ~ machen* donner *od* inspirer du courage à qn, encourager qn; *jdm wieder ~ machen* redonner du courage *od* du cœur à qn; (re)mettre le cœur au ventre de qn; *jdm den ~ nehmen* décourager qn; *guten ~es sein* avoir bon courage; *den ~ sinken lassen* od *verlieren* perdre courage, se décourager; *ich habe nicht den ~ (dazu) (a.)* le cœur me manque; *es gehört ~ dazu* il y faut du courage; **m~ig** *a* courageux; **m~los** *a* découragé; sans courage; *~~ machen* décourager, démoraliser; **~losigkeit** *f* manque de courage, découragement *m;* démoralisation *f;* **m~maßen** *tr ‹er mutmaßt(e), hat gemutmaßt›* ['mu:tma:sən] supposer, présumer, conjecturer; **m~maßlich** *a* supposé, présomptif, conjectural; *die ~~e Entwicklung* l'évolution *f* prévisible; **~maßung** *f* supposition, présomption, conjecture *f;* **~wille** *m* pétulance, folâtrerie, espièglerie; *(Schalkhaftigkeit)* malice *f;* **m~willig** *a* pétulant, folâtre, espiègle; malicieux; *adv* de propos délibéré, à dessein; *~~e Zerstörung f* destruction *f* sans motif.

Mut|ation *f* ‹-, -en› [mutatsi'o:n] *biol* mutation; *(Stimmwechsel)* mue *f;* **m~ieren** [-'ti:rən] *itr biol* muter; *(Stimme)* muer.

Mütchen *n* ['my:tçən] , *das: an jdm sein ~ kühlen* passer sa colère, décharger sa bile sur qn.

Mutter *f* ‹-, ⁻› ['mutər, 'mʏtər] mère *f;* *f* ‹-, -n› *tech* écrou *m; keine ~ mehr haben* être orphelin de mère; *bei ~ Grün schlafen* dormir à la belle étoile; *werdende und stillende Mütter pl* femmes *f pl* enceintes et allaitantes; *~ Gottes = ~gottes;* **~boden** *m,* **~erde** *f* terreau *m,* terre *f* végétale *od* arable; **~flugzeug** *n* avion *m* porteur *od* lanceur; **~gesellschaft** *f* société *f* mère; **~gestein** *n geol* roche-mère *f;* **~gottes** *f* Mère *f* de Dieu; **~gottesbild** *n* (image de la) madone *f;* **~haus** *n rel* maison *f* mère; **~herz** *n* cœur *m* maternel *od* de mère; **~kirche** *f* église *f* mère; **~korn** *n bot* ergot *m;* **~kuchen** *m physiol* placenta, délivre *m;* **~land** *n allg* mère patrie; *pol* métropole *f,* territoire *m* métropolitain; *das französische ~~* la France métropolitaine; **~lauge** *f chem* lessive *od* eau *f* mère; **~leib** *m* sein *m* de la mère; **~liebe** *f* amour *m* maternel; **~-Lochstreifen** *m tech* bande *f* maîtresse; **m~los** *a* sans mère(s); **~mal** *n* ‹-s, -e› marque de naissance, tache de naissance *od* de vin; envie *f; scient* nævus *m; ein ~~ haben (a.)* être né marqué; **~milch** *f* lait *m* maternel; *mit der ~~ einsaugen (fig)* sucer avec le lait maternel; **~mord** *m,* **~mörder** *m* matricide *m;* **~recht** *n* matriarcat *m;* **~schaf** *n* brebis *f;* **~schaft** *f* ‹-, ø› maternité *f;* **~schiff** *n* (navire *od* bâtiment) ravitailleur *m;* **~schoß** *m* sein *m* (maternel); **~schraube** *f* boulon *m* à tête et écrou; **~schutz** *m* protection *od* assistance *f* maternelle *od* de la maternité; **m~seelenallein** *a* tout *od* absolument seul; **~seite** *f: von ~~* du côté de la mère, maternel; **~söhnchen** *n* enfant *m* gâté; **~sprache** *f* langue *f* maternelle; **~stelle** *f: bei jdm ~~ vertreten* tenir lieu de mère à qn; **~tag** *m* fête *f* des mères; **~tier** *n* femelle *f;* **~witz** *m* bon sens (héréditaire), esprit *m* naturel.

Mütter|beratung *f* ['mʏtər-] consultation *f* maternelle *od* de nourrissons; **~beratungsstelle** *f* office *m* de consultation maternelle; **~chen** *n* mémère, petite mère *f; alte(s) ~~* (bonne) vieille *f;* **~genesungsheim** *n* centre *m* de postcure féminine; **~heim** *n* maison *f* maternelle, foyer *m* maternel; **~hilfswerk** *n* œuvre *f* d'aide aux mères; **m~lich** *a* maternel; **m~licherseits** *adv* du côté de la mère, maternel; **~lichkeit** *f* ‹-, ø› sentiment *m* maternel; **~sterblichkeit** *f* mortalité *f* maternelle.

Mutti *f* ‹-, -s› ['muti] *(Kindersprache)* maman *f.*

Mutung *f* ‹-, -en› ['mu:tʊŋ] *mines* demande *f* de concession (d'une mine).

Mütze *f* ‹-, -n› ['mʏtsə] *(mit Schirm)* casquette *f; (ohne Schirm)* bonnet; *(Basken~)* béret *m* (basque); **~nschirm** *m* visière *f* (de casquette).

My *n* ‹-(s), -s› [my:] *(1/1000 mm)* micron *m.*

Myriade *f* ‹-, -n› [myri'a:də] *(10 000; Unzahl)* myriade *f.*

Myrrhe *f* ‹-, -n› ['mʏrə] *bot* myrrhe *f.*

Myrte *f* ‹-, -n› ['mʏrtə] *bot* myrte *m.*

Myst|erienspiel *n* [mʏs'te:riən-] *hist rel theat* mystère *m;* **m~eriös** [-'teri'ø:s] *a* mystérieux; **~erium** *n* ‹-s, -rien› [-'te:rium, -riən] mystère *m;* **~ifikation** *f* ‹-, -en› [-tifikatsi'o:n] , **~ifizierung** *f* mystification *f;* **m~ifizieren** [-tifi'tsi:rən] *tr (täuschen)* mystifier; **~ik** *f* ‹-, ø› ['mʏstɪk] mystique *f,* mysticisme *m;* **~iker** *m* ‹-s, -› ['mʏstɪkər] mystique *m;* **m~isch** ['mʏstɪʃ] *a* mystique; **~izismus** *m* ‹-, ø› [-ti'tsɪsmus] mysticisme *m, vx* mysticité, mystique *f.*

Myth|e *f* ‹-, -n› ['my:tə] = *~us;* **~enhaft, m~isch** ['my:tɪʃ] *a* mythique; **~ologie** *f* ‹-, -n› [-tolo'gi:] mythologie *f;* **m~ologisch** [-'lo:gɪʃ] *a* mythologique; **~os** *m* ‹-, -then› ['my:tɔs], **~us** *m* ‹-, -then› ['my:tus, -tən] mythe *m.*

N

N, n *n* ‹-, -› [ɛn] *(Buchstabe)* N, n *m u. f.*

na [na] *interj* allons! eh bien! ~? hein? ~, ~! allons! *fam* par exemple! ~ *also!* eh bien! tu vois! vous voyez! ~ *hör mal!* ~ *so was!* ça, par exemple! ça alors! ~ *(und) ob!* et comment! si je comprends! je pense bien! ~ *und?* et alors? mais encore? et puis après? ~ *wenn schon!* eh bien, soit!

Nabe *f* ‹-, -n› ['na:bə] *(am Rad)* moyeu *m;* **~nbohrer** *m* tarière *f* à moyeux; **~nkappe** *f* chaperon *od* chapeau *m* du moyeu.

Nabel *m* ‹-s, -› ['na:bəl] nombril; *a. bot u. fig* ombilic *m;* **~bruch** *m* hernie *f* ombilicale; **~schnur** *f physiol* cordon *m* ombilical; **~schwein** *n* pécari *m.*

Nabob *m* ‹-s, -s› ['na:bɔp, -bə] *(reicher Mann)* nabab *m.*

nach [na:x] *prp (räuml.)* à (destination de), vers; *(~ e-m Lande)* en; *(zeitl.)* après, à la suite de, au bout de; *(Reihenfolge)* après; *(zufolge, gemäß)* d'après, suivant, selon, conformément à; *com* de date *(nachgestellt); (verkaufen, ausführen ~)* sur; *einer ~ dem ander(e)n* l'un après l'autre, un à un; ~ *und* ~ peu à peu, petit à petit, goutte à goutte, par degré(s); ~ *wie vor* (tout) comme avant; *Viertel ~ fünf* cinq heures et quart; ~ *dem Alphabet* par ordre alphabétique; *dem* od *allem Anschein* ~ selon *od* d'après les apparences; ~ *Art (gen)* à la façon (de), à la manière (de), à la mode (de); ~ *(französischer* etc*) Art* à la (française); ~ *Belieben* à volonté, à discrétion; ~ *dem Gedächtnis* de mémoire; ~ *Geschmack* selon le goût; ~ *Gewicht (verkaufen)* au poids; ~ *Größe (Konfektion)* selon la taille; *(Speisekarte: Fisch)* selon grosseur; ~ *der Größe (antreten)* par rang de taille; ~ *Maß* sur mesure; ~ *meiner Meinung, meiner Meinung* ~ à mon avis, selon moi; ~ *der Mode* à la mode; ~ *Möglichkeit* si c'est possible; *dem Namen* ~ de nom; *(immer) der Nase* ~ (tout) droit devant soi; ~ *der Natur (Kunst)* d'après nature; *der Reihe* ~ à tour de rôle, successivement; ~ *meiner Uhr* à ma montre; *(je)* ~ *den Umständen* selon *od* suivant les circonstances; ~ *den Worten (gen)* au dire (de); ~ ... *(ab-) reisen, fahren* partir pour ...; ~ *jdm arten, kommen, schlagen* tirer sur qn; ~ *jdm fragen* demander qn; ~ *Hause gehen* rentrer (chez soi); ~ *hinten, vorn heraus (liegen) (Zimmer)* (donner) sur la cour, sur la rue; ~ *etw riechen* sentir qc; ~ *etw schießen* tirer sur qc; ~ *etw schmecken* avoir goût de qc; *es sieht* ~ *Regen aus* le temps est à la pluie; *mir* ~*!* suivez-moi! ~ *Ihnen!* après vous; *der Zug* ~ *Paris* le train (à destination) de Paris; *adv:* ~ *wie vor* après comme avant.

nach=äff|en ['na:x-] *tr* mimer, contrefaire; *fam* singer; **N~erei** *f* [-'raɪ] singerie *f.*

nach=ahm|en ['na:x-] *tr (Menschen)* imiter, copier; *(Sache)* imiter, contrefaire; *(Kunst)* pasticher; **~enswert** *a* digne d'être imité; exemplaire; **N~er** *m* ‹-s, -› imitateur, copiste; *(Kunst)* pasticheur; *(Fälscher)* contrefacteur *m;* **N~ung** *f* imitation *f; (Gegenstand)* simili *fam; (Kunst)* pastiche *m; (Fälschung)* contrefaction, contrefaçon *f; vor ~~en wird gewarnt!* se méfier des imitations!

Nachappell *m* ['na:x-] *mil* contre-appel *m.*

Nachbar|(in *f)* *m* ‹-n/(-s), -n› ['naxba:r] voisin, e *m f; gute ~n haben* être bien avoisiné; **~dorf** *n* village *m* voisin; **~haus** *n* maison *f* voisine; **~land** *n* pays *m* limitrophe; **n~lich** *a* voisin; de voisin; *adv* en (bon(s)) voisin(s); **~schaft** *f* voisinage *m; (Nähe)* proximité *f; die ~~ (d. Nachbarn)* les voisins *m pl;* **~schaftshilfe** *f* aide *f* de bon voisinage; **~schaftsrecht** *n* droit *m* de voisinage.

Nachbehandlung *f* ['na:x-] *med* postcure *f; tech* traitement *m* ultérieur.

nach=bess|ern ['na:x-] *tr* retoucher; **N~erung** *f* retouche *f.*

nach=bestell|en ['na:x-] *tr* commander en supplément, faire une seconde commande de; **N~ung** *f* ordre *m* supplémentaire, seconde commande *f.*

nach=bet|en ['na:x-] *tr fig pej* ânonner, répéter (machinalement), se faire l'écho de; **N~er** *m* perroquet; *fam* béni-oui-oui *m; pl a.* gent *f* moutonnière.

nach=bezahlen ['na:x-] *tr* payer en supplément; *itr* payer un supplément.

Nachbezugsrecht *m* ['na:x-] *fin* droit *m* de souscription supplémentaire.

Nachbild *n* ['na:x-] *physiol* image *f* consécutive; **nach=bilden** *tr* reproduire; imiter, copier; **~ung** *f* reproduction; imitation, copie *f; (Kunst)* pastiche *m.*

Nachblüte *f* ['na:x-] seconde floraison *f.*

Nachblutung *f* ['na:x-] hémorragie *f* secondaire.

nachbörslich ['na:x'bø:rs-, -'bœrslɪç] *a* en marché libre; après clôture.

Nachbuchung *f* ['na:x-] *fin* écriture ultérieure.

Nachbürgschaft *f* ['na:x-] arrière-caution *f.*

nach=datieren ['na:x-] *tr* postdater.

nachdem [na:x'de:m] *conj* après que; après *inf; adv* après; *je* ~ *(adv)* selon les circonstances, selon le cas; c'est selon; cela *od fam* ça dépend; *conj* selon que.

nach=denk|en ['na:x-] *itr* réfléchir (*über* à), méditer (*über* sur); **N~en** *n* réflexion, méditation *f;* **~lich** *a* méditatif, pensif.

Nachdichtung *f* ['na:x-] adaptation; imitation *f.*

nach=drängen ['na:x-] *itr* se presser derrière.

Nachdruck *m* ‹-(e)s, ø› ['na:x-] *(Betonung)* insistance, *f* emphase; *(Festigkeit)* fermeté; *typ m* ‹-(e)s, -e› reproduction; *(unerlaubter)* contrefaçon *f; (Buch)* livre *m* contrefait; *mit* ~ = *nachdrücklich (adv); etwas mit* ~ *betreiben* activer qc; *auf etw* ~ *legen* insister, appuyer sur qc, souligner qc; ~ *verboten* reproduction interdite; **nach=drucken** *tr typ* reproduire, réimprimer; *(unerlaubt)* contrefaire; **n~svoll** *a,* **nachdrücklich** *a* emphatique, ferme; *adv* avec insistance; avec fermeté.

nach=dunkeln ['na:x-] *itr (Gemälde)* se rembrunir.

nach=eifer|n ['na:x-] *itr: jdm ~~* être l'émule de qn; se modeler sur qn; **N~ung** *f* émulation *f.*

nach=eilen ['na:x-] *itr: jdm* ~ courir après qn.

nacheinander [--'--] *adv* l'un après l'autre, à tour de rôle, successivement, de suite.

nach=empfinden ['na:x-] *tr: das kann ich Ihnen* ~ je vous comprends tout à fait.

Nachen *m* ‹-s, -› ['naxən] nacelle, barque *f; poet* esquif *m.*

Nacherbe *m* ['na:x-] héritier *m* substitué; *als ~n einsetzen* substituer.

Nachernte *f* ['na:x-] seconde récolte *f.*

nach=erzähl|en ['na:x-] *tr* répéter; **N~ung** *f,* répétition *f; (Schule)* compte *m* rendu de lecture.

nach=exerzieren ['na:x-] *itr* faire un exercice supplémentaire; **N~** *n* exercice *m* supplémentaire.

Nachfahr *m* ‹-en/-s, -en› ['na:xfa:r] descendant *m;* **nach=fahren** *itr: jdm* ~ suivre qn (en voiture *etc*).

Nachfall *m* ['na:x-] *mines* éboulis *m.*

nach=färben ['na:x-] *tr* reteindre.

Nach|faßbesuch *m* ['na:x-] *com* (visite *f* de) rappel *m;* **n~≈fassen** *itr (beim Essen)* avoir une seconde portion; **~fassen** *n (bei Nichtbeantwortung)* réclamation *f* faute de réponse.
nach≈feilen ⟨'na:x-⟩ *tr* retoucher à la lime.
Nachfolg|e *f* ['na:x-] succession *f; ~~ Christi* imitation *f* de Jésus-Christ; **nach≈folgen** *itr* suivre (*jdm* qn); *fig* suivre les traces (*jdm* de qn); **n~end** *a* suivant, subséquent, consécutif; **~er** *m* successeur *m;* **~estaat** *m* État *m* succédant.
nach≈forder|n ['na:x-] *tr* demander en plus *od* en sus; **N~ung** *f* demande *f* en sus, rappel *m.*
nach≈forsch|en ['na:x-] *itr* faire des recherches *od* des enquêtes *od* des investigations; **N~ung** *f* recherche, enquête, investigation *f; ~~en anstellen* faire des recherches (*nach* sur).
Nachfrage *f* ['na:x-] *a. com* demande *f; die ~ befriedigen* satisfaire *od* faire face à la demande; *es herrscht starke ~ danach* cela est très demandé; **nach≈fragen** ['na:x-] *itr* demander des nouvelles, s'informer, se renseigner.
Nachfrist *f* ['na:x-] prolongation *f* du terme.
nach≈fühlen ['na:x-] *tr: jdm (etw) ~* comprendre qn, se mettre à la place de qn.
nachfüllbar ['na:x-] *(Behälter)* rechargeable; **nach≈füllen** *tr (Flüssigkeit)* ajouter; *(Gefäß, Behälter)* recharger.
Nachgärung *f* ['na:x-] fermentation *f* secondaire.
nach≈geben ['na:x-] *itr* céder, fléchir, capituler, lâcher prise, battre en retraite; *fam* baisser pavillon; *tech (sich biegen)* fléchir, ployer; s'affaisser; *(Fuß-, Erdboden)* se dérober (sous les pieds); *fin* fléchir, reculer; être en repli; *tr* ajouter; *jdm in nichts ~* ne le céder en rien à qn; **N~** *n* fléchissement *m; zum ~~ zwingen* faire céder, ployer.
nachgeboren ['na:x-] *a* posthume.
Nachgebühr *f* ['na:x-] surtaxe *f.*
Nachgeburt *f* ['na:x-] arrière-faix, délivre *m.*
nach≈gehen ['na:x-] *itr* suivre (*jdm* qn); *(nachforschen)* faire des investigations (*e-r S* de qc) *od* des recherches (*e-r S* sur qc); *(Uhr)* retarder; *s-r Arbeit ~* vaquer à son travail.
nachgelassen ['na:x-] *a (Werk)* posthume.
nachgeordnet ['na:x-] *a* subordonné, inférieur.
nachgerade ['--'--] *adv* enfin, à la fin.
Nachgeschmack *m* ['na:x-] arrière-goût *m.*
nachgestellt ['na:x-] *a gram* placé après le nom.
nachgewiesenermaßen ['-----'--] *adv* comme il a été prouvé.
nachgiebig ['na:x-] *a* pliant, flexible, souple; *fig* conciliant, accommodant; **N~keit** *f* flexibilité *a fig,* souplesse; *fig* facilité *f,* esprit conciliant, caractère *m* accommodant.

nach≈gießen ['na:x-] *tr* ajouter (en versant).
Nachglühen *n* ['na:x-] incandescence *f* résiduelle.
nach≈grübeln ['na:x-] *itr: über etw ~* se creuser la cervelle *od* la tête au sujet de qc.
Nachhall *m* ['na:x-] retentissement *m; phys* résonance *f;* **nach≈hallen** *itr* retentir; résonner.
nachhaltig ['na:x-] *a* durable, persistant, constant, permanent; *(wirksam)* efficace; **N~keit** *f* ⟨-, ø⟩ persistance, constance; efficacité *f.*
nach≈hängen ['na:x-] *itr: (e-m Gedanken, e-m Traum) ~* caresser (une idée, un rêve).
Nachhause|gehen *n* [na:x'hauzə-] *: beim ~~* en rentrant; **~kommen** *n: jdn beim ~~ antreffen* prendre qn au débotté.
nach≈helfen ['na:x-] *itr: jdm ~* donner un coup d'épaule à qn.
nachher ['-- / -'-] *adv* après, plus tard; ensuite, puis; *(hinterher)* après coup; *bis ~!* à tout à l'heure! à tantôt! **~ig** [-'--] *a* postérieur, ultérieur.
Nachhilfe *f* ['na:x-] aide, assistance *f;* **~stunden** *f pl,* **~unterricht** *m* leçons particulières *od* de rattrapage, répétitions *f pl.*
nach≈hinken ['na:x-] *itr fig* retarder.
Nachhirn *n* ['na:x-] *anat* bulbe *m* rachidien, moelle *f* allongée.
Nachholbedarf *m* ['na:x-] besoins *m pl* de compensation *od* de rattrapage; **nach≈holen** *tr* rattraper, récupérer.
Nachhut *f* ['na:x-] *mil* arrière-garde *f;* **~gefecht** *n* combat *m* d'arrière-garde.
nach≈jagen ['na:x-] *itr: e-r S ~* courir après qc; *tr: jdm e-e Kugel ~* tirer après qn.
Nachklang *m* ['na:x-] retentissement *m; fig* réminiscence *f,* souvenir *m;* **nach≈klingen** *itr* retentir, résonner.
Nachkommando *n* ['na:x-] *mil* détachement *m* postcurseur *od* de liquidation.
Nachkomm|e *m* ⟨-n, -n⟩ ['na:x-] descendant *m; ~n haben (a.)* faire souche; **nach≈kommen** *itr* venir plus tard; *(Schritt halten)* rester au courant; *(e-r Aufforderung)* donner suite à; *(e-r Vorschrift)* se conformer à; *(e-m Befehl)* exécuter; *s-n Verpflichtungen (nicht) ~* faire honneur à (être en défaut de) ses obligations; *ich komme nach* je vous suivrai *od* rejoindrai; **~enschaft** *f* descendance, lignée, progéniture, postérité *f;* **Nachkömmling** *m* ⟨-s, -e⟩ ['-kœmlıŋ] tardillon *m fam,* retardataire; enfant *m* né tardivement.
Nachkriegs|. . . ['na:x-] *(in Zssgen)* d'après-guerre; **~zeit** *f* après-guerre *m.*
Nachkur *f* ['na:x-] *med* postcure *f.*
nach≈laden ['na:x-] *tr mil* recharger; **N~** *n* rechargement *m.*
Nachlaß *m* ⟨-sses, -sse⟩ ['na:xlas] *com* réduction, remise *f; (Rabatt)* rabais *m; (Hinterlassenschaft)* succession *f; (e-s Gefallenen)* fonds et effets *m pl;* **~gegenstand** *m* objet *m* faisant partie de la succession; **~gericht** *n* tribunal *m* des successions; **~verbindlichkeit** *f* obligation *f* de la succession; **~verwalter** *m* curateur *od* administrateur *m* (à la succession); **~verwaltung** *f* administration *f* de la succession.
nach≈lassen *tr (lockern)* (re)lâcher, desserrer, détendre; *(vom) Preise)* rabattre; *itr (schwächer werden)* diminuer d'intensité, s'amoindrir, se relâcher, faiblir; *(Sturm, Lärm)* s'apaiser; *(Schmerz)* se calmer; *(Fähigkeit)* s'appauvrir; *(Eifer)* se refroidir; *nicht ~ (a.)* n'avoir ni fin ni cesse; **N~** *n* diminution *f;* relâchement; tassement; apaisement; appauvrissement; refroidissement *m;* **nachgelassen** *pp (Werk)* posthume, d'outretombe; **N~schaft** *f* succession *f.*
nachlässig ['na:x-] *a (Mensch im Tun)* négligent; nonchalant, inexact; *(~ gekleidet; Sache)* négligé; *adv a.* par manière d'acquit; **N~keit** *f* négligence *f,* manque *m* de soin, incurie *f,* laisser-aller *m.*
nach≈laufen ['na:x-] *itr* courir (*jdm* après qn), (pour)suivre (*jdm* qn); *den Weibern ~ (fam)* courir le jupon.
Nachläufer, *die m pl* la gent moutonnière.
Nachlese *f* ['na:x-] *agr (Getreide: Tätigkeit)* glanage *m, (das Gesammelte)* glanure *f; (Wein)* grappillage *m; fig* glane *f;* recueil *m* complémentaire; *~ halten* glaner; grappiller; **nach≈lesen** *tr (nochmal lesen)* relire; *(prüfen)* vérifier.
nach≈liefer|n ['na:x-] *tr* livrer *od* fournir plus tard; **N~ung** *f* livraison postérieure *(spätere),* supplémentaire *od* complémentaire *(ergänzende).*
nach≈lös|en ['na:x-] *itr loc* prendre un supplément; **N~eschalter** *m* (guichet *m* des) suppléments *m pl.*
nach≈machen ['na:x-] *tr (Menschen u. Sache)* imiter; *(Menschen)* copier; *(fälschen)* contrefaire; *es jdm ~* en faire autant que qn.
nachmal|ig ['na:x-] *a* postérieur, ultérieur; **~s** *adv* par la suite, plus tard.
nach≈messen ['na:x-] *tr* vérifier la mesure de.
Nachmittag *m* ['na:x-] après-midi; *pop* tantôt *m;* **n~s** *adv* (dans) l'après-midi; **~skonzert** *n* matinée *f* musicale; **~sveranstaltung** *f,* **~svorstellung** *f* matinée *f.*
Nachnahme *f* ['na:x-] remboursement *m; gegen ~* contre remboursement; *durch ~ erheben* disposer par remboursement; **~gebühren** *f pl* frais *m pl* de remboursement; **~sendung** *f* envoi *m* contre remboursement.
Nachname *m* ['na:x-] nom *m* de famille.
nach≈plappern['na:x-] *tr* répéter machinalement.
Nachporto *n* ['na:x-] surtaxe *f.*
nachprüf|bar ['na:x-] *a* contrôlable, vérifiable; **nach≈prüfen** *tr* contrôler, vérifier, récoler; **N~ung** *f* contrôle *m,* vérification, révision *f; (Nachexamen)* examen *m* supplémentaire.

nach=rechn|en ['na:x-] *tr* vérifier; **N~ung** *f* vérification *f.*
Nachrede *f* ['na:x-] *(Buch)* épilogue *m,* postface *f; üble ~* médisance, diffamation *f; fam* racontars *m pl;* **nach=reden** *tr* répéter; *jdm etw Schlechtes ~* médire, dire du mal de qn.
nach=reichen ['na:x-] *tr (Speise)* repasser; *(Beleg)* fournir plus tard, faire suivre ultérieurement.
nach=reifen ['na:x-] *itr (Obst)* mûrir après la cueillette.
nach=reisen ['na:x-] *itr: jdm ~* (partir pour) rejoindre qn.
nach=rennen ['na:x-] *itr = nachlaufen.*
Nachricht *f* ⟨-, -en⟩ ['na:xrıçt] nouvelle; *(Mitteilung)* information, communication *f; (Anzeige)* avis; *(Auskunft, a. mil)* renseignement; *(amtliche ~, a.)* communiqué; *arg* rencard *m; pl radio* journal *m* parlé, actualités *od* informations *f pl* radiodiffusées; *e-e ~ bringen* apporter une nouvelle; *die ~ von etw erhalten* avoir la nouvelle de qc; *ich habe keine ~ von ihm* je n'ai pas de ses nouvelles; *Sie hören ~en (radio)* voici le journal *od* notre bulletin d'information; *die letzten ~en* les dernières nouvelles *f pl; vermischte ~en* faits *m pl* divers.
Nachrichten|abteilung *f* ['na:x-] *mil* bataillon *m* de transmissions; **~agent** *m* informateur *m;* **~agentur** *f* agence *f* d'information(s) *od* de presse; **~blatt** *n* feuille *f od* journal *m* d'information(s); **~büro** *n* bureau *m od* agence *f* d'information(s); **~dienst** *m* service d'information *od mil* des transmissions *od (Polizei)* de renseignements; *radio* journal *m* parlé; **~fahrzeug** *n mil* voiture *f* télégraphique *od* de transmissions; **~material** *n* informations *f pl,* renseignements *m pl;* **~netz** *n* réseau *m* de transmissions *od* de télécommunications; **~offizier** *m* officier *m* des transmissions; **~quelle** *f* source *f* d'information; *(Person)* informateur *m;* **~sammelstelle** *f* bureau des messages; *mil* centre *m* de(s) renseignements; **~satellit** *m* satellite *m* de (télé)communication(s); **~sendung** *f = ~ pl;* **~sperre** *f* black-out *m;* **~sprecher** *m radio* speaker *m;* **~stelle** *f* centre *m* de(s) renseignements; **~trupp** *m mil* équipe *f od* atelier *m* de transmissions; **~truppen** *f pl* service *m* des transmissions; **~übermitt(e)lung** *f,* **~übertragung** *f* transmission *f* des informations *od* des renseignements; **~wesen** *n* renseignements *m pl; mil* transmissions *f pl;* **~zentrale** *f* centre *m* de(s) renseignements; **~zug** *m mil* section *f* de transmissions.

nachrichtlich ['na:x-] *adv* pour information, à titre de renseignement, par forme d'avis.
Nachruf *m* ['na:x-] *(in e-r Zeitung)* article *m* nécrologique, nécrologie *f;* **nach=rufen** *tr: jdm etw ~* crier qc après qn.
nach=rühmen ['na:x-] *tr: jdm etw ~* dire qc à l'éloge de qn.
nach=sagen ['na:x-] *tr (wiederholen)* répéter; *jdm etw Gutes, Schlechtes ~* dire du bien, du mal de qn.
Nachsaison *f* ['na:x-] arrière-saison, après-saison *f.*
Nachsatz *m* ['na:x-] *gram* second membre; *philos* second terme; *(Nachschrift)* post-scriptum *m.*
nach=schauen ['na:x-] *itr: jdm ~* suivre qn du regard *od* des yeux; *~, ob ...* (aller) voir si ...
nach=schicken ['na:x-] *tr* faire suivre (*jdm* qn).
nach=schlag|en ['na:x-] *tr (Wort, Stelle, in e-m Buch)* chercher; *itr* compulser, consulter (*in e-m Buch* un livre); *jdm ~~ (nacharten)* tenir de qn; **N~ewerk** *n* ouvrage *m* de référence.
nach=schleichen ['na:x-] *itr: jdm ~* suivre qn furtivement, se faufiler derrière qn.
Nachschlüssel *m* ['na:x-] fausse(-)clé *f,* passe-partout; *fam* rossignol *m.*
nach=schreiben ['na:x-] *tr (mitschreiben)* écrire après coup; **N~schrift** *f* notes *f pl; (Nachtrag)* post-scriptum *m.*
Nachschub *m* ['na:x-] renfort(s *pl*); *mil* approvisionnement, ravitaillement *m;* **~basis** *f,* **~lager** *n,* **~linie** *f* base *f,* dépôt *m,* ligne *f* de ravitaillement; **~- und Transporteinheiten** *f pl* unités *f pl* de ravitaillement et de transport; **~weg** *m* voie *f* de ravitaillement; **~wesen** *n mil* logistique *f.*
nach=sehen ['na:x-] *itr* suivre du regard *od* des yeux (*jdm* qn); *(sich informieren)* s'informer; *(in e-m Buch)* consulter (*in etw* qc); *tr (durchsehen, prüfen)* vérifier, examiner; *(entschuldigen)* passer (*jdm etw* qc à qn); **N~** *n: das ~~ haben* en être pour ses frais; n'avoir plus qu'à dire amen.
nach=senden ['na:x-] *tr* faire suivre; *bitte ~!* prière de faire suivre.
nach=setzen ['na:x-] *itr: jdm ~* poursuivre qn, s'élancer *od* bondir à la poursuite de qn.
Nachsicht *f* ['na:x-] indulgence, tolérance, complaisance *f; gegen jdn ~ üben* user d'indulgence envers qn; **n~ig** *a* indulgent; *adv* avec indulgence; **~igkeit** *f = ~;* **n~svoll** *a = n~ig.*
Nachsilbe *f* ['na:x-] *gram* suffixe *m.*
nach=sinnen ['na:x-] *itr* réfléchir, méditer (*über etw* sur qc); songer (*über etw* à qc); **N~** *n* réflexion, méditation *f.*
nach=sitzen ['na:x-] *itr (Schule)* être en retenue; *~ lassen* mettre en retenue; **N~** *n* retenue *f.*
Nachsommer *m* ['na:x-] été *m* de la Saint-Martin.
Nachspeise *f* ['na:x-] dessert *m.*
Nachspiel *n* ['na:x-] *theat* épilogue *m; fig* suite(s *pl*) *f; ein gerichtliches ~ haben* avoir des suites judiciaires.
nach=spionieren ['na:x-] *itr fam = nachspüren.*
nach=sprechen ['na:x-] *tr* répéter.
nach=spüren ['na:x-] *itr: jdm ~* épier qn.
nächst [nɛ:çst] *prp dat (räuml.)* tout près de; *(Reihenfolge)* après; **N~beste,** *der, die, das* le premier, la première venu(e); **~dem** [-'de:m] *adv* après cela; **~e(r, s)** *a (räuml.)* (le) plus proche; *(Weg)* (le) plus court; *(Reihenfolge)* prochain, suivant; premier; *~es Jahr* l'année prochaine; *~es Mal* la prochaine fois; *~en Sonntag* dimanche prochain; *~e Woche* la semaine prochaine; *als ~es* ensuite; *am ~en* le plus proche *od* près; *(Weg)* le plus court; *aus ~er Nähe* (*schießen* tirer) à bout portant; *fürs ~e* d'abord; *im ~en Augenblick od Moment* l'instant d'après; *im ~en Jahr* l'année suivante; *in ~er Nähe* tout près; *in der ~en Zeit* (très) prochainement; *die ~en Angehörigen* les parents les plus proches; *der ~e (in der Reihenfolge)* le suivant; *der ~~, bitte!* au suivant, s'il vous plaît; *der* **N~e** *(Mitmensch)* le prochain; *jeder ist sich selbst der ~~ (prov)* charité bien ordonnée commence par soi-même; **N~e,** *das* la première chose (à faire), le plus urgent; **N~enliebe** *f* amour *m* du prochain, charité *f,* altruisme *m;* **~ens** *adv* prochainement; **~folgend** *a* suivant, prochain; **~höher** *a* immédiatement supérieur; **N~liegende,** *das (fig)* le plus urgent.
nach=stehen ['na:x-] *itr: jdm ~* être inférieur à qn, ne pas égaler qn; *jdm in nichts ~* ne le céder en rien à qn; **~d** *a* suivant; *adv* ci-après, ci-dessous.
nach=steigen ['na:x-] *itr: jdm ~* suivre qn clandestinement.
nach=stell|en ['na:x-] *tr* placer après; *(Uhr)* retarder; *(regulieren)* régler, (r)ajuster, rattraper; *itr: jdm ~~* poursuivre, traquer, chasser qn, prendre qn en chasse; **N~en** *n* réglage, rattrapage *m;* **N~ung** *f, meist pl* embûches, poursuites *f pl.*
Nachstoß *m* ['na:x-] *sport* riposte *f; mil* talonnement *m;* **nach=stoßen** *itr sport* riposter; *mil* talonner.
nach=suchen ['na:x-] *itr: um etw ~* solliciter, quémander, demander qc.
Nacht *f* ⟨-, ¨-e⟩ [naxt, 'nɛçtə] *a. fig* nuit; *(Dunkelheit, a. fig)* obscurité *f; fig* ténèbres *f pl; die ganze ~ (über)* toute la nuit, jusqu'au matin; *bei ~, des ~s, in der ~* de *od* la nuit, nuitamment; *bei Einbruch der ~* à la nuit tombante, à la tombée de la nuit; *bei ~ und Nebel, im Schutze der ~* à la faveur de la nuit, clandestinement; *heute n~* cette nuit; *über ~ (die ~ über)* pendant *od* durant la nuit; *(von heute auf morgen, sehr schnell)* du jour au lendemain; *wie Tag und ~ (verschieden)* comme le jour et la nuit; *die ganze ~ aufbleiben* passer la nuit; *über ~ bleiben* rester pour la nuit; *die ~ zum Tage machen* faire de la nuit le jour et du jour la nuit; *sich die ~ um die Ohren schlagen, die ganze ~ auf den Beinen sein* passer la nuit; *pop* faire la bamboula; *die ~ verbringen* passer la nuit; *fam*

gîter; *bei e-m Kranken* veiller un malade; *die ganze ~ kein Auge zutun* ne pas fermer l'œil de (toute) la nuit; *es wird ~, die ~ bricht herein* il se fait nuit, la nuit descend *od* tombe *od* vient; *gute ~!* bonne nuit! *bei ~ sind alle Katzen grau (prov)* la nuit, tous les chats sont gris; *häßlich wie die ~* laid comme un pou; **~angriff** *m* attaque *f* de nuit; **~arbeit** *f* travail *m* de nuit, veilles *f pl; (geistige) ~~* élucubration(s *pl*) *f;* **~asyl** *n* asile *m* de nuit; **~aufklärung** *f aero mil* reconnaissance *f* de nuit; **~aufnahme** *f phot* vue *f* (prise) de nuit; **~blindheit** *f med* héméralopie *f;* **~bombenangriff** *m* bombardement *m* de nuit; **~creme** *f* crème *f* de nuit; **~dienst** *m* service *m* de nuit; **~fahrt** *f* trajet *m* de nuit; **~falter** *m* papillon *m* de nuit, phalène *f;* **~flug** *m* vol *m* de nuit; **~frost** *m* gelée *f* matinale *od* nocturne; **~gefecht** *n* combat *m* de nuit; **~geschirr** *n = ~topf;* **~gewand** *n* robe *f* de nuit; **~hemd** *n* chemise *f* de nuit; **~jagd** *f aero* chasse *f* de nuit; **~jäger** *m aero mil* chasseur *m* de nuit; **~klub** *m* club *m* de nuit; **~lager** *n* gîte *m;* **~lampe** *f* lampe de chevet, veilleuse *f;* **~leben** *n* vie *f* nocturne; **~lokal** *n* boîte *f* de nuit; **~luft** *f* fraîcheur *f* de la nuit; **~mahr** *m* ⟨-(e)s, -e⟩ cauchemar *m;* **~marsch** *m mil* marche *f* de nuit; **~musik** *f* sérénade *f;* **~mütze** *f* bonnet *m* de nuit; **~portier** *m* veilleur *m* de nuit; **~quartier** *n* logis; abri *m* pour la nuit; **~ruhe** *f* repos *m* nocturne; **n~s** *adv* (pendant) la nuit, de nuit, nuitamment; *um 3 Uhr ~~* à 3 heures de la nuit; **~schattengewächse** *n pl* solanacées *f* pl; **~schicht** *f mines* poste *m* de nuit; *(Mannschaft)* équipe *f* de nuit; *~~ haben (allg)* être de nuit; **n~schlafend** *a: zu ~~er Zeit* quand tout le monde dort; **~schwalbe** *f orn* engoulevent *m;* **~schwärmer** *m fam* noctambule, rôdeur de nuit; bambocheur; *pop* vadrouilleur *m;* **~start** *m aero* départ *m* de nuit; **~stuhl** *m* chaise *f* percée; **~tarif** *m* tarif *m* de nuit; **~tisch** *m* table *f* de nuit *od* de chevet; **~tischlampe** *f* lampe *f* de chevet; **~topf** *m* vase de nuit, pot *m* de chambre; **~übung** *f mil* exercice *m* de nuit; **~urlaub** *m* permission *f* de nuit; **~viole** *f bot* julienne *f;* **~vogel** *m* oiseau *m* nocturne *od* de nuit; **~vorstellung** *f theat film* séance *f* nocturne; **~wache** *f* garde de nuit; *(mehrerer Personen)* veillée *f; die ~~ (Gemälde von Rembrandt)* la Ronde de nuit; **~wächter** *m* gardien *od* veilleur *m* de nuit; **n~wandeln** *itr ⟨er nachtwandelt/-e, hat/ist genachtwandelt⟩* être somnambule; **~wandeln** *n* somnambulisme *m;* **~wandler** *m* somnambule *m;* **n~wandlerisch** *a* somnambule; *mit ~~er Sicherheit* infailliblement; **~zeit** *f: zur ~~* en nocturne, de nuit; **~zug** *m* train *m* de nuit.

Nachteil *m* ['na:x-] désavantage, inconvénient; *(Schaden)* préjudice, détriment; *(Behinderung)* handicap *m; zum ~ (gen)* au préjudice *od* détriment (de); *jdm ~e bringen, von ~ sein* porter *od* causer préjudice à qn; *~e von etw haben* subir des préjudices de qc; *im ~ sein* être désavantagé; *mit ~en verbunden* sujet à des inconvénients; **n~ig** *a* désavantageux; préjudiciable; *(abträglich)* défavorable.

nächt|elang ['nɛçtəlaŋ] *adv* (pendant *od* durant) des nuits entières; **~igen** ['nɛçtɪgən] *itr ⟨hat genächtigt⟩* passer la nuit; *fam* gîter; **~lich** *a* nocturne; *~e Ruhestörung f* tapage *m* nocturne; **~licherweile** *adv* nuitamment, de nuit.

Nachtigall *f* ⟨-, -en⟩ ['naxtigal] rossignol *m.*

Nachtisch *m* ['na:x-] dessert *m; beim ~ (a.)* entre la poire et le fromage.

Nachtrag *m* ['na:x-] supplément, additif; *(Versicherung)* avenant; *(Testament)* codicille *m;* **nach=tragen** *tr (hinzufügen)* ajouter, suppléer; *jdm etw ~* porter qc derrière qn; *fig* porter *od* garder rancune à qn de qc; avoir de la rancune contre qn pour qc; **n~end** *a* rancunier; **~shaushalt** *m* budget *m* supplémentaire; **~szahlung** *f* versement *m* additionnel; **nachträglich** ['na:xtrɛ:klɪç] *a (später eingehend)* ultérieur, postérieur; *(ergänzend)* supplémentaire; *adv* après coup; *(zusätzlich)* additionnellement; *~ bezahlen* payer après *od* postérieurement *od* ultérieurement.

nach=trauern ['na:x-] ⟨*aux: haben*⟩ *itr: jdm, e-r S ~* regretter qn, qc.

Nachtrupp *m* ['na:x-] *mil* arrière-garde *f.*

nach=tun ['na:x-] *tr: es jdm ~* en faire autant que qn.

Nachuntersuchung *f* ['na:x-] *allg* examen *m* de vérification *od* de contrôle; *med* contre-visite *f* (médicale).

Nachvermächtnis *n* ['na:x-] arrière-legs *m.*

nach=versicher|n ['na:x-] *itr* compléter l'assurance; **N~ung** *f* assurance *f* supplémentaire.

nach=wachsen ['na:x-] ⟨*aux: sein*⟩ *itr* repousser; se reproduire, se régénérer.

Nachwahl *f* ['na:x-] élection *f od* scrutin *m* complémentaire.

Nachwehen *pl* ['na:x-] *physiol* tranchées utérines; *fig* suites *f pl* fâcheuses.

Nachwein *m* ['na:x-] râpé *m.*

nach=weinen *itr* déplorer (*jdm, e-r S* qn, qc); *jdm, e-r S keine Träne ~* ne pas regretter qn, qc.

Nachweis *m* ['na:x-] preuve, justification; *chem* détection *f; zum ~ (gen)* à l'appui (de); *den ~ erbringen* od *führen* od *liefern, daß ...* administrer *od* apporter *od* fournir la preuve que ...; **n~bar** *a* démontrable, vérifiable; *chem* détectable, décelable **nach=weisen** *tr (beweisen)* prouver, démontrer, justifier; mettre en évidence; *jur* établir; *chem* détecter, déceler; *s-e Befähigung ~* justifier *od* prouver sa qualification; **~stelle** *f* service *m* de documentation; **~ung** *f = Nachweis;* indication, preuve, constatation *f;* **n~lich** *adv* comme on peut en apporter la preuve.

Nachwelt *f* ['na:x-] postérité *f.*

nach=werfen ['na:x-] *tr: jdm etw ~* jeter qc après qn *od fig* à la tête à qn.

nach=wiegen ['na:x-] *tr* vérifier le poids (*etw* de qc).

nach=wirk|en ['na:x-] *itr* retentir, avoir des répercussions; **N~ung** *f* action *f* ultérieure; retentissement *m,* répercussions *f pl,* effet *m* ultérieur; *pl med* reliquat *m,* séquelle *f; die ~~en e-r S spüren* se ressentir de qc.

Nachwort *n* ['na:x-] *(Buch)* postface *f,* épilogue *m.*

Nachwuchs *m* ['na:x-] *bot* rejet; *(Wald)* recrû *m; der ~ (Menschen)* les jeunes *m pl;* la relève; **~schwierigkeiten** *f pl* difficultés *f pl* de recrutement.

nach=zahl|en ['na:x-] *tr* payer après *od* postérieurement *od* ultérieurement; *itr* payer *od* verser un supplément; **N~ung** *f* paiement *od* versement supplémentaire, supplément; rappel; *(nachträgliche Zahlung)* paiement *m* postérieur *od* ultérieur.

nach=zähl|en ['na:x-] *tr* recompter, vérifier; **N~ung** *f* vérification *f.*

nach=zeichn|en ['na:x-] *tr* copier; **N~ung** *f* copie *f.*

nach=ziehen ['na:x-] *tr* tirer *od* traîner après soi; *(Schraube)* resserrer; *(Strich)* retracer; *(Augenbrauen)* refaire; *das Bein ~* traîner la jambe *od fam* la patte.

nach=zotteln ['na:x-] *itr fam* suivre lentement.

Nachzügler *m* ['na:x-] traînard, retardataire, attardé *m.*

Nachzündung *f* ['na:x-] *mot* retard *m* à l'allumage.

Nackedei *m* ⟨-(e)s, -e/-s⟩ ['nakədaɪ] *hum* enfant *m* nu.

Nacken *m* ⟨-s, -⟩ ['nakən] nuque; *(Küche: vom Schwein)* échinée *f; den ~ (unter das Joch) beugen* courber *od* plier l'échine; *jdm den ~ steifen* encourager qn; *er hat den Schalk* od *Schelm im ~* c'est un espiègle (né); **~schlag** *m* coup *m* sur la nuque; *pl fig* revers *m pl,* traverses *f pl;* **~schutz** *m* couvre-nuque, protège-nuque *m.*

nackend ['nakənt] *a = nackt.*

nackt [nakt] *a* nu; *pop* à poil; *fig* dénudé, dépouillé; *(Fels)* vif; *sich ~ ausziehen* se mettre (tout) nu; **N~aal** *m zoo* gymnote *m;* **N~heit** *f* ⟨-, ø⟩ nudité *f;* **N~kultur** *f* nudisme; naturisme *m; Anhänger m der ~~* nudiste, naturiste *m;* **N~schnecken** *f pl* limacidés *m pl;* **N~tänzerin** *f* danseuse *f* nue.

Nadel *f* ⟨-, n⟩ ['na:dəl] *(ohne Öhr)* épingle; *(mit Öhr)* aiguille *f; (wie) auf ~n sitzen (fig)* être sur des charbons ardents, être dans ses petits souliers; **~arbeit** *f* ouvrage *m* à l'aiguille; **~baum** *m* conifère, (arbre) résineux *m;* **~büchse** *f* épinglier; porte-aiguilles, étui *m* à aiguilles; **~feile** *f* queue-de-rat *f;* **n~förmig** *a* en forme d'aiguille; *scient* aciculaire;

∼geld *n* argent *m* de poche; **∼hölzer** *n pl* conifères *m pl;* **∼kissen** *n* pelote *f* (à épingles); **∼öhr** *n* trou d'aiguille, chas *m;* **∼palme** *f bot* raphia *m;* **∼spitze** *f* pointe *f* d'épingle *od* d'aiguille; **∼stich** *m* piqûre *f od (a. fig)* coup d'épingle; *(Nähstich)* point *m* (de couture); **∼wald** *m* forêt *f* de conifères *od* de résineux.

Nadir *m* ⟨-s, ø⟩ ['na:dɪr/na'di:r] *astr* nadir *m.*

Nagel *m* ⟨-s, ⸚⟩ ['na:gəl, 'nɛ:gəl] *tech* clou *m; (Stift)* broche, pointe; *(Holznagel)* cheville *f; anat* ongle *m; mit Nägeln beschlagen* clouter, garnir de clous; *jdm auf den Nägeln brennen (fig)* prendre qn à la gorge; *sich die Nägel schneiden, feilen und putzen* se faire les ongles; *das Geschäft an den ∼ hängen (fig)* jeter le froc aux orties; *an den Nägeln kauen* se ronger les ongles; *sich etw unter den ∼ reißen (fam)* gratter *od* grignoter qc, mettre qc dans sa manche; *pop* s'envoyer qc; *den ∼ auf den Kopf treffen (fig)* mettre le doigt dessus, rencontrer *od* toucher juste; *das brennt auf den Nägeln (a.)* c'est très urgent; **∼bett** *n anat* lit *m od* matrice *f* de l'ongle; **∼bohrer** *m* avant-clou *m;* **∼bürste** *f* brosse *f* à ongles; **∼eisen** *n* arrache-clou *m;* **∼fabrik(ation)** *f* clouterie *f;* **∼feile** *f* lime *f* à ongles; **n∼förmig** *a anat* ongulé; **∼geschwür** *n* mal *m* blanc, tourniole *f;* panaris *m;* **∼kasten** *m* boîte à clous, cloutière *f;* **∼klaue** *f* tire-clou *m;* **∼kopf** *m,* **∼kuppe** *f* tête *f* (de clou); **∼lack** *m* vernis *m* à ongles; **∼lackentferner** *m* dissolvant *m;* **n∼n** *tr* clouer (*an, auf* à); *(benageln)* clouter; **∼n** *n* clouage; cloutage *m;* **n∼neu** *a* tout *od* flambant neuf; **∼pflege** *f* manucure *f;* **∼pflegenecessaire** *n* onglier *m;* **∼polierer** *m* polissoir *m* (à ongles); **∼politur** *f* = *∼lack;* **∼probe** *f: die ∼∼ machen* faire rubis sur l'ongle; **∼reiniger** *m* cure-ongles *m;* **∼schere** *f* ciseaux *m pl* à ongles, coupe-ongles *m,* ongliers *m pl;* **∼schmied** *m* cloutier *m;* **∼schmiede** *f* clouterie *f;* **∼schuhe** *m pl* souliers *m pl* cloutés; **∼zieher** *m* = *∼klaue.*

nag|en ['na:gən] *tr a. fig* ronger (*an etw* qc, *an jdm* qn); **∼end** *a* rongeur; *(Kummer)* déchirant; **N∼er** *m* ⟨-s, -⟩, **N∼etier** *n* rongeur *m.*

nah|(e) [na:(ə)] *a* ⟨*näher, am nächsten*⟩ *(räuml.)* proche; *(benachbart)* voisin, attenant; *(zeitl.)* proche, imminent; *fig (nahestehend)* intime; *adv* près; *∼e bei* près de, à proximité de; *∼(e) beiea.* l'un près de l'autre; *ganz ∼(e)* tout près; (*an, bei* de); *von ∼ und fern* de près et de loin; *∼e bevorstehen* être imminent; *∼e kommen* s'approcher (*jdm, e-r S* de qn, de qc); *∼(e) sein (zeitl.)* approcher; *∼e daran sein zu ...* être sur le point de ...; *∼e an Fünfzig sein* approcher la cinquantaine; *dem Tod, Ziel ∼e sein* être près de la mort, de la fin, toucher au but; *jdm zu ∼e treten (fig)* froisser qn; *ich war ∼e daran zu ...* j'ai failli *inf,* il s'en est fallu de peu que je *subj,* j'étais sur le point de *inf; der N∼e Osten* le Proche-Orient; *∼e(r) Verwandter(r) m* proche parent *m;* **N∼abwehr** *f,* **N∼angriff** *m mil* défense, attaque *f* rapprochée; **N∼aufklärer** *m aero* avion *m* de reconnaissance tactique; **N∼aufklärung** *f mil* reconnaissance *f* rapprochée; **N∼aufnahme** *f phot* photo(graphie) *od* vue *f* prise de près; *film* gros plan *m;* **N∼beobachtung** *f* observation *f* rapprochée; **∼ebei** *adv* tout près; **∼e⸗bringen** *tr: jdm etw ∼∼ (Wissen)* rendre qc accessible à qn, mettre qc à la portée de qn; *(verständlich, vertraut machen)* faire comprendre, faire toucher du doigt qc à qn; **∼e⸗gehen** *itr (seelisch ergreifen)* toucher de près (*jdm* qn); *das geht einem ∼e* c'est navrant; **∼e⸗kommen** *itr (beinahe gleichkommen)* approcher (*dem Ziel* du but, *der Wahrheit* de la vérité); **∼e⸗legen** *tr (empfehlen)* donner à entendre, faire comprendre, recommander, suggérer (*jdm etw* qc à qn); **∼e⸗liegen** *itr* ⟨*hat nahegelegen*⟩ *(leicht zu finden sein)* se concevoir aisément *od* facilement, tomber sous le sens; *die Vermutung liegt ∼e, daß ...* on est tenté de croire que ...; **∼eliegend** *a* facile à comprendre *od* à concevoir *od* à imaginer; **∼en** *itr* u. *sich ∼∼ (s')approcher:* **N∼en** *n* approche *f;* **∼e⸗stehen** *itr (vertraut, verbunden sein)* être intime *od* lié (*jdm* avec qn); **∼estehend** *a (vertraut)* intime; *(verbunden)* lié; **∼e⸗treten** *itr (vertraut werden)* se familiariser (*jdm* avec qn); **∼ezu** *adv* à peu (de chose) près, presque; **N∼kampf** *m* combat rapproché, (combat) corps à corps; *mar* abordage *m;* **N∼kampfwaffe** *f* arme *f* de combat rapproché; **N∼ost** *m: in ∼∼* en Proche-Orient; **∼östlich** *a* proche-oriental; **N∼sicherung** *f mil* sûreté *f* rapprochée; **N∼unterstützung** *f mil* appui *od* soutien *m* rapproché; **N∼verkehr** *m* trafic *od* service routier à petite distance; trafic suburbain; *tele* trafic *od* service *m* (téléphonique) à courte distance; **N∼ziel** *n* but *m* rapproché *od* immédiat.

Näh|arbeit *f* ['nɛ:-] ouvrage *m* de couture; **n∼en** *tr* coudre; *med* suturer; *itr med* faire une suture; *doppelt genäht hält besser (prov)* deux précautions valent mieux qu'une; **∼erei** *f* [-'raɪ] couture *f;* **∼erin** *f* couturière; *(in e-m Modehaus)* petite main; *(Maschinen∼∼)* mécanicienne *f;* **∼faden** *m,* **∼garn** *n* fil *m* à coudre; **∼kasten** *m* boîte à ouvrage, travailleuse *f;* **∼korb** *m* panier *m od* corbeille *f* à ouvrage; **∼mädchen** *n* petite main; *fam (in Paris)* midinette *f;* **∼maschine** *f* machine *f* à coudre; **∼nadel** *f* aiguille *f* (à coudre); **∼seide** *f* soie *f* à coudre; **∼tisch** *m* table *f* à ouvrage; **∼tischchen** *n* chiffonnier *m;* **∼zeug** *n* nécessaire *m od* trousse *f* de couture.

Nähe *f* ⟨-, ø⟩ ['nɛ:ə] proximité *f,* voisinage *m; (Umgebung)* environs *m pl; aus der ∼* de près; *aus nächster ∼, ganz aus der ∼* de très *od* tout près; *(schießen)* à bout portant; *aus zu großer ∼* de trop près; *in der ∼* à deux pas d'ici; *gen* près de, à proximité de; *hier in der ∼* près *od* proche d'ici; *ganz in der ∼, in nächster* od *unmittelbarer ∼* tout *od* très près, à proximité immédiate, dans le voisinage immédiat.

näher ['nɛ:ər] *a (Komparativ von: nah)* plus proche; *(Weg)* plus court; *(genauer)* plus détaillé *od* précis; *adv* plus près (*an, bei* de); *∼ bestimmen (gram)* qualifier; *auf etw ∼ eingehen* entrer dans les détails de qc; *jdn ∼ kennen* connaître qn bien *od* assez; *jdn ∼ kennenlernen* faire plus ample connaissance avec qn; *treten Sie ∼!* approchez(-vous); *die ∼en Umstände* les détails *m pl;* **∼⸗bringen** *tr (vertrauter machen); jdm etw ∼∼* éveiller l'intérêt de qn pour qc; *der Lösung ∼∼* approcher de la solution; **N∼es** *n: ∼∼ bei, siehe* pour plus amples renseignements *od* informations s'adresser à, voir; **∼⸗kommen** *itr fig* s'approcher de; *sich ∼∼ (fig)* se rapprocher l'un de l'autre; **∼n,** *sich* (s')approcher (*jdm* de qn); *sich s-m Ende ∼∼* toucher à sa fin; *sich jdm zu ∼∼ versuchen (fig)* faire des avances à qn; **∼⸗treten** *itr (vertrauter werden): jdm ∼∼* se familiariser avec qn; **N∼ung** *f math (An∼∼)* approximation *f;* **N∼ungsverfahren** *n* méthode *f* d'approximation; **N∼ungswert** *m* valeur *f* approximative.

Nähr|boden *m* ['nɛ:r-] *fig* terrain *m* favorable, bouillon *m* de culture; **n∼en** *tr* nourrir *a. fig (Gefühl); (ein Kind stillen)* allaiter; *itr (nahrhaft sein)* être nourrissant *od* nutritif; *sich ∼∼* se nourrir (*von* de); **∼flüssigkeit** *f* liquide *m* alimentaire; **∼gewebe** *n bot (des Samens)* albumen *m;* **∼lösung** *f (für Bakterien)* bouillon *od* milieu *m* de culture; **∼mittel** *n pl* produits *m pl* alimentaires; **∼salz** *n* sel *m* nutritif; **∼stoff** *m* substance *f* nutritive, nutriment *m; pl a.* matières *f pl* d'alimentation; **∼wert** *m* valeur nutritive *od* alimentaire *od* énergétique, nutritivité *f.*

nahrhaft ['na:rhaft] *a* nourrissant, nutritif; *(kräftig)* substantiel; *fig (einträglich)* lucratif; **N∼igkeit** *f* ⟨-, ø⟩ qualités *f pl* nutritives.

Nahrung *f* ⟨-, ø⟩ ['naruŋ] nourriture *f; ∼ zu sich nehmen* prendre de la nourriture; *flüssige ∼* (aliments) liquides *m pl; geistige ∼* nourriture *f* spirituelle; **∼saufnahme** *f physiol* ingestion *f; die ∼∼ verweigern* refuser la nourriture; **∼sbedürfnis** *n,* **∼smangel** *m* besoin, manque *m* de nourriture; **∼smittel** *n* aliment *m,* denrée *f od* produit *m* alimentaire; **∼smittelindustrie** *f* industrie *f* alimentaire *od* de l'alimentation; **∼smittelprüfer** *m* essayeur *m;* **∼smittelverfälschung** *f* falsification *f* des denrées *od* des produits alimentaires; **∼ssorgen** *f pl* souci *m* du pain quotidien.

Naht *f* ⟨-, ⸗e⟩ [na:t, 'nɛ:tə] couture *f; tech* joint *m,* soudure; *anat bot* suture *f;* **n~los** *a (Textil)* sans couture; *tech* sans joint *od* soudure; **~stelle** *f fig* couture, ligne *f* de soudure, point de suture; *mil (zwischen zwei Einheiten)* point *m* de jonction.

naiv [na'i:f] *a* naïf, ingénu; **N~e** *f* ⟨-n, -n⟩ [-və] *theat* ingénue *f;* **N~ität** *f* ⟨-, (-en)⟩ [-ivitɛ:t] naïveté, ingénuité *f.*

Name *m* ⟨-ns, -n⟩ ['na:mə] nom *m; (Benennung)* dénomination; appellation *f; (Ruf)* renom *m,* renommée, réputation *f; in jds ~n* au nom, de la part de qn; *in meinem ~n* en mon nom personnel; *im ~n des Gesetzes* au nom de la loi; *im ~n des Königs* de par le roi; *(nur) dem ~n nach* de nom, nominalement; *unter falschem ~n* sous un faux nom, sous une fausse identité; *e-n falschen ~n annehmen* déguiser son nom; *die ~n aufrufen* faire l'appel (nominal); *~n nicht behalten (können)* être brouillé avec les noms propres; *s-n ~n für etw hergeben* prêter son nom pour qc; *sich e-n ~n machen* se faire un nom; *beim ~n nennen* nommer par son nom; *das Kind beim (rechten) ~n nennen* appeler un chat un chat; *s-n ~n sagen* dire *od* décliner son nom; *s-n ~n unter etw setzen* apposer son nom sous qc, signer qc; *mit vollem ~n unterschreiben* signer en toutes lettres; *mein ~ ist.... (a.)* je m'appelle ...; *wie ist Ihr ~?* quel est votre nom? *angenommene(r) ~* nom d'emprunt *od* de guerre, pseudonyme *m; bekannte(r) ~* nom-pilote *m; auf den ~n lautend* nominatif; *ein guter ~ ist mehr wert als Gold* bonne renommée vaut mieux que ceinture dorée; **~nforschung** *f* onomastique, science *f* des noms; **~ngebung** *f* dénomination *f;* **~ngedächtnis** *n* mémoire *f* des noms; **~nkunde** *f* = *~nforschung;* **~nliste** *f* liste *f* nominative, état *m* nominatif; **n~nlos** *a* sans nom, anonyme; *fig (unsagbar)* indicible, inexprimable; **~nlosigkeit** *f* ⟨-, (-en)⟩ anonymat *m;* **~nregister** *n* index *m* onomastique; **n~ns** *adv (mit ~n)* du nom de, nommé, appelé; *prp gen (im ~n)* au nom de, de la part de; **~nsaktie** *f* action *f* nominative; **~nsänderung** *f* changement *m* de nom; **~nsangabe** *f* désignation *f* du nom; **~nspapier** *n* titre *m* nominatif; **~nsstempel** *m* griffe *f;* **~nsschild** *n* ⟨-(e)s, -er⟩ étiquette, plaque *f;* **~nstag** *m* fête *f; jdm zum ~~ gratulieren* souhaiter sa fête à qn; **~nsverwechslung** *f* confusion *od* erreur *f* de noms; **~nsverzeichnis** *n* = *~nliste;* **~nsvetter** *m* homonyme *m;* **~nszug** *m* signature, griffe *f; (verkürzt)* parafe *m;* **n~ntlich** *a* nominal; nominatif; *adv* nominalement, nommément; *(insbesondere)* notamment; *~~e Abstimmung f* scrutin *m* nominal; *~~e(r) Aufruf m* scrutin, appel *m* nominal.

namhaft ['na:mhaft] *a (bekannt)* renommé, réputé, connu; *(beträchtlich)* considérable, notable, important; *jdn ~ machen* nommer qn, donner le nom de qn.

nämlich ['nɛ:mlɪç] *a attr: der ~e* le même; *das ~e* la même chose; *adv* (à) savoir, c'est-à-dire; c'est que.

nanu [na'nu:] *interj fam* ça alors! par exemple! pas possible! hé! quoi donc! allons donc! hein!

Napalm *n* ⟨-s, ø⟩ ['na:palm] napalm *m;* **~bombe** *f* bombe *f* au napalm.

Napf *m* ⟨-(e)s, ⸗e⟩ [napf, 'nɛpfə] écuelle, terrine; *(Eß~)* gamelle; *(Satte)* jatte *f; (Schale)* bol *m;* **~kuchen** *m* savarin *m;* **Näpfchen** *n* godet *m.*

Naphth|a *n* ⟨-s, ø⟩ od *f* ⟨-, ø⟩ ['nafta] *(Roherdöl)* naphte *m;* **~alin** *n* ⟨-s, ø⟩ [-'li:n] naphtaline *f,* naphtalène *m;* **~ol** *n* ⟨(-s), -e⟩ [-'to:l] *chem* naphtol *m.*

Napoleon *m* [na'po:leɔn] Napoléon *m;* **n~isch** [-pole'o:nɪʃ] *a* napoléonien.

Narb|e *f* ⟨-, -n⟩ ['narbə] *med* cicatrice *f; bot* stigmate; *(im Leder)* grain *m; (Pflanzendecke)* couche *f* végétale; **n~en** *tr (Leder)* grener; *fein ~~ (Leder, Papier)* greneler; **~enbildung** *f* cicatrisation *f;* **~enleder** *n* chagrin *m;* **n~envoll, n~ig** *a* cicatrisé; grêlé; *~ig (Leder)* grenu; **~ung** *f (Leder)* grenure *f.*

Narde *f* ⟨-, -n⟩ ['nardə] *bot* nard *m.*

Narko|se *f* ⟨-, -n⟩ [nar'ko:zə] *(Betäubung)* narcose, anesthésie *f;* **~tikum** *n* ⟨-s, -ka⟩ [-'ko:tikum] narcotique; insensibilisateur *m;* **n~tisch** [-'ko:tɪʃ] *a* narcotique; **n~tisieren** [-kotizi:rən] *tr* narcotiser.

Narr *m* ⟨-en, -en⟩ [nar] fou *a. hist (Hof~); an jdm e-n ~en gefressen haben* avoir le béguin, raffoler, être entiché de qn; *jdn zum ~en haben* mystifier qn, tourner qn en dérision *od* en ridicule; *fam* se payer la tête de qn; **n~en** *tr* mystifier, duper; se jouer (*jdn* de qn); **~enfreiheit** *f* liberté *f* du fou; **~enhände** *f pl: ~~ beschmieren Tisch und Wände (prov)* les murailles sont le papier des sots; **~enhaus** *n* maison *f* de fous; **~enkappe** *f* bonnet *m* de fou, marotte *f;* **~enseil** *n: jdn am ~enseil führen (fig)* mener qn par le bout du nez; **~en(s)possen** *f pl* bouffonneries, pitreries, arlequinades *f pl;* **~enstreich** *m* folie *f;* **~etei** *f* [-'taɪ], **~heit** *f* folie, facétie, *f;* **Närrin** *f* folle; sotte *f;* **närrisch** ['nɛrɪʃ] *a* fou; *pop* loufoque; *arg* dingue; *(kauzig)* drôle, comique; *(albern)* niais, nigaud.

Narwal *m* ⟨-(e)s, -e⟩ ['narva(:)l] *zoo* narval *m.*

Narz|isse *f* ⟨-, -n⟩ [nar'tsɪsə] *bot* narcisse *m;* **~ißmus** *m* ⟨-, ø⟩ [-'tsɪsmus] *psych* narcissisme *m.*

nasal [na'za:l] *a scient (Nasen-)* nasal; **~ieren** [-za'li:rən] *tr (durch die Nase aussprechen)* nasaliser; **N~ierung** *f* nasalisation *f;* **N~laut** *m gram* nasale *f.*

nasch|en ['naʃən] *tr* manger par gourmandise; *itr* manger des friandises; *gern ~~* aimer les friandises, être friand; **N~er** *m* ⟨-s, -⟩ friand, gourmand *m;* **N~erei** *f* [-'raɪ] *(N~haftigkeit; N~werk)* friandise, gourmandise *f;* **~haft** *a* friand, gourmand; **N~haftigkeit** *f* ⟨-, ø⟩ gourmandise *f;* **N~katze** *f* gourmande *f;* **N~werk** *n* friandise, gourmandise *f; (Süßigkeiten)* sucreries *f pl.*

Nase *f* ⟨-, -n⟩ ['na:zə] nez; *(Hund) a.* truffe *f; (Geruchs-, fig: Spürsinn)* flair; *fig (Vorsprung, a. tech)* nez; *(an e-m Gefäß)* bec *m; jdm etw an der ~ ansehen* voir qc au nez de qn; *jdm etw auf die ~ binden* raconter *od* en faire accroire qc à qn; *jdm e-e ~ drehen* faire un pied de nez à qn; *der ~ nach gehen* aller droit devant soi; *e-e feine* od *gute ~ haben* avoir le nez fin *od* creux, avoir du nez *od* du flair; *die ~ von etw voll haben (fam)* avoir plein le dos *od* par-dessus la tête de qc; *jdn an der ~ herumführen* mener qn par le bout du nez, prendre qn pour dupe, duper qn; *von jdm an der ~ herumgeführt werden* être la dupe de qn; *jdm auf der ~ herumtanzen* marcher sur les pieds de qn; *sich nicht auf der ~ herumtanzen lassen* ne pas se laisser faire; *auf der ~ liegen (fig)* être malade; *sich die ~ putzen* se moucher; *jdm etwas unter die ~ reiben* jeter qc au nez *od* à la face *od* à la figure de qn; *die ~ rümpfen* froncer *od* hausser les sourcils, faire la moue, rechigner; *durch die ~ sprechen* parler du nez; *s-e ~ in etw stecken (fig)* mettre *od* fourrer son nez dans qc, s'ingérer dans qc, se mêler de qc; *die ~ in die Bücher stecken* se coller sur ses livres; *jdm in die ~ steigen* od *ziehen* monter *od* prendre au nez à qn; *jdn mit der ~ auf etw stoßen (fig)* mettre à qn le nez sur qc; *jdm etw vor der ~ wegschnappen* enlever qc sous le nez de qn; *sich den Wind um die ~ wehen lassen (fig)* rouler sa bosse; *mir blutet die ~* je saigne du nez; *fasse dich an deiner (eigenen) ~!* occupe--toi *od* mêle-toi de tes affaires! **~naffe** *m zoo* nasique *m;* **~nbein** *n anat* os *m* nasal; **~nbluten** *n* saignement *m* de nez; *scient* hémorragie *f* nasale; *~~ haben* saigner du nez; **~nflügel** *m anat* aile *f* du nez; **~nhöhle** *f* fosse *f* nasale; **n~(n)lang** *adv: alle ~~ (fam)* à tout (tous) moment(s), à tout bout de champ; **~n-Rachen-Entzündung** *f* rhinopharyngite *f;* **~nknebel** *m* tord-nez *m;* **~nkühler** *m aero* radiateur *m* frontal; **~nloch** *n* narine *f; (Pferd)* naseau *m;* **~nrippe** *f aero* nervure *f* de bord d'attaque; **~nrücken** *m* dos *m* du nez; **~nscheidewand** *f* cloison *f* nasale; **~nschleim** *m* mucosités *f pl* nasales; **~nschleimhaut** *f* membrane *f* pituitaire; **~nschleimhautentzündung** *f* rhinite *f;* **~nspitze** *f* bout *m* du nez; **~nstüber** *m* nasarde, chiquenaude *f;* **~nwurzel** *f anat* racine *f od* sommet *m* du nez; **n~weis** *a* impertinent, infatué; **~weis** *m* touche-à-tout *m.*

näseln ['nɛ:zəln] ⟨*ich näsele, du näselst ..*⟩ *itr* nasiller, parler du nez; **N~** *n* nasillement *m;* **~d** *a* nasillard.

nas|führen ['na:s-] *tr* ⟨*er nasführt(e),*

hat genasführt) mener par le bout du nez; **N~horn** *n zoo* rhinocéros *m.*
naß [nas] *a* ⟨*nasser/nässer, am nassesten/nässesten*⟩ *(durchnäßt)* mouillé, trempé; *(feucht)* humide; ~ *machen* mouiller, tremper; *sich* ~ *machen,* ~ *werden* se mouiller; ~ *bis auf die Haut* trempé jusqu'aux os; **N~** *n* ⟨-sses, ø⟩ *lit (Flüssigkeit)* liquide *m;* **~kalt** *a* froid et humide; *es ist* ~~ il fait un froid humide; **N~reinigung** *f (Waschen)* blanchissage *m;* **N~wäsche** *f* linge *m* lavé et non séché.
Nassauer *m* ⟨-s, -⟩ ['nasauər] *(Schmarotzer)* pique-assiette, écornifleur, parasite *m; (Regenguß)* averse *f;* **n~n** *itr* être un pique-assiette *od* parasite.
Näss|e *f* ⟨-, ø⟩ ['nɛsə] humidité *f; vor* ~~ *(zu) schützen! (com)* craint l'humidité *od* la pluie; **n~en** *itr* suinter; *der Nebel näßt* il bruine.
Nation *f* ⟨-, -en⟩ [natsi'o:n] nation *f; die Vereinten* ~*en pl* les Nations *f pl* unies.
national [natsio'na:l] *a* national; **N~charakter** *m* caractère *m* national; **N~china** *n* la Chine nationaliste; **N~farben,** *die f pl* les couleurs *f pl* nationales; **N~feiertag** *m* fête *f* nationale; **N~garde** *f* garde *f* nationale *od (in Belgien)* civique; **N~gefühl** *n* esprit *m* national; **N~gericht** *n (Speise)* plat *m* national; **N~held** *m* héros *m* national; **N~hymne** *f* hymne *od* chant *m* national; **~isieren** [-nali'zi:rən] *tr* nationaliser; **N~isierung** *f* nationalisation *f;* **N~ismus** *m* ⟨-, -men⟩ [-'lɪsmus, -mən] nationalisme *m;* **N~ist** *m* ⟨-en, -en⟩ [-'lɪst] nationaliste *m;* **~istisch** [-'lɪstɪʃ] *a* nationaliste; **N~ität** *f* ⟨-, -en⟩ [-li'tɛ:t] nationalité *f;* **N~itätenprinzip** *n* principe *m* des nationalités; **N~itätskennzeichen** *n mot* plaque *f* de nationalité; **N~konvent** *m hist* convention *f* nationale; **N~mannschaft** *f sport* équipe *f* nationale; **N~ökonom** *m* économiste *m;* **N~ökonomie** *f* économie *f* politique; **N~park** *m geog* parc *m* national; **N~sozialismus** *m* national-socialisme, *pej* nazisme *m;* **N~sozialist** *m* national-socialiste, *pej* nazi *m;* **~sozialistisch** *a* national-socialiste, *pej* nazi; **N~stolz** *m* fierté *f* nationale; **N~versammlung** *f pol* assemblée *f* nationale.
Natrium *n* ⟨-s, ø⟩ ['na:trium] *chem* sodium *m;* **~chlorid** *n (Kochsalz)* chlorure *m* de sodium; **~sulfat** *n* sulfate *m* de soude.
Natron *n* ⟨-s, ø⟩ ['na:trɔn] soude *f; doppeltkohlensaure(s)* ~ bicarbonate *m* de sodium; **~lauge** *f* soude *f* caustique; **~salpeter** *m* nitrate *m* de sodium.
Natter *f* ⟨-, -n⟩ ['natər] *zoo* couleuvre; *fig* vipère *f;* **~gras** *n bot* scorsonère *f* (d'Espagne).
Natur *f* ⟨-, -en⟩ [na'tu:r] nature; *(Körperverfassung)* constitution; *(Veranlagung)* complexion *f,* caractère, tempérament *m; in* ~ *(jur)* en essence; *nach der* ~ *(Kunst)* d'après nature; *s-r* ~ *nach* de son naturel, par essence; *von* ~ ... d'un naturel ...; *in der* ~ *der Sache liegen* être dans la nature des choses; *s-e wahre* ~ *zeigen (a.)* montrer, laisser passer le bout de l'oreille; *die wahre* ~ *bricht immer wieder durch (prov)* chassez le naturel, il revient au galop; **~albezüge** *m pl* [-tu'ra:l-] rémunérations *f pl* en nature; **~alien** [-'ra:liən] *pl agr* produits *m pl* du sol; **~alienkabinett** *n hist* cabinet *m* d'histoire naturelle; **n~alisieren** [-rali'zi:rən] *tr (einbürgern)* naturaliser; **~alisierung** *f* naturalisation *f;* **~alismus** *m* ⟨-, -men⟩ [-'lɪsmus, mən] naturalisme *m;* **~alist** *m* ⟨-en, -en⟩ [-'lɪst] naturaliste *m;* **n~alistisch** [-'lɪstɪʃ] *a* naturaliste; **~alleistung** *f* prestation *f* en nature; **~allohn** *m* salaire *m* en nature; **~arzt** *m* médecin *m* naturaliste; **~beschreibung** *f* histoire *f* naturelle; **~bursche** *m* ingénu *m;* **n~ell** [-'rɛl] *a inv (nachgestellt) (Küche)* au naturel; **~ell** *n* ⟨-s, -e⟩ naturel *m,* complexion *f,* caractère *m;* **~ereignis** *n,* **~erscheinung** *f* phénomène *m* naturel; **n~farben** *a* de couleur *f* naturelle; **~forscher** *m,* **~freund** *m* naturaliste *m;* **n~gegeben** *a* naturel; **n~gemäß** *a* conforme à la nature, naturel; **~geschichte** *f* histoire *f* naturelle; **~gesetz** *n* loi *f* naturelle *od* de la nature; **n~getreu** *a* naturel; *adv* au naturel; **~heilkunde** *f* médecine naturiste, physiothérapie *f;* **~heilkundige(r)** *m* médecin *m* naturiste; **~katastrophe** *f* catastrophe *f* naturelle; **~kind** *n* ingénu, e *m f;* **~kunde** *f* histoire *f* naturelle; **~lehre** *f* physique *f* et chimie *f;* **~liebe** *f* amour *m* de la nature; **~mensch** *m* homme *m* de la nature; **~philosophie** *f* philosophie *f* naturelle *od* de la nature; **~produkt** *n* produit *m* naturel; **~recht** *n* droit *m* naturel; **~reich** *n* règne *m* de la nature; **n~rein** *a* naturel; **~schutz** *m* protection *od* défense *f* de la nature; *unter* ~~ *stehen* être classé site naturel protégé; **~schutzgebiet** *n* site *m* protégé; réserve *f,* parc *m* national(e); **~seide** *f* soie *f* naturelle; **~spiel** *n* jeu *m* de la nature; **~trieb** *m* instinct *m;* **~volk** *n* peuple *m* primitif; **~wissenschaften,** *die f pl* les sciences *f pl* (naturelles *od* physiques); **~wissenschaftler** *m* naturaliste *m;* **~zustand** *m* état naturel; état *m* de (pure) nature; sauvagerie *f.*
natürlich [na'ty:rlɪç] *a* naturel; *(einfach)* simple, sans recherche *od* apprêt; *(naiv)* naïf; *jur (Person)* physique; *adv (selbstverständlich)* naturellement, évidemment; bien entendu *od* sûr; **N~keit** *f* ⟨-, ø⟩ naturel *m; (Einfachheit)* simplicité; *(Naivität)* ingénuité, naïveté *f.*
Naut|ik *f* ⟨-, ø⟩ ['nautɪk] art *m* nautique, navigation *f;* **~ilus** *m* ⟨-, -/-sse⟩ ['nautilus, -ə] *zoo* nautile, nautilus *m;* **n~isch** ['nautɪʃ] *a* nautique.
Navig|ation *f* ⟨-, ø⟩ [navigatsi'o:n] *(Schiffahrt)* navigation *f;* **~ationsgeräte** *n pl aero* instruments *m pl* de navigation; **~ationsraum** *m aero* cabine *f* de pilotage; **~ator** *m* ⟨-s, -en⟩ [-'ga:tɔr, -'to:rən] *aero* navigateur *m;* **n~ieren** [-'gi:rən] *itr mar aero* naviguer.
Naz|i *m* ⟨-s, -s⟩ ['na:tsi] nazi *m;* **n~istisch** [na'tsɪstɪʃ] *a* nazi; **~ismus** *m* ⟨-, ø⟩ [-'tsɪsmus] nazisme *m.*
ne [ne:] *fam* = *nein.*
Neandertaler *m* ⟨-s, -⟩ [ne'andərta:lər] *hist* homme *m* de Néandert(h)al.
Neap|el *n* [ne'a:pəl] Naples *f;* **n~olitanisch** [neapoli'ta:nɪʃ] *a* napolitain.
Nebel ⟨-s, -⟩ ['ne:bəl] brouillard *m,* brume; *astr* nébuleuse; *fig (vom Alkohol)* fumée *f; feuchte(r)* ~ brouillasse *f; künstliche(r)* ~ nuages *m pl* artificiels; *leichte(r)* ~ brumasse *f; in* ~ *gehüllt* embrumé, pris dans le brouillard; **~bildung** *f* formation *f* brumeuse; **~bombe** *f* bombe *f* fumigène; **~decke** *f* nappe *f* de brouillard; **~fetzen** *m pl* paquets *m pl* de brouillard; **~fleck** *m astr* nébuleuse *f;* **~gerät** *n* (appareil) fumigène *m;* **~geschoß** *n* projectile *m* fumigène; **~granate** *f* obus *m* fumigène; **n~haft** *a* nébuleux; *fig a.* vague; **~handgranate** *f* grenade *f* fumigène; **~horn** *n* corne *od* trompe de brume; sirène *f* (de brouillard); **n~ig** *a* brumeux; *mar a.* gras; *es ist* ~~ = *es* ~*t; es ist leicht* ~~ il brumasse; **~kerze** *f mil* chandelle *f* fumigène; **~krähe** *f* corneille *f* mantelée; **~lampe** *f mot* projecteur *m* perce-brouillard; **n~n** *itr impers: es* ~*t* il fait de la brume *od* du brouillard, il bruine; **~nieseln** *n* bruine *f;* **~patrone** *f* cartouche *f* fumigène; **~scheinwerfer** *m* phare *m* anti-brouillard; **~schicht** *f* couche *f* de brouillard; **~schleier** *m* rideau *m* de brume; **~schwaden** *m* brouillard *m* flottant; **~wand** *f* écran *m* de brume; **~werfer** *m mil* mortier *m* Nebel; **neblig** ['-blɪç] *a*= *n~ig.*
neben ['ne:bən] *prp (örtl.)* à côté de, près de; *fig (außer)* en plus de, outre; **~an** [-'an] *adv* à côté; *(von)* ~~ d'à-côté; **~bei** [-'baɪ] *adv* = ~*an; (beiläufig)* en passant, entre parenthèses, accessoirement; *(außerdem)* en outre, de plus; *(so)* ~~ sans avoir l'air d'y toucher; ~~ *bemerkt* od *gesagt* soit dit en passant; *etw* ~~ *tun* faire qc par-dessus l'épaule; **~einander** [-'nandər] *adv* l'un à côté de l'autre, de front, côte à côte; *dicht* ~~ bord à bord; ~~ *liegend (Zimmer)* jumeaux, jumelles; **N~einander** *n* ⟨-s, ø⟩ coexistence; simultanéité *f;* **~einander=legen** *tr,* **=setzen** *tr,* **=stellen** *tr* mettre *od* placer l'un à côté de l'autre, juxtaposer; **N~einanderschaltung** *f* montage *od* couplage *m* en dérivation *od* en parallèle.
Neben|abgabe *f* ['ne:bən-] taxe *f* accessoire; **~absicht** *f* intention *f od* but *m* secondaire; arrière-pensée *f;* **~absprache** *f* stipulation *f* accessoire; **~allee** *f* contre-allée *f;* **~altar** *m* autel *m* latéral; **~amt** *n* fonction *f od* emploi *m* secondaire *od* accessoire; **n~amtlich** *a* à titre de fonction se-

condaire; **~angriff** *m* attaque *f* secondaire *od* de diversion; **~anschluß** *m el* dérivation *f*, shunt; *tele (Verbindung)* raccordement *m od* communication secondaire; ligne *f* supplémentaire; *(Stelle)* poste *m* supplémentaire; **~apparat** *m tele* appareil *m* accessoire; **~arbeiten** *f pl* travaux *m pl* accessoires; **~ausgaben** *f pl* dépenses *f pl* accessoires, faux *od* menus frais *m pl;* **~ausgang** *m* sortie latérale, porte *f* de dégagement; **~bedeutung** *f* signification *f* secondaire, second sens, sens *m* détourné; **~beruf** *m* profession *f* accessoire *od* marginale; **n~beruflich** *a* u. *adv* à titre accessoire, à temps partiel; **~beschäftigung** *f* occupation *f od* emploi *m* accessoire; **~buhler** *m* rival *m;* **~buhlerschaft** *f* rivalité *f;* **~eingang** *m* entrée *f* latérale; **~einkommen** *n,* **~einkünfte** *pl,* **~einnahmen** *f pl* revenus *od* émoluments *m pl od* recettes *f pl* accessoires, revenus *m pl* casuels; **~fach** *n (Schule)* matière *od* discipline *f* secondaire; **~figur** *f theat* personnage *m* secondaire; *(Kunst)* figurine *f;* **~fluß** *m* affluent *m;* **~frage** *f* question *f* secondaire; **~gebäude** *n* annexe, dépendance, appartenance *f;* **~gebühren** *f pl* frais *m pl* accessoires; **~gedanke** *m* arrière-pensée *f;* sous-entendu *m;* **~gelaß** *n* petit réduit, débarras, dégagement, cagibi *m;* **~g(e)leis(e)** *n* contre-voie, voie *f* accessoire *od* secondaire; **~geräusch** *n* bruit *m* étranger; *tech* friture *f; radio* (bruit) parasite *m;* **~gericht** *n (Küche)* hors-d'œuvre *m;* **~geschmack** *m* arrière-goût *m;* **~gewinn** *m* profits *m pl* accessoires; *kleine(r)* **~~** grappillage *m fam;* **n~her** [-'he:r] *adv (n~hin)* à côté, en passant; *(gleichzeitig)* en même temps; *(außerdem)* de plus, en outre; **~hode** *f anat* épididyme *m;* **~karte** *f geog* papillon *m;* **~klage** *f jur* demande *f* accessoire; **~kläger** *m* partie *f* civile; **~kosten** *pl* frais accessoires; faux frais; *jur* loyaux coûts *m pl;* **~kriegsschauplatz** *m* théâtre *m* d'opérations secondaire; **~linie** *f (Verkehr)* ligne latérale *od* secondaire; *(Familie)* ligne *f* collatérale; **~mann** *m* ‹-(e)s, -männer/-leute› *mil: (rechter, linker)* **~~** voisin *m* (de droite, de gauche); **~niere** *f anat* capsule *od* glande *f* surrénale; **n~ordnen** *tr* coordonner; **~person** *f* personnage secondaire *od* épisodique; *theat* figurant, comparse; **~produkt** *n* sous-produit, produit *m* accessoire; **~prozeß** *m chem* réaction *f* secondaire; **~raum** *m* pièce *f* attenante *od (kleinerer)* de service; **~rolle** *f theat* rôle *m* de figurant; **~sache** *f* chose accessoire *od* secondaire, bagatelle *f*, hors-d'œuvre *m; pl* contingences *f pl; das ist* **~~** c'est secondaire *od* sans importance, cela ne compte pas; **n~sächlich** *a* accessoire, secondaire, insignifiant, sans importance; **~sächlichkeit** *f* manque *m* d'importance; **~satz** *m gram* proposition *f* subordonnée; **~sender** *m radio* émetteur *m* répétiteur; **~sonne** *f mete* par(h)élie *m;* **~sprechen** *n tele* mélange *m* de conversation, diaphonie *f;* **n~stehend** *a (Abbildung)* ci-contre; **~stelle** *f* bureau auxiliaire; *tele* poste *m* supplémentaire; **~strafe** *f jur* peine *f* accessoire; **~straße** *f* petite rue; *(Seitenstraße)* rue latérale *od* adjacente; *(Querstraße)* (rue de) traverse *f;* **~strecke** *f loc* voie *f* secondaire; **~strom** *m el* courant *m* dérivé *od* induit; **~tisch** *m* table voisine; *(zum Abstellen)* desserte *f;* **~umstände** *m pl* circonstances *f pl* accessoires; **~verdienst** *m* gain *m* accessoire *od* supplémentaire, recettes *f pl* accessoires; **~weg** *m* chemin *m* latéral; **~winkel** *m math* angle *m* adjacent *od* supplémentaire; **~wirkung** *f allg* effet *m* accessoire; *med* réaction *f* secondaire; **~zimmer** *n* pièce *od* chambre voisine, pièce *f* de côté; *(kleines)* cabinet *m* particulier; *(e-r Gaststätte)* arrière-salle *f;* **~zweck** *m* but *m* secondaire.

nebst [ne:pst] *prp dat* avec; outre.

Necessaire *n* ‹-s, -s› [nesɛ'sɛ:r] *(Reise~)* nécessaire *m* (de voyage), trousse *f* (de toilette).

neck|en ['nɛkən] *tr* taquiner, lutiner; *fam* mettre en boîte; **N~erei** [-'raɪ] *f* taquinerie; *fam* mise *f* en boîte; **~isch** ['nɛkɪʃ] *a* taquin, lutin; *(schelmisch)* narquois.

nee [ne:] = *ne.*

Neffe *m* ‹-n, -n› ['nɛfə] neveu *m.*

Neg|ation *f* ‹-, en› [negatsi'o:n] *(Verneinung(swort))* négation *f;* **n~ativ** ['ne(:)gati:f, nega'ti:f] *a* négatif; *(ungünstig)* défavorable; *die* **~~e** *Seite (e-r S)* l'envers *m;* **~ativ** *n* ‹-s, -e› *phot* négatif *m;* épreuve *f* négative, cliché *m;* **~~klausel** *f* clause *f* prohibitive *od* suspensive; **n~ieren** [ne'gi:rən] *tr* nier; **~ierung** *f (Verneinung)* négation *f.*

Neger *m* ‹-s, -› ['ne:gər] nègre, noir; *film radio (Licht-, Klangreflektor)* drapeau *m; die* **~** *pl (Gesamtheit)* la négritude; **~häuptling** *m,* **~stamm** *m* chef *m,* tribu *f* nègre; **~in** *f* négresse, noire *f;* **~kind** *n,* **~lein** *n* négrillon *m.*

Negligé *n* ‹-s, -s› [negli'ʒe:] *(Hauskleid, -rock)* négligé *m.*

negr|itisch [ne'gri:tɪʃ] *a,* **~oid** [negro'i:t] *a scient* négroïde.

nehmen ‹*du nimmst; er nimmt; nahm, genommen; nimm!*› ['ne:mən, na:m(-), -'nɔmən, nɪm(-)] *tr* prendre; *(ergreifen)* saisir; *(an~)* accepter, recevoir; *(weg~)* ôter, enlever, emporter, retirer; *(sich aneignen)* s'approprier; *etw an sich* **~** prendre qc; *etw auf sich* **~** *(fig)* se charger de qc, prendre qc à tâche; *(Entbehrungen)* s'infliger qc; *es auf sich* **~** le prendre sur soi, s'en charger; *jdn zu sich* **~** prendre *od* recueillir qn chez soi; *etw zu sich* **~** *(essen)* manger *od* prendre qc; *sich in acht* **~** *vor* prendre garde à; *s-n Anfang* **~** commencer; *in Angriff* **~** commencer, se mettre à; *an Bord* **~** prendre à bord; *ein Ende* **~** prendre fin, finir, se terminer; *es genau* **~** être très consciencieux *od* scrupuleux; *in Kauf* **~** accepter; *den Mund voll* **~** avoir le verbe haut; *sich (fürs Kino) Zeit* **~** prendre le temps (d'aller au cinéma); *jdn zu* **~** *wissen* savoir prendre qn; *ich nehme es (zum geforderten Preise)* je suis *od* il y a preneur; *Gott hat ihn zu sich genommen* Dieu l'a rappelé à lui; *woher* **~** *und nicht stehlen?* d'où prendrais-je bien cela? *entweder* **~** *Sie es oder Sie* **~** *es nicht!* c'est à prendre ou à laisser; **~** *Sie es nicht tragisch!* ne vous en faites pas! *wenn Sie es so* **~***!* à ce compte(-là); *wie man es nimmt!* c'est selon, cela dépend; *genaugenommen* proprement dit.

Nehmer *m* ‹-s, -r› ['ne:mər] preneur *m.*

Nehrung *f* ‹-, -en› ['ne:rʊŋ] *geog* langue *f* de terre, cordon *m* littoral.

Neid *m* ‹-(e)s, ø› [naɪt, -dəs] envie, jalousie *f; aus* **~** par envie; **~** *erregen* exciter la jalousie, faire envie *od* des jaloux; *vor* **~** *platzen* crever d'envie; *blaß werden vor* **~** être dévoré *od* rongé d'envie; **n~en** *tr: jdm etw* **~~** envier qc à qn; **~er** *m* ‹-s, -› envieux, jaloux *m;* **~hammel** *m fam* = **~er;** **n~isch** [-dɪʃ] *a* envieux, jaloux (*auf* de); *jdn* **~~** *machen (a.)* faire loucher qn *pop; auf jdn* **~~** *sein (a.)* jalouser qn; **n~los** *a* sans envie.

Neig|e *f* ‹-, -n› ['naɪgə] *(nahendes Ende)* déclin *m,* fin *f; (Rest)* reste *m; etw bis zur* **~~** *auskosten* boire qc jusqu'à la lie; *es bis zur* **~~** *auskosten* jouir de son reste; *zur* **~~** *gehen* être à *od* sur son déclin, tirer *od* toucher à sa fin; **n~en** *tr* ‹*aux: haben*› pencher, incliner, baisser; *itr fig* tendre, avoir tendance *od* un penchant, être enclin *od* porté (*zu* à); *sich* **~~** se pencher, s'incliner (*zu* vers); *(Tag)* baisser; *(zu Ende gehen)* décliner, être sur son déclin; **~ung** *f (Schräge)* inclinaison; *(stärkere)* pente, déclivité *f; fig (Vorliebe)* penchant *m* (*zu* pour), tendance, propension *f (zu* à); goût *m* (*zu* pour); *(Zu~~)* inclination, sympathie *f* (*zu* pour); *aus* **~~** par inclination *od* sympathie; *flüchtige* **~~** passade *f;* **~ungsebene** *f* plan *m* d'inclinaison; **~ungsehe** *f* mariage *m* d'inclination; **~ungsmesser** *m* clinomètre *m;* **~ungswinkel** *m math* angle *m* d'inclinaison; pente *f* d'un plan.

nein [naɪn] non; **~** *sagen* dire (que) non; *nicht* **~** *sagen können (a.)* ne pas savoir refuser; *ich glaube, fürchte* **~** je crois, j'ai peur que non; *aber* **~***!* mais non! que non! *ach* **~***!* pas possible! **~**, *so was!* (ça) par exemple! **~** *und abermals* **~***!* mille fois non! **N~** *n* ‹-s, ø› non *m,* réponse *f* négative; *mit* **~~** *antworten* répondre négativement.

Nekrolog *m* ‹-(e)s, -e› [nekro'lo:k, -gə] *(Nachruf)* nécrologe *m.*

Nektar *m* ‹-s, ø› ['nɛktar] *a. bot* nectar *m.*

Nelke *f* ‹-, -n› ['nɛlkə] *(Blume)* œillet; *(Gewürz)* clou *m* de girofle; *gefüllte* **~** *(Blume)* œillet *m* mignardise; **~npfeffer** *m* poivre *m* long.

Nenn|betrag *m* ['nɛn-] *fin* montant

m nominal; **n~en** ‹*nannte, genannt; wenn ich nennte (selten)*› ['nɛnən, -'nant(-)] *tr* nommer, appeler; *(Namen)* dire; *(erwähnen)* citer; *(bezeichnen als)* qualifier, traiter de; *sich ~~* s'appeler; *(sich ausgeben für)* se dire, s'intituler, se qualifier de; *sport (sich melden)* s'inscrire (*für* à); *ein Kind nach jdm ~~* donner à un enfant le nom de qn; prénommer un enfant du nom de qn; *das nenne ich ...!* voilà qui s'appelle ... *od* qui est ...! **n~enswert** *a* notable, remarquable, appréciable; **~er** *m* ‹-s, -› *math* dénominateur *m; auf einen ~~ bringen (math)* réduire au même dénominateur; **~form** *f gram* infinitif *m;* **~leistung** *f tech* débit *m od* puissance *f* nominal(e) *od* homologué(e); **~ung** *f* mention, citation *f; sport* engagement *m,* inscription *f; ~~ im Tagesbefehl (mil)* citation *f* à l'ordre du jour; **~wert** *m fin* valeur *f* nominale *od* faciale *od* extrinsèque; *zum ~~* au pair.

Neo|faschismus *m* [neo-] néo-fascisme *m;* **~logismus** ‹-, -men› [-lo'gɪsmʊs] *m (neues Wort)* néologisme *m;* **~nazismus** *m* néo-nazisme *m.*

Neon *n* ‹-s, ø› ['ne:ɔn] *chem tech* néon *m* **~beleuchtung** *f,* **~röhre** *f* éclairage au, tube *m* (de) *od* lampe *f* au néon.

Nepal *n* [ne'pa:l] le Népal; **~er** *m* ‹-s, -› [-'pa:lər], **~ese** *m* ‹-n, -n› [-pa'le:zə] Népalais *m;* **n~esisch** [-'le:zɪʃ], **n~isch** [-'pa:lɪʃ] *a* népalais.

neppen ['nɛpən] *tr fam (prellen)* estamper, étriller, tondre.

Nerv *m* ‹-s, -en› [nɛrf, '-fən] nerf *m; den ~ e-s Zahnes abtöten* désensibiliser une dent; *jdm auf die ~en fallen* od *gehen* taper sur les nerfs à qn, énerver, ennuyer, agacer, lasser, tourmenter, *fam* embêter, *pop* bassiner qn; *jdm auf den ~en herumtrampeln (pop)* taper sur le système de *od* à qn; *mit den ~en fertig* od *runter sein (fam)* avoir les nerfs en pelote *od* en boule, être en boule; *die ~en verlieren* s'affoler; *Sie haben ~en! (pop)* vous en avez une santé! *auf die ~en gehend* malencontreux, agaçant, tracassier, assommant; **~enarzt** *m* neurologue, neurologiste *m;* **n~enaufreibend** *a* énervant; **~enbahn** *f anat* voie *f* nerveuse; **~enbündel** *n fig fam* paquet *m* de nerfs; **~enende** *n anat* terminaison *f* nerveuse; **~enentzündung** *f* névrite *f;* **~enheilanstalt** *f,* **~enklinik** *f* maison *f* de santé; **~enknoten** *m* ganglion *m;* **~enkrankheit** *f,* **~enleiden** *n* affection *od* maladie *f* nerveuse; **~enkrieg** *m* guerre *f* des nerfs; **~enkrise** *f* crise *od* attaque de nerfs, crise *f* émotive; **~ensäge** *f fig fam* scie *f,* gêneur, casse-pieds; *pop* raseur, emmerdeur *m;* **~enschmerz** *m* névralgie *f;* **~enschock** *m* choc *m* nerveux, secousse *f* nerveuse; **n~enschwach** *a* neurasthénique; **~enschwäche** *f* neurasthénie *f;* **n~enstärkend** *a pharm* nervin; *~~e(s) Mittel n* nervin *m;* **~ensystem** *n* système *m* nerveux; **~enüberreizung** *f* surexcitation *f* nerveuse; **~enzentrum** *n* centre *m* nerveux; **~enzusammenbruch** *m* effondrement *m* nerveux, prostration *f;* **n~ig** ['-vɪç/'-fɪç] *a* nerveux; *fig* vigoureux; **n~ös** [-'vø:s] *a* nerveux; *jdn ~~ machen* énerver qn, prendre *od* taper sur les nerfs à qn; *~~ sein (a.)* avoir ses nerfs; *~~ werden* s'énerver; *Sie können einen (ja) ~~ machen!* vous êtes énervant; **~osität** *f* ‹-, ø› [-vozi'tɛ:t] nervosité *f,* énervement; *fam* tracassin *m.*

Nerz *m* ‹-es, -e› [nɛrts] *zoo (a. Pelz)* vison *m.*

Nessel 1. *f* ['nɛsəl] ‹-, -n› *bot* ortie *f; sich in die ~n setzen (fig)* se mettre dans de beaux draps; *Große ~* ramie *f;* **~ausschlag** *m,* **~sucht** *f med* urticaire *f;* **~fieber** *n* (fièvre) urticaire *f;* **2. ~(tuch** *n***)** *m* ‹-s, -› *(Baumwollstoff)* coton *m.*

Nest *n* ‹-(e)s, -er› [nɛst] nid *a. fig pej; fam (Haar~)* chignon; *(Beton)* alvéole; *fig pej (kleiner Ort)* trou, patelin, bled *m; ein ~* od *~er ausnehmen* dénicher des oiseaux; *(s)ein ~ bauen (Vogel)* nidifier; *das eigene ~ beschmutzen* cracher dans la soupe; *das ~ leer finden (fig) a.* trouver le *od* faire buisson creux; *sich ins warme ~ setzen (fig)* se mettre dans du coton; *im warmen ~ sitzen (fig)* avoir les pieds bien au chaud; *warme(s) ~ (fig)* bon nid *m;* **~bau** *m* nidification *f;* **~ei** *n* nichet *m;* **~häkchen** *n* petit poussin, dernier-né; *fam* culot *m;* **~ling** *m* ‹-s, -e› petit oiseau au nid; *fig* petit enfant *m;* **~voll** *n* ‹-, -› nichée *f.*

nett [nɛt] *a (freundlich)* gentil, aimable; *(hübsch)* joli, coquet, propret; *~ zu jdm sein (a.)* faire bonne mine à qn; *das ist ~ von Ihnen* c'est gentil à vous; **N~igkeit** *f* gentillesse *f.*

netto ['nɛto] *adv* net; **N~betrag** *m* montant *m* net; **N~einkommen** *n* revenu *m* net; **N~einnahme** *f* recette *f* nette; **N~gehalt** *n* traitement *m* net; **N~gewicht** *n* poids *m* net; **N~klausel** *f fin* clause *f* de versement net; **N~lohn** *m* salaire *m* net; **N~preis** *m* prix *m* net; **N~tara** *f* tare *f* réelle.

Netz *n* ‹-es, -e› [nɛts] *allg* filet, rets, lacis *m; (Jagd)* toiles *f pl; (der Spinne)* toile; *(Haarnetz)* filet *m,* résille *f; geog (Grad-, Gitternetz)* canevas; *(Verkehr, tele)* réseau; *el* secteur *m; jdm ins ~ gehen* tomber dans les rets de qn; *ins ~ jagen (sport)* envoyer *od* loger dans les filets; *ein ~ spannen* tendre un filet; **~anschluß** *m el* branchement *m od* alimentation *f* sur le secteur; *radio* réseau *m; mit ~~* sur secteur; **n~artig** *a* réticulé; **~auge** *n* œil *m* à faces; **~ball** *m* balle *f* de filet; **~empfänger** *m radio* récepteur alimenté par le réseau, poste *m* secteur; **~flügler** *m pl ent* névroptères *m pl;* **n~förmig** *a* réticulaire; **~gerät** *n* = *~empfänger;* **n~gespeist** *a el* alimenté par le réseau; **~gewebe** *n* cellular *m;* **~gewölbe** *n* voûte *f* réticulée; **~haut** *f anat* rétine *f;* **~hautablösung** *f med* décollement *m* de (la) rétine; **~hautbild** *n* image *f* de la rétine; **~hautentzündung** *f* rétinite *f;* **~hemd** *n* chemise *f* en cellular *od* en fileté; **~magen** *m (der Wiederkäuer)* bonnet *m;* **~spannung** *f el* tension *f* de *od* du réseau *od* secteur; **~strom** *m* courant *m* de *od* du secteur.

netzen ['nɛtsən] *tr poet (befeuchten)* humecter (*mit* de); mouiller, arroser; *(mit Tränen)* baigner (de larmes).

neu [nɔʏ] *a (noch nicht dagewesen)* nouveau; *(ungebraucht)* neuf, *fam* inédit; *(frisch)* frais; *(jung)* récent, de fraîche date; *(Superlativ: jüngste)* dernier; *adv (kürzlich)* nouvellement, fraîchement; *aufs ~e* à nouveau; *von ~em* de nouveau; de plus belle; *~ anfangen* recommencer; *~ bauen* reconstruire; *~ bearbeiten* remanier; *e-e ~e Zeile beginnen* aller à la ligne; *~ bilden* régénérer; *auf ~ bringen, ~ herrichten* od *machen* remettre à neuf; *~ gestalten* remanier; réorganiser; *~ gruppieren* regrouper; *~ schreiben (Buch)* refondre; *~ verteilen* redistribuer; *das ist mir ~* je ne le savais pas; *das ist nichts N~es* cela se voit tous les jours; *was (gibt's) N~es?* quoi de neuf *od* nouveau? *glückliches ~es Jahr!* bonne année! *~e Bewirtschaftung f, ~er Inhaber m* changement *m* de propriétaire; *~e(s) Programm n (theat)* programme *m* renouvelé; **~artig** *a* inédit; **N~e(r)** *m (Neuling)* nouveau (venu) *m; die ~eren (Menschen der Neuzeit)* les modernes *m pl;* **~erdings** *adv (kürzlich)* récemment, depuis peu, nouvellement; *(von neuem)* de nouveau; **N~erer** *m* ‹-s, -› (in)novateur, initiateur *m;* **N~erung** *f* innovation *f;* **~este(r, s)** *(Superlativ von: ~)* *a.* dernier; *das N~este (Mode)* les dernières nouveautés *f pl; (das N~este vom Tage)* l'actualité *f,* les dernières nouvelles, les nouvelles *f pl* du jour; **~estens** *adv* tout récemment; **N~heit** *f* nouveauté *f;* **N~igkeit** *f* nouvelle *f;* **N~igkeitskrämer** *m* colporteur *m* de nouvelles; **~lich** *adv* dernièrement, ces derniers jours, l'autre jour; *~~ abends* l'autre soir; **N~ling** *m* ‹-s, -e› novice, débutant, néophyte, nouveau débarqué, apprenti *m; ein ~~ sein (a.)* arriver de son pays.

Neu|abschlüsse *m pl* ['nɔʏ-] *com* nouvelles affaires *f pl;* **~anmeldung** *f* nouvelle inscription *f;* nouvel abonnement *m;* **~anschaffung** *f* nouvelle acquisition *f;* **~auflage** *f (e-s Buches)* nouvelle édition *f;* **~bau** *m* construction *f* nouvelle; **~bearbeitung** *f (Buch)* remaniement *m,* refonte *f;* **~begebung** *f fin* nouvelle émission; **~bekehrte(r)** *m* nouveau converti, néophyte *m;* **~belebung** *f com* regain *m* d'activité; **~bewertung** *f* réévaluation *f;* **~bildung** *f biol* néoformation *f; (Gewebs~~)* néoplasme *m,* néoplasie *f; (sprachliche ~~)* néologisme *m;* **~druck** *m* ‹-(e)s, -e› réimpression *f;* **~einstel-**

lung *f (von Personal)* nouvelle embauche *f;* **~einstufung** *f* reclassement *m;* **~erscheinung** *f (Buch)* nouveauté *f; die letzten ~~en* les dernières nouveautés; **~erwerbung** *f* nouvelle acquisition; nouveauté *f; pl (Museum)* derniers enrichissements *m pl;* **~fassung** *f* remaniement *m;* **~fundland** *n* Terre-Neuve *f;* **~fundländer** *m (Hunderasse)* terre-neuve *m;* **n~gebacken** *a fig fam* frais émoulu; **n~geboren** *a* nouveau-né; *sich wie ~~ fühlen* se sentir tout ragaillardi; **~geborene(s)** *n* nouveau-né *m;* **n~geschaffen** *a* nouvellement créé; **~gestaltung** *f* remaniement *m,* réorganisation *f;* **~gier(de)** *f* ‹-, ø› curiosité, indiscrétion *f; aus ~~* par curiosité; **n~gierig** curieux (*auf* de); indiscret; *ich bin ~~, ob* ... je suis curieux de savoir si ...; *das macht mich ~~* cela m'intrigue, cela pique ma curiosité; **~gliederung** *f* regroupement *m,* réorganisation *f;* **~grad** *m math (1/400 e-s Kreises)* grade *m;* **~griechisch(e, das)** *n* (le) grec moderne; **~gründung** *f* fondation *od* création *f* nouvelle; **~gruppierung** *f* regroupement *m;* **~guinea** *n* la Nouvelle-Guinée; **~hebräisch(e, das)** *n* (l')hébreu moderne; **~hochdeutsch(e, das)** *n* (le) haut allemand moderne; **~inszenierung** *f theat* présentation *f* nouvelle; **~jahr** *n (1. Januar)* jour *m* de l'an; *etw zu ~~ schenken* donner qc pour étrenne; *glückliches ~~! (fam) prost ~~!* bonne année! **~jahrsbotschaft** *f pol* message *m* de nouvel an; **~jahrsgeschenk** *n* étrennes *f pl;* **~jahrstag** *m* premier *od* jour *m* de l'an; **~land** *n* terre *f* nouvelle *od* inconnue; *~~ erschließen* défricher du terrain vierge; **~landgewinnung** *f* défrichement *m;* **n~modisch** *a* à la mode nouvelle, à la dernière mode; **~mond** *m* nouvelle lune *f;* **~ordnung** *f* réorganisation *f,* reclassement *m;* **~orientierung** *f* orientation *f* nouvelle; **~philologe** *m* professeur *m* de langues modernes; **~regelung** *f* nouveau règlement *m;* **~reich** *m,* **~reiche(r)** *m* nouveau riche *m;* **~schnee** *m* neige *f* nouvelle *od* vierge; **~seeland** *n* la Nouvelle-Zélande; **n~seeländisch** *a* néo-zélandais; **~silber** *n* maillechort, cupronickel *m;* **n~sprachlich** *a* des langues vivantes; **~stadt** *f* ville *f* neuve; **n~testamentlich** *a rel* du Nouveau Testament; **N~vermählte(n)** *pl* nouveaux mariés, jeunes époux *m pl;* **~verteilung** *f* redistribution *f;* **~wahl** *f parl* nouvelle élection *f;* renouvellement *m;* **~wert** *m* valeur *f* à l'état neuf; **n~wertig** *a* à l'état neuf; **~zeit** *f* temps *m pl* modernes; **n~zeitlich** *a* moderne.

neun [nɔʏn] neuf; **N~auge** *n zoo* lamproie *f; pop* septœil *m;* **N~eck** *n* ennéagone *m;* **~erlei** ['--'laɪ] *a* de neuf espèces *od* sortes; **~fach** *a* u. *adv* neuf fois autant; **~hundert** neuf cent(s); **~mal** *adv* neuf fois; **N~malkluge(r)** *m* Monsieur *m* Je-sais-tout; **~tausend** neuf mille; **N~tel** *n* ‹-s, -› neuvième *m;* **~tens** *adv* neuvièmement; **~te(r, s)** *a* neuvième; **~zehn** dix-neuf; **~zehnte(r, s)** *a* dix-neuvième; **~zig** quatre-vingt-dix; *auf ~~ sein (fig fam)* être à cran; **~zigjährig** *a* nonagénaire; **N~~e(r)** *m* nonagénaire *m;* **~zigste(r, s)** *a* quatre-vingt-dixième; **N~zigstel** *n* ‹-s, -› quatre-vingt-dixième *m.*

Neur|algie *f* ‹-, -n› [nɔʏral'giː] *med* névralgie *f;* **n~algisch** [-'ralgɪʃ] *a. a. fig* névralgique; **~asthenie** *f* neurasthénie *f;* **~astheniker** *m* neurasthénique *m;* **n~asthenisch** *a* neurasthénique; **~itis** *f* ‹-, -tiden› [nɔʏ'riːtɪs, -ri'tiːdən] névrite *f;* **~ologe** *m* ‹-n, -n› [-ro'loːgə] = *Nervenarzt;* **~ologie** *f* ‹-, ø› [-lo'giː] neurologie *f;* **~ose** *f* ‹-, -n› [-'roːzə] névrose *f;* **~otiker** *m* ‹-s, -› [-'roːtikər] névrosé *m;* **n~otisch** [-'roːtɪʃ] *a* névrotique, de névrosé.

neutr|al [nɔʏ'traːl] *a* neutre; *pol* non aligné; *für ~~ erklären,* **~alisieren** [-trali'ziːrən] *tr* neutraliser; **N~alisierung** *f* neutralisation *f;* **N~alismus** *m* ‹-, ø› [-'lɪsmus] neutralisme *m;* **N~alist** *m* ‹-en, -en› [-'lɪst] neutraliste *m;* **~alistisch** [-'lɪstɪʃ] *a* neutraliste; **N~alität** *f* ‹-, ø› [-li'tɛːt] neutralité *f; bewaffnete, ständige, wohlwollende ~~* neutralité *f* armée, perpétuelle, bienveillante; **N~alitätsverletzung** *f* violation *f* de la neutralité; **N~alitätsvertrag** *m* traité *m* de neutralité; **N~ino** *n* ‹-s, -s› [-'triːno] *phys* neutrino *m;* **N~on** *n* ‹-s, -en› ['nɔʏtrɔn] *phys* neutron *m;* **N~um** *n* ‹-s, -tra› [-trum, -tra] *gram* (nom) neutre *m.*

nicht [nɪçt] *adv (bei a)* non; *(bei a u. adv)* pas; *(bei v)* ne ... pas; *absolut ~ (fam)* ni de près ni de loin; *bestimmt* od *durchaus* od *(ganz und) gar ~* pas le moins du monde, en rien (du tout), aucunement; ne ... point; *auch ~* (ni *od* ne ... pas) non plus; *das gerade ~* pas précisément; *wenn ~, wo ~ (sonst)* sinon; *~ (etwa) daß* ce n'est pas que; *~ (ein)mal* pas même; ne ... même pas; *~ im mindesten = durchaus ~; ~ mehr* ne ... plus; *~ mehr und ~ weniger* ni plus, ni moins; *~ nur* ne ... que; *~ nur ..., sondern auch* non seulement ..., mais encore; *~ umsonst* (ne ...) pas pour rien; *~ viel* (ne ...) pas beaucoup; *~ weniger als* rien moins que; *~ zuviel* (ne ...) pas trop; *~ wahr?* n'est-ce pas? *dann eben ~!* tant pis! *~ daß ich wüßte!* pas que je sache; *~ doch* mais non! *~ schlecht! ~ übel!* pas mauvais! pas mal!

Nicht|achtung *f* ['nɪçt-] non-respect *m,* irrévérence *f,* manque *m* d'égards; **n~amtlich** *a* non officiel, inofficiel; **~anerkennung** *f jur* désaveu *m; fin pol* non-reconnaissance *f;* **~angriffspakt** *m* pacte *m* de non-agression; **~annahme** *f* non-acceptation *f;* **~anwendung** *f* non-application *f;* **~ausführung** *f* non-exécution *f;* **~ausübung** *f (e-s Rechts)* non-usage *m* (d'un droit); **~beachtung** *f* inobservation; *(e-r Verkehrsvorschrift)* non-observation *f,* non-respect, refus *m; gesellschaftl. Isolierung)* quarantaine *f;* **~befolgung** *f* inobservance *f; ~~ des Einberufungsbefehls* insoumission *f;* **~beitreibungsfall** *m: im ~~* à défaut du recouvrement; **~benutzung** *f* non-utilisation *f;* **~bestehen** *n:* bei *~~ (e-r Prüfung)* en cas d'échec; **n~betrieblich** *a* hors exploitation; **~bezahlung** *f* non-paiement *m;* **~einhaltung** *f (e-r Vorschrift, Anordnung)* inobservance; *(e-s Vertrages, e-r Frist)* inobservation *f,* non-respect *m;* **~einlösbarkeit** *f fin* inconvertibilité *f;* **~einlösung** *f fin* non-acceptation *f;* **~einmischung** *f pol* non-intervention, non-ingérence *f;* **~eintreibbarkeit** *f: im Falle der ~~* en cas d'insolvabilité; **~eisenmetall** *n* métal *m* non-ferreux; **~erfüllung** *f (e-r Verpflichtung)* manquement (à une obligation); inaccomplissement *m;* inexécution; *jur* défaillance *f;* **~erscheinen** *f jur* non-comparution, contumace *f;* **~fachmann** *m* non-professionnel, non-expert *m;* **n~fettend** *a* non graissant; **~gebrauch** *m* non-usage *m;* **~gefallen** *n com: (bei) ~~* (en cas de) non-convenance, non-satisfaction *f; bei ~~ Geld zurück* remboursement si pas satisfait; **~gelingen** *n* non-réussite *f;* **n~gewerblich** *a* non lucratif; **~heranziehung** *f: ~~ (zum Wehrdienst)* exemption *f;* **~kämpfende(r)** *m* non-combattant *m;* **n~kriegführend** *a* non-belligérant; *Status m e-r ~~en Macht* non-belligérance *f;* **n~leitend** *a el* non-conducteur; **~leiter** *m el* non-conducteur, isolant *m;* **~metall** *n chem* non-métal, métalloïde *m;* **~mitglied([s]staat** *m)* *n* (pays *m*) non-membre *n;* **~raucher** *m* non-fumeur *m;* **n~rostend** *a* inoxydable; **~schuld** *f fin* indu *m;* **~schwimmer** *m* non-nageur *m;* **~sein** *n* non-être *m;* **n~solidarisch** *a: sich ~~ erklären mit* se désolidariser de; **~übereinstimmung** *f* non-conformité *f;* **~übertragbarkeit** *f jur* incommutabilité *f;* **~unterzeichner** *m pol* non-signataire *m;* **~verantwortlichkeit** *f* non-responsabilité *f;* **n~verbrieft** *a* non garanti par écrit; **~vererbung** *f jur* intransmissibilité *f;* **~verkauf** *m* non-vente *f;* **~vollstreckung** *f jur* non-exécution *f;* **~vorbestrafte(r)** *m* délinquant *m* primaire; **~vorhandensein** *n* non-existence *f; ~~ pfändbarer Gegenstände* carence *f;* **~wähler** *m pol* abstentionniste *m;* **~wissen** *n* ignorance *f;* **~zahlung** *f* non-paiement *m;* **~zulassung** *f* non-admission *f;* **~zutreffende(s)** *n* mention *f* inutile; *~zutreffendes streichen* rayez *od* biffez les mentions *od* les indications inutiles *od* les mentions qui ne conviennent pas.

Nichte *f* ‹-, -n› ['nɪçtə] nièce *f.*

nichtig ['nɪçtɪç] *a allg* vain, futile; *jur* nul, non avenu, caduc; *für ~ erklären* rendre nul, annuler, invalider, *jur* casser; *null und ~* nul et non avenu; **N~keit** *f (Wertlosigkeit)* futilité, inanité, vanité; *(Ungültigkeit)* nullité *f;* **N~keitsbeschwerde** *f,* **N~keitsklage** *f* recours *m od* demande *f* en annulation *od* en nullité *od* en cassation; *N~keitsbeschwerde einlegen, N~keitsklage erheben* recourir en cassation, se pouvoir en cassation *od* en nullité; **N~keitserklärung** *f* annulation *f.*

nichts [nıçts] rien; *(bei v)* ne ... rien; *absolut ~ (fam)* absolument rien, moins que rien, rien de rien; *für ~ und wieder ~* pour rien (du tout); *fam* pour des prunes; *gar ~, überhaupt ~* rien du tout; *gar ~ (bei v)* ne ... rien du tout; *fam* ne ... goutte; *ganz und gar ~, rein gar ~* rien de rien; *so gut wie ~* si peu que rien, autant dire rien; *mir ~, dir ~* sans (plus de) façon(s), sans se gêner; *fam* sans crier gare, tout de go, de but en blanc; *sonst ~, weiter ~ (bei v* ne ...) rien de plus *od* d'autre; *um ~ und wieder ~* à propos de rien; *von ~ her (stammend)* de peu de chose; *~ als* rien que; *~ anderes* (ne ...) rien d'autre; *~ dergleichen* (ne ...) rien de pareil; *~ mehr* (ne ...) plus rien; *~ Neues* rien de nouveau; *~ weniger* rien de moins; *als* (ne ...) rien moins que; *zu ~ kommen* ne réussir à rien; *in ... ~ können* être nul en ...; *~ dagegen tun* od *machen können (fam)* n'y pouvoir rien (faire); *als ob ~ geschehen wäre* comme si de rien n'était; *ich kann ~ dafür* ce n'est pas ma faute; *da ist ~ d(a)ran* il n'en est rien; *da ist ~ zu machen* il n'y a rien à faire; *daraus wird ~* il n'en sortira *od* cela ne donnera rien, cela ne se fera pas; *das hat ~ zu sagen* cela ne veut rien dire; *das ist ~* ce n'est rien; *fam* c'est zéro; *das ist ~ für mich* ce n'est pas mon affaire; *das ist so gut wie gar ~ (fig)* cela ou rien, c'est tout un; *das ist (immerhin) besser als ~* c'est déjà ça; *das macht ~* cela ne fait rien; *es ist ~ damit* il n'en est rien; *wenn es weiter ~ ist!* si ce n'est que cela! *~ da!* pas de ça! *~ davon!* ne parlons pas de cela! pas un mot là-dessus! *~ lieber als das!* je ne demande pas mieux; *~ (mehr) zu machen!* (plus) rien à faire! *von ~ kommt ~ (prov)* on ne fait rien de rien; **N~** *n* ⟨-, (-e)⟩ : *das ~* le néant; *ein ~~ (so gut wie nichts)* un rien; *um ein ~~* pour un oui, pour un non; *vor dem ~~ stehen* se trouver en face de rien *od* devant la ruine; **~ahnend** *adv* sans se douter de qc; **~destoweniger** [-'ve:nıgər] *adv* néanmoins, nonobstant; il n'en est pas moins vrai que; **N~könner** *m* nullité *f,* zéro *m;* **N~nutz** *m* propre *od* bon à rien, vaurien *m;* **~nutzig** *a* inutile; qui ne vaut rien; *(ungezogen)* méchant; **N~nutzigkeit** *f* inutilité; *(Ungezogenheit)* méchanceté *f;* **~sagend** *a* insignifiant; futile, falot; **N~tuer** *m* fainéant; *fam* rossard *m;* **N~tun** *n* désœuvrement *m,* oisiveté *f,* farniente *m; (Untätigkeit)* inaction; *(Faulheit)* fainéantise *f;* **~würdig** *a* bas, vil, abject, misérable; **N~würdigkeit** *f* bassesse, vilenie, abjection *f.*

Nickel *n* ⟨-s, ø⟩ ['nıkəl] nickel *m;* **~eisen** *n* ferro-nickel *m;* **~stahl** *m* acier au nickel, invar *m.*

nick|en ['nıkən] *itr* incliner la tête; *(zustimmend)* faire un signe de tête; *fam (schlummern)* sommeiller; **N~erchen** *n fam (Schläfchen)* petit somme; *pop* roupillon *m.*

nie [ni:] *adv* (ne ...) jamais; *~ und nimmer* (jamais,) au grand jamais; jamais de la vie; *das wird ~ fertig* c'est toujours à recommencer; *~ mehr!* jamais plus! *fam* plus souvent! *noch ~ dagewesen* sans précédent.

nieder ['ni:dər] *a (niedrig)* bas; *fig (Rang)* inférieur; *(Gesinnung)* bas, vil; *adv* en bas; *von ~er Herkunft* de basse origine *od* extraction; *auf und ~ gehen* monter et descendre; *~ mit ...!* à bas ...! conspuez ...!

Niederbayern *n* ['ni:-] la Basse-Bavière.

nieder=beugen ['ni:-] *tr* courber (vers la terre) *fig (seelisch)* abattre, accabler, affliger; *sich ~* se pencher, se baisser.

nieder=blicken ['ni:-] *itr* baisser les yeux.

nieder=brennen ['ni:-] *tr* réduire en cendres; *itr* être réduit en cendres.

niederdeutsch ['ni:-] *a* bas allemand.

Niederdruck *m* ['ni:-] *tech mete* basse pression *f;* **~gebiet** *n* zone *f* de basse pression.

nieder=drücken ['ni-] *tr* baisser, affaisser; *fig* déprimer, accabler; **~d** *a fig* dépressif.

nieder=fallen ['ni-] *itr: vor jdm ~* se prosterner devant qn, se jeter aux pieds de qn.

Niederfrequenz *f* ['ni:-] *radio* basse fréquence *f;* **~bereich** *m radio* gamme *f* des basses fréquences.

Niederführung *f* ['ni:-] *radio* descente *f* d'antenne.

Niedergang *m* ['ni:-] *(Rückgang, Verfall)* récession *f;* décadence *f;* déclin *m.*

niedergedrückt ['ni:-] *a = niedergeschlagen.*

nieder=gehen ['ni:-] *itr (Regen)* s'abattre; *aero* descendre, se poser.

niedergeschlagen ['ni:-] *a fig* abattu, déprimé, accablé, découragé; résigné; *adv* avec résignation; **N~heit** *f* ⟨-, ø⟩ abattement *m,* dépression *f,* accablement, découragement *m;* résignation *f; tiefe ~~* prostration *f.*

niedergeschmettert ['ni:-] *a* catastrophé *fam.*

nieder=halten ['ni:-] *tr* supprimer; *(Gefühl)* réprimer; *mil* neutraliser.

nieder=hocken ['ni-] *itr* s'accroupir.

nieder=holen ['ni:-] *tr (Flagge)* amener.

Niederholz *n* ['ni:-] taillis *m.*

Niederjagd *f* ['ni:-] chasse *f* au menu gibier.

nieder=kämpfen ['ni:-] *tr mil* maîtriser; anéantir, détruire.

nieder=kauern ['ni:-] *itr* s'accroupir, se tapir; se tenir à croupetons.

nieder=knien ['ni:-] *itr* s'agenouiller; se mettre à genoux.

nieder=knüppeln ['ni:-] *tr* matraquer.

nieder|=kommen ['ni:-] *itr* accoucher (*mit* de); **N~kunft** *f* ⟨-, ¨e⟩ accouchement *m.*

Niederlage *f* ['ni:-] *mil* défaite *f; fig* échec; *com* (magasin d')entrepôt *m; (Zweigstelle)* succursale *f; jdm e-e ~ beibringen* infliger une défaite à qn; *e-e ~ erleiden* essuyer *od* subir une défaite; *schwere ~ (fam)* volée *f* de bois vert; *vernichtende ~ (sport)* écrasement *m.*

Nieder|lande ['ni:-], *die pl* les Pays-Bas *m pl;* **~länder** *m* Néerlandais *m;* **n~ländisch** *a* néerlandais.

nieder=lass|en ['ni:-] *tr (herunterlassen)* (a)baisser, descendre; *tech* échouer; *sich ~~ (sich setzen)* s'asseoir, prendre place; *(Kamel)* baraquer; *(Vogel)* se poser; *(s-n Wohnsitz nehmen)* s'établir, s'installer, se fixer; *sich häuslich ~~ (fam a.)* planter son clou; **N~ung** *f* établissement *m; (Zweigstelle)* succursale, agence; *(Siedlung)* colonie *f;* **N~ungsfreiheit** *f* liberté *f* d'établissement.

nieder=leg|en ['ni:-] *tr* mettre bas; (dé)poser; *(umhauen)* abattre; *(abbrechen)* démolir; *(die Arbeit)* arrêter, cesser; *(sein Amt)* déposer, se démettre, démissionner de, résigner; *(bestimmen, festlegen)* fixer; *sich ~~* se coucher; *(ins Bett)* se mettre au lit; *sein Amt ~~ (a.)* donner sa démission, démissionner; *die Krone ~~* abdiquer; *schriftlich ~~* mettre *od* passer par écrit, coucher sur le papier, consigner; **N~ung** *f (d. Arbeit)* arrêt *m,* cessation; *(d. Amtes)* déposition *f.*

nieder=machen ['ni:-] *tr,* **nieder=metzeln** *tr* abattre, massacrer, exterminer.

Niedermoor *n* ['ni:-] tourbière *f* de plaine.

Niederösterreich *n* ['ni:-] la Basse-Autriche.

nieder=prasseln ['ni:-] *itr* s'abattre.

nieder=reißen *tr (Bau)* abattre, démolir; *fig (umwerfen)* renverser.

nieder=ringen ['ni:-] *tr, a. fig* terrasser.

Niederrhein ['ni:-], *der* le Rhin inférieur; **n~isch** *a* du Rhin inférieur.

Niedersachsen *n* ['ni:-] la Basse-Saxe.

nieder=schießen ['ni:-] *tr* abattre d'un coup *od* à coups de fusil; *itr* s'abattre.

Niederschlag *m* ['ni:-] *mete* précipitation(s *pl*) *f; chem* précipité; *(Boxen)* knock-out *m; fig* répercussion *f; s-n ~ finden (fig)* se traduire (*in* en); *radioaktive Niederschläge m pl* retombée(s *pl*) *f* radioactive(s); **nieder=schlagen** *tr* abattre, terrasser, étendre par terre, atterrer, assommer; *(Aufstand)* réprimer; *(Widerstand a.)* détruire; *(d. Augen)* baisser; *jur* arrêter, classer; *sich ~ (Dampf)* se liquéfier; *chem* se précipiter; *fig* se traduire (*in* en); **~smenge** *f mete* pluviosité, quantité *f* de précipitation; *jährliche ~~* pluie *f* annuelle; **~ung** *f* annulation *f; fin* acquittement *m* d'un déficit; *jur* non-lieu *m.*

Niederschlesien *n* ['ni:-] la Basse--Silésie.
nieder≈schmettern ['ni:-] *tr* atterrer, terrasser; *fig* foudroyer; écraser, anéantir; **~d** *a* accablant, foudroyant, catastrophique.
nieder|≈schreiben ['ni:-] *tr* mettre *od* coucher par écrit, écrire, noter; **N~schrift** *f (Tätigkeit)* mise *f* par écrit; *(Ergebnis)* écrit *m.*
nieder≈schreien ['ni:-] *tr* huer.
nieder≈setzen ['ni:-] *tr* déposer; *(zu Boden)* mettre bas *od* par terre; *sich* ~ s'asseoir.
Niederspannung *f* ['ni:-] *el* basse tension *f.*
nieder≈stechen ['ni:-] *tr* abattre *od (töten)* tuer d'un coup *od* à coups de couteau *od* de poignard *od* d'épée; *arg vx* suriner, chouriner.
nieder≈steigen ['ni:-] *itr* descendre.
nieder≈stoßen ['ni:-] *tr* (*itr* s')abattre.
nieder≈strecken *tr* étendre par terre; terrasser, abattre.
nieder≈stürzen ['ni:-] *itr* tomber, s'écrouler.
Niederstwertprinzip *n* principe *m* de la plus basse évaluation.
Nieder|tracht *f* ⟨-, ø⟩ ['ni:-] bassesse, infamie, vilenie, abjection *f;* **n~trächtig** *a* bas, infâme, vil, abject; **~trächtigkeit** *f* = *~tracht.*
nieder≈|trampeln ['ni:-] *tr,* **~treten** ['ni:-] *tr* piétiner, fouler (aux pieds).
Niederung *f* ⟨-, -en⟩ ['ni:dərʊŋ] terrain bas, bas-fond *m;* dépression *f.*
nieder≈walzen ['ni:-] *tr, a. fig* écraser.
niederwärts ['ni:-] *adv* vers le bas.
nieder≈werf|en ['ni:-] *tr* jeter (à) bas *od* par terre; *(Aufstand)* réprimer; *fig* vaincre; *sich* ~~ se jeter à terre; *vor jdm* se jeter aux pieds de qn; se prosterner devant qn; **N~ung** *f (des Feindes)* défaite; *(e-s Aufstandes)* répression *f.*
Niederwild *n* ['ni:-] menu gibier, gibier *m* à poil.
nieder≈zieh|en ['ni:-] *tr* abaisser; **N~muskel** *m anat* abaisseur *m.*
niedlich ['ni:tlɪç] *a allg* joli; *(Mensch)* mignon, gentil; *(Sache)* coquet; *fam* croquignolet, mimi; **N~keit** *f* joliesse; gentillesse *f.*
Niednagel *m* ['ni:t-] *med* envie *f.*
niedrig ['ni:drɪç] *a* bas *a. fig,* peu élevé; *(Preis a.)* modéré, modique; *fig (Gesinnung)* bas, vil; *scient* faible; *adv* bas; ~ *geschätzt (Zahl)* au bas mot; *zu e-m ~eren Preis* à moins; *~er hängen* od *machen* od *stellen* (a)baisser; *zu ~ schätzen* sous-estimer, sous-évaluer; ~ *spielen* jouer petit jeu; *~e(r) Brennstoffverbrauch m (mot)* sobriété *f* en carburant; **N~keit** *f fig* bassesse *f;* **N~preisländer** *n pl* pays *m pl* à bas niveau de prix; **~stehend** *a* bas; **N~wasser** *n* marée *f* basse, basses eaux *f pl,* étale *m* de jusant.
Niello *n* ⟨-(s), -s/-llen, -lli⟩ [ni'ɛlo, -lən, -li] *(Schwarzschmelz)* nielle *f.*
niemals ['ni:mals] *adv* (*bei v:* ne ...) jamais; ~ *mehr* (ne ...) jamais plus; ~ *mehr!* jamais plus!
niemand ⟨*acc niemand(en), dat niemand(em), gen niemand(e)s*⟩ ['ni:mant, -də-] *pron (als Objekt)* ne ... personne; *(als Subjekt)* personne *od* aucun *od* nul ... ne; *(alleinstehend)* personne; ~ *außer* personne autre que; *sonst* ~, ~ *anders* aucun *od* nul autre, personne (d')autre; *~(en) brauchen (a.)* se suffire; *es ist ~ da* il n'y a personne; **N~sland** *n* no man's land *m,* zone *f* neutre.
Niere *f* ⟨-, -n⟩ ['ni:rə] rein; *(Küche)* rognon *m; jdm an die ~n gehen (fig fam)* toucher qn au vif; **~nbecken** *n anat* bassinet *m* du rein; **~nbeckenentzündung** *f* pyélite *f;* **~nblutung** *f* hémorragie *f* rénale; **~nentzündung** *f* néphrite *f;* **~nfett** *n* graisse *f* de rognon; **n~nförmig** *a:* *~~e(r) Tisch m* table *f* haricot; **~nkolik** *f* colique *f* néphrétique; **n~nkrank** *a* néphrétique; **~nleiden** *n* maladie *f* des reins; **~nschwund** *m* atrophie *f* rénale; **~nstein** *m med* calcul rénal, néphrolithe *m; pl (Krankheit)* lithiase *f* rénale; **~nstück** *n (Kalb)* longe *f* (de veau).
niesel|n ['ni:zəln] *itr* ⟨*aux: haben*⟩ *impers* bruiner, brouillasser; **N~regen** *m* bruine, pluie *f* fine.
nies|en ⟨*nieste, hat geniest*⟩ ['ni:zən] *itr* éternuer; **N~en** *n* éternuement *m; scient* sternutation *f;* **N~pulver** *n* poudre *f* à éternuer; **N~wurz** *f bot* (h)ellébore *m* (fétide).
Nießbrauch *m* ⟨-(e)s, ø⟩ ['ni:s-] *jur* usufruit *m;* jouissance *f* usufruitière.
Niet *m* od *n* ⟨-(e)s, -e⟩, *a.* **~e** *f* ⟨-, -n⟩ [ni:t(ə)] **1.** *tech* rivet *m;* **~eisen** *n* fer *m* à river; **n~en** *tr* river, riveter; **~hammer** *m* marteau-riveur, rivoir, brochoir *m;* **~maschine** *f* machine à river, riveuse *f;* **~nagel** *m* rivet *m;* **~naht** *f tech* ligne *od* file *f od* rang de rivets, joint *m* rivé; **n~- und nagelfest** *a: alles, was nicht ~~ war* tout ce qui n'était pas fixé solidement; **~ung** *f* rivure *f.*
Niete *f* ⟨-, -n⟩ ['ni:tə] **2.** *(Los)* billet non gagnant, numéro perdant; *fig pej (Mensch)* zéro *m; pop* branleur, foutriquet *m.*
Nigger *m* ⟨-s, -⟩ ['nɪgər] *pej (Neger)* négro *m.*
Nihil|ismus *m* ⟨-, ø⟩ [nihi'lɪsmus] nihilisme *m;* **~ist** *m* ⟨-en, -en⟩ [-'lɪst] nihiliste *m;* **n~istisch** [-'lɪstɪʃ] *a* nihiliste.
Nikolaus *m* ['ni:-, 'nɪkolaus] Nicolas *m.*
Nikotin *n* ⟨-s, ø⟩ [niko'ti:n] nicotine *f;* **n~frei** *a* dénicotinisé; **~vergiftung** *f* intoxication *f* par la nicotine, nicotinisme, tabagisme *m.*
Nil [ni:l], *der* le Nil; **~pferd** *n* hippopotame *m.*
Nimbus *m* ⟨-, -sse⟩ ['nɪmbus, -ə] *(Heiligenschein) a. fig* nimbe *m,* auréole *f; fig* prestige *m; sich mit dem ~ der Unfehlbarkeit umgeben* s'auréoler d'infaillibilité; **~wolke** *f* nimbus *m.*
nimmer ['nɪmər] *adv dial poet* = *nie(mals);* **N~leinstag,** *der* la Saint--Glinglin, la semaine des quatre jeudis; *auf den ~~ verschieben* renvoyer aux calendes grecques; **~mehr** *adv dial poet* = *nie(mals) mehr;* **N~satt** *m* ⟨-(e)s, -e⟩ glouton *m;* **N~wiedersehen** *n: auf ~~* pour toujours.
Nippel *m* ⟨-s, -⟩ ['nɪpəl] *tech* raccord *m* (à vis), douille *f; (Speiche)* écrou *m.*
nipp|en ['nɪpən] *itr* siroter; grappiller (*an etw* qc); **N~flut** *f* marée *f* de morte eau; **N~tide** *f* morte-eau *f.*
Nipp|es *pl* ['nɪpəs], **~sachen** *f pl* bibelots, colifichets, objets *m pl* d'étagère.
nirgend|s ['nɪrgənts] *adv,* **~(s)wo** *adv* nulle part; *sonst ~s* nulle part ailleurs.
Nische *f* ⟨-, -n⟩ ['ni:ʃə] *arch* niche *f.*
Niß *f* ⟨-, -sse⟩, **Nisse** *f* ⟨-, -n⟩ [nɪs(ə)] *ent* lente *f.*
Nissenhütte *f* ['nɪsən-] baraque *f* Nissen.
nist|en ['nɪsten] *itr* ⟨*aux: haben*⟩ nicher, faire son nid; **N~kasten** *m* nichoir *m.*
Nitr|at *n* ⟨-(e)s, -e⟩ [ni'tra:t] nitrate, azotate *m;* **n~athaltig** *a* nitraté; **~id** *n* ⟨-(e)s, -e⟩ [-'tri:t, -də] azoture *m;* **~ierapparat** *m* [-'tri:r-] appareil *m* de nitrification; **n~ieren** [-'tri:rən] *tr* nitrer; **~ierhärtung** *f* nitruration *f;* **~ierung** *f* nitrification *f;* **~obenzol** *n* ['-tro-] nitrobenzine, nitrobenzène *m;* **~oglyzerin** *n* nitroglycérine *f;* **~olack** *m* laque *f* cellulosique; **~otoluol** *n* ⟨-, ø⟩ [-tolu'o:l] nitrotoluène *m;* **~ozellulose** *f* nitrocellulose *f.*
Niv|eau *n* ⟨-s, -s⟩ [ni'vo:] *a. fig* niveau *m; wissenschaftliche(s)* ~ niveau *m* scientifique; **n~ellieren** [-vɛ'li:rən] *tr* niveler; **~ellierung** *f* nivellement *m.*
Nix *m* ⟨-es, -e⟩, **~e** *f* ⟨-, -n⟩ [nɪks(ə)] ondin, e *m f.*
Nizza *n* ['nɪtsa] Nice *f.*
nobel ['no:bəl] *a* noble; distingué; *fam (freigebig)* chic; sélect *inv; pop* rupin.
Nobelpreis *m* [no'bɛl-] prix *m* Nobel; **~träger** *m* (titulaire du) prix *m* Nobel.
noch [nɔx] *adv* encore; *weder ...,* ~ ... ni ..., ni ...; ~ *bevor* od *ehe* avant même que *subj od* que de *inf;* ~ *dazu (außerdem)* de plus, en outre; ~ *(ein)mal* encore une fois; ~ *einmal so groß* deux fois plus grand; ~ *einmal so viel* deux fois autant; le double; ~ *heute, heute* ~ aujourd'hui même; ~ *immer, immer* ~ toujours, encore; ~ *mal* encore une fois; ~ *mehr* plus encore; ~ *nicht* pas encore; ~ *lange nicht* pas avant longtemps; ~ *nie* jamais encore; ~ *und* ~ *(fam)* en masse; *er wird schon* ~ *kommen* il finira par venir; *wäre er auch ~ so reich, ...* si riche qu'il soit ... *od* soit-il; *(darf es) sonst ~ etwas (sein)?* et avec cela? *und was ~? (fam)* et avec ça? *tun Sie das nicht ~ mal!* n'y revenez plus! *das fehlte gerade ~! auch das ~!* il ne manquait plus que cela; **~malig** *a* répété, réitéré, nouveau; **~mals** *adv* encore (une fois).
Nock *n* ⟨-(e)s, -e⟩ *a. f* ⟨-, -en⟩ [nɔk], *mar* bout *m* de vergue.
Nocken *m* ⟨-s, -⟩ ['nɔkən] *tech* came

f, ergot, mentonnet *m*; **~welle** *f* arbre *m* à cames.

Nomad|e *m* ⟨-n, -n⟩ [no'ma:də] nomade *m*; **n~enhaft** *a* nomade; **~enleben** *n* vie *f* nomade; **~entum** *n* ⟨-s, ø⟩ nomadisme *m*; **n~isieren** [-madi'zi:rən] *itr* nomadiser.

Nomen *n* ⟨-s, Nomina⟩ ['no:mɛn, 'no:mina] *gram* nom *m*; **~klatur** *f* ⟨-, -en⟩ [nomɛnkla'tu:r] *scient* nomenclature *f*.

nomin|al [nomi'na:l] *a (Namens-; fin: Nenn...)* nominal; **N~aleinkommen** *n* produit *m* nominal; **N~alismus** *m* ⟨-, ø⟩ [-na'lɪsmus] *philos* nominalisme *m*; **N~alleistung** *f*, **N~allohn** *m*, **N~alwert** *m* puissance *f*, salaire *m*, valeur *f* nominal(e); **N~ativ** *m* ⟨-s, -e⟩ ['no:-, nomina'ti:f] *gram* nominatif *m*; **~ell** [-mi'nɛl] *a* nominal, de nom; **~ieren** [-'ni:rən] *tr (ernennen)* nommer; **N~ierung** *f* nomination *f*.

None *f* ⟨-, -n⟩ ['no:nə] *rel* none; *mus* neuvième *f*.

Nonius *m* ⟨-, -nien/-niusse⟩ ['no:nius, -niən, -niusə] *tech* vernier *m*.

Nonne *f* ⟨-, -n⟩ ['nɔnə] religieuse; *hum* nomme, nonnain *f*; *ent* nonne *m*; *junge ~* nonnette *f*; **~nkloster** *n* couvent *m* de femmes.

Nonstop|flug *m* [nɔn'ʃtɔp-] vol *m* sans escale; **~kino** *n* cinéma *m* permanent.

Nopp|e *f* ⟨-, -n⟩ ['nɔpə] *(Textil)* noppe *f*; **n~en** *tr* noper; **~ensamt** *m* velours *m* bouclé.

Nord *m* ⟨-(e)s, ø⟩ = *~en*; *m* ⟨-(e)s, (-e)⟩ [nɔrt] = *~wind*; *(in Zssgen)* du Nord, nord *a*, septentrional; **~afrika** *n* l'Afrique *f* du Nord; **n~afrikanisch** *a* nord-africain; **~amerika** *n* l'Amérique *f* du Nord; **n~amerikanisch** *a* de l'Amérique du Nord; **~atlantikpakt** *m* Pacte *m* de l'Atlantique Nord; **~atlantikrat** *m* Conseil *m* de l'Atlantique Nord; **n~atlantisch** *a* de l'Atlantique Nord; *~~e Verteidigungsgemeinschaft f (NATO)* Organisation *f* du Traité de l'Atlantique Nord (OTAN); **n~deutsch** *a* de l'Allemagne du Nord; **~deutsche(r** *m***)** *f* Allemand, e *m f* du Nord; **~deutschland** *n* l'Allemagne *f* du Nord; **~en** *m* ⟨-s, ø⟩ [-dən] nord, septentrion *m*; *im ~~ (gen)* au nord (de); *nach ~~* vers le nord; *von ~~* du nord; *nach ~~ drehen (Wind)* nordir; *nach ~~ liegen (a.)* être exposé au nord; **~europa** *n* l'Europe *f* du Nord; **~hang** *m* versant *m* septentrional; **n~isch** *a* nordique; du Nord; *~~e Kombination f (sport)* combiné *m* nordique; **~kap,** *das* le cap Nord; **~korea** *n* la Corée du Nord; **n~koreanisch** *a* nord-coréen; **~küste** *f* côte *f* septentrionale; **~licht** *n* aurore *f* boréale; **~-Ostsee-Kanal** *m* canal *m* de Kiel; **~ost(en)** *m* nord-est *m*; **n~östlich** *a* (du) nord-est; **~ost (-wind)** *m* (vent du) nord-est *m*; **~pol** *m* pôle *m* nord *od* boréal *od* arctique; **~polexpedition** *f* expédition *f* au pôle nord; **~rand** *m (e-s Gebirges)* versant *m* septentrional; **~see,** *die* la mer du Nord; **~seite** *f* côté *m od* face *f* nord; **~staaten,** *die m pl (der USA)* les États *m pl* du Nord; **n~wärts** *adv* vers le nord; *~~ steuern (mar)* faire le nord; **~west(en)** *m* nord-ouest *m*; **n~westlich** *a* (du) nord-ouest; **~wind** *m* vent *m* du nord.

nördlich ['nœrtlɪç] *a* septentrional, (du) nord; *~ (gen)* od *von* au nord (de).

Nörg|elei *f* ⟨-, -en⟩ [nœrgə'laɪ] dénigrement *m*, critique; *fam* rouspétance *f*; **n~eln** ['nœrgəln] *itr* ⟨*aux: haben*⟩ grogner, dénigrer, critiquer, ergoter, trouver à redire à tout; *fam* rouspéter; **n~(e)lig** [-g(ə)lɪç] *a* grincheux; **~ler** *m* ⟨-s, -⟩ ['-glər] dénigreur, ronchonneur; rouspéteur *m*.

Norm *f* ⟨-, -en⟩ [nɔrm] norme: règle *f*; standard *m*; *als ~ gelten* servir de norme, faire autorité; *nicht der ~ entsprechend* hors série; **n~al** [-'ma:l] *a* normal; **~alarbeitstag** *m* journée *f* normale; **~alfilm** *m* film de format standard; **~alfluglage** *f* position *f* de vol en palier; **~algröße** *f* taille *f* normale; **n~alisieren** [-mali'zi:rən] *tr* normaliser; **~alisierung** *f* normalisation *f*; **~almaß** *n* étalon *m*; **~almeter** *n* étalon du mètre, mètre-étalon *m*; **~alnull** *n (NN)* zéro normal, niveau *m* moyen de la mer; **~alnullhöhe** *f geog* cote *f* par rapport au zéro normal; **~alspur(bahn)** *f loc* (ligne à) voie *f* normale; **~aluhr** *f* horloge *f* régulatrice *od* pneumatique; **~alverbraucher** *m* consommateur *m* normal *od* ordinaire; *geistiger ~~ (hum)* personne *f* sans prétentions intellectuelles; **~alvertrag** *m* contrat-type *m*; **~alzeit** *f* heure légale *od* du fuseau; **n~ativ** [-ma'ti:f] *a (maßgebend)* normatif; **n~en** *tr* normaliser, standardiser, régler; **~enausschuß** *m* comité *m* de normalisation; **~enerhöhung** *f* élévation *f* des normes (de travail); **~ierung** *f*, **~ung** *f* normalisation, standardisation *f*; **~zeile** *f typ* ligne *f* de pied.

Normann|e *m* ⟨-n, -n⟩ [nɔr'manə] Normand *m*; **n~isch** [-'manɪʃ] *a* normand.

Norweg|en *n* ['nɔrve:gən] la Norvège; **~er(in** *f***)** *m* ⟨-s, -⟩ Norvégien, ne *m f*; **n~isch** *a* norvégien.

Not *f* ⟨-, ¨e⟩ [no:t, 'nø:tə] *(Notlage)* nécessité *f*, besoin *m*; *(große ~)* détresse *f*; *(Mangel)* manque *m*, pénurie *f*, dénuement *m*; *(Bedürftigkeit)* indigence; *(Armut)* pauvreté; *(Elend)* misère, *pop* débine, mouise *f*; *(Sorge)* souci *m*; *(Mühe)* peine, difficulté *f*; *(Gefahr)* péril, danger *m*; *in Nöten (a.)* dans la gêne *od pop* dèche; *mit knapper ~* de justesse; tout juste, à grand-peine; *ohne ~* sans nécessité; *zur ~* au besoin, à la rigueur; *mit knapper ~ davon-* od *entkommen* l'échapper belle; *in ~ geraten* tomber dans la misère *od pop* dans la dèche; *s-e (liebe) ~ haben mit ...* avoir bien du mal avec ...; *jdm aus der ~ helfen* tirer qn d'affaire; *~ leiden* être dans le besoin *od* dans la misère; *aus der ~ eine Tugend machen* faire de nécessité vertu; *wenn ~ am Mann ist* en cas de besoin *od* de nécessité; *es hat keine ~ (es eilt nicht)* rien ne presse; *in der ~ frißt der Teufel Fliegen (prov)* faute de grives on mange des merles; *~ kennt kein Gebot (prov)* nécessité n'a point de loi, nécessité fait loi; *~ lehrt beten (prov)* la faim chasse le loup du bois; *~ macht erfinderisch (prov)* nécessité est mère d'inventions *od* d'industrie; **~abgabe** *f* taxe *f* de calamité; **~anker** *m* ancre *f* de secours, *fig* de salut; **~anlage** *f tech* poste *m* de secours; **~aufnahme** *f* admission *f* d'urgence; **~ausgang** *m* porte *od* sortie *f* de secours; **~ausstieg** *m* sortie *od* issue *f* de secours; **~behelf** *m* expédient, pis-aller, provisoire *m*; **~beleuchtung** *f* éclairage *m* de secours *od* de sûreté; **~bremse** *f* frein de secours, signal *m* d'alarme; **~durft** *f* besoin(s *pl*) *m*, nécessité *f*; *s-e ~~ verrichten* faire ses besoins; *fam* se soulager; **n~dürftig** *a* à peine suffisant; *(behelfsmäßig)* provisoire, de fortune; *adv* tant bien que mal; **~erbe** *m* héritier *m* réservataire; **~fall** *m* cas *m* de besoin *od* d'urgence; *im ~~*, **n~falls** *adv* au besoin, en cas de besoin *od* de nécessité, si besoin est, s'il en est besoin, à la rigueur; **~flagge** *f mar* pavillon *m* de détresse; **n~gedrungen** *adv* forcément, par nécessité *od* force, bon gré, mal gré; **~geld** *n* monnaie *f* auxiliaire; **~gesetz** *n* décret-loi *m*; **~gespräch** *n tele* conversation *f* de détresse; **~groschen** *m* encas, en-cas *m*; caisse *f* de prévoyance; *(sich) e-n ~~ zurücklegen* garder une poire pour la soif; **~hafen** *m* port *m* de refuge *od* de salut; **~lage** *f* détresse, situation critique, calamité *f*; **n~landen** *itr* ⟨*er notlandet/-e, ist/hat notgelandet, notzulanden*⟩ *aero* faire un atterrissage forcé; **~landung** *f* atterrissage *m* forcé; **n~leidend** *a* nécessiteux, indigent; *fin (Wechsel)* en souffrance; **~leine** *f* corde *f* d'alarme *od* de sûreté, cordon *m* d'alerte; **~lösung** *f* expédient *m*; solution *f* provisoire *od* de fortune; **~lüge** *f* pieux mensonge, mensonge *m* innocent *od* officieux; **~maßnahme** *f* mesure *f* d'austérité *od* d'urgence; **~mast** *m* mât *m* de rechange; **~pfennig** *m* = *~groschen*; **~ruf(säule** *f***)** *m* poste *m* d'appel *m* de secours; **~schlachtung** *f* abattage *m* forcé *od* urgent; **~schrei** *m* cri *m* d'alarme *od* de détresse; **~signal** *n* signal *m* de détresse *od* d'alarme; **~sitz** *m* siège accessoire *od* de réserve, strapontin *m*; **~sporn** *m aero* patin *m* de secours; **~stand** *m* état de nécessité *od* d'urgence; *jur* cas *m* de nécessité; **~standsarbeiten** *f pl* travaux *m pl* urgents *od* de secours; **~standsgebiet** *n* zone *f* sinistrée; **~standsgesetz** *n* loi *f* (sur l'état) d'urgence; **~taufe** *f (kath.)* ondoiement; *(evang.)* baptême *m* d'urgence; **~verband** *m med* pansement provisoire *od* d'urgence, premier pansement *m;* **~verkauf** *m* vente *f* d'urgence; **~verordnung** *f* décret-loi *m;* **n~wassern** *itr* ⟨*er notwassert/-e, ist/hat notgewassert, notzuwassern*⟩ *aero* faire un amerrissage forcé; **~wasserung** *f* amerrissage *m* forcé; **~wehr** *f* légitime défense *f; in ~~* à son corps défendant; **~welle** *f radio* onde *f* de détresse; **n~wendig** ['--- / -'--] *a* nécessaire; *(unerläßlich)* indispensable; *~~ machen* rendre nécessaire, nécessiter; **n~wendigerweise** *adv* nécessairement, forcément; **~wendigkeit** *f* nécessité *f; in die ~~ versetzt sein zu ...* se trouver dans la nécessité de ...; **~wohnung** *f* logement *m* provisoire, habitation *f* d'urgence; **~wurf** *m aero* largage *m* de secours; **~zeichen** *n = ~signal;* **~zucht** *f* viol *m;* **n~züchtigen** *tr* ⟨*er notzüchtigt/-e, hat genotzüchtigt*⟩ violer.

Nota *f* ⟨-, -s⟩ ['no:ta] *(Notiz; Rechnung)* note *f.*

Notar *m* ⟨-s, -e⟩ [no'ta:r] notaire, officier public; *hum* tabellion *m;* **~iat** *n* ⟨-(e)s, -e⟩ [-tari'a:t] *(Amt)* notariat *m; (Büro)* étude *f* de notaire; **~iatsgebühr** *n* droit *m* notarial; **~iatsurkunde** *f* acte *m* notarié; **n~iell** [-ri'ɛl] *a* notarial; *adv* par-devant notaire; *~~ beglaubigt* (certifié par acte) notarié; *~~ beglaubigte Urkunde f* acte *m* notarié; *~~ beurkundet* dressé par-devant (le) notaire.

Note *f* ⟨-, -n⟩ ['no:tə] *(Notiz, Mitteilung; Zensur; mus)* note *f; (Banknote)* billet (de banque); *fig (Wesenszug)* trait *m,* marque *f,* cachet *m; nach ~n (fig fam)* comme il faut, solidement; *eine ~ halten (mus)* rester sur une note; *~n lesen (mus)* lire la musique; *~n wechseln (pol)* échanger des notes; *ganze ~ (mus)* ronde *f; halbe ~ (mus)* blanche *f;* **~naufruf** *m fin* retrait *m* de billets (de banque); **~nausgabe** *f fin* émission *f* de billets; **~nbank** *f* banque *f* d'émission; **~nblatt** *n* feuillet *m* de musique; **~ndeckung** *f fin* couverture *f* (métallique) des billets; **~ndruck** *m fin* impression *f* de billets (de banque); **~nheft** *n mus* cahier *m* de musique; **~npapier** *n* papier *m* (à) musique; **~npresse** *f fin* presse *f* à billets de banque; **~nreserve** *f* réserve *f* de billets; **~nschrift** *f* notation *f* musicale; **~nständer** *m* pupitre *m* de musicien; **~nsystem** *n mus* portée *f;* **~numlauf** *m fin (Vorgang)* circuit *m* monétaire, circulation *f* fiduciaire; *(Geld)* billets *m pl* en circulation; numéraire *m;* **~nwechsel** *m pol* échange *m* de notes.

notier|en [no'ti:rən] *tr* noter, prendre note de; *fin (an der Börse)* coter; **N~ung** *f fin* cotation, cote *f.*

nötig ['nø:tɪç] *a* nécessaire; *wenn* od *falls ~* s'il le faut; *~ haben (zu)* avoir besoin (de); *das N~e zum Leben haben* avoir de quoi vivre; *für ~ halten* croire nécessaire; *~ machen* rendre nécessaire, nécessiter; *das N~e veranlassen* donner les ordres nécessaires; *es ist ~, daß ...* il est nécessaire que, il faut que *subj;* **~en** [-gən] *tr* obliger, contraindre, forcer, *sich (lange) ~~ lassen* se le faire dire; se faire tirer la manche *od* l'oreille; *sich nicht lange ~~ lassen* ne pas se faire prier; *sich ge~t sehen zu ...* se voir obligé de ...; **~enfalls** *adv = notfalls;* **N~ung** *f* obligation, contrainte, *f* instances *f pl.*

Notiz *f* ⟨-, -en⟩ [no'ti:ts] not(ic)e *f; sich ~en machen* prendre des notes; *von etw ~ nehmen* prendre connaissance de qc, faire attention à qc; **~block** *m* ⟨-s, -s⟩ bloc-notes *m;* **~buch** *n* carnet, calepin, agenda *m.*

notorisch [no'to:rɪʃ] *a* notoire, public, manifeste.

Nougat *m, a. n* ⟨-s, -s⟩ ['nu:gat/nu'ga:] nougat *m.*

Novell|e *f* ⟨-, -n⟩ [no'vɛlə] nouvelle; *jur* loi *f* dérogatoire, amendement *m;* **~ist** *m* ⟨-en, -en⟩ [-'lɪst] nouvelliste *m.*

November *m* ⟨-(s), -⟩ [no'vɛmbər] novembre *m.*

Novität *f* ⟨-, -en⟩ [novi'tɛ:t] *(Neuheit)* nouveauté *f.*

Noviz|e *m* ⟨-n, -n⟩ [no'vi:tsə], **~in** *f* novice *m f;* **~iat** *n* ⟨-(e)s, -e⟩ [-vitsi'a:t] noviciat *m,* probation *f.*

nu [nu:] *adv fam = nun.*

Nu *m* [nu:] *im ~* en moins de rien, en un rien de temps; *fam* en cinq sec.

Nubien *n* ['nu:biən] *geog* la Nubie.

nüchtern ['nʏçtərn] *a (ohne Frühstück)* à jeun; *(ohne Alkohol)* (ne ...) pas grisé; *fig (mäßig)* sobre; *(sachlich)* objectif, réaliste; *(vernünftig)* raisonnable; *(schmucklos)* sans ornement, simple; *(Stil)* dépouillé, prosaïque, terre à terre; *adv a.* de sang-froid; *nicht ganz ~ (a.)* entre deux vins; *auf ~en* od *mit ~em Magen* à jeun; *(Betrunkenen) ~ machen* dégriser; *~ werden* se dégriser; **N~heit** *f* ⟨-, ø⟩ *(Mäßigkeit)* sobriété *f; (Kaltblütigkeit)* sang-froid *m;* tempérance; *(Schmucklosigkeit)* simplicité *f; (Poesielosigkeit)* prosaïsme *m.*

nuckeln *itr fam (Säuglinge)* sucer, têter.

Nuckelpinne *f* ['nʊkəl-] *fam (Auto)* bagnole *f.*

Nudel *f* ⟨-, -n⟩ ['nu:dəl] nouille *f meist pl; (Faden~)* vermicelle *m;* **n~n** *tr* gaver, empâter; **~suppe** *f* potage *m* aux nouilles *od* au vermicelle.

Nugat *m* od *n = Nougat.*

nukle|ar [nukle'a:r] *a phys (Kern-)* nucléaire; **N~in** *n* ⟨-s, -e⟩ [-'i:n] *biol* nucléine *f;* **N~insäure** *f* acide *m* nucléique; **N~on** *n* ⟨-s, -en⟩ ['nu:kleɔn, nukle'o:nən] *phys* nucléon *m;* **N~oproteid** [-kleo-] *n chem biol* nucléoprotéide *f;* **N~us** *m* ⟨-, -klei⟩ ['nu:kleus, -ei] *biol (Zellkern)* noyau *m* (cellulaire).

null [nʊl] *(Zahlwort)* zéro; *~ Komma nichts (fam)* en cinq sec; *~ Fehler m pl* zéro faute; *a: ~ und nichtig* nul et non avenu; *jur* entaché de nullité; *für ~ und nichtig erklären* annuler; *jur* annihiler; **N~** *f* ⟨-, -en⟩ zéro *m; fig fam (Mensch)* nullité *f; pop* foutriquet, zozo *m; auf ~~ stehen (Thermometer)* être à zéro; *er ist eine völlige ~~ (fig)* c'est un zéro en chiffre; **N~(l)eiter** *m tech* fil *m* neutre; **N~meridian** *m* méridien *m* origine; **N~punkt** *m* (point) zéro *m;* **N~start** *m aero* décollage *m* sur place; **N~stellung** *f* position *f* zéro *od* neutre *od* de repos; **N~strich** *m* marque *f* de zéro; **N~tarif** *m* gratuité *f* (des transports en commun urbains); **N~wachstum** *n* croissance *f* zéro.

numer|ieren [nume'ri:rən] *tr* numéroter; *fortlaufend ~~* numéroter en continu; **N~ierung** *f (Tätigkeit)* numérotage *m; (Zustand)* numération *f; mit fortlaufender ~~* numéroté en continu; **N~ierungsstempel** *m* numéroteur *m;* **~isch** [-'merɪʃ] *a* numérique.

Numismat|ik *f* ⟨-, ø⟩ [numɪs'ma:tɪk] numismatique *f;* **~iker** *m* ⟨-s, -⟩ [-'ma:tikər] numismate *m;* **n~isch** [-'ma:tɪʃ] *a* numismatique.

Nummer *f* ⟨-, -n⟩ ['nʊmər] numéro *m; (Bekleidung: Größe)* taille, pointure *f; eine gute ~ haben (fam)* avoir la cote (*bei jdm* auprès de qn); *mit einer ~ versehen* numéroter; *die ~ wählen* composer le numéro; *laufende ~* numéro *m* courant *od* d'ordre *od* de série *od* suivi; **~nbeleuchtung** *f mot* éclairage *m* de la plaque; **~nfolge** *f* ordre *m* numérique; **~nscheibe** *f tele* cadran *od* disque *m* d'appel; **~nschild** *n mot* plaque *f* d'immatriculation *od* minéralogique; **~nstempel** *m* numéroteur *m.*

nun [nu:n] *adv (jetzt)* maintenant, à présent; *= ~ ja; ~?* alors? *von ~ an* dorénavant, désormais, dès à présent, à l'avenir; *~ aber* or; *~ ja* à dire vrai, à la vérité, en effet; *das ist ~ einmal so!* il en est ainsi; *fam* c'est comme ça; *~!* hé *od* eh (bien)! hein! allons! *~ gut!* eh bien, soit! **~mehr** *adv* à présent, maintenant; *(von nun an)* désormais; **~mehrig** *a* actuel, d'à présent.

Nunti|atur *f* ⟨-, -en⟩ [nʊntsia'tu:r] *rel pol* nonciature *f;* **~us** *m* ⟨-, -tien⟩ ['nʊntsius, -tsiən] nonce *m.*

nur [nu:r] *adv* seulement; *(bei v a.)* ne ... que; *(allerdings)* mais; *(vor e-m s od pron)* seul *a (nachgestellt); nicht ~ ..., sondern auch ...* non seulement ..., mais aussi *od* encore ...; *~ ein wenig* un tant soit peu; *~ ... nicht* excepté ..., à l'exception de ..., sauf ...; *~ noch (Mengenangabe)* ne ... plus que; *~ noch 3,— DM (com: Preisauszeichnung) a.* soldé 3 DM; *~ so ...* ce n'est qu'ainsi que ...; *~ so tun (fam)* faire semblant; *lassen Sie mich ~ machen!* vous n'avez qu'à me laisser faire; *~ zu!* allez-y! **N~flügelflugzeug** *n* aile *f* volante.

Nürnberg *m* ['nʏrnbɛrk] Nuremberg *f.*

nuscheln ['nʊʃəln] *itr* ⟨*aux: haben*⟩ *(fam: undeutlich sprechen)* bredouiller, parler indistinctement.

Nuß *f* ⟨-, ¨sse⟩ [nus, 'nʏsə] *(Walnuß)* noix; *(Haselnuß)* noisette *f; das ist eine harte ~* c'est un os *od* un dur morceau; cela donne du fil à retordre; **~baum** *m (a. Holz)* noyer *m;*

n~braun *a* noisette; **~knacker** *m* casse-noix, casse-noisettes *m;* **~knackergesicht** *n* menton *m* en galoche; **~kohle** *f* noix *f;* **~öl** *n* huile *f* de noix; **~schale** *f* coquille *f* de noix; *grüne* ~~ brou *m* (de noix); **~torte** *f* gâteau *m* aux noix.

Nüster *f* ⟨-, -n⟩ ['nʏ:stər/'nʏs-] *meist pl* narine *f,* naseau *m.*

Nut *f* ⟨-, -en⟩ , **~e** *f* ⟨-, -n⟩ ⟩ [nu:t(ə)] *(Fuge)* rainure, entaille *f;* **n~en** *tr* rainer, faire des rainures dans.

Nutria *f* ⟨-, -s⟩ ['nu:tria] *zoo* myopotame *m* coypou; **~(pelz** *m)* *f* ⟨-s, -s⟩ nutria *m,* loutre *f* d'Amérique.

Nutte *f* ⟨-, -n⟩ ['nutə] *pop* putain, traînée, roulure *f.*

nutz [nuts] *a: zu nichts ~ sein* n'être bon à rien; **N~** *m: zu jds ~ und Frommen* pour le bien de qn; **N~anwendung** *f* application, utilisation; *(Lehre)* morale *f;* **~bar** *a* utilisable, *(Wald)* exploitable; *~~ machen* utiliser; faire servir, mettre à profit *od* en valeur; **N~barmachung** *f* utilisation, mise en valeur, exploitation *f;* **~bringend** *a* profitable, fructueux, lucratif; *~~ anlegen (Geld)* faire profiter; *~~ sein* faire du profit; *~~ verwenden* mettre à profit; *~~e Verwendung f (a.)* utilisation *f* efficace; **N~effekt** *m* rendement, travail *m* utile, efficience *f;* **~en** *tr* utiliser, mettre à profit, faire valoir; *(Wald)* exploiter, aménager; *itr = nützen;* **N~en** *m* ⟨-s, ø⟩ *(Nützlichkeit)* utilité *f; (Gewinn)* profit, bénéfice; *(Vorteil)* avantage; *(Ertrag)* rapport, fruit *m; mit ~~* avec fruit; *~~ bringen, von ~~ sein* être utile *od* profitable, faire du profit; *~~ ziehen aus* profiter, tirer profit *od* parti de; mettre à profit, faire son profit (de), se prévaloir de; **N~fahrzeug** *n* véhicule *m* utilitaire; **N~fläche** *f* surface *f* utile; **N~holz** *n* bois *m* d'œuvre; **N~last** *f* charge *f* util(isabl)e, poids *m* utile; **N~lastraum** *m (Rakete)* cabine *f* à charge utile; **N~leistung** *f* puissance *f* utile *od* effective, rendement *m* (effectif); **~los** *a* inutile; infructueux, vain; *(verloren)* perdu; *adv (umsonst)* en pure perte, *fam* pour des prunes; **N~losigkeit** *f* ⟨-, ø] inutilité; vanité, inanité, futilité *f;* **N~nießer** *m* ⟨-s, -⟩ ['-ni:sər] *jur* usufruitier; *allg* profiteur *m;* **N~nießung** *f* jouissance *f* (usufruitière); *jur* usufruit *m;* **N~pfand(recht)** *n jur* antichrèse *f;* **N~pflanze** *f* plante *f* économique; **N~spannung** *f el* tension *f* effective; **N~strom** *m* courant *m* utile; **N~ung** *f* utilisation, exploitation; *(Boden)* mise *f* en culture; *(Wald)* aménagement *m; (Nutznießung)* jouissance *f;* **N~ungsart** *f* mode *m* d'exploitation; **N~ungsberechtigte(r)** *m* ayant-droit à la jouissance; usager *m;* **N~ungsdauer** *f* durée *f* d'utilisation; **N~ungsrecht** *n* droit *m* usufructuaire *od* de jouissance; **N~ungsvergütung** *f* indemnité *od* redevance *f* pour utilisation; **N~ungswert** *m* valeur *f* de jouissance *od* de rapport; **N~wert** *m* valeur *f* utile.

nütz|en ['nʏtsən] *itr* ⟨*aux: haben*⟩ être utile *od* bon, rendre service, profiter (*jdm* à qn); *zu etw ~~* servir à qc; *das ~t nichts* cela ne sert à rien; *was ~t das? (a.)* à quoi bon? **~lich** *a* utile; *(vorteilhaft)* avantageux; *(gewinnbringend)* profitable, fructueux; *sich ~~ machen* se rendre utile; **N~lichkeit** *f* utilité *f* ⟨-, ø⟩.

Nylon *n* ⟨-s, ø⟩ ['naılɔn] nylon *m;* **~strumpf** *m* bas *m* (de *od* en) nylon; **n~verstärkt** *a* renforcé *od (alleinstehend)* renfort nylon.

Nymphe *f* ⟨-, -n⟩ ['nʏmfə] nymphe *f.*

O

O, o *n* ‹-, -› [o:] *(Buchstabe)* O, o *m.*

o [o] *interj (mit dem darauffolgenden Wort verbunden; alleinstehend s. oh)* ô! *o daß ...!* je voudrais que ...; *o doch!* mais si! *o ja!* mais oui! *o nein!* eh non! que non! *o weh!* aïe! misère! *o wie schön!* que c'est beau!

Oase *f* ‹-, -n› [o'a:zə] *a. fig* oasis *f.*

ob [ɔp] **1.** *conj* si; ~ ... *oder* ~ que ... ou que *subj;* ~ *er kommt oder nicht* qu'il vienne ou non; *als* ~ comme si; *es ist, als* ~ on dirait que; *nicht als* ~ non (pas) que *subj; so tun als* ~ ... faire semblant de *inf; und* ~*!* et comment! tu penses! ma foi! oui; *und* ~ *er wütend war!* pensez s'il était furieux; **2.** *prp dat, vx (über)* au-dessus de, sur; *gen* od *dat, lit (wegen)* à cause de.

Obacht *f* ‹-, ø› ['o:baxt] *(Aufmerksamkeit)* attention *f*, soin *m;* ~ *geben* faire attention, prendre garde (*auf* à).

Obdach *n* ['ɔp-] abri, asile, refuge *m;* **o~los** *a* sans abri, sans asile, sans logis; **~lose(r)** *m* sans-abri, sans-asile, sans-logis *m;* **~losenasyl** *n* asile de nuit; foyer *m* d'hébergement.

Obdu|ktion *f* ‹-, -en› [ɔpduktsi'o:n] autopsie *f*, **o~zieren** [-du'tsi:rən] *tr* autopsier, faire l'autopsie de.

O-Beine *n pl* ['o:-] jambes *f pl* arquées; **O-beinig** *a* aux jambes arquées.

Obelisk *m* ‹-en, -en› [obe'lɪsk] obélisque *m.*

oben ['o:bən] *adv* en haut; *(auf der Oberfläche)* à la surface; *(auf Kisten)* haut; *(in e-m Schriftstück, Buch)* ci-dessus; *da* od *dort* ~ là-haut; *nach* ~ en haut, vers le haut; *von* ~ d'en *od* de haut; *von* ~ *herab (fig)* de haut; *von* ~ *bis unten* de *od* du haut en bas, d'un bout à l'autre, de bout en bout; *weiter* ~ plus haut; *wie* ~ *(gesagt)* comme ci-dessus; ~ *auf* en haut de; *von* ~ *bis unten ansehen* toiser; *von* ~ *herab antworten* répondre du bout des lèvres; *von* ~ *herab behandeln* regarder par-dessus l'épaule; le prendre de haut (*jdn* avec qn); *von* ~ *herab sprechen* parler du haut de sa grandeur; *von* ~ *herab sein (fam: stolz tun)* le prendre de haut; *mir steht's bis hier* ~ *(fam)* j'en ai plein le dos *od* une indigestion; **~an** *adv* tout en haut; *(bei Tisch)* au haut bout; *(in der Reihenfolge)* au premier rang; *(in e-r Liste)* en tête; **~auf** *adv* sur le dessus, à la surface; ~~ *sein (fig)* avoir le dessus; **~drein** *adv* en outre, par-dessus le marché, de *od* par surcroît, bien plus, qui plus est; **~erwähnt** *a* susmentionné, mentionné plus haut; **~genannt** *a* susdit; **~hin** *adv* légèrement, en passant; **~hinaus** *adv:* ~~ *wollen* viser trop haut; **~stehend** *a* ci-dessus.

Ober *m* ‹-s, -› ['o:bər] *(Kellner)* garçon *m* (de café); *Herr* ~*!* garçon!

Oberarm *m* ['o:-] (partie *f* supérieure du) bras *m;* **~bein** *n* humérus *m;* **~muskel** *m* biceps *m.*

Oberarzt *m* ['o:-] médecin (en) chef, médecin-chef; *mil* médecin *m* lieutenant.

Oberauf|seher *m* ['o:-] surveillant général, surintendant *m;* **~sicht** *f* haute surveillance, surintendance *f.*

Oberbau *m* ['o:-] *arch* superstructure; *loc* voie *f* permanente.

Oberbayern *n* ['o:-] la Haute-Bavière.

Oberbefehl *m* ['o:-] commandement *m* supérieur *od* en chef; **~shaber** *m* commandant *m* en chef.

Oberbegriff *m* ['o:-] *philos* majeur *m; allg* concept *m* (plus) général.

Oberbekleidung *f* ['o:-] vêtements *m pl* de dessus.

Oberbergamt *n* ['o:-] bureau *m* supérieur des mines.

Oberbett *n* ['o:-] dessus de lit, édredon *m.*

Oberbramsegel *n* ['o:-] *mar* cacatois *m.*

Oberbürgermeister *m* ['o:-/o:bər-'bʏrger-] (premier) maire, président *m* du conseil municipal.

Oberdeck *n* ['o:-] *mar* pont (supérieur), tillac *m;* **~-Autobus** *m* autobus *m* à impériale.

obere(r, s) ['o:bərə-] *a* supérieur, plus élevé, haut; de dessus, d'en haut.

Oberfeld|arzt *m* ['o:-], **~veterinär** *m* *mil* médecin, vétérinaire *m* lieutenant-colonel; **~webel** *m* adjudant-chef *m.*

Oberfläch|e *f* ['o:-] surface; *(Außenfläche, bes. math)* superficie *f; an* od *auf der* ~~ à la surface; *gen (a.)* à fleur de; *an die* ~~ *kommen* faire surface, émerger; *(wieder) an die* ~~ *kommen* revenir à la surface; **~enbehandlung** *f* traitement *m* des surfaces; **~enspannung** *f phys* tension *f* superficielle; **o~lich** *a, a. fig* superficiel; *adv, a. fam* à la va-vite; *~~e(r) Abbau m (mines)* grappillage *m;* **~lichkeit** *f* caractère *m* superficiel, légèreté *f.*

Ober|förster *m* ['o:-] garde *m* général (des forêts); **~forstmeister** *m* conservateur *m* des forêts.

Oberfranken *n* ['o:-] la Haute-Franconie.

obergärig ['o:-] *a (Bier)* à *od* de fermentation élevée.

Obergefreite(r) *m* ['o:-] caporal-chef; *(Artillerie, Panzer)* brigadier-chef *m.*

Obergeschoß *n* ['o:-] *arch* étage *m* supérieur.

Obergewalt *f* ['o:-] *pol* suprématie *f.*

Obergurt *m* ['o:-] *(Brücke)* membrure *od* bride *f* supérieure.

oberhalb ['obərhalp] *prp gen* au-dessus de; *(flußaufwärts)* en amont de.

Oberhand *f* ['o:-] *: die* ~ *behalten* prévaloir, l'emporter (*über* sur); *(wieder) die* ~ *gewinnen* (re)prendre le dessus; *die* ~ *haben* avoir la suprématie *od* le dessus (*bei* dans).

Oberhaupt *n* ['o:-] chef *m.*

Oberhaus *n* ['o:-] *pol (Großbritannien)* Chambre *f* haute *od* des lords.

Oberhaut *f* ['o:-] *anat* épiderme *m.*

Oberhemd *n* ['o:-] chemise *f* de jour.

Oberherrschaft *f* ['o:-] suprématie *f.*

Oberhoheit *f* ['o:-] *pol* suzeraineté *f.*

Oberin *f* ‹-, -nnen› ['o:bərɪn] *rel* supérieure, prieure *f; Amt n* od *Würde f e-r* ~ prieuré *m.*

Oberingenieur *m* ['o:-] ingénieur *m* principal *od* en chef.

oberirdisch ['o:-] *a* au-dessus du sol; *el* aérien.

Oberitalien *n* ['o:-] la Haute-Italie.

Oberkellner *m* ['o:-] maître *m* d'hôtel.

Oberkiefer *m* ['o:-] mâchoire *f* supérieure.

Oberklassen *die, f pl* ['o:-] *(Schule)* les classes supérieures, les grandes classes *f pl.*

Oberkleidung *f* ['o:-] vêtements *m pl* de dessus.

Oberkommand|ierende(r) *m* ['o:-] *mil* commandant en chef; *(der NATO)* chef *m* d'état-major interarmées; **~o** *n* haut commandement *m.*

Oberkörper *m* ['o:-] *anat* haut du corps, buste *m.*

Oberlauf *m* ['o:-] *(e-s Flusses)* cours supérieur, haut cours *m.*

Oberleder *n* ['o:-] *(Schuh)* empeigne *f.*

Oberlehrer *m* ['o:-] professeur *m.*

Oberleitung *f* ['o:-] *adm* direction; *el* caténair *f*, fil *m* aérien, ligne *f* aérienne *od* de contact; **~smaterial** *n* matériaux *m pl* de ligne aérienne; **~somnibus** *m* trolleybus *m.*

Oberleutnant *m* ['o:-] lieutenant *m;* ~ *zur See* enseigne *m* de vaisseau de 1ère classe.

Oberlicht *n* ['o:-] jour d'en haut, éclairage *m* zénithal.

Oberlippe *f* ['o:-] lèvre *f* supérieure.

Obermaat *m* ['o:-] *mar* maître *m.*

Oberösterreich *n* ['o:-] la Haute-Autriche.

Oberpfalz ['o:-], *die* le Haut-Palatinat.

Oberpostdirektion *f* ['o:-/'o:bər'post-] administration *f* générale des postes.

Oberpriester *m* ['o:-] grand prêtre *m.*

Oberprima *f* ['o:-] classe *f* terminale (d'un collège).

Oberrabbiner *m* ['o:-] *rel* grand rabbin *m.*

Oberrhein ['o:-], *der* le Haut-Rhin.

Obersatz *m* ['o:-] *(Logik)* majeure *f.*

Oberschenkel *m* ['o:-] cuisse *f.*

Oberschicht *f* ['o:-] couche *f* supérieure; *fig* classes *f pl* supérieures.

oberschlächtig ['o:-] *a (Wasserrad)* d'en dessus.

Oberschlesien *n* ['o:-] la Haute-Silésie.

Oberschul|e *f* ['o:-] école *f od (einzelne)* établissement *m* secondaire; **~rat** *m* inspecteur *m* général; **Oberschüler** *m* lycéen *m.*

Oberschütze *m* ['o:-] *mil* soldat *m* de 1ère classe.

Oberschwelle *f* ['o:-] *arch* linteau *m.*

Oberschwester *f* ['o:-] infirmière-major, infirmière *f* en chef.

Oberseite *f* ['o:-] surface *f,* dessus; *aero (Flügel)* extrados *m.*

Oberst *m* ⟨-en/-s, -en/(-e)⟩ ['o:bərst] colonel *m;* **~arzt** *m* médecin *m* colonel; **~leutnant** *m* lieutenant-colonel *m;* **~veterinär** *m* vétérinaire *m* colonel.

oberste(r, s) ['o:bərst-] *a (Superlativ von: obere)* (le) plus haut, (le) plus élevé; *(erste)* premier; *(fig, bes. adm: höchste)* suprême, supérieur; *das ~e Gericht* la cour suprême; *die ~e Gewalt* le pouvoir suprême.

Oberstaatsanwalt *m* ['o:-] procureur *m* général *od (in Frankr.)* de la République.

Oberstabs|arzt *m* ['o:-], **~veterinär** *m* médecin, vétérinaire *m* commandant.

Obersteiger *m* ['o:-] *mines* maître *m* porion.

Oberstimme *f* ['o:-] *mus* soprano *m.*

Oberstübchen *n* ['o:-] *nicht (ganz) richtig im ~ sein (fig fam)* avoir le cerveau troublé *od* dérangé *od* fêlé *od* timbré, avoir une araignée au plafond.

Oberstudiendirektor *m* ['o:-] proviseur *m.*

Oberstufe ['o:-], *die (Schule)* le second cycle, les humanités *f pl.*

Obertasse *f* ['o:-] tasse *f.*

Oberteil *n* od *m* ['o:-] partie *f* supérieure.

Oberton *m* ['o:-] *mus* son *m* harmonique.

Oberwachtmeister *m* ['o:-] *mil* adjudant-chef *m.*

Oberwasser *n* ['o:-] *(Schleuse)* bief *m* supérieur; *~ haben (fig)* avoir le dessus.

Oberweite *f* ['o:-] *(Kleidung)* (tour *m* de) poitrine *f.*

Oberwelt *f* ['o:-] *(im Gegensatz zur Unterwelt)* monde *m* des vivants.

Oberwolle *f* ['o:-] laine *f* mère.

obgleich [ɔp'glaɪç] *conj* quoique, bien que, encore que, malgré que *subj.*

Obhut *f* ['ɔp-] garde, protection *f; in s-e ~ nehmen* prendre en garde, prendre sous sa garde *od* protection.

obige(r, s) ['o:bɪgə] *a* susdit, susmentionné; ci-dessus.

Objekt *n* ⟨-(e)s, -e⟩ [ɔp'jɛkt] objet; *gram* complément (d'objet); *(Wertgegenstand)* objet *m* de valeur; **o~iv** [-'ti:f] *a (sachlich)* objectif; *(unparteiisch)* impartial; **~iv** *n* ⟨-s, -e⟩ *opt* objectif *m;* **o~ivieren** [-ti'vi:rən] *tr philos* objectiver; **~ivierung** *f* objectivation *f;* **~ivität** *f* ⟨-, ø⟩ [-vi'tɛ:t] objectivité; impartialité *f.*

Oblate *f* [o'bla:tə] *(Gebäck)* oublie *f,* plaisir *m; rel* hostie *f* non consacrée.

ob=liegen ['ɔp-, ɔp'li:gən] *itr ⟨es obliegt mir / liegt mir ob, oblag mir / lag mir ob, es hat/ist mir oblegen, obzuliegen⟩: jdm ~* incomber à qn, être à la charge de qn; **O~heit** *f* devoir *m,* charge, obligation *f.*

obligat [obli'ga:t] *a (unerläßlich)* de rigueur, indispensable; **O~ion** *f* ⟨-, -en⟩ [-gatsi'o:n] *fin (persönl. Haftung)* obligation *f;* **O~ionsgläubiger** *m,* **O~ionsinhaber** *m* obligataire *m;* **O~ionsschuldner** *m* débiteur *m* obligataire; **~orisch** [-'to:rɪʃ] *a* obligatoire; **Obligo** *n* ⟨-s, -s⟩ ['o:-/'ɔbligo] *fin* obligation *f,* engagement *m,* garantie *f.*

Obmann *m* ⟨-(e)s, -männer/-leute⟩ ['ɔp-] *(Vertrauensmann)* homme de confiance; *(Schiedsrichter)* arbitre *m.*

Obo|e *f* ⟨-, -n⟩ [o'bo:ə] *mus* hautbois *m;* **~ist** *m* ⟨-en, -en⟩ [obo'ɪst] hautboïste *m.*

Obolus *m* ⟨-, -/-sse⟩ ['o:bolus] *(kleiner Beitrag)* obole *f; s-n ~ entrichten* apporter son obole.

Obrigkeit *f* ⟨-, -en⟩ ['o:brɪçkaɪt] autorité *f;* pouvoir *m* public; **o~lich** *a* de l'autorité; **~sstaat** *m* État *od* régime *m* autoritaire.

obschon [ɔp'ʃo:n] = *obgleich.*

Observatorium *n* ⟨-s, -rien⟩ [ɔpzɛrva'to:rium, -riən] = *Sternwarte.*

Obsidian *m* ⟨-s, -e⟩ [ɔpzidi'a:n] *min* obsidienne *f.*

ob=siegen ['ɔp-, ɔp'zi:gən] *itr ⟨er siegt(e) ob / obsiegt(e), hat obgesiegt/ obsiegt, obzusiegen / zu obsiegen⟩* l'emporter, triompher (*über* sur).

obskur [ɔps'ku:r] *a* obscur; caché, peu clair; **O~ant** *m* ⟨-en, -en⟩ [-sku'rant] obscurantiste *m.*

Obst *n* ⟨-es, ø⟩ [o:pst] fruits *m pl;* **~bau** *m* arboriculture *f* (fruitière); **~baum** *m* arbre *m* fruitier; **~dampfer** *m* cargo *m* fruitier; **~ernte** *f* récolte des fruits, cueillette *f; (Zeit f der) ~~* cueillaison, cueille *f;* **~fleck** *m* tache *f* de fruits; **~garten** *m* jardin fruitier, verger *m;* **~gärtner** *m* jardinier *m* pépiniériste; **~geschäft** *n* = *~handlung;* **~händler** *m* marchand de fruits, fruitier *m;* **~handlung** *f* fruiterie *f;* **~kammer** *f,* **~keller** *m* fruitier *m;* **~konserven** *f pl* conserves *f pl* de fruits; **~kuchen** *m* = *~torte;* **~markt** *m* marché *m* aux fruits; **~messer** *n* pèle-fruits *m;* **~pflücker** *m (Gerät)* cueille-fruits *m;* **~plantage** *f* plantation *f* fruitière; **o~reich** *a* abondant en fruits; **~salat** *m* salade *f* de fruits; **~schale** *f (Gefäß)* coupe *f* à fruits; *pl (Abfälle)* épluchures *f pl;* **~torte** *f* tarte *f* aux fruits; **~- und Gemüsehändler(in** *f)* *m* marchand, e *m f* de primeurs *od* des quatre-saisons; **~wein** *m* vin *m* de fruits.

obstru|ieren [ɔpstru'i:rən] *tr (behindern; med: verstopfen)* obstruer; **O~ktion** *f* ⟨-, -en⟩ [-struktsi'o:n] *parl med* obstruction *f.*

obszön [ɔps'tsø:n] *a* obscène; **O~ität** *f* ⟨-, -en⟩ [-tsøni'tɛ:t] obscénité *f.*

Obus *m* ⟨-sses, -sse⟩ ['o:bus, -ə] = *Oberleitungsomnibus.*

ob=walten ['ɔp-, ɔp'valtən] *itr ⟨er waltet(e) ob/obwaltet(e), er hat obgewaltet, obzuwalten⟩: (vorliegen)* y avoir; *(herrschen)* prédominer, régner; **~d** *a* présent.

obwohl [ɔp'vo:l] = *obgleich.*

Ochs *m fam,* **~e** *m* ⟨-(e)n, -(e)n⟩ [ɔks(ə)] bœuf *m; fig fam (Dummkopf)* idiot, imbécile *m, wie der ~ vorm Berg dastehen* ne savoir que faire; *wie der ~(e) vorm neuen Scheunentor stehen (fam)* tomber sur un bec; **o~en** *itr fam (pauken)* piocher, potasser; *pop* bûcher; **~enauge** *n arch* œil-de-bœuf *m;* **~enfleisch** *n* bœuf *m;* **~enfrosch** *m* grenouille-taureau *f;* **~engespann** *n* paire *f* de bœufs; **~enkarren** *m* char *m* à bœufs; **~enmaulsalat** *m* salade *f* de museau de bœuf; **~enschwanzsuppe** *f* potage *m* à la queue de bœuf; **~entreiber** *m* bouvier *m;* **~enziemer** *m* nerf *m* de bœuf; **~enzunge** *f* langue *f* de bœuf.

Ocker *m* od *n* ⟨-s, -⟩ ['ɔkər] ocre *f; mit ~ färben* ocrer; **o~gelb** *a* ocreux.

Ode *f* ⟨-, -n⟩ ['o:də] ode *f.*

öde ['ø:də] *a (wüst)* désert, pelé; *(unbebaut)* inculte, vague; *(unbewohnt)* inhabité; *fig (langweilig)* monotone, ennuyeux, triste; **Ö~** *f* ⟨-, -n⟩ *(Wüste)* désert *m; (Einöde)* solitude; *fig (Stumpfheit)* monotonie *f,* ennui *m;* **Ödland** *n* ['ø:t-] terre *f* (vaine et) vague, terrain *m* inculte.

Ödem *n* ⟨-s, -e⟩ [ø'de:m] *med* œdème *m;* **ö~atös** [ødema'tø:s] *a* œdémateux.

oder ['o:dər] *conj* ou; *(sonst)* autrement, sinon; *entweder ... ~ ...* ou ... ou ...; *~ aber* ou bien; *~ auch* ou bien encore.

Ödipuskomplex *m* ['ø:dipus-] *psych med* complexe *m* d'Œdipe.

Odyss|ee *f* ⟨-, -n⟩ [odʏ'se:, -ən] *(Epos)* Odyssée; *fig (Irrfahrt)* odyssée *f;* **~eus** *m* [o'dʏsɔʏs] Ulysse *m.*

Ofen *m* ⟨-s, ⸚⟩ ['o:-, 'ø:fən] poêle, fourneau; *(Back~)* four *m;* **~bank** *f* banquette *f* du poêle; **~ecke** *f* coin *m* du feu; **~gabel** *f* fourgon *m;* **~klappe** *f* clé *f* du poêle, registre *m;* **~loch** *n* bouche *f* du fourneau; **~rohr** *n* tuyau de poêle; *mil fam (Panzerschreck)* lance-fusées antichars, bazooka *m;* **~röhre** *f* tuyau *m* de poêle; **~rost** *m* grille *f* (de poêle); **~sau** *f tech* loup *m;* **~schirm** *m* écran (de poêle), garde-feu, pare-étincelles *m;* **~schwarz** *n,* **~schwärze** *f* brillant *m* noir; **~setzer** *m* fumiste, poêlier *m;* **~setzerei** *f* fumisterie *f.*

offen ['ɔfən] *a* ouvert *a. fig; (Gelände, Wagen; mil: ungeschützt)* découvert; *fig (öffentlich)* public; *(Stelle: frei)* vacant, libre; *(Kredit)* libre, à découvert, en blanc; *(unentschieden)* indécis, pendant, en suspens; *(freimütig)* franc, sans réserve; sincère; *(unverhüllt, unmißverständlich)* manifeste; *weit ~* tout(e) *od* grand(e) ouvert(e); *adv: (ganz) ~* ouvertement, franchement, à cœur ouvert, à visage découvert, sans réserve, sans mystère; *auf ~er See* en pleine mer, au large; *auf ~er Straße* en pleine rue; *mit ~en Armen (a. fig)* à bras ouverts; *mit ~em Mund* bouche bée; *~und ehrlich (adv)* purement et simplement, ouvertement, rondement; *~ gesagt, ~ gestanden (adv)* à vrai dire, à dire vrai, sans mentir; *die Augen, Ohren ~ haben* avoir l'œil, l'oreille ouvert(e); *~ zutage liegen* être évident *od* manifeste; *~ reden* od *sprechen* parler ouvertement *od* à cœur ouvert *od* avec abandon; *es ganz ~ sagen* le dire sans ambages; *~ (und ehrlich) sein* ne pas y aller par quatre chemins; *~e(r) Brief m* lettre *f* ouverte; *~e(r) Güterwagen m* wagon plat, truc(k) *m; O~e Handelsgesellschaft f* société *f* en nom collectif; *die ~e See* le large; *~e Stelle f* vacance *f; ~e(r) Wein m* vin *m* en carafe; *~e Wunde f* plaie *f* vive; **~bar** ['---/--'-] *a* apparent, manifeste, évident; *adv* apparemment, évidemment; *~~ werden* se manifester, se révéler; **~baren** [ɔfən'barən] *tr ⟨er offenbart(e), hat (ge)offenbart, zu offenbaren⟩ bes. rel* révéler; manifester; *(Geheimnis)* dévoiler, découvrir; **O~barung** *f* [-'ba:-] révélation; manifestation *f; die ~~ des Johannes (rel)* l'Apocalypse *f;* **O~barungseid** *m* serment *m* déclaratoire; **~≈bleiben** *itr* rester ouvert; *fig (unentschieden bleiben)* rester indécis *od* en suspens; **~≈halten** *tr* maintenir ouvert; *fig* réserver; **O~heit** *f* franchise; sincérité *f; in aller ~~* en toute franchise; **~herzig** *a* franc, sincère; *~~ sein (a.)* être d'un naturel expansif; *~~ gekleidet (hum)* débraillé; **O~herzigkeit** *f* franchise; sincérité *f;* abandon *m;* **~kundig** *a* notoire, patent, manifeste; de notoriété (publique); *adv* au vu et au su de tout le monde; **O~kundigkeit** *f ⟨-, ø⟩* notoriété *f;* **~≈lassen** *tr* laisser ouvert *od* à découvert; *(unbeschrieben lassen)* laisser en blanc; *fig* laisser en suspens; **~≈legen** *tr fig* découvrir, dévoiler; **~sichtlich** *a* évident, manifeste, apparent; qui saute aux yeux; *adv* évidemment, apparemment; *(ganz) ~~* évidemment, de toute évidence; **~≈stehen** *itr (geöffnet sein)* être ouvert; **~stehend** *a (Rechnung)* non payé, non réglé.

offensiv [ɔfɛn'zi:f] *a* offensif; **O~e** *f ⟨-, -n⟩* [-və] offensive *f; zur ~~ übergehen* passer à l'offensive; *die ~~ ergreifen* prendre l'offensive; **O~krieg** *m* guerre *f* offensive.

öffentlich ['œfəntlɪç] *a* public; *adv* publiquement, en public; *im ~en Interesse* dans l'intérêt public; *~ auftreten* se présenter en public; *~ bekanntmachen* rendre public, publier; *in die ~e Hand überführen* nationaliser; *~e Bekanntmachung f* avis *m* (au public); *die ~en Gelder pl* les deniers *m pl* publics; *die ~e Hand* les collectivités publiques, les autorités *f pl,* le trésor public; *~e(s) Haus n (Bordell)* maison *f* de tolérance; *Mann m des ~ en Lebens* personne *f* publique; *~e Versammlung f* réunion *f* publique, meeting *m;* **Ö~keit** *f* public; *jur* lieu public; *(Eigenschaft)* caractère *m* public; *in der ~~* en public; *in aller ~~* au vu et au su de tout le monde; *unter Ausschluß der ~~ (jur)* à huis clos; *vor die ~~ treten, sich in der ~~ zeigen* paraître en public; *der ~~ übergeben* livrer à la publicité; **Ö~keitsarbeit** *f* relations *f pl* publiques; **~-rechtlich** *a* de droit public.

offer|ieren [ɔfe'ri:rən] *tr com* offrir; **O~te** *f ⟨-, -n⟩* [ɔ'fɛrtə] offre *f; e-e ~~ einreichen (a.)* soumissionner.

Offiz|ialverteidiger *m* [ɔfitsi'a:l-] avocat d'office, défenseur *m* officieux; **~iant** *m ⟨-en, -en⟩* [-tsi'ant] *rel* officiant, célébrant *m;* **o~iell** [-'ɛl] *a* officiel; *~~ machen* officialiser; **~ier** *m ⟨-s, -e⟩* [-'tsi:r] officier *m; zum ~~ ernannt werden* être nommé officier; *~~ des Beurlaubtenstandes* officier *m* des cadres de réserve *od* en non-activité *od* de complément; *~~ vom Dienst* officier *m* de jour *od* de semaine *od* de permanence; **~iersanwärter** *m* aspirant *m;* **~ierskasino** *n* cercle des officiers, mess *m;* **~ierskoffer** *m* cantine *f* d'officier; **~ier(s)korps** *m* corps *m* des officiers; **~ierslager** *n (Oflag)* camp *m* d'officiers prisonniers; **~ierslaufbahn** *f* carrière *f* d'officier; **~iersmesse** *f mar* carré *m* des officiers; **~ierspatent** *n* brevet *m* d'officier; **~in** *f ⟨-, -en⟩* [-'tsi:n] *(Apotheke)* officine; *(Druckerei)* imprimerie *f;* **o~inal** [-'na:l] *a,* **o~inell** [-'nɛl] *a pharm* officinal; **o~iös** [-tsi'ø:s] *a* officieux.

öffn|en ['œfnən] *tr* ouvrir; déclore; *(Flasche)* déboucher; *(Brief a.)* décacheter; *sich ~~ (Fallschirm)* se déployer; *mit Gewalt ~~* forcer; *hier ~~!* côté à ouvrir; **Ö~er** *m ⟨-s, -⟩ (Dosen~)* ouvre-boîtes *m;* **Ö~ung** *f allg* ouverture *f; (Loch)* trou *m,* trouée *f; (Mündung)* orifice *m; (Eingang)* entrée *f; gewaltsame ~~* bris *m;* **Ö~ungszeit** *f* temps *m od* heures *f pl* d'ouverture.

Offset|druck *m ⟨-(e)s, -e⟩* ['ɔfsɛt-] (impression *f*) offset *m;* **~walze** *f* rouleau *m* offset.

oft [ɔft] *adv* souvent, fréquemment; bien des *od* nombre de fois; *wie ~?* combien de fois? à quel intervalle? *wie ~ ...!* que de fois ...! *des öfteren = öfters;* **~malig** *a* fréquent, réitéré; **~mals** *adv = ~;* **öfters** ['œftərs] *adv* assez souvent.

oh [o:] *interj (alleinstehend)* oh! ho! heu!

Oh(ei)m *m ⟨-s, -e⟩* ['o:(haɪ)m] oncle *m.*

Ohm *n ⟨-s, -⟩* [o:m] *el* ohm *m;* **~meter** *n* ohmmètre *m.*

ohne ['o:nə] *prp* sans; *(frei von)* dépourvu de, dénué de, dépouillé de; *(ausgenommen)* excepté; *~ daß* sans que *subj; ~ (etwas) zu (sagen)* sans (rien dire); *~ mein Wissen* à mon insu; *ich werde auch ~ ihn fertig* je me passerai bien de lui; *es geht auch ~ das* cela n'est pas nécessaire; *~ mich!* très peu pour moi! *das ist nicht (ganz) ~ (fam: nicht von der Hand zu weisen)* ce n'est pas si mal, ce n'est pas de la petite bière; **~dies** [-'di:s] *adv,* **~hin** [-'hɪn] *adv* sans cela, de toute façon, aussi bien; **~gleichen** [-'glaɪçən] *a inv (nachgestellt)* sans pareil *od* égal *od* précédent; unique; **O~haltflug** *m* vol *m* sans escale.

Ohnmacht *f ⟨-, -en⟩* ['o:n-] *med* évanouissement *m,* syncope, pâmoison; *fig (Machtlosigkeit)* impuissance; faiblesse *f; in ~ fallen* s'évanouir, perdre connaissance *od* ses esprits, se trouver mal, se pâmer; *pop* tomber dans les pommes, tourner de l'œil; **ohnmächtig** *a* évanoui, sans connaissance; *fig* impuissant; *~~ werden = in ~ fallen.*

oho [o'ho:] *interj* oh, oh! *od* oh là là!

Ohr *n ⟨-(e)s, -en⟩* [o:r] oreille; *pop* feuille *f; bis über die ~en* jusqu'aux oreilles; *mit eigenen ~en (hören)* de ses propres oreilles; *mit gespitzten ~en* l'oreille dressée; *bei jdm ein williges ~ finden* avoir l'oreille de qn; *jdm etw ins ~ flüstern, sagen* souffler, dire qc à l'oreille de qn; *die ~en offen haben (fig)* avoir l'oreille ouverte; *die ~en von etw voll haben* avoir les oreilles (re)battues de qc; *die ~en hängenlassen (fig)* avoir l'oreille basse; *jdn übers ~ hauen (fig fam)* duper qn, *pop* rouler, estamper qn; *sich übers ~ hauen lassen (fam)* se laisser tondre, se faire arranger; *zu e-m ~ hinein- und zum anderen wieder hinausgehen* entrer par une oreille et sortir par l'autre; *nur mit halbem ~ hin-* od *zuhören* n'écouter que d'une oreille; *jdm zu -en kommen* venir *od* arriver aux oreilles, venir à la connaissance de qn; *sich (verlegen) hinterm ~ kratzen* se gratter l'oreille ; *jdm die ~en langziehen* tirer les oreilles à qn; *sich aufs ~ legen* se coucher, (aller) faire un petit somme *od* la sieste; *jdm sein ~ leihen* prêter l'oreille à qn; *jdm in den ~en liegen* rebattre *od* rompre les oreilles à qn (*mit etw* avec qc); *tauben ~en predigen* parler à un sourd *od* à un mur, prêcher dans le désert, donner des coups d'épée dans l'eau; *sich etw hinter die ~en schreiben (fig)* se tenir qc pour dit; *ganz ~ sein* être tout oreilles *od* ouïe; écouter de toutes ses oreilles; *auf einem ~ taub sein* ne pas entendre d'une oreille;

die ~en spitzen dresser *od* tendre l'oreille *od* les oreilles, avoir l'oreille au guet; *die ~en steifhalten* prendre son courage à deux mains; *die ~en stutzen (e-m Hund)* essoriller (un chien); *bis über die ~en in Schulden stecken (a.)* être noyé *od* criblé de dettes; *s-n ~en nicht trauen* ne pas en croire ses oreilles; *jdm die ~en volljammern* étourdir qn de plaintes; *jdm das Fell über die ~en ziehen* dépouiller *od* plumer qn; *bis über die ~en rot werden* rougir jusqu'au blanc des yeux; *nur mit halbem ~ zuhören* n'écouter que d'une oreille ; *es ist mir zu ~en gekommen, daß* ... il m'est parvenu aux oreilles que ...; *mir klingen die ~en* les oreilles me tintent; *wer ~en hat, der höre!* à bon entendeur salut! *bis über die ~en verliebt* fou (*in* de); **~enarzt** *m* spécialiste *m* des oreilles; **~enbeichte** *f* confession *f* auriculaire; **o~enbetäubend** *a* assourdissant, à percer les oreilles, à crever le tympan, à fendre la tête, à rompre la cervelle; **~enentzündung** *f* otite *f;* **~enfledermaus** *f* oreillard, vespertilion *m;* **~enklappe** *f (an e-r Mütze)* couvre-oreilles *m;* **~enklingen** *n* tintement *m* d'oreilles; **~enleiden** *n* affection *f* auriculaire; **~enrobbe** *f zoo* otarie *f;* **~ensausen** *n* bourdonnement d'oreilles; cornement *m;* **~enschmalz** *n* cérumen *m;* **~enschmaus** *m* régal *m* pour l'oreille; **~enschmerzen** *m pl* douleur d'oreille, otalgie *f;* **~enschützer** *m* protège-oreilles *m;* **~ensessel** *m* fauteuil *m* à oreilles; **~enzeuge** *m* témoin *m* auriculaire; **~eule** *f orn* duc *m;* **~feige** *f* gifle *f,* soufflet *m,* claque; *fam* taloche, calotte; *pop* beigne *f;* **o~feigen** *tr ‹hat geohrfeigt›* gifler, souffleter; *fam* talocher, calotter; **~feigengesicht** *n pop* tête *f* à gifles; **~gehänge** *n* pendant *m* (d'oreille); **~klips** *m* pince-oreille *m;* **~läppchen** *n* lob(ul)e *od* bout *m* d'oreille; **~löffel** *m* cure-oreilles *m;* **~muschel** *f* conque *f od* pavillon *m* de l'oreille; **~rand** *m anat* hélix *m;* **~ring** *m* boucle *f* d'oreille; **~speicheldrüse** *f* parotide *f;* **~wurm** *m* perce-oreille *m;* **~zipfel** *m* bout *m* de l'oreille.

Öhr *n* ‹-(e)s, -e› [ø:r] *(Nadelöhr)* chas, trou (de l'aiguille); *tech* œillet *m.*

Okarina *f* ‹-, -s/-nen› [oka'ri:na] *mus* ocarina *m.*

okay [o'ke:] *fam (in Ordnung)* d'accord.

okkult [ɔ'kʊlt] *a (verborgen)* occulte; **O~ismus** *m* ‹-, ø› [-'tɪsmʊs] occultisme *m;* **O~ist** *m* ‹-en, -en› [-'tɪst] occultiste *m;* **~istisch** [-'tɪstɪʃ] *a* occultiste.

Ökologie *f* ‹-, ø› [økolo'gi:] *biol* écologie *f.*

Ökonom *m* ‹-en, -en› [øko'no:m] économe; *(Landwirt)* agronome *m;* **~etrie** *f* économétrie; **~ie** *f* ‹-, -n› [-no'mi:] économie *f;* **ö~isch** [-'no:mɪʃ] *a* économique.

Okt|aeder *n* ‹-s, -› [ɔkta'e:dər] *math* octaèdre *m;* **~ant** *m* ‹-en, -en› [-'tant] *mar (Meßgerät)* octant *m;* **~anzahl** *f tech mot* indice *m* d'octane; **~av** *n* ‹-s, -e› [-'ta:f, -və] = *~avformat;* **~avband** *m,* **~avformat** *n (Buch)* in-octavo *m;* **~ave** *f* ‹-, -n› [-'ta:və] *mus* octave *f;* **~ett** *n* ‹-(e)s, -e› [-'tɛt] *mus* octuor *m;* **~ober** *m* ‹-(s), -› [-'to:bər] octobre *m.*

Oku|lar *n* ‹-s, -e› [oku'la:r] *opt* oculaire *m;* **o~ieren** [-li:rən] *tr agr* écussonner; **~ieren** *n* écussonnage *m,* greffe *f* par œil; **~iermesser** *n* écussonnoir *m.*

Ökumen|e *f* ‹-, ø› [øku'me:nə] œcuménée *f;* **ö~isch** [-'me:nɪʃ] *a* œcuménique; *~~e Bewegung f (rel)* œcuménisme *m; ~~e(s) Konzil n (rel)* concile *m* œcuménique.

Okzident *m* ‹-s, ø› ['ɔk-, ɔktsi'dɛnt] *(Abendland)* occident *m.*

Öl *n* ‹-(e)s, -e› [ø:l] huile; essence *f;* pétrole; fuel *m; ~ ins Feuer gießen (fig)* jeter *od* verser de l'huile sur le feu; *~ auf die Wogen gießen (fig)* apaiser, calmer la situation; *in ~ malen* peindre à l'huile; *~ wechseln (mot)* faire la vidange; *ätherische(s) ~* huile volatile, essence *f; geweihte(s) ~* saintes huiles *f pl;* **~ablaß** *m mot* vidange *f* d'huile; **~abscheider** *m* séparateur *m* d'huile; **~bad** *n* bain *m* d'huile; **~baum** *m* olivier *m;* **~behälter** *m* réservoir *m* à huile; **~berg,** *der (Bibel)* le mont *m* des Oliviers; **~bild** *n* = *~gemälde;* **~bohrloch** *n,* **~bohrung** *f* puits *m* à huile *od* pétrole; **~brenner** *m (Gerät)* brûleur *m* à huile; **ö~dicht** *a* étanche à l'huile; **~druck** *m* ‹-(e)s, -e› *typ* impression à l'huile; *tech* pression *f* d'huile; **~(druck)bremse** *f* frein *m* oléohydraulique; **~druckmesser** *m* indicateur *m* de pression d'huile; **~druckschmierung** *f* graissage *m od* lubrification *f* à huile sous pression; **ö~en** *tr* huiler, lubrifier; *(schmieren)* graisser; *(salben)* oindre; **~en** *n* huilage *m,* lubrification *f;* graissage *m;* **~er** *m* ‹-s, -› *tech* graisseur *m* (à huile); **~farbe** *f* couleur *f* à l'huile; **~feld** *n* champ *m* pétrolifère; **~feuerung** *f* chauffage *m* au mazout; **~filter** *m* od *n* filtre *m* à huile; **~fläschchen** *n* burette *f* à huile; **~fleck** *m* tache *f* d'huile; **~förderung** *f* production *f* de pétrole *od* pétrolifère; **~frucht** *f* fruit *m* oléagineux; **~gas** *n* gaz *m* d'huile; **~gemälde** *n* peinture *f* à l'huile; **~gemisch** *n* mélange *m* d'huile et d'essence; **~gesellschaft** *f* compagnie *f* pétrolière; **ö~getränkt** *a* imprégné d'huile; **~gewinnung** *f* extraction *f* d'huile; **~götze** *m: wie ein ~~ dastehen* se tenir là comme un abruti; **ö~haltig** *a bot* oléagineux; *geol* pétrolifère; **~heizung** *f* chauffage *m* au mazout; **ö~ig** *a.* huileux; *(ölhaltig)* oléagineux; *(fettig)* onctueux; *(Wein)* velouté; **~isolierung** *f* isolation *f* à l'huile; **~kanister** *m* bidon *m* à huile; **~kännchen** *n* burette *f* à huile; **~kohle** *f tech* calamine, huile *f* carbonisée; **~konzession** *f* concession *f* pétrolière; **~krise** *f* crise *f* du pétrole; **~kuchen** *m* tourteau, gâteau de marc d'olives; pain *m* de trouille; **~kühler** *m* radiateur *m* à huile; **~kühlung** *f* refroidissement *m* à huile; **~lack** *m* vernis *m* gras; **~lager** *n* entrepôt *m* d'huile; **~lampe** *f,* **~lämpchen** *n* lampe *f* à huile, quinquet *m;* **~leitung** *f* pipeline; *(in Kanada)* oléoduc *m;* **~malerei** *f* peinture *f* à l'huile; **~manometer** *n* manomètre à huile, indicateur *m* de pression d'huile; **~meßstab** *m* réglette-jauge *f;* **~motor** *m* moteur *m* à huile; **~mühle** *f* huilerie *f;* **~müller** *m* huilier *m;* **~nut(e)** *f* gorge *f* d'huile *od* de graissage; **~ofen** *m* poêle *m* à mazout; **~palme** *f* palmier *m* à huile; **~papier** *n* papier *m* huilé; **~pflanze** *f* plante *f* oléagineuse; *pl* oléacées *f pl;* **~presse** *f* presse *f* à huile; **~pumpe** *f* pompe *f* à huile; **~quelle** *f* source *f* d'huile; **~raffinerie** *f* raffinerie *f* d'huile; **~reiniger** *m* épurateur *m* d'huile; **~reinigung** *f* épuration *f* d'huile; **~rückstand** *m* résidu *m* d'huile; **~sardine** *f* sardine *f* à l'huile; **~säure** *f* acide *m* oléique; **~schalter** *m el* interrupteur *m* à bain d'huile; **~schiefer** *m min* schiste *m* bitumineux; **~schmierung** *f* graissage *m* à huile; **~schutzblech** *n tech* pare-huile *m;* **~sieb** *n* crépine *f od* tamis *m* à huile; **~stand** *m* niveau *m* d'huile; **~standsmesser** *m* indicateur *m od* jauge *f* (de niveau) d'huile; **~stoßdämpfer** *m* amortisseur *m* hydraulique; **~sumpf** *m* puisard *m* (d'huile); **~tank** *m* réservoir *m* d'huile *od* à huile; caisse *f* à huile; **~tanker** *m* pétrolier *m;* **~tuch** *n* toile *f* huilée *od* vernie; **~ung** *f* huilage *m,* lubrification *f;* graissage *m; rel* onction *f; die Letzte ~~ (rel)* l'extrême-onction *f;* **~verbrauch** *m* consommation *f* d'huile; **~vorkommen** *n* gisement *m* pétrolifère; **~waage** *f* oléomètre *m;* **~wanne** *f mot* réservoir *od* carter *m* d'huile; gouttière *f* à l'huile; **~wechsel** *m* vidange *od* changement *od* renouvellement *m* d'huile; **~zeug** *n mar* ciré *m* (de marin); **~zufuhr** *f,* **~zuführung** *f* amenée *f* d'huile.

Oleander *m* ‹-s, -› [ole'andər] *bot* oléandre, laurier-rose *m.*

Oligarch *m* ‹-en, -en› [oli'garç] *pol* oligarque *m;* **~ie** *f* ‹-, -n› [-'çi:] oligarchie *f;* **o~isch** [-'garçɪʃ] *a* oligarchique.

Oligozän *n* ‹-s, ø› [oligo'tsɛ:n] *geol* oligocène *m.*

Oliv|e *f* ‹-, -n› [o'li:və] olive *f;* **~enbaum** *m* olivier *m;* **~enernte** *f* olivaison *f;* **o~enförmig** *a* olivaire; **~enhain** *m* oliv(er)aie, olivette *f;* **~enöl** *n* huile *f* d'olive; **~enpresse** *f* détritoir *m;* **o~grün** *a* vert olive, olivacé, (couleur d')olive.

Olymp [o'lʏmp], *der* ‹-s, ø›, *geog rel* l'Olympe; *theat fam* paradis, *hum* poulailler *m;* **~iade** *f* ‹-, -n› [-pi'a:də] *hist* olympiade *f; sport* jeux *m pl* Olympiques; **~iameister** *m* [o'lʏmpia-] **~iasieger** *m* (champion) olympique *m;* **~ier** *m* ‹-s, -› [o'lʏmpiər] olympien *m;* **o~isch** [o'lʏmpɪʃ] *a* olympien; *die O~~en*

(Winter-)Spiele n pl les jeux *m pl* Olympiques (d'hiver).

Oma *f* ‹-, -s› ['o:ma] *fam* grand-maman, bonne maman, mémère; *(Kindersprache)* mémé *f.*

Omelett *n* ‹-(e)s, -s/-e›, **~e** *f* ‹-, -n› [ɔm(ə)'lɛt] *(Küche)* omelette *f.*

Om|en *n* ‹-s, -/Omina› ['o:mən, 'omina] augure, présage *m; ein gutes, böses ~~ sein* être de bon, mauvais augure; **o~inös** [omi'nø:s] *a* de mauvais augure.

Omnibus *m* ‹-sses, -sse› ['ɔmnibus, -ə] omnibus, autobus; *(Reise~, Gesellschafts~)* (auto)car *m;* **~fahrer** *m* chauffeur *m* d'autobus; **~haltestelle** *f* arrêt *m* d'autobus; **~linie** *f* ligne *f* d'autobus; **~schaffner** *m* receveur *m* d'autobus.

Onan|ie *f* ‹-, ø› [ona'ni:] onanisme *m,* masturbation *f;* **o~ieren** [-'ni:rən] *itr* ‹aux: *haben*› se masturber; **~ist** *m* ‹-en, -en› [-'nɪst] onaniste *m.*

Ondul|ation *f* ‹-, -en› [ɔndulatsi'o:n] ondulation *f;* **o~ieren** [-'li:rən] *tr (Haare wellen)* onduler.

Onkel *m* ‹-s, -› ['ɔŋkəl] oncle; *(Kindersprache)* tonton *m;* **~ehe** *f; fam* collage *m,* union *f* libre.

onomato|poetisch [onomatopo'e:tɪʃ] *a (klangnachahmend)* onomatopéique; **O~pöie** *f* ‹-, -n› [-pø'i:] onomatopée *f.*

Opa *m* ‹-s, -s› ['o:pa] *fam* grand-papa, bon papa, pépère *m.*

Opal *m* ‹-s, -e› [o'pa:l] *min* opale *f;* **~eszenz** *f* ‹-, ø› [opalɛs'tsɛnts] opalescence *f;* **o~isieren** [-li'zi:rən] *itr* opaliser; **o~isierend** *a* opalescent.

Oper *f* ‹-, -n› ['o:pər] *mus* opéra; *(Gebäude)* Opéra *m; komische ~* opéra *m* comique, comédie *f* lyrique; **~ette** *f* ‹-, -n› [ope'rɛtə] opérette *f;* **~ettensängerin** *f* divette *f;* **~nball** *m* bal *m* de l'opéra; **~nbuch** *n* livret *m* d'opéra; **~nglas** *n* jumelle(s *pl*) de théâtre, lorgnette *f;* **o~nhaft** *a* d'opéra; **~nhaus** *n* Opéra, théâtre *m* lyrique; **~nsänger(in *f*)** *m* chanteur *m,* cantatrice *f* d'opéra; **~nsendung** *f,* **~nübertragung** *f radio* opéra radiodiffusé, *TV* opéra *m* télévisé.

Operat|eur *m* ‹-s, -e› [opera'tø:r] *film* opérateur *m;* **~ion** *f* ‹-, -en› [-tsi'o:n] opération; *med a.* intervention *f* (chirurgicale); *sich e-r ~~ unterziehen* se faire opérer; **~ionsabteilung** *f mil* bureau *m od* section *f* des opérations; **~ionsbasis** *f mil* base *f* d'opération(s); **~ionsgebiet** *n mil* théâtre *m* des opérations, zone *f* opérationnelle; **~ionslampe** *f* scialytique *m;* **~ionsmasse** *f* masse *f* de manœuvre; **~ionsplan** *m mil* plan *m* des opérations, conception *f* de manœuvre; **~ionsraum** *m mil* = *~ionsgebiet; med* = **~ionssaal** *m* salle *f* d'opérations; **~ionstisch** *m* table *f* d'opérations; *pop* billard *m;* **~ionsziel** *n mil* objectif *m* d'opération; **o~iv** [-'ti:f] *a med* opératoire; *mil* opérationnel; *adv med (auf ~~em Wege)* par voie opératoire; *~~ entfernen* réséquer; *~~e(r) Eingriff m* intervention *f* chirurgicale.

operier|bar [ope'ri:r-] *a: (nicht) ~~* (in)opérable; **~en** *tr med* opérer; *itr med* faire *od* pratiquer une opération; *mil* opérer, manœuvrer, faire *od* effectuer une opération; *sich ~~ lassen* se faire opérer.

Opfer *n* ‹-s, -› ['ɔpfər] *(Handlung)* sacrifice *m, a. fig;* offrande; *fig* immolation; *(~tier, a. fig)* victime *f;* holocauste *m; (Meß~)* oblation *f; fig fam (Person)* gibier *m; sich große ~ auferlegen (a.)* se saigner; *~ bringen* faire des sacrifices; *ein ~ bringen* faire un sacrifice (*jdm* à qn); *fam* faire un effort (pour qn); *große ~ bringen* faire de grands sacrifices; *jdm, e-r S zum ~ fallen* être la victime de qn, de qc; *~ fordern (Unglück)* faire des victimes; *kein ~ scheuen* ne reculer devant aucun sacrifice; *große(s) ~ (fig)* holocauste *m;* **o~bereit** *a* plein d'abnégation; *~~ sein (a.)* faire abnégation de soi; **~bereitschaft** *f* disposition au sacrifice; abnégation *f;* **~gabe** *f* offrande *f;* **~gang** *m* sacrifice; *(sinnloser)* holocauste *m;* **~geist** *m* esprit *m* de sacrifice; **o~n** *tr, a. fig* sacrifier, immoler; *sich ~* se sacrifier (*für* pour); faire abnégation de soi; **~priester** *m* sacrificateur *m;* **~schale** *f* patène *f;* **~sinn** *m* = *~geist;* **~stock** *m* tronc *m* d'église *od* des pauvres; **~tier** *n* victime *f,* holocauste *m;* **~tod** *m* sacrifice *m* (de sa vie); **~ung** *f* sacrifice *m* (*gen* de); **o~willig** *a* prêt au sacrifice, dévoué; **~willigkeit** *f* dévouement *m;* = *~geist.*

Opiat *n* ‹-(e)s, -e› [opi'a:t] *pharm* opiacé *m.*

Opium *n* ‹-s, ø› ['o:pium] opium *m,* drogue *f* brune; *mit ~ versetzen* opiacer; **o~haltig** *f* opiacé; **~handel** *m* trafic *m* d'opium; **~höhle** *f* fumerie *f* (d'opium); **~pfeife** *f* pipe *f* à opium; **~raucher** *m* fumeur *m* d'opium; **~rausch** *m* ivresse *f* morphinique *od* thébaïque; **~saft** *m* laudanum *m; ~~ enthaltend* laudanisé; **~sucht** *f* opiomanie *f;* **o~süchtig** *a* opiomane; **~süchtige(r)** *m* opiomane *m;* **~tinktur** *f* = *~saft.*

Opossum *n, (Pelz) m* ‹-s, -s› [o'pɔsum] *zoo* opossum *m.*

Oppon|ent *m* ‹-en, -en› [ɔpo'nɛnt] *(Gegner)* opposant; adversaire *m;* **o~ieren** [-'ni:rən] *itr* faire de l'opposition; s'opposer (*gegen* à).

opportun [ɔpɔr'tu:n] *a* opportun; **O~ismus** *m* ‹-, ø› [-tu'nɪsmus] opportunisme *m;* **O~ist** *m* ‹-en, -en› [-'nɪst] opportuniste *m;* **~istisch** [-'nɪstɪʃ] *a* opportuniste; **O~ität** *f* ‹-, (-en)› [-ni'tɛt] opportunité *f.*

Opposition *f* ‹-, -en› [ɔpozitsi'o:n] opposition *f;* **o~ell** [-'nɛl] *a* de l'opposition; **~sführer** *m pol* chef *m* de l'opposition; **~spartei** *f* parti *m* d'opposition; **~spresse** *f* presse *f* d'opposition.

Opt|ant *m* ‹-en, -en› [ɔp'tant] *pol* optant *m;* **o~ieren** [-'ti:rən] *itr* opter (*für* pour); **~ion** *f* ‹-, -en› [-tsi'o:n] option; **~ionsrecht** *n* droit de préférence.

Opt|ik *f* ‹-, -en› ['ɔptɪk] optique *f; fig (Eindruck)* aspect, air *m,* apparence *f;* **~iker** *m* ‹-s, -› ['ɔptikər] opticien; *(Augen~~)* lunetier *m;* **o~isch** ['ɔptɪʃ] *a* optique; *~~e(s) Gerät n* appareil *m* d'optique; *pl* matériel *m* d'optique; *~~e Täuschung f* illusion *f* d'optique.

optim|al [ɔpti'ma:l] *a* optimum *inv;* le meilleur (possible), le plus favorable; **O~ismus** *m* ‹-, ø› [-'mɪsmus] optimisme *m;* **O~ist** *m* ‹-en, -en› [-'mɪst] optimiste *m;* **~istisch** [-'mɪstɪʃ] *a* optimiste; *~~ sein (a.)* avoir bon moral; **O~um** *n* ‹-s, -ma› ['ɔptimum, -ma] optimum *m.*

opulen|t [opu'lɛnt] *a (üppig)* opulent; **O~z** *f* ‹-, ø› [-'lɛnts] opulence *f.*

Opuntie *f* ‹-, -n› [o'puntsie] *bot* oponce, opuntia *m.*

Opus *n* ‹-, Opera› ['o:-/'opus, -pera] *mus* œuvre, opus *m.*

Orakel *n* ‹-s, -› [o'ra:kəl] oracle *m;* **o~haft** *adv* comme un oracle; **o~n** *itr* rendre un *od* des oracle(s); *allg fam* jouer les augures.

Orange *f* ‹-, -n› [o'rã:ʒə] *(Apfelsine)* orange *f;* **o~** *a (gelbrot)* orange; **~ade** *f* ‹-, -n› [-'ʒa:də] *(Getränk)* orangeade *f;* **~at** *n* ‹-s, -e› [-'ʒa:t] *(eingezuckerte ~nschalen)* orangeat *m;* **o~farben** *a* orange; **~nbaum** *m* oranger *m;* **~nblüte** *f* fleur *f* d'oranger; **~ngarten** *m* orangerie, plantation *f* d'orangers; **~nschale** *f* écorce *f* d'orange, zeste *m* (d'orange); **~rie** *f* ‹-, -n› [-ʒə'ri:] orangerie *f.*

Orang-Utan *m* ‹-s, -s› ['o:raŋ'ʔu:tan] *zoo* orang-outan(g); *pop* jocko *m.*

Oratorium *n* ‹-s, -rien› [ora'to:rium, -riən] *(Hauskapelle)* oratoire; *mus* oratorio *m.*

Orchester *n* ‹-s, -› [ɔr'kɛstər] orchestre *m;* **~begleitung** *f* accompagnement *m* d'orchestre, orchestration *f;* **~loge** *f theat* avant-scène *f;* **~musik** *f* musique *f* orchestrale; **~raum** *m* fosse *f* (d'orchestre); **~sessel** *m theat* fauteuil *m od* stalle *f* d'orchestre.

orchestr|al [ɔrkɛs'tra:l] *a* orchestral; **~ieren** [-'tri:rən] *tr* orchestrer; **O~ierung** *f* orchestration *f;* **O~ion** *n* ‹-s, -s/-trien› [-'çɛstriɔn] *(mechan. Musikinstr.)* orchestrion *m.*

Orchidee *f* ‹-, -n› [ɔrçi'de:ə] *bot* orchidée *f.*

Orden *m* ‹-s, -› ['ɔrdən] *(Vereinigung)* ordre; *rel* ordre religieux; *(Auszeichnung)* ordre *m, mil a.* décoration, médaille *f; in e-n (geistlichen) ~ eintreten* entrer en religion; se faire religieux *od* religieuse; *jdm e-n ~ verleihen* conférer une décoration à qn; décorer, médailler qn; **o~geschmückt** *a* décoré, médaillé; **~sband** *n* ruban *m* (d'un ordre); **~sbruder** *m* frère, religieux *m;* **~sgeistliche(r)** *m* membre *m* du clergé régulier; *pl* clergé *m* régulier; **~sgelübde** *n* vœux *m pl* monastiques; **~sregel** *f* règle *f* (d'un *od* de l'ordre); **~sritter** *m* chevalier *m* d'un *od* de l'ordre; **~sschleife** *f* rosette *f;* **~sschnalle** *f* barrette *f;* **~sschwester** *f* sœur, religieuse *f;* **~sstern** *m* étoile, plaque *f;* **~stracht** *f* habit *m* religieux; **~sträger** *m* décoré, médaillé *m;* **~sverleihung** *f* (remise de) décoration *f.*

ordentlich ['ɔrdɛntlɪç] *a (geordnet)* ordonné, en ordre; rangé, réglé; convenable; *(Mensch)* ordonné, rangé, comme il faut; *(achtbar)* honnête; *(regulär)* régulier, ordinaire; *fam (reichlich)* abondant; copieux; *adv fam (einigermaßen gut)* comme il faut, convenablement; *(ganz)* ~ *(adv: tüchtig)* pas mal; *nichts O~es* rien qui vaille; *~e(s) Gericht n jur* tribunal *m* ordinaire; *ein ~er Mensch m* un homme bien; *~e(s) Mitglied n* membre *m* titulaire; *~e(r) Professor m (Univ.)* professeur *m* titulaire (de chaire); **O~keit** *f* ‹-, ø› caractère *m* ordonné, régularité *f.*

Order *f* ‹-, -s/-n› ['ɔrdər] *(Befehl)* ordre *m; com* commande *f; an die* ~ *(gen)* à l'ordre (de); *an eigene* ~ *(fin)* à son propre ordre; *an fremde* ~ *(fin)* à l'ordre d'un tiers; **~buch** *n* livre *od* carnet *m* de commandes; **~geber** *m* donneur *m* d'ordre; **~papier** *n (fin)* effet *od* papier *m* à ordre *od* endossable.

Ordin|alzahl *f* [ɔrdi'na:l-] nombre *m* ordinal; **o~är** [-'nɛ:r] *a pej (gewöhnlich, gemein)* commun, vulgaire, trivial; **~ariat** *n* ‹-(e)s, -e› [-nari'a:t] *(Univ.)* chaire *f* de professeur titulaire; **~arius** *m* ‹-s, -rien› [-'na:rius, -riən] *(Univ.)* professeur *m* titulaire (de chaire); **~ate** *f* ‹-, -n› [-'na:tə] *math* ordonnée *f;* **~ation** *f* ‹-, -en› [-natsi'o:n] *rel* ordination; *med (Sprechstunde)* consultation; *(Rezept)* ordonnance *f;* **o~ieren** [-'ni:rən] *tr rel* ordonner, consacrer; *med (vorschreiben)* ordonner.

ordn|en ['ɔrdnən] *tr* ordonner, mettre en ordre *od* en règle, mettre de l'ordre dans, ranger, régler, classer; *(das Haar)* arranger; *alphabetisch, chronologisch* ~~ classer par ordre alphabétique, chronologique; *nach der Größe* ~~ mettre par rang de taille; **O~en** *n* rangement, classement *m;* **O~er** *m* ‹-s, -› ordonnateur; organisateur; *(Aktenhefter)* (dossier-)classeur *m.*

Ordnung *f* ‹-, -en› ['ɔrdnuŋ] *(Zustand)* ordre, (bon) état; *(Handlung)* (ar)rangement, classement, règlement *m,* disposition *f; (Verfassung)* règlement, statut; *zoo* ordre *m; der* ~ *halber* pour le bon ordre, pour la bonne forme; *in* ~ en (bonne) règle, dans la règle; *tech* en bon état; *fam (Mensch)* de bon acabit; *nicht ganz in* ~ *(fam: Mensch, gesundheitl.)* mal fichu; *in der* ~ dans l'ordre; *in guter* ~ en bon ordre; ~ *in etw bringen* mettre de l'ordre dans qc, régler qc; *etw (wieder) in* ~ *bringen* (re)mettre qc en ordre; *in* ~ *gehen* être en bonne voie; *sich an* ~ *gewöhnen* se discipliner; ~ *halten* maintenir l'ordre; *in* ~ *halten* tenir en ordre *od* en (bon) état; *die* ~ *herstellen* établir l'ordre; *zur* ~ *rufen* rappeler à l'ordre; ~ *schaffen* faire *od* mettre de l'ordre; *für* ~ *sorgen* maintenir l'ordre; faire la police; *das werde ich schon in* ~ *bringen* j'y mettrai bon ordre; *es herrscht* ~ l'ordre règne; *es ist alles in* ~ tout est pour le mieux; *in* ~ ce sera fait; *soweit wäre alles in* ~ jusqu'ici tout va bien; *geht in* ~*!* (c'est) entendu! *geöffnete* ~ *(mil)* formation *f* ouverte; *mustergültige* ~ ordre *m* parfait; **~sdienst** *m* service *m* d'ordre; **o~sgemäß** *a* conforme aux règles, réglementaire, régulier; *adv* dûment, en bonne (et due) forme; **o~shalber** *adv* pour la bonne règle *od* forme; **~sliebe** *f* goût *m* de l'ordre; **o~sliebend** *a* ordonné, rangé; **~smäßigkeit** *f* régularité *f;* **~spolizei** *f* police *f* de l'ordre public; **~sruf** *m parl* rappel *m* à l'ordre; **~ssinn** *m* esprit *m* de l'ordre; **~sstrafe** *f* peine *od* amende *f* disciplinaire; **~szahl** *f math* nombre ordinal; *chem* nombre *od* numéro *m* atomique.

Ordonnanz *f* ‹-, -en› [ɔrdɔ'nants] *mil (Bursche)* ordonnance *f,* planton *m;* **~offizier** *m* officier *m* d'ordonnance.

Organ *n* ‹-s, -e› [ɔr'ga:n] *anat* u. *fig* organe *m; adm* institution *f; pl, anat a.* appareil *m;* **~erkrankung** *f* maladie *f* organique; **~iker** *m* ‹-s, -› [-'ga:nikər] *chem* organicien *m;* **~isation** *f* ‹-, -en› [-ganizatsi'o:n] organisation *f;* **~isationsgabe** *f* qualités *f pl od* talent *m* organisateur; **~isator** *m* ‹-s, -en› [-ni'za:tɔr, -'to:rən] organisateur *m;* **o~isatorisch** [-'to:rɪʃ] *a* organisateur, relatif à l'organisation; **o~isch** [-'ga:nɪʃ] *a, a. chem* organique; ~~ *eingliedern* intégrer organiquement; **o~isieren** [-ni'zi:rən] *tr* organiser; *arg mil (stehlen)* grouper, chiper, barboter; **o~isiert** *a pol (gewerksch.)* syndiqué; **~ismus** *m* ‹-s, -men› [-'nɪsmus, -mən] organisme *m;* **~ist** *m* ‹-en, -en› [-'nɪst] *mus* organiste *m;* **~ometall** [-gano-] *n* composé *m* organométallique.

Organdy *m* ‹s, ø› [ɔr'gandi] *(Stoff)* organdi *m.*

Orgasmus *m* ‹-, -men› [ɔr'gasmus] *physiol* orgasme *m.*

Orgel *f* ‹-, -n› ['ɔrgəl] orgue *m; die* ~ *spielen* jouer de l'orgue; **~balg** *m* soufflet *m* d'orgue; **~bauer** *m* facteur *m* d'orgues; **~gehäuse** *n* buffet *m* d'orgue; **~konzert** *n* récital *m* d'orgue; **~musik** *f* musique *f* pour orgue; **o~n** ‹*ich org(e)le, du orgelst* ...› *itr* jouer de l'orgue; **~pfeife** *f* tuyau *m* d'orgue; *wie die* ~~*n* en rang d'oignons; **~spiel** *n* jeu *m* de l'orgue; **~spieler** *m* joueur *m* d'orgue.

orgi|astisch [ɔrgi'astɪʃ] *a* orgia(stique; **O~e** *f* ‹-, -n› ['ɔrgiə] orgie *f;* ~~*n feiern* faire des orgies.

Orient ['o:riɛnt, ori'ɛnt], *der* l'Orient *m,* le Levant; **~ale** *m* ‹-n, -n› [-'ta:lə], **~alin** *f* Oriental, e *m f,* Levantin, e *m f;* **o~alisch** [-'ta:lɪʃ] *a* oriental, levantin; *ein* ~~*es Gepräge geben* orientaliser (*e-r S* qc); **~alist** *m* ‹-en, -en› [-ta'lɪst] orientaliste *m;* **~alistik** *f* ‹-, ø› [-'lɪstɪk] orientalisme *m;* **o~alistisch** [-'lɪstɪʃ] *a* orientaliste; **o~ieren** [-'ti:rən] *tr* orienter, mettre au point; *sich* ~~ *(a. fig)* s'orienter; *fig* prendre le vent, se mettre au courant; *sich im Gelände* ~~ faire un tour d'horizon; *über alles ~iert sein* connaître tous les tenants et les aboutissants; **~ierung** *f* orientation *f (a. e-s Gebäudes); (Überblick)* tour *m* d'horizon; *fig* mise *f* au point; *die* ~~ *verlieren* perdre l'orientation; **~ierungsvermögen** *n* faculté *f* d'orientation; **~teppich** *m* tapis *m* d'Orient *od* de Turquie.

origin|al [origi'na:l] *a* original; *(echt)* authentique; **O~al** *n* ‹-s, -e› original; *(Mensch)* (homme) original; *(Urschrift)* autographe, manuscrit, texte *m; (Originalurkunde)* minute *f; im* ~~ *(Schrift)* dans le texte; **O~aleinband** *m* reliure *f* d'éditeur *od* originale; **O~alfassung** *f* version *f* originale; *in* ~~ *mit Untertiteln (film)* en version originale sous-titrée; **O~alhandschrift** *f* autographe *m;* **O~alität** *f* ‹-, -en› [-nali'tɛ:t] originalité *f;* **O~alkopie** *f (Kunst)* répétition *f;* **O~alpackung** *f* emballage *m* d'origine; **O~alreportage** *f radio* reportage *m* en direct; **O~alsendung** *f radio* émission *f* en direct; **O~alurkunde** *f* acte *m* minutaire, minute *f;* **~ell** [-gi'nɛl] *a* original; *(eigenartig)* singulier, curieux, drôle.

Orkan *m* ‹-s, -e› [ɔr'ka:n] ouragan *m;* **o~artig** *a* comme un ouragan, violent; *~~e(r) Beifall m* applaudissements *m pl* à tout rompre.

Orn|ament *n* ‹-(e)s, -e› [ɔrna'mɛnt] ornement *m; mit e-m* ~~ *verzieren* ornementer; **o~amental** [-'ta:l] *a* ornemental; **o~amentieren** [-'ti:rən] *tr* ornementer; **~amentik** *f* ‹-, ø› [-'mɛntɪk] ornementation *f;* **~at** *m* ‹-(e)s, -e› [-'na:t] robe *f* de cérémonie; *rel* habits *m pl* sacerdotaux.

Ornitholog|e *m* ‹-n, -n› [ɔrnito'lo:gə] ornithologue, ornithologiste *m;* **~ie** *f* ‹-, ø› [-lo'gi:] *(Vogelkunde)* ornithologie *f.*

Ort *m* ‹-(e)s, -e› [ɔrt] *(Stelle)* lieu *a. math m* ‹-(e)s, ¨er› endroit *m,* place *f; (~schaft)* endroit *m,* localité *f; mines n* ‹-(e)s, ¨er› front *m* de taille; *am angegebenen* ~ *(e-r Schrift)* à l'endroit cité; *an* ~ *und Stelle* sur les lieux *od* le terrain; *(am rechten* ~*)* sur place, à sa place; *(am Bestimmungs~)* à sa destination; *(am Treffpunkt)* à l'endroit convenu; *höheren ~es* en haut lieu; *sich an* ~ *und Stelle begeben* se rendre sur place *od* sur les lieux; *hier ist nicht der* ~ *zu ...* ce n'est pas le lieu pour ..., il serait déplacé de ...; *geometrische(r)* ~ lieu *m* géométrique; ~ *der Handlung (theat)* scène *f;* **o~en** *tr aero* faire le point de, repérer; **~er** *m* ‹-s,-› *aero* navigateur, observateur *m;* **~erraum** *m* poste *m* de navigateur *od* d'observateur; **~schaft** *f* localité *f,* endroit *m; geschlossene* ~~ agglomération *f;* **~scheit** *n (Wagen)* palonnier *m;* **~ung** *f aero* orientation, détermination *f* du point, repérage *m;* **~ungskarte** *f aero* carte *f* de navigation; **~ungspunkt** *m* point *m* de repère.

Ört|chen *n* ‹-s, -› ['œrtçən] *fam* petit endroit *od* coin *m;* **ö~lich** *a* local;

med topique; *~~e Störungen f pl (radio)* parasites *m pl* locaux; **~lichkeit** *f* localité *f.*

ortho|dox [ɔrto'dɔks] *a* orthodoxe; **O~doxie** *f* ‹-, ø› [-'ksi:] orthodoxie *f;* **O~graphie** *f* ‹-, -n› [-gra'fi:] orthographe *f; neue ~~* néographie *f;* **~graphisch** [-'gra:fɪʃ] *a* orthographique; *~~e(r) Fehler m* faute *f* d'orthographe; **O~päde** *m* ‹-n, -n› [-'pɛ:də] orthopédiste *m;* **O~pädie** *f* ‹-, ø› [-pɛ'di:] orthopédie *f;* **~pädisch** [-'pɛ:dɪʃ] *a* orthopédique; *~~e Schuhe m pl* chaussures *f pl* correctives.

Orts|angabe *f* ['ɔrts-] indication *f* du lieu; **o~ansässig** *a* résident, établi dans la localité; **o~anwesend** *a (Bevölkerung)* présent; **~ausgang** *m* issue *f* de la localité; **~befund** *m jur* état *m* de(s) lieux; **~behörde** *f* autorité *f* locale; **~besichtigung** *f* inspection des lieux; *jur* descente *f* sur les lieux; **~bestimmung** *f* localisation; *mar* détermination *f* du point, relèvement *m;* **~empfang** *m radio* réception *f* locale *od* régionale; **o~fest** *a* fixe, stationnaire; **~gedächtnis** *n* mémoire *f* locale *od* des lieux; **~gespräch** *n tele* communication *f* locale *od* urbaine; **~kenntnis** *f* connaissance *f* des lieux; *~~ haben* connaître les lieux; **~kommandant** *m* commandant *m* de la place; **~kommandantur** *f* bureau *m* de la place; **~krankenkasse** *f* caisse *f* locale de maladie; **o~kundig** *a* connaissant les lieux; **~leitung** *f tele* circuit *m* local; **~name** *m* nom de lieu, toponyme *m;* **~namenkunde** *f* toponymie *f;* **~netz** *n tele* réseau *m* local *od* urbain; **~netzkennzahl** *f tele* indicatif *m* interurbain; **~polizei** *f* police *f* locale; **~schild** *n* plaque *f* indicatrice; **~teil** *m* quartier; faubourg *m;* **o~üblich** *a* conforme à l'usage local; **~unterkunft** *f mil* (lieu de) cantonnement *m,* place *f;* **~veränderung** *f* déplacement *m;* **~verkehr** *m* trafic local; *tele* service *m* local *od* urbain; **~vermittlung** *f tele* standard local *od* central, bureau *m* local; **~vertäfelung** *f mines* bouclier *m;* **~vertretung** *f: die ~~ haben (com)* faire la place; **~verzeichnis** *n* nomenclature *f* des localités; **~zeit** *f* heure *f* locale; **~zuschlag** *m* indemnité *f* de résidence.

Öse *f* ‹-, -n› ['ø:zə] œillet; *(Ring)* anneau *m.*

Ost *m* [ɔst] ‹-s, ø› *(Himmelsrichtung, Wind: m* ‹-(e)s, (-e)› *)* est *m;* **~afrika** *n* l'Afrique *f* orientale; **~asien** *n* l'Extrême-Orient *m;* **~-Berlin** *n* Berlin-Est *m;* **~block,** *der,* **~blockstaaten,** *die m pl* (les pays *m pl* de) l'Est *m;* **~deutschland** *n* l'Allemagne *f* orientale; **~en** *m* ‹-s, ø› *(Himmelsrichtung)* est *m; der ~~ (Orient)* l'Orient *m,* le Levant; *pol* l'Est *m; der Nahe, Mittlere, Ferne ~~* le Proche-Orient, le Moyen-Orient, l'Extrême-Orient *m;* **~europa** *n* l'Europe *f* orientale; **~goten** *m pl* ['ɔst'go:tən] *hist* Ostrogoths *m pl;* **~indien** *n* les Indes *f pl* orientales; **~mark** *f hist* Marche *f* de l'Est; *fam (Deutsche Mark Ost)* mark *m* oriental; **~preußen** *n* la Prusse orientale; **o~römisch** *a: das O~~e Reich (hist)* l'Empire *m* romain d'Orient *od* byzantin; **~see,** *die* la (mer) Baltique; **~seeprovinzen** *f pl* provinces *f pl* baltiques; **o~wärts** *adv* vers l'est; **~-West-Beziehungen** *f pl pol* relations *f pl* est-ouest; **~-West-Handel** *m* commerce *m* est-ouest; **~wind** *m* vent *m* d'est; **o~zonal** *a* de la zone d'occupation soviétique; **~zone** *f (Deutschlands)* Zone d'occupation, Zone *f* est *od* orientale *od* soviétique; **östlich** *a* oriental, de l'est, d'est; *adv:* à l'est (*von* de).

ostentativ [ɔstɛnta'ti:f] *a* ostensible, manifeste; *(großtuerisch)* ostentatoire.

Oster|ei *n* ['o:stər-] œuf *m* de Pâques; **~hase** *m* lièvre *m* de Pâques; **~kommunion** *f: s-e ~~ halten* faire ses pâques; **~lamm** *m* agneau *m* pascal; **~n** *n* ‹-, ø› *od f pl* Pâques *m; fröhliche ~~!* joyeuses Pâques! **~sonntag** *m* dimanche *m* de Pâques; **~woche** *f* semaine *f* sainte *od* de Pâques; **~zeit** *f* temps *m* pascal; **österlich** ['ø:stərlɪç] *a* pascal.

Österreich *n* ['ø:stəraɪç] l'Autriche *f;* **~er(in** *f***)** *m* ‹-s, -› Autrichien, ne *m f;* **ö~isch** *a* autrichien.

Oszill|ation *f* ‹-, -en› [ɔstsɪlatsi'o:n] *(Schwingung)* oscillation *f;* **~ator** *m* ‹-s, -en› [-'la:tɔr, -'to:rən] oscillateur *m;* **o~ieren** [-'li:rən] *itr* osciller; **~ogramm** *n* ‹-s, -e› [-lo'gram] oscillogramme *m;* **~ograph** *m* ‹-en, -en› [-lo'gra:f] oscillographe *m.*

Otter *f* ‹-, -n› ['ɔtər] *(Schlange)* vipère *f; m* ‹-s, -› *(Fisch~)* loutre *f;* **~ngezücht** *n fig* race *f* de vipères.

Ottomotor *m* ['ɔto-] moteur *m* à carburation.

Ouvertüre *f* ‹-, -n› [uvɛr'ty:rə] *mus* ouverture *f.*

oval [o'va:l] *a* ovale; **O~** *n* ‹-s, -e› ovale *m;* **O~werden** *n mot (der Reifen)* ovalisation *f.*

Ovation *f* ‹-, -en› [ovatsi'o:n] ovation *f; jdm e-e ~ bringen* ovationner qn.

Overall *m* ‹-s, -s› ['ouvərɔ:l] *(Kleidungsstück)* survêtement *m,* salopette *f.*

Oxalsäure *f* [ɔk'sa:l-] acide *m* oxalique.

Oxyd *(fachsprachlich:* **Oxid***) n* ‹-(e)s, -e› [ɔ'ksy:t, -'si:t, -də] *chem* oxyde *m;* **~ation** *f* ‹-, -en› [ɔksydatsi'o:n] oxydation *f;* **~ationsprodukt** *n* produit *m* de l'oxydation; **o~ierbar** [ɔksy'di:r-] *a* oxydable; **o~ieren** *itr* oxyder; **~ierung** *f* oxydation *f;* **~ul** *n* ‹-s, -e› [-'du:l] protoxyde *m.*

Ozean *m* ‹-s, -e› ['o:-/otse'a:n] océan *m;* **~dampfer** *m* (navire) long-courrier; *(auf d. Atlantik)* paquebot *m* transatlantique; **~ien** *n* [-'a:niən] l'Océanie *f;* **o~isch** [-'a:nɪʃ] *a allg* océanique; *(aus Ozeanien)* océanien; **~ograph** *m* ‹-en, -en› océanographe *m;* **~ographie** *f* ‹-, ø› [-nogra'fi:] *(Meereskunde)* océanographie *f;* **o~ographisch** [-'gra:fɪʃ] *a* océanographique.

Oze|larfleck *m* [otse'lar-] *zoo (Pfauenauge)* ocelle *f;* **~ot** *m* ‹-s, -e› ['o:-/'ɔtselɔt] *zoo* ocelot *m.*

Ozon *n (m)* ‹-s, -ø› [o'tso:n] , *fam m* ozone *m;* **o~haltig** *a* ozon(is)é; **~isator** *m* ‹-s, -en› [otsoni'za:tɔr, -'to:rə] ozoniseur *m;* **o~isieren** [-ni'zi:rən] *tr* ozoniser.

P

P, p *n* ‹-, -› [pe:] *(Buchstabe)* P, p *m*.
paar [pa:r] *a (gleich)* pair; ~ *oder unpaar* pair ou impair; *ein* ~ ... quelques ...; peu de ...; *(alleinstehend)* quelques-un(e)s; *ein* ~ *Zeilen (a.)* un petit mot; **P~** *n* ‹-(e)s, -e› paire *f; (Mann u. Frau, Männchen u. Weibchen)* couple *m; ein* ~~ *sein (zs.gehören)* faire la paire; *junge(s)* ~~ (nouveaux *od* jeunes) mariés *m pl; ein* ~~ *Schuhe* une paire de chaussures; **~en** *tr (Zuchttiere)* accoupler, apparier, appareiller; *fig (verbinden)* joindre, allier; *sich* ~~ *(Tiere)* s'accoupler; *gepaart (pp, a) anat bot* conjugué; **P~hufer** *m pl zoo* artiodactyles *m pl;* **~ig** *a biol* pair, géminé; *allg* apparié, appareillé; *nicht* ~~ dépareillé; **~mal** *adv: ein* ~~ quelques fois; **P~ung** *f* accouplement, appariement, appareillage *m;* **P~ungszeit** *f orn* pariade *f;* **~weise** *adv* par couples, par paires, deux à deux; ~~ *anordnen* apparier, jumeler; **P~zeher** *m pl* = *P~hufer.*
Pacht *f* ‹-, -en› [paxt] bail; *agr* affermage *m*, ferme *f; in* ~ à louage, en location; *in* ~ *haben* tenir à bail; **p~en** *tr* prendre à bail *od* à ferme; *fam (für sich beanspruchen)* monopoliser; **~ertrag** *m,* **~geld** *n* (af)fermage *m;* **~grundstück** *n,* **~gut** *n,* **~hof** *m,* **~land** *n* terre à bail, ferme *f;* ~- **und Leihgesetz** *n* loi *f* prêt et bail; **~ung** *f* prise *f* à bail; **~vertrag** *m* contrat de fermage, bail *m* à ferme; **p~weise** *adv* à bail, à ferme; **~zins** *m* prix du bail; (af)fermage *m;* **Pächter** *m* ‹-s, -› ['pɛçtər] preneur; tenancier; *agr* fermier *m*.
Pack 1. *m* ‹-(e)s, -e/¨-e› [pak, 'pɛkə] *(Bündel)* paquet *m*, liasse *f; (Ballen)* ballot *m; mit Sack und* ~ avec armes et bagages; **~eis** *n* pack *m*, glaces *f pl* (accumulées), banquise *f;* **p~en** *tr (ergreifen)* empoigner; *fam* agripper; *a. fig* saisir; *fig* émouvoir, toucher; *(einpacken)* empaqueter, emballer; *(zs.packen)* paqueter; *itr (s-e Koffer* ~~*)* faire ses bagages; *sich* ~~ *(fam: weggehen)* plier bagage, décamper, filer, prendre le large; *in Kisten* ~~ mettre en caisse(s), encaisser; *s-n Koffer* ~~ faire sa *od* la valise *od* malle; *s-e Sachen* ~~ plier bagage; **~en** *n* paquetage *m; m* gros paquet; *(Bücher)* ballot *m; jeder hat s-n* ~~ *zu tragen (prov)* chacun porte sa croix; **p~end** *a (ergreifend)* saisissant, captivant; passionnant; **~er** *m* ‹-s, -› paqueteur, emballeur *m;* **~erei** *f* [-'raı] *(~raum)* salle *f* d'emballage; **~esel** *m fig pej* bête *f* de somme, cheval *m* de bât; *beladen wie ein* ~~ chargé comme un mulet; **~hof** *m* entrepôt *m;* **~lage** *f arch* blocage; *(Straße)* encaissement *m;* **~leinwand** *f* toile *f* d'emballage, canevas *m;* **~maschine** *f* machine *f* à emballer; **~nadel** *f* aiguille d'emballeur, broche *f* à emballage; **~papier** *n* papier *m* d'emballage; **~sattel** *m* bât *m;* **~tasche** *f* sacoche *f;* **~ung** *f* empaquetage, emballage, habillage; présentation *f; (Päckchen)* paquet *m; tech* garniture *f; med* enveloppement *m; große* ~~ *(com)* paquet *m* géant; **~wagen** *m* fourgon *m;* **~zettel** *m* fiche *f* de paquetage.
Pack 2. *n* ‹-(e)s, ø› [pak] *(Gesindel)* canaille, racaille, mauvaise graine *f*.
Päckchen *n* ‹-s, -› ['pɛkçən] (petit) paquet *m*.
Pädagog|e *m* ‹-en, -en› [pɛda'go:gə] pédagogue *m;* **~ik** *f* ‹-, ø› [-'go:gık] pédagogie *f;* **p~isch** [-'go:gıʃ] *a* pédagogique; *P~~e Akademie f* école *f* normale primaire.
Padd|el *n* ‹-s, -› ['padəl] pagaie *f;* **~elboot** *n* canoë, kayak *m;* **p~eln** ‹*ich padd(e)le, du paddelst* ...› *itr* pagayer, faire du canoë; **~ler** *m* ‹-s, -› [-dlər] canoéiste *m*.
Päderast *m* ‹-en, -en› [pɛde'rast] pédé(raste) *m;* **~ie** *f* ‹-, ø› [-'ti:] pédérastie *f*.
paff [paf] *interj* pan!
paffen ['pafən] *itr fam* fumer à grosses bouffées.
Page *m* ‹-n, -n› ['pa:ʒə] page; *(Hotel~)* chasseur (d'hôtel), groom *m;* **~nkopf** *m (Frisur)* cheveux *m pl* à la Jeanne d'Arc.
paginier|en [pagi'ni:rən] *tr* paginer; marquer les pages de; **P~stempel** *m* numéroteur *m;* **P~ung** *f* pagination *f*.
Pagode *f* ‹-, -n› [pa'go:də] *arch rel* pagode *f*.
pah [pa:] *interj* = *bah.*
Pair *m* ‹-s, -s› [pɛ:r] *hist* pair *m;* **~ie** *f* ‹-, -n› [pɛ'ri:] , **~swürde** *f* pairie *f*.
Pak *f* ‹-, -(s)› [pak] *(Panzerabwehrkanone)* canon *m* antichar.
Paket *n* ‹-(e)s, -e› [pa'ke:t] *allg* paquet; *(Post~)* colis *m* (postal); *große(s)* ~ *(com)* paquet *m* géant; **~annahme** *f,* **~ausgabe** *f* réception, livraison *f* des colis; **~beförderung** *f* manutention *f;* **p~ieren** [-ke'ti:rən] *tr (verpacken)* (em)paqueter; **~iermaschine** *f* machine *f* à empaqueter; **~karte** *f* feuille *f* de colis, bulletin *m* d'expédition; **~satz** *m typ* paquetage *m;* **~setzer** *m tap* paquetier *m;* **~zustellung** *f* distribution *f* des colis.
Pakistan *n* ['pa:kısta(:)n] le Pakistan; **~er(in** *f***)** *m* ‹-s, -› [-'ta:nər] Pakistanais, e *m f;* **p~isch** [-'ta:nıʃ] *a* pakistanais.
Pakt *m* ‹-(e)s, -e› [pakt] pacte *m;* **p~ieren** [-'ti:rən] *itr* pactiser.
Paladin *m* ‹-s, -e› ['pa:-/pala'di:n] *hist* paladin *m*.
Paläo|graph *m* ‹-en, -en› [palɛo'gra:f] paléographe *m;* **~graphie** *f* ‹-, ø› [-gra'fi:] paléographie *f;* **p~graphisch** [-'gra:fıʃ] *a* paléographique, **~lithikum** *n* ‹-s, ø› [-'li:tıkum] paléolithique *m;* **p~lithisch** [-'li:tıʃ] *a* paléolithique; **~ntologe** *m* ‹-n, -n› [-ɔntoʼlo:gə] paléontologiste, paléontologue *m;* **~ntologie** *f* ‹-, ø› [-lo'gi:] paléontologie *f;* **p~ntologisch** *a* [-'lo:gıʃ] paléontologique; **~zoikum** *n* ‹-s, ø› [-'tso:ikum] paléozoïque *m*, ère *f* primaire; **p~zoisch** [-'tso:ıʃ] *a* paléozoïque.
Palast *m* ‹-es, ¨-e› [pa'last, -'lɛstə] palais; château *m;* **~revolution** *f* révolution *f* de palais.
Palästin|a *n* [palɛ'sti:na] la Palestine; **p~ensisch** [-ti'nɛnzıʃ] *a* palestinien.
Palaver *n* ‹-s, -› [pa'la:vər] palabre *f* od *m;* **p~n** *itr fam* palabrer.
Paletot *m* ‹-s, -s› ['palәto] paletot, pardessus *m*.
Palette *f* ‹-, -n› [pa'lɛtə] *a. fig* palette *f*.
Palisade *f* ‹-, -n› [pali'za:də] palissade *f; mit e-r* ~ *umgeben* palissader.
Palisander(holz) *m* ‹-s, -› [pali'zandər] palissandre *m*.
Pallasch *m* ‹-(e)s, -e› ['palaʃ] *(Säbel)* latte *f*.
Palliativ(mittel) *n* ‹-s, -e› [palia'ti:f] *pharm* palliatif *m*.
Palm|baum *m* ['palm-] = *~e;* **~e** *f* ‹-, -n› *(Baum)* palmier *m; (Siegespalme)* palme *f; jdn auf die* ~~ *bringen (pop)* faire monter *od* bisquer qn; échauffer les oreilles à qn, mettre qn hors de soi *od* de lui; *pop* foutre qn en colère; **~(en)blatt** *n* = *~(en)zweig;* **~enhain** *m* palmeraie *f;* **~enhaus** *n* palmarium *m;* **~enkohl** *m* palmiste *m;* **~enmark** *n* palmite *m;* **~(en)zweig** *m* palme, branche *f* de palmier; **~in** *n* ‹-s, ø› [-'mi:n] *(Warenzeichen)* cocose *f* **~öl** *n* huile *f* de palme; **~sonntag** *m* dimanche *m* des Rameaux, Pâques *f pl* fleuries; **~wedel** *m* = *~(en)zweig;* **~wein** *m* vin *m* de palme.
Pampelmuse *f* ‹-, -n› ['pam-/ pampəl'mu:zə] pamplemousse *m*.
Pamphlet *n* ‹-(e)s, -e› [pam'fle:t] pamphlet *m;* **~ist** *m* ‹-en, -en› [-fle'tıst] pamphlétaire *m*.
pampig ['pampıç] *a fam (frech)* culotté; effronté, insolent; ~ *werden*

(fam) être mal embouché, devenir insolent.

Pamps *m* ‹-es, -e› [pamps] *arg mil, pop (Fraß)* rata *m.*

Panama|hut *m* ‹-s, -s› [-'pa(:)nama-] panama *m;* **~kanal** *m* canal *m* de Panama.

panamerikanisch [pan?a-] *a* panaméricain.

panaschier|en [pana'ʃi:rən] *itr (beim Wählen)* panacher; **P~system** *n* panachage *m.*

Panda *m* ‹-s, -› ['panda] *zoo* panda *m.*

Paneel *n* ‹-s, -e› [pa'ne:l] *(Wandtäfelung)* panneau, lambris *m.*

Panier *n* ‹-s, -e› [pa'ni:r] *vx (Banner)* bannière *f.*

panier|en [pa'ni:rən] *tr (Küche)* paner; **P~mehl** *n* panure, chapelure *f.*

Pan|ik *f* ‹-, -en› ['pa:nɪk] panique *f;* **~ikstimmung** *f* affolement *m,* panique *f;* **p~isch** ['pa:nɪʃ] *a:* *~~e(r) Schrecken m* terreur *f* panique.

Panne *f* ‹-, -n› ['panə] *fam (Unfall, Störung)* panne; *(Reifen~)* crevaison *f; e-e ~ haben* avoir une *od* tomber *od* être *od* rester en panne.

Panoptikum *n* ‹-s, -ken› [pa'nɔptikum, -kən] musée *m* de figures de cire.

Panorama *n* ‹-s, -men› [pano'ra:ma] panorama *m.*

Pansen *m* ‹-s, -› ['panzən] *(Wiederkäuermagen)* panse *f.*

Panslawismus *m* [pan-] panslavisme *m.*

Panthe|ismus *m* ‹-, ø› [pante'ɪsmus] panthéisme *m;* **~ist** *m* ‹-en, -en› [-'ɪst] panthéiste *m;* **p~istisch** [-'ɪstɪʃ] *a* panthéiste.

Panther *m* ‹-s, -› ['pantər] *zoo* panthère *f.*

Pantine *f* ‹-, -n› [pan'ti:nə] *(Holzschuh)* sabot *m.*

Pantoffel *m* ‹-s, -n› [pan'tɔfəl] babouche, mule *f; alte(r) ~* savate, pantoufle *f; er steht unter dem ~* sa femme porte la culotte; **~blume** *f* calcéolaire *f;* **~held** *m* mari *m* qui se laisse mener par sa femme; jocrisse *m;* **~tierchen** *n* paramécie *f.*

Pantomim|e [panto'mi:mə] **1.** *f* ‹-, -n› pantomime *f;* **2.** *m* ‹-n, -n›, mime *m theat* mimodrame *m;* **p~isch** *a* pantomimique.

pan(t)sch|en ['pan(t)ʃən] *tr (Getränke verfälschen)* mouiller; frelater, sophistiquer; *itr (planschen)* patauger, barboter; **P~er** *m* ‹-s, -› falsificateur, fraudeur *m;* **P~erei** *f* [-'raɪ] frelatage, mouillage *m;* falsification *f.*

Panzer *m* ‹-s, -› ['pantsər] *hist* cuirasse; *zoo* carapace *f;* test; *mil (~wagen)* (engin) blindé, char (de combat); *(~ung)* blindage *m;* **~abschuß** *m* destruction *f* d'un *od* du char; **~abteilung** *f* bataillon *m* de chars; **~abwehrkanone** *f = Pak;* **~abwehrkompanie** *f* compagnie *f* antichar(s); **~abwehrrakete** *f* engin *m* antichar(s); **~alarm** *m* alerte *f* aux chars; **~angriff** *m* attaque *f* blindée *od* par des *od* les chars; **~armee** *f* armée *f* blindée; **~artillerie** *f* artillerie *f* blindée; **~attrappe** *f* faux blindé, simulacre *m* de char d'assaut; **~aufbau** *m* carapace *f;* **~aufklärungsfahrzeug** *n* automitrailleuse *f* de reconnaissance; **~aufklärungsgruppe** *f* groupe *m* de reconnaissance blindé; **~batterie** *f* batterie *f* blindée *od* cuirassée; **~befehlsfahrzeug** *n* véhicule *m* blindé de commandement; **~begleitwagen** *m* automitrailleuse *f* d'accompagnement; **~bekämpfung** *f* lutte *f* antichars *od* contre les chars *od* contre les blindés; **~besatzung** *f* équipage *m* de *od* du char; **p~brechend** *a (Munition)* perforant, à pénétration, de rupture; **~brigade** *f* brigade *f* blindée; **~deckung** *f* protection *f* contre les chars, abri *m* antichar; **~deckungsloch** *n* trou de protection contre engins blindés, trou *m* antichar(s); **~division** *f* division *f* blindée *od* de chars; **~drehturm** *m* tourelle *f* cuirassée tournante; **~fahrzeug** *n* véhicule *m* blindé; **~falle** *f* piège *m* antichar; **~faust** *f* lance-fusées (léger) *m* antichar(s); **p~gängig** *a (Gelände)* praticable aux chars; **~geschoß** *n* projectile *m* antichar *od* perce-cuirasse; **~glas** *n (schußfestes Verbundglas)* verre *m* blindé; **~graben** *m* fossé *m od* tranchée *f* antichar(s); **~granate** *f* obus *m od* grenade *f* antichar(s) *od* perforant(e) *od* de rupture; **~grenadier** *m* fantassin *m* porté; *pl* infanterie *f* blindée; **~hemd** *n hist* cotte *f* de mailles, haubert *m;* **~hindernis** *n* obstacle *m* antichar(s); **~höcker** *m pl* dents *f pl* de dragon; **~jäger** *m* chasseur *m* de chars; **~kabel** *n el* câble *m* armé *od* blindé; **~knacker** *m (Soldat)* casseur *od* croqueur *od* tueur *m* de blindés *od* de chars; **~korps** *n* corps *m* blindé; **~kraftwagen** *m* véhicule *m* automobile blindé; **~kreuzer** *m mar* croiseur *m* cuirassé; **~kuppel** *f* coupole *f* cuirassée *od* blindée; **~mine** *f* mine *f* antichar(s); **p~n** *tr* cuirasser a. fig; blinder; **~nahabwehr** *f,* **~nahbekämpfung** *f* défense, lutte *f* rapprochée antichars; **~platte** *f mar* plaque *f* de blindage; **~regiment** *n: (schweres) ~~* régiment *m* de chars (lourds); **~schiff** *n* vaisseau *od* navire *m* cuirassé; **~schlacht** *f* bataille *f* de chars; **~schrank** *m (Geldschrank)* coffre-fort *m;* **~schreck** *m* bazooka, lance-fusées *od* lance-roquettes *m* antichar(s); **p~sicher** *a (Gelände)* impraticable aux chars; **~spähwagen** *m* engin *m* blindé de reconnaissance; **~sperre** *f* barrage *m* antichar(s); **~spitze** *f* pointe *f* blindée *od* de chars; **~truppe** *f* arme *f* blindée; **~tür** *f* porte *f* blindée *od* cuirassée; **~turm** *m (Panzer)* tourelle (de char); *mar* tourelle *f* blindée *od* cuirassée; **~ung** *f mil mar el* blindage; cuirassement *m;* **~unterstützung** *f: mit ~~* avec l'appui des chars; **~verband** *m* formation *f* blindée; **~waffe** *f* arme *f* blindée; **~wagen** *m* char *od* engin *m* blindé; *mot = ~kraftwagen,* **~werk** *n (Festung)* fortin *m* blindé; **~weste** *f* gilet *m* antiballes; **~zerstörer** *m (Fahrzeug)* destructeur *m* de chars; **~zug** *m loc* train *m* blindé.

Päonie *f* ‹-, -n› [pɛ'o:niə] *bot* pivoine *f.*

Papa *m* ‹-s, -s› ['papa/pa'pa:] papa *m.*

Papagei *m* ‹-en/-s, -en/-e› [papa'gaɪ] perroquet *m; pl (Edel~en)* psittacidés *m pl; weibliche(r) ~* perruche *f;* **~enkrankheit** *f* psittacose *f;* **~taucher** *m orn* macareux *m* (commun).

Paperback *n* ‹-s, -s› ['pɛɪpəbæk] *(Studienausgabe)* volume *m* cartonné.

Papier *n* ‹-s, -e› [pa'pi:r] papier *m; (Wert~)* valeur *f;* effet, titre *m pl (Ausweise)* papiers *m pl* (d'identité); *zu ~ bringen* coucher *od* fixer *od* jeter *od* mettre sur le papier; *das steht nur auf dem ~* cela n'existe que sur le papier; *~ ist geduldig (prov)* le papier souffre tout; *ein Blatt* od *Bogen ~* une feuille de papier; **~abfälle** *m pl* rognures *f pl* de papier; **~brei** *m* pâte *f* à papier; **~deutsch** *n* style *m* sec *od* terne (en allemand); **~einführer** *m typ* guide-papier *m;* **p~en** *a* de papier; *fig (Stil)* sec; **~fabrikant** *m* papetier *m;* **~fabrik(-ation)** *f* papeterie *f;* **~geld** *n* ‹-(e)s, ø› papier-monnaie *m,* monnaie *f* de papier *od* fiduciaire; **~geldumlauf** *m* circulation *f* fiduciaire; **~geschäft** *n,* **~handel** *m,* **~handlung** *f* papeterie *f;* **~händler** *m* papetier *m;* **~hülle** *f* enveloppe *f* en papier; **~industrie** *f* industrie *f* du papier; **~korb** *m* panier *m od* corbeille *f* à papier(s); *in den ~~ werfen* od *(fam) wandern lassen* jeter au panier; **~krieg** *m* paperasserie *f;* **~maché** *n* ‹-s, -s› [-piema'ʃe:] papier maché, carton-pâte *m;* **~manschette** *f (für Blumentöpfe)* cache-pot *m;* **~mark** *f fin* mark-papier *m;* **~masse** *f* pâte *f* à papier; **~messer** *n* coupe-papier *m;* **~mühle** *f = ~fabrik;* **~rolle** *f* rouleau *m* de papier; **~sack** *m,* **~tüte** *f* sac *m* en papier; **~schere** *f* ciseaux *m pl* à papier; **~schlange** *f* serpentin *m;* **~schneidemaschine** *f* massicot *m;* **~serviette** *f* serviette *f* en papier; **~streifen** *m* bande *f* de papier; **~taschentuch** *n* mouchoir *m* en papier *od* à jeter; **~waren** *f pl* papeterie *f.*

Pap|ismus *m* ‹-, ø› [pa'pɪsmus] *rel pej* papisme *m;* **~ist** *m* ‹-en, -en› [-'pɪst] papiste *m;* **p~istisch** [-'pɪstɪʃ] *a* papiste.

Papp *m* ‹-(e)s, -e› [pap] *dial (Brei)* mastic *m; (Kleister)* colle *f;* **~band** *m (Buch)* volume *m* cartonné; **~e** *f* ‹-, -n› carton *m; pop = ~ (Brei); das ist nicht von ~~ (fig fam)* ce n'est pas de la petite bière, c'est sérieux, ce n'est pas trop mal; **~einband** *m* reliure *f* papier; **p~en** *tr fam* coller; **~enstiel** *m: das ist kein ~~ (fig)* ce n'est pas une bagatelle; **p~ig** *a (breiig)* pâteux; *(Schnee)* tenace; **~maché** *n* ‹-s, -s› [-ma'ʃe:] papier mâché, carton-pâte *m;* **~schachtel** *f* (boîte *f* en *od* de) carton *m;* **~schere** *f* cisailles *f pl* de cartonnier *od* de relieur; **~schnee** *m* neige *f* mouillée.

Pappel *f* ‹-, -n› ['papəl] peuplier *m;* **~(holz** *n***)** *f* (bois de) peuplier *m;* **p~n** *a (aus ~holz)* en (bois de) peuplier.

päppeln ‹*ich päpp(e)le, du päppelst* ..› ['pɛpəln] *tr fam (Kind füttern)* donner la becquée *od* la bouillie à.

Pappenheimer *m pl* ['papənhaɪmər]: *s-e ~ kennen* connaître ses gens *od* son monde.

papperlapapp [papərla'pap] *interj* turlututu! patati-patata!

Paprika *m* ‹-s, -s› ['paprika] *bot (Gewürz)* paprika *m.*

Papst *m* ‹-es, ⸚e› [pa:pst, 'pɛ:pstə] pape, souverain *m* pontife; **~tum** *n* ‹-s, ø› papauté *f;* **~wahl** *f* élection *f* d'un *od* du pape.

päpstlich ['pɛ:pstlɪç] *a* papal, du pape; pontifical; *~er sein als der Papst (fig)* être plus royaliste que le roi.

Papua *m* ‹-(s), -(s)› ['pa:pua/pa'pu:a] *geog* Papou *m.*

Papyrus|(staude, ~rolle *f***)** *m* ‹-, -ri› [pa'py:rus, -ri] papyrus *m;* **~kunde** *f* papyrologie *f.*

Parab|el *f* ‹-, -n› [pa'ra:bəl] *(math; Gleichnis)* parabole *f;* **p~olisch** [-'bo:lɪʃ] *a* parabolique; **~olspiegel** *m* [-'bo:l-] miroir *m* parabolique.

Parade *f* ‹-, -n› [pa'ra:də] *mil* revue *f,* défilé *m; (mit Waffen)* prise d'armes; *(Fechten, Reiten)* parade *f; die ~ abnehmen* passer les troupes en revue; **~bett** *n* lit *m* de parade; **~marsch** *m* = *~ u. ~schritt;* **~pferd** *n fig* air *m* de bravoure; exemple *m* favori; **~platz** *m* place *f* d'armes; **~schritt** *m* pas *m* de parade; **~stück** *n* morceau *m* de bravoure; **~uniform** *f* grande tenue *f;* **paradieren** [-'ra'di:rən] *itr* parader; *mit etw* faire parade de qc.

Paradentose *f* ‹-, -n› [paradɛn'to:zə] *med* déchaussement *m* des dents.

Paradies *n* ‹-es, -e› [para'di:s] paradis *m; fig a.* Terre *f* promise; **~apfel** *m* tomate *f;* **p~isch** [-'di:zɪʃ] *a* paradisiaque; **~vogel** *m* oiseau de paradis, paradisier *m;* **~witwe** *f orn* veuve *f.*

paradox [para'dɔks] *a* paradoxal; **P~** *n* ‹-es, -e›, **P~on** *n* ‹-s, -xa› [pa'ra:dɔksɔn, -sa] paradoxe *m;* **P~ie** *f* ‹-, -n› [-'si:] paradoxisme *m.*

Paraffin *n* ‹-s, -e› [para'fi:n] paraffine *f; mit ~ überziehen* paraffiner; **~isolierschicht** *f* enduit *m* paraffiné; **~kerze** *f,* **~öl** *n* bougie, huile *f* de paraffine.

Paragraph *m* ‹-en, -en› [para'gra:f] *(Abschnitt)* paragraphe, article *m;* **~enreiter** *m* procédurier *m;* **~enreiterei** *f* ergoterie, chicane *f* procédurière; **~(enzeichen** *n***)** *m* paragraphe *m.*

parall|aktisch [paralaktɪʃ] *a astr* parallactique; **P~axe** *f* ‹-, -n› [-'laksə] parallaxe *f.*

parallel [para'le:l] *a* parallèle (*zu* à); *~ dazu* sur un plan parallèle; *~ schalten (el)* monter en parallèle; **P~e** *f* ‹-, -n› parallèle *f, fig: m; e-e ~~ ziehen (math)* tirer une parallèle; *fig (Vergleich)* tracer *od* établir *od* faire un parallèle (*zwischen* entre) mettre en parallèle; **P~epiped** *n* ‹-(e)s, -e› [-'le:lˀepipe:t, -də], **P~~on** *n* ‹-s, -peda/-peden› [-le'pi:pedɔn, -da/-'pe:dən], **P~flach** *n* ‹-(e)s, -e› [-flax] *math* parallélépipède *m;* **P~ismus** *m* ‹-, -men› [-le'lɪsmus] *allg,* **P~ität** *f* ‹-, ø› [-li'tɛ:t] *math* parallélisme *m;* **P~kreis** *m geog* parallèle *m;* **~laufend** *a* parallèle; **P~ogramm** *n* ‹-s, -e› [-lo'gram] *math* parallélogramme *m;* **P~schaltung** *f el* mise *f od* montage *od* accouplement *od* couplage *m* en parallèle; **P~straße** *f* rue *f* parallèle.

Paraly|se *f* ‹-, -n› [para'ly:zə] *med (Lähmung)* paralysie *f; (progressive) ~~* démence *f* paralytique; **p~sieren** [-ly'zi:rən] *tr (lähmen, a. fig)* paralyser; **~tiker** *m* ‹-s, -› [-'ly:tikər] paralytique *m;* **p~tisch** *a* paralytique.

paramilitärisch [para-] *a* paramilitaire.

Paranuß *f* ['pa:ra-] châtaigne *f* du Brésil.

Paraph|e *f* ‹-, -n› [pa'ra:fe] *(Namenszug)* paraphe, parafe *m;* **p~ieren** [-ra'fi:rən] *tr* parapher, parafer.

Paraphras|e *f* ‹-, -n› [para'fra:zə] *lit mus* paraphrase *f;* **p~ieren** [-fra'zi:rən] *tr* paraphraser.

Parasit *m* ‹-en, -en› [para'zi:t] *biol* u. *allg* parasite *m;* **p~är** [-zi'tɛ:r] *a,* **p~isch** [-'zi:tɪʃ] *a* parasit(air)e; **~ismus** *m* ‹-, ø› [-'tɪsmus] *biol* parasitisme *m.*

parat [pa'ra:t] *a (bereit)* prêt.

Paratyphus *m* ['pa:ra-] paratyphoïde *f.*

pardauz [par'dauts] *interj* patatras!

Parforcejagd *f* [par'fɔrs-] chasse *f* à courre.

Parfüm *n* ‹-s, -e/-s› [par'fy:m] parfum *m;* **~erie** *f* ‹-, -n› [-fymə'ri:] *(Fabrikation u. Geschäft)* parfumerie *f;* **~eur** *m* ‹-s, -e› [-fy'mø:r] parfumeur *m;* **~fläschchen** *n* flacon *m* à parfum; **p~ieren** [-'mi:rən] *tr* parfumer; **~zerstäuber** *m* vaporisateur *m.*

pari pair; **P~emission** *f* émission *f* au pair.

Paria *m* ‹-s, -s› ['pa:ria] *rel u. fig* paria; *fig* ilote *m.*

parieren ‹*aux: haben*› [pa'ri:rən] **1.** *tr (abwehren)* parer; **2.** *itr (gehorchen)* obéir.

Paris|er(in *f***)** *m* ‹-s, -› [pa'ri:zər] Parisien, ne *m f; m fam (Kondom)* capote *f* anglaise; préservatif *m* (masculin) **~er, p~(er)isch** *a* parisien.

Parität *f* ‹-, ø› [pari'tɛ:t] *(Gleichstellung, a. fin)* parité *f;* **p~isch** [-'tɛ:tɪʃ] *a* paritaire.

Park *m* ‹-s, -s/-e› [park] *(Garten; in Zssgen a.: Depot)* parc *m;* **~aufseher** *m* gardien *m* de parc; **~bäume** *m pl (e-s Landsitzes)* arbres *m pl* marmenteaux; **p~en** *tr* parquer, garer; *itr* stationner; **~en** *n* parcage, stationnement *m; ~~ erlaubt* od *gestattet* parcage *od* stationnement autorisé; *~~ verboten!* défense de parquer *od* de stationner! stationnement interdit! **p~end** *a* en stationnement; **~erlaubnis** *f: mit ~~ (Straße, Platz)* stationnable; **~gebühr** *f* taxe *f* de stationnement; **~haus** *n* silo *m* à automobiles; **~licht** *n mot* feu *m* de stationnement; **~platz** *m* parc *m od* place *f* de stationnement, parc (à voitures), parking *m; (großer)* aire *f* de stationnement; *bewachte(r) ~~* parking *m* surveillé *od* payant; *unterirdische(r) ~~* parking *m* souterrain; **~streifen** *m (für Wagen)* accotement *m* de stationnement, allée *f* de garage; **~uhr** *f* parc(o)mètre, compteur, disque *m* de stationnement; **~verbot** *n* interdiction *f* de stationner; *Ende n des ~~s* fin *f* de l'interdiction (de stationnement).

Parkett *n* ‹-(e)s, -e› [par'kɛt] *arch jur fin* parquet; *theat* orchestre *m;* **~(fuß)boden** *m* parquet(age) *m;* **p~ieren** [-'ti:rən] *tr* parqueter; **~ierung** *f* parquetage *m;* **~legen** *n* parquetage *m,* parqueterie *f;* **~leger** *m* parqueteur, poseur *m* de parquet.

Parlament *n* ‹-(e)s, -e› [parla'mɛnt] parlement *m;* **~är** *m* ‹-s, -e› [-'tɛ:r] *(Unterhändler)* parlementaire *m;* **~ärflagge** *f* drapeau *od mar* pavillon *m* parlementaire; **~arier** *m* ‹-s, -› [-'ta:riər] parlementaire *m;* **p~arisch** [-'ta:rɪʃ] *a* parlementaire; *der P~~e Rat* le Conseil Parlementaire; *~~e Regierungsform f* système *od* régime représentatif, gouvernement *m* parlementaire; **~arismus** *m* ‹-, ø› [-ta'rɪsmus] parlementarisme *m;* **~sbeschluß** *m* vote *m od* décision *f* du parlement; **~sdebatte** *f* débat *m* parlementaire; **~seröffnung** *f* ouverture *f* du parlement; **~sferien** *pl* vacances *f pl* parlementaires; **~sgebäude,** *das (in London)* le Parlement; **~smitglied** *n* membre du parlement, parlementaire *m;* **~ssitzung** *f* séance *f* du parlement; **~sverhandlung** *f* débat *m* parlementaire.

Parmesankäse *m* [parme'za:n-] parmesan *m.*

Parod|ie *f* ‹-, -n› [paro'di:] parodie *f;* **p~ieren** [-'di:rən] *tr* parodier; **~ist** *m* ‹-en, -en› [-'dɪst] parodiste *m;* **p~istisch** [-'dɪstɪʃ] *a* parodique.

Parodontose *f* ‹-, -n› [parodɔn'to:zə] = *Paradentose.*

Parole *f* ‹-, -n› [pa'ro:lə] mot de passe, mot *m* d'ordre.

Part *m* ‹-s, -e› [part] *(Anteil)* part; *mus* partie *f.*

Partei *f* ‹-, -en› [par'taɪ] *pol* parti *m; (Klüngel)* faction; *jur* partie *f; (Wohn~)* occupant *m; e-r ~ angehören* être d'un parti; *e-r ~ beitreten, in e-e ~ eintreten* entrer dans *od* adhérer à un parti; *~ ergreifen* prendre parti (*für* pour, *gegen* contre); *für jdn* embrasser la cause de qn, prendre fait et cause pour qn, se ranger du côté de qn; *die ~ wechseln* changer de parti; *fig* tourner casaque; **~abzeichen** *n* insigne *m od* marque *f* de parti (politique); **~anwärter** *m* aspirant, candidat *m;* **~buch** *n* carte *f od* livret *m* de membre d'un *od* du parti; **~disziplin** *f* discipline *f* d'un *od* du parti; **~feind** *m* antiparti *m;* **p~feindlich** *a* antiparti *inv;* **~freund** *m parl* colistier *m;* **~führer** *m* chef de parti, leader *m;* **~funktionär** *m* permanent *m;* **~gänger** *m* partisan *m;* **~geist** *m* esprit de parti; *(Voreingenommenheit)* esprit *m* partisan; **~genosse** *m* membre *m* du parti; **p~hörig** *a* inféodé à son parti; **p~isch** *a* partial; *~~ sein (fig a.)* avoir deux poids et deux mesures; **~kongreß** *m* congrès *m* de *od* du parti; **~leitung** *f* direction *f* du parti; **p~lich** *a* partial; **~lichkeit** *f* ⟨-, ø⟩ partialité *f;* esprit *m* partisan; **p~los** *a* sans appartenance politique; indépendant, neutre; **~lose(r)** *m* sans-parti *m;* **~losigkeit** *f* ⟨-, ø⟩ indépendance, neutralité *f;* **~mann** *m* ⟨-(e)s, -leute/(-männer)⟩ *(bes. engstirniger)* homme *m* de parti; **~mitglied** *n* membre *m* du parti; **~nahme** *f* prise *f* de position; **~organisation** *f* organisation *f* du parti; **~politik** *f* politique *f* de *od* du parti; **p~politisch** *a* de politique de parti, relatif à la politique du parti; **~presse** *f* presse *f* d'opinion; **~programm** *n* programme *m* de *od* du parti; **~tag** *m* congrès *m* de *od* du parti; **~vorstand** *m* comité *m* directeur d'un *od* du parti; **~zugehörigkeit** *f* appartenance *f* (au parti).

parterre [par'tɛr] *adv* au rez-de-chaussée; **P~** *n* ⟨-s, -s⟩ rez-de-chaussée *m.*

Partie *f* ⟨-, -n⟩ [par'ti:] *(Teil, Ab-, Ausschnitt; com; tech; mus; Ausflug)* partie *f; (Heirat)* parti *m; e-e gute ~ machen* faire un bon mariage; *mit von der ~ sein* être de la partie; *er, sie ist e-e gute ~* c'est un bon *od* riche parti; **~waren** *f pl* lot *m* de marchandises variées.

partiell [partsi'ɛl] *a (Teil-)* partiel.

Partik|el *f* ⟨-, -n⟩ [par'ti:kəl] *gram* particule *f;* **~ularismus** *m* ⟨-, ø⟩ [-tikula'rɪsmus] particularisme *m;* **~ularist** *m* ⟨-en, -en⟩ [-la'rɪst] particulariste *m;* **p~ularistisch** [-'rɪstɪʃ] *a* particulariste.

Partisan *m* ⟨-s/-en, -en⟩ [parti'za:n] partisan *m;* **~e** *f* ⟨-, -n⟩ *hist (Waffe)* pertuisane *f;* **~enbekämpfung** *f* opérations *f pl* de contre-guérilla; **~enkrieg** *m* guerre de partisans; guérilla *f.*

parti|tiv [parti'ti:f] *a gram (Teilungs-)* partitif; **P~tur** *f* ⟨-, -en⟩ [-'tu:r] *mus* partition *f;* **P~zip** *n* ⟨-s, -pien⟩, **P~~ium** *n* ⟨-s, -pia⟩ [-'tsi:p(ium), -piən/-pia] *gram* participe *m; ~~ des Präsens, des Perfekts* participe *m* présent, passé.

Partner|(in *f*) *m* ⟨-s, -⟩ ['partnər] partenaire *m f; com* associé *m;* **~schaft** *f* participation; *com pol* association *f; (von Städten)* jumelage *m;* **~stadt** *f* ville *f* jumelée.

partout [-'tu:] *adv fam* absolument.

Party *f* ⟨-, -s/-ties⟩ ['pa:rti(:s)] partie (de plaisir), surprise-partie *f.*

Parvenü *m* ⟨-s, -s⟩ [parvə'ny:] parvenu *m.*

Parze *f* ⟨-, -n⟩ ['partsə] *(Mythologie)* Parque *f.*

Parzell|e *f* ⟨-, -n⟩ [par'tsɛlə] parcelle *f,* lot *m;* **p~ieren** [-'li:rən] *tr* parceller, lotir; **~ierung** *f* parcellement, lotissement *m.*

Parzival *m* ['partsifal] Perceval *m.*

Pasch *m* ⟨-(e)s, -e/-̈e⟩ [paʃ, 'pɛʃə] *(Spiel)* doublet *m; (Würfel)* rafle *f; (Domino)* partout *m; e-n ~ werfen* rafler.

Pascha *m* ⟨-s, -s⟩ ['paʃa] pacha *m.*

Paspel *f* ⟨-, -n⟩ od *m* ⟨-s, -⟩ ['paspəl] passepoil *m;* **p~ieren** [-'li:rən] *tr* passepoiler.

Paß *m* ⟨-sses, -̈sse⟩ [pas, 'pɛsə] *(Eng~)* passage, défilé; *(Gebirgs~)* col; *(Reise~)* passeport *m; e-n ~ ausstellen, erneuern, verlängern* délivrer, renouveler, prolonger *od* proroger un passeport; **~bild** *n* photo *f* d'identité; **~gang** *m (Reitkunst)* amble *m;* **~gänger** *m* cheval *m* ambleur; **~inhaber** *m* titulaire *m* du passeport; **~kontrolle** *f* contrôle *m* des passeports; **~stelle** *f* bureau *od* office *m* des passeports; **~straße** *f* route *f* de col; **~wesen** *n* régime *m* des passeports; **~zwang** *m* passeport *m* obligatoire.

Passagier *m* ⟨-s, -e⟩ [pasa'ʒi:r] passager *m; blinde(r) ~* passager *m* clandestin; **~buch** *n mar* livre *m* de bord; **~dampfer** *m* paquebot *m;* **~flugzeug** *n* avion *m* (de transport) de passagers; **~liste** *f* liste *f* des passagers.

Passah(fest) *n* ⟨-s, ø⟩ ['pasa] pâque *f* (juive).

Passant *m* ⟨en, -en⟩ [pa'sant] passant *m.*

Passat(wind) *m* ⟨-(e)s, -e⟩ [pa'sa:t] (vent) alizé *m.*

Passe *f* ⟨-, -n⟩ ['pasə] *(am Kleid)* empiècement *m.*

passen ['pasən] *itr* ⟨*paßt(e), hat gepaßt*⟩ *(Kleider, Schuhe etc)* aller (bien), être à la mesure *od* à la taille; *allg* être juste, convenir; *zu jdm, etw ~* aller bien avec qn, qc; être assorti, faire pendant à qc; *zuea. ~* s'accorder; *auf jdn, etw ~ (Beschreibung)* cadrer avec qn, qc; *jdm ~ (gefallen)* convenir à qn, *fam* botter qn; *auf etw ~ (achtgeben)* faire attention à qc, surveiller qc; *(auf ein Spiel verzichten)* passer; *(Domino)* bouder; *sich ~ (sich schicken)* convenir, être convenable *od* séant *od* de mise, se faire; *genau ~* aller juste; *gut ~* aller bien (*zu* avec); *gut zuea. ~ (Mann u. Frau)* faire un bon ménage; *nicht zu etw ~* être incompatible avec qc; *das paßt mir (gut)* cela me va (m'arrange tout à fait); *das paßt mir ausgezeichnet* cela m'arrange à merveille, je ne demande pas mieux; *das paßt mir nicht* cela ne m'arrange pas, cela ne fait pas mon affaire; *das würde mir ~* cela m'arrangerait, cela ferait mon affaire; *wie es Ihnen paßt* à votre convenance, à *od* selon votre guise; *das paßt sich gut, schlecht* cela tombe bien, mal; *das paßt nicht hierher* c'est déplacé ici; *das paßt (zeitlich) schlecht* cela tombe mal; *das könnte Ihnen so ~!* (y) pensez-vous! **~d** *a (geeignet)* approprié, adéquat; *(angebracht, angemessen)* convenable, propre, juste; de mise, de saison; *(treffend)* congru, pertinent; *(zs.passend)* assorti; *(zweckmäßig)* opportun; *bei ~~er Gelegenheit* en temps et lieu; *bei jeder ~~en und unpassenden Gelegenheit* à tous propos et hors de propos; *das P~~e finden (fig)* trouver chaussure à son pied; *es für ~~ halten zu ...* juger à propos de ...; *das P~~e sagen* parler d'or.

Passepartout *n* ⟨-s, -s⟩ [paspar'tu:] *(Hauptschlüssel; Rahmen)* passe-partout *m.*

passier|bar [pa'si:r-] *a (überschreitbar)* franchissable; **~en** ⟨*ist passiert*⟩ *itr (vor-, hinübergehen)* passer; *(sich ereignen)* se passer, se produire, arriver, avoir lieu; *(angehen)* passer; *tr (Küche: seihen)* passer; *das soll mir nicht noch einmal ~~!* on ne m'y (re)prendra *od* rattrapera plus! *das kann jedem ~~* cela peut arriver à tout le monde; *was ist ~t?* qu'est-ce qui est arrivé *od* s'est passé? **P~schein** *m allg* laissez-passer; *(Presseausweis)* coupe-file; *(Zollfreischein)* passavant *m.*

Passion *f* ⟨-, -en⟩ [pasi'o:n] *(Leidenschaft)* passion; *rel* Passion *f;* **p~iert** [-sio'ni:rt] *a* passionné; *(Raucher)* endurci; **~sblume** *f* passiflore, grenadille, fleur *f* de la passion; **~sspiel** *n theat rel* mystère *m* de la Passion; **~szeit** *f* carême *m.*

passiv ['pa-/pa'si:f] *a (untätig)* passif; *~e(s) Wahlrecht n* éligibilité *f;* **P~** *n* ⟨-s, (-e)⟩ *gram* passif *m,* voix *f* passive; **P~a** [-'si:va] *pl fin* passif *m,* masse *f* passive, dettes *f pl* passives; **P~bilanz** *f* bilan *m* déficitaire; **P~ität** *f* ⟨-, ø⟩ [-sivi'tɛ:t] passivité *f;* **P~posten** *m* élément *m* de passif; **P~seite** *f* côté *m* passif.

Passung *f* ⟨-, -en⟩ ['pasuŋ] *tech* ajustage *m.*

Passus *m* ⟨-, -⟩ ['pasus, *pl* -su:s] *(Schriftstelle)* passage *m.*

Past|a, ~e *f* ⟨-, -ten⟩ ['pasta, -tə] pâte *f.*

Pastell|(bild) *n* ⟨-(e)s, -e⟩ [pas'tɛl] (dessin au) pastel *m; in ~ malen* dessiner au pastel; **~farbe** *f* (couleur *f* à) pastel *m;* **~maler** *m* pastelliste *m;* **~malerei** *f* (peinture *f* au) pastel *m;* **~stift** *m* (crayon (de)) pastel *m.*

Pastete *f* ⟨-, -n⟩ [pas'te:tə] *(Paste)* pâté; *(Gebäck)* vol-au-vent *m;* **~nform** *f* tourtière *f;* **~nfüllung** *f* godiveau *m.*

Pasteuris|ation *f* ⟨-, -en⟩ [pastørizatsi'o:n] , **~ierung** *f* pasteurisation *f;* **p~ieren** [-'zi:rən] *tr* pasteuriser.

Pastille *f* ⟨-, -n⟩ [pas'tɪlə] pastille *f.*

Pastinake *f* ⟨-, -n⟩ [pasti'na:kə] *bot* panais *m.*

Pastor *m* ⟨-s, -en⟩ ['pastɔr, -'to:rən] *(kath.)* curé; *(evang.)* pasteur, ministre *m* (de l'Évangile); **p~al** [-to'ra:l] *a (feierlich, gesalbt)* pastoral, onctueux; **~ale** *f* ⟨-, -n⟩ *mus poet* pastorale *f.*

pastos [pas'to:s] *a* pâteux; *~ malen* peindre dans la pâte *od* en pleine pâte.

Patagonien *n* [pata'go:niən] la Patagonie.

Pat|e *m* ⟨-n, -n⟩ ['pa:tə] parrain *m; ~~ stehen bei* être parrain de, tenir sur les fonts baptismaux; **~engeschenk** *n* cadeau *m* de baptême; **~enkind** *n* filleul, e *m f;* **~enonkel** *m* parrain *m;* **~enschaft** *f* parrainage *m; die ~~ übernehmen für* parrainer; **~entante** *f,* **~in** *f* marraine *f.*

Patene *f* ⟨-, -n⟩ [pa'te:nə] *rel (Hostienteller)* patène *f.*

patent [pa'tɛnt] *a fam (geschickt)* adroit, habile; *(famos)* chic, chouette.

Patent *n* ⟨-(e)s, -e⟩ [pa'tɛnt] brevet *m* (d'invention); *ein ~ anmelden* demander un brevet; **~amt** *n* office *od* bureau *m* des brevets (d'invention); **~anmeldung** *f* demande *f* de brevet; **~anwalt** *m* agent *m* de brevet(s); **~erteilung** *f* délivrance *f* du brevet; **p~ieren** [-'ti:rən] *tr* breveter; **~inhaber** *m* détenteur *od* titulaire *m* de *od* d'un brevet; **~lösung** *f* formule *f* passe-partout *od* valable; **~recht** *n* législation *f* sur les brevets; **~schrift** *f* exposé *m* d'invention, description de brevet, lettre *f* patente; **~schutz** *m* protection *f* des inventions *od* des brevets; **~verletzung** *f* contrefaçon *f* de marque; **~verschluß** *m (an e-r Flasche)* fermeture *f* brevetée; **~verwertung** *f* exploitation *f* d'un brevet.

Pater *m* ⟨-s, -/-tres⟩ ['pa:tər, -trɛs] *rel* (révérend) père *m;* **~noster** *n* ⟨-s, -⟩ [patər'nɔstər] *(Vaterunser)* Pater, Notre Père *m;* patenôtre *f;* **~noster** *m* ⟨-s, -⟩ , **~~werk** *n tech* élévateur *m* à godets, noria *f,* chapelet *m.*

path|etisch [pa'te:tɪʃ] *a* déclamatoire; **~ogen** [-to'ge:n] *a med* pathogène; **P~ogenese** *f* ⟨-, -n⟩ [-ge'ne:zə] pathogénie *f;* **P~ologe** *m* ⟨-n, -n⟩ [-'lo:gə] pathologiste *m;* **P~ologie** *f* ⟨-, ø⟩ [-lo'gi:] pathologie *f;* **~ologisch** [-'lo:gɪʃ] *a* pathologique; **P~os** *n* ⟨-, ø⟩ ['pa:tɔs] pathétique *m;* emphase *f; (Schwulst)* pathos *m.*

Patience *f* ⟨-, -n⟩ [pasi'ã:s] *(Kartenspiel)* patience, réussite *f; e-e ~ legen* faire une patience *od* une réussite.

Patient(in *f***)** *m* ⟨-en, -en⟩ [patsi'ɛnt] malade *m f; (e-s Arztes)* client, e *m f; (bei e-r Operation)* patient, e *m f; pl a.* clientèle *f.*

Patin|a *f* ⟨-, ø⟩ ['pa:tina] patine *f;* **p~ieren** [pati'ni:rən] *tr* patiner.

Patr|iarch *m* ⟨-en, -en⟩ [patri'arç] *rel* u. *allg* patriarche *m;* **p~iarchalisch** [-'ça:lɪʃ] *a* patriarcal; **~iarchat** *n* ⟨-(e)s, -e⟩ [-'ça:t] patriarcat *m;* **~imonium** *n* ⟨-s, -nien⟩ [-'mo:nium, -niən] patrimoine *m;* **~iot** *m* ⟨-en, -en⟩ [-tri'o:t] patriote *m;* **p~iotisch** [-'o:tɪʃ] *a* patriotique; *(Mensch)* patriote; **~iotismus** *m* ⟨-, ø⟩ [-o'tɪsmʊs] patriotisme *m;* **~ize** *f* ⟨-, -n⟩ [-'tri:tsə] *(Prägestock)* poinçon *m;* **~izier(in** *f***)** *m* ⟨-s, -⟩ [-'tri:tsiər] patricien, ne *m f;* **~izierhaus** *n* hôtel *m* (particulier); **p~izisch** [-'tri:tsɪʃ] *a* patricien; **~on(in** *f***)** *m* ⟨-s, -e⟩ [-'tro:n] *(Schutzheiliger)* patron, ne *m f; hum pej (Kerl)* type; *arg* mec *m; ein sauberer ~~ (iron)* un joli monsieur; **~onat** *n* ⟨-(e)s, -e⟩ [-tro'na:t] patronat; *rel* patronage *m.*

Patrone *f* ⟨-, -n⟩ [pa'tro:nə] cartouche *f;* **~nauswerfer** *m* éjecteur *m* (de cartouches); **~ngurt** *m* bande (souple) à cartouches, bande-chargeur *f* (articulée); **~nhülse** *f* douille *f* de cartouche; **~nkasten** *m* caisse *od* boîte *f* à cartouches *od* à balles; **~ntasche** *f* cartouchière, giberne *f;* **~ntrommel** *f* tambour *m* à cartouches.

Patrouill|e *f* ⟨-, -n⟩ [pa'trʊljə] patrouille *f;* **p~ieren** [-l'ji:rən] *itr* patrouiller.

patsch [patʃ] *interj* flac! floc! vlan! **P~** *m* ⟨-(e)s, -e⟩ *(klatschender Schlag)* tape *f;* **P~e** *f* ⟨-, -n⟩ *fam (Ohrfeige)* gifle *f; (Notlage:) jdm aus der ~~ helfen* tirer qn d'embarras, sortir qn du pétrin, tendre la perche à qn, dépanner qn; *in der ~~ sitzen* od *stecken* être dans le pétrin; être frais; *da sitzen wir schön in der ~~!* nous voilà dans de beaux draps! **~en** *itr (schlagen)* donner une claque *od* tape, claquer, taper (*auf* sur); **P~händchen** *n* menotte *f;* **~(e)naß** *a* trempé comme une soupe, mouillé jusqu'aux os; *fam* saucé.

Patschuli *n* ⟨-s, -s⟩ ['patʃuli] *(Parfüm)* patchouli *m.*

patt [pat] *a (Schach)* pat; **P~** *n* ⟨-s, -s⟩ pat *m.*

Patte *f* ⟨-, -n⟩ ['patə] *(Schneiderei)* patte *f,* rabat *m* (de poche).

patzig ['patsɪç] *a* impertinent, arrogant, insolent.

Pauk|ant *m* ⟨-en, -en⟩ [pau'kant] *(student.)* duelliste *m;* **~boden** *m (student.)* salle *f* d'armes; **~e** *f* ⟨-, -n⟩ ['paukə] *mus mil* grosse caisse; *(Kessel~~)* timbale *f; die ~~ schlagen, (fig) auf die ~~ hauen* battre de la grosse caisse; *mit ~~n und Trompeten durchfallen* échouer lamentablement, *fam* ramasser une fameuse veste; **p~en** *itr* battre de la grosse caisse *od* de la timbale; *(student.: fechten)* se battre en duel; *fam (angestrengt lernen)* bachoter, piocher, potasser, bûcher; **~enhöhle** *f anat* caisse *f* du tympan; **~enschlag** *m* coup *m* de timbale; **~enschläger** *m* timbalier *m;* **~enwirbel** *m* roulement *m* de timbale; **~er** *m* ⟨-s, -⟩ *(~enschläger)* timbalier; *fam (Schule)* prof *m;* **~erei** *f* [-'raɪ] bachotage, piochage *m.*

Paul|aner *m* ⟨-s, -⟩ [pau'la:nər] *rel* minime *m;* **~us** *m* ['paulus] Paul *m.*

Paus|back *m* ⟨-(e)s, -e⟩ ['paus-] poupon, poupard *m;* **p~backig** *a,* **p~bäckig** *a* aux joues rondes, poupard; *fam* mafflu, joufflu.

pauschal [pau'ʃa:l] *a* global, forfaitaire; *a. adv* à forfait, en bloc; **P~betrag** *m,* **P~e** *f* ⟨-, -n⟩ *(n* ⟨-s, -lien⟩ *)* montant *m* global, somme *f* forfaitaire; **P~gebühr** *f* taxe *f* forfaitaire; **~ieren** [-ʃa'li:rən] *tr (abrunden)* globaliser; évaluer forfaitairement; *jdm die Steuern ~~* imposer qn à forfait; **P~ierung** *f* globalisation *f;* **P~kauf** *m* achat *m* en bloc; **P~preis** *m* prix *m* global *od* forfaitaire; **P~reise** *f* voyage *m* à forfait; **P~satz** *m* tarif *m* forfaitaire; **P~summe** *f* somme *f* globale *od* forfaitaire; **P~tarif** *m* tarif *m* à forfait; **P~versicherung** *f* assurance *f* globale; **P~vertrag** *m* forfait *m.*

Paus|e *f* ⟨-, -n⟩ ['pauzə] **1.** *(Unterbrechung)* pause *a. mus;* halte *f a. mil;* temps *m* d'arrêt; *(Schule)* récréation *f;* silence *m; theat (Bühnenanweisung)* un temps; *(zwischen den Akten)* entracte *m; nach der ~~ (theat)* à la reprise; *~~ haben* être en récréation; *(e-e) ~~ machen* faire la *od* une pause; *halbe ~~ (mus)* demi-pause *f;* **p~enlos** *a* u. *adv* sans pause *od* repos *od* arrêt *od* rémission *od* relâche *od* répit; **~enzeichen** *n radio* indication *f* de la station, indicatif, signal *m* acoustique; **p~ieren** [-'zi:rən] *itr* pauser *a. mus,* faire une pause.

Paus|e 2. *(Durchzeichnung)* calque *m;* **p~en** *tr* calquer; **~papier** *n* papier à calquer, papier-calque *m.*

Pavian *m* ⟨-s, -e⟩ ['pa:via:n] *zoo* babouin; *scient* cynocéphale *m.*

Pavillon *m* ⟨-s, -s⟩ ['pavɪljõ, -l'jo:n, -l'jɔ̃:] *allg* pavillon *m; (Gartentempel)* gloriette *f.*

Pazif|ik *m* ⟨-s, ø⟩ [pa'tsi:fɪk, 'patsifɪk] (océan) Pacifique *m;* **p~isch** [-'tsi:fɪʃ] *a geog* pacifique; *P~~e(r) Ozean m* = *~ik;* **~ismus** *m* ⟨-s, ø⟩ [-tsi'fɪsmus] pacifisme *m;* **~ist** *m* ⟨-en, -en⟩ [-'fɪst] pacifiste *m;* **p~istisch** [-'fɪstɪʃ] *a* pacifiste.

Pech *n* ⟨-(e)s, (-e)⟩ [pɛç] poix; *fig fam (Unglück)* malchance, déveine; *pop* guigne *f,* guignon *m,* tuile; *arg* poisse *f; ~ haben (fam)* avoir la *od* être dans la déveine; *pop* avoir du guignon; *(bes. im Spiel)* prendre une culotte; *ewig ~ haben, vom ~ verfolgt werden (fam)* être poursuivi par la malchance *od* la guigne; *wie ~ und Schwefel zs.halten* faire bloc, être inséparables; *wer ~ angreift, besudelt sich (prov)* qui touche de la poix souille ses mains; *vom ~ verfolgt (Person) (fam)* malchanceux; *fam* guignard; **~blende** *f* ⟨-, ø⟩ ['-blɛndə] *geol* pechblende *f;* **~draht** *m* fil poissé, ligneul *m;* **p~finster** *a* noir comme dans un four; **~harz** *n* poix-résine *f;* **p~ig** *a* poisseux, poissé; **~kiefer** *f* pitchpin *m;* **~kohle** *f* jais *m;* **~nase** *f hist arch* mâchicoulis *m;* **p~schwarz** *a fig* noir comme poix *od* du cirage *od* (du) jais; **~strähne** *f fam* série *f* noire; *e-e ~~ haben (im Spiel)* jouer de malheur; *allg* être poursuivi par la malchance *od* la guigne; **~vogel** *m* malchanceux, se *m f; vx fam* déveinard, guignard; *pop* purotin *m; ein ~~ sein (a.)* ne pas être chanceux, ne pas avoir de chance.

Pedal *n* ⟨-s, -e⟩ [pe'da:l] pédale *f; das ~ treten (mus)* mettre la pédale; **~o** *n* ⟨-s, -s⟩ [-'da:lo] *(Wasserfahrzeug)* pédalo *m.*

Pedant *m* ⟨-en, -en⟩ [pe'dant] maniaque, pinailleur, homme tatillon *m;* **~erie** *f* ⟨-, -n⟩ [-tə'ri:] minutie, méticulosité *f* exagérée; **p~isch** [-'dantɪʃ] *a* pointilleux, maniaque, pinailleur, rétilleux.

Pedell *m* ⟨-s, -e⟩ [pe'dɛl] *(Univ.)* appariteur *m.*

Pegel *m* ⟨-s, -⟩ ['pe:gəl] échelle *f* fluviale *od* d'eau; étiage *m;* **~stand** *m* niveau *m* (d'un *od* du fleuve).

Peil|anlage *f* ['paɪl-] *aero* goniomètre *m;* **~empfänger** *m* récepteur *m* (du radio)gonio(mètre); **p~en** *tr* prendre le relèvement de, relever, goniométrer; *fig* sonder; *über den Daumen ~~ (pop)* juger au pifomètre; *die Lage ~~ (mar)* faire le point; *fig* sonder le terrain; *fam* tâter le pavé; **~er** *m* ⟨-s, -⟩ goniomètre; *fam* gonio *m;* **~funk** *m* radiogoniométrie *f;* **~~stelle** *f* station *f* radiogoniométrique; **~funker** *m* opérateur *m* radiogoniométrique; **~gerät** *n* appareil *od* récepteur radiogoniométrique, récepteur-gonio, gonio(mètre), détecteur *m* aérien; **~kompaß** *m* radio-compas *m;* **~netz** *n* réseau *m* de triangulation; **~rahmen** *m* cadre *m* radiogoniométrique *od* de homing; **~sender** *m* poste *m* émetteur radiogoniométrique; **~station** *f,* **~stelle** *f* poste *m* radiogoniométrique; **~strahl** *m* faisceau de repérage; axe *m* balisé; **~ung** *f* (prise *f* de) relèvement *m;* **~zeichen** *n pl* signaux *m pl* de relèvement.

Pein *f* ⟨-, ø⟩ [paɪn] *(Schmerz)* douleur, peine, souffrance *f; (Qual)* tourment *m,* torture *f;* supplice *m;* **p~igen** *tr* faire souffrir; tourmenter, torturer, tenailler, martyriser; **~iger** *m* ⟨-s, -⟩ tortionnaire, bourreau *m;* **~igung** *f* torture *f,* martyr *m;* **p~lich** *a* pénible, gênant, embarrassant, ennuyeux; *~~ (genau)* minutieux, méticuleux; *~~ berühren (fig)* gêner, mettre dans l'embarras; *~~ einhalten* respecter strictement; *~~ wirken* jeter du *od* un froid; *es wäre mir ~~, wenn ich ...* cela m'ennuyerait de *inf;* **~lichkeit** *f* caractère *m* pénible, gêne *f.*

Peitsche *f* ⟨-, -n⟩ ['paɪtʃə] fouet *m; mit der ~ knallen* faire claquer son fouet; **p~n** fouetter; *(aus~~)* fustiger; *fig (heftig schlagen)* battre violemment, cingler; **~nhieb** *m* coup *m* de fouet; **~nknall** *m* claquement *m* de fouet; **~nstiel** *m* manche *m* de fouet.

Pekinese *m* ⟨-n, -n⟩ [peki'ne:zə] *(Hund)* pékinois *m.*

pekuniär [pekuni'ɛ:r] *a* pécuniaire; *~e Schwierigkeiten f pl* difficultés *f pl* pécuniaires *od* d'argent.

Pelerine *f* ⟨-, -n⟩ [pelə'ri:nə] pèlerine *f.*

Pelikan *m* ⟨-s, -e⟩ ['pe:-, peli'ka:n] *orn* pélican *m.*

Pellagra *n* ⟨-, ø⟩ ['pɛlagra] *med* pellagre *f.*

Pell|e *f* ⟨-, -n⟩ ['pɛlə] pelure *f; jdm nicht von der ~~ gehen (fam)* être toujours sur les talons de qn *od* (sus)pendu aux basques de qn; **p~en** *tr* peler, éplucher; **~kartoffeln** *f pl* pommes *f pl* de terre en robe des champs *od fam* de chambre.

Peloponnes [pelopɔ'ne:s], *der, geog* le Péloponnèse.

Pelz *m* ⟨-es, -e⟩ [pɛlts] *(Fell)* peau; *(bearbeitet)* fourrure *f;* **~besatz** *m* garniture *f* de fourrure; **p~besetzt** *a* garni de fourrure; **p~gefüttert** *a* doublé de fourrure, fourré; *~~e Jakke f* canadienne *f; ~~e(r) Mantel m* pelisse *f;* **~geschäft** *n* magasin *m* de fourrures; **~handel** *m* pelleterie *f;* **~händler** *m* fourreur, pelletier *m;* **~handschuh** *m* gant *m* fourré; **p~ig** *a (dicht behaart)* velu; **~jacke** *f* veste *f* de fourrure; **~kappe** *f* toque *f* de fourrure; **~kragen** *m* col *m* de fourrure; **~mantel** *m* manteau *m* de fourrure; **~mütze** *f* bonnet *m* de fourrure; *(mit Schirm)* casquette *f* en fourrure; **~stiefel** *m pl* bottes *f pl* fourrées; **~tier** *n* animal *m* à fourrure; **~tierzucht** *f* élevage *m* des animaux à fourrure; **~ware** *f,* **~werk** *n* fourrures *f pl,* pelleterie *f.*

Pendel *n* ⟨-s, -⟩ ['pɛndəl] pendule; *(Uhr)* balancier *m;* **~ausschlag** *m* amplitude *f* des oscillations d'un *od* du pendule; **~bewegung** *f* mouvement *od* va-et-vient *m* pendulaire; oscillation *f,* balancement *m;* **p~n** ⟨*ich pend(e)le, du pendelst*⟩ *itr* ⟨*hat gependelt*⟩ osciller, balancer; *(Verkehr)* ⟨*ist gependelt*⟩ faire la navette; **~n** *n* oscillations *f pl,* balancement *m;* **~scheibe** *f (Uhr)* lentille *f* de pendule; **~schwingung** *f* oscillation *f* pendulaire *od* de pendule; **~tür** *f* porte *f* battante; **~uhr** *f* pendule *f;* **~verkehr** *m* service de navette, trafic *m* de va-et-vient; **~zug** *m* (train *m*) navette *f.*

Pendler *m* ⟨-s, -⟩ ['pɛndlər] migrant (quotidien), banlieusard *m;* **~verkehr** *m* navette, migration *f* alternante.

penetrant [pene'trant] *a (Geruch)* fort, pénétrant.

penibel [pe'ni:bəl] *a fam (peinlich genau)* méticuleux, minutieux.

Penis *m* ⟨-, -sse/Penes⟩ ['pe:nis, -ə/-nɛs] *anat* pénis, membre *m* viril.

Penizillin *n* ⟨-s, -e⟩ [penitsi'li:n] *pharm* pénicilline *f;* **~behandlung** *f* pénicillinothérapie *f.*

Penn|al *n* ⟨-s, -e⟩ [pɛ'na:l] = *~e 1.;* **~äler** *m* ⟨-s, -⟩ [-'nɛ:lər] *fam (Schüler)* potache *m;* **~e** *f* ⟨-, -n⟩ ['pɛnə] **1.** *fam (Schule)* bahut *m,* boîte *f.*

Penn|bruder *m* ['pɛn-] *fam* clochard, vagabond *m;* **~e** *f* ⟨-, -n⟩ **2.** *arg* asile *m* de nuit; **p~en** *itr pop (schlafen)* roupiller, pioncer; **~er** *m* ⟨-s, -⟩ clochard *m.*

Pension *f* ⟨-, -en⟩ [pãsi'õ:, pɛnzi'o:n] *(Ruhegehalt)* pension, retraite; *(Ruhestand)* retraite; *(Fremdenheim)* maison *f* de repos; *in (voller) ~ (Verpflegung u. Unterkunft)* en pension; *in ~ geben, sein* mettre, être en pension; **~är** *m* ⟨-s, -e⟩ [-sjo'nɛ:r] *(Ruheständler)* retraité; *(Pensionsgast)* pensionnaire; *(Schüler)* interne *m;* **~ärssiedlung** *f* village-retraite *m;* **~at** *n* ⟨-(e)s, -e⟩ [-'na:t] pensionnat; *(Schule)* internat *m;* **p~ieren** [-'ni:rən] *tr* mettre à la retraite, retraiter; *sich ~~ lassen* prendre sa retraite; **p~iert** *a* retraité, en retraite; **~ierung** *f* mise *f* à la retraite; **~salter** *n* âge *m* de la retraite; **p~sberechtigt** *a* ayant *od* qui a droit à une pension; **~sberechtigung** *f* droit *m* à la pension *od* retraite; **~sgast** *m* pensionnaire *m;* **~skasse** *f* caisse *f* de(s) pension(s) *od* de retraite; **~srücklage** *f* retenue *f;* **~sverpflichtung** *f* exigibilité *f* de pension.

Pensum *n* ⟨-s, -sen/-sa⟩ ['pɛnzum, -za/-zɛn] *] (Aufgabe)* tâche; *(Lehrstoff)* leçon *f,* thème *m.*

Penta|eder *n* ⟨-s, -⟩ [pɛnta'e:dər] *math* pentaèdre *m;* **~gon** *n* ⟨-s, -e⟩ [-'go:n] *math* pentagone *m;* **~gramm** *n* ⟨-s, -e⟩ pentacle *m;* **~teuch** *m* ⟨-s, ø⟩ [-'tɔʏç] *rel* pentateuque *m.*

Pepsin *n* ⟨-s, -e⟩ [pɛp'si:n] *physiol pharm* pepsine *f.*

per [pɛr] *prp (durch, mit)* par; *~ Adresse ... (bei)* aux soins de ...; *~ Bahn* par (le chemin de) fer; *~ Saldo* pour solde; *~ Stück* la pièce; *~ ultimo* à fin de mois.

perennierend [perɛ'ni:rənt] *a bot (überwinternd)* vivace.

perfekt [pɛr'fɛkt] *a (vollkommen)* parfait, accompli, achevé, consommé; *(abgemacht, gültig)* conclu, définitif; **P~** *n* ⟨-(e)s, (-e)⟩ ['-- / -'-] *gram* passé *m* composé; **P~ion** *f* perfection *f.*

perfid|(e) [pɛr'fi:t, -də] *a (treulos)* perfide; **P~ie** *f* ⟨-, -n⟩ [-fi'di:] perfidie *f.*

perforier|en [pɛrfo'ri:rən] *tr* perforer; **P~maschine** *f* machine à perforer, perforeuse *f;* **P~ung** *f* perforation *f.*

Pergament *n* ⟨-(e)s, -e⟩ [pɛrga'mɛnt] parchemin *m;* **p~artig** *a* parcheminé; **~papier** *n* papier *m* parchemin.

Pergola *f* ⟨-, -len⟩ ['pɛrgola] *arch* pergola *f.*

Perihel *n* ⟨-s, -e⟩, **~ium** *n* ⟨-s, -lien⟩ [peri'he:l(ium)] *astr* périhélie *m.*

Period|e *f* ⟨-, -n⟩ [peri'o:də] *(Zeitraum; gram)* période *f; el* cycle *m; physiol* règles, menstrues *f pl; (Sitzungs~~)* session *f;* **~ika** *n pl* périodiques *m pl;* **p~isch** [-'rjo:dɪʃ] *a* ⟨-, ø⟩ périodique; **~izität** *f* [-rioditsi'tɛ:t] périodicité *f.*

Peripherie *f* ⟨-, -n⟩ [perife'ri:] *(Rand, a. fig)* périphérie *f.*

Periskop *n* ⟨-s, -e⟩ [peri'sko:p] *(Sehrohr)* périscope *m.*

Perl|e *f* ⟨-, -n⟩ ['pɛrlə] perle *f; ~~n vor die Säue werfen* jeter des perles aux pourceaux; *echte ~~* perle *f* fine; **p~en** *itr (Schweiß)* perler; *(Sekt)* pétiller; *a (aus ~en)* en *od* de perles; **~enfischer** *m* pêcheur *m* de perles; **~enfischerei** *f* pêche *f* des perles; **~enkette** *f* collier *m* de perles; **~enstickerei** *f* broderie *f* en perles; **p~farben** *a* perlé; **p~grau** *a* gris (de) perle; **~graupen** *f pl* orge *m* perlé; **~huhn** *n* pintade *f;* **~muschel** *f* huître *f* perlière; **~mutt(er** *f* ⟨-, ø⟩**)** *n* ⟨-s, ø⟩ nacre *f* (de perle); **p~muttern** *a* en *od* de nacre; **~schrift** *f typ* perle *f;* **~stab** *m arch* perle *f;* **~zwiebel** *f (Lauch)* poireau *m.*

perman|ent [pɛrma'nɛnt] *a (ständig)*

permanent; **P~enz** *f* ‹-, ø› permanence *f.*
Permanganat *n* ‹-(e)s, -e› [pɛrmaŋga'na:t] *chem* permanganate *m.*
Peroxyd *n* ‹-(e)s, -e› ['pɛrˀɔksy:t, -də] *chem* peroxyde *m.*
Perpendik|el *n* od *m* ‹-s, -› [pɛrpɛn'di:kəl] *(Uhrpendel)* pendule *m;* **~ularstil** *m (engl. Spätgotik)* style *m* perpendiculaire.
Perpetuum mobile *n* ‹- -, -s/-tua -lia› [pɛr'pe:tuum 'mo:bilə, -'bi:lia] mouvement *m* perpétuel.
perplex [pɛr'plɛks] *a* perplexe, stupéfait, embarrassé, confus; ~ *sein (a.)* rester coi *od fam* baba.
per procura [pɛr pro'ku:ra] *com* par procuration.
Persenning *f* ‹-, -e(n)› [pɛr'zɛnıŋ] *(Textil)* prélart *m.*
Pers|er(in *f***)** *m* ‹-s, -› ['pɛrzər] Persan, e; *m f; die (alten) ~er m pl* les Perses *m pl;* **~erkriege,** *die m pl (hist)* les guerres *f pl* médiques; **~ianer** *m* ‹-s, -› [-zi'a:nər] *(Pelz)* astrakan, astracan *m;* **~ianerklaue** *f* patte *f* d'astrakan; **~ien** *n* ['pɛrziən] la Perse; **p~isch** ['pɛrzıʃ] *a* persan; *der P~~e Meerbusen* le golfe Persique.
Person *f* ‹-, -en› [pɛr'zo:n] *a. gram* personne *f; (Kunst, Literatur, theat)* personnage; *(Einzel~)* individu *m; ich für meine ~* quant à moi; pour ma part; *in (eigener) ~* en personne, personnellement, en propre; *pro ~* par homme, par tête; *handelnde ~* acteur *m; juristische, natürliche ~* personne *f* morale, physique; *Vernehmung f zur ~* interrogatoire *m* d'identité; **~al** *n* ‹-s, ø› [-zo'na:l] personnel; *(Haus~~)* personnel *m od* gens *m pl* de maison; *fliegende(s) ~~ (aero)* personnel *m* navigant *od* volant; **~alabbau** *m* diminution *od* réduction *od* compression *f od* licenciement *m* de *od* du personnel; **~alabteilung** *f,* **~albüro** *n* service *m* du personnel; **~alakten** *f pl* dossier *m* personnel *od* individuel; **~alausgaben** *f pl* dépense *f* du personnel; **~alausweis** *m* carte *od* pièce *f* d'identité; **~albestand** *m* effectif *m* du personnel; **~alchef** *m* chef *od* directeur *m* du personnel; **~aleinsparungen** *f pl* compression *f* de personnel; **~alien** *pl* [-'na:liən] identité *f,* signalement *m; s-e ~~ angeben* décliner son identité; *die ~~ feststellen* relever l'identité, prendre le signalement; **~alkosten** *pl* frais *m pl* de personnel; **~almangel** *m* manque *m* de personnel; *an ~~ leiden* manquer de personnel; **~alpolitik** *f* politique *f* (de recrutement) du personnel; **~alpronomen** *n gram* pronom *m* personnel; **~alstärke** *f* effectif *m* du personnel; **~alunion** *f pol* union *f* personnelle; **~alwechsel** *m* mouvement *m* (du personnel); **p~ell** [-'nɛl] *a (persönlich)* personnel; *(das ~al betreffend)* concernant le personnel; **~enaufzug** *m (Fahrstuhl)* ascenseur *m;* **~enbahnhof** *m* gare *f* des voyageurs; **~enbeförderung** *f* transport *m* de(s) voyageurs; **~enbeschreibung** *f* signalement *m;* **~endampfer** *m* navire à passagers, bateau *m* omnibus; *kleine(r) ~~* bateau-mouche *m;* **~enkilometer** *m* kilomètre-voyageur *m;* **~enkraftwagen** *m* voiture *f* de tourisme; **~enkreis** *m allg* cercle *m; adm* catégorie *f* de personnes; **~enkult** *m* culte *m* de la personne *od* de la personnalité; **~enname** *m* nom *m* de personne; **~enschaden** *m* dommage *m* corporel; **~enstand** *m* état *m* civil; **~entarif** *m loc* tarif *m* voyageurs; **~enverkehr** *m* transport *od* trafic *m* des voyageurs; **~enverzeichnis** *n theat* personnages *m pl;* **~enwaage** *f* bascule *f* pour les personnes, pèse-personne *m;* **~enwagen** *m loc* wagon *m* de voyageurs; *mot = ~enkraftwagen;* **~enzug** *m loc* train *m* omnibus; **~ifikation** *f* ‹-, -en› [-nifikatsi'o:n], **~ifizierung** *f* personnification *f;* **p~ifizieren** [-fi'tsi:rən] *tr* personnifier.
persönlich [pɛr'zø:nlıç] *a* personnel; *adv* personnellement, en personne; *(für mich)* à part moi; *ich ~* personnellement *od* quant à moi *od* pour ma part, je ...; *~ erscheinen (a.)* faire acte de présence; *e-e ~e Note geben* personnaliser (*e-r S* qc); *~ haften* répondre sur sa propre personne; *~ übergeben* remettre en main(s) propre(s); *~ werden* faire des personnalités; **P~keit** *f* personnalité *f; (bedeutender Mensch)* personnage *m; bekannte ~~* vedette *f;* **P~keitsspaltung** *f psych* dédoublement *m* de la personnalité; **P~keitswahl** *f parl* scrutin *m* uninominal.
Perspektiv|e *f* ‹-, -n› [pɛrspɛk'ti:və] perspective; *fig* optique *f; pl fig* horizon *m;* **p~isch** [-'ti:vıʃ] *a* perspectif, en perspective; *~~e Darstellung f (a.)* stéréographie *f.*
Peru [pe'ru:] *n* le Pérou; **~aner(in** *f***)** *m* ‹-s, -› [-ru'a:nər] Péruvien, ne *m f;* **p~anisch** [-'a:nıʃ] *a* péruvien.
Perücke *f* ‹-, -n› [pe'rʏkə] perruque *f;* **~nmacher** *m* perruquier *m;* **~ntaube** *f* pigeon *m* capucin.
pervers [pɛr'vɛrs] *a* pervers; perverti; **P~ion** *f* ‹-, -en› [-zi'o:n] perversion *f;* **P~ität** *f* ‹-, (-en)› [-zi'tɛ:t] perversité *f.*
Pessar *n* [pɛ'sa:r] pessaire, diaphragme *m.*
Pessim|ismus *m* ‹-, ø› [pɛsi'mısmus] pessimisme *m;* **~ist** *m* ‹-en, -en› [-'mıst] pessimiste *m;* **p~istisch** [-'mıstıʃ] *a* pessimiste.
Pest *f* ‹-, ø› [pɛst] peste; *fig a.* lèpre *f; wie die ~ hassen* haïr comme la peste *od* la mort; *jdm die ~ an den Hals wünschen* vouloir mal de mort à qn; **p~artig** *a* pestilent(iel); **~bazillus** *m* bacille *m* de la peste *od* pesteux; **~beule** *f* bubon *m* pestilentiel; *fig* gangrène *f;* **~hauch** *m* souffle *m* pestilentiel; **~ilenz** *f* ‹-, -en› [-ti'lɛnts] pestilence *f;* **p~krank** *a* pestiféré; **~kranke(r)** *m* pestiféré *m.*
Peter *m* ['pe:tər] Pierre *m; Schwarze(r) ~* nain *m* jaune; pouilleux *m; jdm den Schwarzen ~ zuschieben fig fam* refiler *od* repasser le bébé à qn; **~skirche** *f* église *f* Saint-Pierre; **~spfennig** *m* denier *m* de Saint-Pierre.
Petersilie *f* ‹-, ø› [petər'zi:liə] *bot* persil *m.*
Petit *f* ‹-, ø› [pə'ti:] *(Schriftgrad)* (corps) huit *m.*
Petition *f* ‹-, -en› [petitsi'o:n] *(Bittschrift)* pétition *f;* **p~ieren** [-tsio'ni:rən] *itr* pétitionner; **~srecht** *n* droit *m* de pétition.
Petroleum *n* ‹-s, ø› [pe'tro:leum] pétrole; *mit ~ einreiben; mit ~ übergießen und anzünden* pétroler; **~kocher** *m,* **~lampe** *f* réchaud *od* fourneau *m,* lampe *f* à pétrole.
Petschaft *n* ‹-s, -e› ['pɛtʃaft] *(Siegel)* cachet, sceau *m.*
Petunie *f* ‹-, -n› [pe'tu:niə] *bot* pétunia *m.*
Petz *m* [pɛts] : *Meister ~ (Bär)* l'ours *m* Martin.
petz|en ['pɛtsən] ‹*du petzest*› *itr fam (Schule: angeben)* moucharder, rapporter; **P~er** *m* ‹-, -› mouchard, rapporteur *m.*
Pfad *m* ‹-(e)s, -e› [pfa:t, -də] sentier *m;* **~finder** *m* (boy-)scout *m;* **~finderbewegung** *f* scoutisme *m;* **p~los** *a* impraticable.
Pfaffe *m* ‹-n, -n› ['pfafə] *rel pej* calotin; *pop* corbeau; *arg* ratichon *m; pl* calotte, prêtraille f; **~nknecht** *m pej* calotin *m;* **~ntum** *n* ‹-s, ø› cléricalisme *m; = ~n pl;* **pfäffisch** ['pfɛfıʃ] *a pej* clérical.
Pfahl *m* ‹-(e)s, ¨e› [pfa:l, 'pfɛ:lə] pal, pieu; *(Pfosten)* poteau; *(Zaun~, Schanz~)* palis; *(Grund~, Dalben~)* pilot; *(Reb-)* échalas, paisseau *m; e-n ~ einrammen* enfoncer *od* planter un pieu; **~bau** *m* (construction *f* sur) pilotis *m;* **~baudorf** *n,* **~bausiedlung** *f* cité *f* lacustre; **~bauten** *m pl* habitations *f pl* lacustres; **~gründung** *f arch* palification *f;* **~muschel** *f* moule *f;* **~rost** *m* pilotis *m;* **~rostbau** *m* pilotage *m;* **~werk** *n* (ouvrage de) pilotis *m,* palissade *f;* **~wurzel** *f bot* (racine *f*) pivot(ante) *m; e-e ~~ treiben* pivoter; **pfählen** ['pfɛ:lən] *tr (Baum)* palisser; *(Reben)* échalasser; *(Verbrecher)* empaler.
Pfalz *f* ‹-, -en› [pfalts] *hist (kaiserl. Burg)* château *m* impérial; *die ~ (geog)* le Palatinat; **~graf** *m hist* comte *m* palatin; **p~gräflich** *a* palatin; **pfälzisch** [pfɛltsıʃ] *a* palatin, du Palatinat.
Pfand *n* ‹-(e)s, ¨er› [pfant, 'pfɛndər] gage, nantissement *m; (Bürgschaft, Sicherheit)* garantie, sûreté; *(Flaschen~)* consigne *f; gegen ~* sur gage *od* nantissement; *ein ~ einlösen* retirer un gage; *jdm ein ~ geben (a.)* nantir qn; *durch ein ~ sichern* gager; **~brief** *m* lettre *f* de gage, acte *m* de nantissement; obligation *od* cédule *f* hypothécaire *od* foncière; **~~anleihe** *f* emprunt *m* hypothécaire **~bruch** *m* distraction *f* d'objets saisis; **~darlehen** *n* prêt *m* sur gage; **~geber** *m* gageur *m;* **~gläubiger** *m* créancier *m* sur gage *od* gagiste; **~hinterlegung** *f* dépôt *m* de gage; **~inhaber** *m* détenteur *m* du gage;

~leihe *f* prêt *m* sur gage; *(Leihhaus)* maison *f* de prêt, mont-de-piété *m;* **~leiher** *m* prêteur *m* sur gage *od* sur nantissement; **~recht** *n* droit *m* de gage; **~schein** *m,* **~zettel** *m* reconnaissance *od* quittance *f od* reçu *m* de nantissement; **~schuldner** *m* gageur *m;* **~verschreibung** *f* obligation *f* hypothécaire *od* foncière.

pfänd|bar ['pfɛntbar] *a* saisissable, exploitable; **~en** [-dən] *tr* saisir; **P~erspiel** *n* jeu *m* innocent *od* des gages; *ein ~~ machen* jouer aux gages; **P~ung** *f* (exploit *m* de) saisie *f;* **P~ungsbefehl** *m* mandat *od* ordre *m* de saisie.

Pfann|e *f* ⟨-, -n⟩ ['pfanə] *(Brat~~)* poêle, rôtissoire *f; (kleine)* poêlon; *(Brau~~)* brassin *m; tech* poche; *tech (Dreh~~), typ* crapaudine *f; (Gewehr)* bassinet *m; (Ziegel)* tuile creuse; *anat (Gelenk~~)* cotyle, cavité *f* glénoïde; **~evoll** *f* ⟨-, -⟩ poêlée *f;* **~kuchen** *m (Omelett)* omelette; *(mit Mehl)* galette, crêpe *f; (Berliner)* beignet *m.*

Pfarr|amt *n* ['pfarˀamt] , **~e** *f* ⟨-, -n⟩ ['pfarə] cure *f;* **~bezirk** *m,* **~ei** *f* [-'raɪ] , **~gemeinde** *f* paroisse *f;* **~er** *m* ⟨-s, -⟩ = *Pastor;* **~frau** *f* femme *f* d'un *od* du pasteur; **~haus** *n* maison curiale, cure *f;* presbytère *m;* **~kind** *n* paroissien, ne *m f;* **~kirche** *f* église *f* paroissiale; **~stelle** *f* cure *f.*

Pfau *m* ⟨-(e)s/en, -en⟩ [pfau] paon *m;* **~enauge** *n (Augenfleck)* ocelle *f; (Schmetterling)* paon *m;* **~enfeder** *f* plume *f* de paon; **~entaube** *f* pigeon *m* paon; **~henne** *f* paonne *f;* **~küken** *n* paonneau *m.*

Pfeffer *m* ⟨-s, ø⟩ ['pfɛfər] poivre *m; geh hin, wo der ~ wächst!* va-t'en à tous les diables; *~ und Salz (Stoffmuster)* poivre et sel; **~büchse** *f,* **~dose** *f* poivrier *m,* poivrière *f;* **~gurke** *f* cornichon *m;* **~korn** *n* grain *m* de poivre; **~kuchen** *m* pain d'épice, pavé *m* (de pain d'épice); **~minze** *f bot* menthe *f* (poivrée *od* anglaise); **~minz(likör)** *m* menthe *f* (poivrée) **~minz(plätzchen)** *n* (pastille de) menthe *f;* **~minztee** *m pharm* feuilles *f pl* de menthe; *(aufgebrüht)* infusion *od* tisane *f* de menthe; **p~n** *tr* poivrer; *pop (schmeißen)* foutre; **~nuß** *f* petit pain *m* d'épice; **~plantage** *f* poivrière *f;* **~strauch** *m* poivrier *m;* **~streuer** *m* poivrière *f.*

Pfeif|e *f* ⟨-, -n⟩ ['pfaɪfə] *mus (Quer~~)* fifre; *(Orgel~~)* tuyau; *(Signal~~)* sifflet *m; (Tabaks~~)* pipe, *fam* bouffarde *f; (Indianer~~)* calumet *m; nach jds ~~ tanzen (fig)* se laisser mener par qn; être à la botte de qn; **p~en** ⟨*pfiff, gepfiffen*⟩ [(-)'pfɪf(-)] *tr u. itr* siffler (*e-m Hund* un chien); *(Querpfeife spielen)* jouer du fifre; *leise ~~* siffloter; *auf etw ~~ fam* se balancer, se moquer, faire fi, se ficher, *vulg* se foutre de qc; *drauf ~~ (fig)* s'asseoir dessus; *aus dem letzten Loch ~~* être au bout de son rouleau; **~en** *n* sifflement; *med radio* souffle *m; leise(s) ~~* sifflotement *m;* **p~end** *a med* sibilant; **~enkopf** *m* tête *f od* fourneau de pipe, godet *m;* **~enraucher** *m* fumeur *m* de pipe; **~enreiniger** *m* cure-pipe *m;* **~enstopfer** *m* bourre-pipe *m;* **~er** *m* ⟨-s, -⟩ *mus* fifre *m;* **~konzert** *n* sifflets *m pl;* **~signal** *n* signal *m* sifflé; **~ton** *m* sifflement *m.*

Pfeil *m* ⟨-(e)s, -e⟩ [pfaɪl] flèche *f,* trait *m; e-n ~ abschießen* décocher une flèche *od* un trait; *wie ein ~ losschnellen* partir comme un trait; *s-e ~e verschießen (a. fig)* épuiser ses flèches; **p~geschwind** *a* = *p~schnell;* **~gift** *n* curare *m;* **~kraut** *n* sagittaire *f;* **~naht** *f anat* souture *f* sagittale; **p~schnell** *a* rapide comme une flèche *od* comme un trait; *adv* en flèche, à tire-d'aile; **~schuß** *m* coup *m* de flèche; **~spitze** *f* pointe *f* de flèche.

Pfeiler *m* ⟨-s, -⟩ ['pfaɪlər] pilier *m; (Brücken~)* pile *f* de pont; *(Stand~)* pylône; *(Wand~)* pilastre *m;* **~brükke** *f* pont *m* cantilever *od* à consoles; **~spiegel** *m* trumeau *m.*

Pfennig *m* ⟨-(e)s, -e⟩ [-'pfɛnɪç, -gə] pfennig *m; ohne e-n ~ auszugeben* sans bourse délier; *nicht einen ~ geben für* ne pas donner un sou de; *auf den ~ achten (fig)* être près de ses sous; *keinen ~ (Geld) haben, ohne einen ~ sein* n'avoir pas un centime *od* le sou, être sans le sou; *pop* n'avoir pas le rond *od* un sou vaillant *od* un radis, être fauché; *keinen ~ Geld mehr haben (pop)* n'avoir plus un sou vaillant *od* radis; *jeden ~ (zehnmal) umdrehen, ehe man ihn ausgibt* ne pas jeter son lard aux chiens; ne pas attacher ses chiens avec des saucisses; **~absatz** *m* talon *m* aiguille; **~fuchser** *m fam* grippe-sou *m.*

Pferch *m* ⟨-(e)s, -e⟩ [pfɛrç] parc, enclos *m.*

Pferd *n* ⟨-(e)s, -e⟩ ['pfe:rt, -də] cheval; *(Turngerät)* cheval d'arçon *m; zu ~e* à cheval; *wie ein ~ arbeiten* travailler comme un bœuf *od* un nègre; *das ~ am Schwanz aufzäumen (fig)* mettre la charrue *od* la charrette devant les bœufs; *ein ~ reiten* monter un cheval; *aufs ~ steigen* monter à cheval; *keine zehn ~e brächten mich dorthin, dazu* je ne voudrais pas y être, même en peinture; le diable ne me ferait pas faire cela; *mit dem kann man ~e stehlen* il est homme à vous suivre partout; *sein bestes ~ im Stall (fig)* la plus belle plume de son aile *od* chapeau, la meilleure pièce de son sac; **~eapfel** *m* crottin *m* (de cheval); **~ebahn** *f hist* tramway *m* à chevaux; **p~ebespannt** *a* (à traction) hippomobile; **~e(bestand** *m) pl* écurie *f;* **~edecke** *f* housse *f,* caparaçon *m;* **~edressur** *f* manège *m;* **~edroschke** *f* fiacre *m;* **~efleisch** *n* cheval *m;* **~efleischerei** *f,* **~emetzgerei** *f,* **~eschlachterei** *f* boucherie *f* chevaline *od* hippophagique; **~efuhrwerk** *n* véhicule *m* hippomobile; **~efuß** *m* pied *m* de cheval; **~egespann** *n* attelage *m* (de chevaux); **~egetrappel** *n* battue *f;* **~ehandel** *m* maquignonnage *m;* **~ehändler** *m* maquignon *m;* **~eknecht** *m* garçon *od* valet d'écurie, palefrenier *m;* **~ekoppel** *f* paddock *m;* **~erasse** *f* race *f* chevaline; **~erennbahn** *f* hippodrome *m;* **~erennen** *n* course *f* de chevaux; **~eschwanz** *m (a. Frisur)* queue *f* de cheval; **~estall** *m* écurie *f;* **~estärke** *f (PS)* cheval-vapeur *m;* **~ewagen** *m* voiture *f* à chevaux; **~ewechsel** *m* relais *m* de chevaux; **~ezucht** *f* élevage *m* des chevaux.

Pfiff *m* ⟨-(e)s, -e⟩ [pfɪf] sifflement; *(mit e-r Pfeife)* coup de sifflet; *fig fam* truc *m; den ~ heraushaben (fig)* connaître le truc *od* la ficelle; **p~ig** *a* finaud, malin, madré, rusé; **~igkeit** *f* ⟨-, ø⟩ finesse, finauderie, ruse *f;* **~ikus** *m* ⟨-/-sses, -/-sse⟩ ['pfɪfikus] *hum* finaud, fin *od* rusé compère, combinard, débrouillard; *vulg* démerdard *m.*

Pfifferling *m* ⟨-s, -e⟩ ['pfɪfərlɪŋ] *(Eierschwamm)* chanterelle, girolle *f; fig fam (wertloses Zeug)* fifrelin *m; keinen ~ wert sein* ne pas valoir un sou *od* tripette.

Pfingst|en ['pfɪŋstən] *n* od *f (pl)* la Pentecôte; **~montag** *m,* **~sonntag** *m* lundi, dimanche *m* de la Pentecôte; **~rose** *f* pivoine, rose *f* de Notre-Dame.

Pfirsich *m* ⟨-s -e⟩ ['pfɪrzɪç] pêche *f;* **~baum** *m* pêcher *m;* **~blüte** *f* fleur *f* de pêcher; **~kern** *m* noyau *m* de pêche.

Pflänz|chen *n* ['pflɛnts-] plant *m; ein nettes ~~* un joli garnement; **~er** *m (Gerät)* plantoir *m;* **~ling** *m* ⟨-s, -e⟩ *(Setzpflanze)* plant *m.*

Pflanz|e *f* ⟨-, -n⟩ ['pflantsə] *f* plante *f,* végétal; *(Setz~~)* plant *m;* **p~en** *tr* planter; *(anpflanzen)* cultiver; **~enbeschreibung** *f* phytographie *f;* **~enbiologie** *f* phytobiologie *f;* **~enfaser** *f* fibre *f* végétale; **~enfett** *n* graisse *f* végétale; **p~enfressend** *a* herbivore, phytophage; **~enfresser** *m* herbivore, phytophage *m;* **~engemeinschaft** *f biol* association *f* végétale; **~enkost** *f* régime *m* végétarien *od* végétal; **~enkunde** *f* botanique, phytologie *f;* **~enöl** *n* huile *f* végétale; **~enphysiologie** *f* physiologie *f* végétale; **~enreich** *n* règne *m od* nature *f* végétal(e); **~enschutz** *m* protection *f* des plantes *od* des végétaux; **~enschutzmittel** *n* produit *m* protecteur pour plantes; **~enwelt** *f* monde *m* végétal; **~enwuchs** *m* végétation *f;* **~enzüchtung** *f* culture *f* des plantes; **~er** *m* ⟨-s, -⟩ planteur *m;* **~gut** *n* plants *m pl;* **p~lich** *a* végétal; **~schule** *f* pépinière *f;* **~ung** *f* plantation *f.*

Pflaster *n* ⟨-s, -⟩ ['pflastər] *med* emplâtre; *(Heft~)* sparadrap, taffetas gommé *od* d'Angleterre; *(Straßen~)* pavé *m; das ~ e-r Straße aufreißen* dépaver une rue; *das ~ treten (fig)* battre le pavé; *das ~ wird ihm zu heiß (fig)* le pavé lui brûle les pieds; *die Stadt ist ein teures ~* la vie est chère en ville; **~er** *m* ⟨-s, -⟩ paveur *m;* **p~n** *tr* paver; **~n** *n* pavage, pavement *m;* **~stein** *m* pierre *f* à paver;

~treter *m vx (Straßenbummler)* batteur *m* de pavé; **~ung** *f* pavage *m;* **Pflästerchen** *n fig* emplâtre *m.*
Pflaume *f* ‹-, -n› ['pflaumə] prune *f; (Back~)* pruneau *m;* **~nbaum** *m* prunier *m;* **~nkern** *m* noyau *m* de prune; **~nkompott** *n* compote *f* de prunes; **~nkuchen** *m* tarte *f* aux prunes; **~nmarmelade** *f,* **~nmus** *n,* confiture *f* de prune, prunelée *f;* **~nplantage** *f* prunelaie *f;* **p~nweich** *a fam: ~~ sein (Mensch)* être une pâte *od* cire molle.
Pfleg|e *f* ‹-, -n› ['pfle:gə] soins *m pl; (Instandhaltung)* entretien *m; tech* maintenance; *(Verwaltung)* surveillance, administration ; *fig* culture *f; ein Kind in ~~ geben, nehmen* mettre, prendre un enfant en nourrice; **p~ebedürftig** *a: ~~ sein* avoir besoin de *od* demander des soins; **~ebefohlene(r** *m)* *f* pupille *m f; jds ~~ sein* être à la charge de qn; **~eeltern** *pl* parents *m pl* nourriciers; **~ekind** *n* enfant *m* en nourrice; **p~eleicht** *a* d'entretien facile, facile au lavage; **~emutter** *f* mère *f* nourrice; **p~en** ‹*pflegte, gepflegt*› *tr* soigner; avoir *od* prendre soin de; *(Gegenstand)* entretenir; *(Maschine)* surveiller; *(Garten, Interessengebiet)* cultiver; *(Betätigung)* exercer; *itr vx* ‹*pflog, hat gepflogen*› ['pflo:k/-gən] *(gewohnt sein)* avoir coutume *od* l'habitude (*zu tun* de faire); *Rats ~~* tenir conseil; *der Ruhe ~~* s'adonner au repos; **~epersonal** *n* gardes-malades *m pl;* **~er** *m* ‹-s, -› *(Kranken~~)* garde-malade, infirmier; *jur* curateur, tuteur; *adm* administrateur *m;* **~erin** *f* aide-soignante; *(Kranken~~)* garde-malade, infirmière *f;* **~evater** *m* père *m* nourricier; **p~lich** ['-klıç] *a* soigneux; *adv a.* avec soin; **~ling** *m* ‹-s, -e› ['-klıŋ] = *~ekind;* **~schaft** *f* curatelle *f.*
Pflicht *f* ‹-, -en› [pflıçt] devoir *m; (Verpflichtung)* obligation *f; mit gleichen Rechten und ~en* avec les mêmes droits et obligations; *es als s-e ~ ansehen* od *betrachten, es für s-e ~ halten, etw zu tun* se croire obligé *od* se faire un devoir *od* se mettre en devoir de faire qc; *s-e ~ erfüllen* accomplir *od* remplir son devoir; *s-e ~ (und Schuldigkeit) tun* faire son devoir *od* son office; *s-e ~ verletzen, versäumen* manquer à *od* trahir son devoir; *es ist meine ~ zu ...* il est de mon devoir de ...; *die ehelichen ~en* le devoir conjugal; **~beitrag** *m* cotisation *od* contribution *f* obligatoire; **p~bewußt** *a* conscient de son devoir; *adv* par devoir; **~bewußtsein** *n* conscience *f* du *od* de son devoir; *aus ~~* par devoir; **~enheft** *n* cahier *m* des charges; **~erfüllung** *f* accomplissement *m* du devoir; *treue ~~* fidélité *f;* **~exemplar** *n (Buch)* exemplaire *m* du dépôt légal; *Ablieferung f der ~~e* dépôt *m* légal; **~fach** *n (Schule)* matière *f* obligatoire; **~gefühl** *n* sentiment *m* du devoir *od* de ses devoirs; **p~gemäß** *a* conforme au *od* à son devoir; **p~(ge)treu** *a* fidèle à son devoir; loyal; **~reserve** *f* réserve *f* minimum legale *od* obligatoire; **p~schuldig** *a* dû; *adv* dûment; **~teil** *m* od *n jur* réserve (légale *od* légitime *od* héréditaire); part *f* réservataire, légitime *m;* **~treue** *f* fidélité *f* au *od* à ses devoirs; **~übung** *f sport* exercice *m* imposé; épreuve-type; *mil* période *f* obligatoire; **~untersuchung** *f: (ärztliche) ~~* examen *m* médical obligatoire; **p~vergessen** *a* oublieux de son *od* de ses devoir(s), déloyal; *~~e(r) Beamte(r) m* (fonctionnaire) prévaricateur *m;* **~vergessenheit** *f* oubli *m* de son *od* de ses devoir(s); **~verletzung** *f (im Amt)* forfaiture, prévarication *f;* **~versicherung** *f* assurance *f* obligatoire; **~verteidiger** *m* avocat *m* commis d'office; **p~widrig** *a* contraire au devoir; déloyal.
Pflock *m* ‹-(e)s, ⁻e› [pflɔk, 'pflœkə] cheville *f,* piquet; taquet; *(kleinerer)* goujon *m,* goupille, fiche *f; e-n ~ zurückstecken (fig)* mettre de l'eau dans son vin, rabaisser ses prétentions, en rabattre; **pflöcken** ['pflœkən] *tr* cheviller, fixer avec des chevilles *od* des piquets.
pflück|en ['pflʏkən] *tr* cueillir; **P~er** *m* ‹-s, -› *(Mensch)* cueilleur; *(Gerät)* cueilloir *m;* **P~erin** *f* cueilleuse *f;* **P~maschine** *f* cueilleuse *f* mécanique.
Pflug *m* ‹-(e)s, ⁻e› ['pflu:k, 'pfly:gə] charrue *f;* **~schar** *f* soc *m;* **~sterz** *m* mancheron *m.*
pflüg|en ['pfly:gən] *tr* passer la charrue sur; *(bestellen)* labourer; **P~en** *n* labourage *m;* **P~er** *m* ‹-s, -› laboureur *m.*
Pfort|ader *f* ['pfɔrt-] *anat* veine *f* porte; **~e** *f* ‹-, -n› porte *f.*
Pfört|chen *n* ['pfœrt-] portillon *m;* **~ner** *m* ‹-s, -› portier, concierge; *(im Gefängnis)* guichetier; *anat* pylore *m;* **~nerloge** *f* loge *f* de concierge; **~nerstelle** *f,* **~nerwohnung** *f* conciergerie *f.*
Pfosten *m* ‹-s, -› ['pfɔstən] poteau; *(Tür~, Fenster~)* montant, jambage *m.*
Pfote *f* ‹-, -n› ['pfo:tə] patte *f.*
Pfriem *m* ‹-(e)s, -e› [pfri:m] *(Werkzeug)* poinçon *m;* **~engras** *n* stipe *f.*
Pfropf *m* ‹-(e)s, -e›, **~en** *m* ‹-s, -› ['pfrɔpf(ən)] *allg* tampon; *(Kork)* bouchon; *(Stöpsel)* bondon *m; (e-r Patrone)* bourre *f; (Eiter~)* bourbillon *m;* **p~en** *tr* **1.** *(Flasche verschließen)* boucher.
pfropf|en ['pfrɔpfən] *tr* **2.** *bot* greffer, enter; **P~en** *n bot* greffage *m;* **P~messer** *n* greffoir, entoir *m;* **P~reis** *n* greffe *f,* greffon *m,* ente *f.*
Pfründ|e *f* ‹-, -n› ['pfrʏndə] prébende; *a. iron* sinécure *f;* bénéfice *m* **~ner** *m* ‹-s, -› ['-dnər] *(~eninhaber)* prébendier; bénéficier *m.*
Pfuhl *m* ‹-(e)s, -e› [pfu:l] *(Sumpfloch)* mare *f; a. fig* bourbier *m.*
Pfühl *m* od *n* ‹-(e)s, -e› [pfy:l] *poet* coussin, traversin *m;* couche *f;* lit *m.*
pfui [pfui] *interj* fi! pouah! hou!
Pfund *n* ‹-(e)s, -e› [pfunt, -də] livre *f; mit s-m ~e wuchern* faire valoir son talent; *~ Sterling* livre *f* sterling; **p~ig** *a fam (großartig)* épatant, chouette; *pop* bath; **~skerl** *m* type épatant, chic *od* bon type *m;* **~ssache** *f* chose *od* affaire *f* épatante; **p~weise** *adv* à la livre, par livres.
Pfusch *m* ‹-(e)s, ø› [pfuʃ] *fam = ~erei;* **p~en** *tr* bâcler, gâcher, faire *od* tailler à coups de hache; *itr* bousiller; **~er** *m* ‹-s, -› bâcleur, gâcheur, bousilleur, sabreur; *(Kur~~)* charlatan *m;* **~erei** *f* ‹-, -en› [-'raı] *fam* bousillage; travail *m* bâclé.
Pfütze *f* ‹-, -n› ['pfʏtsə] flaque (d'eau); mare *f.*
Phalanx *f* ‹-, -langen› ['fa:lanks, fa'laŋən] *hist fig anat* phalange *f.*
Phäno|men *n* ‹-s, -e› [fɛno'me:n] phénomène; *fam (Mensch) a.* as *m;* **p~menal** [-me'na:l] *a* phénoménal, prodigieux; *fam* faramineux, formidable; **~menalismus** *m* ‹-s, ø› [-na'lısmus] *philos* phénoménalisme *m;* **~typus** *m* ‹-, -pen› [-'ty:pus] *biol (Erscheinungsform)* phénotype *m.*
Phant|asie *f* ‹-, -n› [fanta'zi:] imagination, fantaisie; *(Hirngespinst)* chimère *f; (Fieberwahn)* fantasme *m; fam* folle *f* du logis; **~asiegebilde** *n* chimère *f;* **p~asielos** *a* sans imagination; **~asielosigkeit** *f* manque *m* d'imagination; **p~asieren** ‹*aux: haben*› [-'zi:rən] *itr* s'abandonner à son imagination, rêvasser; *(faseln)* radoter, battre la campagne; *fam* dérailler; *med* délirer; *mus* improviser; **~asieren** *n* rêvasserie *f;* radotage; délire *m;* improvisation *f;* **p~asievoll** *a* plein d'imagination, imaginatif; **~asmagorie** *f* ‹-, -n› [-tasmago'ri:] *(Truggebilde)* fantasmagorie *f;* **~ast** *m* ‹-en, -en› [-'tast] fantasque, rêveur, esprit chimérique *od* romanesque, visionnaire, mythomane; *pej* songe-creux *m;* **~asterei** [-tastə'raı] *f* idées *f pl* fantastiques; **p~astisch** [-'tastıʃ] *a* fantastique; *(bizarr)* fantasque, fantasmagorique; *fam (großartig)* faramineux, délirant, mirobolant, féodal; **~om** *n* ‹-s, -e› [-'to:m] fantôme *m; e-m ~~ nachjagen* courir après une ombre.
Pharao *m* ‹-s, -raonen› ['fa:rao, fara'o:nən] pharaon *m;* **~nengrab** *n* sépulture *f* de pharaon; **p~nisch** [-'o:nıʃ] *a* pharaonique.
Pharisä|er *m* ‹-s, -› [fari'zɛ:ər] *rel, a. fig* pharisien *m;* **~ertum** *n* ‹-s, ø› *, a. fig* pharisaïsme *m;* **p~isch** [-'zɛ:ıʃ] *a, a. fig* pharisaïque.
Pharma|kologe *m* ‹-n, -n› [farmako'lo:gə] pharmacologiste, pharmacologue *m;* **~kologie** *f* ‹-, ø› [-lo'gi:] pharmacologie *f;* **p~kologisch** [-'lo:gıʃ] *a* pharmacologique; **~zeut** *m* ‹-en, -en› [-'tsɔʏt] pharmacien *m;* **~zeutik** *f* ‹-, ø› [-'tsɔʏtık] pharmaceutique *f;* **p~zeutisch** [-'tsɔʏtıʃ] *a* pharmaceutique; **~zie** *f* ‹-, ø› [-'tsi:] pharmacie *f.*
Phase *f* ‹-, -n› ['fa:zə] *a. el* phase *f; fig (Stadium)* stade *m;* **~neinstellung** *f* phasage *m;* **~ngleichheit** *f* coïncidence *f* des phases; **~nmesser** *m* phasemètre *m;* **~nregler** *m* régulateur *m* de phase; **~nunterschied** *m*

différence *f* de phase; **~nverschiebung** *f* décalage de phase, déphasage *m;* **p~nverschoben** *a* déphasé; **~nverzögerung** *f el* retard *m* de phase.

Phenol *n* ⟨-s, ø⟩ [fe'no:l] *chem* acide *m* phénique.

Philanthrop *m* ⟨-en, -en⟩ [filan'tro:p] *(Menschenfreund)* philanthrope *m;* **~ie** *f* ⟨-, ø⟩ [-tro'pi:] philanthropie *f;* **p~isch** [-'tro:pıʃ] *a* philanthropique.

Philatel|ie *f* ⟨-, ø⟩ [filate'li:] philatélie *f;* **~ist** *m* ⟨-en, -en⟩ [-'lıst] philatéliste *m;* **p~istisch** [-'lıstıʃ] *a* philatélique.

Philharmon|ie *f* ⟨-, -n⟩ [fil-] *mus* société *f* philharmonique; **p~isch** *a* philharmonique.

Philippin|en [fili'pi:nən] *, die, geog* les Philippines *f pl;* **~isch** [-'pi:nıʃ] *a* philippin.

Philist|er *m* ⟨-s, -⟩ [fi'lıstər] *hist* Philistin; *fig (Spießer)* philistin, bourgeois, épicier *m;* **p~erhaft** *a,* **p~rös** [-lıs'trø:s] *a* philistin, bourgeois, prudhommesque; **~ertum** *n* ⟨-s, ø⟩ prudhommerie *f.*

Philolog|e *m* ⟨-n, -n⟩ [filo'lo:gə] philologue *m;* **~ie** *f* ⟨-, -n⟩ [-lo'gi:] philologie *f;* lettres *f pl;* **p~isch** [-'lo:gıʃ] *a* philologique.

Philosoph *m* ⟨-en, -en⟩ [filo'zo:f] philosophe *m;* **~ie** *f* ⟨-, -n⟩ [-zo'fi:] philosophie *f;* **p~ieren** [-'fi:rən] *itr* philosopher; **p~isch** [-'zo:fıʃ] *a* philosophique.

Phiole *f* ⟨-, -n⟩ [fi'o:lə] fiole, topette *f.*

Phlegm|a *n* ['flɛgma] ⟨-s, ø⟩ flegme *m;* **~atiker** *m* ⟨-s, -⟩ [-'ma:tikər] flegmatique *m;* **p~atisch** [-'ma:tıʃ] *a* flegmatique; **~one** *f* ⟨-, -n⟩ [-'mo:nə] *med* phlegmon *m.*

Phlox *f* ⟨-, -e⟩ *od m* ⟨-es, -e⟩ [flɔks] *bot* phlox *m.*

Phon *n* ⟨-s, -s⟩ [fo:n] *(Lautstärkeeinheit)* phone, décibel *m;* **~em** *n* ⟨-s, -e⟩ [fo'ne:m] phonème *m;* **~etik** *f* ⟨-, ø⟩ [fo'ne:tık] phonétique *f;* **~etiker** *m* ⟨-s, -⟩ [-'ne:tikər] phonéticien, phonétiste *m;* **p~etisch** [-'ne:tıʃ] *a* phonétique; **~o** *n* ⟨-s, -s⟩ ['fo:no] *(Radio mit Plattenspieler)* phono *m;* **~okoffer** *m* ['fo:no-] électrophone *m;* **~ologe** *m* ⟨-n, -n⟩ [-'lo:gə] phonologue *m;* **~ologie** *f* ⟨-, ø⟩ [-lo'gi:] phonologie *f;* **~ologisch** *a* phonologique; **~o-Radio** *n* radio-phono, radio-pick-up *m.*

Phönix *m* ⟨-(es), -e⟩ ['fø:nıks] *(Mythologie)* phénix *m.*

Phöniz|ien *n* [fø'ni:tsiən] *hist* la Phénicie; **~ier** *m* ⟨-s, -⟩ [-tsiər] Phénicien; **p~isch** [-'ni:tsıʃ] *a* phénicien.

Phosgen *n* ⟨-s, ø⟩ [fɔs'ge:n] *(Kampfgas)* phosgène *m.*

Phosphat *n* ⟨-(e)s, -e⟩ [fɔs'fa:t] *chem* phosphate *m;* **~dünger** *m* engrais *m* phosphaté; **p~haltig** *a* phosphaté.

Phosphor *m* ⟨-s, ø⟩ ['fɔsfɔr] *chem* phosphore *m;* **~bombe** *f* bombe *f* au phosphore; **~eszenz** *f* ⟨-, ø⟩ [-forɛs'tsɛnts] phosphorescence *f;* **p~eszierend** [-forɛs'tsi:rənt] *a* phosphorescent; **p~haltig** *a* phosphoreux; **p~ig** ['-forıç] *a:* *~~e Säure f* acide *m* phosphoreux; **p~sauer** *a:* *~saure(s) Salz n* phosphate *m;* **~säure** *f* acide *m* phosphorique; **~vergiftung** *f* phosphorisme *m.*

Photo *n* ⟨-s, -s⟩ ['fo:to] *fam* photo *f, vgl. Foto etc;* ~ *m* ⟨-s, -s⟩ , **~apparat** *m* appareil *m* (photographique); **~chemie** *f* [foto-] photochimie *f;* **p~elektrisch** *a:* *~~e Zelle f* cellule *f* photo-électrique; **p~gen** [-'ge:n] *a (lichterzeugend)* photogène; *(bildwirksam)* photogénique; **~gramm** *n* ⟨-s -e⟩ [-'gram] photogramme *m;* **~grammetrie** *f* ⟨-, ø⟩ [-me'tri:] photogrammétrie *f;* **~graph** *m* ⟨-en, -en⟩ [-'gra:f] photographe *m;* **~graphie** *f* ⟨-, -n⟩ [-gra'fi:] photographie; *fam* photo *f; echte ~~* photographie véritable, véritable photo *f;* **p~graphieren** [-gra'fi:rən] *tr* photographier; *sich ~~ lassen* se faire photographier; **p~graphisch** [foto'-] *a* photographique; *~~e(s) Atelier n* atelier *m* de photographe; **~kopie** *f* photocopie *f;* **p~kopieren** *tr* photocopier; **p~mechanisch** *a* photomécanique; *~~e(s) Druckverfahren n* procédé *m* photomécanique; **~meter** *n (Lichtstärkemesser)* photomètre *m;* **~metrie** *f* ⟨-, ø⟩ [-me'tri:] photométrie *f;* **p~metrisch** *a* photométrique; **~montage** *f* montage photographique, photomontage, découpage, truquage *m;* **~n** *n* ⟨-s, -en⟩ [fo'to:n, -'to:nən] *phys* photon *m;* **~papier** *n* papier *m* photographique; **~reportage** *f* reportage *m* photographique; **~thek** *f* ⟨-, -en⟩ [-'te:k] photothèque *f;* **~therapie** *f med* photothérapie *f.*

Phrase *f* ⟨-, -n⟩ ['fra:zə] phrase *f; pl* boniments *m pl fam; leere ~n* de belles paroles; *~n machen od (fam) dreschen* faire des phrases od du verbiage, phraser; **~ndrescher** *m* faiseur de phrases, phraseur, déclamateur, rhéteur *m;* **~ndrescherei** *f* ⟨-, (-en)⟩ emphase, rhétorique *f;* **p~nhaft** *a* verbeux, emphatique; **~nhaftigkeit** *f* ⟨-, (-en)⟩ phraséologie, emphase *f;* **~nheld** *m,* **~nmacher** *m = ~ndrescher;* **~ologie** *f* ⟨-, -n⟩ [-zeolo'gi:] phraséologie *f.*

Phys|ik *f* ⟨-, ø⟩ [fy'zi:k] physique *f;* **p~ikalisch** [-zi'ka:lıʃ] *a* physique; *~~-chemisch a* physico-chimique; **~iker** *m* ⟨-s, -⟩ ['fy:zikər] physicien *m;* **~iognomie** *f* ⟨-, -n⟩ [-ziogno'mi:] physionomie *f;* **~iognomik** *f* ⟨-, ø⟩ [-'gno:mık] physiognomonie *f;* **p~iognomisch** [-'gno:- mıʃ] *a* physiognomonique; **~iologe** *m* ⟨-n, -n⟩ [-zio'lo:gə] physiologiste *m;* **~iologie** *f* ⟨-, ø⟩ [-lo'gi:] physiologie *f;* **p~iologisch** [-'lo:gıʃ] *a* physiologique; **p~isch** ['fy:zıʃ] *a* physique.

Pian|ino *n* ⟨-s, -s⟩ [pia'ni:no] *mus* pianino *m;* **~ist(in** *f***)** *m* ⟨-en, -en⟩ [-'nıst] pianiste *m f;* **~o(forte)** *n* ⟨-s, -s⟩ [pi'a:no] piano *m* droit.

picheln ['pıçəln] *itr fam* chopiner, lamper, licher.

Picke *f* ⟨-, -n⟩ , **Pickel** *m* ⟨-s, -⟩ ['pıkə(l)] **1.** pioche *f,* pic *m.*

Pickel *m* ⟨-s, -⟩ ['pıkəl] **2.** *med* (petit) bouton *m,* pustule *f;* **pick(e)lig** *a* couvert de boutons *od* de pustules; fleuri.

picken ['pıkən] *itr* becqueter, béqueter; picorer.

Picknick *n* ⟨-s, -e/-s⟩ ['pıknık] pique-nique *m;* **p~en** *itr* ⟨*hat gepicknickt*⟩ pique-niquer; **~koffer** *m* nécessaire *m* de pique-nique.

piekfein ['pi:k'faın] *a dial fam* tiré à quatre épingles; *pop* rupin.

piep [pi:p] *interj* piu! **P~** *m* ⟨-s, -e⟩ *: keinen ~~ sagen* ne pas souffler mot; **~e:** *das ist mir ~~* je m'en balance *od* fiche; **~en** *itr (Vogel)* pépier; piailler; *(Küken)* piauler; *bei dir ~t's wohl?* tu es cinglé? **P~en** *n* pépiement; piaulement *m; fam* piaillerie *f; das ist zum ~~ (fam)* c'est rigolo *od* marrant; **P~matz** *m* ⟨-es, -e/-̈e⟩ *(fam: Vogel)* oiseau *m;* **~sen** *itr = ~en;* **~sig** *a (Stimme)* grêle; *(schwächlich)* chétif, souffreteux.

Pier *m, a. f* ⟨-s, -e/-s⟩ [pi:r] *mar* jetée *f,* môle, embarcadère, débarcadère *m.*

piesacken ⟨*hat gepiesackt*⟩ ['pi:zakən] *tr fam (quälen)* tourmenter, tracasser, tarabuster, asticoter.

Piet|ät *f* ⟨-, ø⟩ [pie'tɛ:t] piété *f;* **p~ätlos** *a* impie, sans respect; **~ätlosigkeit** *f* impiété *f,* manque *m* de piété; **p~ätvoll** *a* plein de piété, pieux; **~ismus** *m* ⟨-, ø⟩ [-'tısmus] *rel* piétisme *m;* **~ist** *m* ⟨-en, -en⟩ [-'tıst] piétiste *m.*

piff, paff (, puff)! ['pıf 'paf 'puf] pif! paf!

Pigment *n* ⟨-(e)s, -e⟩ [pı'gmɛnt] *(Farbstoff)* pigment *m;* **~bildung** *f,* **~ierung** [-'ti:ruŋ] f pigmentation *f;* **p~ieren** *tr* pigmenter.

Pik [pi:k] **1.** *m* ⟨-s, -e/-s⟩ *(Bergspitze)* pic *m;* **~anterie** *f* piquant *m;* **~e** *f* ⟨-, -n⟩ *(Spieß)* pique *f; von der ~~ auf dienen* sortir du rang, passer par tous les grades; **~ee** *m* ⟨-s, -s⟩ [pi'ke:] *(Textil)* piqué *m;* **p~ieren** [-'ki:rən] *tr agr* piquer; **p~iert** *a (beleidigt)* piqué, vexé; **p~(s)en** *tr fam (stechen)* piquer.

Pik 2. *m* ⟨-s, -e⟩ *fam (Groll)* animosité *f; e-n ~ auf jdn haben* avoir *od* garder *od* conserver une dent contre qn, avoir pris qn en grippe.

Pik 3. *n* ⟨-s, -s⟩ *(Spielkartenfarbe)* pique *m.*

Pikkolo *m* ⟨-s, -s⟩ ['pıkolo] *(Kellnerlehrling)* piccolo *m;* **~flöte** *f* piccolo *m,* petite flûte *f.*

Pikrinsäure *f* [pi'kri:n-] acide *m* picrique.

Pilaster *m* ⟨-s, -⟩ [pi'lastər] *arch* pilastre *m.*

Pilger(in *f***)** *m* ⟨-s, -⟩ ['pılgər] pèlerin, e *m f;* **~fahrt** *f* pèlerinage *m;* **p~n** *itr* faire un *od* aller en pèlerinage; *fam* pèleriner; **~schaft** *f* pèlerinage *m;* **~stab** *m* bâton de pèlerin, bourdon *m.*

Pille *f* ⟨-, -n⟩ ['pılə] pilule *f; die (bittere) ~ schlucken (fig)* avaler la pilule *od* la dragée; *die (bittere) ~ versüßen* dorer *od* sucrer la pilule; *bittere ~ fig)* pilule amère *od* difficile à avaler, dragée *f* amère; **~ndreher** *m hum* potard, pharmacien; *(Mistkäfer)* bousier *m.*

Pilot *m* ⟨-en, -en⟩ [pi'lo:t] pilote *m;*

~ballon *m* ballon-pilote; ballon-sonde *m.*
Pilz *m* ‹-es, -e› [pɪlts] champignon *m; wie ~e aus der Erde schießen* champignonner; **~beet** *n* champignonnière *f;* **~krankheit** *f* maladie cryptogamique, mycose *f;* **~vergiftung** *f* empoisonnement *m od* intoxication *f* par les champignons; **~züchter** *m* champignonniste *m.*
pimp|(e)lig ['pɪmp(ə)lɪç] *a (weinerlich)* dolent; *(weichlich)* douillet.
Pinakothek *f* ‹-, -en› [pinako'te:k] *(Gemäldesammlung)* pinacothèque *f.*
Pinasse *f* ‹-, -n› [pi'nasə] *mar* canot *m* de bord.
Pinguin *m* ‹-s, -e› [pɪŋgu'i:n] *orn* pingouin, manchet *m.*
Pinie *f* ‹-, -n› ['pi:niə] *bot* pin *m* pignon *od* parasol.
Pinke(pinke) *f* ‹-, ø› ['pɪŋkə('pɪŋkə)] *fam (Geld)* pognon *m,* pépettes *od* pépètes *f pl*
Pinkel *m* ‹-s, -› ['pɪnkəl] *pop: feine(r) ~* type élégant, godelureau, freluquet *m.*
Pinkel|bude *f* ['pɪŋkəl-] *fam* pissotière *f;* **p~n** *‹ich pink(e)le, du pinkelst› itr fam* pisser, faire pipi; **~pause** *f mil fam* pause-pipi *f.*
Pinne *f* ‹-, -n› ['pɪnə] *(Stift)* pointe; *(Zwecke)* broquette; *(Hammer~)* panne; *mar* barre *f.*
Pinscher *m* ‹-s, -› ['pɪnʃər] *(Hunderasse)* griffon *m.*
Pinsel *m* ‹-s, -› ['pɪnzəl] pinceau *m; (breiter)* brosse *f; (Töpferei)* putois; *fig alberner Mensch)* niais, nigaud *m;* **~ei** *f* [-'laɪ] peinturlurage, barbouillage *m;* **p~ig** *a fam (übertrieben genau)* tatillon, vétillard, méticuleux; **p~n** *‹ich pins(e)le, du pinselst› itr fam* u. *pej* peinturlurer, barbouiller; **~strich** *m* coup *m* de pinceau; *(Malweise)* touche *f; (kräftiger ~~)* accent *m.*
Pinzette *f* ‹-, -n› [pin'tsɛtə] pinc(ett)e *f.*
Pionier *m* ‹-s, -e› [pio'ni:r] *mil* sapeur; *a. fig* pionnier *m; pl,* **~korps** *n* génie *m.*
Pipi *n* [pi'pi:] *~ machen (Kindersprache)* faire pipi.
Pips *m* ‹-es, ø› [pɪps] *vet* pépie *f.*
Pirat *m* ‹-en, -en› [pi'ra:t] pirate, écumeur *m* de mer; **~ensendung** *f radio* émission *f* pirate; **~entum** *n* ‹-s, ø›, **~erie** *f* ‹-, -n› [-ratə'ri:] piraterie *f.*
Piroge *f* ‹-, -n› [pi'ro:gə] *mar* pirogue *f.*
Pirol *m* ‹-s, -e› [pi'ro:l] *orn* loriot *m.*
Pirouette *f* ‹-, -n› [piru'ɛtə] pirouette *f; aero a.* tonneau *m* vertical.
Pirsch *f* ‹-, ø› [pɪrʃ] *(Jagd)* chasse *f* à tir.
Piss|e *f* ‹-, ø› ['pɪsə] *vulg* pissat *m,* pisse *f;* **p~en** *itr vulg* pisser.
Piß|ort *m* ['pɪs-] pissoir *m;* **~pott** *m* ‹-(e)s, ¨-e› [-pɔt] *pop* goguenot, gogueneau *m.*
Pistazie *f* ‹-, -n› [pɪs'ta:tsiə] *(Nuß)* pistache *f; (Baum)* pistachier *m.*
Piste *f* ‹-, -n› ['pɪstə] *(Spur, Bahn)* piste *f.*
Pistole *f* ‹-, -n› [pɪs'to:lə] *(Waffe)* pistolet *m; (Münze)* pistole *f; mit vorgehaltener ~* le pistolet braqué; *wie aus der ~ geschossen* du tac au tac; *jdm die ~ auf die Brust setzen (fig)* mettre à qn le couteau sur la gorge; **~nschießen** *n* tir *m* au pistolet; **~nschuß** *m* coup *m* de pistolet; **~ntasche** *f* étui *m od* gaine *f* pour pistolet.
pitsch(e)patsch(e)naß ['pɪtʃ(ə)'patʃ(ə)'nas] *a* trempé jusqu'aux os.
plack|en ['plakən], *sich ~en* se tracasser, s'esquinter; **P~erei** *f* [-'raɪ] corvée; tracas (-serie *f*) *m.*
plädi|eren [plɛ'di:rən] *itr* plaider (*für* pour); **P~oyer** *n* ‹-s, -s› [plɛdoa'je:] *allg* plaidoyer *m; (Staatsanwalt)* réquisitoire *m, (Verteidiger)* plaidoirie *f.*
Plage *f* ‹-, -n› ['pla:gə] tourment *m,* peine; *(große)* calamité *f;* fléau *m; (Land~)* plaie *f; (Übel)* mal *m;* **~geist** *m* taquin, (esprit) tracassier; *fam* casse-pieds, crampon; *pop* raseur *m;* **p~n** *tr* tourmenter, tracasser, *vx* vexer; *(belästigen)* importuner, incommoder; *fig (bedrücken)* préoccuper, travailler; *fam* tarabuster, turlupiner; *sich ~~* se tourmenter.
Plagi|at *n* ‹-(e)s, -e› [plagi'a:t] plagiat, démarquage *m,* piraterie *f;* **~ator** *m* ‹-s, -en› [-gi'a:tɔr, -'to:rən] plagiaire, démarqueur, écumeur *m* littéraire; **p~ieren** [-gi'i:rən] *tr* plagier, démarquer, pirater.
Plakat *n* ‹-(e)s, -e› [pla'ka:t] affiche *f;* placard *m,* pancarte *f; ein ~ ankleben* od *anschlagen* (ap)poser, coller, placarder une affiche; **~anschlag** *m* affichage *m; wilde(r) ~~* pose *f* libre; **~anschläger** *m* afficheur, colleur *m* d'affiches; **~entwurf** *m* dessin *m* pour affiche; **p~ieren** [-ka'ti:rən] *tr* afficher; **~maler** *m* affichiste *m;* **~malerei** *f* peinture *f* d'affichage; **~säule** *f* colonne *f* Morris; **~träger** *m* homme-sandwich *m;* **~werbung** *f* publicité *f* par affiches.
Plakette *f* ‹-, -n› [pla'kɛtə] plaquette *f.*
plan [pla:n] *a (eben)* plan, uni; **P~** *m* ‹-(e)s, ¨-e› [pla:n, 'plɛ:nə] **1.:** *auf dem ~ erscheinen, auf den ~ treten (fig)* entrer en lice; **P~drehbank** *f* tour *m* à surfacer *od* à plateau; **~drehen** *tr tech* surfacer; **~ieren** [pla'ni:rən] *tr* aplanir, niveler, planer; **P~iergerät** *n* niveleur *m;* **P~ierraupe** *f* bulldozer, tracteur *m* niveleur; **P~ierschaufel** *f* louchet *m;* **P~ierung** *f* aplanissement, nivellement, planage *m;* **P~imeter** *n* ‹-s, -› [-ni'me:tər] *(Flächenmesser)* planimètre *m;* **P~imetrie** *f* ‹-, ø› [-me'tri:] planimétrie *f;* **~imetrisch** [-'me:trɪʃ] *a* planimétrique; **P~spiegel** *m* miroir *m* plan.
Plan *m* ‹-(e)s, ¨-e› [pla:n] **2.** *(Karte)* plan *m; (Entwurf)* épure *f,* tracé; *(Projekt)* projet; *(Absicht)* dessein *m,* visée *f; (Stunden~, Fahr~)* horaire *m; e-n ~ entwerfen* dresser *od* établir *od* faire un plan; *große Pläne (im Kopf) haben* voir grand; *Pläne schmieden* faire des projets; **p~en** *tr* projeter; *(ins Auge fassen)* envisager, se proposer; *(organisieren)* planifier; *itr* faire des projets; **~er** *m* ‹-s, -› planificateur, planiste, projeteur; *mil* opérationnel *m;* **~feuer** *n mil* tir *m* d'après la carte; **p~los** *a* u. *adv* sans plan *od* méthode *od* système; **~losigkeit** *f* manque *m* de méthode *od* de système; **p~mäßig** *a* méthodique, systématique; *(regelmäßig)* régulier; *(fahr~~)* prévu; *adv* méthodiquement, avec méthode, systématiquement; *(wie vorgesehen)* comme prévu; *~~e Bewegung f (mil)* manœuvre *f; ~~ beflogene Strecke f (aero)* ligne *f* régulière; **~mäßigkeit** *f (Regelmäßigkeit)* régularité *f;* **~quadrat** *n* carré *m* du plan directeur; **~quadratzahl** *f* coordonnées *f pl* du plan directeur; **~schießen** *n* tir *m* d'après la carte *od* d'après le plan directeur; **~skizze** *f* esquisse *f,* croquis *m;* **~soll** *n* quota (imposé par le plan); objectif *m* du plan; **~spiel** *n,* **~übung** *f mil* jeu tactique, exercice *m* sur la carte; **~stelle** *f adm* poste *m* prévu dans le tableau des effectifs; **~ung** *f* planification *f; im Stadium der ~~* en cours *od* voie d'étude; *industrielle ~~* planning *m; staatliche ~~* planification *f* par l'État; **p~voll** *a* méthodique, systématique; **~wirtschaft** *f* économie *f* planifiée *od* dirigée, planisme, dirigisme **~wirtschaftler** *m* planificateur *m;* **~zeichnen** *n* dessin *m* de plans topographiques; **~ziel** *n* objectif *m* prévu *od* désigné; **Pläneschmied** *m* faiseur *m* de projets.
Plan|e *f* ‹-, -n› ['pla:nə] bâche, banne *f;* prélart *m;* **~wagen** *m* voiture *f* à bâche; *loc* wagon *m* bâché.
Planet *m* ‹-en, -en› [pla'ne:t] *astr* planète *f;* **p~arisch** [-ne'ta:rɪʃ] *a* planétaire; **~arium** *n* ‹-s, -rien› [-'ta:rium, -riən] planétarium *m;* **~engetriebe** *n tech* (engrenage) planétaire *od* épicycloïdal, réducteur *m* à satellites; **~enstand** *m astr* aspect *m* des planètes; **~oid** *m* ‹-en, -en› [-to'i:t, -dən] *astr* astéroïde *m.*
Planke *f* ‹-, -n› ['plaŋkə] planche *f,* madrier, ais *m;* **~ngang** *m* virure *f* de bandages.
Plänk|elei *f* ‹-, -en› [plɛŋkə'laɪ] *mil* escarmouche *f;* **p~eln** ['plɛŋkəln] *itr* tirailler, escarmoucher.
Plankton *n* ‹-s, ø› ['plaŋktɔn] *biol* plancton *m.*
Plansch|becken *n* ['planʃ-] bassin à barboter, pataugeoir *m,* grenouillère *f;* **p~en** *itr* s'agiter dans l'eau; patauger, barboter.
Plantage *f* ‹-, -n› [plan'ta:ʒə] plantation *f.*
Plapper|ei *f* ‹-, (-en)› [plapə'raɪ] babillage, bavardage *m,* jacasserie *f;* **~maul** *n fam* moulin *m* à paroles, jacasse *f;* **p~n** *‹ich plappere, du plapperst›* ['plapərn] *itr* babiller, bavarder, *fam* jacasser, jaboter.
plärr|en ['plɛrən] *itr* criailler, piailler, piauler; **P~en** *n* criaillerie *f;* **P~er** *m* ‹-s, -› criailleur, piaillard, piauleur *m.*
Plas|ma *n* ‹-s, -men› ['plasma] plasma *m;* **~tik** *f* ‹-, -en› [-tɪk] *(Bildne-*

rei) sculpture; *med* greffe *f;* **~tikattentat** *n* attentat au plastic, plasticage *m;* **~tikattentäter** *m* plastiqueur *m;* **~tikbombe** *f* bombe *f* au plastic; **~tilin** *n* ‹-s, ø› [-ti'li:n] *(Knetmasse)* plastiline, pâte *f* à modeler; **p~tisch** ['plastɪʃ] *a* plastique; *(halberhaben)* anaglyphe; *~~e Wiedergabe f (film)* anaglyphe *m;* *~~ darstellen* mettre en relief; *~~ hervortretend* en relief; **~tizität** *f* ‹-, ø› [-titsi'tɛ:t] plasticité *f.*

Platane *f* ‹-, -n› [pla'ta:nə] *bot* platane *m.*

Platin *n* ‹-s, ø› [pla'ti:n, 'pla:ti:n] platine *m;* **~blech** *n* platine *m* lamine; **p~blond** *a* blond platine; **~draht** *m* fil *m* de platine; **p~ieren** [plati'ni:rən] *tr (mit ~ überziehen)* platiner.

platonisch [pla'to:nɪʃ] *a (unsinnlich)* platonique.

platsch [platʃ] *interj* flac!

plätschern ['plɛtʃərn] *itr (Mensch)* barboter; *(Wasser)* clapoter, murmurer; **P~** *n* clapotis; murmure *m.*

platt [plat] *a* plat; *(abgeplattet)* aplati; *(Nase) a.* épaté, camus; *(Reifen)* (tout) à plat; *fig (gewöhnlich, gemein)* plat, commun, banal, trivial; *fam (erstaunt)* ébahi, épaté; *ganz ~ (fig fam)* syncopé; *~ drücken* aplatir, écraser; *~ auf die Erde fallen* tomber à plat; *sich ~ hinwerfen* se mettre à plat ventre; *da war ich ~! (fam)* j'étais renversé *od* baba, cela m'a assis; *da bist du ~! (pop)* tu en restes baba, ça te la coupe; **P~** *n* ‹-(s), ø› = *P~deutsch;* **~deutsch** *a* bas-allemand; **P~deutsch** *n* bas-allemand *m;* **P~erbse** *f* ['plat-] *bot* gesse *f;* **P~fisch** *m* poisson *m* plat; **P~form** *f* ‹-, -en› plate-forme *f;* **P~fuß** *m* pied plat; *fam (Fahrrad, mot)* pneu *m* à plat; *~~ haben (fam mot)* rouler dégonflé *od* à plat; **P~fußeinlage** *f* support *m* pour pieds plats; semelle *f* orthopédique *od* de redressement; **~füßig** *a* à pieds plats; **P~heit** *f fig* platitude, banalité *f;* **P~nase** *f* nez *m* plat *od* épaté *od* camus; **~nasig** *a* camard, camus; **P~stich** *m* couture *f* plate; **P~würmer** *m pl zoo* plathelminthes *m pl.*

Plätt|brett *n* ['plɛt-] planche *f* à repasser; **~chen** *n* plaquette; *tech* lamette *f;* **~eisen** *n* fer *m* à repasser; **p~en** *tr* repasser; **~erei** *f* [-'raɪ] atelier *m* de repassage; **~erin** *f* repasseuse *f.*

Platte *f* ‹-, -n› ['platə] plaque *a. phot;* tablette; *(Fliese)* dalle *f;* *(Kachel)* carreau *m; tech* planche *f,* plateau *m;* taque; lame *f;* *(Schallplatte)* disque; *(flache Schüssel)* plat; *fam (Glatze)* crâne *m* dénudé; *e-e andere ~ auflegen (a. fig)* changer de disque; *kalte ~ (Küche)* assiette *f* anglaise; **~nabzug** *m typ* épreuve *f* stéréotypique; **~nbelag** *m* dallage, carrelage *m;* **~ndruck** *m typ* stéréotypie *f;* **~nkondensator** *m* condensateur *m* à lames; **~nleger** *m* carreleur *m;* **~nspieler** *m* tourne-disque; pick-up; *(Koffergerät)* électrophone *m;* *Empfänger m mit ~~* combiné *m* radio-phono; **~nwechsler** *m* changeur *m* de disques.

Plattensee ['platənze:] , *der, geog* le lac Balaton.

platterdings *adv fam* tout simplement.

plattier|en [pla'ti:rən] *tr tech* plaquer; **P~ung** *f* placage; plaqué *m.*

Platz *m* ‹-es, ¨-e› [plats, 'plɛtsə] place *f (a. Sitz~);* emplacement; *(Stelle)* endroit; *(Ort)* lieu; *(Raum)* espace; *(Sitz~)* siège *m; com (Stadt)* place; *mil (Standort)* garnison; *(fester ~)* place *f* forte; *(Übungs~, Sport~, Flug~)* terrain *m;* *(~ in e-r Stadt)* place *f,* *(runder)* rond-point *m;* *jdm e-n ~ anweisen* placer qn; *s-n ~ ausfüllen (fig)* être à son poste; *~ behalten* rester assis; *jds ~ einnehmen* prendre la place de qn; *~ greifen (fig)* prendre pied, s'implanter; *in e-r S ~ haben* entrer, tenir dans qc; *e-n festen ~ haben* prendre rang *(unter* parmi); *e-n guten, schlechten ~ haben* être bien, mal placé; *~ lassen für* laisser place à; *jdm ~ machen* faire place, céder la place à qn; *sich ~ machen* od *verschaffen* se faire (faire) place; *an s-m ~e sein* être à sa place; *fehl am ~e sein* être inopportun *od* déplacé, n'avoir que faire là; *jdn an s-n ~ verweisen (fig)* remettre qn à sa place; *s-n ~ wechseln* changer de place; *~ (da)! ~ gemacht!* place! gare! *auf die Plätze! (sport)* à vos marques! en piste! *der ~ an der Sonne (fig)* la place au soleil; **~agent** *m com* agent *m* local *od* de place; **~angst** *f med* agoraphobie *f;* **~anweiser(in *f*)** *m* placeur, se; placier, ère *m f;* **~anweiserin** *f (im Kino)* ouvreuse *f* **~geschäft** *n com* commerce *m* local *od* de la place; **~karte** *f* ticket de réservation; *loc* ticket *m* de location; **~kommandant** *m mil* commandant *m* de place; **~konzert** *n* concert *m* public *od* en plein air; **~mangel** *m* manque *m* de place; *wegen ~~s* faute de place; **p~raubend** *a* encombrant; **~runde** *f aero* tour *m* de piste; **~verteilung** *f parl* emplacement *m;* **~vertreter** *m com* = *~agent;* **~wechsel** *m fin* effet *od* papier *m* sur place.

Plätzchen *n* ‹-s, -› ['plɛtsçən] *(kleiner Platz)* petite place *f;* *(Gebäck)* petit gâteau *m* sec.

Platz|e *f* ['platsə] : *sich die ~~ (an den Hals) ärgern, die ~~ kriegen (pop)* crever de rage, bisquer; **p~en** *itr ‹ist geplatzt› (bersten)* éclater; crever *(a. Reifen);* *(sich spalten)* se fendre, se fêler; *fam (explodieren)* exploser; *fig fam* échouer, rater; *vor Ärger* od *Wut ~~* crever *od* étouffer de rage; **~en** *n* éclatement *m;* *(Reifen)* crevaison *f;* *zum ~~ voll (fig)* plein comme un œuf; **~patrone** *f* cartouche *f* à blanc; **~regen** *m* pluie battante, averse, ondée *f.*

Plauder|ei *f* ‹-, -en› [plaudə'raɪ] causerie *f;* **~er** *m* ‹-s, -› ['plaudərər] causeur *m;* *gewandte(r) ~~* fin diseur *m;* **p~n** *‹ich plaudere, du plauderst› itr* causer; deviser; faire la causette; *aus der Schule ~~ (fig)* être indiscret; **~stündchen** *n* causette *f;* **~tasche** *f* bavard, e *m f,* jaseur *m,* jacasse *f;* **~ton** *m:* *im ~~* sur le ton de la causerie.

Plausch *m* ‹-(e)s, -e› [plauʃ] bavardage, papotage *m;* **p~en** *itr* bavarder, papoter.

plausibel [plau'zi:bəl] *a* plausible; *jdm etw ~ machen* faire comprendre qc à qn.

Plazet *n* ‹-s, -s› ['pla:tsɛt] *(Erlaubnis)* approbation *f.*

plazieren [pla'tsi:rən] *sich (sport)* se placer.

Pleb|ejer *m* ‹-s, -› [ple'be:jər] plébéien *m;* **p~ejisch** [-'be:jɪʃ] *a* plébéien; **~iszit** *n* ‹-(e)s, -e› [-bis'tsi:t] *(Volksentscheid)* plébiscite *m;* **~s** *f* ‹-/-es, ø› [plɛps, ple:ps] plèbe, populace *f.*

Pleistozän *n* ‹-s, ø› [plaɪsto'tsɛ:n] *geol* pléistocène *m.*

Pleite *f* ‹-, -n› ['plaɪtə] *fam* faillite, banqueroute; *pop* mistoufle, mouise *f;* *e-e ~ erleben* ramasser une veste; *~ machen* faire faillite *od* la culbute: **p~** *a* en faillite; *~~ gehen* faire faillite; *p~ sein* être fauché comme les blés.

plemplem [plɛm'plɛm] *a inv fam (verrückt)* marteau *inv; arg* dingue, louf *inv.*

Plen|arsitzung *f* [ple'na:r-] *parl* séance *f* plénière; **~um** *n* ‹-s, ø› ['ple:num] assemblée *f* plénière.

Pleuel(stange *f*) *m* ‹-s, -› ['plɔyəl] *tech* bielle *f.*

Plexiglas *n* ‹-es, ø› ['plɛksi-] plexiglas *m.*

Pliozän *n* ‹-s, ø› [plio'tsɛ:n] *geol* pliocène *m.*

Pliss|ee *n* ‹-s, -s› [pli'se:] plissé *m;* **p~ieren** [-'si:rən] *tr (in Falten legen)* plisser.

Plomb|e *f* ‹-, -n› ['plɔmbə] *(Bleisiegel)* (sceau de) plomb; plomb de garantie *od* de sûreté; *(Zahnfüllung)* plombage *m;* **p~ieren** [-'bi:rən] *tr* plomber; *(Zahn a.)* obturer; **~ierung** *f* plombage *m.*

Plötze *f* ‹-, -n› ['plœtsə] *(Fisch)* gardon *m.*

plötzlich ['plœtslɪç] *a* soudain, subit; brusque; *adv* soudain, soudainement, subitement, brusquement; tout à coup, tout d'un saut, de plein saut; **P~keit** *f* ‹-, ø› soudaineté *f.*

Pluderhose *f* ['plu:dər-] pantalon *m* bouffant.

plump [plʊmp] *a (dick u. unförmig)* épais, lourd, pesant, disgracieux; *(schwerfällig, ungeschickt)* lourdaud, balourd; *(grob)* grossier, rustaud, rustique; *~e Vertraulichkeit f* privauté *f;* **P~heit** *f* lourdeur, balourdise; mauvaise grâce; grossièreté *f;* **~s** *interj* p(l)ouf! floc! **~sen** *itr* faire pouf, tomber lourdement.

Plunder *m* ‹-s, ø› ['plʊndər] *(Lumpen)* guenilles *f pl;* *(Wust, Trödel)* fatras, bric-à-brac *m; pop* fichaise *f,* frusques *f pl; fig* guenille *f.*

Plünder|ei *f* ‹-, -en› [plʏndə'raɪ] pillage, maraudage *m;* **~er** *m* ‹-s, -› ['plʏndərər] pilleur, pillard, maraudeur, déprédateur *m;* **p~n** ‹*ich plündere, du plünderst*› *tr* piller; *(Ort)* saccager, mettre à sac; *fig* dépouiller; **~ung** *f* pillage, maraudage *m,* déprédation *f;* sac; *fig* dépouillement *m.*

Plural *m* ‹-s, -e› ['plu:-, plu'ra:l] *gram* pluriel *m;* **~endung** *f* terminaison *f* du pluriel.

plus [plus] *conj (und)* plus; **P~** *n* ‹-, -› *(Überschuß)* plus, excédent, surplus *m; das ist ein ~~ für mich* c'est un bon point pour moi; **P~pol** *m phys* pôle *m* positif; **P~punkt** *m* bon point *m;* **P~quamperfekt** *n* ‹-s, -e› ['-kvam-] *gram* plus-que-parfait *m;* **P~zeichen** *n math* signe *m* plus.

Plüsch *m* ‹-(e)s, -e› [ply:ʃ] peluche *f.*

Plutokrat *m* ‹-en, -en› [pluto'kra:t] ploutocrate *m;* **~ie** *f* ‹-, -n› [-kra'ti:] ploutocratie *f;* **p~isch** [-'kra:tɪʃ] *a* ploutocratique.

pluton|isch [plu'to:nɪʃ] *a geol* plutonien; **P~ium** *n* ‹-s, ø› [-'to:nium] *chem* plutonium *m.*

Pneum|atik *f* ‹-, -en› [pnɔʏ'ma:tɪk] *phys* pneumatique *f; m* ‹-s, -s› pneu (-matique) *m;* **p~atisch** [-'ma:tɪʃ] *a* pneumatique; **~othorax** *m* ‹-(es), -e› [-mo'to:raks] *med* pneumo(thorax) *m.*

Pöbel *m* ‹-s, ø› ['pø:bəl] populace, plèbe, canaille *f; fam* populo *m;* **p~haft** *a* populacier, vulgaire; poissard, canaille; **~haftigkeit** *f* vulgarité, grossièreté *f;* **~herrschaft** *f* ochlocratie *f.*

poch|en ['pɔxən] *itr* frapper, cogner, heurter (*an* à); *(Schläfen, Herz)* battre; *tr tech* bocarder; *auf etw ~~ (fig)* se prévaloir, se targuer de qc; *(fordern)* réclamer qc; **P~werk** *n metal* bocard *m.*

Pocke *f* ‹-, -n› ['pɔkə] *(Impfpustel)* pustule *f* (variolique); *pl (Krankheit)* variole, petite vérole *f;* **~nimpfung** *f* vaccination *f* anti-variolique *od* contre la variole; **p~nnarbig** *a* variolé, grêlé.

Podagra *n* ‹-s, ø› ['po:dagra] *med* podagre *f.*

Podest *n* od *m* ‹-[e]s, -e› [po'dɛst] *(Treppenabsatz)* palier *m.*

Podex *m* ‹-(es), -e› ['po:dɛks] *hum (Gesäß)* derrière, postérieur *m.*

Podium *n* ‹-s, -dien› ['po:dium, -diən] estrade, tribune *f,* podium *m.*

Poe|m *n* ‹-s, -e› [po'e:m] *(Gedicht)* poème *m;* **~sie** *f* ‹-, -n› [-e'zi:] poésie *f;* **p~sielos** *a* prosaïque; **~sielosigkeit** *f* prosaïsme *m;* **~t** *m* ‹-en, -en› [po'e:t] poète *m;* **~taster** *m* rimailleur *m;* **~tik** *f* ‹-, -en› [-'e:tɪk] poétique *f;* **p~tisch** [-'e:tɪʃ] *a* poétique.

Point|e *f* ‹-, -n› [po'ɛ̃:tə] pointe *f;* mot de la fin, fin mot *m;* **p~ieren** [-'ti:rən] *tr (hervorheben)* souligner; **~illismus** *m* ‹-, ø› [-tɪ'lɪs-, -'jɪsmus] *(Kunst)* pointillisme *m.*

Pokal *m* ‹-s, -e› [po'ka:l] *a. sport* coupe *f;* **~spiel** *n sport* match *m* de coupe.

Pökel *m* ‹-s, -› ['pø:kəl] *(Salzlake)* saumure *f;* **~faß** *n* saloir *m;* **~fleisch** *n* viande *f* salée, petit-salé *m,* salaison *f;* **~hering** *m* hareng *m* saumuré; **p~n** *tr* saler; saumurer; **~n** *n* salaison *f.*

pokulieren [poku'li:rən] *itr (zechen)* chopiner, pinter.

Pol *m* ‹-s, -e› [po:l] *geog phys* pôle *m; Flug m über den ~* vol *m* transpolaire; *ruhende(r) ~ (fig)* point *m* fixe; **p~ar** [po'la:r] *a geog* polaire; **~areis** *n* glaces *f pl* polaires; **~arexpedition** *f* expédition *f* polaire; **~arforscher** *m* explorateur *m* des régions polaires; **~arfront** *f mete* front *m* polaire; **~arfuchs** *m* renard *m* blanc; **~argebiet** *n* région *f* polaire; **~arisation** *f* ‹-, -en› [-larizatsi'o:n] polarisation *f;* **p~arisieren** [-ri'zi:rən] *tr* polariser; **~arisierung** *f* polarisation *f;* **~arität** *f* ‹-, -en› [-ri'tɛ:t] polarité *f; (der Nördliche, Südliche)* **~arkreis** *m* (le) cercle *m* polaire (arctique, antarctique); **~arlicht** *n* aurore *f* boréale *od (am Südpol)* australe; **~armeer** *n* océan *m* Glacial **~arstern** *m* Étoile polaire, Polaire *f;* **~höhe** *f* distance polaire; *astr* hauteur *f* polaire *od* du pôle; **~kappe** *f geog* calotte *f* glaciaire; **~klemme** *f* borne *f* polaire *od* de pôle *od* d'élément.

Pol|e *m* ‹-n, -n› ['po:lə] , **~in** *f* Polonais, e *m f;* **~en** *n* la Pologne; **p~nisch** ['pɔlnɪʃ] *a* polonais; *(das) P~~(e) n* le polonais; **~onäse** *f* ‹-, -n› [polo'nɛ:zə] polonaise *f.*

Polem|ik *f* ‹-, -en› [po'le:mɪk] polémique *f;* **~iker** *m* ‹-s, -› [-'le:mikər] polémiste *m;* **p~isch** [-'le:mɪʃ] *a* polémique; **p~isieren** [-mi'zi:rən] *itr* polémiquer.

Polente *f* ‹-, ø› [po'lɛntə] *arg (Polizei)* maison Poulaga, renifle, rousse; *pop* flicaille *f,* poulets *m pl.*

Police *f* ‹-, -n› [po'li:s(ə)] *(Versicherungsschein)* police *f* (d'assurance).

Polier *m* ‹-s, -e› [po'li:r] *(Vorarbeiter der Bauhandwerker)* contremaître *m.*

Polier|bürste *f* [po'li:r-] brosse à polir, polissoir *m;* **p~en** *tr* polir, lustrer; fourbir, brunir; vernir; encaustiquer; **~en** *n* polissage, fourbissage, brunissage *m;* **~er** *m* ‹-s, -› polisseur, lustreur, brunisseur *m;* **~maschine** *f* polisseuse, lustreuse *f;* **~stahl** *m* polissoir, brunissoir *m;* **p~t** *a (Reis)* glacé; **~wachs** *n* encaustique *m;* **Politur** *f* ‹-, -en› [-li'tu:r] poli; vernis *m.*

Poliklinik *f* [poli'-] policlinique *f,* dispensaire *m.*

Polit|büro *n* [po'lit-] Politbureau *m;* bureau *m* politique; **~ik** *f* ‹-, (-en)› [-li'ti:k] politique *f; über ~~ sprechen* parler *od* discuter politique; *immer die gleiche ~~ verfolgen* ne pas changer de politique, suivre la même politique; *~~ der* Stärke politique *f* des gros bataillons; *~~ der offenen Tür* politique *f od* système *m* de la porte ouverte; **~iker** *m* ‹-s, -› [-'li:tikər] (homme) politique, politicien *m;* **p~isch** [-'li:tɪʃ] *a* politique; **p~isieren** [-liti'zi:rən] *itr* parler politique; *pej* politiquer; *tr (e-n politischen Charakter geben)* politiser (*e-e S* qc); **~isierung** *f* politisation *f.*

Polizei *f* ‹-, (-en)› [poli'tsaɪ] police; *(städtische ~ in Paris)* garde *f* municipale; **~aktion** *f* opération *f* de police; **~aufsicht** *f* surveillance *f* policière; *unter ~~* sous surveillance; **~beamte(r)** *m* agent *od* fonctionnaire de police, policier, officier *m* de paix; **~behörde** *f* police *f;* **~bericht** *m* rapport *m* de police; **~büro** *n* bureau *m* de police; **~gefängnis** *n,* **~gewahrsam** *m* dépôt (de police), *fam* violon *m;* **~gericht** *n* tribunal *m* de police; **~gewalt** *f* pouvoir *m* de police; **~inspektor** *m* inspecteur *m* de police; **~kommissar** *m* commissaire *m* (de police); **p~lich** *a* policier, de la police; *adv* par mesure de police; *~~en Schutz fordern* requérir la force publique; **~maßnahmen** *f pl* mesures *f pl* policières; **~präfekt** *m,* **~präsident** *m* préfet *m* de police; **~präsidium** *n* préfecture *f* de police; **~revier** *n* commissariat *od* poste *m* (de police); **~spitzel** *m* indicateur; *arg* indic *m;* **~staat** *m* État *od* régime *m* policier; **~strafe** *f* peine *f* correctionnelle *od* de simple police; **~streife** *f* patrouille *f* de police; **~streitkräfte** *f pl* forces *f pl* de police; **~stunde** *f* heure *f* de clôture; **~truppe** *f* force *f* de police; **~vergehen** *n* délit *m* correctionnel; **~verordnung** *f* règlement *m* de police; **~vorschrift** *f* prescription *f* de police; **~wache** *f* poste *m* de police; **~wagen** *m* fourgon *m* cellulaire; **p~widrig** *a* contraire aux règlements de police.

Polizist *m* ‹-en, -en› [poli'tsɪst] agent de police, policier, sergent de ville; *(in Paris)* gardien de la paix; *pop* flic, argousin *m,* vache *f; arg* cogne, poulet *m.*

Polka *f* ‹-, -s› ['pɔlka] *(Tanz)* polka *f.*

Pollen *m* ‹-s, -› ['pɔlən] *bot* pollen *m.*

Poller *m* ‹-s, -› ['pɔlər] *mar* bitte *f* (d'amarrage).

Polo|(spiel) *n* ‹-s, -s› ['po:lo(-)] polo *m;* **~hemd** *n* (chemisette *f*) polo *m.*

Polster *n* ‹-s, -› ['pɔlstər] *(Kissen)* coussin; *(Wagen~)* matelas *m; fig* réserves *f pl;* **~material** *n* matelassure *f;* **~möbel** *n pl* meubles *m pl* rembourrés *od* capitonnés; **p~n** *tr* rembourrer; capitonner, matelasser; **~nagel** *m* clou *m* de tapisserie; **~sessel** *m,* **~stuhl** *m* fauteuil *m,* chaise *f* rembourré(e); **~ung** *f* rembourrage, capitonnage *m; (Material)* matelassure *f.*

Polter|abend *m* ['pɔltər-] veille *f* des noces; **~er** *m* ‹-s, -› tapageur, gendarme *m;* **~geist** *m* esprit *m* frappeur; **p~n** *itr* tapager, faire du tapage.

Poly|eder *n* ‹-s, -› [poly'e:dər] *math* polyèdre *m;* **p~gam** [-'ga:m] *a* polygame; **~gamie** *f* ‹-, ø› [-ga'mi:] polygamie *f;* **~gamist** *m* ‹-en, -en› [-'mɪst] polygame *m;* **~gon** *n* ‹-s, -e› [-'go:n] *math* polygone *m;* **p~mer** [-'me:r] *a chem* polymère; **~merie** *f* ‹-, -n› [-me'ri:] *chem biol* polymérie *f;* **~merisation** *f* ‹-, -en› [-rizatsi'o:n] *chem* polymérisation *f;* **~nesien** *n* [-'ne:ziən] la Polynésie;

~nesier *m* ⟨-s, -⟩ [-'ne:ziər] Polynésien *m;* **p~nesisch** [-'ne:zɪʃ] *a* polynésien; **~nom** *n* ⟨-s, -e⟩ [-'no:m] *math* polynôme *m;* **p~phon** [-'fo:n] *a* polyphonique; **~phonie** *f* ⟨-, ø⟩ [-fo'ni:] polyphonie *f;* **~technikum** *n* école *f* d'enseignement technique général; **p~technisch** *a* polytechnique; **~theismus** *m* polythéisme *m;* **p~theistisch** *a* polythéiste; **~urethan** *n* polyuréthane *m.*

Polyp *m* ⟨-en, -en⟩ [po'ly:p] *zoo* polype, poulpe *m,* pieuvre *f; med* polype *m; hum (Polizist)* vache *f,* argousin *m;* **p~enartig** *a* polypeux; *fig* tentaculaire; **~enstock** *m* polypier *m.*

Pomad|e *f* ⟨-, -n⟩ [po'ma:də] pommade *f;* **p~ig** *a fam (träge)* flemmard, lambin; **p~isieren** *tr* pommader.

Pomeranze *f* ⟨-, -n⟩ [pomə'rantsə] orange amère, bigarade *f.*

Pommer|(in *f)* *m* ⟨-n, -n⟩ ['pɔmər] Poméranien, ne *m f;* **p~(i)sch** *a* poméranien; **~n** *n* la Poméranie.

Pomp *m* ⟨-(e)s, ø⟩ [pɔmp] pompe *f,* faste *m;* **p~haft** *a,* **p~ös** *a* pompeux; fastueux.

Pompon *m* ⟨-s, -s⟩ [pɔ̃-, pɔm'pɔ̃:] *(Troddel)* pompon *m.*

pontif|ikal [pɔntifi'ka:l] *a rel* pontifical; **P~ikalamt** *n* messe *f* pontificale; *ein ~~ halten (rel)* officier en pontife, *vx* pontifier; **P~ikat** *n* ⟨-(e)s, -e⟩ [-fi'ka:t] pontificat *m.*

Pontius *m* ['pɔntsius] : *~ Pilatus (hist rel)* Ponce Pilate *m; von ~ zu Pilatus laufen (fig fam)* courir les quatre coins de la ville; *von ~ zu Pilatus schicken* renvoyer de Ponce à Pilate.

Ponton *m* ⟨-s, -s⟩ [pɔ̃-, pɔn'tɔ̃:] *(Brükkenschiff)* ponton *m;* **~brücke** *f* pont *m* de pontons.

Pony *n* ⟨-s, -s⟩ ['pɔni] *zoo* poney *m;* **~frisur** *f* coiffure *f* à la chien *od* à frange.

Pool *m* ⟨-s, -s⟩ [pu:l] *com* pool, groupement *m.*

Popanz *m* ⟨-es, -e⟩ ['po:pants] *(Schreckgespenst)* croque-mitaine *m.*

Pope *m* ⟨-n, -n⟩ ['po:pə] *rel pop* pope.

Popel *m* ⟨-s, -⟩ ['po:pəl] *fam (verhärteter Nasenschleim)* morve *f* endurcie; *(Rotznase, Kind)* morveux *m;* **p~n** *itr fam (in der Nase bohren)* se fourrer le doigt dans le nez.

pop(e)lig ['po:p(ə)lɪç] *a fam* misérable, pitoyable; *(geizig)* ladre, pingre.

Popelin *m* ⟨-s, -e⟩ , **~e** *f* ⟨-e, ø⟩ [popə'li:n(ə)] *(Textil)* popeline *f.*

Popo *m* ⟨-s, -s⟩ [po'po:] *fam* postérieur, derrière *m.*

popul|är [popu'lɛ:r] *a* populaire; **~arisieren** [-lari'zi:rən] *tr* populariser, vulgariser; **P~arisierung** *f* popularisation *f;* **P~arität** *f* ⟨-, ø⟩ [-ri'tɛ:t] popularité *f;* **~ärwissenschaftlich** *a: ~~e(r) Schriftsteller m* vulgarisateur *m; ~~e(s) Werk n* ouvrage *m* de vulgarisation.

Por|e *f* ⟨-, -n⟩ ['po:rə] pore *m;* **~enbeton** *m* béton *m* cellulaire; **p~ig** *a,* **p~ös** [po'rø:s] *a* poreux; **~osität** *f* ⟨-, ø⟩ [-rozi'tɛt] porosité *f.*

Porphyr *m* ⟨-s, -e⟩ ['pɔrfyr, -(')fy:r] *geol* porphyre *m.*

Porree *m* ⟨-s, -s⟩ ['pɔre] *bot* poireau *m.*

Portal *n* ⟨-s, -e⟩ [pɔr'ta:l] *arch* portail *m.*

Porte|feuille *n* ⟨-s, -s⟩ [pɔrt'fø:j] portefeuille *m; pol (Geschäftsbereich): Minister m ohne ~~* ministre *m* sans portefeuille; **~monnaie** *n* ⟨-s, -s⟩ [-'nɛ:/-mɔ'ne:] bourse *f,* porte-monnaie *m; das reißt ins ~~ (fam)* cela fait un trou dans le portemonnaie; **~pee** *n* ⟨-s, -s⟩ [-te'pe:] *mil (Degenquaste)* dragonne *f.*

Portier *m* ⟨-s, -s⟩ [pɔrti'e:] portier, concierge; *fam* pipelet *m;* **~e** *f* ⟨-, -n⟩ [-ti'ɛ:rə] portière *f;* **~sfrau** *f* concierge, portière; *fam* pipelette *f;* **~sloge** *f,* **~swohnung** *f* loge de concierge, conciergerie *f.*

Portion *f* ⟨-, -en⟩ [pɔrtsi'o:n] portion *f.*

Porto *n* ⟨-s, -s/-ti⟩ ['pɔrto, -ti] port *m;* **p~frei** *a* franc *od* exempt de port; *adv* franco de port, port payé; **~freiheit** *f* franchise *f* postale *od* de port; **~kasse** *f* caisse *f* de port; **~kosten** *pl* frais *m pl* de port; **p~pflichtig** *a* soumis à la taxe; *~~!* port dû; *~~e Dienstsache f* lettre *f* officielle en port dû.

Porträt *n* ⟨-(e)s, -s/-e⟩ [pɔr'trɛ:(t), -'trɛ:s] portrait *m;* **p~ieren** [-trɛ'ti:rən] *tr* faire le portrait de, portraiturer; **~ist** *m* ⟨-en, -en⟩ [-'tɪst], **~maler** *m* portraitiste, peintre *m* de portraits; **~malerei** *f* peinture *f* de portrait.

Portug|al *n* ['pɔrtugal] le Portugal; **~iese** *m* ⟨-n, -n⟩ [-'gi:zə], **~iesin** *f* Portugais, e *m f;* **p~iesisch** [-'gi:zɪʃ] *a* portugais; *(das) P~~(e) n* (le) portugais.

Portwein *m* ['pɔrt-] porto *m.*

Porzellan *n* ⟨-s, -e⟩ [pɔrtse'la:n] porcelaine *f;* **~arbeiter** *m,* **~fabrikant** *m,* **~händler** *m* porcelainier *m;* **~erde** *f* terre *f* à porcelaine, kaolin *m;* **~geschirr** *n* porcelaine *f;* **~industrie** *f* industrie *f* porcelainière; **~kiste** *f* harasse *f;* **~kitt** *m* colle *f* de porcelaine; **~manufaktur** *f* manufacture *f* de porcelaine; **~waren** *f pl* porcelaines *f pl.*

Posament *n* ⟨-(e)s, -en⟩ [poza'mɛnt] *(Besatzartikel)* passement *m; pl a.* passementerie *f;* **~enarbeit** *f,* **~enfabrik** *f,* **~enhandel** *m* passementerie *f;* **~er** *m* ⟨-s, -⟩ , **~ier** *m* ⟨-s, -e⟩ [-'ti:r], **~~er** *m* ⟨-s, -⟩ passementier *m;* **~ierwaren** *f pl* passementerie *f.*

Posaun|e *f* ⟨-, -n⟩ [po'zaunə] trombone *m; die ~~ des Jüngsten Gerichts* la trompette du jugement dernier; **p~en** *itr ⟨er posaunte, hat posaunt⟩* sonner de la trompette; **~enbläser** *m* trombon(ist)e *m.*

Pos|e *f* ⟨-, -n⟩ ['po:zə] *(gesuchte Stellung u. Haltung)* pose *f;* **p~ieren** [po'zi:rən] *itr* poser; **~ition** *f* ⟨-, -en⟩ [-zitsi'o:n] position; *(beim Fechten)* figure *f; (im Staatshaushalt)* chapitre *m; sich e-e ~~ schaffen* se faire une position; *in gesicherter, guter ~~ sein* avoir une position stable; avoir une jolie situation *od* un joli poste; **~itionslampe** *f,* **~itionslaterne** *f mar* feu *m* de position; **~itionslicht** *n aero* feu *m* de position *od* de stationnement; **~itionsmeldung** *f* rapport *m od* signalisation *f* de position; **~itiv** *phot n* ⟨-s, -e⟩ ['po:-, pozi'ti:f], *gram m* ⟨-s, -e⟩ ['po:-] positif *m;* **~itivist** *m* ⟨-en, -en⟩ [-'vist] *a* positiviste; **~itivismus** *m* ⟨-, ø⟩ [-'vɪsmus] *philos* positivisme *m;* **~tron** *n* ⟨-s, -en⟩ ['po:zitro:n, -'tro:nən] *phys* positron *m;* **~itur** *f* ⟨-, -en⟩ [-'tu:r] posture *f; sich in ~~ setzen* od *werfen* se rengorger, bomber le torse.

Poss|e *f* ⟨-, -n⟩ ['pɔsə] *theat* farce, facétie, pièce *f* burlesque; *pl (Späße)* bouffonneries, balivernes *f pl; ~en reißen* faire le farceur *od* le bouffon; **~en** *m* ⟨-s, -⟩ *(Streich)* mauvais tour *m; jdm e-n ~~ spielen* jouer un tour à qn; **p~enhaft** *a* facétieux, burlesque, bouffon; **~enhaftigkeit** *f* bouffonnerie *f;* **~enreißer** *m* farceur, bouffon, pitre, paillasse, baladin, histrion *m;* **~enspiel** *n* farce, bouffonnerie *f;* **p~ierlich** [-'si:r-] *a* drôle, plaisant.

Post *f* ⟨-, -en⟩ [pɔst] *(Einrichtung)* poste *f; (Amt, Gebäude)* (bureau *m* de) poste *f; (Briefe)* courrier *m,* lettres *f pl; durch die* od *mit der ~* par poste; *mit gleicher, mit der nächsten ~* par le même, le prochain courrier; *die ~ abholen* retirer le courrier; *die ~ aufgeben* expédier son courrier; *auf die* od *zur ~ bringen* mettre à la poste; *die ~ durchsehen* dépouiller le courrier; *die ~ erledigen* faire son courrier; *auf die ~ geben* poster; *eingehende, ausgehende ~* courrier *m* à la rentrée, au départ; **p~alisch** [-'ta:lɪʃ] *a* postal; **~amt** *n* bureau *m* de poste; **~anweisung** *f* mandat-poste, mandat *m* postal; *telegraphische ~~* mandat-poste télégraphique, télégramme *m* mandat; **~auftrag** *m* mandat *m* de recouvrement postal; **~auto** *n* fourgon *m od* voiture *f* postal(e), *(Omnibus)* car *m* postal; **~beamte(r)** *m,* **~beamtin** *f* employé, e des postes; postier, ère *m f;* **~bezirk** *m* circonscription *f* postale; **~bezug** *m (Zeitung)* abonnement *m* postal; **~bote** *m* facteur *m;* **~dampfer** *m* paquebot-poste *m;* **~direktor** *m* directeur *m* des Postes; **~einlieferungsschein** *m* récépissé *m* postal; **~fach** *n* boîte *f* postale; **~flugzeug** *n* avion *m* postal; **~gebühr(en** *pl)* *f* taxe *f* postale; **~geheimnis** *n* secret *m* postal; **~halter** *m hist* maître *m* de poste; **~horn** *n* cor *m* de postillon; **~karte** *f* carte *f* postale; **~kartendrehständer** *m* tourniquet *m;* **~kutsche** *f hist* diligence *f;* **~kutscher** *m hist* postillon *m;* **p~lagernd** *adv* poste restante, en dépôt; **~leitstelle** *f* centre *m* d'acheminement postal; **~leitzahl** *f* numéro *m* de code postal; **~meister** *m* = *~halter;* **~minister(ium** *n)* *m* minist(è)re *m* des postes; **~paket** *n* colis *m* postal; **~sack** *m* sac *m* postal; **~schalter** *m* guichet *m* (de la poste); **~scheck** *m* chèque *m* postal;

~scheckamt *n* office *od* bureau *od* centre *m* de(s) chèques postaux; **~scheckkonto** *n* compte *m* (de) chèques postaux; **~scheckverkehr** *m* service *m* des chèques postaux; **~schiff** *n* paquebot-poste, courrier *m;* **~schließfach** *n* = *~fach;* **~sparbuch** *n* livret *m* d'épargne postal; **~sparkasse** *f* caisse *f* d'epargne postale; **~sperre** *f* arrêt *m* du courrier; **~stelle** *f* bureau *m* de poste auxiliaire; **~stempel** *m* cachet *m; Datum n des ~~s* date *f* de la poste; **~tarif** *m* tarif *m* postal; **~überweisung** *f* virement *m* postal; **~verbindung** *f* liaison *f* postale; **~verkehr** *m* trafic *m* postal; **~versand** *m: für den ~~ geeignet* postable; **~wagen** *m loc* wagon-poste *m,* poste *f* ambulante; **p~wendend** *adv* par retour du courrier; **~wertzeichen** *n* timbre-poste *m;* **~wurfsendung** *f* envoi postal collectif, courrier *m* hors sac, correspondance *f* sans adresse; **~zug** *m* train *m* postal.

Postament *n* ‹-(e)s, -e› [pɔsta'mɛnt] piédestal, socle *m.*

Posten *m* ‹-s, -› ['pɔstən] *(Ware)* lot; *(Buchungsbetrag)* article, poste *m,* entrée *f; (Stellung, Amt)* emploi *m,* position *f,* poste *m,* place, charge *f; mil (Wach~)* poste *m,* sentinelle *f; (Schrotsorte)* chevrotines *f pl; auf dem ~ (an s-m Platz)* à son poste; *fig fam (wohlauf)* gaillard; *s-n ~ ausfüllen* être à son poste; *auf dem ~ sein (fig fam)* être solide au poste, avoir bon pied bon œil; *nicht auf dem ~ sein (fig)* ne pas être *od* ne pas se sentir dans son assiette; *~ stehen* être de *od* en faction; *auf verlorenem ~ stehen (fig)* défendre une cause perdue, être perdu; *~ vor Gewehr* sentinelle *f* devant les armes; **~ablösung** *f* relève *f* (de la sentinelle); **~jäger** *m pej* arriviste *m;* **~kette** *f,* **~linie** *f mil* ligne *f* de(s avant-)postes; **~kontrolle** *f* visite *f* des gardes; **~loch** *n mil* trou *m* de guetteur.

postier|en [pɔs'ti:rən] *tr (aufstellen)* poster, placer; *sich ~~* se planter; **P~ung** *f mil* mise *f* en place.

Postille *f* ‹-, -n› [pɔs'tɪlə] *rel* sermonnaire *m.*

Postillion *m* ‹-s, -e› ['pɔs-, pɔstɪl'jo:n] postillon *m.*

postnumerando [pɔstnume'rando] *adv com* postérieurement.

postoperativ [pɔst?opera'ti:f] *a med* postopératoire.

Postskript *n* ‹-(e)s, -e› [pɔst'skrɪpt] *(Nachschrift)* postscriptum *m.*

Postulat *n* ‹-(e)s, -e› [pɔstu'la:t] *(Forderung)* postulat *m.*

postum [pɔs'tu:m] *a (nachgeboren, -gelassen)* posthume; *adv* à titre posthume.

poten|t [po'tɛnt] *a physiol* puissant; **P~tat** *m* ‹-en, -en› [-'ta:t] *(Machthaber, regier. Fürst)* potentat *m;* **P~tial** *n* ‹-s, -e› [-tsi'a:l] *phys allg* potentiel *m;* **~tiell** [-tsi'ɛl] *a (möglich)* potentiel; **P~tiometer** [-tsio'me:tər] *n el* potentiomètre *m;* **P~z** *f* ‹-, -en› [-'tɛnts] *math phys physiol* puissance *f; in der 4. ~~ (math)* à la 4ᵉ puissance; *in e-e ~~ erheben,* **~zieren** [-'tsi:rən] *tr* élever à une puissance.

Potpourri *n* ‹-s, -s› ['pɔtpuri] *mus* pot-pourri *m.*

potztausend ['pɔts'tauzənt] *interj* parbleu! morbleu!

poussier|en [pu'si:rən] *itr fam* flirter; *tr fam* faire du plat (*jdn* à qn); **P~stengel** *m fam* flirteur, conteur *m* de fleurettes.

Präambel *f* ‹-, -n› [prɛ'ambəl] *(Einleitung)* préambule *m.*

Präbende *f* ‹-, -n› [prɛ'bɛndə] *(kirchl. Pfründe)* prébende *f.*

Pracht *f* ‹-, ø› [praxt] *(Prunk)* magnificence, somptuosité *f,* luxe *m;* pompe *f;* faste *m; (Glanz)* splendeur *f; es ist e-e wahre ~!* c'est magnifique! **~ausgabe** *f (Buch)* édition *f* de luxe; **~bau** *m* édifice *m* somptueux; **~einband** *m* reliure *f* de luxe; **~exemplar** *n* exemplaire *m* de luxe; **~kerl** *m,* **~mensch** *m fam* maître homme *m,* maîtresse femme *f,* cœur d'or; gaillard *m* superbe; **~liebe** *f* goût *m* du luxe *od* du faste; **p~liebend** *a* qui aime le luxe; fastueux; **~stück** *n* pièce *f* magnifique *od* superbe; **p~voll** *a* = *prächtig;* **~werk** *n (Buch)* ouvrage *od* livre *m* de luxe;

prächtig ['prɛçtɪç] *a* somptueux, luxueux; magnifique, superbe; splendide; *fam (herrlich)* épatant.

Prädikat *n* ‹-(e)s, -e› [prɛdi'ka:t] *gram* verbe; *(Rangbezeichnung)* titre *m; (Schulzensur)* note, mention *f;* **~snomen** *n gram* attribut *m.*

Präexistenz [prɛ-] *f rel philos* préexistence *f.*

Präfekt *m* ‹-en, -en› [prɛ'fɛkt] préfet *m;* **~ur** *f* ‹-, -en› [-'tu:r] préfecture *f.*

Präferenz *f* ‹-, -en› [prɛfe'rɛnts] préférence *f;* **~grenze** *f* marge *f* préférentielle; **~system** *n* régime *m* préférentiel.

Präfix *n* ‹-es, -e› [prɛ'fɪks] *gram* préfixe *m.*

Prag *n* [pra:k] Prague *f.*

Präg|edruck *m* ['prɛ:gə-] *typ* gaufrage *m;* **p~en** *tr (Münzen)* frapper, battre; *(stanzen)* étamper, estamper; *typ* empreindre; *(Wort)* forger, former; *fig (gestalten)* former; **~estempel** *m* estampe, étampe *f* coin *m,* matrice *f;* **~ung** *f (von Münzen)* frappe *f,* monnayage *m; typ* empreinte *f; allg* estampage *m; fig (Gestalt)* marque *f;* caractère *m.*

pragmat|isch [prag'ma:tɪʃ] *a (sachlich)* pragmatique; **P~ismus** *m* ‹-s, ø› [-ma'tɪsmus] *philos* pragmatisme *m.*

prägnan|t [prɛ'gnant] *a (Stil: kurz u. bündig)* serré, succinct, concis; dense **P~z** *f* ‹-, ø› [-'gnants] concision; densité *f.*

prähistorisch [prɛ-] *a* préhistorique.

prahl|en ['pra:lən] *itr* se vanter, hâbler, fanfaronner; *fam* crâner; faire le fier *od* le fanfaron; *mit etw* afficher qc, faire étalage *od* ostentation, se targuer de qc; **P~er** *m* ‹-s, -› vantard, hâbleur, fanfaron, bravache; *fam* crâneur *m;* **P~erei** *f* [-'raɪ] vantardise, vanterie, hâblerie, fanfaronnade; *fam* crânerie, jactance, rodomontade *f;* **~erisch** *a* vantard, crâne, hâbleur, fanfaron; *adv* avec jactance *od* ostentation; **P~hans** *m* ‹-es, ¨-e› ['-hans, '-hɛnzə] = *~er;* **P~sucht** *f* vantardise *f.*

Prahm *m* ‹-(e)s, -e/¨-e› [pra:m] *mar* prame *f.*

Prakt|ik *f* ‹-, -en› ['praktɪk] , meist *pl (Kniffe)* trucs, artifices; stratagèmes *m pl;* **p~ikabel** [-ti'ka:bəl] *a (benutzbar, gangbar)* praticable; **~ikant** *m* ‹-en, -en› [-'kant] stagiaire *m;* **~iker** *m* ‹-s, -› ['praktikər] praticien *m;* **~ikum** *n* ‹-s, -ka/-ken› ['praktikum, -ka, -kən] stage *m;* **~ikus** *m* ‹-, -sse› [-tikus] *hum* débrouillard *m;* **p~isch** ['praktɪʃ] *a* pratique; *adv* en fait; en vérité; *~~e(r) Arzt m* médecin (de médecine générale), (omni)praticien *m; ~~e Ausbildung f* stage *m; ein ~~es Beispiel* un exemple réel; **p~izieren** [-ti'tsi:rən] *tr (ausüben)* pratiquer.

Prälat *m* ‹-en, -en› [prɛ'la:t] *rel* prélat *m.*

Präliminar|frieden *m* [prɛlimi'na:r-] paix *f* préliminaire; **~ien** [-'na:riən] *pl (Vorverhandlungen)* préliminaires *m pl.*

Praline *f* ‹-, -n› [pra'li:nə] chocolat *m,* crotte *f* (de chocolat).

prall [pral] *a (voll, stramm)* bondé, rebondi; *(Reifen)* gonflé à bloc; *(derb, kräftig)* dru, ferme; *in der ~en Sonne* en plein soleil; **P~** *m* ‹-(e)s, -e› *(Stoß)* heurt, choc; *(Auf~)* bond *m;* **~en** *itr: auf etw ~~* heurter qc; s'emboutir contre *od* sur qc.

präludieren [prɛlu'di:rən] *itr mus* préluder; **P~ium** *n* ‹-s, -dien› [-'lu:dium, -djən] prélude *m.*

Prämi|e *f* ‹-, -n› ['prɛ:miə] prime; *(Belohnung)* récompense; *(Zulage)* prime *f* d'encouragement; *erhöhte ~~* surprime *f;* **~engeschäft** *n* marché *m* à prime; **~enschein** *m* quittance *f* de prime; **p~(i)eren** [-'mi:rən] *tr* primer; récompenser; accorder un prix à; **~(i)erung** *f* adjudication *f* d'un *od* du prix (*gen* à).

prangen ['praŋən] *itr* briller, resplendir.

Pranger *m* ‹-s, -› ['praŋər] *hist* pilori *m; an den ~ stellen (a. fig)* mettre au pilori.

Pranke *f* ‹-, -n› ['praŋkə] griffe; patte *f; fig pop (kräftige Hand)* battoir *m.*

pränumerando [prɛnume'rando] *adv com* d'avance.

Präpar|at *n* ‹-(e)s, -e› [prɛpa'ra:t] *chem pharm* préparation *f; anatomische(s) ~~* pièce *f* d'anatomie; *organische(s) ~~* composé *m* organique; **~ator** *m* ‹-s, -en› [-'ra:tɔr, -'to:rən] préparateur; *(von Tieren u. Pflanzen)* naturaliste *m;* **p~ieren** [-'ri:rən] *tr* préparer; *(Tier, Pflanze)* naturaliser; **~ieren** *n* préparation *f.*

Präposition *f* ‹-, -en› [prɛpozitsi'o:n] *gram* préposition *f;* **p~al** [-tsio'na:l] *a* prépositionnel; *~~e(s) Objekt n* régime *m* indirect.

Prärie [prɛ'ri:] , *die, geog* la Prairie.

Präsen|s *n* ‹-, -tia/-zien› ['prɛ:zɛns, -'zɛntsia, -tsiən] *gram* présent *m;* **~t**

n ⟨-(e)s, -e⟩ [prɛ'zɛnt] présent, cadeau *m;* **p~tieren** [-'ti:rən] *tr* présenter; *p~tiert das Gewehr!* présentez arme! **~zbibliothek** *f* bibliothèque *f* de consultation sur place; **~zgelder** *n pl parl* vacations *f pl;* **~zstärke** *f mil* effectif *m* présent.

Präservativ *n* ⟨-s, -e⟩ [prɛzɛrva'ti:f] *med (Schutzmittel)* préservatif *m.*

Präsid|ent *m* ⟨-en, -en⟩ [prɛzi'dɛnt] président *m;* **~entenpalais** *n* palais *m* présidentiel, présidence *f;* **~entenwahl** *f* élection *f* présidentielle *od* du président; **~entschaft** *f* présidence *f;* **~entschaftskandidat** *m* candidat *m* à la présidence; **~ialsystem** *n* [-di'a:l-] *pol* régime présidentiel, présidentialisme *m;* **p~ieren** [-'di:rən] *itr* présider; **~ium** *n* ⟨-s, -dien⟩ [-'zi:dium, -diən] présidence *f; (e-r Partei)* comité *m* directeur.

prasseln ['prasəln] *itr (Feuer)* crépiter; *(herunter~)* tomber avec fracas; *(Regen)* tomber dru; **P~** *n* crépitation *f;* fracas *m.*

prass|en ['prasən] *itr (schlemmen)* faire bombance; *fam* faire la noce *od* la bombe; *pop* ripailler, faire ripaille, se goberger; **P~er** *m* ⟨-s, -⟩ *fam:* noceur, bambocheur, ripailleur *m;* **P~erei** *f* [-'raɪ] débauche (de table); *fam* bombance; *pop* ripaille *f.*

prästabiliert [prɛ-] *a (philos)* préétabli.

präsumtiv [prɛzum'ti:f] *a (mutmaßlich)* présomptif; **P~erbe** *m* héritier *m* présomptif.

Präten|dent *m* ⟨-en, -en⟩ [prɛtɛn'dɛnt] *(Bewerber)* prétendant *m;* **p~tiös** [-tsi'ø:s] *a (anspruchsvoll)* prétentieux.

Präteritum *n* ⟨-s, -ta⟩ [prɛ'te:ritum] *gram* prétérit *m.*

Pratze *f* ⟨-, -n⟩ ['pratsə] *pej (klobige Hand)* battoir *m.*

Präventivkrieg *m* [prɛvɛn'ti:f-] guerre *f* préventive.

Praxis *f* ⟨-, -xen⟩ ['praksɪs] pratique *f; (Arzt~)* cabinet (de consultation); *(Anwalts~)* cabinet *m* (d'affaires), étude; *(Kundschaft)* clientèle *f; in der ~* dans la pratique, sur le plan pratique; *in die ~ umsetzen* mettre en pratique.

Präzedenzfall *m* [prɛtse'dɛnts-] précédent; *jur* préjugé *m; e-n ~ schaffen* créer *od* établir un précédent.

präzis|(e) [prɛ'tsi:s, -zə] *a* précis, exact; **~ieren** [-'zi:rən] *tr* préciser; **P~ion** *f* ⟨-, ø⟩ [-zi'o:n] précision *f;* **P~ionsabwurf** *m aero mil* bombardement *m* de précision; **P~ionsarbeit** *f,* **P~ionsinstrument** *n,* **P~ionswaage** *f* travail, instrument *m,* balance *f* de précision; **P~ionsuhr** *f* montre *f* de précision, chronomètre *m.*

predig|en ['pre:dɪgən] *tr u. itr* prêcher; *itr pej* sermonner; *tauben Ohren ~~* prêcher dans le désert; **P~en** *n* prédication *f;* **P~er** *m* ⟨-s, -⟩ prédicateur; *(Sitten~~)* prêcheur *m;* **P~t** *f* ⟨-, -en⟩ ['-dɪçt] *allg* prédication *f; (kath.)* sermon; *(evang.)* prêche *m; e-e ~~ halten* faire un sermon; **P~tsammlung** *f* sermonnaire *m.*

Preis *m* ⟨-es, -e⟩ [praɪs, '-zə] prix *m; (Belohnung)* récompense, prime; *(Lob)* louange *f,* éloge *m; um jeden ~* à tout prix, coûte que coûte; *um keinen ~* à aucun prix; *um keinen ~ der Welt* pour rien au monde, pas pour un empire, pas pour tout l'or du monde; *zum ~ von* à raison de, sur le pied de; *zu e-m angemessenen ~* à juste prix; *zu ermäßigten ~en* à tarif réduit; *zum halben ~* à moitié prix; à demi-tarif; *e-n ~ ausmachen* od *vereinbaren* convenir d'un prix; *e-n ~ auf jds Kopf (aus)setzen* mettre la tête de qn à prix; *mit e-m ~ auszeichnen (a.)* couronner; *sich um e-n ~ bewerben* disputer un prix; *die ~e drücken* gâter le marché *od* le métier, gâcher le métier; *die ~e erhöhen* od *heraufsetzen, senken* od *herabsetzen* augmenter, baisser *od* diminuer les prix; *mit dem ~ heruntergehen* rabattre du prix; *im ~e steigen* augmenter de prix; *äußerste(r) ~* prix serré à l'extrême, (tout) dernier prix *m; feste(r) ~* prix *m* fixe; *mäßige(r) ~* prix *m* modique; *vereinbarte(r) ~* prix *m* fait *od* convenu; **~abbau** *m* diminution *od* réduction *od* baisse *f* des prix; **~abmachungen** *f pl* accords *m pl* sur les prix; **~abschlag** *m* diminution *od* réduction *f* des prix; **~absprache** *f* entente *f* sur les prix; **~angabe** *f* indication *f* de *od* du prix; **~angebot** *n* offre *f* de prix; **~angleichung** *f* rajustement *m* des prix; **~anstieg** *m* hausse *f* des prix; **~aufschlag** *m* majoration *f* (de prix) **~ausgleich** *m* péréquation *f* des prix; **~aushang** *m* prix courant affiché, affichage *m* des prix; **~ausschreiben** *n* (mise *f* au) concours *m;* **~auszeichnung** *f* affichage *m* du *od* des prix; **~berechnung** *f* calcul *m* des prix; **~bewegung** *f* mouvement *m* des prix; **~bildung(sstelle)** *f* (office *m* de) formation *f* des prix; **~bindung** *f* prix *m pl* imposés, accord *m* sur les prix; contrôle *m* od surveillance *f* des prix; **~drückerei** *f* compression *f od* gâchage *m* de(s) prix; **p~en** ⟨*pries, gepriesen*⟩ *tr (loben)* louer, vanter, faire l'éloge de, prôner, célébrer, magnifier; *sich glücklich ~~* s'estimer heureux; **~elastizität** *f* élasticité *f* des prix; **~entwicklung** *f* développement *m od* évolution *f* des prix; **~erhöhung** *f* hausse, augmentation *od* élévation *od* majoration *f od* relèvement *m* de(s) prix (*um* de); **~ermäßigung** *f* diminution *od* réduction *f* de(s) prix; **~faktor** *m* facteur *m* prix; **~frage** *f (Wettbewerb)* sujet *m* de concours; **~freiheit** *f* liberté *f* des prix; **~gefüge** *n* structure *f* des prix; **p~gekrönt** *a* primé, couronné; **~gericht** *n* jury *m;* **~gleitklausel** *f* clause *f* des prix variables; **~grenze** *f* limite *f* des prix; **p~günstig** *a* (d'un prix) avantageux; **~index** *m* indice *m* des prix; **~kommissar** *m* commissaire *m* aux prix; **~kontrolle** *f* contrôle *m* des prix; **~lage** *f: in dieser ~~* dans ces *od* dans cette gamme de prix; *in jeder ~~* à tous les prix; *in welcher ~~?* dans quels prix? **~liste** *f* liste *f* des prix, barème, prix-courant, éventail *m;* **~nachlaß** *m* = *~abschlag;* **~niveau** *n* niveau *m* des prix; **~notierung** *f* cotation *f;* **~politik** *f* politique *f* des prix; **~regelung** *f* réglementation *f* des prix; **~richter** *m* membre *m* du jury; *die ~~ pl* le jury; **~rückgang** *m* baisse *f* des prix; **~schild** *n* étiquette *f* de prix; **~schrift** *f* mémoire *m* couronné; **~schwankungen** *f pl* fluctuations *f pl* des prix; **~senkung** *f* rabaissement *od* abattement *m* des prix; **~skala** *f* gamme *f* de prix; **~spanne** *f* décalage *m* des prix, marge *f* de prix *od* bénéficiaire; **~stabilisierung** *f* stabilisation *f* des prix; **~stabilität** *f* stabilité *f* des prix; **~staffelung** *f* échelle *f* des prix; **~stand** *m* niveau *m* des prix; **~steigerung** *f* renchérissement *m; vgl. ~erhöhung;* **~stopp** *m* blocage *m* des prix; **~sturz** *m* chute *od* dégringolade des prix; *(Börse)* baisse *f* soudaine; **~tafel** *f* barème, tarif *m;* **~träger(in** *f*) *m* lauréat, e (récipiendaire); *sport a.* champion, ne *m f;* **~treiber** *m* renchérisseur *m;* **~treiberei** *f* hausse *f* abusive *od* illicite; **~überwachung** *f* surveillance *f od* contrôle *m* des prix; **~überwachung(sstelle)** *f* (office de) contrôle *m* des prix; **~unterbietung** *f* vente au-dessous des prix, baisse *f* publicitaire; *(beim Export)* dumping *m;* **~unterschied** *m* différence *f od* écart *m* de prix; **~verteilung** *f* distribution *f* des prix; **~verzeichnis** *n* prix-courant *m;* **~welle** *f* vague *f* de hausse; **p~wert** *a* bon marché; *adv* à bon marché; **~würdigkeit** *f* modicité *f* du *od* des prix; **~zettel** *m* affiche *od* étiquette *f* de prix.

Preiselbeere *f* ['praɪzəl-] airelle *f* rouge.

Preis|gabe *f* ['praɪs-] abandon *m; unter ~~* en abandonnant (*e-r S* qc); **p~geben** ⟨*hat preisgegeben*⟩ *tr* abandonner, livrer (en proie); *(opfern)* sacrifier; *mil (Gelände)* céder (du terrain); **p~gegeben** *a dat* en proie à, à la merci de, au gré de.

prekär [pre'kɛ:r] *a* précaire.

Prell|bock *m* ['prɛl-] *loc* butoir, heurtoir *m;* **p~en** *tr* contusionner; *fig* berner; *fig (betrügen)* frustrer, duper; filouter, escroquer; **~er** *m* ⟨-s, -⟩ *(Mensch)* filou, berneur *m;* **~erei** *f* [-'raɪ] duperie, filouterie, escroquerie *f;* **~schuß** *m* ricochet *m;* **~stein** *m* chasse-roue, bouteroue *f;* **~ung** *f med* contusion *f.*

Premier *m* ⟨-s, -s⟩ [premi'e:], **~minister** *m* président du conseil; *(d. brit.)* premier (ministre) *m;* **~e** *f theat* première *f.*

Presbyteri|aner *m* ⟨-s, -⟩ [prɛsbyteri'a:nər] *rel* presbytérien *m;* **p~anisch** [-'ria:nɪʃ] *a* presbytérien; **~um** *n* ⟨-s, -rien⟩ [-'te:rium, -riən] presbytère *m.*

Presse *f* ⟨-, -n⟩ ['prɛsə] *(Gerät, Maschine)* presse; *(d. Zeitungen)* presse *f;* journaux *m pl; fam (Schule)* boîte *f* à bachot(age); *unter der ~* sous presse; *e-e gute, schlechte ~ haben* avoir une bonne, mauvaise presse; **~agent** *m* agent *m* de presse; **~agentur** *f* agence *f* de presse; **~amt** *n*, **~büro** *n* bureau *m* de (la) presse; **~ausweis** *m* carte *f* de presse, coupe-file *m;* **~chef** *m* chef *m* des services de presse; **~dienst** *m* service *m* de presse; **~feldzug** *m* campagne *f* de presse; **~freiheit** *f* liberté *f* de la presse; **~gesetz** *n* loi *f* sur la presse; **~konferenz** *f* conférence *f* de presse; **~korrespondent** *m* correspondant *m* de presse; **~meldung** *f*, **~notiz** *f* information *f* de presse; **~nachrichten** *f pl* nouvelles *f pl* de presse; **~photograph** *m* reporter(-)photographe *m;* **~referent** *m* attaché *m* de presse; **~rundschau** *f;* **~spiegel** *m* revue *f* de (la) presse; **~stimmen** *f pl* écho *m* de la presse; **~tribüne** *f* tribune *f* de la presse; **~vertreter** *m* correspondant *m;* **~zeichner** *m* reporter(-)dessinateur *m;* **~zensur** *f* censure *f* de la presse.

press|en ['prɛsən] *tr* ⟨*du preßt/pressest, er preßt/hat gepreßt*⟩ presser; *(zs.drücken)* comprimer; *(aus~~)* pressurer; *(an sich ~~)* serrer; *(Tuch)* catir; **P~en** *n* pressage *m;* compression *f;* pressurage; catissage *m;* **P~erfuß** *m (Nähmaschine)* pied-de-biche *m;* **~ieren** [-'si:rən] *itr fam* presser, être urgent; *das ~iert nicht* ça ne presse pas, rien ne presse; **P~ung** *f (des Tuches)* catissage *m.*

Preß|form *f* ['prɛs-] *tech* matrice *f;* **~gas** *n* gaz *m* comprimé; **~glanz** *m* cati *m;* **~guß** *m* moulage *m* matricé; **~kohle** *f* (charbon *m* en) briquette(s) *f;* **~kopf** *m (Küche)* fromage *m* de tête; hure *f;* **~ling** *m* ⟨-s, -e⟩ = *Brikett;* **~luft** *f* air *m* comprimé; **~luftbohrer** *m* perforateur *m* pneumatique; **~lufthammer** *m* marteau *m* pneumatique *od* à air comprimé; **~luftmotor** *m*, **~luftturbine** *f m* moteur *m*, turbine *f* à air comprimé; **~luftstampfer** *m* dame *f* pneumatique; **~masse** *f* matière *f* plastique *od* synthétique.

Preuß|e *m* ⟨-n, -n⟩ ['prɔʏsə] Prussien *m;* **~en** *n* la Prusse; **p~isch** *a* prussien; **~ischblau** *n* bleu *m* de Prusse.

prickeln ['prɪkəln] *tr* picoter; *itr* titiller; **P~** *n* picotement *m;* titillation *f;* **~d** *a* titillant; *fig* piquant; *das P~~e (des Weines)* le pétillant.

Priem *m* ⟨-(e)s, -e⟩ [pri:m] chique *f;* **p~en** *itr* chiquer.

Priester *m* ⟨-s, -⟩ ['pri:stər] prêtre *m;* *~ werden (a.)* prendre la soutane; **~amt** *n* sacerdoce; (saint) ministère, ministère *m* des autels; **~in** *f* prêtresse *f;* **~könig** *m* prêtre-roi *m;* **p~lich** *a* sacerdotal; presbytéral; **~schaft** *f* clergé *m;* **~seminar** *n* séminaire *m;* **~stand** *m* prêtrise; soutane *f;* **~tum** *n* ⟨-s, ø⟩ sacerdoce *m;* **~weihe** *f* ordination *f.*

prima ['pri:ma] *a fam com* de première qualité; *allg* fameux, sensationnel, épatant; *pop* bath; *adv* à merveille; *sich ~ machen (fam)* faire merveille; *das geht ~ (fam)* ça va on ne peut mieux; *das ist (ja) ~! (fam)* c'est chouette! *pop* c'est au poil! **P~ballerina** *f theat* première danseuse, danseuse *f* étoile; **P~donna** *f* ⟨-, -donnen⟩ [-'dɔna] *theat* première cantatrice *f;* **P~qualität** *f* première qualité *f;* **P~ware** *f* marchandise *f* de première qualité; **P~wechsel** *m fin* première *f* de change, premier *m* (de change).

primär [pri'mɛ:r] *a* primaire; *adv* en premier lieu; **P~batterie** *f el* batterie *f* de pile; **P~stadium** *n med* état *m* primitif.

Primas *m* ⟨-, -sse/-maten⟩ ['pri:mas, -'ma:tən] *rel* primat *m.*

Primat *m* od *n* ⟨-(e)s, -e⟩ [pri'ma:t] *(Vorrang)* primauté; *rel* primatie *f;* *pl zoo* primates *m pl.*

Prime *f* ⟨-, -n⟩ ['pri:mə] *mus* prime *f.*

Primel *f* ⟨-, -n⟩ ['pri:məl] *bot* primevère *f.*

primitiv [primi'ti:f] *a* primitif; **P~ität** *f* ⟨-, ø⟩ [-tivi'tɛ:t] primitivité *f.*

Primus *m* ⟨-, -mi/-sse⟩ ['pri:mʊs] *(Schule)* premier, major *m.*

Primzahl *f* ['pri:m-] nombre *m* premier.

Prinz *m* ⟨-en, -en⟩ [prɪnts] prince *m;* **~eßbohnen** *f pl* [-'tsɛs-] haricots *m pl* princesse; **~essin** *f* ⟨-, -nnen⟩ [-'tsɛsɪn] princesse *f;* **~eßkleid** *n* robe *f* princesse; **~gemahl** *m* prince *m* consort; **p~lich** *a* princier; **~regent** *m* prince-régent *m.*

Prinzip *n* ⟨-s, -ien/(-e)⟩ [prɪn'tsi:p, -piən] principe *m;* *aus ~* par principe; *im ~* en principe; **~al** *m* ⟨-s, -e⟩ [-tsi'pa:l] *(Geschäftsinhaber)* chef, patron; **~at** *n a. m* ⟨-(e)s, -e⟩ [-'pa:t] *hist* principat *m;* **p~iell** [-'piɛl] *a* u. *adv* par principe; **~ienfrage** *f* [-piən-] question *f* de principe; **~ienreiter** *m pej* doctrinaire *m;* *ein ~~ sein (a.)* être à cheval sur les principes *od* sur les règles; **~ienstreit** *m* dispute *f* sur les principes.

Prior|(in *f*) *m* ⟨-s, -en⟩ ['pri:ɔr, -'o:rən] *rel* prieur, e *m f;* **~at** *n* prieuré *m;* **~ität** *f* ⟨-, -en⟩ [-ri'tɛ:t] *(Vorrang)* priorité, préférence *f;* **~itätsaktie** *f* action *f* privilégiée *od* de priorité *od* de préférence.

Prise *f* ⟨-, -n⟩ ['pri:zə] *(kleine Menge)* pincée; *(Tabak)* prise; *mar* prise *f*, vaisseau *m* capturé; *gute ~ sein* être de bonne prise; **~ngericht(shof *m*)** *n* cour *f od* tribunal *od* conseil *m* des prises; **~nordnung** *f* règlement *m* des prises; **~nrecht** *n* droit *m* de prise.

Prism|a *n* ⟨-s, -men⟩ ['prɪsma] *math opt* prisme *m;* **p~atisch** *a* prismatique; **~enfeldstecher** *m*, **~englas** *n* jumelle(s *pl*) *f* à prismes.

Pritsche *f* ⟨-, -n⟩ ['prɪtʃə] *(Liege)* couchette; *(Schläger, Narren~)* batte *f.*

privat [pri'va:t] *a* privé, particulier; *adv* en particulier; par voie privée; *~ wohnen* loger chez des particuliers; **~im** [-'va:tɪm] *adv* à titre privé; = *~ (adv);* **~isieren** [-vati'zi:rən] *itr* vivre en particulier *od* en rentier; *tr* transférer au secteur privé; **~isierung** *f* dénationalisation, privatisation *f;* **P~issimum** *n* ⟨-s, -ma⟩ [-'tɪsimum, -ma] *(Univ.)* conférence *f* fermée.

Privat|adresse *f* [pri'va:t-] *od* **~anschrift** *f*, **~angelegenheit** *f*, **~anschluß** *m tele* adresse, affaire, connexion *f* privée; **~audienz** *f* audience *f* particulière; **~besitz** *m* propriété *f* privée; **~detektiv** *m* détective *m;* **~dozent** *m* privat-docent; *(in Frankr.)* maître *m* de conférences; **~eigentum** *n* = *~besitz;* **~einband** *m (Buch)* reliure *f* privée; **~einkommen** *n* revenu *m* personnel *od* privé; **~entnahme** *f com* prélèvement *m* privé *od* personnel; **~flugzeug** *n* avion *m* privé; **~geschäfte** *n pl* opérations *f pl* effectuées à titre privé; **~gespräch** *n tele* conversation *f* privée; **~haus** *n* maison *f* particulière; *herrschaftliche(s) ~~* hôtel *m* particulier; **~initiative** *f* initiative *f* privée; **~interessen** *n pl* intérêts *m pl* privés; **~kapital** *n* capital *m* privé; **~klage** *f jur* action *f* civile; **~kläger** *m* partie *f* civile; **~klinik** *f* clinique privée, maison *f* de santé; **~korrespondenz** *f* correspondance *f* personnelle; **~leben** *n* vie *f* privée, privé *m;* *in jds ~~ herumschnüffeln* éplucher la vie de qn; **~lehrer** *m* précepteur *m;* **~mann** *m* ⟨-(e)s, -männer/-leute⟩ homme privé, particulier *m;* **~patient** *m* client *m* privé; **~person** *f* personne *f* privée; **~quartier** *n: in ~~en (mil)* chez l'habitant; **~recht** *n* droit *m* privé; *internationale(s) ~~* droit *m* international privé; **p~rechtlich** *a* de droit privé; **~sache** *f* affaire *f* privée *od* particulière; *das ist ~~* c'est l'affaire de chacun; **~sammlung** *f* collection *f* particulière; **~schule** *f* école *f* privée *od* libre; **~sekretär** *m* secrétaire *m* particulier; **~stunde** *f* leçon *f* particulière; *~~n geben (a.)* courir le cachet *fam;* **~testament** *n* testament *m* olographe; **~unternehmen** *n* entreprise *f* privée *od* individuelle; **~unterricht** *m* leçons *f pl* particulières; enseignement *m* libre; **~urkunde** *f* acte *m* sous seing privé; **~vermögen** *n* fortune *f* personnelle; **~wagen** *m* voiture *f* personnelle *od* particulière; **~weg** *m* chemin *m od* voie *f* privé(e); **~wirtschaft** *f* économie *od* industrie *f* privée.

Privileg *n* ⟨-(e)s, -gien⟩ [privi'le:k, -giən] privilège *m;* **p~ieren** [-le'gi:rən] *tr* privilégier.

pro [pro:] *prp (je)* par; *~ Kopf, Mann* par tête, homme; **P~** *n: das ~~ und Kontra* le pour et le contre.

probat [pro'ba:t] *a* éprouvé; *(Mittel)* souverain.

Probe *f* ⟨-, -n⟩ ['pro:bə] épreuve *f;* *(Versuch)* essai *m;* expérience *f;* *(Prüfung)* test; examen *m;* *theat* répétition *f;* *(Warenprobe, Muster)* spécimen, échantillon *m;* *auf* od *zur ~* à l'essai; *die ~ bestehen* soutenir *od* supporter l'épreuve; *e-e ~ entnehmen* prélever un échantillon; *die ~ machen* faire la preuve (*auf* de); *e-e ~ nehmen* prélever un échantillon; *auf die ~ stellen* mettre à l'épreuve *od* à l'essai; *(die Geduld)* exercer;

~abzug *m* épreuve *f;* **~alarm** *m* exercice *m* d'alerte; **~arbeit** *f* travail *m* d'épreuve; **~aufnahme** *f:* *~~n drehen (film)* réaliser des bouts d'essai; **~band** *m (Buch)* livre *m* modèle; **~belastung** *f* charge *f* d'essai *od* d'épreuve; **~druck** *m* ‹-(e)s, -e› *typ* épreuve; impression *f* d'essai; **~entnahme** *f* prélèvement *m od* prise *f* d'échantillon; **~fahrt** *f allg* course *od* marche *od* sortie *f* d'essai, parcours de garantie; *mot* essai sur route; *mar* essai *m* à la mer; **~flug** *m* vol *m* d'essai; **~heft** *n (Zeitschrift)* spécimen *m;* **~jahr** *n* année *f* probatoire *od* d'épreuve; **~lieferung** *f com* envoi *m* à titre d'essai; **~mobilmachung** *f* mobilisation *f* d'essai; **p~n** *tr* u. *itr theat* répéter; **~nummer** *f (Zeitung)* (numéro) spécimen *m;* **~schuß** *m* coup *m* d'essai *od* d'épreuve; *e-n ~~ abgeben* tirer une balle d'essai; **~seite** *f* page *f* d'essai *od* spécimen; **~sendung** *f* envoi *m* de spécimens; **~stück** *n (Muster)* échantillon, modèle; *(erster Versuch) fig* coup *m* d'essai; **p~weise** *adv* à titre d'essai; **~zeit** *f* temps *m od* période *f* d'essai *od* d'épreuve; stage *m; rel (Noviziat)* probation *f.*

probier|en [pro'bi:rən] *tr (versuchen)* essayer; *(erproben)* éprouver; *tech* faire l'essai de; *(Speise)* goûter; *(Getränk)* déguster; **P~en** *n (Küche)* dégustation *f;* *~~ geht über Studieren (prov)* expérience passe science; **P~gefäß** *n chem* têt *m;* **P~glas** *n* tube *m* à essai, éprouvette *f;* **P~stein** *m tech* pierre *f* de touche; **P~tiegel** *m tech* creuset *m* d'essai; **P~waage** *f* trébuchet *m.*

Problem *n* ‹-s, -e› [pro'ble:m] problème *m; das ist kein ~ (fam)* il n'y a pas de *od* cela ne pose pas de problème, ce n'est pas gênant; **~atik** *f* ‹-, ø› [-ble'ma:tɪk] caractère problématique, ensemble *m* des problèmes; **p~atisch** [-'ma:tɪʃ] *a* problématique; **~stellung** *f* données *f pl* d'un *od* du problème.

Prodekan *m* ['pro-] *(Univ.)* vice-doyen *m.*

Produkt *n* ‹-(e)s, -e› [pro'dukt] produit *m;* production *f; (Ergebnis)* résultat *m;* **~enbörse** *f* bourse *f* des produits naturels; **~enhandel** *m* commerce *m* des produits naturels; **~enmarkt** *m* marché *m* de produits; **p~iv** [-'ti:f] *a* productif; **~ivität** *f* ‹-, ø› [-tivi'tɛ:t] productivité *f.*

Produktion *f* ‹-, -en› [produktsi'o:n] production *f;* **~saufnahme** *f* mise *f* en fabrication; **~sausfall** *m* perte *f* de production; **~sbeschränkung** *f,* **~seinschränkung** *f* restriction *f* de (la) production; **~seinheit** *f* unité *f* de production; **~serhöhung** *f* augmentation *f* de la production; **~sgenossenschaft** *f* coopérative *f* de production; **~sgüter** *n pl* biens *m pl* de production; **~sgüterindustrie** *f* industrie *f* des moyens de production; **~sindex** *m* indice *m* de (la) production; **~skapazität** *f* capacité *f* de production; **~skosten** *pl* coût *m od* frais *m pl* de production; **~sleistung** *f* rendement *m* de production; **~sleiter** *m* chef *od (film)* directeur *m* de production; **~smittel** *n pl* moyens *m pl* de production; **~srückgang** *m* baisse *f* de (la) production; **~ssoll** *n* production *f* imposée; **~sstand** *m* niveau *m* de la production; **~sstätte** *f* lieu de production, centre *m* producteur; **~ssteigerung** *f* augmentation *f* de la production; **~süberschuß** *m* excédent *m* de production, production *f* excédentaire; **~sumfang** *m,* **~svolumen** *n* volume *m* de la production; **~sweise** *f* méthode *f* de production; **~sziffer** *f* chiffre *m* de production; **~szunahme** *f* augmentation *f* de la production.

Produz|ent *m* ‹-en, -en› [produ'tsɛnt], *a. film* producteur *m;* **p~ieren** [-'tsi:rən] *tr* produire, fabriquer; *sich ~~ (auftreten)* se produire.

profan [pro'fa:n] *a* profane; **~ieren** [-fa'ni:rən] *tr* profaner; **P~ierung** *f* profanation *f.*

Profess|ional *m* ‹-s, -s› [prə'fɛʃənəl] *(Berufssportler)* professionnel *m;* **p~ionell** [profɛsio'nɛl] *a* professionnel; **~or** *m* ‹-s, -en› [-'fɛsɔr, -'so:rən] professeur *m* (d'université); *ordentliche(r) ~~* professeur *m* titulaire (d'une chaire); *außerordentliche(r) ~~* professeur *m* chargé de cours; **~ur** *f* ‹-, -en› [-'su:r] chaire *f* (de professeur), professorat *m* (de l'enseignement supérieur); **Profi** *m* ‹-s, -s› ['pro:fi] *sport = Professional.*

Profil *n* ‹-s, -e› [pro'fi:l] profil *m;* coupe *f; loc (Ladeprofil)* gabarit *m; (Reifen)* sculpture *f; im ~* de profil; *im ~ darstellen* profiler; *sich im ~ abheben von* se profiler sur; **~blech** *n aero* profilé *m;* **~draht** *m* vergeure *f;* **~eisen** *n* fer *m* profilé; profilés *m pl;* **p~ieren** [-fi'li:rən] *tr* profiler; **p~iert** *a tech* profilé; *fig (Mensch)* marquant; prononcé; **~ierung** *f* profilage *m;* **~leiste** *f* baguette *f;* **~maß** *n* gabarit *m;* **~reifen** *m* pneu *m* sculpté; **~stab** *m* barre *f* profilée; **~stahl** *m* profilés *m pl;* **~stein** *m arch* brique *f* profilée; **~widerstand** *m aero* traînée *f* de *od* du profil.

Profit *m* ‹-(e)s, -e› [pro'fi:t] profit *m;* **~chen** *n fam* gratte *f; sein ~~ machen* grappiller; **~gier** *f* avidité *od* âpreté *f* au gain; **p~gierig** *a* avide de profit; *~~e(r) Mensch* *m* profiteur *m;* **p~ieren** [-fi'ti:rən] *itr* profiter (*von* de; *an* de, sur); gagner (*an* à); bénéficier (*von* de); **~jäger** *m;* **~macher** *m* profiteur, grappilleur *m.*

pro forma [pro: 'fɔrma] *adv* pour la forme; *fig fam* par acquit de conscience.

Pro-forma-|Rechnung *f* [pro:'fɔrma-] facture *f* pro forma *od* fictive *od* simulée *od* pour la forme; **~Wechsel** *m fin* billet *m* de complaisance.

Profos *m* ‹-es/-en, -e/-en› [pro'fo:s] *hist* prévôt *m.*

Prognose *f* ‹-, -n› [pro'gno:zə] *med* pronostic *m; allg* prévision *f.*

Programm *n* ‹-s, -e› [pro'gram] programme *m; das ~ gestalten (radio)* programmer; *neue(s) ~ (theat)* programme *m* renouvelé; *Zweite(s) ~ (radio, TV)* Deuxième chaîne *f;* **~änderung** *f* changement *m* de programme; **p~atisch** [-'ma:tɪʃ] *a: ~~e Rede f* discours-programme *m;* **p~gemäß** *a* u. *adv* suivant le programme; **~gestalter** *m radio* programmateur *m;* **~gestaltung** *f radio* programmation *f;* **p~ieren** [-'mi:rən] *tr tech* programmer; **~ierer** *m tech* programmeur *m;* **p~iert** *a tech* programmé; **~ierung** *f tech* programmation *f;* **~(m)usik** *f* musique *f* descriptive *od* à programme; **~steuerung** *f* programmation *f;* **~vorschau** *f* aperçu *m* des prochains programmes; *radio TV* prochaines émissions *f pl;* **~wechsel** *m* changement *m* de programme.

progressiv [progrɛ'si:f] *a* progressif.

Prohibit|ion *f* ‹-, -en› [prohibitsi'o:n] prohibition *f;* **~ionist** *m* ‹-en, -en› [-tsio'nɪst] prohibitionniste *m;* **p~iv** [-'ti:f] *a* prohibitif; **~ivgesetz** *n* loi *f* prohibitive; **~ivzoll** *m* droit *m* prohibitif.

Projekt *n* ‹-(e)s, -e› [pro'jɛkt] projet *m;* **~enmacher** *m fam* homme *m* à projets; **p~ieren** [-'ti:rən] *tr* projeter; **~il** *n* ‹-s, -e› [-'ti:l] *(Geschoß)* projectile *m;* **~ion** *f* ‹-, -en› [-tsi'o:n] projection *f;* **~ionsapparat** *m,* **~ionsgerät** *n* appareil de projection, projecteur *m;* **~ionslampe** *f* lampe *f* de projection; **~ionsschirm** *m,* **~ionswand** *f* écran *m.*

Projektor *m* ‹-s, -en› [pro'jɛktɔr, -'to:rən] *(Bildwerfer)* projecteur *m;* **projizieren** [-ji'tsi:rən] *tr* projeter.

Proklam|ation *f* ‹-, -en› [proklamatsi'o:n], **~ierung** *f* proclamation *f;* **p~ieren** [-'mi:rən] *tr* proclamer.

prokommunistisch [pro-] *a* communisant, sympathisant *m* communiste.

Prokur|a *f* ‹-, -ren› [pro'ku:ra] *com* procuration *f; jdm ~~ erteilen* donner procuration à qn, fonder qn de procuration; **~ist** *m* ‹-en, -en› [-ku'rɪst] fondé *m* de procuration *od* de pouvoir.

Prolet *m* ‹-en, -en› [pro'le:t] *pop* prolo *m;* **~ariat** *n* ‹-s, ø› [-letari'at] prolétariat *m; akademische(s) ~~* prolétariat *m* intellectuel; **~arier** *m* ‹-s, -› [-'ta:riər] prolétaire *m;* **p~arisch** [-'ta:rɪʃ] *a* prolétaire, prolétarien; **p~arisieren** [-tari'zi:rən] *tr* prolétariser, désembourgeoiser; **~arisierung** *f* prolétarisation *f.*

Prolog *m* ‹-(e)s, -e› [pro'lo:k, -gə] prologue *m.*

Prolong|ation *f* ‹-, -en› [prolɔŋgatsi'o:n] *fin* prolongation *f;* **p~ieren** [-'gi:rən] *tr fin* prolonger, renouveler.

Promen|ade *f* ‹-, -n› [promə'na:də] *(Spaziergang)* promenade *f; (Weg) a.* cours *m;* **~adendeck** *n mar* pont supérieur, promenoir *m;* **~adenmischung** *f hum (Hund)* chien *m* mâtiné; **p~ieren** [-'ni:rən] *itr* ‹*ist/hat promeniert*› se promener.

Promille *n* ⟨-(s), -⟩ [pro'mɪlə] pourmille *m.*

prominen|t [promi'nɛnt] *a* éminent, marquant; en vedette; **P~te(r)** *m* personnalité (de premier plan), célébrité; *theat film* vedette, étoile *f; sport* as *m;* **P~z** *f* ⟨-, ø⟩ [-'nɛnts] *(Personen)* personnalités *f pl* (de premier plan).

Promo|tion *f* ⟨-, -en⟩ [promotsi'o:n] promotion *f,* doctorat *m;* **p~vieren** ⟨*hat promoviert*⟩ [-'vi:rən] *tr* recevoir docteur; *itr* passer *od* être reçu docteur.

prompt [prɔmpt] *a* prompt; **P~heit** *f* promptitude *f.*

Pronom|en *n* ⟨-s, -n/-mina⟩ [pro'no:mən, -mina] *gram* pronom *m;* **p~inal** [-nomi'na:l] *a* pronominal.

Propag|anda *f* ⟨-, ø⟩ [propa'ganda] propagande, publicité *f;* ~~ *machen* faire de la propagande; **~andafeldzug** *m* campagne publicitaire, opération *f* de propagande; **~andamarsch** *m* marche *f* de propagande; **~andist** *m* ⟨-en, -en⟩ [-'dɪst] propagandiste *m;* **p~andistisch** [-'dɪstɪʃ] *a* propagateur; *~~e Bearbeitung f (von Menschen)* bourrage *m* de crâne; **p~ieren** [-'gi:rən] *tr* propager, préconiser; **~ierung** *f* propagation, préconisation *f.*

Propan(gas) *n* ⟨-s, ø⟩ [pro'pa:n] propane, propagaz *m.*

Propeller *m* ⟨-s, -⟩ [pro'pɛlər] propulseur *m,* hélice *f;* **~blatt** *n* pale *f* d'hélice; **~rad** *n* brasseur *m;* **~turbine** *f* turbine *f* à hélice, turbopropulseur *m.*

Prophe|t *m* ⟨-en, -en⟩ [pro'fe:t] prophète, vaticinateur *m; der ~~ gilt nichts in s-m Vaterland (prov)* nul n'est prophète en son pays; **~tie** *f* ⟨-, -n⟩ [-fe'ti:] prophétie *f;* **~tin** *f* prophétesse *f;* **p~tisch** [-'fe:tɪʃ] *a* prophétique; **p~zeien** [-'tsaɪən] *tr* prophétiser, augurer; *(voraussagen)* prédire, pronostiquer; *itr* vaticiner; prédire l'avenir; **~zeiung** *f* prophétie, vaticination, prédiction *f* (de l'avenir).

prophyla|ktisch [profy'laktɪʃ] *a* prophylactique; **P~xe** *f* ⟨-, -n⟩ [-'laksə] prophylaxie *f.*

Proportion *f* ⟨-, -en⟩ [propɔrtsi'o:n] proportion *f;* **p~al** [-tsio'na:l] *a* proportionnel; *direkt, umgekehrt ~~* directement, inversement proportionnel; en raison directe, inverse; **~ale** *f* ⟨-, -n⟩ [-'na:lə] *math* proportionnelle *f;* **~alwahl** *f,* **Proporz(wahl** *f)* *m* ⟨-es, -e⟩ [pro'pɔrts(-)] représentation *f* proportionnelle, élection *f* à la proportionnelle; **p~iert** [-'ni:rt] *a: gut ~~* (bien) proportionné; *(Mensch) a. fam* bien bâti.

Propst *m* ⟨-(e)s, ⸚e⟩ [pro:pst, 'prø:pstə] *rel (kath.)* prieur; *(evang.)* surintendant *m.*

Prorektor *m* ['pro-] vice-recteur *m.*

Prosa *f* ⟨-, ø⟩ ['pro:za] prose *f;* **~iker** *m* ⟨-s, -⟩ [-'za:ikər] , prosateur *m; fig fam* homme prosaïque *od* terre à terre *od* très pot-au-feu; **p~isch** [-'za:ɪʃ] *a, a. fig* prosaïque; **~ist** *m* ⟨-en, -en⟩ [proza'ɪst] prosateur *m;* **~werk** *n* œuvre *f* en prose.

Proselyt *m* ⟨-en, -en⟩ [proze'ly:t] prosélyte *m;* **~enmacher** *m* convertisseur *m;* **~enmacherei** *f* prosélytisme *m.*

prosit ['pro:zɪt] , **prost** [pro:st] *interj* à votre *od* ta santé! ~ *Neujahr!* bonne année!

Prospekt *m* ⟨-(e)s, -e⟩ [pro'spɛkt] *(Werbeschrift)* prospectus *m; (Ansicht)* perspective, vue; *theat* toile *f* de fond.

Prostitu|ierte *f* ⟨-n, -n⟩ [prostitu'i:rtə] prostituée; femme *f* de mauvaise vie; **~tion** *f* ⟨-, ø⟩ [-tutsi'o:n] prostitution *f.*

Proszeniumsloge *f* [pro'stse:nium-] *theat* avant-scène *f.*

prote|gieren [prote'ʒi:rən] *tr* protéger, patronner; *fam* pistonner; **P~ktion** *f* ⟨-, -en⟩ [-tɛktsi'o:n] protection *f; fam* piston *m;* **P~ktionismus** *m* ⟨-, ø⟩ [-tsio'nɪsmus] *(Schutzzollpolitik)* protectionnisme *m;* **P~ktorat** *n* ⟨-(e)s, -e⟩ [-to'ra:t] *pol* protectorat; *allg* patronage *m.*

Prote|id *n* ⟨-(e)s, -e⟩ [prote'i:t, -də] *chem* protéide *m;* **~in** *n* ⟨-s, -e⟩ [-te'i:n] *chem* protéine *f.*

Protest *m* ⟨-(e)s, -e⟩ [pro'tɛst] protestation *f; (Wechsel)* protêt *m;* ~ *erheben* od *einlegen* élever *od* formuler une protestation, protester; *zu ~ gehen lassen (Wechsel)* protester; **~ant(in** *f)* *m* ⟨-en, -en⟩ [-'tant(-)] *rel* protestant, e *m f;* **p~antisch** [-'tantɪʃ] *a* protestant; **~antismus** *m* ⟨-, ø⟩ [-'tɪsmus] protestantisme *m;* **~anzeige** *f fin (Wechsel)* notification *f* de protêt; **p~ieren** [-'ti:rən] *itr* u. *tr (Wechsel)* protester; **~kundgebung** *f* manifestation *f* d'opposition, meeting *m* de protestation; **~note** *f pol* note *f* de protestation; **~rufe** *m pl* clameurs de protestation, protestations *f pl;* **~streik** *m* grève *f* de protestation.

Prothe|se *f* ⟨-, -n⟩ [pro'te:zə] prothèse *f;* membre artificiel; *(Zahn~~)* appareil *m;* **~senträger** *m* porteur *m* de prothèse; **p~tisch** [-'te:tɪʃ] *a* prothétique.

Protokoll *n* ⟨-s, -e⟩ [proto'kɔl] *(Niederschrift)* procès-verbal *m; pol* protocole *m; ein ~ aufnehmen* dresser *od* établir un procès-verbal; *das ~ führen* rédiger *od* tenir le procès-verbal; *zu ~ geben* consigner *od* faire inscrire au procès-verbal; *zu ~ nehmen* inscrire *od* insérer au procès-verbal; prendre acte de; **p~arisch** [-'la:rɪʃ] *a* protocolaire; **~aufnahme** *f* verbalisation *f;* **~führer** *m* rédacteur *m* du procès-verbal; **p~ieren** [-'li:rən] *tr* prendre en procès-verbal; **~ierung** *f* prise *f* en procès-verbal.

Proto|n *n* ⟨-s, -en⟩ ['pro:tɔn, -'to:nən] *phys* proton *m;* **~plasma** *n biol* protoplasma, protoplasme *m;* **~typ** *m* ⟨-s, -en⟩ [proto'ty:p] prototype *m;* **~zoen** *n pl* [-'tso:ən] *(Urtierchen)* protozoaires *m pl.*

Protuberanz *f* ⟨-, -en⟩ [protube'rants] *astr* protubérance *f.*

Protz *m* ⟨-en/-es, -e/-en⟩ [prɔts] nouveau riche, richard *m;* **p~en** ⟨*du protz(es)t, protztest*⟩ *itr* se donner des airs, faire le fanfaron *od* le flambard *od* flambart; *mit etw* faire étalage *od* parade de qc; **p~enhaft** *a* = *p~ig;* **~enhaftigkeit** *f,* **~entum** *n* ⟨-s, ø⟩ attitude ostentatoire, ostentation *f;* **p~ig** *a* plein d'ostentation, ostentatoire; bouffi d'orgueil.

Protz|e *f* ⟨-, -n⟩ ['prɔtsə] , **~wagen** *m mil* avant-train *m.*

Provenienz *f* ⟨-, -en⟩ [proveni'ɛnts] provenance *f.*

Provenzal|e *m* ⟨-n, -n⟩ [provɛn'tsa:lə], **~in** *f* Provençal, e *m f;* **p~isch** [-'tsa:lɪʃ] *a* provençal.

Proviant *m* ⟨-s, (-e)⟩ [provi'ant] approvisionnement *m,* vivres *m pl,* subsistances; *(Mundvorrat)* provisions *f pl* (de bouche); *mit ~ versehen* approvisionner; **~amt** *n mil* bureau *m* des subsistances; **~wagen** *m* caisson *m* de vivres.

Provinz *f* ⟨-, -en⟩ [pro'vɪnts] province *f;* **~bewohner(in** *f)* *m,* **~ler(in** *f)* *m* ⟨-s, -⟩ provincial, e *m f;* **~bühne** *f* théâtre *m* de province; **~ialismus** *m* ⟨-, -men⟩ [-tsia'lɪsmus, -mən] , **~lertum** *n* ⟨-s, ø⟩ provincialisme *m;* **p~iell** [-tsi'ɛl] *a* provincial; **~stadt** *f* ville *f* de province; **~zeitung** *f* journal *m* régional.

Provis|ion *f* ⟨-, -en⟩ [provizi'o:n] *com* provision, commission; *(Verkaufs~~)* guelte *f; auf ~~ reisen* voyager à la provision; **p~orisch** [-'zo:rɪʃ] *a* provisoire, intérimaire, par intérim; *adv a.* à titre provisoire; **~orium** *n* ⟨-s, -rien⟩ [-'zo:rium, -riən] (solution *f*) provisoire *m.*

Provo|kateur *m* ⟨-s, -e⟩ [provoka'tø:r] provocateur *m;* **~kation** *f* ⟨-, -en⟩ [-tsi'o:n] , **~zierung** *f* provocation *f;* **p~katorisch** [-'to:rɪʃ] *a,* **p~zierend** [-'tsi:rənt] *a* provocateur; **p~zieren** *tr* provoquer (*zu* à).

Prozedur *f* ⟨-, -en⟩ [protse'du:r] procédure *f.*

Prozent *n* ⟨-(e)s, -e⟩ [pro'tsɛnt] pourcent *m; in ~en* en pour-cent; *zu wieviel ~?* à quel pour-cent? **~satz** *m* pourcentage, taux *m;* **p~ual** [-tu'a:l] *a* pour cent; *~~e(r) Anteil m* pourcentage *m.*

Prozeß *m* ⟨-sses, -sse⟩ [pro'tsɛs] *jur* procès *m;* cause *f; (Rechtsstreit)* litige; *tech (Verfahren)* procédé *m,* opération *f; chem* processus *m,* réaction *f; e-n ~ anstrengen* intenter un procès; *e-n ~ einleiten* instruire une cause; *e-n ~ führen* conduire *od* poursuivre un procès, plaider une cause; *in e-n ~ hineinziehen* od *einbeziehen* mettre en cause; *jdm den ~ machen (fig)* faire le procès à qn; *kurzen ~ machen* trancher court *od* net, ne pas y aller par quatre chemins; *mit jdm* expédier *od* exécuter qn sans autre forme de procès; **~akten** *f pl* (pièces *f pl,* dossier du) procès *m;* **~bevollmächtigte(r)** *m* mandataire *m* judiciaire; **p~fähig** *a* capable d'ester en justice; habile à procéder; **~fähigkeit** *f* capacité *f* d'ester en justice; **~führer** *m* plaideur *m;* ~**führung** *f* procédure *f;* ~**gegenstand** *m* objet *m* du procès *od* du litige; ~**gegner** *m* partie *f* adverse; ~**hansel** *m* ‹-s, -› plaideur, procédurier *m;* ~**kosten** *pl* frais *m pl* de (la) procédure; ~**ordnung** *f* (code *m* de) procédure *f;* ~**recht** *n* droit *m* judiciaire; **p~süchtig** *a* processif, procédurier; **p~unfähig** *a* incapable d'ester en justice; ~**vollmacht** *f* pouvoir *m* d'ester en justice, autorisation de *od* procuration *f* pour plaider; ~**weg** *m: auf dem* ~~ contentieusement.

prozess|ieren [protsɛ'si:rən] *itr* plaider; *mit jdm* faire un procès à qn; **P~ion** *f* ‹-, -en› [-si'o:n] procession *f;* **P~ionsspinnerraupe** *f ent* (chenille) processionnaire *f;* ~**ual** [-su'a:l] *a* processif.

prüde ['pry:də] *a* prude; *fam* bégueule; **P~rie** *f* ‹-, ø› [-'ri:] pruderie; bégueulerie *f.*

Prüf|abzug *m* ['pry:f-] *typ* épreuve *f;* ~**draht** *m* fil *m* pilote; ~**ergebnis** *n* résultat *m* d'essai; ~**feld** *n* atelier *m od* plateforme *f* d'essai(s); ~**gerät** *n* appareil *m* de contrôle; ~**gestell** *n* table *f* d'essai; ~**instrument** *n* instrument *m* de vérification; ~**klemme** *f,* ~**knopf** *m* borne *f,* bouton *m* d'essai; ~**lampe** *f* lampe d'essai, lampe-témoin *f;* ~**leitung** *f tele* ligne *f* d'essai; ~**ling** *m* ‹-s, -e› candidat *m;* ~**schaltung** *f el* maquette *f* d'essai; ~**stand** *m* banc *od* poste *m od* plate-forme *f* d'essai(s); ~**standerprobung** *f* essai *m* au banc; ~**stein** *m tech* u. *fig* pierre *f* de touche; ~**stelle** *f* office *m* de contrôle; ~**stöpsel** *m* fiche *f* d'essai; ~**strom** *m* courant *m* d'essai; ~**taste** *f* touche *od* clé *f* d'essai; ~**tisch** *m* table *f* d'essai; ~**zeichen** *n* marque *f* de contrôle; ~**zeit** *f* temps *m* d'épreuve; ~**zeugnis** *n tech* certificat *m.*

prüfen ['pry:fən] *tr* examiner *(a. Menschen);* faire l'examen de; *(genau ~)* scruter, passer en revue *od* par l'étamine; *fam* éplucher; *(untersuchen)* étudier, mettre à l'étude, sonder; *(versuchen)* essayer; *(besichtigen)* inspecter, contrôler; *(nach~)* vérifier; *(erproben, fig: heimsuchen)* éprouver; mettre à l'épreuve; *(testen)* tester; *(als Sachverständiger)* expertiser; *(bei der Abnahme)* réceptionner; *com* apurer; *typ* reviser, réviser; *typ mot* homologuer; *tech* étalonner; *(probieren)* goûter; *(Getränk)* déguster; *jdn auf Herz und Nieren ~ (fig)* sonder les reins et le cœur de qn, examiner qn sur toutes les coutures; ~**d** *a* examinateur; *(forschend)* scrutateur, investigateur; *(fragend)* interrogateur; *jdn von oben bis unten ~~ betrachten* examiner qn de la tête aux pieds.

Prüfer *m* ‹-s, -› ['pry:fər] examinateur; *(Schule) a.* correcteur, examinateur *m; (Kontrolleur)* contrôleur, vérificateur; *(Buch~)* réviseur; *tech* essayeur; *(Wein~)* dégustateur *m.*

Prüfung *f* ‹-, -en› ['pry:fuŋ] examen *m (a. von Menschen); (Untersuchung)* étude *f,* sondage *m,* investigation *f; (Besichtigung)* inspection *f,* contrôle; *(Versuch, Probe)* essai *m; (Nach~)* vérification; *(Erprobung, Heimsuchung)* épreuve *f; (Test)* test; *com* apurement *m; (Weinprobe)* dégustation *f; bei* od *nach näherer* od *genauer ~* après examen approfondi, après plus ample examen; *nach der ~ der Unterlage* sur le vu des pièces; *e-e ~ abhalten* faire un examen; *e-e ~ ablegen* od *machen* subir *od* passer un examen; *e-e ~ bestehen* être reçu à un examen; *in e-r ~ durchfallen* échouer à un examen; *schwere ~en durchmachen* passer par *od* essuyer *od* subir de dures épreuves; *sich zu e-r ~ melden* se présenter à un examen; *etw e-r ~ unterziehen* soumettre qc à l'examen; *sich e-r ~ unterziehen* subir un examen; *sich auf e-e ~ vorbereiten* préparer un examen; *schriftliche, mündliche ~* examen *m* écrit, oral; épreuves *f pl* écrites, orales; ~**sarbeit** *f (Schule)* épreuve *f* (d'examen); *schriftliche ~~* épreuve *f* écrite; ~**sausschuß** *m (Schule)* commission d'examen *od* scolaire; *com tech* commission *f* de vérification; *theat* comité de lecture; *allg* comité *od* jury *m* d'examen; ~**sbericht** *m tech* rapport *m* d'épreuve *od* d'essayage; ~**sergebnis** *n* résultat *m* de l'examen; ~**sfrage** *f* question *f* d'examen; ~**sgebühren** *f pl* frais *m pl* d'examen; ~**sgegenstand** *m* sujet *m* d'examen; ~**skommission** *f* = *~sausschuß.*

Prügel *m* ‹-s, -› ['pry:gəl] *(Stock)* bâton, gourdin *m; pl* coups *m pl* de bâton; *Tracht f ~* volée, *fam* rossée, raclée *f;* ~**ei** *f* [-'laɪ] rixe, bagarre *f;* ~**knabe** *m* souffre-douleur *m; fam* tête *f* de Turc; **p~n** ‹*ich prüg(e)le, ich prügelte, du prügelst*› *tr* donner des coups de bâton à, battre, corriger, taper sur, rosser, rouer (de coups); *sich mit jdm ~~* se battre avec qn; ~**strafe** *f* peine *od* punition *f* corporelle.

Prunk *m* ‹-(e)s, ø› [pruŋk] faste *m,* pompe *f,* luxe, apparat *m,* parade, somptuosité *f;* ~**bett** *n* lit *m* de parade; **p~en** *itr* étaler un grand faste; *mit etw* faire parade *od* étalage *od* ostentation de qc; *fig a.* briller; ~**gemach** *n* chambre *f* d'apparat; **p~haft** *a* fastueux, pompeux, somptueux; **p~liebend** *a* qui aime le faste *od* la pompe; **p~los** *a* sans faste; ~**saal** *m* salle *f* d'apparat; ~**sucht** *f* amour *m* du faste; **p~süchtig** *a* = *p~liebend;* **p~voll** *a* = *p~haft.*

prusten ['pru:stən] ‹*er prustete, hat geprustet*› *itr* s'ébrouer; *(heftig niesen)* éternuer très fort; **P~** *n* ébrouement *m.*

Psalm *m* ‹-s, -en› [psalm] psaume *m; ~en singen* psalmodier; ~**endichter** *m,* ~**ist** *m* ‹-en, -en› [-'mɪst] psalmiste *m;* **Psalter** *m* ‹-s, -› ['psaltər] psautier *m.*

pseudonym [psɔydo'nyːm] *a* pseudonyme; **P~** *n* ‹-s, -e› pseudonyme; nom *m* de guerre *od* de plume.

pst [pst] *interj* pst! psitt! chut!

Psych|e *f* ‹-, -n› ['psy:çə] *scient* âme *f;* psychisme *m;* ~**iater** *m* ‹-s, -› [-çi'a:tər] psychiatre *m;* ~**iatrie** *f* ‹-, ø› [-'tri:] psychiatrie *f;* **p~iatrisch** [-'a:trɪʃ] *a* psychiatrique; **p~isch** ['psy:çɪʃ] *a* psychique; ~**oanalyse** *f* [-ço-] psychanalyse *f,* freudisme *m;* ~**oanalytiker** *m* [-ço-] psychanalyste *m;* **p~oanalytisch** [-ço-] *a* psychanalitique; **p~ogen** [-ço'ge:n] *a med* psychogène; ~**ologe** *m* ‹-n, -n› [-ço'lo:gə] psychologue *m;* ~**ologie** *f* ‹-, ø› [-lo'gi:] psychologie *f; angewandte, vergleichende ~~* psychologie *f* appliquée, comparée; **p~ologisch** [-'lo:gɪʃ] *a* psychologique; *~~e Kriegführung f (mil)* guerre *f* psychologique; ~**oneurose** *f* psychonévrose *f;* ~**opath(in** *f*) *m* ‹-en, -en› [-'pa:t] psychopathe *m f;* **p~opathisch** [-'pa:tɪʃ] *a* psychopathique; ~**ose** *f* ‹-, -n› [-'ço:zə] psychose *f;* ~**osomatik** *f* ‹-, ø› [-zo'ma:tɪk] psychosomatique *f;* **p~osomatisch** [-'ma:tɪʃ] *a* psychosomatique; ~**otherapie** *f* ‹-, ø› [-tera'pi:] psychothérapie *f.*

Pubertät *f* ‹-, ø› [pubɛr'tɛ:t] puberté, maturité *f* sexuelle; ~**salter** *n* âge *m* de puberté; ~**szeit** *f* période *f* pubertaire.

publ|ik [pu'bli:k] *a* public; *~~ machen* rendre public, livrer à la publicité; *~~ werden (a.)* s'ébruiter; **P~ikation** *f* ‹-, -en› [-blikatsi'o:n] publication *f;* **P~ikum** *n* ‹-s, ø› ['pu:blikum] public *m,* assistance *f; (Zuhörerschaft)* auditoire *m; vor das ~~ treten* se montrer au public; **P~ikumsgeschmack** *m* goût *m* du public; ~**izieren** [-li'tsi:rən] *tr* publier; **P~izist** *m* ‹-en, -en› [-'tsɪst] publiciste *m;* **P~izistik** *f* ‹-, ø› [-'tsɪstɪk] journalisme *m;* **P~izität** *f* ‹-, ø› [-tsi'tɛ:t] publicité *f.*

Puck *m* ‹-s, -s› [puk] *(Kobold)* lutin; *sport* palet *m.*

Puddl|eleisen *n* ['pudəl-] fer *m* puddlé; **p~eln** ‹*ich pudd(e)le; ich puddelte*› *itr metal* puddler; **P~eln** *n* puddlage *m;* **P~elofen** *m* four *m* à puddler; **P~ler** *m* ‹-s, -› *(Arbeiter)* puddleur *m.*

Pudding *m* ‹-s, -e/-s› ['pudɪŋ] crème *f,* entremets; *(Plum~)* pouding *m;* ~**form** *f* moule *m* (à crème).

Pudel *m* ‹-s, -› ['pu:dəl] caniche, barbet *m; des ~s Kern (fig)* le fin mot (de l'histoire); *wie ein begossener ~ dastehen, abziehen* avoir l'air d'un chien battu, s'en aller tout penaud *od* la queue basse; ~**mütze** *f* bonnet *m* fourré; **p~naß** *a* mouillé jusqu'aux os, trempé comme une soupe.

Puder *m* ‹-s, -› ['pu:dər] poudre *f; ~ auflegen* mettre de la poudre; ~**dose** *f* poudrier *m,* boîte *f* à poudre; **p~n** *tr* poudrer; ~**quaste** *f* houppe à poudre, houpette *f;* ~**zucker** *m* sucre *m* en poudre.

puff [puf] *interj* pouf! pof! pan!

Puff *m* ‹-(e)s, -e› [puf] **1.** *dial (Bausch)* bouffant; *(Sitz)* pouf *m;* ~**ärmel** *m* manche *f* bouffante *od* à ballon; ~**bohne** *f* fève *f* des marais; **p~en** *tr* **1.** *(bauschen)* bouffer.

Puff 2. *m* ⟨-(e)s, ⸗e/-e⟩ *(Stoß)* coup, choc *m*, bourrade *f; fam* ramponneau *m;* **p~en** *tr* **2.** *(stoßen)* donner des bourrades à, pousser; **~er** *m loc* tampon, amortisseur *m; (Küche)* omelette *f* de pommes de terre; **~erstaat** *m,* **~erzone** *f* État *m*, zone *f* tampon.

Puff 3. *m* ⟨-s, -s⟩ *fam (Bordell)* claque, bordel *m.*

Puff 4. *n* ⟨-(e)s, ø⟩, **~spiel** *n* trictrac, jacquet *m;* **~brett** *n* jan *m.*

puh [pu:] *interj* pouah! peuh!

Pulk *m* ⟨-s, -s/-e⟩ [pulk] *mil* u. *aero* petite formation *f* serrée; attroupement *m.*

Pulle *f* ⟨-, -n⟩ ['pulə] *fam (Flasche)* bouteille *f.*

Pull|i *m* ⟨-s, -s⟩ ['puli] *(Kurzform von: ~over)* pull *m;* **~over** *m* ⟨-s, -⟩ [pu'lo:vər, pul'ʔo-] pull-over, chandail *m.*

Puls *m* ⟨-es, -e⟩ [puls, -zə] pouls *m; (~schlag)* pulsation *f; jdm den ~ fühlen* tâter *od* prendre le pouls à qn; **~ader** *f* artère *f;* **~adergeschwulst** *f* anévrisme *m;* **~atormaschine** *f* [pul'za:tɔr-] pulsateur *m;* **p~en** ['-zən] *itr,* **p~ieren** [-'zi:rən] *itr* battre; avoir des pulsations; *p~ierende(s) Leben n (fig)* vie intense; vive animation *f;* **~o-Strahltriebwerk** *n* [pulzo-] pulso-réacteur *m;* **~schlag** *m* battement *m* du pouls, pulsation *f,* rythme *m* cardiaque; **~wärmer** *m* mitaine *f.*

Pult *n* ⟨-(e)s, -e⟩ [pult] pupitre *m;* **~dach** *n* (toit en) appentis *m.*

Pulver *n* ⟨-s, -⟩ ['pulfər, -vər] poudre; *fam (Geld)* galette *f, pop* pognon *m; das ~ nicht erfunden haben (fig)* n'avoir pas inventé la poudre (à canon) *od* le fil à couper le beurre, n'être pas un aigle; *sein ~ verschossen haben (fig)* être au bout de son rouleau; *er ist keinen Schuß ~ wert* il ne vaut pas la corde pour le pendre; **~fabrik** *f* poudrerie *f;* **~faß** *n* baril *m* à *od* de poudre; *fig* poudrière *f;* **p~ig** [-fərıç] *a* pulvérulent; **p~isieren** [-veri'zi:rən] *tr* pulvériser; réduire en poudre; *fig* réduire à rien *od* en poussière; **~isierung** *f* pulvérisation *f;* **~magazin** *n* magasin *m* à poudre, poudrière *f;* **~schnee** *m* (neige) poudreuse *f.*

Puma *m* ⟨-s, -s⟩ ['pu:ma] *zoo* puma *m.*

pumm(e)lig ['pum(ə)lıç] *a fam* rondelet, boulot, potelé.

Pump *m* ⟨-(e)s, ø⟩ [pump] *fam (Borg)* tapage; crédit *m; auf ~* à crédit, *fam* à l'œil; *auf ~ leben* vivre d'emprunt; **p~en** *tr* **1.** *fam: etw von jdm ~~* taper qn de qc; *jdm etw ~~* prêter qc à qn; **~genie** *n hum* tapeur *m.*

Pump|anlage *f* ['pump-] installation *f* de pompage; **~e** *f* ⟨-, -n⟩ pompe *f;* **p~en** *tr* **2.** pomper; **~enschwengel** *m* bras *m* de pompe; **~station** *f,* **~werk** *n* station de pompage, usine *f* hydraulique.

Pumpernickel *m* ⟨-s, -⟩ ['pumpərnıkəl] pain *m* noir de Westphalie.

Pumphose *f* ['pump-] pantalon *m* de golf *od* bouffant.

Pumps *m pl* [pœmps] *(Damenschuhe)* escarpins *m pl.*

punisch ['pu:nıʃ] *a hist* punique; *die P~en Kriege m pl* les guerres *f pl* puniques.

Punkt *m* ⟨-(e)s, -e⟩ [puŋkt] *math gram typ allg* point; *(Ort)* endroit; *(Paragraph, Artikel)* article *m; (Gesprächsgegenstand)* matière *f; tele* spot *m; ~ für ~* point par point, de point en point; *~ acht Uhr* à huit heures sonnantes; *~ 12 Uhr* à midi précis, (à) midi juste; *in diesem ~* à cet égard; *in vielen ~en* à beaucoup d'égards; *den wunden ~ berühren (fig)* mettre le doigt sur la plaie, toucher la corde sensible; *nach ~en schlagen, siegen* battre, vaincre aux points; *nun mach aber 'n ~! (fam)* en voilà assez! as-tu fini? *dunkle(r) ~ (fig)* ombre *f; der springende ~* le point délicat, décisif, le plus important; *strittige(r) ~* point d'accrochage *od* litigieux; *tote(r) ~ (phys tech fig)* point *m* mort; *wunde(r) ~* point faible, défaut *m* de la cuirasse; **~alglas** [-'ta:l-] *n opt* ménisque *m;* **~auge** *n (Augenfleck)* ocelle *f;* **~feuer** *n mil* tir concentré sur un point, feu *m* convergent; **~gleichheit** *f sport* égalité *f* de points; **p~ieren** [-'ti:rən] *tr* pointiller, ponctuer, marquer de points; *med* ponctionner; *(Kunst)* grener; **~iernadel** *f med* aiguille pour ponction; *(Kunst)* échoppe *f;* **p~iert** *a (Linie)* pointillé; *(Kunst)* grené; **~ierung** *f (Linie)* pointillage *m; (Kunst)* grenure *f;* **~ion** *f* ⟨-, -en⟩ [-tsi'o:n] *med* ponction, paracentèse *f;* **~koralle** *f zoo* millépore *m;* **~richter** *m sport* pointeur *m;* **~roller** *m (Massagegerät)* rouleau de massage, pétrisseur-masseur *m;* **~sieg** *m* victoire *f* aux points; **~sieger** *m sport* vainqueur *m* aux points; **~um** ['puŋktum] *n: und damit ~~!* un point, c'est tout; **~ur** *f* ⟨-, -en⟩ [-'tu:r] = *~ion;* **~wertung** *f sport* pointage, classement *m* par points; **~zahl** *f sport* nombre de points, score *m;* **~ziel** *n mil* but *od* objectif *m* ponctuel.

Pünkt|chen *n* ['pʏŋkt-] petit point *m;* **p~lich** *a* ponctuel; *(Mensch)* régulier; *adv* à l'heure (exacte); *fam* recta; *~~ sein* od *kommen* être à l'heure; **~lichkeit** *f* ⟨-, ø⟩ ponctualité, exactitude; régularité *f; mit militärischer ~~* à l'heure militaire, militairement.

Punsch *m* ⟨-(e)s, -e⟩ [punʃ] punch *m.*

Punz|e *f* ⟨-, -n⟩ ['puntsə] *(Grabstichel)* poinçon, emboutissoir, burin *m;* **p~en** *tr* poinçonner, emboutir, ciseler.

Pup *m* ⟨-(e)s, -e⟩ [pu:p] *pop (Furz)* pet *m;* **p~en** *itr (furzen)* péter.

Pupille *f* ⟨-, -n⟩ [pu'pılə] *anat* pupille *f;* **~nabstand** *m* distance *f* interpupillaire; **~nerweiterung** *f* dilatation des pupilles, mydriase *f.*

Püppchen *n* ⟨-s, -⟩ ['pʏpçən] petite poupée *f; fam (Mädchen)* poupée, pépée *f.*

Puppe *f* ⟨-, -n⟩ ['pupə] poupée; *(Draht~)* marionnette *f; (mechanisch bewegte ~)* automate *m; zoo* chrysalide *f; (Kind)* poupon *m; bis in die ~n schlafen (fam)* dormir *od* faire la grasse matinée; *mit ~n spielen* jouer à la poupée; **~ngesicht** *n* visage *m* de poupée; **~nhaus** *n,* **~nküche** *f,* **~stube** *f,* **~wagen** *m* maison, cuisine, chambre, voiture *f* de poupée; **~nspiel** *n,* **~nspieler** *m,* **~ntheater** *n* jeu, joueur, théâtre *m* de marionnettes; **~nwagen** *m* voiture *f* de poupée.

Pups *m* ⟨-es, -e⟩ [pu:ps], **p~en** *itr pop* = *Pup, pupen.*

pur [pu:r] *a (rein)* pur; *(alkohol. Getränk: unvermischt)* sec; **P~ismus** *m* ⟨-, ø⟩ [pu'rısmus] *(Reinigungseifer)* purisme *m.*

Püree *n* ⟨-s, -s⟩ [py're:] purée *f.*

Puritan|er *m* ⟨-s, -⟩ [puri'ta:nər] puritain *m;* **p~isch** [-'ta:nıʃ] *a* puritain; **~ismus** *m* ⟨-, ø⟩ [-ta'nısmus] puritanisme *m.*

Purpur *m* ⟨-s, ø⟩ ['purpur] *(Farbstoff, Stoff)* pourpre *f; (Farbton)* pourpre *m;* **p~farben** *a,* **p~n** *a,* **p~rot** *a* pourpré, purpurin; **~mantel** *m* (manteau *m* de) pourpre *f;* **~schnecke** *f* pourpre *f* (de Tyr).

Purzel|baum *m* ['purtsəl-] culbute *f; e-n ~~ schlagen* faire la *od* une culbute; **p~n** ⟨*ich purz(e)le, er purzelte, ist gepurzelt*⟩ *itr* culbuter; *(herunter~~)* dégringoler; *pop* débouler.

Pust|e *f* ⟨-, ø⟩ ['pu:stə] *fam (Atem)* souffle *m*, haleine *f; außer ~~ kommen* perdre haleine; **~eblume** *f fam* pissenlit *m*, dent-de-lion *f;* **p~en** ⟨*aux: haben*⟩ *itr* souffler; *(keuchen)* haleter; **~erohr** *n* sarbacane *f.*

Pust|el *f* ⟨-, -n⟩ ['pustəl] *med* pustule *f;* **~elbildung** *f* pustulation *f;* **p~ulös** [-tu'lø:s] *a* pustuleux.

Put|e *f* ⟨-, -n⟩ ['pu:tə] dinde *f; fig fam* bécasse *f;* **~enbraten** *m* dinde *f* rôtie; **~er** *m* ⟨-s, -⟩ dindon *m; junge(r) ~~* dindonneau *m;* **p~errot** *a* rouge comme un coq *od* une tomate; *~~ werden* rougir jusqu'au blanc des yeux.

Putsch *m* ⟨-(e)s, -e⟩ [putʃ] putch, coup *m* de force; **p~en** *itr* tenter un coup de force; **~ist** *m* ⟨-en, -en⟩ [-'ʃıst] putchiste *m.*

Putt|e *f* ⟨-, -n⟩, **~o** *m* ⟨-s, -tti/-tten⟩ ['putə, -to, -ti/-tən] *(Kunst)* angelot; amour *m.*

Putz *m* ⟨-es, ø)⟩ [puts] *(Putzen)* nettoyage *m; (modischer Zierat)* parure *f,* atours *m pl; (Aufmachung)* toilette *f; arch (Verputz)* crépi, enduit *m;* **p~en** *tr (reinigen)* nettoyer; *(blank machen, polieren)* astiquer, polir, lustrer; *(Metall)* fourbir, décaper; *(Schuhe)* cirer; *(Pferd)* panser, étriller; *(Gemüse)* éplucher; *(Kerze)* moucher; *(Brille)* essuyer; *(schmükken)* parer, orner; *sich ~~* faire sa toilette; se parer; *sich die Nase ~~* se moucher; *sich die Zähne ~~* se laver les dents; **~er** *m* ⟨-s, -⟩ *mil* brosseur *m;* **~frau** *f* femme *f* de ménage *od* de journée; **~lappen** *m* chiffon à nettoyer, torchon *m;* **~machergeschäft** *n* magasin *m* de modes; **~macherin** *f* modiste; *(Geschäftsin-*

haberin) marchande *f* de modes *od* de nouveautés; **~mittel** *n* produit *m* à nettoyer *od* à polir; **~sucht** *f* coquetterie *f;* **p~süchtig** *a* coquet; **~tuch** *n* chiffon *m;* = *~lappen;* **~wolle** *f* laine *f* de nettoyage; *a.* déchets *m pl* de coton; **~zeug** *n* nécessaire *m od* trousse *f od* effets *m pl* de nettoyage.

putzig ['putsɪç] *a* drôle, cocasse.
Pygmä|e *m* ‹-n -n› [pyg'mɛ:ə] pygmée *m;* **p~enhaft** *a,* **p~isch** [-'mɛ:ɪʃ] *a* pygméen.
Pyjama *m* ‹-s, -s› [pi'(d)ʒa:ma, py'ja:ma] pyjama *m.*
Pylon *m* ‹-en, -en›, **~e** *f* ‹-, -n› [py'lo:n(ə)] *arch hist* pylône *m.*
Pyramid|e *f* ‹-, -n› [pyra'mi:də] *arch math allg* pyramide *f;* **p~enförmig** *a,* **p~al** [-mi'da:l] *a,* pyramidal; **~enpappel** *f* peuplier *m* pyramidal; **~enstumpf** *m* pyramide *f* tronquée, tronc *m* de pyramide.
Pyrenäen [pyre'nɛ:ən], *die pl* les Pyrénées *f pl.*
Pyrit *m* ‹-s, -e› [py'ri:t, -'rɪt] *min* pyrite *f.*
Pyrotechn|ik *f* [pyro-] *(Feuerwerkerei)* pyrotechnie *f;* **~iker** *m* pyrotechnicien *m;* **p~isch** *a* pyrotechnique.
pythagoreisch [pytago're:ɪʃ] *a* pythagoricien; pythagorique.
Pythonschlange *f* ['py:tɔn-] python *m.*

Q

Quabbe *f* ['kvabə] bourrelet *m* de graisse; **q~lig** *a* flasque, gélatineux, grassouillet, mollasse; **q~ln** *itr* trembloter, être mou *od* sans consistance.
Quack *m* ⟨-(e)s, -e⟩ [kvak] *dial (Quatsch)* foutaise *f;* **~elei** *f* [-'laı] *dial (unentschlossenes Handeln)* barguignage; *(Faselei)* bavardage, bafouillage, radotage *m;* **q~eln** ⟨*ich quack(e)le, quackelte*⟩ *itr* barguigner; bafouiller, radoter; **~salber** *m* ⟨-s, -⟩ ['-zalbər] *pej* charlatan, médicastre; marchand *m* d'orviétan; **~salberei** *f* [-'raı] charlatanerie *f;* charlatanisme *m;* **q~salberisch** *a* charlatanesque; **q~salbern** *itr* ⟨*hat gequacksalbert*⟩ faire le charlatan.
Quaddel *f* ⟨-, -n⟩ ['kvadəl] *med dial* papule *f.*
Quader *m* ⟨-s, -⟩, *a. f* ⟨-, -n⟩ ['kva:dər], *math* parallélépipède *m* rectangle *od* droit; = **~stein** *m* pierre *f* de taille.
Quadr|ant *m* ⟨-en, -en⟩ [kva'drant] *math* quadrant, quart *m* de cercle; **~at** *n* ⟨-(e)s, -e⟩ [-'dra:t] *math* carré; *typ* cadrat *m; im ~~ (math)* au carré; *ins ~~ erheben* élever au carré; **q~atisch** [-'dra:tıʃ] *a* quadratique, carré; *~~e Gleichung f* équation *f* du second degré; **~atkilometer** *n* od *m* kilomètre *m* carré; **~atlatschen** *m* od *f pl pop* grol(l)es, godasses *f pl;* **~atmeile** *f* mille *m* carré; **~atmeter** *n* od *m* mètre carré, centiare *m;* **~atnetz** *n* quadrillage *m* de carte; **~atschädel** *m fam* tête *f* carrée; **~atur** *f* ⟨-, -en⟩ [-dra'tu:r] *math* quadrature *f* (*des Kreises* du cercle); **~atwurzel** *f,* racine *f* carrée; **~atzahl** *f,* **~atzentimeter** *n* od *m* nombre, centimètre *m* carré; **q~ieren** [-'dri:rən] *tr* élever au carré *od* à la seconde puissance; **~ierung** *f* quadrillage *m;* **~iga** *f* ⟨-, -gen⟩ [-'dri:ga] *(Viergespann)* quadrige *m;* **~ille** *f (Tanz)* quadrille *m.*
quaken ['kva:kən] *itr (Frosch)* coasser; **Q~** *n* coassement *m.*
quäken ['kvɛ:kən] , *itr* piailler, piauler, criailler.
Quäker *m* ⟨-s, -⟩ ['kvɛ:kər] quaker *m; pl a.* société *f* des amis.
Qual *f* ⟨-, -en⟩ ['kva:l] tourment *m,* torture *f,* supplice *m; die ~ der Wahl* l'embarras *m* du choix; **q~voll** *a* plein de tourments; *(Schmerzen)* atroce; *(grausam)* cruel.
quäl|en ['kvɛ:lən] *tr* tourmenter, torturer, martyriser; *(plagen)* tracasser; *(keine Ruhe lassen)* hanter; *(belästigen)* molester, harceler, importuner; *sich (sehr) ~~* se tourmenter; *(sich abmühen)* se donner (bien) du mal; *von Gewissensbissen ge~t* rongé de remords; *von Schmerzen g~t* accablé de douleur; **~end** *a* torturant; *(nervenaufreibend)* tracassier; **Q~erei** *f* [-'raı] tourments *m pl,* tortures, vexations; tracasseries *f pl;* **Q~geist** *m* taquin, e *m f;* persécuteur, tracassier, *fam* casse-pieds *m.*
Qual|ifikation *f* ⟨-, -en⟩ [kvalifikatsi'o:n] qualification; *(Befähigung)* capacité, aptitude *f;* **q~ifizierbar** [-lifi'tsi:r-] *a* qualifiable; **q~ifizieren** *tr* qualifier; *q~ifiziert zu* qualifié pour; *~ifizierter Diebstahl m* vol *m* qualifié; **~ifizierung** *f* = *~ifikation;* **~ität** *f* ⟨-, -en⟩ [-'tɛ:t] qualité *f; hervorragende ~~* qualité *f* supérieure; **q~itativ** [-ta'ti:f] *a* qualitatif; **~itätsarbeit** *f* travail *m* de qualité; **~itätserzeugnis** *n* produit *m* de (haute) qualité; **~itätsunterschied** *m* différence *f* de qualité *od* qualitative; **~itätsware** *f* marchandise *f* de qualité *od* de (premier) choix.
Qualle *f* ⟨-, -n⟩ ['kvalə] *zoo* méduse *f.*
Qualm *m* ⟨-(e)s, ø⟩ [kvalm] (épaisse) fumée, bouffée *f* de fumée; **q~en** *itr* fumer, faire beaucoup de fumée, émettre une épaisse fumée; *(Lampe)* filer; *(Raucher)* fumer comme une cheminée; **q~ig** *a* fumeux, rempli de fumée.
Qualster *m* ⟨-s, -⟩ ['kvalstər] *dial fam (schleimiger Auswurf)* crachat *m.*
Quant *n* ⟨-s, -en⟩ [kvant] *phys* quantum *m* (*pl* quanta); **~enmechanik** *f* mécanique *f* quantique; **~entheorie** *f* théorie *f* des quanta; **~ität** *f* ⟨-, -en⟩ [-ti'tɛ:t] quantité *f;* **q~itativ** [-ta'ti:v] *a* quantitatif; **~um** *n* ⟨-s, -ten⟩ ['kvantum] *(Menge)* quantité; *(Anteil)* portion *f.*
Quappe *f* ⟨-, -n⟩ ['kvapə] *(Fisch)* lotte *f; (Kaul~)* têtard *m.*
Quarantäne *f* ⟨-, -n⟩ [kvaran'tɛ:nə] *mar* quarantaine *f; unter ~ stellen* mettre en quarantaine; **~flagge** *f* pavillon *m* de quarantaine.
Quark *m* ⟨-s, ø⟩ [kvark] fromage *m* blanc; *fig fam (dummes Zeug)* foutaises, bêtises *f pl.*
quarren ['kvarən] *itr dial (weinen, schreien)* brailler, criailler.
Quart *f* ⟨-, -en⟩ [kvart] = *~e; n (Buchformat)* in-quarto *m;* **~al** *n* ⟨-s, -e⟩ [-'ta:l] *(Vierteljahr)* trimestre *m;* **~al(s)-** *(in Zssgen)* trimestriel; **~al(s)säufer** *m* buveur *m* intermittent; **q~al(s)weise** *adv* par trimestre; **~är** *n* ⟨-s, ø⟩ [-'tɛ:r] *geol* (ère *f*) quaternaire *m;* **~band** *m* volume *m* in-quarto; **~e** *f* ⟨-, -n⟩ *(mus, Fechtkunst)* quarte *f;* **~ett** *n* ⟨-(e)s, -e⟩ [-'tɛt] *mus* quatuor *m;* **~format** = *~ n.*
Quartier *n* ⟨-s, -e⟩ [kvar'ti:r] *(Unterkunft)* logement; *mil* cantonnement; *(Stadtviertel)* quartier *m; ~ beziehen (mil)* cantonner, s'installer au cantonnement; *im ~ liegen (mil)* être cantonné; *~ machen* préparer le cantonnement; **~amt** *n* bureau *m* de logement; **~geber** *m* logeur *m;* **~macher** *m* (sous-)officier *m* de cantonnement; *pl* détachement *m* précurseur; **~schein** *m,* **~zettel** *m* billet *m* de logement *od mil* de cantonnement.
Quarz *m* ⟨-es, -e⟩ [kvarts] *min* quartz *m;* **~faden** *m* filament *m* de quartz; **q~gesteuert** *a aero* stabilisé au quartz; **~glas** *n* verre *m* quartzeux; **q~haltig** *a* quartzifère, quartzeux; **q~ig** *a* quartzeux; **~kristall** *m* cristal *m* de quartz; **~lampe** *f* lampe *f* à quartz; **~sand** *m* sable *m* quartzeux; **~steuerung** *f radio* contrôle *m* à quartz.
quasi ['kva:zi] *adv* quasi(ment), pour ainsi dire.
Quassel|ei *f* ⟨-, -en⟩ [kvasə'laı] *fam* radotage *m,* jacasserie *f;* **q~n** ⟨*ich quaßle/quassele quasselte*⟩ ['kvasəln] *itr fam* radoter, jacasser; jacter; **~strippe** *f hum* téléphone *m; (Mensch)* radoteur, se *m f;* jacasse *f.*
Quast *m* ⟨-(e)s, -e⟩ [kvast] *dial (Büschel)* touffe; *(Pinsel)* brosse *f;* **~e** *f* ⟨-, -n⟩ *(Troddel)* houppe.
Quäst|or *m* ⟨-s, -en⟩ ['kvɛstɔr, -'to:rən] *hist* questeur *m;* **~ur** *f* ⟨-, -en⟩ [-'tu:r] *hist* questure; *(Univ.)* caisse *f.*

Quatsch *m* ⟨-es, ø⟩ [kvatʃ] *fam* radotage, bafouillage; non-sens *m; ~!* zut! **q~en** *tr fam* radoter, bafouiller; *itr: dämlich* od *dumm ~~* dégoiser, débloquer, baratiner; **~erei** *f* [-'raı] radotage, bafouillage *m;* **~kopf** *m* radoteur; *pop* Ja(c)quot *m.*
Quecke *f* ⟨-, -n⟩ ['kvɛkə] *bot* chiendent *m.*
Quecksilber *n* ['kvɛk-] mercure, vif-argent *m; das reine ~ sein (fig)* avoir du vif-argent dans les veines; *fam* avoir la bougeotte; **~barometer** *n* baromètre *m* à mercure; **~dampf** *m* vapeur *f* de mercure; **q~haltig** *a* mercuriel, mercurifère; **~oxyd** *n* oxyde *m* mercurique; **~oxydul** *n* oxyde *m* mercureux; **~präparate** *n pl* pharm mercureux *m pl;* **~salbe** *f* onguent *m* mercuriel; **~säule** *f* colonne *f* de mercure *od* barométrique; **~vergiftung** *f* intoxication *f* mercurielle, hydrargyrisme

m; **quecksilb(e)rig** *a fig* vif, frétillant, sémillant.

Quell *m* ‹-(e)s, -e› *poet,* **~e** *f* ‹-, -n› ['kvɛl(ə)] source *a. fig;* fontaine *f; aus bester ~~ (fig)* de première main; *aus derselben ~~* de la même provenance; *aus guter, sicherer ~~* de bonne source *od* part, de source sûre; *aus gutunterrichteter ~~* de source bien informée; *aus halbamtlicher ~* de source officieuse; *an der ~~ sitzen* être à la source (*gen* de); *fam (an d. Futterkrippe)* tenir l'assiette au beurre; **q~en** ‹*quillt, quoll, ist gequollen*› [(-)'kvɔl(-), kvɪl-] *itr* sourdre, jaillir; *(fließen)* (s'é)couler; *fig* émaner, sortir (*aus* de); *(im Wasser weich werden)* (se) gonfler; *tr* ‹*quellt, hat gequellt*› *(weich werden lassen)* faire gonfler; *(Trockengemüse)* réhydrater; **~enangabe** *f* indication de la source, référence *f* (publicitaire); **~enforschung** *f* étude *f* des sources; **~enmaterial** *n* documentation *f;* **~ennachweis** *m* = *~enangabe;* **~enstudium** *n* = *~enforschung;* **~enwert** *m fig* valeur *f* documentaire; **~nymphe** *f* naïade *f;* **~stärke** *f* rendement *m* d'une *od* de la source; **~wasser** *n* eau *f* de source *od* vive.

Quendel *m* ‹-s, -› ['kvɛndəl] *bot* serpolet *m.*

Queng|elei *f* ‹-, -en› [kvɛŋə'laɪ] *fam (Nörgelei)* geignements *m pl;* **q~(e)lig** ['kvɛŋ(ə)lɪç] *a fam* geignant, grincheux; *pop* geignard; **q~eln** ‹*ich queng(e)le, quengelte*› *itr fam* geindre; pleurnicher; grincher; **~ler** *m* ‹-s, -› geignard, grincheux *m.*

Quentchen *n* ['kvɛntçən] *ein ~* un (petit) peu.

quer [kve:r] *adv* de *od* en travers, en écharpe; *~ durch* od *über à od* au travers de; *sich ~ legen, stellen* se mettre en travers; *~ übereinanderlegen* croiser; **Q~achse** *f* axe *m* transversal *od* de tangage; **Q~balken** *m* poutre transversale, traverse *f; (kleinerer)* traversine *f;* **Q~bewegung** *f* mouvement *m* transversal; **Q~binder** *m (Schlips)* nœud *m* papillon; **~durch** *adv* à travers; **Q~e** *f* ‹-, ø›: *in die Kreuz und (in die) ~~* en tous sens; par ci, par là; *jdm in die ~~ kommen* od *laufen* venir *od* se jeter à la traverse de qn; *fig* contrecarrer qn; *mir ist etw in die ~~ gekommen* il m'est survenu un contretemps; **~feldein** *adv: ~~ (laufen* couper) à travers champs; **Q~feldeinlauf** *m sport* cross-country *m;* **Q~fenster** *n* fenêtre *f* gisante; **Q~flöte** *f* flûte *f* traversière; **Q~format** *n (Buch)* format *m* oblong; **Q~führung** *f tech* glissière *f* transversale; **Q~gang** *m mines* filon *m* transversal; **~gestreift** *a* rayé en travers; *(Muskel)* strié; **Q~holz** *n (Tonne)* traversin *m; arch* enture; *tech* entretoise *f;* **Q~kopf** *m* tête carrée *f;* **~köpfig** *a* qui a l'esprit de travers; **Q~leiste** *f* contre-latte *f;* **Q~pfeife** *f mus* fifre *m;* **Q~riegel** *m* traversine, entretoise *f;* **Q~ruder** *n aero* aileron *m;* **Q~schiff** *n arch rel* transept *m,* croisée *f;* **Q~schlag** *m mines* galerie *f* transversale; **Q~schläger** *m mil* ricochet *m;* **Q~schnitt** *m* coupe *f* transversale *od* en travers, plan *m* transversal; *med* section *f* transversale (de la moelle); **Q~steuerung** *f aero* commande *f* latérale; **Q~straße** *f* (rue de) traverse *f;* **Q~streifen** *m* bande *f* transversale; *pl a.* rayure *f* transversale; **Q~strich** *m* barre *f* (transversale); **Q~summe** *f* somme *f* des chiffres (d'un nombre); **Q~träger** *m tech* traverse *f,* support *m* transversal; **Q~treiber** *m* mauvais esprit, gêneur, trublion *m;* **Q~treibereien** *f pl* menées, intrigues *f pl;* **Q~verbindung** *f* jonction *od* liaison transversale; *tele* interconnexion *f;* **Q~wand** *f* cloison *f* de traverse; **Q~weg** *m* chemin *m* de traverse.

Querul|ant *m* ‹-en, -en› [kveru'lant] homme litigieux *od* processif, rouspéteur; procédurier *m;* **q~ieren** [-'li:rən] *itr* rouspéter.

Quese *f* ‹-, -n› ['kve:zə] *dial med (Quetschblase)* ampoule; *zoo (Blasenwurm)* cœnure, cénure *f.*

Quetsch|e *f* ‹-, -n› ['kvɛtʃə] *(Presse)* presse *f; fam (kleine Kneipe)* petit bistrot *m; (kl. Laden)* petite boutique; *(Schule)* boîte *f* à bachot; **q~en** *tr* presser, serrer; *(zer~)* écraser, broyer; *med* meurtrir, contusionner; *sich e-n Finger ~~* s'écraser un doigt; **~falte** *f* pli *m* plat; **~kartoffeln** *f pl* purée *f* de pommes de terre; **~kommode** *f mus hum* accordéon *m;* **~ung** *f med* meurtrissure, contusion, ecchymose *f;* **~wunde** *f* plaie *f* contuse.

quick [kvɪk] *a dial* vif, alerte; **~lebendig** *a fam* vif comme le salpêtre.

quiek [kvi:k] *interj* couic! **~en** *itr* pousser des cris aigus, criailler.

Quiet|ismus *m* ‹-, ø› [kvie'tɪsmus] *rel* quiétisme *m;* **~ist** *m* ‹-en, -en› quiétiste *m;* **q~istisch** [-'tɪstɪʃ] *a* quiétiste.

quietsch|en ['kvi:tʃən] *itr (kreischen)* pousser des cris aigus; *(Tür)* grincer; **~vergnügt** *a* gai comme un pinson.

Quint|(e) *f* ‹-, -en› ['kvɪnt(ə)] *(mus, Fechtsport)* quinte *f;* **~essenz** *f* ‹-, -en› ['kvint?-] quintessence *f;* **~ett** *n* ‹-(e)s, -e› [-'tɛt] *mus* quintette *m.*

Quirl *m* ‹-(e)s, -e› [kvɪrl] moulinet; *bot* verticille; *fig* tourbillon *m;* **q~en** *tr* ‹*hat gequirlt*› *(Küche)* battre; *itr fig* tourbillonner; **q~ig** *a fig* vif.

Quisling *m* ‹-s, -e› ['kvɪslɪŋ] *pej (Kollaborateur)* collaborateur, *pop* collabo *m.*

quitt [kvɪt] *a* quitte; *~ sein* être *od* faire quitte à quitte; *nun sind wir ~* nous voilà quitte; **~ieren** [-'ti:rən] *tr (Rechnung)* acquitter; *(Zahlung)* donner acquit *od* quittance de, quittancer; *den Dienst ~~* quitter *od* abandonner le service; *am Rande ~~* émarger; **Q~ung** *f* quittance *f,* acquit, reçu, récépissé *m* (de paiement); *fig (Lohn)* récompense *f; gegen ~~* contre quittance; *e-e ~~ ausstellen* donner quittance *od* décharge; **Q~ungsbuch** *n* livre(t) *od* carnet *m* de quittance; **Q~ungskarte** *f* carte-quittance *f;* **Q~ungsmarke** *f,* **Q~ungsstempel** *m* timbre *m* (de) quittance.

Quitte *f* ‹-, -n› ['kvɪtə] coing *m; wilde ~* cognasse *f;* **~nbaum** *m* cognassier *m;* **q~(n)gelb** *a* jaune comme un coing.

Quizmaster *m* ‹-s, -› ['kvɪsma:stər] animateur, meneur *m* de jeux radiophoniques *od* télévisés.

Quot|e *f* ‹-, -n› ['kvo:tə] *(Anteil)* quote-part *f,* contingent, taux, pourcentage *m;* **~enaktie** *f* action *f* de quotité; **~ient** *m* ‹-en, -en› [-tsi'ɛnt] *math* quotient *m;* **q~ieren** *tr (den Preis angeben)* coter; **q~isieren** [-ti'zi:rən] *tr (in ~en aufteilen)* cotiser; **~isierung** *f* cotisation *f.*

R

R, r *n* ‹-, -› [ɛr] *(Buchstabe)* R, r *m u. f.*

Rabatt *m* ‹-(e)s, -e› [ra'bat] rabais *m*, remise; ristourne; *(Nachlaß)* réduction *f; (Skonto)* escompte *m; (e-n) ~ geben* od *gewähren* faire *od* accorder un escompte; *(e-n) ~ erhalten* jouir d'une réduction; *mit ~ verkaufen* vendre au rabais; **r~ieren** [-'ti:rən] *tr (e-n Betrag)* rabattre, faire un rabais de; **~marke** *f* timbre *m* d'escompte; **~satz** *m* taux *m* de rabais *od* remise.

Rabatte *f* ‹-, -n› [ra'batə] *(Beet)* plate-bande, bordure; *(Kleid)* ourlet, rabat *m*.

Rabatz *m* ‹-es, ø› [ra'bats] *fam (Krach)* chahut, chambard *m*.

Rabbi *m* ‹-(s), -bbinen› ['rabi, -'bi:nən] *rel hist* rabbi *m;* **~ner** *m* ‹-s, -› [-'bi:nər] *rel* rabbin *m;* **r~nisch** [-'bi:nɪʃ] *a* rabbinique.

Rabe *m* ‹-n -n› ['ra:bə] corbeau *m; wie ein ~ stehlen* être voleur comme une pie; *weiße(r) ~ (fig)* merle *m* blanc; **~naas** *n fig pej* charogne *f;* **~neltern** *pl fig pej* parents *m pl* dénaturés; **~nmutter** *f* marâtre, mère *f* dénaturée, bourreau *m* d'enfant; **r~nschwarz** *a* noir comme (du) jais *od* comme un four; **~nvater** *m* père dénaturé, bourreau *m* d'enfant.

rabiat [rabi'a:t] *a (wütend)* furieux, furibond; *(grob)* brutal.

Rabulist *m* ‹-en, -en› [rabu'lɪst] *(Rechtsverdreher)* chicaneur, chicanier, ergoteur, avocassier *m;* **~erei** *f* [-'raɪ], **~ik** *f* ‹-, ø› [-'lɪstɪk] chicane *f*, ergotage *m*, avocasserie *f;* **r~isch** [-'lɪstɪʃ] *a* chicaneur, chicanier.

Rach|e *f* ‹-, ø› ['raxə] vengeance; *hist lit* vindicte *f; aus ~~* par vengeance; *für etw* pour se venger de qc; *~~ nehmen* tirer vengeance (*an jdm* de qn); *nach ~~ schreien* crier *od* demander vengeance; *auf ~~ sinnen* méditer sa vengeance; **~eakt** *m* acte *m* de vengeance; **~edurst** *m* soif *f od* appétit *m* de vengeance; **r~edurstig** *a* altéré de vengeance; **~gier** *f*, **~sucht** *f* esprit *m* vindicatif *od* de vengeance; **r~gierig** *a* vindicatif.

Rachen *m* ‹-s, -› ['raxən] gosier *m*, gorge; *(a. von Raubtieren)* gueule *f; scient* pharynx *m* arrière-bouche *f; pop* goulot; *fig (Abgrund)* gouffre *m;* **~blütler** *m pl bot* scrofulariacées *f pl;* **~bräune** *f med* diphtérie *f;* croup *m;* **~entzündung** *f*, **~katarrh** *m* pharyngite *f;* **~höhle** *f anat* cavité *f* pharyngée; **~mandel** *f anat* amygdale *f* pharyngienne; **~putzer** *m hum (starker Schnaps)* casse-pattes, *pop* tord-boyaux *m; (saurer Wein)* piquette *f;* **~spiegel** *m* pharyngoscope *m;* **~- und Kehlkopfentzündung** *f* pharyngo-laryngite *f*.

räch|en ['rɛçən] *tr* venger (*jdn* qn, *etw* qc); *sich an jdm für etw ~~* se venger sur qn de qc; *das wird sich ~~* cela aura des conséquences fâcheuses; **R~er** *m* ‹-s, -› vengeur *m;* **R~erin** *f* vengeresse *f*.

Rachit|is *f* ‹-, ø› [ra'xi:tɪs] *med* rachitisme *m*, nouure *f;* **r~isch** [-'xi:tɪʃ] *a* rachitique, noué.

Racker *m* ‹-s, -› ['rakər] *pej* od *fam* polisson, ne; (petit, e) coquin, e; fripon, ne *m f*.

Rad *n* ‹-(e)s, ⁼er› [ra:t, 'rɛ:dər] *allg* roue; *(Fahrrad)* bicyclette *f; fam* vélo *m; unter die Räder kommen* se faire écraser; *(fig)* être ruiné, succomber; *ein ~ schlagen (Pfau u. sport)* faire la roue; *das fünfte ~ am Wagen (fig)* la cinquième roue du carrosse *od* de la charrette; **~abstand** *m* écartement *m* des roues; **~antrieb** *m* commande *f* par roues; **~ball** *m (Spiel)* cycle-ball *m;* **~bremse** *f* frein *m* sur roue; **~dampfer** *m* bateau *m* à aubes; **r~eln** *itr*, **r~⁼fahren** ‹*ist radgefahren*› *itr* aller à bicyclette; *fam* pédaler; **~fahrer** *m* cycliste *m;* **~fahrt** *f* randonnée *f* à bicyclette; **~(fahr)weg** *m* route *od* piste *f* cyclable; **~kappe** *f* chapeau de roue, enjoliveur *m;* **~kasten** *m* couvre-roue *m;* **~kranz** *m* jante *f;* **~ler** *m* ‹-s, -› ['-dlər] = *~fahrer;* **~leuchter** *m* couronne *f* de lumière; **~linie** *f math* cycloïde *f;* **~melder** *m mil* estafette *f* cycliste; **~rennbahn** *f* vélodrome *m*, piste *f* cycliste; **~rennen** *n* course *f* cyliste; **~rennfahrer** *m* coureur *m* cycliste; **~schaufel** *f* aube *f;* **r~⁼schlagen** ‹*hat radgeschlagen*› *itr* faire la roue; **~sport** *m* cyclisme *m;* **~spur** *f* trace de roue, ornière *f;* **~steuerung** *f aero* commande *f* par *od* pilotage *m* au volant; **~tour** *f* excursion *f* cycliste *od* à bicyclette; **~wandern** *n* cyclotourisme *m;* **~wechsel** *m* changement *m* de *od* d'une roue; **~welle** *f mar* arbre *m* de roue.

Radar *m* od *n* ‹-s, ø› ['ra:da:r, ra'da:r] *(Funkmessen u. -orten)* radar *m;* **~abtastung** *f* balayage *m* radar; **~anlage** *f* installation *f* radar; **~anzeigegerät** *n* pupitre *m* panoramique radar; **~aufklärung** *f* reconnaissance *f* par radar; **~bake** *f* balise *f* radar; **~beobachter** *m* radariste *m;* **~bild** *n* image *f* radar; **~entfernungsmesser** *m* radar-télémètre *m;* **~flugkörper** *m* engin *m* électromagnétique; **~gerät** *n* appareil radar, engin *m* de détection; **~gürtel** *m* barrière *f* radar; **~-Höhenmeßgerät** *n* radar *m* de site; **~kette** *f* chaîne *f* de radars; **~kuppel** *f* dôme *m* radar; **~landehilfe** *f* aide *f* radar à l'atterrissage; **~meßgerät** *n* radar *m;* **~navigation** *f* navigation *f* au radar; **~schirm** *m* écran *m* radar; **~sichtgerät** *n* indicateur *m* radar; **~station** *f* station *f* radar, relais-radar *m;* **~steuerung** *f* commande *f* par radar; **~störvorrichtung** *f* dispositif *m* de brouillage radar; **~strahlenbündel** *n* pinceau *m* radar; **~sucher** *m* chercheur *m* radar; **~technik** *f* technique *f* du radar; **~verbindung** *f* liaison *f* par radar; **~warndienst** *m* guet *m* radar; **~zeichen** *n* signe *m od* trace *f* de radar; **~ziel** *n* objectif *m* (de) radar.

Radau *m* ‹-s, ø› [ra'daʊ] *fam (Lärm, Krach)* chahut, tapage; *pop* boucan *m; ~ machen* chahuter; tapager; *(grölen)* beugler; **~macher** *m* chahuteur, tapageur, casseur *m* d'assiettes.

Räd|chen *n* ‹-s, -› ['rɛ:tçən] petite roue, roulette; *(Sporn-, Lauf~~)* molette *f;* **r~ern** ['-dərn] *tr hist* rouer; *wie gerädert sein* être tout moulu; **~ern** *n* supplice *m* de la roue; **~ertiere, ~ertierchen** *n pl* rotifères *m pl;* **~erwerk** *n* rouage *m*.

Rade *f* ‹-, -n› ['ra:də] *bot (Kornrade)* nielle *f*.

radebrechen ['ra:dəbrɛçən] ‹*er radebrecht, hat geradebrecht*› *tr (e-e Sprache)* écorcher, baragouiner; *Französisch ~* parler le français comme une vache espagnole.

Rädelsführer *m* ['rɛ:dəls-] meneur, instigateur, boutefeu *m; der ~ sein* mener la danse.

radial [radi'a:l] *a* radial; **R~anflug** *m aero* approche *f* radiale; **R~bohrmaschine** *f* perceuse *f* radiale; **R~motor** *m* moteur *m* en étoile; **R~turbine** *f* turbine *f* radiale.

Radiästhesie *f* ‹-, ø› [radiɛste'zi:] *(Strahlenfühligkeit)* radiesthésie *f*.

radier|en [ra'di:rən] *tr itr (aus~~)* effacer; gommer; gratter; *(Kunst)* gratter *od* graver à l'eau forte; **R~er** *m* ‹-s, -› graveur à l'eau forte *od* à la pointe sèche, aquafortiste *m; fam* = **R~gummi** *m* gomme *f* (à effacer); **R~messer** *n* grattoir *m;* **R~nadel** *f* pointe de graveur, échoppe *f;* **R~ung** *f* (gravure *od* estampe à l')eau-forte *f*.

Radieschen *n* ‹-s, -› [ra'di:sçən] radis *m*.

radikal [radi'ka:l] *a* radical; *pol a.* extrémiste; **R~** *n* ⟨-s, -e⟩ *chem* radical *m;* **R~e(r)** *m pol* radical, extrémiste *m; R~enerlaß m pol* décret *m* sur les extrémistes **~isieren** [-kali'zi:rən] *tr* radicaliser; **R~ismus** *m* ⟨-, -men⟩ [-'lɪsmʊs] radicalisme *m.*

Radio *n* ⟨-s, -s⟩ ['ra:dio] *(vgl. Rundfunk, Funk)* radio, télégraphie sans fil, T.S.F.; *(Rundfunk)* radiodiffusion *f; im ~* à la radio; *das ~ an-, abstellen* brancher, arrêter *od* couper la radio; *~ hören* écouter la radio; **r~aktiv** *a* radioactif; *~~e Abfälle m pl* déchets *m pl* radio-actifs; *~~e Ausschüttung f* fall-out *m; ~~e Niederschläge m pl* retombée(s *pl*) *f* radioactive(s); *~~e(r) Stoff m* radio-élément *m; ~~e Strahlung f* radiation *f* atomique; *~~e Versuchung f* contamination *f* radioactive; **~aktivität** *f* radioactivité, radiation *f* atomique; **~apparat** *m* poste *m* de radio; *~~ mit Plattenspieler* radio-pick-up, radio-combiné *m;* **~astronomie** *f* radio-astronomie *f;* **~bastler** *m* sans-filiste *m;* **~durchsage** *f* message *m* radio; **r~elektrisch** *a* radio-électrique; **~element** *n* radio-élément *m;* **~fachmann** *m* radio *m fam;* **~gerät** *n = ~apparat;* **~gramm** *n* ⟨-s, -e⟩ [-'gram] radiogramme *m;* **~larie** *f* ⟨-, -n⟩ [-'la:riə] *zoo* radiolaire *m;* **~logie** *f* ⟨-, ø⟩ [-lo'gi:] radiologie *f;* **r~logisch** [-'lo:gɪʃ] *a* radiologique; **~meter** *n* ⟨-s, -⟩ [-'me:tər] radiomètre *m;* **r~metrisch** [-'me:trɪʃ] *a* radiométrique; **~musik** *f* musique *f* radiophonique; **~nautik** *f* radionavigation *f;* **~programm** *n* programme *m* de T.S.F.; **~röhre** *f* lampe *f* (de récepteur radio); **~sender** *m* poste *m* de T.S.F.; **~skop** *n* ⟨-s, -e⟩ [-'sko:p] radioscope *m;* **~skopie** *f* ⟨-, ø⟩ [-sko'pi:] radioscopie *f;* **~sonde** *f* radiosonde *f;* **~spule** *f* (bobine *f* de) self *m;* **~station** *f* station *f* émettrice, poste *m* émetteur; **~technik** *f* technique radiophonique, radiotechnique *f;* **~techniker** *m* radiotechnicien *m;* **~telegraphie** *f* radiotélégraphie *f;* **~telephonie** *f* radiotéléphonie *f;* **~teleskop** *n* radiotéléscope *m;* **~therapie** *f* radiothérapie, curiethérapie *f;* **~übertragung** *f* radiodiffusion *f.*

Radium *n* ⟨-s, ø⟩ ['ra:dium] *chem* radium *m;* **~behandlung** *f* radiumthérapie *f;* **~emanation** *f* radon *m;* **r~haltig** *a* radifère; **~therapie** *f = Radiotherapie.*

Radius *m* ⟨-, -dien⟩ ['ra:dius, -diən] *math* u. *fig* rayon *m;* **~vektor** *m (Leitstrahl)* rayon *m* vecteur.

Radscha *m* ⟨-s, -s⟩ ['ra(:)dʒa] *(ind. Fürst)* ra(d)jah *m.*

raff|en ['rafən] *tr (Stoff)* relever, retrousser; *(zs.~~)* ramasser; *film (Zeit)* accélérer; **R~gier** *f* cupidité *f;* **~gierig** *a,* **~ig** *a* avide; cupide; **R~ke** *m* ⟨-s, -s⟩ ['-kə] *fam pej* nouveau riche *m.*

Raffin|ade *f* ⟨-, ø⟩ [rafi'na:də] *(Zukker)* sucre *m* raffiné; **~ation** *f* ⟨-, -en⟩ [-natsi'o:n] *(Verfeinerung)* raffinage *m;* **~erie** *f* ⟨-, -n⟩ [-nə'ri:] raffinerie *f;* **~esse** *f* ⟨-, -n⟩ [-'nɛsə] raffinement *m;* subtilité *f;* **r~ieren** [-'ni:rən] *tr* raffiner; **~ieren** *n* raffinage *m;* **r~iert** *a, a. fig* raffiné; *fig* subtile, retors, astucieux; **~iertheit** *f a. fig* raffinement *m; fig* subtilité, astuce *f.*

ragen ⟨*aux: haben*⟩ ['ra:gən] *itr* s'élever, se dresser; *über etw* dominer qc.

Ragout *n* ⟨-s, -s⟩ [ra'gu:] *(Küche)* ragoût; *(von Fleischresten)* salmigondis; *fam* fricot *m.*

Rah|e *f* ⟨-, -n⟩ ['ra:ə] *mar* vergue *f;* **~segel** *n* voile *f* carrée.

Rahm *m* ⟨-(e)s, ø⟩ [ra:m] *dial* crème *f; den ~ abschöpfen (fig)* faire son beurre, tirer la couverture à soi; **r~ig** *a* crémeux; **~käse** *m* fromage *m* à la crème.

Rahmen *m* ⟨-s, -⟩ ['ra:mən] cadre; *(Tür, Fenster)* châssis; *(Zimmerei)* bâti *m; tech* forme *f; (Spannrahmen)* étendoir; *(Stickrahmen)* métier *m; (Schuh)* trépointe *f; fig* limites *f pl;* décor *m; im ~ (gen)* dans le cadre *od* la mesure (de); *im ~ des Möglichen* dans la mesure du possible; *aus dem ~ fallen (fig)* sortir de l'ordinaire; **r~** *tr* encadrer, monter; **~abkommen** *n pol* convention-type *f;* **~antenne** *f radio* (antenne *f* à) cadre *m;* **~empfang** *m radio* réception *f* sur cadre *od* sur détecteur *od* sur galène; **~empfänger** *m* récepteur *m* à cadre; **~gesetz** *n* loi-cadre *f;* **~peiler** *m* radiogoniomètre *m* de jour; **~plan** *m* plan-type *m;* **~programm** *n* programme *m* général; **~stickerei** *f* broderie *f* au métier; **~sucher** *m phot* viseur *m* à cadre.

Rain *m* ⟨-(e)s, -e⟩ [raɪn] *(Ackergrenze)* lisière *f;* **~farn** *m bot* tanaisie *f* (vulgaire).

räkeln ['rɛ:kəln] = *rekeln.*

Rakete *f* ⟨-, -n⟩ [ra'ke:tə] *tech* fusée; *mil* roquette *f; ferngelenkte* od *-gesteuerte ~* engin *m od* fusée *f* téléguidé(e); *zweistufige ~* fusée *f* à deux étages; *e-e ~ abschießen* lancer une fusée; **~nabschußbasis** *f* rampe *f* de lancement de fusée; **~nantrieb** *m* propulsion *f* par fusée(s), moteur *m* fusée; *mit ~~* propulsé par fusée(s); **~nflugzeug** *n* avion-fusée *m;* **~ngeschoß** *n* projectile-fusée *m,* fusée *f* balistique; **~nkopf** *m* ogive *f* de fusée; **~nmotor** *m,* **~ntriebwerk** *n* propulseur *m* à réaction; **~nstufe** *f* étage *m* (d'une fusée); **~ntechnik** *f* technique *f* des fusées; **~nträger** *m (Flugzeug)* avion *m* porte-engin(s); **~nwaffe** *f* arme-fusée *f;* **~nwerfer** *m* lance-fusée(s); lance-roquette(s) *m.*

Rakett *n* ⟨-(e)s, -e/-s⟩ [ra'kɛt] *(Tennisschläger)* raquette *f.*

Ramm|bär *m* ['ram-] **~bock** *m* mouton *m* (de sonnette); **r~dösig** *a fam (benommen)* abasourdi, étourdi; *~~ machen* abasourdir; **~e** *f* ⟨-, -n⟩ *(Hand~~)* mouton *m,* hie, dame, demoiselle; *(Pfahl~~)* sonnette *f;* **r~en** *tr* damer; *mar aero* éperonner; *mot* accrocher, heurter, tamponner.

ramm|eln ['raməln] *itr (Hasen)* s'accoupler; **R~ler** *m* ⟨-s, -⟩ bouquin; lièvre *od* lapin *m* mâle.

Rampe *f* ⟨-, -n⟩ ['rampə] *a. theat* rampe *f; bewegliche* od *tragbare ~* rampe *f* roulante; **~nlicht** *n theat* (feux *m pl* de la) rampe *f.*

ramponieren [rampo'ni:rən] *tr fam* amocher; endommager, abîmer.

Ramsch [ramʃ] **1.** *m* ⟨-es, (-e)⟩ camelote, (marchandise *f* de) rebut *m; pop* saloperie *f; im ~ kaufen* acheter en bloc; *~ verkaufen* cameloter; **r~en** *tr* acheter en bloc *od* à vil prix; **~laden** *m* magasin *m* à quatre sous; **~ware** *f* = ~.

Ramsch 2. ⟨es, -e⟩ *(Kartenspiel)* rams *m.*

ran [ran] *adv fam = heran; ~!* vas-y! *pop* amène-toi! *rechts ~!* appuyez à droite! *~ an den Feind!* sus à l'ennemi!

Rand *m* ⟨-(e)s, ⸚er⟩ [rant, 'rɛndər] bord *m;* bordure; lèvre *f; (erhöhter)* rebord *m; (Kante)* arête; *(Saum)* lisière; *typ* marge; *(genähter ~ e-s Schuhs)* trépointe *f; am ~e* en marge; *am ~e bemerkt* soit dit en passant; *außer ~ und Band* sorti *od* hors de ses gonds, déchaîné; *mit ~ (Brille)* à verres cerclés; *jdn an den ~ des Verderbens bringen* mettre qn à deux doigts de sa perte; *außer ~ und Band geraten* sortir de ses gonds; *dunkle Ränder um die Augen haben* avoir les yeux cernés; *mit etw nicht zu ~e kommen (fam)* ne pas venir à bout de qc; *am ~e des Verderbens stehen* être proche de la ruine; *das versteht sich am ~e* cela va sans dire; **~befeuerung** *f aero* balisage *m* périphérique; **~bemerkung** *f* note marginale *od* en marge, glose *f* (marginale); *~~en machen über* gloser sur; **~gebiet** *n* région *f* limitrophe; *pl fig* contrées *f pl* marginales; **~lage** *f* position *f* excentrique; **~leiste** *f* rebord *m;* **r~los** *a (Brille)* à verres nus; **~staat** *m* État *m* limitrophe; **~steller** *m (Schreibmaschine)* margeur *m;* **~verteidigung** *f mil* défense *f* périphérique; **~verzierung** *f typ* vignette *f;* **~zeichnung** *f* dessin *m* en marge.

randalieren ⟨*aux: haben*⟩ [randa'li:rən] *itr (lärmen)* faire du chahut *od* du vacarme; chahuter, tapager.

ränd|eln ⟨*ich rändelte*⟩ ['rɛndəln] *tr (Münze)* créneler; **R~elscheibe** *f tech* molette *f;* **~ern** *tr tech* faire un bord à.

Rang *m* ⟨-(e)s, ⸚e⟩ [raŋ, 'rɛŋə] rang *m; (Klasse)* classe *f; (Stufe)* échelon *m; (Stand)* condition *f; mil* grade; *fig* standing *m; theat* galerie *f; ersten ~es* de premier ordre, de première classe; *von hohem ~* de haut rang, d'un rang élevé; *fig* d'un niveau élevé; *jdm den ~ ablaufen* prendre le pas sur qn, couper l'herbe sous le pied de qn; damer le pion à qn; *e-n ~ einnehmen* prendre un rang; *den ~ e-s* od *e-r ... haben* avoir rang de ..., être au rang de ...; *jdm den ~ streitig machen* disputer la préséance à qn; **~abzeichen** *n* insigne *m od* marque *f* de grade; **~folge** *f* hiérarchie *f;* **r~höher** *a mil* d'un grade supérieur; **~klasse** *f* classe *f;* **~liste** *f mil* annuaire militaire; *sport* classement *m;* **r-mäßig** *a* u. *adv* dans l'ordre hiérarchique; **~ordnung** *f* ordre de préséance, ordre *m* hiérarchique, hiérarchie *f; gesellschaftliche* ~~ échelle *f* sociale; **~streit(igkeit** *f*) *m* dispute *f* de préséance.

Range *m* ‹-n, -n› od *f* ‹-, -n› ['raŋə] *(unartiges Kind)* gosse *m f;* polisson, ne *m f; pop* môme *m.*

ran=gehen ['ran-] *itr fam: tüchtig* ~ abattre de la besogne; *pop* en mettre un coup, tomber la veste.

Rangier|anlage *f* [rã'ʒi:r-] installation *f* de manœuvre; **~bahnhof** *m* gare *f* de triage *od* de manœuvre *od* d'évitement; **r~en** *tr* u. *itr* ‹*hat rangiert*› *loc* garer, trier, manœuvrer; *itr allg* avoir tel ou tel rang, prendre rang; *an erster Stelle* ~~ avoir le premier rang; **~en** *n* triage *m,* manœuvre *f;* **~gleis** *n* voie *f* de triage *od* de manœuvre *od* d'évitement; **~lokomotive** *f* locomotive *f* de triage *od* de manœuvre.

rank [raŋk] *a (schlank)* élancé, mince, grêle.

Rank|e *f* ‹-, -n› ['raŋkə] *bot* vrille *f; (der Rebe)* sarment *m;* **r~en** *itr* grimper; *am Boden* ~~ *(bot)* tracer; **~enmuster** *n,* **~enornament** *n,* **~enwerk** *n* ramage, rinceau *m.*

Ränke *m pl* ['rɛŋkə] intrigues, manigances, machinations *f pl;* **~schmied** *m* intrigant, machinateur *m* d'intrigue(s); **~spiel** *n* intrigues *f pl,* cabale *f;* **~sucht** *f* intrigue *f;* **r~süchtig** *a* intrigant; ~~ *sein (a.)* avoir l'esprit d'intrigue.

ran=kriegen ['ran-] *itr fam: jdn tüchtig* ~ serrer la vis à qn, visser qn.

Ranunkel *f* ‹-, -n› [ra'nuŋkəl] *bot* renoncule *f.*

Ränzel *n a. m* ‹-s, -› ['rɛntsəl] : *sein* ~ *schnüren* plier bagage.

Ranzen *m* ‹-s, -› ['rantsən] *(Schulranzen)* sac *m* (d'écolier), sacoche, gibecière; *pop (Bauch)* panse, bedaine *f.*

ranzig ['rantsıç] *a* rance; *~werden* rancir.

Rapier *n* ‹-s, -e› [ra'pi:r] *(zum Schlagen)* rapière *f; (zum Stoßen)* fleuret *m.*

Rappe *m* ‹-n, -n› ['rapə] cheval *m* noir *od* moreau.

Rapp|el *m* ‹-s, -› ['rapəl] *fam (Wutanfall)* accès *m* (de colère); *(Verrücktheit)* toquade, lubie *f; du hast wohl einen ~~? (fam)* qu'est-ce qui te prend? quelle mouche t'a piqué? **r~(e)lig** *a* toqué, timbré, quinteux; **~elkopf** *m* cerveau *m* brûlé; **r~elköpfisch** *a fam = r~(e)lig;* **r~eln** *itr tech* claquer, cliqueter, faire du bruit; *bei dir ~elt's wohl?* tu n'es pas bien?

Rappen *m* ‹-s, -› ['rapən] *(schweiz. Münze)* centime *m.*

Raps *m* ‹-es, -e› [raps] *bot* colza *m;* **~öl** *n,* **~saat** *f* huile, graine *f* de colza.

Rapunzel *f* ‹-, -n› [ra'puntsəl] *bot* mâche, doucette *f.*

rar [ra:r] *a* rare; *sich* ~ *machen* se faire rare; ~ *werden* se raréfier; **R~ität** *f* ‹-, -en› [rari'tɛ:t] rareté *f;* (objet *m* de) curiosité *f.*

rasan|t [ra'zant] *a mil (flach, gestreckt)* rasant, tendu; *fam = rasend;* **R~z** *f* ‹-, ø› [-'zants] rasance; *(Flugbahn)* tension *f.*

rasch [raʃ] *a* prompt; rapide; *adv a.* vite; ~ *erledigen (a.)* expédier; ~ *machen (fam)* faire vite, se dépêcher; **R~heit** *f* ‹-, ø› promptitude, rapidité, vitesse *f.*

rascheln ['raʃəln] *itr* froufrouter; faire un léger bruit; **R~** *n* froufrou, friselis *m.*

ras|en ‹*hat/ist gerast*› ['ra:zən] *itr (vor Wut)* ‹*hat gerast*› rager, faire rage, être hors de soi, *fam* fumer; *fig fam (schnell fahren)* ‹*ist gerast*› aller *od* prendre le grand galop; aller à toute vitesse, rouler à toute allure; *arg* gazer; *gegen etw* s'emboutir contre qc; **~end** *a* enragé, furieux, furibond; *(Beifall)* frénétique; *fig fam (~~ viel)* fou; *in ~~er Eile* à toute vitesse; *mit ~~er Geschwindigkeit* à une allure folle; *jdn ~~ machen* faire enrager *od* bondir *od* mousser *od* bouillir qn; *ich könnte ~~ werden (a.)* c'est à se taper la tête contre les murs; *~~e Zahnschmerzen m pl* une rage de dents; **R~erei** *f* [-'raı] *(Wut)* fureur, furie; *(Wahnsinn)* frénésie *f; mot* excès *m* de vitesse, allure *f* excessive; *jdn in ~~ bringen* exaspérer, faire enrager qn.

Rasen *m* ‹-s, -› ['ra:zən] (tapis de) gazon *m; (~fläche)* pelouse *f; mit ~ verkleiden* gazonner, revêtir de gazon; **~fläche** *f,* **~platz** *m* pelouse *f;* **~mäher** *m* tondeuse *f* (à gazon); **~sprenger** *m (Gerät)* arroseuse *f* **~streifen** *m* cordon *m* de gazon; **~walze** *f* rouleau *m* pour gazon.

Rasier|apparat *m* [ra'zi:r-] rasoir *m* mécanique; *elektrische(r)* ~~ rasoir *m* électrique; **~becken** *n* bassin *od* plat *m* à barbe; **~creme** *f* crème *f* à raser; **r~en** *tr* raser, faire la barbe (*jdn* à qn); *sich* ~~ se faire la barbe, se raser; *sich ~~ lassen* se faire faire la barbe; *gut, schlecht rasiert* bien, mal rasé; **~en** *n* rasage *m; ~~ oder Haarschneiden?* pour la barbe ou les cheveux? **~klinge** *f* lame *f* de rasoir; **~messer** *n* rasoir *m;* **~pinsel** *m* blaireau, pinceau *m* à barbe; **~seife** *f* savon *m* à raser *od* à barbe; *Stück n* ~~ bâton *m* à barbe; **~spiegel** *m* miroir *m* à barbe; **~zeug** *n* trousse *f* à barbe.

Räson *f* ‹-, ø› [rɛ'zõ:] raison *f,* bon sens *m; zur ~ bringen* amener à la raison; **r~ieren** [-zo'ni:rən] *itr* raisonner; *(nörgeln)* ergoter.

Raspel *f* ‹-, -n› ['raspəl] râpe *f;* **r~n** *tr* râper.

Rasse *f* ‹-, -n› ['rasə] race *f; man merkt die gute ~* bon sang ne peut mentir; **~hund** *m* chien *m* de race; **~ndiskriminierung** *f* discrimination *f* raciale; **~nfanatiker** *m* raciste *m;* **~nfanatismus** *m* racisme *m;* **r~nfeindlich** *a* antiraciste; **~nfrage** *f* question *f* raciale; **~ngruppe** *f* groupe *m* racial; **~nhaß** *m* haine *f* raciale; **~nhygiene** *f* eugénisme *m;* **~nintegration** *f* intégration *f* raciale; **~nkampf** *m* lutte *f* des races; **~nkreuzung** *f* croisement de(s) races, métissage *m;* **~ntrennung** *f* ségrégation *f* raciale *od* des races; **~nunterschied** *m* différence *f* raciale; **~nverfolgung** *f* persécution *f* raciale; **~pferd** *n* cheval *m* de race; **r~rein** *a* de race pure; **rassig** *a fam* racé; *pop* girond; **rassisch** *a* racial; ~~ *gemischt* multiracial; **Rassismus** *m* racisme *m.*

Rassel *f* ‹-, -n› ['rasəl] *(Klapper)* crécelle *f;* **~bande** *f* bande *f* bruyante d'enfants; **r~n** *itr* cliqueter, résonner; *mit dem Säbel ~~ (fig)* prendre une attitude menaçante; **~n** *n* cliquetis *m.*

Rast *f* ‹-, -en› [rast] repos *m,* pause, halte *f; (Ruhepause)* relâche *m,* récréation; *mil* grand-halte *f; ohne ~ und Ruh* sans repos ni trêve; **r~en** ‹*hat gerastet*› *itr* faire (une) halte; se reposer; **~haus** *n = ~stätte;* **~hebel** *m* gâchette *f* automatique; **r~los** *a* sans repos, sans relâche, sans trêve, sans cesse; *(unablässig)* incessant, infatigable; **~losigkeit** *f* agitation *f* continuelle *od* incessante; **~platz** *m* halte *f* (de routiers); **~stätte** *f (an der Autobahn)* restaurant d'autoroute, restoroute; relais *m; (mit Tankstelle)* station *f* et halte.

Raster *m* od *n* ‹-s, -› ['rastər] *tech* glace *f* quadrillée; *typ* réseau *m,* trame *f; (Bildfunk)* quadrillage *m;* **~ätzung** *f* autotypie *f.*

Rasur *f* ‹-, -en› [ra'zu:r] *(Rasieren)* rasage *m; (ausradierte Stelle)* rature *f.*

Rat *m* ‹-(e)s, ¨e/-schläge› [ra:t, 'rɛ:tə] *(~schlag)* conseil, avis *m; (Vorschlag)* suggestion *f; (Kollegium)* conseil; *(Person)* conseiller *m; auf m-n ~ (hin)* sur mon conseil; *jds ~ befolgen* suivre le conseil de qn; *jdn um ~ bitten* od *fragen* consulter qn, demander conseil à qn; *jds ~ einholen* prendre l'avis de qn; *mit sich (selber) zu ~e gehen* bien réfléchir; *~ halten = r~schlagen; auf keinen ~ hören* ne prendre conseil *od* avis de personne; *~ schaffen* y pourvoir, trouver voies et moyens; *immer ~ wissen* être homme de bon conseil; *sich keinen ~ mehr wissen* ne savoir plus que faire; *jdn zu ~e ziehen* prendre conseil auprès de qn *od* l'avis de qn; *etw (ein Buch) zu ~e ziehen* consulter qc; *da ist guter ~ teuer* c'est difficile; que faire? *guter ~ kommt über Nacht (prov)* la nuit porte conseil; *kommt Zeit, kommt ~ (prov)* qui vivra, verra; **r~en** ‹*du rätst, er rät, riet, geraten*› *tr (e-n ~ geben)* conseiller; *(empfehlen)* recommander; *(Rätsel)* deviner; *jdm etw zu ~~ aufgeben (fig)* donner du fil à retordre à qn; *das R~~ aufgeben* donner sa langue au chat; *ich rate Ihnen zur Vorsicht* je vous conseille la prudence; *das ~~ Sie nicht!* je vous le donne à deviner *od* en dix *od* en cent *od* en mille; *wem nicht zu ~~ ist,* *dem ist auch nicht zu helfen (prov)* à parti pris point de conseil; **~geber** *m* conseiller *m;* **~haus** *n (e-r Stadt)* hôtel *m* de ville; *(e-s kleineren Ortes)* mairie *f;* **r~los** *a* embarrassé, perplexe, désemparé, déconcerté; **~losigkeit** *f* ⟨-, ø⟩ embarras *m,* perplexité *f;* **r~sam** *a* conseillé, opportun, convenable; *für ~~ halten zu* juger *od* croire utile de; *es wäre ~~ zu* il serait expédient de; **~schlag** *m* conseil *m;* **r~schlagen** ⟨*er ratschlagt(e), hat geratschlagt*⟩ *itr* tenir conseil, délibérer; **~schluß** *m* arrêt, décret *m;* **~sdiener** *m* huissier *m;* **~sherr** *m (Stadtrat)* conseiller municipal, sénateur *m;* **r~sherrlich** *a* sénatorial; **~skeller** *m* restaurant *m od* brasserie *f* de l'hôtel de ville; **~sschreiber** *m* secrétaire *m* de mairie; **~ssitzung** *f,* **~sversammlung** *f* (séance *f* du) conseil *m.*

Rate *f* ⟨-, -n⟩ ['ra:tə] *com* acompte *m (Schweiz)* rate; *allg* quote-part; *(Monatsrate)* mensualité *f; in ~n (be-) zahlen* payer par *od* en acomptes *od* termes *od* en plusieurs versements; *auf ~n* od *~nzahlung kaufen* acheter à tempérament; **~nkauf** *m* achat *m* par acomptes *od* à tempérament; **r~nweise** *adv* par acomptes, à tempérament, à terme; *fig* par petits paquets; **~nzahlung** *f* paiement *m* par acomptes *od* termes *od* à tempérament; *pl* versements *m pl* échelonnés.

Räte|regierung *f* ['rɛ:tə-] gouvernement *m* des soviets; **~republik** *f* république *f* des conseils *od* soviétique.

Rät|ien *n* ['rɛ:tsiən] la Rhétie; **r~oromanisch** [rɛtoro'ma:nɪʃ] *a* rhéto-roman.

Ratifi|kation *f* ⟨-, -en⟩ [ratifikatsi'o:n] , **~zierung** *f* [-'tsi:ruŋ] ratification *f;* **~kationsurkunde** *f* instrument *m* de ratification; **r~zieren** [-'tsi:rən] *tr* ratifier.

Ration *f* ⟨-, -en⟩ [ratsi'o:n] ration *f; eiserne ~* ration *f od* vivres *m pl* de réserve; **r~al** [-tsio'na:l] *a* rationnel; **r~alisieren** [-nali'zi:rən] *tr* rationaliser; **~alisierung** *f* rationalisation *f;* **~alismus** *m* ⟨-s, ø⟩ [-'lɪsmus] rationalisme *m;* **~alist** *m* ⟨-en, -en⟩ [-na'lɪst] rationaliste *m;* **r~alistisch** [-'lɪstɪʃ] *a* rationaliste; **r~ell** [-'nɛl] *a (vernünftig)* rationnel; *(zweckmäßig)* approprié, fonctionnel; **r~ieren** [-'ni:rən] *tr adm* rationner; **r~iert** *a* soumis au rationnement; **~ierung** *f* rationnement *m;* **~ierungssystem** *n* régime *m* de rationnement.

Rätsel *n* ⟨-s, -⟩ ['rɛ:tsəl] énigme *f,* mystère *m; (Aufgabe)* devinette *f; ein ~ aufgeben, lösen* poser, résoudre une devinette; *in ~n sprechen* parler par énigmes; *ich stehe vor e-m ~, das* od *es ist mir ein ~ (a.)* c'est inconcevable (pour moi); je n'y comprends rien; *des ~s Lösung* le mot de l'énigme, le fin mot de l'histoire; *das ist des ~s Lösung* voilà l'explication; **~ecke** *f* coin *m* des chercheurs; **r~haft** *a* énigmatique; *(unerklärlich)* incompréhensible, inconcevable, indéchiffrable; *(geheinmisvoll)* mystérieux; **~haftigkeit** *f* caractère *m* énigmatique; incompréhensibilité *f;* mystérieux *m;* **~löser** *m* solutionniste *m; geschickte(r) ~~* œdipe *m;* **r~n** *itr* deviner; **~raten** *n fig* spéculations *f pl.*

Ratte *f* ⟨-, -n⟩ ['ratə] rat *m; (weibl. ~)* rate *f; von ~n befreien* dératiser; **~nbekämpfung** *f* dératisation *f;* **~nfalle** *f* ratière *f;* **~nfänger** *m (Mensch)* preneur de rats; *(Hund)* (chien) ratier *m;* **~ngift** *n a. fig* mort-aux-rats *f;* **~nkönig** *m fig (unentwirrbare Schwierigkeit)* enchevêtrement *m;* **~nloch** *n fig* nid *m* à rats; **~nschwanz** *m fig (endlose Folge)* cascade *f.*

Rätter *m* ⟨-s, -⟩ ['rɛtər] *tech (Sieb)* crible *m* oscillant.

rattern ['ratərn] *itr* pétarader; **R~** *n* pétarade *f; mot* broutage *m.*

Ratze *f* ⟨-, -n⟩ ['ratsə] *fam = Ratte.*

Raub *m* ⟨-(e)s, ø⟩ [raup, -bəs] rapine *f,* brigandage, vol *m* à main armée; *(Beraubung)* spoliation *f; (Plünderung)* pillage; *(Menschenraub)* rapt *m; fig (Beute)* proie *f; auf ~ ausgehen* chercher sa proie; *ein ~ der Flammen werden* devenir la proie des flammes; **~bau** *m allg* exploitation *f* abusive *od* dévastatrice; pillage *m; geog* déprédation *f; ~~ treiben* exploiter d'une façon abusive (*an etw* qc); *an s-r Gesundheit* abîmer sa santé; **~druck** *m* édition *f* pirate; **r~en** ['-bən] *tr* ravir *(a. Menschen* u. *fig);* voler, dérober; prendre; *(plündern)* piller; *ich ~e Ihre Zeit* j'abuse de votre temps; **~gier** *f* rapacité *f;* **r~gierig** *a* rapace, vorace, avide de proie; **~mord** *m* vol et assassinat, meurtre *m* aux fins de voler; **~mörder** *m* voleur et assassin *m;* **~ritter** *m* chevalier *m* brigand; **~tier** *n* carnassier, carnivore *m;* **~überfall** *m* attaque *od* agression *f* à main armée; hold-up *m;* **~vogel** *m* oiseau *m* de proie.

Räuber *m* ⟨-s, -⟩ ['rɔʏbər] brigand, bandit, voleur; spoliateur; *(Straßen~)* détrousseur, voleur *m* de grand chemin; *wie ein ~ aussehen (fam)* être fait comme un voleur; **~bande** *f* bande *f* de brigands; **~ei** *f* [-'raɪ] *fam* brigandage; *(Plünderung)* pillage *m;* **~geschichte** *f* histoire *f od* conte de brigands; *fig* conte *m* bleu; **~hauptmann** *m* chef *m* de brigands; **~höhle** *f* nid de brigands, repaire; *fig* coupe-gorge *m;* **r~isch** *a* rapace; pillard; de brigand; **r~n** *itr* piller; **~pistolen** *f pl fam hum* histoires *f pl* de brigand.

Rauch *m* ⟨-(e)s, ø⟩ [raux] fumée *f; in ~ aufgehen (fig)* s'en aller *od* s'évanouir en fumée; *wo ~ ist, ist auch Feuer (prov)* il n'y a pas de fumée sans feu; **~abzug** *m* conduit(e *f*) *m* de fumée; **~bildung** *f* production *f od* dégagement *m* de fumée; **~bombe** *f* bombe *f* fumigène; **r~en** *itr* u. *tr* fumer; *auf Lunge ~~* avaler *od* inhaler la fumée (de la cigarette); *mir ~t der Kopf* la tête me tourne; *(bitte) nicht ~~!* (prière de) ne pas fumer; **~en** *n: ~~ verboten!* défense de fumer; **~entwickler** *m,* **~erzeuger** *m* appareil *od* engin *m* fumigène; **~entwick(e)lung** *f* dégagement *m od* émission *f* de fumée; **~er** *m* ⟨-s, -⟩ fumeur *m; starke(r) ~~* grand *od* gros fumeur *m;* **~erabteil** *n loc* compartiment *m* de fumeurs; **~fahne** *f* panache *od* ruban *m od* traînée *f* de fumée; *pl* flots *m pl* de fumée; *dünne ~~* filet *m* de fumée; **~fang** *m* (hotte de) cheminée *f;* **~faß** *n rel* encensoir *m;* **~fleisch** *n* viande *f* fumée; **r~frei** *a* sans fumée; **r~geschwärzt** *a* noirci par la fumée; **~glas** *n* verre *m* fumé; **~granate** *f mil* obus *m* fumigène; **~helm** *m* casque *m* respiratoire; **r~ig** *a* fumeux; **~kanal** *m tech* carneau *m;* **r~los** *a* sans fumée; **~ofen** *m aero* pot *m* à fumée; **~säule** *f* colonne *f* de fumée; **~schleier** *m* écran de fumée, rideau *m* fumigène; **~schutz** *m loc* pare-fumée *m;* **~schwaden** *m (pl)* nuages *m pl* d'incendie; **~schwalbe** *f* hirondelle *f* rustique *od* de cheminée; **~spurmunition** *f* projectile *m* traceur; **~tabak** *m* tabac *m* à fumer; **~verbot** *n* défense *f* de fumer; **~vergiftung** *f* intoxication *f* par la fumée; **~verzehrer** *m* fumivore *m;* **~vorhang** *m* rideau *m* de fumée; **~waren** *f pl* **1.** tabacs *m pl;* **~wölkchen** *n* flocon *m* de fumée; **~wolke** *f* nuage *m* de fumée; *(kleine)* bouffée *f;* **~zimmer** *n* fumoir *m.*

Räucher|aal *m* ['rɔʏçər-] anguille *f* fumée; **~bude** *f pej* tabagie *f;* **~faß** *n = Rauchfaß m;* **~kammer** *f tech* fumoir *m;* **~kerzchen** *n,* **~kerze** *f* parfum *m od* pastille *f* à brûler; **r~n** *tr (Fleisch, Wurst)* fumer; *(Heringe)* saurer; *itr* faire des fumigations, brûler des parfums; **~n** *n* fumage; saurissage *m;* **~pfanne** *f* cassolette *f;* **~ung** *f med* fumigation *f; rel* encensement *m;* **~waren** *f pl* produits *m pl* fumés; **~werk** *n* encens *m;* parfums *m pl.*

Rauch|waren *f pl* ['raux-] **2.,** **~werk** *n (Pelze)* pelleterie *f;* **~warenhändler** *m* pelletier *m.*

Räud|e *f* ⟨-, -n⟩ ['rɔʏdə] *med vet* gale, teigne *f;* **r~ig** *a* galeux, teigneux; *~~e(s) Schaf n (fig)* brebis *f* galeuse.

rauf [rauf] *adv fam = herauf.*

Rauf|bold *m* ⟨-(e)s, -e⟩ ['raufbɔlt, -də] batailleur, spadassin, bretteur, bretailleur, ferrailleur *m;* **r~en** *tr: sich die Haare ~~* s'arracher les cheveux; *sich ~~* se chamailler, se battre; **~erei** *f* [-'raɪ] rixe *f;* **~lust** *f* humeur *f* batailleuse *od* querelleuse; **r~lustig** *a* batailleur, querelleur.

Raufe *f* ⟨-, -n⟩ ['raufə] *agr* râtelier *m.*

rauh [rau] *a allg* âpre *a. fig; (Fläche)* raboteux, rugueux; *bot (borstig)* hispide; *(Stimme)* rauque; *(Klima)* rigoureux, rude, inclément; *(Gegend)* sauvage; *(Mensch)* rêche, revêche, rébarbatif; *(Ton, Sprache)* dur; *(Sitten)* sauvage, grossier; *adv* vertement, à la dure; *in ~en Mengen* en masse, comme s'il en pleuvait; *~ anfahren* rudoyer; *e-e ~e Schale haben (fig)* être rêche *od* revêche; *die ~e*

Wirklichkeit la dure réalité; **R~bank** *f (Hobel)* varlope *f;* **R~bein** *n* rustre, meneur *m* d'ours; **~beinig** *a* revêche, grossier; **R~bewurf** *m = R~putz;* **Rauheit** *f* âpreté; rigueur; rudesse; dureté; grossièreté *f;* **~en** *tr (~ machen)* rendre raboteux *od* rugueux; *(Tuch)* lainer; **R~frost** *m = R~reif;* **R~futter** *n* foin *m* et paille *f;* **~haarig** *a* hirsute; **R~haarterrier** *m* terrier *m* à poil dur; **R~maschine** *f (Textil)* laineuse *f;* **R~putz** *m* crépi *m,* crépissure *f;* enduit *m* hourdé; **R~reif** *m* givre *m,* gelée *f* blanche.

Raum *m* ‹-(e)s, ⸚e› [raum, 'rɔʏmə] *a. philos astr* espace *m; (Ausdehnung, Weite)* étendue; *(bestimmter ~, Platz)* place *f; (Spielraum)* jeu *m; (Zimmer)* pièce *f,* local *m; (Gebiet)* région, zone *f; auf knappem ~ (fig)* dans un volume restreint; *wenig ~ beanspruchen (Sache)* tenir peu de place; *~ bieten für* offrir de la place pour; *e-n breiten ~ einnehmen* tenir une grande place; *~ geben (e-r Bitte)* céder, acquiescer, consentir (à); *(e-m Gedanken, e-r Vorstellung)* donner place *od* du champ à, admettre; se livrer à; *zu fünft in e-m ~ wohnen* vivre à cinq dans la même pièce; *geschlossene(r) ~* local *m* clos; *gewerblich genutzte(r) ~* local *m* à usage professionnel; *tote(r) ~ (mil)* espace *m* mort; *~ und Zeit* l'espace *m* et le temps; **~anzug** *m (Weltraumanzug)* combinaison *f* spatiale *od* pressurisée *od* anti-g; **~aufteilung** *f* aménagement *m;* **~bedarf** *m* place *f* requise; **~bild** *n* image *f* stéréoscopique *od* en relief; **~bildmesser** *m* télémètre stéréoscopique, stéréotélémètre *m;* **~bildmessung** *f* stéréophotogrammétrie *f;* **~einheit** *f math* unité *f* de volume; **~ersparnis** *f* économie *f* de place; *zwecks ~~* pour gagner de la place; **~fahrer** *m* cosmonaute, astronaute *m;* **~fahrt** *f* (navigation) astronautique; navigation *f* cosmique; **~fahrtforschung** *f* recherche *f* astronautique; **~fahrtprogramm** *n* programme *m* spatial; **~fahrzeug** *n* véhicule spatial *od* de l'espace, astronef *m;* **~fernsehen** *n* télévision *f* stéréoscopique; **~flug** *m* vol *m* spatial *od* cosmique; *bemannte(r) ~~* vol *m* (spatial) habité; **~flugkörper** *m* engin *m* spatial; **~forschung** *f* recherche(s *pl*) *f* spatiale(s); **~frau** *f (Astronautin)* femme *f* de l'espace; **~gefühl** *n* sens *m* de l'espace; **~geräusch** *n* bruit *m* de salle; **~gestalter** *m (Innenarchitekt)* décorateur, ensemblier *m;* **~gestaltung** *f* décoration *f;* **~inhalt** *m* volume *m;* capacité *f,* cubage *m;* **~krankheit** *f* mal *m* de l'espace; **~kunst** *f* art *m* décoratif; **~lehre** *f* stéréométrie *f;* **~mangel** *m* manque *m* de place; **~maß** *n* mesure *f* de volume; **~mensch** *m* homme *m* de l'espace; **~meter** *n, a. m* mètre cube; *(Holz)* stère *m;* **~pflegerin** *f* femme *f* de ménage *od* de journée; **~planung** *f* aménagement *m* du territoire; **~schiff** *n* vaisseau *od* véhicule cosmique *od* interplanétaire, astronef, aéronef *m* interplanétaire; **~sonde** *f* sonde *f* spatiale *od* de l'espace; **r~sparend** *a* peu encombrant; **~ton** *m* son *m* stéréophonique, stéréophonie *f;* **~verteilung** *f* aménagement *m,* disposition *f;* **~wellen** *f pl* ondes *f pl* spatiales; **r~-zeitlich** *a* spatio-temporel.

Räum|boot *n* ['rɔʏm-] dragueur *m* de mines; **r~en** *tr (aufgeben, zur Verfügung stellen)* vider, évacuer, quitter; *(von Schutt)* déblayer; *(Hafen)* curer; *(Minen)* déterrer, *mar* draguer; *tech* brocher; *itr com* réaliser son stock, liquider; *beiseite ~~* mettre de côté; *den Saal ~~* (faire) évacuer la salle; **~gerät** *n* machine à déblayer; *mar* drague *f;* **r~lich** *a* spatial, dans l'espace; *~~ beschränkt sein* manquer de place; *~~e Entfernung f* éloignement *m; ~~e(s) Sehen n* vue *f* stéréoscopique; *~~e Tiefe f (film)* relief *m;* **~lichkeiten** *f pl (Räume)* locaux *m pl;* **~nadel** *f tech* dégorgeoir *m;* **~pflug** *m* bulldozer *m;* **~te** *f* ‹-, -n› *mar (Laderaum)* cale *f;* **~ung** *f* évacuation *f;* déblaiement *m com* liquidation *f;* **~ungsarbeiten** *f pl* travaux *m pl* de dégagement; **~ungs(aus)verkauf** *m* liquidation *f* (générale *od* totale); **~ungsbefehl** *m* arrêté *m* d'expulsion; **~ungsklage** *f* demande *f* d'expulsion.

raunen ['raunən] *itr* murmurer; chuchoter.

raunz|en ['rauntsən] *itr dial (nörgeln)* gronder, grogner; **R~er** *m* ‹-s, -› grognon *m;* **R~erei** *f* [-'raɪ] grognerie *f.*

Raupe *f* ‹-, -n› ['raupə] *ent* chenille *a. tech; (Uniform)* torsade *f;* **~nfahrzeug** *n* véhicule *od* engin *m* chenillé *od* à chenille(s); *kleine(s) ~~* chenillette *f;* **~nfraß** *m* dégâts *m pl* causés par les chenilles; **~nleim** *m* colle *f* antichénillique; **~nnest** *n* chenillère *f;* **~nschlepper** *m* tracteur *m* à chenilles, auto-chenille *f.*

raus [raus] *fam = heraus; ~!* hors d'ici! va-t'en! *pop* oust(e)! *nun ist es ~ (fam: gesagt)* le mot est lâché; **~≈fliegen** *itr fam* sauter; **~≈gehen** *itr fam (aus e-m Raum)* déblayer le plancher; **~≈hängen** *itr: das hängt mir zum Halse ~! (fam)* j'en ai marre; **~≈kommen** *itr: (dabei) ~~ (fam)* en sortir, en résulter; **~≈rükken** *tr fam (Geld)* lâcher; *pop* abouler; **~≈schmeißen** *tr pop* sortir, vider, sacquer; **~≈werfen** *tr fam* flanquer à la porte; *(Angestellten)* virer.

Rausch *m* ‹-es, ⸚e› [rauʃ, 'rɔʏʃə] *a. fig* ivresse *f,* enivrement *m; fig* griserie *f; im ~* en état d'ivresse; *sich e-n ~ antrinken* s'enivrer; *s-n ~ ausschlafen* cuver son vin; *e-n ~ haben* être ivre *od* gris; **~gelb** *n* ‹-s, ø› *min (Auripigment)* orpiment *m;* **~gift** *n* stupéfiant *m,* drogue *f; ~~ gebrauchen* se droguer; **~gifthandel** *m* trafic *m* des stupéfiants; **~gifthändler** *m* trafiquant *m* de stupéfiants; **r~haft** *a* enivré; **Räuschlein** *n* pointe *f* de vin.

rausch|en ‹*aux: haben*› ['rauʃən] *itr* bruire; *(Wind)* mugir; *(Blätter)* susurrer; *(Stoff)* froufrouter; **R~en** *n* bruissement; mugissement; susurrement; froufrou *m;* **R~gold** *n* oripeau *m.*

räuspern, *sich* ‹*räusperte, geräuspert*› ['rɔʏspərn] se racler la gorge.

Raute *f* ‹-, -n› ['rautə] *(Rhombus)* losange, rhombe *m; bot* rue *f;* **r~nförmig** *a* en losange, rhombique; **~ngewächse** *n pl* rutacées *f pl.*

Razzia *f* ‹-, -zzien/-s› ['ratsia, '-siən] rafle, razzia *f; e-e ~ machen* faire une rafle.

Reag|ens *n* ‹-, -genzien› [re'a:gɛns/ rea'gɛns, -'gɛntsiən], **~enz** *n* ‹-es, -zien› [-'gɛnts] *chem* réactif *m;* **~enzglas** *n* éprouvette *f,* tube *m* (à essai); **r~ieren** [-'gi:rən] *itr chem* agir; *allg* réagir, être sensible (*auf* à); *schnell ~~* avoir du réflexe.

Reaktanz *f* ‹-, -en› [reak'tants] *el* réactance *f.*

Reaktion *f* ‹-, -en› [reaktsi'o:n] réaction *f; ~ auf Reize (biol)* irritabilité *f;* **r~är** [-tsio'nɛ:r] *a pol* réactionnaire; **~är** *m* ‹-s, -e› réactionnaire *m;* **~sfähigkeit** *f psych* pouvoir *m* de réaction; *physiol* réactivité *f;* **~sgeschwindigkeit** *f,* **~szeit** *f* vitesse *f,* temps *m* de réaction.

reaktivier|en [reakti'vi:rən] *tr allg* rappeler à l'activité; *mil* réactiver; **R~ung** *f mil* rappel *m* à l'activité.

Reaktor *m* ‹-s, -en› [re'aktɔr, -'to:rən] *phys* réacteur *m,* pile *f* (atomique).

real [re'a:l] *a (wirklich)* réel, effectif, concret; **R~einkommen** *n* revenu *od* produit *m* réel; **~isierbar** [-'zi:r-] *a* réalisable; **~isieren** *tr* réaliser; **R~isierung** *f* réalisation *f;* **R~ismus** *m* ‹-, ø› [-'lɪsmus] réalisme *m;* **R~ist** *m* ‹-en, -en› [-'lɪst] réaliste *m;* **~istisch** [-'lɪstɪʃ] *a* réaliste; **R~ität** *f* ‹-, -en› [-li'tɛ:t] réalité *f;* **R~katalog** m catalogue *m* analytique; **R~lohn** *m* salaire *m* réel; **R~politik** *f* politique *f* réaliste; **R~wert** *m* valeur *f* réelle.

Rebbach *m* ‹-s, ø› ['rɛbax] *arg (Gewinn)* chopin *m pop.*

Reb|e *f* ‹-, -n› ['re:bə] *(Weinstock)* (cep *m* de) vigne *f; (Weinranke)* sarment, pampre *m;* **~enart** *f* cépage *m;* **~enblut** *n,* **~ensaft** *m poet* jus *m* de la treille; **~engeländer** *n* treillage *m;* **~laus** ['re:p-] *f* phylloxéra *m; von der ~~ befallen* phylloxéré; **~ling** *m* ‹-s, -e› *(Schößling)* sarment *m;* **~messer** *n* serpette *f;* **~stock** *m* (pied *m* de) vigne *f,* cep *m* (de vigne).

Rebell *m* ‹-en, -en› [re'bɛl] rebelle, révolté *m;* **r~ieren** ‹*aux: haben*› [-'li:rən] *itr* se rebeller, se révolter; **~ion** *f* ‹-, -en› [-li'o:n] rébellion, révolte *f;* **r~isch** [-'bɛlɪʃ] *a* rebelle.

Rebhuhn *n* ['rɛp-] perdrix *f; junge(s) ~* perdreau *m.*

Rebus *m* od *n* ‹-, -sse› ['re:bus(ə)] *(Bilderrätsel)* rébus *m.*

rechen ['rɛçən] *tr (harken)* ratisser; **R~** *m (Harke)* râteau *m.*

Rechen|aufgabe *f* ['rɛçən-] problème (d'arithmétique), devoir *m* de calcul; **~brett** *n* boulier *m;* **~buch** *n* livre *m* d'arithmétique; **~exempel** *n* = *~aufgabe;* **~fehler** *m* erreur *od* faute *f* de calcul; mécompte *m;* **~künstler** *m* calculateur *m* prodige; **~lehrer** *m* maître *m* d'arithmétique; **~maschine** *f* machine à calcul(er); calculatrice *f; elektrische ~~* machine *f* électrocomptable; *elektronische ~~* calculatrice *f* électronique; **~schaft** *f* ‹-, ø› raison *f; (Bericht)* compte *m* rendu; *über etw ~~ ablegen* rendre compte de qc; *niemandem ~~ schuldig sein* n'avoir de comptes à rendre à personne; *jdn zur ~~ ziehen* demander compte *od* des explications à qn; **~schaftsbericht** *m* compte rendu, rapport *m* de gestion; **~schieber** *m* règle à calcul *od* logarithmique, échelle *f* logarithmique; **~stunde** *f (Schule)* leçon *f* de calcul *od* d'arithmétique; **~tabelle** *f* barème *m;* **~tafel** *f* table *f* à calculer, abaque *m;* **~unterricht** *m* enseignement *m* du calcul *od* de l'arithmétique.

Recherchen *f pl* [re'ʃɛrʃən] *(Nachforschungen)* recherches *f pl.*

rechn|en ['rɛçnən] *tr* calculer, compter, faire le compte de; *(ansehen als)* ranger (*zu, unter* parmi), compter au nombre, mettre au nombre *od* rang (*zu, unter* de); *itr* compter, tabler (*mit, auf* sur); *(gefaßt sein auf)* s'attendre (*mit etw* à qc); *alles in allem ge~et* tout compte fait, somme toute; *mit allem ~~ (a.)* faire la part de l'imprévu; *mit e-m Erfolg ~~* escompter un succès; *mit jedem Pfennig ~~* compter chaque sou; *mit jdm* od *etw ~~* compter *od* parier sur qn *od* qc; *mit dem Schlimmsten ~~* envisager le pire; *damit können Sie nicht ~~* vous ne pouvez tabler là-dessus; *es muß damit gerechnet werden, daß ...* il faut s'attendre à ce que ...; **R~en** *n* calcul *m;* **R~er** *m* ‹-s, -› calculateur; arithméticien *m;* **~erisch** *a* arithmétique; *adv* par des calculs, par voie de calcul.

Rechnung *f* ‹-, -en› ['rɛçnuŋ] *(Rechnen)* calcul; *(Berechnung)* compte; *(Kostenforderung)* compte *m,* note, facture *f,* mémoire *m; (in e-r Gaststätte)* addition; *fam* douloureuse *f; auf eigene ~* pour son propre compte; *auf eigene ~ und Gefahr* à ses risques et périls; *auf gemeinsame ~* en participation; *für fremde ~* pour le compte d'autrui; *e-e ~ ausstellen* dresser *od* établir *od* faire un compte *od* une facture; *e-e ~ begleichen* apurer un compte, régler un mémoire; *für fremde ~ handeln* agir pour le compte d'autrui; *(dabei) auf s-e ~ kommen* (y) trouver son compte; *jdm e-n Strich durch die ~ machen (fig)* traverser les desseins de qn; *die ~ ohne den Wirt machen n (fig)* compter sans l'hôte *od* sans son hôte; se tromper dans ses prévisions; *auf s-e ~ nehmen* prendre sur son compte; *in ~ stellen* mettre *od* passer *od* porter en compte; *jdm etw in ~ stellen* porter qc au *od* sur le compte de qn; *e-r Sache ~ tragen* tenir compte de qc; *auf neue ~ vortragen* porter à un nouveau compte; *die ~ geht auf* le compte est bon; *s-e ~ ging nicht auf (fig)* il s'est trompé dans ses calculs; *gepfefferte ~ (fam)* coup de fusil; *glatte ~* compte *m* rond; *offene ~* compte *m* ouvert *od* courant; **~sablage** *f* reddition *f* de compte; **~sabschluß** *m* apurement *m* de compte; **~saufstellung** *f* établissement *m* de compte; **~sauszug** *m* relevé *m* de compte; **~sbeleg** *m* pièce *f* comptable *od* justificative; **~sbetrag** *m* montant *m* de (la) facture; **~sbuch** *n* livre *m* de comptabilité *od* de compte; **~sführer** *m* (agent) comptable; *mil* sous-officier *m* comptable; **~sführung** *f* comptabilité, gestion *f* comptable; **~shof** *m* Cour *f* des comptes; **~sjahr** *n* exercice *m* (financier), année *f* fiscale; **~sprüfer** *m* vérificateur *od* commissaire *m* aux comptes; **~sprüfung** *f* vérification *f* des comptes; **~srat** *m* conseiller référendaire *od* auditeur *m* à la Cour des comptes; **~sstelle** *f* service *m* de comptabilité; **~svorlage** *f* présentation *f* d'une *od* de la facture; **~swesen** *n* (service *m* de) comptabilité *f.*

recht [rɛçt] *a (Seite, Winkel)* droit; *(richtig)* juste; *(wahr, echt)* vrai, véritable; *(~mäßig)* légitime; *(geeignet)* convenable, opportun; *adv (sehr)* bien, très; fort; *(ziemlich)* assez, passablement; *(gehörig)* comme il faut; *(richtig)* juste; *am ~en Ort* au bon endroit; *erst ~* à plus forte raison; *erst ~ nicht!* encore moins; *ganz ~ (adv)* tout juste; très bien! *gerade ~ (adv)* à point (nommé); *(gerade) im ~en Augenblick* à point nommé; *mehr als ~ ist* plus que de raison; *wie ~ und billig (ist)* comme de raison; *zur ~en Zeit* à temps; en temps utile; à point (nommé); à propos; *~ eigentlich* par excellence; *~ gern* bien volontiers; *~er Hand* à main droite; *~ und schlecht* tant bien que mal; *~ oder unrecht* à tort ou à raison; *~ behalten* avoir finalement raison, finir par avoir raison, l'emporter; *jdm (nicht) ~ geben* donner raison (tort) à qn; *~ haben* avoir raison; *gerade ~ kommen* arriver *od* venir à propos *od* à point, bien tomber; *an den R~en kommen* trouver son homme *od* à qui parler; *es jdm ~ machen* satisfaire qn; *es jedem ~ machen wollen (a.)* ménager la chèvre et le chou; *nach dem R~en sehen* avoir l'œil, veiller au bon ordre, faire un *od* des contrôle(s); *jdm (gerade) ~ sein* faire l'affaire de qn; *fam* botter qn; *jds ~e Hand sein* être le bras droit de qn; *nicht ~ wissen* ne pas savoir au juste; *nichts R~es zustande bringen* ne faire rien qui vaille; *das ist mir (ganz* od *durchaus) ~* je (le) veux bien, cela me va *od* me convient; cela m'arrange tout à fait; *das ist mir gerade ~* je ne demande pas mieux; *mir ist alles ~* je m'accommode de tout; *das kommt mir gerade ~!* cela fait mon affaire! *pop* ça me botte! *das ist mir was R~es!* c'est du propre! *das geschieht dir (ganz) ~* tu ne l'as pas volé; *dir ist nichts ~ zu machen* tu fais le difficile; *wenn es Ihnen ~ ist* si cela vous arrange *od* vous convient; *ihm ist jedes Mittel ~* il fait flèche de tout bois; *das ist mir der R~e! (iron)* parlez-moi de celui-là! *das ist nur ~ und billig* cela va de droit, ce n'est que justice; *das geht nicht mit ~en Dingen zu* le diable s'en mêle; *nun erst ~!* maintenant plus que jamais; *nun erst ~ nicht!* maintenant encore moins!; *so ist's ~! ~ so!* c'est bien! à la bonne heure! *was dem einen ~ ist, ist dem andern billig (prov)* il ne doit pas y avoir deux poids et deux mesures; *tue ~ und scheue niemand (prov)* fais ce que dois, advienne que pourra; il faut bien faire et laisser dire; *der ~e Mann* l'homme *m* qu'il faut *od* de la situation; *die ~e Seite (Stoff)* l'endroit *m; typ* le recto; **R~e,** *die* ‹-n, -n› *(~e Hand* u. *pol)* la droite; *(Boxen a.)* le droit *m; zur R~en* à droite; *äußerste ~~ (pol)* extrême droite *f;* **R~e(r)** *m pol* homme *od* politicien *m* de droite.

Recht *n* ‹-(e)s, -e› [rɛçt] *allg u. jur* droit *m; (Berechtigung)* raison; *(Gerechtigkeit)* justice; *(Gesamtheit der Gesetze)* législation; *(Befugnis)* autorisation *f; pl (Wissenschaft)* jurisprudence *f; mit ~* avec raison; de droit, à bon droit, à juste titre; *mit gleichem ~* au même titre; *mit um so größerem ~* à plus forte raison; *mit gutem ~* à bonne raison; *mit vollem ~* de plein droit, par droit et raison, à juste titre; *mit welchem ~?* de quel droit? *mit ~ oder Unrecht* à tort ou à raison; *von ~s wegen* de droit, à bon droit; *ein ~ ausüben* excercer un droit; *sein ~ behaupten (a.)* disputer le terrain; faire valoir ses droits; *zu ~ bestehen* être fondé en droit; *in jds ~e eingreifen* aller sur les droits de qn; *sein ~ fordern* od *verlangen* demander justice; *ein ~ auf etw haben* avoir droit à qc; *das ~ auf seiner Seite haben* avoir la justice de son côté; *von e-m ~ Gebrauch machen* user d'un droit; *ein ~ geltend machen* faire valoir un droit; *sein ~ geltend machen* poursuivre son droit; *im ~ sein* être dans son droit; *~ sprechen* rendre la justice; *die ~e studieren* étudier le droit; *jdm zu s-m ~ verhelfen* faire *od* rendre justice à qn; *das steht mir von ~s wegen zu* cela me revient de droit; *alle ~e vorbehalten* tous droits réservés; *und das* od *zwar mit ~!* et pour cause! *gleiches ~ für alle!* même droit pour tous! *bürgerliche(s), gemeine(s), kanonische(s), öffentliche(s) ~* droit *m* civil, commun, canon(ique), public; *das deutsche ~* la législation allemande *ererbte ~e (pl)* droits *m pl* successifs; *gültige(s) ~* loi *f* applicable; *die politischen, verfassungsmäßigen ~e* les libertés *f pl* publiques, constitutionnelles; *(wohl)erworbene ~e (pl)* droits *m pl* acquis; *~ auf Arbeit* droit *m* au travail; *~ auf Freiheit* liberté *f* naturelle; *~ der freien Meinungsäußerung* libre discussion *f;*

das ~ *des Stärkeren* la raison *od* le droit *od* la loi du plus fort.

Recht|eck *n* ['rɛçt-] rectangle *m;* **r~eckig** *a* rectangulaire; **r~en** *itr (streiten)* contester, disputer; **~ens** *(zu Recht)* de droit, à bon droit; **r~fertigen** ‹*er rechtfertigt/-e, hat gerechtfertigt*› *tr* justifier; *sich* ~~ se disculper (*wegen* de); *(nicht) zu* ~~*(d)* (in)justifiable; **~fertigung** *f* justification; disculpation, apologie *f; das bedarf keiner* ~~ *(a.)* cela ne demande pas d'excuse; **~fertigungsschrift** *f* mémoire *m* justificatif; **r~gläubig** *a rel* orthodoxe; **~gläubigkeit** *f* orthodoxie *f;* **~haberei** *f* ergotage, ergotement *m,* ergoterie *f;* **r~haberisch** *a* ergoteur; **r~lich** *a* juridique; légal; *(redlich)* loyal, équitable, probe; ~~*e Anerkennung f (gerichtliche)* légalisation; *(gesetzliche)* légitimation *f;* ~~ *anerkennen* légaliser, légitimer; **~lichkeit** *f* ‹-, ø› *(Redlichkeit)* loyauté, probité, rectitude *f;* **r~los** *a* mis hors la loi, sans droits; **~losigkeit** *f* ‹-, ø› mise hors la loi; proscription *f;* **r~mäßig** *a* légitime; légal; *für* ~~ *erklären* légitimer; légaliser; **~mäßigkeit** *f* ‹-, ø› légitimité; légalité *f;* **r~schaffen** *a* droit, honnête, probe, intègre; **~schaffenheit** *f* ‹-, ø› droiture, honnêteté, probité, intégrité *f;* **~schreibfehler** *m* faute *f* d'orthographe; **~schreibung** *f* orthographe *f;* **~sprechung** *f* jurisprudence *f;* **r~weisend** *a geog* vrai, géographique; **r~wink(e)lig** *a* rectangulaire, rectangle; orthogonal; en *od* d'équerre; ~~*e(s) Dreieck n* triangle *m* rectangle; **r~zeitig** *a* opportun; *adv* à temps, en dû temps; **~zeitigkeit** *f* ‹-, ø› opportunité *f.*

rechts [rɛçts] *adv* à droite; sur la droite; *nach, von* ~ à, de droite; ~ *neben dem* od *vom Hause* à droite de la maison; ~ *gehen* od *fahren* prendre *od* tenir la *od* sa droite; ~ *ran!* appuyez à droite! ~ *schwenkt, marsch!* changement de direction à droite, marche! **R~abbieger** *m (Verkehr)* véhicule *m od* celui qui tourne à droite; **R~abweichung** *f* déviation *f* vers la droite; **R~außen** *m* ‹-, -› *sport* ailier *m* droit; **R~drall** *m (Feuerwaffe)* pas *m od* rayures *f pl* à droite; ~~ *haben* être rayé à droite; **R~drehung** *f* rotation *f* à droite; **R~er** *m* ‹-s, -› *fam* = *R~händer;* **~gängig** *a* tournant *od (Schraube)* fileté à droite; **R~gewinde** *n tech* filet *m* à droite; **R~händer** *m* ‹-s, -› droitier *m;* **~händig** *a* droitier; **R~innen** *m* ‹-, -› *sport* inter *m* droit; **R~kurve** *f* virage *m* à droite; **R~partei** *f* parti *m* de droite; *die* ~~*en pl (a.)* la droite; **~radikal** *a pol* d'extrême droite; **~rheinisch** *a* de la rive droite du Rhin; **R~ruck** *m pol* coup *m* de barre à droite; **R~rutsch** *m pol* glissement *m* à droite; **R~schwenkung** *f mil* changement de direction à droite; *fig pol* virage *m* à droite; **~seitig** *a* du côté droit; **R~steuerung** *f mot* direction *f* de *od* à droite; **~um!** *(mil)* à droite — droite! **R~verkehr** *m* circulation *f* à droite; **R~wendung** *f mil* demi-tour *m* à droite.

Rechts|abteilung *f* ['rɛçts-] section *f od* service juridique, service *od* bureau *m* du contentieux; **~anspruch** *m* prétention *f* juridique, droit, titre *m;* **~anwalt** *m (als Prozeßführer)* avoué; *(plädierender)* avocat; *(nicht plädierender)* avoué *m;* ~~ *werden* prendre la robe; **~anwaltschaft** *f* barreau *m;* **~anwaltsordnung** *f* loi *f* sur le barreau; **~auskunft** *f* renseignements *m pl* juridiques; **~begehren** *n* demande *f* en justice; **~beistand** *m (Tätigkeit)* conseil juridique; *(Person)* avocat *m* conseil; **~belehrung** *f* instruction *f* judiciaire; **~berater** *m* conseiller juridique; *(Syndikus)* syndic *m;* **~beugung** *f* prévarication *f;* **~brecher** *m* violateur *m* des lois; **~bruch** *m* violation *f* du droit; **~denken** *n* pensée *f* juridique; **~einwand** *m* objection *f* juridique, pourvoi *m;* **r~fähig** *a* ayant la capacité juridique; ~~ *sein* jouir des droits civils; **~fähigkeit** *f* ‹-, ø› capacité juridique; jouissance *f* des droits civils; **~fall** *m* cas *m* litigieux, cause *f;* **~gang** *m* procédure *f;* **~gelehrte(r)** *m* juriste, jurisconsulte, légiste *m;* **~geschäft** *n* acte *m od* opération *f* juridique; **~gleichheit** *f* égalité *f* civile *od* devant la loi; **~grund** *m* cause juridique, juste cause *f,* titre *m;* **~(grund)satz** *m* maxime *f* juridique *od* de droit; **r~gültig** *a* valide, valable, authentique, légal; *in* ~~*er Form* sous forme légale; **~gültigkeit** *f* ‹-, ø› validité; authenticité, légalité *f;* **~gutachten** *n* expertise *f* juridique, avis *m* de droit; **~handel** *m* litige *m,* affaire (judiciaire), cause *f;* **~handlung** *f* acte *m* juridique; **~hilfe** *f* assistance *od* entraide *f* judiciaire; **~hilfeersuchen** *n* demande d'assistance juridique; commission *f* rogatoire; **~konsulent** *m* avocat *m* consultant; **~kraft** *f* ‹-, ø› force de loi, autorité *f* de la chose jugée; ~~ *erlangen* acquérir l'autorité de la chose jugée; ~~ *haben* avoir force de loi; **r~kräftig** *a* passé en loi; *(Urteil)* définitif, exécutoire; ~~ *machen (a.)* homologuer; ~~ *werden (Urteil)* passer en force de chose jugée, prendre force de loi; **r~kundig** *a* qui connaît le droit; **~kundige(r)** *m* homme de loi, légiste *m;* **~lage** *f* situation *f* juridique *od* légale; **~mittel(belehrung** *f***)** *n pl* (indication *f* des) voies *f pl* de recours; **~nachfolger** *m* ayant cause, successeur *m* au droit; **~pflege** *f* administration de la justice, juridiction *f;* **~schutz** *m* protection *f* légale *od* juridique; **~sicherheit** *f* garantie *f* juridique; **~spruch** *m* sentence *f,* jugement, arrêt, verdict *m;* **~staat** *m* État *m* constitutionnel *od* légal; **~staatlichkeit** *f* ‹-, ø› légalité *f;* **~stellung** *f* statut *m od* situation *od* condition *f* juridique; **~streit** *m* litige *m;* **~titel** *m* titre *m* (constitutif), qualité *f* (en justice); **~unsicherheit** *f* insécurité *f* du droit; **r~verbindlich** *a* valable; obligatoire; **~verbindlichkeit** *f* obligation *f* (juridique); **~verdreher** *m* avocassier, robin, chicaneur *m;* **~verdrehung** *f* entorse à la loi, avocasserie, chicane *f;* **~verhältnisse** *n pl* situation *f* juridique; **~verletzung** *f* violation *od* lésion de droit, infraction *f* à la loi; **~vertretung** *f* représentation *f* juridique; **~verweigerung** *f* déni *m* de justice; **~weg** *m* voie *f* judiciaire *od* légale *od* de droit; *auf dem* ~~*e* par voie de droit *od* de justice, par la voie judiciaire; *unter Ausschluß des* ~~*s* sans la possibilité d'un recours aux tribunaux; *den* ~~ *beschreiten* prendre la voie des *od* avoir recours aux tribunaux, recourir à la *od* se pourvoir en justice; **r~widrig** *a* contraire au droit, illégal; **~widrigkeit** *f* illégalité *f;* **~wissenschaft** *f* (science *f* du) droit *m,* jurisprudence *f;* ~~ *studieren* faire son droit; **~wohltat** *f hist* bénéfice *m.*

Reck *n* ‹-(e)s, -e› [rɛk] *sport* barre *f* fixe; **r~en** *tr (die Glieder)* étendre, étirer; *(den Hals)* allonger; *sich* ~~ s'étirer *fam;* **~stange** *f* barre *f.*

Recke *m* ‹-n, -n› ['rɛkə] *poet (Held)* héros *m;* **r~nhaft** *a* héroïque, de héros.

Redakt|eur *m* ‹-s, -e› [redak'tø:r] rédacteur *m;* ~~ *für Vermischtes* faits-diversier *m;* **~ion** *f* ‹-, -en› [-ktsi'o:n] rédaction *f;* **r~ionell** [-tsio'nɛl] *a* rédactionnel; **~ionsschluß** *m (Zeitung)* (heure) limite *f* de la rédaction; dead-line *m.*

Rede *f* ‹-, -n› ['re:də] *(Sprache, Sprachfähigkeit)* langage *m; (Sprachwissenschaft)* parole *f; (Äußerung)* paroles *f pl,* propos *m pl; (Unterhaltung)* entretien *m,* conversation; *(Ansprache)* allocution, harangue *f; (längere)* discours *a. gram; (kurze a.)* speech; *(Schule, arg)* jus, laïus *m; s-n* ~*n nach* à l'entendre (dire); *jdm in die* ~ *fallen* couper la parole à qn; *lose* ~*n führen* tenir des propos grivois; *pop* en dire de vertes; *nichts auf die* ~*n der Leute geben* ignorer les commérages; *e-e* ~ *halten* faire *od* prononcer un discours; *e-e* ~ *schwingen (arg Schule)* faire un laïus, laïusser; *jdm* ~ *(und Antwort) stehen* rendre raison à qn; se justifier devant qn; *jdn zur* ~ *stellen* demander raison à qn; *wegen etw* demander des explications à qn sur qc; *es ist die* ~ *von* ... il est question de ...; *davon ist nicht die* ~ il n'en sera pas question; *die* ~ *kam auf* ... la conversation tomba sur ...; *davon kann nicht die* ~ *sein* cela est hors de question; *davon kann noch lange nicht die* ~ *sein* il n'en est pas question d'ici longtemps; *das ist nicht der* ~ *wert* cela ne vaut pas la peine *od* c'est inutile d'en parler; *wovon ist (hier) die* ~*?* de quoi s'agit-il? de quoi est-il question? *der langen* ~ *kurzer Sinn,* ... tranchons le mot, ...; *direkte, indirekte* ~ *(gram)* discours *m* direct, indirect; *lose* ~*n (pl)* paroles *f pl* crues; *programmatische* ~ discours-programme *m;* **~duell** *n* duel *m od* joute *f* oratoire; **~figur** *f* métaphore *f*; **~fluß** *m* flot *od* flux *m* de paroles; **~freiheit** *f* ‹-, ø› liberté *f* de parole; **~gabe** *f* ‹-, ø› éloquence, faconde *f*, talent *m* d'orateur; **r~gewandt** *a* habile à parler, disert, éloquent; *~~ sein* avoir la parole facile; **~gewandtheit** *f* ‹-, ø› facilité de parole *od* d'élocution, élocution *f* aisée, bien-dire *m*; **~kunst** *f* ‹-, ø› art *m* oratoire, rhétorique *f*; *s-e ganze ~~ aufbieten (, um) zu* user de toute son éloquence pour; **~schwall** *m* déluge de paroles, verbiage *m*, verbosité *f*; **~teil** *m gram* partie *f* du discours; **~übung** *f* exercice *m* oratoire; **~weise** *f* manière *od* façon de parler; méthode *f* oratoire; **~wendung** *f* tournure, locution, phrase *f* toute faite; **~zeit** *f parl* temps *m* de parole.

reden ['re:dən] *itr* parler (*über, von* de); *(ausführlich)* discourir; *(e-e Rede halten)* prononcer un discours; *über alles ~* arguer sur tout *(lit)*, parler de tout; *wie ein Buch ~* avoir une fière tapette *pop*; *dauernd ~* jaser comme un merle; *endlos über etw ~* s'étendre sur qc; discourir à perte de vue sur qc; *Gutes über jdn ~* dire du bien de qn; *(sehr) laut ~* avoir le verbe haut; *über Politik ~* parler politique; *mit sich ~ lassen (fig)* n'être pas intransigeant; entendre raison; *die Leute ~ lassen* laisser dire les gens; *von sich ~ machen* faire parler de soi, faire du bruit; *Sie haben gut ~* vous en parlez bien à votre aise; *man wird noch lange davon ~* on en parlera encore dans longtemps; *darüber läßt sich ~* on peut s'entendre là-dessus; il y a du pour et du contre; *~ wir nicht (weiter) darüber!* restons-en là! **R~** *n* dire *m*, parole *f*; *s-m ~~ nach* à l'entendre; *von etw viel ~~s machen* faire beaucoup de bruit autour de qc; *~~ ist Silber, Schweigen ist Gold (prov)* la parole est d'argent, le silence est d'or; **R~sart** *f* locution, tournure; façon *od* manière *f* de parler; *das ist nur so e-e ~~* c'est une manière de parler; *abgedroschene ~~* cliché, poncif, poncis *m*; *allgemeine ~~* phrase *f* toute faite; *bloße ~~en pl (pej)* de belles paroles *f pl*; **Rederei** *f* [-'raı] *fam* bavardage *m*.

redigieren [redi'gi:rən] *tr* rédiger.

Rediskont *m* ‹-(e)s, -e› [redıs'kɔnt] *fin* réescompte *m*; **r~fähig** *a* réescomptable; **r~ieren** [-'ti:rən] *tr* réescompter; **~ierung** *f* (opération *f* de) réescompte *m*.

redlich ['re:tlıç] *a* honnête, probe, loyal, sincère, de bonne foi, intègre; *in der ~sten Absicht* de la meilleure foi du monde; *sich ~ bemühen* faire des efforts sincères; **R~keit** *f* ‹-, ø› honnêteté, probité, droiture, loyauté, sincérité, bonne foi *f*.

Redner *m* ‹-s, -› ['re:dnər] orateur; *(Vortragender)* conférencier *m*; **~bühne** *f*: *die ~~ besteigen* monter à la tribune; **~gabe** *f* talent *od* don oratoire, don *m* de la parole; **r~isch** *a* oratoire; **~pult** *n* chaire *f*.

Redoute *f* ‹-, -n› [re'du:tə] *mil hist* redoute *f*; *(Maskenball)* bal *m* masqué.

redselig ['re:t-] *a* loquace, causeur, bavard, verbeux; **R~keit** *f* ‹-, ø› loquacité; verbosité *f*.

Reduktion *f* ‹-, -en› [reduktsi'o:n] réduction *f*; *math (Gleichung)* abaissement *m*; **~sanlage** *f tech* installation *f* de réduction; **~smittel** *n chem* réducteur *m*.

reduzier|bar [redu'tsi:r-] *a* réductible; *math (Gleichung)* abaissable; **R~barkeit** *f* réductibilité *f*; **~en** *tr* réduire; diminuer; *math (Gleichung)* abaisser.

Reed|e *f* ‹-, -n› ['re:də] *mar* rade *f*; *auf der ~~ liegen* être en rade; *geschlossene, offene ~~* rade *f* fermée, foraine; *innere ~~* petite rade *f*; **~er** *m* ‹-s, -› armateur; *(Verfrachter)* fréteur *m*; **~erei** *f* [-'raı] armement *m*.

reell [re'ɛl] *a (ehrlich, redlich)* sincère, honnête, loyal; *(Firma)* respectable, solide; *(Angebot)* raisonnable.

Reep *n* ‹-(e)s, -e› [re:p] *dial mar (Seil)* cordage *m*.

Refektorium *n* ‹-s, -rien› [refɛk'to:rium, -rien] *rel arch* réfectoire *m*.

Refer|at *n* ‹-(e)s, -e› [refe'ra:t] *(Bericht)* rapport, compte rendu, exposé; *(Dienststelle)* bureau, service *m*; **~endar** *m* ‹-s, -e› [-rɛn'da:r] stagiaire *m*; **~endarzeit** *f* stage *m*; **~ent** *m* ‹-en, -en› [-'rɛnt] rapporteur; conseiller *m* (rapporteur); **~enzen** *f pl* [-'rɛntsən] *(Empfehlungen)* références, recommandations *f pl*; *~~en beibringen* donner des références; **r~ieren** ‹*aux: haben*› [-'ri:rən] *itr* faire un rapport *od* un exposé (*über etw* de qc); exposer, rendre compte (*über etw* de qc).

Reff *n* ‹-(e)s, -e› [rɛf] *mar* ris *m*; **r~en** *tr* ar(r)iser.

Reflekt|ant *m* ‹-en, -en› [reflɛk'tant] *(Kauflustiger)* intéressé *m*; **r~ieren** [-'ti:rən] *tr (zurückstrahlen)* refléter, réfléchir, réverbérer; *itr: auf etw ~~* s'intéresser à qc, avoir des visées sur qc; **~or** *m* ‹-s, -en› [-'flɛktɔr, -'to:rən] *(Hohlspiegel)* réflecteur *m*; **r~orisch** [-'to:rıʃ] *a phys* réflexe.

Reflex *m* ‹-es, -e› [re'flɛks] *phys* reflet; *physiol* réflexe *m*; **~bewegung** *f physiol* action *f od* phénomène réflexe; sursaut *m*; **~bildung** *f med* conditionnement *m*; **~ion** *f* ‹-, -en› [-si'o:n] *phys u. fig (Nachdenken)* réflexion *f*; **r~iv** [-'si:f] *a gram* réfléchi; *~~e(s) Verbum n* verbe *m* pronominal; **~ivpronomen** *n* pronom *m* réfléchi.

Reform *f* ‹-, -en› [re'fɔrm] réforme, réorganisation *f*; **~ation** [-matsi'o:n], *die rel hist* la Réforme; **~ationsfest** *n rel* fête *f* de la Réformation; **~ator** *m* ‹-s, -en› [-'ma:tɔr, -'to:rən] réformateur *m*; **r~atorisch** [-'to:rıʃ] *a* réformateur; **r~bedürftig** *a*: *~~ sein* devoir être réorganisé; **~bestrebungen** *f pl* tendances *f pl* réformatrices; **~bewegung** *f* réformisme *m*; **~er** *m* ‹-s, -› réformateur *m*; **r~erisch** *a*, **r~freundlich** *a* réformiste; **~haus** *n* magasin *m* d'alimentation de régime; **r~ieren** [-'mi:rən] *tr* réformer; **r~iert** *a rel* réformé; **~kost** *f* alimentation *f* de régime; **~maßnahmen** *f pl* réformes *f pl*; **~programm** *n* programme *m* réformiste; **~sandale** *f* spartiate *f*; **~wäsche** *f* linge *m* hygiénique.

Refrain *m* ‹-s, -s› [rə'frɛ̃:] *(Kehrreim)* refrain *m*.

Refrakt|ion *f* ‹-, -en› [refraktsi'o:n] *opt* réfraction *f*; **~or** *m* ‹-s, -en› [-'fraktɔr, -'to:rən] *opt* réfracteur *m*.

Refugium *n* ‹-s, -gien› [re'fu:gium, -giən] *(Zufluchtsort)* refuge *m*.

Regal *n* ‹-s, -e› [re'ga:l] **1.** *(Wand- od Schrankbrett)* étagère *f*; *(bes. für Bücher)* rayon; *(Fächergestell)* rayonnage *m*, étagère *f*; *(Büchergestell)* rayons *m pl* (de bibliothèque), *typ* casier *m*.

Regal *n* ‹-s, -lien› [re'ga:l, -liən] **2.** *(Hoheitsrecht)* droit *m* régalien, régale *f*.

Regatta *f* ‹-, -tten› [re'gata, -tən] régate; course *f* de bateaux à voile.

rege ['re:gə] *a (geschäftig)* actif; *(lebhaft)* vif, éveillé, alerte; *(flink)* agile; *(Verkehr)* animé, intense.

Regel *f* ‹-, -n› ['re:gəl] règle *f*; *(Vorschrift)* règlement; *(Grundsatz)* principe *m*; *(Norm)* norme *f*; *physiol* règles, menstrues *f pl*; *in der ~* en règle générale; *(gewöhnlich)* ordinairement, normalement, d'habitude; *nach allen ~n der Kunst (a. iron)* dans toutes les règles de l'art; *die ~ haben (med)* avoir ses règles; *sich etw zur ~ machen* se faire une règle *od* s'imposer la règle de qc; *die ~ ist bei ihr ausgeblieben (physiol)* elle n'a pas eu ses règles; *das ist die ~* c'est la règle; *keine ~ ohne Ausnahme (prov)* il n'y a pas de règle sans exception; *Ausnahmen bestätigen die ~* l'exception confirme la règle; *grammatische ~* règle *f* de grammaire; **~detri** *f* ‹-, ø› [-de'tri:] *math (Dreisatz)* règle *f* de trois; **~fall** *m* cas *m* normal; **r~los** *a* sans règle(s); irrégulier; *~~e Flucht f* déroute *f*; **~losigkeit** *f* irrégularité *f*; *(Unordnung)* dérèglement *m*; **r~mäßig** *a* régulier; *(geregelt)* réglé; *in ~~en Abständen (zeitl.)* périodiquement; *~~ wiederkehrend* périodique; **~mäßigkeit** *f* régularité *f*; **r~n** ‹*ich reg(e)le; regle das!*› *tr* régler, mettre en règle *od* en ordre; *(in Ordnung bringen)* régulariser; *(Angelegenheit)* accommoder, mettre au point; *(durch Verordnung)* réglementer, régir; *(festlegen)* fixer; *sich von selbst ~~* s'arranger de soi-même; **r~recht** *a* conforme aux règles; *(wirklich)* vrai, véritable; *adv* en règle, dans *od* selon *od* suivant les règles; *fam* complètement; *ein ~~er Reinfall* un véritable attrape-nigauds; **~stab** *m phys* barre *f* de contrôle; **~ung** *f* règlement *m*; *adm* réglementation *f*; *tech* réglage *m*; **r~widrig** *a* contraire à la règle, irrégulier; **~widrigkeit** *f* irrégularité *f*.

regen ['re:gən] *tr* remuer; *sich ~* se

remuer, bouger, s'agiter; *fam* s'actionner; *(Gefühl)* s'éveiller, naître; *es regt sich kein Lüftchen* il n'y a pas un souffle de vent.

Regen *m* ‹-s, -› ['re:gən] pluie; *pop* flotte *f; bei* ~ par temps de pluie; *im* ~ sous la pluie; *vom* ~ *in die Traufe kommen (fig)* tomber de mal en pis *od* de Charybde en Scylla; *es sieht nach* ~ *aus* le temps est à la pluie; *strichweise* ~ pluies éparses et passagères; *auf* ~ *folgt Sonnenschein (prov)* après la pluie le beau temps; **r~arm** *a* sec; **~bö** *f* grain *m* (de pluie); **~bogen** *m* arc-en-ciel *m;* **~bogenfarben** *f pl* couleurs de l'arc-en-ciel; irisations *f pl;* **r~bogenfarben** *a* irisé; **~bogenhaut** *f anat* iris *m;* **~dach** *n* auvent *m;* **r~dicht** *a* imperméable; **~fälle** *m pl* chutes *f pl* de pluie; **~guß** *m* ondée, averse; *fam* saucée *f;* **~mantel** *m* imperméable, manteau *m* de pluie; **~menge** *f* pluie *f* tombée; pluviosité *f;* **~messer** *m* pluviomètre *m;* **~pfeifer** *m orn* pluvier *m;* **r~reich** *a* pluvieux; **~rinne** *f* gouttière *f;* **~schauer** *m* averse (de pluie), ondée, giboulée *f;* **~schirm** *m* parapluie; *pop* pépin *m; große(r)* ~~ riflard *m pop;* **~tag** *m* jour *m* de pluie; **~tropfen** *m* goutte *f* de pluie; **~versicherung** *f* assurance *f* contre la pluie; **~wasser** *n* eau *f* pluviale, eaux *f pl* de pluie; **~wetter** *n* temps *m* pluvieux *od* de pluie; *ein Gesicht wie sieben Tage* ~~ *machen* avoir une mine d'enterrement, faire un visage long comme un jour sans pain; **~wolke** *f* nuage de pluie, haut-pendu *m;* **~wurm** *m* ver de terre; *scient* lombric *m;* **~zeit** *f* saison *f* pluviale *od* des pluies; *(in den Tropen)* hivernage *m.*

Regener|ation *f* ‹-, -en› [regeneratsi'o:n] *biol* régénération *f;* **r~ieren** *tr* régénérer.

Regensburg *n* ['re:gənsburk] Ratisbonne *f.*

Regent(in *f*) *m* ‹-en, -en› [re'gɛnt(-)] *(Staatsoberhaupt)* souverain, e; *(Verweser)* régent, e *m f;* **~schaft** *f* régence *f.*

Regie *f* ‹-, -n› [re'ʒi:] *adm* régie; *theat film* mise *f* en scène; **~assistent** *m* assistant *m* du réalisateur; **~gehilfe** *m* avertisseur *m.*

regieren [re'gi:rən] *tr (verwalten)* gouverner, diriger; *(herrschen über)* régner (*etw* sur qc); *gram* régir, gouverner.

Regierung *f* ‹-, -en› [re'gi:ruŋ] *(Tätigkeit* u. *Einrichtung)* gouvernement; *(~(szeit) e-s Fürsten)* règne *m; an der, die* ~ au gouvernement; *unter der* ~ *(gen)* sous le règne (de); *e-e* ~ *bilden, stürzen* former, renverser un gouvernement; **~sabkommen** *n* accord *m* intergouvernemental; **~sanhänger** *m* homme *m* du pouvoir; **~santritt** *m* avènement *m* au pouvoir *od* au trône; **~sbeamte(r)** *m* fonctionnaire *m* gouvernemental; **~sbezirk** *m allg* circonscription *f* administrative; *(in Frankr.)* département *m;* **~sbildung** *f* formation *f* du cabinet; **~schef** *m* chef *m* de *od* du gouvernement; **~serklärung** *f* déclaration *f* gouvernementale *od* ministérielle; **r~sfeindlich** *a* antigouvernemental; **~sform** *f* forme *f od* mode de gouvernement, régime, système *m; monarchische, republikanische, parlamentarische* ~~ gouvernement *od* régime *m* monarchique, républicain, représentatif; **r~sfreundlich** *a* gouvernemental; **~sgeschäfte** *n pl* affaires *f pl* gouvernementales; **~sgewalt** *f* pouvoir *m* gouvernemental, autorité *f* ministérielle; **~skoalition** *f* coalition *f* gouvernementale; **~skrise** *f* crise *f* gouvernementale *od* ministérielle; **~smehrheit** *f* majorité *f* de gouvernement; **~spartei** *f* parti *m* gouvernant *od* gouvernemental; **~spräsident** *m (in Frankr.)* préfet; *(in Belgien)* gouverneur *m* de province; **~ssitz** *m* siège *m* (du gouvernement); **~ssprecher** *m* porte-parole *m* du gouvernement; **~sumbildung** *f* remaniement *m* ministériel; **~svorlage** *f* projet *m* de loi gouvernemental; **~swechsel** *m* changement *m* de gouvernement.

Regime *n* ‹-(s), -(s)› [re'ʒi:m] *pol* régime; système *m* politique.

Regiment *n* ‹-(e)s, -e› [regi'mɛnt] *allg (Führung)* direction *f,* gouvernement; *mil n* ‹-(e)s, -er› régiment *m; das* ~ *bei etw führen* avoir la haute main dans qc; **~sabschnitt** *m* secteur *m* du régiment; **~sadjutant** *m* major *m;* **~sarzt** *m* médecin-chef *m* du régiment; **~sbefehl** *m* ordre *m* du régiment; **~skommandeur** *m* commandant *m* de régiment; **~sstab** *m* état-major *m* de régiment; **~sunkosten** *pl: auf* ~~ *(fig pop)* aux frais de la princesse.

Region *f* ‹-, -en› [regi'o:n] région *f; in höheren* ~*en schweben (fig)* être dans les nuages, se perdre dans les espaces imaginaires; **r~al** [-gio'na:l] *a* régional; **~alismus** *m* ‹-, ø› [-na'lɪsmus] régionalisme *m.*

Regisseur *m* ‹-s, -e› [reʒi'sø:r] *theat* metteur en scène; *film* réalisateur *m.*

Regist|er *n* ‹-s, -› [re'gɪstər] registre *m a. mus (Orgel); (Liste)* liste *f,* rôle; *(Buch)* index *m,* table *f* alphabétique; *mit e-m* ~~ *versehen (Buch)* indexer; *alle* ~~ *ziehen (fig)* faire flèche de tout bois; mettre tout en œuvre; **~ertonne** *f (2,830 m³)* tonneau *m* de registre; **~rator** *m* ‹-s, -en› [-'tra:tɔr, -'to:rən] greffier *m;* **~ratur** *f* ‹-, -en› [-'tu:r] *(Tätigkeit)* enregistrement; *(Einrichtung)* fichier *m,* greffe *f;* bureau *m* du courrier; **~raturschrank** *m* armoire-classeur *f;* **~rierapparat** *m* [-'tri:r-] (appareil) enregistreur, totalis(at)eur *m;* **~rierballon** *m* ballon enregistreur, ballon-sonde *m;* **r~rieren** *tr* enregistrer; **~rierkasse** *f* caisse *f* enregistreuse; **~rierung** *f* enregistrement *m;* **~riervorrichtung** *f* mécanisme *m* enregistreur.

Reglement *n* ‹-s, -s› [reglə'mã:] *(Vorschrift)* règlement *m;* **r~ieren** [-glemɛnti:rən] *tr* réglementer; **~iersucht** *f* manie *f* de réglementer; **~ierung** *f* réglementation *f.*

Regler *m* ‹-s, -› ['re:glər] *tech* régulateur, appareil *m* de réglage; **~ventil** *n* soupape *f* de réglage.

reglos ['re:klo:s] *a* immobile, inerte; **R~igkeit** *f* ‹-, ø› immobilité *f.*

regn|en ['re:gnən] *itr* pleuvoir; *pop* flotter; *es* ~*et (a.)* il tombe de la pluie *od* de l'eau; *es* ~*et wie mit Eimern* od *in Strömen* il pleut à seaux *od* à verse, la pluie tombe à torrents; *sollte es* ~~ s'il vient à pleuvoir; **R~er** *m* ‹-s, -› *(Gerät)* irrigateur, arroseur *m* (rotatif); **~erisch** *a* pluvieux.

Regreß *m* ‹-sses, -sse› [re'grɛs] *(Rückgriff)* recours *m;* ~ *nehmen gegen* avoir recours contre; **~klage** *f* action *f* récursoire *od* de recours; **~nehmer** *m* personne *f* ayant recours; **~pflicht** *f* responsabilité *f* civile; **r~pflichtig** *a* civilement responsable.

Regress|ion *f* ‹-, -en› [regrɛsi'o:n] régression *f;* **r~iv** [-'si:f] *a (rückläufig)* régressif.

regsam ['re:kza:m] *a* mobile, actif; *(lebhaft)* vif; **R~keit** *f* ‹-, ø› mobilité, activité; vivacité *f.*

regul|är [regu'lɛ:r] *a* régulier; **R~ator** *m* ‹-s, -en› [-'la:tɔr, -'to:rən] régulateur *m;* **~ierbar** *a* réglable; **~ieren** [-'li:rən] *tr* régler; *fin* régulariser; *tech* ajuster; **R~ierhebel** *m* levier *m* régulateur; **R~ierschraube** *f* vis *f* de réglage; **R~ierung** *f* réglage *m,* régulation *f,* ajustage *m,* mise au point; *fin* régularisation *f.*

Regung *f* ‹-, -en› ['re:guŋ] mouvement; *(Gefühlsregung)* sentiment *m* naissant, émotion *f; pl* mouvements *m pl,* vie *f;* **r~slos** *a* = *reglos;* **~slosigkeit** *f* ‹-, ø› = *Reglosigkeit.*

Reh *n* ‹-(e)s, -e› [re:] *(als Art)* chevreuil *m; (Ricke)* chevrette *f;* **~bock** *m* chevreuil *m;* **~braten** *m* rôti de chevreuil, chevreuil *m* rôti; **r~braun** *a* fauve; **~keule** *f* cuissot *m* de chevreuil; **~kitz** *n* chevrillard, faon *m;* **~posten** *m (Munition)* chevrotine *f;* **~rücken** *m,* **~ziemer** *m* selle *f* de chevreuil.

Rehabilit|ation *f* ‹-, (-en)› [rehabilitatsi'o:n], **~ierung** *f allg* réhabilitation; *med* rééducation *f;* **r~ieren** [-'ti:rən] *tr* réhabiliter.

Reibach *m* ‹-s, ø› ['raɪbax] = *Rebbach.*

Reib|e *f* ‹-, -n› ['raɪbə] , **~eisen** *n* râpe *f;* **~elaut** *m gram* fricative *f;* **r~en** ‹*rieb, gerieben*› *tr* frotter; *(ab~~)* frictionner; *(zer~~)* broyer; *(raspeln)* râper; *sich an jdm* ~~ *(fig)* chercher querelle à qn; *jdm etw unter die Nase* ~~ jeter qc à la figure de qn; *sich wund* ~~ s'écorcher; **~er** *m* ‹-s, -› *(Gerät)* frotteur; broyeur *m;* **~ereien** *f* [-'raɪən] *pl fig* frottements *m pl,* frictions *f pl;* **~fläche** *f* = *~ungsfläche.*

Reibung *f* ‹-, -en› ['raɪbuŋ] *a. fig* frottement *m,* friction *f;* **~selektrizität** *f* électricité par frottement, tribo-électricité *f;* **~sfläche** *f* surface *f* frottante *od* de friction; *fig* point *m* de friction; **~skoeffizient** *m* coefficient *m* de frottement; **r~slos** *a* u. *adv* sans frottement; *fig* sans accroc(s), sans à-coup(s), sans heurt(s), sans anicroches, sans histoires; comme sur des roulettes *fam;* **~sverlust** *m* perte *f* par frottement; **~swärme** *f* chaleur *f* de frottement; **~swiderstand** *m* résistance *f* de frottement.

Reich *n* ‹-(e)s, -e› [raıç] *(großes, bes. Kaiserreich u. fig)* empire; *(Königreich u. fig)* royaume; *fig* règne, domaine *m; das Deutsche ~ (1871–1945)* l'Empire allemand, le Reich; *das Heilige Römische ~ Deutscher Nation (hist)* le Saint Empire romain germanique; *das ~ Gottes* le royaume de Dieu; *das ~ der Mitte (China)* l'Empire *m* du Milieu; **~sadler** *m* aigle *f* impériale; **~sapfel** *m* globe *m* impérial; **~shauptstadt,** *die (hist)* la capitale du Reich; **~skanzler** *m hist* chancelier *m* du Reich; **~spräsident** *m* président *m* du Reich; **~sstadt** *f: (freie) ~~ (hist)* ville *f* impériale; **r~sunmittelbar** *a hist* immédiat.

reich [raıç] *a* riche (*an* de, en) *a. fig; fig* abondant, fécond, fertile; *(Mahl)* opulent; *fam (Mensch)* huppé; *in ~em Maße* abondamment, à profusion; *~ werden* faire fortune; *e-e ~e Auswahl* un vaste choix, un grand assortiment (*an* de); **~ausgestattet** *a* étoffé; **~haltig** *a* riche; abondant; *(ergiebig)* fécond; *(abwechslungs~)* varié; **R~haltigkeit** *f* ‹-, ø› richesse, abondance; fécondité; variété *f;* **~illustriert** *a* très illustré; **~lich** *a* copieux, abondant, plantureux; *med* profus; *adv* largement, à profusion, comme s'il en pleuvait, on ne peut plus, tant et plus; *fam* un peu beaucoup; *(geben)* à pleine(s) main(s), *fam* grassement; *~~ vorhanden sein* abonder; **R~tum** *m* ‹-s, ¨er› richesse; *(großer)* opulence; *(Vermögen)* fortune; *(Überfluß)* abondance; *(Fruchtbarkeit)* fertilité; *(Vielfalt)* variété *f.*

reich|en ['raıçən] *tr (hinhalten, geben)* tendre, passer, donner, offrir (*jdm etw* qc à qn); *itr (gehen, sich erstrecken)* aller (*bis zu* jusqu'à); aboutir (*bis zu* à); *(sich ausdehnen)* s'étendre; *(nach oben)* monter, s'élever; *(nach unten)* descendre (*bis zu* jusqu'à); *(Kleid)* s'arrêter (*bis an* à); *(Schußwaffe)* porter (*bis zu* jusqu'à); *(genügen)* suffire; *an etw ~~* atteindre qc; *mit etw ~~* avoir assez de qc; *solange der Vorrat ~t* jusqu'à l'épuisement du stock; *gerade ~~ (mit s-m Gelde)* joindre les deux bouts; *lange ~~ (Vorrat)* mener loin; *weit ~~* porter loin; *so weit der Blick ~t* à perte de vue; *das ~t* cela suffit, c'est assez; *mir ~t's (fam)* j'en ai assez, j'en ai jusque là, j'en ai plein le dos; *pop* j'en ai marre; **R~weite** *f* portée *f; (Aktionsradius)* rayon *m* d'action; *außer ~~* hors d'atteinte; *in ~~* à portée (*gen* de).

reif [raıf] *a* mûr; *(mannbar, heiratsfähig)* pubère; *in ~erem Alter, in ~eren Jahren* entre deux âges; *nur attr* d'âge mûr, d'un certain âge; *~ werden* mûrir; *~e(s) Urteil n* jugement *m* bien pesé; **R~e** *f* ‹-, ø› maturité; *(Geschlechts~~)* puberté *f; zur ~~ bringen* (faire) mûrir, amener à maturité; *fig* faire éclore; *zur ~~ kommen* mûrir, venir à maturité; *beginnende ~~ (Obst)* véraison *f; mangelnde ~~* vert *m;* **R~egrad** *m* degré *m* de maturité; **~en 1.** *itr ‹ist gereift›* mûrir, venir à maturité; *(mannbar werden)* atteindre l'âge de la puberté; *bot* aboutir; **R~en** *n* maturation *f;* mûrissage, mûrissement *m; zum ~~ bringen = zur R~e bringen;* **R~eprüfung** *f* baccalauréat; bac *m fam; arg* bachot *m;* **R~eteilung** *f biol* division réductrice, réduction *f* chromatique; **R~ezeugnis** *n* diplôme *m* de bachelier; **~lich** *a* mûr; *adv (überlegen)* mûrement; *nach ~~er Überlegung* après mûre réflexion, (toute) réflexion faite, après avoir mûrement réfléchi, en dernière analyse; **R~ung(sprozeß** *m***)** *f,* **R~werden** *n* maturation *f.*

Reif 1. *m* ‹-(e)s, ø› [raıf] *mete* gelée *f* blanche, givre, frimas *m;* **~ansatz** *m* dépôt *m* de givre; **r~bedeckt** *a* givré; **r~en 2.** *itr: es hat ge~t* il y a (eu) de la gelée blanche, il est blanc gelé.

Reif 2. *m* ‹-(e)s, -e› *(Ring)* anneau; *(Arm~)* bracelet; *(Stirn~)* diadème *m; (Spielzeug) = ~en;* **~rock** *m* robe *f* à panier.

Reifen *m* ‹-s, -› ['raıfən] *(Faß)* cercle; *(Spielzeug)* cerceau; *(Gummireifen)* pneu(matique) *m; ~ spielen* jouer au cerceau; *eiserne(r) ~* bande *f* de fer; *schlauchlose(r) ~* pneu *m* sans chambre à air; **~antenne** *f radio* antenne *f* en cerceau; **~decke** *f mot (Fahrrad)* enveloppe *f;* **~druck** *m mot* pression *f* de gonflage; **~heber** *m* démonte-pneu *m;* **~panne** *f fam = ~schaden;* **~profil** *n* profil *m* de pneu; **~schaden** *m* crevaison *f,* pneu *m* crevé; **~schutz** *m mot* protecteur *m* (de pneu); **~wechsel** *m mot* changement *m* de pneu(s); **~wulst** *m* bourrelet *m.*

Reigen *m* ‹-s, -› ['raıgən] ronde; danse *f; den ~ eröffnen (fig)* ouvrir *od* mener la danse.

Reihe *f* ‹-, -n› ['raıə] rangée; *mil* file, colonne; *(Zimmer)* suite, enfilade; *(Folge)* suite, série; succession; *(Buchhandel)* collection; *math* progression *f; mus* série *f; e-e (ganze) ~ (fam)* une ribambelle; tout une série *f* (*von* de); *e-e (lange) ~* une procession; *e-e ~ (von)* plusieurs; *außer der ~* avant mon, ton *etc* tour; par faveur; *in einer ~* à la ligne, à la *od* en file, en rang d'oignons; *in Reih und Gied* en rangs; *der ~ nach* l'un après l'autre; chacun son tour, à tour de rôle, tour à tour; *wieder in die ~ kommen* reprendre sa place; *fig, bes. med* se rétablir; *in ~ marschieren lassen (mil)* dédoubler; *in ~ schalten (el)* monter en série; *sich in die vorderste ~ spielen (fig)* se pousser au premier rang; *aus der ~ tanzen (fig)* ne pas faire comme les autres; *die ~n der ... vermehren* grossir la liste des ...; *ich bin an der ~* c'est mon tour, c'est à moi; *wer ist an der ~?* à qui le tour? *arithmetische, geometrische ~* progression *f* arithmétique, géométrique; **r~n** *tr* ranger; mettre en rang(s); *auf e-e Schnur ~~* enfiler; **~nabwurf** *m = ~nwurf;* **~nbau** *m* construction *f* en série; **~nbild** *n* série *f* de photos cinématographiques; **~nbildgerät** *n* appareil *m* photo(-graphique) à films; **~nfertigung** *f* fabrication *f* en série; **~nfolge** *f* ordre *m* (de priorité); suite, succession; *(der Gläubiger)* collocation *f; in alphabetischer, chronologischer od zeitlicher ~~* par ordre alphabétique, chronologique ou de date; *~~ der Dringlichkeit* ordre *m* d'urgence; **~nhaus** *n* habitation *f* individuelle en bande continue; **~nmotor** *m* moteur *m* en ligne; **~nschaltung** *f el* accouplement *od* couplage *od* montage *m od* mise *f* en série; **~nuntersuchung** *f med: röntgenologische ~~* radiographie *f* collective; **r~nweise** *adv* par rangs, par files, par séries; **~nwurf** *m aero mil* largage *od* bombardement *m* en traînée; **reihum** *adv = der Reihe nach.*

Reiher *m* ‹-s, -› ['raıər] *orn* héron *m; junge(r) ~* héronneau *m;* **~kolonie** *f,* **~stand** *m* héronnière *f.*

Reim *m* ‹-(e)s, -e› [raım] rime *f; ~e machen* rimer; *~e schmieden (fam)* rimailler; *ich kann mir k-n ~ darauf machen (fig)* je n'y comprends rien; **r~en** *tr u. itr* rimer; *sich ~~* rimer (*auf* avec); *wie ~t sich das? (fig)* à quoi cela rime-t-il? **~er** *m* ‹-s, -› versificateur, métromane *m;* **~schmied** *m pej* rimeur, croqueur *m* de rimes; **~wörterbuch** *n* dictionnaire *m* de rimes.

rein [raın] **1.** *a allg* u. *fig* pur; *(ohne Beimischung)* sans mélange; *chem* à l'état pur; *(Alkohol)* absolu; *(makellos)* parfait, sans défaut; *(unschuldig)* pur, innocent, sans faute; *(sauber)* net, propre; *mus (Ton), com (Gewinn)* net; *adv fam (gänzlich)* nettement, parfaitement, complètement, tout; *aus ~em Mitleid* par pure pitié; *im ~en* en règle; *vom ~ juristischen Standpunkt aus* du point de vue purement juridique; *~ zufällig* par pur accident; *ins ~e bringen* mettre au net *od* à jour, mettre *od* tirer au clair; *(regeln)* régulariser; *~ halten* tenir propre; *mit sich (selbst) ins ~e kommen (über)* se réconcilier avec soi; *mit sich im ~en sein* être bien sûr de son fait; *ins ~e schreiben* écrire au propre, recopier; *~ aus dem Häuschen sein (fig fam)* être dans tous ses états; *chemisch ~* chimiquement pur; *~e Vernunft f (philos)* raison *f* pure; **R~abzug** *m typ* épreuve *f* sans faute; **R~benzol** *n* benzine *f;* **R~einnahme** *f* recette *f* nette; **R~(e)machefrau** *f* femme *f* de ménage *od* de journée; **R~(e)machen** *n* nettoyage, nettoiement *m;* **R~erlös** *m,* **R~ertrag** *m* produit *m* net; **~(e)weg** ['-vɛk] *adv* tout à fait, absolument; **R~gewinn** *m* bénéfice *m* net; **R~heit** *f* pureté; netteté; propreté; *(Unschuld)* innocence, virginité *f;* **~igen** *tr* nettoyer; *(von Schmutz)* décrasser; décrotter; *(von Flecken)* détacher; *(ausfegen, ausschlämmen)* curer; *tech* purger; *tech rel fig* purifier; *med* nettoyer, déterger; *(Blut, Säfte)* dépurer; *chemisch ~~* nettoyer à sec; **~igend** *a* purifiant, purificateur; *med* purgatif, détersif, abstergent; *rel* purificatoire; **R~igung** *f* nettoyage, nettoiement; décrassage; détachage; curage *m; a. fig* purification, épuration; *med* détersion; purgation, purge; *(e-r Wunde)* abstersion; *rel* lustration *f; chemische ~~* nettoyage à sec; dégraissage *m;* **R~igungsanstalt** *f (chemische ~~)* teinturerie *f;* **R~igungsgerät** *n mil* nécessaire *m* de nettoyage; **R~igungsmittel** *n* produit pour nettoyer; *med* purgatif, détersif, détergent *m;* **R~kultur** *f biol* population *f* pure; *in ~~ (fig)* cent pour cent; **~lich** *a, a. fig* propre, net; *adv fig* nettement; **R~lichkeit** *f* ‹-, ø› propreté, netteté *f;* **~rassig** *a* (de) pure race, (de) pur sang; *nicht ~~ (Hund)* mâtiné; **R~rassigkeit** *f* ‹-, ø› pureté *f* du sang; **R~schrift** *f (Tätigkeit)* mise au propre; *(Ergebnis)* copie *f* définitive; **~seiden** *a* de pure soie; **R~vermögen** *n* avoir *m* net; **~waschen,** *sich (fig)* se blanchir, se disculper; **~wollen** *a* (de) pure laine.

rein 2. *fam = herein;* **R~fall** *m fam* déception; *theat* four *m; e-n ~~ erleben* ramasser une veste *pop;* **~=fallen** *itr (fig)* se mettre dedans, être mis dedans, tomber dans le panneau; *darauf fällt jeder ~* les plus rusés y sont pris; **~=hauen** *itr: tüchtig ~~ (essen)* bien se tenir à table; **~=legen** *tr fam: jdn ~~* mettre qn dedans; attraper qn; *pop* mener qn en bateau; *jdn ~~ wollen* finasser avec qn.

Reis 1. *m* ‹-es, (-e)› ['raıs, -zəs] *bot (Küche)* riz *m; Huhn n auf* od *in ~* poule *f* au riz; *polierte(r) ~* riz *m* glacé; **~bau** *m* riziculture *f;* **~bauer** *m* riziculteur *m;* **~brei** *m* riz *m* au lait; **~feld** *n* rizière *f;* **~papier** *n* papier *m* de riz; **~pudding** *m: überbackene(r) ~~* gâteau *m* de riz; **~suppe** *f* potage *m* au riz; **~wein** *m (Sake)* saké, saki *m.*

Reis 2. *n* ‹-es, -er› ['raıs, -zər] *(Zweiglein)* brindille *f,* rameau *m; (Pfropf~)* greffe *f; (Schößling)* rejet(on) *m;* **~erbesen** *m* balai *m* de bouleau; **~ig** *n* ‹-s, ø› [-zıç] ramée *f,* branchages *m pl,* broutilles *f pl,* petit *od* menu bois *m;* **~igbündel** *n* fagot *m,* javelle, bourrée *f; (kleines)* margotin *m.*

Reise *f* ‹-, -n› ['raızə] voyage; tour *m; auf ~n* en voyage; *auf die ~* od *auf ~n gehen* aller *od* partir en voyage; *dauernd* od *immer auf ~n sein* courir le monde; *pop* rouler sa bosse; *e-e ~ wert sein* valoir le voyage; *glückliche ~!* bon voyage! *~ um die Welt* tour *m* du monde; **~abkommen** *n* accord *m* touristique; **~andenken** *n* souvenir *m;* **~apotheke** *f* nécessaire *m* de pharmacie; **~artikel** *m pl* articles *m pl* de voyage; **~ausrüstung** *f* équipement *m* de voyage; **~autobus** *m* (auto)car (d'excursion), touring-car *m;* **~bedarf** *m* provisions *f pl* de route; **~begleiter** *m* accompagnateur *m;* **~bekanntschaft** *f* connaissance *f* de voyage; **~bericht** *m* relation *f* de voyage; **~beschreibung** *f* récit *m od* narration *f* de voyage; **~bügel** *m* cintre *m* pliant; **~büro** *n* agence *f od* bureau *m* de tourisme *od* de voyage; **~decke** *f* couverture *f* de voyage, plaid *m;* **~eindrücke** *m pl* impressions *f pl* de voyage; **r~fertig** *a* prêt à partir; *~~ sein (a.)* être sur le départ, avoir le pied à l'étrier; **~fieber** *n* fièvre *f* du départ; **~führer** *m* guide *m;* **~gefährte** *m* compagnon *m* de voyage; **~geld** *n* argent *m* pour un *od* le voyage; **~gepäck** *n* bagages *m pl* accompagnés; **~gepäckversicherung** *f* assurance *f* de(s) bagages; **~gesellschaft** *f* caravane *f;* **~koffer** *m: (großer)* malle; *(kleiner)* valise *f;* **~kosten** *pl* frais *m pl* de voyage *od* de déplacement; **~kostenvergütung** *f* indemnité *f* de déplacement *od* de route; **~krankheit** *f* mal *m* du voyage; **~kreditbrief** *m* lettre *f* de crédit pour voyageurs; **~leiter** *m* responsable *m* de *od* du groupe; **~lektüre** *f* lecture *f* pour le *od* de voyage; **~lust** *f* envie *f* de voyager, goût *m* des voyages; **r~lustig** *a: ~~ sein* avoir envie de voyager *od* le goût des voyages; **~necessaire** *n* nécessaire *m od* trousse *f* (de voyage *od* de toilette); **~omnibus** *m* (touring-)car, autocar *m* (d'excursion); **~paß** *m* passeport *m;* **~pläne** *m pl* projets *m pl* de voyage; **~route** *f* itinéraire *m;* **~scheck** *m* chèque *m* touriste *od* de voyage; **~schreibmaschine** *f* machine *f* à écrire portative; **~spesen** *pl = ~kosten;* **~tasche** *f* sac *m* de voyage; *(große)* fourre-tout *m;* **~verkehr** *m* circulation *f* des voyageurs; **~wagen** *m mot* routière *f;* **~wetterversicherung** *f* assurance *f* mauvais temps villégiature; **~ziel** *n* destination *f.*

reisen [raızən] ‹*ist gereist*› *itr* voyager, faire un *od* des voyages; *com* être commis voyageur; *nach ...* aller, se rendre à ...; faire route, partir pour ...; *zu jdm* aller rejoindre qn; *mit jdm zs.* faire route avec qn; *gern ~* aimer (à) voyager, aimer les voyages, ne pas tenir *od* rester en place; **R~,** *das* les voyages *m pl;* **R~de(r)** *m* voyageur; touriste; *com* commis *m* voyageur.

Reisige(r) ['raızıgə] *m hist* cavalier *m* en armes.

Reiß|aus *m* [raıs'ˀaus] *: ~~ nehmen* prendre la fuite *od* le large, détaler, déguerpir; **~bahn** *f* ['rais-] *aero* panneau *m* de déchirure; **~brett** *n* planche *f* à dessin *od* à dessiner; **~brettstift** *m* punaise *f;* **~feder** *f* tire-ligne *m;* **r~fest** *a* résistant à la déchirure; indéchirable; **~leine** *f aero* corde *f* du panneau de déchirure; **~nagel** *m* punaise *f;* **~schiene** *f* (équerre *f* en) T, té *m;* **~verschluß** *m* fermeture *f* éclair *od* à glissière; **~wolf** *m (Wollspinnerei)* carde(-effilocheuse) *f;* **~zahn** *m* (dent) canine *f;* **~zeug(etui)** *n* (boîte à *od* de *od* pochette *f* de) compas *m pl;* **~zwecke** *f* punaise *f.*

reiß|en ‹*riß*› ['raısən, (-)'rıs(-)] *tr* ‹*hat gerissen*› tirer avec force; *(zerren)* tirailler; *(ab~)* arracher; *(zer~)* déchirer; *an sich* tirer à soi, agripper; accaparer; *fig* s'emparer de, se saisir de, usurper; *mit sich* entraîner; *itr* ‹*ist gerissen*› se rompre, se déchirer; se casser; *(bersten)* se fendre, se crevasser; *sich ~~* s'écorcher; *um etw* s'arracher, se disputer qc; *ins Geld ~~ (fig)* faire un trou dans le budget; *jdm etw aus den Händen ~~* arracher qc des mains de qn; *die Latte ~~ (sport)* faire tomber *od* accrocher la barre; *in Stücke ~~* mettre en pièces, déchirer; *mir ~t die Geduld* od *der Geduldsfaden* la patience m'échappe, je suis à bout de patience; *man ~t sich um ihn* on se l'arrache; *ich ~e mich nicht darum* cela ne m'enthousiasme guère, je ne me battrais pas pour cela; **R~en** *n (heftige Schmerzen)* déchirement *m,* élancements *m pl; (Rheuma)* rhumatisme *m;* **~end** *a (Tier)* féroce; *(Wasser)* torrentiel, impétueux; *(Schmerz)* lancinant; *~~ (ab)gehen (Ware)* s'enlever; **R~er** *m* ‹-s, -› *(Verkaufsschlager)* marchandise *f* qu'on s'arrache; *(Buch, theat)* livre *m,* pièce *f* à succès; **~erisch** *a (Reklame, Titel)* tape-à-l'œil.

Reit|bahn *f* ['raıt-] manège *m;* **~gerte** *f* badine *f;* **~halle** *f* manège *m* couvert; **~hose** *f* culotte *f* de cheval; **~knecht** *m* palefrenier *m;* **~kostüm** *n* costume *m* de cheval; *(für Damen)* amazone *f;* **~kunst** *f* équitation *f;* manège *m;* **~lehrer** *m* professeur *m* d'équitation; **~peitsche** *f* cravache *f;* **~pferd** *n* cheval *m* de selle; monture *f;* manège *m;* **~sport** *m* équitation *f,* hippisme *m;* **~stiefel** *m pl* bottes *f pl* à l'écuyère; **~tier** *n* monture *f;* **~- und Fahrturnier** *n* concours *m* hippique; **~- und Zugpferd** *n* cheval *m* à deux mains; **~unterricht** *m* leçons *f pl* d'équitation; **~weg** *m* (piste) cavalière *f.*

reit|en ‹*ritt*› ['raıtən, (-)'rıt(-)] *itr* ‹*ist geritten*› aller *od* être *od* monter à cheval, être en selle, chevaucher; *(rittlings sitzen)* chevaucher, être à califourchon; *tr* ‹*hat geritten*› monter (*ein Pferd* un cheval); *ohne Sattel ~~* monter à cru; *Schritt, Trab, Galopp ~~* aller au pas, trot, galop; *ihn ~et der Teufel* il a le diable au corps; **R~en** *n* équitation *f;* **~end** *a* monté, à cheval.

Reiter *m* ‹-s, -› ['raıtər] cavalier *a. mil; (Kunst~)* écuyer; *tech* cavalier, curseur; *(Kartei)* onglet *m;* **~ei** *f* ‹-, (-en)› [-'raı] *mil* cavalerie *f;* **~in** *f* cavalière; amazone; *(Kunst~in)* écuyère *f;* **~regiment** *n* régiment *m* de cavalerie; **~smann** *m* ‹-(e)s, -männer› homme à cheval, cavalier *m;* **~standbild** *n* statue *f* équestre.

Reiz *m* ⟨-es, -e⟩ [raɪts] *physiol* excitation; *med* irritation *f; (Anreiz)* stimulant; *allg* attrait, charme, appât *m; das verliert nie s-n ~* on ne s'en dégoûte jamais; *weibliche ~e (pl)* appas *m pl (lit); der ~ der Neuheit* le charme de la nouveauté; **r~bar** *a physiol* excitable, irritable; *allg* susceptible; *(jähzornig)* irascible; **~barkeit** *f* ⟨-, ø⟩ excitabilité, irritabilité; susceptibilité; irascibilité *f; nervöse ~~* hyperesthésie *f;* **r~en** ⟨*du reiz(es)t*⟩ *tr (erregen)* exciter, irriter, agacer, piquer; *(herausfordern)* provoquer; *(ärgern)* offusquer, mettre en colère, monter la tête à; *(anregen)* stimuler; *(locken)* attirer, charmer, tenter; *itr (Kartenspiel)* faire une enchère; *jds Neugier, Phantasie ~~* piquer la curiosité, l'imagination de qn; *das ~t mich* la main *od* les doigts me démange(nt); *das ~t mich nicht* cela ne me dit rien (qui vaille); je ne suis pas très chaud *(fam);* **r~end** *a (entzückend)* charmant, ravissant; *(niedlich)* mignon, joli; *das ist ja ~~! (fam iron)* c'est magnifique *od* gentil *od* du joli! me voilà gentil! **~klima** *n* climat *m* vivifiant; **r~los** *a* sans attrait, sans charme; disgracieux; *(fade)* fade, insipide; **~mittel** *n med* excitant, stimulant; *pharm* irritant *m;* **~schwelle** *f physiol* seuil *m* d'excitation; **~stoff** *m* substance *f* irritante; **~ung** *f med* irritation *f;* **r~voll** *a* plein de charme *od* d'attrait; ravissant, attrayant.

Rekapitul|ation *f* ⟨-, -en⟩ [rekapitulatsi'o:n] *(Wiederholung)* récapitulation *f;* **r~ieren** [-'li:rən] *tr* récapituler.

rekeln ['re:kəln] , *sich* s'étirer; se vautrer.

Reklam|ation *f* ⟨-, -en⟩ [reklamatsi'o:n] réclamation *f;* **r~ieren** [-'mi:rən] *tr* réclamer.

Reklame *f* ⟨-, -n⟩ [re'kla:mə] réclame, publicité *f; ~ machen* faire de la réclame *od* de la publicité; **~artikel** *m* article *m* de réclame; **~beleuchtung** *f* **~bild** *n* éclairage *m,* image *f* publicitaire; **~büro** *n* bureau *m od* agence *f* de publicité; **~fachmann** *m* publicitaire *m;* **~film** *m* film *m* publicitaire; **~fläche** *f* panneau *m* d'affichage; **~flugzeug** *n* avion *m* publicitaire; **~preis** *m* prix-réclame, prix *m* d'accrochage; **~rummel** *m* battage *m;* **~schild** *n* enseigne *f* publicitaire; *(an der Landstraße)* panneau *m* routier; **~sendung** *f* envoi *m* publicitaire; **~tafel** *f* tableau de publicité, panneau publicitaire, panneau-réclame *m;* **~trick** *m* ruse *f* publicitaire; **~verkauf** *m* vente-réclame *f;* **~wagen** *m* voiture-réclame *f;* **~wesen** *n* réclame, publicité *f;* **~zeichner** *m* dessinateur *m* publicitaire *od* en publicité; **~zettel** *m* prospectus *m.*

rekognoszier|en [rekɔgnɔs'tsi:rən] *tr jur* reconnaître; **R~ung** *f* reconnaissance *f.*

rekonstru|ieren [rekɔnstru'i:rən] *tr* reconstruire, reconstituer; **R~ktion** *f* ⟨-, -en⟩ reconstruction; *fig* reconstitution *f.*

Rekonvaleszen|t *m* ⟨-en, -en⟩ [rekɔnvalɛs'tsɛnt] convalescent *m;* **~z** *f* ⟨-, ø⟩ [-'tsɛnts] convalescence *f.*

Rekord *m* ⟨-(e)s, -e⟩ [re'kɔrt, -də] record *m; e-n ~ aufstellen, brechen, halten* établir, battre, détenir un record; *den ~ verbessern, drücken* améliorer, abaisser le record; **~besuch** *m* chiffre *m* record de visiteurs; **~ernte** *f* récolte *f* record; **~inhaber(in** *f***)** *m* détenteur, trice *m f* d'un *od* du record; recordman *m,* recordwoman *f;* **~versuch** *m,* **~zeit** *f,* **~ziffer** *f* tentative *f,* temps *m,* chiffre *m* record.

Rekrut *m* ⟨-en, -en⟩ [re'kru:t] *mil* recrue *f,* conscrit; *pop* bleu *m; pl arg mil* bleusaille *f;* **~enanwerbung** *f* embauchage *m;* **~enausbildung** *f* instruction *f* des recrues; **~enaushebung** *f,* **~eneinstellung** *f* recrutement *m;* **~enjahrgang** *m* classe *f;* **r~ieren** [-kru'ti:rən] , *sich* se recruter *a. fig (aus* dans); **~ierung** *f* recrutement *m.*

Rekt|apapier *n* ['rɛkta-] *jur* titre *m* nominatif; **~aszension** *f astr* ascension *f* droite; **~ion** *f* ⟨-, -en⟩ [rɛktsi'o:n] *gram* régime *m,* rection *f;* **~or** *m* ⟨-s, -en⟩ ['rɛktɔr, -'to:rən] *(Schulleiter)* directeur; *(Univ.)* recteur *m;* **~orat** *n* ⟨-(e)s, -e⟩ [-to'ra:t] *(Univ.)* rectorat *m;* **~orenkonferenz** *f* Conférence *f* des Recteurs.

Rekurs *m* ⟨-es, -e⟩ [re'kurs, -zə] *(Einspruch)* appel, recours *m.*

Relais *n* ⟨-, -⟩ [rə'lɛ:] , *gen* [-'lɛ:(s)] , *pl* [-'lɛ:s] *el radio* relais *m;* **~kette** *f* chaîne *f* des relais; **~sender** *m radio* émetteur-relais *m;* **~station** *f* station *f* relais, relais *m* (hertzien); **~steuerung** *f* commande *f* par relais.

relativ [rela'ti:f] *a* relatif; **R~ismus** *m* ⟨-, ø⟩ [-ti'vɪsmus] relativisme *m;* **~istisch** [-'vɪstɪʃ] *a* relativiste; **R~ität** *f* ⟨-, (-en)⟩ [-tivi'tɛ:t] relativité *f;* **R~itätstheorie** *f: (spezielle, allgemeine) ~~* théorie *f* de la relativité (restreinte, général(isé)e); **R~pronomen** *n* pronom *m* relatif; **R~satz** *m* proposition *f* relative.

Releg|ation *f* ⟨-, -en⟩ [relegatsi'o:n] *(Verweisung von der Schule)* renvoi *m;* **r~ieren** [-'gi:rən] *tr* renvoyer.

relevan|t [rele'vant] *a (bedeutend)* important, pertinent, significatif; **R~z** *f* ⟨-, -en⟩ [-'vants] importance *f.*

Relief *n* ⟨-s, -s/-e⟩ [reli'ɛf] relief *m;* **~druck** *m typ* impression *f* en relief; **~karte** *f* carte *f* en relief.

Religion *f* ⟨-, -en⟩ [religi'o:n] religion; *(als Schulfach)* instruction *f* religieuse; **~sbekenntnis** *n* confession *f;* **~sfreiheit** *f* liberté *f* religieuse *od* de culte; **~sgemeinschaft** *f* communauté *f* religieuse; **~sgeschichte** *f* histoire *f* des religions; **~skrieg** *m* guerre *f* de religion; **r~slos** *a (innerlich)* irréligieux; *(äußerlich)* sans confession; **~slosigkeit** *f* ⟨-, ø⟩ irréligiosité, irréligion *f;* **~sphilosophie** *f* philosophie *f* de la religion; **~ssoziologie** *f* sociologie *f* religieuse; **~sstifter** *m* fondateur *m* d'une religion; **~sunterricht** *m* instruction *f* religieuse; catéchisme *m;* **~swissenschaft** *f = ~sgeschichte.*

religi|ös [religi'ø:s] *a* religieux; *(fromm)* pieux; *~~e Kunst f* art *m* sacré; **R~osität** *f* ⟨-, ø⟩ [-giozi'tɛ:t] religiosité; *(Frömmigkeit)* piété *f.*

Reling *f* ⟨-, -s/(-e)⟩ ['re:lɪŋ] *mar* bastingage, garde-corps *m.*

Reliqui|ar *n* ⟨-s, -e⟩ [relikvi'a:r] *rel* reliquaire *m;* **~e** *f* ⟨-, -n⟩ [-'li:kviə] relique *f;* **~enkult** *m* culte *m* des reliques; **~enschrein** *m* reliquaire *m,* châsse *f.*

remilitarisier|en [remilitari'zi:rən] *tr* remilitariser; **R~ung** *f* remilitarisation *f.*

Reminiszenz *f* ⟨-, -en⟩ [reminɪs'tsɛnts] *(Erinnerung)* réminiscence *f.*

remis [rə'mi:] *a (unentschieden)* nul; **R~** *n* ⟨-, -/-en⟩ [rə'mi:, -'mi:zən] nullité, partie *f* nulle.

Remi|ssion *f* ⟨-, -en⟩ [remɪsi'o:n] *(Buchhandel)* justification *f;* **~ttende** *f* ⟨-, -n⟩ *(Buchhandel)* retour (en librairie), exemplaire défraîchi, invendu *m; pl (Zeitungen)* bouillons *m pl;* **~ttent** *m* ⟨-en, -en⟩ [-'tɛnt] *com* remettant, remetteur *m;* **r~ttieren** [-'ti:rən] *tr com* renvoyer; *(Zeitungen)* bouillonner; *(Bücher)* justifier.

Remmidemmi *n* ⟨-s, ø⟩ [rɛmi'dɛmi] *arg* ribouldingue *f.*

Remoulade(nsoße) *f* ⟨-, -n⟩ [remu'la:də] rémoulade *f.*

Rempel|ei *f* ⟨-, -en⟩ [rɛmpə'laɪ] *dial fam* accrochage *m,* bousculade *f;* **r~n** ['rɛmpəln] *tr* accrocher, bousculer.

Ren *n* ⟨-s, -s/-e⟩ [rɛn] *zoo* renne *m.*

Renaissance *f* ⟨-, -n⟩ [rənɛ'sã:s] *hist (Kunst) u. fig* renaissance *f.*

Rend|ant *m* ⟨-en, -en⟩ [rɛn'dant] trésorier *m;* **~ite** *f* ⟨-, -n⟩ [-'di:tə] *fin* taux *m* de capitalisation.

Rendezvous *n* ⟨-, -⟩ [rɑ̃de'vu:], *gen* [-'vu:(s)] , *pl* [-'vu:s] rendez-vous *m.*

Renegat *m* ⟨-en, -en⟩ [rene'ga:t] *rel* renégat *m.*

Reneklode *f* ⟨-, -n⟩ [rɛ:ne'klo:də] *bot* reine-claude *f.*

reniten|t [reni'tɛnt] *a (widerspenstig)* récalcitrant, réfractaire; insoumis; **R~z** *f* ⟨-, ø⟩ [-'tɛnts] insoumission *f.*

Renn|bahn *f* ['rɛn-] piste *f;* champ *m* de course; *(Aschenbahn)* (piste) cendrée *f; (Pferde~~)* hippodrome; turf; *(Rad~~)* vélodrome; *(Auto~~)* autodrome *m;* **~boot** *n* bateau de course, racer *m;* **r~en** *itr* ⟨*rannte, gerannt, wenn ich rennte*⟩ [(-)'rant(-)] courir; *pop* faire vinaigre; *gegen etw* se cogner *od* se heurter contre qc; *jdn über den Haufen ~~* renverser qn en courant; *jdm den Degen durch den Leib ~~* passer à qn l'épée à travers le *od* au travers du corps, transpercer qn d'un coup d'épée; *mit dem Kopf gegen* od *durch die Wand ~~ (fig)* se cogner la *od* donner de la tête contre les murs, foncer à l'aveuglette; *sie kann (noch) ~~ wie ein Wiesel fam* elle court comme un lapin; **R~~** *n* course *f; das ~~ aufgeben (fig)* abandonner la partie; *gut* *im ~~ liegen (fig)* être en bonne position; *das ~~ machen* gagner la course; *a. fig* l'emporter; *fig fam* décrocher la timbale; *tote(s) (unentschiedene(s)* ~~ course *f* nulle; **~er** *m* ⟨-s, -⟩ coureur; *(Pferd)* cheval *m* de course; **~fahrer** *m* coureur *m* (cycliste, automobile); **~jacht** *f mar* yacht de course, racer *m;* **~leitung** *f* commission *f* des courses; **~mannschaft** *f* équipe *f* de course; **~pferd** *n* cheval de course, coureur, racer *m;* **~platz** *m* champ de course; *(Pferde~~)* turf *m;* **~rad** *n* bicyclette *f* de course; **~reiter** *m (berufsmäßiger)* jokey *m;* **~saison** *f* saison *f* hippique; **~schuhe** *m pl sport* souliers *m pl od* chaussures *f pl* à pointes; **~sport** *m* course *f; (Pferde~~)* turf *m;* **~stall** *m a. mot* écurie *f* de course; **~strecke** *f* parcours *m od* piste *f* (de course); circuit *m; (Straße)* piste *f* (routière); **~wagen** *m* voiture *f* de course; *schwere(r) ~~* bolide *m* (de course).

Renne *f* ⟨-, -n⟩ ['rɛnə] *(Kälberlab)* présure *f.*

Ren(n)tier = *Ren.*

Renomm|ee *n* ⟨-s, -s⟩ [renɔ'me:] *(guter) Ruf)* renommée *f;* renom *m,* réputation *f; ein gutes ~~ haben* jouir d'une bonne *od* d'une grande renommée; **r~ieren** ⟨*aux: haben*⟩ [-'mi:rən] *itr* crâner, fanfaronner, se vanter; *pop* faire le fanfaron *od* le malin; **r~iert** *a* renommé; **~ist** *m* ⟨-en, -en⟩ [-'mɪst] crâneur, fanfaron; vantard *m;* **~isterei** *f* [-'raɪ] crânerie, fanfaronnade, vantardise, vanterie *f.*

renovier|en [reno'vi:rən] *tr* remettre à neuf; **R~ung** *f* remise *f* à neuf.

rent|abel [rɛn'ta:bəl] *a* rentable, profitable, lucratif, d'un *od* de bon rapport; **R~abilität** *f* [-tabili'tɛ:t] rentabilité, productivité *f* financière; *(Ergiebigkeit)* bon rendement; *(guter Ertrag)* rapport *m;* **R~abilitätsgrenze, ~~sschwelle** *f* seuil *m* de rentabilité; **R~amt** *n* recette *f* des finances; **R~e** *f* ⟨-, -n⟩ ['rɛntə] rente, annuité; *(Altersrente)* pension *f;* **R~enablösung** *f* rachat *m* de rente; **R~enanstalt** *f* caisse *f* de rente(s); **R~enantrag** *m* demande *f* de rente; **R~enbank** *f* banque *f* de rente(s); crédit *m* foncier; **R~enberechtigte(r)** *m* titulaire *m* d'une *od* de la rente; **R~enempfänger** *m* rentier *m* de l'assurance sociale; **R~enentzug** *m* suppression *f* de la rente; **R~enhaus** *n* maison *f* de rapport; **R~enmarkt** *m* marché *m* des rentes; **R~enreform** *f* réforme *f* des rentes sociales; **R~enschein** *m* titre *m* de rente; **R~enversicherung** *f* assurance de rente(s); assurance-rentes *f;* **R~ier** *m* ⟨-s, -s⟩ [rɛnti'e:] rentier *m;* **~ieren** [-'ti:rən] , *sich* être rentable, donner un rendement, rapporter; *fam* payer; *das ~iert sich nicht (fig fam)* ça ne vaut pas la peine; ça ne paie pas; **R~ner** *m* ⟨-s, -⟩ rentier; *(Alters~~)* retraité *m.*

Reorganis|ation *f* [re-] réorganisation *f, f,* remaniement *m;* **r~ieren** *tr* réorganiser, remanier.

repar|abel [repa'ra:bəl] *a* réparable; **R~ation** *f* ⟨-, -en⟩ [-ratsi'on] *(Wiederherstellung)* réparation *f; pl pol* réparations *f pl;* **R~ationskommission** *f* commission *f* de(s) réparation(s); **R~ationsleistung** *f,* **R~ationszahlung** *f* prestation *f,* paiement *m* à titre de réparation; **R~atur** *f* ⟨-, -en⟩ [-'tu:r] réparation, remise *f* en état; *mot a.* dépannage *m; in ~~* en réparation; *laufende ~~en* réparations *f pl* courantes; **~aturbedürftig** *a: ~~ sein* avoir besoin d'être réparé; **R~aturkosten** *pl* frais *m pl* de réparation; **R~aturwerkstatt** *f* atelier de réparation(s) *od* d'entretien; *mot* service de dépannage, garage *m;* **~ieren** [-'ri:rən] *tr* réparer, rhabiller, remettre en état; *mot* dépanner.

repatriier|en [repatri'i:rən] *tr* rapatrier; **R~ung** *f* rapatriement *m.*

Repertoire *n* ⟨-s, -s⟩ [repɛrto'a:r] *theat* répertoire; *(e-s Sängers)* tour *m* de chant; **~stück** *n* pièce *f* de *od* du répertoire.

repet|ieren [repe'ti:rən] *tr (wiederholen)* répéter; **R~iergewehr** *n* fusil *m* à répétition; **R~itor** *m* ⟨-s, -en⟩ [-'ti:tɔr, -'to:rən] répétiteur *m;* **R~itorium** *n* ⟨-s, -rien⟩ [-'to:rium, -riən] *(Unterricht)* cours de répétition; *(Buch)* mémento, aide-mémoire *m.*

Replik *f* ⟨-, -en⟩ [re'pli:k] *(Erwiderung)* réplique *f.*

repo|nieren [repo'ni:rən] *tr med* réduire; **R~sition** *f* ⟨-, -en⟩ [-zitsi'o:n] réduction *f.*

Report *m* ⟨-(e)s, -e⟩ [re'pɔrt] *fin* report *m;* **~age** *f* ⟨-, -n⟩ [-'ta:ʒə] reportage *m;* **~er** *m* ⟨-s, -⟩ [-'pɔrtər] reporter *m;* **~geber** *m fin* reporteur *m;* **~geschäft** *n fin* opération *od* transaction *f* de report; **~nehmer** *m fin* reporté *m.*

Repräsent|ant *m* ⟨-en, -en⟩ [reprɛzɛn'tant] représentant *m;* **~antenhaus** *n* Chambre *f* des députés; **~ation** *f* ⟨-, -en⟩ [-tatsi'o:n] représentation *f;* **~ationskosten** *pl* frais *m pl* de représentation; **r~ativ** [-'ti:f] *a* représentatif; *~~e(r) Charakter m (e-r Veranstaltung)* représentativité *f;* **r~ieren** [-'ti:rən] *tr* u. *itr* représenter.

Repressalie *f* ⟨-, -n⟩ [reprɛ'sa:liə(n)] représailles *f pl,* (mesure de) rétorsion *f; ~n anwenden* user de représailles.

Reprise *f* ⟨-, -n⟩ [re'pri:zə] *theat* reprise *f.*

Reprodu|ktion *f* ⟨-, -en⟩ [reproduktsi'o:n] *(bes. typ)* reproduction *f; erweiterte ~~* reproduction *f* élargie; **~ktionsverfahren** *n typ* procédé *m* de reproduction; **r~zieren** [-'tsi:rən] *tr* reproduire.

Reptil *n* ⟨-s, ien/-e⟩ [rɛp'ti:l, -ljən] *zoo* reptile *m.*

Republik *f* ⟨-, -en⟩ [repu'bli:k] république *f; die Deutsche Demokratische ~* la République démocratique allemande; **~aner** *m* ⟨-s, -⟩ [-bli'ka:nər] républicain *m;* **r~anisch** [-'ka:nɪʃ] *a* républicain.

Requiem *n* ⟨-s, -s⟩ ['re:kviɛm] *rel* (messe *f* de) requiem; *mus* requiem *m.*

requi|rieren [rekvi'ri:rən] *tr* réquisitionner; **R~siten** *n pl* [rekvi'zi:tən] *theat* accessoires *m pl;* **R~siteur** *m* ⟨-s, -e⟩ [-zi'tø:r] *theat* accessoiriste *m;* **R~sition** *f* ⟨-, -en⟩ [-tsi'o:n] réquisition *f.*

resch [rɛʃ] *a dial (knusprig)* croustillant.

Reseda *f* ⟨-, -s⟩ [re'ze:da] *bot* réséda *m.*

Reserv|at *n* ⟨-(e)s, -e⟩ [rezɛr'va:t] réserve *f;* **~e** *f* ⟨-, -n⟩ [-'zɛrvə] réserve *f; (Rücklage)* en-cas; *com a.* volant *m; (in Zssgen: Ersatz-)* de rechange; *in ~~ haben* od *halten* avoir *od* garder en réserve; *~~n schaffen* accumuler des réserves; *in ~~ stellen* mettre en réserve; *operative ~~n (pl mil)* masse *f* de manœuvre; *stille ~~ (fin)* réserve *f* cachée *od* latente *od* occulte; **~ebestände** *m pl* stocks *m pl* de réserve; **~efonds** *m* fonds *m pl* de réserve; **~ekonto** *n* compte *m* de réserves; **~elazarett** *n mil* hôpital *m* d'évacuation secondaire; **~enbildung** *f fin* accumulation *f* de réserves; **~eoffizier** *m* officier *m* de réserve; **~erad** *n mot* roue *f* de rechange; **~etank** *m mot* nourrice *f,* bidon *m* de réserve; **~eübung** *f mil* période *f* d'instruction; **r~ieren** [-'vi:rən] *tr* réserver; *(Platz)* retenir; **r~iert** *a, a. fig (zurückhaltend)* réservé; *sehr ~~ sein* se tenir sur ses gardes *od fam* sur son quant-à-soi; **~iertheit** *f* attitude *f* réservée; *fam* quant-à-soi *m;* **~ist** *m* ⟨-en, -en⟩ [-'vɪst] *mil* réserviste *m;* **~oir** *n* réservoir *m.*

Resid|ent *m* ⟨-en, -en⟩ [rezi'dɛnt] *pol* résident *m;* **~enz(stadt)** *f* ⟨-, -en⟩ [-'dɛnts] résidence *f;* **r~ieren** [-'di:rən] *itr* résider.

Resign|ation *f* ⟨-, -en⟩ [rezignatsi'o:n] résignation *f;* **r~ieren** ⟨*aux: haben*⟩ [-'ni:rən] *itr* se résigner, se faire une raison; **r~iert** *a* résigné; *adv* avec résignation.

resolut [rezo'lu:t] *a (entschlossen, willensstark)* décidé, déterminé, résolu; **R~ion** *f* ⟨-, -en⟩ [-lutsi'o:n] *(Entschließung)* résolution *f.*

Reson|anz *f* ⟨-, -en⟩ [rezo'nants] *phys, a. fig* résonance *f;* **~anzboden** *m mus* table *f* d'harmonie; **~ator** *m* ⟨-s, -en⟩ [-'na:tɔr, -'to:rən] *phys el* résonateur *m.*

resor|bieren [rezɔr'bi:rən] *tr med* résorber; **R~ption** *f* ⟨-, -en⟩ [-ptsi'o:n] résorption *f.*

Respekt *m* ⟨-(e)s, ø⟩ [re-, rɛs'pɛkt] respect *m* (*vor* pour), crainte *f* (*vor* de); *sich ~ verschaffen* se faire respecter *od* craindre; **r~abel** [-'ta:bəl] *a* respectable; **~blatt** *n typ* (page de) garde *f;* **~frist** *f fin* terme *m* de grâce; **r~ieren** [-'ti:rən] *tr* respecter; craindre; **r~ive** [-'ti:və] *adv (beziehungsweise)* respectivement; **r~los** *a* irrespectueux, irrévérencieux, irrévérent, sans respect; **~losigkeit** *f* irrespect *m,* irrévérence *f,* manque *m* de respect; **~sperson** *f* personnage *m od* personne *f* respectable; **~tage** *m pl fin* jours *m pl* de faveur *od* de grâce *od* de répit; **r~voll** *a* respectueux, plein de respect.

Ressort *n* ⟨-s, -s⟩ [rɛ'so:r] *(Geschäftsbereich)* ressort, département *m*, compétence *f; (e-s Ministers)* portefeuille *m*.

Rest *m* ⟨-(e)s, -e⟩ [rɛst] reste *a. math; (Überschuß)* surplus; *(Überbleibsel)* vestige; *(Flüssigkeit in e-m Gefäß)* fond; *(Rückstand)* résidu; *(Stoffrest) m* ⟨-(e)s, -er⟩ coupon; *(Restbetrag)* restant, reliquat; *fin (Saldo)* solde *m; pl (Überbleibsel)* vestiges, *fam* reliquats; *(e-r Mahlzeit)* reliefs; *com (Stoffe)* fins *m pl* de série; *jdm den ~ geben (fig)* achever qn; donner le coup de grâce à qn; *den ~ kann man sich denken* et cætera ...; *letzte(r) ~* reliquat *m; die sterblichen ~e* les restes *m pl* (mortels), la dépouille (mortelle); **~auflage** *f* reste *m* (d'un tirage); *pl* surplus *m* d'éditeurs; **~bestand** *m* reste, reliquat *m;* **~betrag** *m* restant, reliquat *m;* **~everkauf** *m* vente *f* de fins de série; **~guthaben** *n* reliquat *m* d'un *od* de l'avoir; **r~lich** *a* restant, de reste; *(zurückbleibend)* résiduel; **r~los** *a* entier, complet, total, intégral, cent pour cent; *adv fam a.* parfaitement; **~posten** *m com* reste *m;* **~schuld** *f* redû *m;* **~schuldner** *m* reliquataire *m*.

Restant *m* ⟨-en, -en⟩ [rɛs'tant] = *Restschuldner.*

Restaur|ant *n* ⟨-s, -s⟩ [rɛsto'rã:] restaurant *m;* brasserie *f;* **~ateur** *m* ⟨-s, -e⟩ [-ra'tø:r] *(Speisewirt)* restaurateur *m;* **~ation** *f* ⟨-, -en⟩ [-atsi'o:n] *pol hist* restauration *f; (Speiselokal)* restaurant *m;* **~ator** *m* ⟨-s, -en⟩ [-'ra:tɔr, -'to:rən] *(Wiederhersteller von Kunstwerken)* restaurateur *m;* **r~ieren** [-'ri:rən] *tr (wiederherstellen)* restaurer; **~ierung** *f* restauration *f*.

Result|ante *f* ⟨-, -n⟩ [rezul'tantə] *math* résultante *f;* **~at** *n* ⟨-(e)s, -s⟩ [-'ta:t] résultat *m;* **r~atlos** *a* sans résultat(s); **r~ieren** [-'ti:rən] *itr* résulter.

Resüm|ee *n* ⟨-s, -s⟩ [rezy'me:] *(Zs.fassung)* résumé *m;* **r~ieren** [-'mi:rən] *tr* résumer.

retardieren [retar'di:rən] *tr (verzögern)* retarder.

Retorte *f* ⟨-, -n⟩ [re'tɔrtə] *chem* cornue *f*, alambic *m*.

rett|en ['rɛtən] *tr* sauver; *(befreien)* délivrer; *sich aufs Dach ~~* se réfugier sur le toit; *~e sich, wer kann!* sauve qui peut! **~end** *a* sauveur, salvatrice; **R~er** *m* ⟨-s, -⟩ *allg* sauveur; *(Lebensretter)* sauveteur *m*.

Rettich *m* ⟨-s, -e⟩ ['rɛtɪç] radis noir; *pop* raifort *m*.

Rettung *f* ⟨-, -en⟩ ['rɛtuŋ] sauvetage *m; (Befreiung)* délivrance *f; letzte ~* planche *f* de salut; *~ aus Seenot* sauvetage *m* maritime; **~saktion** *f* opération *f* de sauvetage; **~sanker** *m fig* ancre *od* planche *f* de salut; **~sarbeiten** *f pl* travaux *m pl* de sauvetage; **~sboot** *n* bateau *od* canot *m* de sauvetage; **~sdienst** *m* service *m* de secours *od* de sauvetage; **~sgürtel** *m* ceinture *f* de sauvetage; **~sleine** *f* corde *f* de sauvetage; **~sleiter** *f* échelle *f* de sauvetage; **r~slos** *adv* sans retour, sans remède, irrémédiablement, inéluctablement; **~smannschaft** *f* équipe *f* de sauvetage; **~smedaille** *f* médaille *f* de sauvetage; **~sring** *m* ceinture *od* bouée *f* de sauvetage; **~sstation** *f* poste *m* de sauvetage; **~sversuch** *m* tentative *f* de sauvetage; **~swerk** *n*, **~swesen** *n* sauvetage *m*.

Retusch|e *f* ⟨-, -n⟩ [re'tuʃə, -tu:ʃə] *a. phot* retouche; *phot* opération *f* corrective; **r~ieren** [-tu'ʃi:rən] *tr* retoucher.

Reu|e *f* ⟨-, ø⟩ ['rɔyə] repentir *m (über* de); *vx* repentance *f; (Bedauern)* regret *m (über* de); *rel* pénitence; *(Zerknirschung)* contrition; *(tätige ~~)* résipiscence *f; ~~ bezeigen* venir à résipiscence; **r~en** *tr impers: es reut mich* je le regrette; il m'en cuit; **r~evoll** *a*, **r~ig** *a*, **r~mütig** *a* repentant; pénitent, contrit; **~geld** *n* dédit *m*, prime *f;* **~kauf** *m* dédit *m*.

Reuse *f* ⟨-, -n⟩ ['rɔyzə] *(Fisch~)* nasse *f; (Hummer~)* casier *m;* **~nantenne** *f* antenne *f* en forme de nasse.

reuten ['rɔytən] *tr dial (roden)* défricher, essarter.

Revanch|e *f* ⟨-, -n⟩ [re'vã:ʃ(ə)] revanche *f; a. = ~~partie; ~~ geben* donner la revanche; *~~ nehmen (Spiel)* prendre sa revanche; **r~elustig** *a* revanchard; **~epartie** *f*, **~espiel** *n* contrepartie, partie *f od* match *m* de revanche; **~epolitiker** *m* politicien *m* revanchard; **r~ieren** [-'ʃi:rən], *sich* prendre sa revanche (*bei jdm für etw* sur qn de qc); *(a. im positiven Sinne)* rendre la pareille (*bei jdm* à qn); *ich werde mich dafür ~~* c'est à charge de revanche; **~ist** *m* ⟨-en, -en⟩ [-'ʃɪst] revanchard *m*.

Reverenz *f* ⟨-, -en⟩ [reve'rɛnts] révérence *f*.

Revers 1. *n* od *m* ⟨-, -⟩ [re(ə)'vɛ:r], *gen* [-'vɛ:r(s), *pl* [-'vɛ:rs] *(Kleideraufschlag)* revers *m;* **2.** *m* ⟨-es/-, -e/-⟩ [re'vɛrs, -'vɛ:r, -zə(s)] *(Rückseite e-r Münze)* revers *m;* **3.** *m* ⟨-es, -e⟩ [re'vɛrs, -zə] *fin (Verpflichtungsschein)* lettres *f pl* réversales, contre-lettre *f;* **r~ibel** [-'zi:bəl] *a (umkehrbar)* réversible.

revidieren [revi'di:rən] *tr* réviser, revoir, vérifier.

Revier *n* ⟨-s, -e⟩ [re'vi:r] *allg (Bezirk)* district, canton, secteur; *(Forst~)* district *m*, garderie *f; (Jagd~)* chasse *f; mines* district; *(Polizei~)* commissariat *m* (de police); *mil (Krankenstube)* infirmerie *f;* **~förster** *m* garde *m* forestier; **r~krank** *a mil* malade à la chambre.

Revision *f* ⟨-, -en⟩ [revizi'o:n] révision, vérification; visite *f; jur* pourvoi *m* en révision *od* cassation; *typ* révision, tierce *f; ~ einlegen* se pourvoir en révision *od* en cassation; **~sbogen** *m typ* épreuve *f* de révision; **~seinlegung** *f* recours *m* en révision; **~sinstanz** *f* instance *f* de révision *od* en cassation; **~sverfahren** *n jur* procédure *f* de révision.

Revisor *m* ⟨-s, -oren⟩ [re'vi:zɔr, -'zo:rən] réviseur *a. typ;* vérificateur; *com (Buchprüfer)* contrôleur *m* des comptes.

Revolt|e *f* ⟨-, -n⟩ [re'vɔltə] révolte, insurrection, mutinerie *f;* **r~ieren** [-'ti:rən] *itr* se révolter, s'élever (*gegen* contre); **r~ierend** *a* révolté, insurrectionnel.

Revolution *f* ⟨-, -en⟩ [revolutsi'o:n] révolution *f;* **r~är** [-tsjo'nɛr] *a* révolutionnaire; **~är** *m* ⟨-s, -e⟩ révolutionnaire *m;* **r~ieren** [-'ni:rən] *tr a. fig* révolutionner.

Revolver *m* ⟨-s, -⟩ [re'vɔlvər] revolver *m; mit e-m ~ erschießen* tuer *od* abattre d'un coup de revolver; **~blatt** *n* journal *m* à sensation *od* à cancans *od* à scandales; *pl: die ~blätter* la petite presse; **~drehbank** *f* tour *m* revolver; **~held** *m fam* bravache *m;* **~tasche** *f* étui *m* à revolver.

Revue *f* ⟨-, -n⟩ [rə-, re'vy:] *(Zeitschrift)* revue; *theat* revue *f* à grand spectacle; *~ passieren lassen (fig)* passer en revue; **~film** *m* film *m* de music-hall; **~nautor** *m* revuiste *m*.

Reyon *m* od *n* ⟨-, ø⟩ [rɛ'jɔ̃:] *(Kunstseide)* rayonne *f*.

Rezens|ent *m* ⟨-en, -en⟩ [retsɛn'zɛnt] *(Kritiker)* critique *m* (littéraire); **r~ieren** [-'zi:rən] *tr* faire un *od* le compte rendu de, analyser; **~ion** *f* ⟨-, -en⟩ [-zi'o:n] compte *m* rendu, critique *f* (littéraire); **~ionsexemplar** *n (Buch)* exemplaire *m* de presse.

rezent [re'tsɛnt] *a geol* actuel.

Rezept *n* ⟨-(e)s, -e⟩ [re'tsɛpt] *(Küche)* recette; *med* ordonnance; *fig allg* formule *f*.

Rezession *f* ⟨-, en⟩ [retsɛ'sio:n] *(Konjunktur)* récession *f*.

reziprok [retsi'pro:k] *a (gegenseitig)* réciproque; **R~zität** *f* ⟨-, ø⟩ [-protsi'tɛ:t] réciprocité *f*.

Rezit|ation *f* ⟨-, -en⟩ [retsitatsi'o:n] récitation *f;* **~ativ** *n* ⟨-s, -e⟩ [-ta'ti:f] *mus* récitatif *m;* **r~ieren** [-'ti:rən] *tr* réciter.

Rhabarber *m* ⟨-s, ø⟩ [ra'barbər] *bot* rhubarbe *f*.

Rhapsodie *f* ⟨-, -n⟩ [rapso'di:] *mus* rhapsodie *f*.

Rhein [raɪn] , *der* le Rhin; *jenseits des ~s* outre-Rhin; **~brücke** *f* pont *m* du Rhin; **~bund,** *der, hist* la Confédération du Rhin; **~fall,** *der* la chute du Rhin; **r~isch** *a*, **r~ländisch** *a* rhénan; **~land,** *das, a. pl: die ~lande* la Rhénanie; **~~-Pfalz** la Rhénanie-Palatinat; **~länder(in** *f*) *m* Rhénan, e *m f;* **~provinz,** *die (hist)* la Prusse-Rhénane; **~seitenkanal,** *der* le canal d'Alsace; **~wein** *m* vin *m* du Rhin.

Rheostat *m* ⟨-(e)s, -e⟩ [reo'sta:t] *el* rhéostat *m*.

Rhesus|affe *m* ['re:zus-] rhésus *m;* **~faktor** *m biol* facteur *m* Rhésus.

Rhetor *m* ⟨-s, -en⟩ ['re:tɔr, -'to:rən] rhéteur *m;* **~ik** *f* ⟨-, ø⟩ [-'to:rɪk] rhétorique *f;* **r~isch** [-'to:rɪʃ] *a* rhétorique;

~~*e Frage f* interrogation *f* oratoire *od* rhétorique.

Rheuma *n* ⟨-s, ø⟩ ['rɔʏma] = *~tismus;* **~tiker** *m* ⟨-s, -⟩ [-'ma:tikər] rhumatisant *m;* **r~tisch** [-'ma:tɪʃ] *a* rhumatismal; **~tismus** *m* ⟨-, -men⟩ [-'tɪsmus] rhumatisme *m.*

Rhino|plastik [rino-] *f med* rhinoplastie *f;* **~zeros** *n* ⟨-/-sses, -sse⟩ [-'no:tserɔs, -ə] *zoo* rhinocéros *m.*

rhomb|isch ['rɔmbɪʃ] *a* rhombique, rhomboïdal; rhombiforme; **R~oeder** *n* ⟨s, -⟩ [-bo'e:dər] *min* rhomboèdre *m;* **R~oid** *n* ⟨-(e)s, -e⟩ [-bo'i:t, -də] *math* rhomboïde *m;* **R~us** *m* ⟨-, -ben⟩ ['rɔmbus] *math* rhombe, losange *m.*

Rhone ['ro:nə] , *die* le Rhône; *(in Zssgen a.)* rhodanien *a.*

Rhönrad *n* ['rø:n-] *sport* roue *f* vivante.

Rhythm|ik *f* ⟨-, ø⟩ ['rʏtmɪk] rythmique *f;* **r~isch** ['rʏtmɪʃ] *a* rythmique, cadencé; **~us** *m* ⟨-, men⟩ ['rʏtmus, -mən] rythme *m,* cadence *f.*

Richt|antenne *f* ['rɪçt-] antenne *f* dirigée *od* directionnelle *od* parabolique, cadre *m* orienté; **~aufsatz** *m mil* hausse *f* de pointage; **~bake** *f mar* remarque *f;* **~baum** *m (Gerät)* levier *m* de manœuvre; **~beil** *n (des Henkers)* hache *f* (du bourreau); **~blei** *n* fil *m* à plomb; **~block** *m* billot *m;* **~fehler** *m mil* erreur *f* de pointage, dépointage *m;* **~fernrohr** *n mil* lunette *f* de pointage; **~funk** *m* câble *od* faisceau *m* hertzien; radio *f* relais; **~funkfeuer** *n* radiophare *m* directionnel; **~funknetz** *n* réseau *m* hertzien; **~funkverbindung** *f* liaison *f* par voie hertzienne; **~glas** *n* lunette *f od* viseur *m* de pointage; **~kanonier** *m* pointeur *m;* **~kreis** *m mil* plateau gradué; *radio* appareil *m* directeur; **~latte** *f* = *~scheit; (Geschütz)* jalon de pointage, jalon-mire *m;* **~linien** *f pl* lignes *f pl* de conduite, palier *m* d'application; idées *od* lignes *f pl* directrices *od* générales, principes *m pl* directeurs; *allgemeine ~~ (pol)* politique *f* de base; **~platz** *m* lieu *m* du supplice; **~preis** *m* prix indicatif (d'orientation, de base) *od* normal, prix(-)pilote *m;* **~punkt** *m mil* point *m* de mire *od* de repère; **~satz** *m com* taux *m* de base; **~scheit** *n* équerre *f;* **~schnur** *f (Meßinstrument)* cordeau *m; fig* ligne *od* règle de conduite, gouverne *f;* **~schütze** *m* tireur-pointeur *m;* **~schwert** *n* glaive *m* de la justice; **~sender** *m radio* émetteur *m* directionnel; **~stätte** *f* = *~platz;* **~strahl** *m radio TV* faisceau *m* (dirigé); **~strahler** *m radio* poste (émetteur) à ondes dirigées; *TV* faisceau *m;* **~strahlsender** *m radio* radiophare *m* directionnel; **~waage** *f* niveau *m* à plomb; **~weg** *m* chemin *m* de traverse; **~wellen** *f pl radio* ondes *f pl* dirigées; **~wert** *m* valeur *f* indicative, élément *m* d'évaluation *od* d'appréciation; **~zahl** *f com* indice *m.*

richten ['rɪçtən] *tr (aus~, bes. Waffe)* pointer (*auf* sur, vers); *(Fernglas, die Augen)* braquer (*auf* sur); *(lenken)* diriger, porter, tourner (*auf* vers), axer (*nach* sur); *(Worte)* adresser (*an* à); *(Aufmerksamkeit)* appliquer (*auf* à); *(Blick)* porter *od* fixer (*auf* sur); *(auf~)* (re)dresser, ériger, élever; *(gerade machen)* aligner; *(regeln)* régler, ordonner; *(in Ordnung bringen)* mettre en ordre, ajuster; *(herrichten)* mettre en œuvre, préparer, arranger, disposer; *jur* juger; *über jdn* se faire le juge de qn; *(hinrichten)* exécuter, supplicier; *sich ~ nach* s'orienter vers, se régler sur; suivre; se mettre à l'unisson de, se conformer à; *gram* s'accorder avec; *nach jdm* se régler sur qn, prendre exemple sur qn, se mettre au diapason de qn; *sich nach den Umständen ~* agir selon les circonstances; *~ Sie sich danach!* ceci soit dit pour votre gouverne; *richt't euch! (mil)* à droite — alignement! **R~** *n* pointage; redressement; ajustement *m;* préparation *f,* arrangement *m,* disposition *f.*

Richter *m* ⟨-s, -⟩ ['rɪçtər] juge, magistrat *m; vor dem ~* par-devers le juge; *jdn in e-r S als ~ anrufen* faire qn juge de qc, prendre qn pour juge dans qc; *sich zum ~ aufwerfen* s'ériger en juge; *vor den ~ bringen* traduire en justice, porter devant le tribunal; *~ in eigener Sache sein* être juge et partie; *ordentliche(r), stellvertretende(r) ~* magistrat *m* titulaire, suppléant; *~ in Strafsachen* juge *m* au pénal; *~ in Zivilsachen* juge *m* (au) civil; **~amt** *n,* **~kollegium** *n* judicature, magistrature *f;* **r~lich** *a* judiciaire; *~~e Entscheidung f* décision *f* judiciaire; *~~e Gewalt f* pouvoir *m* judiciaire *od* de juridiction; **~spruch** *m* prononcé *m od* décision *f* judiciaire; **~stand** *m* ordre *m* judiciaire, judicature, magistrature *f,* juges *m pl;* **~stuhl** *m* tribunal, siège *m.*

richtig ['rɪçtɪç] *a* juste, correct, exact; *(Weg)* bon; *(echt)* véritable, vrai, authentique; *im ~en Augenblick* au bon moment, à point nommé; *~er gesagt* pour mieux dire; *~ gehen (Uhr)* être à l'heure; *es für ~ halten* juger bon; *~ rechnen* calculer juste; *das R~e sagen* parler d'or; *auf dem ~en Wege sein* être sur le bon chemin; *nicht ganz ~ im Kopf sein* avoir la tête *od* le timbre fêlé(e); *das R~e treffen* toucher *od* deviner juste; *das R~e getroffen haben (a.)* être dans le vrai; *das ist genau das R~e für mich* c'est justement ce qu'il me faut *od* mon affaire; *machen Sie es, wie Sie es für ~ halten!* faites comme vous jugerez bon; *der ist mir der R~e! (iron)* parle(z)-moi de celui-là! *sehr ~!* parfaitement! exactement! *(das ist) ~!* c'est cela! *od fam* ça! c'est exact; vous y êtes! *ein ~er Angeber* le type du crâneur; *der ~e Mann* l'homme qu'il faut; **~gehend** *a (Uhr)* exact; *fam (echt)* vrai, véritable; **R~keit** *f* ⟨-, ø⟩ justesse, exactitude; *(e-r Aussage)* véracité; *(e-r Übersetzung)* fidélité *f; für die ~~ (der Abschrift)* pour copie conforme; *jur* pour ampliation; *für die ~~ der Ausfertigung* pour expédition conforme; *für die ~~ der Unterschrift* pour la certification matérielle de la signature; *s-e ~~ haben* être juste *od* exact *od* vrai; **~=stellen** ⟨*hat richtiggestellt*⟩ *tr* mettre au point, rectifier, corriger; **R~stellung** *f* mise au point, rectification *f; e-r ~~ bedürfen* exiger une mise au point.

Richtung *f* ⟨-, -en⟩ ['rɪçtuŋ] direction *f,* sens; *mil* alignement *m; fig* orientation, tendance; *philos* obédience *f; aus ~ ... (loc)* en provenance de ...; *in allen ~en* dans toutes les directions, en tous sens, de toute(s) part(s); *in entgegengesetzter* od *umgekehrter ~* en sens contraire *od* inverse; *in welcher ~?* pour quelle direction?; *die ~ ändern* changer de direction; *die ~ nach ... einschlagen* prendre la direction de ...; *die ~ verlieren* perdre la direction *od mar* le nord; **~sänderung** *f* changement *m* de direction; **~sangabe** *f* indication *f* de direction; **~sanzeiger** *m mot* indicateur *m od* flèche *f* de direction; **~sbestimmung** *f* détermination de la direction; *radio* radiogoniométrie *f;* **~sbestimmungsantenne** *f* cadre *m* de homing; **~skreisel** *m* boussole *f* gyroscopique; **r~slos** *a u. adv* sans but; **~spunkt** *m* point *m* de repère *od* de mire; **~stafel** *f (auf e-m Aussichtsturm)* table *f* d'orientation; **r~weisend** *a fig* directeur, pilote.

Ricke *f* ⟨-, -n⟩ ['rɪkə] *zoo* chevrette *f.*

riech|en ⟨*roch, gerochen*⟩ ['ri:çən] *tr* sentir; *(wittern)* flairer; *fig (ahnen)* deviner; *itr* sentir (*nach etw* qc); avoir une odeur (*nach etw* de qc); *fam* empester (*nach etw* qc); *jdn nicht ~~ können (fig)* ne pouvoir sentir *od* souffrir qn *od* voir qn en peinture *od* encaisser *od pop* blairer qn; *aus dem Munde ~~* puer de la bouche; *das ~t sauer (fig fam)* cela sent le brûlé; **R~er** *m* ⟨-s, -⟩ *(Nase): e-n guten ~~ haben (fam)* avoir du flair, avoir le nez creux; *für etw* flairer qc; **R~fläschchen** *n* flacon *m* de senteur *od* de sels; **R~kissen** *n* sachet *m* de senteur; **R~nerv** *m* nerf *m* olfactif; **R~salz** *n* sels *m pl* volatils.

Ried *n* ⟨-(e)s, -e⟩ [ri:t, -də] *bot (Schilf)* roseau, jonc; *(Sumpf)* marais *m;* **~gras** *n bot* laîche *f; scient* carex *m.*

riefe(l)n ['ri:fə(l)n] *tr dial (furchen)* canneler.

Riege *f* ⟨-, -n⟩ ['ri:gə] *(Turner)* section *f.*

Riegel *m* ⟨-s, -⟩ ['ri:gəl] *(Tür)* verrou *m; (Schub~, Dreh~)* targette *f; (am Türschloß)* pêne *m; (Seife)* barre, brique *f,* pain; *(Schokolade)* bâton *m,* bille; *(Kleidung)* bride *f; den ~ vorschieben* mettre *od* pousser *od* tirer le verrou; *e-n ~ vorschieben vor ... (fig)* mettre obstacle à, empêcher; **r~n** ⟨*ich riegele, du riegelst*⟩ *tr* verrouiller; **~stellung** *f mil* position *f* en bretelle, verrou *m.*

Riemen *m* ⟨-s, -⟩ ['ri:mən] courroie;

(langer, schmaler) lanière; *(Ruder)* rame *f; sich in die ~ legen* souquer ferme, ramer à tour de bras; *sich am ~ reißen (fig pop)* se ronger le sang, cravacher; *den ~ enger schnallen (fig)* se serrer la ceinture; **~antrieb** *m* commande *f* par courroie(s); **~blatt** *n mar* pelle d'aviron; *tech* pale *f;* **~scheibe** *f* poulie *f* (d'entraînement), tambour *m;* **~spanner** *m tech* tendeur *m* de courroie.

Ries *n* ⟨-es, -e⟩ [ri:s, -zə] *(Papiermaß)* rame *f.*

Ries|e *m* ⟨-n, -n⟩ ['ri:zə] géant, colosse *m;* **~enarbeit** *f* travail *m* de géant *od* gigantesque *od* colossal *od* d'Hercule; **~enerfolg** *m* succès *m* fou; **~enfortschritt** *m: ~~e machen* marcher à pas de géant; **r~engroß** *a,* **r~enhaft** *a* gigantesque, colossal; **~enhai** *m zoo* pèlerin *m;* **~enkraft** *f* force *f* herculéenne; **~enmolekül** *n* molécule *f* géante; **~enrad** *n* grande roue *f;* **~enschachtelhalm** *m* calamite *f;* **~enschildkröte** *f* tortue *f* géante; **~enschlange** *f* boa *m;* **~enschritt** *m: mit ~~en* à pas de géant; **~enslalom** *m sport* slalom *m* géant; **r~stark** *a* fort comme un turc; **~enwelle** *f sport* grand soleil *m;* **~enwuchs** *m biol* gigantisme *m;* **r~ig** *a* gigantesque, colossal, herculéen; géant, monstre; *fam* énorme, immense, formidable.

Riesel|felder *n pl* ['ri:zəl-] champs *m pl* d'épandage *od* d'irrigation; **r~n** ⟨*aux: sein/haben, ist/hat*⟩ *itr* ruisseler; (s'é)couler; *fam* dégouliner.

Riester *m* ⟨-s, -⟩ ['ri:stər] *(Lederflikken am Schuh)* pièce *f od* renfort *m* (de cuir).

Riff *n* ⟨-(e)s, -e⟩ [rɪf] *(Klippe)* récif *m;* **~koralle** *f* madrépore *m.*

Riffel *f* ⟨-, -n⟩ ['rɪfəl] *tech (Kamm)* drège *f; (überhöhter Streifen)* côte *f,* listel *m;* **~blech** *n* tôle *f* striée; **~glas** *n* verre *m* cannelé; **r~n** *tr tech* dréger; *arch* canneler; **~ung** *f* cannelure *f.*

Rigol|e *f* ⟨-, -n⟩ [ri'go:lə] *agr* rigole *f;* **r~en** *tr* creuser des rigoles dans.

Rigor|ismus *m* ⟨-, ø⟩ [rigo'rɪsmus, -mən] rigorisme *m;* **r~os** [-'ros] *a (streng)* rigoureux, sévère, dur; **~osum** *n* épreuves *f pl* orales de l'examen de doctorat.

Rikscha *f* ⟨-, -s⟩ ['rɪkʃa] pousse-pousse *m.*

Rille *f* ⟨-, -n⟩ ['rɪlə] rainure; gorge; *(flache)* raie; *arch* cannelure, strie, gorge *f; (Schallplatte)* sillon *m;* **r~n** *tr* canneler, strier; **~nprofil** *n* profil *m* cannelé; **~nrad** *n tech* touret *m.*

Rimesse *f* ⟨-, -n⟩ [ri'mɛsə] *fin* remise; traite *f.*

Rind *n* ⟨-(e)s, -er⟩ [rɪnt, -dər] *(Art)* bœuf, bovin; *(junger Ochse)* bouvillon *m; (junge Kuh)* génisse *f; pl (Gattung)* bovinés; *(Familie)* bovidés *m pl;* **~erbestand** *m* bovins *m pl;* **~erbraten** *m* rôti de bœuf; bœuf *m* rôti; **~erfett** *n* graisse *f od* suif *m* de bœuf; **~erfilet** *n* filet de bœuf, tournedos; *(auf dem Rost gebraten)* châteaubriant, châteaubriand *m;* **~erpest** *f vet* peste *f* bovine; **~errasse** *f* race *f* bovine; **~ertalg** *m* = *~erfett;* **~ertuberkulose** *f* tuberculose *f* bovine; **~erzucht** *f* élevage *m* des bœufs; **~erzunge** *f* langue *f* de bœuf; **~fleisch** *n* (viande *f* de) bœuf *m; ~~ in Gemüse* bœuf *m* (à la) mode; *~~ mit Zwiebeln* bœuf miroton *m;* **~(s)leder** *n* (cuir de) bœuf *m od* (de) vache *f;* **r~(s)ledern** *a* de *od* en cuir (de bœuf *od* de vache); **~sragout** *n* sauté *m* de bœuf; **~vieh** *n* bovins *m pl; fam (Schimpfwort)* brute *f,* animal, butor, imbécile *m.*

Rinde *f* ⟨-, -n⟩ ['rɪndə] *(Baum, Gehirn)* écorce; *(Brot, Käse)* croûte *f;* **~nlaus** *f ent* psoque *m.*

Ring *m* ⟨-(e)s- ,e⟩ [rɪŋ] *allg* anneau *m; (Schmuck~)* bague; *(Siegel~)* chevalière; *(Ehe~)* alliance *f; (Servietten~)* rond; *tech* anneau, cerceau *m,* virole, frette, bague *f,* cercle *m; (Dichtungs~)* rondelle *f; (Box~)* ring; *zoo (Hals~)* collier; *(um die Augen, e-e Wunde, e-n entfernten Fleck)* cerne; *fig (Menschengruppe)* cercle; *com* cartel, trust, pool; *adm* syndicat *m; ~e um die Augen haben* avoir les yeux cernés *od* battus; **~bahn** *f loc* ligne *f* de ceinture; **~buch** *n* livre *m* à feuilles mobiles; **~finger** *m* annulaire *m;* **r~förmig** *a* annulaire, circulaire; **~geschäft** *n* filière *f* tournante; **~haken** *m,* **~nagel** *m,* **~schraube** *f* piton *m;* **~heft** *n* cahier à feuilles mobiles; **~lein** *n* annelet *m;* **~mauer** *f* mur *m* d'enceinte; **~nute** *f* rainure *od* gorge *f* annulaire; **~richter** *m (Boxen)* juge *od* arbitre *m* du ring; **~scheibe** *f* cible *f* à zones; **~straße** *f* voie *f* de ceinture; **~wall** *m* rempart *m* (d'enceinte).

Ringel *m* ⟨-s, -⟩ ['rɪŋəl] rond *m,* volute *f;* **~blume** *f* souci *m;* **~chen** *n* annelet *m;* **~gedicht** *n* rondeau *m;* **~haar** *n* cheveux *m pl* bouclés; **~lied** *n* virelai *m;* **~locke** *f (Haar)* anglaise *f;* **r~n** *tr* anneler, boucler; *sich ~~ (Haar)* boucler; *(Schlange)* se lover; *(Wurm)* se tortiller; **~natter** *f zoo* couleuvre *f* à collier; **~reihen,** **~tanz** *m (Tanz)* ronde *f;* **~taube** *f* pigeon *m* ramier; **~würmer** *m pl* annélides *m pl.*

ring|en ⟨*rang, gerungen*⟩ ['rɪŋən] *itr* lutter; être aux prises; se débattre; *mit jdm um etw (fig)* disputer qc à qn; *tr* = *wringen;* tordre, *die Hände ~* se tordre les mains; **R~en** *n* (haute) lutte *f;* **R~er** *m* ⟨-s, -⟩ lutteur *m;* **R~kampf** *m* (match *m* de) lutte *f;* **R~kämpfer** *m* lutteur *m.*

rings [rɪŋs] *adv: ~ um ... herum* à l'entour de ...; **~(her)um** *adv* alentour, (tout) autour, de tous côtés, à la ronde.

Rinn|e *f* ⟨-, -n⟩ ['rɪnə] *(~stein)* caniveau; conduit *m; (Abzugsgraben)* rigole; *in der ~ enden (fig)* tomber bien bas; *(Dach~~)* gouttière; *mar (Fahrt~~)* passe *f,* chenal; *geol* couloir *m;* **r~en** ⟨*rann, ist geronnen*⟩ [ran, -'rɔn-] *itr (Flüssigkeit)* couler, ruisseler; *(a. Sand etc)* s'écouler; *(Zeit)* s'écouler, filer; *(Gefäß)* avoir une fuite; *fam (tröpfeln)* dégouliner; **~en** *n* ruissellement; écoulement *m;* *(e-s Gefäßes)* fuite *f;* **~leiste** *f* larmier *m;* **~sal** *n* ⟨-(e)s, -e⟩ ['-za:l] petit cours d'eau, ruisselet *m;* **~stein** *m* caniveau; *(Ausguß)* évier *m.*

Ripp|chen *n* ⟨-s, -⟩ ['rɪp-] *(Küche)* côtelette *f;* **~e** *f* ⟨-, -n⟩ *anat* côte; *(Schokolade)* barre; *arch* branche; *(Heizkörper)* ailette; *aero (Flügel~)* nervure *f; man kann ihm die ~~n zählen* on lui compte(rait) les os; *das kann ich mir (doch) nicht aus den ~~n schneiden* je ne peux pas faire l'impossible; **r~en** *tr (mit Rippen versehen)* canneler; **~enbruch** *m med* fracture *f* de côte(s); **~enfell** *n anat* plèvre *f;* **~enfellentzündung** *f* pleurésie *f;* **~enheizkörper** *m* radiateur *m* à ailettes; **~enstoß** *m* coup *m* dans le flanc, bourrade *f; jdm e-n ~~ versetzen* donner un coup dans le flanc à qn; **~enstück** *n (Küche)* entrecôte *f;* **~samt** *m* velours *m* côtelé.

Rips *m* ⟨-es, -e⟩ [rɪps] *(Textil)* reps *m.*

Risiko *n* ⟨-s, -s/-ken⟩ ['ri:ziko, -kən] risque *m; auf mein ~* à mes risques et périls; *das versicherte ~* le risque garanti; *ein ~ eingehen* od *auf sich nehmen* courir *od* prendre un risque; *fig fam* risquer le paquet; **~ausgleich** *m com* division *f* du risque; **~erhöhung** *f* aggravation du risque; **~freudigkeit** *f* esprit *m* de risque; **~prämie** *f* prime *f* de risque; **~versicherung** *f* assurance vie *f* temporaire *od* à terme.

risk|ant [rɪs'kant] *a* risqué, hasardé, hasardeux, aventuré; **~ieren** [-'ki:rən] *tr* risquer; *etw ~~* s'aventurer à faire qc; *nichts ~~* jouer la carotte; *viel ~~* jouer gros jeu.

Rispe *f* ⟨-, -n⟩ ['rɪspə] *bot* panicule *f;* **~ngras** *n* mil *m* à grappes.

Riß *m* ⟨-sses, -sse⟩ [rɪs] *(in Stoff, Papier)* déchirure *f; (durch Hängenbleiben)* accroc *m; (Schrunde)* gerçure; *(Sprung in Glas u. Porzellan)* fissure, fêlure; *(in Mauerwerk)* lézarde *f,* étonnement *m; (in Metall)* crique; *(Spalt)* fente, crevasse; *(Bruch, a. fig)* rupture; *(Spaltung)* scission *f; (Zeichnung)* tracé *m,* épure *f; Risse bekommen* = *rissig werden;* **~wunde** *f* (plaie par) déchirure *f.*

rissig ['rɪsɪç] *a (Haut)* gercé; *(Erde)* crevassé; *(Glas, Porzellan)* fendillé, trésaillé, craquelé; *(Mauerwerk)* lézardé; *~ werden* se gercer; se crevasser, se fendre; se fendiller, se fissurer, se fêler; se lézarder.

Rist *m* ⟨-es, -e⟩ [rɪst] *(Fußrücken)* cou-de-pied; *(Handgelenk)* poignet *m.*

Ritt *m* ⟨-(e)s, -e⟩ [rɪt] chevauchée; course *od (Spazier~)* promenade à cheval, cavalcade *f;* **r~lings** [-lɪŋs] *adv* à cheval, à califourchon; **~meister** *m* capitaine *m* (de cavalerie).

Ritter *m* ⟨-s, -⟩ ['rɪtər] chevalier *m; zum ~ schlagen* armer chevalier; *arme ~ (Küche)* pain *m* perdu; *fahrende(r) ~* chevalier *m* errant; *~ ohne Furcht und Tadel* chevalier *m* sans peur et sans reproche; **~burg** *f* château *m* fort; **~gut** *n* domaine *m* *od* terre *od* propriété *f* seigneurial(e); **~gutsbesitzer** *m* propriétaire *m* d'un domaine *od* d'une terre seigneurial(e); **~kreuz** *n (Orden)* croix *f* de Chevalier; **~kreuzträger** *m* chevalier *m* de la Croix de Fer; **r~lich** *a* chevaleresque; *fig* courtois, galant; **~lichkeit** *f* ⟨-, (-en)⟩ caractère *od* esprit *m* chevaleresque; courtoisie *f;* **~orden** *m* ordre *m* de chevalerie; *der Deutsche* ~~ l'ordre Teutonique; **~roman** *m* roman *m* de chevalerie; **~saal** *m* salle *f* des chevaliers; **~schaft** *f* chevalerie *f;* **~schlag** *m* accolade *f; jdn den ~ erteilen* armer qn chevalier; **~sporn** *m bot* pied-d'alouette *m;* **~tum** *n* ⟨-(e)s, ø⟩ chevalerie *f.*

Rit|ual *n* ⟨-s, -e/-lien⟩ [ritu'a:l, -liən] rituel *m;* **~ualmord** *m* meurtre *m* rituel; **r~uell** [-'ɛl] *a* rituel; **~us** *m* ⟨-, -ten⟩ ['ri:tus] rite *m.*

Ritz *m* ⟨-es, -e⟩, **~e** *f* ⟨-, -n⟩ ['rɪts(ə)] *(kleiner Spalt)* petite fente, fissure; *(Kratzer, Schramme)* éraflure, égratignure *f;* **r~en** *tr* rayer; *(schrammen)* érafler, égratigner.

Ritzel *n* ⟨-s, -⟩ ['rɪtsəl] *tech* pignon *m.*

Rival|e *m* ⟨-n, -n⟩ [ri'valə], **~in** *f* rival, e *m f;* **r~isieren** [-vali'zi:rən] *itr* rivaliser; **r~isierend** *a* rival; **~ität** *f* ⟨-, -en⟩ [-li'tɛ:t] rivalité *f.*

Riviera [rivi'ɛ:ra], *die (italienische)* ~ la Riviera; *die französische* ~ la Côte d'Azur.

Rizinus *m* ⟨-, -/-sse⟩ ['ri:tsinus-, -sə] *bot* ricin *m; pop* grande épurge *f;* **~öl** *n* huile *f* de ricin.

Roastbeef *n* ⟨-s, -s⟩ ['ro:stbi:f] rosbif *m.*

Robbe *f* ⟨-, -n⟩ ['rɔbə] phoque *m; pl (Ordnung)* pinnipèdes *m pl;* **r~n** *itr* se traîner en rampant; **~nfang** *m,* **~nschlag** *m* chasse *f* aux phoques.

Robe *f* ⟨-, -n⟩ ['ro:bə] *(Amtstracht)* robe *f.*

Robinie *f* ⟨-, -n⟩ [ro'bi:niə] *bot* robinier, faux acacia *m.*

robot|en ['rɔbɔtən] ⟨*robotete, gerobotet*⟩ *itr fam (schuften)* bosser, boulonner; **R~er** *m* ⟨-s, -⟩ robot, automate *m;* **R~erflugzeug** *n* engin *m* guidé.

robust [ro'bust] *a* robuste; *(stark)* fort; *(wiederstandsfähig)* résistant; **R~heit** *f* robustesse; force; résistance *f.*

Roch|ade *f* ⟨-, -n⟩ [rɔ'xa:də, rɔ'ʃa:də] *(Schach)* roque *m;* **r~ieren** [rɔ'xi:rən, rɔ'ʃi:rən] *itr* roquer.

röcheln ['rœçəln] *itr* râler; **R~** *n* râle(ment) *m.*

Rochen *m* ⟨-s, -⟩ ['rɔxən] *zoo* raie *f.*

Rochett *n* ⟨-s, -s⟩ [rɔ'ʃɛt] *rel* rochet *m.*

Rock *m* ⟨-(e)s, ⸚e⟩ [rɔk, 'rœkə] *(Damen~)* jupe *f; (Herrenjacke)* habit *m; mil (Waffen~)* tunique *f; der Heilige ~ (in Trier)* la Sainte Tunique; **~schoß** *m* pan *m,* basque *f; sich an jds ~schöße hängen* ne pas quitter les jupes *od* les basques de qn, être toujours pendu aux basques de qn; **~zipfel** *m* pan *m* d'habit; **Röckchen** *n* petite jupe *f.*

Rocken *m* ⟨-s, -⟩ ['rɔkən] *(Spinn~)* quenouille *f.*

Rocker *m* ⟨-s, -⟩ ['rɔkər] blouson noir, *fam* loulou *m, arg* loubard *m.*

Rocky Mountains ['rɔki 'mauntɪnz], *die pl* les (Montagnes) Rocheuses *f pl.*

Rodel *m* ⟨-s, -⟩ ['ro:dəl] luge *f,* toboggan *m;* **~bahn** *f* piste *f* de luge; **r~n** ⟨*ich rod(e)le, bin/habe gerodelt*⟩ *itr* luger, faire de la *od* aller en luge; **~schlitten** *m* = ~; **Rodler** *m* ⟨-s, -⟩ lugeur *m.*

Rod|eland *n* ['ro:də-] essart(s *pl*) *m;* **r~en** ⟨*rodete, gerodet*⟩ *tr (Wald)* défricher, essarter; *(Kartoffeln, Rüben)* arracher; **~ung** *f (Tätigkeit)* essartement, essartage *m; (Fläche)* essarts *m pl.*

Rog|en *m* ⟨-s, -⟩ ['ro:gən] œufs *m pl* de poisson; **~(e)ner** *m* ⟨-s, -⟩ poisson *m* œuvé *od* rogué.

Roggen *m* ⟨-s, ø⟩ ['rɔgən] seigle *m;* **~brot** *n,* **~feld** *n,* **~mehl** *n* pain, champ *m,* farine *f* de seigle.

roh [ro:] *a (ungekocht, ungebraten)* cru, pas cuit; *(unbearbeitet)* (é)cru, brut, fruste, vert, non affiné, non travaillé; *(brutal)* brutal, rude; *(grob)* grossier; *(ungebildet)* inculte, fruste; *adv a.* à la dure; *mit ~er Gewalt* brutalement; *wie ein ~es Ei anfassen (fig)* prendre avec des gants, ménager, traiter avec délicatesse; *~ behauen (a)* équarri grossièrement; *~e(s) Ei n, ~e(r) Schinken m* œuf, jambon *m* cru.

Roh|abzug *m* ['ro:-] première épreuve *f;* **~alkohol** *m* flegme *m;* **~bau** *m* gros œuvre *m,* gros ouvrages *m pl,* grosse maçonnerie, maçonnerie *od* construction *f* brute, corps *m* (de bâtiment); *im ~~ (fertig)* en maçonnerie brute; **~baumwolle** *f* coton *m* brut; **~benzol** *n* benzol *m;* **~betrag** *m* montant *m* brut; **~bilanz** *f* bilan *m* en l'air; **~diamant** *m* diamant *m* brut; **~drehbuch** *n film* découpage *m;* **~einnahme** *f* recette *f* brute; **~eisen** *n* fonte *f* brute; **Roheit** *f* brutalité, rudesse; *(Grobheit)* grossièreté; *(Grausamkeit)* cruauté *f;* **~erz** *n* minerai *m* brut; **~fassung** *f film* copie *f* de travail; **~film** *m* pellicule *f* vierge; **~garn** *n* fil *m* écru; **~gewicht** *n* poids *m* brut; **~gewinn** *m* bénéfice *m* brut; **~gummi** *n* caoutchouc *m* brut; **~kost** *f* crudités *f pl;* alimentation *f* naturiste; **~kupfer** *n* cuivre *m* brut; **~leder** *n* cuir *m* brut; **~leinen** *n* toile *f* écrue; **~ling** *m* ⟨-s, -e⟩ *tech* pièce brute; *(Mensch)* brute *f,* pandour *m;* **~material** *n* matière *f* brute *od* première, matériaux *m pl* bruts; **~metall** *n* métal *m* brut *od* cru; **~öl** *n* pétrole *m od* huile *f* brut(e); **~produkt** *n* produit *m* brut *od* non manufacturé; **~seide** *f* soie *f* écrue *od* grège; **~stahl** *m* acier *m* brut; **~stoff** *m* matière *f* première; **~stoffbedarf** *m* besoins *m pl* de *od* en matières premières; **~stoffgewinnung** *f* production *f* première; **~stoffknappheit** *f,* **~stoffmangel** *m* pénurie *f* de matières premières; **~stoffmarkt** *m* marché *m* des matières premières; **~stoffversorgung** *f* approvisionnement *m* en *od* de matières premières; **~wolle** *f* laine *f* crue; **~zucker** *m* sucre *m* brut *od* roux, cassonade *f.*

Rohr *n* ⟨-(e)s, -e⟩ [ro:r] *bot* roseau, jonc *m; (größere Arten)* canne *f; tech* tuyau, tube; *mil (Feuerwaffe)* canon *m; gezogene(s), glatte(s)* ~ canon *m* rayé, lisse; *spanische(s) ~ (bot)* jonc d'Inde; *(Material)* rotin; *(Spazierstock)* jonc *m;* **~ammer** *f* = *~sperling;* **~ansatz** *m* tubulure *f;* **~anschluß** *m* raccord *m* de tuyau; **~biegemaschine** *f* machine *f* à cintrer les tubes; **~bruch** *m* bris *m* de tuyau, rupture *f* de *od* d'une *od* de la conduite; **~dichtung** *f* garniture *f* de tuyau; **~dommel** *f orn* butor *m;* **~flechter** *m* canneur *m;* **~flöte** *f* chalumeau *m;* **~geflecht** *n* cannage *m;* **~kolben** *m bot* panicule *f* du roseau; **~krepierer** *m mil* éclaté *m* dans l'âme; **~kühler** *m* réfrigérateur *m* tubulaire; **~leger** *m* poseur *m* de tuyaux *od* de conduites; **~leitung** *f:* tuyauterie, conduite *f; (Pipeline)* pipe-line *m;* **~matte** *f* natte *f* de jonc; **~möbel** *n pl* meubles *m pl* en rotin; **~netz** *n* tuyauterie; canalisation *f;* **~post** *f* poste *f* pneumatique; **~postbrief** *m* (carte *f*) pneu(matique) *m;* **~schelle** *f* attache de tuyau, bride *f* d'attache, collier *m* de fixation; **~spatz** *m: wie ein ~~ schimpfen* rouspéter sans cesse, jurer comme un charretier; **~sperling** *m* bruant *m* des roseaux; **~stock** *m* canne *f; (Schule)* bâton *m;* **~stuhl** *m* chaise *f* cannée; **~verlegung** *f* déplacement *m* de tuyaux; **~wechsel** *m mil* changement *m* de canon; **~weih** *m orn* harpaye *f;* **~wischer** *m (Gerät)* écouvillon; *tech* hérisson *m;* **~zucker** *m* sucre *m* de canne.

Röhr|chen *n* ⟨-s, -⟩ ['rø:rçən] petit tuyau *m;* **~e** *f* ⟨-, -n⟩ tube, tuyau, conduit *m; radio* lampe *f; in die ~~ gukken (fam)* regarder la télévision; *(müssen) (pop)* se mettre la ceinture; *Eustachische ~~ (anat)* trompe *f* d'Eustache; **~icht** *n* ⟨-s, -e⟩ ['-rɪçt] roseaux *m pl;* cannaie *f;* **~ling** *m* ⟨-s, -e⟩ ['-lɪŋ] *(Pilz)* bolet *m.*

röhren ['rø:rən] *itr (Hirsch)* bramer.

Röhren|beleuchtung *f* ['rø:rən-] éclairage *m* par tubes fluorescents; **~detektor** *m* détecteur *m* à lampe; **~empfang** *m* détection *f* par lampe; **~empfänger** *m* récepteur *m* à lampes; **~falte** *f (Kleid)* tuyau *m; in ~~n legen* tuyauter; **~gerät** *n radio* poste *m* à lampes; **~gleichrichter** *m* redresseur *m* à lampes; **~knochen** *m* os *m* long; **~prüfgerät** *n* dispositif *m* à essayer les lampes; **~sockel** *m radio* culot *m;* **~verstärker** *m* amplificateur *m* à lampe(s); **~walzwerk** *n* laminoir *m* à tubes; **~werk** *n* tuyauterie *f;* **~widerstand** *m* résistance *f* de lampe.

Rokoko *n* ⟨-(s), ø⟩ ['rɔkoko, ro'kɔko], **~stil** *m (Kunst)* (style) Louis XV; *pej* rococo *m.*

Roll|assel *f* ['rɔl-] *zoo* iule *m;* **~bahn** *f aero* piste *f* de roulement; *mil* itinéraire *m* routier; ~**bahre** *f* brancard *m od* civière *f* à roulettes; ~**bandmaß** *n* mètre *m* roulant; ~**dach** *n mot* toit *m* ouvrant; ~**feld** *n aero* aire d'atterrissage et de décollage; *mil* aire *f* de manœuvre *od* de mouvement; ~**film** *m* bobine *f* de pellicules *od* de film; ~**fuhrdienst** *m* camionnage *m;* ~**fuhrmann** *m* routier, camionneur *m;* ~**fuhrunternehmen** *n* entreprise *f* de transport *od* de camionnage; ~**geld** *n* (frais *m pl* de) camionnage, factage *m;* ~**gut** *n* marchandises *f pl* de camionnage; ~**handtuch** *n* essuie-main(s) *m* à rouleau, touaille *f;* ~**kragen(pullover)** *m* (pullover à) col *m* roulé; ~**kutscher** *m* = ~*fuhrmann;* ~**(l)aden** *m* volet roulant; rideau de fer *m;* ~**mops** *m* hareng *m* roulé; ~**schinken** *m* jambon *m* roulé; ~**schrank** *m* classeur *m* à rideau; ~**schreibtisch** *m* bureau *m* à rideau; ~**schuh** *m* patin *m* à roulettes; ~~ *laufen* patiner à roulettes; ~**schuhbahn** *f* piste *f* de patinage à roulettes; ~**schuhlaufen** *n* patinage *m* à roulettes; ~**schuhläufer** *m* patineur *m* à roulettes; ~**schwanzaffe** *m* sapajou *m;* ~**sitz** *m (im Boot)* siège *m* à glissière; ~**strecke** *f aero* longueur de roulement, distance *f* parcourue au décollage; ~**stuhl** *m* fauteuil *m* roulant *od* à roulettes; ~**treppe** *f* escalier roulant *od* mécanique, tapis *m* roulant; ~**wagen** *m* chariot, fardier *m.*

Rolle *f* ⟨-, -n⟩ ['rɔlə] *allg, a. tech* u. *sport* rouleau *m;* bobine; *(unter Möbeln)* roulette, rotule *f; tech (Lauf~)* galet *m; (Block~)* poulie *f; (an der Angel)* moulinet; *(Haspel)* touret; *(Trommel)* cylindre *m; (Wäsche~)* calandre *f; (Bündel)* boudin *m; (Draht~)* couronne *f; aero (Bewegung)* tonneau; *(Liste)* rôle *m,* liste *f; theat* u. *fig* rôle *m; aus der ~ fallen (fig)* sortir de son rôle; *e-e ~ spielen* jouer un rôle; *fig (wichtig sein)* faire figure, entrer en ligne de compte; *bei etw* être de moitié dans qc; *die ~ e-s, e-r ... spielen (theat)* tenir le rôle, faire le personnage de ...; *e-e ~ zum erstenmal spielen (theat)* créer un rôle; *e-e große, geringe ~ spielen* jouer un grand, petit rôle; *bei etw keine, e-e geringe, große ~ spielen* entrer *od* être pour rien, peu, beaucoup dans qc; *e-e ~ übernehmen* prendre un rôle; *das spielt keine (große) ~* cela n'a pas d'importance; peu importe; *das spielt e-e große ~ für mich* cela m'importe beaucoup; ~**nbesetzung** *f theat* distribution *f* des rôles; ~**ndraht** *m* torque *f;* ~**nfach** *n theat* emploi *m;* ~**nlager** *n tech* roulement *od* palier *m* à rouleaux; ~**nverteilung** *f* = ~*nbesetzung.*

roll|en ['rɔlən] *tr ⟨aux: haben⟩* rouler; *(zs.-, einrollen)* enrouler; *(Wäsche)* calandrer; *(Tabak)* rôler; *(walzen)* passer au rouleau, cylindrer; *itr ⟨aux: sein⟩* rouler; *(Donner)* gronder; *in ~~dem Einsatz (mil)* en vagues successives, dans une succession rapide; *~~de(r) Angriff m (mil)* attaque *f* ininterrompue par vagues successives; *~~de(s) Material n* matériel *m* roulant; **R~en** *n* roulement; *mar aero* roulis; *(Donner)* grondement; *(Wäsche)* calandrage *m;* **R~er** *m* ⟨-s, -⟩ *(Spielzeug)* trottinette, patinette *f; (Motorroller)* scooter *m;* **R~erfahrer** *m* scootériste *m;* **R~o** *n* ⟨-s, -s⟩ ['rɔlo] = *Rouleau.*

Rom *n* [ro:m] Rome *f.*

Romadur *m* ⟨-(s), ø⟩ ['rɔmadu:r] *(Käse)* (fromage de) romandur *m.*

Roman *m* ⟨-s, -e⟩ [ro'ma:n] roman *m; e-n ~ machen aus, zu e-m ~ gestalten* romancer; *historische(r), psychologische(r) ~* roman *m* historique, psychologique; ~**figur** *f* personnage *m* de roman; ~**form** *f: in ~~ bringen* romancer; **r~haft** *a* romanesque; ~**held** *m* héros *m* de roman; ~**schriftsteller(in *f*)** *m* romancier, ère *m f;* ~**zyklus** *m* roman-fleuve *m.*

Roman|en [ro'ma:nən] , *die pl* les Latins *m pl;* ~**ik** *f* ⟨-, ø⟩ [-'ma:nɪk] *(bildende Kunst)* roman *m;* **r~isch** *a (Sprache, Volk)* latin; *(Kunst)* roman; ~**ist** *m* ⟨-en, -en⟩ [-'nɪst] romaniste *m;* ~**istik** *f* ⟨-, ø⟩ [-'nɪstɪk] étude *f* des langues latines; **r~istisch** [-'nɪstɪʃ] *a* romaniste.

Romant|ik *f* ⟨-, ø⟩ [ro'mantɪk] *(Kunst)* romantisme; *fig* romanesque *m;* ~**iker** *m* ⟨-s, -⟩ [-'mantikər] romantique *m;* **r~isch** [-'mantɪʃ] *a* romantique; *(malerisch)* pittoresque.

Romanze *f* ⟨-, -n⟩ [ro'mantsə] romance *f.*

Röm|er(in *f*) *m* ⟨-s, -⟩ ['rø:mər] Romain, e *m f;* **r~isch** *a* romain; **r~~-katholisch** *a* catholique romain.

Rond|ell *n* ⟨-s, -e⟩ [rɔn'dɛl] *(Rundbeet)* parterre *m* rond; ~**o** *n* ⟨-s, -s⟩ ['rɔndo] *mus* rondeau *m.*

röntgen ⟨*röntgte, geröntgt*⟩ ['rœntgən] *tr* radiographier; *(durchleuchten)* radioscopier; **R~** *n* radiographie *f;* **R~apparat** *m* appareil *m* de radiographie; **R~aufnahme** *f* radiographie *f; e-e ~~ machen* prendre une radio(graphie); **R~bild** *n* radiographie *f;* **R~blitz** *m* éclair *m* de rayons; **R~dermatitis** *f* radiodermite *f;* **R~diagnose** *f* radiodiagnostic *m;* **R~durchleuchtung** *f* radioscopie *f;* **R~ologe** *m* ⟨-n, -n⟩ [-geno'lo:gə] radiologiste, radiologue *m;* **R~ologie** *f* ⟨-, ø⟩ [-lo'gi:] radiologie *f;* ~**ologisch** [-'lo:gɪʃ] *a* radiologique; **R~schädigung** *f* radiolésion, radiopathie *f;* **R~strahlen** *m pl* rayons *m pl* X *od* de Rœntgen; **R~therapie** *f* radiothérapie *f;* **R~untersuchung** *f* examen radiographique *od* aux rayons; *(Durchleuchtung)* examen *m* radioscopique.

rosa ['ro:za] *a* rose; **R~** *n* ⟨-s, -⟩ rose *m.*

Rose *f* ⟨-, -n⟩ ['ro:zə] *bot arch* rose *f; (Strauch)* rosier; *med* érysipèle *m; nicht auf ~n gebettet sein (fig)* ne pas être sur du velours; *keine ~ ohne Dorn (prov)* il n'y a pas de roses sans épines; **r~nfarben** *a* (couleur de) rose; ~**ngarten** *m* roseraie *f;* ~**ngewächse** *n pl* rosacées *f pl;* ~**nholz** *n* bois *m* de rose; ~**nhonig** *m* miel *m* rosat; ~**nkäfer** *m* cétoine *f* dorée; ~**nknospe** *f* bouton *m* de rose; ~**nkohl** *m* chou *m* de Bruxelles; ~**nkranz** *m rel* chapelet, rosaire *m; den ~~ beten* dire *od* réciter *od* égrener son chapelet; ~**nkranzfest** *n* fête *f* du Rosaire; ~**nkreuzer** *m pl* Rose-Croix *f;* ~**nmädchen** *n* rosière *f;* ~**nmontag** *m* Lundi *m* gras; ~**nöl** *n* huile *od* essence *f* de roses; **r~nrot** *a* rose; ~**nstock** *m,* ~**nstrauch** *m* rosier *m;* ~**nstrauß** *m* bouquet *m* de roses; ~**nwasser** *n* eau *f* (de) rose; ~**nzeit** *f* saison *f* des roses; ~**nzucht** *f* culture *f* des rosiers; ~**züchter** *m* rosiériste *m.*

Rosette *f* ⟨-, -n⟩ [ro'zɛtə] rosace; *(Schleifen~)* rosette *f.*

rosig ['ro:zɪç] *a* rose; *(zartrosa)* rosé; *fig* rassurant; *alles in ~em Lichte sehen (fig)* voir tout en rose.

Rosine *f* ⟨-, -n⟩ [ro'zi:nə] raisin *m* sec; *~n im Kopf haben* avoir de grands projets; viser (trop) haut, voir (trop) grand; *die ~n aus dem Kuchen pikken (fig fam)* extraire la moelle de l'os, prendre le meilleur pour soi.

Rosmarin *m* ⟨-s, ø⟩ [rɔsma'ri:n, 'ro:smari:n] *bot* romarin *m.*

Roß *n* ⟨-sses, -sse⟩ [rɔs] *(Pferd)* cheval; *poet* coursier; *fam a.* imbécile, sot *m; sich aufs hohe ~ setzen, auf dem hohen ~ sitzen (fig)* monter, être monté sur ses grands chevaux; le prendre de haut; *hoch zu ~* perché sur son cheval; ~**apfel** *m hum* crottin *m* (de cheval); ~**haar** *n* crin *m;* ~**haarbesen** *m* balai *m* de crin; ~**haareinlage** *f* tissu *m* crin; ~**haarmatratze** *f* matelas *m* de crin; ~**kamm** *m (Striegel)* étrille *f;* ~**kastanie** *f (Frucht)* marron d'Inde; *(Baum)* marronnier *m* d'Inde; ~**kur** *f fig* remède *m* de cheval; ~**schlachterei** *f* boucherie *f* chevaline *od* hippophagique.

Rost [rɔst] **1.** *m* ⟨-(e)s, -e⟩ *(Gitter)* grille *f; (Brat~, tech)* gril; *(Latten~)* caillebotis *m; vom ~ (Küche)* grillé; *auf dem ~ braten* faire cuire sur le gril, griller; ~**braten** *m* grillade *f.*

Rost 2. *m* ⟨-(e)s, ø⟩ *(Eisenoxyd)* rouille *f; ~ ansetzen* se rouiller; *den ~ entfernen von* dérouiller; ~**ansatz** *m* dépôt *m* de rouille; **r~braun** *a* (brun) rouille, rubigineux; **r~en** ⟨*rostete, gerostet*⟩ *itr* (se) rouiller; *scient* s'oxyder; ~**en** *n* formation de rouille, oxydation *f;* **r~farben** *a* = *r~braun;* ~**fleck** *m* tache *f* de rouille; **r~frei** *a* sans rouille; *(nichtrostend)* inoxydable, non-corrosif, antirouille; **r~ig** *a* rouillé; **r~narbig** *a* piqué; ~**schutz** *m* protection *f* contre la rouille; ~**schutzanstrich** *m,* ~**schutzfarbe** *f,* ~**schutzlack** *m* peinture, couleur *f,* vernis *m* antirouille; ~**schutzmittel** *n* (enduit) antirouille *m.*

Röst|brot *n* ['rœst-/rø:st-] pain grillé, toast *m;* ~**e** *f* ⟨-, -n⟩ ['rø:stə] *(Flachs~~)* rouissoir *m;* **r~en** *tr (Fleisch, Kastanien, Brot)* griller; *(Mehl)* faire roussir; *(Kaffee)* griller, torréfier; *(Flachs)* rouir; **~en** *n* grillage *m a. chem tech; (Kaffee)* torréfaction *f; (Flachs)* rouissage *m;* **~er** *m (Gerät)* grilloir; *(Brotröster)* grille-pain, toaster *m;* **~kartoffeln** *f pl* pommes *f pl* (de terre) sautées.

rot [ro:t] *a* rouge; *(Haar)* roux; *(Gesicht)* rubicond; ~ *anstreichen (Tag im Kalender)* marquer d'une croix; ~ *sehen (fig)* voir rouge; *für jdn ein ~es Tuch sein (fig)* être la bête noire de qn; ~ *werden (a. im Gesicht)* rougir, devenir rouge; *(im Gesicht)* s'empourprer, s'allumer; *bis über die Ohren ~ werden* rougir jusqu'au blanc des yeux; *er lief ~ an* le rouge lui monta au visage; *die R~e Armee* l'Armée *f* Rouge; *der ~e Faden (fig)* le fil conducteur; *das R~e Kreuz* la Croix-Rouge; *das R~te Meer* la mer Rouge; *die ~en Zahlen (fig)* le déficit *m; in die ~~ kommen* faire du déficit, perdre de l'argent; **R~** *n* ‹-s, -/(-s)› rouge *m; ~~ auflegen* (se) mettre du rouge; **R~auge** *n* = *R~feder;* **~backig** *a,* **~bäckig** *a* aux joues rouges *od* vermeilles; **~blond** *a* blond roux; **~braun** *a* rouge tirant sur le brun; *(Haar)* auburn *inv;* **~brüchig** *a metal* cassant à chaud; **R~china** *n* la Chine populaire; **R~dorn** *m bot* épine *f* rouge; **R~eisenstein** *m min* hématite *f* rouge, oligiste *m;* **R~feder** *f zoo* gardon *m;* **R~filter** *m opt* écran *m* rouge; **R~fuchs** *m (Pferd)* (cheval) alezan *m;* **~glühend** *a* (chauffé au) rouge; **R~glut** *f* rouge *m* sombre; **~grau** *a (Pferd)* rouan; **~haarig** *a* roux, rousseau, aux cheveux roux; *fam* rouquin; **R~haut** *f (Indianer)* Peau-Rouge *m;* **R~käppchen** *n* le petit Chaperon rouge; **R~kehlchen** *n orn* rouge-gorge *m,* rubiette *f;* **R~kohl** *m,* **R~kraut** *n* chou *m* rouge; **R~kreuzschwester** *f* infirmière *f* de la Croix-Rouge; **R~kupfererz** *n* cuprite *f;* **R~lauf** *m med* érysipèle, érésipèle *m;* **R~schimmel** *m (Pferd)* cheval *m* rouan; **R~schwänzchen** *n* rouge-queue *m;* **R~spon** *m* vin rouge (tiré du tonneau); *fam* gros rouge *m;* **R~stift** *m* crayon *m* rouge, sanguine *f;* **R~tanne** *f* épicéa *m;* **~violett** *a* rouge violacé; **~wangig** *a* = *~backig;* **R~wein** *m* vin rouge; *pop* gros rouge; *arg* rouquin *m; ein Glas ~~ (a. fam)* un coup de rouge; *leichte(r) ~~* petit bleu *m;* **R~welsch** *n* ‹(-es), ø› langue *f* verte; argot *m;* **R~wild** *n* bêtes *f pl* fauves.

Rotang *m* ‹-s, -e› ['ro:taŋ] *bot* rotin *m.*

Rot|ation *f* ‹-, -en› [rotatsi'o:n] rotation *f;* **~ationsdruck** *m typ* impression *f* par *od* sur (machine) rotative; **~ationsmaschine** *f typ* (presse) rotative *f;* **~ationspapier** *n* papier *m* journal *od* à journaux *od* à revues; **~ationstiefdruck** *m* rotogravure, hélio *f;* **r~ieren** [-'ti:rən] ‹*hat rotiert*› *itr* tourner (sur soi-même *od* sur son axe); *typ a.* rouler; **r~ierend** *a* rotatoire, rotatif; **~or** *m* ‹-s, -en› ['ro:tɔr, -'to:rən] *tech el* rotor, induit *m;* **~orflugzeug** *n* avion *m* à ailes rotatives.

Röt|e *f* ‹-, ø› ['rø:tə] rougeur; *(d. Haares)* rousseur *f; die ~~ stieg ihm ins Gesicht* le feu lui monta au visage; **~el** *m* ‹-s, -› *min* sanguine *f;* = *~elstift;* **~eln** *pl med* rubéole, roséole, *(Masern)* rougeole *f;* **~elstift** *m* crayon *m* rouge *od* à la sanguine; **~elzeichnung** *f* (dessin *m* à la) sanguine *f;* **r~en** *tr* rougir; *(die Wangen a.)* colorer; *sich ~~* rougir, devenir rouge; **r~lich** *a* rougeâtre, tirant sur le rouge; *(Haar)* roussâtre; **~ung** *f (der Haut)* rougeur *f.*

Rotte *f* ‹-, -n› ['rɔtə] *mil* troupe *f,* peloton *m;* file; *allg* bande; *(Arbeiter)* équipe *f;* **~narbeiter** *m* homme *m* d'équipe; **r~nweise** *adv* par troupes *od* bandes.

Rotund|a *f* ‹-, ø› [ro'tunda] *typ* lettres *f pl* rondes; **~e** *f* ‹-, -n› *arch* rotonde *f.*

Rotz *m* ‹-es, -e› [rɔts] *pop (Nasenschleim u. vet)* morve *f;* **r~ig** *a* morveux; **~lappen** *m pop* tire-jus *m;* **~nase** *f fam* morveux, se *m f.*

Rouge *n* ‹-s, -s› [ru:ʒ] *(rote Schminke)* rouge *m.*

Roul|ade *f* ‹-, -n› [ru'la:də] *(mus, Küche)* roulade *f;* **~eau** *n* ‹-s, -s› [-'lo:] store *m;* **~ett** *n* ‹-(e)s, -e/-s› [-'lɛt] *(Spiel)* roulette *f.*

Route *f* ‹-, -n› ['ru:tə] *(Reiseweg)* itinéraire, parcours *m.*

Routin|e *f* ‹-, ø› [ru'ti:nə] *(Gewandtheit, Fertigkeit)* savoir-faire *m; pej* routine *f;* **~emeldung** *f adm* rapport *m* périodique; **~ier** *m* ‹-s, -s› [-tini'e:] routinier *m;* **r~iert** [-'ni:rt] *a* routinier; expérimenté; rompu aux affaires.

Rowdy *m* ‹-s, -s/-dies› ['raudi] voyou, apache *m.*

Royalist *m* ‹-en, -en› [roaja'lɪst] royaliste *m;* **r~isch** [-'lɪstɪʃ] *a* royaliste.

rubbeln ['rubəln] *tr* u. *itr dial (reiben)* frotter.

Rüb|e *f* ‹-, -n› ['ry:bə] rave *f; pop (Kopf)* boule, bobine *f,* bol *m; arg* cloche *f; gelbe ~~ (dial: Mohrrübe)* carotte *f; rote ~~* betterave *f* (rouge); *weiße ~~* navet *m;* **~enfeld** *n* champ *m* de betteraves, ravière *f;* **~enschnaps** *m* alcool *m* de betterave; **~enschnitzel** *pl* cossettes *f n pl;* **~enzucker** *m* sucre *m* de betterave; **~öl** *n* huile *f* de navette *od* de colza; **~same(n)** *m,* **~sen** *m* ‹-s, ø› ['ry:psən] navette *f,* colza *m.*

Rubel *m* ‹-s, -› ['ru:bəl] *(Währungseinheit)* rouble *m.*

Rubin *m* ‹-s, -e› [ru'bi:n] *min* rubis *m;* **~glas** *n* verre *m* rubis.

Rubr|ik *f* ‹-, -en› [ru'bri:k] rubrique *f;* **r~izieren** [-bri'tsi:rən] *tr* insérer dans une rubrique.

Ruch *m* ‹-(e)s, (¨e)› [ru:x, 'ry:çə; rux, 'rʏçə] *poet* = *Geruch.*

ruch|bar ['ru:xba:r] *a* public, notoire; *~~ werden* s'ébruiter; **~los** *a* infâme, scélérat; **R~losigkeit** *f* infamie, scélératesse *f.*

Ruck *m* ‹-(e)s, -e› [ruk] saccade *f,* à-coup *m; (Stoß)* secousse *f; (Auffahren)* haut-le-corps, sursaut *m; mit e-m ~* d'un (seul) coup; *sich e-n ~ geben (fig)* faire un effort; *~ nach der Seite* embardée *f;* **r~** *interj: hau ~!* oh! hisse! ~, *zuck* promptement, énergiquement, *fam* en cinq sec; **r~artig** *a* saccadé; *adv* d'un (seul) coup, en sursaut; **r~weise** *adv* par saccades, par à-coups.

Rückansicht *f* ['rʏk-] vue *f* de l'arrière.

Rückantwort *f* ['rʏk-] *(Post)* réponse *f;* **~karte** *f* carte-réponse *f.*

Rückbeförderung *f* ['rʏk-] renvoi *m.*

Rückberufung *f* ['rʏk-] rappel *m.*

rückbezüglich ['rʏk-] *a gram* réfléchi.

Rückbildung *f* ['rʏk-] régression *f.*

Rückblendung *f* ['rʏk-] *film* récit *m* inversé; flash-back.

Rückblick *m* ['rʏk-] coup d'œil *od* regard *m* en arrière; *fig* rétrospective *f.*

rück=buchen ['rʏk-] *tr* ristourner, contre-passer.

Rückbuchung *f* ['rʏk-] *fin* ristourne, contre-passation *f.*

Rückbürg|e *m* ['rʏk-] certificateur *m* (de caution); **~schaft** *f* arrière-caution *f.*

rück=datieren ['rʏk-] *tr* antidater.

Rückdeckung *f* ['rʏk-] réassurance *f.*

rücken ['rʏkən] *tr* ‹*aux: haben*› pousser, déplacer; remuer; *itr* ‹*aux: sein*› *jdm auf den Leib ~* relancer qn.

Rücken *m* ‹-s, -› ['rʏkən] *a. fig* dos *m; (Küche: vom Schwein)* échinée; *(Hammel)* selle *f; (Hase)* râble *m; (Berg~)* croupe *f; mil* arrières *m pl; ~ an ~* dos à dos; *auf dem ~* sur *od* dans le dos; *(Hände)* derrière le dos; *hinter jds ~ (a. fig)* derrière le dos de qn; *sich den ~ decken (fig)* couvrir *od* protéger ses arrières; *auf den ~ fallen (a. fig)* tomber à la renverse; *(Pferd, fam a. Mensch)* tomber les quatre fers en l'air; *jdm in den ~ fallen* attaquer qn dans le dos *od* par derrière; *im ~ fassen (mil)* prendre à revers; *sich den ~ freihalten (fig)* se ménager une retraite; *e-n breiten ~ haben (fig)* avoir bon dos; *jdm den ~ kehren* tourner *od* montrer le dos à qn; *e-n krummen ~ machen* courber le dos; *jdm den ~ stärken (fig)* épauler *od* soutenir qn; *jdm den ~ zukehren* od *zuwenden* tourner *od* présenter le dos à qn; *es lief mir kalt über den ~ (fig)* j'en avais froid dans le dos; **~angriff** *m* attaque *f* à revers *od* sur les arrières; **~deckung** *f mil* couverture *f* de l'arrière; *(Festung)* parados *m; (Nachhut)* arrière-garde *f;* **~fallschirm** *m* parachute *m* dorsal; **~flosse** *f zoo* nageoire *f* dorsale; **~flug** *m* vol *m* sur le dos *od* inversé *od* à l'envers; **~gurt** *m (Mantel)* martingale *f;* **~lage** *f* position *f* couchée sur le dos, *(Schwimmen)* planche *f;* **~lehne** *f* dossier *m; verstellbare ~~* dossier *m* rabattable; **~mark** *n anat* moelle *f* épinière; *verlängerte(s) ~~* moelle *f* allongée, bulbe *m* rachidien; **~marksnerv** *m* nerf *m* rachidien; **~markschwindsucht** *f* ataxie *f* locomotrice progressive; **~nummer** *f (e-s Rennfah-*

rers) dossard *m;* **~schild** *m zoo* carapace *f; ent* écusson *m; (Buch)* étiquette *f* du dos; **~schmerzen** *m pl* douleurs *f pl* dans le dos *od* dorsales; **~schwimmen** *n* nage *f* sur le dos; **~stütze** *f (für Kranke)* dossier-lit *m;* **~wind** *m* vent *m* arrière; *~~ haben (mar)* avoir le vent en poupe.
Rückerinnerung *f* ['rʏk-] réminiscence *f.*
Rückersatz *m* ['rʏk-] restitution *f.*
Rückerstattung *f* ['rʏk-] remboursement *m;* restitution *f.*
Rückfahr|karte *f* ['rʏk-] **~schein** *m* billet *m* d'aller et retour *od* de retour.
Rückfahrt *f* ['rʏk-] retour *m; auf der ~* au retour, en revenant.
Rück|fall *m* ['rʏk-] *jur med* récidive; *med u. allg* rechute *f; e-n ~~ haben* od *erleiden* récidiver; *Neigung f zu ~fällen (jur med)* récidivité *f;* **r~fällig** *a jur* récidiviste; *bes. rel* relaps; *~~ werden* récidiver; *(Kranker)* rechuter; **~fällige(r)** *m jur* récidiviste; *a. rel* relaps; *fam* cheval *m* de retour.
Rückfenster *n* ['rʏk-] *mot* vitre *f* arrière.
Rückflug *m* ['rʏk-] vol *m* (de) retour; *auf dem ~* au retour.
Rückforderung *f* ['rʏk-] *jur* demande *f* de remboursement *od* en restitution.
Rückfracht *f* ['rʏk-] fret *od* chargement *m* de retour; **~kosten** *pl* frais *m pl* de retour.
Rückfrage *f* ['rʏk-] demande *f* de précisions *od* d'instructions complémentaires; **rück≈fragen** *itr* demander des précisions (*bei jdm* à qn).
Rückführung *f* ['rʏk-] *(in die Heimat)* rapatriement *m,* remise; réduction *m.*
Rückgabe *f* ['rʏk-] reddition; restitution; rétrocession *f; (von leeren Flaschen* od *Gläsern)* retour *m; mit der Bitte um ~* avec prière de retour; **~pflicht** *f* obligation *f* de rendre; **~recht** *n: mit ~~ kaufen* acheter à condition.
Rück|gang *m* ['rʏk-] *allg* mouvement *m* rétrograde; *(Nachlassen)* diminution *f,* ralentissement *m;* régression; *com fin* baisse *f; (Niedergang)* déclin *m;* **r~gängig** *a* rétrograde; *~~ machen (Maßnahme)* annuler, résilier; *(Kauf, Geschäft)* annuler; *(Entscheidung)* revenir sur; *nicht mehr ~~ gemacht werden können (Geschäft)* être définitif; **~gängigmachung** *f* annulation, résiliation *f,* résiliement, résilîment *m.*
rückgeführt ['rʏk-] *a (in die Heimat)* rapatrié.
Rückgewinnung *f* ['rʏk-] récupération *f.*
Rückgliederung *f* ['rʏk-] rattachement *m,* réintégration *f.*
Rückgrat *n* ['rʏk-] *anat* échine, épine dorsale, colonne *f* vertébrale; *~ haben (fig)* ne pas plier l'échine; *kein ~ haben (fig)* avoir du sang de navet dans les veines; **~verkrümmung** *f* déviation de la colonne vertébrale, lordose; scoliose *f.*
Rückgriff *m* ['rʏk-] *jur* recours *m;* **~sklage** *f* action *od* demande *f* récursoire; **~srecht** *n* droit *m* de recours.
Rückgut *n* ['rʏk-] marchandises *f pl* de retour.
Rückhalt *m* ⟨-(e)s, (-e)⟩ ['rʏk-] soutien, appui *m; fin* réserve *f,* assises *f pl;* **r~los** *a* u. *adv* sans réserve; sans arrière-pensée; *adv* franchement; *~~e Offenheit f* franchise *f* parfaite.
Rückhand *f* ['rʏk-] *sport* revers *m.*
Rückholfeder *f* ['rʏk-] *(Geschütz)* ressort *m* de rappel.
Rückhub *m* ['rʏk-] *tech* relevage *m.*
Rückkauf *m* ['rʏk-] rachat; réméré *m;* **~srecht** *n* droit *m* de réemption *od* de rachat *od* de réméré; *Verkauf m mit ~~* vente *f* à réméré; **~swert** *m* valeur *f od* prix *m* de rachat.
Rückkehr *f* ⟨-, ø⟩ ['rʏk-] retour *m,* rentrée *f; bei meiner ~* à mon retour, en rentrant; au retour de mon voyage; *~ in die eheliche Wohnung (jur)* réintégration *f* du domicile conjugal.
Rückkopp(e)lung *f* ['rʏk-] *radio* (rétro)réaction *f.*
Rückkunft *f* ⟨-, ø⟩ ['rʏk-] = *Rückkehr.*
Rücklage *f* ['rʏk-] *allg* réserve *f,* encas; *fin* réserve *f,* volant *m; gesetzliche, freiwillige, satzungsgemäße ~n* réserves légales, facultatives, statutaires; **~fonds** *m* fonds *m* de réserve *od* de prévision *od* de provision.
Rück|lauf *m* ['rʏk-] *tech* marche *f* arrière; *senkrechte(r) ~~* relevage *m;* **r~läufig** *a* rétrograde, régressif; *~~e Bewegung f* rétrogradation; régression *f;* **~laufrohr** *n* trop-plein *m.*
Rückleit|er *m* ['rʏk-] , **~ung** *f el* fil *m* de retour.
Rücklicht *n* ⟨-(e)s, -er⟩ ['rʏk-] *mot* feu *m* (rouge) arrière.
rücklings ['rʏk-] *adv (liegen)* sur le dos; *(fallen)* à la renverse; *(von hinten)* par derrière.
Rückmarsch *m* ['rʏk-] marche rétrograde; *mil* retraite *f.*
Rückmeldung *f* ['rʏk-] *mil* rapport *m* de retour.
Rückporto *n* ['rʏk-] port *m* de retour.
Rückprall *m* ['rʏk-] rebondissement *m,* répercussion *f; (Billard)* effet *m* rétrograde.
Rückreise *f* ['rʏk-] (voyage de) retour *m; auf der ~* au retour; *auf der ~ sein* être sur le retour.
Rucksack *m* ['rʊk-] sac *m* à dos *od* tyrolien.
Rückschau *f* ['rʏk-] (revue) rétrospective *f;* **r~end** *adv* rétrospectivement.
Rückschlag *m* ['rʏk-] réaction *f; (Fehlschlag)* échec, à-coup *m,* traverse; *fin* baisse *f* subite; *(Gegenschlag)* contrecoup; *fig* rebondissement; revers *m.*
Rückschluß *m* ['rʏk-] conclusion, déduction *f; aus etw den ~ ziehen* tirer la conclusion *od* conclure de qc.
Rückschritt *m* ['rʏk-] pas *m* en arrière; *pol* réaction *f;* **r~lich** *a pol* réactionnaire.
Rückseite *f* ['rʏk-] *(hintere Seite)* derrière, dos; *(untere Seite)* revers, envers; *typ* verso *m; auf der ~ (gen)* au dos (de); *siehe ~* voir au verso; *die ~ des Mondes* la face opposée *od* invisible de la lune; *~ e-s Tiefs (mete)* traîneau *m* d'un système dépressionnaire.
Rücksicht *f* ⟨-, -en⟩ ['rʏk-] considération *f,* égards *m pl; mit ~ auf* en tenant compte de, en considération de, eu égard à, en raison de, par considération pour; *ohne ~ auf* sans égard pour; *ohne ~ auf Alter und Geschlecht* sans exception d'âge ni de sexe; *~ nehmen auf* tenir compte de, avoir égard à, prendre garde à; *(achten)* respecter; *(schonen)* ménager; *auf nichts ~ zu nehmen brauchen* n'avoir rien à ménager; **~nahme** *f* ⟨-, ø⟩ ménagement *m;* **r~slos** *a* u. *adv* sans égards (*gegen* pour); sans ménagement; *a* brutal, impitoyable; *~~e(r) Fahrer m* chauffard *m fam;* **~slosigkeit** *f* manque *m* d'égards; brutalité *f;* **r~svoll** *a* plein d'égards (*gegen* pour); attentionné; *adv* avec ménagements; *jdn ~~ behandeln* avoir des égards pour qn; ménager qn.
Rücksitz *m* ['rʏk-] *(Wagen)* banquette *f* arrière, fond; *(Motorrad)* tan-sad *m.*
Rückspesen *pl* ['rʏk-] frais *m pl* de retour.
Rückspiegel *m* ['rʏk-] (miroir) rétroviseur *m.*
Rückspiel *n* ['rʏk-] *sport* match *m* retour.
Rücksprache *f* ['rʏk-] consultation *f,* entretien *m,* pourparlers *m pl; nach ~ mit* après consultation de; *mit jdm ~ nehmen* conférer avec qn.
Rückstand *m* ['rʏk-] *chem* résidu; reste; *com* arriéré *m; jur* demeure *f; im ~ bleiben (com)* demeurer en reste *od* en arrière; *pl fin* arrérages; *tech* déchets *m; Rückstände eintreiben* faire rentrer des arriérés; *im ~ sein* être en retard (*mit* pour).
rückständig ['rʏk-] *a fin (Zahlung)* arriéré, en retard; *(Schuldner)* retardataire; *fig* arriéré, rétrograde; *~ sein (fig)* ne pas être à la page *od* dans le vent; *~e Miete f* loyer *m* arriéré; **R~keit** *f* mentalité *f* arriérée.
Rückstau *m* ['rʏk-] refoulement *m.*
Rückstellung *f* ['rʏk-] *fin* (mise en) réserve, provision *f.*
Rückstoß *m* ['rʏk-] coup en arrière, recul *m; phys* répercussion; *bes. mot* réaction *f;* **~antrieb** *m* propulsion *f* par réaction *od* par jet; **r~frei** *a* sans recul; **~kraft** *f* force de recul; *mot* force *f* de réaction; **~triebwerk** *n* moteur à réaction, réacteur *m.*
Rückstrahl|er *m* ['rʏk-] cataphote, catadioptre *m;* **~ung** *f* réflexion *f.*
Rückstreuung *f* ['rʏk-] *radio* rétrodiffusion *f.*
Rückstrom *m* ['rʏk-] courant *m* de retour.
Rücktaste *f* ['rʏk-] touche *f* de rappel.
Rücktrift *f* ['rʏk-] *(e-s Geschosses)* recul *m; aero* traînée *f.*
Rücktritt *m* ['rʏk-] *(vom Amt)* démis-

sion; retraite; *(vom Vertrag)* résiliation *f; (Fahrrad)* rétropédalage *m; s-n ~ erklären* donner sa démission, démissionner; **~bremse** *f* (frein à) rétropédalage; frein *m* à contre-pédale; **~sgesuch** *n* demande *f* de retraite, démission; **~sschreiben** *n* lettre *f* de démission.

rück≈übersetz|en ['rʏk-] ‹*hat rückübersetzt*› *tr* retraduire; **R~ung** *f* retraduction *f.*

Rückübertragung *f* rétrocession *f.*

rück≈vergüt|en ['rʏk-] ‹*hat rückvergütet*› *tr* rembourser; **R~ung** *f (Storno)* ristourne *f; (Rückerstattung)* remboursement *m.*

rück≈versicher|n ['rʏk-] ‹*hat rückversichert*› *sich* se réassurer; **R~te(r)** *m* réassuré *m;* **R~ung** *f* réassurance, contre-assurance *f;* **R~ungsvertrag** *m* contrat *m* de réassurance.

Rückwand *f* ['rʏk-] paroi *f* arrière; *(e-s Kamins)* contrecœur; *(e-s Lastwagens)* hayon *m.*

Rückwanderer *m* ['rʏk-] émigrant *m* qui revient.

rückwärt|ig *a* ['rʏk-] arrière; *~~e(s) Gebiet n (mil)* (zone *f*) arrière *m; ~~e Stellung f (mil)* position *f* arrière; *~~e Verbindungen f pl* (liaisons *f pl*) arrières *m pl;* **~s** *adv* en arrière, à reculons; *~~ fahren (itr)* faire marche arrière; **R~sbewegung** *f* mouvement en arrière *od* vers l'arrière; *mil a.* repli; *fig* reflux *m;* rétrogradation *f;* **R~sgang** *m mot* marche *f* arrière; **R~slagerung** *f med* rétroversion *f;* **R~sstreuung** *f* rétrodiffusion *f.*

Rückweg *m* ['rʏk-] (chemin de) retour; *mil* itinéraire *m* de repli; *auf dem ~* sur le retour, en retournant; *jdm den ~ abschneiden* couper la retraite à qn.

rückwirk|end ['rʏk-] *a adm* rétroactif; *phys* réactif; *~~e Kraft besitzen* avoir (un) effet rétroactif; **R~ung** *f* réaction, répercussion *f; mit ~~ vom ...* avec rappel depuis ...

rückzahl|bar ['rʏk-] *a* remboursable; **R~ung** *f* remboursement; *(Amortisation)* amortissement *m;* **R~ungsrate** *f* quote-part *f* d'amortissement.

Rückzieher *m* ['rʏk-] *(Fußball)* retourné *m; fam: e-n ~ machen* se rétracter, se dédire.

Rückzoll *m* ['rʏk-] prime *f* de réexportation; **~güter** *n pl* marchandises *f pl* de réexportation.

Rückzug *m* ['rʏk-] *mil* retraite *f; (planmäßiger)* repli *m; den ~ antreten, zum ~ blasen (fig)* battre en retraite; **~sgefecht** *n* combat *m* en retraite; **~slinie** *f* ligne *f* de retraite.

Rüde *m* ‹-n, -n› ['ry:də] *(männl. Hund, Wolf, Fuchs)* mâle; *(Hetzhund)* chien *m* de chasse.

rüde ['ry:də] *a* rude, brutal.

Rudel *n* ‹-s, -› ['ru:dəl] *(Hochwild)* harde; *(Wölfe)* bande; *(Menschen)* bande, troupe *f;* **r~weise** *adv (Tiere)* par *od* en bandes.

Ruder *n* ‹-s, -› ['ru:dər] rame *f,* aviron; *(Steuer~, a. aero)* gouvernail *m; aero* commandes *f pl; (~pinne)* barre *f; das ~ fest in der Hand haben (fig)* tenir la barre; *ans ~ kommen (fig)* prendre le gouvernail; *pol* prendre les leviers de commande; *am ~ sein (fig)* tenir le gouvernail; **~bank** *f* banc *m* des rameurs; **~blatt** *n* pale *f* d'aviron, plat de l'aviron; *(Steuer)* safran *m;* **~boot** *n* bateau *od* canot *m od* barque *f* à rames; **~er** *m* ‹-s, -› rameur; *mar* nageur *m;* **~fuß** *m zoo* patte *f* natatoire; **~gabel** *f* porte-rame *m;* dame *f* (de nage); **~haus** *n mar* timonerie *f;* **~klub** *m* club *m* d'aviron; **r~n** *itr* ramer; *sport* faire de l'aviron; *kräftig ~~* faire force de rames; **~n** *n* = *~sport;* **~pinne** *f mar* timon *m;* barre *f* du gouvernail; **~regatta** *f* régate *f* de canoë; **~sport** *m* aviron, canotage *m;* **~stange** *f* perche *f* à aviron *od* à rame; **~verein** *m* = *~klub;* **~wache** *f* = *~haus.*

Rudiment *n* ‹-(e)s, -e› [rudi'mɛnt] rudiment *m;* **r~är** [-'tɛ:r] *a* rudimentaire.

Ruf *m* ‹-(e)s, -e› [ru:f] *allg* cri; *(Anruf, bes. tele)* appel; *tele (Nummer)* numéro *m* (de téléphone); *(guter ~)* réputation; renommée *f,* renom *m; (Berufung)* nomination; vocation *f; in gutem, schlechtem ~ (stehend)* bien, mal famé; *jdn um s-n guten ~ bringen* perdre qn de réputation; *jdn in schlechten ~ bringen* discréditer qn; *e-n ~ (als Professor) erhalten* recevoir une offre de nomination (*an e-e Univ.* à une université); *e-n guten, schlechten ~ haben* jouir d'une bonne réputation, être mal vu partout; *im ~ stehen (gen* od *zu)* avoir le réputation (de); *er ist besser als sein ~* il vaut mieux que son nom; **~einrichtung** *f tele* signaleur *m;* **r~en** ‹*rief, gerufen*› [(-)ru:f-] *tr* appeler; *itr* crier; *nach jdm* appeler qn; *ins Gedächtnis ~~* rappeler; *zu Hilfe ~~* appeler au secours; *wieder ins Leben ~~* rappeler à la vie; *wie gerufen kommen* venir *od* arriver à point nommé *od* à propos *od* pic *od fam* au poil; *~~ lassen* faire venir, appeler; **~er** *m* ‹-s, -› celui qui crie *od* qui appelle *od* qui a crié *od* appelé; **~name** *m* prénom *m* usuel; **~nummer** *f tele* numéro *m* d'appel *od* de téléphone; **~signal** *n tele* = *~zeichen;* **~weite** *f: in, außer ~~* à, hors de portée de (la) voix; **~welle** *f radio* onde *f* d'appel; **~zeichen** *n tele* signal d'appel; *radio* indicatif *m* (d'appel).

Rüffel *m* ‹-s, -› ['rʏfəl] réprimande, semonce *f; fam* savon *m;* **r~n** *tr* réprimander, tancer, attraper; passer un savon (*jdn* à qn).

Rüg|e *f* ‹-, -n› ['ry:gə] *(Tadel)* blâme *m;* réprimande *f; jdm e-e ~~ erteilen* = *jdn rügen;* **r~en** *tr* blâmer, censurer, réprimander, gourmander.

Ruh|e *f* ‹-, ø› [ru:ə] *(Unbewegtheit)* repos *m a. phys,* tranquillité *f; (Stille)* calme; *(Schweigen)* silence; *(innere~~)* calme *m,* tranquillité, sérénité *f; (Erholung)* repos *m,* détente *f,* délassement *m; in ~~ (überlegen)* à tête reposée; *in (aller) ~~* tranquillement, sans se presser, en prenant son temps; *sich zur ~~ begeben* aller se coucher; *~~ bewahren* garder son calme, rester calme; *nicht aus der ~~ zu bringen sein* ne jamais perdre son sang-froid; *jdm ~~ gebieten* imposer silence à qn; *keine ~~ haben* n'avoir pas de repos; *bis ...* n'avoir de cesse que *subj; ~~ halten* se tenir tranquille; *nicht* od *keinen Augenblick zur ~~ kommen* n'avoir pas le loisir de respirer; *in ~~ lassen* laisser tranquille *od* en paix; *jdm keine* od *jdn nicht in ~~ lassen* ne pas laisser de repos *od* de répit à qn; *fam* talonner *od* turlupiner qn; *sich zur ~~ setzen (Selbständiger)* se retirer des affaires; *(Unselbständiger)* prendre sa retraite; *man hat keine ~~ vor ihm* il ne vous laisse pas tranquille; *~~!* paix (donc)! *angenehme ~~!* bonne nuit! *immer mit der ~~!* doucement! tout doux! du calme! *laß mich in ~~!* laisse-moi tranquille *od* en paix! *fam* ne m'embête pas! fiche-moi la paix! *pop* fous-moi la paix! **~ealtar** *m* reposoir *m;* **~ebank** *f* banc *m* public; **r~ebedürftig** *a: ~~ sein* avoir besoin de repos; **~ebett** *n* lit *m* de repos; **~egehalt** *n* pension *f* de retraite *od* d'ancienneté; **~egehaltsanspruch** *m* droit *m* à une pension; **~egehaltsempfänger** *m* retraité, pensionné *m;* **~elage** *f* position *f* d'équilibre; **r~elos** *a* sans repos, toujours en mouvement; *(unruhig)* inquiet, agité; **~elosigkeit** *f* ‹-, ø› inquiétude, agitation *f* (continuelle); **~en** ‹*aux: haben*› *itr (unbewegt sein)* reposer, être tranquille; *(liegen, getragen werden)* reposer (*auf* sur); *(Blick)* être fixé (*auf* sur); *(Verdacht)* peser (*auf* sur); *(sich ausruhen)* se reposer, se détendre, se délasser; *(begraben sein)* reposer; *(Arbeit)* avoir cessé, avoir été arrêté *od* suspendu; *(Angelegenheit)* être en sommeil; *nicht eher ~~, als bis ...* n'avoir (pas) de repos *od* cesse que ... ne *subj; ~~ lassen* laisser reposer *od* dormir; *(Blick)* arrêter (*auf* sur); *hier ~t (Toter)* ci-gît; *~de(s) Kapital n* capital *m* improductif; **~epause** *f* temps *m* de repos; **~epunkt** *m* point *m* de repos; **~esicherung** *f mil* sûreté *f* en station; **~estand** *m* retraite *f; im ~~* en retraite; *in den ~~ treten* prendre sa retraite; *in den ~~ versetzen* mettre à la retraite; **~estandsbeamte(r)** *m* retraité *m;* **~estätte** *f (Grab)* dernière demeure *f;* **~estellung** *f* position *f* de repos *od tech* d'arrêt; *in ~~* en repos; *mil* en cantonnement; **~estörer** *m* tapageur, perturbateur *m* (de l'ordre public); **~estörung** *f* perturbation *f* (de l'ordre public); *nächtliche ~~* tapage *m* nocturne; **~etag** *m* jour de repos; *(Geschäft)* repos *m* hebdomadaire; **~ezeit** *f* temps *m* de repos; **r~ig** *a (still, a. Mensch)* tranquille, silencieux; *(friedlich)* calme, paisible; *(heiter)* serein; *(beruhigt)* rassuré; *(gelassen, gesetzt)* rassis; *bei ~~er Überlegung* à tête reposée; *~~ bleiben* rester calme, garder son calme; *keine ~~e Minute (mehr) haben* n'avoir pas (plus) une minute de repos; *~~ schlafen (können)* dormir tranquille *od* sur ses deux oreilles; *sich ~~ verhalten* se tenir tranquille; *~~ verlaufen* se passer sans incident; *~~er werden* se rassurer; *das können Sie ~~ machen! (fam)* vous pouvez bien le faire! *du könntest ~~ (mal)* ... *(fam)* tu pourrais bien ...

Ruhm *m* ‹-(e)s, ø› [ru:m] gloire *f; sich mit ~ bedecken, ~ ernten* se couvrir de gloire; **r~bedeckt** *a* couvert de gloire; **~begier(de)** *f* amour *m* de la gloire; **r~begierig** *a* avide de gloire; **~eshalle** *f* temple de la gloire; panthéon *m;* **~estat** *f* fait *m* glorieux; **r~los** *a* sans gloire; obscur; **~losigkeit** *f* ‹-, ø› obscurité *f;* **r~redig** *a* vantard; *(eitel)* vaniteux; **~redigkeit** *f* ‹-, ø› vantardise, vanterie; jactance *f;* **r~reich** *a* glorieux; **~sucht** *f* ‹-, ø› passion de la gloire, gloriole *f;* **r~süchtig** *a* avide de gloire; **r~voll** *a* glorieux.

rühm|en ['ry:mən] *tr (preisen)* glorifier, magnifier, célébrer, prôner, vanter; rendre gloire à, chanter la gloire de; *(loben)* lou(ang)er; faire l'éloge de; *sich e-r S ~~* se faire gloire *od* se glorifier de qc; **~lich** *a* glorieux; digne d'éloges; *nicht sehr ~~* pas très fameux.

Ruhr *f* [ru:r] ‹-, ø› med dysenterie *f.*

Ruhrgebiet *n* bassin *m* de la Ruhr.

Rühr|apparat *m* ['ry:r-] *tech* mélangeur, malaxeur; *chem* agitateur *m;* **~ei** *n* œufs *m pl* brouillés; *~~ mit Schinken* œufs *m pl* au jambon; **r~en** *tr (umrühren)* agiter, brouiller; gâcher; *(Teig)* pétrir; *(bewegen)* remuer, mouvoir; *mus (schlagen)* battre; *(ergreifen, erregen)* émouvoir; *(~selig machen)* toucher, attendrir; *itr: an etw ~~* toucher à qc; *sich ~~* se mouvoir, se remuer, bouger; *sich nicht ~~* ne pas bouger; *fig* ne pas faire un geste; *sich nicht ~~ können* ne pas pouvoir remuer *od* bouger; *~t euch! (mil)* repos! *(beim Marschieren)* pas de route! **r~end** *a* touchant, émouvant, attendrissant; **r~ig** *a* actif, dynamique; *(immer in Bewegung)* remuant; *(fleißig)* assidu, appliqué; *sehr ~~ sein (a.)* se donner du mouvement; **~igkeit** *f* ‹-, ø› activité *f,* dynamisme *m;* assiduité, application *f;* **~löffel** *m* cuiller *f* à pot; **~michnichtan** *n* ‹-, -› [-mɪçnɪçtˀan] *bot* balsamine *f;* **r~selig** *a* larmoyant, sentimental; **~seligkeit** *f* sentimentalité *f;* **~stab** *m chem* agitateur *m;* **~stück** *n theat* comédie *f* larmoyante *od* attendrissante; **~ung** *f* ‹-, (-en)› attendrissement *m,* émotion *f;* **~werk** *n = ~apparat.*

Ruin *m* ‹-s, ø› [ru'i:n] *(Untergang)* ruine, perte *f,* déclin *m,* déconfiture *f;* **~e** *f* ‹-, -n› ruine; *fig a.* épave *f;* **~enstadt** *f* ville *f* en ruines; **r~ieren** [-i'ni:rən] *tr (Sache)* démolir, esquinter, *pop* amocher; *(Person)* ruiner; **r~iert** *a (Person a.)* achevé; *(Geschäft)* coulé; *~~ sein (Person a.)* être à terre *od arg* lessivé.

Rülps *m* ‹-es, -e› [rʏlps], **~er** *m* ‹-s, -› *pop* rot *m;* **r~en** *itr pop* roter.

Rum *m* ‹-s, -s› [rum] rhum, tafia *m.*

rum [rum] *fam = herum.*

Rumän|e *m* ‹-n, -n› [ru'mɛ:nə], **~in** *f* Roumain, e *m f;* **~ien** *n* [-'mɛ:niən] la Roumanie; **r~isch** ['mɛ:nɪʃ] *a* roumain; *(das) R~~(e)* le roumain.

Rumelien *n* [ru'me:liən] la Roumélie.

Rummel *m* ‹-s, ø› ['ruməl] *fam (lärmender Betrieb)* foire, kermesse *f;* animation *f;* bruit, vacarme, tapage, brouhaha *m; den ~ kennen* connaître le truc *od* la musique *od pop* la combine; *der ganze ~* tout le fourbi; **~platz** *m fam* parc d'attractions; *(Jahrmarkt)* champ *m* de foire.

Rumor *m* ‹-s, ø› [ru'mo:r] *fam (Lärm)* rumeur *f,* vacarme, tapage *m;* **r~en** ‹*hat rumort*› *itr* faire du bruit *od* du tapage; **~en** *n* tapage *m.*

Rumpel|kammer *f* ['rumpəl-] (cabinet de) débarras, fourre-tout *m;* **~kasten** *m* fourre-tout; *(alter Wagen)* guimbarde *f;* **r~n** *itr* faire du tapage; *(Wagen)* cahoter.

Rumpf *m* ‹-(e)s, ⸚e› [rumpf, 'rʏmpfə] *anat* tronc *m; zoo* carcasse; *mar* coque, carcasse *f; aero* fuselage *m; (Flugboot)* coque-fuselage *f;* **~beuge** *f* flexion *f* (du tronc); **~ende** *n,* **~heck** *n aero* extrémité *f* arrière du fuselage; **~parlament** *n hist* parlement-croupion *m.*

rümpfen ['rʏmpfən] *tr: die Nase ~* faire la moue; *fig* rechigner *(über etw* à qc).

Rumpsteak *n* ‹-s, -s› ['rumpste:k] *(Küche)* rumsteck, romsteck *m.*

rum=saufen ['rum-] *itr fam* bambocher, faire la bamboche.

rund [runt] *a* rond; arrondi; *(kreisförmig)* circulaire; *(Gesicht)* rond, plein; *fig (Zahl)* rond; *adv* u. *~ gerechnet* en nombre rond, en somme ronde; *~ 100* à peu près *od* environ cent, une centaine; *~ um etw gehen (Person* od *Sache)* faire le tour de qc; *~ machen* arrondir; *~ werden* s'arrondir; *~e Summe f* compte *m* rond; **R~** *n* ‹-(e)s, -e› rond; *(Kreis)* cercle *m;* **R~e** *f* ‹-, -n› ronde *f a. mil,* tour *m; (Lage: Bier etc)* tournée, *arg* resucée *f; (Gesellschaft)* cercle; *sport* round *m,* reprise *f; in der ~~* à la ronde; *(im Kreis)* en rond; *eine ~~ geben* offrir *od* payer une tournée; *die ~~ machen* faire la ronde; *noch 'ne ~~! (pop)* remettez-ça; **~en** *tr* arrondir; *sich ~~* s'arrondir; **R~heit** *f* ‹-, ø› rondeur, rotondité *f;* **~heraus** *adv (offen, freimütig)* franchement; tout net; **~herum** *adv* tout autour; à la ronde; **~lich** *a* arrondi, rondelet; *(Mensch)* potelé, *fam* grassouillet, boulot; **~umher** *adv* à la ronde; **R~umverteidigung** *f mil* défense *f* circulaire; **R~ung** *f* rond, arrondi *m;* rondeur, rotondité *f; arch* galbe; *tech* arrondissage *m; e-r S e-e ~~ geben (tech)* arrondir qc.

Rund|bau *m* ['runt-] *arch* rotonde *f;* **~blick** *m* tour d'horizon; panorama *m;* **~bogen** *m arch* arc *m* (en) plein cintre; **~brief** *m* (lettre) circulaire *f;* **~brot** *n* (pain *m*) boule *f;* **~eisen** *n* barre *f* ronde; **~erlaß** *m* circulaire *f;* **r~erneuern** *tr mot (Reifen)* rechaper; **~erneuerung** *f* rechapage *m;* **~fahrt** *f* circuit *m; (Stadt~)* visite *f* commentée (d'une *od* de la ville); **~feile** *f* lime *f* ronde; **~flug** *m* circuit *m* aérien; **~frage** *f* enquête *f;* **~gang** *m* tour *m; bes. mil* ronde *f;* **~gesang** *m* ronde *f;* **~holz** *n (mit Rinde)* bois de *od* en grume; *(ohne Rinde)* bois *m* rond, rondins *m pl;* **~lauf** *m (Turngerät)* pas-de-géant, vindas *m;* **r=laufen** *itr tech* tourner rond; **~peilgerät** *n* goniomètre *m* panoramique; **~reise** *f* circuit; périple *m;* tour(née *f*) *m;* **~reisefahrkarte** *f* billet *m* circulaire; **~reisezug** *m* train *m* croisière; **~schau** *f (Zeitschrift)* revue *f;* **~schreiben** *n* lettre circulaire *od* collective, circulaire *f; durch ~~* par circulaire; **~schrift** *f* (écriture) ronde *f,* lettres *f pl* rondes; **~sicht** *f* vue *f* panoramique; **~sichtbildschirm** *m* écran *m* panoramique; **~stab** *m (Säule)* astragale *m;* **~stahl** *m* acier *m* rond; **~strahlantenne** *f* antenne *f* omnidirectionnelle; **~strahl-Funkfeuer** *n* radiophare *m* non directionnel; **~strahlung** *f* rayonnement *m* circulaire; **~verkehr** *m* (circulation *f* à) sens *m* giratoire; **r~weg** *adv* nettement, (tout) net, carrément, bel et bien.

Rundfunk *m* ['runt-] radio(diffusion), télégraphie sans fil, T.S.F., radiophonie *f; im ~, über den ~* à la radio; *durch den ~* par la voie des ondes; *für den ~ bearbeiten* mettre en ondes; *~ hören* écouter la radio; *über den ~ verbreiten* radiodiffuser; **~amateur** *m* amateur de T.S.F.; sans-filiste *m;* **~ansager(in *f*)** *m* speaker(ine *f*) *m;* **~ansprache** *f* allocution *f* radiodiffusée; **~apparat** *m = ~gerät;* **~bastler** *m* sans-filiste *m;* **~bearbeiter** *m* adaptateur *m;* **~bearbeitung** *f* adaptation *f;* **~-Berichterstatter** *m* radioreporter *m;* **~empfang** *m* réception *f* d'émissions radiophoniques; **~empfänger** *m* récepteur radiophonique *od* de T.S.F., poste *m* récepteur; **~gebühren** *f pl* redevance *od* taxe *f* radiophonique; **~gerät** *n* récepteur radio(phonique) *od* de T.S.F., appareil *m* de T.S.F., radio *f; ~~ mit Plattenspieler* (radio)combiné *m;* **~hören** *n* écoute *f* radiophonique; **~hörer** *m* auditeur *m* de radio *od* de T.S.F.; **~kommentator** *m* commentateur *m* à la radio; **~konzert** *n* concert *m* radiophonique; **~musik** *f (a.)* musique *f* radiophonique; **~nachrichten** *f pl* journal *m od* presse *f* parlé(e); **~netz** *n* réseau *m* radiophonique; **~programm** *n* programme *m* radiophonique *od* des émissions de T.S.F.; **~reportage** *f* reportage radiodiffusé, radioreportage *m;* **~sender** *m* (poste) émetteur, émetteur *m* de T.S.F.; *(Betrieb) = ~station;* **~sendung** *f* émission *f* radiophonique *od* radiodiffusée *od* de radio; **~sprecher(in *f*)** *m = ~ansager;* **~station** *f* station *f* émettrice *od* d'émission(s) *od* de radiodiffusion *od* de T.S.F.; **~technik** *f* radiotechnique, technique *f* de la radiodiffusion; **~techniker** *m* radiotechnicien *m;* **~teilnehmer** *m* abonné *m* de la T.S.F.; **~übertragung** *f* transmission *od* diffusion radiophonique; radiodiffusion *f;* **~- und Fernsehausstellung** *f* salon *m* de la radio et de la télévision; **~werbung** *f* publicité *f* à la radio; **~wesen** *n* radiophonie *f;* **~zeitschrift** *f* revue *f* de T.S.F.

Runen *f pl* ['ru:nən] runes *f pl;* **~nschrift** *f* caractères *m pl* runiques.

Runge *f* ⟨-, -n⟩ ['ruŋə] ranche *f;* **~nwagen** *m* wagon *m* à ranchers.

Runkelrübe *f* ['ruŋkəl-] betterave *f* fourragère.

runter ['runtər] *adv fam = herunter.*

runter≈rutschen ['runtər-] *itr: du kannst mir den Buckel ~ (pop)* tu peux te brosser.

Runz|el *f* ⟨-, -n⟩ ['runtsəl] ride *f;* **r~(e)lig** *a* ridé; *~~ werden* se rider; **r~eln:** *sich ~~* se rider; *tr: die Stirn ~~* froncer les sourcils.

Rüpel *m* ⟨-s, -⟩ ['ry:pəl] grossier, malotru, mufle *m;* **~ei** [-'laı] *f* grossièreté, muflerie *f; f;* **r~haft** *a* grossier, malotru; *(ungezogen)* mal élevé, sans éducation; **~haftigkeit** *f* grossièreté *f.*

rupfen ['rupfən] *tr (herausreißen)* arracher; *(Geflügel)* plumer; *fig fam (das Geld aus der Tasche ziehen)* plumer, tondre, ratiboiser; soutirer de l'argent *(jdn* à qn); *mit jdn ein Hühnchen zu ~ haben (fig)* avoir un compte à règler avec qn; **R~ 1.** *n mot (Kupplung)* grippage, grippement *m;* **2.** *m* ⟨-s, -⟩ *(Gewebe)* jute *m.*

Rupie *f* ⟨-, -n⟩ ['ru:piə] *(Währungseinheit)* roupie *f.*

rupp|ig ['rupıç] *a (struppig)* ébouriffé; *(zerlumpt, schäbig)* déguenillé, loqueteux, râpé; *(rüpelhaft)* grossier, malotru; **R~igkeit** *f* grossièreté *f;* **R~sack** *m fam = Rüpel.*

Rüsche *f* ⟨-, -n⟩ ['ry:ʃə] *(am Kleid)* ruche *f.*

Ruß *m* ⟨-ßes, ø⟩ [ru:s] suie *f; tech* noir *m,* calamine *f;* **r~en** ⟨*aux: haben*⟩ *itr* faire de la suie, fumer; **~flocke** *f* flocon *m* de suie; **r~ig** *a* couvert de suie, fuligineux; *tech mot* calaminé.

Russ|e *m* ⟨-n -n⟩ ['rusə] , **~in** *f* Russe *m f;* **~enfeind** *m,* **r~enfeindlich** *a* russophobe *(m);* **~enfreund** *m,* **r~enfreundlich** *a* russophile *(m);* **r~ifizieren** [-sifi'tsi:rən] *tr* russifier; **r~isch** *a* russe, de Russie; *(das) R~~(e)* le russe; *r~~e Eier n pl* œufs *m pl* à la russe.

Rüssel *m* ⟨-s, -⟩ ['rysəl] *(Elefant u. niedere Tiere)* trompe *f; (Schweine)* groin; *(Wildschwein)* boutoir *m;* **~käfer** *m* charançon *m;* **~tiere** *n pl* proboscidiens *m pl.*

Rußland *n* ['rus-] la Russie; *das europäische, asiatische ~* la Russie d'Europe, d'Asie.

rüst|en ['rystən] *tr (herrichten)* préparer; *itr (aufrüsten)* s'armer; *sich zu etw ~~* se préparer à qc; *zum Kriege ~~* faire des préparatifs de guerre, se préparer à la guerre; **~ig** *a* vigoureux, robuste; *(noch ~~)* vert; *noch ~~ sein (für sein Alter)* porter bien son âge; *~~ voranschreiten (Arbeit)* être mené rondement; **R~igkeit** *f* ⟨-, ø⟩ vigueur, robustesse; verdeur *f;* **R~kammer** *f hist* salle *f* d'armes; **R~ung** *f* (Auf~~) armement *m; hist (Harnisch)* armure *f;* **R~ungsauftrag** *m* commande *f* d'armes; **R~ungsausgaben** *f pl* dépenses *f pl* militaires; **R~ungsbeschränkung** *f* limitation *f* des armements; **R~ungsbetrieb** *m* usine *f* d'armement; **R~ungsindustrie** *f* industrie *f* d'armement *od* de guerre; **R~ungskontrolle** *f* contrôle *m* des armements; **R~ungswettlauf** *m* course *f* aux armements; **R~ungszentrum** *n* centre *m* d'industrie de guerre; **R~zeug** *n (Werkzeug)* outils *m pl,* outillage; *(Ausrüstung)* équipement *m; fig* outils *m pl.*

Rüster *f* ⟨-, -n⟩ ['ry:stər] *bot (Ulme)* orme *m.*

Rustika *f* ⟨-, ø⟩ ['rustika] *arch* bossage *m.*

Rute *f* ⟨-, -n⟩ ['ru:tə] verge *a. anat; (Schwanz von Hund, Wolf, Fuchs)* queue *f;* **~nbündel** *n hist* faisceau *m* (des licteurs); **~ngänger** *m* radiesthésiste; sourcier *m.*

Ruthen|e *m* ⟨-n, -n⟩ [ru'te:nə], **~in** *f* Ruthène *m f;* **~ium** *n* ⟨-s, ø⟩ [-'te:nium] *chem* ruthénium *m.*

Rutsch *m* ⟨-(e)s, -e⟩ [rutʃ] glissement; *(Berg~)* éboulement *m; guten ~ (ins neue Jahr)! (fam)* bonne année! **~bahn** *f (zum Schlittern)* glissoire *f; (Gestell)* toboggan *m;* **~e** *f* ⟨-, n⟩ *(Holz~)* glissoir; *mines* bac; *tech* toboggan *m;* **r~en** ⟨*aux: sein*⟩ *itr* glisser; *tech* patiner, riper; *mot (Reifen)* déraper; chasser; *(Berg)* s'ébouler; *fam (Essen)* passer, descendre; **~en** *n* glissement; patinage; dérapage *m; ins ~~ kommen* commencer à glisser; **r~fest** *a mot* antidérapant; **~festigkeit** *f* adhérence *f* à la route; **~gefahr** *f: ~~!* route glissante! **r~ig** *a* glissant; **~partie** *f* glissade *f.*

Rüttel|beton *m* ['rytəl-] béton *m* vibré; **r~n** ⟨*aux: haben*⟩ *tr (schütteln)* secouer; *(erschüttern)* ébranler; *(bewegen)* agiter; *itr (Wagen)* cahoter; *an etw nicht ~~ (fig)* ne rien changer, ne pas toucher à qc; *jdn aus dem Schlaf ~~* éveiller qn en le secouant; *an der Tür ~~* secouer la porte; *daran ist nicht zu ~* il n'y a pas à tortiller, c'est comme ça; *ein ge~t Maß an* ... un tas de ...; **~n** *n (Wagen)* cahotement *m,* cahots *m pl;*

Rüttler *m* ⟨-s, -⟩ *tech* vibrateur *m.*

S

S, s *n* ⟨-, -⟩ [ɛs] *(Buchstabe)* S, s *m* od *f;* **S-Kurve** *f* courbe *f* en S.

Saal *m* ⟨-(e)s, Säle⟩ [za:l, 'zɛ:lə] salle *f; (kleiner)* salon *m; (langer)* galerie *f; (Halle), a.* **~bau** *m* hall *m;* **~dienst** *m (Personen)* huissiers *m pl;* **~tochter** *f (Schweiz: Kellnerin)* fille de salle, serveuse *f;* **~tür** *f* porte *f* de la salle.

Saar *f* [za:r] *(Fluß u. Land),* **~gebiet** *n,* **~land** *n* la Sarre; **~länder(in** *f***)** *m* ⟨-s, -⟩ Sarrois, e *m f;* **s~ländisch** *a* sarrois.

Saat *f* ⟨-, en⟩ [za:t] *(Aus~)* semaille(s *pl*); *(~gut), a. fig* semence *f; (junge ~)* semis *m; wie die ~, so die Ernte (prov)* on récolte ce qu'on a semé; comme tu sèmeras, tu moissonneras; **~enstand** *m* état *m* des récoltes; **~feld** *n* champ *m* emblavé, emblavure *f;* **~getreide** *n* blé *m* de semence; **~gut** *n* semences *f pl;* **~korn** *n* grain *m* de semence; **~krähe** *f* freux *m.*

Sabbat *m* ⟨-s, -e⟩ ['zabat] *rel* sabbat *m.*

Sabb|el *m* ⟨-s, ø⟩, **~er** *m* ⟨-s, ø⟩ ['zabəl, -bər] *dial (ausfließender Speichel)* bave *f;* **~ellätzchen** *n,* **~erlätzchen** *n* bavoir *m;* **s~eln, s~ern** *itr* baver; *fig* bavarder, radoter, dire des bêtises.

Säbel *m* ⟨-s, -⟩ ['zɛ:bəl] sabre *m; mit dem ~ rasseln* traîner le sabre; *fig* agiter le spectre de la guerre; **~beine** *n pl* jambes *f pl* arquées; **s~beinig** *a* bancal; **~fechten** *n* escrime *f* au sabre; **~hieb** *m* coup *m* de sabre; **s~n** *tr* u. *itr* couper irrégulièrement; **~raßler** *m* traîneur *m* de sabre.

Sabot|age *f* ⟨-, -n⟩ [zabo'ta:ʒə] sabotage *m;* **~ageabwehr** *f* contre-sabotage *m;* **~ageakt** *m* (acte de) sabotage *m;* **~eur** *m* ⟨-s, -e⟩ [-'tø:r] saboteur *m;* **s~ieren** [-'ti:rən] *tr* saboter.

Sa(c)charin *n* ⟨-s, ø⟩ [zaxa'ri:n] saccharine *f.*

Sach|aufwendungen *f pl* ['zax-] dépenses *f pl* de matériel; **~ausgaben** *f pl* dépenses *f pl* de fonctionnement; **~bearbeiter** *m adm* employé *m* compétent; **~berater** *m* conseiller *m* technique; **~beschädigung** *f* dommage *m* (de choses), détérioration, déprédation *f;* **~besitz** *m* possession *f* de choses; **~beweis** *m* preuve *f* matérielle; **~bezüge** *m pl* rémunération *f* en nature; **s~dienlich** *a* pertinent; utile, pratique; **~dienlichkeit** *f* pertinence; utilité *f;* **~einlage** *f* apport *m* de biens *od* en nature; **~entschädigung** *f* indemnité *f* en nature; **~erklärung** *f* explication *f* des faits; **~gebiet** *n* catégorie *f,* domaine *m;* matière *f; nach ~~en ordnen* grouper selon la matière; **s~gemäß** *a* approprié, adéquat; **~geschädigte(r)** *m* sinistré *m;* **~gründung** *f* fondation *od* constitution *f* d'une société par apports en nature; **~investitionen** *f pl* investissements *m pl* en biens corporels; **~kapitalbildung, ~vermögensbildung** *f* formation *f* de capital sous forme de biens corporels; **~katalog** *m* catalogue *m* analytique; **~kenner** *m* expert *m;* **~kenntnis** *f* connaissance *f* des choses *od* professionnelle, compétence *f; mit ~~* en connaissance de cause; **s~kundig** *a* expert; compétent; **~kundige(r)** *m* expert *m;* **~lage** *f* état *m* des choses *od* de cause; faits *m pl,* circonstances *f pl,* situation *f;* **~leistung** *f* rémunération *od* prestation *f* en nature; **s~lich** *a* conforme aux faits, concret, positif; pratique, matériel; *(unparteiisch)* objectif, impartial, neutre; *(Stil: nüchtern)* sobre, dépouillé; *adv a.* sans passion, avec souci d'objectivité; *aus ~~en Gründen* pour des raisons de fait; *~~ bleiben* od *sein* s'en tenir aux faits; **~lichkeit** *f* ⟨-, (-en)⟩ conformité aux faits; objectivité, impartialité. neutralité; sobriété *f; neue ~~ (Kunst)* néoréalisme *m;* **~mangel** *m* défaut, vice *m;* **~register** *n* index, répertoire *m; ein ~~ anlegen zu; ins ~~ aufnehmen* répertorier; **~schaden** *m* dommage *m od* dégâts *m pl* matériel(s); **~spende** *f* don *m* en nature; **~verhalt** *m* état des choses, fait *m* matériel; *den ~~ klarlegen* exposer les faits; *der wahre ~~* la vérité des faits; **~vermögen** *n: bewegliches ~~* biens mobiliers *m pl;* **s~verständig** *a* expert; **~verständige(r)** *m* expert *m; amtlich bestellter ~~* commissaire-expert *m;* **~verständigenausschuß** *m,* **~verständigenkommission** *f* comité d'experts, jury *m* d'expertise; **~verständigengutachten** *n* expertise *f; ein ~~ einholen* recueillir une expertise; **~verständigenschätzung** *f* estimation *f* par l'expert; **~walter** *m allg* mandataire; *(Anwalt)* avoué *m;* **~wert** *m* valeur *f* réelle; *pl* biens *m pl* réels; **~wörterbuch** *n* dictionnaire *m* encyclopédique, encyclopédie *f.*

Sache *f* ⟨-, -n⟩ ['zaxə] *(realer Gegenstand)* chose *f;* objet *m,* matière *f; com* article *m; (Angelegenheit)* affaire, *jur* cause *f; pl (persönlicher Besitz, bes. Kleider)* effets, vêtements; *(Gepäck)* bagages; *(Güter)* biens *pl; (Mobiliar)* mobilier *m,* meubles *m pl; in ~n ... (adm jur)* dans l'affaire ...; *in eigener ~* en son propre nom; *zur ~ (jur) (vernehmen)* sur les faits; *bei der ~ bleiben (fig)* ne pas s'écarter du sujet; *nicht bei der ~ bleiben* s'écarter du sujet; *jdn bitten, bei der ~ zu bleiben* rappeler qn à la question; *auf die ~ selbst eingehen* entrer en matière; *nicht zur ~ gehören* n'avoir rien à faire à l'affaire *od* à la question; *zur ~ kommen* en venir au fait *od* au sujet, entrer en matière *od* dans le vif du sujet; *sofort zur ~ kommen* aller droit au fait, en venir au fait sans détours; *wieder zur ~ kommen* revenir au fait *od* au sujet *od* à ses moutons; *gemeinsame ~ machen* faire cause commune (*mit jdm* avec qn); *s-e ~ gut machen* jouer bien son jeu; *s-e (Sieben)~ packen* plier bagage, prendre ses cliques et ses claques; *jds ~ sein* être l'affaire de qn; appartenir à qn (*zu ...* de ...); *nicht (ganz) bei der ~ sein* être distrait *od* dans la lune *od* dans les nuages; *s-r ~ sicher sein* être sûr de son fait; *in eigener ~ sprechen* parler pour soi, plaider sa cause; *s-e ~ verstehen* savoir son métier; *etw von der ~ verstehen* être du métier; *ich weiß noch ganz andere ~n* j'en sais bien d'autres; *das ist meine ~* c'est mon affaire; *das ist nicht meine ~* ce n'est pas mon affaire, cela ne me regarde pas; *es ist Ihre ~ zu ...* c'est à vous de ..., il vous appartient de ...; *das ist nicht Ihre ~* ce n'est pas votre affaire; *das ist eine abgekartete ~* c'est un coup monté; *das ist e-e andere ~* c'est autre chose, c'est différent; *das ist e-e ~ für sich* c'est un fait à part; *das ist nicht jedermanns ~* ce n'est pas l'affaire de tout le monde; *die ~ ist erledigt od gemacht* l'affaire est réglée, c'est chose faite; *fam* l'affaire est dans le sac; *die ~ macht mir Spaß* le jeu me plaît; *das tut nichts zur ~* cela ne fait rien à l'affaire; *kommen wir wieder zur ~!* revenons à nos moutons! *mach doch keine ~n!* allons donc! *das ist die ~!* c'est du tout cuit; *das sind mir schöne ~n!* en voilà de belles! *zur ~!* au fait! au sujet! à la question! *die gute ~ (fig)* la bonne cause; *e-e wichtige ~* une affaire importante *od fam* d'État; *zur ~ gehörig* pertinent; *nicht zur ~ gehörig* hors de cause; hors de *od* mal à propos; **~nrecht** *n* droit *m* réel.

Säch|elchen *n* ⟨-s, -⟩ ['zɛçəlçən] (jolie) petite chose *f;* **s~lich** *a gram* neutre.

Sachs|e *m* ⟨-n, -n⟩ ['zaksə] , **Sächsin** *f* Saxon, ne *m f;* **~en** *n* la Saxe;

sächsisch ['zɛksɪʃ] *a* saxon, de Saxe.
sacht [zaxt] *a (leise)* bas, léger, faible; **~(e)** *adv (leise, behutsam)* doucement, en douceur, à pas de velours; *(vorsichtig)* avec précaution; *~~!* (allez-y) doucement! tout doux!
Sack *m* ⟨-(e)s, ¨-e⟩ [zak, 'zɛkə] sac *m; (Tasche, Beutel, a. med)* poche *f; vulg (Hoden~)* bourses *f pl; mit ~ und Pack* avec armes et bagages; *mit ~ und Pack davongehen* prendre son sac et ses quilles *od fam* ses cliques et ses claques; *jdn in den ~ stecken (fig fam)* l'emporter sur qn; **~bahnhof** *m* gare *f* en cul-de-sac; **s~en** *tr dial (in e-n ~ tun)* ensacher, mettre en sac; *itr* ⟨*aux: sein*⟩ *dial (sinken)* se tasser, s'affaisser; **~flug** *m aero* vol *m* en perte de vitesse; **s~förmig** *a* en forme de sac; **~füllmaschine** *f* ensacheuse *f;* **~gasse** *f* impasse *f,* cul-de-sac *m; sich in e-r ~~ befinden (fig)* être dans une impasse *od* au pied du mur; *in e-e ~~ geraten (fig)* s'engager dans une impasse; **~heber** *m* lève-sacs *m;* **~hüpfen** *n (Spiel)* course *f* en sac; **~karre** *f* diable *m;* **~kleid** *n* robe-sac *f;* **~leinen** *n,* **~leinwand** *f* toile à sacs *od* d'emballage, grosse toile *f;* **~pfeife** *f* cornemuse *f;* **~träger** *m* portefaix, débardeur *m;* **~tuch** *n fam (Taschentuch)* mouchoir *m;* **~voll** *m* sachée *f.*
Säck|chen *n* ⟨-s, -⟩ ['zɛkçən] petit sac, sachet *m;* **~el** *m* ⟨-s, -⟩ bourse *f.*
Sad|ismus *m* ⟨-, ø⟩ [za'dɪsmus] sadisme *m;* **~ist** *m* ⟨-en, -en⟩ [-'dɪst] sadiste *m;* **s~istisch** [-'dɪstɪʃ] *a* sadique.
sä|en ['zɛ:ən] *tr a. fig* semer; **S~er** *m* ⟨-s, -⟩, **S~mann** *m* ⟨-(e)s, -männer⟩ semeur *m;* **S~maschine** *f* machine *f* à semer, semoir *m;* **S~tuch** *n* semoir *m.*
Safe *m, a. n* ⟨-s, -s⟩ [zɛ:f, sɛɪf] coffre-fort *m.*
Saffian *m* ⟨-s, ø⟩ ['zafia(:)n] *(~leder)* maroquin *m;* **~arbeiter** *m* moroquinier *m.*
Safran *m* ⟨-s, -e⟩ ['zafra(:)n] *bot (Farbe)* safran *m; mit ~ färben* safraner; **s~gelb** *a* safrané; **~gelb** *n* safran *m.*
Saft *m* ⟨-(e)s, ¨-e⟩ [zaft, 'zɛftə] *allg bot physiol fig* suc *m; bot* sève *f; (Frucht~)* jus; *pharm* sirop *m; pl physiol* humeurs *f pl; ohne ~ und Kraft* sans goût ni saveur; *fam* en détrempe; **s~en** *itr (~ geben)* juter; **s~ig** *a* succulent; juteux; *(Obst)* fondant; *fig (derb)* savoureux, vert, salé, *fam* corsé; *~~ sein* juter; **~igkeit** *f* ⟨-, (-en)⟩ succulence; *(Holz)* verdeur *f;* **s~los** *a* sans suc *od* sève *od* jus; *(trocken)* sec; *fig* insipide; fade; *s~ und kraftlos = ohne ~ und Kraft.*
Sage *f* ⟨-, -n⟩ ['za:gə] légende *f; (Götter-, Helden~)* mythe *m; es geht die ~* le bruit court; **s~nhaft** *a* légendaire; mythique; *fam (übertreibend)* fabuleux; **~nkreis** *m* cycle *m* de légendes; **~nschatz** *m* trésor *m* de légendes; **s~numwoben** *a* baigné *od* entouré de légendes.
Säge *f* ⟨-, -n⟩ ['zɛ:gə] scie; *(Fuchsschwanz)* égoïne *f; (Baum~)* passe-partout *m; singende ~* scie *f* musicale; **~band** *n,* **~blatt** *n* lame *od* feuille *f* de scie; **~bock** *m* chevalet (de scieur), baudet *m;* **~fisch** *m zoo* poisson-scie *m,* scie *f;* **~maschine** *f* scie *f* mécanique; **~mehl** *n* sciure *f* (de bois), bran *m* de scie; **~mühle** *f* scierie *f;* **s~n** ⟨*aux: haben*⟩ *tr* scier; *itr fam (schnarchen)* ronfler; **~n** *n* sciage *m;* **~r** *m* ⟨-s, -⟩ scieur *m;* **~späne** *m pl = ~mehl;* **~werk** *n* scierie *f.*
sagen ['za:gən] *tr (mitteilen; befehlen; bedeuten)* dire; *fam* faire; *besser gesagt ...* pour mieux dire ..., disons mieux ...; *genauer gesagt* plus précisément; *richtiger gesagt* plus exactement; *unter uns gesagt* soit dit entre nous; *wie (soeben) gesagt* comme je l'ai dit, comme je viens de dire; *ohne ein Wort zu ~* sans mot dire; *dazu ~* en dire; *es ~ (aussprechen)* lâcher le mot; *etwas ~ (a.)* dire son mot; *jdm s-e Meinung ~* dire son fait *od* ses vérités à qn; *nichts* od *keinen Ton* od *kein Wort ~* ne rien dire, ne dire *od* souffler mot; *nichts zu ~ haben* n'avoir rien à dire *od* pas d'ordres à donner; *viel dazu zu ~ haben* (y) avoir à dire; *~ lassen* faire savoir; *sich nichts ~ lassen* ne vouloir écouter personne, montrer beaucoup d'indépendance; ne pas entendre raison; *es sich nicht zweimal ~ lassen* ne pas se le faire répéter deux fois, ne pas se faire prier; *sich etw gesagt sein lassen* se tenir qc pour dit; *sich ~ lassen müssen, daß ...* s'entendre dire que ...; *damit ~ wollen, daß* vouloir dire par là que, entendre par là que; *das Gesagte zurücknehmen* retirer ce qu'on a dit; *wenn ich so ~ darf* si j'ose parler *od* m'exprimer ainsi; si j'ose dire; si je puis m'exprimer ainsi; *ich sage das nicht noch einmal! (fig a.)* je ne vous le dirai pas deux fois; *ich kann dasselbe von mir ~* je peux en dire autant; *ich möchte Ihnen (gern) ~ (a.)* je viens vous dire; *ich muß schon ~ ...* je l'avoue ...; *ich will es dir genau ~ (a.)* je vais te faire un dessin; *Sie haben mir nichts zu ~* je n'ai pas à recevoir d'ordres *od* d'ordres à recevoir de vous; *man möchte ~* on dirait, on aurait dit; *so sagt man* c'est (du moins) ce qu'on dit; *wie man sagt (a.)* comme dit l'autre *fam; wie ... sagt* au dire de ..., selon le dire de ...; *das* od *so etwas sagt man nicht* ce n'est pas de mise; *damit ist alles gesagt* c'est tout dire, cela dit tout; *das ist leicht gesagt* c'est vite dit; *damit ist nicht gesagt, daß ...* cela ne veut pas dire, cela n'implique pas que *subj; das hat nichts zu ~* cela ne compte pas, ce n'est rien, cela ne fait rien, cela n'a pas d'importance, il n'y a pas de mal; *man kann also ~* autant dire; *dagegen ist nichts zu* od *läßt sich nichts ~* il n'y a rien à dire à cela, il n'y a pas à dire; c'est sans réplique, il n'y a pas de réplique à cela; *dazu ist nichts zu ~* il n'y a rien à dire à cela, c'est tout dire, cela dit tout; *damit soll nicht gesagt sein, daß ...* cela ne veut pas dire (pour autant) que ...; *gesagt, getan* aussitôt dit, aussitôt fait; *was ~ Sie dazu?* qu'en dites-vous? *was wollen Sie damit ~?* que voulez-vous dire *od* qu'entendez-vous par là? *was hat das zu ~?* qu'importe? *~ Sie mal!* dites donc! *~ Sie nur nicht, daß ...* n'allez pas dire que ...; *was Sie nicht (alles) ~! (iron)* vous en dites de belles *od* de toutes les couleurs! *wem ~ Sie das!* à qui le dites-vous? *lassen Sie sich das gesagt sein!* tenez-vous-le pour dit! que cela vous serve de leçon! *das soll er mir noch einmal ~!* qu'il vienne me le redire! *da sage noch einer, daß ...!* qu'on vienne encore prétendre que ..., *zu ~ haben* avoir le commandement, être le chef; *sage und schreibe* pas moins que (de *vor Zahlen*).
Sago *m, a. n* ⟨-s, ø⟩ ['za:go] sagou; *(im weiteren Sinne)* tapioca *m;* **~palme** *f* sagou(t)ier *m.*
Sahara ['za:ha-, za'ha:ra], *die, geog* le Sahara.
Sahne *f* ⟨-, ø⟩ ['za:nə] crème *f; die ~ abschöpfen von (a. fig)* écrémer; **~bonbon** *m* od *n* caramel *m;* **~eis** *n* crème *f* glacée; **~kännchen** *n* crémier *m;* **~käse** *m* crème *f* de fromage; **~torte** *f* gâteau *m* à la crème; **sahnig** *a* crémeux.
Saison *f* ⟨-, -s⟩ [zɛ'zõ:] *(Hauptgeschäftszeit)* saison *f;* **~arbeit** *f* travail *od* emploi *m* saisonnier; **~arbeiter** *m* travailleur *od* ouvrier *m* saisonnier; **~artikel** *m pl com* articles *m pl* saisonniers; **~ausverkauf** *m,* **~schlußverkauf** *m* vente *f od* soldes *f pl* de fin de saison; **s~bedingt** *a* saisonnier; **s~bereinigt** *a fin com* désaisonnalisé, après ajustement des variations saisonnières; **~einfluß** *m,* **~komponente** *f* facteur *m* saisonnier; **~schwankungen** *f pl* fluctuations *od* variations *f pl* saisonnières.
Saite *f* ⟨-, -n⟩ ['zaɪtə] *mus* corde *f; (Tennisschläger)* boyau *m; e-e ~ anschlagen (a. fig)* faire vibrer une corde; *andere ~n aufziehen (fig)* changer de ton; *gelindere ~n aufziehen (fig)* mettre de l'eau dans son vin; **~ninstrument** *n* instrument *m* à cordes.
Sakko *m* ⟨-s, -s⟩ ['zako] veston *m;* **~anzug** *m* complet-veston *m.*
sakr|al [za'kra:l] *a rel, a. mus* sacré, saint; **S~ament** *n* ⟨-(e)s, -e⟩ [-kra'mɛnt] sacrement *m;* **~amental** [-mɛn'ta:l] *a* sacramentel; **S~ileg** *n* ⟨-s, -e⟩ [-'le:k, -gə], **~~ium** *n* ⟨-s, -gien⟩ [-'le:gium, -giən] *(Kirchenschändung, Gotteslästerung)* sacrilège *m;* **S~istan** *m* ⟨-s, -e⟩ [-krɪs'ta:n] *(kath. Küster)* sacristain *m;* **S~istei** *f* ⟨-, -en⟩ [-'taɪ] *f* sacristie *f;* **~osankt** [-kro'zaŋkt] *a* sacro-saint.
säkular [zɛku'la:r] *a* séculaire; **S~isation** *f* ⟨-, (-en)⟩ [-larizatsi'o:n] sécularisation *f;* **~isieren** [-ri'zi:rən] *tr (verweltlichen, verstaatlichen)* séculariser.

Salamander *m* ⟨-s, -⟩ [zala'mandər] *zoo* salamandre *f*.

Salami *f* ⟨-, (-/-(s))⟩ [za'la:mi] *(Wurst)* salami *m*.

Salat *m* ⟨-(e)s, -e⟩ [za'la:t] salade; *(Kopf~)* laitue *f*; *da haben wir den ~! (fam)* voilà le bouquet! nous voilà dans de beaux draps! *gemischte(r) ~* salades *f pl* variées; *ein Kopf~* une (tête de) salade; *römische(r) ~* laitue *f* romaine; **~besteck** *n* couvert *m* à salade; **~korb** *m* panier *m* à salade; **~schüssel** *f* saladier *m*.

Salbader *m* ⟨-s, -⟩ [zal'ba:dər] *pej (Schwätzer)* rabâcheur, péroreur *m*; **~ei** *f* [-'raı] rabâchage, rabâchement *m*; **s~n** *itr* rabâcher, pérorer.

Sal|band *n* ['za:l-] , **~leiste** *f (Textil)* lisière *f*.

Salb|e *f* ⟨-, -n⟩ ['zalbə] onguent *m*; *(Haar~~)* crème *f*; *med* pommade *f*, liniment *m*; **s~en** *tr* oindre; *rel hist* sacrer (*zum König* roi); *(Toten)* embaumer; **~öl** *n rel* saintes huiles *f pl*; (saint) chrême *m*; **~ung** *f*, *a. fig* onction *f*; *hist rel* sacre *m*; **s~ungsvoll** *a pej* onctueux, mielleux, cérémonieux; *adv* cérémonieusement.

Salbei *m* ⟨-s, ø⟩ *od f* ⟨-, ø⟩ ['zalbaı, -'baı] *bot* sauge *f*.

sald|ieren [zal'di:rən] *tr fin* solder; **S~o** *m* ⟨-s, -den/-dos/-di⟩ ['zaldo] *fin* solde, reliquat *m*, balance *f* d'un compte; *per ~~* pour solde; *e-n ~~ aufweisen* accuser *od* présenter un *od* se balancer par un solde (*von* de); **S~oauszug** *m* balance *f*; **S~oguthaben** *n* solde *m* créditeur; **S~orest** *m* reliquat *m*; **S~oübertrag** *m* report *m* du solde à nouveau; **S~ovortrag** *m* solde *m* à nouveau; **S~owechsel** *m* traite *f od* effet *m* pour solde de compte; **S~ozahlung** *f* paiement *m* pour solde.

Sal|ier *m* ⟨-s, -⟩ ['za:liər] *hist* Salien *m*; **s~isch** ['za:lıʃ] *a: die ~en Franken* les Francs *m pl* saliens; *das S~~e Gesetz (über die Erbfolge)* la loi salique.

Saline *f* ⟨-, -n⟩ [za'li:nə] saline *f*.

Salizylsäure *f* [zali'tsy:l-] acide *m* salicylique.

Salm [zalm] **1.** *m* ⟨-(e)s, -e⟩ *zoo* saumon *m*; **2.** *m* ⟨-s, (-e)⟩ *fam (Gerede)* litanie *f*.

Salmiak *m* ⟨-s, ø⟩ [zalmi'ak, 'zal-] *chem* sel ammoniac, chlorure *m* d'ammonium; **~geist** *m* ammoniaque *f*, alcali *m* volatil.

Salmonellen *f pl* [zalmo'nellən] salmonellas *f pl*.

Salomo *m* ['za:lomo] Salomon *m*; **s~nisch** [-'mo:nıʃ] *a: ~~e(s) Urteil n* jugement *m* de Salomon.

Salon *m* ⟨-s, -s⟩ [za'lõ:, -'lo:n] salon *m*; **s~fähig** *a* présentable (en société); **~löwe** *m* salonnard *m*; **~wagen** *m loc* wagon-salon *m*, voiture-salon *f*.

salopp [za'lɔp] *a (Kleidung)* négligé; *(Mensch)* négligent; désinvolte; nonchalant.

Salpeter *m* ⟨-s, ø⟩ [zal'pe:tər] *chem* salpêtre *m*; *~ auswittern (arch)*, *streuen (agr)* salpêtrer; **~bildung** *f*, **~fraß** *m* salpêtrage *m*, nitrification *f*; **~grube** *f* salpêtrière, nitrière *f*; **s~haltig** *a*, **s~ig** *a* nitreux; **s~sauer** *a* nitrique, *s~saure(s) Salz n* nitrate *m*; **~säure** *f* acide *m* nitrique *od* azotique; **~ung** *f* = *~bildung*; **~werk** *n* salpêtrière *f*; **salpetrig** = *s~ig*.

Salto *m* ⟨-s, -s/-ti⟩ ['zalto, -ti] saut *m*; *~* **mortale** *m* saut *m* périlleux.

Salut *m* ⟨-(e)s, -e⟩ [za'lu:t] *mil (Ehrengruß)* salut *m*, salve *f* d'honneur; **s~ieren** [-lu'ti:rən] *tr* u. *itr mil* saluer (*vor jdm* qn).

Salve *f* ⟨-, -n⟩ ['zalvə] *mil (allg a.)* salve, volée *f*.

Salweide *f* ⟨-, -n⟩ ['za:lvaıdə] marsault *m*.

Salz *n* ⟨-es, -e⟩ [zalts] sel *m*; *~ gewinnen (aus d. Meer)* sauner; **s~artig** *a* salin; **~bergwerk** *n* mine de sel (gemme), saline *f*; **~bildung** *f* salification *f*; **s~en** ⟨*salzte, gesalzen*⟩ *tr* saler; **~en** *n (Ein~)* salaison *f*; **~fabrikant** *m* salinier *m*; **~faß** *n* saloir *m*; *(kleines)* salière *f*; **~garten** *m (Meersaline)* marais *m* salant; **~gehalt** *m* salinité, salure *f*; **~gewinnung** *f* saliculture *f*, saunage *m*; **~gurke** *f* cornichon *m* salé; **s~haltig** *a* salifère; **~händler** *m* marchand de sel, salinier, saunier *m*; **~haufen** *m* meulon, *(kegelförmiger)* pilot *m*; **~hering** *m* hareng *m* pec *od* salé; **s~ig** *a* salé, salin; **~kartoffeln** *f pl* pommes *f pl* de terre à l'anglaise; **~kraut** *n bot* salicorne *f*; **~lake** *f* saumure *f*; **~näpfchen** *n (Gefäß* u. *Schönheitsfehler)* salière *f*; **~quelle** *f* source *f* salée; **~säule** *f* statue *f* de sel; **~säure** *f* acide chlorhydrique, esprit-de-sel *m*; **~see** *m* lac *m* salé; **~sieder** *m* saunier *m*; **~siederei** *f* saunerie *f*; **~sole** *f* ⟨-, -n⟩ ['-zo:lə] saumure *f*; **~stange** *f* bâtonnet *m* salé; **~steppe** *f* steppe *f* saline; **~streuer** *m* salière *f*; **~sumpf** *m (in Nordafrika)* chott *m*; **~teich** *m* marais *m* salant; **~wasser** *n* eau *f* salée.

Samariter *m* ⟨-s, -⟩ [zama'ri:tər] *hist rel* Samaritain; *med* infirmier *m* volontaire; *der Barmherzige ~* le bon Samaritain.

Same *m* ⟨-ns, -n⟩ ['za:mə] *lit poet* = *Samen*.

Samen *m* ⟨-s, -⟩ ['za:mən] *bot*, *a. fig* graine *f*; *physiol (männlicher ~)* sperme *m*; *(Saatgut)* semence; *fig (Nachkommen)* postérité *f*; *~ tragen* donner de la graine; **~bildung** *f physiol* spermatogenèse *f*; **~bläschen** *n* vésicule *f* séminale; **~erguß** *m physiol* éjaculation *f*; **~faden** *m* = *~tierchen*; **~fluß** *m* spermatorrhée *f*; **~handel** *m*, **~handlung** *f* graineterie *f*; **~händler** *m* grainetier *m*; **~kapsel** *f bot* capsule *f* séminale, conceptacle *m*; **~korn** *n* graine *f*; **~lappen** *m bot* cotylédon *m*; **~tierchen** *n physiol* spermatozoïde *m*.

Sämereien *f pl* [zɛ:mə'raıən] semences, graines *f pl*.

sämig ['zɛ:mıç] *a (Suppe)* velouté.

sämisch ['zɛ:mıʃ] *a (fettgegerbt)* chamoisé; *~ gerben* chamoiser; **S~gerber** *m* chamoiseur *m*; **S~leder** *n* peau *f* de chamois.

Sammel|abschreibung *f* ['zaməl-] amortissement *m* collectif; **~anleihe** *f* emprunt *m* collectif; **~anschluß** *m tele* raccordement *m* collectif; **~aufgabe** *f (com)* expédition *f* collective *od* en grosses quantités; **~band** *m (Buch)* recueil *m* factice; **~becken** *n* bassin *od* réservoir collecteur; *fig* centre *m* de ralliement; **~begriff** *m* notion *f* collective; terme *m* générique; **~behälter** *m* réservoir, dépôt; container *m*; **~bestellung** *f com* commande *f* collective; **~bezeichnung** *f* = *~name*; **~brief** *m* lettre *f* collective; **~büchse** *f* boîte *f* à collectes; **~ergebnis** *n* total *m* d'une *od* de la collecte; **~fahrkarte** *f*, **~fahrschein** *m* billet *m* collectif *od* de groupe; **~grab** *n* fosse commune; **~hinterlegung** *f* dépôt *m* multiple; **~käufe** *m pl* achats *m pl* groupés; **~konto** *n* compte *m* collectif; **~ladung** *f* groupage *m*; **~linse** *f opt* lentille *f* convergente; **~liste** *f* liste *f* de souscription; **~mappe** *f* carton--emboîtage *m*; **~name** *m* (nom) collectif *m*; **~nummer** *f* numéro *m* collectif; **~paß** *m* passeport *m* collectif; **~platz** *m* lieu *m od (größerer)* zone *f* de rassemblement; **~punkt** *m* point *m* de rassemblement *od* de ralliement; **~ruf** *m tele* numéro *m* (d'appel) collectif; **~sendung** *f (Post)* envoi *m* collectif *od* groupé; **~stelle** *f (für Sachen)* dépôt central; *(für Personen)* point de ralliement; *mil (für Verwundete)* point *m* de rassemblement (des blessés); **~surium** *n* ⟨-s, -rien⟩ [-'zu:rium, -riən] ramassis, salmigondis *m*, macédoine *f*; **~transport** *m* transport *m* (en) commun *od* groupé; **~werk** *n* ouvrage *m* collectif; **~wort** *n* nom *m* collectif; **~wut** *f* manie *f* de collectionner.

sammeln ⟨*ich samm(e)le, du sammelst ..*⟩ ['zaməln] *tr (zs.bringen)* (r)assembler, réunir, grouper, ramasser; *(anhäufen)* (r)amasser, accumuler *(a. Kenntnisse)*; empiler; *(ein~, pflücken)* (re)cueillir, récolter; *(Übriggebliebenes)* glaner; *(Spenden)* collecter, quêter, faire la quête *od* la collecte de; *(aus Liebhaberei)* collectionner; *mil* rassembler, rallier; *(Erfahrungen)* acquérir, faire; *sich ~ (Sachen)* s'accumuler, s'amasser, s'empiler; *(Personen)* s'assembler, se rassembler, se réunir; *fig* se recueillir; se concentrer; *(in sich gehen)* se replier sur soi; *Kräfte ~* rassembler ses forces; *Pflanzen ~ (a.)* herboriser; **S~** *n* cueillette, récolte *f*; collectionnement; *(von Menschen)* rassemblement *m*, réunion *f*; ramassage *m*, accumulation *f*; ralliement; *mil* rassemblement, ralliement *m*; *zum ~~ blasen, trommeln* sonner, battre le rappel; *~~! (mil)* rassemblement! ralliement!

Samml|er *m* ⟨-s, -⟩ ['zamlər] *(Liebhaber)* collectionneur; *(Spenden~~)* quêteur; *tech* ramasseur; *el* collecteur; *(Akku)* accumulateur *m*; **~erstempel** *m* marque *f* de collection; **~ung** *f (von Spenden)* collecte, quête; *(Kunst~~ u. ä.)* collection *f*;

(Text∼∼) recueil; *fig (Andacht)* recueillement *m*, récollection; concentration *f; e-e ∼∼ veranstalten* faire une collecte.
Samowar *m* ⟨-s, -e⟩ [zamoˈvaːr] *(russ. Teemaschine)* samovar *m*.
Samstag *m* [ˈzamstaːk] samedi *m*.
samt [zamt] *prp dat* avec, y compris; accompagné de; *adv: ∼ und sonders* sans exception; tous ensemble.
Samt *m* ⟨-(e)s, -e⟩ [zamt] *(Stoff)* velours *m; in ∼ und Seide (fig)* en grande tenue; **s∼artig** *a* velouté, de velours; *bot* peluché, pelucheux; *∼∼ aufrauhen* velouter; **s∼en** *a (aus ∼)* de velours; **∼handschuh** *m: jdn mit ∼∼en anfassen (fig)* prendre qn avec des gants; **s∼ig** *a* velouté; **∼kleid** *n* robe *f* de velours; **∼palme** *f bot* latanier *m;* **∼pfötchen** *n (Katze)* patte *f* de velours.
sämtlich [ˈzɛmtlɪç] *adv (vollzählig)* tous (ensemble), au complet; **∼e** *a pl (alle)* tous les; *∼∼ Werke n pl (e-s Autors)* œuvres *f pl* complètes.
Samum *m* ⟨-s, -s/-e⟩ [ˈzaːmum, zaˈmuːm] *(heißer Sandsturm)* simoun *m*.
Sanatorium *n* ⟨-s, -rien⟩ [zanaˈtoːrium, -riən] maison *f* de repos, préventorium; *(für Lungenkranke)* sana(torium) *m*.
Sand *m* ⟨-(e)s, -e⟩ [zant, -də] sable; *(feiner)* sablon *m; auf ∼ bauen (fig)* bâtir sur le sable; *mit ∼ bedecken* od *zuschütten* couvrir de sable, ensabler; *mit ∼ polieren* gréser; *jdm ∼ in die Augen streuen (fig)* jeter de la poudre aux yeux de qn; *im ∼e verlaufen (fig)* se perdre dans le sable, finir en queue de poisson; **∼aal** *m zoo* lançon *m;* **∼bank** *f* banc *m* de sable; **∼boden** *m* terrain *m* sablonneux; **∼dorn** *m bot* hippophaé, argousier *m;* **s∼farben** *a* couleur de sable; **∼floh** *m* chique *f;* **∼form** *f (Spielzeug)* moule *m* à sable; **∼grube** *f* carrière de sable, sablière; *(für feinen Sand)* sablonnière *f;* **∼hase** *m arg mil* pousse-cailloux *m;* **∼haufen** *m* tas *m* de sable; **s∼ig** *a (∼haltig)* sableux, sablonneux; **∼kasten** *m* sablière; *mil (für Lehrzwecke)* boîte *f od* bac *m* à sable; **∼korn** *n* grain *m* de sable; **∼kuchen** *m* sablé *m;* **∼mann** *m* ⟨-(e)s, ø⟩ *(Märchengestalt)* marchand *m* de sable; **∼papier** *n* papier *m* de verre; **∼sack** *m* sac de sable; *sport* punching-ball *m;* **∼stein** *m* (pierre *f* de) grès *m;* **∼steinbruch** *m* carrière de grès, grésière *f;* **∼strahl** *m* jet *m* de sable; *mit ∼∼ reinigen* sabler; **∼strahlgebläse** *n* sableuse *f* (pour décapage); *Reinigung f mit ∼∼* sablage *m;* **∼streuen** *n (im Winter)* sablage *m* (antidérapant); **∼streufahrzeug** *n* véhicule *m* de répandage de sable; **∼sturm** *m* tempête *f* de sable, simoun *m;* **∼torte** *f* gâteau *m* de Savoie; **∼uhr** *f* sablier *m;* **∼wüste** *f* désert *m* de sable; **∼zucker** *m* sucre *m* cristallisé.
Sandal|e *f* ⟨-, -n⟩ [zanˈdaːlə] sandale *f;* **∼ette** *f* ⟨-, -n⟩ [-daˈlɛtə] sandalette *f*, pied-nu *m*.
Sandelholz *n* [ˈzandəl-] (bois *m* de) santal *m*.
sanforisieren [zanforiˈziːrən] *tr (Textil)* sanforiser.
sanft [zanft] *a (weich)* doux, mou; *(leicht, sacht)* léger; *(angenehm)* amène; *(∼mütig)* doux, placide; *(zärtlich)* tendre; *(ruhig, still)* calme, paisible; *adv: (ganz) ∼* (tout) doucement; *ruhe ∼! (auf Grabsteinen)* qu'il (qu'elle) repose en paix; **S∼heit** *f* ⟨-, ø⟩, **S∼mut** *f* ⟨-, ø⟩ douceur, placidité, mansuétude *f;* **∼mütig** *a* doux, placide.
Sänfte *f* ⟨-, -n⟩ [ˈzɛnftə] chaise *f* à porteurs.
Sang *m* ⟨-(e)s, ¨e⟩ [zaŋ, ˈzɛŋə] chant *m; mit ∼ und Klang* tambour battant; **∼esbruder** *m* orphéoniste *m;* **s∼esfroh** *a* qui aime à chanter; **s∼und klanglos** *adv: ∼∼ abziehen, verschwinden* partir, s'en aller sans tambour ni trompette.
Sänger *m* ⟨-s, -⟩ [ˈzɛŋər] chanteur; *fig poet (Dichter)* chantre; *(Chor∼)* choriste; *(Vereins∼)* orphéoniste *m;* **∼bund** *m* orphéon *m;* **∼fest** *n* concours *m* d'orphéons; **∼in** *f allg* chanteuse; *(Opern-, Konzert∼∼)* cantatrice; *(Kabarettistin)* divette *f;* **∼krieg** *m* tournoi *m* de poésie.
Sanguin|iker *m* ⟨-s, -⟩ [zaŋguˈiːnikər] type *m* sanguin; **s∼isch** [-ˈgwiːnɪʃ] *a* sanguin; de tempérament sanguin.
sanier|en [zaˈniːrən] *tr med* u. *fin* assainir; *med* désinfecter; *fin* redresser, remettre sur pied *od* en ordre, réorganiser, restructurer; **S∼ung** *f* assainissement; redressement *od* rétablissement *m* financier *od* des finances; **S∼ungsarbeiten** *f pl* travaux *m pl* d'assainissement; **S∼ungsmittel** *n med* moyen *m* de désinfection; *(vorbeugendes)* prophylactique *m;* **S∼ungsplan** *m* plan *m* d'assainissement *od* de restructuration.
sanit|är [zaniˈtɛːr] *a* sanitaire; *∼∼e Einrichtungen f pl* installations *f pl* sanitaires; **S∼äter** *m* ⟨-s, -⟩ [-ˈtɛːtər] infirmier *m*.
Sanitäts|ausrüstung *f* [zaniˈtɛːts-] équipement *m* sanitaire; **∼auto** *n* ambulance *f;* **∼depot** *n* dépôt *m* sanitaire; **∼dienst** *m* service *m* de santé; **∼einheit** *f mil* unité *f* médicale; **∼einrichtung** *f* installation *f* sanitaire; **∼fahrzeug** *n* (véhicule *m* d')ambulance *f;* **∼flugzeug** *n* avion *m* sanitaire; **∼kasten** *m* cantine *f* médicale; **∼kolonne** *f* équipe *f* sanitaire; **∼kompanie** *f* compagnie *f* médicale; **∼korps** *n mil* corps *m* du service de santé; **∼offizier** *m* officier *m* du service de santé (militaire); **∼park** *m* = *∼depot;* **∼personal** *n* personnel *m* sanitaire, hospitaliers *m pl;* **∼tasche** *f* trousse *f* médicale; **∼tornister** *m* havresac *m* médical; **∼unteroffizier** *m* sous-officier *m* infirmier; **∼wagen** *m* ambulance *f;* **∼wesen** *n* service *m* de santé; **∼zug** *m* train *m* d'ambulance.
San Marino *n* [zan maˈriːno] *(Staat)* Saint-Marin *m*.
Sankt [zaŋkt] : *der ∼ Bernhard (geog)* le Saint-Bernhard; *∼ Gallen n* Saint-Gall *m; der ∼ Gotthard (geog)* le (Saint-)Gothard; **∼uarium** *n* ⟨-s, -rien⟩ [-tuˈaːrium, -riən] *rel* sanctuaire *m*.
Sanktion *f* ⟨-, -en⟩ [zaŋktsiˈoːn] *pol* sanction *f;* **s∼ieren** [-tsjoˈniːrən] *tr* sanctionner, confirmer; *fig a.* consacrer; **∼ierung** *f* sanctionnement *m*.
Sansibar *n* [ˈzan-, zanziˈbaːr] *geog* Zanzibar *m*.
Sanskrit *n* ⟨-(e)s, ø⟩ [ˈzanskrɪt] *(Sprache)* sanskrit *m;* **∼forscher** *m* sanscritiste *m*.
Saphir *m* ⟨-s, -e⟩ [ˈzaːfɪr, zaˈfiːr] *min* saphir *m*.
Sappe *f* ⟨-, -n⟩ [ˈzapə] *mil* sape *f*.
sapper|lot [zapərˈloːt] *interj,* **∼ment** [-ˈmɛnt] *interj* sapristi! sacrebleu!
Sarazen|e *m* ⟨-n, -n⟩ [zaraˈtseːnə] *hist* Sarrasin *m;* **s∼isch** [-ˈtseːnɪʃ] *a* sarrasin.
Sard|elle *f* ⟨-, -n⟩ [zarˈdɛlə] anchois *m;* **∼ellenbutter** *f* beurre *m* d'anchois; **∼ine** *f* ⟨-, -n⟩ [-ˈdiːnə] sardine *f;* **∼inenfischer** *m* sardinier *m;* **∼inennetz** *n* sardinière *f*.
Sardin|ien *n* [zarˈdiːniən] la Sardaigne; **∼ier(in *f*)** *m* ⟨-s, -⟩ [-ˈdiːniər] Sarde *m f;* **s∼isch** [-ˈdiːnɪʃ] *a* sarde.
sardonisch [zarˈdoːnɪʃ] *a (Lachen)* sardonique.
Sarg *m* ⟨-(e)s, ¨e⟩ [zark, ˈzɛrgə] cercueil *m*, bière *f;* **∼deckel** *m* couvercle *m* de cercueil.
Sarkas|mus *m* ⟨-, (-men)⟩ [zarˈkasmʊs] sarcasme *m;* **s∼tisch** [-ˈkastɪʃ] *a* sarcastique.
Sarkophag *m* ⟨-s, -e⟩ [zarkoˈfaːk, -gə] *(Steinsarg)* sarcophage *m*.
Satan *m* [ˈzaːtan] Satan *m;* **s∼isch** [-ˈtaːnɪʃ] *a* satanique.
Satellit *m* ⟨-en, -en⟩ [zatɛˈliːt] *astr tech pol* satellite *m;* **∼enstaat** *m* État *m* satellite; **∼vene** *f anat* veine *f* satellite.
Satin *m* ⟨-s, -s⟩ [saˈtɛ̃ː] *(Textil)* satin *m;* **s∼ieren** [-tiˈniːrən] *tr (Papier glätten)* satiner, calandrer; **∼ieren** *n* satinage *m*.
Satir|e *f* ⟨-, -n⟩ [zaˈtiːrə] satire *f;* **∼iker** *m* ⟨-s, -⟩ [-ˈtiːrikər] (poète *od* auteur) satirique *m;* **s∼isch** [-ˈtirɪʃ] *a* satirique.
Satisfaktion *f* ⟨-, -en⟩ [zatɪsfaktsiˈoːn] *(Genugtuung)* satisfaction, réparation *f* d'honneur.
satt [zat] *a* rassasié; *(gesättigt)* saturé; *(Farbe)* chargé, foncé; *fig pred (überdrüssig)* repu, saturé, las; *sich ∼ essen* manger à sa faim *od* son content; *an etw* se rassasier de qc; *sich nicht ∼ essen* rester *od* demeurer sur la faim *od* sur son appétit; *etw ∼ haben* od *sein (fig)* avoir assez de qc, être rassasié *od* saturé *od* repu de qc; *es ∼ haben (fam)* en avoir jusque là *od* une indigestion *od* marre; *∼ machen* rassasier; *sich an etw nicht ∼ sehen können* ne pas se rassasier de regarder qc; *∼ sein* n'avoir plus faim; *sich ∼ trinken* boire à sa soif; **S∼heit** *f* ⟨-, ø⟩ satiété *f;* **∼sam** *adv (hinlänglich)* suffisamment.
Satte *f* ⟨-, -n⟩ [ˈzatə] *(Schale)* jatte *f*.
Sattel *m* ⟨-s, ¨⟩ [ˈzatəl, ˈzɛtəl] selle; *geog* croupe *f; geol* anticlinal; *mus*

(an e-m Streichinstrument) sillet *m; ohne ~ (reiten)* à poil, à cru; *aus dem ~ heben* désarçonner, démonter; *jdn in den ~ heben (fig)* mettre à qn le pied à l'étrier; *fest im ~ sitzen (fig)* être ferme sur ses étriers *od* bien en selle; *nicht fest im ~ sitzen (fig)* branler au *od* dans le manche; *in allen Sätteln gerecht* habile en tout; *fam* débrouillard; **~dach** *n* toit *m* en bâtière; **~decke** *f* housse *f* de selle; **~falte** *f geol* selle *f;* **s~fest** *a: in etw ~~ sein* être ferré sur qc *od* versé dans qc; **s~förmig** *a* en dos d'âne; *geol* anticlinal; **~gurt** *m* sangle *f;* **~kissen** *n* panneau *m;* **s~n** *tr* seller; *(Packtier)* bâter; **~nase** *f* nez *m* en pied de marmite *od* camus; **~pferd** *n* cheval *m* de selle; **~schleppanhänger** *m mot* semi-remorque *f;* **~schlepper** *m* tracteur *m* de semi-remorque; **~steg** *m* troussequin *m;* **~tasche** *f* sacoche *f;* **~trunk** *m* coup *m* de l'étrier; **~zeug** *n* sellerie *f;* **~zugmaschine** *f* = *~schlepper.*

sättig|en ['zɛtɪgən] *tr* rassasier; *chem fig* saturer; **~end** *a* rassasiant; **S~ung** *f* ‹-, (-en)› rassasiement *m;* satiété; *chem* saturation *f;* **S~ungsgrad** *m chem* degré *m* de saturation; **S~ungspunkt** *m chem* point *m* de saturation.

Sattler *m* ‹-s, -› ['zatlər] sellier, bourrelier *m; ~ und Polsterer* bourrelier-sellier *m;* **~ei** *f* [-'raɪ] sellerie, bourrellerie *f.*

saturier|en [zatu'ri:rən] *tr (fig: sättigen)* saturer; *~te(r) Markt m* marché *m* encombré.

Satyr *m* ‹-s/-n, -n/-e› ['za:tʏr] satyre *m;* **~spiel** *n theat* satyre *f.*

Satz *m* ‹-es, ⸚e› [zats, 'zɛtsə] *gram* phrase, proposition; *(aufgestellter ~)* thèse *f; (Lehr~, philos)* principe; *math* théorème; *(Grund~)* axiome; *mus* mouvement *m; (Tennis)* partie *f,* set; *(Quote)* taux; *(Gebühren~)* tarif *m; (~ zs.gehöriger Dinge)* série *f,* jeu *m,* garniture *f; com* assortiment; *mot (Reifen)* train *m; typ* composition *f; (Sprung)* bond, saut *m,* enjambée *f; (Boden~, Sediment)* fond, résidu, dépôt, sédiment *m; (bes. Wein)* lie *f; (Kaffee~)* marc *m; in* od *mit einem ~* d'un (seul) bond; *in langen Sätzen* à grandes *od* longues foulées; *im ~ stehenbleiben (typ)* rester sur le marbre; *ungedruckte(r) ~ (typ)* composition *f* vierge; *vollständige(r) ~ (typ)* frappe *f; der ~ vom zureichenden Grunde* le principe de la raison suffisante; **~anordnung** *f typ* indication *f* pour la composition; **~aussage** *f gram* verbe *m;* **~bau** *m* agencement *m;* structure *od* construction *f* de la phrase; **~bild** *n typ* aspect *m* typographique; **~breite** *f typ* justification *f;* **s~fertig** *a,* **s~reif** *a typ* bon à la composition; **~gegenstand** *m gram* sujet *m;* **~kosten** *pl typ* frais *m pl* de composition; **~lehre** *f gram* syntaxe *f;* **~spiegel** *m typ* surface *f* d'impression; **~teil** *m gram* partie *f* de (la) phrase; **~ung** *f* règlement; statut *m; pol* charte *f;* **~ungsänderung** *f* modification *f* des *od* aux statuts; **s~ungsgemäß** *a* statutaire; *adv* conformément aux statuts; **s~ungswidrig** *a* contraire aux statuts; **s~weise** *adv gram* phrase par phrase; **~zeichen** *n* signe *m* de ponctuation.

Sau *f* ‹-, ⸚e› [zaʊ, 'zɔʏə] *(weibl. Schwein)* truie; *f* ‹-, -en› *(Wild~)* laie *f; allg (Schwein), fig vulg (Mensch)* cochon *m; unter aller ~ (fam)* au-dessous de tout; **~arbeit** *f pop* corvée *f;* **~bohne** *f* fève *f;* **s~dumm** *a fam* bête comme ses pieds *od* à manger du foin; **~erei** *f* [-'raɪ] *pop* cochonnerie, saloperie *f;* **~fraß** *m* mangeaille, boustifaille *f;* **s~grob** *a pop* rustre, rustand; **~haufen** *m* pagaille, pagaye *f;* **~hirt** *m* porcher *m;* **s~igeln** ['-ʔi:gəln] *itr fam* dire des cochonneries, raconter des plaisanteries obscènes; **~kerl** *m pop* salaud, salopard *m;* **s~mäßig** *a pop* de cochon, pourri; *adv* comme un cochon; **~stall** *m* porcherie *a. fig; fig* étable à pourceaux, vraie écurie *f;* **~wetter** *n* temps de cochon *od* de chien *od* pourri, bougre *m* de temps; **~wirtschaft** *f* pétaudière *f;* **s~wohl** *a pop: sich ~~ fühlen* se sentir bien dans sa peau.

sauber ['zaʊbər] *a* propre, net: *(Wäsche a.)* blanc; *(sorgfältig)* soigneux; *(genau)* exact; *(hübsch)* joli; *(tadelfrei)* droit, intègre; *das ist mir e-e ~e Gesellschaft! (iron)* c'est du beau monde *od* une belle confrérie; **~≈halten** *tr* nettoyer, entretenir; **S~haltung** *f* entretien *m;* **S~keit** *f* ‹-, ø› propreté, netteté; blancheur; exactitude; droiture, intégrité *f.* **~≈machen** ‹*hat saubergemacht*› nettoyer.

säuber|lich ['zɔʏbərlɪç] *adv (sorgfältig)* soigneusement, exactement; **~n** ‹*ich säubere, du säuberst*› *tr* nettoyer *a. mil (vom Feinde),* curer; *fig pol* épurer; **S~ung** *f* ‹-, (-en)› nettoiement; *a. mil* nettoyage *m; pol* épuration *f;* **S~ungsaktion** *f pol* (opération d')épuration, purge; *mil* opération *f* de nettoyage; *fam* coup *m* de balai.

Saudi-Arabien [zaudiʔa'ra:biən] *n* l'Arabie *f* Séoudite *od* Saoudite.

sauer ['zaʊər] *a* aigre, sur, acide; *(unreif, unausgereift, bes. Wein)* vert; *(Milch)* tourné; *agr (Boden)* salé; *fig (Arbeit)* amer, dur, pénible, désagréable; *ein saures Gesicht machen* renfrogner sa mine, faire la moue; rechigner (*zu* à); *jdm das Leben ~ machen* mener *od* rendre la vie dure à qn; *~ sein (fig fam)* être irrité *od* contrarié *od* de mauvaise humeur; *auf etw ~ reagieren (fam)* prendre qc en mauvaise part; *~ werden* devenir aigre, surir; *(Milch)* tourner; *fig* s'aigrir; *es sich ~ werden lassen* ne pas ménager sa peine *od* la fatigue; se donner beaucoup de *od* bien du mal; *gib ihm Saures!* fais-lui en voir; *saure(r) Geschmack m* acidité *f; saure Gurke f* cornichon *m* au vinaigre; *in den sauren Apfel beißen (fig)* avaler la pilule; **S~ampfer** *m bot* oseille *f;* **S~braten** *m* viande *f* marinée; **S~brunnen** *m* eau *f* minérale; **S~dorn** *m* épine-vinette *f;* **S~kirschbaum** *m* griottier *m;* **S~kirsche** *f* griotte *f;* **S~klee** *m* oxalide *f* (acide); **S~kohl** *m,* **S~kraut** *n* choucroute *f; ~~ mit Speck* od *Würstchen* choucroute *f* garnie; **S~milch** *f (Dickmilch)* (lait) caillé *m;* **~süß** *a, a. fig* aigre-doux; *ein ~~es Gesicht machen* être mi-figue, mi-raisin; **S~teig** *m* levain *m;* **~töpfisch** *a* renfrogné, morose, revêche.

säuer|lich ['zɔʏərlɪç] *a* aigrelet, acidulé; *(Wein)* verdelet; *~~ werden* s'aciduler; **S~ling** *m* ‹-s, -e› *(Mineralwasser)* eau *f* minérale; **~n** *tr (sauer machen)* rendre aigre, aigrir; **S~ung** *f* ‹-, (-en)› acidification *f.*

Sauerstoff *m* ['zaʊər-] oxygène *m; mit ~ anreichern* oxygéner; **~anreicherung** *f* oxygénation *f;* **~apparat** *m* appareil *m* à oxygène; **~behälter** *m* réservoir *m* à oxygène; **~flasche** *f* bouteille *f od* ballon *m* à oxygène; **~gehalt** *m* teneur *f* en oxygène; **~gerät** *n med* appareil à oxygène, inhalateur d'oxygène; **s~haltig** *a* oxygéné; **~mangel** *m* manque *m* d'oxygène; *scient* hypoxie *f;* **~maske** *f* masque *m* à oxygène; **~versorgung** *f physiol* oxygénation *f;* **~zelt** *n med* tente *f* à oxygène; **~zufuhr** *f* alimentation *f* en oxygène.

Sauf|bold *m* ['zaʊf-], **~bruder** *m pop* = *Säufer;* **s~en** ‹*soff, gesoffen*› ['zaʊfən] *tr u. itr (Tier)* boire; *itr (Tier)* s'abreuver; *pop (Mensch)* picoler, pinter, pomper, chopiner; *arg* écluser; **~erei** *f* [-'raɪ] beuverie, soûlerie *f; a.* **~gelage** *n* bombe, bringue, ribote *f.*

Säufer *m* ‹-s, -› ['zɔʏfər] poivrot, ivrogne, soûlard, riboteur, noceur *m;* **~stimme** *f* voix *f* de rogomme; **~wahnsinn** *m* délirium tremens *m* (alcoolique).

Säug|amme *f* ['zɔʏk-] nourrice *f;* **s~en** [-gən] *tr* allaiter, nourrir; donner le sein à; **~en** *n* allaitement *m;* **~er** *m* ‹-s, -›, **~etier** *n* mammifère *m;* **~ezeit** *f* période *f* d'allaitement; **~ling** *m* ‹-s, -e› ['-klɪŋ] nourrisson, enfant *m* à la mamelle; **~lingsausstattung** *f* layette *f;* **~lingsheim** *n* pouponnière *f;* **~lingsmilch** *f* lait *m* maternisé; **~lingspflege** *f* puériculture *f;* **~lingspflegerin** *f* puéricultrice *f;* **~lingssterblichkeit** *f* mortalité *f* infantile.

Saug|apparat *m* ['zaʊk-] appareil d'aspiration, aspirateur *m;* **~bagger** *m* drague *f* suceuse; **s~en** ‹*sog, gesogen*› ['zaʊgən] *tr (Säugling, Tierjunges)* téter; *(lutschen)* sucer; *fam* suçoter; *tech* aspirer; **~er** *m* ‹-s, -› *(Tierjunges)* animal *m* qui tète encore; *(Schnuller)* tétine *f; tech* aspirateur *m;* **s~fähig** *a* absorbant; **~fähigkeit** *f* capacité *f od* pouvoir *m* d'absorption; **~flasche** *f* biberon *m;* **~heber** *m* siphon *m;* **~kraft** *f* force *f* d'aspiration; **~leitung** *f* conduite *od* tuyauterie *f* d'aspiration; **~napf**

m, ~**näpfchen** *n* ventouse *f*; ~**pumpe** *f* pompe *f* aspirante; ~**rohr** *n* tuyau *m* d'aspiration; ~**rüssel** *m ent* suçoir *m*; ~**seite** *f aero* extrados *m*; ~**strom** *m aero* courant *m* (d'air) aspiré; ~**stutzen** *m tech* buse *f* d'aspiration; ~**- und Druckpumpe** *f* pompe *f* aspirante et foulante; ~**ventil** *n* soupape *f* d'aspiration; ~**wirkung** *f* effet *m* d'aspiration.

säuisch ['zɔʏɪʃ] *a vulg* cochon; dégueulasse.

Säule *f* ⟨-, -n⟩ ['zɔʏlə] *arch* u. *fig* colonne; *phys el* pile *f*; *kleine* ~ colonnette *f*; ~**ngang** *m* colonnade *f*, portique *m*; ~**nhalle** *f* salle *f* hypostyle; ~**nhals** *m* gorge *f* de colonne; ~**nheilige(r)** *m* (anachorète) stylite *m*; ~**nordnung** *f* ordre *m* de colonnes; ~**nplatte** *f* plinthe *f*; ~**nschaft** *m* escape *f*.

Saum *m* ⟨-(e)s, ⸚e⟩ [zaum, 'zɔʏmə] *(Besatz)* ourlet *a. fig*; *fig (Rand)* bord *m*, bordure; *(Waldes~)* lisière, orée *f*; ~**naht** *f* ourlet *m*; ~**stich** *m* point *m* d'ourlet.

säumen ['zɔʏmən] **1.** *tr (einfassen)* border; *(Stoff)* ourler.

säum|en ['zɔʏmən] **2.** *itr (zaudern)* tarder, hésiter; **S~en** *n (Zaudern)* hésitation *f*; *(Verzug)* retard *m*; ~**ig** *a (langsam)* lent; *(nachlässig)* négligent; *com* retardataire; *jur* défaillant; *~~e(r) Zahler m* défaillant *m*; **S~nis** *f* ⟨-, -sse⟩ *od n* ⟨-sses, -sse⟩ retard; *(Nichterfüllung)* défaut *m*; **S~nisverfahren** *n* procédure *f* par défaut; **S~niszuschlag** *m* majoration *od* taxe supplémentaire pour *od* indemnité *f* de retard.

Saum|pfad *m* ['zaum-] sentier *m* muletier; ~**tier** *n* bête *f* de somme.

saumselig ['zaum-] *a (lässig)* indolent, lent, lambin; *(nachlässig)* négligent; **S~keit** *f* ⟨-, (-en)⟩ indolence, lenteur; négligence *f*.

Sauna *f* ⟨-, -s/-nen⟩ ['zauna] sauna *m*.

Säure *f* ⟨-, -n⟩ ['zɔʏrə] aigreur, acidité *f*; *chem* acide *m*; *(Wein)* verdeur *f*, vert *m*; ~**bad** *n metal* bain *m* acide; **s~beständig** *a* résistant *od* inattaquable aux acides, antiacide; ~**beständigkeit** *f* résistance *f* aux acides; **s~bildend** *a* acidifiant; ~**bildung** *f* acidification *f*; **s~fest** *a* = *s~beständig*; **s~frei** *a* sans acide; ~**gehalt** *m* teneur *f* en acide; ~**gemisch** *n* mélange *m* d'acides; ~**grad** *m* acidité *f*; **s~haltig** *a* acidifère; ~**messer** *m* acidimètre, pèse-acide *m*; ~**vergiftung** *f med* acidose *f*.

Sauregurkenzeit *f* [zaurə'gurkən-] *com hum* morte-saison, accalmie *f*.

Saurier *m* ⟨-s, -⟩ ['zauriər] *pl zoo* sauriens *m pl*.

Saus *m* [zaus] *in ~ und Braus leben* mener joyeuse vie *od* la vie à grandes guides; *fam* faire la noce *od* la bringue *od* la ripaille, ripailler; **s~en** ['-zən] *itr* **1.** ⟨*aux: haben*⟩ *(Gegenstand durch die Luft)* fendre l'air; *(mit Geräusch)* siffler; *(Ohren)* siffler, bourdonner, tinter; **2.** ⟨*aux: sein*⟩ *(Fahrzeug)* filer à toute allure, foncer; *fam* rouler sur les chapeaux de roue; *(Mensch, fam)* dévaler, se précipiter; ~**en** *n* sifflement; bourdonnement *m*.

säuseln ['zɔʏzəln] ⟨*aux: haben*⟩ *itr* susurrer, murmurer; **S~** *n* susurrement, murmure *m*.

Savanne *f* ⟨-, -n⟩ [za'vanə] *geog* savane *f*.

Savoy|en *n* [za'vɔʏən] la Savoie; ~**er(in** *f***)** *m* ⟨-s, -⟩ Savoyard, e *m f*; **s~isch** [-'vɔyɪʃ] *a* savoyard.

Saxophon *n* ⟨-s, -e⟩ [zakso'fo:n] saxophone; *fam* saxo *m*; ~**ist** *m* ⟨-en, -en⟩ [-fo'nɪst] saxophoniste *m*.

Schabe *f* ⟨-, -n⟩ ['ʃa:bə] *ent* blatte *f*; *(Küchen~)* cafard, cancrelat *m*.

Schab|efleisch *n* ['ʃa:bə-] *(Rindergehacktes)* haché *m*; ~**eisen** ['ʃa:p-] *n* racloir, grattoir *m*; *(für Steine)* ripe; *(Reibe)* râpe *f*; **s~en** ['-bən] *tr* racler; *(ab~~)* gratter; *(raspeln)* râper; ~**er** *m* ⟨-s, -⟩ ['-bər] racloir, grattoir *m*; ~**kunst(blatt** *n***)** *f* mezzo-tinto *m*; ~**messer** *n* grattoir *m*; ~**sel** *n* ⟨-s, -⟩ ['-psəl] raclure *f*.

Schabernack *m* ⟨-(e)s, -e⟩ ['ʃa:bərnak] niche *f*, tour *m*; *aus ~* pour faire une niche, pour jouer un tour; *jdm e-n ~ spielen* faire une niche, jouer un tour à qn.

schäbig ['ʃɛ:bɪç] *a (fadenscheinig)* râpé, élimé, usé; *(armselig)* misérable; *fig (Charakter)* mesquin, rapiat, sordide; **S~keit** *f* ⟨-, ø⟩ *fig* mesquinerie, sordidité *f*.

Schablone *f* ⟨-, -n⟩ [ʃa'blo:nə] patron, poncis, poncif, pochoir; *fig (Abklatsch)* poncis, poncif *m*; *(Schema)* routine *f*; *nach der ~ (fig)* par routine; **s~nhaft** *a fig* poncif, stéréotypé; routinier; ~**nhaftigkeit** *f* schématisme *m*.

Schabracke *f* ⟨-, -n⟩ [ʃa'brakə] *(Satteldecke)* chabraque *f*; *(Scharteke)* vieux truc *m*.

Schach *n* ⟨-s, -s⟩ [ʃax] (jeu *m* d')échecs *m pl*; *jdm ~ bieten (a. fig)* faire échec à qn; *in ~ halten (fig)* tenir en échec *od* en respect; *~ spielen* jouer aux échecs; *~ (dem König)!* échec (au roi)! ~**aufgabe** *f* problème *m* d'échecs; ~**brett** *n* échiquier *m*; **s~brettartig** *a* en échiquier, en damier; ~**figur** *f* pièce *f* d'échecs; *fig* pion *m*; *die ~~en aufstellen* disposer les pièces; ~**klub** *m* club *m* d'échecs; **s~matt** [-'mat] *a* échec et mat; *fig fam (erschöpft)* fourbu, épuisé; *~~ sein (a.)* être sur les dents; ~**meisterschaft** *f* championnat *m* d'échecs; ~**partie** *f* partie *f od* match *m* d'échecs; ~**spiel** *n* jeu *m* d'échecs; ~**spieler** *m* joueur *m* d'échecs; ~**turnier** *n* tournoi *m* d'échecs; ~**verein** *m* = *~klub*; ~**zug** *m a. fig* coup *m*.

Schacher *m* ⟨-s, ø⟩ ['ʃaxər] , ~**ei** *f* [-'raɪ] , ~**n** *n* trafic *m* malhonnête; ~**er** *m* ⟨-s, -⟩ mercanti *m*; **s~n** *itr* marchander.

Schächer *m* ['ʃɛxər] ⟨-s, -⟩ brigand *m*; *der gute (gottlose) ~* le bon (mauvais) larron; ~**kreuz** *f* fourches *f pl* patibulaires.

Schacht *m* ⟨-(e)s, ⸚e⟩ [ʃaxt, 'ʃɛçtə] *mines* puits *m* (de mine), fosse; *(Bergwerk)* mine; *(Lüftungs~)* cheminée; *(Fahrstuhl~)* cage *f*; *(Einsteig~)* trou d'homme, regard; *aero* alvéole *m*; *e-n ~ abteufen* foncer *od* creuser un puits; *in den ~ einfahren* descendre dans la mine; ~**abteufung** *f* fonçage *m* d'un *od* du puits; ~**anlage** *f* installation *f* d'un *od* du puits; ~**deckel** *m* couvercle *m* du trou d'homme; ~**gebäude** *n mines* bâtiment *m* d'extraction *od* de puits *od* du puits; ~**hauer** *m mines* avaleur *m*.

Schachtel *f* ⟨-, -n⟩ ['ʃaxtəl] boîte *f*, *(Papp~)* carton *m*; *alte ~ (fig fam)* (vieux) tableau *m*; *pop* vieille toupie, rombière *f*; ~**halm** *m* prèle *f*; ~**satz** *m gram* phrase *f* à tiroirs.

schächt|en ['ʃɛçtən] *tr* égorger *od* tuer (d'après le rite juif); **S~er** *m* ⟨-s, -⟩ boucher *m* (juif).

schade ['ʃa:də] *a* dommage; *zu ~ für* trop bon pour; *(das ist) ~* (c'est) dommage; *es ist ~* c'est dommage (*um jdn, etw* pour qn, qc; *daß* que *subj*); *wie ~!* quel dommage!

Schädel *m* ⟨-s, -⟩ ['ʃɛ:dəl] crâne *m*; *sich den ~ einschlagen* se briser *od* se fendre le crâne; ~**bohrer** *m* perce-crâne; *scient* trépan *m*; ~**bruch** *m* fracture *f* du crâne; ~**decke** *f* calotte *f* crânienne *od* du crâne; ~**grube** *f anat* étage *m*; ~**höhle** *f* cavité *f* crânienne; ~**index** *m scient* indice *m* céphalique; ~**knochen** *m* os *m* crânien; ~**lehre** *f* craniologie *f*; ~**verletzung** *f* lésion *f od* traumatisme *m* crânien(ne).

schaden ['ʃa:dən] ⟨*aux: haben*⟩ *itr* nuire, porter préjudice, causer du dommage (*jdm, e-r S* à qn, à qc); *jdm* donner atteinte (à qn), trahir les intérêts (de qn), faire du mal (à qn); *(dem Ansehen)* porter atteinte à; *jdm zu ~ suchen (a.)* chercher à nuire à qn; *das schadet nichts* il n'y a pas de mal, cela ne fait rien; ça ne gâte rien; *das schadet dir gar nichts* c'est bien fait pour toi; *das könnte nicht ~* cela ne ferait pas de mal.

Schaden *m* ⟨-s, ⸚⟩ ['ʃa:-, 'ʃɛ:dən] dommage; mal *m*; avarie *f*; *(Nachteil)* détriment, préjudice *m*; *(Verlust)* perte *f*; *(großer, schwerer ~)* sinistre, ravage(s *pl*) *m*; *(angerichtete(r) ~)* méfaits *m pl*; *(Schadhaftigkeit)* dégradation *f*; *zu jds ~* au détriment de qn; *den ~ abschätzen* od *aufnehmen* faire l'expertise des dégâts; *~ anrichten* od *verursachen* causer du dommage *od* du dégât *od* des dégâts; faire (bien) du *od* des *od* de grands ravage(s); *für den ~ aufkommen (a.) fam* payer les pots cassés; *für den ~ haften* être responsable du dommage; *zu ~ kommen, ~ leiden* od *nehmen* se faire du mal; éprouver *od* subir du dommage; *nicht zu ~ kommen (bei e-m Unfall)* sortir indemne (*bei* de); *den ~ regeln* régler les dommages; *den ~ tragen* supporter le dommage; *mit ~ verkaufen* vendre à perte; *durch ~ klug werden* apprendre à ses dépens; *den ~ wiedergutmachen* réparer les dommages; *jdm ~ zufügen* causer *od* porter préjudice à qn; donner une entorse à qn; *es soll Ihr ~ nicht sein* vous n'aurez pas à le regretter; *der ~ ist behoben* le, la ... marche de nouveau; *an seiner Seele ~ nehmen* compromettre le salut de son âme; **~anmeldung** *f* déclaration *f* du sinistre; **~einschuß** *m* versement *m* anticipé pour sinistre; **~ersatz** *m* dédommagement *m*, indemnité *f*, dommages et intérêts, dommages-intérêts *m pl; jur* réparation(s) *f* de(s) dommage(s) *od* du préjudice *od* civile(s); *~~ beanspruchen* réclamer une indemnité; *auf ~~ klagen* intenter une action en dommages-intérêts; *jdn auf ~~ verklagen* poursuivre qn en dommages-intérêts; *~~ leisten* réparer un dommage; *jdm* dédommager qn; **~ersatzanspruch** *m* droit *m* à réparation; **~ersatzforderung** *f* demande d'indemnisation *od* en dommages-intérêts; réclamation *f;* **~ersatzleistungen** *f pl* réparations *f pl* civiles; **s~ersatzpflichtig** *a* tenu à réparation du dommage; **~feuer** *n* incendie *m;* **~freude** *f* malin plaisir *m*, joie *f* maligne; **s~froh** *a: ~~ sein* se réjouir du malheur d'autrui; **~sanzeige** *f* avis *m od* déclaration *f* de sinistre; **~sfall** *m* cas *m* de dommage; *(Eintritt des) ~~(es)* survenance *f* du sinistre; **~sfeststellung** *f* constatation *f* des dommages; **~smeldung** *f* avis *m* d'avarie; **~sumfang** *m* étendue *f* d'un *od* du dommage.

schad|haft ['ʃa:t-] *a* défectueux; *~~ werden* se détériorer; s'abîmer; **S~haftigkeit** *f* défectuosité *f*, état *m* défectueux; **~los** *adv: sich ~~ halten* rentrer dans *od* se récupérer de ses frais; *an etw* se dédommager *od* se rattraper sur qc, s'indemniser de qc.

schäd|igen ['ʃɛ:dɪgən] *tr* porter atteinte (*jdn* à qn), trahir les intérêts (*jdn* de qn); **S~iger** *m* ⟨-s, -⟩ auteur *m* d'un *od* du dommage; **S~igung** *f* atteinte (*gen* à); *med* lésion *f;* **~lich** [-tlɪç] *a* nuisible; *(gesundheitlich)* nocif; malfaisant; *(nachteilig)* préjudiciable; *(verderblich)* pernicieux; **S~lichkeit** *f* nuisibilité, nocivité *f;* **S~ling** *m* ⟨-s, -e⟩ ['-tlɪŋ] *allg* parasite; *(Tier)* (animal) nuisible *m;* **S~lingsbekämpfung** *f* destruction des parasites, lutte *f* contre la vermine; **S~lingsbekämpfungsmittel** *n* produit *m* de traitement contre les parasites.

Schaf *n* ⟨-(e)s, -e⟩ [ʃa:f] *(Art)* mouton *m; (Mutter~)* brebis *f; fig pej* âne, cornichon, idiot, benêt, imbécile *m; die ~e von den Böcken sondern (fig)* séparer le bon grain de l'ivraie; *räudige(s) ~ (fig)* brebis *f* galeuse; *schwarze(s) ~ (fig)* fléau *m*, honte *f;* **~bestand** *m com* ovins *m pl;* **~bock** *m* bélier *m;* **~fell** *n* peau de mouton; toison *f;* **~garbe** *f bot* achillée, mille-feuille *f;* **~herde** *f* troupeau *m* de moutons; **~hürde** *f* parc *m* à moutons; **~käse** *m* fromage *m* de brebis; **~lamm** *n* agneau *m*, agnelle *f;* **~leder** *n* basane *f;* **s~ledern** *a* de basane; **~pelz** *m* peau *f* de mouton; **~pocken** *f pl vet* clavelée *f;* **~rasse** *f* race *f* ovine; **~schere** *f* forces *f pl;* **~schur** *f* tonte *f* des moutons; **~(s)kopf** *m fig pej* sot en trois lettres, cornichon *m;* **~stall** *m* bergerie *f; poet* bercail *m;* **~weide** *f* pacage *m* à moutons; **~wolle** *f* laine *f* de brebis; **~zucht** *f* élevage *m* de moutons; **~züchter** *m* éleveur *m* de moutons.

Schäf|chen *n* ⟨-s, -⟩ ['ʃɛ:fçən] agneau *m; pl = ~chenwolken; sein ~~ ins trockene bringen (fig)* faire sa pelote, *sein ~~ im trockenen haben (fig)* être bien nanti; **~chenwolken** *f pl* nuages *m pl* moutonnés; **~er** *m* ⟨-s, -⟩ berger *m;* **~erei** *f* [-'rai] bergerie *f;* **~ergedicht** *n* poème *m* bucolique; pastorale, bergerie *f;* **~erhund** *m* (chien de) berger *m; deutsche(r) ~~* berger *m* allemand; **~erhütte** *f* cabane *f* de berger; **~erin** *f* bergère *f; junge ~~* bergerette *f;* **~erspiel** *n* (comédie) pastorale *f;* **~erstündchen** *n* heure *f* du berger.

schaffen 1. ⟨*schuf, ge~*⟩ [(-)'ʃafən, ʃu:f] *tr (er~)* créer; *(hervorbringen)* produire; engendrer, faire naître, mettre au monde, donner le jour à; *(ins Leben rufen)* appeler à la vie, constituer; *e-n Ausgleich ~* rétablir l'équilibre; *Ordnung ~* établir l'ordre; *wie ge~ für* taillé pour; **S~** *n: das dichterische, literarische ~~* la création poétique, littéraire; **S~sdrang** *m* élan *m* créateur; **S~sfreude** *f* joie *f* créatrice; **S~skraft** *f* force *f* créatrice.

schaffen 2. ⟨*schaffte, geschafft*⟩ ['ʃafən] *itr (arbeiten)* travailler, besogner; *tr (vollbringen)* accomplir, venir à bout de; *(bewältigen, mit Zahlenangabe)* faire; *es ~* réussir, arriver, y parvenir, faire son chemin, en sortir; *fam* emporter le morceau; *es nicht ~ (a.)* ne pas en sortir; *es nicht (ganz) ~* rester court; *beiseite ~* mettre de côté; *aus dem Hause ~* (faire) sortir de la maison; *auf die Seite ~* détourner; *zu ~ haben mit* avoir à faire avec; *mit etw nichts zu ~ haben* n'être pour rien dans qc; ne pas se mêler de qc; *sich zu ~ machen mit* s'affairer à; *sich viel zu ~ machen* se donner beaucoup de peine; *jdm (sehr* od *viel) zu ~ machen* donner du mal à qn; *(absichtlich)* donner du fil à retordre, en faire voir de toutes les couleurs à qn; *damit habe ich nichts zu ~* cela ne me regarde pas; *das ~ Sie nie! (a.)* vous pouvez courir; *nun haben Sie's geschafft! (a.)* vous y voilà! *so, das wäre geschafft!* ça y est.

Schaffner(in *f*) *m* ⟨-s, -⟩ ['ʃafnər] *loc* contrôleur, euse *m f; (Straßenbahn, Autobus)* receveur, euse *m f.*

Schaffung *f* ⟨-, ø⟩ ['ʃafuŋ] création, réalisation *f*, établissement *m.*

Schafott *n* ⟨-(e)s, -e⟩ [ʃa'fɔt] échafaud *m; aufs ~ steigen* monter à l'échafaud.

Schaft *m* ⟨-(e)s, ⸚e⟩ [ʃaft, 'ʃɛftə] *(Stiel)* manche, bâton; *(Baum, Säule, Waffe)* fût *m; (Säule a.)* escape *f; (Waffe)* bois *m; (Fahne)* hampe; *(Anker)* verge; *(Stiefel)* tige *f;* **s~ständig** *a: mit ~~er Blütenhülle* uniflore; **~stiefel** *m pl* bottes *f pl* à tige; **schäften** ['ʃɛftən] *tr* munir d'un fût *od* d'une hampe; *(Gewehr)* monter; *(Stiefel)* (re)monter.

Schah *m* ⟨-s, -s⟩ [ʃa:] (s)chah *m.*

Schakal *m* ⟨-s, -e⟩ [ʃa'ka:l, 'ʃa:ka:l] *zoo* chacal *m.*

Schake *f* ⟨-, -n⟩ ['ʃa:kə] , **Schäkel** *m* ⟨-s, -⟩ ['ʃɛ:kəl] *tech mar (Kettenglied)* maille *f*, chaînon *m.*

Schäker *m* ⟨-s, -⟩ ['ʃɛ:kər] badin; flirteur *m;* **~ei** *f* [-'raɪ] badinage; flirt *m;* **~in** *f* flirteuse *f;* **s~n** ⟨*aux: haben*⟩ *itr* badiner, batifoler, folâtrer; flirter.

Schal *m* ⟨-s, -e/-s⟩ [ʃa:l] *(Halstuch)* cache-nez; fichu; *(aus Seide)* foulard; *(Umschlagetuch)* châle *m.*

schal [ʃa:l] *a (abgestanden)* éventé; *a. fig* fade, insipide; *~ werden* s'éventer; **S~heit** *f* ⟨-, ø⟩ fadeur, insipidité *f.*

Schal|brett *n* ['ʃa:l-] entrevous *m*, banche *f;* **~e** *f* ⟨-, -n⟩ *(Gefäß)* coupe *f*, bol *m*, jatte *f; (Schüssel)* plat *m;* écuelle; *allg* cuvette *f; (Waag~~)* plateau *m; (Obst~~)* peau, pelure, écorce; *(Kartoffel~~)* épluchure; *(Hülsenfrüchte)* cosse, gousse *f; (Zitronen-* u. *Orangen~~)* zeste *m; (Nuß-, Mandel~~)* écale; *(Nuß-, Eier-, Muschel~~)* coquille; *zoo* écaille; *(Schildkröte)* carapace; *tech (Guß~~)* coquille; *fig (das Äußere)* surface *f*, dehors *m pl; pl (Abfälle von Obst, Kartoffeln)* épluchures *f pl; gut* od *prima in ~~ (pop)* bien fringué *od* nippé *od* harnaché *od arg* sappé; *schlecht in ~~ (pop)* ficelé *od* foutu comme l'as de pique; *sich in ~~ schmeißen (fam)* se mettre sur son trente-et-un; *weiche(s) Herz in rauher ~~* mauvaise tête et bon cœur; **~enbauweise** *f* construction *f* (mono)coque; **~enguß** *m* coulage *od* moulage *m* en coquilles; **~enkreuz** *n aero (des Windmessers)* moulinet *m;* **~entier** *n* coquillage *m;* **~ung** *f (Bretterverkleidung)* coffrage *m;* **~wand** *f = ~brett.*

Schäl|chen *n* ⟨-s, -⟩ ['ʃɛ:lçən] petit(e) bol, ravier *m od* coupe *od* jatte *f;* **s~en** *tr (Obst)* peler; *(Kartoffeln)* éplucher; *(enthülsen)* écosser; *(Reis, Baum)* décortiquer; *(Nüsse)* ébrouer; *(Baum)* écorcer; *(Eier)* éplucher; *sich ~~ (Baum)* s'écorcer, se décortiquer; *(Haut)* peler; **~erzeugnisse** *n pl* céréales *f pl* mondées; **~maschine** *f* décortiqueur *m*, décortiqueuse; *(Küche)* éplucheuse *f;* **~ung** *f (Baum)* décorticage *m*, décortication *f.*

Schalk *m* ⟨-(e)s, -e/⸚e⟩ [ʃalk, 'ʃɛlkə] espiègle, fumiste, farceur *m; er hat den ~ im Nacken* c'est un pince-sans-rire; **s~haft** *a* espiègle; goguenard, narquois; **~haftigheit** *f* ⟨-, ø⟩ espièglerie, goguenardise *f.*

Schall *m* ⟨-(e)s, (-e/⸚e)⟩ [ʃal, 'ʃɛlə] son; *(Geräusch)* bruit; *(Knall)* éclat; *(Klang)* timbre *m; ~ und Rauch (fig)* bruit et fumée; **~abdichtung** *f* isolement *m od* isolation *f* acoustique *od* phonique; **~archiv** *n* phonothèque *f;* **~archivar** *m radio* phonothécaire *m;* **~brechung** *f* réfraction *f* du son;

~brett *n (Kirchturm)* abat-son *m;* **s~dämpfend** *a* amortissant le son; **~dämpfer** *m* amortisseur *od* modérateur de son; *mot* (pot) silencieux *m;* **~dämpfung** *f* amortissement *m* du son *od* du bruit; **~deckel** *m* abat-son *m;* **s~dicht** *a* insonore, isophone; *~~ machen* insonoriser; **~dichte** *f* isophonie *f;* **~dose** *f* boîte *f* de résonance; phonocapteur *m;* **~druck** *m* pression *f* du son; **s~en** ⟨*aux: haben*⟩ *itr* (ré)sonner, retentir; **s~end** *a* résonnant, retentissant; *~~e(s) Gelächter n* rire bruyant, éclat *m* de rire; *in ~~es Gelächter ausbrechen* pouffer de rire; *~~ lachen* rire aux éclats, s'esclaffer; **~geschwindigkeit** *f* vitesse *f* sonique *od* du son; **~isolierung** *f* isolation phonique, insonorisation *f;* **~kammer** *f tele* abat-son *m;* **~(l)lehre** *f* acoustique *f;* **~(l)loch** *n mus (Saiteninstrument)* ouïe; *(Glockenturm)* baie *f* de clocher; **~mauer** *f* mur *m* du son *od* sonique; *die ~~ durchbrechen* franchir le mur du son; **~messer** *m* phonomètre, sonomètre *m;* **~meßtrupp** *m* section *f* de repérage au *od* par le son; **~messung** *f mil* repérage *m* au *od* par le son, télémétrie *f* acoustique; **~mine** *f mil* mine *f* acoustique; **~nachahmung** *f* imitation phonétique, onomatopée *f;* **~ortung** *f* repérage *m* acoustique *od* au son; **~pegel** *m* niveau *m* du son; **~platte** *f* disque *m; auf ~~ aufnehmen* enregistrer sur disque; **~plattenaufnahme** *f* enregistrement *m* (sur disque); **~plattenfreund** *m* discophile *m;* **~plattenhändler** *m* disquaire *m;* **~plattenhülle** *f* pochette de disque; **~plattenkonzert** *n* concert *m* de musique enregistrée; **~plattenmusik** *f* musique *f* enregistrée; **~plattensammlung** *f* collection *f* de disques, discothèque *f;* **~plattenschrank** *m* discothèque *f;* **s~schluckend** *a* = *s~dicht;* **~signal** *n* signal *m* sonore *od* acoustique; **~stärke** *f* intensité *f* sonore *od* du son; **~stärkemesser** *m* phonomètre *m;* **~technik** *f* acoustique *f;* **~trichter** *m* pavillon, cornet; *(Sprachrohr)* mégaphone *m;* **s~undurchlässig** *a* imperméable au son; **~welle** *f* onde *f* sonore; **~wiedergabe** *f* reproduction *f* sonore.

Schalmei *f* ⟨-, -en⟩ [ʃal'maı] *mus* chalumeau *m.*

Schalotte *f* ⟨-, -n⟩ [ʃa'lɔtə] *(Zwiebel)* échalote *f.*

Schalt|anlage *f* ['ʃalt-] *el* installation *f* de distribution; **~apparat** *m* appareil *m* de manœuvre; **~automat** *m* dispositif *m* de réglage automatique; **~bild** *n* schéma *m* de connexion *od* de couplage; **~brett** *n* tableau *m* de distribution *od* de commande; **s~en** *itr (verfügen)* disposer (*mit etw* de qc); *tr el* connecter, brancher; *mot* embrayer, passer; *e-n andern Gang ~~ (mot)* changer de vitesse; *parallel ~~* brancher en parallèle (*mit* à); *in Reihe ~~* brancher en série (*mit* avec); *nach Belieben ~~ und walten* faire à sa guise *od* selon son bon plaisir; **~en** *n mot* changement *m* de vitesse; **~er** *m* ⟨-s, -⟩ *el* commutateur, coupleur, contacteur, interrupteur; *(Schiebefenster)* guichet *m;* **~erbeamte(r)** *m* employé du guichet, guichetier *m;* **~erdienst** *m* service *m* du guichet; **~erhalle** *f,* **~eröffnung** *f,* **~erschluß** *m* hall *m,* ouverture *f,* fermeture *f* des guichets; **~erstunden** *f pl* heures *f pl* d'ouverture (des guichets); **~getriebe** *n* mécanisme de manœuvre à engrenage, engrenage *m* de manœuvre; commande *f* de mise en action; **~hebel** *m allg* levier de commande; *el* levier d'interrupteur; *mot* levier *m* de changement de vitesse; **~jahr** *n* année *f* bissextile; **~kasten** *m* boîte *f* de distribution *od* de manœuvre; **~plan** *m* = *~bild;* **~pult** *n* pupitre *m* de commande; **~raum** *m* salle *f* de commande *od* de distribution; **~schlüssel** *m mot* clé *f* de contact; **~schrank** *m el* cabine *f* de distribution; **~skizze** *f* = *~bild;* **~stange** *f el* bielle d'attaque; *mot* commande *f* d'embrayage; **~tafel** *f* = *~brett;* **~tag** *m* jour *m* intercalaire; **~uhr** *f (für Nachtbeleuchtung)* minuterie *f* (pour éclairage temporaire); **~ung** *f el* mise *f* en circuit, branchement, couplage, assemblage, montage; *mot* changement *m* de vitesse; **~vorrichtung** *f* appareil *od* mécanisme *m* de couplage; **~werk** *n* installation *f* de distribution; dispositif *m* de commutation, station *f* de commande.

Schaluppe *f* ⟨-, -n⟩ [ʃa'lupə] *mar* chaloupe *f.*

Scham *f* ⟨-, ø⟩ [ʃa:m] honte; *(~haftigkeit)* pudeur *f;* = *~teile; alle ~ abgetan haben* avoir toute honte bue; *ich möchte vor ~ in die Erde versinken* je voudrais être à cent pieds sous terre; *falsche ~* fausse *od* mauvaise honte; **~bein** *n anat* pubis *m;* **~berg** *m anat* mont *m* de Vénus; **~bogen** *m* arcade *f* pubienne; **~fuge** *f* symphyse *f* pubienne; **~gefühl** *n* pudeur *f; das ~~ verletzen* blesser la pudeur; *alles ~~ verlieren* perdre toute honte, *verloren haben* avoir toute honte bue; **~gegend** *f anat* région *f* pubienne; **~haare** *n pl* poils *m pl* du pubis; **s~haft** *a* pudique, pudibond, prude; *arg* pudibar; **~haftigkeit** *f* ⟨-, ø⟩ pudeur, pudicité; pudibonderie *f;* **~lippe** *f* lèvre *f* de la vulve; **s~los** *a* sans pudeur, sans vergogne; *(unzüchtig)* impudique; *(unverschämt)* éhonté, effronté; *(zynisch)* cynique; **~losigkeit** *f* ⟨-, ø⟩ impudeur *f,* dévergondage *m; (Unverschämtheit)* impudence, effronterie *f;* **s~rot** *a* rouge de honte; *~~ werden* rougir de honte; **~röte** *f* rougeur *f* (de la pudeur); *jdm die ~~ ins Gesicht treiben* faire rougir qn de honte; **~teile** *pl* parties *f pl* (honteuses).

Schaman|e *m* ⟨-n, -n⟩ [ʃa'ma:nə] *rel* chaman(e) *m;* **~ismus** *m* ⟨-, ø⟩ [-ma'nısmus] chamanisme *m.*

schämen ['ʃɛ:mən] , *sich* avoir honte, être honteux (*e-r S* de qc); *sich zu Tode ~* mourir de honte; *schämst du dich nicht!* tu n'as pas honte! *(pfui) schäm dich!* tu devrais avoir honte.

Schamotte *f* ⟨-, ø⟩ [ʃa'mɔtə] chamotte, argile *od* terre *f* réfractaire; **~stein** *m* brique *f* réfractaire.

Schampun *n* ⟨-s, ø⟩ [ʃam'pu:n] shampooing *m;* **s~ieren** [-pu'ni:rən] *tr* faire un shampooing (*jdn* à qn).

Schampus *m* ⟨-, ø⟩ ['ʃampus] *fam (Sekt)* champagne *m.*

schand|bar ['ʃant-] *a* honteux; ignominieux, infâme; **S~bube** *m* canaille *f,* scélérat *m;* **S~e** *f* ⟨-, ø⟩ ['-də] honte *f,* déshonneur *m,* infamie, ignominie *f;* opprobre *m; zu jds ~~* à la honte de qn; *zu m-r ~~ (a.)* à ma confusion; *jdn vor ~~ bewahren* garder qn du déshonneur; *jdm ~~ machen* faire honte à qn; *ich muß zu m-r (großen) ~~ gestehen* j'avoue à ma (grande) honte; *das* od *es ist (wirklich) e-e ~~!* c'est une honte, c'est grand-honte, c'est abominable; **S~fleck** *m* opprobre *m,* souillure, flétrissure, tare *f;* **S~mal** *n* ⟨-(e)s, -e/⸚er⟩ stigmate *m,* marque *f* d'infamie; **S~maul** *n* mauvaise langue *f;* **S~pfahl** *m (Pranger)* pilori *m;* **S~tat** *f* infamie, vilenie, turpitude *f; (Verbrechen)* crime *m;* **S~urteil** *n* verdict *m* scandaleux.

schänd|en ['ʃɛndən] *tr (entehren)* déshonorer; *(besudeln)* salir, souiller; flétrir; *(entstellen)* mutiler, défigurer; abîmer; *(entweihen)* profaner, polluer; *(vergewaltigen)* violer, violenter, outrager; **~lich** *a* honteux, infâme, ignominieux, ignoble; scandaleux; **S~lichkeit** *f* ⟨-, (-en)⟩ infamie, ignominie, vilenie, turpitude *f;* **S~ung** *f (Entstellung)* mutilation, défiguration; *(Entweihung)* dégradation, profanation, pollution *f; (Vergewaltigung)* viol *m.*

Schank|bier *n* ['ʃaŋk-] bière *f* à la pression; **~erlaubnis** *f,* **~konzession** *f* licence *od* concession *f* de débit; **~tisch** *m* comptoir; *fam* zinc *m;* **~wirt** *m* débitant (de boissons), marchand de vin; cabaretier *m;* **~wirtschaft** *f* débit *m* de boissons.

Schanker *m* ⟨-s, -⟩ ['ʃaŋkər] *med* chancre *m.*

Schanz|arbeit *f* ['ʃants-] *mil* (travail de) retranchement *m;* **~e 1.** *f* ⟨-, -n⟩ *mil* retranchement, fortin *m,* redoute *f;* **s~en** *itr mil* se retrancher; *allg (schwer arbeiten)* piocher, trimer; **~kleid** *n mar* bastingage *m;* **~korb** *m* gabion *m;* **~pfahl** *m* palissade *f;* **~werk** *n* = *~e;* **~zeug** *n* outils *m pl* (de pionnier).

Schanze 2. *f (Chance): sein Leben in die ~ schlagen* risquer sa vie.

Schar *f* ⟨-, -en⟩ [ʃa:r] **1.** bande, troupe, meute *f; pl (Massen)* masse, foule, légion *f,* bataillon *m; e-e ~ Kinder* une ribambelle d'enfants; *in ~en* en masse, en foule; *in hellen ~en* dru comme (les) mouches; **s~en** *tr* grouper, rassembler (*um* autour de); *sich um jdn ~~* faire *od* former (un) cercle, former bloc autour de qn; **s~enweise** *adv* en *od* par bandes *od* troupes; en masse(s).

Schar 2. *(Pflug~)* soc *m.*

Scharade *f* ⟨-, -n⟩ [ʃaˈraːdə] *(Rätsel)* charade *f.*

Scharbockskraut *n* ⟨-(e)s, ø⟩ [ˈʃaːrbɔks-] petite éclaire *f.*

Schären *f pl* [ˈʃɛːrən] *geog* îlots *m pl* rocheux.

scharf [ʃarf] ⟨*schärfer, am schärfsten*⟩ *a (Schneide, Kante)* aiguisé, affilé, acéré, tranchant, coupant, vif; *(Spitze)* aigu; *(Speise)* âcre, âpre, piquant, fort; *chem* mordant; *(Geruch)* âcre, piquant, pénétrant; *(Wind)* cinglant, vif; *(Ton, Stimme)* aigu, strident; *(Gehör)* subtil, fin; *(Blick, Auge)* perçant; *(Beobachtungsgabe)* incisif; *(Brille)* fort; *(Bild, Foto)* net, précis; *(Umrisse, Gesichtszüge)* marqué, accentué, accusé; *(Kurve)* prononcé; *sport (Ball)* dur; *fig (Verstand)* sagace, pénétrant, vif; *(Worte, Kritik)* mordant, cinglant, caustique, acrimonieux, acide, acerbe, sévère, vif; *(Tadel a.)* vert; *(Zucht, Disziplin)* sévère; *(Be-, Überwachung)* minutieux; *(Konkurrenz)* serré; *(Angriff)* vif; *(Kampf)* acharné; *mil (Munition)* chargé à balle; *(Handgranate)* amorcé; *(Bombe)* armé; *jdn ~ anfassen* être sévère *od* strict avec qn; *jdn ~ ansehen* regarder qn fixement *od* dans le blanc des yeux; *~ aufpassen* faire bien attention; *~ bewachen* garder *od* surveiller étroitement *od* de près; *~ einstellen* mettre au point; *~ laden* charger à balles; *~ machen (Geschoß)* amorcer; *(Zünder)* armer; *~ nachdenken* se concentrer; *~ schießen* tirer à balles réelles; *auf jdn od etw ~ sein (fam)* avoir très envie de qn *od* qc; *pop* en pincer pour qn; *allzu ~ macht schartig (prov)* lame trop effilée s'ébrèche; **S~abstimmung** *f radio* réglage *m* précis; **S~blick** *m* ⟨-(e)s, ø⟩ perspicacité, clairvoyance *f;* **~blickend** *a* perspicace; clairvoyant; **S~einstellung** *f* mise *f* au point; **~kantig** *a* à vive(s) arête(s); **~machen:** *jdn ~~ (aufhetzen)* inciter qn à la haine; *(neugierig machen)* exciter la curiosité de qn; **S~machen** *n (Munition)* amorçage *m;* **S~macher** *m* agitateur, provocateur, instigateur, fomentateur; démagogue *m;* **S~richter** *m* exécuteur (des hautes œuvres); *(Henker)* bourreau *m;* **S~schießen** *n* tir *m* (à balles) réel(les); **S~schütze** *m* tireur *m* d'élite; **~sichtig** *a fig* perspicace, pénétrant; **S~sichtigkeit** *f* ⟨-, ø⟩ perspicacité, pénétration *f;* **S~sinn** *m* sagacité, subtilité, finesse, pénétration; perspicacité, lucidité *f;* **~sinnig** *a* sagace, subtil, perspicace.

Schärf|e *f* ⟨-, -n⟩ [ˈʃɛrfə] *(Schneide)* tranchant *m; (Sinnesorgan, Instrument)* acuité; *(Bild, Umrisse)* netteté, précision; *fig (Verstand)* acuité, subtilité, lucidité; *(e-r Äußerung)* causticité, acrimonie, âpreté; *(Strenge)* sévérité, rigueur *f; ~~ des Gehörs* acuité *f* auditive; **s~en** *tr* aiguiser, affûter, biseauter; *(die Sinne)* aviver; *(den Verstand)* aiguiser; **~ung** *f* ⟨-, (-en)⟩ aiguisage, affûtage *m.*

Scharlach *m* ⟨-s, ø⟩ [ˈʃarlax] *(~farbe)* écarlate; *med (~fieber)* scarlatine *f;* **s~(farb)en** *a,* **s~rot** *a* écarlate.

Scharlatan *m* ⟨-s, -e⟩ [ˈʃarlatan, -ˈtaːn] charlatan; *(Betrüger)* imposteur *m;* **~erie** *f* ⟨-, -n⟩ [-tanəˈriː] charlatanerie *f.*

Scharm, s~ant [ʃarm, ʃarˈmant] = *Charme etc.*

Scharmützel *n* ⟨-s, -⟩ [ʃarˈmʏtsəl] escarmouche, échauffourée *f,* engagement *m;* **s~n** *itr* tirailler.

Scharnier *n* ⟨-s, -e⟩ [ʃarˈniːr] charnière *f;* **~gelenk** *n anat* ginglyme *m.*

Scharr|e *f* ⟨-, -n⟩ [ˈʃarə] racloir *m,* ratissoire *f,* grattoir *m;* **s~en** *itr* racler; *(bes. Huhn)* gratter; *(mit den Hufen ~~)* piaffer; *(mit den Füßen ~~)* trépigner.

Schart|e *f* ⟨-, -n⟩ [ˈʃartə] brèche, dent; *(Schieß~~)* embrasure *f,* créneau *m,* meurtrière *f; e-e ~~ auswetzen (fig)* prendre une revanche, réparer un échec; **s~ig** *a* ébréché; *~~ machen* ébrécher; *~~ werden* s'ébrécher.

Scharteken *f pl* [ʃarˈteːkən] bric-à-brac, fatras *m.*

scharwenzeln [ʃarˈvɛntsəln] ⟨*ist/hat scharwenzelt*⟩ *itr* s'empresser; faire des courbettes; flagorner.

schassen [ˈʃasən] *tr fam (rauswerfen)* vider, sacquer.

Schatten *m* ⟨-s, -⟩ [ˈʃatən] ombre *f a. fig; (schattiges Laubwerk)* ombrage; *fig (Verdacht)* soupçon *m; (Geist, Gespenst)* ombre *f,* fantôme, spectre *m; im ~* à l'ombre *a. fig* (*gen* de); *(blaue* od *schwarze) ~ um die Augen haben* avoir les yeux cernés; *nur noch ein ~ seiner selbst sein* n'être plus que l'ombre de soi-même; *jds ~ sein (fig a.)* être l'âme damnée de qn; *~ spenden* faire de l'ombre; *jdn in den ~ stellen (fig)* éclipser, effacer qn; faire ombre, faire *od* donner *od* porter ombrage à qn; *s-e ~ vorauswerfen (fig)* se faire pressentir; *~ werfen* faire (de) l'ombre (*auf etw* sur qc); **~beschwörung** *f* psychagogie *f;* **~bild** *n* ombre *f; (Kunst)* = *~riß; TV* écho *m;* **~dasein** *n: ein ~~ führen* vire dans l'ombre; **s~haft** *a fig* fantomatique, vague, imprécis; **~kabinett** *n pol* cabinet *m* fantôme; **~könig** *m* roi *m* fantôme; **s~los** *a* sans ombre; **~reich** *n (Unterwelt)* royaume *m* des ombres; **~riß** *m* silhouette *f;* **~seite** *f* côté de l'ombre; *fig* revers de la médaille, mauvais côté *m; auf der ~~* du côté de l'ombre; **s~spendend** *a* ombrageant; **~spiel** *n* ombres *f pl* (chinoises); *fig* fantasmagorie *f.*

schatt|ieren [ʃaˈtiːrən] *tr (Kunst)* ombrer; *fig* nuancer; *~ierte Linie f (typ)* filet *m* gras-maigre; **S~ierung** *f* répartition *od* distribution des ombres; *fig* nuance *f,* ton *m;* **~ig** *a* ombragé; ombreux.

Schatulle *f* ⟨-, -n⟩ [ʃaˈtulə] cassette *f.*

Schatz *m* ⟨-es, ¨-e⟩ [ʃats, ˈʃɛtsə] *a. fig* trésor *m;* richesses *f pl; fig* fonds *m,* somme *f; (versteckter ~)* magot *fam; fam (Geliebte(r))* bijou *m;* chéri, e *m f;* dulcinée *f; mein ~!* mon cœur! mon, ma chéri(e)! **~amt** *n* trésorerie *f; das ~~* le Trésor; *(das britische)* l'Échiquier *m;* **~anweisung** *f* certificat de trésorerie; bon *m* du Trésor; **~gräber** *m* chercheur *m* de trésors; **~kammer** *f* chambre du trésor, trésorerie *f;* **~kanzler** *m (England)* chancelier *m* de l'Échiquier; **~kästchen** *n,* **~kästlein** *n* coffret (aux trésors), écrin; *fig (Sammlung)* recueil *m;* **~meister** *m* trésorier; *parl* questeur *m;* **~meisterei** *f* questure *f;* **~wechsel** *m* effet *m* du Trésor.

schätz|bar [ˈʃɛts-] *a* évaluable; **S~chen** *n fam* petit trésor *m; mein ~~!* ma chérie! ma biche! **~en** *tr (ab~~)* évaluer, estimer, classer; *fin* coter, taxer; *(hoch~~)* apprécier, priser; *jdn* estimer; *sich glücklich ~~* s'estimer heureux; *zu ~~ wissen* apprécier, être sensible à; *wie alt ~~ Sie mich?* quel âge me donnez-vous? *er ist schwer zu ~~ (dem Alter nach)* on ne lui donne pas d'âge; **~enswert** *a* estimable, appréciable; **S~er** *m* ⟨-s, -⟩ taxateur, (commissaire-)briseur *m;* **S~ung** *f* évaluation, estimation, mise à prix; classification; cotisation, taxation; appréciation *f; nach ungefährer, vorsichtiger ~~* d'après une estimation approximative, réservée; **~ungsweise** *adv* approximativement, à l'estime; **S~wert** *m* prix *m* d'estimation; valeur *f* estimative *od* d'estimation.

Schau *f* ⟨-, -en⟩ [ʃau] vue (d'ensemble); *(Ausstellung)* exposition *f,* étalage *m,* montre; *theat* revue; *mil* parade *f; etw zur ~ stellen* faire montre *od* étalage de qc; étaler, exhiber qc; *sich zur ~ stellen* se donner en spectacle; *etw zur ~ tragen* faire étalage de qc; étaler, afficher, arborer qc; **~bild** *n* diagramme *m;* **~bude** *f* baraque *f* foraine; **~budenbesitzer** *m* forain *m;* **~bühne** *f* scène *f; (Theater)* théâtre *m;* **s~en** *itr* regarder; *tr* voir; *jdm ins Herz ~~ (fig)* lire dans le cœur de qn; *tief in etw ~~* plonger ses regards dans qc; *s~! s~!* tiens, tiens! *s~ (mal einer) an!* regarde! *dem Tod ins Auge ~~* regarder la mort en face; voir la mort de près; **~fenster** *n* vitrine, devanture *f;* étalage *m; im ~~ liegen* être à l'étalage; **~fensterbeleuchtung** *f* éclairage d'étalage; rampe *f;* **~fensterbummel** *m* lèche-vitrines *m;* **~fensterdekorateur** *m* étalagiste *m;* **~fensterdekoration** *f* décoration *f* d'étalage; **~fensterdiebstahl** *m* vol *m* à l'étalage; **~fensterscheibe** *f* vitre *f* de vitrine; **~fensterwettbewerb** *m* concours *m* d'étalage *od* de vitrine; **~flug** *m aero* vol *m* de démonstration; **~kasten** *m* vitrine *f;* **~lust** *f* curiosité *f;* **s~lustig** *a* curieux; **~münze** *f* médaille *f;* **~packung** *f* emballage *m* factice *od* de décoration, présentation *f* factice; **~platz** *m theat* lieu *m,* scène; *fig* scène *f;* théâtre *m;* **~prozeß** *m* procès-démonstration, procès-simulacre *m;* **~spiel** *n allg* u. *fig* spectacle; *(als Literaturgattung)* drame *m;* **~spieler** *m* acteur; artiste dramatique; *a fig* comédien; *fig fam* héros *m* de mélodrame; *als ~~ auftreten* faire du théâtre; *feurige(r) ~~* brûleur *m* de planches; *schlechte(r) ~~* cabot(in) *m;* ~**spielerei** *f (Verstellung)* dissimulation, hypocrisie *f;* ~**spielerin** *f* actrice; comédienne; *pej* cabotine *f;* **s~spielerisch** *a* d'acteur, d'actrice; ~**spielerkind** *n* enfant *m* de la balle; **s~spielern** ⟨*hat geschauspielert*⟩ *itr* faire du théâtre; *(sich verstellen)* jouer la comédie; ~**spielhaus** *n* salle *f* de spectacle; théâtre *m;* ~**spielkunst** *f* art *m* dramatique; ~**steller** *m* montreur, forain *m;* ~**stellung** *f* mise *f* en montre; ~**turnen** *n* fête *f* de gymnastique.

Schauder *m* ⟨-s, -⟩ ['ʃaudər] frisson, frémissement, tressaillement *m; (Grausen)* horreur, horripilation *f;* **s~erregend** *a* horrifiant, horrifique; **s~haft** *a* horrible, affreux, épouvantable, atroce; *das ist ja ~~! (a.)* c'est une horreur! **s~n** ⟨*aux: haben*⟩ *itr* frissonner, frémir, tressaillir, avoir horreur (*vor* de); *~~ machen* faire frissonner *od* frémir *od* tressaillir; faire horreur, donner un frisson à; horrifier, horripiler; *impers: mich ~t = ich ~e;* **s~nd** *a* horrifié; **s~voll** *a = s~haft.*

Schauer *m* ⟨-s, -⟩ ['ʃauər] *(Regen~)* averse, ondée; *(bes. mit Hagel gemischt)* giboulée; *(Schnee~)* chute; *(Schreck)* horreur *f;* frisson; ~**geschichte** *f* histoire *f* horrible; **s~lich** *a* horrible, macabre, lugubre; ~**mann** *m* débardeur *m;* **s~n** *itr* frissonner, frémir; *schaudern; impers: mich ~t = ich ~e;* **s~voll** *a = s~lich;* ~**wetter** *n* temps *m* à averse.

Schaufel *f* ⟨-, -n⟩ ['ʃaufəl] *allg* pelle; *(Rad~)* palette, ailette, aube; *(des Damhirsches)* empaumure *f; (~geweih)* bois *m* palmé; ~**bagger** *m* drague *f* à godets; **s~n** *itr* pelleter, travailler à la pelle; *tr (Schnee etc)* enlever (avec une pelle); *(Loch, Grab)* creuser; ~**rad** *n* roue *f* à aubes *od* à palettes *od* à augets; ~**voll** *f* pelletée *f.*

Schaukel *f* ⟨-, -n⟩ ['ʃaukəl] *(~brett)* balançoire, bascule *f,* tapecul *m; (Strick~)* escarpolette *f;* ~**bewegung** *f* mouvement *od* jeu *m* de bascule; ~**brücke** *f* pont *m* basculant *od* à bascule; **s~n** ⟨*aux: haben*⟩ *tr* balancer, bercer, basculer; *itr* se balancer; *(schwanken)* osciller, vaciller, chanceler, brimbaler; *sich ~~* se balancer; *wir werden das Kind schon ~~ (fig fam)* nous nous débrouillerons bien, on va arranger l'affaire; ~**n** *n* balancement, bercement; vacillement *m;* ~**pferd** *n* cheval *m* à bascule; ~**politik** *f* politique *f* de bascule *od* d'équilibre; ~**stuhl** *m* chaise *f od* fauteuil à bascule, rocking-chair *m.*

Schaum *m* ⟨-(e)s, ⁻e⟩ [ʃaum, 'ʃɔymə] *(grober)* écume; *(feiner)* mousse; *(Eier~)* neige *f; (Glas~)* suint *m; ~ vor dem Mund* écume *f* à la bouche; *~ schlagen (fig)* faire de la mousse; *zu ~ schlagen (Eiweiß)* battre en neige; *zu ~ werden (fig: dahinschwinden)* s'en aller en fumée, s'évanouir; **s~bedeckt** *a* couvert d'écume, écumeux; ~**beton** *m* béton *m* cellulaire; ~**bildung** *f* production *f* de mousse; ~**gold** *n (Blattgold)* clinquant *m;* ~**gummi** *n* od *m* caoutchouc mousse, crêpe *m* (de latex); **s~ig** *a* écumeux; mousseux; ~**kelle** *f,* ~**löffel** *m* écumoire *f;* ~**kraut** *n* cardamine *f;* ~**kronen** *f pl (auf d. Wellen)* moutons *m pl;* ~**löschgerät** *n* extincteur *m* à mousse; ~**schläger** *m (Küchengerät)* fouet (à œuf), moussoir; *fig (Prahler)* blagueur; charlatan *m;* ~**schlägerei** *f fig* blague, charlatanerie *f;* ~**stoff** *m* mousse *f* de nylon; ~**wein** *m* (vin) mousseux *m.*

schäumen ['ʃɔymən] ⟨*aux: haben*⟩ *itr* écumer, bouillonner; mousser; *(Sekt)* pétiller; *(Wellen)* moutonner; *vor Wut ~* écumer de rage; ~**d** *a* écumant; mousseux.

schaurig ['ʃaurɪç] *a* lugubre, macabre; horrible.

Scheck *m* ⟨-s, -s/(-e)⟩ [ʃɛk] chèque *m* (*über* de); *e-n ~ ausstellen, einlösen, sperren* émettre *od* tirer, toucher, barrer un chèque; ~**buch** *n,* ~**heft** *n* carnet de chèques, chéquier *m;* ~**formular** *n* formule *f* de chèque; ~**inhaber** *m* porteur *m* d'un *od* du chèque; ~**konto** *n* compte-chèques *m;* ~**verkehr** *m* opérations *od* transactions *f pl* par chèques.

Scheck|e *m* ⟨-n, -n⟩ , *f* ⟨-, -n⟩ ['ʃɛkə] *(scheckiges Pferd* od *Rind)* cheval *m,* jument *f* pie; bœuf *m,* vache *f* pie; **s~ig** *a* tacheté; bigarré, bariolé, panaché; *(Pferd, Rind)* pie.

scheel [ʃe:l] *a (Blick: schief)* oblique, torve; *adv: ~ ansehen* regarder de travers; **S~sucht** *f* ⟨-, ø⟩ envie *f;* ~**süchtig** *a* envieux.

Scheffel *m* ⟨-s, -⟩ ['ʃɛfəl] *hist* boisseau *m; sein Licht nicht unter den ~ stellen (fig)* ne pas mettre la lumière sous le boisseau; savoir se mettre en valeur; **s~n** *tr fig (zs.raffen, bes. Geld)* amasser; **s~weise** *adv* par boisseaux.

Scheibe *f* ⟨-, -n⟩ ['ʃaɪbə] *(runde)* disque *m; tech (Unterleg~)* rondelle; *(Riemen~)* poulie *f; (Töpfer~)* tour *m; (Rändel~)* molette *f; (Skalen-, tele: Nummern~)* disque, cadran; *(Schieß~)* carton *m; (Ziel~)* cible *f; (Wurf-, Eishockey~)* palet; *(viereckige Fenster~)* carreau *m, (beliebiger Form)* vitre; *mot* glace; *(Brot)* tranche; *(Wurst, Zitrone)* rondelle *f; (Honig)* rayon, gâteau *m; auf die ~ schießen* faire un carton; *in ~n schneiden* couper en *od* par tranches; ~**nbremse** *f mot* frein *m* à disque(s); **s~nförmig** *a* en forme de disque; *scient* discoïde; ~**ngardine** *f* brise-bise *m;* ~**ngasometer** *m* gazomètre *m* sec; ~**nheber** *m mot* lève-glace *m;* ~**nhonig** *m* miel *m* en rayons; ~**nkupp(e)lung** *f* embrayage *m* à disque *od* à plateau; ~**nschießen** *n* tir *m* à la cible; ~**nstand** *m mil* porte-cible *m;* ~**nwischer** *m mot* essuie-glace *m.*

Scheich *m* ⟨-s, -e/-s⟩ [ʃaɪç] cheik *m.*

Scheide *f* ⟨-, -n⟩ ['ʃaɪdə] *(Trennungslinie)* ligne *f* de partage *od* de séparation; *(e-r Hieb- u. Stichwaffe)* fourreau *m,* gaine *f; anat* vagin *m; aus der ~ ziehen* dégainer; *wieder in die ~ stecken* regainer; ~**gruß** *m* dernier adieu *m;* ~**münze** *f* (petite) monnaie *f,* billon *m;* ~**nspülung** *f* injection *f* vaginale; ~**wand** *f* cloison paroi *f;* mur de refend; *anat bot tech* diaphragme; *(Walnuß)* zeste *m; fig* barrière *f;* ~**wasser** *n chem* eau-forte *f;* ~**weg** *m* carrefour *m; an e-m* od *am ~~ stehen (fig)* être au carrefour, se trouver à la croisée des chemins.

scheiden ⟨*schied*⟩ ['ʃaɪdən, (-)'ʃi:t/-dən] *tr* ⟨*hat geschieden*⟩ *(trennen,* séparer, partager, diviser; *mines* séparer, trier; *(Ehe)* dissoudre; *itr* ⟨*ist geschieden*⟩ *(Abschied nehmen)* partir; *von jdm* quitter qn; *vonea. ~* se quitter; *aus dem Amt ~* quitter son emploi; *sich ~ lassen* divorcer (*von jdm* d'avec qn); *hier ~ sich die Geister* ici les avis sont partagés; *unsere Wege ~ sich* nos chemins se séparent; *aus dem Amt ~d* sortant; *das ~de Jahr* l'année qui s'achève.

Scheidung *f* ⟨-, -en⟩ ['ʃaɪdʊŋ] *(Ehe~)* divorce *m; mines* séparation *f,* triage, scheidage *m; auf ~ klagen* plaider en séparation; demander le divorce; ~**sgrund** *m* cause *f* de divorce; ~**sklage** *f* action *od* demande *od* plainte *f* en divorce; *die ~~ einreichen* intenter une action en divorce; ~**sprozeß** *m* procès *m od* instance *f* en divorce; ~**ssache** *f* cause *f* matrimoniale.

Schein *m* ⟨-(e)s, -e⟩ [ʃaɪn] *(Licht~)* lueur, lumière; clarté *f; (Glanz)* éclat, brillant; *(An~)* semblant *m,* apparence, illusion *f; (Aussehen)* air *m,* dehors *m pl; (schwacher ~, Spur)* ombre; *(Zettel)* fiche; *(Bescheinigung)* attestation *f,* certificat, *(standesamtliche)* acte; *(Erlaubnis~)* permis; *(Empfangs~)* récépissé; *(Gepäck~)* bulletin; *(Fahr-, Geld~)* billet; *(Geld~, pop)* fafiot, faffe *m; dem ~e nach* en apparence, selon l'apparence; *unter dem ~ (gen)* sous couverture *od* couvert *od* couleur (de); *(nur) zum ~* par manière d'acquit; pour la forme *od* la montre *od* la frime; *den ~ erwecken* donner l'illusion; *sich den ~ geben zu ...* se donner l'air de, faire semblant de ...; *nach dem äußeren ~ urteilen* juger sur les apparences; *den ~ wahren, retten* sauv(egard)er les apparences; *der ~ trügt (prov)* les apparences sont trompeuses, l'habit ne fait pas le moine, l'air ne fait pas la chanson; *falsche(r) ~* faux-semblant *m; schöne(r) ~* brillant *m; trügerische(r) ~* trompe-l'œil *m;* ~**abgang** *m theat* fausse sortie *f;* ~**angriff** *m* attaque simulée, fausse attaque *f;* ~**argument** *n* argument *m* spécieux; **s~bar** *a* apparent; spécieux; *(Bild)* virtuel; *adv* en apparence; ~**blüte** *f* prospérité *f* illusoire; ~**ehe** *f* mariage *m* blanc *od* fictif *od* simulé; **s~en** ⟨*schien, hat geschienen*⟩ ['ʃaɪnən, (-)'ʃi:n(-)] *itr* luire, briller, rayonner; *(den An~ haben)* sembler, paraître, avoir l'air (*von* de); *mehr ~~ wollen, als man ist* vouloir paraître plus que ce que l'on est; *der Mond ~t* il fait clair de lune; *die Sonne ~t* il fait du soleil; *die Sonne ~t ins Zimmer* le soleil donne dans la chambre; *impers: wie mir ~t* à ce qu'il me semble, à ce qu'il paraît; *es ~t so, so ~t es, so ~t mir* ce *od fam* ça me semble; *wie mir ~t* à ce qu'il paraît; *mir ~t, daß* ... il me semble que ...; *fam* m'est avis que ...; *es ~t nur so* ce n'est qu'apparence; **~flugplatz** *m* terrain simulé, faux terrain *m;* **~frieden** *m* paix *f* fourrée *od* plâtrée; **~gebot** *n (Auktion)* mise *f* fictive; **~gefecht** *n* combat simulé *od* feint, simulacre *m* de combat; **~geschäft** *n* marché *m* fictif; *pl* affaires *f pl* à la gomme *od* à la noix; **~gewölbe** *n* fausse-voûte *f;* **s~heilig** *a* hypocrite, papelard, cagot; *~~ tun* faire le bon apôtre; **~heilige** *f* sainte nitouche *f fam;* **~heilige(r)** *m* faux dévot, hypocrite, tartufe, cagot, papelard *m;* **~heiligkeit** *f* fausse dévotion, hypocrisie, tartuferi, papelardise *f;* **~kauf** *m* achat *m* fictif *od* simulé; **~regierung** *f* gouvernement *m* fantoche; **~tod** *m* mort *f* apparente; **s~tot** *a* mort en apparence; **~tote(r)** *m* mort *m* en apparence; **~vertrag** *m* contrat *m* simulé; **~welt** *f: in e-r ~~ leben* être *od* se perdre dans les espaces imaginaires; **~werfer** *m allg* projecteur; *mar* fanal; *mot* phare *m; ~~ mit Fernlicht, mit abgeblendetem Licht* phare *m* route, code; **~werferlicht** *n* feu *m* des projecteurs; **~widerstand** *m* résistance fictive *od* apparente; *el* impédance *f.*

Scheiß|dreck *m* ['ʃaɪs-], **~e** *f* ‹-, ø› *vulg* merde *f; ~~!* merde (alors)! **s~en** ‹*schiß, geschissen*› ['ʃaɪsən, (-)'ʃɪs(-)] *itr vulg* chier; **~kerl** *m* merdeux, jean-foutre *m;* sale gueule *f.*

Scheit *n* ‹-(e)s, -e› [ʃaɪt] bûche *f;* **~erhaufen** *m* bûcher *m;* **~holz** *n* bois *m* de quartier.

Scheitel *m* ‹-s, -› ['ʃaɪtəl] *allg* sommet; *anat* vertex *m; (im Haar)* raie *f; e-n ~ ziehen* tracer une raie; *vom ~ bis zur Sohle* de pied en cap, jusqu'au bout des ongles; **~bein** *n anat* (os) pariétal *m;* **~lappen** *m anat* lobe *m* pariétal; **s~n** *tr: die Haare ~~* faire la raie; **~punkt** *m* point culminant *a. fig; (Gestirn)* zénith; sommet; *fig* apogée *m;* **~winkel** *m pl* angles *m pl* opposés par le sommet.

scheitern ‹*ich scheit(e)re, du scheiterst, ist gescheitert* ...› ['ʃaɪtərn] *itr mar* u. *fig* échouer, faire naufrage; *mar (untergehen)* sombrer; *fig* avorter, aller à l'échec; **S~** *n mar* u. *fig* naufrage; *nur fig* échec *m; zum ~~ bringen* faire échouer; *zum ~~ verurteilt* voué à l'échec *od* à l'insuccès.

Schelde ['ʃɛldə] , *die* l'Escaut *m.*

Schellack *m* ‹-(e)s, -e› ['ʃɛlak] laque en feuilles *od* en écailles, gomme *f* laque.

Schell|e *f* ‹-, -n› ['ʃɛlə] *(Glöckchen)* clochette *f,* grelot; *tech* collier, étrier *m,* bride *f; der Katze die ~ umhängen (fig)* attacher le grelot; **s~en** ‹*aux: haben*› *itr (klingeln)* tirer la sonnette; sonner (*jdm* qn); *es ~t* on sonne; **~enbaum** *m* chapeau *m* chinois; **~enkappe** *f* marotte *f;* **~entrommel** *f* tambour *m* de basque; **~kraut** *n* grande éclaire; chélidoine *f.*

Schellfisch *m* ['ʃɛl-] églefin, aiglefin, aigrefin *m,* morue *f* noire.

Schelm *m* ‹-(e)s, -e› [ʃɛlm] fripon, coquin; *(Schalk)* espiègle, farceur *m; ein ~, wer Arges dabei denkt!* honni soit qui mal y pense; *arme(r) ~* pauvre diable *m;* **~engesicht** *n* mine *f* friponne; **~enroman** *m* roman *m* picaresque; **~enstreich** *m,* **~enstück** *n* friponnerie; coquinerie, fourberie *f;* **~erei** *f* [-'raɪ] espièglerie *f;* **s~isch** *a* espiègle, lutin, mutin.

Schel|te *f* ‹-, -n› ['ʃɛltə] gronderie, rebuffade, réprimande *f; ~~ bekommen* être grondé *od* réprimandé; **s~en** ‹*schilt, schalt, hat gescholten*› *tr* gronder, réprimander, morigéner.

Schema *n* ‹-s, -s/-mata/(-men)› ['ʃe:ma(s), -mata (-mən)] schéma, schème; *(Muster)* modèle; *(Plan)* plan *m; nach ~ F* uniformément; comme tout le monde; **s~tisch** [-'ma:tɪʃ] *a* schématique; **s~tisieren** [-mati'zi:rən] *tr* schématiser; **~tismus** *m* ‹-, -men› [-ma'tɪsmus, -mən] schématisme *m.*

Schemel *m* ‹-s, -› ['ʃe:məl] escabeau *m,* sellette *f.*

Schemen *m* ‹-s, -› ['ʃe:mən] *(Schatten)* ombre *f;* **s~haft** *a fig* irréel; vague.

Schenk|e *f* ‹-, -n› ['ʃɛŋkə] cabaret, estaminet *m,* buvette *f; pop* bistrot *m;* **~wirt(schaft** *f***)** *m = Schankwirt(schaft).*

Schenkel *m* ‹-s, -› ['ʃɛŋkəl] *anat* cuisse; *(Zirkel)* branche *f; math (Winkel)* côté *m;* **~bruch** *m (Knochenbruch)* fracture du fémur; *(Eingeweidebruch)* hernie *f* crurale; **~hals(bruch)** *m* (fracture *f* du) col *m* du fémur; **~knochen** *m* fémur *m.*

schenk|en ['ʃɛŋkən] *tr* donner; offrir; faire cadeau *od* présent (*jdm etw* de qc à qn); *(erlassen)* dispenser (*jdm etw* qn de qc); faire grâce (*jdm etw* de qc à qn); *(Schulden)* tenir quitte (*jdm etw* qn de qc); *(ein~~)* verser (à boire); *e-r S Aufmerksamkeit* od *Beachtung ~~* faire attention, apporter de l'attention, prêter attention à qc; *jdm Vertrauen ~~* faire confiance, donner *od* accorder sa confiance à qn; *das ist (so gut wie) ge~t* c'est donné; *ge~t ist ge~t* donné est donné; **S~ende(r** *m***)** *f* donateur, trice *m f; jur a.* disposant *m;* **S~ung** *f* donation *f,* don *m; (gemeinnützige)* dotation *f; ~~ unter Lebenden* donation *f* entre vifs; **S~ungssteuer** *f* impôt *m* sur les donations entre vifs; **S~ungsurkunde** *f* (acte *m* de) donation *f.*

scheppern ['ʃɛpərn] *itr (klappern)* cliqueter.

Scherbe *f* ‹-, -n› ['ʃɛrbə] tesson, morceau; *(Splitter)* éclat *m; in (tausend) ~n* en miettes; *in ~n gehen* se casser *od* se briser en morceaux; **~n** *m* ‹-s, -› = ~; **~ngericht** *n hist* ostracisme *m.*

Scher|e *f* ‹-, -n› ['ʃe:rə] (paire *f* de) ciseaux *m pl; (Blech~~)* cisailles *f pl; zoo (Krebs)* pince *f;* **s~en** ‹*schor, hat geschoren*› **1.** *tr (a. Schafe)* tondre; *(Haare a.)* couper; *(Bart a.)* faire; **~en** *n* tonte; coupe *f;* **~enfernrohr** *n* jumelle(s *pl*) périscopique(s), lunette *f* binoculaire; **~enschleifer** *m* rémouleur, repasseur *m* de ciseaux; **~enschnitt** *m* silhouette *f;* **~maschine** *f* tondeuse *f;* **~messer** *n* rasoir *m;* **~wolle** *f* laine *f* de tonte.

scher|en ‹*scherte, hat geschert*› ['ʃe:rən] **2.** *tr impers: was ~t mich das!* je m'en fiche! *~ dich zum Henker* od *Teufel!* va-t'en au diable! *~ dich um deinen Kram!* occupe-toi de tes oignons; **S~erei(en** *pl***)** *f* [-'raɪ] ennuis *m pl,* tracas(series *f pl*) *m; jdm (viel) ~ereien machen* donner (bien) du tracas à qn.

Scherflein *n* ‹-s, -› ['ʃɛrflaɪn]: *sein ~ beitragen* apporter son obole (*zu etw* à qc).

Scherge *m* ‹-n, -n› ['ʃɛrgə] *hist (Häscher)* sbire; *pej (Befehlsvollstrekker)* bourreau *m.*

Scherif *m* ‹-s/-en, -s/-e(n)› [ʃe'ri:f] *(arab. Titel)* chérif *m.*

Scherz *m* ‹-es, -e› [ʃɛrts] plaisanterie *f,* badinage *m,* boutade, blague; *pop* rigolade *f; (Witz)* mot *m* pour rire; *aus* od *im* od *zum ~* par plaisanterie, pour plaisanter, pour rire; *mit jdm s-n ~ treiben* se jouer de qn; *den ~ zu weit treiben* pousser trop loin la plaisanterie *od* la raillerie; *das ist kein ~* je ne plaisante pas; c'est du sérieux; *der ~ geht zu weit* cela passe la plaisanterie, c'est pousser trop loin la plaisanterie; *~ beiseite!* plaisanterie *od* raillerie à part! *pop* blague à part! *schlechte(r)* od *üble(r) ~* mauvaise plaisanterie, plaisanterie *f* de mauvais aloi *od* goût; **~artikel** *m* attrape *f; pl a.* folie *f;* **~bonbon** *m* od *n* dragée *f od* bonbon *m* attrape; **s~en** *itr* plaisanter, badiner; *pop* rigoler; *nicht mit sich ~~ lassen* ne pas entendre plaisanterie *od* raillerie; *ich ~e nicht = das ist kein ~; Sie (belieben zu) ~~* vous voulez rire; *Sie ~~ wohl?* ah ça, plaisantez-vous? **~frage** *f,* **~gedicht** *n,* **~rätsel** *n* question, poésie, devinette *f* facétieuse; **s~haft** *a* plaisant, railleur, badin, facétieux; **~haftigkeit** *f* caractère *m* facétieux; **s~weise** *adv* par plaisanterie, pour plaisanter *od* rire; **~wort** *n* ‹-(e)s, -e› plaisanterie *f;* mot *m* pour rire.

scheu [ʃɔʏ] *a* timide, craintif, effarouché; *(menschen~)* farouche, sauvage; *(Blick)* hagard, fuyant; *(Pferd)* ombrageux, emballé; *~ machen* effaroucher; *~ werden* s'effaroucher; *(Pferd) = ~en;* **S~** *f* ‹-, ø› timidité; *(Angst)* peur; *(Furcht)* crainte *f;* **~en** *tr (fürchten)* craindre, appréhender, redouter; *itr (zurückschrecken)* reculer (*vor* devant); *(Pferd)* s'effaroucher, s'emballer, prendre le mors aux dents; *sich ~~* avoir peur (*vor* de; *zu tun* de faire); *keine Ausgabe* od *Kosten ~~* ne pas regarder à la dépense; *keine Mühe ~~* ne pas épargner *od* ménager sa peine; *um zu* ne ménager aucun effort pour; *er ~t keine Mühe* rien ne lui coûte; **S~klappe** *f a. fig* œillère *f.*

Scheuch|e *f* ⟨-, -n⟩ ['ʃɔʏçə] *(Vogel~~)* épouvantail *m;* **s~en** *tr* effaroucher; chasser.

Scheuer *f* ⟨-, -n⟩ ['ʃɔʏər] *(Scheune)* grange *f.*

Scheuer|bürste *f* ['ʃɔʏər-] brosse *f* en chiendent; **~frau** *f* femme *f* de ménage; **~lappen** *m* serpillière *f;* **~leiste** *f* antébois *m;* **s~n** *tr allg (reiben)* frotter; *(reinigen)* (r)écurer, laver; *(Boden)* frotter; *sich wund ~~* s'écorcher; **~pulver** *n* poudre *f* à (r)écurer; **~sand** *m* sablon *m* à (r)écurer; **~tuch** *n* = *~lappen.*

Scheune *f* ⟨-, -n⟩ ['ʃɔʏnə] grange *f;* **~ndrescher** *m; wie ein ~~ fressen (pop)* manger comme un ogre *od* à ventre déboutonné, avoir un joli coup de fourchette; **~ntor** *n: den Mund wie ein ~~ aufreißen (pop)* ouvrir (la bouche comme) un four.

Scheusal *n* ⟨-s, -e⟩ ['ʃɔʏza:l] monstre; *(übertreibend)* vilain *m; fam* horreur *f.*

scheußlich ['ʃɔʏslıç] *a (a. übertreibend)* hideux, atroce, abominable, monstrueux; *(schrecklich, entsetzlich)* horrible, épouvantable; *fam* vilain; **S~keit** *f* hideur, atrocité, monstruosité, horreur *f.*

Schi *m* ⟨-s, -er/(-)⟩ [ʃi:] ski *m; auf ~ern* à skis; *~ fahren* od *laufen* faire du ski, skier, aller à skis; **~anzug** *m* habillement *m* pour le ski; **~ausrüstung** *f* équipement *m* de ski; **~fahren** *n* ski *m;* **~fahrer(in *f*)** *m* skieur, euse *m f;* **~gelände** *n* champ *m* de ski; **~hose** *f* pantalon de ski, fuseau *m;* **~hütte** *f* refuge (de montagne), chalet *m;* **~kurs** *m* cours *m* de ski; **~langlauf** *m* ski de fond; parcours *m* à ski, course *f* de fond (à ski); **~lauf** *m* course *f* à skis; **~laufen** *n* = *~fahren;* **~läufer(in *f*)** *m* ⟨-s, -⟩ = *~fahrer(in);* **~lehrer** *m* moniteur *od* professeur *m* de ski; **~lift** *m* téléski, (re)monte-pente *m;* **~mütze** *f* bonnet *m* de ski; **~piste** *f* piste *f* skiable; **~sport** *m* ski *m;* **~springen** *n,* **~sprung** *m* saut *m* à skis; **~~schanze** *f* tremplin *m* de ski *m;* **~spur** *f* trace *f* de ski; **~stiefel** *m pl* chaussures *f pl* de ski; **~stock** *m* bâton *m* de ski; **~unterricht** *m* leçon(s *pl*) *f* de ski; **~wachs** *n* fart *m.*

Schicht *f* ⟨-, -en⟩ [ʃıçt] *allg* couche; *geol* assise, strate *f,* étage, lit *m; phot* surface; *(Gesellschafts~)* couche sociale, classe; *(Arbeits~)* journée (de travail); *(Arbeiter pl e-r ~)* équipe *f;* **~arbeit** *f* travail *m* par équipe(s); **s~en** *tr* disposer *od* ranger par couches; *(Holz)* empiler; **~enbildung** *f geol* stratification *f;* **~enfolge** *f geol* lambeau *m* de couches; **~enkunde** *f* stratigraphie *f;* **~gestein** *n* roche *f* stratifiée; **~linie** *f geol* courbe *f* de niveau; **~ung** *f* disposition *f* par couches; *geol* stratification *f; gesellschaftliche ~~* classement *m* social; **~unterricht** *m* enseignement par *od* système *m* de roulement; **~wechsel** *m* relève *f* (des équipes); **s~weise** *adv* par couches; par lits; *(arbeiten)* par équipes; **~wolke** *f* stratus *m; hohe ~~* alto-stratus *m.*

schick [ʃık] *a* chic *inv; (piekfein)* pimpant; *pop* rupin; *~e(r) Kerl m, ~e(s) Weib n (pop)* rupin, e *m f;* **S~** *m* ⟨-(e)s, ø⟩ chic *m; ~~ haben* avoir du chic.

schick|en ['ʃıkən] *tr allg* envoyer; *(Sache)* faire parvenir; expédier, adresser; *nach jdm ~~* envoyer chercher, faire venir, faire appeler qn; *sich in etw ~~ (fügen)* se soumettre, se résigner à qc; s'accommoder, s'adapter, se faire à qc; *sich ~~ (impers: sich geziemen)* seoir, convenir, être convenable *od* séant, se faire; *sich ins Unabänderliche* od *Unvermeidliche ~~* se faire une raison; *das ~t sich nicht (a.)* cela ne se fait pas, cela est contraire aux usages; *f;* **S~ung** *f (Fügung)* arrêt *od* décret *m* (de la Providence).

schicker ['ʃıkər] *a arg (betrunken)* rond, noir.

schicklich ['ʃıklıç] *a* convenable, bienséant, décent; **S~keit** *f* ⟨-, ø⟩ convenance, bienséance, décence *f,* bon ton; décorum *m.*

Schicksal *n* ⟨-s, -e⟩ ['ʃıkza:l] destinée *f,* destin, sort *m,* fortune; *(Fatum)* fatalité *f; sich in sein ~ fügen* se soumettre à son destin, *(a.)* baisser *od* plier les épaules; *sein ~ in die Hand nehmen* prendre son destin en main; *jdn s-m ~ überlassen* abandonner qn à son sort; **s~haft** *a* fatal, fatidique; **~haftigkeit** *f* ⟨-, ø⟩ fatalité *f;* **s~(s)ergeben** *a* résigné; **~sfrage** *f* question *f* fatale *od* cruciale *od* décisive; **~sfügung** *f* arrêt *m* du destin; **~sgemeinschaft** *f* communauté *f* de sort; **~sschlag** *m* coup du sort, revers de fortune, retour *m* de la fortune; *pl a.* vicissitudes *f pl; schwere(r) ~~ (a.)* coup *m* d'assommoir; **s~sverbunden** *a* liés par un sort commun.

Schieb|ebühne *f* ['ʃi:bə-] (pont *od* chariot) transbordeur *m;* **~edach** *n* toit *m* coulissant *od* ouvrant; **~efenster** *n* fenêtre *od* châsse à coulisse(s); *(vertikal verstellbares)* fenêtre à guillotine; *(an e-m Wagen)* glace *f* coulissante; **s~en** ⟨*schob, hat geschoben*⟩ [(-)'ʃo:p/-bən] *tr* pousser, faire glisser; *itr aero* voler en crabe *od* de travers; déraper; *com pej* trafiquer; *auf die lange Bank ~* faire traîner en longueur; *Kegel ~~* jouer aux quilles; *die Schuld auf jdn ~~* rejeter la faute sur qn; *er muß immer geschoben werden (fig fam)* il faut toujours le pousser; **~er** *m* ⟨-s, -⟩ *tech* coulisse *f,* coulisseau, glisseur, curseur, tiroir; *(Regulier~~)* registre; *(für Bettlägerige)* bassin hygiénique *od* de lit; *com pej* trafiquant, profiteur, mercanti, fricoteur *m;* **~ergeschäft** *n* affaire *f* de mercanti; *~~e machen* trafiquer; **~ering** *m* coulant *m;* **~erventil** *n* soupape *f* à coulisse; **~erverschluß** *m* fermeture *f* à coulisseau; **~etür** *f* porte *f* coulissante *od* à coulisse *od* glissante *od* à glissière *od* roulante; **~ewand** *f* cloison *f* à coulisse *od* extensible; **~ung** *f* opération *f od* manœuvres *f pl* frauduleuse(s); tripotage; passe-droit *m,* triche *f.*

Schieds|gericht *n* ['ʃi:ts-] tribunal *m* arbitral *od* d'arbitrage; **s~gerichtlich** *a* arbitral; *~~e(s) Urteil n* sentence *f* arbitrale; **~gerichtsbarkeit** *f* juridiction *f* arbitrale; **~gerichtshof** *m: Haager ~~* Cour *f* d'arbitrage de la Haye; **~gerichtsverfahren** *n* procédure *f* arbitrale; **~gerichtsvertrag** *m* traité *m od* convention *f* d'arbitrage; **~mann** *m* ⟨-(e)s, -männer⟩ arbitre *m;* **~richter** *m* arbitre; *sport* (juge-)arbitre *m; (bei e-m Fußballspiel) ~~ sein* arbitrer (un match de football); *Fehlentscheidung f des ~~s (sport)* erreur *f* d'arbitrage; **~richteramt** *n sport* arbitrage *m;* **s~richterlich** *a* arbitral, compromissoire; **~spruch** *m* arbitrage *m,* sentence *od* décision *f od* jugement *m* arbitral(e); *durch ~~ entscheiden* arbitrer; *e-m ~~ unterwerfen* soumettre à un arbitrage.

schief [ʃi:f] *a* oblique; *a. adv* en biais, de travers, de guingois; *(geneigt)* incliné, penché; *fig* faux, erroné; *a. adv* de travers; *~ ansehen (fig)* regarder de travers *od* de côté; *auf die ~e Ebene geraten (fig)* s'écarter du bon chemin; *~ stehen* être incliné *od* penché, porter à faux; *in e-m ~en Licht stehen* être sous un faux jour; *~ stellen* incliner, pencher; *~e Ebene f* plan *m* incliné; *~ und krumm* tortu, contourné; **S~e** *f* ⟨-, ø⟩ obliquité *f,* biais, travers *m;* inclinaison, pente; *fig* fausseté *f;* **~gegangen** *a (fam)* foutu *pop;* **~≈gehen** ⟨*ist schiefgegangen*⟩ *itr fam* aller *od* marcher *od* tourner mal, se gâter, finir en queue de poisson; *die Sache geht ~* l'affaire prend une mauvaise tournure; **~gewickelt** *a (pop)* mal embarqué, tordu; **S~hals** *m orn* torticolis *m;* **S~heit** *f* = *S~e;* **~≈lachen,** *sich* se tordre de rire; **~≈liegen** être en mauvaise posture; se tromper, faire erreur; *vulg* foirer, péter dans la main; **~≈treten** ⟨*hat schiefgetreten*⟩ *tr (Schuhabsatz)* éculer; **~wink(e)lig** *a math* à angles obliques.

Schiefer *m* ⟨-s, -⟩ ['ʃi:fər] *min (in Platten spaltbares Gestein)* schiste *m; (Ton~)* ardoise *f; mit ~ (be)dekken* ardoiser, couvrir d'ardoises; **s~artig** *a* schisteux; ardoiseux, ardoisier; **s~blau** *a* bleu ardoise; **~bruch** *m* ardoisière *f;* **~brucharbeiter** *m,* **~bruchbesitzer** *m* ardoisier *m;* **~dach** *n* toit *m* en ardoise(s); **s~farben** *a* ardoisé; **~gebirge** *n: das Rheinische ~~* le Massif schisteux rhénan; **~gestein** *n* roche *f* schisteuse; **s~n** *itr* être schisteux; **~platte** *f* feuille *od* plaque *f* d'ardoise; **~tafel** *f (zum Schreiben)* ardoise *f;* **schief(e)rig** *a* schisteux, lamelleux.

schiel|äugig ['ʃi:l-] *a* louche, bigle; **~en** ⟨*aux: haben*⟩ *itr* loucher, bigler; *pop* avoir un œil qui dit zut à l'autre;

fig lorgner, guigner (*nach etw* qc); **S~en** *n* louchement; *scient* strabisme *m.*

Schienbein *n* ['ʃi:n-] tibia; *(Pferd, Rind)* canon *m;* **~schützer** *m* protège-tibia *m.*

Schiene *f* ‹-, -n› ['ʃi:nə] *med* éclisse, attelle; gouttière; *tech* bande, barre *a. el;* rampe *f; (loc, Straßenbahn)* rail *m;* **s~n** *tr med* éclisser; *tech* bander; **~nabstand** *m* entre-rail *m;* **~nbus** *m (Triebwagen)* autorail *m,* micheline, automotrice *f;* **~nfahrzeug** *n* véhicule *m* sur rails; **s~ngebunden** *a* roulant sur rails; **s~ngleich** *a:* *~~e(r) Übergang m* passage *m* à niveau; **~nlager** *n* coussinet *m* de rail; **~nleger** *m loc* poseur *m* de rails; **~nnetz** *n* réseau *m* ferroviaire *od* de chemin de fer; **~nprofil** *n* profil *m* de rail; **~nräumer** *m loc* garde-boue *m;* **~nschraube** *f loc* tire-fond *m;* **~nstrang** *m* file de rail(s), voie *f* ferrée; **~nverkehr** *m* trafic *m* ferroviaire; **~nweg** *m* voie *f* ferrée; *auf dem ~~* par (voie) fer(rée).

schier [ʃi:r] *a* pur; *adv* presque; à peu près, peu s'en faut que ...; absolument, totalement; *~ unmöglich* tout à fait impossible.

Schierling *m* ‹-s, -e› ['ʃi:rlɪŋ] *bot,* **~sbecher** *m hist* ciguë *f.*

Schieß|ausbildung *f* ['ʃi:s-] instruction *f* du tir; **~baumwolle** *f* coton-poudre, fulmicoton *m,* nitrocellulose *f;* **~befehl** *m* ordre *m* d'ouvrir le feu; **~buch** *n (e-s Soldaten)* livret *od* carnet de tir (individuel); *(e-r Kompanie)* registre *m* de tir (de compagnie); **~bude** *f* stand *m od* baraque *f* de tir; tir forain; *pop* casse-pipes *m;* **~budenfigur** *f* poupée; *fig* caricature *f; wie eine ~~ aussehen* avoir l'air grotesque; **~gewehr** *n* fusil *m;* **~hund** *m: wie ein ~~ aufpassen* être aux aguets *od* sur ses gardes; **~meister** *m mines* boutefeu *m;* **~ordnung** *f* instruction *f* sur le tir; **~platz** *m* champ *m* de tir; **~prügel** *m hum (Gewehr)* flingot *m,* pétoire *f;* **~pulver** *n* poudre *f* (à canon *od* de projection); **~scharte** *f* créneau *m,* meurtrière, embrasure, barbacane *f;* **~scheibe** *f* panneau(-cible) *m,* cible *f;* carton *m;* **~sport** *m* tir *m;* **~stand** *m* stand (de tir), tir *m;* **~übung** *f* exercice *m od* école *f* de tir; **~verbot** *n* interdiction *f* de tirer; **~vorschrift** *f* règlement *m* sur le tir; *pl* règles *f pl* de tir; **~wirkung** *f mil* effet *m* utile.

schießen ‹*schoß, ist/hat geschossen*› ['ʃi:sən, (-)'ʃɔs(-)] *tr* tirer; *(Pfeil)* lancer; décocher; darder; *(Rakete)* envoyer; *(Wild)* tuer, abattre; *(Fußball)* shooter; *itr* tirer des coups de feu, faire feu; *(los~)* s'élancer, se précipiter; *(Raubvogel)* fondre (*auf* sur); *(heraus~)* jaillir (*aus* de); *blind ~* tirer à blanc; *aus dem Boden ~* sortir de terre; *aus kurzer Entfernung ~* tirer de près; *gut ~ (Person)* être bon tireur; *über den Haufen ~* abattre d'un coup de feu *od* comme un chien; *in die Höhe ~ (wachsen)* pousser en hauteur; *(aufspringen)* sursauter, bondir; *jdm durch den Kopf ~ (fig)* traverser l'esprit à qn; *ins Kraut ~* monter en graine; *scharf ~* tirer à balle(s); *ein Tor ~* marquer un but; *tot~* abattre; *schieß mal los! (fam)* allons, vas-y! démarre! *weit ~ (Waffe)* porter loin; *sich ~* se battre (en duel) au pistolet; *das Blut schießt ihm ins Gesicht* le sang lui monte au visage; **S~** *n* tir; lancement *m; ausgehen wie das Hornberger ~~* finir en queue de poisson; *das ist (ja) zum ~~! (pop)* c'est roulant *od* tordant *od* marrant; **Schießerei** *f* [-'raɪ] échange *m* de coups de feu, fusillade; *fam* tiraillerie *f.*

Schiff *n* ‹-(e)s, -e› [ʃɪf] navire, bateau, bâtiment, vaisseau *m, a. arch; arch (Kirchen~)* nef; *typ* galée *f; (im Herd)* bain-marie *m; auf dem ~* à bord; *mit dem ~ fahren* aller en bateau; *das ~ verlassen* quitter le bord; **s~bar** *a* navigable; *(Fluß a.)* marchand; *~~ machen* rendre navigable, canaliser; *~~ sein (a.)* porter bateau; **~barkeit** *f* ‹-, ø› navigabilité *f;* **~barmachung** *f* canalisation *f;* **~bau** *m* construction *f* navale; **~bauingenieur** *m* ingénieur *m* naval; **~bruch** *m, a. fig* naufrage *m; ~~ erleiden (a. fig)* faire naufrage; *fig* échouer, sombrer; **s~brüchig** *a* naufragé; **~brüchige(r)** *m* naufragé *m;* **~brücke** *f* pont *m* flottant *od* de bateaux; **~chen** *n tech (Nähmaschine)* navette *f; mil fam (Mütze)* calot *m;* **~e** *f* ‹-, ø› *(vulg: Pisse)* pissat *m,* pisse *f;* **s~en** *itr vx* naviguer; *vulg (pissen)* pisser.

Schiffahrt *f* ['ʃɪf-] navigation *f;* **~sagentur** *f* agence *f* maritime; **~sakte** *f pol* acte *m* de navigation; **~sgesellschaft** *f* compagnie *f* maritime *od* de navigation; **~slinie** *f* ligne *f* de navigation; **~svertrag** *m* traité *m* de navigation; **~sweg** *m* route de navigation, voie *f* navigable *od* maritime.

Schiffer *m* ‹-s, -› ['ʃɪfər] *(Seemann)* marin, matelot; *(Seefahrer)* navigateur; *(Binnen~)* marinier, batelier *m;* **~klavier** *n fam* accordéon *m;* **~knoten** *m* nœud *m* de marin *od* de batelier *od* de drisse; **~stechen** *n* joute *f* sur l'eau.

Schiffs|agentur *f* ['ʃɪfs-] agence *f* maritime; **~anlegestelle** *f* appontement, embarcadère *m;* **~arzt** *m* médecin *m* de bord; **~bau...** = *Schiffbau...;* **~bauch** *m* cale *f;* **~besatzung** *f* équipage *m;* **~besen** *m* goret *m;* **~boden** *m* fond *m* de cale; **~hebewerk** *n* élévateur *m* pour bateaux; **~junge** *m* mousse *m;* **~katastrophe** *f* catastrophe *f* navale; **~koch** *m* cuisinier de bord; coq *m;* **~körper** *m* = *~rumpf;* **~kran** *m* crône, portemanteau *m;* **~kreisel** *m* stabilisateur *m* gyroscopique; **~küche** *f* cuisine de bord, coquerie, cambuse *f;* **~ladeschein** *m* connaissement *m;* **~ladung** *f* cargaison; batelée *f;* **~makler** *m* courtier *m* maritime; **~mannschaft** *f* équipage *m;* **~maschinist** *m* mécanicien *m* de bord; **~modell** *n* modèle *m* de navire; **~papiere** *n pl* papiers *m pl* de bord; **~pfandbrief** *m* cédule *f* hypothécaire maritime; **~planke** *f* bordage, franc-bord *m;* **~raum** *m* = *~bauch; (Tonnage)* tonnage *m,* jauge *f;* **~rumpf** *m* coque, carcasse *f;* **~schnabel** *m* éperon *m;* **~schraube** *f* hélice *f* (de navire); **~tagebuch** *n* journal *m* de bord; **~treppe** *f* escalier *m* de navire; **~turbine** *f* turbine *f* à bateaux; **~uhr** *f* montre *f* marine; **~verband** *m* formation *f* de vaisseaux; **~verkehr** *m* mouvement *od* trafic *m (auf See)* maritime, *(auf Flüssen)* fluvial; **~vermessung** *f* jaugeage *m;* **~vertrag** *m* contrat *m* d'affrètement; **~wache** *f* quart *m;* *(Ausguck)* vigie *f;* **~winde** *f* cabestan *m;* **~zwieback** *m* biscuit *m* de mer.

schift|en ['ʃɪftən] *tr arch* adosser; **S~ung** *f* adossement *m.*

Schikan|e *f* ‹-, -n› [ʃi'ka:nə] chicane, vexation, molestation, tracasserie *f;* **s~ieren** [-ka'ni:rən] *tr* chicaner, vexer, molester, tracasser; faire des misères (*jdn* à qn); *fam* tarabuster; **s~ös** [-ka'nø:s] *a (Mensch)* chicanier, chicaneur, tracassier; *(Maßnahme)* vexatoire.

Schild 1. *m* [ʃɪlt, -də(r)] ‹-(e)s, -e› *hist mil* bouclier, pavois *m; m* od *n (Wappen~)* écu(sson) *m;* **2.** *n* ‹-(e)s, -er› *(Hinweis~)* écriteau, panneau *m;* *(Laden~)* enseigne; *mot (Nummern~)* plaque *f; (kleines ~)* panonceau *m; (Etikett)* étiquette *f; etw im ~e führen* projeter un mauvais coup; machiner; mijoter, manigancer qc; *Böses im ~e führen* avoir de mauvaises intentions; *auf den ~ heben (hist)* élever sur le pavois; **~bürger** *m* nigaud *m;* **~bürgerstreich** *m* nigauderie, balourdise *f;* **~drüse** *f* (corps *m od* glande) thyroïde *f;* **~drüsenhormon** *n* thyroxine *f;* **~erhaus** *n* [-dər-] guérite *f;* **s~ern** *tr* (dé)peindre, retracer; *(beschreiben)* décrire; *(darstellen)* représenter; **~erung** *f* description, peinture; *(Darstellung)* représentation; *(~~ e-s Vorgangs)* narration *f;* **~erwald** *m hum* maquis *m;* **~knappe** *m hist* écuyer *m;* **~kraut** *n bot* scutellaire *f;* **~krot** *n* ‹-(e)s, ø›, **~patt** *n* ‹-(e)s, ø› écaille *f;* **~kröte** *f* tortue *f;* **~krötensuppe** *f* bouillon de tortue, potage *m* à la tortue; **~laus** *f* cochenille *f,* kermès *m.*

Schilf *n* ‹-(e)s, -e› [ʃɪlf] roseau, jonc *m;* **~matte** *f* natte *f* de jonc; **~rohr** *n* roseau *m.*

Schiller *m* ‹-s, -› ['ʃɪlər] chatoiement *m;* **s~n** ‹*aux: haben*› *itr* chatoyer, miroiter, s'iriser; **~n** *n* chatoiement, miroitement *m; (in den Regenbogenfarben)* irisation *f;* **s~nd** *a* chatoyant, miroitant, changeant; *(in den Regenbogenfarben)* irisé, iridescent; **~taft** *m* taffetas *m* changeant; **~wein** *m* (vin) rosé *m.*

Schillerkragen *m* ['ʃɪlər-] col *m* Danton.

schilpen ['ʃɪlpən] *itr (Spatz)* pépier.

Schimär|e *f* ‹-, -n› [ʃi'mɛ:rə] chimère *f;* **s~isch** [-'mɛrɪʃ] *a* chimérique.

Schimmel ['ʃɪməl] **1.** *m* ‹-s, ø› *bot*

moisi *m*, moisissure *f*; **~bogen** *m typ* feuille *f* vierge *od* en blanc; **s~n** ⟨*aux: haben*⟩ *itr* moisir; **~pilz** *m* moisissure *f*; **schimm(e)lig** *a* moisi, chanci.

Schimmel 2. *m* ⟨-s, -⟩ *zoo* cheval *m* blanc.

Schimmer *m* ⟨-s, ø⟩ ['ʃɪmər] lueur *f*, reflets *m pl*; *(Glanz)* éclat *m*; *keinen blassen ~ haben* ne savoir absolument rien; n'avoir pas la moindre idée (*von* de); **s~n** ⟨*aux: haben*⟩ *itr* jeter une (faible) lueur; (re)luire; *(glänzen)* briller; **s~nd** *a* luisant; éclatant.

Schimpanse *m* ⟨-n, -n⟩ [ʃɪm'panzə] *zoo* chimpanzé *m*.

Schimpf *m* ⟨-(e)s, -e⟩ [ʃɪmpf] affront, outrage *m*, injure, insulte; avanie; *(Schande)* ignominie *f*; *(Schandfleck)* opprobre *m*; *mit ~ und Schande* ignominieusement, honteusement; *jdm e-n ~ antun* faire un affront à qn; **s~en** ⟨*aux: haben*⟩ *itr* gronder; *pop* rouspéter; *auf jdn, etw* invectiver, déblatérer, maugréer, pester contre qn, qc; *tr* traiter, qualifier (*jdn etw* qn de qc); **~erei** *f* [-'raɪ] invectives, injures *f pl*; *pop* engueulade *f*, engueulement *m*; **s~lich** *a* ignominieux, injurieux, honteux; infamant, déshonorant; **~name** *m* nom *m* injurieux; **~wort** *n* ⟨-(e)s, -e/⃛er⟩ gros mot *m*, injure *f*, terme injurieux; mot *m* péjoratif.

Schind|aas *n* ['ʃɪnt-] charogne *f*; **~anger** *m*, **~grube** *f* voirie *f*; **s~en** ⟨*schindete, geschunden*⟩ ['ʃɪndən, -ʃʊnt/-dən] *tr (häuten)* équarrir; écorcher; *fig (abhetzen, quälen)* harasser, tracasser; maltraiter; *(Pferd beim Reiten)* éreinter, crever; *sich ~~* s'éreinter, s'esquinter, s'échiner; se donner beaucoup de mal; *fam* se tuer; *Eindruck ~~ (pop)* faire de l'esbroufe; **~er** *m* ⟨-s, -⟩ équarrisseur; *fig* écorcheur, exploiteur *m*; **~erei** *f* [-'raɪ] équarrissage; *(Abdeckerei)* équarrissoir *m*; *fig* tracasserie *f*, éreintement *m*, exploitation; *(schwere Arbeit)* corvée; *arg* mistoufle *f*; **~luder** *n* charogne *f*; *mit jdm ~~ treiben* od *spielen* bafouer *od* traiter qn honteusement; **~mähre** *f* haridelle, ross(inant)e *f*; *fam* canasson *m*.

Schindel *f* ⟨-, -n⟩ ['ʃɪndəl] bardeau, tavaillon *m*; **~dach** *n* toit *m* de *od* en bardeaux.

Schinken *m* ⟨-s, -⟩ ['ʃɪŋkən] jambon *m*; *fam pej (Gemälde)* croûte *f*, navet; *(dickes Buch)* gros bouquin *m*; *pl pop (Hinterbacken)* fesses *f pl*; **~ärmel** *m pl* manches *f pl* à gigots; **~brötchen** *n* sandwich *m* au jambon; **~wurst** *f* saucisson *m* au jambon.

Schipp|e *f* ⟨-, -n⟩ ['ʃɪpə] pelle *f*; *e-e ~~ machen (den Mund verziehen)* faire la moue; *jdn auf die ~~ nehmen (fam)* mettre qn en boîte; **s~en** *tr* ramasser *od* enlever à la pelle; *itr* travailler à la pelle; **~en** *n* ⟨-, -⟩ *(Spielkartenfarbe)* pique *m*; **~er** *m* ⟨-s, -⟩ pelleteur, terrassier *m*.

Schirm *m* ⟨-(e)s, -e⟩ [ʃɪrm] *(Regen~)* parapluie *m*; *(Sonnen~)* ombrelle *f*; *(Garten~)* parasol; *(Fall~)* parachute; *(Wand~)* paravent; *(Ofen~)* pare-étincelles; *(Lampen~)* abat-jour, *(e-r Hängelampe)* céladon *m*; *(Mützen~)* visière *f*; *(Wand-, Ofen-, Kamin-, Licht~)* écran; *fig (Schutz)* abri, refuge *m*, protection, égide *f*; **~antenne** *f* antenne *f* en parapluie; **~bild** *n* image-radar *f*; **~bildphotographie** *f* radiocinéma(tographie *f*) *m*; **s~en** *tr* abriter; protéger; **~futteral** *n* fourreau *m* de parapluie; **~gestänge** *n*, **~gestell** *n* monture *f* de parapluie; **~gitter** *n radio* grille-écran *f*; **~gitterröhre** *f* lampe *f* (à) grille-écran; **~herr** *m* protecteur, patron *m*; **~herrin** *f* protectrice, dame *f* patronnesse; **~herrschaft** *f* patronage *m*; *unter jds ~~* sous l'égide *od* les auspices *od* le patronage de qn; **~hülle** *f* = *~futteral*; **~kappe** *f (Fall~)* voilure *f*; **~mütze** *f* casquette *f*; *mil (a. Polizei, Post)* képi *m*; **~ständer** *m* porte-parapluies *m*; **~ung** *f el* blindage, antiparasitage *m*; **~wand** *f* écran; *(spanische Wand)* paravent *m*.

Schirokko *m* ⟨-s, -s⟩ [ʃi'rɔko] *mete* sirocco *m*.

schirr|en ['ʃɪrən] *tr (Pferd)* atteler; harnacher; **S~meister** *m* conducteur *m* des équipages.

Schism|a *n* ⟨-s, -men/-mata⟩ ['ʃɪsma, -mən, -mata/'sçɪs-] *rel* schisme *m*; **~atiker** *m* ⟨-s, -⟩ [-'ma:tikər] schismatique *m*; **s~atisch** [-'ma:tɪʃ] *a* schismatique.

Schiß *m* [ʃɪs] : *~ (vulg: Angst) haben* avoir la trouille *od* les jetons.

schizo|id [ʃitso'i:t, sçi-] *a psych* schizoïde; **~phren** [-'fre:n] *a med* schizophrène; **S~phrenie** *f* ⟨-, -n⟩ [-fre'ni:] schizophrénie *f*.

schlabb|(e)rig ['ʃlab(ə)rɪç] *a* mou; **~ern** *itr (hörbar trinken* od *Suppe essen)* laper; boire bruyamment; *(schwätzen)* bavarder, papoter.

Schlacht *f* ⟨-, -en⟩ [ʃlaxt] bataille; action *f*; *e-e ~ liefern* od *schlagen* livrer (une) bataille (*jdm* à qn); *die ~ bei* od *an ...* la bataille de ...; **~bank** *f*: *zur ~~ führen* mener à l'abattoir; **~beil** *n* hache *f* de boucher; **s~en** *tr* tuer, abattre; *(abstechen)* saigner; *fig* égorger, massacrer; **~en** *n* abattage *m*; **~enbummler** *m vx* spectateur *m* (de bataille); *sport* supporter *m* d'une équipe en déplacement; **~enlenker**, *der* le Dieu des batailles; **~enmaler** *m* peintre *m* de batailles; **~er** *m* ⟨-s, -⟩ boucher; *(Wurstmacher)* charcutier *m*; **~erei** *f* [-'raɪ] , **~erladen** *m* boucherie; charcuterie *f*; **~ersfrau** *f* bouchère; charcutière *f*; **~feld** *n* champ *m* de bataille; *das ~~ behaupten* rester maître du champ de bataille; **~flotte** *f* flotte *f* de combat *od* de ligne; **~flugzeug** *n* avion *m* d'attaque au sol *od* d'appui direct *od* d'assaut; **~geschrei** *n* cri *m* de guerre; **~geschwader** *n aero* escadre *f* d'avions de combat; **~getümmel** *n*, **~gewühl** *n* mêlée *f*; **~gewicht** *n* poids *m* abattu *od* mort; **~haus** *n*, **~hof** *m* abattoir *m*; **~kreuzer** *m* croiseur *m* de bataille; **~ochse** *m* bœuf *m* de boucherie; **~opfer** *n* victime *f*; *lit* holocauste *m*; **~ordnung** *f*: *(in) ~~ (aufstellen* ranger en) ordre *m* de bataille; **~plan** *m*, *a. fig* plan *m* de bataille; **~platte** *f* assortiment *m* de charcuterie; **~ruf** *m* cri *m* de guerre; **~schiff** *n* cuirassé *m* d'escadre; **~ung** *f* abattage *m*; **~vieh** *n* animaux *m pl od* bêtes d'abattoir *od* de boucherie, viandes *f pl* sur pied; *Stück n ~~* animal *m* de boucherie.

Schlächter ['ʃlɛçtər] *etc* = *Schlachter etc.*

Schlacke *f* ⟨-, -n⟩ ['ʃlakə] scorie, crasse *f*, laitier; *metal* mâchefer *m*, écume; *fig* impureté *f*; **~nabstich** *m* coulée *f* du laitier; **~nbildung** *f* scorification *f*; **s~nfrei** *a* exempt de scories; **~nhalde** *f* crassier *m*, **~nkuchen** *m* gâteau *m* de scories; **~nstein** *m* brique *f* de laitier; **~nzement** *m* ciment *m* de laitier; **schlackig** *a* scoriacé.

schlacker|n ['ʃlakərn] *itr (schlenkern)* brimbaler, bringuebaler, vaciller; **S~wetter** *n* giboulée *f*.

Schlackwurst *f* ['ʃlak-] cervelas *m*.

Schlaf *m* ⟨-(e)s, ø⟩ [ʃla:f] sommeil; *(kurzer)* somme; *(Kindersprache)* dodo *m*; *im ~* en dormant; *fig (etw können)* sur le bout du doigt, par-dessus la jambe, machinalement; *im besten ~* en plein sommeil; *es sich am ~ abziehen* prendre sur son sommeil; *e-n festen ~ haben* avoir le sommeil profond; *e-n leichten ~ haben* avoir le sommeil léger, ne dormir que d'un œil *od* sur une oreille; *jdn aus dem ~ reißen* arracher qn au sommeil; *den ~ des Gerechten schlafen* dormir du sommeil du juste *od* comme un bienheureux; *in ~ singen, wiegen* endormir en chantant, berçant; *der ~ befiel* od *kam über mich* le sommeil s'empara de moi; *bleierne(r) ~* sommeil *m* de plomb; *in tiefen ~ versunken* plongé dans le sommeil; *sich des ~es nicht erwehren können* tomber de sommeil; *aus dem ~ auffahren* s'éveiller en sursaut; *den Seinen gibt's der Herr im ~* la fortune lui vient en dormant; **~anzug** *m* pyjama *m*; **~couch** *f* canapé-lit *m*; **~entzug** *m* privation *f* de sommeil; **~gemach** *n lit* = *~zimmer*; **~genosse** *m* camarade *od* compagnon *m* de lit *od* de chambre; **~kautsch** *f* = *~couch*; **~kranke(r)** *m* sommeilleux *m*; **~krankheit** *f* maladie *f* du sommeil; **s~los** *a* sans sommeil; *~~e Nacht f* nuit *f* blanche; **~losigkeit** *f* ⟨-, ø⟩ insomnie *f*; *an ~~ leidend* insomniaque; **~mittel** *n* somnifère, soporifique *m*; **~mütze** *f* bonnet de nuit; *fig (Mensch)* bonnet *m* de coton; *fam* gnangnan *m f*; **s~mützig** *a* endormi; *fam* gnangnan *inv*; **~raum** *m*, **~saal** *m* dortoir *m*; **~rock** *m* robe *f* de chambre; **~sack** *m* sac *m* de couchage; **~stelle** *f* couche *f*; *(Nachtquartier)* gîte *m*; **~sucht** *f med* somnolence *f*; **~tablette** *f* somnifère *m*; **~tiefe** *f* profondeur *f* du sommeil; **~trunk** *m* somnifère *m*; **s~trunken** *a* ivre de sommeil, somnolent; **~trunkenheit**

f somnolence *f;* **~wagen** *m loc* wagon-lit *m,* voiture-lit *f;* **~wagenabteil** *n* compartiment *m* de wagon-lit; **s~wandeln** ⟨*er schlafwandelte, ist/hat geschlafwandelt*⟩ *itr* être somnambule; **~wandeln** *n* somnambulisme *m;* **~wandler** *m* ⟨-s, -⟩ somnambule *m;* **~zimmer** *n* chambre *f* à coucher.

Schläf|chen *n* ⟨-s, -⟩ ['ʃlɛ:fçən] (petit) somme; *pop* roupillon *m;* **~e** *f* ⟨-, -n⟩ tempe *f; mit grauen ~~n* aux tempes grises; **~enbein** *n* os *m* temporal; **~enlappen** *m anat* lobe *m* temporal; **~er(in *f*)** *m* ⟨-s, -⟩ dormeur, se *m f;* **s~rig** *a* pris de sommeil, somnolent; *~~ machen* donner envie de dormir (*jdn* à qn), endormir; *~~ sein* avoir sommeil; **~rigkeit** *f* ⟨-, ø⟩ somnolence, envie de dormir; *fig* indolence *f.*

schlafen ⟨*schläft, schlief, geschlafen*⟩ [(-)'ʃla:fən] *itr* dormir; *(übernachten)* coucher; *(schlummern)* sommeiller; *(Kindersprache)* faire dodo; *pop* pioncer, roupiller; *auswärts* od *nicht zu Hause ~* découcher; *getrennt ~ (Eheleute)* faire chambre à part; *gut, schlecht ~* bien, mal dormir; *wie ein Murmeltier ~* dormir comme un loir *od* une marmotte *od* une souche; *bis in den Tag hinein* od *bis in den hellen Tag* od *(fam) bis in die Puppen ~* faire la grasse matinée; *~ gehen* aller se coucher, aller *od* se mettre au lit; *nicht ~ können (a. hum)* se battre avec son oreiller; *vor ... nicht ~ können* ne pas dormir de ...; *~ Sie wohl!* dormez bien! **S~gehen** *n: vor dem ~~* avant de se coucher; **S~szeit** *f: es ist ~~* il est l'heure de se coucher.

schlaff [ʃlaf] *a* flasque, lâche, relâché; *(weich)* mou; *(weichlich)* mollasse *a. fig; fig* veule, aveuli, avachi; sans ressort; inerte, atone; *~ machen* relâcher; amollir *a. fig; fig* aveulir, avachir; *~ werden* se relâcher; *a. fig* s'amollir; *fig* s'aveulir, s'avachir; **S~heit** *f* ⟨-, ø⟩ laxité; *a. fig* mollesse; *fig* veulerie *f;* manque *m* de ressort; inertie *f.*

Schlafittchen *n* [ʃla'fɪtçən]: *jdn am* od *beim ~ nehmen (fam)* prendre *od* saisir qn au collet, mettre la main au collet de qn.

Schlag *m* ⟨-(e)s, ⸚e⟩ [ʃla:k, 'ʃlɛ:gə] *allg. a. fig* coup *m; (mit d. Hand)* tape *f; (heftiger)* horion; *(Faust~)* coup *m* de poing, *pop* châtaigne; *(Holz: Ein~)* coupe; *agr* sole *f; (~ Essen) pop* rab(iot) *m; (Wagentür)* portière *f; fig (plötzlicher Schaden)* coup *m* d'arrêt, atteinte *f; (Schicksals~)* choc; *physiol (Herz~)* battement *m; (Puls~)* pulsation; *med (~anfall)* apoplexie, attaque *f, fam* coup de sang; *(Hitz~)* coup *m* de chaleur; *(elektr. ~)* secousse *od* commotion *f* (électrique); *(Blitz-, Donner~)* coup (de foudre, de tonnerre); *(e-s Singvogels)* chant *m,* roulade; *(Art, Wesen)* trempe, espèce, race *f, fam* acabit, calibre *m; pl (Prügel) fam* rossée *f; auf einen ~* d'un seul coup *od* jet; *mit einem ~* tout d'un coup; *~ auf* od *um ~* coup sur coup; dru et menu; *~ 8 Uhr* à 8 heures sonnantes *od* juste *od* pile; *~ auf ~ antworten* répondre du tac au tac; *in Schläge einteilen (agr)* assoler; *jdm e-n ~ versetzen* donner *od* assener *od* administrer un coup à qn; *mich soll der ~ treffen, wenn ...* je veux mourir si ...; *harte(r), schwere(r) ~ (fig)* coup *m* de massue; *~ aufs Auge (a.)* coquard *m pop; ~ ins Kontor (fam)* coup *m* de tampon; *~ ins Wasser (fig)* coup *m* d'épée dans l'eau; **~ader** *f* artère *f;* **~anfall** *m* attaque *f* (d'apoplexie), *fam* coup *m* de sang; *e-n ~~ bekommen* od *erleiden* être frappé d'apoplexie; **s~artig** *a* brusque, soudain, subit, instantané; *adv a.* d'un seul coup; **~artigkeit** *f* soudaineté, instantanéité *f;* **~auszeichnung** *f (Wald)* balivage *m;* **~ball** *m* éteuf *m;* **~baum** *m* barrière *f;* **~bolzen** *m tech* percuteur *m;* **~bolzenfeder** *f* ressort *m* du percuteur *od* de percussion; **s~fertig** *a* prompt à la repartie *od* à la riposte; *adv* du tac au tac; *~~ antworten (a.)* renvoyer la balle *fam; ~~ sein (a.)* avoir de l'à-propos; *~~e Antwort f* riposte *f;* **~fertigkeit** *f* ⟨-, ø⟩ esprit d'à-propos, don *m* de repartie; **~fläche** *f (Wald)* assiette *f;* **~fluß** *m med* apoplexie *f;* **~holz** *n allg* battoir *m; sport* bat(te *f*) *m;* **~instrumente** *n pl mus* instruments *m pl* de percussion; *die ~~e* la percussion; **~kraft** *f mil* puissance de choc; *fig* vigueur *f;* **s~kräftig** *a* puissant; *mil* combatif; *(Argument)* concluant; **~licht** *n* ⟨-(e)s, -er⟩ *a. fig* trait *m* de lumière; *pl a.* pleines lumières *f pl;* **s~lichtartig** *a: etw ~~ beleuchten (fig)* mettre qc en lumière; **~loch** *n (Straße)* nid-de-poule *m,* flache *f;* **~obers** *n* ⟨-, ø⟩, **~rahm** *m,* **~sahne** *f* crème *f* fouettée *od* Chantilly; **~ring** *m* coup-de-poing *m* (américain); **~schatten** *m* ombre *f* portée; **~seite** *f mar: ~~ haben* donner de la bande; *pop (Betrunkener)* avoir du roulis *od* du vent dans les voiles; **~werk** *n (Uhr)* sonnerie *f;* **~werkzeug** *n* instrument *m* contondant; **~wetter** *n mines* grisou *m;* **~wetterexplosion** *f* coup *m* de grisou; **s~wetterführend** *a* grisouteux; **s~wettersicher** *a* antigrisouteux; **~wort** *n* ⟨-(e)s, -e/(⸚er)⟩ slogan; *(Katalog)* mot-souche *m;* **~worteintragung** *f (Katalog)* notice-matière *f;* **~wortkatalog** *m* catalogue-matières *m* alphabétique; **~zeile** *f* manchette *f,* gros titre *m; etw in ~~n bringen (Zeitung)* titrer (gros) sur qc; **~zeug** *n mus* batterie *f* (de jazz); **~zeugspieler** *m* batteur *m.*

schlagen ⟨*schlägt, schlug, geschlagen*⟩ [(-)'ʃla:gən] *tr* battre *(a. den Takt),* frapper *(a. Münzen); (klopfen)* taper; *(besiegen)* battre; *(Feind)* vaincre, défaire; *(Schlacht)* livrer; *(Wunde)* infliger; *(Holz)* couper, abattre; *(Laute)* toucher, jouer de; *itr (Herz, Puls)* battre; *(Uhr)* sonner; *(Vogel)* chanter; *(Wachtel)* carcailler; *nach jdm, e-r S ~* porter un coup à qn, qc; *fig (arten)* tenir *(nach* de) ressembler (*nach* à); tirer (*nach* sur); *um sich ~* donner des coups dans tous les sens; *sich ~* se battre (*mit jdm* contre qn); se colleter; *Alarm ~* donner l'alerte; *die Augen zu Boden ~* baisser les yeux; *mit Blindheit ~ (fig)* frapper de cécité; *jdn zu Boden ~* terrasser qn; *braun und blau ~* meurtrir de coups; *sich an die Brust ~* se frapper la poitrine; *in die Erde ~* enfoncer dans la terre; *in die Flucht ~* mettre en fuite *od* déroute; *mit Händen und Füßen um sich ~* se défendre à coups de pieds et à coups de poings; *(Zinsen) zum Kapital ~* joindre au capital, capitaliser; *aus etw Kapital ~ (fig)* tirer profit de qc; *sich etw aus dem Kopf ~* s'ôter qc de la tête; *ein Kreuz ~* se signer; *kurz und klein* od *in Stücke ~* mettre en pièces, réduire en morceaux; casser en mille morceaux; *fam* mettre en capilotade; *sich durchs Leben ~* vivre péniblement; *sich auf jds Seite ~* se ranger *od* se mettre du côté de qn; *vernichtend ~ (sport)* écraser; *in die Wand ~* planter dans le mur; *sich durch die Welt ~* faire son chemin dans le monde; *etw in den Wind ~* se moquer, *fam* se ficher de qc; *sich ge~ geben (fig a.)* s'avouer vaincu *od* battu; *haushoch ge~ werden (sport)* se faire enfoncer, *fam* recevoir la pâtée; *ich gebe mich* od *ich erkläre mich für ge~* je m'avoue vaincu *od* battu; *es hat 12 ge~* midi a *od* est sonné; *meine Stunde hat ge~* mon heure a sonné *od* est venue; *e-e ge~e Stunde* une heure d'horloge; **S~** *n (Flügel, Herz)* battement *m; (Puls)* pulsation *f; (Vogel)* chant; *(Uhr)* coup *m;* **~d** *a* frappant; *(überzeugend)* convaincant; *(Beweis)* concluant; *~~e(s) Wetter n mines* (coup de) grisou *m.*

Schlager *m* ⟨-s, -⟩ ['ʃla:gər] *mus* air *m* en vogue; *pej* rengaine, scie *f,* tube *m; com* succès *m;* **~melodie** *f* mélodie *f* en vogue.

Schläger *m* ⟨-s, -⟩ ['ʃlɛ:gər] *(jem, d. schlägt)* celui qui frappe *od* a frappé; *(Raufbold)* querelleur, bagarreur; bretteur, spadassin *m; (Fechtwaffe)* rapière *f; sport (Schlagholz)* bat *m; (Kricket)* batte *f; (Golf)* club *m; (Hockey)* canne, crosse; *(Tennis)* raquette *f;* **~ei** *f* [-'raɪ] bagarre, rixe, mêlée *f.*

Schlaks *m* ⟨-es, -e⟩ [ʃla:ks] *fam (großer, linkischer Mensch)* escogriffe *m;* **s~ig** *a* dégingandé.

Schlamassel *m, a. n* ⟨-s, -⟩ [ʃla'masəl] *fam (Durchea.)* gâchis, micmac; *pop* foutoir *m.*

Schlamm *m* ⟨-(e)s, (-e/⸚e)⟩ [ʃlam, 'ʃlɛmə] limon *m; (Schlick)* vase; *(Morast)* bourbe; *(Schmutz, a. fig)* fange, boue *f; jdn aus dem ~ ziehen (fig)* tirer qn du pétrin; **~bad** *n* bain *m* de boue; **~beißer** *m (Fisch)* loche *f* d'étang; **s~ig** *a* limoneux; vaseux; bourbeux, fangeux, boueux; **~loch** *n* fondrière *f;* **~teich** *m* bassin *m* de dépôt; **~vulkan** *m* volcan *m* de boue.

schlämm|en ['ʃlɛmən] *tr (von Schlamm reinigen)* débourber, curer; *tech chem* laver, léviger; **S~kreide** *f* blanc *m* d'Espagne *od* de Meudon, craie *f* lévigée.

schlamp|ampen ⟨*hat schlampampt*⟩ [ʃlam'pampən] *itr (schlemmen, prassen) fam* ripailler, faire ripaille, faire la bombe *od* bombance; **S~e** *f* ⟨-, -n⟩ *fam* souillon *f; pop* salope, cochonne *f;* **~en** *itr fam (unordentlich sein* od *arbeiten)* être débraillé; bousiller; *pop* saloper; **S~er** *m* ⟨-s, -⟩ gâcheur *m;* **S~erei** *f* [-'raɪ] désordre *m;* incurie, négligence *f;* **~ern** *itr* = *~en;* **~ig** *a (unordentlich)* négligé, malpropre, débraillé; *(Arbeit)* bâclé, bousillé; *adv* à la va-vite.

Schlange *f* ⟨-, -n⟩ ['ʃlaŋə] serpent *m; fig a.* vipère; *(Menschenreihe)* queue; *(Auto~)* file *f; tech (~nrohr)* serpentin *m; kleine ~* serpenteau *m; e-e ~ bilden* faire la queue; *e-e ~ am Busen nähren (fig)* réchauffer un serpent dans son sein; *~ stehen* faire la queue; **~nadler** *m* serpentaire *m;* **s~nartig** *a* serpentin; **~nbeschwörer** *m* charmeur *m* de serpents; **~nbiß** *m* morsure *f* de serpent; **~nhaut** *f* peau *f* de serpent; **~nkraut** *n bot* serpentaire *f;* **~nkühler** *m* radiateur *m* à serpentins; **~nleder** *n* peau *f* de serpent; **~nlinie** *f* ligne *f* sinueuse *od* serpentine; *typ* filet *m* tremblé; **~nmensch** *m* contorsionniste, homme *m* serpent; **~nrohr** *n tech* serpentin *m;* **~nwurzel** *f bot* serpentaire *f.*

schlängeln ['ʃlɛŋəln], *sich* serpenter, aller en serpentant, décrire des méandres *(durch* par); *um etw* s'enrouler autour de qc.

schlank [ʃlaŋk] *a* élancé, svelte; mince, délié, effilé; *(Taille)* fin; *~ machen (Kleid)* amincir; *~(er) werden* maigrir; **S~heit** *f* ⟨-, ø⟩ sveltesse *f;* **S~heitskur** *f* cure *f* amaigrissante *od* d'amaigrissement; **~weg** ['-vɛk] *adv* carrément, rondement, sans façons; *fam* tout de go.

schlapp [ʃlap] *a fam (schlaff)* flasque, lâche, mou; avachi, relaché; *(müde)* flapi, éreinté; **S~e** *f* ⟨-, -n⟩ *fam (kleine Niederlage)* tape; *pop* veste *f; e-e ~~ einstecken* boire un bouillon; *pop* ramasser *od* prendre une veste; **~en** *fam itr* claquer; *tr (Pantoffel)* traîner; laper; **S~en** *m* ⟨-s, -⟩ *(alter Pantoffel)* savate, pantoufle *f;* **~ern** *itr fam (schwätzen)* bavarder, papoter; *tr* manger *od* boire bruyamment; **S~hut** *m (für Damen)* capeline *f; (für Herren)* chapeau *m* à large bord; **~=machen** ⟨*hat schlappgemacht*⟩ *itr fam* flancher, renoncer, abandonner; **S~schwanz** *m fam pej* nouille, andouille; chiffe, lavette *f; ein ~~ sein (a.)* être mou comme une chique.

Schlaraffen|land *n* [ʃla'rafən-] pays *m* de cocagne; **~leben** *n* vie *f* de château.

schlau [ʃlau] *a (klug)* prudent, fin, finaud; *(listig)* rusé, astucieux, plein d'astuce; *(verschlagen)* cauteleux; *(pfiffig)* malin, futé, madré, retors; *so ~ sein zu ...* avoir l'astuce de ...; *ich werde nicht ~ daraus* je n'y comprends rien; **S~heit** *f* ⟨-, ø⟩ prudence, finesse, subtilité; ruse, astuce; madrerie *f;* **S~kopf** *m,* **S~berger** *m fam,* **S~meier** *m fam* finaud, fin matois *od* rusé (compère) *m.*

Schlauch *m* ⟨-(e)s, ⸚e⟩ [ʃlaux, 'ʃlɔʏçə] tuyau (flexible), boyau *m; (mot, Fahrrad)* chambre *f* à air; *(Leder-, Wein~)* outre *f; (Feuerwehr~)* tuyau *m* à incendie; **~boot** *n* canot *od* radeau *m* pneumatique; **~leitung** *f* canalisation souple, tuyauterie *f* flexible; **s~los** *a (Reifen)* sans chambre (à air).

Schläue *f* ⟨-, ø⟩ ['ʃlɔʏə] = *Schlauheit.*

Schlaufe *f* ⟨-, -n⟩ ['ʃlaufə] *(Schleife)* nœud (coulant); *tech (a. Gürtel~)* passant *m.*

schlecht [ʃlɛçt] *a allg* mauvais; *(mäßig)* médiocre; *(armselig)* piètre; *(traurig)* triste; *fam (mies)* moche; *(verdorben)* gâté, pourri; *(Luft)* vicié; *(Zeiten)* dur, difficile; *(unheilvoll)* maléfique; *(bösartig)* méchant, malfaisant; *(gemein)* véreux, pervers; *(Scherz)* de mauvais goût *od* aloi; *adv* mal; *nicht ~ (fam)* pas mal; *das S~e* le mal; le mauvais côté; *immer ~er* de mal en pis; *in ~er Gesellschaft* en mauvaise compagnie; *recht und ~* tant bien que mal; *mehr ~ als recht* plus mal que bien; *~ aufnehmen (fig)* prendre en mauvaise part; *~ aussehen (Person)* avoir mauvaise mine *od* les traits tirés; *(Sache)* faire mauvais effet; *~ behandeln* traiter mal, malmener; *jdm e-n ~en Dienst erweisen* desservir qn; *es ~ (getroffen) haben* être mal loti; *an jdm ~ handeln* se conduire mal avec qn; *jdm etw S~es nachsagen* dire du mal de qn; *~ von jdm reden* parler de qn en mauvais termes; *bei jdm ~ angeschrieben sein* être mal noté *od* vu de qn, être en défaveur auprès de qn, ne pas être dans les papiers de qn; *auf jdn, etw ~ zu sprechen sein* être défavorable à qn, qc; *~ stehen (Sache) (fig)* aller mal; *~ werden (sich zersetzen)* se corrompre, se gâter; *~er werden* empirer, se détériorer; *jdm etw S~es wünschen* vouloir du mal à qn; *es geht mir ~* je vais mal; *mir ist ~* j'ai mal au cœur; *mir wird ~* je me sens mal; *das wird dir ~ bekommen (fig)* cela ne te réussira pas; *das ist ~ von dir* c'est mal de ta part; *es geht ihm sehr ~ (a.)* il est mal en point; *es steht ~ mit ihm* ça va mal avec lui, il file un mauvais coton; *dabei kann e-m (ja) ~ werden!* cela donne la nausée, cela soulève le cœur; *~ gemacht* mal fichu *fam; ~e(s) Geschäft n (Vorgang)* mauvais marché *m;* **~erdings** *adv* tout simplement, tout bonnement, purement et simplement, de toute façon, absolument; *~~ unmöglich* absolument impossible; **~gebaut** *a,* **~gewachsen** *a* mal bâti; **~=gehen** *(fig)* battre de l'aile; *(Geschäft)* aller mal; **~gelaunt** *a* de mauvaise humeur, maussade, *fam* mal luné; *~~ sein (a.)* être mal disposé, ne pas être à prendre avec des pincettes; **S~heit** *f,* **S~igkeit** *f (Bosheit)* méchanceté; *(Gemeinheit)* vilenie, bassesse *f;* **~hin** *adv* = *~erdings;* **~hinnig** [-'hɪnɪç] *a* absolu, sans restriction; **~=machen** *tr: jdn ~~* dire du mal de qn, médire de qn; noircir, dénigrer, calomnier qn; **~weg** [-vɛk] *adv* tout simplement, tout bonnement; **S~weggekommene(r** *m)* *f fig* déshérité, e *m f;* **S~wetterflug** *m* vol *m* par mauvais temps *od* mauvaise visibilité; **S~wettergebiet** *n* zone *f* de mauvais temps; **S~wetterlandung** *f aero* atterrissage *m* par mauvaise visibilité.

schleck|en ['ʃlɛkən] *tr* manger par gourmandise; **S~er** *m* ⟨-s, -⟩, **S~ermaul** *n* gourmand, e *m f;* **S~erei** *f* [-'raɪ] friandise *f.*

Schlegel *m* ⟨-s, -⟩ ['ʃle:gəl] *(Holzhammer)* maillet; *(Schlagholz)* battoir; *(Kalbskeule)* cuisseau; *(Wildkeule)* cuissot *m.*

Schleh|dorn *m* ['ʃle:-] prunellier *m,* épine *f* noire; **~e** *f* ⟨-, -n⟩ = *~dorn; (Frucht)* prunelle *f.*

Schlei *m* ⟨-(e)s, -e⟩ [ʃlaɪ] = *Schleie.*

schleich|en ⟨*schlich, ist geschlichen*⟩ ['ʃlaɪçən, (-)'ʃlɪç(-)] *itr* aller *od* marcher à pas de loup *od* furtivement; se glisser, se faufiler; *sich in etw ~~* s'introduire furtivement dans qc; **~end** *a* furtif; *(Gift)* lent; *(Krankheit)* lent, insidieux; *(Inflation)* rampant; *adv a.* à la dérobée, en tapinois; **S~er** *m* ⟨-s, -⟩ *fig* sournois, dissimulé, hypocrite *m;* **S~erei** *f* [-'raɪ] *fam* sournoiserie, dissimulation, hypocrisie *f;* **S~handel** *m* commerce *od* trafic clandestin, commerce *m* interlope; contrebande *f;* **S~händler** *m* trafiquant (clandestin); marchand interlope; *(Schmuggler)* contrebandier *m;* **S~weg** *m* chemin *m od* voie détourné(e); *fig a.* voie *f* tortueuse; *auf ~~en* par des détours *od* menées.

Schleie *f* ⟨-, -n⟩ ['ʃlaɪə] *(Fisch)* tanche *f.*

Schleier *m* ⟨-s, -⟩ ['ʃlaɪər] *a. fig* voile *m;* gaze; *(am Hut)* voilette *f; (Rauch~)* rideau *m* (de fumée); *e-n ~ über etw breiten (fig)* tirer le rideau sur qc; *e-n ~ vor den Augen haben (fig)* avoir un brouillard devant les yeux; *den ~ lüften (bes. fig)* lever le voile; *den ~ nehmen (fig: Nonne werden)* prendre le voile; **~eule** *f* effraie *f;* **s~haft** *a fam (rätselhaft)* mystérieux, énigmatique; *(unbegreiflich)* incompréhensible; *das ist mir ~~ (a.)* je n'y vois que du brouillard; je ne suis pas devin; **~schwanz** *m (Fisch)* cyprin *m* à queue de voile; **~stoff** *m,* **~tuch** *n* voile *m.*

Schleif|apparat *m* ['ʃlaɪf-] appareil *m* à rectifier; **~bahn** *f dial* = *Schlitterbahn;* **~brett** *n* planchette *f* à rectifier; **~kontakt** *m* contact par frottement; *el, radio a.* glisseur *m;* **~lack** *m* vernis *m* à polir; **~maschine** *f* machine à rectifier; rectifieuse *f;* **~mittel** *n* abrasif *m;* **~ring** *m* bague *f* de contact *od* de frottement *od* collectrice; **~schritt** *m (Tanz)* glissé *m;* **~sporn** *m aero* patin *m* de béquille; **~stein** *m* pierre à aiguiser; meule *f;* affiloir(e *f*) *m;* **~trog** *m* auget *m* de meule.

Schleife *f* ‹-, -n› ['ʃlaɪfə] nœud *m,* boucle, bouffette *f; (Schlinge)* lacet; *(Rosette)* chou; *(Kurve)* virage, tournant, lacet; *(Fluß)* méandre *m,* boucle; *aero* boucle, volte *f; el* circuit *m* fermé; **~flug** *m aero* looping *m.*

schleif|en ['ʃlaɪfən] **1.** ‹*schliff, geschliffen*› [(-)'ʃlɪf(-)] *tr (schärfen)* meuler, aiguiser, affiler, affûter; *(Glas)* polir; *(Diamant)* tailler; *tech* rectifier, dresser; *arg mil (drillen)* dresser; **2.** ‹*schleifte, geschleift*› *tr (auf dem Boden)* traîner; *mil (Festungsanlagen)* raser, démanteler; *mus* couler; *itr dial* = *schlittern;* **S~en** *n* aiguisage, affilage, affûtage, polissage, brillantage *m;* taille; rectification *f,* dressage; *(Niederreißen)* rasement, démantèlement *m;* **S~er** *m* ‹-s, -› aiguiseur; affileur, affûteur; polisseur; tailleur; rectifieur; *(Scheren~~)* rémouleur; *mus* coulé *m;* **S~erei** *f* [-'raɪ] atelier *m* d'aiguisage *od* d'affilage; **S~ung** *f mil (e-r Festung)* rasement, démantèlement *m.*

Schleim *m* ‹-(e)s, -e› [ʃlaɪm] *physiol* mucus *m;* mucosité; *(Nasen-, Rachen-, Magen~)* pituite *f; bot* mucilage *m; med (zäher ~)* glaire; *(Schnekke)* bave; *(Küche: Brei)* bouillie, crème *f;* ~ *absondern* baver; ~ *auswerfen* expectorer; ~ *aushusten* od *ausspucken* cracher; **~absonderung** *f* sécrétion *f* muqueuse; **~auswurf** *m* expectoration *f;* **~drüse** *f* (glande) muqueuse *f;* **s~en** *itr* produire des mucosités; **~haut** *f* muqueuse *f;* **s~ig** *a* muqueux; pituiteux; mucilagineux; glaireux; *fig pej* mielleux; **~suppe** *f* bouillie *f.*

Schleiß|e *f* ‹-, -n› ['ʃlaɪsə] *(Splitter)* éclisse, écharde *f;* **s~en** ‹*schleißte/schliß, geschleißt/geschlissen*› [(-)'ʃlɪs(-)] *tr (ausea.reißen)* fendre en long; *(abnutzen)* user.

Schlemm *m* ‹-s, -e› [ʃlɛm] *(Kartenspiel)* chelem *m; s~ machen, werden* faire, être chelem.

schlemm|en ‹*aux: haben*› ['ʃlɛmən] *itr (üppig essen)* ripailler, faire ripaille *od* bombance; **S~er** *m* ‹-s, -› ripailleur, gourmand, débauché *m;* **S~erei** *f* [-'raɪ] **S~erleben** *n,* **S~ertum** *n* ‹-s, ø› ripaille, bombance, débauche *f;* **~erhaft** *a* de ripailleur, de débauché.

Schlempe *f* ‹-, -n› ['ʃlɛmpə] *agr* vinasse *f,* marc *m.*

schlend|ern ‹*ich schlendere, du schlenderst, ist geschlendert ...*› ['ʃlɛndərn] *itr* flâner; *fam* se balader; **S~ern** *n* flânerie; *fam* balade *f;* **S~rian** *m* ‹-(e)s, ø› ['-dria:n] ornière *f* (de la routine), train-train *m; im alten ~~ weitermachen* continuer son petit train-train, suivre son petit bonhomme de chemin; *der alte ~~* les vieux errements *m pl.*

schlenkern ‹*ich schlenkere, du schlenkerst, aux: haben*› ['ʃlɛŋkərn] *tr* od *itr* agiter, brandiller (*etw* od *mit etw* qc); *mit den Armen* od *die Arme ~* aller les bras ballants; *mit den Beinen ~ (a.)* gambiller.

Schlepp|antenne *f* ['ʃlɛp-] antenne *f* pendante; **~dampfer** *m* (bateau) remorqueur *m;* **~e** *f* ‹-, -n› *(am Kleid)* traîne; queue *f; tech (Lastschlitten)* traîneau; *metal* chariot *m* de transport; **s~en** *tr, a. fig* traîner; *mar loc mot* remorquer; *mar* haler, touer; **~en** *n* traînage; *mar* remorquage; halage, touage *m;* **s~end** *a, a. fig* traînant; *fig* languissant; *adv: ~~ sprechen* parler en traînant sur les mots; **~enträger** *m* celui qui porte la traîne; **~er** *m* ‹-s, -› *mot* tracteur; *mar* remorqueur; *(Arbeiter)* hercheur; *fig pej (Kundenwerber)* rabatteur; *(Werber für ein Hotel)* pisteur *m;* **~erführer** *m mar* remorqueur *m;* **~flug** *m* vol *m* remorqué; **~flugzeug** *n* avion *m* remorqueur; **~kahn** *m* péniche *f,* chaland *m* remorque *f;* **~kleid** *n* robe *f* à traîne *od hist* à queue; **~netz** *n* chalut *m,* drague, drège, dreige *f,* traîneau *m,* seine *f;* **~säbel** *m* sabre *m* traînant; **~schiffahrt** *f* remorquage, halage, touage *m;* **~tau** *n* câble *m* de remorquage; *aero (Ballon)* guiderope *m; in jds ~~ (fig)* à la remorque de qn; *sich in jds ~~ befinden (a.)* nager dans les eaux de qn; *jdn ins ~~ nehmen* prendre qn à la remorque; *sich von jdm ins ~~ nehmen lassen* se laisser remorquer par qn; **~zug** *m* convoi remorqué, train de remorque *od* de remorquage; *mar a.* train *m* de péniches *od* de touage.

Schles|ien *n* ['ʃle:ziən] la Silésie; **~ier(in** *f*) *m* ‹-s, -› [-ziər] Silésien, ne *m f;* **s~isch** ['ʃle:zɪʃ] *a* silésien.

Schleuder *f* ‹-, -n› ['ʃlɔydər] fronde; catapulte; *hist* baliste; *tech* toupie (mécanique); *(Trocken~)* essoreuse *f; (Milch~)* centrifugeur, se *m f; (Honig~)* extracteur *m;* **~ball** *m* ballon *m* à lanière; **~bewegung** *f mot* mouvement *m* dérapant; **~er** *m* ‹-s, -› lanceur *m;* **~gefahr** *f: ~~! (Warnung)* route glissante! **~honig** *m* miel *m* coulé *od* d'extracteur; **~maschine** *f* catapulte *f;* **s~n** *(ich schleud(e)re, du schleuderst ..., hat geschleudert) tr* lancer, catapulter; projeter; *(Wäsche)* essorer; *(Milch)* centrifuger; *fig (Bann)* fulminer; *itr mot* déraper, chasser, faire une embardée; **~n** *n* lancement, catapultage *m; tech* centrifugation *f;* dérapage *m;* embardée *f;* **~preis** *m* prix *m* sacrifié; **s~sicher** *a mot* antidérapant; **~sitz** *m aero* siège *m* éjectable; **~start** *m* catapultage *m;* **~ware** *f* camelote, marchandise *f* vendue à vil prix.

schleunig|e(r, s) ['ʃlɔynɪç(-)] *a* prompt, rapide, précipité; **~st** *adv* au plus vite, dans les plus brefs délais.

Schleuse *f* ‹-, -n› ['ʃlɔyzə] écluse *f; die ~n öffnen (a. fig)* ouvrir les vannes, lâcher les écluses; **s~n** *tr* écluser, sasser; *fig* manœuvrer; **~ngeld** *n* droit *m* d'écluse; **~nhaupt** *n* musoir *m;* **~nkammer** *f* sas *m,* chambre *f* d'écluse; **~ntor** *n* porte *f* d'écluse; **~nwand** *f* bajoyer *m;* **~nwärter** *m* éclusier *m;* **~nwasser** *n* éclusée *f.*

Schlich *m* ‹-(e)s, -e› [ʃlɪç] *meist pl* trucs *m pl,* manigances, menées, manœuvres *f pl,* manège; *fam* tripotage *m; hinter jds ~e kommen* découvrir *od* démasquer les menées *od* éventer les ruses de qn.

schlicht [ʃlɪçt] *a (einfach)* simple; *(bescheiden)* modeste; *(nüchtern, trocken)* sobre; *(flach, glatt)* plat, lisse; *(einfarben)* uni; *~ und einfach (adv)* (tout) simplement; *~ um ~ (arbeiten)* au pair; **S~e** *f* ‹-, -n› *(Textil)* empois *m;* **~en** *tr (glätten)* aplanir; *(a. Häute enthaaren)* planer; *(Garn)* lisser; *(Wäsche)* empeser; *fig (regeln, ordnen)* arranger; *(Streit)* aplanir, accommoder (à l'amiable); arbitrer; **S~er** *m* ‹-s, -› médiateur, conciliateur, arbitre; *jur* amiable compositeur *m;* **S~feile** *f* lime *f* douce; **S~hammer** *m* marteau *m* à planer; **S~heit** *f* ‹-, ø› simplicité; modestie; sobriété *f;* **S~hobel** *m* rabot *m* plat; **S~ung** *f* arrangement, accommodement *m,* conciliation *f,* arbitrage *m;* **S~ungsausschuß** *m,* **S~ungskommission** *f* comité *m od* commission *f* d'arbitrage *od* de conciliation, conseil *m* d'arbitrage; **S~ungsverfahren** *n* procédure *f* de conciliation; **S~ungsversuch** *m* tentative *f* de conciliation; essai *m* d'arbitrage.

Schlick *m* ‹-(e)s, -e› [ʃlɪk] *dial (Schlamm)* limon *m;* vase *f* (de mer); **s~en** *itr* u. *sich ~~* se remplir de vase; **s~(e)rig** *a,* **s~ig** *a* vaseux.

Schliere *f* ‹-, -n› ['ʃli:rə] *(streifige Stelle im Glas)* boursouflure *f.*

Schließ|blech *n* ['ʃli:s-] gâche *f,* moraillon, fermoir *m;* **~fach** *n (Bank)* compartiment *m* de coffre-fort, *(Post)* boîte *f* postale; *loc* compartiment *m* de consigne automatique; **~feder** *f* ressort *m* de fermeture *od (Schußwaffe)* récupérateur; **~haken** *m* mentonnet, fermoir *m;* **~klappe** *f* = *~blech;* **~korb** *m* malle *f* d'osier; **~muskel** *m* muscle orbiculaire, (muscle) constricteur, sphincter *m.*

Schließe *f* ‹-, -n› ['ʃli:sə] fermeture, clavette *f.*

schließen ‹*schloß, geschlossen*› ['ʃli:sən, (-)'ʃlɔs(-)] *tr (zumachen)* fermer; *(füllen: Lücke)* combler, colmater; *mil (die Reihen), typ (die Form)* serrer; *fig (beenden); (Rede, Schrift)* terminer, finir, achever; *(Debatte)* clore; *(Sitzung)* clore, lever; *(ab~) (Konto)* arrêter; *(Vertrag)* conclure, passer; *(Bündnis)* conclure; *(folgern)* conclure, déduire, inférer (*aus etw* de qc); *itr (zugehen)* fermer; *(aufhören, enden)* finir; (se) terminer, s'achever (*mit* sur); *sich ~ (Lükke)* se fermer; *in sich ~ (ein~, umfassen)* comporter, comprendre; embrasser, renfermer; englober, impliquer; *von sich auf andere ~* juger d'autrui par soi-même; *in die Arme ~* serrer dans ses bras; *mit e-m Gewinn, e-m Fehlbetrag* od *Defizit ~* se solder par un bénéfice, déficit; *jdn ins Herz ~* prendre qn en affection;

e-n Kompromiß ~ faire *od* passer un compromis; *auf etw* ~ *lassen* indiquer, pronostiquer qc; *darauf* ~ *lassen, daß*... *(Anzeichen)* laisser penser que...; *daraus ist zu* od *läßt sich* ~, *daß*... on peut en conclure, il en résulte que...

Schließer *m* ⟨-s, -⟩ ['ʃli:sər] *(Gefängnis)* geôlier, guichetier, porte-clefs; *(Wach- u. Schließgesellschaft)* garde-vigile *m.*

schließlich ['ʃli:slɪç] *adv* enfin, à la fin, finalement, en définitive; *fam* après tout, au bout du *od* en fin de compte; *(an letzter Stelle)* en dernier (lieu); ~ *etw tun* finir par faire qc; ~ *doch* malgré tout.

Schließung *f* ⟨-, -en⟩ ['ʃli:sʊŋ] *(Laden, Museum, Schalter)* fermeture; *(Sitzung)* clôture; *(Vertrag, Ehe)* conclusion *f.*

Schliff *m* ⟨-(e)s, -e⟩ [ʃlɪf] *tech* poli(ssage), meulage *m,* rectification; *(Edelstein)* taille *f; fig fam (Lebensart)* savoir-vivre *m,* politesse *f; mil fam* dressage *m;* ~ *kriegen (fig fam)* se dégrossir; *der letzte* ~ *(fam)* le fion *pop; e-r S den letzten* ~ *geben (fam)* donner le coup de fion à qc *pop,* mettre la dernière touche à qc; perler, fignoler qc.

schlimm [ʃlɪm] *a (schlecht, übel)* mauvais; *(schwer, ernst)* grave; *(unheilvoll)* funeste, fatal; *(ärgerlich)* fâcheux; *(charakterlich schlecht, böse)* méchant, vicieux; *adv* mal; *das S~e* le mal; *e-n ~en Finger haben* avoir mal au doigt; *ein ~es Ende nehmen* finir mal; ~ *dran sein* être en mauvaise posture; *das ist nicht* ~ il n'y a pas de mal, ce n'est rien *od* pas une affaire; *das ist halb so* ~ ce n'est qu'un demi-mal, ce n'est pas la mer à boire; **~er** *(Komparativ von:* ~*) a* pire; *adv* pis; *~~ werden* empirer, s'aggraver; *immer ~~ werden* aller de mal *od* de pis en pis; *was noch ~~ ist* qui pis est; **~ste(r, s)** *(Superlativ von:* ~*) a* le, la pire; *adv* le pis; *im ~sten Fall* = *~stenfalls; das S~ste annehmen* prendre *od* mettre les choses au pis; *aufs S~ste gefaßt sein* s'attendre au pire; **~stenfalls** *adv* au pis aller, au pire, à la rigueur.

Schlingle *f* ⟨-, -n⟩ [ʃlɪŋə] *(Schlaufe)* nœud coulant; *(Jagd)* lacs, lacet, collet *m; (für Vögel)* pantière; *med* écharpe *f; in der ~~ fangen* prendre au collet; *~n legen* poser des collets; *sich* od *s-n Kopf aus der ~~ ziehen (fig)* tirer son épingle du jeu, se tirer d'affaire; **s~en** ⟨*schlang, geschlungen*⟩ *tr (winden)* enlacer, enrouler; *(schlucken)* avaler; *scient* déglutir; *sich ~~* s'enrouler, s'entortiller (*um* autour de); *(Pflanze)* grimper (*um* à); **~ensteller** *m* poseur *m* de collets; **~pflanze** *f* plante *f* grimpante.

Schlingel *m* ⟨-s, -⟩ ['ʃlɪŋəl] *kleine(r)* ~ polisson, galopin; *(schlauer Bursche)* ficelle *f.*

schlingerln ['ʃlɪŋərn] *itr* ⟨*aux: haben*⟩ *mar* rouler; *das Schiff ~t (a.)* il y a du roulis; **S~n** *n* roulis *m;* **S~tank** *m* tank *m* antiroulis.

Schlips *m* [ʃlɪps] ⟨-es, -e⟩ cravate *f,* nœud *m* papillon; *jdm auf den* ~ *treten (fig)* vexer, froisser, blesser qn.

Schlittlen *m* ⟨-s, -⟩ ['ʃlɪtən] *(Rodel~~)* luge *f; (Sportrodel)* toboggan; *(Pferde~~)* traîneau; *tech* support; *(Schreibmaschine)* chariot; *(MG)* traîneau, affût *m; fam (alte Maschine, altes Fahrrad)* bécane *f,* sabot *m; ~~ fahren* faire du traîneau; *mit jdm ~~ fahren (fig fam)* rudoyer qn, réprimander qn brutalement; **~enfahrt** *f* promenade *f* en traîneau; **~enführung** *f tech* glissière *f* de chariot; **~enlift** *m* télétraîneau *m;* **~enpartie** *f* = *~enfahrt;* **~erbahn** *f* glissoire *f;* **s~ern** ⟨*ist/hat geschlittert*⟩ *itr* glisser, faire des glissades; **~ern** *n* glissade *f;* **~schuh** *m* patin *m; ~~ laufen* patiner; **~schuhbahn** *f* patinoire *f;* **~schuhlaufen** *n* patinage *m;* **~schuhläufer** *m* patineur *m.*

Schlitz *m* ⟨-es, -e⟩ ['ʃlɪts] *(Ritze, Spalt)* fente, fissure; *(Riß)* fêlure, crevasse; *(Einschnitt)* taillade *f,* crevé *m; (Hosen~)* braguette; *tech* entaille, lumière *f;* **~ärmel** *m pl hist* manches *f pl* à taillades; **~augen** *n pl (: ~~ haben* avoir les*)* yeux *m pl* bridés; **s~äugig** *a* aux yeux bridés; **~blende** *f phot* diaphragme *m* à fente; **s~en** *tr* fendre, fissurer; *(aufschneiden)* taillader, entailler; **~ohr** *n fig (fam)* filou, fripon, finaud, rusé compère *m;* **s~ohrig** *a fam* rusé, malin, trompeur; **~verschluß** *m phot* obturateur *m* à rideau.

schlohweiß ['ʃlo:'vaɪs] *a (Haar)* blanc comme neige.

Schloß *n* ⟨-sses, ⸚sser⟩ [ʃlɔs, 'ʃlœsər] *(Gebäude)* château; *(Palast)* palais *m; (Verschluß)* serrure *f; (Vorhänge~)* cadenas *m; (Gewehr~)* culasse mobile; *(Koppel~)* plaque du ceinturon; *(am Armband)* attache *f; ins* ~ *fallen* encliqueter; ein ~ *aufbrechen* od *sprengen* faire sauter une serrure; *hinter* ~ *und Riegel setzen, sitzen* mettre, être sous les verrous; **~blech** *n (Gewehr)* platine *f;* **~graben** *m* douve *f;* **~herr(in** *f***)** *m* châtelain, e *m f;* **~hof** *m* cour *f* d'honneur *od* du château; **~hund** *m: wie ein ~~ heulen (fam)* pleurer comme un veau *od* comme une Madeleine *od* à chaudes larmes; **~kasten** *m tech* pêne *m;* **~riegel** *m tech* verrou *m* de culasse; **~verwalter** *m* gardien *m* (du château); **~verwaltung** *f* conciergerie *f;* **~wache** *f* garde *f* du château.

Schlößchen *n* ⟨-s, -n⟩ ['ʃlœsçən] petit château, châtelet *m.*

Schloße *f* ⟨-, -n⟩ ['ʃlo:sə] *(Hagelkorn)* grêlon *m;* **s~n** *itr impers* grêler.

Schlosser *m* ⟨-s, -⟩ ['ʃlɔsər] serrurier; **~arbeit** *f,* **~handwerk** *n* serrurerie *f;* **~ei** *f* serrurerie *f;* atelier *m* de serrurier; **s~n** *itr* faire de la serrurerie; **~werkstatt** *f* atelier *m* de serrurier.

Schlot *m* ⟨-(e)s, -e/(⸚e)⟩ [ʃlo:t, 'ʃlø:tə] cheminée *f* (d'usine); *fig pop (Rüpel)* malotru, rustre *m; wie ein* ~ *rauchen* fumer comme un pompier *od* une cheminée; **~baron** *m pej* magnat *m* d'industrie.

schlott|(e)rig ['ʃlɔt(ə)rɪç] *a* dégingandé, flageolant, branlant; *(Kleidung)* flottant; *(Gang)* mal assuré; *~~ gehen* marcher d'un pas mal assuré; **~ern** ⟨*aux: haben*⟩ *itr* flageoler, branler; *(zittern)* trembler; *(Kleidung)* flotter; *die Kleider ~~ ihm um den Leib* il flotte *od* nage dans ses vêtements.

Schlucht *f* ⟨-, -en⟩ [ʃlʊxt] gorge *f,* ravin; *(Engpaß)* défilé *m;* **~enbildung** *f geol* ravinement *m.*

schluchzlen ['ʃlʊxtsən] *itr* sangloter; **S~en** *n* sanglots *m pl;* **S~er** *m* ⟨-s, -⟩ sanglot *m.*

Schluck *m* ⟨-(e)s, -e/(⸚e)⟩ [ʃlʊk, 'ʃlʏkə] gorgée *f; fam* coup *m; pop* goutte *f; mit einem* ~ d'un trait, *fam* d'un coup; *tüchtige(r)* ~ grande gorgée; *pop* lampée *f;* **~auf** *m* ⟨-s, ø⟩ hoquet *m; den ~~ haben* avoir le hoquet, hoqueter; **~beschwerden** *f pl* troubles *m pl* de la déglutition; **s~en** *tr* avaler; déglutir; *fig fam (an sich reißen)* avaler; *(Beleidigung)* boire; *(ein Betrieb)* absorber, racheter; *Wasser ~~ (fam: beim Schwimmen)* boire une tasse; **~en** *n* déglutition; absorption *f; m* = *~auf;* **~er** *m* ⟨-s, -⟩ *arme(r) ~~* pauvre hère *od* diable *od* bougre; traîne-malheur, traîne-misère *m;* **~impfstoff** *m* vaccin *m* buccal; **~impfung** *f* vaccination *f* par ingestion *od* par voie buccale; **s~weise** *adv* par gorgées.

Schlückchen *n* ⟨-s, -⟩ ['ʃlʏkçən] petite gorgée *f; fam* petit coup *m; pop* goutte *f.*

Schlud|erarbeit *f* ['ʃlu:dər-], **~erei** [-'raɪ] *f* gâchis, bâclage, massacre, bousillage *m;* **s~(e)rig** *a* bâclé, fait sans soin *od* à la va-vite; *adv* à la *od* à coups de serpe; **s~ern** *itr* bousiller, bâcler.

Schlummer *m* ⟨-s, ø⟩ ['ʃlʊmər] sommeil (léger); (petit) somme *m;* **~lied** *n* berceuse *f;* **~mutter** *f hum (Wirtin)* logeuse *f;* **s~n** *itr* sommeiller; être assoupi; **s~nd** *a fig (verborgen)* caché; virtuel, potentiel; **~rolle** *f* traversin *m.*

Schlumple *f* ⟨-, -n⟩ ['ʃlʊmpə], **s~en, s~ig** = *Schlampe etc.*

Schlund *m* ⟨-(e)s, ⸚e⟩ [ʃlʊnt, 'ʃlʏndə] gosier *m;* gorge *f; (Abgrund)* gouffre, abîme *m.*

Schlupf|jacke *f* ['ʃlʊpf-] chandail *m;* **~loch** *n,* **~winkel** *m* recoin, repaire, refuge *m; (Versteck)* cachette *f;* **~wespe** *f* pimple, ichneumon *m.*

schlüpflen ['ʃlʏpfən] ⟨*aux: sein*⟩ *itr* se glisser, filer, se couler; *in etw (ein Kleidungsstück) ~~* enfiler qc; *aus dem Ei ~~* éclore; **S~er** *m* ⟨-s, -⟩ *(weiter Mantel)* raglan *m; (Damenunterhose)* culotte *f,* slip *m;* **~rig** *a* glissant; *fig (lasziv)* lascif, égrillard, grivois; **S~rigkeit** *f fig* lascivité, grivoiserie *f.*

schlurfen ['ʃlʊrfən] *itr* traîner les pieds.

schlürfen ['ʃlʏrfən] *tr* humer; *(langsam u. mit Genuß)* siroter; *itr* boire *od* manger bruyamment.

schlurren ['ʃlʊrən] *itr* = *schlurfen.*

Schluß *m* ⟨-sses, ⸚sse⟩ [ʃlʊs, 'ʃlʏsə] *(Ende)* fin; *(Schließung)* fermeture;

(e-r Debatte, Sitzung) clôture *f;* = *~folgerung; am ~ (gen)* à l'issue (de); *zum ~* finalement; pour terminer *od* conclure *od* finir; *den ~ bilden (mil)* clore la marche; *zu dem ~ gelangen* od *kommen, daß* ... en venir à la conclusion que ...; *~ machen* finir; *mit jdm, etw ~ machen* en finir avec qn, qc; *mit etw ~ machen* mettre fin *od* un terme à qc; *mit dem Leben ~ machen* en finir; *e-n ~ aus etw ziehen* tirer une conclusion, conclure de qc; *~!* fini! terminé! *~ damit!* brisons--là(-dessus)! *~ jetzt!* assez! finissez! *~ der Debatte!* clôture du débat! *der Wahrheit letzter ~* la vérité définitive; **~abrechnung** *f* décompte *od* règlement *m* final *od* définitif; **~akt** *m theat* acte *m* final; **~ansprache** *f* discours *m* de clôture; **~antrag** *m jur* conclusion(s *pl*) *f;* **~bemerkung** *f* remarque finale; conclusion *f;* **~bericht** *m* rapport *m* final; **~bilanz** *f* bilan *m* de clôture; balance *f* de sortie; **~bild** *n theat film* scène *f* finale; **~effekt** *m* effet final; *(Feuerwerk)* bouquet *m* (final); **~feier** *f* cérémonie *f* de clôture; **~folgerung** *f* conclusion; déduction; induction *f;* **~formel** *f* formule finale; *(Brief) a.* formule de politesse, souscription *f;* **~kapitel** *n* dernier chapitre *m;* **~kundgebung** *f* manifestation *f* finale; **~licht** *n* ⟨-(e)s, -er⟩ *mot loc* feu (rouge) arrière; *mil fam (letzter Mann e-r marschierenden Kolonne)* serre-file *m; hum (Schule) Sport* lanterne *f* rouge; **~mann** *m sport (Staffellauf)* dernier relayeur *m;* **~notierung** *f fin* cote *f* de clôture; **~pfiff** *m* coup *m* de sifflet final; **~punkt** *m* point *m* final; *e-n ~~ hinter etw setzen* mettre un point final à qc; **~runde** *f sport* tour *m* final, finale *f; (Boxen)* round *m* final; **~rundenteilnehmer** *m* finaliste *m;* **~satz** *m* dernière phrase, proposition finale; *(Vortrag)* conclusion *f; mus* final *m;* **~signal** *n loc* = *~licht;* **~sprung** *m* saut *m* à pieds joints; **~stand** *m sport* score *m* final; **~stein** *m arch* u. *fig* clé *od* clef *f* de voûte; **~strich** *m: e-n ~~ ziehen (fig)* tirer un trait; **~termin** *m* date *f* limite, terme *m* final; **~verkauf** *m* vente *f* de fin de saison; **~vignette** *f typ* cul-de-lampe *m;* **~wort** *n* ⟨-(e)s, -e⟩ dernière parole *f; (Nachwort)* épilogue *m;* **~zeichen** *n* signal *m* de clôture *od tele* de fin de transmission.

Schlüssel *m* ⟨-s, -⟩ ['ʃlʏsəl] *a. mus fig* clé, clef; *(e-r Geheimschrift)* chiffre, code; *(Verteilungs~)* barème *m; den ~ zweimal (her)umdrehen* fermer à double tour; *den ~ steckenlassen* laisser la clé sur la porte; **~bart** *m* panneton *m;* **~bein** *n anat* clavicule *f;* **~blume** *f* primevère *f;* **~brett** *n* planchette *f* à clés; **~bund** *m* od *n* trousseau *m* (de clés); **s~fertig** *a (Haus)* clés en main; **~figur** *f (in e-m Roman)* personnage-clé *m;* **~gewalt** *f rel* u. *jur (d. Ehefrau)* pouvoir *m* des clés; **~industrie** *f* industrie-clé *f;* **~kette** *f* clavier *m;* **~loch** *n* trou *m* de la serrure; **~maschine** *f (zum Chiffrieren)* machine *f* à chiffrer; **s~n** *tr (nach e-m ~ aufteilen)* répartir selon le barème; **~ring** *m* porte-clés, clavier *m;* **~roman** *m* roman *m* à clé; **~stellung** *f* position-clé *f,* poste-clé *m; e-e ~~ einnehmen* occuper une position-clé; **~ung** *f (vgl. s~n)* répartition *f* selon le barème; **~verfahren** *n (Chiffriersystem)* procédé *m* de chiffrage; **~wort** *n* mot-clé *m.*

schlüssig ['ʃlysɪç] *a (Beweis)* concluant, décisif, formel; *~ beweisen* prouver d'une façon décisive; *sich ~ sein* avoir pris un parti, s'être décidé; *sich noch nicht ~ sein* ne savoir quel parti prendre; *sich ~ werden* prendre un parti, se résoudre.

Schmach *f* ⟨-, ø⟩ [ʃma:x] honte, ignominie, infamie *f; (Beleidigung)* affront, outrage *m; (Demütigung)* humiliation *f; (Entwürdigung)* avilissement *m;* **s~voll** *a* honteux, ignominieux, infâme.

Schmacht *f* [ʃmaxt]: *~ haben (fam)* avoir l'estomac dans les talons; **s~en** ⟨*aux: haben*⟩ *itr (hungern)* être affamé; *(dürsten)* être assoiffé; *fig* se consumer (*nach* de), languir, soupirer, haleter (*nach* après); **s~end** *a* langoureux; *~~e(r) Liebhaber m (a.)* céladon *m;* **~fetzen** *m fam (Schnulze)* chanson *f* sentimentale; *(a. ~lappen, verliebter Jüngling)* soupirant *m;* **~lappen** *m fam (Hungerleider)* crève-la-faim *m;* **~locke** *f* accroche--cœur *m;* **~riemen** *m hum (Gürtel)* ceinture *f.*

schmächtig ['ʃmɛçtɪç] *a* mince, fluet, grêle; chétif; *fam* maigriot, maigrichon.

schmackhaft ['ʃmakhaft] *a* savoureux, de bon goût; *(lecker)* délicat, succulent; *jdm etw ~ machen* rendre qc attrayant à qn; *~er machen (a.)* affiner; *~ zubereitet* bien préparé; **S~igkeit** *f* ⟨-, ø⟩ saveur *f,* bon goût *m;* succulence *f.*

schmäh|en ['ʃmɛ:ən] *tr* injurier, insulter, invectiver, outrager; *(verleumden)* diffamer, calomnier; *(herabwürdigen)* avilir; **~lich** *a* ignominieux, déshonorant, honteux; *adv a.* outrageusement; **S~rede** *f* invective, diatribe *f;* paroles *f pl* injurieuses; propos *m pl* injurieux *od* outrageants; **S~schrift** *f* pamphlet, libelle *m,* diatribe *f; Verfasser m e-r ~~* pamphlétaire, libelliste *m;* **S~sucht** *f* manie d'injurier; médisance *f;* **~süchtig** *a* médisant, calomniateur; **S~ung** *f* injure, insulte, invective *f,* outrage; avilissement *m;* diffamation *f; in ~~en ausbrechen* éclater en injures; *sich in ~~en gegen jdn ergehen* se répandre en invectives contre qn; **S~wort** *n* ⟨-(e)s, -e⟩ invective, expression *f* injurieuse.

schmal [ʃma:l] ⟨*schmaler/schmäler*⟩ *a allg* étroit; *(dünn, schlank)* mince, effilé, grêle; élancé; *(Gesicht)* fin; *fig (klein, gering)* maigre, pauvre; *~er* od *schmäler machen (werden)* (se) rétrécir; *~e Kost f* maigre pitance *f;* **S~film(kamera** *f***)** *m* (caméra *f* à) film *m* de format réduit; **S~hans** *m: bei ihm ist ~~ Küchenmeister* il n'a pas grand chose à se mettre sous la dent; **S~heit** *f* ⟨-, ø⟩ étroitesse; minceur; *fig* pauvreté *f;* **~randig** *a (Buch)* à marge étroite; **S~seite** *f* petit côté *m;* **S~spurabiturient** *m pej* bachelier *m* d'un lycée technique, commercial; **S~spurakademiker** *m pej* qui a fait des études écourtées; **S~spur(bahn)** *f* chemin *m* de fer *od* ligne à) voie *f* étroite; **~spurig** *a* à voie étroite.

schmäler|n ['ʃmɛ:lərn] *tr (~ machen)* rétrécir; *(verringern)* amoindrir, diminuer; réduire; *(herabsetzen)* rabaisser; *jur (beeinträchtigen)* déroger à, porter atteinte à; **S~ung** *f* rétrécissement; amoindrissement *m,* diminution; réduction; dérogation *f.*

Schmalz *n* ⟨-es, -e⟩ [ʃmalts] graisse *f; (Schweine~)* saindoux *m;* **~brot** *n* tartine *f* de graisse; **s~en** *tr* = *schmälzen;* **s~ig** *a fig fam pej (gefühlvoll)* sentimental; *~~ singen* bêler; **~stulle** *f fam* = *~brot.*

schmälzen ['ʃmɛltsən] *tr* mettre de la graisse dans, graisser.

Schmant *m* ⟨-(e)s, ø⟩ [ʃmant] *dial (Sahne)* crème.

schmarotz|en [ʃma'rɔtsən] *itr* vivre en parasite; faire le pique-assiette; *fig* écornifler (*bei jdm* qn); *fam* resquiller (*bei jdm* qn); **S~er** *m* ⟨-s, -⟩ *biol allg* parasite; *fig* pique-assiette, piqueur d'assiettes, *fam* resquilleur, écornifleur *m;* **S~erdasein** *n: ein ~~ führen* vivre en pique-assiette; **~erhaft** *a* parasitique, de parasite; *adv* en parasite; **S~erleben** *n* vie *f* de parasite; **S~erpflanze** *f* plante *f* parasite; **S~ertum** *n* ⟨-s, ø⟩ parasitisme *m.*

Schmarre *f* ⟨-, -n⟩ ['ʃmarə] *fam (Narbe e-r Hiebwunde)* balafre, estafilade *f.*

Schmarren *m* ⟨-s, -⟩ ['ʃmarən] *dial (Mehlspeise)* galette *f; fig fam pej (Buch)* navet; *theat* four *m; (Gemälde)* croûte.

Schmatz *m* ⟨-es, -e⟩ [ʃmats] *dial (lauter Kuß)* baiser sonore; bécot *m;* **s~en** *itr* bécoter; *(laut essen)* manger bruyamment.

Schmaus *m* ⟨-es, ¨-se⟩ [ʃmaus, 'ʃmɔʏzə] régal, festin *m;* **s~en** *itr* faire bonne chère, faire ripaille, se régaler, festoyer; banqueter; **~erei** *f* [-'raɪ] *fam* gueuleton *m, pop* bombe *f.*

schmecken ['ʃmɛkən] ⟨*aux: haben*⟩ *tr* goûter; *(kosten, versuchen)* déguster *(a. Wein),* essayer; *itr* avoir un goût (*nach etw* de qc); *a. fig* sentir (*nach etw* qc); *jdm* être du *od* au goût de qn; *gut ~* être de *od* avoir bon goût, être bon (à manger, à boire); *nach mehr ~ (fam)* avoir un goût de revenez-y; *nach nichts ~* n'avoir pas de goût, être insipide; *schlecht ~* avoir mauvais goût, être mauvais; *es sich ~ lassen* se régaler, s'enfiler un bon dîner; *sich etw (gut) ~ lassen* faire honneur à qc; manger qc de bon appétit; *aufhören, wenn's am besten schmeckt* demeurer *od* rester sur la bonne bouche; *wissen,* *was schmeckt* n'être pas dégoûté; *das schmeckt mir gut, ausgezeichnet* je trouve cela bon, excellent; *das Essen schmeckt ihm (von e-m Kranken)* il a le cœur bon; *schmeckt's? (fam)* c'est bon? *wie schmeckt Ihnen ...?* comment trouvez-vous ...?

Schmeich|elei *f* ⟨-, -en⟩ [ʃmaıçə'laı] flatterie; *(niedrige ~~)* adulation, flagornerie; *(galante ~~)* fleurette; *(Schmuserei)* câlinerie *f*; **s~elhaft** ['ʃmaıçəl-] *a* flatteur; **~elkätzchen** *n* = **~elkatze** *f*: *e-e ~~ sein* être câline *od* cajoleuse; **s~eln** ⟨*ich schmeichle, du schmeichelst ...*⟩ *itr* flatter; *pej* aduler, flagorner (*jdm* qn); *fam* faire du plat à qn, encenser qn; *mit jdm (zärtlich sein)* câliner, cajoler qn; **~ler** *m* ⟨-s, -⟩ flatteur; *pej* adulateur, flagorneur; *(Lobhudler)* louangeur; *(Lobredner)* encenseur, thuriféraire; *(Schmuser)* cajoleur *m*; **s~lerisch** *a* flatteur; câlin.

schmeißen ⟨*schmiß, geschmissen*⟩ ['ʃmaısən] *tr fam* flanquer, lancer, ficher; *pop* foutre; *e-e Runde ~ (fam)* payer une tournée; *die Sache, (pop) den Laden ~* en venir à bout, arranger *od* goupiller l'affaire.

Schmeißfliege *f* ['ʃmaıs-] mouche *f* bleue *od* à viande.

Schmelz *m* ⟨-es, -e⟩ [ʃmɛlts] *tech* émail *(a. Zahn~)*; *(Glanz, a. von Farben)* éclat; *(Klang)* timbre *m*; *(Frische)* fleur *f*; *(Zauber, Reiz)* charme *m*; *mit ~ überziehen* émailler; **~arbeit** *f (Gegenstand)* émaillure *f*; **s~bar** *a* fusible; liquéfiable; *tech a.* traitable; **~barkeit** *f* ⟨-, ø⟩ fusibilité *f*; **~butter** *f* beurre *m* fondu; **~draht** *m* fil *m* fusible; **~e** *f* ⟨-, -n⟩ *(allg, bes. Schnee)* fonte; *tech* fusion *f*; **s~en** ⟨*schmilzt, schmolz*⟩ [(-)'ʃmɔlts(-), ʃmılts-] *tr* ⟨*hat geschmolzen*⟩ faire fondre, *a. fig* fondre; *tech* fuser; *itr* ⟨*ist geschmolzen*⟩ fondre, se liquéfier; *tech* fuser; *in geschmolzenem Zustand* en fusion; **~en** *n* fonte, liquéfaction; *tech* fusion *f*; *zum ~~ bringen* fondre; *das Eis (fig)* rompre la glace; **s~end** *a fig* languissant, langoureux, doux; *mus* mélodieux; **~er** *m* ⟨-s, -⟩ *(Arbeiter)* fondeur *m*; **~erei** *f* [-'raı] fonderie *f*; **~farbe** *f tech* couleur *f* vitrifiable; **~hütte** *f* fonderie *f*; **~käse** *m* fromage *m* fondu; **~masse** *f tech* masse *f* fondue; **~mittel** *n tech* fondant *m*; **~ofen** *m* four *m* de fusion; **~punkt** *m phys* point *m* de fusion; **~streifen** *m el (d. Sicherung)* lame *f* fusible; **~tiegel** *m, a. fig* creuset *m*; **~wasser** *n* eaux de fonte des neiges; *tech* eaux *f pl* de fusion.

Schmer *m* od *n* ⟨-s, ø⟩ [ʃme:r] *dial (Schmalz; Schmiere)* graisse *f*; **~bauch** *m fam* bedon *m*, bedaine, brioche *f*.

Schmerz *m* ⟨-es, -en⟩ [ʃmɛrts] douleur, peine *f*, mal; *(plötzlicher)* élancement *m*; *(Kummer)* affliction *f*, chagrin *m*, peine *f*; *e-n ~ erneuern* rouvrir une blessure *od* une plaie; *mit ~en erwarten* attendre avec beaucoup d'impatience; *sich ganz dem ~ hingeben* s'abandonner à la douleur; *ich ließ meinem ~ freien Lauf* je laissai libre cours à ma douleur *od* peine; *plötzliche(r)* od *heftige(r) ~ (a.)* coup *m* de fouet; *stechende(r) ~* douleur *f* poignante, élancement *m*; *von ~en gequält* accablé de douleur(s); **s~empfindlich** *a* sensible à la douleur; **~empfindlichkeit** *f* sensibilité *f* à la douleur; **s~en** ⟨*aux: haben*⟩ *itr med* causer de la douleur, faire (du) mal; *tr fig* affecter (douloureusement), peiner, chagriner, navrer; *mir ~~ die Füße* mes pieds me font mal; **s~end** *a* = *s~haft;* **~ensgeld** *n* indemnité *f* pour blessures; **~enskind** *n fig (dauernde Sorge)* (objet de) souci *m* constant; **~enslager** *n* lit *m* de douleur; **~ensmann** *m* ⟨-(e)s, ø⟩ *rel* ecce homo *m*; **~ensmutter** *f rel* mère *f* de douleur; **~ensschrei** *m* cri *m* de douleur; **s~erfüllt** *a fig* plein de douleur; **s~haft** *a* douloureux, endolori; **~haftigkeit** *f* ⟨-, ø⟩ état *m* douloureux; **s~lich** *a fig* douloureux, affligeant, pénible; *jdn ~~ berühren* toucher qn au vif; **s~lindernd** *a* = *s~stillend;* **s~los** *a* indolore, sans douleur; **~losigkeit** *f* ⟨-, ø⟩ absence de douleur; *scient* analgésie *f*; **s~stillend** *a pharm* calmant, sédatif; *scient* analgétique; *~~e(s) Mittel n* calmant, sédatif; *scient* analgésique *m*; **s~unempfindlich** *a* insensible à la douleur; *scient* analgésique; **~unempfindlichkeit** *f* insensibilité à la douleur; analgésie *f*.

Schmetter|ball *m* ['ʃmɛtər-] *sport* smash *m*; **s~n** ⟨*aux: haben*⟩ *tr* flanquer *od* lancer violemment *od* avec violence; *sport (Ball)* flanquer; *(Lied)* lancer; *itr* résonner, retentir; *(Trompete)* sonner; *(Vogel)* lancer des roulades; *zu Boden ~~* terrasser, foudroyer; **s~nd** *a* retentissant, tonitruant; **~schlag** *m sport* = *~ball.*

Schmetterling *m* ⟨-s, -e⟩ ['ʃmɛtərlıŋ] papillon; *scient* lépidoptère *m*; *poet* phalène *f*; **~sblütler** *m pl bot* papilionacées *f pl*; **~snetz** *n* filet *m* à papillons; **~sstil** *m (Schwimmen)* brasse *f* papillon.

Schmied *m* ⟨-(e)s, -e⟩ [ʃmi:t, -də(s)] forgeron; *(Huf~)* maréchal ferrant; *(Arbeiter)* forgeur *m*; *jeder ist s-s Glückes ~ (prov)* chacun est l'artisan de sa fortune; **s~bar** *a* forgeable, malléable; **~barkeit** *f* ⟨-, ø⟩ malléabilité *f*; **~e** *f* ⟨-, -n⟩ forge *f*; *vor der rechten ~~ sein (fig)* frapper à la bonne porte; **~earbeit** *f* ouvrage *m* de fer forgé; **~eeisen** *n* fer *m* forgé; **s~eeisern** *a* de *od* en fer forgé; **~eesse** *f* cheminée *f* de forge; **~ehammer** *m* marteau *m* de forge; **s~en** *tr* forger *a. fig*; *(bearbeiten)* travailler; *kalt ~~* battre à froid; *e-n Plan ~~* former un projet; *Pläne ~~* faire des projets; *Ränke ~~* ourdir des intrigues, intriguer, comploter, cabaler; **~en** *n* forgeage *m*; **~epresse** *f* presse *f* à forger; **~estahl** *m* acier *m* forgé; **~ezange** *f* pince *f od* tenailles *pl* de forgeron.

schmieg|en ['ʃmi:gən] *tr (drücken)* serrer; *sich ~~* se serrer, se blottir (*an* contre); **~sam** [-kza:m] *a (biegsam* u. *fig)* flexible, souple; *fig* docile; **S~samkeit** *f* ⟨-, ø⟩ flexibilité; souplesse; docilité *f*.

Schmier|alie *f* ⟨-, -n⟩ [ʃmi'ra:liə] *hum* = *~erei;* **~apparat** *m* ['ʃmi:r-] graisseur, lubrificateur *m*; **~büchse** *f* boîte *f* à graisse *od* de lubrification, graisseur *m* (à clapet); **~e** *f* ⟨-, -n⟩ **1.** graisse *f*, enduit, lubrifiant; *(Wagen~~)* cambouis *m*; *(Schmutz)* crasse *f*; *theat* boui-boui, théâtre *m* forain, troupe *f* de cabotins; pot-de-vin *m*; *fam* rossée, raclée *f*; **s~en** *tr tech (mit ~e)* graisser, lubrifier; *(mit Öl)* huiler; *(Brot)* tartiner; *pej (Malerei)* barbouiller, peinturlurer; *(Schrift)* gribouiller; *fig fam (bestechen)* graisser la patte *od* la main à; *itr (Tinte, Feder)* baver; *jdm eine ~~ (fam: ohrfeigen)* flanquer une calotte *od* une gifle à qn; *fam (streichen)* étendre (*auf* sur); *es geht wie ge~t (fam)* ça va comme sur des roulettes; **~en** *n* graissage *m*, lubrification *f*; *(mit Öl)* huilage; *(Sudeln)* gribouillage; barbouillage *m*; **~enkomödiant** *m* baladin; *pej* cabotin *m*; **~er** *m* ⟨-s, -⟩ gribouilleur, barbouilleur *m*; **~erei** *f* [-'raı] *(Sudelei)* gribouillage; barbouillage *m*; graffiti *pl*; **~fähigkeit** *f tech* onctuosité *f*; **~fink** *m* gribouilleur, barbouilleur; souillon *m*, *fam* sagouin, e *m f*; **~gelder** *n pl* dessous-de-table, pot-de-vin *m*; **s~ig** *a* graisseux; **~käse** *m* fromage *m* à tartiner; **~loch** *n tech* orifice *m* de graissage; **~mittel** *n* produit de graissage, lubrifiant *m*; **~öl** *n* huile *f* lubrifiante *od* de graissage; **~pumpe** *f* pompe *f* de graissage; **~seife** *f* savon *m* mou; **~stelle** *f* point *m* de graissage; **~ung** *f (mit ~e)* graissage *m*, lubrification *f*; *(mit Öl)* huilage *m*; **~vorrichtung** *f* dispositif de graissage, graisseur *m*.

Schmiere *f* ['ʃmi:rə] **2.** *arg (Wache): ~ stehen (bei e-r Straftat)* faire le guet.

Schmink|e *f* ⟨-, -n⟩ ['ʃmıŋkə] fard *m*; *~~ auflegen* od *auftragen* (se) mettre du fard *od* du rouge; *rote ~~* rouge *m*; *weiße ~~* blanc (de fard), *fam* plâtre *m*; **s~en** *tr* maquiller, farder *a. fig*; grimer; *sich ~~ (a.)* se mettre du fard; *fam* se ravaler; *pop* se refaire la façade; **~en** *n* maquillage, grimage *m*; **~kasten** *m* boîte *f* de fard; **~stift** *m* fard *m* en bâton *od* en crayon; **~täschchen** *n* trousse *f* de maquillage; **~tuch** *n* serviette *f* à maquillage.

Schmirgel *m* ⟨-s, ø⟩ ['ʃmırgəl] émeri *m*; **s~n** *tr* frotter *od* polir à l'émeri; **~papier** *n* papier-émeri *m*.

Schmi|ß *m* ⟨-sses, -sse⟩ [ʃmıs, -sə] *(Mensurnarbe)* balafre, estafilade *f*; *fig fam (Schwung)* allant, entrain, élan *m*, verve *f*; *(Schick)* chic *m*; *~sse (Schläge) kriegen (fam)* se faire rosser; **s~ssig** *a fam (schwungvoll, mitreißend)* enlevé, plein d'entrain *od* de verve *od* d'élan; entraînant; *(schick)* chic.

Schmitze *f* ⟨-, -n⟩ ['ʃmıtsə] *(Ende d. Peitschenschnur)* fouet *m*.

Schmöker *m* ⟨-s, -⟩ ['ʃmøːkər] *fam (altes Buch)* bouquin; *(schlechter Roman)* roman *m* à quatre sous; **s~n** *itr fam (in Büchern stöbern)* bouquiner.

schmollen ['ʃmɔlən] *itr* bouder (*mit jdm* qn); faire la moue *od* la lippe *od* la tête *od* grise mine; **S~** *n* bouderie *f.*

Schmor|braten *m* ['ʃmoːr-] bœuf *m* en daube; **s~en** *tr* dauber, étuver, braiser, faire revenir (à la cocotte); *a. itr* cuire à l'étuve; *itr fig (Mensch in der Sonne)* cuire, rôtir; **~en** *n* daube *f;* **~fleisch** *n* viande *f* en daube *od* à la cocotte, braisé *m;* **~topf** *m* daubière, cocotte *f.*

Schmu *m* ⟨-s, ø⟩ [ʃmuː] *fam* grappillage *m,* gratte *f;* ~ *machen* grappiller, faire de la gratte; *(beim Einkauf)* faire danser l'anse du panier.

schmuck [ʃmʊk] *a* coquet, pimpant; propre; joli, beau.

Schmuck *m* ⟨-(e)s, (-e)⟩ [ʃmʊk] parure *f;* bijoux *m pl; (Verzierung)* ornement; *(Zierat)* décor *m,* décoration *f;* ~ *tragen* porter des bijoux; *unechte(r)* ~ bijouterie *f* (de) fantaisie; *pej* toc *m;* **~blattelegramm** *n* télégramme *m* de luxe; **~feder** *f* plume *f* de parure; **~handel** *m* bijouterie, joaillerie *f;* **~händler** *m* bijoutier, joailler *m;* **~kästchen** *n* boîte *f od* coffret à bijoux, écrin, baguier; *fig (Raum)* bijou *m;* **s~los** *a* sans ornement, nu, simple; austère, sévère; *fig (Stil)* dépouillé, sobre; **~losigkeit** *f* ⟨-, ø⟩ manque *m* d'ornements; simplicité; austérité; *a. fig* sévérité; *fig* sobriété *f;* **~sachen** *f pl* bijoux, joyaux *m pl;* **~stück** *n* parure *f,* joyau *m;* **~waren** *f pl* bijouterie; joaillerie *f;* **~warenindustrie** *f* industrie *f* bijoutière.

schmücken ['ʃmʏkən] *tr* parer, orner (*mit* de); *(verzieren)* décorer (*mit* de); *(verschönern)* embellir; *sich mit fremden Federn ~~ (fig)* se parer des plumes du paon; **S~** *n* ornementation, décoration *f;* embellissement *m.*

schmudd(e)lig ['ʃmʊd(ə)lɪç] *a fam* sale, malpropre; ~ *aussehen (fam a.)* faire sale.

Schmugg|el *m* ⟨-s, ø⟩ ['ʃmʊgəl], **~elei** *f* ⟨-, ø⟩ [-'laɪ] contrebande; fraude *f;* **s~eln** ⟨*ich schmugg(e)le, du schmuggelst ...*⟩ *itr* faire de la contrebande; *tr* passer *od* rentrer en contrebande *od* en fraude; **~elware** *f* marchandises *f pl* de contrebande; **~ler** *m* ⟨-s, -⟩ contrebandier, fraudeur *m;* **~lerbande** *f* bande *f* de contrebandiers; **~lerschiff** *n* navire *m* (de) contrebandier.

schmunzeln ['ʃmʊntsəln] *itr* sourire (d'un air complaisant *od* entendu).

Schmus *m* ⟨-es, ø⟩ [ʃmuːs, '-zəs] *fam* flatteries *f pl,* mots *m pl* sucrés; ~ *machen* passer la main dans le dos; **s~en** *itr* câliner, cajoler (*mit jdm* qn); **~er** *m* câlin, cajoleur *m.*

Schmutz *m* ⟨-es, ø⟩ [ʃmʊts] boue, ordure, saleté *f,* immondices *f pl; (~fleck)* salissure, souillure; *(~schicht)* crasse; *(Straßen~)* boue, crotte; *(Kot)* fange; *(Müll)* gadoue, *pop* gadouille; *fig* boue, crasse; saleté *f; jdn mit ~ bewerfen (fig)* couvrir qn de boue; *vor ~ starren (a.)* être sale comme un peigne; *sich im ~ wälzen (fig)* se vautrer comme un cochon dans sa bauge; *in den ~ ziehen (fig)* traîner dans la boue; **~arbeit** *f* travail *m* salissant; **~ärmel** *m* fausse manche *f,* protège-manche *m;* **~bogen** *m typ* feuille *f* de décharge; **~bürste** *f* brosse *f* à nettoyer; **s~empfindlich** *a* salissant; **s~en** *itr* tacher, faire des taches; **s~end** *a: leicht ~~* tachant; **~fink** *m* souillon *m,* sagouin, e *m f;* **~fleck** *m* tache de boue, souillure, salissure *f;* **s~ig** *a* sale, boueux, immonde; *(unsauber)* malpropre; *(bespritzt)* crotté; *(schmierig)* crasseux; *(kotig, schlammig)* fangeux; *fig* sordide; ordurier, obscène; *vulg* cochon; *(filzig, geizig)* pingre; *~~e Reden führen* tenir des propos orduriers, dire des obscénités; *~~ machen* salir, souiller; crotter; encrasser; *~~ werden* se salir; **s~iggrau** *a* gris sale; **~igkeit** *f* ⟨-, (-en)⟩ *fig* saleté; sordidité; obscénité *f;* **~kruste** *f* croûte *f* de crasse; **~lappen** *m* torchon *m;* **~liese** *f* souillon; *pop* arsouille *f;* **~schicht** *f* couche *f* de boue; **~titel** *m typ* faux-titre, titre *m* bâtard, fausse page *f;* **~- und Schundliteratur** *f* mauvais livres *m pl;* pornographie *f;* **~zulage** *f* indemnité *f* pour travaux salissants.

Schnabel *m* ⟨-s, ⸚⟩ ['ʃnaː-, 'ʃnɛːbəl] *a. fig pop (vom Menschen)* bec; *(Schiffs~)* éperon; *hist* rostre *m; den ~ aufsperren, halten (pop)* ouvrir, fermer le bec; *ich spreche, wie mir der ~ gewachsen ist* je parle comme j'en ai l'habitude; *halt den ~!* fermela! tais-toi! **s~förmig** *a* en forme de bec; **~hieb** *m* coup *m* de bec; **~schuhe** *m pl hist* souliers *m pl* à la poulaine; **~tasse** *f* tasse *f* à bec; **~tier** *n* ornithoryngue *m;* **schnäbeln** ['ʃnɛːbəln] *tr fam (küssen)* bécoter, becqueter; **schnabulieren** [ʃnabu'liːrən] *itr hum* se régaler.

Schnake *f* ⟨-, -n⟩ ['ʃnaːkə] *ent (Bach~)* tipule *f; (Mücke)* moustique, cousin *m.*

Schnall|e *f* ⟨-, -n⟩ ['ʃnalə] boucle, brochette *f;* **s~en** *tr* boucler; *enger ~~* serrer; *weiter ~~* desserrer; **~endorn** *m* ardillon *m;* **~enschuhe** *m pl* souliers *m pl* à boucles.

schnalzen ['ʃnaltsən] *itr: mit der Zunge ~~* faire claquer *od* clapper sa langue.

schnapp [ʃnap] *interj* crac! **S~deckel** *m* couvercle *m* à ressort; **~en** ⟨*aux: haben*⟩ *tr* happer, gober; *fig fam (erwischen)* mettre la main sur, coincer, choper; pincer; *arg* servir; *itr (Schloß)* claquer; *(Feder)* faire ressort; *sich ~~ lassen (fam)* se faire coincer *od* pincer; *sie haben ihn ge~t* il est fait *od pop* fichu; **S~feder** *f* ressort *m* à déclic; **S~schloß** *n* serrure *f* à ressort; **S~schuß** *m* photo-surprise *f,* instantané *m.*

Schnäpper *m* ⟨-s, -⟩ ['ʃnɛpər] *orn* gobe-mouches *m; med* lancette *f.*

Schnaps *m* ⟨-es, ⸚e⟩ [ʃnaps, 'ʃnɛpsə] eau-de-vie *f; (einzelnes Glas)* petit verre *m, fam* goutte *f; arg mil* gn(i)ole, gnôle, gnaule *f; ~ nach dem Kaffee* pousse-café *m;* **~brenner** *m* distillateur; fabricant d'eau-de-vie; bouilleur *m* de cru; **~brennerei** *f* distillerie *f;* **~bude** *f pop* bistrot *m;* **s~en** *itr* boire la goutte, se piquer le nez; **~flasche** *f* bouteille *f* à eau-de-vie; **~glas** *n* petit verre *m;* **~idee** *f* idée *f* saugrenue; **Schnäpschen** *n* petit verre *m,* goutte *f.*

schnarch|en ['ʃnarçən] *itr* ronfler; **S~en** *n* ronflement *m;* **S~er** *m* ⟨-s, -⟩ ronfleur *m.*

Schnarr|e *f* ⟨-, -n⟩ ['ʃnarə] *(Spielzeug)* crécelle; *orn (Misteldrossel)* grive *f* (viscivore); **s~en** *itr* grincer; *(mit der Stimme)* nasiller; **~en** *n* grincement *m;* **s~end** *a (Stimme)* nasillard; **~werk** *n (Orgel)* bourdon *m.*

Schnatter|gans *f* ['ʃnatər-], **~liese** *f* bavarde, péronnelle *f;* **s~n** *itr (Gans)* criailler, siffler; *(Ente)* cancaner, nasiller, faire coin-coin; *fig fam pej (Mensch)* caqueter, babiller, bavarder; **~n** *n* criaillerie *f;* caquetage; *fig* babillage, bavardage *m.*

schnauben ⟨*schnaubte (schnob)*⟩ ['ʃnaubən] *itr (Pferd)* s'ébrouer, renâcler; *(Mensch)* haleter, respirer *od* souffler bruyamment; *vor Wut ~* écumer de rage; *Rache ~* respirer vengeance; **S~** *n* ébrouement; halètement *m,* respiration *f* bruyante.

schnauf|en ['ʃnaufən] *itr* respirer fort *od* bruyamment; souffler; haleter; être pantelant; **S~en** *n* respiration *f* bruyante; souffle; halètement *m;* **S~er** *m* ⟨-s, -⟩ *fam* souffle *m* (bruyant).

Schnauz|bart *m* ['ʃnauts-] *fam pej* moustache *f; fig (Mensch)* barbon, vieux barbu *m;* **s~bärtig** *a* moustachu; **~e** *f* ⟨-, -n⟩ museau; *(Schwein)* groin; *(Büffel)* mufle *m; pop (Mensch)* gueule, goule *f; fig (Kanne)* bec *m; frei nach ~~ (pop)* au pifomètre, au petit bonheur; *jdm die ~~ einschlagen* casser la gueule à qn, abîmer le portrait de qn; *e-e große ~~ haben (pop)* être *od* avoir une grande gueule; *die ~~ voll haben (pop)* en avoir plein le dos *od* ses bottes; *die ~~ halten (pop)* tenir sa gueule; *(halt die) ~~!* (ferme) ta gueule! **s~en** *itr pop* gueuler; **~er** *m* ⟨-s, -⟩ *(Hunderasse)* schnauzer *m.*

Schnecke *f* ⟨-, -n⟩ ['ʃnɛkə] *zoo (Klasse)* gast(é)ropode *m scient; (Nackt~)* limace *f; (~ mit Haus)* colimaçon; *(Schnirkel~)* limaçon, *(bes. eßbare)* escargot; *anat (Ohr)* limaçon *m; arch* volute; *tech* vis sans fin; *mus (Geigenkopf)* tête *f* (de violon); *(Frisur)* macaron *m.*

Schnecken|antrieb *m* ['ʃnɛkən-] commande *f* par vis sans fin; **s~förmig** *a* en limaçon, en spirale, en volute; **~gang** *m: im ~~* comme un escargot *od* une tortue; **~garten** *m* escargotière *f,* parc *m* à escargots; **~gehäuse** *n tech* carter *m* de vis sans fin; **~getriebe** *n* engrenage *m* à vis sans fin; **~gewinde** *n* filetage *m* hélicoïdal; **~haus** *n* coquille *f* (d'escargot); **~linie** *f* spirale *f;* **~platte** *f* escargotière *f;* **~post** *f: mit der ~~ = im ~gang;* **~rad** *n* roue *f* hélicoïdale; **~tempo** *n = ~gang;* **~zucht** *f* héliciculture *f;* **~züchter** *m* héliciculteur *m.*

Schnee *m* ‹-s, ø› [ʃne:] neige; *(Radar)* image de fond, herbe *f; zu ~ schlagen (Küche)* battre en neige; *ewige(r) ~* neiges *f pl* éternelles *od* perpétuelles; *von ~ eingeschlossen* bloqué par les neiges; **~ball** *m* boule de neige; *bot* viorne *f; (gemeiner) ~~ (bot)* boule-de-neige *f;* **~ballschlacht** *f* bataille *f* (à coups) de boules de neige; **s~bedeckt** *a* couvert de neige, neigeux; **~bericht** *m* bulletin *m* d'enneigement; **~besen** *m (Küche)* fouet *m* (à œufs); **s~blind** *a* aveuglé par la neige, atteint de la cécité des neiges; **~blindheit** *f* cécité *od* ophtalmie *f* des neiges; **~brille** *f* lunettes *f pl* de montagne *od* d'alpiniste; **~decke** *f* couche *f* de neige *od* neigeuse; **~fall** *m* chute *f* de neige; **~flocke** *f* flocon *m* de neige; **s~frei** *a* sans neige; *~~ machen* déneiger; **~gestöber** *n* rafale *f od* tourbillon *m od* tourmente *f* de neige; **~glätte** *f* glissance *f* due à la neige; **~glöckchen** *n bot* perce-neige *f;* **~grenze** *f geog* limite *f* des neiges; **~höhe** *f* épaisseur *f* de la neige; **~huhn** *n* perdrix *od* poule *f* des neiges; *scient* lagopède *m;* **~hütte** *f* igloo *m;* **s~ig** *a* neigeux, couvert de neige; **~kette** *f* chaîne *f* antidérapante; **~könig** *m: sich wie ein ~~ freuen (fig)* être transporté de joie, être au comble de la joie; **~kufe** *f aero* ski *m* d'atterrissage; **~lage** *f = ~verhältnisse;* **~landschaft** *f* paysage *m* de neige; **~leopard** *m* panthère *f* des neiges; **~mann** *m* ‹-(e)s, ·-er› bonhomme *m* de neige; **~massen** *f pl* neiges *f pl;* **~matsch** *m* neige *f* à demi fondue; **~pflug** *m* chasse-neige *m;* **~region** *f geog* zone *f* des neiges éternelles; **~schauer** *m* averse *f* de neige; **~schaufel** *f,* **~schippe** *f* pelle *f* à neige; **~schmelze** *f* fonte *f* des neiges; **~schuh** *m = Schi;* **~sturm** *m* tempête *f* de neige; **~teller** *m* raquette (de neige); *(Schi)* rondelle *f;* **~treiben** *n = ~gestöber;* **~verhältnisse** *n pl* enneigement *m;* **~verwehung** *f* amas *m* de neige, congère *f;* **~wächte** *f (überhängende ~masse)* corniche *f* de neige; **~wehe** *f = ~verwehung;* **s~weiß** *a* blanc comme (la) neige; **~wittchen** *n* ‹-s, ø› *(Märchenfigur)* Blanche-Neige *f;* **~zaun** *m* pare-neige *m.*

Schneid *m* ‹-(e)s, ø› [ʃnaɪd] cran, allant, mordant; *fam* nerf *m; jdm den ~ abgewinnen, abkaufen* décourager, démoraliser qn; **s~ig** *a* plein d'allant; crâne; *~~e(r) Kerl m* homme *m* à poigne; **~igkeit** *f* ‹-, ø› = ~.

Schneid|brenner *m* ['ʃnaɪt-] chalumeau *m* oxhydrique *od* découpeur; **~e** *f* ‹-, -n› [-də] coupant, tranchant, taillant, fil *m; tech* tranchée, laie *f; (Waage)* couteau; *(Berggrat)* arête, crête *f* de montagne; *auf des Messers ~~ stehen (fig)* ne tenir qu'à un fil; **~eisen** *n* filière *f;* **~emaschine** *f* machine *f* à découper; **~emühle** *f (Sägemühle)* scierie *f;* **~ewerkzeug** *n* outil *od* instrument *m* tranchant *od* à découper; **~ezahn** *m* (dent) incisive *f;* **~kluppe** *f tech* (porte-)filière *f (m).*

schneiden ‹*schnitt, geschnitten*› ['ʃnaɪdən] *tr* couper, tailler; *(ab~)* découper, trancher; *(scheren)* tondre; *(hacken)* hacher; *(sägen)* scier; *(Metall)* refendre; *(Gewinde)* fileter; *film* monter; *med* opérer; *(kastrieren)* castrer, châtrer; *mot (scharf überholen)* faire une queue de poisson à; *fig (nicht beachten)* ignorer; *itr* couper, être coupant; *sich ~* se couper *a. math (Linien); fig fam (sich irren)* se tromper; *Grimassen ~* faire des grimaces; *in Holz ~* graver sur bois; **~d** *a fig (Kälte)* vif, piquant, mordant; *(Wind)* cinglant; *(Worte, Ton)* tranchant, pénétrant.

Schneider *m* ‹-s, -› ['ʃnaɪdər] tailleur *m; aus dem ~ sein (fig fam: Kartenspiel)* avoir plus de trente points; **~bügeleisen** *n* carreau *m;* **~büste** *f* mannequin *m* de tailleur; **~ei** *f* [-'raɪ] *(Handwerk)* métier *m* de tailleur; *(Damen~~)* couture *f; (Werkstatt)* atelier *m* de tailleur *od (Damen~~)* de couture; **~handwerk** *n s. ~ei;* **~in** *f* couturière *f; junge ~~* cousette *f fam;* **~kostüm** *n* (costume) tailleur *m;* **~kreide** *f* craie *f* de tailleur; **~leinen** *n* toile *f* tailleur; **~lohn** *m* façon *f;* **~muskel** *m anat* muscle *m* couturier; **s~n** *itr* faire de la couture; *tr* faire, coudre; *haben Sie das Kleid selbst ge~t? (a.)* est-ce une robe de votre fabrication? **~n** *n* couture *f;* **~puppe** *f* mannequin *m;* **~schere** *f* ciseaux *m pl* de tailleur; **~werkstatt** *f s. ~ei.*

schneien ‹*schneite, hat geschneit*› ['ʃnaɪən] *itr impers* neiger; *es schneit (a.)* il tombe de la neige.

Schneise *f* ‹-, -n› ['ʃnaɪzə] *(Wald)* laie, percée, trouée *f;* coupe-feu; *aero* couloir *m; mil* percée *f.*

schnell [ʃnɛl] *a* vite *a. adv,* rapide; *(flink)* prompt; *möglichst ~, so ~ wie möglich, auf dem ~sten Weg* au plus vite, le plus vite possible, aussi vite que possible; *so ~ ich (etc) konnte* le plus rapidement possible, à toutes jambes; *von ~em Entschluß* prompt à se décider, leste; *~ entschlossen (adv)* lestement; *~ zu Ende gehen* tourner court; *~ begreifen* avoir l'esprit prompt; *~ fahren (a.)* rouler à vive allure; *~er gehen* allonger le pas; *~ machen (fam: sich beeilen)* se dépêcher, se hâter, se presser; *pop* faire vinaigre; *arg* se dégrouiller; *mit etw ~ bei der Hand sein* être prompt à qc; *~ weghaben (fam: Krankheit)* prendre facilement; *~, ~!* vite, vite! dépêche-toi! dépêchez-vous! *~e Truppen f pl* unités *f pl* rapides; *~e Zunahme f (a.)* prolifération *f;* **S~e** *f* ‹-, ø› = *~igkeit; (Strom~~) f* ‹-, -n› rapide *m;* **S~igkeit** *f* ‹-, ø› vitesse, rapidité, célérité, vélocité; promptitude *f;* **S~igkeitsrekord** *m* record *m* de vitesse; **~stens** *adv* dans les plus brefs délais, au plus tôt, en vitesse; = *möglichst ~.*

Schnell|ausbildung *f* ['ʃnɛl-] formation *od* instruction *f* accélérée; **~bahn** *f* ligne *f* à service rapide; métro-express *m; a. = ~weg;* **~bohrer** *m,* **~bohrmaschine** *f* perçeuse *f* rapide; **~boot** *n mar* vedette *f* rapide; **~dampfer** *m* vapeur *m* rapide; **~dienst** *m* service *m* rapide; **~drehstahl** *m* acier *m* (à coupe) rapide; **~feuer** *n* tir *m od* cadence *f* rapide; **~feuergeschütz** *n,* **~feuergewehr** *n,* **~feuerwaffe** *f* pièce *f,* fusil *m,* arme *f* à tir rapide; **~flug** *m* vol *m* à grande vitesse; **s~füßig** *a* agile, leste; **~gang** *m mot* vitesse *f* surmultipliée; **~gaststätte** *f* snack-bar *m;* **~güterzug** *m* train *m* de marchandises rapide; **~imbiß** *m* snack-bar; casse-croûte *m inv;* **~kochtopf** *m* marmite autoclave *od* à pression, cocotte *f* minute; **~kurs** *m (Lehrgang)* cours *m* accéléré; **~(l)äufer** *m* coureur; sprinter; *mot* moteur *m* (à régime) rapide; **s~(l)ebig** *a (Zeit)* où règne la vitesse; **~presse** *f typ* presse *f* rapide *od* mécanique; **~schreiber** *m tele* transmetteur *m* à grande vitesse; **~segler** *m mar* clipper *m;* **~straße** route *f* rapide *od* express; **~triebwagen** *m loc* autorail *m* rapide; **s~trocknend** *a* siccatif; **~verfahren** *n tech* méthode rapide; *jur* procédure *f* accélérée; **~waage** *f* (balance *od* bascule) romaine *f,* peson *m;* **~weg** *m* voie *f* à circulation rapide; **~zug** *m* (train) rapide *m;* **~zugverbindung** *f* service *m* rapide; **~zugzuschlag** *m* supplément-rapide *m.*

schnell|en ['ʃnɛlən] *itr* ‹*aux: sein*› faire ressort *od* un bond, bondir; *tr* ‹*aux: haben*› décocher, lancer, darder; *in die Höhe ~~* faire un bond; *fig (Preise)* augmenter de façon vertigineuse; *(in die Höhe) ~~ lassen* faire bondir, lâcher; **S~käfer** *m* taupin; *scient* élatéridé *m;* **S~kraft** *f* ‹-, ø› élasticité *f,* ressort *m.*

Schnepfe *f* ‹-, -n› ['ʃnɛpfə] bécasse; *fig pop (Nutte)* grue *f;* **~njagd** *f* chasse *f* à la bécasse; **~nstrich** *m,* **~nzug** *m* passage *m* de bécasses.

schneuzen ['ʃnɔʏtsən], *sich* se moucher.

schniegeln ['ʃni:gəln] *tr vx (putzen): geschniegelt und gebügelt* tiré à quatre épingles.

schnieke ['ʃni:kə] *a dial (schick)* chic.

schnipp [ʃnɪp] *interj* clic! *~, schnapp!* clic-clac!

Schnippchen *n* ‹-s, -› ['ʃnɪpçən]: *jdm ein ~ schlagen* jouer un tour à qn, se jouer de qn; monter le coup à qn.

Schnipp|el *m* od *n* ‹-s, -› ['ʃnɪpəl] petit morceau *m;* rognure *f;* **s~eln** *itr (herumschneiden)* tailler et rogner; **s~en** *itr* claquer (les doigts); **s~isch** *a* pincé, mutin.

Schnipsel *m* od *n* ⟨-s, -⟩ ['ʃnɪpsəl] *fam*, **s~n** *itr fam* = *Schnippel etc.*

Schnirkelschnecke *f* ['ʃnɪrkəl-] *zoo* limaçon, escargot *m*.

Schnitt *m* ⟨-(e)s, -e⟩ ['ʃnɪt] *(Vorgang)* coupe; *(Ergebnis)* coupe, taille; *(Ein~)* entaille, encoche, taillade; *(~wunde)* coupure; *(größere)* entaille; *(Chirurgie)* incision; *(Schneiderei: Zu~)* coupe, façon *f*; *(~muster)* patron *m*; *(Buch)* tranche *f*; *film* découpage *m*; *agr* coupe, récolte; *(der Bäume)* taille; *math* intersection *f*; *im ~* en moyenne; *nach dem neuesten ~* à la dernière mode; *e-n ~ machen (fig)* faire une bonne affaire; *der Goldene ~ (math)* la section d'or; *~ und Zusammenstellung (film)* montage *m*; **~ball** *m sport* balle *f* coupée; **~blumen** *f pl* fleurs *f pl* coupées; **~bohnen** *f pl* haricots *m pl* verts; **~chen** *n (kleine belegte ~e)* petite tartine *f*; **~e** *f* ⟨-, -n⟩ tranche; *(belegtes Brot)* tartine *f*; **~er** *m* ⟨-s, -⟩ moissonneur, faucheur *m*; **s~fest** *a (Tomate)* ferme; **~fläche** *f* (surface de la) coupe, section *f*; **~holz** *n* bois *m* débité *od* de sciage; **s~ig** *a (rassig, schick, bes. von e-m Auto)* racé, chic, élégant; **~käse** *m* fromage *m* à trancher *od* en tranches; **~lauch** *m* civ(ett)e, ciboulette *f*; **~meister** *m film* monteur *m*; **~muster** *n* patron *m* (de couture); **~musterrädchen** *n* roulette *f*; **~punkt** *m math* point d'intersection; *fig* (point *m* de) rencontre *f*, carrefour *m*; **~salat** *m* laitue *f* à couper; **~waren** *f pl* marchandises *f pl* à détailler; **~wunde** *f* coupure; *(größere)* entaille *f*.

Schnitz *m* ⟨-es, -e⟩ [ʃnɪts] *dial* morceau *m* de fruit sec; **~arbeit** *f* sculpture *f* sur bois; **~el** *n* ⟨-s, -⟩ rognure *f*, morceau; *(Papier)* bout *m* de papier; *(Küche)* escalope *f*; **~eljagd** *f* rallye-paper, rallie-papier *m*; **s~eln** *itr* = *schnippeln*; **s~en** *tr* tailler *od* sculpter (sur bois); **~en** *n* sculpture *f* (sur bois); **~er** *m* ⟨-s, -⟩ *(Holz~)* sculpteur *m* (sur bois); *fig fam (Fehler)* gaffe, bévue; *(sprachlicher)* incartade *f*; *e-n ~~ machen (a.)* gaffer; **~erei** *f* [-'raɪ] sculpture *f* sur bois; **~messer** *n* couteau *m* à sculpter; **~werk** *n* ouvrage *m* sculpté; sculpture *f* sur bois.

schnobern ['ʃno:bərn] *tr* = *schnuppern*.

schnodd(e)rig ['ʃnɔd(ə)rɪç] *a dial fam* impertinent, impudent; **S~keit** *f* impertinence, impudence *f*.

schnöd|(e) [ʃnø:t, -də] *a (erbärmlich)* indigne, odieux, méprisable; *(gemein)* vil; *~e(r) Mammon m (a.)* lucre *m*; *~e Tat f (a.)* vilenie *f*; *adv* de façon indigne; **S~igkeit** *f* indignité; vilenie *f*.

Schnorchel *m* ⟨-s, -⟩ ['ʃnɔrçəl] *mar sport* schnorchel *m*.

Schnörkel *m* ⟨-s, -⟩ ['ʃnœrkəl] *arch* volute; *allg (Verzierung)* fioriture, enjolivure *f*; ornement baroque; *(Schrift)* entrelacs *m*; **s~haft** *a*, **s~ig** *a* chargé de fioritures; baroque; contourné, surchargé; *(Stil)* tarabiscoté; **~kram** *m* surcharge *f* de fioritures; **s~n** *itr* faire des fioritures *od* des entrelacs.

schnorr|en ['ʃnɔrən] *itr fam (betteln)* mendigoter, mendier; **S~er** *m* ⟨-s, -⟩ mendigot *m*.

Schnösel *m* ⟨-s, -⟩ ['ʃnø:zəl] *fam (frecher Bursche)* jeune impertinent *m*.

schnüff|eln ['ʃnʏfəln] *itr (Tier)* renâcler; *(Mensch)* renifler; *fig* fureter, fouiner; **S~eln** *n* reniflement; furetage *m*; **S~ler** *m* ⟨-s, -⟩ furet(eur), fouineur; *pej* rat *m* de cave.

schnull|en ['ʃnʊlən] *itr dial (saugen)* sucer; **S~er** *m* ⟨-s, -⟩ tétine *f*.

Schnulze *f* ⟨-, -n⟩ ['ʃnʊltsə] chanson de charme, rengaine, scie *f*; **~nsänger** *m* chanteur *m* de charme.

schnupf|en ['ʃnʊpfən] *tr (Tabak)* priser; *itr* prendre du tabac; *sich ~~* se moucher; **S~en** *m* ⟨-s, -⟩ rhume de cerveau; *scient* coryza *m*; *den ~~ haben (a.)* être enrhumé; *e-n tüchtigen ~~ haben* avoir un bon rhume; *sich e-n ~~ holen* s'enrhumer; **S~tabak** *m* tabac *m* à priser; **S~tuch** *n* mouchoir *m* (de poche).

schnuppe ['ʃnʊpə] *a fam: das ist mir ~* je m'en moque comme de l'an quarante *od* pas mal, je m'en fiche; *pop* je m'en fous *od* balance.

Schnuppe *f* ⟨-, -n⟩ ['ʃnʊpə] *(verkohlter Docht)* mouchure *f*.

schnuppern ['ʃnʊpərn] *itr (Hund)* flairer; *fig (Mensch)* renifler.

Schnur *f* ⟨-, ⁻e⟩ [ʃnu:r, 'ʃny:rə] corde *f*, cordon; lacet; *(Absteck~)* cordeau *m*; *(Bindfaden)* ficelle *f*; *(e-r Perlenkette)* fil *m*; **s~gerade** *a* tiré au cordeau, tout droit; **~keramik** *f hist* céramique *f* cordée; **s~stracks** ['-'ʃtraks] *adv* tout droit; immédiatement; *(sofort)* sur-le- champ.

Schnür|band *n* ['ʃny:r-] lacet *m*; **~boden** *m theat* cintre, gril *m*; **~brust** *f (Korsett)* corset *m*; **~chen** *n*: *wie am ~~ hersagen* réciter d'affilée; *wie am ~~ können* savoir sur le bout du doigt; *das geht wie am ~~* cela va comme sur des roulettes; **s~en** *tr* lacer, ficeler; *sich ~~* se lacer, se sangler, se serrer (la taille); *sein Bündel ~~ (fig)* faire son paquet; plier bagage; *fam* faire son bal(l)uchon; *das ~t mir das Herz* cela me serre le cœur; **~leib(chen** *n*) *m* corset *m*; **~loch** *n* œillet *m*; **~nadel** *f* passe-lacet *m*; **~schuh** *m* soulier à lacets; *mil* brodequin *m*; **~senkel** *m* lacet *m*; **~stiefel** *m* bottine *f* (à lacets), brodequin *m*.

Schnurr|bart *m* ['ʃnʊr-] moustache *f*; bacchantes *f pl*; **~bartbinde** *f* fixe-moustache *m*; **s~bärtig** *a* moustachu; **~e** *f* ⟨-, -n⟩ *(Burleske)* farce, facétie *f*; **s~en** ⟨*aux: haben*⟩ *itr* **1.** *(Katze)* ronronner; *(Spinnrad)* ronfler; **~en** *n* ronron(nement); ronflement *m*; **~haare** *n pl zoo* vibrisses *f pl*, poils *m pl* tactiles; *(Katze)* barbe *f*; **s~ig** *a* drôle, cocasse; burlesque.

schnurren ['ʃnʊrən] *itr* **2.** = *schnorren*.

schnurz [ʃnʊrts] *a fam* = *schnuppe*.

Schober *m* ⟨-s, -⟩ ['ʃo:bər] *(Heuschuppen)* grange; *(Heuhaufen)* meule *f* (de foin).

Schock *n* [ʃɔk] **1.** ⟨-(e)s, -e⟩ soixantaine; *fig fam (Menge)* quantité *f*, tas *m*; *(Kinder)* ribambelle *f*; **s~weise** *adv* par soixantaines.

Schock 2. *m* [ʃɔk] ⟨-(e)s, -s/(-e)⟩ *med* choc; *a. fig* soubresaut *m*; *fig* secousse *f*, ébranlement *m*; **s~ieren** [-'ki:rən] *tr* choquer; scandaliser; **~schwerenot!** mille tonnerres! **~therapie** *f* thérapeutique *f* de choc; **~wirkung** *f med* effet *m* du choc.

schofel ['ʃo:fəl] *a*, **schof(e)lig** *a fam (gemein)* piètre, vil, bas; *(knauserig)* ladre, pingre, chiche, mesquin.

Schöffe *m* ⟨-n, -n⟩ ['ʃœfə] échevin *m*; **~namt** *n* échevinage *m*; **~ngericht** *n* tribunal *m* d'échevins.

Schokolade *f* ⟨-, -n⟩ [ʃoko'la:də] chocolat *m*; **~neis** *n* glace *f* au chocolat; **~nfabrik** *f* chocolaterie *f*; **~nfabrikant** *m* chocolatier *m*; **s~nfarben** *a* chocolat; **~nkanne** *f* chocolatière *f*; **~nkrem** *f* mousse *f* au chocolat; **~nkuchen** *m* gâteau *m* au chocolat; **~nplätzchen** *n* pastille *f* de chocolat; **~ntasse** *f* tasse *f* à chocolat.

Schol|ar *m* ⟨-en, -en⟩ [ʃo'la:r] *hist (Schüler)* écolier *m*; **~astik** *f* ⟨-, ø⟩ [-'lastɪk] *rel philos* scolastique *f*; **~astiker** *m* ⟨-s, -⟩ [-'lastikər] scolastique *m*; **s~astisch** [-'lastɪʃ] *a* scolastique.

Scholle *f* ⟨-, -n⟩ ['ʃɔlə] *(Erd~)* motte de terre; *a. fig* glèbe *f*; *geol* lambeau, segment; *(Eis~)* glaçon; *(Fisch)* poisson *m* plat, plie, sole *f*; *an die ~ gebunden* attaché à la glèbe; **~nbrecher** *m agr* brise-mottes *m inv*.

Schöllkraut *n* ['ʃœlkraut] *bot* chélidoine *f*.

schon [ʃo:n] *adv* **1.** *(zeitl., a. örtl.)* déjà; *~ von weitem sah ich ihn kommen* je le voyais déjà venir de loin; **2.** *(mit nachfolgender Zeitbestimmung)* dès; *~ damals* dès lors; *~ jetzt* dès maintenant; d'ores et déjà; *~ als Kind* dès mon *etc* enfance, tout enfant; *~ lange* depuis longtemps (déjà); *es ist ~ lange her* il y a (déjà) longtemps; **3.** *(gewiß, doch, wohl)* bien (sûr), certainement, sans doute; *(oft a. ohne Entsprechung)*; *~ dadurch* par ce seul fait; *~ deswegen* rien que *od* ne serait ce que pour cela *od* pour cette raison; *~ oft* maintes (et maintes) fois; *~ wegen ...* ne serait-ce que pour ...; *ich weiß ~* je sais bien; *er wird ~ kommen* il viendra bien; *es wird ~ gehen* ça ira; *das mag ~ sein* cela *od* ça se peut; *wo steckst du ~ wieder?* où es-tu donc? *mach ~! (fam: eil dich!)* dépêche-toi! *wenn ~, denn ~!* s'il le faut, allons-y! *~ gut!* ça va (bien); c'est bon; ça suffit; *~ recht!* je veux bien; soit! d'accord! oui, oui! *~ wieder* encore; **4.** *(mit nachfolgendem Art. u. s)* le, la seul(e) *od* simple ..., rien que le, la ...; *~ der Gedanke* la seule idée, rien que d'y penser; *daß ...* rien que de penser que ...; *~ die Höflichkeit (verlangt)* la simple politesse (exige).

schön [ʃø:n] *a* beau; bien fait; *(hübsch)* joli; *(angenehm)* agréable; *iron* honnête; *adv* bien; *interj* bon!

bien! soit! d'accord! *iron* parfait! *e-s ~en Tages* un beau jour; *in ~ster Ordnung* en ordre parfait; *aufhören, wenn es am ~sten ist* rester sur la bonne bouche; *~ malen, schreiben, singen (etc)* peindre, écrire, chanter etc bien; *~ in der Patsche* od *Tinte sitzen (fam)* être dans de beaux draps; *~ werden (Wetter)* se mettre au beau; *~er werden* embellir; *ich lasse ~ grüßen* bien des choses de ma part; *ich werde mich ~ hüten, (fam) bremsen, das werde ich ~ seinlassen* je m'en garderai bien; *es ist ~(es Wetter)* il fait beau (temps) *od* bon; *das ist ~!* à la bonne heure! *das ist ~ von dir* c'est bien de ta part; *das ist alles ganz ~* od *~ und gut, aber ...* tout cela est bel et bon *od* bien, mais ...; *das S~e dabei ist ...* ce qu'il y a de beau là-dedans, c'est ...; *es kommt noch ~er* il y a plus; *das wäre noch ~er! (iron)* encore mieux! ah, par exemple! point de cela! *das wird (ja) immer ~er!* c'est de mieux en mieux! cela recommence de plus belle! cela ne fait que croître et embellir! *da haben wir uns was S~es eingebrockt! (fam)* nous nous sommes embarqués dans une belle affaire! *da haben Sie was S~es angerichtet!* vous avez fait là de la belle besogne *od* du beau travail! voilà un bel exploit! *von Ihnen hört man ja ~e Dinge!* on en dit de toutes les couleurs sur votre compte; *das ist (ja) e-e ~e Bescherung!* en voilà du joli *od* du propre! *bitte ~!* s'il vous plaît; *danke ~! ~en Dank!* merci beaucoup! merci bien! *das ist (ja) e-e ~e Geschichte!* en voilà une affaire! voilà un bel exploit! *etwas S~es (a.)* du gâteau; *~ artig* od *brav* bien sage; *das ~e Geschlecht* le beau sexe; *die s~en Künste f pl* les beaux-arts *m pl; die s~e Literatur* les belles-lettres *f pl; e-e ~e Summe* une belle somme d'argent; *~e (leere) Worte n pl* de belles paroles; **S~druck** *m typ* prime, impression *f* verso; **S~e** *f* ‹-n, -n› **1.** *(~es Mädchen)* belle, beauté *f;* **2.** *f* ‹-, ø› *poet (S~heit)* beauté *f;* **~en** *tr (Farbe)* faire revenir; *(Wein)* clarifier; **~=färben** *tr fig* peindre en rose; **S~färberei** *f* (fausse) idéalisation *f;* **S~geist** *m (Person),* **S~geisterei** *f* bel esprit *m;* **~geistig** *a* de bel esprit; *die ~~e Literatur* les belles-lettres *f pl;* **~=machen** *itr (Hund)* faire le beau; *sich ~~* se parer, s'endimancher; *fam* se pomponner; **S~redner** *m* beau diseur *m;* **~=schreiben** *itr* calligraphier; **S~schreiben** *n,* **S~schrift** *f* calligraphie *f;* **S~tuer** *m* enjôleur, flatteur *m;* **S~tuerei** *f* minauderie, afféterie, affectation *f;* **~=tun** minauder, faire le précieux *od* le galant; **S~ung** *f* ‹-,(-en)› *(d. Weins)* clarification *f.*

Schon|bezug *m* ['ʃo:n-] *a. mot* housse *f;* **s~en** *tr* ménager, épargner; *(~~d umgehen mit)* prendre soin de, soigner; *(rücksichtsvoll behandeln)* ménager, avoir des égards pour; *sich ~~* se ménager, ménager sa santé; *nicht ~~ (verausgaben)* faire bon marché de, prodiguer; *sich nicht ~~* ne pas se ménager; faire bon marché de sa santé; **s~end** *a* plein d'égards; *adv* avec ménagements; *~~ behandeln* ménager; *a: ~~e Behandlung f* ménagements *m pl;* **~er** *m* ‹-s, -› **1.** *(Decke)* housse *f;* **~gang** *m mot* vitesse *f* surmultipliée; **~kost** *f* régime *m;* **~ung** *f* ménagement *m;* égards *m pl* (*gen* pour); *(Wald)* bois *m* en défen(d)s, jeune plantation *f;* **s~ungsbedürftig** *a: ~~ sein* avoir besoin de ménagements; **s~ungslos** *a* sans ménagements; sans merci, impitoyable; **~ungslosigkeit** *f* dureté, cruauté *f;* **~zeit** *f* temps *m od* chasse *f* prohibé(e); *es ist ~~* la chasse est fermée.

Schoner *m* ‹-s, -› ['ʃo:nər] **2.** *mar* goélette *f,* schooner *m.*

Schönheit *f* ‹-, -en› ['ʃø:nhaɪt] beauté; *(schöne Frau)* beauté, belle *f; in voller ~* (*erstrahlen* être) dans tout l'éclat de la beauté, (être) en beauté; *große ~ (Frau)* divinité *f;* **~schirurgie** *f* chirurgie *f* esthétique; **~sfehler** *m* (petit) défaut *m* d'aspect; **~sfleck** *m* grain *m* de beauté; **~sgefühl** *n* sentiment *m* du beau; **~sideal** *n* beauté *f* idéale; **~sinstitut** *n,* **~skönigin** *f,* **~skrem** *f* institut *m,* reine, crème *f* de beauté; **~skult** *m a.* esthétisme *m;* **~smittel** *n* produit de beauté; cosmétique *m;* **~soperation** *f* opération *f* de chirurgie esthétique; **~spflästerchen** *n* grain *m* de beauté, mouche *f;* **~spflege** *f* soins *m pl* de beauté; esthétique; cosmétique *f;* **~sreparatur** *f* réparation *f* locative; **~ssalon** *m* salon *m* de beauté; **~ssinn** *m* sens du beau, goût *m;* **~swettbewerb** *m* concours *m* de beauté.

Schopf *m* ‹-(e)s, ⸚e› [ʃɔpf, 'ʃœpfə] *(Haarbüschel)* touffe *f* (de cheveux), toupet *m,* houppe; *orn* h(o)uppe *f; die Gelegenheit beim ~ ergreifen* od *fassen* saisir l'occasion aux cheveux, prendre *od* saisir la balle au bond, profiter de l'occasion.

Schöpf|brunnen *m* ['ʃœpf-] puits *m* (à seau); **~eimer** *m* seau à puiser; *(am ~rad)* godet *m;* **s~en** *tr* puiser (*aus* à, dans); *Atem* od *Luft ~~* prendre haleine, respirer; *leer, voll ~~* vider, remplir; *Mut ~~* prendre courage; **~en** *n* puisement, puisage *m;* **~er** *m* ‹-s, -› *(~gefäß) = ~kelle; (am ~rad)* écope *f; (~ender)* puiseur; *(Erschaffer)* créateur; auteur *m;* **~ergeist** *m* génie *m* créateur; **s~erisch** *a* créateur, producteur; **~erkraft** *f* productivité, créativité *f;* **~kelle** *f,* **~löffel** *m* louche *f,* pucheux *m;* **~rad** *n* roue *f* à godets; **~ung** *f* création *f;* **~ungs...** *(in Zssgen) a.* génésiaque; **~ungsbericht** *m,* **~ungsgeschichte** *f (Bibel)* Genèse *f;* **~ungsmythus** *m* cosmogonie *f;* **~ungstag** *m* jour *m* de la création; **~werk** *n* noria *f.*

Schoppen *m* ‹-s, -› ['ʃɔpən] *(Henkelglas)* chop(in)e *f.*

Schöps *m* ‹-es, -e› [ʃœps] *dial (Hammel)* mouton; *fam (Dummkopf)* benêt, nigaud *m.*

Schorf *m* ‹-(e)s, -e› [ʃɔrf] escarre, croûte *f;* **~bildung** *f* escarrification *f;* **s~ig** *a* couvert de croûtes *od* d'escarres.

Schorle(morle) *f* ‹-, -n› [ʃɔrlə'mɔrlə] *(Getränk)* marquise *f.*

Schornstein *m* ‹-(e)s, -e› ['ʃɔrnʃtaɪn] cheminée *f; (Lokomotive)* tuyau *m; den ~ rauchen lassen (fig)* faire bouillir la marmite; **~aufsatz** *m* mitre *od* couronne *f* de cheminée; *drehbare(r) ~~* tournevent *m;* **~brand** *m* feu *m* de cheminée; **~fegen** *n* ramonage *m;* **~feger** *m* ramoneur *m;* **~haube** *f* lanterne *f* de cheminée.

Schoß 1. *m* ‹-ßes, ⸚ße› [ʃo:s, 'ʃø:sə] *fig* giron, sein; *(der Kirche a.)* bercail *m; (der Erde)* entrailles *f pl,* ventre *m; (Rock~)* basque *f,* pan *m; auf jds ~* sur les genoux de qn; *die Hände in den ~ legen (fig)* (se) croiser les bras; *auf den ~ nehmen* prendre sur ses genoux; *das ist ihm in den ~ gefallen* cela lui est tombé du ciel; **~fallschirm** *m* parachute *m* ventral; **~hund** *m,* **~hündchen** *n* chien de manchon, bichon *m;* **~kind** *n* enfant gâté *od* chéri, bichon *m.*

Schoß 2. *m* ‹-sses, -sse› [ʃɔs, -sə], **Schößling** *m bot* pousse *f,* jet, rejet(on); *(wilder Trieb)* gourmand *m.*

Schot(e 1.) *f* ['ʃo:t(ə)] ‹-, -(e)n› *mar* écoute *f.*

Schote 2. *f* ['ʃo:tə] ‹-, -n› *bot (Hülse)* cosse, gousse; *scient* silique *f;* **s~nförmig** *a* siliqueux.

Schott 1. *m* [ʃɔt] ‹-s, -s› *(Salzsumpf)* chott *m.*

Schott(e 1. *f* ‹-, -n›) **2.** *n* ‹-(e)s, -e› *mar* cloison *f* (étanche).

Schott|e 2. *m* ‹-n, -n›, **~in** *f* Écossais, e *m f;* **~en** *m* ‹-s, -› *(Textil)* écossais, tartan *m;* **~enmuster** *n* écossais *m;* **s~isch** *a* écossais; d'Écosse; **~land** *n* l'Écosse *f.*

Schotter *m* ‹-s, -› ['ʃɔtər] cailloutis *m,* pierraille *f;* pierres *f pl* concassées; *(Straße, loc)* ballast *m;* **~decke** *f* empierrement *m;* **s~n** *tr (Straße)* empierrer; **~ung** *f* empierrement, soubassement; *loc* ballastage *m.*

schraff|en ['ʃrafən] *tr,* **~ieren** [-'fi:rən] *tr* hach(ur)er; **S~ierung** *f,* **S~ung** *f,* **S~ur** *f* ‹-, -en› [-'fu:r] (dessin *m* en) hachure (-s *pl*) *f.*

schräg [ʃrɛ:k] *a* oblique; diagonal; en biais, de *od* en biseau; *(schief, geneigt)* incliné; *adv* obliquement; diagonalement, en diagonale; de travers, de *od* en biais, en biseau, en écharpe; *(geneigt)* en talus; *~ gegenüber* de l'autre côté, un peu plus loin *(ein Ausdruck!); ~ beschießen* écharper; *~ fahren, gehen, laufen* biaiser; *~ schneiden* couper obliquement *od* en biais; *~ schreiben* coucher son écriture; *~ stehen (Mauer, Wand)* porter à faux; *~ stellen* mettre en porte-à-faux; **S~ansicht** *f* vue *f* oblique; **S~e** *f* ‹-, -n› ['-gə] biais *m; (Hang)* pente *f;* **~en** *tr (schief abkanten)* donner du biais *od* de la pente à; biseauter; taluter; **S~feuer** *n mil* tir *m* en écharpe; **S~fläche** *f* plan *m* incliné; **S~flug** *m* vol *m* oblique; **~gestreift** *a* rayé en diagonale *od* en biais; **S~heit** *f* ‹-, ø› obliquité *f;* **S~kante** *f* pan coupé; chanfrein *m;* **S~lage** *f* inclinaison; *(in der Kurve)* bande *f; aero* dévers *m;* **S~schnitt** *m* coupe *f* en biais *od* biseau; **S~schrift** *f* écriture *f* penchée; **S~strich** *m* barre *f* oblique *od* de fraction.

Schrameisen ['ʃra:m-] *n mines* rivelaine *f.*

Schramm|e *f* ‹-, -n› ['ʃramə] *allg* rayure; *(in der Haut)* éraflure, égratignure *f;* **s~en** *tr* rayer; érafler, égratigner; **s~ig** *a* rayé; éraflé, égratigné.

Schrank *m* ‹-(e)s, ⸚e› [ʃraŋk, 'ʃrɛŋkə] *allg* armoire; *(Kleider~)* garde-robe *f; (Fächer~)* cabinet; *(Wand~)* placard; *(Geschirr~)* buffet *m; (Bücher~)* bibliothèque; *(Büro~)* armoire-classeur *f;* **~brett** *n* tablette *f;* **~fach** *n* compartiment *m;* **~koffer** *m* malle-armoire *f,* coffre-armoire *m;* **~papier** *n* papier *m* pâte.

Schranke *f* ‹-, -n› ['ʃraŋkə] barrière; *(bes. Gerichts~)* barre; *fig* borne, limite *f; pl (Turnierplatz)* lice *f,* champ *m* clos; *gegen etw e-e ~ errichten (fig)* élever une barrière contre qc; *in die ~n fordern (fig)* provoquer; *in ~n halten (fig)* tenir dans les bornes; *jdm ~n setzen (fig)* imposer des limites à qn; *in die ~n treten (fig)* entrer en lice; *jdn in s-e ~n weisen* remettre qn à sa place; **s~nlos** *a* illimité, sans limites *od* bornes; *(ungezügelt)* sans frein, effréné, déréglé; **~nlosigkeit** *f* dérèglement *m;* **~nwärter** *m* garde-barrière, garde-voie *m.*

schränken ['ʃrɛŋkən] *tr (kreuzweise überea.legen)* croiser.

Schranze *m* ‹-n, -n› od *f* ‹-, -n› [ʃrantsə] *pej (Höfling)* courtisan *m* obséquieux.

Schrapnell *n* ‹-s, -e/-s› [ʃrap'nɛl] *mil* shrapnel, obus *m* à balles.

Schrapp|eisen *n* ['ʃrap-] raclette *f;* **s~en** *tr* racler; **~er** *m* ‹-s, -› *(Fördergefäß)* benne *f* racleuse.

Schrat(t) *m* ‹-(e)s, -e› [ʃra:t] *(Waldgeist)* sylvain, faune *m.*

Schraub|deckel *m* ['ʃraup-] couvercle *m* fileté; **~e** *f* ‹-, -n› ['-bə] vis *f; mar aero* hélice *f; e-e ~~ (fest) anziehen* serrer une vis (à fond); *bei ihm ist e-e ~~ los* od *locker (fig fam)* il ne tourne pas rond, il est toqué; *pop* il a une araignée au plafond; *alte ~~ (fig fam pej)* vieille toquée *f; ~~ ohne Ende* vis *f* sans fin; **s~en** *tr* visser; *fester ~~* serrer; *höher ~~ (fig)* augmenter; *niedriger ~~ (fig)* rabattre; **~enbolzen** *m* boulon (fileté), prisonnier *m;* **~endampfer** *m* vapeur *m* à hélice; **s~enförmig** *a* hélicoïdal; **~engang** *m* pas *m* de vis; **~engewinde** *n* filet *m* de vis; **~enkopf** *m* tête *f* de vis; **~enkupp(e)lung** *f* raccord fileté *od* à vis, vissage *m;* **~enlehre** *f* calibre à vis, palmer *m;* **~enlinie** *f math* hélice *f; in ~~ aufsteigen (Geschoß, Rakete)* vriller; **~enmutter** *f* écrou *m;* **~enschlüssel** *m* clé *f* à écrous; **~enzieher** *m* tournevis *m;* **~stock** *m* étau *m;* **~zwinge** *f* serre-joint(s) *m.*

Schrebergarten *m* ['ʃre:bər-] jardin *m* ouvrier.

Schreck *m* ‹-(e)s, -e› [ʃrɛk] effroi *m,* frayeur *f;* = *~en; e-n ~ bekommen* s'effrayer, s'épouvanter; *jdm e-n ~ einjagen* jeter qn dans l'épouvante, effrayer qn; *fam* tourner le sang à qn; *jdm e-n schönen ~ einjagen (fam)* faire une peur bleue à qn; *ach, du ~!* grand Dieu! bonté divine! **~bild** *n* épouvantail *m;* **~en** *m* ‹-s, -› effroi *m,* frayeur, terreur; *(Entsetzen)* épouvante, horreur *f; mit dem ~~ davonkommen* en être quitte pour la peur; *~~ erregen* faire horreur; *in ~~ halten (a.)* terroriser; *~~ verbreiten* répandre *od* jeter *od* faire régner la terreur; *in ~~ versetzen* effrayer; *panische(r) ~~* terreur *f* panique; *die ~~ des Krieges, des Todes* les horreurs *f pl* de la guerre, de la mort; **s~en** *tr* effrayer, effaroucher, épouvanter; **s~enerregend** *a* effrayant, terrifiant; **s~ensbleich** *a* pâle d'effroi; **~ensbotschaft** *f,* **~ensnachricht** *f* nouvelle *f* épouvantable *od* terrible *od* alarmante; **~ensherrschaft** *f* régime de terreur, terrorisme *m; die ~~ (1793)* la Terreur; **~ensnacht** *f* nuit *f* d'horreur; **~enstat** *f* atrocité *f;* **~gespenst** *n* cauchemar, épouvantail, croquemitaine *m;* **s~haft** *a* impressionnable; peureux, craintif; *sehr ~~ sein (a.)* avoir peur de son ombre; **~haftigkeit** *f* impressionnabilité *f;* **s~lich** *a* terrible, horrible, effroyable; *(entsetzlich)* épouvantable, affreux; *adv fam* terriblement, rudement, diablement; *(maßlos)* outrageusement; *es ist ~~* c'est une horreur; *wie ~~!* quelle horreur! **~lichkeit** *f* ‹-,(-en)› horreur; atrocité *f;* **~nis** *n* ‹-sses, -sse› horreur *f;* **~schuß** *m* coup *m* blanc *od* tiré en l'air; **~sekunde** *f* temps *m* de réaction.

Schrei *m* ‹-(e)s, -e› [ʃraı] cri; *(Hahn)* chant *m; e-n ~ ausstoßen* pousser *od* jeter un cri; *laute(r) ~* grand cri *m; der letzte ~ (Mode)* le dernier cri.

Schreib|abteil *n* ['ʃraıb-] *loc* compartiment-secrétariat *m;* **~art** *f* manière *f* d'écrire; style *m;* **~bedarf** *m* = *~waren;* **~block** *m* bloc-notes; **s~faul** *a* trop paresseux pour écrire; **~feder** *f* plume *f;* **~fehler** *m* erreur *od* faute *f* d'écriture *od* de plume; **~gebühren** *f pl* droit(s *pl*) *m od* frais *m pl* d'écriture; **~heft** *n* cahier *m;* **~kraft** *f (Person)* dactylo(graphe) *m f;* **~krampf** *m* graphospasme *m scient;* **~kunst** *f* calligraphie *f;* **~mappe** *f* sous-main *m;* **~maschine** *f* machine *f* à écrire; **~maschinenraum** *m* salle *f* des dactylo(graphe)s; **~maschinenstuhl** *m* chaise *f* (de) dactylo; **~maschinentisch** *m* bureau *m* (de) dactylo; **~papier** *n* papier *m* à écrire; *feinste(s) ~~* papier *m* royal; **~pult** *n* bureau-pupitre *m;* **~raum** *m* salle *f* de correspondance; **~schrank** *m* secrétaire *m;* **~stube** *f mil* bureau *m* de compagnie; **~stubenunteroffizier** *m* sergent-major *m;* **~tisch** *m* bureau *m;* **~tischlampe** *f* lampe *f* de bureau; **~übung** *f* exercice *m* d'écriture; **~unterlage** *f* sous-main *m;* **~warenhändler** *m* papetier *m;* **~waren(handlung** *f***)** *f pl* papeterie *f;* **~weise** *f* = *~ung;* **~zeug** *n* écritoire *m;* **~zimmer** *n (im Hotel)* salon *m* pour écrire.

schreiben ‹*schrieb, geschrieben*› ['ʃraıbən] *tr* écrire; *(auf~)* noter, mettre par écrit; *adm com a.* porter; *(Rechnung)* dresser, faire; *(Rezept)* formuler; *(verfassen)* écrire, composer; *um etw ~* écrire qu'on envoie qc; *~, was einem gerade einfällt* écrire au courant de la plume; *falsch ~* orthographier mal; *etw in den Kamin* od *Schornstein ~* faire son deuil de *od* une croix sur qc; *krank, gesund ~ porter malade, valide; auf der (Schreib-)Maschine ~* écrire *od* taper à la machine, dactylographier; *ins reine ~* écrire au propre, mettre au net; *richtig ~ (können)* savoir l'orthographe, écrire *od* orthographier correctement; *ins unreine ~* écrire au brouillon; *sehr unleserlich ~* écrire comme un chat *od* à la diable; *jdm im Gesicht* od *auf der Stirn geschrieben stehen (fig)* se lire sur le visage de qn; *man schrieb das Jahr 1429* c'était l'an 1429; *die Feder schreibt gut* la plume est bonne; *es steht geschrieben (Bibel)* il est écrit; *wie geschrieben steht* comme il est écrit; *wie ~ Sie sich?* comment s'écrit votre nom? **S~** *n (Brief)* lettre *f, com* courrier *m; (Schriftstück)* pièce *f,* écrit, document *m; Ihr geehrtes ~~* votre honorée; *vorliegende(s) ~~* (la) présente *f.*

Schreib|er *m* ‹-s, -› ['ʃraıbər] *(Beruf)* employé aux écritures; secrétaire; *pej* scribe; *(Ab~~)* copiste; *(Gerichts~~)* greffier; *(Verfasser)* auteur; *(Graphologie)* scripteur; *tech* (appareil) enregistreur *m;* **~erei** *f* [-'raı] griffonnage *m,* paperasses *f pl;* **~erling** *m* ‹-s, -e› écrivailleur, écrivassier, *fam* scribouillard *m;* **~erseele** *f pej* scribe *m;* **~ung** *f* graphie *f,* graphisme, orthographe *m.*

schrei|en ‹*schrie, geschrien*› ['ʃraıən] *itr* crier, pousser *od* jeter des cris, vociférer; *fam* brailler; *(dauernd)* criailler; *(herum~~, pop)* gueuler; *(Esel)* braire; *(Hirsch)* bramer; *(Eule)* ululer; *tr (hinaus~~)* clamer; *nach etw ~~* réclamer qc à grands cris; *sich heiser ~~* s'égosiller; *zum Himmel ~~ (fig)* être révoltant; *aus Leibeskräften ~~* crier de toutes ses forces; *er schrie wie am Spieß* il cria comme si on l'écorchait; il poussa des cris d'orfraie **S~en** *n* cris *m pl;* vociférations *f pl;* braillement *m;* criailleries *f pl; das ist zum ~~ (fam: zum Lachen)* c'est rigolo *od* marrant *od* roulant; **~end** *a* criant; *(Farbe)* criard, tapageur; *eine ~~e Ungerechtigkeit* une injustice criante; **S~er** *m* ‹-s, -› , **S~hals** *m* criard, braillard; *pop* gueulard *m;* **S~erei** *f* [-'raı] criaillerie *f.*

Schrein *m* ‹-(e)s, -e› [ʃraın] *vx* =

Schrank; (Reliquien~) châsse *f; (Sarg)* cercueil *m;* **~er** *m* ⟨-s, -⟩ menuisier; *(Kunst~~)* ébéniste *m;* **~erarbeit** *f,* **~erei** *f* [-'raɪ] , **~erhandwerk** *n,* **~erwerkstatt** *f* menuiserie; ébénisterie *f;* **s~ern** *itr* menuiser, faire de la menuiserie *od* de l'ébénisterie.

schreiten ⟨*schritt, ist geschritten*⟩ ['ʃraɪtən, (-)'ʃrɪt(-)] *itr* marcher; *über etw* franchir qc; *(gemessen)* marcher à pas comptés, compter ses pas; *fig (übergehen)* passer *od* procéder (*zu etw* à qc); *vorwärts ~* avancer.

Schrift *f* ⟨-, -en⟩ [ʃrɪft] *allg* écriture; *(Hand~ a.)* main; *(~system)* graphie *f; typ* caractères *m pl,* lettres *f pl; (Literaturwerk)* écrit *m,* œuvre *f; (kleine ~)* opuscule; *(Abhandlung)* traité *m; die Heilige ~* l'Écriture sainte, les saintes Écritures; *sämtliche ~en pl (Werke)* (les) œuvres *f pl* complètes; *unleserliche ~ (a.)* grimoire *m; vermischte ~en pl* mélanges *m pl;* **~art** *f* caractère *m;* **~auslegung** *f rel* exégèse *f;* **~bild** *n typ* œil *m;* **~deutsch(e)** *n* allemand *m* littéraire; **~enreihe** *f (Buchhandel)* collection *f;* **~führer** *m* secrétaire *m;* **~gelehrte(r)** *m (Bibel)* docteur *m* de la loi; **~gießer** *m* fondeur *m* de caractères; **~gießerei** *f* fonderie *f* de caractères; **~grad** *m typ* force *f* de corps; **~guß** *m typ* fonte *f* de caractères; **~leiter** *m (e-r Zeitung)* rédacteur *m* en chef; **~leitung** *f* rédaction *f;* **s~lich** *a* écrit; *adv* par écrit; *~~ festhalten* od *niederlegen* mettre par écrit, consigner; *~~e Prüfung f* (examen) écrit *m;* **~locher** *m tele* compositeur(-perforateur) *m;* **~metall** *n typ* métal *m* à caractères *od* à lettres; **~probe** *f* épreuve *f od* spécimen *m* d'écriture; **~sachverständige(r)** *m* expert en écritures, graphologue *m;* **~satz** *m typ* composition; *adm jur* écriture *f,* mémoire *m;* **~setzer** *m typ* compositeur *m;* **~sprache** *f* langue *f* littéraire *od* écrite; **~stelle** *f* passage *m* des Écritures; **~steller** *m* écrivain, homme *m* de lettres *od* de plume; *pl a.* gens *m pl* de lettres; **~stellerei** *f* profession d'écrivain *od* d'homme de lettres; littérature *f;* **~stellerin** *f* femme de lettres, femme *f* auteur; **s~stellerisch** *a* d'écrivain; littéraire; **s~stellern** ⟨*hat geschriftstellert*⟩ *itr* écrire, faire de la littérature; **~stellername** *m* nom *m* de plume; **~stück** *n* écrit *m,* pièce *f;* acte; document; papier *m; amtliche(s) ~~* pièce *f* officielle; **~system** *n* graphie *f;* **~tum** *n* ⟨-s, ø⟩ lettres *f pl;* littérature *f;* **~vergleichung** *f* comparaison *f* d'écritures; **~verkehr** *m adm* correspondance *f* (officielle); **~wechsel** *m* correspondance *f,* échange *m* de lettres; **~zeichen** *n* signe *m* graphique; **~zeug** *n* = *~metall;* **~zug** *m* trait, paraphe *m.*

schrill [ʃrɪl] *a* aigu, strident, perçant; **~en** *itr* pousser *od* rendre un son aigu *od* strident.

Schrippe *f* ⟨-, -n⟩ ['ʃrɪpə] *dial (Brötchen)* petit pain *m.*

Schritt *m* ⟨-(e)s, -e⟩ [ʃrɪt] pas *m; (großer)* enjambée; *(Gangart)* allure *f; (Hose)* entrejambe; *fig* pas *m,* démarche *f; pl (Tanz)* évolutions; *fig* démarches *f pl; auf ~ und Tritt* à chaque pas; *~ für ~* pas à pas, pied à pied; *fig a.* de point en point; *im ~ (gehen)* (aller) au pas; *gemessenen ~es* à pas comptés; *drei ~e von* à quatre pas de; *s-e ~e beflügeln* mettre des ailes aux talons; *(im) ~ fahren, reiten* aller *od* avancer au pas; *~ fassen (mil)* emboîter le pas; *jdm auf ~ und Tritt folgen* s'attacher *od* être attaché aux pas de qn, marcher sur les pas de qn; *~ gehen lassen (Pferd)* mettre au pas; *~ halten* garder le pas; *mit jdm* aller au pas avec qn; *mitea. ~ halten* marcher au même pas; *mit der Zeit ~ halten (a.)* être à la page; *s-e ~e lenken nach* diriger *od* porter ses pas vers, s'acheminer vers; *große ~e machen* marcher à grands pas *od* à grandes enjambées; *jdm die ~e nachzählen* compter tous les pas de qn; *den ersten ~ tun (fig)* faire le premier pas; *e-n großen ~ vorwärts tun* faire un grand pas en avant; *~e unternehmen* faire des démarches; *s-e ~e verdoppeln* doubler le pas; *keinen ~ vorankommen (fig)* ne pas avancer d'une semelle; *den ~ wechseln* changer le pas; **~länge** *f* longueur de pas; *(Hose)* longueur *f* d'entre-jambe; **~macher** *m sport* entraîneur; *fig (Bahnbrecher)* pionnier *m;* **~wechsel** *m* changement *m* de pas; **s~weise** *adv* pas à pas, graduellement, par étapes; **~zähler** *m* podomètre *m.*

schroff [ʃrɔf] *a (steil)* escarpé; *a. fig* raide, abrupt; *fig (barsch)* brusque, rude; *(abweisend)* rébarbatif; *(herrisch)* cassant; *adv a.* avec raideur; *jdn ~ behandeln* traiter qn rudement *od* avec rudesse, rudoyer qn; **S~heit** *f* raideur; *fig* rudesse *f.*

Schröpf|eisen *n* ['ʃrœpf-] scarificateur *m;* **s~en** *tr med* scarifier; appliquer des ventouses à; *fig* plumer, saigner, écorcher, gruger; **S~kopf** *m med* ventouse *f.*

Schrot *m* od *n* ⟨-(e)s, -e⟩ [ʃro:t] *agr* gruau; *fin* poids *m* de l'alliage; *(Flinten~)* menu plomb, plomb *m* de chasse, grenaille, dragée *f; ein Mann von altem ~ und Korn* un homme comme on n'en fait plus *od* de la vieille roche *od* de l'ancienne roche; **~baum** *m* mandrin *m;* **~brot** *n* pain *m* complet; **~eisen** *n* ébarboir *m;* **s~en** *tr (Getreide grob zerkleinern)* égruger; *allg* broyer, concasser; **~flinte** *f* carabine *f* de chasse; **~meißel** *m* ébauchoir *m;* **~säge** *f* passe-partout *m.*

Schrott *m* ⟨-(e)s, -e⟩ [ʃrɔt] ferraille, mitraille *f,* déchet *m* de métal; **~händler** *m* marchand *m* de ferraille; **~platz** *m* parc *m* à ferraille; **~wert** *m* valeur *f* résiduelle *od* de récupération.

schrubb|en ['ʃrubən] *tr* frotter (avec un balai-brosse); *mar* fauberter; **S~er** *m* balai-brosse; *mar* faubert *m.*

Schrull|e *f* ⟨-, -n⟩ ['ʃrulə] caprice *m,* lubie *f,* tic *m; fam* toquade *f,* dada *m;* **s~enhaft** *a,* **s~ig** *a* lunatique, fantasque, bizarre, drôle.

schrump|(e)lig ['ʃrump(ə)lıç] *a (runzlig)* ratatiné, ridé; **~eln** *itr (runzlig, faltig werden)* se ratatiner, se rider.

schrumpf|en ⟨*aux: sein*⟩ ['ʃrumpfən] *itr* se rétrécir, se contracter; se réduire, se resserrer; *(verkümmern)* se rabougrir; **S~ung** *f* rétrécissement *m; med (Leber~~)* cirrhose *f.*

Schrund|e *f* ⟨-, -n⟩ ['ʃrundə] *(Riß, Spalte)* fissure, crevasse; *(in d. Haut)* gerçure *f;* **s~ig** *a* fissuré, crevassé; gercé.

Schub *m* ⟨-(e)s, ⸚e⟩ [ʃu:p, 'ʃy:bə] poussée *a. arch; (Brot, a. fig)* fournée; *(Propeller)* traction; *(Rakete)* poussée, impulsion *f;* **~fach** *n* = *~lade;* **~karre(n** *m***)** *f* brouette *f;* **~kraft** *f aero* (puissance de) poussée *f;* **~lade** *f* tiroir *m; in die ~~ legen (fig)* repousser au fond du tiroir; **~lehre** *f* pied *m* à coulisse; **~leistung** *f (Rakete)* puissance *f* de poussée; **~rakete** *f* fusée *f* d'assistance; **~stange** *f tech* bielle *f;* **~steigerung** *f (Rakete)* augmentation *f* de poussée; **s~weise** *adv* par poussées.

Schubs *m* ⟨-es, -e⟩ [ʃups] *dial (Stoß)* poussée *f; fam* ramponneau *m;* **s~en** *tr* pousser; bousculer.

schüchtern ['ʃʏçtərn] *a* timide; **S~heit** *f* ⟨-, ø⟩ timidité *f.*

Schuft *m* ⟨-(e)s, -e⟩ [ʃuft] coquin *m,* canaille, crapule *f;* gredin *m; fam* fripouille *f; pop* (peau de) vache *f;* **s~en** *itr fam (schwer arbeiten)* travailler à bloc *od* comme un damné; tirer la charrue, bosser; ne pas chômer; *pop* boulonner, trimer, turbiner; *~~ müssen (fam)* en baver; **~erei** *f* [-'raɪ] *fam (schwere Arbeit)* travail *m* de forçat, corvée *f; arg* turbin *m; a.* = *~igkeit;* **s~ig** *a* coquin; de canaille, de crapule; vil, bas; *pop* vache; **~igkeit** *f* canaillerie, gredinerie *f.*

Schuh *m* ⟨-(e)s, -e⟩ [ʃu:] chaussure *f,* soulier *m; tech* sabot, patin *m; die ~e an-, ausziehen* mettre, ôter ses chaussures; *jdm etw in die ~e schieben (fig)* mettre qc sur le dos *od* le compte de qn; *ich weiß, wo Sie der ~ drückt (fig)* je sais où le bât vous blesse; *der ~ sitzt mir, dir* etc *gut* la chaussure me, te *etc* chausse bien; **~anzieher** *m* chausse-pied *m;* **~band** *n* ⟨-(e)s, ⸚er⟩ lacet *m;* **~bürste** *f* brosse *f* à chaussures; **~fabrik** *f* fabrique *f* de chaussures; **~fabrikant** *m* fabricant de chaussures, chausseur *m;* **~flicker** *m* savetier *m;* **~geschäft** *n* magasin *m* de chaussures; **~größe** *f* pointure *f; ~~ 40 haben* chausser du 40; *welche ~~ haben Sie?* quelle pointure faites-vous? **~krem** *f* cirage *m;* **~leisten** *m* forme *f,* embauchoir *m;* **~löffel** *m* corne *f* (à chaussures); **~macher** *m* cordonnier *m;* **~macherei** *f* cordonnerie *f;* **~nagel** *m* clou *m* à chaussures, caboche *f;* **~nummer** *f* = *~größe;*

~paste *f* crème *od* pâte *f* à chaussures; **~putzer** *m* cireur *m* (de chaussures); **~riemen** *m* lacet *m* (en cuir); *nicht würdig sein, jdm die ~~ zu lösen* n'être pas digne de défaire la courroie de la chaussure à qn; **~schrank** *m* étagère *f* à chaussures; **~sohle** *f* semelle *f;* **~spanner** *m* embauchoir *m;* **~warenhandel** *m* commerce *m* de chaussures; **~warenhändler** *m* marchand de chaussures, chausseur *m;* **~warenindustrie** *f* industrie *f* de la chaussure; **~werk** *n,* **~zeug** *n* chaussures *f pl;* **~wichse** *f* = *~krem.*

Schukostecker *m* ['ʃu:ko-] *el* fiche *f* de sécurité.

Schul|amt *n* ['ʃu:l-] inspection *f* académique; **~alter** *n* âge *m* scolaire *od* de scolarité; **~anfang** *m* rentrée *f* des classes; **~arbeit** *f* devoir *m;* **~art** *f* sorte *f* d'école; **~arzt** *m* médecin *m* scolaire *od* (chargé de l'inspection) des écoles; **~aufgabe** *f* devoir *m;* **~aufsicht** *f* inspection *f* (des écoles); **~ausflug** *m* excursion *f* scolaire; **~ausgabe** *f (Buch)* édition *f* scolaire; **~bank** *f* banc *m* d'école; *die ~~ drücken* aller à l'école, aller *od* être en classe; **~beginn** *m* = *~anfang;* **~behörde** *f* = *~amt;* **~beispiel** *n* exemple *m* typique; **~beratung** *f* orientation *f* scolaire; **~besuch** *m* fréquentation *f* scolaire *od* de l'école; *regelmäßige(r) ~~* régularité *f* de présence; **~betrieb** *m* enseignement *m;* **~bibliothek** *f* bibliothèque *f* scolaire; **~bildfunk** *m* télévision *f* scolaire; **~bildung** *f* éducation *od* formation *f* scolaire; *e-e gute ~~ haben* avoir fait de bonnes études; **~buch** *n* livre *m* scolaire *od* de classe *od* classique; **~bücherei** *f* = *~bibliothek;* **~buchhandlung** *f* librairie *f* classique; **~diener** *m* concierge *m* (d'une *od* de l'école); **~dienst** *m* enseignement *m;* **~fach** *n* matière *f* (enseignée); **~ferien** *pl* vacances *f pl* scolaires; **~fernsehen** *n* télévision *f* scolaire; **~flugzeug** *n* avion-école, avion *m* d'instruction *od* d'entraînement; **s~frei** *a: ~~ haben* avoir congé, être en congé; *~~e(r) Tag m* jour *m* de congé; **~freund** *m* ami *m* de collège; **~fuchs(er)** *m (Pedant)* cuistre *m;* **~funk** *m* radio *f* scolaire; **~funksendung** *f* émission *f* scolaire; **~gebäude** *n* bâtiment *m* scolaire; **~geld** *n* droits *m pl* de scolarité; *lassen Sie sich Ihr ~~ zurückzahlen! (iron)* il faut vous renvoyer à l'école; **~geldfreiheit** *f* enseignement *m* gratuit; **~gemeinde** *f* communauté *f* scolaire; **~geschwader** *n mar* flottille *f* d'instruction; **~gesundheitspflege** *f* hygiène *f* scolaire; **~haus** *n* (maison d')école *f;* **~heft** *n* cahier *m* de classe *od* d'écolier; **~helfer** *m (Hilfslehrer)* instituteur suppléant; *(am Gymnasium)* professeur suppléant, maître *m* auxiliaire; **~hof** *m* cour *f* (de l'école *od* de récréation), préau *m;* **~jahr** *n* année *f* scolaire; **~jugend** *f* jeunesse *f* scolaire; **~junge** *m* écolier *m;* **~kamerad** *m* camarade *m* d'école; **~kenntnisse** *f pl* connaissances *f pl* scolaires; **~kind** *n* écolier, ère *m f;* **~klasse** *f* (*Raum:* salle de) classe *f;* **~kreuzer** *m* croiseur-école *m;* **~leiter** *m* directeur *m* d'école; **~mädchen** *n* écolière *f;* **~mann** *m* ‹-(e)s, -männer/ (-leute)› pédagogue *m;* **~mappe** *f* serviette *f;* **~medizin** *f* médecine *f* officielle; **~meister** *m* maître d'école, instituteur *m;* **s~meisterlich** *a (pedantisch)* pédant(esque); *(hochtrabend)* sentencieux; **s~meistern** *tr* régenter; *itr* faire la police; **~ordnung** *f* règlement *m* scolaire; **~pferd** *n* cheval *m* de manège; **~pflicht** *f* enseignement *m od* instruction obligatoire; obligation *f* scolaire; **s~pflichtig** *a: im ~~en Alter* d'âge scolaire; **~programm** *n* programme *m* scolaire; **~psychologe** *m* psychologue *m* scolaire; **~rat** *m* inspecteur *m* de l'enseignement primaire; **~raumnot** *f* insuffisance *f* des locaux scolaires, entassement *m* scolaire; **~reform** *f* réforme *f* de l'enseignement *od* des études; **~reiten** *n* manège *m;* **~schießen** *n* tir *m* d'instruction; **~schiff** *n* vaisseau-école, navire-école *m;* **~schluß** *m* sortie *f* des classes; **~speisung** *f* cuisine *f* scolaire; **~streik** *m* grève *f* scolaire; **~stunde** *f* leçon, classe *f;* **~tasche** *f* cartable *m;* **~typ** *m* = *~art;* **~unterricht** *m* enseignement *m* scolaire, instruction *f* publique; **~verwaltung** *f* administration *f* scolaire; **~weisheit** *f* connaissances *f pl* livresques, savoir *m* acquis dans les livres; **~wesen** *n* instruction *f* publique; *höhere(s) ~~* enseignement *m* secondaire *od* du second degré; **~wettkämpfe** *m pl sport* compétitions *f pl* scolaires; **~wörterbuch** *n* dictionnaire *m* à l'usage des écoles; **~zeit** *f* années *f pl* de scolarité; **~zeugnis** *n* certificat *m* d'études.

Schuld *f* ‹-, -en› [ʃult, '-dən] *fin* dette *a. fig; (Fehler)* faute *f; (Unrecht)* tort *m; jur* culpabilité *f; pl (nur: fin)* dettes *f pl; durch meine ~* par ma faute; *ohne meine ~* sans qu'il y ait faute de ma part; *jdm die ~ an etw beimessen* imputer la faute de qc à qn, s'en prendre à qn de qc; *s-e ~ bekennen* od *eingestehen* avouer sa faute, dire *od* faire son mea-culpa; *s-e ~en bezahlen* payer ses *od* se libérer de ses dettes; *e-e ~ eintreiben* recouvrer une dette; *jdm s~ geben* attribuer la faute à qn; *in ~en geraten* s'endetter; *s~ haben* être responsable; *bei jdm ~en haben* avoir des dettes *od* être en dette avec qn; être (écrit) sur les papiers de qn; *überall* od *an allen Ecken und Enden ~en haben* devoir de tous côtés; *~ auf sich laden* se rendre coupable; *~en machen* faire *od* contracter des dettes; *die ~ auf sich nehmen* en prendre la responsabilité, s'imputer la faute; *(sich schuldig bekennen)* s'avouer coupable; *die ~ an etw auf jdn schieben* rejeter *od* faire retomber la faute de qc sur qn; *an etw s~ sein* être la cause *od* responsable de qc; *bis an den Hals in ~en stecken* être accablé *od* criblé *od* perdu de dettes; *in jds ~ stehen* avoir des dettes, *fig* une dette de reconnaissance envers qn; *sich in ~en stürzen* se mettre dans des dettes; s'endetter; *lit* s'obérer; *jdm die ~ an etw zuschieben* imputer à qn la faute de qc; *das ist meine ~* c'est (de) ma faute; *das ist nicht meine ~ (a.)* je n'y suis pour rien; *wer* od *was ist s~ daran?* à qui *od* quoi la faute? *fällige ~* créance *f* exigible; *vergib uns unsere ~ (Vaterunser)* pardonne-nous nos offenses; **~anerkennung** *f fin* reconnaissance *f* de dette; **~ausschließungsgrund** *m jur* exonération *f* de culpabilité; **~bekenntnis** *n* aveu *m;* **s~beladen** *a* chargé de fautes; **~beweis** *m* preuve *f* de culpabilité; **s~bewußt** *a* qui se sent coupable; *lit* conscient de sa culpabilité; **~bewußtsein** *n: sein ~~* la conscience de sa culpabilité; **s~enfrei** *a* exempt *od* quitte de dettes; *(Grundstück)* franc d'hypothèques; **~enlast** *f* poids *m* des dettes; **~enmasse** *f* ensemble des dettes, passif *m;* **~entilgung** *f* amortissement *m* (des dettes); **~erlaß** *m* remise *f* de dette; **~forderung** *f* créance *f;* **~frage** *f* question *f* de culpabilité *od* de responsabilités; **~gefühl** *n* sentiment *m* de culpabilité; **~haft** *f* contrainte *f* par corps; **s~haft** *a* coupable; fautif; **s~ig** *a* coupable; fautif; *(gebührend)* dû; *sich ~~ bekennen* s'avouer *od* plaider coupable, dire *od* faire son mea-culpa; *~~ bleiben (fin)* demeurer en arrière *od* en reste; *jdm etw* demeurer en reste avec qn; *jdm nichts ~~ bleiben (fig)* le rendre, rendre la pareille *od* la monnaie de sa pièce à qn; *die Antwort nicht ~~ bleiben* être prompt à la riposte; riposter du tac au tac; *für ~~ erklären* déclarer coupable; *sich für ~~ erklären* = *sich ~~ bekennen; sich ~~ fühlen* se sentir coupable *od* en défaut; *jdm für etw Dank ~~ sein* savoir gré à qn de qc; *~~ sein* être en faute; *jdm etw* être redevable de qc à qn; devoir qc à qn, être en reste de qc avec qn; *~~ sprechen* = *für ~~ erklären; jdm die ~~e Achtung versagen* refuser à qn le respect qu'on lui doit; *ich bin es ihm ~~ zu ...* je lui dois de ...; *was bin ich Ihnen ~~?* combien vous dois-je? *der ~~e Teil (jur)* la partie fautive; **~ige(r)** *m* coupable *m;* **~igkeit** *f* devoir *m;* obligation *f; er hat nur s-e ~~ getan* il n'a fait que son devoir; *das ist Ihre verdammte Pflicht und ~~ (fam)* c'est à coup sûr votre devoir; mais vous n'avez pas le choix! **~igsprechung** *f jur* verdict *m* de culpabilité; **~klage** *f jur* action *f* pour dettes; **~konto** *n: jdm etw aufs ~~ setzen (fig)* mettre qc sur le dos de qn; **s~los** *a* non coupable; innocent; *~~ geschieden* divorcé à son avantage; **~losigkeit** *f* ‹-, ø› innocence *f;* **~ner** *m* ‹-s, -› [-dnər] débiteur *m;* **~nerland** *n* pays *m* débiteur; **~posten** *m com* poste *m* débiteur; **~recht** *n* droit *m* des obligations; **~schein** *m* reconnaissance *f* de dette, titre *m* de créance; **~spruch** *m* = *~igsprechung;* **~übernahme** *f* reprise *f* de dette; **~übertragung** *f com* revirement *m* de fonds; **~umwandlung** *f fin* conversion *f* de dettes; **~verhältnis** *n fin* rapport *m* obligatoire *od* d'obligation; **~verschreibung** *f* titre *m* d'obligation; *öffentliche ~~* rente *f* d'État *od* de l'État *od* sur l'État.

schulden ['ʃʊldən] *tr* devoir (*jdm etw* qc à qn); être redevable (*jdm etw* à qn de qc).

Schule *f* ‹-, -n› ['ʃu:lə] *(Gebäude u. Unterricht)* école; *(Unterricht)* classe; *(Richtung in Kunst u. Wissenschaft)* école; *(Lehrgang, System)* méthode *f; (Schwarm Fische)* banc *m; die ~ besuchen* fréquenter l'école; *e-e harte ~ durchmachen, durch e-e harte ~ gehen* passer par une rude école; *in die* od *zur ~ gehen* aller à l'école; *(Schüler sein)* être en classe; *~ haben* avoir classe; *in die* od *zur ~ kommen* entrer à l'école; *~ machen (fig)* faire école; *aus der ~ plaudern (fig)* commettre une indiscrétion; *in die ~ schicken (Kind)* mettre à l'école; *die ~ schwänzen* faire l'école buissonnière; *die ~ versäumen* manquer la classe; *heute ist keine ~* il n'y a pas classe aujourd'hui; *Hohe ~ (Reiten)* haute école *f; höhere ~* école *f* secondaire; *(Belgien)* athénée *m.*

schul|en ['ʃu:lən] *tr* instruire, entraîner, former; *(Tier a.)* dresser; **~isch** *a* scolaire; **S~ung** *f* instruction *f,* entraînement *m,* formation *f, (Abrichtung)* dressage *m.*

Schüler(in *f*) *m* ‹-s, -› ['ʃy:lər] *allg* élève *m f; (e-r Schule, bes. im schulpflichtigen Alter)* écolier, ère; *(e-s städt. Gymnasiums)* collégien, ne; *(e-s staatl. Gymnasiums)* lycéen, ne; *(e-r École normale (Lehrerseminar)* normalien, ne *m f; (Jünger)* disciple *m; schlechte(r) ~ (a.)* cancre *m;* **~austausch** *m* échange *m* scolaire *od* d'élèves; **s~haft** *a* d'écolier; *adv* en écolier; **~mikroskop** *n* microscope *m* d'études; **~mütze** *f* casquette *f* de lycéen; **~schaft** *f* élèves; collégiens; lycéens *m pl;* **~zahl** *f* population *f* scolaire; **~zeitung** *f* journal *m* des élèves.

Schulter *f* ‹-, -n› ['ʃʊltər] épaule *f; ~ an ~* coude à coude, côte à côte; *jdn über die ~ ansehen* regarder qn par-dessus l'épaule *od* du haut de sa grandeur; *breite ~n haben* avoir les épaules carrées, être carré des épaules, être large d'épaules *od* de dos; *jdm auf die ~ klopfen* donner une tape *od* des coups sur l'épaule à qn; *jdn auf die ~ legen* od *zwingen (sport)* faire toucher les épaules à qn; *den Kopf auf die ~ legen* appuyer sa tête contre l'épaule; *etw auf die leichte ~ nehmen (fig)* prendre qc à la légère *od* par-dessus la jambe; *jdn auf s-e ~n steigen lassen* faire la courte échelle à qn; *sich mit den ~n gegen etw stemmen* donner un coup d'épaule à qc; *auf beiden ~n Wasser tragen (fig)* ménager la chèvre et le chou; *jdm die kalte ~ zeigen* tourner le dos, faire grise mine à qn, être en froid avec qn; *die ~n zurücknehmen* effacer les épaules; **~band** *n* ruban *m* d'épaule; **~blatt** *n* omoplate *f;* **~blech** *n mil (MG)* épaulière *f;* **~breite** *f* largeur des épaules *od* du dos, carrure *f;* **s~frei** *a: ~~e(s) Sommerkleid n* robe *f* bain de soleil; **~gegend** *f anat* région *f* scapulaire; **~höhe** *f* hauteur *f* des épaules; **~klappe** *f mil* patte *f* d'épaule; *a* **s~lahm** *(Tier)* épaulé; **~last** *f* épaulée *f;* **s~n** ‹*ich schultere, du schulterst ..*› *tr* mettre sur l'épaule, épauler; *ge~t tragen (Gewehr)* porter sur l'épaule; **~polster** *n (Jacke: Wattierung)* padding *m,* épaulette *f;* **~riemen** *m* bretelle *f,* baudrier *m,* bandoulière *f;* **~stück** *n mil (e-s Offiziers)* épaulette *f;* **~teil** *m od n (e-r Jacke)* empiècement *m* du dos, carre *f;* **~wehr** *f mil* épaulement *m;* **~weite** *f (Jacke)* carrure *f.*

Schummel|ei *f* ‹-, -en› [ʃʊmə'laɪ] *fam (Mogelei)* tricherie *f;* **s~n** ['ʃʊməln] *itr fam* tricher.

Schumm|er *m* ‹-s, -› ['ʃʊmər] *dial (Dämmerung)* demi-jour, crépuscule *m;* **s~(e)rig** *a* créspusculaire; **s~ern** *itr impers dial: es~ert (morgens)* le jour *od* l'aube point; *(abends)* le soir *od* la nuit tombe.

Schund *m* ‹-(e)s, ø› [ʃʊnt, '-dəs] rebut *m,* camelote, pacotille *f; fam* toc *m; pop* saloperie *f;* **~literatur** *f* littérature *f* pornographique *od* ordurière *od* bon marché; **~roman** *m* roman *m* de quatre sous.

schunkeln [ʃʊŋkəln] *itr (schaukeln)* se balancer.

Schupo *f* ['ʃu:po] ‹-, ø› *pop (kurz für: Schutzpolizei); m* ‹-s, -s› agent de police *pop; (Schutzpolizist)* flic, cogne *m.*

Schuppe *f* ‹-, -n› ['ʃʊpə] écaille, squame; *(Kopf~)* pellicule *f; es fiel mir wie ~n von den Augen* les écailles me sont tombées des yeux, mes yeux se dessillèrent; **s~n** *tr (die ~n entfernen von)* écailler; *sich ~~* se desquamer; **~nbildung** *f med* desquamation *f;* **~nfisch** *m* poisson *m* écailleux; **~nflechte** *f med* psoriasis *m;* **~npanzer** *m* cuirasse *f* d'écailles; **~ntier** *n* pangolin *m;* **schuppig** ['ʃʊpɪç] *a* écailleux, squameux; couvert d'écailles.

Schuppen *m* ‹-s, -› ['ʃʊpən] hangar *m,* remise *f,* appentis *m; in den ~ stellen* remiser.

Schur *f* ‹-, -en› [ʃu:r] *(Scheren der Schafe)* tonte *f;* **~wolle** *f* laine *f* vierge; *reine ~~* pure laine vierge; **~zeit** *f* tondaison *f.*

Schür|eisen *n* ['ʃy:r-] pique-feu, tisonnier, attisoir, ringard, crochet *m* à feu; **s~en** *tr* tisonner; *a. fig* attiser, activer; *fig* fomenter, exciter; **~haken** *m* = *~eisen;* **~loch** *n tech* ouverture *f* de la chauffe.

schürf|en ['ʃʏrfən] *tr (die Haut)* écorcher; *(den Boden)* érafler; *itr mines* prospecter (*nach etw* qc); fouiller; **S~en** *n* fouilles *f pl,* prospection *f;* **S~er** *m* ‹-s, -› prospecteur, fouilleur *m;* **S~kübel** *m* benne *f* piocheuse; **S~loch** *n,* **S~schacht** *m* fosse *f,* puits *m* de recherche; **S~ung** *f* prospection *f.*

Schurigel|ei *f* ‹-, -en› [ʃu:ri:gə'laɪ] *fam* chicanerie, tracasserie *f;* **s~n** *tr* ['ʃu:ri:gəln] *fam (plagen)* chicaner, tracasser.

Schurk|e *m* ‹-n, -n› ['ʃʊrkə] fourbe *m,* crapule *f,* coquin, fripon *m; fam* fripouille *f;* **~enstreich** *m* tour *m* de coquin; **~erei** *f* [-'raɪ] fourberie, coquinerie, friponnerie; *fam* fripouillerie *f;* **~in** *f* coquine, friponne *f;* **s~isch** *a* fourbe, fripon; *adv* en coquin.

Schurr|bahn *f* ['ʃʊr-] *dial* = *Schlitterbahn;* **~e** *f* ‹-, -n› *(Rutsche)* goulette, goulotte *f;* **s~en** *itr dial* = *schlittern.*

Schurz *m* ‹-es, -e› [ʃʊrts] *(Lenden~)* pagne *m;* = *Schürze;* **~fell** *n* tablier *m* de cuir.

Schürze *f* ‹-, -n› ['ʃʏrtsə] tablier *m; e-e ~ vorbinden* mettre un tablier; **s~n** *tr (aufbinden)* (re)trousser, relever; *(schlingen)* nouer; *(Knoten)* faire; *den Knoten (der Handlung) ~~* nouer l'action; **~nband** *n* ruban *m* de tablier; *s-r Mutter am ~~ hängen (fig)* être pendu aux jupes de sa mère; **~njäger** *m* coureur (de filles *od* de jupons), homme à femmes, dragueur *m; ein ~~ sein* courir le jupon; *pop* être porté sur la bagatelle; **~nstoff** *m* étoffe *f* pour tabliers.

Schuß *m* ‹-sses, ⸚sse› [ʃʊs, 'ʃʏsə] coup (de feu); *(Gewehr-, Kanonen~)* coup *m* (de fusil, de canon); *(Ladung)* charge *f; (Fußball)* coup, tir, shot *m; (Weberei)* trame *f; (Getränkezusatz)* coup, doigt *m; (plötzl. schnelles Wachstum)* pousse *f; weit vom ~* loin du danger *od fig* du but; *e-n ~ abgeben* tirer un coup; *es fiel ein ~* un coup partit; *er ist keinen ~ Pulver wert* il ne vaut pas la corde pour le pendre; *gut in ~ (fam)* en bon état; *sport* bien en forme; **~bereich** *m* portée *f; im, außer ~~* à, hors de portée; **s~bereit** *a* prêt à tirer *od* à faire feu; **~faden** *m (Textil)* fil *m* de trame; **~fahrt** *f (Schi)* descente *f* à pic; **~feld** *n* champ *m* de tir; **s~fertig** *a* prêt à tirer; **~folge** *f* cadence *f* de tir; **~garn** *n (Textil)* fil *m* de trame, duite *f;* **~kanal** *m med* trajet *m* de projectile; **~linie** *f* ligne *f* de tir *od* de site; **~richtung** *f* axe *od* sens *m* de tir; **s~sicher** *a* à l'abri du tir *od* des balles; **~verletzung** *f* = *~wunde;* **~waffe** *f* arme *f* à feu; **~weite** *f* portée *f; außer ~~* hors de portée *od fig* d'atteinte; *in ~~* à portée; **~wunde** *f* blessure *f* par balle *od* par arme à feu; **~zahl** *f (pro Zeiteinheit)* nombre *m* de coups.

Schussel *m* ‹-s, -› od *f* ‹-, -n› ['ʃʊsəl] *dial (fahriger Mensch)* étourdi, écervelé *m;* **s~ig** *a,* **schußlig** *a* étourdi, écervelé.

Schüssel *f* ‹-, -n› ['ʃʏsəl] plat *m; (Napf)* écuelle; *(randlose)* jatte; *(tiefe)* terrine *f; fig a. (Gericht, Speise)* plat, mets *m;* **~fleisch** *n* terrine *f;*

~stürze *f* couvre-plat *m;* **~untersatz** *m* porte-plat, dessous-de-plat *m;* **~wärmer** *m* chauffe-plats *m.*

Schuster *m* ⟨-s, -⟩ ['ʃu:stər] *(meist pej für: Schuhmacher)* cordonnier; *(Flick~)* savetier; *arg* ribouis, bouif *m; ~, bleib bei deinem Leisten!* (à) chacun son métier! *auf ~s Rappen* à pied; *auf ~s Rappen kommen (a.)* prendre le train onze; **~draht** *m* fil *m* poissé; **~junge** *m* apprenti *m* cordonnier; **~messer** *n* tranchet *m;* **s~n** *itr* faire le métier de cordonnier; réparer *od* raccommoder les chaussures; *tr fig fam (verfertigen)* bâcler, saboter; **~pech** *n* poix *f* noire; **~werkstatt** *f* cordonnerie *f;* **~werkzeug** *n* saint-crépin *m.*

Schute *f* ⟨-, -n⟩ ['ʃu:tə] *mar* gabare *f.*

Schutt *m* ⟨-(e)s, ø⟩ [ʃʊt] *(Geröll; Trümmer)* débris *m pl; (Geröll, Abraum)* éboulis *m; (Bau~)* décombres, déblais; *(Bau~, bes. Gips~)* gravats, gravois *m pl; in ~ und Asche legen* réduire en cendres; **~abladen** *n: ~~ verboten!* défense de déposer des ordures; **~abladeplatz** *m* dépôt *m* d'ordures, décharge *f* (publique); **~halde** *f* éboulis, crassier *m;* **~haufen** *m* tas *m* de décombres; **~kegel** *m geol* (cône *m* de) déjection(s) *f;* **~pflanze** *f* plante *f* rudérale.

Schütt|beton *m* ['ʃʏt-] béton *m* coulé; **~boden** *m (Getreidespeicher)* grenier *m* à céréales; **~e** *f* ⟨-, -n⟩ *(geschütteter Haufen)* tas, monceau *m; (Bund Stroh)* botte *f* de paille; **~elbecher** *m* gobelet-mélangeur *m;* **~elfrost** *m* frissons *m pl* (de fièvre); **~elkrampf** *m med* palmo-spasme *m;* **~ellähmung** *f* paralysie agitante, maladie *f* de Parkinson; **s~eln** *tr* secouer, agiter, remuer, branler; *sich ~~* se secouer; s'ébrouer; *sich vor Lachen ~* se tordre de rire; *etw aus dem Ärmel ~* improviser *od* faire obtenir qc sans difficulté *od* en un tournemain; *jdm die Hand ~~* serrer la main à qn; *den Kopf ~~* hocher la tête; *~~ und rütteln* balloter et secouer; *vor Gebrauch ~~* agiter avant l'emploi *od* de s'en servir; **~elreim** *m* contrepèterie *f;* **~elrinne** *f tech* gouttière *f* à secousses; **s~en** *tr (gießen, ver~~)* verser; *(ausstreuen)* répandre; *(auf~~)* jeter; *Getreide in etw ~~* engrener qc; *voll ~~* remplir; *es ~et (regnet stark)* il pleut à verse; **s~er** *a (gelichtet)* clairsemé; **s~ern** *tr (~eln)* secouer; **~gut** *n* marchandises *f pl* en vrac; **~ladung** *f: als ~~* en vrac; **~stein** *m (Ausguß)* évier *m;* **~ung** *f; in loser ~~ (Transport)* en vrac; **~wurf** *m aero mil* arrosage *m.*

Schutz *m* ⟨-es, ø⟩ [ʃʊts] protection, (sauve)garde, tutelle; *(~herrschaft)* égide *f,* patronage *m; (Verteidigung)* défense; *(Erhaltung)* garantie, préservation *f; (Zuflucht)* abri, refuge, asile *m; im ~e (gen)* à la faveur (de), à l'ombre (de); *im ~e der Nacht* od *Dunkelheit* à la faveur de la nuit; *polizeilichen Schutz fordern* requérir la force publique; *jdm ~ und Beistand gewähren* accorder aide et assistance à qn; *jdn in ~ nehmen* défendre qn; *jdn in s-n ~ nehmen, jds ~ übernehmen* prendre qn sous *od* en sa protection, prendre la défense de qn; *unter jds ~ stehen (a.)* être dans la manche de qn; *~ suchen* se réfugier (*bei* chez *od* auprès de); chercher abri (*vor* contre); ⟨-es, -e⟩ *tech* protection *f,* carter *m;* **~anstrich** *m* peinture *f od* enduit *m* de protection; **~anzug** *m* vêtement *m* de protection; **~ärmel** *m* protège-manche *m;* **s~bedürftig** *a* qui a besoin de protection; **~befohlene(r** *m)* *f* protégé, e *m f;* **~blech** *n (am Fahrrad)* garde-boue *m;* **~brief** *m* lettre *f* de protection, sauf-conduit *m;* **~brille** *f* lunettes *f pl* protectrices; **~dach** *n* auvent, abri *m;* **~engel** *m* ange *m* gardien; **~farbe** *f allg* couleur protectrice; *(Rost~~)* peinture *f* anticorrosive; **~färbung** *f zoo* mimétisme *m;* **~film** *m* couche *f* protectrice de collodion *od* de celluloïd; *mit e-m ~~ überziehen (a.)* filmer; **~frist** *f (für geistiges Eigentum)* délai *m* de protection; **~gebiet** *n pol* protectorat *m;* **~gebühr** *f* taxe *f* autorisée; **~gesetz** *n* loi *f* de protection (*für* de); **~gitter** *n* grillage *od* treillis *m* de protection; grille protectrice; *radio* grille-écran *f;* **~gott (-heit** *f)* *m* dieu *m* tutélaire; **~haft** *f* détention *f* par mesure de sécurité; **~handschuh** *m* gant *m* protecteur; **~haube** *f tech* capot *od* capuchon *m* protecteur *od* de protection; **~heilige(r** *m)* *f* patron, ne *m f;* **~herr** *m* protecteur, patron *m;* **~herrschaft** *f pol* protectorat; *adm* patronage *m;* **~hülle** *f* enveloppe *f* protectrice, emballage *m* de protection; housse *f; (Buch)* couvre-livre *m;* **~hütte** *f* abri, refuge *m;* **~impfung** *f* vaccination *f* préventive *od* prophylactique; **~insel** *f (im Straßenverkehr)* refuge *m;* **~karton** *m* (boîte *f* en) carton *m; in ~~* en carton; **~klausel** *f* clause *f* de sauvegarde; **~kleidung** *f* vêtement *m* protecteur; **~kontakt** *m el* contact *m* de sûreté; **s~los** *a* sans protection, sans abri; **~macht** *f* puissance *f* protectrice *od* tutélaire; **~mann** *m* ⟨-(e)s, -männer/-leute⟩ agent de police; sergent de ville; *(in Paris)* gardien *m* de la paix; **~marke** *f com* marque *f* déposée; **~maske** *f* masque *m* protecteur; **~maßnahme** *f* mesure *f* de protection *od* de sauvegarde; **~mittel** *n* produit protecteur; (moyen *m* de) prémunition *f,* préservateur; *med* préservatif; *(Vorbeugungsmittel)* prophylactique *m;* **~netz** *n* filet *m* protecteur *od* de garde; *~~ gegen Torpedos (mar)* filet *m* antitorpille; **~patron** *m* = *~heilig(r);* **~polizei** *f* police (municipale), sûreté *f;* **~polizist** *m* agent de police, sergent de ville; *(in Paris)* gardien de la paix; **~raum** *m (Luft~~)* abri *m* (antiaérien); **~schicht** *f* couche *f* protectrice; **~truppe** *f* troupe *f* coloniale; **~überzug** *m* housse *f* (de protection); **~umschlag** *m* couverture de protection; *(e-s Buches)* jaquette *f; in ~~* sous jaquette; **~-und-Trutz-Bündnis** *n* alliance *od* ligue *f* offensive et défensive; **~verband** *m med* pansement *m* protecteur; *adm* association *f* protectrice; **~vorrichtung** *f* dispositif de protection, appareil *m* protecteur; **~wall** *m* rempart *m;* **~wehr** *f, a. fig* rempart *m,* défense *f;* **~zoll** *m* droit *m* protecteur; **~zollpolitik** *f,* **~zollsystem** *n* protectionnisme *m.*

Schütz *n* ⟨-es, -e⟩ [ʃʏts] **1.** *el* contacteur *m* téléguidé; **2., ~e 1.** *f* ⟨-, -n⟩ *(Staubrett)* vanne *f.*

Schütze ['ʃʏtsə] **2.** *m* ⟨-n, -n⟩ *(Schießender)* tireur; *mil (Waffengattung)* tirailleur, fusilier, grenadier-voltigeur; *vx (niedrigster Dienstgrad)* (soldat de) deuxième classe *m; der ~ (astr)* le Sagittaire; **~nfest** *n* fête *f od* concours *m* de tir; **~nfeuer** *n* feu *m* autonome *od* à volonté; **~ngesellschaft** *f,* **~ngilde** *f* société (de tir); *(Schweiz)* cible *f;* **~ngraben** *m* tranchée *f* (de tir); **~nkette** *f* ligne *f* de tirailleurs; **~nkönig** *m* roi *m* de la fête de tir; **~nloch** *n mil* trou *m* individuel; **~nmine** *f* mine *f* antipersonnel; **~nnest** *n* nid *m* de tirailleurs; **~npanzerwagen** *m* voiture *f* blindée semi-chenillée; **~nreihe** *f* colonne *f* (par un); **~nrudel** *n* essaim *m* (de grenadiers-voltigeurs); **~nstand** *m aero mil* poste *m* de tir *od* de mitrailleur; **~ntrupp** *m mil* équipe *f* de grenadiers-voltigeurs; **~nverband** *m* unité *f* d'infanterie.

schützen ['ʃʏtsən] *tr* protéger (*vor* de, contre); prémunir (*vor* contre); préserver, abriter, garantir (*vor* de); sauvegarder; *vor Nässe ~!* craint l'humidité; *gesetzlich geschützt* protégé par la loi; **~d** *a* protecteur.

Schützling *m* ⟨-s, -e⟩ ['ʃʏtslɪŋ] protégé, e *m f.*

Schwabbel|ei *f* ⟨-, (-en)⟩ [ʃvabə'laɪ] *fam (Wackelei)* branlement; *(Geschwätz)* radotage, bavardage *m;* **s~ig** ['ʃvabəlɪç] *a (wacklig, weich)* branlant; veule; mou; **s~n** *itr (wackeln)* branler, ballotter; *(schwätzen)* radoter, bavarder.

Schwabe *m* ⟨-n, -n⟩ ['ʃva:bə] Souabe *m;* **~n** *n* la Souabe; **~nalter** *n hum* âge *m* de 40 ans; **~nstreich** *m* sottise, balourdise *f.*

schwäb|eln ['ʃvɛ:bəln] *itr* parler le dialecte souabe; **S~in** *f* Souabe *f;* **~isch** *a* souabe, de Souabe.

schwach [ʃvax] *(schwächer, am schwächsten* ['ʃvɛç-] *) a allg* faible *a. fig; (Körper a.)* chétif, frêle, peu robuste, peu solide; *(kränklich)* débile; *(Gesundheit)* fragile, délicat, précaire; *(Puls)* faible; *(Gedächtnis)* infidèle; *(Getränk: dünn) a.* léger; *(Jahrgang)* creux; *(machtlos)* impuissant; *e-e ~e Brust haben* avoir la poitrine délicate; *~e Nerven haben (a.)* être irritable; *bei ~er Hitze kochen lassen* mijoter, cuire à feu doux; *auf ~en Füßen stehen (fig)* ne pas être bien solide; *schwächer werden* s'affaiblir, s'amortir; *(Licht a.)* se dégrader; *mir wurde ~* je me sentis mal; je fus pris d'une faiblesse *od* d'un malaise; *sein Puls geht ~* son pouls est faible; *die* *wirtschaftlich S~en m pl* les économiquement faibles *m pl; das ~e Geschlecht* le sexe faible; *die ~e Seite* od *Stelle (fig)* le point faible, le défaut de la cuirasse; *eine ~e Stunde* un moment de faiblesse *od* de défaillance; **S~heit** *f* faiblesse *f fig;* **~herzig** *a* pusillanime; faible de caractère; **S~kopf** *m* esprit faible, imbécile; **~köpfig** *a* faible d'esprit, imbécile; **S~matikus** *m* ⟨-, -sse/-tiker⟩ [-ˈma:tikus, -sə, -kər] *hum* gringalet *m;* **~sichtig** *a* à la vue faible, qui a la vue faible; **S~sichtigkeit** *f* ⟨-, ø⟩ faiblesse *f* de vue; **S~sinn** *m* débilité (mentale), imbécillité *f;* **~sinnig** *a* faible d'esprit, mentalement diminué, imbécile; **S~sinnige(r)** *m* faible d'esprit, diminué mental; imbécile *m;* **S~strom** *m* ⟨-(e)s, ø⟩ *el* courant *m* à basse tension *od* faible *od* lumière.

Schwäch|e *f* ⟨-, -n⟩ [ˈʃvɛçə] *(vgl. schwach)* faiblesse; débilité; *a. fig* fragilité, infirmité; *scient* asthénie; *(Ohnmacht)* défaillance; *(Machtlosigkeit)* impuissance *f; (Vorliebe)* faible *m,* prédilection *f, fam* péché *m* mignon; *s-e ~~ überwinden* surmonter sa faiblesse; **~eanfall** *m* défaillance *f;* **s~en** *tr* affaiblir, débiliter, exténuer; aveulir; *(ab~~, vermindern)* amoindrir, diminuer, réduire; *(mildern)* atténuer; **~ezustand** *m* (état *m* de) faiblesse, débilitation; *(Asthenie)* asthénie *f;* **s~lich** *a* faible, chétif, frêle, peu robuste; *(kränklich)* débile, malingre; *(Kind: zurückgeblieben)* déficient; *fam* faiblard; **~lichkeit** *f* faiblesse, débilité *f;* **~ling** *m* ⟨-s, -e⟩ *pej* faible, gringalet, homme *m* débile *od* sans énergie *od* sans caractère; **~ung** *f* affaiblissement *m,* débilitation, exténuation *f,* aveulissement; amoindrissement *m,* diminution; atténuation *f.*

Schwade *f* ⟨-, -n⟩ , **~en** *m* ⟨-s, -⟩ [ˈʃva:də(n)] **1.** *agr* javelle *f; in ~n legen* javeler.

Schwaden *m* ⟨-s, -⟩ [ˈʃva:dən] **2.** *(Dampf)* vapeur, fumée; *mines* mofette; *(Gas~)* nappe *od* traînée *f* (de gaz).

Schwadron *f* ⟨-, -en⟩ [ʃvaˈdro:n] *mil hist* escadron *m.*

Schwafel|ei *f* ⟨-, -en⟩ [ʃva:fəˈlaɪ] *(dummes Gerede)* radotage *m;* **s~n** [ˈʃva:fəln] *itr* radoter.

Schwager *m* ⟨-s, ⸚⟩ [ˈʃva:-, ˈʃvɛ:gər] beau-frère *m.*

Schwäger|in *f* ⟨-, -nnen⟩ [ˈʃvɛ:gərɪn] belle-sœur *f;* **s~lich** *a* de *od* en beau-frère, de *od* en belle-sœur; **~schaft** ⟨-, (-en)⟩ parenté *f* par alliance.

Schwalbe *f* ⟨-, -n⟩ [ˈʃvalbə] hirondelle *f; e-e ~ macht noch keinen Sommer* une hirondelle ne fait pas le printemps; *junge ~* hirondeau *m;* **~nnest** *n* nid d'hirondelle; *aero (MG-Stand)* balcon *m od* coupole de tir, *arg* verrue *f;* **~nschwanz** *m (Schmetterling)* machaon *m; fam (Frack)* queue-de-pie; *tech* queue-d'aronde *f.*

Schwall *m* ⟨-(e)s, -e⟩ [ʃval] *(Woge, Guß)* vague *f; a. fig (Wort~)* flot *m.*

Schwamm *m* ⟨-(e)s, ⸚e⟩ [ʃvam, ˈʃvɛmə] *(zoo* u. *Gebrauchsgegenstand)* éponge *f; (Feuer~)* amadou; *dial (Pilz)* champignon; *med (Geschwulst)* fongus *m; mit e-m* od *dem ~ abwischen (a.)* éponger; *~ drüber! (fig)* passons l'éponge là-dessus! tirons le rideau! **~fischer** *m* pêcheur *m* d'éponges; **s~ig** *a* spongieux; *(weich)* cotonneux; **Schwämmchen** *n med* muguet *m.*

Schwan *m* ⟨-(e)s, ⸚e⟩ [ʃva:n, ˈʃvɛ:nə] *orn* cygne *m.*

schwanen [ˈʃva:nən] *itr impers: mir schwant, daß* j'ai un vague pressentiment que; *mir schwant nichts Gutes* je ne présage *od* je n'augure rien de bon.

Schwanen|gesang *m* [ˈʃva:nən-] *fig* chant *m* du cygne; **~hals** *m* cou *m* de cygne; **~teich** *m* étang *m* aux cygnes.

Schwang *m* [ʃvaŋ] *: im ~e sein* être en vogue.

schwanger [ˈʃvaŋər] *a* enceinte, grosse que; en état de grossesse; *mit etw ~ gehen (fig)* avoir qc en gestation; *~ werden* devenir enceinte, concevoir; **S~e** *f* ⟨-n, -n⟩ femme *f* enceinte *od* grosse; **S~schaft** *f* grossesse; maternité *f;* **S~schaftsbeihilfe** *f* allocation *f* prénatale; **S~schaftserbrechen** *n* hyperémèse *f;* **S~schaftsunterbrechung** *f* interruption *f* de grossesse; **~schaftsverhütung** *f* contraception *f.*

schwänger|n [ˈʃvɛŋərn] *tr* rendre enceinte, engrosser, féconder; *ge~t pp fig* imprégné, saturé (*mit* de); **S~ung** *f* fécondation *f.*

schwank [ʃvaŋk] *a lit (biegsam)* souple, flexible; *(~end)* chancelant, flottant; **~en** ⟨*aux: haben*⟩ *itr* chanceler, branler, balancer, vaciller, osciller; *fig (Sache, a. Preise)* fluctuer, varier; *(unentschlossen sein)* chanceler, être indécis; *(zögern)* hésiter; **S~en** *n* chancellement, branlement, balancement, vacillement *m,* oscillation; fluctuation, variation; *(d. Preise, a.)* incertitude; indécision, irrésolution; hésitation *f;* **~end** *a* chancelant, branlant, vacillant; *fig* fluctuant; *(wechselnd)* variable; *(unsicher)* incertain; *(unentschlossen)* indécis, irrésolu; *(zögernd)* hésitant; **S~ung** *f fig* fluctuation, oscillation, variation; *tech a.* variance *f.*

Schwank *m* ⟨-(e)s, ⸚e⟩ [ʃvaŋk, ˈʃvɛŋkə] *(Spaß)* bouffonnerie, facétie; *theat* facétie, farce *f; (Erzählung)* histoire *f* drôle.

Schwanz *m* ⟨-es, ⸚e⟩ [ʃvants, ˈʃvɛntsə] queue *a. fig; (der Lafette)* crosse *f; das Pferd am ~ aufzäumen* mettre la charrue devant les bœufs; *den ~ einziehen* od *hängenlassen (fig: bedrückt, kleinlaut* od *ängstlich werden)* en rabattre; *pop* serrer les fesses; *den ~ zwischen die Beine nehmen* filer la queue entre les jambes; *jdm auf den ~ treten (fig fam: jdn beleidigen)* marcher sur les pieds de qn; *mit dem ~ wedeln* agiter *od* remuer la queue; *kein ~ (fig fam: niemand)* (ne ...) personne; **~feder** *f* plume de la queue, penne (rectrice), rectrice *f;* **~flosse** *f* nageoire *f* caudale; **s~lastig** *a aero* lourd de l'arrière, centré en arriére, cabreur; **~lastigkeit** *f* décentrage *m* arrière; **s~los** *a zoo* anoure; *aero* sans queue; **~lurche** *m pl zoo* urodèles *m pl;* **~meise** *f* mésange *f* à longue queue; **~riemen** *m (Pferd)* trousse-queue *m,* croupière *f;* **~spitze** *f* bout *m* de la queue; **~sporn** *m aero* béquille *f* de queue *od* d'atterrissage; **~stück** *n (Rind)* culotte *f;* **~wurzel** *f zoo* croupion *m.*

schwänz|eln [ˈʃvɛntsəln] *itr (schöntun)* se pavaner, faire le beau; **~en** *tr (fernbleiben von)* sécher *pop; die Schule ~~* faire l'école buissonnière.

schwapp *interj,* **schwaps** [ʃvap/-s] *interj* vlan!

Schwäre *f* ⟨-, -n⟩ [ˈʃvɛ:rə] *(Geschwür)* ulcère, furoncle, abcès *m;* **s~n** *itr (eitern)* ulcérer, suppurer.

Schwarm *m* ⟨-(e)s, ⸚e⟩ [ʃvarm, ˈʃvɛrmə] *ent (Hautflügler), a. fig* essaim; *(Heuschrecken)* vol *m,* nuée; *orn* volée *f; (Fische)* banc *m; (Menschen)* bande, troupe, foule, nuée, ribambelle *f; das ist mein ~* j'en ai le béguin, j'en suis entiché; **~geist** *m rel (Sektierer)* illuminé, visionnaire *m.*

schwärm|en ⟨*aux: haben*⟩ [ˈʃvɛrmən] *itr ent* essaimer, jeter (un essaim); *mil* se déployer en tirailleurs; *fig (begeistert sein)* être enthousiasmé *od* passionné *od* emballé (*für* pour); être engoué *od* entiché, avoir le béguin (*für* de); **S~en** *n ent* essaimage; *mil* déploiement en tirailleurs; *fig* engouement, emballement, raffolement, entichement *m;* **S~er** *m* ⟨-s, -⟩ enthousiaste, exalté; *ent* sphinx *m; (Feuerwerk)* fusée *f* courante, serpenteau *m;* **S~erei** *f* [-ˈraɪ] enthousiasme *m,* exaltation *f;* engouement, emballement, raffolement, entichement *m;* **~erisch** *a* enthousiaste, romanesque; exalté; **S~zeit** *f ent* essaimage *m.*

Schwart|e *f* ⟨-, -n⟩ [ˈʃva:rtə] *(dicke Haut)* couenne *f; fam pej (altes Buch)* vieux bouquin *m; (Schaltbrett)* dosse *f;* **s~ig** *a* couenneux.

schwarz [ʃvarts] *a* noir; *fig (dunkel, trübe) a.* sombre, triste; *(böse, teuflisch)* infernal; *adv fig (heimlich, unerlaubt, unberechtigt)* clandestinement, en fraude; sans billet, sans permis; *in S~ (Trauer)* en noir, vêtu de noir; *~ auf weiß* noir sur blanc, par écrit; *sich ~ ärgern* se fâcher (tout) rouge, éclater; *~ behängen* tendre de noir; *in S~ gehen* se mettre en noir; *~ machen* noircir, enduire de noir; mâchurer; *(mit Kohle)* charbonner; *~ werden* se noircir; *es wurde mir ~ vor den Augen* j'en ai vu trente-six *od* mille chandelles; *das S~e Brett* le tableau d'affichage; *der S~e Erdteil* le continent Noir; *~n Gedanken nachhängen* broyer du noir; *~e(r) Mann m* croque-mitaine *m; das S~e Meer* la mer Noire; *S~e(r) Peter m (Spiel)* nain *m* jaune; *~e(r) Tag m (fig)* jour *m* funeste *od* néfaste *od* de malheur; **S~afrika** *n* l'Afrique *f* Noire; **~afrikanisch** *a* d'Afrique noire, négro-africain; **S~arbeit** *f* travail *m* noir *od* illicite *od* non déclaré; **~=arbeiten** ‹*hat schwarzgearbeitet*› *itr* faire du travail noir *od* illicite; **S~arbeiter** *m* travailleur *m* non déclaré; **~äugig** *a* aux yeux noirs; **S~blech** *n* tôle *f* noire; **~braun** *a* tête-de-nègre; **S~brot** *n* pain *m* noir *od* bis; **S~dorn** *m bot (Schlehe)* prunellier *m;* **S~drossel** *f* merle *m* (commun); **S~e(r** *m*) *f (Neger(in))* noir, e *m f;* **~=fahren** *itr loc* voyager sans billet; *fam* resquiller; *pop* brûler le dur; *mot* conduire sans permis; **S~fahrer** *m* resquilleur *fam; mot* conducteur *m* sans permis; **S~fahrt** *f* voyage *m* sans billet; resquille *f fam;* **~gestreift** *a* rayé de noir; **~haarig** *a* aux cheveux noirs; **S~handel** *m* commerce clandestin *od* illicite, marché *m* noir; *~~ treiben (a.)* trafiquer (*mit etw* qc); **S~händler** *m* marchand interlope, trafiquant *m* du marché noir; **~=hören** *tr* resquiller; **S~hören** *n* resquille *f;* **S~hörer** *m radio* écouteur *od* auditeur clandestin *od* marron, parasite; *fam* resquilleur *m;* **S~kittel** *m (Wildschwein)* sanglier *m;* **S~kunst** *f* magie *f* noire; **S~künstler** *m* magicien, nécromancien *m;* **~=malen** *tr* dépeindre en noir, noircir; **S~markt** *m* marché *m* noir; **S~pappel** *f* peuplier *m* noir; **S~pulver** *n* poudre *f* noire; **~rotgolden** *a* noir, rouge et or; **~=schlachten** abattre clandestinement *od* illicitement; **S~schlachtung** *f* abattage *m* clandestin *od* illicite; **~=sehen** *itr (Pessimist sein)* voir tout en noir, broyer du noir, faire une *od* des montagne(s), être pessimiste; *TV fam* resquiller; *ich sehe ~* je ne suis pas très optimiste; **S~sehen** *n TV* resquille *f;* **S~seher** *m* mauvais esprit, pessimiste; *TV fam* resquilleur *m;* **S~seherei** *f fam* pessimisme *m;* **S~sender** *m* émetteur *m* clandestin; **S~wald,** *der* la Forêt-Noire; **~weiß** *a* (en) noir et blanc; **S~weißfoto(grafie** *f*) *n* photo(graphie) *f* (en) noir et blanc; **S~weißzeichnung** *f* dessin *m* (en) blanc et noir; **S~wild** *n* sangliers *m pl;* **S~wurzel** *f bot* salsifis *m* (noir), scorsonère *f.*

Schwärz|e *f* ‹-, (-n)› ['ʃvɛrtsə] noir *m,* noirceur; *(schwarzer Fleck)* noircissure *f; (Farbstoff)* noir *m; typ* encre *f* d'imprimerie; **s~en** *tr* noircir; *(mit Kohle)* charbonner; *typ* encrer; **~en** *n* noircissement; *typ* encrage *m;* **s~lich** *a* noirâtre; tirant sur le noir; **~ung** *f* noircissement *m.*

Schwatz *m* ‹-es, -e› ['ʃvats] *fam (Geplauder)* causette, bavette *f;* **~base** *f* commère, pipelette, jacass(eus)e *f;* **s~en** *itr* bavarder, babiller, jaser, jaboter, papoter; *arg* laïusser; **~en** *n* bavardage *m;* **s~haft** *a (geschwatzig)* bavard, verbeux; loquace; *(indiskret)* indiscret; *~~ (indiskret) sein (a.)* avoir la langue trop longue; **~haftigkeit** *f* ‹-, ø› loquacité, verbosité; indiscrétion *f.*

Schwätz|chen *n* ‹-s, -› ['ʃvɛtsçən] petit brin *m* de causette; **s~en** *itr* = *schwatzen;* **~er(in** *f*) *m* ‹-s, -› bavard, e; jaseur, euse *m f; (Angeber)* beau parleur *m; ein(e) ~er(in) sein (a.)* avoir la langue bien pendue.

Schweb|e *f* ‹-, ø› ['ʃveːbə] *(Gleichgewicht)* balance *f; in der ~~* en balance, suspendu; *fig* en suspens, dans l'incertitude, sans solution, pendant; **~ebahn** *f* chemin *m* de fer aérien *od* suspendu; **~ebalken** *m,* **~ebaum** *m tech* fléau *m* de balance; *sport* poutre *f* horizontale ronde; **~ebühne** *f tech* échafaudage *m* volant; **s~en** ‹*aux: haben*› *itr orn, ent, aero, fig* planer; *fig (in der ~e sein)* être pendant *od* en suspens; *in Gefahr ~~* être en danger; *in höheren Regionen ~~* être dans les nuages; *es ~t mir vor Augen* je l'ai devant les yeux; *es ~t mir auf der Zunge* je l'ai sur le bout de la langue; **~ekante** *f,* **~stange** *f sport* poutre horizontale carrée, poutrelle *f* d'équilibre; *über die Stadt ~~* ‹*ist geschwebt*› passer en vol plané au-dessus de la ville; **~en** *n (Raubvogel)* vol *m* plané; **s~end** *a* planant; *fig* pendant, en suspens; *~~e Schuld f* dette *f* flottante; **~ereck** *n sport* trapèze *m;* **~estoff** *m* matière *f* en suspension; **~eteilchen** *n pl* particules *f pl* en suspension; **~fliege** *f* syrphe *m.*

Schwed|e *m* ‹-n, -n› ['ʃveːdə] , **~in** *f* Suédois, e *m f;* **~en** *n* la Suède; **s~isch** *a* suédois, de Suède; *(das) S~~(e) n* le suédois; *hinter ~~en Gardinen (fig fam)* en tôle *od* taule, à l'ombre *pop.*

Schwefel *m* ‹-s, ø› ['ʃveːfəl] soufre *m; mit ~ behandeln* soufrer; *mit ~ verbinden* sulfurer; **s~artig** *a* sulfureux; **~äther** *m* éther *m* sulfurique; **~bande** *f fam* bande *f* de vauriens; **~blumen** *f pl,* **~blüte** *f* fleurs *f pl* de soufre; **~dampf** *m* vapeur *f* sulfureuse; **~faden** *m* mèche *f* soufrée; **s~gelb** *a* jaune soufre; **~grube** *f* soufrière *f;* **s~haltig** *a* sulfureux; **~kies** *m min* pyrite *f;* **~kohlenstoff** *m* sulfure *m* de carbone; **s~n** *tr* soufrer; *(Faß)* mécher; **~n** *n* soufrage *m;* sulfuration *f;* **~quelle** *f* source *f* sulfureuse; *pl a.* eaux *f pl* sulfureuses; **s~sauer** *a* sulfaté; *~~e(s) Salz n* sulfate *m; ~~e Tonerde f* sulfate *m* d'aluminium; **~säure** *f* acide *m* sulfurique; *mit ~~ behandeln* sulfuriser; **~ung** *f* soufrage *m,* sulfuration *f;* **~wasserstoff** *m* acide sulfhydrique, hydrogène *m* sulfuré; **schwef(e)lig** *a* sulfureux.

Schweif *m* ‹-(e)s, -e› [ʃvaɪf] *lit poet (Schwanz)* queue *f, a. astr (e-s Kometen);* **~stern** *m (Komet)* comète *f;* **s~wedeln** ‹*geschweifwedelt*› *itr fig* flagorner (*vor jdm* qn); **~wedler** *m* ‹-s, -› flagorneur *m.*

schweif|en ['ʃvaɪfən] *tr* ‹*aux: haben*› *(e-e geschwungene Form geben)* échancrer, chantourner; *itr* ‹*aux: sein*› *(wandern, irren)* vagabonder, divaguer; *(Tier)* errer, vaguer; *fig (Gedanken)* vaguer, vagabonder; *~~ lassen (Blick)* promener; *(Gedanken)* laisser errer; *den* od *s-n Blick über etw ~~ lassen (a.)* jeter un regard circulaire sur qc; **S~säge** *f* scie *f* à chantourner.

Schweig|egeld *n* ['ʃvaɪgə-] prix du silence; *pej* pot-de-vin *m;* **~egeschütz** *n mil* pièce qui ne tire pas, pièce *f* muette; **~emarsch** *m* marche *od* manifestation *f* silencieuse; **~eminute** *f* minute *f* de silence *od* de recueillement; **s~en** ‹*schwieg, geschwiegen*› *itr* se taire (*von* od *über* sur); observer *od* garder le silence (*von* od *über* sur); *radio (Sender)* être silencieux; *ganz zu ~~ von ...* sans parler de ..., sans compter ...; *dazu ~~* ne rien répondre; laisser dire *od* faire; *~~ wie ein Grab* être muet comme la tombe *od* comme une carpe; *~~ können* être maître de la langue; *wer schweigt, gibt zu (prov)* qui ne dit mot consent; **~en** *n* silence, mutisme *m; ~~ bewahren* garder *od* observer le silence; *das ~~ brechen* rompre le silence; *jdn zum ~~ bringen* réduire qn au silence, faire taire qn; *a.* museler qn; *jdm ~~ gebieten* imposer silence à qn, faire taire qn; *sich in ~~ hüllen* se renfermer dans le silence; **s~end** *a* silencieux; *adv* silencieusement, en silence; **~epflicht** *f (berufliche)* secret *m* professionnel; *ärztliche ~~* secret *m* médical; **~er** *m* ‹-s, -› homme *m* silencieux *od* taciturne; **s~sam** [-kzaːm] *a* silencieux, taciturne; *(verschwiegen)* discret; **~samkeit** *f* ‹-, ø› taciturnité *f;* mutisme, silence *m; (Verschwiegenheit)* discrétion *f.*

Schwein *n* ‹-(e)s, -e› [ʃvaɪn] *a. fig vulg pej* cochon; *(bes. Fleisch)* porc; *fig pej* goret, saligaud *m; fig pop (Glück)* veine, chance *f; pl adm* porcins *m pl; kein ~ (fulg: niemand)* personne; *~ haben (fam)* avoir de la veine, être verni; *haben wir zusammen ~e gehütet?* est-ce que nous avons gardé les dindons ensemble? **~ebestand** *m* cheptel *m* porcin; **~ebraten** *m* rôti *m* de porc; **~efett** *n* graisse *f* de porc; *(ausgelassen)* saindoux *m;* **~efleisch** *n* (viande *f* de) porc *m; gekochte(s) ~~* petit salé *m;* **~efutter** *n* nourriture pour cochons *od* porcs; *fig* mangeaille *f,* rata *m;* **~ehirt,** **~etreiber** *m* porcher *m;* **~ehund** *m pop* (peau de) vache *f;* **~ekartoffeln** *f pl* pommes *f pl* de terre à cochons; **~ekoben** *m,* **~ekofen** *m* ‹-s, -› = *~estall;* **~ekotelett** *n* côtelette *f* de porc; **~eohr** *n (Gebäck)* = *~sohr;* **~epest** *f* peste *f* porcine; **~erasse** *f* race *f* porcine; **~erei** *f* [-'raɪ] *pop (Unsauberkeit)* cochonnerie, saleté; *(Übelstand)* crasse, rosserie, saloperie; *(Zote)* saloperie, obscénité *f;* **~erippchen** *n* côte *f* de porc; **~eschmalz** *n* saindoux *m;* **~estall** *m* étable *f* à porcs; toit *m* à cochons; *fig pej* étable à pourceaux, bauge *f; das ist (ja) ein ~~!* c'est une vraie écurie! **~etrog** *m* auge *f* des porcs; **~ezucht** *f* élevage *m* des porcs; **~igel** *m fam (schmutziger Mensch)* pourceau; *(a. Zotenreißer)* cochon *m;* **~igelei** *f* [-'laɪ] *fam* cochonnerie, obscénité *f;* **s~igeln** *itr* dire des cochonneries *od* des obscénités; **s~isch** *a* de cochon; obscène; *adv* comme un cochon; **~sblase** *f* vessie *f* de cochon; **~sborste** *f* soie *f* de porc *od* de sanglier; **~shaxe** *f* pied *m* de cochon; **~skopf** *m* tête *f* de porc; *(Wildschwein)* hure *f* de sanglier; **~skotelett** *n* = *~ekotelett;* **~sleder** *n* peau *f od* cuir *m* de porc; **s~sledern** *a* en peau de porc; **~sohr** *n (Gebäck)* palmier *m.*

Schweiß *m* ⟨-ßes, (-ße)⟩ ['ʃvaɪs] sueur; transpiration; *(leichter)* moiteur; *(Pferd)* écume; *(an Gefäßen, Wänden, Scheiben)* buée *f; (Woll~)* suint; *(Jägersprache: Wildblut)* sang *m; im ~e seines Angesichts (fig)* à la sueur de son front; *in ~ geraten* se mettre en nage; *wie in ~ gebadet sein, von ~ triefen* être trempé de sueur, suer à grosses gouttes; *der ~ trat mir auf die Stirn* la sueur perla sur mon front; *wie in ~ gebadet* baigné *od* trempé de sueur, en nage, tout en sueur *od* en eau; **s~absondernd** *a physiol* sudoripare, sudorifère; **~absonderung** *f physiol* sudation *f; starke ~~* abondante sudation *f;* **~apparat** *m tech* appareil *m* à souder; **~ausbruch** *m physiol* sueurs *f pl;* **s~bedeckt** *a* couvert du sueur; **~blatt** *n* dessous *m* de bras; **~brenner** *m tech* chalumeau *m* oxhydrique; **~drüse** *f anat* glande *f* sudoripare; **s~en** *itr (Wild: bluten)* saigner; *tr tech* souder à l'autogène; **~en** *n* soudage *m,* soudure *f;* **~er** *m* ⟨-s, -⟩ soudeur *m;* **~erei** *f* [-'raɪ] *(Werkstatt)* atelier *m* de soudage *od* de soudure; **~fuchs** *m (Pferd)* alezan *m* brûlé; **~füße** *m pl: ~~ haben* transpirer des pieds; **~gerät** *n* = *~apparat;* **~geruch** *m* odeur *f* de sueur *od* de transpiration; **~hund** *m* braque *m;* **s~ig** *a* suant; *(Wild: blutend)* saignant; **~naht** *f tech* (joint *m od* ligne de) soudure *f;* **~stelle** *f tech* soudure *f;* **s~treibend** *a pharm* sudorifique; *~~e(s) Mittel n* sudorifique *m;* **s~triefend** *a* ruisselant de sueur; **~tropfen** *m* goutte *f* de sueur; **~tuch** *n* suaire *m;* **~ung** *f (Vorgang)* soudage *m; (a. Ergebnis)* soudure *f.*

Schweiz [ʃvaɪts] , *die* la Suisse; *die deutsche, französische ~* la Suisse alémanique, romande; **~er** *m* ⟨-s, -⟩ Suisse; *(Türhüter)* suisse; *(Melker)* vacher *m; a* suisse, de Suisse; *~~ Käse m* (fromage de) gruyère *m;* **~erdegen** *m typ* amphibie *m;* **~erdeutsch** *n* dialecte *m* suisse alémanique; **~ergarde** *f (des Papstes)* garde *f* suisse; **~erhäuschen** *n* chalet *m* suisse; **~erin** *f* Suissesse *f;* **s~erisch** *a* suisse, de Suisse; helvétique.

Schwel|anlage *f* ['ʃve:l-] installation *f* de carbonisation; **s~en** ⟨*aux: haben*⟩ *itr* brûler sans flamme, se consumer lentement; *a. fig* couver; *tr tech* (faire) brûler lentement; *(Kokerei)* carboniser à basse température; **~koks** *m* semi-coke *m;* **~teer** *m* goudron *m* à distillation lente; **~ung** *f tech* distillation lente; carbonisation *f* à basse température.

Schwelchmalz *n* ['ʃvɛlç-] malt *m* séché à l'air.

schwelg|en ['ʃvɛlgən] *itr (prassen)* faire bombance *od* ripaille; *in etw ~~* nager dans qc; *fig* s'enivrer, se griser de qc; **S~er** *m* ⟨-s, -⟩ jouisseur, viveur; bambocheur, noceur; voluptueux *m;* **S~erei** *f* ['raɪ] goguette, débauche, orgie *f;* **~erisch** *a* voluptueux.

Schwelle *f* ⟨-, -n⟩ ['ʃvɛlə] *(Tür~)* seuil *a. fig* u. *psych;* pas *m* (de porte); *loc* traverse, bille *f; an der ~~ des Alters (stehen* être) sur le *od* son retour; **~nabstand** *m loc* travelage *m;* **~nwert** *m scient* valeur *f* seuil.

schwell|en ⟨*schwillt, schwoll, ist geschwollen*⟩ ['ʃvɛlən, (-)'ʃvɔl(-), 'ʃvɪl-] *itr* s'enfler, (se) gonfler; *(die Brust)* se dilater; *med* se tuméfier; *(Gewässer)* croître, être en crue; *tr* (faire) enfler *od* gonfler; dilater; *ihm schwillt der Kamm (fig)* la vitalité le démange; **S~körper** *m anat* corps *m* érectile; **S~ung** *f* gonflement *m;* enflure; *med* tuméfaction, tumescence *f.*

Schwemm|e *f* ⟨-, -n⟩ ['ʃvɛmə] *(fürs Vieh)* abreuvoir, gué *m; (Bierstube)* buvette *f; in die ~~ reiten* mener *od* conduire à l'abreuvoir, guéer; **s~en** *tr (spülen)* rincer *od* laver à grande eau; **~land** *n* terrains *m pl* alluviaux *od* d'alluvions; **~sand** *m* sable *m* de rivière.

Schwengel *m* ⟨-s, -⟩ ['ʃvɛŋəl] *(Pumpe)* balancier, bras; *(Glocke)* battant *m.*

Schwenk|achse *f* ['ʃvɛŋk-] *tech* articulation *f;* **~arm** *m* bras *m* orientable *od* pliant *od* oscillant; **~bagger** *m* excavateur *m* orientable; **s~bar** *a* orientable, tournant, basculant, pivotant, à pivot, articulé; **~bereich** *m* amplitude *f* de pointage en direction; **s~en** *tr* ⟨*hat geschwenkt*⟩ *(hin u. her bewegen, bes. Hut, Taschentuch, Fahne)* agiter; *(schwingen)* brandir; *(Küche)* faire sauter; *tech (drehen)* tourner, pivoter, orienter; *itr* ⟨*ist geschwenkt*⟩ basculer, changer *od* faire un changement de direction, tourner; *mil* converser; *fig* opérer un revirement; *links, rechts ~t, marsch! (mil)* conversion à gauche, droite, marche! **~flügel** *m (Flugzeug)* aile *f* variable; **~kartoffeln** *f pl* pommes *f pl* (de terre) sautées; **~kran** *m* grue *f* tournante *od* pivotante; **~ung** *f mil* changement *m* de direction, conversion; *a. fig* volte-face *f; fig* changement d'opinion; revirement *m.*

schwer [ʃve:r] *a (von großem Gewicht)* lourd, pesant; *(Last)* pondéreux; *(massig)* massif; *(plump, ~fällig)* massif, lourdaud, engourdi; *agr (Boden)* gras; *(~ verdaulich)* lourd, difficile à digérer, d'une digestion difficile, indigeste; *(zu Kopf steigend)* fort, corsé, profond, capiteux; *(Tabak)* fort; *(Zunge)* épais; *(Krankheit)* grave; *(Strafe)* sévère, rigoureux; *(schwierig)* difficile, ardu; *(beschwerlich)* dur, pénible, malaisé; *(ermüdend)* fatigant; *(bedeutend, groß)* gros, grand, important; *adv (mühselig)* durement, laborieusement, péniblement; *(streng)* sévèrement, rigoureusement; *(ernstlich)* gravement, serieusement; *fam (sehr)* très, fort; *(viel)* beaucoup (de); *~en Herzens* le cœur lourd *od* gros; *~ arbeiten* travailler dur; *~ aufgehen (Tür, Behälter)* être dur à ouvrir; *S~es durchmachen* passer par de rudes épreuves; *sich ~ entschließen (können)* avoir de la peine à se décider; *es (sehr) ~ haben* avoir (bien) du mal; en voir de dures; *pop* en baver; *~ machen* rendre lourd, alourdir; *zwei Zentner ~ sein* peser 1 quintal; *an etw ~ tragen* se peiner *od* être accablé de qc; *~ werden* s'alourdir; s'appesantir; *(Zunge a.)* s'épaissir; *fig: jdm* faire de la peine à qn; *mir ist (so) ~ ums Herz* j'ai le cœur lourd, j'en ai gros sur le cœur; *das ist nicht (so) ~ (a.)* ce n'est pas malin *od* le diable; *~ absetzbar* od *verkäuflich* difficile à écouler; *~ betrunken* ivre mort; *~e Erkältung f* gros rhume *m; ~e(r) Fehler m* faute *f* grave; *~e Geburt f* accouchement *m* difficile; *~e(r) Irrtum m (fam)* erreur *f* grave *od* capitale; *~e(s) Schicksal n* sort *m* cruel; *~e See f* grosse mer *f; ~e Sünde f* gros péché *m; ~e(s) Verbrechen n* grand crime *m; ~e Zeiten f pl* temps *m pl* durs *od* difficiles; *~ zufriedenzustellen(d)* difficile à contenter; **S~arbeit** *f* travail *m* pénible; **S~arbeiter** *m* travailleur *m* de force; **S~arbeiterzulage** *f* supplément *m* pour travail pénible; **S~athletik** *f (Gewichtheben)* haltérophilie *f,* poids et haltères *pl;* **~beladen** *a* lourdement chargé; **S~benzin** *n* essence *f* lourde; **S~beschädigte(r)** *m* grand mutilé *m;* **~bewaffnet** *a* armé jusqu'aux dents; *mil* muni d'armement lourd; **~blütig** *a (trübsinnig)* triste, sombre; *(ernst)* grave; **S~blütigkeit** *f* ⟨-, ø⟩ tristesse; gravité *f;* **S~e** *f* ⟨-, ø⟩ *(Gewicht)* poids *m,* pesanteur; *phys* gravité *f; med (in d. Beinen)* lourdeurs *f pl; fig (Wichtigkeit, Ernst, a. e-r Krankheit)* gravité; *(e-r Strafe)* sévérité, rigueur; *(e-s Verbrechens)* atrocité *f;* **S~efeld** *n phys* champ *m* gravitationnel; **S~egefühl** *n med* = *~e (med);* **~elos** *a* sans poids *od* pesanteur; **S~elosigkeit** *f* ⟨-, ø⟩ apesanteur, non-pesanteur, agravité, impondérabilité *f;* **S~enöter** *m* ⟨-s, -⟩ [-nø:tər] coureur, homme à femmes; galant *m;* **~erziehbar** *a* difficile, inadapté; **~=fallen** ⟨*ist schwergefallen*⟩ *itr impers: jdm ~~* donner beaucoup de peine, être pénible, coûter, faire qc à qn; *es fällt mir ~ zu* ... j'ai du mal à ..; **~fällig** *a* (d'esprit) lourd, lourdaud, pesant, épais, engourdi; *(Stil)* lourd; *~~e(r) Mensch m (a.)* cul-de-plomb *m;* **S~fälligkeit** *f* ⟨-, ø⟩ lourdeur, pesanteur, épaisseur *f;* **S~gewicht** *n sport* poids *m* lourd; *fig (Nachdruck): das ~~ liegt auf* ... l'accent est sur ...; **S~gewichtler** *m* ⟨-s, -⟩ *sport* poids *m* lourd; **~=halten** *itr* être difficile; *das wird ~~* ce n'est guère probable; **~hörig** *a* dur d'oreille; *~~ sein (a.)* avoir l'oreille dure, entendre dur; **S~hörigkeit** *f* ‹-, ø› dureté *f* d'oreille; **S~industrie** *f* industrie *f* lourde *od* métallurgique; **S~industrielle(r)** *m* maître *m* de forges; **S~kraft** *f* ‹-, ø› *phys* gravitation, (force de) pesanteur *f;* **~krank** *a* gravement malade; **S~kriegsbeschädigte(r)** *m* grand mutilé *m* de guerre; **~lich** *adv* difficilement, avec *od* à peine; *er wird ~~ kommen* il n'est guère probable qu'il vienne; **~= machen:** *es jdm, jdm das Leben ~~* rendre *od* mener la vie dure à qn; *es sich unnötig ~~ (a.)* chercher midi à quatorze heures; *jdm das Herz ~~* peser sur le cœur, serrer le cœur à qn; **S~metall** *n* métal *m* lourd; **S~mut** *f* ‹-, ø› humeur sombre, tristesse, mélancolie; *bes. med* hypocondrie *f;* **~mütig** *a* sombre, triste, mélancolique; hypocondriaque; **~= nehmen** *tr* prendre au sérieux; *nehmen Sie es nicht so ~!* ne vous en faites pas; **S~öl(motor** *m* moteur *m* à**)** huile *f* lourde; **S~punkt** *m phys* centre de gravité *a. fig; fig* point capital; élément *m* central *od* essentiel; *den ~~ ansetzen auf* faire porter, concentrer son effort sur; *mil* (point d')effort *m* principal; **S~punktbildung** *f* concentration *f* des efforts; *unterschiedliche S~~* concentration *f* différentielle; **S~punktstreik** *m* grève *f* dans un centre vital; **S~punktverlagerung** *f (fig)* transfert *m* d'activité (d'une industrie à une autre); **~reich** *a fam* richissime; *pop* bourré aux as; **S~spat** *m min* spath *m* pesant; **S~starbeiter** *m* travailleur *m* de force (catégorie supérieure); **S~verbrecher** *m* grand criminel *m;* **~verdaulich** *a* indigeste, d'une digestion difficile; *~~e Speise f (a.)* emplâtre *m;* **~verletzt** *a* grièvement blessé; **S~verletzte(r)** *m* blessé *m* grave; **~verständlich** *a* difficile à comprendre; **~wiegend** *a (entscheidend)* grave; *~~e Entscheidung f (a.)* option *f;* **~verwundet** *a* = *~verletzt;* **S~verwundete(r)** *m* grand blessé *m.*

Schwert *n* ‹-(e)s, -er› [ʃveːrt] épée *f; lit u. fig* glaive *m; mit dem ~* à la pointe de l'épée; *mit Feuer und ~* à feu et à sang; *zum ~ greifen* mettre la main à l'épée; *fig* tirer le glaive; *durch das ~ umkommen* périr par l'épée; **~el** *m, a. n* ‹-s, -› *bot* glaïeul *m;* **~(er)tanz** *m* danse *f* des épées; **~feger** *m* armurier *m;* **~fisch** *m* poisson-épée *m,* épée *f* (de mer), espadon *m;* **s~förmig** *a* en forme de glaive, *scient* ensiforme, xiphoïde; **~knauf** *m* pommeau *m* d'épée; **~lilie** *f* iris *m;* **~streich** *m* coup *m* d'épée; *ohne ~~* sans coup férir; **~träger** *m (Fisch)* porte-glaive, xipho(phore) *m;* **~wal** *m zoo* épaulard *m.*

Schwester *f* ‹-, -n› [ˈʃvɛstər] *a. rel* sœur; *pop* frangine; *(Kranken~)* infirmière; *rel* religieuse *f; Barmherzige ~ (rel)* sœur *f* de charité; **~anstalt** *f* établissement *m od* institution *f* associé(e); **~chen** *n* petite sœur; *fam* sœurette *f;* **~firma** *f* firme *f* associée; **~gesellschaft** *f* société *f* sœur *od* affiliée; **~kind** *n* enfant *m f* de ma, sa *etc* sœur; neveu *m;* nièce *f;* **s~lich** *a* de sœur; *adv* en sœur; **~norden** *m rel* ordre *m* de femmes; **~npaar,** *ein (das)* (les) deux sœurs *f pl;* **~nschaft** *f* communauté *f* de(s) sœurs; **~schiff** *n* navire-jumeau *m;* **~sprache** *f* langue *f* sœur; **~unternehmen** *n* entreprise *f* associée.

Schwibbogen *m* [ˈʃvɪp-] *arch* arc-boutant *m.*

Schwieger|eltern *pl* [ˈʃviːgər-] beaux-parents *m pl;* **~mutter** *f* belle-mère *f;* **~sohn** *m* gendre, beau-fils *m;* **~tochter** *f* belle-fille, bru *f;* **~vater** *m* beau-père *m.*

Schwiel|e *f* ‹-, -n› [ˈʃviːlə] durillon, cal *m,* callosité *f;* **s~ig** *a* calleux.

schwierig [ˈʃviːrɪç] *a (schwer zu tun)* difficile; *fam* difficultueux *(mühevoll)* pénible, ardu; *(lästig)* malaisé; *(heikel)* délicat; *(strittig)* épineux; *(Mensch)* difficile; *(anspruchsvoll)* exigeant; *das ist e-e ~e Sache (a.)* c'est toute une affaire; *~e Lage f (fin a.)* malaise *m;* **S~keit** *f* difficulté *f; pl a.* embarras, ennui(s *pl*) *m; (Hindernisse)* obstacles *m pl; ohne ~~(en) a.* de plain-pied; *~~en bereiten od machen* faire *od* élever *od* soulever *od* entraîner des difficultés; *jdm* donner du fil à retordre, tailler des croupières à qn; *unnötige ~~en machen (a.)* compliquer les choses; *~~en sehen, wo keine sind* chercher des complications *od* midi à quatorze heures; *auf ~~en stoßen* se cogner *od* se heurter à *od* rencontrer des difficultés *od* des obstacles, trouver des pierres sur son chemin; *es ergeben sich ~~en* il se présente des difficultés; *technische ~~en* ennuis *m pl* méchaniques; *fig* difficultés *f pl* techniques; *mit ~~en verbunden* difficile, épineux; **S~keitsgrad** *m* degré *m* de difficulté.

Schwimm|anstalt *f* [ˈʃvɪm-], **~bad** *n* (établissement *m* de) bains *m pl,* piscine *f;* **~bagger** *m* bateau *m* dragueur, drague *f;* **~bassin** *n,* **~becken** *n* piscine *f;* **~blase** *f (d. Fische)* vessie *f* natatoire; **~dock** *n* dock *od* bassin *m* (de radoub) flottant; **s~en** ‹*schwamm, ist/hat geschwommen*› [ʃvam, -ʃvɔm-] *itr* nager; *(treiben)* flotter, voguer; *über e-n Fluß ~~* traverser une rivière à la nage; *an(s) Land ~~* gagner la rive à la nage; *obenauf ~~* surnager; *einen neuen Rekord ~~* ‹*hat geschwommen*› battre un record en natation; *auf dem Rücken, auf der Seite ~~* nager sur le dos, à l'indienne; *in Tränen ~~* avoir le visage inondé de larmes; *~~ gehen* aller se baigner; *mir schwimmt es* od *alles vor den Augen* je vois trouble; **~en** *n* nage, natation *f; zum ~~ gehen* aller se baigner; **s~end** *a* flottant; *adv* à la nage; **~er** *m* ‹-s, -› *(Mensch)* nageur; *tech* flotteur *m;* **~ergehäuse** *n mot* cuvette *f* de carburateur; **~ernadel** *f mot* pointeau *m;* **s~fähig** *a* flottable; **~fähigkeit** *f* flottabilité *f;* **~fuß** *m zoo* pied *m od* patte *f* palmé(e) *od* natatoire; **~gürtel** *m* ceinture *f* de natation; **~haut** *f zoo (zwischen den Zehen)* palmure *f; mit ~~ versehen (a zoo)* palmé; **~hose** *f* slip *m* de bain; **~käfer** *m* gyrin *m* nageur; **~klub** *m* club *m* de natation; **~körper** *m tech* cylindre flottant; *mot* flotteur *m;* **~kran** *m* grue *f* flottante; **~lehrer** *m* moniteur *m* (de natation); **~panzer** *m mil* char *m* amphibie; **~sport** *m* natation *f;* **~stadion** *n* stade *m* nautique *od* de natation; **~stoß** *m* brasse *f;* **~verein** *m* = *~klub;* **~vögel** *m pl* palmipèdes *m pl;* **~weste** *f* gilet *m od* jaquette *f* de sauvetage.

Schwind|el *m* ‹-s, -› [ˈʃvɪndəl] *med* vertige, étourdissement, éblouissement *m; fig (Lüge)* mensonge(s *pl*) *m,* boniments *m pl; (Bluff, Irreführung)* bluff *m,* blague *f,* bobard, truquage *m;* fumisterie, duperie *f; (propagandistischer)* bourrage *m* de crâne; *(Betrug)* imposture, supercherie *f,* carottage *m; den ~~ kennen* connaître le truc; *das ist kein ~~* ce n'est pas truqué; *das ist doch alles ~~!* c'est une histoire! histoire que tout cela! *der ganze ~~* tout le tremblement *od* fourbi; **~elanfall** *m* accès de vertige, étourdissement *m; e-n ~~ haben* être pris d'un vertige; **~elei** *f* [-ˈlaɪ] *(Lügerei)* mensonges *m pl; (Bluff)* bluff, truquage *m;* fumisterie, duperie; *(Betrügerei)* imposture *f,* supercheries *f pl,* carottage *m;* **s~elerregend** *a* vertigineux; **~elfirma** *f* maison *f* véreuse; **s~elfrei** *a* exempt de vertige, (qui n'est) pas sujet au vertige; *~~ sein (a.)* ne pas avoir le vertige; **~elgefühl** *n* vertige, étourdissement *m;* **s~elhaft** *a (fig)* vertigineux, exorbitant; *(betrügerisch)* frauduleux; **s~(e)lig** *a* pris de vertige; *(der Anlage nach)* sujet au vertige; *~~ machen* donner le vertige à; *leicht ~~ werden* être sujet au *od* avoir facilement le vertige; *mir wurde ~~* j'étais pris de vertige, j'avais le vertige; **s~eln** *itr (lügen)* mentir; *(bluffen)* bluffer, *fam* blaguer; *impers: mir s~elt* j'ai le vertige, la tête me tourne; **s~elnd** *a* vertigineux; **~elunternehmen** *n* entreprise *f* véreuse; **~ler** *m* ‹-s, -› *(Lügner)* menteur; *(Bluffer)* bluffeur; bourreur de crâne; *(Betrüger)* dupeur, trompeur; emberlificoteur; *(Gauner)* carotteur, carottier, escroc; *(Hochstapler)* aigrefin, chevalier d'industrie, imposteur *m;* **s~lerisch** *a (lügnerisch)* mensonger, menteur; *(betrügerisch)* trompeur.

schwind|en ‹*schwand, ist geschwunden*› [ˈʃvɪndən, ʃvant/-d-, -ˈʃvʊndən] *itr (kleiner* od *geringer werden, zs.schrumpfen, abnehmen)* s'amoindrir, décroître, diminuer (progressivement), se réduire; *(schwächer werden, nachlassen, a.)* s'atténuer; *(dahin~~, vergehen)* dépérir, passer, s'effacer, s'éclipser, disparaître, cesser d'être; *(sich verlieren,* *bes. Ton)* se perdre, s'évanouir, mourir; *~~ lassen (Hoffnung)* abandonner, renoncer à; *alle Hoffnung ist geschwunden* il n'y a plus d'espoir; *meine Kräfte schwanden* mes forces m'abandonnèrent; *mir schwanden die Sinne* j'ai perdu connaissance, je me suis évanoui; **S~en** *n* amoindrissement, décroissement *m*, diminution; atténuation *f;* dépérissement *m*, disparition *f;* évanouissement *m; im ~~ begriffen* en voie de déclin; **S~sucht** *f* ‹-, ø› ['ʃvɪnt-] phtisie, consomption *f;* **~süchtig** *a* phtisique, poitrinaire.

Schwing|achse *f* ['ʃvɪŋ-] *mot* essieu *m* oscillant; **~arm** *m tech* biellette *f; mot* bras *m* oscillant; **~audion** *n el* autodyne *m;* **~bewegung** *f* mouvement *m* vibratoire; **~e** *f* ‹-, -n› *poet (Vogelflügel)* u. *fig* aile *f; (Getreide~~)* van *m; tech* coulisse *f;* **s~en** ‹*schwang, hat geschwungen*› [ʃvaŋ, -'ʃvʊŋən] *tr* brandir, agiter; *(Getreide)* vanner; *(Hanf, Flachs)* t(e)iller; *itr* osciller, basculer; *(Saite)* vibrer; *sich ~~* s'élancer, s'élever; *e-e Rede ~~ (fam)* faire un laïus; *sich in den Sattel ~~* sauter à cheval; **s~end** *a* oscillant; vibrant; **~er** *m* ‹-s, -› *(Boxen)* swing *m;* **~fenster** *n* fenêtre *f* basculante; **~hebel** *m tech* balancier *m;* **~kreis** *m el* circuit *m* d'accord; **~maschine** *f* teilleuse *f;* **~rutsche** *f* glissière *f* oscillante; **~ung** *f* oscillation *f*, mouvement *m* oscillatoire *od* de va-et-vient; vibration *f; (Glokke)* branle *m; in ~~en versetzen* faire osciller *od* vibrer; mettre en branle; **~ungsachse** *f (Pendel)* axe *m* d'oscillation; **~ungsdämpfer** *m* amortisseur *m* de vibrations; **~ungsdauer** *f* durée *od* période *f* d'oscillation; **~ungsenergie** *f* énergie *f* vibratoire; **~ungserzeuger** *m* oscillateur *m;* **~ungsmesser** *m* oscillomètre; *a.* vibromètre *m;* **~ungsweite** *f* amplitude *f* d'oscillation; **~ungszahl** *f* nombre *m* d'oscillations; *phys* fréquence *f*.

Schwipp|schwager *m* ['ʃvɪp-] *fam* frère du beau-frère; frère *od* époux *m* de la belle-sœur; parent *m* éloigné; **~schwägerin** *f fam* sœur de la belle-sœur, sœur *od* épouse *f* du beau-frère, parente *f* éloignée.

Schwips *m* ‹-es, -e› [ʃvɪps] *fam, kleine(r) ~* griserie, pointe *f* de vin; *e-n ~ haben* être pompette *od* éméché.

schwirren ['ʃvɪrən] *itr (surren)* bruire, frémir, siffler; *(Insekt)* bourdonner; *mir schwirrt der Kopf* la tête me bourdonne *od* tourne.

Schwitz|bad *n* ['ʃvɪts-] bain *m* de vapeur; **s~en** *itr* suer, transpirer; *(glatte Fläche)* suinter, ressuer, être couvert de buée; *(Häute)* s'échauffer; *sehr* od *stark ~~* être en sueur *od* en nage; **~en** *n* transpiration; *med* sudation *f; (Aus~~)* suintement; *tech* suage *m;* **s~ig** *a* en sueur, couvert de sueur, suant; moite; **~kasten** *m* étuve *f;* **~kur** *f* traitement *m* par (la) sudation; **~wasser** *n* buée *f*.

Schwof *m* ‹-(e)s, -e› [ʃvo:f] *pop* danse *f; arg* guinche *m* od *f;* **s~en** *itr pop* guincher *arg.*

schwören ‹*schwor, hat geschworen*› ['ʃvø:rən, (-)'ʃvo:r(-)] *itr* jurer (*bei* par); prêter serment; *auf jdn (fam)* ne jurer que par qn; *tr* jurer, affirmer *od* promettre sous la foi du *od* par serment; *jdm ewige Liebe ~* jurer un amour éternel à qn; *(jdm) Rache ~* jurer de se venger (de qn); *jdm Treue ~* jurer fidélité à qn; *ich schwöre es Ihnen (hoch und heilig)* je vous le jure *od* en fais le serment; *hoch und heilig ~* jurer ses grands dieux; *ich möchte darauf ~, daß ...* je jurerais que ...

schwul [ʃvu:l] *a pop* homosexuel; **S~ität** *f* ‹-, -en› [-li'tɛ:t] *fam (Verlegenheit)* gêne *f*, embarras *m; in (großen) ~~en sein* être pressé d'argent *od pop* dans la dèche.

schwül [ʃvy:l] *a* lourd, étouffant, suffocant, accablant; *es ist ~* il fait lourd; **S~e** *f* ‹-, ø› lourdeur, chaleur *f* étouffante *od* accablante.

Schwulst *m* ‹-(e)s, ⸚e› [ʃvʊlst, 'ʃvʏlstə] *(Stil: Aufgeblasenheit)* enflure, boursouflure, bouffissure, emphase *f;* gongorisme *m;* **s~ig** *a* = *schwülstig.*

schwülstig ['ʃvʏlstɪç] *a* enflé, boursouflé, bouffi, ampoulé, emphatique, *a.* pompeux; **S~keit** *f* ‹-, (-en)› = *Schwulst.*

schwumm(e)rig ['ʃvʊm(ə)rɪç] *a fam* = *schwind(e)lig.*

Schwund *m* ‹-(e)s, ø› [ʃvʊnt, -dəs] *(Schrumpfung)* rétrécissement *m; (Abnahme)* diminution *f; (Verfall)* dépérissement *m; med* atrophie *f; tele radio* évanouissement; *radio* fading; *com* déchet *m* de route; **s~mindernd** *a radio* antifading; **~regler** *m radio* correcteur *m* de volume.

Schwung *m* ‹-(e)s, ⸚e› [ʃvʊŋ, 'ʃvʏŋə] élan *m*, lancée *f; (Bewegung)* branle *m; (bes. e-r Glocke)* volée *f; fig* élan, allant, envol(ée *f*), entrain *m*, fougue, verve *f; (Begeisterung)* enthousiasme, lyrisme *m; in ~* en train, en verve; *in vollem ~* à la volée; *jdn in ~ bringen* mettre qn en train, faire perdre son flegme à qn; *etw in ~ bringen* mettre qc en branle; *fig* donner un essor à qc; *in ~ halten (Sache)* tenir en branle; *(Person)* tenir en train; *in ~ kommen* se mettre en branle; *fig* prendre son essor, démarrer; *(sich erhitzen)* se monter; *in ~ setzen* mettre en branle; *das hat ~* cela a de l'allure; *da ist ~ drin* c'est plein d'entrain; **~feder** *f orn* penne, rémige, tectrice *f;* **s~haft** *a (Handel)* florissant; **~kraft** *f* force d'impulsion, élasticité *f; a. fig* ressort; *fig* élan *m;* **s~los** *a* sans élan *od* verve; terre-à-terre; *(prosaisch)* prosaïque; **~losigkeit** *f* ‹-, ø› prosaïsme, manque *m* d'élan *od* d'entrain; **~rad** *n* volant *m;* **s~voll** *a* plein d'élan *od* d'entrain *od* de verve; *(Musik a.)* plein de brio.

schwupp, ~diwupp, schwups [ʃvʊp(s), -di'vʊp] *interj* vlan! v'lan!

Schwupp *m* ‹-(e)s, -e› [ʃvʊp] bond, saut, élan *m; mit einem ~ erledigen* arranger en un tournemain.

Schwur *m* ‹-(e)s, ⸚e› [ʃvu:r, 'ʃvy:rə] serment; *(Gelübde)* vœu *m; e-n ~ tun* faire un serment; **~gericht** *n* cour *f* d'assises; jury *m* criminel.

Scotchterrier *m* ['skɔtʃtɛriər] *(Hunderasse)* scottish-terrier *m.*

Sech *n* ‹-(e)s, -e› [zɛç] *(Pflugmesser)* coutre *m.*

sechs [zɛks] *Zahlw.* six; **S~** *f* ‹-, -en› six *m;* **S~achteltakt** *m mus* mesure *f* à six-huit; **S~eck** *n* hexagone *m;* **~eckig** *a* hexagonal; **S~ender** *m* cerf *m* à sa seconde tête; **S~er** *m* ‹-s, -› *pop (Fünfpfennigstück)* pièce *f* de cinq pfennigs; **~fach** *a* sextuple; **S~flach** *n*, **S~flächner** *m math* hexaèdre *m;* **~hundert** *a* six cent(s); **~jährig** *a* (âgé) de six ans; **S~kant (-eisen** *n***)** *n* od *m* clé *f* à six pans; **~mal** *adv* six fois; **~malig** *a* répété cinq fois; **~motorig** *a* à six moteurs, hexamoteur; *~~e(s) Flugzeug* *n* hexamoteur *m;* **S~sitzer** *m mot* six places *f;* **~sitzig** *a* à six places; **S~tagerennen** *n* course *f* de six jours, six-jours *m pl;* **~te(r,s)** *a* sixième; **S~tel** *n* ‹-s, -› sixième *m;* **~tens** *adv* sixièmement; **S~zimmerwohnung** *f* (appartement de) six pièces *m.*

sechzehn ['zɛç-] *Zahlw.* seize; **~te(r,s)** *a* seizième; **S~tel** *n* ‹-s, -› seizième *m;* **S~telnote** *f mus* double croche *f;* **S~telpause** *f mus* quart *m* de soupir.

sechzig ['zɛçtsɪç] soixante; *etwa ~* (...) une soixantaine (de); **S~** *f* ‹-, ø› soixante *m;* **S~er** *m* ‹-s, -› sexagénaire *m; in den ~~n* od *Sechzigerjahren sein* avoir entre soixante et soixante-dix ans; **~jährig** *a* sexagénaire; **~ste(r,s)** *a* soixantième; **S~stel** *n* ‹-s, -› soixantième *m.*

Sedez|band [ze'de:ts-] *m*, **~format** *n typ* in-seize *m.*

Sediment *n* ‹-(e)s, -e› [zedi'mɛnt] *chem geol* sédiment; *chem a.* fond, résidu *m;* **s~är** [-'tɛ:r] *a geol* sédimentaire; **~ärgestein** *n* roches *f pl* sédimentaires.

See [ze:] **1.** *m* ‹-s, -n› *(Land~)* lac; *dial a. (Teich)* étang *m;* **2.** *f* ‹-, -n› mer *f*, océan *m; an der ~* au bord de la mer; *auf ~* en *od* sur mer; *auf hoher, offener ~* en haute, pleine mer; *zur ~* par mer; *die ~ beherrschen* tenir la mer; *an die ~ gehen* od *reisen* aller à la mer; *in ~ gehen* od *stechen* prendre la mer, appareiller; *auf die hohe ~ hinausfahren* prendre le large; *bewegte ~* mer *f* agitée; *schwach bewegte ~* mer *f* belle; *gekräuselte ~* mer *f* ridée; *glatte* od *ruhige ~* mer *f* calme; *grobe ~* mer *f* forte; *hohe* od *hochgehende ~* grosse mer, mer *f* forte; *hohle ~* mer *f* courte *od* creuse *od* houleuse; *schwere ~* mer *f* énorme; *spiegelglatte ~* mer *f* d'huile; **~aal** *m* anguille *f* de mer; **~adler** *m* orfraie, huard, pygargue *m;* **~alpen,** *die pl* les Alpes *f pl* maritimes; **~amt** *n* préfecture *f* maritime; **~anemone** *f* = *~rose (zoo);* **~aufklärer** *m aero* hydravion *m* de reconnaissance;

~bad *n* bain *m* de mer; *(Ort)* station *f* balnéaire; **~badekur** *f* cure *f* marine; **~bär** *m zoo (Ohrenrobbe)* otarie *f; (alter)* *~~ (fig: ~mann)* loup *m* de mer; **~barsch** *m zoo* bar *od* loup *m* de mer; **~beben** *n* raz-de-marée *m;* **~-Elefant** *m* éléphant de mer, phoque à trompe; *scient* macrorhine *m;* **s~fahrend** *a* navigateur; **~fahrer** *m* marin, navigateur *m;* **~fahrt** *f* navigation (maritime); *(einzelne)* promenade *f od* voyage *m* en mer; **s~fest** *a (Mensch)* non sujet au mal de mer; qui a le pied marin, amariné; *(Schiff)* qui tient bien la mer; **~fisch** *m* poisson *m* de mer; *pl com* marée *f;* **~flieger** *m* aviateur *m* maritime; **~fliegerei** *f;* **~flugwesen** *n* aviation navale, aéronavale *f;* **~flughafen** *m* base *f* aéronavale; **~frachtbrief** *m* connaissement *m;* **~funkdienst** *m* service *m* radio maritime; **~funkstelle** *f* station *f* (radioélectrique) de navire; **~gang** *m* mouvement *od* état*m* de la mer; *(bei) hohe(m)* *~~* (par) grosse mer, (par) mer *f* forte; *hohen ~~ haben (pop: in der Trunkenheit schwanken)* avoir du roulis; *es ist hoher ~~* il y a de la mer; **~gefecht** *n* combat *m* naval; **~geltung** *f pol* importance *f od* prestige *m* maritime; **~gemälde** *n* marine; *f* **~gras** *n* zostère *f; com* crin *m* végétal; **s~grün** *a* vert de mer *od* d'eau, céladon *inv;* **~gurke** *f zoo* holothurie *f;* **~hafen** *m* port *m* de mer; **~handel** *m* commerce *m* maritime; **~hecht** *m zoo* merluche *f,* colin *m;* **~herrschaft** *f* empire *m od* maîtrise des mers, suprématie *f* maritime; **~hund** *m* phoque, veau *m* marin; *pl (als Familie)* phocidés *m pl;* **~igel** *m* oursin *m;* **~jungfer** *f* nymphe *f* de la mer; **~kabel** *n* câble *m* sous-marin; **~kadett** *m* élève *m* de l'École navale; **~kadettenanstalt** *f* École *f* navale; **~karte** *f* carte *f* marine *od* nautique; **~kasse** *f* caisse *f* d'assurance maritime; **~klima** *n* climat *m* maritime; **s~krank** *a: ~~ sein* avoir le mal de mer; *leicht ~~ werden* être sujet au mal de mer; **~krankheit** *f* mal *m* de mer; **~krieg** *m* guerre *f* navale *od* maritime; **~kriegführung** *f* conduite des opérations navales *od* sur mer; stratégie *f* maritime; **~kuh** *f* vache *f* marine, dugong, lamantin *m;* **~lachs** *m zoo* colin *m;* **~land** *n (niederländ. Provinz)* la Zélande; *(dänische Insel)* Seeland *f;* **~leute** *(pl von: ~mann)* gens *m pl* de mer; **~löwe** *m zoo* lion *m* marin *od* de mer, otarie *f* (à crinière); **~luft** *f* air *m* marin *od* maritime *od* de la mer; **~macht** *f* puissance *f* maritime *od* navale; **~mann** *m* ‹-(e)s, -leute› marin, matelot *m;* **s~männisch** *a* marin; de marin; **~mannsamt** *n* bureau *m* d'inscription maritime; **~mannsgang** *m: den ~~ haben* avoir le pied marin; **~mannsgarn** *n* conte *m* de marin *od* de bord; *~~ spinnen* débiter une *od* des histoire(s); **~mannssprache** *f* langage *m* des marins; **~meile** *f* mille *m* marin; **~mine** *f* mine *f* de haute mer *od* sous-marine; **~not** *f* détresse *f* (de mer); *in ~~ (befindlich)* en perdition, en péril; **~notflugzeug** *n* avion *m* de sauvetage en mer; **~notrakete** *f* fusée *f* de sauvetage en mer; **~notruf** *m (SOS)* appel *m* de détresse; **~nplatte** *f geog* plateau *m* parsemé de petits lacs; **~pferdchen** *n (Fisch)* hippocampe *m;* **~räuber** *m* pirate, corsaire, flibustier, forban; écumeur *m* de(s) mer(s); **~räuberei** *f* piraterie *f;* **~räuberschiff** *n* corsaire *m;* **~recht** *n* droit *m* maritime; **~reise** *f* voyage *m* sur mer; **~rose** *f bot* nénuphar *m; zoo* anémone de mer, actinie *f; gelbe ~~* nénuphar jaune, jaune *m* d'eau; *weiße ~~* nénuphar blanc *od* lis d'eau *od* des étangs, nymphéa, nymphaea *m;* **~schaden** *m* avarie *f,* sinistre *m* en mer; **~schadenberechnung, ~schadensregelung** *f* dispache *f;* **~schiff** *n* navire, vaisseau, bâtiment *m;* **~schiffahrt** *f* navigation maritime, marine *f;* **~schlacht** *f* bataille *f* navale; **~schlange** *f* serpent *m* de mer; hydre *f;* **~schwalbe** *f (Möwenart)* hirondelle de mer, sterne *f;* **~sieg** *m* victoire *f* navale; **~spediteur** *m* agent *m* maritime; **~stadt** *f* ville *f* maritime *od* côtière; **~stern** *m zoo* étoile de mer, astérie *f;* **~straße** *f* route *od* voie *f* maritime; **~straßenordnung** *f* règles *f pl* de route sur mer; **~streitkräfte** *f pl* forces *f pl* navales, marine *f;* **~stück** *n (Kunst)* marine *f;* **~tang** *m bot* varech *m;* **~transport** *m* transport *m* maritime *od* par (voie de) mer; **s~tüchtig** *a (Schiff)* navigable, en état de prendre *od* tenir la mer; *~~ sein* tenir la mer; **~tüchtigkeit** *f* navigabilité *f;* **~ufer** *n* bord *m* du lac; **~ungeheuer, ~ungetüm** *n* monstre *m* marin; **s~untüchtig** *a* innavigable, pas en état de prendre *od* tenir la mer; **~untüchtigkeit** *f* innavigabilité *f;* **~verbindung** *f* communication *f* maritime; **~versicherung** *f* assurance *f* maritime; **~vögel** *m pl* oiseaux *m pl* de mer; **~warte** *f* observatoire *m* maritime; **~wasserstraße** *f* = *~straße;* **s~wärts** *adv* du côté de la mer; vers le *od* au large; **~weg** *m* route *od* voie *f od* parcours *m* maritime; *auf dem ~~e* par voie maritime, par mer; **~wind** *m* vent *m* de mer *od* du large; **~zeichen** *n* signal maritime, amer *m;* **~zunge** *f (Fisch)* sole *f.*

Seele *f* ‹-, -n› ['ze:lə] *(a. e-r Geige, e-s Schußwaffenrohrs, fig)* âme *f; fig (Gefühl)* cœur, sentiment *m; (e-s Unternehmens)* âme *f,* animateur *m; mit ganzer ~* de toute mon, ton *etc* âme; *s-e ~ aushauchen* rendre l'âme; *jdm etw auf die ~ binden (fam)* mettre qc sur la conscience de qn; *das liegt mir auf der ~* cela me pèse sur la conscience; *das ist mir aus der ~ gesprochen* je ne saurais mieux dire; *sich die ~ aus dem Leib reden* vouloir convaincre à tout prix; *das ist mir in tiefster ~ zuwider* j'ai cela en horreur; *das tut mir in der ~ weh* j'en suis navré; *es war keine lebende ~ zu sehen* il n'y avait âme qui vive *od fam* pas un chat; *er (sie) ist eine ~ von einem Menschen* c'est la crème des hommes; *schöne ~* belle âme; *zwei ~n und ein Gedanke!* deux têtes sous un bonnet; *e-e treue ~* une bonne âme, un cœur d'or, une bonne pâte d'homme.

Seelen|achse *f* ['ze:lən-] *(Feuerwaffe)* axe *m* de l'âme; **~adel** *m* noblesse *f* d'âme; **~amt** *n rel* office *m* des morts; **~angst** *f* angoisse *f;* **~blindheit** *f* cécité *f* psychique; **~frieden** *m* paix *f* de l'âme; *s-n ~~ haben* avoir l'âme en paix; **~größe** *f* ‹-, ø› grandeur d'âme, magnanimité *f;* **s~gut** *a* foncièrement bon; **~heil** *n* salut *m* spirituel; *mein (etc) ~~* le salut de mon *etc* âme; **~heilkunde** *f* psychothérapie *f;* **~hirt** *m* pasteur d'âmes, père *m* spirituel; **~kunde** *f* psychologie *f;* **~leben** *n* psychisme *m scient; (un)bewußte(s) ~~* psychisme *m* conscient *od* supérieur (inférieur); **s~los** *a* sans âme; **~messe** *f* messe *f* des morts *od* des trépassés *od* de requiem; *(Jahrgedächtnis)* obit *m;* **~regungen** *f pl* réactions *f pl* affectives; **~ruhe** *f* tranquillité *f* d'âme; *in aller ~~ (fam a.)* sans se démonter; **s~vergnügt** *a fam* gai comme un pinson; **~verkäufer** *m (Boot)* périssoire *f;* **~verwandtschaft** *f* affinité *f* spirituelle; **s~voll** *a (gemütvoll)* plein de sentiment; *(ausdrucksvoll)* expressif; *(warmherzig)* chaleureux; **~wanderung** *f* métempsycose, transmigration *f* des âmes; **~zustand** *m* état *m* d'âme.

seelisch ['ze:lɪʃ] *a* psychique; de l'âme; moral; *(geistig)* mental; spirituel; *~ bedingt* psychogène; *~e Leiden n pl* souffrances *f pl* de l'âme; *~e Störungen f pl* perturbations *f pl* affectives.

Seelsorge *f* ['ze:l-] charge *f* d'âmes, gouvernement *m* des âmes, direction *f* de conscience; **~r** *m* directeur de conscience, père *m* spirituel.

Segel *n* ‹-s, -ø› ['ze:gəl] voile, toile *f; mit gespannten ~n* toutes (les) voiles dehors; *mit vollen ~n (a. fig)* à pleines *od* toutes voiles; *unter ~ gehen* faire voile (*nach* pour); *jdm den Wind aus den ~n nehmen (fig)* couper l'herbe sous le pied de qn, paralyser qn; *die ~ setzen* mettre les voiles; *die ~ streichen* amener les voiles; *fig fam* baisser pavillon; *vor jdm (fig)* mettre bas le pavillon devant qn; **~boot** *n* bateau *m* à voiles; **s~fertig** *a* prêt à faire voile *od* à appareiller; **~fläche** *f* surface *f* vélique; **s~fliegen** *itr (nur inf)* faire du vol à voile; **~fliegen** *n,* **~fliegerei** *f,* **~flug** *m* vol *m* à voile; **~fluggelände** *n* terrain *m* de vol à voile; **~flugplatz** *m* centre *m* télévoliste; **~flugzeug** *n* planeur *m;* **~jacht** *f* yacht *m* à voile(s); **~klub** *m* yachting-club *m;* **~macher** *m* voilier *m;* **~macherwerkstatt** *f* voilerie *f;* **s~n** ‹*ist/hat gesegelt*› *itr* faire voile *od* route (*nach* pour *od* vers); *(zur See fahren)* naviguer; *sport* ‹*hat gesegelt*› faire de la voile *od* du yachting; *unter französischer* etc *Flagge* ~~ battre pavillon français *etc; gegen den Wind* ~~ aller contre le vent, avoir le vent debout; *mit dem Wind* ~~ aller selon le vent; *vor dem Wind* ~~ faire vent arrière; **S~n** *n sport* yachting *m;* **~regatta** *f* régate *f* de voiliers; **~schiff** *n* voilier, bateau *od* navire *m* à voiles; **~schiffahrt** *f* navigation *f* à voile; **~schlitten** *m* traîneau *m* à voiles; **~schulschiff** *n* voilier-école, voilier *m* d'entraînement; **~sport** *m* yachting *m;* **~stellung** *f mar* voilure *f;* **~tuch** *n* toile *f* à voile(s), canevas *m;* **~tucheimer** *m* seau *m* en toile; **~werk** *n* voilure *f,* voiles *f pl.*

Segen *m* ‹-s, -› ['ze:gən] *(gesprochener)* bénédiction *f; (Gebet vor Tisch)* bénédicité *m; (göttl. Gnade, ~ d. Himmels)* grâce *od* faveur (divine), baraka *f;* ~ *bringen* porter bonheur; *jdm den* ~ *geben* od *erteilen* donner la bénédiction à qn, bénir qn; *jdm, e-r S s-n* ~ *geben (fam)* se déclarer *od* être d'accord avec qn, qc; *den* ~ *sprechen* donner la bénédiction; *reiche(r)* ~ richesses *f pl; meinen* ~ *hast du! (iron: meinetwegen!)* tant qu'il te plaira! *darauf ruht kein* ~ cela ne réussira jamais; **s~bringend** *a* heureux; **s~sreich** *a (gesegnet)* béni; *(wohltätig)* bienfaisant; **~sspruch** *m* (formule de) bénédiction *f;* **~swunsch** *m: Glück- und ~swünsche m pl* vœux *m pl.*

Segler *m* ‹-s, -› ['ze:glər] *(Segelschiff)* voilier; *sport (Person)* yachtman *m.*

Segment *n* ‹-(e)s, -e› [zɛ'gmɛnt] *math* segment *m;* **s~är** [-'tɛ:r] *a (aus ~en gebildet)* segmentaire.

segn|en ['ze:gnən] *tr* bénir, donner la bénédiction à; *das Zeitliche* ~~ rendre son âme à Dieu; *mit etw ge~et sein* être doté *od* comblé de qc; **S~ung** *f* bénédiction *f; (Wohltat)* bienfait *m.*

Seh|achse *f* ['ze:-] axe *m* optique; **~fehler** *m (Zustand)* défaut *m* visuel *od* de vision; **~kraft** *f* faculté(s *pl*) *f* visuelle(s); **~linie** *f* rayon *m* visuel; **~loch** *n,* **~öffnung** *f* pupille *f; tech* regard *m;* **~nerv** *m* nerf *m* optique; **~organ** *n* organe *m* de la vue; **~prüfung** *f* examen *m* de la vue; **~rohr** *n* périscope *m;* **~schärfe** *f* acuité *f* visuelle; **~schlitz** *m mil (am Panzer)* fente *f* de visée; **~störungen** *f pl* troubles *m pl* visuels *od* de la vision; **~vermögen** *n* capacité *od* faculté(s *pl*) *od* aptitude *f* visuelle(s); **~weite** *f* distance *f* visuelle; **~winkel** *m* angle *m* visuel.

sehen ‹*sieht, sah, gesehen*› [(-)'ze:ən] *tr allg* voir *a. fig; (anschauen)* regarder; *(wahrnehmen)* (s')apercevoir (de), remarquer, observer; *(erkennen)* reconnaître; *(ein~)* voir, saisir, comprendre; *(erleben)* vivre, connaître; *(im Auge haben)* voir, avoir en vue; *itr (schauen)* avoir les yeux fixés (*auf* sur); *(sich kümmern um)* veiller (*nach* à), prendre soin (*nach* de); *(sich bemühen)* tâcher (*daß* ... de *inf*); *sich* ~ se voir *(als ... acc); vor Müdigkeit nicht aus den Augen* ~ *können* dormir debout, tomber de sommeil; *jdm in die Augen* od *ins Gesicht* ~ regarder qn en face; *nicht auf die Ausgaben* od *Kosten* ~ ne pas regarder à la dépense; *deutlich* od *klar* ~ voir clair; *aus dem Fenster* ~ regarder par la fenêtre; *gern, ungern* ~ voir d'un bon, mauvais œil; *gut* ~ bien voir, avoir une bonne vue; *jdm ins Herz* ~ lire dans le cœur de qn; *jdn kommen* ~ voir venir qn; *nach dem Rechten* ~ veiller à ce que tout marche bien; *sich nicht satt* ~ *können an* ne pas se lasser de regarder; *in die Sonne* ~ regarder le soleil; *in den Spiegel* ~ se regarder dans la glace; *auf die* od *nach der Uhr* ~ regarder l'heure; *auf s-n Vorteil* ~ n'avoir en vue que son intérêt; *in die Zukunft* ~ prévoir l'avenir; ~ *lassen* laisser *od* faire voir, *a.* laisser à découvert; montrer; *sich* ~ *lassen* se faire voir, se montrer, faire acte de présence; *sich bei jdm* ~ *lassen* se présenter à la porte de qn; *sich nicht* ~ *lassen* ne pas se montrer; être invisible; *sich* ~ *lassen können* pouvoir se montrer, être présentable; *gern ge~ sein (fig)* être bien vu (*bei jdm* de qn); *schon von weitem zu* ~ *sein* se voir de loin; *nichts* ~ *wollen (fig, a.)* se fermer les yeux; *ge~ werden wollen* se montrer; *kommen* ~ voir venir; *so tun, als sähe man nichts* od *als ob man nichts sähe* faire semblant de ne rien voir; *ich sah ihn fallen* je l'ai vu tomber; *ich habe ge~, daß er das Buch hatte* je lui ai vu le livre en mains; *ich muß mal* ~ je demande à voir; *da siehst du* tu vois maintenant; *Sie haben sich lange nicht* ~ *lassen* on ne vous a pas vu depuis longtemps; *er hat sich nicht mehr* ~ *lassen* on ne l'a pas revu (depuis); *daraus sieht man, daß* ... on voit par là que ..., il ressort de là que ...; *das sieht man* cela se voit; il y paraît; *wie man sieht* à ce qu'on voit; évidemment; *man kann sich mit ihm nicht* ~ *lassen* on ne peut pas se montrer avec lui; *man kann sich mit ihm nicht mehr* ~ *lassen* il n'est plus sortable; *wie* ~ *Sie dieses Problem?* comment envisagez-vous ce problème? *das sehe ich kommen!* je vois le moment où cela arrive; *das möchte ich doch mal ~!* je voudrais bien voir cela; *wir werden ja ~!* on verra bien; *wir wollen mal ~! (fam)* allons voir! *das wollen wir (doch einmal) ~!* c'est ce qu'il faudra voir! *sieh da!* heu! *sieh doch!* vois donc! *sieh (mal)!* tiens! *sieh mal (einer) an!* tiens, tiens! voyez-moi cela! à la bonne heure! *siehe oben* voir ci-dessus; *siehe unter... (a.)* on se reportera à ...; ~ *Sie!* tenez! ~ *Sie mal!* voyez un peu! ~ *Sie nur zu!* voyez plutôt! *sieht man Sie auch mal wieder!* quelle surprise de vous voir! *wenn man ihn (so) sieht* à le voir; **S~** *n* vue, vision *f; (jdn) vom* ~~ *(kennen)* (connaître qn) de vue; **~swert** *a,* **~swürdig** *a* curieux, remarquable, intéressant; ~~*e Stadt f (a.)* ville-musée *f;* **S~swürdigkeit** *f* curiosité *f.*

Seher|(in *f***)** *m* ‹-s, -› ['ze:ər] voyant, e; visionnaire *m f;* prophète *m,* prophétesse *f;* **~blick** *m* regard *m* prophétique; **~gabe** *f* instinct *m* divinateur, seconde *od* double vue *f;* **s~isch** *a* visionnaire, prophétique.

Sehn|e *f* ‹-, -n› ['ze:nə] *anat* tendon *m; math* corde *f;* **~enentzündung** *f* tendinite *f;* **~enscheide** *f* gaine *f* tendineuse; **~enscheidenentzündung** *f* ténosynovite *f;* **~enzerrung** *f* entorse *f;* **s~ig** *a* tendineux; *fig (nervig, kraftvoll)* nerveux.

sehn|en ['ze:nən] , *sich* aspirer (*nach* à), soupirer (*nach* après), avoir la nostalgie (*nach* de), regretter (*nach* acc); *poet* haleter (*nach* après); *ich ~e mich danach zu ..., daß ...* je languis, il me tarde de ... *od* que *subj;* **S~en** *n* = *S~sucht;* **~lich** *a* ardent; impatient; *adv u.* **~lichst** *adv* ardemment, avec ferveur; impatiemment; **S~sucht** *f* ‹-, ⸚e› langueur, ardeur; aspiration (*nach* à), nostalgie *f (nach* de*);* désir ardent (*nach* de); *fam* vague *m* à l'âme; *pl a.* désirs *m pl* errants; *mit* ~~ avec impatience; *vor* ~~ *nach jdm, nach etw vergehen (a.)* mourir d'envie de qn, de qc; **~süchtig** *a,* **~suchtsvoll** *a* langoureux, nostalgique; plein *od* gonflé *od* consumé *od* dévoré de désir; impatient, dévoré d'impatience.

sehr [ze:r] *adv (bei a u. adv)* très, fort, bien; *lit* du dernier; *(bei v)* fort, beaucoup, grandement, vivement; *wie* ~ combien; *wie* ~ *auch* si fort ... que; *zu* ~ trop; ~ *bald* sous peu, bientôt; ~ *viel* beaucoup; *(vor s)* bien de *mit best. Art.; so* ~ tant, tellement; *so* ~ *auch* tout ... que; *so~ du auch suchst* tu as beau chercher; *so ~, daß ... (a.)* au point que ...; *sich* ~ *freuen* se réjouir vivement; *sich* ~ *irren* od *täuschen* se tromper grandement; ~ *im Rückstand sein* être très en retard; *bitte ~!* s'il vous plaît, je vous en prie.

Seich *m* ‹-(e)s, ø›, **~e** *f* ‹-, ø› [zaıç(ə)] *vulg (Urin)* pissat; *pop (Geschwätz)* verbiage, radotage *m;* **s~en** *itr vulg* pisser.

seicht [zaıçt] *a (Wasser)* peu profond, bas; *(Fluß)* guéable; *fig* plat, superficiel, fade, insipide; **S~heit** *f* ‹-, (-en)› *(e-s Gewässers)* peu *m* de profondeur = **S~igkeit** *f* ‹-, (-en)› *fig* platitude *f,* caractère *m* superficiel.

Seid|e *f* ‹-, -n› ['zaıdə] soie *f; wie* ~~ = *s~ig; gezwirnte* ~~ soie *f* torse; *künstliche* ~ soie *f* artificielle, rayonne *f; reine* ~~ pure soie *f; rohe, ungeschälte* ~ soie *f* grège; *keine gute* ~ *miteinander spinnen (fig)* ne pas être en bons termes; **s~en** *a* de *od* en soie; *an e-m* ~~*en Faden hängen (fig)* ne tenir qu'à un fil; **~enaffe** *m* ouistiti *m;* **~enaffen** *m pl* callitrichidés *m pl;* **~enatlas** *m* satin *m;* **~enbau** *m* sériciculture *f;* **~enfabrik** *f* soierie *f;* **~enfabrikant** *m* fabricant de soieries, soyeux *m;* **~engarn** *n* fil *m* de soie; **~engespinst** *n* cocon *m* de ver(s) à soie; **~engewebe** *n* tissu *m* de soie; **~englanz** *m* soyeux *m;* **~enhandel** *m* commerce *m* de la soie; **~enhändler** *m* marchand de soieries, soyeux *m;* **~enindustrie** *f* industrie *f* de la soie *od* soyère; **~enpapier** *n* papier *m* de soie; **~enraupe** *f* ver à soie; *dial* magnan *m;* **~enraupeneier** *n pl* graine *f* (de vers à soie); **~enraupenzucht** *f* sériciculture, magnanerie *f;* **~enraupenzüchter** *m* sériciculteur, magnanier *m;* **~enschwanz** *m orn* jaseur *m;* **~enspinner** *m ent (Maulbeerspinner)* bombyx du mûrier; *(Arbeiter)* fileur *m* de soie; **~enspinnerei** *f* filature *f* de soie; **~enstickerei** *f* broderie *f* de soie; **~enstoff** *m,* **~enstrumpf** *m,* **~entüll** *m* étoffe *f,* bas, tulle *m* de soie; **~enwaren** *f pl* soieries *f pl;* **~enweber** *m* tisserand *m* en soie; **~enweberei** *f* tissage *m* de la soie; **s~enweich** *a,* **s~ig** *a* soyeux.

Seidel *n* ⟨-s, -⟩ ['zaɪdəl] *(Bierglas)* chope *f.*

Seidelbast *m* ['zaɪdəl-] *bot* sainbois, jolibois, garou *m,* lauréole *f; scient* daphné *m.*

Seiende ['zaɪəndə], *das (philos)* l'existant *m.*

Seife *f* ⟨-, -n⟩ ['zaɪfə] savon *m; (Toiletten~)* savonnette; *geol* alluvion *f* métallifère, gisement *m* alluvionnaire; *~ kochen* od *sieden* faire du savon; *mit ~ waschen* savonner; *Stück n, Riegel m ~* pain *m* de savon; **s~en** *tr* savonner; **s~nartig** *a* savonneux; *scient* saponacé; **~nbildung** *f* saponification *f;* **~nblase** *f* bulle de savon *a. fig; fig a.* fumée *f;* **~nfabrik** *f* savonnerie *f;* **~nflocken** *f pl* flocons *m pl* de savon, savon *m* en paillettes; **~nkapsel** *f* boîte *f* à savon, porte-savon *m;* **~nkiste** *f* caisse *f* à savon; **~nlauge** *f* lessive *f;* **~nnapf** *m (zum Rasieren)* plat *m* à barbe; **~npulver** *n* poudre *f* de savon; **~nschale** *f* porte-savon *m;* **~nschaum** *m* mousse *f* de savon; **~nschnitzel** *n pl* copeaux *m pl* de savon; **~nsieder** *m* savonnier *m; mir geht ein ~~ auf (fig hum)* je commence à y voir clair; **~nsiederei** *f* savonnerie *f;* **~nspender** *m (Gerät)* distributeur *m* de savon; **~nstein** *m* pierre *f* de savon; **~nwasser** *n* eau *f* savonneuse *od* de savon; **~nzinn** *n* étain *m* alluvionnaire; **seifig** *a* savonneux, enduit de savon; *scient* saponacé.

seiger ['zaɪgər] *a mines (senkrecht)* vertical, perpendiculaire, d'aplomb; **S~schacht** *m* puits *m* vertical.

seiger|n ['zaɪgərn] *tr metal (ausschmelzen)* liquater; *itr (sich ausscheiden)* ressuer; **S~ung** *f* liquation *f,* ressuage *m,* ségrégation *f.*

Seih|e *f* ⟨-, -n⟩ ['zaɪə] passoire *f,* filtre *m;* **s~en** *tr (durch ein Siebtuch filtern)* passer (à l'étamine), filtrer; *(Flüssigkeit)* couler; **~er** *m* ⟨-s, -⟩ = *~e;* **~tuch** *n* étamine *f,* filtre en toile; *chem* blanchet *m.*

Seil *n* ⟨-(e)s, -e⟩ [zaɪl] corde *f,* cordage; *(starkes)* câble *m;* **~bahn** *f* (chemin de fer) funiculaire *m;* **~bahnwagen** *m* wagonnet *m;* **~bremse** *f* frein *m* à corde; **~brücke** *f* pont *m* suspendu; **~er** *m* ⟨-s, -⟩ cordier *m;* **~erei** *f* [-'raɪ] corderie *f;* **~erwaren** *f* cordages *m pl,* corderie *f;* **~fähre** *f* traille *f;* **~förderbahn** *f* câble *m* aérien de transport; **~gefährte** *m (Bergsteiger)* compagnon *m* de cordée; **~hüpfen** *n* saut *m* à la corde; **~klemme** *f* pince-câble *m;* **~rolle** *f* poulie *f* (de câble); **~schaft** *f (Bergsteiger)* cordée *f;* **~schwebebahn** *f* téléphérique, téléférique *m;* **~springen** *n* = *~hüpfen;* **~start** *m aero* lancement *m* au câble; **~tänzer** *m* danseur de corde, funambule *m;* **~trommel** *f* tambour *m* à câble; **~werk** *n* cordages *m pl;* **~winde** *f* treuil *m* à câble; **~ziehen** *n sport* lutte *f* à la corde; **~zug** *m* palan; *mines* trait *m.*

Seim *m* ⟨-(e)s, -e⟩ [zaɪm] *(dicker Saft)* sirop *m,* crème *f; (Honig~)* miel *m* vierge; **s~ig** *a* , *(dickflüssig)* visqueux; *(sirupartig)* sirupeux; *(Küche: sämig) a.* velouté.

sein ⟨*war, gewesen*⟩ [zaɪn, va:r-, gə've:zən] **1.** *v itr* être; *(existieren)* exister; *(sich befinden)* se trouver; *(stattfinden)* avoir lieu; *20 Jahre alt ~* avoir 20 ans; *gewesen, gegangen ~* avoir été; avoir marché, être allé; *hinter jdm her ~* être aux trousses *od* sur le dos de qn; *ich bin es* od *bin's* c'est moi; *hier, da bin ich* me voici, me voilà; *ich bin bei Ihnen gewesen (habe Sie besuchen wollen)* je suis passé chez vous; *mir ist kalt* j'ai froid; *mir ist, als ob ...* j'ai le sentiment *od* l'impression que ...; *dir ist nicht zu helfen* on ne peut t'aider; *er ist hinter mir her* je l'ai à mes trousses; *damit ist nicht zu spaßen* il ne faut pas plaisanter avec cela; *das ist (d.i.)* c'est-à-dire; *das mag* od *kann ~* c'est possible; cela se peut; *das ist nichts für Sie* cela ne vous vaut rien; *das ist zu erwarten* il faut s'y attendre; *es ist lange her* il y a longtemps; *es ist kalt, warm* il fait froid, chaud; *es waren viele Menschen da* il y avait beaucoup de monde; *es ist schön(es Wetter)* il fait beau (temps); *es ist Winter* c'est l'hiver; *es wird nicht immer so ~* il n'en sera pas toujours ainsi; *hier ist gut ~* il fait bon ici; *so ist's* od *ist es* il en est ainsi; c'est cela; vous y êtes; vous l'avez dit; *2 und 2 ist 4* 2 et 2 font 4; *als wenn* od *wie wenn* od *als ob nichts (geschehen) wäre* comme si de rien n'était; *beinahe wäre ich ...* j'ai failli *inf; da dies* od *dem so ist* cela étant; *sei es ..., sei es ...* soit ..., soit ...; *es sei denn(, daß ...)* à moins de *od* que ... ne *subj,* si ce n'est que *subj; es sei noch gesagt, daß ...* il reste à dire que ...; *es könnte sehr wohl ~, daß ...* il pourrait bien se faire que ...; *wenn das* od *dem so ist* s'il en est ainsi; *wie dem auch sei; dem sei, wie ihm wolle* quoi qu'il en soit; de toute façon; *sind Sie es?* est-ce (bien) vous? c'est vous? *was ist (mit) Ihnen?* qu'avez-vous? qu'est-ce que vous avez? qu'est-ce qui vous prend? *ist Herr X. zu sprechen?* peut-on voir M. X.? *was ist das?* qu'est-ce que c'est (que cela)? qu'est-ce? *wer ist das?* qui est-ce? *ist es weit von hier bis zum Bahnhof?* y a-t-il loin d'ici la gare? *wie wäre es, wenn ...?* que diriez-vous si ...?; *laß es ~!* laisse-le! *laß es gut ~!* ne t'en fais pas! *sei kein Kind!* ne fais pas l'enfant; *Sie sind des Todes!* vous êtes un homme mort; *das ist es ja gerade!* voilà justement pourquoi; *das wäre was! (fam)* parlez-moi de ça! *es sei!* soit! passe! *so sei es!* ainsi soit-il! *sei es auch noch so wenig* tant soit peu; *wie wenn es hätte ~ sollen!* comme un fait exprès; *das ist noch gar nichts! (fam)* tout ça n'est encore rien; **S~** *n* ⟨-s, ø⟩ être *m; (Da~)* existence; *(Wesen)* essence *f;* **S~sweise** *f* manière *f* d'être.

sein [zaɪn] **2.** *pron* son, sa; *pl* ses; *(bes. bei Sachen a.)* en; *~ Glück machen* faire fortune; *mein und ~ Vater* mon père et le sien; *der, die das S~e* le sien, la sienne; *die S~en (pl)* les siens, siennes; *das S~e tun* faire son possible; *jedem das S~e (prov)* à chacun son dû *od* son compte; **~erseits** *adv* de son côté, de sa part; **~erzeit** *adv* en son temps, autrefois, jadis; **~esgleichen** *pron* son égal, ses égaux; son, ses pareil(s); son, ses semblable(s); *unter ~~* entre égaux; *als* od *wie ~~ behandeln* traiter d'égal à égal *od* sur un pied d'égalité; traiter de pair à compagnon; *nicht ~~ haben, ~~ suchen* n'avoir point d'égal, être sans égal, ne pas avoir son pareil, être hors de pair; **~ethalben** *adv,* **~etwegen** *adv, um* **~etwillen** *adv* à cause *od* pour l'amour de lui (par égard) pour lui; **S~ige,** *der, die, das = der, die, das S~e; die ~~n = die S~en.*

Seism|ik *f* ⟨-, ø⟩ ['zaɪsmɪk] *(Erdbebenkunde)* s(é)ismologie *f;* **s~isch** *a* s(é)ismique; **~ogramm** *n* ⟨-s, -e⟩ [-mo'gram] s(é)ismogramme *m;* **~ograph** *m* ⟨-en, -en⟩ [-'gra:f] s(é)ismographe *m;* **~ologie** *f* ⟨-, ø⟩ [-lo'gi:] = *~ik.*

seit [zaɪt] **1.** *prp* depuis, dès, à partir de; *~ kurzem, langem* depuis peu, longtemps; *~ wann?* depuis quand *od* combien de temps? *ich warte ~ einer Stunde* il y a une heure que j'attends; **2.** *conj* depuis que; **~dem** *adv* dès lors; depuis (ce temps-là); *conj* depuis que; **~her** *adv = ~dem (adv).*

Seite *f* ⟨-, -n⟩ ['zaɪtə] *allg* côté *m a. math (Vieleck); math (Vielflächner)* face *f; (Flanke)* flanc *m; mar* bande; *(Buch)* page *f; math (Gleichung)* membre; *(Partei)* parti, camp *m,* cause *f; fig (Gesichtswinkel)* aspect *m; ~ an ~* côte à côte; *auf allen ~n* de tous (les) côtés, de chaque côté, à droite et à gauche; *auf der anderen ~* de l'autre côté, du côté opposé; *auf die andere ~* de l'autre côté; *auf beiden ~n* des deux côtés *od* parts, de chaque côté, de part et d'autre; *auf meine(r) ~* de mon côté; *nach allen ~n* de toute(s) part(s), dans toutes les *od* en toutes directions, en tous sens; *nach allen ~n hin (fig)* sous tous les aspects; en long et en large; *nach dieser ~* de ce côté; *von der ~* de côté, de travers, de profil; en biais, en écharpe; *mil* de flanc; *von s~n (gen)* de la part (de); *von allen ~n* de tous (les) côtés; *fig* sous toutes les faces; *von beiden ~n* des deux côtés *od* parts, de part et d'autre; *etw von allen ~n betrachten (fig)* considérer *od* envisager qc sous tous les aspects, tourner et retourner qc; *die Sache von der anderen ~ betrachten (fig)* tourner la médaille; *jdn auf s-e ~ bringen* gagner qn à sa cause, engager qn dans son parti, mettre qn de son bord; *auf die* od *zur ~ gehen* od *treten* od *fahren* faire place, se ranger, s'effacer; *auf die andere ~ gehen* passer de l'autre côté; *jdm nicht von der ~ gehen* od *weichen* ne pas quitter qn d'un pas; être toujours aux côtés de qn; *Geld auf der ~ haben* avoir de l'argent devant soi; *auf die ~ legen* mettre de côté *od* à part; *fig (sparen)* mettre de côté *od* en réserve; *fam* en mettre à gauche; *sich auf die ~ legen (mar)* donner de la bande; *zur ~ legen (weglegen)* mettre de côté *od* à part; *auf der ~ liegen* être sur le côté *od fam* sur le flanc; *jdn auf die ~ nehmen* prendre qn à part; *etw von der guten ~ nehmen* prendre qc du bon côté; *auf die ~ schaffen (fig) (verschwinden lassen)* faire disparaître; se débarrasser de; *auf jds ~ stehen (fig)* être du côté *od* parti de qn; *jdm zur ~ stehen* assister, seconder qn, prêter son appui à qn; *e-r Sache etwas (vergleichend) an die ~ stellen* comparer qc à qc; *sich auf jds ~ stellen* se ranger du côté de qn; *sich von s-r besten ~ zeigen* se montrer *od* paraître à son avantage; faire briller ses avantages; *sich von s-r schlechten ~ zeigen* se montrer par son mauvais côté; *ich bin ganz auf Ihrer ~ (fig a.)* je vous suis tout acquis; *jedes Ding hat zwei ~n (prov)* toute médaille a son revers; *linke ~ (Textil)* envers; *typ* verso *m; rechte ~ (Textil)* endroit; *typ* recto *m; schwache ~ (fig)* point *od* endroit faible, défaut *m* de la cuirasse; *starke ~ (fig)* point *m* fort.

Seiten|abstand *m* ['zaɪtən-] écart latéral, intervalle *m;* **~abweichung** *f (Geschoß)* déviation latérale, dérivation *f;* **~altar** *m* autel *m* latéral; **~angriff** *m* attaque *f* de flanc; **~ansicht** *f* vue *f* latérale *od* de côté, (dessin de) profil *m;* élévation *f* de côté; **~befestigung** *f (Landstraße)* épaulement *m;* **~belastung** *f tech* effort *m* latéral; **~blick** *m* regard *m* de côté *od* de travers *od* oblique; œillade *f;* **~deckung** *f (Vorgang)* protection du flanc; *(Heeresteil)* flanc-garde *f;* **~druck** *m* pression *f* latérale; **~eingang** *m* entrée *f* latérale; **~erbe** *m* héritier *m* collatéral; **~fenster** *n* fenêtre *f* latérale; **~fläche** *f* face *f* latérale; **~flosse** *f aero* plan fixe vertical, (plan *m* de) dérive *f;* **~flügel** *m,* **~gebäude** *n arch* aile *f;* **~gang** *m* contre-allée, galerie *f* latérale; *loc* couloir *m* latéral; **~gasse** *f* ruelle *f* latérale; **~gewehr** *n* baïonnette; *arg mil* fourchette *f; mit aufgepflanztem ~~* (avec) la baïonnette au canon; *~~ — pflanzt auf!* baïonnette — (au can)on! *~~ — an Ort!* remettez — baïonnette! **~hieb** *m fig* coup *m* de bec, boutade *f; ~~e austeilen (a.)* donner des coups d'épingle; *jdm e-n ~~ versetzen (fig a.)* donner un coup de griffe à qn; **s~lang** *a* (long) de plusieurs pages; *fig* interminable; **~lastigkeit** *f aero* centrage *m* latéral; **~lehne** *f* accotoir, accoudoir, bras *m* de fauteuil; **~leitwerk** *n aero* empennage *m* vertical; **~licht** *n* ‹-(e)s, -er› *m mot* feu *m* de position; **~linie** *f (Genealogie)* ligne collatérale; *loc* ligne secondaire; *sport* ligne *f* de touche; **~loge** *f theat* loge *f* d'avant-scène; **~naht** *f* couture *f* de côté; **~portal** *n* portail *m* latéral; **~ruder** *n aero* gouvernail *m* de direction; **~schiff** *n arch rel* bas-côté *m,* nef *f* (col)latérale; **~schwimmen** *n* coupe *f;* **~sprung** *m* écart *m; fig* escapade, frasque, *fam* fugue *f;* **~stechen** *n med* point *m* de côté; **~steuer** *n* = *~ruder;* **~straße** *f* rue (col)latérale; *(Querstraße)* (rue de) traverse *f;* **~streifen** *m (Straße)* accotement, bas-côté *m;* **~stück** *n* pendant *m (zu* de*); ein ~~ zu etw sein* faire pendant à qc; **~tal** *n* vallée *f* transversale; **~tasche** *f* poche *f* de côté; **~teil** *n* partie *f* latérale; **~verwandte(r** *m***)** *f* collatéral, e *m f;* **~wand** *f arch* paroi latérale; *(Dachluke, Polstermöbel)* jouée *f; mot (Personenwagen)* panneau *m* latéral; *(Lastwagen)* ridelle; *tech* jumelle *f;* **~wechsel** *m sport* changement *m* de camp; **~weg** *m (neben e-r Straße)* chemin latéral; *(Querweg)* chemin *m* transversal; **~wind** *m* vent de côté; *mar* vent *m* largue; **~wurzel** *f bot* racine *f* traçante; **~zahl** *f (Anzahl)* nombre de(s) pages; *(einzelne)* numéro *m* de (la) page; *mit ~~(en) versehen* paginer; **~zweig** *m (Genealogie)* branche *f* collatérale.

seit|ens ['zaɪtəns] *prp gen* de la part de; **~lich** *a* (col)latéral; situé sur le *od* à côté; *adv* latéralement; **~wärts** *adv* sur *od* vers le côté; latéralement.

Sekante *f* ‹-, -n› [ze'kantə] *math* sécante *f.*

Sekret *n* ‹-(e)s, -e› [ze'kre:t] *(Absonderung)* sécrétion *f;* **~är** *m* ‹-s, -e› [-'tɛ:r] *(Schreiber; Schreibschrank)* secrétaire *m;* **~ariat** *n* ‹-(e)s, -e› [-tari'a:t] secrétariat *m;* **~ion** *f* ‹-, -en› [-tsi'o:n] *physiol (Absonderung); (äußere, innere) ~~* sécrétion *f* (externe, interne); *Drüse f mit innerer ~~ (a.)* glande *f* endocrine.

Sekt *m* ‹-(e)s, -e› [zɛkt] (vin) mousseux; *(Champagner)* champagne *m; (Wein) zu ~ verarbeiten* champagniser; **~flasche** *f* bouteille *f* à champagne; **~glas** *n* flûte (à champagne), *(Schale)* coupe *f* à champagne; **~kühler** *m* seau à glace *od* à champagne, frappe-champagne *m.*

Sekunda *f* [ze'kunda] classe *f* de seconde; **~ner(in)** *m, f* élève *m, f* de seconde.

Sekund|ant *m* ‹-en, -en› [zekun'dant] *(Beistand im Zweikampf)* second, témoin *m;* **s~är** [-'dɛ:r] *a* secondaire; **~ärinfektion** *f med,* **~ärprozeß** *m chem,* **~ärstrom** *m el* infection, réaction *f,* courant *m* secondaire; **~e** *f* ‹-, -n› [-'kundə] seconde *f;* **~enzeiger** *m* aiguille des secondes; (aiguille) trotteuse *f;* **s~ieren** [-'di:rən] *itr (als Sekundant dienen)* servir de second (*jdm* à qn); *allg (helfen)* seconder (*jdm* qn).

selb|e ['zɛlbə] *a* même; *im ~en Augenblick* au même moment; *zur ~en Zeit* en même temps; **~er** *adv fam* = *selbst;* **~ständig** *a (unabhängig) allg* indépendant; *bes pol* autonome; *com* établi à son compte; *~~ handeln* faire acte d'indépendance; *sich ~~ machen* se rendre indépendant; *com* s'établir à son (propre) compte; **S~ständigkeit** *f* ‹-, ø› indépendance; autonomie *f.*

selbst [zɛlpst] *adv* moi-même, toi-même *etc;* en personne; *er ist die Güte ~* c'est la bonté même *od* en personne *od* la crème des hommes; *lit* voire; *von ~* de soi-même, tout seul, de son (propre) chef, spontanément, automatiquement; *(ganz) von ~ (fam a.)* tout de go; *von ihm ~* de lui-même; *wie von ~* aisément, tout naturellement, tout seul; *~ wenn* même si, quand bien même, lors même que; *wie von ~ gehen* aller tout seul, couler de source; *(ganz) von ~ kommen* couler de source; *für sich ~ sprechen* parler de soi-même; *das versteht sich von ~* cela va de soi *od* sans dire; *~ ist der Mann (prov)* ne compte que sur toi (seul).

Selbst|achtung *f* ['zɛlpst-] amour-propre, respect *m* de soi, estime *f* de soi-même; **~anklage** *f* auto-accusation *f;* **~anlasser** *m mot* auto-démarreur *m;* **~anschluß** *m* téléphone *m* automatique; **~anschlußbetrieb** *m* téléphonie *f* automatique; **~ansteckung** *f med* auto-infection *f;* **~aufgabe** *f* suicide *m* moral; **~aufopferung** *f* sacrifice, holocauste *m;* **~auslöser** *m phot* déclencheur *od* déclic *m* automatique; *mit ~~* avec retardement; **~ausschalter** *m el* disjoncteur *od* interrupteur *od* coupe-circuit *m* automatique; **~bedienung** *f com* libre service; self-service *m;* **~bedienungsgeschäft** *n,* **~bedienungsladen** *m* magasin à libre service *od* de self-service, libre service *m; kleine(r) ~~* supérette *f;* **~bedienungskorb** *m* panier *m* de self-service; **~bedienungsrestaurant** *n* restaurant *m* à libre service; **~bedienungswagen** *m* poussette *f* de self-service; **~befleckung** *f,* **~befriedigung** *f* masturbation *f,* onanisme *m;* **~befruchtung** *f biol* autofécondation *f;* **~beherrschung** *f* maîtrise *f* de soi(-même), empire sur soi-même; sang-froid *m; die ~~ verlieren (a.)*

perdre tous ses moyens, s'affoler; **~beköstigung** *f* alimentation *f* à ses propres frais; **~beobachtung** *f* introspection *f;* **~besinnung** *f* retour *m* sur soi-même; **~bestimmung** *f pol* autodétermination *f;* **~bestimmungsrecht** *n* droit *m* de libre disposition; *das ~~ der Völker* le droit des peuples à disposer d'eux-mêmes; **~betrug** *m* illusion *f* que l'on se fait *od* donne à soi-même; **~bewirtschaftung** *f* gestion *f* directe; *agr* faire-valoir *m,* **s~bewußt** *a* conscient de soi-même *od* de sa (propre) valeur; *pej* plein de soi-même, prétentieux, suffisant; **~bewußtsein** *n* conscience *f* de soi *od* du moi, sentiment *m* de sa propre valeur; *pej* prétention, suffisance *f;* **~bildnis** *n* portrait de moi-même, toi-même *etc;* autoportrait *m;* **~binder** *m* cravate *f* (à nouer); **~biographie** *f* autobiographie *f;* **~einschaltung** *f el* enclenchement *m* automatique; **~einschätzung** *f fin* déclaration *f* de ses revenus; **~entzündung** *f* combustion *od* inflammation *od* ignition spontanée; auto-inflammation *f,* auto-allumage *m;* **~erhaltung** *f* conservation *f* de soi-même; **~erhaltungstrieb** *m* instinct *m* de (la) conservation; **~erhitzung** *f* échauffement *m* spontané; **~erkenntnis** *f* connaissance *f* de soi-même; **~erregung** *f el (e-r Röhre)* amorçage *m;* **~erziehung** *f* autoéducation *f;* **~fahr...** *(in Zssgen)* automoteur, automobile; **~fahrer** *m* conducteur-propriétaire *m;* **~fahrlafette** *f mil* affût *m* automatique *od* automoteur; **~finanzierung** *f* autofinancement, financement *m* par ses propres fonds *od* moyens; **s~gebacken** *a* fait à la maison, de ménage; **s~gefällig** *a* satisfait de soi-même, content de sa personne; *(dünkelhaft)* suffisant, (in)fat(ué); **~gefälligkeit** *f* suffisance, fatuité *f;* **~gefühl** *n* = *~achtung;* **s~gemacht** *a* fait à la maison, de ménage; **s~gerecht** *a* pharisien; **~gespräch** *n* monologue, soliloque *m; ein ~~* od *~~e führen* monologuer; parler tout seul; **s~gesteuert** *a* autoguidé; **s~gezogen** *a (Obst, Gemüse)* cultivé dans mon, ton *etc* propre jardin; **s~hemmend** *a tech* à blocage automatique; **~hemmung** *f* blocage *m* automatique; **s~herrlich** *a* arbitraire, autoritaire, souverain; **~herrscher** *m* autocrate *m;* **~hilfe** *f* effort *m* personnel; *(Notwehr)* légitime défense *f; zur ~~ greifen* se faire justice (à soi-même); **~induktion** *f el* auto-induction, self-induction *f;* **~induktionsspule** *f* self *f;* **s~isch** *a* égoïste; **~kostenpreis** *m* prix coûtant *od* de revient *od* de facture, premier coût *m; zum ~~* au prix coûtant; **~kritik** *f* critique de soi, autocritique *f;* **~lader** *m (Feuerwaffe)* arme *f* (à chargement) automatique; **~laut** *m gram* voyelle *f;* **~lenkung** *f (Rakete)* autoguidage *m;* **s~los** *a* désintéressé; altruiste; plein d'abnégation; **~losigkeit** *f* ⟨-, ø⟩ désintéressement; altruisme *m;* **~mord** *m* suicide *m; ~~ begehen* se suicider, se tuer; **~mörder** *m* suicidé *m;* **s~mörderisch** *a: ~~e Absichten f pl* (*haben* avoir des) idées *f pl* de suicide; **~mordversuch** *m* tentative *f* de suicide; *e-n ~~ machen* tenter de se suicider, attenter à ses jours; **~opferung** *f* holocauste *m;* **~porträt** *n ~bildnis;* **s~quälerisch** *a: ~~e Gedanken haben* se tourmenter (soi-même); **s~redend** *adv* naturellement, évidemment, bien entendu; **~regelung** *f* réglage *m od* régulation automatique, autorégulation *f;* **~reinigung** *f (der Flüsse)* auto-épuration *f* (des eaux de rivière); **s~schreibend** *a,* **~schreiber** *m (Gerät)* enregistreur *(m);* **~schutz** *m (ziviler Luftschutz)* protection civile, auto-protection *f;* **s~sicher** *a* sûr de soi, plein d'assurance; *(Haltung)* assuré; *~~ auftreten* avoir l'air sûr de soi; **~sicherheit** *f* ⟨-, ø⟩ assurance *f;* **~steuergerät** *n* dispositif de commande automatique; *aero* pilote *m* automatique; **~steuerung** *f* autoguidage *m;* **~studium** *n* études *f pl* sans professeur *od* en autodidacte; **~suchgerät** *n* engin *m* à tête (auto-)chercheuse *od* d'auto-poursuite; **~sucht** *f* ⟨-, ø⟩ égoïsme *m;* **s~süchtig** *a* égoïste; **s~tätig** *a tech* automatique; **~tätigkeit** *f* ⟨-, ø⟩ *tech* automatisme *m;* **~täuschung** *f* illusion *f;* **s~tragend** *a tech* autoportant; *~~e Karosserie f* carrosserie *f* porteuse; **~überschätzung** *f* présomption, opinion *f* exagérée de soi-même; **~überwindung** *f* effort *m* sur soi; **~unterricht** *m* = *~studium;* **~verbraucher** *m* consommateur *m* de ses (propres) produits; **~vergessenheit** *f* ⟨-, ø⟩ oubli *m* de soi; **~vergiftung** *f* auto-intoxication *f;* **~vergötterung** *f,* **~verherrlichung** *f* autoglorification *f;* **~verlag** *m: im ~~* chez l'auteur; *s-e Werke im ~~ erscheinen lassen* s'éditer; **~verleugnung** *f* abnégation *f,* renoncement *m* à soi-même; **~vernichtung** *f* autodestruction *f;* **s~verschuldet** *a* par sa (propre) faute; **~versenkung** *f mar* sabordage *m;* **~versorger** *m* réservataire *m;* **s~verständlich** *a* naturel, évident; *adv* naturellement, évidemment; *das ist ~~* cela s'entend, cela va sans dire *od* de soi; *~~!* bien entendu! **~verständlichkeit** *f* évidence *f;* **~verstümmelung** *f* mutilation *f* volontaire; **~verteidigung** *f* autodéfense *f;* **~vertrauen** *n* confiance en soi, assurance *f; ~~ haben* avoir confiance en soi; *Mangel m an* od *mangelnde(s) ~~* manque *m* de confiance en soi, défiance *f* de soi; **~verwaltung** *f* autonomie *f* (administrative); **~wählapparat** *m;* **~wähler** *m* (poste téléphonique) automatique *m;* **~wähldienst** *m* service *m* téléphonique automatique; **~wählferndienst** *m tele* service *m* automatique interurbain; **~zerstörung** *f* autodestruction *f;* **~zeugnis** *n lit: in ~~sen* (écrit) par lui-même, eux-mêmes; **s~zufrieden** *a* content de soi; *pej* suffisant; **~zufriedenheit** *f* contentement *m* de soi; **~zünder** *m* allumeur *m* automatique; **~zündung** *f* allumage automatique, auto-allumage *m;* **~zweck** *m* fin *f* en soi, but *m* absolu.

selch|en ['zɛlçən] *tr dial (räuchern)* fumer; **S~fleisch** *n* viande *f* fumée.

Selekt|ion *f* ⟨-, -en⟩ [zelɛktsi'o:n] *biol (Zuchtwahl)* sélection *f;* **s~iv** [-'ti:f] *a (auswählend; radio: trennscharf)* sélectif; **~ivität** *f* ⟨-, -en⟩ [-tivi'tɛ:t] sélectivité *f.*

Selen *n* ⟨-s, ø⟩ [ze'le:n] *chem* sélénium *m;* **~zelle** *f* cellule *f* sélénifère *od* au sélénium *od* photo-électrique.

Selfmademan *m* ⟨-s, -men⟩ ['sɛlfmɛɪd'mæn] fils *m* de ses œuvres.

selig ['ze:lɪç] *a rel* bienheureux; *(verstorben)* feu *(a. vor dem Artikel; dann inv); fam (übertreibend)* ravi, comblé, heureux; *iron* béat; *~en Angedenkens* de bienheureuse mémoire; *~ entschlafen (inf)* s'endormir dans la paix du Seigneur; *Gott habe ihn ~!* Dieu ait son âme! **S~keit** *f rel* béatitude; *allg* félicité *f; die ewige ~~* le repos éternel; **~preisen** ⟨*hat seliggepriesen*⟩ *tr* glorifier; **S~preisung** *f* glorification *f; die ~~en pl (Bibel)* les béatitudes *f pl;* **~sprechen** ⟨*hat seliggesprochen*⟩ *tr rel* béatifier; **S~sprechung** *f* béatification *f.*

Sellerie *m* ⟨-s, (-s)⟩ od *f* ⟨-, -/(-rien)⟩ ['zɛləri, (-'ri:ən)] *bot* céleri; *(Kraut~)* (feuilles *f pl* de) céleri; *(Knollen~)* céleri-rave *m;* **~salat** *m* salade *f* de céleri.

selt|en ['zɛltən] *a* rare; *(ausgefallen, einzigartig)* extraordinaire; *(sonderbar)* singulier, curieux; *sehr* od *höchst ~~ (a)* rarissime; *nicht ~~ (adv)* assez souvent; *sich ~~ machen, sich nur noch ~~ sehen lassen* se faire rare; *~~er werden* se raréfier; *(Besuche)* s'espacer; *das ist nichts S~enes* cela n'a rien d'extraordinaire, il n'y a rien d'extraordinaire à cela; *~~ene Erden f pl (chem)* terres *f pl* rares; **S~enheit** *f (Begriff)* rareté; singularité; *(Sache)* rareté, chose rare *od* curieuse; curiosité *f; um der ~~ willen* pour la rareté du fait; **S~enheitswert** *m: ~~ (haben* avoir une*)* valeur *f* de rareté; **~sam** *a* étrange, singulier; curieux; bizarre, fantasque; **S~samkeit** *f* étrangeté, singularité; curiosité; bizarrerie *f.*

Selterswasser *n* ['zɛltərs-] eau *f* de Seltz.

Sema|ntik *f* ⟨-, ø⟩ [ze'mantɪk] *(Wortbedeutungslehre)* sémantique *f;* **s~ntisch** [-'mantɪʃ] *a* sémantique; **~phor** *n, a. m* ⟨-s, -e⟩ [-ma'fo:r] *(Signalmast)* sémaphore *m.*

Semester *n* ⟨-s, -⟩ [ze'mɛstər] *(Univ)* semestre *m;* **~ferien** *pl* vacances *f pl* semestrielles.

Semikolon *n* ⟨-s, -s/-kola⟩ [zemi'ko:lɔn, -la] point-virgule *m.*

Seminar *n* ⟨-s, -e⟩ [zemi'na:r] *(Priester~)* séminaire *m; hist (Lehrer~)* école *f* normale; *(Univ.-Institut)* séminaire, institut (d'études); *(Übung)* cours *m* (pratique); **~ist** *m*

⟨-en, -en⟩ [-na'rɪst] *rel* séminariste; *hist* normalien *m.*
Semit(in *f***)** *m* ⟨-en, -en⟩ [ze'mi:t] Sémite *m f;* **s~isch** [-'mi:tɪʃ] *a* sémitique.
Semmel *f* ⟨-, -n⟩ ['zɛməl] petit pain *m; wie warme ~n weggehen* s'enlever *od* se vendre comme des petits pains; **s~blond** *a* blond pâle; **~brösel** *m (a. n) pl,* **~mehl** *n* panure, chapelure *f.*
Senat *m* ⟨-(e)s, -e⟩ [ze'na:t] sénat *m;* **~or** *m* ⟨-s, -en⟩ [-'na:tɔr, -'to:rən] sénateur *m;* **s~orisch** [-'to:rɪʃ] *a* sénatorial; **~sausschuß** *m* commission *f* sénatoriale; **~sbeschluß** *m* décret *m* sénatorial *od* du sénat; **~spräsident** *m,* **~ssitzung** *f* président *m,* séance *f* du sénat; **~swahlen** *f pl* élections *f pl* sénatoriales.
Send|bote *m* ['zɛnt-] *lit* émissaire, messager; *rel* missionnaire; *(Apostel)* apôtre *m;* **~brief** *m* = *~schreiben;* **~eanlage** [-də-] *f radio* poste *m* émetteur *od* d'émission; **~eantenne** *f* antenne *f* émettrice *od* d'émission; **~eenergie** *f* puissance d'émission, énergie *f* rayonnée; **~efolge** *f* ordre *od* programme *od* horaire *m* des émissions; **~efrequenz** *f* fréquence *f* d'émission; **~egerät** *n* appareil *m* émetteur *od* de transmission; **~eleiter** *m radio* producteur *m;* **~emast** *m* pylône *m;* **s~en** ⟨*sandte, gesandt*⟩ **[(-)zant(-)]** *tr (schicken)* envoyer, faire parvenir; *(ab~~)* expédier; *tele* ⟨*sendete, gesendet*⟩ transmettre; *radio* (radio)diffuser, distribuer, mettre en ondes, émettre, transmettre; *jdm e-n Gruß ~~* envoyer *od* adresser le bonjour à qn; **~epause** *f* temps mort, intervalle *m;* **~eplan** *m* = *~efolge;* **~er** *m* ⟨-s, -⟩ *(Person)* envoyeur, expéditeur; *tele* transmetteur; *radio* poste *m* émetteur *od* d'émission *od* de radiodiffusion *od* de T.S.F.; *e-n ~~ hereinbekommen* od *empfangen (radio fam)* prendre *od* capter une station; **~eraum** *m radio* studio *m;* **~ereihe** *f radio* série *f* d'émissions; **~er-Empfänger** *m* émetteur-récepteur *m;* **~ergruppe** *f* chaîne *f* de radiodiffusion; **~eröhre** *f radio* lampe *f* d'émission; **~esaal** *m radio* auditorium *m;* **~estärke** *f* puissance *f* d'émission; **~estelle** *f* station *f* émettrice *od* d'émission(s) *od* de T.S.F.; **~ezeichen** *n* indicatif, signal *m;* **~ezeit** *f* heure d'émission, tranche *f* horaire; **~schreiben** *n* missive, épître *f;* **~ung** *f* envoi *m (auch Gegenstand);* expédition; *(Auftrag)* mission; *tele radio* transmission; *radio* émission, diffusion *f* (radiophonique *od* par T.S.F.); *auf ~~ gehen (radio)* passer sur émission; *portofreie ~~* envoi *m* franco de port; *unzustellbare ~~* envoi *m* mis au rebut.
Senf *m* ⟨-(e)s, (-e)⟩ [zɛnf] *(bot, Küche)* moutarde *f; bot a.* sénevé *m; s-n ~ dazugeben (fig fam)* y mettre son grain de sel; *e-n langen ~ von etw machen (fig)* faire toute une tartine *od* tout un plat de qc; **~gas** *n (Kampfstoff)* ypérite *f,* gaz *m* moutarde; **~gurke** *f* cornichon *m* à la moutarde; **~korn** *n* grain de moutarde; *bot* sénevé *m;* **~näpfchen** *n,* **~topf** *m* moutardier *m;* **~pflaster** *n* sinapisme *m;* **~soße** *f,* **~tunke** *f* sauce *f* à la moutarde; **~umschlag** *m* cataplasme (sinapisé); sinapisme *m.*
Seng|e *pl* ['zɛŋə] *dial (Prügel): ~~ (kriegen* recevoir une) raclée *od* rossée; **s~en** *tr* flamber, roussir; *(Textil)* griller; *(Küche)* flamber; *itr (Sonne)* brûler; *~~ und brennen* mettre tout à feu et à sang; **~en** *n (Textil)* grillage; *(Küche)* flambage *m;* **s~end** *a* brûlant; **s~(e)rig** *a fam* roussi; *adv: ~~ riechen* sentir le roussi.
senil [ze'ni:l] *a (greisenhaft)* sénile; **S~ität** *f* ⟨-, (-en)⟩ [-nili'tɛ:t] sénilité *f.*
senior ['ze:niɔr] *a: Herr X ~* M. X père; **S~** *m* ⟨-s, -en⟩ [-ni'o:rən] ancien; *sport* senior *m.*
Senk|blei *n* ['zɛŋk-] (fil à) plomb *m,* sonde *f;* **~e** *f* ⟨-, -n⟩ *geog* dépression *f* (de terrain); **s~en** ⟨*hat gesenkt*⟩ *tr (a. den Kopf, den Blick, die Stimme)* baisser; *(Kopf, Fahne)* incliner; *(niedriger machen)* abaisser; *(hinablassen)* descendre; *(Preis)* baisser, diminuer, réduire; *sich ~~* s'abaisser; *(Boden)* s'affaisser, se tasser, céder; *arch* s'affaisser, prendre coup; *(Neigung haben)* descendre; *(d. Nacht)* tomber; *in die Erde ~~* mettre en terre; *die Kaffeesteuer ~~* détaxer le café; **~fuß** *m* pied à voûte affaissée; affaissement *m* plantaire; **~fußeinlage** *f* semelle *f* de redressement *od* orthopédique; **~grube** *f (Abort)* fosse *f* d'aisance, puits *m* absorbant; **~kasten** *m* caisson *m;* **~loch** *n* puits perdu, puisard *m; agr* baissière *f;* **~lot** *n fil m* à plomb; **s~recht** *a* vertical; perpendiculaire, à plomb, à pic, d'aplomb; *adv aero* à la verticale, en chandelle; *~~e Stellung f (a.)* verticalité *f;* **~rechte** *f math* verticale *f; e-e ~~ errichten, fällen* élever, abaisser une perpendiculaire; **~rechtflug** *m* vol *m* vertical; **~rechtstart(er)** *m* (avion à) décollage *m* vertical; **~reis** *n* marcotte *f;* **~schraube** *f* vis *f* noyée; **~ung** *f allg* abaissement; *(Boden)* affaissement, tassement *m; (Preis)* diminution, réduction; *(~e)* dépression; *(Gefälle)* inclinaison *f; ~~ der Lebenshaltungskosten* abaissement *m* du coût de la vie; **~waage** *f* aréomètre *m.*
Senkel *m* ⟨-s, -⟩ ['zɛŋkəl] *(Schnürband)* lacet *m.*
Senn *m* ⟨-(e)s, -e⟩ , **~e** *m* ⟨-n, -n⟩ ['zɛn(ə)] *dial (Alpenhirt)* vacher *m;* **~e** *f* ⟨-, -n⟩ alpage *m;* **~erei** *f* vacherie *f;* **~erin** *f* vachère *f;* **~hütte** *f* chalet de vacher; *(in der Auvergne)* buron *m.*
Sennes|blätter *n pl* ['zɛnəs-] *pharm* (feuilles *f pl* de) séné *m;* **~pflanze** *f* séné *m.*
Sensation *f* ⟨-, -en⟩ [zɛnzatsi'o:n] sensation *f;* **s~ell** [-tsio'nɛl] *a* sensationnel, à sensation; *pop* fumant; **~sbedürfnis** *n,* **~ssucht** *f* avidité *f* pour les sensations *od* le sensationnel; **~sblatt** *n,* **~spresse** *f* journal *m,* presse *f* à sensation(s); **~slust** *f* goût *m* de la sensation *od* du sensationnel; **s~slüstern** *a* avide de sensations *od* du sensationnel; **~sprozeß** *m* procès *m* sensationnel, cause *f* célèbre; **~sstück** *n theat* pièce *f* à sensation.
Sense *f* ⟨-, -n⟩ ['zɛnzə] faux *f;* **~nmann** ⟨-(e)s, ø⟩ , *der* la Mort.
sens|ibel [zɛn'zi:bəl] *a (empfindsam)* sensible; **S~ibilität** *f* ⟨-, (-en)⟩ [-zibili'tɛ:t] sensibilité *f;* **~itiv** [-zi'ti:f] *a (überempfindlich)* sensitif; **~orisch** [-'zo:rɪʃ] *a anat physiol (Sinnes-)* sensoriel; **S~ualismus** *m* ⟨-, ø⟩ [-zualɪsmus] *philos* sensualisme *m.*
Sentenz *f* ⟨-, -en⟩ [zɛn'tɛnts] *(Sinnspruch)* sentence *f;* **s~iös** [-tsi'ø:s] *a* sentencieux.
sentimental [zɛntimɛn'ta:l] *a* sentimental, fleur bleue; **S~ität** *f* ⟨-, -en⟩ [-tali'tɛ:t] sentimentalité *f.*
separat [zepa'ra:t] *a* séparé, particulier, à part; *~e(s) Zimmer n* pièce *f* isolée; **S~abdruck** *m typ* tirage *m* à part; **S~eingang** *m* entrée *f* particulière; **S~frieden** *m* paix *f* séparée; **S~ismus** *m* ⟨-, ø⟩ [-ra'tɪsmus] *pol* séparatisme *m;* **S~ist** *m* ⟨-en, -en⟩ [-'tɪst] séparatiste *m;* **~istisch** [-'tɪstɪʃ] *a* séparatiste; **S~konto** *n* compte *m* spécial.
Sepia *f* ⟨-, -ien⟩ ['ze:pia] *zoo* seiche; *(scient* u. *Farbe),* **~zeichung** *f* sépia *f.*
Sep|sis *f* ⟨-, -psen⟩ ['zɛpsɪs] *med* septicémie *f;* **s~tisch** ['zɛptɪʃ] *a* septique, septicémique.
Sept|ember *m* ⟨-(s), -⟩ [zɛp'tɛmbər] septembre *m;* **~ett** *n* ⟨-(e)s, -e⟩ [-'tɛt] *mus* septuor *m;* **~ime** *f* ⟨-, -n⟩ [-'ti:mə] *mus* septième *f;* **~uaginta** *f* ⟨-, ø⟩ [-tua'gɪnta] *rel* version *f* des Septante.
Sequenz *f* ⟨-, -en⟩ [ze'kvɛnts] *(mus, film, Kartenspiel; Folge)* séquence *f.*
Sequest|er *m* ⟨-s, -⟩ [ze'kvɛstər] *(Zwangsverwalter)* séquestre *m;* **~ration** *f* ⟨-, -en⟩ [-tratsi'o:n] *(Beschlagnahme)* séquestration *f;* **s~rieren** [-'tri:rən] *tr* séquestrer.
Serail *n* ⟨-s, -s⟩ [ze'raɪ(l), -'ra:j] *(Sultanspalast)* sérail *m.*
Seraph *m* ⟨-s, -e/-phim⟩ ['ze:raf, -fi:m] *rel (Engel)* séraphin *m.*
Serb|e *m* ⟨-n, -n⟩ ['zɛrbə] , **~in** *f* Serbe *m f;* **~ien** *n* ['-biən] la Serbie; **s~isch** *a* serbe; **S~okroatisch(e,** *das***)** [zɛrbokro'a:tɪʃ] le serbo-croate.
Serenade *f* ⟨-, -n⟩ [zere'na:də] *mus* sérénade *f.*
Serie *f* ⟨-, -n⟩ ['ze:riə] *(Folge)* série, suite; *(geschlossene Folge, Satz)* série *f,* jeu *m;* **~n(an)fertigung** *f,* **~nfabrikation** *f,* **~nherstellung** *f* fabrication *f* en série; **s~ll** [-'rjɛl] *a mus* sériel; **~narbeit** *f* ouvrage *m* de série(s); **~nbau** *m* construction *f* en série; **s~nmäßig** *a* de *od* en série; *adv* en série; **~nproduktion** *f* production *f* en série; **~nschalter** *m el* commutateur multiple *od* à combinaison, interrupteur *m* à gradation; **~nschaltung** *f el* montage *od* couplage *f* de série; **~nwagen** *m* voitu-

re *f* de série; **s~nweise** *adv* en série.

seriös [zeri'ø:s] *a* sérieux; *(gediegen)* solide.

Sermon *m* ⟨-s, -e⟩ [zɛr'mo:n] *(langweilige Strafpredigt)* sermon, prêche *m.*

serös [ze'rø:s] *a physiol med* séreux.

Serpentin *m* ⟨-s, -e⟩ [zɛrpɛn'ti:n] *min* serpentine *f;* **~e** *f* ⟨-, -n⟩ *(Schlangenlinie, Straßenwindung)* serpentin *m;* **~enstraße** *f* route *f* en lacets.

Serum *n* ⟨-s, -ren/-ra⟩ ['ze:rum, -ra] *physiol med* sérum *m;* **~behandlung** *f* sérothérapie *f.*

Serv|ice *n* ⟨-/-s, -⟩ [zɛr'vi:s] *(Eß-, Kaffee-, Tee~~)* service; *(Likör~~)* cabaret *m; (Kundendienst) m/n* ⟨-, -s⟩ ['zœr-, 'zø:rvis, zɛr'vi:s] service *m,* service *m* après-vente; **s~ieren** [-'vi:rən] *tr* servir; *itr* servir à table; **~iererin** *f (Kellnerin)* serveuse *f;* **~iermeister** *m* maître *m* d'hôtel; **~iertisch** *m* desserte *f;* **~ierwagen** *m* desserte *f* roulante; **~iette** *f* ⟨-, -n⟩ [-vi'ɛtə] serviette *f* (de table); **~iettenring** *m* rond *m* de serviette; **~iettentasche** *f* enveloppe-serviette *f;* **s~il** [-'vi:l] *a (unterwürfig, kriecherisch)* servile; **~itut** *n* ⟨-(e)s, -e⟩ *a. f* ⟨-, -en⟩ [-vi'tu:t] *jur (Grundlast)* servitude *f.*

Servo|anlage ['zɛrvo-] *f tech* servomécanisme *m;* **~bremse** *f* servofrein *m;* **~gerät** *n* servoappareil *m;* **~lenkung** *f* direction *f* assistée; **~motor** *m* servomoteur, moteur *m* auxiliaire; **~steuerung** *f (Rakete)* groupe *m* servomoteur de gouverne.

Servus! ['zɛrvus] *(Ihr Diener!)* salut!

Sesam *m* ⟨-s, -s⟩ ['ze:zam] *bot* sésame *m.*

Sessel *m* ⟨-s, -⟩ ['zɛsəl] fauteuil *m; sich in e-n ~ fallen lassen* s'effondrer dans un fauteuil; *hohe(r) ~* fauteuil *m* de table; *niedrige(r) ~* fauteuil *m* de repos *od* crapaud; **~lift** *m* télésiège *m;* **~schoner** *m* housse *f* de fauteuil.

seßhaft ['zɛshaft] *a (Mensch)* sédentaire; persistant; *sich ~ machen, ~ werden* s'établir; **S~igkeit** *f* ⟨-, ø⟩ caractère *m od* vie sédentaire; sédentarité, persistance *f;* **S~machen** *n (Volk)* fixation *f;* **S~werden** *n (Volk)* fixation *f,* établissement *m.*

Setz|ei *n* ['zɛts-] œuf *m* sur le plat; **~fehler** *m typ* faute *f* de composition; **~kasten** *m typ* casse *f;* **~ling** *m* ⟨-s, -e⟩ *agr (junge Pflanze)* plant *m,* bouture *f; (Fischzucht: junger Fisch)* alevin *m;* **~linie** *f typ* filet *m;* **~maschine** *f typ* machine *f* à composer; **~schiff** *n typ* galée *f;* **~stock** *m tech* lunette *f;* **~waage** *f (Wasserwaage)* niveau *m* à bulle d'eau.

setzen ['zɛtsən] ⟨*du/er setzt*⟩ *tr (Person)* asseoir; placer *a. fig; (über e-n Fluß)* faire passer; *(Sache, a. fig)* poser, mettre; *(Ofen)* poser, installer; *(Mast)* monter; *(Pflanze)* planter; *(Blutegel)* appliquer; *typ* composer; *(im Spiel)* miser; *(Hoffnung)* placer, mettre (*auf etw* sur qc); porter (*auf jdn* sur qn); *itr* franchir d'un bond, sauter (*über etw* qc); *(über e-n Fluß)* traverser (une rivière); *fig (bauen auf)* tabler (*auf* sur); *sich ~ (Mensch)* s'asseoir (*zu jdm* auprès de qn); se placer, se mettre *a. fig; (Vogel)* (se) percher; *(Küche)* s'affaisser, retomber; *(Erde, Mauer)* se tasser, prendre coup; *chem* se déposer, se précipiter; *Himmel und Erde in Bewegung ~* remuer ciel et terre; *auf den Boden ~* mettre à terre; *jdm ein Denkmal ~* élever *od* ériger un monument à qn; *jdm e-e Frist ~* fixer un délai à qn; *den Fuß über jds Schwelle ~* franchir le seuil de qn; *e-n Grenzstein ~* planter une borne; *auf schmale Kost ~* mettre à la portion congrue; *außer Kraft ~* abolir; *in Kraft ~* mettre en vigueur; *jur adm* abroger; *an Land ~ (mar)* mettre à terre, débarquer; *jdn an die Luft* od *vor die Tür ~* mettre *od* flanquer qn à la porte *od* dehors; *auf ein Pferd ~ (beim Rennen)* miser sur un cheval; *sich zur Ruhe ~* se retirer des affaires; *auf die Tagesordnung ~* inscrire *od* mettre à l'ordre du jour; *sich an den Tisch ~* s'asseoir à la table; *sich zu Tisch ~* se mettre à table; *sich ein Ziel ~* se fixer *od* se proposer un but; *es wird Schläge ~* il y aura des coups; *~ Sie sich!* asseyez-vous! *~ Sie sich, bitte!* asseyez-vous, je vous prie; veuillez vous asseoir, prenez place; **S~** *n* pose, mise *(a. im Spiel); (Blutegel)* application; *typ* composition *f.*

Setzer *m* ⟨-s, -⟩ ['zɛtsər] *typ* compositeur *m;* **~ei** *f* [-'raɪ] atelier *m* de composition.

Seuche *f* ⟨-n, -⟩ ['zɔʏçə] épidémie; *(Tier~~)* épizootie; *fig* peste *f;* **~nbekämpfung** *f* lutte contre les épidémies; *(vorbeugend)* prophylaxie *f;* **~ngebiet** *n* région *f* contaminée; **s~nhaft** *a* épidémique; **~nherd** *m* foyer *m* de la contagion *od* de l'épidémie.

seufz|en ['zɔʏfzsən] *itr* soupirer (*nach* après); *(stöhnen)* gémir (*über* de, sur); **S~er** *m* ⟨-s, -⟩ soupir; gémissement *m; e-n ~~ ausstoßen* pousser un soupir; *~~ der Erleichterung* soupir *m* de soulagement; **S~erbrücke** *f (in Venedig)* pont *m* des Soupirs.

Sex *m* ⟨-(es), ø⟩ [zɛks] sexe *m;* érotisme *f; die ~welle* la vague d'érotisme.

Sext|ant *m* ⟨-en, -en⟩ [zɛks'tant] *(Winkelmeßgerät)* sextant *m;* **~e** *f* ⟨-, -n⟩ *mus* sixte *f;* **~ett** *n* ⟨-(e)s, -e⟩ [-'tɛt] *mus* sextuor; *(Jazz)* sextette *m.*

Sexu|alempfinden *n* [zɛksu'a:l-] instinct *m* sexuel; **~alerziehung** *f,* **~alpädagogik** *f* éducation *f* sexuelle; **~alethik** *f* éthique *f* sexuelle; **~alhormon** *n* hormone *f* sexuelle; **~alhygiene** *f* hygiène *f* sexuelle; **~alität** *f* ⟨-, (-en)⟩ [-li'tɛ:t] sexualité *f;* **~alleben** *n* vie *f* sexuelle; **~almord** *m* assassinat *m* par sadisme; **~alpsychologie** *f* psychologie *f* sexuelle; **~alverbrechen** *n* crime *m* sexuel; **~alwissenschaft** *f* sexologie *f;* **s~ell** [-ksu'ɛl] *a* sexuel.

Sezession *f* ⟨-, -en⟩ [zetsɛsi'o:n] *(pol, Kunst: Absonderung)* sécession *f;* **~skrieg** *m* guerre *f* de sécession.

sezier|en [ze'tsi:rən] *tr* disséquer, faire l'anatomie de, anatomiser; **S~en** *n* dissection, anatomie *f;* **S~messer** *n* scalpel *m.*

Shaker *m* ⟨-s, -⟩ ['ʃe:kər, 'ʃeɪkə] *(Gefäß)* shaker *m.*

Shampoo(n) *n* ⟨-s, -s⟩ [ʃɛm'pu:(n)] = *Schampun.*

Sherry *m* ⟨-s, -s⟩ ['ʃɛrɪ] *(Wein)* sherry, xérès *m.*

Shorts *pl* [ʃo:rts, ʃɔrts] short *m.*

Siam *n* ['zi:am] *(alter Name von Thailand)* le Siam; **~ese** *m* ⟨-n, -n⟩ [-'me:zə] , **~esin** *f* Siamois, e *m f;* **s~esisch** [-'me:zɪʃ] *a* siamois; *~~e Zwillinge m pl* frères *m pl od* sœurs *f pl* siamois(es).

Sibir|ien *n* [zi'bi:riən] la Sibérie; **~ier(in** *f***)** *m* ⟨-s, -⟩ [-rjər] Sibérien, ne *m f;* **s~isch** [-'bi:rɪʃ] *a* sibérien, de (la) Sibérie.

sich [zɪç] *(dat u. acc des Reflexivpron) (mit v verbunden)* se; *(unverbunden, unbestimmt)* soi, *(bestimmt)* lui, elle, *pl* eux, elles; *(Höflichkeitsform, mit v verbunden u. unverbunden)* vous; *~ selbst* soi-même; lui-même *etc; an ~* en soi; *an und für ~* en lui-même, en elle-même; *bei ~ (am Körper)* sur soi; *(in greifbarer Nähe)* avec soi; *für ~* à part (soi); *von ~ aus* par soi-même, de son propre chef; *zuerst an ~ denken (a.)* se sucrer *fam; etwas (Unangenehmes) an ~ haben* avoir qc; *etwas auf ~ haben (fig)* avoir de l'importance; *wieder zu ~ kommen* revenir à soi; *etwas auf ~ nehmen (fig)* prendre qc sur soi; *das Ding an ~ (philos)* la chose en soi.

Sichel *f* ⟨-, -n⟩ ['zɪçəl] faucille *f; (Mond~)* croissant *m;* **s~förmig** *a* en (forme de) croissant; **s~n** *tr (mit der ~ mähen)* couper à la faucille; **~wagen** *m hist (Streitwagen)* char *m* à faux.

sicher ['zɪçər] *a (geschützt)* sûr, en sécurité; à l'abri (*vor* de); *(zuverlässig)* sûr, à toute épreuve, sans faute; *(verläßlich)* éprouvé, de confiance; *(fest)* solide, stable, ferme; *(Auftreten, Hand Blick)* assuré; *(gewiß)* sûr, certain; *adv (gewiß)* sûrement; à coup sûr assurément, *(wahrscheinlich)* certainement, sans doute; *aus ~er Quelle* de source sûre, de bonne source; *in Nummer S~ (fam)* en lieu sûr; *~ auftreten* avoir de l'assurance *od* de l'aplomb; *vor jdm ~ sein* n'avoir rien à craindre de qn; *e-r S ~ sein, etw ~ wissen* être sûr de qc; *s-r S ~ sein* être sûr de son fait; *s-s Lebens nicht ~ sein* craindre pour sa vie; risquer sa vie; *es gilt als ~, daß ... (a.)* on affirme que ...; *~ ist, daß ...* ce qui est certain, c'est que ...; le fait est que ...; il est de fait que ...; *soviel ist ~, daß...* toujours est-il que ..., en tout cas ...; *~ ist ~* deux précautions valent mieux qu'une; *~e Geldanlage f* placement *m* de tout repos *od fam* de père de famille; *~e Stellung f (Arbeitsplatz)* position *f* sûre *od* solide; *~e(s) Urteil n* sûreté *f* de jugement; **~=gehen** ⟨*ist sichergegangen*⟩ *itr* s'assurer; *um ganz sicher-*

zugehen pour être plus sûr, pour plus de sûreté; par excès de prudence; *(ganz) ~~ wollen* jouer au plus sûr *od* à jeu sûr; **~lich** *adv* = ~ *(adv)*; **~n** *tr (schützen)* protéger, prémunir, *bes. mil* mettre à l'abri (*gegen* contre); préserver (*gegen* de); sauvegarder; *mil (decken)* couvrir; *allg* assurer, garantir, mettre en sûreté *od* sécurité; *(befestigen)* affermir, consolider; *tech* arrêter, bloquer, goupiller; *(Schußwaffe)* mettre au cran d'arrêt; *itr (Wild)* prendre le vent; *sich ~~ (fin)* se garantir, prendre des garanties, se nantir; **~=stellen** ‹*hat sichergestellt*› *tr* mettre à l'abri *od* en sécurité; assurer, sauvegarder, mettre en sauvegarde *od* en sûreté; **S~stellung** *f* mise *f* en sécurité *od* en sûreté; *(durch Pfand)* nantissement *m*.

Sicherheit *f* ‹-, -en› ['zɪçərhaɪt] *(Geschütztheit)* sûreté, sécurité *f*; *(Schutz)* abri *m*; *(Zuverlässigkeit)* sûreté; *(Festigkeit)* solidité, stabilité, fermeté; *(Selbst~)* assurance *f*, aplomb *m*; *(Gewißheit)* certitude; *fin* sûreté, garantie, caution *f*; *gegen* ~ contre garantie, sur gage, sur nantissement; *gegen hypothekarische* ~ sur hypothèque; *in* ~ en sûreté, en lieu sûr; *mit* ~ à coup sûr, sûrement, assurément; *zur größeren* ~ pour plus de sûreté; *mit ~ behaupten* soutenir avec assurance; *in ~ bringen* mettre en sûreté *od* à l'abri *od* à couvert; *als ~ dienen* servir de garantie; *jdm e-e ~ geben* od *leisten* donner *od* fournir *od* verser une caution à qn, nantir qn; *jdn in ~ wiegen* cacher *od* dissimuler les dangers à qn; *sich in ~ wiegen* se croire en sécurité; *das kann ich nicht mit ~ sagen* je ne peux l'affirmer avec certitude; *es ist mit ~ anzunehmen, daß* ... on peut être certain que ...; ~ *im Verkehr* sécurité *f* du trafic.

Sicherheits|abkommen *n* ['zɪçərhaɪts-] *pol* pacte *m* de sûreté; **~abstand** *m (im Verkehr)* distance *f* de sécurité; **~beamte(r)** *m* agent *m* de la sûreté; **~bedürfnis** *n* besoin *m* de sécurité; **~dienst** *m* service *m* de sécurité; *pol* services *m pl* de contre-espionnage; **~faktor** *m* facteur *od* coefficient *m* de sécurité; **~fonds** *m* fonds *m* de garantie; **~glas** *n* verre *m* de sécurité; **~grad** *m* degré *od* coefficient *m* de sécurité; **~gründe** *m pl*: *aus ~~n*, **s~halber** *adv* pour des raisons de sécurité, pour plus de sûreté; **~gürtel** *m mot* ceinture *f* de sécurité; **~hypothek** *f* caution *f* réelle; **~kette** *f (an e-r Tür)* chaîne *f* de sûreté; **~klausel** *f* clause *f* de sauvegarde *od* échappatoire; **~lampe** *f* lampe *f* de sûreté; **~leistung** *f fin* (constitution de) garantie, caution *f*, cantionnement *m*; **~maßnahme** *f* mesure *f* de sécurité *od* de sûreté; **~nadel** *f* épingle *f* de sûreté *od* de nourrice; **~polizei** *f* police de sûreté; Sûreté *f*; **~rat** *m (Welt~~)* Conseil *m* de sécurité; **~schalter** *m el* disjoncteur, coupe-circuit *m*; **~schloß** *n* serrure *f* de sûreté *od* de sécurité; **~spanne** *f, bes. chem* marge *f* de sécurité; **~ventil** *n* soupape *f* de sûreté; **~vorkehrungen** *f pl* = *~maßnahmen*; **~vorrichtung** *f* dispositif *m* de sécurité; **~vorschriften** *f pl* règlement *m od mil* consignes *f pl* de sécurité.

Sicherung *f* ‹-, -en› ['zɪçərʊŋ] *(Schutz)* protection, prémunition; préservation; sauvegarde; *mil (Deckung)* couverture; *mar* escorte; *all* mise en sécurité, garantie; *fin* garantie, caution; *(Festigung)* consolidation *f*; *tech* arrêt *od* cran *m od* goupille de sûreté; *(Schußwaffe: Vorgang)* mise *f* à la sûreté; *(Gewehrteil)* cran d'arrêt *od* de repos, verrou de sûreté; *el* plomb (fusible), fusible, coupe-circuit; *(automatische)* disjoncteur *m*; ~ *in der Ruhe (mil)* sûreté *f* en station; **~sabteilung** *f mil* détachement *m* de sûreté; **~sfahrzeug** *n mar* bâtiment d'escorte, patrouilleur *m*; **~sfonds** *m* fonds *m* de garantie; **~shypothek** *f* hypothèque *f* de garantie; **~skasten** *m el* boîtier *m* à fusibles; **~smaßnahme** *f jur* acte *m* conservatoire; **~smutter** *f tech* écrou *m* de blocage; **~sstift** *m tech* goupille *f* de sûreté; **~stafel** *f el* panneau *m* de fusibles; **~struppen** *f pl* forces *f pl* de sécurité *od* de couverture; **~sübereignung** *f* fiducie *f*, **~sverwahrung** *f* internement *m* préventif.

Sicht *f* ‹-, ø› [zɪçt] *(Sehen; fig: Sehweise) a. fin* vue; *(Möglichkeit zu sehen od gesehen zu werden)* visibilité *f*; *auf ~ (fin)* à vue; *auf kurze ~ (fin)* à court terme; *fig* à la petite semaine; *auf lange ~ (fin)* à long terme, à longue échéance; *fig* à longue vue, de longue haleine; *aus der ~ (gen)* dans la perspective (de); sous l'angle (de); *außer* ~ hors de vue; *bei ~ (Wechsel)* à vue, à présentation; *in* ~ en vue; *in der ~ (gen)* dans la vue (de); *30 Tage nach* ~ à 30 jours de vue; *gegen ~ decken* cacher à la vue; *in ~ kommen* apparaître; *gute, schlechte* ~ bonne, mauvaise vue; *gegen ~ gedeckt* à l'abri des regards; **~anweisung** *f fin* mandat *m* à vue; **s~bar** *a* visible; *(wahrnehmbar)* perceptible, discernable, sensible; *(fig: offensichtlich)* visible, évident, apparent, ostensible, manifeste; *deutlich ~~ machen (fig a.)* mettre en vue; *~~ werden (a.)* apparaître; **~barkeit** *f* ‹-, ø› visibilité, perceptibilité; évidence *f*; **s~barlich** *adv fig* ostensiblement, manifestement; **~barwerden** *n fig* manifestation *f*; **~berührung** *f mil* contact *m* visuel; **~empfang** *m TV* réception *f* visuelle; **s~en** *tr (erblicken)* voir, apercevoir, discerner; *(entdecken)* découvrir, déceler; *(ausfindig machen)* repérer; *(durchsehen, prüfen)* examiner, trier, tamiser, cribler, passer au crible, bluter; **~flug** *m* vol *m* à vue; **s~ig** *a mar (klar)* clair; *~~e(s) Wetter n (a.)* bonne visibilité *f*; **~kartei** *f* appareil *m* à fiches visibles; **s~lich** *a (offenkundig)* évident, apparent, ostensible, manifeste; *adv* manifestement, visiblement; **~maschine** *f Sortiermaschine*; **~peilung** *f mar* relèvement *m* optique; **~tage** *m pl fin* jours *m pl* de vue; **~ung** *f (Erblicken)* vue; *(Entdeckung)* découverte *f*; *(Durch~)* tri, tamisage, criblage *m*; **~verbindung** *f* liaison *f* à vue; **~verhältnisse** *n pl* (conditions *f pl* de) visibilité *f*; **~vermerk** *m* visa; *adm (am Rande)* émargement *m*; *mit ~~ versehen* viser; **~wechsel** *m fin* lettre *f* de change *od* effet *od* billet *m od* traite *f* à vue; **~weite** *f* portée *f* de vue; *außer ~~* hors de vue; *in ~~* à portée de vue.

Sicker|grube *f* ['zɪkər-] fosse *f* filtrante *od* d'infiltration; **~kanal** *m arch* pierrée *f*; **s~n** ‹*aux: sein*› *itr* suinter, filtrer, s'écouler goutte à goutte; **~schacht** *m* puisard *m*; **~wasser** *n* eaux *f pl* de filtrage *od* d'infiltration.

sie [zi:] *pron f sing* elle; *acc (mit v verbunden)* la; *(unverbunden)* elle; *m f pl (verbunden)* ils, elles; *(unverbunden)* eux, elles; *acc (verbunden)* les; *(unverbunden)* eux, elles; **S~ 1.** *(Höflichkeitsform)* vous; *jdn mit ~~ anreden* dire vous à qn; *vgl. siezen*; **2.:** *e-e S~ (fam: ein weibliches Wesen)* une femme; *(ein Weibchen)* une femelle.

Sieb *n* ‹-(e)s, -e› [zi:p, '-bə] *(feines)* tamis; *(grobes)* sas, crible *m*; *tech a.* crépine; *(Küche)* passoire *f*; *durchlöchert wie ein* ~ percé comme une écumoire; **s~artig** *a* comme un crible; **~bein** *n anat* os *m* ethmoïde; **~druck** *m* sérigraphie *f*; **s~en 1.** *tr* tamiser, passer au tamis; sasser, cribler, passer au crible; *fig (sichten)* trier; *(Nachrichten)* filtrer; **~en** *n* tamisage, sassement, criblage; *fig* triage, filtrage *m*; **~mehl** *n* criblure *f*; **~tuch** *n* étamine *f*.

sieben ['zi:bən] **2.** *(Zahlwort)* sept; **S~** *f* ‹-, -› sept *m*; *böse ~~ (böses Weib)* mégère, chipie *f*; **~armig** *a*: *~~e(r) Leuchter m* chandelier *m* à sept branches; **S~bürgen** *n* [-'bʏrgən] *geog* la Transylvanie; **S~bürger(in *f*)** *m* Transylvanien, ne *m f*; **~bürgisch** *a* transylvanien; **S~eck** *n* heptagone *m*; **~eckig** *a* heptagonal; **~einhalb** sept et demi; **~fach** *a*, **~fältig** *a* septuple; **S~flächner** *m math* heptaèdre *m*; **S~gestirn,** *das astr* la pléiade; **~hundert** sept cent(s); **S~jahresplan** *m* plan *m* septennal; **~jährig** *a (~ Jahre alt)* de sept ans; *(~ Jahre dauernd)* septennal; *der S~~e Krieg* la guerre de Sept ans; **~mal** *adv* sept fois; **~malig** *a* répété six fois; **S~meilenstiefel** *m pl* bottes *f pl* de sept lieues; *mit ~~n* à pas de géant; **S~monatskind** *n* enfant *m* né à sept mois; **S~sachen** *pl*: *s-e ~~ (fam)* tout son saint(-)crépin *od* saint(-)frusquin; **S~schläfer** *m zoo* loir *m*; **~tausend** sept mille; **~te, S~tel, ~tens** *s. siebte etc.*

siebt|e(r, s) ['zi:ptə] *a* septième; **S~el** *n* ‹-s, -› septième *m*; **~ens** *adv* septièmement.

siebzehn ['zi:p-] *(Zahlwort)* dix-sept;

~te(r, s) *a* dix-septième; **S~tel** *n* ‹-s, -› dix-septième *m.*
siebzig ['zi:ptsɪç] *(Zahlwort)* soixante-dix; **S~er(in** *f)* *m* ‹-s, -› septuagénaire *m f;* **~jährig** *a* septuagénaire, de soixante-dix ans; **~ste(r, s)** *a* soixante-dixième.
siech [zi:ç] *a* *(krank)* malade; *(kränklich)* maladif, souffreteux, valétudinaire; **~en** *itr* *(krank* od *kränklich sein)* être malade; traîner, languir; **S~enhaus** *n* hôpital; hospice *m;* **S~tum** *n* ‹-s, ø› mal(adie *f)* *m* dévorant(e); état *m* maladif.
sied|eheiß ['zi:də'-] *a* bouillant; **S~ehitze** *f* température d'ébullition; *fig* chaleur *f* tropicale; **S~ekessel** *m* *(großer)* chaudière; *(kleiner)* bouilloire *f;* **~en** ‹*sott, gesotten*› ['zi:dən, (-)'zɔt(-)] *tr* faire bouillir; *(Küche)* faire cuire; *itr* bouillir; *(aufwallen)* bouillonner; *Salz ~~* sauner; *Seife ~~* fabriquer du savon; *Zucker ~~* raffiner du sucre; **S~en** *n* ébullition *f;* bouillonnement *m; zum ~~ bringen* faire bouillir; **~end** *a* *(a.)* en ébullition; **S~epunkt** *m* point *m* d'ébullition; **S~erei** *f* [-'raɪ] *(Salz~~)* saunerie; *(Seifen~~)* savonnerie *f;* **S~esalz** *n* sel *m* marin *od* de saline; **S~efleisch** *n* ['zi:t-] viande *f* à bouillir.
sied|eln ['zi:dəln] *itr* ‹*aux: haben*› *(einzelner)* s'établir, se fixer; *(Gruppe)* établir une colonie *od* un lotissement; **S~ler** *m* ‹-s, -› ['-dlər] colon *m;* **S~lerstelle** *f* lot *m* (de terre); **S~lung** *f* [-dlʊŋ] *geog (Wohn~~)* habitat *m; (Kolonie)* colonie *f,* lotissement *m,* cité *f; (Stadtrand~~)* village *m; geschlossene ~~ (geog)* habitat *m* concentré; *städtische ~~ (geog)* agglomération *f* urbaine; **S~lungsgebiet** *n,* **S~lungsraum** *m* *geog* zone *f* d'habitat; **S~lungsgesellschaft** *f* société *f* de lotissement.
Sieg *m* ‹-(e)s, -e› [zi:k, '-gə] victoire *f; fig a.* triomphe *m; den ~ davontragen* od *erringen* remporter la victoire *od poet* la palme; l'emporter; *jdm den ~ zuerkennen* décerner la palme à qn; **s~en** *itr* vaincre (*über jdn* qn); l'emporter (*über jdn* sur qn); *sport* gagner; *fig* triompher (*über* de); **~er** *m* ‹-s, -› vainqueur (*über* de); triomphateur; *(in e-m Wettbewerb)* lauréat; *(im Spiel)* gagnant; *(im Ringkampf)* tombeur *m; als ~~ hervorgehen* sortir vainqueur (*aus* de); **~erehrung** *f allg* cérémonie de récompense aux vainqueurs; *sport* distribution *f* des prix; *(Olympische Spiele)* cérémonie *f* protocolaire; **~erliste** *f* palmarès *m;* **~ermannschaft** *f* équipe *f* victorieuse *od* lauréate; **~ernation** *f* nation *f* victorieuse; **s~esbewußt** *a,* **s~esgewiß** *a* sûr de la victoire, sûr de triompher; **~esfeier** *f,* **~esfest** *n* célébration *f* d'une *od* de la victoire; **~esgöttin** *f* (déesse de la) Victoire *f;* **~esnachricht** *f* nouvelle *f* de la victoire; **~eslauf** *m fig* avance *f* triomphale; **~espalme** *f* palme *f;* **~espreis** *m* prix *m* de la victoire; **~essäule** *f* colonne *f* triomphale; **~estaumel** *m* ivresse *f* du triomphe; **s~estrunken** *a* enivré de sa victoire; **~eswille** *m* volonté *f* de vaincre *od* de triompher; **~eszug** *m a. fig* marche *f* triomphale, triomphe *m;* **s~gekrönt** *a,* **s~haft** *a,* **s~reich** *a* victorieux (*über* de); triomphant, triomphateur.
Siegel *n* ‹-s, -› ['zi:gəl] *(amtlich)* sceau; *(gerichtlich)* scellé(s *pl*); *(privat)* cachet *m; unter dem ~ der Verschwiegenheit* sous le sceau du secret; *das ist für mich ein Buch mit sieben ~n* c'est de l'hébreu pour moi; **~bewahrer** *m* garde *m* des sceaux; **~lack** *m: (Stange f) ~~* (bâton *m* de) cire *f* à cacheter; **s~n** *tr* sceller; cacheter; apposer un *od* le sceau *od* les scellés *od* le cachet à; **~ring** *m* chevalière *f;* **~ung** *f* apposition *f* du sceau *od* des scellés *od* du cachet (*gen* à).
Siel *m* od *n* ‹-(e)s, -e› [zi:l] *dial (Röhrenleitung)* tuyauterie; *(kleine Schleuse)* (petite) écluse *f.*
Siele *f* ‹-, -n› ['zi:lə] *(Riemenwerk der Zugtiere)* collier *m; in den ~en sterben (fig)* mourir à la peine.
Siesta *f* ‹-, -ten/-s› [zi'ɛsta] *(Mittagsruhe)* sieste *f.*
siezen ['zi:tsən] *tr* vouvoyer, voussoyer; **S~** *n* vouvoiement, voussoiement *m.*
Sigel *n* ‹-s, -› ['zi:gəl] *(Kürzung)* sigle *m.*
Signal *n* ‹-s, -e› [zɪ'gna:l] signal *m; el (Läute~)* sonnerie *f; ~~ geben (mot)* donner un coup de klaxon, klaxonner, avertir; *das ~ zu etw geben* donner le signal de qc; *das ~ auf Halt stellen (loc)* fermer le signal; *ein ~ überfahren* brûler un signal; *das ~ steht auf Halt* le signal est en position «fermé»; *~ zum Sammeln* signe *m* de ralliement; **~anlage** *f* dispositif *m* de signalisation; *(an e-r Baustelle)* signalisation *f* (de chantier); **~bake** *f radio* radiobalise *f;* **~buch** *n* code *m* des signaux; **~flagge** *f* fanion des signalisation, pavillon *m* de signaux; **s~frei** *a: ~~e(s) Gebiet n (mot)* zone *f* de silence; **~gast** *m mar* matelot-signaleur *m;* **~geber** *m* *(Mensch u. Gerät)* signalisateur *m;* **~gebung** *f* signalisation *f;* **~horn** *n* corne *f* d'appel, clairon, bugle *m;* **s~isieren** [-gnali'zi:rən] *tr* signaler; **~isierung** *f* signalisation *f;* **~lampe** *f* lampe *f* de signalisation *od* d'alarme; **~licht** *n* ‹-(e)s, -er› feu *m* (de signal); **~mast** *m mar* mât *m* de signalisation *od (loc)* de signaux; *loc* (poteau de) sémaphore *m;* **~rakete** *f* fusée *f* de signalisation; **~scheibe** *f loc* disque *m* (de signalisation); **~stellwerk** *n loc* cabine *f* de(s) signaux; **~wärter** *m* garde-signal *m.*
Sign|atarmacht *f* [zɪgna'ta:r-] puissance *f* signataire; **~atur** *f* ‹-, -en› [-'tu:r] *(Unterschrift, Namenszug, Künstlerzeichen)* signature *f; (Kartenzeichen)* signe *m; typ (Bogennorm)* signature; *(Bibliothek: Buchnummer)* cote *f;* **~et** *n* ‹-s, -s/-e› [sɪ'gne:t, sɪ'gnɛt, zɪn'je] *(Verleger-, Buchdruckerzeichen)* marque *f;* **s~ieren** [-'gni:rən] *tr (mit e-r ~atur versehen)* signer; **~um** *n* ‹-s, -na› ['zɪgnʊm, -na] *(Bezeichnung)* signe *m; (Handzeichen)* marque *f.*
Silbe *f* ‹-, -n› ['zɪlbə] syllabe *f; e-e ~ verschlucken* avaler une syllabe; *davon hat er keine ~ gesagt, das hat er mit keiner ~ erwähnt* il n'en a rien dit du tout; *kurze, lange ~* (syllabe) brève, longue *f; (un)betonte ~* syllabe (non) accentuée; **~nrätsel** *n* charade *f;* **~nschrift** *f* syllabisme *m;* **~ntrennung** *f* division *f* en syllabes.
Silber *n* ‹-s, ø› ['zɪlbər] *(Metall)* argent *m; (Gerät)* argenterie *f; aus ~* d'argent, en argent; **~arbeit** *f* argenterie *f;* **~barren** *m* lingot *m* d'argent; **~bergwerk** *n* mine *f* d'argent **~beschlag** *m* garniture *f* d'argent; **~besteck** *n* couvert *m* d'argent; **~blech** *n* lame *f* d'argent; **~bronze** *f* brillant *m* argenté; **~distel** *f* chardon *m* argenté; **~draht** *m* fil *m* d'argent; **~fischchen** *n ent* lépisme *m;* **~fuchs** *m* renard *m* argenté; **~gehalt** *m* titre *m* d'argent; **~geld** *n* monnaie *f* d'argent *od* blanche; **~gerät** *n,* **~geschirr** *n* argenterie *f;* **~glanz** *m* éclat *m* argenté; **s~glänzend** *a* argenté; **s~haltig** *a* argentifère; **s~hell** *a* argenté; *(Klang)* argentin; **~hochzeit** *f* noces *f pl* d'argent; **~ling** *m* ‹-s, -e› *(alte Münze)* pièce *f* d'argent; **~medaille** *f,* **~münze** *f* médaille, monnaie *f* d'argent; **s~n** *a (aus ~)* en argent, d'argent; *(s~ig)* argenté; *~~e Hochzeit f = ~hochzeit;* **~papier** *n (Stanniol)* papier *m* d'argent *od* d'étain *od* d'aluminium; **~pappel** *f* peuplier blanc *od* argenté, (peuplier) grisard *m;* **~reiher** *m orn* aigrette *f;* **~sachen** *f pl* argenterie *f;* **~schmied** *m* orfèvre *m;* **~tanne** *f* sapin *m* argenté; **~währung** *f* étalon-argent *m;* **~waren** *f pl* argenterie *f;* **s~weiß** *a* argenté; **~zeug** *n fam* argenterie *f;* **silb(e)rig** *a* argenté.
Silhouette *f* ‹-, -n› [zilu'ɛtə] silhouette *f.*
Sili|cium *n,* **~zium** *n* ‹-s, ø› [zi'li:tsium] *chem* silicium *m;* **~kat** *n,* **~cat** *n* ‹-(e)s, -e› [-li'ka:t] silicate *m;* **~kone** *pl* [-'ko:nə] *(Kunststoffe)* silicones *f pl;* **~kose** *f* ‹-, -n› [-'ko:zə] *med* silicose *f.*
Silo *m, a. n* ‹-s, -s› ['zi:lo] *(Großspeicher)* silo *m; im ~ einlagern* ensiler; *Einlagerung f im ~* ensilage, silotage *m.*
Silur *n* ‹-s, ø› [zi'lu:r] *geol* silurien *m;* **s~isch** [-'lu:rɪʃ] *a* silurien.
Silvester *n* ‹-s, -› [zɪl'vɛstər] *(31. Dez.)* la Saint-Sylvestre; **~abend** *m* veille *f* du jour de l'an; **~nacht** *f* nuit *f* de la Saint-Sylvestre.
Similischmuck *m* ['zi:mili-] bijou *m* en toc.
Similistein *m* *(unechter Edelstein)* pierre fausse, similipierre *f.*
simpel ['zɪmpəl] *a (einfältig)* simple, niais, nigaud; **S~** *m* niais, nigaud; benêt *m.*
Sims *m* od *n* ‹-es, -e› [zɪms, -zə] moulure, corniche, cimaise *f;* rebord *m;* tablette *f.*

Simul|ant *m* ⟨-en, -en⟩ [zimuˈlant] simulateur *m;* **s~ieren** [-ˈliːrən] *tr* simuler; feindre; *itr, a. fam (grübeln)* se creuser la cervelle; **~ieren** *n* simulation, feinte *f.*
simultan [zimulˈtaːn] *a (gleichzeitig, gemeinsam)* simultané; **S~dolmetschen** *n* interprétation *f* simultanée; **S~schule** *f* école *f* laïque *od* interconfessionnelle; **S~spiel** *n (Schacht)* partie *f* simultanée.
Sinekure *f* ⟨-, -n⟩ [zineˈkuːrə] *(Amt ohne Aufgaben)* sinécure *f.*
Sinfon|ie *f* ⟨-, -n⟩ [zɪnfoˈniː] *mus* symphonie *f;* **~iekonzert** *n,* **~ieorchester** *n* concert, orchestre *m* symphonique; **~iker** *m* ⟨-s, -⟩ [-ˈfoːnikər] symphoniste *m;* **s~isch** [-ˈfoːnɪʃ] *a* symphonique.
Sing|drossel *f* [ˈzɪŋ-] mauvis *m;* **s~en** ⟨*sang, gesungen*⟩ [zaŋ, -ˈzuŋən] *tr* chanter; *arg* goualer; *falsch ~~* chanter faux, n'être pas dans le ton; *jds Lob ~~* chanter *od* célébrer les louanges de qn, faire l'éloge de qn; *jdn in den Schlaf ~~* endormir qn en chantant; chanter pour endormir qn; *davon kann ich ein Lied ~* j'en sais quelque chose; **~en** *n* chant *m;* **~sang** *m* ⟨-(e)s, ø⟩ chant *m* monotone, mélopée *f;* **~schule** *f rel* maîtrise *f;* **~schwan** *m* cygne *m* chanteur; **~spiel** *n* vaudeville *m;* **~spieldichter** *m* vaudevilliste *m;* **~stimme** *f* voix; *(Gesangspartie)* partie *f* de chant; **~stunde** *f* leçon *f* de chant; **~vogel** *m* oiseau *m* chanteur.
Singrün *n* ⟨-s, ø⟩ [ˈzɪngryːn] *bot (Immergrün)* pervenche *f.*
Singular *m* ⟨-s, -e⟩ [ˈzɪŋgulaːr] *gram* singulier *m.*
Sink|dauer *f* [ˈzɪŋk-] *aero* temps *m* de descente; **s~en** ⟨*sank, ist gesunken*⟩ [zaŋk, -zuŋkən] *itr (langsam fallen)* (s'a)baisser, descendre *(a. Fallschirm),* tomber; *(ein~~)* s'enfoncer; *(in den Sand)* s'enliser; *(im Wasser untergehen)* couler à fond, sombrer; *fig (niedriger werden: Temperatur, Preise)* baisser; *(schwächer werden, nachlassen)* diminuer, décroître; *in jds Achtung ~~* baisser dans l'estime de qn; *jdm in die Arme ~~* tomber dans les bras de qn; *zu Boden ~~* s'affaisser, s'effondrer; *in Ohnmacht, Schlaf ~~* tomber en défaillance, dans un profond sommeil; *in Schutt und Asche ~~* être réduit en cendres; *die Stimme ~~ lassen* baisser la voix; *in Trümmer ~~* s'effondrer; *ich hätte vor Scham in die Erde ~~ mögen* c'était à mourir de honte; *ich bin tief gesunken* je suis tombé *od* me voilà bien bas; *die Sonne ~t* le soleil baisse; **~en** *n* abaissement *m,* descente, chute; *fig fin* baisse; *allg* diminution *f,* décroissement *m;* **~flug** *m aero* descente *f;* **~stoff** *m* matière *f* en suspension; sédiment *m.*
Sinn *m* ⟨(e)s, -e⟩ [zɪn] *(Geist)* sens, (état d')esprit *m; (Denken)* pensée; *(Gemüt)* âme *f,* cœur; *(Charakter)* caractère; *(Anlage, Neigung)* sens, sentiment, goût, penchant, intérêt; *physiol* sens; *(Bedeutung)* sens *m,* signification, acception *f; (Richtung)* sens *m,* direction; *philos (Zweck)* raison *f; in jds ~e* dans le sens de qn; *im besten ~e des Wortes* au meilleur sens du terme; *in diesem ~e* dans ce sens; *im eigentlichen, bildlichen ~e* au sens propre, figuré; *im engeren, weiteren ~e* au sens étroit, large; *im entgegengesetzten ~e* en sens contraire, à contresens; *in gewissem ~e* pour ainsi dire; *im gleichen ~e* dans le même sens; *im wahrsten, im vollen ~e des Wortes* dans toute l'acception *od* la force du terme; *im ~e des Gesetzes* dans l'esprit de la loi; *nach meinem ~* à mon gré; *dem ~e nach* d'après *od* selon le sens, conformément au sens; *ohne ~ und Verstand* sans rime ni raison; *von ~en* hors de sens; *jdm nicht aus dem ~ gehen* od *wollen* ne pas sortir de l'esprit de qn, intriguer qn; *~ haben für ...* avoir le sens de ...; avoir le goût de ... *od* du goût pour ...; *keinen ~ haben* n'avoir aucun sens, ne rimer à rien; *weder ~ noch Verstand haben* n'avoir ni rime ni raison; *etw im ~e haben* avoir qc en tête, méditer qc; *jdm in den ~ kommen* venir à la pensée *od* à l'idée *od* à l'esprit de qn, passer par la tête de qn; *sich etw aus dem ~ schlagen* s'ôter qc de l'esprit; *eines ~es sein* être du même avis; *nicht bei ~en sein* n'avoir pas tous ses esprits; *s-r ~e nicht mehr mächtig sein* ne plus se connaître, être hors de soi; *anderen ~es werden* changer d'avis, se raviser; *das geht mir nicht aus dem ~* cela ne me sort pas de l'idée; *das liegt mir beständig im ~* j'y pense continuellement, je ne cesse d'y penser; *die ~e schwanden mir* je perdis connaissance; *das hat keinen ~* cela n'a pas de sens, cela ne tient pas debout; *das hat keinen ~ mehr (a. pop)* c'est tout vu; *aus den Augen, aus dem ~* loin des yeux, loin du cœur; *geheime(r) ~ (Bedeutung) a.* (fin) mot *m; hohe(r) ~* noblesse *f* d'esprit; **s~betörend** *a* ensorcelant; **~bild** *n* symbole; emblème *m;* **s~bildlich** *a* symbolique; allégorique; *~~ darstellen* symboliser; **s~en** ⟨*sann, gesonnen*⟩ *itr (nachdenken)* méditer (*über etw* sur qc); réfléchir (*über etw.* à qc); *(planen)* méditer (*auf etw* qc); *auf Mittel und Wege ~~* aviser aux moyens; **~en** *n* méditations, réflexions, pensées; rêveries *f pl; sein ganzes ~~ und Trachten* toutes ses pensées; **s~end** *a* méditatif, pensif, rêveur; **~enlust** *f* volupté, sensualité *f;* **~enmensch** *m* homme *m* sensuel; **~enrausch** *m* ivresse *f* des sens; **~enreiz** *m (sinnl. Reiz)* sensualité *f;* **s~entstellend** *a* qui défigure le sens; **~enwelt** *f (sinnlich wahrnehmbare Welt)* monde *m* sensible; **~esänderung** *f* changement *m* d'avis *od* d'opinion, volte-face *f;* **~esart** *f* disposition *od* tournure d'esprit, mentalité *f;* **~eseindrücke** *m pl* impressions *f pl* sensorielles; **~esempfindung** *f physiol* perception *f* sensorielle; **~esorgan** *n* organe *m* sensoriel; *pl a.* organes *m pl* des sens; **~esreiz** *m physiol* excitation *f* d'un *od* des sens; **~esstörung** *f physiol* trouble *m* sensoriel; **~estäuschung** *f* illusion sensorielle, hallucination *f; an ~~en leidend* halluciné; **~eswahrnehmung** *f* perception (sensorielle), sensation *f;* **~eswerkzeug** *n* = *~esorgan;* **s~fällig** *a* évident; *jdm etw ~~ vor Augen führen (fig a.)* faire toucher qc du doigt à qn; **~fälligkeit** *f* évidence *f;* **~gebung** *f* interprétation *f;* **~gedicht** *n* épigramme *m;* **~gehalt** *m (Bedeutung)* sens *m,* signification *f;* **s~gemäß** *a* d'après *od* selon le sens *a. adv;* analogique; *adv* par analogie; **s~ieren** [-ˈniːrən] *itr fam* rêv(ass)er, songer, méditer; **~ieren** *n* rêv(ass)erie, méditation *f;* **s~ig** *a (nachdenklich)* pensif, méditatif, rêveur; *(vernünftig)* sensé, raisonnable; judicieux, ingénieux; *(bedächtig, umsichtig)* réfléchi; **~igkeit** *f* ⟨-, ø⟩ caractère *m* méditatif *od* raisonnable *od* réfléchi; **s~lich** *a physiol (die ~esorgane betreffend)* sensoriel; *(zur ~enlust neigend)* sensuel, charnel, voluptueux; *(körperlich, materiell)* physique, matériel; *~~ wahrnehmbar* perceptible; *~~e Wahrnehmung f* perception *f* sensible; **~lichkeit** *f* ⟨-, ø⟩ *(~enlust)* sensualité, volupté; *philos* matérialité *f; (krankhaft) übersteigerte ~~* érotisme *m;* **s~los** *a (unsinnig)* vide de sens, insensé, stupide; *(widersinnig)* absurde, fou, idiot; *(vergeblich)* vain, inutile; *das ist ~~ = das hat keinen ~; ~~ betrunken* ivre mort; **~losigkeit** *f* non-sens *m;* absurdité, folie *f;* **s~reich** *a (klug erdacht u. ausgeführt)* ingénieux; *(klug)* judicieux; *(geistreich)* spirituel; **~spruch** *m* sentence, maxime *f;* **s~verwandt** *a* synonyme; *~~e(s) Wort n* synonyme *m;* **s~verwirrend** *a* affolant; *(Leidenschaft)* aveuglant; **s~voll** *a* plein de sens, significatif; *(vernünftig)* raisonnable; *(zweckmäßig)* rationnel; **s~widrig** *a* absurde; **~widrigkeit** *f* absurdité *f.*
Sinolog|e *m* ⟨-n, -n⟩ [zinoˈloːgə] *(Chinakundiger)* sinologue *m;* **~ie** *f* ⟨-, ø⟩ [-loˈgiː] sinologie *f.*
Sinter *m* ⟨-s, -⟩ [ˈzɪntər] *geol* concrétion *f; metal* crasses *f pl;* **s~n** ⟨*aux: sein/haben*⟩ *itr (sickern)* suinter, filtrer; *(~ bilden)* former des concrétions; *metal* se crasser; *tr tech* fritter.
Sintflut *f* ⟨-, ø⟩ [ˈzɪnt-] déluge *m; nach mir die ~!* après moi le déluge!
Sipp|e *f* ⟨-, -n⟩ [ˈzɪpə] clan *m; (Verwandtschaft)* parenté *f;* **~enforschung** *f* recherches *f pl* généalogiques, généalogie *f;* **~schaft** *f fam pej* clique, coterie, séquelle, smala(h) *f.*
Sirene *f* ⟨-, -n⟩ [ziˈreːnə] *(Mythologie; fig: Verführerin; Warnvorrichtung)* sirène *f; pl zoo (Seekühe als Ordnung)* siréniens *m pl;* **~ngeheul** *n* hurlement *m* de la sirène; **~ngesang** *m fig (verführerische Worte)* chant *m* de sirène; **s~nhaft** *a (verführerisch)* séduisant, captivant.
Sirup *m* ⟨-s, -e⟩ [ˈziːrup] *(Zucker- u.*

gesüßter Fruchtsaft) sirop *m;* **s~ar-tig** *a* sirupeux.

Sisalhanf *m* ['zi:zal-] sisal *m.*

sistier|en *tr* [sɪs'ti:rən] suspendre; appréhender; **S~ung** *f* suspension; arrestation *f.*

Sisyphusarbeit *f* ['zi:zyfus-] rocher de Sisyphe; collier *m* de misère.

Sitt|e *m* ⟨-, -n⟩ ['zɪtə] coutume *f; (Brauch)* usage *m,* pratique; *(Gewohnheit)* habitude *f; pl a.* mœurs *f pl; nach alter ~~* selon le vieil usage; *gegen die guten ~~n verstoßen* manquer aux convenances; *das ist bei uns so ~~* c'est la coutume chez nous; *das ist jetzt so ~~* c'est entré dans les mœurs; *andere Länder, andere ~~n (prov)* autres lieux, autres mœurs, chaque pays a ses coutumes; *gute(n) ~~n pl* bonnes mœurs *f pl; Verstoß m gegen die guten ~~n* outrage *m* aux bonnes mœurs; *~~n und Gebräuche pl* us et coutumes *pl;* **~enbild** *n,* **~engemälde** *n* tableau *m* de mœurs; **~engeschichte** *f* histoire *f* des mœurs; **~engesetz** *n* loi *f* morale; **~enlehre** *f* éthique, morale *f;* **s~enlos** *a* sans *od* de mauvaises mœurs; *(unmoralisch)* immoral; **~enlosigkeit** *f* liberté des mœurs, immoralité *f;* **~enpolizei** *f* police *f* des mœurs; **~enprediger** *m* moraliseur, prêcheur *m;* **s~enrein** *a* de mœurs pures; **~enreinheit** *f* pureté *f* de(s) mœurs; **~enrichter** *m* censeur *m;* **~enroman** *m* roman *m* de mœurs; **s~enstreng** *a* (de mœurs) austère(s), puritain; **~enstrenge** *f* austérité *f* des mœurs; puritanisme *m;* **~enverderbnis** *f,* **~enverfall** *m* dépravation (des mœurs); décadence, corruption *f;* **s~enwidrig** *a* contraire aux (bonnes) mœurs; **~enzeugnis** *n* certificat *m* de bonne vie et mœurs *od* de bonne conduite; **s~lich** *a* moral; **~lichkeit** *f* ⟨-, ø⟩ moralité *f;* (bonnes) mœurs *f pl;* **~lichkeitsverbrechen** *n* crime *m* sexuel; **~lichkeitsvergehen** *n* délit contre les mœurs, attentat *m* aux mœurs *od* à la pudeur; **s~sam, s~ig** *(vx) a* vertueux, modeste; honnête, sage; pudique; *(Kleidung)* décent; **~samkeit** *f* ⟨-, ø⟩ modestie, honnêteté, décence, réserve, pudeur *f.*

Sitten *n* ['zɪtən] *(Stadt in d. Schweiz)* Sion *f.*

Sittich *m* ⟨-s, -e⟩ ['zɪtɪç] *orn* perruche *f.*

Situation *f* ⟨-, -en⟩ [zituatsi'o:n] situation *f,* état *m* de choses; **~skomik** *f* comique *m* de situation.

Sitz *m* ⟨-es, -e⟩ [zɪts] *(Gegenstand, Vorrichtung)* siège; *bes. theat* fauteuil; *(fig: e-r Firma, e-s Vereins, e-r Regierung; parl: e-s Abgeordneten)* siège; *com a.* siège *m* social; *im ~* en position assise; *s-n ~ aufschlagen* élire domicile; *s-n ~ haben (com, adm)* siéger *(in* à); *~ und Stimme haben* avoir voix au chapitre; *in ...* avoir séance à ...; *e-n ~ erringen (parl)* enlever un siège; **~anordnung** *f* disposition *f* des sièges; **~bad** *n* bain de siège, demi-bain *m;* **~badewanne** *f* baignoire *f* sabot; **~fallschirm** *m* parachute-siège *m;* **~fleisch** *n: kein ~~ haben (fam)* avoir la bougeotte, ne pouvoir rester en place; **~gelegenheit** *f* place *f; (Gegenstand)* siège *m;* **~kissen** *n* rond-de-cuir; *(orientalisches)* pouf *m;* **~platz** *m* place *f* assise; **~reihe** *f* banquette; *theat* rangée *f;* **~schale** *f* fauteuil-corbeille *m;* **~stange** *f (für Hühner)* perchoir, juchoir *m;* **~streik** *m* grève *f* sur le tas; **~versteller** *m* adaptateur *m* de siège(s); **~verteilung** *f parl* (répartition *f* des) sièges *m pl; bisherige ~~* sortants *m pl.*

sitzen ⟨*saß, hat gesessen*⟩ [zɪtsən, za:s, -'zɛsən] *itr* être assis; *(s-n Platz haben)* être placé; *(e-n Sitzplatz haben)* avoir une place (assise); *fam (wohnen, s-n Sitz haben)* habiter; *(Volk)* être établi; *(für ein Bild ~)* poser; *fam (im Gefängnis)* faire de la prison; *(Vogel)* être perché; *(Gegenstand)* être, se trouver; *(fest~)* tenir; *fig (Übel)* résider; *(Kleidung: passen)* aller; *(s-n Zweck erfüllen)* avoir porté, *fam* faire mouche; *an etw ~ (mit etw beschäftigt sein)* s'occuper de qc; travailler à qc; *wie angegossen ~* aller comme un gant; *~ bleiben* rester assis; *zu jds Füßen ~* être aux pieds de qn; *gut ~ (Kleidung)* bien aller, aller juste, coller; *sehr gut ~ (theat fam: e-n sehr guten Platz haben)* être aux premières loges; *immer zu Hause ~* ne pas sortir de chez soi, être casanier *od fam* pantouflard; *fest im Sattel ~ (a. fig)* être bien en selle; *e-n ~ haben (fam: betrunken sein)* avoir sa cuite; *~ lassen* laisser assis, permettre de rester assis; *bleiben Sie ~!* restez assis; *das sitzt! (fam)* c'est bien tourné; **S~** *n* position *od* situation *od fam* station *f* assise; *jdn zum ~~ nötigen* faire asseoir qn; **~≈bleiben** *itr* ⟨*ist sitzengeblieben*⟩ *(beim Tanz)* faire tapisserie; *(keinen Mann kriegen)* rester vieille fille, coiffer sainte Catherine; *(Schule)* redoubler (la classe); *com* ne pas trouver preneur (*auf etw* à qc); *~geblieben sein (Schule)* redoubler (*in e-r Klasse* une classe); **~d** *a* (en position) assis(e); *~~e Lebensweise f* vie *f* sédentaire; **S~gebliebene(r)** *m (Schule)* redoublant *m;* **~≈lassen** ⟨*hat sitzenlassen*⟩ *tr fam* laisser en plan, planter là; *fam (Mädchen nicht heiraten)* plaquer; *etw auf sich ~~ (fig)* avaler *od* dévorer qc.

Sitzung *f* ⟨-, -en⟩ ['zɪtsʊŋ] séance; *jur* audience; *(Kunst)* séance, pose *f; auf der ~* en séance; *bei Beginn der ~* à l'ouverture de la séance *od* de l'audience; *e-e ~ abhalten* od *haben* tenir une séance, siéger; *~ halten (jur)* tenir une audience *od (Schwurgericht)* les assises; *die ~ eröffnen* ouvrir la séance *od* l'audience; déclarer la séance ouverte; *e-e ~ schließen* clore une séance *od* une audience; *die ~ ist geschlossen* la séance est levée; **~sbericht** *m* rapport *od* compte *m* rendu de séance; **~sgeld** *n* jetons *m pl* de présence; **~spause** *f* intersession *f;* **~speriode** *f* session; *(des Schwurgerichts)* assise *f; zwischen den ~~n (a.)* pendant l'intersession; **~sprotokoll** *n* procès-verbal *m* de séance *od* d'audience; **~ssaal** *m* salle de séances *od* de réunion; *jur* salle d'audience, (salle *f* du) tribunal *m;* **~stag** *m* jour *m* de séance *od jur* de palais; **~steilnehmer** *m* conférant *m;* **~szimmer** *n* salle *f* des séances.

Sizili|aner(in *f***)** *m* ⟨-s, -⟩ [zitsili'a:nər] Sicilien, ne *m f;* **s~anisch** [-'lia:nɪʃ] *a* sicilien; **~en** [-'tsi:liən] *n* la Sicile.

Skal|a *f* ⟨-, -len/-s⟩ ['ska:la] *(Maßeinteilung)* échelle (graduée); *(bes. Tonleiter)* gamme *f; (Scheiben~~)* cadran (gradué); *(Stufenfolge)* barème, éventail *m; gleitende ~~ (adm)* barème *m* varié; **~enbereich** *m* gamme *f* d'échelle *od* de l'échelle; **~eneinteilung** *f* graduation *f;* **~enzeiger** *m* aiguille *f* du cadran.

Skalde *m* ⟨-n, -n⟩ ['skaldə] *(altnord. Sänger)* scalde *m.*

Skalp *m* ⟨-s, -e⟩ [skalp] *(Haarschopf mit Kopfhaut)* scalp *m;* **s~ieren** [-'pi:rən] *tr* scalper.

Skalpell *n* ⟨-s, -e⟩ [skal'pɛl] *med* scalpel *m.*

Skandal *m* ⟨-s, -e⟩ [skan'da:l] *(Ärgernis)* scandale; *(Lärm)* tapage, esclandre *m; e-n ~ heraufbeschwören* faire un éclat; *e-n ~ machen (lärmen)* faire du tapage *od* de l'esclandre; **~blatt** *n* feuille *f od* journal *m* à scandale(s); **~chronik** *f* chronique *f* scandaleuse; **s~ös** [-da'lø:s] *a (anstößig)* scandaleux; *(unerhört)* inouï, révoltant; **~presse** *f* presse *f* à scandale.

skandieren [skan'di:rən] *tr (taktmäßig lesen)* scander; **S~** *n* scansion *f.*

Skandinav|ien *n* [skandi'na:viən] la Scandinavie; **~ier(in** *f***)** *m* ⟨-s, -⟩ [-'na:viər] Scandinave *m f;* **s~isch** [-'na:vɪʃ] *a* scandinave.

Skat *m* ⟨-(e)s, -e/-s⟩ [ska:t] *(Kartenspiel)* skat; écarté *m.*

Skelett *n* ⟨-(e)s, -e⟩ [ske'lɛt] squelette *m.*

Skep|sis *f* ⟨-, ø⟩ ['skɛpsɪs], **~tizismus** *m* ⟨-, ø⟩ [-ti'tsɪsmus] scepticisme *m;* **~tiker** *m* ⟨-s, -⟩ ['skɛptikər] sceptique *m;* **s~tisch** ['skɛptɪʃ] *a* sceptique.

Sket(s)ch *m* ⟨-(e)s, -e⟩ [skɛtʃ] *theat* sketch *m.*

Skiff *n* ⟨-(e)s, -e⟩ [skɪf] *sport (Renneiner)* skiff *m.*

Skizz|e *f* ⟨-, -n⟩ ['skɪtsə] *(Kunst)* esquisse *f; (Entwurf)* croquis *m,* maquette, ébauche *f;* **~enbuch** *n* album *m* de *od (neues)* à croquis; **s~enhaft** *a* esquissé, ébauché; **s~ieren** [-'tsi:rən] *tr* esquisser, ébaucher.

Sklav|e *m* ⟨-n, -n⟩ ['skla:ve, 'skla:fə] esclave *m; jdn zum ~~n machen* réduire qn en esclavage; *~~ s-r Arbeit sein* être esclave de son travail; **~enarbeit** *f fig* corvée *f;* **~enhalter** *m* esclavagiste *m;* **~enhandel** *m* trafic *m* des esclaves; traite *f* des nègres; **~enhändler** *m* marchand d'esclaves, négrier *m;* **~enmarkt** *m* marché *m* aux esclaves; **~enschiff** *n* négrier *m;* **~enseele** *f* âme *f* servile;

~erei *f* [-'raı] esclavage *m; in ~~ geraten* od *kommen* tomber *od* être réduit en esclavage; **s~isch** *a* d'esclave; servile; *(peinlich genau, pedantisch)* méticuleux; *adv* méticuleusement.

Sklero|se *f* ⟨-, -n⟩ [skle'ro:zə] *med* sclérose *f; multiple ~~* sclérose *f* en plaques; **s~tisch** [-'ro:tıʃ] *a* scléreux.

skont|ieren [skɔn'ti:rən] *tr fin* escompter; **S~o** *m* od *n* ⟨-s, -s/-ti⟩ ['skɔnto] escompte *m.*

Skontr|ation *f* ⟨-, -en⟩ [skɔntratsi'o:n] *com (Fortschreibung)* relevé *m* de compte; **s~ieren** [-'tri:rən] *tr com* faire un relevé de compte de.

Skorbut *m* ⟨-(e)s, ø⟩ [skɔr'bu:t] *med* scorbut *m;* **s~isch** [-'bu:tıʃ] *a* scorbutique.

Skorpion *m* ⟨-s, -e⟩ [skɔrpi'o:n] *zoo* scorpion; *astr* Scorpion *m.*

Skrib|ent *m* ⟨-en, -en⟩ [skri'bɛnt], **~ifax** *m* ⟨-(es), -e⟩ ['skri:bifaks] *(Vielschreiber)* écrivailleur, plumitif, gratte-papier *m.*

Skrof|el *f* ⟨-, -n⟩ ['skro:fəl] *med* scrofule *f; pl med pop* humeurs *f pl* froides; **s~ulös** [-fu'lø:s] *a* scrofuleux; **~ulose** *f* ⟨-, -n⟩ [-'lo:zə] = *~el.*

Skrupel *m* ⟨-s, -⟩ ['skru:pəl] *(Bedenken)* scrupule *m;* **s~los** *a* sans scrupules, sans aucun scrupule; **~losigkeit** *f* manque *m* de scrupules *od* de conscience, déloyauté *f.*

Skulptur *f* ⟨-, -en⟩ [skulp'tu:r] *(Kunst u. Werk)* sculpture *f.*

Skunk *m* ⟨-s, -s/-e⟩ [skuŋk] *zoo (Stinktier)* mouffette *f; meist pl (~s) (Pelz)* sconse, skons, scons, skuns, skunks *m.*

skurril [sku'ri:l] *a (possenhaft)* bouffon, grotesque.

Slalom *m* ⟨-s, -s⟩ ['sla:lɔm] *(Schi)* slalom *m.*

Slaw|e *m* ⟨-n, -n⟩ ['sla:və], **~in** *f* Slave *m f;* **~entum** *n* ⟨-s, ø⟩ slavisme *m;* **s~isch** *a* slave; **s~isieren** [-vi'zi:rən] *tr* slaviser; **~ismus** *m* ⟨-, -men⟩ [-'vısmus, -mən] *(slaw. Spracheigentümlichkeit)* slavisme *m;* **~ist** *m* ⟨-en, -en⟩ [-'vıst] slavisant *m;* **~istik** *f* ⟨-, ø⟩ [-'vıstık] étude *f* des langues slaves.

Slipper *m* ⟨-s, -⟩ ['slıpər] *(Schuh)* slipper *m.*

Slowak|e *m* ⟨-n, -n⟩ [slo'va:kə], **~in** *f* Slovaque *m f;* **~ei** [-'kaı] , *die* la Slovaquie; **s~isch** [-'va:kıʃ] *a* slovaque.

Slowen|e *m* ⟨-n, -n⟩ [slo've:nə] , **~in** *f* Slovène *m f;* **~ien** *n* [-'ve:niən] la Slovénie; **s~isch** [-'ve:nıʃ] *a* slovène.

Slums *pl* [slams] *(Elendsviertel)* quartier *m* insalubre.

Smaragd *m* ⟨-(e)s, -e⟩ [sma'rakt, -də] *min* émeraude *f;* **s~en** [-dən] *a* d'émeraude; **s~grün** *a* vert émeraude.

Smoking *m* ⟨-s, -s⟩ ['smo:kıŋ] smoking *m.*

Snob *m* ⟨-s, -s⟩ [snɔp] snob *m;* **~ismus** *m* ⟨-, -men⟩ [-'bısmus] snobisme *m;* **s~istisch** [-'bıstıʃ] *a* snob *inv.*

so [zo:] **1.** *(adv d. Art u. Weise)* si, ainsi, comme cela *od* ça, de cette manière, de la sorte, autant; *(am Satzanfang)* voici comment; *~ ein(e)* un(e) tel(le) *od* pareil(le); *(~ etwas wie)* comme un(e); *~ ein Esel!* quel imbécile! *~ etwas* une chose pareille, pareille chose; *~ etwas wie* une espèce de; *~ etwas sagt man nicht* cela ne se dit pas; *~ manche(r, s)* ... tant de ...; *und zwar ~* et voici comment; *~ oder ~* d'une façon ou d'une autre, de manière ou d'autre; bon gré, mal gré; de gré ou de force, vaille que vaille! *bald ~, bald ~* tantôt d'une façon, tantôt d'une autre; *und ~ fort* od *weiter* et ainsi de suite; *nur (mal) ~ (fam)* en jouant, pour jouer, sans trop y réfléchir, sans intention; *wie ..., ~ ...* tel ..., tel ...; *wie du mir, ~ ich dir* je te rends la monnaie de ta pièce; *~, wie* de la manière que, selon que; *~, wie er ist* tel qu'il est; *~(,) daß* de façon (à ce) que; de manière que *od* à *inf,* de (telle) sorte que, si bien que; *~ habe ich es nicht gemeint* ce n'est pas ce que j'ai voulu dire; *~ sagte ich* voilà ce que je dis; *du tust nur ~* ce n'est qu'un faux semblant; *~ lauteten s-e Worte* telles furent ses paroles; *das ist ~* il en est ainsi; *wenn dem ~ ist* s'il en est ainsi; *~ liegen die Dinge* voilà où en est l'affaire; *~ ist das Leben nun mal* c'est la vie; *nicht ~!* pas de ça! *recht ~!* à la bonne heure! *~ siehst du aus!* penses-tu! *~ mußte es kommen!* voilà ce que j'ai dit! **2.** *(adv d. Maßes) (bei a u. adv)* si, aussi, tellement; *~ ... wie* aussi ... que; *~ ..., daß* si ... que; *nicht ~ ... wie* pas (aus)si ... que; *(bei adv u. v)* tant; *~ ... auch* si ... que; *~ bald nicht* pas de sitôt; *um ~ besser (adv)* d'autant mieux; *um ~ besser!* tant mieux! *~ eben (gerade noch)* de justesse; *gerade ~ eben zu sehen sein* ne paraître que comme un point; *~ etwa* od *ungefähr* environ, à peu près; *~ gut wie* ou peu s'en faut *(nachgestellt); (gewissermaßen)* pour ainsi dire; *(beinahe)* presque; *~ gut wie (gar) nichts* presque rien; *~ gut wie einstimmig* à la quasi-unanimité; *~ gut ich kann* de mon mieux; *seien Sie ~ gut und* ... ayez la bonté de ...; *~ (und ~) oft* maintes (et maintes) fois, à maintes reprises; *~ schon* sans cela; *~ sehr* tant, tellement; *~ sehr, daß* ... tant *od* tellement *od* à ce point *od* à tel point que ...; *~ unglaublich es klingen mag,* ... (tout) aussi incroyable que cela puisse paraître, ...; *~ viel* tant; *~ viel ist gewiß, daß* ... ce qu'il y a de certain, c'est que ...; *~ wahr mir Gott helfe!* que Dieu m'assiste! *~ weit gehen zu* ... aller jusqu'à ...; *es (nicht) ~ weit kommen lassen* (ne pas) laisser les choses en venir là; *~ weit das Auge reicht* à perte de vue; *~ weit ist es mit mir gekommen!* voilà où j'en suis! *~ weit ist es noch nicht!* nous n'en sommes pas encore là; *~ ziemlich* à peu près; **3.** *(adv d. Zeit): kaum war ich gegangen, ~ regnete es* à peine m'en étais-je allé qu'il commença à pleuvoir; *es dauerte nicht lange, ~ regnete es* il ne tarda pas à pleuvoir; **4.** *conj (also, folglich)* ainsi, donc; *vx poet (wenn)* s *(denn)* alors; *suchet, ~ werdet il finden* cherchez et vous trouverez; *Gott will* plaise *od* plût à Dieu; **5.** *i terj* bon! voilà! c'est ça! *~, da bin ic wieder!* me revoilà! *~ höre doc* mais écoute donc! *~?* vrai(ment)? e effet? vous croyez? *~, ~!* tiens, tien *ach ~!* ah bon! *~ was!* en voilà de façons!

sobald [zo'balt] *conj* (aus)sitôt *od* dè (l'instant) *od* du moment que *subj.*

Söckchen *n* ⟨-s, -⟩ ['zœkçən] soc quette *f.*

Socke *f* ⟨-, -n⟩ ['zɔkə] chaussette *sich auf die ~n machen (fam)* file décamper; **~nhalter** *m* suppor -chaussettes *m.*

Sockel *m* ⟨-s, -⟩ ['zɔkəl] socle, piédes tal *m; (Fußplatte)* embase *f; (Unte bau)* soubassement *m;* **~platte** dalle *f* d'embasement.

Soda *f* ⟨-, ø⟩ od *n* ⟨-s, ø⟩ ['zo:da] *che* soude *f; mit ~ (~wasser) (Getränk)* l'eau; **~fabrik** *f* soudière *f;* **~wasse** *n* eau *f* gazeuse *od* de Seltz.

sodann [zo'dan] *adv* ensuite, pui alors.

Sodbrennen *n* ['zo:t-] aigreurs *f* (d'estomac); *scient* pyrosis *m.*

Sodomie *f* ⟨-, -n⟩ [zodo'mi:] *ju* bestialité *f.*

soeben [zo'e:bən] *adv (vor e-r Augenblick, gerade)* à l'instan (même), justement; *~ etw getan hc ben* venir de faire qc; *~ erschiene (Buch)* vient de paraître.

Sofa *n* ⟨-s, -s⟩ ['zo:fa] sofa, canapé *n* **~kissen** *n* coussin *m* (de divan).

sofern [zo'fɛrn] *conj (wenn, falls)* s si tant est que; au *od* en cas que *sub ~ nicht* à moins que, sauf lorsque.

Soffitte *f* ⟨-, -n⟩ [zɔ'fıtə] *theat* frise

sofort [zo'fɔrt] *adv* tout de suite, im médiatement, sur-le-champ, à l'ins tant, d'emblée; séance tenante, san délai, sans désemparer; *~ zur Sach kommen* aller droit au fait; *(ich kom me) ~!* j'arrive! **S~bedarf** *m* pénuri *f* immédiate; **S~hilfe** *f* aide *f* im médiate; **~ig** *a* immédiat, promp dans les plus brefs délais; **S~maß nahme** *f* mesure *f* immédiate *o* d'urgence; **S~programm** *n* pro gramme *m* immédiat.

Sog *m* ⟨-(e)s, -e⟩ [zo:k, -gə(s)] *all* aspiration; *mot mar aero* dépressio *f* (sustentatrice).

sogar [zo'ga:r] *adv* même; *ja ~* voir même; et qui plus est; *~ wenn* quan bien même; *~ etw tun* aller jusqu' faire qc.

sogenannte(r,s) ['zo:-] *a* soi-disan *inv; (mit weiterem Attribut)* dit; *de ~ gotische Stil* le style dit gothique *(angeblich)* prétendu, *fam* entr guillemets.

sogleich [zo'glaıç] *adv* = *sofort.*

Sohle *f* ⟨-, -n⟩ ['zo:lə] *(Fuß~)* plante *(Schuh~)* semelle *f; (Tal~, geol)* fon *m; mines* sole *f,* étage, niveau, hori zon *m; auf leisen ~n* à pas de loup **s~n** *tr* mettre une semelle à; **~ngänger** *m zoo* plantigrade *m;* **~nleder** cuir *m* à semelle(s).

Sohn *m* ⟨-(e)s, ¨-e⟩ [zo:n, 'zø:nə] fils

pop gamin *m; des Menschen ~ (Christus)* le fils de l'homme; *der verlorene ~ (Bibel u. allg.)* l'enfant prodigue; **~esliebe** *f* amour *m od* piété *f* filial(e); **Söhnchen** *n* ‹-s, -› ['zø:nçən] jeune fils; *pop* fiston *m.*

Soja *f* ‹-, -jen› ['zo:ja, '-jən] *bot* soya, soja *m;* **~bohne** *f,* **~mehl** *n* graine, farine *f* de soya.

solange [zo'laŋə] *conj* aussi longtemps que, tant que.

Solawechsel *m* ['zo:la-] *fin* billet *m* simple *od* à ordre.

Sol|bad *n* ['zo:l-] *(Vorgang)* bain *m* d'eau salée *(Ort)* eaux *f pl* salines; **~e** *f* ‹-, -n› eau saline; *(Natursalz~~, Mutterlauge)* eau-mère; *(Salzwasser)* eau salée; *(Salzlake)* saumure *f;* **~ei** *n* œuf *m* cuit à l'eau salée; **~quelle** *f* source *f* saline.

solch [zɔlç] *pron: ~ (ein, e), ein ~er, e-e ~e, ein ~es* un tel, une telle; pareil, le; *ein ~er Mensch* un tel homme, pareil homme, un homme pareil; *fam* un homme comme ça; *als ~er* comme tel, en tant que tel; *ich habe ~e Angst, ~en Hunger* j'ai tellement peur, faim; *es gibt ~e und ~e (fam)* il y en a de toutes sortes; **~erart** *a,* **~erlei** ['--'laɪ] *a (= ~e pl)* de tel(le)s, pareil(le)s ...; **~ergestalt** *adv (derart, dermaßen)* de telle façon *od* sorte, tellement.

Sold *m* ‹-(e)s, -e› [zɔlt, '-də] *mil (Löhnung)* solde, paie *od* paye *f,* prêt *m; in jds ~ stehen (fig)* être à la solde de qn; **~buch** *n mil* livret *m* individuel.

Soldat *m* ‹-en, -en› [zɔl'da:t] soldat, militaire; *fam* troupier; *(als Dienstgrad)* (soldat de) 2. classe *m; ~ sein (a.)* être sous les drapeaux; porter les armes; *~ werden* se faire soldat, embrasser la carrière militaire; *(einrükken)* partir au service (militaire); *alte(r) ~* vieux troupier, briscard, brisquard *m; ausgediente(r) ~* vétéran *m; gemeiner, einfacher ~* simple soldat, soldat *m* de deuxième classe; *~ auf Zeit* soldat *m* engagé; **~enehre** *f* honneur *m* militaire; **~enfriedhof** *m* cimetière *m* militaire *od* de guerre; **~enheim** *n* foyer *m* du soldat; **~enkind** *n* enfant *m* de troupe; **~enleben** *n* vie *f* militaire; **~enliebchen** *n* paillasse *f* (de corps de garde) *pop;* **~enrock** *m* uniforme *m;* **~ensprache** *f* argot *m* militaire; **~enstand** *m* état *m* militaire; **~eska** *f* ‹-, -ken› [-da'tɛska] soldatesque *f;* **s~isch** [-'datɪʃ] *a* de *od* du soldat; militaire; soldatesque; martial; *adv* en soldat; *~~e Haltung f, ~~e(s) Auftreten n* comportement *m* militaire; *die ~~en Tugenden* les vertus *f pl* du soldat.

Söld|ling *m* ‹-s, -e› ['zœltlɪŋ] *pej* stipendié *m;* **~ner** *m* ‹-s, -› ['-dnər] mercenaire *m;* **~nerheer** *n* armée *f* de mercenaires.

solid|arisch [zoli'da:rɪʃ] *a* solidaire (*mit* de); *fig* sans division ni discussion; *sich ~~ erklären* se solidariser (*mit* avec); *sich nicht ~~ erklären* se désolidariser (*mit* de); **S~arität** *f* ‹-, ø› [-ri'tɛ:t] solidarité *f;* **S~aritätsgefühl** *n* sentiment *m* de solidarité; **~(e)** [-'li:t, -də] *a (fest, haltbar)* solide; *fin (zuverlässig)* sûr, sérieux; solvable; *(Mensch: ordentlich, mäßig)* rangé; *über ~e Kenntnisse verfügen* avoir du fond; *~e werden* se ranger; *~e Firma f* maison *f* de confiance; *~e gebaut* bâti *od* construit solidement *od* en dur; *~e gearbeitet* fait à profit (de ménage); **S~ität** *f* ‹-, ø› [-di'tɛ:t] solidité; sûreté *f;* caractère *m od* mœurs *f pl* rangé(es).

Solist(in *f***)** *m* ‹-en, -en› [zo'lɪst] *mus* soliste *m f.*

Soll *n* ‹-(s), -(s)› [zɔl] *com* doit *m; mil* situation théorique; *adm* norme *f; sein ~ erfüllen* satisfaire à ses obligations; *~ und Haben* doit et avoir; **~-Bestand** *m (an Menschen)* effectif, *(an Material)* inventaire *m od* dotation *f* théorique *od* prévu(e); **~posten** *m (fin)* poste *m* débiteur; **~saldo** *m (fin)* solde *m* débiteur; **~-Stärke** *f mil* effectif *m* théorique *od* prévu; **~zinsen** *m pl* intérêts *m pl* débiteurs.

sollen *‹ich soll; ich sollte; cond: ich sollte; sollen/gesollt›* ['zɔlən] *itr* **1.** *(die Pflicht haben zu)* devoir; *(Befehl:) du sollst kommen* tu viendras; *(Ungewißheit:) er soll gesagt haben* il aurait dit; *er soll reich sein* on le dit riche; *das soll schwer sein* c'est, paraît-il, difficile; *(Möglichkeit:) sollte er gekommen sein?* serait-il venu? est-ce possible qu'il soit venu? *(Wunsch:) man sollte weniger essen* il faudrait manger moins; **2.** *du sollst nicht töten* tu ne tueras point; *Sie ~ sehen* ... vous allez voir ...; *Sie ~ wissen* ... je veux que vous sachiez ..., sachez ...; *sollten Sie ihn (zufällig) treffen* ... si par hasard vous le rencontrez ...; *das ~ sie unter sich ab-* od *ausmachen* qu'ils se débrouillent entre eux! *man sollte meinen* ... on dirait ...; *es hat nicht sein ~* Dieu ne l'a pas voulu; *wenn es sein soll* s'il le faut; *wenn es regnen sollte* s'il venait à pleuvoir; *soll ich kommen?* veux-tu, voulez-vous que je vienne? *was soll ich tun* od *machen?* que (dois-je) faire? que voulez-vous que je fasse? *was soll ich damit machen* od *(fam) anfangen?* que voulez-vous que j'en fasse? *was soll ich Ihnen sagen?* que vous dirai-je? *wie soll man da nicht lachen?* comment ne pas rire? *was soll das?* qu'est-ce que ça signifie? à quoi bon? *das sollst du mir büßen!* tu me le paieras; *soll er (doch) kommen!* qu'il vienne (donc)! *das soll er mir noch einmal sagen!* qu'il vienne me le redire (encore une fois)! *was soll das heißen?* qu'est que cela veut dire? *und sollte es das Leben kosten!* même au prix de la vie; dussé-je y périr!

solo ['zo:lo] *adv fam (allein)* seul; **S~** *n* ‹-s, -s/-li› *(mus, Tanz)* solo *m;* **S~konzert** *n* récital *m;* **S~krad** *m* moto(cyclette) *f* solo; **S~partie** *f mus* partie *f* récitante; **S~stimme** *f* voix *f* seule; **S~tänzer(in** *f***)** *m* danseur-étoile *m,* danseuse-étoile *f.*

solven|t [zɔl'vɛnt] *a (zahlungsfähig)* solvable; **S~z** *f* ‹-, -en› [-'vɛnts] solvabilité *f.*

somit [so'mɪt] *adv (also, folglich)* ainsi, donc, par conséquent.

Sommer *m* ‹-s, -› ['zɔmər] été *m; im ~* en été; *mitten im ~* en plein été, au fort de l'été; *verregnete(r) ~* été *m* pourri; **~abend** *m* soirée *f* d'été; **~anzug** *m* tenue *f* d'été; **~aufenthalt** *m* séjour *m* estival; villégiature *f;* **~fäden** *m pl* fils *m pl* de la Vierge; **~fahrplan** *m loc* horaire *m* d'été; **~ferien** *pl* vacances *f pl* d'été; **~frische** *f* villégiature; *(Ort)* station *f* estivale *od* d'été; *in der ~~ sein* être en villégiature, villégiaturer; **~frischler** *m* ‹-s, -› estivant, *fam* villégiateur *m;* **~gerste** *f* orge *f* de printemps; **~halbjahr** *n* semestre *m* d'été; **~kleid** *n* robe *f* d'été; **s~lich** *a* estival, d'été, de l'été; *sich ~~ kleiden* se mettre en été; **~mantel** *m* manteau *m* d'été; **~monat** *m* mois *m* d'été; **~residenz** *f* résidence *f* estivale *od* d'été; **~sachen** *f pl* affaires *f pl* d'été; **~schlaf** *m zoo* estivation *f;* **~schlußverkauf** *m* soldes *m pl* de fin d'été; **~semester** *n* semestre *m* d'été; **~sonnenwende** *f* solstice *m* d'été; **~sprossen** *f pl* taches de rousseur *od fam* de son; *scient* éphélides *f pl;* **~tag** *m* jour *m* d'été; **~weg** *m (Seitenstreifen)* bas-côté, accotement *m;* **~weizen** *m* blé *m* de mars; **~wurz** *f bot* orobanche *f;* **~zeit** *f* été *m; adm* heure *f* d'été.

sonach [zo'na:x] *adv = somit.*

Sonat|e *f* ‹-, -n› [zo'na:tə] *mus* sonate *f;* **~ine** *f* ‹-, -n› [-'tinə] *mus* sonatine *f.*

Sond|e *f* ‹-, -n› ['zɔndə] *med mines* sonde *f;* **~engas** *n mines* gaz *m* de tête de sonde; **s~ieren** [-'di:rən] *tr* sonder; *das Terrain ~~ (fig)* tâter *od fam* étudier le terrain; **~ierung** *f* sondage *m.*

sonder ['zɔndər] *prp vx (ohne)* sans; **~bar** *a* étrange, singulier; bizarre, baroque; *(merkwürdig)* curieux; *~~!* (chose) étrange! **~barerweise** *adv* chose étrange; **S~barkeit** *f* étrangeté, singularité; bizarrerie *f;* **~gleichen** *a inv (nachgestellt)* sans pareil; **~lich:** *adv nicht ~~* (ne ...) pas trop; ne ... guère; **S~ling** *m* ‹-s, -e› original, drôle *m* (d'homme *od* d'individu); **~n 1.** *conj* mais (au contraire); *nicht nur ..., ~ auch* ... non seulement ..., mais encore ...; **2.** *tr* séparer, disjoindre; *(aus~~)* trier, faire le départ (*von* de); **S~ung** *f* séparation, disjonction *f;* triage *m.*

Sonder|abdruck *m* ['zɔndər-] *typ* tiré *m* à part; **~abgabe** *f* taxe *f* spéciale; **~abkommen** *n* convention *f* particulière; **~anfertigung** *f (Tätigkeit)* fabrication *f* par pièces *od* hors série; *(Stück)* exemplaire *m* spécial; **~angebot** *n com* offre *f* spéciale; **~anweisung** *f* instruction *f* particulière; **~auftrag** *m* mission *f* spéciale; **~ausbildung** *f* entraînement *m od* instruction *f* spécial(e); **~ausführung** *f* exécution *f* spéciale; **~ausgabe** *f (Buch)* édition *f* spéciale; *fin* extra *m; pl fin* dépenses *f pl* extraordinaires *od* particulières; **~ausschuß** *m* comité *m* spécial; **~beauftragte(r)** *m* mandataire spécial; chargé *m* de mission; **~behandlung** *f* traitement *m* d'exception; **~beilage** *f (Zeitung)* supplément *m* spécial; **~bericht** *m* rapport *m* spécial; **~berichterstatter** *m* envoyé *m* spécial; **~bestimmung** *f* disposition *f* spéciale; **~bestrebungen** *f pl pol* tendances *f pl* séparatistes, séparatisme *m;* **~bevollmächtigte(r)** *m* plénipotentiaire *m* spécial; **~botschafter** *m* ambassadeur *m* extraordinaire; **~bund** *m pol* ligue *f* séparatiste; **~bündelei** *f pol pej* séparatisme *m;* **~bündler** *m* séparatiste *m;* **~dienstgrad** *m mil* assimilé *m* spécial; **~druck** *m* = *~abdruck;* **~einnahmen** *f pl* revenus *m pl* accidentels; **~fall** *m* cas *m* exceptionnel; **~flugzeug** *n* avion *m* spécial; **~frieden** *m* paix *f* séparée; **~führer** *m* = *~dienstgrad;* **~genehmigung** *f* autorisation *f* spéciale; **~gericht** *n* tribunal *m* d'exception *od* spécial; **~interessen** *n pl* intérêts *m pl* particuliers; **~klasse** *f sport* hors-classe *m;* **~konto** *n* compte *m* spécial; **~kurier** *m* messager *m* spécial; **~marke** *f (Briefmarke)* timbre *m* spécial; **~maßnahme** *f* mesure *f* d'exception; **~meldung** *f* communiqué *m* spécial; **~nummer** *f (Zeitung, Zeitschrift)* numéro *m* hors-série *od* spécial; édition *f* spéciale; **~recht** *n* privilège *m;* **~regelung** *f* règlement *m* spécial; **~schule** *f (Hilfsschule)* école *f* pour enfants retardés *od* arriérés; **~sitzung** *f* séance *f* extraordinaire; **~stellung** *f* position *f* privilégiée; *e-e ~~ einnehmen (Person)* jouir d'une position privilégiée; *(Sache)* occuper une place à part; **~urlaub** *m* congé *m od (mil)* permission *f* exceptionnel(le); **~verband** *m mil* formation *od* unité *f* spéciale; **~vereinbarung** *f* accord *m* spécial; **~vollmacht** *f pol* pouvoir *m* spécial; **~zug** *m loc* train *m* spécial; **~zuteilung** *f adm* distribution *f* exceptionnelle.

Sonett *n* ‹-(e)s, -e› [zo'nɛt] *(Gedichtform)* sonnet *m.*

Sonnabend *m* ‹-s, -e› ['zɔnʔa:bənt] samedi *m.*

Sonne *f* ‹-, -n› ['zɔnə] soleil; *poet* astre *m* (du jour); *an* od *in der ~ (im ~nschein)* au soleil; *in glühender ~* sous un soleil écrasant *od* de plomb; *der ~ aussetzen* exposer au soleil, insoler; *die ~ hereinlassen* laisser entrer le soleil; *die ~ kommt durch* le soleil arrive; *die ~ scheint* il fait (du) soleil; *geh mir aus der ~!* ôte-toi de mon soleil!; *die auf-, untergehende ~* le soleil levant, couchant; *von der ~ beschienen* ensoleillé; *ein Platz an der ~* une place au soleil.

sonnen ['zɔnən] *tr* exposer au soleil, insoler; *sich ~* s'exposer *od* se chauffer *od* se prélasser au soleil, prendre un bain de soleil; *fam* lézarder; *sich in s-m Ruhm ~* s'endormir sur ses lauriers.

Sonnen|aufgang *m* ['zɔnən-] lever *m* du soleil; **~bad** *n* bain de soleil; *(Ort)* solarium *m;* **~ball** *m* globe *m* solaire; **s~beschienen** *a* ensoleillé; **~bestrahlung** *f* ensoleillement *m;* **~blende** *f mot phot* visière *f* parasoleil, pare-soleil *m;* **~blendscheibe** *f mot* pare-soleil *m;* **~blick** *m: kurze(r) ~~* échappée *f* de soleil; **~blume** *f* tournesol, hélianthe; *fam* soleil *m;* **~brand** *m med* coup *m* de soleil; **~brille** *f* lunettes *f pl* de soleil; **~dach** *n* marquise *f; mot* toit ouvrant; *mar* tendelet *m;* **~einstrahlung** *f* insolation *f;* **~ferne** *f astr* aphélie *m;* **~finsternis** *f* éclipse *f* solaire *od* de soleil; **~fleck** *m astr* tache *f* solaire; **s~gebräunt** *a* hâlé; **~gott,** *der* Phébus *m;* **s~hell** *a* éclairé par le soleil; clair comme le soleil *od* le jour; **~hitze** *f* chaleur *f* du soleil; *drückende ~~* soleil *m* de plomb; **~jahr** *n astr* année *f* solaire; **s~klar** *a* clair comme le jour *od* de l'eau de roche *od* de source; **~könig,** *der (Ludwig XIV.)* le roi-soleil; **~licht** *n* ‹-(e)s, -ø› lumière *f* du soleil *od* solaire; **~nähe** *f astr* périhélie *m;* **~öl** *n* huile *f* solaire; **~röschen** *n bot* hélianthème *m;* **~scheibe** *f astr* disque *m* solaire; **~schein** *m* (clarté *od* lumière *f* du) soleil *m; im ~~* au soleil; **~scheindauer** *f mete* fraction *f* d'insolation; **~schirm** *m* ombrelle *f,* parasol *m;* **~schutzmittel** *n* produit *m* solaire; **~seite** *f* côté exposé au soleil; *fig* beau côté *m; auf der ~~ (gelegen)* exposé au soleil; **~spektrum** *n* spectre *m* solaire; **~stand** *m* position *f* du soleil; **~stäubchen** *n pl: die ~~ tanzen* le soleil poudroie; **~stich** *m med* coup *m* de soleil, insolation *f;* **~strahl** *m* rayon *m* de *od* du soleil; **~system** *n astr* système *m* solaire; **~tag** *m astr* jour solaire; *(sonniger Tag)* jour de soleil, beau jour *m;* **~tau** *m bot* rossolis *m; scient* drosère *f,* drosera *m;* **~terrasse** *f (Sanatorium)* solarium *m;* **~uhr** *f* cadran solaire, gnomon *m;* **~untergang** *m* coucher *m* du soleil; *bei ~~* au coucher du soleil; **s~verbrannt** *a,* **sonnverbrannt** *a* hâlé, basané; **~wende** *f* solstice *m;* **~zeit** *f* heure *f od (astr)* temps *m* solaire; *mittlere ~~ (astr)* heure moyenne, heure *f* temps moyen.

sonnig ['zɔnɪç] *a* ensoleillé; *fig* radieux, riant.

Sonn|tag *m* ['zɔn-] dimanche *m; am ~~* le dimanche; *jeden ~~* tous les dimanches; **s~täglich** *a* dominical; *sich ~~ anziehen* s'habiller en dimanche; *fam* s'endimancher; **s~tags** *adv* le dimanche; **~- und Feiertage** *m pl: an ~~n* (les) dimanches et jours de fête.

Sonntags|anzug *m* ['zɔnta:ks-] tenue *f* du dimanche; **~arbeit** *f* travail *m* du dimanche; **~ausflug** *m* excursion de dimanche; *fam* évasion *f* dominicale; **~ausflügler** *m* dimanchard *m;* **~dienst** *m: ~~ haben* être de service (de dimanche); *~~ (Hinweis)* médecin *m (Arzt) od* pharmacie *f (Apotheke)* de service; **~fahrer** *m* conducteur *od* chauffeur du dimanche; *pej* chauffard *m;* **~jäger** *m* chasseur *m* du dimanche; **~kind** *n: ein ~~ sein* être né un dimanche; *fig (Glückskind)* être né coiffé; **~kleider** *n pl,* **~staat** *m* habits *od* vêtements *m pl od* toilette *f* du dimanche *od* de fête; **~maler** *m* peintre *m* du dimanche; **~rückfahrkarte** *f* billet de week-end; *(nur am Sonntag gültig)* billet *m* bon dimanche; **~ruhe** *f* repos *m* dominical.

sonst [zɔnst] *adv (andernfalls)* sinon, autrement, sans quoi, faute de quoi, sans cela; ou alors; *(außerdem)* en outre, à part cela; *(gewöhnlich)* d'habitude, d'ordinaire, à l'ordinaire; *fam* normalement; *(früher)* autrefois, en d'autres temps, jadis; *nichts ~* rien d'autre; *wenn es ~ nichts ist* si ce n'est que cela; *~ jemand?* quelqu'un d'autre? *wer* od *wen ~?* qui d'autre? *und was ~?* et puis? *~ noch etwas?* et avec ça? *~ niemand* (ne ....) personne d'autre; *~ nichts* (ne ...) rien d'autre *od* de plus; *~ nirgends* (ne ...) nulle part ailleurs; *~ überall* partout ailleurs; **~ige(r, s)** *a* autre; accessoire; *(irgendwelche(r))* quelconque(s); n'importe le(s)quel(s); *bes. adm* diverse(s); de toute nature; **~wie** *adv* n'importe comment; **~wo** *adv,* **~wohin** *adv* (quelque part) ailleurs (n'importe où).

sooft [zoʼʔɔft] *conj* toutes les fois que.

Soph|ismus *m* ‹-, -men› [zo'fɪsmus, -mən] *philos (Trugschluß)* sophisme *m;* **~ist** *m* ‹-en, -en› [-'fɪst] *(hist philos; Wortverdreher)* sophiste *m;* **~isterei** *f* [-'raɪ] raisonnement *m od* argumentation *f* sophistique; **~istik** *f* ‹-, ø› [-'fɪstɪk] *hist philos* sophistique *f;* **s~istisch** [-'fɪstɪʃ] *a* sophistique.

Sopran *m* ‹-s, -e› [zo'pra:n] *mus* soprano *m.*

Sopraporte *f* ‹-, -n› [zopra'pɔrtə] *(Kunst)* dessus *m* de porte.

Sorg|e *f* ‹-, -n› ['zɔrgə] souci *m; (innere Unruhe)* inquiétude, préoccupation *f; (Kummer)* chagrin *m,* peine *f,* tourment; *(~falt, Eifer)* soin(s *pl*) *m,* sollicitude *f; jdm e-e ~~ abnehmen, jdn von e-r ~~ befreien* délivrer qn d'un souci, tirer une épine du pied à qn; *jdm ~~(n) bereiten* od *machen* causer du *od* des souci(s) à qn; mettre qn en souci, préoccuper qn; *~~n haben a. pop* se faire du mouron *od* de la mousse; *andere ~~n haben (fig)* avoir d'autres chats à fouetter; *sich ~~n machen* se faire du *od* des souci(s) (*um etw* à propos de qc), se faire du mauvais sang *od* de la bile (*wegen etw* pour qc), s'inquiéter (*um etw* de qc); *fam* s'en faire; *um jdn* se faire du souci pour qn; *sich keine ~~n machen* ne pas se faire de soucis, ne s'inquiéter de rien; *sich unnütz(e) ~~n machen (a. fam)* se faire des idées; *um jdn in ~~ sein* être bien en peine pour qn; *~~ tragen* avoir *od* prendre soin, se charger (*für* de); veiller (*für* à; *dafür daß* à ce que *subj*); *das ist meine geringste ~~* c'est le moindre *od fam* le cadet de mes soucis; *lassen Sie das meine*

~~ *sein!* j'en fais mon affaire; *seien Sie ohne ~~! keine ~~!* ne vous inquiétez pas; *fam* ne vous en faites pas; **s~en** *itr* avoir *od* prendre soin (*für* de); pourvoir (*für* à); se charger (*für* de); veiller (*dafür, daß* à ce que *subj*); *sich ~~* se soucier, s'inquiéter, se tourmenter, être en peine (*um* de); être inquiet (*um* pour); *für jdn zu ~~ haben* avoir qn à sa charge; *ich werde dafür ~~* j'y veillerai; *dafür ist ge~t* on y a pourvu; *es ist dafür ge~t, daß die Bäume nicht in den Himmel wachsen (prov)* on ne saurait chanter plus haut que la bouche; **s~enfrei** *a* sans souci; *~~ sein* ne pas avoir de soucis; **~enkind** *n* enfant qui cause beaucoup de soucis; *fig* (grand) souci *m;* **~enlast** *f: e-e ~~ tragen* être accablé de soucis; **s~enlos** *a = s~enfrei;* **s~envoll** *a* soucieux, accablé *od (Leben)* plein de soucis; **~falt** *f* ‹-, ø› ['zɔrk-] soin *m,* sollicitude, diligence, attention; *(Gründlichkeit)* minutie, exactitude *f; (Gewissenhaftigkeit)* scrupules *m pl; ~~ verwenden, auf* apporter *od* mettre du soin à; **s~fältig** *a* soigneux, diligent, attentif; *(gründlich)* minutieux, exact; *(gewissenhaft)* scrupuleux, méticuleux; *(Arbeit)* soigné; *~~ (aus)arbeiten (a. fam)* fignoler; **s~lich** *a (~fältig)* soigneux; **s~los** *a* insouciant, sans soucis; *(nachlässig)* négligent; *(leichtsinnig)* nonchalant, léger; *~~e(r) Mensch m* sans-souci *m;* **~losigkeit** *f* ‹-, ø› insouciance *f,* sans-souci *m;* négligence, incurie; nonchalance, légèreté *f;* **s~sam** *a (~fältig)* soigneux; *(umsichtig)* attentif, attentionné, circonspect; *(behutsam, vorsichtig)* précautionneux; **~samkeit** *f* ‹-, ø› *(Verhalten)* soins *m pl,* attentions *f pl; (Eigenschaft)* caractère *m* soigneux.

Sorgh|o *m* ‹-s, -s›, **~um** *n* ‹-s, -s› ['zɔrgo, '-gum] *(Mohrenhirse)* mil d'Inde *od* d'Afrique *od* à épis, blé *m* de Guinée.

Sort|e *f* ‹-, -n› ['zɔrtə] sorte; *(Marke)* marque; *(Art)* espèce *f (a. Geld),* genre, type *m; (Qualität)* qualité; *bot* variété *f; (Wein)* cru *m; pl (Geld)* espèces monnayées, monnaies *f pl* étrangères; *von allen ~~n* de toutes sortes; *von der besten ~~ (Wein) a.* de derrière les fagots; **~enverzeichnis** *n fin* liste *f* des espèces; **~enzettel** *m fin* bordereau *m* d'espèces; **s~ieren** [-'ti:rən] *tr* trier; *(nach Sorten zs.stellen)* assortir; *(ordnen)* classer, ranger; **~ierer(in** *f***)** *m* ‹-s, -› trieur, se *m f;* **~iermaschine** *f* trieuse *f;* **~ierung** *f* tri(age); classement *m;* **~iment** *n* ‹-(e)s, -e› [-ti'mɛnt] *com* assortiment *m; (Buchhandel)* (livres *m pl* d')assortiment *m;* **~iment(sbuchhändl)er** *m* libraire *m* d'assortiment; **~imentsbuchhandlung** *f* librairie *f* d'assortiment.

sosehr [zo'ze:r] *conj* quel(le) que soit *subj; ~ ich das wünsche* quel que soit mon désir.

soso [zo'zo:] *1. adv fam: (so la la)* (comme ci) comme ça, couci-couci, couci-couça; cahin-caha; tel quel; tant bien que mal; **2.** *interj* ah ah!

Soße *f* ‹-, -n› ['zo:sə] sauce *f;* **~nfond** *m* velouté *m;* **~nkelle** *f,* **~nlöffel** *m* louche *f* à sauce; **~nkoch** *m* saucier *m;* **~nnapf** *m,* **~nschüssel** *f* saucière *f.*

Souffl|eur *m* ‹-s, -e› [zu'flø:r], **~euse** *f* ‹-, -n› [-'flø:zə] *theat* souffleur, se *m f;* **~eurkasten** *m* trou *m* du souffleur; **s~ieren** [-'fli:rən] *tr (einblasen)* souffler (*jdm etw* qc à qn).

soundso ['zo:ʔunt'zo:] *adv (unbestimmt wie)* n'importe comment; *~ groß* d'une certaine grandeur; *Herr S~* M. Un tel, M. Chose, M. Machin; *Frau S~* Madame Une telle.

Soutane *f* ‹-, -n› [zu'ta:nə] *rel* soutane *f.*

Souterrain *n* ‹-s, -s› [zutɛ'rɛ̃:, 'zu:tɛrɛ̃] *arch (Kellergeschoß)* sous-sol *m.*

souverän [zuvə'rɛ:n] *a pol* souverain; **S~** *m* ‹-s, -e› souverain *m;* **S~ität** *f* ‹-, ø› [-rɛni'tɛ:t] souveraineté *f.*

soviel [zo'fi:l] **1.** *adv* tant; *fam* tant que ça; *~ wie* od *als* autant que; *noch einmal* od *doppelt, dreimal ~* deux, trois fois autant; *das heißt ~ wie* autant dire que; *~ ist sicher* od *steht fest, daß* ce qui est certain, c'est que; toujours est-il que; *~ Köpfe, ~ Sinne (prov)* autant de têtes, autant d'avis; **2.** *conj* autant que *subj; ~ ich weiß, ~ mir bekannt ist* (autant) que je sache; à ce que je sais.

soweit [zo'vaɪt] **1.** *adv* jusqu'à un certain point; *~ wie* od *als* autant que; *~ wie möglich* autant que possible, autant que faire se peut; *~ erforderlich* si besoin est, en cas de besoin; *bist du ~?* es-tu prêt? *es ist ~* ça y est; *~ sind wir noch nicht* nous n'en sommes pas encore là; **2.** *conj* autant que *subj; ~ ich mich erinnere* autant qu'il m'en souvienne; *~ es mir meine Mittel erlauben* dans la mesure de mes moyens; *~ es in meiner Macht steht* pour autant qu'il est en mon pouvoir; *~ es sich um ... handelt* en ce qui concerne ... ; *~ nichts Besonderes vereinbart ist* sauf convention spéciale.

sowenig [zo've:nɪç] **1.** *adv* tout aussi peu que, pas plus que; *~ wie möglich* aussi peu que possible; *ich habe ~ Geld wie du* je n'ai pas plus d'argent que toi; *ich weiß es ~ wie du* je n'en sais pas plus que toi; **2.** *conj* pour le peu que *subj; ~ ich das einsehen kann* pour le peu que je puisse comprendre *od* voir cela.

sowie [zo'vi:] *conj = sobald;* **~so** [-vi'zo:] *adv* de toute(s) façon(s) *od* manière(s), d'une façon comme de l'autre, en tout cas.

Sowjet *m* ‹-s, -s› [zɔ'vjɛt, 'zɔ-] *(Volksvertretung in d. ~union)* soviet *m; die ~s pl (meist: Bewohner der ~union)* les Soviétiques *m pl; der Oberste ~* le Soviet suprême; **s~isch** [-'vje:tɪʃ] *a* soviétique; **~regierung** *f* gouvernement *m* soviétique; **~republik** *f* république *f* soviétique; **~rußland** *n* la Russie Soviétique; **~union,** *die* l'Union *f* soviétique; **s~zonal** *a* de la zone soviétique; **~zone** *f* zone *f* soviétique.

sowohl [zo'vo:l] *conj: ~ ... als* od *wie (auch)* non seulement . . ., mais encore; aussi bien ... que; et ... et.

Sozi *m* ['zo:tsi] *pej* social-démocrate *m.*

sozial [zotsi'a:l] *a* social; *(öffentlich)* public; *~e(n) Einrichtungen f pl* avantages *m pl* sociaux; *~e(s) Empfinden n* sens *m* social; *~e Ordnung f* ordre *m* social; *~e(r) Wohnungsbau m (Organisation)* habitations *f pl* à loyer modéré; **S~abgaben** *f pl* versements *m pl od* contributions au titre des assurances sociales; **S~amt** *n* assistance *f* publique; **S~demokrat** *m* social-démocrate *m;* **S~demokratie** *f* social-démocratie *f;* **~demokratisch** *a* social-démocrate; *S~~e Partei f Deutschlands (SPD)* Parti *m* social-démocrate allemand; **S~gefüge** *n* structure *f* sociale; **S~gesetzgebung** *f* législation *f* sociale; **~isieren** [-li'zi:rən] *tr* socialiser; **S~isierung** *f* socialisation *f;* **S~ismus** *m* ‹-, ø› [-'lɪsmus] socialisme *m;* **S~ist** *m* ‹-en, -en› [-'lɪst] socialiste *m;* **~istisch** [-'lɪstɪʃ] *a* socialiste; *S~~e Einheitspartei Deutschlands (SED)* Parti *m* socialiste unifié allemand; **S~lasten** *f pl* charges *f pl* sociales; **S~leistung** *f* prestation *f* (de sécurité) sociale; **S~ökonomie** *f* économie *f* sociale; **S~partner** *m pl* partenaires *m pl* sociaux; organisations *f pl* patronales et syndicales; **S~politik** *f* politique *f* sociale; **S~produkt** *n* produit *m* social; **S~reform** *f* réforme *f* sociale; **S~reformer** *m* réformateur *m* social; **S~rentner** *m* rentier *m* de l'assurance sociale; **S~versicherung** *f* assurance *f* sociale; **S~werk** *n* œuvres *f pl* sociales; **S~wissenschaften** *f pl* sciences *f pl* sociales, sociologie *f.*

Soziolog|e *m* ‹-n, -n› [zotsio'lo:gə] sociologue *m;* **~ie** *f* ‹-, ø› [-lo'gi:] sociologie *f;* **s~isch** [-'lo:gɪʃ] *a* sociologique.

Sozius *m* ‹-, -sse› ['zo:tsius, -ə] *(Genosse)* compagnon; *com (Teilhaber)* associé; *mot (Beifahrer)* occupant *m* du siège arrière; **~sitz** *m* siège arrière, tan-sad *m.*

sozusagen [zotsu'za:gən] *adv* pour ainsi dire *od* parler; *fam* comme qui dirait.

Spachtel *m* ‹-s, -› od *f* ‹-, -n› ['ʃpaxtəl] spatule *f;* couteau *m* à reboucher; *(zum Farbenmischen)* amassette *f; med* abaisse-langue *m;* **s~n** *tr* spatuler; reboucher avec le couteau; *itr fam (tüchtig essen)* bien croûter, faire bonne chère.

Spagat *m* ‹-(e)s, -e› [ʃpa'ga:t] *dial (Bindfaden)* ficelle *f; m* od *n* ‹-(e)s, -e› *sport* grand écart *m.*

späh|en ['ʃpɛ:ən] *itr* guetter *a. mil;* être aux aguets, avoir l'œil au guet; épier, espionner (*nach etw* qc); **S~er** *m* ‹-s, -› *allg* guetteur; *mil* éclaireur, patrouilleur *m;* **S~erblick** *m* regard *m* scrutateur; **S~trupp** *m* patrouille *f* de reconnaissance, détachement *m* d'éclaireurs; **S~trupptätigkeit** f: (lebhafte) ~~ (vive) activité f de patrouilles.

Spalier n ‹-s, -e› [ʃpa'li:r] agr espalier m; (Wein~) treille f; ~ bilden od stehen (fig) faire od former la haie; **~baum** m arbre m en espalier; **~obst** n fruits m pl d'espalier; **~wand** f palissage, refend m.

Spalt m ‹-(e)s, -e› [ʃpalt] fente, crevasse; (Sprung) fêlure; (Mauerriß) fissure, lézarde; geol faille; (Fenster-, Türöffnung) ouverture f; **s~bar** a fissile, fissible, fissionnable; ~~e(s) Material n (phys) matière f fissile; **~barkeit** f fissilité f; **~e** f ‹-, -n› fente, crevasse; (im Brot) grigne; typ colonne; dial (Scheibe, Schnitz) rondelle f, quartier m; in der 2. ~~ en deuxième colonne; **s~en** ‹spaltete; gespalten/gespaltet› tr fendre, scinder, fissurer; bes. fig diviser, dissocier; min cliver; chem décomposer; (Atom) fissionner, désintégrer; sich ~~ se fendre, se crevasser, se scinder; (Mauer) se fissurer, se lézarder; fig se diviser, se dissocier; **~en** n fendage; clivage m; **~enbreite** f, **~enhöhe** f typ largeur, hauteur f de colonne; **s~enlang** a typ de plusieurs colonnes; **~enlinie** f typ filet m; **~ensteller** m (Schreibmaschine) margeur m; **s~enweise** adv typ par colonnes; **~er** m pol scissionniste m; **~ertätigkeit** f pol activités f pl scissionnistes; **~fuß** m zoo pied m fendu; **~holz** n, **~leder** n bois, cuir m de refend; **~pilze** m pl schizomycètes m pl, bactériacées f pl; **~produkt** n produit p de fission od de dédoublement; **~ung** f fission (a. d. Atomkerns); chem décomposition f; med psych dédoublement m; fig division, dissociation; bes. pol scission; rel (Glaubens~~) dissidence f; (Kirchen~~) schisme m; **~ungsreaktion** f phys réaction f de fission; **~ungsirresein** n med folie f discordante; **~verfahren** n phys procédé m de fission.

Span m ‹-(e)s, ¨-e› [ʃpa:n, 'ʃpɛ:nə] copeau; (auch von Metall) éclat m; pl (Feilspäne) limaille, planure f.

Spanferkel n ['ʃpa:n-] cochon m de lait.

Spange f ‹-, -n› ['ʃpaŋə] agrafe, boucle; (Haar- u. Schmuck~) barrette; (Ordensschnalle) brochette f; **~nschuh** m soulier m à bride.

Span|ien n ['ʃpa:niən] l'Espagne f; **~ier(in f)** m ‹-s, -› [-niər] Espagnol, e m f; **s~isch** ['ʃpa:nɪʃ] a espagnol; (das) S~~(e) n l'espagnol m; das kommt mir ~~ vor (fig fam) ça me paraît étrange; ~~e(r) Reiter m (mil) cheval m de frise; ~~e Spracheigentümlichkeit f hispanisme m; ~~e Wand f paravent m; **~~-amerikanisch** a hispano-américain.

Spann m ‹-(e)s, -e› [ʃpan] anat cou-de-pied, dos m du pied; **~riemen** m (am Schuh) tire-pied m.

Spann|backe f ['ʃpan-] mors m; **~beton** m béton m précontraint; **~betonbrücke** f, **~betonstraße** f pont m, route f en béton précontraint; **~draht** m hauban, (fil) tendeur m; **~e** f ‹-, -n› (altes Maß: gespreizte Hand) empan; (Abstand) écart m; (Handels~~) marge f; **s~en** tr (é)tendre, (é)tirer; (Feder, Bogen) bander; (straffen) raidir; (ein~~, einklemmen) serrer; (Schußwaffe) armer; itr (straff sitzen, von e-m Kleidungsstück) serrer, tirer, être trop juste; gêner; fig (sehnlich erwarten) attendre impatiemment; s-e Erwartungen zu hoch ~~ avoir des prétentions exagérées; auf die Folter ~~ (bes. fig) mettre à la torture; vor den Wagen ~~ atteler à la voiture; **s~end** a (Erzählung) captivant, palpitant, passionnant; sich ~~ lesen être d'une lecture captivante; **~er** m ‹-s, -› (~vorrichtung, a. Hosen~~) tendeur; tech raidisseur; (Schuh~~) embauchoir; (Zeitungs~~) porte-journal; mot fixe-au-toit m; ent phalène f; (Späher) guetteur m; **~feder** f tech ressort m (de tension od tendeur); **~futter** n tech mandrin m (de serrage); **~klaue** f, **~kloben** m, **~kluppe** f = ~backe; **~kraft** f élasticité, force élastique; phys tension; physiol tonicité f; psych ressort m; **~lack** m enduit m tendeur; **~(n)agel** m cheville f ouvrière; **~rahmen** m châssis-tendeur, étendoir m; **~riegel** m tirant, entrait m; **~ring** m anneau m tendeur; **~rolle** f poulie f de tension; **~schloß** n tendeur m (de câble); **~schraube** f écrou-tendeur m; **~seil** n câble m tendeur; **~tau** n (Trosse) amarre f; **~turm** m aero caban m; **~ung** f tension f, a. el u. fig; el voltage; potentiel m; fig tension, attention soutenue; impatience f, vif intérêt m, curiosité f extrême; film suspense m; in ~~ (fig) captivé, impatient; unter ~~ (el) sous tension, vif; die ~~ erhöhen (fig) augmenter la curiosité od l'impatience; in ~~ halten (fig) captiver; jdn in atemloser ~~ halten prendre qn à la gorge; verminderte ~~ (med) hypotonie f; **s~ungführend** a el sous tension; **~ungsfeld** n: im ~~ gegensätzlicher Kräfte stehen (fig) être soumis à des efforts contraires; **s~ungsgeladen** a fig = s~end; **~ungsmesser** m el voltmètre m; **~ungsregler** m el régulateur m de tension od de potentiel; **~ungsteiler** m el réducteur m; **~weite** f (Flügel u. fig) envergure; (Brücke) portée, travée, ouverture f.

Spant n [ʃpant] ‹-(e)s, -en› a. m ‹-(e)s, -s› mar aero couple m.

Spar|brenner m ['ʃpa:r-] tech veilleuse f; **~buch** n livret m d'épargne; **~büchse** f tirelire f; **~einlage** f dépôt m d'éparge; **~einstellung** f tech réglage m économique; **s~en** tr allg épargner, économiser (an sur); (aufheben, zurücklegen) mettre de côté; (zurückhalten, schonen) épargner, ménager; itr faire od réaliser des économies; thésauriser; an etw nicht ~~ faire bon marché de qc; mit etw ~~ être économe de qc; keine Mühe ~~ ne pas ménager sa peine od ses efforts; ~~ Sie sich die Mühe zu ... ne prenez pas la peine de ... ; spare in der Zeit, so hast du in der Not! (prov) il faut garder une poire pour la soif; **~en** n épargne, économie f; **~er** m ‹-s, -› épargnant m; die kleinen ~~ la petite épargne; **~geld (-er pl)** n économies, épargnes f pl; **~groschen** m pl fam (Ersparnis) boursicaut, boursicot m; **~guthaben** n (dépôt od avoir dans une caisse od sur) compte m d'épargne; kleine(s) ~~ petite épargne f; **~herd** m fourneau m économique; **~kasse** f caisse f d'épargne; **~kassenbuch** n livret m de caisse d'épargne; **~konto** n compte m d'épargne; **~marke** f timbre m d'épargne; **~maßnahme** f mesure f d'économie od de compression budgétaire; **s~sam** a (Mensch) économe, ménager, regardant; (Sache im Verbrauch) économique; adv économiquement, à l'économie, avec économie; ~~en Gebrauch von etw machen user discrètement de qc; mit etw ~~ umgehen être économe de qc, ménager qc; **~samkeit** f ‹-, ø› économie f; kleinliche od übertriebene od unangebrachte ~~ parcimonie, économie f de bouts de chandelle; **~strumpf** m fig bas m de laine; **~tätigkeit** f épargne f; **~versicherung** f assurance-épargne, assurance-capitalisation f; **~vertrag** m contrat m d'épargne.

Spargel m ‹-s, -› ['ʃpargəl] bot asperge f; (Küche) asperges f pl; **~beet** n aspergerie f; **~kohl** m brocoli m; **~kopf** m pointe f d'asperge; **~messer** n coupe-asperges m; **~spitzen** f pl (Küche) pointes f pl d'asperge(s); **~suppe** f potage m aux asperges, crème f d'asperges.

spärlich ['ʃpɛ:rlɪç] a (dünngesät) rare, clairsemé; (ärmlich, dürftig) maigre, pauvre, chiche; modeste; (Nahrung, Mahlzeit) frugal; (unzureichend) insuffisant; (Geldmittel) réduit; pl (wenige) a. peu de ...; **S~keit** f rareté; pauvreté; frugalité; insuffisance f.

Sparren m ‹-s, -› ['ʃparən] (Dach~) chevron m; e-n ~ zuviel haben (fig) avoir le timbre fêlé, avoir un grain; **~werk** n chevronnage m.

Sparta n ['ʃ(s)parta] geog hist Sparte f; **~ner(in f)** m ‹-s, -› [-'ta:nər] Spartiate m f; **s~nisch** [-'ta:nɪʃ] a spartiate; adv: (mit) ~~(er Strenge od Einfachheit) à la spartiate; ~~e Lebensweise f vie f austère.

Spartakist m ‹-en, -en› [ʃ(s)parta'kɪst] pol spartakiste m.

Sparte f ‹-, -n› ['ʃpartə] (Abteilung) section f; (Gebiet) secteur, domaine m; (Fach, Wissens-, Geschäftszweig) branche, spécialité f; com rayon m.

Spartgras n ['ʃpart-] bot alfa m.

spasm|isch ['spasmɪʃ] a med (krampfhaft) spasmodique; **S~us** m ‹-, -men› ['spasmus, -mən] (Krampf) spasme m.

Spaß m ‹-ßes, ¨-ße› [ʃpa:s, 'ʃpɛsə] (Vergnügen) plaisir, amusement, divertissement m; (Scherz) plaisanterie, raillerie, pop rigolade f; (Schäkerei) badinage m; aus od zum ~ par plaisanterie, pour plaisanter, pour s'amuser, pour rire; *sich den ~ leisten* se donner la comédie; *~ machen (Mensch: scherzen)* plaisanter; *pop* rigoler; *(schäkern)* badiner; *(Sache: angenehm sein)* faire plaisir (*jdm* à qn); amuser (*jdm* qn); *s-n ~ mit jdm treiben* s'amuser *od* se moquer de qn; *jdm den ~ verderben* gâter *od* gâcher le plaisir à qn *od* de qn; *~ verstehen* od *vertragen* comprendre *od* entendre *od* goûter la plaisanterie, entendre (la) raillerie; *das macht mir ~ (a.)* cela m'amuse; *die Sache macht mir ~* le jeu me plaît; *das war nur ~* c'était une (simple) plaisanterie, ce n'était pas sérieux; *das ist ein teurer ~ (fam)* c'est une plaisanterie qui coûte cher; *das geht über den ~, das ist (schon) kein ~ mehr* cela passe la plaisanterie; *Sie machen mir ~! (iron)* vous en avez une santé! *pop; viel ~!* amuse-toi, amusez-vous bien! *~ beiseite!* plaisanterie *od* blague à part! trêve de plaisanterie! *schlechte(r) ~* mauvaise plaisanterie *f;* **s~en** *itr (scherzen)* plaisanter, railler, se moquer; *fam* blaguer; *pop* rigoler; *nicht mit sich ~~ lassen* ne pas entendre raillerie; *damit ist nicht zu ~~* on ne plaisante *od* badine pas avec cela; **s~eshalber** *adv = aus* od *zum ~;* **s~haft** *a,* **s~ig** *a* plaisant, amusant; divertissant; *pop* rigolo; *(drollig)* drôle, facétieux; **~macher** *m,* **~vogel** *m* plaisant, amuseur, facétieux, farceur, blagueur, rigoleur; *pop* rigolard, rigolo *m;* **~verderber** *m* gâcheur, trouble-fête *m.*

Spat *m* ⟨-(e)s, -e/⸚e⟩ [ʃpa:t, 'ʃpɛ:tə] **1.** *min* spath *m.*

Spat *m* ⟨-(e)s, ø⟩ [ʃpa:t] **2.** *vet* éparvin *m.*

spät [ʃpɛ:t] *a attr* tardif, avancé; *adv* tard; *erst ~* sur le tard; *zu ~* trop tard; *~ in der Nacht* tard *od* bien avant dans la nuit; *am ~en Abend* tard le soir *od* dans la soirée; *bis in die ~e Nacht (hinein)* jusqu'à une heure avancée de la nuit; *jdn fragen, wie ~ es ist* demander l'heure à qn; *zu ~ kommen* être en retard; *es ist schon ~* il est déjà tard, l'heure est avancée; *es wird ~* il se fait tard; *wie ~ ist es?* quelle heure est-il? *besser ~ als nie (prov)* mieux vaut tard que jamais; **~abends** *adv = am ~en Abend;* **~er** *a* postérieur, ultérieur (*als* à); futur, à venir; *adv* plus tard; *nicht ~~ als* au plus tard (*um 3 Uhr* à 3 heures); *einige Zeit ~~* à quelque temps de là; *bis ~~!* à tantôt! *~~e Geschlechter n pl* les générations *f pl* futures *od* à venir; **~erhin** *adv* plus tard; **~estens** *adv* au plus tard; **S~folgen** *f pl med* suites *f pl* éloignées; **S~frost** *m (im Frühjahr)* gelée *f* tardive; **S~geburt** *f* accouchement *m* retardé; **S~gotik** *f* gothique *m* flamboyant; **S~herbst** *m* arrière-automne *m;* **S~ling** *m* ⟨-s, -e⟩ tard-venu, e *m f; (Kind)* tardillon; fruit *m* tardif; **S~nachmittag** *m: am ~~* tard dans l'après-midi; **S~obst** *n* fruits *m pl* tardifs; **~reif** *a* tardif; **S~schicht** *f: ~~ haben* être de l'après-midi; **S~sommer** *m* arrière-saison *f; im ~~* vers la fin de l'été; *(Altweibersommer)* été *m* de la Saint-Martin; **S~zündung** *f mot* allumage *m* retardé.

Spatel *m* ⟨-s, -⟩ od *f* ⟨-, -n⟩ ['ʃpa:təl] = *Spachtel.*

Spaten *m* ⟨-s, -⟩ ['ʃpa:tən] bêche *f; mit dem ~ umgraben* bêcher; **~stich** *m* coup *m* de bêche *od* de pelle.

Spatz *m* ⟨-en/(-es), -en⟩ [ʃpats] moineau; *fam* pierrot *m; fig fam (schwächlicher Mensch)* mauviette *f; wie ein ~ essen* avoir un appétit de moineau *od* d'oiseau; *die ~en pfeifen es von den Dächern* on le crie sur les toits, c'est un secret de Polichinelle; *ein ~ in der Hand ist besser als e-e Taube auf dem Dach (prov)* un «tiens» vaut mieux que deux «tu l'auras»; **~enbeine** *n pl: ~~ haben (fig)* avoir des jambes de coq; **~enhirn** *n fig* cervelle d'oiseau, tête *f* de linotte.

spazier|en ⟨*aux: sein*⟩ [ʃpa'tsi:rən] *itr* se promener; **~en⸗fahren** *itr* se promener (*mit dem Rad* à bicyclette, *mit dem Wagen* en voiture); **~en⸗führen** ⟨*hat spazierengeführt*⟩ *tr* promener; **~en⸗gehen** *itr* (aller) se promener, faire une promenade, prendre l'air; **~en⸗reiten** *itr* se promener à cheval; **S~fahrt** *f* promenade *f* à bicyclette, en voiture *od* en auto; **S~gang** *m* promenade *f; auf langen* od *weiten S~gängen* dans de longues promenades; **S~gänger** *m* promeneur *m;* **S~ritt** *m* promenade à cheval, chevauchée *f;* **S~stock** *m* canne *f.*

Specht *m* ⟨-(e)s, -e⟩ [ʃpɛçt] *orn* pic *m.*

Speck *m* ⟨-(e)s, -e⟩ [ʃpɛk] lard; *typ* beurre *m; Stück n ~* lardon *m; ~ ansetzen (fam)* faire *od* prendre de la graisse, prendre de l'embonpoint, grossir; *durchwachsene(r) ~* petit lard, lard *m* maigre; **~grieben** *f pl* cretons *m pl* (de lard); **~hals** *m* cou *m* fort *od* gros; **s~ig** *a (fett)* lardeux, gras; *(fettig)* graisseux; **~scheibe** *f* tranche *f* de lard; **~schnitte** *f* barde *f; mit ~~n bewickeln* barder; **~schwarte** *f* couenne *f;* **~seite** *f* bande *f* (de lard); **~stein** *m min* pierre *f* de lard; **~streifen** *m* lardon *m.*

sped|ieren [ʃpe'di:rən] *tr (verfrachten)* expédier; *(befördern)* envoyer; **S~iteur** *m* ⟨-s, -e⟩ [-di'tø:r] *(Fuhrunternehmer)* expéditeur, transporteur (routier), entrepreneur *m* de transports *od* de déménagements; **S~ition** *f* ⟨-, -en⟩ [-tsi'o:n] expédition *f;* transport, camionnage, factage, roulage *m; (als Gewerbe)* industrie *f* routière; **S~itionsfirma** *f,* **S~itionsgeschäft** *n* entreprise de transports *od* de déménagement, maison *f* de transit; **S~itionskosten** *pl* frais *m pl* d'expédition.

Speer *m* ⟨-(e)s, -e⟩ [ʃpe:r] lance *f; (Wurfspieß)* épieu; *bes. sport* javelot *m;* **~werfen** *n* lancement *m* du javelot; **~werfer** *m* lanceur *m* de javelot.

Speiche *f* ⟨-, -n⟩ ['ʃpaıçə] rayon, rai; *anat* radius *m; in die ~n greifen (fig)* donner un coup de main, mettre la main à la pâte; **~nnippel** *m* écrou *m* de rayon; **~nspanner** *m* serre-rayon *m.*

Speichel *m* ⟨-s, ø⟩ ['ʃpaıçəl] salive *f; (Auswurf)* crachat *m; (Geifer)* bave *f; ~ absondern* saliver; **~drüse** *f* glande *f* salivaire; **~fluß** *m physiol* salivation; *scient* sialisme, ptyalisme *m;* **~lecker** *m fig* lécheur, lèche-bottes, flagorneur *m.*

Speicher *m* ⟨-s, -⟩ ['ʃpaıçər] *(Dachboden, Getreide~)* grenier; *(Groß~)* silo; *(Lagerraum)* magasin, entrepôt *m;* **~fähigkeit** *f (Elektronik)* capacité *f* d'enregistrement; **~kraftwerk** *n* usine *f* d'accumulation; **s~n** *tr* stocker; ensiler; emmagasiner, entreposer; *(Elektronik)* enregistrer; **~röhre** *f* tube *m* enregistreur; **~ung** *f* stockage; ensilage; emmagasinage *m; (Elektronik)* mise *f* en mémoire.

spei|en ⟨*spie, gespie(e)n*⟩ ['ʃpaıən] *itr, tr* cracher, expectorer; *jdm ins Gesicht ~~* cracher au visage de qn; **S~en** *n* crachement *m,* expectoration *f;* **S~gat(t)** *n* ⟨-(e)s, -en/-s⟩ ['-gat] *mar* dalot *m;* **S~tüte** *f aero* sac *m* pour vomir.

Speis *m* ⟨-es, ø⟩ [ʃpaıs, '-zəs] *(Mörtel)* mortier; *(Gipsmörtel)* gâchis *m;* **~rührer** *m* gâche *f.*

Speise *f* ⟨-, -n⟩ ['ʃpaızə] *(Nahrung)* nourriture *f; (Nahrungsmittel)* aliment; *(Gericht)* mets, plat; *(Süß~)* entremets; *(Nachtisch)* dessert *m; ~ und Trank* le boire et le manger; **~brei** *m physiol* chyme *m;* **~eis** *n* glaces *f pl* alimentaires; *Herstellung f, Vertrieb m von ~~* glacerie *f;* **~fett** *n* graisse *f* alimentaire; **~gelatine** *f* gélatine *f* culinaire; **~haus** *n* restaurant *m,* brasserie *f;* **~kabel** *n el* câble *m* d'alimentation; **~kammer** *f* garde-manger *m;* **~karte** *f* carte *f,* menu *m;* **~kartoffeln** *f pl* pommes *f pl* de terre potagères *od* de consommation; **~kran** *m loc* grue *f* d'alimentation; **~kugel** *f physiol* bol *m* alimentaire; **~leitung** *f tech* feeder; *el* conducteur *m* d'alimentation; **~lokal** *n = ~haus;* **s~n** *tr (ernähren)* nourrir; *(zu essen geben)* donner à manger (*jdn* à qn); *bes. tech* alimenter; *itr (essen)* manger, prendre un *od* le repas; **~naufzug** *m* monte-plats *m;* **~nfolge** *f* menu *m;* **~nkarte** *f = ~karte;* **~öl** *n* huile *f* alimentaire *od* comestible; **~reste** *m pl (auf dem Tisch)* restes du repas; *(im Munde)* résidus *m pl* alimentaires; **~röhre** *f anat* tube digestif, œsophage *m;* **~röhrenentzündung** *f* œsophagite *f;* **~saal** *m (Kloster, Schule)* réfectoire *m;* **~saft** *m physiol* chyle *m;* **~schrank** *m* garde-manger *m;* **~wagen** *m loc* wagon-restaurant *m,* voiture-restaurant *f;* **~wasser** *n tech* eau *f* d'alimentation; **~zettel** *m = ~karte;* **~zimmer** *n* salle *f* à manger; **Speisung** *f, a. tech* alimentation *f; die ~~ der Fünf-* bzw. *Viertausend (rel)* la multiplication des pains (et des poissons).

Spektakel *m* ⟨-s, -⟩ **1.** [ʃpɛk'ta:kəl]

fam (Krach, Lärm) chahut, chambard, tintamarre, raffut; *pop* boucan, barouf(le); vacarme, tapage *m; ~ machen* faire du vacarme *od* tapage, chahuter; **2.** *n* spectacle *m.*

Spektr|alanalyse *f* [s(ʃ)pɛk'tra:l-] *phys* analyse *f* spectrale; **~alfarben** *f pl* couleurs *f pl* du spectre; **~allinie** *f phys* ligne *f* spectrale; **~ometer** *n* ‹-s, -› [-tro'me:tər] spectromètre *m;* **~oskop** *n* ‹-s, -e› [-'sko:p] spectroscope *m;* **~um** *n* ‹-s, -tren/-tra› ['ʃpɛktrum, -tra/ -trən] spectre *m* (lumineux).

Spekul|ant *m* ‹-en, -en› [ʃpeku'lant] spéculateur; *(Börsen~~)* agioteur *m;* **~ation** *f* ‹-, -en› [-latsi'o:n] *allg* spéculation *f; fin* agiotage *m; ~~en anstellen* spéculer (*über* sur); *sich ~~en hingeben* se livrer à des spéculations; **~ationsgewinn** *m* profit *m* de spéculation; **~ationskauf** *m* achat *m* spéculatif *od* en spéculation; **s~ativ** [-la'ti:f] *a* spéculatif; **s~ieren** [-'li:rən] *itr* spéculer (*auf* sur); *(an der Börse) a.* agioter, jouer (à la bourse); *auf das Steigen, Fallen der Kurse* à la hausse, baisse); *fam pej* boursicoter; tripoter (*in* sur); *fam (grübeln)* spéculer.

Speläologie *f* ‹-, ø› [spelɛolo'gi:] *(Höhlenforschung)* spéléologie *f.*

Spelt *m* ‹-(e)s, -e› [ʃpɛlt] = *Spelz.*

Spelunke *f* ‹-, -n› [ʃpe'luŋkə] *pej (finsteres Loch)* bouge; *(Schlupfwinkel)* repaire; *(Winkelkneipe)* caboulot; *(Spielhölle)* tripot *m.*

Spelz *m* ‹-es, -e› [ʃpɛlts] *(Getreideart)* épeautre *m;* **~e** *f* ‹-, -n› *(Teil der Ähre)* glume *f.*

spend|abel [ʃpɛn'da:bəl] *a fam (freigebig)* large, généreux, libéral; **S~e** *f* ‹-, -n› ['ʃpɛndə] *(Geschenk)* don *m; (Almosen)* aumône, obole *f; (großzügige ~~)* largesses *f pl;* **~en** *tr* faire don de, donner; *(austeilen)* distribuer; *rel (Sakrament)* administrer; *fig (Lob)* prodiguer; *(Trost)* dispenser; **S~ensammlung** *f allg* collecte; *rel* quête *f;* **S~er** *m* ‹-s, -› donneur, donateur; *(Wohltäter)* bienfaiteur; *(Austeiler, a. Vorrichtung)* distributeur *m;* **~ieren** [-'di:rən] *tr (ausgeben)* offrir; *(bezahlen)* payer; **S~ierhosen** *f pl fam; die ~~ anhaben* être en veine de générosité; **S~ung** *f rel* administration *f.*

Spengler *m* ‹-s, -› ['ʃpɛŋlər] = *Klempner.*

Sperber *m* ‹-s, -› ['ʃpɛrbər] *orn* épervier *m.*

Sperenz|chen, ~ien [ʃpe'rɛntsçən, -tsiən] *pl fam (Umstände): ~~ machen* faire du chichi *od* des façons *od* des cérémonies.

Sperling *m* ‹-s, -e› ['ʃpɛrlɪŋ] *orn* moineau *m.*

Sperm|a *n* ‹-s, -men/-mata› ['s(ʃ)pɛrma, -mən/-mata] *physiol* sperme *m;* **~atozoon** *n* ‹-s, -zoen› [-to'tso:ɔn, -ən] , **~ium** *n* ‹-s, -mien› [-mium, -miən] spermatozoïde *m.*

sperrangelweit ['ʃpɛr'ʔaŋəl'vaɪt] *adv: ~ offen* (tout) grand ouvert.

Sperr|balken *m* ['ʃpɛr-] , **~baum** *m* barrière *f;* **~ballon** *m* ballon *m* de barrage *od* de protection; **~bereich** *m radio* bande *f* éliminée *od* de sécurité; **~bolzen** *m* cheville *f* d'arrêt; **~druck** *m typ* caractères *m pl* espacés; **~e** *f (Straßen~~)* barrière, traverse *f; (bes. Tal~~)* barrage *m; (Barrikade)* barricade *f; mil* obstacle (artificiel); *loc* (portillon *od* tourniquet de) contrôle *m; (Auftrags~~, Boykott)* boycottage; *(Blockade)* blocus; *(Hafen~~)* embargo *m;* = *~ung (Verbot); durch die ~~ gehen (loc)* franchir le contrôle, passer sur le quai; **s~en** *tr (ver~~)* barrer, barricader, bloquer, obstruer; *(schließen)* fermer (l'entrée, l'accès de); *(für den Verkehr)* interdire (à la circulation); *tech* enrayer; *(elektr. Strom, Gas, Wasser)* couper, interrompre; *typ* espacer; *(verbieten)* interdire, défendre, prohiber; *(aufheben, bes. Urlaub)* supprimer; *sport* suspendre; *(Konto)* bloquer, immobiliser; *(Scheck, Wechsel)* faire opposition au paiement de; *(Bezüge)* interdire le paiement de; *(Gehalt)* suspendre; *(Kredit)* bloquer; *sich ~~ (sich sträuben)* se raidir; s'opposer (*gegen* à); *in den Keller ~~* enfermer dans la cave; **~feder** *f tech* ressort *m* d'arrêt *od* de détente; **~feuer** *n mil* feu de barrage, tir *m* de barrage *od* d'arrêt; **~flug** *m* vol *m* d'interdiction; **~frist** *f: radio ~~ 10 Uhr* ne pas diffuser avant 10 heures; **~gebiet** *n* zone *f* interdite; **~gürtel** *m* cordon *m* sanitaire; **~gut** *n* marchandises *f pl* encombrantes; *(als Aufschrift)* encombrant; **~guthaben** *n fin* compte *od* avoir *m* bloqué; **~haken** *m* crochet d'arrêt, déclic *m;* **~holz** *n* (bois) contre-plaqué *m;* **~holzplatte** *f* panneau *m* contre-plaqué; **s~ig** *a* encombrant; **~kette** *f* chaîne de barrage; *(an e-r Wohnungstür)* chaîne *f* de sûreté; **~klinke** *f tech* cran d'arrêt, cliquet *m* (d'arrêt); **~klotz** *m loc* taquet *m;* **~konto** *n* compte *m* bloqué; **~kreis** *m el* circuit-bouchon *m;* **~magnet** *m* électro-aimant *m* d'enclenchement; **~mark** *f fin* mark *m* bloqué; **~(r)ad** *n* roue *f* à rochet; **~(r)iegel** *m* verrou *m* de sûreté; **~satz** *m typ* composition *f* espacée; **~sitz** *m theat* stalle *f; (im Parkett)* fauteuil *m* d'orchestre; **~stück** *n (Pistole)* pièce *f* de blocage; **~stunde** *f mil (Zapfenstreich)* couvre-feu *m; (Ausgehverbot)* heure d'interdiction; *(Polizeistunde)* heure *f* de clôture; **~ung** *f (Ver~~)* barrage, blocage *m,* obstruction; *(Schließung)* fermeture *f; tech* arrêt *m; (~~ der Zufuhr)* coupure, interruption *f; typ* espacement *m; (Verbot)* interdiction, prohibition; *(Aufhebung)* suppression; *sport* suspension *f; fin* blocage *m;* opposition, interdiction; *(d. Gehaltes)* suspension *f;* **~vermerk** *m fin* mention *f* de blocage; **~vorrichtung** *f* dispositif *m* d'arrêt; **~zeit** *f* heures *f pl* d'interdiction; **~zoll** *m* droit *m* prohibitif; **~zone** *f* zone *f* interdite; *mil* zone *f* de barrage.

Spesen *pl* ['ʃpe:zən] *com* frais *m pl,* dépenses *f pl,* débours *m pl; alle ~ einbegriffen* tous frais compris; *nach Abzug aller ~* tous frais déduits; *jdm die ~ vergüten* rembourser ses frais à qn; **s~frei** *a* exempt de *od* sans frais; **~rechnung** *f* état *m* des frais; **~vergütung** *f* indemnité *f* de dépenses; remboursement *m* des frais.

Speyer *n* ['ʃpaɪər] *geog* Spire *f.*

Spezi *m* ‹-s, -(s)› ['ʃpe:tsi] , **~al** *m* ‹-s, -e› [ʃpetsi'a:l] *dial (Busenfreund)* ami *m* intime; **~alarzt** *m* spécialiste *m;* **~alfall** *m* cas *m* spécial *od* particulier; **~algebiet** *n* spécialité *f;* **~algeschäft** *n* magasin *m* spécialisé; **s~alisieren** [-tsiali'zi:rən] *tr* spécialiser; *sich ~~* se spécialiser (*auf* dans); **~alisierung** *f* spécialisation *f;* **~alist** *m* ‹-en, -en› [-'lɪst] spécialiste *m;* **~alität** *f* ‹-, -en› [-li'tɛ:t] spécialité *f;* **s~ell** [-tsi'ɛl] *a* spécial, particulier; *auf Ihr ~~es Wohl! (fam)* à votre bonne santé! *~~e Angaben f pl* spécification *f;* **~es** *f* ‹-, -› ['s(ʃ)pe:tsiɛs, *pl* '-tsie:s] *bot zoo (Art)* espèce *f;* = *Grundrechnungsart;* **s~fisch** [-'tsi:fɪʃ] *a, a. phys* spécifique; *~~e(s) Mittel n (med)* spécifique *m;* **s~fizieren** [-fi'tsi:rən] *tr* spécifier; **~fizierung** *f* spécification *f.*

Sphär|e *f* ‹-, -n› ['sfɛ:rə] *(Himmelsgewölbe; fig: Kreis, Bereich)* sphère *f;* **~enharmonie** *f* harmonie *f* céleste; **~enmusik** *f* musique *f* cosmique; **s~isch** [-'sfɛ:rɪʃ] *a math* sphérique; **~oid** *n* ‹-(e)s, -e› [sfɛro'i:t, -də] *math astr* sphéroïde *m.*

Sphinx *f* ‹-, -e› *a. m* ‹-, -e/Sphingen› [sfɪŋks, -ɪŋən] *(Mythologie* u. *fig)* sphinx *m.*

Spick|aal *m* ['ʃpɪk-] anguille *f* fumée; **s~en** *tr (Küche)* (entre)larder, barder; *(bestechen)* soudoyer, corrompre, acheter; *itr fam (Schule: unerlaubt abschreiben)* pomper; *mit Orden gespickt* bardé de décorations; *mit Fehlern, Zitaten gespickt* truffé de fautes, émaillé de citations; **~gans** *f* oie *f* fumée; **~nadel** *f* lardoire *f;* **~zettel** *m fam (Schule)* tuyau *m.*

Spiegel *m* ‹-s, -› ['ʃpi:gəl] glace *f; (bes. Hand~ u. fig)* miroir; *(Pfeiler~)* trumeau *m; (großer Dreh~)* psyché *f; med* spéculum; *mil (Kragen~)* écusson; *(Jägersprache: des Rehes)* miroir; *(Oberfläche e-r Flüssigkeit)* niveau *m; im ~ (gen) (fig a.)* à travers; *jdm den ~ vorhalten (fig)* présenter le miroir à qn; *geschliffene(r) ~* glace *f* biseautée; *das kann er sich hinter den ~ stecken!* il ne s'en vantera pas! **~ablesung** *f* lecture *f* au miroir; **~belag** *m* tain *m;* **~bild** *n* image *f* reflétée par *od* dans un miroir; *fig* reflet *m;* **s~blank** *a: ~~ sein* briller comme un miroir; **~ei** *n* œuf *m* sur le plat *od* au miroir; **~fechterei** *f* simagrée *f;* simulacre *m;* **~fläche** *f* (surface *f* d'un *od* du) miroir *m;* **~folie** *f* [-'fo:liə] = *~belag;* **~glas** *n* (verre *m* à) glace *f;* **~(glas)fabrikant** *m,* **~(glas)händler** *m* miroitier *m;* **~(glas)fabrik(ation)** *f,* **~(glas)handel** *m* miroiterie *f;* **~(glas)schleifer** *m* polisseur *m* de glace; **~glasschleifmaschine** *f* polisseuse *f* à glace; **s~glatt** *a* poli comme un miroir; **s~gleich** *a math* symétrique; **~karpfen** *m* carpe *f* à miroir; **~mikroskop** *n* microscope *m* à réflecteur; **s~n** *tr (zurückstrahlen)* refléter, réfléchir; *itr (schillern)* miroiter, jeter des reflets variés; *sich ~~* se mirer; se regarder dans une glace; *(sich wider~~)* se refléter (*in* dans); *fig (zutage treten)* se lire; **~reflexkamera** *f phot* caméra *f* à miroir réflecteur, reflex *m;* **~saal** *m (im Schloß von Versailles)* galerie *f* des glaces; **~schrank** *m* armoire *f* à glace; **~schrift** *f* écriture *f* spéculaire *od* renversée *od* en miroir; **~sextant** *m astr* sextant *m* à réflexion; **~teleskop** *n* télescope *m* catoptrique; **~ung** *f (Rückstrahlung)* réflexion *f,* réfléchissement; *(Reflex)* reflet; *(~glanz)* miroitement; *(Luft~~)* mirage *m;* **~zimmer** *n* salle *f* des glaces.

Spiel *n* ‹-(e)s, -e› [ʃpi:l] *allg* jeu *m; (Partie)* partie *f; (Wettkampf)* match; *theat* spectacle; *mus (Anschlag)* toucher *m; (Vortrag)* exécution *f; (Bewegung)* jeu, mouvement *m; mit klingendem ~* tambour battant, musique en tête; *das ~ aufgeben* abandonner *od* quitter la partie; *das ~ nicht aufgeben* tenir la partie, se piquer au jeu; *ein ~ austragen (sport)* disputer un match; *ins ~ bringen (sport* u. *fig)* mettre en jeu; *das ~ verloren geben* regarder la partie comme perdue; *ein ~ gewinnen, verlieren* gagner, perdre une partie; *gewonnenes ~ haben* avoir partie gagnée *od* gain de cause; *bei etw s-e Hand im ~ haben* être pour qc dans qc; *leichtes ~ haben* avoir beau jeu (*mit jdm* avec qn); *ins ~ kommen* entrer en jeu; *aus dem ~ lassen (fig)* ne pas faire entrer en jeu, laisser hors de cause *od* de côté; *aufs ~ setzen* mettre en jeu *od* en péril; exposer, risquer, hasarder, aventurer; *(e-e Summe)* miser; *(s-n Ruf, s-e Zukunft)* compromettre; *alles aufs ~ setzen (fig)* mettre tout en jeu, jouer *od* risquer le tout pour le tout, jouer son va-tout; *viel aufs ~ setzen* jouer gros (jeu), risquer gros; *ein falsches, offenes ~ spielen* jouer double, franc jeu; *auf dem ~ stehen* être en jeu; *mit etw sein ~ treiben* se faire un jeu de qc; *ein gewagtes* od *gefährliches ~ treiben* jouer grand jeu *od* gros (jeu), risquer gros, jouer un jeu dangereux; *das ~ verderben (fig)* gâter *od fam* gâcher le métier; *ich habe leichtes ~ mit ihm* il m'offre beau jeu; *das ~ ist aus (fig)* les jeux sont faits; *wie steht das ~? (sport)* où en est le match? *~ Karten (Satz)* jeu *m* de cartes; *~ der Wellen* jeu *m* des vagues; *~ des Zufalls* caprice *m* du hasard; **~alter** *n* âge *m* du jeu; **~art** *f bot* variété; *fig* nuance *f;* **~automat** *m* machine *f* à sous; **~ball** *m* balle *f* (à jouer *od* de jeu); *fig* jouet *m;* **~bank** *f* maison *f* de jeu, casino *m;* **s~bar** *a mus theat* jouable; **~bein** *n (Kunst)* jambe *f* de jeu; **~dauer** *f sport* durée du match; *(e-r Schallplatte)* durée *f;* **~dose** *f* boîte *f* à musique; **~er** *m* ‹-s, -› joueur; *sport (e-r Mannschaft)* équipier; *(Schau~~)* acteur *m;* **~erei** *f* [-'raı] jeu, amusement; *(Tändelei, Schäkerei)* badinage; *(Kinderei)* enfantillage *m; fig (Kleinigkeit)* bagatelle *f;* **~ergebnis** *n sport* score *m;* **s~erisch** *a* qui aime jouer, joueur; *fig (leicht)* léger; **~feld** *n sport* terrain; *(Tennis)* court *m;* **~folge** *f* programme *m;* **~hälfte** *f (Fußball)* mi-temps *f;* **~haus** *n* maison *f* de jeu; **~hölle** *f* tripot *m;* maison *f* interlope; **~höschen** *n* [-hø:sçən] salopette, barboteuse *f;* **~kamerad(in** *f***)** *m* camarade *m f* de jeu; **~karte** *f* carte *f* à jouer; **~kasse** *f* cagnotte *f;* **~leidenschaft** *f* passion *f* du jeu; **~leiter** *m theat* régisseur; *a. film* metteur en scène; *film* réalisateur *m; sport = Schiedsrichter;* **~leitung** *f theat* mise en scène; *film* réalisation *f;* **~mann** *m* ‹-(e)s, -leute› *mus (Musikant)* ménétrier; *hist (fahrender Sänger)* ménestrel *m; pl mil* tambours et clairons *m pl;* **~marke** *f* jeton *m;* **~oper** *f* opéra-comique *m;* **~plan** *m theat* répertoire; *(für e-e bestimmte Zeit)* (programme *m* des) spectacles *m pl; sich auf dem ~~ halten* demeurer au théâtre; **~platz** *m (für Kinder)* terrain *m* de jeux; **~raum** *m tech* jeu *m,* chasse, tolérance; *fig (Bewegungsfreiheit)* marge, latitude *f; ~~ haben (tech)* avoir du jeu; *(Schneiderei)* avoir de l'aisance; *freien ~~ haben (fig)* avoir le champ libre; *~~ lassen (Schneiderei)* donner de l'aisance; **~regel** *f* règle *f* du jeu; *das ist gegen die ~~n (fam a.)* cela n'est pas de jeu; **~sachen** *f pl* jouets, joujoux *m pl;* **~schuld** *f* dette *f* de jeu; **~stäbchen** *n* jonchet *m;* **~straße** *f* rue *f* réservée aux jeux; **~teufel** *m* démon *m* du jeu; *vom ~~ besessen sein* avoir la passion du jeu; **~tisch** *m* table *f* de jeu; **~trieb** *m psych* instinct *m* du jeu; **~uhr** *f* pendule *f* à carillon; **~verbot** *n sport* suspension *f;* **~verderber** *m* trouble-fête, rabat-joie, *pop* gâcheur *m;* **~verlängerung** *f sport* prolongation *f* du match; **~waren** *f pl* jouets *m pl;* **~warenhändler** *m,* **~warenhandlung** *f* marchand, magasin *m* de jouets; **~werk** *n (e-r ~dose* od *~uhr)* carillon *m;* **~wiese** *f* parc *m* à jeux; **~wut** *f = ~leidenschaft;* **~zeit** *f theat* saison (théâtrale); *sport* durée *f* du match; **~zeug** *n* ‹-(e)s, -e› jouets *m pl; fig (wertloser Gegenstand)* hochet *m;* **~zeugeisenbahn** *f* train *m* miniature; **~zeugroboter** *m* automate-jouet *m;* **~zimmer** *n* salle de jeux; *(für Kinder)* chambre *f* à jouer.

spielen ['ʃpi:lən] *itr allg* jouer *a. theat mus sport* (*mit jdm* avec qn); *(Kind a.)* faire joujou; *(sich d. Zeit vertreiben)* s'amuser; *(stattfinden, sich ereignen)* se jouer, se dérouler, se passer, avoir lieu; avoir pour scène *od* pour théâtre (*in etw* qc); *(Farbe)* tirer (*ins* sur le); *um 100 Mark ~* jouer 100 marks; *mit jdm ~ (fig: sein Spiel treiben)* se jouer de qn; *tr (ein Spiel)* jouer (à un jeu); *(ein Instrument)* d'un instrument; *etw auf e-m Instrument spielen* jouer qc à un instrument; *theat (Rolle, Stück)* jouer; *film (zeigen)* passer; *(mimen, vortäuschen)* jouer, feindre, simuler; se donner, se faire passer pour; *zum erstenmal ~ (theat)* créer; *falsch ~ (beim Kartenspiel)* tricher (aux cartes); *mus* canarder; *mit dem Feuer ~ (fig)* jouer avec le feu; *nach Gehör ~ (mus)* jouer d'oreille; *jdm etw in die Hände ~* faire parvenir qc à qn par ruse; *hinreißend ~ (theat)* brûler les planches; *hoch ~* jouer gros (jeu); *krank ~* faire *od* jouer le malade; *mit gezinkten Karten ~* jouer avec des cartes biseautées; *in der Lotterie ~* jouer à la loterie; *niedrig ~* jouer petit jeu; *jdm e-n Streich ~* jouer un tour à qn; *verrückt ~ (fam)* simuler la folie; *übertrieben vorsichtig ~ (beim Kartenspiel)* jouer la carotte; *nicht mit sich ~ lassen (fig)* ne pas entendre plaisanterie *od* raillerie; *das Stück spielt in Spanien (a.)* la scène est en Espagne; **~d** *adv (mühelos)* comme en jouant; haut la main, par-dessous la jambe.

Spier|(chen *n***)** *m* od *n* ‹-(e)s, -e› [ʃpi:r] *dial (Grasspitze)* brin *m* d'herbe; *ein ~~ (ein bißchen)* ... un (tout petit) peu de ...; **~e** *f* ‹-, -n› *mar* espar *m;* **~ling(sbaum)** *m* ‹-s, -e› *(Vogelbeerbaum)* sorbier *m;* **~staude** *f,* **~strauch** *m* spirée *f.*

Spieß *m* ‹-ßes, -ße› [ʃpi:s, '-ə] *(Pike)* pique *f; (Wurf~)* javelot; *(Jagd~)* épieu *m; (Brat~)* broche; *(Hirsch)* dague; *typ* pointe *f; arg mil (Hauptfeldwebel, -wachtmeister)* juteux *m; am ~ braten* faire cuire à la broche; *er schreit wie am ~* od *als ob er am ~ stäke* il crie comme un écorché *od* comme si on l'écorchait; *den ~ umdrehen* od *umkehren (fig)* passer à l'offensive; prendre sa revanche; **~bürger** *m pej* petit bourgeois, épicier; philistin, béotien *m;* **s~bürgerlich** *a* bourgeois, prudhommesque; philistin, béotien; terre-à-terre; **~bürgertum** *n* esprit bourgeois; philistinisme *m;* **s~en** *tr (auf~~)* embrocher, enferrer; *(durchbohren)* (trans)percer; **~er** *m* ‹-s, -› *(Hirsch)* daguet; *(Rehbock)* brocard *m; fig = ~bürger;* **s~erisch** *a = s~bürgerlich;* **~geselle** *m* complice *m;* **~glanz** *m min* antimoine *m;* **s~ig** *a = s~bürgerlich;* **~ruten** *f pl: ~~ laufen* passer par les verges *od* les baguettes; *fig* passer entre deux haies de curieux.

Spill *n* ‹-(e)s, -e› [ʃpıl] *mar* cabestan *m.*

spinal [ʃ(s)pina:l] *a: ~e Kinderlähmung f* poliomyélite *f.*

Spinat *m* ‹-(e)s, -e› [ʃpi'na:t] *bot* épinard *m; (Küche)* épinards *m pl.*

Spind *m, a. n* ‹-(e)s, -e› [ʃpınt, '-də] *(Schrank)* armoire *f.*

Spindel *f* ‹-, -n› ['ʃpındəl] fuseau *m; tech* tige *f; (Textil)* broche *f; (Welle)* arbre; *(Zapfen)* pivot; *arch (e-r*

Wendeltreppe) noyau *m* (d'escalier); **~baum** *m bot* fusain *m;* **s~dürr** *a* maigre comme un clou *od* un hareng; **s~förmig** *a* fuselé, en (forme de) fuseau; fusiforme; **~kopf** *m tech* nez *m* de la broche.

Spinell *m* ⟨-s, -e⟩ [ʃpi'nəl] *min* spinelle *m.*

Spinett *n* ⟨-(e)s, -e⟩ [ʃpi'nɛt] *mus* épinette *f.*

Spinn|düse *f* ['ʃpɪn-] *(Textil)* filière *f;* **~e** *f* ⟨-, -n⟩ *zoo* araignée *f; (echte)* *~~n pl (Ordnung)* aranéides *m pl;* **s~efeind** *a: sich ~~ sein* être à couteau(x) tiré(s); **s~en** ⟨*spann, gesponnen*⟩ [ʃpan] *tr (zoo u. Textil)* filer; *fig (anzetteln)* tramer; *(aushecken, ersinnen)* ourdir; *itr (Katze)* ronronner; *pop (verrückt sein)* avoir une araignée au plafond *od* le timbre fêlé; *ein Lügengewebe ~~* fabriquer un tissu de mensonges; **~en** *n* filage *m;* **~enfinger** *m pl (fig)* pattes *f pl* d'araignée; **~(en)gewebe** *n,* **~ennetz** *n* toile *f* d'araignée; **~entiere** *n pl (Klasse)* arachnides *m pl;* **~er** *m* ⟨-s, -⟩ *ent* bombyx; *(Arbeiter)* fileur; *fig fam* farceur, songe-creux *m;* **~erei** *f* [-'raɪ] *(Gewerbe* u. *Werk)* filature *f;* **~ereibesitzer** *m* filateur *m;* **~ereimaschine** *f* = *~maschine;* **~erin** *f* fileuse *f;* **~faser** *f* fibre *f* (textile); **~maschine** *f* métier *m* à filer, jenny *f;* **~rad** *n* rouet *m;* **~rokken** *m* quenouille *f;* **~stoff** *m* (matière *f*) textile *m;* **~stube** *f (ländl. Abendgesellschaft)* veillée *f;* **~stuhl** *m* chaise *f* de fileuse.

spintisieren [ʃpɪnti'zi:rən] *itr fam (grübeln)* chercher le fin du fin; être un songe-creux.

Spion *m* ⟨-s, -e⟩ [ʃpi'o:n] espion, mouchard; *arg* renard; *(Fensterspiegel)* espion *m;* **~age** *f* ⟨-, ø⟩ [-o'na:ʒə] espionnage *m;* **~ageabwehr** *f* contre-espionnage *m;* **~ageaffäre** *f* affaire *f* d'espionnage; **~agenetz** *n* réseau *m* d'espionnage; **s~ieren** [-o'ni:rən] *itr* espionner, moucharder; **~ieren** *n* espionnage *m;* **~in** *f* espionne; moucharde *f.*

Spiräe *f* ⟨-, -n⟩ [s(ʃ)pi'rɛ:ə] *bot* spirée *f.*

spiral [ʃpi'ra:l] *a (schneckenförmig)* en spirale; **S~bohrer** *m* foret *m od* mèche *f* (hélicoïdal(e)), **S~e** *f* ⟨-, -n⟩ spirale, volute *f;* **S~feder** *f* ressort spiral *od* à boudin; *(Uhr)* spiral *m;* **~förmig** *a* = *~;* **S~linie** *f* spirale *f;* **S~nebel** *m astr* nébuleuse *f* spirale.

Spirit|ismus *m* ⟨-, ø⟩ [ʃ(s)piri'tɪsmus] spiritisme *m;* **~ist** *m* ⟨-en, -en⟩ [-'tɪst] , **s~istisch** [-'tɪstɪʃ] *a* spirite *(m);* **~ualismus** *m* ⟨-, ø⟩ [-tua'lɪsmus] *philos* spiritualisme *m;* **~uosen** *pl* [-tu'o:zən] spiritueux *m pl;* **~uosenlager** *n* chai *m;* **~us** *m* ⟨-, -sse⟩ ['ʃpi:ritus] *(Weingeist)* esprit de vin, alcool; *(Brenn~~)* alcool *m* à brûler; **~usbrenner** *m,* **~uskocher** *m,* **~uslack** *m,* **~uslampe** *f* brûleur, réchaud, vernis *m,* lampe *f* à alcool; **~us rector** *m* ⟨-, ø⟩ [- 'rɛktɔr] *(Seele e-s Unternehmens)* instigateur *m.*

Spirochäte *f* ⟨-, -n⟩ [s(ʃ)piro'çɛ:tə] *med* spirochète *m.*

Spital *n* ⟨-s, ⸚er⟩ [ʃpi'ta:l, -'tɛ:lər] *(Krankenhaus)* hôpital; *(Altersheim)* hospice, asile *m od* maison *f* de vieillards.

spitz [ʃpɪts] *a* pointu, en pointe; *(Nadel)* à pointe fine; *(Winkel)* aigu; *(Gesicht)* effilé; *fig (Worte: scharf, beißend)* aigu, aigre, acéré, mordant, perçant; *(boshaft)* méchant; *eine ~e Zunge (fig)* une langue bien affilée; *~ werden (Gesicht)* s'affiner; *~ zulaufen* s'effiler; finir en pointe; *~ zulaufend* effilé; *arch* fuyant; **S~** *m* ⟨-es, -e⟩ *(Hunderasse)* loulou *m;* **S~bart** *m* barbe *f* en pointe, bouc *m;* **S~bergen** *n geog* Spitzberg *m;* **S~bogen** *m arch* (arc *m* en) ogive *f;* **~bogig** *a* ogival, en ogive; **S~bube** *m* filou, fripon, coquin, garnement, voyou; larron *m;* **S~bubengesicht** *n* visage *m od* figure *od* tête *f* de filou; mine *f* patibulaire; **S~büberei** *f* friponnerie, coquinerie *f;* **S~bübin** *f* friponne, coquine *f;* **~bübisch** *a (bes. verniedlichend)* fripon, coquin; **S~eisen** *n mines* pic *m* à main, aiguille *f;* **S~el** *m* ⟨-s, -⟩ *(Zuträger)* mouchard; *(Polizei~~)* indicateur; *arg* indic; *(Lock~~)* agent *m* provocateur; **~eln** *itr* moucharder, espionner; **~en** *tr allg* tailler en pointe, affiler; *(Bleistift)* tailler, aiguiser, affûter; *(Pfeil)* acérer; *sich auf etw ~~* s'attendre à qc, compter sur qc; *die Lippen* od *den Mund ~~* faire la petite bouche *od* la bouche en cœur; **S~er** *m* ⟨-s, -⟩ *(Werkzeug der Steinmetzen)* rustique *m;* **~findig** *a* subtil; *(haarspalterisch)* pointilleux, vétilleux, tatillon; **S~findigkeit** *f* subtilité, argutie, finasserie *f;* **S~geschoß** *n mil* projectile *m* ogival, balle *f* pointue; **S~hacke** *f* pioche *f,* pic *m;* **S~hammer** *m* marteau à pointe, picot *m;* **~ig** *a* en pointe; effilé; **~≈kriegen** *tr fam (herausbekommen)* avoir le fin mot (*etw* de qc); **S~kühler** *m mot* radiateur en coupe-vent; *hum (Bäuchlein)* embonpoint *m;* **S~maus** *f* musaraigne *f;* **S~name** *m* sobriquet, surnom, nom *m* de guerre; **~wink(e)lig** *a math* acutangle.

Spitze *f* ⟨-, -n⟩ ['ʃpɪtsə] *allg, a. fig* pointe *f; (e-r Schreibfeder)* bec *m; (e-r Lanze)* fer; *(Ende e-s längl. Gegenstandes)* bout; *(Berg~)* pic *m,* aiguille *f; (Gipfel* u. *math)* sommet *m; fig (Kopf, führende Stelle)* tête *a. mil; (Taktik)* pointe *f* de l'avant-garde; échelon *m* de tête; *(Textil)* dentelle *f,* point *m; pl (e-r Gesellschaft)* sommités; *(Textil)* dentelles *f pl; an der ~ (gen)* à la *od* en tête (de); *die ~ e-r S abbrechen* épointer qc; *jdm, e-r S die ~ bieten* faire face *od* tenir tête à qn, qc; *die ~ halten (sport)* garder *od* conserver la tête; *sich an die ~ e-r S setzen* od *stellen, an die ~ e-r S treten* se mettre à *od* prendre la tête de qc; *an der ~ stehen* tenir le premier rang; *e-r S* être à la tête *od* à l'avant-garde, détenir le record de qc; *etw auf die ~ treiben (fig)* pousser qc à l'extrême *od* à son point extrême *od* à bout *od* à la limite, combler la mesure de qc; *das ist e-e ~ gegen mich (fig)* c'est une pierre dans mon jardin; *Brüsseler ~* point *m* de Bruxelles; *freie ~n pl (com)* marchandises *f pl* au delà du rationnement; excédent *m* disponible; *genähte ~* dentelle *f* à l'aiguille; **~nbelastung** *f el* charge de pointe; *(Verkehr)* saturation *f;* **~nbesatz** *m* garniture *f* de dentelle; **~neinsatz** *m (Textil)* entre-deux *m* (de dentelle); **~nerzeugnis** *n* produit *m* de qualité; **~nfahrzeug** *n (im Verkehr)* véhicule-pilote *m;* **~ngeschwindigkeit** *f* vitesse *f* de pointe; **~ngruppe** *f mil* échelon de tête; *sport* peloton *m* de tête; **~nkandidat** *m pol* (candidat *m*) tête de liste; tête *f* de file; **~nklasse** *f* première qualité *f;* **~nkleid** *n* robe *f* en *od* de dentelle; **~nklöppel** *m* fuseau *m* à dentelle; **~nklöppelei** *f* dentellerie *f;* **~nklöpplerin** *f* dentellière *f;* **~kragen** *m* col *m* de dentelle; **~nleistung** *f* rendement *m* maximum *od* maximal, puissance de pointe; performance *f;* record *m;* **~nlohn** *m* salaire *m* maximum *od* maximal; **~nmannschaft** *f sport* équipe *f* de tête; **~norganisation** *f* organisation *f* centrale; **~nreiter** *m fig sport: ~~ sein* être en tête; **~nstellung** *f* position *f* en flèche; *s-e ~~ halten* se montrer à la hauteur de son standing; **~ntanz** *m* pointes *f pl;* **~ntänzerin** *f* danseuse *f* classique; **~nverband** *m adm* association *f* centrale; **~nverkehrszeit** *f* heures *f pl* de pointe; **~nwerte** *m pl (Börse)* vedettes *f pl* (du marché).

Spleen *m* ⟨-s, -e/-s⟩ [ʃ-, spli:n] excentricité, bizarrerie *f* (de caractère); **s~ig** *a* excentrique, bizarre.

Spleiß|e *f* ⟨-, -n⟩ ['ʃplaɪsə] *dial (Splitter)* écharde *f;* **s~en** ⟨*spliß, gesplissen*⟩ [(-)'ʃplɪs(-)] *tr* **1.** *dial (spalten)* fendre; **2.** *mar (Tau-* od *Kabelenden mitea. verflechten)* épisser.

splendid [ʃ(s)plɛn'di:t] *a (freigebig)* libéral, généreux; *(glanzvoll)* splendide.

Splint *m* ⟨-(e)s, -e⟩ [ʃplɪnt] *(Vorsteckstift)* goupille *f;* = *~holz;* **~bolzen** *m* (boulon *m* à) clavette *f;* **~holz** *n* aubier *m.*

Splitt *m* ⟨-(e)s, -e⟩ [ʃplɪt] *(Steinschlag für d. Straßenbau)* pierres *f pl* concassées, pierraille *f,* gravillon *m; mit ~ bestreuen* gravillonner.

Splitter *m* ⟨-s, -⟩ ['ʃplɪtər] éclat *m; (Holz~)* écharde; *(Knochen~)* esquille; *(Diamant~)* paillette *f; den ~ im Auge s-s Bruders sehen* voir la paille dans l'œil de son voisin; *sich e-n ~ in den Finger rennen* se mettre une écharde dans le doigt; **~bombe** *f* bombe *f* à fragmentation; **~bruch** *m med* fracture *f* esquilleuse; **~fang** *m mil* pare-éclats *m;* **s~(faser)nackt** *a* nu comme un ver *od* la main; **~granate** *f* obus *m* de fragmentation; **~gruppe** *f pol* fraction *f* minoritaire; groupuscule *m;* **s~n** ⟨*aux: sein*⟩ *itr* éclater; voler en éclats; **s~nd** *a: nicht ~~ (Glas)* de sécurité; **~partei** *f* petit parti *m;* **~schutz** *m* protection *f* contre les éclats; **s~sicher** *a* à l'abri des éclats; **~wirkung** *f* effet *m* des *od* (produit) par (les) éclats; **splitt(e)rig** *a* réduit en éclats, fendillé.

Spondeus *m* ‹-, -deen› [ʃpɔn'de:us, -'de:ən] *(Versfuß)* spondée *m.*

spontan [ʃ-, spɔn'ta:n] *a (von selbst (erfolgend))* spontané; **S~eität** *f* ‹-, ø› [-tanei'tɛ:t] spontanéité *f.*

sporadisch [ʃ-, spo'ra:dɪʃ] *a (vereinzelt)* sporadique.

Spore *f* ‹-, -n› ['ʃpo:rə] *bot* spore *f.*

Sporn *m* ‹-(e)s, Sporen› ['ʃpɔrn, 'ʃpo:rən] éperon; *orn* ergot *m; aero* béquille *f; fig (An~)* aiguillon, stimulant *m; s-m Pferde die Sporen geben* enfoncer les éperons *od* donner de l'éperon à son cheval, éperonner *od* talonner son cheval; *sich die Sporen verdienen (fig)* gagner ses galons; **s~en** *tr* éperonner; **~rad** *n aero* galet *m* de béquille, roulette *f* de queue; **~rädchen** *n* molette, roulette *f;* **s~streichs** *adv* à toute bride, à bride abattue, immédiatement.

Sport *m* ‹-(e)s, (-e)› [ʃpɔrt] sport *m; aus ~* par plaisir; *sich e-n ~ aus etw machen* se faire un plaisir de qc; *~ treiben* faire du sport; *(der) ~ am Sonntag* le dimanche sportif; **~abzeichen** *n* insigne *m* sportif; **~anzug** *m* tenue *f* de sport; **~art** *f* sport *m;* **~artikel** *m* article *m* de sport; **~arzt** *m* médecin sportif; *(bei Veranstaltungen)* médecin *m* soigneur; **s~begeistert** *a* sportif; **~beilage** *f (Zeitung)* supplément *m* sportif; **~bekleidung** *f* vêtements *m pl* de sport; **~bericht** *m* reportage *m* sportif; **~bericht(erstatt)er** *m* reporter *m* sportif; **~bund** *m* fédération *f* sportive; **~ereignis** *n* événement *m* sportif; **~ergebnis, ~resultat** *n* résultat *m* sportif; **~feld** *n* terrain *m* de sport; **~fest** *n* fête *f* sportive; **~fliegerei** *f* aviation *f* sportive; **~flugzeug** *n* avion *m* de sport; **~freund** *m* sportif; amateur *m* de sport; **~funk** *m* émissions *f pl* sportives; **~geist** *m* esprit *m* sportif; **~geschäft** *n* magasin *m* d'articles de sport; **~halle** *f* salle *f* des sports; **~hemd** *n* chemise *f* de sport; **~herz** *n med* cœur *m* hypertrophié par le sport; **~hose** *f,* **~jacke** *f,* **~kleid** *n* pantalon, veston *m,* robe *f* de sport; **~kleidung** *f = ~bekleidung;* **~klub** *m* club *m* sportif; **~kombination** *f (Hose u. Jacke)* ensemble *m* pour le sport; **~lehrer** *m* moniteur; *(im Schuldienst)* professeur *m* de sport *od* d'éducation physique; **~ler(in** *f***)** *m* ‹-s, -› sportif, ve *m f;* **s~lich** *a* sportif; *(Mode)* sport; **~medizin** *f* médecine *f* sportive; **~mütze** *f* casquette *f* de sport; **~nachrichten** *f pl* nouvelles *f pl* sportives; **~palast** *m* palais *m* des sports; **~platz** *m* (place *f od*) terrain *m* de sport; **~rubrik** *f,* **~seite** *f (Zeitung)* rubrique, page *f* sportive; **~schuhe** *m pl* chaussures *f pl* de sport; **~smann** *m* ‹-(e)s, -leute/(-männer)› sportsman, sportif *m;* **~strumpf** *m* bas de sport, bas-sport *m;* **~taucher** *m* homme-grenouille *m;* **~teil** *m (Zeitung)* page *od* rubrique *od* vie *f* sportive; **s~treibend** *a* sportif; **~trikot** *n* maillot *m* de sport; **~veranstaltung** *f* manifestation *od* rencontre *f* sportive; **~verband** *m* fédération *od* association *f* sportive; **~verein** *m* association, société *f* sportive; **~wagen** *m* voiture de sport; *(für Kinder)* poussette *f;* **~welt** *f* monde *m* sportif *od* du sport; **~woche** *f* semaine *f* sportive; **~zeitung** *f* journal *m* sportif.

Sporteln *f pl* ['ʃpɔrtəln] *fin hist* casuel *m.*

Spott *m* [ʃpɔt] ‹-(e)s, ø› moquerie, raillerie, dérision *f; (feiner)* persiflage; *(beißender)* sarcasme *m; fam* gouaill(eri)e *f; zum ~* par dérision; *ein Gegenstand des ~es sein* être la risée de tout le monde; *s-n ~ treiben mit* tourner en ridicule; **~bild** *n* caricature, charge *f;* **s~billig** *a* d'un prix dérisoire, très bon marché; *adv* à un prix dérisoire, à vil prix; *das ist ~~ (a.)* c'est donné; **~drossel** *f orn* (merle) moqueur *m;* **s~en** ‹*ich spotte*› *itr* se moquer, railler; *(über Heiliges)* blasphémer; *jeder Beschreibung ~~* défier toute description; *das ~et jeder Beschreibung (a.)* c'est inimaginable; **~geburt** *f* avorton, monstre *m;* **~gedicht** *n (kleineres)* épigramme; *(größeres)* satire *f,* poème *m* satirique; **~geld** *n: für ein ~~ = ~billig adv;* **~lust** *f* humeur *f* moqueuse *od* railleuse; **s~lustig** *a* moqueur, railleur; **~name** *m* sobriquet *m;* **~preis** *m* prix *m* sacrifié; *zu e-m ~~ = ~billig (adv);* **~sucht** *f* ‹-, ø› manie de se moquer *od* de railler; *(Bissigkeit)* causticité *f; = ~lust;* **~vogel** *m fig = Spötter.*

Spött|elei *f* ‹-, -en› [ʃpœtə'laɪ] persiflage *m;* moquerie, raillerie *f;* **s~eln** ['ʃpœtəln] *itr* persifler *(über etw* qc*);* se moquer *(über etw* de qc*);* railler *(über etw* qc*);* **~er** *m* ‹-s, -› moqueur, railleur; persifleur; *(auf höherer Ebene)* ironiste; *rel* blasphémateur *m;* **s~isch** *a* moqueur, railleur; *(beißend)* caustique, sarcastique; *(ironisch)* ironique; *(satirisch)* satirique; *fam* gouailleur; *adv: ~~ lachen* ricaner.

Sprach|atlas *m* ['ʃpra:x-] atlas *m* linguistique; **~austausch** *m* échange *m* de langues; **~bau** *m* structure *f* d'une *od* de la langue; **s~begabt** *a* doué pour les langues; **~begabung** *f* don *m* des langues; **~ebene** *f* niveau *m* de langue; **~eigenheit** *f,* **~eigentümlichkeit** *f* idiotisme *m; deutsche, englische, französische, italienische, lateinische, spanische ~~* germanisme, anglicisme, gallicisme, italianisme, latinisme, hispanisme *m;* **~fehler** *m* défaut *m* d'élocution; incorrection, faute *f* de langue, solécisme *m;* **s~fertig** *a: ~~ sein* avoir la parole facile; **~fertigkeit** *f* facilité d'élocution, élocution *f* aisée; **~forscher** *m* linguiste, philologue *m;* **~führer** *m (Buch)* manuel *m* de conversation; **~gebiet** *n* aire *f* linguistique; **~gebrauch** *m* usage *m; allgemeine(r) ~~* langue *f* courante; *neue(r) ~~* néologisme *m;* **~gefühl** *n* sens *m* de la langue; **~gemeinschaft** *f* communauté *f* linguistique; **~genie** *n* personne *f* qui a le don des langues; **s~gewandt** *a,* **~gewandtheit** *f = redegewandt etc;* **~grenze** *f* frontière *f* linguistique; **~insel** *f* îlot *m* linguistique; **~kenner** *m* polyglotte *m;* **~kenntnisse** *f pl* connaissance *f* des langues; *mit deutschen ~~n* ayant des connaissances d'allemand; **s~kundig** *a* qui connaît une *od* plusieurs langue(s); *(vielsprachig)* polyglotte; **~labor** *n* laboratoire *m* de langues; **~lehre** *f* grammaire *f;* **~lehrer** *m* professeur *m* de langue(s); **s~lich** *a* linguistique; de langue; *~~e Schwierigkeiten f pl* difficultés *f pl* de langue; **s~los** *a pred: ~~ sein* être interloqué *od* déconfit *od* interdit *od fam* être tout chose; *da bist du ~~ (, was)! (pop)* ça te la coupe! *~~ vor Staunen* stupéfait; *~~ dastehen* rester coi; **~losigkeit** *f* mutisme *m; fig* stupéfaction *f;* **~neuerung** *f* néologisme *m;* **~philosophie** *f* philosophie *f* de la langue; **~reinheit** *f* pureté *f* de la langue; **~reiniger** *m* puriste *m;* **~rohr** *n* porte-voix; *fig* porte-parole, interprète *m; sich zum ~~ e-r S machen* se faire l'interprète de qc; **~schatz** *m* vocabulaire *m;* **~schnitzer** *m* faute *od* incorrection *f* de langue; solécisme *m;* **~schranken** *f pl* barrières *f pl* linguistiques; **~soziologie** *f* sociolinguistique *f;* **~störung** *f med* trouble *m* de la parole *od* du langage; **~studium** *n* étude *f* des langues; **~unterricht** *m* enseignement *m* des langues; *~~ erteilen* od *geben* enseigner des langues; **~verein** *m* société *f* linguistique; **~vermögen** *n* faculté *f* de parler; **~werkzeug** *n* organe *m* de la parole; **s~widrig** *a* incorrect; contraire au bon usage de la langue; **~widrigkeit** *f* incorrection *f;* barbarisme *m;* **~wissenschaft** *f* linguistique; philologie *f;* **s~wissenschaftlich** *a* linguistique; philologique.

Sprache *f* ‹-, -n› ['ʃpra:xə] *(Sprechfähigkeit)* faculté de parler, parole *f; (Ausdrucksweise)* langage; *(Sprechweise)* parler, accent *m; (Ausdrucksmittel; Bedeutungssystem)* langue *f;* idiome *m; zur ~ bringen* mettre en discussion *od* sur le tapis; *wieder zur ~ bringen* remettre sur le tapis; *mit der ~ herausrücken* s'expliquer; *pop* accoucher; *nicht mit der ~ heraus wollen* tourner autour du pot; *zur ~ kommen* venir sur le tapis, être discuté; *e-e andere ~ sprechen (fig)* avoir changé de ton; *die ~ verlieren* perdre la parole, demeurer (tout) court, rester *od* demeurer interdit, rester coi; *heraus mit der ~!* explique-toi, expliquez-vous! *pop* accouche(z) donc! *alte, neuere ~n* langues *f pl* anciennes, modernes; *fremde ~* langue *f* étrangère; *gehobene ~* langue *f of od* style *m* soutenu(e); *geschriebene, gesprochene ~* langage *m* écrit, parlé; *lebende, tote ~* langue *f* vivante, morte; *ordinäre ~* langage *m* grossier *od* trivial; **~nfrage** *f* problème *m* linguistique; **~nkampf** *m* conflit *m* linguistique; **~nkarte** *f* carte *f* linguistique; **~nverwirrung** *f rel* confusion *f* des langues; *allg* babélianisme *m*.

Spray *m* od *n* ‹-s, -s› [ʃ-, spre:] *(Zerstäuber)* vaporisateur, atomiseur *m*.

Sprech|anlage *f* ['ʃprɛç-] interphone *m*; **~apparat** *m tele* appareil *m* téléphonique; = *~maschine*; **~bühne** *f* théâtre *m*; **~chor** *m (Worte)* chœur *m* parlé; **~er** *m* ‹-s, -› *allg* parleur; *(Redner)* orateur; *(Wortführer)* porte-parole; *radio (Ansager)* speaker *m*; *(Sprachwissenschaft)* locuteur *m*; **~erin** *f radio* speakerine *f*; **~erziehung** *f* orthophonie; éducation *f* des organes de la phonation **~film** *m* film *m* parlant; **~funk** *m* (radiotélé)phonie *f*; **~funkverbindung** *f* liaison *f* radiotéléphonique; **~kapsel** *f* capsule *f* microphonique, transmetteur *m*; **~maschine** *f (Grammophon)* machine *f* parlante; phonographe *m*; **~probe** *f theat* audition *f*; **~rolle** *f theat* partie *f* parlée; **~stelle** *f tele* poste *m* (téléphonique); **~stunde** *f (Arzt)* consultations *f pl*; *(sonst als Ankündigung)* reçoit *(Freitag von 10 bis 11 Uhr* le vendredi de 10 à 11 heures*)*; *allg* audience; **~stundenhilfe** *f* assistante *f* (médicale); **~taste** *f* bouton *m* de conversation; **~übung** *f* exercice *m* d'élocution *od* de conversation; **~verkehr** *m* trafic *m* téléphonique; **~weise** *f* langage *m*; (manière *f* de) parler *m*, élocution *f*; *korrekte ~~* orthophonie *f*; **~zelle** *f tele* cabine *f* téléphonique; **~zimmer** *n allg* parloir; *(Anwalt)* cabinet *m*; *(Notar)* étude *f*; *(Arzt)* cabinet *m* (de consultation).

sprechen ‹*spricht, sprach, gesprochen*› ['ʃprɛçən, 'ʃpra:x-, gə'ʃprɔxən] *itr* parler *(mit jdm* à qn, *über etw* de qc*)*; *für jdn ~* parler en faveur de qn; *für sich (selbst) ~ (Sache)* se présenter de soi-même; *gegen jdn* parler contre qn, condamner qn; *tr (sagen, ein Gebet* od *Gedicht ~)* dire, réciter; *(aus~)* prononcer; *sich* od *ea. ~* se parler, converser, s'entretenir, causer; *allgemein gesprochen (adv)* généralement parlant; *deutlich ~* parler distinctement; *deutsch (Deutsch), französisch (Französisch) ~* parler allemand, français; *über gleichgültige Dinge ~* parler de la pluie et du beau temps; *von diesem und jenem ~* parler de choses et d'autres; *frei ~* parler librement *od* sans notes; *gut über jdn, über etw ~* dire du bien, parler en bien de qn, de qc; *laut, leise ~* parler haut, bas; *über den Rundfunk ~* parler à la radio; *kein Wort ~* ne dire mot; *jdn zum S~ bringen* délier *od* dénouer la langue à qn; *nicht darüber ~ dürfen* avoir la langue liée; *auf etw zu ~ kommen* en venir à parler de qc; *darauf zu ~ kommen* y venir; *zu ~ sein* recevoir; *für jdn* être visible *od* y être pour qn; *gut, schlecht auf jdn zu ~ sein* vouloir du bien, en vouloir à qn; *nicht* od *für niemanden zu ~ sein* n'y être pour *od* ne recevoir personne, avoir condamné *od* barricader sa porte; *ich möchte Sie ~* je désire vous parler; *man konnte ihn nicht zum S~ bringen (a.)* on ne put lui arracher une seule syllabe; *das spricht für sich* cela parle de soi *od* tout seul; *alle Anzeichen ~ dafür, daß ...* tout porte à croire que ...; *daraus spricht ...* on y trouve ...; *kann ich Herrn X ~? ist Herr X zu ~?* pourrais-je parler à *od* voir M. X? peut-on voir M. X? *mit wem ~ Sie überhaupt?* à qui croyez-vous parler? *wir ~ uns noch!* nous nous reverrons *od* retrouverons! *~ wir nicht mehr* od *weiter darüber!* n'en parlons plus! **~d** *a, a. fig* parlant; *f fig (vielsagend)* éloquent, expressif, évocateur; *(Ähnlichkeit)* frappant.

spreiten ['ʃpraitən] *tr (ausbreiten)* étendre.

spreiz|beinig ['ʃpraɪts-] *adv* les jambes écartées; **S~e** *f* ‹-, -n› *(Turnübung)* écart(ement) *m*; *tech (Strebe)* étrésillon *m*; **~en** *tr* écarter; *sich ~~ (fig: sich aufblähen)* se pavaner, se rengorger; **S~fuß** *m med* pied *m* étalé; **S~klappe** *f aero* volet *m* crocodile; **S~lafette** *f mil* affût *m* biflèche; **S~stellung** *f*: *in ~~* en compas.

Spreng|bombe *f* ['ʃprɛŋ-] bombe *f* explosive; **s~en** *tr (aufbrechen, zerreißen)* enfoncer, faire éclater *od* sauter; *(Fesseln, Ketten)* briser; *(in die Luft ~~)* faire sauter; dynamiter; *(Versammlung, Kundgebung)* disperser; *(Bank)* faire sauter; *(Wasser)* répandre; *(Straße, Rasen)* asperger, arroser; *(Wäsche)* humecter, mouiller; *itr (Reiter)* galoper, aller au galop; bondir; *den Rahmen ~~ (fig)* sortir du *od* dépasser le cadre; **~geschoß** *n* projectile *m* explosif; **~granate** *f* obus *m* explosif; **~kammer** *f* chambre *f od* fourneau *m* de mine; **~kapsel** *f* amorce *f* fulminante; *die ~~ einsetzen* amorcer *(in etw* qc*)*; **~kehrmaschine** *f* arroseuse-balayeuse *f*; **~kommando** *n mil* détachement *m* de destruction; **~kopf** *m mil* ogive *f* explosive; *atomare(r)* od *nukleare(r) ~~* ogive *od* tête *f* (thermo)nucléaire; **~körper** *m* (engin *od* corps) explosif; détonateur *m*; **~kraft** *f* force *f* explosive; **~ladung** *f* charge *f* explosive; **~mittel** *n* explosif *m*; **~munition** *f* munition *f* explosive; **~patrone** *f* cartouche *f* explosive; **~pulver** *n* poudre *f* de mine; **~punkt** *m mil* point *m* d'éclatement; **~stoff** *m* matière *f* explosive *od* détonante; explosif; *(knetbarer)* plastic *m*; **~stoffattentat** *n* attentat à l'explosif *od* au plastic, plastiquage *m*; *ein ~~ verüben auf* plastiquer; **~stoffattentäter** *m* dynamiteur; plastiqueur, poseur *m* de plastic; **~stofflager** *n* dépôt *m* d'explosifs; dynamitière *f*; **~stück** *n (Granatsplitter)* éclat *m* (d'obus); **~trichter** *m* entonnoir (d'obus *od* de mine), puits *m* d'éclatement; **~trupp** *m* équipe *f* de destruction; **~ung** *f* destruction *f* par un explosif; *(mit Dynamit, a. fig)* dynamitage *m*; *(e-r Versammlung)* dispersion *f*; **~wagen** *m* voiture *f od* car *od* tonneau *m* d'arrosage; (voiture) arroseuse *f*; arroseur *m*; **~wedel** *m* aspersoir, goupillon *m*; **~wirkung** *f* effet *m* explosif *od* brisant *od* d'éclatement; **~zünder** *m* détonateur *m*.

Sprengel *m* ‹-s, -› ['ʃprɛŋəl] *rel (Amtsbezirk e-s Bischofs)* diocèse *m*.

Sprenk|el *m* ‹-s, -› ['ʃprɛŋkəl] *(Tüpfel)* moucheture, tache *f*; **s~(e)lig** *a* moucheté, tacheté; **s~eln** *tr* moucheter, tacheter.

Spreu *f* ‹-, ø› [ʃprɔʏ] balle *f*; *die ~ vom Weizen sondern (fig)* séparer le bon grain de l'ivraie.

Sprich|wort *n* ['ʃprɪç-] proverbe *m*; **s~wörtlich** *a* proverbial; *~~ werden* passer en proverbe; *~~e Redensart f* dicton *m*.

Sprieß|e *f* ‹-, -n› ['ʃpri:sə] *(Stütze)* étançon *m*; **s~en** ‹*sprießte, gesprießt*› **1.** *tr (stützen)* étançonner.

sprießen ‹*sproß, ist gesprossen*› ['ʃpri:sən, (-)'ʃprɔs] **2.** *itr (hervorwachsen)* poindre, sortir de terre.

Spriet *n* ‹-(e)s, -e› [ʃpri:t] *mar* livarde *f*.

Spring|bock *m* ['ʃprɪŋ-] *zoo* springbok *m*, gazelle *f* à bourse; **~brunnen** *m (Fontäne)* jet *m* d'eau; **s~en** ‹*sprang, ist/hat gesprungen*› [ʃpraŋ, gə'ʃprʊŋən] *itr* sauter, faire un saut; *(in die Höhe, auf~~)* bondir, faire un bond; *(Schwimmsport)* plonger, piquer un plongeon; *(männl. Tier)* saillir; *(spritzen)* jaillir, gicler; *(sprühen)* jaillir; *(platzen)* sauter, éclater, voler en éclats; *(e-n Sprung bekommen)* crever, se fendre, se fêler; *tr* ‹*aux: haben*› *einen neuen Rekord ~~* battre un record au saut en hauteur; *in die Augen ~~ (fig)* sauter aux yeux; *aus dem Bett ~~* sauter à bas du lit; *aus dem Fenster ~~* sauter par la fenêtre; *über e-n Graben ~~* franchir un fossé en sautant; *in die Höhe ~~* sauter en l'air; *vor Freude* bondir de joie; *zur Seite ~~* faire un bond de côté *od* un écart; *~~ lassen* faire sauter; *fam (Flasche Wein)* dépuceler; *(Geld)* faire valser; *da ~t nicht viel bei raus (pop)* il n'y a pas gras à manger; **~en** *n (Schi)* saut *m*; *(Quelle)* jaillissement *m*; **s~end** *a* sauteur; bondissant; *(sprudelnd)* jaillissant; *der ~~e Punkt* le point saillant *od* essentiel *od* délicat; **~er** *m* ‹-s, -› sauteur; *(Schwimmer)* plongeur; *(Schach)* cavalier *m*; **~erhelm** *m aero* casque *m* de parachutiste; **~flut** *f* marée *f* de vive eau; **~frosch** *m* grenouille *f* agile; **~insfeld** *m* ‹-(e)s, -e› *fig* étourneau *m*; **~käfer** *m* taupin *m*; *pl (als Familie)* élatéridés *m pl*; **~kraut** *n* balsamine *f*; **s~lebendig** *a* vif comme le salpêtre; **~maus** *f* rat *m* sauteur, gerboise *f*; **~quelle** *f* source *f* vive *od* jaillissante, eaux *f pl* jaillissantes; **~rollo** *n* (rouleau-)compresseur *m*; **~tide** *f* grand *m* de l'eau.

Sprinkleranlage [s-, ʃprɪŋklər-] *f (Feuerschutz)* installation *f* d'arrosage.

Sprit *m* ⟨-(e)s, -e⟩ [ʃ-, sprɪt] *(Kurzform von: Spiritus)* alcool *m; fam (Benzin)* essence *f.*

Spritz|apparat *m* ['ʃprɪts-] *agr (für Vitriol)* sulfateuse *f;* **~beton** *m* béton *m* projeté; **~düse** *f* gicleur *m;* **~e** *f* ⟨-, -n⟩ *(Garten~~)* arroseur *m; (Feuer~~)* pompe à incendie; *med (Gerät)* seringue, canule; *(Einspritzung)* piqûre, injection *f; jdm e-e ~~ geben* faire une piqûre à qn; *~~ für Selbstinjektionen* seringue *f* auto-injectable; *Mann m an der ~e (fig)* homme *m* influent; **s~en** *tr* ⟨*aux: haben*⟩ *(Straße, Rasen sprengen)* asperger, arroser; *agr (mit Vitriol)* sulfater; *(~lackieren)* peindre au pistolet; *itr* ⟨*aux: sein*⟩ *(Flüssigkeit)* jaillir, gicler; *(sprühen)* jaillir; *(Schreibfeder)* cracher; *fam (sich schnell bewegen)* filer; **~en** *n* aspersion *f,* arrosage; *(mit Vitriol)* sulfatage; jaillissement *m;* **~enhaus** *n* dépôt *m* des pompes à incendie; **~er** *m* ⟨-s, -⟩, **~fleck** *m* éclaboussure *f;* **~fahrt** *f fam* petit tour *m,* petite excursion; *fam* virée *f;* **~gebackene(s)** *n* échaudés *m pl;* **~guß** *m (Verfahren)* moulage *od* coulage *m od* coulée *f* par injection; *(Stück)* pièce *f* coulée; **s~ig** *a (Wein* u. *fig)* pétillant; **~kuchen** *m* échaudé *m;* **s~=lackieren** *tr* ⟨*er spritzlakkiert*⟩ peindre au pistolet; **~lackierung** *f* peinture *f* au pistolet; **~leder** *n mot* tablier *m;* **~pistole** *f* pistolet pulvérisateur; bidon-pistolet *m;* **~tour** *f fam = ~fahrt;* **~vergaser** *m mot* carburateur *m* à pulvérisation.

spröd|e ['ʃprø:də] *a (brüchig)* cassant, fragile; *(hart)* dur; *(trocken)* sec; *(Haut)* qui gerce (facilement); *fig (Materie)* aride, difficile, qui ne se prête pas; *(Mensch: wenig umgänglich, rauh)* cassant, raide, rêche, revêche; *(prüde)* farouche, prude, bégueule; *~~ tun* faire le, la difficile; *(Frau)* faire la prude *od* la sainte nitouche; **S~igkeit** *f* ⟨-, ø⟩ fragilité; *fig* aridité; raideur; pruderie *f.*

Sproß *m* ⟨-sses, -sse⟩ [ʃprɔs] *bot* pousse *f,* scion, surgeon; *a. fig (Abkömmling)* rejeton; *zoo (Geweihteil)* ⟨-sses, -ssen⟩ andouiller *m.*

Sprossle *f* ⟨-, -n⟩ ['ʃprɔsə] *(Querholz d. Leiter, a. fig: Stufe)* échelon *m; (Leiter)* ranche *f; (Fenster)* croisillon *m; a. = Sproß (zoo);* **s~en** *itr* ⟨*er sproßt/-e, hat gesproßt*⟩ poindre; bourgeonner; pousser; **~enwand** *f sport* échelle *f* à dos.

Sprosser *m* ⟨-s, -⟩ ['ʃprɔsər] *orn* grand rossignol *m.*

Sprößling *m* ⟨-s, -e⟩ ['ʃprœslɪŋ] *bes. fig (Sohn)* rejeton *m.*

Sprotte *f* ⟨-, -n⟩ ['ʃprɔtə] sprat, harenguet *m; Kieler ~n* sprats *m pl* fumés.

Spruch *m* ⟨-(e)s, ¨-e⟩ [ʃprux, 'ʃprʏçə] *(Rede)* paroles *f pl; (Aus~)* dit; *(Sinn~)* adage *m,* sentence, maxime; réflexion, pensée *f;* aphorisme, apophtegme; *(Bibel~)* verset *m; jur (Urteil)* sentence *f,* arrêt, verdict; *(Schieds~)* arbitrage; *(Orakel~)* oracle; *(Funk~)* message *m; die Sprüche Salomos* les Proverbes *m pl* de Salomon; **~band** *n* banderole *f,* calicot *m; (Kunst)* rouleau *m;* **~kammer** *f pol* chambre *f* d'épuration; **~kopf** *m radio* en-tête *m* de message; **s~reif** *a jur* en état d'être jugé; *allg (bes. verneint)* arrivé à maturité; *~~ werden lassen* laisser mûrir; *die Sache ist ~~* la poire est mûre.

Sprudel *m* ⟨-s, -⟩ ['ʃpru:dəl] bouillonnement, jaillissement *m; (moussierendes Getränk)* eau *f* gazeuse; **~kopf** *m pej* esprit *m* bouillonnant; **s~n** ⟨*aux: haben/sein*⟩ *itr* bouillonner; *(Quelle)* sourdre; *(hervor~~)* jaillir; **~n** *n* bouillonnement *m; fig (des Geistes)* jaillissements *m pl;* **~quelle** *f* source *f* jaillissante.

sprüh|en ['ʃpry:ən] *itr* ⟨*aux: sein*⟩ *(Tropfen, Funken)* jaillir; *(nieseln)* bruiner; *fig (Geist)* pétiller, étinceler; *tr* ⟨*aux: haben*⟩ *(Funken)* projeter, lancer; *(fein verteilen)* vaporiser; **S~en** *n* jaillissement; *fig* pétillement, étincèlement *m;* **S~feuer** *n* feu *m* pétillant; **S~flasche** *f* vaporisateur *m;* **S~regen** *m* pluie fine, bruine *f.*

Sprung *m* ⟨-(e)s, ¨-e⟩ [ʃprʊŋ, 'ʃprʏŋə] saut; *(Satz)* bond; *(Schwung)* élan; *(Aufspringen)* soubresaut, sursaut *m; (Luft~)* gambade, cabriole *f; (Kopf~ beim Schwimmen)* plongeon *m; (weiter Schritt; fig: Katzen~)* enjambée; *zoo (Begattung)* saillie; *(Riß in Glas* od *Porzellan)* fêlure, fissure; *(in Metall)* cassure; *(in Stahl)* crique *f; auf e-n ~ (im Vorbeigehen)* en passant; *in Sprüngen* par sauts et par bonds; *e-n ~ bekommen* se fêler, se fissurer; *e-n ~ haben* être fêlé; *jdm auf die Sprünge helfen* mettre qn sur la voie; *es ist nur ein ~ bis dorthin* c'est à deux pas d'ici; *jdm auf die Sprünge kommen* découvrir les menées de qn; *keine großen Sprünge machen können (fig)* ne pas pouvoir aller (bien) loin; *auf dem ~ sein* od *stehen, etw zu tun* être sur le point de *od* prêt à faire qc; *bei jdm auf e-n ~ vorbeikommen* ne faire qu'un saut chez qn; *den ~ ins Ungewisse wagen* faire le saut dans l'inconnu; *~ auf! marsch, marsch! (mil)* pour un bond, ... en avant! **~bein** *n anat* astragale *m;* **s~bereit** *a* prêt à sauter; *(Schwimmen)* prêt à plonger; *fig* prêt à partir; **~brett** *n a. fig* tremplin *m; etw als ~~ benutzen (fig a.)* se faire un piédestal de qc; **~deckel** *m: Taschenuhr f mit ~~* (montre à) savonnette *f;* **~feder** *f* ressort *m* (élastique); **~federmatratze** *f* matelas *m* à ressorts *od* à spirales; **~grube** *f sport* fosse *f* de saut; **s~haft** *a (unzs.hängend)* incohérent; *(unbeständig)* inconstant; *~~e(s) (ruckartiges) Ansteigen n* poussée *f;* **~haftigkeit** *f* incohérence; inconstance, versatilité *f;* **~hügel** *m (Schi)* tertre *m* pour saut(er); **~regreß, ~rückgriff** *m jur* recours *m* irrégulier; **~riemen** *m (Pferd)* martingale *f;* **~schanze** *f (Schi)* tremplin (de ski), sautoir *m;* **~schi** *m* ski *m* de saut; **~seil** *n* corde *f* à sauter; **~stab** *m* perche *f* à sauter; **~trupp** *m mil (Luftlandeunternehmen)* stick *m;* **~tuch** *n* toile *f* de sauvetage; **~turm** *m (Schwimmsport)* plongeoir, pylône *m,* plateforme; **s~weise** *adv: sich ~~ vorarbeiten, ~~ vorgehen (mil)* avancer *od* progresser par bonds; **~weite** *f* sautée *f;* **~welle** *f (in Flußmündungen)* mascaret *m.*

Spuck|e *f* ⟨-, ø⟩ ['ʃpʊkə] *fam* crachat *m,* salive *f; da bleibt mir die ~~ weg (pop)* ça me la coupe, ça me coupe la chique; *fam* ça me renverse; **s~en** *itr* u. *tr* cracher; *große Bogen* od *große Töne ~~ (fig fam)* se gargariser de grands mots, *fam* la ramener; **~napf** *m* crachoir *m.*

Spuk *m* ⟨-(e)s,(-e)⟩ [ʃpu:k] *(Gespenstererscheinung)* apparition *f* de fantômes; **s~en** *itr* revenir; hanter (*in etw* qc); *fig fam (herumgeistern, lebendig sein)* hanter (*im Kopf* l'esprit); *impers: es ~t* il y a des revenants; *bei ihm ~t's (fig fam)* il a le cerveau *od* le timbre fêlé; *in dem Hause ~t es* la maison est hantée; **~erei** *f* [-'raɪ] *fam = ~;* **~geschichte** *f* histoire *f* de revenants; **s~haft** *a* fantomatique.

Spül|apparat *m* ['ʃpy:l-] *med* injecteur *m;* **~becken** *n* lavoir; *(Ausguß)* évier *m; (WC)* cuvette *f;* **s~en** *tr* rincer; *(Geschirr)* laver; *an Land ~~* jeter sur le rivage; **~en** *n* rinçage; lavage *m;* **~er** *m* ⟨-s, -⟩ *(Geschirr~~)* plongeur *m;* **~frau** *f (Abwaschfrau)* plongeuse *f;* **~icht** *n* ⟨-s, -e⟩ ['ʃpy:lɪçt] *(~wasser)* rinçure, eau *f* de vaisselle; **~kasten** *m (WC)* chasse *f* d'eau; **~klosett** *n* water-closet *m* (à chasse d'eau), W.-C.; **~lappen** *m* torchon *m;* **~maschine** *f* machine à rincer, rinceuse; **~stein** *m (Ausguß)* évier *m;* **~ung** *f med* irrigation, injection *f; mot* balayage *m;* **~wasser** *n* rinçure; eau *f* de vaisselle; eaux *f pl* usées *od* ménagères; *fam pej (dünne Suppe* od *Soße)* eau de vaisselle, lavasse; *pop (verdünnter Wein)* piquette *f.*

Spul|e *f* ⟨-, -n⟩ ['ʃpu:lə] bobine; *tech a.* canette *f; el* self *m;* **s~en** *tr* bobiner; **~engestell** *n* support *m* de bobine(s); **~enkern** *m el* noyau *m* de bobine; **~maschine** *f* machine à bobiner; bobineuse *f;* bobinoir *m;* **~rad** *n* rouet à bobiner, bobinoir *m* à main; **~wurm** *m zoo* ver des enfants; *scient* oxyure *m.*

Spund *m* ⟨-(e)s, ¨-e⟩ [ʃpʊnt, 'ʃpʏndə] **1.** *(am Faß)* bonde *f;* **~bohle** *f* palplanche *f;* **~bohrer** *m* bondonnière *f;* **s~en** *tr* bondonner; **~loch** *n* (trou *m* de la) bonde *f;* **~zapfen** *m* bondon *m.*

Spund *m* ⟨-(e)s, -e⟩ [ʃpʊnt, '-də] **2.** *fam (junger Kerl)* jeune homme *m.*

Spur *f* ⟨-, -en⟩ [ʃpu:r] *(allg* u. *Fuß~)* trace, piste *f,* vestige *m; (Jagd a.)* connaissance; *(Wagen~, Fahrrinne)* ornière, voie; *(Abdruck)* empreinte *f,* stigmate *m,* marque *f; (Anzeichen)* indice; *(Überrest)* reste *m; fig* trace *f,* vestige, sillon, sillage *m; von der ~ abbringen* détourner de la piste; *a. fig* dépister; *jdn auf e-e falsche ~ bringen (a. fig)* mettre qn sur une fausse piste; *fig* donner le change à qn; *jdn auf die richtige ~ bringen, jdm auf die ~ helfen (fig)* mettre qn sur la voie; *e-r ~ folgen* od *nachgehen, e-e ~ verfolgen* suivre une trace; *jds ~ folgen (fig)* marcher sur les traces de qn; *~ halten (Wagen)* garder l'ornière; *an* od *auf* od *in etw ~en hinterlassen* marquer qc; *~en (im Schnee) hinterlassen* empreindre ses pas (sur la neige); *jdm auf die ~ kommen (fig)* dépister qn; *jdm auf der ~ sein (fig)* être à la piste *od* sur les traces de qn; *die ~n sichern* relever les empreintes; *in jds ~en treten (fig)* marcher sur les traces de qn; *vom Täter fehlt jede ~* on n'a aucune trace du malfaiteur, le malfaiteur n'a laissé aucune trace; *keine ~, nicht die leiseste ~* (fig) pas l'ombre, pas l'idée (*von* de); **s~en** *itr (Schisport: die erste ~ legen)* ouvrir *od* tracer la piste; *fig fam (sich einordnen)* marcher au pas; **~enelement** *n chem biol* oligo-élément *m;* **~geschoß** *n* projectile *m* traceur; **~kranz** *m tech* rebord, boudin *m;* **s~los** *adv: ~~ verschwunden* disparu sans laisser de traces; **~stange** *f mot* barre *f* d'accouplement; **~stangenhebel** *m* biellette *f;* **~weite** *f loc* (largeur de la) voie *f,* écartement des voies, entre-rail; *mot* écartement *m* (des roues).

spür|bar ['ʃpy:r-] *a* sensible, perceptible; *sich ~~ machen, ~~ werden* se faire sentir; **~en** *tr (wittern)* flairer; *(empfinden)* sentir, (se) ressentir (de), éprouver; *(wahrnehmen)* s'apercevoir de, remarquer; *zu ~~ sein* se faire sentir; **S~gerät** *n (Radar)* engin de détection; détecteur *m;* **S~hund** *m* chien quêteur; limier; *fig* furet *m;* **S~nase** *f* nez fin, bon nez; *(fig fam: Mensch)* flaireur *m; e-e ~~ haben* avoir du nez *od* du flair; **S~sinn** *m* flair *m;* sagacité *f.*

Spurt *m* ⟨-(e)s, -s/(-e)⟩ [ʃpurt] *sport* sprint *m;* **s~en** *itr* sprinter.

sputen ['ʃpu:tən] *sich* se dépêcher, se hâter.

st [st] *interj (Achtung! Ruhe!)* chut!

Staat *m* ⟨-(e)s, -en⟩ [ʃta:t] État *m; (Gemeinwesen)* chose publique, république; *fig* cité; *ent* société *f; fam (Prunk)* luxe *m;* parade; *m* ⟨-(e)s, ø⟩ *(Festgewand)* grande toilette *f* tralala *m; (nur) zum ~* pour la parade; *mit etw ~ machen* faire parade de qc; *großen ~ machen* déployer un grand luxe, mener grand train; *sich in ~ werfen (fam)* se mettre sur son trente-et-un; *die Vereinigten ~en (von Amerika, USA)* les États-Unis *m pl* (d'Amérique); **s~enbildend** *a: ~~e Insekten n pl* insectes *m pl* sociaux; **~enbund** *m* confédération *f* d'États; **s~enlos** *a* apatride; sans nationalité; **~enlose(r)** *m* apatride *m;* **s~lich** *a* de l'État; étatique; national; *(auf die Bundesrepublik bezogen)* fédéral; *(Regierungs-)* gouvernemental; *(öffentlich)* public; *(politisch)* politique; *(dem ~ gehörig)* domanial; *mit ~~er Unterstützung* avec l'aide (financière) de l'État; *unter ~~er Aufsicht* contrôlé par l'État *od* par le gouvernement; *~~ anerkannt* reconnu par l'État; *~~e(r) Eingriff m* intervention *f* de l'État *od* étatique; *~~e Einrichtung f* institution *f* d'État; *~~e Gelder n pl* fonds *m pl* publics *od* de l'État; *~~ genehmigt* approuvé par l'État; *~~ geprüft* diplômé.

Staats|abgabe *f* ['ʃta:ts-] impôt *m* public; **~akt** *m (Hoheitsakt)* acte *m* de puissance publique; *(feierliche Handlung)* cérémonie *f* officielle; **~aktion** *f: e-e ~~ aus etw machen (fam)* faire une affaire d'État de qc; **~angehörige(r)** *m* ressortissant; *(Untertan)* sujet *m;* **~angehörigkeit** *f* nationalité *f;* **~angestellte(r)** *m* employé *m* public *od* de l'État; **~anleihe** *f* emprunt *m* d'État *od* gouvernemental *od* national *od* public; **~anwalt** *m allg* partie *f* publique; *(in Frankr.)* procureur de la République; *(in Deutschl.)* procureur (*beim Gericht in ...* près le tribunal de ...); *(in der Revisionsinstanz)* avocat *m* général; **~anwaltschaft** *f* (magistrature *f* du) parquet, ministère *m* public; **~anweisung** *f fin* assignation *f* sur l'État; **~anzeiger** *m* journal *m* officiel; **~archiv** *n* archives de l'État; *(in Frankr.)* Archives *f pl* nationales; **~aufsicht** *f* contrôle *m* de l'État; *unter ~~* contrôlé par l'État *od* par le gouvernement; **~auftrag** *m* commande *f* de l'État; **~ausgaben** *f pl* dépenses *f pl* publiques *od* de l'État; **~bahn** *f* chemin *m* de fer d'État; **~bank** *f* banque *f* d'État; **~bank(e)rott** *m* banqueroute *f* d'État; **~beamte(r)** *m* fonctionnaire *m* (de l'État); **~begräbnis** *n* funérailles *od* obsèques *f pl* nationales; **~behörden** *f pl* autorités *f pl* publiques; **~besitz** *m* domaine *m;* **~besuch** *m* visite *f* d'État, séjour *m* officiel; **~betrieb** *m* établissement *m* de l'État; entreprise publique; régie *f;* **~bürger** *m* citoyen *m;* **~bürgerkunde** *f (Schulfach)* instruction *f* civique; **s~bürgerlich** *a* civique; *die ~~en Rechte n pl* les droits *m pl* civiques; **~chef** *m* chef *m* d'État *od* de l'État; **~diener** *m* serviteur *m* de l'État; **~dienst** *m* service *m* de l'État *od* public; fonction publique; magistrature *f; im ~~ stehen* être fonctionnaire (de l'État); **~druckerei** *f* imprimerie de l'État; *(in Frankr.)* Imprimerie *f* nationale; **s~eigen** *a* nationalisé; **~eigentum** *n* propriété *f* nationale *od* publique *od* de l'État; **~einkommen** *n,* **~einkünfte** *f pl* revenus *m pl* publics *od* de l'État; **~einnahmen** *f pl* recettes *f pl* publiques; **~einrichtung** *f pl* institution *f* publique; **~examen** *n* examen *m* d'État; *(bestandenes)* licence *f;* **~feind** *m* ennemi *m* public; **s~feindlich** *a* antinational; *~~e Umtriebe m pl* activités *f pl* antinationales; **~finanzen** *f pl* finances *f pl* de l'État; **~form** *f* forme *f* de gouvernement, régime *m; autoritäre, monarchische, parlamentarische, republikanische ~~* régime *m* d'autorité, monarchique, représentatif, républicain; **~forst** *m* forêt *f* domaniale; **~gebiet** *n* territoire *m* de l'État *od* national; **~gebäude** *n* édifice *m* public; **s~gefährlich** *a* dangereux pour l'État; **~gefangene(r)** *m* prisonnier *m* d'État; **~gefängnis** *n* prison *f* d'État; **~geheimnis** *n* secret *m* d'État; **~gelder** *n pl* fonds *od* deniers *m pl* publics; **~gesinnung** *f* civisme *m;* **~gewalt** *f* pouvoir d'État, pouvoir *m od* puissance de l'État, autorité *f* publique; *die ~~ ausüben* exercer l'autorité; **~grundgesetz** *n* loi *f* constitutive *od* organique; **~gut** *n* ferme *f* d'Etat; domaine *m* public; **~haushalt** *m* budget *od (Schweiz)* ménage *m* de l'État; **~hoheit** *f* souveraineté *f;* **~interesse** *n* intérêt *m* de l'État *od* national; **~investition** *f* investissement *m* public; **~kanzlei** *f* chancellerie *f* (d'État); **~kanzler** *m* chancelier d'État; *(in Großbritannien)* Grand Chancelier *m;* **~kapitalismus** *m* capitalisme *m* d'État; **~kasse** *f* trésor public, fisc *m; die ~~* le Trésor; **~kirche** *f* Église *f* nationale; **s~klug** *a vx* politique; **~klugheit** *f vx* politique *f;* **~kommissar** *m* commissaire *m* d'État; **~körper** *m* corps *m* politique; **~kosten** *pl: auf ~~* aux frais de l'État; *fam* aux frais de la princesse; **~kredit** *m* crédit *m* public; **~kunst** *f* politique *f;* **~lasten** *f pl* charges *f pl* publiques; **~lehre** *f* science *f* politique; **~lotterie** *f* Loterie *f* nationale; **~mann** *m* ⟨-(e)s, -männer⟩ homme d'État, (homme) politique *m;* **s~männisch** *a* d'homme d'État; *~~e(s) Geschick n* habileté *f* politique; **~minister** *m* ministre *m* d'État; **~ministerium** *n* ministère *m* d'État; **~mittel** *n pl fin* fonds *m pl* publics; **~monopol** *n* monopole *m* de l'État; **~notstand** *m* état *m* d'urgence national; **~oberhaupt** *n* chef d'État *od* de l'État; souverain *m;* **~organ** *n* organe *m* de l'État; *die obersten ~~e* les corps *m pl* constitués; **~papiere** *n pl* (obligations *f pl* de) fonds publics, effets publics; emprunts *m pl* d'État; *untilgbare ~~* rentes *f pl* perpétuelles; *tilgbare ~~* rentes *f pl* amortissables; **~präsident** *m* président *m* de la République; **~prozeß** *m* procès *m* politique; **~räson** *f* raison *f* d'État; **~rat** *m (Körperschaft)* conseil d'État; *(Person)* conseiller *m* d'État; **~recht** *n* droit *m* public; **~rechtler** *m* professeur *m* de droit public; **s~rechtlich** *a* de droit public; **~religion** *f* religion *f* d'État; **~rente** *f* rente *f* d'État *od* de l'État *od* sur l'État; **~schiff** *n (poet: ~)* vaisseau *m* de l'État; **~schuld** *f* dette *f* publique *od* de l'État; **~schuldschein** *m* bon *m* du Trésor; **~schuldverschreibung** *f* obligation *f* émise par l'État; **~sekretär** *m* secrétaire *m* d'État (*für* à); **~sekretariat** *n (der Kurie)* secrétairerie *f* d'État; **~sicherheit** *f* sûreté *f* de l'État; **~sicherheitsdienst** *m* services *m pl* de contre-espionnage; **~sozialismus** *m* socialisme *m* d'État; **~streich** *m* coup *m* d'État;

~trauer *f* deuil *m* national; **s~treu** *a* loyal; bien pensant; **~treue** *f* loyalisme *m;* **~verbrauch** *m* consommation *f* publique; **~verbrechen** *n* crime *m* politique; haute trahison *f;* **~verfassung** *f* constitution *f;* **~vertrag** *m* convention *f,* traité *m;* **~volk,** *das* les citoyens *m pl;* **~wesen** *n* État *m,* chose *f* publique; **~wirtschaft** *f* économie *f* politique; économie *f* étatique; secteur *m* public (de l'économie); **~wissenschaften** *f pl* sciences *f pl* politiques; **~wohl** *n* bien *m* public; **~zuschuß** *m* subvention *f* de l'État.

Stab *m* ⟨-(e)s, ⸚e⟩ [ʃta:p, 'ʃtɛ:bə] bâton *m;* *(dünner)* baguette *f;* *(kurzer)* bâtonnet; *(beim Stafettenlauf)* témoin *m;* *(langer, bes. beim ~hochsprung)* perche; *(Hirten~)* houlette *f;* *(Pilger~)* bourdon *m;* *(Bischofs~)* crosse; *(Eisen~)* barre *f,* barreau; *(Flucht~)* piquet; *fig mil (Führungsgruppe)* état-major; *allg (Mitarbeiter~)* groupe *m* (de travail); équipe *f* de direction; *über jdn den ~ brechen (fig)* condamner qn; jeter la pierre à qn, faire le procès de qn; **~antenne** *f* antenne-bâton, antenne-mât, antenne-sabre *f;* **~batterie** *f* pile *f* pour torche; **~diagramm** *n* diagramme *m* à colonnes *od* à bâtons; **~eisen** *n* fer *m* en barres; **s~frei** *a (Zelt)* sans mât; **~hochsprung** *m* saut *m* à la perche; **~magnet** *m* aimant *m* en forme de barreau; **~reim** *m* allitération *f;* **~sarzt** *m* médecin *m* capitaine; **~schef** *m* chef *m* d'état-major; **~sfeldwebel** *m* adjudant-chef *m* de première classe; **~sgefreite(r)** *m* caporal-chef *m* de première classe; **~skompanie** *f (Regiment)* compagnie de commandement *od* hors rang; *(auf höherer Ebene)* compagnie *f* de quartier général; **~soffizier** *m* officier *m* supérieur; **~squartier** *n* quartier *m* général; **~sschreiber** *m* secréraire *m* d'état-major; **~stahl** *m* acier *m* en barres; **~sunteroffizier** *m* sergent-chef; *(Artillerie, Panzertruppe)* maréchal des logis-chef *m;* **~sveterinär** *m* vétérinaire *m* capitaine; **~wechsel** *m sport* transmission *f* du témoin.

Stäbchen *n* ⟨-s, -⟩ ['ʃtɛ:pçən] bâtonnet *m (a. zum Spielen);* *(Kragen~)* baleine (de col); *fam* cigarette *f.*

stabil [ʃ(s)ta'bi:l] *a* stable *a. Preise;* solide, ferme; *(Maschine)* robuste; **S~isator** *m* ⟨-s, -en⟩ [-bili'za:tɔr, -'to:rən] *tech* stabilisateur *m;* **~isieren** [-'zi:rən] *tr* stabiliser; consolider; **S~isierung** *f* stabilisation *f;* **S~isierungsfläche** *f aero* surface *f* stabilisatrice; **S~isierungsflosse** *f aero* plan fixe *od (Rakete)* empennage *m* de stabilisation; *(Bombe)* ailette *f;* **S~isierungsplan** *m pol (Wirtschaft)* plan *m* de stabilisation; **S~ität** *f* ⟨-, ø⟩ [-'tɛ:t] stabilité; *(Maschine)* robustesse *f.*

Stachanowarbeiter [ʃta'xa:nɔf-] *m pol* stakhanoviste *m.*

Stachel *m* ⟨-s, -n⟩ ['ʃtaxəl] *bot* aiguillon; *bot zoo* piquant; *zoo (Gift~)* dard *m;* *allg* pointe *f;* *fig* aiguillon *m,* pointe *f;* **~beere** *f* groseille *f* à maquereau; **~beerbusch** *m,* **~beerstrauch** *m* groseillier *m* à maquereau; **~draht** *m* (fil de fer) barbelé *m;* **~drahtverhau** *m* (réseau *m* de) barbelés *m pl;* **~drahtzaun** *m* clôture *f* en (fil de fer) barbelé; **~flosse** *f zoo* nageoire *f* épineuse; **~halsband** *n (für Hunde)* collier *m* de force; **~häuter** *m pl zoo* échinodermes *m pl;* **s~n** *tr (stechen)* aiguillonner; piquer; **~schnecke** *f zoo* murex *m;* **~schwamm** *m bot* hydne *m;* **~schwein** *n* porc-épic; *fig pej (bärbeißiger Mensch)* hérisson *m;* **~walze** *f tech* hérisson *m;* **stach(e)lig** *a* aiguillonné; hérissé de piquants; *fig (Worte)* piquant, mordant.

Stadel *m* ⟨-s, -⟩ ['ʃta:dəl] *(Scheune)* grange *f.*

Stadion *n* ⟨-s, -dien⟩ ['ʃta:diɔn, '-diən] *sport* stade *m.*

Stadium *n* ⟨-s, -dien⟩ ['-dium, '-diən] stade; *(Zustand)* état; *(Stufe)* degré *m;* *(Abschnitt)* phase, *bes. med* période *f.*

Stadt *f* ⟨-, ⸚e⟩ [ʃtat, 'ʃtɛ:tə] ville; cité; *(~verwaltung)* municipalité *f;* *in der ~* dans la ville; *(in unserer ~) a.* dans nos murs; *(Gegensatz: auf dem Lande)* à la ville; *(Gegensatz: zu Hause)* en ville; *in ~ und Land* à la ville comme à la campagne; *offene ~ (mil)* ville *f* ouverte; **~bad** *n* piscine *f* municipale; **~bahn** *f* chemin de fer métropolitain; *(als Netz)* réseau *m* urbain; **~baumeister** *m* architecte *m* municipal; **s~bekannt** *a* de notoriété publique; *das ist ~~* cela court les rues; **~bevölkerung** *f* population *f* urbaine *od* des villes; **~bezirk** *m* arrondissement *m;* **~bibliothek** *f,* **~bücherei** *f* bibliothèque *f* municipale; **~bild** *n* physionomie *f* d'une *od* de la ville; paysage *m* urbain; **~garten** *m* jardin *m* municipal; **~gas** *n* gaz *m* de ville; **~gebiet** *n* territoire *m* de la ville; banlieue *f;* **~gemeinde** *f* municipalité *f;* **~gespräch** *n tele* communication *f* urbaine; *das ist ~~ (in aller Munde)* toute la ville en parle; **~graben** *m* fossé *m* de la ville; **~kämmerer** *m* trésorier *m* municipal; **~kasse** *f* caisse *f* municipale; **~kern** *m* noyau urbain; centre *m* (de la ville); **~klatsch** *m* cancans *m pl* de la ville; **~kommandant** *m mil* commandant *m* de place; **~kreis** *m (in Deutschl., etwa:)* arrondissement *m* urbain; **~leben** *n* vie *f* des villes; **~licht** *n (Auto)* feux *m pl* de ville; **~mauer** *f* (mur *m* d')enceinte *f;* **~mitte** *f* centre *m* (de la ville); **~netz** *n tele* réseau *m* urbain; **~obrigkeit** *f* municipalité *f;* **~plan** *m* plan *m* de ville; **~planer** *m* urbaniste *m;* **~planung** *f* aménagement urbain, urbanisme *m;* **~rand** *m* banlieue *f;* **~randsiedlung** *f* cité *f* de banlieue; **~rat** *m* ⟨-(e)s, ⸚e⟩ *(Körperschaft)* conseil municipal; *(Person)* conseiller municipal, édile *m;* **~rundfahrt** *f* tour *m* de *od* visite *f* de la ville; **~schreiber** *m* greffier *m* municipal; **~staat** *m* cité d'État; ville *f* souveraine *od* indépendante; **~teil** *m* quartier *m;* *abgelegene(r) ~~* quartier *m* perdu; **~theater** *n* théâtre *m* municipal; **~tor** *n* porte *f* de la ville; **~väter,** *die m pl* les édiles *m pl;* la municipalité; **~verordnete(r)** *m* conseiller *m* municipal; **~verwaltung** *f* administration municipale; municipalité *f;* **~viertel** *n* = *~teil;* **~zentrum** *n* = *~mitte;* **~zoll** *m* octroi *m.*

Städt|chen *n* ⟨-s, -⟩ ['ʃtɛ:tçən] petite ville *f;* **~ebau** *m* ⟨-(e)s, ø⟩ urbanisme *m;* **~ebauer** *m* urbaniste *m;* **s~ebaulich** *a* urbanistique; *nach ~~en Grundsätzen bebauen, neu gestalten* urbaniser; **~ebund** *m hist* union *od* association *f* des villes; **~eordnung** *f* constitution *od* organisation *f* municipale; **~er** *m* ⟨-s -⟩ citadin *m;* *pl a.* gens *pl* de la ville; **~etag** *m* assemblée *f* des délégués des villes; **s~isch** *a* urbain; de la ville; *adm* municipal; *~~e(r) Angestellte(r) m, Beamte(r) m* employé *od* fonctionnaire *m* municipal; *~e Einrichtungen f pl* services *m pl* municipaux.

Stafette *f* ⟨-, -n⟩ [ʃta'fɛtə] *hist (Meldereiter)* estafette *f;* *sport* relais *m;* **~nlauf** *m,* **~nritt** *m* course *f* de relais.

Staffage *f* ⟨-, -n⟩ [ʃta'fa:ʒə] *(Beiwerk, Ausstattung)* accessoires *f pl,* décor *m.*

Staffel *f* ⟨-, -n⟩ ['ʃtafəl] *(Stufe)* marche *f;* degré; gradin; *a. mil* u. *fig* échelon *m;* *aero mil* escadrille *f;* *sport* relais *m;* **~besteuerung** *f* imposition *f* progressive; **~ei** *f* [-'laı] chevalet *m;* **~exerzieren** *n aero* école *f* d'escadrille; **~feuer** *n mil* feu *m* échelonné; **s~förmig** *a* échelonné; *adv* en *od* par échelons; *~~ aufstellen* échelonner; **~kapitän** *m aero* chef *m* d'escadrille; **~lauf** *m* course *f* de relais; **~läufer** *m* coureur *m* de relais; **~mannschaft** *f* équipe *f* de relais; **s~n** *tr* échelonner, disposer par échelons; *fig* graduer; **~tarif** *m* tarif *m* échelonné *od* à échelons *od* à paliers; **~ung** *f* échelonnement *m,* graduation *f,* décalage *m;* *(Steuer)* progressivité *f;* *(Ferien)* étalement *m;* *~~ der Steuersätze* progressivité *f* du taux d'imposition; **s~weise** *adv* = *s~förmig adv;* **staff(e)lig** *a* = *s~förmig a.*

Stag *n* ⟨-(e)s, -e(n)⟩ ['ʃta:k, '-gə(-)] *mar* étai *m.*

Stagn|ation *f* ⟨-, -en⟩ [ʃ-, stagnatsi'o:n] stagnation *f;* **s~ieren** ⟨*aux: haben*⟩ [-'gni:rən] *itr (Wasser)* croupir; stagner, être stagnant; *fig* languir; plafonner.

Stahl *m* ⟨-(e)s, ⸚e/(-e)⟩ [ʃta:l, 'ʃtɛ:lə] acier; *(Wetz~)* fusil; *fig a.* fer *m;* **~bad** *n* bain *m* ferrugineux; *(Ort)* eaux *f pl* ferrugineuses; **~band** *n* ⟨-(e)s, ⸚er⟩ ruban *m* d'acier; **~bau (-weise** *f)* *m* construction *f* métallique; **~bereitung** *f* aciérage *m,* aciération *f;* **~beton** *m* béton *m* armé; **~betonbau** *m* construction *f* en béton armé; **s-blau** *a* bleu d'acier; **~blech** *n* tôle *f* d'acier; **~bürste** *f* brosse *f* métallique; **~draht** *m* fil *m* d'acier; **~erzeugung** *f* production *f* de l'acier; **~feder** *f (zum Schreiben)* plume *f* d'acier; *(Sprungfeder)* ressort *m* d'acier; **~flasche** *f* bouteille *f od* cylindre *m* en acier *od* métallique; **~gerüst** *n* échafaudage *m* métallique; **s~grau** *a* gris d'acier *od* de fer *od* bleuté; **~guß** *m (Vorgang)* moulage d'acier; *(Produkt)* acier *m* moulé; **s~hart** *a* d'acier; **~helm** *m* casque *m* d'acier; *fam* bourguignotte *f;* **~kammer** *f* chambre *f* forte; **~kartell** *n* cartel *m* de l'acier; **~kerngeschoß** *n* balle *f* perforante; **~klinge** *f* lame *f* d'acier; **~konstruktion** *f* charpente *f* métallique; **~mantelgeschoß** *n* balle *f* à enveloppe d'acier; **~möbel** *n pl* meubles *m pl* métalliques *od* en acier; mobilier *m* métallique; **~platte** *f* plaque *od* tôle *f* d'acier; **~quelle** *f* source *f* ferrugineuse; **~rohr** *n* tube *od* tuyau *m* en acier *od* d'acier; **~rohrmöbel** *n pl* meubles *m pl* tubulaires; **~roß** *n hum (Fahrrad)* bécane *f;* **~schiene** *f* rail *m* en acier; **~schrank** *m* coffre-fort *m;* **~skelett** *n* carcasse *f* métallique; **~skelettbau** *m* construction *f* en charpente métallique; **~späne** *m pl* paille *f* d'acier; **~stich** *m* gravure *f* sur acier; **~träger** *m* poutrelle *f* d'acier; **~trosse** *f* cordage *m* en acier; **~trust** *m* trust *m* de l'acier; **~warenhändler** *m* coutelier *m;* **~waren(handlung** *f***)** *f pl* coutellerie *f;* **~werk** *n* aciérie *f.*

stähl|en ['ʃtɛ:lən] *tr* aciérer; *(härten)* tremper; *fig* endurcir; **S~en** aciérage *m,* aciération *f;* **~ern** *a* d'acier, en acier; *fig* de fer.

Stak|e *f* ‹-, -n›, **~en** *m* ‹-s, -› ['ʃta:kə(n)] *dial (Stoßstange)* perche *f;* **s~en** *tr (Boot)* conduire *od* manœuvrer à la perche.

Staket *n* ‹-(e)s, -e› [ʃta'ke:t] estacade, palissade *f,* lattis *m;* clôture *f* à claire-voie.

Stala|gmit *m* ‹-s/-en, -e/-en› [s(ʃ)tala'gmi:t/-'mɪt] *geol* stalagmite *f;* **~ktit** *m* ‹-s/-en, -e/-en› [-k'ti:t/-'tɪt] *geol* stalactite *f.*

Stall *m* ‹-(e)s, ⸚e› [ʃtal, 'ʃtɛlə] *allg* étable; *(Pferde~)* écurie; *(Kuh~)* vacherie; *(Schaf~)* bergerie; *(Schweine~)* porcherie *f; (Kaninchen~)* clapier; *(Hühner~)* poulailler; *(Holz~)* bûcher *m; fig pej (schlechte Wohnung)* écurie *f,* taudis *m; den ~ ausmisten (fig)* mettre de l'ordre; donner un grand coup de balai; *in den ~ treiben* ramener à l'étable; **~baum** *m* bat-flanc *m;* **~bursche** *m* garçon *m* d'écurie; **s~en** *itr (Pferd: harnen)* pisser; **~fütterung** *f* stabulation *f;* **~geld** *n* établage *m;* **~hase** *m* lapin *m;* **~knecht** *m* valet d'écurie, palefrenier *m;* **~(l)aterne** *f* lanterne *f* d'écurie; **~magd** *f* vachère *f;* **~meister** *m* écuyer *m;* **~mist** *m* fumier *m;* **~ung** *f, meist pl* écuries *f pl;* **~voll** *m: ein ~~ Kinder (pop)* une tripotée d'enfants; **~wache** *f* garde *f* d'écurie.

Stamm *m* ‹-(e)s, ⸚e› [ʃtam, 'ʃtɛmə] *(Baum~)* tronc, fût *m,* tige (aérienne); *fig (Geschlecht, Familie)* souche, lignée, race, famille; *(Volks~)* tribu *f; biol* embranchement; *(~personal)* cadre *m; (~kunden, ~gäste)* habitués *m pl; gram* racine *f,* radical *m;* **~aktie** *f fin* action *f* ordinaire; **~baum** *m* arbre généalogique; *(e-s Zuchttieres)* pedigree *m;* **~buch** *n* album; *(Familien~~)* livret *m* de famille; **~einheit** *f mil* noyau *m* actif; **~einlage** *f fin* apport *m* social; **s~en** *itr (ab~~)* descendre, provenir, sortir, être issu, tirer son origine (*von* de); *(örtl.)* être originaire (*aus* de), *(Sache)* provenir (*aus* de); *(zeitl.)* dater (*aus* de); **~esfehde** *f* rivalité *f* tribale; **~esgeschichte** *f biol* phylogénie *f;* **~eshäuptling** *m* chef *m* de tribu; **~eswirtschaft** *f* économie *f* tribale; **~form** *f gram* forme *f* radicale; temps *m* primitif; **~gast** *m* hôte attitré, habitué; *fam* pilier *m* de cabaret; **~halter** *m* fils *m* aîné; **~haus** *n com* maison *f* mère; **~holz** *n* bois *m* de *od* en grume; **~kapital** *n* capital initial, fonds *m* (social); **~kneipe** *f,* **~lokal** *n fam* (mon, ton *etc*) bistrot, café *m;* b., c. qu'on fréquente en habitué; **~kunde** *m* client *m* attitré; **~kundschaft** *f* clientèle *f* attitrée; **~leitung** *f tele mil* axe *m* de transmission; **~(m)utter** *f* première mère *f;* **~personal** *n* personnel *m* stable; **~platz** *m* place *f* d'habitué; **~rolle** *f* (registre *m*) matricule *f;* **~rollennummer** *f* numéro *m* (de) matricule; **~sitz** *m theat* place *f* d'abonné; **~tafel** *f* tableau *m* généalogique; **~tisch** *m* table *f* des habitués; **~truppe** *f* = *~einheit;* **~vater** *m* aïeul *m; ~~ werden* faire souche; **s~verwandt** *a* de la même famille *od* race; *gram* du même radical; **~wort** *n* radical *m.*

stamm|eln *(ich stamm(e)le, du stammelst ...)* ['ʃtaməln] *tr* bégayer, balbutier; *itr (undeutlich sprechen)* bredouiller; **S~eln** *n* bégaiement, balbutiement; bredouillage, bredouillement *m;* **S~ler** *m* ‹-s, -› bègue *m.*

stämmig ['ʃtɛmɪç] *a* trapu, robuste, vigoureux, fort; *fam* costaud; **S~keit** *f* ‹-, ø› robustesse, vigueur *f.*

Stampf|asphalt *m* ['ʃtampf-], **~beton** *m* asphalte, béton *m* pilonné *od* damé; **~bau** *m* (construction *f* en) pisé *m;* **~e** *f* ‹-, -n› *(Stößel)* pilon *m,* dame *f;* **s~en** ‹*aux: haben*› *tr* pilonner, damer; *(fest~~)* fouler, tasser; *(zer~~)* piler, broyer, concasser; bocarder; *itr (mit den Füßen ~~)* piétiner, trépigner; *(stapfen)* marcher à pas lourds; *(Pferd)* piaffer; *(Schiff)* tanguer; *aus dem Boden ~~ (fig)* faire sortir du sol; **~en** *n* pilonnage; foulage; pilage, concassage; piétinement, trépignement; piaffement; *mar* tangage *m;* **~er** *m* ‹-s, -› *(Gerät)* pilon *m,* dame *f;* fouloir; broyeur *m.*

Stand *m* ‹-(e)s, ⸚e› [ʃtant, 'ʃtɛndə] *(Stehen)* station; *(Stellung)* position; *(der Gestirne)* configuration, constellation; *(Lage)* situation; *(Zu~)* condition *f,* état, *(gegenwärtiger)* état actuel; *(Ebene, Höhe; fig)* niveau, degré; *(Wasser)* niveau *m; (Barometer)* hauteur *f; sport (des Spieles)* score *m; com (der Preise)* cote *f,* cours *m pl; pol* état *m,* classe; *(Rang)* rang *m,* condition *f,* standing *m; (Beruf)* profession *f,* métier; *(~ort)* poste *m,* place *f,* emplacement *m; a. zoo bot* station; *(im Pferdestall)* stalle *f; (Verkaufs~)* éventaire *m; (Messe~)* stand; *(Schieß~)* stand *m* (de tir); *auf, nach dem ~(e) (gen)* sur la base *od* le pied (de); *aus dem ~ (sport)* de pied ferme; *von (vornehmem) ~* de qualité; *von niedrigem ~e* de basse extraction; *auf den neuesten ~ bringen* mettre à jour; *den ~ e-r S ermitteln, e-n Überblick über den ~ e-r S geben* faire le point de *od* sur qc; *in den ~ der Ehe treten* se marier; *den höchsten ~ erreichen* culminer; *e-n schweren ~ haben* être dans une situation difficile; avoir bien du mal (*bei, mit* avec); *gut im ~e sein* être en bon état *od (Mensch)* en bonne santé; *jdn in den ~ setzen, etw zu tun* mettre qn à même *od* en état de faire qc; *ich habe e-n schweren ~ (a.)* ma position est délicate; *der gegenwärtige ~ der Technik, des Wissens* l'état de la technique, des connaissances actuelle(s); *der dritte ~* le tiers état; *die höheren, niederen Stände* les classes élevées *od* supérieures, les classes inférieures *f pl; der ~ der Arbeiten* l'état *m* (d'avancement) des travaux; **~bein** *n (Kunst)* jambe *f* de soutien; **~bild** *n* statue *f; jdm ein ~~ errichten* élever une statue à qn; *hum* statufier qn; **s~fest** *a* stable, fixe; solide; **~festigkeit** *f* ‹-, ø› stabilité; solidité *f;* **~geld** *n com* droits *m pl* d'étalage; *(Markt)* hallage *m; mot* taxe *f od* droits *m pl* de stationnement; **~gericht** *n* conseil *m* de guerre; cour *f* martiale; **s~haft** *a* constant; *(fest)* ferme; *(beharrlich)* persévérant; *(unerschütterlich)* inébranlable; *adv* de pied ferme; *~~ bleiben* tenir ferme *od* bon; **~haftigkeit** *f* ‹-, ø› constance; fermeté; persévérance *f;* **s~=halten** *itr* ‹*hat standgehalten*› tenir (bon *od* ferme); ne pas céder, ne pas reculer, ne pas lâcher pied; tenir tête, résister (*e-r S* à qc); **~licht** *n* feu(x *pl*) *m* de position *od* de stationnement; lanternes *f pl; das ~~ einschalten* mettre en veilleuse; **~ort** *m* lieu de stationnement, poste *m,* place *f,* emplacement *m; a. zoo bot* station *f; bot* habitat *m; mil* garnison; *mar aero* position; *fig* position *f; den ~~ angeben, feststellen (mar aero)* signaler, déterminer la position; **~ortälteste(r)** *m mil* commandant *m* d'armes; **~ortbestimmung** *f mar aero* détermination *f* de la position *od* du point; **~ortlazarett** *n mil* hôpital de garnison, centre *m* hospitalier; **~ortmeldung** *f mar aero* message *m* de déplacement; **~ortoptimierung** *f* localisation *f* optimale; **~ortproblem** *n* problème *m* du lieu d'implantation; **~pauke** *f fam (Strafrede)* gronderie *f,* sermon *m; jdm e-e ~~halten* passer un savon à qn, sermonner qn; **~punkt** *m bes. fig* point *m* de vue; *fig* manière de voir, optique *f; auf dem ~~ stehen, sich auf den ~~ stellen, daß ...* être d'avis que ...; **~quartier** *n mil* cantonnement *m* (permanent); *allg* résidence *f;* **~recht** *n mil* loi *f* martiale: *das ~~ verhängen* décréter la loi martiale; **s~rechtlich** *adv; ~~ erschießen* exécuter militairement, passer par les armes; **~rede** *f (Strafrede)* harangue *f;* **~schub** *m (Rakete)* poussée *f* statique; **s~sicher** *a* stable; **~sicherheit** *f* stabilité *f;* **~uhr** *f* horloge *f* de parquet; **~visier** *n mil* hausse *f* fixe; **~wild** *n* bêtes *f pl* sédentaires.

Standard *m* ⟨-s, -s⟩ ['ʃ(s)tandart] *(Richtschnur)* standard *m; (Norm)* norme *f; (Normalmaß)* étalon *m;* **~abweichung** *f* écart-type *m;* **~ausführung** *f com* présentation *f* standard; **~fehler** *m* erreur-type *f;* **s~isieren** [-di'zi:rən] *tr* standardiser; **~isierung** *f* standardisation *f;* **~kosten** *pl* coût *m* standard; **~modell** *n* modèle-type *m;* **~typ** *m* type *m* standard; **~vertrag** *m* contrat-type *m;* **~waffe** *f* arme standardisée, arme-type *f;* **~werk** *n (wissenschaftl.)* ouvrage *m* de référence.

Standarte *f* ⟨-, -n⟩ [ʃtan'dartə] *mil* étendard *m;* **~nträger** *m* porte-étendard *m.*

Ständ|chen *n* ⟨-s, -⟩ ['ʃtɛntçən] *mus (Abend~)* sérénade; *(Morgen~)* aubade *f; jdm ein ~~ bringen* donner une sérénade *od* une aubade à qn; **~er** *m* ⟨-s, -⟩ ['-dər] montant, pied; support *m;* **s~ig** ['-dıç] *a* permanent, perpétuel, continuel; incessant, ininterrompu; *(fest)* fixe, stable; *adv* perpétuellement, continuellement, sans cesse; *~~e Redensart f (a.)* refrain *m;* **s~isch** ['-dıʃ] *a* corporatif.

Stander *m* ⟨-s, -⟩ ['ʃtandər] *(Wimpel)* fanion *m.*

Standes|amt *n* ['ʃtandəs-] (bureau de l')état civil; **s~amtlich** *a* par (l'officier de) l'état civil; *adv: ~~ trauen* marier civilement; *~~e Trauung f* mariage *m* civil; **~beamte(r)** *m* officier *m* d'état civil; **~dünkel** *m* présomption *od* prétention *f* de caste; **~ehre** *f* honneur *m* corporatif *od* de la corporation; **s~gemäß** *a* conforme à son état *od* rang; *~~ leben* vivre selon son état, tenir son rang; *~~e Heirat f* mariage *m* de convenance; **~person** *f* personne *f* de qualité; **~register** *n* registre *m* de l'état civil; **~unterschied** *m* différence *f* de classe; *pl* distinction *f* des classes; **~vorurteil** *n* préjugé *m* de caste; **s~widrig** *a* qui déroge (à son rang); *adv: ~~ handeln* déroger à son rang; **~würde** *f* dignité *f* du rang; **s~würdig** *a* digne à son rang; **~zugehörigkeit** *f* état, rang *m.*

Stange *f* ⟨-, -n⟩ ['ʃtaŋə] perche, gaule, verge; *(aus Metall)* barre *f; (aufgerichtet)* poteau *m; (Bohnen~)* rame *f; (Bohnen~, Hopfen~)* paisseau; *(Hühner~)* perchoir, juchoir *m; (bes. Gardinen~)* tringle *f; (Korsett~)* busc *m; (Fahnen~)* hampe *f; (Meß~)* jalon *m; tech* tige; *(Pleuel~)* bielle; *(Geweih)* branche *f; com (Ware in ~nform, z. B. Siegellack)* bâton; *(Eis zum Kühlen)* pain *m; (Brot)* baguette; *(Zigaretten)* cartouche *f,* étui *m; von der ~ (fam: Kleidung)* au décrochez-moi-çà; *e-e ~ angeben (fam)* ne pas se croire rien, la ramener; *bei der ~ bleiben (fig fam)* tenir bon *od* ferme, ne pas lâcher pied; *jdm die ~ halten* prendre fait et cause *od* parti pour qn; *sich auf e-e* od *die ~ setzen (Hühner usw)* se percher, se jucher; *auf e-r* od *der ~ sitzen* être perché *od* juché; *e-e ~ Geld kosten (fam)* coûter un argent fou *od* les yeux de la tête; **~nbohnen** *f pl* haricots *m pl* à rames; **~neisen** *n* fer *m* en barres; **~nholz** *n* rondins *m pl;* **~nleitung** *f el* ligne *f* sur poteaux; **~npferd** *n* timonier *m;* **~nspargel** *m* asperges *f pl* entières; **~nwald** *m,* **~nzaun** *m* perchis *m;* **~nzelt** *n* tente *f* à armature.

Stank *m* ⟨-(e)s, ø⟩ [ʃtaŋk] *fam (Zank)* querelle, dispute; *(Ärger)* tracasserie *f.*

Stänker|ei *f* ⟨-, -en⟩ [ʃtɛŋkə'raı] *f fam = Stank;* **~(er)** *m* ⟨-s, -⟩ ['ʃtɛŋkər(ər)] *fam (Zänker)* querelleur; *(Hetzer)* tracassier; *(Nörgler)* rouspéteur *m pop;* **s~n** *itr fam* chercher querelle *od* noise; *pop* rouspéter.

Stanniol *n* ⟨-s, -e⟩ [ʃ(s)tani'o:l] papier *m od* feuille *f* d'étain, tain *m.*

stante pede ['stantə 'pe:də] *adv fam hum (sofort)* sur-le-champ.

Stanz|e *f* ⟨-, -n⟩ ['ʃtantsə] **1.** *tech* (presse à) estampe(r); matrice; *(loch~~)* poinçonneuse *f;* **s~en** *tr* estamper; *(aus~~)* découper; *(lochen)* poinçonner; **~en** *n* estampage; découpage; poinçonnage, poinçonnement *m;* **~maschine** *f* découpeuse; poinçonneuse *f;* **~werk** *n* atelier *od* établissement *m* d'estampage.

Stanze 2. *(Strophenform)* stance *f.*

Stapel *m* ⟨-s, -⟩ ['ʃta:pəl] *mar (Dock)* cale *f; (Warenlager)* entrepôt, dépôt *m; (geschichteter Haufen, Stoß)* pile *f,* tas *m; vom ~ lassen (mar* u. *fig)* lancer, mettre à l'eau; *vom ~ laufen (mar)* être lancé *od* mis à l'eau; *auf ~ legen, liegen (mar)* mettre, être sur cale *od* en chantier; **~block** *m mar* tin *m;* **~holz** *n* bois *m* de chantier; **~lauf** *m mar* lancement *m,* mise *f* à l'eau; **s~n** *tr (lagern)* emmagasiner, stocker; *(aufschichten)* empiler, entasser; **~platz** *m* entrepôt, dépôt, lieu *m* de stockage; **~winde** *f* cric *m* gerbeur, gerbeuse *f.*

Stapf|e *f* ⟨-, -n⟩ **~n** *m* ⟨-s, -⟩ ['ʃtapfə(n)] *(Fuß~~)* (trace *f* de) pas *m;* **s~en** ⟨*aux: sein*⟩ *itr* marcher d'un pas lourd.

Star 1. *m* ⟨-(e)s, -e⟩ [ʃta:r] *orn* étourneau, sansonnet *m;* **~(en)kasten** *m* nichoir *m.*

Star 2. *m* ⟨-(e)s, -e⟩ [ʃta:r] *med (grauer ~)* cataracte *f; jdm den ~ stechen* opérer qn de la cataracte; *grüne(r) ~* glaucome *m; schwarze(r) ~* amaurose *f.*

Star 3. *m* ⟨-s, -s⟩ [s-, ʃta:r] *film* vedette, étoile, star *f;* **~allüren** *f pl: ~~ haben* se donner des grands airs.

stark [ʃtark] *a allg* fort *a. fig; (kräftig)* vigoureux, robuste; *(kraftvoll)* énergique; *(heftig)* violent; *(mächtig)* puissant *(a. von e-m Motor); (intensiv, z. B. Verkehr)* intense; *(groß, beträchlich)* grand, considérable; *med* fort; *(tüchtig, beschlagen)* fort, calé; *(dick, von e-m Menschen)* fort, gros, corpulent; *(Buch, Band: umfangreich)* volumineux; *(dick, von e-r Schicht)* épais; *(fest)* solide, résistant; *(alkohol. Getränk, Kaffee, Tabak)* fort; *adv (bei v)* fort; *(beträchtlich)* fortement, grandement; *(bei a)* très, bien; *immer stärker (mehr)* de plus en plus; *noch stärker* de plus belle; *zehn Mann ~* (au nombre) de 10 hommes; *500 Seiten ~ (Buch)* de 500 pages; *zehn Zentimeter ~* épais de 10 centimètres; *~ abnehmen* diminuer grandement; *~e Nerven haben* avoir les nerfs solides; *sich ~ genug fühlen, etw zu tun* se sentir assez fort pour *od* la force de faire qc; *stärker fühlen lassen* appesantir; *es mit dem Stärkeren halten, sich auf die Seite des Stärkeren stellen* être du côté du plus fort; *~ machen* rendre fort, fortifier; *stärker (dicker) machen, werden (a.)* renforcir *pop; das ist (ein) ~(es Stück) fig* c'est (un peu) fort; c'est un peu raide; *fam* ce n'est pas piqué des vers; *die stärksten Bataillone (fig)* les gros bataillons *m pl; ~ besucht* très fréquenté; *~e(r) Esser, Trinker m* gros mangeur, fort *od* grand buveur *m; ~e(r) Frost, Geruch, Regen* forte gelée, odeur, pluie *f; ~e(s) Gefälle n (Straße)* descente rapide; *loc* forte pente *f; der ~e Mann (pol)* l'homme *m* puissant; *~e(r) Schnupfen m* gros rhume *m; ~ verschuldet* criblé *od* couvert de dettes; **S~bier** *n* bière *f* forte; **~knochig** *a* osseux; **~leibig** *a (dick)* fort, gros; **S~strom** *m el* courant à haute tension, courant *m* force; **S~stromleitung** *f* ligne *f* à haute tension; **S~stromnetz** *n,* **S~stromschalttafel** *f* réseau, tableau *m* d'énergie; **~wandig** *a (Hülle)* épais.

Stärk|e *f* ⟨-, -n⟩ ['ʃtɛrkə] *allg* force; *(Kraft)* vigueur, robustesse; *(Energie)* énergie; *(Heftigkeit)* violence; *(Macht)* puissance; *(Intensität)* intensité; *(Zahl)* force *f* numérique, nombre; *mil* effectif; *(Tüchtigkeit, Beschlagenheit)* fort; *(Buch: Umfang)* volume *m; (Schicht: Dicke)* épaisseur; *(Festigkeit)* solidité, résistance; *(~emehl)* fécule *f,* amidon; *(Wäsche~~)* empois *m* (d'amidon); **~efabrik** *f* amidonnerie *f;* **~egrad** *m* (degré *m* d')intensité *f;* **s~ehaltig** *a* féculent; *scient* amylacé; **~ekleister** *m* colle *f* d'amidon; **~emehl** *n* fécule *f;* **s~en** *tr allg* fortifier; *(kräftigen)* revigorer; *med* tonifier, soutenir; *(seelisch)* réconforter; *(Wäsche)* amidonner, empeser; *sich ~~* se restaurer, se refaire; *(seelisch, fam)* se remonter, se sustenter; **~en** *n (der Wäsche)* amidonnage, empesage *m;* **~enachweis** *m mil* état *od* tableau *m* des effectifs; **s~end** *a* fortifiant; *med* reconstituant, tonique, analeptique; *fam* remontant; **~eregler** *m ra-*

dio bouton *m* de puissance; **~ung** *f* renforcement, raffermissement *m*, consolidation *f; (Trost)* réconfort *m;* **~ungsmittel** *n* fortifiant, reconstituant, tonique *m*.

starr [ʃtar] *a* raide; *scient tech* rigide; *(unbeweglich)* immobile; *(steif)* (en)gourd(i); *(steifgefroren)* figé *od* transi (de froid), glacé; *(Blick)* fixe; *(wie versteinert)* pétrifié (*vor Schrekken* de terreur); *(vor Staunen)* stupéfait; *(unbeugsam)* inflexible; *(streng)* rigoureux, rigide; *~ an etw festhalten* être entiché de qc; *~e Fronten f pl (mil)* fronts *m pl* rigides; *~e Haltung f (fig)* fixisme *m;* **S~e** *f* ‹-, ø› raideur, rigidité; immobilité *f;* **~en** *itr ‹hat gestarrt› (ragen)* se dresser, s'élever; *(bedeckt sein)* être couvert *od* hérissé (*vor* od *von* de); *(unverwandt blicken)* regarder fixement (*auf etw* qc); *ins Leere ~~* avoir le regard fixe; *fam* gober les mouches; *vor Schmutz, von Läusen ~~* être couvert de boue *od* de crasse, de poux; *von Waffen ~~* être armé jusqu'aux dents; **S~heit** *f* ‹-, ø› = *~e; (Unbeugsamkeit)* inflexibilité; *(Strenge)* rigueur *f;* = *~sinn;* **S~kopf** *m* têtu, entêté *m;* **~köpfig** *a* = *~sinnig;* **S~krampf** *m med* tétanos *m;* **S~sinn** *m* entêtement *m*, obstination, opiniâtreté *f;* **~sinnig** *a* entêté, obstiné, opiniâtre; **S~sucht** *f med* catalepsie *f*.

Start *m* ‹-(e)s, -s/(-e)› [ʃtart] *(Beginn)* début; *(Ablauf, -sprung, -fahrt, -flug)* départ; *mot* démarrage; *aero* décollage, envol; *(Rakete, Raumschiff)* lancement; *fig* démarrage *m*, mise *f* en route; *e-n guten ~ haben* prendre un bon départ; *~ frei!* départ autorisé! *stehende(r), fliegende(r) ~* départ *m* arrêté, lancé; *~mit Rückenwind, mit Seitenwind, gegen den Wind* départ *m* vent arrière, vent de côté, vent debout; **~bahn** *f aero* piste de décollage; voie *f* de départ; *(Flugzeugträger)* pont *m* d'envol; **~band** *n sport* ligne *f* de départ; **s~bereit** *a* prêt *allg* à partir *od sport* au départ *od mot* à démarrer; *aero* prêt à décoller, en état de vol; **s~en** *‹startete, gestartet› itr ‹aux: sein› allg* partir; *sport* prendre le départ; *mot* démarrer; *aero* décoller, s'envoler; *tr ‹aux: haben› (Rakete, Raumschiff)* lancer; *fig (in Gang setzen)* mettre en route; *~~ lassen* donner le départ (*etw* à qc); **~ende(r)** *m sport* partant *m;* **~er** *m* ‹-s, -› *sport mot* starter; *mot* démarreur *m;* **~erklappe** *f mot* clapet *m* de départ; **~erlaubnis** *f* autorisation *f* de départ; **~fläche** *f aero* aire *f* d'envol; **~flugplatz** *m* aérodrome *m* de départ; **~folge** *f* ordre *m* de départ; **~impuls** *m* impulsion *f* de départ; **~kommando** *n* commandement *m* de départ; **~loch** *n sport* trou *m* de départ; **~meldung** *f aero* avis *od* télégramme *m* de départ; **~nummer** *f sport* numéro de départ; *(Rückennummer)* dossard *m;* **~platz** *m (Rakete)* point *m* de décollage; **~rakete** *f* fusée *f* de *od* d'aide au décollage; **~rampe** *f* rampe *f* de lancement; **~schleuder** *f aero* catapulte *f;* **~schlitten** *m* chariot *m* de catapultage; **~schlüssel** *m mot* clef *f* de contact; **~schub** *m (Rakete)* poussée *f* de décollage; **~schuß** *m sport* coup *m* de départ; **~seil** *n (Segelflug)* sandow *m* de lancement; **~signal** *n* = *~zeichen;* **~sprung** *m (Schwimmsport)* plongeon *m* de départ; **~strecke** *f* aero distance parcourue au *od* course *f* de décollage; **~tisch** *m*, **~turm** *m (für Raketen)* plate-forme *f*, pylône *m* de lancement; **~verbot** *n sport aero* interdiction *f* de décoller; **~verhältnisse** *n pl sport* conditions *f pl* de départ; **~vorbereitungen** *f pl aero* préparatifs *m pl* de départ; **~zeichen** *n sport* signal *m* de *od* du départ; *das ~~ geben* donner le départ de la course; **~zeit** *f* heure *f* de départ.

Stat|ik *f* ‹-, ø› ['ʃ-, 'sta:tɪk] *phys* statique *f;* *~~ der festen Körper* stéréostatique *f;* **s~isch** ['ʃ-, 'sta:tɪʃ] *a* statique.

Station *f* ‹-, -en› [ʃtatsi'o:n] *allg* station; *loc a.* gare; *(Krankenhaus)* service *m; bei* od *mit freier ~* logé et nourri; *freie ~ haben* être logé et nourri; avoir la table et le logis *od* le vivre et le couvert; *~ machen (haltmachen)* s'arrêter, séjourner; *an e-r ~ vorbeifahren (loc)* brûler une station; **s~är** [-tsio'nɛ:r] *a* stationnaire; *(Anlage)* fixe; *~~e Behandlung f (als Krankenhauspatient)* traitement *m* clinique; **s~ieren** [-'ni:rən] *tr* stationner; **~ierung** *f* stationnement *m;* **~ierungskosten** *pl mil* frais *m pl* d'entretien; **~sarzt** *m* médecin *m* du service; **~schef** *m mar* préfet *m* maritime; **~skommando** *n mar* préfecture *f* maritime; **~sschiff** *n* stationnaire *m;* **~svorsteher** *m loc* chef *m* de gare *od* de station *od* de section.

Statist|(in *f*) *m* ‹-en, -en› [ʃta'tɪst] figurant, e; comparse *m f; als ~ auftreten (theat)* figurer; *~ sein (film)* faire de la figuration; **~ik** *f* ‹-, -en› [-'tɪstɪk] statistique *f;* **~iker** *m* ‹-s, -› [-'tɪstikər] statisticien *m;* **s~isch** [-'tɪstɪʃ] *a* (de) statistique; *~~ erfaßt sein* être chiffré dans les statistiques; *S~~e(s) Amt n* Bureau *od* Office *m* des statistiques.

Stativ *n* ‹-s, -e› [ʃta'ti:f, -və] support; *bes. phot* (tré)pied *m*.

Stator *m* ‹-s, -en› ['s(ʃ)ta:tɔr, -'to:rən] *tech (Ständer)* stator *m*.

statt [ʃtat] *prp gen* au lieu de, à la place de; en guise de; *~ ... zu (mit inf)* au lieu de ...; *~ daß* au lieu que; *~ dessen* au lieu de cela; **S~** *f* ‹-, ø› *(nur in Wendungen): an Eides ~~* à titre de serment; *an meiner ~~* à ma place; *an Kindes ~~ annehmen* adopter; *ein gutes Wort findet e-e gute ~~ (prov)* une bonne parole ne gâte rien; **~≈finden** *‹hat stattgefunden› itr* avoir lieu; *(Veranstaltung)* se tenir; **~≈geben** *‹hat stattgegeben› itr* donner suite (*e-r S* à qc), accorder, agréer (*e-r S* qc); *(e-m Gesuch)* faire droit (*e-r S* à qc), admettre (*e-r S* qc); **~≈haben** *itr* = *~finden;* **~haft** *a (zulässig)* admissible; *(erlaubt)* permis; *jur* recevable; **S~haftigkeit** *f* ‹-, ø› admissibilité *f;* **S~halter** *m* gouverneur; *rel* vicaire *m;* **S~halterschaft** *f* gouvernement *m;* **~lich** *a (ansehnlich)* de belle apparence; *prächtig)* somptueux, superbe; *(imposant)* imposant; *(Summe)* considérable; *(Mensch, Tier)* étoffé; *(Bauch)* rondelet; **S~lichkeit** *f* ‹-, ø› prestance; somptuosité *f*, aspect *m* somptueux.

Stätte *f* ‹-, -n› ['ʃtɛtə] lieu, endroit *m*, place *f; keine bleibende ~ haben* mener une vie errante; *die Heiligen ~n (in Palästina)* les Lieux *m pl* saints.

Statu|e *f* ‹-, -n› ['ʃ-, 'sta:tuə] statue *f;* **~ette** *f* ‹-, -n› [ʃ-, statu'ɛtə] statuette; figurine *f;* **s~ieren** [-tu'i:rən] *tr* statuer; établir; *ein Exempel ~~* faire exemple.

Statur *f* ‹-, -en› [ʃta'tu:r] stature, taille *f*.

Status *m* ‹-, -› ['ʃ(s)ta:tus] *jur adm* état *m* (juridique); *~* **quo** *m* ‹--, ø› [-'kvo:] statu quo *m*.

Statut *n* ‹-(e)s, -en› [ʃ(s)ta'tu:t] statut; règlement *m; pl a.* charte *f;* **s~arisch** [-tu'ta:rɪʃ] *a*, **s~engemäß** *a* statutaire; conforme aux statuts; **s~enwidrig** *a* contraire aux statuts.

Stau *m* ‹-(e)s, -e› [ʃtau] *(~ung)* refoulement; *(Stillstand)* étale *m; im ~ (zwischen Ebbe u. Flut)* étale *a;* **~anlage** *f* barrage; *(kleinere)* vannage *m;* **~becken** *n* (bassin *m* de) retenue *f*, barrage-réservoir, réservoir *m* d'eau; **~damm** *m* barrage *m;* **s~en** *tr (Wasser)* arrêter, refouler; *(eindeichen)* endiguer; *(a. Verkehrsteilnehmer)* contenir; *mar (Ladung unterbringen)* arrimer; *sich ~~ (allg)* s'amasser; *(Verkehr, Volksmenge)* s'entasser, s'empiler; *(Verkehr)* former un bouchon; *med (Blut)* se congestionner; **~er** *m* ‹-s, -› *mar* arrimeur *m;* **~mauer** *f* mur *m* de barrage, digue *f;* **~see** *m* lac *m* de retenue *od* d'accumulation; **~strahlantrieb** *m* propulsion *f* par stato-réacteur; **strahltriebwerk** *n* stato-réacteur *m;* **~stufe** *f* bief *m;* **~ung** *f (Wasser)* refoulement *m; (a. Postsendungen)* accumulation *f; (Menschen)* entassement; *(Verkehr)* embouteillage, encombrement, *fam* bouchon *m; allg (Stockung)* stagnation; *med* congestion *f; mar* arrimage *m;* **~wasser** *n* ‹-s, -› *(Meer)* étale *m; (in e-r Schleuse)* éclusée *f;* **~werk** *n* barrage *m*.

Staub *m* ‹-(e)s, ø›, *tech* ‹-(e)s, -e/⸚e› [ʃtaup, -bə, 'ʃtɔʏbə] poussière; *(Puder, Pulver)* poudre *f; (Blüten~)* pollen *m; (viel) ~ aufwirbeln (fig)* soulever, faire de la poussière, faire beaucoup de *od* grand bruit; *vor jdm im ~e kriechen* ramper à plat ventre devant qn; *sich aus dem ~e machen (fam)* filer, détaler, décamper, ficher *od pop* foutre le camp, tourner les talons; *in den ~ treten (fig)* fouler aux pieds; *in ~ verwandeln* réduire en poussière, pulvériser; *(den) ~ wi-*

schen épousseter (*von etw* qc); *in den ~ ziehen* od *zerren (fig)* traîner dans la boue; *radioaktive(r) ~* poussières *f pl* radioactives; **~bad** *n (der Vögel)* bain *m* de poussière; **s~bedeckt** *a* couvert de poussière; **~besen** *m* balai *m* à épousseter, époussette *f*, plumeau *m;* **~beutel** *m bot* anthère *f;* **s~en** *itr* faire de la poussière, poudroyer; **~entwicklung** *f* dégagement *m* de poussière; **~faden** *m bot* filet *m;* **~fänger** *m* nid à poussière; ramasse-poussière *m;* **~filter** *m* od *n* filtre *m* à poussière; **~flocke** *f* mouton *m fam;* **s~frei** *a* sans poussière; **~gefäß** *n bot* étamine *f;* **s~haltig** *a* chargé de poussière; **s~ig** *a* poussiéreux, poudreux, couvert de poussière; **~igkeit** *f* ‹-, ø› pulvérulence *f;* **~kamm** *m* peigne *m* fin; **~korn** *n* ‹-s, ⸚er› grain *m* de poussière; **~lappen** *m* = *~tuch;* **~lunge** *f med* pneumoconiose *f;* **~mantel** *m* (manteau) cache-poussière, pare-poussière *m;* **s~saugen** ‹*hat staubgesaugt*› *itr* passer l'aspirateur; *tr den Teppich ~~* passer l'aspirateur sur le tapis; **~sauger** *m* aspirateur *m;* **~schicht** *f* couche *f od* dépôt *od* enduit *m* de poussière; **~tuch** *n* ‹-(e)s, ⸚er› chiffon à épousseter; essuie-meubles *m;* **~wedel** *m* = *~besen;* **~wirbel** *m* tourbillon *m* de poussière; **~wolke** *f* nuage *m* de poussière; **~zucker** *m* sucre *m* en poudre.

Stäub|chen *n* ‹-s, -› ['ʃtɔʏpçən] grain de poussière; *fig* atome *m;* **s~en** [-bən] *itr (zerstieben)* se pulvériser.

stauch|en ['ʃtauxən] *tr (stoßen)* cogner; *(drücken)* presser; *metal* refouler; *(Niet a.)* aplatir; *(ausschimpfen)* réprimander, chapitrer, gourmander; **S~maschine** *f metal* machine *f* à refouler; **S~ung** *f* refoulement *m.*

Staude *f* ‹-, -n› ['ʃtaudə] arbuste, arbrisseau *m.*

Stauffer|büchse *f* ['ʃtaufər-] *tech* graisseur *m,* **~fett** *n* graisse *f* Stauffer.

staunen ['ʃtaunən] *itr* ‹*hat gestaunt*› s'étonner, être étonné (*über* de); *(sich verwundern)* s'émerveiller (*über* de); *(überrascht sein)* être surpris (*über* de); *(verblüfft sein)* être ébahi; *da werden Sie ~! (a. fam)* vous n'en reviendrez pas! **S~** *n* étonnement; émerveillement; ébahissement *m; aus dem ~~ nicht herauskommen* aller de surprise en surprise; *in ~~ versetzen* étonner; émerveiller; surprendre; ébahir; **~swert** *a* étonnant.

Staupe *f* ‹-, -n› ['ʃtaupə] *vet* morve *f* des chiens; *hist* fustigation *f.*

Stearin *n* ‹-s, -e› [ʃ-, stea'ri:n] *chem* stéarine *f;* **~kerze** *f* bougie *f* stéarique *od* de stearine.

Stech|apfel *m* ['ʃtɛç-] *bot (Gattung)* datura *m; (Art)* stramoine *f;* **~becken** *n (für Kranke)* bassin *m* de lit *od* pour malades *od* hygiénique; **~eisen** *n* poinçon *m;* **s~en** ‹*sticht, stach, gestochen*› *tr* piquer; *(leicht, aber wiederholt)* picoter; *(Schlachttier)* saigner; *(Spargel, a. Spielkarte)* couper; *(Rasen)* lever; *(Torf)* extraire; *(Wein)* tirer; *typ (Graphik)* graver (*in Kupfer, Stahl* sur cuivre, acier); *itr med* lanciner; *(Sonne)* darder des rayons ardents; *sich in den Finger ~~* se piquer le doigt; *sich mit e-r Stecknadel ~~* s'enfoncer une épingle; *mit dem Messer, Dolch nach jdm ~~* porter un coup de couteau, de poignard à qn; *in See ~* prendre la mer; **~en** *n med* picotement; *(Seiten~~)* point de côté; *(des Stares)* abaissement *m; (Gravieren)* gravure *f;* **s~end** *a* piquant; *(Schmerz)* poignant, lancinant, cuisant; *(Geruch)* âcre, pénétrant; *(Blick)* perçant; *(Sonne)* brûlant, ardent; **~er** *m* ‹-s, -› *(Abzug des Jagdgewehrs)* détente *f; (Graphiker)* graveur *m;* **~ginster** *m bot* ajonc; *scient* ulex *m;* **~heber** *m* pipette *f;* tâte-vin *m;* **~mücke** *f* moustique *m;* **~paddel** *n* pagaie *f* simple; **~palme** *f* houx *m;* **~uhr** *f* horloge *f* de contrôle *od* de pointage; **~winde** *f bot* salsepareille *f; scient* smilax *m;* **~zirkel** *m* compas *m* à pointes sèches.

Steck|anschluß *m* ['ʃtɛk-] *el* raccordement *od* contact *m* à fiches; **~bekken** *n* = *Stechbecken;* **~brief** *m* mandat *m* d'arrêt; (lettre *f* de) signalement *m; e-n ~~ erlassen* décerner un mandat d'arrêt; **s~brieflich** *adv: ~~ verfolgt werden* être sous le coup d'un mandat d'arrêt; **~buchse** *f el* douille *f* (d'accouplement *od* de prise); **~dose** *f* prise *f* de courant; **~er** *m* ‹-s, -› *el* fiche *f* (de contact *od* de prise (de courant)); **~kontakt** *m* prise *f* de courant; **~ling** *m* ‹-s, -e› *agr* bouture *f,* plant *m;* **~nadel** *f* épingle *f; wie e-e ~~ suchen* chercher par terre et mer; *e-e ~~ in e-m Heuhaufen suchen (fig)* chercher une aiguille dans une botte de foin; **~nadelkissen** *n* pelote *f* à épingles; **~nadelkopf** *m* tête *f* d'épingle; **~reis** *n* = *~ling;* **~rübe** *f* chou-navet, rutabaga *m;* **~schlüssel** *m* clé *od* clef *f* à canon; **~schuß** *m* blessure *f* par balle restée dans la plaie; **~vase** *f* pique-fleurs *m.*

stecken ['ʃtɛkən] *tr* ‹*er steckt/-e, hat gesteckt*› *(hineintun)* mettre; *(in die Tasche a.)* fourrer *fam; (hineindrükken)* ficher, enfoncer, plonger; *(Schlüssel)* introduire; *(mit e-m Ende senkrecht in den Boden ~; Steckling pflanzen)* planter; *(Ring auf den Finger)* passer (*auf* à); *fig (Geld in ein Unternehmen)* investir, engager (*in* dans); *(ein Ziel setzen)* fixer; *itr* ‹*er steckte/(stak)* ['ʃta:k] *, hat gesteckt*› être fiché *od* enfoncé *od* logé *od* planté; *allg (sich befinden)* être, se trouver, *fam* être fourré *od* caché; *ins Gefängnis* od *(fam) ins Loch ~* mettre *od* jeter en prison; *voll ~ von, voller ... ~* être plein de ...; *der Schreck steckt mir noch in allen Gliedern* j'en tremble encore de tous mes membres; *der Schlüssel steckt (in der Tür)* la clef est sur la porte; *es steckt etwas dahinter* il y a qc là-dessous, il y a anguille sous roche; *es steckt jem dahinter* il y a qn derrière; *in ihm steckt etwas (er hat noch unentwickelte Fähigkeiten)* il a de l'étoffe; *wo steckst du denn?* où es-tu donc? **~≈bleiben** ‹*ist steckengeblieben*› *itr (nicht wieder herausgeben)* rester enfoncé; *(im Dreck)* s'enfoncer, s'enliser, s'embourber; *fig allg* rester en panne; *(in der Rede)* rester *od* demeurer (tout) court; ne plus trouver ses mots, hésiter; *(beim Schreiben)* rester au bout de la plume; *das Wort blieb mir in der Kehle ~* le mot me resta dans la gorge; **≈~lassen** *tr* ‹*er läßt stecken, hat stecken(ge)lassen*› laisser (*in der Tasche* dans la poche); *(Schlüssel)* laisser sur la porte.

Stecken *m* ‹-,s -› ['ʃtɛkən] *(Stock)* bâton *m; Dreck am ~ (etw Unrechtes getan) haben* avoir qc sur la conscience; **~pferd** *n fam* dada *a. fig; fig* cheval de bataille; violon *m* d'Ingres; *sein ~~ reiten* caresser sa marotte; *fam* enfourcher son dada; *er reitet sein ~~* le voilà parti sur son dada.

Steg *m* ‹-(e)s, -e› [ʃte:k, '-gə] *(Pfad)* sentier *m,* sente; *(Fußgängerbrücke)* passerelle; *arch* contre-fiche; *tech* traverse, entretoise *f; typ* (bois *m* de) garniture *f,* lingot; *(Saiteninstrument)* chevalet; *(Hose, Gamasche)* sous-pied *m; Weg und ~ kennen* bien se connaître; **~reif** *m: aus dem ~~* impromptu *a;* à l'improviste, au pied levé; à livre ouvert; *aus dem ~~ sprechen* improviser; **~reifdichter** *m* improvisateur *m;* **~reifgedicht** *n,* **~reifspiel** *n* impromptu *m.*

Steh|aufmännchen *n* ['ʃte:ʔauf-ˌmɛnçən] poussah, ramponneau *m; fig* personne *f* qui sait encaisser (les coups); **~bierhalle** *f* débit *m* de bière, buvette *f;* **~bild** *n film* vue *f* fixe; **~bolzen** *m tech* entretoise *f;* **~er** *m* ‹-s, -› *sport* stayer *m;* **~film** *m* film *m* à vues fixes; **~kragen** *m* col *m* montant *od* roulé; **~lampe** *f* lampe *f* à pied; lampadaire *m;* **~leiter** *f* échelle *f* double; **~platz** *m* place *f* debout; **~pult** *n* pupitre *m* (pour écrire debout); **~satz** *m typ* composition *f* conservée.

stehen ‹*stand, hat gestanden*› ['ʃte:ən, (-)'ʃtant/-dən] *itr* être *od* se tenir debout; se dresser, s'élever; *allg (sein)* être; *(sich befinden)* se trouver; *gram* se mettre *od* placer; *fin* être coté à; *(Fahrzeug: halten)* stationner; *(Uhr: nicht gehen)* être arrêté; *(nicht weichen)* tenir ferme *od* bon, ne pas reculer; *(gut passen zu* od *kleiden)* aller (bien), seoir; convenir; *(Hut, Frisur)* coiffer; *(Schuhe)* chausser; *(Handschuhe)* ganter; *~ auf (Zeiger)* marquer; *(Thermometer)* indiquer; *gram* répondre à; *pop (Mensch: sehr gern mögen)* aimer; *(auf e-e Person bezogen)* être entiché de; *~ für (ersetzen)* remplacer, représenter; *(ein~ für)* répondre de; *hinter jdm ~ (fig)* être derrière qn; *~ neben (fig)* voisiner avec; *vor etw ~ (zeitlich)* être à la veille de qc; *über,* *unter jdm* ~ être supérieur, inférieur à qn; *über e-r S* ~ *(fig)* dominer qc, planer sur qc; *um jdn, etw herum* ~ entourer qn, qc; *zu jdm* ~ *(halten)* prendre le parti, marcher dans les eaux de qn; *zu e-r S* ~ prendre parti, être pour qc; *mit etw allein* ~ être seul avec qc; *sich gut* ~ *(wohlhabend sein)* être à l'aise; *sich bei etw gut* ~ trouver son compte à qc; *sich gut mit jdm* ~ être bien *od* en bons termes avec qn; *in Gottes Hand* ~ être dans la main de Dieu; *unter jds Leitung* ~ être sous la direction de qn; *unter Wasser* ~ être inondé *od* submergé; *jdm im Wege* ~ barrer la route à qn; *fig* contrecarrer les projets de qn; *e-r S im Wege* ~ faire obstacle à qc; *auf schön Wetter, auf Regen* ~ *(Barometer)* être au beau, à la pluie; ~ *bleiben* rester debout; ~ *lassen* laisser debout; *alles liegen und* ~ *lassen* laisser tout en plan, quitter tout; *ich stehe für nichts* je ne réponds de rien; *ich weiß nicht, wo mir der Kopf steht* je ne sais plus où donner de la tête; *die Saat steht gut* les semences sont belles; *die Sache steht und fällt damit* c'est la clé de voûte; *das Spiel steht 1:1* le match en est à un but partout; *darauf steht (die Todesstrafe)* c'est défendu sous (peine de mort); *Tränen standen ihm in den Augen* il avait les larmes aux yeux; *das steht Ihnen gut* cela vous va bien; *es steht zu befürchten, daß* ... il est à craindre que ... *subj*; *es stünde besser um ihn, wenn* cela vaudrait mieux pour lui si; *es steht zu erwarten, daß* ... on peut s'attendre à ce que ... *subj*; *es steht mir frei, es zu tun* je suis libre de le faire; *es steht geschrieben, daß ... (Bibel)* il est écrit que ...; *es steht mir bis oben (fig fam)* j'en ai une indigestion; *pop* j'en ai marre *od* jusque-là *od pop* ras-le-bol; *es steht schlecht mit ihm (fam a.)* il file un mauvais coton, *davon steht nichts im Brief* la lettre n'en dit rien; *so steht es mit* ... il en est ainsi de ...; *so steht es also mit* ... voici ce qui en est de ...; *alles, was in meinen Kräften steht* tout ce qui est en mon pouvoir; *wie* ~ *Sie mit ...?* comment êtes-vous avec ...? *wie* ~ *Sie mitea.?* sur quel pied êtes-vous? *wie steht's?* comment cela va-t-il? *fam* comment ça va? *wie steht's mit ihm?* comment va-t-il? comment vont ses affaires? **S~** *n* station *od* position *f* debout; *im* ~~ debout; *zum* ~~ *bringen* (réussir à) arrêter; *zum* ~~ *kommen* s'arrêter; **~=bleiben** *itr* ⟨*ist stehengeblieben*⟩ s'arrêter, s'immobiliser, rester en place; *fig* en rester là; *(bei e-r Zerstörung)* subsister; *wo sind* od *waren wir ~geblieben?* où en sommes-nous restés? ~~ *(oder ich schieße)!* halte-là (ou je tire)! **S~bleiben** *n* arrêt; stationnement *m*; ~~ *verboten!* défense de stationner, stationnement interdit; **~d** *a (aufrecht)* debout; *(nicht in Bewegung* od *Betrieb)* arrêté; *(fest, unbeweglich)* fixe, immobile; *(Gewässer)* stagnant, dormant, mort; *(Meer zwischen Ebbe u. Flut)* étale; ~~*en Fußes* séance tenante, immédiatement, tout de suite; **~=lassen** *tr* ⟨*er läßt stehen, hat stehen(ge)lassen*⟩ *allg* laisser; *(vergessen)* oublier; *(Menschen)* planter là; *fam* plaquer; *(nicht anrühren)* ne pas toucher (à); *sich den Bart* ~~ laisser pousser sa barbe.

stehl|en ⟨*stiehlt, stahl, gestohlen*⟩ ['ʃte:lən] *tr* voler, dérober; *sich in etw* ~~ s'introduire à la dérobée, se faufiler, se glisser (furtivement) dans qc; *sich aus etw* ~~ sortir à la dérobée *od* furtivement de qc; *jdm die Zeit* ~~ faire perdre son temps à qn; *dem lieben Gott die Zeit* od *die Tage* ~~ paresser, être paresseux comme une couleuvre *ich* ~*e Ihre Zeit (a.)* j'abuse de votre temps; *der kann mir gestohlen bleiben!* qu'il aille au diable! qu'il aille se faire pendre! **S~en** *n* vol *m*; **S~er** *m* ⟨-s, -⟩ voleur; *(Langfinger)* chipoteur *m*; **S~trieb** *m* ⟨-(e)s, ø⟩ cleptomanie *f*.

Steier|in *f* ['ʃtaıər-] Styrienne *f*; **~mark,** *die* la Styrie; **~märker(in** *f***)** *m* Styrien, ne *m f*; **s~märkisch** *a* styrien.

steif [ʃtaıf] *a* raide, rigide; *(starr)* fixe; *(hart)* dur; *(gerade)* droit; *(gestärkt)* empesé; *(dick, dickflüssig)* épais, consistant; *(~gefroren)* (en-)gourd(i), transi; *med (Gelenk)* ankylosé; *(schwerfällig, unbeholfen)* tout d'une pièce, gauche; *(unnatürlich, gezwungen)* compassé, contraint; *(förmlich)* cérémonieux; *(geschraubt, affektiert)* guindé; *adv. a.* avec raideur; ~ *und fest behaupten* déclarer *od* affirmer catégoriquement; soutenir mordicus; ~ *und fest glauben* croire dur comme fer; ~ *machen* raidir; *(Küche: eindicken)* épaissir; *(erstarren lassen)* engourdir; *med* ankyloser; ~ *werden* se raidir; *(erstarren)* s'engourdir; *med* s'ankyloser; ~*e Brise f* forte *od* jolie brise *f*, grand frais *m*; ~*e(r) Grog m* grog *m* fort; ~*e(r) Mensch m (a.)* collet *m* monté; ~ *wie ein Stock* raide comme un piquet *od* bâton *od* comme un manche (à balai); **S~e** *f* ⟨-, -n⟩ = *S~heit*; **~en** *tr (Wand)* raidir; *(Stoff, Hut)* apprêter; *(Wäsche: stärken)* empeser, amidonner; **S~heit** *f* raideur, rigidité; *med* ankylose; *fig* gaucherie, contrainte *f*; **S~leinen** *n*, **S~leinwand** *f* bougran *m*, toile *f* gommée *od* raide.

Steig *m* ⟨-(e)s, -e⟩ [ʃtaık, '-gə] *(steiler Pfad)* raidillon *m*, grimpette *f*, sentier *m* escarpé; **~bö** *f mete* rafale *f* verticale; **~bügel** *m* étrier *m*; *jdm den* ~~ *halten (a. fig)* tenir l'étrier à qn; **~bügelriemen** *m* étrivière *f*; **~e** *f* ⟨-, -n⟩ *(steile Straße)* route *f* escarpée; **~eisen** *n* crampon, grappin, fer *m* à grimper; **s~en** ⟨*stieg, ist gestiegen*⟩ [(-)'ʃti:k/-gən] *itr* monter; *(klettern)* grimper; *auf etw* gravir, escalader qc; *über etw* franchir qc; *(in die Höhe)* s'élever; *aero* prendre de la hauteur *od* de l'altitude; *(Flut)* monter; *fig (a. Preise)* monter, hausser; *(zunehmen)* s'accroître, augmenter; *com a.* être en hausse; *in jds Achtung* ~~ monter dans l'estime de qn; *aus dem, ins Bett* ~~ sortir du, se mettre au lit; *ins Examen* ~~ subir l'examen; *aufs Fahrrad* ~~ enfourcher le vélo; *aufs, vom Pferd* ~~ monter à, descendre de cheval; *aus dem, in den Wagen* ~~ descendre de, monter en voiture; ~~ *lassen (Drachen)* faire partir, lancer; **~en** *n* montée, ascension; *(Fluß)* crue *f*; *(Zunahme)* accroissement *m*; *com fin* hausse *f*; ~~ *der Kurse* hausse *f*; *auf das* ~~ *der Kurse spekulieren* spéculer sur la hausse; **s~end** *a (zunehmend)* montant; croissant; *fig* grandissant; progressif; *com fin* haussier, en hausse; **~er** *m* ⟨-s, -⟩ *mines* porion, maître-mineur *m*; **~erer** *m* ⟨-s, -⟩ *com (Bietender)* enchérisseur *m*; **s~ern** *tr (erhöhen)* accroître, élever, hausser, faire monter; *(vermehren)* augmenter; *(verstärken)* rehausser, renforcer, intensifier; *(bessern)* améliorer; *(verschlechtern)* aggraver; *gram* mettre au comparatif et au superlatif; *itr com (Auktion)* enchérir; *allmählich* ~~ graduer; *die Geschwindigkeit* ~~ augmenter la vitesse; forcer l'allure; **~erung** *f* accroissement *m*, élévation; augmentation *f*; développement, rehaussement, renforcement *m*, intensification; amélioration; aggravation; *gram* comparaison; *com fin* majoration; hausse *f*; *allmähliche* ~~ gradation *f*; **~erungsbetrag** *m* majoration *f*; **~erungssatz** *m adm fin* taux *m* d'accroissement; **~erungsstufe** *f gram* degré *m* de comparaison; **~fähigkeit** *f aero* capacité ascensionnelle *od* de montée, aptitude *f* à monter; **~flug** *m aero* vol *m* ascendant *od* ascensionnel; montée *f*; **~höhe** *f* altitude *f* de montée; **~leistung** *f mot* puissance *f* de montée *od* ascensionnelle; **~rohr** *n* tuyau *m* ascendant; **~ung** *f (Straße)* montée, rampe; *(Berghang)* pente, côte *f*; *tech (Gewinde~~)* pas *m*; *bei e-r* ~~ *von* par une pente de; *e-e* ~~ *nehmen (mot)* monter une côte; **~ungsmesser** *m* clinomètre, gradomètre *m*; **~winkel** *m aero* angle *m* de montée.

steil [ʃtaıl] *a* raide, ardu; escarpé; *(schroff, jäh)* abrupt; *(senkrecht)* à pic; ~*e(s) Ansteigen n (Statistik)* montée *f* en flèche; ~*e(r) Pfad m (a.)* raidillon *m*, grimpette *f*; **S~feuer** *n mil* tir *m* vertical; **S~feuergeschütz** *n* pièce *f* à tir vertical; **S~flug** *m* (montée en) chandelle *f*; **S~hang** *m* pente *f* escarpée; **S~heit** *f* raideur *f*, escarpement *m*; *(Häufigkeitskurve)* asymétrie *f* de la courbe; **S~kurve** *f aero* virage *m* à la verticale; **S~küste** *f* falaise, côte *f* escarpée; **S~schrift** *f* écriture *f* droite; **S~ufer** *n* berge *f*; **S~wandzelt** *n* tente *f* canadienne.

Stein *m* ⟨-(e)s, -e⟩ [ʃtaın] pierre *f*; *(Fels)* roc, rocher; *(Kiesel)* caillou, *(glatter)* galet *m*; *(Edel~)* pierre *f* (précieuse); *(Uhr)* rubis *m*; *(Gedenk~)* pierre commémorative; *med* pierre *f*, calcul *m*, concrétion; *(Brett-*

spiel) pièce *f; ~ um ~* pierre à pierre; *von ~ (fig)* de pierre *od* marbre, froid comme un marbre; *mit e-m ~ nach jdm, e-n ~ auf jdn werfen* jeter *od* lancer une pierre à qn; *den ~ ins Rollen bringen (fig)* mettre l'affaire en branle; *bei jdm e-n ~ im Brett haben* être dans les bonnes grâces, avoir toutes les faveurs de qn; *keinen ~ auf dem ander(e)n lassen* ne pas laisser pierre sur pierre; *jdm e-n ~* od *~e in den Weg legen* mettre un empêchement aux projets de qn, barrer le passage *od* la route à qn; *jdm e-n ~ vom Herzen nehmen* ôter un poids à qn; *von ~en säubern (Acker)* épierrer; *eher würde ich ~e klopfen* j'aimerais mieux aller casser des cailloux *od* gratter la terre avec mes ongles; *mir fällt ein ~ vom Herzen* cela m'ôte un (grand) poids; *es friert ~ und Bein* il gèle à pierre fendre; *steter Tropfen höhlt den ~ (prov)* petit à petit l'oiseau fait son nid; *echte(r), falsche(r) ~* pierre *f* fine, fausse; *unechte(r) ~* similipierre *f; ~ des Anstoßes* pierre *f* d'achoppement; *der ~ der Weisen (Alchimie)* la pierre philosophale, le grand œuvre; **~adler** *m* aigle *m* fauve *od* doré *od* royal; **s~alt** *a* extrêmement vieux; **~axt** *f hist* hache *f* de pierre *od* de silex; **~bau** *m* construction *f* en pierre; **~baukasten** *m* jeu *m* de construction en pierres; **~beißer** *m* ‹-s, -› *(Fisch)* loche *f* épineuse *od* de rivière; **~beschwerden** *f pl med* calculs *m pl;* **~bildung** *f geol* concrétion pierreuse; *med* lithiase, formation *f* de calculs; **~bock** *m zoo* bouquetin; *astr* Capricorne *m;* **~bohrer** *m* trépan *m;* **~brech** *m bot* saxifrage *f;* **~brecher** *m tech* concasseur *m* de pierres; **~bruch** *m* carrière *f;* **~brucharbeiter** *m,* **~bruchbesitzer** *m* carrier *m;* **~brücke** *f* pont *m* en maçonnerie; **~butt** *m (Fisch)* turbot *m;* **~chen** *n* petite pierre *f,* caillou *m;* **~druck** *m* ‹-s, -e› lithographie; impression *f* litho; **~druckerei** *f* lithographie, imprimerie *f* lithographique; **~eiche** *f* rouvre *m;* **s~ern** *a* de *od* en pierre; **~erweichen** *n fam: zum ~~* à fendre l'âme; **~frucht** *f* fruit *m* à noyau, drupe *f;* **~fußboden** *m: mit ~~* pavé de dalles; **~garten** *m* rocaille *f;* **~gut** *n* faïence *f,* grès *m* (cérame); *(Geschirr)* poterie *f* de grès; **~gutfabrik** *f,* **~guthandel** *m* faïencerie *f;* **~gutfabrikant** *m,* **~guthändler** *m* faïencier *m;* **~hagel** *m* grêle *f* de pierres; **~häger** *m (Schnaps (Warenzeichen))* genévrette *f;* **s~hart** *a* dur comme pierre, adamantin; *~~ werden (tech)* pétrifier; **~hauer** *m* tailleur *m* de pierres; **~huhn** *n orn* bartavelle *f;* **s~ig** *a* pierreux, caillouteux; *(felsig)* rocailleux; **s~igen** *tr* lapider; **~igung** *f* lapidation *f;* **~klee** *m bot* mélilot *m;* **~klopfer** *m* casseur *m* de pierres; **~kohle** *f* houille *f;* **~kohlenbecken** *n geog* bassin *m* houiller; **~kohlenbergwerk** *n* mine de houille, houillère *f;* **~kohlenförderung** *f* extraction *f* de la houille; **~kohlenformation** *f geol* carbonifère *m;* **~kohlenteer** *m* goudron *m* de houille; **~kohlenzeche** *f* = *~kohlenbergwerk;* **~kohlenzeit** *f geol* carbonifère *m;* **~marder** *m* fouine *f;* **~meißel** *m (Bildhauerei)* repoussoir *(Maurerei)* poinçon *m;* **~metz** *m* tailleur *m* de pierres; **~metzzeichen** *n* signe *m* lapidaire; **~obst** *n* fruits *m pl* à noyau; **~öl** *n* pétrole *m;* **~packung** *f* perré *m;* **~pflaster** *n* pavé *m* en pierre; **~pilz** *m* bolet (comestible), cèpe *m;* **~platte** *f* dalle *f;* carreau *m; mit ~~n belegen* daller, carreler; **s~reich** *a fam* richissime; *~~ sein* être cousu d'or *od* riche comme Crésus; **~rinne** *f arch* pierrée *f;* **~salz** *n* sel *m* gemme; **~sarg** *m* sarcophage *m;* **~schlag** *m* chute *f* de pierres; *(Schotter)* pierres *f pl* concassées; **~schleuder** *f* lance-pierres *m; mil hist* perrière *f;* **~schmätzer** *m orn* traquet *m;* **~schneidekunst** *f* lapidairerie, lithoglyphie *f;* **~schnitt** *m* taille des pierres; *med* lithotomie *f;* **~schüttung** *f* empierrement *m;* **~setzer** *m (Pflasterer)* paveur; *(Fliesenleger)* carreleur *m;* **~splitter** *m pl* éclats *m pl* de pierre *od* de roche; **~topf** *m* pot *m* de grès; **~wälzer** *m orn* tourne-pierre *m;* **~wurf** *m* jet *m* de pierre; *e-n ~~ entfernt* à un jet de pierre; **~zeichnung** *f* lithographie *f;* **~zeit** *f hist* âge *m* de pierre; *ältere, mittlere, jüngere ~~* paléolithique, mésolithique, néolithique *m;* **~zeug** *n* (poterie *f* de) grès *m.*

Steir|er *m* ‹-s, -› [ˈʃtairər] Styrien *m;* **s~isch** *a* styrien.

Steiß *m* ‹-es, -e› [ʃtais] postérieur, derrière; *orn* croupion *m;* **~bein** *n anat* coccyx; *fam* croupion *m;* **~fuß** *m orn* grèbe *m;* **~geburt** *f* accouchement *m* par le siège; **~lage** *f physiol* présentation *f* du siège.

Stellage *f,* ‹-, -n› [ʃtɛˈla:ʒə] *meist fam pej (Gestell)* échafaudage, tréteau *m, com (Börse) = Stellgeschäft* stellage *m,* opération *f* à double prime.

stellbar [ˈʃtɛlba:r] *a* réglable, mobile.

Stell|dichein *n* ‹-(s), -(s)› [ˈʃtɛldɪçˀaɪn] rendez-vous (amoureux); *pop* rancart *m; jdm ein ~~ geben* donner un rendez-vous à qn; **~feder** *f (Uhr)* ressort *m* d'arrêt; **~hebel** *m* levier *m* de réglage *od loc* de manœuvre; **~keil** *m* contre-clavette *f;* **~macher** *m (Wagner)* charron *m;* **~macherei** *f* charronnerie *f;* **~marke** *f* repère *m* de pointage; **~mutter** *f tech* écrou *m* de réglage *od* de fixage; **~ring** *m* bague *f* de réglage *od* d'arrêt; **~schlüssel** *m* clé *f* de réglage *od* de serrage; **~schraube** *f* vis *f* de réglage *od* régulatrice; **~spiegel** *m* glace *f* mobile; **~stange** *f* barre *f* de commande; **s~vertretend** *a* remplaçant, suppléant; représentant; adjoint; vice-; *~~e(r) Vorsitzende(r) m* vice-président *m;* **~vertreter** *m* remplaçant, suppléant; représentant; adjoint, substitut; *rel* vicaire *m;* **~vertretung** *f* remplacement *m,* suppléance; représentation *f;* **~vorrichtung** *f* dispositif *od* mécanisme *m* de réglage; **~werk** *n loc* poste *m od* cabine *f* d'aiguillage *od* de manœuvre; **~werksanlage** *f* installation *f* d'enclenchement; **~winkel** *m* équerre *f* mobile.

Stelle *f* ‹-, -n› [ˈʃtɛlə] *(Platz, Ort)* place *f,* endroit, lieu, emplacement; *(in e-m Buch)* passage; *math* chiffre; *(Dienst~)* bureau, office, service *m; (Behörde)* autorité; *(Arbeitsplatz, Posten)* place *f,* poste, emploi *m;* charge; *(vgl. Stellung); tele* station *f; an ~ (gen)* à la place (de), au lieu (de), en guise (de); *an deiner ~* à ta place; *ich an Ihrer ~* si j'étais à votre place, si j'étais que vous; *an erster, zweiter ~* en premier, second lieu; *an höherer ~* en haut lieu; *an der rechten ~* au bon endroit; *auf der ~ (sofort)* sur-le-champ, tout de suite, sur l'heure; de pied ferme, séance tenante; *fam* illico; *ohne sich von der ~ zu rühren* sans désemparer; *s-e ~ antreten* entrer en fonction; *s-e ~ aufgeben* quitter *od* abandonner sa place; *fam* rendre son tablier; *e-e ~ besetzen* pourvoir à un poste; *von der ~ bringen* déplacer, enlever; *jds ~ einnehmen* prendre la place de qn; *e-e prima ~ haben (fam)* avoir un joli poste *od* une jolie situation; *nicht von der ~ kommen (a. fig)* ne pas avancer; *fig* piétiner; *zur ~ schaffen (Person)* amener; *(Sache)* apporter; *zur ~ sein* être présent; *an die ~ (gen) setzen* substituer (à); *an hervorragender ~ stehen (fig a.)* être en vue; *e-e ~ suchen* chercher un emploi; *jds schwache ~ treffen (fig)* trouver le point faible de qn; *an die ~ treten (gen)* prendre le relais (de); *an jds ~ treten* prendre la place de qn; remplacer qn; *auf der ~ treten (a. fig)* marquer le pas; piétiner; *auf der ~ tot umfallen* tomber raide mort, être tué raide; *jdm e-e ~ verschaffen (a.)* caser qn dans un emploi; *jds ~ vertreten* tenir lieu de qn; *zur ~!* présent! *ausschreibende ~* organisme *m* adjudicateur; *offene ~* emploi *m* vacant, vacance *f; offene ~n (Zeitungsrubrik)* offres *f pl* d'emploi; *schwache* od *ungeschützte ~ (fig) (a.)* défaut *m* de la cuirasse; **~nangebot** *n* offre *f* d'emploi; **~nausschreibung** *f* mise *f* au concours d'un poste; avis *m* de vacance d'un poste; **~ngesuch** *n* demande *f* d'emploi; **~ninhaber** *m* titulaire *m* d'un *od* du poste; **~njäger** *m pej* coureur *m* de places; **~njägerei** *f* curée *f* sur les places; **~nnachweis** *m* bureau *m* de placement; **~nplan** *m adm* tableau d'effectif *od* des effectifs, effectif *m* du personnel; **~ntausch** *m adm* permutation *f;* **~nvermittler** *m* placeur, placier *m;* **~nvermittlung(sbüro *n*)** *f* bureau *m od* agence *f* de placement; **~nwechsel** *m* changement *m* de place; **s~nweise** *adv* par endroits; **~nzulage** *f* prime *f* de fonction.

stellen [ˈʃtɛlən] *tr* poser, placer, *a. fig* mettre; *(Falle)* dresser, tendre; *tech* *(ein~)* régler, *(genau)* mettre au point; *(Uhr)* mettre à l'heure, ~ *nach* régler sur; *(Signal)* commander; *(Horoskop)* tirer; *(fest~)* fixer; *(bereit~)* fournir, procurer; *(Zeugen)* produire; *(den Feind)* accrocher; *(Verbrecher, Wild)* arrêter; *(Frage, Bedingung)* poser; *(Termin, Frist)* fixer; *sich ~ (zur Haft)* se constituer prisonnier; *(dem Gericht)* se livrer (à la justice); *mil (einrücken)* répondre à l'appel; *(so tun)* faire (*krank, taub, tot* le malade, le sourd, le mort); *als ob man täte* faire semblant de faire; *jdm e-e Aufgabe ~* donner une tâche à qn; *jdm etw vor Augen ~* mettre qc sous *od* devant les yeux de qn; *sich ans Fenster ~* se mettre à la fenêtre; *sich auf eigene Füße ~ (fig)* se rendre indépendant; *sich mit jdm gut ~* se mettre bien avec qn; *kalt ~ (Getränk, Speise)* mettre au frais; *seinen Mann ~ (fig)* remplir sa tâche, être à la hauteur; *jdm etw zur Verfügung ~* mettre qc à la disposition de qn; *gestellt sein (Jagd)* être aux abois; *gut gestellt (wohlhabend) sein* être à l'aise; *wie ~ Sie sich dazu?* qu'en pensez-vous? *auf sich (allein* od *selbst) gestellt* réduit à ses propres moyens, sans appui.

Stellung *f* ⟨-, -en⟩ ['ʃtɛlʊŋ] position *a. mil; bes. gram* place *f; (Anordnung)* arrangement *m,* disposition, répartition *f; (Geschütz~)* emplacement; *(Raketen~ a.)* site *m; (Körperhaltung)* pose, posture, attitude; *(Stelle, An~)* situation, position *f;* emploi *m,* charge *f; (gesellschaftl. ~, Rang)* rang *m; (Rechts~)* condition (juridique); *allg (Lage)* situation *f; s-e ~ behaupten (mil)* tenir la position; *s-e ~ behaupten* od *bewahren* tenir *od* garder son rang; *e-e ~ beziehen (mil)* aller occuper une position; *~ beziehen* od *nehmen* prendre position (*für, gegen* pour, contre); *Angst haben, ~ zu beziehen (fig)* avoir peur de s'engager; *e-e wichtige ~ einnehmen (a.)* tenir le haut du pavé; *in ~ gehen (mil)* se mettre en batterie; *in ~ gehen, sein (Hausangestellte)* se mettre, être en condition; *die ~ e-s, e-r ... haben* être au rang de ...; *die ~ halten (mil)* tenir la position; *(fig fam)* garder la place; *~ nehmen zu* prendre position à l'égard de; *in ~! (mil)* en batterie! *ausgebaute ~ (mil)* position *f* aménagée *od* organisée; *führende, leitende ~* position dirigeante, situation *f* de premier plan; *gesellschaftliche ~* position *f* sociale; *~ von Sicherheiten (Kredit)* constitution *f* de sûretés; *(markt)beherrschende ~* position *f* dominante (sur le marché); *rückwärtige, vorgeschobene ~ (mil)* position *f* arrière, avancée; **~nahme** *f* prise *f* de position; *mit der Bitte um, nach ~~* pour, après avis; *vor e-r endgültigen ~~* avant de se prononcer définitivement; *e-e ~~ abgeben* formuler un avis; **~sbefehl** *m mil* ordre *m* d'appel *od* de convocation; **~skrieg** *m* guerre *f* de position(s) *od* de tranchées; **s~slos** *a* sans place, sans emploi, sans engagement; **s~spflichtig** *a* soumis au recrutement; **~(s)suchende(r)** *m* demandeur *m* d'emploi; **~swechsel** *m mil* changement *m* de position; *e-n ~~ machen* od *vornehmen* changer de position, se déplacer.

Stelz|bein *n* ['ʃtɛlts-] , **~fuß** *m pej* jambe *f* de bois; **~beinig** *a (fig)* guindé; **~e** *f* ⟨-, -n⟩ échasse *f; auf ~~n gehen, ~~n laufen,* **s~en** ⟨*aux: sein*⟩ *itr, meist iron* marcher avec des échasses; *(fig)* avoir une démarche raide, guindée; **~enläufer** *m* échassier *m;* **~vögel** *m pl* échassiers *m pl.*

Stemm|bogen *m* ['ʃtɛm-] *(Schi)* virage *m* en stemm; **~eisen** *n* bec d'âne, bédane *m; (d. Steinbrucharbeiter)* pince *f* de carrier; **s~en** *tr* appuyer; *sport* lever; *(Loch aus~~)* mortaiser; *sich ~~* s'appuyer (*gegen, auf etw* contre, sur qc); *sich gegen etw ~~ (fig)* se raidir contre qc; tenir tête, s'opposer, résister à qc; *die Arme in die Seiten ~~* mettre les poings sur les hanches; **~en** *n (Schi)* stemm *m.*

Stempel *m* ⟨-s, -⟩ ['ʃtɛmpəl] *(Gerät u. Ergebnis)* timbre *m; (Ergebnis)* estampille; *(auf Metall)* marque *f; (Edelmetall)* contrôle; *(Siegel)* sceau, *(kleiner ~)* cachet *m; (Präge~)* estampe *f; (Münz~)* coin; *(Punze)* poinçon; *tech* piston, pilon; *mines* étançon, étai *m; fig* marque, empreinte *f; e-r S s-n ~ aufdrücken* marquer qc de son empreinte *od* estampille, mettre le sceau sur qc; *den ~ der Wahrheit tragen* être marqué du sceau de la vérité; **~bogen** *m* feuille *f* de papier timbré; **~eisen** *n* estampille *f;* **~farbe** *f* encre *f* à tampon(s); **s~frei** *a* exempt (du droit) de timbre; **~gebühr** *f* (droit de) timbre *m;* **~kissen** *n* tampon *m* (encreur); **~marke** *f* timbre-quittance *m;* **~maschine** *f* machine *f* à timbrer *od* à oblitérer; **s~n** *tr* timbrer, estampiller; *(Post entwerten)* oblitérer; *(prägen)* estamper; *(punzen)* poinçonner; *(Edelmetall)* contrôler; *fig* marquer, empreindre, *fam* styler; *itr, a. ~~ gehen (fam: arbeitslos sein)* chômer; **~n** *n* timbrage, estampillage *m; (Briefmarken)* oblitération *f;* **~papier** *n* papier *m* timbré; **s~pflichtig** *a* soumis au (droit de) timbre; **~schneider** *m* graveur *m* médailliste; **~steuer** *f* droit *m* de timbre; **~uhr** *f* horloge *f* de pointage *od* de contrôle; **Stemp(e)lung** *f* = *~n.*

Stenge *f* ⟨-, -n⟩ ['ʃtɛŋə] *mar* mât *m* de hune.

Stengel *m* ⟨-s, -⟩ ['ʃtɛŋəl] tige *f,* pied *m.*

Steno|gramm *n* ⟨-s, -e⟩ [ʃteno'gram] sténogramme *m; ein ~~ aufnehmen* prendre un sténogramme; **~grammaufnahme** *f* prise *f* de sténo(-gramme); **~grammblock** *m* bloc *m* à sténogrammes; **~grammhalter** *m (Gerät)* porte-copie *m;* **~graph(in** *f***)** *m* ⟨-en, -en⟩ [-'gra:f] sténographe *m f;* **~graphie** *f* ⟨-, -n⟩ [-gra'fi:] sténographie *f;* **s~graphieren** [-'fi:rən] *tr u. itr* sténographier; prendre en sténo; **~graphiermaschine** *f* sténotype *f; mit e-r ~~ aufnehmen* sténotyper; **s~graphisch** [-'gra:fɪʃ] *a* sténographique; *adv: ~~ aufnehmen* sténographier; **~kontoristin** *f* ['ʃte:no-] sténographe *f;* **~typie** *f* ⟨-, -n⟩ [-ty'pi:] sténotypie *f;* **s~typieren** [-'pi:rən] *tr* sténotyper; **~typist(in** *f***)** *m* ⟨-en, -en⟩ [-ty'pɪst] sténodactylo (-graphe) *m f.*

Stentorstimme *f* ['ʃ-/'stɛntɔr-] voix *f* de stentor.

Stephan *m* ['ʃtɛfan] Etienne *m.*

Stepp|decke *f* ['ʃtɛp-] courtepointe *f,* couvre-pied(s) *m;* **s~en** *tr* piquer; **~en** *n* piqûre *f,* piquage *m;* **~er(in** *f***)** *m* ⟨-s, -⟩ piqueur, se *m f;* **~erei** [-'rai] *f (Tätigkeit, Gewerbe)* piquage *m;* **~jacke** *f* blouson *m* matelassé; **~maschine** *f* machine à piquer, piqueuse *f;* **~naht** *f* couture *f* piquée; **~saum** *m* ourlet *m* piqué; **~stich** *m* point piqué *od* arrière, arrière-point *m.*

Steppe *f* ⟨-, -n⟩ ['ʃtɛpə] *geog* steppe *f;* **~nbewohner** *m pl* habitants *m pl* des steppes; **~nwolf** *m* coyot(t)e *m.*

Sterb|ealter *n* ['ʃtɛrbə-] âge *m* de décès; **~ebett** *n* lit *m* de mort; *auf dem ~~* avant de mourir; **~edatum** *n* date *f* du décès; **~efall** *m* (cas de) décès *m;* **~egeld** *n* indemnité *f* funéraire, capital-décès *m;* **~ekasse** *f* caisse *f* de décès; **s~en** ⟨*stirbt, starb, ist gestorben, wenn er stürbe*⟩ [ʃtarp-, (-)'ʃtɔrbən, 'ʃtʏrbə] *itr* mourir (*an, vor* de); expirer, rendre l'âme; *(ver~~)* décéder; *(verscheiden)* trépasser; **~en** *n* mort *f; im ~~ liegen* être à l'article de la mort *od* à l'agonie *od* moribond; *wenn es zum ~~ kommt* à l'heure de la mort; *zum ~~ langweilig* mortellement ennuyeux; **~ende(r)** *m* mourant, moribond *m;* **~ensangst** *f* angoisse *od* peur mortelle; *fam* peur *f* bleue; **s~enskrank** *a* malade à mourir *od* à la mort; **~enswörtchen** *n: kein ~~ sagen* ne pas dire un traître mot *od* un pauvre mot, ne (pas) souffler mot, ne pas desserrer les dents; **~eort** *m* lieu *m* de décès; **~eregister** *n* registre *m* mortuaire *od* des décès; **~esakramente** *n pl rel* derniers sacrements *m pl; versehen mit den heiligen ~~n* muni des derniers sacrements *od* des sacrements de l'Église; **~estunde** *f* heure *f* de la mort *od* suprême; **~eurkunde** *f* acte *m* de décès; **~ezimmer** *n* chambre *f* mortuaire; **s~lich** ['-plɪç] *a* mortel; *adv: ~~ verliebt* éperdument amoureux; *die ~~en Reste m pl, die ~e Hülle* les restes *m pl* (mortels), la dépouille mortelle; **~liche(r)** *m* mortel *m; die ~~en (pl poet)* les humains *m pl; der gewöhnliche ~liche* le commun des mortels; **~lichkeit** *f* ⟨-, ø⟩ mortalité *f;* **~lichkeitsziffer** *f* (taux *m* de) mortalité *f.*

Stereo|aufnahme *f* [s(ʃ)tereo-] *phot* stéréophotographie *f; (Schallplatte)* enregistrement *m* stéréophonique; **~chemie** *f* stéréochimie *f;* **~metrie** *f* ⟨-, ø⟩ [-me'tri:] stéréométrie, géométrie *f* dans l'espace; **s~metrisch** [-'me:trɪʃ] *a* stéréométrique;

s~phon [-ˈfo:n] *a radio* stéréophone; **~photographie** *f* photographie *f* stéréoscopique; **~skop** *n* ⟨-s, -e⟩ [-ˈsko:p] stéréoscope *m;* **s~skopisch** [-ˈsko:pɪʃ] *a* stéréoscopique; **s~typ** [-ˈty:p] *a fig* stéréotypé; **~typie** *f* ⟨-, ø⟩ [-tyˈpi:] stéréotypie *f,* clichage *m;* **s~typieren** [-ˈpi:rən] *tr* stéréotyper, clicher.

steril [ʃ-/steˈri:l] *a* stérile; *(unfruchtbar) a.* infertile, infécond; **S~isation** *f* ⟨-, -en⟩ [-rilizatsiˈo:n] , **S~isierung** *f* stérilisation *f;* **S~isierapparat** *m* autoclave *m;* **~isieren** [-ˈzi:rən] *tr* stériliser; **S~ität** *f* ⟨-, ø⟩ [-tiˈtɛ:t] stérilité; *(Unfruchtbarkeit) a.* infertilité, infécondité *f.*

Sterke *f* ⟨-, -n⟩ [ˈʃtɛrkə] *(junge Kuh)* génisse *f.*

Sterling *m* ⟨-s, -e⟩ [ˈstœ:lɪŋ/ˈʃtɛrlɪŋ] *(Münzeinheit)* sterling *m;* **~block** *m* bloc *m* sterling; **~zone** *f* zone *f* sterling.

Stern *m* ⟨-(e)s, -e⟩ [ʃtɛrn] **1.** *astr* étoile *f, a. fig; (Gestirn)* astre *m; (Zier~, mil: Rangabzeichen, Ordens~)* étoile *f; typ* astérisque *m; (Straßenkreuzung)* étoile *f,* rond-point *m; (Filmgröße)* étoile, vedette, star *f; an s-n ~ glauben* avoir foi *od* être confiant en son étoile; *nach den ~en greifen (fig)* avoir de hautes visées; viser (très) haut; *mit ~en besetzen* od *schmücken* étoiler; *unter e-m glücklichen* od *günstigen ~ geboren sein (fig)* être né sous une bonne étoile; *sein ~ ist im Sinken (fig)* son étoile pâlit; **s~besät** *a* étoilé, constellé, semé d'étoiles; **~bild** *n* constellation *f;* **~blume** *f (Aster)* aster; *(Studentenblume)* narcisse *m* des poètes; **~chen** *n typ* astérisque *m; film* starlette *f;* **~deuter** *m* astrologue, diseur *m* d'horoscope; **~deuterei** *f,* **~deutung** *f* astrologie *f;* **~enbanner** *n* bannière *f* étoilée; **s~(en)hell** *a* éclairé par les étoiles; *vgl. ~klar;* **~(en)himmel** *m* ciel *m od* voûte *f* étoilé(e); firmament *m;* **~enlicht** *n* clarté *f* des étoiles; **s~enlos** *a* sans étoiles; **~enzelt** *n poet* voûte *f* étoilée; **~fahrt** *f sport* rallye *m;* **s~förmig** *a* en (forme d')étoile; *~~ springen (Glas)* s'étoiler; **~forscher** *m* astronome *m;* **~gruppe** *f astr* astérisme *m;* **s~hagelvoll** *a pop* plein comme une barrique; ivre mort, soûl comme une bourrique, rond comme une bille; **~haufen** *m* nuée *f* stellaire; **~jahr** *n* année *f* sidérale; **~karte** *f* carte *f* céleste; planisphère *m* céleste, mappemonde *f* (céleste); **~katalog** *m* catalogue *m* des étoiles; **s~klar** *a = s~(en)hell; es ist (e-e) ~~(e Nacht)* il fait clair d'étoile; les étoiles brillent au ciel; **~koralle** *f zoo* madrépore *m;* **~kunde** *f* astronomie *f;* **~motor** *m* moteur *m* (à cylindres) en étoile; **~schaltung** *f el* connexion *f* en étoile; **~schnuppe** *f* étoile *f* filante; **~schnuppenregen** *m* pluie *f* d'étoiles filantes; **~stunde** *f fig poet* heure *f* décisive *od* de chance; **~tag** *m astr* jour *m* sidéral; **s~übersät** *a* semé d'étoiles, criblé par des étoiles; **~warte** *f* observatoire *m;* **~zeit** *f* temps *m od* heure *f* sidéral(e).

Stern *m* ⟨-s, -e⟩ [ʃtɛrn] **2.** *mar (Heck)* poupe *f.*

Sterz *m* ⟨-es, -e⟩ [ʃtɛrts] *(Schwanz)* queue *f; orn (Schwanzwurzel)* croupion; *(Pflug)* mancheron *m.*

stet [ʃte:t] *a* constant, permanent; **~ig** *a* fixe, ferme; constant, permanent, continu(el); *(regelmäßig)* régulier; *math* continu; **S~igkeit** *f* ⟨-, ø⟩ fermeté; constance, permanence; continuité; régularité *f;* **~s** *adv* constamment, continuellement, en permanence, sans cesse; à tout *od* tous moment(s), toujours; *~~ etw getan haben* n'avoir cessé de faire qc.

Steuer 1. *n* ⟨-s, -⟩ [ˈʃtɔʏər] *(Boot)* bare *f; mot* volant; *mar aero* gouvernail *m; aero* gouverne *f; das ~ herumreißen (fig)* virer de bord, renverser la vapeur; *sich ans ~ setzen, das ~ übernehmen* prendre le volant; *am ~ sitzen (mot)* tenir le volant; *aero* être aux commandes; **~achse** *f mot* axe *m* mobile *od* à direction; **~bord** *n mar* tribord *m;* **~flächen** *f pl aero* gouvernes *f pl;* **~gehäuse** *n mot* boîte *f* od *aero* carter *m* de distribution; **~gestänge** *n aero* commande *f* rigide; **~hebel** *m aero* levier *m* de commande *od* de manœuvre; **~impuls** *m tech* impulsion *f* de commande; **~knüppel** *m* levier de commande; *fam* manche *m* à balai; **s~los** *a mar aero* sans gouvernail; **~mann** *m* ⟨-(e)s, -männer/-leute⟩ *mar* timonier *(a. e-s Luftschiffes); fig* pilote *m;* **~mannsstand** *m* timonerie *f;* **~mechanismus** *m aero tech* mécanisme *m* de commande; **s~n 1.** *tr mot* conduire, guider; *mar* gouverner; *aero* piloter; *tech* manœuvrer, commander, contrôler; *scient (aufea. abstimmen)* synchroniser; *fig (lenken)* diriger, guider; *itr (fahren)* faire route (*nach* vers); *fig (entgegenwirken)* mettre un frein (*e-r S* à qc), réprimer (*e-r S* qc); **~rad** *n mot* volant *m; mar* roue *f* du gouvernail; **~ruder** *n* gouvernail *m;* **~sack** *m aero* ballonnet *m* de stabilisation, stabilisateur *m;* **~schwanz** *m (e-r Bombe)* empennage *m* (de queue); **~sender** *m* émetteur *m* piloté *od* à étage pilote; **~stand** *m tech* plateforme *f* de commande; **~stufe** *f aero* étage *m* pilote; **~ung** *f mot* direction; distribution *f; loc* aiguillage *m; mar aero* gouverne *f; aero* pilotage, guidage *m; (selbsttätige)* commande; *tech* manœuvre *f,* réglage, contrôle *m; mil scient* synchronisation *f;* **~ungsanlage** *f (selbsttätige)* dispositif *m od* organes *m pl* de commande; **~welle** *f mot* arbre *m* de distribution; **~werk** *n aero* commandes (de vol), gouvernes *f pl* (d'empennage); *(e-r Rakete)* groupe *m* directif; **~zug** *m aero* câble *m* de commande.

Steuer 2. *f* ⟨-, -n⟩ [ˈʃtɔʏər] *adm fin* impôt *m, (Abgabe)* contribution; *mit ~n belasten* charger *od* grever *od* frapper d'impôts; *etw mit e-r ~ belegen* asseoir un impôt sur qc, imposer qc; *~n einnehmen* percevoir des impôts; *e-e ~ erheben* lever *od* percevoir un impôt; *jdn zur ~ heranziehen* mettre qn à contribution; *~n hinterziehen* soustraire des impôts; *(in)direkte ~n* impôts *m pl od* contributions *f pl* (in)direct(e)s; *örtliche ~n, ~n vom Einkommen, vom Ertrag* impôts *m pl* locaux, sur le revenu, sur les bénéfices; **~abzug** *m* retenue *od* déduction *f* d'impôt(s); **~amnestie** *f* amnistie *f* fiscale; **~amt** *n* (bureau *m* de) perception, recette *f;* **~ansatz** *m* taux *m* d'imposition; **~anteil** *m* part *f* contributive; **~aufkommen** *n* produit *od* rendement des impôts, rendement *m* fiscal; **~aufsicht** *f* contrôle *m* fiscal; **~ausfall** *m* déficit *m* de recouvrements fiscaux; **~ausgleich** *m* péréquation des impôts, compensation *f* fiscale; **~außenstände** *m pl* impôts *m pl* non payés (à l'échéance); **s~bar** *a = s~pflichtig;* **~beamte(r)** *m* employé des contributions, agent *m* du fisc; **~befreiung** *f* exemption *od* exonération *f* fiscale *od* d'impôts; **s~begünstigt** *a: ~~ sein* bénéficier *od* jouir d'un avantage fiscal; **~behörde** *f* fisc *m;* **~beitreibung** *f* recouvrement *m* d'impôts; **~bemessungsgrundlage** *f* base d'imposition, assiette *f* de l'impôt; **~berater** *m* conseiller *m* fiscal; **~bescheid** *m* avis *m* d'imposition *od* d'impôt; **~bewilligung** *f parl* vote *m* de l'impôt; **~bewilligungsrecht** *n* droit *m* de voter l'impôt; **~bezirk** *m hist* généralité *f* des finances; **~bilanz** *f* bilan *m* fiscal; **~druck** *m* pression *f* fiscale; **~eingänge** *m pl* rentrées *f pl* fiscales *od* d'impôts; **~einkommen** *n* revenu *m* fiscal; **~einnahmen** *f pl* recettes *f pl* fiscales; **~einnehmer** *m* percepteur (des impôts), receveur *m* (des contributions); **~eintreibung** *f,* **~einziehung** *f* recouvrement *m* des impôts; **~erhebung** *f* perception *f* (des impôts); **~erhöhung** *f* majoration *od* aggravation *f* d'impôt; **~erklärung** *f* (feuille de) déclaration d'impôt(s), feuille *f* d'impôt; **~erlaß** *m* détaxe, remise *f* de l'impôt; *jdm e-n ~~ gewähren* supprimer la taxe à qn; détaxer qn; **~erleichterung** *f* allégement *m* fiscal; **~ermäßigung** *f* réduction *od* diminution *f* des impôts; dégrèvement *m* (d'impôt); **~erpressung** *f hist* maltôte *f;* **~fahnder** *m* inspecteur *m* fiscal *od* polyvalent; **~fahndung** *f* enquête *f* fiscale; détection *od* recherche *f* des fraudes fiscales; **~fahndungsdienst** *m* service *m* de répression des fraudes fiscales; **~festsetzung** *f* établissement *m* de l'assiette de l'impôt; **~flucht** *f* évasion *f* fiscale; **~fragen** *f pl* questions *f pl* fiscales; **s~frei** *a* exonéré *od* exempt d'impôt(s); **~freibetrag** *m* montant exempt *od* exonéré d'impôts; abattement *m* à la base; **~freiheit** *f* exemption *od* franchise d'impôt(s), franchise d'imposition, exonération *f* fiscale; **~gegenstand** *m* matière *f* imposable; **~ge-**

heimnis *n* secret *m* fiscal; **~gelder** *n pl* recettes *f pl* fiscales; **~gesetz** *n* loi *f* fiscale; **~gesetzgebung** *f* législation *f* fiscale; **~grenze** *f* limite *f* d'imposition; **~groschen** *m pl fig* deniers *m pl* publics *od* du contribuable; **~hehlerei** *f* dissimulation *f* fiscale; **~hinterziehung** *f* fraude *f* fiscale; **~hoheit** *f* souveraineté *f* fiscale, droit *m* d'imposition; **~inspektor** *m* inspecteur *od* vérificateur *m* des contributions; **~jahr** *n* année *f* fiscale *od* d'imposition, exercice *m* fiscal; **~karte** *f* carte *f od* mandat *m* d'impôt; **~kasse** *f* recette *f;* **~klasse** *f* classe *od* catégorie *f* d'imposition *od* d'impôt(s); **~kraft** *f* capacité *od* faculté *f* contributive; **~last** *f* poids *m* des impôts *od* de la fiscalité, charges *f pl* fiscales; **~leistung** *f (Tätigkeit)* prestation d'impôt; *(Fähigkeit)* puissance *f* fiscale; **s~lich** *a* fiscal; *jdn ~~ veranlagen* établir l'assiette de l'impôt de qn; *~~e Erfassung f* imposition *f;* **~marke** *f* timbre-quittance *m;* **~meßbetrag** *m* montant-échelle *od* indice *m* de l'impôt; **s~n 2.** *itr* payer des impôts; **~nachforderung** *f* rappel *m* d'impôt; **~nachlaß** *m* remise *f* de l'impôt; *jdm e-n ~~ gewähren* dégrever qn; **~pacht** *f hist* ferme *m;* **~pächter** *m hist* fermier *m;* **~paradies** *n* paradis *m* fiscal; **~pflicht** *f* obligation *f* fiscale *od* à l'impôt; **s~pflichtig** *a* contribuable, imposable; **~pflichtige(r)** *m* contribuable *m;* **~politik** *f* politique *f* fiscale; **~prüfer** *m* vérificateur *m* de livres; **~prüfung** *f* examen *m* fiscal; **~quellen** *f pl* ressources *f pl* fiscales; **~recht** *n* droit *od* régime m fiscal; **~reform** *f* réforme *f* fiscale; **~register** *n* registre des contributions, cadastre *m* des impôts; **~rückerstattung** *f,* **~rückvergütung** *f* remboursement *m od* restitution *f* d'impôt(s) *od* fiscal; **~rücklage** *f* réserve *f* pour les impôts; **~rückstand** *m* arrérage *od* reliquat *m* d'impôts; **~sache** *f: in ~~n* en matière d'impôts; **~sachverständige(r)** *m* expert *m* fiscal; **~satz** *m* taux *m* d'imposition; *einheitlicher, progressiver, proportionaler ~~* taux d'imposition uniforme; tarif *m* fiscal progressif, proportionnel; **~schuld** *f* dette *f* fiscale; **~senkung** *f* réduction d'impôts *od* des impôts, détaxation *f,* dégrèvement *m;* **~streik** *m* grève *f* fiscale *od* de l'impôt; **~stufe** *f* échelon *m* d'imposition; **~system** *n* système fiscal *od* d'imposition, fiscalité *f;* **~tabelle** *f* barème *m* de l'impôt; **~veranlagung** *f* (établissement *m* de l')assiette de l'impôt, assiette *f;* **~verfahrensrecht** *n* droit *m* de la procédure fiscale; **~vergehen** *n* délit *m od* infraction *f* fiscal(e); **~vergünstigung** *f* privilège *m* fiscal; **~vorabzug** *m* retenue *f od* prélèvement *m* à la source; **~voranschlag** *m* évaluation *f* des impôts; **~vorauszahlung** *f* acompte d'impôt, paiement *m* anticipé d'un impôt; **~wesen** *n* fiscalité *f;* **~zahler** *m* contribuable, payeur *m* d'impôt; **~zahlkarte** *f* mandat-contribution *m;* **~zahlung** *f* paiement *m* de l'impôt; **~zettel** *m* bulletin *od* mandat *m* d'impôt(s); **~zuschlag** *m* taxe supplémentaire, surtaxe *f;* **~zuwachs** *m* accroissement *m* des impôts; **~zweck** *m* finalité *f* d'un impôt.

Steven *m* ‹-s, -› ['ʃte:vən] *mar (Vorder~)* étrave *f; (Achter~)* étambot *m.*

Steward *m* ‹-s, -s› ['s-, 'ʃtju:ərt] *mar aero (Betreuer)* steward; garçon *m* de cabine; **~eß** *f* ‹-, -ssen› [-dɛs, --'-] *aero* hôtesse *f* de l'air *od* de bord.

stibitzen [ʃti'bɪtsən] *tr* ‹*er hat stibitzt*› *fam* chaparder, chiper; *pop* choper, barboter, volatiliser.

Stich *m* ‹-(e)s, -e› [ʃtɪç] *(mit e-m Dorn, e-m Stachel, e-r Nadel, a. med)* piqûre *f; (mit e-r ~waffe)* coup; *(Näherei)* point *m; (Graphik)* taille, gravure, estampe *f; fig (ins Herz)* coup *m* (d'épingle *od* de boutoir); *(~elei, Spitze)* pointe; *med (stechender Schmerz)* douleur lancinante; *(Kartenspiel)* levée *f,* pli *m; pl med (Seiten~e)* point *m* de côté; *e-n ~ bekommen (Wein)* se piquer; *(Milch)* tourner; *(Speise)* surir; *~e (Seiten~e) bekommen* avoir des points de côté; *e-n ~ haben (Fleisch)* avoir un goût; *(Mensch)* avoir un grain (de folie); *e-n ~ ins Grüne haben* tirer sur le vert; *gleich viele ~e haben (Kartenspiel)* avoir le même nombre de plis; *keinen ~ haben* n'avoir pas fait de levée; *im ~ lassen* laisser là *od* choir *od* tomber *od* en plan, lâcher, abandonner, planter là; fausser compagnie à, faire faux bond à; *fam* plaquer; *e-n ~ machen (Kartenspiel)* faire un pli; *alle ~e machen* faire toutes les levées *od (Bridge)* le grand chelem; *mein Gedächtnis läßt mich im ~* ma mémoire me fait défaut; *entscheidende(r) ~ (Spiel)* coup *m* décisif; *~ ins Grüne* nuance *f* de vert; **~blatt** *n (am Degen)* garde *f;* **~el** *m* ‹-s, -› *(Grab~~)* burin, ciselet, poinçon *m;* **~elei** *f* [-'laɪ] piqûre *f,* coup *m* d'épingle, agacerie, taquinerie *f;* brocard *m;* **s~eln** *itr (nähen)* coudre; *(sticken)* broder; *tr fig* donner des coups d'épingle à, lancer des pointes *od* des brocards à, agacer, taquiner; brocarder; **~flamme** *f* dard *od* jet *m* de flamme; **~graben** *m mil* tranchée *f* de communication, boyau *m;* **s~haltig** *a (Argument)* plausible, valable, probant, solide, soutenable; *nicht ~~ sein (a.)* porter à faux, ne pas tenir; *durchaus ~~ (a.)* pas sans valeur; *nicht ~~ (a.)* sans valeur; **~haltigkeit** *f* ‹-, ø› plausibilité, validité, solidité *f; bes. jur* bien-fondé *m; mangelnde ~~* mal-fondé *m;* **~kabel** *n,* **~kanal** *m* câble, canal *od* chenal *m* de raccordement; **~kurs** *m (Börse)* pied *m* de la prime; **~leitung** *f* ligne d'embranchement; *(Pipeline)* antenne, artère *f* ouverte; **~ling** *m* ‹-s, -e› *(Fisch)* épinoche *f;* **~probe** *f (Handlung)* sondage, coup de sonde; *(Sache)* échantillon *m* pris au hasard *od* dans le tas; *angepaßte od ausgewogene ~~* échantillon *m* compensé; *~~ ohne, mit Zurücklegen* sondage *m* exhaustif, non exhaustif; *nicht zufällige ~~* échantillon *m* non aléatoire; *planlose ~~* sondage *m* par groupes naturels; *subjektiv ausgewählte ~~* échantillon *m* au jugé; *unverzerrte, unvollständige, verzerrte ~~* échantillon *m* sans biais, défectueux, biaisé; *zweistufige ~~* sondage *m* à deux degrés; **~probenauswahl** *f,* **~probenverfahren** *n* échantillonnage *m;* **~probenerhebung** *f* enquête *f* par sondage; **~probenumfang** *m* taille *f* de l'échantillon; **~probenverteilung** *f* répartition des échantillons, distribution *f* d'échantillonnage; **~säge** *f* scie *f* à guichet; **~tag** *m* jour *m* fixé *od* prévu *od* repère, date *f* fixée *od* de base; *(Fälligkeitsdatum)* jour *m* d'échéance *od* de l'échéance; **~waffe** *f* arme *f* d'estoc; **~wahl** *f* scrutin *m* de ballottage; **~wort** *n* ‹-(e)s, ¨er› mot *m* de repère; *theat* ‹-(e)s, -e› réplique *f; (Kennwort)* mot d'ordre *od* de passe; *(Katalog)* mot-souche *m; pl (~worte)* aide-mémoire *m;* **~wortkatalog** *m* catalogue *m* analytique *od* par mots-clés; **~wunde** *f* blessure *f* perforante; coup *m* de pointe.

stick|en ['ʃtɪkən] *tr* broder; **S~er(in** *f***)** *m* ‹-s, -› brodeur, se *m f;* **S~erei** [-'raɪ] broderie *f;* **S~garn** *n,* **~seide** *f* fil *od* coton *m,* soie *f* à broder; **S~maschine** *f* brodeuse *f* mécanique; **S~muster** *n* dessin *m* de broderie; **S~nadel** *f* aiguille *f* à broder; **S~rahmen** *m* métier *od* tambour *m* (à broder).

Stick|husten *m* ['ʃtɪk-] coqueluche *f;* **s~ig** *a* étouffant, suffocant; *~~e Luft f,* **~luft** *f a.* étuve *f;* **~stoff** *m* azote, nitrogène *m;* **s~stoffarm** *a,* **s~stoffreich** *a* pauvre, riche en azote *od* nitrogène; **~stoffdünger** *m* engrais *m* azoté; **s~stoffhaltig** *a* azoté, nitrique; **~stoffverbindung** *f* combiné *m* azoté.

stieben ‹*stob*› ['ʃti:bən, (-)'ʃto:p/-bən] ‹*er ist gestoben*› *itr* jaillir, voler; *tr* ‹*stob/stiebte, hat gestoben/gestiebt*› faire jaillir *od* sauter.

Stief|bruder *m* ['ʃti:f-] *nur = Halbbruder;* **~eltern** *pl* beaux-parents *m pl;* **~geschwister** *pl* frère(s) et sœur(s) *od* enfants *pl* de deux lits; **~kind** *n* enfant d'un autre lit; *fig* disgracié *m* (*der Natur, des Glücks* de la nature, de la fortune); **~mutter** *f* belle-mère; *pej* marâtre *f;* **~mütterchen** *n bot* pensée *f;* **s~mütterlich** *a* de belle-mère, de marâtre; *adv* en belle-mère, en marâtre; **~schwester** *f nur = Halbschwester;* **~sohn** *m* beau-fils *m;* **~tochter** *f* belle-fille *f;* **~vater** *m* beau-père *m.*

Stiefel *m* ‹-s, -› ['ʃti:fəl] *(Schaft~)* botte; *(Halb~)* bottine *f,* bottillon, brodequin; *(Humpen)* hanap; *(e-r Pumpe)* corps *m;* **~ette** *f* ‹-, -n› [ʃti:fə'lɛtə] *(Halb~)* bottine *f,* brodequin *m;* **~haken** *m* crochet de bottes, tire-botte *m;* **~knecht** *m* tire-

-botte *m;* **s~n** *itr ‹ist gestiefelt› fam* marcher à grands pas *od* à grandes enjambées; **~putzer** *m* cireur *m* (de bottes); **~schaft** *m* tige *f* de botte.

Stiege *f* ‹-, -n› ['ʃti:gə] *(Treppe)* escalier *m; (20 Stück)* vingtaine *f.*

Stieglitz *m* ‹-es, -e› ['ʃti:glɪts] *orn* chardonneret *m.*

Stiel *m* ‹-(e)s, -e› [ʃti:l] *(Blume, Blüte, Frucht)* queue *f,* pédoncule *m; (Blatt)* queue *f,* pétiole *m; (Gerät)* manche *m; (Pinsel)* hampe *f; mit festsitzendem ~* indémanchable; *mit e-m ~ versehen (a)* emmanché; *mit Stumpf und ~ ausrotten* extirper radicalement; couper à la racine; **~augen** *n pl: ~~ machen (fig fam)* se rincer l'œil; *er macht ~~ (a.)* les yeux lui sortent de la tête; **~handgranate** *f* grenade *f* à manche.

stier [ʃti:r] *a (Blick: starr)* fixe; *(verstört)* hagard; *~en Blick(e)s* d'un œil fixe; **~en** *itr* regarder fixement *od* d'un œil hagard (*auf* acc).

Stier *m* ‹-(e)s, -e› [ʃti:r] taureau *m; den ~ bei den Hörnern packen (a. fig)* prendre le taureau par les cornes; **~kampf** *m* course de taureaux, corrida, tauromachie *f;* **~kämpfer** *m* toréador, toréro *m;* **~nacken** *m* cou *m* de taureau; **~opfer** *n rel* taurobole *m.*

Stift [ʃtɪft] **1.** *m* ‹-(e)s, -e› *(Nagel)* clou *m* (sans tête); fiche; pointe *f; (Zahnersatz)* pivot; *(am Oberring des Gewehrs)* quillon *m; tech (Dreh~)* broche, cheville, goupille *f; (Blei-, Farb~)* crayon; *(Lippen~)* bâton *m;* **~zahn** *m* dent *f* à pivot.

Stift 2. *m* ‹-(e)s, -e› [ʃtɪft] *fam (Lehrjunge)* arpète *m.*

Stift 3. *n* ‹-(e)s, -e/(-er)› [ʃtɪft] *(fromme ~ung)* fondation; *rel* maison *f* (religieuse), couvent; *(Domkapitel)* chapitre; *(Univ.)* séminaire *m;* **s~en 1.** *tr (gründen)* fonder; *(errichten)* établir; *(einsetzen)* instituer; *(schenken)* faire don de; *(beisteuern)* fournir; *(schaffen, ins Leben rufen, bewirken)* créer, produire, faire; provoquer, susciter; **~er(in** *f***)** *m* ‹-s, -› *(Gründer)* fondateur, trice; *(Spender)* donateur, trice *m f; (Urheber)* auteur *m;* **~erverband** *m* association *f* de donateurs; **~sdame** *f,* **~sfräulein** *n* chanoinesse *f;* **~sherr** *m* chanoine *m;* **~shütte** *f rel* tabernacle *m* (du Seigneur); **~skirche** *f* (église) collégiale *f;* **~sschule** *f (Domschule)* école *f* collégiale; **~ung** *f* fondation *f;* établissement *m;* institution: *(Schenkung)* donation *f;* **~ungsfest** *n* fête *f* anniversaire de la fondation; **~ungsurkunde** *f* actes *m pl* de fondation.

stiften ['ʃtɪftən] **2.** *itr fam: ~ gehen* filer, déguerpir, s'éclipser.

Stigma *n* ‹-s, -men/-mata› ['s-, 'ʃtɪgma, '-men/'-mata] *rel (Wundmal)* stigmate *m;* **s~tisieren** [-ti'zi:rən] *tr* stigmatiser.

Stil *m* ‹-(e)s, -e› [ʃ-/sti:l] style *m,* écriture *f; großen ~s* avec faste; *e-n guten ~ haben* und *schreiben (a.)* avoir un bon style, écrire de bonne encre; **~art** *f* style *m;* **~blüte** *f* fleur de rhétorique; perle; bévue *f* stylistique; **~gefühl** *n* sens *m* du style; **s~gerecht** *a* conforme au style; **s~isieren** [ʃtili'zi:rən] *tr* styliser; **~isierung** *f* stylisation *f;* **~ist** *m* ‹-en, -en› [-'lɪst] styliste *m;* **~istik** *f* ‹-, -en› [-'lɪstɪk] , **~kunde** *f* stylistique *f;* **s~istisch** [-'lɪstɪʃ] *a* stylistique, de style; *~~e Feinheiten f pl* finesses *f pl* du style; *in ~~er Hinsicht* en matière de *od* quant au style; **s~los** *a* sans style; **~mittel** *n pl* procédés *m pl* de style; **~möbel** *n pl* meubles *m pl* de style; **s~voll** *a* qui a du style; de bon goût; **~übung** *f* exercice *m* de style; **~wörterbuch** *n* dictionnaire *m* de locutions.

Stilett *n* ‹-s, -e› [ʃ-/sti'lɛt] *(kleiner Dolch)* stylet *m.*

still [ʃtɪl] *a (ruhig, lautlos)* tranquille, calme; *(schweigend, stumm)* silencieux, muet; *(reglos, unbewegt)* immobile, sans mouvement; *(schweigsam)* taciturne; *(zurückhaltend, bescheiden)* modeste; *(friedlich)* paisible; *(heimlich)* secret; *interj* chut! tais-toi! taisez-vous! silence! *im ~en* en silence; sans rien dire, in petto; *(heimlich)* secrètement, incognito; *~ und leise (adv)* à la sauvette *fam; pop* en douce; *~ sein, sich ~ verhalten* être *od* se tenir tranquille; se tenir coi; *~ werden* se taire; *(sich beruhigen)* se calmer; *~e(r) werden (a.)* mettre une sourdine à son grelot; *es wurde ~* il se fit un silence; *~e Wasser sind* od *gründen tief (prov)* il n'est pire eau que l'eau qui dort; *(com) ~e Einlage, Gesellschaft* apport *m,* société *f* en participation; *~er Gesellschafter* od *Teilhaber* apporteur *od* bailleur de fonds; commanditaire *m; ~e(s) Glück n* bonheur *m* paisible; *~e Hoffnung, Liebe f* espoir, amour *m* secret; *~e Jahreszeit f* morte-saison *f; der S~e Ozean* l'océan *m* Pacifique, le Pacifique; *~e(r) Schmerz m* douleur *f* muette; *~e Übereinkunft f* accord *m* tacite; *~e Wut f* colère *f* contenue; *~e Zeit f (Flaute)* heures *f pl* creuses, jours *m pl* creux; *com a.* accalmie *f;* **~=bleiben** *‹ist stillgeblieben› itr* rester tranquille, se tenir coi; **S~e** *f* ‹-, ø› tranquillité *f,* calme; *(Schweigen)* silence; *(Ruhe)* repos *m; (Frieden)* paix *f; in der ~~ (heimlich)* secrètement, en secret; *in aller ~~* dans le plus grand silence *od* secret, sous le manteau; *(Feier)* dans l'intimité; *es trat ~~ ein* il se fit un silence; **~en** *tr (Blut)* arrêter, étancher; *(Schmerz)* apaiser, calmer; *(Durst)* étancher, apaiser, calmer; *(Hunger)* assouvir, apaiser; *(Verlangen, Sehnsucht, Kummer)* apaiser, calmer; *(Kind)* donner le sein à, allaiter, nourrir; *den Durst ~~* désaltérer; **S~en** *n* allaitement *m;* **~end** *a: ~~e Mutter f* mère *f* nourrice *od* qui nourrit (au sein); **S~geld** *n* indemnité *f* d'allaitement; **S~gestanden** *n mil* garde-à-vous *m;* **S~halteabkommen** *n pol* moratorium, moratoire *m;* **~=halten** *‹aux: haben› tr (Körperteil)* tenir en repos; *itr (sich nicht bewegen)* se tenir immobile; **S~(l)eben** *n (Kunst)* nature *f* morte; **~=(l)egen** *tr (Betrieb)* fermer; *(Anlage, Maschine)* arrêter; *(Hochofen)* éteindre; *(Fahrzeug, Flugzeug)* immobiliser; **S~(l)egung** *f* fermeture *f;* arrêt *m;* immobilisation *f;* **~=(l)iegen** *itr ‹hat stillgelegen› (Mensch)* se tenir tranquille; *(Betrieb)* être fermé; *tech* être arrêté, chômer; *mar* rester en panne; **~=schweigen** *‹aux: haben› itr* se taire **S~schweigen** *n* silence *m; ~~ bewahren* garder *od* observer le silence; *mit ~~ übergehen* passer sous silence; **~schweigend** *a* tacite, implicite, sous-entendu; *~~ gehen* s'en aller sans rien dire *od* répondre, ne pas demander son reste; **~=sitzen** *itr ‹hat stillgesessen›* rester transquille, ne pas bouger, demeurer en place; *(nichts tun)* être inoccupé *od* sans occupation, ne rien faire; *nicht ~~ können* ne pas tenir *od* rester en place; **S~stand** *m* ‹-(e)s, ø› (temps d')arrêt *m; (Unterbrechung)* interruption, suspension; *(Stockung)* stagnation; *(Unbeweglichkeit, Festliegen)* immobilité; *(des Meeres zwischen Ebbe u. Flut)* étale *f; zum ~~ bringen* arrêter; couper chemin à; *(unterbrechen)* interrompre, suspendre; *zum ~~ kommen* s'arrêter, être paralysé, tomber dans le marasme; *(unterbrochen werden)* être interrompu *od* suspendu; *~~ ist Rückschritt (prov)* quand on n'avance pas, on recule; **~=stehen** *itr ‹hat stillgestanden› (stehenbleiben) (a. Zeit)* s'arrêter; s'immobiliser, demeurer en place; *mil* se mettre au garde-à-vous; *(nicht in Betrieb sein)* être arrêté, chômer; *~gestanden! (mil)* garde à vous! **S~ung** *f* apaisement, assouvissement; *(e-s Kindes)* allaitement *m;* **~vergnügt** *adv: ~~ lächeln* sourire de contentement *od* de satisfaction.

Stimm|abgabe *f* ['ʃtɪm-] *parl* vote, suffrage *m;* **~bänder** *n pl anat (echte ~~)* cordes *f pl* vocales (inférieures); *falsche ~~ (Taschenbänder)* cordes *f pl* vocales supérieures; **s~berechtigt** *a: ~~ sein* avoir droit de vote; **~berechtigte(r)** *m* votant *m;* **~bruch** *m* ‹-(e)s, ø› = *~wechsel;* **~enthaltung** *f parl* abstention *f;* **~gabel** *f* diapason *m;* **s~gewaltig** *a: ~~ sein* avoir la voix haute *od* le verbe haut; **s~haft** *a gram* sonore, voisé; **~hammer** *m* accordoir *m;* **~lage** *f* = *~umfang;* **s~los** *a* aphone, sans voix; *gram* sourd, non-voisé; **~losigkeit** *f* ‹-, ø› aphonie; sourdité *f;* **~recht** *n* droit *m* de vote; **~ritze** *f anat* glotte *f;* **~schlüssel** *m mus* accordoir *m;* **~stärke** *f* puissance *f* vocale; **~übung** *f mus* vocalisation, vocalise *f; ~~en machen* vocaliser; **~umfang** *m* registre *m* étendue *od* échelle *f* de la voix; **~wechsel** *m* ‹-s, ø› mue *f* (de la voix); **~zettel** *m* bulletin *m* (de vote).

Stimme *f* ‹-, -n› ['ʃtɪmə] voix *a. fig; mus a.* partie; *parl* voix *f,* vote, suffrage *m; bei ~* en voix; *mit schwacher ~ (a.)* d'une voix éteinte; *mit 3 gegen 2 ~n* par 3 voix contre 2; *mit*

10 ~n Mehrheit à dix voix de majorité; *s-e ~ abgeben* exprimer sa voix, donner son vote; voter (*für* pour, *gegen* contre); *sich der ~ enthalten* s'abstenir de voter; *20 ~n erhalten* recueillir 20 voix; *s-e ~ erheben* élever la voix; *jdm s-e ~ geben* voter pour qn; *e-e kräftige ~ haben (a.)* avoir du poumon *od* de bons poumons; *Sitz und ~ haben (fig)* avoir voix au chapitre; *die ~ heben* hausser *od* élever la voix; *alle ~n auf sich vereinigen (parl)* recueillir toutes les voix; *die ~n zählen (a.)* dépouiller le scrutin; *abgegebene ~n pl (parl)* votants *m pl*; *beratende ~ (parl)* voix *f* consultative; *gültige ~n pl* suffrages *m pl* exprimés; *heisere ~ (a.)* voix *f* enrouée *od* de pot cassé *od* fêlée; *schrille* od *meckernde ~ (a.)* voix *f* de fausset; *schwache ~ (a.)* filet *m* de voix; *ungültige ~* vote *m* nul *od* blanc; *pl* bulletins *m pl* nuls; *die ~ des Blutes, des Gewissens* la voix du sang, de la conscience; **~nfang** *m* racolage *m* de voix; **~ngewirr** *n* brouhaha *m*; **~ngleichheit** *f* parité *f* de(s) voix; *bei ~~* en partage égal des voix; *die ~~ aufheben* départager les voix; **~nkauf** *m* achat *m* de voix; **~nmehrheit** *f* majorité *f* des voix *od* votes *od* suffrages; *mit ~~* à la majorité *od* pluralité des voix; **~nprüfung** *f pol* vérification *f* du scrutin; **~nunterschied** *m* écart *m* de voix; **~nzähler** *m (Person)* scrutateur *m*; **~nzählung** *f* dépouillement du scrutin; *parl* pointage *m*; *die ~~ vornehmen* dépouiller le scrutin, procéder au dépouillement du scrutin.

stimmen ['ʃtɪmən] *tr mus* accorder; *fig (geneigt machen)* disposer; *itr (ab~)* voter; *(richtig sein)* être correct *od* exact *od* juste *od* vrai; *~ (passen) zu* s'accorder *od* cadrer avec; *ernst ~* rendre grave; *fröhlich, heiter ~* ragaillardir, égayer; *höher, tiefer ~ (mus)* hausser, baisser; *traurig ~* attrister; *gut, schlecht gestimmt sein* être bien, mal disposé *od* de bonne, mauvaise humeur; *das stimmt* c'est exact *od* juste *od* vrai *od* cela; *das stimmt genau (a.)* c'est parfaitement vrai; *das stimmt nicht* ce n'est pas vrai *od* cela; *da stimmt etwas nicht* cela *od* ça ne va pas; *stimmt!* ça y est! **S~** *n mus* accordage *m*.

Stimmer *m* ⟨-s, -⟩ ['ʃtɪmər] *(e-s Musikinstrumentes)* accordeur; *(Gerät)* accordoir *m*.

Stimmung *f* ⟨-, -en⟩ ['ʃtɪmʊŋ] *(e-s Musikinstrumentes)* accord, accordage; *(Gemütsverfassung)* état *m* d'âme *od* d'esprit, disposition (de l'âme); humeur; *(e-r Gesellschaft, Atmosphäre)* ambiance, atmosphère *f*; climat; *mil* moral *m*; *(öffentl. Meinung)* opinion publique; *(Dichtung, Kunstwerk)* poésie, atmosphère; impression *f*, effet *m*; *(Börse)* tendance *f*; *in gedrückter ~* déprimé, abattu; *in gehobener ~* en train; *in guter, schlechter ~* bien, mal disposé; de bonne, de mauvaise humeur; *in ~ bringen* animer, égayer; *die ~ (zu) drücken (suchen)* saper le moral; *die ~ heben* remonter le moral; *in ~ kommen* s'animer; se mettre en gaieté; *~ machen, für ~ sorgen* créer *od* mettre de l'ambiance; *~ machen für* faire de la propagande pour; *nicht in ~ sein* n'être pas dans son assiette; *herrschende ~* ambiance *f* générale; *rosige ~* belle *od* joyeuse humeur *f*; *trübe ~ (a.)* cafard *m*; *wechselnde ~en pl* disposition *od* humeur *f* changeante; **~sbericht** *m* papier *m* de physionomie; **~sbild** *n* impressions *f pl*; **~skapelle** *f mus* ensemble *m* d'ambiance; **~smache** *f fam* bourrage *m* de crâne; **~smacher** *m* animateur, boute-en-train *m*; **~sumschwung** *m* changement *m* de l'opinion publique; *plötzliche(r) ~~* saute *f* d'humeur; **s~svoll** *a* qui a de l'atmosphère *od* de la poésie; évocateur, expressif.

Stimul|ans *n* ⟨-, -lantia/-lanzien⟩ ['ʃ/-, 'sti:mulans, ʃ/stimu'lantsiən, -tsia] *med* stimulant *m*; **s~ieren** [-mu'li:rən] *tr (anreizen)* stimuler; **~ierung** *f* stimulation *f*.

Stink|adores *f* ⟨-, -⟩ [ʃtɪŋka'do:rɛs] *fam (schlechte Zigarre)* crapulos *m*; **~bombe** *f* ['ʃtɪŋk-] boule *f* puante; **s~en** ⟨*stank, hat gestunken*⟩ ['ʃtɪŋkən, ʃtaŋk, gə'ʃtʊŋkən] *itr* puer (*nach etw* qc); sentir mauvais; empester (*nach etw* qc); *pop* cocot(t)er; *arg* cogner; *vor Dreck ~~ (sehr dreckig sein)* se laisser manger par les poux; *vor Faulheit ~~ (fig)* être d'une paresse crasse; *~~ wie die Pest* puer comme la peste *od* un rat mort *od* une charogne *od* un bouc; *das ~t zum Himmel (fig)* c'est révoltant *od* inouï; *es ~t* cela pue; *es ~t furchtbar* od *entsetzlich (a.)* c'est une infection; **s~end** *a* puant; fétide, empesté; infect; **s~faul** *a fam* cossard, flemmard; *er ist ~~ (a.)* il n'en secoue pas une, il a un poil dans la main; **s~ig** *a* puant, fétide, infect; **s~langweilig** *a pop* rasoir, sciant, casse-pieds; *es ist ~~* c'est à crever d'ennui; **~tier** *n* moufette *f*; **~wut** *f fam* humeur de chien *od* de dogue, rogne *f*; *e-e ~~ haben* être en rogne.

Stint *m* ⟨-(e)s, -e⟩ [ʃtɪnt] *zoo* éperlan *m*.

Stipendi|at *m* ⟨-en, -en⟩ [ʃtipɛndi'a:t] boursier *m*; **~um** *n* ⟨-s, -dien⟩ [-'pɛndium, -diən] bourse *f* (d'études).

stipp|en ['ʃtɪpən] *tr dial (tunken)* tremper; **S~visite** *f fam* apparition *f*.

Stirn *f* ⟨-, -en⟩ [ʃtɪrn] front *m*, *a. fig*; *jdm die ~ bieten* faire front *od* face, tenir tête à qn, défier qn; *die ~ haben (fig)* avoir le front *od fam* le toupet (*zu* de); *die ~ runzeln* od *in Falten ziehen* froncer le(s) sourcil(s); *sich vor die ~ schlagen* se frapper le front; *das steht dir auf der ~ geschrieben* cela se lit sur ton front *od* visage; *hohe, gewölbte, niedrige, fliehende ~* front *m* haut, bombé, bas, fuyant; **~band** *n* serre-tête, bandeau; *(Diadem)* diadème *m*; *(an d. Gasmaske)* bride *f* frontale; **~bein** *n anat* (os) frontal *m*; **~binde** *f (Verband)* frontal *m*; **~e** *f* ⟨-, -n⟩ *f* = *~*; **~fläche** *f* façade *f*; **~haar** *n* toupet *m*; **~höhle** *f anat* sinus *m* frontal; **~höhlenvereiterung** *f* sinusite *f*; **~lappen** *m anat* lobe *m* frontal; **~locken** *f pl* guiches *f pl*; **~platte** *f* panneau *m* avant; **~reif** *m* diadème *m*; **~runzeln** *n* froncement *m* des sourcils; **~seite** *f allg* front *m*, face; *arch* façade *f*, frontispice *m*; **~wand** *f arch* front *m*; **~wunde** *f* blessure *f* au front.

stöbern ['ʃtø:bərn] *tr (Jagd)* faire lever; *itr allg (herumsuchen)* (far-)fouiller, fureter (*in etw* dans qc); *(in Flocken herumwirbeln)* tourbillonner (en flocons).

Stocher *m* ⟨-s, -⟩ ['ʃtɔxər] *(Zahn~)* cure-dents; *(Feuerhaken)* pique-feu, tisonnier *m*; **s~n** *itr*: *im Feuer ~~* tisonner; *in den Zähnen ~~* se curer les dents.

Stock 1. *m* ⟨-(e)s, ¨-e⟩ [ʃtɔk, 'ʃtœkə] *(Stab)* bâton *m*; *(kleiner, dünner, bes. biegsamer)* baguette; *(Spazier~)* canne *f*; *(Berg~)* alpenstock *m*; *(Billard~)* queue; *bot* pied; *(Wein~)* cep; *(Opfer~)* tronc *m*; *(Bienen~)* ruche *f*; **2.** ⟨-(e)s, -/-werke⟩ *arch (~werk)* étage *m*; *im zweiten ~* au second (étage); *über ~ und Stein springen* sauter par-dessus tous les obstacles; *wie ein ~ dastehen* rester planté comme une borne; *am ~ gehen* marcher avec une canne; *jdn mit dem ~ schlagen* battre qn à coups de bâton; **s~blind** *a* complètement aveugle; **~degen** *m* canne *f* à épée; **s~dumm** *a* sot comme un panier, bête comme une cruche *od* un pot *od* une oie *od* ses pieds; **s~dunkel** *a fam* = *s~finster*; **s~finster** *a*: *es ist ~~* il fait noir comme dans un four, on n'y voit goutte; *~~e Nacht f* nuit *f* noire; **~fisch** *m* morue *f* sèche *od* séchée; stockfisch *m*; **~hieb** *m* coup *m* de bâton *od* de baguette; **~rose** *f bot* rose *f* trémière; **~schirm** *m* parapluie-canne *m*; **~schläge** *m pl* coups *m pl* de bâton; **s~steif** *a* raide comme un piquet *od* un bâton; **s~taub** *a* sourd comme un pot *od* une cruche; **~werk** *n* étage *m*; **~werkseigentum** *n* propriété *f* de l'étage *od* étage *m* en pleine propriété; **~zwinge** *f tech* virole *f*.

Stock 2. *m* ⟨-s, -s⟩ [stɔk] *com (Vorrat)* stock; *fin (Grundkapital)* fonds *m*.

Stöckel *m* ⟨-s, -⟩ ['ʃtœkəl] *fam (hoher Absatz)* haut talon *m*; **~schuhe** *m pl* chaussures *f pl* à hauts talons.

stock|en ['ʃtɔkən] *itr* ⟨*hat gestockt*⟩ *(zum Stillstand kommen)* s'arrêter, s'immobiliser; *(sich verlangsamen)* (se) ralentir; *(Unterhaltung)* tarir; *(Rede, Geschäft)* languir; *(in der Rede)* hésiter, *(steckenbleiben)* rester court; *(~ig werden)* se piquer d'humidité; **S~en** *n*: *ins ~~ geraten* od *kommen* (se) ralentir; tarir; languir; hésiter; **~end** *a (Rede)* hésitant; *adv (reden)* avec hésitation; **S~fleck** *m* tache *f* d'humidité; **~fleckig** *a*, **~ig** *a* piqué d'humidité;

S~punkt *m (e-s Öles)* point *m* de solidification; **S~schnupfen** *m* enchifrènement *m; scient* rhinite *f* chronique catarrhale; **S~ung** *f (Stillstand)* arrêt; *(Verlangsamung)* ralentissement; *(Verkehrs~)* embouteillage *m; fig* stagnation *f,* marasme *m; bes. med* stase *f.*

Stoff *m* ‹-(e)s, -e› [ʃtɔf] *allg* étoffe *f; (Gewebe a.)* tissu, textile *m; (Materie)* matière, substance *f; chem* corps *m; fig (Gegenstand)* matière (*zu* à); substance *f,* sujet, thème *m; ~ geben zu etw* alimenter qc; *~ zum Lachen geben (a.)* prêter à rire; *seitengleiche(r) ~* étoffe *f* double face *od* réversible; *Stück n ~* métrage de tissu; *(Rest)* coupon *m,* coupe *f;* **~bahn** *f* bande *f* d'étoffe; **~ballen** *m* rouleau *m* d'étoffe; **~behang** *m* draperie *f;* **s~bespannt** *a aero* entoilé; **~breite** *f* lé *m,* laize *f;* **~druck** *m* ‹-s, -e› impression *f* sur étoffe; **~(f)etzen** *m* lambeau *m* d'étoffe; **~(f)ülle** *f* abondance de l'étoffe; *fig* abondance *od* richesse *f* des matières; **~handschuhe** *m pl* gants *m pl* en tissu; **s~lich** *adv (dem ~e, dem Gegenstand nach)* quant au, au point de vue du sujet; **~lichkeit** *f* ‹-, ø› *(Körperlichkeit)* matérialité *f;* **~muster** *n* dessin *m;* **~rand** *n* lisière *f;* **~reste** *m pl* recoupe *od* retaille *f* d'étoffe; **~sammlung** *f fig* documentation *f;* **~überzug** *m* housse *f* en étoffe; **~wechsel** *m physiol* métabolisme *m;* **~wechselkrankheit** *f,* **~wechselprodukt** *n* maladie *f,* produit *m* du métabolisme.

Stoffel *m* ‹-s, -› [ˈʃtɔfəl] *fam (Tölpel)* lourdaud, balourd *m;* **stoff(e)lig** *a* lourdaud, balourd.

stöhnen [ˈʃtøːnən] *itr* geindre; gémir (*über* de); **S~** *n* gémissement *m.*

Sto|iker *m* ‹-s, -› [ˈʃ-/ˈstoːikər] stoïcien *m;* **s~isch** [ˈ-ɪʃ] *a philos allg* stoïcien; *allg* stoïque; **~izismus** *m* ‹-, ø› [ʃ-/stoiˈtsɪsmus] stoïcisme *m.*

Stol|a *f* ‹-, -len› [ˈʃ-/ˈstoːla] *a. hist* u. *rel* étole *f;* **~gebühren** *f pl rel* droits *m pl* d'étole.

Stoll|beule *f* [ˈʃtɔl-] *vet (Pferd)* suros *m;* **~en 1.** *m* ‹-s, -› *(am Hufeisen)* crampon *m; (unterirdischer Gang, a. mines, mil)* galerie; *mil (Abzugsstollen)* gâchette *f;* **~enbau** *m mines* exploitation *f* à flanc de coteau.

Stolle *f* ‹-, -n›, **~n 2.** ‹-s, -› [ˈʃtɔlə(n)] *(Gebäck)* pain *m* brioché *od* amandé.

Stolper|draht *m* [ˈʃtɔlpər-] *mil* fil à trébucher, réseau *m* bas; **s~n** ‹*ich stolpere, du stolperst ..., ist gestolpert*› *itr* trébucher (*über* sur); faire un faux pas; *(Pferd)* broncher; *über die eigenen Füße ~~ (fig fam)* se noyer dans un *od* dans son crachat; **~n** *n* trébuchement, faux pas *m.*

stolz [ʃtɔlts] *a* fier (*auf* de); *(hochmütig)* orgueilleux, altier, hautain; *(anmaßend)* arrogant; *fig (prächtig, imposant)* superbe, magnifique, majestueux, imposant; *~ machen* enorgueillir; *auf etw ~ sein* être fier, se glorifier, se faire gloire, s'enorgueillir de qc; *pej* tirer vanité de qc; **S~** *m* ‹-es, ø› fierté *f; (Hochmut)* orgueil *m; der ~ (des Hauses, der Familie) sein* être *od* faire l'orgueil (de la maison, de la famille); **~ieren** ‹*ist stolziert*› [-ˈtsiːrən] *itr* faire parade, se pavaner.

Stopf|buchse *f* [ˈʃtɔpf-], **~büchse** *f tech* presse-étoupe *m;* **~ei** *n* œuf *m* à repriser; **s~en** *tr (stecken)* bourrer (*a. die Pfeife*), fourrer; *(zu~~)* boucher, aveugler; *(Kleidung, bes. Strümpfe)* repriser, faire des reprises à; *(ausbessern)* ravauder, raccommoder; *(kunst~~)* stopper; *(Gans: nudeln)* gaver; *(sättigen)* rassasier; *itr physiol (den Stuhlgang hindern)* constiper; *jdm den Mund ~~ (fig)* fermer la bouche à qn; mettre qn à quia; *fam* clouer le bec à qn; **~en** *n* reprise *f;* ravaudage, raccommodage; *(Kunst~~)* stoppage *m;* **~garn** *n* fil *od* coton *m* à repriser; **~nadel** *f* aiguille *f* à repriser; **~pilz** *m* champignon *m* à repriser; **~seite** *f typ* page *f* mobile; **~wolle** *f* laine *f* à repriser.

Stopp *m* ‹-s, -s› [ʃtɔp] *(Anhalten)* arrêt *m;* **s~** *interj (halt!)* halte! stop! **s~en** *tr* ‹*hat gestoppt*› *(anhalten)* stopper, arrêter; *sport (Ball)* bloquer; *(mit der ~uhr messen)* chronométrer; *itr* stopper, s'arrêter; **~er** *m* ‹-s, -› *sport* arrière-central; libéro *m;* **~licht** *n mot* feu *m* stop *od* arrière; **~preis** *m* prix *m* bloqué; **~straße** *f* route *f* secondaire; **~uhr** *f* chronomètre (marqueur), chronographe *m;* **~zeichen** *n* signal d'arrêt, *mot* stop *m.*

Stoppel *f* ‹-, -n› [ˈʃtɔpəl] chaume *m,* éteule *f; (Bart)* poil *m* raide; **~bart** *m* barbe *f* de plusieurs *od* de huit jours; **~feld** *n* chaume *m;* **s~n** *tr* u. *itr* glaner; **~n** *n* glanage *m;* **stopp(e)lig** *a* couvert de chaumes; *(Bart, Gesicht)* mal rasé.

Stöpsel *m* ‹-s, -› [ˈʃtœpsəl] bouchon; *allg* tampon *m; el* fiche *f; fam (kleiner Mensch)* courtaud, nabot *m;* **~kontakt** *m* contact *m* à fiche; **s~n** *tr el* enficher; **~schalter** *m* interrupteur *m* à fiche.

Stör *m* ‹-(e)s, -e› [ʃtøːr] *zoo* esturgeon *m.*

Stör|aktion *f* [ˈʃtøːr-] *pol* action *f* perturbatrice; **s~en** *tr* troubler, déranger; *(belästigen)* gêner, incommoder, importuner; *mil* harceler; *radio* brouiller; *sich nicht ~~ lassen* ne pas se laisser déranger; *~e ich (Sie)?* est-ce que je vous dérange? *lassen Sie sich nicht ~~!* ne vous dérangez pas! *ge~te(s) Gleichgewicht n* déséquilibre *m;* **s~end** *a* gênant; *(unangenehm)* fâcheux; *~~ wirken* déranger; gêner; **~enfried** *m* trouble-fête; *(Spielverderber)* rabat-joie *m;* **~feuer** *n,* **~flug** *m,* **~flugzeug** *n* tir, vol, avion *od* appareil *m* de harcèlement; **~frequenz** *f radio* fréquence *f* de brouilleur; **~gebiet** *n* zone *f* de brouillage; **~geräusch** *n tech* trouble *m,* friture *f; radio* bruit *m* parasite *od* de fond; **~grad** *m radio* intensité *f* de *od* du brouillage; **~schutz** *m radio* (dispositif) antiparasite *m,* protection *f* contre les perturbations; **~sender** *m* émetteur de brouillage, (poste) brouilleur *m* (*od* perturbateur); **~sendung** *f* émission *f* parasite; **~spiegel** *m radio* niveau *m* de perturbation; **~stelle** *f* station *f* de brouillage; **~ung** *f* dérangement *m,* perturbation *f; (Zustand)* trouble, désordre *m; (Belästigung)* gêne *f; mil* harcèlement; *(Betriebs-, Verkehrs~~)* incident, arrêt *m* (de la circulation); *tech* avarie *f; (Hemmung)* enrayage; *mines* accident *m; (~geräusch)* friture *f, radio* bruit parasite; *(absichtliche)* brouillage *m; (durch Überlagerung)* interférence *f; (Unterbrechung)* interruption *f; (infolge) technische(r) ~~en pl* (en raison d')ennuis *m pl* mécaniques; *e-e ~~ beheben* od *beseitigen* réparer un dérangement; *zu ~~en führen* entraîner des perturbations; *atmosphärische ~~en* perturbations *f pl* atmosphériques; *örtliche ~~en (radio)* parasites *m pl* locaux; *~~ der öffentlichen Ordnung (jur)* atteinte *f* à l'ordre public; *~~ der Stromversorgung* panne *f* d'alimentation en courant; *(in der Zahlungsbilanz)* déséquilibre *m;* **~ungsdienst** *m,* **~ungsstelle** *f tele* service *m* des dérangements; **~ungsfaktor** *m* = *~ungsursache;* **s~ungsfrei** *a* sans trouble; *radio* exempt de parasites; **~ungssuche** *f radio* recherche *f* des parasites; **~ungssucher** *m tele* surveillant *m;* **~ungsunternehmen** *n mil* opération *f* de harcèlement; **~ungsursache** *f* cause *f* perturbatrice; **~versuch** *m* tentative *f* perturbatrice; **~welle** *f radio* parasite *m;* **~wirkung** *f (elektr. Geräte)* effet *m* parasitaire.

Storch *m* ‹-(e)s, ⸚e› [ʃtɔrç, ˈʃtœrçə] cigogne *f; junge(r) ~* cigogneau *m;* **~beine** *n pl* baguettes *f pl;* **~(en)nest** *n* nid *m* de cigogne; **~schnabel** *m bot* géranium; *tech* pantographe *m.*

Store *m* ‹-s, -s› [stɔː, stoːr] *(Gardine)* store *m.*

storn|ieren [s-/ʃtɔrˈniːrən] *tr com* ristourner; contre-passer; **S~o** *m* u. *n* ‹-s, -ni› [ˈs-/ˈʃtɔrno, -ni] ristourne *f;* contre-passement *m.*

störr|isch [ˈʃtœrɪʃ] *a, seltener a.* **~ig** *a (widerspenstig)* rétif, revêche, rébarbatif; *(halsstarrig)* récalcitrant; obstiné, entêté, têtu, opiniâtre; *(unlenksam)* intraitable, indocile; **S~igkeit** *f* obstination *f,* entêtement *m,* opiniâtreté *f.*

Stoß *m* ‹-ßes, ⸚ße› [ʃtoːs, ˈʃtøːsə] poussée *f,* coup (de pointe); *fam* rampon(neau); *m; (Rippen~)* bourrade *f; (Anstoßen)* heurt *m; (Degen~)* estocade, botte *f; (Kugelstoßen)* lancement *m; (Schwimm~)* brasse *f; (erhaltener ~, Erschütterung)* choc *m,* secousse, saccade, percussion *f; (im Wagen)* cahot; *fig* coup *m* d'arrêt; *phys psych* impulsion; *(Stapel)* pile *f; (Haufen)* tas *m; (Bündel)* liasse *f; (Schneiderei: Saum)* ourlet, bord; *tech (Verbindung)* joint *m; sich* od *s-m Herzen e-n ~ geben (fig)* faire un effort sur soi, se faire violence; *jdm e-n ~ versetzen* porter un coup à qn; ~ *mit Bande (Billard)* doublé *m;* ~ *mit der Schulter* épaulée *f;* **~band** *n (am Hosenrand)* faux ourlet *m,* talonnette *f;* **~dämpfer** *m* amortisseur *m* (de chocs); **~degen** *m* estoc *m;* **s~empfindlich** *a* sensible au(x) choc(s); **~erregung** *f radio* excitation *f* par choc; **~fänger** *m* pare-chocs *m;* **~feder** *f tech* ressort *m* de choc; **s~fest** *a* résistant au(x) choc(s), anti-choc(s); **s~frei** *a* sans à-coups; **~gebet** *n* oraison *f* jaculatoire; **~kraft** *f* poussée, puissance de choc; force *f* de propulsion; **~leiste** *f* antébois *m;* **~lücke** *f loc (der Schienen)* ouverture *f;* **~maschine** *f* mortaiseuse *f;* **~naht** *f* rentraiture *f;* **~platte** *f (Absatz)* talonnette *f;* **~preis** *m* prix *m* choc; **~richtung** *f* axe *m* d'effort *od* de poussée; **~seufzer** *m* (profond) soupir *m;* **s~sicher** *a* = *s~fest;* **~stange** *f mot* (barre *f* du) pare-chocs *m;* **~stelle** *f tech* point *m* d'impact; **~trupp** *m mil* troupe *f* de choc; **~verkehr** *m* heures *f pl* de pointe; **~waffe** *f* arme *f* d'estoc; **s~weise** *adv* par à-coups, par secousses, par saccades, par foucades, par épaulées; *(Rauch)* par bouffées; **~welle** *f tele* onde *f* de choc; **~wirkung** *f* effet *m* de choc; **~zahn** *m zoo* défense *f;* **~zeit** *f* heures *f pl* de pointe *od* d'affluence, période *f* de pointe; **~zündung** *f* amorçage *m* par le choc.

Stöß|el *m* ⟨-s, -⟩ ['ʃtø:səl] pilon; *(Ventil)* poussoir *m;* **~er** *m* ⟨-s, -⟩ *(Gerät)* pilon; *orn (Sperber)* épervier *m;* **s~ig** *a (Hornvieh)* qui donne des coups de cornes.

stoßen ⟨*stößt, stieß*⟩ [(gə-)'ʃto:sən, 'ʃti:s-, ʃtø:st] *tr* ⟨*hat gestoßen*⟩ pousser; *(an~)* heurter, cogner, choquer; *sport (Kugel)* lancer; *(hinein~)* enfoncer; *(hinaus~)* expulser; *(zer~)* piler, broyer, concasser; *tech (auskerben)* mortaiser; *itr* ⟨*ist gestoßen*⟩ heurter, cogner (*gegen etw* qc); donner un *od* des coup(s) de cornes *od* de pied (*an, gegen* contre); *(Raubvogel)* fondre (*auf* sur); *fig (begegnen, finden)* tomber (*auf etw* sur qc), rencontrer (*auf etw* qc); *(sich anschließen)* se joindre (*zu* à), se rallier (*zu* à); *(grenzen)* toucher, confiner, (*an* à), *(Grundstück)* être attenant *od* contigu (*an* à); *sich* ~ se heurter (*an etw* à qc), se cogner (*an etw* contre *od* à qc), buter (*an etw* contre qc); se choquer, se scandaliser, s'offusquer, se formaliser de qc; *jdn von sich* ~ repousser qn; *jdm e-n Dolch in die Brust* ~ plonger un poignard dans la poitrine de qn; *mit dem Fuß* ~ donner un coup de pied (à); *mit dem Fuß an etw* ~ se heurter *od* se cogner le pied contre qc; *auf Grund* ~ toucher le fond; *auf den Grund* od *Kern e-r S* ~ *(fig)* toucher au fond de qc; *mit den Hörnern* ~ donner des coups de cornes (à); *sich am Kopf* ~ se cogner la tête; *ans Land, vom Lande* ~ *(mar)* prendre terre, la mer; *jdn in die Rippen* ~ donner une bourrade à qn; *auf Schwierigkeiten, Widerstand* ~ rencontrer des difficultés, une résistance.

Stotter|er *m* ⟨-s, -⟩ ['ʃtɔtərər] bègue, bredouilleur *m;* **s~n** ⟨*aux: haben*⟩ *itr* begayer, bredouiller; *(stammeln)* balbutier; *mot fam* avoir des ratés; *~~d aufsagen, lesen* ânonner; *er ~t (a. pop)* ça se bouscule au portillon; **~n** *n* bégaiement, bredouillement; *(Stammeln)* balbutiement *m; auf ~~ (Raten) kaufen (fam)* acheter à tempérament.

Stotz *m* ⟨-es, -e⟩, **~en** *m* ⟨-s, -⟩ ['ʃtɔts(ən)] *dial (Baumstumpf)* souche *f* d'arbre.

stracks [ʃtraks] *adv (geradeaus)* tout droit; *(sofort)* sur-le-champ.

Stradivari *f* ⟨-, -(s)⟩ [stradi'va:ri] *(Geige von ~)* stradivarius *m.*

Straf|abteilung *f* ['ʃtra:f-] *mil* section *f* disciplinaire; **~androhung** *f* peine *f* comminatoire; **~anstalt** *f* établissement *m* pénitentiaire *od* de détention, maison *f* centrale *od* de correction: **~antrag** *m* demande *f* en poursuite criminelle; *(des Staatsanwalts)* réquisitoire *m; e-n ~~ stellen* porter plainte (pénale); **~anzeige** *f* plainte *f; ~~ erstatten* porter plainte (*gegen jdn* contre qn); **~arbeit** *f (Schule)* devoir supplémentaire, pensum *m; arg* colle *f;* **~aufschub** *m* sursis *m;* **~aussetzung** *f* sursis *m* à l'exécution, condamnation *f* conditionnelle; **s~bar** *a* punissable; *jur* passible d'une peine; *sich ~~ machen* se rendre coupable; être passible d'une peine; *~~e Handlung f* acte *m* delictueux; **~barkeit** *f* culpabilité; pénalité; criminalité *f;* **~bataillon** *n* bataillon *m* disciplinaire; **~befehl** *m* ordonnance *f* pénale; procès-verbal *m* de contravention; **~bestimmung** *f* disposition pénale, pénalité; *f;* **~e** *f* ⟨-, -n⟩ punition; *(Züchtigung)* correction *f,* châtiment *m; jur* peine; *(Geld~~)* amende, pénalité *f; fig (Übel, Leiden)* collier *m* de misère; *bei ~~ (gen)* sous peine (de); *zur ~~* pour pénitence; *für* en punition de; *e-e ~~ beantragen* requérir une peine; *e-e ~~ bekommen* être puni; *mit e-r ~~ belegen* frapper d'une peine; *jdm die ~~ erlassen* remettre la punition à qn; *jur* faire grâce de la peine *od* de l'amende à qn; *~~ (be)zahlen müssen (a.)* être à l'amende; *s-e ~~ verbüßen* od *(pop) abbrummen* purger sa peine; *e-e ~~ verhängen* infliger une peine; *e-e ~~ verwirken* encourir une peine; *die gerechte ~~* le prêté rendu; *e-e ~~ des Himmels (a.)* le feu du ciel; **s~en** *tr* punir (*für etw* de qc); mettre en pénitence; *(züchtigen)* corriger, châtier; **s~end** *a fig* vengeur; **~erlaß** *m* remise de peine, rémission, amnistie *f;* **~expedition** *f mil* expédition punitive, razzia *f;* **s~fällig** *a* passible d'une peine; *~~ werden* encourir une peine; **s~frei** *a* impuni; exempt de (toute) peine; **~freiheit** *f* exemption de (toute) peine; amnistie *f;* **~gefangene(r)** *m* prisonnier *m* répressif; **~gericht** *n lit* jugement, châtiment *m;* tribunal *m* pénal; *ein ~~ halten über* faire justice de; **~gerichtsbarkeit** *f* juridiction *od* justice *f* pénale *od* criminelle; **~gesetz** *n* loi *f* pénale *od* criminelle *od* répressive; **~gesetzbuch** *n* code *m* pénal; **~gesetzgebung** *f* législation *f* pénale; **~gewalt** *f* pouvoir *m* de punir; pouvoirs *m pl* de juridiction pénale; **~justiz** *f* justice *f* pénale; **~kammer** *f* tribunal *m* correctionnel, correctionnelle *f;* **~kolonie** *f* colonie *f* pénitentiaire; **~kompanie** *f mil* compagnie *f* de discipline; *Angehörige(r) m e-r ~~* disciplinaire *m;* **~lager** *n* camp *m* disciplinaire; **s~los** *a* impuni; *adv* impunément; *~~ ausgehen* rester impuni; *für ~~ erklären (jur)* absoudre; **~losigkeit** *f* ⟨-, ø⟩ impunité *f;* **~mandat** *n* procès-verbal *m* (de contravention); **~maß** *n* peine *f;* **~maßnahme** *f* mesure punitive; sanction *f;* **~milderung** *f* atténuation *f od* adoucissement *m od* commutation *f* de la peine; **s~mündig** *a* qui a (l'âge de) la responsabilité pénale; **~mündigkeit** *f* responsabilité *f* pénale; **~porto** *n* surtaxe *f; mit ~~ belasten* od *belegen* surtaxer; **~predigt** *f* sermon *m; jdm e-e ~~ halten* sermonner qn; **~prozeß** *m* procès *m* pénal *od* criminel; **~prozeßordnung** *f* code *m* de procédure pénale *od* d'instruction criminelle; **~punkt** *m sport* (point *m* de) pénalisation *f; pl a.* perte *f* de points; **~raum** *m sport* surface de réparation, zone *f* de penalty; **~recht** *n* droit *m od* législation *f* pénal(e) *od* criminel(le); **s~rechtlich** *a* pénal, criminel; *~~ verfolgen* poursuivre en juridiction pénale *od* criminelle; **~register** *n* casier judiciaire, sommier *m; arg* grimoire *m;* **~richter** *m* juge *m* pénal *od* criminel; **~sache** *f* affaire *f* pénale *od* criminelle; *in ~~n* en matière pénale; **~stoß** *m sport* penalty *m;* **~tat** *f* acte délictueux, délit *m;* **~umwandlung** *f* commutation *f* de *od* d'une peine; **~verfahren** *n* procédure *f* pénale *od* criminelle; *ein ~~ einleiten* introduire une instance pénale; **~verfolgung** *f* poursuite *f* pénale *od* judiciaire; *die ~~ einstellen* arrêter les poursuites; **s~verschärfend** *a* aggravant; **~verschärfung** *f* aggravation *od* majoration *f* de peine; **~versetzung** *f* déplacement *m* par mesure disciplinaire; **~vollstreckung** *f,* **~vollziehung** *f,* **~vollzug** *m* exécution *f* pénale; **~vollzugsordnung** *f* régime *m* pénitentiaire; **~vorschriften** *f pl* prescriptions *f pl* pénales; **s~würdig** *a* qui mérite d'être puni, punissable; **~zeit** *f sport* temps *m* de pénalisation; **~zettel** *m* contravention *f;* **~zumessung** *f* pénalité *f.*

straff [ʃtraf] *a* raide, rigide; *(gespannt)* tendu; *(gepreßt)* serré; *fig* rigide, rigoureux; *(knapp)* étroit, strict, concentré; *(streng)* sévère, austère; ~ *anziehen* od *spannen* tendre fortement, bander, raidir; ~ *organisiert (pol a.)* monolithique; **~en** *tr* tendre, bander, raidir; **S~heit** *f* raideur, rigidité; tension; *fig* rigueur; étroitesse; sévérité, austérité *f*.

sträf|lich ['ʃtrɛ:flɪç] *a* punissable; *(tadelnswert)* blâmable, répréhensible; *(unverzeihlich)* impardonnable, inexcusable; *~~e(r) Leichtsinn m* légèreté *f* coupable; **S~ling** *m* ‹-s, -e› *(Gefangener)* prisonnier, détenu; *(Verurteilter)* condamné; *(Zuchthäusler)* forçat *m;* **S~lingskleidung** *f* tenue *f* de prison.

Strahl *m* ‹-(e)s, -en› [ʃtra:l] rayon *a. math;* rai(s); trait (de lumière); *(Wasser~)* jet, *(dünner)* filet *m; tech* veine *f; (Rakete)* jet *m; radio* onde *f;* **~antrieb** *m* propulsion *f* par jet *od* par réaction; *mit ~~ (aero)* à réaction; **~düse** *f (Rakete)* tuyère *f* d'éjection; **~flugzeug** *n (Düsenflugzeug)* avion *m* à réaction; **~gebläse** *n* éjecteur *m;* **~jagdbomber** *m* chasseur-bombardier *m* à réaction; **~jäger** *m aero* chasseur *m* à réaction; **~pumpe** *f* pompe *f* à jet, éjecteur *m;* **~rohr** *n (Rakete)* statoréacteur *m;* **~ruder** *n* intercepteur *m* de jet; **~triebwerk** *n* moteur *od* propulseur à réaction, réacteur *m;* **~turbine** *f* turboréacteur *m;* **~übungsflugzeug** *n* avion *m* d'entraînement à réaction; **~verkehrsflugzeug** *n* avion *m* de ligne *od* de transport à réaction.

strahlen ‹*aux: haben*› ['ʃtra:lən] *itr* rayonner *a. fig; tech* émettre des rayons; *(sich strahlenförmig ausbreiten)* (s')irradier; *(glänzen)* resplendir, briller; *vor Freude, Glück ~* rayonner *od* être (tout) rayonnant de joie, de bonheur; **S~** *n* rayonnement *m;* **~d** *a* rayonnant; *a fig* resplendissant; *fig* radieux (*vor* de); en fête; *(Gesicht a.)* heureux; *~~e Sonne f* beau soleil *m*.

Strahlen|behandlung *f* ['ʃtra:lən-] radiothérapie, actinothérapie *f;* **~belastung** *f med* dose *f* de radiations infligée *od* subie; **s~brechend** *a* réfringent; **~brechung** *f opt* réfraction *f;* **~bündel** *n* faisceau *m* (de rayons) lumineux; **~dermatitis** *f med* radiodermite *f;* **~dosimeter** *n* ‹-s, -› [-dozi'me:tər] dosimètre *m;* **~empfindlichkeit** *f* radiosensibilité *f;* **s~förmig** *a* rayonné, radié; *zoo* radiaire; **~fühligkeit** *f* ‹-, ø› [-fy:lɪçkaɪt] radiesthésie *f;* **~gürtel** *m geog* ceinture *f* de radiations; **~krankheit** *f* maladie *f* des rayons; **~kranz** *m,* **~krone** *f* auréole *f,* nimbe *m;* **~messer** *m,* **~meßgerät** *n actinomètre m* **~messung** *f* actinométrie *f;* **~pilz** *m (Krankheitserreger)* actinomycète *m;* **~schutz** *m* protection *f* contre les radiations *od* les rayonnements; **~schutzanzug** *m* combinaison *f* antiradiations; **~therapie** *f* radiothérapie *f;* **~tierchen** *n pl* radiolaires *m pl*.

Strahler *m* ‹-s, -› ['ʃtra:lər] *allg* radiateur; *(im Röntgengerät)* bloc radiogène; centreur lumineux; *(Radar)* élément *m* radiateur.

strahlig ['ʃtra:lɪç] *a* rayonné, radié, radiaire.

Strahlung *f* ‹-, -en› ['ʃtra:lʊŋ] rayonnement *m; (einzelne)* radiation *f; kosmische ~* rayonnement *m* od rayons *m pl* cosmique(s); **~sanzeige** *f phys* détection *f* des rayonnements; **~sbereich** *m* portée *f* d'émission; **~sdosis** *f* dose *f* de(s) radiation(s); **~senergie** *f* énergie *f* rayonnée *od* de rayonnement; **~sintensität** *f* débit *m* d'irradiation; *(radioaktiver Strahlen)* intensité *f* de la radiation; **~smesser** *m* radiomètre, compteur *m* de radio-activité; **~smessung** *f* radiométrie *f;* **~spunkt** *m opt* point *m* de dispersion; **~sschaden** *m* radiolésion *f;* **~ssender** *m* radio-émetteur *m;* **~swärme** *f* chaleur *f* rayonnante.

strählen ['ʃtrɛ:lən] *tr dial* u. *lit (kämmen)* peigner.

Strähn|e *f* ‹-, -n› ['ʃtrɛ:nə] *(Haar)* mèche, touffe *f; (Garn)* écheveau *m;* **s~ig** *a (Haar)* en mèches, raide; *(Rohwolle)* mécheux.

Stramin *m* ‹-s, -e› [ʃtra'mi:n] *(Textil)* canevas *m*.

stramm [ʃtram] *a (straff, prall)* raide, (bien) tendu; *(kräftig)* solide, robuste, découplé; *fig (energisch, fest)* énergique; ferme, décidé (d'allure); *in ~er Haltung (mil)* au garde-à-vous; *~e Beine haben* être bien jambé; *~e(r) Bursche m* solide gaillard; *fam* costaud *m; ~e(r) Dienst m* service *m* rigide; *~e Haltung f* attitude *f* militaire; **S~heit** *f* ‹-, ø› raideur; robustesse, énergie *f;* **~=stehen** *itr* ‹*er hat strammgestanden*› être *od* se mettre au garde-à-vous; **~=ziehen** *tr* ‹*hat strammgezogen*› tendre, bander, raidir; *jdm die Hosen ~~* donner une rossée à qn.

Strampel|höschen *n* ['ʃtrampəl-] barboteuse *f;* **s~n** ‹*aux: haben*› *itr* remuer les jambes *od* les pieds; *fam* gigoter.

Strand *m* ‹-(e)s, ¨-e› [ʃtrant, 'ʃtrɛndə] plage *f,* rivage *m; (Küste)* côte *f; auf ~ laufen (Schiff)* (s')échouer; *auf den ~ setzen* échouer; **~anzug** *m* ensemble *m od* tenue *f* de plage; **~bad** *n* plage *f;* **~burg** *f* château *m* de sable *od* de plage; **s~en** *itr* ‹*ist gestrandet*› *a. fig* (s')échouer; faire naufrage, être jeté à la côte; **~en** *n* = *~ung;* **~floh** *m ent* puceron *m* de mer; **~geröll** *n geol* galets *m pl;* **~gut** *n* épave(s *pl*) *f;* **~hafer** *m bot* élyme *m* des sables; **~haubitze** *f: voll wie e-e ~~ (pop)* rond comme une bille; **~hotel** *n* hôtel *m* de la plage; **~kleid** *n* robe *f* bain de soleil; **~korb** *m* guérite *f* (de plage); **~läufer** *m orn* bécasse *f* de mer; **~räuber** *m* naufrageur *m;* **~recht** *n* droit *m* d'épaves; **~sandale** *f* sandale *f* de plage; **~see** *m* lagune *f;* **~ung** *f* échouement; naufrage *m;* **~wache** *f,* **~wärter** *m* garde-côte *m;* **~weg** *m* chemin *m* côtier.

Strang *m* ‹-(e)s, ¨-e› [ʃtraŋ, 'ʃtrɛŋə] *(Seil)* corde *f; (Garn)* écheveau *m; (Schienen~)* file de rail; *el tele* ligne *f; (Nerven~)* cordon *m* (nerveux); *über die Stränge schlagen (fig)* faire des frasques; y aller trop fort, exagérer, dépasser les bornes; *zum Tode durch den ~ verurteilen* condamner à la (peine de mort par) pendaison; *am gleichen ~ ziehen (fig)* tirer sur la même corde; être attelé à la même tâche; *wenn alle Stränge reißen* au pis-aller.

Strangul|ation *f* ‹-, -en› [ʃ-/straŋgula'tsjo:n], **~ierung** *f* strangulation *f,* étranglement *m;* **s~ieren** [-'li:rən] *tr (erdrosseln)* étrangler.

Strapaz|e *f* ‹-, -n› [ʃtra'pa:tsə] fatigue *f,* dur effort; *(Arbeit)* labeur, travail *m* éreintant; **s~ieren** [-pa'tsi:rən] *tr (sehr anstrengen)* fatiguer, harasser, éreinter; *(abnutzen)* user; **s~ierfähig** *a (Kleidung)* résistant à l'usure, solide; **s~iös** [-tsi'ø:s] *a* fatigant, harassant, éreintant, épuisant.

Straßburg *n* ['ʃtra:sburk] Strasbourg *m*.

Straße *f* ‹-, -n› ['ʃtra:sə] *(bebaute)* rue; *(Land~)* route *f; arg* trimard *m; (Fahrdamm, -bahn)* chaussée *f; (Meerenge)* détroit; *fig (Weg, Bahn)* chemin *m,* voie *f; metal (Walzen~)* train *m; auf der ~* dans la rue; *(franz. Schweiz)* en rue; *auf offener ~* en pleine rue; *über die ~ (com: zum Mitnehmen)* à emporter; *von der ~ auflesen (fig)* ramasser dans le ruisseau; *auf die ~ gehen (a.fig)* descendre dans la rue; *pop (Dirne)* faire le trottoir; *auf der ~ liegen (fig: Mensch)* être sur le pavé; traîner dans le ruisseau; *auf die ~ setzen (entlassen)* mettre sur le pavé; *fam* balancer, *pop* sacquer; *(Mieter)* mettre à *od* dans la rue; *auf die ~ werden* jeter à la rue; *~ frei!* dégagez le passage! *~ gesperrt!* rue, route barrée; *~ ohne Durchgangsverkehr* rue *f* barrée; *~ 1. Ordnung* route *f* départementale.

Straßen|anzug *m* ['ʃtra:sən-] costume *m* de ville *od* pour tout aller; **~arbeiter** *m* cantonnier *m;* **~aufsichtsbeamte(r)** *m* inspecteur *m* des ponts et chaussées; **~bahn** *f* tram(way) *m;* **~bahner** *m fam* traminot *m;* **~bahnführer** *m* conducteur de tram(way), wattman *m (pl* wattmen*);* **~bahngleis** *n* voie *f* de tramway; **~bahnlinie** *f,* **~bahnnetz** *n,* ligne *f,* réseau *m* de tramways; **~bahnschaffner** *m* receveur *m* de tram(way); **~bahnschiene** *f* rail *m* de tramway; **~bahnwagen** *m* voiture *f* de tram(way); **~bau** *m* construction *f* de(s) routes; **~bauamt** *n* ponts et chaussées *pl;* **~bauarbeiten** *f pl* travaux *m pl* routiers *od* de viabilité; **~bauingenieur** *m* ingénieur *m* des ponts et chaussées *od* routier; **~baumaterial** *n* matériaux *m pl* de construction de routes; **~belag** *m* = *~decke;* **~beleuchtung** *f* éclairage *m* de la voie publique; **~benutzer** *m* usager *m* de la route; **~benutzungsgebühr** *f* (droit de) péage *m;* **~beschilderung** *f* signalisation *f* routière; **~biegung** *f* tournant, virage *m;* **~brücke** *f* pont-route *m;* **~decke** *f* revêtement *m* de la chaussée *od* route; **~dirne** *f* prostituée, putain, fille de joie, peripatéticienne; *fam* belle-de-nuit *f;* **~dorf** *n geog* village-rue *m;* **~ecke** *f* coin *m* de (la) rue; **~fahrer** *m (Rennsport)* routier *m;* **~feger** *m* balayeur *m;* **~führung** *f* tracé *m* de la route; **~gabel(ung)** *f* bifurcation *f;* **s~gebunden** *a* lié à la route; **~graben** *m* fossé *m* (de la route); **~handel** *m* commerce *m* ambulant; **~händler** *m* marchand ambulant, camelot *m;* **~händlerin** *f* marchande *f* des quatre-saisons; **~junge** *m* gamin, polisson; *pop* voyou; *(in Paris)* titi *m;* **~kampf** *m* combat *m* de rues; **~karte** *f* carte *f* routière; **~kehrer** *m* = *~feger;* **~kehrmaschine** *f* balayeuse *f;* **~kleid** *n* robe *f* de ville; **~knotenpunkt** *m* nœud *m* routier; **~kontrollpunkt** *m* point *m* de contrôle routier; **~kreuzer** *m mot fam* familiale *f;* **~kreuzung** *f* croisement *m* (de rues *od* de routes), intersection *f* de routes, carrefour *m,* patte-d'oie *f;* **~lage** *f mot* tenue *f* de route; *e-e gute ~~ haben (mot)* tenir bien la route; **~laterne** *f* réverbère *m;* **~mädchen** *n* fille *f* des rues; **~netz** *n* réseau *m* routier *od* de routes; **~panzerwagen** *m* automitrailleuse *f;* **~pflaster** *n* pavé *m;* **~raub** *m* vol de grand chemin, brigandage *m;* **~räuber** *m* voleur de grand chemin; brigand, bandit, détrousseur *m;* **~reinigung** *f* nettoyage *m* des rues; **~rennen** *n* course *f* sur route; **~rennstrecke** *f* piste *f* routière; **~sammlung** *f* collecte *od* quête *f* sur la voie publique; **~sänger** *m* chanteur *m* des rues; **~schild** *n* plaque *f* indicatrice *od* de rue; **~schlacht** *f* bataille *f* de rue; **~schuh** *m* chaussure *f* de ville; **~sperre** *f* barrage *m* de rue *od* routier; **~transport** *m* transport *m* routier *od* par route *od* par voiture; **~tunnel** *m* tunnel *m* routier; **~über-, ~unterführung** *f* passage *m* supérieur, inférieur; **~verhältnisse** *n pl* condition *f* de la route; **~verkehr** *m* circulation *f* routière, trafic *m* routier; **~verkehrsamt** *n* inspection *f* du trafic; **~verkehrsordnung** *f* code *m* de la route; *allg* législation *f* (relative à la circulation) routière; **~walze** *f* rouleau *m* (compresseur); **~wärter** *m* garde-chaussée *m;* **~-Wetter- und Warndienst** *m* service *m* du bulletin météorologique routier; **~wölbung** *f* bombage *m;* **~zustand** *m* état *m* de la *od* des route(s); **~zustandsbericht** *m* bulletin *m* de l'état des routes.

Strateg|e *m* ⟨-n, -n⟩ [ʃ-/stra'te:gə] stratège, stratégiste *m;* **~ie** *f* ⟨-, -n⟩ [-te'gi:] stratégie *f;* **s~isch** [-'te:gɪʃ] *a* stratégique.

Stratosphär|e *f* ⟨-, ø⟩ [ʃ-, strato'sfɛ:rə] stratosphère *f;* **~enballon** *m* ballon *m* stratosphérique; **~enflug** *m* vol *m* stratosphérique; **~enkreuzer** *m* stratocruiser *m;* **s~isch** [-'sfɛ:rɪʃ] *a* stratosphérique.

Stratuswolke *f* ['ʃ-/'stra:tus-] *(Schichtwolke)* stratus *m.*

sträuben ['ʃtrɔʏbən] *tr (Haare, Federn aufrichten)* dresser, hérisser; *sich ~ (Haare, Federn)* se dresser, se hérisser; *fig (sich wehren, sich auflehnen)* regimber, se débattre (*gegen etw* contre qc); résister, se refuser (*gegen etw* à qc); *die Feder sträubt sich zu ...* la plume se refuse à ...; **S~** *n* hérissement *m; fig* résistance *f; da hilft kein ~~* toute résistance est inutile.

Strauch *m* ⟨-(e)s, ⸚er⟩ [ʃtraux, 'ʃtrɔʏçər] buisson, arbuste, arbrisseau *m;* **s~artig** *a* arbustif; frutescent; **~dieb** *m* coupe-jarret, chenapan *m;* **~werk** *n* broussailles *f pl.*

straucheln ['ʃtrauxəln] *itr, a. fig* ⟨*ich habe/bin gestrauchelt*⟩ trébucher, broncher, faire un faux pas.

Strauß *m* ⟨-ßes, ⸚ße⟩ [ʃtraus, 'ʃtrɔʏsə] **1.** *(Blumen~)* bouquet *m;* **2.** *(Kampf)* combat *m; mit jdm e-n ~ auszufechten haben (fig)* avoir une querelle avec qn.

Strauß *m* ⟨-ßes, -ße⟩ [ʃtraus] **3.** *orn* autruche *f;* **~enei** *n,* **~enfeder** *f* œuf *m,* plume *f* d'autruche; **~enfarm** *f* autrucherie *f;* **~vögel** *m pl* ratites, oiseaux *m pl* coureurs.

Strazze *f* ⟨-, -n⟩ ['ʃ-, stratsə] *com* = *Kladde.*

Streb|e *f* ⟨-, -n⟩ ['ʃtre:bə] *(Stütze)* étai, étançon; *arch* étrésillon *m,* jambe *f* de force, contre-boutant *m,* contre-fiche; *(Querholz)* entretoise *f;* **~ebalken** *m* chevalet *m;* **~ebogen** *m arch* arc-boutant *m;* **~emauer** *f* contrefort *m;* **s~en** *itr* ⟨*aux: haben*⟩ chercher à *od* s'efforcer d'atteindre (*nach etw* qc); (pré)tendre (*nach etw* à qc); rechercher, viser (*nach etw* qc), aspirer (*nach etw* à qc); *(aus Ehrgeiz)* ambitionner (*nach etw* qc); **~en** *n* tendance (*nach* à); aspiration (*nach* vers); poursuite, quête *f* (*nach* de); *das ~~ nach Einheit* les tendances *f pl* unitaires; *~~ nach Höhe (arch)* verticalisme *m; ~~ nach Reichtum, Unabhängigkeit, Freiheit* poursuite *f* de la richesse, de l'indépendance, de la liberté; **~epfeiler** *m* contrefort, pilier *m* butant; **~er** *m* ⟨-s, -⟩ *pej* arriviste *m;* **~erei** *f* [-'rai], **~ertum** *n* ⟨-s, ø⟩ *pej* arrivisme *m;* **s~erhaft** *a pej* arriviste; **s~sam** *a (fleißig)* assidu; *(eifrig)* zélé; **~samkeit** *f* assiduité *f;* zèle *m.*

streck|bar ['ʃtrɛk-] *a* extensible; ductile; **S~barkeit** *f* extensibilité; ductilité *f;* **S~bett** *n med* lit *m* à extension; **~en** *tr* étendre, étirer, allonger; *metal (auswalzen)* élargir, laminer; *(Küche: verdünnen)* étendre, allonger; *(langsamer verbrauchen)* allonger; *itr (Schule: den Finger zeigen)* lever le doigt; *alle viere von sich ~~* s'étendre les quatre fers en l'air; **S~grenze** *f* limite *f* d'élasticité; **S~hammer** *m* aplatissoir, marteau *m* à dégrossir; **S~metall** *n* métal *m* déployé; **S~muskel** *m* (muscle) extenseur *m;* **S~ung** *f* extension *f, a. med;* étirage; allongement; *(Auswalzen)* laminage *m;* **S~verband** *m med* appareil *m* à extension continue; **S~walze** *f metal* aplatissoire *f.*

Strecke *f* ⟨-, -n⟩ ['ʃtrɛkə] *math* ligne *f* droite, segment; *allg* espace; *(Abschnitt)* tronçon *m,* section, portion, partie; *(Entfernung)* distance *f; (Stück Weg)* bout *m* de chemin; *(Etappe)* étape; *(nicht unterbrochene ~)* traite *f; (Reiseweg)* itinéraire *m;* route *f; (Fahr-, Flug~)* parcours, trajet, itinéraire *m,* ligne; *aero a.* route; *loc* voie; *tele* ligne; *mines* galerie *f; auf freier ~ (loc)* en pleine campagne; *auf der ~ bleiben (fig)* rester en chemin, demeurer sur place; (*verwundet od tot*) tomber *od* rester sur le carreau; *zur ~ bringen* abattre, tuer; *planmäßig beflogene ~* ligne *f* régulière; *(lange) gerade ~ (Straße)* ruban (de route); *loc* alignement *m* droit; *zurückgelegte ~* espace *m* parcouru.

Strecken|abschnitt *m* ['ʃtrɛkən-] *loc* section *f od* tronçon *m* (de voie); **~arbeiter** *m loc* ouvrier de la ligne, homme *m* d'équipe; **~aufseher** *m loc* surveillant *m* de la voie; **~befeuerung** *f aero* balisage *m* de ligne *od* de route; **~begehung** *f loc* tournée *f* du surveillant de la voie; **~belastung** *f loc* intensité *f* du trafic sur une ligne; **~flieger** *m* pilote *m* de ligne; **~flug** *m* vol *m* de distance; **~führung** *f (Straße)* tracé de la route; *loc* tracé *m* de la voie; **~karte** *f aero* carte *f* de parcours; **~tauchen** *n* plongeon *m* sur distance; **~wärter** *m loc* garde-voie, garde-ligne *m;* **s~weise** *adv* par-ci par-là, par places.

Streich *m* ⟨-(e)s, -e⟩ [ʃtraɪç] *(Schlag)* coup *m; fam* tape, blague *f; (Schabernack)* tour, mauvais coup *m,* niche, farce *f; (Studenten~)* canular(d) *m; (Ulk)* plaisanterie; *(Seitensprung)* escapade, fredaine, frasque *f; auf den ersten ~* du premier coup; *mit einem ~* d'un seul coup; *(dumme) ~e machen* faire des bêtises *od fam* des siennes; *jdm e-n üblen ~ spielen* faire une méchanceté *od* une chinoiserie *od* un vilain tour, jouer un tour de cochon à qn; *er hat noch ganz andere ~e gemacht* il en a fait bien d'autres, *dumme(r) ~* bêtise, sottise *f; heimtückische(r)* od *hinterhältige(r) ~* coup *m* fourré *od* de chien; *lustige(r) ~* gaillardise *f,* bon tour *m; tolle(r) ~* foucade *f;* **~blech** *n (Pflug)* versoir *m;* **~brett** *n (Gerberei)* paroir *m;* **s~eln** *tr* caresser, cajoler; **s~en** ⟨*strich, gestrichen*⟩ *tr* ⟨*aux: haben*⟩ *(mit der Hand über etw fahren)* passer la main (*über* sur); *(zärtlich)* caresser (*über etw* qc); *(Saiteninstrument spielen)* jouer *(die Geige* du violon*); (Klinge schärfen)* repasser; *(Wolle)* carder; *(auf etw ausbreiten)* étendre; enduire *(etw auf e-m Gegenstand* un objet de qc*); (Küche)* étaler *(aufs Brot* sur le pain*); (mit Farbe)* peindre; *(tünchen)* badigeonner; *(in etw hineintun)* passer (*Mörtel in e-e Fuge* du mortier dans un joint); *(aus-, durch~~)* rayer, barrer, biffer, effacer, annuler; *typ* déléaturer; *(ausweglassen)* retrancher, élaguer, supprimer; *itr* ⟨*aux: sein*⟩ effleurer, frôler, friser, raser (*an etw* qc); *um-*

herstreifen passer, rôder, vaguer, vagabonder; *orn* tirer; *sich den Bart ~~* se caresser la barbe; *frisch gestrichen!* prenez garde à la peinture, peinture fraîche; **~en** *n (der Wolle)* cardage *m; (An~~)* peinture; *mines* allure *f;* **~er** *m* ⟨-s, -⟩ *mus* joueur *m* d'un instrument à cordes; **s~fähig** *a (Lebensmittel): ~~ sein* se tartiner facilement; **~garn** *n* tirasse *f;* **~holz** *n* allumette *f;* **~holzschachtel** *f* boîte *f* d'allumettes; **~instrument** *n mus* instrument *m* à archet *od (Saiteninstrument)* cordes; **~käse** *m* crème *f* de fromage; **~konzert** *n* concert *m* d'instruments à cordes; **~lack** *m* vernis *m* pour peinture; **~orchester** *n,* **~quartett** *n* orchestre, quatuor *m* à cordes; **~riemen** *m* cuir à repasser *od* à *od* de rasoir; affiloir *m;* **~ung** *f (Tilgung)* rayure; *(Liste)* radiation; suppression *f;* **~wolle** *f* laine *f* cardée; **~wurst** *f* pâté *m.*

Streif *m* ⟨-(e)s, -e⟩ [ʃtraɪf] *poet (~en)* raie, bande *f;* **~band** *n (Banderole)* bandelette; *(Buch: mit Werbetext)* bande *f* (publicitaire); *unter ~~* sous bande; **~e** *f (Straßen~~)* patrouille *f; auf ~~ gehen* patrouiller; **s~en** *tr* ⟨*aux: haben*⟩ *(gleitend berühren)* effleurer, frôler, friser, raser; *(Ring über den Finger)* passer (*über* à); *(vom Finger ~~)* enlever, ôter; *(über den Kopf ~~)* rabattre (sur la tête); *(Schuß)* érafler; *fig (Thema)* effleurer, côtoyer; *itr* ⟨*aux: sein*⟩ *(umher~~)* rôder, vaguer, vagabonder, errer; *nur leicht ~~ (Thema)* glisser (*etw* sur qc); **~en** *m* ⟨-s, -⟩ raie, bande, rayure; *(Papier-, Stoff~~)* bande *f; mit ~~ versehen* marquer de raies, rayer; **~endienst** *m (Polizei)* service *m* de patrouille; *(Polizisten)* patrouilles *f pl* de police; **~enmuster** *n* dessin *m* à rayures; **~enpolizist** *m* gendarme motorisé; motard *m fam;* **~enschreiber** *m tele* téléimprimeur *m* à bandes; **~enwagen** *m* voiture *f* de police; **s~ig** *a* rayé; **~licht** *n* échappée de lumière, lumière *f* frisante; **~schuß** *m* éraflure *f* (par balle); **~zug** *m mil* incursion *f,* raid *m; fig (Abschweifung, Exkurs)* excursion *f.*

Streik *m* ⟨-(e)s, -s⟩ [ʃtraɪk] grève *f; im ~ (befindlich)* en grève; *e-n ~ ausrufen* lancer l'ordre de grève; *in den ~ treten* se mettre en grève; *rollende(r) ~* grève *f* tournante; *wilde(r) ~* grève *f* spontanée *od* sauvage *od* non contrôlée; **~ankündigung** *f* préavis *m* de grève; **~aufruf, ~befehl** *m* ordre *m* de grève; **~bewegung** *f* mouvement *m* de grève; **~brecher** *m* briseur de grève, antigréviste, *vx* renard; *fam* jaune *m;* **~drohungen** *f pl,* **~gefahr** *m* menaces *f pl,* danger *m* de grève; **s~en** ⟨*aux: haben*⟩ *itr* faire grève; **s~end** *a* gréviste; **~ende(r)** *m* gréviste *m;* **~führer** *m,* **~hetzer** *m* meneur, fauteur *m* de grève; **~kasse** *f* fonds *m* de grève; **~parole** *f* consigne *f* de grève; **~posten** *m* piquet *m* de grève; **~recht** *n* droit *m* de grève; **~welle** *f* vague *f* de grèves.

Streit *m* ⟨-(e)s, -e⟩ [ʃtraɪt] querelle *f,* démêlé *m; (mit Tätlichkeiten)* rixe; *(Wort~)* dispute, discussion, altercation; *(heftiger Wortwechsel)* empoignade *f; (Meinungs~)* différend *m,* controverse *f; (Rechts~)* litige *m; (~igkeit, ~fall)* contestation *f; (Konflikt)* conflit; *(Kampf)* combat *m,* lutte; *fam* attrapade *f,* attrapage *m; mit jdm ~ anfangen* od *suchen* chercher querelle *od* dispute *od* noise à qn; *den ~ anfangen (a.)* entrer en lice; *mit jdm ~ bekommen* se fâcher avec qn; *e-n ~ vom Zaun brechen* chercher une querelle d'Allemand; *mit jdm in ~ geraten* entrer en conflit avec qn; *in ~ liegen* être en contestation (*über etw* sur qc), être en conflit *od* en guerre (*mit jdm* avec qn); *e-n ~ schlichten* régler un litige; *~ um des Kaisers Bart* querelle *f* d'Allemand; *~ um Worte* dispute *f* de mots; **~axt** *f* hache de guerre, francisque *f;* **s~bar** *a (kriegerisch)* belliqueux; *(angriffslustig)* agressif; *(tapfer)* vaillant, brave; **~barkeit** *f* esprit *m* belliqueux; *(Tapferkeit)* vaillance *f;* **s~en** ⟨*stritt, gestritten*⟩ *itr (uneinig sein)* être en dispute (*mit jdm* avec qn); disputer (*über etw* de qc); *(vor Gericht)* plaider; *(kämpfen)* combattre, lutter; *sich ~~* se quereller; se disputer (*um etw* qc); *darüber will ich mit Ihnen nicht ~~ (a.)* je ne vous suivrai pas sur ce terrain; *darüber läßt sich ~~* cela est sujet à discussion; **s~end** *a* belligérant, combattant; *die ~~en Parteien f pl (jur)* les parties plaidantes; **~er** *m* ⟨-s, -⟩ *(Kämpfer)* combattant, militant; *(Vorkämpfer)* champion; *(Verteidiger)* défenseur *m;* **~erei** *f* [-ˈraɪ] querelles, disputes *f pl;* **~fall** *m* différend *m;* contestation *f;* cas litigieux *od* de litige; *jur* point *m* de controverse; *im ~~* en cas de litige *od* de désaccord; **~frage** *f* question *f* litigieuse; différend *m;* **~gegenstand** *m* objet *m* de litige; **~hahn** *m,* **~hammel** *m fam* disputailleur, mauvais coucheur *m;* **s~ig** *a = strittig; jdm etw ~~ machen* contester *od* disputer qc à qn; **~igkeit** *f* contestation *f,* différend *m;* **~kräfte** *f pl mil* forces *f pl* (armées); **~lust** *f* combativité, humeur *f* querelleuse *od* batailleuse; **s~lustig** *a* querelleur, batailleur; **~macht** *f* force *f;* **~objekt** *n, a. jur* objet *m* de litige; **~roß** *n* cheval de bataille; *poet* destrier *m;* **~sache** *f jur* litige *m,* cause *f,* procès *m;* **~schrift** *f* pamphlet, écrit *m* polémique; **~sucht** *f* ⟨-, ø⟩ = *~lust;* **s~süchtig** *a = s~lustig; (boshaft)* chicaneur, chicanier; **~wert** *m* valeur *f* litigieuse.

streng [ʃtrɛŋ] *a* sévère, rigoureux; *(sehr ~)* draconien, de fer; *(sitten~; Sitte)* austère; *(hart)* dur; *(genau)* strict, exact; *(rauh)* rude; *(scharf)* âpre; *(Kälte)* vif, rigoureux; *~ befolgen* observer strictement; *~ behandeln* od *halten* traiter sévèrement *od* avec sévérité; être dur (*jdn* pour qn); *~ erziehen* élever sévèrement *od* avec sévérité; *~ überwachen* surveiller étroitement; *das ist ~ verboten* c'est formellement interdit; *~ verboten!* strictement interdit! *~e(r) Arrest m* arrêts *m pl* de rigueur; *~ vertraulich* strictement confidentiel; *~e(r) Verweis m* verte réprimande *f;* **S~e** *f* ⟨-, ø⟩ sévérité, rigueur, rigidité; austérité; dureté; rudesse; âpreté *f;* **~genommen** *adv* à proprement parler; **~gläubig** *a* orthodoxe; **S~gläubigkeit** *f* ⟨-, ø⟩ orthodoxie *f.*

Strepto|kokkus *m* ⟨-, -kken⟩ [s-/ʃtrɛptoˈkɔkus, -kən] *m med* streptocoque *m;* **~myzin** *n* ⟨-s, ø⟩ [-myˈtsiːn] *pharm* streptomycine *f.*

Streu *f* ⟨-, -en⟩ [ʃtrɔʏ] litière *f* (de paille); **~bereich** *m scient* zone *f* de dispersion; **~bild** *n (Statistik)* diagramme *m* de dispersion, image *f* de corrélation; **~büchse** *f,* **~dose** *f* saupoudreuse *f;* **~dienst** *m (Straße)* service *m* de répandage; **s~en** *tr* répandre, disperser, disséminer, éparpiller; *itr (e-e ~ machen)* faire la litière; *Blumen auf etw ~~* joncher qc de fleurs; *Futter ~~* jeter à manger *(den Vögeln* aux oiseaux); *Salz, Zukker auf etw ~~* saupoudrer qc de sel, de sucre; *jdm Sand in die Augen ~~ (a. fig)* jeter de la poudre aux yeux à qn; **~fahrzeug** *n* véhicule *m* de répandage; **~feuer** *n mil* tir *m* dispersé *od* en dispersion; **~flugzeug** *n* avion de pulvérisation; **~grenzen** *f pl (Statistik)* limites *f pl* de dispersion; **~gut** *n (Straße)* matériau *m* de répandage; **~pulver** *n* poudre *f* de talc; **~sand** *m* sable *m* à étaler; **~siedlung** *f geog* habitat *od* village *m* dispersé; **~ung** *f* dispersion; (densité de) diffusion; fuite *f; (Variationsbreite)* éventail *m; (Statistik) lineare, quadratische ~~* écart *m* moyen, écart *m* type, variance *f od* carré *m* moyen(ne); **~wagen** *m* sableuse *f;* **~wert** *m scient* indice *m* de dispersion.

streun|en [ˈʃtrɔʏnən] *itr* ⟨*aux: haben*⟩ *fam (sich herumtreiben)* vagabonder, vaguer, rôder; **S~er** *m* ⟨-s, -⟩ *fam* vagabond *m.*

Strich *m* ⟨-(e)s, -e⟩ [ʃtrɪç] trait *m; (bes. Quer~; ~ an Buchstaben)* barre; *(Linie)* ligne; *(Streifen)* raie, rayure *f; (Verlauf, Richtung)* fil; *mus (Bogen~)* coup d'archet; *(Pinsel~)* coup de pinceau; *fam (dünner Mensch)* fantôme *m,* asperge *f; gegen den ~* à contrepoil, à rebroussepoil, à contre-fil; *a. fig* à *od* au rebours; *fig* à gauche; *mit dem ~* dans le sens du poil; *nach ~ und Faden (fam)* complètement, dans les règles; *etw gegen den ~ bürsten, kämmen* brosser, peigner qc à rebrousse-poil *od* à rebours; *auf den ~ gehen (pop)* faire le trottoir; *jdn auf dem ~ haben* avoir une dent contre qn; *e-n ~ unter etw machen (fig)* faire *od* mettre une croix sur qc; *jdm e-n ~ durch die Rechnung machen* contrecarrer *od* déranger les projets *od* les desseins de qn, déjouer qn; *e-n ~ ziehen* tirer une barre; *das geht mir gegen* *den ~ (fam)* cela me répugne, cela me contrarie; cela me chiffonne; *~ drunter!* n'en parlons plus; *a «Strich» (math: a')* a prime; *~ durch die Rechnung (fam)* tuile *f;* **~ätzung** *f* zincographie *f,* gillotage *m;* **~einteilung** *f* gradation *f* millimétrique *od* en millièmes; **s~eln** *tr* hachurer; **~elung** *f* hachures *f pl; (Kunst)* grignotis *m;* **~junge** *m* prostitué *m* homosexuel; **~mädchen** *n* = *Straßendirne;* **~marke** *f* (trait de) repère *m;* **~platte** *f* plateau *m* gradué *od* réticulé; **~punkt** *m (Semikolon)* point-virgule *m;* **~regen** *m* pluie *f* partielle *od* locale *od* de convection; **~vogel** *m* oiseau *m* de passage; **s~weise** *adv* par endroits; **~zeit** *f orn* (temps du) passage *m.*

Strick *m* ‹-(e)s, -e› [ʃtrɪk] corde *f; fam hum (Galgen~)* garnement *m; jdm e-n ~ aus etw drehen (fam)* chercher des ennuis à qn pour qc; *wenn alle ~e reißen* au pis-aller, en dernière instance; **~arbeit** *f* tricotage *m,* **s~en** *tr* tricoter; **~en** *n,* **~erei** *f* [-'raɪ] tricotage *m;* **~er(in *f*)** *m* ‹-s, -› tricoteur, se *m f;* **~garn** *n* fil *m* à tricoter; **~handschuh** *m* gant *m* tricoté; **~jacke** *f* veste *f* en tricot, cardigan *m;* **~kleid** *n* robe *f* en tricot; **~leiter** *f* échelle *f* de corde; **~maschine** *f* machine *f* à tricoter, tricoteuse *f;* **~muster** *n* modèle *m* de tricot; **~nadel** *f* aiguille *f* à tricoter; **~waren** *f pl* tricotages, articles *m pl* tricotés; **~warenindustrie** *f* industrie *f* du tricot; **~weste** *f* gilet *m* tricoté; **~wolle** *f* laine *f* à tricoter; **~zeug** *n* tricot(age) *m.*

Striegel *m* ‹-s, -› ['ʃtri:gəl] étrille, brosse *f* à étriller; **s~n** *tr* étriller, panser.

Striem|e *f* ‹-, -n›, **~n** *m* ‹-s, -› ['ʃtri:mə(n)] vergeture, meurtrissure *f;* **s~ig** *a* vergeté, meurtri, marqué de coups.

Striezel *m* ‹-s, -› ['ʃtri:tsəl] **1.** *fam (Lausbub)* gamin, voyou *m.* **2.** *dial (Gebäck)* petit gâteau *m* roulé.

striezen ['ʃtri:tsən] *tr fam (plagen)* malmener; brimer; *dial fam* = *stibitzen.*

strikt [s-/ʃtrɪkt] *a* strict; *(genau)* exact; *(pünktlich)* précis; *(streng)* rigoureux; *(Verbot)* pur et simple; **~e** *adv (streng)* strictement, rigoureusement.

Strippe *f* ‹-, -n› ['ʃtrɪpə] *fam (Schnur)* cordon *m;* ficelle *f; (Schnürsenkel)* lacet *m; hum tele: an der ~ (hängen* être pendu) au téléphone.

strittig ['ʃtrɪtɪç] *a* contentieux, litigieux, en litige, contesté, en contestation, discuté, en discussion; *~e(r) Punkt m* point *m* litigieux *od* d'accrochage.

Stroh *n* ‹-(e)s, ø› [ʃtro:] paille *f; (Dach~)* chaume *m; mit ~ ausstopfen, umwickeln* (em)pailler; *leeres ~ dreschen (fig)* parler pour ne rien dire; *aus* od *mit ~ flechten* rempailler; *~ im Kopf haben (dumm sein)* être bête à manger du foin; *Bund n ~* balle *f* de paille; **~band** *n agr* accolure *f;* **s~blond** *a* blondasse; *~~e Haare n pl (a.)* cheveux *m pl* filasse; **~blume** *f* immortelle *f;* **~dach** *n* toit *m* de chaume; **~dieme** *f* pailler *m;* **s~ern** *a* de paille; *(Dach)* de chaume; **~fackel** *f* brandon *m;* **s~farben** *a* (couleur) paille; **~feuer** *n, a. fig* feu *m* de paille; **~flechter** *m* (r)empailleur, pailleur *m;* **~geflecht** *n* tresse *f* de paille; **~halm** *m* brin de paille, fétu *m; (zum Trinken)* paille *f; nach e-m ~~ greifen, sich an e-n ~~ klammern (fig)* saisir sa dernière planche de salut; s'accrocher à la moindre branche; **~haufen** *m* tas de paille; *(kleiner)* meulon *m;* **~hut** *m* chapeau *m* de paille; **~hütte** *f* chaumière *f;* **s~ig** *a* dur et sec; **~kopf** *m (Dummkopf)* petite tête, tête *f* vide; **~lager** *n* couche *f* de paille; **~lehm** *m* bousillage *m;* **~mann** *m* ‹-(e)s, ¨er› *fig* homme de paille, personnage de carton, prête-nom *m;* **~matte** *f* natte *f* de paille, paillasson *m;* **~puppe** *f* mannequin *m;* **~sack** *m (Matratze)* paillasse *f;* **~schober** *m,* **~schuppen** *m* pailler *m;* **~schütte** *f* = *~lager;* **~wisch** *m* bouchon *m* de paille; **~witwe(r *m*)** *f* femme *f* dont le mari, mari *m* dont la femme est provisoirement absent(e) *od* en voyage.

Strolch *m* ‹-(e)s, -e› [ʃtrɔlç] mauvais sujet, apache, trimardeur, galvaudeux; *pop* voyou, salaud, galapiat *m;* gouape *f; (Landstreicher)* vagabond *m;* **s~en** *itr* trimarder; *(herum~~)* vagabonder.

Strom *m* ‹-(e)s, ¨e› [ʃtro:m, 'ʃtrø:mə] *geog (großer Fluß)* fleuve; *(Strömung)* courant, flux; *a. fig* flot; *fig* torrent; *el* courant *od* circuit (électrique), *fam* jus *m; gegen den ~* contre le courant, à contre-courant; *in Strömen* à (grands) flots; *mit dem ~* au fil de l'eau; *den ~ ab-, einschalten* couper, rétablir le courant; *gegen den, mit dem ~ rudern (a.)* remonter, suivre le courant; *gegen den, mit dem ~ schwimmen (a. fig)* nager contre le, avec le *od* dans le sens du courant; *unter ~ stehen (el)* être sous tension; *mit ~ versorgen* électrifier; *Ströme von Blut* mers *f pl* de sang; **~abnehmer** *m* appareil de prise de courant, chariot de prise (de courant), trolley, balai *m;* **~abnehmerstange** *f el* perche *f* du trolley; **s~ab(wärts)** *adv (Lage)* en aval; *(Richtung)* avec le courant, à vau-l'eau; **~aggregat** *n* groupe *m* électrogène *od* générateur; **s~auf(wärts)** *adv (Lage)* en amont; *(Richtung)* à contre-courant; **~ausfall** *m* absence *f od* manque *m* de courant, panne *f* de courant *od* d'électricité; **~bett** *n* lit *m* d'un *od* du fleuve; **~durchgang** *m* passage *m* du courant électrique; **~enge** *f geog* portes *f pl* (d'un fleuve); **~entnahme** *f* prise *f* de courant; **s~erzeugend** *a* électrogène; **~erzeuger** *m* génératrice, dynamo *f;* **~erzeugung** *f* génération électrique; production *f* de courant; **~erzeugungsaggregat** *n* groupe *m* électrogène; **s~führend** *a* parcouru par le courant; **~gebiet** *n* bassin *m* d'un *od* du fleuve; **~kreis** *m* circuit *m* (électrique); *in den ~~ einschalten* intercaler dans le circuit; *aus dem ~~ herausnehmen* mettre hors circuit; **~linie** *f* ligne *f* aérodynamique; **~linienform** *f* forme *f* aérodynamique; **s~linienförmig** *a* aérodynamique, profilé, caréne; *mot* effilé, fuselé; **~linienprofil** *n* profil *m* aérodynamique; **s~los** *a* sans courant; **~messer** *m* galvanomètre *m;* **~netz** *n el* se réseau *m* électrique; *an ein ~~ angeschlossen sein (a.)* être électrifié; **~quelle** *f el* source *f* génératrice *od* d'électricité *od* de courant; **~rechnung** *f* note *f* d'électricité; **~schalter** *m* conjoncteur-disjoncteur *m;* **~schiene** *f* rail *m* conducteur *od* de contact; **~schnelle** *f* rapide *m;* **~schwankung** *f* variation *f* de l'intensité du courant; **~sperre** *f* suppression d'électricité, coupure *f* de *od* du courant; **~stärke** *f* intensité *f* du courant; **~stoß** *m* décharge *f* électrique, coup *m* de courant; impulsion *f* électrique *od* de courant; **~umformer** *m* transformateur *m* de courant; **~unterbrecher** *m* interrupteur (de courant); coupe-circuit *m;* **~unterbrechung** *f* interruption *od* coupure *od (unabsichtliche)* panne *f* de courant; **~verbrauch** *m* consommation *od* dépense de courant, dépense d'énergie, énergie *f* consommée; **~verlust** *m* perte *od* déperdition de courant, fuite *f;* **~versorgung** *f* alimentation *f od* approvisionnement *m* en énergie électrique *od* en courant; distribution électrique, électrification *f;* **~versorgungsanlage** *f* installation *f* d'énergie; **~wender** *m* commutateur *m;* **~zähler** *m* compteur *m* électrique; **~zuführung** *f (Vorgang)* amenée *f* de courant.

ström|en ['ʃtrø:mən] *itr* couler *od* se répandre à (grands) flots; *(Regen)* tomber à verse *od* à seaux; *(Menschen)* affluer (*nach* à); *in ~endem Regen* sous une pluie torrentielle *od* battante; **S~ung** *f (im Wasser)* courant; *(Luftstrom)* courant (atmosphérique), *tech* flux; *fig (Tendenz)* courant *m,* tendance *f,* mouvement *m;* **S~ungsbild** *n* sillage *m; mete* carte *f* des courants atmosphériques; **S~ungsgetriebe** *n,* **S~ungskupp(e)lung** *f* transmission *f,* accouplement *m* hydraulique; **S~ungslehre** *f* aérodynamique *f.*

Stromer *m* ‹-s, -› ['ʃtro:mər] *fam (Landstreicher)* chemineau, vagabond, clochard; *(Strolch)* galvaudeux; *arg* trimardeur *m;* **s~n** *itr* vagabonder; *arg* trimarder.

Strophe *f* ‹-, -n› ['ʃtro:fə] strophe *f,* couplet *m,* stance *f.*

strotzen ['ʃtrɔtsən] *itr* regorger, être débordant, foisonner, abonder (*von* de); *vor* od *von Gesundheit, Kraft ~* regorger *od* éclater de santé, de force; **~d** *a* regorgeant, débordant (*von* de); *(üppig)* exubérant, luxurieux; *~~ voll* plein à craquer, *fam* archiplein.

strubb|(e)lig ['ʃtrub(ə)lɪç] *a* ébouriffé;

S~elkopf *m* cheveux *m pl* ébouriffés.
Strudel *m* ‹-s, -› ['ʃtru:dəl] remous; *a. fig* tourbillon; *(Gebäck)* chausson *m;* **s~n** *itr* tourbillonner; **~n** *n* tourbillonnement *m.*
Struktur *f* ‹-, -en› [ʃ-/strukˈtu:r] structure, texture *f;* **~alismus** *m* ‹-, ø› structuralisme *m;* **s~ell** [-tuˈrɛl] *a* structural; structurel; **~formel** *f chem* formule *f* développée; **s~ieren** [-ˈri:rən], *tr* structurer; **~wandel** *m* changement *m* de structure.
Strumpf *m* ‹-(e)s, ⸚e› [ʃtrumpf, ˈʃtrʏmpfə] bas; *nahtlose(r)* ~ bas *m* sans couture; *sich auf die Strümpfe machen* décamper, filer; *tech (Glüh~)* manchon *m* (à incandescence); **~band** *n* ‹-(e)s, ⸚er› jarretière *f;* **~fabrikant** *m* bonnetier *m;* **~halter** *m* jarretelle *f;* **~haltergürtel** *m* (ceinture *f*) porte-jarretelles *m;* **~hose** *f* collant(s *pl*) *m;* **~waren** *f pl* bonneterie *f;* **~wirker** *m* bonnetier *m;* **~wirkmaschine** *f* métier *m* à bas.
Strunk *m* ‹-(e)s, ⸚› [ʃtruŋk, ˈʃtrʏŋkə] *(Kohl~)* trognon *m.*
struppig [ˈʃtrupıç] *a* hérissé, hirsute.
Struwwelpeter *m* ‹-s, -› [ˈʃtruvəlpe:tər] malpeigné *m.*
Strychnin *n* ‹-s, ø› [s-/ʃtrʏçˈni:n] *pharm* strychnine *f.*
Stubben *m* ‹-s, -› [ˈʃtubən] *dial (Baumstumpf)* souche *f.*
Stübchen *n* ‹-s, -› [ˈʃty:pçən] petite chambre, chambrette *f,* cabinet *m.*
Stube *f* ‹-, -n› [ˈʃtu:bə] *(heizbares Zimmer)* salle; *(Wohnzimmer)* salle de séjour; *mil (Mannschaftsraum)* chambre *f; in der ~ hocken (fig)* ne pas quitter la maison; *gute ~* salon *m;* **~nälteste(r)** *m mil* chef *m* de chambr(é)e; **~narrest** *m* consigne (à la chambre); privation *f* de sortie; *mit ~~ bestrafen* consigner à la chambre; *~~ haben* être aux arrêts; **~(nbelegschaft)** *f mil* chambrée *f;* **~ndienst** *m (Person)* homme *m* de chambre; *~~ haben* être homme de chambre; **~nfliege** *f* mouche *f* commune; **~ngelehrte(r)** *m* homme *m* de cabinet; **~nhocker** *m* pantouflard, casanier *m; ein ~~ sein (a.)* ne pas bouger du coin du feu; **~nkamerad** *m mil* camarade *m* de chambrée; **~nluft** *f* air *m* confiné; **~nmädchen** *n* bonne *f;* **s~nrein** *a (Haustier)* propre; **~nvogel** *m* oiseau *m* de cage.
Stubsnase *f* [ˈʃtups-] = *Stupsnase.*
Stuck *m* ‹-(e)s, ø› [ʃtuk] *arch* stuc *m;* **~arbeit** *f* ouvrage *m* en stuc; *pl a.* petite maçonnerie *f;* **~arbeiter** *m* stucateur *m.*
Stück *n* ‹-(e)s, -e› [ʃtʏk] *(Einheit)* pièce *f, a. theat; mus* morceau; *(Bestand-, Einzel~)* élément; *(Teil)* morceau; lopin *m;* partie *f; (Bruch~)* fragment; *(kleines ~)* bout; *(Buchstelle)* passage *m; (Vieh)* tête *f; (Gesichtspunkt)* point *m; pl com* titres *m pl; aus einem ~* tout d'une pièce *od* d'un bloc, d'une seule pièce, d'un seul bloc; *aus freien ~en* de plein *od* de (son) bon *od* de son propre gré, de sa propre initiative, de gaieté de cœur; *in ~e(n)* en morceaux; *in allen ~en* sur tous les points, de toutes pièces; *... in einem ~ (Wurst, Käse)* un morceau de ...; *in vielen ~en (in vieler Hinsicht)* à beaucoup d'égards; sous beaucoup de rapports; *~ für ~* pièce par pièce; *in ~e fliegen* voler en éclats; *in (tausend) ~e gehen* se briser (en mille morceaux); *auf jdn große ~e halten* faire grand cas den qn, ne jurer que par qn; *in ~e reißen* mettre en quartiers; *ich ließe mich eher in ~e reißen* je me ferais plutôt couper en morceaux; *er ließe sich für sie in ~e reißen* il se mettrait en quatre pour elle; *das ist ein starkes ~!* c'est trop *od* un peu fort; *fam* ça, c'est le bouquet! *pop* ce n'est pas piqué des vers! *2 Franken das ~* deux francs la pièce *od fam* chaque; *das beste ~* le morceau de choix; *aus einem ~ gehauen* taillé dans un seul bloc; *ein schönes ~ Geld* une jolie somme; *~ Kreide* bâton *m* de craie; *~ Land* parcelle *f* de terrain, lopin *m* de terre; *~ Schokolade, Zucker, Seife* morceau *m* de chocolat, de sucre, de savon; *~ Stoff* métrage de tissu; *(Rest)* coupon *m;* **~arbeit** *f* travail *m* aux pièces *od* à la tâche; **~arbeiter** *m* ouvrier *m* aux pièces; **~chen** *n* petit morceau, bout; *fam* brin *m;* **s~eln** *tr* morceler, partager, démembrer; **~(e)lung** *f* morcellement, démembrement *m;* **~gut** *n* colis *m* (isolé); *a. pl* marchandises à la pièce, petites marchandises *f pl;* **~gutsendung** *f loc* expédition *f* de détail; **~gutverkehr** *m loc* trafic *m* de détail; **~kohle** *f* gailleterie *f; (einzelne)* gailletin *m;* **~kosten** *pl* coût *m* unitaire; **~lohn** *m* salaire *m* aux pièces *od* à la tâche; paie *f* à la pièce; *im ~~ arbeiten* travailler à la pièce; **~pforte** *f mar* sabord *m;* **~preis** *m com* prix *m* unitaire; **s~weise** *adv* en morceaux; pièce par pièce; *com* au détail; *(im Akkord)* à la pièce; **~werk** *n* ouvrage *m* imparfait *od* incomplet; *~~ sein* présenter beaucoup de lacunes, être incomplet; **~zahl** *f* nombre *m* des pièces.
Student|(in *f*) *m* ‹-en, -en› [ʃtuˈdɛnt] étudiant, e *m f; ~ der Medizin, der Naturwissenschaften, der Philologie, der Rechtswissenschaft, der Theologie* étudiant en médecine, en sciences, en lettres, en droit, en théologie; **~enausschuß** *m* comité *m* des étudiants; **~enausweis** *m* carte *f* d'étudiant; **~enbude** *f* chambre d'étudiant; *arg* piaule *f;* **~enfutter** *n* quatre-mendiants *m pl;* **~enheim** *n* maison *f od* foyer *m* d'étudiants; *pl* cité *f* universitaire; **~enjahre** *n pl* années *f pl* d'université; **~enleben** *n* vie *f* d'étudiant; **~enlied** *n* chanson *f* d'étudiant; **~enpfarrer** *m* aumônier *m* universitaire; **~enschaft** *f* (confédération *f* des) étudiants *m pl;* **~ensprache** *f* argot *m* des étudiants; **~enstreich** *m* tour *m od* fredaine *f* d'étudiant(s); **~enulk** *m* chahut *m od* farce *f* d'étudiants, canular(d) *m;* **~enwerk** *n* œuvres *f pl* en faveur des étudiants; **~enwohnheim** *n* = *~enheim;* **s~isch** *a* estudiantin; d'étudiant(s), des étudiants; *~~e Krankenversicherung f* Mutuelle *f* des étudiants; *~~e Verbindung f* association *f* d'étudiants.
Studie *f* ‹-, -n› [ˈʃtu:diə] *(Kunst)* étude *f; pl (Untersuchungen)* études *f pl; ~n treiben* faire des études; **~nassessor** *m* professeur *m* stagiaire; **~naufenthalt** *m* séjour *m* culturel, vacances *f pl* studieuses; **~naufseher** *m* surveillant général, préfet *m* des études; **~nausgabe** *f (Buch: Paperback)* volume *m* cartonné sous jaquette; **~nbeihilfe** *f* allocation *f* d'étude; **~ndirektor** *m (e-s staatl. Gymnasiums)* proviseur; *(e-s städt. Gymnasiums)* principal *m;* **~nfach** *n* discipline, spécialité *f;* **~nfahrt** *f* = *~nreise;* **~nförderung** *f* aide *od* assistance *f* aux étudiants; **~nfreund** *m* camarade *m* d'études; **~ngebühren** *f pl* droits *m pl* universitaires; **s~nhalber** *adv* pour faire des études; **~nkommission** *f* commission *f* d'enquête; **~nplan** *m* programme *m* des études; **~nrat** *m* professeur *m* (de lycée); **~nreferendar** *m* professeur *m* assistant; **~nreise** *f* voyage *m* d'études; **~ntagung** *f* journées *f pl* d'étude.
studier|en [ʃtuˈdi:rən] *tr* étudier; faire ses études de; *allg* étudier, observer; *itr* étudier, faire des études; *Jura, Medizin ~~* faire son droit, sa médecine; **S~ende(r *m*)** *f* étudiant, e *m f;* **S~stube** *f,* **S~zimmer** *n* cabinet *m* de travail; **~t** *a (gelehrt)* savant, lettré; *(gekünstelt)* étudié, affecté, maniéré.
Studi|o *n* ‹-s, -s› [ˈʃtu:dio] *(Künstleratelier)* atelier d'artiste; *(Allzweckzimmer; film, TV)* studio; *radio* auditorium *m;* **~osus** *m* ‹-, -sen/-si› [ʃtuˈdio:zus, -zi] *fam* (Student) étudiant *m;* **~um** *n* ‹-s, -dien› [ˈʃtu:dium, -diən] études *f pl* (supérieures *od* universitaires).
Stufe *f* ‹-, -n› [ˈʃtu:fə] *(Treppen~)* marche *f; (flache Bank)* gradin; *a. fig (Grad)* degré *m; fig* échelon; *(Rang~)* grade, rang; *(Ebene fig)* niveau *m; geol* assise *f; geog, tech (a. Raketen~)* étage; *aero* redan, redent *m; auf gleicher ~ (sozial)* au même niveau *od* rang; sur un pied d'égalité; de pair (*mit* de); *von ~ zu ~* de degré en degré; *zwei ~n auf einmal nehmen* enjamber deux marches à la fois; *~n schlagen* tailler *od* creuser des marches; *mit jdm auf gleicher ~ stehen* être au niveau de qn; *auf eine ~ stellen (fig)* placer sur la même ligne; *sich mit jdm auf eine ~ stellen* se mettre au niveau de qn; *oberste ~ (Treppe)* marche *f* palière; **s~n** *tr* graduer, échelonner; **~nfallschirm** *m* parachute *m* à étages; **~nfläche** *f (Treppe)* giron *m;* **~nfolge** *f biol* série *f;* **s~nförmig** *a (in ~n angelegt)* étagé, en gradins; *(Kurve)* en escalier; *~~ anordnen* étager; *~~ ansteigen* s'étager; *~~ angeordnete Sitzreihen f pl* gradins *m pl;* **~njahr**

n psych année *od* époque *f* climatérique; **~nleiter** *f: soziale* od *gesellschaftliche ~~ fig* échelle *f* sociale; **~npyramide** *f arch* pyramide *f* à gradins; **~nschalter** *m el* commutateur *m* séquentiel; **~nsender** *m* émetteur *m* à plusieurs étages; **s~nweise** *adv* graduellement, progressivement, par degrés, par gradation, par paliers; par échelons.

Stuhl *m* ⟨-(e)s, ¨-e⟩ [ʃtu:l, 'ʃty:lə] chaise *f; (Sitz)* siège *m; (~gang)* selle; *(Lehr~)* chaire; *(Chor~)* stalle *f; jdm e-n ~ anbieten* donner un siège à qn; *durch den elektrischen ~ hinrichten* électrocuter; *jdm den ~ vor die Tür setzen (fig)* mettre qn à la porte; *sich zwischen zwei Stühle setzen (fig)* s'asseoir *od* se mettre entre deux chaises; *elektrische(r) ~* chaise *f* électrique; **~bein** *n* pied *m* de chaise; **~drang** *m = ~zwang;* **~gang** *m* selles *f pl*, défécation *f; ~~ haben* aller régulièrement à la selle; *keinen ~~ haben* être constipé; **~lehne** *f* dos (-sier) *m* de chaise; **~macher** *m* chaisier *m;* **~verhaltung** *f* arrêt *m* des matières; **~vermieter(in** *f***)** *m* chaisier, ére *m f;* **~zwang** *m med* épreinte *f*, ténesme *m*.

Stuka *m* ⟨-s, -s⟩ ['ʃtu:/'ʃtuka] = *Sturzkampfflugzeug.*

Stukkat|eur *m* ⟨-s, -e⟩ [ʃtuka'tø:r] ornemaniste *m;* **~ur** *f* ⟨-, -en⟩ [-'tu:r] = *Stuckarbeit.*

Stulle *f* ⟨-, -n⟩ ['ʃtulə] *dial (Schnitte)* tartine *f*.

Stulp|e *f* ⟨-, -n⟩ ['ʃtulpə] revers, parement, retroussis *m;* **~(en)ärmel** *m* manche *f* à revers; **~(en)handschuh** *m* gant *m* à revers *od* à crispin; **~(en)stiefel** *m* botte *f* à revers *od* à l'écuyère; **stülp|en** ['ʃtʏlpən] *tr* mettre, planter; *(Hut auf den Kopf)* enfoncer (*auf* sur); **S~nase** *f* nez *m* retroussé.

stumm [ʃtum] *a* muet; *(still)* silencieux; *(schweigsam)* taciturne; *gram (nicht gesprochen)* muet, amuï; *~ werden (gram)* s'amuïr; *~e(r) Diener (Möbel)* serviteur *m* muet; *~ wie ein Fisch* muet comme une carpe; **S~e(r** *m***)** *f* muet, te *m f;* **S~film** *m* film *m* muet; **S~heit** *f* ⟨-, ø⟩ mutisme; *(Schweigen)* silence *m; (Schweigsamkeit)* taciturnité *f*.

Stummel *m* ⟨-s, -⟩ ['ʃtuməl] *allg* tronçon, chicot; *(e-s Körpergliedes)* moignon; *(Kerze)* lumignon; *(Zigarre)* bout, fumeron; *(Zigarette)* bout, *fam* mégot *m; aero* nageoire *f;* **~pfeife** *f* pipe *f* courte; *fam* brûle-gueule *m*.

Stumpen *m* ⟨-s, -⟩ ['ʃtumpən] *(Hut)* cloche *f; (Zigarre)* cigare *m* (à bouts coupés).

Stümper *m* ⟨-s, -⟩ ['ʃtʏmpər] bousilleur, fagoteur, gâcheur *m*, mazette *f;* **~ei** *f* [-'rai] bousillage, fagotage, ouvrage *m* gâché; **s~haft** *a (ungeschickt)* maladroit; *(mißlungen)* bousillé, gâché; **s~n** *tr u. itr fam* bousiller, gâcher; *(pfuschen)* bâcler, massacrer.

stumpf [ʃtumpf] *a (nicht (mehr) scharf)* émoussé, qui ne coupe plus; *(nicht (mehr) spitz)* sans pointe; *(abgenutzt)* usé; *math (Winkel)* obtus; *(Kegel)* tronqué; *(Nase)* camus, camard, épaté, écrasé; *(glanzlos, matt)* mat, terni, sans éclat; *(Blick)* morne; *fig (unempfindlich)* insensible; *(abge~t)* émoussé, hébété, abruti; *(~sinnig)* obtus; *(teilnahmslos)* léthargique, apathique; *(gleichgültig)* indifférent; *~ machen* émousser, épointer; user; *fig* émousser, hébéter, abrutir; *~ werden* s'émousser, s'épointer; s'user; s'abrutir; **S~** *m* ⟨-(e)s, ¨-e⟩ ['ʃtʏmpfə] tronçon *m; (Baum~)* souche *f; (Baum-, Zahn~)* chicot; *(e-s Körpergliedes)* moignon; *(Kerze)* bout; *math (Kegel~)* tronc *m; mit ~~ und Stiel ausrotten* couper à la racine; **S~feile** *f* lime *f* obtuse; **S~heit** *f (Unempfindlichkeit)* insensibilité; *(Abge~theit)* hébétude *f*, abrutissement *m; (Teilnahmslosigkeit)* léthargie, apathie; *(Gleichgültigkeit)* indifférence *f;* **S~nase** *f* nez *m* camus *od* camard *od* épaté *od* écrasé; **S~sinn** *m* hébétude *f*, abrutissement *m;* stupidité *f;* **~sinnig** *a* hébété, abruti; obtus, stupide; **~wink(e)lig,** *a math* obtusangle.

Stunde *f* ⟨-, -n⟩ ['ʃtundə] heure; *(Unterrichts~)* leçon, (heure de) classe *f*, cours *m; (Weg~)* heure de chemin, lieue *f; in elfter* od *letzter ~* au dernier moment; *in vorgerückter* od *zu später ~* à une heure avancée; *von Stund an* dès ce moment; *von ~ zu ~* d'une heure à l'autre, d'heure en heure; *zur ~* à l'heure actuelle, à l'heure qu'il est; *zur guten ~ (im rechten Augenblick)* au bon moment; *~n geben* donner des leçons, courir le cachet; *~n nehmen* prendre des leçons (*bei jdm* avec qn); *meine ~ hat geschlagen* mon heure a sonné *od* est venue; *abgesparte ~* heure *f* dérobée; *e-e geschlagene ~* une heure d'horloge; *e-e gute ~* une grande heure; *e-e halbe ~* une demi-heure; *e-e knappe, volle ~* une petite, grande heure; *e-e schwache ~* un moment de défaillance *od* de faiblesse.

stund|en ['ʃtundən] *tr: jdm e-e Zahlung ~~* accorder un délai de paiement à qn; **S~ung(sfrist)** *f* délai *od* sursis *m* de paiement.

Stunden|buch *n* ['ʃtundən-] *(rel, Kunst)* livre *m* d'heures, Heures *f pl;* **~durchschnitt** *m* moyenne *f* horaire *od* à l'heure; **~frau** *f* femme *f* de ménage (horaire); **~gebet** *n* heures *f pl* canoniales; **~geld** *n* honoraires *m pl;* **~geschwindigkeit** *f* vitesse *f* horaire; **~glas** *n (Sanduhr)* sablier *m;* **~kilometer** *m* kilomètre-heure *m;* **s~lang** *a* qui dure des heures; *adv* des heures durant *od* entières, durant des heures; **~lohn** *m* salaire *od* gain *m* horaire; **~plan** *m* emploi du temps, horaire *m;* **~satz** *m* taux *m* horaire; **~schlag** *m: mit dem ~~* à l'heure sonnante; **s~weise** *adv* à l'heure, par heure; **~zeiger** *m* aiguille des heures, petite aiguille *f*.

Stünd|lein *n* ['ʃtʏnt-] : *sein letztes ~~ hatte geschlagen* sa dernière heure était venue; **s~lich** *a* par heure; *tech* horaire; *adv* toutes les heures; *jdn ~~ erwarten* attendre qn d'une heure à l'autre.

Stundung *f* ['ʃtunduŋ] sursis *m* de paiement; moratoire *m*.

Stunk *m* ⟨-s, ø⟩ [ʃtuŋk] *fam (Krach, Zank)* grabuge *m; ~ machen* faire du grabuge *od* un esclandre; *(Streit anfangen)* chercher querelle *od* la bagarre.

Stupf *m* ⟨-(e)s, -e⟩ [ʃtupf] *dial (Stoß)* poussée *f*, coup; *fam* rampon(neau) *m;* **s~en** *tr dial = stupsen.*

stupid|(e) [ʃ-/stu'pi:t, -də] *a* stupide; **S~ität** *f* ⟨-, en⟩ [-pidi'tɛ:t] stupidité *f*.

Stups *m* ⟨-es, -e⟩ [ʃtups] *fam (Stoß)* rampon(neau) *m;* **s~en** *tr fam (stoßen)* pousser, cogner, choquer, heurter; **~nase** *f* nez *m* retroussé.

stur [ʃtu:r] *a fam (dickköpfig)* têtu, entêté; *(stumpfsinnig)* abruti; *(Sache)* abrutissant; *~e(r) Kerl m (Dickkopf)* tête *f* de mule; *~ sein (a.)* n'en faire qu'à sa tête; **S~heit** *f* ⟨-, ø⟩ entêtement; abrutissement *m*, stupidité *f*.

Sturm *m* ⟨-(e)s, ¨-e⟩ [ʃturm, 'ʃtʏrmə] *mete u. fig* tempête, tourmente; *(Windstoß)* bourrasque, rafale *f*, coup de vent; *(Gewitter, a. fig)* orage, ouragan; *mil* assaut *m; sport (Angriff)* attaque *f; fig (Toben)* tumulte, déchaînement *m*, explosion *f; gegen etw ~ laufen* donner l'assaut à qc; *~ läuten* sonner le tocsin *od* fig l'alarme; *im ~ nehmen* prendre d'assaut; *warten, bis der ~ vorüber ist (fig)* laisser passer l'orage; *ein ~ der Entrüstung erhob sich* ce fut un tollé général; *gewaltige(r) ~ (a.)* vent *m* à écorner les bœufs; *schwere(r) ~* tempête *f* violente; *~ der Entrüstung* explosion *f* d'indignation; *~ im Wasserglas (hum)* tempête *f* dans un verre d'eau; **~abteilung** *f mil* section *f d'assaut;* **~angriff** *m* assaut *m*, charge *f;* **~artillerie** *f* artillerie *f* d'assaut; **~band** *n* ⟨-(e)s, ¨-er⟩ mentonnière *f;* **~bock** *m mil hist* bélier *m;* **~boot** *n* canot *m* d'assaut; **~fahrt** *f (Panzer)* assaut *m;* **~flut** *f* marée *f* de tempête, raz *m* de marée; **s~frei** *a: ~~e Bude f (hum)* chambre *f* indépendante; **s~gepeitscht** *a* battu par la tempête; **~geschütz** *n* canon *m* d'assaut; **~glocke** *f* tocsin *m;* **~haube** *f mil hist (Helm ohne Visier)* bourguignotte *f;* **~hut** *m bot* aconit *m;* **~kompanie** *f* compagnie *f* d'assaut; **~laterne** *f* falot *m*, lanterne *od* lampe *f* tempête; **~leiter** *f* échelle *f* d'assaut; **s~reif** *a mil* mûr pour l'assaut; **~riemen** *m* jugulaire, mentonnière *f;* **~schäden** *m pl* dégâts *m pl* causés par la tempête; **~schritt** *m* pas *m* de charge; *im ~~ (a.)* tambour battant; **~vogel** *m* pétrel *m;* **~warnung** *f* avis *od* avertissement *m* de tempête; bourrasque, rafale *f*.

stürm|en ['ʃtʏrmən] *itr mete* souffler avec violence, faire rage, être déchaîné; *impers: es ~t* il fait de la tempête; *fig (Mensch)* s'élancer *od* se précipiter *od* fondre impétueusement *od* fougueusement (*auf* sur); *tr* *mil (angreifen)* assaillir, charger, donner l'assaut à; *(im Sturm nehmen)* prendre d'assaut; **S~er** *m* ‹-s, -› *sport* avant *m;* **~isch** *a mete* u. *fig* tempétueux, orageux; *(See)* démonté, agité, houleux; *fig* tumultueux, turbulent; impétueux, fougueux; *(heftig)* violent; *adv fig a.* à tout rompre; *(laut u. heftig)* à cor et à cri; *(leidenschaftlich)* avec effusion; *~~e(r) Beifall m* applaudissements *m pl* frénétiques; *nicht so ~~! (fam)* doucement!

Sturz *m* ‹-es, ¨-e› [ʃturts, 'ʃtʏrtsə] chute *a. fig;* culbute; *fig* dégringolade *f; (Zs.bruch)* écroulement; *(bes. Regierungs~)* effondrement, renversement *m; (Untergang)* ruine *f;* (*Tür-, Fenster~*) ‹-es, -e› linteau; *mot (Rad~)* dévers, carrossage *m; negativer ~* déport *m* négatif; **~acker** *m* champ *m* labouré; **~bach** *m* torrent *m;* **~bomber** *m aero* bombardier *m* en piqué; **~bühne** *f tech* pont *m* de décharge; **~flug** *m* vol *m od* descente *f* en piqué, (vol) piqué *m; e-n ~~ machen* piquer; *~~ in Spirale* piqué *m* en vrille; **~güter** *n pl com* marchandises *f pl* en vrac; **~helm** *m* casque *m* protecteur *od* de protection *od* de motocycliste; **~kampfangriff** *m* attaque *f* en piqué; **~kampfflugzeug** *n (Stuka)* avion *m* d'attaque *od* de bombardement en piqué; **~see** *f,* **~welle** *f* paquet *m* de mer.

Stürze *f* ‹-, -n› ['ʃtʏrtsə] *dial (Deckel)* couvercle *m.*

stürzen ['ʃtʏrtsən] *itr* ‹*ist gestürzt*› tomber (lourdement *od* brusquement), faire une chute, s'abattre; *(umgestoßen werden)* être renversé; *(ein~, zs.~)* s'effondrer, s'écrouler; *pop* ramasser une bûche *od* une pelle; *tr* jeter (à) bas *od* par terre, mettre à bas, faire tomber; *(umstoßen, umkippen)* renverser, culbuter; *(herab~)* précipiter (*von* de); *sich in etw ~* se précipiter, *fig* donner tête baissée *od* tête basse dans qc; *sich auf jdn, etw ~* se jeter *od* se précipiter *od* foncer *od* fondre sur qn, qc; *zu Boden ~ (itr)* tomber par terre; *vom Pferd ~* tomber du cheval; *sich in Schulden ~* s'endetter, s'obérer; *sich in sein Schwert ~* se jeter sur son épée; *sich in Unkosten ~* se mettre en frais *od* dans les dépenses; *jdn ins Verderben ~* perdre *od* ruiner qn; *nicht ~!* ne pas renverser *od* culbuter.

Stuß *m* ‹-sses, ø› [ʃtus] *fam (Quatsch)* foutaise *f,* non-sens *m.*

Stut|e *f* ‹-, -n› ['ʃtu:tə] jument, *poet* cavale *f;* **~fohlen** *n* pouliche *f.*

Stuten *m* ‹-s, -› ['ʃtu:tən] *dial (Gebäck)* pain *m* brioché.

Stutz *m* ‹-es, -e› [ʃtuts] *dial (Stoß)* poussée *f,* coup *m; auf den ~* tout à coup; **~bart** *m* barbe *f* rafraîchie; **s~en** ‹*aux: haben*› *tr (kürzen, (be-)schneiden)* raccourcir, écourter, couper; *(Hecke, Alleebaum)* tailler, tondre, ébarber; *(Haare, Bart)* rafraîchir; *(Ohren, Schwanz, Flügel)* rogner; *itr (überrascht e-e Bewegung* od *Tätigkeit unterbrechen)* être surpris, s'arrêter court, reculer de surprise; *(zögern)* hésiter; *(Tier a.)* dresser les oreilles; *jdm die Flügel ~~ (fig)* rogner les ailes à qn; **~en 1.** *n (Kürzen)* raccourcissement *m;* coupe; tonte *f; (Überraschung)* (mouvement *m* de) surprise; *(Zögern)* hésitation *f;* **~en 2.** *m* ‹-s, -› *(kurzes Gewehr)* carabine *f,* mousqueton *m; (Wadenstrumpf)* chaussette *f* tyrolienne; *tech (Ansatzrohr)* raccord *m* (de tuyauterie), tubulure *f,* embout *m;* **~er** *m* ‹-s, -› *(kurzer Mantel)* pardessus court; *(Geck, Prahler)* faraud, gandin, dandy *m;* **s~erhaft** *a* faraud, de gandin; *adv* en gandin; **~flügel** *m* piano *m* crapaud; **~glas** *n* verre *m* sans pied; **s~ig** *a: ~~ machen* surprendre; donner à réfléchir à; *(argwöhnisch machen)* porter ombrage à; *~~ werden* être surpris, prendre ombrage; **~schwanz** *m (Pferd)* queue *f* à l'anglaise; **~uhr** *f* pendule *f* de cheminée.

Stütz|apparat *m* ['ʃtʏts-] *med* appareil *m* de soutien; **~balken** *m* lambourde, jambe *f* de force; **~brücke** *f* pont *m* en arc; **~e** *f* ‹-, -n› *a fig* appui, soutien, support; *(Baum)* tuteur; *tech* étai, étançon *m; (~~ der Hausfrau)* aide *f* (ménagère); *jdm e-e ~~ sein (fig)* être l'appui de qn, servir d'appui à qn; *e-e ~~ der Gesellschaft* un soutien de la société; **s~en** *tr* appuyer, soutenir, supporter; *(Baum)* tuteurer; *tech* étayer, étançonner; *sich ~~ auf* s'appuyer sur; *fig a.* se baser sur; *jur* exciper de; *sich mit den Ellbogen auf den Tisch ~~* appuyer les coudes *od* s'accouder sur la table; **~en** *n* soutènement, étaiement, étayage, étançonnement *m;* **~lager** *n tech* crapaudine *f;* **~mauer** *f* mur de soutènement *od* de revêtement *od* de terrasse, gros mur, contre-mur *m;* **~pfeiler** *m* pilier *m* de soutien; **~preis** *m* prix *m* de soutien; **~punkt** *m mil* point *m* d'appui, base *f;* **~stange** *f* piquet *m;* **~ung** *f fin* soutien *m;* **~verband** *m med* bandage *m* de fixation; **~weite** *f (Brücke)* portée *f.*

Styrol *n* ‹-s, ø› [s-/ʃty'ro:l] *chem* styrène, styrolène *m.*

Suad|a *f,* **~e** *f* ‹-, -den› ['zua:da, -də] *(Redegewandtheit)* faconde; volubilité *f* (de langue).

subaltern [zupˀal'tɛrn] *a* subalterne; **S~beamte(r)** *m* fonctionnaire *m* subalterne; **S~offizier** *m* officier *m* subalterne.

Subdiakon ['zup-] *m rel* sous-diacre *m.*

Subjekt *n* ‹-(e)s, -e› [zup'jɛkt] *gram philos* sujet; *(Mensch)* individu *m; üble(s) ~* mauvais sujet, sale individu *m;* **s~iv** *a* subjectif; **~ivität** *f* ‹-, ø› [-tivi'tɛ:t] subjectivité *f.*

subkutan [zupku'ta:n] *a physiol med* sous-cutané, hypodermique.

sublim [zu'bli:m] *a (fein, erhaben)* sublime; **S~at** *n* ‹-(e)s, -e› [-bli'ma:t] *chem* sublimé *m;* **S~ation** *f* ‹-, -en› [-matsi'o:n] *chem* sublimation *f;* **~ieren** [-'mi:rən] *tr* sublimer; **S~ierung** *f chem u. fig* sublimation *f.*

submarin [zupma'ri:n] *a scient (unterseeisch)* sous-marin.

Submission *f* ‹-, -en› [zupmɪsi'o:n] *adm (Ausschreibung)* mise au concours; *(Angebot)* soumission; *(Vergebung)* adjudication *f;* **~sweg** *m: auf dem ~~e (adm)* par (voie de) soumission, par adjudication.

Submittent *m* ‹-en, -en› [zupmɪ'tɛnt] *(Bewerber um e-n Auftrag)* soumissionnaire *m.*

Subordin|ation *f* ‹-, -en› [zupˀɔrdinatsi'o:n] *gram (Unterordnung)* subordination *f;* **s~ieren** [-di'ni:rən] *tr* subordonner.

Subsidien [zup'zi:diən] *n pl (Hilfsgelder)* subsides *m pl.*

Subskri|bent *m* ‹-en, -en› [zupskri'bɛnt] *(Vorausbesteller e-s Buches)* souscripteur *m;* **s~bieren** [-'bi:rən] *itr* souscrire (*auf etw* à qc); **~ption** *f* ‹-, -en› [-ptsi'o:n] souscription *f;* **~ptionsliste** *f,* **~ptionspreis** *m* liste *f,* prix *m* de souscription.

substan|tiell [zupstantsi'ɛl] *a* substantiel; **S~tiv** *n* ‹-s, -e› [-'ti:f '---] *gram* nom *m;* **~tivieren** [-ti'vi:rən] *tr,* **~tivisch** [-'ti:vɪʃ] *adv: ~~ gebrauchen* employer substantivement; **S~z** *f* ‹-, -en› [-'stants] *philos allg* substance; *(Materie)* matière *f; von der ~~ leben* vivre sur le *od* entamer le capital; *lebende ~~ (biol)* matière *f* vivante; **S~zverlust** *m* perte *f* de substance.

substitu|ieren [zupstitu'i:rən] *tr (an die Stelle setzen)* substituer; **S~t** *m* ‹-en, -en› [-'tu:t] *(Stellvertreter)* substitut, remplaçant *m;* **S~tion** *f* ‹-, -en› [-tsi'o:n] substitution *f.*

subsumieren [zupzu'mi:rən] *tr (unterordnen)* subordonner; *philos* subsumer.

subtil [zup'ti:l] *a (fein, spitzfindig)* subtil; **S~ität** *f* ‹-, -en› [-tili'tɛ:t] subtilité *f.*

Subtra|hend *m* ‹-en, -en› [zuptra'hɛnt] *math* nombre *m* à soustraire; **s~hieren** [-'hi:rən] *tr (abziehen)* soustraire, faire la soustraction de; **~ktion** *f* ‹-, -en› [-traktsi'o:n] soustraction *f.*

subtropisch ['zup-, -'--] *a geog* subtropical.

Subvention *f* ‹-, -en› [zupvɛntsi'o:n] *adm* subvention *f;* **s~ieren** [-tsio'ni:rən] *tr* subventionner.

Such|aktion *f* ['zu:x-] recherches *f pl;* **~antenne** *f* antenne *f* chercheuse; **~anzeige** *f* avis *m* de recherche; **~dienst** *m* service *m* de recherches *od* d'investigation; **~e** *f* ‹-, (-n)› recherche, quête *f; auf der ~~ nach* à la recherche de, en quête de; *auf die ~~ gehen* se mettre à la recherche *od* en quête (*nach* de), aller à la recherche *od* à la découverte (*nach* de); aller quêter (*nach etw* qc); **s~en** *tr* chercher; *(forschen nach, begehren)* rechercher; *(verlangen, fragen nach)* rechercher, demander (*nach jdm* qn); *(ver~~)* essayer, tâter (*etw zu tun* de faire qc); *(Minen)* détecter; *hinten und vorn* od *überall ~~* chercher par monts et par vaux; *bei jdm Rat ~~* demander conseil à qn; *Streit* od *Händel mit jdm* ~~ chercher querelle à qn; *das Weite* ~~ gagner le large; *er* ~*t (hat nicht) seinesgleichen* il n'a pas son pareil; *für sofort ge*~*t... (Stellenanzeige)* on demande tout de suite ...; ~! *(Jagdruf)* cherche! hourvari! ~**er** *m* ‹-s, -› *(Mensch)* chercheur; *phot* viseur *m;* = ~*scheinwerfer;* ~**gerät** *n* détecteur *m;* ~**kartei** *f* fichier *m* (des personnes, des mots *etc* recherché(e)s; ~**scheinwerfer** *m* phare-chercheur, phare *m* orientable.

Sucht *f* ‹-, ⁻e› [zuxt, ˈzʏçtə] manie, rage, passion; *(nach Rauschgift)* toxicomanie *f.*

süchtig [ˈzʏçtɪç] *a (rauschgift~)* toxicomane; *(alkohol~, tabak~)* esclave (de l'alcool, du tabac); **S~e(r)** *m* toxicomane *m;* **S~keit** *f* ‹-, ø› toxicomanie *f.*

suckeln [ˈzukəln] *itr dial (saugen)* sucer.

Sud *m* ‹-(e)s, -e› [zu:t] *(Sieden)* décoction *f; (Brauerei)* brassage *m;* ~**haus** *n (Brauerei)* salle *f* de brassage.

Süd *m* ‹-s, ø› [zy:t] sud, midi *m;* ‹-(e)s, (-e)› = ~*wind;* ~**afrika** *n* l'Afrique *f* du Sud; ~**afrikaner(in** *f***)** *m* Sud-Africain, e *m f;* **s~afrikanisch** *a* sud-africain; *die S~~e Union* l'Union *f* sud-africaine; ~**amerika** *n* l'Amérique *f* du Sud; ~**amerikaner(in** *f***)** *m* Sud-Américain, e *m f;* **s~amerikanisch** *a* sud-américain, de l'Amérique du Sud; ~**asien** *f* l'Asie *f* du Sud; **s~deutsch** *a* de l'Allemagne du Sud; ~**deutsche(r** *m***)** *f* Allemand, e *m f* du Sud; ~**deutschland** *n* l'Allemagne *f* du Sud; ~**en** *m* ‹-s, ø› [ˈ-dən] sud, midi *m; im* ~~ au sud; *(mit der Front) nach* ~~ *bauen* exposer au sud; *nach dem* ~~ vers le sud; ~**england** *n* l'Angleterre *f* méridionale; ~**frankreich** *n* la France méridionale, le midi de la France, le Midi; ~**franzose** *m,* ~**französin** *f* Méridional, e *m f; pl a.* gens *pl* du Midi; **s~französisch** *a* méridional, du midi de la France; ~**früchte** *f pl* fruits *m pl* du midi; ~**halbkugel** *f* hémisphère *m* austral; ~**hang** *m* versant *m* méridional; ~**lage** *f* exposition *f* au sud *od* midi; ~**länder(in** *f***)** *m* méridional, e *m f;* **s~ländisch** *a* méridional, du midi; **s~lich** [ˈ-tlɪç] *a* méridional, austral; du sud, du midi; *prp* au sud (*gen* de); *in* ~~*er Richtung* vers le midi *od* le sud; *das S~~e Kreuz (astr)* la Croix du Sud; ~**licht** *n* aurore *f* australe; ~**ostasien** *n* l'Asie *f* du-Sud-Est; ~**ost(en)** *m* sud-est *m;* **s~östlich** *a* sud-est; *prp* au sud-est (*gen* de); ~**pol** *m* pôle *m* sud *od* austral *od* antarctique; ~**polargebiet,** *das* les régions *f pl* polaires australes; ~**polarmeer,** *das* l'océan *m* Antarctique; ~**see,** *die* l'océan Pacifique, le Pacifique *m;* ~**seite** *f: mit* ~~ *(Haus, Wohnung)* exposé au soleil; ~**staaten,** *die m pl (der USA)* les États *m pl* du sud; ~**staatler** *m (USA)* sudiste *m;* ~**tirol** *n* le Tyrol du Sud; **s~wärts** *adv* vers le sud; ~**west(en)** *m* sud-ouest *m;* ~**wester** *m (Hut),* ~**westwind** *m* suroît *m;* **s~westlich** *a* sud-ouest; *prp* au sud-ouest (*gen* de); ~**wind** *m* vent *m* du sud *od* du midi.

Sudan [zuˈda:n/ˈzu:dan], *der* le Soudan; ~**ese** *m* ‹-n, -n› [zudaˈne:zə], ~**esin** *f* Soudanais, e *m f;* **s~esisch** [-ˈne:zɪʃ] *a* soudanais.

Sud|elei *f* ‹-, -en› [zu:dəˈlaɪ] *fam (Schmiererei)* barbouillage, gribouillage; *(Pfuscherei)* bousillage *m;* ~**(e)ler** *m* ‹-s, -› [ˈzu:d(ə)lər] *fam (Schmierfink)* barbouilleur; *(Pfuscher)* bousilleur, barbouillon *m;* **s~(e)lig** *a fam (geschmiert)* gribouillé; *(gepfuscht)* bousillé, bâclé, gâché; *pop* salopé; **s~eln** *tr* u. *itr fam (schmieren)* barbouiller, gribouiller, *(kritzeln)* griffonner; *(pfuschen)* bousiller, bâcler, gâcher.

Sudeten [zuˈde:tən] , *die pl (Gebirge)* les Sudètes *m pl;* **s~deutsch** *a* des (Allemands des) Sudètes; ~**deutsche(r** *m***)** *f* Allemand, e *m f* des Sudètes.

Suff *m* ‹-s, ø› [zuf] *pop* ivrognerie *f; sich dem stillen* ~ *ergeben* s'adonner à la boisson en cachette.

Süff|el *m* ‹-s, -› [ˈzʏfəl] *dial (Säufer)* pochard, soûlard, riboteur *m;* **s~eln** *(ich süff(e)le, du süffelst...) tr* u. *itr fam (gern trinken)* chopiner, pinter, picoler; *pop* licher; **s~ig** *a fam (Wein: gut trinkbar)* moelleux, gouleyant.

Suffix *n* ‹-es, -e› [zuˈfɪks] *gram* suffixe *m;* ~**bildung** *f* suffixation *f.*

Suffrag|an *m* ‹-s, -e› [zufraˈga:n] *rel* suffragant *m;* ~**ette** *f* ‹-, -n› [-ˈgɛtə] *pol* suffragette *f.*

sugge|rieren [zugeˈri:rən] *tr* suggérer; **S~stion** *f* ‹-, -en› [-gɛstiˈo:n] suggestion *f;* ~**stiv** [-ˈti:f] *a* suggestif; **S~~frage** *f* question *f* orientée.

Suhle *f* ‹-, -n› [ˈzu:lə] *(Schlammloch)* bauge *f;* **s~n,** *sich* se vautrer.

Sühn|e *f* ‹-, -n› [zy:nə] *rel* expiation; *allg* réparation; *jur* conciliation *f;* ~**ealtar** *m* autel *m* expiatoire; ~**emaßnahme** *f pol* sanction *f;* **s~en** *tr* expier; réparer; ~**erichter** *m* juge *m* conciliateur; ~**etermin** *m jur* audience *f* de conciliation; ~**everfahren** *n jur* procédure *f od* préliminaires *m pl* de conciliation; ~**eversuch** *m jur* tentative *f* de conciliation; ~**opfer** *n* sacrifice expiatoire *od* de propitiation; ~**ung** *f* = ~*e.*

Sukkade *f* ‹-, -n› [zuˈka:də] fruits *m pl* confits.

sukzessiv [zuktsɛˈsi:f, -və] *a (allmählich)* successif; ~**(e)** *adv* successivement.

Sulf|at *n* ‹-(e)s, -e› [zulˈfa:t] *chem* sulfate *m;* ~**id** *n* ‹-(e)s, -e› [-ˈfi:t, -idə] sulfure *m;* ~**it** *n* ‹-s, -e› [-ˈfi:t/-ˈfɪt] sulfite *m;* ~**onamid** *n* ‹-(e)s, -e› [-fonaˈmi:t, -də] *pharm* sulfamide *m.*

Sultan *m* ‹-s, -e› [ˈzulta:n] sultan *m;* ~**at** *n* ‹-(e)s, -e› [-taˈna:t] *(~swürde, ~sherrschaft)* sultanat *m;* ~**in** *f* [zulˈta:nɪn, ˈzultanɪn] sultane *f;* ~**inen** *f pl* [-taˈni:nən] *(Rosinen)* raisins *m pl* de Smyrne.

Sülz|e *f* ‹-, -n› [ˈzʏltsə] fromage *m* de tête; ~**kotelett** *n* côtelette *f* en gelée.

Summ|and *m* ‹-en, -en› [zuˈmant, -dən] *math* terme *m* (d'une somme); **s~arisch** [-ˈma:rɪʃ] *a* sommaire; ~~*es Verfahren n jur* procédure *f* accélérée; ~**e** *f* ‹-, -n› [ˈzumə] somme *f,* total; *fig a.* ensemble *m; e-e hübsche* od *schöne* ~~ *(Geldes)* une belle somme d'argent; *e-e runde* ~~ un compte rond; ~**enbilanz** *f* balance *f* en capitaux; ~**endrucker** *m (Gerät)* totalisatrice *f;* ~**enkurve** *f (Statistik)* courbe *f* des fréquences cumulées; ~**entabelle** *f (Statistik)* table *f* des fréquences cumulées; ~**enverteilung** *f* distribution *f* d'une somme de variables; **s~ieren** [-ˈmi:rən] *tr* faire la somme *od* l'addition *od* le total de, additionner, totaliser; *sich* ~~ s'additionner, s'accumuler; ~**ierung** *f* addition, accumulation, totalisation *f.*

Sümmchen *n* ‹-s, -› [ˈzʏmçən] petite somme *f; ein hübsches* ~ une coquette somme.

summ|en [ˈzumən] *itr (Insekt)* bourdonner; *tr (ein Lied)* fredonner; **S~en** *n* bourdonnement *m;* **S~er** *m* ‹-s, -› *tech* vibrateur; *tech arg* ronfleur *m;* **S~erton** *m,* **S~erzeichen** *n* signal *m* de tonalité.

Sumpf *m* ‹-(e)s, ⁻e› [zumpf, ˈzʏmpfə] marais, marécage, bourbier *m; fig* bas-fonds *m pl; tech* puisard *m; in e-n* ~ *geraten* se mettre dans un bourbier; ~**boden** *m* sol *m* marécageux; ~**bussard** *m orn* harpaye *f;* ~**dotterblume** *f* populage des marais; *pop* bouton *m* d'or; **s~en** *itr fam (bummeln)* vadrouiller; ~**fieber** *n* fièvre *f* paludéenne *od* des marais, paludisme *m;* ~**gas** *n* gaz des marais; méthane *m;* ~**huhn** *n* porzane; *pop* marouette *f; fig pej* noceur *m;* **s~ig** *a* marécageux, bourbeux; ~**otter** *m zoo (Nerz)* vison *m;* ~**pflanze** *f* plante *f* des marais.

Sums *m* ‹-es, ø› [zums, -zəs] *(großen)* ~ *machen (fam)* faire du *od* des chichi(s).

Sund *m* ‹-(e)s, -e› [zunt, -də] *(Meerenge)* détroit *m.*

Sundainseln [ˈzunda-], *die f pl* les îles *f pl* de la Sonde.

Sünd|e *f* ‹-, -n› [ˈzʏndə] péché *m,* iniquité *f; e-e* ~~ *begehen* commettre un péché, tomber dans le péché; *kleine* ~~ peccadille *f; läßliche* ~~ péché *m* véniel; ~**enbekenntnis** *n* confession *f* des péchés; ~**enbock** *m rel u. fig* bouc émissaire; *fig a.* souffre-douleur *m; jdn zum* ~~ *machen* mettre tout sur le dos de qn; *der* ~~ *sein (a. fam)* écoper; ~**enfall** *m* chute *f;* ~**engeld** *n* argent *m* fou; ~**enlast** *f* poids *m* de péchés; **s~(en)los** *a* impeccable; ~**(en)losigkeit** *f* ‹-, ø› impeccabilité *f;* ~**enpfuhl** *m* bourbier *m* du vice; ~**enregister** *n: jdm sein* ~~ *vorhalten* reprocher à qn les fautes qu'il a commises; ~**envergebung** *f* rémission (des péchés), absolution *f;* ~**er(in** *f***)** *m* ‹-s, -› pécheur, eresse *m f; alter, verstockte(r)* ~~ pécheur *m* invétéré, impénitent; ~**flut** *f* [ˈzʏnt-] *pop* =

Sintflut; **s~haft** *a,* **s~ig** *a* pécheur; **~haftigkeit** *f* peccabilité *f,* penchant *m* au péché; **s~igen** *itr* pécher, commettre un péché *od* une faute; *fam (übertreibend)* commettre son péché mignon; *an jdm ~~* se rendre coupable envers qn.

Super *m* ‹-s, -› ['zu:pər] *radio = ~het;* **~benzin** *n* supercarburant; *fam* super *m;* **~bombe** *f* superbombe, bombe *f* géante; **s~fein** *a* superfin; **~festung** *f aero* superforteresse *f;* **~het(erodynempfänger)** *m* ‹-s, -s› ['zu:pərhɛt] *radio* récepteur *m* superhétérodyne *od* à changement de fréquence; **~intendent** *m rel* surintendant; *(in Frankr.)* inspecteur *m* ecclésiastique; **~kargo** *m mar* subrécargue *m;* **s~klug** *a (überklug)* très fin; **~lativ** *m* ‹-s, -e› ['zu:-/zupɛrla'ti:f] *gram* superlatif *m;* **~mark(e)t** *m* supermarché *m;* **~numerar** *m adm* surnuméraire *m;* **~oxyd** *n chem* peroxyde *m;* **~phosphat** *n* superphosphate *m.*

Süppchen *n* ['zʏpçən]: *sein ~ am Feuer anderer kochen (fig)* se procurer des avantages sur le dos des autres.

Suppe *f* ‹-, -n› ['zupə] *(als einfache Hauptmahlzeit, Eintopf)* soupe *f; (feinere als Vorgericht)* potage *m; die ~ auslöffeln (fig fam)* payer les pots cassés; *die ~ einbrocken* tremper la soupe; *ein Haar in der ~ finden (fig)* trouver qc à redire; *jdm die ~ versalzen (fig)* gâter le plaisir à qn; *du hast dir die ~ selbst eingebrockt (fig: du bist selbst schuld)* c'est ta (propre) faute; *dünne ~* potage *m* aveugle; *fette ~* potage *od* bouillon *m* gras; *klare ~* bouillon *m; legierte ~* (potage *m* à la) crème *f;* **~nfleisch** *n* (bœuf pour le) pot-au-feu; *(zubereitet)* pot-au-feu, bœuf *m* bouilli; **~ngrün** *n* ‹-s, ø› **~nkraut** *n* herbes *f pl* potagères; **~nhuhn** *n* poule *f* à bouillir; **~nkelle** *f* louche (à potage), cuiller *od* cuillère *f* à pot *od* à puiser; **~nlöffel** *m* cuiller *f* à soupe; **~nnudeln** *f pl* nouillettes *f pl;* **~nschüssel** *f,* **~nterrine** *f* soupière *f;* **~nteller** *m* assiette *f* creuse *od* à soupe; **~nwürfel** *m* cube *m* à potage; **suppig** *a* presque liquide.

Supplement *n* ‹-(e)s, -e› [zuple'mɛnt] *(Ergänzung)* supplément *m; a.* **~band** *m (Buch)* (volume) supplément(aire) *m.*

Suppositorium *n* ‹-s, -rien› [zupozi'to:rium, -riən] *med* suppositoire *m.*

Supraporte *f* [zupra'pɔrtə] = *Sopraporte.*

Supremat *m* od *n* ‹-(e)s, -e› [zupre'ma:t], **~ie** *f* ‹-, -n› [-ma'ti:] *(Obergewalt)* suprématie *f.*

Surreal|ismus *m* [zʏr-, zur-] *(Kunst, Literatur)* surréalisme *m;* **~ist** *m* surréaliste *m;* **s~istisch** *a* surréaliste.

surren ['zurən] *itr allg* ronfler; *mot* vrombir; **S~** *n* ronflement, vrombissement *m.*

Surrogat *n* ‹-(e)s, -e› [zuro'ga:t] *(Ersatz)* produit de remplacement, succédané *m;* **~ion** *f jur* subrogation, substitution *f.*

suspen|dieren [zuspɛn'di:rən] *tr (des Amtes entheben)* suspendre (de ses fonctions); **S~dierung** *f,* **S~sion** *f* ‹-, -en› [-zi'o:n] suspension *f;* **~siv** *a* suspensif; **S~sorium** *n* ‹-s, -rien› [-'zo:rium, -riən] *med* suspensoir *m.*

süß [zy:s] *a (von Natur)* doux; *(mit Zucker zubereitet* od *bestreut)* sucré; *fig (lieblich, angenehm)* doux, suave, agréable, flatteur; *(niedlich, reizend)* joli, mignon, charmant, *fam* jojo; *pej* doucereux; *~ duften* sentir bon; *~ klingen* flatter l'oreille; *~ machen = süßen; ~ schmecken* être doux; avoir un goût sucré; *träume ~!* fais de beaux rêves; *widerlich ~* doucereux; **S~e** *f* ‹-, ø› *a. fig* douceur; *fig* suavité *f;* **S~e(r)** *m (Likör)* doux *m;* **~en** *tr* sucrer; mettre du sucre dans; *chem pharm* dulcifier; *pharm* édulcorer; **S~holz** *n* réglisse *f; ~~ raspeln (fig)* conter fleurette; **S~holzraspler** *m fig* conteur *m* de fleurettes; **S~igkeit** *f (Süße)* douceur *f; meist pl (Schleckereien)* douceurs, sucreries, friandises *f pl,* chatterie *f;* **S~kirsche** *f (Frucht)* guigne *f; (Baum)* guignier *m;* **S~klee** *m* sainfoin *m;* **~lich** *a (widerlich ~)* doucereux *a. fig; fig* douceâtre, mielleux; **S~lichkeit** *f* ‹-, ø› caractère *m* doucereux *od* douceâtre; **S~most** *m* cidre *m* doux; **~-sauer** *a* aigre-doux; **S~speise** *f* entremets (sucré); *(Nachtisch)* dessert *m;* **S~stoff** *m* saccharine *f;* **S~ungsmittel** *n (chem, Nahrungsmittelindustrie)* édulcorant *m;* **S~waren** *f pl,* **S~warengeschäft** *n,* **S~warenhandlung** *f* confiserie *f;* **S~wasser** *n* ‹-s, -› eau *f* couce; **S~wasserfisch** *m* poisson *m* d'eau douce; **S~wein** *m* vin *m* doux *od* de liqueur; *französische(r) ~~* grenache *m.*

Sutane *f* ‹-, -n› [zu'ta:nə] = *Soutane.*

Sweater *m* ‹-s, -› ['sve:tər] sweater, chandail *m.*

Syllogismus *m* ‹-, -men› [zʏlo'gɪsmus] *philos* syllogisme *m.*

Sylph|e *m* ‹-n, -n› ['zʏlfə] *(Luftgeist)* sylphe *m;* **~ide** *f* ‹-, -n› [-'fi:də] *(weibl. Luftgeist)* sylphide *f.*

Sylvester [zʏl'vɛstər] = *Silvester.*

Symbio|nt *m* ‹-en, -en› [zʏmbi'ɔnt] *(Partner e-r ~se)* symbiote *m;* **s~tisch** [-bi'ɔntɪʃ] *a (in ~se lebend)* symbiotique; **~se** *f* ‹-, -n› [-bi'o:zə] *biol* symbiose *f.*

Symbol *n* ‹-s, -e› [zʏm'bo:l] symbole *m;* **s~haft** *a = s~isch;* **~ik** *f* ‹-, ø› [-'bo:lɪk] caractère *m* symbolique; *rel* symbolique *f;* **s~isch** [-'bo:lɪʃ] *a* symbolique; **s~isieren** [-boli'zi:rən] *tr* symboliser; **~isierung** *f* symbolisation *f;* **~ismus** *m* ‹-, ø› [-'lɪsmus] *lit* symbolisme *m.*

Symmetr|ie *f* ‹-, -n› [zʏme'tri:] symétrie *f;* **~ieachse** *f* axe *m* de symétrie; **s~isch** [-'me:trɪʃ] *a* symétrique.

sympath|etisch [zʏmpa'te:tɪʃ] *a (geheimkräftig)* sympathique; **S~ie** *f* ‹-, -n› [-pa'ti:] sympathie *f;* **S~iekundgebung** *f pol* témoignage *m* de sympathie; **S~iestreik** *m* grève *f* de sympathie *od* de solidarité; **S~ikus** *m* [-'pa:tikus] *anat* grand sympathique *m;* **~isch** [-'pa:tɪʃ] *a, a. anat* sympathique; *~~ aussehen (fam a.)* avoir une bonne gueule; *ein ~~es Wesen haben* faire naître la sympathie; *~~e(s) Nervensystem n (anat)* système nerveux sympathique, (nerf) grand sympathique *m;* **~isieren** [-pati'zi:rən] *itr* sympathiser; **S~isierende(r)** *m pol* sympathisant *m.*

Symphonie *f* ‹-, -n› [zʏmfo'ni:] *etc = Sinfonie etc.*

Symposi|on *n* ‹-s, -sien›, **~um** *n* ‹-s, -sien› [zʏm'po:ziɔn, -zium, -ziən] *(mod. wissenschaftl. Tagung)* table *f* ronde.

Symptom *n* ‹-s, -e› [zʏmp'to:m] *a. med* symptôme; *allg a.* signe *m;* **s~atisch** [-to'ma:tɪʃ] *a* symptomatique.

Synagoge *f* ‹-, -n› [zyna'go:gə] *rel arch* synagogue *f.*

Synästhesie *f* ‹-, -n› [zynɛs-/zʏnˀɛste'zi:] *physiol* synesthésie *f.*

synchron [zʏn'kro:n] *a (gleichzeitig)* synchronique; *(gleichlaufend)* synchrone; **S~getriebe** *n mot* boîte *f* de vitesses synchromesh; **S~isation** *f* ‹-, -en› [-kronizatsi'o:n] , **S~isierung** *f* synchronisation *f; film a.* doublage *m;* **S~isator** *m* ‹-s, -en› [-ni'za:tɔr, -'to:rən] *film (Gerät)* synchroniseuse *f;* **~isieren** [-ni'zi:rən] *tr* synchroniser; *film a.* doubler; **S~ismus** *m* ‹-, -men› [-'nɪsmus] *(Gleichzeitigkeit, -lauf)* synchronisme *m;* **S~motor** *m* moteur *m* synchrone.

Synchrotron *n* ‹-s, -e/(-s)› [-kro'tro:n] *phys (Beschleuniger für Elementarteilchen)* synchrotron *m.*

Syndik|alismus *m* ‹-, ø› [zʏndika'lɪsmus] *pol* syndicalisme *m;* **~alist** *m* ‹-en, -en› [-'lɪst] syndicaliste *m;* **~at** *n* ‹-(e)s, -e› [-'ka:t] *com* syndicat; *(Verkaufskartelle)* cartel, groupe *m; in e-m ~~ zs.fassen* syndiquer; *sich zu e-m ~~ zs.schließen* se syndiquer; **~us** *m* ‹-, -sse/-dizi› ['zʏndikus, -ditsi] *(angestellter Rechtsbeistand e-r Körperschaft)* syndic *m.*

Syndrom *n* ‹-s, -e› [zʏn'dro:m] *med* syndrome *m.*

Synergist *m* ‹-en, -en› [zʏnɛr-/zʏnˀɛr'gɪst] *anat* muscle *m* congénère.

Synkop|e *f* ‹-, -n› *gram med* ['zʏnkopə(n)], *mus* [sʏn'ko:pə(n)] syncope *f;* **s~ieren** [-ko'pi:rən] *tr* syncoper.

Synkretismus *m* ‹-, ø› [zʏnkre'tɪsmus] *rel hist* syncrétisme *m.*

synod|al [zyno'da:l] *a rel* synodal; **S~alverfassung** *f rel* constitution *f* synodale; **S~e** *f* ‹-, -n› [-'no:də] synode *m;* **~isch** [-'no:dɪʃ] *a = ~al.*

synonym [zyno'ny:m] *a (sinnverwandt)* synonym(iqu)e; **S~** *n* ‹-s, -e› *(sinnverwandtes Wort)* synonyme *m;* **S~enwörterbuch** *n* dictionnaire *m* des synonymes.

Synop|se *f* ⟨-, -n⟩ **~sis** *f* ⟨-, -psen⟩ [zy'nɔpsə, -sɪs] *(Zs.fassung, Übersicht)* résumé, tableau *m* synoptique; **~tiker** *m pl* [-'nɔptikər] *rel (d. synopt. Evangelien)* les Evangiles *m pl* synoptiques; **s~tisch** [-'nɔptɪʃ] *a (übersichtlich angeordnet)* synoptique.

Syntagma [zyn'takma] *n* ⟨-s, -men/ -mata⟩ *gram* syntagme.

synta|ktisch [zʏn'taktɪʃ] *a gram* syntaxique; **S~x** *f* ⟨-, -en⟩ ['zyntaks] *(Satzlehre)* syntaxe *f.*

Synthe|se *f* ⟨-, -n⟩ [zʏn'te:zə] *philos chem allg* synthèse *f;* **s~tisch** [-'te:tɪʃ] *a (zs.setzend; chem tech: künstl. hergestellt)* synthétique; **~~ *herstellen*** synthétiser.

Syphil|is *f* ⟨-, ø⟩ ['zʏ:filis] *med* syphilis; *pop* (grosse) vérole *f;* **~itiker** *m* ⟨-s, -⟩ [zyfi'li:tikər] syphilitique; *pop* vérolé *m;* **s~itisch** [-'li:tɪʃ] *a* syphilitique; *pop* vérolé.

Syr|er(in *f*), ~ier(in *f*) *m* ⟨-s, -⟩ ['zy:r(i)ər] Syrien, ne *m f;* **~ien** ['zy:riən] *n* la Syrie; **s~isch** ['zy:rɪʃ] *a* syrien.

Syringe *f* ⟨-, -n⟩ [zy'rɪŋə] *bot (Flieder)* lilas *m.*

System *n* ⟨-s, -e⟩ [zʏs'te:m] système *m,* classification *f,* régime *m; in ein ~ bringen* systématisier; **~analytiker** *m* analyste *m;* **~atik** *f* ⟨-, -en⟩ [-te'ma:tɪk] systématique; taxonomie, taxinomie *f;* **~atiker** *m* ⟨-s, -⟩ [-'ma:tikər] homme *od* esprit *m* systématique; **s~atisch** [-'ma:tɪʃ] *a* systématique, raisonné; *~~ ausbeuten (a.)* mettre en coupe réglée; **s~atisieren** [-mati'zi:rən] *tr* systématiser; **~atisierung** *f* systématisation *f;* **s~los** *a* sans système.

Szen|ar *n* ⟨-s, -e⟩ [stse'na:r] *theat film (Bühnenanweisungen, Drehbuch)* scénario *m;* **~e** *f* ⟨-, -n⟩ ['stse:nə] *theat allg* scène; *film* séquence *f; hinter der ~~ (fig)* dans la coulisse; *jdm e-e ~~ machen (fig)* faire une scène *od* un esclandre à qn; *in ~~ setzen (theat u. fig)* mettre en scène; *fig* orchestrer; *ländliche* od *groteske ~~ (Kunst)* bambochade *f;* **~enbeleuchtung** *f film* éclairage *m* de la scène; **~enwechsel** *m* changement *m* de décor; *~~ auf offener Bühne* changement *m* à vue; **~erie** *f* ⟨-, -n⟩ [stsenə'ri:] *theat* décors *m pl;* **s~isch** ['stse:nɪʃ] *a* scénique.

T

T, t *n* ‹-, -› [te:] *(Buchstabe)* T, t *m;* **T-Eisen** *n tech* (fer en) T *od* té *m;* **T-förmig** *a* en T *od* té.

Tabak *m* ‹-s, -e› ['ta(:)bak/ta'bak] tabac *m;* ~ *kauen, rauchen, schnupfen* chiquer, fumer, priser du tabac; *das ist starker* ~ od *Tobak (fig fam)* c'est un peu fort; **~bau** *m* culture *f* du tabac; **t~braun** *a* tabac; **~brühe** *f* sauce *f* du tabac; **~geschäft** *n,* **~laden** *m* bureau *od* débit *m* de tabac; **~handel** *m* commerce *m* du tabac; **~händler** *m* marchand *od* débitant *m* de tabac; **~manufaktur** *f* manufacture *f* de tabac; **~monopol** *n* monopole *m* du *od* des tabac(s); **~pflanze** *f* (pied de) tabac *m;* **~pflanzer** *m* planteur *m* de tabac; **~pflanzung** *f* plantation *f* de tabac; **~qualm** *m* nuage *m* de tabac; **~regie** *f* régie *f* des tabacs; **~sbeutel** *m* blague *f;* **~sdose** *f* tabatière *f;* **~spfeife** *f* pipe; *fam* bouffarde *f;* **~steuer** *f* impôt *m* sur le(s) tabac(s); **~waren** *f pl* tabac(s *pl*) *m.*

tabell|arisch [tabɛ'la:rɪʃ] *a,* **T~enform** *f: in* ~~, **~enförmig** *a* sous forme de tableau; **T~e** *f* ‹-, -n› [-'bɛlə] tableau *m,* table *f;* **T~iermaschine** *f* [-bɛ'li:r-] tabulatrice *f.*

Tabernakel *n, a. m* ‹-s, -› [tabɛr'na:kəl] , *rel* tabernacle *m.*

Tablett *n* ‹-(e)s, -s/(-e)› [ta'blɛt] plateau *m;* **~e** *f* ‹-, -n› *pharm* comprimé *m.*

tabu ['ta:bu/ta'bu:] *a pred* tabou; **T~** *n* ‹-s, -s› *rel u. fig* tabou *m.*

Tabul|a rasa *f* ‹-, ø› ['ta:bula 'ra:za] table *f* rase; **~ator** *m* ‹-s, -en› [tabu'la:tɔr, -'to:rən] *(Spaltensteller d. Schreibmaschine)* tabulateur *m.*

Tach|ograph *m,* **~ygraph** *m* ‹-en, -en› [taxo-, taxy'gra:f] *(selbstschreibendes ~ometer)* tachygraphe *m;* **~ometer** *m, a. n* ‹-s, -› [-xo'me:tər] tachymètre; *mot a.* compteur *m* de vitesse; **~ykardie** *f* ‹-, ø› [-xykar'di:] *med (Herzbeschleunigung)* tachycardie *f.*

Tadel *m* ‹-s, -› ['ta:dəl] blâme *m,* réprimande, réprobation, admonestation *f; (Vorwurf)* reproche *m; (Mißbilligung)* désapprobation; *(Kritik)* critique, censure; *(in der Schule)* mauvaise note *f,* mauvais point *m; ohne* ~, **t~frei** *a (einwandfrei)* sans défaut; irréprochable, impeccable; **t~haft** *a* = *t~nswert;* **t~los** *a* irréprochable, impeccable; *(einwandfrei)* sans défaut; *(vollkommen)* parfait; ~~ *sitzen (Kleidung, a.)* ne pas faire un pli, aller comme un gant; **t~n** ‹*ich tad(e)le, du tadelst ..*› *tr* blâmer, réprimander, réprouver, reprendre; *(mißbilligen)* désapprouver; *(kritisieren)* critiquer, censurer; **t~nswert** *a,* **t~nswürdig** *a* blâmable, répréhensible; critiquable, censurable; **~santrag** *m parl* motion *f* de censure; **~sucht** *f* manie *f* de tout critiquer; **t~süchtig** *a* porté à la critique; **Tadler** *m* ‹-s, -› [-dlər] critiqueur, censeur *m.*

Tafel *f* ‹-, -n› ['ta:fəl] *(Platte)* plaque *f; (große)* tableau; *(kleine, a. Schokolade)* tablette; *(dünne)* feuille; *(Eßtisch)* table *f; (Anschlagbrett)* tableau noir; *(beschriftete* ~, *Schild)* écriteau *m; (Buch: Abbildung außer dem Text)* planche *f,* hors-texte *m; (Übersicht, übersichtl. angeordneter Text)* table *f; die* ~ *aufheben* lever la table; *offene* ~ *halten* tenir table ouverte; **~apfel** *m* pomme *f* à couteau; **~aufsatz** *m* surtout *m* (de table); **~bild** *n (Kunst)* tableau *m;* **~butter** *f* beurre *m* de table; **~druck** *m hist* impression *f* tabellaire; **t~förmig** *a* en plaque, en tableau, en tablette; **~freuden** *f pl* plaisirs *m pl* de la table; **~garnitur** *f (Tischtuch u. Servietten)* service *m* de table; **~geschirr** *n* service *m* de table; **~land** *n geog* plateau *m;* **~malerei** *f* peinture *f* de chevalet; **t~n** *itr (speisen)* être à table; banqueter; **~obst** *n* fruits *m pl* de table *od* de dessert; **~öl** *n* huile *f* de table; **~runde** *f* tablée; *(e-s Herrschers)* table *f* ronde; **~silber** *n* argenterie *f;* **~tuch** *n* nappe *f;* **~waage** *f* balance *f* à plateaux; **~wein** *m* vin *m* de table.

täfel|n ‹*ich täf(e)le, du täfelst ..*› ['tɛ:fəln] *tr arch* lambrisser; *(nur mit Holztafeln)* boiser; **T~ung** *f* lambrissage *m;* boiserie *f.*

Taft *m* ‹-(e)s, -e› [taft] *(Textil)* taffetas *m.*

Tag *m* ‹-(e)s, -e› [ta:k, -gə] *(als Zeiteinheit u.* ~*eslicht)* jour *m; (in s-m Verlauf, mit Bezug auf s-n Inhalt)* journée *f; (~ung, Treffen)* congrès *m; pl, bes. poet (Zeit)* jours *m pl,* temps *m,* époque *f; alle ~e (, die Gott werden läßt)* tous les jours (que Dieu fait); *alle zwei ~e, e-n* ~ *um den ander(e)n, jeden zweiten* ~ tous les deux jours; *alle acht ~e* tous les huit jours; *am festgesetzten ~e* à la date fixée *od* prescrite; *am folgenden* ~ le lendemain; *am hell(icht)en ~e* en plein jour; *an e-m bestimmten ~e* à jour fixe; un de ces jours; *auf s-e alten ~e* sur ses vieux jours; *bei ~e* de jour; *binnen acht ~en* d'ici huit jours, dans les huit jours; *den ganzen* ~ *(lang* od *über)* (de) toute la journée, tout le long de la journée, du matin au soir; *den lieben langen* ~ toute la sainte journée; *dieser ~e* ces jours-ci; *einen dieser ~e, an e-m der nächsten ~e, in den nächsten ~en* un de ces jours; *eines (schönen) ~es* un beau jour *od* matin; *einmal am ~e* une fois par jour; *ganze ~e lang* (pendant) des jours entiers; *in acht ~en* dans huit jours; *heute, Sonntag in acht ~en* d'aujourd'hui *od* de dimanche en huit; *seit dem ~e, an dem* du jour où; *über ~e (mines)* au jour, à ciel ouvert, en surface; *unter ~e (mines)* au fond; *volle acht ~e* huit jours entiers, une semaine entière; *vom ersten ~e an* dès le *od* du premier jour; *von* ~ *zu* ~ de jour en jour, jour après jour; *von e-m* ~ *auf den andern* d'un jour à l'autre; *vor acht ~en* il y a huit jours; ~ *für* ~ jour à *od* par jour; ~ *und Nacht* nuit et jour; *drei ~e nach Sicht* à trois jours de vue; *zu ~e ausgehen (mines)* affleurer; *e-n* od *den* ~ *für etw bestimmen* od *festsetzen* prendre jour *od* date pour qc; *an den* ~ *bringen* od *legen* mettre au jour *od* en lumière; *jdm e-n* ~ *festsetzen* donner un jour à qn; *auf bessere ~e hoffen* espérer en l'avenir; *an den* ~ *kommen* venir au jour, se révéler; *in den* ~ *hinein leben* vivre au jour le jour, être insoucieux; *etw an den* ~ *legen* faire preuve de qc, témoigner qc; *jdm guten* ~ *sagen* dire bonjour à qn; *der* ~ *bricht an* le jour commence à poindre; *der* ~ *geht zu Ende* od *neigt sich* le jour baisse; *es ist heller* ~ il fait grand jour; *es wird* ~ il se fait jour; *morgen ist wieder ein* ~ demain il fera jour; *das ist wie* ~ *und Nacht (fam)* c'est comme le jour et la nuit; *die Sonne bringt es an den* ~ la vérité finit par percer; *guten ~!* bonjour! salut! *jeder* ~ *hat s-e Plage (prov)* à chaque jour suffit sa peine; *man soll den* ~ *nicht vor dem Abend loben* qui rit vendredi, dimanche pleurera; *gute, böse ~e (pl)* de bons, de mauvais jours; **t~aus** *adv:* ~~, *t~ein* jour après jour, tous les jours, chaque jour; **t~blind** *a zoo* nyctalope; **~blindheit** *f* nyctalopie *f;* **~(e)bau** *m mines* exploitation *f* à ciel ouvert *od* à jour; **~(e)baubetrieb** *m,* **~(e)bausohle** *f mines* mine *f,* étage *m* à ciel ouvert; **~ebuch** *n* journal (intime); *com* livre-journal *m;* **~(e)dieb** *m* fainéant *m; pop* gouape *f;* **t~ein** *adv s. t~aus;* **~egeld** *n* allocation *od* indemnité *f* journalière; *pl* frais *m pl* de déplacement; **t~elang** *adv* des jours entiers, des journées entières; **~(e)lohn** *m* journée *f* (de salaire); salaire *m* journalier; *im ~~ arbeiten* travailler à la journée; **~(e)löhner** *m* journalier *m;* homme *m* de journée; **t~(e)löhnern** *itr* travailler à la journée; **~ereise** *f* voyage *m* d'une journée; journée *f* de voyage; **t~eweise** *adv* par jour; *(arbeiten)* à la journée; **~ewerk** *n* journée (de travail); *(Aufgabe)* tâche *f* journalière; **~falter** *m ent* papillon *m* diurne; **~flug** *m aero* vol *m* de jour; **t~hell** *a* clair comme le jour; *es ist ~~* il fait (grand) jour; **~schicht** *f (Arbeiter)* équipe *f* de jour; *~~ haben* être de jour; **t~süber** *adv* pendant la journée, (tout) le jour, de jour; **t~täglich** *a* quotidien; *adv* quotidiennement, tous les jours; **~undnachtgleiche** *f* ⟨-, -n⟩ équinoxe *m;* **~wechsel** *m (fin)* traite *f* (payable) à date fixe.

tag|en ['ta:gən] *itr (e-e Tagung abhalten)* siéger, tenir ses assises; *impers: es ~t* il se fait jour.

Tages|anbruch *m* ['ta:gəs-] : *bei ~~* à la pointe du jour; *vor ~~* avant le jour; **~angriff** *m aero* attaque *f* de jour; **~arbeit** *f (Arbeit eines Tages)* journée *f* (de travail); **~bedarf** *m* consommation *f* journalière; **~befehl** *m mil* ordre *m* du jour; **~bericht** *m* rapport *m* quotidien; **~creme** *f* crème *f* de jour; **~decke** *f (auf d. Bett)* couvre-lit *m;* **~durchschnitt** *m,* **~einnahme** *f* moyenne, recette *od* rentrée *f* journalière; **~ereignis** *n* événement *m* du jour; **~fahrt** *f* excursion *f* d'une journée; **~förderung** *f mines* extraction *f* journalière; **~frage** *f* problème *m* du jour; **~gebühr** *f* taxe *f* journalière; **~geld** *n fin* argent *m* au jour le jour; **~gericht** *n (e-s Speiselokals)* plat *m* du jour; **~geschehen** *n* actualités *f pl;* **~gespräch** *n* nouvelle *f* du jour; *das ist das ~~* tout le monde en parle; **~karte** *f* carte *f* du jour; *loc* aller et retour *m* valable pour la journée; **~kasse** *f com = ~einnahme; theat* bureau *m* de location; **~kurs** *m fin* cours *m od* cote *f* du jour; **~länge** *f* longueur *f* des jours; **~leistung** *f* débit *od* rendement *m* journalier, cadence *f* journalière; **~licht** *n* (lumière *f* du) jour *m; das ~~ hereinlassen* laisser entrer le jour; *ans ~~ kommen (fig)* voir le jour; *das ~~ scheuen (fam)* craindre la lumière du jour; **~marsch** *m (ganztägiger)* journée *f* de marche; **~mittel** *n (Statistik)* moyenne *f* journalière; **~nachrichten** *f pl* nouvelles *f pl* du jour; **~ordnung** *f* ordre *m* du jour; *an der ~~ sein (täglich geschehen)* être à l'ordre du jour; *auf die ~~ setzen, zur ~~ übergehen* mettre *od* inscrire *od* porter, passer à l'ordre du jour; *Punkt m, Punkt 1 der ~~* point *m* figurant, le premier point à l'ordre du jour; **~pensum** *n* tâche *f* journalière; **~preis** *m* prix *m* du jour; **~presse** *f* presse *f* quotidienne; **~produktion** *f* production *f* journalière; **~satz** *m* taux *m* journalier *od* du jour; **~schau** *f TV* journal *m* télévisé; **~stempel** *m* timbre *m* à dater; **~stunden** *f pl* heures *f pl* du (plein) jour; **~temperatur** *f mete* température *f* diurne; **~umsatz** *m com* chiffre *m* d'affaires journalier; **~verdienst** *m (e-s Arbeiters)* gain *od* salaire *m* journalier; **~wert** *m com* valeur *f* actuelle *od* courante; **~zeit** *f* heure *f* du jour; *zu jeder ~~* à toute heure du jour; *zu jeder ~- und Nachtzeit* à toute heure; **~zeitung** *f* (journal) quotidien *m.*

täglich ['tɛ:klɪç] *a* journalier, quotidien; de chaque jour; *(alltäglich)* de tous les jours; *adv* journellement, par jour; *(jeden Tag)* chaque jour, tous les jours; *einmal ~* une fois par jour; *das ~e Brot* le pain quotidien.

Tagung *f* ⟨-, -en⟩ ['ta:gʊŋ] *(Treffen, Kongreß)* congrès *m,* assises *f pl; (Versammlung)* assemblée, réunion; *(Sitzung)* session, séance *f;* **~sort** *m* lieu *m* du congrès; **~steilnehmer** *m* congressiste *m.*

Taifun *m* ⟨-s, -e⟩ [taɪ'fu:n] *mete* typhon *m.*

Taille *f* ⟨-, -n⟩ ['taljə] taille *f; (Mieder)* corsage *m; auf ~ (gearbeitet)* ajusté; **~nweite** *f* tour *m* de taille.

Takel *n* ⟨-s, -⟩ ['ta:kəl] *mar (Flaschenzug)* palan *m;* = **~age** *f* ⟨-, -n⟩ [takə'la:ʒə], **~ung** *f* ['ta:kəlʊŋ], **~werk** *n* agrès *m pl,* gréement *m;* **t~n** *tr* gréer.

Takt [takt] **1.** *m* ⟨-(e)s, -e⟩ *mus* mesure; *a. allg (Rhythmus, Tonfall)* cadence *f; mot* temps *m; im ~* en mesure, en cadence; *den ~ angeben* marquer la mesure (*mit* de); *im ~ bleiben, den ~ halten* rester en *od* garder la mesure; *aus dem ~ kommen* sortir de la mesure; *den ~ schlagen* battre *od* marquer la mesure; **t~fest** *a mus* qui garde (toujours) la mesure; *fig (zuverlässig)* sûr; *(gesund)* valide; **~stock** *m* bâton *m* (de chef d'orchestre); **~strich** *m* barre *f* de mesure.

Takt 2. *m* ⟨-(e)s, ø⟩ *(Feingefühl)* tact *m,* discrétion *f;* **t~los** *a* sans tact, indiscret; *~~ sein, keinen ~ haben* manquer de tact; **~losigkeit** *f* ⟨-, (-en)⟩ manque *m* de tact; **t~voll** *a* plein de tact, discret; *~~ sein* avoir du *od* faire preuve de tact.

Takt|ik *f* ⟨-, -en⟩ ['taktɪk] *mil u. fig* tactique *f;* **~iker** *m* ⟨-s, -⟩ ['taktikər] *mil* tacticien *m;* **t~isch** ['taktɪʃ] *a* tactique; *mil a.* opérationnel.

Tal *n* ⟨-(e)s, ⸚er⟩ [ta:l, 'tɛ:lər] vallée *f; (kleines)* vallon; *vx* val *m; über Berg und ~* par monts et par vaux; *zu ~ fahren* descendre (de la montagne); **t~abwärts** *adv,* **t~aufwärts** *adv* en descendant, en remontant la vallée; *(auf e-m Wasserlauf)* en aval, en amont; **~bildung** *f* vallonnement *m;* **~fahrt** *f* descente *f* d'une *od* de la montagne; *(e-s Schiffes)* avalage *m;* **~kessel** *m geog* cuvette *f;* **~mulde** *f,* **~sohle** *f* fond *m* (de vallée); **~senke** *f* pente *f;* **~sperre** *f* barrage *m;* **~überführung** *f* viaduc *m;* **t~wärts** *adv* vers la vallée; = *~abwärts;* **~weg** *m* chemin *m* qui suit la vallée.

Talar *m* ⟨-s, -e⟩ [ta'la:r] *(Amtstracht)* robe *f.*

Talent *n* ⟨-(e)s, -e⟩ [ta'lɛnt] *(altgriech. Gewicht* u. *Geldeinheit; Fähigkeit)* talent *m; (Begabung)* dons *m pl;* **t~iert** [-'ti:rt] *a,* **t~voll** *a* plein de talent, doué; **t~los** *a* sans talent.

Taler *m* ⟨-s, -⟩ ['ta:lər] *(alte Münze)* thaler; écu *m.*

Talg *m* ⟨-(e)s, (-e)⟩ [talk] *(hartes Fett)* suif *m;* **~drüse** *f anat* glande *f* sébacée; **t~en** ['-gən] *tr (mit ~ bestreichen)* suiffer; **~geschwulst** *f med* kyste *m* sébacé; **t~ig** *a* suiffeux; **~kerze** *f,* **~licht** *n* chandelle *f.*

Talisman *m* ⟨-s, -e⟩ ['ta:lɪsman] talisman, porte-bonheur *m.*

Talje *f* ⟨-, -n⟩ ['taljə] *mar (Winde)* palan *m.*

Talk *m* ⟨-(e)s, ø⟩ [talk] *min* talc *m;* **~puder** *m,* **~um** *n* ⟨-s, ø⟩ ['talkum] (poudre *f* de) talc *m.*

Talmi *n* ⟨-s, ø⟩ ['talmi] *(vergoldete Legierung)* simili-or; *fig (Unechtes)* simili, toc *m;* **~gold** *n* simili-or *m.*

Talmud *m* ⟨-(e)s, -e⟩ ['talmu:t, -də], *der rel* le Talmud; **t~isch** [-'mu:dɪʃ] *a* talmudique.

Talon *m* ⟨-s, -s⟩ [ta'lõ:] *fin* talon *m,* souche *f.*

Tamarinde *f* ⟨-, -n⟩ [tama'rɪndə] *bot* tamarinier *m.*

Tamariske *f* ⟨-, -n⟩ [tama'rɪskə] *bot* tamaris *m.*

Tambour *m* ⟨-s, -e⟩ ['tambu:r] *(Trommel(schläger); arch, tech)* tambour *m;* **~major** *m* tambour-major *m.*

Tambur *m* ⟨-s, -e⟩ ['tambu:r] *(Stickrahmen)* tambour *m;* **~in** *m* ⟨-s, -e⟩ [-bu'ri:n] *mus* tambourin; = ~.

Tampon *m* ⟨-s, -s⟩ [tɑ̃'pɔ̃:/'tampo:n] *(Wattebausch)* tampon *m;* **t~ieren** [-po'ni:rən] *tr (mit ~s verstopfen)* tamponner.

Tamtam *n* ⟨-s, -s⟩ [tam'tam, '--] *mus* u. *fig fam (laute Reklame)* tam-tam *m.*

Tanagrafigur *f* ['ta(:)nagra-] *(Kunst)* statuette *f* de Tanagra.

Tand *m* ⟨-(e)s, ø⟩ [tant, '-d(ə)s] colifichets, brimborions *m pl; fig* futilités *f pl.*

Tänd|elei *f* ⟨-, -en⟩ [tɛndə'laɪ] propos *m pl* frivoles *od* galants, frivolités *f pl; (Flirt)* flirt *m;* **t~eln** ⟨*ich tänd(e)le, du tändelst ..*⟩ *itr* ['tɛndəln] *(herumspielen)* s'amuser à des riens, badiner; *(schäkern)* batifoler, folâtrer; *(flirten)* flirter.

Tandem *n* ⟨-s, -s⟩ ['tandɛm] *(Fahrrad mit zwei Sätteln hinterea.)* tandem *m;* **~betrieb** *m tele* exploitation *f* en tandem; **~fahrer** *m* tandémiste *m;* **~system** *n tech* système *m* en tandem.

Tang *m* ⟨-(e)s, -e⟩ [taŋ] *bot* varech, fucus *m.*

Tang|ens *m* ⟨-, -⟩ ['tangɛns] *math (Seitenverhältnis)* tangente *f* d'un *od* de l'angle; **~ente** *f* ⟨-, -n⟩ [-'gɛntə] *math* tangente *f;* **t~ential** [-tsi'a:l] *a* tangentiel; **t~ieren** [-'gi:rən] *tr math u. fig* toucher; *fig* concerner.

Tango *m* ⟨-s, -s⟩ ['taŋgo] *(Tanz)* tango *m.*

Tank *m* ⟨-s, -s/(-e)⟩ [taŋk] *(Behälter)*

réservoir *m*, citerne *f*; *vx* = *Panzer (-wagen)*; **~anhänger** *m* remorque-citerne *f*; **t~en** ‹*aux: haben*› *itr mot* prendre de l'essence, faire son plein (d'essence), refaire le plein d'essence; *tr: 20 Liter Benzin ~* prendre 20 litres d'essence; **~er** *m* ‹-s, -› *(~schiff)* navire *od* bateau citerne, (bateau) pétrolier *m*; **~erflotte** *f* flotte *f* pétrolière; **~flugzeug** *n* avion-citerne, ravitailleur *m*; **~raum** *m* soute *f* à essence; **~stelle** *f* poste *m od* station d'essence; station-service *f*, garage *m*; **~stellenbesitzer** *m*, **~stelleninhaber** *m* pompiste, garagiste *m*; **~wagen** *m mot* camion-citerne; *loc* wagon-citerne *m*; **~wart** *m* pompiste *m*.

Tann|e *f* ‹-, -n› ['tanə] , **~enbaum** *m* sapin *m*; **t~en** *a (aus ~enholz)* de sapin; **~enholz** *n* sapin *m*; **~ennadel** *f* aiguille *f* de sapin; **~enwald** *m* sapinière *f*, bois *m* de sapins; **~(en)zapfen** *m* cône *m* de sapin, pomme *f* de pin.

tann|ieren [ta'ni:rən] *tr (mit Tannin behandeln)* tanner; **T~in** *n* ‹-s, ø› [-'ni:n] *(Gerbsäure)* tan(n)in *m*.

Tantal *n* ‹-s, ø› ['tantal] *chem* tantale *m*.

Tantalusqualen *f pl* ['tantalus-] supplice *m* de Tantale.

Tant|chen *n* ‹-s, -› ['tantçən] tantine *f*; **~e** *f* ‹-, -n› tante *f*.

Tantieme *f* ‹-, -n› [tãti'ɛ:mə] *fin* tantième *m*.

Tanz *m* ‹-es, ⁻e› [tants, 'tɛntsə] danse *f*; *(~veranstaltung)* bal *m*; *zum ~ auffordern, um den nächsten ~ bitten* inviter à danser; *den ~ eröffnen* ouvrir la danse *od* le bal; *zum ~ führen, gehen* mener, aller au bal; **~abend** *m* soirée *f* dansante; **~bar** *f*, **~diele** *f* dancing *m*; **~bär** *m* ours *m* danseur *od* savant; **~bein** *n*: *das ~~ schwingen* danser; **~boden** *m fam* = *~fläche*; **t~en** *itr* danser; *pop* guincher; *(schwanken)* se balancer; *(Mücken im Schwarm)* voltiger; *tr* danser (*e-n Walzer* une valse); *nach jds Pfeife ~~ (fig)* aller aux flûtes de qn; *aus der Reihe ~~ (fig fam)* ne pas faire comme les autres *od* comme tout le monde; *es ~t mir vor den Augen* je vois des chandelles; **~erei** *f* [-'raɪ] *fam* sauterie *f*; **~fläche** *f* piste *f* de danse; **~kunst** *f* art *m* de la danse; **~lehrer** *m* professeur *m* de danse; **~lied** *n* air *m* de danse; **~lokal** *n* danse; *fam* bastringue *m*; **~musik** *f*, **~orchester** *n* musique *f*, orchestre *m* de danse; **~paar** *n* couple *m* de danseurs; **~saal** *m* salle *f* de danse *od* de bal; **~schritt** *m* pas *m* de danse; **~schuh** *m* soulier *m* de bal; **~schule** *f*, **~stunde** *f*, école *f*, cours *m od* leçons *f pl* de danse; **~tee** *m* thé *m od* matinée *f* dansant(e); **~turnier** *n* tournoi *m* de danse; **~veranstaltung** *f* bal *m*; **~weise** *f* air *m* dansant *od* de danse.

tänz|eln ‹*ich tänz(e)le, du tänzelst...*› ['tɛntsəln] *itr* faire *od* esquisser quelques pas de danse; sautiller; *(Pferd)* caracoler; **T~er(in *f*)** *m* ‹-s, -› danseur, se *m f*; *ein guter ~er, eine gute ~erin sein* être bon danseur, bonne danseuse.

Taper|greis *m* ['ta:pər-] *fam pej* vieillard *m* tremblotant; **t~ig** *a*, **tap(p)rig** *a (dial: gebrechlich)* caduc, débile.

Tapet [ta'pe:t] *n*: *etw aufs ~ bringen (fam: zur Sprache)* mettre qc sur le tapis; **~e** *f* ‹-, -n› papier peint, papier-tenture *m*; *die ~~n wechseln (fam: umziehen)* changer de logement; **~enmuster** *n* dessin *m* de papier peint; **~entür** *f* porte *f* dérobée.

Tapezier *m* ‹-s, -e›, **~er** *m* ‹-s, -› [tape'tsi:r(ər)] tapissier (décorateur) *m*; **t~en** *tr* tapisser, tendre de papier peint.

tapfer ['tapfər] *a* brave, vaillant, valeureux; *(mutig)* courageux; *(kühn)* audacieux, intrépide; *sich ~ schlagen* se battre avec bravoure *od* en brave; **T~keit** *f* ‹-, ø› bravoure, vaillance *f*; courage *m*.

Tapioka(suppe) *f* ‹-, ø› [tapi'o:ka] tapioca *m*.

Tapir *m* ‹-s, -e› ['ta:pɪr/-'pi:r] *zoo* tapir *m*.

tappen ['tapən] *itr* marcher *od* aller à tâtons; *(noch) im dunkeln ~ (fig)* être (encore) dans l'incertitude; **~d** *adv* à tâtons.

täppisch ['tɛpɪʃ] *a (schwerfällig, plump)* lourdaud, pataud.

Taps *m* ‹-es, -e› [taps] *fam (ungeschickter Mensch)* balourd, lourdaud, pataud *m*; **t~en** *itr fam (schwerfällig gehen)* marcher lourdement; **t~ig** *a fam* godichon, gauche.

Tar|a *f* ‹-, -ren› ['ta:ra] *com* tare *f*; **t~ieren** [ta'ri:rən] *tr com* tarer; **~ierwaage** *f* trébuchet *m*.

Tarantel *f* ‹-, -n› [ta'rantəl] *zoo* tarentule *f*; *wie von der ~ gestochen* piqué de la tarentule; **~la** *f* ‹-, -s/-llen› [-'tɛla] *(Tanz)* tarentelle *f*.

Tarif *m* ‹-s, -e› [ta'ri:f] tarif *m*; **~abkommen** *n* accord *m od* convention *f* tarifaire; **~bestimmung** *f* disposition *f* tarifaire; **~bruch** *m* rupture *f* du tarif; **~erhöhung** *f* majoration *f od* relèvement *m* de *od* du tarif; **~gemeinschaft** *f* association *f* tarifaire; **~gestaltung** *f*, **~ierung** *f* tarification *f*; **t~ieren** [-ri'fi:rən] *tr* tarifer; **t~lich** *a* tarifaire; **~lohn** *m* salaire *m* tarifaire *od* contractuel; **~ordnung** *f* tarification; convention *f* collective; **~partner** *m* partie *f* à la convention collective; **~satz** *m* taux *m* tarifaire; **~senkung** *f* réduction *f* du tarif; **~tabelle** *f* barème *m* (tarifaire); **~verhandlungen** *f pl* négociations *f pl* tarifaires; **~vertrag** *m* contrat *m* collectif, convention *f* collective de travail.

Tarn|anstrich *m* ['tarn-] , **~anzug** *m* peinture *od* couche *f*, vêtement *m* de camouflage; **~bezeichnung** *f mil* mot *m* conventionnel; **~decke** *f* bâche *f* de camouflage; **t~en** *tr mil u. fig* camoufler; **~farbe** *f* couleur *od* peinture *f* de camouflage; **~kappe** *f (Mythologie)* heaume *m* qui rend invisible; **~maßnahmen** *f pl*, **~netz** *n* mesures *f pl*, filet *m* de camouflage; **~organisation** *f* organisation *f* camouflée; **~scheinwerfer** *m* phare *m* de black-out; **~ung** *f* camouflage *m*.

Tarock *n od m* [ta'rɔk] jeu *m* de tarots.

Täsch|chen *n* ‹-s, -› ['tɛʃçən] petit sac *m*; *(in e-m Kleidungsstück)* petite poche, pochette *f*, gousset *m*; **~elkraut** *n* ‹-(e)s, ø› capselle, bourse *f* à berger *od* à pasteur.

Tasche *f* ‹-, -n› ['taʃə] *(in e-m Kleidungsstück)* poche *f*; *(Westen-, Uhren~)* a. gousset *m*; *(Geld~)* bourse *f*; *(Hand~)* sac *m* (à main); *(Akten~)* serviette *f*; *(Schul~)* cartable *m*; *(Umhänge-, Pack-, Werkzeug-, Sattel~)* sacoche; *(Werkzeug~, Etui)* trousse *f*; *in die eigene ~ arbeiten, sich die ~n füllen* faire danser l'anse du panier, faire venir l'eau à son moulin; *etw aus seiner ~ bezahlen* payer qc de sa poche; *in die ~ greifen (a. fig: bezahlen)* mettre la main à la poche; *etw in der ~ (fig: sicher) haben* tenir qc dans sa *od* en poche; *jdm auf der ~ liegen (fig)* être sur le dos, vivre aux crochets de qn; *etw in die ~ stecken* mettre qc dans sa poche, empocher qc; *jdn in die ~ stecken (fig fam)* mettre qn dans sa poche.

Taschen|apotheke *f* ['taʃən-] pharmacie portative *od* de poche, trousse *f* à pharmacie; **~ausgabe** *f*, **~buch** *n* édition *f*, livre *m* de poche; **~dieb** *m* voleur à la tire. pickpocket *m*; *vor ~~en wird gewarnt!* gare *od* prenez garde aux pickpockets! **~diebstahl** *m* vol *m* à la tire; **~format** *n*, **~geld** *n*, **~kalender** *m*, **~kamm** *m*, **~kompaß** *m* format, argent, calendrier, peigne *m*, boussole *f* de poche; **~krebs** *m* (crabe) tourteau *m*; **~lampe** *f* lampe de poche, (lampe) torche *f*; **~messer** *n* canif, couteau *m* de poche; **~spiegel** *m* glace *f od* miroir *m* de poche; **~spieler** *m* faiseur de tours (de passe-passe), escamoteur, prestidigitateur *m*; **~spielerei** *f* escamotage *m*, prestidigitation *f*; **~spielerkunststück** *n*, **~spielertrick** *m* tour *m* d'escamotage; **~tuch** *n* ‹-(e)s, ⁻er› mouchoir *m* (de poche); *sich e-n Knoten ins ~~ machen* faire un nœud à son mouchoir; **~uhr** *f* montre; *arg* toquante *f*; **~wecker** *m* montre *f* à répétition; **~wörterbuch** *n* dictionnaire *m* de poche.

Tasmanien *n* [tas'ma:niən] *geog* la Tasmanie.

Tasse *f* ‹-, -n› ['tasə] tasse *f*; *nicht alle ~n im Spind haben (fig pop: verrückt sein)* être marteau *od* toqué, avoir une araignée au plafond; *aus der ~ trinken* boire à la tasse; *trübe ~ (pop pej)* bonnet *m* de nuit; *e-e ~ Kaffe* une tasse de café.

Tast|atur *f* ‹-, -en› [tasta'tu:r] *(des Klaviers, der Schreibmaschine etc)* clavier *m*; **t~bar** ['tast-] *a* palpable, tangible; **~e** *f* ‹-, -n› touche *f*; *tele* manipulateur *m*; **t~en** *tr* tâter, palper, toucher (du doigt); *itr* tâtonner; *nach etw* chercher qc à tâtons *od* en tâtonnant; *sich zu etw ~~* avancer à tâtons *od* en tâtonnant vers qc; **~en** *n* tâtonnement *m; tele* manipulation *f;* **~enhebel** *m* barre *f* de touche; **~er** *m* ‹-s, -› *el* bouton; *tele typ* manipulateur *m (a. Person);* **~erlehre** *f tech* calibre *m;* **~erzirkel** *m* compas *m* d'épaisseur; **~sinn** *m* ‹-(e)s, ø› (sens du) toucher *m.*

Tat *f* ‹-, -en› [ta:t] *(Handlung)* action *f,* acte; fait; *(Heldentat)* exploit; *(Wohltat)* bienfait; *(Untat, Freveltat)* méfait, forfait *m; in der ~* en effet, en vérité; *jdm mit Rat und ~ beistehen* prendre fait et cause pour qn; *jdn auf frischer ~ ertappen* prendre qn en flagrant délit *od* sur le fait; *zur ~ schreiten* passer aux actes *od* à l'action; *etw in die ~ umsetzen* transformer qc en action; réaliser qc; *gute ~* bonne action *f; ein Mann der ~* un homme d'action; **~bericht** *m* récit *od* exposé *m* des faits; **~bestand** *m* état *m* de choses *od* de cause; *jur* éléments *m pl* constitutifs; **~bestandsaufnahme** *f jur* procès-verbal *m* de constatation, constatation *f* du fait; **~einheit** *f: in ~~ mit (jur)* en concomitance avec; **~endrang** *m,* **~endurst** *m* besoin *m* d'activité; **t~enlos** *a* inactif, passif; *adv: ~~ zusehen* regarder sans rien faire; **~enlosigkeit** *f* ‹-, ø› inaction, passivité *f,* **~form** *f = Tätigkeitsform;* **~frage** *f jur* question *f* de fait; **~kraft** *f* énergie, activité, résolution *f,* dynamisme *m;* **t~kräftig** *a* énergique, actif, résolu, dynamique; *jdn ~~ unterstützen* prêter main-forte à qn; **~ort** *m jur* lieu *m* du délit *od* du crime; **~sache** *f* fait *m,* réalité *f; angesichts der ~~* en présence du fait; *auf Grund dieser ~~* de ce fait; *als ~~ hinstellen, daß ...* poser en fait que ...; *die ~~n sprechen deutlich genug* les faits parlent d'eux-mêmes; *~~ ist, daß ...* c'est un fait que ..., le fait est que ...; *vollendete ~~* fait *m* accompli; **~sachenbericht** *m* exposé de faits, article documentaire, récit *m* véridique; **t~sächlich** *a* effectif, réel, positif; *adv* vraiment, en *od* de fait; **~umstände** *m pl = ~bestand.*

Tataren [ta'ta:rən], *die m pl* les Ta(r)tar(e)s *m pl.*

Tät|er *m* ‹-s, -› ['tɛ:tər] *jur* auteur; *(e-r Straftat)* coupable *m;* **~erschaft** *f* ‹-, ø› *jur* paternité; *(schuldhafte)* culpabilité *f;* **t~ig** *a* actif; *(wirksam)* effectif; *~~en Anteil an etw nehmen* prendre une part active à qc; *~~ sein (arbeiten)* travailler; *(in e-m Betrieb)* être occupé; *unermündlich ~~ sein* avoir une activité de fourmi; **t~igen** *tr* effectuer, réaliser; *ein Geschäft ~~* réaliser *od* conclure un marché; **~igkeit** *f* activité *f; (e-r Maschine)* fonctionnement *m; s-e ~~ einstellen* cesser ses fonctions; *in ~~ sein (Mensch)* être en activité; *(Maschine)* être en marche, fonctionner; *in, außer ~~ setzen (Maschine)* faire marcher, cesser; *in ~~ treten (Mensch)* entrer en fonctions; *s-e ~~ wiederaufnehmen* reprendre ses fonctions; **~igkeitsbereich** *m* sphère *f od* domaine *m* d'activité; **~igkeitsbericht** *m* rapport *od* compte rendu *m* d'activité; **~igkeitsfeld** *n* champ *m* d'action; **~igkeitsform** *f gram* voix *f* active; **~igkeitswort** *n gram* verbe *m;* **t~lich** *a: ~~ werden* se livrer à des voies de fait; *~~e(r) Angriff m, ~~e Beleidigung f,* **~lichkeit** *f jur* voie *f* de fait; *sich zu ~~en hinreißen lassen* se laisser aller à des voies de fait.

tätowier|en [tɛto'vi:rən] *tr* tatouer; **T~ung** *f* tatouage *m.*

tätscheln ‹*ich tätsch(e)le, du tätschelst ...*› ['tɛ(:)tʃəln] *tr (streicheln)* cajoler.

Tatt|erich *m* ‹-(e)s, ø› ['tatərıç] *m med fam (Zittern)* tremblote *f;* **t~(e)rig** *a fam (zittrig)* qui a la tremblote, qui tremblote.

Tatze *f* ‹-, -n› ['tatsə] patte, griffe *f.*

Tau 1. *m* [tau] ‹-(e)s, ø› *mete* rosée *f;* **t~en** *itr* ‹*aux: sein*› *(schmelzen)* fondre; *impers: es ~t* ‹*aux: haben*› *(es ist ~wetter)* il dégèle; *(es fällt ~)* il tombe de la rosée, la rosée tombe; **t~feucht** *a* humide de rosée; **t~frisch** *a* frais comme une rose; **~punkt** *m phys* point *m* de rosée; **~tropfen** *m* goutte *od* perle *f* de rosée; **~wetter** *n* (temps de) dégel *m; es ist ~~* le temps est au dégel; **~wind** *m* vent *m* de dégel.

Tau 2. *n* ‹-(e)s, -e› [tau] *mar (starkes Seil)* cordage, câble *m;* amarre *f;* **t~en** *tr mar (mit e-m ~ ziehen)* touer; **~ziehen** *n sport* lutte à la corde; *fig pol* course *f* au poteau; lutte *f* au finish *(fam).*

taub [taup] *a* sourd; *(Blüte)* stérile; *(Ähre)* vide; *(Nuß)* creux; *(Gestein)* stérile; *~ gegen etw sein (fig)* être insensible *od* fermé à qc; *sich ~ stellen* faire le sourd *od* la sourde oreille, se boucher les oreilles; *auf einem Ohr, auf beiden Ohren ~* sourd d'une oreille, des deux oreilles; **T~heit** *f* ‹-, ø› surdité; *(Blüte, Gestein)* stérilité; *fig (Unerbittlichkeit)* insensibilité *f;* **T~nessel** *f bot* ortie *f* blanche, rouge; **~stumm** *a* sourd-muet; **T~stumme(r)** *m* sourd-muet *m;* **T~stummenanstalt** *f,* **T~stummensprache** *f* établissement pour, langage *m* des sourds-muets; **T~stummheit** *f* ‹-, ø› surdi-mutité *f.*

Taube *f* ‹-, -n› ['taubə] pigeon *m; poet* colombe *f; er denkt, die gebratenen ~n fliegen ihm in den Mund* od *ins Maul* il pense que les alouettes lui tombent toutes rôties dans le bec *od* la bouche; **t~ngrau** *a* gris pigeon, gorge-de-pigeon; **~nhaus** *n,* **~nschlag** *m* pigeonnier *m;* **~nnest** *n* nid *m* de pigeon; **~npost** *f* poste *f* par pigeons; **~nschießen** *n* tir *m* aux pigeons; **~nzucht** *f,* **~nzüchter** *m* élevage des, éleveur *m* de pigeons; **~r(ich)** *m,* **Täuber(ich)** *m* ‹-s, -e› ['tau-, 'tɔʏbərıç] pigeon *m* mâle.

Tauch|bad *n* ['taux-] *tech* barbotage *m;* **~boot** *n = Unterseeboot;* **t~en** *tr* ‹*aux: haben*› plonger, immerger, tremper; *itr* ‹*aux: sein*› plonger, faire un plongeon; **~en** *n* immersion; plongée *f,* plongeon *m;* **~er** *m* ‹-s, -› *sport* plongeur; *(mit Ausrüstung)* scaphandrier; *orn* plongeon *m;* **~eranzug** *m* scaphandre *m;* **~erglocke** *f* cloche *f* à *od* de plongeur, caisson *m* (pneumatique); **~erhelm** *m* casque *m* de scaphandrier; **~erkugel** *f* bathyscaphe *m;* **t~fähig** *a mar* submersible; **~fähigkeit** *f* submersibilité *f;* **~gerät** *n* scaphandre *m;* **t~klar** *a mar* prêt à la plongée; **~schmierung** *f tech* graissage *m* par barbotage; **~sieder** *m* thermoplongeur, chauffe-liquide *m;* **~station** *f mar* poste *m* de plongée; **~tank** *m mar* caisse *f* de plongée; **~tiefe** *f mar* profondeur *f* d'immersion.

Tauf|becken *n* ['tauf-] *rel* fonts *m pl* baptismaux; **~e** *f* ‹-, -n› baptême *m; über die ~~ halten, aus der ~~ heben* tenir sur les fonts baptismaux; **t~en** *tr rel* baptiser; *hum (mit Wasser verdünnen)* baptiser, mouiller; *jdn auf e-n Namen ~~* donner un nom à qn; *sich ~~ lassen (a.)* se convertir (au christianisme); **~kapelle** *f* baptistère *m;* **~name** *m* nom *m* de baptême; **~pate** *m* parrain *m; f u.* **~patin** *f* marraine *f;* **~register** *n,* **~schein** *m* registre, extrait *m* de baptême; **~stein** *m = ~becken;* **~zeuge** *m* parrain *m;* **~zeugin** *f* marraine *f.*

Täuf|er *m* ['tɔʏfər]*: s. Johannes;* **~ling** *m* ‹-s, -e› celui qui reçoit le baptême; *(Patenkind)* filleul, e *m f.*

taug|en [taugən] *itr* valoir; *(passend sein)* être bon *od* propre *od* utile *od* apte, (pouvoir) servir (*zu etw* à qc); convenir (*zu etw* pour qc); *viel, wenig, etw ~~* valoir beaucoup, peu, qc; *nichts ~~* ne rien valoir; **T~enichts** *m* ‹-/-es, -e› ['taugənıçts] vaurien, propre à rien, pas grand-chose, mauvais sujet, (mauvais) garnement *m;* **~lich** ['-klıç] *a* apte, propre, utile, convenable, bon (*zu etw* à qc); *(fähig)* capable (*zu etw* à qc); *mil* apte (au service militaire); **T~lichkeit** *f* ‹-, ø› aptitude; capacité *f.*

Taum|el *m* ‹-s, ø› ['tauməl] *(Schwindel)* vertige; *(Benommenheit)* étourdissement; *(Rausch)* enivrement *m; fig* ivresse *f;* **t~(e)lig** *a* pris de vertige; chancelant, titubant; *ich bin (so) ~~* j'ai le vertige, la tête me tourne; **~ellolch** *m* ‹-(e)s, -e› ['--lɔlç] *bot* ivraie *f;* **t~eln** *itr* ‹*er ist/hat getaumelt*› chanceler, tituber; être pris de vertige.

Tausch *m* ‹-(e)s, -e› [tauʃ] échange; *(~handel)* troc *m; im ~ gegen* en échange de; *in ~ geben, nehmen* donner, accepter en échange; *e-n ~ machen* faire un échange; *e-n schlechten ~ machen (a.)* changer *od* troquer son cheval borgne contre un aveugle; **t~en** *tr* échanger, troquer; *itr* faire un échange; *ich möchte nicht mit ihm ~~ (fig)* je ne voudrais pas être à sa place; **~exemplar** *n,* **~geschäft** *n* exemplaire *m,* opération *f* d'échange; **~handel** *m* (commerce de) troc *m;* **~mittel** *n* moyen *m* d'échange; **~objekt** *n* objet *m* d'échange; **~verkehr** *m (zwi-*

schen Bibliotheken) échange *m* de livres; **~wert** *m* valeur *f* d'échange.

täusch|en ['tɔʏʃən] *tr* tromper, induire en erreur; donner le change à, duper, mystifier, abuser; *(enttäuschen)* décevoir, désappointer; *sich ~~* se tromper, faire erreur (*über etw* sur qc, au sujet de qc); s'illusionner, se faire (des) illusion(s); *von jdm getäuscht werden (a.)* être la dupe de qn; *sich ~~ lassen (a.)* s'y laisser prendre; *ich habe mich in Ihnen getäuscht* vous m'avez déçu; *ich kann mich auch ~~* je peux aussi faire erreur; **~end** *a* trompeur, illusoire; à s'y méprendre, à s'y tromper; *adv: sie sehen sich ~~ ähnlich* ils se ressemblent à s'y méprendre; **T~ung** *f* tromperie; duperie, fraude, mystification; *(Irrtum)* erreur, illusion; *(Enttäuschung)* déception, désillusion *f*; *sich keiner ~~ hingeben* ne pas s'y tromper; *~~en unterliegen* être sujet à se tromper; *optische ~~* illusion *f* d'optique; *vorsätzliche ~~* escroquerie *f*; **T~ungsmanöver** *n* feinte *f*; **T~ungsversuch** *m* tentative *f* de fraude.

tauschier|en [tau'ʃi:rən] *tr tech* damasquiner; **T~ung** *f* damasquinage *m*.

tausend ['tauzənt] *(Zahlwort)* mille; *einige, mehrere ~* ... quelques, plusieurs milliers de; *~ und aber ~* des milliers; *~ Dank!* merci mille fois; **T~** *f* ⟨-, -en⟩ [-dən] *: die T~* le mille; *n* millier *m*; *~~e und aber ~~e* des milliers, des mille et des cents; *zehn vom ~~* dix pour mille; *zu ~~en* par milliers; *in die ~~e gehen* se chiffrer par des milliers; **T~blatt** *n* ⟨-(e)s, ø⟩ *bot* myriophylle *m*; **T~blümchenwasser** *n (Parfüm)* millefleurs *f*; **T~er** *m* ⟨-s, -⟩ mille; *fam (Banknote)* billet *m* de mille; **~erlei** ['---'laɪ] *a* mille (et mille); **~fach** *a u. adv* mille fois autant *od* plus; *adv allg* au centuple; *das T~~e* mille fois autant; **~fältig** *a u. adv = ~fach (a u. adv)*; **T~füß(l)er** *m* ⟨-s, -⟩ [('--fy:s(l)ər] *zoo* mille-pattes *m*, scolopendre *f*; **T~güldenkraut** *n* ⟨-(e)s, ø⟩ [-'gʏldən-] *bot* eythrée centaurée, petite centaurée *f*; **~jährig** *a* millénaire; *das T~~e Reich (rel)* le règne millénaire; **T~künstler** *m* homme ingénieux *od* habile à tout; sorcier *m*; **~mal** *adv* mille fois; **~malig** *a* mille fois répété; **T~sas(s)a** *m* ⟨-s, -(s)⟩ [-sasa] *fam (Schwerenöter)* gaillard, diable *m* d'homme; *a. = ~künstler;* **T~schön** *n* ⟨-s, -e⟩ *bot* amarante *f*; **T~stel** *n* ⟨-s, -⟩ millième *m*; **~ste(r, s)** *a* millième; **~undein** *(Zahlwort): (Märchen n pl aus) T~~e(r) Nacht* les Mille et une Nuits.

Tax|ameter *m* ⟨-s, -⟩ [taksa'me:tər] *(Fahrpreisanzeiger)* taximètre, compteur *m*; **~ation** *f* ⟨-, -en⟩ [-tsi'o:n] = *~ierung;* **~ator** *m* ⟨-s, -en⟩ [-k'sa:tɔr, -'to:rən] *(Schätzer)* estimateur, commissaire-priseur *m*; **~e** *f* ⟨-, -n⟩ ['taksə] **1.** *(Abgabe, Gebühr)* taxe *f*, taux, tarif *m*; **2.** *(Mietauto)*, **~i** *n* ⟨-(s), -(s)⟩ ['taksi] taxi *m*, voiture *od* automobile *f* de place; **t~ieren** [-'ksi:rən] *tr (schätzen)* estimer, évaluer; **~ierung** *f* estimation, évaluation, mise *f* à prix; **~ifahrer** *m* chauffeur *m* de taxi; **~istand** *m* place *f* de voitures *od* d'automobiles; **~preis** *m (bei e-r Auktion)* mise *f* à prix; **~wert** *m (Schätzwert)* valeur *f* d'estimation.

Taxus *m* ⟨-, -⟩ ['taksʊs] *bot* if *m*.

Techn|etium *n* ⟨-s, ø⟩ [tɛç'ne:tsium] *chem* technétium *m*; **~ik** *f* ⟨-, -en⟩ ['tɛçnɪk] *(Ingenieurwissenschaft)* technique *f*; *(Maschinenwesen)* machinisme *m*; *(Verfahren, Arbeitsweise, Fähigkeit)* technique *f*; **~iker** *m* ⟨-s, -⟩ ['tɛçnikər] technicien, ingénieur; *(Fachmann)* spécialiste *m*; **~ikum** *n* ⟨-s, -ka/-ken⟩ ['tɛçnikum, -ka/-kən] *(techn. Fachschule)* école *f* professionnelle spécialisée; **t~isch** ['tɛçnɪʃ] *a* technique, mécanique; *aus ~~en Gründen* pour des raisons matérielles; *infolge ~~er Störungen* en raison d'ennuis mécaniques; *~~e(r) Ausdruck m* terme *m* technique; *~~e(r) Charakter m (e-r Sache)* technicité *f*; *~~e Daten n pl* caractéristiques *f pl* mécaniques; *t~~e Hochschule* od *Universität f* école *f* supérieure technique; *T~~e Nothilfe f* service *m* technique d'urgence; *~~e Störung f* incident *m* technique, panne *f*; **~okrat** *m* ⟨-en, -en⟩ [-no'kra:t] technocrate *m*; **~okratie** *f* ⟨-, ø⟩ [-kra'ti:] technocratie *f*; **~ologie** *f* ⟨-, ø⟩ [-nolo'gi:] technologie *f*; **t~ologisch** [-'lo:gɪʃ] *a* technologique.

Techtelmechtel *n* ⟨-s, -⟩ [tɛçtəl-'mɛçtəl] *fam (Liebelei)* amourette *f*.

Teddybär *m* ['tɛdi-] ours *m* en peluche.

Tee *m* ⟨-s, -s⟩ [te:] *(~blätter u. daraus bereitetes Getränk)* thé *m*; *(Aufguß von anderen Pflanzen)* infusion; *(Krankentee)* tisane *f*; *~ aufbrühen* od *kochen* faire du thé; *~trinken* prendre du thé; *den ~ ziehen lassen* laisser infuser le thé; *abwarten und ~ trinken! (fam)* attendons la fin de l'histoire; *e-e Tasse ~* une tasse de thé; **~blatt** *n* feuille *f* de thé; **~büchse** *f*, **~dose** *f* boîte *f* à thé; **~-Ei** *n* boule *f od* œuf *m* à thé; **~gebäck** *n* (petits) gâteaux secs; *(kleine Törtchen)* petits fours *m pl*; **~geschirr** *n = ~service;* **~kanne** *f* théière *f*; **~kessel** *m* bouilloire *f* à thé; **~küche** *f (im Krankenhaus)* tisanerie *f*; **~kuchen** *m: englische(r) ~~* (plum-)cake *m*; **~löffel** *m* cuiller *od* cuillère *f* à thé; **~löffelvoll** *m* cuillerée *f* à thé; **~maschine** *f* samovar *m*; **~mischung** *f* mélange de thé, thé *m* mélangé; **~rose** *f* rose-thé *f*; **~service** *n* service *m* à thé; **~sieb** *n* passoire *f* à thé, passe-thé *m*; **~staude** *f*, **~strauch** *m* arbre à thé, théier *m*; **~stube** *f* salon *m* de thé; **~tasse** *f* tasse *f* à thé; **~tisch** *m* table *f* à thé; **~wagen** *m* table *f* roulante.

Teer *m* ⟨-(e)s, -e⟩ [te:r] goudron *m*; **~decke** *f* revêtement *m* en goudron; **t~en** *tr* goudronner, bitumer; **~en** *n* goudronnage *m*; **~fabrik** *f* goudronnerie *f*; **~farbe** *f* couleur *f* d'aniline; **t~ig** *a* goudronneux; **~jacke** *f fam (Seebär)* loup *m* de mer; **~pappe** *f* carton *od* papier *m* goudronné; **~schwelerei** [-ʃve:lə'raɪ] *f* goudronnerie *f*; **~(spritz)maschine** *f* goudronneuse *f*.

Teich *m* ⟨-(e)s, -e⟩ [taɪç] étang *m*, pièce *f* d'eau; *(Fischteich)* vivier *m*; *e-n ~ ablassen* vider un étang; **~frosch** *m* grenouille *f* verte; **~rose** *f* nénuphar *m* blanc; **~wirtschaft** *f (Fischzucht)* pisciculture *f*, alevinage *m*.

Teig *m* ⟨-(e)s, -e⟩ [taɪk, '-gə] pâte *f*; *ausgerollte(r) ~* abaisse *f*; **t~** *a dial (weich, von Obst)* blet; **t~ig** *a* pâteux; *(Omelette)* baveux; **~knetmaschine** *f* pétrin *m* mécanique; **~mulde** *f* pétrin *m*; **~waren** *f pl* pâtes *f pl* alimentaires.

Teil *m* od *n* ⟨-(e)s, -e⟩ [taɪl] partie; part; *(Anteil)* part, portion *f*; *(Stück)* morceau *m*; *(als Einheit)* pièce *f*; *für mein(en) ~* pour ma part, quant à moi; *zum ~* en partie, partiellement; *zu gleichen ~en* à parts égales; *zum größten ~* pour la plupart; *ich habe das Buch zum größten ~ gelesen* j'ai lu la plus grande partie du livre; *sein ~ zu etw beitragen* concourir, mettre du sien à qc; *sich sein ~ denken* avoir son idée à soi; *das bessere ~ wählen* choisir la meilleure part; *sein ~ (weg)haben (fam)* en avoir eu sa part; *der größere ~* la majeure partie; *mein ~* ma part; *die (hohen) vertragschließenden ~e* les Hautes Parties Contractantes; **~abschnitt** *m* secteur *m*; **~akzept** *n (Wechsel)* acceptation *f* partielle; **~anmeldung** *f (Patent)* demande *f* divisionnaire; **~ansicht** *f* vue *f* partielle; **t~bar** *a* divisible; **~barkeit** *f* ⟨-, ø⟩ divisibilité *f*; **~beschäftigte(r)** *m* chômeur *m* partiel; **~betrag** *m* montant *m* partiel; **~chen** *n* petite partie *f*, fragment *m*, parcelle; *phys (Kern~~)* particule *f*.

teilen ['taɪlən] *tr (zer~, zerlegen)* diviser, fractionner, scinder, séparer; *math* diviser; *(auf-, ver~)* partager (*etw mit jdm* qc avec qn); *(Anteil nehmen an)* prendre part à; partager (*jds Los* le sort de qn); *itr (e-e Aufteilung vornehmen)* faire les parts; *sich ~ (ausea.gehen, -fallen)* se défaire, se fendre; *(Weg)* bifurquer; *fig (Mensch)* se dédoubler, se multiplier; *sich mit jdm in etw ~* partager qc avec qn; *jds Ansicht* od *Meinung ~ (a.)* être de l'avis *od* de l'opinion de qn; *die Wogen ~ (Schiff)* fendre les flots.

Teiler *m* ['taɪlər] ⟨-s, -⟩ *math* diviseur *m*.

Teil|erfolg *m* ['taɪl-] succès *m* partiel; **~ergebnis** *n* résultat *m* partiel; **~erhebung** *f (Statistik)* recensement *m* incomplet; **~gebiet** *n fig* secteur, rayon *m*; **~gesamtheit** *f (Statistik)* sous-population *f*, sous-ensemble *m*; **t~≠haben** ⟨*hat teilgehabt*⟩ *itr: an etw ~~* participer, avoir part à qc; *an e-m Verbrechen ~~* tremper dans un crime; **~haber** *m com* associé *m; jdn als ~~ annehmen* associer qn; *als ~~ eintreten* s'associer; *stille(r) ~~* commanditaire, bailleur *m* de fonds; *tätige(r) ~~* commandité *m;* **~haberschaft** *f* ⟨-, ø⟩ *com* qualité *f* d'associé; **~hafter** *m* commanditaire *m;* **t~haftig** *a: e-r S ~~ werden* prendre part à qc; **~kreis** *m (e-s Zahnrades)* cercle *m* primitif; **t~motorisiert** *a* semi-motorisé; **~nahme** *f* participation; *(Mitarbeit)* coopération, collaboration; *(an e-m Verbrechen)* complicité *f; (Mitgefühl)* intérêt *m,* sympathie *f; (Beileid)* sentiments *m pl* de condoléance; **t~nahmslos** *a* indifférent, indolent, apathique, froid; **~nahmslosigkeit** *f* indifférence, indolence, apathie, froideur *f;* **t~nahmsvoll** *a* compatissant; **t~nehmen** ⟨*hat teilgenommen*⟩ *itr* participer, prendre part (*an* à); *(an e-r Arbeit)* coopérer, collaborer; *(an e-m Verbrechen)* être complice (*an* de) *am Fest ~~* être de la fête; *an e-m Lehrgang* od *Kurs ~~* suivre un cours; *jdn ~~ lassen* mettre qn de la partie; **~nehmer** *m, a. sport* participant; *tele* abonné; *(Verkehrsteilnehmer)* usager *m; ~~ am Endkampf, an der Endrunde (sport)* finaliste *m; ~~ an der Zwischenrunde* demi-finaliste *m;* **~nehmeranschluß** *m tele* poste *m* d'abonné; **~nehmerverzeichnis** *n tele* annuaire *m* du téléphone; **~nehmerzahl** *f* nombre *m* des participants; **~pacht** *f* métayage *m;* **~pächter** *m* métayer *m;* **~pachtgut** *n* métairie *f;* **~prüfung** *f (Statistik)* inspection *f* sur échantillon *od* partielle; **~rente** *f* rente *f* partielle.

teils [taɪls] *adv* partiellement, en partie; *~ ..., ~ ...* (en) partie ..., (en) partie ... ; *~ blieben sie, ~ gingen sie* les uns restèrent, les autres s'en allèrent.

Teil|schaden *m* ['taɪl-] dommage *m od* perte *f* partiel(le); **~sendung** *f com* envoi *m* partiel; **~strecke** *f (d. Straßenbahn)* section *f;* **~streik** *m* grève *f* partielle; **~strich** *m* marque *f* de subdivision; **~stück** *n* section; *(Statistik)* parcelle *f;* **~tief** *n mete* dépression *f* secondaire.

Teilung *f* ⟨-, -en⟩ ['taɪlʊŋ] partage *m,* division *f; (Zerstückelung, bes. von Grund u. Boden)* morcellement; *(e-s Landes)* démembrement *m; (Spaltung, bes. scient)* scission; *biol* segmentation; *(Zell~)* division; *(Trennung)* séparation *f;* **~sartikel** *m gram* article *m* partitif; **~sklage** *f jur* action *od* demande *f* en partage; **~smasse** *f jur* masse *f* à partager, actif *m* distribuable; **~svertrag** *m* traité *od* acte *m* de partage.

Teil|unternehmer *m* ['taɪl-] sous-traitant *m;* **~verlust** *m* perte *f* partielle; **t~weise** *adv* partiellement, en partie, par parties, par portions; *a abus* partiel; **~zahlung** *f* paiement *m* partiel *od* à compte; *auf ~~ kaufen, verkaufen* acheter, vendre à tempérament; **~zahlungskauf** *m,* **~zahlungskredit** *m* achat, crédit *m* à tempérament; **~zahlungssystem** *n* système *m* de paiement à tempérament *od* par acomptes.

Teint *m* ⟨-s, -s⟩ [tɛ̃:] *(Gesichtsfarbe)* teint *m,* carnation *f.*

Tekton|ik *f* ⟨-, ø⟩ [tɛk'to:nɪk] *geol* tectonique *f;* **t~isch** [-'to:nɪʃ] *a* tectonique.

Telefon *n* ⟨-s, -e⟩ [tele'fo:n] *etc = Telephon etc.*

telegen [tele'ge:n] *a (für Fernsehaufnahmen bes. geeignet)* télégénique.

Telegraf *m* ⟨-en, -en⟩ [tele'gra:f] *etc = Telegraph etc.*

Telegramm *n* ⟨-s, -e⟩ [tele'gram] télégramme *m,* dépêche *f* (télégraphique); *ein ~ aufgeben* déposer *od* envoyer un télégramme *od* une dépêche; *ein ~ aufnehmen* recevoir un télégramme *od* une dépêche; *zugesprochene(s) ~* télégramme *m* téléphoné; *~ mit (bezahlter) Rückantwort* télégramme *m* avec réponse (payée); **~adresse** *f,* **~anschrift** *f* adresse *f* télégraphique; **~annahme(stelle)** *f* guichet *m* pour télégrammes; **~formular** *n* formule *f* de télégramme; **~gebühr** *f* taxe *f* télégraphique; *pl* tarif *m* télégraphique; **~kodex** *m* code *m* télégraphique; **~schalter** *m = ~annahme;* **~schlüssel** *m* chiffre *m* télégraphique; **~stil** *m* style *m* télégraphique; **~zustellung** *f* distribution *f* des télégrammes.

Telegraph *m* ⟨-en, -en⟩ [tele'gra:f] télégraphe *m;* **~enamt** *n* bureau *m* télégraphique; **~enanlage** *f* installation *f* télégraphique; **~enarbeiter** *m* ouvrier *m* des télégraphes; **~enbau(amt** *n***)** *m* (bureau *m* de) construction *f* des lignes télégraphiques; **~enbote** *m* porteur *m* de télégrammes; **~endraht** *m,* **~enleitung** *f,* **~enmast** *m,* **~ennetz** *n* fil *m,* ligne *f,* poteau, réseau *m* télégraphique; **~enpfahl** *m = ~enmast;* **~enschlüssel** *m = Telegrammschlüssel;* **~enstange** *f = ~enmast;* **~ie** *f* ⟨-, ø⟩ [-gra'fi:] télégraphie *f; drahtlose ~~* télégraphie sans fil (T.S.F.), radio(télégraphie) *f;* **t~ieren** [-'fi:rən] *tr u. itr* télégraphier; *itr* envoyer un télégramme *od* une dépêche; **~iesender** *m radio* émetteur *m* radiotélégraphique; **t~isch** [-'gra:fɪʃ] *a* télégraphique; *adv* par télégramme *od* dépêche; *~~ überweisen (Geld)* envoyer par mandat télégraphique; *~~e Überweisung f* mandat télégraphique, télégramme-mandat *m.*

Tele|kinese *f* ⟨-, ø⟩ [teleki'ne:zə] *psych* télékinésie *f;* **~meter** *n* ⟨-s, -⟩ [-'me:tər] *(Entfernungsmesser)* télémètre *m;* **~objektiv** *n phot* téléobjectif *m.*

Teleolog|ie *f* ⟨-, ø⟩ [teleolo'gi:] *philos* téléologie *f;* **t~isch** [-'lo:gɪʃ] *a* téléologique.

Telepath *m* ⟨-en, -en⟩ [tele'pa:t] *psych* télépathe *m;* **~ie** *f* ⟨-, ø⟩ [-pa'ti:] télépathie *f;* **t~isch** [-'pa:tɪʃ] *a* télépath(iqu)e.

Telephon *n* ⟨-s, -e⟩ [tele'fo:n] téléphone *m; am ~* au téléphone, à l'écoute; *~ haben* avoir le téléphone; *Sie werden am ~ verlangt* on vous appelle au téléphone; **~anruf** *m* appel; *fam* coup *m* de téléphone *od* de fil; **~anschluß** *m* branchement *m* téléphonique; **~apparat** *m* appareil *m* téléphonique; **~at** *n* ⟨-(e)s, -e⟩ [-fo'na:t] = *~gespräch;* **~buch** *n* annuaire *m* du téléphone; **~draht** *m* fil *m* téléphonique; **~fräulein** *n* demoiselle *f* du téléphone; **~gebühren** *f pl* taxe *f* téléphonique; **~gespräch** *n* conversation *f* téléphonique; **t~ieren** [-fo'ni:rən] *itr* téléphoner; *mit jdm ~~ (fam a.)* avoir qn au bout du fil; **t~isch** [-'fo:nɪʃ] *a* téléphonique; *adv* par téléphone; *~~ anfragen* demander par téléphone; *jdn ~~ erreichen* toucher qn par téléphone; **~ist(in** *f***)** *m* ⟨-en, -en⟩ [-fo'nɪst] téléphoniste, standardiste *m f;* **~leitung** *f,* **~netz** *n* ligne *f,* réseau *m* téléphonique; **~nummer** *f* numéro *m* de téléphone; *e-e ~~ wählen* composer *od* former un numéro de téléphone; **~verbindung** *f* communication *f* téléphonique; **~zelle** *f* cabine *f* téléphonique; **~zentrale** *f* central *m* (téléphonique).

Tele|photographie *f* [tele-] téléphotographie *f;* **~skop** *n* ⟨-s, -e⟩ [-'sko:p] télescope *m;* **t~skopisch** *a* télescopique.

Teller *m* ⟨-s, -⟩ ['tɛlər] assiette *f; s-n ~ leer essen* vider son assiette; *flache(r), tiefe(r) ~* assiette *f* plate, creuse; **~brett** *n* vaisselier, dressoir *m;* **~eisen** *n (Falle)* piège *f* à palette; **~gericht** *n (Essen)* plat *m* garni; **~mine** *f mil* mine *f* plate; **t~n** *itr (auf dem Rücken schwimmen)* faire la planche; **~rad** *n* roue *f* pleine; **~tuch** *n* serviette *f* (de table); **~untersatz** *m* dessous-de-plat *m;* **~ventil** *n tech* soupape *f* à disque; **~voll** *m* ⟨-, -⟩ assiettée *f;* **~wärmer** *m* chauffe-plat(s) *m;* **~wäscher(in** *f***)** *m* plongeur, se *m f.*

Tellur *n* ⟨-s, ø⟩ [tɛ'lu:r] *chem* tellure *m.*

Temp|el *m* ⟨-s, -⟩ ['tɛmpəl] temple *m;* **~elherr** *m,* **~elritter** *m,* **~ler** *m* ⟨-s, -⟩ *rel hist* templier *m;* **~elorden** *m,* **~lerorden** *m* ordre *m* des Templiers; **~elraub** *m* sacrilège *m;* **~elschändung** *f* profanation *f.*

Tempera|farbe *f* ['tɛmpera-], **~malerei** *f* couleur, peinture *f* à la détrempe.

Temperament *n* ⟨-(e)s, -e⟩ [tɛmpera'mɛnt] tempérament *m; (Lebhaftigkeit)* vivacité; *(Schwung)* verve *f; (Feuer)* feu *m; (Gemütsart)* complexion *f; ~ haben (lebhaft, schwungvoll sein)* avoir du tempérament; **t~los** *a* sans tempérament; **~losigkeit** *f* ⟨-, ø⟩ absence *f od* manque *m* de tempérament; **t~voll** *a (lebhaft)* vivace; *(schwungvoll)* plein de verve; *(feurig)* plein de feu.

Temperatur *f* ⟨-, -en⟩ [tɛmpera'tu:r] température *f; ~ haben (med)* avoir *od* faire de la température; *die ~ messen (med)* prendre la température; *die ~ steigt, fällt* la température monte, baisse; **~anstieg** *m mete,* **~erhöhung** *f med* élévation *f* de la température; **~maximum** *n*, **~minimum** *n*, **~mittel** *n* température *f* maximum, minimum, moyenne; **~rückgang** *m mete* u. *med* baisse *f* de température; **~schwankung** *f* variation *od* différence *f* de température; *pl* intempéries *f pl;* **~sturz** *m*, **~unterschied** *m*, **~wechsel** *m* chute, différence *f od* écart, changement *m* de température.

Temper|enzler *m* ⟨-s, -⟩ [tɛmpeˈrɛntslər] *(Alkoholgegner)* membre *m* d'une société de tempérance; **t~ieren** [-ˈriːrən] *tr (die Temperatur regeln)* tempérer; *(mäßigen)* modérer.

Temper|guß *m* [ˈtɛmpər-] *metal* malléabilisation *f;* **~kohle** *f* carbone *m* de recuit; **t~n** *tr metal* recuire; **~ofen** *m* four *m* à recuire.

Tempo *n* ⟨-s, -s/-pi⟩ [ˈtɛmpo, ˈ-pi] *mus sport* temps, tempo *m; (Geschwindigkeit)* allure, cadence *f, sport* train *m; in hohem ~* à fond de train; *ein hohes ~ drauf haben (sport)* mener bon train; *ein tolles ~ vorlegen* aller un train d'enfer; *~, ~!* dépêche-toi! dépêchez-vous! en vitesse!

tempor|al [tɛmpoˈraːl] *a gram* de temps; **T~alsatz** *m gram* proposition *f* de temps; **~är** [-ˈrɛːr] *a (zeitweilig)* temporaire.

Tendenz *f* ⟨-, -en⟩ [tɛnˈdɛnts] tendance *f; steigende, fallende* od *sinkende ~* tendance *f* à la hausse, à la baisse; **~dichtung** *f* littérature *f* à thèse; **t~iös** [-tsiˈøːs] *a* tendancieux, de parti pris; **~roman** *m*, **~stück** *n theat* roman *m*, pièce *f* à thèse; **tendieren** [-ˈdiːrən] *itr* avoir une tendance (*zu* vers).

Tender *m* ⟨-s, -⟩ [ˈtɛndər] *loc* tender *m;* **~lokomotive** *f* locomotive-tender *f.*

Tenne *f* ⟨-, -n⟩ [ˈtɛnə] *agr* aire *f.*

Tennis *n* ⟨-, ø⟩ [ˈtɛnɪs] tennis *m;* **~ball** *m* balle *f* de tennis; **~hose** *f (lange)* pantalon *od (kurze)* short *m* de tennis; **~klub** *m*, **~platz** *m*, **~schläger** *m* **~schuhe** *m pl*, **~spiel** *n*, **~spieler** *m*, **~turnier** *n* club, court *m*, raquette *f*, chaussures *f pl*, match, joueur, tournoi *m* de tennis.

Tenor 1. *m* ⟨-s, ø⟩ [ˈteːnɔr] *(Wortlaut, Sinn)* teneur *f.*

Tenor 2. *m* ⟨-s, ⸚e⟩ [teˈnoːr, -ˈnøːrə] *(Stimme u. Sänger)* ténor *m;* **~stimme** *f* ténor *m.*

Teppich *m* ⟨-s, -e⟩ [ˈtɛpɪç] *a. fig* tapis; *(Bodenteppich)* tapis *m* de sol; **~boden** *m* moquette *f;* **~klopfer** *m* tapette *f* à tapis; **~stange** *f* barre *f* pour tapis; **~wirker** *m* ourdisseur *m* de tapis.

Termin *m* ⟨-s, -e⟩ [tɛrˈmiːn] *(festgesetzter Tag)* terme *m*, date *f; fin com* date *f* limite; *(Frist)* délai *m; jur (Verhandlung)* assignation, audience *f; e-n ~ anberaumen (jur)* assigner un jour pour les débats; *e-n ~ einhalten* observer un délai; *e-n ~ festsetzen* fixer une date; *e-n ~ versäumen* laisser passer un terme; *den ~ verschieben* ajourner les débats; *äußerste(r) ~* date *f* limite; **~einlage** *f (fin)* dépôt *m* à terme; **t~gemäß** *a*, **t~gerecht** *a* conforme à la date d'échéance *od* à l'échéance; **~geschäft** *n* marché *m od* opération *f* à terme; **~handel** *m* marché *m* à terme; **~kalender** *m* agenda; carnet *m* d'échéances, échéancier *m;* **~kauf** *m*, **~lieferung** *f*, **~markt** *m* achat *m*, livraison *f*, marché *m* à terme; **~ologie** *f* ⟨-, -n⟩ [-minoloˈgiː] terminologie *f;* **~sicherungskosten** *pl (fin)* frais de couverture à terme; **~us (technicus)** *m* ⟨- -, -ni -ci⟩ [ˈtɛrminus (ˈtɛçnikus), -ni (-tsi)] *(Fachausdruck)* terme *m* (technique); **~verlängerung** *f* prolongation *f* de *od* d'un délai.

Termite *f* ⟨-, -n⟩ [tɛrˈmiːtə] termite *m;* fourmi *f* blanche; **~nhügel** *m* termitière *f.*

Terpentin *n* ⟨-s, -e⟩ [tɛrpɛnˈtiːn] térébenthine *f;* **~baum** *m* térébinthe *m;* **~öl** *n* essence *f* de térébenthine.

Terrain *n* ⟨-s, -s⟩ [tɛˈrɛ̃ː] *(Gelände)* terrain *m; das ~ abtasten (fig)* tâter le terrain.

Terrakott|a *f* ⟨-, -ten⟩ , **~e** *f* ⟨-, -n⟩ [tɛraˈkɔta, -tə] *(gebrannter Ton; Gegenstand daraus)* terre *f* cuite.

Terrarium *n* ⟨-s, -rien⟩ [tɛˈraːrium, -riən] terrarium *m.*

Terrass|e *f* ⟨-, -n⟩ [tɛˈrasə] terrasse *f; geog* replat *m;* **t~enartig** *a*, **t~enförmig** *a u. adv* en terrasse(s), en gradins; **~endach** *n* toit *m* en terrasse; **~engarten** *m* jardin *m* en terrasse(s); **t~ieren** [-ˈsiːrən] *tr (in ~en anlegen)* disposer en terrasses.

terrestrisch [tɛˈrɛstrɪʃ] *a astr* terrestre.

Terrier *m* ⟨-s, -⟩ [ˈtɛriər] *(Hunderasse)* fox-terrier *m.*

Terrine *f* ⟨-, -n⟩ [tɛˈriːnə] terrine *f.*

territori|al [tɛritoriˈaːl] *a* territorial; **T~alität** *f* ⟨-, ø⟩ [-rialiˈtɛːt] territorialité *f;* **T~um** *n* ⟨-s, -rien⟩ [-ˈtoːrium, -riən] territoire *m.*

Terror *m* ⟨-s, ø⟩ [ˈtɛrɔr] *(Schrecken)* terreur *f;* **~akt** *m* acte *m* de terrorisme; **t~isieren** [-roriˈziːrən] *tr* terroriser; **~isierung** *f* terrorisation *f;* **~ismus** *m* ⟨-s, ø⟩ [-ˈrɪsmus] *(Schreckensherrschaft)* terrorisme *m;* **~ist** *m* ⟨-en, -en⟩ [-ˈrɪst] , **t~istisch** [-ˈrɪstɪʃ] *a* terroriste *(m).*

Terti|anafieber *n* [tertsiˈaːna-] *med* fièvre *f* tierce; **~är** *n* ⟨-s, ø⟩ [-tsiˈɛːr] *geol* ère *f* tertiaire, Tertiaire *m.*

Terz *f* ⟨-, -en⟩ [tɛrts] *mus sport* tierce *f; große, kleine ~* tierce *f* majeure, mineure; **~ett** *n* ⟨-(e)s, -e⟩ [-ˈtsɛt] *mus* trio *m;* **~ine** *f* ⟨-, -n⟩ [-ˈtsiːnə] *(Strophe)* tercet *m.*

Terzerol *n* ⟨-s, -e⟩ [tɛrtsəˈroːl] *(kleine Pistole)* pistolet *m* (de poche).

Tesching *n* ⟨-s, -e/-s⟩ [ˈtɛʃɪŋ] *(Pistole)* pistolet *m;* carabine *f* de petit calibre.

Test *m* ⟨-(e)s, -s/(-e)⟩ [tɛst] test *m*, épreuve *f* psychologique; *chem tech* têt *m;* **~ament** *n jur* testament; *ein ~~ machen, umstoßen* faire, révoquer un testament; *ohne ~~ sterben* mourir *od* décéder intestat; *eigenhändige(s) ~~* testament *m* olographe; *das Alte, Neue ~~ (rel)* l'Ancien, le Nouveau Testament; **t~amentarisch** [-tamɛnˈtaːrɪʃ] *a* testamentaire; *adv* par testament; **~amentsbestimmung** *f* [-ˈmɛnts-] disposition *f* testamentaire; **~amentserbe** *m* héritier *m* institué; **~amentseröffnung** *f* ouverture *f* du testament; **~amentsnachtrag** *m* codicille *m;* **~amentsvollstrecker** *m* exécuteur *m* testamentaire *od* du testament; **~at** *n* ⟨-(e)s, -e⟩ [-ˈtaːt] *(Bescheinigung)* attestation *f*, certificat *m;* **~ator** *m* ⟨-s, -en⟩ [-ˈtaːtɔr. -ˈtoːrən] *(Erblasser)* testateur *m;* **~betrieb** *m* entreprise-pilote *f;* **~t~ieren** [-ˈtiːrən] *tr adm (bescheinigen)* attester, certifier; *itr jur (ein ~ament machen)* tester; **t~ierfähig** [-ˈtiːr-] *a*, **~ierfähigkeit** *f jur* habile, habilité *f* à tester; **t~ierunfähig** *a* incapable de tester; **~pilot** *m aero* pilote *m* d'essai.

teu|er [ˈtɔʏər] *a (hoch im Preis)* cher, coûteux; *(lieb)* cher; *sehr ~~ (a.)* hors de prix, à prix d'or; *nicht zu ~~* à juste prix; *~~ bezahlen* payer cher; *sein Leben ~~ verkaufen (fig)* vendre chèrement sa vie *od pop* sa peau; *~rer werden* renchérir; *das ist mir zu ~~* c'est trop cher pour moi, ce n'est pas dans mes prix; *das wird dir ~~ zu stehen kommen* cela te coûtera cher; *da ist guter Rat ~~* on ne sait plus à quel saint se vouer; **T~erung** *f* renchérissement *m*, hausse des prix, cherté de la vie, vie chère; *(Notzeit)* disette *f;* **T~erungszulage** *f* indemnité *f* de vie chère.

Teufe *f* ⟨-, -n⟩ [ˈtɔʏfə] *mines (Riefe)* profondeur *f;* **t~n** *tr mines (bohren)* creuser.

Teuf|el *m* ⟨-s, -⟩ [ˈtɔʏfəl] diable, démon *m; der ~~* le diable, Satan *m; den ~~ mit Beelzebub austreiben (fig)* appliquer un remède pire que le mal; *jdn zum ~~ jagen* od *schicken* envoyer qn au diable *od* à tous les diables *od* promener; *den ~~ an die Wand malen (fig)* tenter le diable; *mit dem ~~ im Bunde sein* avoir vendu son âme au diable; *der ~~ ist los* le diable es déchaîné; *er hat den ~ im Leib, ihn reitet der ~* il a le diable au corps; *das müßte mit dem ~ zugehen* à moins que le diable ne s'en mêle; *zum ~~!* diable! diantre! *zum ~~ mit ...!* malédiction sur ...! *hol' mich der ~~, wenn ...* que le diable m'emporte, si ...; *hol' dich der ~~!* que le diable t'emporte! *scher dich zum ~~!* va-t'en au diable! *arme(r) ~~ (fig: bedauernswerter Mensch)* pauvre diable *od* hère *od* sire *od* bougre *m;* **~elchen** *n* petit diable, diablotin *m;* **~elei** *f* [-ˈlaɪ] diablerie, machination *od* invention *f* diabolique; **~elin** *f* diablesse *f;* **~elskerl** *m* diable *m* d'homme; **~elskreis** *m* cercle vicieux, cycle *m* infernal; **t~lisch** *a* diabolique, démoniaque, infernal.

Text *m* ⟨-(e)s, -e⟩ [tɛkst] *(Wortlaut)* texte; *(Bibelstelle)* passage *m; mus (e-s Liedes)* paroles *f pl; (e-r Oper)* livret; *f* ⟨-, ø⟩ *typ (Schriftgrad)* vingt *m; aus dem ~ kommen* perdre le fil de son discours; **~abbildung** *f typ* illustration *f* dans le texte; **~änderung** *f* modification *f* de *od* du texte; **~buch** *n (e-r Oper)* livret *m;* **~dichter** *m mus* parolier *m;* **~entwurf** *m* projet *m* de texte; **~er** *m* ‹-s, -› *mus* parolier; *(e-r Zeitung)* rédacteur *m;* **~erabteilung** *f (Zeitung)* service *m* technique *od* de rédaction; **~kritik** *f* critique *f* de texte; **~seite** *f (e-r Zeitung)* page *f* rédactionnelle; **~zeichnung** *f* figure *f* au trait.

Textil|arbeiter *m* [tɛks'ti:l-] ouvrier *m* du textile; **~faser** *f* fibre *f* textile; **~ien** *pl* [-'ti:liən] articles *m pl* textiles; **~industrie** *f* (industrie *f*) textile *m.*

Thai|land *n* ['taɪlant] la Thaïlande; **~länder(in** *f***)** *m* Thaïlandais, e *m f;* **t~ländisch** *a* thaïlandais.

Thallium *n* ‹-s, ø› ['talium] *chem* thallium *m.*

Theater *n* ‹-s, -› [te'a:tər] *(Bühnenkunst)* théâtre, spectacle; *(Gebäude)* théâtre *m; ins ~ gehen* aller au théâtre *od* au spectacle; *häufig ins ~ gehen* suivre le théâtre; *zum* od *ans ~ gehen (Schauspieler werden)* monter sur les planches; *~ machen (fam: sich heftig widersetzen)* faire des histoires, se récrier; *~ spielen (fig)* jouer la comédie; *das ist alles nur ~ (fig fam: Getue)* ce ne sont que des manières; *pop* c'est du cinéma; *intime(s) ~* théâtre *m* de boulevard; **~agentur** *f* agence *f* de théâtre; **~aufführung** *f* représentation *f;* **~bericht** *m* chronique *f* théâtrale; **~besuch** *m* fréquentation *f* du théâtre; **~besucher** *m* spectateur *m;* **~dekoration** *f* décor *m;* **~direktor** *m* directeur *m* de *od* du théâtre; **~ferien** *pl* clôture *f* annuelle; **~karte** *f* billet *m* de théâtre; **~kasse** *f* caisse *f* (du théâtre); **~maler** *m* peintre *m* de décors; **~probe** *f* répétition *f;* **~raum** *m*, **~saal** *m* salle *f* de spectacle; **~stück** *n* pièce *f* de théâtre; **~vorstellung** *f = ~aufführung;* **~zettel** *m (Handzettel)* programme *m; (Anschlag)* affiche *f;* **theatralisch** [-a'tra:lɪʃ] *a* théâtral, scénique; *fig* théâtral, affecté.

Thein *n* ‹-s, ø› [te'i:n] *chem* théine *f.*

Theismus *m* ‹-s, ø› [te'ɪsmus] *philos* théisme *m.*

Theke *f* ‹-, -n› ['te:kə] *(Schanktisch)* comptoir, bar; *pop* zinc *m; an der ~* au comptoir; *pop* sur le zinc; **~naufsatz** *m* installation *f* de débit.

Thema *n* ‹-s, -men/-mata› ['te:ma, '-mən, '-mata] *allg (Aufgabe, a. mus)* thème; *(Gesprächs~, Abhandlungsgegenstand)* sujet *m; vom ~ abbringen* détourner du sujet; *vom ~ abkommen* sortir de la question; *das ~ wechseln* changer de conversation *od* de propos; *aufs ~ zurückkommen* revenir au sujet *od fam* à ses moutons; **t~tisch** [te'ma:tɪʃ] *a* thématique.

Themse ['tɛmzə] *, die, geog* la Tamise.

Theo|kratie *f* ‹-, -n› [teokra'ti:] *rel pol* théocratie *f;* **t~kratisch** [-'kra:tɪʃ] *a* théocratique; **~loge** *m* ‹-n, -n› [-'lo:gə] théologien *m;* **~logie** *f* ‹-, -n› [-lo'gi:] théologie *f; Student m der ~~,* **~logiestudent** *m* étudiant *m* en théologie; **t~logisch** [-'lo:gɪʃ] *a* théologique; **~soph** *m* ‹-en, -en› [-'zo:f] théosophe *m;* **~sophie** *f* ‹-, -n› [-zo'fi:] théosophie *f.*

Theor|em *n* ‹-s, -e› [teo're:m] *math* théorème *m;* **~etiker** *m* ‹-s, -› [-'re:tikər] théoricien *m;* **t~etisch** [-'re:tɪʃ] *a* théorique; *adv a.* en théorie; **~ie** *f* ‹-, -n› [-'ri:] théorie *f; e-e ~~ aufstellen* échafauder une théorie; *das ist bloße ~~* ce ne sont que des abstractions.

Therap|eut *m* ‹-en, -en› [tera'pɔʏt] *(Arzt)* thérapeute *m;* **~eutik** *f* ‹-, ø› [-'pɔʏtɪk] *(Lehre v. d. Krankheitsbehandlung)* thérapeutique *f;* **t~eutisch** [-'pɔʏtɪʃ] *a* thérapeutique; **~ie** *f* ‹-, -n› [-'pi:] *(Krankenbehandlung)* thérapie *f.*

Therm|albad *n* [tɛr'ma:l-] bain *m* thermal; **~alquelle** *f* source *f* thermale; **~alwasser** *n* eaux *f pl* thermales; **~e** *f* ‹-, -n› ['tɛrmə] = *~alquelle;* **~ik** *f* ‹-, ø› ['tɛrmɪk] *phys (Wärmelehre)* calorimétrie *f;* = *~ischer Aufwind;* **t~isch** ['tɛrmɪʃ] *a* thermique; calorifique; *~~e(r) Aufwind m* courant *m od* ascendance *f* thermique; **~it** *n* ‹-s, -e› [-'mi:t/-'mɪt] *chem* thermite *f;* **~itbombe** *f* bombe *f* à la thermite; **~odynamik** *f* thermodynamique *f;* **t~oelektrisch** *a* thermo-électrique; **~oelektrizität** *f* thermo-électricité *f;* **~oelement** *n el* couple *m* thermo-électrique; **~ometer** *n* ‹-s, -› [-mo'me:tər] thermomètre *m;* **~ometersäule** *f,* **~ometerskala** *f,* **~ometerstand** *m* colonne, échelle, hauteur *od* cote *f* thermométrique; **~osflasche** *f* bouteille *f* thermos; **~ostat** *m* ‹-(e)s/-en, -e(n)› [-mo'sta:t] *(Wärmeregler)* thermostat *m.*

These *f* ‹-, -n› ['te:zə] *(Behauptung)* thèse *f.*

Thomas *m* ['to:mas]*: ungläubige(r) ~ (fam)* incrédule *m;* **~mehl** *n agr* farine *f* Thomas; **~stahl** *m* acier *m* Thomas; **~verfahren** *n tech* procédé *m* Thomas *od* basique.

Thromb|ose *f* ‹-, -n› [trɔm'bo:zə] *med* thrombose *f;* **~us** *m* ‹-, -ben› ['trɔmbus] *(Blutgerinnsel)* thrombus *m.*

Thron *m* ‹-(e)s, -e› [tro:n] trône *m; den ~ besteigen (a. fig)* monter sur le trône; **~besteigung** *f* avènement *m* (au trône); **t~en** *itr fig* trôner; **~erbe** *m,* **~folger** *m* héritier *m* du trône; **~folge** *f* succession *f* au trône; **~himmel** *m* dais, baldaquin *m;* **~räuber** *m* usurpateur *m;* **~rede** *f,* **~saal** *m* discours *m,* salle *f* du trône; **~wechsel** *m* changement *m* de règne.

Thulium *n* ‹-s, ø› ['tu:lium] *chem* thulium *m.*

Thunfisch *m* ['tu:n-] thon *m.*

Thurgau ['tu:rgau] *der, geog* la Thurgovie.

Thüring|en *n* ['ty:rɪŋən] la Thuringe; **~er(in** *f***)** *m* ‹-s, -› Thuringien, ne *m f;* **t~isch** *a* thuringien.

Thymian *m* ‹-s, -e› ['ty:mia:n] *bot* thym, serpolet *m.*

Thymusdrüse *f* ['ty:mus-] *anat* thymus *m.*

Thyroxin *n* ‹-s, ø› [tyrɔ'ksi:n] *physiol* thyroxine *f.*

Tiara *f* ‹-, -ren› [ti'a:ra] *rel* tiare *f.*

Tiber ['ti:bər] *, der, geog* le Tibre.

Tibet ['ti:bɛt/ti'be:t] *geog* le Tibet; **~aner(in** *f***)** *m* ‹-s, -› [-be'ta:nər] Tibétain, e *m f;* **t~anisch** [-'ta:nɪʃ] *a* tibétain.

Tic(k) *m* ‹-s, -s› [tɪk] *med* tic *m.*

Tick *m* ‹-(e)s, -s› [tɪk] *(Schrulle)* grain *m,* manie *f; e-n ~ (Groll) auf jdn haben* avoir une dent contre qn.

tick|en ['tɪkən] *itr (Uhr)* faire tic tac; **T~en** *n* tic-tac *m;* **~tack** ['tɪk'tak] *interj* tic tac! **T~tack** *n* ‹-s, ø› tic-tac *m.*

Tide *f* ‹-, -n› ['ti:də] *mar (Flut)* marée *f;* **~nhub** *m* grandeur *f* de la marée.

tief [ti:f] *a (Gegensatz: flach; weit nach hinten reichend; fig: Gedanken)* profond; *(Gegensatz: hoch)* bas; *mus* grave; *(Farbe: satt)* profond, foncé; *adv (~ unten)* bas; *~ in etw (a. fig)* au fond de qc; *~ im Herzen* au fond du cœur; *~ ins Land hinein* loin dans le pays, au cœur du pays; *~ in der Nacht* tard *od* bien avant dans la nuit; *bis ~ in die Nacht hinein* jusque tard dans la nuit; *im ~en Tal* au fond de la vallée; *in ~er Trauer* en grand deuil; *im ~en Walde, ~ im Walde* au fond des bois; *im ~en Winter, ~ im Winter* au cœur de l'hiver; *~ atmen* respirer à fond; *~ fliegen* voler bas; *~ gesunken sein (fig)* être tombé bien bas; *~ ausgeschnitten (Kleid)* très décolleté; *~ beschämt* profondément humilié; *~e(s) Schweigen n* silence *m* de mort; **T~** *n mar* chenal *m; mete* zone *f* de basse pression; **T~angriff** *m aero* attaque *f* à très basse altitude *od* en vol rasant; **T~bau** *m* travaux *m pl* souterrains *od* en sous-sol; construction au-dessous du sol; *mines* exploitation *f* au fond; **T~bauarbeiten** *f pl* travaux *m pl* d'infrastructure; **T~bauingenieur** *m* ingénieur *m* des travaux souterrains; **T~bauunternehmen** *n* entreprise *f* de constructions et de travaux souterrains; **~betrübt** *a* profondément affligé, navré; **~bewegt** *a* profondément ému; **~blau** *a* bleu profond; **~blickend** *a* pénétrant, perspicace; **T~bohrung** *f tech* forage *m* profond; **T~bunker** *m (Luftschutz)* abri *m* bétonné profond; **T~decker** *m aero* avion *m* à ailes basses; **T~druck** *m* ‹-s, -e› *typ* impression *od* gravure en creux, (impression) hélio; *mete* basse pression *f;* **T~druckgebiet** *n* région *od* zone *f* de basse pression *od* cyclonique; **T~druckrinne** *f mete* couloir *m* de basse pression; **T~drucksystem** *n mete* système *m* dépressionnaire; **T~ebene** *f geog* plaine *f* basse; **~empfunden** *a* profondément ressenti; **~ernst** *a* très grave; **~erschüttert** *a* (complètement) bouleversé; **T~flug** *m* vol *m* à basse altitude *od* rasant; *im ~~ (über Land)* en rase-mottes; *(über Wasser)* en rase-flots; **T~gang** *m mar* tirant *m* d'eau; *e-n ~~ von 6 m haben* tirer *od* jauger six mètres d'eau; **T~garage** *f* garage *m* souterrain; **~gefroren** *a*, **~gekühlt** *a (Lebensmittel)* surgelé; **~gefühlt** *a* = *~empfunden;* **~gehend** *a*, **~greifend** *a*, **~gründig** *a* profond; **T~kühlkost** *f* produits *m pl* surgelés; **T~kühltruhe** *f* congélateur, surgélateur *m;* **T~kühlung** *f* surgélation *f;* **T~lader** *m* remorque *f* porte-chars; **T~land** *n* ⟨-(e)s, -e/¨er⟩ bas pays *m;* **~liegend** *a* bas; *(Augen)* enfoncé; **T~punkt** *m* minimum *m;* **T~schlag** *m (Boxen)* coup *m* bas; **~schürfend** *a fig* profond; **T~see** *f* grands fonds *m pl;* **T~seefauna** *f* faune *f* abyssale; **T~seegraben** *m* abysse *m;* **T~seekabel** *n* câble *m* océanique *od* de haute mer; **T~seelotung** *f* bathymétrie *f;* **T~seetaucherglocke** *f* bathyscaphe *m;* **T~sinn** *m* ⟨-(e)s, ø⟩ profondeur *f* d'esprit; *(Schwermut)* mélancolie *f;* **~sinnig** *a* profond, pensif, songeur; *(schwermütig)* mélancolique; **T~stand** *m* ⟨-(e)s, ø⟩ *(d. Wassers)* étiage *m; fig, a. com* (le) plus bas niveau; **~stehend** *a fig* bas; **T~stflug** *m* (vol en) rase-mottes *m inv;* **T~sttemperatur** *f* température *f* minimale; **T~stwert** *m* (la) plus basse valeur; **T~tauchen** *n* plongée *f* profonde; **~unglücklich** *a* très malheureux.

Tiefe *f* ⟨-, -n⟩ ['ti:fə] *a. fig* profondeur *f; (Hintergrund e-s Bildes)* lointains *m pl; film* relief; *(Abgrund)* fond, abîme; *mus* timbre *m* grave; *in 10 m ~* par dix mètres des fond; **~ngestein** *n geol* roches *f pl* abyssales; **~ngliederung** *f mil* formation *f* en profondeur; **~nlage** *f* profondeur *f;* **~nmessung** *f* sondage *m;* **~npsychologie** *f* psychologie *f* des profondeurs; **~nruder** *n aero* gouvernail *m* de profondeur; **~nschärfe** *f phot* profondeur *f* de champ; **~nstaffelung** *f mil* échelonnement *m* en profondeur; **~nsteuerung** *f aero* commande *f* de profondeur; **~nwirkung** *f* effet *m od* action *f* en profondeur.

Tiegel *m* ⟨-s, -⟩ ['ti:gəl] *(Küche)* casserole *f; (irdener)* poêlon; *(Schmelz~)* creuset *m; typ* platine *f;* **~druck** *m* ⟨-s, -e⟩, **~druckpresse** *f typ* impression, presse *f* à platine; **~guß** *m*, **~stahl** *m* acier *m* au creuset; **~ofen** *m metal* four *m* à creuset.

Tier *n* ⟨-(e)s, -e⟩ [ti:r] bête *f; bes. scient* animal *m; zum ~ herabsinken (fig)* tomber dans la bestialité; *auf die Stufe e-s ~es stellen (fig)* animaliser; *hohe(s) ~ (fig pop)* grosse légume *f;* gros bonnet *od* manitou *m;* huile *f; wilde(s) ~* bête *f* sauvage; **~art** *f* espèce *f* animale; **~arzt** *m* vétérinaire *m;* **t~ärztlich** *a* vétérinaire; **~bändiger** *m* dompteur *m;* **~bildhauer** *m* (sculpteur) animalier *m;* **~chen** *n* petit animal *m*, petite bête, bestiole *f;* **~fell** *n* peau *f* de bête; **~freund** *m* ami *m* des bêtes; **~garten** *m* jardin *m* d'acclimatation; **~halter** *m* détenteur *m* d'animaux; **~heilkunde** *f* médecine *f* vétérinaire; **t~isch** *a* animal; *pej* brutal; *~~e(r) Ernst m* air *m* d'abruti; *~~e(s) Wesen n* animalité *f;* **~kohle** *f* charbon *m* animal; **~kreis(zeichen** *n*) *m astr* (signe du) zodiaque *m;* **~kunde** *f* zoologie *f;* **~maler** *m* (peintre) animalier *m;* **~psychologie** *f* psychologie *f* animale; **~quälerei** *f* (acte *m* de) cruauté *f* envers les animaux; **~reich** *n* ⟨-(e)s, ø⟩ règne *m* animal; **~schutz** *m* protection *f* des animaux; **~schutzverein** *m* société *f* protectrice des animaux; **~stück** *n (Kunst)* animaux *m pl;* **~versuch** *m* expérience *f* faite sur des animaux; **~wärter** *m* gardien *m* de ménagerie *od* de zoo; **~welt** *f* ⟨-, ø⟩ monde *m* animal; *scient* faune *f;* **~zucht** *f* zootechnie; production *f* animale; **~züchter** *m* éleveur *m*.

Tiger *m* ⟨-s, -⟩ ['ti:gər] tigre *m;* **~fell** *n* peau *f* de tigre; **~in** *f* = *~weibchen;* **~lilie** *f* lis *m* martagon; **~schlange** *f* molure *m;* **~weibchen** *n* tigresse *f*.

Tilde *f* ⟨-, -n⟩ ['tıldə] *(Zeichen)* tilde *m*.

tilg|bar ['tılk-] *a fin* amortissable; remboursable, rachetable; **~en** ['-gən] *tr fin* amortir, liquider, rembourser, racheter; (s')acquitter (de), s'exonérer de; **T~ung** *f* amortissement *m*, liquidation, annulation *f*, effacement; remboursement, rachat; acquittement *m*, exonération *f;* **T~ungsabkommen** *n*, **T~ungsfonds** *m* convention *f*, fonds *m* d'amortissement; **T~ungsfrist** *f* délai *m* de remboursement; **T~ungsplan** *m* plan *m od* table *f od* tableau *m* d'amortissement; **T~ungsquote** *f*, **T~ungsrate** *f* taux *m* d'amortissement *od* de remboursement.

Tingeltangel *m* od *n* ⟨-s, -⟩ ['tıŋəltaŋəl] *fam (Vergnügungslokal)* boui-boui; *pop* beuglant *m*.

Tinktur *f* ⟨-, -en⟩ [tıŋk'tu:r] *pharm* teinture *f*.

Tinnef *m* ⟨-s, ø⟩ ['tınɛf] *fam (Schund)* camelote *f*, toc *m*.

Tinte *f* ⟨-, -n⟩ ['tıntə] encre *f; (die) ~ aufsaugen (Papier)* boire l'encre; *in die ~ geraten (fig)* se mettre dans de beaux draps, tomber dans la mélasse; *mit ~ schreiben* écrire à l'encre; *in der ~ sitzen (fig fam)* être dans le pétrin *od* de beaux draps; *das ist klar wie dicke ~ (hum)* c'est clair comme l'eau de roche; **~nfaß** *n* encrier *m;* **~nfisch** *m zoo* seiche *f;* **~nfläschchen** *n*, **~nflasche** *f* flacon *m*, bouteille *f* à encre; **~nfleck** *m*, **~nklecks** *m* tache *f* d'encre; **~nkleckser** *m fam pej* scribouillard, plumitif *m;* **~n(radier)gummi** *m* gomme *f* à encre; **~nspritzer** *m* éclaboussure *f* d'encre; **~nstift** *m* crayon *m* (à) encre; **~nwischer** *m* essuie-plume *m*.

Tip *m* ⟨-s, -s⟩ [tıp] *fam (Wink)* tuyau *m; jdm e-n ~ geben* donner un tuyau à qn; **t~pen 1.** *itr (wetten)* miser (*auf jdn, etw* sur qn, qc); **~pzettel** *m* bulletin-réponse *m*.

Tippel|bruder *m* ['tıpəl-] *fam (Landstreicher)* chemineau; clochard *m;* **t~n** *itr fam (wandern, zu Fuß gehen)* cheminer; *pop* prendre le train onze.

tipp|en ['tıpən] **2.** *tr od itr (leicht klopfen): jdn* od *jdm auf die Schulter ~* taper sur l'épaule de qn. **3.** *tr u. itr fam (maschineschreiben)* taper (à la machine), dactylographier; **T~fehler** *m fam* faute *f* de frappe *od* dactylographique; **T~fräulein** *n*, **T~mädchen** *n fam*, **T~se** *f* ⟨-, -n⟩ ['tıpsə] *hum pej (Stenotypistin)* dactylo(graphe) *f*.

tipptopp ['tıp'tɔp] *a pred fam* chouette, épatant; *pop* aux pommes.

Tirade *f* ⟨-, -n⟩ [ti'ra:də] *mus* trait, passage *m; (Wortschwall)* tirade *f*.

tirilieren [tiri'li:rən] *itr (singen, von Vögeln)* gazouiller, lancer des trilles, chanter; *(bes. von d. Lerche)* grisoller.

Tirol *n* [ti'ro:l] le Tyrol; **~er(in** *f*) *m* ⟨-s, -⟩ [-'ro:lər] Tyrolien, ne *m f;* **t~(er)isch** *a* tyrolien, ne.

Tisch *m* ⟨-(e)s, -e⟩ [tıʃ] *(Möbelstück u. Mahlzeiten)* table *f; bei ~* à table, pendant le repas; *den ~ abdecken* desservir, ôter le couvert; *vom ~ aufstehen* se lever *od* sortir de table; *auf den ~ bringen* mettre sur la table; *den ~ decken* mettre la table *od* le couvert; *unter den ~ fallen (fig fam)* compter pour des prunes, être omis *od* oublié; *unter den ~ fallen lassen (fig fam)* jeter au panier, laisser tomber; *zu ~ laden* inviter à déjeuner *od* à dîner; *reinen ~ machen (fig)* faire table rase (*mit* de); *sich an den ~ setzen* s'asseoir à la table; *sich zu ~ setzen* se mettre à table; *sich an den gedeckten ~ setzen (fig)* trouver la nappe mise; *jdn unter den ~ trinken (fig)* faire rouler qn sous la table; *(gnädige Frau,) der ~ ist gedeckt* madame est servie; *der grüne ~ (fig)* le tapis vert; *der ~ des Herrn (rel)* la sainte table; *von ~ und Bett getrennt (jur)* séparé de corps et de biens; **~apparat** *m tele* appareil *od* poste *m* mobile; **~bein** *n* pied *m* de table; **~besen** *m* ramasse-miettes *m;* **~chen** *n* petite table *f;* **~dame** *f*, **~decke** *f* voisine *f*, tapis *m* de table; **~ende** *n: obere(s), untere(s) ~~* haut, bas bout *m* de table; **~gast** *m* convive *m;* **~gebet** *n (vor dem Essen)* bénédicité *m; (nach dem Essen)* grâces *f pl;* **~gesellschaft** *f* tablée *f;* **~gespräch** *n*, **~glocke** *f*, **~herr** *m* propos *m*, cloche *f*, voisin *m* de table; **~karte** *f* carton *m;* **~klappe** *f* abattant *m;* **~lampe** *f*, **~läufer** *m*, **~nachbar** *m*, **~ordnung** *f* lampe *f*, chemin, voisin, plan *m* de table; **~platte** *f* dessus *m* de, planche *f* de la table; **~rede** *f* discours de banquet, toast *m;* = *~gespräch;* **~rükken** *n (Spiritismus)* tables *f pl* tournantes; **~runde** *f* cercle *m;* **~telephon** *n* téléphone *f* de table; **~tennis** *n* tennis de table, ping-pong *m;* **~tennisball** *m*, **~tennisschläger** *m* balle, raquette *f* de ping-pong; **~tuch** *n* nappe *f; ein ~~ auflegen* mettre une nappe; **~tuchklammer** *f* fixe-nappe *m;* **~wäsche** *f* linge *m* de table; **~wein** *m* vin *m* ordinaire *od* de table; **~zeit** *f* heure *f* du repas.

Tischler *m* ‹-s, -› ['tɪʃlər] menuisier; *(Möbeltischler)* ébéniste *m;* **~arbeit** *f,* **~ei** *f* [-'raɪ], **~handwerk** *n* menuiserie; ébénisterie *f;* **~leim** *m* colle *f* forte; **t~n** *itr* menuiser.

Titan *n* ‹-s, ø› [ti'ta:n] *chem* titane *m.*

Titan|(e) *m* ‹-(e)n, -(e)n› [ti'ta:n(e)] *(Mythologie)* titan *m;* **t~enhaft** *a,* **t~isch** [-'ta:nɪʃ] *a (riesenhaft)* titanesque, titanique; gigantesque.

Titel *m* ‹-s, -› ['ti:təl] titre *m; e-n ~ führen* avoir un titre; **~bild** *n typ* frontispice *m;* **~blatt** *n typ* (feuille *f* de) titre *m;* **~bogen** *m,* **~ei** *f* [-'laɪ] *typ* feuille *f* de titre; **~halter** *m,* **~inhaber** *m sport* tenant *od* détenteur *m* du titre; **~rolle** *f* rôle *m* principal; **~seite** *f typ* page de titre, première page *f;* **~sucht** *f* manie *f* des titres; **~verteidiger** *m sport* qui défend son titre.

Tit|er *m* ‹-s, -› ['ti:tər] *chem (Gehalt e-r Lösung)* titre *m;* **~ration** *f* ‹-, -en› [titratsi'o:n] *chem* titrage *m;* **t~rieren** [-'tri:rən] *tr chem* titrer.

Titul|atur *f* ‹-, -en› [titula'tu:r] titres *m pl,* qualification *f* (honorifique); **t~ieren** [-'li:rən] *tr (e-n Titel geben)* donner le titre de (*jdn* à qn); *(benennen, anreden)* qualifier de; **~ierung** *f* qualification.

Tituskopf *m* ['ti:tus-] *(Frisur)* coiffure *f* à la Titus.

Toast *m* ‹-(e)s, -e/-s› [to:st] *(geröstete Weißbrotscheibe)* toast; pain grillé; *(Trinkspruch)* toast *m;* **t~en** *itr (Weißbrot rösten)* faire des toasts; *(e-n Trinkspruch ausbringen)* porter un toast.

Tobel *m* od *n* ‹-s, -› ['to:bəl] *(Waldschlucht)* ravin *m* (boisé), gorge *f.*

tob|en ['to:bən] *itr (Wütender)* être en rage *od* déchaîné, se démener, tempêter, fulminer; *fam* fumer; *(Kinder)* faire du tapage; *(Schlacht)* faire rage; *(Gewitter)* gronder; **T~en** *n* déchaînement; tapage *m;* **T~sucht** *f* ‹-, ø› ['to:p-] folie furieuse, frénésie *f;* **~süchtig** *a* fou furieux, frénétique.

Tochter *f* ‹-, ⁻› ['tɔxtər, 'tœçtər] fille; *fam* demoiselle; *pop* gamine; *(in d. Schweiz a. = Hausmädchen)* bonne, *(= Kellnerin)* serveuse *f;* **~gesellschaft** *f* société affiliée *od* filiale, filiale *f;* **~haus** *n,* **~kirche** *f* maison, église *f* succursale; **~sprache** *f* langue *f* fille *od* dérivée; **~unternehmen** *n com* maison *f* affiliée.

Töchter|chen *n* ['tœçtər-], **~lein** *n* fillette, petite fille *f;* **~heim** *n* pensionnat *m* de jeunes filles.

Tod *m* ‹-(e)s, (-e)› [to:t, '-dəs] mort *f; adm (Ableben)* décès; *poet (Hinscheiden)* trépas *m; auf den ~ (verwundet)* à mort; *auf Leben und ~* à la vie et à la mort; *bei s-m ~e* à sa mort; *bis in den ~* jusqu'à la mort; *nach s-m ~e* après sa mort *od* son décès; *(Buchveröffentlichung)* à titre posthume; *in den ~ gehen* aller à la mort; *zu ~e hetzen (Pferd)* crever; *zu ~e quälen* supplicier; *mit dem ~e ringen* être à l'agonie, agoniser; *jdn in den ~ schicken* envoyer qn à la mort; *dem ~ ins Auge sehen* voir la mort de près; *e-s gewaltsamen, e-s natürlichen ~es sterben* mourir de mort violente, de mort naturelle *od* de sa belle mort; *zum ~ verurteilen* condamner à mort *od* à la peine capitale; *ich war zu ~e erschrocken* j'ai failli mourir de peur; *du bist (ein Kind) des ~es, wenn* ... tu es (un homme) mort, si ...; *~ und Teufel!* mort *od* enfer et damnation! *gegen den ~ ist kein Kraut gewachsen (prov)* contre la mort il n'y a point de remède; *Kampf m auf Leben und ~* lutte *f* à mort *od* à outrance; *plötzliche(r) ~* mort *f* subite; *der Schwarze ~ (die Beulenpest)* la peste noire; *der Weiße ~ (im Schnee des Hochgebirges)* la mort en montagne; *zu ~e betrübt* mortellement triste; *~ durch Erhängen* pendaison *f; ~ durch Ertrinken* mort *f* par immersion; *~ durch Erwürgen* (mort par) strangulation *f; vom ~e gezeichnet* portant les marques de la mort; *~ durch elektrischen Strom* électrocution *f;* **t~bringend** *a* mortel, délétère; **t~ernst** *a* très sérieux; **~feind** *m* ennemi *m* mortel *od* juré; **t~feind** *a: sich ~~ sein* être ennemis mortels *od* à couteaux tirés; **t~krank** *a* malade à la mort *od* à mourir; **t~langweilig** *a* ennuyeux comme la pluie; **t~müde** *a fam* mort de fatigue, sur les genoux, claqué; **t~schick** *a fam* très chic; **t~sicher** *a fam* garanti, absolument sûr, sûr et certain; **~sünde** *f* péché *m* mortel; **t~unglücklich** *a* malheureux comme les pierres.

Todes|ahnung *f* ['to:dəs-] pressentiment *m* d'une *od* de sa mort prochaine; **~angst** *f* angoisse *f od* affres *f pl* de la mort; *fam* peur *f* bleue; *~ängste ausstehen, in ~ängsten schweben* od *sein* être dans des angoisses *od* des transes mortelles; **~anzeige** *f* avis *m* de décès; *(briefliche)* (lettre *f* de) faire-part *m;* **~art** *f* (genre *m* de) mort *f;* **~engel** *m* ange *m* de la mort; **~erklärung** *f* déclaration *f* de décès; **~fall** *m* mort *f,* décès *m; im ~~e* en cas de mort *od* de décès; **~fallversicherung** *f: reine ~~* assurance *f* à vie entière; **~furcht** *f* crainte *f* de la mort; **~gedanke** *m: ~~n haben* songer à la mort; **~jahr** *n* année *f* de la mort; **~kampf** *m* agonie *f;* **~kandidat** *m fam* condamné; *arg* crevard *m;* **~marsch** *m (d. KZ-Häftlinge)* marche *f* de la mort; **t~mutig** *a* ne craignant rien; **~nachricht** *f* nouvelle *f* de la mort; **~not** *f: in ~nöten* dans des angoisses *od* des transes mortelles; **~opfer** *n* mort *m;* victime *f;* **~schrei** *m* cri *m* de mort; **~schweiß** *m* sueur *f* de l'agonie; **~stoß** *m* coup *m* de grâce; **~strafe** *f* peine *f* capitale *od* de mort; **~stunde** *f* heure de la mort, dernière heure *f; in der ~~ (a.)* à l'article de la mort; **~tag** *m* jour de la mort *od* de décès; *(Gedenktag)* anniversaire *m* de la mort; **~ursache** *f* cause *f* de la mort; **~urteil** *n* arrêt *m od* sentence de mort, condamnation à mort, sentence *f* capitale; *das ~~ vollstrecken* faire justice; **~verachtung** *f* mépris *m* de la mort; *mit ~~* au mépris de la vie; **t~würdig** *a* qui mérite la mort.

tödlich ['tø:tlɪç] *a* mortel; à mort; *adv* mortellement, à mort; *~~ verunglükken* se tuer; *~ verletzt* od *verwundet* mortellement blessé.

Toga *f* ‹-, -gen› ['to:ga] *hist* toge *f.*

Tohuwabohu *n* ‹-(s), -s› [tohuva'bo:hu] *(Durcheinander)* tohu-bohu, méli-mélo *m; fam* pagaille *f.*

toi [tɔʏ] *interj: ~, ~, ~!* je touche du bois.

Toilette *f* ‹-, -n› [toa'lɛtə] *(Körperpflege; Damenkleidung; Frisiertisch; Waschraum)* toilette *f; (WC) a.* cabinet (d'aisances), W.-C.; *fam* waters *m pl; in großer ~* en (grande) toilette; *~ machen* faire sa toilette; **~nartikel** *m* article *m* de toilette; **~nnecessaire** *n* nécessaire *m* de toilette; **~npapier** *n* papier *m* hygiénique; **~nschwamm** *m* éponge *f* de toilette; **~nseife** *f* savon *m* de toilette.

Tokaier *od* **Tokajer** *m* ‹-s, -› ['to:kaɪər] *(ungar. Wein)* tokay *m.*

toler|ant [tole'rant] *a (duldsam)* tolérant; *(nachsichtig)* indulgent; **T~anz** *f* ‹-, (-en)› [-'rants] tolérance *(a. tech);* indulgence *f;* **~ieren** [-'ri:rən] *tr (dulden)* tolérer.

toll [tɔl] *a* fou (furieux *od* à lier); *vet* enragé; *fig fam (wild, wüst, schlimm)* fou, insensé, frénétique, extravagant; *jdn ~ machen* faire enrager qn; *es zu ~ treiben* y aller trop fort; *~ werden* enrager (*über etw* de qc); *das ist (ja) zum T~werden* c'est à (en) devenir fou *od* enragé; *bist du ~ (geworden)?* es-tu fou? *ein ~er Bursche* od *Kerl (fam)* un type sensationnel *od* énorme; **~dreist** *a* drolatique; **~en** *itr (herumtollen)* se démener comme un *od* des fou(s), faire le(s) fou(s), s'amuser follement; **T~haus** *n* asile *m* d'aliénés *es geht (ja) hier wie im ~~ zu* c'est comme dans une maison de fous; *das ist ein Stück aus dem : ~~* c'est une histoire de fou; **T~häusler** *m* aliéné *m;* **T~heit** *f* folie *f* (furieuse); *(toller Streich)* (coup *m* de) folie *f;* **T~kirsche** *f bot* belladone *f;* **~kühn** *a* téméraire; **T~kühnheit** *f* témérité *f;* **T~wut** *f vet* rage *f;* **~wütig** *a* enragé, atteint de la rage.

Tolle *f* ‹-, -n› ['tɔlə] *fam (Haarschopf)* huppe *f,* toupet *m;* mèche *f* ondulée.

Tolpatsch *m* ‹-(e)s, -e› ['tɔlpatʃ] brise-tout, brise-fer, balourd, empoté, maladroit *m.*

Tölpel *m* ‹-s, -› ['tœlpəl] balourd, lourdaud, malotru, rustre, vilain *m;* **~ei** *f* [-laɪ] balourdise *f;* **t~haft** *a,* **tölpisch** *a* balourd, rustre, grossier.

Toluol *n* ‹-s, ø› [tolu'o:l] *chem* toluol *m.*

Tomate *f* ‹-, -n› [to'ma:tə] tomate *f; treulose ~ (fig hum)* lâcheur, se *m f;* **~nmark** *n* concentré *m* de tomates; **~nsuppe** *f* potage *m* à la tomate.

Tombak *m* ‹-s, ø› ['tɔmbak] *(Legierung)* tombac *m.*

Tombola *f* ‹-, -s/(-len)› ['tɔmbola] *(Verlosung)* tombola *f.*

Ton *m* ‹-(e)s, -e› [to:n] **1.** *geol* argile, glaise; *(als Werkstoff)* terre *f; feuerfeste(r)* ~ terre *f* réfractaire; *gebrannte(r)* ~ *(Terrakotta)* terre *f* cuite; **t~artig** *a* argileux; **~erde** *f chem* alumine *f; essig-, schwefelsaure* ~~ acétate, sulfate *m* d'aluminium; **~figur** *f* statuette *f* de terre cuite; **~gefäß** *n* vase *m* de *od* en terre; **t~ig** *a* argileux; **~krug** *m* cruche *f* de terre; **~pfeife** *f* pipe *f* en terre *od* hollandaise; **~schicht** *f geol* banc *m* d'argile; **~schiefer** *m geol* schiste *m* argileux; **~taube** *f* pigeon *m* artificiel; **~ware** *f* poterie *f.*

Ton *m* ‹-(e)s, ⸚e› [to:n, 'tø:nə] **2.** *(Laut, a. mus)* son; *(Klang)* son *m,* sonorité *f,* ton, timbre; *(Redeweise)* ton; *(Lebensart)* genre; *gram* accent *m* (tonique); *ohne e-n* ~ *zu sagen* sans rien *od* mot dire; *den* ~ *angeben (mus* u. *fig)* donner le ton *od* la note; *fig* lancer la mode, faire la pluie et le beau temps, conduire et mener la barque; *e-n ander(e)n* ~ *anschlagen (fig)* changer de ton *od* de style *od* de gamme; *denselben* ~ *anschlagen (fig)* donner le même son de cloche; *keinen* ~ *von sich geben* ne pas souffler mot; *pop* ne pas piper; *auf etw den* ~ *legen (fig)* mettre l'accent sur qc; *von jdm in hohen Tönen reden* faire de grands éloges de qn; *keinen* ~ *sagen* ne dire *od* souffler mot; *ich werde Ihnen andere Töne beibringen!* je vous ferai chanter sur un autre ton! *ich brachte keinen* ~ *heraus* ma voix s'étrangla; *ich verbitte mir diesen* ~*!* ne le prenez pas sur ce ton-là! *wenn Sie in diesem* ~ *reden* si vous le prenez sur ce ton; *hier herrscht ein freier* ~ ici l'on ne se gêne pas; *der* ~ *liegt auf der ersten Silbe* l'accent tombe sur la première syllabe; *der* ~ *macht die Musik (prov)* c'est le ton qui fait la musique *od* la chanson; *der gute* ~ *(im Benehmen)* le bon ton; *halbe(r)* ~ *(mus)* demi-ton *m;* **~abnehmer(anschluß)** *m* (prise *f*) pick-up *m;* **t~al** [to'na:l] *a mus* tonal; **~alität** *f* ‹-, ø› [-nali'tɛ:t] *mus* tonalité *f;* **t~angebend** *a fig* qui donne le ton; **~angeber** *m fig* lanceur *m* de mode; **~archiv** *n* archives *f pl* sonores; **~arm** *m* bras *m* (de pick-up); **~art** *f mus* mode *m; in allen* ~~*en (fig)* sur tous les tons; **~aufnahme** *f* prise *f* de son; **~bad** *n phot* (bain de) virage *m;* **~band** *n* bande *f* magnétique *od* sonore; **~bandaufnahme** *f* = *Bandaufnahme;* **~bandgerät** *n* magnétophone *m;* **~blende** *f* régulateur *m* de son; **~einheit** *f film* bloc *m* sonore; **t~en** *tr phot* virer; **~fall** *m* intonation; *(Rhythmus)* cadence *f;* **~film** *m* film *m* sonore *od* parlant; **~fixierbad** *n phot* bain *m* de fixage; **~frequenz** *f* fréquence *f* acoustique *od* audible; **~höhe** *f* hauteur *f* du son; **~ingenieur** *m film radio* ingénieur *m* du son; **~kamera** *f film* caméra-son *f;* **~kunst** *f* art *m* musical; **~lage** *f* = *~höhe;* **~leiter** *f* gamme *f* (musicale); *chromatische* ~~ gamme *f* chromatique; **~leiterübungen** *f pl* travail *m* de gammes; **t~los** *a (ausdruckslos; gram: unbetont)* atone; *(Stimme)* blanc, éteint; **~mischer** *m film* mélangeur *m* de son; **~projektor** *m film* projecteur *m* sonore; **~regler** *m radio* dispositif *m* de réglage du son; **~setzer** *m* = *Komponist;* **~silbe** *f gram* (syllabe) tonique *f;* **~spur** *f (e-r Platte, e-s Bandes)* sillon *m;* **~streifen** *m film* bande *f* sonore; **~träger** *m radio* support *m* de son, onde *f* porteuse; **~ung** *f phot* virage *m;* **~untermalung** *f film* sonorisation, musique *f* scénique; **~wert** *m* valeur *f* sonore; **~wiedergabe** *f* reproduction *f* sonore *od* des sons; **~zeichen** *n gram* accent *m.*

tön|en ['tø:nən] *itr (klingen)* sonner, résonner, retentir; *tr (in der Farbe abstimmen)* colorier, teinter, teindre; *phot* virer; **T~ung** *f (Vorgang)* coloration; *(Ergebnis)* teinte *f; phot* virage *m.*

tönern ['tø:nərn] *a* de *od* en terre.

Ton|ika *f* ‹-, -ken› ['to:nika] *mus (Grundton)* tonique *f;* **~ikum** *n* ‹-s, -ka› ['to:nikum, -ka] *pharm* tonique, fortifiant *m;* **t~isch** ['to:nɪʃ] *a (stärkend)* tonique, fortifiant; **~us** *m* ‹-, ø› ['to:nus] *physiol* tonus *m.*

Tonn|age *f* ‹-, -n› [tɔ'na:ʒə] *mar* tonnage *m,* jauge *f;* **~e** *f* ‹-, -n› ['tɔnə] *(großes Faß)* tonneau *a. mar,* baril, fût *m; (1000 kg)* tonne *f;* **~engehalt** *m* = *~age;* **~engewölbe** *n arch* voûte *f* en berceau *od* en plein cintre, tonneau *m;* **t~enweise** *adv* par tonnes.

Tonsur *f* ‹-, -en› [tɔn'zu:r] *rel* tonsure *f;* **t~ieren** [-zu'ri:rən] *tr (die* ~ *schneiden)* tonsurer.

Topas *m* ‹-es, -e› [to'pa:s, -zə] *min* topaze *f.*

Topf *m* ‹-(e)s, ⸚e› [tɔpf, 'tœpfə] pot *m; (Koch~)* marmite *f; in einen* ~ *werfen (fig)* mettre dans le même sac, jeter dans le même moule; **~blume** *f* fleur(s *pl*) *f* en pot; **~gucker** *m fam pej* homme *m* qui se mêle de la cuisine *od fig* qui fourre son nez partout; **~kuchen** *m* kouglof *m;* **~lappen** *m* chiffon *m* à plats; **~pflanze** *f* plante *f* en pot.

Töpf|chen *n* ['tœpf-] petit pot; *fam (Nachttopf)* vase *m* de nuit; **~er** *m* ‹-s, -› potier; céramiste *m;* **~erei** *f* [-'raɪ] *(Handwerk)* poterie *f; (Werkstatt)* atelier *m* de potier; **~ererde** *f* terre *f* à potier; **t~ern 1.** *a. (irden)* de *od* en terre; **2.** *itr (Töpferwaren machen)* faire de la poterie; **~erscheibe** *f* tour *m* de potier; **~erware** *f* poterie, céramique *f.*

Topograph|ie *f* ‹-, -n› [topogra'fi:] *(Ortskunde, -beschreibung)* topographie *f;* **t~isch** [-'gra:fɪʃ] *a* topographique.

topp [tɔp] *interj dial (einverstanden!)* tope(-là)! d'accord!

Topp *m* ‹-s, -e/-s› [tɔp] *mar* tête *f;* **~mast** *m* mât *m* de hune; **~segel** *n* hunier *m.*

Tor [to:r] **1.** *n* ‹-(e)s, -e› *(große Tür)* porte *f* (cochère); portail; *sport* but *m; ein* ~ *schießen* marquer un but; *dir stehen alle* ~*e offen (fig)* toutes les portes te sont ouvertes; **~einfahrt** *f* porte *f* cochère; **~halle** *f arch rel* porche, parvis *m;* **~hüter** *m* portier *m; sport* = *~wart;* **~lauf** *m sport* slalom *m;* **~linie** *f sport* ligne *f* de but; **~mann** *m sport* = *~wart;* **~pfosten** *m sport* poteau *m;* **~schluß** *m: noch vor* ~~ juste à temps, à la dernière minute; **~wächter** *m* portier *m;* **~wart** *m sport* gardien de but, goal *m;* **~weg** *m* = *~einfahrt.*

Tor [to:r] **2.** *m* ‹-en, -en› *(törichter Mensch)* sot, insensé, fou *m;* **~heit** *f* sottise, bêtise; folie *f.*

Torf *m* ‹-(e)s, ø› [tɔrf] tourbe *f;* ~ *stechen* extraire de la tourbe; **~boden** *m* terrain *m* tourbeux; **~gewinnung** *f* extraction *f* de la tourbe; **~grube** *f,* **~lager** *n* tourbière *f;* **~mull** *m* poussier *m* de mottes; **~stecher** *m* puiseur *m* de tourbe; **~stich** *m* = *~gewinnung;* **~vorkommen** *n* gisement *m* de tourbe.

tör|icht ['tø:rɪçt] *a* déraisonnable, insensé, sot; **T~in** *f* insensée, folle, sotte *f.*

torkeln ['tɔrkəln] *itr ‹ist/hat getorkelt› fam (taumeln)* tituber, faire des zigzags; *(schwanken)* chanceler.

Tornado *m* ‹-s, -s› [tɔr'na:do] *(Wirbelsturm)* tornade *f.*

Tornister *m* ‹-s, -› [tɔr'nɪstər] *bes. mil* sac; *(e-s Schülers)* sac (d'écolier), cartable *m;* **~empfänger** *m mil radio* poste *m* récepteur portatif; **~funkgerät** *n* poste *m* radio portatif *od* radio-sac; **~gerät** *n mil radio* poste *m* portatif (de T.S.F.).

Torped|er *m* ‹-s, -› [tɔr'pe:dər] *mar* torpilleur *m;* **t~ieren** [-pe'di:rən] *tr* torpiller; **~o** *m* ‹-s, -s› [-'pe:do] *mil* torpille *f;* **~oboot** *n* torpilleur *m;* **~obootzerstörer** *m* contre-torpilleur *m;* **~oflugzeug** *n* (avion) torpilleur *m;* **~ojäger** *m mar* vedette-torpilleur *f;* **~orohr** *n* lance-torpilles *m.*

Torsion *f* ‹-, -en› [tɔrsi'o:n] *(Verdrehung, Verdrillung)* torsion *f;* **~selastizität** *f,* **~smodul** *m,* **~swaage** *f* élasticité *f,* module *od* coefficient *m,* balance *f* de torsion.

Torso *m* ‹-s, -s/-si› ['tɔrzo, '-zi] *(Kunst)* torse; *allg (Bruchstück)* fragment *m.*

Tort *m* ‹-(e)s, ø› [tɔrt] *(Unbill)* tort *m; jdm zum* ~ pour vexer qn; *jdm e-n* ~ *antun* faire de la peine à qn, vexer qn.

Törtchen *n* ‹-s, -› ['tœrtçən] tartelette *f.*

Torte *f* ‹-, -n› ['tɔrtə] *(Butterkremtorte)* gâteau *m* (à la crème); *(Obsttorte)* tarte *f* (aux fruits); **~lett** *n* ‹-s, -s›, **~e** *f* ‹-, -n› [-'lɛt(ə)] tartelette *f;* **~nboden** *m* fond *m* de tarte; **~nform** *f* tôle *f* à tarte; **~nheber** *m* pelle *f* à gâteau; **~nplatte** *f* plat *m* à gâteau.

Tortur *f* ‹-, -en› [tɔr'tu:r] *(a. fig)* torture *f.*

tosen ['to:zən] *itr (Wasser)* bruire, gronder, mugir; déferler; **T~** *n* grondement, mugissement *m;* déferlements *m pl;* ~**d** *a (Beifall)* délirant.

tot [to:t] *a* mort; *(verstorben)* défunt; *adm* décédé; *fig (leblos)* inanimé, sans vie; *(regungslos, ausgestorben, öde)* désert, morne; *(unwirksam)* inerte; *(unproduktiv)* improductif; *fin* qui dort; *für ~ erklären (adm)* déclarer décédé; *den ~en Mann machen (beim Schwimmen)* faire la planche; *~ umfallen* tomber (raide) mort; *er war auf der Stelle ~* il était mort sur le coup; *mehr ~ als lebendig* plus mort que vif; *wie ~* comme mort; *~e Buchstaben m pl (fig)* lettre *f* mort; *~e(s) Kapital n* capital *m* qui dort; *das T~e Meer* la mer Morte; **~=arbeiten,** *sich* se tuer *od* se crever au travail; **~=ärgern,** *sich* se fâcher (tout) rouge; **T~e(r** *m***)** *f* mort, e; défunt, e; *adm* décédé, e *m f; (in d. Unfallstatistik)* tué *m;* **~=fahren** *tr* écraser; **~geboren** *a* mort-né; **T~geburt** *f* (enfant) mort-né *m; (Zahl f der) ~~en pl* mortinatalité *f;* **T~geglaubte(r)** *m,* **T~gesagte(r)** *m* présumé *m od* dit *m* mort; **~=küssen** *tr* étouffer de baisers; **~=lachen,** *sich* mourir *od* se pâmer de rire; *das ist (ja) zum T~~ (a.)* c'est tordant *fam; pop* c'est crevant *od* gondolant; **~=laufen,** *sich (fam: von selbst zu Ende gehen)* finir de soi-même; **~=machen** *tr fam* tuer; **T~punkt** *m = ~er Punkt;* **T~raum** *m aero* espace *m* mort; **~=sagen** *tr* dire mort; **~=schämen,** *sich* mourir de honte; **~=schießen** *tr* tuer *od* abattre d'un coup de feu, brûler la cervelle à; *sich ~~* se brûler *od* se faire sauter la cervelle; **T~schlag** *m jur* homicide *m* volontaire, mort *f* d'homme; **~=schlagen** *tr* assommer; *(töten)* tuer; *die Zeit ~~* tuer le temps; **T~schläger** *m (Mörder)* meurtrier; *(Waffe)* casse-tête *m;* **~=schweigen** *tr* passer sous silence, étouffer; **~=stellen,** *sich* faire le mort; **~=treten** *tr* écraser.

total [to'ta:l] *a* total, global; *(vollständig)* complet, entier; *~ besoffen (fam)* fin soûl; **T~ansicht** *f* vue *f* d'ensemble *od* générale; **T~ausverkauf** *m* liquidation *f* (complète); **T~isator** *m* ⟨-s, -en⟩ [-tali'za:tɔr, -'to:rən] *(beim Pferderennen)* pari *m* mutuel; **~itär** [-li'tɛ:r] *a bes. pol* totalitaire; **T~ität** *f* ⟨-, ø⟩ [-li'tɛ:t] totalité *f,* ensemble *m;* **T~itätsprinzip** *n* principe *m* totalitaire; **T~verlust** *m* perte *f* totale.

Totem *n* ⟨-s, -s⟩ ['to:tɛm] *(Stammeszeichen nordamerik. Indianer)* totem *m;* **~glaube** *m,* **~ismus** *m* ⟨-, ø⟩ [tote'mɪsmus] totémisme *m;* **t~istisch** [-'mɪstɪʃ] *a* totémique.

töt|en ⟨*tötete, getötet*⟩ ['tø:tən] *tr* tuer, mettre à mort, faire mourir, donner la mort à, ôter la vie à; *das Fleisch ~~ (rel)* mortifier la chair; *den Nerv e-s Zahnes ~~* dévitaliser une dent; **T~er** *m* ⟨-s, -⟩ tueur *m;* **T~ung** *f* mise *f* à mort; *(e-s Menschen)* homicide *m; fahrlässige ~~ (jur)* homicide *m* involontaire *od* par imprudence; *vorsätzliche ~~* homicide *m* intentionnel *od* prémédité *od* avec préméditation.

Toten|amt *n* ['to:tən-] *rel* office *m* des morts *od* des défunts *od* des trépassés; **~bahre** *f* bière *f;* **~beschwörung** *f* nécromancie *f;* **~bett** *n* lit de mort, lit *m od* couche *f* funèbre; **t~blaß** *a,* **t~bleich** *a* pâle comme *od* plus pâle que la mort, livide; **~blässe** *f* pâleur mortelle, lividité *f;* **~ehrung** *f,* **~feier** *f* honneurs funèbres, derniers honneurs *m pl;* cérémonie *f* commémorative; **~glocke** *f* glas *m* (funèbre); **~gräber** *m* fossoyeur; *fig pol* naufrageur *m;* **~hemd** *n* linceul *m;* **~klage** *f* chants *m pl* funèbres; *hist* nénies *f pl;* **~kopf** *m* tête *f* de mort; **~kranz** *m,* **~maske** *f* couronne *f,* masque *m* mortuaire; **~opfer** *n* sacrifice offert aux mânes; *(bei der Bestattung)* sacrifice *m* funéraire; **~reich** *n* empire *m* des morts; **~schein** *n* acte *od* certificat de décès, extrait *m* mortuaire; **~sonntag** *m (evang. Feiertag)* Fête *f od* Jour *m* des morts; **~stadt** *f* nécropole *f;* **~starre** *f* rigidité *f* cadavérique; **t~still** *a: es war ~~* il régnait un silence de mort; **~stille** *f* silence *m* de mort *od* sépulcral; **~tanz** *m* danse *f* macabre *od* des morts; **~vogel** *m orn (Kauz)* chevêche *f;* **~wache** *f* veillée *f* funèbre; *die ~~ bei jdm halten* veiller qn.

Toto *m, fam: n* ⟨-s, -s⟩ ['to:to] = *Totalisator; (Fußball~)* paris *m pl* de football; **~ergebnisse** *n pl* résultats *m pl* des paris de football; **~schein** *m,* **~zettel** *m* coupon *m* de paris de football.

Tour *f* ⟨-, -en⟩ [tu:r] *tech (Umdrehung, Runde)* tour *m; (Rundfahrt)* tournée *f; (Ausflug)* tour; *(Fahrt, Strecke)* parcours; *(List, Streich)* tour *m; auf vollen ~en* en plein régime *od* rendement; *in einer ~ (ohne Unterbrechung)* sans arrêt, sans cesse; *auf ~en kommen* prendre de la vitesse; *auf vollen ~en laufen* tourner à plein, battre son plein; **~enrad** *n (Fahrrad)* bicyclette *f* de cyclo-tourisme; randonneur *m;* **~enwagen** *m* voiture *f* de sport; **~enzahl** *f tech mot* régime *m,* vitesse *f;* tours *m pl* par minute; **~enzähler** *m* compte-tours *m;* **~ismus** *m* ⟨-, ø⟩] [tu'rɪsmus] tourisme *m;* **~ist** *m* ⟨-en, -en⟩ [-'rɪst] touriste; excursionniste *m;* **~istenklasse** *f* classe *f* tourist(iqu)e; **~istik** *f* ⟨-, ø⟩ [-'rɪstɪk] tourisme *m;* **~nee** *f* ⟨-, -s/-neen⟩ [-'ne:] *(Gastspielreise)* tournée *f.*

Tower ['tauər] *, der (Bauwerk in London)* la Tour de Londres.

Tox|ikologie *f* ⟨-, ø⟩ [tɔksikolo'gi:] *(Lehre von den Giften)* toxicologie *f;* **~in** *n* ⟨-s, -e⟩ [-'ksi:n] *chem biol* toxine *f;* **t~isch** ['tɔksɪʃ] *a (giftig)* toxique.

Trab *m* ⟨-(e)s, ø⟩ [tra:p] trot *m; im ~* au trot; *jdn auf ~ bringen (fig fam)* mettre qn au pas; *~ reiten* aller au trot; **t~en** ['-bən] *itr* ⟨*er ist/hat getrabt*⟩ trotter, aller au trot; **~er** *m* ⟨-s, -⟩ *(Pferd)* trotteur *m;* **~erbahn** *f* piste *f* de trot; **~rennen** *n* course *f* au trot monté.

Trabant *m* ⟨-en, -en⟩ [tra'bant] *hist (Leibwächter)* traban; *astr* satellite *m;* **~enstadt** *f* cité *od* ville satellite, grand ensemble *m.*

Tracht *f* ⟨-, -en⟩ [traxt] *(Traglast)* charge *f,* fardeau, faix *m; (Kleidung)* mise, mode, tenue *f,* costume; *(Volkstracht)* costume *m od* tenue *f* régional(e) *od* de pays *od* folklorique; *~ Prügel* od *Schläge* volée (de coups), raclée; *fam* distribution *f* de coups.

trachten ⟨*trachtete, getrachtet*⟩ ['traxtən] *itr* viser, aspirer, tendre (*nach etw* à qc); *jdm nach dem Leben ~* attenter aux jours, en vouloir à la vie de qn.

trächtig ['trɛçtɪç] *a f zoo (tragend)* pleine, gravide; *~ sein (a.)* porter; **T~keit** *f* ⟨-, ø⟩ gestation, gravidité *f.*

Trachyt *m* ⟨-s, -e⟩ [tra'xy:t, -'xyt] *min* trachyte *m.*

Tradition *f* ⟨-, -en⟩ [traditsi'o:n] tradition *f;* **t~ell** [-tsio'nɛl] *a* traditionnel; **t~sbewußt** *a,* **t~sgebunden** *a* traditionaliste.

Trafik *m* ⟨-s, -s⟩ [tra'fɪk] *(in Österreich: f* ⟨-, -en⟩ *Tabakladen)* bureau *m* de tabac.

Trafo *m* ⟨-(s), -s⟩ ['tra:fo] *(kurz für:) Transformator.*

Trag|altar *m* ['tra:k-] autel *m* portatif; **~bahre** *f* civière *f,* brancard *m;* **~balken** *m arch* poutre *f* maîtresse; **~band** *n* sangle, bretelle *f;* **t~bar** *a* portable, portatif; *(erträglich)* supportable, tolérable; *(vernünftig)* raisonnable; **~e** *f* ⟨-, -n⟩ [-gə] = *~bahre; ~(e)zeit f (Dauer der Trächtigkeit)* gestation *f;* **t~fähig** *a* capable de porter; **~fähigkeit** *f* ⟨-, ø⟩ force portative; *(Höchstlast)* limite de charge; *(Nutzlast)* charge utile; *mar aero* capacité *f* (de transport); **~fläche** *f aero* surface *f* portante *od* sustentatrice, plan *m* sustentateur, voilure *f;* **~flächenbelastung** *f* charge *f* alaire; **~flächenkühler** *m,* **~flächenprofil** *n* radiateur, profil *m* d'aile; **~flügel** *m aero* aile *f* portante *od* porteuse; **~gestell** *n* râtelier *m* portatif; **~gurt** *m = ~band;* **~himmel** *m* baldaquin *m;* **~kissen** *n* coussinet *m;* **~kraft** *f* force *f* portante *od* portative; **~lager** *n tech* palier-support *m;* **~last** *f* charge *f; (Gepäck)* bagages *m pl;* **~leine** *f (e-s Fallschirms)* suspente *f;* **~riemen** *m = ~band;* **~schlaufe** *f* passe-main *m;* **~schrauber** *m aero* autogire *m;* **~seil** *n* câble *m* porteur; **~sessel** *m* chaise *f* à porteurs; **~stange** *f (e-r Bahre)* bras *m;* **~tier** *n* bête *f* de somme; **~weite** *f fig* portée; *(Bedeutung)* signification, importance *f; sich der ~~ s-r Handlungen nicht bewußt sein* agir sans discernement; **~werk** *n aero* structure *f* portante.

träg|(e) [trɛ:k, '-gə] *a* paresseux, fainéant, indolent; mou, lent, lourd; *phys* inerte; **T~heit** *f* ⟨-, ø⟩ paresse, fainéantise, indolence; mollesse, lenteur, lourdeur; *phys* inertie *f;* **T~heitsmoment** *n phys* moment *m* d'inertie.

tragen ⟨*trägt, trug, getragen*⟩ [(-)'tra:gən] *tr (fortschaffen)* porter; *(in e-r bestimmten Lage halten, stützen)* (sup)porter, (sou)tenir; *(Kleidungsstück* od *Schmuck an-, Kopfbedeckung* od *Brille aufhaben)* porter; *(die Haare in e-r bestimmten Weise)* avoir; *(Frucht, Gewinn, Erfolg bringen)* (rap)porter; *(ertragen, erdulden)* supporter, subir; *itr (halten, nicht zs.brechen; gehen, reichen)* porter; *(Früchte bringen)* porter des fruits, fructifier; *sich* ~ *(Kleidungsstück)* se porter; *e-n Bart* ~ porter la barbe; *etw mit Fassung* ~ subir qc avec constance; *sich gut* ~ *(Stoff, a.)* faire bon usage; *sein Haar lang, kurz* ~ avoir les cheveux longs, courts; *die Nase hoch* ~ aller la tête haute; *weit* ~ *(reichen)* porter loin; *an etw schwer zu* ~ *haben* être accablé par qc; *man trägt ... (als modern)* on porte ...; *das trägt man nicht!* ce n'est pas de mode; *man kann die Jacke noch* ~ le veston est encore mettable; *die Beine wollen mich nicht mehr* ~ je ne tiens plus sur mes jambes; **T~** *n* portage; *(von Kleidung)* porter; *(von Waffen)* port *m*.

Träger *m* ⟨-s, -⟩ ['trɛgər] *(Mensch)* porteur *m; fig (e-s Namens)* qui porte ...; *(der Staatsgewalt, der Wirtschaft, der Kultur)* représentant; *(e-r Idee)* protagoniste, agent, champion; *tech* support *a. aero,* montant *m; (Balken)* poutre; *(an e-m Kleidungsstück)* épaulette, bretelle *f; fig (der Gedanken, der Nachrichtenübermittlung)* véhicule; *med (e-s Krankheitskeimes)* agent, vecteur *m;* **~flugzeug** *n* avion *m* porteur; **~frequenz** *f radio* fréquence *f* porteuse; **~hose** *f* pantalon *m* à bretelles; **~lohn** *m* factage *m;* **t~los** *a (Kleidungsstück)* sans bretelles; **~rakete** *f* fusée *f* porteuse *od* de lancement; **~schürze** *f* tablier *m* à bretelles; **~schwelle** *f arch* sommier *m;* **~welle** *f el* onde *f* porteuse.

Trag|ik *f* ⟨-, ø⟩ ['tra:gɪk] *(Kunst der ~ödie)* art *m* tragique; *die ~~ (allg: das ~ische)* le tragique; **~iker** *m* ⟨-s, -⟩ ['tra:gikər] *(~ödiendichter)* auteur *m* tragique; **t~ikomisch** ['tra:gi-] *a* tragi-comique; **~ikomödie** *f* tragi-comédie *f;* **t~isch** ['tra:gɪʃ] *a* tragique; *~~ nehmen* prendre au tragique; *e-e ~~e Wendung nehmen* tourner au tragique; **~öde** *m* ⟨-n, -n⟩ [tra'gø:də] *(Schauspieler)* tragédien *m;* **~ödie** *f* ⟨-, -n⟩ [-'gø:diə] *(Trauerspiel; fig: Unglück)* tragédie *f;* **~ödin** *f* ⟨-, -nnen⟩ [-'gø:dɪn] tragédienne *f.*

Train|er *m* ⟨-s, -s⟩ ['trɛ:-/'tre:nər] *sport* entraîneur *m;* **t~ieren** [trɛ-/tre'ni:rən] *tr (itr* s')entraîner *(auf etw* pour qc); **~ing** *n* ⟨-s, -s⟩ ['-nɪŋ] entraînement *m;* **~ingsanzug** *m* survêtement *m* de sport; **~ingshose** *f* **~ingsjacke** *f* culotte, veste *f* de survêtement.

Trajekt(schiff *n***)** *m* od *n* ⟨-(e)s, -e⟩ [tra'jɛkt(-)] *(Fährschiff)* bac *m.*

Trakt *m* ⟨-(e)s, -e⟩ [trakt] *(Gebäudeteil)* corps *m* de logis, aile; *(Landstrich)* région *f; (Zug, Strecke)* trait *m;* **~at** *m* od *n* ⟨-(e)s, -e⟩ [-'ta:t] *(Abhandlung)* traité *m;* **t~ieren** [-'ti:rən] *tr fam (behandeln)* traiter; **~or** *m* ⟨-s, -en⟩ ['traktɔr, -'to:rən] *agr* tracteur *m.*

tralla(la) [tra'la:, -la'la:] *interj* turlurette!

trällern ['trɛlərn] *itr u. tr* ⟨*aux: haben*⟩ chantonner; fredonner; **T~** *n* chantonnement, fredonnement *m.*

Tram(bahn) *f* ⟨-, -s⟩ [tram(-)] *(Straßenbahn)* tram(way) *m.*

Tramp *m* ⟨-s, -s⟩ [tramp/trɛmp] *(Landstreicher)* chemineau, vagabond; *fam* clochard *m;* **t~en** ⟨*ist getrampt*⟩ *itr* vagabonder; **~schiffe** *n pl* tramps *m pl;* **~schiffahrt** *f* tramping *m.*

Trampel *m* od *n* ⟨-s, -⟩ , *a. f* ⟨-, -n⟩ ['trampəl] *fam* pataud, rustre *m; (plumpe Frau)* maritorne *f;* **t~n** *itr fam (mit den Füßen treten)* piétiner, trépigner; **~pfad** *m* piste *f* battue; **~tier** *n zoo* chameau *m* (à deux bosses).

Tran *m* ⟨-(e)s, -e⟩ [tra:n] huile de baleine *od* de poisson; *(Leber~)* huile *f* de foie de morue; **t~ig** *a* qui sent l'huile de poisson *od* la marée; *fig fam (Mensch: langweilig)* ennuyeux, lent; **~suse** *f* ⟨-, -n⟩ ['-zu:zə] *fam* nouille, gnangnan *f.*

Trance(zustand *m***)** *f* ⟨-, -n⟩ [(')tra:ns(-)/ 'trã:s(ə)] *psych* transe *f* médiumnique.

Tranchier|besteck *n* [trã'ʃi:r-] couvert *m* à découper; **t~en** [trã'ʃi:rən] *tr (Fleisch zerschneiden)* découper; **~messer** *n* couteau *m* à découper.

Träne *f* ⟨-, -n⟩ ['trɛ:nə] larme *f; pl a.* pleurs *m pl; mit ~n in den Augen* les larmes aux yeux; *unter ~n* en larmes, en pleurs; *mit ~n benetzen* arroser de larmes; *~n lachen* rire aux larmes; *jdn bis zu ~n rühren* faire venir les larmes aux yeux de qn, arracher des larmes à qn; *~n vergießen* verser *od* répandre des larmes *od* des pleurs; *viele ~n vergießen* pleurer toutes les larmes de son corps; *blutige, heiße ~n weinen (fig)* pleurer des larmes de sang, à chaudes larmes; *in ~n zerfließen* fondre en larmes *od* en pleurs; *mir traten ~n in die Augen* les larmes me vinrent aux yeux, mes yeux se mouillèrent de larmes; *in ~n aufgelöst* od *gebadet* baigné *od* noyé de larmes *od* de pleurs; tout en pleurs; *den ~n nahe* au bord des larmes; *zu ~n gerührt* ému *od* touché (jusqu')aux larmes; **t~n** *itr* larmoyer; **~n** *n* larmoiement *m;* **t~nd** *a: ~~e(s) Herz n (bot)* cœur-de-Marie, cœur-de-Jeannette *m;* **~ndrüse** *f* glande *f* lacrymale; **t~nerstickt** *a: mit ~~er Stimme* avec des larmes dans la voix; **t~nfeucht** *a* mouillé de larmes; **~ngas** *n* gaz *m* lacrymogène; **~ngashandgranate** *f* grenade *f* lacrymogène; **~nkanal** *m anat* conduit *m* lacrymal; **~nsack** *m anat* sac *m* lacrymal; **~nsekretion** *f* sécrétion *f* lacrymale; **~nstrom** *m* flot *od* torrent *m* de larmes.

Trank *m* ⟨-(e)s, ⸚e⟩ [traŋk, 'trɛŋkə] *(Getränk)* breuvage *m,* boisson *f;* **~opfer** *n rel hist* libation *f.*

Tränke *f* ⟨-, -n⟩ ['trɛŋkə] *(Vieh~)* abreuvoir *m;* **t~n** ⟨*aux: haben*⟩ *tr* faire boire, donner à boire à; *tech* imbiber, imprégner; *lit (mit Blut)* arroser.

Transaktion *f* [trans-] *fin* transaction *f.*

transalpin(isch) [trans-] *a* transalpin.

Transatlant|ikflug *m* [trans-] vol *m* transatlantique; **~ik(flug)verkehr** *m* trafic *m* (aérien) transatlantique; **~ikflugzeug** *n,* **~ikkabel** *n* avion, câble *m* transatlantique; **t~isch** *a* transatlantique.

Transfer *m* ⟨-s, -s⟩ [trans'fe:r] *fin* transfert *m;* **~abkommen** *n* accord *m* sur les *od* convention *f* de transferts; **t~ierbar** [-'ri:r-] *a* transférable; **t~ieren** *tr* transférer; **~ierung** *f* transfèrement *m.*

Transform|ator *m* ⟨-s, -en⟩ [transfɔr'ma:tɔr, -'to:rən] *el* transformateur; *fam* transfo *m;* **~atorhäuschen** *n,* **~atorstation** *f* station *f od* poste *m* de transformation; **t~ieren** [-'mi:rən] *tr allg* u. *el* transformer; **~ierung** *f* transformation *f.*

Transistor *m* ⟨-s, -en⟩ [tran'zɪstɔr, -'to:rən] *el* transistor *m; mit ~(en)* transistorisé.

Transit *m* ⟨-s, -e⟩ [tran'zɪt/ -'zi:t] *com* transit *m;* **~hafen** *m* port *m* de transit; **~handel** *m* commerce *m* de transit *od* transitoire; **t~ieren** [-zi'ti:rən] *tr com* transiter; **t~iv** ['tran-/tranzi'ti:f] *a gram* transitif; **t~orisch** [-'to:rɪʃ] *a (vorübergehend)* transitoire; **~schein** *m* passavant, passe-debout *m;* **~verkehr** *m* trafic *m* de transit; **~ware** *f* marchandise *f* en transit; **~zoll** *m* droit *m* de transit.

Transkaukasien *n* [trans-] la Transcaucasie.

transkontinental [trans-] *a* transcontinental.

transkri|bieren [transkri'bi:rən] *tr* transcrire; **T~ption** *f* ⟨-, -en⟩ [-krɪptsi'o:n] transcription *f.*

Translator *m* ⟨-s, -en⟩ [trans'la:tɔr, -'to:rən] *tele* répétiteur *m.*

Transmission *f* ⟨-, -en⟩ [trans-] *tech* transmission *f;* **~swelle** *f* arbre *m* de transmission.

Transozean|flugverkehr *m* [trans-], **~flugzeug** *n* trafic (aérien), avion *m* transocéanique; **t~isch** *a* transocéanique.

transparen|t [transpa'rɛnt] *a* transparent; **T~t** *n* ⟨-(e)s, -e⟩ *(durchscheinendes Bild)* transparent *m; (Spruchband)* banderole *f;* **T~z** *f* ⟨-, ø⟩ [-'rɛnts] transparence *f.*

Transpir|ation *f* ⟨-, ø⟩ [transpiratsi'o:n] *(Ausdünstung; Schwitzen)* transpiration *f;* **t~ieren** [-pi'ri:rən] *itr* transpirer.

Transplant|ation *f* ⟨-, -en⟩ [transplantatsi'o:n] *(Überpflanzung)* greffe *f;* **t~ieren** [-'ti:rən] *tr* greffer.

transponier|en [transpo'ni:rən] *tr mus* transposer; **T~ung** *f* transposition *f.*

Transport *m* ⟨-(e)s, -e⟩ [trans'pɔrt]

transport; *mil* convoi *m;* **t~abel** [-ˈtaːbəl] *a* transportable; portatif, mobile; **~anlage** *f* installation *f* de transport; **~arbeiter** *m* ouvrier *m* des transports; **~band** *n tech* bande *f* transporteuse; **~betrieb** *m* entreprise *f* de transports; **~er** *m* ⟨-s, -⟩ *mar* bateau *od aero* avion *m* de transport; **~eur** *m* ⟨-s, -e⟩ [-ˈtøːr] *(Person; tech)* transporteur; *(Winkel-, Gradmesser)* rapporteur *m;* **t~fähig** *a (Kranker)* transportable; **~flugzeug** *n* avion *m* de transport; **~führer** *m mil* chef *m* de convoi; **~gesellschaft** *f* société *od* compagnie *f* de transport; **~gleitflugzeug** *n* aéroglisseur *m;* **t~ieren** [-ˈtiːrən] *tr* transporter; **~kolonne** *f mil* convoi *m;* **~kommandantur** *f* commission *f* régulatrice des transports; **~kosten** *pl,* **~mittel** *n pl* frais, moyens *m pl* de transport; **~offizier** *m* officier *m* régulateur; **~schaden** *m* avarie *f* de transport; **~schiff** *n* cargo, chaland *m;* **~schnecke** *f,* **~schraube** *f tech* vis *f* transporteuse; **~unternehmen** *n* = *~betrieb;* **~unternehmer** *m* entrepreneur *m* de transports; **~versicherung** *f* assurance-transports *f;* **~wesen** *n* transports *m pl.*

Transuran *n* ⟨-s, -e⟩ [transˀuˈraːn] *chem* élément *m* transuranien.

transversal [transvɛrˈzaːl] *a (schräg)* transversal; **T~e** *f* ⟨-, -n⟩ *math* transversale *f;* **T~wellen** *f pl* ondes *f pl* transversales.

Transvestit *m* [transvɛsˈtiːt] ⟨-en, -en⟩ travesti *m.*

transzenden|t [transtsɛnˈdɛnt] *a philos* transcendant; **~tal** [-ˈtaːl] *a philos* transcendental; **T~z** *f* ⟨-, ø⟩ [-ˈdɛnts] transcendance *f.*

Trapez *n* ⟨-es, -e⟩ [traˈpeːts] *math sport* trapèze *m; gleichschenklige(s), rechtwinklige(s) ~* trapèze *m* isocèle, rectangle; **~künstler** *m* trapéziste *m;* **~oid** *n* ⟨-(e)s, -e⟩ [-petsoˈiːt, -də] *math* trapézoïde *m.*

Trappe *m* ⟨-n, -n⟩ a. *f* ⟨-, -n⟩ [ˈtrapə] *orn* outarde *f.*

trapp|eln [ˈtrapəln] *itr* trottiner; **~en** *itr (schwer auftreten)* marcher lourdement.

Trapper *m* ⟨-s, -⟩ [ˈtrapər] *(nordamerik. Pelzjäger)* trappeur *m.*

Trappist *m* ⟨-en, -en⟩ [traˈpɪst] *rel* trappiste *m;* **~enkloster** *n,* **~enorden** *m* Trappe *f.*

trara [traˈraː] *interj* taratata! **T~** *n* ⟨-s, ø⟩ *fam (Lärm)* bruit; *(Getue)* bluff *m; ~~ machen* faire du bruit *od fam* du foin.

Traß *m* ⟨-sses, -sse⟩ [tras] *min* trass *m.*

Trass|ant *m* ⟨-en, -en⟩ [traˈsant] *fin* tireur *m;* **~at** *m* ⟨-en, -en⟩ [-ˈsaːt] *fin* tiré *m;* **~e** *f* ⟨-, -n⟩ [ˈtrasə] *(im Gelände abgesteckte Linie)* trace *m;* **t~ieren** [-ˈsiːrən] *tr (abstecken)* tracer; *jdn ~~ (fin)* tirer sur qn, émettre (un effet) sur qn.

Tratsch *m* ⟨-(e)s, ø⟩ [traːtʃ] *fam (Klatsch, Gerede)* bavardage, commérage; racontar, potin *m;* **t~en** *itr fam* bavarder, commérer, potiner; **~erei** *f* [-ˈraɪ] *fam* bavardage *m,* commérages *m pl.*

Tratte *f* ⟨-, -n⟩ [ˈtratə] *fin* traite *f.*

Trau|altar *m* [ˈtraʊ-] autel *m* des mariages; **t~en** ⟨*aux: haben*⟩ *itr: jdm ~~ (vertrauen, Glauben schenken)* avoir confiance en qn, faire confiance, se fier à qn; *e-r S ~~* avoir confiance dans qc, se fier, ajouter foi à qc; *tr (verheiraten)* marier, unir; *sich ~~ (es wagen)* oser; *sich hin ~~ (fam)* oser y aller; *sich ran ~~* oser s'y attaquer; *s-n Augen nicht ~~* n'en pas croire ses yeux; *kirchlich ~~* bénir, donner la bénédiction nuptiale à; *jdm nicht über den Weg ~~ (fam)* se méfier de qn; *sich ~~ lassen* se marier, contracter mariage; *ich ~e dem Frieden nicht* je me méfie de cette paix; *man kann ihm nicht ~~ (a.)* il est de mauvaise foi; *~, schau, wem! (prov)* méfiance est mère de sûreté; **t~lich** *a* intime, familier; *(gemütlich)* confortable; **~register** *n* registre *m* des mariages; **~ring** *m* alliance *f,* anneau *m* (de mariage *od* nuptial); **~schein** *m* acte *od* extrait *m* de mariage; **~ung** *f* mariage *m,* épousailles *f pl; (kirchliche)* bénédiction *f* nuptiale; *kirchliche ~~* mariage *m* religieux; **~zeuge** *m* témoin *m* de mariage.

Traube *f* ⟨-, -n⟩ [ˈtraubə] *bot u. allg* grappe; *(Weintraube)* grappe *f* (de raisin); *pl (Weintrauben)* raisin(s *pl*) *m;* **~nfäule** *f* mildiou *m* de la vigne; **t~nförmig** *a* à grappe; **~nkamm** *m (Stiel)* rafle, râpe *f;* **~nkur** *f* cure *f* uvale *od* de raisin; **~nlese** *f* vendange *f;* **~nmost** *m* moût *m;* **~nnachlese** *f* grappillage *m;* **~npresse** *f* pressoir *m;* **~nsaft** *m* jus *m* de raisin; **~nzucker** *m chem* glucose *m.*

Trauer *f* ⟨-, ø⟩ [ˈtraʊər] *(Traurigkeit)* affliction, désolation, tristesse *f; (um e-n Toten)* deuil *m; ~ an-, ablegen* prendre, quitter le deuil; *um jdn in ~ sein, ~ tragen* être en *od* porter le deuil (*um jdn* de qn); *in ~ versetzen* endeuiller; **~binde** *f* brassard *m* de crêpe *od* de deuil; **~brief** *m* faire-part *m* de décès; **~esche** *f bot* frêne *m* pleureur; **~fall** *m* deuil, décès *m;* **~flor** *m* crêpe *m* de deuil; **~gefolge** *n* cortège *od* convoi *m* funèbre; **~geleit** *n: jdm das ~~ geben* conduire le deuil de qn; **~gesang** *m* chant *m* funèbre; **~gottesdienst** *m* service *m* funèbre; **~haus** *n* maison *f* mortuaire; **~jahr** *n* deuil; *jur* délai *m* de viduité; **~kleidung** *f* vêtement *m* de deuil; **~kloß** *m fam* pleurnicheur; pauvre type *m;* **~mantel** *m ent* morio *m;* **~marsch** *m,* **~musik** *f* marche, musique *f* funèbre; **t~n** ⟨*aux: haben*⟩ *itr (traurig sein)* être affligé *od* triste, être plongé dans l'affliction *od* dans la tristesse; *um jdn* être en deuil de qn; *um etw* déplorer la perte de qc; **~nachricht** *f* nouvelle *f* funèbre; **t~nd** *a* en deuil; **~rand** *m* bordure *f* de deuil, cadre *m* noir; *~ränder an den Fingernägeln haben (fam)* avoir les ongles en deuil; **~schleier** *m* voile *m* de deuil; **~spiel** *n theat* u. *fig* tragédie *f;* **~tag** *m* jour *m* de deuil; **~weide** *f bot* saule *m* pleureur; **~zug** *m* = *~gefolge.*

Trauf|dach *n* [ˈtraʊf-] *arch* larmier *m;* **~e** *f* ⟨-, -n⟩ égout *m; (Dachrinne)* gouttière *f; vom* od *aus dem Regen in die ~~ kommen (fig)* tomber de Charybde en Scylla, aller *od* tomber de mal en pis.

träufeln [ˈtrɔʏfəln] *tr* ⟨*ich träuf(e)le, du träufelst, hast geträufelt*⟩ laisser tomber *od* verser goutte à goutte.

Traum *m* ⟨-(e)s, ⸚e⟩ [traʊm, ˈtrɔʏmə] rêve, songe; *fig (sehnlicher Wunsch)* rêve *m; im ~* en rêve; *aus dem ~ erwachen* se réveiller du rêve; *wie aus e-m ~ erwachen* revenir de loin; *e-n ~ haben* faire *od* avoir un rêve *od* un songe; *ich denke nicht im ~ daran! das fällt mir nicht im ~e ein!* je n'y songe même pas en rêve, je m'en garderai bien; *mein ~ ist in Erfüllung gegangen* mon rêve s'est réalisé; *der ~ ist aus* ce n'était qu'un rêve *od* qu'une illusion; *fam (es ist aus)* c'est fini; *Träume sind Schäume (prov)* tout songe est mensonge; **~bild** *n* rêve, songe *m,* illusion *f;* **~buch** *n* clé *f* des songes; **~deuter** *m* interprétateur de songes, oniromancien *m;* **~deutung** *f* interprétation des songes, oniromancie *f;* **~fabrik** *f hum (Filmatelier)* foire *f* aux rêves; **~gebilde** *n* phantasme *m;* illusion *f;* **~gesicht** *n* ⟨-(e)s, -e⟩ vision *f,* mirage *m; (Erscheinung)* apparition *f;* **t~haft** *a* comme en rêve; fantastique, irréel; *scient* onirique; **~küche** *f* cuisine *f* de rêve *od* de charme; **t~verloren** *a,* **t~versunken** *a* plongé dans la rêverie; **~welt** *f* monde *m* chimérique *od* imaginaire.

Trauma *n* ⟨-s, -men/-mata⟩ [ˈtraʊma, -mən/-ta] *med (Wunde)* lésion *f; psych* traumatisme *m;* **t~tisch** [-ˈmatɪʃ] *a* traumatique.

träum|en [ˈtrɔʏmən] *itr* rêver, songer; faire *od* avoir un rêve *od* un songe; *fig* rêver (*von etw* qc); songer; s'abandonner à la rêverie; *mit offenen Augen* od *am hellen Tage ~~* être perdu dans des rêveries, rêvasser; *ich habe immer davon geträumt zu ...* j'ai toujours rêvé de ...; *das hätte ich mir nicht ~~ lassen* je n'osais même pas y songer, j'étais loin de m'y attendre; *das hast du nur geträumt* tu as dû le rêver; *~e süß!* fais de beaux rêves; *du ~st wohl!* tu rêves! tu n'y songes pas! **T~er** *m* ⟨-s, -⟩ rêveur; *fig (Phantast)* songe-creux, visionnaire, utopiste *m;* **T~erei** *f* [-ˈraɪ] rêverie, songerie *f;* **~erisch** *a* rêveur, songeur.

traurig [ˈtraʊrɪç] *a (betrübt)* triste, attristé, affligé, contristé; *(tiefbekümmert, untröstlich)* désolé, navré; *(schmerzlich)* triste, affligeant, désolant; *(kläglich)* déplorable, lamentable; *(jämmerlich)* misérable, piteux; *in ~em Zustand* dans un état déplorable; *~ machen* od *stimmen* attrister, contrister, affliger; *~ werden* s'attrister, s'affliger; **T~keit** *f* ⟨-, ô⟩ tristesse, affliction, désolation *f.*

traut [traut] *a (traulich)* intime; *(gemütlich)* confortable; *(vertraut)* intime; *(lieb)* cher, chéri.
Traverse *f* ‹-, -n› [tra'vɛrzə] traverse, entretoise *f.*
Travertin *m* ‹-s, -e› [travɛr'ti:n] *min* travertin *m.*
Travest|ie *f* ‹-, -n› [travɛs'ti:] *lit (Umgestaltung ins Lächerliche)* travestie *f;* **t~ieren** [-'ti:rən] *tr* travestir; **~ierung** *f* travestissement *m.*
Trawl *n* ‹-s, -s› [tro:l, trɔ:l] *(Fischnetz)* chalut *m;* **~er** *m* ‹-s, -› *(Fischdampfer)* chalutier *m.*
Treber ['tre:bər] *pl (Rückstände beim Keltern)* marc *m* de raisin; *(beim Bierbrauen)* drague *f* de la bière.
treck|en ['trɛkən] *tr mar (ziehen)* haler; **T~er** *m* ‹-s, -› *(Zugmaschine)* tracteur *m;* **T~schute** *f (Zugschiff)* péniche *f.*
Treff *n* [trɛf] *(Kartenspiel: Kreuz)* trèfle *m;* **~as** *n* as *m* de trèfle.
treffen ‹*trifft, traf, getroffen*› ['trɛfən, trɪft, tra:f-, gə'trɔfən] *tr* toucher, atteindre; *fig (innerlich)* toucher; *(betreffen)* toucher, concerner; *(das richtige Wort, den richtigen Ton)* trouver; *(bildlich wiedergeben, darstellen)* rendre; réussir; *(begegnen)* rencontrer; *itr* porter juste; *sich ~ (sich ergeben, geschehen)* tomber; *es traf sich, daß ...* il arriva, le hasard voulut que ... ; *mit jdm ein Abkommen* od *Übereinkommen über etw ~* convenir de qc avec qn; *e-e Auswahl* od *Wahl ~* faire *od* opérer un choix; *den Einsatz ~ (mus)* attaquer juste; *es gut, schlecht ~* tomber bien, mal; *gut, schlecht getroffen sein (auf e-m Bild)* être bien, mal rendu *od* réussi; *Maßnahmen* od *Maßregeln ~* prendre des mesures; *ins Schwarze ~ (a. fig)* faire mouche; *pop* mettre dans le mille; *jdn an s-r empfindlichen Stelle ~* toucher le point sensible de qn; *den richtigen Ton ~ (fig)* trouver le ton juste, être dans la note; *Sie haben es getroffen (beim Raten)* vous y êtes; *mich trifft keine Schuld* ce n'est pas ma faute; *ihn hat ein schweres Unglück getroffen* il a eu de grands malheurs; *die Verantwortung trifft den Fahrer* c'est sur le conducteur que (re)tombe la responsabilité; *der Vorwurf trifft mich nicht* le reproche ne me touche *od* concerne pas; *das trifft sich gut, schlecht* cela tombe bien, mal; *das trifft sich sehr gut* cela s'arrange très bien; *wie's trifft, trifft's* ça tombe comme ça tombe; *wen trifft die Schuld?* à qui la faute? *wie sich das trifft!* quelle coïncidence (heureuse)! *wer einmal trifft, ist noch kein Schütze (prov)* une hirondelle ne fait pas le printemps; **T~** *n (Begegnung)* rencontre *f; (Tagung)* congrès *m,* assises *f pl; mil* rencontre *f,* combat *m; etw ins ~~ führen (fig)* arguer de qc; **~d** *a* juste, exact, précis; *(Ähnlichkeit)* frappant; *jur* pertinent; *adv* à propos, pertinemment.
Treffer *m* ‹-s, -› ['trɛfər] *(beim Boxen)* coup *m* qui porte; *(beim Fechten)* touche *f; (Fußball)* but *m; (beim Schießen)* impact; *(Gewinnlos)* billet *od* numéro *m* gagnant; *e-n ~ erzielen* od *haben* toucher le but; *~!* touché!
Treff|genauigkeit *f* ['trɛf-] précision *od* justesse *f* du tir; **t~lich** *a (ausgezeichnet)* excellent; *(vollendet, vollkommen)* parfait; **~lichkeit** *f* ‹-, ø› excellence; perfection *f;* **~punkt** *m* (lieu du) rendez-vous *m;* **t~sicher** *a* qui a l'œil juste *od* la main sûre; **~sicherheit** *f* = *~genauigkeit; (~wahrscheinlichkeit)* probabilité *f* du tir.
Treib|anker *m* ['traɪp-] ancre *f* flottante; **~eis** *n* glaces *f pl* flottantes *od* dérivantes *od* de dérive; **~fäustel** *m mines* masse *f,* marteau *m* de mine; **~gas** *n* gaz *m* carburant; **~hammer** *m* marteau *m* à bosseler *od* à emboutir; **~haus** *n* serre, forcerie *f;* **~hauspflanze** *f* plante *f* de serre; **~holz** *n* bois *m* flottant; **~jagd** *f* battue *f;* **~ladung** *f* charge *f* propulsive *od* de propulsion; **~mine** *f* mine *f* dérivante *od* flottante; **~mittel** *n* agent *m* moteur; **~öl** *n* huile *f* lourde *od* pour moteurs; **~rad** *n* roue *f* motrice; **~riemen** *m tech* courroie *f* de commande *od* de transmission; **~sand** *m* sables *m pl* mouvants; **~satz** *m (e-r Rakete)* matière *f* fusante; **~stange** *f tech* bielle *f;* **~stoff** *m* carburant, combustible *m; (Benzin)* essence *f; (e-r Rakete)* propulsif *m;* **~stoffbehälter** *m* réservoir *m* à essence; **~stofflager** *n* dépôt *m* d'essence; **~stoffversorgung** *f* approvisionnement *m* en essence.
treiben ‹*trieb, getrieben*› ['traɪbən, (-)'tri:p] *tr (vor sich her jagen)* chasser; *(Vieh)* mener; *(vom Wind)* balayer; *(in Bewegung setzen* od *halten)* faire marcher *od (Rad)* tourner; *sport (Ball)* dribbler; *(Menschen antreiben, veranlassen)* pousser *(jdn zu etw* qn à qc); *(hineinschlagen, -bohren)* enfoncer; *(Tunnel)* creuser, percer; *mines (Stollen)* percer; *metal* emboutir, repousser, bosseler; *(Pflanzen: wachsen lassen)* donner; *agr (im Treibhaus)* forcer; *(betreiben, tun)* faire, exercer, pratiquer; s'occuper de; s'adonner, se livrer à; *itr (fortbewegt werden)* être chassé; *(auf dem Wasser)* flotter, aller à la dérive, dériver; *bot (wachsen)* pousser; *(Teig: aufgehen)* lever; *(gären)* fermenter; *vor Anker ~ (mar)* chasser sur ses ancres; *zum Äußersten* od *auf die Spitze ~* pousser à l'extrême; *unnütze Dinge* od *dummes Zeug ~* faire des sottises; *zur Eile ~* presser; *fam* bousculer; *Eis ~ (Fluß)* charrier des glaçons; *in die Flucht ~* faire fuir; *jdm das Blut* od *die Schamröte ins Gesicht ~* faire monter le rouge au visage à qn; *Politik ~* faire de la politique; *Schweiß ~* faire transpirer, provoquer la transpiration; *mit jdm sein Spiel ~* se jouer de qn; *jdn in den Tod, zur Verzweiflung ~* pousser qn à la mort, au désespoir; *sich (willenlos) ~ lassen (fig)* aller *od* être à la dérive, dériver; *was ~ Sie?* que faites-vous dans la vie? *wie man's treibt, so geht's (prov)* on récolte ce qu'on a semé; **T~** *n tech* enfoncement; percement; emboutissage, bosselage; *fig (der Welt)* train *m; (auf der Straße)* agitation *f; sein Tun und ~~* ses faits et gestes; **~d** *a* en dérive; *~~e Kraft (fig: Mensch)* promoteur *m.*
Treiber *m* ‹-s, -› ['traɪbər] *(Viehtreiber)* meneur; *(Jagd)* traqueur; *fig* excitateur, instigateur; *(Antreiber)* oppresseur; *tech* chassoir *m.*
Treidel *m* ‹-s, -n› ['traɪdəl] *(Zugtau)* corde *f* de halage; **~ei** *f* [-'lai] halage *m;* **t~n** *tr* haler; **~weg** *m* chemin *m* de halage.
Trema *n* ‹-s, -s/-mata› ['tre:ma, -ta] *(Zeichen)* tréma *m.*
tremolieren *od* **tremulieren** [tremo(-mu-)'li:rən] *itr mus* faire des trémolos.
Trend *m* [trɛnd] ‹-s, -s› tendance *f.*
trenn|bar ['trɛn-] *a* séparable; **~en** *tr* séparer, disjoindre; *(Zsgehöriges)* dépareiller, déparier, désassortir; *(abtrennen)* détacher *(von* de); *(Menschen, a.)* désunir; *tele* couper; *sich ~~* se séparer *(a. Ehegatten);* se quitter; *gut ~~ (radio)* être sélectif; *sich schwer vom Geld ~~, sich schlecht vom Geld ~~ können (fam)* être dur à la détente; **T~linie** *f* ligne séparative; *typ* vedette *f;* **~scharf** *a radio* sélectif; **T~schärfe** *f* sélectivité *f;* **T~ung** *f* séparation, disjonction, désunion, rupture; *(e-r Ehe)* dissolution *f; pol* désapparentement *m (von* d'avec); *el tele* rupture *f; ~~ von Tisch und Bett (jur)* séparation *f* de corps et de biens; **T~ungsentschädigung** *f* indemnité *f* de séparation; **T~ungspunkte** *m pl typ* tréma *m;* **T~ungsstrich** *m* tiret *m;* **T~ungsvermögen** *n tech* pouvoir *m* séparateur; **T~ungswand** *f* mur *m* de séparation; **T~ungszeichen** *n typ* division *f.*
Trense *f* ‹-, -n› ['trɛnzə] *(leichter Zaum)* bridon *m.*
Trepan *m* ‹-s, -e› [tre'pa:n] *med (Schädelbohrer)* trépan *m;* **~ation** *f* ‹-, -en› [-panatsi'o:n] *med* trépanation *f;* **t~ieren** [-'ni:rən] *tr* trépaner.
trepp|ab [trɛp'ʔab] *adv* en descendant l'escalier; **~auf** *adv* en montant l'escalier; *er sprang ~~, ~ab* il ne cessa de monter et descendre l'escalier.
Treppe *f* ‹-, -n› ['trɛpə] escalier *m; drei ~n hoch* au troisième (étage); *die ~ benutzen* prendre (par) l'escalier; *die ~ hinauffallen (fig fam)* avoir de la chance (dans son malheur); *die ~ hinauf-, hinuntergehen* monter, descendre l'escalier; *jdm e-e ~ in die Haare schneiden* étager les cheveux à qn; **~nabsatz** *m,* **~ngeländer** *n* palier *m,* rampe *f* d'escalier; **~ngiebel** *m arch* pignon *m* à redans; **~nhaus** *n,* **~nläufer** *m (Teppich)* cage *f,* tapis *m* d'escalier; **~npfeiler** *m* départ *m* de rampe; **~nsohle** *f,* **~nspindel** *f,* **~nstufe** *f* patin, noyau *m,* marche *f* d'escalier; *oberste ~~* marche *f* palière; **~nwange** *f* limon *m;* **~nwitz** *m* esprit *m* d'escalier.
Tresor *m* ‹-s, -e› [tre'zo:r] *(Panzer-*

schrank) coffre-fort *m; (Stahlkammer)* chambre *f* forte; **~raum** *m* salle *f* des coffres-forts.

Tresse *f* ‹-, -n› ['trɛsə] *(Borte), bes. mil* galon *m,* soutache; *arg mil* ficelle *f.*

Trester *pl* ['trɛstər] = *Treber.*

treten ‹*tritt, trat, getreten*› [(gə)'tre:tən] *tr (den Fuß stellen auf)* mettre le pied sur; *(mit dem Fuß stoßen)* donner un coup de pied à *(in den Hintern* dans le derrière); *(abwechselnd mit beiden Füßen ~)* piétiner, fouler; *(in Gang setzen* od *halten)* faire marcher; *(Hahn: e-e Henne)* côcher; *itr (mit e-r adverbialen Bestimmung)* aller, marcher; *an* od *zu etw ~* s'avancer vers, s'approcher de qc; *auf etw ~* marcher, monter sur qc; *unter, vor, hinter etw ~* se mettre sous, devant, derrière qc; *in etw ~* entrer, *(mit dem Fuß)* mettre son pied dans qc; *aus etw ~* sortir de qc; *sich etw in den Fuß ~* s'enfoncer qc dans le pied; *(Schuhe) schief~* éculer; *in den Schmutz ~ (fig)* couvrir de boue; *an die Spitze (gen) ~* se mettre à la tête (de); *den Takt ~* marquer la mesure (du pied); *jdm in den Weg ~* barrer le chemin à qn; *(bitte) ~ Sie näher!* approchez (, s'il vous plaît).

Tret|mine *f* ['tre:t-] *mil* mine *f* antipersonnel; **~mühle** *f* treuil à tambour; *fig* bagne, travail *m* monotone; **~rad** *n* tympan *m.*

treu [trɔʏ] *a* fidèle; *(pflicht~)* loyal; *(ergeben)* dévoué; *(aufrichtig)* sincère; *zu ~en Händen (jur)* à titre fiduciaire; *jdm ~ sein* être fidèle à qn; **T~bruch** *m* manque *m* de foi; *(Verrat)* trahison; *hist* félonie *f;* **~brüchig** *a hist* félon; **T~e** *f* ‹-, ø› fidélité; loyauté, bonne foi *f;* dévouement *m; auf T~ und Glauben* en toute bonne foi; *in ~~* fidèlement; *jdm die ~~ brechen* trahir qn; *jdm die ~~ halten* rester fidèle à qn; *eheliche ~~* fidélité *od* foi *f* conjugale; **T~eid** *m* serment *m* de fidélité; **T~erabatt** *m* prime *f* de fidélité; **~ergeben** *a* dévoué; **T~hand** ‹-, ø› tutelle *f;* fidéicommis *m;* **T~händer** *m jur* (agent *od* administrateur) fiduciaire *m;* **T~handgesellschaft** *f* société *f* fiduciaire; **T~handschaft** *f* ‹-, ø› = **~hand; ~herzig** *a* de bonne foi; confiant, franc, sincère; **T~herzigkeit** *f* ‹-, ø› bonne foi; confiance, sincérité *f;* **~lich** *adv* fidèlement, avec fidélité; **~los** *a* infidèle, sans foi; déloyal; *(verräterisch)* traître, perfide; **T~losigkeit** *f* manque *m* de fidélité, mauvaise foi; déloyauté *f.*

Triangel *m* ‹-s, -› ['tri:aŋəl] *mus* triangle *m.*

Trib|un *m* ‹-s/-en, -e/-en› [tri'bu:n] *hist* tribun *m;* **~unal** *n* ‹-s, -e› [-bu'na:l] *(Gerichtshof)* tribunal *m,* cour *f* de justice; **~üne** *f* ‹-, -n› [-'by:nə] tribune, estrade *f;* **~ut** *m* ‹-(e)s, -e› [-'bu:t] *a. fig* tribut *m; e-r S ~~ zollen (fig)* payer tribut à qc; **t~utpflichtig** *a* tributaire.

Trichin|e *f* ‹-, -n› [trɪ'çi:nə] *zoo* trichine *f;* **~ose** *f* ‹-, -n› [-çi'no:zə] *med* trichinose *f.*

Trichter *m* ‹-s, -› ['trɪçtər] entonnoir; *(Schall~)* pavillon; *(Granat-, Bomben~)* trou *m;* **t~förmig** *a* en forme d'entonnoir; **t~n** *tr* passer à l'entonnoir; **~pilz** *m bot* craterelle *f;* **~wagen** *m* wagon-trémie *m;* **~winde** *f bot* ipomée *f.*

Trick *m* ‹-s, -e/-s› [trɪk] truc, artifice *m,* ficelle *f; com, bes. phot* u. *film* truquage, trucage *m;* **~aufnahme** *f* truquage *m* photographique; **~film** *m* film *m* truqué *od* à truquages, dessins *m pl* animés; **~track** *n* ‹-s, -s› [-trak] ['--/-'-] *(Puffspiel)* trictrac *m;* **~trackbrett** *n* jan *m.*

Trieb *m* ‹-(e)s, -e› [tri:p, -bə] *biol psych* instinct *m; psych a.* pulsion; *(Antrieb)* impulsion *f; (Neigung)* penchant *m,* tendance; *bot* pousse *f,* rejeton, jet *m; aus eigenem ~e* de sa propre impulsion; *s-n ~en nachgeben* céder à ses instincts; *s-e ~e unterdrücken* refouler ses instincts; **~feder** *f fig* mobile *m;* **t~haft** *a* instinctif; impulsif; **~haftigkeit** *f* caractère *m* instinctif *od* impulsif, impulsivité *f;* **~kraft** *f phys* force motrice; *psych* force *f* d'impulsion; **~leben** *n* vie *f* instinctive; **~rad** *n* roue *f* motrice; *(in e-m Getriebe)* pignon *m;* **~sand** *m* = *Treibsand;* **~wagen** *m loc* autorail *m,* automotrice *f; fam* micheline *f;* **~wagenzug** *m* train *m* automoteur; **~werk** *n* appareil moteur, mécanisme *m* (de commande *od* de transmission), mécanique *f; (Räder)* rouage, engrenage; *loc* mouvement *m,* commande *f; mot aero* groupe motopropulseur *m; (Rakete)* (groupe) propulseur *m; ~~ mit Atomkraft (aero)* propulseur *m* atomique (d'avion).

Trief|auge *n* ['tri:f-] œil *m* chassieux; **t~äugig** *a* chassieux; **t~en** ‹*triefte/troff, hat getrieft/getroffen*› [(gə)'trɔf(ən)] *itr (Flüssigkeit)* tomber goutte à goutte, (dé)goutter; *(nasser Gegenstand)* ruisseler; **t~end** *a* ruisselant.

triel|en ['tri:lən] *itr (sabbeln)* baver; **T~er** *m* ‹-s, -› *(Lätzchen)* bavoir *m.*

Trient *n* [tri'ɛnt] *geog* Trente *f.*

Trier *n* [tri:r] *geog* Trèves *f.*

triezen ['tri:tsən] *tr fam (plagen)* chiner, vexer.

Triforium *n* ‹-s, -rien› [tri'fo:rium, -riən] *arch rel* triforium *m.*

Trift *f* ‹-, -en› [trɪft] *(Weide)* pacage, pâturage; *(Holzflößung)* flottage; *(Meeresströmung)* courant *m* marin; **t~en** *tr (Holz lose flößen)* flotter; **t~ig** *a* **1.** flottant.

triftig ['trɪftɪç] *a* **2.** *(treffend, beweiskräftig)* concluant, plausible, soutenable, valable; fondé, solide; **T~keit** *f* ‹-, ø› caractère *m* concluant, valeur *f;* bien-fondé *m,* solidité *f.*

Triglyph *m* ‹-s, -e› , **~e** *f* ‹-, -n› [tri'gly:f(ə)] *arch* triglyphe *m.*

Trigonometr|ie *f* ‹-, ø› [trigonome'tri:] *math* trigonométrie *f; sphärische ~~* trigonométrie *f* sphérique; **t~isch** [-'me:trɪʃ] *a* trigonométrique.

Trikolore *f* ‹-, -n› [triko'lo:rə] *(a. französ. Fahne)* drapeau *m* tricolore.

Trikot ‹-s, -s› [tri'ko:/'trɪko] *m (Gewebe)* tricot; *n (Kleidungsstück)* tricot, maillot *m;* **~agen** [-ko'ta:ʒən] *f pl,* **~kleidung** *f,* **~ware** *f* articles *m pl* en tricot.

Triller *m* ‹-s, -› ['trɪlər] trille *m;* **t~n** *itr* faire des trilles; **~n** *n* trilles *m pl;* **~pfeife** *f* sifflet *m* à roulettes.

Trillion *f* ‹-, -en› [trɪli'o:n] trillion *m.*

Trilogie *f* ‹-, -n› [trilo'gi:] *(Kunst: Folge von drei Werken)* trilogie *f.*

Trimester *n* ‹-s, -› [tri'mɛstər] *(Vierteljahr)* trimestre *m.*

Trimm *m* ‹-(e)s, ø› [trɪm] *mar* assiette *f;* **~blech** *n aero* tab *m* réglable au sol; **~-dich-Pfad** *m* parcours *m* (d'entraînement) sportif; **t~en** *tr* arrimer; *(Kohlen)* pelleter; **~er** *m* ‹-s, -› *mar* soutier *m;* **~ruder** *n aero* tab *m* réglable en vol.

Trinit|ät *f* ‹-, ø› [trini'tɛ:t] *rel* trinité *f;* **~atisfest** *n* [-'ta:tɪs-] dimanche *m* de la Trinité.

Trinitrotoluol *n* ‹-s, ø› [trinitrotolu'o:l] *chem* trinitrotoluène *m.*

trink|bar ['trɪŋk-] *a* buvable, bon à boire; *(Wasser)* potable; **T~becher** *m* gobelet *m* (à boire), timbale *f;* **~en** ‹*trank, getrunken*› *tr u. itr* boire (*aus* dans; *aus der Flasche* à (même) la bouteille); *nur tr (gehobener)* prendre; *itr fam* lever le coude; *(gern u. viel ~~)* (aimer) boire, être un buveur; *Brüderschaft ~~* fraterniser en buvant; *tüchtig ~~* boire ferme; *~~, bis man genug hat* boire jusqu'à satiété; *was möchten Sie ~~?* qu'est-ce que vous prenez? **T~en** *n* boire *m; (als Sucht)* ivrognerie *f;* **T~er** *m* ‹-s, -› buveur; ivrogne *m; große(r) ~~* gros buveur *m;* **T~erheilanstalt** *f* clinique *f* de désintoxication; **T~gefäß** *n* récipient *m* à boire; **T~gelage** *n* beuverie *f;* **T~geld** *n* pourboire *m;* **T~glas** *n* verre *m* à boire; **T~halle** *f (in e-m Heilbad)* buvette *f;* **T~halm** *m* paille *f;* **T~kur** *f* cure *f* hydrominérale *od* d'eau minérale; **T~lied** *n* chanson *f* à boire *od* bachique; **T~röhrchen** *n* paille *f;* **T~spruch** *m* toast *m; e-n ~~ auf jdn ausbringen* porter un toast à qn; **T~wasser** *n* ‹-s, ø› eau *f* potable; *kein ~~* eau non potable; **T~wasserbehälter** *m* réservoir *m* d'eau potable; **T~wasserversorgung** *f* alimentation *f* en eau potable.

Trio *n* ‹-s, -s› ['tri:o] *mus* trio *m.*

Triode *f* ‹-, -n› [tri'o:də] *radio* triode *f.*

Triole *f* ‹-, -n› [tri'o:lə] *mus* triolet *m.*

Tripolitanien *n* [tripoli'ta:niən] *geog* la Tripolitaine.

trippeln ['trɪpəln] *itr* trottiner.

Tripper *m* ‹-s, -› ['trɪpər] *med* blennoragie, gonorrhée; *pop* chaude-pisse *f.*

Triptychon *n* ‹-s, -chen/-cha› ['trɪptyçɔn, -ça] *(Altaraufsatz)* triptyque *m.*

Triptyk *n* ‹-s, -s› ['trɪptʏk] *adm* triptyque *m.*

Tritt *m* ‹-(e)s, -e› [trɪt] *(Schritt)* pas *a. mil; (Fuß~)* coup *m* de pied; *(Stufe)* marche(pied *m*) *f; jdm auf Schritt und ~ folgen* suivre qn pas à pas, ne pas quitter qn d'une semelle; *jdm e-n ~ geben* od *versetzen* donner *od* envoyer un coup de pied à qn; *ohne ~, marsch! (mil)* pas de route, marche! **~brett** *n* (planche *od* palette *f* de) marchepied *m;* **~brettbeleuchtung** *f mot* lumière *f* de marchepied; **~leiter** *f* échelle *f* double; **~wechsel** *m mil* changement *m* de pas.

Triumph *m* ‹-(e)s, -e› [tri'umf] triomphe *m;* **~ator** *m* ‹-s, -en› [-'fa:tɔr, -'to:rən] triomphateur *m;* **~bogen** *m* arc *m* de triomphe, porte *f* triomphale; **~gesang** *m,* **~lied** *n* chant de triomphe, hosanna *m;* **~geschrei** *n* cris *m pl* de triomphe; **t~ieren** [-'fi:rən] *itr* triompher; **t~ierend** *a* triomphant; *adv* en triomphant, triomphalement, en triomphe; **~marsch** *m* marche *f* triomphale; **~pforte** *f* = *~bogen;* **~zug** *m* entrée *od* marche *f* triomphale.

trivial [trivi'a:l] *a* trivial, banal, plat; **T~ität** *f* ‹-, -en› [-li'tɛ:t] trivialité, banalité, platitude *f; (Gemeinplatz)* lieu *m* commun.

trocken ['trɔkən] *a* sec; *bes. geog mete* aride; *(ausgetrocknet)* desséché; *fig* sec, aride; *(nüchtern)* sobre; *(langweilig)* ennuyeux; *(Mensch)* fastidieux, insipide; *im T~en (vor Regen geschützt)* à l'abri; *seine Schäfchen ins ~e bringen (fig fam)* faire sa pelote; *noch nicht ~ hinter den Ohren sein (fig fam)* être encore dans les langes *od* au berceau, être à peine sorti de sa coquille; *auf dem ~en sitzen (fig)* être à sec *od* fauché; *im T~en sitzen* être à l'abri; *~ werden* sécher, se déssécher; *~ aufbewahren!* conserver au sec! à préserver de l'humidité.

Trocken|apparat *m* ['trɔkən-] séchoir *m;* **~bagger** *m* excavateur *m;* **~batterie** *f el* batterie *od* pile *f* sèche; **~boden** *m* séchoir *m* (à linge); **~diät** *f* régime *m* sec; **~dock** *n mar* cale *f* sèche; **~eis** *n* carboglace *f;* **~element** *n el* élément *m* sec; **~futter** *n agr* fourrage *m* sec; **~gemisch** *n* mélange *m* sec; **~gemüse** *n* légumes *m pl* secs *od* déshydratés; **~gestell** *n* séchoir *m;* **~heit** *f* sécheresse; *a. fig* aridité *f;* **~kammer** *f* séchoir *m;* **~kur** *f* diète *f* sèche; **t~≈legen** ‹*hat trockengelegt*› *tr (Sumpf)* assécher, mettre à sec; **~legung** *f* asséchage *m,* mise *f* à sec; **~milch** *f* lait *m* en poudre; **~obst** *n* fruits *m pl* secs *od* déshydratés; **~ofen** *m* séchoir *m;* **~platz** *m* séchoir *m* (à linge); **~reinigung** *f* nettoyage *m* à sec; **~schleuder** *f (für Wäsche)* essoreuse *f;* **~spiritus** *m* alcool solidifié, méta *m;* **~ständer** *m phot* égouttoir *m;* **~starre** *f zoo* estivation *f;* **~verband** *m arch* liaison *f* à sec; **~wäsche** *f* linge *m* séché; **t~≈wohnen** ‹*hat trockengewohnt*› *tr: das Haus, die Wohnung ~~* essuyer les plâtres; **~zeit** *f mete* saison *f* sèche.

trockn|en ‹*trocknete, getrocknet*› ['trɔknən] *tr* ‹*aux: haben*› (faire) sécher; dessécher; *itr* ‹*aux: sein*› sécher, se dessécher; **T~en** *n* séchage, dessèchement, *(der Wäsche a.)* essorage *m; zum ~~ aufhängen (Wäsche)* étendre, mettre à sécher; **~end** *a: schnell ~~* à séchage rapide; **T~er** *m* ‹-s, -› sécheur, séchoir, dessiccateur, deshydrateur *m;* **T~ung** *f* dessiccation *f.*

Troddel *f* ‹-, -n› ['trɔdəl] gland *m; (Quaste)* houppe *f.*

Trödel *m* ‹-s, ø› ['trø:dəl] friperie *f,* bric-à-brac *m,* vieilles hardes *f pl;* **~bude** *f fam pej* boutique *f* de fripier *od* de brocanteur; **~ei** *f* [-'laɪ] *fam* musardise *f;* **~kram** *m fam* = *~;* **~markt** *m* marché *m* aux puces; **t~n** ‹*aux: haben*› *itr fam* musarder, lambiner, baguenauder; **Trödler** *m* ‹-s, -› [-dlər] lambin; *(Althändler)* fripier, brocanteur, marchand *m* de bric-à-brac.

Trog *m* ‹-(e)s, ⸚e› [tro:k, 'trø:gə] auge *f.*

Troja *n* ['tro:ja] *(antike Stadt)* Troie *f;* **t~nisch** [tro'ja:nɪʃ] *a* troyen; *T~~e(s) Pferd n (a. fig)* cheval *m* de Troie.

Troll *m* ‹-(e)s, -e› [trɔl] *(Kobold)* lutin *m;* **~blume** *f* trollius *m;* **t~en,** *sich, fam (weggehen)* décamper, déguerpir, détaler.

Trolleybus *m* ['trɔlibus] *(Omnibus mit Oberleitung)* trolleybus *m.*

Trommel *f* ‹-, -n› ['trɔməl] *mus* tambour; *arg mil* roulant; *tech* tambour; *(bes. des Revolvers)* barillet *m; die ~ schlagen* od *rühren* battre le tambour; **~fell** *n mus* peau *f* de tambour; *anat* tympan *m;* **t~fellerschütternd** *a* tonitruant; à (vous) crever le tympan; **~feuer** *n mil* feu *m* roulant; **t~n** *itr* battre du tambour; *(nervös mit den Fingern)* tambouriner (*auf* sur); **~revolver** *m* revolver *m* à barillet; **~schlag** *m mus* battement *m* du tambour; *unter ~~* tambour battant; **~schläger** *m* = *Trommler;* **~schlegel** *m,* **~stock** *m* baguette *f* de tambour; **~wirbel** *m* roulement *m* de tambour; **~zufuhr** *f mil* alimentation *f* par tambour; **Trommler** *m* tambour *m.*

Trompete *f* ‹-, -n› [trɔm'pe:tə] *mus* trompette *f; ~ blasen* jouer de la trompette; **t~n** ‹*hat trompetet*› *itr* jouer *od* sonner de la trompette; *(Elefant)* barrir; **~nbläser** *m* trompette *m;* **~ngeschmetter** *n* bruit *m* de trompettes, fanfares *f pl;* **~nschnecke** *f* triton *m;* **~nsignal** *n* sonnerie *f;* **~nstoß** *m* coup *m* de trompette; **~r** *m* trompette *m.*

Tropen *pl* ['tro:pən] *geol* régions *f pl* (inter)tropicales; pays *m pl* tropicaux; **~anzug** *m* costume *m* colonial; **t~fest** *a* tropicalisé; **~helm** *m* casque *m* colonial; **~hygiene** *f* hygiène *f* des pays chauds; **~klima** *n* climat *m* tropical; **~koller** *m* folie *f* des tropiques; *fam* coup *m* de bambou; **~krankheit** *f* maladie *f* tropicale; **~pflanze** *f* plante *f* tropicale.

Tropf *m* ‹-(e)s, ⸚e› [trɔpf, 'trœpfə] *fam (Dummkopf)* sot, benêt, nigaud, jocrisse *m; (armer) ~* pauvre type *od* hère, pauvret *m.*

tropf|bar ['trɔpf-] *a* liquide; **~en** ‹*aux: haben*› *itr* (dé)goutter, tomber goutte à goutte; *(Wasserhahn)* couler; *impers.: es ~t* cela (dé)goutte; *der Schweiß ~te mir von der Stirn* mon front ruisselait de sueur; **T~en** *m* ‹-s, -› goutte *f; pl pharm* gouttes *f pl; in dicken ~~ fallen* tomber à grosses gouttes; *sein Glas bis auf den letzten ~~ leeren* faire rubis sur l'ongle; *das ist ein ~~ auf e-n heißen Stein* c'est une goutte d'eau dans la mer; *steter ~~ höhlt den Stein (prov)* petit à petit l'oiseau fait son nid, la patience vient à bout de tout; *ein guter ~~ (Wein)* un bon cru; **T~enfänger** *m* pare-goutte *m;* **~enweise** *adv* goutte à goutte; *fig a.* au compte-gouttes; **T~enzähler** *m* compte-gouttes, stilligoutte *m;* **~naß** *a* ruisselant, dégouttant; **T~rinne** *f* jet *m* d'eau; **T~röhrchen** *n* = *T~enzähler;* **T~stein** *m geol (Ab~stein)* stalactite; *(Auf~stein)* stalagmite *m;* **T~steinhöhle** *f* grotte *f;* **T~wein** *m* baquetures *f pl.*

Tröpf|chen *n* ‹-s, -› ['trœpfçən] gouttelette *f;* **t~eln** ‹*aux: haben*› *tr* verser goutte à goutte; *med* instiller; *itr* = *tropfen.*

Trophäe *f* ‹-, -n› [tro'fɛ:ə] trophée *m.*

tropisch ['tro:pɪʃ] *a* tropical.

Troposphäre *f* [tropo-] troposphère *f.*

Troß *m* ‹-sses, -sse› [trɔs] *mil* train; *fig (Gefolge)* cortège *m,* escorte; *pej* séquelle *f;* **~bube** *m,* **~knecht** *m mil hist* valet *m* d'armée; **~wagen** *m* fourgon *m.*

Trosse *f* ‹-, -n› ['trɔsə] *mar* (h)aussière *f.*

Trost *m* ‹-es, ø› [tro:st] consolation *f,* réconfort *m; das ist ein schlechter* od *schwacher ~* c'est une faible consolation; *du bist wohl nicht ganz* od *recht bei ~!* tu a perdu la raison! *fam* tu es dingue! **t~bedürftig** *a: ~~ sein* avoir besoin d'être consolé *od* de consolation; **t~bringend** *a* = *t~reich;* **t~los** *a (Mensch)* désolé; inconsolable; *(Sache, Zustand)* désolant; *(hoffnungslos)* sans espoir; *(öde, langweilig)* désert, monotone, ennuyeux, triste; **~losigkeit** *f* ‹-, ø› désolation *f; (Hoffnungslosigkeit)* désespoir *m; (Öde)* monotonie *f;* **~pflästerchen** *n,* **~preis** *m* fiche *f,* prix *m* de consolation; **t~reich** *a* réconfortant, consolant; *~~e Worte n pl* bonnes paroles *f pl;* **~spruch** *m* sentence *f* consolante.

tröst|en ‹*tröstete, getröstet*› ['trø:stən] *tr* consoler (*über etw* de qc); réconforter; essuyer les larmes de; *sich ~~* se consoler (*mit etw* avec qc); **T~er** *m* ‹-s, -› consolateur *m;* **~lich** *a* consolant; *(beruhigend)* rassurant; **T~ung** *f* consolations *f pl,* réconfort *m.*

Trott *m* ‹-(e)s, ø› [trɔt] *(Gangart des Pferdes)* trot; *fig fam (Schlendrian)* traintrain *m; seinen ~, den alten* od *gewohnten ~ gehen* aller son petit train, suivre les chemins battus; **~el** *m* ‹-s, -› *fam* crétin *m,* gourde *f; alte(r) ~~* gaga, fada *m,* vieille baderne *f;* **~ellumme** *f orn* guillemot *m* à capuchon; **t~eln** *itr,* **t~en** *itr* trotter.

Trotz *m* ⟨-es, ø⟩ [trɔts] *(vorübergehender)* bravade, obstination, opposition; *(dauernde Eigenschaft)* indocilité, insubordination, obstination, mauvaise tête *f; aus ~* par obstination; *jdm, e-r S zum ~* en dépit de qn, de qc; *jdm ~ bieten* braver *od* défier *od* affronter qn; **t~** *prp gen, a. dat* malgré; en dépit de; nonobstant; *(ohne Rücksicht auf)* au mépris de; *~~ all(e)dem* malgré tout, avec tout cela; **t~dem** ['-de:m, '-'-] *conj* malgré cela, tout de même, quand même; toujours est-il que; **t~en** ⟨*aux: haben*⟩ *itr* braver, défier (*jdm* qn); tenir tête, faire front (*jdm* à qn); **t~ig** *a* rétif, récalcitrant; *~~ sein* avoir mauvaise tête *od* mauvais esprit; **~kopf** *m* mauvais(e) tête *f od* esprit; caractère indocile; obstiné *m;* **t~köpfig** *a* récalcitrant, boudeur.

trüb|(e) [try:p/'-bə] *a (Flüssigkeit)* trouble, brouillé; chargé; *(Glasscheibe, Spiegel)* terne, terni, *(beschlagen)* embué; *(Himmel)* chargé (de nuages), couvert, sombre, gris; *(Wetter)* sombre, couvert; *(Augen)* terne; *(Blick)* brouillé; *fig (~selig)* sombre, morne; *in ~er Stimmung sein* être maussade, broyer du noir, avoir des idées noires; *es ist ~e(s Wetter)* il fait sombre *od* gris; **T~e** *f* ⟨-, ø⟩ *mines* boue *f;* **~en** *tr* troubler, brouiller; ternir; *fig (Stimmung, Freude, Freundschaft)* gâter; *(den Blick, das Urteil)* troubler; *sich ~~ (Himmel)* se charger, se couvrir, se gâter; **T~heit** *f* ⟨-, ø⟩ trouble; terne; sombre *m;* **T~sal** *f* ⟨-, -e⟩ ['-za:l] affiction; *(Drangsal)* tribulation *f; (Kummer)* chagrin *m; (Elend)* misère *f; ~~ blasen* pleurer misère, faire triste mine; **~selig** *a (Stimmung)* sombre, mélancolique; **T~sinn** *m* ⟨-(e)s, ø⟩ morosité, tristesse; mélancolie *f;* **~sinnig** *a (Mensch)* morose, triste; mélancolique; **T~ung** *f (Zustand, a. chem u. med)* (état) trouble *m.*

Trubel *m* ⟨-s, ø⟩ ['tru:bəl] *(Lärm)* brouhaha, charivari *m; (Verwirrung)* confusion *f,* trouble *m.*

Truchseß *m* ⟨-sses/(-ssen), -sse⟩ ['truxzɛs] *hist* écuyer *m* tranchant.

trudeln ['tru:dəln] *itr aero* faire la vrille; *fam (würfeln)* jouer aux dés; **T~n** *n aero* vrille *f* (normale); *freiwillige(s) ~~* vrille *f* commandée.

Trüffel *f* ⟨-, -n⟩ ['trʏfəl] *(Pilz)* truffe *f; mit ~n* truffé; **~anbau** *m* trufficulture *f;* **t~n** *tr (mit ~n zubereiten)* truffer; **~wurst** *f* pâté *m* truffé.

Trug *m* ⟨-(e)s, ø⟩ ['tru:k, '-gəs] *(Täuschung)* tromperie, imposture, supercherie; *(Schein)* illusion *f; das ist alles Lug und ~* tout cela est du mensonge; **~bild** *n* illusion *f,* phantasme, fantôme *m;* **~dolde** *f bot* cyme *f;* **~schluß** *m* fausse conclusion *f; philos* paralogisme; sophisme *m.*

trüg|en ⟨*trog, getrogen*⟩ ['try:gən, (gə) 'tro:k/-gən] *itr* faire illusion; *tr* induire en erreur, tromper; *wenn mich meine Sinne* od *mein Gedächtnis nicht ~~ (trügt), wenn mich nicht alles ~t* si je ne m'abuse; **~erisch** *a* trompeur, mensonger; fallacieux, illusoire, spécieux.

Truhe *f* ⟨-, -n⟩ ['tru:ə] bahut, coffre *m.*

Trum(m) *m a. n* ⟨-(e)s, -e/¨er⟩ [trum, 'trʏmər] *mines* petite galerie *f.*

Trumm *n* ⟨-(e)s, ¨er⟩ [trum, 'trʏmər] *dial (Ende, Stück)* bout *m.*

Trümmer ['trʏmər] *pl (Bruchstücke)* fragments *m pl; (Ruinen)* ruines *f pl,* débris; *(Schutt)* décombres *m pl; in ~ gehen* tomber en ruines, s'effondrer; *in ~n liegen* être en ruines; *in ~ schlagen* mettre en pièces, casser *od* briser en (mille) morceaux; **t~besät** *a* jonché de débris; **~beseitigung** *f* déblai(ement) *m;* **~feld** *n* champ *m* de ruines; **~frau** *f* déblayeuse *f (1945);* **~gestein** *n* roche *f* détritique, agglomérat *m;* **t~haft** *a* fragmentaire; **~haufen** *m* monceau *od* amas *m* de décombres; **~stätte** *f* ruines *f pl.*

Trumpf *m* ⟨-(e)s, ¨e⟩ [trumpf, 'trʏmpfə] *a. fig* atout; *~ ausspielen* jouer atout; *den letzten ~ ausspielen (fig)* jouer ses derniers atouts, abattre sa dernière carte; *alle Trümpfe in der Hand haben (fig)* avoir tous les atouts en main; *~ sein (fig)* faire prime; *Herz ist ~* atout cœur; *was ist ~?* quel est l'atout? **t~en** *itr = ~ ausspielen.*

Trunk *m* ⟨-(e)s,(¨e)⟩ [truŋk, 'trʏŋkə] *(Schluck)* gorgée *f,* coup *m; (Getränk)* boisson; *pej (Trinken)* habitude de boire, ivrognerie *f; jdm e-n ~ reichen* donner à boire à qn; *dem ~ ergeben* adonné à la boisson; **t~en** *a vx poet (betrunken), fig (berauscht)* ivre (vor*vor* od *von* de*);* **~enbold** *m* ⟨-(e)s, -e⟩ [-bɔlt, -də] *pej* ivrogne, buveur; *pop* poivrot, pochard, soûlard, soûlaud *m;* **~enheit** *f* ⟨-, ø⟩ ivresse *f; ~~ am Steuer* conduite en état d'ivresse *od* d'ébriété; **~sucht** *f* ⟨-, ø⟩ ivrognerie; *med* dipsomanie *f;* **t~süchtig** *a* ivrogne; *med* dipsomane; **~süchtige(r)** *m* ivrogne; dipsomane *m.*

Trupp *m* ⟨-s, -s⟩ [trup] groupe, détachement *m; (Arbeiter)* équipe, escouade *f; mil (Gruppe)* peloton, groupe *m;* **~führer** *m mil* chef *m* de groupe; **t~weise** *adv* en groupe(s), par bandes.

Truppe *f* ⟨-, -n⟩ ['trupə] *mil* troupe; *(Einheit)* unité *f; Dienst m bei der ~ = ~ndienst; kämpfende ~* troupe *f* de combat.

Truppen|ansammlung *f* ['trupən-] rassemblement *m* de troupes; **~arzt** *m* médecin *m* de l'unité; **~aushebung** *f* levée *f* de troupes, recrutement *m;* **~betreuung** *f* service *m* de l'assistance; **~bewegung** *f* mouvement *m* de troupe; **~dienst** *m* service *m* à la troupe; **~führer** *m* chef *od* commandant *m* de la troupe; **~führung** *f* conduite *f* des troupes *od* des grandes unités; **~gattung** *f* arme *f;* **~kommandeur** *m = ~führer;* **~offizier** *m* officier *m* de troupe; **~schau** *f* revue *f* (militaire); **~standort** *m* garnison *f;* **~stärke** *f* effectif *m;* **~teil** *m* corps *m* de troupe; **~transport** *m* transport *m* de troupes *od* militaire; **~transporter** *m = ~transportflugzeug* od *-schiff;* **~transportfahrzeug** *n,* **~transportflugzeug** *n* véhicule, avion *m* de transport de troupes *od* militaire; **~transportschiff** *n* transport *m* de troupes; **~übung** *f (Manöver)* manœuvre *f;* **~übungsplatz** *m* camp d'entraînement *od* d'instruction, champ *m* de manœuvres; **~unterkunft** *f* cantonnement, casernement *m;* **~verband** *m = ~teil;* **~verband(s)platz** *m* poste *m* de secours; **~verpflegung** *f* ordinaire *m;* **~verschiebung** *f* déplacement *m* (de troupes); **~verstärkung** *f* renforcement *m* de *od* des troupes; **~verwaltung** *f* administration *f* des corps de troupe.

Trust *m* ⟨-(e)s, -e/-s⟩ [trast, trust] *(Konzern)* trust *m.*

Trut|hahn *m* ['tru:t-] *(Puter)* dindon *m;* **~henne** *f* dinde *f.*

Trutz [truts] *m: zu Schutz und ~ (poet)* pour l'offense et pour la défense; **~bündnis** *n* alliance *f* offensive; **~waffe** *f* arme *f* offensive.

Tschako *m* ⟨-s, -s⟩ ['tʃako] *(Helm)* shako *m.*

Tschech|e *m* ⟨-n, -n⟩ ['tʃɛçə], **~in** *f* Tchèque *m f;* **t~isch** ['tʃɛçɪʃ] *a* tchèque; *(das) T~~(e)* le tchèque; **~oslowakei** [-çoslova'kaɪ], *die* la Tchécoslovaquie; **t~oslowakisch** [-'va:kɪʃ] *a* tchécoslovaque.

Tscherkess|e *m* ⟨-n, -n⟩ [tʃɛr'kɛsə], **~in** *f* Circassien, ne *m f.*

Tsetsefliege *f* ['tsɛtse-] *ent* tsé-tsé *f.*

Tuba *f* ⟨-, -ben⟩ ['tu:ba] *mus* tuba *m.*

Tube *f* ⟨-, -n⟩ ['tu:bə] tube *m; ~ Zahnpasta* tube *m* de dentifrice.

Tuberk|el *m* ⟨-s, -⟩ *a. f* ⟨-, -n⟩ [tu'bɛrkəl] *med* tubercule *m;* **~elbazillus** *m* bacille *m* tuberculeux; **t~ulös** [-ku'lø:s] *a* tuberculeux; **~ulose** *f* ⟨-, -n⟩ [-'lo:zə] tuberculose *f; offene ~~* tuberculose *f* aggravée.

Tuberose *f* ⟨-, -n⟩ [tube'ro:zə] *bot* tubéreuse *f.*

Tubus *m* ⟨-, -ben/-busse⟩ ['tu:bus/-ən] *opt tech* tube *m.*

Tuch 1. *n* ⟨-(e)s, -e⟩ [tu:x, '-xə] *(Stoff)* drap *m,* étoffe (de laine); **2.** *n* ⟨-(e)s, ¨er⟩ [-, 'ty:çər] *(Stück Stoff)* pièce *f* d'étoffe; *(Kopf-, Hals~)* fichu, foulard, châle *m; (Hand~)* serviette *f,* essuie-mains; *(Geschirr~)* torchon *m; (Taschen~)* mouchoir (de poche); *(Putz~, -lappen)* chiffon *m; auf jdn wie ein rotes ~ wirken* faire voir rouge à qn; **~art** *f* drap *m,* étoffe *f;* **~bahn** *f* lé *m;* **~ballen** *m* ballot *m;* **t~en** *a (aus ~)* de drap, d'étoffe; **~fabrik** *f* fabrique *f* de drap; **~fabrikant** *m* fabricant de drap, drapier *m;* **~fabrikation** *f* fabrication *f* de drap; **~fühlung** *f* coude à coude *m; mit jdm in ~~ kommen* prendre contact avec qn; **~handel** *m* commerce *m* du drap, draperie *f;* **~händler** *m,* **~macher** *m* drapier *m;* **~schere** *f* forces *f pl;* **~schermaschine** *f* tondeuse *f.*

tüchtig ['tʏçtɪç] *a (gut)* bon, de valeur; *(fähig)* capable, apte; *(talent-*

voll) doué; *(erfahren)* versé, *fam* calé; *(verdient)* mérité; *fam (groß, stark, gewaltig)* grand, fort, fier, rude, énorme; *pop* soigné; *(beachtlich)* respectable; *adv fam* bien, fort, fièrement, rudement, énormément; ~ *arbeiten* travailler bien; ~ *essen* manger comme quatre; ~ *sein (a.)* avoir de l'étoffe; ~ *zulangen (beim Essen)* avoir un bon coup de fourchette; **T~keit** *f* ⟨-, ø⟩ valeur *f*, qualités *f pl;* capacité(s *pl*), aptitude(s *pl*) *f.*

Tück|e *f* ⟨-, -n⟩ ['tʏkə] sournoiserie, malignité, malice, méchanceté, perfidie *f; voll List und* ~~ très malin; ~~ *des Objekts, des Schicksals* malignité des choses, du sort; **t~isch** *a* sournois, malin, malicieux, méchant, perfide; *(Tier)* vicieux.

Tuerei *f* ⟨-, ø⟩ [tu:ə'raɪ] *fam (Getue)* chichi, fla-fla *m*, girie *f.*

Tuff *m* ⟨-s, -e⟩ [tʊf] *min,* **~stein** *m* tuf *m.*

Tüft|elei *f* ⟨-, ø⟩ [tʏftə'laɪ] *fam* subtilités *f pl;* **~(e)ler** *m* ⟨-s, -⟩ esprit *m* subtil; **t~(e)lig** *a* subtil; **t~eln** *itr* subtiliser.

Tugend *f* ⟨-, -en⟩ ['tu:gənt, -dən] vertu *f;* **~bold** *m* ⟨-(e)s, -e⟩ [-bɔlt, -də] *iron* parangon *m* de vertu; **t~haft** *a* vertueux; **~haftigkeit** *f* ⟨-, ø⟩ vertu *f;* caractère *m* vertueux; *(Leben)* vie *f* vertueuse; **t~sam** *a* = ~*haft.*

Tüll *m* ⟨-s, (-e)⟩ [tʏl] *(Textil)* tulle *m;* **~gardine** *f,* **~vorhang** *m* rideau *m* de tulle.

Tülle *f* ⟨-, -n⟩ ['tʏlə] *(Ausguß e-r Kanne)* bec *m; tech el* douille *f.*

Tulpe *f* ⟨-, -n⟩ ['tʊlpə] tulipe *f;* **~nzwiebel** *f* bulbe *m* de tulipe.

tummel|n ['tʊməln], *sich ⟨ich tummle mich, du tummelst dich ...⟩ (sich kräftig regen)* s'ébattre, prendre ses ébats, se trémousser, s'ébrouer, se donner du mouvement; *(sich beeilen)* se dépêcher, se presser; **T~platz** *m fig* arène, lice *f.*

Tümmler *m* ⟨-s, -⟩ ['tʏmlər] *(Delphin)* marsouin *m.*

Tumor *m* ⟨-s, -en⟩ ['tu:mɔr, -'mo:rən] *med (Geschwulst)* tumeur *f.*

Tümpel *m* ⟨-s, -⟩ ['tʏmpəl] flaque *f;* *(größerer)* mare *f.*

Tumult *m* ⟨-(e)s, -e⟩ [tu'mʊlt] tumulte, vacarme, tapage *m:* bagarre, échauffourée, émeute *f; pop* chahut *m;* **~uant** *m* ⟨*-en, -en*⟩ [-tu'ant] tapageur; émeutier, mutin; chahuteur *m;* **t~uarisch** [-tu'a:rɪʃ] *a* tumultueux.

tun ⟨*tat, getan*⟩ [tu:n, ta:t, gə'ta:n] *(machen, ausführen, arbeiten)* faire; *(Wirkung hervorbringen)* faire, produire; *(zufügen)* faire; *(legen, setzen, stellen, stecken)* mettre; *itr (sich verhalten)* faire; *sich* ~ *(fam: geschehen)* se passer, avoir lieu; *alles für jdn* ~ *(a.)* se mettre en quatre pour qn; *sein Bestes* ~ faire de son mieux; *e-r S Erwähnung* ~ faire mention de qc; *etwas* ~ faire qc, agir; *jdm etwas (zuleide)* ~ faire du mal à qn; *freundlich* ~ faire bonne mine; *Gutes* ~ faire le bien; *jdm etw Gutes* ~ faire du bien à qn; *nichts* ~ ne rien faire; *nichts* ~ *als (inf)* ne faire rien que *inf; s-e Pflicht* od *s-e Schuldigkeit* ~ faire son devoir; *e-n Schluck* od *Zug (aus der Flasche)* ~ boire une gorgée à la bouteille; *es mit jdm zu* ~ *bekommen* avoir des ennuis *od* des démêlés avec qn; *es mit jdm, mit e-r S zu* ~ *haben* avoir affaire à qn, à qc; *etwas mit jdm, mit e-r S zu* ~ *haben* avoir qc à faire *od* à voir avec qn, avec qc; *viel mit jdm zu* ~ *haben* avoir fort à faire avec qn; *mit etw nichts zu* ~ *haben* n'avoir rien à faire avec qc, n'être pour rien dans qc; *nichts zu* ~ *haben* n'avoir rien à faire; *viel, wenig zu* ~ *haben* avoir beaucoup (de choses), peu (de choses) à faire, avoir beaucoup, peu de travail; *nichts dazu* ~ *können* n'y pouvoir rien faire; *nichts* ~ *wollen* ne vouloir rien faire; *so* ~*(, als ob)* se donner des apparences; *so* ~*, als ob ...* faire semblant *od* mine de...; *so* ~*, als ob man etw nicht sähe* fermer les yeux sur qc; *ich habe es nicht getan* ce n'est pas moi qui l'ai fait; *ich will nichts damit zu* ~ *haben (a.)* je m'en lave les mains; *es ist mir darum zu* ~ *zu ...* il s'agit pour moi de ...; *Sie täten besser daran zu ...* vous feriez mieux de ...; *Sie täten gut daran zu ...* vous feriez bien de ...; *er tut nur so* il ne fait que semblant; *so etwas tut man nicht* cela ne se fait pas; *das hat nichts damit zu* ~ cela n'a rien à faire à cela *od* à y voir; *das tut nichts zur Sache* cela n'a rien à y voir; *es tut sich etwas (fam)* il se trame qc; *was soll ich* ~*?* que faut-il que je fasse? que dois-je faire? *was tut (denn) das?* qu'importe? *was tut das zur Sache?* à quoi bon? pour quoi faire? *was (ist zu)* ~*?* que faire? *tu doch nicht so!* ne fais pas de manières; *tu, was du nicht lassen kannst!* fais ce que tu dois faire! *das wäre getan* enfin c'est fait! *getan ist getan* ce qui est fait est fait; *tue recht und scheue niemand! (prov)* il faut bien faire et laisser dire; *was du nicht willst, das man dir tu, das füg auch keinem andern zu! (prov)* ne fais pas à autrui ce que tu ne voudrais pas qu'on te fît à toi-même; **T~** *n* occupations *f pl;* conduite, manière *f* d'agir, façons *f pl* de faire; *sein* ~~ *und Treiben* ses faits et gestes; **~lich** *a* faisable, praticable; *(angebracht, passend)* indiqué, à propos, opportun; ~~*st bald* le plus tôt possible; **T~lichkeit** *f* ⟨-, ø⟩ praticabilité; opportunité *f.*

Tünch|e *f* ⟨-, -n⟩ ['tʏnçə] badigeon, lait *od* enduit de chaux; *fig* vernis, fard *m;* **t~en** *tr* badigeonner, blanchir (à la chaux); **~en** *n* badigeonnage, blanchiment *m;* **~er** *m* ⟨-s, -⟩ badigeonneur, peintre *m* (en bâtiment).

Tundra *f* ⟨-, -dren⟩ ['tʊndra] *geog* toundra *f.*

Tunes|ien [tu'ne:ziən] *n* la Tunisie; **~ier(in** *f***)** *m* ⟨-s, -⟩ [-'ne:ziər] Tunisien, ne *m f;* **t~isch** [-'ne:zɪʃ] *a* tunisien.

Tunichtgut *m* ⟨-/-(e)s, -e⟩ ['tu:nɪçtgu:t] vaurien; fainéant *m.*

Tunika *f* ⟨-, -ken⟩ ['tu:nika] *hist* tunique *f.*

Tunk|e *f* ⟨-, -n⟩ ['tʊŋkə] sauce *f;* **t~en** *tr (tauchen)* tremper (*in* dans).

Tunnel *m* ⟨-s, -/-s⟩ ['tʊnəl] tunnel; *(im Bahnhof)* passage *m* souterrain; **~schacht** *m* puits *m* de tunnel.

Tupf *m* ⟨-(e)s, -e⟩ *dial,* **~en** *m* ⟨-s, -⟩ ['tʊpf(ən)] *(kleiner runder Fleck)* pois; *(Punkt)* point *m; mit weißen* ~*en* à pois blancs; **t~en** *tr (mit Watte)* tamponner avec de la ouate.

Tüpfel *m* od *n* ⟨-s, -⟩ ['tʏpfəl] **~chen** *n* point *m,* moucheture *f;* pois *m;* **t~n** *tr (mit* ~*n versehen)* pointiller, moucheter.

Tür *f* ⟨-, -en⟩ [ty:r] porte; *(an e-m Wagen)* portière *f; bei verschlossenen* ~*en* en secret, à huis clos; *durch die* ~*, zur* ~ *hinaus* (od *herein*) par la porte; *zwischen* ~ *und Angel (fig)* au moment de sortir; en (toute) hâte; *offene* ~*en einrennen (fig)* enfoncer des portes ouvertes, parler à un convaincu; *mit der* ~ *ins Haus fallen (fig)* mettre les pieds dans le plat, casser les vitres; *sich e-e* ~ *offenhalten (fig)* se menager une issue; *vor verschlossene* ~*en kommen* trouver porte close; *fam* se casser le nez; *jdn* od *jdm den Stuhl vor die* ~ *setzen, jdm die* ~ *weisen* mettre qn à la porte; *vor der* ~ *stehen* être devant la porte; *fig* être imminent; *die* ~ *hinter jdm zumachen* fermer la porte sur qn; *die* ~ *zuschlagen* faire claquer la porte; *jdn die* ~ *vor der Nase zuschlagen* fermer la porte au nez de qn; *die* ~ *steht offen* la porte est ouverte; *ihm stehen alle* ~*en offen (fig)* toutes les portes lui sont ouvertes; *jeder kehre vor s-r* ~ que chacun balaie devant sa porte; **~angel** *f* gond *m;* **~band** *n* penture *f;* **~chen** *n* petite porte *f,* portillon *m;* **~drükker** *m* loquet *m;* **~e** *f* ⟨-, -n⟩ *dial* = ~; **~einfassung** *f* huisserie *f;* **~flügel** *m* battant *m* (de porte); **~füllung** *f* panneau *m* (de porte); **~griff** *m* poignée *f* (de porte); **~hüter** *m* huissier *m;* **~klinke** *f* loquet, bec-de-cane *m;* **~öffner** *m* serrure *f* électrique; **~öffnung** *f arch* baie *f;* **~pfosten** *m* montant *m* (de porte); **~rahmen** *m* huisserie *f;* **~riegel** *m* verrou *m* (de porte); **~schild** *n* plaque *f* de porte; **~schließer** *m* fermeture *f* automatique; **~schwelle** *f* seuil *m* de porte; **~sturz** *m* linteau *m* (de porte); **~verkleidung** *f* chambranle *m;* **~wange** *f* jouée *f.*

Turban *m* ⟨-s, -e⟩ ['tʊrban] turban *m.*

Turbine *f* ⟨-, -n⟩ [tʊr'bi:nə] *tech* turbine *f;* **~nanlage** *f* station *f* de turbine; **~nantrieb** *m,* **~ndampfer** *m* propulsion *f,* vapeur *m* à turbine; **~nflugzeug** *n* avion *m* à réaction; **~ngehäuse** *n,* **~nläufer** *m tech,* **~nrad** *n,* **~nschaufel** *f* enveloppe *f,* rotor *m,* roue, aube *f* de turbine; **~n-Strahl-Triebwerk** *n* turboréacteur *m;* **~n-Staustrahl-Triebwerk** *n* turbostatoréacteur *m;* **~ntriebwerk** *n* propulseur *od* réacteur à turbine; moteur *m* à réaction; **~nwärter** *m* machiniste *m* turbine.

Turbo|-Düsentriebwerk ['turbo-] *n* turboréacteur *m;* **~gebläse** *n* turbosoufflante *f;* **~generator** *m* turbogénérateur, turbo-alternateur *m;* **~kompressor** *m* turbocompresseur *m;* **~motor** *m* = *Turbinentriebwerk;* **~-Strahltriebwerk** *n* turboréacteur *m;* **~triebwerk** *n* = *Turbinentriebwerk;* **~ventilator** *m* turboventilateur *m.*

turbulen|t [turbu'lɛnt] *a* turbulent; **T~z** *f* ‹-, -en› [-'lɛnts] turbulence *f.*

Türk|e *m* ‹-n, -n› ['tʏrkə] Turc *m; jdm einen ~en bauen* monter un bobard à qn; **~ei** [-'kaɪ] , *die* la Turquie; **~enbund** *m bot* turban, lis *m* martagnon; **~in** *f* Turque *f;* **t~isch** *a* turc; *(das) T~~(e)* le turc.

Turm *m* ‹-(e)s, ⸚e› [turm, 'tʏrmə] tour *f (a. Schach); (Burg~)* donjon; *(Wacht-, Rathaus~)* beffroi; *(Kirch~)* clocher; *sport (Sprung~)* plongeoir *m; mil (Panzer~ u. mar)* tourelle *f; mar a.* kiosque *m;* **~aufsatz** *m* coupole *f;* **~bau** *m* construction *f* d'une *od* de la tour; *der ~~ zu Babel* la tour de Babel; **~drehkran** *m* grue *f* pivotante à tour *od* tournante sur plyône; **~falke** *m orn* crécerelle *f;* **~geschütz** *n* pièce *f* de tourelle; **~haus** *n* tour *f;* **~helm** *m arch* flèche *f;* **t~hoch** *a* haut comme une tour; *(riesenhaft)* gigantesque; *(Überlegenheit)* écrasant; **~kran** *m* grue *f* à tour *od* à pylône; **~panzer** *m mil* char *m* à tourelle; **~schwalbe** *f orn* martinet *m;* **~spitze** *f arch* aiguille, flèche *f;* **~springen** *n (Schwimmsport)* plongeons *m pl* de haut vol; **~uhr** *f* horloge *f.*

Turmalin *m* ‹-s, -e› [turma'li:n] *min* tourmaline *f.*

Türm|chen *n* ‹-s. -› ['tʏrmçən] tourelle *f; (Verzierung)* clocheton *m;* **t~en** *tr* ‹*aux: haben*› *(hoch aufschichten)* empiler; *(anhäufen)* entasser, amonceler; *itr* ‹*aux: sein*› *fam (weglaufen)* filer, ficher le camp; *sich ~~* se dresser (jusqu'aux nues); **~er** *m* ‹-s, -› gardien, veilleur, guetteur *m.*

Turn *m* ‹-s, -s› [tə:n] *aero* immelmann *m.*

Turn|anzug *m* ['turn-] survêtement *m* de gymnastique; **t~en** *itr* faire de la gymnastique; **~en** *n* gymnastique; *(Leibeserziehung)* éducation *f* physique; **~er** *m* ‹-s, -› gymnaste *m;* **t~erisch** *a* de gymnaste; **~fest** *n* fête *f* de gymnastique; **~gerät** *n* appareil *m* de gymnastique; **~halle** *f* salle *f* de gymnastique, gymnase *m* (couvert); **~hemd** *n* maillot *m* de gymnastique; **~hose** *f* culotte *f* de gymnastique; **~lehrer(in** *f***)** *m* maître(sse *f*) *od* professeur de gymnastique, professeur *m* d'éducation physique; **~schuhe** *m pl* chaussures de gymnastique, espadrilles *f pl;* **~spiele** *n pl* plein air *m;* **~stunde** *f (in d. Schule)* leçon *f* de gymnastique; **~übung** *f* exercice *m* de gymnastique; **~unterricht** *m* éducation *f* physique; **~verein** *m* société *f* de gymnastique; **~wart** *m* moniteur *m* de gymnastique.

Turnier *n* ‹-s, -e› [tur'ni:r] *(hist u. Tennis)* tournoi; *sport (sonst)* championnat *m,* compétition *f;* **~platz** *m* lice *f,* champ *m* clos; **~reiter** *m* cavalier *m* de compétition.

Turnus *m* ‹-, -nusse› ['turnus, -ə] *(regelmäßige Reihenfolge)* roulement *m; im ~,* **t~gemäß** *adv* par roulement, à tour de rôle.

Turtel|taube *f* ['turtəl-] *orn* tourterelle *f;* **~täubchen** *n* tourtereau *m; pl fig* amoureux *m pl.*

Tusch *m* ‹-es, -e› [tuʃ] *mus* fanfare *f.*

Tusch|e *f* ‹-, -n› ['tuʃə] encre *f* de Chine; **t~en** *tr* dessiner à l'encre de Chine; *itr* faire un lavis; **~kasten** *m* boîte *f* de couleurs; **~zeichnung** *f* (dessin au) lavis *m.*

Tuschel|ei *f* ‹-, ø› [tuʃə'lai] chuchoterie *f;* **t~n** ['tuʃəln] *itr* chuchoter.

Tut|e *f* ‹-, -n› ['tu:tə] *fam,* **~horn** *n* trompe, corne *f;* **t~en** *itr* corner; *von T~~ und Blasen keine Ahnung haben (fig fam)* s'y entendre comme à ramer des choux.

Tüte *f* ‹-, -n› ['ty:tə] *(kleine, spitze)* cornet; *(größere)* sac *m* (en papier).

Tutel *f* ‹-, -en› [tu'te:l] *jur (Vormundschaft)* tutelle *f;* **t~arisch** [-te'la:rɪʃ] *a* tutélaire.

Tüttelchen *n* ‹-s, -› ['tʏtəlçən] *fam: ein ~ (ganz wenig)* un tout petit peu, un iota.

Twist *m* ‹-(e)s, -e› [tvɪst] fil (de coton), coton *m* filé.

Typ *m* ‹-s, -en› [ty:p] *allg, psych, tech* type; *tech a.* modèle; *pop pej (Mensch)* mec; *(den man liebt)* genre, type *m;* **~e** *f* ‹-, -n› *typ* type, caractère (d'imprimerie); *tech* type, modèle; *fam pej* type, numéro *m;* **~endruck** *m* ‹-s, -e› impression *f* typo(graphique); **~endrucker** *m tele* télégraphe *m* imprimeur; **~engießmaschine** *f* machine *f* à mouler les caractères; **~enhebel** *m (an d. Schreibmaschine)* tige *f* à caractère; **~enschild** *n* plaque *f* signalétique; **~enwalze** *f* cylindre *m* à caractères; **t~isch** *a* typique, caractéristique; **t~isieren** [-pi'zi:rən] *tr* standardiser, normaliser; **~isierung** *f* standardisation, normalisation *f;* **~ograph** *m* ‹-en, -en› [-'gra:f] *(Schriftsetzer)* typographe *m; (Setzmaschine)* machine *f* à composer; **~ographie** *f* ‹-, -n› [-gra'fi:] *(Buchdruckerkunst)* typographie *f;* **t~ographisch** [-'gra:fɪʃ] *a* typographique; **~us** *m* ‹-, -pen› ['ty:pus] *allg u. psych* type *m.*

typh|ös [ty'fø:s] *a med* typhique, typhoïdique; **T~us** *m* ‹-, ø› ['ty:fus] *med* (fièvre) typhoïde *f;* **~usartig** *a* = *~ös;* **T~usbazillus** *m* bacille *m* typhique *od* de la typhoïde; **T~usepidemie** *f* épidémie *f* de (fièvre) typhoïde; **T~usimpfung** *f* vaccination *f* antityphique.

Tyrann *m* ‹-en, -en› [ty'ran] tyran *m; kleine(r) ~* tyranneau *m fam;* **~ei** *f* [-'naɪ] tyrannie *f;* **~enmord** *m* tyrannicide *m;* **t~isch** [-'ranɪʃ] *a* tyrannique; **t~isieren** [-ni'zi:rən] *tr* tyranniser.

tyrrhenisch [ty're:nɪʃ] *a: das T~e Meer* la mer Tyrrhénienne.

U

U, u *n* ‹-, -› [u:] *(Buchstabe)* U, u *m*.
U-Bahn ['u:ba:n] *f (kurz für: Untergrundbahn: vgl. d.) (bes. in Paris) fam* métro, *m*; **~hof** *m* station *f* de métro; **~-Tunnel** *m* souterrain *m* (de métro).
übel ['y:bəl] *a (schlecht)* mauvais; *(mißlich)* fâcheux; *(unangenehm)* désagréable; *adv* mal; *wohl oder ~* bon gré mal gré; *jdm ~ mitspielen* jouer un mauvais tour à qn; *~ riechen* sentir mauvais; *~ dran sein* être dans le troisième dessous, avoir du plomb dans l'aile; *mir ist* od *wird ~* j'ai mal au cœur, je me sens *od* je me trouve mal; *dabei wird einem ~* cela porte au *od* soulève le cœur, cela donne la nausée; *(das ist) (gar) nicht (so) ~* (c'est) pas mauvais *od* (déjà) pas mal; **Ü~** *n* ‹-s, -› mal *m*; *von zwei ~~n das kleinere wählen* entre deux maux, choisir le moindre; *das ist von* (od *vom*) *~~* cela ne vaut rien *od* ne sert à rien; *das kleinere ~~* le moindre mal; **~beraten** *a* mal conseillé; **~gelaunt** *a* mal disposé, de mauvaise humeur, maussade; *fam* mal luné; **~gesinnt** *a* mal intentionné; **Ü~keit** *f* nausée *f*, mal au cœur, soulèvement de cœur, haut-le-cœur *m*; *~~ erregen* soulever le cœur, donner envie de vomir; *~~ erregend* nauséabond, nauséeux; **~launig** *a* maussade, grincheux; **Ü~launigkeit** *f* maussaderie *f*; **~=nehmen** *tr* prendre mal *od* en mauvaise part; prendre ombrage, tenir rigueur, se formaliser (*etw* de qc); *nehmen Sie es mir (bitte) nicht ~! (a.)* ne vous fâchez pas! **~nehmerisch** *a* susceptible; **~riechend** *a* malodorant, puant, fétide, infect; **Ü~sein** *n* ‹-s, ø› *n* malaise *m*, indisposition *f*; mal *m* au cœur, nausée *f*; **Ü~stand** *m* mauvais état *m* (de choses), situation *f* fâcheuse, embarras, inconvénient *m*; **Ü~tat** *f* méfait, forfait, crime *m*; **Ü~täter** *m* malfaiteur, criminel *m*; **~=tun** *itr* maltraiter (*jdm* an); **~=wollen** *itr*; *jdm ~~* vouloir du mal à qn, être malintentionné, avoir de mauvaises intentions envers qn; **Ü~wollen** *n* malveillance *f*; **~wollend** *a* malveillant, malintentionné.
üben ['y:bən] *tr (trainieren)* exercer; *(ein~)* étudier; s'entraîner (*etw* à qc); *bes. mus* travailler, *a. theat* répéter; *(in Anwendung bringen, zeigen)* pratiquer, montrer; *itr* s'exercer, s'entraîner, faire des exercices *od* de l'entraînement; *sich ~* se faire la main (*an* à); *Geduld ~* montrer de la patience, être *od* se montrer patient; *(Gerechtigkeit ~* pratiquer la justice; *Nachsicht ~* user *od* faire preuve d'indulgence; *Verrat ~* commettre une trahison.
über ['y:bər] **1.** *prp (örtl.)* au-dessus de, sur; *(auf die andere Seite (gen))* au-delà de, par-delà, de l'autre côté de; *(~... hinaus, a. fig)* plus loin que, outre; *(~... hinweg)* par-dessus; hors de; *(durch, an ... vorbei)* en passant par, via; *(zeitl.: während)* pendant, durant, tout le long de; *(nach)* dans, au bout de; *fig (mehr als)* plus de; *(höher im Rang, besser in der Qualität)* au-dessus de; *(von, ein Thema betreffend)* de, sur, au sujet de, à propos de, concernant; *(durch Vermittlung)* par l'intermédiaire de; **2.** *(Ausdrücke): die Nacht ~* toute la nuit; *den (ganzen) Tag ~* pendant (toute) la journée, (tout) le long de la journée, toute la journée; *die ganze Zeit ~* pendant (tout) ce temps; *~ alles (mehr als alles andere)* au-dessus de tout, par-dessus tout; avant tout; *~ alle Berge (fig)* très loin; *~ Berg und Tal* par monts et par vaux; *~ Bord* par-dessus bord, à la mer; *~ (alles) Erwarten* au-delà de toute attente *od* espérance; *~ Gebühr* à l'excès, excessivement; *~ ein Jahr, ~s Jahr* au bout d'un an, dans un an; *~ kurz oder lang* tôt ou tard; *~ dem Lesen, Schreiben etc* en lisant, en écrivant; *~ alle Maßen* extrêmement, excessivement, incomparablement; *~ Nacht* pendant la nuit; *fig (von heute auf morgen)* du jour au lendemain; *~ Tag(e) (mines)* à ciel ouvert; *~ etw gehen* traverser, franchir qc; *~ jds Kräfte gehen* être au-dessus des *od* dépasser les forces de qn; *~ 50 (Jahre alt) sein* avoir passé la cinquantaine; *~ den Rundfunk sprechen* parler à la radio; *~ etw stehen (fig)* être supérieur à qc; **3.** *adv (übrig)* de reste, restant; *ich hatte nur zwei Mark ~* il ne me restait que deux marks; *(genug, satt)* assez; *es ~ haben* en avoir assez, *fam* en avoir par-dessus la tête, en avoir marre; *fam (vor~ (zeitl.))* passé; *~ und ~* entièrement, complètement, totalement.
überall [y:bər'ʔal] *adv* partout, en tout lieu, en tous lieux; *~ sonst* partout ailleurs; *nicht ~ zu gleicher Zeit sein können (a.)* n'avoir pas le don d'ubiquité; *~ auf jdn, etw stoßen* marcher sur qn, qc; **~her** [-'he:r] *adv* de partout, de tous (les) côtés, de toutes parts; **~hin** [-'hɪn] *adv* partout, en tous sens, dans toutes les directions.
überalter|t [--'--] *a* vieilli; suranné; *(Schiff)* hors d'âge; **Ü~ung** *f* ‹-, ø› *(der Bevölkerung)* vieillissement *m*, sclérose *f* (de la population).
Überangebot *n* ['y:bər-] surplus, excédent *m* (d'offres), surabondance, profusion *f*.
überanstreng|en [y:bər-] ‹*hat überanstrengt*› *tr* surmener; *(Pferd, Stimme, Muskel)* forcer; *sich ~~* se surmener, se fatiguer, dépasser ses forces; **Ü~ung** *f* surmenage, excès de travail *od* fatigue, effort exagéré; *sport* surmenage *m* physique; *geistige ~~* surmenage *m* intellectuel.
überantwort|en [y:bər-] ‹*hat überantwortet*› *tr* livrer, remettre; *dem Gericht* od *Richter ~~* remettre à la justice; **Ü~ung** *f* remise *f*.
'**über=arbeit|en** ['y:bər-] *itr* faire du travail *od* des heures supplémentaire(s); **über'arbeit|en** [--'---] ‹*hat überarbeitet*› *tr (Buch etc)* retoucher, remanier, revoir; *sich ~~* se surmener, travailler trop; s'épuiser à force de travail; *fam* se tuer au travail, se fouler la rate; **~et** *a (Mensch)* épuisé de travail, fatigué; **Ü~ung** *f* [--'---] retouche *f*, remaniement; surmenage, épuisement *m*, fatigue *f*, excès *m* de travail.
Überärmel *m* ['y:bər-] fausse manche *f*.
überaus [--'-/'--'-] *adv* très, beaucoup; extrêmement, à l'extrême, excessivement (jusqu')à l'excès; infiniment.
überbacken [y:bər'-] ‹*hat überbakken*› *tr (Küche)* gratiner; *pp, a* au gratin; **Ü~e(s)** *n* gratin *m*.
Überbau *m* ['y:bər-] superstructure *f*; **ü~en** [--'--] *tr* ‹*hat überbaut*› *(Fläche)* élever une construction sur.
überbeanspruch|en ['y:bər-] *tr* ‹*er überbeansprucht ihn*› surmener *a. tech*, fatiguer; excéder de travail; **Ü~ung** *f* effort excessif; *tech* surmenage *m*.
Überbein *n* ['y:bər-] *med* exostose *f*, ganglion, kyste *m* synovial.
überbelast|en ['y:bər-] *tr* ‹*er überbelastet ihn*› surcharger; **Ü~ung** *f* surcharge *f*.
überbeleg|t ['y:bər-] *a (Wohnung)* surpeuplé; **Ü~ung** *f* surpeuplement *m*.
überbelicht|en ['y:bər-] *tr* ‹*er überlichtet es*› surexposer; voiler; **Ü~ung** *f* surexposition *f*, excès *m* de pose.
überbetonen ['y:bər-] *tr* ‹*er überbetont es*› (trop) insister (*etw* sur qc); surfaire.
überbewert|en ['y:bər-] *tr* ‹*er überbewertet es*› surévaluer, surestimer; **Ü~ung** *f* surévaluation, surestimation *f*.
überbiet|en ‹*hat überboten*› *tr* (r)en-

chérir (*jdn, etw* sur qn, sur qc) *a. fig:* surenchérir; *(Gebot)* couvrir; *fig* dépasser; *(Rekord)* battre; *sich selbst ~~* se surpasser, battre *od* améliorer son propre record, faire assaut (*in etw* de qc); *sich gegenseitig ~~, sich zu ~~ suchen* faire assaut (*in etw* de qc); **Ü~ung** *f* surenchérissement *m;* surenchère *f.*

überblatt|en *tr tech* joindre à recouvrement; **Ü~ung** *f* joint de recouvrement, assemblage *m* à mi-bois.

über=bleib|en ['y:bər-] ⟨*ist übergeblieben*⟩ *itr* rester, être de reste; **Ü~sel** *n* reste, restant, reliquat *m,* ruine *f,* débris *m pl.*

Überblendung *f film* fondu *m.*

Überblick *m* ['y:bər-] vue *f* d'ensemble *a. fig; fig* tour d'horizon, aperçu; *(Zs.fassung)* sommaire, résumé *m; sich e-n ~ verschaffen* faire un tour d'horizon; *geschichtliche(r) ~* historique *m; kurze(r) ~ (fig)* survol *m* (*über* de); **ü~en** *tr* ⟨*hat überblickt*⟩ jeter un coup d'œil (*etw* sur qc); voir de haut, couvrir *od* embrasser d'un coup d'œil, parcourir des yeux; avoir une vue d'ensemble; *fig* faire le point de.

überbring|en *tr* ⟨*hat überbracht*⟩ remettre; **Ü~er** *m* porteur *m; zahlbar an den ~~ (fin)* payable au porteur; **Ü~erscheck** *m* chèque *m* au porteur; **Ü~ung** *f* remise *f.*

überbrück|en ⟨*hat überbrückt*⟩ *tr* bâtir *od* jeter un pont (*e-n Fluß* sur une rivière); *fig (Schwierigkeit)* surmonter; *(Gegensatz)* concilier; **Ü~ung** *f fig* conciliation *f;* **Ü~ungshilfe** *f,* **-kredit** *m* aide *f,* crédit *m* transitoire *od* de transition.

überbürd|en ⟨*hat überbürdet*⟩ *tr* surmener, surcharger (*mit* de); **Ü~ung** *f* surmenage *m,* surcharge *f.*

Überdach ['y:bər-] *n* avant-toit, auvent, appentis; *(Zelt)* double toit *m;* **ü~en** *tr* ⟨*er hat überdacht*⟩ couvrir d'un toit.

überdauern ⟨*hat überdauert*⟩ *tr* durer plus longtemps que, survivre à.

'über=decken *tr* étendre; **über'dek|k|en** ⟨*hat überdeckt*⟩ *tr* (re)couvrir *(mit* de); **Ü~ung** [--'--] *f phot* recouvrement *m.*

überdenken ⟨*hat überdacht*⟩ *tr* réfléchir, méditer (*etw* sur qc).

überdies [-'di:s] *adv* de *od* en plus, au surplus, de *od* par surcroît, en outre, mais aussi, avec cela; *fam* par-dessus le marché.

überdimensional ['y:bər-] *a* gigantesque.

überdrehen *tr* fausser (en tournant), forcer; *(Faden)* surfiler.

Überdruck *m* ⟨-(e)s, ¨-e⟩ ['y:bər-] *phys* excès *m* de pression, surpression; *tech* surcompression; *m* ⟨-s, -e⟩ *typ* surcharge *f;* **~anzug** *m aero* scaphandre *m* d'altitude; **ü~en** *tr* ⟨*hat überdruckt*⟩ *typ* surcharger; **~kabine** *f* cabine *f* étanche *od* pressurisée; **~turbine** *f* turbine *f* à réaction.

Über|druß *m* ⟨-sses, ø⟩ ['y:bər'drus] satiété *f,* dégoût, ennui *m,* lassitude *f, bis zum ~~* (jusqu')à satiété; **ü~drüssig** *a* dégoûté, las (*e-r S* de qc); *e-r S ~~ werden* se dégoûter, se lasser de qc.

überdurchschnittlich ['y:bər-] *a* au-dessus de *od* qui dépasse(nt) la moyenne.

übereck [-'ɛk] *adv* en diagonale, en travers.

Übereif|er *m* ['y:bər-] zèle excessif, excès *m* de zèle; **ü~rig** *a* trop zélé; (trop) empressé.

übereign|en ⟨*hat übereignet*⟩ *tr jur* transmettre; **Ü~ung** *f* transmission *f* (de la propriété).

Übereil|e *f* ['y:bər-] hâte *f* excessive; **ü~en** *tr* ⟨*hat (sich) übereilt*⟩ hâter, précipiter, trop presser; *sich ~~* se hâter, se précipiter; **ü~t** [--'-] *pp, a* précipité, hâtif; prématuré; inconsidéré, irréfléchi; *adv* hâtivement, à la hâte, en hâte, avec (trop de) hâte; **~ung** [--'--] *f* précipitation *f.*

übereinander [---'--] *adv* l'un sur l'autre; **~=greifen** *itr* chevaucher, être imbriqués; **~=legen** *tr* mettre l'un sur l'autre, superposer; **~=liegen** *itr* être superposés; **~=setzen** *tr* superposer; **~=sitzen** *itr* être assis les uns sur les autres; **~=stehen** *itr* être superposés *od* disposés les uns sur les autres; **~=stellen** *tr* superposer; **~=werfen** *tr* jeter *od* lancer les uns sur les autres.

überein|=kommen ⟨*sind übereingekommen*⟩ [y:bər'ʔaɪn-] *itr* convenir (*über* de); se mettre *od* tomber d'accord; s'arranger (*über* sur); **Ü~kommen** *n* = *Ü~kunft; zu e-m ~~ gelangen* arriver *od* parvenir à une entente; **Ü~kunft** *f* ⟨-, ¨-e⟩ convention *f,* accord; arrangement *m; nach ~~* de gré à gré.

überein=stimm|en ⟨*hat übereingestimmt*⟩ [y:bər'ʔaɪn-] *itr* concorder, être en concordance *od* d'accord *od* à l'unisson, cadrer (*mit* avec); être conforme, répondre, correspondre (*mit* à); **~end** *a* concordant; conforme (*mit* à); **Ü~ung** *f* concordance *f,* accord, unisson *m,* unanimité, harmonie; conformité, convergence *f; in ~~ mit* conforme à; *in ~~ bringen* accorder, faire concorder, mettre d'accord.

überempfindlich ['y:bər-] *a* hypersensible, hypersensitif; **Ü~keit** *f* hypersensibilité, hyperesthésie; sensibilité *f* exagérée.

übererfüllen *tr* ⟨*hat übererfüllt*⟩ *: die Normen ~* dépasser les normes.

übererregbar ['y:bər-] *a* hyperémotif, surexcitable; **Ü~keit** *f* hyperémotivité, surexcitation *f.*

'über=essen, ⟨*hat es sich übergegessen*⟩ *sich (dat)* se gaver (*an etw* de qc); **über'essen** ⟨*hat sich übergessen*⟩, *sich (acc)* trop manger, se donner une indigestion; manger tout son soûl, s'empiffrer.

'über=fahr|en *itr* ⟨*ist übergefahren*⟩ passer; traverser, franchir (*über den Fluß* la rivière); faire le trajet; **über'fahren** *tr* ⟨*hat überfahren*⟩ *(Menschen)* écraser; *(Signal)* brûler, *fam* griller; **Ü~t** ['---] *f* passage *m,* traversée *f,* trajet *m.*

Überfall *m* ['y:bər-] attaque (imprévue), agression; incursion, irruption, invasion *f;* raid, coup de main; *tech* moraillon, trop-plein; *(an e-r Tür)* porte-cadenas *m; bewaffnete(r) ~* agression *od* attaque *f* à main armée; **'über=fallen** *itr* ⟨*ist übergefallen*⟩ tomber de l'autre côté, surplomber; **über'fallen** *tr* ⟨*hat überfallen*⟩ attaquer par surprise, surprendre; assaillir; envahir; *der Schlaf überfiel mich* le sommeil me gagna; **~kommando** *n* police-secours *f;* **überfällig** ['----] *a* en retard; *(Wechsel)* en souffrance.

überfein ['y:bər-] *a* surfin, (par) trop délicat; *fig* (par trop) subtil.

über'firnissen *tr* ⟨*hat überfirnißt*⟩ passer du vernis (*etw* sur qc), vernir.

Überfleiß *m* ['y:bər-] zèle excessif, excès *m* de zèle.

überfliegen ⟨*hat überflogen*⟩ *tr* survoler; *fig (Text)* jeter un coup d'œil (*etw* sur qc), parcourir des yeux, lire du pouce; **Ü~** *n aero* survol *m.*

'über=fließen ['y:bər-] *itr* ⟨*ist übergeflossen*⟩ déborder; *fig* déborder, regorger (*von etw* de qc); **über'fließen** *tr* ⟨*hat überflossen*⟩ inonder.

überflüg|eln ⟨*hat überflügelt*⟩ *tr* surpasser, surmonter; *mil* déborder; **Ü~(e)lung** *f mil* mouvement *m* débordant.

Überfluß *m* ⟨-sses, ø⟩ ['y:bər-] (sur-)abondance, profusion, foison, exubérance, pléthore, affluence; *(Reichtum)* richesse, opulence *f,* luxe *m; im ~* en abondance, abondamment; à flots; à profusion, à foison; *zu allem ~* pour comble; *etw im ~ haben (a.)* avoir à revendre de qc; *im ~ leben (a.)* être à bouche que veux-tu; *fam* vivre grassement.

überflüssig ['y:bər-] *a* surabondant, superflu, superfétatoire; inutile, oiseux; *~ sein (a.)* faire double emploi; *das ist ~* c'est du luxe; *~e(s) Fett n (am Körper)* mauvaise graisse *f;* **Ü~e(s)** *n* superflu *m;* superfétation *f;* **~erweise** *adv* inutilement.

'über=fluten ['y:bər-] *itr* ⟨*ist übergeflutet*⟩ déborder; *(Fluß)* sortir de son lit; **über'flut|en** *tr* ⟨*hat überflutet*⟩ inonder, noyer, submerger; **Ü~ung** [--'--] *f* inondation, submersion *f.*

überfordern ⟨*hat überfordert*⟩ *tr* demander trop (*jdn* à qn) *a. fig; fig* surmener, surcharger; **'Überforderung** *f com* plus-pétition *f;* **Über'forderung** *f* surmenage *m.*

überfragen ⟨*hat überfragt*⟩ *tr* demander trop (*jdn* à qn).

überfremd|en ⟨*hat überfremdet*⟩ *tr* submerger d'étrangers; *~et werden* être envahi par des étrangers; **Ü~ung** *f* envahissement *m* par des étrangers.

überfressen ⟨*hat sich überfressen*⟩, *sich* ⟨*a, e, i*⟩ *(fam)* s'empiffrer.

über=führen ['y:bər-] ⟨*hat über(ge)führt, überführte/führte über*⟩ *tr* transporter, transférer; **über'führ|en** ⟨*hat überführt*⟩ *tr jur* convaincre, confondre, *chem* convertir; **Ü~ung** *f* [--'--] transport, transfert *m,* translation *f; loc* passage *m* supérieur *od* en dessus; *jur* conviction *f; chem* convertissement *m;* **Ü~ungsgleis** *n* voie *f* de dégagement.

Überfüll|e *f* ['y:bər-] trop-plein *m;* surabondance, profusion, exubérance, pléthore *f;* **ü~t** [--'-] *a* bondé; bourré, gorgé; *(Schulklasse)* encombré, surchargé; **~ung** *f* [--'--] encombrement, engorgement *m,* saturation, surcharge *f; (Beruf)* embouteillage *m.*

überfütter|n ⟨*hat überfüttert*⟩ *tr* suralimenter; gaver, gorger (*mit* de); **Ü~ung** *f* suralimentation *f;* gavage *m.*

Übergabe *f* ['y:bər-] remise, transmission; *mil* reddition, capitulation *f;* **~verhandlungen** *f pl* pourparlers *m pl* de capitulation.

Übergang *m* ['y:bər-] passage; *loc* croisement; *jur* transfert *m,* transmission; *fig* transition; *(Abstufung)* gradation *f; als ~ dienen* servir de pont; *schienengleiche(r) ~ (loc)* passage *od* croisement à niveau; **~sbahnhof** *m* station *f* de correspondance; **~sbestimmung** *f* disposition *od* prescription *f* transitoire; **~serscheinung** *f* phénomène *m* transitoire; **~sgesetz** *n* loi *f* de transition; **~shilfe** *f fin* aide *f* transitoire; **~skabinett** *n pol* cabinet *m* de transition; **~smantel** *m* manteau *m* de demi-saison; **~smaßnahme** *f* mesure *f* transitoire; **~speriode** *f* = *~szeit;* **~sregelung** *f* régime *m* transitoire; **~srohr** *n* raccord *m* de réduction; **~sstadium** *n* état intermédiaire, stade *m* transitoire; **~sstelle** *f* point *m* de passage; **~sstil** *m (Kunst)* style *m* transitoire; **~sstück** *n tech* raccord *m* de réduction; **~szeit** *f* période transitoire *od* de transition; inter-saison *f;* **~szustand** *m* état *m* de transition.

übergeben ⟨*hat übergeben*⟩ *tr* remettre, (dé)livrer; transmettre, transférer; *mil* rendre; *sich ~* vomir, rendre; *dem Verkehr ~* ouvrir à la circulation.

Übergebot *n* ['y:bər-] *(bei einer Versteigerung)* surenchère *f.*

Übergebühr *f* ['y:bər-] surtaxe *f.*

'über=gehen ['y:bər-] *itr* ⟨*ist übergegangen*⟩ passer (*zu, in* à); se transmettre (*auf* à); *fig (die Tätigkeit ändern)* procéder (zu *etw* à qc); *(sich wandeln, sich ändern)* se transformer, se changer, tourner, entrer, se convertir (*in* en); s'identifier (*in* avec, à); *inea. ~* se (con)fondre; *in Fäulnis ~* se putréfier, se décomposer; **über'geh|en** *tr* ⟨*hat übergangen*⟩ *(auslassen)* omettre, négliger, sauter, oublier; *mit Stillschweigen ~~* passer sous silence; **Ü~ung** *f* omission, négligence *f,* oubli *m.*

übergenug ['y:bər-] *adv* (de) trop, surabondamment, plus qu'il ne *od* n'en faut; *fam* à revendre.

Übergepäck *n* ['y:bər-] excédent *m* de bagages.

übergeschnappt ['y:bər-] *a fig fam* survolté.

übergeschrieben ['y:bər-] *a: ~e(s) Wort n* surcharge *f.*

Übergewicht *n* ['y:bər-] excédent *od* supplément *m* de poids, *fig* prépondérance; *pol* influence *f* prépondérante; *das ~ bekommen (fig)* l'emporter (*über* sur).

'über=gießen ['y:bər-] *itr* ⟨*hat übergegossen*⟩ transvaser; *chem* transfuser; *(vergießen)* verser, répandre; **über'gieß|en** *tr* ⟨*hat übergossen*⟩ arroser; **Ü~ung** *f* arrosage *m.*

übergips|en ⟨*hat übergipst*⟩ *tr* plâtrer, enduire de plâtre; **Ü~ung** *f* plâtrage *m.*

überglas|en ⟨*hat überglast*⟩ *tr* munir d'un toit vitré; **Ü~ung** *f (Glasdach)* toit *m* vitré.

überglücklich ['y:bər-] *a* ravi, enchanté; comblé *od* éperdu de bonheur; *~ sein* être dans l'enchantement *od* aux anges.

übergolden ⟨*hat übergoldet*⟩ *tr* dorer.

über=|greifen ['y:bər-] ⟨*hat übergegriffen*⟩ *itr* mordre (*auf* sur); *(Vers)* enjamber (*auf* sur); *(Feuer)* se propager (*auf etw* à qc), gagner (*auf etw* qc); *(eingreifen)* empiéter (*auf* sur); **Ü~griff** *m* empiètement *m.*

übergroß ['y:bər-] *a* très *od* trop grand, gigantesque; *fig* démesuré, excessif, énorme.

Übergröße *f* ['y:bər-] *(Kleidung)* grande taille; *(Schuhe)* grande pointure *f; mot (Reifen)* surprofil *m.*

Überguß *m* ['y:bər-] enduit *m.*

über=haben ['y:bər-] ⟨*hat übergehabt*⟩ *tr* avoir sur le dos, porter; *fig fam (satt haben)* avoir assez (*etw* de qc).

Überhand|nahme *f* ⟨-, ø⟩ [y:bər'hant-] accroissement *m* excessif, augmentation *od* extension *f* excessive; envahissement *m;* **ü~=nehmen** ⟨*hat überhandgenommen*⟩ *itr* s'accroître *od* augmenter *od* s'étendre *od* se multiplier excessivement.

Überhang *m* ['y:bər-] ce qui surplombe; *com* surplus, excédent *m.*

'über=hängen ['y:bər-] ⟨*hat übergehangen*⟩ *itr* surplomber; **über'hängen** ⟨*hat überhängt*⟩ *tr* couvrir (*mit* de); **Ü~** *n geol* surplombement *m;* **~d** *a* en surplomb.

überhast|en ⟨*hat überhastet*⟩ *tr* précipiter; **Ü~ung** *f* précipitation *f.*

überhäuf|en ⟨*hat überhäuft*⟩ *tr* surcharger, combler, accabler (*mit* de); *(mit Aufmerksamkeiten)* excéder (*mit* de); **Ü~ung** *f fig* accablement *m.*

überhaupt [--'-] *adv (letzten Endes)* après tout, somme toute, de toute façon; *(in Fragen: denn eigentlich)* donc, au juste; *wenn ~* si toutefois, si tant est (que); *~ nicht* pas du tout, pas le moins du monde, nullement.

überheb|en ⟨*hat überhoben*⟩ *tr: e-r S überhoben sein* être dispensé, exempté, libéré de qc; *sich ~* se donner un effort; **~lich** [-plıç] *a* présomptueux, outrecuidant, arrogant; **Ü~lichkeit** *f,* **Ü~ung** *f* présomption, outrecuidance, arrogance *f.*

überheizen ⟨*hat überheizt*⟩ *tr* trop chauffer, surchauffer.

überhitz|en *tr* surchauffer; **Ü~er** *m* ⟨-s, -⟩ *tech* surchauffeur *m;* **Ü~ung** *f tech* u. *fig* surchauffe *f.*

überhöh|en *tr* surélever; *(Preise)* augmenter excessivement; surfaire; **~t** *a (Preis)* excessif; *Verkauf zu ~~en Preisen* survente *f;* **Ü~ung** *f* surélévation; *(der Preise)* hausse *od* augmentation *f* excessive.

'über=holen ['y:bər-] ⟨*hat übergeholt*⟩ *tr (auf die andere Seite bringen)* passer; *mar (die Segel)* changer; **über'hol|en** ⟨*hat überholt*⟩ *tr (vorbeigehen, -fahren an)* dépasser, devancer, distancer; *mot* doubler; *sport* sauter; *tech (nachsehen u. ausbessern)* réviser; remettre à neuf; *gründlich ~~ (tech)* faire une révision (complète) (*etw* de qc); *nicht ~~!* défense de doubler; **Ü~en** [--'--] *n mot* doublage, dépassement *m; ~~ verboten!* défense de doubler! **Ü~gleis** [--'--] *n* voie *f* d'évitement; **~t** *a (veraltet)* démodé, périmé, suranné; **Ü~ung** [--'--] *f tech* révision; remise *f* à neuf.

überhören ⟨*hat überhört*⟩ *tr* ne pas entendre; *(absichtlich)* ne pas vouloir entendre, faire la sourde oreille à; *(abhören)* faire répéter *od* réciter ses leçons (*jdn* à qn).

überirdisch ['y:bər-] *a* supraterrestre; céleste; surnaturel.

überkämmen *tr* donner un coup de peigne (*jdn* à qn).

überkandidelt ['y:bər-] *a fam* tarabiscoté.

überkleben *tr: etw ~* coller qc sur qc.

Überkleid *n* ['y:bər-] vêtement de dessus, surtout *m;* **~ung** *f* survêtement *m.*

'über=klettern ['y:bər-] ⟨*ist übergeklettert*⟩ *itr* grimper par-dessus; **über'klettern** ⟨*hat überklettert*⟩ *tr* escalader.

überklug ['y:bər-] *a* trop avisé *od* malin, suffisant.

'über=kochen ['y:bər-] ⟨*ist übergekocht*⟩ *itr* déborder *od* s'en aller (en bouillant); *(bes. Milch)* se sauver; **über'kochen** ⟨*hat überkocht*⟩ *tr* faire bouillir.

überkommen ⟨*hat überkommen*⟩ *tr impers: es überkam mich ein Gefühl ...* un sentiment ... s'empara de moi; *a* traditionnel; conventionnel.

überkonfessionell ['y:bər-] *a* interconfessionnel.

überkopieren *tr phot* surcopier.

überkrusten *tr (Küche)* gratiner.

'über=laden ['y:bər-] ⟨*hat übergeladen*⟩ *tr* transborder; **über'laden** ⟨*hat überladen*⟩ *tr* surcharger *a. fig,* encombrer (*mit* de); *sich den Magen ~~* se bourrer *od* se (sur)charger l'estomac; *pp, a* surchargé *a. fig, (Stil)* ampoulé; **'Überladung** *f* transbordement *m;* **Über'ladung** *f* surcharge *f.*

überlager|n *tr radio* superposer; **Ü~ung** *f phys* recouvrement *m; radio* superposition, interférence *f;* **Ü~ungsempfang** *m* réception *f* hétérodyne; **Ü~ungsempfänger** *m* récepteur *m* superhétérodyne *od* à changement de fréquence, (super)hétérodyne *m;* **Ü~ungsfrequenz** *f* fréquence *f* locale;

Ü~ungston *m* son *m* interférentiel *od* de battement.
Überland . . . [--'-/'---] : **~leitung** *f* *el* ligne à haute tension; *tele* ligne *f* de transmission à longue distance *od* interurbaine; **~omnibus** *m* autocar *m;* **~zentrale** *f tele* centrale *f* interurbaine.
über|lang ['y:bər-] *a* très *od* trop long; **Ü~länge** *f* longueur *f* excessive.
überlapp|en *tr tech arch* recouvrir; **Ü~ung** *f* recouvrement *m.*
'über=lassen ['y:bər-] *tr* ‹*hat übergelassen*› *fam (übriglassen)* laisser; **über'lass|en** ‹*hat überlassen*› *tr* donner, livrer, remettre, transmettre; *(abtreten)* laisser, abandonner; *jur* céder, transmettre, transférer; *jdn sich selbst, s-m Schicksal ~~* abandonner qn à soi-même, à son sort; *das ~e ich Ihnen* je m'en remets à vous; *pp, a: sich selbst ~~ sein* être livré à soi-même, avoir la bride sur le cou; **Ü~ung** ['--'--] *f* remise; cession, transmission *f,* transfert *m.*
Überlast *f* ['y:bər-] surcharge *f;* **ü~en** ‹*hat überlastet*› *tr* surcharger; *fig* accabler; **ü~et** [--'--] *a* surchargé; *fig* accablé (de travail); **ü~ig** *a* en surcharge; *mar* surchargé; **~ung** *f* surcharge *f; fig* surmenage, excès *m* de travail.
Überlauf *m* ['y:bər-] *tech* trop-plein *m;* **'über=lauf|en** ‹*ist übergelaufen*› *itr (Flüssigkeit)* déborder; *pol* virer de bord, tourner casaque; *zum Feind ~~* passer à l'ennemi, déserter; **über'laufen** *tr: ~~ werden (von Patienten* od *Kunden)* être assiégé *od* importuné; *es überlief mich kalt (dabei)* cela me donna un frisson, cela me fit frissonner; *pp, a* envahi; importuné; encombré; **~rohr** *n* tuyau *m* de trop-plein; **Überläufer** ['----] *m* déserteur; *a. pol* transfuge *m.*
überlaut ['y:bər-] *a* (trop) bruyant.
überleb|en ‹*hat überlebt*› *itr* survivre (*jdn, etw* à qn, à qc); *Sie ~~ uns alle!* vous nous enterrerez tous; **Ü~en** *n* survie, survivance *f;* **Ü~ende(r)** *m* survivant; *(e-r Katastrophe)* rescapé *m;* **~ensgroß** *a (Bild)* plus grand que nature; **Ü~ensgröße** *f: in ~~ = ~ensgroß;* **~t** *a* démodé, périmé, suranné.
'über=leg|en ['y:bər-] ‹*hat übergelegt*› *tr* étendre, mettre *od* poser dessus; *(züchtigen)* donner une fessée à; **über'leg|en** ‹*hat überlegt*› *itr* réfléchir, délibérer; *es sich ~~* bien réfléchir; *es sich genau ~~* y regarder à deux fois; *sich etw gut* od *reiflich ~~* réfléchir mûrement à *od* sur qc; *ohne zu ~~ (a.)* à la légère; *das wäre zu ~~* cela mérite réflexion; *nach langem Ü~~* après mûre réflexion; *a* supérieur (*in etw* en qc); *mit ~~er Ruhe* avec un calme souverain; *jdm ~~ sein (a.)* surpasser qn, l'emporter sur qn, *fam* en remontrer à qn; *jdm weit ~~ sein (sport)* surclasser qn; *~~ wirken* avoir un air de supériorité; *Sie sind ihm darin ~~, daß ...* vous avez sur lui cet avantage que ...; *~~e(r) Sieg m (sport)* victoire *f* écrasante; **Ü~enheit** [--'--] *f (im Wissen* od *Können)* supériorité, maîtrise; *(größere Stärke* od *Macht)* prépondérance, prépotence; suprématie *f; zahlenmäßige ~~* supériorité *f* numérique; **~t** [--'-] *a* (bien) réfléchi, délibéré; *adv* délibérément; *= mit Ü~ung;* **Ü~ung** [--'--] *f* réflexion, délibération, considération *f; (Gedankengang)* raisonnement *m; bei ruhiger ~~* en (y) réfléchissant à tête reposée; *mit ~~* avec préméditation, de propos délibéré; *mit voller ~~* à bon escient; *nach reiflicher ~~* après mûre considération *od* délibération, après avoir mûrement réfléchi; *ohne ~~* sans réflexion, inconsidérément.
Überleistung *f* ['y:bər-] excès *m* de travail *od* de rendement.
über=leit|en ['y:bər-] ‹*hat übergeleitet*› *itr* passer (*von ... zu* de ... à), lier (*von etw zu etw* qc à qc); *(ein Bindeglied sein)* faire une transition (*zwischen ... und* de ... à); **Ü~ung** *f* transition; liaison *f.*
überlesen ‹*hat überlesen*› *tr* parcourir (des yeux); *(beim Lesen nicht bemerken)* ne pas remarquer à la lecture, sauter.
überliefer|n ‹*hat überliefert*› *tr* transmettre, léguer; **~t** *a* traditionnel; **Ü~ung** *f* tradition *f.*
Überliegezeit *f* ['y:bər-] *mar* surestaries *f pl.*
überlist|en ‹*hat überlistet*› *tr* tromper, duper; donner le change (*jdn* à qn); *jdn ~~ wollen* jouer au plus fin avec qn; **Ü~ung** *f* duperie *f.*
Über|macht *f* ‹-, ø› ['y:bər-] supériorité (numérique); *(Vorherrschaft)* prépotence; *(Übergewicht)* prépondérance *f; der ~~ weichen* céder au nombre; **ü~mächtig** *a* (trop) puissant.
übermal|en ‹*hat übermalt*› *tr (Gemälde)* retoucher; **Ü~ung** *f* retouche *f.*
übermangansau|er ['y:bərmaŋga:n-zauər] *a chem; ~re(s) Kali n = Kaliumpermanganat.*
übermann|en ‹*hat übermannt*› *tr* accabler (par le nombre), vaincre, maîtriser; *fig (Gefühl)* gagner; *der Schlaf ~te mich (a.)* le sommeil eut raison de moi; **Ü~ung** *f* accablement *m,* maîtrise *f.*
Über|maß *n* ‹-ßes, ø› ['y:bər-] excès *m,* exagération (des proportions); *(~fluß)* surabondance, profusion, pléthore *f; im ~~* à l'excès; outre mesure; à profusion; *etw im ~~ anwenden* abuser de qc; **ü~mäßig** *a* excessif, exagéré, démesuré; immodéré, exorbitant; *adv* à l'excès, excessivement, démesurément, immodérément; *fam* au superlatif.
Übermensch *m* ['y:bər-] *philos* surhomme *m;* **~entum** *n* ‹-s, ø› qualité *f* de surhomme; **ü~lich** *a* surhumain, plus qu'humain.
übermitt|eln ‹*hat übermittelt*› *tr (Nachricht)* transmettre, communiquer, faire savoir; *(Gegenstand)* envoyer, faire parvenir; **Ü~(e)lung** *f* transmission; communication *f;* envoi *m.*
übermorgen ['y:bər-] *adv* après--demain.
übermüd|en ‹*hat übermüdet*› *tr* fatiguer, harasser; surmener; **~et** *a* épuisé, *fam* crevé *od* mort de fatigue; **Ü~ung** *f* excès de fatigue, harassement, épuisement, surmenage *m.*
Über|mut *m* ['y:bər-] *(Anmaßung)* arrogance, insolence; *(Ausgelassenheit)* joie bruyante *od* folle, exubérance, pétulance *f;* **ü~mütig** *a* arrogant, insolent; joyeux, exubérant, pétulant.
übernächst|e(r, s) ['y:bər-] *a* troisième; *am ~en Tage* le surlendemain.
übernacht|en ‹*hat übernachtet*› *itr* passer la nuit, coucher, loger pour la nuit; *fam* gîter; **Ü~ung** *f* chambre *f,* nuitage *m; pl* nuits *f pl;* **Ü~ungsgeld** *n* frais *m pl* d'hôtel; **Ü~ungsheim** *n* (maison *f* de) refuge, foyer *m;* **übernächtigt** *a* défait; *~~ aussehen* avoir la mine défaite *od* les yeux battus.
Übernahme *f* ['y:bər-] prise en charge *od* de possession; *(e-r Erbschaft)* acceptation; *(e-s Amtes)* entrée (en charge, en fonction); *fig* adoption *f.*
Übername *m* ['y:bər-] *(Spitzname)* surnom, sobriquet *m.*
übernational ['y:bər-] *a* supranational, multinational, international.
übernatürlich ['y:bər-] *a* surnaturel; miraculeux; *~e Mächte f pl* puissances *f pl* occultes.
übernehm|en ‹*hat übernommen*› *tr* prendre (en charge *od* en possession), assumer; *(Erbschaft)* accepter; *(Amt)* entrer en charge *od* en fonction de; *(Auftrag)* entreprendre; *(Aufgabe, Kosten)* se charger (*etw* de qc); *(Meinung)* adopter; *radio TV (Sendung)* relayer; *sich ~~* trop entreprendre, trop présumer de ses forces; se surmener; s'épuiser à force de travail; forcer la nature; *fam* se tuer au travail; **Ü~er** *m* adjudicataire; *(e-r Schuld)* cessionnaire *m.*
übernervös ['y:bər-] *a* hypernerveux; *fam* survolté.
über=ordnen ['y:bər-] ‹*hat übergeordnet*› *tr* mettre au-dessus (*jdm* de qn), préposer.
Überorganis|ation *f* ['y:bər-] excès *m* d'organisation; **ü~iert** *a* trop organisé.
überparteilich ['y:bər-] *a* au-dessus des partis; impartial, neutre; *~e Gruppe f* intergroupe *m.*
überpflanz|en *tr (Fläche)* couvrir de plantes; *med* transplanter; **Ü~ung** *f med* transplantation *f.*
überpinseln *tr* peindre (légèrement *od* négligemment).
Überpreis *m* ['y:bər-] prix *m* exagéré.
Überproduktion *f* ['y:bər-] surproduction *f.*
überprüf|en ‹*hat überprüft*› *tr* examiner, réviser, revoir, vérifier; *(als Sachverständiger)* expertiser; *(kontrollieren)* contrôler, inspecter; *mar* arraisonner; **Ü~ung** *f* examen *m,* révision, vérification, mise *f* à jour;

contrôle *m,* inspection *f; (Schiff)* arraisonnement *m.*

über=quellen ['y:bər-] ⟨*ist übergequollen*⟩ *itr* déborder *a. fig.*

überquer [--'-] *adv* en travers, obliquement, de biais; **~en** *tr* traverser, franchir; **Ü~ung** *f* traversée *f,* franchissement *m.*

'**über=ragen** ⟨*ragte über*⟩ *itr (hervorragen)* dépasser; *(überhängen)* surplomber; **über'ragen** ⟨*hat überragt*⟩ *tr* surmonter; dominer (*um Hauptes-länge* d'une tête); dépasser *a. fig; fig* surpasser; *fam* transcender; **~d** [--'--] *a fig* (pro)éminent, excellent, transcendant, supérieur, primordial.

überrasch|en ⟨*hat überrascht*⟩ *tr* surprendre, étonner; prendre de court *od* au dépourvu *od* à l'improviste; *(verblüffen)* frapper, stupéfier; *ich war angenehm ~t* cela m'a été une surprise agréable; **~end** *a* surprenant, étonnant; inattendu, inopiné; *adv* à l'improviste; *~~ kommen* tomber des nues; **~t** *a* surpris, étonné, ébahi, stupéfait; **Ü~ung** *f* surprise *f;* étonnement, ébahissement *m,* stupéfaction *f; böse ~~ (fam a.)* tuile *f;* **Ü~ungsangriff** *m mil* attaque *od* offensive *f* surprise; **Ü~ungsmoment** *n* facteur *m* surprise.

überrechnen *tr* faire le compte *od* le relevé de; calculer, supputer, évaluer.

überred|en ⟨*hat überredet*⟩ *tr* persuader (*zu* de); **Ü~ung** *f* persuasion *f;* **Ü~ungskunst** *f* don *m* de persuasion.

überreich ['y:bər-] *a* opulent; abondant; *adv* abondamment; **~lich** *a* surabondant; *adv* surabondamment, en abondance, à profusion.

überreich|en ⟨*hat überreicht*⟩ *tr* présenter, remettre; **Ü~ung** *f* présentation, remise *f.*

überreif ['y:bər-] *a (Frucht)* trop mûr, avancé; **Ü~e** *f* état *m* avancé.

überreiz|en ⟨*hat überreizt*⟩ *tr* surexciter; énerver; **Ü~theit** *f* énervement *m;* **Ü~ung** *f* surexcitation *f; nervöse ~~* surmenage *m* nerveux.

überrennen ⟨*hat überrannt*⟩ *tr* renverser (en courant); *mil* culbuter, bousculer.

Überrest *m* ['y:bər-] reste, restant, résidu *m,* rémanence *f; fin (Saldo)* solde *m; (meist pl)* déchet(s *pl*) *m; pl (Ruine)* ruines *f pl,* débris, vestiges *m pl; geol* détritus *m; poet* relique *f; die sterblichen ~e* la dépouille mortelle, les cendres *f pl.*

'**über=rieseln** ['y:bər-] ⟨*ist übergerieselt*⟩ *itr* déborder, s'écouler; **über'ries|eln** ⟨*hat überrieselt*⟩ *tr agr* irriguer, arroser; *es ~elte mich kalt* j'avais des frissons; **Ü~(e)lung** *f* irrigation *f.*

überrollen ⟨*hat überrollt*⟩ *tr mil (Panzer)* submerger par surprise.

überrump|eln ⟨*hat überrumpelt*⟩ *tr* surprendre, prendre à l'improviste *od* au dépourvu; *mil* prendre par surprise, enlever d'un coup de main; **Ü~(e)lung** *f* surprise *f; mil* coup *m* de main.

überrund|en ⟨*hat überrundet*⟩ *tr* prendre de vitesse, devancer, dépasser; *sport* doubler; **~et** *a* grillé *pop;* **Ü~ung** *f sport* doublage *m.*

übersät [--'-] *a* parsemé, émaillé (*mit* de).

übersatt ['y:bər-] *a* repu.

übersättig|en ⟨*hat übersättigt*⟩ *tr* sursaturer *a. chem* u. *fig;* rassasier; *fig* (sur)saturer; **~t** *a chem* sursaturé; *(Gas)* trop riche; *fig (Mensch)* dégoûté; **Ü~ung** *f* sursaturation *a. chem,* satiété *f; fig* dégoût *m.*

Überschall|flug *m* [-y:bər-], **~flugzeug** *n,* **~geschwindigkeit** *f* vol, avion *m,* vitesse *f* supersonique.

überschatten ⟨*hat überschattet*⟩ *tr* ombrager; *fig (überwachen)* surveiller, couver.

überschätz|en ⟨*hat überschätzt*⟩ *tr* surestimer, surévaluer, surtaxer; surfaire; présumer trop (*etw* de qc); **Ü~ung** *f* surestimation, surévaluation *f.*

Überschau *f* ⟨-, ø⟩ ['y:bər-] vue *f* d'ensemble; **ü~bar** [--'--] *a* à saisir dans toute son étendue; **ü~en** [--'--] ⟨*hat überschaut*⟩ *tr* embrasser du regard; dominer; *fig* saisir *od* comprendre dans toute son étendue.

über=schäumen ⟨*ist übergeschäumt*⟩ *itr* déborder; **~d** *a fig* exubérant.

'**über=schießen** ['y:bər-] ⟨*ist übergeschossen*⟩ *itr (überfließen)* déborder; **über'schießen** ⟨*hat überschossen*⟩ *tr* tirer au-dessus de; **~d** *a (überquellend)* débordant, exubérant.

überschlafen ⟨*hat überschlafen*⟩ *tr: es ~ (fam)* prendre conseil de *od* consulter son oreiller.

Überschlag *m* ['y:bər-] *sport* culbute *f; aero* looping *m,* boucle *f; (ungefähre Berechnung)* calcul *m* approximatif, évaluation (approximative), estimation, supputation *f,* devis *m; e-n ~ machen (aero)* boucler; *im ~ rechnen* compter approximativement; '**über=schlagen** ⟨*schlägt über*⟩ *itr* se renverser, basculer; *el (Funken)* sauter; *(Stimme)* se fausser; *fig* (se) changer (*in* en); *tr (die Beine)* croiser; **über'schlagen** ⟨*hat überschlagen*⟩ *tr (beim Lesen überspringen)* sauter, passer; *(auslassen)* omettre; *(ungefähr berechnen)* estimer *od* évaluer approximativement, supputer; *sich ~~* se renverser, culbuter; faire la bascule; *mot* capoter *a. aero,* faire un tonneau; *sich mehrfach ~~* faire plusieurs tonneaux; *pp, a (lauwarm)* tiède, dégourdi; **~laken** *n* ['y:bər-] drap *m* de dessus; **~srechnung** *f* ['ybər-] calcul *m* approché *od* approximatif; **überschläglich** ['----] *a* approximatif, estimatif.

über=schnappen ⟨*ist übergeschnappt*⟩ *itr tech (Schloß, Feder)* sauter; *(Stimme)* se fausser, faire un *od* des couac(s); *fig fam* devenir fou.

überschneid|en ⟨*hat überschnitten*⟩, *sich, fig* faire double emploi, chevaucher; *sich ~~d (arch)* intersecté; **Ü~ung** *f* croisement *m,* intersection *f, mot radio* recouvrement; *fig* double emploi *m.*

überschneit *a* couvert de neige, enneigé.

überschreib|en ⟨*hat überschrieben*⟩ *tr; (mit e-r Überschrift versehen)* intituler; donner un titre à; *(übertragen)* transcrire; *com* reporter; transférer; *(Wechsel)* endosser; *(gutschreiben)* porter au crédit (*jdm* de qn); *(abtreten)* céder; **Ü~ung** *f* transcription *f,* report; endossement; transfert *m;* cession *f.*

überschreien ⟨*hat überschrien*⟩ *tr: jdn ~* couvrir la voix de qn, crier plus fort que qn; *sich ~* s'égosiller.

überschreit|bar [--'--] *a* franchissable; **überschreiten** ⟨*hat überschritten*⟩ *tr* franchir *a. fig,* traverser; enjamber; *fig (hinausgehen über)* dépasser, excéder; *(Befugnis)* outrepasser, excéder; *(Gesetz)* enfreindre; contrevenir à; *die Zeit ~~* excéder le temps; *Ü~~ der Gleise verboten!* il est défendu *od* interdit de traverser la voie; **Ü~ung** *f* franchissement, dépassement *m (a. e-s Termins, Kredits); (e-r Befugnis)* transgression *f,* excès *m; (e-s Gesetzes)* infraction, contravention *f; (Mißbrauch)* abus *m.*

Überschrift *f* ['y:bər-] titre, en-tête *m;* rubrique, manchette *f.*

Überschuhe *m pl* ['y:bər-] *(mit Holzsohle)* galoches *f pl; (gefütterte)* snow-boots *m pl.*

überschuld|et [--'--] *a* endetté, criblé de dettes; **Ü~ung** *f* endettement *m.*

Überschuß *m* ['y:bər-] excédent, surplus *m;* différence *f* en plus; *(Gewinn)* boni, bénéfice *a. typ,* gain *m; Überschüsse erzielen* réaliser des excédents *od* bénéfices; **~gebiet** *n* région *f* excédentaire; **überschüssig** *a* excédentaire, en excédent.

überschütten ⟨*hat überschüttet*⟩ *tr* couvrir (*mit* de), répandre (*etw mit etw* qc sur qc); *fig* combler, inonder (*mit* de); *(mit Unangenehmem)* accabler, excéder (*mit* de); déverser (*jdn mit etw* qc sur qn); *mit Fragen ~* presser *od* assaillir de questions; *mit Geschenken ~* combler de cadeaux; *mit Vorwürfen ~* accabler de reproches.

Überschwang *m* ⟨-(e)s, ø⟩ ['y:bər-] exubérance, exaltation *f.*

überschwemm|en ⟨*hat überschwemmt*⟩ *tr* inonder, submerger; noyer *a. fig (mit* de); *(Reisfeld)* baigner; *fig* envahir; **Ü~ung** *f* inondation, submersion *f; fig* envahissement *m;* **Ü~ungsgebiet** *n* région *f* inondée.

überschwenglich ['y:bər-] *a* débordant d'enthousiasme, exubérant, exalté; **Ü~keit** *f* exubérance, exaltation *f.*

über=schwenken ['y:bər-] ⟨*ist übergeschwenkt*⟩ *itr (zur Gegenpartei)* changer de parti, tourner casaque, retourner sa veste.

Übersee ['y:bər-]: *in, nach ~* outre-mer; *von ~* d'outre-mer; **~dampfer** *m* paquebot, transatlantique, (navire) long-courrier *m;* **~flugzeug** *n* avion *m* long-courrier; **~funkstelle** *f* station *f* transatlantique; **~handel** *m* commerce *m* d'outre-mer; **ü~isch** *a* d'outre-mer, transocéanique, transatlantique; ~**kabel** *n* câble *m* transocéanique *od* sous-marin; ~**verbindung** *f tele (drahtlose)* communication *f* transatlantique; ~**verkehr** *m* trafic *m* d'outre-mer.

überseh|bar [--'--] *a* qu'on peut embrasser du regard; *fig (geistig erfaßbar)* qu'on peut embrasser; ~**en** ⟨*hat übersehen*⟩ *tr* embrasser du regard; *fig (geistig erfassen)* embrasser; *(nicht sehen)* ne pas voir *od* remarquer, sauter; *(nicht beachten)* négliger, omettre.

übersend|en *tr* envoyer, faire parvenir, transmettre; *com a.* expédier; **Ü~ung** *f* envoi *m*, transmission; expédition *f*.

übersetz|bar [--'--] *a* traduisible; **'über=setzen** ⟨*hat übergesetzt*⟩ *tr (über e-n Fluß)* passer (en bac); faire franchir, conduire sur l'autre rive *od* de l'autre côté; *itr* passer de l'autre côté; **über'setzen** ⟨*hat übersetzt*⟩ *tr (in e-e andere Sprache)* traduire, interpréter; *(wiedergeben)* rendre; **Ü~er(in *f*)** *m* ⟨-s, -⟩ [--'--] traducteur, traductrice *m f*; ~**t** *a (Preis)* majoré, exagéré; **Ü~ung** [--'--] *f (in e-e andere Sprache)* traduction, interprétation; *(Schule: in die eigene Sprache)* version *f*; *(Schule: in e-e Fremdsprache)* thème; *tech* transmission; *(Fahrrad)* multiplication *f*, développement *m*; *für die Richtigkeit der ~~* pour traduction conforme; *e-e ~~ von 5 m haben (Fahrrad)* développer 5 mètres; *~~ ins Langsame* réduction *f* (de vitesse); **Ü~ungsbüro** *n* bureau *m* de traductions; **Ü~ungsfehler** *m* faute *f* de traduction; **Ü~ungsgetriebe** *n* transmission *f*; **Ü~ungsrecht** *n* droit *m* de traduction; **Ü~ungsübung** *f* exercice *m* de traduction; version *f od* thème *m* d'entraînement; **Ü~ungsverhältnis** *n tech* rapport *m* de transmission *od* de multiplication.

Übersicht *f* ['y:bər-] vue *f* d'ensemble; *fig (Zs.stellung)* tableau récapitulatif *od* synoptique; *(Zs.fassung)* sommaire, résumé, aperçu, précis, exposé *m*; *die ~ verlieren* s'y perdre, ne plus s'y retrouver; *sich e-e ~ verschaffen* faire un tour d'horizon, acquérir une vue d'ensemble; *gegliederte ~* organigramme *m*; *umfassende ~* état *m* détaillé; **ü~ig** *a med* hypermétrope; ~**igkeit** *f* ⟨-, ø⟩ *med* hypermétropie *f*; **ü~lich** *a* bien disposé, ordonné; net, clair; *(Gelände)* dégagé; ~**lichkeit** *f* bonne disposition *f*, ordre *m*; clarté, netteté *f*; *(Gelände)* caractère *m* dégagé.

übersinnlich ['y:bər-] *a* suprasensible, surnaturel, immatériel; transcendant, métaphysique; **Ü~keit** *f* caractère *m* suprasensible, transcendance *f*.

überspann|en ⟨*hat überspannt*⟩ *tr (mit Stoff)* tendre, recouvrir (d'étoffe); *(zu sehr spannen)* trop tendre; *fig* exagérer; *den Bogen ~~ (fig)* trop tirer sur la corde; ~**t** *a fig* surexcité, exalté, extravagant, excentrique; *pop (verrückt)* timbré, toqué, cinglé; **Ü~theit** *f* excitation, exaltation, extravagance, excentricité *f*; **Ü~ung** *f el* surtension *f*, survoltage *m*.

'über=spielen ⟨*spielt über*⟩ *tr mus (einmal spielen)* jouer une fois; **über'spielen** ⟨*hat überspielt*⟩ *tr (besser spielen als)* surclasser; *(Schallplatte auf Band)* reproduire.

überspitz|en ⟨*hat überspitzt*⟩ *tr fig* exagérer; ~**t** *a fig* exagéré; **Ü~ung** *f* exagération *f*.

'über=springen ['y:bər-] ⟨*ist übergesprungen*⟩ *itr (Funke)* s'amorcer; *fig* changer *(auf ein anderes Thema* le sujet); **über'spring|en** ⟨*hat übersprungen*⟩ *tr* sauter (par-dessus); franchir; *fig (e-e Klasse)* sauter; *fig (auslassen)* sauter, omettre; *e-e Stufe ~~ (fig)* brûler une étape.

über=sprudeln ['y:bər-] ⟨*ist übergesprudelt*⟩ *itr* jaillir; ~**d** *a fig* pétillant (*vor* de).

überstaatlich ['y:bər-] *a* superétatique; supranational.

überständig ['y:bər-] *a* suranné; périmé.

'über=stehen ['y:bər-] ⟨*hat übergestanden*⟩ *itr (hervorragen)* faire saillie, saillir; **über'stehen** ⟨*hat überstanden*⟩ *tr (durchmachen)* passer par; *(meistern)* surmonter; *(Krankheit)* en revenir; *(überleben)* survivre (*etw* à qc); *er hat es überstanden (fam: ist tot)* il est mort.

übersteig|bar [--'--] *a* franchissable; ~**en** ⟨*hat überstiegen*⟩ *tr* escalader, franchir, passer par-dessus; *fig* (dé)passer, surpasser, excéder; *menschliche Kräfte ~~* dépasser les forces humaines; *das ~t meine Kräfte* cela passe mes forces; **Ü~ung** *f* franchissement *m*.

übersteiger|n *tr (Preise)* faire monter, renchérir sur, surenchérir *a. fig*; *fig (übertreiben)* exagérer; **Ü~ung** *f* renchérissement *m*; surenchère; exagération *f*.

Übersterblichkeit *f* ['y:bər-] mortalité *f* excessive.

übersteuer|n *tr radio* surmoduler; **Ü~ung** *f* surmodulation *f*.

überstimm|en *tr parl* mettre en minorité; **Ü~ung** *f* mise *f* en minorité.

überstrahlen *tr fig (in den Schatten stellen)* éclipser.

über=streifen ['y:bər-] *tr (Kleidungsstück)* enfiler.

'über=ström|en ⟨*ist übergeströmt*⟩ *itr* déborder; se répandre; **über'strömen** ⟨*hat überströmt*⟩ *tr* submerger, inonder, noyer; ~**end** *a (Freude)* exubérant; **Ü~kanal** *m* by-pass *m*.

Überstunde *f* ['y:bər-] heure *f* supplémentaire; *~n machen* faire des heures *od* du travail supplémentaire(s).

überstürz|en ⟨*hat überstürzt*⟩ *tr* précipiter, hâter, brusquer; *sich ~~ (auch von Ereignissen)* se précipiter; *nichts ~~* ne rien brusquer; ~**t** *a* précipité, hâtif; *adv* à la hâte; **Ü~ung** *f* précipitation, hâte *f*.

Über|tagearbeiter *m* ['y:bər-] *mines* ouvrier *m* du jour; **ü~tägig** *a mines* aérien.

übertäub|en *tr* assourdir, étourdir; **Ü~ung** *f* assourdissement, étourdissement *m*.

überteuer|n *tr* renchérir; **Ü~ung** *f* renchérissement *m*.

übertölp|eln *tr* duper, attraper; donner le change (*jdn* à qn), *fam* rouler; **Ü~(e)lung** *f* duperie *f*.

übertönen ⟨*hat übertönt*⟩ *tr (Geräusch)* couvrir, dominer.

Übertopf *m* ['y:bər-] cache-pot *m*.

Übertrag *m* ['y:bər-] *com* report *m*; **ü~bar** [--'--] *a med* transmissible, *a. jur* communicable; *jur* transférable, réversible, cessible, négociable; *~~ sein (med)* se communiquer; *nicht ~~ (jur)* incommutable; *(auf e-n Namen ausgestellt)* personnel; ~**barkeit** *f* transmissibilité; cessibilité, négociabilité *f*; **ü~en** ⟨*hat übertragen*⟩ *tr med* communiquer, *fam* passer; *(Blut)* transfuser; *jur* transférer, transmettre, conférer, céder; *(Befugnis)* déléguer; *com (auf e-e andere Seite)* reporter, transporter; *(abschreiben)* transcrire; *(durchpausen)* calquer; *(übersetzen)* traduire; *tech* transmettre, véhiculer; *radio* (radio-) diffuser; relayer, retransmettre; *fig (Tierversuchsergebnis auf d. Menschen)* transporter (*auf* chez); *sich ~~ (med)* se transmettre, se communiquer (*auf* à); *pp: ~~e Bedeutung f* sens *m* figuré; **ü~end** *jur* translatif; ~**er** *m* ⟨-s, -⟩ [--'--] *(Abschreiber)* transcripteur; *tech* translateur; *tele* transformateur *m*; ~**ung** *f* [--'--] *med* transmission; *(Blut)* transfusion *f*; *jur* transfèrement, transfert *m*, translation, cession *f*; *(e-s Rechtes)* transport *m*; *(e-r Befugnis)* délégation; *(Rente)* réversion; *(Abschrift)* transcription *f*; *(Durchschrift)* calquage *m*; *(Übersetzung)* traduction; *(Schule: in die eigene Sprache)* version; *tech* transmission, communication; *radio* (radio)diffusion, (re)transmission, diffusion *f* (radiophonique *od* par T.S.F.); relais *m*; *(Empfang)* audition *f*; ~**ungserklärung** *f jur* déclaration *f* de transmission *od* de cession; ~**ungsurkunde** *f jur* acte *m* de transmission *od* de transfert *od* de cession; ~**ungsvermerk** *m* mention *f* de transcription; ~**ungswelle** *f tech* arbre *m* de transmission; ~**ungszeit** *f radio* durée *f* de transmission.

übertreffen ⟨*hat übertroffen*⟩ *tr* dépasser, surpasser, l'emporter sur, être supérieur à; *bes. sport* surclasser; *sich selbst ~* se surpasser.

übertreib|en ⟨*hat übertrieben*⟩ *tr* exagérer, surfaire, outrer, forcer sur, charger, grossir, amplifier; dramatiser; *itr* passer toute mesure, forcer la note, pécher par excès; *(in der Rede) fam a.* en mettre, broder, enjoliver; *es ~~* trop presser; *nicht ~~* rester en deçà de la vérité; *Sie ~~!* vous y allez fort! *(fam)*; *pp (übertrieben)* exagéré; disproportionné, excessif, outré; *(Preis) a.* exorbitant; **Ü~ung** *f* exagération, outrance, amplification *f*.

'über=treten ['y:bər-] ⟨*ist/hat übergetreten*⟩ *itr (Fluß)* sortir de son lit, déborder; *sport* (beim *Anlauf*) mordre; *fig allg* passer, se ranger (*zu* du côté de); *rel* se convertir, changer de religion; **über'tret|en** ⟨*hat übertreten*⟩ *tr* contrevenir à, transgresser, outrepasser, enfreindre, violer; *sich den Fuß* ∼∼ se fouler le pied; **Ü∼ung** *f* contravention, transgression, infraction, violation *f*; **Übertritt** ['---] *m* passage *m*; *rel* conversion *f*.

übertrumpfen ⟨*hat übertrumpft*⟩ *tr fig* l'emporter (*jdn* sur qn); damer le pion (*jdn* à qn).

übertünchen ⟨*hat übertüncht*⟩ *tr* badigeonner; *fig* farder.

Überverdicht|er *m* ['y:bər-] *tech* surcompresseur *m*; **∼ung** *f tech* surcompression *f*.

Überversicherung *f* ['y:bər-] surassurance *f*.

übervölker|t [--'--] *a* surpeuplé; **Ü∼ung** *f* surpeuplement *m*, surabondance *f od* excès *m* de population.

übervoll ['y:bər-] *a* trop plein, (archi-)comble, bondé.

übervorteil|en ⟨*übervorteilt(e), hat übervorteilt*⟩ [y:bər'fo:r-] *tr* duper, rançonner, refaire; *sich gegenseitig zu* ∼∼ *suchen* jouer au plus fin; **Ü∼ung** *f* duperie *f*.

überwach ['y:bər-] *a* lucide; **∼en** ⟨*hat überwacht*⟩ *tr* surveiller, veiller sur; contrôler; superviser; *(beobachten)* observer; *(verfolgen)* suivre; *(heimlich)* épier, filer; **Ü∼ung** *f* surveillance *f*, contrôle *m*; observation *f*; **Ü∼ungsausschuß** *m*, **Ü∼ungsdienst** *m*, **Ü∼ungsflugzeug** *n* comité, service, avion *m* de surveillance; **Ü∼ungsgerät** *n*, **Ü∼ungskommission** *f* appareil *m*, commission *f* de contrôle; **Ü∼ungspflicht** *f*, **Ü∼ungsstelle** *f* obligation *f*, office *m* de surveillance.

überwachsen *a* (re)couvert (*mit* de).

über⸗wallen ['y:bər-] *itr* déborder.

überwältig|en ⟨*hat überwältigt*⟩ *tr* vaincre, conquérir, accabler, dompter, mater; l'emporter (*jdn* sur qn); subjuguer, maîtriser; **∼end** *a*, *a. fig* écrasant, foudroyant; *(eindrucksvoll)* grandiose; *nicht* ∼∼ *(fam)* pas fameux, pas formidable; **Ü∼ung** *f* victoire (*gen* sur); conquête *f* (*gen* de).

Überwasser|fahrt *f* ['y:bər-] *(e-s U-Boots)* marche *f* en surface; **∼kriegsschiff** *n*, **∼streitkräfte** *f pl* bâtiment *m*, forces *f pl* naval(es) de surface.

über⸗wechseln ['y:bər-] ⟨*ist übergewechselt*⟩ *itr (zur Gegenpartei)* changer de parti, tourner casaque; *zu* se ranger du côté de.

Überweg *m* ['y:bər-] *(für Fußgänger)* passage *m* clouté.

überweis|en ⟨*überwies, hat überwiesen*⟩ *tr* transmettre *a. fin;* virer (*auf jds Konto* au compte de qn); *(an e-e Dienststelle)* renvoyer (*an* à); **Ü∼ung** *f fin* virement; *(an e-e Dienststelle)* renvoi *m;* **Ü∼ungsauftrag** *m*, **Ü∼ungsformular** *n* mandat *od* ordre, chèque *m* de virement; **Ü∼ungsheft** *n* carnet *m* de virements; **Ü∼ungsverkehr** *m fin* règlement *m* par virement.

überweißen *tr (tünchen)* ⟨*hat überweißt*⟩ badigeonner.

überweltlich ['y:bər-] *a* supraterrestre.

überwendlich [--'--] *a* u. *adv* en surjet; ∼ *nähen* surjeter, coudre en surjet; *∼e Naht f* surjet *m*.

'über⸗werfen ['y:bər-] ⟨*hat übergeworfen*⟩ *tr (Kleidungsstück)* jeter sur ses épaules; **über'werfen:** ⟨*hat sich überworfen*⟩ *sich mit jdm* ∼∼ se brouiller avec qn; *sich mit jdm überworfen haben* être brouillé *od* fâché *od* en froid avec qn.

überwert|en ⟨*hat überwertet*⟩ *tr* surestimer, surévaluer; **Ü∼ung** *f* surestimation, surévaluation *f*.

überwiegen ⟨*hat überwogen*⟩ *itr* dominer, prédominer, avoir la prépondérance *od* la majorité; **∼d** *a* prépondérant, (pré)dominant; *adv* principalement; pour la plupart.

überwind|bar [--'--] *a* surmontable, franchissable; **∼en** ⟨*hat überwunden*⟩ *tr* vaincre, l'emporter sur, triompher de; *fig* surmonter, maîtriser; *sich* ∼∼ remporter une victoire sur soi-même, se dominer; *es* ∼∼ *(Krankheit, Kummer)* reprendre le dessus; *die Anziehungskraft der Erde* ∼∼ vaincre l'attraction terrestre; **Ü∼er** *m* ⟨-s, -⟩ [--'--] vainqueur, triomphateur, maître *m;* **Ü∼ung** *f* [--'--] victoire *f*, triomphe *m*; *es kostet mich* ∼∼ *zu* j'ai peine à; *das hat mich viel* ∼∼ *gekostet* cela m'a coûté.

überwinter|n ⟨*hat überwintert*⟩ *itr bot* résister à l'hiver; *bes. mar* hiverner; **Ü∼n** *n* a. mar hivernage *m;* **Ü∼ung** *f* hiémation *f*.

überwölben ⟨*hat überwölbt*⟩ *tr* voûter.

überwucher|n ⟨*hat überwuchert*⟩ *tr* couvrir, envahir, étouffer; **Ü∼ung** *f* envahissement *m*.

Überwurf *m* ['y:bər-] *(Kleidungsstück)* surtout; *tech (Schloß)* moraillon *m*.

Über|zahl *f* ['y:bər-] surnombre *m; sich in der* ∼∼ *befinden* être en surnombre *od* supérieur en nombre; **ü∼zählig** *a (Person)* en surnombre; *(Beamter)* surnuméraire; *(Sache)* excédentaire, en surplus; *mil* hors cadre(s); ∼∼ *sein* être de trop.

überzeichn|en ⟨*hat überzeichnet*⟩ *tr fin (Anleihe)* dépasser *od* surpasser (le montant de) la souscription de; **∼et** *pp*, *a* surpassé; *mehrfach* ∼∼ souscrit plusieurs fois; **Ü∼ung** *f* souscription *f* surpassée.

überzeug|en ⟨*hat überzeugt*⟩ *tr (durch die Tatsachen)* convaincre (*von* de); *(überreden)* persuader (*von* de); *jdn von etw* faire croire qc à qn; *sich von etw* ∼∼ se convaincre, s'assurer de qc; *sich mit eigenen Augen von etw* ∼∼ s'assurer de qc par ses propres yeux; *sich* ∼∼ *lassen (durch die Tatsachen)* se rendre à l'évidence; von jdm (durch Gründe) se rendre aux raisons de qn; ∼∼ *Sie sich selbst (davon)!* jugez par vous-même; **∼end** *a* convaincant; persuasif; **∼t** *a* convaincu; *sehr von sich* ∼∼ *sein* être rempli de soi-même; *persönlich von etw* ∼∼ *sein* être moralement sûr de qc; **Ü∼ung** *f* conviction; *(Überredung)* persuasion; *(Zuversicht)* assurance, ferme certitude *f; aus* ∼∼ par conviction; *im Brustton der* ∼∼ d'un ton de profonde conviction; *meiner* ∼∼ *nach* selon ma conscience; *der* ∼∼ *sein, daß ...* avoir la conviction que ...; *das ist meine feste* ∼∼ c'est là ma ferme conviction; **Ü∼ungskraft** *f* force *od* puissance *f* de persuasion.

über⸗zieh|en ['y:bər-] ⟨*zog über, hat übergezogen*⟩ *tr (Kleidungsstück)* mettre, enfiler; **über'zieh|en** ⟨*überzog, hat überzogen*⟩ *tr (mit Stoff* od *Leder)* (re)couvrir, revêtir, garnir (*mit* de); *(Wand)* tapisser (*mit* de); *(Bett)* mettre des draps (propres) à; *aero* décrocher, cabrer; *(Konto)* mettre à découvert; *ein Land mit Krieg* ∼∼ envahir un pays; **Ü∼er** *m* ⟨-s, -⟩ ['----] pardessus, paletot *m;* **überzogen** *a: von sich (selbst)* ∼∼ *sein (fam)* être rempli *od* infatué de sa personne, *fam* ne pas se croire rien, *pop* se gober.

Überzug *m* ['y:bər-] *(Bespannung)* revêtement *m; (Möbel)* housse; *(Bett, Kissen)* taie *f; (Deckschicht)* enduit *m*, couche *f*.

überzwerch ['y:bərtsvɛrç] *adv dial (quer)* de biais, de *od* en travers.

üblich ['y:plıç] *a* usuel, d'usage; *(gewöhnlich)* habituel, normal, de mise; *(durch Sitte geheiligt)* reçu; *wie* ∼ comme d'usage *od* de règle; *nicht mehr* ∼ *sein* être hors d'usage; *das ist so* ∼ c'est l'usage, c'est de pratique courante; *es ist* ∼ *zu* il est de règle de; *das ist (hier) so* ∼ c'est la coutume ici.

U-Boot ['u:bo:t] *n* sous-marin, submersible *m;* **∼-Abwehr** *f* défense *f* contre sous-marins; **∼-Bunker** *m* abri *m* de sous-marin; **∼-Falle** *f* piège *m* à sous-marin(s); **∼-Jäger** *m* chasseur *m* de sous-marins; **∼-Krieg** *m* guerre *f* sous-marine; **∼-Ortungsgerät** *n* appareil *m* de détection sous-marine; **∼-Schutzgeleit** *n*, **∼-Stützpunkt** *m* escorte *f*, base *f* de sous-marins; **∼-Waffe** *f* arme *f* sous-marine.

übrig ['y:brıç] *a attr* restant, de reste; *der, die, das ∼e ...* le reste de ...; *das ∼e, die ∼en* le reste, les autres; *im ∼en* du *od* au reste, au demeurant; ∼ *haben* avoir de reste; *für jdn etw* ∼ *haben (fig)* avoir de l'inclination *od* un faible pour qn; *für jdn nichts* ∼ *haben (fig)* ne pas avoir de sympathie pour qn; ∼ *sein* être de reste, rester; *ein ∼es tun* faire plus qu'il ne faut; *ich habe Geld* ∼ il me reste de l'argent; *das ∼e können Sie sich denken* vous devinez le reste; **∼⸗behalten** *tr* avoir de reste, garder; **∼⸗bleiben** ⟨*ist übriggeblieben*⟩ être de reste, rester; *es bleibt nichts anderes* ∼ il n'y a pas d'autre solution; **∼ens** *adv* du *od* au reste, au demeurant, au surplus; *(nebenbei)* à propos, d'ailleurs; *(schließlich)* après tout, avec tout cela; **∼⸗lassen** ⟨*hat übriggelas-*

sen⟩ laisser (de reste); *zu wünschen ~~* laisser à désirer.

Übung *f* ⟨-, -en⟩ ['y:buŋ] exercice *m a. mil; bes. mus* étude *f; (Training)* entraînement *m; (Gewohnheit)* habitude *f,* usage *m; (Praxis)* pratique; *mil (Manöver)* manœuvre *f; in der ~ bleiben* s'entretenir la main; *aus der ~ kommen, in der ~ sein* perdre, (en) avoir l'habitude; *aus der ~ sein* manquer d'entraînement; *~ macht den Meister (prov)* c'est en forgeant qu'on devient forgeron.

Übungs|aufgabe *f* ['y:buŋs-] *(Schule)* exercice, devoir *m;* **~ball** *m (für Boxer)* ballon d'entraînement, punching-ball *m;* **~beispiel** *n* exercice *m;* **~buch** *n* livre *m* d'exercices; **~flug** *m* vol *m* d'exercice *od* d'entraînement; **~flugplatz** *m* base-école *f;* **~flugzeug** *n* avion *m* d'entraînement *od* d'instruction; **~gelände** *n* terrain *m* d'entraînement *od* d'instruction; **~handgranate** *f* grenade *f* à blanc; **~hang** *m (Schi)* pente *f* d'entraînement; **~heft** *n* cahier *m* d'exercices; **~lager** *n* camp *m* d'exercice *od* d'entraînement; **~marsch** *m* marche *f* d'entraînement *od* d'épreuve; **~munition** *f* munition *f* d'exercice *od* d'instruction; *mit ~~ schießen* tirer à blanc; **~platz** *m mil* champ *m* d'exercice *od* de manœuvres; **~schießen** *n* tir *m* d'instruction; **~spiel** *n sport* jeu *m* d'entraînement; **~stück** *n (Schule)* exercice *m; mus* étude *f.*

Ufer *n* ⟨-s, -⟩ ['u:fər] *allg* bord *m; (Fluß, Binnensee)* rive *f; (Binnensee)* rivage *m; (steiles)* verge *f; an den ~n des Rheins* aux *od* sur les bords du Rhin; *über die ~ treten (Fluß)* déborder, sortir de son lit; **~bahn** *f loc* chemin *m* de fer riverain; **~bau** *m* endiguement *m;* **~befestigung** *f* soutènement *m* de la berge; **~bewohner** *m* riverain *m;* **~böschung** *f* berge *f;* **~damm** *m* quai *m;* **u~los** *a fig* sans fin, interminable; **~mauer** *f* (mur du) quai *m;* **~schwalbe** *f orn* hirondelle *f* de rivage *od* grise; **~staat** *m* État *m* riverain; **~straße** *f* route *f* riveraine; **~streifen** *m* littoral *m.*

Uhr *f* ⟨-, -en⟩ [u:r] *(öffentliche, Turm~)* horloge; *(Wand~)* pendule *f,* cartel *m; (Taschen-, Armband~)* montre *f; tech* chronomètre; *fam* chrono *m; arg* toquante *f; nach der ~ (arbeiten)* à l'heure d'horloge; *nach meiner ~* à ma montre; *um 8 ~* à huit heures; *um 12 ~ mittags, nachts* à midi, à minuit; *um wieviel ~?* à quelle heure? *nach der ~ fragen, sehen* demander, regarder l'heure; *die ~ nach-, vorstellen* retarder, avancer l'heure; *meine ~ ist abgelaufen (fig)* mon heure est venue; *meine ~ geht richtig* od *genau* ma montre va juste; *meine ~ geht vor, nach* ma montre avance, retarde (*5 Minuten* de 5 minutes); *meine ~ steht* od *ist stehengeblieben* ma montre est arrêtée; *es ist 2 ~* il est deux heures; *wieviel ~ ist es?* quelle heure est-il? **~armband** *n* bracelet-montre *m;* **~deckel** *m* couvercle *m* de montre; **~enfabrik** *f;* **~engeschäft** *n,* **~enhandel** *m* horlogerie *f;* **~enfabrikant** *m* horloger *m;* **~enindustrie** *f* industrie *f* horlogère; **~(en)tasche** *f (an der Hose)* gousset *m;* **~feder** *f* ressort *m* de montre; **~gehänge** *n* breloques *f pl;* **~gehäuse** *n* boîte *f* d'horloge; *(Taschen-, Armband~)* boîtier *m* de montre; **~gewicht** *n* contrepoids *m* d'horloge; **~glas** *n* verre *m* de montre; **~kapsel** *f* cuvette *f* de montre; **~kette** *f* chaîne de montre, giletière *f;* **~macher** *m* horloger *m;* **~werk** *n* mécanisme *od* mouvement *m od* rouages *m pl* d'horlogerie; **~zeiger** *m* aiguille *f* (d'horloge *od* de montre); **~zeigersinn** *m: im (entgegengesetzten) ~~* dans le sens (en sens inverse) des aiguilles d'une montre; **~zeit** *f* heure *f; die ~~ vergleichen* prendre l'heure.

Uhu *m* ⟨-s, -s⟩ ['u:hu] *orn* grand duc *m.*

Ukrain|e [u'kraınə/ukra'i:nə], *die* l'Ukraine *f;* **~er(in** *f***)** *m* ⟨-s, -⟩ Ukrainien, ne *m f;* **u~isch** [-'kraı-/-'i:nıʃ] *a* ukrainien.

Ulan *m* ⟨-en, -en⟩ [u'la:n] *mil hist* uhlan, lancier *m.*

Ulk *m* ⟨-(e)s, -e⟩ [ʊlk] plaisanterie, farce, *fam* blague, *pop* rigolade *f; (bes. Studenten~)* canular(d) *m; ~ machen,* **u~en** ⟨*aux: haben*⟩ *itr* plaisanter, faire des farces; *fam* blaguer, faire des blagues; *pop* rigoler; **u~ig** *a* amusant, drôle; *pop* rigolo, crevant.

Ulme *f* ⟨-, -n⟩ ['ʊlmə] orme *m; junge ~* ormeau *m.*

ultim|ativ [ʊltima'ti:f] *a* ultimatif; **U~atum** *n* ⟨-s, -ten/-s⟩ [-'ma:tum] *pol* ultimatum *m; jdm ein ~~ stellen* envoyer *od* signifier un ultimatum à qn; **U~o** *m* ⟨-s, -s⟩ ['ʊltimo] *com* dernier jour *m* du mois; **~o** *adv (am Letzten des laufenden Monats)* fin *f* courant; *~~ nächsten Monats* fin *f* prochain; **U~oabrechnung** *f,* **U~ofälligkeiten** *f pl* décompte *m,* échéances *f pl* de fin de mois; **U~owechsel** *m* traite *f* à fin de mois.

Ultrakurzwelle *f* ['ʊltrakʊrts-, --'---] *radio* onde ultracourte, micro-onde *f;* **~nbereich** *m* cadre *m* micro-capteur; **~nempfänger** *m* récepteur *m* à ondes ultra-courtes; **~nsender** *m* émetteur *m* à modulation de fréquence.

Ultra|marinblau [ʊltrama'ri:n-] bleu *m* d'outremer; **~mikroskop** *n* ['ultra-] ultramicroscope *m;* **u~montan** [ultra- mɔn'ta:n] *a rel pol* ultramontain; **~montanismus** *m* ⟨-, ø⟩ [-ta'nısmus] ultramontanisme *m;* **u~nuklear** [''ultra-] *a phys* ultranucléaire; **u~rot** *a* ultrarouge, infrarouge; **~schall** *m* ultra-son *m;* **~schallgerät** *n med* appareil *m* ultra-son; **~schallprüfung** *f tech* auscultation *f* ultra-sonore; **~schalltherapie** *f med* ultra-sonothérapie *f;* **~schallwelle** *f phys* onde *f* ultra-sonore; **u~violett** *a* ultra-violet; **~violettbestrahlung** *f med* exposition *f* aux rayons ultra-violets.

um [ʊm] **1.** *prp (örtl.: ~ herum)* autour de; *(zeitl.): ~ 5 Uhr* à cinq heures; *~ 5 Uhr herum* vers cinq heures, sur les cinq heures; *~ diese Zeit* vers cette heure-là; *(ungefähr): ~ 2 Mark (herum)* environ deux marks; *(die Reihenfolge bezeichnend): e-r ~ den andern* l'un après l'autre; *(den Unterschied bezeichnend): ~ 2 cm kleiner* plus petit de 2 cm; *~ ein Jahr älter* plus âgé d'un an; *(für): ~ Geld* pour *od* contre de l'argent; *(wegen)* à cause de, pour; **2.** *(Ausdrücke) Auge ~ Auge* œil pour œil; *~ nichts und wieder nichts* pour un rien; *e-n Tag ~ den andern* un jour sur deux; *jdn ~ etw bringen* faire perdre qc à qn; *~ sich greifen (sich ausbreiten)* s'étendre, se propager, gagner du terrain; *~ etw kommen (etw verlieren)* perdre qc; *~ sein Geld gekommen sein* en être pour son argent; *sich ~ etw verrechnen* se tromper de qc; *~ etw wetten* parier qc; *es handelt sich ~ Sie* il s'agit de vous; *es ist ~ mich geschehen* c'en est fait de moi; *es ist schade ~ das Geld* dommage pour l'argent; *das Feuer greift ~ sich* le feu gagne (du terrain); *wie steht es ~ ihn?* où en est-il? **3.** *adv (vorbei)* fini, passé, écoulé, révolu; *~ und ~ (auf allen Seiten)* de tous côtés, tout autour, partout; *rechts ~! (mil)* demi-tour à droite! **4.** *(~ so): ~ so besser, schlimmer* tant mieux, pis; *~ so mehr, weniger* d'autant plus, moins; *je ..., ~ so ...* plus ..., plus ...; *~ ... willen* pour (l'amour de), par égard à, dans l'intérêt de; *~ ... zu ... (inf)* pour, afin de; afin que *subj.*

um=adressieren ['ʊm-] *tr* ⟨*(hat) umadressiert*⟩ changer l'adresse de.

um=änder|n ['ʊm-] ⟨*hat umgeändert*⟩ *tr* transformer; changer, modifier; *(neu gestalten)* remanier; **U~ung** *f* transformation *f,* changement *m,* modification *f; (Neugestaltung)* remaniement *m.*

um=arbeit|en ['ʊm-] ⟨*hat umgearbeitet*⟩ *tr* transformer, refaire, remanier; *(völlig) ~~ (Buch)* refondre; **U~ung** *f* transformation *f,* remaniement *m,* remise sur le chantier; refonte *f.*

umarm|en ⟨*hat umarmt*⟩ *tr* embrasser, serrer dans ses bras; *(heftig)* étreindre; *(mit feierlichem Kuß)* donner l'accolade à; **U~ung** *f (einseitige)* embrassement *m;* étreinte; *(gegenseitige)* accolade *f.*

Umbau *m* ⟨-s, -e/-ten⟩ ['ʊm-] *arch* transformation *od* modification *od* reconstruction d'un *od* du bâtiment; *(Schiff)* refonte; *fig adm* réorganisation *f,* remaniement *m;* '**um=bauen** ⟨*hat umgebaut*⟩ *tr arch* transformer (*zu* en), reconstruire; *fig adm* réorganiser, remanier; *allg* refondre; **um'bauen** ⟨*hat umbaut*⟩ *tr* entourer de bâtiments.

um=benenn|en ['ʊm-] *tr (Straße, Ort)* débaptiser; **U~ung** *f* débaptisation *f.*

um=besetz|en ['ʊm-] *tr theat: die Rollen ~~* changer la distribution des rôles; **U~ung** *f* changement *m* de la distribution des rôles.

um⸗betten ['ʊm-] *tr (Kranken)* changer de lit; *(Toten)* changer de tombeau; *(Fluß)* dériver.

um⸗biegen ['ʊm-] *tr* (re)courber.

um⸗bild|en ['ʊm-] *tr* transformer; *adm* réorganiser; réformer; *(Regierung, Kabinett)* remanier; **U~ung** *f* transformation; réorganisation; réforme *f;* remaniement *m.*

um⸗binden ['ʊm-] ⟨*hat umgebunden*⟩ *tr (Krawatte, Schürze)* mettre; *(Buch)* changer la reliure de.

um⸗blasen ['ʊm-] *tr* renverser en soufflant.

um⸗blättern ['ʊm-] ⟨*hat umgeblättert*⟩ *tr* tourner; *itr* tourner la page *od* la feuille.

um⸗blicken ['ʊm-] , *sich (nach allen Seiten)* regarder autour de soi; *(zurück)* se retourner.

um⸗bördeln ['ʊm-] *tr tech* brider, border.

'um⸗brechen ⟨*hat umgebrochen*⟩ *tr* rompre, casser; *agr (Boden)* défoncer, défricher; *itr* se rompre sous le poids; **um'brechen** ⟨*hat umbrochen*⟩ *tr typ* mettre en pages.

Umbrien *n* ['ʊmbriən] *geog* l'Ombrie *f.*

um⸗bringen ['ʊm-] ⟨*hat umgebracht*⟩ *tr* faire mourir, mettre à mort, assassiner, égorger; *arg* zigouiller; *sich ~~ (fig fam: übertreiben)* ne savoir que faire (*vor* de); *ich könnte ihn ~ (pop)* j'ai envie de le bouffer.

Umbruch *m* ['ʊm-] *pol* bouleversement *m,* révolution; *typ* mise *f* en pages.

um⸗buch|en ['ʊm-] *tr com* transférer, virer, contrepasser; **U~ung** *f* transfert, virement *m.*

um⸗decken ['ʊm-] *tr (Dach)* refaire; *(Tisch)* changer le couvert de.

um⸗dichten ['ʊm-] *tr* remanier.

um⸗disponieren ['ʊm-] *tr* disposer autrement; *itr* changer de disposition.

um⸗dreh|en ['ʊm-] *tr* (re)tourner; *sich ~~* se retourner (*nach jdm* vers qn); **U~ung** *f phys astr (um die eigene Achse)* rotation; *(um e-n anderen Körper)* révolution *f; tech* tour *m;* **U~ungsgeschwindigkeit** *f* vitesse *f* de rotation; **U~ungszahl** *f* nombre *m* de tours; **U~ungszähler** *m tech* compte-tours *m;* **U~ungszeit** *f* temps *m* de rotation.

Umdruck *m* ⟨-(e)s, -e⟩ ['ʊm-] *typ* réimpression *f;* **u~en** *tr* réimprimer.

umeinander [--'--] *adv* l'un autour de l'autre; les uns autour des autres.

um⸗erzieh|en ['ʊm-] *tr* rééduquer; **U~ung** *f* rééducation *f.*

'um⸗fahren ⟨*hat umgefahren*⟩ *tr* renverser (avec sa voiture *etc*); *itr* faire un détour; **um'fahren** ⟨*hat umfahren*⟩ *tr* contourner, faire le tour de; *mar (Kap)* doubler; **Umfahrt, Umfahrung** *f* tour *m.*

um⸗fallen ['ʊm-] ⟨*ist umgefallen*⟩ *itr* tomber; *(auf den Rücken)* tomber à la renverse; *fig fam (s-e Meinung ändern)* changer d'avis; tourner casaque; *fam* retourner sa veste; *(nachgeben)* céder, *fam* baisser pavillon; *zum U~ müde* tombant de sommeil.

Umfang ['ʊm-] *m math* circonférence *f,* périmètre; *allg* tour, pourtour, circuit *m; (Ausdehnung)* étendue *f,* volume; *mus* diapason *m; fig* échelle, ampleur *f; in großem ~* dans une large mesure, sur une grande échelle; **u~en** *tr (umarmen)* embrasser; *allg* entourer; **u~reich** *a,* **umfänglich** ['---] *a* volumineux, étendu, large, vaste, ample.

um⸗färben ['ʊm-] *tr* reteindre.

umfass|en ⟨*hat umfaßt*⟩ *tr (umschlingen)* enserrer, embrasser; *(umgeben)* entourer; *(enthalten)* contenir, comporter, comprendre; *(einbegreifen)* impliquer, englober; *mil (einschließen)* cerner, encercler, envelopper; **~end** *a* global, d'ensemble; *(umfangreich)* étendu, large, vaste, ample; *~~e Maßnahmen f pl* mesures *f pl* d'ensemble; **U~ung** *f* entourage *m; (Einfriedigung)* clôture; *(bes. durch e-e Mauer)* enceinte *f; mil* encerclement, enveloppement *m;* **U~ungsangriff** *m* attaque *f* d'enveloppement; **U~ungsbewegung** *f mil* mouvement *m* enveloppant; **U~ungsmauer** *f* mur *m* de clôture; **U~ungsschlacht** *f* bataille *f* d'encerclement.

umflattern *tr* voltiger autour de.

um'fliegen ⟨*hat umflogen*⟩ *tr* voler autour de, contourner (en volant); **'um⸗fliegen** ⟨*ist umgeflogen*⟩ *itr fam = umfallen.*

umfließen *tr* entourer de ses eaux, baigner.

umflort [-'-] *a (Augen)* voilé.

um⸗form|en ['ʊm-] *tr = umbilden;* transformer, convertir *a. el;* **U~er** *m el* transformateur, convertisseur *m;* **U~eraggregat** *n,* **U~eranlage** *f,* **U~ersatz** *m el* groupe *m* convertisseur; **U~ung** *f* transformation *f a. el.*

Umfrage ['ʊm-] *f* enquête *f,* sondage *m* (d'opinion publique); *(e-e) ~ halten* prendre des *od* aller aux informations; *e-e ~ veranstalten* faire une enquête *od* un sondage (d'opinion).

umfried(ig)en *tr* entourer d'une clôture.

um⸗füllen ['ʊm-] *tr* transvaser, soutirer, dépoter; **U~** *n* transvasement, soutirage, dépotage *m.*

Umgang ['ʊm-] *m (Rundgang)* tour *m,* tournée, ronde; *rel* procession; *arch (Balkon)* galerie *f, rel (Chor~)* déambulatoire *m; fig (Verkehr)* fréquentation *f* (*mit* de), commerce *m; pej* accointance *f; mit jdm ~ haben* od *pflegen* fréquenter qn; commercer, avoir commerce avec qn; **~sformen** *f pl* (bonnes) manières bons usages *m pl;* **~ssprache** *f* langage *m* familier.

umgänglich ['ʊm-] *a (gesellig)* sociable, liant, traitable; *(freundlich)* affable; *~ sein (a.)* avoir du liant; **U~keit** *f* sociabilité *f,* liant *m,* affabilité *f.*

umgarnen *tr fig* séduire, circonvenir, enjôler, entortiller.

umgaukeln *tr* voltiger autour de.

umgeb|en *tr* entourer, (en)ceindre, ceinturer (*mit* de); *(kreisförmig)* cerner; *(Ort)* environner; **U~ung** *f* environs, alentours *m pl; (Umwelt, Lebenskreis)* milieu *m,* ambiance *f; (Gesellschaft)* entourage *m.*

Umgegend *f* ['ʊm-] environs, alentours *m pl.*

um'geh|en ⟨*hat umgangen*⟩ *tr (Ort)* tourner autour de, faire le tour de, contourner; *(Hindernis, Schwierigkeit, den Feind)* tourner; *(Gesetz)* éluder; *(Schwierigkeit, Pflicht, Einwand)* escamoter; **'um⸗gehen** ⟨*ist umgegangen*⟩ *itr (Gespenst)* revenir; *in etw* hanter qc; *(Gerücht)* courir; *mit etw* user de qc; manier, manipuler, manœuvrer qc; *mit jdm* fréquenter qn, avoir commerce avec qn; *(behandeln)* traiter qn, en user avec qn; *mit jdm, etw umzugehen verstehen* od *wissen* savoir s'y prendre avec qn; avoir l'habitude de qn, de qc; *mit etw sparsam ~~* être économe de qc; **~end** ['---] *a* immédiat; *adv* immédiatement, tout de suite, sans délai; *(postwendend)* par retour du courrier; **U~ung** [-'--] *f (im Verkehr)* contournement *m,* déviation *f; mil* mouvement *m* tournant; *fig* fraude *f* (*e-s Gesetzes* à l'égard d'une loi); **U~ungsbewegung** *f mil* mouvement *m* tournant; **U~ungsstraße** *f* route de contournement *od* d'évitement, voie de ceinture, déviation *f.*

umgekehrt ['ʊm-] *a (umgedreht)* renversé, retourné; *fig (entgegengesetzt)* inverse, contraire; *adv fig* inversement, vice versa; *im ~en Fall* à l'inverse; *in ~er Reihenfolge, Richtung* en ordre, sens inverse; *im ~en Verhältnis* en raison inverse; *mit ~em Vorzeichen (math, a. fig)* de signe contraire; *~ proportional* inversement proportionnel.

um⸗gestalt|en ['ʊm-] ⟨*hat umgestaltet*⟩ *tr* transformer, remodeler; *adm* réorganiser; *(Buch)* remanier, refondre; *(Stadt modernisieren)* urbaniser, aménager; **U~ung** *f* transformation *f,* remodelage *m;* réorganisation *f;* remaniement *m,* refonte; *(e-r Stadt)* urbanisation *f,* aménagement *m.*

um⸗gießen ['ʊm-] *tr (Flüssigkeit)* transvaser, soutirer; *(Metall)* refondre.

um'gittern *tr* entourer d'un grillage *od* treillage; grillager, treillager.

um⸗glieder|n ['ʊm-] *tr adm mil* regrouper, réorganiser; **U~ung** *f* regroupement *m,* réorganisation *f.*

um⸗graben ['ʊm-] *tr agr* retourner, bêcher.

umgrenz|en *tr (begrenzen)* borner, limiter; *fig (begrenzen)* délimiter, circonscrire; **U~ung** *f* limitation; délimitation, circonscription *f.*

um⸗gruppier|en ['ʊm-] *tr* regrouper; *mil a.* refondre; **U~ung** *f* regroupement *m.*

um'gürten *tr (Schwert)* ceindre; **'um⸗gürten** *tr* ceindre, entourer (*mit* de).

um⸗hacken ['ʊm-] *tr* abattre à la pioche.

umhalsen *tr* embrasser.

Umhang *m* cape, pèlerine *f; (kurzer)* mantelet; *(der Arbeiter)* largeau *m.*

'um⸗häng|en ⟨*hat umgehängt*⟩ *tr (anders(wohin) hängen)* suspendre ailleurs; *(um den Körper)* mettre *od* jeter sur ses épaules; *(Rucksack)* mettre au dos; *mil (Gewehr)* mettre en bandoulière; *umgehängt tragen* porter en bandoulière; **um'häng|en** ⟨*hat umhängt*⟩ *tr: etw mit e-r Girlande ~~* suspendre une guirlande autour de qc; **U~etasche** ['ʊm-] *f* sac *m* à bandoulière, sacoche; *(Jagd)* gibecière *f*, carnier *m*.
um⸗hauen ['ʊm-] *tr (Baum)* abattre.
umhegen *tr* entourer de soins.
umher [ʊm'he:r] *adv (hier u. da)* par ci, par là; *(bald hierhin, bald dorthin)* çà et là; **~⸗blicken** *itr* regarder tout autour (de soi); **~⸗fahren** *itr*, **~⸗flattern** *itr* aller, voltiger çà et là; **~⸗fliegen** *itr* voler çà et là; *(Blätter)* s'envoler (au gré du vent); **~⸗gehen** *itr* aller çà et là, se promener, déambuler; **~⸗irren** *itr* errer, vagabonder; *plan-* od *ziellos ~~* errer comme une âme en peine; **~⸗kriechen** *itr* ramper çà et là; **~⸗laufen** *itr* courir çà et là; *fam* trotter; **~⸗liegen** *itr* traîner; **~⸗schlendern** *itr* flâner, battre le pavé; *fam* se balader; **~⸗schweifen** *itr* rôder, vagabonder. battre la campagne; *(Blicke)* errer; **~⸗springen** *itr* gambader; **~⸗tragen** *tr* porter çà et là; **~⸗wandern** *itr = ~schweifen;* **~⸗ziehen** *itr* courir le pays; **~ziehend** *a (Händler etc)* ambulant, forain.
umhin⸗können [ʊm'hɪn-] *itr: nicht ~ zu tun* ne pouvoir s'empêcher *od* se retenir *od* s'abstenir de faire.
umhüll|en *tr* envelopper, recouvrir (*mit* de); **U~ung** *f (Handlung)* enveloppement *m; (Hülle)* enveloppe *f*.
Umkehr *f* ⟨-, ø⟩ ['ʊm-] retour; *fig* retournement *m*, conversion *f;* **u~bar** *a* réversible; *(Satz)* convertible; **~barkeit** *f* réversibilité; convertibilité *f;* **um⸗kehren** *tr* ⟨*hat umgekehrt*⟩ *(umdrehen)* (re)tourner; *(umstürzen)* renverser, bouleverser; *gram (Wortfolge)* intervertir; *math (Bruch)* renverser; *el* inverser, invertir; *itr* ⟨*ist umgekehrt*⟩ (s'en) retourner; *(bes. zu Fuß)* faire marche arrière, revenir *od* retourner sur ses pas, revenir sur son *od* rebrousser chemin, tourner bride; *(kehrtmachen)* faire demi-tour; *sich ~~* se (re)tourner; **~schalter** *m el* disjoncteur-inverseur *m;* **~ung** *f* retournement *a. fig; (Umsturz)* renversement *a. math mus*, bouleversement *m; gram el* inversion *f*.
um⸗kippen ['ʊm-] ⟨*hat umgekippt*⟩ *tr* (ren)verser, basculer, culbuter; *itr* basculer, culbuter, faire la culbute; *(Wagen)* verser; *(Boot)* chavirer; *mot aero* capoter.
umklammer|n *tr* embrasser, étreindre; *(Gegner)* enlacer (*mit den Armen* dans ses bras); *mil* encercler; *sich ~~ (Boxer)* s'accrocher; se tenir enlacés; **U~ung** *f* embrassement *m*, étreinte *f;* enlacement; *(Boxen)* accrochage; *mil* encerclement *m*.
um|klappbar ['ʊm-] *a* rabattable, à rabattement; **um⸗klappen** *tr* ⟨*hat umgeklappt*⟩ rabattre; *itr* ⟨*ist umgeklappt*⟩ *fam (vor Schwäche umfallen)* tomber dans les pommes.
'um⸗kleid|en ['ʊm-] ⟨*hat umgekleidet*⟩ *tr* changer les vêtements de; *sich ~~* changer de vêtements, se changer; **um'kleiden** ⟨*hat umkleidet*⟩ *tr* revêtir, tendre (*mit* de); *schwarz ~~* tendre de noir; **U~eraum** *m* vestiaire *m*.
um⸗knicken ['ʊm-] ⟨*hat umgeknickt*⟩ *tr* plier, recourber; *itr* ⟨*ist umgeknickt*⟩ se plier.
um⸗kommen ['ʊm-] *itr (Lebewesen)* périr, mourir (*vor* de); succomber; *(verderben)* se gâter; *vor Hitze ~* étouffer de chaleur.
umkränzen *tr* couronner (*mit* de).
Umkreis *m* ['ʊm-] *math* cercle *m* circonscrit; *im ~* à la ronde; *im ~ von 10 km* dans un rayon de 10 km, à 10 km à la ronde; **umkreisen** ⟨*hat umkreist*⟩ *tr* tourner autour de *a. astr; (Vogel)* voler autour de; *die Erde ~~ lassen (Raumsonde)* satelliser.
um⸗krempeln ['ʊm-] *tr* retrousser; *fig* mettre sens dessus dessous.
Umlad|eanlage *f* ['ʊm-] (pont) transbordeur *m;* **~ebahnhof** *m loc* gare *f* de transbordement; **~ekosten** *pl* frais *m pl* de transbordement; **um⸗laden** *tr* transborder; **~ung** *f* transbordement *m*.
Umlag|e *f* ['ʊm-] *(Steuern, Kosten)* répartition; *(Kosten)* cotisation; *(Beitrag)* contribution *f; (Abzug)* prélèvement *m;* **u~efrei** *a* exonéré des prélèvements; **'um⸗lagern** ⟨*hat umgelagert*⟩ *tr (Ware)* emmagasiner *od* stocker ailleurs; **um'lagern** ⟨*hat umlagert*⟩ *tr* assiéger, obséder, entourer; **Umlagerung** *f* changement *m* d'entrepôt.
Umlauf *m* ['ʊm-] circulation *a. adm fin; phys astr* révolution; *(Rundschreiben)* (lettre) circulaire *f; durch ~* par communication successive; *in ~ bringen, kommen (Geld)* mettre, entrer en circulation; *im ~ sein (Geld)* circuler; *in ~ setzen (Gerücht)* faire courir; *aus dem ~ ziehen* retirer de la circulation; **~bahn** *f astr* orbite *f; in e-e ~~ um die Erde bringen (Satelliten)* placer sur orbite; **um⸗laufen** *itr* ⟨*aux: sein*⟩ *(adm, Geld)* circuler; *tr* ⟨*aux: haben*⟩ renverser en courant; **u~end** *a tech* tournant, rotatif, rotatoire; **~getriebe** *n tech* engrenage planétaire; **~mappe** *f adm* dossier *m* en circulation; **~regler** *m tech* régulateur *m* de circulation; **~schmierung** *f* graissage *m* par circulation; **~(s)zeit** *f astr* période *f* de révolution; *~~ des Mondes* lunaison *f;* **~vermögen** *n fin* capital *m* circulant *od* de circulation; **~zahl** *f tech mot* nombre *m* de tour.
Umlaut *m* ['ʊm-] *gram* voyelle *f* infléchie; **um⸗lauten** *tr* infléchir.
umleg|bar ['ʊm-] *a* rabattable, à rabattement; **U~(e)kragen** *m* col *m* rabattu; **'um⸗leg|en** ⟨*hat umgelegt*⟩ *tr (Kleidungsstück)* mettre; *(Getreide auf dem Halm)* verser; *fam (umwerfen)* renverser; *pop (zu Boden strecken)* tomber, coucher sur le carreau; *sport* mettre au tapis; *arg (töten)* descendre; *(anders legen)* disposer *od* arranger autrement; *(Termin)* remettre (*auf* à); *(Steuern, Kosten)* répartir (*auf* entre); **um'leg|en** ⟨*hat umlegt*⟩ *tr: mit etw ~~* entourer, garnir (*mit* de); **U~ung** *f* ['---] *(Lagerveränderung)* réarrangement *m; (e-s Termins)* remise; *(der Steuern, Kosten)* répartition *f* (*auf* entre).
um⸗leit|en ['ʊm-] ⟨*hat umgeleitet*⟩ *tr (Verkehr)* dévier, dériver; *allg tel (in Belgien a.: Verkehr)* détourner; **U~ung** *f* (voie de) déviation *f*, détour; détournement *m*.
um⸗lenken ['ʊm-] ⟨*hat umgelenkt*⟩ *tr* faire tourner.
um⸗lernen ['ʊm-] ⟨*hat umgelernt*⟩ *itr (e-n neuen Beruf lernen)* changer de métier; *allg* changer de méthode.
umliegend ['ʊm-] *a* environnant d'alentour.
ummauern ⟨*hat ummauert*⟩ *tr* entourer de murs, emmurer.
um⸗modeln ['ʊm-] ⟨*hat umgemodelt*⟩ *tr fam* modifier, transformer.
umnacht|et [-'--] *a: geistig ~* troublé aliéné; **U~ung** *f: (geistige) ~~* aliénation *f* (mentale).
umnebelt [-'--] *a fig (Geist)* brouillé, troublé.
um⸗packen ['ʊm-] *tr (neu verpakken)* changer d'emballage; *(Koffer)* refaire.
'um⸗pflanzen ⟨*hat umgepflanzt*⟩ *tr* transplanter, replanter; *(umtopfen)* dépoter, rempoter; **um'pflanzen** ⟨*hat umpflanzt*⟩ *tr* entourer de plantes (de fleurs, d'arbres *etc.*).
um⸗pflügen ['ʊm-] ⟨*hat umgepflügt*⟩ *tr* retourner à la charrue, verser.
um⸗pol|en ['ʊm-] *tr el* renverser, inverser les pôles de; **U~ung** *f* renversement *m*.
um⸗präg|en ['ʊm-] *tr (Geld)* refondre; **U~ung** *f* refonte, conversion *f*.
um⸗quartieren ['ʊm-] ⟨*hat umquartiert*⟩ *tr* déloger; *mil* faire changer de cantonnement.
umrahm|en *tr fig* encadrer, entourer (*mit* de); **U~ung** *f fig* encadrement; *(Rahmen)* cadre *m*.
umrand|en ⟨*hat umrandet*⟩ *tr* border (*mit* de); *mit e-r Borte ~~* lisérer; **U~ung** *f (Rand)* bord *m; (Borte)* bordure *f;* liséré *m;* **U~ungsfeuer** *n aero* feu *m* de délimitation du terrain.
um⸗rangieren ['ʊm-] ⟨*hat umrangiert*⟩ *tr loc* faire passer sur une autre voie.
umrank|en *tr bot* grimper autour de; **~t** *a* recouvert (*mit* de).
um⸗räumen ['ʊm-] ⟨*hat umgeräumt*⟩ *tr (Zimmer)* changer la disposition des meubles de.
um⸗rechn|en ['ʊm-] ⟨*hat umgerechnet*⟩ *tr fin (Valuta)* changer, convertir; **U~ung** *f com* change *m*, conversion *f;* **U~ungskurs** *m* cours *od* taux *m* de change; **U~ungstabelle** *f* table *f od* barème *m* de change.
'um⸗reißen ⟨*hat umgerissen*⟩ *tr (umstoßen)* renverser; *(Baum)* abattre; **um'reißen** ⟨*hat umrissen*⟩ *tr* dessi-

ner *od* tracer les contours de; *fig (entwerfen)* esquisser, ébaucher.
'**um=reiten** ‹*hat umgeritten*› *tr* renverser avec son cheval; **um'reiten** ‹*hat umritten*› *tr* faire le tour de ... à cheval.
um=rennen ['ʊm-] ‹*hat umgerannt*› *tr* renverser en courant.
umringen *tr* entourer, environner.
Umriß *m* ['ʊm-] contour, tracé *m*, silhouette; *fig (Entwurf)* esquisse, ébauche *f*; *im ~ (fig)* en gros; *etw in groben Umrissen darstellen* tracer les grandes lignes de qc; **~karte** *f geog* carte *f* muette; **~zeichnung** *f* dessin *m* au trait.
um=rühren ['ʊm-] ‹*hat umgerührt*› *tr* brasser, remuer, agiter *a. chem; (Bierwürze)* vaguer; *(Holzschliff)* affleurer.
um=rüst|en ['ʊm-] *itr* réadapter *od* réorganiser les armements; **U~ung** *f* réadaptation *od* réorganisation *f* des armements.
um=satteln ['ʊm-] *tr* ‹*hat umgesattelt*› *(Pferd)* changer la selle de; *itr* ‹*ist umgesattelt*› *fig fam (den Beruf wechseln)* changer de profession *od* de métier, changer son fusil d'épaule.
Umsatz ['ʊm-] *m* roulement; *com* mouvement *m od* transactions *f pl* commercial(es); *com adm* chiffre d'aiffaires; *(Absatz)* débit, écoulement *m*; *~ haben* faire du chiffre d'affaires; *hohe(r) ~* gros chiffre *m*; **~provision** *f* commission *f* sur le chiffre d'affaires; **~steuer** *f* impôt *m od* taxe *f* sur le chiffre d'affaires.
umsäumen ‹*hat umsäumt*› *tr* border, entourer.
um=schalt|en ['ʊm-] ‹*hat umgeschaltet*› *tr el* commuter, renverser, inverser; *mot* changer de vitesse; *radio (die Wellenlänge)* changer de longueur d'onde; **U~en** *n mot = U~ung*; **U~er** *m* ‹-s, -› *el* commutateur, inverseur *m*; **U~hebel** *m mot* levier *m* de changement de vitesse; **U~taste** *f (Schreibmaschine)* touche *f* de transposition; **U~ung** *f el* commutation *f*, renversement *m*; inversion *f*; *mot* changement de vitesse; *radio* changement *m* de longueur d'onde.
Umschau *f* ‹-, ø› ['ʊm-] *(Rundblick)* tour *m* d'horizon; *fig (Überblick)* revue *f*; *~ halten* regarder autour de soi; *unter etw* passer qc en revue; *nach etw* chercher qc (des yeux); **um= schauen** ‹*hat sich umgeschaut*›, *sich (zurückblicken)* regarder derrière soi; *(Umschau halten)* regarder autour de soi.
um=schicht|en ['ʊm-] *tr fig (Gesellschaft)* regrouper, remanier; **~ig** *adv (wechselweise)* à tour de rôle, alternativement; **U~ung** *f fig: soziale ~~* regroupement *od* remaniement *m* social.
umschiff|en ‹*hat umschifft*› *tr (Insel)* contourner; *(Kap)* doubler; **U~ung** *f* périple *m*, circumnavigation *f*.
Umschlag *m* ['ʊm-] *(plötzlicher Wechsel)* changement, revirement, retour *m*; *(bes. Schicksalswende)* péripétie *f*; *(an der Kleidung)* (re-)bord, repli, rabat *m*; *(Buch-, Heft-, Akten~)* couverture *f*; *(Buch~)* protège-livre; *(Heft~)* protège-cahier *m*: *(Akten~)* chemise; *(Brief~)* enveloppe *f*, pli; *med* enveloppement *m*, compresse; *com (Güter~)* rotation *f*; *(Umladen)* transbordement *m*; *im ~* sous enveloppe *od* pli; **um=schlagen** ‹*hat umgeschlagen*› *tr (Kragen)* rabattre; *(Ärmel)* retrousser; *(Buchseite)* tourner; *com (Güter)* transborder; *itr* ‹*ist umgeschlagen*› *(umkippen: Wagen)* verser; *mot* capoter; *(Boot)* chavirer; *(Wind)* tourner, changer de direction; *(Wetter u. fig)* changer subitement; *ins Gegenteil ~* faire volte-face; **~(e)tuch** *n* châle *m*; **~hafen** *m* port *m* de transbordement; **~platz** *m com* place *f* de transbordement; **~skapazität** *f com* capacité *f* de transbordement; **~verkehr** *m com* trafic *m* de transbordement; **~zeit** *f com* durée *f* de transbordement.
umschleichen ‹*hat umschlichen*› *tr* rôder autour de.
umschließen *tr* enclore, entourer; *fig (in sich schließen)* inclure, (r)enfermer; *mil* cerner, investir.
umschlingen ‹*hat umschlungen*› *tr* enlacer; *(umarmen)* serrer dans ses bras.
umschmeicheln *tr* flatter continuellement.
um=schmeißen ['ʊm-] ‹*hat umgeschmissen*› *tr pop* renverser.
um=schmelz|en ['ʊm-] *tr* refondre; **U~ung** *f* refonte *f*.
um=schnallen ['ʊm-] *tr* boucler; ceindre, mettre.
'**um=schreiben** ‹*hat umgeschrieben*› *tr (neu schreiben)* récrire, transcrire; *(Eigentum, Recht, Schuld)* transférer (*auf jdn* à qn); **um'schreiben** ‹*hat umschrieben*› *tr math* circonscrire; *fig* paraphraser, périphraser; *(festlegen)* délimiter; '**Umschreibung** *f (Abschrift)* transcription *f*; *(e-s Recht(e)s etc)* transfert *m*, transmission *f* (*auf jdn* à qn); **Um'schreibung** *f math* circonscription (*gen* à); *fig* paraphrase, périphrase, circonlocution *f*.
Umschrift *f* ['ʊm-] *(Abschrift)* transcription *(a. phonetische)*; copie; *(auf Münzen)* légende *f*.
Umschuldung *f* ['ʊm-] conversion *f* de dettes; **~sanleihe** *f* emprunt *m* de conversion; **~skredit** *m* crédit *m* de conversion.
um=schul|en ['ʊm-] ‹*hat umgeschult*› *tr (a. beruflich)* rééduquer, réadapter; **U~ung** *f* rééducation; *(berufliche)* réadaption *f od* reclassement *m od* rééducation *f* professionnel(le).
umschwärmen ‹*hat umschwärmt*› *tr* voltiger autour de, éntourer; *fig* courtiser, *fam* faire du plat à.
umschweben *tr* planer autour de.

Umschweife *m pl* ['ʊm-]: *ohne ~* sans détours, sans ambages, sans paraphrase.
um=schwenken ['ʊm-] ‹*ist umgeschwenkt*› *itr fig* changer d'avis, tourner bride; *fam* retourner sa veste.
umschwirren *tr* voleter, bourdonner autour de.
Umschwung *m* ['ʊm-] changement brusque, revirement *m*; révolution *f*.
um=sehen ['ʊm-], *sich* ‹*hat sich umgesehen*› = *sich umschauen; nach etw* chercher qc; *ihr werdet euch noch ~!* vous en verrez de belles! **U~** *n*: *im ~~* en un clin d'œil.
umseitig ['ʊm-] *a* u. *adv.* au verso.
umsetz|bar ['ʊm-] *a* transposable *a. mus*; **um=setzen** ['ʊm-] ‹*hat umgesetzt*› *tr* transposer *a. mus chem*; déplacer; *agr* transplanter; *loc (auf ein anderes Gleis setzen)* aiguiller; *typ* recomposer; *com (Waren)* vendre, écouler, négocier; **U~ung** *f* transposition *f*, *a. mus*; déplacement *m*; *agr* transplantation; *typ* recomposition; *chem* réaction, transposition *f*.
Umsichgreifen *n* ‹-s, ø› ['ʊm-] propagation *f*, envahissement *m*; *(bes. e-r Seuche)* extension *f*.
Umsicht *f* ['ʊm-] circonspection; *(Vorsicht)* prudence, précaution *f*; **u~ig** *a* circonspect; prudent, précautionneux.
um=sied|eln ['ʊm-] ‹*hat umgesiedelt*› *tr (Bevölkerung)* transférer, transplanter; *itr* ‹*ist umgesiedelt*› s'établir *od* s'installer ailleurs; *(auswandern)* émigrer; **U~ler** *m* ‹-s, -› émigrant *m*; *(Zwangs~~)* personne *f* déplacée; **U~lung** *f* transplantation *f*, transfert *m*.
um=sinken ['ʊm-] ‹*ist umgesunken*› *itr* (se laisser) tomber, s'affaisser; *vor Müdigkeit ~* tomber de fatigue.
umsonst [ʊm'zɔnst] *adv (gratis)* pour rien, gratuitement, gratis; *fam (für ~)* pour des prunes, à l'œil; *(vergeblich)* inutilement, vainement, en vain; *ganz* od *völlig ~ (vergeblich)* en pure perte; *~ arbeiten* travailler pour le roi de Prusse; *sich ~ bemühen* perdre sa peine; *sich ~ bemüht haben* en être pour ses frais.
umsorgen *tr* entourer de soins.
'**um=spann|en** ‹*hat umgespannt*› *tr (die Pferde)* changer; *el* transformer; **um'spannen** ‹*hat umspannt*› *tr* faire le tour de; *fig (geistig)* embrasser; **U~er** *m* ‹-s, -› ['---] *el* transformateur *m*; **U~station** *f*, **U~werk** *n* ['ʊm-] *el* station *f od* poste *m* de transformation; **U~ung** *f* ['ʊm-] *el* transformation *f*.
umspielen *tr sport* dribbler.
umspinnen *tr* entourer de fils; *(Draht)* guiper.
'**um=springen** ‹*ist umgesprungen*› *itr (Wind)* sauter; *mit jdm (rücksichtslos) ~* traiter qn (sans égards); **um'springen** ‹*hat umsprungen*› *tr* sauter autour de.
umspülen ‹*hat umspült*› *tr* baigner, arroser.
Umstand *m* ['ʊm-] circonstance *f a. jur*; *(Tatsache)* fait; *(Einzelheit)* détail *m*; *pl s. Umstände*; **~skleid** *n* tenue *od* robe *f* de grossesse; **~skleidung** *f* vêtements *m pl* de grossesse; **~skrämer** *m fam* pédant, vétillard *m*; **~swort** *n* adverbe *m*.

Umständ|e *m pl* ['um-] *(Lage)* circonstances, conditions *f pl;* conjoncture, situation *f; (Förmlichkeiten)* cérémonies, façons, manières *f pl; durch glückliche ~~* par suite de circonstances heureuses; *infolge unvorhergesehener ~~* par suite de circonstances imprévues; *ohne ~~* sans cérémonies; *fam* à la bonne franquette, tout de go; *ohne weitere ~~* sans autre forme de procès; *unter ~~n* le cas échéant; *unter allen ~~n* en tout cas, à tout prix, en tout état de cause; *unter diesen ~~n* dans ces circonstances; *unter gewöhnlichen ~~n* en temps ordinaire; *unter den gleichen ~~n* toutes choses pareilles; *unter günstigen ~~n* sous des auspices favorables; *unter keinen ~~n* en aucun cas, à aucun prix, sous aucun prétexte; *~~ machen* faire des façons *od* des manières *od fam* des histoires; *sich ~~ machen (fam)* se compliquer (la vie); *in anderen ~~n (schwanger) sein (fam)* être dans une situation intéressante; *das kommt auf die ~~ an* cela dépend; *fam* c'est selon; *(machen Sie) keine ~~!* pas de manières! trêve de cérémonies! *erschwerende, mildernde ~~ (jur)* circonstances *f pl* aggravantes, atténuantes; *die näheren ~~* les détails *m pl,* les particularités *f pl;* **u~ehalber** *adv* en raison des circonstances; **u~lich** *a (ausführlich)* circonstancié, détaillé, minutieux; *(weitschweifig)* long, prolixe; *(verwickelt)* compliqué; *(beschwerlich)* embarrassant; *(förmlich)* cérémonieux; *(kleinlich)* pédant, vétilleux; *~~ erzählen* raconter en détail *od* tout au long, détailler; *das ist zu ~~* c'est toute une affaire; *das wäre zu ~~* ce serait trop long; **~lichkeit** *f (Weitschweifigkeit)* longueur, prolixité *f; (Beschwerlichkeit)* embarras *m; (Förmlichkeit)* façons *f pl* cérémonieuses; *(Kleinlichkeit)* pédanterie *f.*

um≈stechen ['um-] *tr arg* retourner, bêcher.

'**um≈stecken** ⟨*hat umgesteckt*⟩ *tr* ficher *od* planter *od* enfoncer ailleurs; **um'stecken** ⟨*hat umsteckt*⟩ *tr* entourer (*mit* de).

um'stehen ⟨*hat umstanden*⟩ *tr* entourer; '**umstehend** *a: im ~~en* au verso; *die U~~en* l'assistance *f.*

Umsteig|ebahnhof *m* ['um-] *loc* gare *od* station *f* de correspondance; **~efahrschein** *m* billet *m* de correspondance; **um≈steigen** ['um-] ⟨*ist umgestiegen*⟩ *itr* changer de voiture; *loc* changer (de train); *ohne umzusteigen* sans changement (de train); **~en** *n loc* changement *m* (de train); **~er** *m (Fahrschein)* correspondance *f.*

Umstell|bahnhof *m* ['um-] = *Rangierbahnhof;* '**um≈stellen** ⟨*hat umgestellt*⟩ *tr* changer de place, arranger *od* disposer d'une façon différente; *loc = rangieren; gram typ* transposer; *bes. math* permuter; *fig (Betrieb)* réadapter, réorganiser, reconvertir; *fin* convertir; *auf etw* réadapter à qc; *sich ~~ (s-e Meinung, Haltung ändern)* changer d'opinion *od* d'attitude; *fam* changer son fusil d'épaule; *(beruflich)* se réadapter; *auf Kraftfahr-, Maschinenbetrieb ~~* motoriser, mécaniser; **um'stell|en** ⟨*hat umstellt*⟩ *tr* entourer (*mit* de); *(bes. Jagd u. mil)* cerner; **~ung** *f* ['um-] changement *m* de place; *typ* transposition; *gram* transposition, inversion; *math* permutation; *(Betriebs~~, berufliche ~~)* réadaptation, réorganisation, reconversion; *fin* conversion *f; innere ~~* changement *m* d'opinion *od* d'attitude; *~~ auf Kraftfahr-, Maschinenbetrieb* motorisation, mécanisation *f.*

um≈steuer|n ['um-] *tr tech el* renverser; **U~ung** *f tech el* renversement *m.*

um≈stimmen ['um-] ⟨*hat umgestimmt*⟩ *tr mus* accorder sur un autre ton; *fig (Menschen)* faire changer d'humeur *od* d'avis.

um≈stoßen ['um-] ⟨*hat umgestoßen*⟩ *tr* renverser *a. fig (Plan); fig (Befehl, Bestimmung)* annuler; *(Testament)* invalider.

umstrahlen *tr* entourer de ses rayons.

'**um≈stricken** ⟨*hat umgestrickt*⟩ *tr* tricoter de nouveau *od* d'une autre façon; **um'stricken** ⟨*hat umstrickt*⟩ *tr fig (umgarnen)* entortiller, enjôler.

umstritten [-'--] *a* disputé, controversé, *bes. sport* contesté; en litige.

um≈stülpen ['um-] ⟨*hat umgestülpt*⟩ *tr* retourner, retrousser.

Umsturz *m* ['um-] *a. fig* chute *f,* renversement, écroulement, bouleversement *m; pol* subversion, révolution *f;* **~gefahr** *f pol* menace *f* de subversion.

um≈stürz|en ['um-] ⟨*hat umgestürzt*⟩ *tr* mettre à bas, jeter (à) bas *od* par terre; *a fig* renverser, bouleverser, *fam* chambarder; *pol* démolir *itr* ⟨*ist umgestürzt*⟩ tomber à la renverse, s'écrouler; *(Wagen)* verser; *mot* capoter; **U~ler** *m* démolisseur, esprit subversif, révolutionnaire *m;* **~lerisch** *a* subversif, révolutionnaire.

um≈taufen ['um-] ⟨*hat umgetauft*⟩ *tr rel u. fig* débaptiser.

Umtausch *m* ['um-] échange *m; fin (Konvertierung)* conversion *f; ~ nicht gestattet* les marchandises ne seront pas échangées; **u~bar** *a fin (konvertierbar)* convertible; **~barkeit** *f fin* convertibilité *f;* **um≈tauschen** ⟨*hat umgetauscht*⟩ *tr* échanger (*gegen* contre, pour); **~frist** *f,* **~möglichkeit** *f,* **~stelle** *f* période *f od* délai *m,* possibilité *f,* bureau *m* d'échange.

umtoben *tr* tempêter *od* faire rage autour de.

um≈topfen ['um-] ⟨*hat umgetopft*⟩ *tr* dépoter, rempoter.

umtosen *tr (Wasser)* bruisser, déferler autour de.

Umtrieb *m* ['um-] *fam (Bewegung, Leben)* mouvement *m,* activité, agitation *f; pl (Machenschaften)* menées, machinations, intrigues *f pl.*

um≈tun ['um-] ⟨*hat sich umgetan*⟩ *sich nach etw ~* (re)chercher qc, être à la recherche de qc.

Umwallung *f* [-'--] circonvallation, enceinte *f.*

um≈wälz|en ['um-] ⟨*hat umgewälzt*⟩ *tr (Stein)* rouler; **~end** *a fig* bouleversant; **U~ung** *f fig* bouleversement *m,* révolution *f.*

um≈wand|eln ['um-] ⟨*hat umgewandelt*⟩ *tr (ändern, umbilden)* changer, transformer *a. el (in* en); métamorphoser; *scient* transmuter (*in* en); *bes. fin* convertir (*in* en); *jur (Strafe)* commuer (*in* en); **U~lung** *f* changement *m,* transformation *a. el,* métamorphose; *scient* transmutation; *tech com* conversion; *jur* commutation *f.*

um≈wechseln ['um-] ⟨*hat umgewechselt*⟩ *tr (Geld)* changer; *(in e-e andere Währung)* convertir.

Umweg *m* ['um-] détour *a. fig; fig* biais, crochet *m; auf ~en (fig)* de *od* en biais, en louvoyant; *fam* par la bande, par ricochet; *e-n ~ machen* faire un détour; *~e machen (fig)* biaiser.

'**um≈wehen** ['um-] ⟨*hat umgeweht*⟩ *tr* renverser par son souffle; **um'wehen** ⟨*hat umweht*⟩ *tr* souffler autour de.

Umwelt *f* ['um-] milieu *m,* ambiance *f;* **~bedingungen** *f pl biol* conditions *f pl* de milieu; **~einflüsse** *m pl* influences *f pl* ambiantes; **~schutz** *m* protection *f* de la nature; **~theorie** *f biol* théorie *f* du milieu; **~verschmutzung** *f* pollution *f.*

um≈wenden ['um-] *tr* (re)tourner; *sich ~* se retourner.

umwerben ⟨*hat umworben*⟩ *tr* courtiser.

um≈werfen ['um-] ⟨*hat umgeworfen*⟩ *tr* renverser *a. fig (Plan); fam (erschüttern)* bouleverser.

um≈wert|en ['um-] *tr bes. philos* changer la valeur de; **U~ung** *f* transvaluation *f; ~~ aller Werte (philos)* renversement *m* de toutes les valeurs.

umwickeln ⟨*hat umwickelt*⟩ *tr* entortiller, envelopper (*mit* de); *mit Stroh ~* empailler.

umwinden ⟨*hat umwunden*⟩ *tr* entourer (*mit* de); *mit Blumen ~* couronner de fleurs; *mit Girlanden ~* ceindre de guirlandes.

umwittern *tr fig* envelopper.

umwogen *tr* entourer *od* battre de ses flots.

umwohn|end ['um-] *a* voisin, des environs, d'alentour; **U~er** *m pl* gens du voisinage, voisins *m pl.*

umwölkt [-'-] *a* enveloppé de nuages; *fig (Stirn, Blick)* assombri.

um≈wühlen ['um-] *tr* fouiller, retourner.

umzäun|en ⟨*hat umzäunt*⟩ *tr* enclore, clôturer, entourer d'une clôture; **U~ung** *f* clôture *f.*

um≈ziehen ['um-] ⟨*ist umgezogen*⟩ *itr* déménager, changer de logement; *sich ~* changer de vêtements, se changer.

umzingeln ⟨*hat umzingelt*⟩ *tr* encercler, cerner, investir.

Umzug *m* ['um-] *(Festzug)* cortège *m;*

rel procession; *pol* manifestation *f;* *(Wohnungswechsel)* déménagement *m;* ~**skosten** *pl,* ~**svergütung** *f* frais *m pl,* indemnité *f* de déménagement.

umzüngeln *tr (Flammen)* envelopper, entourer.

unabänderlich [--'---, 'un-] *a* immuable, irréformable; *(unwiderruflich)* irrévocable; **U~keit** *f* ‹-, ø› immu(t)abilité; irrévocabilité *f.*

unabdingbar [--'--, 'un-] *a (Recht)* inaliénable, inabandonnable.

unabhängig ['un-] *a* indépendant; *parl (Abgeordneter)* non inscrit; *(Staat)* autonome; *gram* absolu; ~ *sein (a.)* ne relever de personne, être son maître; **U~e(r)** *m parl* non inscrit *m;* **U~keit** *f* ‹-, ø› indépendance; *(staatliche)* autonomie; *(wirtschaftliche)* autarcie *f;* **U~keitsfeier** *f* fête *f* de l'indépendance; **U~keitskrieg** *m* guerre *f* d'indépendance.

unabkömmlich ['un-/--'--] *a* indisponible; *mil* affecté spécial; **U~keit** *f* ‹-, ø› *mil* non-disponibilité *f.*

unablässig ['un-] *a* continu(el), incessant, perpétuel; *adv a.* sans cesse, sans relâche, d'arrache-pied.

unabsehbar [--'--, 'un-] *a (Folgen)* imprévisible.

unabsetzbar ['un-/--'--] *a (Beamter)* inamovible; **U~keit** *f* ‹-, ø› inamovibilité *f.*

unabsichtlich ['un-] *a* non intentionnel, non prémédité; *adv* sans intention *od* préméditation, sans le vouloir, sans y penser.

unabweis|bar *a,* ~**lich** [--'--, 'un-] *a* impérieux; *(unvermeidlich)* inévitable.

unabwendbar [--'--, 'un-] *a* inévitable, inéluctable; *(schicksalhaft)* fatal.

unachtsam ['un-] *a* inattentif; *(zerstreut)* distrait; *(nachlässig)* négligent; **U~keit** *f* ‹-, ø› inattention; distraction; négligence; *(Versehen)* inadvertance *f; aus* ~~ par inadvertance, par mégarde, par oubli.

unähnlich ['un-] *a* dissemblable; **U~keit** *f* dissemblance *f.*

unanfechtbar [--'--, 'un-] *a jur* souverain; **U~keit** *f* ‹-, ø› souveraineté *f.*

unangebracht ['un-] *a* déplacé, inopportun, mal à *od* hors de propos.

unangefochten ['un-] *a* incontesté; *adv (in Frieden)* en paix, paisiblement; *jdn* ~ *lassen* laisser qn tranquille.

unangemeldet ['un-] *a* non annoncé; *(polizeilich)* sans déclaration d'arrivée *od* de séjour; *fin* non déclaré; *adv* sans avoir prévenu, à l'improviste.

unangemessen ['un-] *a* inconvenant; **U~heit** *f* ‹-, ø› inconvenance *f.*

unangenehm ['un-] *a* désagréable, déplaisant; *(lästig)* gênant, embarrassant; *(ärgerlich)* fâcheux; *(peinlich)* pénible; *(garstig)* vilain; ~ *sein (a.)* déplaire; *es wäre mir* ~, *wenn ... (subj)* cela m'ennuyerait de ... *(inf).*

unangetastet ['un-/] *a* intact; *etw* ~ *lassen* ne pas toucher à qc.

unangreifbar [--'--, 'un-] *a* inattaquable.

unannehm|bar [--'--, 'un-] *a* inacceptable, irrecevable; **U~barkeit** *f* ‹-, ø› irrecevabilité *f;* **U~lichkeit** *f* désagrément, ennui *m,* contrariété *f.*

unansehnlich ['un-] *a* insignifiant, d'une apparence défavorable; *(häßlich)* laid; **U~keit** *f* ‹-, ø› insignifiance, apparence défavorable; laideur *f.*

unanständig ['un-] *a* indécent, inconvenant, malséant, malhonnête, malpropre, polisson, ordurier; *sich* ~ *aufführen* faire une incongruité; ~*e(r) Witz m* plaisanterie *f* de corps de garde; **U~keit** *f* indécence, inconvenance, malséance, malhonnêteté, malpropreté, polissonnerie *f.*

unantastbar [--'--, 'un-] *a* intangible, inviolable, tabou; *jur* insaisissable; **U~keit** *f* ‹-, ø› intangibilité, inviolabilité *f.*

unappetitlich ['un-] *a* peu appétissant, dégoûtant.

Unart *f* ['un-] mauvaise(s) habitude *od* manières *f (pl); (e-s Kindes)* méchanceté *f;* **u~ig** *a* mal élevé, méchant; ~**igkeit** *f (e-s Kindes)* méchanceté *f.*

unartikuliert ['un-] *a* inarticulé.

unästhetisch ['un-] *a* inesthétique.

unauffällig ['un-] *a* qui passe inaperçu; *(bescheiden)* modeste, discret; *adv* sans être aperçu, incognito; modestement, discrètement.

unauffindbar [--'--, 'un-] *a* introuvable, indécelable.

unaufgefordert ['un-] *a* spontané; *adv a.* sans y être invité; *(von sich aus)* de son propre chef *od* mouvement.

unaufgeklärt ['un-] *a (Vorfall)* inexpliqué, non éclairci.

unaufhalt|bar *a,* ~**sam** [--'--, 'un-] *a* irrésistible.

unaufhörlich [--'--, 'un-] *a* incessant, continu(el), perpétuel; *adv a.* sans cesse, sans répit; du matin au soir.

unauflös|bar *a,* ~**lich** [--'--, 'un-] *a* indissoluble; **U~barkeit** *f* ‹-, ø› indissolubilité *f.*

unaufmerksam ['un-] *a* inattentif; *(zerstreut)* distrait; **U~keit** *f* inattention *f,* manque *m* d'attention, distraction *f.*

unaufrichtig ['un-] *a* insincère; **U~keit** *f* insincérité *f,* manque *m* de sincérité.

unaufschiebbar [--'--, 'un-] *a* urgent, pressant; **U~keit** *f* ‹-, ø› urgence *f.*

unausbleiblich [--'--, 'un-] *a* immanquable, infaillible, inévitable.

unausführbar [--'--, 'un-] *a* irréalisable, impraticable, inexécutable.

unausgefüllt ['un-] *a* non rempli; *fig* vide; ~ *lassen* laisser en blanc.

unausgeglichen ['un-] *a (Charakter)* déséquilibré; **U~heit** *f* manque *m* d'équilibre.

unausgereift ['un-] *a (Wein)* vert, verdelet.

unausgesetzt ['un-] *a* incessant, ininterrompu, continu(el), perpétuel; *adv* sans cesse, sans relâche, sans s'arrêter.

unauslöschlich [--'--, 'un-] *a fig* inextinguible, ineffaçable, indélébile.

unausrottbar [--'--, 'un-] *a (Fehler, Irrtum)* tenace, indéracinable, inextirpable.

unaussprech|bar [--'--, 'un-] *a (Lautgruppe)* imprononçable; ~**lich** *a (Gedanke)* indicible, ineffable, inexprimable.

unausstehlich [--'--, 'un-] *a* insupportable, intolérable, odieux; *fam* assommant; *vulg* emmerdant; *er (sie) ist mir* ~ *(a. fam)* c'est ma bête noire.

unausweichlich [--'--, 'un-] *a* inévitable, inéluctable.

unbändig ['un-] *a* pétulant; effréné; *(Gelächter)* fou; *adv: sich* ~ *freuen* être au comble de la joie; ~ *lachen* rire comme un fou *od* un bossu.

unbarmherzig ['un-] *a* impitoyable; *(unerbittlich)* inexorable; *a. adv* sans pitié; **U~keit** *f* ‹-, ø› dureté de cœur; inexorabilité *f.*

unbeabsichtigt ['un-] *a* non intentionnel.

unbeachtet ['un-] *a* inaperçu, ignoré; ~ *lassen* ne pas faire *od* prêter attention à, négliger; *(absichtlich)* ignorer.

unbeanstandet ['un-] *adv* sans contredit, sans opposition; sans réclamation.

unbeantwortet ['un-] *a* sans réponse.

unbearbeitet ['un-] *a tech* non travaillé, non ouvré, non usiné; pas encore traité *scient od* abordé *adm.*

unbeaufsichtigt ['un-] *a* sans surveillance.

unbebaut ['un-] *a agr* non cultivé, inculte, vague; *(Grundstück)* non bâti.

unbedacht|(sam) ['un-] *a* inconsidéré, irréfléchi; étourdi; **U~samkeit** *f* irréflexion; étourderie *f.*

unbedeckt ['un-] *a* découvert; *(nackt)* nu; *(ohne Kopfbedeckung)* tête nue, nu-tête.

unbedenklich ['un-] *a* qui n'offre aucune difficulté *od* aucun inconvénient; *adv* sans hésiter; **U~keit** *f* caractère *m* inoffensif; **U~keitsbescheinigung** *f,* **U~keitsvermerk** *m* visa *m* (de (la) censure).

unbedeutend ['un-] *a* insignifiant, sans importance; négligeable; modique, futile; **U~heit** *f* insignifiance; futilité *f.*

unbedingt [--'-, 'un-] *a* absolu; *(bedingungslos)* inconditionnel; *a. adv* sans condition, sans réserve, sans restriction; *adv (auf jeden Fall)* en tout cas; *(sehr)* très, extrêmement; *nicht* ~ pas forcément; *wenn es* ~ *sein muß* si c'est indispensable; ~ *notwendig* de rigueur.

unbeeinflußt ['un-] *a* sans avoir subi d'influence.

unbefahrbar [--'--, 'un-] *a* impraticable.

unbefangen ['un-] *a (unvoreingenommen)* non prévenu, sans préjugé; *(unparteiisch)* impartial, objectif; **U~heit** *f* ‹-, ø› impartialité, objectivité *f; (Natürlichkeit)* naturel *m,* ingénuité, naïveté, candeur *f.*

unbefestigt ['un-] *a mil* non fortifié; *(Straße)* non revêtu.

unbefleckt ['ʊn-] *a rel: die U~e Empfängnis* l'Immaculée Conception *f.*
unbefriedig|end ['ʊn-] *a* non satisfaisant, insuffisant; **~t** *a* insatisfait, inassouvi; mécontent; **U~theit** *f* ⟨-, ø⟩ insatisfaction *f,* mécontentement *m.*
unbefristet ['ʊn-] *a* non limité.
unbefugt ['ʊn-] *a* non autorisé; *a. adv* sans autorisation; **U~e(r)** *m* personne *f* non autorisée; *~~en ist der Zutritt verboten* entrée interdite à toute personne étrangère au service, défense d'entrer sans motif de service.
unbegabt ['ʊn-] *a* peu doué, sans talent(s).
unbeglichen ['ʊn-] *a (Rechnung)* impayé, non réglé, en souffrance.
unbegreiflich [--'--, 'ʊn-] *a* incompréhensible, inconcevable; *das ist mir ~* je n'y comprends (plus) rien, je m'y perds; **U~keit** *f* incompréhensibilité *f.*
unbegrenzt [--'-, 'ʊn-] *a* illimité, sans limites *od* bornes; *zeitlich ~* sans limitation de temps.
unbegründet ['ʊn-] *a* infondé, sans *od* dénué de fondement; *(ungerechtfertigt)* injustifié.
unbegütert ['ʊn-] *a* sans biens, sans fortune.
unbehaart ['ʊn-] *a* sans poil, glabre.
Unbehag|en *n* ['ʊn-] malaise *m,* gêne *f;* **u~lich** [-kliç] *a (ungemütlich)* inconfortable, incommode; *sich ~~ fühlen* être *od* se sentir mal à l'aise *od* mal à son aise *od* gêné; *~~e(s) Gefühl n* sentiment *m* de malaise; **~lichkeit** *f* inconfort *m,* incommodité *f.*
unbehauen ['ʊn-] *a* brut; *(Holz)* en grume.
unbehelligt [--'--, 'ʊn-] *a* sans être importuné *od* molesté *od* inquiété.
unbehilflich ['ʊn-] *a* incapable de se tirer d'affaire *od* de se débrouiller, maladroit, gauche; **U~keit** *f* ⟨-, ø⟩ maladresse, gaucherie *f.*
unbeholfen ['ʊn-] *a* maladroit, gauche, emprunté, *fam* empoté; *(schwerfällig)* lourd, mal tourné; *~ sein (a.)* avoir la main lourde, être embarrassé de sa personne; **U~heit** *f* ⟨-, ø⟩ maladresse, gaucherie; lourdeur *f.*
unbeirr|bar [--'--, 'ʊn-] *a* imperturbable; **~t** *adv* sans se laisser déconcerter, tout droit, d'un pas ferme.
unbekannt ['ʊn-] *a* inconnu, ignoré; *das ist mir ~ (a.)* je n'en sais rien, je l'ignore; *es ist Ihnen nicht ~, daß* ... vous n'ignorez pas que ...; *er ist mir völlig ~* je ne le connais ni d'Ève ni d'Adam; **U~e(r** *m***)** *f* inconnu, e *m f;* **~erweise** *adv* sans être connu; **U~heit** *f* obscurité *f.*
unbekleidet ['ʊn-] *a* déshabillé, nu.
unbekümmert [--'--, 'ʊn-] *a* insouciant, insoucieux (*um* de); **U~heit** *f* ⟨-, ø⟩ insouciance *f.*
unbeladen ['ʊn-] *a* non chargé, sans charge, à vide; *mar* sur lest.
unbelastet ['ʊn-] *a fig* non grevé (*mit* de); *(Grundstück)* non grevé d'hypothèques.
unbelästigt ['ʊn-] *adv* sans être molesté *od* importuné.
unbelehrbar [--'--, 'ʊn-] *a* pas à convaincre; *(unverbesserlich)* incorrigible.
unbelichtet ['ʊn-] *a phot* non-exposé, vierge.
unbeliebt ['ʊn-] *a* peu aimé, mal vu, impopulaire; *sich ~ machen* s'aliéner les sympathies, se rendre impopulaire; **U~heit** *f* ⟨-, ø⟩ impopularité *f.*
unbelohnt ['ʊn-] *a: ~ bleiben, lassen* rester, laisser sans récompense.
unbemannt ['ʊn-] *a mar* sans équipage; *aero* sans pilote; *(Rakete)* non habité; *~e(s) Bombenflugzeug n* bombardier *m* robot.
unbemerkt ['ʊn-] *a* inaperçu; *adv* sans être aperçu, incognito; *~ bleiben* passer inaperçu.
unbemittelt ['ʊn-] *a* sans fortune.
unbenommen [--'--, 'ʊn-] *a: es bleibt mir ~ zu* ... je suis libre de ...
unbenutz|bar ['ʊn-] *a* inutilisable; **~t** *a* inutilisé, non employé, neuf, vierge.
unbeobachtet ['ʊn-] *a: ~ bleiben* rester inaperçu; *adv* sans être remarqué.
unbequem ['ʊn-] *a* incommode, inconfortable; *(Kleidung)* gênant; *(lästig)* importun; *(ungelegen)* inopportun; *~ sitzen* être mal assis; **U~lichkeit** *f* incommodité; gêne *f.*
unberech|enbar [--'---, 'ʊn-] *a* incalculable; *(launisch)* capricieux, lunatique; **U~enbarkeit** *f* impossibilité *f* de calculer *od* de prévoir (*e-r S* qc); **~net** *a com: ~~ lassen* ne pas passer en compte.
unberechtigt ['ʊn-] *a* non autorisé, sans autorisation; *(ungerechtfertigt)* injustifié; *(ungesetzlich)* illégal.
unberücksichtigt ['ʊn-] *a: etw ~ lassen* ne pas tenir compte de qc.
unberufen! [--'--, 'ʊn-] touchons du bois!
unberühr|bar ['ʊn-] *a* intangible; **~t** *a (unversehrt)* intact; *(jungfräulich)* vierge; *etw ~~ lassen* ne pas toucher à qc.
unbeschadet [--'--, 'ʊn-] *prp gen* sans préjudice de, sous (toute) réserve de.
unbeschädigt ['ʊn-] *a* non endommagé, indemne, intact; *bes. mar* franc d'avarie.
unbeschäftigt ['ʊn-] *a* inoccupé; *(müßig)* désœuvré, oisif.
unbescheiden ['ʊn-] *a* immodeste; *(anspruchsvoll)* exigeant; *(anmaßend)* arrogant; *(aufdringlich)* indiscret; **U~heit** *f* ⟨-, ø⟩ immodestie; exigence, arrogance, indiscrétion *f.*
unbeschnitten ['ʊn-] *a (Münze, Buch)* non rogné; *rel (nichtjüdisch)* incirconcis.
unbescholten ['ʊn-] *a* irréprochable, intègre; **U~heit** *f* réputation intacte, intégrité *f.*
unbeschrankt ['ʊn-] *a (Bahnübergang)* non gardé.
unbeschränkt [--'-, 'ʊn-] *a* illimité, sans restriction; *(Gewalt)* absolu.
unbeschreiblich [--'--, 'ʊn-] *a* indescriptible, inénarrable, au-delà de toute expression.
unbeschrieben ['ʊn-] *a (Papier)* blanc, vierge; *~ lassen* laisser en blanc; *ein ~es Blatt sein (fig)* être une page blanche.
unbeschwert ['ʊn-] *a (sorglos)* sans souci.
unbeseelt ['ʊn-] *a* inanimé, sans âme.
unbesehen [--'--, 'ʊn-] *adv* sans l'avoir vu(e), sans examen.
unbesetzt ['ʊn-] *a (Platz)* inoccupé; *(Stelle)* vacant, sans titulaire; *mil pol (Gebiet)* non occupé, libre.
unbesieg|bar [--'--, 'ʊn-] *a* invincible, imbattable; **~t** *a* invaincu.
unbesonnen ['ʊn-] *a* irréfléchi, inconsidéré; *(gedankenlos)* écervelé; *(leichtsinnig)* léger, étourdi; **U~heit** *f* irréflexion; légèreté; *(Handlung)* étourderie *f,* coup *m* de tête.
unbesorgt ['ʊn-] *a* insouciant, sans souci; *adv* tranquillement; *seien Sie ~!* ne vous en faites pas! soyez tranquille *od* sans inquiétude! rassurez-vous!
unbeständig ['ʊn-] *a* instable, inconstant; *(wechselhaft)* variable; **U~keit** *f* instabilité, inconstance *f.*
unbestätigt [--'--, 'ʊn-] *a* non confirmé.
unbestechlich [--'--, 'ʊn-] *a* incorruptible, intègre; **U~keit** *f* ⟨-, ø⟩ incorruptibilité, intégrité *f.*
unbestellbar [--'--, 'ʊn-] *a (Postsache)* en souffrance; *(als Vermerk)* destinataire inconnu, au rebut; *falls ~, zurück an Absender* si inconnu à l'adresse, prière de retourner à l'expéditeur.
unbestimm|bar [--'--, 'ʊn-] *a* indéterminable, indéfinissable; **~t** *a* indéterminé *a. math;* indéfini *a. gram; (ungewiß)* incertain; *(ungenau)* indistinct, indécis, imprécis; *auf ~~e Zeit* pour un temps indéterminé; **U~theit** *f* ⟨-, ø⟩ indétermination; incertitude; indécision, imprécision *f;* **U~theitsrelation** *f phys* principe *m* d'incertitude.
unbestreitbar [--'--, 'ʊn-] *a* incontestable, indiscutable, hors de dispute; **unbestritten** *a* incontesté; *adv* incontestablement, sans conteste, sans contredit.
unbeteiligt [--'--, 'ʊn-] *a* hors de cause; étranger (*an* à); *(gleichgültig)* indifférent, désintéressé; **U~heit** *f* indifférence *f,* désintéressement *m.*
unbetont ['ʊn-] *a gram* non accentué, atone.
unbeugsam [-'--, 'ʊn-] *a* inflexible, irréductible, de bronze; **U~keit** *f* inflexibilité, intransigeance *f.*
unbewacht ['ʊn-] *a* non gardé *a. loc,* sans surveillance.
unbewaffnet ['ʊn-] *a* sans armes, désarmé; *zoo bot* inerme; *mit ~em Auge* à l'œil nu.
unbewältigt ['ʊn-/--'--] *a fig* non surmonté.
unbewandert ['ʊn-] *a* peu versé *od pop* calé (*in* en).
unbeweg|lich ['ʊn-/--'--] *a* immobile, stationnaire, fixe; *jur* immeuble; *~~e(s) Gut n (jur)* (bien) immeuble *m;* **U~lichkeit** *f* immobilité, fixité *f;* **~t** *a fig* impassible.

unbeweibt ['ʊn-] *a* non marié, célibataire.
unbeweisbar [--'--, 'ʊn-] *a* improuvable, indémontrable; **unbewiesen** *a* pas prouvé, non démontré.
unbewohn|bar [--'--, 'ʊn-] *a* inhabitable; **~t** *a* inhabité; *(Land)* désert.
unbewußt ['ʊn-] *a* inconscient *a. psych philos;* **U~e,** *das, psych philos* l'inconscient *m.*
unbezahl|bar [--'--, 'ʊn-] *a* impayable *a. fig; fig* sans prix; **~~** *sein (fig)* n'avoir point de prix, être sans prix; **~t** *a* impayé, non payé; *(Rechnung)* non réglé, en souffrance; *(Arbeit)* non salarié.
unbezähmbar [--'--, 'ʊn-] *a* indomptable; **U~keit** *f* indomptabilité *f.*
unbezwungen ['ʊn] *a* invaincu, insoumis, indompté; *(Berggipfel)* inviolé.
Unbilden *pl* ['ʊnbɪldən]: *die ~ der Witterung* les injures du temps, les intempéries *f pl.*
Unbill *f* ‹-, ø› ['ʊnbɪl] *(Unrecht)* tort *m; (Ungerechtigkeit)* injustice, iniquité *f;* **u~ig** *a (ungerecht)* injuste, inéquitable, inique; *(unvernünftig)* déraisonnable; **~igkeit** *f* injustice, iniquité *f.*
unblutig ['ʊn-] *a* non sanglant; *adv* sans effusion de sang.
unbotmäßig ['ʊn-] *a* réfractaire, rétif, récalcitrant; *bes. mil* insubordonné; **U~keit** *f* insubordination *f.*
unbrauchbar ['ʊn-] *a (Sache)* inutil(isabl)e, inemployable *(Mensch)* incapable, inapte; *~ machen* mettre hors d'usage; **U~keit** *f* ‹-, ø› inutilité; incapacité, inaptitude *f.*
unbußfertig ['ʊn-] *a rel* impénitent; **U~keit** *f* impénitence *f.*
unchristlich ['ʊn-] *a* non chrétien; *allg* peu chrétien; *adv: ~ handeln* ne pas agir en chrétien.
und [ʊnt] *conj* et; *~ (dann)?* et alors? et puis? et après? mais encore? *hier ~ da* od *dort* par-ci, par-là; *dann ~ wann, hin ~ wieder* de temps en temps *od* à autre; *mehr ~ mehr* de plus en plus; *er kam ~ holte mich* il vint me prendre; *geh ~ hole mir ...* va me chercher ...; *~ damit basta!* ça suffit.
Undank *m* ['ʊn-] ingratitude *f; nur ~ ernten (a.)* ne recueillir que de l'ivraie; *jdm mit ~ lohnen* payer qn d'ingratitude; *~ ist der Welt Lohn (prov)* l'ingratitude est le salaire de ce monde; **u~bar** *a* ingrat (*gegen* envers); *(Thema)* aride; **~barkeit** *f* ingratitude *f.*
undatiert ['ʊn-] *a* non daté, sans date.
undefinierbar [---'--, 'ʊn-] *a* indéfinissable.
undenk|bar [ʊn'dɛŋkba:r] *a* impensable, inconcevable, inimaginable; **~lich** *a: seit ~~en Zeiten* de temps immémorial.
undeutlich ['ʊn-] *a* indistinct; *(unbestimmt)* indécis, vague; *(unscharf)* brouillé, flou; *(Schrift)* peu lisible; *~ sehen (itr, a. fig)* avoir la vue *od* voir trouble; *~ sprechen (a.)* bredouiller, *fam* marmonner; **U~keit** *f* indécision *f,* vague; manque *m* de netteté.
undicht ['ʊn-] *a* non étanche; *(durchlässig)* perméable; *~ sein (a.)* ne pas joindre, joindre mal, prendre l'eau, fuir; *~e Stelle f* point *m* de fuite.
Undine *f* ‹-, -n› [ʊn'di:nə] *(Nixe)* ondine *f.*
Unding *n* ‹-(e)s, -e› ['ʊn-] absurdité *f; (Unsinn)* non-sens *m.*
undiszipliniert ['ʊn-] *a* indiscipliné.
unduldsam ['ʊn-] *a* intolérant; **U~keit** *f* ‹-, ø› intolérance *f.*
undurch|dringlich [--'--, 'ʊn-] *a* impénétrable *a. fig;* **U~dringlichkeit** *f* ‹-, ø› impénétrabilité *f, a. fig;* **~führbar** *a* inexécutable, irréalisable, impraticable, infaisable; **~lässig** ['ʊn-] *a* imperméable (*für* à), étanche; **U~lässigkeit** *f* imperméabilité, étanchéité *f;* **~sichtig** ['ʊn-] *a* opaque; *fig* impénétrable, ténébreux; *(Lage)* confus; **U~sichtigkeit** *f* ‹-, ø› opacité; *fig* impénétrabilité; confusion *f.*
uneben ['ʊn-] *a (Boden)* inégal; *(Gelände)* accidenté, mouvementé; *(Weg)* âpre, raboteux; *nicht ~ (fam: ganz hübsch)* pas (si) mal; **U~heit** *f* inégalité *f;* caractère *m* accidenté; aspérité *f; (einzelne)* accident *m.*
unecht ['ʊn-] *a (nachgemacht)* imité, d'imitation, en imitation, en simili; *(Farbe)* fugitif, qui déteint; *(falsch)* faux; *(gefälscht)* falsifié, contrefait; *~e(r) Bruch m (math)* nombre *m* fractionnaire; **U~heit** *f* ‹-, ø› fausseté *f.*
unedel ['ʊn-] *a (gemein)* ignoble, bas, vulgaire, trivial; *(Metall)* commun.
unehelich ['ʊn-] *a (Kind)* naturel, illégitime; **U~keit** *f* ‹-, ø› illégitimité *f.*
Unehr|e *f* ['ʊn-] déshonneur *m; jdm ~~ machen* déshonorer qn; *s-m Namen ~~ machen* flétrir sa réputation; **u~enhaft** *a (Verhalten)* déshonorant; **u~erbietig** *a* irrespectueux, irrévérencieux (*gegen* envers); **~erbietigkeit** *f* irrespect *m,* irrévérence *f;* **u~lich** *a* malhonnête, déloyal; **~lichkeit** *f* malhonnêteté, improbité, déloyauté *f.*
uneigennützig ['ʊn-] *a* désintéressé, altruiste; **U~keit** *f* désintéressement, altruisme *m.*
uneinbringlich [--'--, 'ʊn-] *a jur (Forderung)* irrecouvrable.
uneingedenk ['ʊn-] *a* oublieux (*e-r S* de qc).
uneingelöst ['ʊn-/---'-] *a fin* impayé; *(Wechsel a.)* renvoyé, retourné.
uneingeschränkt ['ʊn-/---'-] *a* illimité; *pol (Gewalt)* absolu; *a. adv* sans restriction.
uneingestanden ['ʊn-] *a* inavoué.
uneinheitlich ['ʊn-] *a* différent, varié.
unein|ig ['ʊn-] *a* désuni, divisé, brouillé; *mit jdm über etw ~~ sein* être *od* se trouver en désaccord avec qn sur qc; *~~ werden* se désunir, se diviser, se brouiller; **U~igkeit** *f* désunion *f,* désaccord *m,* division *f;* **~s** *a pred = ~ig.*
uneinnehmbar [--'--, 'ʊn-] *a mil* imprenable, inexpugnable.
unelegant ['ʊn-] *a* inélégant.
unempfänglich ['ʊn-] *a* inaccessible, insensible, peu réceptif, fermé (*für* à); *med* immunisé.
unempfindlich ['ʊn-] *a* insensible (*gegen* à); apathique; *fig* inaccessible (*gegen* à); *(gefühllos)* impassible, froid; *~ machen (med)* insensibiliser, anesthésier; **U~keit** *f* ‹-, ø› insensibilité, apathie; impassibilité, froideur *f.*
unendlich [ʊn'ˀɛntlɪç] *a* infini *a. math; (unermeßlich)* immense; *im U~en (math)* à l'infini; *auf ~ einstellen (opt phot)* régler à l'infini; *~ klein* infiniment petit, *math a.* infinitésimal; **U~keit** *f* ‹-, ø› infinité; immensité *f.*
unentbehrlich [--'--, 'ʊn-] *a* indispensable, de première nécessité; **U~keit** *f* besoin *m* absolu.
unentgeltlich [--'--, 'ʊn-] *a* gratuit; *adv* gratuitement, gratis, à titre gracieux; **U~keit** *f* gratuité *f.*
unenthaltsam ['ʊn-] *a* incontinent; **U~keit** *f* incontinence *f.*
unentrinnbar [--'--, 'ʊn-] *a* inévitable, inéluctable.
unentschieden ['ʊn-] *a* indécis; *(in der Schwebe)* en suspens, pendant; *(Schach)* nulle; *sport* nul; *(unentschlossen)* irrésolu; *~ spielen (sport)* faire match nul (*gegen* avec); **U~** *n sport* égalité *f* de points; **U~heit** *f* indécision; irrésolution *f.*
unentschlossen ['ʊn-] *a* irrésolu, indécis; *~ sein (a.)* hésiter, balancer, vaciller; **U~heit** *f* irrésolution, indécision *f.*
unentschuldbar [--'--, 'ʊn-] *a* inexcusable.
unentwegt [--'-, 'ʊn-] *a (unerschütterlich)* inébranlable; *(unermüdlich)* inlassable; *adv* sans cesse, sans relâche; **U~e(r)** *m, bes. pol* radical, ultra, *fam* jusqu'au-boutiste *m.*
unentwickelt ['ʊn-] *a* non (encore) développé.
unentwirrbar [--'--, 'ʊn-] *a* inextricable.
unentzifferbar [--'---, 'ʊn-] *a* indéchiffrable.
unerbittlich [--'--, 'ʊn-] *a* inexorable, inflexible; *(erbarmungslos)* impitoyable; *adv a.* sans rémission; **U~keit** *f* ‹-, ø› inexorabilité, inflexibilité *f.*
unerfahren ['ʊn-] *a* inexpérimenté (*in* dans), sans expérience; **U~heit** *f* ‹-, ø› inexpérience *f.*
unerfindlich [--'--, 'ʊn-] *a (unbegreiflich)* inconcevable, incompréhensible; *das ist mir ~* je n'y comprends rien.
unerforschlich [--'--, 'ʊn-] *a = unergründlich.*
unerfreulich ['ʊn-] *a* peu réjouissant, fâcheux; *(unangenehm)* désagréable.
unerfüll|bar [--'--, 'ʊn-] *a* irréalisable, chimérique; **~t** *a* irréalisé, non accompli.
unergiebig ['ʊn-] *a* improductif, stérile; *agr (Boden)* maigre; *(nicht lohnend)* peu profitable.
unergründlich [--'--, 'ʊn-] *a* insondable, impénétrable, inscrutable; **U~keit** *f* ‹-, ø› insondabilité, impénétrabilité *f.*
unerheblich ['ʊn-] *a* peu important, de peu d'importance *od* de consi-

dération *od* de poids, insignifiant; **U~keit** *f* peu *m* d'importance, insignifiance *f.*

'**unerhört** ['ʊn-] *a:* ~ *bleiben (Bitte)* rester sans réponse; **unerhört** *a (unglaublich)* inouï, sans nom, scandaleux; *das ist (ja)* ~~! *(a.)* c'est trop fort! c'est un monde! cela n'a pas de nom! on n'a pas idée de cela!

unerkannt ['ʊn-] *adv* sans être reconnu; incognito.

unerklär|bar [--'--, 'ʊn-] *a,* **~lich** *a* inexplicable, indéchiffrable; *(rätselhaft)* mystérieux.

unerläßlich [--'--, 'ʊn-] *a* indispensable, de rigueur.

unerlaubt ['ʊn-] *a* non autorisé, défendu, illicite; *(ungesetzlich)* illégal.

unerledigt ['ʊn-] *a* non réglé; en suspens; *(Arbeit, Rechnung)* en souffrance; *jur* en instance.

unermeßlich [--'--, 'ʊn-] *a* immense, énorme; *abus* incommensurable; **U~keit** *f* ⟨-, ø⟩ immensité *f;* abîme *m.*

unermüdlich [--'--, 'ʊn-] *a* infatigable, inlassable; **U~keit** *f* ⟨-, ø⟩ ardeur *f* infatigable *od* inlassable.

unerquicklich ['ʊn-] *a* = *unerfreulich.*

unerreich|bar [--'--, 'ʊn-] *a, a. fig* inaccessible, hors d'atteinte *od* de portée; **~t** *a fig* inégalé, sans égal, sans pareil, hors (de) pair.

unersättlich [--'--, 'ʊn-] *a, a. fig* insatiable.

unerschlossen ['ʊn-] *a* pas encore ouvert à l'accès.

unerschöpflich [--'--, 'ʊn-] *a* inépuisable, intarissable.

unerschrocken ['ʊn-] *a* intrépide, impavide; **U~heit** *f* ⟨-, ø⟩ intrépidité *f.*

unerschütterlich [--'---, 'ʊn-] *a* inébranlable *a. fig; fig* imperturbable.

unerschwinglich [--'--, 'ʊn-] *a (Ware)* hors de prix; *(Preis)* inabordable, prohibitif, exorbitant, énorme.

unersetzlich [--'--, 'ʊn-] *a* irremplaçable; *(Verlust)* irréparable, irrémédiable.

unersprießlich [--'--, 'ʊn-] *a* infructueux; *(unangenehm)* désagréable, fâcheux.

unerträglich [--'--, 'ʊn-] *a* insupportable, intolérable; *fam* assommant; *jdm* ~ *sein fam a.* assommer qn.

unerwähnt ['ʊn-] *a:* ~ *bleiben* n'être pas mentionné, être passé sous silence; *etw* ~ *lassen* ne pas mentionner qc, ne pas faire mention de qc, passer qc sous silence.

unerwartet ['ʊn-/--'--] *a* inattendu, imprévu; *(Glück)* inespéré; *adv* à l'improviste, sans dire *od* crier gare; *(zufällig)* par raccroc; *das kommt mir* ~ je ne m'y attendais pas.

unerwidert ['ʊn-] *a (Brief)* sans réponse; *(Besuch)* non rendu; *(Liebe)* non partagé.

unerwünscht ['ʊn-] *a* indésirable; *(ungelegen)* importun; *~e Person f* indésirable *m f.*

unfähig ['ʊn-] *a* incapable *(zu* de); *(ungeeignet)* inapte *(zu* à), incompétent; *(außerstande)* impuissant; *bes. jur* inhabile *(zu* à); **U~keit** *f* incapacité; inaptitude, incompétence; impuissance; *jur* inhabilité *f.*

unfair ['ʊnfɛ:r] *a* déloyal, *fam, bes. sport* irrégulier.

Unfall *m* ['ʊn-] accident *m; (Panne)* panne; *tech, bes. mar* avarie *f; bei e-m* ~ *(während e-s ~s)* dans un accident; *(im Falle e-s ~s)* en cas d'accident; *durch* ~ par accident, accidentellement; *e-n* ~ *erleiden* être victime d'un accident; ~ *auf dem Weg zur oder von der Arbeitsstätte* accident *m* de trajet; *Tod m durch* ~ mort *f* accidentelle; *tödliche(r)* ~ accident *m* mortel; **~anzeige** *f* déclaration *f* d'accident; **~bericht** *m* compte *m* rendu d'accident; **~entschädigung** *f* indemnité *f* d'accident; **~flucht** *f* délit *m* de fuite; **~kommando** *n* police-secours *f;* **~meldung** *f* = *~bericht;* **~rente** *f* rente-accident *f;* **~schutz** *m* protection *f* contre les accidents; **~station** *f* poste *m* de secours; **~statistik** *f* statistique *f* des accidents; **~verhütung** *f* prévention des accidents, prévoyance *f* contre les accidents; **~verhütungsvorschrift** *f* prescription de prévention des accidents, instruction *f* préventive aux accidents; **~versicherung** *f* assurance *f* (contre les) accidents; **~wagen** *m* voiture *f* de secours; **~ziffer** *f* nombre *m* des accidents.

unfaß|bar *a,* **~lich** [-'--, 'ʊn-] *a* inconcevable, incompréhensible.

unfehlbar [-'--, 'ʊn-] *a* immanquable; *bes. rel* infaillible; *(Mittel)* souverain; *adv a.* à coup sûr; **U~keit** *f* ⟨-, ø⟩ *rel* infaillibilité *f.*

unfein ['ʊn-] *a fig* peu délicat, sans tact; *(unhöflich)* impoli.

unfern ['ʊn-] *prp gen, adv:* ~ *von* non loin de, à peu de distance de.

unfertig ['ʊn-] *a* inachevé.

Unflat *m* ⟨-(e)s, ø⟩ ['ʊnfla:t] immondices *f pl; a. fig* ordure, saleté *f.*

Unflät|erei *f* ⟨-, -en⟩ [ʊnflɛ:tə'raı] *fig* propos *m* ordurier; *pop* cochonnerie *f;* **u~ig** ['ʊn-] *a* ordurier, sale, obscène, *pop* cochon; **~igkeit** *f* saleté, obscénité *f.*

unförm|ig ['ʊn-] *a* informe, difforme; **U~igkeit** *f* difformité; monstruosité *f;* **~lich** *a (dick, plump)* sans formes, lourd; *fig (formlos)* sans façons.

unfrankiert ['ʊn-] *a* non affranchi, en port dû.

unfrei ['ʊn-] *a* qui n'est pas libre; *hist (leibeigen)* serf; **U~heit** *f* servitude *f;* **~willig** *a* involontaire; *a. adv* malgré moi, toi *etc.*

unfreundlich ['ʊn-] *a* inamical, peu aimable, désobligeant, disgracieux; *(mürrisch)* maussade *(a. vom Wetter),* morose; *(barsch)* brusque, revêche; *(Wetter)* inclément; *jdn* ~ *behandeln* faire la tête *od* mauvaise *od* grise mine à qn; **U~keit** *f* caractère *m* peu aimable, désobligeance, mauvaise grâce; maussaderie, morosité; brusquerie; inclémence *f.*

Unfriede *m* ⟨-ns, ø⟩ ['ʊn-] discorde, dissension *f.*

unfrisiert ['ʊn-] *a* sans être coiffé; *fig (Bericht, Bilanz)* qui n'est pas camouflé *od* maquillé *od* truqué.

unfroh ['ʊn-] *a (mürrisch)* morose.

unfruchtbar ['ʊn-] *a, a. fig* infertile, infécond, stérile; *fig (fruchtlos)* infructueux; **U~keit** *f* ⟨-, ø⟩ *a. fig* infertilité, infécondité, stérilité *f;* **U~machung** *f* stérilisation *f.*

Unfug *m* ⟨-(e)s, ø⟩ ['ʊnfu:k, '-gəs] *(Streich)* mauvais tour *m,* farce *f,* excès *m; fam (Torheit)* bêtise, absurdité *f; (Unsinn)* non-sens *m;* ~ *treiben* faire des folies; *grobe(r)* ~ *(jur)* scandale *m.*

ungalant ['ʊn-] *a* peu galant; *(unhöflich)* impoli.

ungangbar ['ʊn-/-'--] *a* impraticable.

ungar ['ʊnga:r] *a (Speise)* pas assez cuit.

Ungar|(in *f)* *m* ⟨-n, -n⟩ ['ʊŋgar] Hongrois, e *m f;* **u~isch** ['ʊŋgarıʃ] *a* hongrois; *(das) U~isch(e) n* le hongrois; **~n** *n* la Hongrie.

ungastlich ['ʊn-] *a* inhospitalier.

ungeachtet ['ʊn-/--'--] *a* peu estimé, méprisé; *prp gen* malgré, en dépit de, nonobstant.

ungeahndet ['ʊn-] *a* impuni.

ungeahnt ['ʊn-/--'-] *a* insoupçonné, inopiné, inespéré.

ungebärdig ['ʊn-] *a* mutin, récalcitrant.

ungebeten ['ʊn-] *a* qui n'a pas été invité; *adv* sans être invité; ~ *erscheinen* s'inviter; *~e(r) Gast m* intrus *m.*

ungebeugt ['ʊn-] *a fig* indompté, insoumis.

ungebildet ['ʊn-] *a* inculte; sans culture *od* instruction *od* éducation; illettré; *(roh)* fruste, grossier, rude.

ungebleicht ['ʊn-] *a* non blanchi, écru.

ungeboren ['ʊn-] *a* (encore) à naître.

ungebrannt ['ʊn-] *a (Lehm)* cru; *(Kaffee)* vert.

unge|bräuchlich ['ʊn-] *a (Wort)* inusité; **~braucht** *a* inutilisé, neuf, vierge.

ungebrochen ['ʊn-] *f* ⟨-, ø⟩ *a fig* (toujours) ferme.

Ungebühr *f (Ungehörigkeit)* inconvenance *f;* **u~lich** ['ʊn-/--'--] *a (ungehörig)* inconvenant, indu, incongru; **~lichkeit** *f* inconvenance, incongruité *f.*

ungebunden ['ʊn-] *a (Buch)* non relié, broché; *(Rede)* en prose; *(frei)* (trop) libre; **U~heit** *f* ⟨-, ø⟩ liberté *f.*

ungedeckt ['ʊn-] *a* pas couvert, découvert; *mil* à découvert, sans abri; *fin* à découvert, sans couverture; *(Scheck)* sans provision.

ungedruckt ['ʊn-] *a (unveröffentlicht)* inédit.

Ungeduld ['ʊn-] *f* impatience *f; vor* ~ *brennen* brûler d'impatience; **u~ig** *a* impatient; ~~ *machen* impatienter; ~~ *werden* s'impatienter.

ungeeignet ['ʊn-] *a* impropre *(zu* à); *(Zeit)* inopportun; **U~heit** *f* impropriété; inopportunité, inadaptation *f.*

ungefähr ['ʊn-/--'-] *a (annähernd)* approximatif; *adv* approximativement, environ, autour de; *vor* ~ *eine Woche (fam) es ist so* ~ *eine Woche her* il y a environ une semaine; ~ *100 Mark (a.)* une centaine de *od* dans

les 100 marks; *von ~ (zufällig)* par hasard.
ungefähr|det ['un-/--'--] *a* u. *adv* sans danger, en (toute) sécurité; **~lich** *a (Mensch, Tier)* inoffensif; *(Sache)* anodin; *(Lage, Unternehmen)* sans danger.
ungefällig ['un-] *a (unfreundlich)* peu complaisant, désobligeant; **U~keit** *f* manque *m* de complaisance, désobligeance, mauvaise grâce *f.*
ungefärbt ['un-] *a* non teint, écru; *fig* sincère, cru; sans fard.
ungefaßt ['un-] *a (Edelstein)* non monté, non serti.
ungefedert ['un-] *a tech* non suspendu.
ungefiedert ['un-] *a* sans plumes.
ungeflügelt ['un-] *a zoo* aptère.
ungeformt ['un-] *a (Butter)* en motte.
ungefragt ['un-] *adv* sans être interrogé.
ungefüg|e ['un-] *a (unförmig)* lourd, massif; **~ig** *a (eigensinnig)* peu accomodant, peu maniable, indocile.
ungefüttert ['un-] *a (Kleidungsstück)* non doublé, sans doublure.
ungegerbt ['un-] *a* cru.
ungegliedert ['un-] *a* inarticulé.
ungehalten ['un-] *a (verärgert)* mécontent, irrité, fâché (*über* de); *~ werden* se fâcher (*über* de).
ungehärtet ['un-] *a tech* non trempé.
ungeheißen ['un-] *adv* sans en avoir l'ordre, de son propre chef.
ungeheizt ['un-] *a* non chauffé.
ungeheuchelt ['un-] *a (aufrichtig)* sincère.
ungeheuer ['un-/--'--] *a* monstrueux, formidable *a. fam (übertreibend); (gewaltig)* immense, énorme; **U~** *n* ‹-s, -› monstre *m;* **~lich** *a* monstrueux; **U~lichkeit** *f* monstruosité; énormité *f.*
ungehindert ['un-] *a* libre; *adv* sans être empêché, sans entraves, sans obstacles; *zu jdm ~en Zutritt haben* avoir libre accès à qn.
ungehobelt ['un-] *a* non raboté, brut; *fig* mal dégrossi, grossier, rude, fruste, impoli; *~e(r) Mensch m* malappris, ours mal léché, rustre *m.*
ungehörig ['un-] *a* inconvenant, incongru, mal à propos, indu; **U~keit** *f* inconvenance, incongruité *f.*
ungehorsam ['un-] *a* désobéissant (*gegen* à), indocile; *bes. mil* insubordonné, insoumis; *~ sein (a.)* désobéir; *(Kind)* ne pas écouter; **U~** *m* désobéissance, indocilité; *bes. mil* insubordination, insoumission *f.*
Ungeist ['un-] *m* esprit *m* malfaisant.
ungeklärt ['un-] *a* non éclairci, obscur; *(Tat)* inexpliqué; *(zweifelhaft)* douteux; *(in der Schwebe)* en suspens.
ungekocht ['un-] *a* non cuit; *(roh)* cru.
ungekündigt ['un-] *a: in ~er Stellung* sans avoir reçu congé.
ungekünstelt ['un-] *a* sans recherche *od* apprêt *od* affectation; *(natürlich)* naturel, naïf; *(schlicht)* simple.
ungekürzt ['un-] *a (Text, Ausgabe)* intégral.
ungeladen ['un-] *a* **1.** *(Wagen, Gewehr, el)* non chargé; **2.** *(Gast)* non invité.
ungelegen ['un-] *a* intempestif, importun, inopportun, mal venu; *(Zeit)* défavorable; indu; *adv* mal à *od* hors de propos, à contretemps; *~ kommen* incommoder, déranger (*jdm* qn); *fam* venir comme un chien dans un jeu de quilles; *das kommt mir ~* cela me dérange; **U~heit** *f: jdm ~~en machen* importuner qn, donner de l'embarras *od* causer des ennuis à qn.
ungelehr|ig ['un-] *a* qui apprend difficilement; **~t** *a* illettré, sans érudition.
ungelenk(ig) ['un-] *a* peu souple, raide; *(ungeschickt)* maladroit, gauche.
ungelernt ['un-] *a: ~e(r) Arbeiter m* ouvrier non qualifié, manœuvre, homme *m* de peine.
ungelogen ['un-] *adv* à dire vrai.
ungelöst ['un-] *a chem* en suspension; *(Frage)* non résolu, non solutionné.
Ungemach *n* ‹-(e)s, ø› ['ungəma:x] *lit (Widerwärtigkeiten)* ennuis, inconvénients *m pl,* contrariétés *f pl.*
ungemein ['un-/un-] *adv* énormément, extrêmement.
ungemessen [--'--, 'un-] *a fig (sehr groß)* sans mesure, illimité, immense.
ungemischt ['un-] *a, a. fig* sans mélange, pur.
ungemünzt ['un-] *a* non monnayé; en barres.
ungemütlich ['un-] *a* inconfortable; *fam (Wetter)* vilain; **U~keit** *f* manque *m* de confort.
ungenannt ['un-] *a* innommé, anonyme.
ungenau ['un-] *a* inexact, imprécis; **U~igkeit** *f* inexactitude, imprécision *f.*
ungeniert ['un-] *adv* sans gêne, sans façon(s); **U~heit** *f* sans-gêne *m.*
ungenießbar ['un-/--'--] *a (Speise)* immangeable; *(Getränk)* imbuvable; *fig* insipide, fastidieux, ennuyeux; *~ machen* dénaturer; **~keit** *f* caractère *m* inconsommable *od fig* insipide.
ungenügend ['un-] *a* insuffisant; *~e Zahl f* insuffisance *f* numérique.
ungenutzt ['un-] *a* inutilisé; *~~ (vorübergehen) lassen* ne pas profiter de (laisser passer sans en profiter).
ungeordnet ['un-] *a* non rangé; *a. adv* sans ordre, en désordre.
ungepflegt ['un-] *a* mal soigné, négligé.
ungeprüft ['un-] *a* non examiné, sans examen.
ungerächt ['un-] *a* non vengé, impuni.
ungerade ['un-] *a (Zahl)* impair.
ungeraten ['un-] *a (Mensch)* qui a mal tourné, dépravé.
ungerechnet ['un-] *prp acc (ohne)* non compté, sans compter; *(nicht inbegriffen)* non compris; *(außer)* à l'exception de.
ungerecht ['un-] *a* injuste, inique; **~fertigt** *a* injustifié; **U~igkeit** *f* injustice, iniquité *f.*
ungeregelt ['un-] *a (Leben)* déréglé, désordonné.
ungereimt ['un-] *a* non rimé; *fig (unsinnig, albern)* inepte, absurde, saugrenu; *~e(s) Zeug n* sottises, balivernes *f pl,* galimatias *m;* **U~heit** *f fig* ineptie, absurdité *f.*
ungern ['un-] *adv* à contre-cœur, à regret, à son corps défendant, de mauvais gré, de mauvaise grâce, avec déplaisir *od* répugnance, malgré soi; *es ~ sehen, daß ...* voir d'un mauvais œil que ...; *ich sehe es ~, daß ... (a.)* il me déplaît que *subj.*
ungerufen ['un-] *adv* sans être appelé.
ungerührt ['un-] *a fig* impassible, froid.
ungerupft ['un-] *a fig: ~ davonkommen* l'échapper belle; *nicht ~ davonkommen* y laisser des plumes.
ungesagt ['un-] *a: etw ~ lassen* passer qc sous silence.
ungesalzen ['un-] *a* non salé, sans sel.
ungesättigt ['un-] *a chem* non saturé.
ungesäuert ['un-] *a (Brot)* azyme; *Fest n der ~en Brote (rel)* Fête *f* des Azymes.
ungesäumt ['un-] **1.** *a (ohne Saum)* non ourlé.
ungesäumt ['un-/--'-] **2.** *adv (ohne Verzug)* sans tarder, sans délai.
ungeschehen ['un-] *a: das ist nicht mehr ~ zu machen* c'est irréparable.
Ungeschick *n* ‹-(e)s, ø› ['ungəʃɪk] = *~theit;* **u~lich** *a* = *u~t;* **~lichkeit** *f* = *~theit; e-e ~~ begehen* faire un pas de clerc; **u~t** *a* maladroit, inhabile, malhabile, gauche; *pop* empoté; *sich ~~ anstellen, ~~ sein (a.)* avoir la main lourde *od* de la glu aux doigts; *~~e(r) Mensch m (a.)* lourdaud *m;* **~theit** *f* maladresse, inhabileté, gaucherie *f.*
ungeschlacht ['un-] *a* lourd(aud).
ungeschlechtlich ['un-] *a biol* asexuel.
ungeschliffen ['un-] *a tech (Edelstein)* non taillé, brut; *fig* impoli, malappris, mal élevé, grossier, fruste, brutal; **U~heit** *f fig* manque *m* de forme, impolitesse, grossièreté, brutalité *f.*
ungeschmälert ['un-] *a* sans diminution, entier, intégral.
ungeschminkt ['un-] *a* non fardé; *fig* (présenté) sans fard; *adv fig* crûment; *(aufrichtig)* sincèrement.
ungeschoren ['un-] *a: jdn ~ (fig: in Ruhe) lassen* laisser qn tranquille *od* en paix.
ungeschrieben ['un-] *a (Gesetz)* coutumier.
ungeschützt ['un-] *a (gegen das Wetter)* sans abri, exposé.
ungeschwächt ['un-] *a* sans perte.
ungesehen ['un-] *adv* sans être vu.
ungesellig ['un-] *a* insociable; *(menschenscheu)* sauvage, farouche; **U~keit** *f* insociabilité; sauvagerie, humeur *f* farouche.
ungesetzlich ['un-] *a* illégal, contraire à la loi; *jur* extra-légal; *(unrechtmäßig)* illégitime; *etw für ~ erklären* déclarer qc illégal; **U~keit** *f* illégalité; illégitimité *f.*

ungesittet ['un-] *a* incivil; non civilisé, mal élevé.
ungestalt ['un-] *a (von Natur)* informe, difforme; **~et** *a (von Menschenhand)* qui n'est pas (encore) formé.
ungestärkt ['un-] *a (Wäsche)* qui n'est pas empesé *od* amidonné.
ungestielt ['un-] *a bot* acaule, sessile.
ungestillt ['un-] *a fig (Verlangen)* inassouvi, inapaisé.
ungestört ['un-] *adv a.* en paix, sans être dérangé.
ungestraft ['un-] *a* impuni; *adv* impunément.
ungestüm ['un-] *a* violent, véhément, impétueux, pétulant, turbulent, fougueux; *adv a.* à corps perdu; **U~** *n* ‹-(e)s, ø› ['ungə'ʃty:m] violence, véhémence, impétuosité, pétulance, turbulence, fougue *f.*
ungesund ['un-] *a (Umgebung)* insalubre, nocif; *(Speise, Getränk)* malsain; *fig* malsain, morbide.
ungetan ['un-] *a: nichts ~ lassen* faire de son mieux.
ungeteilt ['un-] *a* non divisé, non partagé; *jur* indivis; *(ganz)* intégral, entier.
ungetreu ['un-] *a* infidèle, déloyal.
ungetrübt ['un-] *a fig (Freude, Glück)* sans mélange, sans nuage, serein.
Ungetüm *n* ‹-(e)s, -e› ['ungəty:m] monstre *m.*
ungeübt ['un-] *a* inexercé, inexpérimenté; qui manque d'entraînement.
ungewandt ['un-] *a* maladroit, gauche.
ungewaschen ['un-] *a* non lavé.
ungewiß ['un-] *a* incertain; *(unsicher, heikel)* précaire; *(zweifelhaft)* douteux, problématique; *(zufallsbedingt)* aléatoire; *im ungewissen bleiben, sein* rester, être dans l'incertitude *od fam* le bec dans l'eau; *jdn in ungewissen lassen* laisser *od* tenir qn dans l'incertitude *od fam* le bec dans l'eau; **U~heit** *f* incertitude; précarité *f.*
Ungewitter *n* ['un-] tempête *f,* orage *m.*
ungewöhnlich ['un-] *a* inhabituel, insolite; *(außerordentlich)* extraordinaire, exceptionnel; hors du commun, hors ligne *od* classe; **U~keit** *f* ‹-, ø› caractère *m* insolite.
ungewohnt ['un-] *a* inaccoutumé; **U~heit** *f* nouveauté *f.*
ungewollt ['un-] *a* involontaire; sans intention.
ungezählt ['un-] *a fig (zahllos)* innombrable, sans nombre.
ungezähmt ['un-] *a* non apprivoisé.
Ungeziefer *n* ‹-s, ø› ['ungətsi:fər] vermine *f; pop* habitants *m pl.*
ungeziemend ['un-] *a* inconvenant, indu, malséant.
ungezogen ['un-] *a* mal élevé, malappris; *(unhöflich)* impoli; *(frech)* impertinent; *(Kind)* méchant, pas sage; **U~heit** *f* manque *m* d'éducation; mauvaises manières *f pl;* impolitesse; impertinence; méchanceté *f.*
ungezwungen ['un-] *a (zwangslos)* aisé, dégagé, désinvolte, sans gêne, sans façon; *adv a.* avec aisance, avec désinvolture; **U~heit** *f fig* aisance (des manières), désinvolture *f,* sans-gêne, sans-façon, abandon *m.*
Unglaub|e(n) *m* ['un-] incrédulité; *rel* incroyance *f;* **u~haft** *a* peu digne de foi, hors de créance, douteux; **u~lich** ['un-/un-] *a* incroyable; *(unerhört)* inouï, sans nom; *pop* raide; *das ist ja ~~! a.* c'est à n'y pas croire! **~lichkeit** *f* ‹-, ø› caractère *m* incroyable; **u~würdig** ['un-] *a* peu digne de foi; **~würdigkeit** *f* incrédibilité *f.*
ungläubig ['un-] *a allg* incrédule, sceptique; *rel* incroyant, mécréant; **U~e(r)** *m* incroyant, mécréant, infidèle *m;* **U~keit** *f* incrédulité *f,* scepticisme *m.*
ungleich ['un-] *a* inégal; *(verschieden)* différent; *(unähnlich)* dissemblable; *(nicht zs.passend)* disparate, disproportionné; **~artig** *a* de nature différente, hétérogène; **U~artigkeit** *f* hétérogénéité *f;* **~förmig** *a* inégal; irrégulier; **U~heit** *f* inégalité; disparité; dissemblance *f;* **~mäßig** *a* inégal, irrégulier, disproportionné; **U~mäßigkeit** *f* inégalité, irrégularité *f;* **~namig** *a el* dissemblable; **~seitig** *a math* scalène.
Unglimpf *m* ‹-(e)s, ø› ['unglımpf] *lit (Schimpf)* injure *f.*
Unglück *n* ‹-(e)s, -e› ['un-] *allg* malheur *m; (unglückl. Lage)* mauvaise fortune; *(Mißgeschick)* infortune, adversité, malchance; *fam* déveine, guigne *f,* guignon; *(großes ~)* désastre; *(~sfall)* accident, sinistre *m; (Not, Elend)* calamité *f; zu allem ~* pour comble de malheur; *zu meinem ~* pour mon malheur; *~ bedeuten* od *verkünden* être de mauvais augure; *~ bringen* porter malheur; *~ über jdn bringen* faire le malheur de qn; *jdn ins ~ stürzen* précipiter qn dans le malheur; *vom ~ verfolgt werden* être poursuivi par le mauvais sort; *das ist kein großes ~ (fam)* le grand malheur! *ein ~ kommt selten allein (prov)* un malheur ne vient jamais seul; **u~lich** *a allg* malheureux; *(Mensch)* infortuné, malchanceux; *(Sache)* malencontreux, funeste, désastreux; *~~ ausgehen* od *enden* finir mal; **u~licherweise** *adv* malheureusement, par malheur; **~sbote** *m* porte-malheur *m;* **u~selig** *a* malheureux; **~sfall** *m* accident, sinistre, malheur *m;* **~srabe** *m,* **~svogel** *m* oiseau *m* de mauvais augure; **~sstern** *m* mauvaise étoile *f;* **~stag** *m* jour *m* néfaste *od* funeste; **~swurm** *m fam (Pechvogel)* déveinard, guignard *m.*
Ungnade *f* ‹-, ø› ['un-] disgrâce, défaveur *f; in ~ fallen* tomber en disgrâce.
ungnädig ['un-] *a* peu bienveillant, défavorable; *adv a.* de mauvaise grâce; *jdn ~ empfangen (fam a.)* recevoir qn comme un chien dans un jeu de quilles.
ungrade ['un-] *a = ungerade.*
ungültig ['un-] *a (Geld)* non valable; *(Paß)* périmé; *(Stimmzettel)* blanc; *a. sport* nul; *jur* invalide; *für ~ erklären* déclarer nul, annuler; *bes. jur* invalider, infirmer, casser; *~ werden (nach Ablauf e-r Frist)* expirer, arriver à expiration; *(durch Verjährung)* se périmer; *~e Stimme f (parl)* vote *m* en blanc; **U~keit** *f* ‹-, ø› nullité; *bes. jur* invalidité *f;* **U~keitserklärung** *f* déclaration de nullité, annulation; *jur* invalidation *f.*
Ungunst ['un-] *f* défaveur *f; zu meinem ~en* à mon désavantage; *durch die ~ der Verhältnisse* par des circonstances défavorables.
ungünstig ['un-] *a* défavorable; *(nachteilig)* désavantageux; *(Wind)* contraire.
ungut ['un-] *a: ich habe ein ~es Gefühl dabei* cela ne me dit rien qui vaille; *nichts für ~!* (soit dit) sans vous offenser! *fam* sans rancune!
unhaltbar ['un-/-'--] *a sport (Ball)* imparable; *mil (Stellung)* intenable; *fig (Behauptung)* insoutenable.
unhandlich ['un-] *a* peu maniable, incommode.
unharmonisch ['un-] *a* inharmonieux, discordant.
Unheil ['un-] *n* mal(heur) *m,* calamité *f,* désastre *m; ~ anrichten* od *stiften* causer des malheurs, faire un malheur; **u~bar** ['un-/un-] *a med* incurable, inguérissable; *fig* irréparable, irrémédiable, sans remède; **~barkeit** *f med* incurabilité *f;* **u~bringend** *a* qui porte malheur, fatal, funeste; **u~schwanger** *a* gros de malheurs; **~stifter** *m* fauteur *m* de malheur; **u~verkündend** *a* de mauvais augure, sinistre; **u~voll** *a* calamiteux, funeste, sinistre.
unheimlich ['un-] *a (düster, grausig)* macabre, lugubre, funèbre; *(beängstigend)* inquiétant; *adv fam (übertreibend)* énormément.
unhöflich ['un-] *a* impoli, incivil, discourtois; **U~keit** *f* impolitesse, incivilité *f.*
unhold ['un-] *a (feindselig)* malveillant; **U~** *m* ‹-(e)s, -e› ['unhɔlt, '-də] *(Geist)* esprit malin, démon; *(Mensch)* monstre *m.*
unhygienisch ['un-] *a* peu hygiénique, insalubre.
uni [y'ni:] *(einfarbig)* uni.
Uni *f* ['uni, 'u:ni] *(pop = Universität)* université *f.*
Uniform *f* ‹-, -en› [uni'fɔrm] *mil* uniforme *m,* tenue *f; in ~* en uniforme; *in großer ~* en grande tenue; *~ tragen* porter l'uniforme; **u~ieren** [-'mi:rən] *tr (vereinheitlichen)* uniformiser; **~ierung** *f* uniformisation *f.*
Unikum *n* ‹-s, -s/-ka› ['u:nıkum, -ka] *(Sache)* chose *f* unique; *(einziges Exemplar)* exemplaire unique; *fam (komischer Kauz)* original *m.*
uninteress|ant ['un-] *a* peu intéressant, sans intérêt; **~iert** *a: ~~ sein* ne montrer aucun intérêt; **U~iertheit** *f* ‹-, ø› manque *m* d'intérêt.
Union *f* ‹-, -en› [uni'o:n] *f* union *f.*
Unitar|ier *m* ‹-s, -› [uni'ta:riər] *rel* unitarien *m;* **u~isch** [-'ta:rıʃ] *a pol* unitaire; **~ismus** *m* ‹-, ø› [-ta'rısmus] *rel pol* unitarisme *m.*
universal [univɛr'za:l] *a* universel; **U~erbe** *m* héritier *od* légataire *m* universel; **U~gelenk** *n tech* accou-

plement *m* universel; **U~genie** *n* génie *m* universel; **U~mittel** *n (Allheilmittel)* remède *m* universel, panacée *f;* **U~zange** *f* pince *f* plate réglable.

Universität *f* ‹-, -en› [univɛrzi'tɛ:t] université *f; die ~en (a.)* l'enseignement *m* supérieur; *auf der ~* à l'université; **~sbibliothek** *f,* **~sbuchhandlung** *f* bibliothèque, librairie *f* universitaire; **~sdiener** *m* appariteur *m;* **~sklinik** *f* centre *m* hospitalo-universitaire (*Abk:* C.H.U.) **~sprofessor** *m* professeur *m* de faculté *od* de l'enseignement supérieur; **~sstadt** *f* ville *f* universitaire.

Universum *n* ‹-s, ø› [uni'vɛrzum] *(Weltall)* univers *m.*

Unke *f* ‹-, -n› ['uŋkə] *zoo* crapaud *m;* **u~n** *itr fam* prédire des malheurs.

unkenntlich ['un-] *a* méconnaissable; *~~ machen* déguiser, camoufler; **U~lichkeit** *f* ‹-, ø› : *bis zur ~~ entstellen* défigurer au point d'être méconnaissable; **U~nis** *f* ‹-, ø› ignorance *f; ~~ des Gesetzes* ignorance *f* de la loi; *~~ des Gesetzes schützt nicht vor Strafe* nul n'est censé ignorer la loi.

unkeusch ['un-] *a* pas chaste, incontinent; *(unzüchtig)* impudique, impur, luxurieux; **U~heit** *f* incontinence; impudicité, impureté, luxure *f.*

unkindlich ['un-] *a* pas comme un enfant; *(frühreif)* précoce.

unklar ['un-] *a (Flüssigkeit; a. fig)* trouble; *(Luft; a. fig)* brumeux, nébuleux; *fig* pas clair; *(undeutlich)* indistinct; *(dunkel)* obscur; *(verworren)* confus, embrouillé; *(zweideutig)* ambigu, (prêtant à l')équivoque; *jdn im ~en lassen* laisser qn dans l'incertitude *od* dans le doute *od* dans l'ombre; *~ (mehrdeutig) sein* prêter à l'équivoque; *darüber bin ich im ~en* je ne (le) sais pas bien; **U~heit** *f* manque *m* de clarté; nébulosité; obscurité; confusion; ambiguïté *f.*

unklug ['un-] *a* imprudent, déraisonnable; *(politisch ~)* impolitique.

unkompliziert ['un-] *a* peu compliqué.

unkontrollierbar ['un-/---'--] *a* incontrôlable.

unkörperlich ['un-] *a* incorporel, immatériel, spirituel.

Unkosten ['un-] *pl* frais, *bes. jur* dépens *m pl; (Auslagen)* dépenses *f pl,* débours *m pl; jdm s-e ~ erstatten* od *vergüten* rembourser ses frais à qn, couvrir qn de ses frais; *~ machen* od *verursachen* faire *od* occasionner des frais; *sich in ~ stürzen* se mettre en frais *od* en dépenses; *fam* mettre les petits plats dans les grands; *allgemeine, laufende ~* frais *m pl* généraux, fixes.

Unkraut *n* ['un-] mauvaise herbe; *poet* ivraie *f; ~ verdirbt nicht (prov)* mauvaise herbe croît toujours; **~bekämpfung** *f* désherbage *m;* **~vernichtungsmittel** *n* désherbant, herbicide *m.*

unkultiviert ['un-] *a* pas cultivé, inculte; **U~ur** *f* ‹-, ø› manque *m* de culture, barbarie *f.*

unkündbar ['un-/-'--] *a (Stellung)* permanent; *(Vertrag)* qui ne peut (pas) être dénoncé; *(Rente)* perpétuel; *(Anleihe)* irremboursable; *(Schuld)* consolidé.

unkundig ['un-] *a: e-r S ~ sein* ne pas savoir (faire) qc.

unkünstlerisch ['un-] *a* peu artistique.

unlängst ['un-] *adv* naguère, dernièrement, récemment, il y a peu.

unlauter ['un-] *a: ~e(r) Wettbewerb m* concurrence *f* déloyale *od* illicite.

unleidlich ['un-] *a* insupportable, désagréable, fâcheux.

unleserlich ['un-/-'---] *a* illisible, indéchiffrable.

unleugbar ['un-/-'--] *a* indéniable; *(unwiderlegbar)* irréfutable; *(offenbar)* évident.

unlieb ['un-] *a: das ist mir nicht ~* je n'en suis pas fâché; **~sam** *a* désagréable, déplaisant, fâcheux.

unlogisch ['un-] *a* illogique.

unlösbar [-'--, 'un-] *a (Frage, Rätsel)* insoluble; *~~e Aufgabe (a.)* quadrature *f* du cercle; **~lich** *a chem* insoluble.

Unlust *f* ‹-, ø› ['un-] déplaisir; *(Mißbehagen)* malaise; *(Überdruß)* ennui, dégoût *m; (Abneigung)* aversion, répugnance *f; mit ~ = u~ig (adv);* **~gefühl** *n* malaise *m;* **u~ig** *a* maussade, morose; *adv (ungern)* de mauvaise grâce, à contrecœur.

unmanierlich ['un-] *a* qui n'a pas de bonnes manières; *adv* sans façon(s).

unmännlich ['un-] *a* peu viril; *(weibisch)* efféminé; *(e-s Mannes unwürdig)* indigne d'un homme; *(feige)* lâche.

Unmasse *f* ['un-] masse *od* quantité *f od* nombre *m* enorme (*von* od *an* de).

unmaßgeblich ['un-/-'ge:plɪç] *a (Urteil)* incompétent; *nach meiner ~en Meinung* à mon humble avis *od* opinion.

unmäßig ['un-] *a (maßlos)* immodéré; démesuré, excessif; *(im Genuß* intempérant; **U~keit** *f* immodération; démesure, intempérance *f; (einzelne)* excès *m.*

Unmenge *f* ['un-] = *Unmasse.*

Unmensch *m* ['un-] *(Rohling)* brute *f; (Scheusal)* monstre; *(Barbar)* barbare *m;* **u~lich** *a* inhumain, dénaturé; brutal; monstrueux; barbare; **~lichkeit** *f* inhumanité; brutalité, monstruosité; barbarie *f.*

unmerklich [-'--, 'un-] *a* imperceptible, insensible.

unmißverständlich ['un-/-'ʃtɛntlɪç] *a* qui ne laisse pas le moindre doute; catégorique.

unmittelbar ['un-] *a* immédiat, direct; *~ bevorstehend* imminent; **U~keit** *f* caractère *m* immédiat.

unmodern ['un-] *a* démodé, passé de mode; *~ werden* se démoder, passer de mode.

unmöglich ['un-/-'--] *a* impossible; *es jdm ~ machen zu ...* mettre qn hors d'état de ...; *U~es verlangen (a.)* demander la lune; *das kann ich ~ machen* il m'est impossible de le faire; *das ist ~ (a.)* il n'y pas moyen; *man kann von niemendem etw U~es verlangen* à l'impossible nul n'est tenu; *absolut ~ (a.)* de toute impossibilité; *faktisch ~* matériellement impossible; **U~keit** *f* impossibilité *f; das ist ein Ding der ~~* c'est une chose impossible *od* infaisable.

unmoralisch ['un-] *a* immoral.

unmotiviert ['un-] *a* immotivé, sans motif.

unmündig ['un-] *a* mineur; **U~keit** *f* ‹-, ø› minorité *f.*

unmusikalisch ['un-] *a* qui n'est pas musicien, qui n'a pas le sens de la musique.

Unmut *m* ‹-(e)s, ø› ['un-] mauvaise humeur; *(mürrisches Wesen)* maussaderie, morosité *f;* **u~ig** *a* de mauvaise humeur, renfrogné; maussade, morose.

unnachahmlich ['un-] *a* inimitable, indécalquable; **~giebig** *a* inflexible, intransigeant; rigide; **U~giebigkeit** *f* inflexibilité, intransigeance, rigidité *f;* **~sichtig** *a u. adv* sans indulgence, sans rémission, rigoureux (-sement); *(streng)* sévère(ment); **U~sichtigkeit** *f* rigorisme *m;* sévérité *f.*

unnahbar ['un-] *a* inaccessible, inabordable; **U~keit** *f* inaccessibilité *f;* caractère *m* inapprochable.

Unnatur *f* ‹-, ø› ['un-] caractère *m* dénaturé.

unnatürlich ['un-] *a* peu naturel, dénaturé; *(gezwungen)* forcé, contrait; *(geziert)* affecté, guindé; *(Sprache, Stil a.)* apprêté; **U~keit** *f* manque *m* de naturel.

unnormal ['un-] *a* anormal.

unnötig ['un-] *a* inutile; *(überflüssig)* superflu; **~erweise** *adv* inutilement, sans nécessité.

unnütz ['un-] *a* inutile, qui ne sert à rien; *(nutzlos)* infructueux, vain; *(überflüssig)* superflu.

unordentlich ['un-] *a (Mensch)* désordonné, négligent; *(in der Kleidung)* débraillé; *(Sache)* en désordre; *~~ sein (a.)* manquer d'ordre; **U~nung** *f* désordre, dérangement, dérèglement *m; (Durchea.)* confusion *f,* trouble, désarroi; *fam* remue-ménage *m,* pagaille *f; in ~~* en désordre, en désarroi; *in ~~ bringen* mettre en désordre, déranger, dérégler; troubler; *(d. Haare)* décoiffer; *(Maschine)* détraquer; *in ~~ geraten* se déranger, se dérégler, se troubler; se décoiffer; se détraquer.

unorganisch ['un-] *a* mal organisé; disparate.

unpaar ['un-] *a (ungerade)* impair; **~ig** *a (Zahl, anat)* impair.

unparteiisch ['un-] *a* impartial; *(unbeteiligt)* désintéressé; *adv a.* sans parti pris; *~~ sein (a.)* tenir la balance égale; **~lich** *a* = *~isch;* **U~lichkeit** *f* ‹-, ø› impartialité *f;* désintéressement *m.*

unpassend ['un-] *a* impropre, mal choisi; *(ungelegen)* inopportun; *(unangebracht)* déplacé; mal à *od* hors de propos, hors de saison; *(ungehörig)* inconvenant, incongru; *(taktlos)*

indiscret; ~ *(fehl am Platz) sein* manquer d'à-propos.
unpassierbar ['ʊn-/--'--] *a (Weg)* impraticable.
unpäßlich ['ʊn-] *a* souffrant, incommodé, indisposé; **U~keit** *f* indisposition *f.*
unpersönlich ['ʊn-] *a* impersonnel.
unpfändbar ['ʊn-] *a jur* insaisissable.
unpoliert ['ʊn-] *a* non poli.
unpolitisch ['ʊn-] *a* apolitique; *(unklug)* impolitique; *~e Haltung f* apolitisme *m.*
unpopulär ['ʊn-] *a* impopulaire.
unpraktisch ['ʊn-] *a* peu pratique; *(ungeschickt)* maladroit.
unproduktiv ['ʊn-] *a* improductif.
unpünktlich ['ʊn-] *a* non ponctuel, inexact; **U~keit** *f* inexactitude *f.*
unqualifizierbar [----'-- 'ʊn-] *a* inqualifiable.
unrasiert ['ʊn-] *a* non rasé.
Unrast *f* ‹-, ø› ['ʊnrast] agitation (fébrile); *(innere)* inquiétude *f,* trouble *m.*
Unrat *m* ‹-(e)s, ø› ['ʊnra:t] ordures, immondices *f pl.*
unrationell ['ʊn-] *a* peu efficace *od* productif.
unratsam ['ʊn-] *a* à déconseiller, inopportun.
unrecht ['ʊn-] *a (falsch)* faux; *adv* mal (à propos); *am ~en Ort, zur ~en Zeit* mal à propos; *jdm ~ geben* donner tort à qn; *an den U~en geraten* od *kommen* se tromper d'adresse, frapper à la mauvaise porte; *in ~e Hände geraten* tomber en de mauvaises mains; *~ haben* avoir tort; *zur ~en Zeit kommen (a.)* mal tomber; *jdm ~ tun* faire tort à qn; **U~** *n* ‹-(e)s, ø› tort *m,* injustice *f; mit* od *zu ~~* à tort; *nicht zu ~~* non sans raison; *im ~~ sein* avoir tort, être dans son tort; *jdn, sich ins ~~ setzen* mettre qn, se mettre dans son tort; *besser ~~ leiden als ~~ tun (prov)* il vaut mieux souffrir l'injustice que la commettre; **~mäßig** *a* illégal, illégitime; **U~mäßigkeit** *f* illégalité, illégitimité *f.*
unredlich ['ʊn-] *a* malhonnête, déloyal; **U~keit** *f* malhonnêté, déloyauté, improbité *f.*
unreell ['ʊn-] *a fam (Kaufmann)* véreux.
unregelmäßig ['ʊn-] *a* irrégulier; *(Leben)* désordonné, déréglé; *med (~ auftretend)* erratique; **U~keit** *f* irrégularité *f;* désordre, dérèglement *m.*
unreif ['ʊn-] *a allg* pas mûr *a. fig; (Frucht)* vert; *(Getreide)* en herbe; *fig* trop jeune; *(unentwickelt)* impubère; **U~e** *f* immaturité *a. fig;* impuberté *f.*
unrein ['ʊn-] *a* impur *a. fig,* malpropre; *ins ~e schreiben* écrire au brouillon; *~ gedruckt (typ)* boueux; **U~heit** *f* impureté *a. fig,* malpropreté *f;* **~lich** *a* malpropre, sale; **U~lichkeit** *f* malpropreté, saleté *f.*
unrentabel ['ʊn-] *a* non rentable, d'un mauvais rendement (économique).
unrettbar [-'--, 'ʊn-] *a: ~ verloren* perdu sans remède *od* sans ressource.
unrichtig ['ʊn-] *a* incorrect, inexact, faux; *(irrig)* erroné.
Unruh *f* ‹-, -en› ['ʊn-] *(der Uhr)* balancier *m;* **~e** *f (Bewegung)* agitation *f,* mouvement; *(Lärm)* bruit, tapage *m; (innere ~~, Angst)* inquiétude, anxiété; nervosité, fièvre *f; a. = ~; pl pol (Aufruhr)* désordres, troubles *m pl,* émeutes *f pl;* **~eherd** *m pol* foyer *m* de troubles *od* d'agitation; **~(e)stifter** *m* fauteur *od* excitateur de désordre *od* de troubles, boutefeu *m;* **u~ig** *a (bewegt)* mouvementé; *(See)* agité, houleux; *(Volksmenge)* turbulent, agité; *(lärmend)* bruyant, tapageur; *(erregt)* inquiet (*über, wegen* de); nerveux, fiévreux.
unrühmlich ['ʊn-] *a* peu glorieux, sans gloire.
uns [ʊns] *pron (mit v verbunden: acc u. dat, unverbunden: acc)* nous; *(unverbunden: dat)* à nous; *von ~ (unsererseits)* de notre part; *du gehörst zu ~* tu es des nôtres; *ein Freund von ~* un de nos amis.
unsach|gemäß ['ʊn-] *a* impropre, incorrect; **~lich** *a* subjectif.
unsagbar ['ʊn-] *a,* **unsäglich** ['ʊn-] *a* indicible, ineffable, inexprimable.
unsanft ['ʊn-] *a* rude, brusque, brutal; *adv* sans douceur.
unsauber ['ʊn-] *a* malpropre, sale; **U~keit** *f* malpropreté, saleté *f.*
unschädlich ['ʊn-] *a* inoffensif, anodin; *~ machen* mettre hors d'état de nuire, neutraliser; **U~keit** *f* innocuité *f,* caractère *m* inoffensif.
unscharf ['ʊn-] *a (Bild, Tonwiedergabe)* brouillé; *phot* flou; *~ drucken* od *stechen (typ)* bavocher; **Unschärfe** *f phot* flou *m.*
unschätzbar ['ʊn-/-'--] *a* inestimable, inappréciable, sans prix.
unscheinbar ['ʊn-] *a* effacé, simple.
unschicklich ['ʊn-] *a* inconvenant, malséant, indécent; **U~keit** *f* inconvenance, malséance, indécence *f.*
unschlagbar ['ʊn-/-'--] *a* imbattable *fam.*
Unschlitt *n* ‹-(e)s, -e› ['ʊnʃlɪt] *(Talg)* suif *m.*
unschlüssig ['ʊn-] *a (unentschlossen)* irrésolu, indécis; *(schwankend)* hésitant, vacillant; *~ sein (a.)* hésiter, vaciller; **U~keit** *f* ‹-, ø› irrésolution, indécision; hésitation, vacillation *f.*
unschön ['ʊn-] *a* pas beau, déplaisant.
Unschuld *f* ‹-, ø› ['ʊn-] innocence; *jur* non-culpabilité; *(Reinheit)* pureté, candeur; *(Jungfräulichkeit)* virginité; *(Naive)* ingénue, innocente *f; s-e ~ beteuern* protester de son innocence; *jur* plaider non coupable; *s-e ~ beweisen (a.)* s'innocenter; *s-e Hände in ~ waschen* s'en laver les mains; *~ vom Lande* bécassine *f;* **u~ig** *a* innocent (*an* de); *jur* non coupable; *(rein)* pur, candide; *(jungfräulich)* vierge; *(harmlos)* inoffensif, anodin.
unschwer ['ʊn-] *adv* sans difficulté, facilement, aisément.
Unsegen ['ʊn-] *m (Fluch)* malédiction; *(Mißgeschick)* malchance *f.*
unselbständig ['ʊn-] *a* dépendant; *(in d. Arbeit)* qui ne sait pas travailler seul; **U~keit** *f* dépendance *f.*
unselig ['ʊn-] *a* funeste, néfaste, fatal, désastreux.
uns|er ['ʊnzər-] *pron (possessiv)* notre; *pl* nos; *(gen des persönl. pron, lit)* de nous; *wir waren ~~ drei* nous étions trois; *der Hund ist ~~* le chien est à nous; **~ereiner** *pron,* **~ereins** *pron* nous autres; **U~(e)rige,** *der, die, das* le, la nôtre; *das U~er(ig)e (unser Besitz)* ce qui est à nous; *die U~er(ig)en* les nôtres; *wir tun das U~er(ig)e* nous faisons notre devoir *od* notre possible; **~er(er)seits** *adv* de notre côté *od* part; **~er(e)sgleichen** *pron* nos pareils, nos semblables; **~erthalben** *adv,* **~ertwegen** *adv, um* **~ertwillen** *adv* à cause de nous, pour nous.
unsicher ['ʊn-] *a (unzuverlässig)* peu sûr; *(ungewiß)* incertain; *(zufallsbedingt)* aléatoire; *(zweifelhaft)* douteux, hypothétique; *(gefährlich)* précaire; périlleux; *(zaghaft)* mal assuré; *sich ~ fühlen* être mal assuré; *~ machen (Menschen)* troubler; *(Ort)* infester; **U~heit** *f (Unzuverlässigkeit)* manque *m* de sûreté *od* de sécurité; *(Ungewißheit)* incertitude; *(Gefährlichkeit)* précarité *f; (Zaghaftigkeit)* manque *m* d'assurance.
unsicht|bar ['ʊn-] *a* invisible; *~~ werden (astr, a. fig)* s'éclipser; *~~e Tinte f* encre *f* sympathique; **U~barkeit** *f* ‹-, ø› invisibilité *f;* **~ig** *a (Luft)* brumeux.
Unsinn *m* ‹-(e)s, ø› ['ʊn-] non-sens *m,* déraison; insanité, ineptie, absurdité *f; ~ reden* déraisonner, radoter; *das ist (doch) ~* c'est absurde, cela n'a pas de sens; *das ist völliger ~* c'est pure folie; *~! (fam)* à d'autres! ça n'existe pas! idiotie! *alles ~!* balivernes que tout cela! **u~ig** *a* insensé, déraisonnable, inepte, absurde, fou; **~igkeit** *f* déraison, absurdité, folie *f;* **u~lich** *a* immatériel; spirituel; *(Liebe)* platonique.
Unsitt|e *f* ['ʊn-] mauvaise habitude *f;* **u~lich** *a* contraire aux mœurs, immoral, indécent, impudique; **~lichkeit** *f* immoralité, indécence, impudicité *f.*
unsolid(e) ['ʊn-] *a (Mensch, bes. Frau)* pas sérieux, léger; *(ausschweifend)* débauché; *(Lebensweise)* déréglé.
unsozial ['ʊn-] *a* peu social.
unsportlich ['ʊn-] *a* peu sportif.
unstarr ['ʊn-] *a aero (Luftschiff)* non rigide, souple, flasque.
unstatthaft ['ʊn-] *a* inadmissible; *(ungesetzlich)* illégal, illicite.
unsterblich ['ʊn-/-'--] *a* immortel; *(sich) ~ machen* (s')immortaliser; **U~keit** *f* immortalité *f.*
Unstern *m* ‹-(e)s, ø› ['ʊn-] mauvaise étoile *f.*
unstet ['ʊn-] *a* instable, inconstant; *(wandelbar)* mobile, changeant, variable, versatile; *(umherziehend)* errant, vagabond, nomade; *(Blick)*

fuyant; *ein ~es Leben führen* mener une vie errante *od* ambulante, vagabonder; **~ig** *a math* discontinu; **U~igkeit** *f* ‹-, ø› instabilité, inconstance; mobilité, variabilité; versatilité; humeur vagabonde; *math, a. mete* discontinuité *f.*
unstillbar [-'--, 'un-] *a (Durst)* inextinguible; *allg* inapaisable.
unstimmig ['un-] *a* discordant, en désaccord; **U~keit** *f* discordance *f,* désaccord *m,* mésentente, dissension *f.*
unsträflich ['un-/-'--] *a (tadellos)* irréprochable.
unstreitig ['un-/-'--] *a* incontestable, indubitable; *adv a.* sans contredit.
Unsumme *f* ['un-] somme *f* énorme.
unsym|metrisch ['un-] *a* asymétrique; **~pathisch** *a* peu sympathique, antipathique; *er ist mir ~~* j'ai de l'antipathie *od* de l'aversion pour *od* contre lui, je l'ai en aversion.
unsystematisch ['un-] *a* non systématique; *adv* sans système.
untad(e)lig ['un-, -'-(-)-] *a* irréprochable, sans reproche, irrépréhensible; *(a. von Sachen)* impeccable.
Untat ['un-] *f* méfait; *(schwere)* forfait *m.*
untätig ['un-] *a* inactif, passif; *(ohne Beschäftigung)* désœuvré, sans occupation; *(müßig)* oisif; **U~keit** *f* ‹-, ø› inactivité, passivité; *(zeitweilige)* inaction *f,* désœuvrement *m; (Müßiggang)* oisiveté *f.*
untauglich ['un-] *a* inapte *a. mil,* impropre *(zu* à); *(unfähig)* incapable *(zu* de); **U~keit** *f* ‹-, ø› inaptitude *a. mil,* impropriété *(zu* à); incapacité *f (zu* de).
unteilbar ['un-, -'--] *a* indivisible; **U~keit** *f* ‹-, ø› indivisibilité *f.*
unten ['untən] *adv* (en) dessous, au-dessous; en bas *(an* de); *~ in* au fond de; *da ~* là-bas; *hier ~* ici en-bas; *nach ~* en bas, vers le bas; *von ~ (her)* de dessous, d'en bas; *von oben bis ~* du haut en bas; *(völlig)* de fond en comble; *weiter ~* plus bas; *~ (hin)durch* par-dessous; *nach ~ abrunden* arrondir en moins; *~ durch sein (fig fam)* être coulé; *siehe ~!* voir ci-dessous *od* plus bas.
unter ['untər] *prp (örtl.)* sous; *(~halb)* au-dessous de; *(zeitl.)* sous, pendant; *(bei)* à; *(zwischen)* entre; *(inmitten)* parmi, au milieu de; *(weniger als)* moins de; *~ anderem* entre autres (choses); *~ großen Anstrengungen* au prix de grands efforts; *~ der Hand (in Arbeit)* sur le métier; *~ dem Jubel der Menge* aux acclamations de la foule; *nicht ~ 100 Mark* pas à moins de cent marks; *~ Null (Temperatur)* au-dessous de zéro; *~ sich* en famille; *~ diesen Umständen* dans ces circonstances; *~ uns (gesagt)* (soit dit) entre nous, de vous à moi; *das ist ~ meiner Würde* c'est indigne *od* au-dessous de moi; *was verstehen Sie ~ ...?* qu'est-ce que vous comprenez par ...?
Unterabteilung *f* ['untər-] subdivision, branche *f.*
Unterarm *m* ['untər-] avant-bras *m.*
Unterart *f* ['untər-] *bot zoo* sous-espèce, variété *f.*
Unterarzt *m* ['untər-] *mil* médecin *m* auxiliaire.
Unterausschuß *m* ['untər-] *pol adm* sous-commission *f,* sous-comité *m.*
Unterbau *m* ['untər-] *arch* fondement , soubassement, sous-œuvre *m; (Straße, loc)* infrastructure *f; loc* terrassement; *fig* fondement *m;* **u~en** ‹*hat unterbaut*› *tr, bes. mines (abstützen), a. fig* étayer *(mit* de); *fig (Theorie)* appuyer.
unterbelegt ['untər-] *a (Wohnung)* insuffisamment occupé.
unterbelicht|et ['untər-] *a phot* sous-exposé; **U~ung** *f* ['untər-] *phot* sous-exposition *f.*
Unterbeschäftigung *f* ['untər-] sous-emploi *m.*
Unterbett *n* ['untər-] lit *m* de dessous.
unterbewert|en ['untər-] ‹*hat unterbewertet*› *tr* sous-évaluer, sous-estimer; **U~ung** *f* sous-évaluation, sous-estimation *f.*
unterbewußt ['untər-] *a psych* subconscient; *das U~e* le subconscient; **U~sein** *n* subconscience *f.*
unterbieten ‹*hat unterboten*› *tr: jdn ~* vendre moins cher que qn; *(Rekord)* battre; *nicht zu ~(d) (Preis)* imbattable.
Unterbilanz *f* ['untər-] *com* bilan déficitaire, déficit *m.*
unterbind|en ‹*hat unterbunden*› *tr med (Ader)* ligaturer; *fig* arrêter, entraver, faire cesser; **U~ung** *f med* ligature *f; fig* arrêt *m.*
unterbleiben *itr* ‹*ist unterblieben*› *(nicht stattfinden)* n'avoir pas lieu; *(nicht wieder vorkommen)* ne plus se reproduire.
unterbrech|en *tr* ‹*hat unterbrochen*› interrompre *a. el; (aussetzen mit)* discontinuer; *(einstellen)* suspendre; *jdn (in der Rede)* couper la parole à qn; *el* couper; **U~er** *m tech* trembleur; *mot* rupteur, *(selbsttätiger)* disjoncteur; *el* interrupteur, coupe-circuit *m;* **U~ung** *f* interruption *a. el;* discontinuation; suspension; *el* coupure *a. tele,* rupture *f; mit ~~en* par intervalles, à bâtons rompus; *ohne ~~* sans repos, sans relâche, sans discontinuer; tout d'une pièce; *~~ des Blutkreislaufs* interruption *f* circulatoire; **U~ungspunkte** *m pl gram* points *m pl* de suspension; **U~ungsstelle** *f el* point *m* d'interruption.
unterbreit|en *tr* ‹*hat unterbreitet*› *(vorlegen)* soumettre, présenter; *jdm etw ~~* soumettre qc à qn, donner qc à étudier à qn; **U~ung** *f* mise *f* à l'étude.
unter=bring|en ['untər-] ‹*hat untergebracht*› *tr (in e-r Wohnung, e-m Hotel)* loger, héberger; *mil (Truppen)* stationner, cantonner; *(Sachen: verstauen)* caser; *(Waren: lagern)* stocker; *(jdn in e-r Stellung)* établir, *fam* caser *(a. Tochter);* **U~ung** *f* logement, hébergement; stationnement, cantonnement; stockage *m;* vente *f;* placement, investissement; établissement *m;* **U~ungsmöglichkeit** *f* possibilité *f* d'hébergement.
Unterdeck *n* ['untər-] *mar* premier pont *m.*
unterderhand [---'-] *adv (heimlich)* en sous-main, sous le manteau, en cachette.
unterdes(sen) [-'dɛs(ən)] *adv* pendant ce temps(-là), entre-temps, en attendant; *(nur in der Vergangenheit)* sur ces entrefaites.
Unterdruck *m* ‹-(e)s, ⸚e› ['untər-] *phys tech* pression *f* diminuée *od* insuffisante; **~förderer** *m tech* élévateur *m* (d'essence) à vide; **~förderung** *f* alimentation *f* par le vide; **~kammer** *f tech* chambre *f* à vide; **~messer** *m* vacuomètre *m.*
unterdrück|en *tr* ‹*hat unterdrückt*› *(Menschen)* opprimer; *(Aufstand)* réprimer, étouffer; *(Gefühl)* réprimer; *(Seufzer)* étouffer; *(Tränen)* retenir; **U~er** *m* oppresseur *m;* **U~ung** *f* oppression; répression *f,* étouffement *m.*
untere(r, s) ['untərə-] *a* bas, inférieur; d'en bas, de dessous; *die ~n Klassen f pl (Schule)* les classes *f pl* élémentaires.
untereinander [---'--] *adv* entre nous *etc;* mutuellement, réciproquement.
unterentwick|elt ['untər-] *a* sous-développé; *(zurückgeblieben)* arriéré; **U~lung** *f* sous-développement *m.*
unterernähr|t ['untər-] *a* sous-alimenté; **U~ung** *f* ‹-, ø› sous-alimentation, dénutrition; *scient* hypotrophie *f.*
unterfangen ‹*hat unterfangen*›: *sich ~, etw zu tun* oser faire qc, avoir l'audace de faire qc; **U~** *n* ‹-s, ø› entreprise *f* audacieuse *od* hasardeuse.
unter=fassen ['untər-] ‹*hat untergefaßt*› *tr fam* prendre le bras de; *sich ~~* se donner le bras; *untergefaßt gehen* aller bras dessus, bras dessous.
unterfertig|en ‹*hat unterfertigt*› *tr (unterschreiben)* signer; **U~te(r)** *m* soussigné *m.*
Unterfeuerung *f* [--'---] *tech* foyer *m* inférieur.
Unterflurmotor *m* [--'---] moteur *m* sous le plancher.
Unterfranken *n* ['untər-] la Basse-Franconie.
Unterführ|er *m* ['untər-] sous-chef *m;* **~ung** *f* passage inférieur; *(im Bahnhof)* passage *m* souterrain.
Untergang *m* ‹-(e)s, (⸚e)› ['untər-] *(e-s Gestirns)* coucher; *mar* naufrage *m,* perte; *fig* chute, ruine; *(der Welt)* fin *f; dem* od *s-m ~ entgegengehen* aller *od* courir à sa ruine *od* à sa perte, être sur le penchant de sa ruine.
Untergärung *f* ['untər-] *(Bier)* fermentation basse.
Untergebene(r) *m* [--'---] inférieur, subordonné, subalterne *m.*
unter=gehen ['untər-] ‹*ist untergegangen*› *itr (Gestirn)* se coucher; *mar* couler (bas); être englouti *od* submergé; *fig* périr, se ruiner; *(im Lärm)* se perdre; *die ~de Sonne* le soleil couchant.

untergeordnet ['untər-] *a* subordonné, subalterne, inférieur; *von ~er Bedeutung (a.)* de moindre importance; *in ~er Stellung (a.)* en sous-ordre; *jdm ~ sein (a.)* être sous la puissance *od fam* sous la coupe de qn.

Untergeschoß *n* ['untər-] *arch* sous-sol *m.*

Untergestell *n* ['untər-] *(Wagen)* train; *mot* châssis *m.*

Untergewicht *n* ['untər-] insuffisance *f od* manque *m* de poids.

Unterglasbild *n* ['untər-] sous-verre *m.*

'unter=graben ⟨*hat untergegraben*⟩ *tr agr* enfouir; **unter'graben** ⟨*hat untergraben*⟩ *tr a. fig* miner, saper; **'Untergraben** *n, agr* enfouissement *m;* **Unter'graben** *n,* **Unter'grabung** *f fig* sapement *m.*

Untergrund *m* ['untər-] sous-sol *a. agr; geol* substratum; *(arch, Straßenbau, loc)* sol d'infrastructure; *(Gemälde)* fond *m;* **~bahn** *f* chemin de fer souterrain; *(bes. in Paris)* métro (-politain) *m; s. a.: U-Bahn;* **~bewegung** *f pol* mouvement *m* clandestin.

Untergruppe *f* ['untər-] sous-groupe *m.*

unter=haken ['untər-] *tr = unterfassen.*

unterhalb ['---] *prp gen* au-dessous de, en bas de; *(an e-m Fluß)* en aval de.

Unterhalt *m* ⟨-(e)s, ø⟩ ['untər-] entretien *m,* subsistance, sustentation *f; s-n ~ bestreiten* subvenir à ses besoins; **'unter=halten** ['untər-] ⟨*hat untergehalten*⟩ *tr* tenir en dessous; **unter'halt|en** *tr (ernähren)* ⟨*hat unterhalten*⟩ entretenir, soutenir, sustenter; *jur* alimenter; *(Bauwerk)* entretenir, tenir en bon état; *fig (durch Gespräch etc)* entretenir; *(angenehm)* divertir, distraire; *sich ~~ (mitea. sprechen)* s'entretenir (*über etw* de qc), converser (*über etw* sur qc); *(sich belustigen)* s'amuser, se divertir (*mit etw* à qc); *Beziehungen zu jdm ~~* entretenir des relations avec qn; **u~end** *a.* **u~sam** *a* amusant, divertissant; **~sanspruch** *m* droit *m* à l'entretien; **~sbeitrag** *m* contribution *f* alimentaire; **u~sberechtigt** *a* ayant droit à l'entretien; **~sberechtigte(r)** *m* dépendant *m;* **~sgewährung** *f* prestation *f* de l'entretien; **~skosten** *pl* frais *m pl* d'entretien; **~spflicht** *f* obligation *f* d'entretien *od* alimentaire; **~spflichtige(r)** *m* débiteur *m* alimentaire; **~srente** *f* pension *f* alimentaire; **~ung** *f* [--'--] *(Instandhaltung)* entretien; *(Gespräch)* entretien *m,* conversation *f; (Vergnügen)* amusement, divertissement *m; (Zerstreuung)* distraction *f;* **~ungsarbeiten** *f pl* travaux *m pl* d'entretien; **~ungsbeilage** *f (e-r Zeitung)* feuilleton *m;* **~ungskosten** *pl* frais *m pl od* dépenses *f pl* d'entretien; *zuviel ~~ verursachen* coûter trop cher d'entretien, être d'un trop grand entretien; **~ungsliteratur** *f* littérature *f* facile; **~ungsmusik** *f* musique *f* légère; **~ungsroman** *m* roman *m* divertissant *od* récréatif; **~ungsteil** *m (Zeitung)* feuilleton *m;* **~ungszustand** *m* état *m* d'entretien.

unter|handeln ⟨*hat unterhandelt*⟩ *itr* négocier, être en pourparlers; *mil (mit dem Feind)* parlementer; **U~-händler** ['----] *m* négociateur, intermédiaire, entremetteur; *mil* parlementaire *m;* **U~handlung** *f* [--'--] négociation *f,* pourparlers *m pl; mit jdm in ~~ stehen, treten* être, entrer en pourparlers avec qn.

Unterhaus *n* ['untər-] *pol (2. Kammer in Großbritannien)* Chambre basse, Chambre *f* des Communes.

Unterhemd *n* ['untər-] tricot de corps, sous-vêtement *m.*

unterhöhlen *tr = untergraben.*

Unterholz *n* ⟨-es, ø⟩ ['untər-] sous-bois, taillis, fourré *m.*

Unterhose *f* ['untər-] caleçon; *(kurze)* slip *m.*

unterirdisch ['untər-] *a* souterrain.

Unterjacke *f* ['untər-] = *Unterhemd.*

unterjoch|en ⟨*hat unterjocht*⟩ *tr* mettre sous le joug, subjuguer, asservir, assujettir; **U~ung** *f* subjugation *f,* asservissement, assujettissement *m.*

Unterkasten *m* ['untər-] *typ* bas *m* de casse.

unterkellert [--'--] *a* muni d'une cave.

Unterkiefer *m* ['untər-] maxillaire *m od* mâchoire *f* inférieur(e).

Unterkleid *n* ['untər-] combinaison; *fam* combine *f;* **~ung** *f* lingerie *f,* sous-vêtements *m pl.*

unter=kommen ['untər-] ⟨*ist untergekommen*⟩ *itr (ein Zimmer finden)* trouver un logement *od* à se loger; *(Arbeit finden)* trouver une situation *od* un emploi, *fam* se caser.

unter=kriegen ['untər-] ⟨*hat untergekriegt*⟩ *tr fam: sich nicht ~ lassen* ne pas se laisser démonter *od* abattre.

unterkühl|en ⟨*hat unterkühlt*⟩ *tr phys* surfondre; **U~ung** *f* surfusion *f.*

Unterkunft *f* ⟨-, ¨-e⟩ ['untərkunft] abri; stationnement; *(Wohnung)* logis, logement *m; jdm ~ gewähren* loger *od* héberger qn.

Unterlage *f* ['untər-] fondement *m,* base *f,* substrat(um); *tech* support, appui *m,* cale, *bes. loc* assiette *f; typ* taquoir; *(Schreib~)* sous-main *m; (Bett~)* alèze *od* alaise *f; pl adm (Belegstücke)* pièces *f pl* justificatives, dossier *m,* documentation *f; (Angaben)* données; informations *f pl,* renseignements *m pl; bis weitere ~n verfügbar sind* od *zur Verfügung stehen* jusqu'à plus ample information; *nach Prüfung der ~n* après vérification des pièces; *die ~n zs.stellen* réunir la documentation.

Unterland *n* ⟨-(e)s, ø⟩ ['untər-] pays *m* bas.

Unterlaß *m* ['untər-]: *ohne ~* sans cesse, sans relâche, sans rémission; *fam* sans arrêt.

unterlass|en ⟨*hat unterlassen*⟩ *tr (versäumen)* omettre, manquer; *(aus Nachlässigkeit)* négliger; *(nicht tun)* s'abstenir, se dispenser, se passer (*zu* de); **U~ung** *f* omission; négligence; abstention *f;* **U~ungsklage** *f jur* action *f* en cessation; **U~ungssünde** *f* péché *m* d'omission.

Unterlauf *m* ['untər-] *(e-s Flusses)* cours *m* inférieur; **unter'laufen** *itr* ⟨*er hat ihn/ist unterlaufen*⟩ *(Fehler: sich einschleichen) (unter(ge)laufen)* se glisser (*in* dans), échapper; *pp, a: mit Blut ~~* ecchymosé, meurtri; *(Auge)* poché, *fam* au beurre noir.

'unter=leg|en ⟨*hat untergelegt*⟩ *tr* mettre dessous; *fig (e-n Sinn)* donner, attribuer, prêter; **unter'legen** *tr* ⟨*hat unterlegt*⟩ mettre (*etw mit e-r S* qc en-dessous de); *e-r Melodie e-n Text ~~* mettre des paroles sur un air; *(pp von: unterliegen) a* vaincu; inférieur; *~~ sein* avoir le dessous, passer après; **U~~e(r)** *m* [--'---] vaincu *m;* **U~platte** *f* selle *f* (d'appui); **U~-scheibe** *f* rondelle *f.*

Unterleib *m* ['untər-] bas-ventre, abdomen *m.*

Unterlieferant *m* ['untər-] sous-traitant *m.*

unterliegen *itr* ⟨*ist unterlegen*⟩ succomber, avoir le dessous; *keinem Zweifel ~* ne souffrir aucun doute.

Unterlippe *f* lèvre *f* inférieure.

untermal|en *tr a. fig* ⟨*hat untermalt*⟩ faire ressortir (par un fond); *mit Ton ~~ (film)* sonoriser; **U~ung** *f: musikalische ~~ (bes. film; Vorgang)* sonorisation *f; (Ergebnis)* fond *m* musical *od* sonore.

untermauer|n *tr* ⟨*hat untermauert*⟩ *arch* reprendre en sous-œuvre; *fig (Behauptung)* étayer, consolider (*mit* de); **U~ung** *f* reprise *f* en sous-œuvre, soutènement *m; fig* consolidation *f.*

Untermensch *m* ['untər-] brute *f,* criminel *m;* **~entum** *n* ⟨-s, ø⟩ gangstérisme *m.*

Untermiet|e *f* ['untər-] sous-location *f,* sous-bail *m;* **~er** *m* sous-locataire *m.*

unterminieren *tr a. fig* ⟨*er (hat) unterminiert*⟩ miner, saper.

unternehm|en ⟨*hat unternommen*⟩ *tr* entreprendre; *(auf sich nehmen)* se charger de; *Schritte ~~* faire des démarches (*bei* auprès de); **U~en** *n* entreprise; *(einzelner Vorgang, bes. mil)* opération *f;* **~end** *a* entreprenant; **U~er** [--'--] *m* entrepreneur, chef d'entreprise; *(Arbeitgeber)* patron *m;* **U~ergewinn** *m,* **U~errisiko** *n* bénéfices *m pl od* profit, risque *m* d'entrepreneur; **U~ertum** *n* ⟨-s, ø⟩ patronat *m;* **U~ung** [--'--] *f* entreprise, exploitation; *mil* opération *f;* **U~ungsgeist** *m* esprit *m* d'entreprise *od* d'initiative, initiative *f;* **~ungslustig** *a fam* entreprenant; *~~ sein (a.)* avoir de l'allant.

Unteroffizier *m* ['untər-] *(im weiteren Sinn)* sous-officier; *(im engeren Sinn; Infanterie u. Luftwaffe)* sergent; *(Artillerie u. Panzertruppe)* maréchal des logis; *arg* chien *m* de caserne *od* du quartier.

unter=ordn|en ['untər-] ⟨*hat untergeordnet*⟩ *tr* subordonner, soumettre; **U~ung** *f* subordination *f.*

Unter|pacht *f* ['untər-] sous-ferme *f,*

sous-bail *m;* **U~pächter** *m* sous-fermier *m.*

Unterpfand *n* ['untər-] nantissement; *a. fig* gage *m.*

unter=pflügen ['untər-] ⟨*hat untergepflügt*⟩ *tr* enfouir à la charrue.

unterred|en, *sich* ⟨*hat sich unterredet*⟩ *(sich unterhalten)* s'entretenir; *(verhandeln)* s'aboucher, conférer (*mit jdm* avec qn); **U~ung** *f* entretien *m,* entrevue; conférence *f,* pourparlers *m pl.*

Unterricht *m* ['untər-] enseignement *m,* instruction; classe *f,* leçons *f pl;* *~~ erteilen* od *geben* donner des leçons, faire la classe *od* l'école; *französischen ~ erteilen* donner des leçons de français, enseigner le français; **u~en** ⟨*hat unterrichtet*⟩ *tr* enseigner, instruire; donner des leçons (*jdn* à qn); *jdn von etw ~~* informer, instruire, avertir qn de qc, renseigner qn sur qc; mettre qn au fait de qc; *sich über etw ~~* s'informer de qc, se renseigner sur qc; *in ~eten Kreisen* dans les milieux informés; *von (gut) ~eter Seite* de bonne main; **~sgegenstand** *m,* **~smethode** *f* matière, méthode *f* d'enseignement; **~sstunde** *f* leçon, classe *f;* **~swesen** *n* éducation *f* nationale; **~szeit** *f* heures *f pl* de classe; **~ung** [--'--] *f* information, instruction *f,* renseignement *m,* mise *f* au courant; *zu Ihrer ~~* pour *od* à titre d'information.

Unterrock *m* ['untər-] jupon *m.*

untersag|en *tr* ⟨*hat untersagt*⟩ interdire, défendre, *bes. jur* prohiber; **U~ung** *f* interdiction, défense, *bes. jur* prohibition *f.*

Untersatz *m* ['untər-] *(Stütze)* support, appui; . *(für Geschirr)* dessous *m* de plat; *(Logik)* mineure *f.*

Unterschallgeschwindigkeit *f* ['untərʃal-] vitesse *f* subsonique.

unterschätzen *tr* ⟨*hat unterschätzt*⟩ sous-estimer, estimer au-dessous de sa valeur; *fam* regarder par le gros bout de la lorgnette.

unterscheid|en *tr* ⟨*hat unterschieden*⟩ distinguer, faire la distinction de; discerner, différencier, discriminer; *sich ~~ von* se distinguer de; *(verschieden sein von)* différer de; **U~ung** *f* distinction *f,* discernement *m;* différenciation; discrimination *f;* **U~ungsmerkmal** *n* marque *f* distinctive.

Unterschenkel *m* ['untər-] jambe *f.*

Unterschicht *f* ['untər-] couche *f* inférieure.

'**unter=schieben** ⟨*hat untergeschoben*⟩ *tr* glisser dessous; *a.* **unter'schieb|en** ⟨*hat unterschoben*⟩ *(Kind)* substituer; *(fälschlich zuschreiben)* attribuer faussement *od* à tort, *jur* supposer; **U~ung** *f (e-s Kindes)* substitution; fausse attribution *f.*

Unterschied *m* ⟨-(e)s, -e⟩ ['untərʃiːt, '-də] différence, distinction *f; im ~ zu, zum ~ von* à la différence de; *mit dem ~, daß* à la différence que; *ohne ~ (gen)* sans distinction (de); *e-n ~ machen zwischen* faire une différence entre; *die ~e verwischen* rapprocher les distances; *es ist ein ~ zwischen ... und* il y a de la marge de ... à; *zwischen Ihnen und mir besteht ein großer ~* il y a une grande différence de vous à moi; *das ist kein großer ~* il n'y a presque pas de différence; *das ist ein ~ wie Tag und Nacht* c'est le jour et la nuit; *das macht wenig ~* peu importe; *feine(r) ~* nuance *f;* **u~en** [--'--] *a (verschieden)* différent, distinct, différencié; **u~lich** ['----] *a* différent; *(verschiedenartig)* divers; *(veränderlich)* variable; **u~slos** ['----] *adv* indifféremment, indistinctement, sans distinction; sans choix; *(ausnahmslos)* sans exception.

unterschlächtig ['untərʃlɛçtɪç] *a (Wasserrad)* d'en dessous.

'**unter=schlagen** ⟨*hat untergeschlagen*⟩ *tr (Arme, Beine)* croiser; **unter'schlag|en** *tr* ⟨*hat unterschlagen*⟩ soustraire; *(bes. Geld)* détourner; *(beiseite schaffen, verschwinden lassen)* supprimer; *(verheimlichen)* receler; **U~ung** [--'--] *f* soustraction *f,* détournement; *(Schweiz)* divertissement *m;* suppression *f;* recel, recèlement, recelé *m; ~~ öffentlicher Gelder* malversation *f* de fonds publics.

Unterschleif *m* ⟨-(e)s, -e⟩ ['untərʃlaɪf] = *Unterschlagung.*

Unter|schlupf *m* ⟨-(e)s, ¨-e⟩ ['untərʃlupf, '-ʃlypfə] *(Obdach)* abri, refuge *m; (Versteck)* cach(ett)e *f;* **unter=schlüpfen** ⟨*ist untergeschlüpft*⟩ *itr* s'abriter, trouver un abri *od* gîte.

unterschreiben *tr* ⟨*hat unterschrieben*⟩ signer, apposer sa signature à; *fig (gutheißen)* souscrire à; *eigenhändig unterschrieben* signé de ma, ta *etc* (propre) main.

unterschreiten *tr* ⟨*hat unterschritten*⟩ *fig* être inférieur à.

Unterschrift *f* ['untər-] signature; *(Bild~)* légende *f; ohne ~* non signé; *e-e ~ beglaubigen* légaliser une signature; *s-e ~ unter etw setzen* mettre *od* apposer sa signature au bas de qc; *eigenhändige ~* signature *f* autographe; **u~sberechtigt** *a* autorisé à signer; **~sprobe** *f* spécimen *m* de signature.

Unterschwanzstück *n* ['untər-] *(Rind)* trumeau *m.*

unterschwellig ['untər-] *a psych* subliminal.

Untersee|boot *n* ['untər-] = *U-Boot;* **u~isch** *a* sous-marin; **~kabel** *n* câble *m* sous-marin.

Unterseite *f* ['untər-] dessous *m.*

'**unter=setz|en** ⟨*hat untergesetzt*⟩ *tr* mettre (au-)dessous; **U~er** *m (für Gefäße)* support *m,* soucoupe *f; (für Geschirr)* dessous *m* de plat.

unter'setz|en *tr* ⟨*er hat untersetzt*⟩ mélanger (*mit etw* de qc); **~t** *a (stämmig)* trapu, râblé, courtaud, ramassé; *tech (Getriebe)* démultiplié; **U~ung** *f tech* démultiplication; réduction *f* de vitesse; **U~ungsgetriebe** *n tech* réducteur de vitesse.

unter=sinken ['untər-] ⟨*ist untergesunken*⟩ *itr mar* couler, sombrer, s'enfoncer.

unterspülen *tr* ⟨*hat unterspült*⟩ affouiller, creuser, ronger.

Unterstaatssekretär *m* ['untər-'ʃtaːts-] sous-secrétaire *m* d'État.

Unterstadt *f* ['untər-] ville *f* basse.

Unterstand *m* ['untər-] *mil* abri *m; arg* cagna, guitoune *f.*

unterste(r, s) ['untərst-] (le) plus bas; *(letzte)* (le) dernier.

'**unter=stehen** ['untər-] ⟨*hat untergestanden*⟩ *itr (unter e-m Dach stehen)* être à l'abri; **unter'stehen** *itr* ⟨*hat unterstanden*⟩ *jdm ~~ (a. mil)* être subordonné à qn, être sous (les ordres de) qn; relever (de la compétence) de qn; *sich ~~, etw zu tun* oser faire qc, avoir l'audace *od* le front, s'aviser de faire qc.

'**unter=stellen** ⟨*hat untergestellt*⟩ *tr* mettre à l'abri; *(Fahrzeug)* remiser, garer; *sich ~* se mettre à l'abri, s'abriter; **unter'stell|en** *tr* ⟨*hat unterstellt*⟩ *jdm ~~ (a. mil)* subordonner à qn, placer sous les ordres de qn; *(unterschieben)* attribuer à tort *od* faussement; *(annehmen)* supposer, présumer; *jdm ~t sein = jdm unterstehen;* **U~ung** [--'--] *f* subordination; fausse attribution; supposition (malveillante) *f.*

unterstreichen *tr* ⟨*hat unterstrichen*⟩ souligner *a. fig; fig (betonen)* mettre en relief, faire ressortir.

Unterstufe *f* ['untər-] *(Schule)* degré *m* inférieur.

unterstütz|en *tr* ⟨*hat unterstützt*⟩ soutenir (*mit* de qc) *a. fig,* appuyer; *arch a.* étayer; *fig (helfen)* aider, assister, seconder, secourir, épauler; *(mit Geld a.)* subventionner; *(Kandidatur)* pousser; **U~ung** *f* [--'--] *arch tech* étayage, étaiement; *fig, a. mil* soutien, appui *m; (Hilfe)* aide, assistance *f,* secours *m; (finanzielle, bes. staatliche)* allocation, subvention *f,* subside *m; mit gegenseitiger ~~* en s'aidant mutuellement; **~ungsbedürftig** *a* ayant besoin de secours; **U~ungsempfänger** *m* assisté, allocataire *m;* **U~ungsfeuer** *n mil* tir *m* d'appui; **U~ungsfonds** *m* fonds *m* de secours; **U~ungskasse** *f* caisse *f* de secours; **U~ungssatz** *m* taux *m* d'allocation; **U~ungsverein** *m* société de secours mutuels, mutuelle. *f.*

untersuch|en *tr* ⟨*hat untersucht*⟩ *(prüfen)* examiner, faire l'examen de; *(erforschen)* explorer, rechercher; *(studieren)* étudier; *(ergründen)* sonder; *(nachprüfen)* contrôler, inspecter, vérifier; *(beim Zoll)* visiter; *jur* enquêter, instruire; *chem* analyser; *med* examiner, ausculter; *(Wunde)* sonder; *genau ~~* scruter, passer à l'alambic; **U~ung** *f* [--'--] examen *m a. med;* exploration, recherche; étude *f;* sondage; contrôle *m,* inspection, vérification; visite; *jur* enquête, instruction; *chem med* analyse; *med* auscultation *f; bei näherer ~~* après examen approfondi, après plus ample examen; *gegen jdn e-e gerichtliche ~~ durchführen* informer judiciairement contre qn; *e-e ~~ einleiten, vornehmen* ouvrir une, procéder à une enquête; *gerichtliche ~~* enquête *od* instruction *f* judiciaire; *polizeiliche ~~* enquête *f* policière; *vertrauensärztliche ~~* contre-visite *f* médicale; *wissenschaftliche ~~* expérimentation *f;* **U~ungsanstalt** *f chem* laboratoire *m* d'analyse; **U~ungsausschuß** *m* comité *m* d'enquête, délégation *f* d'instruction; **U~ungsbeamte(r)** *m jur* enquêteur *m;* **U~ungsergebnis** *n* résultat *m* d'investigation; **U~ungsgefangene(r)** *m* détenu en prévention, prévenu *m;* **U~ungsgefängnis** *n* prison de prévention, maison *f* d'arrêt; **U~ungshaft** *f* détention *f* préventive; *in ~~* en prévention; *die ~~ anrechnen* imputer la détention préventive; **U~ungsmethode** *f* méthode *f* d'analyse; **U~ungsrichter** *m* juge *m* d'instruction *od* instructeur *od* enquêteur.

Untertag(e)|arbeiter [untər'ta:k-, -gə-] *m mines* mineur *m* de fond; **~bau** *m* exploitation *f* au fond *od* souterraine.

untertan ['untərta:n] *a pred* sujet; **U~** *m* ⟨-s/(-en), -en⟩ sujet *m.*

untertänig ['untərtɛ:nıç] *a* soumis, humble; **U~keit** *f* ⟨-, ø⟩ soumission, sujétion *f; fig* humble obéissance *f;* **~ste(r)** *a attr* très humble, très obéissant.

Untertasse *f* ['untər-] soucoupe *f; fliegende ~* soucoupe *f* volante.

unter=tauchen ['untər-] *tr* ⟨*hat untergetaucht*⟩ plonger, submerger, immerger; *itr* ⟨*ist untergetaucht*⟩ plonger; *fig (verschwinden)* disparaître, *arg* se planquer.

Unterteil ['untər-] *n* od *m* partie *f* inférieure, bas, dessous *m;* **u~en** *tr* ⟨*hat unterteilt*⟩ subdiviser; **~ung** *f* [--'--] subdivision *f.*

Untertemperatur *f* ['untər-] *med* hypothermie *f.*

Untertitel *m* ['untər-] *bes. film* sous-titre *m; mit ~n (film)* sous-titré; **u~n** *tr* ⟨*er (hat) untertitelt*⟩ sous-titrer.

Unterton *m* ⟨-(e)s, ¨-e⟩ ['untər-] *mus* harmonique *m* inférieur; *fig* teinte, nuance, pointe *f.*

untertunneln *tr* ⟨*ich untertunn(e)le, er (hat) untertunnelt*⟩ percer un tunnel sous.

untervermiet|en ['untər-] ⟨*hat untervermietet*⟩ *tr* sous-louer; **U~er** *m* sous-loueur *m;* **U~ung** *f* sous-location *f.*

unterversichert ['untər-] *a (zu niedrig versichert)* sous-assuré.

unterwander|n *tr* ⟨*hat unterwandert*⟩ *(e-e Bevölkerung)* noyauter; **U~ung** *f* noyautage *m.*

unterwärts ['untərvɛrts] *adv* en dessous.

Unterwäsche *f* ['untər-] linge *m* de corps, sous-vêtements, (vêtements de) dessous *m pl.*

Unterwasser|bombe *f* ['untər-] bombe *od* grenade *f* sous-marine; **~fahrt** *f* marche *f* en plongée; **~horchgerät** *n* appareil d'écoute sous-marine, hydrophone *m;* **~kabel** *n* câble *m* sous-marin; **~schneidbrenner** *m* brûleur *m* à découper sous l'eau; **~schweißen** *n* soudage *m* sous l'eau; **~setzen** *n tech* noyage *m.*

unterwegs [untər've:ks] *adv* en chemin, chemin faisant, en (cours de) route (*nach* pour); *dauernd* od *ständig ~ sein* être toujours par monts et par vaux, battre le pays; *pop* rouler sa bosse.

unterweis|en *tr* ⟨*hat unterwiesen*⟩ enseigner (*jdn in etw* qc à qn), instruire (*jdn in etw* qn dans qc); **U~ung** *f* enseignement *m,* instruction *f.*

Unterwelt *f* ['untər-] enfers; *fig (sozial)* bas-fonds *m pl; arg* milieu *m,* pègre *f.*

unterwerf|en *tr* ⟨*hat unterworfen*⟩ *(ein Volk)* soumettre, assujettir; *(unterjochen)* subjuguer, asservir; *fig* soumettre (*Bedingungen* à des conditions); *sich ~~* se soumettre, courber *od* plier l'échine; déférer (*e-r S* à qc); **U~ung** *f* soumission *f;* assujettissement *m;* subjugation *f;* asservissement *m;* **unterworfen** *a* soumis, sujet (*e-r S* à qc); *der Mode ~~ sein* dépendre de la mode.

unterwühlen ⟨*hat unterwühlt*⟩ *tr a. fig* miner, saper.

unterwürfig [--'--, 'un-] *a* soumis; *pej (knechtisch)* obséquieux, servile; *~ sein (a.)* avoir l'échine souple *od* flexible; **U~keit** *f* ⟨-, ø⟩ soumission; obséquiosité, servilité *f.*

unterzeichn|en *tr* ⟨*hat unterzeichnet*⟩ signer, souscrire; **U~er** *m (e-s Vertrages)* signataire *m;* **U~ete(r)** *m* soussigné, signataire *m;* **U~ung** *f* signature *f.*

Unterzeug *n* ⟨-(e)s, ø⟩ ['untərtsɔyk] sous-vêtements *m pl.*

'unter=ziehen ⟨*hat untergezogen*⟩ *tr (Kleidungsstück)* mettre dessous; **unter'ziehen** *tr* ⟨*hat unterzogen*⟩ soumettre (*e-r Prüfung* à un examen); *sich e-r S ~* subir qc, se soumettre à qc, prendre qc sur soi, se charger de qc; *sich der Mühe ~* prendre *od* se donner la peine (*zu* de).

Unterzug *m* ['untər-] *arch* sous-poutre *f.*

untief ['un-] *a* peu profond, bas; **U~e** *f (seichte Stelle)* haut-fond, bas-fond *m,* basse *f; (abgrundartige Tiefe)* abysse *m.*

Untier *n* ['un-] monstre *m.*

untilgbar [-'--/'---] *a* ineffaçable, indélébile; *fig* inextinguible; *fin* irremboursable; non amortissable.

untragbar [-'--/'---] *a* insoutenable, insupportable.

untrennbar [-'--/'---] *a* inséparable.

untreu ['un-] *a* infidèle; déloyal; *jdm ~ werden* tromper qn; *e-r S ~ werden* manquer à qc, renier qc; *~e(r) Beamte(r) m* prévaricateur *m;* **U~e** *f* infidélité; déloyauté; *(im Amt)* prévarication *f.*

untröstlich [-'--/'---] *a* inconsolable, désolé; *~ sein (a.)* être au désespoir.

untrüglich [-'--/'---] *a* infaillible.

Untugend *f* ['un-] défaut (de caractère), vice *m; (schlechte Gewohnheit)* mauvaise habitude *f.*

untunlich ['un-] *a (unratsam)* inopportun.

unüber|brückbar ['un?y:bər-, -'----] *a fig* infranchissable, insurmontable; *(unvereinbar)* inconciliable; **~legt** ['un-] *a (Handeln)* irréfléchi, inconsidéré; *adv* sans considération, sans délibération; de but en blanc; *~~e Tat f (a.)* coup *m* de tête; **U~legtheit** *f* irréflexion, inconsidération; étourderie *f;* **~sehbar** [---'--/'-----] *a (Menge)* immense; *fig (Folgen)* incalculable; **~setzbar** [---'--/'-----] *a* intraduisible; **~sichtlich** ['un-] *a* confus, brouillé, trop compliqué; **~steigbar** [---'--/ '-----] *a* insurmontable, infranchissable; **~tragbar** [---'--/'-----] *a com jur (nicht abtretbar)* intransférable, intransmissible, incessible, incommutable; *fin (nicht begebbar)* non négociable; **~trefflich** [---'--/'-----] *a* insurpassable; *(unerreichbar)* inégalable, sans égal; **~troffen** ['-----/---'--] *a* inégalé, sans égal; *in etw ~~ sein* détenir le record de qc; **~windlich** [---'-- /'-----] *a* invincible, inexpugnable; *fig* insurmontable; **U~windlichkeit** *f* invincibilité *f.*

unumgänglich ['un-] *a* inévitable, indispensable, de rigueur, de toute nécessité.

unumschränkt ['--'-, '---] *a (uneingeschränkt)* illimité; *pol* absolu, souverain.

unumstößlich [--'--/'----] *a* péremptoire; irrévocable.

unumstritten [--'--/'----] *a* incontesté.

unumwunden ['----, --'--] *adv: ~ zugeben* reconnaître carrément *od* sans (la moindre) réserve.

ununterbrochen ['-----, ---'--] *a* ininterrompu, continu(el), suivi; *adv a.* sans interruption, à jet continu, sans rémission, sans discontinuer, sans désemparer, d'arrache-pied, coup sur coup; *~ reden (a.)* jaser *od* bavarder comme une pie.

unveränder|lich [--'---/'-----] *a* invariable *a. gram,* inchangeable, inaltérable, immuable; **U~lichkeit** *f* invariabilité, inaltérabilité, immu(t)abilité *f;* **~t** *a* inchangé; tel quel; *adv* sans changer.

unverantwortlich [--'---/'-----] *a* irresponsable.

unveräußerlich [--'---/'-----] *a* inaliénable.

unverbaubar ['un-] *a: ~e Aussicht f* vue *f* imprenable.

unverbesserlich [--'---/'-----] *a* incorrigible; **U~keit** *f* incorrigibilité *f.*

unverbindlich ['----, --'--] *a* qui n'engage à rien; *adv* sans engagement *od* obligation.

unverblümt [--'-/'---] *adv* carrément, sans fard, sans prendre de gants.

unverbraucht [--'-/'---] *a (Mensch, Kräfte)* bien conservé.

unverbrennbar [--'--/'----] *a* incombustible; **U~keit** *f* incombustibilité *f.*

unverbrüchlich [--'--/'----] *a: ~e Treue f* fidélité *f* à toute épreuve; **U~keit** *f (Unverletzlichkeit)* inviolabilité *f.*

unverbürgt [--ˈ-/ˈ---] *a* non garanti, non confirmé.
unverdächtig [--ˈ--/ˈ----] *a (Zeuge)* non suspect.
unverdau|lich [ˈ----, --ˈ--] *a, a. fig* indigeste; **U~lichkeit** *f* caractère *m* indigeste; **~t** *a* non *od* mal digéré *a. fig.*
unverderblich [ˈ----, --ˈ--] *a* incorruptible, inaltérable.
unverdient [ˈ---, --ˈ-] *a* non mérité, immérité; **~ermaßen** *adv*, **~erweise** *adv* sans l'avoir mérité.
unverdorben [ˈun-] *a (Mensch)* non dépravé, intègre, innocent; **U~heit** *f* intégrité, innocence *f.*
unverdrossen [ˈ----, --ˈ--] *a* infatigable, inlassable; *adv a* sans se lasser, sans se rebuter; **U~heit** *f* persévérance, patience *f* à toute épreuve.
unverehelicht [ˈun-] *a adm* non marié, célibataire.
unvereidigt [ˈun-] *a* inassermenté.
unvereinbar [--ˈ--/ˈ----] *a* incompatible, inconciliable (*mit* avec).
unverfälscht [ˈ---, --ˈ-] *a* non falsifié; *(Wein)* non frelaté; *fig (echt)* pur, naturel; **U~heit** *f* pureté *f.*
unverfänglich [ˈ----, --ˈ--] *a* sans arrière-pensée.
unverfroren [ˈ----, --ˈ--] *a fam* effronté, sans gêne; **U~heit** *f* effronterie *f, fam* toupet, *pop* culot *m.*
unvergänglich [ˈ----, --ˈ--] *a* impérissable, indéfectible; *(unsterblich)* immortel; *(ewig)* éternel; **U~keit** *f* immortalité, pérennité *f.*
unvergeßlich [--ˈ--/ˈ----] *a* inoubliable.
unvergleichlich [--ˈ--/ˈ----] *a* incomparable, sans *od* hors de comparaison, sans pareil, sans égal, hors (de) pair, unique (dans *od* en son genre).
unverhältnismäßig [ˈ------, --ˈ----] *adv* démesurément, excessivement.
unverheiratet [ˈun-] *a* non marié, célibataire.
unverhofft [ˈ---, --ˈ-] *a* inespéré; *(unerwartet)* inattendu, imprévu, inopiné; *adv* à l'improviste.
unverhohlen [ˈ----, --ˈ--], *a* non déguisé, non caché; *adv* sans déguisement, crûment, carrément, ouvertement, franchement.
unverhüllt [ˈ---, --ˈ-] *a* u. *adv fig* à visage découvert.
unverjährbar [ˈ----, --ˈ--] *a jur* imprescriptible; **U~keit** *f* imprescriptibilité *f.*
unver|käuflich [ˈ----, --ˈ--] *a (nicht zum Verkauf stehend)* hors vente; *(nicht gefragt)* invendable; **~kauft** [ˈ---, --ˈ-] *a: ~~e Exemplare n pl (e-r Zeitung)* bouillon *m.*
unverkennbar [--ˈ--/ˈ----] *a* qu'on ne peut méconnaître, à ne pas s'y méprendre, imméconnaissable; *(offensichtlich)* manifeste, évident.
unverlangt [ˈun-] *a com* qui n'a pas été demandé.
unverletz|lich [--ˈ--/ˈ----] *a fig* inviolable; **U~lichkeit** *f fig* inviolabilité *f;* **~t** [--ˈ-/ˈ---] *a (Mensch)* sans blessure, indemne; *(wohlbehalten)* sain et sauf; *(Verschluß, Siegel)* inviolé, intact.
unvermeid|bar [--ˈ--/ˈ----] *a,* **~lich** [--ˈ--/ˈ----] *a* inévitable, inéluctable; fatal; *sich ins U~~e schicken* se faire une raison.
unvermindert [ˈun-] *a* (tout) entier; *a. adv* en *od* dans son entier.
unvermischt [ˈun-] *a* sans mélange, pur.
unvermittelt [ˈun-] *a* immédiat, direct; *(plötzlich)* soudain, subit, brusque, abrupt; *adv a.* tout à coup; *fam* tout de go.
Unvermögen *n* [ˈun-] impuissance, incapacité *f;* **u~d** *a (ohne Vermögen)* sans fortune, impécunieux, pauvre.
unvermutet [ˈun-] *a* inopiné, inattendu, imprévu; *adv* inopinément, à l'improviste.
Unver|nunft *f* [ˈun-] déraison *f,* manque *m* de bon sens; absurdité; *(Torheit)* folie *f;* **u~nünftig** *a* déraisonnable, irraisonnable, insensé, absurde; *~~ reden* déraisonner.
unveröffentlicht [ˈun-] *a* non publié, inédit.
unverpackt [ˈun-] *a com* non emballé, sans emballage; en vrac.
unverrichteterdinge [ˈun-] *adv: ~ abziehen* od *zurückkehren* s'en retourner *od* (s'en) revenir bredouille *od* comme on est venu *od* sans avoir rien fait.
unverrückbar [--ˈ--/ˈ----] *a* immuable, définitif; *adv: ~ feststehen* être définitif.
unverschämt [ˈun-] *a* impertinent, insolent, effronté; *(schamlos)* impudent, éhonté; *(Preis)* exorbitant; **U~heit** *f* impertinence, insolence, effronterie; impudence *f; fam* toupet, *pop* culot *m; so e-e ~~!* quelle impertinence! quelle insolence!
unverschleiert [ˈun-] *a u. adv fig* à visage découvert.
unverschuldet [ˈ----, --ˈ--] *a* immérité; *adv,* **~ermaßen** *adv,* **~erweise** *adv* sans l'avoir mérité.
unversehens [ˈ----, --ˈ--] *adv* inopinément, à l'improviste, au dépourvu.
unversehrt [ˈ---/--ˈ-] *a (Sache)* intact, entier; *(Person)* indemne, sain et sauf; **U~heit** *f* intégrité *f.*
unversichert [ˈ----, --ˈ--] *a com* non assuré.
unversiegbar [--ˈ--/ˈ----] *a* intarissable.
unversiegelt [ˈ----, --ˈ--] *a* non cacheté.
unversöhnlich [ˈ----, --ˈ--] *a* irréconciliable, implacable, intransigeant; *er ist ~ (a.)* il n'y a point de retour avec lui; *~e(r) Haß m* haine *f* endurcie.
unversorgt [ˈun-] *a* sans moyens d'existence; sans situation, sans pension.
Unverstand *m* [ˈun-] déraison; *(Torheit)* folie, sottise *f;* **u~en** *a* incompris, méconnu.
unverständ|ig [ˈun-] *a* déraisonnable, insensé; *(dumm)* inintelligent, sot; **~lich** *a* incompréhensible, inintelligible, indéchiffrable; *(dunkel)* obscur; *~~ werden* se perdre dans les nu(ag)es; *~~e(s) Zeug n* grimoire *m;* **U~lichkeit** *f* incompréhensibilité, inintelligibilité; obscurité *f.*
unverstellbar [ˈ----/--ˈ--] *a* non réglable.
unversucht [ˈ---/--ˈ-] *a: nichts ~ lassen* tout essayer, tenter l'impossible, épuiser tous les moyens, remuer ciel et terre.
unverträglich [ˈ----, --ˈ--] *a (Mensch)* intraitable, insociable; *(streitsüchtig)* querelleur; *(unvereinbar)* incompatible; **U~keit** *f* insociabilité; humeur querelleuse; incompatibilité *f.*
unverwandt [ˈun-] *a (Blick: starr)* fixe; *jdn ~ ansehen* regarder qn fixement, avoir les yeux fixés sur qn.
unverwechselbar [--ˈ---/ˈ-----] *a* qu'on ne peut confondre; unique.
unverwehrt [ˈ---, --ˈ-] *a: es bleibt Ihnen ~ zu ...* vous êtes libre de ...
unverweslich [ˈ----, --ˈ--] *a* imputrescible, incorruptible.
unverwischbar [--ˈ--/ˈ----] *a* ineffaçable, indélébile.
unverwundbar [--ˈ--/ˈ----] *a* invulnérable.
unverwüstlich [--ˈ--/ˈ----] *a (Material, Gegenstand)* inusable; *(Gesundheit)* de fer; *(Humor)* imperturbable.
unverzagt [ˈun-] *a* intrépide, courageux, brave; **U~heit** *f* intrépidité *f.*
unverzeih|bar *a,* **~lich** [--ˈ--/ˈ----] *a* impardonnable, inexcusable.
unverzinslich [--ˈ--/ˈ----] *a (Kapital)* non productif d'intérêts, dormant, mort; *(Darlehen)* sans intérêts, gratuit.
unverzollt [ˈun-] *a (noch zu verzollen)* non dédouané; douane due; *(unter Zollverschluß)* en entrepôt.
unverzüglich [--ˈ--/ˈ----] *a* immédiat; *a. adv* sans délai *od* retard; *adv* immédiatement, sans tarder, sans perdre de temps, tout de suite, sur l'heure, au pied levé.
unvoll|endet [ˈunfɔl(ʔ)ɛndət, --ˈ--] *a* inachevé; **~kommen** [ˈ----/--ˈ--] *a* imparfait, défectueux, défectible; **U~kommenheit** *f* imperfection, défectuosité, défectibilité *f;* **~ständig** [ˈ----, --ˈ--] *a* incomplet; *gram* défectif; *~~e Ernährung f* carence *f* alimentaire; **U~ständigkeit** *f* état *m* incomplet.
unvorbereitet [ˈun-] *a* non préparé, improvisé; *a. adv* sans préparation, au dépourvu; *adv* à l'improviste, sans être préparé.
unvordenklich [ˈun-] *a: seit ~en Zeiten* de temps immémorial, de toute éternité.
unvoreingenommen [ˈun-] *a* non prévenu, exempt de préjugés; *(unparteiisch)* impartial, neutre; *a. adv* sans prévention; **U~heit** *f* absence de préjugés; impartialité *f.*
unvorhergesehen [ˈun-] *a* imprévu, inattendu; *falls ~e Umstände eintreten* en cas d'imprévu; *~e Kosten pl* faux frais *m pl.*
unvorschriftsmäßig [ˈun-] *a, bes. mil* contraire aux règlements.
unvorsichtig [ˈun-] *a* imprudent, inconsidéré; étourdi; **U~keit** *f* imprudence; inconsidération; étourderie *f; aus ~~* par imprudence.

unvorstellbar [--ˈ--/ˈ----] *a* inimaginable; *das ist ~ (a.)* cela passe l'imagination.
unvorteilhaft [ˈun-] *a* désavantageux, défavorable.
unwägbar [-ˈ--/ˈ---] *a* impondérable.
unwahr [ˈun-] *a* pas vrai, faux; *(gefälscht)* falsifié; *(erfunden)* controuvé; **~haftig** *a (lügnerisch)* mensonger, menteur; *(unaufrichtig)* insincère; **U~haftigkeit** *f* manque *m* de véracité; insincérité *f;* **U~heit** *f* contrevérité, fausseté *f; (Lüge)* mensonge *m; die ~~ sagen* mentir; **~scheinlich** [ˈ----/--ˈ--] *a* invraisemblable, improbable; **U~scheinlichkeit** *f* invraisemblance, improbabilité *f.*
unwandelbar [-ˈ---, ˈ----] *a* immuable, inaltérable; **U~keit** *f* immu(t)abilité *f.*
unwegsam [ˈun-] *a (Gelände)* sans chemin.
unweiblich [ˈun-] *a* hommasse.
unweigerlich [-ˈ---/ˈ----] *adv (ganz sicher)* à coup sûr, sans aucun doute, infailliblement.
unweit [ˈun-] *prp gen* non loin de.
unwert [ˈun-] *a* indigne (de); **U~** *m* peu *m* de valeur; *(Nichtigkeit)* futilité *f.*
Unwesen *n* [ˈun-]: *sein ~ treiben* infester (*an e-m Ort* un lieu); **u~tlich** *a* inessentiel, peu important, accessoire; *adv* peu; *das ist ~~* cela ne veut rien dire.
Unwetter *n* [ˈun-] tourmente, tempête *f; (Gewitter)* orage *m.*
unwichtig [ˈun-] *a* peu important, sans importance, sans conséquence, insignifiant; **U~keit** *f* peu *m* d'importance, insignifiance *f.*
unwider|legbar *a,* **~leglich** [---ˈ--/ˈ-----] *a* irréfutable, irréfragable, irrécusable; **~ruflich** *a* irrévocable; **~sprochen** *a: nicht ~~ bleiben* ne pas rester sans contredit *od* sans conteste; **~stehlich** *a* irrésistible; **U~stehlichkeit** *f* irrésistibilité *f.*
unwiederbringlich [---ˈ--/ˈ-----] *a* irréparable; *~ verloren* perdu à jamais *od* sans retour.
Unwill|e *m* [ˈun-] *(Unzufriedenheit)* mécontentement *m; (Ärger)* irritation *f,* dépit *m; (Entrüstung)* indignation *f;* **u~ig** *a* mécontent; irrité; indigné; *adv (widerwillig)* à contre-cœur, de mauvaise grâce; *~~ werden* s'irriter, se fâcher, s'indigner (*über* de); **u~kommen** [ˈun-] *a (unerwünscht)* indésirable; *(lästig)* importun; **u~kürlich** [--ˈ--/ˈ----] *a* involontaire, instinctif, spontané; *(mechanisch)* machinal, automatique; *adv a.* sans le vouloir; *ich mußte ~~ lachen* j'ai ri malgré moi, je ne pouvais m'empêcher de rire.
unwirk|lich [ˈun-] *a* irréel; *(erdacht)* fictif; **U~lichkeit** *f* irréalité *f;* **~sam** *a* inefficace, sans effet; *med* inactif; *jur* non valable, non valide, invalide, inopérant; *(nichtig)* nul (et non avenu); **U~samkeit** *f* inefficacité; *med* inactivité; *jur* invalidité en droit; nullité *f.*
unwirsch [ˈun-] *a* morose, maussade, renfrogné; *(barsch)* brusque; *adv a.* avec humeur.
unwirt|lich [ˈun-] *a (Gegend)* peu accueillant; *(öde)* désert; **~schaftlich** *a* non rentable, d'un mauvais rendement (économique).
unwissen|d [ˈun-] *a* ignorant, ignare; **U~heit** *f* ignorance *f;* **~schaftlich** *a* peu scientifique; **~tlich** *adv* par ignorance, à mon *etc* insu, sans le savoir.
unwohl [ˈun-] *a* souffrant, indisposé; *mir ist ~* je ne suis pas bien *od* dispos, je ne me sens pas bien; **U~sein** *n* malaise *m,* indisposition *f.*
unwohnlich [ˈun-] *a* peu confortable.
unwürdig [ˈun-] *a* indigne (*gen* de); **U~keit** *f* indignité *f.*
Unzahl *f* [ˈun-] nombre *m* immense, infinité; *fam* légion *f.*
unzähl|bar [ˈun-] innombrable; **~ige** [ˈun-] *a pl attr* d'innombrables ...; *~~ Male (adv)* mille et mille fois.
Unze *f* ‹-, -n› [ˈuntsə] *(Gewicht)* once *f.*
Unzeit *f* [ˈun-] *: zur ~* à contretemps, hors de saison; *(ungelegen)* à une heure indue, mal à propos; **u~gemäß** *a* inactuel; *(veraltet)* démodé; **u~ig** *a* intempestif; *(ungelegen)* inopportun.
unzerbrechlich [--ˈ--, ˈ----] *a* incassable, infrangible.
unzerlegbar [--ˈ--, ˈ----] *a, bes. chem* indécomposable.
unzerreißbar [--ˈ--, ˈ----] *a* indéchirable.
unzerstörbar [--ˈ--, ˈ----] *a* indestructible.
unzertrenn|bar *a,* **~lich** [--ˈ--, ˈ----] *a* inséparable; *sie sind ~~ (a.)* ils ne font qu'un; *fam* ils sont compère et compagnon.
Unzial|buchstabe *m* [untsiˈa:l-], **~e** *f* ‹-, -n› onciale *f;* **~schrift** *f* (écriture) onciale *f.*
unziem|end *a,* **~lich** [ˈun-] *a* indécent, inconvenant; peu convenable, incongru.
unzivilisiert [ˈun-] *a* non civilisé, barbare.
Unzucht *f* [ˈun-] impudicité, luxure, lubricité, paillardise, lascivité, impureté de mœurs; *~ treiben* vivre dans la débauche, se livrer à la luxure; *gewerbsmäßige ~* prostitution *f;* **unzüchtig** *a* impudique, luxurieux, lascif; *~~e Handlung f (jur)* attentat *m* aux mœurs.
unzufrieden [ˈun-] *a* mécontent, insatisfait (*mit* de); **U~heit** *f* mécontentement *m,* insatisfaction *f.*
unzugänglich [ˈun-] *a (Ort)* inaccessible *a. fig; fig (Mensch)* inabordable, intraitable; *(zurückhaltend)* réservé; **U~keit** *f fig* caractère *m* réservé, réserve *f.*
unzulänglich [ˈun-] *a* insuffisant; **U~keit** *f* insuffisance *f.*
unzulässig [ˈun-] *a* inadmissible; *jur* irrecevable; *e-e Klage als ~ abweisen (jur)* rejeter une demande comme irrecevable; **U~keit** *f* inadmissibilité; *jur* non-recevabilité *f.*
unzurechnungsfähig [ˈun-] *a jur* incapable de discerner *od* de discernement; irresponsable; **U~keit** *f* irresponsabilité *f.*
unzureichend [ˈun-] *a* insuffisant.
unzusammenhängend [ˈun-] *a* incohérent; *(Worte) a.* entrecoupés; *(Rede)* décousu; *adv (sprechen)* à bâtons rompus.
unzuständig [ˈun-] *a* incompétent; *sich für ~ erklären (jur)* se récuser; **U~keit** *f* incompétence *f.*
unzuträglich [ˈun-] *a (nachteilig)* désavantageux; *(ungesund)* malsain; **U~keit** *f (Übelstand)* inconvénient; *(nachteilige Wirkung)* mauvais effet *m.*
unzutreffend [ˈun-] *a* non pertinent; inexact.
unzuverlässig [ˈun-] *a* peu sûr, incertain, douteux; *(Mensch)* sur lequel on ne peut pas compter, auquel on ne peut pas se fier; peu consciencieux; *(Gedächtnis)* infidèle; *~ sein (Mensch) a.* ne pas avoir de parole; **U~keit** *f* incertitude *f; (Mensch)* manque *m* de conscience; *(Gedächtnis)* infidélité *f.*
unzweckmäßig [ˈun-] *a* impropre, inopportun; **U~keit** *f* impropriété, inopportunité *f.*
unzweideutig [ˈun-] *a* non équivoque; *a. adv* sans équivoque, sans ambiguïté; *adv* nettement; **U~keit** *f* clarté *f* absolue.
unzweifelhaft [ˈun-] *a* indubitable; *adv* sans aucun doute, indubitablement.
üppig [ˈʏpɪç] *a (Pflanzenwuchs)* exubérant, luxuriant; *(Haarwuchs)* abondant; *(Körper(teil)* opulent, *fam* plantureux; *(Mahl)* copieux, plantureux; *allg (prächtig)* luxueux, riche; *(schwelgerisch)* voluptueux; *~ leben (a.)* vivre grassement *fam;* **Ü~keit** *f* exubérance, luxuriance; abondance; opulence; somptuosité *f,* luxe *m,* richesse *f.*
Ur *m* ‹-(e)s, -e› [u:r] *zoo (Auerochs)* aurochs *m.*
Urabstimmung *f* [ˈu:r-] référendum *m.*
Urahn|(e) *m* [ˈu:r-] *(Urgroßvater)* bisaïeul; *(Vorfahr)* ancêtre, aïeul *m;* **~e** *f (Urgroßmutter)* bisaïeule *f.*
uralt [ˈu:r-] *a* vieux comme le monde, séculaire.
Urämi|e *f* ‹-, ø› [ureˈmi:] *med* urémie *f;* **u~isch** [uˈrɛ:mɪʃ] *a* urémique.
Uran *n* ‹-, ø› [uˈra:n] *chem* uranium *m;* **~bergwerk** *n* mine *f* d'uranium; **~brenner** *m* pile *f* atomique; **~erz** *n* minerai *m* d'uranium; **~glimmer** *m* uranite *f;* **u~haltig** *a* uranifère; **~init** *m* ‹-(e)s, ø› [uraniˈni:t] = *~pecherz;* **~it** *m* ‹-(e)s, ø› [uraˈni:t] = *~glimmer;* **~oxyd** *n* urane *m;* **~pecherz** *n* uranine *f;* **~salz** *n* uranate *m;* **~säure** *f* acide *m* uranique; **~spaltung** *f* fission *f* uranique; **~vorkommen** *n* gisement *m* uranifère.
uraufführ|en [ˈu:r-] ‹*hat uraufgeführt*› *tr* représenter pour la première fois; créer; **U~ung** *f* première (représentation); création *f.*
urbar [ˈu:rba:r] *a: ~ machen (agr)* défricher, mettre en culture; **U~ma-**

chung *f* défrichement, défrichage *m,* mise *f* en culture.
Urbild *n* ['u:r-] original, prototype; *scient* archétype *m.*
Urchrist|entum *n* ['u:r-] christianisme *m* primitif; **u~lich** *a* paléochrétien *scient.*
ureigen ['u:r-] *a* absolument original, personnel.
Ureinwohner *m pl* ['u:r-] premiers habitants, aborigènes, autochtones *m pl.*
Ureltern *pl* ['u:r-] *(Vorfahren)* ancêtres, aïeux *m pl.*
Urenkel *m* ['u:r-] arrière-petit-fils *m; pl* arrière-petits-enfants *m pl;* **~in** *f* arrière-petite-fille *f.*
Urfassung *f* ['u:r-] *(e-r Dichtung)* version *f* originale.
urgemütlich ['u:r-] *a: es war ~* nous nous sommes *bzw.* ils se sont fort réjouis *etc.*
Urgeschicht|e *f* ['u:r-] préhistoire *f;* **u~lich** *a* préhistorique.
Urgestein *n* ['u:r-] *geol* roches *f pl* primitives.
Urgroß|eltern *pl* ['u:r-] arrière--grands-parents *m pl;* **~mutter** *f* arrière-grand-mère, bisaïeule *f;* **~vater** *m* arrière-grand-père, bisaïeul *m.*
Urheber *m* ['u:r-] auteur; *(Schöpfer)* créateur; *(Anstifter)* instigateur, promoteur *m;* **~recht** *n* droit *m* d'auteur, propriété *f* littéraire (et artistique); **~rechtsgesetz** *n* loi *f* sur la propriété littéraire (et artistique); **~schaft** *f* qualité d'auteur, paternité *f.*
Urin *m* ‹-s, -e› [u'ri:n] urine *f;* **~glas** *n* urinal *m;* **u~ieren** ‹*aux: haben*› *itr* uriner; **~untersuchung** *f* uroscopie *f.*
Urkirche *f* ['u:r-] Église *f* primitive.
urkomisch ['u:r-] *a* extrêmement comique; très drôle.
Urkund|e *f* ['u:r-] document, titre *m,* pièce *f* (écrite); *(Diplom)* diplôme, brevet *m; pol* charte *f,* instrument *m; e-e ~~ aufsetzen* od *ausstellen* dresser *od* passer un acte, *jur* instrumenter; *amtliche ~~* pièce *f* officielle, acte *m* authentique; *gerichtliche, notarielle ~~* acte *m* judiciaire, notarié; **~enbeglaubigung** *f* légalisation *f* d'acte; **~enbeweis** *m* preuve *f* documentaire *od* par documents *od* par titres; **~enfälscher** *m* falsificateur de documents, faussaire *m;* **~enfälschung** *f* falsification *f* de documents, faux *m* en écriture; **u~lich** *a* documentaire; *(verbürgt)* authentique; *adv* par des documents *od* titres; *~~ dessen (jur)* en foi de quoi; *~~ belegen* documenter; **~sbeamte(r)** *m* personne *f* qualifiée pour instrumenter; *(gerichtlicher)* greffier *m.*
Urlaub *m* ‹-(e)s, -e› ['u:rlaup, '-bəs] congé *m; (Ferien)* vacances *f pl; mil* permission, *arg* perme *f; in* od *im ~* en vacances; en permission; *in ~ fahren, gehen* partir, entrer en vacances; *~ haben* avoir congé; *~ nehmen* prendre du congé; *im ~ sein* être en congé *od* en vacances *od mil* en permission; *bezahlte(r) ~* congé *m* payé; *~ auf Ehrenwort* permission *f* sur parole; **~er** *m* ‹-s, -› [-bər] vacancier; *mil* permissionnaire *m;* **~erzug** *m mil* train *m* de permissionnaires, **u~sberechtigt** *a* ayant droit à un congé *od mil* à une permission; **~sgesuch** *n* demande *f* de congé *od mil* de permission; **~sgeld** *n* prime *f* de vacances; **~skasse** *f* budget-vacances *m;* **~sliste** *f* liste *f* des congés *od mil* des permissions; **~sreisende(r)** *m* vacancier *m;* **~sschein** *m,* **~ssperre** *f,* **~süberschreitung** *f mil* titre *m,* suppression *f,* dépassement *m* de permission; **~sverlängerung** *f* prolongation *f* de congé *od mil* de permission.
Urmensch *m* ['u:r-] homme primitif, premier homme *m.*
Urmeter *n, a. m* ['u:r-] mètre *m* étalon.
Urne *f* ‹-, -n› ['urnə] urne *f;* **~nfriedhof** *m,* **~nhalle** *f* columbarium, columbaire *m.*
Urologe *m* ‹-n, -n› [uro'lo:gə] *(Arzt für Krankheiten der Harnorgane)* urologue *m.*
Urquell(e *f*) *m* ['u:r-] source *f* première.
Ursache *f* ['u:r-] cause; *(Grund)* raison *f; (Beweggrund)* motif; *(Anlaß)* sujet *m; aus welcher ~?* pour quelle raison? pour quel motif? *(alle) ~ haben zu ...* avoir (tout) lieu de ...; *keine ~!* (il n'y a) pas de quoi! *kleine ~n, große Wirkung (prov)* petite cause, grands effets; *erste ~ (philos)* premier moteur *m.*
ursächlich ['u:rzɛçliç] *a* causal, *gram* causatif; *~e(r) Zusammenhang m* relation *f* de cause à effet; **U~keit** *f* causalité *f.*
Urschrift *f* ['u:r-] original, autographe *m; jur* minute *f;* **u~lich** *a* autographe; *jur* en original.
Ursprache *f* ['u:r-] langue *f* primitive; *(Urtext)* original *m.*
Ursprung *m* ['u:r-] origine *f,* principe; *(Anfang)* commencement *m; (Entstehung)* naissance; *(Quelle)* source; *(Herkunft, bes. com)* provenance *f; s-n ~ haben in* tirer son origine de, provenir de.
ursprünglich ['u:r-] *a* premier, originel; *(erstmalig)* original; *(urwüchsig)* primesautier, spontané; *adv (anfangs)* à l'origine, dans le principe; primitivement, d'abord; **U~keit** *f* originalité; spontanéité *f.*
Urstoff *m* ['u:r-] *philos* matière *f* première; *chem (Element)* élément *m.*
Urteil *n* ['ur-] *allg u. jur* jugement *m; (richterliches)* sentence *f,* arrêt; *(der Geschworenen)* verdict *m; (Meinung)* opinion *f,* avis; *(~skraft)* discernement, bon sens *m; nach dem ~ (gen)* selon l'avis (de), au dire (de); *ein ~ abändern* réformer un arrêt; *über etw ein gutes ~ abgeben* exprimer un jugement favorable sur qc; *ein ~ anfechten* se pourvoir contre un arrêt; *ein ~ annehmen* acquiescer à un jugement; *ein ~ aufheben* annuler *od* infirmer *od* casser un jugement; *ein ~ aussprechen, ein ~ bestätigen* prononcer, confirmer un jugement; *sich ein ~ bilden über* se faire *od* se former une opinion sur; *ein ~ fällen* rendre *od* porter un jugement; *ein gerechtes ~ fällen* faire justice; *das ~ sprechen* rendre le verdict; *sein eigenes ~ sprechen* prononcer sa propre condamnation; *das ~ verkünden* prononcer le verdict; *das ~ vollstrecken* exécuter la sentence; **u~en** ‹*hat geurteilt*› *itr allg u. jur* juger (*über* de); *(s-e Ansicht äußern)* raisonner (*über* de), porter un jugement (*über* de, sur); *nach s-n Worten zu ~~* à en juger par ses paroles, à l'en croire; *~~ Sie selbst!* jugez (par) vous-même! **~sausset-zung** *f* non-lieu *m;* **~sbegründung** *f* attendus *od* motifs *m pl* du jugement; **~seröffnung** *f* publication *f* de l'arrêt; **u~sfähig** *a* capable de juger *od* de discerner; compétent; *~~e(s) Alter n* âge *m* de raison; **~sfähigkeit** *f* capacité *f* de juger, jugement *n;* compétence; *jur* faculté *f* judiciaire; **~skraft** *f* jugement, discernement *m;* **~sspruch** *m* (dispositif *od* prononcé du) jugement *m,* sentence *f,* arrêt; *(der Geschworenen)* verdict *m;* **~stenor** *m* dispositif *m* du jugement; **u~sunfähig** *a* incapable de juger *od* de discerner; **~sverkündung** *f* prononcé *m* du jugement; **~svollstreckung** *f* exécution *f* du jugement.
Urtext *m* ['u:r-] (texte) original *m.*
Urtierchen *n* ['u:r-] protozoaire, protiste *m.*
Urtrieb *m* ['u:r-] instinct *m* primitif.
urtümlich ['u:rty:mlıç] *a* primitif, archaïque.
Ururgroß|mutter *f* ['u:r,ʔu:r-] trisaïeule *f;* **~vater** *m* trisaïeul *m.*
Urvater *m* ['u:r-] premier père *m.*
Urväterzeit *f* ['u:r-]: *seit ~en* dès la plus haute antiquité.
urverwandt ['u:r-] *a* d'origine commune; **U~schaft** *f* communauté *f* d'origine.
Urvolk *n* ['u:r-] peuple *m* primitif.
Ur|wahl *f* ['u:r-] *pol* élection *f* primaire *od* au premier degré; **~wähler** *m* électeur *m* primaire *od* du premier degré.
Urwald *m* ['u:r-] forêt *f* vierge.
Urwelt *f* ['u:r-] monde *m* primitif; **u~lich** *a* (du monde) primitif; *(vorsintflutlich)* antédiluvien.
urwüchsig ['u:r-] *a* naturel, originel, naïf; *(kraftvoll)* robuste; *(derb)* rustique.
Urzeit *f* ['u:r-] ère *f* primitive *od* archaïque.
Urzeugung *f* ['u:r-] *biol* génération *f* spontanée.
Urzustand *m* ['u:r-] état *m* primitif *od* originel.
Usambaraveilchen *n* [uzam'ba:ra-] *bot* violette d'Usambara, saintpaulia *f.*
Us|ance *f* ‹-, -n› [y'zɑ̃:s] *com (Brauch)* usage *m;* **~owechsel** *m* ['u:zo-] *com* lettre *f* de change à usance.
Usurp|ator *m* ‹-s, -en› [uzur'pa:tɔr, -'to:rən] usurpateur *m;* **u~ieren** *tr* usurper.

Usus *m* ⟨-, ø⟩ ['u:zʊs] *(Brauch)* usage *m*, habitude *f*.
Utensilien *pl* [utɛn'zi:liən] ustensiles *m pl*.

Utilitarismus *m* ⟨-, ø⟩ [utilita'rɪsmʊs] utilitarisme *m*.
Utop|ie *f* ⟨-, -n⟩ [uto'pi:] utopie *f*; **u~isch** [u'to:pɪʃ] *a* utopique; **~ist** *m* ⟨-en, -en⟩ [-'pɪst] utopiste *m*.

Uz *m* ⟨-es, -e⟩ [u:ts] , **~erei** *f* [-'raɪ] *fam* brimade, mise en boîte, taquinerie *f*; **u~en** ⟨*du/er uz(e)t*⟩ *tr fam (necken)* mettre en boîte, faire marcher, taquiner.

V

V, v *n* ⟨-, -⟩ [fau] *(Buchstabe)* V, v *m.*

va banque [va'bɑ̃:k]: *~~ spielen (alles aufs Spiel setzen)* risquer tout; **vabanquespiel** *n: das ist ein ~* on y risque tout.

Vademekum *n* ⟨-s, -s⟩ [vade'me:kum] *(Taschenbuch)* vade-mecum *m.*

Vagabund *m* ⟨-en, -en⟩ [vaga'bʊnt, -dən] vagabond *m;* **~entum** *n* ⟨-s, ø⟩ vagabondage *m;* **v~ieren** [-'di:rən] *itr* vagabonder.

vag|(e) [va:k, '-gə] *a (undeutlich, unbestimmt)* vague; **V~heit** *f* vague *m.*

Vagus *m* ⟨-, ø⟩ ['va:gʊs] *anat (Nerv)* nerf *m* vague *od* pneumogastrique.

vakan|t [va'kant] *a (unbesetzt, frei)* vacant; **V~z** *f* ⟨-, -en⟩ [-'kants] vacance *f.*

Vakuum *n* ⟨-s, -kua/-kuen⟩ ['va:kuum, -a/-ən] *phys, a. fig* vide *m;* **~apparat** *m* appareil *m* à vide; **~blitzlicht** *n phot* lampe-éclair *f;* **~bremse** *f* frein *m* à vide *od* à dépression; **~meter** *n* vacuomètre, indicateur *m* du vide; **~röhre** *f* tube *m od* lampe *f* à vide.

Vakzin *n* ⟨-s, -e⟩, **~e** *f* ⟨-, -n⟩ [vak'tsi:n(ə)] *(Impfstoff)* vaccin *m.*

Valenz *f* ⟨-, -en⟩ [va'lɛnts] *chem biol* valence *f.*

Valuta *f* ⟨-, -ten⟩ [va'lu:ta, -tən] *fin (Gegenwert)* valeur *f; (Währung)* monnaie *f* étrangère *od* de compte; change *m;* **~geschäft** *n* opération *f* de change; **~kurs** *m,* **~notierung** *f* cours *m,* cote *f* du change; **v~schwach** *a,* **v~stark** *a (Land)* à change déprécié, élevé; **~spekulation** *f* spéculation *f* sur les changes.

Vamp *m* ⟨-s, -s⟩ [vɛmp] *(gefährliche Frau)* vamp, femme *f* fatale; **~ir** *m* ⟨-s, -e⟩ [vam'pi:r] *(Gespenst; zoo; fig: Blutsauger)* vampire *m.*

Vanad|in *n* ⟨-s, ø⟩ [vana'di:n], **~ium** *n* ⟨-s, ø⟩ [-'na:dium] *chem* vanadium *m.*

Vandale *etc s. Wandale etc.*

Vanille *f* ⟨-, ø⟩ [va'nɪljə] *bot* vanillier *m; (Gewürz)* vanille *f;* **~eis** *n,* **~pudding** *m* glace, crème *f* à la vanille.

Vari|a ['va:ria] *pl (Vermischtes)* mélanges *m pl* (littéraires), miscellanées *f pl;* **v~abel** [vari'a:bəl] *a (veränderlich, schwankend)* variable; **~abilität** *f* ⟨-, -en⟩ [-rjabili'tɛ:t] variablitité *f;* **~able** *f* ⟨-n, -n⟩ [-'ria:blə] *math* variable *f;* **~ante** *f* ⟨-, -n⟩ [-'riantə] *(Abweichung; Lesart; Abart)* variante *f;* **~ation** *f* ⟨-, -en⟩ [-tsi'o:n] *(Abwandlung)* variation *f;* **v~ationsfähig** *a* variable; **~eté (-theater)** *n* ⟨-s, -s⟩ [-rie'te:] music-hall, théâtre *m* de variétés; **v~ieren** [-ri'i:rən] ⟨*hat variiert*⟩ *tr (abwandeln) u. itr (abweichen)* varier.

Vasall *m* ⟨-en, -en⟩ [va'zal] *hist* vassal *m;* **~enstaat** *m* État *m* vassal *od* tributaire; **~entum** *n* ⟨-s, ø⟩ vassalité *f,* vasselage *m;* **v~isch** [-'za:lɪʃ] *a* vassal.

Vase *f* ⟨-, -en⟩ ['va:zə] vase *m;* **~nmalerei** *f* peinture *f* de vases.

Vaselin *n* ⟨-s, ø⟩, **~e** *f* ⟨-, ø⟩ [vaze'li:n(ə)] *pharm* vaseline *f.*

Vater *m* ⟨-s, ⸚⟩ ['fa:-, 'fɛ:tər] père *m; pl (Vorväter)* aïeux, ancêtres *m pl; vom ~ auf den Sohn* de père en fils; *er ist ganz der ~* od *der ganze ~* c'est tout le portrait de son père; **~freuden** *f pl* joies *f pl* de la paternité; **~gut** *n jur* patrimoine *m;* **~haus** *n* maison *f* paternelle; **~land** *n* patrie *f;* **v~ländisch** *a* patriotique; **~landsliebe** *f* patriotisme, amour *m* de la patrie; **v~landslos** *a* sans patrie; *(heimatlos)* apatride; **~landslose(r)** *m* sans-patrie; apatride *m;* **v~los** *a* sans père, orphelin de père; **~mord** *m,* **~mörder** *m* parricide *m;* **~schaft** *f* paternité, qualité *f* de père; **~schaftsanerkennung** *f* reconnaissance *f* de paternité; **~schaftsklage** *f jur* action *f* en recherche de paternité; **~stadt** *f* ville *f* natale; **~stelle** *f: bei jdm ~~ vertreten* tenir lieu de père à qn; **~tag** *m* fête *f* des pères; **~unser** *n* ⟨-s, -⟩ [--'--/'----] *(Gebet)* Notre-Père *m,* oraison *f* dominicale; *ein ~~ beten* dire un Notre-Père.

Väter|chen ['fɛ:tər-] *n* petit père *m;* **v~lich** *a* paternel; *~~e(s) Erbe n* patrimoine *m; ~~e Gewalt f* puissance *f* paternelle; **v~licherseits** *adv* (du côté) paternel *a.*

Vati *m* ⟨-s, -s⟩ ['fa:ti] papa *m.*

Vatikan [vati'ka:n] *der, rel* le Vatican; **~stadt,** *die,* la Cité du Vatican.

Veget|abilien *pl* [vegeta'bi:liən] *(pflanzl. Nahrungsmittel)* végétaux *m pl;* **v~abil(isch)** [-'bi:l(ɪʃ)] *a (pflanzlich)* végétal; **~arier** *m* ⟨-s, -⟩ [-'ta:riər] végétarien *m* [-'ta:rɪʃ] *a* végétarien; **~arismus** *m* ⟨-, ø⟩ [ta'rɪsmʊs] *(pflanzl. Ernährungsweise)* végétarisme, végétalisme *m;* **~ation** *f* ⟨-, -en⟩ [-tsi'o:n] végétation *f;* **~ationsgebiet** *n* zone *f* de végétation; **v~ativ** [-'ti:f] *a scient* végétatif; *~~e(s) Nervensystem n* système *m* nerveux végétatif; **v~ieren** [-ge'ti:rən] ⟨*aux: haben*⟩ *itr (kümmerlich leben)* végéter, vivoter.

vehemen|t [vehe'mɛnt] *a (heftig)* véhément; **V~z** *f* ⟨-, ø⟩ [-'mɛnts] véhémence *f.*

Vehikel *n* ⟨-s, -⟩ [ve'hi:kəl] *fam (Fahrzeug)* véhicule *m.*

Veilchen *n* ⟨-s, -⟩ ['faɪlçən] *bot* violette *f;* **v~blau** *a* violet, violacé.

Veit [faɪt] *m (Männername)* Guy *m;* **~stanz** *m med* danse *f* de Saint-Guy.

Vektor *m* ⟨-s, -en⟩ ['vɛktɔr, -'to:rən] *math phys* vecteur *m.*

Velin(papier) *n* ⟨-s, ø⟩ [ve'li:n, -'lɛ̃:] vélin *m.*

Veltlin [fɛlt-, vɛlt'li:n] *das, geog* la Valteline.

Velvet *m (a. n)* ⟨-s, -s⟩ ['vɛlvət] *(Textil)* velours *m* de coton.

Ven|e *f* ⟨-, -n⟩ ['ve:nə] *anat* veine *f;* **~enentzündung** *f* phlébite *f;* **v~ös** [ve'nø:s] *a* veineux.

Venedig [ve'ne:dɪç] *n* Venise *f.*

venerisch [ve'ne:rɪʃ] *a med* vénérien.

Venezian|er(in *f***)** *m* ⟨-s, -⟩ [vene'tsia:nər] Vénitien, ne *m f;* **v~isch** [-'tsia:nɪʃ] *a* vénitien.

Ventil *n* ⟨-s, -e⟩ [vɛn'ti:l] valve, soupape *f,* clapet *m; hängende(s) ~* soupape *f* en tête; **~ation** *f* ⟨-, -en⟩ [-tilatsi'o:n] ventilation *f;* **~ator** *m* ⟨-s, -en⟩ [-'la:tɔr, -'to:rən] ventilateur *m;* **v~ieren** [-'li:rən] *tr* ventiler; **~ierung** *f* ventilation *f;* **~kegel** *m* tête *f* de soupape; **~klappe** *f* valve *f.*

Venus *f* ['ve:nʊs] *rel astr* Vénus *f;* **~fliegenfalle** *f bot* gobe-mouches *m;* **v~isch** [ve'nu:zɪʃ] *a astr* vénusien; **~oberfläche** *f astr* sol *m* vénusien.

veraasen [fɛr'-] *tr fam = vergeuden.*

verabfolg|en [fɛr'-] ⟨*hat verabfolgt*⟩ *tr (aushändigen)* donner, remettre, délivrer; **V~ung** *f* remise, délivrance *f.*

verabred|en [fɛr'-] ⟨*hat verabredet*⟩ *tr* convenir (*etw* de qc); *sich ~~* prendre *od* se donner un rendez-vous, prendre jour (*mit jdm* avec qn; *für e-n Zeitpunkt* pour une heure donnée); *~et sein* avoir un rendez-vous; *wie ~et,* **~etermaßen** *adv* comme convenu; **V~ung** *f* accord *m,* convention *f; (sich zu treffen)* rendez-vous *m; e-e ~~ versäumen* manquer un rendez-vous; brûler la politesse.

verabreich|en [fɛr'-] ⟨*hat verabreicht*⟩ *tr* donner, fournir; *(Medikament)* administrer; **V~ung** *f med* administration *f.*

verabscheu|en [fɛr'-] ⟨*hat verabscheut*⟩ *tr* détester, exécrer, abominer; avoir en horreur *od* en exécration *od* en abomination; avoir horreur de; **V~ung** *f* exécration, abomination; horreur *f;* **~ungswürdig** *a* détestable, exécrable, abominable.

verabschied|en [fɛr'-] ⟨*hat verab-*

schiedet⟩ tr (Person) faire ses adieux à; congédier, licencier, révoquer; (Offizier) réformer, mettre à la réforme; parl (Gesetz) prendre, adopter, voter; (den Haushalt) expédier, adopter, voter; sich ~~ prendre congé, faire ses adieux; **V~ung** f mise f en congé od à la retraite; licenciement m; (e-s Offiziers) réforme; parl adoption f, vote m.

verachtlen [fɛrˈ-] tr dédaigner, mépriser, avoir od tenir en mépris; etw nicht ~~ (fam: mögen) ne pas cracher sur qc; **V~ung** f dédain, mépris m; der (allgemeinen) ~~ anheimfallen tomber dans le mépris (général); jdn mit ~~ strafen accabler qn de (son) mépris.

verächtlich [fɛrˈʔɛçtlɪç] a (voller Verachtung) dédaigneux, méprisant; (erbärmlich) méprisable, misérable; mit ~em Blick d'un air dédaigneux; ~ machen avilir, jeter le discrédit sur; adv dédaigneusement, avec dédain; **V~machung** f avilissement m.

veralbern [fɛrˈ-] tr fam (verspotten) blaguer, tourner en ridicule.

verallgemeinerln [fɛrˈ-] [---ˈ--/-ˈ----] tr généraliser; **V~ung** f généralisation f.

veraltlen [fɛrˈ-] ⟨ist veraltet⟩ itr vieillir, passer (de mode), tomber en désuétude; **~et** a vieilli, démodé, désuet; hors d'usage; (Wort, Wendung) vieilli, archaïque, obsolète; ~~e(r) Ausdruck m (a.) archaïsme m.

Veranda f ⟨-, -den⟩ [veˈranda] arch véranda f.

veränderllich [fɛrˈ-] a variable (a. math, gram, mete); changeant, instable, inconstant, inégal; (Mensch) mobile, versatile, capricieux; **V~lichkeit** f variabilité; instabilité, inconstance, inégalité; versatilité, humeur f changeante; **~n** tr changer, varier, modifier, altérer; (umwandeln) transformer; sich sehr ~t haben avoir beaucoup changé; **V~ung** f changement m, variation, modification, altération; transformation f; (plötzliche) ~~ der Lage (a.) changement m de décor.

verängstigen [fɛrˈ-] tr intimider; effrayer.

verankerln [fɛrˈ-] tr ancrer a. fig; amarrer; fest ~t (pp fig) bien ancré; **V~ung** f mar ancrage, amarrage m.

veranlaglen [fɛrˈ-] tr: jdn (steuerlich) ~~ faire od établir l'assiette de l'impôt de qn; **~t** pp (von Natur) prédisposé; gut ~~ (begabt) bien doué od né; **V~ung** f (natürliche) (pré)disposition f; (Begabung) dons m pl naturels, capacités f pl; fin assiette (de l'impôt), imposition f; **V~ungsjahr** n fin année f d'imposition; **V~ungszeitraum** m fin période f d'assiette.

veranlasslen [fɛrˈʔanlasən] ⟨er veranlaßt/e, hat veranlaßt⟩ tr donner lieu od sujet à, provoquer, causer, occasionner; (Menschen, bestimmen) décider od engager à, faire; sich veranlaßt sehen zu ... se voir obligé de ...; **V~ung** f cause f, motif, sujet m; (e-s Menschen) instigation, impulsion f; auf jds ~~ sous l'impulsion de qn; ohne ~~ sans motif, sans raison; zur weiteren ~~ (adm) pour suite à donner, à toutes fins utiles; ~~ geben zu donner lieu od sujet od matière à; es liegt ~~ vor zu ... (adm) il y a lieu de ...

veranschaulichlen [fɛrˈ-] tr concrétiser, illustrer, rendre sensible, donner une idée de; **V~ung** f concrétisation, illustration f.

veranschlaglen [fɛrˈ-] ⟨er veranschlagt(e), hat veranschlagt⟩ tr évaluer, estimer, taxer, faire un devis de; zu hoch ~~ surestimer, surtaxer, surfaire; zu niedrig ~~ sous-estimer; **V~ung** f évaluation, estimation f; (Kostenanschlag) devis m.

veranstaltlen [fɛrˈ-] ⟨hat veranstaltet⟩ tr organiser, arranger, préparer, faire les préparatifs de; (Fest) donner; **V~er** m organisateur m; **V~ung** f (Tätigkeit) organisation f, arrangement m, préparation; (Ereignis) manifestation; (Feier, Fest) fête f; gesellschaftliche ~~ manifestation f mondaine; pl a. mondanités f pl.

verantwortlen [fɛrˈ-] ⟨hat verantwortet⟩ tr répondre de; être responsable de; sich ~~ se justifier; das kann ich nicht ~~ je ne peux pas en répondre; **~lich** a responsable (für de); jdn für etw ~~ machen rendre qn responsable de qc, mettre qc sur la conscience de qn; für etw ~~ sein (a.) (devoir) répondre de qc; **V~lichkeit** f responsabilité f; **V~ung** f responsabilité f; auf jds ~~ sous la responsabilité de qn; die od jede ~~ ablehnen décliner la od toute responsabilité; jdn s-r ~~ entheben libérer qn de sa responsabilité; die ~~ für etw tragen, übernehmen porter, prendre od assumer la responsabilité de qc; jdn zur ~~ ziehen demander des comptes à qn; **~ungsbewußt** a conscient de ses responsabilités; **V~ungsbewußtsein** n conscience f de ses responsabilités; **V~ungsfreudigkeit** f goût m de la responsabilité; **V~ungsgefühl** n sentiment m de responsabilité; **~ungslos** a irresponsable; **V~ungslosigkeit** f irresponsabilité f; **~ungsvoll** a responsable.

veräppeln [fɛrˈʔɛpəln] tr fam = veralbern.

verarbeitlen [fɛrˈ-] tr usiner, manufacturer, travailler, façonner, ouvrer, traiter; (verbrauchen) utiliser, consommer; physiol (verdauen) digérer; a. fig (Eindruck) assimiler; fig faire sien; **V~ung** f usinage, façonnage, traitement; travail m industriel; physiol digestion; a. fig assimilation f; **V~ungsindustrie** f industrie f de transformation; **V~ungsstufe** f état m de fabrication.

verargen [fɛrˈʔargən] tr: jdm etw ~ en vouloir à qn pour qc.

verärgerln [fɛrˈ-] tr fâcher, irriter; offenser, ulcérer; **~t** a fâché, irrité; offensé, ulcéré; **V~ung** f irritation f.

verarmlen [fɛrˈ-] ⟨aux: sein⟩ itr s'appauvrir; **V~ung** f appauvrissement m.

verarztlen [fɛrˈʔaːrtstən] tr fam (behandeln) traiter; **V~ung** f fam traitement m.

verästelln [fɛrˈʔɛstəln], sich se ramifier; **V~ung** f ramification f.

verauktionierlen [fɛrˈ-] tr, **V~ung** f vendre, vente f aux enchères.

verausgablen [fɛrˈ-] ⟨er verausgabt/-e, hat verausgabt⟩ tr (ausgeben) dépenser; sich ~~ dépenser trop; fam se mettre à sec; **V~ung** f dépense f.

verauslaglen [fɛrˈ-] tr (Geld auslegen) avancer; **V~ung** f avancement m.

veräußerllichen [fɛrˈ-] tr ⟨aux: haben⟩ rendre, itr ⟨aux: sein⟩ devenir superficiel; **~n** tr (verkaufen) aliéner, se défaire de, vendre; **V~ung** f aliénation, vente f.

Verb n ⟨-s, -en⟩ [vɛrp, ˈ-bən] gram verbe m; **v~al** [-ˈbaːl] a gram verbal; (mündlich) oral, verbal; **~aladjektiv** n gram adjectif m verbal; **~alinjurie** f jur, **~alnote** f pol injure, note f verbale; **~alsubstantiv** n gram nom m verbal.

verbacken [fɛrˈ-] tr (Mehl) boulanger.

verballhornen [fɛrˈbalhɔrnən] ⟨hat verballhornt⟩ tr (verschlimmbessern, verhunzen) défigurer.

Verband m ⟨-(e)s, ⸚e⟩ [fɛrˈ-] med pansement, bandage, appareil; tech assemblage m; mil formation f, groupe m, grande unité; (Vereinigung) association, société, fédération, union f, groupement; (Gewerkschaft) syndicat m; e-n ~ anlegen, abnehmen, erneuern (med) appliquer, défaire od enlever, renouveler od refaire un pansement; **~mull** m med gaze f (à pansement od hydrophile); **~sflug** m aero vol m en formation; **~(s)kasten** m med boîte f de pansement(s); **~(s)päckchen** n med paquet m de pansement(s); **~(s)platz** m mil poste m de secours; **~(s)stoff** m linge m od gaze f de pansement; **~svorsitzende(r)** m président m d'une od de la fédération; **~(s)watte** f coton m hydrophile; **~(s)zeug** n med trousse f de pansement.

verbannlen [fɛrˈ-] tr bannir, proscrire, exiler; **V~te(r)** m proscrit, exilé m; **V~ung** f bannissement m, proscription f; (Exil) exil m.

verbarrikadieren [fɛr---ˈ--] tr barricader.

verbauen [fɛrˈ-] tr (schlecht bauen) mal bâtir od construire; (beim Bauen verbrauchen) utiliser; die Aussicht ~ boucher od barrer la vue.

verbauern [fɛrˈ-] ⟨ist verbauert⟩ itr fam perdre l'habitude du monde.

verbeamtlen [fɛr-ˈ--] tr fonctionnariser; **V~ung** f fonctionnarisation f.

verbeißen [fɛrˈ-] sich etw (unterdrükken; nicht zeigen) réprimer, refouler qc; dissimuler, cacher qc; sich in etw ~ (hineinknien, an etw anklammern) s'acharner à qc; sich in etw verbissen haben (von etw nicht loskommen) ne pas démordre de qc.

Verbene f ⟨-, -n⟩ [vɛrˈbeːnə] bot verveine f.

verbergen [fɛrˈ-] ⟨verbirgt, verbarg,

hat verborgen⟩ *tr* cacher, dissimuler; recéler; *scient* occulter.

Verbesser|er *m* [fɛr'-] réformateur *m*; **v~n** *tr* améliorer, rendre meilleur; réformer; *(vervollkommnen)* perfectionner; *(berichtigen)* rectifier; *(korrigieren)* corriger, amender; *(verfeinern, a. d. Geschmack)* affiner; *sich ~~ (beruflich)* améliorer sa situation; **~ung** *f* amélioration; réforme *f*; perfectionnement *m*; rectification; correction *f*, amendement *m*.

verbeug|en [fɛr'-], *sich* s'incliner; faire sa révérence (*vor jdm* à qn); **V~ung** *f* révérence, courbette *f*.

verbeulen [fɛr'-] *tr* bosseler, cabosser.

verbieg|en [fɛr'-] ⟨*hat verbogen*⟩ *tr* contourner, tordre; déformer, fausser, voiler; *sich ~~* se déformer; gauchir, se voiler, se déjeter; **V~ung** *f* déformation *f*; gauchissement *m*, voilure *f*.

verbiestert [fɛr'-] *a dial fam (verwirrt)* confus; *(verärgert)* irrité.

verbieten [fɛr'-] ⟨*verbot, hat verboten*⟩ *tr* défendre, interdire, prohiber; *(Buch)* mettre à l'index; *(Zeitung)* suspendre; *polizeilich verboten* défendu par ordonnance de police.

verbild|en [fɛr'-] déformer, défigurer; *fig* donner une fausse éducation à; **~et** *a*: *~~e(r) Mensch m* esprit *m* faux; **~lichen** *tr* représenter (par une image), figurer, symboliser; **V~lichung** *f* représentation, figuration, symbolisation *f*; **V~ung** *f* déformation, défiguration *f*.

verbillig|en [fɛr'-] *tr* diminuer *od* réduire le prix de; **~t** *adv* à prix réduit(s); **V~ung** *f* diminution *od* réduction *f* du *od* des prix.

verbinden [fɛr'-] ⟨*verband, hat verbunden*⟩ *tr med* panser; *(die Augen)* bander (*jdm* à qn); *(verknüpfen)* (re)lier, joindre, rattacher (*mit* à); *tech* assembler; *tele* mettre en communication; *mit jdm* relier à qn; *(vereinigen)* relier, joindre, rattacher, associer, allier (*mit* à); *pol (Listen)* apparenter; *jdm sehr verbunden sein (fig)* être (très *od* fort) obligé à qn; *falsch ~ (tele)* donner un mauvais numéro à; *damit verbindet sich für mich e-e schöne Erinnerung* cela me rappelle un beau souvenir; *verbundene Musik f (radio)* liaison *f* sonore; **V~** *n med* pansement *m*.

verbindlich [fɛr'-] *a (höflich)* obligeant; *jur (bindend)* obligatoire; *sich ~ machen zu ...* s'engager à ...; *~ sein (jur a.)* avoir force obligatoire; *(ich) danke ~st, ~sten Dank!* tous mes remerciements! *~e Worte n pl* paroles *f pl* de courtoisie, compliments *m pl*; **V~keit** *f (Gefälligkeit)* obligeance, complaisance *f*; *(bindende Gewalt)* caractère *m od* force obligatoire; *(Verpflichtung)* obligation *f*, engagement *m*; *e-e ~~ eingehen* prendre *od* assumer *od* contracter une obligation; *e-e ~~ erfüllen, e-r ~~ nachkommen* remplir une, s'acquitter d'une, satisfaire à une obligation; *die ~~ der Verträge* la foi des traités.

Verbindung *f* [fɛr'-] liaison, jonction *f*, rattachement, raccordement *m*, connexion *f*; *tech* assemblage *m*; *(Verkehrsverbindung)* desserte; *tele* communication; *(Beziehung, Zs.hang)* relation *f*, rapport, commerce *m*; *(gedankl. Verknüpfung)* combinaison; *(Vereinigung)* (ré)union, alliance; *(studentische ~)* corporation; *chem* combinaison *f*; combiné, composé *m*; *~en anknüpfen od aufnehmen* amorcer des *od* entrer en relations; *die ~ aufnehmen mit* prendre contact, se mettre en rapport *od* en relation *od* en communication avec; *~ aufnehmen (mil)* établir le contact; *~ bekommen (tele)* entrer en communication; *in ~ bringen mit* mettre en rapport avec; *e-e ~ eingehen (chem)* entrer en combinaison; *gute ~en haben* avoir de bonnes relations; *~ halten mit (mil)* assurer la liaison avec; *e-e ~ herstellen* faire un raccord; *die ~ herstellen (tele)* établir la communication; *sich in ~ setzen mit* se mettre en relation *od* en rapport *od* en communication avec; *fam* contacter; *(mitea.) in ~ stehen* communiquer; *(Menschen)* se voir; *mit jdm in ~ stehen* être en relation, entretenir des relations avec qn; *mit dem Feind in ~ stehen (mil)* entretenir des intelligences avec l'ennemi; *mit jdm in ~ treten, bleiben* entrer, rester en contact avec qn; *die ~en zerschlagen (mil)* désorganiser les communications; *chemische ~* combinaison *f* chimique; *falsche ~ (tele)* erreur *f* de communication *od* de numéro; *metallische ~ (chem)* liaison *f* de métaux.

Verbindungs|aufbau *m* [fɛr'bɪndʊŋs-] *tele* schéma *m* des connections; **~bahn** *f* ligne *f* de raccordement *od* de jonction; **~bolzen** *m* boulon *m* d'assemblage; **~draht** *m* fil *m* de jonction; **~flugzeug** *n* avion *m* de liaison; **~gleis** *n* voie *f* de jonction; **~glied** *n tech* élément de jonction, maillon *m*; **~graben** *m mil* boyau *m*; **~kabel** *n* câble *m* de jonction; **~kanal** *m* canal *m* de raccordement *od* de jonction; **~klammer** *f* agrafe *f* de joint; **~klemme** *f el* borne *f* de connexion, serre-fils *m*; **~leitung** *f tele* ligne *f* de raccordement; **~linie** *f* ligne *f* de communication *od* de jonction *od* de raccordement; **~mann** *m* ⟨-(e)s, -männer/-leute⟩ agent *od* homme *m* de liaison; **~muffe** *f* manchon *m* de jonction *od* de raccordement; **~offizier** *m* officier *m* de liaison; **~rohr** *n* tube *m* de raccordement; **~schnur** *f* cordon *m* de raccordement; **~stab** *m mil* détachement *m* de liaison; **~stange** *f* barre *f* de jointure; **~stelle** *f* point *m* de jonction; **~stück** *n* (pièce *f* de) raccord *m*; pièce *f* intercalaire *od* de jonction; lien *m*; *(Zimmerei)* moise *f*.

verbissen [fɛr'-] *a (hartnäckig)* acharné; opiniâtre; *adv* avec acharnement; opiniâtrement; **V~heit** *f* acharnement *m*; opiniâtreté *f*.

verbitt|en [fɛr'-]: ⟨*hat sich verbeten*⟩ *sich etw ~~* ne pas admettre *od* permettre *od* tolérer *od* laisser passer qc; *das ~e ich mir!* je vous le défends; *ich ~e mir diesen Ton!* je vous défends de me parler sur ce ton-là.

verbitter|n [fɛr'-] *tr fig* rendre amer, empoisonner, gâter; *(Menschen)* aigrir, ulcérer; *jdm das Leben ~~* empoisonner l'existence à qn; **~t** *a* aigri; **V~ung** *f* aigreur, amertume *f*.

verblassen [fɛr'-] ⟨*verblaßt(e), ist verblaßt*⟩ *itr (die Farbe verlieren)* se décolorer, se défraîchir; se faner; *fig (schwächer werden, nachlassen)* pâlir, s'affaiblir, diminuer.

Verblattung *f* [fɛr'-] *arch* assemblage *m* par entaille *od* à mi-bois, enture *f*.

Verbleib *m* ⟨-(e)s, ø⟩ [fɛr'blaɪp] *(e-s Menschen)* séjour; *(e-r S)* endroit (où se trouve actuellement qc); **v~en** *itr (bleiben)* rester, demeurer; *ich ~e Ihr ergebener X* votre dévoué X; *es ~t dabei* cela reste comme (aupar)avant; *~~ wir dabei!* restons-en là!

verbleichen [fɛr'-] ⟨*ist verblichen*⟩ *itr* = *verblassen*.

verblei|en [fɛr'blaɪən] *tr (mit Blei auslegen)* plomber; **V~ung** *f* plombage *m*.

verblend|en [fɛr'-] *tr fig* éblouir, aveugler; *arch (verkleiden)* revêtir; *(Öffnung)* boucher; **V~stein** *m* brique *f* de revêtement *od* de parement; **V~ung** *f fig* éblouissement, aveuglement *m*.

verbleuen [fɛr'-] *tr fam (verprügeln)* casser la figure à.

verblichen [fɛr'-] *a* défraîchi, fané; *fig (vergangen)* pâli, passé, éteint.

verblöd|en [fɛr-] ⟨*aux: sein*⟩ *itr* devenir stupide, s'abêtir, s'abrutir; **~et** *a* abêti, abruti; **V~ung** *f* ⟨*aux: sein*⟩ abêtissement, abrutissement *m*.

verblüff|en [fɛr'-] *tr* déconcerter, décontenancer, ébahir, ahurir; *fam* épater; **~end** *a* déconcertant; ahurissant; fracassant; **~t** *a* ébahi, ahuri; épaté; **V~theit** *f*, **V~ung** *f* ébahissement, ahurissement *m*.

verblüh|en [fɛr'-] ⟨*aux: sein*⟩ *itr* défleurir; se faner; **~t** *a fig* fané, passé.

verblümt [fɛr'-] *a (nur andeutend)* voilé; *adv* à demi-mot.

verblut|en [fɛr'-] *sich* ⟨*aux: haben*⟩ s'épuiser; *(mil) sich in nutzlosen Angriffen ~~* s'épuiser en vaines attaques; *itr* ⟨*ist verblutet*⟩ *(innerlich) ~~* mourir d'hémorragie (interne); **V~ung** *f* perte de sang; hémorragie *f*.

verbocken [fɛr'-] *tr fam (verschulden)*: *das hast du ~t* c'est ta faute.

verbohr|en [fɛr'-]: *sich in etw ~~* se fourrer qc dans la tête; *sich in etw ~t haben* ne pas démordre de qc; **~t** *a (verrückt)* biscornu, fou.

verbolz|en [fɛr'-] *tr tech* boulonner; **V~ung** *f* boulonnement *m*.

verborgen [fɛr'-] **1.** *tr (verleihen)* prêter.

verborgen [fɛr'-] **2.** *a (versteckt)* caché; *im ~en* en cachette, à la dérobée, à l'ombre; **V~heit** *f* clandestinité *f*.

Verbot *n* ⟨-(e)s, -e⟩ [fɛr'bo:t] défense,

interdiction, prohibition; *jur* loi *f* prohibitive; **v~en** *a* défendu, interdit; *du siehst darin ~~ aus (fam)* ça te va comme un tablier à une vache *od* comme des bretelles à un lapin; **~sschild** *n* panneau *m* d'interdiction.

verbräm|en [fɛrˈbrɛːmən] *tr (mit Pelz besetzen)* garnir de fourrure; *fig* enjoliver; **V~ung** *f fig* enjolivement *m.*

Verbrauch *m* ⟨-(e)s, ø⟩ [fɛrˈ-] consommation *f;* **v~en** *tr* consommer; *(erschöpfen)* épuiser; *(abnutzen)* user; **~er** *m* ⟨-s, -⟩ consommateur *m;* **~eranalyse** *f* recherche *f* auprès des consommateurs; **~erfestpreis** *m* prix-consommateur *m* fixe; **~ergenossenschaft** *f* coopérative *f* de consommateurs *od* de consommation; **~erhöchstpreis** *m* prix-consommateur *m* maximum; **~erschicht** *f* catégorie *f* de consommateurs; **~erstreik** *m* grève *f* des consommateurs; **~erverband** *m* groupement *m od* organisation *f* de consommateurs; **~sgewohnheit** *f* habitude *f* de consommation; **~sgüter** *n pl* produits *od* articles *od* biens *m pl* de consommation; **~sgüterindustrie** *f* industrie *f* des produits *od* des articles de consommation; **~slenkung** *f* régime *m* de consommation; **~sregelung** *f* règlement *od* régime *m* de la consommation; **~srückgang** *m* diminution *od* réduction *f* de consommation; **~sspitze** *f (el, Gas)* pointe *f* de consommation; **~ssteuer** *f* impôt *m od* taxe *f* de (la) consommation; **v~t** *a (Luft)* confiné; *(Mensch)* usé.

verbrech|en [fɛrˈ-] ⟨*verbricht, verbrach, hat verbrochen*⟩ *tr (verüben, begehen)* commettre, perpétrer; *was habe ich (denn) verbrochen?* quel est mon crime? **V~en** *n* crime; *(Missetat)* méfait *m;* *~~ gegen die Menschlichkeit* crime *m* de lèse-humanité; **V~ensbekämpfung** *f* prévention *f* de la criminalité; **V~er** *m* ⟨-s, -⟩ criminel, délinquant; *(Übeltäter)* malfaiteur; *(Schuldiger)* coupable *m; jugendliche(r) ~~* mineur *m* délinquant; **V~eralbum** *n* album *m* de photographies de criminels; **V~erbande** *f* bande *f* de malfaiteurs, gang *m;* **~erisch** *a* criminel; délictueux; *in ~~er Absicht* avec intention criminelle; **V~erkolonie** *f* colonie *f* pénitentiaire; **V~ertum** *n* ⟨-s, ø⟩ banditisme *m; (~er pl)* criminels *m pl;* milieu *m; arg* pègre *f,* gangstérisme *m.*

verbreit|en [fɛrˈ-] *tr (ausbreiten, fig)* répandre, semer; *(bekanntmachen)* diffuser, propager, divulguer; *(Gerücht)* semer, faire courir, rendre public; *sich ~~ (sich auslassen)* s'étendre (*über* sur); **V~er** *m* ⟨-s, -⟩ propagateur *m;* **~ern** *tr (breiter machen)* élargir; **V~erung** *f* élargissement *m;* **~et** *a* répandu; général, universel; *allgemein ~~* vulgarisé; *weit~~ (Zeitung)* très répandu; **V~ung** *f* diffusion, propagation, divulgation *f; allgemeine ~~* vulgarisation *f;* **V~ungsgebiet** *n (e-r Zeitung)* zone *f* de diffusion; *zoo (e-r Tierart)* habitat *m.*

verbrenn|bar [fɛrˈ-] *a* combustible; **V~barkeit** *f* combustibilité *f;* **~en** ⟨*verbrannte, verbrannt, wenn ich verbrennte*⟩ *tr* ⟨*aux: haben*⟩ brûler; *itr* ⟨*aux: sein*⟩ brûler; se consumer; *(Mensch bei e-m Unglück)* périr carbonisé; *sich ~~* se brûler; *zu Asche ~~ (tr)* réduire en cendres; *itr* être réduit en cendres; *sich die Finger ~~ (a. fig)* se brûler les doigts; **V~ung** *f* combustion; *(e-r Leiche)* incinération, crémation *f;* **V~ungsgase** *n pl,* **V~ungskammer** *f tech* gaz *m pl,* chambre *f* de combustion; **V~ungsmotor** *m* moteur *m* à combustion interne; **V~ungsofen** *m* four crématoire, incinérateur *m;* **V~ungsprodukt** *n* produit *m* de combustion; **V~ungsraum** *m = V~ungskammer;* **V~ungswärme** *f* chaleur *f* de la combustion.

verbriefen [fɛrˈ-] *tr (urkundlich sichern)* confirmer *od* garantir par écrit.

verbringen [fɛrˈ-] ⟨*verbrachte, verbracht, wenn ich verbrächte*⟩ *tr (e-e Zeit)* passer; *wie haben Sie Ihren Urlaub verbracht?* comment avez-vous passé vos vacances?

verbrüder|n [fɛrˈ-] , *sich* fraterniser (*mit jdm* avec qn); **V~ung** *f* fraternisation *f.*

verbrühen [fɛrˈ-] *tr* échauder.

verbuch|en [fɛrˈ-] *tr* inscrire *od* porter sur les livres, passer dans les livres, porter *od* passer en compte, passer écriture de, comptabiliser; *etw für sich ~~ können (fig)* avoir qc à son actif; **V~ung** *f* comptabilisation *f.*

verbummel|n [fɛrˈ-] *tr (e-e Zeit)* gaspiller; *s-e Zeit ~~ (a.)* gober les mouches; **~t** *a (Mensch)* raté.

Verbund *m* ⟨-(e)s, -e⟩ [fɛrˈbʊnt, -də] *tech* assemblage, raccordement *m;* **~anordnung** *f* disposition *f* compound; **~enheit** *f* attachement *m;* solidarité *f;* **~lokomotive** *f,* **~maschine** *f,* **~motor** *m* locomotive, machine *f,* moteur *m* compound; **~system** *n: nach dem ~~ arbeiten* fonctionner en compound; **~wirtschaft** *f* économie *f* de production liée.

verbünd|en [fɛrˈbʏndən] *sich* s'allier, se liguer, se (con)fédérer; **V~ete(r)** *m* allié, confédéré *m;* **V~ung** *f* (con)fédération *f.*

verbürg|en [fɛrˈ-] *tr, sich ~~ für* garantir, se porter garant *od* caution de, répondre de; **~t** *a* confirmé; authentique; **V~ung** *f* garantie *f,* cautionnement *m.*

verbürgerlich|en [fɛrˈ-] *(, sich)* (s')embourgeoiser; **V~ung** *f* embourgeoisement *m* (*des Proletariats* prolétarien).

verbüß|en [fɛrˈ-] *tr (Strafe)* purger; **V~ung** *f* purge *f.*

verchrom|en [fɛrˈ-] *tr* chromer; **~t** *a* chromé; **V~ung** *f* chromage *m.*

Verdacht *m* ⟨-(e)s, ø⟩ [fɛrˈdaxt] soupçon(s *pl*) *m,* suspicion *f; jdn in ~ bringen, den ~ auf jdn lenken* rendre qn suspect; *in ~ geraten* od *kommen* tomber en suspicion; *jdn in ~ haben* soupçonner qn; *~ schöpfen* commencer à avoir des soupçons (*wegen e-r S* au sujet de qc); *über jeden ~ erhaben sein* être au-dessus de tout soupçon; *in* od *im ~ stehen zu ...* être soupçonné de ...; **~sgrund** *m,* **~smoment** *n* motif *m* de suspicion.

verdächtig [fɛrˈdɛçtɪç] *a* suspect, sujet à caution, douteux, équivoque, louche; *~ aussehen (a.)* avoir mauvaise mine; *das kommt mir ~ vor* cela me semble *od* paraît louche; **~en** *tr* soupçonner, suspecter; **V~te(r)** *m* suspect *m;* **V~ung** *f* suspicion *f.*

verdamm|en [fɛrˈdamən] *tr* damner; *(verfluchen)* maudire; *Gott verdamm' mich!* Dieu me damne! que le diable m'emporte! **~enswert** *a* damnable; **V~nis** *f* ⟨-, ø⟩ *rel* damnation *f;* **~t** *a pop* damné, sacré, fichu, foutu; *adv* diablement; bigrement, fichtrement, foutûment, foutrement; *~~ (noch mal)!* malédiction! diantre! au diable! nom de Dieu *od* d'un chien *od* d'une pipe! **V~te(r)** *m rel* damné *m;* **V~ung** *f* (con)damnation *f.*

verdampf|en [fɛrˈ-] *tr* ⟨*aux: haben*⟩ faire évaporer; *itr* ⟨*aux: sein*⟩ s'évaporer, se vaporiser; **V~er** *m* ⟨-s, -⟩ vaporisateur *m;* **V~ung** *f* évaporation, vaporisation *f;* **V~ungstemperatur** *f,* **V~ungswärme** *f* température, chaleur *f* d'évaporation.

verdanken [fɛrˈ-] *tr: jdm etw ~* devoir qc à qn, être redevable de qc à qn.

verdattert [fɛrˈdatərt] *a fam = verdutzt.*

verdau|en [fɛrˈdauən] *tr* digérer; **~lich** *a* digestible; *leicht ~~* digeste; *schwer ~~* d'une digestion pénible, indigeste; **V~lichkeit** *f* digestibilité *f;* **V~ung** *f* digestion, assimilation *f; mangelhafte ~~* apepsie *f; schlechte ~~* dyspepsie *f;* **V~ungsapparat** *m anat* appareil *m* digestif; **V~ungsbeschwerden** *f pl* troubles *m pl* digestifs *od* de la digestion; **V~ungskanal** *m* tube *m* digestif; **V~ungssäfte** *m pl* sucs *m pl* digestifs; **V~ungsschnaps** *m* digestif *m;* **V~ungsspaziergang** *m* promenade *f* digestive; **V~ungsstörungen** *f pl = V~ungsbeschwerden.*

Verdeck *n* ⟨-(e)s, -e⟩ [fɛrˈdɛk] *mar* pont *m; (Autobus)* impériale; *(PKW)* capote *f; mit aufschlagbarem ~* décapotable; *das ~ aufschlagen* od *hochklappen (mot)* relever la capote; **v~en** *tr (dem Blick entziehen)* cacher, voiler, masquer, dérober à la vue; *fig* envelopper, dissimuler, gazer.

verdenken [fɛrˈ-] *tr: jdm etw nicht ~ können* ne pas pouvoir tenir rigueur de qc à qn.

Verderb *m* ⟨-(e)s, ø⟩ [fɛrˈdɛrp] *: das ist mein ~* c'est ma perte; **v~en** ⟨*er verdirbt, verdarb, verdorben/verderbt, wenn er verdürbe*⟩ [-ˈdarp/-bən, -ˈdɔrbən] *tr* ⟨*aux: haben*⟩ gâter, corrompre, abîmer; *fig* vicier, empoisonner; *(den Spaß)* gâcher; *(Menschen zugrunde richten)* perdre; *(sittlich* ~~*)* corrompre, pervertir; *itr* ⟨*aux: sein*⟩ se gâter, se corrompre; s'altérer; *sich die Augen* ~~ s'abîmer la vue; *es mit jdm* ~~ perdre les bonnes grâces de qn; *jdm die Freude* ~~ gâter la joie de qn; *es mit niemandem* ~~ *wollen* ménager la chèvre et le chou, nager entre deux eaux; **~en** *n* ruine, perte *f; ins* od *in sein* ~~ *rennen, sich ins* ~~ *stürzen* aller *od* courir à sa perte, courir *od* marcher à sa ruine; **v~enbringend** *a* fatal, funeste, désastreux; **~er** *m* ⟨-s, -⟩ corrupteur *m;* **v~lich** *a (schädlich)* pernicieux, destructif, destructeur; *(leicht)* ~~ *(Ware)* périssable, altérable; **~lichkeit** *f* ⟨-, ø⟩ altérabilité *f;* **~nis** *f* ⟨-, -sse⟩ corruption, perversion *f;* **v~t** *a gram* corrompu, vicieux; **~theit** *f* ⟨-, ø⟩ dépravation, perversité; immoralité *f,* vice *m.*

verdeutlich|en [fɛrˈ-] *tr* rendre clair, élucider; *(erklären)* expliquer; **V~ung** *f* élucidation, explication *f.*

verdeutsch|en [fɛrˈ-] *tr (ins Deutsche übersetzen)* traduire en allemand; **V~ung** *f* traduction *f* en allemand.

verdicht|bar [fɛrˈ-] *a tech* compressible; *phys* condensable; *chem* concentrable; **~en** *tr tech* comprimer; *phys* condenser; *chem* concentrer; **V~er** *m* ⟨-s, -⟩ *tech* compresseur; *el* condenseur *m;* **V~ung** *f tech* compression; *phys* condensation; *chem* concentration *f;* **V~ungsgrad** *m tech* degré *od* taux *m* de compression.

verdick|en [fɛrˈ-] *tr* épaissir; *sich* ~~ s'épaissir; **V~ung** *f* épaississement *m.*

verdien|en [fɛrˈ-] *tr (erarbeiten)* gagner; *(wert sein)* mériter *(a. e-e Strafe);* être digne de; *gut* ~~ gagner bien *od fam* gros; *e-n Haufen* od *e-e Menge Geld* ~~ *(fam)* gagner des mille et des cents; *etw ehrlich* ~*t haben* ne pas avoir volé qc; **V~er** *m* ⟨-s, -⟩ gagneur *m;* **V~st 1.** *m* ⟨-(e)s, -e⟩ *(Arbeitseinkommen)* gain, profit, bénéfice; prix *m* du travail *od* de la peine; **2.** *n* ⟨-(e)s, -e⟩ *(Wert)* mérite *m; pl a.* services *m pl* rendus; *jdm, sich etw als* ~ *anrechnen* attribuer un mérite à qn, se faire un mérite de qc; *sich* ~*e um etw erwerben* bien mériter de qc; *sich das* ~ *zuschreiben* s'attribuer le mérite; **V~stausfall** *m* perte *f* de gain; **~stlich** *a* méritoire; **V~stmöglichkeiten** *f pl* possibilités *f pl* de gain; **V~storden** *m* ordre *m* du mérite; **V~stspanne** *f* marge *f* bénéficiaire; **~stvoll** *a* plein de mérite, méritant; méritoire; **~t** *a* mérité; *sich um etw* ~~ *machen* bien mériter de qc; **~termaßen** *adv,* **~terweise** *adv:* ~~ *etw erhalten* mériter de recevoir qc.

verding|en [fɛrˈ-] ⟨*er verdingte, hat verdungen/verdingt*⟩ *(Arbeiter einstellen)* louer; *sich* ~~ se louer, s'engager; **V~ung** *f* louage; engagement *m.*

verdinglich|en [fɛrˈdɪŋlɪçən] *tr psych* réifier; **V~ung** *f* réification *f.*

verdolmetsch|en [fɛrˈ-] *tr* interpréter; **V~ung** *f* interprétation *f.*

verdonner|n [fɛrˈ-] *tr fam (verurteilen)* condamner (*zu* à); **~t** *a fam* = *verdutzt.*

verdoppeln [fɛrˈ-] *tr* doubler; *s-e Schritte* ~~ doubler le pas; **V~(e)lung** *f* redoublement *m; scient* duplication *f; typ (fehlerhafte)* doublon *m.*

verdorben [fɛrˈ-] *a (Ware)* gâté, pourri, avarié; *fig (Mensch)* corrompu, dépravé; *(Magen)* embarrassé; **V~heit** *f* ⟨-, ø⟩ *fig* corruption, dépravation *f.*

verdorr|en [fɛrˈ-] *itr* (se des)sécher; **V~ung** *f* dessèchement *m,* dessiccation *f.*

verdräng|en [fɛrˈ-] *tr* déplacer, déloger, repousser; *(verjagen)* chasser, évincer; *(sich an die Stelle setzen)* supplanter; *(unterdrücken)* supprimer; *psych* refouler; **V~ung** *f* déplacement *m;* suppression *f; psych* refoulement *m.*

verdreh|en [fɛrˈ-] *tr* (dis)tordre, gauchir, fausser, forcer; *fig (den Sinn entstellen)* (con)tourner, faire une entorse à, faire violence à, forcer, fausser, altérer; *die Augen* ~~ rouler les yeux; *jdm den Kopf* ~~ *(fig)* tourner la tête à qn; *das Recht* ~~ tourner *od* forcer la loi, faire une entorse à la loi; **~t** *a fig fam (verwirrt)* confus; *(verrückt)* toqué; **V~theit** *f* confusion *f;* esprit *m* contourné; *(e-r S)* absurdité *f;* **V~ung** *f* (con)torsion *f,* gauchissement *m; fig* altération *f.*

verdreifachen [fɛrˈ-] *tr* tripler.

verdreschen [fɛrˈ-] *tr fam (verprügeln)* passer à tabac, battre à plate couture, ficher une trempe à; *pop* amocher.

verdrieß|en ⟨*verdroß, verdrossen*⟩ [fɛrˈdriːsən, -ˈdrɔs(ən)] *tr (ärgern, von Sachen u. impers)* fâcher, donner de l'humeur à, ennuyer, contrarier, chagriner; *es sich nicht* ~~ *lassen* ne pas se laisser rebuter; **~lich** *a (Sache)* fâcheux, ennuyeux, contrariant, fastidieux; *(Mensch)* fâché, de mauvaise humeur, renfrogné, dépité; *adv* avec humeur; **V~lichkeit** *f* ennui *m,* contrariété *f,* désagrément *m;* mauvaise humeur *f.*

verdrossen [fɛrˈdrɔsən] *a* fâché, contrarié, renfrogné, dépité; **V~heit** *f* lassitude *f,* déplaisir *m;* mauvaise humeur *f.*

verdrucken [fɛrˈ-] *tr typ* mal imprimer.

verdrück|en [fɛrˈ-] *tr mines* étrangler; *pop (essen)* avaler, manger; *sich* ~~ *(fam)* s'esquiver, filer à l'anglaise, disparaître; **V~ung** *f mines* étranglement *m.*

Verdruß *m* ⟨-sses, -sse⟩ [fɛrˈdrʊs] ennui *m,* contrariété *f,* déplaisir; *(Kummer)* chagrin, dépit *m; jdm* ~ *bereiten* od *machen* fâcher, contrarier, chagriner, navrer qn.

verduft|en [fɛrˈ-] *itr* ⟨*aux: sein*⟩ s'évaporer; se volatiliser; *sich* ~~ *(pop: weggehen)* se volatiliser, s'évaporer; *pop* foutre le camp, s'esbigner; **V~ung** *f* évaporation, volatilisation *f.*

verdumm|en [fɛrˈ-] *tr* ⟨*aux: haben*⟩ abêtir, bêtifier; *itr* ⟨*aux: sein*⟩ s'abêtir; **V~ung** *f* abêtissement *m; (systematische)* ~~ obscurantisme *m.*

verdunkel|n [fɛrˈ-] *tr* obscurcir, assombrir; *a. fig* éclipser; *(Luftschutz)* camoufler; **V~ung** *f* obscurcissement, assombrissement *m; fig* éclipse *f; (Luftschutz)* camouflage *m,* extinction *f* des lumières; *mil* black-out *m;* **V~ungsgefahr** *f jur* danger *m* d'obscurcissement; **V~ungspapier** *n* papier *m* opaque.

verdünn|en [fɛrˈ-] *tr (mit Wasser)* délayer; *(Wein)* tremper, baptiser; *chem* atténuer, diluer, raréfier; **~isieren,** *sich (fam)* = *sich verduften;* **V~ung** *f chem* atténuation, dilution, raréfaction *f.*

verdunst|en [fɛrˈ-] ⟨*aux: sein*⟩ *itr* s'évaporer, se volatiliser; **V~ung** *f* évaporation, vaporisation, volatilisation *f.*

verdursten [fɛrˈ-] ⟨*aux: sein*⟩ *itr* mourir de soif.

verdüster|n [fɛrˈ-] *tr a. fig* assombrir, obscurcir; *sich* ~~ s'assombrir, s'obscurcir; **V~ung** *f* assombrissement, obscurcissement *m.*

verdutzt [fɛrˈdʊtst] *a fam* épaté, ahuri, ébahi.

verebben [fɛrˈ-] ⟨*aux: sein*⟩ *itr (die Flut)* descendre; *a. fig* baisser, diminuer.

veredel|n [fɛrˈ-] *tr (Menschen)* ennoblir; *(die Sitten)* améliorer, relever, épurer; *agr (Obstbaum)* greffer, écussonner; *metal* affiner; **V~ung** *f* ennoblissement *m;* amélioration *f,* relèvement *m,* épuration *f; agr* greffage, écussonnage; *metal* affinage *m;* **V~ungsindustrie** *f,* **V~ungsverfahren** *n* industrie *f,* procédé *m* d'affinage.

verehelich|en [fɛrˈʔeːəlɪçən] , *sich (sich verheiraten)* se marier; **~t** *a:* ~~*e X* femme X; **V~ung** *f* mariage *m.*

verehr|en [fɛrˈ-] *tr* révérer, vénérer; *jdm etw* ~~ *(schenken)* faire présent de qc à qn; ~*te Anwesende!* mesdames et messieurs! **V~er** *m* ⟨-s, -⟩ *(Bewunderer)* admirateur; *(Liebhaber)* soupirant *m;* **V~ung** *f* vénération *f;* **~ungswürdig** *a* vénérable, révérend.

vereid|(ig)en [fɛrˈʔaɪd(ɪg)ən] *tr* assermenter; **V~(ig)ung** *f* prestation *f* de serment.

Verein *m* ⟨-(e)s, -e⟩ [fɛrˈʔaɪn] association, société, ligue, union *f; (kleinerer)* cercle, club *m; im* ~ *mit* avec le concours de; *eingetragene(r)* ~ association *f* inscrite au registre; **~sabzeichen** *n* marque *f* d'association; **~sblatt** *n* journal *m od* revue *f* d'une *od* de l'association; **~skasse** *f* caisse de l'association; cagnotte *f;* **~slokal** *n* siège *m* de l'association; **~smeierei** *f* ⟨-, (-en)⟩ [-maɪəˈraɪ] manie *f* de l'association; **~smitglied** *n* membre *m* d'une *od* de l'association; **~snudel** *f fam* boute-en-train *m;* **~srecht** *n* droit *m* d'association; **~sregister** *n* registre *m* des associations; **~ssteuer** *f* impôt *m* sur les sociétés; **~svermögen** *n* avoir *m* social; **~szimmer** *n (in e-r Gaststätte)* cabinet *m* particulier.

vereinbar [fɛrˈ-] *a* compatible (*mit* avec); conciliable; **~en** *tr* convenir de, accorder; *das ist nicht damit zu ~~* ce n'est pas compatible avec cela; **V~keit** *f* compatibilité *f;* **V~ung** *f* convention *f*, accord *m; nach ~~* sur rendez-vous, de gré à gré; *über die ~~ hinaus* par-dessus le marché; *zu e-r ~~ kommen* tomber d'accord (*über* de, sur); *e-e ~~ treffen* conclure un accord; *Sprechstunde nach ~~* sur rendez-vous.

verein|en [fɛrˈʔaɪnən] *tr* unir; conjuguer; *mit ~ten Kräften* toutes forces réunies; *die V~ten Nationen* les Nations *f pl* unies.

vereinfach|en [fɛrˈ-] *tr* simplifier; *grob ~end* simpliste; **V~ung** *f* simplification *f*.

vereinheitlich|en [fɛrˈ-] *tr* unifier, uniformiser; **V~ung** *f* unification *f*.

vereinig|en [fɛrˈ-] *tr* unir, réunir; joindre, grouper; *(in einem Punkt)* concentrer; *(zs.stellen)* assortir; *(Menschen)* rassembler; associer, allier; *(Gesellschaften)* fusionner; *tech* assembler, raccorder, mettre bout à bout; *fig (in Einklang bringen)* concilier; *sich ~~* s'unir, se réunir, se joindre; se rassembler; s'associer, s'allier, se liguer, se confédérer; se coaliser; *mil* opérer sa jonction (*mit* avec); *das V~te Königreich (Großbritannien u. Nordirland)* le Royaume-Uni; *die V~ten Staaten m pl (von Nordamerika)* les Etats-Unis *m pl* (de l'Amérique du Nord); **V~ung** *f* union, réunion; jonction *f*, groupement *m;* concentration *f;* rassemblement *m*, association; confédération, coalition; fusion *f; tech* assemblement, raccord *m; fig* conciliation; *(Bund, Bündnis)* alliance, ligue, entente *f; com* syndicat *m;* **V~ungsfreiheit** *f* liberté *f* d'association; droit *m* de coalition; **V~ungspunkt** *m* point *m* de jonction.

vereinnahmen [fɛrˈ-] ⟨*er (hat) vereinnahmt(e)*⟩ *tr (einnehmen)* percevoir; toucher; encaisser.

vereinsam|en [fɛrˈ-] *tr* ⟨*hat vereinsamt*⟩ rendre solitaire; isoler; *itr* ⟨*aux: sein*⟩ devenir solitaire; s'isoler; **~t** *a* solitaire, esseulé; isolé; *(verlassen)* abandonné; **V~ung** *f* isolement *m;* solitude *f*.

vereinzel|n [fɛrˈ-] *tr* isoler; séparer; **~t** *a* isolé, séparé; solitaire; sporadique; *adv* isolément, séparément; un par un; **V~ung** *f* isolement *m;* séparation *f*.

vereis|en [fɛrˈʔaɪzən] ⟨*aux: sein*⟩ *itr* se couvrir de glace; geler; *aero* givrer; **~t** *a* couvert de glace, bloqué *od* pris par la glace; glacé, gelé; *(Straße)* verglacé; *aero* givré; **V~ung** *f* englacement *m; geol* glaciation *f; aero* givrage *m;* **V~ungsgefahr** *f* danger *m* de formation de glace *od* de givre.

vereit|eln [fɛrˈ-] *tr* faire échouer, faire échec à, faire avorter, rendre vain; empêcher, contrecarrer, traverser, déjouer; **V~(e)lung** *f* empêchement *m*.

vereiter|n [fɛrˈ-] *itr* suppurer; **V~ung** *f* suppuration *f*.

verekeln [fɛrˈ-] *tr: jdm etw ~* dégoûter qn de qc, faire perdre à qn le goût de qc.

verelenden [fɛrˈ-] ⟨*ist verelendet*⟩ *itr* tomber dans la misère.

verenden [fɛrˈ-] ⟨*aux: sein*⟩ *itr (Tier: sterben)* mourir; *fam* crever.

vereng|e(r)n [fɛrˈ-] *tr* rétrécir, resserrer; *sich ~~ (Straße, Weg)* devenir plus étroit; **V~(er)ung** *f* rétrécissement, resserrement, étranglement *m*.

vererb|en [fɛrˈ-] *tr biol* transmettre (par héritage); *sich ~~ (biol)* se transmettre (héréditairement); **V~ung** *f* transmission; *(Erblichkeit)* hérédité, transmissibilité *f;* **V~ungsgesetz** *n* loi *f* de l'hérédité; **V~ungslehre** *f* génétique *f*.

verester|n [fɛrˈʔɛstərn] *tr chem* estérifier; **V~ung** *f* estérification *f*.

verewig|en [fɛrˈ-] *tr* éterniser, rendre éternel; *(unsterblich machen)* immortaliser, rendre immortel; **V~ung** *f* éternisation; immortalisation *f*.

verfahren [fɛrˈ-] *itr* ⟨*aux: sein*⟩ *(vorgehen)* procéder, agir; *mit etw* utiliser qc, user de qc; *tr* ⟨*aux: haben*⟩ *(Geld für Fahrten ausgeben)* dépenser en transports; *sich ~ (falsch fahren)* s'égarer, se tromper de chemin; *a (ausweglos)* sur une voie de garage; sans issue; **V~** *n (Vorgehen)* procédé *m*, façon de procéder, manière *f* d'agir, mode *m* d'action; *(Methode)* méthode *f*, mode *m* opératoire *od* de travail; *jur* procédure *f; ein ~~ einleiten* od *eröffnen (jur)* engager une procédure; *das ~~ einstellen (jur)* arrêter la procédure; *gegen jdn* mettre qn hors de cause; *das ~~ wiederaufnehmen* reprendre la procédure; **V~sänderung** *f* modification *f* de procédé; **V~santrag** *m jur* motion *f* de procédure; **V~seinstellung** *f jur* arrêt *m od* cessation *f* de la procédure; **V~sfrage** *f* question *f* de procédure; **V~skosten** *pl jur* frais *m pl* de la procédure *od* du procès; **V~sweise** *f* mode *m* de procédure.

Verfall *m* ⟨-(e)s, ø⟩ [fɛrˈ-] *(e-s Bauwerks)* ruine *f; (vollständiger)* écroulement, éboulement, délabrement *m; fig* décadence, déchéance *f*, délabrement, déclin *m*, ruine *f*, dépérissement *m*, dégradation, dégénérescence; *fin (Fälligwerden)* échéance *f; bei ~ (fin)* à l'échéance; *in ~ geraten (Bauwerk)* se délabrer; *fig* tomber en décadence, déchoir, décliner; **~klausel** *f* clause *f* de déchéance *od* commissoire; **~serscheinung** *f* signe *od* indice *m* de déclin *od* de décadence; **~(s)tag** *m fin* jour *m od* date *f* d'échéance *od* d'expiration; **~(s)zeit** *f fin* délai *m* d'échéance *od* d'expiration.

verfallen [fɛrˈ-] ⟨*aux: sein*⟩ *itr (Bauwerk)* tomber en ruine(s), se délabrer; *(Kranker)* dépérir; *fig* déchoir; *(ungültig* od *wertlos werden)* venir à échéance, périmer; *(dem Staat zufallen)* échoir, être dévolu (*dat* à); *(in e-n Zustand ~)* tomber (*in* dans); tomber en proie (*dat* à); *auf etw ~ (sich etw einfallen lassen)* s'aviser de qc, penser à qc; *e-m Irrtum, e-r Leidenschaft ~* tomber en proie à une erreur, à une passion; *dem Laster ~* s'adonner au vice *od* à la débauche; *dem Laster ~ sein* être esclave du vice, s'adonner au vice; *in Nachdenken ~* se perdre dans des rêveries; *in e-n tiefen Schlaf ~* tomber dans un profond sommeil; *in Schwermut ~* se laisser aller à la mélancholie; *a (Gebäude)* en ruine(s), délabré; *(Gesichtszüge)* décomposé; *(nicht mehr gültig)* périmé.

verfälsch|en [fɛrˈfɛlʃən] *tr (Ware)* adultérer; *(Wein)* frelater; *fig (Gedanken)* altérer, trahir; **V~er** *m* ⟨-s, -⟩ fraudeur *m;* **V~ung** *f* adultération *f;* frelatement *m;* altération *f*.

verfangen [fɛrˈ-] *itr (wirken)* faire effet *od* impression; prendre; *sich ~ (a. fig)* s'embarrasser; *das verfängt nicht (a. fam)* ça ne mord pas; *im Wahn ~ (pp)* pris dans l'illusion.

verfänglich [fɛrˈfɛŋlɪç] *a* captieux, insidieux; **V~keit** *f* caractère *m* captieux *od* insidieux.

verfärb|en [fɛrˈ-] , *sich* changer de couleur; *(Mensch: erbleichen)* pâlir, blêmir; **V~ung** *f* changement *m od* altération *f* de la couleur.

verfass|en [fɛrˈ-] *tr* écrire, composer, rédiger; **V~er** *m* ⟨-s, -⟩ auteur *m; vom ~~ überreicht* hommage de l'auteur; **V~erin** *f* (femme *f*) auteur *m;* **V~erkatalog** *m (e-r Bibliothek)* catalogue-auteurs *m;* **V~erkorrektur** *f* corrections *f pl* d'auteur; **V~erschaft** *f* qualité *f* d'auteur.

Verfassung [fɛrˈ-] *f (Zustand)* état; *(Geistesverfassung)* état *m* d'esprit *od* d'âme; disposition *f* (d'esprit), moral *m; pol* constitution *f; in guter, schlechter ~* en bon, mauvais état; **v~gebend** *a* constituant; *~~e Gewalt f* pouvoir *m* constituant; *~~e Versammlung f* (assemblée) constituante *f;* **~sänderung** *f* changement *m* de constitution; révision *f* constitutionnelle; **~sbruch** *m* violation *f* de la constitution; **~sgericht** *n*, **~srecht** *n* tribunal, droit *m* constitutionnel; **v~smäßig** *a* constitutionnel; **~sreform** *f* réforme *f* constitutionnelle; **~sschutz** *m: Amt n für ~~* services *m pl* de contre-espionnage; **~stag** *m* fête *f* de la constitution; **~surkunde** *f* charte, constitution *f;* **v~swidrig** *a* inconstitutionnel.

verfaul|en [fɛrˈ-] ⟨*aux: sein*⟩ *itr* pourrir, se putréfier; se gâter; **V~ung** *f* pourriture, putréfaction *f*.

verfecht|en [fɛrˈ-] *tr (eintreten für)* soutenir, plaider, défendre; combattre pour, se battre pour; **V~er** *m* défenseur, avocat, champion *m;* **V~ung** *f* défense *f*.

verfehl|en [fɛrˈ-] *tr (nicht erreichen)* manquer; rater; *sein Leben ~t haben* avoir raté sa vie; *nicht ~~, etw zu tun* ne pas manquer de faire qc; *das*

Ziel ~~ (a. fig) manquer le but; *ein ~tes Leben n* une vie ratée; **V~ung** *f (Vergehen, Delikt)* faute *f;* délit *m.*

verfeind|en [fɛr'-] *: sich jdn ~~* se faire un ennemi de qn; *sich mit jdm ~~* se brouiller, se fâcher avec qn; **V~ung** *f* brouille; *(Feindschaft)* hostilité *f.*

verfeiner|n [fɛr'-] *tr* (r)affiner, améliorer, épurer, polir; *fig (Sitten)* raffiner; *(Menschen)* civiliser; **V~ung** *f* (r)affinage, polissage; *fig* raffinement *m.*

verfem|en [fɛr'fe:mən] *tr* proscrire, mettre au ban *od* à l'index; **V~ung** *f* proscription, mise *f* au ban *od* à l'index.

verfertig|en [fɛr'-] *tr* faire; construire; *(gewerblich)* confectionner, manufacturer, fabriquer; **V~er** *m* constructeur, fabricant *m;* **V~ung** *f* confection, fabrication; *(Ausführung)* exécution *f.*

verfestig|en [fɛr'-] *tr* solidifier; *fig* consolider, stabiliser; **V~ung** *f* solidification; *fig* consolidation, stabilisation *f.*

verfett|en [fɛr'-] *itr* engraisser; **V~ung** *f med* dégénérescence *f* graisseuse.

verfilm|en [fɛr'-] *tr* filmer, porter à l'écran; **V~ung** *f* adaptation *f* cinématographique; **V~ungsrechte** *n pl* droits *m pl* d'adaptation cinématographique.

verfilz|en [fɛr'-] ‹*aux: sein*› *itr* se feutrer; **~end** *a: nicht ~~ (com)* infeutrable; **~t** *a (Haare)* embroussaillé, en broussailles; **V~ung** *f* feutrage *m.*

verfinster|n [fɛr'-] *tr* obscurcir, assombrir; *sich ~~* s'obscurcir; **V~ung** *f* obscurcissement *m; astr* éclipse *f.*

verfitz|en [fɛr'fɪtsən] *tr fam (Fäden verwirren)* brouiller; **V~ung** *f* brouillement *m.*

verflach|en [fɛr'-] *itr* s'aplatir, devenir plat; *fig* devenir superficiel, perdre son caractère *od* son originalité; s'affadir; **V~ung** *f* aplatissement *m; fig* perte *f* de l'originalité, affadissement *m.*

verflecht|en [fɛr'-] *tr* tresser, en(tre)lacer; *in etw verflochten werden (fig)* être engagé dans qc; **V~ung** *f* tressage, en(tre)lacement *m; fin com* interdépendance, interpénétration *f.*

verfliegen [fɛr'-] ‹*aux: sein*› *itr = sich verflüchtigen; fig (die Zeit)* s'envoler, passer vite; *(Zorn)* se dissiper; *sich ~ (aero)* s'égarer, perdre la direction *od* le cap; se perdre.

verfließen [fɛr'-] ‹*aux: sein*› *itr* s'écouler; *(inea.fließen)* se fondre; *fig (die Zeit)* passer.

verflixt [fɛr'flɪkst] *a fam (verflucht)* fichu, damné; *pop* foutu, sacré, satané; *~!* zut! fichtre! sacrebleu! *~ und zugenäht!* nom d'un chien *od* d'une pipe *od* de Dieu!

verflossen [fɛr'flɔsən] *a (vergangen)* passé.

verfluch|en [fɛr'-] *tr* maudire, damner, envoyer au diable; **~t** *a* damné; *fam u. pop = verflixt; ~~!* malédiction! au diable! sacredieu!

verflüchtig|en [fɛr'-] *sich (Flüssigkeit)* se volatiliser, s'évaporer, se vaporiser; **V~ung** *f* volatilisation, évaporation, vaporisation *f.*

verflüssig|en [fɛr'-] *tr (Gas)* liquéfier; **V~er** *m* ‹-s, -› *tech* condenseur *m;* **V~ung** *f* liquéfaction, condensation *f;* **V~ungsanlage** *f* installation *f* de liquéfaction (de gaz).

Verfolg *m* ‹-(e)s, ø› [fɛr'fɔlk(s), -gəs] *(Fortgang)* suite *f; im* od *in ~ (gen)* à la suite (de); **v~en** *tr* poursuivre; *(grundsätzlich)* persécuter; *(jagen)* donner la chasse à, pourchasser, traquer, forcer; *fig (mit d. Augen, mit Interesse)* suivre; *(unauffällig) ~~ (Person)* filer; *gerichtlich ~~* poursuivre en justice *od* devant les tribunaux; *dasselbe Ziel ~~ (a.)* courir le même lièvre; **~er** *m* ‹-s, -› celui qui poursuit; persécuteur; *biol (e-s Tieres)* prédateur *m;* **~ung** *f* poursuite; *bes. rel pol* persécution *f; die ~~ aufnehmen* entamer la poursuite; *strafrechtliche ~~* poursuite *f* pénale; *sich strafrechtlicher ~~ aussetzen* être passible de poursuites pénales; **V~ungsrecht** *n com jur* droit *m* de poursuite; **V~ungswahn** *m med* manie *f od* obsession *f* de la persécution.

verform|en [fɛr'-] *tr tech* déformer; *a. = formen;* **V~ung** *f* déformation *f.*

verfracht|en [fɛr'-] *tr (Schiff: chartern)* affréter; *(verladen)* charger; expédier; **V~er** *m* ‹-s, -› *mar* affréteur *m;* **V~ung** *f mar* affrètement; *(Verladung)* chargement *m;* expédition *f.*

verfranzen [fɛr'frantsən] *, sich (arg aero)= sich verfliegen.*

verfressen [fɛr'-] *a fam (gefräßig)* glouton, goinfre.

verfrüh|en [fɛr'-] *sich* arriver en avance; **~t** *a* prématuré; *adv* avant le temps.

verfüg|bar [fɛr'-] *a* disponible; **V~barkeit** *f* ‹-, ø› disponibilité *f;* **~en** *tr (festsetzen, bestimmen)* disposer, décider, ordonner, décréter, décerner; *itr* disposer (*über* de); avoir la disposition (*über etw* de qc); *sich ~~ (sich begeben)* se rendre; *über das Geld ~~ (a.)* tenir les cordons de la bourse; **V~ung** *f (Bestimmung, Erlaß)* disposition, décision, ordonnance *f,* ordre, décret *m; zur ~~* en disponibilité; *zu s-r ~~ haben* avoir à sa disposition; *zu beliebiger ~~ haben* avoir à sa convenance; *jdm zur ~~ stehen* être à la disposition de qn; *jdm etw zur ~~ stellen* mettre qc à la disposition de qn; *sich jdm zur ~~ stellen* se mettre aux ordres de qn, se remettre entre les mains de qn; *e-e ~~ treffen* prendre une disposition; *ich stehe ganz* od *gern zu Ihrer ~~* je suis à votre disposition *od* à vos ordres; *einstweilige ~~* ordonnance *f* de référé; *letztwillige ~~* disposition *f* de dernière volonté; *ministerielle ~~* décret *od* arrêté *m* ministériel; *~~ der Verwaltungsbehörde* prononcé *m* administratif; **~ungsberechtigt** *a* autorisé à disposer; **V~ungsgewalt** *f* pouvoir *m* de disposition *od* de disposer; **V~ungsrecht** *n* droit *m* de disposition.

verführ|en [fɛr'-] *tr* séduire; suborner; *(verderben)* corrompre, pervertir; *~~, etw zu tun* pousser *od* induire *od* entraîner à faire qc; **V~er** *m* ‹-s, -› séducteur; suborneur; corrupteur, pervertisseur *m;* **~erisch** *a* séduisant, séducteur; *(verlockend)* attrayant, engageant; *adv* d'une manière séduisante; **V~ung** *f* séduction, subornation; corruption *f; ~~ e-s Jugendlichen* od *Minderjährigen* détournement *m* de mineur.

verfünffachen [fɛr'-] *tr* quintupler.

verfüttern [fɛr'-] *tr* donner à manger au bétail.

Vergabe [fɛr'-] *f adm (von Arbeiten)* adjudication *f.*

vergaffen [fɛr'-] *sich (fam)* se toquer, s'enticher, s'amouracher (*in jdn* de qn).

vergällen [fɛr'gɛlən] *tr chem (ungenießbar machen)* dénaturer; *fig* empoisonner.

vergaloppieren [fɛr--'--] *, sich (fam: sich versehen, sich irren)* se tromper, se méprendre, faire une faute.

vergangen [fɛr'-] *a (Zeit)* passé, dernier; *im ~en Jahr* l'année dernière *od* passée; **V~heit** *f* passé, temps passé *gram (Präteritum)* prétérit *m.*

vergänglich [fɛr'gɛŋlɪç] *a* passager, éphémère, transitoire, fugitif; périssable, caduc; inconstant, instable; *(Glück a.)* fragile; **V~keit** *f* ‹-, ø› caractère *m* passager; caducité; inconstance, instabilité; fragilité *f.*

vergas|en [fɛr'-] *tr tech* gazéifier; *(Raum, Gebiet)* infecter de gaz; *(Menschen)* gazer, asphyxier; **V~er** *m* ‹-s, -› *mot* carburateur *m;* **V~erdüse** *f* gicleur *m* de carburateur; **V~ergehäuse** *n* enveloppe *f* du carburateur; **V~ermotor** *m* moteur *m* à carburateur; **V~ung** *f tech* gazéification; *mot* carburation *f; (von Menschen)* gazage *m.*

vergatter|n [fɛr'-] *tr (mit e-m Gatter versehen)* grillager; *mil* rassembler; **V~ung** *f mil (der Wache)* rassemblement *m* de la garde.

vergeb|en [fɛr'-] *tr (verzeihen)* pardonner; *rel (Sünde)* remettre; *(Amt, Stelle)* conférer; *(Auftrag, Arbeit)* donner, passer; adjuger; *sich ~~ (beim Kartenspiel)* faire maldonne; *sich etwas ~~* se compromettre, se manquer à soi-même; *sich nichts ~~* ne pas se compromettre, ne pas se manquer à soi-même; *s-r Ehre, Würde nichts ~~* ne pas compromettre son honneur, sa dignité; *ich habe mich, du hast dich (etc) ~~ (beim Kartenspiel)* il y a maldonne; *die Stelle ist ~~* la place n'est plus libre; **~ens** *adv* en vain, vainement, en pure perte; inutilement, sans résultat, sans profit; *~~ etw tun (a.)* avoir beau faire qc; *du hast dich ~~ bemüht* tu en es pour ta peine, ta peine est perdue; **~lich** *a* vain; inutile, infructueux; *adv = ~ens;* **V~lichkeit** *f* vanité, inanité; inutilité *f;* **V~ung** *f (der Sünden)* rémission (des péchés);

(e-r Arbeit) adjudication *f; um ∼∼ bitten* demander pardon.

vergegenständlich|en [fɛrˈgeːgən-ʃtɛntlıçən] *tr philos* objectiver; **V∼ung** *f* objectivation *f.*

vergegenwärtig|en [fɛrˈgeːgən-vɛrtıgən, ---ˈ---] *tr (in Erinnerung bringen, vor Augen stellen)* rappeler, remémorer; *sich etw ∼∼* se rappeler, se représenter qc; **V∼ung** *f* représentation *f.*

vergehen [fɛrˈ-] ⟨*ist vergangen*⟩ *itr (Zeit)* (se) passer, s'écouler; *allg (dahinschwinden, zu Ende gehen)* s'en aller, passer, se perdre, disparaître; s'éteindre, s'effacer, se dissiper, s'évanouir, s'en aller en fumée; *sich ∼* commettre une faute *od* un péché; *gegen* od *wider etw* transgresser, violer qc; pécher contre qc; *an jdm* se livrer à des voies de fait sur qn; *vor Angst, vor Kummer ∼* mourir de peur, de chagrin; *vor Ungeduld ∼* griller d'impatience; *mir ist dabei der Appetit vergangen* ça m'a coupé l'appétit; *der Hunger, das Lachen ist mir vergangen* j'ai perdu la faim, le rire; *mir ist die Lust dazu vergangen* j'en ai perdu l'envie, l'envie m'en est passée; **V∼** *n* manquement *m,* faute *f; jur* délit *m,* contravention, prévarication *f.*

vergeistig|en [fɛrˈ-] *tr* spiritualiser; **V∼ung** *f* spiritualisation *f.*

vergelt|en [fɛrˈ-] *tr (zurückgeben, -zahlen)* rendre, payer; *(belohnen)* rémunérer, récompenser; **V∼ung** *f (Rache)* vengeance; représaille(s *pl*), rétorsion *f,* talion *m; ∼∼ üben* exécuter sa vengeance, user de représailles; **V∼ungsangriff** *m mil* attaque *f* de revanche *od* de représaille; **V∼ungsmaßnahme** *f* (mesure *f* de) représailles *f pl od* de rétorsion *f; ∼∼n ergreifen* user de représailles; **V∼ungsrecht** *n* loi *f* du talion; **V∼ungswaffe** *f (V-Waffe)* arme *f* de représailles.

vergesellschaft|en [fɛr-ˈ---] *tr com (in e-e Gesellschaft umwandeln)* associer, transformer en société; *pol (verstaatlichen)* socialiser, collectiviser; nationaliser, étatiser; **V∼ung** *f* transformation en société; socialisation; collectivisation, nationalisation, étatisation *f.*

vergessen ⟨*-gißt, gaß, -gessen*⟩ [-gıst, fɛrˈgaːs, -ˈgɛsən] *tr* oublier; *(auslassen)* omettre; *(versäumen)* négliger; *sich ∼* s'oublier; *alles um sich herum ∼* oublier tout autour de soi *od* le monde extérieur; *es ∼ (a.)* manger la consigne; *jdm etw nicht ∼ können* en vouloir *od* tenir rigueur à qn de qc; **V∼heit** *f* ⟨-, ø⟩ oubli *m; der ∼∼ entreißen* tirer de *od* arracher à l'oubli; *in ∼∼ geraten* tomber dans l'oubli.

vergeßlich [fɛrˈgɛslıç] *a* oublieux; *(zerstreut)* distrait; **V∼keit** *f* ⟨-, ø⟩ caractère oublieux, manque *m* de mémoire; distraction *f; aus ∼∼* par oubli, par distraction.

vergeud|en [fɛrˈgɔydən] *tr* dissiper, gaspiller, dilapider, prodiguer; **V∼er** *m* ⟨-s, -⟩ dissipateur, dilapidateur, prodigue *m;* **∼erisch** *a* prodigue; **V∼ung** *f* dissipation *f,* gaspillage *m,* dilapidation *f.*

vergewaltig|en [fɛrgəˈvaltıgən] *tr* violer; *fig* violenter, faire violence à; **V∼ung** *f* viol *m; fig* violence, violation *f.*

vergewissern [fɛrgəˈvısərn] , *sich* s'assurer (*e-r S* de qc).

vergießen [fɛrˈ-] *tr* verser, répandre.

vergift|en [fɛrˈ-] *tr* empoisonner; **V∼ung** *f* empoisonnement *m; scient* intoxication *f;* **V∼ungserscheinung** *f* symptôme *m* d'intoxication.

vergilbt [fɛrˈ-] *a* jauni.

Vergißmeinnicht *n* ⟨-(e)s, -(e)⟩ [fɛrˈgıs- maınnıçt] *bot* myosotis, ne-m'oubliez-pas *m.*

vergitter|n [fɛrˈ-] *tr* grillager, treillisser; **V∼ung** *f* pose *f* de grillage *od* de treillage.

verglas|bar [fɛrˈ-] *a* vitrifiable; **∼en** *tr (zu Glas machen)* vitrifier; *(mit Glasscheiben versehen)* vitrer; **V∼ung** *f* vitrification *f;* vitrage *m.*

Vergleich *m* ⟨-(e)s, -e⟩ [fɛrˈ-] comparaison *f;* parallèle; *(Ausgleich, Versöhnung)* arrangement, accommodement, accord *m,* entente, transaction *f;* compromis *m,* conciliation *f; im ∼ zu* en comparaison de, comparé à; *e-n ∼ anstellen* od *ziehen* établir une comparaison, faire *od* tracer un parallèle; *auf e-n ∼ eingehen, sich auf e-n ∼ einlassen* accepter un arrangement *od* compromis, *e-n ∼ schließen* conclure un arrangement, passer un accord; *das hält keinen ∼ aus* cela ne se compare pas, cela ne soutient pas la comparaison; *ein magerer ∼ ist besser als ein fetter Prozeß (prov)* un mauvais arrangement vaut mieux qu'un bon *od* que le meilleur procès; **v∼bar** *a* comparable; *(ähnlich)* similaire; **v∼en** *tr* comparer (*mit* à); mettre en regard (*mit* de); *(Texte) a.* collationner; *sich ∼∼ (sich einigen)* s'arranger, tomber d'accord, composer, se concilier (*mit jdm* avec qn); *sich ∼∼ lassen* entrer en comparaison; *das ist (gar) nicht zu ∼∼* il n'y a pas de comparaison, cela ne se compare pas, cela ne soutient pas la comparaison; *pp: verglichen mit = im ∼ zu;* **v∼end** *a: ∼∼e Grammatik, Stilistik f* grammaire, stylistique *f* comparée; **∼sfall** *m* cas *m* de comparaison; **∼sgrundlage** *f* base *f* pour un arrangement; **∼spunkt** *m* point *m* de comparaison; **∼sverfahren** *n* procédure *f* de composition *od* de conciliation; *gerichtliche(s) ∼∼* liquidation *f* judiciaire; **∼svorschlag** *m* proposition *f* de conciliation *od* de compromis; **v∼sweise** *adv* comparativement, par comparaison; **∼sweg** *m: auf dem ∼∼e* par voie d'accommodement; **∼swert** *m* valeur *f* comparative; **∼ung** *f* comparaison *f.*

vergletschern [fɛrˈ-] *itr (Schnee)* être transformé en glace.

verglimmen [fɛrˈ-] ⟨*ist verglommen*⟩ *itr* s'éteindre peu à peu.

verglühen [fɛrˈ-] ⟨*aux: sein*⟩ *itr* se consumer en brûlant sans flamme.

vergnüg|en [fɛrˈgnyːgən] *sich* s'amuser, se divertir, se réjouir, mener la belle vie; **V∼en** *n* plaisir, amusement, divertissement *m,* joie *f;* agrément *m; mit ∼∼* avec plaisir; *mit dem (aller)größten ∼∼ (a.)* je ne demande pas mieux; *zum ∼∼* pour le *od* son plaisir, par plaisir; *∼∼ bereiten* od *machen* faire plaisir; *∼∼ an etw finden* od *haben* trouver du plaisir à qc; se faire une joie de qc; *sich das ∼∼ gönnen* s'accorder le plaisir; *sich kein ∼∼ gönnen* se refuser tout plaisir; *sich ein ∼∼ aus etw machen* se faire un plaisir *od* une fête de qc; *ich gönne dir das ∼∼* je ne suis point jaloux de ton plaisir; *wenn es Ihnen ∼∼ macht (a.)* si le cœur vous en dit; *viel ∼∼!* beaucoup de plaisir! *iron* je vous en souhaite! **∼enshalber** *adv* pour le plaisir; **∼lich** [-klıç] *a* amusant, plaisant, réjouissant; **∼t** *a* joyeux, gai; *adv: es ging ∼∼ her* on se réjouit ferme; **V∼ung** *f* divertissement *m,* distraction *f,* amusement, plaisir *m;* **V∼ungsdampfer** *m* bateau *m* de plaisance; **V∼ungsfahrt** *f* excursion *f;* **V∼ungsindustrie** *f* industrie *f* des distractions; **V∼ungspark** *m* parc *m* d'attractions; **V∼ungsreise** *f* voyage *m* d'agrément; **V∼ungsreisende(r)** *m* touriste *m;* **V∼ungsstätte** *f* lieu *m* de plaisance; **V∼ungssteuer** *f* taxe *f od* impôt *m* sur les spectacles; **V∼ungssucht** *f* goût *m* des plaisirs; **∼ungssüchtig** *a* avide de *od* adonné aux plaisirs; **V∼ungsviertel** *n* quartier *m* des attractions; **V∼ungszentrum** *n* centre *m* d'attractions.

vergold|en [fɛrˈ-] *tr* dorer; **V∼er** *m (Arbeiter)* doreur *m;* **V∼ung** *f (Tätigkeit)* dorage *m; (a. Material)* dorure *f.*

vergönn|en [fɛrˈ-] *tr (aus Gunst gestatten)* permettre; *es war mir nicht ∼t* je n'(en) ai pas eu la chance.

vergott|en [fɛrˈ-] *tr (zum Gott machen)* déifier, diviniser; **V∼ung** *f* déification; apothéose *f.*

vergötter|n [fɛrˈ-] *tr (wie e-n Gott verehren)* idolâtrer, avoir le culte de, adorer, porter aux nues; **V∼ung** *f* idolâtrie *f,* culte *m.*

vergraben [fɛrˈ-] *tr* enfouir; *sich in etw ∼ (fig)* s'enfouir dans qc; **V∼** *n* enfouissement *m.*

vergräm|en [fɛrˈ-] *tr* chagriner; *(Wild: verscheuchen)* effaroucher; **∼t** *a* rongé par le *od* de chagrin.

vergreifen [fɛrˈ-] , *sich (sport)* manquer *od* rater la barre; *mus* faire une fausse note; *sich an jdm ∼* porter la main sur qn, attenter à la personne de qn; *sich an etw ∼* s'attaquer à qc, porter atteinte à qc; *(stehlen)* se saisir de qc.

vergreis|en [fɛrˈ-] *itr* devenir bien vieux *od* sénile; **V∼ung** *f* vieillissement *m.*

vergriffen [fɛrˈ-] *a com (Buch)* épuisé.

vergröbern [fɛr-] *tr* ôter de sa finesse à.

vergrößer|n [fɛrˈgrøːsərn] *tr a. phot* agrandir; accroître; *(vermehren)* augmenter; *(erweitern)* amplifier; *sich* ~~ s'agrandir, (s'ac)croître; augmenter; s'amplifier; **V~ung** *f a. phot* agrandissement; accroissement, grossissement *m; augmentation; amplification f;* **V~ungsapparat** *m phot* agrandisseur *m;* **V~ungsglas** *n* loupe *f.*

vergucken [fɛrˈ-], *sich, fam* = *sich vergaffen.*

Vergünstigung *f* [fɛrˈ-] faveur *f*, privilège, avantage; *(Preis~)* rabais *m.*

vergüt|en [fɛrˈ-] *tr (bezahlen)* payer; *(zurückzahlen)* rembourser; *(gutschreiben)* porter à l'avoir *od* à l'actif (*jdm* de qn); *metal* affiner, traiter à chaud, faire revenir; **V~ung** *f* remboursement *m*, compensation *f; metal* affinage, traitement *m* (à chaud).

Verhack *m* ⟨-(e)s, -e⟩ [fɛrˈhak] *(Verhau)* abattis *m* (d'arbres).

verhaft|en [fɛrˈhaftən] *tr* arrêter, appréhender, mettre aux arrêts *od* en état d'arrestation, s'assurer de la personne de; **~et** *a (eng verbunden)* attaché (*dat* à); **V~ung** *f* arrestation *f*, arrêt *m*, prise *f* de corps; **V~ungsbefehl** *m* mandat *m* d'arrêt; *gegen jdn e-n ~~ erlassen* lancer un mandat d'arrêt contre qn.

verhagelt [fɛrˈ-] *a* grêlé, détruit *od* dévasté *od* ravagé par la grêle.

verhallen [fɛrˈ-] ⟨*aux: sein*⟩ *itr (Laut)* expirer, se perdre (au loin).

verhalt|en [fɛrˈ-] *tr (Gefühlsausdruck)* retenir, contenir, réprimer, maîtriser, refouler; *(Lachen)* supprimer, étouffer; *(Tränen)* retenir, supprimer; *(Atem, Harn)* retenir; *sich ~~ (sich benehmen)* se comporter, se conduire; *(e-e Haltung einnehmen)* prendre une attitude; *(handeln, tun)* agir, faire; *sich ruhig ~~* être tranquille; *sich zu ... ~~ wie ... (math)* être à ... comme ... ; *das verhält sich so* il en est ainsi; *wie verhält sich die Sache? wie verhält es sich damit?* où en est l'affaire? *a (unterdrückt)* retenu, supprimé; *(Mensch: zurückhaltend)* réservé; *(ruhig)* tranquille; **V~en** *n (Benehmen)* comportement *m*, manière d'agir; *psych* conduite *f; ehewidrige(s), vertragswidrige(s) ~~* faute *f* conjugale, contractuelle; **V~ensweise** *f* ligne de conduite; *psych* conduite *f;* **V~ungsmaßregel** *f* mesure d'ordre, instruction, directive *f.*

Verhältnis *n* ⟨-sses, -sse⟩ [fɛrˈhɛltnɪs] *(Beziehung)* rapport *m*, relation *f; (zwischen Menschen)* rapports *m pl; (Liebesverhältnis)* liaison amoureuse; *fam (Geliebte)* bien-aimée, maîtresse *f; pl (Proportionen)* proportions; *(Umstände, Lebenslage)* circonstances *f pl*, condition(s *pl*), situation *f; im ~ zu* à *od* en raison *od* proportion de, au prorata de; *im ~ von 1 zu 2* au prorata de 1 à 2; *im umgekehrten ~* en raison inverse (*zu* de); *nach dem ~ (gen)* au prorata (de); *unter den gegebenen* od *obwaltenden ~sen* dans les conditions données, étant donné les circonstances; *in ärmlichen* od *dürftigen ~sen leben* vivre à l'étroit *od* dans la gêne, être dans l'indigence; *in geordneten* od *guten ~sen leben* vivre dans l'aisance, être à son aise; *über s-e ~se leben* vivre au-dessus de ses moyens; *aus bescheidenen* od *einfachen ~sen stammen* être d'origine humble *od* d'humble origine; *die Länge steht in keinem ~ zur Breite* il n'y a pas de proportion entre la longueur et la largeur, la longueur n'est pas proportionnée à la largeur; *die persönlichen ~se pl* la situation *f* personnelle; **v~mäßig** *a* proportionnel; *adv* proportionellement, à *od* en proportion, toute proportion gardée; *(relativ)* relativement; **~wahl** *f* vote *od* suffrage *od* scrutin *m* proportionnel; **~wahlrecht** *n* représentation *f* proportionnelle; **~wort** *n* préposition *f;* **~zahl** *f* nombre *m* proportionnel.

verhand|eln [fɛrˈ-] *itr (unterhandeln)* débattre (*mit jdm über etw* de qc avec qn); *jur* siéger; *tr: etwas mit jdm* négocier qc avec qn; **V~lung** *f* débats; pourparlers *m pl;* négociation(s *pl*) *f; ~~en anbahnen* od *einleiten* engager des pourparlers *od* des négociations; *~~en aufnehmen, in ~~en eintreten* entamer des pourparlers *od* des négociations; *die ~~en wiederaufnehmen* reprendre les pourparlers *od* les négociations; **V~lungsangebot** *n* offre *f* de négociation; **V~lungsbeginn** *m* ouverture *f* des débats; **~lungsbereit** *a* prêt à négocier; **V~lungsdolmetscher** *m* interprète *m* parlementaire *od* de conférence *od* de liaison; **V~lungsgrundlage** *f* base *f* de (la) négociation; **V~lungspunkt** *m* point *m* de négociation; **V~lungstisch** *m; sich mit jdm an den ~~ setzen* s'asseoir autour d'une table ronde *od* autour d'un tapis vert avec qn; **V~lungsweg** *m: auf dem ~~e* par la voie des négociations.

verhäng|en [fɛrˈ-] *tr (zuhängen)* couvrir (*mit* de); *(anordnen)* ordonner, prescrire; **V~nis** *n* ⟨-sses, -sse⟩ fatalité *f;* malheur *m;* **~nisvoll** *a* fatal, néfaste, funeste, lourd de conséquences, gros de malheurs, malheureux; **~t** *a (Himmel)* couvert; **V~ung** *f (e-r Strafe)* infliction *f; ~~ des Belagerungszustandes* déclaration *od* proclamation *f* de l'état de siège.

verharmlosen [fɛrˈ-] *tr* bagatelliser.

verhärmt [fɛrˈ-] *a* (rongé de) chagrin, soucieux.

verharr|en [fɛrˈ-] ⟨*aux: haben*⟩ *itr (bleiben)* rester, demeurer; *(bei e-r Meinung, Absicht etc)* persister, persévérer (*bei* dans); **V~ung** *f* persistance, persévérance *f.*

verharsch|en [fɛrˈharʃən] *itr (Schnee)* durcir; **~t** *a* damé, tolé; *(Wunde)* cicatrisé; **V~ung** *f* durcissement *m;* cicatrisation *f.*

verhärt|en [fɛrˈ-] *itr, sich ~~* durcir; *fig* s'endurcir; **V~ung** *f* durcissement; *fig* endurcissement *m.*

verhaspeln [fɛrˈ-] *tr (Faden)* brouiller; *sich ~ (fam: sich beim Sprechen verwirren)* s'embrouiller, s'emberlificoter.

verhaßt [fɛrˈhast] *a* haï, détesté; *sich ~ machen* se rendre odieux, se faire détester.

verhätscheln [fɛrˈ-] *tr (Kind)* choyer, dorloter; *(verwöhnen)* gâter.

Verhau *m* od *n* ⟨-(e)s, -e⟩ [fɛrˈhau] *bes. mil* abattis *m;* **v~en** ⟨*er verhaute, hat verhauen*⟩ [fɛrˈ-] *itr fam (verprügeln)* rosser, administrer une raclée à, ficher une trempe à; *sich ~~ (fam: sich versehen)* manquer son coup; se couper.

verheb|en [fɛrˈ-] *sich, med* se donner un tour de reins *od* un effort; **V~ung** *f* tour *m* de reins.

verheddern [fɛrˈhɛdərn], *sich* = *sich verhaspeln.*

verheer|en [fɛrˈheːrən] *tr* dévaster, ravager, désoler, mettre à feu et sang; **~end** *a fig* dévastateur; **V~ung** *f* dévastation *f; pl (Schaden)* ravages *m pl.*

verhehl|en [fɛrˈ-] *tr (verheimlichen)* cacher, dissimuler, celer; **V~ung** *f* dissimulation *f*, recel *m.*

verheil|en [fɛrˈ-] ⟨*aux: sein*⟩ *itr* guérir; se cicatriser; **V~ung** *f* cicatrisation *f.*

verheimlich|en [fɛrˈ-] *tr* cacher, dissimuler (*jdm etw* qc à qn); **V~ung** *f* dissimulation *f.*

verheirat|en [fɛrˈ-] *tr* marier, donner en mariage; *sich ~~* se marier, contracter mariage (*mit* avec); prendre femme; *sich wieder ~~* se remarier; **V~ung** *f* mariage *m.*

verheiß|en [fɛrˈ-] *tr lit* promettre; **V~ung** *f* promesse *f;* **~ungsvoll** *a* prometteur, plein de promesses.

verhelfen [fɛrˈ-] *itr: jdm zu etw ~* aider qn à obtenir qc.

verherrlich|en [fɛrˈ-] *tr* glorifier, magnifier, chanter la gloire de; **V~ung** *f* glorification *f.*

verhetz|en [fɛrˈ-] *tr* exciter, inciter; **V~ung** *f* excitation, incitation *f.*

verhex|en [fɛrˈ-] *tr* ensorceler; *es ist wie ~t* on dirait que le diable s'en mêle, c'est une malédiction, il y a *od* il faut qu'il y ait un sort.

Verhieb *m* ⟨-(e)s, ø⟩ [fɛrˈhiːp] *mines* enlèvement *m.*

verhimmeln [fɛrˈhɪməln] *tr fam* = *vergöttern.*

verhinder|n [fɛrˈ-] *tr* empêcher (*zu tun* de faire); **V~ung** *f* empêchement *m;* **V~ungsfall** *m: im ~~* en cas d'empêchement.

verhohlen [fɛrˈ-] *a (versteckt, heimlich)* dissimulé, caché, sournois, secret.

verhöhn|en [fɛrˈ-] *tr* railler, bafouer, se moquer de; **V~ung** *f* raillerie, moquerie *f.*

verhohnepipeln [fɛrˈhoːnəpɪːpəln] *tr fam (verulken): jdn ~* se ficher de qn.

verhökern [fɛrˈ-] *tr fam (billig verkaufen)* brader, vendre bon marché.

verholen [fɛrˈ-] *tr mar* haler, touer; **V~** *n* touage *m.*

Verhör *n* ⟨-(e)s, -e⟩ [fɛrˈ-] interrogatoire *m;* **v~en** *tr* interroger, faire subir un interrogatoire à; *sich ~~ (etw Falsches hören)* entendre de travers.

verhüllen [fɛrˈ-] *tr* couvrir, envelopper; *a. fig* voiler, cacher.

verhundertfachen [fɛr'-] *tr* centupler.
verhungern [fɛr-] ⟨*aux: sein*⟩ *itr, am V~ sein* mourir *od fam* crever de faim.
verhunzen [fɛr'huntsən] *tr fam (verderben)* gâcher, gâter.
verhüt|en [fɛr'-] *tr* empêcher, prévenir; **V~ung** *f* empêchement *m*, prévention *f*; *~~ von Verkehrsunfällen* prévention *f* routière; **V~ungsmittel** *n* préservatif, inhibiteur *m*.
verhütt|en [fɛr'-] *tr* traiter (en usine), mettre en œuvre, fondre; **V~ung** *f* traitement *m* métallurgique.
verhutzelt [fɛr'hutsəlt] *a* ratatiné.
Verifi|kation *f* ⟨-, -en⟩ [verifikatsi'o:n] *(Bewahrheitung, Beglaubigung)* vérification *f*; **v~zierbar** [-'tsi:r-] *a* vérifiable; **v~zieren** *tr* vérifier.
verinnerlich|en [fɛr'ʔɪnərlɪçən] *tr* approfondir, intensifier; *philos* intérioriser; **V~ung** *f* intensification, intériorisation *f*.
verirr|en [fɛr'-] , *sich* s'égarer, se fourvoyer, se perdre, faire faisse route; **V~ung** *f* égarement *m a. fig*, aberration *f*.
verjagen [fɛr'-] *tr* chasser *a. fig;* expulser; *fig* balayer.
verjähr|en [fɛr'-] ⟨*aux: sein*⟩ *itr* se périmer, être périmé, se prescrire; **~t** *a* périmé; **V~ung** *f* prescription, péremption *f*; **V~ungsfrist** *f* délai *m* de prescription.
verjubeln [fɛr'-] *tr fam (für Vergnügungen ausgeben)* gaspiller *od* dissiper (en plaisirs); *pop* claquer.
verjüng|en [fɛr'jʏŋən] *tr* rajeunir; *sich ~~ (nach oben dünner werden)* se rétrécir; *sich ~end (arch)* diminué, se rétrécissant; **~t** *a (im Maßstab verkleinert)* réduit; **V~ung** *f* rajeunissement; *arch* rétrécissement *m*; *(Verkleinerung)* réduction *f*; **V~ungskur** *f* cure *f* de rajeunissement.
verjuxen [fɛr'juksən] *tr fam verjubeln.*
verkalk|en [fɛr'-] ⟨*aux: sein*⟩ *itr* se calcifier; *med fam* se scléroser; *fig (vergreisen)* devenir bien vieux; **~t** *a fig (Mensch)* sclérosé; *fam pej* gaga; **V~ung** *f* calcification; *med* infiltration calcaire; sclérose *f*.
verkalkulieren [fɛr--'--] *sich, fam = sich verrechnen.*
verkannt [fɛr'-] *a (Genie)* méconnu.
verkanten [fɛr'-] *tr* pencher.
verkapp|en [fɛr'-] *tr (unkenntlich machen)* déguiser, masquer; **V~ung** *f* déguisement; masque *m*.
verkapsel|n [fɛr'-] *tr* capsuler; *sich ~~ (med)* s'enkyster; **V~ung** *f* capsulage; *med* enkystement *m*.
verkarsten [fɛr'-] *itr geog* revêtir un caractère désertique.
verkäs|en [fɛr'kɛ:zən] *itr (zu Käse werden)* se caséifier; **V~ung** *f* caséification *f*.
verkästeln [fɛr'kɛstəln] *tr* emboîter.
verkatert [fɛr'ka:tərt] *a fam: ~ sein* avoir mal aux cheveux; *pop* avoir la gueule de bois.
Verkauf *m* ⟨-(e)s, ⸚e⟩ [fɛr'kauf] vente *f; (Absatz)* écoulement, débit *m; zum ~ anbieten* mettre en *od* offrir à la vente; *gerichtliche(r) ~* vente *f* judiciaire; *~ auf Kredit* od *Zeit* vente *f* à terme ; *~ zu herabgesetzten Preisen* vente *f* au rabais, soldes *f pl; ~ mit Rückkaufsrecht* vente *f* à réméré; *~ über die Straße* vente *f* pour emporter.
verkaufen [fɛr'-] *tr* vendre; *(absetzen)* débiter; *fin* réaliser; *gegen bar, auf Kredit, auf Termin ~* vendre au comptant, à credit, à terme; *zu ~(d)* à vendre.
Verkäuf|er [fɛr'-] *allg* vendeur; *(in e-m Laden) a.* employé *m* de magasin; *stumme ~~ pl* matériel *m* d'étalage de comptoir; **~erin** *f allg* vendeuse; *(in e-m Laden) a.* employée *od* demoiselle *f* de magasin; **v~lich** *a* à vendre, vendable; *leicht ~~* de vente facile *od* courante, de bonne vente; *schwer ~~* de vente difficile, difficile à écouler; **~lichkeit** *f* bon débit *m*.
Verkaufs|abrechnung *f* [fɛr'kaufs-] compte *m od* facture *f* de vente; **~abteilung** *f* service *m* des ventes; **~angebot** *n*, **~auftrag** *m* offre *f*, ordre *m* de vente; **~automat** *m* distributeur *m* automatique; **~büro** *n* bureau *m* des ventes; **~erlös** *m* produit *m* de la *od* des vente(s); **~förderung** *f* promotion *f* des ventes; **~ingenieur** *m* ingénieur *m* des ventes; **~kolonne** *f* équipe *f* de vente; **~kurs** *m (Börse)* cours *m* vendeur; **~leiter** *m* directeur *od* chef *m* de(s) vente(s); **~lizenz** *f*, **~methode** *f*, **~preis** *m*, licence, méthode *f*, prix *m* de vente; **~raum** *m*, **~recht** *n* local, droit *m* de vente; **~stand** *m* stand *m*; **~stelle** *f* lieu *od* point *m* de vente; **~vertreter** *m* distributeur *m*; **~vollmacht** *f* procuration *f* de vente; **~wert** *m* valeur *f* vénale *od* de vente.
Verkehr *m* ⟨-(e)s, (-e)⟩ [fɛr'ke:r] *(auf dem Lande, zu Wasser u. in der Luft)* circulation *f*, trafic; va-et-vient; *(Betrieb)* service *m; fin* circulations; opérations; *(persönlicher Umgang)* relations *f pl; (a. Geschlechtsverkehr)* rapports *m pl; den ~ mit jdm abbrechen (a.)* mettre qn en quarantaine; *in den ~ bringen (Zahlungsmittel)* mettre en circulation; *den ~ einstellen* suspendre le trafic; *den ~ mit jdm meiden* éviter de fréquenter qn; *dem ~ übergeben* ouvrir à la circulation; *aus dem ~ ziehen (Zahlungsmittel)* retirer de la circulation; *ausstrahlende(r) ~* trafic *m* sortant; *fließende(r) ~* circulation *f* continue; *lebhafte(r) ~ (auf d. Straße)* animation *f*; *öffentliche(r) ~* circulation *f* sur la voie publique; *für den ~ gesperrt* interdit à la circulation; *~ von Haus zu Haus* transport combiné *od* par container; transport *od* service *m* de porte à porte.
verkehr|en [fɛr'-] ⟨*aux: haben*⟩ *itr (Verkehrsmittel)* circuler, aller et venir; *(fahren)* aller; *(Mensch)* fréquenter (*in e-r Gaststätte* un café, *in e-r Familie* une famille); *mit jdm* fréquenter, voir qn; être en relations avec qn; *mitea. ~~* se voir; *tr (umkehren)* (re)tourner, mettre à l'envers, renverser; *fig* tourner de travers, intervertir; *(verwandeln)* changer (*in* en); *(entstellen)* déformer, fausser (le sens de); **~t** *a* retourné, renversé; *fig* interverti, inversé; *(falsch)* faux; *adv fig* de travers; *etw ~~ anfangen* prendre qc par le mauvais bout; *etw ~~ auffassen* prendre qc de travers; *auf der ~~en Seite aussteigen (loc)* descendre à contre-voie; *~~ gehen* od *fahren* se tromper de route; *~~ machen* faire de travers; **V~theit** *f* absurdité *f (Widersinn)* contresens *m*; **V~ung** *f* renversement *m; fig* inversion *f*.
Verkehrs|abwanderung *f* [fɛr'ke:rs-] , **~abwicklung** *f* évasion *f*, écoulement *m* du trafic; **~ader** *f* artère *f*; **~ampel** *f* feux *m pl;* **~amt** *n* office *m* de tourisme; **~betrieb** *m* entreprise *f* de transports; **~büro** *n* bureau *m od* agence *f* touristique *od* de tourisme; **~dichte** *f* densité *od* intensité *f* du trafic; **~disziplin** *f* discipline *f* dans la circulation; **~erziehung** *f* enseignement *m* de la sécurité routière; **~erziehungswoche** *f* semaine *f* de l'éducation routière; **~flieger** *m* pilote *m* de ligne; **~flugzeug** *n* avion *m* commercial *od* de transport *od* de voyageurs; **~gewerbe** *n* transports *m pl;* **~hindernis** *n* obstacle *m od* entrave *f* à la circulation, bouchon *m*; **~insel** *f* îlot *m* de circulation; **~knotenpunkt** *m* nœud *m* du trafic; **~lenkung** *f* contrôle *m* de la circulation; **~licht** *n* signal lumineux; feu *m;* **~linie** *f* voie *f* de communication; **~minister** *m* ministre *m* des transports (et communications); **~mittel** *n* moyen *m* de communication *od* de transport; **~netz** *n* réseau *m* de circulation; **~ordnung** *f* code *m* de la route; **~polizei** *f* police *f* routière *od* des transports; **~polizist** *m* agent *m* de la circulation; **~posten** *m* poste *m* de circulation; **~probleme** *n pl* problèmes *m pl* de la circulation; **~regeln** *f pl* réglementation *f* des transports; **~regelung** *f* réglementation *od* régulation *od* organisation *f* de la circulation; **v~reich** *a (Straße)* animé; **~schild** *n* panneau *m* de signalisation (routière); *pl a.* signalisation *f* routière; **~schutzmann** *m = ~polizist;* **v~schwach** *a: ~~e Zeit f* heures *f pl* de faible circulation; **~sicherheit** *f* sûreté *od* sécurité *f* routière *od* de la circulation *od* du trafic; **~sperre** *f* suspension *f* du trafic; **~spitze** *f* pointe *f* de trafic; *pl* heures *f pl* de pointe; **~stockung** *f* embouteillage *m;* **~störung** *f* interruption *f* de la circulation *od* du transport; **~streife** *f* patrouille *f* routière; **~streik** *m* grève *f* des transports; **~teilnehmer** *m* usager *m* de la route; **~tote(r)** *m* victime *f* d'accident de la circulation *od* de la route; **~turm** *m* pylône *m;* **~übergabe** *f (e-r Straße)* ouverture *f* à la circulation; **~überwachung** *f* surveillance (et police) *f od* contrôle

m de la circulation; **~umleitung** *f* déviation *f;* **~unfall** *m* accident *m* de (la) circulation *od* de la route; **~ungeheuer** *n hum* mastodonte *m* de la route; **~unternehmen** *n* entreprise *f* de communication; **~unterricht** *f* prévention *f* routière; **~verein** *m* syndicat *m* d'initiative; **~verhältnisse** *n pl,* **~volumen** *n* conditions *f pl,* volume *m* de la circulation; **~wege** *m pl* voies *f pl* de communication; **~werbung** *f* propagande *od* publicité *f* touristique *od* de tourisme; **~wesen** *n* transports *m pl;* transports *m pl* et communications *f pl;* circulation *f;* **v~wichtig** *a* important pour les communications; **v~widrig** *a* contraire à la réglementation des transports; **~zählung** *f* recensement *m* de circulation; **~zeichen** *n* signal *od* panneau *m* de signalisation (routière); **~zunahme** *f* augmentation *f* de la circulation *od* du trafic.

verkeilen [fɛrˈ-] *tr tech* coincer, caler, claveter; *fam = verdreschen.*

verkenn|en [fɛrˈ-] ⟨*hat verkannt*⟩ *tr* méconnaître, se tromper sur; *(unterschätzen)* sous-estimer; **V~ung** *f* méconnaissance *f.*

verkett|en [fɛrˈ-] *tr* enchaîner; **~et** *a el (Spannung)* composé; **V~ung** *f* enchaînement *m,* liaison; *el* interconnexion *f;* *~~ von Umständen* concours *m* de circonstances.

verketzer|n [fɛrˈ-] *tr rel* accuser d'hérésie; *allg* décrier; **V~ung** *f rel* accusation *f* d'hérésie.

verkiesel|n [fɛrˈ-] *tr chem* silicater; **V~ung** *f* silicatisation *f.*

verkitten [fɛrˈ-] *tr* mastiquer.

verklagen [fɛrˈ-] *tr* accuser, incriminer; porter plainte, intenter une action (*jdn* contre qn).

verklammer|n [fɛrˈ-] *tr* cramponner; **V~ung** *f* cramponnement *m.*

verklar|en [fɛrˈ-] *tr mar* dresser un procès-verbal des avaries de; **V~ung** *f* procès-verbal *m* des avaries.

verklär|en [fɛrˈ-] *tr rel* transfigurer; **~t** *a* radieux; **V~ung** *f rel* transfiguration *f.*

verklatschen [fɛrˈ-] *tr fam (heimlich anzeigen)* décrier, rapporter.

verklaus|eln [fɛrˈ-] *tr,* **~ulieren** [fɛrklauzuˈliːrən] *tr* insérer des clauses dans, adjoindre des clauses à; **V~ulierung** *f* adjonction *f* de clauses.

verkleben [fɛrˈ-] *tr* (re)coller.

verkleid|en [fɛrˈ-] *tr (Menschen)* travestir, déguiser; *(Wand)* revêtir, couvrir, garnir; *sich ~~* se travestir; se déguiser (*als* en); s'habiller (*als* en); **V~ung** *f* travestissement, déguisement; revêtement *m.*

verkleiner|n [fɛrˈ-] *tr* rapetisser, amoindrir, diminuer; *(im Maßstab)* réduire; *fig* diminuer; *(herabsetzen)* rabaisser, ravaler; **V~ung** *f* rapetissement, amoindrissement *m,* diminution; réduction *f; (Herabsetzung)* rabaissement *m,* dépréciation *f;* **V~ungsform** *f gram* (terme) diminutif *m.*

verkleistern [fɛrˈklaɪstərn] *tr fam = verkleben.*

verklingen [fɛrˈ-] ⟨*ist verklungen*⟩ *itr* expirer, s'évanouir, se perdre, mourir.

verkloppen [fɛrˈ-] *tr fam = verdreschen; = verkaufen.*

verknacken [fɛrˈ-] *tr fam = verurteilen.*

verknacksen [fɛrˈ-] *tr fam = verstauchen.*

verknall|en [fɛrˈ-] *tr fam (verschießen)* tirer (aux moineaux); *sich in jdn ~ (fam: verlieben)* s'amouracher, se toquer de qn; *in jdn ~t sein* être toqué *od* fou de qn, avoir une toquade pour qn.

verknapp|en [fɛrˈ-] ⟨*aux: sein*⟩ *itr* devenir rare; **V~ung** *f* pénurie, rareté, raréfaction *f.*

verkneifen [fɛrˈ-] *sich etw ~ (fam)* se faire ceinture pour qc, faire son deuil de qc.

verknöcher|n [fɛrˈ-] ⟨*aux: sein*⟩ *itr* ossifier; *fig (Mensch)* s'encroûter; se dessécher; *~~te(r) Mensch m (a.)* (vieux) croûton *m,* vieille croûte *od* perruque *f;* **V~ung** *f* ossification *f; fig* encroûtement *m.*

verknorpeln [fɛrˈ-] ⟨*aux: sein*⟩ *itr* devenir cartilagineux.

verknoten [fɛrˈ-] *tr* nouer.

verknüpf|en [fɛrˈ-] *tr a. fig* rattacher, (re)lier; *fig* joindre, unir; **V~ung** *f* tachement *m,* liaison; jonction *f.*

verkochen [fɛrˈ-] *itr* se réduire en bouillie.

verkohl|en [fɛrˈ-] *tr (zu Kohle machen)* carboniser; *fam: jdn ~~ (belügen)* faire marcher qn, mentir à qn; *pop* monter un bateau à qn; *itr (zu Kohle werden)* se carboniser; **~t** *a* carbonisé; **V~ung** *f* carbonisation *f.*

verkok|bar [fɛrˈkoːk-] *a* cokéfiable; **~en** *tr (zu Koks machen)* cokéfier; **V~ung** *f* cokéfaction *f.*

verkommen [fɛrˈ-] ⟨*ist verkommen*⟩ *itr* mal tourner, déchoir; dépérir, se perdre; *(Mensch)* se dévoyer, déchoir; *a* dévoyé, déchu, perdu; *(sittlich)* dépravé, dégradé; **V~heit** *f* déchéance (morale), dépravation, dégradation *f.*

verkopp|eln [fɛrˈ-] *tr* accoupler; *agr (zerstreuten Landbesitz neu verteilen)* remembrer; **V~(e)lung** *f agr* remembrement (rural), remaniement *m* parcellaire.

verkorken [fɛrˈ-] *tr* boucher (avec un bouchon), mettre un bouchon à.

verkorksen [fɛrˈ-] *tr fam = verpfuschen.*

verkörper|n [fɛrˈ-] *tr* personnifier, incarner; *bes. theat* représenter; **V~ung** *f* personnification, incarnation; représentation *f.*

verköstigen [fɛrˈ-] *tr (beköstigen)* nourrir.

verkrach|en [fɛrˈ-] *itr fam (scheitern)* faire faillite; *sich ~~ (in Streit geraten)* se brouiller (*mit jdm* avec qn); **~t** *a (gescheitert)* raté; *~~e Existenz f* existence *f* ratée *od* de raté.

verkraften [fɛrˈ-] *tr fam (fertig werden mit)* digérer, supporter.

verkrampf|en [fɛrˈ-], *sich* se crisper; **~t** *a* crispé; **V~ung** *f* crispation *f.*

verkriechen [fɛrˈ-] , *sich* se blottir; se fourrer, se terrer; se cacher.

verkröpf|en [fɛrˈ-] *tr arch* ménager une crossette à; **V~ung** *f* crossette *f.*

verkrümeln [fɛrˈ-] , *sich (im kleinen verlorengehen)* s'en aller petit à petit; *fam (heimlich weggehen) = sich verdrücken.*

verkrümm|en [fɛrˈ-] , *sich* se déformer, se tordre; *(Wirbelsäule)* dévier; **V~ung** *f* déformation; déviation *f.*

verkrüpp|eln [fɛrˈ-] *itr* se rabougrir, se déformer; s'estropier; s'étioler, s'atrophier; **V~(e)lung** *f* rabougrissement *m,* déformation *f;* étiolement *m,* atrophie *f.*

verkrust|en [fɛrˈ-] ⟨*aux: sein*⟩ *itr* se couvrir d'une croûte, s'incruster; **V~ung** *f* incrustation *f.*

verkühlen [fɛrˈ-] , *sich (sich erkälten)* se refroidir.

verkümmer|n [fɛrˈ-] ⟨*aux: sein*⟩ *itr* se rabougrir, mal venir, s'étioler; dépérir; *fig (Fähigkeiten)* s'appauvrir; **V~ung** *f* rabougrissement, étiolement, *fig* appauvrissement *m.*

verkünd|(ig)en [fɛrˈ-] *tr* proclamer, annoncer, publier, faire savoir; *adm (Gesetz)* promulguer; *jur (Urteil)* prononcer; *rel (das Evangelium)* annoncer; **V~(ig)er** *m* ⟨-s, -⟩ annonciateur *m;* **V~(ig)ung** *f* proclamation, publication; *adm* promulgation *f;* **V~igung** *f (rel, Kunst)* Annonciation *f; das Fest Mariä ~~ (rel)* l'Annonciation *f.*

verkupfern [fɛrˈ-] *tr* cuivrer.

verkuppeln [fɛrˈ-] *tr* vendre; *jdn ~* s'entremettre pour marier qn.

verkürz|en [fɛrˈ-] *tr* raccourcir, écourter; *(verringern)* diminuer; *(Zeit)* réduire, abréger; **V~ung** *f* raccourcissement *m;* diminution; réduction, abréviation *f; in perspektivischer ~~* en perspective.

Verlade|anlage *f* [fɛrˈlaːdə-] installation *f* de chargement *od loc* de manutention *od mar mil* d'embarquement; **~bahnhof** *m,* **~band** *n* gare, bande *f* de chargement; **~brücke** *f* pont *m* de chargement *od* transbordeur; **~gerüst** *n* pont *m* de chargement; **~kosten** *pl* frais *m pl* de chargement *od mar* d'embarquement; **~kran** *m* grue *f* de chargement; **~rampe** *f* rampe *f* de chargement; *mar* quai *m* d'embarquement; **~schein** *m* récépissé *m* de chargement; **~vorrichtung** *f* installation *f* de chargement.

verlad|en [fɛrˈ-] *tr* charger, expédier; *mar mil* embarquer; **V~er** *m* ⟨-s, -⟩ chargeur; expéditeur *m;* **V~ung** *f* chargement *m,* expédition; *loc* manutention *f; mar mil* embarquement *m.*

Verlag *m* ⟨-(e)s, -e⟩ [fɛrˈlaːk, -gə] maison *f* d'édition; *(Druck und) ~ von X.Y.* X.Y. (libraire-)éditeur; **~sanstalt** *f = ~;* **~sanzeige** *f* note *f* éditoriale; **~sbuchhandlung** *f = ~;* **~sbuchhändler** *m* libraire-éditeur *m;* **~seinband** *m* reliure *f* éditeur *od* originale; **~shaus** *n = ~;* **~shinweis** *m* note *f* éditoriale; **~skatalog** *m* catalogue *m* d'édition *od* des livres de fonds; **~srecht** *n* droit *m* d'édition *od* d'impression; **~sstück** *n (Buchexemplar)* exemplaire-éditeur *m;* **~svertrag** *m* contrat *m* d'édition; **~swerk** *n* livre *m* de fonds; **~szeichen** *n* marque *f* d'éditeur.

verlager|n [fɛr'-] *tr* déplacer, transférer; *sich* ~~ *(fig: sich verschieben)* se déplacer; **V~ung** *f* déplacement *a. fig;* transfert *m; (Evakuierung)* évacuation; *(Dezentralisierung)* décentralisation *f.*

verland|en [fɛr'-] *itr (Gewässer)* former des dépôts alluvionnaires; **V~ung** *f* formation *f* de dépôts alluvionnaires.

verlangen [fɛr'laŋən] *tr* demander; *(fordern)* exiger, réclamer; *(bestellen)* commander; *itr (sich sehnen nach)* désirer; avoir envie de; soupirer après; *ich will nicht zuviel von Ihnen ~ (a.)* je ne veux pas abuser de vous; *Sie werden am Telefon verlangt* on vous demande au téléphone; **V~** *n* demande; réclamation *f; (Sehnsucht)* désir *m; auf ~~ (gen)* à la demande (de), selon le désir (de); *auf allgemeines ~~* à la demande générale; *nach etw ~~ tragen* avoir envie de qc, soupirer après qc.

verlänger|n [fɛr'lɛŋərn] *tr (räuml.)* allonger, rallonger; *(zeitl., a. e-n Wechsel)* prolonger; *(Ausweis, Paß)* renouveler; *jur* proroger; **V~ung** *f* allongement *m; (Stück)* (r)allonge; prolongation *f;* renouvellement *m;* prorogation *f;* **~ungsfähig** *a (Wechsel)* prolongeable; *(Paß)* renouvelable; **V~ungsschnur** *f el* fil *m* de raccord; **V~ungsstück** *n* (r)allonge *f.*

verlangsam|en [fɛr'-] *tr* ralentir; **V~ung** *f* ralentissement *m.*

verläppern [fɛr'-] *tr fam (vergeuden)* gaspiller, dissiper.

Verlaß *m* ⟨-sses, ø⟩ [fɛr'las]: auf ihn ist kein ~ on ne peut se fier à *od* compter sur lui; *darauf ist kein ~* on ne peut pas y compter.

verlassen [fɛr'-] *tr* quitter; *(aufgeben)* délaisser, abandonner; *sich auf jdn, etw ~* se fier à qn, compter sur qn, qc; *jdn ohne Abschied ~* brûler la politesse à qn; *auf ihn kann man sich ~ (a.)* il est de parole; *darauf können Sie sich ~ (a.)* j'en réponds; *~ Sie sich darauf!* fiez-vous-y! comptez-y! *a* abandonné; *(einsam)* désert; *von allen guten Geistern* od *ganz von Gott ~~* abandonné de Dieu et des hommes; **V~** *n: beim ~~ des Hauses* à la sortie, au sortir de la maison; **V~heit** *f* (état d')abandon, isolement *m,* déréliction; *(Einsamkeit)* solitude *f.*

verläßlich [fɛr'lɛslıç] *a (Mensch: zuverlässig)* sûr, sur qui on peut compter, à qui on peut se fier; *allg* sûr, solide; *(Bericht, Darstellung)* véridique; **V~keit** *f* ⟨-, ø⟩ sûreté *f;* caractère *m* véridique.

verläster|n [fɛr'-] *tr* diffamer, calomnier, dénigrer; **V~ung** *f* diffamation, calomnie *f,* dénigrement *m.*

Verlaub *m* [fɛr'laup] *: mit ~* avec votre permission, ne vous (en) déplaise; *lit* sauf votre respect *od* honneur.

Verlauf [fɛr'-] *m (Hergang)* cours, déroulement; *(Entwicklung)* développement *m; (e-r Krankheit, a.)* évolution *f; (e-r Linie)* tracé *m; im ~ des Abends* au cours de la soirée; *im weiteren ~* par la suite; *nach ~ (Ablauf) e-s Monats* au bout d'un mois; **v~en** ⟨*aux: sein*⟩ *itr (vor sich gehen, ablaufen)* se dérouler, passer; *(sich entwickeln)* se développer; *sich ~~ (Wasser)* se perdre; *(Menschenmenge)* se disperser; *(sich verirren)* s'égarer, se tromper de chemin *od* de rue; *gerade ~~ (Linie)* être droit; *gut, schlimm ~~* tourner bien, mal; *inea. ~~ (Farben)* se fondre; *normal ~~* suivre son cours; *im Sand(e) ~~ (fig: ergebnislos sein)* être sans résultat; *tödlich ~~ (Unfall)* avoir une issue mortelle.

verlaust [fɛr'-] *a* couvert de poux; *fam* habité.

verlaut|baren [fɛr'-] *tr (äußern)* notifier, déclarer; *~~ (lassen) (bekanntmachen)* divulguer, rendre public, publier; **V~barung** *f* notification, déclaration; divulgation, publication *f;* **~en** *itr impers: es ~et, daß ...* on dit que ..., le bruit court que ...; *nichts ~~ lassen* ne souffler mot, ne rien laisser transpirer.

verleb|en [fɛr'-] *tr (Zeit verbringen)* passer, vivre; **~endigen** *tr (lebendig machen* od *darstellen)* rendre vivant, animer; faire revivre; **~t** *a (abgelebt)* usé par la débauche.

verleg|en [fɛr'-] ⟨*hat verlegt*⟩ *tr (an e-e andere Stelle legen)* déplacer; *(Wohnsitz, Betrieb, Behörde)* transporter, déplacer, transférer; *(Truppen)* déplacer; *mil (das Feuer)* transférer; *(Veranstaltung, Termin verschieben)* remettre, différer; reporter (*von ... auf* de ... à); *(die Handlung e-r Dichtung ansetzen)* situer (*nach* à, en; *in* à, en); *(den Weg sperren)* barrer; *(Buch)* éditer, publier; *~t haben (nicht mehr finden können)* avoir déplacé *od* égaré; *sich auf etw ~~ (sich mit etw befassen)* s'appliquer, se consacrer à qc, se spécialiser dans qc; *a* gêné, embarrassé, confus; *jdn ~~ machen* embarrasser qn; *~~ sein (fam a.)* avoir l'air constipé; *um etw ~~ sein (etw gerade nicht haben)* être à court de qc; *um e-e Antwort nie ~~ sein* avoir la repartie facile, être prompt à la repartie; **V~enheit** *f* ⟨-, ø⟩ gêne *f,* embarras *m,* contrainte, confusion *f; jdn in ~~ bringen* mettre qn dans l'embarras, embarrasser, faire rougir qn, prendre qn de court; *jdm aus der ~~ helfen* tirer qn d'embarras *od* d'affaire, tendre la perche à qn, repêcher qn; *jdm über s-e ~~ hinweghelfen* mettre qn à son aise *od* à l'aise; *sich aus der ~~ ziehen* se débrouiller; *ich käme in ~~, wenn ich sagen sollte ...* je serais bien embarrassé de dire ...; **V~er** *m* ⟨-s, -⟩ (libraire-)éditeur *m;* **~erisch** *a* éditorial; **V~ung** *f* déplacement; transport, transfert *m; (Verschiebung)* report *m.*

verleiden [fɛr'-] ⟨*hat verleidet*⟩ *tr: jdm etw ~* dégoûter qn de qc, faire perdre à qn le goût de qc.

Verleih *m* ⟨-(e)s, -e⟩ [fɛr'-] *film* location *f;* **v~en** ⟨*hat verliehen*⟩ *tr* louer, prêter; *(bewilligen)* accorder, concéder, décerner, octroyer, attribuer; *(Titel)* conférer, donner, investir de; *(Orden, Preis)* conférer; *nicht gern ~~* n'être pas prêteur; **~er** *m* ⟨-s, -⟩ prêteur *m;* **~ung** *f* louage, prêt *m,* concession *f,* octroi *m,* attribution; collation, investiture *f;* **~ungsurkunde** *f* acte *m* de collation.

verleit|en [fɛr'-] *tr (verführen)* séduire; **V~ung** *f* séduction *f.*

verlernen [fɛr'-] *tr* désapprendre; *(vergessen)* oublier.

verles|en ⟨*hat verlesen*⟩ [fɛr'-] *tr* lire (en public), donner lecture de; *sich ~~* lire de travers, se tromper en lisant; *die Namen ~~* faire l'appel des noms; **V~ung** *f* lecture *f; nach der ~~ (jur)* après lecture faite.

verletz|bar [fɛr'-] *a* vulnérable; *fig (empfindlich)* susceptible; **V~barkeit** *f* ⟨-, ø⟩ vulnérabilité; *fig* susceptibilité *f;* **~en** *tr* blesser *a. fig; (beschädigen)* endommager; *bes. fig* léser; *(beleidigen)* offenser; *s-e Pflicht ~~* manquer à *od* trahir son devoir; *jdn tief ~~ (a.)* atteindre qn au vif; **~end** *a (beleidigend)* blessant, offensant; **~t** *a* blessé; **V~te(r)** *m* blessé *m;* **V~ung** *f* blessure; *a. fig* lésion; *fig* offense, violation, atteinte *f; s-n ~~en erliegen* succomber à ses blessures.

verleugn|en [fɛr'-] *tr* (re)nier, démentir; *(nicht anerkennen)* désavouer; *rel (s-n Glauben)* abjurer; *sich selbst ~~* se renier, faire abnégation de soi, renoncer à soi-même; *sich ~~ lassen* faire dire qu'on n'est pas là; **V~ung** *f* reniement, démenti *m,* dénégation *f;* désaveu *m; rel* abjuration *f.*

verleumd|en [fɛr'lɔymdən] *tr* calomnier, médire de, diffamer, décrier, dénigrer; **V~er** *m* calomniateur, diffamateur, détracteur, dénigreur *m;* **~erisch** *a* calomniateur, calomnieux, médisant, diffamatoire; **V~ung** *f* calomnie, médisance, diffamation *f,* dénigrement *m.*

verlieb|en [fɛr'-], *sich* s'éprendre, devenir amoureux (*in jdn* de qn); **~t** *a* amoureux, épris; *~~e Augen machen* faire les yeux doux; *in jdn ~~ sein* être amoureux de qn; *bis über die Ohren ~~* éperdument amoureux; **V~te(r** *m)* *f* amoureux, se *m f;* **V~theit** *f* état *m* amoureux.

verlier|en ⟨*verlor, verloren*⟩ [fɛr'li:rən] *tr* perdre; *pop* paumer; *sich ~~ (verlorengehen)* se perdre, s'égarer; *(Menschenmenge)* se disperser; *(verschwinden)* disparaître; *(dahinschwinden)* cesser, passer, s'effacer; *jdn aus den Augen ~~ (a. fig)* perdre qn de vue; *s-e Gültigkeit ~~ (Ausweis, Paß)* cesser d'être valable; *den Kopf (fig), den Mut, e-e Schlacht, den Verstand ~~* perdre la tête, courage, une bataille, la raison; *an Wert ~~* se déprécier; *etw verloren haben (a.)* en être pour qc; *darüber brauchen wir kein Wort zu ~~* il est inutile d'en parler; **V~er** *m*

⟨-s, -⟩ perdant *m; gute(r)* ~~ beau joueur *m.*

Verlies *n* ⟨-es, -e⟩ [fɛr'li:s, -zə] *(unterirdischer Kerker)* cachot *m,* oubliettes *f pl.*

verlob|en [fɛr'lo:bən] *tr* fiancer; *sich* ~~ se fiancer; **~t** *a* fiancé; *fam* promis; **V~te(r** *m***)** *f* fiancé, e; *fam* promis, e *m f;* **V~ung** *f* fiançailles *f pl,* promesse *f* de mariage; *die* ~~ *auflösen* rompre les fiançailles; **V~ungsanzeige** *f,* **V~ungsgeschenk** *n,* **V~ungsring** *m* faire-part, présent *m,* bague *f* de fiançailles; **Verlöbnis** *n* = *~ung.*

verlock|en [fɛr'-] *tr* allécher, attirer, tenter, séduire; *fam* aguicher; **~end** *a* tentant, séduisant; *fam* aguichant; **V~ung** *f* tentation, séduction *f.*

verlodern [fɛr'-] ⟨*aux: sein*⟩ *itr (Feuer: sich verzehren)* se consumer, s'éteindre.

verlogen [fɛr'lo:gən] *a* mensonger, menteur, **V~heit** *f (e-s Menschen)* penchant au *od* goût du mensonge; *(e-r Äußerung)* caractère *m* mensonger.

verlohn|en [fɛr'-], *sich* u. *die Mühe* ~~ valoir la peine; *impers: es ~t sich* od *die Mühe nicht* cela n'en vaut pas la peine.

verloren [fɛr'lo:rən] *pp von: verlieren u. a* perdu; *auf ~em Posten* dans une situation désespérée; *etw* ~ *geben* considérer qc comme perdu, désespérer de qc; *s-e Sache* ~ *geben* se tenir pour battu; abandonner; *ich gebe mich Ihnen gegenüber* ~ je vous donne gagné; *es ist alles* ~ tout est fini.

verlöschen [fɛr'-] ⟨*verlischt, verlosch, ist verloschen*⟩ *itr (erlöschen)* s'éteindre *a. fig; fig* mourir.

verlos|en [fɛr'lo:zən] *tr* tirer au sort, mettre en loterie; **V~ung** *f* tirage *m* (de loterie), mise *f* en loterie.

verlotter|n [fɛr'lɔtərn] *itr fam (verkommen)* mal tourner; **~t** *a* dévoyé, déchu.

verluder|n, ~t [fɛr'lu:dərn/-t] = *verlottern etc.*

Verlust *m* ⟨-es, -e⟩ [fɛr'lust] perte *f; fin* déficit *m; jur* déchéance *f; (Schaden)* dommage; *(Nachteil)* préjudice *m; mit* ~ à perte; ~ *bringen* causer *od* entraîner une perte; *e-n* ~ *decken (fin)* couvrir une perte; *s-e ~e wieder einbringen* se dédommager de ses pertes; *e-n* ~ *erleiden* faire *od* subir *od* éprouver *od* essuyer une perte; *e-n* ~ *ersetzen* réparer une perte; *reine(r)* ~ *(com)* perte *f* nette *od* sèche; **~abschluß** *m,* **~bilanz** *f com* bilan *m* passif; **~anzeige** *f* avis *m od* déclaration *f* de perte; **~anzeiger** *m (für Rohrleitungen)* indique-fuite(s) *m;* **v~bringend** *a com* déficitaire; **~geschäft** *n* opération *od* transaction *f* à perte; **v~ig** *a: e-r S* ~~ *gehen* perdre qc; être privé de qc; **~konto** *n: auf das* ~~ *setzen (fig)* inscrire à l'article des pertes; **~liste** *f* liste *f od* état *m* des pertes; **~quelle** *f* source *f* de pertes; **~quote** *f* pourcentage *m* de *od* des pertes; **v~reich** *a* coûteux; *mil* sanglant; **~saldo** *m* solde *m* déficitaire *od* à perte; **~spanne** *f com* marge *f* déficitaire; **~ziffer** *f bes. mil* chiffre *m* des pertes.

vermachen [fɛr'-] *tr: jdm etw* ~ léguer, donner *od* laisser qc à qn par testament.

Vermächtnis *n* ⟨-sses, -sse⟩ [fɛr'mɛçtnɪs] legs *m;* **~erbe, ~nehmer** *m* légataire *m.*

vermahlen [fɛr'-] ⟨*hat vermahlen*⟩ *tr (Getreide)* moudre.

vermähl|en [fɛr'mɛ:lən] *tr* marier; *sich* ~~ se marier; *sich mit jdm* ~~ épouser qn, se marier avec qn; **~t** *a* marié; **V~te** *pl* (jeunes) mariés *m pl;* **V~ung** *f* épousailles *f pl,* mariage *m.*

vermahn|en [fɛr'-] *tr (ernst mahnen)* exhorter; **V~ung** *f* exhortation *f.*

vermalen [fɛr'-] *tr (Farben: verbrauchen)* user (en peignant).

vermasseln [fɛr'masəln] *tr fam* = *verpatzen; (zunichte machen)* faire échouer.

vermass|en [fɛr'masən] *tr* massifier; **V~ung** *f* massification *f.*

vermauer|n [fɛr'-] *tr* murer, maçonner; *(zumauern)* condamner; **V~ung** *f* murage *m.*

vermehr|en [fɛr'-] *tr* augmenter, accroître; multiplier; *sich* ~~ augmenter, (s'ac)croître, se multiplier; *biol* se propager; *sich schnell* od *stark* ~~ pulluler, foisonner; **V~ung** *f* augmentation *f,* accroissement *m,* multiplication; *biol* propagation *f.*

vermeid|bar [fɛr'-] *a* évitable; **~en** *tr* éviter; éluder, esquiver; *das läßt sich nicht* ~~ c'est inévitable, il n'y a rien à faire; **V~ung** *f* évitement *m.*

vermein|en [fɛr'-] *tr (glauben)* croire, supposer; *(bes. irrtümlich)* présumer, s'imaginer; **~tlich** *a* supposé, présumé *(a. jur (Vater)),* prétendu, soi-disant.

vermeng|en [fɛr'-] *tr* mélanger, brouiller; **V~ung** *f* mélange *m.*

vermenschlich|en [fɛr'-] *tr* humaniser; **V~ung** *f* humanisation *f.*

Vermerk *m* ⟨-(e)s, -e⟩ [fɛr'mɛrk] note, remarque, mention *f;* **v~en** *tr* noter, remarquer, mentionner; *jdm etw übel* ~~ en vouloir à qn pour qc.

vermess|en [fɛr'-] *tr* relever les cotes de, mesurer; arpenter, toiser; *sich* ~~ *(falsch messen)* se tromper (en mesurant); *(sich erkühnen)* oser (*etw zu tun* faire qc); avoir l'audace *od* l'aplomb (*etw zu tun* de faire qc); *a (kühn)* audacieux, téméraire; *(anmaßend)* présomptueux, prétentieux, outrecuidant; *(gewagt)* osé; **V~enheit** *f* audace, témérité; présomption, prétention, outrecuidance *f;* **V~ung** *f* relevé *m* (des cotes *od* topographique), mensuration *f;* arpentage *m;* **V~ungsamt** *n* office *m* topographique; **V~ungsflugzeug** *n* avion *m* topographique; **V~ungsingenieur** *m* ingénieur *m* du service topographique; **V~ungsschiff** *n* bâtiment *m* hydrographique.

vermiet|en [fɛr'-] *tr* louer, donner à loyer *od* en location; *(Zimmer) zu* ~~ (chambre) à louer; **V~er(in** *f***)** *m* loueur, se *m f;* **V~ung** *f* location *f,* louage *m;* **V~ungsbüro** *n* agence *f* de location.

verminder|n [fɛr'-] *tr* diminuer, amoindrir; *(Kosten etc herabsetzen)* réduire, abaisser; *(abschwächen)* atténuer; **V~ung** *f* diminution *f,* amoindrissement *m;* réduction *f,* abaissement *m;* atténuation *f.*

verminen [fɛr'mi:nən] *tr mil* miner.

vermisch|en [fɛr'-] *tr* (entre)mêler, mélanger; *sich* ~~ *(Rassen)* se mêler, se croiser (*mit* avec); **v~t** *a:* ~~*e Schriften f pl,* **V~tes** *n* miscellanées *f pl,* mélanges *m pl* (littéraires); **V~ung** *f* mélange; *(von Rassen)* croisement *m.*

vermi|ssen [fɛr'-] ⟨*er vermißt*⟩ *tr (als fehlend feststellen)* ne pas *od* plus retrouver, remarquer l'absence de; *(das Fehlen od die Abwesenheit bedauern)* regretter; *ich ~sse dich sehr* tu me manques beaucoup; **~ßt** *a mil* disparu; *als* ~~ *melden* porter disparu; **V~ßte(r)** *m mil* disparu *m.*

vermitt|eln [fɛr'-] *tr (beschaffen)* procurer; *(Zs.kunft in die Wege leiten)* arranger; *(Vertrag zustande bringen)* négocier; *itr itr* s'entremettre, s'interposer, intercéder; servir d'intermédiaire *od* de médiateur; *ein Gespräch* ~~ *(tele)* établir une liaison téléphonique; *den Verkehr zwischen ... und ...* ~~ relier ... et ...; **~els(t)** *prp gen* par l'intermédiaire *od* l'entremise de, au moyen de, moyennant, à l'aide de; **V~ler** *m* intermédiaire, médiateur; *fig* véhicule *m;* **V~lerrolle** *f* rôle *m* d'intermédiaire; **V~lung** *f* entremise, médiation, intervention *f* médiatrice; *(Einrichtung)* poste de liaison; *tele* poste (téléphonique) intermédiaire, central téléphonique *od* du téléphone, bureau *m* central; *durch jds* ~~ par l'entremise, par l'intermédiaire, grâce aux bons offices de qn; **V~lungsamt** *n tele* = *~lung (tele);* **V~lungsgebühr(en** *pl***)** *f* droits *m pl* de commission; **V~lungsversuch** *m* tentative *f* de médiation *od* pacificatrice; **V~lungsvorschlag** *m* offre *m* de médiation.

vermöbeln [fɛr'-] *tr fam* = *verdreschen;* = *verjubeln.*

vermoder|n [fɛr'-] ⟨*aux: sein*⟩ *itr* pourrir, se décomposer; **V~ung** *f* putréfaction, décomposition *f.*

vermög|e [fɛr'mø:gə] *prp gen* en vertu de, grâce à; **~en** *tr (können)* pouvoir (faire), être capable *od* à même *od* en état de; *viel, wenig, nichts bei jdm* ~~ avoir beaucoup, peu de, ne pas avoir de crédit auprès de qn; *ich tue, was ich vermag* je ferai tout ce qui est en mon pouvoir; **V~en** *n (Fähigkeit)* capacité, faculté *f;* pouvoir *m,* puissance; *(großer Besitz)* fortune *f,* bien(s *pl*) *m; nach* ~~ selon mes, tes *etc* capacités; *nach bestem* ~~ au mieux; *soviel in meinem* ~~ *liegt* autant qu'il est en mon pouvoir; *jds ganzes* ~~ *erben* hériter de tous les biens de qn; *ein* ~~ *erwerben* acquérir une fortune; ~~, *kein* ~~ *haben* avoir de la fortune, ne pas avoir de *od* être sans fortune; *von s-m* ~~ *le-*

ben vivre de ses rentes; *das geht über mein* ~~ cela me dépasse; *(un-) bewegliche(s)* ~~ biens *m pl* (im-) mobiliers *od* (im)meubles; ~**end** *a (reich)* fortuné, aisé, riche; ~~ *sein (a.)* avoir des moyens; *sehr* ~~ *sein* jouir d'une grande fortune; ~**lich** *a* = ~*end.*

Vermögens|abgabe *f* [fɛrˈmø:gəns-] prélèvement *m* sur la fortune; ~**abtretung** *f* cession *f* de(s) biens; ~**anlage** *f* investissement *m* de fonds; ~**anmeldung** *f,* ~**erklärung** *f* déclaration *f* de (la) fortune; ~**anteil** *m* part *f* de (la) fortune; ~**aufnahme** *f,* ~**erfassung** *f* enregistrement *od* recensement *m* de la fortune; ~**aufstellung** *f* relevé de (la) fortune, état *m* des biens; ~**auseinandersetzung** *f* liquidation *f* de(s) biens; ~**beschlagnahme** *f,* ~**einziehung** *f* confiscation *od* saisie *f* des biens; ~**bewertung** *f* évaluation *f* de la fortune *od* des biens; ~**lage** *f,* ~**verhältnisse** *n pl* situation *f od* état *m* de fortune; ~**masse** *f* masse *f* des biens; ~**schaden** *m* dommage *m* pécuniaire; ~**steuer** *f* impôt *m* sur la fortune; ~**übertragung** *f* transmission *f* de la fortune *od* du bien; ~**umschichtung** *f* déplacement *m* des fortunes; ~**verlust** *m* perte *f* de fortune; ~**verwalter** *m,* ~**verwaltung** *f* administrateur *od* gérant *m,* gestion *f* de biens; ~**zuwachs** *m* accroissement *m* de fortune, plus-value *f* d'actif.

vermorsch|en [fɛrˈ-] ⟨*aux: sein*⟩ *itr* se décomposer, se putréfier; **V~ung** *f* décomposition, putréfaction *f.*

vermottet [fɛrˈmɔtət] *a* dévoré par les mites; *fam* mangé aux mites.

vermumm|en [fɛrˈ-] *tr (einhüllen)* emmitoufler; *(verkleiden)* déguiser, travestir; **V~ung** *f (Verkleidung)* déguisement, travestissement; *(Kleid)* travesti *m.*

vermurksen [fɛrˈ-] *tr fam* = *verpfuschen.*

vermut|en [fɛrˈ-] *tr* supposer, présumer, soupçonner, conjecturer, prévoir, s'attendre à, croire; ~~ *lassen* donner à *od* lieu de croire, laisser supposer; ~**lich** *a* probable, vraisemblable; *jur (Erbe)* présomptif; *adv a.* selon toute apparence; **V~ung** *f* supposition *f,* soupçons *m pl,* conjecture *f,* prévisions *f pl; jur* présomption *f; sich in* ~~*en ergehen* se perdre en conjectures; *bloße* ~~ pure supposition *f.*

vernachlässig|en [fɛrˈ-] *tr* négliger; prendre peu de *od* ne pas prendre soin de; *s-e Pflicht* ~~ manquer à son devoir; **V~ung** *f* négligence *f,* manque *m* de soin.

vernageln [fɛrˈ-] *tr* clouer.

vernarb|en [fɛr-] *itr* se cicatriser; **V~ung** *f* cicatrisation *f.*

vernarr|en [fɛrˈ-] *sich in jdn* ~~ s'enticher, s'engouer, se coiffeur, se toquer, s'amouracher de qn; *in jdn* ~*t sein* être fou, raffoler de qn, aimer qn à la folie; **V~theit** *f* engouement *m,* toquade *f,* raffolement *m.*

vernasch|en [fɛrˈ-] *tr (für Näschereien ausgeben)* dépenser en friandises.

verneb|eln [fɛr-] *tr mil* réaliser un écran de fumée sur, voiler à l'aide de la fumée; *fig* embrouiller, obscurcir; **V~(e)lung** *f* (établissement d'un) rideau *m* de fumée.

verneger|n [fɛrˈ-] *itr* se négrifier; ~**t** *a* négrifié; **V~ung** *f* négrification *f.*

vernehm|bar [fɛrˈ-] *a (hörbar)* perceptible, intelligible; *jur (vernehmungsfähig)* en état d'être interrogé; ~**en** *tr (hören, wahrnehmen)* entendre, percevoir, distinguer; *(hören, erfahren)* entendre dire, apprendre, ouïr dire; *jur (Angeklagten, Zeugen)* interroger, entendre, faire déposer; *sich* ~~ *(hören) lassen* se faire entendre; **V~en** *n* perception *f; dem* ~~ *nach* à ce qu'on dit; ~**lich** *a (klar, deutlich)* clair, intelligible; *laut und* ~~ à haute et intelligible voix; **V~ung** *f jur (e-s Angeklagten)* interrogatoire *m; (e-s Zeugen)* audition *f;* ~~ *zur Person, zur Sache* interrogatoire *m* d'identité *od* de forme, de fond.

verneig|en [fɛrˈ-], *sich* s'incliner, faire la révérence; **V~ung** *f* inclination, révérence *f.*

verneinen [fɛrˈnaɪnən] *tr (Frage)* répondre (que) non *od* par la négative à, donner une réponse négative à; *(in Abrede stellen)* nier; ~**end** *a* négatif; *gram* privatif; **V~er** *m* négateur *m;* **V~ung** *f (e-r Frage)* réponse négative; *allg* négation *f;* **V~ungsfall** *m; im* ~~ en cas de réponse négative; **V~ungspartikel** *f gram* privatif *m.*

vernicht|en [fɛrˈnɪçtən] ⟨*vernichtete, vernichtet*⟩ *tr* anéantir, réduire à néant *od* à rien, annihiler; *(zerstören)* détruire, démolir, écraser, ruiner; *mil* anéantir; *(Unkraut)* extirper; ~**end** *a* écrasant, foudroyant; ~~ *schlagen (sport)* écraser; **V~ung** *f* anéantissement *m a. mil;* annihilation; destruction, démolition *f,* écrasement *m;* extirpation *f;* **V~ungsfeuer** *n,* **V~ungsschlacht** *f* tir *m,* bataille *f* d'anéantissement; **V~ungskrieg** *m,* **V~ungslager** *n* guerre *f,* camp *m* d'extermination.

vernick|eln [fɛrˈ-] *tr* nickeler; ~**elt** *a* nickelé; **V~(e)lung** *f (Vorgang)* nickelage *m; (Metallschicht)* nickelure *f.*

verniet|en [fɛrˈ-] *tr* river; **V~ung** *f* rivure *f.*

Vernunft *f* ⟨-, ø⟩ [fɛrˈnʊnft] raison *f; (gesunder Menschenverstand)* bon sens *m; gegen alle* ~ en dépit du bon sens; ~ *annehmen* entendre raison, se mettre à la raison; *keine* ~ *annehmen (wollen) (a.)* n'entendre ni rime ni raison; *jdn zur* ~ *bringen* mettre *od* réduire qn à la raison; *jdn wieder zur* ~ *bringen* ramener qn à la raison, (re)mettre qn au pas; *wieder zur* ~ *kommen* se rendre à la raison, rentrer dans son bon sens; *er kommt wieder zur* ~ *(a.)* la raison lui revient; **v~begabt** *a* doué de raison, raisonnable; ~**ehe** *f,* ~**heirat** *f* mariage *m* de raison *od* de convenance; **v~gemäß** *a* conforme à la raison, raisonnable; ~**glaube** *m* rationalisme *m;* ~**mensch** *m* rationaliste *m;* ~**wesen** *n* être *m* raisonnable; **v~widrig** *a* contraire à la raison.

Vernünft|elei *f* [fɛrnʏnftəˈlaɪ] ⟨-, -en⟩ *pej* subtilité(s *pl*), argutie(s *pl*); ratiocination *f;* **v~eln** [fɛrˈnʏnftəln] *itr pej* ratiociner, raisonner trop, se livrer à des subtilités *od* des arguties; **v~ig** *a* raisonnable; sensé; *(verständig)* judicieux, sage; ~~*e Ansichten haben (a. fam)* avoir la tête sur les épaules; ~~ *reden* parler raison; ~**ler** *m* ⟨-s, -⟩ *pej* raisonneur *m.*

veröd|en [fɛrˈ-] ⟨*aux: sein*⟩ *itr* devenir désert; se dépeupler; ~**et** *a* désert, désolé, dévasté; dépeuplé; **V~ung** *f* désolation, dévastation *f;* dépeuplement *m.*

veröffentlich|en [fɛrˈ-] *tr* publier; *jur (Gesetz)* promulguer; **V~ung** *f* publication; *jur* promulgation *f.*

verordn|en [fɛrˈ-] *tr adm* décréter, ordonner, disposer; *med* prescrire; **V~ung** *f adm* décret *m,* ordonnance, disposition (officielle); *med* prescription (médicale), ordonnance *f;* **V~ungsblatt** *n* (journal) officiel *m.*

verpacht|en [fɛrˈ-] *tr* donner à bail *od* à ferme, affermer; *jur* amodier; **V~ung** *f* affermage *m,* amodiation *f;* **Verpächter** *m* ⟨-s, -⟩ [fɛrˈpɛçtər] bailleur *m.*

verpack|en [fɛrˈ-] *tr* emballer, empaqueter; **V~ung** *f (Vorgang)* paquetage; *(a. Material)* emballage *m;* ~~ *extra* emballage en sus; *mangelhafte* ~~ vice *m* d'emballage; **V~ungskosten** *pl* frais *m pl* d'emballage; **V~ungsmaterial** *n* matériel *m* d'emballage.

verpäppeln [fɛrˈ-] *tr fam* = *verzärteln.*

verpassen [fɛrˈ-] *tr (versäumen)* manquer, laisser échapper, rater; *fam (anpassen u. zuteilen)* donner, distribuer; *fam (Schlag)* allonger, administrer; *verpaßte Gelegenheit f* occasion *f* manquée.

verpatzen [fɛrˈ-] *tr fam (verderben)* gâcher, saloper, bousiller, louper.

verpest|en [fɛrˈ-] *tr* empester, infecter, empoisonner; **V~ung** *f* infection *f,* empoisonnement *m.*

verpetzen [fɛrˈ-] *tr fam (verraten)* débiner; *arg (Schule)* cafarder.

verpfänd|en [fɛrˈ-] *tr* mettre *od* donner en gage, engager; *jur* donner *od* remettre *od* déposer en nantissement, hypothéquer; *sein Wort* ~~ engager sa parole; **V~ung** *f* mise *f* en gage, engagement; *jur* nantissement *m.*

verpfeifen [fɛrˈ-] *tr fam (verraten)* débiner.

verpflanz|en [fɛrˈ-] *tr* transplanter; **V~ung** *f* transplantation *f.*

verpfleg|en [fɛrˈ-] ⟨*hat verpflegt*⟩ *tr* nourrir, entretenir; *adm* approvisionner, ravitailler; **V~ung** *f* approvisionnement, ravitaillement *m; (Lebensmittel)* nourriture, subsistance(s *pl*) *f,* vivres *m pl;* **V~ungsamt** *n mil* intendance *f;* **V~ungsausgabe** *f* distribution *f* des subsistances *od* vivres; **V~ungsbestand** *m* niveau *m* des approvisionnements; **V~ungsgeld** *n* frais *m pl* d'entretien; **V~ungslage** *f* situation *f* en vivres; **V~ungslager** *n mil* dépôt *m* de subsistances *od* de vivres; **V~ungsoffizier** *m* officier *m* d'intendance; **V~ungsstärke** *f mil* effectif *m* des rationnaires; **V~ungswesen** *n mil* intendance *f.*

verpflicht|en [fɛr'-] ⟨*verpflichtete, verpflichtet*⟩ *tr* obliger, engager (*jdn zu etw* qn à qc); *sich zu etw* s'engager à qc, prendre l'engagement de qc; *jdn zu (großem) Dank ~~* obliger qn (beaucoup); *sich länger* od *wieder ~~ (mil)* rengager; *arg mil* rempiler; *zu nichts ~~* n'engager à rien; **~end** *a* obligatoire; **~et** *a* obligé (*zu* à); *zu etw ~~ sein (a.)* être tenu à qc; *~~ sein, etw zu tun (a.)* être tenu de faire qc; *ich bin ~~ zu ... (a.)* je suis dans l'obligation *od* il m'incombe de ...; *ich bin Ihnen dafür sehr* od *zu großem Dank ~~* je vous en suis très obligé; **V~ung** *f* obligation *f*, engagement; devoir *m*, charge *f*; *e-e ~~ eingehen* od *übernehmen* prendre un engagement, contracter une obligation; *e-r ~~ enthoben sein* être dispensé d'une obligation; *e-r ~~ nachkommen* s'acquitter d'une *od* remplir une *od* satisfaire à une obligation; *s-n ~~en nachkommen* remplir *od* observer *od* respecter ses engagements, faire honneur à ses engagements; *s-n ~~en nicht nachkommen (a.)* manquer à ses engagements; *vertragliche ~~* engagement *m* contractuel; **V~ungsschein** *m com* billet *m.*

verpfuschen [fɛr'-] *tr fam* gâter, massacrer.

verpichen [fɛr'pɪçən] *tr (mit Pech ausstreichen)* poisser.

verpimpeln [fɛr'-] *tr fam* = *verzärteln.*

verplappern [fɛr'-] , *sich (fam)* se trahir en bavardant.

verplaudern [fɛr'-] *tr (plaudernd verbringen)* passer en causant *od* en bavardant.

verplempern [fɛr'plɛmpərn] *tr fam (verschütten)* répandre; *(vergeuden)* gaspiller.

verpönt [fɛr'pø:nt] *a: ~ sein* être généralement réprouvé, être mal vu.

verprassen [fɛr'-] *tr* dissiper, gaspiller, jeter par la fenêtre.

verproletarisier|en [fɛr----'--] *tr* prolétariser; **V~ung** *f* prolétarisation *f.*

verproviantier|en [fɛr---'--] *tr* approvisionner; **V~ung** *f* approvisionnement *m.*

verprügeln [fɛr'-] *tr* battre, rouer de coups; administrer une volée à, taper sur.

verpuffen [fɛr'-] ⟨*aux: sein*⟩ *itr (schwach rauchend verknallen, a. fig: keine Wirkung haben)* se perdre en fumée.

verpulvern [fɛr'-] *tr fam (unnütz verbrauchen)* gaspiller.

verpumpen [fɛr'-] *tr fam (verleihen)* prêter.

verpupp|en [fɛr'-] , *sich (ent)* se changer en chrysalide *od* en nymphe; *scient* se nymphoser; **V~ung** *f scient* nymphose *f.*

verpusten [fɛr'-] , *sich (fam: Luft schöpfen)* reprendre haleine.

Verputz *m* ⟨-(e)s, ø⟩ [fɛr'-] *arch* enduit; *(rauher)* crépi, hourdis, hourdage *m*; **v~en** *tr arch* enduire; *(rauh)* crépir, hourder; *fam (Geld vergeuden)* gaspiller; *fam (aufessen)* avaler, manger; *jdn nicht ~~ (ausstehen) können (fam)* ne pouvoir voir qn en peinture; **~en** *n arch* pose *f* des enduits.

verqualmen [fɛr'-] *tr (mit Rauch anfüllen)* remplir de fumée; *fam* = *verrauchen tr.*

verquellen [fɛr'-] ⟨*ist verquollen*⟩ *itr* gonfler (à l'humidité).

verquer [fɛr'kve:r] *adv* de travers; *es geht mir ~ (mißlingt mir)* je ne réussis pas.

verquick|en [fɛr'-] *tr chem* u. *fig (eng verbinden)* amalgamer; *(durchea.-bringen)* confondre; **V~ung** *f chem* u. *fig* amalgamation *f.*

verquollen [fɛr'-] *a* gonflé.

verrammeln [fɛr'-] *tr* barricader, bloquer.

verramschen [fɛr'-] *tr fam (Ware billig verkaufen)* bazarder, solder.

verrannt [fɛr'-] *a (verbissen)* obstiné; *(vernarrt)* fou (*in* de).

Verrat *m* ⟨-(e)s, ø⟩ [fɛr'ra:t] trahison, traîtrise; *hist* félonie *f*; *~ begehen* od *üben* commettre une trahison; *~ militärischer Geheimnisse* livraison *f* de secrets militaires; **v~en** *tr* trahir *a. fig*; *(Geheimnis)* livrer; *arg* renarder; *sich ~~* se trahir; *(s-e Anwesenheit merken lassen: a.)* laisser passer le bout de l'oreille; *wir sind ~~ und verkauft (fam)* on nous a vendus.

Verräter *m* ⟨-s, -⟩ [fɛr'rɛ:tər] traître; *(der etw anzeigt)* délateur; *arg* renard; *hist* félon *m*; **~ei** *f* [-'raɪ] trahison, traîtrise; perfidie *f*; **~in** *f* traîtresse *f*; **v~isch** *a* traître; *(heimtückisch)* perfide; *hist* félon; *fig (etw erkennen lassend)* qui trahit ..., qui révèle ...; *adv* traîtreusement, en traître, par traîtrise.

verrauchen [fɛr'-] *tr* ⟨*aux: haben*⟩ *(Geld für Rauchen ausgeben)* dépenser à fumer; *itr* ⟨*aux: sein*⟩ *fig (Zorn)* = *verfliegen.*

verräucher|n [fɛr'-] *tr (mit Rauch schwärzen)* enfumer; **~t** *a (rauchgeschwärzt)* enfumé, noirci par la fumée.

verrechn|en [fɛr'-] *tr com* passer en *od* porter au compte, décompter; *fin* compenser; *sich ~~* faire une erreur (de compte); *a. fig* se tromper dans ses calculs; *fig* être loin du compte; *pop* se fourrer le doigt dans l'œil (jusqu'au coude); *sich ~et haben (fig)* s'être trompé; **V~ung** *f* passation en compte; *fin* compensation *f*; *nur zur ~~* par virement exclusivement; **V~ungsabkommen** *n*, **V~ungsgeschäft** *n* accord, marché *m* de compensation; **V~ungskonto** *n* compte *m* de clearing; **V~ungskurs** *m* cours *m* de compensation *od* de clearing; **V~ungsscheck** *m* chèque *m* barré; **V~ungsstelle** *f* office *m od* chambre *f* de compensation; **V~ungsverfahren** *n: im ~~* par voie de clearing.

verrecken [fɛr'-] ⟨*aux: sein*⟩ *itr vulg (verenden, zugrunde gehen)* crever.

verregn|en [fɛr'-] *itr* être gâté *od* abîmé par la pluie; **~et** *a* gâté *od* abîmé par la pluie.

verreib|en [fɛr'-] *tr* broyer; **V~ung** *f* broyage *m.*

verreis|en [fɛr'-] ⟨*ist verreist*⟩ *itr* partir en voyage; *~t (sein)* (être) en voyage.

verreißen [fɛr'-] *tr (heftig tadeln)* critiquer sévèrement, mettre à bas.

verrenk|en [fɛr'-] *sich den Arm ~~* se tordre le bras; *sich den Fuß ~~* se faire une entorse; **V~ung** *f* entorse, luxation, dislocation, exarthrose *f.*

verricht|en [fɛr'-] *tr (Arbeit)* exécuter, faire; accomplir; *s-n Dienst ~~* remplir ses fonctions; **V~ung** *f* exécution *f*, accomplissement *m*; *pl (Geschäfte)* affaires, besognes; *(Funktionen)* fonctions *f pl.*

verriegel|n [fɛr'-] *tr* verrouiller, fermer au verrou; **V~ung** *f* verrouillage *m.*

verringer|n [fɛr'-] *tr* diminuer, amoindrir, réduire, abaisser; **V~ung** *f* diminution *f*, amoindrissement *m*, réduction *f*, abaissement *m.*

verrinnen [fɛr'-] ⟨*ist verronnen*⟩ *itr (Flüssigkeit)* s'écouler; *fig (Zeit)* s'écouler, (se) passer.

verroh|en [fɛr'-] ⟨*aux: sein*⟩ *itr* s'abrutir, tourner à la brute; devenir grossier; **V~ung** *f* abrutissement *m.*

verrohr|en [fɛr'-] *tr mines* tuber; **V~ung** *f* tubage.

verrost|en [fɛr'-] ⟨*aux: sein*⟩ *itr* se rouiller; **~et** *a* rouillé.

verrott|en [fɛr'-] ⟨*aux: sein*⟩ *itr (verfaulen, zergehen)* pourrir, se décomposer; **~et** *a* pourri; **V~ung** *f* décomposition *f.*

verrucht [fɛr'-] *a* infâme, scélérat; *(gottlos)* impie; *(verflucht)* maudit; **V~heit** *f* infâmie, scélératesse; impiété *f.*

verrück|en [fɛr'-] *tr (verschieben)* déplacer, déranger; **~t** *a (wahnsinnig)* fou, insensé, dément, dérangé, détraqué, déséquilibré; *fam* toqué, timbré, sonné, fada, farfelu; *pop* louf, dingue, *wie ~~, wie ein V~~er* comme un fou; *jdn ~~ machen (fam a.)* casser la tête à qn; *nach etw ~~ sein (fam)* être fou de qc; *~~ werden (fam a.)* perdre la boule; **V~theit** *f* folie, démence *f*, dérangement *m*; **V~ung** *f* déplacement, dérangement *m.*

Verruf [fɛr'-] *m: in ~ bringen* compromettre la réputation de, discréditer, jeter le discrédit sur, déconsidérer; *in ~ kommen* tomber en discrédit *od* dans la déconsidération; être discrédité; **v~en** *a* déconsidéré, décrié, mal famé; *~~e(s) Haus n* maison *f* de mauvais renom; *~~e Gegend f* mauvais lieu *m.*

verruß|en [fɛr'ru:sən] ⟨*aux: sein*⟩ *itr*

s'encrasser; **~t** *a* encrassé; **V~ung** *f* encrassement *m.*

Vers *m* ‹-es, -e› [fɛrs, '-zə] vers *m; in ~e bringen* mettre en vers, versifier; *s-n ~ herbeten* od *hersagen* défiler *od* dévider son chapelet, dévider son écheveau; *~e machen* od *schmieden* faire des vers, rimer; *pej* rimailler; *sich auf etw keinen ~ machen können (etw nicht verstehen)* ne pas voir à quoi rime qc; **~bau** *m* versification *f;* **~fuß** *m* pied *m;* **~kunst** *f* poésie *f;* **~lehre** *f* métrique *f;* **~maß** *n* mètre *m.*

versacken [fɛr'-] ‹*aux: sein*› *itr (versinken)* couler (bas), sombrer, être englouti *od* submergé (par les flots); *fam = versumpfen (fig fam).*

versag|en [fɛr'-] ‹*aux: haben*› *tr (nicht gewähren)* refuser; *itr (nicht funktionieren)* refuser de fonctionner; *sich ~~* se refuser (*jdm* à qn); *sich etw nicht ~~ können* ne pouvoir se refuser qc; *den Dienst ~~* refuser le service; *die Kräfte, die Stimme versagte(n) mir* les forces, la voix me manquèrent, manqua; **V~en** *n* défaillance *f,* non-fonctionnement *m,* panne *f; menschliche(s) ~~* défaillance *f* humaine; **~end** *a: nie ~~* sans défaillance; **V~er** *m (Mensch; ~en einer Schußwaffe)* raté *m;* **V~ung** *f* refus *m.*

Versalien *m pl* [vɛr'za:liən] *(Großbuchstaben)* (lettres) majuscules *f pl.*

versalzen [fɛr'-] ‹*versalzte, versalzen*› *tr* trop saler; *fig (verderben)* gâter; *jdm die Suppe ~ (fig: die Freude verderben)* gâter *od* gâcher la joie de qn.

versamm|eln [fɛr'-] *tr* assembler, rassembler, réunir; *(zs.rufen)* convoquer; *sich ~~* s'assembler, se rassembler, se réunir; *er wurde zu s-n Vätern ~elt (poet: er starb)* il alla rejoindre les siens dans la tombe; **V~lung** *f (Vorgang)* rassemblement *m,* réunion, séance; *(Einberufung)* convocation; *(die Versammelten)* assemblée *f; e-e ~~ abhalten* tenir une réunion *od* une assemblée; *gesetz-, verfassunggebende ~~* assemblée *f* législative, constituante; **V~lungsfreiheit** *f* liberté *f* de réunion; **V~lungsleiter** *m* président *m* de séance; **V~lungsraum** *m* salle *f* de (la) réunion; **V~lungsrecht** *n* droit *m* de réunion.

Versand *m* ‹-(e)s, ø› [fɛr'zant(s), -dəs] *com* envoi *m,* expédition; *(Lieferung)* livraison *f;* **~abteilung** *f* service *m* d'expédition; **~anzeige** *f* annonce *f od* avis *m* d'expédition; **~artikel** *m* article *m* destiné à l'expédition; **~bahnhof** *m* gare *f* expéditrice; **v~bereit** *a* prêt à être expédié; **~gebühren** *f pl* droits *m pl* d'expédition; **~geschäft** *n* maison *f* de vente par correspondance; **~haus** *n* maison *f* d'expédition; **~kosten** *pl* frais *m pl* d'envoi *od* d'expédition; **~ort** *m* lieu *m* d'expédition; **~schein** *m* bulletin *m* d'expédition.

versand|en [fɛr'-] ‹*versandete, versandet*› *tr* ‹*aux: haben*› ensabler; *itr* ‹*aux: sein*› s'ensabler; **V~ung** *f* ensablement *m.*

Versatz *m* ‹-es, ø› [fɛr'-] *(Versetzen)* transposition *f,* déplacement *m; fin* mise *f* en gage; *mines* remblai *m;* **~amt** *n = Leihamt;* **~arbeiter** *m mines* remblayeur *m;* **~berg** *m mines* remblai *m;* **~kran** *m* grue *f* à déplacer; **~stück** *n theat* portant, décor *m* mobile.

versauen [fɛr'-] *tr pop (verderben)* bousiller, amocher, louper, massacrer.

versauern [fɛr'-] *itr (sauer werden)* devenir aigre *od* acide; *fig (geistig stumpf werden)* s'encroûter.

versaufen ‹*ist/hat versoffen*› [fɛr'-] *tr pop (Geld)* dépenser à boire; *itr pop (ertrinken)* se noyer.

versäum|en [fɛr'-] *tr (verpassen)* laisser échapper *od* passer, manquer, *(auslassen)* omettre, négliger; *(vergessen)* oublier; *(Zug, Straßenbahn etc)* manquer, *fam* rater, louper; *nicht ~~, etw zu tun* ne pas manquer de faire qc; *ich werde nicht ~~ zu ...* je ne manquerai pas de ...; **V~nis** *n* ‹-sses, -sse› manquement *m,* omission, négligence, incurie *f;* oubli *m; (Schule)* absence; *jur* non-parution, contumace *f,* défaut *m;* **V~nisurteil** *n jur* jugement *m* par défaut.

verschachern [fɛr'-] *tr pej (verkaufen)* se débarrasser de, se défaire de, vendre; *pop* bazarder.

verschachtel|n [fɛr'-] *tr gram* imbriquer; **V~ung** *f* imbrication *f.*

verschaffen [fɛr'-] ‹*verschaffte, verschafft*› *tr* procurer; *sich etw* se procurer qc.

verschal|en [fɛr'-] *tr (mit Brettern verschlagen)* coffrer; **V~ung** *f* coffrage *m.*

verschämt [fɛr'-] *a* honteux; *(schamhaft)* gêné, pudibond; **V~heit** *f* honte; gêne, pudibonderie *f.*

verschandel|n [fɛr'-] *tr* détruire la beauté de; **V~ung** *f* crime *m* de lèse-beauté.

verschanz|en [fɛr'-] *tr mil* retrancher, fortifier; *sich ~~* se retrancher *a. fig; fig* se cantonner (*hinter e-r Ausrede* derrière un prétexte); **V~ung** *f mil* retranchement *m.*

verschärf|en [fɛr'-] *tr* aggraver; *sich ~~* s'aggraver; **V~ung** *f* aggravation, recrudescence *f.*

verscharren [fɛr'-] *tr* enfouir.

verscheiden [fɛr'-] ‹*ist verschieden*› *itr lit (sterben)* trépasser, rendre l'âme, expirer.

verschenken [fɛr'-] *tr* donner (en cadeau), faire don *od* cadeau de.

verscherzen [fɛr'-] *tr u. sich ~ (durch Leichtsinn verlieren)* perdre par sa faute.

verscheuchen [fɛr'-] *tr* effaroucher; faire fuire *od* envoler; *a. fig* chasser; *fig (Sorgen)* dissiper.

verscheuern [fɛr'-] *tr pop (verkaufen)* bazarder.

verschick|en [fɛr'-] *tr* expédier, envoyer; *(Menschen)* déplacer; **V~ung** *f* expédition *f,* envoi; déplacement *m.*

verschieb|bar [fɛr'-] *a* coulissant, à coulisse; *(beweglich)* mobile; **V~eanlage** *f,* **V~ebahnhof** *m* installation, gare *f* de triage *od* de manœuvre; **V~egleis** *n* voie *f* de triage; **V~elokomotive** *f* locomotive *f* de manœuvre; **~en** *tr* décaler; déplacer *a. mil; tech* faire coulisser; *loc* manœuvrer; *com pej* faire le trafic clandestin de; *fig (zeitl.: aufschieben)* différer, ajourner, reculer, retarder, atermoyer; remettre (*auf später* à plus tard, à une date plus éloignée); *um acht Tage ~~* renvoyer à huitaine; **V~ung** *f* décalage; déplacement *m a. mil; loc* manœuvre *f; fig* ajournement *m,* atermoiements *m pl.*

verschieden [fɛr'-] *a* différent, distinct, dissemblable; *(mannigfach)* divers, varié; *~ sein (a.)* différer; varier; **~artig** *a* disparate, hétérogène, hétéroclite; *(mannigfach)* divers, varié; **V~artigkeit** *f* diversité *f;* **~erlei** *a* divers; **~es** *a (manches)* maintes choses *f pl;* **V~es** *n* choses *od* questions *f pl* diverses; **~farben** *a (Augen)* vairon; **V~heit** *f* dissemblance; *(~artigkeit)* diversité; *(Unterschied)* différence *f;* **~tlich** *adv (mehrmals)* à diverses *od* maintes reprises, plusieurs fois.

verschießen [fɛr'-] *tr* ‹*aux: haben*› *(ab-, wegschießen)* tirer; *(Pfeil)* décocher; *(beim Schießen verbrauchen)* épuiser (en tirant); *itr* ‹*aux: sein*› *(verbleichen)* déteindre, se décolorer, se faner, passer; *in jdn verschossen (fam: heftig verliebt) sein* s'être amouraché de qn.

verschiff|en [fɛr'-] *tr (einschiffen)* charger à bord, embarquer; *(zu Schiff transportieren)* expédier *od* transporter par eau; **V~ung** *f* chargement, embarquement *m;* expédition *f od* transport *m* par eau; **V~ungshafen** *m* port *m* de chargement *od* d'embarquement; **V~ungskosten** *pl* frais *m pl* d'embarquement.

verschimmeln [fɛr'-] ‹*aux: sein*› *itr* moisir.

verschlacken [fɛr'-] *itr* se scorifier.

verschlafen [fɛr'-] ‹*aux: haben*› *tr (Zeit schlafend verbringen)* passer à dormir; *(schlafend versäumen)* se réveiller trop tard pour; *(durch Schlaf beseitigen)* se débarrasser de ... en dormant; *(sich) ~ (zu lange schlafen)* se réveiller trop tard; *a* mal (r)éveillé; *~e Augen n pl* yeux *m pl* endormis.

Verschlag *m* ‹-(e)s, ¨-e› [fɛr'-] réduit, cagibi; débarras *m;* **v~en** *tr (zunageln)* clouer; *(mit Brettern vernageln)* cloisonner; *sport (den Ball falsch schlagen)* rater; *(Buchseite)* perdre; *itr (nützen, wirken)* faire de l'effet, agir; *nicht ~~* être sans effet; *~~ werden (geraten, zufällig kommen)* être jeté; *das verschlug mir die Sprache* j'en suis resté stupéfait *od* ébahi; *a (schlau, listig)* astucieux, rusé, malin, roué; *(lauwarm)* tiédi, tiède; **~enheit** *f (Schlauheit, List)* astuce, ruse, malice, rouerie *f.*

verschlamm|en [fɛr'-] *itr* s'envaser; **V~ung** *f* envasement *m.*

verschlämm|en [fɛr'-] *tr* envaser,

remplir de vase; **V~ung** *f* envasement *m.*

verschlechter|n [fɛr'-] *tr* empirer, rendre pire; détériorer, dégrader, altérer; *sich* ~ empirer; **V~ung** *f* détérioration, dégradation, altération *f.*

verschleier|n [fɛr'-] *tr* voiler *a. fig; fig* masquer, déguiser; dissimuler, cacher; *mil* camoufler; **~t** *a (Himmel)* couvert, nuageux; *(Flüssigkeit)* trouble; *(Blick)* voilé; **V~ung** *f fig* déguisement *m;* dissimulation *f; mil* camouflage *m.*

verschleimt [fɛr'-] *a med* obstrué par des mucosités.

Verschleiß *m* ⟨-ßes, -ße⟩ [fɛr'-] *(Abnutzung)* usure *f;* **v~en** *tr (abnutzen)* user; **v~fest** *a* résistant à l'usure; **~festigkeit** *f* résistance *f* à l'usure.

verschlepp|en [fɛr'-] *tr (Gegenstand)* traîner, déplacer, transporter, emporter; *(Menschen)* déporter; *(Seuche)* véhiculer; *(zeitlich in die Länge ziehen)* faire traîner en longueur; *~te Person f (pol)* personne *f* déplacée; **V~ung** *f (von Menschen)* déportation *f; (Verzögerung)* retardement *m; adm jur pol* obstruction *f;* **V~ungspolitik** *f,* **V~ungstaktik** *f* obstructionnisme *m.*

verschleuder|n [fɛr'-] *tr fig (unter Preis verkaufen)* vendre à vil prix *od* à perte, brader; **V~ung** *f* vente à vil prix *od* à perte, braderie.

verschließ|bar [fɛr'-] *a* qui ferme à clé; **~en** *tr (zuschließen)* fermer (à clé), clore; *(wegschließen)* enfermer; *etw in sich* od *in s-r Brust* ~~ enfermer qc en soi-même *od* dans son cœur; *sich gegen etw* ~~ se fermer à qc; *sein Herz gegen jdn* ~~ fermer son cœur à qn.

verschlimm|bessern [fɛr'ʃlɪmbɛsərn] ⟨*ich verschlimmbessere, du verschlimmbesserst* ..⟩ *tr* rendre pire par des corrections; **~ern** *tr* rendre pire, empirer; *a. med* aggraver; *med* exaspérer; *sich* ~~ empirer, se détériorer; *a. med* s'aggraver; *med* s'exaspérer; **V~erung** *f* aggravation; détérioration; *med* exaspération *f.*

verschlingen [fɛr'-] *tr (durchea.-schlingen)* en(tre)lacer; *(verschlukken)* dévorer, engloutir, avaler (goulûment); *fig (Buch)* dévorer; *gierig* ~ dévorer *od* manger à belles dents.

verschlissen [fɛr'-] *a (pp von: verschleißen)* usé, effil(och)é.

verschlossen [fɛr'-] *a fig (Mensch: schweigsam, zurückhaltend)* taciturne, renfermé, réservé; **V~heit** *f* ⟨-, ø⟩ caractère *m* taciturne *od* renfermé, (grande) réserve *f.*

verschlucken [fɛr'-] *tr* avaler, gober; *(absorbieren)* absorber; *fig (ein Wort)* manger; *sich* ~ avaler de travers.

verschlungen [fɛr'-] *a (inea.geschlungen)* enlacé, entortillé.

Verschluß *m* ⟨-sses, ⸚sse⟩ [fɛr'ʃlʊs] fermeture *f; tech phot* obturateur *m; (e-s Geschützes)* culasse *f; unter* ~ sous clé; *unter* ~ *halten* garder *od* tenir sous clé; **~haken** *m* crochet *m* d'enclenchement; **~klappe** *f* volet *m;* **~laut** *m gram* occlusive *f;* **~platte** *f* plaque *f* de fermeture *od* d'obturation; **~schieber** *m* glissière *f* d'enclenchement; **~schraube** *f* bouchon *m;* **~überzug** *m (an e-m Geschütz)* couvre-culasse *m.*

verschlüssel|n [fɛr'-] *tr (chiffrieren)* chiffrer; coder; **~t** *a* chiffré; codé; **V~ung** *f* chiffrage; codage *m.*

verschmachten [fɛr'-] ⟨*aux: sein*⟩ *itr (verdursten)* mourir de soif; *fig (sich vor Sehnsucht verzehren)* languir, se consumer.

verschmäh|en [fɛr'-] *tr* dédaigner, faire fi de; *(nicht haben wollen)* ne pas vouloir de, refuser; **V~ung** *f* dédain; refus *m.*

verschmausen [fɛr'-] *tr* manger (avec délices *od* plaisir).

verschmelz|en [fɛr'-] *tr tech* fondre ensemble, (faire) fusionner; *itr fig (sich eng verbinden)* (se) fusionner, s'amalgamer, s'identifier; **V~ung** *f tech u. fig* fusion *f.*

verschmerzen [fɛr'-] *tr* faire son deuil de, prendre son parti de, se consoler de.

verschmieren [fɛr'-] *tr (beschmutzen)* barbouiller, salir, souiller; *(Papier)* remplir de griffonnages; *(frische Schrift)* abîmer; *(zuschmieren)* boucher (*mit* avec).

verschmitzt [fɛr'-] *a (schlau, gerissen)* futé, madré, roué, retors, astucieux; **V~heit** *f* esprit *m* futé *od* madré, rouerie, astuce *f.*

verschmutz|en [fɛr'-] *tr* ⟨*aux: haben*⟩ salir, maculer, souiller, graisser, encrasser; *itr* ⟨*aux: sein*⟩ s'encrasser; **~t** *a* sali, encrassé, souillé; **V~ung** *f* salissement; encrassement *m.*

verschnaufen [fɛr'-], *sich* reprendre haleine.

verschneid|en [fɛr'-] *tr (falsch schneiden)* mal couper; *((be)schneiden)* couper, tailler, rogner; *(kastrieren)* couper, châtrer, castrer; *(alkohol. Getränke: mischen)* couper; **V~ung** *f (Kastration)* castration *f.*

verschneit [fɛr'-] *a* (en)neigé, couvert de neige; neigeux.

Verschnitt *m* ⟨-(e)s, ø⟩ [fɛr'ʃnɪt] coupe *f; (Mischung alkohol. Getränke)* coupage, mélange *m;* **~ene(r)** *m (Kastrat)* castrat; eunuque *m.*

verschnörk|eln [fɛr'-] *tr* tarabiscoter, orner de fioritures, enjoliver; **~elt** *a* tarabiscoté; **V~(e)lung** *f* enjolivement *m.*

verschnupft [fɛr'-] *a (mit e-m Schnupfen behaftet)* enrhumé (du cerveau); *fig (verärgert)* fâché, vexé, pincé.

verschnüren [fɛr'-] *tr* ficeler, lacer.

verschollen [fɛr'-] *a* disparu; *jur* absent; **V~heit** *f* ⟨-, ø⟩ *jur* absence *f;* **V~heitserklärung** *f* (jugement *m* de) déclaration *f* d'absence.

verschonen [fɛr'-] *tr* épargner, ménager; *jdn mit etw* ~ épargner qc à qn, faire grâce de qc à qn.

verschöner|n [fɛr'-] ⟨*ich verschönere, du verschönerst; verschönere!*⟩ *tr* embellir; **V~ung** *f* embellissement *m;* **V~ungsverein** *m* syndicat *m* d'initiative.

verschossen [fɛr'-] *a (verblichen)* décoloré; *(Farbe)* fané, éteint; *in jdn* ~ *(fam: verliebt) sein* avoir qn dans la peau, être fou *od* entiché de qn.

verschramm|en [fɛr'-] *tr* érafler, égratigner; **~t** *a* égratigné.

verschränk|en [fɛr'-] *tr (kreuzen)* (entre)croiser; réunir en crémaillère; *(Säge)* donner de la voie à; *mit ~ten Armen* les bras croisés; **V~ung** *f* croisement *m.*

verschraub|en [fɛr'-] *tr* visser, fermer à vis, boulonner; **V~ung** *f* vissage, boulonnage; raccordement *m* à vis.

verschreib|en [fɛr'-] *tr med (verordnen)* prescrire, ordonner; *jur (urkundlich übertragen* od *übereignen)* transférer (par écrit); *(testamentarisch vermachen)* léguer; *(bestellen)* commander; faire venir; *(Papier, Tinte: verbrauchen)* utiliser entièrement; *sich* ~~ *(falsch schreiben)* mal orthographier; **V~en** *n (Schreibfehler)* faute *f* d'écriture; **V~ung** *f med* prescription, ordonnance; *(Bestellung)* commande *f,* ordre *m.*

verschrie(e)n [fɛr'-] *a: als* ... ~ *sein (pej)* avoir la mauvaise réputation de ...

verschroben [fɛr'-] *a (Mensch)* tordu, biscornu, mal fait; *(Text)* contourné, entortillé, ampoulé, alambiqué; ~ *sein (Mensch) a.* avoir l'esprit à l'envers; **V~heit** *f* fausseté d'esprit, bizarrerie *f.*

verschrott|en [fɛr'-] ⟨*verschrottete, verschrottet*⟩ *tr* jeter *od* mettre à la ferraille; **V~ung** *f* mise *od* vente *f* à la ferraille.

verschrumpeln *itr,* **verschrumpfen** [fɛr'-] ⟨*aux: sein*⟩ *itr* se ratatiner, se racornir.

verschüchter|n [fɛr'-] *tr* effaroucher, intimider; **~t** *a* effarouché, intimidé.

verschuld|en [fɛr'-] *tr (schuldhaft verursachen)* commettre; être responsable de; **V~en** *n* faute, culpabilité *f; durch gegenseitiges* ~~ pour tort réciproque; *durch eigenes* ~~ par sa propre faute; *durch fremdes* ~~ par la faute d'autrui; *ohne mein* ~~ sans qu'il y ait de ma faute; **~et** *a* endetté; *(stark)* ~~ couvert *od* criblé *od* accablé de dettes; **V~ung** *f* endettement *m.*

verschütt|en [fɛr'-] *tr (ausschütten)* (ren)verser, répandre; *(zuschütten)* ensevelir (*von* sous); combler, couvrir (*von* de); **~et** *a* enseveli, pris sous un éboulement; **V~ung** *f* ensevelissement, comblement *m.*

verschwäger|t [fɛr'-] *a* parent par alliance, apparenté; **V~ung** *f* parenté *f* par alliance.

verschweig|en [fɛr'-] *tr* taire, se taire de, passer sous silence, garder le silence sur; **V~en** *n,* **V~ung** *f* silence *m,* réticence *f.*

verschwend|en [fɛr'-] *tr* gaspiller, dissiper, prodiguer, dilapider; **V~er** *m* ⟨-s, -⟩ dépensier, dissipateur, prodigue, dilapidateur, panier *m* percé; **~erisch** *a* dépensier, prodigue, dissipateur; **V~ung** *f* gaspillage *m,* dissipation, dilapidation *f.* **V~ungssucht** *f* prodigalité *f.*

verschwiegen [fɛrˈ-] *a* discret, (qui sait garder le) secret; *(zurückhaltend)* réservé; **V~heit** *f* ‹-, ø› discrétion; réserve *f; unter dem Siegel der ~~* sous le sceau du secret.

verschwimmen [fɛrˈ-] ‹*ist verschwommen*› *itr (undeutlich werden)* se fondre, se noyer, se perdre; devenir flou, s'estomper.

verschwind|en [fɛrˈ-] ‹*ist verschwunden*› *itr* disparaître, se perdre; *(unsichtbar werden)* s'éclipser, s'éteindre; *(sich auflösen)* se dissiper, s'évanouir; *fam (sich entfernen)* disparaître, s'éclipser, se subtiliser, se barrer; *~~ lassen (a. e-n Menschen)* faire disparaître, supprimer; *fam* souffler; *pop* subtiliser; **V~en** *n* disparition; extinction *f;* évanouissement *m; im ~~ (begriffen)* en voie d'extinction; **V~fahrwerk** *n aero* train *m* d'atterrissage escamotable; **V~lafette** *f mil* affût *m* à éclipse; **~end** *adv fam: ~~ klein, wenig* extrêmement petit, peu.

verschwistert [fɛrˈ-] *a: ~ sein* être frères, sœurs, frère et sœur.

verschwitzen [fɛrˈ-] *tr (Kleidungsstück)* tremper de sueur; *fig fam (vergessen)* oublier.

verschwommen [fɛrˈ-] *a* nébuleux, vague, flou, diffus, indécis, imprécis; estompé; *(alles) ~ sehen* avoir la vue *od* voir trouble; **V~heit** *f* nébulosité *f,* vague, flou *m,* indécision, imprécision *f.*

verschwör|en [fɛrˈ-], *sich (pol)* se conjurer, conspirer, comploter, se liguer; *alles hat sich gegen mich verschworen (fig)* tout s'est ligué contre moi; **V~er** *m* ‹-s, -› conjurateur, conspirateur *m;* **V~ung** *f* conjuration, conspiration *f,* complot *m; e-e ~~ anzetteln* former *od* tramer une conjuration *od* une conspiration *od* un complot; **Verschworene(r)** *m = ~er.*

versehen [fɛrˈ-] *tr (ausrüsten, ausstatten)* pourvoir, munir, garnir, assortir (*mit etw* de qc); *(mit Vermögenswerten, Einkünften)* doter (*mit* de); *sich mit etw ~* faire provision de qc; *jdn mit den heiligen Sterbesakramenten ~* administrer les derniers sacrements à qn; *mit allem ~ sein (a.)* être bien outillé; *(Amt: ausüben, versorgen)* exercer, remplir; *(falsch machen)* négliger (par inadvertance); *sich ~* commettre une bévue, se méprendre; faire fausse route; *ehe man sich's versieht* sans qu'on s'y attende le moins du monde, en un clin d'œil; **V~** *n (kleiner Fehler)* bévue, méprise, (petite) erreur *od* faute; *(Unaufmerksamkeit)* inadvertance; *(Nachlässigkeit)* négligence *f; aus ~~,* **~tlich** *adv* par mégarde, par méprise, par erreur, par inadvertance, par négligence.

Versehrt|e(r) [fɛrˈze:rt-] *m adm (Kriegsversehrter)* mutilé (de (la) guerre), invalide *m;* **~enrente** *f* pension *f* d'invalidité; **~enstufe** *f* degré *m* d'invalidité; **~heit** *f* invalidité *f.*

verseif|en [fɛrˈ-] *tr* saponifier *itr chem* se saponifier; **V~ung** *f* saponification *f.*

verselbständig|en [fɛrˈ-], *sich* se rendre indépendant, s'émanciper; **V~ung** *f* émancipation *f.*

versend|en [fɛrˈ-] ‹*versandte, versandt*› expédier, envoyer; **V~er** *m* ‹-s, -› expéditeur *m;* **V~ung** *f* expédition *f,* envoi *m.*

versengen [fɛrˈ-] *tr (anbrennen)* flamber *od* griller *od* brûler (légèrement), roussir.

versenk|bar [fɛrˈ-] *a tech* escamotable, effaçable; *~~e Seitenfenster n pl (mot)* glaces *f pl* descendantes, **V~bühne** *f theat* plateau *m* escamotable; **~en** *tr* submerger, immerger, plonger; jeter au fond; *(Schiff)* envoyer par le fond, couler (à fond *od* bas); *tech* descendre, échouer; enfoncer; *(Schraube)* fraiser, noyer; *sein (eigenes) Schiff ~~* se saborder; **V~ung** *f* submersion, immersion *f; (des eigenen Schiffes)* sabordage, sabordement *m; tech* descente *f,* enfoncement *m; theat* trappe *f.*

versessen [fɛrˈ-] *a (erpicht): ~ auf* fou, engoué, enragé de, acharné à; *darauf ~ sein, etw zu tun* vouloir absolument faire qc.

versetz|en [fɛrˈ-] *tr (an e-e andere Stelle setzen)* changer de place, déplacer, transposer, transférer; *(umpflanzen)* transplanter; *(junge Pflanzen)* repiquer; *(Wort, Buchstaben)* transposer; *(Menschen in e-e Lage)* mettre; *(Beamten)* muter, changer d'affectation; *(Schüler)* faire passer dans la classe supérieure; *(mischen)* mélanger (*mit* de); *(alkohol. Getränk)* couper (*mit* de); *mines (ausfüllen)* remblayer; *(versperren)* barrer; obstruer (*mit* de); *(Schlag etc geben)* donner, porter, appliquer, administrer; *(als Pfand geben)* mettre en gage *od* au mont-de-piété, engager; *(antworten)* répliquer, repartir, répondre; *fam (vergeblich warten lassen)* poser un lapin à, *pop* faire poireauter; *~t werden (Schule)* passer; *jdn in Furcht* od *Schrecken ~~* effrayer qn; *sich (in Gedanken) in, nach … ~~* se transporter dans, à …; *jdn in e-e unangenehme Lage ~~* mettre qn dans une situation délicate *od* dans l'embarras; *jdn in die Notwendigkeit ~~, etw zu tun* obliger *od* forcer qn à faire qc; *jdm den Todesstoß ~~* donner le coup de grâce à qn; *e-r S den Todesstoß ~~ (fig)* mettre fin à qc; **V~ung** *f* changement de place, déplacement *m,* transposition *f,* transfert *m; (e-r Pflanze)* transplantation *f;* repiquage *m; (e-s Beamten)* mutation *f; (e-s Schülers)* passage; *mines* remblai *m; ~~ in den Ruhestand* mise *f* à la retraite; **V~ungsprüfung** *f* examen *m* de passage; **V~ungszeichen** *n mus* accident *m.*

verseuch|en [fɛrˈ-] *tr med* infecter, contaminer; *(radioaktiv)* polluer; *fig* infester; **V~ung** *f* infection, contamination *f; radioaktive ~~* contamination *od* pollution *f* atomique *od* radioactive.

Versicher|er *m* ‹-s, -› [fɛrˈ-] assureur *m;* **v~n** *tr fin* assurer (*gegen etw* contre qc); *(beteuern)* assurer, affirmer, garantir; *jdn e-r S ~~* assurer qn de qc; *sich jds, e-r S ~~* s'assurer de qn, de qc; *sein Leben ~~* s'assurer sur la vie, contracter une assurance-vie; *das ~e ich Ihnen* je vous l'assure; *seien Sie dessen ~t!* soyez-en sûr; **~te(r)** *m* assuré *m;* **~ung** *f fin (a. Beteuerung)* assurance *f (gegen* contre); *e-e ~~ abschließen* contracter une assurance; *für etw* (faire) assurer qc; *eidesstattliche ~~* attestation *f* sous serment; *~~ auf Gegenseitigkeit* (assurance) mutuelle *f.*

Versicherungs|abschluß [fɛrˈzıçəruŋs-] *m* conclusion *f* d'une assurance; **~agent** *m* agent *od* courtier *m* d'assurance(s); **~anstalt** *f* établissement *m* d'assurance; **~beamte(r)** *m* employé *m* d'assurance; **~bedingungen** *f pl* conditions *f pl* d'assurance; **~beitrag** *m* prime *f* d'assurance; **~betrug** *m* escroquerie *f* à l'assurance; **~fall** *m* sinistre *m; Eintreten n des ~~es* réalisation *f* du sinistre; **~gegenstand** *m* objet *m* de l'assurance; **~gesellschaft** *f* société *od* compagnie *f* d'assurance(s); *~~ auf Gegenseitigkeit* société *od* compagnie *f* d'assurance mutuelle; **~gewerbe** *n* assurance(s *pl*) *f;* **~leistung** *f* prestation *f* d'assurance; **~mathematiker** *m* actuaire *m;* **~nehmer** *m* assuré *m;* **~pflicht** *f* assurance *f* obligatoire; **v~pflichtig** *a* obligé de s'assurer, assujetti à l'assurance; **~police** *f* police *f* d'assurance; **~prämie** *f* prime *f* d'assurance; **~schutz** *m* protection *f* par assurance; **~summe** *f* somme *f* assurée, montant *m* de l'assurance; **~tarif** *m* taux *m* d'assurance; **~vertrag** *m* contrat *m* d'assurance; **~vertreter** *m = ~agent;* **~wert** *m* valeur *f* assurée; **~wesen** *n = ~gewerbe;* **~zeit** *f* période *f* d'assurance.

versicker|n [fɛrˈ-] ‹*aux: sein*› *itr* être absorbé (par le sol); **V~ung** *f* absorption *f.*

versieben [fɛrˈ-] *tr fig fam (verderben)* gâter.

versieg|eln [fɛrˈ-] *tr* sceller, cacheter, mettre sous scellé; *(Fußboden)* vitrifier; *gerichtlich ~~* (ap)poser les scellés à; **V~(e)lung** *f* apposition *f* d'un sceau; *gerichtliche ~~* apposition *f* des scellés.

versiegen [fɛrˈ-] ‹*aux: sein*› *itr (austrocknen, fig: aufhören)* tarir; *fig* cesser; **V~** *n* tarissement *m.*

versiert [vɛrˈzi:rt] *a (bewandert, erfahren)* versé, expert (*in* dans); **V~heit** *f* ‹-, ø› expérience *f.*

versilber|n [fɛrˈ-] *tr tech* argenter; *fig fam (zu Geld machen)* faire argent de; *pop* bazarder; **V~ung** *f (Vorgang)* argentation; *(Silberschicht)* argenture *f.*

versinken [fɛrˈ-] ‹*ist versunken*› *itr* (s')enfoncer: couler (bas *od* à fond), être englouti *od* submergé; *fig* se

perdre (*in* dans); *im Sessel* ~ s'enfoncer dans le fauteuil.
versinnbildlich|en [fɛr'-] *tr* symboliser; **V~ung** *f* symbolisation *f.*
versinnlich|en [fɛr'-] *tr* rendre palpable, matérialiser; **V~ung** *f* matérialisation *f.*
versippt [fɛr'-] *a pej (mitea. verwandt)* plus ou moins parents entre eux.
versklav|en [fɛr'-] *tr* asservir, réduire en esclavage; **V~ung** *f* asservissement *m.*
versoffen [fɛr'-] *a pop* soûlard.
versohlen [fɛr'-] *tr pop* = *verdreschen.*
versöhn|en [fɛr'-] *tr* réconcillier (*mit* avec); *sich* ~~ se réconciller, faire la *od* sa paix, *fam* se raccommoder (*mit jdm* avec qn); **V~er** *m* ‹-s, -› réconciliateur *m;* **~lich** *a* conciliant, accommodant; **V~lichkeit** *f* ‹-, ø› esprit *m* conciliant *od* accommodant; **V~ung** *f* réconciliation; *rel* propitiation *f;* **V~ungstag** *m (rel)* Jour *m* des propitiations *od* de l'expiation.
versonnen [fɛr'-] *a (träumerisch, nachdenklich)* rêveur, songeur; pensif, méditatif; **V~heit** *f* ‹-, ø› humeur *f* rêveuse; esprit *m* pensif.
versorg|en [fɛr'-] *tr (besorgen, versehen)* prendre soin de, s'occuper de; faire; *jdn mit etw* pourvoir, munir qn de qc, fournir qc à qn; approvisionner qn en qc; **~t** *a* établi; *fam* casé; *ich bin* ~~ mon avenir est assuré; **V~ung** *f* approvisionnement, ravitaillement *m;* **V~ungsanlagen** *f pl mil* installations *f pl* logistiques; **V~ungsanspruch** *m* droit *m* à une pension *od* à une retraite; **~ungsberechtigt** *a* ayant droit à une pension *od* à une retraite; **V~ungsbetrieb** *m* entreprise *f* d'utilité publique; **V~ungslage** *f* état *m* d'approvisionnement **V~ungslager** *n mil* dépôt *m* logistique; **V~ungstruppen** *f pl* troupes *f pl* de soutien logistique; **~ungswichtig** *a* important pour l'approvisionnement.
verspann|en [fɛr'-] *tr aero* haubaner, croisillonner; **V~ung** *f* haubanage *m.*
verspät|en [fɛr'-] , *sich* s'attarder, se mettre *od* être en retard (*um* de); **~et** *a* en retard; **V~ung** *f* retard(ement) *m; mit, ohne* ~~ avec, sans retard; ~~ *haben (loc)* avoir du retard; *3 Minuten* ~~ *(haben)* (avoir) trois minutes de retard.
verspeis|en [fɛr'-] *tr* manger, consommer; **V~ung** *f* consommation *f.*

verspekulieren [fɛr--'--] *tr (durch Spekulieren verlieren)* perdre en spéculation; *sich* ~ manquer une *od* sa spéculation; *fig fam* faire un faux calcul.
versperr|en [fɛr'-] *tr* barrer, bloquer, barricader, encombrer, obstruer; *jdm den Weg* ~~ barrer la route à qn; **V~ung** *f* barrage, encombrement *m,* obstruction *f.*
verspiel|en [fɛr'-] *tr (beim Spiel verlieren; Zeit mit Spielen verbringen)* perdre au jeu; *itr:* ~*t haben* avoir perdu (le *od* son jeu).
versponnen [fɛr'-] *a fig* rêveur, songeur.
verspott|en [fɛr'-] *tr* se moquer de, railler, tourner en ridicule *od* en dérision, persifler; **V~ung** *f* moquerie, raillerie, dérision *f,* persiflage *m.*
versprech|en [fɛr'-] *tr* promettre *a. fig; etw zu tun* s'engager à faire qc; *sich* ~~ *(sich beim Sprechen versehen)* commettre un lapsus (linguae); *(sich verloben)* s'engager, promettre sa main (*jdm* à qn); *sich viel von jdm* ~~ attendre beaucoup de qn; *davon* ~*e ich mir nichts, nicht viel* je ne compte pas *od* pas beaucoup là-dessus; *ich habe mich versprochen (versehen)* la langue m'a fourché; *man soll nie zuviel* ~~ il ne faut jurer de rien; *das Wetter verspricht schön* od *gut zu werden* le temps s'annonce beau; **V~en** *n* promesse *f; jdm das* ~~ *abnehmen, etw zu tun* faire promettre à qn de faire qc; *sein* ~~ *halten* tenir sa promesse; ~~ *und Halten ist zweierlei (prov)* autre chose est promettre, autre chose est tenir; **V~ung** *f* promesse *f; leere* ~~*en pl* vaines promesses, promesses *f pl* en l'air; *jdn mit (leeren)* ~~*en hinhalten* bercer qn de (vaines *od* belles) promesses.
versprengt|en [fɛr'-] *tr mil* disperser; **V~te(r)** *m* isolé, égaré *m;* **V~tensammelstelle** *f* centre de rassemblement, dépôt *m* des isolés; **V~ung** *f* dispersion *f;* isolement *m.*
verspritzen [fɛr'-] *tr* faire jaillir (entièrement); *sein Blut* ~ verser son sang.
versproch(e)nermaßen [fɛr'---'--] *adv* comme promis.
verspüren [fɛr'-] *tr* (res)sentir.
verstaatlich|en [fɛr'-] *tr* étatiser, nationaliser, socialiser, fiscaliser; *(kirchl. Einrichtung)* laïciser; **V~ung** *f* étatisation; nationalisation, socialisation, fiscalisation; laïcisation *f.*

verstädter|n [fɛr'-] *tr (städtisch machen)* urbaniser; *itr (städtisch werden)* s'urbaniser; **V~ung** *f* urbanisation *f.*
verstähl|en *tr metal* aciérer; **V~ung** *f* aciération *f.*
Verstand *m* ‹-(e)s, ø› [fɛr'-] *(Denkfähigkeit)* entendement, intellect *m,* intelligence *f; (Urteilsfähigkeit)* discernement, jugement *m; (Vernunft)* raison *f; (gesunder Menschenverstand)* bon sens *m; mit, ohne* ~ intelligemment, inintelligemment; ~ *annehmen* devenir raisonnable; *jdn um den* ~ *bringen* faire perdre la raison à qn; *zu* ~ *kommen* devenir raisonnable; *wieder zu* ~ *kommen* revenir à la raison; *bei vollem* ~*e sein* avoir toute sa raison *od* toute sa lucidité; *nicht ganz bei* ~ *sein* ne pas avoir toute sa tête; *den* ~ *verlieren* perdre la raison; *s-n* ~ *versaufen (pop)* s'abrutir par la boisson; *da steht mir der* ~ *still* j'en reste interdit, les bras m'en tombent, c'est le monde renversé; *das ist ohne Sinn und* ~ cela n'a pas de sens; *fam* cela n'a ni queue ni tête; **v~esmäßig** *a* rationnel, logique; **~esmensch** *m* intellectuel, cérébral, esprit *m* positif.
verständ|ig [fɛr'-] *a (einsichtig)* sensé, compréhensif; *(vernünftig)* raisonnable; *(klug)* intelligent; **~igen** *tr: jdn von* od *über etw* ~~ *(jdm etw mitteilen)* informer, prévenir qn de qc, mettre qn au fait *od* au courant de qc; *sich* ~~ *(sich einigen)* s'entendre, s'arranger, se mettre *od* tomber d'accord (*mit jdm* avec qn *über etw* sur qc); *sich* ~~ *können* se comprendre; **V~igkeit** *f* ‹-, ø› compréhension; *(Vernunft)* raison, sagesse; *(Klugheit)* intelligence *f;* **V~igung** *f (Einigung)* entente *f,* arrangement, accord *m; (gegenseitiges Verstehen); die* ~~ *war schwierig, e-e* ~~ *war unmöglich* il était difficile, impossible de se faire comprendre; **V~igungsfrieden** *m,* **V~igungsgrundlage** *f,* **V~igungspolitik** *f* paix *f,* terrain *m,* politique *f* d'entente; **~lich** *a* intelligible, compréhensible; *sich für jdn* ~~ *ausdrücken* se mettre à la portée de qn; *jdm etw* ~~ *machen* faire comprendre qc à qn; *sich* ~~ *machen* se faire comprendre; *leicht, schwer* ~~ facile, difficile à comprendre; **V~lichkeit** *f* ‹-, ø› *(Klarheit)* intelligibilité, clarté *f;* **V~nis** *n* ‹-sses, (-sse)› compréhension *f,* sens *m,* intelligence *f; zum besseren* ~~ *der Sache* pour mieux faire comprendre la chose; ~~ *für etw haben* comprendre qc; **~nislos** *a* incompréhensif, sans compréhension; **V~nislosigkeit** *f* ‹-, ø› manque *m od* absence *f* de compréhension; **~nisvoll** *a* plein de compréhension, compréhensif.
verstärk|en [fɛr'-] *tr* rendre plus fort, fortifier, renforcer, redoubler; *(vergrößern, vermehren)* augmenter; *radio* amplifier; *sich* ~~ augmenter, s'accroître; **V~er** *m* ‹-s, -› *tele radio* amplificateur; *tele a.* répéteur *m;* **V~eramt** *n tele* station *f* de répéteurs; **V~eranlage** *f radio* installation *f* amplificatrice; **V~erröhre** *f radio* (lampe) amplificatrice *f;* **V~erstufe** *f* étage *m* amplificateur; **~t** *a* plus fort, renforcé, redoublé; *tech* renforcé, armé; *s-e Bemühungen in* ~~*em Maße fortsetzen* redoubler d'efforts; **V~ung** *f* fortification *f,* renforcement, redoublement *m;* augmentation *f,* accroissement *m; tech* amplification *f; mil* renfort *m;* ~~ *erhalten (mil)* recevoir des renforts; **V~ungsbatterie** *f el* batterie *f* auxiliaire; **V~ungsregler** *m radio* régulateur *m* d'amplification.
verstaubt [fɛr'-] *a* couvert de poussière, poussiéreux; *fig (veraltet)* démodé.
verstauch|en [fɛr'-] *tr: sich den Fuß* ~~ se fouler le pied, se faire une entorse (au pied); **V~ung** *f* foulure, entorse *f.*
verstauen [fɛr'-] *tr mar* arrimer; *(unterbringen)* caser, placer.
Versteck *n* ‹-(e)s, -e› [fɛr'ʃtɛk] cachette, cache *f,* réduit *m; arg* planque *f;* ~ *spielen* jouer à cache-cache;

v~en *tr* cacher, dissimuler; *(Sprengkörper)* piéger (*in* dans); **~t** *a fig* caché; *(geheim)* secret; *(verschleiert)* voilé; *(nur angedeutet)* discret.

verstehen [fɛrˈ-] ‹*hat verstanden*› *tr (deutlich genug hören)* comprendre, entendre; *(begreifen)* comprendre, saisir, concevoir; *(gelernt haben, können)* savoir, (s')entendre (à); *sich mit jdm ~~* s'entendre avec qn, vivre en bonne entente avec qn; *sich auf etw ~~ (etw können)* s'entendre à qc; *sich zu etw ~~ (hergeben)* donner son consentement, se prêter, acquiescer à qc; *sein Geschäft* od *Handwerk ~~ (a. fig)* connaître son métier; *sich gut, schlecht ~~ (vertragen) a.* être bien, mal ensemble; *von etw soviel ~~ wie die Katze vom Sonntag* juger de qc comme un aveugle des couleurs, s'entendre à qc comme à ramer des choux; *jdn vollkommen ~~ (a.)* se mettre à la place de qn; *wörtlich ~~* prendre à la lettre; *zu ~~ geben* laisser *od* faire entendre, donner à *od* laisser entendre; *deutlich zu ~~ geben* laisser clairement entendre; *ich ~e, ich habe verstanden (a.)* j'y suis; *das ~e ich nicht (a.)* je n'y comprends rien; *fam* ça m'échappe; *darunter ~e ich* j'entends par là; *ich habe kein Wort verstanden* je n'en ai pas compris le moindre *od* un seul mot; *Sie ~~ mich falsch* vous me comprenez mal, vous vous méprenez sur ce que je dis *od* sur mes paroles; *davon ~~ Sie nichts* vous n'y comprenez *od* connaissez rien; *Sie ~~ nicht, was ich meine* od *sagen will* vous n'y êtes pas; *das ~t sich (von selbst)* cela va sans dire *od* de soi; *es ~t sich von selbst, daß ...* il est bien entendu que ...; *~~ wir uns recht! ~~ Sie mich recht!* comprenez-moi *od* entendez-moi bien; ne vous méprenez pas.

versteif|en [fɛrˈ-] *tr a. fig* raidir; *tech* renforcer; entretoiser; *sich ~~ (fig)* se raidir, se durcir; *fin* se resserrer; *auf etw* s'obstiner à qc; **V~ung** *f* raidissement *a. fig; fig* durcissement; *fin* resserrement; *tech* renforcement *m;* entretoise *f.*

versteig|en [fɛrˈ-] , *sich (Bergsteiger)* s'égarer *od* se perdre en montant; *fig* aller trop loin; se perdre dans les nues; *zu etw (fig)* aller, élever ses prétentions jusqu'à qc; **V~erer** *m* ‹-s, -› commissaire-priseur *m;* **~ern** *tr* vendre aux enchères *od* à l'encan; **V~erung** *f* vente aux enchères; *jur* licitation *f;* **V~erungserlös** *m* produit *m* de la vente aux enchères; **V~erungslokal** *n* salle *f* des ventes (aux enchères); **V~erungstermin** *m* jour *m* de la mise *od* vente aux enchères.

versteiner|n [fɛrˈ-] *tr (zu Stein machen)* pétrifier; *itr (zu Stein werden)* se pétrifier; **~t** *a geol* fossilisé; *a. fig* pétrifié; **V~ung** *f geol (Vorgang)* pétrification, fossilisation *f; (Gegenstand)* fossile, moule *m* interne.

verstell|bar [fɛrˈ-] *a* réglable, ajustable; articulé; mobile, variable; *(Lampe)* orientable; *(Sessel)* inclinable; **~en** *tr (umstellen)* régler, ajuster; *(versperren)* barrer, obstruer; *(falsch stellen)* déplacer, déranger; *(Stimme, Handschrift unkenntlich machen)* déguiser, contrefaire, rendre méconnaissable; *sich ~~* se déguiser, se masquer, se rendre méconnaissable, jouer la comédie; **V~schraube** *f* vis *f* de réglage; **V~ung** *f* réglage, ajustement *m;* obstruction *f;* déplacement, dérangement; déguisement *m,* (dis)simulation, feinte *f,* faux-semblant *m; ohne ~~* ouvertement, à visage découvert; **V~ungskunst** *f* art *m* de la dissimulation; **V~vorrichtung** *f* mécanisme *m* de variation *od* de changement.

versteppen [fɛrˈ-] *itr geog* revêtir un caractère de steppe.

versterben [fɛrˈ-] ‹*ist verstorben*› *itr adm* décéder.

versteuer|n [fɛrˈ-] *tr* payer *od* acquitter les impôts pour; **~t** *a* tous droits payés; **V~ung** *f* paiement *m* des impôts.

verstiegen [fɛrˈ-] *a* extravagant; *pej* prétentieux; **V~heit** *f* extravagance; *pej* prétention *f.*

verstimm|en [fɛrˈ-] *tr mus (Instrument)* désaccorder; *fig (Menschen)* contrarier, fâcher, chagriner, rendre de mauvaise humeur; **~t** *a mus* désaccordé; *fig (Mensch)* contrarié, fâché; *adv fig* avec humeur; **V~theit** *f* ‹-, ø› mauvaise humeur *f;* **V~ung** *f mus* désaccord; *fig* mouvement *m* d'humeur, maussaderie, bouderie *f.*

verstockt [fɛrˈ-] *a (seelisch verhärtet)* endurci, entêté, buté; **V~heit** *f* endurcissement, entêtement *m.*

verstohlen [fɛrˈ-] *a (bes. Blick)* furtif, subreptice, dérobé, clandestin, secret, en coulisse; *adv* furtivement, clandestinement, à la dérobée.

verstopf|en [fɛrˈ-] *tr* boucher, tamponner, calfeutrer; *tech* colmater; *mar (Leck)* calfater, aveugler; *(Straße)* embouteiller; *med* constiper; *sich ~~* se boucher, s'obstruer; *(Straße)* s'embouteiller; **~t** *a (Straße)* embouteillé, encombré; **V~ung** *f* bouchage; calfeutrage; colmatage; *(ungewollte)* engorgement *m,* obstruction *f; (e-r Straße)* embouteillage *m; mes* constipation *f.*

verstorben [fɛrˈ-] *a* décédé, défunt; *meine ~e Mutter f* feu ma mère; *der V~e* le défunt.

verstört [fɛrˈ-] *a* effaré, hagard; troublé, bouleversé, tourmenté; **V~heit** *f* effarement; trouble, bouleversement, tourment *m.*

Verstoß *m* [fɛrˈ-] infraction *f,* manquement *m* (*gegen* à); faute, bévue *f; ~ gegen die guten Sitten (jur)* outrage *m* aux bonnes mœurs; **v~en** *tr (wegjagen)* repousser, chasser; *(s-e Frau)* répudier; *itr (verletzen)* manquer, déroger, contrevenir (*gegen* à); enfreindre, violer (*gegen etw* qc); *etw die Regeln ~~* commettre une infraction au règlement; *gegen die guten Sitten ~~* offenser les mœurs; **~ung** *f* expulsion *f,* abandon *m;* répudiation *f.*

verstreb|en [fɛrˈ-] *tr tech* entretoiser; **V~ung** *f* entretoise(ment *m*), contre-fiche *f.*

verstreichen [fɛrˈ-] *tr (zustreichen)* boucher; *itr* ‹*ist verstrichen*› *(Zeit: vergehen)* passer, s'écouler; *(Frist)* expirer; *~ lassen (Zeit)* laisser écouler; *(Frist)* laisser expirer.

verstreuen [fɛrˈ-] *tr* disperser, éparpiller.

verstrick|en [fɛrˈ-] *tr (beim Stricken verbrauchen)* utiliser (en tricotant); *jdn in etw (fig)* mêler qn à qc; impliquer qn dans qc; *sich in etw ~* s'empêtrer dans qc; *die ganze Wolle ~ (a.)* tricoter toute la laine; **V~ung** *f jur* mise *f* aux arrêts; mise *f* sous scellés.

verströmen [fɛrˈ-] *tr* répandre; *itr* se répandre.

verstümmel|n [fɛrˈ-] *tr* mutiler *a. fig;* estropier; *fig* tronquer; **V~ung** *f* mutilation *f.*

verstummen [fɛrˈ-] *itr* ‹*ist verstummt*› cesser de parler, se taire; *zum V~ bringen* faire taire.

Versuch *m* ‹-(e)s, -e› [fɛrˈzu:x] essai *m,* épreuve, tentative; *(wissenschaftlicher)* expérience *f; e-n ~ anstellen* od *machen* faire un essai *od* une expérience; *den ~ machen (es wagen)* tenter le coup; *~e machen (experimentieren)* expérimenter; *erste(r) ~* coup *m* d'essai; *~ am untauglichen Objekt* od *mit untauglichen Mitteln (jur)* délit *m* impossible; **v~en** *tr* essayer, tenter (*etw zu tun* de faire qc); *(Speise, Getränk)* goûter; *(in ~ung führen)* tenter; *es mit jdm ~~* tenter un essai avec qn; *es mit Güte, Strenge ~~* recourir *od* avoir recours(, pour changer,) à la bonté, à la sévérité; *es mit dem Malen, Schwimmen ~~, sich im Malen, Schwimmen ~~* s'essayer à peindre, à nager; *fam* tâter de la peinture, de la natation; *~~ Sie's mal!* essayez pour voir! **~er** *m* ‹-s, -› *a. rel* tentateur *m;* **~ung** *f* tentation *f; in ~~ führen* induire en tentation; *in ~~ geraten* od *kommen* être tenté (*etw zu tun* de faire qc); *der ~~ nachgeben, widerstehen* succomber *od* céder, résister à la tentation.

Versuchs|abschnitt *m* [fɛrˈzu:xs-] secteur-pilote *m;* **~anlage** *f* installation d'essai, installation-pilote *f;* **~anordnung** *f* préparation *f* de l'expérience; **~anstalt** *f* station *f* expérimentale *od* d'expérimentation *od* de recherches; **~ballon** *m a. fig* ballon d'essai; *mete* ballon-sonde *m;* **~bedingungen** *f pl* conditions *f pl* d'une *od* de l'expérience; **~einrichtung** *f* établissement-test *m;* **~ergebnis** *n* résultat *m* de l'expérience *od* expérimental; **~feld** *n* plantation *f* expérimentée; *fig* champ *m* d'expérience; **~flugzeug** *n* avion *m* expérimental; **~garten** *m,* **~gelände** *n,* **~gerät** *n* jardin, terrain, appareil *m* d'essai; **~kaninchen** *n fig* cobaye *m;* **~labor(atorium)** *n* laboratoire *m* d'expérience; **~methode** *f* méthode *f* expérimentale; **~person** *f* sujet expérimental, témoin *m;* **~pflanze** *f* plante *f* expérimentale;

~reaktor *m phys* réacteur *m od* pile *f* expérimental(e); **~reihe** *f* série *f* d'expériences; **~stadium** *n* stade *m od* phase *f* d'essai; *im ~~ (a.)* aux essais; **~strecke** *f* piste *od mines* galerie *f* d'essai; **~tier** *n* animal expérimental, sujet *m;* **~tisch** *m* banc *m* d'essai; **~typ** *m: ~~ e-s Hauses* maison-cobaye *f;* **~wagen** *m mot* voiture *f* expérimentale; **v~weise** *adv* à titre d'essai; *~~ durchführen, ~~ in Betrieb nehmen* mettre à l'essai; **~zentrum** *n (d. Kernforschung)* centre *m* d'expérimentation; **~zweck** *m* but *m od* fin *f* d'essai.

versumpfen [fɛrˈ-] *itr* ‹*aux: sein*› *geog* se changer en marais; *fig fam* se livrer à la débauche.

versündig|en [fɛrˈ-], *sich* pécher; *an jdm, etw* trahir qn, qc; **V~ung** *f* péché *m.*

versunken [fɛrˈ-] *a fig* plongé (*in* dans); absorbé (*in* par); *in tiefen Schlaf ~* plongé dans un profond sommeil; **V~heit** *f* méditations *f pl.*

versüßen [fɛrˈ-] *tr* sucrer, adoucir, édulcorer; *pharm* dulcifier; *fig* adoucir; *jdm das Leben ~* rendre la vie douce à qn.

vertäf|eln [fɛrˈ-] ‹*ich vertäf(e)le, du vertäfelst ..*› *tr* lambrisser; **V~(e)lung** *f* lambrissage *m.*

vertag|en [fɛrˈ-] *tr* ajourner, proroger; *(aufschieben)* remettre; **V~ung** *f* ajournement *m,* prorogation; remise *f.*

vertändeln [fɛrˈ-] ‹*ich vertänd(e)le, du vertändelst*› *tr (Zeit)* passer à des niaiseries *od* à des fariboles *od* à des riens.

vertäu|en [fɛrˈ-] *tr mar (mit Tauen befestigen)* amarrer; **V~ung** *f* amarrage *m;* **V~ungsboje** *f* bouée *f* d'amarrage.

vertausch|bar [fɛrˈ-] *a math* commutable; **~en** *tr (austauschen)* échanger; substituer, permuter; *(verwechseln)* confondre; *die Rollen ~~* intervertir les rôles; **V~ung** *f* échange *m;* substitution, permutation *f.*

vertausendfach|en [fɛrˈ-] *tr* multiplier par mille; **V~ung** *f* multiplication *f* par mille.

verteidig|en [fɛrˈ-] *tr* défendre; *fig a.* soutenir; *jur* plaider (*jdn, etw* pour qn, pour qc); *sich ~~* se défendre; *(sich rechtfertigen)* se justifier; *sich tapfer ~~ (a.)* offrir une belle défense *od* résistance; *sich nicht ~~ können (a.)* être hors de défense; *fam* ne pas avoir de défense; **V~er** *m* ‹-s, -› défenseur; *jur* avocat; *sport* arrière *m;* **V~ung** *f* défense; défensive; *fig (e-r Dissertation)* soutenance; *jur* plaidoirie *f; in der ~~* sur la défensive; *jdn in die ~~ drängen* acculer qn à la défensive; *in die ~~ gehen* se mettre en défense; *jds ~~ übernehmen* assurer *od* prendre la défense de qn; accepter de défendre qn; **V~ungsanlagen** *f pl* ouvrages *m pl* défensifs; **V~ungsausgaben** *f pl* dépenses *f pl* pour la défense (du territoire); **V~ungsbeitrag** *m* contribution *f* à la défense; **V~ungsgemeinschaft** *f* communauté *f* de défense; **V~ungskrieg** *m* guerre *f* défensive; **V~ungslinie** *f* ligne *f* de défense; **V~ungsminister(ium** *n***)** *m* minist(è)re *m* de la défense (nationale); **V~ungsorganisation** *f* organisation *f* de la défense; **V~ungsrede** *f jur* plaidoyer *m;* **V~ungsstellung** *f* (position) défensive *f; in ~~* sur la défensive, en défense; **V~ungswaffe** *f* arme *f* défensive; **V~ungszustand** *m* état *m* de défense.

verteil|en [fɛrˈ-] *tr a. el* distribuer, répartir; partager, étaler, diffuser; *sich ~~* se partager (*auf* entre); **V~er** *m* ‹-s, -› *adm tech* distributeur; *tech el tele* répartiteur *m; (auf e-m Schriftstück)* distribution *f;* **V~ernetz** *n el* réseau *m* de distribution; **V~erschlüssel** *m adm* taux *m* de distribution; **V~erschrank** *m el,* **V~ertafel** *f el* boîte *f od* tableau *m* de distribution; **V~ung** *f a. el* distribution, répartition *f;* partage, étalement *m,* diffusion *f gleichmäßige ~~ (adm)* péréquation *f;* **V~ungskabel** *n* câble *m* de distribution; **V~ungsmodus** *m, adm* mode de distribution; **V~ungsplan** *m adm* plan *od* état *m* de distribution *od* de répartition; **V~ungsstelle** *f adm* bureau *m* de distribution.

verteuer|n [fɛrˈ-] *tr* (r)enchérir, rendre plus cher; **V~ung** *f* (r)enchérissement *m.*

verteufelt [fɛrˈ-] *a fam* satané, damné; *adv* diablement.

vertief|en [fɛrˈ-] *tr a. fig* approfondir; rendre plus profond; *sich in etw ~~ (versenken)* se plonger, s'enfoncer dans qc; **~t** *a* creusé; *fig (gesteigert)* approfondi; *in etw ~~* plongé dans, absorbé par qc; **V~ung** *f (Vorgang, a. fig)* approfondissement; renfoncement; *(Hohlraum)* creux, renfoncement *m,* cavité, anfractuosité; *(in e-r Mauer)* niche *f.*

vertieren [fɛrˈ-] *itr* ‹*aux: sein*› s'abrutir.

vertikal [vɛrtiˈka:l] *a (senkrecht)* vertical; **V~starter** *m,* **V~startflugzeug** *n* avion *m* à décollage vertical.

vertilg|en [fɛrˈtɪlgən] *tr* extirper, exterminer, *(Ungeziefer) a.* tuer; *(vernichten)* anéantir; supprimer; *fam (aufessen)* faire disparaître, avaler; **V~ung** *f* extirpation, extermination *f;* anéantissement *m;* suppression *f;* **V~ungsmittel** *n* moyen *m* d'extermination.

vertippen [fɛrˈ-], *sich (fam: beim Schreiben)* faire une faute (en tapant).

vertobaken [fɛrˈto:bakən] *tr fam* = *verdreschen.*

verton|en [fɛrˈ-] *tr (in Musik setzen)* mettre en musique, sonoriser; composer; **V~ung** *f* mise en musique, sonorisation *f.*

vertorfen [fɛrˈ-] *itr* se changer en tourbe.

vertrackt [fɛrˈtrakt] *a fam (verwikkelt)* compliqué, *pej* embrouillé; *(unangenehm, ärgerlich)* désagréable, malencontreux; *(verdammt)* damné, maudit.

Vertrag *m* ‹-(e)s, ⸚e› [fɛrˈtra:k, -ˈtrɛ:gə] contrat; *pol* traité, pacte; *(Abkommen)* accord *m,* convention *f; e-n ~ (ab)schließen, brechen* passer *od* conclure, violer un contrat *od* un traité; *e-n ~ einhalten* observer (les conventions d')un contrat; *e-n ~ rückgängig machen* annuler un contrat; **v~lich** *a* contractuel; conventionnel; *adv* par contrat; *sich ~~ verpflichten* s'engager par contrat; *~~e Vereinbarung, Verpflichtung f* accord *m,* obligation *f* contractuel(le); *~~ verpflichtet* tenu par contrat; **v~schließend** *a: die (hohen) ~~en Mächte f pl (pol)* les hautes puissances *f pl* contractantes; **~schließende(r)** *m* partie *f* contractante.

vertragen [fɛrˈ-] *tr (ertragen, aushalten)* endurer, supporter; *sich ~* se supporter; s'accorder (*mit jdm* avec qn); *sich gut, schlecht ~* être *od* se mettre bien, mal ensemble; faire bon, mauvais ménage; *sich nicht ~ (Sachen)* jurer ensemble; *etw nicht ~ können (a.)* craindre qc; *alles ~ können (e-n guten Magen haben)* avoir un estomac d'autruche; *nicht viel ~ (gesundheitlich)* être d'une santé délicate; *das kann ich nicht ~ (a.)* cela me fait du mal; *sie ~ sich nicht (a.)* leurs chiens ne chassent pas ensemble.

verträglich [fɛrˈtrɛ:klɪç] *a (Mensch)* conciliant, accommodant; **V~keit** *f* ‹-, ø› caractère *m* conciliant *od* accommodant.

Vertrags|abschluß *m* [fɛrˈtra:ks-] conclusion *od* passation *f* d'un *od* du contrat *od* traité; **~sangestellte(r)** *m* employé *m* par contrat; **~artikel** *m* article *m* d'un *od* du contrat *od* traité; **~arzt** *m* médecin *m* contractuel; **~bedingungen** *f pl* conditions *f pl* contractuelles; **~bestimmung** *f* stipulation, clause *f* d'un *od* du traité; **~bruch** *m* rupture d'un contrat; violation *f* d'un traité; **v~brüchig** *a: ~~ werden* violer le contrat *od* le traité; **~entwurf** *m* projet *m* de contrat; **~erbe** *m* héritier *m* contractuel *od* conventionnel; **~gegenstand** *m* objet *m* du contrat; **v~gemäß** *a* contractuel, conventionnel; *adv* par contrat; **~mächte,** *die f pl (pol)* les puissances *f pl* contractantes; *die hohen ~~* les hautes puissances *f pl* contractantes; **~partner** *m* contractant *m;* **~punkt** *m* clause *f* d'un *od* du traité; **~strafe** *f* peine *f* contractuelle *od* conventionnelle; **~tarif** *m* tarif *m* conventionnel; **~treue** *f* fidélité *f* à un contrat; **v~widrig** *a* contraire au contrat.

vertrauen [fɛrˈ-] *itr* avoir confiance (*jdm, auf jdn* en qn; *auf etw od* dans qc); se fier, faire crédit (*jdm* à qn); **V~** *n* confiance *f,* crédit *m; im ~~* en confidence, confidentiellement, dans l'intimité; *jdm das ~~ aussprechen (parl)* voter la confiance à qn; *~~ erwecken* inspirer confiance; *jds ~~ genießen* avoir la *od* jouir de la confiance de qn; *jds ~~ gewinnen, verlieren* gagner, perdre la confiance de qn; *~~ zu jdm, zu etw haben* avoir confiance en qn, en *od* dans qc; *jdm (sein) ~~ schenken* faire confiance, donner *od* accorder sa confiance à qn; *jdn ins ~~ ziehen* mettre qn dans la confidence; *im ~~ gesagt (a.)* ceci dit entre nous; **~erweckend** *a* qui inspire de la confiance.

Vertrauens|arzt *m* [fɛr'trauəns-] médecin de confiance, médecin-conseil *m;* **~bruch** *m* abus *m* de confiance, indiscrétion *f;* **~frage** *f parl,* **~krise** *f* question, crise *f* de confiance; **~mann** *m* ⟨-(e)s, -männer/-leute⟩ homme de confiance; *(in e-m Betrieb)* délégué *m* du personnel; **~mißbrauch** *m,* **~person** *f,* **~posten** *m* abus *m,* personne *f,* poste *m* de confiance; **~sache** *f: das ist ~~* c'est une question de confiance; **~schüler** *m* délégué *m* des élèves; **v~selig** *a* crédule, trop confiant; **~seligkeit** *f* ⟨-, ø⟩ confiance *f* aveugle; **~stellung** *f* position *od* place *f* de confiance; **v~voll** *a* plein de confiance, confiant; *sich ~~ an jdn wenden* s'adresser en confiance à qn; **~votum** *n parl* vote *m* de confiance; **v~würdig** *a* digne de confiance, sûr; **~würdigkeit** *f* sûreté *f.*

vertrauern [fɛr'-] *tr (Zeit)* passer dans le deuil *od* dans l'affiction.

vertrau|lich [fɛr'-] *a* confidentiel; *~~e Mitteilung f* confidence *f;* **V~lichkeit** *f* familiarité, intimité *f; (e-r Mitteilung)* caractère *m* confidentiel; *plumpe ~~* privauté *f;* **~t** *a* familier, intime; *jdn mit etw ~~ machen* familiariser qn avec qc; *sich mit etw ~~ machen,* se mettre au courant *od* au fait de qc; *mit etw ~~ werden* se familiariser avec qc, s'accoutumer à qc; *ich bin damit ~~ (a.)* cela m'est familier; **V~te(r)** *m* confident; familier *m;* **V~theit** *f* connaissance *f* (profonde) (*mit etw* de qc).

verträum|en [fɛr'-] *tr (Zeit)* passer à rêver; **~t** *a* rêveur; plongé dans son rêve *od* dans ses rêveries; **V~theit** *f* caractère *m* rêveur.

vertreib|en [fɛr'-] *tr* chasser *(a. Schnupfen, Hunger, Schlaf, Sorgen); (aus e-r Wohnung, Stellung)* expulser, déloger; *(Krankheitssymptom)* supprimer; *(Fieber, a.)* couper; *com (Ware)* débiter, vendre; *(aus s-m Besitz) ~~ (jur)* évincer; *sich die Zeit ~~* faire passer le temps; passer son temps (*mit* à); *jdm die Zeit ~~* faire passer le temps à qn; **V~ung** *f* expulsion; *jur* éviction; *med* suppression *f.*

vertret|bar [fɛr'-] *a (zu rechtfertigen)* soutenable, justifiable; *~~e Güter n pl* biens *m pl* fongibles; **~en** *tr (Schuhe, Absätze schieftreten)* éculer; *(eintreten, sich einsetzen für)* soutenir, défendre; prendre fait et cause pour; *jur (als Anwalt)* plaider la cause de, défendre; *(an die Stelle treten, ersetzen)* remplacer; suppléer; *(Behörde, Verein, Firma)* représenter; *sich den Fuß ~~ (verstauchen)* se fouler le pied; *sich die Füße ~~ (hin und her gehen)* se dégourdir les jambes; *jdm den Weg ~~ (in den Weg treten)* barrer le chemin à qn; *~~ sein durch* être représenté par; **V~er** *m* ⟨-s, -⟩ *(Stellvertreter)* remplaçant, suppléant; *jur (Verteidiger)* défenseur; *(e-r Behörde etc)* représentant; *com a.* agent; *(Angehöriger e-r Gruppe, a. pej)* représentant *m; gesetzliche(r) ~~* représentant *m* légal; **V~erbericht** *m com* rapport *m* de visite; **V~ung** *f* remplacement *m,* suppléance; représentation; *com* agence *f; in ~~* par délégation; *in jds ~~* suppléant qn; *der Bürgermeister i.V.* pour le maire; *die ~~ machen* faire l'intérim; *diplomatische, konsularische ~~* représentation *f* diplomatique, consulaire (*bei* auprès de); *ständige ~~* mission *f* permanente; **~ungsberechtigt** *a* autorisé à représenter; **~ungsweise** *adv* en remplacement (*für jdn* de qn).

Vertrieb *m* [fɛr'-] *com (Verkauf)* écoulement, débit *m,* vente *f;* **~ene(r)** *m* expulsé *m;* **~sabteilung** *f* rayon *m* de vente; **~skosten** *pl* frais *m pl* de distribution; **~sleiter** *m,* **~srecht** *n* chef, droit *m* de vente; **~sstelle** *f* office *m* de distribution.

vertrockn|en [fɛr'-] *itr ⟨aux: sein⟩* se dessécher, sécher; **V~ung** *f* dessèchement *m,* dessiccation *f.*

vertrödeln [fɛr'-] *tr (Zeit)* gaspiller; *die* od *s-e Zeit ~* gober les mouches, enfiler des perles.

vertröst|en [fɛr'-] *tr* faire prendre patience à, remettre à plus tard; *jdn auf später ~* renvoyer qn à plus tard, lanterner qn; **V~ung** *f* bonnes paroles, vagues promesses *f pl.*

vertrottel|n [fɛr'-] *itr* devenir gaga; **~t** *a* gaga.

vertrusten [fɛr'-] *tr (zu e-m Trust machen, in e-n Trust eingliedern)* truster.

vertun [fɛr'-] *tr = verschwenden.*

vertuschen [fɛr'-] *tr fam (verheimlichen)* cacher; camoufler, masquer, maquiller; dissimuler; étouffer.

verübeln [fɛr'-] ⟨*ich verüb(e)le, du verübelst; verüble!*⟩ *tr: jdm etw ~* en vouloir *od* garder rancune *od* tenir rigueur de qc à qn.

verüben [fɛr'-] *tr (Verbrechen)* commettre, perpétrer.

verulken [fɛr'-] *tr* railler; se moquer de.

veruneinig|en [fɛr'-] *tr* désunir, brouiller; **V~ung** *f* désunion, brouille *f.*

verunglimpf|en [fɛr'-] *tr (schmähen)* injurier; *(verleumden)* calomnier, diffamer, dénigrer; **V~ung** *f* injure; calomnie, diffamation *f,* dénigrement *m.*

verunglücken [fɛr'-] *itr ⟨aux: sein⟩* avoir un accident; *tödlich ~* périr dans un *od* mourir d'un accident.

verunreinig|en [fɛr'-] *tr* salir, souiller; *(Fluß, Luft)* polluer; **V~ung** *f* souillure; pollution *f* (*der Luft* de l'atmosphère).

verunstalt|en [fɛr'-] *tr* défigurer, déformer, enlaidir; **V~ung** *f* défiguration, déformation *f,* enlaidissement *m.*

veruntreu|en [fɛr'-] *tr (Geld unterschlagen)* détourner, divertir; **V~ung** *f* détournement *m,* malversation; *(öffentlicher Gelder)* concussion *f.*

verunzier|en [fɛr'-] *tr* déparer, enlaidir; **V~ung** *f* enlaidissement *m.*

verursachen [fɛr'-] *tr* causer, occasionner, provoquer; être la cause de, donner lieu *od* naissance à.

verurteil|en [fɛr'-] *tr jur* condamner (*zu* à); *allg (mißbilligen)* condamner, désapprouver; **V~ung** *f jur* condamnation, sentence *f.*

verviel|fachen [fɛr'-] *tr* multiplier; **V~fachung** *f* multiplication *f;* **~fältigen** *tr (Text)* polycopier, ronéotyper; **~fältiger** *m* duplicateur *m;* **V~fältigung** *f* polycopie, ronéotypie; *(Wiedergabe)* reproduction *f;* **V~fältigungsapparat** *m* machine *f* à polycopier; **V~fältigungsrecht** *n* droit *m* de reproduction.

vervierfachen [fɛr'-] *tr* quadrupler.

vervoll|kommnen [fɛr'-] *tr* perfectionner; **V~kommnung** *f* perfectionnement *m;* **~kommnungsfähig** *a* perfectible; **~ständigen** *tr* compléter.

verwachs|en [fɛr'-] *itr (Wunde: zuwachsen)* se fermer, se cicatriser; *(zs.wachsen)* s'entregreffer, s'enlacer; *mit etw ~~ sein* ne faire qu'un avec qc; *a (mißgebildet)* rabougri; difforme; *(zs.gewachsen)* adhérent, soudé; **V~ung** *f* difformité; adhésion *f.*

verwackelt [fɛr'-] *a phot: Ihr Bild (d. B., das Sie gemacht haben) ist ~* vous avez bougé en photographiant.

verwahr|en [fɛr'-] *tr (sicher aufbewahren)* avoir *od* tenir en bonne garde, tenir en lieu sûr *od* en sûreté; garder; *sich gegen etw ~~* protester, s'inscrire en faux contre qc; **V~er** *m* ⟨-s, -⟩ dépositaire; gardien *m;* **~losen** *itr ⟨aux: sein⟩* être laissé à l'abandon; **~lost** *a* (laissé) à l'abandon, négligé, mal soigné; **V~losung** *f* abandon *m;* **V~ung** *f (Aufbewahrung)* garde *f,* dépôt *m; gegen etw ~~ einlegen (Einspruch erheben)* faire une protestation contre qc; *in ~~ geben* donner *od* déposer en garde, mettre en dépôt; *in ~~ nehmen* prendre en garde *od* en dépôt; *gerichtliche ~~* garde *f* judiciaire.

verwais|en [fɛr'-] *itr ⟨aux: sein⟩ (elternlos werden)* devenir orphelin; *fig* être abandonné *od* délaissé; **~t** *a* orphelin; *fig* abandonné, délaissé, seul.

verwalken [fɛr'-] *tr fam = verdreschen.*

verwalt|en [fɛr'-] *tr* administrer, gérer; gouverner, régir; *(Amt ausüben)* exercer; **V~er** *m* ⟨-s, -⟩ administrateur, gérant, intendant; *(Gutsverwalter)* régisseur *m;* **V~ung** *f* administration, gérance, gestion *f;* gouvernement, service *m;* régie *f.*

Verwaltungs|abteilung *f* [fɛr'valtuŋs-] département *m;* **~apparat** *m* appareil *m* administratif; **~beamte(r)** *m* fonctionnaire administratif, employé d'administration, officier *m* civil; **~behörde** *f* autorité *f* administrative; **~beschwerde** *f* recours *m* administratif; **~bezirk** *m* circonscription *f* administrative; **~dienst**

m service *m* d'administration, magistrature *f;* ~**gebäude** *n* bâtiment *m* de l'administration; ~**gericht** *n* tribunal *m* administratif; ~**gerichtsbarkeit** *f* juridiction *f* administrative; ~**kosten** *pl* frais *m pl* d'administration *od* de gestion; ~**personal** *n* personnel *m* administratif; ~**rat** *m* conseil *m* d'administration; ~**recht** *n* droit *m* administratif; ~**schikane** *f* chinoiserie *f* administrative; ~**zentrum** *n (e-r Stadt)* centre *m* administratif; ~**zweig** *m* service *m* (administratif).

verwand|eln [fɛrˈ-] *tr* changer, transformer, convertir, métamorphoser (*in* en); *sich ~~* se changer, se transformer, se métamorphoser, se muer (*in* en); **V~lung** *f* changement *m,* transformation, conversion, métamorphose, commutation *f; theat (Dekorationswechsel)* tableau *m;* **V~lungskünstler** *m* illusionniste *m.*

verwandt [fɛrˈvant] *a* apparenté *a. fig; fig* analogue; ~ *sein (a.)* être parents; *wir sind (mitea.)* od *ich bin mit ihm* od *er ist mit mir* ~ nous sommes parents; **V~e(r** *m***)** *f* parent, e *m f; ~~e pl* des parents *m pl; die ~~en pl* la parenté, la famille; *er ist ein ~~er von mir* od *mein ~~er* c'est un parent à moi, nous sommes parents; *entfernte(r), nahe(r) ~~e(r)* parent éloigné, proche parent *m;* **V~enehe** *f* mariage *m* consanguin; **V~schaft** *f (~~sverhältnis u. ~e)* parenté; *fig* affinité *f;* ~**schaftlich** *a* de *od* en parent(s); **V~schaftsgrad** *m* degré *m* de parenté; **V~schaftsverhältnis** *n* lien *m* de parenté.

verwanzt [fɛrˈ-] *a* infesté de punaises.

verwarn|en [fɛrˈ-] *tr* avertir, donner un avertissement à; *sport* mettre en garde; *(ermahnen)* admonester; **V~ung** *f* avertissement *m; sport* mise en garde; *jur* peine comminatoire; *(Ermahnung)* admonestation *f; gebührenpflichtige ~~* avertissement *m* taxé.

verwaschen [fɛrˈ-] *a* délavé, déteint, décoloré, effacé; *fig (unklar)* imprécis, indécis, vague.

verwä|ssern [fɛrˈ-] *tr (Flüssigkeit)* délayer, diluer; *fig (abschwächen)* délayer, rendre fade; ~**ssert** *a fig* délayé, fade; **V~sserung** *f,* **V~ßrung** *f* délayage *m;* dilution *f.*

verwechs|eln [fɛrˈ-] *tr* confondre; *(versehentl. mitea. vertauschen)* échanger par mégarde; *jdn mit e-m ander(e)n ~~* prendre qn pour un autre; *sich zum V~~ ähnlich sehen* se ressembler à s'y méprendre; **V~(e)lung** *f* confusion *f;* quiproquo *m,* méprise, erreur *f;* échange *m* par mégarde.

verwegen [fɛrˈ-] *a* téméraire, audacieux, hardi; **V~heit** *f* témérité, audace, hardiesse *f.*

verweh|en [fɛrˈ-] *tr (wegwehen)* emporter; *(zerstreuen)* dissiper; *(verwischen)* effacer; *(zuwehen)* couvrir (*mit Schnee* de neige); **V~ung** *f (Schnee~~)* amas *m* de neige.

verwehren [fɛrˈ-] *tr (verbieten)* defendre (*jdm etw* qc à qn).

verweichlich|en [fɛrˈ-] *tr* amollir, efféminer; *itr* ⟨*aux: sein*⟩ s'amollir; ~**t** *a* efféminé; **V~ung** *f* amollissement *m,* effémination *f.*

verweiger|n [fɛrˈ-] *tr* refuser, dénier (*jdm etw* qc à qn); **V~ung** *f* refus; *jur* déni *m* (de justice); *~~ der Hilfeleistung (jur)* abstention *f* de secours.

verweilen [fɛrˈ-] *itr (bleiben)* demeurer, rester; *(sich aufhalten, sich befinden)* séjourner.

verweint [fɛrˈ-] *a: ~e Augen n pl* yeux *m pl* gonflés *od* rougis par les larmes.

Verweis *m* ⟨-es, -e⟩ [fɛrˈvaɪs, -zə] *(Tadel)* réprimande, remontrance, semonce, mercuriale *f,* rappel à l'ordre, blâme; *(Hinweis)* renvoi *m,* référence *f; jdm e-n ~ erteilen* réprimander qn, rappeler qn à l'ordre; **v~en** *tr (tadeln)* réprimander, tancer (*jdm etw* qn à cause de qc); *(hinweisen)* renvoyer (*auf etw* à qc); *(zuständigkeitshalber schicken)* renvoyer (*an* à); *von der Schule ~~* renvoyer de l'école; ~**ung** *f (Ausweisung)* expulsion, interdiction *f* de séjour; *~~ an ein anderes Gericht (jur)* distraction *f* de juridiction; ~**ungsnummer** *f* numéro *m* de référence *od* de renvoi; ~**ungszeichen** *n* signe *od* guidon *m* de renvoi.

verwelken [fɛrˈ-] *itr* ⟨*aux: sein*⟩ se faner, se flétrir.

verweltlich|en [fɛrˈ-] *tr* séculariser, laïciser; **V~ung** *f* sécularisation, laïcisation *f.*

verwend|bar [fɛrˈ-] *a* utilisable; applicable (*zu* à); *vielseitig ~~* utilisable à plusieurs fins; **V~barkeit** *f* ⟨-, ø⟩ utilité *f;* emploi *m;* application *f;* ~**en** ⟨*verwendete, verwandte, verwendet*⟩ *tr (gebrauchen, a. Küche)* employer, utiliser; appliquer; *(Zeit)* employer, faire emploi de, consacrer (*zu* à); *(Geld)* mettre, dépenser (*zu* à); *sich ~~ (sich einsetzen)* s'entremettre, intervenir, intercéder (*für jdn* en faveur de qn); *Fleiß auf etw ~~* s'appliquer à qc; *s-e Zeit gut, schlecht ~~* faire un bon, mauvais emploi de son temps; *hier wird nur Butter ~et (Bäckerei)* pâtisserie exclusivement au beurre; **V~ung** *f (Gebrauch)* emploi *m,* utilisation; application; *(Fürsprache)* entremise, intervention, intercession *f; auf jds ~~ hin* sur l'intervention de qn; *zur besonderen ~~* à des fins spéciales; *für etw keine ~~ haben* ne pas avoir l'emploi, n'avoir que faire de qc; **V~ungsmöglichkeiten** *f pl* possibilités *f pl* d'emploi *od* d'utilisation; **V~ungszweck** *m* but *m od* fin *f* d'utilisation.

verwerf|en [fɛrˈ-] *tr (ablehnen)* rejeter, repousser, décliner, écarter; réprouver, répudier; *jur* mettre à néant; *(Zeugen)* récuser; *itr (Tier: e-e Fehlgeburt haben)* avorter; *sich ~~ (sich verbiegen)* se déjeter, gauchir, travailler; ~**lich** *a* condamnable, abject; mauvais; **V~lichkeit** *f* ⟨-, ø⟩ abjection *f;* **V~ung** *f (Ablehnung)* rejet *m;* réprobation, répudiation *f; (Verbiegung)* gauchissement *m; geol* faille *f.*

verwer|ten [fɛrˈ-] *tr* faire valoir, mettre en valeur *od* à profit, exploiter, utiliser; **V~ung** *f* mise en valeur *od* à profit, exploitation, utilisation *f.*

verwes|en [fɛrˈ-] **1.** *itr* ⟨*aux: sein*⟩ *(verfaulen)* se décomposer, se putréfier; ~**lich** *a* putrescible; **V~ung** *f* décomposition, putréfaction *f.*

verwes|en 2. *tr (als Stellvertreter verwalten)* administrer; **V~er** *m* ⟨-s, -⟩ administrateur *m.*

verwestlich|en [fɛrˈ-] *tr (asiat. Land)* occidentaliser; **V~ung** *f* occidentalisation *f.*

verwetten [fɛrˈ-] *tr (Geld beim Wetten ausgeben)* perdre en paris.

verwettert [fɛrˈ-] *a (Baum)* qui porte les traces des intempéries.

verwichsen [fɛrˈ-] *tr fam = verdreschen.*

verwick|eln [fɛrˈ-] , *sich* ⟨*ich verwick(e)le mich, du verwickelst dich*⟩ *(Fäden)* s'entortiller, s'enchevêtrer; *a. fig* s'embrouiller; *fig* s'embarrasser; *in etw ~t sein* être mêlé à *od* impliqué dans qc; ~**elt** *a (kompliziert, schwierig)* compliqué, complexe; difficile; *das ist e-e ~~e Geschichte (fam a.)* c'est la bouteille à l'encre; **V~(e)lung** *f* complication, confusion *f,* embarras, imbroglio *m; jur* implication *f.*

verwilder|n [fɛrˈ-] *itr* ⟨*aux: sein*⟩ *(Haustier)* retourner à l'état sauvage; *(Garten, Acker)* être négligé *od* laissé à l'abandon; ~**t** *a (Kind)* indiscipliné; *(Haustier)* (retourné à l'état) sauvage; *(Garten etc)* (laissé) à l'abandon; **V~ung** *f* retour à l'état sauvage; abandon *m.*

verwind|en [fɛrˈ-] *tr (hinwegkommen über (fig))* surmonter, revenir de, vaincre; *etw nicht ~~ können* ne pas se consoler *od* se remettre de qc; *tech (verbiegen)* gauchir, vriller; **V~ung** *f a. aero* gauchissement, vrillage *m,* distorsion *f.*

verwirk|en [fɛrˈ-] *tr (sein Recht auf etw verlieren)* perdre son droit à, être déchu de; *sein Leben ~t haben* avoir encouru la peine de mort; **V~ung** *f* perte, déchéance *f.*

verwirklich|en [fɛrˈ-] *tr* réaliser; *sich ~~ (a.)* entrer dans les faits; **V~ung** *f* réalisation *f.*

verwirr|en [fɛrˈ-] *tr a. fig* embrouiller, emmêler; *fig (durchea.bringen)* confondre; *(Menschen ~t machen)* troubler; déconcerter, décontenancer; ~**t** *a* embrouillé *a. fig;* en désordre, en désarroi; *fig* confus; *(Mensch)* confus; déconcerté, décontenancé, désorienté; **V~ung** *f* désordre, désarroi, trouble; *a fig* embarras *m,* confusion *f; in ~~ bringen (a. fig)* mettre dans l'embarras; *(Menschen)* déconcerter, décontenancer; *in ~~ geraten (a. fig)* se troubler, être troublé; *~~ stiften* faire du désordre *od* de l'embarras, brouiller *od* mêler les cartes.

verwirtschaften [fɛrˈ-] *tr* dépenser inconsidérément.

verwischen [fɛrˈ-] *tr (verreiben, verschmieren)* brouiller; *(Pastellfarben)* estomper; *(unkenntlich machen,*

auslöschen) oblitérer; effacer, éteindre.
verwitter|n [fɛr'-] *itr* ‹*aux: sein*› être rongé par le temps, se décomposer à l'air, s'effriter; **~t** *a* effrité, décomposé; *(Gesicht)* ravagé; **V~ung** *f* décomposition, désagrégation; *geol* érosion *f.*
verwitwet [fɛr'-] *a* veuf, veuve.
verwoben [fɛr'-] *a* liés *od* unis étroitement.
verwohn|en [fɛr'-] *tr* dégrader, ruiner; **~t** *a* dégradé, avili.
verwöhn|en [fɛr'-] *tr* gâter; *(verzärteln)* choyer, dorloter; **~t** *a* gâté; **V~ung** *f* gâterie *f.*
verworfen [fɛr'-] *a* perdu; dépravé, abject; **V~heit** *f* ‹-, ø› dépravation, bassesse *f.*
verworren [fɛr'-] *a* confus, embrouillé, inextricable; *~e Lage f,* **V~heit** *f* confusion *f,* désordre *m.*
verwund|bar [fɛr'-] *a* vulnérable; *~~e Stelle f (fig)* défaut *m* de la cuirasse; **V~barkeit** *f* ‹-, ø› vulnérabilité *f;* **~en** *tr* blesser; **~et** *a* blessé; *leicht, schwer ~~* blessé légèrement, grièvement; **V~etenabzeichen** *n* insigne *od* ruban *m* de(s) blessé(s); **V~etensammelstelle** *f* poste *m* de réception des blessés; **V~etentransport** *m* transport-ambulance *m,* **V~ete(r)** *m* blessé *m;* **V~ung** *f* blessure *f.*
verwunder|lich [fɛr'-] *a* suprenant, étonnant; *das ist nicht ~~* ce n'est pas étonnant; **~n,** *sich* s'étonner, s'émerveiller; *a. tr impers: ich ~e micht nicht, das ~t mich nicht, das ist nicht zu ~~* je ne m'en étonne pas, cela ne m'étonne pas, ce n'est pas étonnant; **V~ung** *f* étonnement, émerveillement *m,* surprise *f.*
verwunschen [fɛr'-] *a (verzaubert)* enchanté.
verwünsch|en [fɛr'-] *tr (verfluchen)* maudire, souhaiter *od* envoyer au diable; **~t** *a* maudit, damné; *~~!* malédiction! **V~ung** *f (Fluch)* malédiction, imprécation *f.*
verwurzel|n [fɛr'-] ‹*ich verwurz(e)le, du verwurzelst, ist verwurzelt*› *itr* s'enraciner *a. fig; fig* prendre racine, s'implanter; *fest ~~ (fig)* jeter de profondes racines; **~t** *a, a. fig* enraciné; *in etw fest ~~ sein* être solidement enraciné, avoir de profondes racines dans qc; *fest im Heimatboden ~~ (fig)* profondément attaché à son sol natal; **V~ung** *f* enracinement *m,* implantation *f.*
verwüst|en [fɛr'-] *tr* dévaster, ravager, désoler, ruiner; **V~er** *m* dévastateur *m;* **V~ung** *f* dévastation *f,* ravage *m.*
verzag|en [fɛr'-] *itr (den Mut verlieren)* se décourager, perdre courage; **~t** *a* découragé, abattu; *(kleinmütig)* pusillanime; **V~theit** *f* découragement, abattement *m;* pusillanimité *f.*
verzählen [fɛr'-] , *sich* se tromper (en comptant).
verzahn|en [fɛr'-] *tr tech* endenter, engrener; *fig (verbinden)* lier; **V~ung** *f tech* engrenage *m.*
verzapf|en [fɛr'-] *tr tech* assembler à tenon; *fig fam pej* débiter, lâcher; **V~ung** *f tech* assemblage *m* à tenon.
verzärteln [fɛr'-] ‹*ich verzärt(e)le, du verzärtelst ...*› *tr* choyer, dorloter; élever dans du coton *od* dans de l'ouate.
verzauber|n [fɛr'-] *tr* ensorceler, enchanter; **V~ung** *f* ensorcellement, enchantement *m.*
verzäunen [fɛr'-] *tr* clôturer.
verzehnfachen [fɛr'-] *tr* décupler.
Verzehr *m* ‹-(e)s, ø› [fɛr'tse:r] *(Verbrauch, Zeche)* consommation *f;* **v~en** *tr* consommer, manger (et boire); *sich vor Heimweh, Kummer ~~ (fig)* se consumer (*vor* de); **v~end** *a fig* dévorant; **~ung** *f* consommation *f;* **~zwang** *m* consommation *f* obligatoire.
verzeichn|en [fɛr'-] *tr (falsch zeichnen)* dessiner mal; *fig (in e-m Literaturwerk)* mal peindre *od* décrire; *(zs.stellend aufschreiben)* inscrire, noter, faire le relevé de, enregistrer; *es sind drei Unglücksfälle zu ~~* trois accidents ont été enregistrés; **V~is** *n* ‹-sses, -sse› relevé, registre *m,* liste *f,* état, catalogue, index *m,* table *f,* tableau *m; ein ~~ anlegen* od *aufstellen* établir *od* dresser un état; *alphabetische(s) ~~ (in e-m Buch)* table *f* alphabétique; **V~ung** *f (Zeichenfehler)* erreur *f* dans le dessin.
verzeih|en [fɛr'-] ‹*-zieh, -ziehen*› *tr* pardonner (*jdm etw* qc à qn); *(entschuldigen)* excuser; *etw ~~ (a.)* passer l'éponge sur qc; *jdm etw nicht ~~ können* en vouloir, tenir rigueur à qn de qc; *~~ Sie!* pardonnez-moi, pardon! **~lich** *a* pardonnable; excusable; **V~ung** *f* pardon *m; jdn um ~~ bitten* demander pardon à qn; *(ich bitte um) ~~!* (je vous demande) pardon!
verzerr|en [fɛr'-] *tr* (dis)tordre, déformer; *sich ~~* se contorsionner; **V~ung** *f* contorsion, déformation; *tele radio* déformation (acoustique), distorsion.
verzettel|n [fɛr'-] ‹*ich verzett(e)le, du verzettelst*› *tr (auf Zettel schreiben)* noter sur *od (umschreiben)* classer par fiches; *fig (s-e Kräfte, s-e Bemühungen)* disperser; *sich ~~ (fig: sich zersplittern)* se disperser, disperser ses forces; **V~ung** *f* classification par fiches; *fig* dispersion *f* des forces.
Verzicht *m* ‹-(e)s, -e› [fɛr'tsɪçt] renoncement *m,* renonciation *f,* désistement *m;* résignation *f;* **v~en** *itr: auf etw ~~* renoncer à qc, se désister de qc, faire abnégation de qc; *sport* déclarer forfait; **~erklärung** *f* déclaration *f* de renonciation; **~leistung** *f* renonciation *f.*
verziehen [fɛr'-] *tr agr (junge Pflanzen)* démarier, éclaircir; *(Kind)* gâter, mal élever; *itr* ‹*ist verzogen*› *(fortumziehen)* déménager; *sich ~ (Holz)* se déjeter, gauchir, prendre du gauche, travailler; *(Stoff)* faire des (faux) plis; *(allmählich verschwinden)* disparaître; *(Gewitter, Wolken, Nebel)* se dissiper; *fam (Mensch: weggehen)* s'évader, s'en aller, partir; *unbekannt verzogen* parti sans laisser d'adresse.
verzier|en [fɛr'-] *tr* orner, ornementer, décorer, parer, enjoliver, embellir, agrémenter; **V~ung** *f* ornement *m,* ornementation *f,* décor *m,* décoration, parure, enjolivure; *(Handlung)* ornementation, décoration *f,* enjolivement, embellissement *m.*
verzimmer|n [fɛr'-] ‹*ich verzimmere, du verzimmerst*› *tr arch* boiser; *mines* cuveler; *mar* radouber; **V~ung** *f* boisage; cuvelage; radoub *m.*
verzink|en [fɛr'-] *tr (mit Zink überziehen)* zinguer; *(mit Schwalbenschwanzzapfen versehen)* entailler en queue d'aronde; **V~ung** *f* zingage, zincage *m.*
verzinn|en [fɛr'-] *tr* étamer; **V~ung** *f (Vorgang)* étamage *m; (Zinnschicht)* étamure *f.*
verzins|bar [fɛr'-] *a* productif d'intérêts; **~en** *tr* payer des intérêts pour *od* les intérêts de; *sich ~~* rapporter des intérêts, rendre; **~lich** *a* u. *adv* à intérêt; **V~ung** *f* paiement *m* des intérêts.
verzogen [fɛr'-] *a (Kind)* gâté; *(Holz)* déjeté, gauchi.
verzöger|n [fɛr'-] ‹*ich verzögere, du verzögerst*› *tr (verlangsamen)* ralentir, retarder; *(in die Länge ziehen, hinausschieben)* traîner, différer; *sich ~~* traîner en longueur, se faire attendre; **V~ung** *f* ralentissement, retard(ement) *m;* longueurs, lenteurs *f pl,* délai *m; tech* décélération *f;* **V~ungszünder** *m mil* fusée *f* à retardement.
verzoll|en [fɛr'-] *tr* payer les droits de douane *od* la douane pour, dédouaner; *haben Sie etwas zu ~~?* avez-vous qc à déclarer? **~t** *a* libre des droits de douane; **V~ung** *f* paiement *m* des droits de douane.
verzück|en [fɛr'-] *tr* enchanter, ravir; **~t** *a* extasié, en extase, ravi; aux anges; **V~ung** *f* extase *f; fig* ravissement *m; in ~~ geraten* tomber en extase, s'extasier.
Verzug *m* ‹-(e)s, ø› [fɛr'tsu:k] *(Verzögerung, Verspätung)* délai, retard *m; bei ~* en cas de retard; *ohne ~* sans délai; *in ~ geraten, sein (mit e-r Zahlung)* se mettre, être en demeure; *Gefahr ist im ~* il y a péril en la demeure; **~sstrafe** *f* peine *f* de retard; **~szinsen** *pl* intérêts *m pl* moratoires *od* de retard; **~szuschlag** *m* supplément *m* de retard.
verzweif|eln [fɛr'-] *itr* (se) désespérer (*an etw* de qc); *es ist zum V~~!* c'est à désespérer; **~elt** *a (Mensch u. Sache)* désespéré; *ganz ~~ sein (a.)* s'effondrer dans le désespoir; **V~lung** *f* désespoir *m; jdn zur ~~ bringen* mettre *od* réduire qn au désespoir; désespérer qn, être le désespoir de qn; *in ~~ geraten* se désespérer, perdre espoir; *jdn in die ~~ stürzen* plonger qn dans le désespoir; *das bringt mich noch zur ~~!* ça me désespère, je suis au désespoir; **V~lungstat** *f* coup *m* de désespoir.
verzweig|en [fɛr'-] , *sich* se ramifier; **V~ung** *f* ramification *f.*
verzwickt [fɛr'-] *a* compliqué; inextricable; **V~heit** *f* complication *f.*

Vesper *f* ‹-, -n› ['fɛspər] *(Spätnachmittag)* après-midi *m; rel* vêpres *f pl; (~brot)* goûter *m;* **v~n** *itr (e-n Nachmittagsimbiß einnehmen)* goûter; *pop* casser la croûte.
Vestalin *f* ‹-, -nnen› [vɛs'ta:lɪn] *rel hist* vestale *f.*
Vestibül *n* ‹-s, -e› [vɛsti'by:l] *arch* vestibule *m.*
Vesuv [ve'zu:f] , *der, geog* le Vésuve.
Veteran *m* ‹-en, -en› [vete'ra:n] vétéran *m.*
Veterinär|(arzt) *m* ‹-s, -e› [veteri'nɛ:r(-)] *(Militärtierarzt)* (médecin) vétérinaire *m;* **v~ärztlich** *a* vétérinaire; **~medizin** *f* médecine *f* vétérinaire.
Veto *n* ‹-s, -s› ['ve:to] *(Einspruch)* veto *m; sein ~ gegen etw einlegen* mettre son veto à qc; **~recht** *n pol* droit *m* de veto.
Vettel *f* ‹-, -n› ['fɛtəl] *pej (unordentl. altes Weib)* vieille salope *f.*
Vetter *m* ‹-s, -n› ['fɛtər] cousin *m; ~ 1., 2. Grades* cousin *m* germain, issu de germains; **~nwirtschaft** *f pej* népotisme *m.*
Vexier|bild *n* [vɛ'ksi:r-] image *f* d'attrape; **v~en** *tr (quälen)* vexer; *(nekken)* taquiner; *(irreführen)* mystifier; **~spiegel** *m* glace *f* déformante.
Via|dukt *m* ‹-(e)s, -e› [via'dukt] *(Brücke über ein Tal)* viaduc *m;* **~tikum** *n* ‹-s, -ka/-ken› [vi'a:tikum, -ka/-kən] *rel* viatique *m.*
Vibr|aphon *n* ‹-s, -e› [vibra'fo:n] *mus* vibraphone *m;* **~ation** *f* ‹-, -en› [-tsi'o:n] *(Schwingung)* vibration *f;* **~ationsmassage** *f* massage *m* vibratoire; **v~ieren** [-'bri:rən] *itr* vibrer, osciller.
Viech *n* ‹-(e)s, -er› [fi:ç] *pop hum (Tier)* bête *f.*
Vieh *n* ‹-(e)s, ø› [fi:] bétail *m;* bestiaux *m pl; lebende(s) ~* bétail *m* vivant *od* sur pied; *20 Stück ~* vingt têtes *f pl* de bétail; *(Tier)* animal *m;* **~bestand** *m* cheptel *m;* **~futter** *n* fourrage *m;* **~halter** *m* possesseur *m* de bétail; **~handel** *m* commerce *m* de bétail; **~händler** *m* marchand *m* de bestiaux; **~herde** *f* troupeau *m;* **v~isch** *a* bestial, brutal; **~markt** *m* marché *m* aux bestiaux; **~reiher** *m orn* garde-bœuf *m;* **~seuche** *f* épizootie *f;* **~tränke** *f* abreuvoir *m;* **~treiber** *m* toucheur *m;* **~wagen** *m loc* wagon *m* à bestiaux; **~zählung** *f* recensement *m* du bétail; **~zucht** *f* élevage *m;* production *f* animale; **~züchter** *m* éleveur *m.*
viel [fi:l] *a* beaucoup (de); *fam* pas mal (de); quantité (de); *ein bißchen ~* un peu trop; *gar* od *ziemlich ~* assez (de), pas mal (de); *recht* od *sehr ~* beaucoup (de); bien du, de la, des; *so ~* tant; *wie* od *welch ~e ...* combien de ...; *zu ~* trop; *~ zuviel* beaucoup trop; *durch ~es Lesen* à force de lire; *~ kosten, sagen, wissen* coûter, dire, savoir beaucoup; *~ zu tun haben* avoir beaucoup *od* fort à faire; *danach frage ich nicht ~ (fig)* cela ne m'intéresse pas beaucoup; *es fehlt ~ daran* il s'en faut de beaucoup; *es fehlte nicht ~ (daran)* il s'en fallut de peu; *das will ~ heißen* ce n'est pas rien, cela en dit long; *es waren ihrer ~e* ils étaient beaucoup; *das ist ein bißchen ~ (auf einmal)* c'est trop (à la fois); *fam* c'est un peu beaucoup (à la fois); *mit ihm ist nicht ~ los* ce n'est pas un as, on ne peut pas attendre grand-chose de lui; *~ Wein, Milch, Wasser* beaucoup de vin, de lait, d'eau; *~(e) Häuser* beaucoup de maisons; *~(e) hundert Bücher* des centaines et des centaines de livres; *adv* beaucoup; *~ reisen* voyager beaucoup; *~ besser, größer, zu klein* beaucoup mieux, plus grand, trop petit; **~bändig** *a (literar. Werk)* en plusieurs volumes; **~beschäftigt** *a* très occupé *od* affairé; **~besprochen** *a* dont on parle beaucoup *od* partout; **~deutig** *a* équivoque, ambigu; **V~deutigkeit** *f* équivoque, ambiguïté *f;* **V~eck** *n math* polygone *m;* **~eckig** *a* polygonal; **V~ehe** *f* polygamie *f;* **~erlei** ['-laɪ] *a* divers; de toutes sortes, toutes sortes de; **~erorts** *adv* à beaucoup d'endroits; **~fach** *a* multiple; *adv (häufig)* maintes fois, souvent; *~~e(r) Millionär m* multimillionnaire *m;* **V~fachgerät** *n* appareil *m* à fins multiples; **V~fachschaltung** *f tele* multiplage *m;* **V~fachstecker** *m el* prise *f* multiple; **V~falt** *f* ‹-, ø› multiplicité; diversité *f;* **~fältig** *n* multiple; divers; **V~fältigkeit** *f* = *V~falt;* **~farbig** *a* multicolore; **V~flach** *n* ‹-(e)s, -e› *math* polyèdre *m;* **~flächig** *a math* polyédrique; **V~fraß** *m zoo* glouton; *fig (Mensch) a.* goinfre; *fam* bâfreur; *pop* gueulard, brifeur *m;* **~gebraucht** *a* beaucoup usité; **~geliebt** *a* bien-aimé; **~genannt** *a* beaucoup mentionné; **~geprüft** *a* fort éprouvé; **~gereist** *a* qui a beaucoup voyagé; **~geschmäht** *a* beaucoup diffamé *od* calomnié; **~gestaltig** *a* multiforme, protéiforme; **V~gestaltigkeit** *f* caractère *m* multiforme; **~glied(e)rig** *a: ~~e Größe f (math)* polynôme *m;* **V~götterei** *f* polythéisme *m;* **V~heit** *f* ‹-, ø› multiplicité, pluralité; multitude *f;* **~köpfig** *a (zahlreich)* nombreux; **~leicht** [fi'laɪçt] *adv* peut-être, par hasard; **V~liebchen** *n* ‹-s, -› [fi:l'li:pçən] *(Brauch)* philippine *f;* **~malig** *a* fréquent, souvent répété, réitéré; **~mal(s)** *adv (oft)* souvent, bien des fois; **V~männerei** *f* ‹-, ø› [-mɛnə'raɪ] polyandrie *f;* **~mehr** *adv* plutôt, bien plus; *(im Gegenteil)* au contraire; **~sagend** *a* qui en dit long, significatif, expressif, évocateur; *(Blick)* parlant; **~schichtig** *a* multiple; **V~schreiber** *m pej* griffonneur; *pop* pondeur *m* (de prose); **V~schreiberei** *f* griffonnage *m;* **~seitig** *a* varié; *(Mensch)* aux talents multiples; très cultivé; *auf ~~en Wunsch* selon le désir de nombreux auditeurs; **V~seitigkeit** *f* talents *m pl* multiples; culture *f* étendue; **V~seitigkeitsprüfung** *f sport* épreuve *f* combinée; **~silbig** *a gram* polysyllabique; **~sprachig** *a* polyglotte; **~stimmig** *a* à plusieurs voix; **~tausendmal** [-'tauzənt-] *adv* des milliers et des milliers de fois; **~verheißend** *a,* **~versprechend** *a* prometteur; **V~weiberei** *f* polygamie *f;* **V~wisser** *m fam* je-sais-tout *m,* encyclopédie *f* vivante; **V~zahl** *f* multiplicité *f;* **~zellig** *a biol* multicellulaire.
vier [fi:r] *(Zahlwort)* quatre; *auf allen ~en* à quatre pattes; *zu ~en* od *~t* à quatre; **V~** *f* quatre *m;* **V~beiner** *m* ‹-s, -› *(Tier)* quadrupède *m;* **~beinig** *a* quadrupède; **~blätt(e)rig** *a* à quatre feuilles; *scient* quadrifolié; **~dimensional** *a* à quatre dimensions; **V~eck** *n* quadrilatère; *(Quadrat)* carré *m;* **~eckig** *a* quadrangulaire; *(quadratisch)* carré; **V~er** *m* ‹-s, -› = *V~; (Ruderboot)* canot *m* (de course) à quatre rameurs; quatre *m;* **V~erkabel** *n el* quarte *f;* **V~erkonferenz** *f pol* conférence *f* quadripartite *od* à quatre; **~erlei** ['-laɪ] *a* de quatre sortes *od* espèces; **V~ertreffen** *n pol* rencontre *f* à quatre; **~fach** *a* quadruple; **V~farbendruck** *m* ‹-(e)s, -e› *typ* quadrichromie *f;* **V~farbenstift** *m* porte-mine *m* à quatre couleurs; **V~flach** *n* ‹-(e)s, -e› **V~flächner** *m* ‹-s, -› *math* tétraèdre *m;* **V~fürst** *m hist* tétrarque *m;* **~füßig** *a* = *~beinig;* **V~füß(l)er** *m* ‹-s, -› = *~beiner;* **V~ganggetriebe** *n* boîte *f* à quatre vitesses; **V~gespann** *n* attelage de quatre chevaux; *hist* quadrige *m;* **~gestrichen** *a mus* barré; **V~händer** *m* ‹-s, -› *(Affe)* quadrumane *m;* **v~händig** *a* u. *adv mus* à quatre mains; **~hundert** *(Zahlwort)* quatre cent(s); **V~jahresplan** *m pol* plan *m* quadriennal *od* de quatre ans; **~jährig** *a* (âgé) de quatre ans; **V~kant** *n* od *m* ‹-(e)s, -e› *(v~iges Stück)* quatre-pans *m;* **V~kanteisen** *n* fer *m* carré; **~kantig** *a* à quatre pans; **V~kantmutter** *f tech* écrou *m* à quatre pans; **V~kantschlüssel** *m* clé *f* à quatre pans; **V~kantstahl** *m* acier *m* carré; **V~linge** *m pl* quadruplés *m pl;* **V~mächteabkommen** *n pol* [fi:r'mɛçtə-] convention *f* quadripartite; **V~mächtekonferenz** *f* = *V~erkonferenz;* **~mal** *adv* quatre fois; **~malig** *a* quadruple, fait *od* répété quatre fois; **V~master** *m* ‹-s, -› *mar* quatre-mâts *m;* **~motorig** *a aero* quadrimoteur; *~~e(s) Flugzeug n* quadrimoteur *m;* **V~paß** *m* ‹-sses, -sse› ['-pas] *arch* quatre-feuilles *m;* **V~radantrieb** *m,* **V~radbremse** *f* propulsion *f,* frein *m* à quatre roues; **~räd(e)rig** *a* à quatre roues; **~schrötig** *a (untersetzt, kräftig)* taillé à coups de hache, carré, trapu; **V~sitzer** *m* ‹-s, -› *mot* quatre-places *m;* **~sitzig** *a mot* à quatre places; **V~spänner** *m* ‹-s, -› ['-ʃpɛnər] *(Pferdewagen)* voiture *f* attelée de quatre chevaux; **~spännig** *a* à quatre chevaux; **~stellig** *a (Zahl)* de quatre chiffres; **~stimmig** *a mus* à quatre voix *od* parties; **~stöckig** *a arch* à quatre étages; **V~taktmotor** *m,* **V~taktprozeß** *m mot* moteur, cycle *m* à quatre temps; **~tägig** *a* de quatre jours; **~tausend**

(Zahlwort) quatre mille; **~teilen** ‹*er vierteilt, hat gevierteilt*› *tr hist* écarteler; **~teilig** *a* de quatre pièces; **V~tel** *n* ‹-s, -› ['fɪrtəl] quart; *(Stadt-, Mondviertel)* quartier *m; drei v~~ Liter n pl* trois quarts *m pl* de litre; *drei v~~ Stunden f pl* trois quarts *m pl* d'heure; *ein ~~ vor zwei* deux heures moins le quart; *ein ~~ nach zwei* deux heures un quart; *erste(s), letzte(s) ~~ (des Mondes)* premier, dernier quartier *m* (de la lune); **V~teldrehung** *f* quart *m* de tour; **V~teljahr** *n* [fɪrtəl'ja:r] trois mois *m pl*, trimestre *m;* **V~teljahrhundert** *n* quart *m* de siècle; **~teljährig** *a (ein V~teljahr alt* od *dauernd)* de trois mois; **~teljährlich** *a (alle V~teljahre wiederkehrend)* trimestriel; *adv* tous les trois mois, par trimestre; **V~teljahrsschrift** *f* revue *f* trimestrielle; **V~telliter** *m* od *n* quart *m* de litre; **~teln** *a (in vier Teile teilen)* partager en quatre; **V~telnote** *f mus* noire *f;* **V~telpause** *f mus* soupir *m;* **V~telpfund** *n* quart *m* de livre; **V~telstunde** *f* quart *m* d'heure; **v~telstündig** *a* d'un quart d'heure; **v~telstündlich** *adv* tous les quarts d'heure; **~tens** *adv* quatrièmement; **~te(r, s)** ['fi:rtə-] *a* quatrième; *~ten Grades (math)* bicarré; **V~ung** *f arch* intersection de la nef, croisée *f* (de transept); **V~ungspfeiler** *m arch* pilier *m* de la croisée; **V~vierteltakt** *m mus* mesure *f* à quatre temps; **V~waldstätter See,** *der* le lac des Quatre-Cantons; **~zehn** ['fɪrtse:n] *(Zahlwort)* quatorze; *~~ Tage m pl* quinze jours *m pl; heute, morgen, Montag in ~~ Tagen* (d')aujourd'hui, (de) demain, (de) lundi en quinze; **~zehntägig** *a* bihebdomadaire; **V~zehntel** *n* quatorzième *m;* **~zehnte(r, s)** *a* quatorzième; **V~zeiler** *m (~zeiliges Gedicht)* quatrain *m;* **~zig** ['fɪrtsɪç] *(Zahlwort)* quarante; **V~zigstel** *n* quarantième *m;* **~zigste(r, s)** *a* quarantième; **V~zigstundenwoche** *f* semaine *f* de quarante heures; **V~zimmerwohnung** *f* quatre pièces *m.*

Vignette *f* ‹-, -n› [vɪn'jɛtə] *typ* vignette *f.*

Vigogne(wolle) *f* ‹-, -n› [vi'gɔnjə] vigogne *f.*

Vikar *m* ‹-s, -e› [vi'ka:r] *rel* vicaire *m,* **~iat** *n* ‹-(e)s, -e› [-kari'a:t] vicariat *m.*

Viktoria [vik'to:ria] *f (Sieg): ~ rufen* crier victoire.

Vikunja *n* ‹-s, -s› od *f* ‹-, -jen› [vi'kunja] *zoo* vigogne *f;* **~wolle** *f = Vigognewolle.*

Vill|a *f* ‹-, -llen› ['vɪla] villa *f;* **~enviertel** *n* quartier *m* résidentiel (de villas).

Viol|a *f* ‹-, -len› [vi'o:la] *mus (Bratsche)* viole *f,* alto *m;* **~ine** *f* ‹-, -n› [-o'li:nə] *(Geige)* violon *m;* **~inist** *m* ‹-en, -en› [-li'nɪst] *(Geiger)* violoniste *m;* **~inkonzert** *n* [-'li:n-] récital de violon; *(Werk)* concerto *m* pour violon; **~inschlüssel** *m mus* clé *f* de sol; **~oncell(o)** *n* ‹-s, -e› [-lɔn'tʃɛl(o)] *(Kniegeige)* violoncelle *m;* **~oncellist** *m* ‹-en, -en› [-'lɪst] violoncelliste *m.*

violett [vio'lɛt] *a (veilchenblau)* violet; violacé; *sich ~ färben* violacer.

Viper *f* ‹-, -n› ['vi:pər] *zoo* vipère *f.*

Virginia *n* [vɪr'gi:nia, vir'dʒi:nia] *geog* la Virginie.

viril [vi'ri:l] *a (männlich)* viril; **V~ität** *f* ‹-, ø› [-rili'tɛ:t] virilité *f.*

virtuell [vɪrtu'ɛl] *a (der Möglichkeit nach vorhanden)* virtuel.

virtuos [vɪrtu'o:s] *a (meisterhaft)* de maître; **V~e** *m* ‹-n, -n› [-'o:zə] *mus* virtuose *m;* **V~entum** *n* ‹-s, ø›, **V~ität** *f* ‹-, ø› [-zi'tɛ:t] virtuosité *f.*

vir|ulent [viru'lɛnt] *a med (ansteckend)* virulent; **V~ulenz** *f* ‹-, ø› [-'lɛnts] virulence *f;* **V~us** *n, a. m* ‹-, -ren› ['vi:rus] *(Krankheitserreger)* virus *m;* **V~uskrankheit** *f* maladie *f* à virus.

Visage *f* ‹-, -n› [vi'za:ʒə] *fam pej (Gesicht)* tranche, bouille *f.*

vis-à-vis [viza'vi:] *adv (gegenüber)* vis-à-vis, en face.

Visavis *n* ‹-, -› [-'vi:], *gen* [-'vi:(s)], *pl* [-'vi:s] *(Gegenüber)* vis-à-vis *m.*

Vis|ier *n* ‹-s, -e› [vi'zi:r] *(am Helm)* visière; *(am Gewehr)* hausse *f; (am Geschütz)* cran *m* de mire; *mit offenem ~ (fig: unverhüllt)* à visage découvert; **v~ieren** [-'zi:rən] *itr (schauen, trachten)* viser (*nach etw* à qc); *tr (eichen)* jauger; *(mit e-m ~~ versehen)* viser; *(beglaubigen)* certifier; **~ierlinie** *f* ligne *f* de mire; **~iervorrichtung** *f* appareil *m* de visée; **~ion** *f* ‹-, -en› [-zi'o:n] vision *f;* **v~ionär** [-sio'nɛ:r] *a (seherisch)* visionnaire; **~itation** *f* ‹-, -en› [-zitatsi'o:n] *(Besichtigung, Untersuchung)* visite, inspection *f;* **~ite** *f* ‹-, -n› [-'zi:tə] *med* visite *f* médicale; **~itenkarte** *f* carte *f* (de visite); **v~itieren** [-zi'ti:rən] *tr (unter-, durchsuchen)* visiter, faire la révision *od* inspection de, fouiller; **v~uell** [-zu'ɛl] *a (Seh-)* visuel; **~um** *n* ‹-s, -sa/-sen› ['vi:zum, -zən/za] *adm* visa *m.*

viskos [vɪs'ko:s] *a (zähflüssig)* visqueux; **V~e** *f* ‹-, ø› *chem tech* viscose *f;* **V~ität** *f* ‹-, ø› [-kozi'tɛ:t] viscosité *f.*

vital [vi'ta:l] *a biol* u. *fig (lebenswichtig)* vital; **V~ismus** *m* ‹-, ø› [-ta'lɪsmus] *philos* vitalisme *m;* **V~ität** *f* ‹-, ø› [-li'tɛ:t] *(Lebenskraft)* vitalité *f.*

Vitamin *n* ‹-s/(-), -e› [vita'mi:n] vitamine *f; des Vitamin(s) C* de la vitamine C; **v~arm** *a,* **v~reich** *a* pauvre, riche en vitamines; **v~(is)ieren** [-mi'ni:rən, -ni'zi:rən] *tr (mit ~en anreichern)* vitaminer; **~mangel** *m* avitaminose *f.*

Vitrine *f* ‹-, -n› [vi'tri:nə] *(Schaukasten, -schrank)* vitrine *f.*

Vitriol *n* ‹-s, -e› [vitri'o:l] *chem* vitriol *m; mit ~ spritzen (agr)* vitrioler, sulfater; **v~haltig** *a* vitriolé; **~lösung** *f* solution *f* de vitriol; **~öl** *n* huile *f* de vitriol, acide *m* sulfurique concentré; **~spritze** *f agr* sulfateuse *f.*

vivat ['vi:vat] *interj (es lebe ...!)* vive ...! **V~** *n* ‹-s, -s› vivat *m.*

Vivisektion *f-en*› [vivizɛktsi'o:n] vivisection *f.*

Vize|admiral *m* ['fi-/'vi:tsə-] vice-amiral *m;* **~kanzler** *m* vice-chancelier *m;* **~könig** *m* vice-roi *m;* **~konsul** *m* vice-consul *m;* **~präsident** *m* vice-président *m.*

Vlies *n* ‹-es, -e› [fli:s, '-zə] *(Schaffell)* toison *f; das Goldene ~* la toison d'or.

Vogel *m* ‹-s, ⸚› ['fo:gəl] oiseau *m; den ~ abschießen (fig)* décrocher la timbale; *fam* avoir le pompon; *e-n ~ haben (fam: verrückt sein)* avoir une araignée au plafond, avoir le timbre fêlé; *Sie haben den ~ abgeschossen (fig)* à vous le pompon *fam; der ~ ist ausgeflogen (fig)* l'oiseau n'y est plus *od* s'est envolé; *lockere(r) ~ (fig)* loustic *m;* **~bauer** *n, a. m* cage; volière *f;* **~beerbaum** *m* sorbier *m;* **~beere** *f* sorbe *f;* **~dünger** *m* guano *m;* **~dunst** *m (Munition)* larmes *f pl* de plomb, menu plomb *m,* cendrée *f;* **~fang** *m* oisellerie *f;* **~fänger** *m* oiseleur *m;* **~flug** *m* vol *m* d'oiseau; **v~frei** *a* hors la loi; *für ~~ erklären* mettre hors la loi; **~futter** *n* graines *f pl* pour les oiseaux; **~gesang** *m* chant *m* des oiseaux; **~händler** *m* oiselier *m;* **~haus** *n* volière *f;* **~kirsche** *f bot (Baum)* merisier *m; (Frucht)* merise *f;* **~leim** *m* glue *f;* **~miere** *f bot* mouron *m;* **~nest** *n* nid *m* d'oiseau; **~perspektive** *f* perspective *f* aérienne; **~schau** *f: aus der ~~* à vol d'oiseau; **~scheuche** *f* épouvantail *m;* **~schutz** *m* protection *f* des oiseaux; **~steller** *m* oiseleur *m;* **~-Strauß-Politik** *f* politique *f* de l'autruche; **~warte** *f* station *f* ornithologique; **~zucht** *f* oisellerie *f,* élevage *m* des oiseaux; **~zug** *m* passage *m* des oiseaux.

Vög|elchen *n* ['fø:gəl-] , **~lein** *n* petit oiseau *m.*

Vogesen [vo'ge:zən] , *die, pl geog* les Vosges *f pl.*

Vogler *m* ‹-s, -› ['fo:glər] = *Vogelsteller.*

Vogt *m* ‹-(e)s, ⸚e› [fo:kt, 'fø:ktə] *hist* bailli *m.*

Voile *m* ‹-, -s› [vo'a:l] *(Stoff)* voile *m.*

Vok|abel *f* ‹-, -n› [vo'ka:bəl] *(Wort)* vocable, mot *m;* **~abular** *n* ‹-s, -e› [-kabu'la:r] , **~~ium** *n* ‹-s, -rien› [-'la:rium, -riən] vocabulaire *m;* **~al** *m* ‹-s, -e› [-'ka:l] *gram* voyelle *f;* **~alisation** *f* ‹-, -en› [-kalizatsi'o:n] *gram* vocalisation *f;* **v~alisch** [-ka:lɪʃ] *a* vocal; **v~alisieren** [-kali'zi:rən] *itr mus* solfier, vocaliser; **~almusik** *f* musique *f* vocale; **~ativ** *m* ‹-s, -e› ['vo(:)-, voka'ti:f] *gram* vocatif *m.*

Volk *n* ‹-(e)s, ⸚er› [fɔlk, 'fœlkər] *(Nation)* peuple *m,* nation *f; (die unteren Klassen)* peuple, commun, vulgaire *m; fam (~smenge)* foule, masse *f; (Leute)* gens *pl; (Rebhühner)* volée *f; aus dem ~e (von geringer Herkunft)* du peuple; *fahrende(s) ~* gens *pl* du voyage; *das gemeine* od *niedere ~* le bas peuple, la populace, la plèbe; *pop* le populo; *das junge ~ (die jungen Leute)* les jeunes *m pl; das kleine ~*

(die Kinder) les enfants *m pl; die Stimme des ~es* la voix du peuple *od* publique; *das Vertrauen des ~es (pol)* la confiance populaire; **v~arm** *a* peu peuplé; **~heit** *f* ⟨-, ø⟩ *(innere nationale Einheit)* nationalité *f;* **v~lich** *a (das ~ betreffend)* national; **v~reich** *a* très peuplé.

Völk|chen *n* ['fœlk-], **~lein** *n hum* bande *f,* groupe *m;* **v~isch** *a* national.

Völker|bund ['fœlkər-] *m hist* Société *f* des Nations; **~kunde** *f* ethnologie *f;* **~kundler** *m* ethnologue *m;* **v~kundlich** *a* ethnologique; **~mord** *m* génocide *m;* **~psychologie** *f* psychologie *f* des peuples; **~recht** *n* droit *m* international *od* des gens; **v~rechtlich** *a* de droit international; **~schaft** *f* peuplade *f;* **~schlacht,** *die (bei Leipzig 1813)* la bataille des Nations; **~versöhnung** *f* réconciliation *f* des peuples; **~wanderung,** *die (hist)* la migration des peuples, les grandes invasions *f pl.*

Volks|abstimmung *f* ['fɔlks-] *pol* plébiscite, référendum *m;* **~ausgabe** *f (e-s Buches)* édition *f* populaire; **~bad** *n* bain *m* public; **~beauftragte(r)** *m pol* délégué *od* mandataire *m* du peuple; **~befragung** *f* consultation *f* (populaire); **~begehren** *n pol* initiative *f* populaire *od* de plébiscite; **~belustigung** *f* réjouissance *f* publique; **~bildung** *f* éducation *f* du peuple; **~bücherei** *f* bibliothèque *f* publique; **~demokratie** *f pol* démocratie *f* populaire; **~deutsche(r)** *m* Allemand *m* ethnique; **~dichte** *f* densité *f* démographique; **~dichtung** *f* poésie *f* populaire; **v~eigen** *a* socialisé; nationalisé; **V~~tum** *n* propriété *f* du peuple *od* nationale; **~einkommen** *n* revenu *m* national; **~entscheid** *m pol* référendum, plébiscite *m;* **~erhebung** *f* levée *f* en masse; **~etymologie** *f gram* étymologie *f* populaire; **~feind** *m,* **~freund** *m* ennemi, ami *m* du peuple; **~fest** *n* fête folklorique; kermesse *f;* **~front** *f pol* front *m* populaire; **~geist** *m* esprit *m* national; **~gemeinschaft** *f* communauté *f* nationale; **~gemurmel** *n* voix *f pl* entremêlées *od* indistinctes; **~genosse** *m* compatriote, concitoyen *m;* **~gerichtshof** *m* tribunal *m* du peuple; **~gesundheit** *f* santé *f* publique; **~glaube** *m* croyance *f* populaire; **~gruppe** *f* communauté *f* nationale; **~held** *m* héros *m* du peuple *od* national; **~herrschaft** *f* démocratie, souveraineté *f* du peuple; **~hochschule** *f* université *f* populaire; **~kommissar** *m pol* commissaire *m* du peuple; **~küche** *f* restaurant *m* communautaire, soupe *f* populaire; **~kunde** *f* folklore *m;* **~kundler** *m* folkloriste *m;* **v~kundlich** *a* folklorique; **~kunst** *f* art *m* populaire *od* folklorique; **~lied** *n* chanson *f* populaire *od* folklorique; **~märchen** *n* conte *m* populaire; **v~mäßig** *a* populaire; **~meinung** *f* opinion populaire; rumeur *f* publique; **~menge** *f* masse(s *pl*) *f* populaire(s); **~mund,** *der* le peuple; *im ~~* dans le langage populaire; **~partei** *f* parti *m* du peuple *od* populaire; **~polizei** *f* police *f* populaire; **~redner** *m* orateur populaire, tribun *m;* **~religion** *f* religion *f* nationale; **~republik** *f* république *f* populaire; **~richter** *m* juge *m* populaire; **~schicht** *f* couche *f* sociale; **~schule** *f* école *f* primaire; **~schüler** *m* élève *m* de l'école primaire; **~schullehrer(in *f*)** *m* instituteur, trice primaire; maître, tresse *m f* d'école; **~schulunterricht** *m,* **~schulwesen** *n* enseignement *m od* instruction *f* primaire; **~seele** *f* âme *f* du peuple; **~sprache** *f* langage *m* populaire *od* du peuple; *(Sprache des niederen Volkes)* langue *f* vulgaire; **~staat** *m* État *m* populaire; **~stamm** *m* peuplade, tribu *f;* **~stück** *n theat* opéra-comique *m;* **~tanz** *m* danse *f* populaire *od* folklorique; **~tracht** *f* costume *m* régional *od* de pays; **~tribun** *m hist* tribun *m* populaire; **~tum** *n* ⟨-s, ø⟩ nationalité *f,* caractère *m* national; **v~tümlich** *a* populaire; **~tümlichkeit** *f* ⟨-, ø⟩ popularité *f;* **v~verbunden** *a* lié au peuple; **~vermögen** *n* fortune *f* nationale; **~versammlung** *f* réunion *f* populaire; **~vertreter** *m* représentant *od* mandataire *m* du peuple; **~vertretung** *f* représentation *f* nationale *od* du peuple; **~wirt** *m* économiste *m;* **~wirtschaft** *f* économie *f* politique; **v~wirtschaftlich** *a* économique; **~wohl** *n* bien *m* public; **~wohlfahrt** *f* salut *m* public; **~zählung** *f* recensement *m* de la population.

voll [fɔl] *a (gefüllt)* plein, rempli, comble; *~(er) Wein, Geld, Äpfel, Menschen, Liebe, Sorgen* plein de vin, d'argent, de pommes, d'hommes, d'amour, de soucis; *(füllig, rundlich)* rempli, rond, bien en chair; *(Mond; Töne)* plein; *(~ständig, ganz)* plein, entier, tout; bon; *adv (ganz)* pleinement, entièrement; *in ~em Ernst* très sérieusement; *in ~er Kraft* en pleine force; *in ~en Zügen (trinken)* à longs traits; *~ und ganz* pleinement, entièrement; *den ~en Preis bezahlen (Fahr-, Eintrittspreis)* payer plein tarif; *(in e-m Geschäft)* payer le prix ordinaire; *noch ~es Haar haben* avoir encore tous ses cheveux; *ein ~es Haus haben (theat)* faire salle comble; *zu jdm ~es Vertrauen haben* avoir pleine confiance *od* confiance entière en qn; *~zu Geltung kommen* pouvoir donner toute sa mesure; *im ~en leben* vivre largement; *jdn nicht für ~ nehmen* ne pas prendre qn au sérieux; *den Mund ~ nehmen* prendre une grande bouchée; *fig fam (prahlen)* hausser la chanterelle; *die ~e Wahrheit sagen* dire toute la vérité; *aus dem ~en schöpfen (fig)* dépenser sans compter; *immer ~ sein (a.)* ne pas désemplir; *alle Hände ~ zu tun haben* avoir beaucoup de besogne sur les bras; *es schlägt ~* il sonne l'heure; *gerammelt od gerappelt od gepfropft od gestopft ~ (Raum)* plein à craquer; *gestrichen ~* plein à ras bords; *halb~* à moitié (plein); *~ besetzt* complet; *~e zwei Jahre n pl* deux ans *m pl* entiers; *~e drei Stunden f pl a.* trois heures *f pl* d'horloge; **~auf** ['--/-'-] *adv* largement, abondamment; **V~automat** *m* machine *f* entièrement automatique; **~automatisch** *a* entièrement automatique; **V~bad** *n* grand bain *m;* **V~bart** *m* grande barbe *f; e-n ~~ tragen* porter toute sa barbe; **~beschäftigt** *a* en plein emploi; **V~beschäftigung** *f* plein emploi *m;* **V~besitz** *m: im ~~ s-r Kräfte* dans la plénitude de ses forces; **~blütig** *a med* pléthorique; **V~blütigkeit** *f med* pléthore *f;* **V~blut(pferd)** *n* (cheval) pur sang *m;* **~bringen** ⟨*er vollbringt, vollbrachte, hat vollbracht, zu vollbringen*⟩ [-'--] *tr* accomplir, achever, venir à bout de; consommer; *(ausführen)* exécuter; s'acquitter de; **V~bringung** [-'--] *f* accomplissement, achèvement *m;* consommation; exécution *f;* **V~dampf** *m: mit ~~ (fig)* à toute vapeur *od* vitesse; **~enden** ⟨*er vollendet(e), hat vollendet, zu vollenden*⟩ [fɔl'ʔɛndən/fɔ'lɛndən] *tr* accomplir, achever; parfaire, mettre à bonne fin; consommer; *(beenden)* finir; **~endet** *a* parfait, accompli; *(jdn vor) ~~e Tatsache(n stellen* mettre qn devant le) fait *m* accompli; **~ends** ['fɔlɛnts] *adv* entièrement, complètement, tout à fait; *~~ etw tun* achever de faire qc; **V~endung** [-'--] *f* accomplissement, achèvement *m,* consommation, finition; *(Zustand)* perfection *f; mit der od nach ~~ des 80. Lebensjahres* à 80 ans révolus; **~er:** *~~ Wein etc = ~;* **~=fressen,** *sich* se bourrer l'estomac, bâfrer; **~führen** ⟨*er vollführt(e), hat vollführt, zu vollführen*⟩ [-'--] *tr (~bringen)* accomplir, achever, consommer; *(ausführen)* exécuter, s'acquitter de; *(machen)* faire; *(verwirklichen)* réaliser; **~=füllen** ⟨*vollgefüllt*⟩ *tr* remplir jusqu'au bord; **V~gas** *n mot* plein gaz *m; mit ~~* à plein régime, à pleins gaz; *~~ geben* mettre plein gaz, appuyer *od* accélérer à fond; *fam* mettre toute la gomme, mettre *od* donner toute la sauce; **V~gasleistung** *f mot* puissance *f* plein gaz *od* à pleine admission; **~gefressen** *a fam* plein comme un œuf; **V~gefühl** *n: im ~~ s-r Kräfte* pleinement conscient de sa force; **V~genuß** *m* pleine jouissance *f;* **~gepfropft** *a,* **~gestopft** *a* bourré; *(Raum)* bondé; **~=gießen** ⟨*vollgegossen*⟩ *tr* remplir; **~gültig** *a* pleinement valable; irrécusable; **V~gummireifen** *m mot* bandage *m* plein; **~inhaltlich** *a* intégral; *adv* intégralement; **~jährig** *a jur* majeur; *für ~~ erklären* émanciper; **V~jährigkeit** *f* ⟨-, ø⟩ majorité *f;* **V~jährigkeitserklärung** *f* émancipation *f;* **V~kaskoversicherung** *f* assurance *f* tous risques; **~kommen** [-'--/'---] *a* parfait *a. math;* accompli, consommé, achevé; *(~ständig)* complet; *(völlig)* absolu; *adv* parfaitement, complètement; **V~kommenheit** *f* ‹-, ø› perfection *f;* **V~konzession** *f com* patente *f* générale *od* principale; **V~korn** *n:* *~~ nehmen (beim Zielen)* prendre la guidon plein; **V~kornbrot** *n* pain *m* complet; **V~kraft** *f* pleine force *f;* **~=(l)aufen** ‹*vollgelaufen*› *itr (Gefäß, Behälter)* se remplir; **~(l)eibig** *a* replet, corpulent; **~=machen** ‹*hat vollgemacht*› *tr (füllen)* remplir; *(Maß)* combler; *(vervollständigen, ergänzen)* compléter, parfaire; *sich ~~ (in die Hose machen)* faire dans sa culotte; *um das Unglück ~zumachen* pour comble de malheur; **V~macht** *f* ‹-, -en› *jur* (plein(s)) pouvoir(s *pl*) *m,* procuration *f; jdm (e-e) ~~ erteilen* donner procuration *od* pouvoir à qn; *~~ haben* avoir plein(s) pouvoir(s) *od* carte blanche; *s-e ~~en überschreiten* excéder *od* outrepasser ses pouvoirs; *die ~~ übertragen* déléguer le pouvoir; *notarielle ~~* pouvoir *m* par-devant notaire; *(schriftliche) ~~* lettre *f* de procuration; **V~machtgeber** *m* mandant *m;* **V~machtinhaber** *m* mandataire *m;* **V~machtmißbrauch** *m,* **V~machtüberschreitung** *f* abus, excès *m* de pouvoir; **V~machtübertragung** *f* délégation *f* du pouvoir; **V~milch** *f* lait *m* entier; **V~mitglied** *n* membre *m* de plein droit; **V~mond** *m* pleine lune *f; es ist ~~* la lune est dans son plein; **V~mondgesicht** *n* ‹-(e)s, -er› visage *m* de pleine lune; **~motorisiert** *a mil* entièrement motorisé; **~mundig** *a (Wein)* corsé; **V~pension** *f (Tourismus)* pension *f* complète; **~=pfropfen** ‹*vollgepfropft*› *tr = ~stopfen;* **~=saufen** ‹*vollgesoffen*›, *sich = sich besaufen;* **~=schlagen** ‹*vollgeschlagen*› *tr: sich (den Bauch) ~~ = sich ~fressen;* **~schlank** *a* rondelet, replet; **~=schreiben** *tr: ich habe mein Heft ~geschrieben* mon cahier est fini; **V~sichtkanzel** *f aero* coupole *f* à visibilité totale, nez *m* vitré; **V~sitzung** *f* séance *f* plénière; **V~spur** *f loc* voie *f* normale; **~spurig** *a loc* à voie normale; **~ständig** *a* complet, total, entier, intégral; sans lacune; *adv* complètement, totalement, entièrement; de toutes pièces; **V~ständigkeit** *f* intégralité, intégrité *f;* **~=stopfen** *tr* bourrer; *fam (mit Speisen)* empiffrer; *sich ~~ (fam)* s'empiffrer; **~streckbar** [-ˈ--] *a jur* exécutoire; **V~streckbarkeit** *f* caractère *m* exécutoire; **~strecken** ‹*er vollstreckt(e), hat vollstreckt, zu vollstrecken*› *tr jur* exécuter; *das Todesurteil an jdm ~~* exécuter qn; **V~strecker** *m* [-ˈ--] exécuteur *m;* **V~streckung** *f* [-ˈ--] exécution *f;* **V~streckungsbeamte(r)** *m* agent *m* d'exécution; **V~streckungsbefehl** *m* mandat *m* exécutoire *od* d'exécution; **V~streckungsgewalt** *f* pouvoir *m* exécutif; **V~streckungsverfahren** *n* procédure *f* d'exécution; **~=tanken** ‹*hat vollgetankt*› *itr mot* faire le plein (d'essence); **~tönend** *a,* **~tönig** *a* sonore; **V~trauer** *f* grand deuil *m;* **V~treffer** *m (mit e-r Handfeuerwaffe)* coup qui fait mouche; *(mit e-m Geschütz)* coup *m* au but; **V~versammlung** *f parl* réunion *od* assemblée *f* plénière; **V~waise** *f* orphelin *m* de père et de mère; **~wertig** *a: ein ~~es Exemplar* un exemplaire sans défaut; *ein ~~er Ersatz* un produit de remplacement de pleine valeur; **~wichtig** *a (~es Gewicht habend)* de poids légal, trébuchant; **~zählig** *a* (au) complet; **V~zähligkeit** *f* ‹-, ø› nombre *m* complet; **~ziehbar** [-ˈ--] *a jur adm* exécutoire; **V~ziehbarkeit** *f* caractère *m* exécutoire; **~ziehen** ‹*er vollzieht, vollzog, hat vollzogen, zu vollziehen*› *tr jur adm* exécuter, accomplir; *die Ehe ~~* consommer le mariage; *~~de Gewalt f* pouvoir *m* exécutif, autorité *f* exécutive; **V~zieher** *m* [-ˈ--] exécuteur *m;* **V~ziehung** *f* [-ˈ--], **V~zug** *m* ‹-(e)s, ø› [-ˈ-] exécution *f,* accomplissement *m; (e-r Ehe)* consommation *f;* **V~zugsgewalt** *f* pouvoir *m* exécutif; **V~zugsmeldung** *f* avis *m* d'exécution.

Völl|egefühl *n* [ˈfœlə-] sentiment *m* de plénitude; **~erei** *f* [-ˈraɪ] débauche *f;* **v~ig** *a* complet, entier, total; absolu; *adv* complètement, entièrement, parfaitement, tout à fait.

Volleyball *m* ‹-(e)s, ø› [ˈvɔlibal] *(Spiel)* volley-ball *m.*

Volont|är *m* ‹-s, -e› [volɔnˈtɛːr] volontaire; *adm (Anwärter)* stagiaire *m;* **v~ieren** [-ˈtiːrən] *itr (als ~är arbeiten)* travailler comme volontaire *od* stagiaire; faire son stage.

Volt *n* ‹-/-(e)s, -› [vɔlt] *el* volt *m;* **v~aisch** [ˈvɔlta-ɪʃ] *a* voltaïque; **~ameter** *n* ‹-s, -› [-taˈmeːtər] *(Stromstärkemesser)* voltamètre *m;* **~ampere** *n* voltampère *m;* **~meter** *n* ‹-s, -› *el (Spannungsmesser)* voltmètre *m.*

Volt|e *f* ‹-, -n› [ˈvɔltə] *(Reitkunst)* volte *f;* **v~(ig)ieren** [-ˈtiːrən, -tiˈʒiːrən] *itr* volter.

Volum|en *n* ‹-s, -/-mina› [voˈluːmən, -mina] *(Rauminhalt)* volume *m;* **~engewicht** *n (spezif. Gewicht)* poids *m* volumique; **v~inös** [-lumiˈnøːs] *a (umfangreich, dick)* volumineux.

Volute *f* ‹-, -n› [voˈluːtə] *arch* volute *f.*

vom [fɔm] = *von dem; (beim Datum)* à la *od* en date du.

von [fɔn] *prp* **1.** *(räuml.)* de; *~ ihm* de lui; *vom Bahnhof (her)* de la gare; *~ Berlin (a. = aus B.)* de Berlin; *~ Bismarck (Adelsprädikat)* de Bismarck; *vom Fenster aus* de la fenêtre; *~ Paris weg (nicht mehr in P.)* ne ... plus à Paris; *~ vorn, hinten, oben, unten, hier, dort, drüben, rechts, links* de devant, de derrière, d'en haut, d'en bas, d'ici de là, d'au-delà, de droite, de gauche; *~ wo(her)?* d'où? *~ fern* de loin; *~ Haus zu Haus* de maison en maison; *~ Kopf bis Fuß, vom Scheitel bis zur Sohle* de la tête aux pieds, de pied en cap; *~ Land zu Land* de pays en pays; *~ nahem* de près; *~ nah und fern* de toutes parts; *~ Ort zu Ort* de village en village, de ville en ville; *~ beiden Seiten* des deux côtés; *~ weitem* de loin; **2.** *(zeitl.): ~ heute ab* od *an* à partir d'aujourd'hui; *ein Brot, e-e Zeitung ~ gestern* un pain, un journal d'hier; *~ alters her* de tout temps; *~ Anfang an* dès le début; *~ jetzt* od *nun an* désormais, dorénavant; *~ klein auf* depuis l'enfance; *~ neuem* de nouveau; *~ Tag zu Tag* de jour en jour; tous les jours; *~ vornherein* dès le début; *~ Zeit zu Zeit* de temps en temps; **3.** *(Eigenschaft)* de; *~ Gold, Eisen, Holz* de *od* en or, fer, bois; *~ großer Güte, Klugheit* d'une grande bonté, intelligence; *~ Format* od *Rang* de classe, de qualité; *er ist ein Mann ~ Grundsätzen* il a des principes, c'est un homme à principes; *was sind Sie ~ Beruf?* quelle est votre profession? *ein Mann ~ 50 Jahren* un homme de 50 ans; **4.** *(Teil)* de; *~ dem Brot, ~ den Äpfeln* du pain, des pommes; *einer ~ meinen Freunden* un de mes amis; *neun ~ zehn Lesern* neuf lecteurs sur dix; *ich bin vom Fach* je suis du métier; *sind Sie auch (mit) ~ der Partie?* en serez-vous? **5.** *(Herkunft)* de; *ich bin müde ~ der vielen Arbeit* je suis fatigué par le travail excessif, le travail excessif m'a fatigué; *eine Komödie ~ Molière* une comédie de Molière; *~ jdm, ~ etw herrühren* venir de qn, de qc; *~ jdm abhängen* dépendre de qn; *sich etw ~ jdm gefallen lassen* passer qc à qn; *~ seiten (gen)* de la part (de); *~ mir aus* de ma part; *~ Rechts wegen* de droit, à bon droit; *~ Gottes Gnaden* par la grâce de Dieu; **6.** *(zur Bildung des Genitivs)* de; *der Bahnhof ~ Köln* la gare de Cologne; *der Tod ~ 20 Menschen* la mort de 20 personnes; *die Anwendung ~ Gewalt* l'emploi de la force; *das Ende vom Lied (fig)* le fin mot de l'histoire; **~einander** *adv* l'un de l'autre; **~nöten** [fɔnˈnøːtən] *a pred (notwendig)* nécessaire; **~statten** [fɔnˈʃtatən] *adv: ~~ gehen* marcher; avancer.

vor [foːr] *prp (räumlich)* devant; *~ dem Haus(e) stehen* être *od* se trouver devant la maison; *~ das Haus gehen* aller devant la maison; *~ e-n Wagen spannen* atteler à une voiture; *~ Anker liegen* être à l'ancre; *~ Anker gehen* jeter l'ancre; *~ dem* od *den Richter* devant le juge; *~ sich hin reden* parler tout seul; *~ sich selbst (in s-n eigenen Augen)* à ses propres yeux; *(zeitlich)* avant; *~ dem Winter, der Sitzung, dem Tode, 1914* avant l'hiver, la séance, la mort, 1914; *(vom Zeitpunkt des Sprechens zurückgerechnet)* il y a; *~ zwei Stunden, fünf Tagen, zehn Jahren* il y a deux heures, cinq jours, dix ans; *~ alters* il y a bien longtemps; *(Rangfolge)* avant; *~ allen Dingen, ~ allem* avant tout, surtout; *(Ursache)* de; *~ Kälte, Hunger, Angst* de froid, de faim, de peur; *(Abwehr:) Angst ~ etw* *haben* avoir peur de qc; *sich* ~ *etw hüten* se garder de qc; *Schutz* ~ *dem Regen suchen* chercher un abri contre la pluie.

vorab [fo:r'ʔap] *adv (zunächst)* d'abord; en attendant.

Vorabdruck ['fo:r-] *m* ‹-(e)s, -e› *(Buch)* pré-publication *f.*

Vorabend *m* ['fo:r-] veille *f.*

Vorahnung *f* ['fo:r-] pressentiment *m.*

Voralpen ['fo:r-], *die, pl* les Préalpes *f pl.*

voran [fo'ran] *adv (vor den ande-r(e)n)* devant, à la *od* en tête; *(weiter, vorwärts)* en avant; **~≈gehen** *itr (als erster gehen)* marcher devant *od* en tête; *jdm* marcher devant qn; *fig (vorwärtskommen)* avancer; *mit gutem Beispiel* ~~ donner le bon exemple; *gehen Sie* ~*!* passez d'abord; **~gehend** *a: im* ~~*en (weiter oben im Text)* plus haut; **~≈kommen** *itr a. fig* avancer; *nicht* ~~ *(a.)* ne pas faire un pas; *fig* ne pas avancer; *wir sind ein gutes Stück* ~*gekommen (fig a.)* voilà un grand pas de fait.

Voranmeldung *f* ['fo:rʔan-] *tele* préavis *m.*

Voranschlag *m* ['fo:rʔan-] = *Kostenvoranschlag.*

Voranzeige *f* ['fo:rʔan-] avis *m* préalable.

Vorarbeit *f* ['fo:r-] travail *m* préalable *od* préparatoire, ébauche *f;* **vor≈arbeiten** *itr (im voraus arbeiten)* se mettre en avance (pour son travail); **~er** *m* contremaître, chef *m* d'équipe.

vorauf [fo'rauf] *adv* = *voran;* **~≈gehen** *itr (als erster gehen)* marcher devant *od* en tête; **~gegangen** *a (vorherig)* précédent; **~≈laufen** *itr* courir devant.

Voraufführung *f* ['fo:rʔauf-] avant-première *f.*

voraus [fo'raus] *adv (vor den andern)* en tête, devant; *(nach vorn, vorwärts)* en avant; *im* ~ d'avance, à l'avance, en *od* par avance, par anticipation; *jdm* ~ *sein (fig)* être en avance, avoir de l'avance sur qn; *s-m Alter* ~ *sein* être en avance sur son âge; **V~** *m* ‹-, ø› *jur (Erbrecht)* préciput *m;* **V~abteilung** *f mil* détachement *m* avancé; **~≈ahnen** *tr* pressentir, flairer, subodorer; **~≈bedingen** *tr* stipuler d'avance; **~≈bezahlen** *tr* payer d'avance; **V~bezahlung** *f* paiement d'avance *od* anticipatif, versement *m* anticipatif *od* par anticipation; **~≈eilen** *itr* prendre *od* gagner le(s) devant(s); **~gegangen** *a* précédent; **~≈gehen** *itr* = ~*eilen; e-r S (zeitl.)* ~*gegangen sein* avoir précédé qc; **~≈haben** *itr: jdm etw* ~~ avoir de l'avance sur qn; avoir sur qn l'avantage de qc; *Sie haben mir voraus, daß ...* vous avez sur moi cet avantage que ... ; *er hat mir viel* ~ il me dépasse de loin; **V~sage** *f* prédiction *f,* pronostic *m;* **~≈sagen** *tr* dire (d'avance), prédire, pronostiquer; **~schauend** *a* prévoyant; **~≈schicken** *tr (Menschen)* envoyer en avant; *s-r Rede einige Bemerkungen* ~~ faire précéder son discours de quelques remarques; **~≈sehen** *tr* prévoir; **V~serie** *f (Fabrikation)* présérie *f;* **~≈setzen** *tr* présumer, supposer; *~gesetzt, daß ...* à condition que *subj;* **V~setzung** *f (Annahme)* supposition, hypothèse; *(Bedingung)* condition *f; unter der* ~~*, daß ...* à condition que *subj; e-e* ~~ *erfüllen* remplir une *od* satisfaire à une condition; **V~sicht** *f* prévision, prévoyance *f; in weiser* ~~ prudemment; *aller* ~~ *nach* très probablement; **~sichtlich** *a* probable; *adv* probablement; **V~truppen** *f pl mil* troupes *f pl* avancées; **V~vermächtnis** *n* legs préciputaire, prélegs *m;* **~≈wissen** *tr* savoir d'avance.

Vorauswahl *f* ['fo:rʔaus-] présélection *f.*

Vorbau *m* ['fo:r-] *arch* avant-corps *m,* partie *f* saillante; **vor≈bauen** *tr* bâtir devant; *(als Vorsprung)* bâtir en saillie; *(in den oberen Stockwerken)* bâtir en encorbellement; *itr fig* prendre des mesures préventives; *e-r S* prévenir qc, obvier à qc.

vorbedacht ['fo:r-] *a (absichtlich)* prémédité; **V~** *m: mit* ~~ avec préméditation, de propos délibéré, intentionnellement; à bon escient; *ohne* ~~ sans préméditation.

Vorbedeutung *f* ['fo:r-] présage, augure *m.*

Vorbedingung *f* ['fo:r-] condition *f* préalable *od* préliminaire.

Vorbehalt *m* ‹-(e)s, -e› ['fo:r-] réserve, restriction, clause *f* restrictive; *ohne* ~ sans restriction, purement et simplement; *mit* od *unter* ~ sous réserve, sous restriction; *unter dem* ~ *(gen)* sous la réserve (de); *unter üblichem* ~ sous les réserves d'usage; *s-e* ~*e machen* faire ses réserves; *geistige(r)* od *geheime(r)* od *stille(r)* ~ restriction *od* réserve *f* mentale; **vor≈behalten** *tr: sich etw* ~ se réserver qc; *sich* ~*, etw zu tun* se réserver de faire qc; **v~lich** *prp gen, adm* sous la réserve (de); **v~los** *a* sans réserve *od* restriction; **~sgut** *n jur* bien(s *pl*) réservé(s); **~sklausel** *f* clause *f* de sauvegarde.

vorbehand|eln ['fo:r-] *tr tech* faire subir un traitement préalable; **V~lung** *f tech* préparation *f* préalable *od* préparatoire.

vorbei [fɔr-/fo:r'baı] *adv* **1.** *(räuml.): an ...* ~ le long de, par dehors; *ganz dicht* ~ *an (a. pop)* rasibus de; *ich kann nicht* ~ je ne puis passer; *ich muß* ~ il faut que je passe; *lassen Sie mich* ~*!* laissez-moi passer; **2.** *(zeitl.)* passé, fini; *es ist* ~ c'est fini, c'en est fait; *es ist* ~ *mit mir* c'en est fait de moi, je suis (un homme) fini; **~≈benehmen,** *sich (fam)* faire un faux pas; **~≈fahren** *itr* passer (*an* près de, devant); **~≈fliegen** *itr* voler (*an* près de), passer en volant **~≈fließen** *itr (Fluß)* baigner (*an etw* qc); **~≈flitzen** *itr* passer comme un bolide; **~≈gehen** *itr* passer (sans s'arrêter); *(Wurf, Schuß: nicht treffen)* manquer (le but); *(aufhören)* finir, se terminer; **~≈kommen** *itr* passer; *bei jdm* ~~ *(e-n kurzen Besuch machen)* passer chez qn; **~≈lassen** *tr* laisser passer, livrer passage à; **V~marsch** *m mil* défilé *m;* **~≈marschieren** *itr mil* défiler (*an* devant); **~≈reden** *itr: aneinander* ~~ ne pas tenir le même langage; **~≈sausen** *itr* = ~*flitzen;* **~≈schießen** *itr* manquer le but; **~≈sehen** *itr* ne pas (vouloir) voir (*an etw* qc); **~≈ziehen** *itr* passer.

Vorbemerkung *f* ['fo:r-] remarque *f* préalable *od* préliminaire, avertissement *m.*

vor≈bereit|en ['fo:r-] *tr* préparer; *sich auf etw* ~~ se préparer à qc; *darauf bin ich nicht* ~*et* je ne m'y attendais pas; **~end** *a* préparatoire; **V~ung** *f* préparation *f,* préparatif *m; in* ~~ en voie de préparation; ~~*en treffen* faire des préparatifs; *mangelnde* ~~ impréparation *f,* manque *m* de préparation; **V~ungsdienst** *m adm* stage *m; im* ~~ stagiaire *a;* en formation; **V~ungsfeuer** *n mil* tir *m* préparatoire; **V~ungskurs** *m* cours *m* préparatoire; **V~ungszeit** *f adm* stage *m.*

Vorberge *m pl* ['fo:r-] *pl geog* contreforts *m pl.*

Vorbericht *m* ['fo:r-] rapport *m* préliminaire *od* introductif.

Vorbescheid *m* ['fo:r-] décision *f* préliminaire; *jur* jugement *m* interlocutoire.

Vorbesichtigung *f* ['fo:r-] *(e-r Kunstausstellung)* vernissage *m.*

Vorbesitzer *m* ['fo:r-] ancien propriétaire *m.*

Vorbesprechung *f* ['fo:r-] conférence *f.*

vor≈bestell|en ['fo:r-] *tr com* commander d'avance; *(Zimmer, Eintritts-, Fahrkarte)* retenir; **~t** *a (Zimmer, Platz)* réservé; **V~ung** *f* réservation *f.*

vorbestraft ['fo:r-] *a jur* qui a un casier judiciaire; *nicht* ~ sans antécédents judiciaires; **V~e(r)** *m* repris *m* de justice.

vor≈beug|en ['fo:r-] *itr* prendre des précautions; *e-r S* ~~ prévenir qc, prendre des précautions contre qc; *sich* ~~ *(sich vornüber neigen)* se pencher en avant; **~end** *a med* préventif, prophylactique; **V~ung** *f* précaution *f;* **V~ungsmaßnahme** *f* mesure *f* préventive; **V~ungsmittel** *n pharm* remède *m* prophylactique.

Vorbild *n* ['fo:r-] *(Muster)* modèle; *fig* exemple; *(Ideal)* idéal *m; jdn als* ~ *hinstellen* proposer qn en exemple; *sich jdn zum* ~ *nehmen* prendre qn pour modèle, prendre modèle *od* exemple sur qn, se modeler sur qn; **vor≈bilden** *tr (für e-e Aufgabe)* préparer; **v~lich** *a* exemplaire, modèle; **~lichkeit** *f* ‹-, ø› caractère *m* exemplaire; **~ung** *f* préparation *f.*

vor≈binden ['fo:r-] *tr (Schürze)* mettre.

vor≈blasen ['fo:r-] *tr* u. *itr (Schule: vorsagen)* souffler.

vor≈bohr|en ['fo:r-] *tr* amorcer; **V~er** *m (Gerät)* amorçoir *m.*

Vorbörs|e *f* ['fo:r-] *fin* avant-bourse *f;* **v~lich** *a* coulissier.
Vorbote *m* ['fo:r-] avant-coureur, précurseur; *fig (Sache)* présage, signe *m* précurseur.
vor=bringen ['fo:r-] *tr* mettre en avant *od* sur le tapis, avancer, apporter.
vor=buchstabieren ['fo:r-] *tr* épeler.
Vorbühne *f* ['fo:r-] *theat* avant-scène *f.*
vorchristlich ['fo:r-] *a* d'avant Jésus--Christ.
Vordach *n* ['fo:r-] avant-toit *m.*
vor=datieren ['fo:r-] *tr* antidater.
vordem [fo:r'de:m, '--] *adv (früher)* autrefois, jadis.
Vorder|achse *f* ['fɔrdər-] essieu *m* avant; **~achsfeder** *f,* **~achszapfen** *m* ressort, pivot *m* de l'essieu avant; **~ansicht** *f* vue *f* de face; **~arm** *m anat* avant-bras *m;* **~asien** *n* l'Asie *f* occidentale, le Proche-Orient; **~bein** *n zoo* patte *f* de devant; **~deck** *n mar* gaillard *m* d'avant; **v~e(r, s)** *a* de devant, antérieur; *der V~e Orient* le Proche-Orient; **~feder** *f mot* ressort *m* avant; **~front** *f arch* façade *f;* **~fuß** *m zoo* pied *m od* patte *f* de devant; **~fußwurzel** *f (des Pferdes)* genou *m;* **~gestell** *n (e-s Wagens)* avant-train *m;* **~glied** *n math* antécédent *m;* **~gliedmaßen** *pl zoo* membres *m pl* antérieurs; **~grund** *m* premier plan *m; in den ~~ rücken* od *stellen (fig)* mettre au premier plan *od* en vedette; *in den ~~ rükken* od *treten* passer au premier plan, se mettre en évidence; *im ~~ stehen* être au premier plan; *im ~~ des Interesses stehen* captiver tout l'intérêt; **v~gründig** *a fig* de premier plan; **~hand** *f zoo* patte *f* de devant; *die ~~ haben (beim Kartenspiel)* avoir la main; **~indien** *n* l'Inde *f;* **~lader** *m mil hist (Gewehr)* fusil à baguette; *(Geschütz)* canon *m* se chargeant par la bouche; **v~lastig** *a aero* lourd de l'avant; **~lauf** *m (Jagd)* patte *f* de devant; **~mann** *m* ‹-(e)s, -männer› homme qui précède; chef *m* de file; *jdn auf ~~ bringen (fig fam)* mettre qn au pas, remettre qn à sa place; *~~ nehmen, halten* couvrir son chef de file; **~pfote** *f* patte *f* de devant; **~rad** *n* roue avant; *(des Fahrrades)* roue *f* directrice; **~radantrieb** *m mot,* **~radbremse** *f* traction *f,* frein *m* avant; **~satz** *m (in e-m Text)* phrase antécédente; *philos* majeure *f;* **~seite** *f* face *f,* front *m; arch* façade *f; typ* recto; *(Münze)* avers *m; auf der ~~ (typ)* au recto; **~sitz** *m* siège *m* avant *od* de devant; **v~ste,** *der, die das* le premier, la première; **~steven** *m mar* étrave *f;* **~teil** *n od m* partie *f* de devant; *(e-s Tieres)* avant-train *m;* **~wand** *f tech* paroi *f* avant; **~zimmer** *n* pièce *od* chambre *f* de devant.
vorderhand ['fo:rdər'hant, --'-, '---] *adv (vorerst, einstweilen)* pour le moment, en attendant.
vor=drängen ['fo:r-], *sich* pousser en avant; *fig* se mettre en avant *od* en évidence *od* en vedette.
vor=dring|en ['fo:r-] *itr bes. mil* gagner du terrain; *a. fig* avancer, progresser; **V~en** *n* avance, progression *f;* **~lich** *a* (très) urgent.
Vordruck *m* ‹-(e)s, -e› ['fo:r-] formule *f* imprimée, imprimé, formulaire *m.*
vorehelich ['fo:r-] *a* prénuptial.
voreilig ['fo:r-] *a* précipité; anticipé; *(verfrüht)* prématuré, précoce; *(unüberlegt)* inconsidéré; **V~keit** *f* précipitation; précocité; *(Unüberlegtheit)* étourderie *f.*
voreinander ['fo:r-] *adv* l'un devant l'autre; *fig: keine Geheimnisse ~ haben* ne pas avoir de secrets l'un pour l'autre; *keine Scheu ~ haben* ne pas avoir peur l'un de l'autre.
Voreinflugzeichen *n* ['fo:rˀaın-] *aero* avant-signal, signal *m* d'avertissement.
voreingenommen ['fo:rˀaın-] *a* prévenu (*für* pour, *gegen* contre); plein de préjugés; *adv* de parti pris; *~ sein (a.)* avoir un *od* du parti pris; **V~heit** *f* prévention *f;* préjugé, parti *m* pris.
voreiszeitlich ['fo:r-] *a geol* préglaciaire.
Voreltern *pl* ['fo:r-] *(Vorfahren)* ancêtres, aïeux, ascendants *m pl; unsere ~ (a.)* nos pères *m pl.*
vor=enthalt|en ['fo:r-] *tr jur* détenir (injustement); *jdm etw ~~* priver qn de qc; **V~ung** *f jur* (indue) détention *f.*
Vorentscheid *m* ['fo:r-] (décision *f*) interlocutoire *m;* **~ung** *f* décision préliminaire; *sport* demi-finale *f.*
Vorentwarnung *f* ['fo:r-] *(Luftschutz)* fin *f* du danger immédiat.
Vorentwurf *m* ['fo:r-] avant-projet *m.*
Vorerbe *m* ['fo:r-] héritier *m* par préciput; *n* préciput *m.*
vorerst ['fo:rˀe:rst, -'-] *adv (vorläufig, zunächst)* pour le moment, pour l'instant.
vorerwähnt ['fo:r-] *a* susmentionné, susdit; précité.
Vorfahr *m* ‹-en, -en› ['fo:r-] ancêtre *m; pl* ancêtres, aïeux, ascendants *m pl.*
vor=fahr|en ['fo:r-] *itr (ein Stück weiter fahren)* avancer; *(als erster fahren)* passer le premier; *(vor e-m Haus)* arrêter sa voiture (devant une maison); **V~t** *f* priorité *f* (aux croisements); passage *m* protégé; *ich habe ~~* j'ai priorité, la priorité me revient; *(das von) rechts (kommende Fahrzeug) hat ~~* (il y a) priorité *f* à droite; **V~tsrecht** *n* = *V~t;* **V~tsstraße** *f* route *od* voie *f* prioritaire *od* à priorité.
Vorfall *m* ['fo:r-] *(Begebenheit)* cas *m,* affaire *f;* événement, incident; *(bes. unglücklicher)* accident *m; med (der Gebärmutter)* descente *f,* prolapsus *m;* **vor=fallen** *itr (geschehen)* se passer, arriver, se produire.
Vorfeier *f* ['fo:r-] prélude *m* (d'une fête); *(am Vortage)* veille *f* de fête.
Vorfeld *n* ['fo:r-] *mil* terrain avancé, glacis *m.*
Vorfenster *n* ['fo:r-] contre-châssis *m.*
vor=fertig|en ['fo:r-] *tr tech* préfabriquer; **V~ung** *f* préfabrication *f.*
vor=finanzier|en ['fo:r-] *tr* préfinancer; **V~ung** *f* préfinancement, financement *m* anticipé.
vor=finden ['fo:r-] *tr* trouver, rencontrer.
vor=flunkern ['fo:r-] *tr: jdm was ~ (fam)* en conter, en faire accroire à qn.
Vorfrage *f* ['fo:r-] question *f* préalable *od* préliminaire *od jur* préjudicielle.
vor=fräs|en ['fo:r-] *tr tech* ébaucher; **V~er** *m (Gerät)* fraise *f* ébaucheuse.
Vorfreude *f* ['fo:r-] joie *f* anticipée.
Vorfrieden *m* ['fo:r-] paix *f* préliminaire.
Vorfrühling *m* ['fo:r-] printemps *m* précoce.
vor=fühlen ['fo:r-] *itr* sonder *od* tâter le terrain; *bei jdm* pressentir, sonder, *fam* tâter qn.
Vorführ|dame *f* ['fo:r-] mannequin *m;* **vor=führen** *tr jur (vor den Richter bringen)* amener devant le juge; *(zur Schau stellen, zeigen)* présenter; *(Gerät)* démontrer; *film* faire passer; **~raum** *m film* salle *od* cabine *f* de projection; **~ung** *f (Schaustellung; Modenschau)* présentation; *film* production; *(e-s Gerätes)* démonstration *f;* **~ungsbefehl** *m jur* mandat *m* d'amener; **~ungsmodell** *n,* **~wagen** *m mot* modèle *m,* voiture *f* de démonstration.
Vorgabe *f* ['fo:r-] *sport* avantage *m; e-e ~ machen* rendre des points; **~spiel** *n sport* handicap *m;* **~zeit** *f (Arbeit)* temps *m* de référence *od* normalisé.
Vorgang *m* ['fo:r-] processus *m;* affaire, action *f; (Verlauf)* cours; *(Verfahren)* procédé *m.*
Vorgänger *m* ['fo:r-] prédécesseur, devancier *m.*
Vorgarten ['fo:r-] *m* jardin *m* de devant.
vor=geb|en ['fo:r-] *tr (vorschützen)* prétexter, donner pour excuse; *sport* rendre; *itr sport* rendre des points, donner un avantage; **~lich** *a (angeblich)* prétendu, soi-disant.
Vorgebirge *n* ['fo:r-] contrefort; *(auf e-r Halbinsel)* promontoire *m.*
vorgeburtlich ['fo:r-] *a physiol* prénatal.
vorgefaßt ['fo:r-] *a: ~e Meinung f* opinion *f* préconçue *od* préétablie.
vorgefertigt ['fo:r-] *a tech* préfabriqué.
Vorgefühl *n* ['fo:r-] pressentiment *m; psych* précognition, prémonition *f.*
vor=gehen ['fo:r-] *itr (vorrücken, a. mil)* avancer (*auf* sur); *fig (etwas unternehmen)* agir, prendre des mesures (*gegen* contre); = *vorausgehen; fig (den Vortritt haben)* passer le premier; *(Uhr)* avancer; *fig (wichtiger sein)* avoir la priorité; *(geschehen)* se passer, se produire; *energisch ~ (a.)* ne pas y aller de main morte; *gerichtlich gegen jdn ~* recourir à la justice *od* intenter une action en justice contre qn; *streng* od *rücksichtlos ~* se montrer rigoureux;

V~ *n (Handeln, Handlungsweise)* action *f,* agissements *m pl,* procédé *m.*
vorgelagert ['fo:r-] *a: e-r S ~ sein* être situé devant qc.
Vorgelände *n* ['fo:r-] *mil* avant-terrain *m.*
Vorgelege *n* ‹-s, -› ['fo:rgə'le:gə] *tech* transmission *f od* engrenage intermédiaire, renvoi *m* (de mouvement).
vorgenannt ['fo:r-] *a = vorerwähnt.*
Vorgericht *n* ['fo:r-] = *Vorspeise.*
vorgerückt ['fo:r-] *a (Zeit)* avancé; *~en Alters* d'un âge très avancé; *in ~er Stunde* à une heure avancée.
Vorgeschicht|e *f* ['fo:r-] *(Wissenschaft)* préhistoire *f; (e-s Ereignisses)* antécédents *m pl;* **v~lich** *a* préhistorique; **~sforscher** *m* préhistorien *m.*
Vorgeschmack *m* ['fo:r-] avant-goût *m.*
vorgeschoben ['fo:r-] *a mil* avancé.
vorgeschrieben ['fo:r-] *a (genau festgelegt)* prescrit.
vorgeschritten ['fo:r-] *a (Zeit, Arbeit)* avancé.
vorgesehen ['fo:r-] *a (geplant)* prévu.
Vorgesenk *n* ['fo:r-] matrice *f* ébaucheuse.
Vorgesetzt|e(r) ['fo:r-] *m* supérieur *m;* **~enverhältnis** *n* relations *f pl* d'inférieur à supérieur.
vorgest|ern ['fo:r-] *adv* avant-hier; *~~ abend* avant-hier soir; **~rig** *a* d'avant-hier, de l'avant-veille; *der ~~e Tag* l'avant-veille *f.*
vorgetäuscht ['fo:r-] *a* simulé, feint.
vorgewärmt ['fo:r-] *a tech* chauffé préalablement.
vor≈greifen ['fo:r-] *itr* anticiper *(e-r S* (sur) qc).
Vorgriff *m* ['fo:r-] anticipation *f.*
vor≈haben ['fo:r-] *tr (Schürze umgebunden haben)* porter; *(beabsichtigen)* projeter *(etw* qc); *etw zu tun* projeter, avoir l'intention *od* le dessein de faire qc; compter faire qc; penser (à) faire qc; *etwas ~* avoir des projets; être occupé; *nichts ~* ne pas avoir de projets, être libre; *viel ~* avoir de grands projets; être très occupé; *was haben Sie (für) heute abend vor?* qu'est-ce que vous comptez *od* pensez faire ce soir? que faites-vous ce soir? **V~** *n (Plan, Absicht)* projet, dessein *m,* intention *f,* plan *m.*
Vorhafen *m* ['fo:r-] avant-port *m.*
Vorhalle *f* ['fo:r-] *arch* porche; *(e-r Kirche, e-s Tempels)* parvis *m; jur loc (Wartehalle)* salle *f* des pas perdus.
Vorhalt *m* ['fo:r-] *mil (beim Zielen)* correction-but *f;* **vor≈halten** *tr* tenir, tendre; *fig (vorwerfen)* reprocher; *jdm etw (a.)* faire grief de qc à qn; *itr mil* faire la correction, viser en avant du but; *(Mahlzeit)* tenir au corps; **~epunkt** *m aero* point *m* futur; **~ewinkel** *m aero* angle *m* de jet; **~ungen** *f pl (ernste Ermahnungen)* remontrances, admonestations *f pl,* reproches *m pl; jdm wegen etw ~~ machen* reprocher qc à qn, faire grief de qc à qn.
Vorhand *f* ['fo:r-] *: (Anatomie)* avant-train *m; (Sport)* coup *m* droit; *die ~ haben (beim Kartenspiel)* avoir la main; **v~en** [fo:r'handən] *a (da, anwesend)* présent; *(existierend)* existant; *(verfügbar)* disponible; *~~ sein (a.)* exister; **~ensein** *n* présence; existence; disponibilité *f.*
Vorhang *m* ['fo:r-] *a. theat* rideau; *(durchbrochener Fenster~)* store *m; den ~ auf-, zuziehen* ouvrir, fermer le rideau (en tirant); *den ~ hochziehen, herunterlassen* remonter, baisser le rideau; *eiserne(r) ~ (theat u. pol: Eiserner)* rideau *m* de fer; **~schnur** *f* cordon *m* de rideau; **~stange** *f* tringle *f.*
vor≈hänge|n ['fo:r-] *tr* (sus)pendre devant; **V~schloß** *n* cadenas *m.*
Vorhaut *f* ['fo:r-] *anat* prépuce *m.*
Vorhemd *n* ['fo:r-] devant de chemise, plastron *m.*
vorher *adv* ['--], *pref* [-'-] (aupar-) avant, antérieurement, précédemment; *(schon ~)* d'avance, à l'avance, en *od* par avance; *am Abend ~* la veille au soir; *am Tage ~* la veille; *kurz, unmittelbar ~* peu de temps, immédiatement avant; *wie ~* comme avant; **~≈bestimmen** *tr* déterminer, destiner à l'avance; *rel* prédestiner, prédéterminer; **~bestimmt** *a rel* prédestiné; **V~bestimmung** *f rel* prédestination *f;* **~≈gehen** *itr* précéder; **~gehend** *a,* **~ig** *a* précédent, antérieur; **V~sage** *f* prédiction, prévision *f,* pronostic *m; (Wettervorhersage)* prévision(s *pl*) *f* météorologique(s); **~≈sagen** *tr* prédire; **~≈sehen** *tr* prévoir.
Vorherrsch|aft *f* ['fo:r-] prédominance, prépondérance *f;* **vor≈herrschen** *itr* prédominer, être prédominant *od* prépondérant, prévaloir; **v~end** *a* prédominant.
Vorhimmel *m* ['fo:r-] *rel* limbes *m pl.*
vorhin [fo:r'hɪn, '--] *adv* il y a peu de temps, il n'y a pas longtemps; tantôt.
Vorhof *m* ['fo:r-] avant-cour *f; (e-s Heiligtums)* parvis *m.*
Vorhölle *f* ['fo:r-] *rel* limbes *m pl.*
Vorhut *f* ['fo:r-] *mil* avant-garde *f.*
vorig|e(r, s) ['fo:rɪgə-] *a* précédent, antérieur; *~es Jahr* l'an passé, l'année dernière; *das ~e Mal* la dernière fois; *~e Woche* la semaine dernière.
Vor|jahr *n* ['fo:r-] année *f* précédente, an *m* dernier; **~jahrespreise,** *die m pl* les prix *m pl* de l'an dernier; **v~jährig** *a* de l'année précédente *od* l'an dernier.
Vorkammer *f* ['fo:r-] *mot* chambre *f* de précombustion.
Vorkämpfer *m* ['fo:r-] *fig* champion, pionnier *m; pl* avant-garde *f.*
Vorkauf *m* ['fo:r-] préemption *f;* **~srecht** *n* droit *m* de préemption, option *f.*
Vorkehrung ['fo:r-] *f* disposition, mesure *f,* préparatif *m; ~en treffen* prendre des dispositions *od* des mesures, faire des préparatifs.
Vorkenntnisse *f pl* ['fo:r-] connaissances préalables, notions *f pl* préliminaires; *gute ~ haben* avoir de bonnes connaissances préalables; *~~ (sind) nicht erforderlich* des notions préliminaires ne sont pas exigées.
vorklinisch ['fo:r-] *a med* préclinique.
vor≈knöpfen ['fo:r-] *tr: sich jdn ~ (fam) = jdn vornehmen.*
Vorkommando *n* ['fo:r-] *mil* détachement *m* précurseur.
vor≈komm|en ['fo:r-] *itr (nach vorn kommen)* avancer; sortir des rangs; *(geschehen)* arriver, se produire, se passer, se voir; *(vorhanden sein, sich finden)* se trouver; *(erscheinen)* paraître, sembler; *für alle ~~den Arbeiten* à toutes mains; *sich schlau ~~* se croire rusé; *Sie kommen mir bekannt vor* votre visage ne m'est pas inconnu; *das kommt mir (aber) komisch vor* je trouve cela drôle; *das kommt dir nur so vor* c'est une fausse impression de ta part; *so etwas darf (einfach) nicht ~~* cela ne doit jamais arriver; *daß mir das nicht wieder ~t!* que je ne vous y reprenne plus! **V~en** *n bot* habitat *m; min* présence *f; geol* gisement *m;* **V~nis** *n* ‹-sses, -sse› *(Ereignis)* événement; *(Fall)* cas *m.*
Vorkost *f* ['fo:r-] = *Vorspeise.*
Vorkriegs . . . ['fo:r-] *(in Zssgen)* d'avant-guerre; **~verhältnisse** *n pl* conditions *f pl* d'avant-guerre; **~zeit** *f* avant-guerre *m.*
Vorkühl|anlage *f* ['fo:r-] *tech* installation *f* de préréfrigération; **vor≈kühlen** *tr* préréfrigérer; **~ung** *f* préréfrigération *f,* refroidissement *m* préalable.
vor≈lad|en ['fo:r-] *tr jur* citer, assigner; *vor Gericht ~~* citer en justice; **V~ung** *f jur* citation, assignation *f,* mandat *m* de comparution, mise *f* en cause; *~~ vor Gericht* citation *f* en justice.
Vorlage *f* ['fo:r-] *(Bettvorleger)* descente *f* de lit; *(Muster)* modèle; *(Gesetzesvorlage)* projet *m* (de loi); *(beim Fußball)* passe en bonne position *f; abus = Vorlegung; als ~ (Muster) dienen* servir de modèle.
vor≈lass|en ['fo:r-] *tr (den Vortritt lassen)* laisser passer (le premier); *(Zutritt gewähren)* admettre, laisser entrer; *vorgelassen werden* être reçu; **V~ung** *f* admission *f.*
Vorlauf *m* ['fo:r-] *sport* course éliminatoire; *tech* avance; *(Branntweinbrennerei)* première eau-de-vie *f.*
Vorläuf|er *m* ['fo:r-] précurseur *m;* **v~ig** *a* provisoire; *adv* provisoirement, pour l'instant *od* le moment, en attendant; *~~e Festnahme f* arrestation *f* provisoire *od* préventive.
vorlaut ['fo:rlaut] *a* qui parle à tout propos, qui a le verbe haut; présomptueux, impertinent.
Vorleben *n* ['fo:r-] *jur* antécédents *m pl; rel* vie *f* antérieure.
Vorleg|emesser *n* ['fo:r-] couteau *m* à découper; **vor≈legen** *tr* mettre devant; *com (Ware anbieten)* présenter, montrer, servir, offrir; *(Schriftstück)* présenter; *adm jur* administrer, produire; *fig (Frage, Plan)* sou-

mettre, proposer; *parl (Gesetzentwurf)* soumettre, présenter; *ordentlich* od *tüchtig ~ (fam: essen)* manger (à) sa faim; **~er** *m (Bett~~)* descente *f* de lit; **~eschloß** *n* cadenas *m;* **~ung** *f* présentation; production; proposition *f.*

vor≈les|en ['fo:r-] *tr* lire (à haute voix); **V~ung** *f* conférence *f;* cours *m* (d'université); *e-e ~~ halten, hören* faire, suivre un cours; **V~ungsverzeichnis** *n* programme *m* des cours.

vorletzt|e(r, s) ['fo:r-] *a* avant-dernier; *~e Silbe f* pénultième *f.*

Vorlieb|e *f* ['fo:r-] prédilection, préférence *f; e-e ~~ haben für* avoir une préférence *od* prédilection pour, aimer beaucoup, affectionner, préférer; **v~≈nehmen** ⟨*hat vorliebgenommen*⟩ *itr* se contenter (*mit etw* de qc); *Sie müssen mit dem ~~, was da ist* voulez-vous rester à la fortune du pot?

vor≈liegen ['fo:r-] *itr (vorhanden sein)* être présent, exister; *im ~den Fall* dans le cas présent, en l'occurrence; *es liegen Gründe vor* il y a des raisons; *es liegt nichts vor (ist nichts zu erledigen)* il n'y a rien (à faire); *es liegt nichts gegen ihn vor* il n'y a rien à lui reprocher; *die Sache liegt dem Richter vor* l'affaire est à l'examen du juge.

vor≈lügen ['fo:r-] *tr: jdm etw ~* dire un *od* des mensonge(s) à qn.

vor≈machen ['fo:r-] *tr: es jdm ~ (zeigen, wie man es macht)* montrer à qn comment s'y prendre; *jdm etwas ~ (vorlügen)* en faire accroire, en imposer à qn; *sich (selbst) etwas ~* s'illusionner, se leurrer d'illusions *od* d'une fausse espérance, être sa (propre) dupe; *mach mir (doch) nichts vor! (a.)* pas de boniments!

Vormacht *f* ['fo:r-] *pol* puissance *f* prédominante; **~stellung** *f pol* hégémonie, prépondérance, position *f* dominante.

Vormagen *m* ['fo:r-] *orn* jabot *m.*

vormal|ige(r, s) ['fo:rma:lɪgə-] *a* précédent, ci-devant; d'autrefois, de jadis; **~s** *adv* précédemment, antérieurement, auparavant; *(voreinst)* autrefois, jadis.

Vormann *m* ⟨-(e)s, -männer⟩ ['fo:r-] *(Vorarbeiter)* chef *m* d'équipe.

Vormars *m* ['fo:r-] *mar* hune *f* de perroquet.

Vormarsch *m* ['fo:r-] *mil* marche *f* avant; **vor≈marschieren** *itr* avancer; **~straße** *f* ligne *f* d'avance *od* de marche *od* de progression.

Vormensch *m* ['fo:r-] *zoo* préhominien *m.*

Vormerk|buch *n* ['fo:r-] agenda *m;* **vor≈merken** prendre note de, noter, retenir; *sich ~~ lassen* se faire inscrire; **~gebühr** *f* droit *m* d'inscription; **~liste** *f* liste *f* des inscriptions; **~schein** *m* ticket *m* de location; **~ung** *f* note; inscription *f.*

vormilitärisch ['fo:r-] *a: ~e Ausbildung f* instruction *f* militaire préparatoire.

Vormittag *m* ['fo:r-] matinée *f; im Laufe des ~s,* **v~s** *adv* dans la matinée.

Vormonat *m* ['fo:r-] mois *m* précédent.

Vormund *m* ⟨-(e)s, -e/¨er⟩ ['fo:r-] tuteur; *(bes. e-s Entmündigten)* curateur *m; e-n ~ bestellen* constituer un tuteur; **~schaft** *f* tutelle; curatelle *f; unter ~~ stehen* être sous *od* en tutelle *od* curatelle; **v~schaftlich** *a* tutélaire; **~schaftsgericht** *n* tribunal *m od* chambre *f* des tutelles; **~schaftsrichter** *m* juge *m* tutélaire *od* des tutelles.

vorn [fo:rn] = *vor den.*

vorn [fɔrn] *adv (davor)* (par) devant; *(ganz) ~ (am Kopfende, Anfang), ~ weg* à la tête; *~ an, in* en tête de; *nach ~* en avant; *nach ~ heraus* sur le devant; *von ~* par devant, de front, de face; *von ~ bis hinten* d'un bout à l'autre, de bout en bout; *(wieder) von ~ anfangen* (re)commencer par le début; *von ~ angreifen* attaquer de front; *(nach) ~ heraus wohnen* habiter sur le devant; *von ~ gesehen* vu de face; **~an** [-'-/'--] *adv* à la tête; **~e** *adv fam* = *~;* **~herein** ['---/--'-] *adv: von ~~* dès le début, de prime abord; **~über** [-'-] *adv* (la tête) en avant.

Vornahme *f* ['fo:r-] *(Erledigung)* exécution *f.*

Vorname *m* ['fo:r-] prénom; *fam* petit nom *m.*

vornehm ['fo:rne:m] *a* distingué, de distinction, de qualité; *fam* huppé; *(von ~er Erscheinung)* aristocratique, élégant; *(von ~er Gesinnung)* noble; *~ tun* se donner de grands airs; *~e Frau f* grande dame, femme *f* de qualité; *~e Gesinnung f* sentiments *m pl* nobles; *~e(r) Mann m* homme *m* de qualité; *die ~ste Pflicht* le premier devoir, le devoir principal; *die ~e Welt* le grand monde; *~e(s) Wesen n* grands airs *m pl;* **V~heit** *f* distinction; élégance, noblesse *f;* **~lich** *adv (besonders)* principalement, particulièrement, avant tout, surtout.

vor≈nehmen ['fo:r-] *tr (Schürze, Serviette)* mettre; *fig (in Angriff nehmen, sich beschäftigen mit)* attaquer, se mettre à, entreprendre, s'occuper de; *(durchführen)* faire; *(jdm die Meinung sagen, jdn zurechtweisen)* faire la leçon *od* une remontrance à, admonester; *sich etw ~* projeter qc, former le projet de qc; *sich ~, etw zu tun* se promettre *od* se proposer, prendre la résolution de faire qc; *e-e Prüfung, e-e (genaue) Untersuchung ~* faire un examen.

Vorort *m* ⟨-(e)s, -e⟩ ['fo:r-] faubourg *m; die ~e pl, a.* la banlieue; **~(s)bahn** *f* chemin *m* de fer de banlieue; **~(s)bewohner** *m* banlieusard *m;* **~(s)gespräch** *n tele* conversation *f* suburbaine *od* de banlieue; **~(s)netz** *n* réseau *m* suburbain; **~(s)strecke** *f* ligne *f* de banlieue *od* suburbaine; **~(s)verkehr** *m loc* trafic suburbain, service *m* de banlieue; **~(s)zug** *m* train *m* de banlieue.

Vorplatz *m* ['fo:r-] *(e-s Gebäudes)* parvis; *(in e-m Hause)* vestibule *m.*

Vorpommern *n* ['fo:r-] *geog* la Poméranie antérieure.

Vorposten *m* ['fo:r-] *mil* avant-poste *m; auf ~ stehen* être aux avant-postes; **~boot** *n mar* vedette *f;* **~dienst** *m* service *m* d'avant-poste *od* des avant-postes; **~gefecht** *n* combat *m* d'avant-postes; **~kette** *f* ligne *f* des avant-postes; **~stellung** *f* position *f od* système *m* des avant-postes.

Vorprüfung *f* ['fo:r-] examen préalable; *tech* essai *m* préalable.

Vorrang *m* ['fo:r-] *: den ~ haben (wichtiger, dringender sein)* jouir de la préférence; *vor jdm den ~ haben* prendre rang avant qn, avoir le pas *od* la préséance sur qn; *jdm den ~ lassen* céder le pas à qn; **~stellung** *f* préséance, prééminence *f.*

Vorrat *m* ⟨-(e)s, ¨e⟩ ['fo:r-] provision(s *pl*), réserve(s *pl*) *f; bes. com* stock *m; auf ~* en réserve; *solange der ~ reicht* jusqu'à épuisement du stock; *auf ~ arbeiten* travailler pour le stock; *auf ~ kaufen* stocker; **~saktie** *f* action *f* en portefeuille; **~skammer** *f,* **~slager** *n,* **~sraum** *m* magasin *m* d'approvisionnement.

vorrätig ['fo:r-] *a* en provision, en stock; en magasin; *etw ~ haben (com)* avoir qc en stock *od* en magasin, suivre qc.

Vorraum *m* ['fo:r-] antichambre *f.*

vor≈rechnen ['fo:r-] *tr: jdm etw ~* faire le compte de qc à qn; énumérer, détailler qc à qn.

Vorrecht *n* ['fo:r-] privilège *m,* prérogative *f; ein ~ genießen* jouir d'un privilège.

Vorred|e *f* ['fo:r-] *(zu e-m Buch)* avant-propos *m,* préface *f,* avertissement *m* (au lecteur); *keine lange ~~, zur Sache! (fam)* pas de préambule, au fait! **~ner** *m; mein ~~* l'orateur *m* que vous venez d'entendre.

Vorreiter *m* ['fo:r-] avant-courrier *m.*

vor≈richt|en ['fo:r-] *tr (zum Gebrauch vorbereiten)* préparer, apprêter; **V~ung** *f* dispositif; mécanisme, appareil *m.*

vor≈rücken ['fo:r-] *tr* ⟨*aux: haben*⟩ *(a. Uhr)* avancer; *itr* ⟨*aux: sein*⟩ avancer, se porter en avant.

Vorrunde *f* ['fo:r-] *sport* premier tour *m.*

Vorsaal *m* ['fo:r-] salle d'attente *od* des pas perdus; *(Vorzimmer)* antichambre *f.*

vor≈sag|en ['fo:r-] *tr* souffler, *(jdm etw* qc à qn); **V~er** *m* souffleur *m.*

Vorsaison *f* ['fo:r-] avant-saison *f.*

Vorsänger *m* ['fo:r-] chantre *m.*

Vorsatz *m* ['fo:r-] projet, dessein *m,* intention, résolution *f; bei s-m ~ bleiben* persister dans sa résolution; *s-n ~ fallenlassen* abandonner son projet; *e-n ~ fassen* prendre une résolution; **~blatt** *n (e-s Buches)* (feuille de) garde *f;* **~gerät** *n el* adaptateur *m;* **~linse** *f opt* bonnette, lentille *f* supplémentaire; **~papier** *n (für ein ~blatt)* papier *m* de garde; **vorsätzlich** *a (bes. jur, z.B. Tötung)* volontaire, intentionnel, prémédité; *adv* exprès, à dessein, de propos délibéré;

jur intentionnellement, avec préméditation.
Vorschaltwiderstand *m* ['fo:r-] *el* résistance *f* à intercaler, rhéostat *m* amortisseur.
Vorschau *f* ['fo:r-] aperçu *m*; = *Programm~*.
Vorschein *m* ['fo:r-] : *zum ~ bringen* mettre au jour; *zum ~ kommen* apparaître, se faire jour.
vor≈schieben ['fo:r-] *tr* avancer; *den Riegel ~* pousser le verrou; *e-r S e-n Riegel ~ (fig)* mettre un terme à qc.
vor≈schießen ['fo:r-] *tr fam (Geld)* avancer.
Vorschiff *n* ['fo:r-] *mar* avant *m*, proue *f*.
Vorschlag *m* ['fo:r] *(erster Schlag)* premier coup; *mus* ornement, agrément *m*; *fig (Anraten, Angebot)* proposition; *(Anregung)* suggestion; *(Empfehlung)* recommandation *f*; *auf meinen ~* sur ma proposition; *in ~ bringen* proposer; *e-n ~ machen* od *unterbreiten* faire une proposition; *ein ~ zur Güte* une proposition de conciliation; **vor≈schlagen** *tr* proposer (*zu* pour); suggérer; recommander; **~hammer** *m* marteau à frapper devant, frappe-devant *m*.
Vorschlußrunde *f* ['fo:r-] *sport* demi-finale *f*.
vor≈schneid|en ['fo:r-] *itr tech* donner la première coupe; **V~er** *m (Gerät)* pince *f* coupante.
vorschnell ['fo:r-] *a* précipité, inconsidéré; *adv* sans réfléchir; *(leichtfertig)* à la légère, à l'étourdie.
vor≈schreiben ['fo:r-] *tr (zum Nachschreiben)* écrire *od* tracer en modèle; *(befehlen, anordnen)* prescrire, ordonner, commander; *vorgeschrieben sein* être de rigueur; *sich nichts ~ lassen (fig)* n'en faire qu'à sa tête.
Vorschrift *f* ['fo:r-] prescription; *(Anweisung)* instruction *f*; *(Befehl)* ordre; *adm mil* règlement *m*; *med* ordonnance *f*; *den ~en entsprechend* suivant les prescriptions; *sich an die ~en halten, sich nach den ~en richten* s'en tenir *od* se conformer aux prescriptions *od* aux instructions; *es entspricht der ~, es ist der ~ entsprechend zu ...* il est de règle de ...; **v~smäßig** *a* conforme aux prescriptions *od* aux instructions *od* au règlement; *adv a.* en règle, en bonne et due forme; **v~swidrig** *a* contraire aux prescriptions *od* aux instructions *od* au règlement.
Vorschub *m* ['fo:r-] *tech* avance (-ment *m*) *f*; *fig: jdm, e-r S ~ leisten (begünstigen)* aider, assister qn; favoriser qc; **~leistung** *f* aide, assistance *f*, secours *m*.
vor≈schuhen ['fo:r-] *tr (den Schuh vorn erneuern)* munir d'une nouvelle empeigne.
Vorschule *f* ['fo:r-] école *f* préparatoire.
Vorschuß *m* ['fo:r-] avance *f* (d'argent *od* de fonds); arrhes *f pl*; *auf ~* en *od* par avance, d'avance; *jdm e-n ~ geben* od *zahlen* faire une avance à qn; *von Vorschüssen leben* vivre de crédit, manger son blé *od* son bien en herbe; **v~weise** *adv* en *od* par avance, à titre d'avance; **~zahlung** *f* paiement *m* à titre d'avance.
vor≈schützen ['fo:r-] *tr* prétexter, donner comme prétexte; prendre pour excuse.
vor≈schwatzen ['fo:r-] *tr: jdm etw ~* conter des histoires *od* des balivernes *od* des fariboles à qn.
vor≈schweben ['fo:r-] *itr: es schwebt mir etw vor* j'ai une vague idée de qc.
vor≈schwindeln ['fo:r-] *tr: jdm was ~ (fam)* = *vorflunkern*.
vor≈seh|en ['fo:r-] *tr (planen)* prévoir; *sich ~~* prendre garde, se mettre sur ses gardes, être *od* se tenir sur ses gardes; prendre des précautions; *das ist nicht vorgesehen* cela n'a pas été prévu; **V~ung**, *die* la Providence (divine).
vor≈setzen ['fo:r-] *tr (nach vorn setzen)* avancer; *(vor etw setzen)* mettre *od* poser devant; *jdm etw (zu essen* od *zu trinken) ~* servir qc à qn; *a. allg* présenter, offrir qc à qn.
Vorsicht *f* ['fo:r-] précaution, circonspection, prudence *f*; *~!* attention! prenez garde! *~! frisch gestrichen!* attention *od* prenez garde à la peinture! *~ ist besser als Nachsicht, ~ ist die Mutter der Weisheit* od *(hum) der Porzellankiste (prov)* prudence est mère de sûreté, mieux vaut prévenir que guérir; **v~ig** *a* circonspect, prudent; *adv* avec précaution *od* circonspection, prudemment; du bout du doigt; *~~ zu Werke gehen* user de précautions, jouer serré; *~~ spielen (bei e-m Gesellschaftsspiel)* jouer un jeu serré; *~~e(r) Optimismus m* optimisme *m* prudent; **v~shalber** *adv* par précaution, par (mesure de) prudence; **~smaßnahme** *f* mesure *f* de précaution; *~~n treffen* prendre des *od* ses précautions; *umfangreiche ~~n treffen (a.)* s'entourer de précautions.
Vorsignal *n* ['fo:r-] signal d'annonce *od* annonciateur, avertissement *m*.
Vorsilbe *f* ['fo:r-] *gram* préfixe *m*.
vor≈singen ['fo:r-] *tr* chanter (*jdm etw* qc à qn); *itr (als Vorsänger singen)* être *od* faire le chantre.
vorsintflutlich ['fo:r-] *a fig (altmodisch)* antédiluvien.
Vorsitz *m* ['fo:r-] : *unter dem ~ (gen)* sous la présidence (de); *den ~ führen* od *haben* exercer *od* avoir la présidence, présider; *den ~ niederlegen* résigner la présidence; *den ~ übernehmen* prendre la présidence; **~ende(r)** *m*, **~er** *m* président *m*; *zum ~enden gewählt werden* être élu président, être nommé à la présidence.
Vorsokratiker *m* ['fo:r-] *hist philos* pré-socratique *m*.
Vorsorg|e *f* ['fo:r-] prévoyance *f*; **vor≈sorgen** *itr* prendre ses précautions *od* les précautions nécessaires; *für etw* prendre soin de qc; *für die dringendsten Bedürfnisse ~* parer aux besoins urgents; *vorgesorgt haben (a.)* avoir mis de côté; **v~lich** *a* prévoyant; *adv* par précaution.
Vorspann *m* ['fo:r-] *(zusätzl. Zugpferde)* chevaux *m pl* de renfort; *film* générique *m*; *radio (Reihe der Sprecher e-s Hörspiels)* distribution *f*; *jdm, e-r S ~ leisten (unterstützen)* prêter main-forte *od* assistance à qn, favoriser qc; **vor≈spannen** *tr (Pferde)* atteler comme renfort; *e-e Lokomotive ~* atteler une locomotive supplémentaire; **~pferde** *n pl* chevaux *m pl* de renfort.
Vorspeise *f* ['fo:r-] entrée *f*, hors-d'œuvre *m*.
vor≈spieg|eln ['fo:r-] *tr: jdm etw ~~ (fig)* faire miroiter qc à qn; donner des illusions *od* de fausses espérances à qn; **V~(e)lung** *f* illusion, fausse espérance *f*; *~~ falscher Tatsachen* récit *od* propos *m* mensonger.
Vorspiel *n* ['fo:r-] *theat* prologue; *mus* prélude *m*, ouverture *f*; **vor≈spielen** *tr: jdm etw ~~ (theat* u. *mus)* jouer qc à qn.
vor≈sprechen ['fo:r-] *tr: jdm etw ~* dire *od* prononcer qc à qn (pour le faire répéter); *bei jdm ~ (e-n kurzen Besuch machen)* se présenter chez qn *od* à la porte de qn, passer chez qn, faire *od* rendre une visite à qn.
vor≈springen ['fo:r-] *itr* sauter *od* s'élancer en avant; *(hervorragen)* faire saillie, avancer, déborder; **~d** *a* saillant, proéminent.
Vorspruch *m* ['fo:r-] présentation *f*.
Vorsprung *m* ['fo:r-] *arch* saillie *f*, ressaut, rebord *m*; *fig* avance *f*; *(Vorteil)* avantage *m*: *e-n großen ~ haben* avoir une grande avance (*vor jdm* sur qn); *e-n ~ gewinnen m* gagner *od* prendre de l'avance.
Vor|stadt *f* ['fo:r-] faubourg *m*; **~städter** *m* habitant d'un *od* du faubourg; banlieusard *m*; **v~städtisch** *a* suburbain, faubourien; **~stadtkino** *n* cinéma *m* de banlieue; **~stadttheater** *m* théâtre *m* de faubourg.
Vorstand *m* ['fo:r-] comité directeur *od* de direction, conseil administratif *od* d'administration *od* de direction; *pol* comité exécutif; *parl* bureau; *(Vorsitzender)* président *m*; **~smitglied** *n* membre *m* du comité de direction; **~ssitzung** *f* séance *f* du comité *od* du conseil; **~swahl** *f* élection *f* du comité de direction.
Vorsteck|er *m* ['fo:r-] , **~keil** *m tech* goupille *f*; **~nadel** *f* broche; épingle *f* de cravate.
vor≈steh|en ['fo:r-] *itr (hervorragen, vorspringen)* saillir, faire saillie, avancer, déborder; *e-r S ~~ (fig: an ihrer Spitze stehen)* être à la tête *od* le chef de, présider à, avoir la direction de, diriger, gouverner qc; **~end** *a* saillant, proéminent; *(in e-m Text vorausgehend)* précédent; *im ~~en (weiter oben)* dans ce qui précède, plus haut; **V~er** *m (Leiter, Direktor)* président, directeur, chef *m*; **V~erdrüse** *f anat* prostate *f*; **V~hund** *m* chien *m* d'arrêt; *langhaarige(r) ~~* griffon *m*.
vor≈stell|en ['fo:r-] *tr (nach vorn stellen; Zeiger, Uhr vorrücken)* avancer; *(davor stellen)* mettre *od* poser *od* placer devant; *jdn jdm ~~ (mit ihm bekannt machen)* présenter qn à qn;

theat (darstellen, spielen) représenter, jouer; *(personifizieren, verkörpern)* personnifier; *(Kunst: darstellen, bedeuten)* représenter, signifier, vouloir dire; *sich jdm ~~* se présenter à qn; *sich etw ~~ (sich ein Bild, e-n Begriff von etw machen)* se représenter, (s')imaginer, se figurer, concevoir qc, se faire une idée de qc; *(sich etw denken, etw erwarten)* s'attendre à qc, se douter de qc; *etwas ~~ (Eindruck machen)* présenter bien, faire figure, avoir de la prestance; *das kann ich mir ~~* je m'en doute; *das kann ich mir nicht ~~* cela me paraît impossible, cela passe mon imagination; *stellen Sie sich (das* od *mal) vor!* pensez donc! jugez! **~ig** *a: ~~ werden* faire des représentations; *(sich an jdn wenden)* s'adresser à qn; **V~ung** *f (Bekanntmachen)* présentation; *theat* représentation: *a. film* séance; *(Denken, bes. in Bildern)* imagination; *(Bild, Begriff)* idée *f; pl (Vorhaltungen)* remontrances, réprimandes *f pl; in der ~~* en idée; *e-e ~~ von etw haben* avoir une idée de qc; *sich von etw e-e ~~ machen* se faire une idée de qc; *sich falsche ~~en von etw machen* se faire une fausse idée de qc *od* des illusions sur qc; *sich keine falschen ~~en von etw machen* ne pas se dissimuler qc; *man kann sich keine ~~ davon machen* on n'a pas idée de cela; *keine ~~! (theat)* relâche! *persönliche ~~* présentation *f* personnelle; *undeutliche ~~ (a.)* demi-idée *f;* **V~ungskraft** *f,* **V~ungsvermögen** *n* imagination *f.*

Vorstoß *m* ['fo:r-] avance; *mil a.* attaque *f; (an der Kleidung)* dépassant *m;* **vor=stoßen** *tr* pousser en avant, avancer; *itr* avancer, se porter en avant; *mil* avancer (en combattant), attaquer.

Vorstrafe *f* ['fo:r-] *jur* punition *od* peine antécédente, condamnation *f* antérieure; *pl* antécédents *m pl;* **~nregister** *n* (extrait de) casier *m* judiciaire.

vor=strecken ['fo:r-] *tr (nach vorn strecken)* tendre, avancer; *(Geld leihen)* avancer, prêter.

Vorstufe *f* ['fo:r-] premier degré; *(Schule)* degré *m* préparatoire; **~nschalter** *m el* interrupteur *m* de sécurité pourvu de résistance.

vor=stürmen ['fo:r-] *itr* se lancer en avant; *gegen etw* se lancer à l'assaut de qc.

vor=stürzen ['fo:r-] ⟨*ist vorgestürzt*⟩ *itr (nach vorn stürzen)* se précipiter *od* se jeter en avant.

Vortag *m* ['fo:r-] jour *m* précédent; *(Vorabend)* veille *f; am ~e* le jour précédent, la veille.

vor|=tanzen ['fo:r-] *itr: jdm etw ~~* danser devant qn *od* pour qn; **V~tänzer(in** *f***)** *m* premier danseur *m,* première danseuse *f.*

vor=täusch|en ['fo:r-] *tr* feindre, simuler; **V~ung** *f* simulation *f.*

Vorteil *m* ['fɔr:-] avantage; *(Gewinn, Nutzen)* profit, intérêt *m; zu jds ~* en faveur de qn; *s-n ~ ausnutzen* profiter de son avantage; *auf s-n ~ bedacht sein, s-n ~ suchen* od *wahren* od *wahrnehmen* considérer ses (propres) intérêts; être âpre au gain; *nur auf s-n ~ bedacht sein* ne voir que son intérêt; *~e bieten* od *bringen* présenter des avantages; *von etw keinen ~ haben* n'avoir aucun intérêt à qc; *im ~ sein* avoir l'avantage, tenir le bon bout; *sich zu s-m ~ verändert haben* avoir changé à son avantage *od* en mieux; *sich auf s-n ~ verstehen* bien entendre ses intérêts, entendre *od* savoir se défendre; *aus etw ~ ziehen, (fam:) e-n ~ aus etw herausschlagen* tirer avantage *od* parti *od* profit, retirer du gain de qc; **v~haft** *a* avantageux, profitable; *adv* avantageusement, profitablement, avec *od* à profit; avantage; *für jdn ~~ sein (a.)* avantager qn; *das ist äußerst ~~ (a.)* c'est tout profit.

Vortrag *m* ['fo:r-] *(Rede, Vorlesung)* conférence *f; (Bericht)* rapport *m; (e-s Gedichtes)* récitation, déclamation; *mus* exécution; *(~sart)* élocution, diction *f,* débit *m; zum ~ bringen (Gedicht)* réciter; *mus* exécuter; *e-n ~ halten* faire *od* donner une conférence; *~ auf neue Rechnung (com)* report *m* à nouveau; **vor=tragen** *tr (nach vorn tragen)* avancer; *(Gedicht hersagen)* réciter, déclamer; *com* reporter; **~ende(r)** *m (Redner)* conférencier *m;* **~sfolge** *f* programme *m;* **~skunst** *f* déclamation *f;* **~skünstler** *m* déclamateur *m;* **~ssaal** *m* salle *f* de conférences; **~szeichen** *n mus* signe *m* d'expression.

vortrefflich ['fo:r-] *a* excellent, exquis, parfait, supérieur, de premier ordre; *adv* excellemment, parfaitement, à la perfection, à merveille; **V~keit** *f* excellence, supériorité, qualité *f* supérieure.

vor=treiben ['fo:r-] *tr: e-n Stollen ~ (mines)* mener une galerie.

vor=treten ['fo:r-] *itr* (s')avancer; *(aus dem Glied)* sortir des rangs; *einen Schritt ~* faire un pas en avant.

Vortrieb *m* ['fo:r-] *tech* traction; *(e-s Propellers)* propulsion *f;* **~sdüse** *f (e-r Rakete)* tuyère *f* propulsive; **~skraft** *f (e-s Propellers)* effort *m* propulseur, force *f* de propulsion.

Vortritt *m* ['fo:r-] *: den ~ vor jdm haben* avoir le pas sur qn; *jdm den ~ lassen* céder le pas à qn.

Vortrupp *m* ['fo:r-] *mil* échelon *m* de tête d'avant-garde.

Vorturner *m* ['fo:r-] moniteur *m.*

vorüber [vo'ry:bər] *adv (örtl.:) an etw ~* devant qc, auprès de qc, à côté de qc; *(zeitl.)* passé; *~ sein (a.)* avoir cessé; **~=gehen** *itr: an jdm, etw ~~* passer devant *od* auprès de *od* à côté de qn, qc; *fig (nicht beachten)* négliger qn, qc; *(zeitl.)* passer; **~gehend** *a* passager, transitoire, provisoire, temporaire, éphémère, momentané; *adv* provisoirement, pour un temps, un certain temps; **V~gehende(r)** *m* passant *m;* **~=ziehen** *itr (örtl. u. zeitl.)* passer.

Vorübung *f* ['fo:r-] exercice *m* préparatoire.

Voruntersuchung *f* ['fo:r-] *jur* instruction *f* préalable *od* préliminaire *od* préparatoire.

Vorurteil *n* ['fo:r-] préjugé *m,* prévention; *(vorgefaßte Meinung)* opinion *f* préconçue; *~e haben* être plein de préjugés; **v~sfrei** *a,* **v~slos** *a* sans préjugés, exempt de préjugés; **~slosigkeit** *f* objectivité, liberté *f* d'esprit.

Vorväter *m pl* ['fo:r-] ancêtres *m pl.*

vor=verdau|en ['fo:r-] *tr physiol u. fig* prédigérer; **V~ung** *f* prédigestion *f.*

vor=verdicht|en ['fo:r-] *tr mot* surcomprimer; **V~er** *m* surcompresseur *m;* **V~ung** *f* surcompression *f.*

Vorverfahren *n* ['fo:r-] *jur* procédure *f* préliminaire.

Vorvergangenheit *f* ['fo:r-] *gram* plus-que-parfait *m.*

Vorverhandlung *f* ['fo:r-] prénégociation *f.*

Vorverkauf *m* ['fo:r-] *theat* location *f;* **~sstelle** *f* bureau *m* de location.

vor=verleg|en ['fo:r-] *tr (Veranstaltung)* avancer; *mil (das Feuer)* porter en avant, allonger; **V~ung** *f (zeitl.)* avancement *m.*

Vorverstärker *m* ['fo:r-] *el* amplificateur *m* d'entrée.

Vorversuch *m* ['fo:r-] expérience *f* préliminaire.

Vorvertrag *m* ['fo:r-] avant-contrat *m.*

vorvorgestern ['fo:r-] *adv* il y a trois jours.

vorvorige(r, s) ['fo:r-] *a (vorletzter)* avant-dernier.

vor=wagen ['fo:r-] , *sich* oser avancer; *sich zu weit ~* s'aventurer trop loin, s'engager trop avant.

Vor|wahl *f* ['fo:r-] *pol* scrutin *m* éliminatoire; *tele* présélection *f;* **~wählnummer** *f* indicatif *m* (téléphonique); **~wähler** *m tele* présélecteur *m.*

vorwaltend ['fo:r-] *a (gegeben)* donné.

Vorwand *m* ⟨-(e)s, ⸚e⟩ ['fo:r-] *m* prétexte *m,* allégation *f; (Ausrede)* subterfuge *m,* échappatoire *f; unter dem ~ (gen)* sous prétexte, sous le couvert, sous l'ombre (de); *daß ...* sous prétexte que *subj; etw zum ~ nehmen* prendre prétexte de qc.

vor=wärm|en ['fo:r-] *tr* chauffer à l'avance; *tech* préchauffer; **V~er** *m* économiseur; *tech* préchauffeur *m.*

Vorwarnung *f* ['fo:r-] *(Luftschutz)* (état *m* d')alerte *f* préventive.

vorwärts ['fo:r-/'fɔrvɛrts] *adv* en avant; *~ kriechen, ~ springen* avancer en rampant, en courant; *~!* en avant! allons! partons! **~=bringen** *tr fig (weiterbringen, fördern)* faire avancer *od* progresser; **V~gang** *m mot* marche *f* avant; **~=gehen** *itr impers (besser werden): es geht ~* cela marche; **~=kommen** *itr fig (vorankommen)* avancer, progresser, faire des progrès; *nicht ~~ (a.)* ne pas faire un pas, piétiner.

Vorwecker *m* ['fo:r-] *loc* sonnerie *f* d'appel.

vorweg [fo:r'vɛk] *adv (im voraus)* d'avance à l'avance; par anticipation; **V~nahme** *f* anticipation *f;* **~=nehmen** *tr* anticiper.
vorweihnacht|lich ['fo:r-] *a* d'avant Noël; **V~szeit** *f* temps *m* de l'Avent.
Vorweis *m* ‹-es, -e› ['fo:rvaɪs, '-zə] *(von Papieren)* production *f* de pièces; **vor=weisen** *tr (vorzeigen)* montrer; faire voir, produire; *fam* exhiber.
Vorwelt *f* ['fo:r-] monde primitif; passé *m* lointain; **v~lich** *a* lointain, préhistorique.
vor=werfen ['fo:r-] *tr (nach vorn werfen)* avancer; *mil (Truppen, Verstärkungen)* lancer en avant; *(zum Fressen hinwerfen)* jeter (à manger); *jdm etw ~ (tadelnd vorhalten)* reprocher qc à qn, s'en prendre à qn de qc, faire grief de qc à qn.
Vorwerk *n* ['fo:r-] *agr* dépendance *f* (d'un domaine); *mil* ouvrage *m* avancé.
vorwiegend ['fo:r-] *adv* pour la plupart, généralement; *(in der Mehrheit)* en majorité.
Vorwissen *n* ['fo:r-] *: ohne mein ~* à mon insu, sans que je le sache.
Vorwitz *m* ‹-es, ø› ['fo:r-] hardiesse, témérité *f;* **v~ig** *a* hardi, téméraire.
Vorwort 1. *n* ['fo:r-] ‹-(e)s, -e› *(e-s Buches)* préface *f,* avant-propos; *(kurzes)* avertissement, avis *m* au lecteur. **2.** *(Verhältniswort) n* ‹-(e)s, ¨er› préposition *f.*
Vorwurf *m* ['fo:r-] reproche; *(Tadel)* blâme *m,* réprobation *f; (Kunst, Literatur: Motiv)* sujet *m; jdm e-n ~ machen* faire un reproche à qn (*aus etw* de qc); *sich gegenseitig Vorwürfe machen* se renvoyer des reproches; *jdn mit Vorwürfen überschütten* accabler qn de reproches; **v~sfrei** *a* sans reproche; **v~svoll** *a* plein de reproche(s).
vor=zählen ['fo:r-] *tr (Geld)* compter.
Vorzeichen *n* ['fo:r-] signe (avant--coureur), indice, présage; *math mus* signe *m; mit umgekehrtem ~ (math u fig)* de signe contraire.
vor=zeichn|en ['fo:r-] *tr* tracer, ébaucher; *fig (Verhalten, Vorgehen)* indiquer, marquer, désigner; **V~ung** *f* tracé *m,* ébauche *f.*
vor=zeig|en ['fo:r-] *tr* montrer, faire voir, produire, exhiber; *(bes. Wechsel)* présenter; **V~er** *m (e-s Wechsels)* présentateur *m;* **V~ung** *f* production; présentation *f; gegen ~~ (fin)* sur présentation.
Vorzeit *f* ['fo:r-] passé *m* lointain; antiquité la plus reculée, la plus haute antiquité *f; in grauer ~* dans la nuit des temps, dans les temps les plus reculés; **v~en** [fo:r'tsaɪtən] *adv* jadis, autrefois; **v~ig** *a* prématuré, anticipé; *adv* avant le temps *od* l'heure.
Vorzensur *f* ['fo:r-] censure *f* préventive.
vor=ziehen ['fo:r-] *tr (nach vorn ziehen)* tirer en avant, avancer; *mil* porter en avant; *fig* préférer, donner la préférence *od* la priorité à, aimer mieux.
Vorzimmer *n* ['fo:r-] antichambre *f.*
Vorzug *m* ['fo:r-] *(gute Seite)* qualité *f; loc (Entlastungszug)* train *m* supplémentaire; *e-n ~ einlegen* dédoubler le train; *jdm den ~ geben* accorder *od* donner la préférence à qn; *e-r S* donner la priorité à qc; *vor jdm den ~ haben* avoir la préférence *od* un droit de priorité sur qn; **~saktie** *f fin* action *f* privilégiée *od* de préférence *od* de priorité; **~smilch** *f* lait *m* amélioré; **~spreis** *m* prix *m* de faveur *od* préférentiel; **~srabatt** *m* remise *f* de faveur; **~starif** *m* tarif *m* préférentiel *od* de faveur; **v~sweise** *adv* de préférence; **~szoll** *m* droit *m* préférentiel.
vorzüglich ['fo:r-] *a* excellent, exquis, supérieur, remarquable, insigne, de première qualité; *adv* excellemment; *mit ~er Hochachtung* avec l'expression de mes (nos) sentiments distingués; **V~keit** *f* excellence, supériorité *f.*
Vorzündung *f* ['fo:r-] *mot* avance *f* à l'allumage.
Votiv|bild [vo'ti:f-] *n rel* tableau votif, ex-voto *m;* **~gabe** *f rel,* **~kapelle** *f,* **~kirche** *f,* **~messe** *f* offrande, chapelle, église, messe *f* votive.
Votum *n* ‹-s, -ten/-ta› ['vo:tum, -tən/-ta] *(Gelübde)* vœu; *pol (Stimme)* vote, suffrage *m.*
vulg|är [vul'gɛ:r] *a (gewöhnlich, gemein)* vulgaire; **V~ärlatein** *n* latin *m* populaire; **V~ata** [-'ga:ta] *, die (rel)* la Vulgate.
Vulkan *m* ‹-s, -e› [vul'ka:n] *geog* u. *fig* volcan; *(Mythologie)* Vulcain *m; erloschene(r), untätige(r), tätige(r) ~* volcan *m* éteint, sommeillant, en éruption; **~ausbruch** *m* éruption *f* volcanique; **~fiber** *f* fibre *f* vulcanisée; **~isation** *f* ‹-, -en› [-kanizatsi'o:n] *tech* vulcanisation *f;* **v~isch** [-'ka:nɪʃ] *a* volcanique; **~isieranstalt** *f* [-kani'zi:r-] entreprise *f* de vulcanisation; **v~isieren** *tr tech* vulcaniser; **~isierung** *f = ~isation;* **~ismus** *m* ‹-, ø› [-'nɪsmus] *geol (~ische Tätigkeit)* volcanisme *m.*

W

W, w *n* ‹-, -› [we:] *(Buchstabe)* W, w *m.*
Waadt|(land *n***)** *f* ['va(:)t-] *geog* (canton de) Vaud *m;* **~länder** *m* Vaudois *m;* **w~ländisch** *a* vaudois.
Waag|e *f* ‹-, -n› ['va:gə] balance; *(Brücken~~)* bascule *f; (Wasser~~)* niveau; *sport (Barrenübung)* équilibre *m* horizontal; *astr* Balance *f; sich die ~~ halten (fig)* se contrebalancer, se faire équilibre, être équivalents; *auf die ~~ legen* mettre dans la balance; *chemische ~~* micropeseuse *f; das Zünglein an der ~~ (fig)* l'arbitre *m;* **~eamt** *n* poids *m pl* publics; **~ebalken** *m* fléau *m* de la balance; **~egeld** *n* droit *m* de pesage; **~emeister** *m* vérificateur *m* des poids et mesures; **w~(e)recht** *a* horizontal, de niveau; *~~e Lage f (a.)* horizontalité *f;* **~schale** *f* plateau *m* de (la) balance; *schwer in die ~~ fallen (fig)* peser lourd dans la balance; *in die ~~ werfen (fig)* jeter dans la balance, faire valoir.
wabb(e)lig ['vab(ə)lıç] *a fam (weich u. wackelnd)* mou, flasque.
Wabe *f* ‹-, -n› ['va:bə] *(Zellenwand im Bienenstock)* rayon *m,* gaufre *f; (mit Honig)* gâteau *m;* **~nhonig** *m* miel *m* en rayons; **~nkröte** *f zoo* pipa, crapaud *m* du Surinam; **~nkühler** *m mot* radiateur *m* en nid d'abeilles; **~nmuster** *n* nid *m* d'abeilles; **~nstein** *m* brique *f* perforée.
wabern ['va:bərn] *itr dial (flackern)* vaciller, danser.
wach [vax] *a* éveillé *a. fig;* réveillé; *(lebhaft)* vif, alerte; *(aufmerksam)* vigilant; *~ bleiben* veiller; *~ liegen* ne pas trouver le sommeil; *~ machen* (r)éveiller; *~ sein (a)* veiller; *~ werden* s'éveiller, se réveiller; **W~-ablösung** *f mil* relève *f* de la garde; **W~bataillon** *n* bataillon *m* de garde; **W~buch** *n* livre *m* de garde; **W~dienst** *m mil* service *m* de garde *od mar* de quart; **W~e** *f* ‹-, -n› *allg* u. *mil* garde; *mil* faction *f; mar* quart *m; (im Mastkorb)* vigie; *(Nachtwache)* veille; *(Krankenwache)* veillée *f; (Polizeiwache)* poste *m* (de police); = *~stube; die ~~ ablösen* relever la garde; *jdn auf die ~~ bringen* conduire qn au poste; *~~ haben* od *schieben, auf ~~ sein* être de garde *od* de faction; *mar* être de quart *od (im Mastkorb)* en vigie; *~~ halten* être au *od* faire le guet; *die ~~ herausrufen* alerter la garde; *auf ~~ ziehen* prendre la garde; *~~ 'raustreten!* aux armes! à la garde! *aufziehende, abziehende ~~* garde *f* montante, descendante; **~en** *itr* veiller (*bei jdm* auprès de qn); *über jdn, über etw ~~* veiller sur qn, sur qc; surveiller qn, qc; **W~feuer** *n mil* feu *m* de bivouac; **~habend** *a* de garde; *mar* de quart; **W~habende(r)** *m* chef *m* de poste; **~≈halten** *tr* tenir éveillé *od* en éveil; **W~hund** *m* chien *m* de garde; **W~kompanie** *f* compagnie *f* de garde; **W~lokal** *n* corps *m* de garde; **W~mann** *m* ‹-(e)s, -leute/-männer› homme de garde, gardien, veilleur *m;* **W~mannschaft** *f* (hommes *m pl* de) garde *f od mar* quart *m;* **W~offizier** *m* officier *m* de garde *od mar* de quart; **W~regiment** *n* régiment *m* de garde; **~≈rufen** *tr fig* (r)éveiller; *(Erinnerung)* évoquer, rappeler; *(Interesse)* provoquer; *(Wunsch)* faire naître; *(Gefühl)* susciter; **~≈rüt-** *(Interesse)* provoquer; *(Wunsch)* faire naître; *(Gefühl)* susciter; **~≈ rütteln** *tr: jdn ~~* secouer qn pour le réveiller; **~sam** *a* vigilant, attentif; *attr a.* sur ses gardes; *ein ~~es Auge auf jdn haben* avoir l'œil sur qn; **W~samkeit** *f* ‹-, ø› vigilance, attention *f;* **W~stube** *f* corps *m* de garde; **W~traum** *m* rêve *m* éveillé; **W~- und Schließgesellschaft** *f* société *f* de surveillance d'immeubles; **W~vergehen** *n mil* violation *f* de consigne; **W~vorgesetzte(r)** *m mil* chef *m* de poste; **W~vorschrift** *f mil* consigne *f;* **W~zustand** *m* état *m* de veille.
Wacholder|(baum, ~strauch) *m* ‹-s,-› [va'xɔldər] genévrier; *pop* genièvre *m;* **~beere** *f* genièvre *m,* baie *f* de genévrier; **~(branntwein)** *m* genièvre; gin *m.*
Wachs *n* ‹-es, -e› [vaks] cire; *(Bohner~)* cire à parquet, encaustique *f; (Schi~)* fart *m; mit ~ einreiben* = *~en 1.; sie ist ~ in seinen Händen (fig)* il fait d'elle ce qu'il veut; **~abguß** *m* moulage *m* en cire; **w~bleich** *a* cireux; **~bild** *n* = *~figur;* **~e** *f* ‹-, (-n)› *(Schi~)* fart *m;* **~eisen** *n (für Schier)* farteur *m;* **w~en** ['vaksən] **1.** *tr* ‹*wachste, hat gewachst*› *(mit ~ einreiben)* cirer, enduire de cire; *(bohnern)* encaustiquer; *(Schier)* farter; **~en** *n* **1.** cirage; encaustiquage; fartage *m;* **~figur** *f* figure *od (kleine)* figurine *f* de cire; **~figurenkabinett** *n* musée de figures de cire; **~kerze** *f,* **~licht** *n* bougie *f* de *od* en cire; **~malerei** *f* encaustique *f;* **~matrize** *f* stencil *m;* **~modell** *n* modèle *m* en cire; **~papier** *n* papier *m* ciré; **~perle** *f* perle *f* en cire; **~platte** *f (zur Tonaufnahme)* cire *f;* **~plattenaufnahme** *f* enregistrement *m* sur cire; **~stock** *m* rat-de-cave *m;* **~tafel** *f hist (Schreibgerät)* tablette *f* (enduite) de cire; **~tuch** *n* toile *f* cirée; **~tuchfutteral** *n* étui *m* en toile cirée; **~überzug** *m* enduit *m* de cire; **w~weich** *a* mollet; **~zieher** *m (Gewerbetreibender)* cirier *m.*
wachsen 2. ‹*wächst, wuchs, ist gewachsen*› **[(-)'vaksən, vu:ks]** *itr allg* croître; *physiol (größer werden, bes. von Menschen)* grandir; *(Pflanze)* pousser; *fig (zunehmen)* augmenter, s'accroître, être en progression; *(sich entwickeln)* se développer; *(gedeihen)* prospérer; *(sich ausdehnen)* s'étendre; *(Familie)* s'agrandir; *mit ~der Geschwindigkeit* en prenant de la vitesse, de plus en plus vite; *tüchtig ~ (fam)* pousser comme un champignon; *jdm gewachsen sein* être de taille à se mesurer avec an; *jdm über den Kopf gewachsen sein (fig)* avoir dépassé qn; *e-r S gewachsen sein* être à la hauteur de qc; *(Haare, Bart) ~ lassen* laisser pousser; *er ist mir ans Herz gewachsen* je lui suis fort attaché; *die Arbeit wächst mir über den Kopf* je ne sais plus où donner de la tête; *der Baum ist schief gewachsen* l'arbre a poussé de travers; *der Sturm wächst zum Orkan* la tempête devient ouragan; *gut gewachsen* bien fait; **W~** *n* **2.** croissance; *fig* augmentation *f,* accroissement, développement *m; im ~~ sein (Mensch)* continuer de grandir; **~d** *a* croissant, grandissant; *fig (zunehmend)* progressif.
wächsern ['vɛksərn] *a (aus Wachs)* en *od* de cire; *(wachsbleich)* cireux.
Wachstum *n* ‹-s, ø› ['vakstu:m] *allg* croissance; *bot* végétation, pousse; *(Wein)* cru *m;* production *f; fig (Zunahme)* augmentation *f,* accroissement, développement *m; schnelle(s) ~ der Bevölkerung* poussée *f* démographique; *im ~ behindern* od *beeinträchtigen* empêcher de croître *od* de pousser *od* de grandir; *im ~ zurückbleiben* ne pas atteindre la taille normale; **w~sfördernd** *a* favorable à la croissance; **w~shemmend** *a* défavorable à la croissance; **~shormon** *n bot* auxine *f;* **~srate** *f* taux *m* d'accroissement; **~sstörung** *f* trouble *m* de croissance.
Wacht *f* ‹-, -en› [vaxt] *mil* garde, faction *f; mar* quart *m; ~ halten* veiller; *auf der ~ sein (fig)* être sur ses gardes; **~meister** *m mil* adjutant; *(Polizei~~)* sergent *m* (de ville); **~parade** *f mil* parade *f* de la garde montante;

~posten *m* poste, factionnaire *m;* **~schiff** *n* garde-côte *m;* **~turm** *m* tour *f* de garde *od* de guet; *(Beobachtungsstand aus Holz)* mirador *m.*

Wächte *f* ‹-, -n› ['vɛçtə] *(überhängender Schnee)* amas *m* de neige en surplomb.

Wachtel *f* ‹-, -n› ['vaxtəl] *orn* caille *f; die ~ ruft* od *schlägt* la caille margotte *od* carcaille; **~hund** *m (Spaniel)* épagneul *m;* **~könig** *m orn (Wiesenralle)* roi des cailles, râle *m* des genêts; **~ruf** *m;* **~schlag** *m* carcaillat, chant *m* de la caille.

Wächter *m* ‹-s, -› ['vɛçtər] *(Museum, Park)* garde, gardien, veilleur *m; ein guter, schlechter ~ sein* être de bonne, de mauvaise garde; **~kontrolluhr** *f* contrôleur *m* de rondes.

Wacke *f* ‹-, -n› ['vakə] *geol* pierraille *f.*

wack|(e)lig ['vak(ə)lıç] *a* branlant, vacillant; *(Möbel)* boiteux; *~~ auf den Beinen sein* flageoler (sur ses jambes); avoir les jambes qui flageolent *od* les jambes en coton; *~~ stehen (fig: Angelegenheit, Geschäft)* branler au manche *od* dans le manche; **W~elkontakt** *m el* contact intermittent, trembleur *m;* faux contact *m;* **~eln** *(hat gewackelt) itr* branler vaciller, trembler; *(Möbel)* être boiteux; *(~lig gehen)* chanceler; *mit den Hüften ~~* tortiller des hanches; *mit dem Kopf ~~* dodeliner de la *od* branler la tête; *mit dem Stuhl ~~* se dandiner sur sa chaise; *(lachen, brüllen etc.) daß die Wände ~~* à faire trembler les vitres; **W~elstein** *m* pierre *f* branlante.

wacker ['vakər] *a (rechtschaffen, brav)* honnête, loyal, probe; *(tapfer)* brave, courageux, vaillant; *adv* bravement; *(tüchtig)* comme il faut; *sich ~ halten* se conduire en brave; *~ zechen* boire sec; *er ist ~ mitgelaufen* il s'est bien défendu dans cette course *fam.*

Wade *f* ‹-, -n› ['va:də] *anat* mollet; gras *m* de la jambe; *bis an die ~n* à mi-jambe(s); **~nbein** *n anat* péroné *m;* **~nkrampf** *m* crampe *f* de la jambe; *e-n ~~ haben* avoir une crampe dans la jambe; **~nstrumpf** *m* jambière *f.*

Waffe *f* ‹-, -n› ['vafə] arme *f; in* od *unter ~n* sous les armes; *mit blanker ~* à l'arme blanche; *mit der ~ in der Hand* l'arme à la main; *ohne ~n* désarmé; *jdm die ~n abnehmen* désarmer qn; *zu den ~n greifen* prendre les armes; *mit ehrlichen ~n kämpfen* faire bonne guerre; *mit gleichen ~n kämpfen (fig)* lutter à armes égales; *die ~n niederlegen* od *strecken* mettre bas *od* rendre *od* déposer les armes; *zu den ~n rufen* appeler aux armes; *jdn mit s-n eigenen ~n schlagen (fig)* battre qn avec ses propres armes; *die ~n sprechen lassen* avoir recours *od* recourir aux armes; *unter den ~n stehen* porter les armes; *die ~n nieder!* bas les armes! *~n und Gerät (mil)* armement et matériel *m pl.*

Waffel *f* ‹-, -n› ['vafəl] *(aus dem Waffeleisen)* gaufre; *(kleine)* gaufrette *f;* **~eisen** *n* gaufrier *m;* **~muster** *n* nid *m* d'abeilles; **~tüte** *f (für Eis)* cornet *m.*

Waffen|besitz *m* ['vafən-] *(unerlaubte(r)) ~~* détention *f* (illégale) d'armes; **~bruder** *m* frère *od* compagnon *m* d'armes; **~brüderschaft** *f* (con)fraternité *f* d'armes; **w~fähig** *a* en état de porter les armes; *im ~~en Alter* en âge de porter les armes; **~gang** *m* passe *f* d'armes; **~gattung** *f* arme *f;* **~gebrauch** *m* emploi *m* des armes; **~gewalt** *f: mit ~~* par la force des armes; **~glück** *n* fortune *f* des armes; **~handel** *m* trafic *m* d'armes; **~händler** *m* armurier; trafiquant *m* d'armes; **~handlung** *f* armurerie *f;* **~handwerk** *n* métier *m* des armes; **~hilfe** *f* assistance *f* militaire; **~inspektion** *f* inspection *f* de l'armement; **~kammer** *f mil* magasin *m* d'armes *od* d'armement; **~lager** *n* dépôt *m* d'armes; **~lieferung** *f* fourniture *f* d'armes; **w~los** *a* sans armes, désarmé; **~meister** *m mil* (chef) armurier *m;* **~meisterei** *f mil* armurerie *f;* **~offizier** *m* officier *m* des armes et munitions; **~pflege** *f* entretien *m* des armes; **~rock** *m* tunique *f;* **~ruhe** *f* suspension d'armes; *(längere)* trêve *f;* **~sammlung** *f* collection d'armes, panoplie *f;* **~schein** *m* permis *m od* autorisation *f* de port d'armes; **~schmied** *m* armurier *m;* **~schmiede(kunst)** *f* armurerie *f;* **~schmuggel** *m,* **~schmuggler** *m* contrebande *f,* passeur *m* d'armes; **~stillstand** *m* armistice *m;* **~stillstandsbedingungen** *f pl* clauses *f pl* de l'armistice; **~stillstandsverhandlungen** *f pl,* **~stillstandsvertrag** *m* pourparlers *m pl,* traité *m* d'armistice; **~tanz** *m* danse *f* pyrrhique; **~tat** *f* fait d'armes, exploit *m* (guerrier); **~technik** *f* technique *f* de l'armement; **~tragen** *n* port *m* d'armes; **~überlegenheit** *f* supériorité *f* des armes; **~übung** *f* exercice *m* militaire; **~unteroffizier** *m* sous-officier *m* comptable du matériel et de l'armement.

waffnen ['vafnən] , *sich* s'armer (*mit* de).

wäg|bar ['vɛ:k-] *a* pondérable; **W~barkeit** *f* pondérabilité *f;* **~en** ‹*wog, hat gewogen*› ['vɛ:gən, (-)'vo:k/-gən] *tr fig poet (erwägen)* peser.

Wag|ehals *m* ['va:gə-] risque-tout; *fam* casse-cou *m;* **w~(e)halsig** ['va:k-] *a (Mensch)* téméraire; aventureux; *(Unternehmen)* hasardeux; **~(e)halsigkeit** *f* ['va:k-/-gə-] témérité *f;* **~emut** *m* hardiesse, audace *f;* goût du risque; esprit *m* d'entreprise; **w~emutig** *a* hardi, audacieux; **~en** *tr* oser (*etw zu tun* faire qc); avoir l'audace (*etw zu tun* de faire qc); *(aufs Spiel setzen)* risquer, mettre en jeu; *(unbesonnen)* hasarder, aventurer; *sich an etw ~~* se risquer, se hasarder, s'essayer, s'attaquer à qc; *sich an jdn ~~* oser s'en prendre à qn; *alles ~~* risquer le tout pour le tout; *sich nicht aus dem Haus ~~* ne pas se risquer hors de chez soi; *wer nicht ~t, der nicht gewinnt (prov)* qui ne risque rien, n'a rien; *frisch gewagt, ist halb gewonnen (prov)* affaire bien engagée est à moitié gagnée; **~(e)stück** *n = ~nis;* **~nis** *n* ‹-sses, -sse› ['va:k-] risque *m,* entreprise *f* risquée *od* hasardeuse *od* aventureuse.

Wägelchen *n* ‹-s, -› ['vɛ:gəlçən] petite voiture, voiturette *f.*

Wagen *m* ‹-s, -› ['va:gən] *(Pferdewagen* u. *mot)* voiture; *mot* auto(mobile); *mot arg* bagnole *f; loc* wagon *m,* voiture *f; (Lastwagen)* chariot; *mot* camion; *(Fahrzeug)* véhicule; *hist (Kampfwagen)* char; *(d. Schreibmaschine)* chariot *m; jdn vor s-n ~ spannen (fig)* tirer parti de qn; *das Pferd hinter den ~ spannen (fig)* mettre la charrue devant les bœufs; *der Große ~ (astr)* la Grande Ourse; **~achse** *f* essieu *m;* **~aufbau** *m mot* carrosserie *f;* **~bauer** *m = Wagner;* **~besitzer** *m* possesseur *m* de (la) voiture; **~burg** *f hist* barricade *f* de chariots; **~deichsel** *f* timon *m;* **~fähre** *f* bac *m* pour voitures; **~fahrt** *f* parcours *m* en voiture; **~federung** *f* suspension *f* de (la) voiture; **~fenster** *n* glace *f;* **~führer** *m (e-s öffentl. Verkehrsmittels)* conducteur; *(e-s elektr. Fahrzeuges a.)* wattman *m;* **~gestellung** *f loc* mise *f* en place des wagons; **~halle** *f mot* garage *m;* **~hebebühne** *f tech* élévateur *m* pour autos; **~heber** *m mot* cric *m;* **~innere(s)** *n* intérieur *m* de la voiture; **~kasten** *m (e-s LKW)* caisse *f;* **~kolonne** *f* convoi *m* (de voitures); **~kupp(e)lung** *f loc* attelage *m;* **~ladung** *f* voiturée; charge d'un *od* du camion; *loc* wagonnée *f;* **~laterne** *f* lanterne *f* de voiture; **~leiter** *f (des Leiterwagens)* ridelle *f;* **~mangel** *m loc* manque *m* de wagons; **~meister** *m loc* visiteur *m;* **~oberbau** *m = ~aufbau;* **~papiere** *n pl* papiers *m pl* de bord; **~park** *m loc* parc de wagons, matériel roulant; *mot* parc *m* autos *od* de voitures; **~pflege** *f mot* entretien *m* des voitures; **~plane** *f* bâche, banne *f;* **~rad** *n* roue *f* de voiture; **~reihe** *f, fam* **~schlange** *f* file *f* de voitures **~rennen** *n hist* course *f* de chars; **~schlag** *m = ~tür;* **~schlüssel** *m* clef *f* de (la) voiture; **~schmiere** *f* graisse *f* (à voitures); *(alte)* cambouis *m;* **~schuppen** *m* remise *f; mot* garage *m;* **~spur** *f* ornière *f;* **~tritt** *m* marchepied *m;* **~tür** *f* portière *f;* **~umlauf** *m loc* circulation *f* des wagons; **~vermieter** *m* loueur *m* de voitures; **~vermietung** *f* location *f* de voitures; **~waschen** *n* lavage *m* (d'auto); **~wechsel** *m* changement *m* de voiture; **~winde** *f* cric *m;* **~zug** *m loc* rame *f* de wagons.

Waggon *m* ‹-s, -s› [va'gõ:] *loc* wagon *m; franko ~* franco sur wagon; **~kipper** *m* basculeur *m* de wagons; **~ladung** *f* wagonnée *f;* **w~weise** *adv* par wagons.

Wagner *m* ‹-s, -› ['va:gnər] *(Stellma-*

cher) charron *m;* **~arbeit** *f* charronnage *m.*

Wahl *f* ‹-, -en› [va:l] choix *m; (Auswahl)* sélection; *(schwierige ~)* option; *(~ zwischen zwei Möglichkeiten)* alternative; *pol* élection *f; (Abstimmung)* scrutin *m; nach ~* au choix; *e-e ~ abhalten (pol)* faire une élection; *keine ~ haben* n'avoir pas le choix; ... *zur ~ haben* avoir le choix entre ...; *in die engere ~ kommen (pol)* être en ballottage; *jdm die ~ lassen* laisser le choix à qn; *zur ~ schreiten* procéder au scrutin; *jdn vor die ~ stellen* obliger qn à choisir; *sich zur ~ stellen* poser sa candidature, se porter candidat; *s-e ~ treffen* faire son choix; *e-e gute, schlechte ~ treffen* faire un bon, mauvais choix; *es bleibt keine ~* il n'y a pas à choisir; *meine ~ fiel auf Paris* mon choix s'est porté sur Paris; *die ~ steht dir frei* tu peux choisir; tu as le choix; *wer die ~ hat, hat die Qual (prov)* on n'a que l'embarras du choix; *engere ~ (pol)* scrutin *m* de ballottage; *erste ~ (com)* premier choix *m; geheime ~* scrutin *m* secret; *indirekte ~* suffrage *m* indirect; *zweite ~ (com)* second choix *m; das Mädchen meiner ~* l'élue *f* de mon cœur; *~ durch Handaufheben, durch Zuruf* vote *m* à main levée, par acclamation.

Wahl|alter *n* ['va:l-] majorité *f* électorale; **~aufruf** *m* manifeste *m* électoral; **~ausschuß** *m* commission *f* électorale; **~ausweis** *m* carte *f* d'électeur; **~beeinflussung** *f* pression *f* électorale; **~befragung** *f* consultation *f* électorale; **w~berechtigt** *a* inscrit; **~berechtigte(r)** *m* électeur *m* inscrit; **~bestechung** *f* corruption *f* électorale; **~beteiligung** *f* participation électorale *od* au vote, fréquentation *f* des urnes; **~betrug** *m* fraude *f* électorale; **~bezirk** *m* circonscription *f* électorale; **~bündnis** *n* apparentement *m; ein ~~ eingehen* s'apparenter (*mit* à); **~büro** *n* bureau *m* de vote; **~erfolg** *m* succès *m* électoral; **~ergebnis** *n* résultat *m* électoral *od* de l'élection *od* du vote; **~fach** *n (Schule)* matière *f* facultative *od* à option; **~fälschung** *f* = *~betrug;* **~feldzug** *m* campagne *f* électorale; **w~frei** *a (Schulfach)* facultatif; **~gang** *m* tour *m* de scrutin; *im ersten ~~* au premier tour (de scrutin); **~geheimnis** *n* secret *m* du vote; **~gesetz** *n* loi *f* électorale; **~heimat** *f* terre *od* patrie *f* d'élection; **~helfer** *m* assistant *m* électoral; **~kabine** *f* isoloir *m;* **~kampf** *m* lutte *od* bataille *od* compétition *f* électorale; **~kandidat** *m* candidat *m* (aux élections); **~kartei** *f* fichier *m* électoral; **~kreis** *m* circonscription *f* électorale; **~leiter** *m* responsable *m* du scrutin; **~liste** *f* liste *f* électorale; **~lokal** *n* bureau *m* de vote; **w~los** *a.* u. *adv* sans discernement; *~~ anhäufen (beim Sammeln, a.)* acheter à tort et à travers; *~~ herausgreifen* prendre au hasard *od* au petit bonheur; **~mann** *m* grand électeur *m;* **~männerkollegium** *n* collège *m* électoral; **~manöver** *n pl* manœuvre *f* électorale; **~monarchie** *f* monarchie *f* élective; **~müdigkeit** *f* abstentionnisme *m;* **~mündigkeit** *f* majorité *f* politique; **~niederlage** *f* défaite *f* électorale; **~ordnung** *f* règlement *m* électoral; **~parole** *f* slogan *m* électoral; **~periode** *f* période *f* électorale; **~pflicht** *f* vote *m* obligatoire; **~plakat** *n* affiche *f* électorale; **~programm** *n* programme *m od* plate-forme *f* électoral(e); **~propaganda** *f* propagande *f* électorale; **~prüfer** *m* scrutateur *m;* **~prüfung** *f* vérification *f* du scrutin; **~recht** *n* droit *m* de vote *od* de suffrage; *von s-m ~~ Gebrauch machen, sein ~~ ausüben* exercer son droit de vote; *allgemeine(s) ~~* suffrage *m* universel; *passive(s) ~~* éligibilité *f;* **~rede** *f,* **~redner** *m* discours, orateur *m* électoral; **~reform** *f* réforme *f* électorale; **~schlacht** *f* bataille *f* électorale; **~sieg** *m* victoire *f* électorale; **~spruch** *m* devise, maxime *f;* **~system** *n* système électoral; mode *m* de scrutin; **~tag** *m* journée *f* électorale; jour *m* du scrutin; **~taktik** *f* tactique *f* électorale; **~terror** *m* pression *f* électorale; **~urne** *f* urne *f* électorale; **~verfahren** *n* procédure *f* électorale; mode *m* de votation; **~versammlung** *f* réunion *od* assemblée *f* électorale; **~versprechungen** *f pl* promesses *f pl* faites aux électeurs; **~verwandtschaft** *f chem* u. *fig* affinité *f* élective; **~vorschlag** *m parl* proposition *f* de scrutin; **~vorstand** *m (Gruppe)* (bureau *m* de la) commission *f* électorale; **w~weise** *adv* facultativement; **~zelle** *f* = *~kabine;* **~zettel** *m* bulletin *m* de vote.

wähl|bar ['vɛ:l-] *a* éligible; *nicht ~~* inéligible; **W~barkeit** *f* ‹-, ø› éligibilité *f;* **~en** *tr allg* choisir; *(auswählen)* élire; *(sich entscheiden für)* opter pour, prendre; *(Beruf)* embrasser; *(Menschen zu e-m Amt)* élire, porter, prendre (*zu* pour); *pol (stimmen)* voter (*für* pour); opter pour; *tele (Nummer)* faire, composer; *itr pol* voter; *jdn einstimmig, mit absoluter, einfacher Mehrheit ~~* élire qn à l'unanimité, à la majorité absolue, simple *od* relative; *nicht ~~* s'abstenir (de voter); **W~er** *m* ‹-s, -› électeur, votant; *tech* sélecteur *m;* **W~(er)amt** *n tele* central *m* automatique; **W~(er)betrieb** *m tele* téléphonie *f* automatique; **W~erkarte** *f* carte *f* d'électeur; **W~erkartei** *f* fichier *m* électoral; **W~erliste** *f* liste *f* électorale; **W~erraum** *m tele* salle *f* automatique; **W~erschaft** *f* corps *od* collège électoral, électorat *m;* **W~erscheibe** *f tele* cadran *m* d'appel; **W~ersystem** *n tele* téléphonie *f* automatique; **W~erversammlung** *f* réunion *f* électorale.

Wahn *m* ‹-(e)s, ø› [va:n] folie; *(~vorstellung)* illusion, chimère; idée *f* fausse; *(Verirrung)* égarement *m,* aberration *f; (Verblendung)* aveuglement; *(Fieberwahn)* délire *m; in e-m ~ befangen sein* vivre dans l'illusion; **~bild** *n* illusion; hallucination *f;* mirage *m;* chimère *f,* fantôme *m;* **~sinn** *m* folie, démence *f,* délire, égarement *m; med* aliénation *f* mentale, dérangement *m* cérébral; *(fam, übertreibend)* folie, démence *f; in ~~ (ver-) fallen* perdre la raison, devenir fou; *das ist heller ~~* c'est de la folie pure; *das ist ja ~~!* mais c'est du non-sens! **w~sinnig** *a (a. fig, übertreibend)* fou, insensé; *med* dément, aliéné, maniaque; *(fam, übertreibend)* démentiel; *adv (fam, übertreibend)* follement, terriblement; *~~ viel zu tun haben* avoir un travail fou; *jdn ~~ machen (fam, übertreibend)* faire perdre la raison à qn, rendre qn fou; *~ werden* perdre la raison, devenir fou; *ich werde ~~ (fam, übertreibend)* j'enrage; c'est intenable *od* à devenir fou; *~~e Schmerzen m pl* douleurs *f pl* effroyables; **~sinnige(r)** *m (a. fam, übertreibend)* fou, insensé; *med* aliéné, dément *m;* **~sinnsanfall** *m* accès *m* de folie; **~vorstellung** *f* illusion, chimère *f,* phantasme *m;* idée délirante *od* fixe, obsession, manie *f;* **~witz** *m fig* folie, démence; extravagance; absurdité *f;* **w~witzig** *a fig* fou, dément; extravagant; absurde; *~~e(r) Dünkel m* fol orgueil *m; ~~e(s) Unterfangen n* folle aventure *f.*

wähnen ['vɛ:nən] *tr (glauben, annehmen)* croire (à tort); *(sich einbilden)* s'imaginer, se figurer.

wahr [va:r] *a* vrai; *(~heitsgetreu)* véridique; *(wirklich)* véritable; *(echt)* authentique; *im ~sten Sinn des Wortes* dans toute l'acception du terme; *für ~ halten* tenir pour vrai, croire; *sich als ~ herausstellen* s'avérer, se révéler vrai; *etw ~ machen* réaliser qc; *~ werden* se réaliser; *sein ~es Gesicht zeigen* jeter le masque; *daran ist kein ~es Wort* il n'y a pas un mot de vrai là-dedans; *es wird schon (et)was W~es d(a)ran sein* il y a sûrement du vrai là-dedans; *das ist eine ~e Schande* c'est un véritable scandale; *nicht ~?* n'est-ce pas? *fam* pas vrai? hein? *so ~ ich lebe!* aussi vrai que j'existe!; *so ~ mir Gott helfe! (Eidesformel)* je le jure; *~e(r) Freund m* ami *m* véritable; *~e Geschichte f* histoire *f* vécue; **W~e,** *das* le vrai, la vérité.

wahr|en ['va:rən] *tr (bewahren, erhalten)* garder, conserver; *(behaupten, aufrechterhalten)* maintenir, défendre; *das Geheimnis ~~* garder le secret; *s-e Interessen ~~* défendre ses intérêts; *den Schein ~~* sauve(garde)r l'apparence; **W~ung** *f (von Interessen etc)* défense, sauvegarde *f.*

währen ['vɛ:rən] *itr (dauern)* durer; **~d** *prp* pendant, durant; *~~ der ganzen Zeit* pendant tout ce temps; *conj (zeitl.)* pendant que; *(gegensätzl.)* tandis que, alors que; **~ddem** [-'de:m] *adv,* **~ddes(sen)** [-'dɛs(ən)] *adv* pendant ce temps, en attendant.

wahrhaben ['va:r-] *tr: nicht ~ wollen, daß ...* ne pas vouloir admettre que ...

wahrhaft ['va:rhaft] *a (wahrheitsliebend)* véridique; *(aufrichtig)* sincère; *adv (bei a: wirklich)* vraiment; **~ig** *a: ~~er Gott! ~~en Gottes!* par Dieu! *adv (wirklich)* vraiment; *(wirklich und) ~~!* vraiment! vérité! ma foi! **W~igkeit** *f* ‹-, ø› *(Wahrheitsliebe, Aufrichtigkeit)* sincérité; *(Wahrheit)* vér(ac)ité; *(Glaubwürdigkeit)* authenticité *f.*

Wahrheit *f* ‹-, -en› ['va:rhaɪt] vérité *f; die ~ (das Wahre, a.)* le vrai; *in ~* en vérité; en réalité; *(um) die ~ zu sagen* à dire vrai, à vrai dire; *von der ~ abweichen* s'écarter de la vérité; *bei der ~ bleiben* s'en tenir à la vérité; *die ~ sagen* dire vrai; *jdm die ~ sagen (fig)* dire ses quatre vérités *od* son fait à qn; *den Stempel der ~ tragen* être marqué au coin de la vérité; *ich muß Ihnen die ~ sagen* je vous dois la vérité; *das ist die reine* od *nackte ~* c'est la pure vérité *od* la vérité pure *od* toute nue; *geschichtliche ~* historicité *f; es ist e-e alte ~, daß* on sait depuis longtemps que; *Kinder (und Narren) sagen die ~ (prov)* la vérité sort de la bouche des enfants; *von der ~ weit entfernt* à mille lieues de la vérité; **~sbeweis** *m* preuve *f* de la vérité; **w~sgemäß** *a,* **w~sgetreu** *a* conforme à la vérité, véridique, fidèle; *adv* fidèlement; **~sliebe** *f* amour *m* de la vérité, véracité *f;* **w~sliebend** *a* attaché à la vérité, véridique, sincère; **~ssinn** *m* véracité *f;* **~ssucher** *m* chercheur *m* de la vérité.

wahrlich ['va:rlɪç] *adv* vraiment, en vérité; *~!* vraiment! en vérité! ma foi!

wahrnehm|bar ['va:r-] *a* perceptible, apercevable, sensible; *(sichtbar)* visible; *(hörbar)* audible; *nicht ~~* imperceptible; **W~barkeit** *f* perceptibilité; visibilité; audibilité *f;* **~en** ‹*hat wahrgenommen*› *tr (bemerken)* (a)percevoir, s'apercevoir de, remarquer; *(nutzen, Gebrauch machen von)* profiter de; *die Gelegenheit ~~* profiter de l'occasion; *jds Geschäfte ~~* remplacer qn; *jds Interessen ~~* parler au nom de qn, représenter qn; *e-n Termin ~~ (jur)* assister à une audience; **W~ung** *f* (a)perception; *(der Interessen)* défense, sauvegarde; *jur (e-s Termins)* assistance *f* (*gen* à); *außersinnliche ~~* extra-perception *f; mit der (laufenden) ~~ der Geschäfte betraut* chargé de l'expédition des affaires (courantes).

Wahrsag|ekunst *f* ['va:r-] art *m* divinatoire; **w~en** ‹*wahrsagte, hat gewahrsagt*› *itr* prédire l'avenir, dire la bonne aventure, vaticiner; *aus dem Kaffeesatz ~~* lire l'avenir dans le marc de café; *sich ~~ lassen* se faire dire la bonne aventure; **~er** *m* devin, diseur *m* de bonne aventure; **~erei** *f* [-'rai] divination *f;* **~erin** *f* devineresse, diseuse *f* de bonne aventure; **w~erisch** *a* divinatoire; **~ung** *f* *(Voraussage)* prédiction, divination, vaticination *f.*

wahrscheinlich ['va:rʃaɪnlɪç, -'--] *a* vraisemblable, probable; *adv a.* sans doute; **W~keit** *f* vraisemblance, probabilité *f; aller ~~ nach* selon toute(s) probabilité(s); **W~keitsrechnung** *f math* calcul *m* des probabilités.

Wahrspruch *m* ['va:r-] *jur* verdict *m.*

Währung *f* ‹-, -en› ['vɛ:rʊŋ] étalon *m,* monnaie, valeur *f od* système *m* monétaire; *in fremder ~* en monnaie étrangère, en devise; *einfache ~* monométallisme *m; harte ~* monnaie *f* stable.

Währungs|abkommen *n* ['vɛ:rʊŋs-] accord *m* monétaire; **~abwertung** *f* dévaluation *f* de la monnaie; **~angleichung** *f* alignement *m* monétaire; **~ausgleich(sfonds)** *m* (fonds *m* d')égalisation *f* des changes; **~behörden** *f pl* autorités *f pl* monétaires; **~block** *m* ‹-(e), ⸚e/-s› bloc *m* monétaire; **~deckung** *f* couverture *f* de la circulation; **~einheit** *f* unité *f* monetaire; **~fonds** *m* fonds *m* monétaire; **~gebiet** *n* zone *f* monétaire; **~geld** *n* monnaie *f* légale; **~gesetz** *n* loi *f* monétaire; **~klausel** *f* clause *f* monétaire; **~kredit** *m* crédit *m* en monnaie étrangère; **~krise** *f* crise *f* monétaire; **~kurs** *m* cours *m* de change; **~lage** *f,* **~parität** *f,* **~politik** *f,* **~problem** *n,* **~reform** *f,* **~reserve** *f* situation, parité, politique *f,* problème *m,* réforme, réserve *f* monétaire; **~schwankung** *f* fluctuation *f* monétaire *od* des changes; **~spanne** *f* écart *m* des changes; **~stabilisierung** *f* stabilisation *f* de la monnaie; **~stabilität** *f,* **~system** *n,* stabilité *f,* système *od* régime *m* monétaire; **~umrechnung** *f,* **~umstellung** *f* conversion *f* monétaire; **~unsicherheit** *f,* **~verfall** *m,* **~verhältnis** *n* instabilité, dépréciation *f,* rapport *m* monétaire; **~verlust** *m* perte *f* au change; **~verschlechterung** *f* affaiblissement *m* de la monnaie; **~zerrüttung** *f* désorganisation *f* monétaire; **~zusammenbruch** *m* effondrement *m* monétaire.

Wahrzeichen *n* ['va:-r-] *(e-r Stadt)* emblème *m.*

Waise *f* ‹-, -n› ['vaɪzə] orphelin, e *m f;* **~ngeld** *n* pension *f* d'orphelin; **~nhaus** *n* orphelinat *m;* **~nkind** *n* orphelin *m;* **~nknabe** *m* orphelin *m; ein reiner* od *der reine ~~ gegen jdn sein* ne pas arriver à la cheville de qn; **~nrente** *f* = *~ngeld.*

Wal *m* ‹-(e)s, -e› [va:l] *zoo* baleine *f; pl (als Ordnung)* cétacés *m pl;* **~fang** *m* pêche *f* à la baleine; **~fangboot** *n,* **~fänger** *m (Mensch* u. *Boot)* baleinier *m;* **~fangflotte** *f* flotte *f* baleinière; **~fangmutterschiff** *n* navire-usine *m;* **~fisch** *m* ['val-] *pop = ~;* **~rat** *m* od *n* ‹-(e)s, ø› ['va:lra:t] blanc *m* de baleine; **~roß** *n* ['val-] *zoo* morse *m; pop* vache *f* marine.

Walach|e *m* ‹-n -n› [va'laxə] Valaque *m;* **~ei** [-'xai] *, die (geog)* la Valachie.

Wald *m* ‹-(e)s, ⸚er› [valt, 'vɛldər] forêt *f; (kleiner)* bois *m; (Hochwald)* futaie *f; in die Wälder gehen (um sich dort versteckt zu halten)* prendre le maquis; *man sieht den ~ vor lauter Bäumen nicht* les arbres cachent la forêt; *wie man in den ~ hineinruft, so schallt es wieder heraus (prov)* on reçoit toujours la monnaie de sa pièce; **~ameise** *f: Rote ~~* fourmi *f* rouge; **~arbeiter** *m* ouvrier *m* forestier; **~bestand** *m* fonds *m* boisé (*vorhandene(r)* existant); **~brand** *m* incendie *m* de forêt; **~erdbeere** *f (Pflanze)* fraisier *m* sauvage *od* des bois; *(Frucht)* fraise *f* des bois; **~frevel** *m* délit *m* forestier; **~gebiet** *n* région *f* forestière; **~geist** *m* sylvain *m;* **~grenze** *f geog* limite *f* de la forêt; **~honig** *m* miel *m* sauvage; **~horn** *n mus* cor *m* de chasse; **~hufendorf** *n* village *m* de défrichement; **~hüter** *m* garde *m* forestier; **w~ig** [-dɪç] *a* boisé; **~kauz** *m orn* chat-huant *m,* hulotte *f;* **~komplex** *m,* **~landschaft** *f* massif, paysage *m* forestier; **~lauf** *m sport* course *f* en forêt; **~maus** *f* mulot, rat *m* des bois; **~meister** *m bot* aspérule *f* (odorante); *pop* petit muguet *m;* **~ohreule** *f* moyen duc *m;* **~rand** *m* lisière *od* orée *f* du bois; **~rebe** *f bot* clématite *f;* **w~reich** *a* riche en forêts; très boisé; **~reichtum** *m (e-s Landes)* richesses *f pl* forestières; **~schnepfe** *f orn* bécasse *f* (commune); **~schrat** *m* = *~geist;* **~taube** *f orn* ramier *m, pop* palombe *f;* **~ung** *f* ['-dʊŋ] forêt *f,* bois *m;* **~vogel** *m* oiseau *m* des bois; **~weg** *m* chemin *m* forestier; **~wiese** *f* clairière *f;* **~wirtschaft** *f* économie *od* exploitation forestière, sylviculture *f.*

Wäldchen *n* ‹-s, -› ['vɛltçən] petit bois, bosquet, boqueteau *m.*

Waldenser *m* ‹-s, -› [val'dɛnzər] *rel* Vaudois *m.*

Wal|es *n* [wɛɪlz] *geog* le pays de Galles; **~iser** *m* ‹-s, -› [va'li:zər] Gallois *m;* **w~isisch** [-'li:zɪʃ] *a* gallois.

Walk|e *f* ‹-, -n› ['valkə] *tech* moulin *m* à foulon, foulerie *f;* **w~en** *tr (Tuch)* fouler, pilonner; *fam (prügeln)* rosser; **~en** *n* foulage *m;* **~er** *m* ‹-s, -› fouleur, foulon(nier) *m;* **~erde** *f* terre *f* à foulon; **~mühle** *f* = *~e.*

Walküre *f* ‹-, -n› [val'ky:rə, 'va(:)lkyrə] *: (Mythologie)* Valkyrie *f.*

Wall *m* ‹-(e)s, ⸚e› [val, 'vɛlə] rempart *a. mil* u. *fig; (Damm)* remblai *m,* levée *f;* **~graben** *m* fossé *m* des remparts.

Wallach *m* ‹-(e)s, -e› ['valax] *(kastrierter Hengst)* (cheval) hongre *m.*

wall|en ['valən] *itr (sprudeln)* bouillonner; *(wogen)* ondoyer, onduler; *(flattern)* flotter; *fig (Blut in den Adern)* bouillir; *vx = ~fahr(t)en;* **W~fahrer** *m* pèlerin *m;* **W~fahrt** *f* pèlerinage *m;* **~fahr(t)en** ‹*wallfahrt(et)e; ist gewallfahrt(et)*› *itr (pilgern)* aller en pèlerinage; **W~fahrtskirche** *f* église *f* de pèlerinage; **W~fahrtsort** *m* lieu *m* de pèlerinage; **W~ung** *f a. fig* bouillonnement *m,* ébullition, effervescence *f; (Wogen)* ondoiement *m,* ondulation; *fig a.* agitation *f; in ~~ bringen (fig)* faire bouillir, mettre en effervescence, agiter; *in ~~ geraten (fig)* bouillonner, s'agiter, s'exciter.

Wallis ['valıs], *das, geog* le Valais; **~er(in** *f***)** *m* ⟨-s, -⟩ [-'lizər] Valaisan, e *m f;* **w~erisch** [-'lizərıʃ] *a* valaisan, du Valais.

Wallon|e *m* ⟨-n, -n⟩ [va'lo:nə], **~in** *f* Wallon, ne *m f;* **w~isch** [-'lo:nıʃ] *a* wallon.

Walmdach *n* ['valm-] *arch* toit *od* comble *m* en croupe.

Walnuß *f* ['val-] noix *f;* **~baum** *m* noyer *m.*

walten ['valtən] ⟨*waltete, hat gewaltet*⟩ *itr (herrschen)* régner (*über* sur); *(tätig sein, wirken)* agir; *s-s Amtes ~* remplir son office, exercer ses fonctions; *Gnade ~ lassen* se montrer indulgent; *schalten und ~, wie es einem beliebt* faire à sa guise; *jdn schalten und ~ lassen* laisser qn faire à sa guise, laisser carte blanche à qn; *der Frieden waltet* la paix règne; *das walte Gott!* à Dieu vat! **W~** *n (Herrschaft)* règne *m; (Tätigkeit)* action *f.*

Walter *m* ['valtər] *(Vorname)* Gautier *m.*

Walz|anlage *f* ['valts-] *tech* laminoir *m;* **~blech** *n* tôle *f* laminée; **~e** *f* ⟨-, -n⟩ *allg* u. *tech* cylindre; *tech agr* rouleau *m; auf der ~~ sein (fam: wandern)* rouler sa bosse; **~eisen** *n* fer *m* laminé; **w~en** ⟨*du walz(es)t*⟩ *tr* cylindrer, passer au rouleau; *metal* laminer; *itr (Walzer tanzen)* valser; **w~enförmig** *a* cylindrique; **~enstraße** *f tech* (train de) laminoir *m;* **~enwehr** *n (in e-m Fluß)* barrage *m* cylindrique *od* à cylindres; **~er** *m* ⟨-s, -⟩, *(Tanz)* valse *f; (e-n) ~~ tanzen* danser une valse, valser; *langsame(r) ~~* valse *f* lente; **~ertakt** *m* rythme *m* de valse; **~maschine** *f* machine *f* à laminer, laminoir *m;* **~stahl** *m* acier *m* laminé; **~werk** *n* usine *f* de laminage, laminoir *m,* tôlerie *f;* **~werkprodukt** *n* produit *m* laminé.

wälz|en ['vɛltsən] ⟨*du wälz(es)t*⟩ *tr* rouler; *fig (Bücher)* compulser; *(Probleme)* ruminer; *sich ~~* se rouler, *pej* se vautrer (*in* dans); *sich im Bett von e-r Seite auf die andere ~~* se tourner et se retourner dans son lit; *sich e-e Last vom Herzen* od *von der Seele ~~* se décharger; *die Schuld auf jdn ~~* rejeter la faute *od* la responsabilité sur qn; *ich könnte mich vor Lachen ~~* c'est à se tordre de rire; **W~er** *m* ⟨-s, -⟩ *fam (großes Buch)* gros bouquin *m.*

Wamme *f* ⟨-, -n⟩ ['vamə] *(Bauchteil e-s Felles)* ventre; *(Brusthaare des Rindes)* fanon *m; (des Hirsches)* hampe *f; (Bauch von Wildbret)* ventre *m.*

Wampe *f* ⟨-, -n⟩ ['vampə] = *Wamme; vulg (Bauch des Menschen)* ventre *m; fam* bedaine, panse *f.*

Wams *n* ⟨-es, ⸚er⟩ [vams, 'vɛmzər] *hist (Jacke)* pourpoint *m;* **w~en** *tr fam (prügeln)* rosser.

Wand *f* ⟨-, ⸚e⟩ [vant, 'vɛndə] mur *m; (dicke)* muraille; *(Innen~; ~fläche; Fels~)* paroi; *(Scheide~)* cloison *f; in meinen vier Wänden* chez moi; *jdn an die ~ drücken (fig) (in den Hintergrund drängen)* éclipser, écraser qn; *(nicht zu Wort kommen lassen)* brimer, brider qn; *jdm nur die nackten Wände lassen (alles wegnehmen)* ne laisser que les quatre murs à qn; *e-n Nagel in die ~ schlagen* enfoncer un clou dans le mur; *jdn an die ~ stellen (erschießen)* coller *od* mettre qn au mur; *~ an ~ wohnen* être voisins; *mit dem Kopf durch die ~ wollen (fig)* donner de la tête contre un mur, vouloir l'impossible; *das ist, um an den Wänden hochzugehen (fam)* c'est ignoble *od* scandaleux! c'est à désespérer de tout! *die Wände haben Ohren (prov)* les murs ont des oreilles; *blinde ~ (ohne Fenster)* mur *m* orbe; *schalldichte ~* cloison *f* insonorisée; *spanische ~* paravent *m;* **~apparat** *m tele* appareil *od* poste *m* mural; **~arm** *m* applique *f;* **~behang** *m* tenture, tapisserie *f;* **~bekleidung** *f* revêtement, *(a. Täfelung)* lambris *m;* **~bewurf** *m* lambris *m;* **~bild** *n* = *~gemälde;* **~brett** *n* console *f;* **~dekoration** *f* décoration *f* murale; **~fläche** *f* surface *f* murale; **~gemälde** *n* peinture *f* murale; **~kalender** *m* calendrier *m* mural; **~karte** *f* carte *f* murale; **~lampe** *f,* **~leuchte** *f* (lampe d')applique *f;* hublot *m* mural; **~malerei** *f* peinture *f* murale; **~reklame** *f* réclame *od* affiche *f* murale; **~schild** *n* panneau *m* mural; **~schirm** *m* paravent, écran *m;* **~schmuck** *m* décor *m* mural; **~schrank** *m* placard *m;* **~spiegel** *m* trumeau *m;* **~tafel** *f* tableau *m* noir; **~teller** *m* assiette *f* murale; **~teppich** *m* tapisserie, tenture *f;* **~tisch** *m* console *f;* **~uhr** *f* pendule *f; (Regulator)* régulateur *m;* **~ung** *f* paroi *f;* **~zeitung** *f* journal *m* mural.

Wandal|e *m* ⟨-n, -n⟩ [van'da:lə] *hist* Vandale; *fig* vandale *m;* **w~isch** [-'da:lıʃ] *a, a. fig* vandale; **~ismus** *m* ⟨-, ø⟩ [-da'lısmus] *(Zerstörungswut)* vandalisme *m.*

Wandel *m* ⟨-s, ø⟩ ['vandəl] *(Änderung)* changement *m,* mutation *f;* modifications, variations *f pl; (Lebenswandel)* conduite *f,* comportement *m,* vie; manière *f* de vivre; *e-n ~ erfahren* od *erleiden* changer, subir un *od* des changement(s); *e-n ~ herbeiführen, ~ schaffen* amener *od* apporter du *od* des changement(s); *es trat ein ~ ein* il y eut un changement; *Handel und ~* les affaires *f pl,* le trafic; *im ~ begriffen* en mutation; *der ~ der Zeit* la marche du temps; **w~bar** *a* changeant; *(veränderlich)* variable; *(unbeständig)* instable, inconstant, versatile; **~barkeit** *f* mutabilité, mobilité; *(Unbeständigkeit)* instabilité, inconstance, versatilité *f;* **~gang** *m,* **~halle** *f* promenoir; *theat* foyer *m; jur* salle *f* des pas perdus; **w~n** ⟨*ich wandle, du wandelst, wand(e)le! ist gewandelt*⟩ *itr lit poet (gehen)* aller (son chemin), marcher, cheminer, se promener, déambuler; *sich ~~* ⟨*hat sich gewandelt*⟩ *(sich verändern)* changer, se transformer, faire peau neuve; *s-e Bahn ~~* poursuivre sa course; *auf dem Pfade der Tugend ~~* suivre le chemin de la vertu; *sich ~d (ppr)* changeant, en mutation; *eine ~~de Leiche f (fig)* un cadavre *m* ambulant; *ein ~~des Lexikon (fig hum)* une encyclopédie vivante; **~stern** *m astr* planète *f.*

Wander|arbeiter *m* ['vandər-] travailleur *m* migrant; **~ausrüstung** *f* équipement *m* pour excursion; **~ausstellung** *f* exposition *f* itinérante; **~bücherei** *f* bibliothèque *f* ambulante *od* roulante; bibliobus *m;* **~bühne** *f* théâtre *m* ambulant; **~bursche** *m hist* compagnon *m* qui fait son tour; **~düne** *f* dune *f* mouvante; **~er** *m* ⟨-s, -⟩ marcheur, excursionniste *m;* **~fahrt** *f* tour *m* à pied, excursion; *fam* randonnée *f;* **~falke** *m orn* faucon *m* pèlerin; **~flegel** *m* saucissonneur *m;* **~gewerbe (-schein** *m***)** *n* (permis *m* de) profession *f* ambulante; **~heuschrecke** *f* criquet *m* migrateur; **~jahre** *n pl* années *f pl* de voyage; **~karte** *f* carte *f* routière; **~kino** *n* cinéma ambulant *od* roulant, cinébus *m;* **~leben** *n* vie *f* errante *od* vagabonde *od* nomade; **~lied** *n* chanson *f* de marche *od* de route; **~lust** *f* goût *m* du voyage (à pied), humeur *f* voyageuse *od* vagabonde; **w~n** *itr* ⟨*ich wand(e)re, du wanderst; wand(e)re! ist gewandert*⟩ aller à pied, marcher, cheminer, se promener, voyager (à pied); *(e-n Ausflug machen)* faire une excursion; *(umherschweifen)* vagabonder, errer; *(Gedanken)* se promener, errer; *(s-e Lage verändern)* se déplacer; *fam (Sache: gebracht werden)* aller; *ins Gefängnis ~~ (fam)* être emprisonné; *durch Italien ~~* parcourir l'Italie à pied; *in den Papierkorb ~~ (fam)* atterrir au panier; *s-e Blicke ~~ lassen* promener ses regards; **~n** *n* voyages *m pl od* excursions *f pl* à pied; **~nd** *a, a.* en voyage; *med (Schmerz)* erratique; **~niere** *f med* rein *m* flottant *od* mobile; **~pokal** *m sport* coupe *f* challenge; **~prediger** *m* prédicateur *m* itinérant; **~preis** *m sport* challenge *m;* **~ratte** *f zoo* surmulot *m;* **~schaft** *f* ⟨-, ø⟩ voyage (à pied); *(der Handwerksburschen)* tour *m* (de compagnon); *auf der ~~* en voyage; faisant son tour; *auf die ~~ gehen* faire son tour; **~schau** *f* musée roulant, muséobus *m;* **~smann** *m* ⟨-(e)s, -leute⟩ marcheur *m;* **~stab** *m:* bâton *m* du voyageur; *den ~~ ergreifen (a. fig)* pendre le bâton du voyageur; **~trieb** *m zoo* instinct *m* migrateur; *psych (des Menschen)* dromomanie *f;* **~truppe** *f theat* (troupe *f* de) comédiens *m pl* ambulants; **~ung** *f* excursion, promenade *f* (à pied), voyage (à pied), tour *m; hist (von Völkern), zoo* migration *f;* **~vogel** *m (Pfadfinder)* scout, éclaireur *m;* **~weg** *m* chemin *m* touristique; **~zirkus** *m* cirque *m* ambulant.

Wandlung *f* ⟨-, -en⟩ ['vandluŋ] changement *m,* transformation, conversion; *rel* transsubstantiation *f; e-e ~ erfahren* od *erleiden* subir un changement; *mit ihm ist e-e ~ vor sich ge-*

gangen od *hat sich e-e ~ vollzogen* il a changé, il a subi un changement; **w~sfähig** *a* transformable; ouvert aux changements; *(veränderlich)* changeable.

Wange *f* ‹-, -n› ['vaŋə] *a anat* joue; *tech (Seitenwand)* jumelle *f; mit glühenden ~n* les joues en feu; *mit hohlen ~n* aux joues creuses; **~nbein** *n anat* os malaire, zygoma *m;* **~ngrübchen** *n* fossette *f;* **~nrot** *n (Schminke)* fard *m* pour les joues.

Wankelmotor *m* ['vaŋkəlˌmo:tɔr] moteur *m* Wankel *od* à pistons rotatifs.

Wank|elmut *m* ['vaŋkəl-], **~elmütigkeit** *f* inconstance, versatilité, vacillation; indécision, irrésolution *f;* **w~elmütig** *a (unbeständig)* inconstant, versatile, vacillant; *(unentschlossen)* indécis, irrésolu; **w~en** ‹*ist/hat gewankt*› *itr* branler; *a. fig* chanceler, vaciller; *fig (nachgeben)* fléchir; *ohne zu ~~ (a. fig)* de pied ferme; *nicht ~~ und nicht weichen (fig)* ne pas fléchir, tenir ferme, ne pas reculer d'un pouce; *~~d werden (fig)* fléchir, être ébranlé; *ich wurde in meinem Glauben ~~d* ma foi s'ébranlait; *er ist durch die Straßen gewankt* il a déambulé dans les rues d'un pas hésitant; *der Boden ~te mir unter den Füßen (fig)* le sol se dérobait sous moi; *mir ~ten die Knie* les jambes me manquaient; **~en** *n a. fig* chancellement, vacillement *m; ins* od *zum ~~ bringen* ébranler; *ins ~~ geraten* od *kommen (a. mil)* être ébranlé.

wann [van] *adv* quand? à quelle heure? à quel moment? *bis ~?* jusqu'à quand? *dann und ~* de temps en temps, de temps à autre, à l'occasion; *seit ~? von ~ an?* depuis quand? *~ auch immer* n'importe quand; *conj* quand.

Wanne *f* ‹-, -n› ['vanə] cuve *f; (Wasch~)* baquet *m; a. tech* bassine; *(Trog)* auge; *(Bade~)* baignoire *f,* tub *m;* **~nbad** *n* bain (dans une baignoire), tub *m.*

Wanst *m* ‹-es, ¨-e› [vanst, 'vɛnstə] *pop (Bauch)* bedaine *f,* bedon *m fam.*

Want|en *f pl* ['vantən] *mar* haubans *m pl;* **~tau** *n mar* hauban *m.*

Wanze *f* ‹-, -n› ['vantsə] *ent* punaise *f; pl (als Unterordnung)* hémiptères *m pl.*

Wappen *n* ‹-s, -› ['vapən] armes, armoiries *f pl,* blason *m; e-n Löwen im ~ führen* porter un lion dans ses armes; **~buch** *n* armorial *m;* **~feld** *n* quartier *m;* **~kunde** *f* science *f* héraldique, blason *m;* **~maler** *m* peintre *m* d'armoiries; **~schild** *m* écu(sson), blason *m;* **~spruch** *m* devise *f;* **~tier** *n* animal *m* héraldique.

wappnen ['vapnən] *: sich gegen etw ~ (fig)* s'armer, se cuirasser contre qc; *sich mit Geduld ~* s'armer de patience.

Ware *f* ‹-, -n› ['va:rə] marchandise *f,* article *m; s-e ~ anpreisen* faire l'article; *in ~n bezahlen* payer en nature; *e-e ~ führen* avoir *od* suivre un article; *gute ~ lobt sich selbst (prov)* à bon vin point d'enseigne; *jeder Krämer lobt s-e ~ (prov)* chacun prêche pour son saint; *eingegangene ~n (com)* arrivages *m pl; gängige ~* article *m* courant; *leichtverderbliche ~* denrée *f* périssable.

Waren|absatz *m* ['va:rən-] débit *od* écoulement *m* des marchandises; **~angebot** *n,* **~ausfuhr** *f* offre, exportation *f* de marchandises; **~ausgabe** *f (in e-m Geschäft)* remise *f* des marchandises; **~ausgangsbuch** *n* livre *m* des sorties; **~austausch** *m* échange *m* commercial *od* des marchandises; **~automat** *m* distributeur *m* automatique; **~bedarf** *m* demande *f* de marchandises; **~begleitpapier** *n,* **~begleitschein** *m* feuille *f* d'accompagnement; **~bestand** *m* stock *m;* **~bestandsaufnahme** *f* inventaire *m* du stock *od* des marchandises; **~bestandsbuch** *n* livre des marchandises, inventaire *m;* **~bestandsmeldung** *f* déclaration *f* de stock; **~bestellbuch** *n* livre *m* des commandes; **~bezeichnung** *f* appellation *f;* **~eingang** *m* arrivage(s *pl*) *m* (des marchandises); **~eingangsbuch** *n* livre *m* des entrées; **~ein- und -ausgang** *m* entrée et sortie *f* des marchandises; **~ein- und -ausgangsbuch** *n* livre *m* des entrées et sorties; **~forderungen** *f pl* créances *f pl* commerciales *od* en marchandises; **~gattung** *f* sorte *od* espèce *f* de marchandises; **~gutschein** *m* bon *m* de marchandise; **~haus** *n* grand magasin, bazar *m;* **~hortung** *f (e-s Händlers)* accumulation *f* de stock; *(private)* accaparement *m* de marchandises; **~katalog** *m* liste *f* de(s) marchandises, catalogue *m;* **~kenntnis** *f,* **~kunde** *f* connaissance *f* des marchandises; **~knappheit** *f* disette *f* de marchandises; **~kredit** *m* crédit *m* commercial; **~lager** *n (Raum)* dépôt de marchandises, entrepôt, magasin; *(Vorrat)* stock, fonds *m* de marchandises; **~lieferung** *f* livraison *od* fourniture *f* de(s) marchandises; **~makler** *m* courtier *m* de *od* en marchandises; **~mangel** *m = ~knappheit;* **~markt** *m* marché *m* de(s) marchandises; **~posten** *m* lot *m* de marchandises; **~probe** *f* échantillon, spécimen *m;* **~schuld** *f* dette *f* commerciale; **~sendung** *f* envoi *m* de marchandises; **~stapel** *m* pile *f* de marchandises; **~verkehr** *m* mouvement *od* trafic *m* des marchandises; **~verzeichnis** *n = ~katalog;* **~vorrat** *m* stock, fonds *m* de marchandises; **~wechsel** *m fin* papier *od* effet *m* de commerce; **~zeichen** *n* marque *f* de fabrique; *eingetragene(s) ~~* nom *m od* marque *f* déposé(e); **~zoll** *m* douane *f;* **~zustellung** *f* factage *m.*

warm *a* [varm] ‹*wärmer, wärmste*› *(a. von Farben u. Tönen)* chaud; *fig (~herzig)* chaleureux; *sich ~ arbeiten* s'échauffer (à travailler); *~ baden* prendre un bain chaud; *~* od *etw W~es essen* faire un repas chaud; manger chaud; *~ halten (Kleidung)* tenir chaud; *sich ~ halten (sich gegen Kälte schützen)* se tenir chaud; *sich ~ laufen* s'échauffer à courir *od* en courant; *~ machen (erwärmen)* chauffer; *jdm das Essen noch einmal ~ machen* réchauffer le repas de qn; *jdm den Kopf ~ machen (fig)* échauffer les oreilles à qn; *weder kalt noch ~ sein (fig: Mensch)* n'être ni chair ni poisson; *~ sitzen (a. fig)* être (bien) au chaud; *~ stellen (Speise)* mettre au chaud; *~ walzen (tech)* laminer à chaud; *bei* od *mit jdm nicht ~ (fig fam: vertraut) werden* ne pas sympathiser avec qn; *Alkohol macht ~* l'alcool réchauffe; *mir ist ~* j'ai chaud; *mir wurde ~ ums Herz* je m'animais, je m'enflammais; *es ist ~* il fait chaud; *~e Anteilnahme f* chaude sympathie *f; ~e(r) Empfang m* accueil *m* chaleureux; *~e Kleidung f* vêtements *m pl* chauds; **W~blüter** *m zoo* animal *m* à sang chaud; **~blütig** *a zoo* à sang chaud; **W~front** *f mete* front *m* chaud; **~=halten** ‹*hat warmgehalten*› *tr fig: sich jdn ~~ (sich jds Gunst erhalten)* cultiver les bonnes grâces de qn; **W~haus** *n (Treibhaus)* serre *f* (chaude); **~herzig** *a* chaleureux, cordial; **W~herzigkeit** *f* chaleur, cordialité *f;* **w~=laufen** *itr tech* u. *mot* chauffer; **W~laufen** *n mot* (r)échauffement *m;* **W~luft** *f* air *m* chaud; **W~luftenteisung** *f aero* dégivrage *m* par air chaud; **W~luftheizung** *f* chauffage *m* à air chaud; **W~luftmassen** *f pl mete* masses *f pl* d'air chaud; **W~wasserbereiter** *m* chauffe-eau *m;* **W~wasserbereitung** *f* production *f* d'eau chaude; **W~wasserheizung** *f* chauffage *m* à eau chaude; **W~wasserleitung** *f* conduite *f* d'eau chaude; **W~wasserspeicher** *m* distributeur *m* d'eau chaude; **W~wasserversorgung** *f* ravitaillement *m* en eau chaude; **W~welle** *f (Dauerwelle)* indéfrisable *f* à chaud.

Wärme *f* ‹-, (-n)› ['vɛrmə] chaleur *f a. fig;* chaud; *phys* calorique *m; mit ~ (fig a.)* chaleureusement; *~ abgeben, ausstrahlen* dégager, répandre de la chaleur; *~ entziehen* absorber la chaleur; *~ erzeugen* produire de la chaleur; *18° ~* 18 (degrés) au-dessus (de zéro); *spezifische, strahlende ~* chaleur *f* spécifique, rayonnante; **~abgabe** *f* dégagement *m* de chaleur; **~äquivalent** *n: mechanische(s) ~~* équivalent *m* mécanique de la chaleur; **~aufwind** *m mete* ascendance *f* thermique; **~behandlung** *f med* thermothérapie *f;* **~bildung** *f* production *f* de chaleur; **~dehnung** *f* dilatation *f* thermique; **~dehnungsfuge** *f (e-r Straße)* joint *m* de dilatation thermique; **w~durchlässig** *a* diathermane; **~effekt** *m phys* effet *m* calorifique; **~einheit** *f* calorie *f;* **w~empfindlich** *a* sensible à la chaleur; **~energie** *f* énergie *f* calorifique; **~entwicklung** *f,* **~entzug** *m* dégagement *m,* absorption *f* de chaleur; **w~erzeugend** *a* thermogène, calorifique; **~erzeugung** *f* production de (la) chaleur; *biol* calorification *f;* **~grad** *m* degré *m* de chaleur, température *f;* **w~isolierend** *a* calorifuge; **w~isoliert** *a* calorifugé; **~isolierung** *f* calorifugeage *m;* isolation *f* thermique; **~kraftwerk** *n* usine thermo-électrique, centrale *f* thermique; **~lehre** *f phys* thermologie *f;* **~leiter** *m phys* conducteur *m* de la chaleur; **~leitfähigkeit** *f* conductibilité *f* calorifique; **~leitung** *f* conduction *f* de chaleur; **~leitzahl** *f phys* coefficient *m* de conductibilité thermique; **~mechanik** *f* thermodynamique *f;* **~messung** *f* thermométrie, calorimétrie *f;* **~quelle** *f* source *f* de chaleur; **~rauschen** *n radio* bruit *m* d'origine thermique; **~regelung** *f* thermorégulation *f;* **~regler** *m* thermostat *m;* **~regulierung** *f physiol* régulation *f* thermique; **~schutz** *m* isolation *f od (Hülle)* revêtement *m* calorifuge; **~schutzkleidung** *f* vêtement *m* antifeu (en amiante); **~schutzmittel** *n,* **~schutzstoff** *m* calorifuge, isolant *m* thermique; **~strahlung** *f* radiation *f* thermique, rayonnement *m* calorifique; **~strom** *m,* **~strömung** *f* courant *m* thermique; **~technik** *f* thermotechnique *f;* **~techniker** *m* thermotechnicien *m;* **~therapie** *f med* thermothérapie *f;* **~übertragung** *f* transmission *f* de la chaleur; **w~undurchlässig** *a* athermane; **~verlust** *m* perte *f* de chaleur; **~wirkung** *f* effet *m* thermique; **~zufuhr** *f* amenée *od* adduction *f* de chaleur; **~zunahme** *f* augmentation *f* de (la) chaleur.

wärm|en ['vɛrmən] *tr* (ré)chauffer; *sich* ~~ se réchauffer; **W~flasche** *f* bouillotte *f;* **W~halle** *f* chauffoir *m* public; **W~stube** *f* chauffoir *m.*

Warn|anlage *f* ['varn-] dispositif *m* d'avertissement *od* d'alarme; **~dienst** *m (Luftschutz)* service d'avertissement; *mil* service *m* de guet; **w~en** *tr* avertir, prévenir (*vor etw* de qc); mettre en garde (*vor jdm* contre qn); donner l'éveil (*jdn* à qn); *ohne zu* ~~ sans crier gare; *s-e* ~~ *de Stimme erheben (lit)* lancer un avertissement prophétique; *du bist gewarnt!* je t'aurai prévenu! *vor Nachahmungen wird gewarnt! (com)* se méfier des imitations! *vor Taschendieben wird gewarnt!* attention! prenez garde aux pickpockets! **~er** *m* ‹-s, -› *(Mensch)* avertisseur *m;* **~gerät** *n* appareil *m* avertisseur; **~licht** *n* lampe *f* (rouge) d'avertissement; *loc* signal *m* lumineux d'avertissement; **~meldung** *f mete* message *m* d'avertissement; **~netz** *n* réseau *m* avertisseur; **~ruf** *m* cri *m* d'alarme; **~schild** *n* panneau *m* de signalisation spécial *od* exceptionnel; signal *m* de danger (sur la route); **~schuß** *m (Polizei)* coup d'avertissement *od* à blanc; *mar* coup *m* de semonce; *e-n* ~~ *abgeben (Polizei)* tirer un coup d'avertissement, tirer à blanc; *mar* tirer un coup de semonce; **~signal** *n* signal d'avertissement *od* de danger, avertisseur *m;* **~streik** *m* grève *f* d'avertissement; **~system** *n* système *m* d'alerte; **~tafel** *f* = *~schild;* **~ung** *f* avertissement, avis *m; a. sport* avertissement; *(heilsame ~, Lehre)* leçon; *(Verweis)* remontrance, semonce *f; ohne vorherige* ~~ sans avis préalable; sans crier gare; *ohne* ~~ *(schießen)* (tirer) sans sommations; *jdm e-e* ~~ *erteilen* avertir qn; donner un avertissement à qn; *e-e* ~~ *in den Wind schlagen* faire fi d'un avertissement; *das soll mir e-e* ~~ *sein!* cela me servira de leçon; *lassen Sie sich das zur* ~~ *dienen* od *e-e* ~~ *sein!* que cela vous serve de leçon! tenez-vous cela pour dit! *ernste* ~~ sérieux avertissement *m;* **~ungstafel** *f* = *~schild;* **~vorrichtung** *f* = *~anlage;* **~zeichen** *n* signal *m* d'avertissement *od* de danger; **~zentrale** *f* centre *m* d'avertissement; **~zone** *f* zone *f* d'alerte.

Warschau *n* ['varʃau] *geog* Varsovie *f.*

Wart *m* ‹-(e)s, -e› [vart] *(Aufsichtsführender)* surveillant *m;* **~e** *f* ‹-, -n› poste *m* d'observation; = *~turm; (Sternwarte)* observatoire *m; von hoher* ~~ *aus (fig)* d'un point de vue élevé; du point de vue de Sirius; **~efrau** *f (Krankenwärterin)* gardienne *f;* **~egeld** *n (e-s Beamten)* traitement *m* de disponibilité; *bes. mil* demi-solde *f;* ~~ *beziehen* être en demi-solde; *jdn auf* ~~ *setzen* mettre qn en disponibilité *od mil* en demi-solde; **~ehalle** *f* hall d'attente, abri *m;* **w~en** *itr* attendre *(darauf, daß* que *subj); auf jdn, etw* ~~ attendre qn, qc; *mit etw* ~~ différer, ajourner qc; *tr (Kind betreuen)* garder, s'occuper de; *(Kranken pflegen)* soigner, prendre soin de; *(Maschine überwachen)* entretenir, réviser, surveiller; *ewig* ~~ *(fam)* faire le pied de grue, faire le poireau, poireauter, croquer le marmot; *lange* ~~ attendre longtemps; *jdn* ~~ *lassen* faire attendre *od fam* poireauter qn; *auf sich* ~~ *lassen* se faire attendre *od* désirer; *nicht auf sich* ~~ *lassen* ne pas se faire attendre, ne pas tarder; *lange auf sich* ~~ *lassen* être long à venir, tarder à arriver; *mit dem Essen noch etwas* ~~ attendre encore un peu pour manger; *jeder muß* ~~, *bis er an der Reihe ist* chacun (à) son tour; *~e nur! (drohend)* attends un peu! gare! *da kannst du lange* ~~*!* tu peux toujours attendre, *fam* tu peux (toujours) te brosser; **~en** *n* attente *f; nach langem* ~~ après avoir longtemps attendu; *ich bin das* ~~ *leid* je suis las d'attendre; *das* ~~ *fällt mir schwer* l'attente me pèse, le temps me paraît long; **~eraum** *m loc* salle *f* d'attente; *mil* emplacement *m* d'attente; *aero* aire *f* d'attente; **~esaal** *m loc* salle *f* d'attente; *(Bahnhofswirtschaft)* buffet *m; (kleiner)* buvette *f;* **~eschleife** *f aero* circuit *m* d'attente; **~estand** *m (e-s Beamten)* (état *m* de) disponibilité *f; jdn in den* ~~ *versetzen* mettre qn en disponibilité; **~ezeit** *f* temps d'attente; *tele* délai *m* d'attente; **~ezimmer** *n* salon *m* d'attente, antichambre *f;* **~turm** *m* tour *f* de guet; **~ung** *f (Pflege von Mensch* od *Tier)* soins *m pl,* entretien; *tech* entretien *m,* surveillance *f;* **~ungskosten** *pl (für e-e Maschine)* frais *m pl* d'entretien; **~ungspersonal** *n* personnel *m* d'entretien; **~ungsvorschrift** *f* règlement *m* d'entretien.

Wärter *m* ‹-s, -› ['vɛrtər] garde, gardien; *(Aufseher)* surveillant; *(Kranken~)* garde-malade, infirmier; *loc (Schranken~)* garde-barrière *m;* **~in** *f* gard(ienn)e, surveillante; *(Kranken~~)* garde-malade, infirmière *f.*

warum [va'rum] *adv* pourquoi, pour quelle raison, pour quelle cause; à quel propos; *(in rhetorischen Fragen a.)* que; ~ *nicht?* pourquoi pas? ~ *nicht gar!* il ne manquerait plus que cela! *fam* par exemple! ~ *bist du nicht gegangen?* pourquoi n'es-tu pas parti? *lit* que n'es-tu parti!

Warz|e *f* ‹-, -n› ['vartsə] *med* verrue *f; anat (Brustwarze)* mamelon, pointe *f* du sein; **w~enartig** *a* verruqueux; **w~enförmig** *a anat* papilliforme, papillaire; **~enhof** *m anat* aréole *f;* **~enschwein** *n zoo* phacochère *m;* **w~ig** *a med* couvert de verrues, verruqueux.

was [vas] *pron* **1.** *(Fragepron)* qu'est-ce qui; *acc* qu'est-ce que, que; ~ *(für ein)* quel, le; *(nicht mit v od s verbunden)* quoi; ~ *ist geschehen?* qu'est-ce qui est arrivé? ~ *macht das?* qu'importe? ~ *willst du?* qu'est-ce que tu veux? que veux-tu? ~ *soll aus dir werden?* que deviendras-tu? ~ *lachen Sie?* pourquoi riez-vous? ~ *habe ich gelacht!* que j'ai ri! qu'est-ce que j'ai pu rire! ~ *Sie nicht sagen!* que dites-vous là! pas possible! ~ *für ein Buch ist das?* quel(le sorte de) livre est-ce? ~ *ist Ihr Beruf?* quelle est votre profession? ~ *ist die Uhr?* quelle heure est-il? ~ *für ein Mensch!* quel homme! ~ *für ein Unsinn!* quel non-sens! ~ *(denn)?* quoi (donc)? ~*!* eh quoi! hein! pas possible! par exemple! *ach* ~*!* allons donc! *fam* zut! *zu* ~ *(wozu)?* à quoi bon? **2.** *(Relativpron, auf ein meist wegfallendes* das *bezogen)* ce qui; *acc* ce que; *niemand weiß,* ~ *kommen wird* personne ne sait ce qui arrivera; *ich weiß,* ~ *Sie sagen wollen* je sais ce que vous voulez dire; *nicht wissen,* ~ *man tun soll* ne savoir quoi faire; *nichts,* ~ *lebt, entgeht dem Tode* rien de ce qui vit n'évitera la mort; *nichts,* ~ *du sagst, stimmt* rien de ce que tu dis n'est vrai; ~ *ich bestreite* ce que je conteste; ~ *du auch (immer) sagen magst* quoi que tu en dises; *er läuft,* ~ *er kann* il court tant qu'il peut; *koste es,* ~ *es wolle!* coûte que coûte! ~ *mich betrifft* quant à moi, en ce qui me concerne; ~ *(noch) mehr,* ~ *schlimmer ist* qui plus, pis est; *früh krümmt sich,* ~ *ein Häkchen werden will (prov)* plus jeune est l'apprenti, plus savant sera le maître; **3.** *(unbestimmtes pron, meist mehr umgangssprachlich für:* etwas*)* quelque chose; *ich will Ihnen* ~ *sagen* je vais vous dire quelque chose; ~ *anderes, Besseres* quelque chose d'autre, de mieux; *das ist ~ anderes* c'est autre chose; *das ist immerhin ~* c'est autant de gagné; *fam* c'est toujours ça; *haben Sie ~ zum Schreiben?* avez-vous quelque chose pour écrire? *hat man so ~ schon gesehen?* a-t-on jamais vu chose pareille? *das ist so sicher wie nur ~!* c'est sûr et certain; *wissen Sie ~!* écoutez! *das wäre ~!* c'est une idée! *nein, so ~!* c'est incroyable.

Wasch|anlage *f* ['vaʃ-] *tech* laverie *f*, lavoir *m*; **~anstalt** *f* blanchisserie *f*; **~automat** *m* machine *f* à laver automatique; **w~bar** *a* lavable; **~bär** *m zoo* raton *m* laveur; **~becken** *n* lavabo *m*; **~berge** *m pl mines* résidus *m pl*; **~blau** *n* bleu *m* à linge; **~bottich** *m* = *~wanne*; **~brett** *n* planche *f* à laver; **~brühe** *f* eau *f* de lessive; **~bürste** *f* brosse *f* à laver; **~bütte** *f* = *~wanne*; **w~echt** *a* résistant au lavage, grand teint; *fig (Mensch)* cent pour cent, pur sang; **w~en** *tr ‹wäscht, wusch, gewaschen›* laver *a. tech*; débarbouiller; *(Wäsche)* blanchir, *(mit Lauge)* lessiver; *itr (Wäsche ~~)* faire la lessive; *sich ~~* se laver, faire sa toilette *od fam* ses ablutions; *sich von jeder Schuld, von jedem Verdacht reinwaschen* se disculper, être lavé de tout soupçon; *s-e Hände in Unschuld ~~* s'en laver les mains; *jdm den Kopf ~~ (fig)* passer un savon à qn, chapitrer qn; *(s-e Wäsche) ~~ lassen* se faire blanchir; *mit allen Wassern gewaschen sein (fig)* connaître tous les trucs *od* toutes les ficelles; *es wird für mich gewaschen* je suis blanchi; *eine Hand wäscht die andere (prov)* une main lave l'autre; **~en** *n* lavage *a. med* u. *tech*; *(der Wäsche)* blanchissage, lessivage *m*; *häufige(s) ~~* lavages *m pl* répétés; **~frau** *f* blanchisseuse, laveuse *f* (de linge); **~geschirr** *n* cuvette *f* et pot *m* à eau; **~handschuh** *m (doppelter ~lappen)* gant *m* de toilette; **~haus** *n* buanderie *f*, lavoir *m*, laverie *f*; **~kaue** *f mines* bains-douches *m pl*; **~kessel** *m* lessiveuse *f*; **~kleid** *n* robe *f* lavable; **~küche** *f* buanderie; *arg aero (dichter Nebel)* purée *f* de pois; *in e-r ~~ fliegen* être dans le cirage; **~lappen** *m* gant *m* de toilette; *fig fam (Mensch)* poule mouillée, femmelette, lavette *f*; *pop* nouille, andouille *f*, dégonflé *m*; **~lauge** *f* lessive *f*; **~leder** *n* peau *f* chamoisée lavable; **~maschine** *f* machine à laver, laveuse *f*; *~~ mit Schleuder* laveuse-essoreuse *f*; **~mittel** *n* produit *m* de lavage; *seifenfreie(s) ~~* détergent *m*; **~pulver** *n* lessive *f* en poudre; **~raum** *m* salle *f* d'eau, lavabos *m pl*; **~schüssel** *f* cuvette *f*; **~seide** *f* soie *f* lavable; **~seife** *f* savon *m* à lessive; **~tag** *m* jour *m* de la lessive; **~tisch** *m* table *f* de toilette, lavabo *m*; **~trommel** *f tech* tambour *m* laveur; **~ung** *f rel* ablution *f*; **~wanne** *f* bac *od* baquet à lessive, cuveau, cuvier *m*; **~wasser** *n* eau *f* pour la toilette; **~weib** *n fam pej* bavarde, pie, jacasse *f*; **~zettel** *m* liste *f* du linge (donné au blanchissage); *(im Buchhandel)* jus *m*; **~zeug** *n* objets *m pl* de toilette.

Wäsche *f ‹-, -n›* ['vɛʃə] *(Leib-, Bett-, Tisch~)* linge *m*; *(Leib~ a.)* lingerie *f*; *(weiße ~)* blanc; *(das Waschen)* blanchissage; *a. tech mines* lavage *m*; *(große ~)* lessive *f*; *bei* od *in der ~* au lavage; *saubere* od *frische ~ anziehen* mettre du linge propre; *in die ~ geben* donner au blanchissage *od* à laver; faire laver; *freie ~ haben* être blanchi; *große ~ haben* faire la lessive; *in der ~ sein* être au blanchissage; *die ~ wechseln* changer de linge; *man soll s-e schmutzige ~ nicht vor allen Leuten waschen* il faut laver son linge sale en famille; *kleine ~* lessive *f* de petit linge; *~ zum Wechseln* (linge de) rechange *m*; **~besatz** *m* garniture *f* de linge; **~beschließerin** *f* lingère *f*; **~beutel** *m* sac *m* à linge; **~fabrik** *f* fabrique *f* de linge; **~fach** *n (in e-m Schrank)* étagère *f* à linge; **~geschäft** *n* magasin *m* de blanc; **~handel** *m* commerce *m* du blanc; **~kammer** *f* lingerie *f*; **~klammer** *f* pince *od* épingle *f* à linge; **~knopf** *m* bouton *m* de lingerie; **~korb** *m* panier *m* à linge; **~leine** *f* corde *f* à linge; **~mangel** *f*, **~rolle** *f* calandre *f* à linge; **~r** *m* laveur *m*; **~rechnung** *f* note *f* de blanchissage; **~rei** [-'raɪ] *f* blanchisserie *f*; *tech* lavage *m*; **~rin** *f* blanchisseuse; laveuse *f*; **~rolle** *f* = *~mangel*; **~schleuder** *f* essoreuse *f*; **~schrank** *m* armoire *f* à linge *od* de rangement; **~ständer** *m (zum Trocknen)* séchoir *m*; **~tinte** *f* encre *f* à marquer le linge *od* indélébile; **~trockenmaschine** *f* machine *f* à sécher le linge; **~trockenplatz** *m* séchoir *m*; **~truhe** *f* coffre *m* à linge; **~zeichen** *n* marque *f* du linge.

Wasgenwald ['vasgənvalt], *der (die Vogesen)* les Vosges *f pl*.

Wasser *n ‹-s, -›* ['vasər] eau; *pop* flotte *f*; *‹-s, ⸚› (Mineral-, Spül-, Abwasser)* eau *f*; *auf dem ~* sur l'eau; *bei ~ und Brot* au pain et à l'eau; *unter ~ (im ~)* sous l'eau, entre deux eaux; *(überflutet)* inondé, submergé; en immersion; *von reinstem ~ (Edelstein)* de la plus belle eau; *fig (Vertreter e-r Überzeugung)* achevé; *zu ~ und zu Lande* par terre et par mer, sur terre et sur mer; *jdm das ~ abgraben (fig)* couper l'herbe sous le pied de qn; *~ einnehmen (mar)* faire de l'eau; *~ entziehen (zur Haltbarmachung)* déshydrater *(e-r S* qc*)*; *sich aus dem ~ erheben (~flugzeug)* déjauger; *ins ~ fallen (a. fig)* tomber à l'eau; *fig (sich nicht verwirklichen)* s'en aller en fumée; *~ führen (Fluß)* charrier de l'eau; *ins ~ gehen (um zu baden)* se mettre à l'eau; *(um sich das Leben zu nehmen)* se jeter à l'eau; *sich über ~ halten* surnager; *fig* se tenir à flot; joindre les deux bouts; *~ lassen (physiol)* uriner; *jdm nicht das ~ reichen können (fig)* ne pas arriver à la cheville de qn; *~ schlucken (beim Baden)* boire une tasse *od* un bouillon *fam*; *unter ~ schwimmen* nager entre deux eaux; *unter ~ setzen* inonder, submerger; *ins ~ springen (zum Schwimmen)* sauter à l'eau, plonger; *(um sich das Leben zu nehmen)* se jeter à l'eau; *mit heißem ~ spülen* rincer à l'eau chaude; *auf dem ~ treiben* flotter sur l'eau; *wie ~ trinken (Wein: hinunterstürzen)* boire comme du petit lait; *mit kaltem ~ waschen* laver à l'eau froide; *zu ~ werden = ins ~ fallen (fig)*; *~ ziehen* prendre l'eau; *bis dahin fließt noch viel ~ ins Meer* d'ici là il passera beaucoup d'eau sous le pont; *das ist ~ auf s-e Mühle (fig)* c'est du beurre dans ses épinards, c'est de l'eau à son moulin; *das ~ läuft mir im Munde zusammen* l'eau me vient à la bouche; *das ~ steht ihm bis zum* od *an den Hals (fig)* il est pris à la gorge; il se bat le dos au mur; *stille ~ sind tief (prov)* il n'est pire eau que l'eau qui dort; *fließende(s) ~* eau *f* courante *od fam* de robinet; *das große ~* l'océan *m*; *harte(s), weiche(s) ~* eau *f* dure, non calcaire; *Kölnisch ~* eau *f* de Cologne; *ein Schlag ins ~ (fig)* un coup d'épée dans l'eau; *von reinstem ~, reinsten ~s* authentique, de la plus belle eau, véritable; *schwere(s) ~ (chem)* eau *f* lourde; *stehende(s) ~* eau *f* dormante *od* morte *od* stagnante; **~abfluß** *m* écoulement *m* des eaux; **~ableitung** *f* dérivation *f* des eaux; **w~abstoßend** *a*, **w~abweisend** *a* hydrofuge; **~ader** *f* veine *f* d'eau; **~anschluß** *m* bouche *od* prise *f* d'eau; **w~anziehend** *a* avide d'eau, hydrophile, hygroscopique; **w~arm** *a (Land)* aride; **~aufbereitung** *f* traitement *m* des eaux potables; **w~aufsaugend** *a* hydrophile; **~bad** *n tech, chem* bain-marie *m*; **~ball** *m (Spiel)* water-polo; *(Ball)* ballon *m* de water-polo; **~bassin** *n* bassin, réservoir *m* d'eau; *(in e-m Garten)* pièce d'eau; *(unterirdisches)* citerne *f*; **~bau** *m* construction *f* hydraulique; **~bauingenieur** *m* hydraulicien *m*; **~becken** *n* bassin *m*; *(in e-m Garten)* pièce *f* d'eau; **~bedarf** *m* consommation *f* d'eau; *den ~~ e-r Stadt decken* approvisionner une ville en eau; **~behälter** *m* réservoir *m* d'eau; **~behandlung** *f med* hydrothérapie *f*; **~blase** *f* bulle *f* d'eau; **~bombe** *f* grenade *f* sous-marine; **~bruch** *m med* hydrocèle *f*; **~burg** *f* château *m* fort entouré d'eau; **~dampf** *m* vapeur *f* d'eau; **w~dicht** *a* imperméable; *bes. mar* étanche (à l'eau); *~~ machen* rendre imperméable, imperméabiliser; *mar* rendre étanche (à l'eau); *~~ sein (a.)* ne pas prendre l'eau; **~druck** *m phys* pression *f* hydraulique; **w~durchlässig** *a* perméable (à l'eau); **~eimer** *m* seau *m*; **~einbruch** *m mines* coup *m* d'eau; **~enthärter** *m* adoucisseur *m* d'eau; **~enthärtung** *f* adoucissement *m* de l'eau; **~entnahme** *f* prise *f* d'eau; **~entziehung** *f* déshydratation *f*; **~fall** *m* chute d'eau, cascade, cataracte *f; (in e-m Fluß)* saut *m; wie ein ~~ reden (fam)* parler d'abondance; **~farbe** *f* couleur *f* à l'eau; **~fläche** *f* surface *od* nappe *f od* plan *m* d'eau; **~flasche** *f* carafe *f* (à eau); **~fleck** *m* mouillure *f;* **~floh** *m ent* puce d'eau; *scient* daphnie *f;* **~flughafen** *m* hydrobase *f;* **~flugzeug** *n* hydravion *m; ~~ (ohne Tragflächen)* hydrofin *m;* **w~frei** *a (kein Wasser enthaltend)* anhydre; **~frosch** *m: Grüne(r) ~~ (zoo)* grenouille *f* verte; **w~führend** *a* aquifère; **~gehalt** *m* teneur *f* en eau; **w~gekühlt** *a* refroidi par eau; **~glanz** *m (Textil)* moiré *m;* **~glas** *n (Trinkglas)* verre à eau; *chem* verre liquide *od* soluble; *scient* silicate *m* de potassium; *ein Sturm im ~~ (fig)* une tempête *f* dans un verre d'eau; **~gleiche** *f = ~waage;* **~gleiter** *m aero* hydroplaneur *m;* **~graben** *m* fossé *m* (rempli d'eau); *agr* rigole, saignée; *(e-r Befestigungsanlage)* douve *f;* **~hahn** *m* robinet *m* à eau; prise *f* d'eau; **~hebewerk** *n* usine *f* élévatoire pour les eaux; **~heilanstalt** *f* établissement *m* hydrothérapique; **~heilkunde** *f* hydrothérapie *f;* **~hochbehälter** *m* château *m* d'eau; **~höhe** *f* niveau *m* de l'eau; **~hose** *f mete* trombe *f* d'eau; **~huhn** *n orn* poule d'eau, foulque *f;* **~jungfer** *f ent (Libelle)* libellule, demoiselle *f;* **~kanister** *m* bidon *m* à eau; **~kanne** *f* pot à eau, broc *m*, aiguière *f;* **~kasten** *m* réservoir *m* d'eau; **~kessel** *m* bouilloire; *tech* chaudière *f;* **~klosett** *n* water-closet, W.-C. *m;* **~kopf** *m (Krankheit)* hydrocéphalie *f; (damit Behafteter)* hydrocéphale *m;* **w~köpfig** *a* hydrocéphale; **~kraft** *f* force *od* énergie *od* puissance hydraulique, houille *f* blanche; *scient* hydraulicité; **~kraftmaschine** *f,* **~motor** *m* moteur *m* hydraulique; **~kraftwerk** *n* centrale *od* station *od* usine *f* hydro-électrique *od* hydraulique; **~kran** *m loc* grue *f* hydraulique; **~kreislauf** *m* circulation *f* de l'eau; **~kresse** *f bot* cresson *m* de fontaine; **~krug** *m* pot *m* à eau, cruche *f od* broc *m* (à eau); *(großer)* jarre *f;* **~kühlung** *f* refroidissement *m* par eau; **~kunst** *f (~werk)* château *m* d'eau; *pl (in e-m Park)* jeux *m pl* d'eau, grandes eaux *f pl;* **~kur** *f med* cure *f od* traitement *m* hydrothérapique; **~lache** *f* flaque *f* d'eau; **~-Land-Flugzeug** *n* avion *m* amphibie; **~lauf** *m* cours *m* d'eau; **~leitung** *f* conduite d'eau; *(im Haus)* distribution *f* d'eau; *(~anschluß, -hahn)* robinet *m* (à eau); **~linie** *f mar* ligne *f* de flottaison; *Schiff n über, unter der ~~* œuvres *f pl* mortes, vives; **~linse** *f bot* lentille d'eau, lenticule *f;* **~loch** *n* trou *m* d'eau; **w~los** *a* sans eau; aride, sec; **w~löslich** *a* soluble dans l'eau; *scient* hydrosoluble; *nicht ~~* insoluble dans l'eau; **~mangel** *m* manque *m od* pénurie *f* d'eau; **~mann** *m* ⟨-(e)s, ⸚er⟩ *(Mythologie)* ondin; *m* ⟨-(e)s, ø⟩ *astr* Verseau *m;* **~mantel** *m tech* chemise *f* d'eau; **~massen** *f pl* eaux *f pl;* **~melone** *f bot* melon *m* d'eau, pastèque *f;* **~menge** *f: verdrängte ~~* volume *m* d'eau déplacée; **~messer** *m (Gerät)* compteur *m* d'eau; **~molch** *m zoo* triton *m;* **~mühle** *f* moulin *m* à eau; **w~n** ⟨*hat gewassert*⟩ *itr aero* amerrir; **~n** *n aero* amerrissage *m;* **~nixe** *f* ondine, nixe *f;* **~oberfläche** *f* surface *f* de l'eau; **~pest** *f bot* (h)élodée *f;* **~pfeife** *f* pipe *f* à réservoir d'eau, narguilé *m;* **~pflanze** *f* plante *f* aquatique; **~pocken** *f pl med = Windpocken;* **~polizei** *f* police *f* fluviale *(im Binnenland) od* maritime *(an der Küste);* **~rad** *n tech* roue *f* hydraulique; **~rand** *m (Fleckenrest)* auréole *f;* **~ratte** *f zoo* rat d'eau; *hum (Seemann)* loup de mer; *(eifriger Schwimmer)* poisson *m;* **~recht** *n jur* législation *f* sur les cours d'eau; **w~reich** *a (Gebiet)* bien arrosé; **~reinigung(sanlage)** *f* (installation d')épuration *f* de l'eau; **~reservoir** *n* réservoir *m* d'eau; **~rohr** *n* tuyau *m od* conduite *f* d'eau; **~sack** *m (Eimer aus Segeltuch)* sac *m* à eau; *fam* vache *f* (à eau); **~säule** *f* colonne *f* d'eau; **~schaden** *m* dégâts *m pl* causés par l'eau; **~schaufel** *f* écope *f;* **~scheide** *f geog* ligne *f* de partage des eaux; **~schenkel** *m (an Fenster* od *Tür)* reverseau *m;* **w~scheu** *a* hydrophobe; *~~ sein* avoir peur de l'eau; **~scheu** *f* hydrophobie *f;* **~schi** *m* ski *m* nautique; **~schlange** *f astr* Hydre *f;* **~schlauch** *m* tuyau à eau; *(Gartenschlauch)* tuyau *m* d'arrosage; **~schnecke** *f,* **~schraube** *f tech* vis *f* d'Archimède; **~snot** *f vx (Überschwemmung)* inondation(s *pl*) *f;* **~speicher** *m* réservoir *m* d'eau; **~speicherung** *f* stockage *m* d'eau; **~speier** *m arch* gargouille *f;* **~spiegel** *m (~oberfläche)* surface *f* de l'eau; plan *od* niveau *m* d'eau; **~spiele** *n pl (in e-m Park)* jeux *m pl* d'eau; **~spinne** *f zoo* argyronète *f* aquatique; **~sport** *m* sport nautique, nautisme *m;* **~spülung** *f (des WC)* chasse *f* d'eau; **~stand** *m a. tech* niveau *m* d'eau; *niedrigste(r) ~~ (e-s Flusses)* étiage *m;* **~standsanzeiger** *m,* **~standsmesser** *m (in e-m Fluß)* indicateur *m* de niveau d'eau; **~standsglas** *n tech* tube *m* à niveau d'eau; **~standsmarke** *f* marque *f* de niveau d'eau; **~standssignal** *n mar* signal *m* de marée; **~start** *m aero* décollage *m* d'un plan d'eau; **~stelle** *f* point *od* poste *m* d'eau; **~stoff** *m chem* hydrogène *m; ~~ anlagern* hydrogéner (*an etw* qc); *schwere(s) ~~* hydrogène lourd, deutérium *m;* **~stoffballon** *m* ballon *m* à hydrogène; **w~stoffblond** *a* blond oxygéné; **~stoffbombe** *f* bombe *f* à hydrogène *od* thermonucléaire *od* H; **w~stoffhaltig** *a* hydrogéné; **~stoffsuperoxyd** *n chem* eau *f* oxygénée; **~stoffverbindung** *f* hydrure *m;* **~strahl** *m* jet d'eau; *(dünner)* filet *m* d'eau; **~strahlgebläse** *n tech* trompe *f* soufflante; **~strahlregler** *m* brise-jet *m;* **~straße** *f* voie *f* d'eau *od* navigable; **~sucht** *f med* hydropisie *f;* **w~süchtig** *a* hydropique; **~suppe** *f pej* lavasse *f fam;* **~tank** *m* réservoir *m* d'eau; *(unterirdischer)* citerne *f;* **~temperatur** *f,* **~tiefe** *f* température, profondeur *f* de l'eau; **~träger** *m* porteur *m* d'eau; **~treten** *n sport* nage *f* sur place; **~tretrad** *n* pédalo *m;* **~trog** *m* auge *f;* **~tropfen** *m* goutte *f* d'eau; **~turbine** *f* turbine *f* hydraulique; **~turm** *m* château *m* d'eau; **~uhr** *f hist* clepsydre *f; (~messer)* compteur *m* à eau; **w~undurchlässig** *a = w~dicht;* **w~unempfindlich** *a* insensible à l'eau; **~ung** *f aero* amerrissage *m;* **~verbrauch** *m* consommation *f* d'eau; **~verdampfung** *f* évaporation *f* d'eau *od* de l'eau; **~verdrängung** *f mar* déplacement *m;* **~versorgung** *f* approvisionnement *od* ravitaillement *m od* alimentation *f* en eau; **~verteilung(sstelle)** *f* (station de) distribution *f* d'eau; **~verunreinigung** *f* pollution *f* des eaux; **~vögel** *m pl* oiseaux *m pl* aquatiques; *(Jagd)* gibier *m* d'eau, sauvagine *f;* **~vorrat** *m* provision *f* d'eau; **~waage** *f* niveau *m* à bulle d'air; *scient* balance *f* hydrostatique; **~wanze** *f ent* punaise *f* d'eau; **~weg** *m* voie *f* d'eau *od* navigable; *auf dem ~~e* par (voie d')eau; **~welle** *f (im Haar)* mise *f* en plis; **~werfer** *m* lance-eau *m; (für die Gartenbewässerung)* lance *f* d'arrosage; **~werk** *n* usine hydraulique *od* de distribution d'eau; *(Pumpstation)* station *f* de pompage; **~wirtschaft** *f* aménagement *m* des eaux, distribution *f* d'eau; **~zähler** *m = ~messer;* **~zeichen** *n (im Papier)* filigrane *m;* **~zufuhr** *f,* **~zuführung** *f* adduction *od* amenée *f* d'eau.

Wässer|chen *n* ['vɛsər-]*: er sieht aus, als könne er kein ~~ trüben* on lui donnerait le bon Dieu sans confession; **w~ig** *a* aqueux; *(feucht)* humide; *(mit Wasser verdünnt)* coupé d'eau, délayé; *med* séreux; *fig* fade, insipide; *jdm den Mund ~~ machen* faire venir à qn l'eau à la bouche; **~igkeit** *f* caractère *m* aqueux; humidité; *med* sérosité *f;* **w~n** *tr (befeuchten)* humecter; *(gesalzenes Fleisch, gesalzenen Fisch in Wasser legen)* dessaler; *phot* laver; *(Textil)* moirer; *itr: der Mund ~t mir danach* j'en ai l'eau à la bouche; **~n** *n* humectation; dessalaison *f;* **~ung** *f phot* lavage; *(Textil)* moirage *m;* **~ungsbecken** *n phot* bac *m* de lavage.

wäßrig ['vɛsrɪç] *a,* **W~keit** *f = wässerig etc.*

wat|en ['va:tən] *(ist gewatet) itr* patauger (*in* dans; *durch* par); *durch e-n Fluß ~~* passer une rivière à gué; *im Blute ~~ (fig)* nager dans le sang; *im Schlamm ~~ (a.)* barboter; **W~vogel** *m orn* échassier *m.*

Waterkant *f* ⟨-, ø⟩ ['va:tərkant] *dial geog* côte *f* allemande de la mer du Nord.

watsch|(e)lig ['va(:)tʃ(ə)lɪç] *a fam (Gang)* dégingandé; **~eln** ⟨*ist/hat gewatschelt*⟩ *itr fam* (se) dandiner, marcher comme un canard; **W~eln** *n fam* dandinement *m.*

Watsch|e *f* ‹-, -n› , **~n** *f* ‹-, -› ['va(:)tʃə(n)] *dial fam (Ohrfeige)* gifle *f;* **w~en** *tr (ohrfeigen)* gifler.

Watt [vat] **1.** *n* ‹-(e)s, -en› *geog* bas-fond, haut-fond *m;* laisse *f;* **~enmeer** *n* lagunes *f pl.*

Watt 2. *n* ‹-s, -› *el* watt *m;* **~leistung** *f* puissance *f* (exprimée) en watts; **~meter** *n (Meßgerät)* wattmètre *m;* **~stunde** *f* watt-heure *m;* **~stundenzähler** *m* watt-heuremètre, compteur *m* d'énergie; **~verbrauch** *m,* **~zahl** *f* wattage *m.*

Watt|e *f* ‹-, -n› ['vatə] ouate *f; med* coton *m* hydrophile; *~~ in den Ohren haben (a. fig)* avoir du coton dans les oreilles; avoir les oreilles bouchées *od arg* les portugaises ensablées; *in ~~ gepackt werden müssen (fig)* devoir être traité avec ménagement; être extrêmement sensible; *fam* craindre les courants d'air; *blutstillende ~~* coton *m* hémostatique; *mit ~~ gefüttert (Kleidung)* ouatiné, doublé d'ouate; **~ebausch** *m* tampon *m* d'ouate; **~efutterstoff** *m* ouatine *f;* **~epfropfen** *m* bouchon *m* d'ouate; **w~ieren** [-'ti:rən] *tr (mit ~e füttern)* ouater; *(Kleidung)* oua-t(in)er, doubler d'ouate; *~ierte Schultern f pl* épaulettes *f pl;* **~ierung** *f* ouatage *m.*

Wauwau *m* ‹-s, -s› ['vauvau] [-'-] *(Kindersprache: Hund)* toutou *m.*

Web|art *f* ['ve:p-] tissure, texture *f;* **w~en** ['ve:bən, -pt(ə), (-)'vo:p/-bən] *tr* ‹*webte, hat gewebt*› tisser; *(Spinne)* filer; *fig poet* entremêler *(Blumen in etw* qc de fleurs*); itr (wob, hat gewoben): leben und ~~ (fig)* être en perpétuelle agitation, s'agiter; **~en** *n* tissage *m;* **~er** *m* ‹-s, -› tisserand, tisseur *m;* **~erbaum** *m tech* ensouple *f;* **~erdistel** *f bot* chardon *m;* **~erei** [-'raɪ] *(Tätigkeit, Gewerbe)* tissage *m; (Fabrik)* (usine *f* de) tissage; *mechanische ~~ (Fabrik)* tissage *m* mécanique; **~erglas** *n (Fadenzähler)* compte-fils *m;* **~erknecht** *m zoo* faucheur, faucheux *m;* **~erknoten** *m* nœud *m* de tisserand; **~(er)schiffchen** *n tech* navette *f;* **~ervogel** *m orn* tisserin *m;* **~erzettel** *m tech* chaîne *f;* **~fehler** *m* défaut *m* de tissage; **~kante** *f* lisière *f;* **~kunst** *f* tissage *m;* **~stuhl** *m* métier *m* à tisser; **~waren** *f pl* tissus, textiles *m pl.*

Wechsel *m* ‹-s, -› ['vɛksəl] *(Veränderung)* changement; *(plötzlicher)* renversement, revirement, retournement *m,* vicissitude; *(Umkehr)* révolution; *(von Tag u. Nacht)* alternance *f; (der Jahreszeiten)* retour; *(Übergang)* passage *m; (Wildwechsel)* passée; *fin* lettre de change, traite *f,* effet; *(Monatsgeld e-s Studenten)* argent *m* mensuel; *fam* mois *m; e-n ~ akzeptieren* accepter un effet; *e-n ~ ausstellen* émettre une traite; *e-n ~ begeben* négocier un effet; *e-n ~ diskontieren* escompter un effet; *e-n ~ einlösen* faire honneur à *od* acquitter *od* payer un effet; *e-n ~ präsentieren* présenter un billet à l'encaissement; *e-n ~ prolongieren* proroger un effet; *e-n ~ protestieren* faire protester une lettre de change; *e-n ~ unterschreiben* signer un effet; *e-n ~ auf jdn ziehen* tirer une traite sur qn; *eigene(r)* od *trockene(r) ~* billet *m* simple *od* à ordre, promesse *f* simple; *nicht eingelöste(r) ~* effet *m* impayé *od* renvoyé; *fällige(r) ~* traite *f* à échéance; *gezogene(r) ~* lettre de change, traite *f,* effet *m* (de commerce); *kurz-, langfristige(r) ~* effet *m* à courte, à longue échéance; *auf den Inhaber lautende(r), an den I. zahlbare(r) ~* effet *m* au porteur; *notleidende(r) ~* effet *m* en souffrance; *offene(r) ~* lettre *f* de crédit; *überfällige(r) ~* effet *m* périmé; *umlaufende(r) ~* papier *m* à échéance; *ungedeckte(r) ~* effet *m* non provisionné, traite *f* en l'air; *verpfändete(r) ~* effet *m* en pension; *~ auf den Aussteller* promesse *f* simple; *~ auf kurze Sicht* effet *m* à courte échéance; **~abteilung** *f* service *m* du portefeuille des effets; **~agent** *m* agent *od* courtier *m* de change; **~agio** *n* escompte *m;* **~akzept** *n* acceptation *f* d'une lettre de change; **~anzeige** *f* avis *m* de traite; **~arbitrage** *f* arbitrage de change, agiotage *m;* **~aussteller** *m* tireur *od* souscripteur *m* d'une lettre de change; **~ausstellung** *f* tirage *m od* émission *f* d'une lettre de change; **~bad** *n med* douche *f* écossaise; **~balg** *m (Mißgeburt)* monstre *m;* **~bank** *f* banque *f* de change, comptoir *m* d'escompte; **~begebung** *f* négociation *f* d'une lettre de change; **~bestand** *m* portefeuille *m* d'effets; **~betrag** *m* montant *m* de la lettre de change; **~beziehung** *f* corrélation, interaction, réciprocité *f; in ~~ (stehend)* corrélatif; **~brief** *m = ~ (fin);* **~bürge** *m* donneur d'aval, avaliste, avaliseur *m;* **~bürgschaft** *f* aval *m; e-e ~~ für etw übernehmen* avaliser qc; **~diskont** *m* escompte *m* d'un *od* des effet(s); **~diskontsatz** *m* taux *m* d'escompte; **~einlösung** *f* paiement *m* d'un effet; **w~fähig** *a* apte à tirer *od* à signer des lettres de change; **~fähigkeit** *f* capacité *f* légale pour signer une lettre de change; **~fälle** *m pl* vicissitudes *f pl; die ~~ des Lebens* les retours *m pl* de la fortune; **~fälscher** *m* faussaire *m* de traites; **~fälschung** *f* falsification *f* de traites; **~fieber** *n med* fièvre *f* intermittente; **~forderung** *f* créance *f* fondée sur une lettre de change; *pl* (compte *m* d')effets *m pl* à recevoir; **~formular** *n* formulaire *m* d'une lettre de change; **~frist** *f* usance *f;* **~geber** *m = ~aussteller;* **~geld** *n* monnaie *f* (de change *od* d'appoint *od* divisionnaire); **~gesang** *m* chant *m* alterné; *rel* antienne *f;* **~geschäft** *n* opération *f* de change; **~gesetz** *n* loi *f* sur les lettres de change; **~getriebe** *n mot* (engrenage à) changement *m* de vitesse, boîte *f* de vitesse(s); **~gläubiger** *m* créancier *m* d'une *od* de la lettre de change; **w~haft** *a* changeant; *(unbeständig, bes. mete)* variable, instable; *mete a.* hésitant; **~inhaber** *m* porteur *m* d'une *od* de la lettre de change; **~inkasso** *n* encaissement *m* d'effets *od* de traites; **~kurs** *m* cours *m* du change; **~jahre** *n pl physiol* âge critique, retour *m* d'âge, ménopause *f;* **~klage** *f jur* action *f* en matière de change; **~kredit** *m* crédit *m* à escompte; **~kurs** *m* cours *m* de *od* du change; **~lager** *n tech* butée *f* à billes à double effet; **~makler** *m = ~agent;* **w~n** *tr (ich wechs(e)le, du wechselst; hat gewechselt) (ablegen* od *aufgeben u. etw anderes, bes. Frisches nehmen)* changer (*etw* de qc); *(Verbrauchtes erneuern)* changer (*etw* qc); *(Geld umtauschen)* changer; *fig (Blicke, Worte, Briefe, Kugeln: austauschen)* échanger; *itr* changer (*mit etw* de qc); *(abwechseln)* alterner (*mit jdm, mit etw* avec qn, avec qc); se suivre; *(sich ablösen)* se remplacer, se relayer, se succéder; *(Geld)* faire de la monnaie, *(herausgeben)* rendre la monnaie; *(Wild)* passer; *den Besitzer ~~* changer de main, passer en d'autres mains; *Briefe ~~ (a.)* être en correspondance (*mit jdm* avec qn); *die Farbe ~~* changer de couleur; *den Gang ~~ (mot)* changer de vitesse; *die Wäsche, die Kleider ~~ (a.)* se changer; *die Partei ~~* changer de parti; tourner casaque; *die Stimme ~~* muer; *die Wohnung ~~ (a.)* déménager; *die Zähne ~~* faire sa seconde dentition; perdre ses dents de lait; *ich kann nicht ~~ (Geld herausgeben)* je n'ai pas de monnaie; **~n** *n* changement; *(Austausch)* échange *m; (Abwechseln)* alternance *f; Wäsche f zum ~~* linge *m* de rechange; **w~nd** *a* changeant, variable; *mit ~~em Erfolg* avec des fortunes diverses; **~nehmer** *m* preneur *od* porteur *od* bénéficiaire *m* d'une *od* de la lettre de change; **~notierung** *f* cote *f* des changes; **~ordnung** *f* règlement *m* sur les lettres de change; **~pari(tät *f*)** *n* pair *m* de change, parité *f* des changes; **~protest** *m* protêt *m* en matière de lettre de change; *~~ erheben* faire le protêt; **~provision** *f* courtage *m* de change; **~prozeß** *m* procédure *f* (sur lettres) de change; **~rad** *n tech (im Getriebe)* roue *f* de changement de vitesse; **~rahmen** *m* passe-partout *m;* **~recht** *n jur, fin* droit *m* cambial *od* de change; *nach ~~* par droit de change; **~rede** *f* dialogue *m;* discussion *f;* **~reiter** *m* spéculateur *m* de changes; **~reiterei** *f* émission de billets de complaisance; *fam* cavalerie *f; ~~ treiben* tirer en l'air *od* à découvert; **~richter** *m tele* ondulateur *m;* **~schalter** *m el* commutateur *m* inverseur; **~schuld** *f* dette *f* par acceptation; **~schuldner** *m* débiteur *m* d'une lettre de change *od* par acceptation; **w~seitig** *a* réciproque; mutuel; **~seitigkeit** *f* réciprocité; mutualité *f;* **~spekulation** *f* agiotage *m;* **~spesen** *pl* frais *m pl* d'escompte; **~stempel** *m* timbre *m* de change; **~stempelmarke** *f* timbre *m* fiscal pour lettres de change; **~strom** *m el* courant *m* alternatif; **~stromgenerator** *m* alternateur *m;* **~stromgleichrichter** *m* redresseur *m* de courant alternatif; **~strommotor** *m* moteur *m* à courant alternatif; **~stromtransformator** *m el* transformateur *m* à courant alternatif; **~stube** *f* bureau *m* de change; **~summe** *f* montant *m* de l'effet *od* de la lettre de change; **~ventil** *n tech* soupape *f* à deux voies; **~verbindlichkeit** *f* = *~schuld; pl* effets *m pl* à payer; **~verkauf** *m* négociation *f* d'un effet; **~verkehr** *m fin com* circulation de traites; *tele* liaison *f* bilatérale; **w~voll** *a* sujet à des vicissitudes; mouvementé, accidenté; **w~weise** *adv (abwechselnd)* alternativement, tour à tour; *(gegenseitig)* réciproquement, mutuellement; **~winkel** *m math* angle *m* alterne; **~wirkung** *f* action réciproque, interaction *f;* **~wirtschaft** *f agr* assolement *m,* rotation *f* des cultures.

Wechsler *m* ‹-s, -› ['vɛkslər] *(Geldwechsler)* changeur, cambiste *m.*

Weck *m* ‹-(e)s, -e›, **~e** *f* ‹-, -n›, **~en** *m* ‹-s, -› ['vɛk(ə, -ən)] *(Brötchen)* petit pain *m.*

Weck|apparat *m* ['vɛk-] *(Einkochgerät)* autoclave *m* de ménage; **~glas** *n* verre *od* bocal *m* à conserves.

weck|en ['vɛkən] *tr* réveiller; *a. fig* éveiller; *fig (hervorrufen, bewirken)* provoquer, susciter, faire naître; *den Geist ~~* ouvrir l'esprit; **W~en** *n* réveil *m; mil a.* diane *f;* **W~er** *m* ‹-s, -› *(Uhr)* réveil(le-matin) *m; tele* sonnerie *f; (Mensch)* éveilleur *m; jdm auf den ~~ fallen (fig pop)* taper sur les nerfs à qn; **W~erarmbanduhr** *f* montre-bracelet *f* à réveil; **W~erwerk** *n* sonnerie *f;* **W~ruf** *m mil* réveil *m;* **W~strom** *m tele* courant *m* de sonnerie.

Weda *m* ‹-(s), -den/-s› ['ve:da] *rel* véda *m.*

Wedel *m* ‹-s, -› ['ve:dəl] plumeau; *(Staubwedel)* époussetoir, houssoir; *(Fliegenwedel)* chasse-mouches, émouchoir; *(Weihwedel)* goupillon *m; bot (Farnwedel)* fronde; *(Palmwedel)* palme; *zoo (Schwanz)* queue *f;* **w~n** ‹*hat gewedelt*› *itr: mit dem Fächer ~~* jouer de l'éventail, s'éventer; *(beim Skilaufen)* godiller; *mit dem Schwanz ~~* remuer *od* agiter la queue, frétiller de la queue; *tr (wegwedeln)* chasser (en agitant).

weder ['ve:dər] *conj: ~ ... noch ...* ni ... ni ...; *~ mein Bruder noch ich haben es gesagt* ni mon frère ni moi ne l'avons dit.

Weg *m* ‹-(e)s, -e› [ve:k, '-gə] chemin *m* (*nach, zu* de); voie; *(Landstraße)* route *f; (Pfad)* sentier *m; (Trampelpfad)* piste *f; (Durchgang)* passage *m; (zwischen Bäumen* od *Mauern)* allée *f; (Strecke)* parcours, trajet; *(Reiseweg)* itinéraire; *fig* chemin *m,* voie *f; (Mittel)* moyen *m; (Methode)* méthode; *(Art u. Weise)* manière, façon; *(Gang, Besorgung)* course; *(Lebensweg)* carrière, vie *f; am ~e* sur le chemin, au bord du chemin; *auf dem ~e (unterwegs)* en chemin, chemin faisant; *auf dem ~e (auf der Reise) nach Paris* en route pour Paris, en allant à Paris; *auf diesem ~ (fig)* par ce moyen, de la sorte; *auf diplomatischem ~e* par la voie diplomatique; *auf friedlichem ~e* par des moyens pacifiques; *auf dem ganzen ~* durant toute la route, tout le long du chemin; *auf halbem ~e* à moitié chemin, à mi-chemin; *auf dem kürzesten* od *schnellsten ~e* par la voie la plus courte *od* la plus rapide; *fam* illico; *auf dem rechten ~* dans le droit *od* bon chemin; *auf dem ~e der Genesung* en convalescence; *jdn vom rechten ~ abbringen* détourner qn de la bonne direction; *fig* détourner qn du droit chemin; *vom (rechten) ~ abkommen fig* sortir du droit chemin, faire fausse route; *jdm e-n ~ abnehmen (fam)* éviter *od* épargner une démarche à qn; *jdm den ~ abschneiden* couper la route à qn; *sich e-n ~ bahnen* se frayer un chemin, se faire un passage; *jdm den ~ ebnen* ouvrir la voie à qn; *e-n ~ einschlagen* prendre *od* suivre *od* enfiler un chemin; *e-n kürzeren ~ einschlagen* prendre un raccourci; *den kürzesten ~ einschlagen* prendre au plus court; *jdm auf halbem ~e entgegenkommen (fig)* faire la moitié du chemin; *jdm etw auf den ~ geben* donner qc à qn en viatique; *s-s ~s gehen* aller *od* passer son chemin; *s-r ~e gehen (fig)* aller de son côté; *jdm aus dem ~ gehen* laisser le passage à qn, laisser passer qn; *fig* éviter (la rencontre de) qn; *e-r S aus dem ~e gehen* éluder qc; *s-e eigenen ~e gehen* suivre son (propre) chemin, prendre seul sa décision; *s-n geraden ~ gehen (fig)* aller droit son chemin, marcher droit; *still s-n ~ gehen* suivre son petit bonhomme de chemin; *jdm etw in den ~ legen* créer des difficultés à qn; *jdm nichts in den ~ legen* laisser les mains libres à qn; *etw in die ~e leiten* mettre qc en route; *sich auf den ~ machen* se mettre en route, s'acheminer (*nach* vers); *s-n ~ machen (fig)* faire son chemin; *s-n ~ über Paris nehmen* passer par Paris; *aus dem ~e räumen (Schwierigkeit)* écarter; *(Menschen)* se défaire, se débarrasser de, tuer; *auf dem besten ~e sein (fig)* avoir le pied à l'étrier; *auf dem falschen ~ sein* faire fausse route; *auf dem richtigen ~e sein (fig)* avoir le filon *fam; jdm im ~e (lästig) sein* gêner qn; *jdm im ~ stehen* être sur le chemin de qn; *fig* faire obstacle à qn; *auf halbem ~e stehenbleiben (fig)* s'arrêter au beau milieu du chemin; *sich jdm in den ~ stellen, jdm den ~ verlegen* barrer le passage à qn; *sich e-r S in den ~ stellen* se jeter au travers de qc; *jdm nicht über den ~ trauen* se méfier de qn; *den ~ weisen* donner l'exemple (*jdm* à qn); *jdn auf den rechten ~ zurückführen (fig)* ramener *od* remettre qn dans le droit chemin; *ich habe noch einige ~e zu erledigen fam* j'ai encore quelques courses à faire; *dem steht nichts im ~e* rien ne s'y oppose; *gehen Sie mir aus dem ~e!* ôtez-vous de là! *geh deiner ~e!* passe ton chemin! *alle* od *viele ~e führen nach Rom (prov)* tous les chemins mènent à Rome; *des Menschen ~e sind nicht Gottes ~e* l'homme propose et Dieu dispose; *Gottes ~e* les voies *f pl* de Dieu *od* du Seigneur; *kürzere(r) ~* raccourci *m; ein (gutes) Stück ~* un (bon) bout de chemin; *fam* une trotte; *der ~ zum Erfolg, zum Ruhm* le chemin *od* la route du succès, de la gloire; *verbotener ~!* passage interdit! **~bereiter** *m fig* précurseur, pionnier *m;* **~ebau** *m* construction *f* des routes; **~(e)beschaffenheit** *f* qualité *f* des routes; **~(e)geld** *n* péage *m;* **~elagerer** *m* voleur de grands chemins, coupeur *m* de route; **~emeister** *m* inspecteur *m* des ponts et chaussées; **~enetz** *n* réseau *m* routier; **~enge** *f* chemin *m* étranglé; **~erecht** *n* droit *m* de passage; **~erich** *m* ‹-s, -e› [-gərɪç] *bot* plantain *m;* **~espinne** *f (Kreuzung mehrerer Wege)* patte *f* d'oie; **~(e)verhältnisse** *n pl* conditions *f pl* routières; **~gabelung** *f* bifurcation *f;* **~genosse** *m* compagnon *m* de route; **~kreuz** *n* carrefour *m;* **w~los** *a* sans chemin; **~marke** *f* indication *f* (d'itinéraire); **~markierung** *f* jalonnement *m* d'itinéraire; **~rand** *m* bord *m* du chemin; **w~sam** *a (Gegend)* doté de voies de communication; accessible; **~scheid(e *f*)** *m* = *~egabelung* od *~kreuz;* **~schnecke** *f zoo* limace *f;* **~strecke** *f* traite *f,* parcours, trajet *m; fam* trotte *f; schlechte ~~!* chaussée déformée *od* mauvaise; **~stunde** *f* heure de chemin *od* de marche; *(Meile)* lieue *f;* **~überführung** *f* passage *m* supérieur *od* en dessus; **~übergang** *m: schienengleiche(r) ~~* passage *m* à niveau; **~unterführung** *f* passage *m* inférieur *od* en dessous; **~warte** *f bot* chicorée *f* sauvage; **~weiser** *m* poteau *m* indicateur, colonne *f* itinéraire; **~zehrung** *f* provisions *f pl* de voyage; *bes. rel* viatique *m;* **~zeichen** *n* = *~marke.*

weg [vɛk] *adv (nicht da)* pas là; *(abwesend)* absent; *(weggegangen)* parti; *(verschwunden)* disparu; *(verloren)* perdu; *(verlegt, nicht zu finden)* égaré; *frei ~* franchement; *weit ~* (au) loin; *ganz ~ sein (fig fam: hingerissen)* être emballé; ne pas se sentir (*vor Freude* de joie); *(baff sein)* être ébaubi, rester baba *fam; ~ war er* il s'en fut; le voilà parti; *frei ~! (mil)* en avant! *Hände ~!* bas les mains! *fam* (à) bas les pattes! *Kopf ~!* gare la tête! *~ (da)!* gare! ôtez-vous (ôte-toi) de là! *~ damit!* enlevez (enlève) cela! faites (fais) disparaître cela! *~ mit dir!* loin d'ici! **~≈arbeiten** *tr: alles ~~* tout terminer *od* finir, finir le tout; **~≈bekommen** *tr (Fleck)* réussir à enlever *od* à faire disparaître; *fam (abkriegen, hinnehmen müssen)* recevoir; essuyer; *(herauskrie-*

gen, verstehen) piger, comprendre; **~≈blasen** *tr* souffler; *er ist wie ~geblasen (fam)* il a disparu comme par enchantement; **~≈bleiben** *itr fam (nicht kommen)* ne pas venir; *(nicht teilnehmen)* ne pas assister (*von* à); *(nicht mehr kommen)* ne plus venir; *(Textstelle: ausgelassen werden)* être omis; *lange ~~* tarder à revenir; *mir blieb die Spucke ~ (fig pop)* ça m'a coupé la chique *od* le sifflet; **~≈brechen** *tr (absichtlich abbrechen)* ôter *od* enlever (en rompant); **~≈brennen** *tr (ab-* od *verbrennen)* brûler; *med* cautériser; **~≈bringen** *tr (Flecken)* ôter, enlever; *(Menschen* od *größeres Tier)* emmener; *(Sache)* emporter; **~≈denken** *tr* écarter par la pensée; **~≈dürfen** *‹hat weggedurft› itr* avoir la permission de s'en aller.

wegen ['ve:gən] *prp gen, fam: dat* à cause de, en raison de, pour; *(infolge)* par suite de; *(mit Rücksicht auf)* en considération de, eu égard à; *von Amts ~* d'office; *von Rechts ~* de droit, selon le droit, légalement; *von ~! (fam)* sûrement pas! tu n'y penses pas! (vous n'y pensez pas!) *~ Todesfalles geschlossen* fermé pour cause de décès.

weg|≈essen ['vɛkɛsən] *tr fam: alles ~~* manger le tout, ne rien laisser (à manger); *s-m Bruder die Schokolade ~~* manger le chocolat de son frère; **~≈fahren** *‹hat weggefahren› tr (Menschen)* emmener (en voiture); *(Sache)* emporter; *itr ‹ist weggefahren›* partir; **W~fall** *m* suppression, abolition, cessation *f; in ~~ kommen,* **~≈fallen** *itr (aufgehoben werden)* être supprimé *od* aboli; *(Textstelle: gestrichen werden)* être supprimé; **~≈fangen** *tr* attraper; **~≈fegen** *tr a. fig* balayer; **~≈feilen** *tr* enlever avec la *od* une lime; **~≈fischen** *tr* pêcher; *jdm etw ~~ = jdm etw ~schnappen;* **~≈fliegen** *itr (Vogel, Insekt)* s'envoler, partir; *(leichter Gegenstand)* être emporté par le vent; **~≈fressen** *tr: alles ~~ (auffressen)* tout manger; **~≈führen** *tr* emmener; **W~gang** *m* depart *m,* sortie *f; beim ~~* au *départ,* **~≈geben** *tr (Sache)* se défaire de, se débarrasser de, se démunir de; **~≈gehen** *itr* s'en aller, partir; *(hinausgehen)* sortir; *(Ware: verkauft werden)* se vendre, s'enlever; *wie warme Semmeln ~~* s'enlever *od* se vendre comme des petits pains; *geh mir weg mit ihm, damit!* je ne veux rien savoir de lui, je n'en veux rien savoir; **W~gehen** *n* départ *m; beim ~~* en partant, au départ; **~≈gießen** *tr* jeter; **~≈haben** *tr fam (verstehen)* comprendre, savoir; *einen ~~ (pop: betrunken sein)* avoir sa cuite; *sein Fett (fam)* od *sein Teil ~~* être fadé; *jdn ~~ wollen* vouloir être débarrassé de qn; *e-e Krankheit hat man schnell ~* une maladie se prend facilement; *er hat es noch nicht weg, wie ...* il ne sait pas encore *inf;* **~≈halten** *tr* tenir à l'écart; *den Kopf ~~* détourner la tête; **~≈hängen** *tr (an s-n Platz)* ranger; *(anderswohin)* pendre ailleurs; **~≈heben** *tr* soulever; enlever; *hebe dich ~! (lit)* va-t'en! **~≈helfen** *itr: jdm ~~ (die Flucht ermöglichen)* aider qn à s'enfuir *od* à s'évader, favoriser la fuite *od* l'évasion de qn; *jdm über etw ~~ (etw zu ertragen helfen)* aider qn à supporter qc; **~≈hobeln** *tr* enlever avec un *od* le rabot; **~≈holen** *tr (Menschen, größeres Tier)* emmener; *(Sache)* emporter; *sich (e-e Krankheit) ~~ (fam)* attraper (une maladie); **~≈humpeln** *‹ist weggehumpelt› itr* s'en aller en boitant; **~≈jagen** *tr* chasser; **~≈kehren** *tr (Schmutz)* balayer; **~≈kommen** *itr* pouvoir s'en aller *od* partir; *(abhanden kommen)* s'égarer, se perdre; *über etw ~~ (sich mit etw abfinden)* se faire, se résigner à qc; *gut ~~* bien s'en tirer, être quitte à bon marché *od* à bon compte; *schlecht dabei ~~* ne pas s'en tirer à son avantage; *mach, daß du ~kommst! (fam)* disparais, fiche-moi le camp! **~≈können** *itr* pouvoir partir *od* s'absenter; **~≈kratzen** *tr* enlever (en grattant); **~≈kriechen** *(ist weggekrochen) itr* s'éloigner en rampant *od* en se traînant; **~≈kriegen** *tr fam = ~bekommen;* **~≈lassen** *tr (Menschen gehen lassen)* laisser partir; *(Sache nicht verwenden; Textstelle, Wort auslassen)* omettre; *(unterdrücken, streichen)* supprimer, retrancher; *math* négliger; **W~lassung** *f (Auslassung)* omission; *(Streichung)* suppression *f,* retranchement *m;* **~≈laufen** *itr* s'enfuir, se sauver, décamper; *das läuft dir nicht weg (fig fam)* ça peut attendre, ça ne s'envolera pas; **~≈legen** *tr (zur Seite legen)* mettre de côté; *(~räumen)* ranger; **~≈machen** *tr (entfernen)* enlever; **~≈marschieren** *(ist wegmarschiert) itr mil* se mettre en marche; **~≈müssen** *itr ‹hat weggemußt›* devoir partir; *ich muß ~ (a.)* il me faut partir, il faut que je parte; **W~nahme** *f* prise *f,* enlèvement *m;* **~≈nehmen** *tr* prendre, ôter, enlever; *(entwenden)* dérober; *jdm alles ~~ (a.)* mettre qn sur la paille; *das Gas ~~ (mot)* étrangler les gaz; *(zu)viel Platz ~~* être (trop) encombrant; *nimm doch bitte deine Sachen hier weg* enlève donc tes affaires d'ici; **~≈packen** *tr* ranger, serrer; **~≈putzen** *tr: alles ~~ (fam: aufessen)* tout manger, manger le tout; **~≈radieren** *tr = ausradieren;* **~≈raffen** *tr (Krankheit, Tod)* enlever, emporter, faucher; **~≈räumen** *tr (~schaffen)* enlever, ôter; faire disparaître; *(benutzte Sachen)* ranger; *(Geschirr)* desservir; *fig (Hindernis)* écarter; *(Schwierigkeiten)* aplanir; **~≈reisen** *itr* partir (en voyage); **~≈reißen** *tr* arracher; **~≈reiten** *‹ist weggeritten› itr* partir à cheval; **~≈rennen** *itr = ~laufen;* **~≈rücken** *tr* déplacer, écarter, reculer; **~≈rufen** *tr* rappeler; **~≈sacken** *itr mar = versinken;* **~≈schaffen** *‹hat weggeschafft› tr* emporter, enlever, ôter, faire disparaître; *(Menschen)* emmener, éloigner; *math* éliminer; **~≈schauen** *itr* détourner les yeux; **~≈schaufeln** *tr* enlever avec une pelle; **~≈schenken** *tr* donner (*an jdn* à qn); **~≈scheren:** *scher dich ~!* va-t'en! oust(e)! à la gare! **~≈schicken** *tr (Menschen)* envoyer; *(Sendung, Fracht)* expédier; **~≈schieben** *tr* écarter (en poussant), repousser; **~≈schießen** *tr* abattre d'un coup de feu; *(das Wild)* abattre; **~≈schleichen** *itr* u. *sich ~~* s'en aller à pas de loup, partir à la dérobée *od* furtivement; **~≈schleppen** *tr* emporter (à peine); *alles ~~* faire une rafle; **~≈schleudern** *tr* lancer (au loin); **~≈schließen** *tr* mettre sous clé, serrer; **~≈schmeißen** *tr pop* jeter; ficher *od* foutre en l'air; **~≈schmelzen** *itr (Schnee)* fondre, disparaître; **~≈schnappen** *tr: jdm etw (vor der Nase) ~~ (fam)* souffler qc à qn; *sich etw ~~ lassen* se laisser souffler qc; **~≈schneiden** *tr* (dé)couper, (re)trancher; **~≈schütten** *tr* jeter: **~≈schwemmen** *tr* emporter; **~≈schwimmen** *itr* s'éloigner à la nage; *(Gegenstand)* être emporté par le courant; **~≈sehen** *itr* détourner les yeux; *über etw ~~ (fig)* fermer les yeux, passer sur qc; **~≈sehnen,** *sich* souhaiter (ardemment) partir; **~≈setzen** *tr* mettre de côté; *(~räumen)* ranger; *itr: über etw ~~ (springen)* sauter par-dessus qc; *sich ~~ (anderswohin)* changer de place; *sich über etw ~~* se mettre au-dessus de qc, passer par-dessus qc; **~≈spülen** *tr (Flut)* emporter; **~≈stecken** *tr* cacher; **~≈stehlen,** *sich* s'esquiver, partir à la dérobée *od* furtivement; *fam* s'éclipser; **~≈stellen** *tr* mettre de côté; *(~räumen)* ranger; **~≈sterben** *itr* s'éteindre, être emporté par la mort; **~≈stoßen** *tr* repousser; **~≈streichen** *tr (Textstelle)* rayer, effacer, biffer, raturer; supprimer; **~≈tragen** *tr* emporter; **~≈treiben** *tr ‹hat weggetrieben›* chasser; *itr ‹ist weggetrieben› (im Wasser)* être emporté; **~≈treten** *itr (einzelner)* s'éloigner, se retirer; *mil (angetretene Mannschaft)* rompre les rangs; *~~ lassen (mil)* faire rompre les rangs; *~getreten!* rompez! **W~treten** *n mil* rupture *f* des rangs; **~≈trinken** *tr: s-m Bruder den Kakao ~~* boire le chocolat de son frère; **~≈tun** *tr (~nehmen)* enlever; *(~werfen)* jeter, faire disparaître; *(~räumen)* ranger; **~≈wälzen** *tr* enlever (en roulant); rouler ailleurs; **~≈wehen** *tr (Wind)* emporter (en soufflant); **~≈werfen** *tr* jeter; *sich ~~ (fig)* s'abaisser, se dégrader, s'avilir, se prostituer; *das ist weggeworfenes Geld (fam)* c'est de l'argent jeté par les fenêtres; **~werfend** *a (Geste)* dédaigneux, méprisant; *adv (mit Verachtung)* avec dédain, avec mépris; **~≈wischen** *tr (Schmutz, Reste von Flüssigkeiten)* enlever; *fig (e-n Einwand)* balayer (*mit der Hand* d'un revers de la main); **~≈wollen** *itr* vouloir partir; **~≈wünschen** *tr: jdn ~~* souhaiter l'éloignement de qn; *sich ~~* souhaiter être loin; **~≈zaubern** *tr* faire disparaître comme par magie; **~≈zerren** *tr* arracher; **~≈ziehen** *tr* enlever (en tirant), tirer; *itr* partir; *(aus e-r Wohnung)* déménager, changer de domicile; **W~zug** *m* départ; *(aus e-r Wohnung)* déménagement *m.*

weh (*a.* **~e)** ['ve:(ə)] *a* douloureux; qui fait mal; *e-n ~en Finger haben* avoir mal à un doigt; *~ tun* faire mal; *(bes. seelisch)* faire de la peine (*jdm* à qn); *sich ~ tun* se faire mal; *(sich verletzen)* se blesser; *mir ist so ~ ums Herz* od *zumute* j'ai le cœur gros; j'ai de la peine; *wo tut es dir ~?* où as-tu mal? *interj: ~! ~e!* hélas! *o ~!* hélas! *~(e) dir!* malheur à toi! *~e den Besiegten!* malheur aux vaincus! *ach und ~ schreien* se lamenter; **W~** *n* ⟨-(e)s, -e⟩ *(Schmerz)* douleur, peine *f; (Leiden)* mal; *(Unglück)* malheur *m; mit ~~ und Ach* à grand-peine; **W~en** *f pl physiol (Geburts~~)* douleurs *f pl* (de l'accouchement *od* de l'enfantement), mal d'enfant, travail *m; in den ~~ liegen* être dans les douleurs; **W~geschrei** *n* lamentations *f pl;* **W~klage** *f* plainte, lamentation *f;* **~≈klagen** *(hat gewehklagt) itr* se plaindre, se lamenter, gémir; **~leidig** *a (empfindlich, zimperlich)* douillet; *(jammernd)* dolent, *pop* geignard; *(weinerlich)* pleurnichard; **W~leidigkeit** *f* caractère *m* douillet *od* dolent; pleurnicheries *f pl;* **W~mut** *f* ⟨-, ø⟩ mélancolie, tristesse *f;* **~mütig** *a* mélancolique, triste; **W~mutter** *f (Hebamme)* sage-femme *f;* **W~weh** *n* ⟨-s, -s⟩ [-'-/'--], **~~chen** *n* ⟨-s, -⟩ [-'--] *(Kindersprache)* bobo *m.*

Weh|e *f* ⟨-, -n⟩ ['ve:ə] *(Schnee~~)* congère; *(Sand~~)* dune *f;* **w~en** ⟨*aux: haben*⟩ *itr (Wind; fig: der Geist)* souffler; *(Fahne)* flotter (au vent); *tr (wehend treiben)* emporter, chasser; *mit ~~den Fahnen* drapeaux *m pl* déployés; *wissen, woher der Wind ~t (Bescheid wissen)* savoir prendre le vent; *es ~t ein kalter Wind* il souffle un vent froid; **~en** *n a. fig* souffle *m.*

Wehr *f* ⟨-, -en⟩ [ve:r] *(Verteidigung)* défense *f; (Befestigung)* fortifications *f pl; in ~ und Waffen* en armes; *sich zur ~ setzen* se défendre, se mettre en défense (*gegen* contre); *n (Stauwerk)* barrage *m; (Damm)* digue *f;* **~beauftragte(r)** *m (in Deutschland)* délégué *m* à la défense; **~beitrag** *m* contribution *f* pour la défense; **~bereich** *m* région *f* militaire; **~bereichskommandeur** *m* commandant *m* de région; **~bereichskommando** *n* commandement *m* de la région militaire; **~bezirk** *m* subdivision *f* militaire; **~bezirkskommando** *n* bureau *m* de recrutement; **~dienst** *m* service *m* militaire; *s-n ~~ ableisten* faire son service militaire; *im ~~ stehen* être sous les drapeaux; *Befreiung f vom ~~* exemption *f* du service militaire; *vom ~~ befreit* exempt du service militaire; **~dienstbeschädigung** *f* infirmité *f* contractée en service commandé; **~dienstverhältnis** *n* statut *m od* situation *f* militaire; *im ~~ stehen* être lié au service militaire; **~dienstverweigerer** *m* objecteur de conscience, non-violent *m;* **~dienstverweigerung** *f* objection *f* de conscience; **w~en** *tr: jdm ~~, etw zu tun (jdn an etw hindern)* empêcher qn de faire qc; *itr: e-r S ~~ (entgegenwirken)* s'opposer, obvier, faire *od* mettre obstacle à qc; *sich ~~* se défendre (*gegen jdn* contre qn); résister, faire face (*gegen jdn* à qn); *sich mit Händen und Füßen dagegen ~~, daß ...* *(fig)* faire des pieds et des mains pour ne pas ...; *sich s-r Haut ~~* défendre sa peau; *~et den Anfängen!* il faut étouffer le mal dans l'œuf; **~ersatz** *m* recrutement *m;* **~ersatzamt** *n* bureau *m* de recrutement (et des réserves) *m;* **~ersatzinspektion** *f* conseil *m* de révision; **~ersatzkommission** *f* commission *f* de recrutement; **~ersatzwesen** *n* recrutement *m* et réserves *f pl;* **~ertüchtigung** *f* préparation *f* militaire; **w~fähig** *a* en âge *od* en état de porter les armes; **~gang** *m (auf e-r Stadtmauer)* chemin *m* de ronde; **~gehänge** *n,* **~gehenk** *n* baudrier *m;* **~geographie** *f* géographie *f* militaire; **~gesetz** *n = ~pflichtgesetz;* **~gesetzgebung** *f* législation *f* relative au recrutement de l'armée; **w~haft** *a* en état de se défendre, valide; *~~ machen* armer; **~haftigkeit** *f* ⟨-, ø⟩ validité *f;* **~hoheit** *f* ⟨-, ø⟩ *mil* souveraineté *f* militaire; **~kraft** *f* force *f* militaire; *die ~~ zersetzen* démoraliser la troupe; *Zersetzung f der ~~* démoralisation *f* de la troupe; **~kreis** *m = ~bereich;* **w~los** *a* sans défense, sans armes; *(entwaffnet)* désarmé; *~~ machen* désarmer; *~~ sein* être hors de défense; **~losigkeit** *f* ⟨-, ø⟩ impuissance *f* à se défendre; **~losmachung** *f* désarmement *m;* **~macht** *f* ⟨-, ø⟩ *(die gesamten Streitkräfte e-s Staates)* forces *f pl* armées; *die (deutsche) ~~ (1935–1945)* la Wehrmacht; **~machtführung** *f* commandement *m* militaire; **~macht(s)angehörige(r)** *m* membre *m* des forces armées *od* de la Wehrmacht; **~macht(s)bericht** *m hist* communiqué *m* (du haut commandement) **~meldeamt** *n* bureau *m* de recrutement (et des réserves); **~mittel** *n pl* matériel *m* militaire; **~mittelbeschädigung** *f* sabotage *m;* **~nummer** *f* numéro *m* (de) matricule; **~paß** *m* livret *m* matricule; **~pflicht** *f* obligation militaire, conscription *f; die allgemeine ~~* le service militaire obligatoire; *s-r ~~ genügen* faire son service militaire; **~pflichtgesetz** *n* loi *f* sur la conscription; **w~pflichtig** *a* astreint au service militaire, mobilisable; *im ~~en Alter* en âge militaire; *das ~~ Alter erreichen* arriver à l'âge militaire; **~pflichtige(r)** *m* mobilisable *m;* **~sold** *m* prêt *m; vx* solde, paie *f;* **~sport** *m* préparation *f* militaire; **~stammblatt** *n* fiche *f* signalétique et des services; **~stammbuch** *n* livret *m* matricule; **~stammnummer** *f* numéro *m* (de) matricule; **~stammrolle** *f* liste *f* de recrutement; **~stand** *m* état *m* militaire; **w~tauglich** *a* apte au service militaire; **~tauglichkeit** *f* aptitude *f* au service militaire; **~überwachung** *f* contrôle *m* militaire; **w~untauglich** *a* inapte au service militaire; **w~unwürdig** *a* indigne de servir; **~verfassung** *f* organisation *f* militaire; **~vergehen** *n* délit *m* militaire; **~versammlung** *f* rassemblement *m* de contrôle de réservistes; **~vorlage** *f parl* projet *m* de loi militaire; **~wesen** *n* affaires *f pl* militaires; **w~wichtig** *a* d'intérêt militaire; **~wille** *m* volonté *f* de défense; **~wirtschaft** *f* économie *f* militaire; **w~wirtschaftlich** *a* relatif à l'économie militaire; **~wissenschaft** *f* science *f* militaire; **w~würdig** *a* digne de servir.

Weib *n* ⟨-(e)s, -er⟩ [vaɪp, '-bər] femme; *(Gattin a.)* épouse *f; pej = ~sbild; ~ und Kind haben* être chargé de famille; *den ~ern nachlaufen* courir le cotillon *od* le jupon; *ein ~ nehmen* prendre femme; *zum ~e nehmen* prendre pour femme; *alte(s), häßliche(s) ~* (vieille) rombière; *lit* fée *f* Carabosse; *böse(s) ~* mégère *f; dicke(s) ~* dondon *f fam;* **~chen** *n* petite femme; *zoo* femelle *f.*

Weiber|art *f* ['vaɪbər-] manière *f* des femmes; **~feind** *m* misogyne *m;* **~feindschaft** *f* misogynie *f;* **~geschwätz** *n* commérage *m;* **~gezänk** *n* querelle *f* de femmes; **~gunst** *f* faveur *f* des femmes; **~held** *m pej* homme à femmes, coureur; *hum* bourreau *m* des cœurs; **~herrschaft** *f,* **~regiment** *n* domination *f od* gouvernement *m* des femmes; **~klatsch** *m* commérages *m pl;* **~laune** *f* caprice *m* de femme; **~list** *f* ruse *f* de femme; artifice *m od* ruse *f* féminin(e); **~volk** *n pej* femmes *f pl.*

weib|isch ['vaɪbɪʃ] *a pej* efféminé; *adv* comme une femme; **~lich** [-plɪç] *a* féminin *(a. gram* u. *Reim);* de femme; *zoo bot* femelle; *~~e Linie f (Mode)* féminité *f; das ewig W~e* l'éternel féminin; **W~lichkeit** *f* ⟨-, ø⟩ nature féminine *od* de la femme, féminité *f; die holde ~~* le beau sexe; **W~sbild** *n,* **W~sperson** *f,* **W~sstück** *n pej pop* garce, donzelle *f;* **W~sleute** *pl pej pop = ~ervolk.*

weich [vaɪç] *a* mou; *(Gebäck) a.* pas dur; *pej* ramolli; *(Obst)* fondant; *(überreif, teigig)* blet; *(Fleisch: zart)* tendre; *(Haar)* soyeux; *(Gewerbe)* moelleux, doux; *(Bett)* moelleux, douillet; *(bieg-, schmiegsam)* souple; *fig (zart)* tendre, délicat; *(empfindsam)* sensible; *(sanft, milde)* doux; *(nachgiebig)* souple, pliant; *(einschmeichelnd)* doux, suave; *sich ~ anfühlen* être doux au toucher; *ein ~es Herz haben (fig, a.)* être du bois dont on fait les flûtes; *~ löten* souder à l'étain; *~ machen* (r)amollir; *(einweichen)* (dé)tremper; *fig fam* *(nachgiebig machen)* amener à céder; ~ *werden* (s'a)mollir, se ramollir; *fig fam* s'attendrir; *(nachgeben)* céder; *es wurde mir ganz ~ ums Herz* je m'attendris; *~e(r) Gaumen m (anat)* voile *m* du palais; **W~e** *f* ‹-, -n› **1.** *anat* flanc *m; a. = ~heit; pl a.* défaut *m* des côtes; **W~eisen** *n* fer *m* doux; **W~eisenkern** *m* noyau *m* de fer doux; **~en 1.** *tr ‹er weicht/-e, hat geweicht› (~ machen)* (r)amollir; (dé)tremper; *itr (~ werden)* (s'a)mollir, se ramollir; **~gekocht** *a (Ei)* à la coque, mollet; **W~gummi** *m* od *n* caoutchouc *m* mou *od* tendre; **W~heit** *f* mollesse; tendreté *f;* moelleux *m; (Geschmeidigkeit)* souplesse; *fig* tendresse; sensibilité, douceur *f;* **~herzig** *a* doux; *(zärtlich)* tendre; *(empfindsam)* sensible; **W~herzigkeit** *f* douceur; tendresse; sensibilité *f;* **W~holz** *n* bois *m* tendre; **W~käse** *m* fromage *m* à pâte molle; **~lich** *a (Speisen)* mou; *(Mensch)* mou, mollasse, flasque; *(schlaff)* sans fermeté; *(verzärtelt)* délicat, douillet; efféminé; **W~lichkeit** *f* ‹-, ø› mollesse; délicatesse *f;* **W~ling** *m* ‹-s, -e› douillet; efféminé; sybarite *m;* **W~löten** *n* soudage *m od* soudure *f* tendre; **W~metall** *n* métal *m* doux; **W~stahl** *m* acier *m* doux; **W~teile** *m pl anat* parties *f pl* molles *od* charnues; **W~tiere** *n pl zoo* mollusques *m pl.*

Weichbild *n* ['vaıç-] *(Stadtgebiet)* enceinte *f,* territoire *m* (de la cité *od* ville); *(Gemarkung, Feldmark)* banlieue *f.*

Weiche *f* ‹-, -n› ['vaıçə] **2.** *loc* aiguillage *m; die ~ stellen* aiguiller (*für e-n Zug* un train); **~nantrieb** *m* commande *f* d'aiguillage; **~nhebel** *m* levier *m* d'aiguillage; **~nschiene** *f* aiguille *f;* **~nsicherung** *f* blocage *m* des aiguilles; **~nsignal** *n* indicateur d'aiguillage, signal *m* de branchement; **~nsteller** *m,* **~nwärter** *m* aiguilleur *m;* **~nstellung** *f* aiguillage *m;* **~nzunge** *f* lame *f* d'aiguille.

weichen 2. *itr ‹wich, ist gewichen›* ['vaıçən, -'vıç-] *(zurückweichen)* reculer (*vor* devant); *(sich entfernen)* s'eloigner, s'écarter; *(sich zurückziehen)* se retirer; *fig (nachgeben)* céder (*jdm, e-r S* à qn, à qc); *(Platz machen)* faire place (*dat* à); *der Gewalt, der Notwendigkeit ~* céder à la violence, à la nécessité; *nicht von jdm ~* suivre qn toujours et partout; *nicht von jds Seite ~* ne pas quitter qn d'une semelle; *nicht von der Stelle ~* ne pas quitter sa place, ne pas bouger; *nicht ~ noch wanken* ne pas fléchir, tenir ferme, ne pas reculer d'un pouce.

Weichsel 1. ['vaıksəl] *die, geog* la Vistule; **~zopf** *m med (Verfilzung der Kopfhaare)* plique *f* polonaise.

Weichsel 2. ['vaıksəl] *f* ‹-, -n› *bot* griottier *m;* **~kirsche** *f (Frucht)* griotte *f; (Baum)* griottier *m.*

Weide *f* ‹-, -n› ['vaıdə] **1.** *(Baum)* saule; *(Korbweide)* osier *m;* **~nband** *n* ‹-(e)s, ⸚er› hart *f;* **~nbaum** *m = ~ 1.;* **~ngebüsch** *n* saulaie, oseraie *f;* **~ngeflecht** *n* osier *m,* claie *f;* **~ngerte** *f,* **~nrute** *f* (verge *f* d')osier *m;* **~nkätzchen** *n bot* chaton *m* de saule; **~nkorb** *m* panier *m* d'osier; **~nröschen** *n bot* épilobe *m.*

Weide 2. *(Viehweide)* pâturage *m,* pâture *f,* pacage, herbage *m; (Vieh) auf die ~ treiben* mener paître; **~land** *n* pâturages *m pl;* **w~n** *tr (Vieh)* mener *od* faire paître, pacager; *(hüten)* garder; *sich* od *s-e Augen an etw ~~* se repaître *od* se délecter de qc; **~platz** *m = ~ 2.;* **~recht** *n* droit *m* de pacage.

Weiderich *m* ‹-s, ø› ['vaıdərıç] *bot* salicaire *f.*

weid|gerecht ['vaıt-] *a u. adv* selon les règles de la chasse; conforme aux usages de (la) vénerie; **~lich** *adv (tüchtig, sehr)* largement, amplement, copieusement; beaucoup; *(nach Herzenslust)* à cœur joie; **W~mann** *m* ‹-(e)s, ⸚er› *(Jäger)* chasseur *m;* **~männisch** *a* de chasseur; *adv* selon les règles de la chasse; **W~mannsheil** *n:* ~! bonne chasse! **W~mannssprache** *f* termes *m pl* de vénerie; **W~messer** *n* couteau *m* de chasse; **W~sack** *m* gibecière, carnassière *f,* carnier *m;* **W~werk** *n (Jagd)* chasse, vénerie *f.*

Weif|e *f* ‹-, -n› ['vaıfə] *(Garnhaspel)* dévidoir *m* **w~en** *tr (Garn: haspeln)* dévider.

weiger|n ['vaıgərn] *sich ‹ich weigere mich, du weigerst dich›* refuser (*etw zu tun* de faire qc); se refuser (*etw zu tun* à faire qc); **W~ung** *f* refus *m;* **W~ungsfall** *m; im ~~* en cas de refus.

Weih *m* ‹-(e)s, -e› , **~e** *f* ‹-, -n› ['vaı(ə)] **1.** *orn* milan *m.*

Weih|altar *m* ['vaı-] autel *m* consacré; **~becken** *n* bénitier *m;* **~bild** *n* ex-voto *m;* **~bischof** *m* (évêque) suffragant; coadjuteur *m;* **~e** *f* ‹-, -n› **2.** *rel (e-r Kirche, e-s Altars)* consécration; *(Priesterweihe)* ordination *f; (Bischofs-, Königsweihe)* sacre; *fig (Heiligkeit)* caractère *m* solennel, solennité *f; die ~~n pl (rel)* les ordres *m pl; die ~~n empfangen* od *erhalten* être ordonné prêtre; *jdm die ~~n erteilen* ordonner qn, conférer les ordres à qn; *e-r S die rechte ~~ geben* od *verleihen* rendre qc solennel; *die höheren, niederen ~~n* les ordres *m pl* majeurs, mineurs; **w~en** *tr (Kirche etc, Hostie)* consacrer; ordonner (*zum Priester* prêtre); sacrer (*zum Bischof* évêque); *fig (widmen)* vouer; *sich ~~ (fig)* se consacrer, se vouer (*e-r S* à qc); *dem hl. Josef geweiht (rel)* (dédié) sous le vocable de saint Joseph; *dem Tode geweiht* voué à la mort; **~eakt** *m,* **~erede** *f* acte, discours *m* solennel; **~estätte** *f* sanctuaire *m;* **~estunde** *f* solennité, cérémonie *f;* **w~evoll** *a* solennel; **~gabe** *f,* **~geschenk** *n* offrande *f;* **~nacht(en** *n* ‹-, ø› **)** *f* ‹-, ø› (fête *f* de) Noël *m; (zu) ~~* à (la) Noël; *jdm etw zu ~~ schenken* offrir qc pour Noël à qn; *fröhliche ~~!* joyeux Noël! *~~ im Klee, Ostern im Schnee (prov)* Noël au balcon, Pâques au tison; **w~nachtlich** *a* de Noël; propre à Noël.

Weiher *m* ‹-s, -› ['vaıər] *(Teich)* étang *m.*

Weihnachts|abend *m* ['vaınaxts-] veille *f* de Noël; **~baum** *m* arbre *od* sapin *m* de Noël; **~bescherung** *f* distribution *f* des cadeaux de Noël; **~botschaft** *f* message *m* de Noël; **~brauch** *m* coutume *f* de Noël; **~einkauf** *m* achat *m* pour Noël; **~feier** *f* célébration *f* de la fête de Noël; **~ferien** *pl* vacances *f pl* de Noël; **~fest** *n* fête *f* de Noël; **~gans** *f* oie *f* de Noël; **~geschenk** *n* cadeau *m* de Noël, étrenne *f;* **~gratifikation** *f* prime *f* de Noël; **~krippe** *f* crèche *f* de Noël; **~lied** *n* noël *m;* **~mann** *m* ‹-(e)s, ⸚er› père *m* Noël; **~markt** *m* foire *f* de Noël; **~tag** *m* (jour de) Noël *m;* **~zeit** *f* temps *m* de Noël.

Weih|rauch *m* ['vaı-] encens *m; jdm ~~ streuen (fig)* brûler le l'encens devant qn, donner des coups d'encensoir à qn, encenser qn; **w~räuchern** *(er weihräuchert, hat geweihräuchert) itr (Weihrauch streuen)* répandre l'encens; **~rauchfaß** *n* encensoir *m;* **~wasser** *n* eau *f* bénite; *mit ~~ besprengen* asperger d'eau bénite; **~wasserkessel** *m* bénitier *m;* **~wedel** *m* goupillon, aspersoir *m.*

weil [vaıl] *conj* parce que; *(mit e-m v in der Vergangenheit)* pour *(mit inf des Perfekts); (da)* comme; *(da ja)* puisque; *(in Anbetracht dessen, daß)* vu que, étant donné que; *~ er (sie) gelogen hatte (a.)* pour avoir menti.

Weil|chen *n* ‹-s, -› ['vaılçən] (petit) moment, instant *m;* **~e** *f* ‹-, ø› (laps de) temps; *(übertreibend: Augenblick)* moment, instant *m; e-e ganze* od *geraume ~~* un long moment; assez longtemps; *e-e kleine ~~* un (petit) moment, un instant; *nach e-r ~~* après un certain temps, peu de temps après, un peu plus tard; *vor e-r ~~* il n'y a pas longtemps; *vor e-r ganzen ~~* il y a bien *od* déjà longtemps; *damit hat es (noch) gute ~~* cela ne presse pas; *gut Ding will ~~ (prov)* il faut reculer pour bien sauter; *eile mit ~~! (prov)* hâte-toi lentement; **w~en** *itr lit (sich aufhalten)* séjourner, demeurer; *er ~t nicht mehr unter uns* od *unter den Lebenden* il nous a quittés.

Weiler *m* ‹-s, -› ['vaılər] *(kleines Dorf)* hameau *m.*

Wein *m* ‹-(e)s, -e› [vain] *(Pflanze)* vigne *f; (Getränk)* vin *m; ~ bauen* cultiver la vigne; *jdm klaren* od *reinen ~ einschenken (fig)* dire son fait *od* ses vérités, parler sans fard à qn; *den ~ taufen* od *verdünnen* baptiser le vin; *der ~ ist mir in den* od *zu Kopf gestiegen* le vin m'est monté à la tête; *edle(r) ~* grand cru *m; leichte(r) ~* vin *m* léger; *offene(r) ~* vin *m* en carafe; *saure(r) ~* piquette *f; schwache(r) ~* vinasse *f; schwere(r) ~* vin *m* lourd *od* capiteux *od* qui a du corps; *wilde(r) ~ (bot)* vigne *f* vierge; *~ vom Faß* vin *m* à la tireuse; *~ in Flaschen* vin *m* en bouteille(s) *od* bouché; ~ *von der besten Sorte* vin *m* de derrière les fagots; **~ausschank** *m* débit *m* de vin; **~bau** *m* ⟨-(e)s, ø⟩ culture de la vigne, viticulture, industrie *f* viticole *od* vinicole; *~~ treiben* cultiver la vigne; **~bauer** *m* viticulteur, vigneron *m;* **~baugebiet** *n* région *f* viticole *od* vinicole *od* vignoble; vignoble *m;* **~baukunde** *f* œnologie *f;* **~beere** *f* grain *m* de raisin; **~bereitung** *f* vinification *f;* **~berg** *m* vignoble *m,* vigne *f;* **~bergbesitzer** *m* propriétaire *m* de vignes *od* d'une vigne; **~bergschnecke** *f* escargot *m* de Bourgogne; **~blatt** *n* feuille *f* de vigne; **~brand** *m* eau-de-vie de vin, fine (-champagne) *f;* **~brandbohne** *f* chocolat *m* à la liqueur *od* au cognac; **~drossel** *f orn* grive *f* commune; **~ertrag** *m* production *f* viticole; **~essig** *m* vinaigre *m* de vin; **~faß** *n* tonneau à vin, fût *m;* **~flasche** *f* bouteille *f* à vin; **~fleck** *m* tache *f* de vin; **~garten** *m* vigne *f,* vignoble *m;* **~gärtner** *m* vigneron *m;* **~gegend** *f* = *~baugebiet;* **~geist** *m* ⟨-(e)s, -e⟩ esprit-de-vin; alcool *m;* **~glas** *n* verre *m* à vin; **~gut** *n* domaine viticole, vignoble *m;* **~handel** *m* commerce *od* négoce *m* du vin; **~händler** *m* *(Kleinhändler)* marchand de vins; *(Großhändler)* négociant *m* en vins; **~handlung** = *~ausschank;* **~hefe** *f* lie *f* de vin; **w~ig** *a* vineux; **~jahr** *n: gute(s) ~~* bonne année *f* pour le vin; **~karaffe** *f* carafon *m;* **~karte** *f* carte *f* des vins; **~keller** *m* cave *f* à vin(s), cellier *m;* **~kellereien** *f pl* chantier *m* (de cave); **~kellner** *m* sommelier *m;* **~kenner** *m* connaisseur *m* en vins; **~krug** *m* broc à vin; *(kleiner)* pichet *m;* **~kühler** *m* seau *m* à champagne; **~kunde** *f* œnologie *f;* **~lager** *n* entrepôt de vins; *(Raum, Gebäude)* chai *m;* **~land** *n* pays *m* viticole *od* vinicole; **~laub** *n* feuilles *f pl* de vigne, pampres *m pl;* **~laube** *f* treille *f;* **~laune** *f: in ~~* = *w~selig;* **~lese** *f* vendange, vinée *f; (Zeit f der) ~~* vendanges *f pl; ~~ halten* faire les vendanges, vendanger; **~leser** *m* vendangeur *m;* **~most** *m* moût *m;* **~panscher** *m* frelateur *m* de vin; **~panscherei** *f* frelatage *m* *od* falsification *f* du vin; **~probe** *f* *(Handlung)* dégustation *f; (Kostprobe)* échantillon *m* de vin; **~prüfer** *m* dégustateur *m;* **~ranke** *f* pampre, sarment *m;* **~rebe** *f* vigne *f;* **w~rot** *a* rouge vineux, bordeaux; **w~sauer** *a chem* tartrique; **~säure** *f chem* acide *m* tartrique; **~schankgebühr** *f hist* tavernage *m;* **~schenk** *m* ⟨-en, -en⟩ *lit* échanson *m;* **~schlauch** *m* outre *f* à vin; *fig (Säufer)* sac *m* à vin; **~schmecker** *m* piqueur *m* de vin; **w~selig** *a* pris de vin, aviné, gris; *fam* éméché, pompette; *in ~~er Stimmung sein (a.)* être dans les vignes du Seigneur; **~sorte** *f* cru *m;* **~spalier** *n* treille *f;* **~stein** *m chem* tartre *m;* **~steinsäure** *f* = *~säure;* **~stock** *m* ⟨-(e)s, ⸚e⟩ (cep *od* pied *m* de) vigne *f;* **~stube** *f* taverne *f;* **~traube** *f* grappe *f* de raisin; raisin *m* de vigne; **~treber** *pl,* **~trester** *pl* marc *m* de raisin(s); **~trinker** *m* buveur *m* de vin; **~waage** *f* œnomètre *m;* **~zwang** *m* (consommation *f* de) vin *m* obligatoire.

wein|en ['vaınən] *itr* pleurer (*um jdn* qn); verser *od* répandre des larmes; *bitterlich ~~* pleurer à chaudes larmes; *vor Freude ~~* pleurer de joie; *tr: bittere Tränen ~~ = bitterlich weinen; sich die Augen aus dem Kopf ~~* pleurer toutes les larmes de son corps; **W~en** *n* pleurs *m pl,* larmes *f pl; scient* lacrymation *f; jdn zum ~~ bringen* arracher des larmes à qn; *dem ~~ nahe sein* avoir la larme à l'œil, être au bord des larmes; *es ist zum ~~* c'est lamentable; **~erlich** *a* pleureur, pleurard, pleurnicheur, pleurnichard; larmoyant; *mit ~~er Stimme, in ~~em Ton* d'une voix, d'un ton larmoyant(e), pleurnichard(e); *~~ tun* pleurnicher; **W~krampf** *m* crise *f* de larmes.

Weise *f* ⟨-, -n⟩ ['vaızə] *(Art)* manière, façon *f; mus (Singweise)* air *m,* mélodie *f; auf diese* od *in dieser ~* de cette manière *od* façon, de la sorte, comme cela; *auf die eine oder andere ~* de manière ou d'autre; *auf die gleiche* od *in der gleichen* od *in gleicher ~* de la même manière; *auf jede* od *in jeder ~* de toute façon; *auf jede nur mögliche ~* de toutes les façons possibles; *auf keine* od *in keiner ~* (ne ...) en aucune manière, (ne ...) nullement; *auf meine (etc) ~* à ma manière *od* guise; *auf welche ~?* de quelle manière *od* façon? *in der ~, daß ...* de manière *od* de façon *od* de sorte que ... *subj; in alter ~* comme autrefois; *in gewohnter ~* comme d'habitude; *in liebenswürdiger ~* en toute amabilité; *jeder nach s-r ~* chacun à sa guise *od* à son goût; *Art und ~ = Weise* od *Art; das ist doch keine Art und ~!* en voilà des manières *od* des façons!

weise ['vaızə] *a* sage; *(klug)* prudent, avisé; **W~(r)** *m* sage *m; die ~~n aus dem Morgenlande* les trois mages *m pl; der Stein der ~~n* la pierre philosophale.

Weisel *m* ⟨-s, -⟩ ['vaızəl] *(Bienenkönigin)* reine *f* des abeilles.

weis|en ['vaızən] ⟨*wies, gewiesen*⟩ *tr (zeigen)* montrer, faire voir (*jdm etw* qc à qn); *itr: auf etw ~~ (Uhr, Magnetnadel)* marquer qc; *mit dem Finger auf jdn ~~* montrer qn du doigt; *etw von der Hand* od *von sich ~~* rejeter, repousser qc; *jdn aus der Schule ~~* renvoyer qn de l'école; *jdn in die* od *s-e Schranken ~~* remettre qn à sa place; *jdn aus der Stadt ~~* expulser qn de la ville; *jdm die Tür ~~ (fig: ihn hinauswerfen)* mettre qn à la porte; *jdm den Weg ~~* montrer *od* indiquer le chemin à qn; *etw von sich ~~* rejeter, décliner qc; *jdm die Zähne ~~* montrer les dents à qn; *von der Hand ~* rejeter, repousser; *das ist nicht von der Hand zu ~~* cela mérite considération, ce n'est pas méprisable; **W~er** *m* ⟨-s, -⟩ *(Anzeiger)* indicateur *m; (Uhrzeiger)* aiguille *f;* **W~ung** *f (Befehl)* ordre *m; (Auftrag)* injonction *f; (Vorschrift)* précepte *m; (Anweisung)* directive, instruction; *bes. mil* consigne *f; die ~~en nicht beachten (a. fam)* manger la consigne; *~~en erteilen* donner des instructions *od* des directives; *den ~~en folgen* se conformer *od* s'en tenir aux instructions; **~ungsgemäß** *adv* selon les instructions données.

Weis|heit *f* ⟨-, -en⟩ ['vaıshaıt] sagesse; *(Klugheit)* prudence *f; (Wissen, Kenntnisse)* savoir *m,* connaissances *f pl; s-e ~~ auskramen (fam)* déballer son savoir; *die ~~ (nicht) mit Löffeln gegessen haben (fam)* (ne pas) avoir la science infuse; *mit s-r ~~ am Ende sein (fam)* être au bout de son latin; *von ~~ triefen* déborder de sagesse; *das ist nicht der ~~ letzter Schluß* ce n'est pas le point final; *behalte deine ~~ für dich! (fam)* occupe-toi de tes affaires! **w~heitsvoll** *a* sage; **~heitszahn** *m* dent *f* de sagesse; **w~lich** *adv (mit Bedacht)* sagement, prudemment; **w~=machen** *tr fam: jdm ~~, daß ...* faire croire à qn que ...; *jdm (et)was ~~* en faire accroire, la bailler belle, en conter (de belles), bourrer le crâne à qn; *machen Sie das anderen weis!* à d'autres! allons donc! **w~=sagen** ⟨*er weissagt, hat geweissagt*⟩ *tr* prédire, présager, prophétiser; *itr* (pré)dire l'avenir, faire des prédictions, prophétiser (*dat* à); **~sager(in *f*)** *m* devin(eresse *f*) *m;* **~sagung** *f* divination, prédiction, prophétie *f.*

weiß [vaıs] *a* blanc; *(sauber)* propre; *~ (an)streichen* od *tünchen* blanchir, badigeonner; *~ gerben* mégir, mégisser; *etw schwarz auf ~ haben* avoir qc noir sur blanc *od* par écrit; *e-e ~e Weste haben (fig)* avoir une réputation intacte; *~ kleiden* habiller de blanc; *~ machen, ~ waschen, ~ werden* blanchir; *~e(s) Blutkörperchen n* globule blanc, leucocyte *m; die W~e Frau (Gespenst)* la Dame blanche; *~ gekleidet* vêtu de blanc; *das W~e Haus (Amtssitz des Präsidenten der USA in Washington)* la Maison-Blanche; *~e Kohle f (Wasserkraft)* houille *f* blanche; *das W~e Meer* la mer Blanche; *ein ~er Rabe m (fig: große Ausnahme)* un merle blanc, un oiseau *m* rare; *der W~e Sonntag (1. Sonntag nach Ostern)* le dimanche de Quasimodo; *~ wie Kreide (Mensch vor Schreck* od *Angst)* blanc comme un linge; *die ~e Rasse f* la race blanche; *~e Schminke f* blanc *m* de fard; *~ wie Schnee (lit, poet)* blanc comme neige; **W~** *n* ⟨-(es), -⟩ blanc *m,* blancheur, couleur *f* blanche; *~~ tragen* porter du blanc, être en blanc; **W~bier** *n* bière *f* blanche; **W~blech** *n* fer-blanc *m;* **W~bleierz** *n min* cérusite *f;* **W~brot** *n* pain *m* blanc; **W~buch** *n pol* livre *m* blanc; **W~buche** *f bot (Hainbuche)* charme *m;* **W~dorn** *m* ⟨-(e)s, -e⟩ *bot* aubépine *f;* **W~e** *f* ⟨-n, -n⟩ *(Angehörige der ~en Rasse)* blanche *f;* ⟨-, -n⟩ = *~bier;* **~en** ⟨*weißte, geweißt*⟩ *tr* (~

tünchen) blanchir, badigeonner; **W~en** *n* blanchiment, badigeonnage *m;* **W~e(r)** *m (Angehöriger der weißen Rasse)* blanc *m;* **W~fisch** *m* poisson *m* blanc; **W~fluß** *m med* perte *f* blanche, flueurs *f pl* blanches; *scient* leucorrhée *f;* **~gekleidet** *a* vêtu de blanc; **W~gerber** *m* mégissier *m;* **W~gerberei** *f (Tätigkeit u. Verfahren)* mégie; *(Gewerbe u. Betrieb)* mégisserie *f;* **~glühend** *a* incandescent; **W~glut** *f* ⟨-, ø⟩ rouge *m* blanc, incandescence *f; bis zur ~~ erhitzen (tech)* chauffer *od* porter à blanc; *jdn (bis) zur ~~ reizen (fig)* chauffer qn à blanc, échauffer les oreilles *od* la bile à qn; **W~gold** *n (Platin)* or blanc, platine *m;* **~grau** *m* gris pâle; **W~guß** *m = W~metall;* **~haarig** *a* aux cheveux blancs; **W~käse** *m (Quark)* fromage *m* blanc; **W~kehlchen** *n orn* fauvette cendrée, gorge-blanche *f;* **W~kohl** *m,* **W~kraut** *n* chou *m* blanc *od* cabus *od* pommé; **W~lagermetall** *n = W~metall;* **~lich** *a* blanchâtre; **W~linge** *m pl ent* piéridés *m pl;* **W~mehl** *n* farine *f* blanche; **W~metall** *n* métal blanc *od* d'antifriction, régule *m;* **W~näherin** *f* lingère *f;* **W~pappel** *f = Silberpappel;* **W~russe** *m* Russe-Blanc, Biélorussien *m;* **~russisch** *a* russe-blanc, blanc-russ(i)e(n), biélorussien; **W~rußland** *n* la Russie Blanche, la Biélorussie; **W~tanne** *f* sapin *m* blanc; **W~wandreifen** *m pl* pneus *m pl* à flancs blancs; **W~waren** *f pl* blanc *m,* lingerie *f;* **~=waschen** *tr fig* disculper; **W~wein** *m* vin *m* blanc; **W~wurst** *f* boudin *m* blanc; **W~zeug** *n* ⟨-(e)s, ø⟩ = *W~waren.*

weit [vaɪt] *a (ausgedehnt)* étendu, vaste; *(geräumig)* spacieux; *(Kleidungsstück)* ample; *(Öffnung, verbindender Hohlraum; typ: Satz)* large; *(entfernt)* éloigné, lointain; *(Weg)* long; *(Reise)* grand; *adv (offen, öffnen)* largement, (en) grand; *(fern, in die Ferne)* loin (*von* de); *(bei Zahlen- u. Mengenangaben, zur Verstärkung: ein gutes Stück, viel, beträchtlich)* bien, (de) beaucoup; *bei ~em* de beaucoup; *bei ~em nicht so (gut)* moins (bon), à beaucoup près, tant s'en faut; *gleich ~* à égale distance (*von* de); *im ~eren Sinne* dans un sens plus large; *im ~esten Sinne des Wortes* au sens le plus large du terme; *in ~er Ferne* tout au loin; très loin; *so ~* jusqu'à ce point; *von ~em* de loin; à distance; *~ und breit* à la ronde, tout alentour; *~ weg* loin (d'ici); au loin; *die Augen ~ aufmachen* ouvrir les yeux tout grands; *~ ausea.gehen (Meinungen)* diverger radicalement; *~ ausholen (in der Erzählung)* remonter au déluge; *es ~ bringen (fig)* réussir, aller loin, faire son chemin; *zu ~ führen* od *gehen (fig)* aller trop loin; dépasser les limites *od* la ligne; *so ~ gehen, etw zu tun* s'avancer jusqu'à faire qc; *ein ~es Gewissen haben* avoir la conscience large *od* élastique; *etw ~ herholen (fig)* aller chercher qc loin; *~ (in der Welt) herumkommen* voir du pays; *fam* rouler sa bosse; *nicht ~ mit etw kommen (fig)* ne pas aller loin avec qc; *es nicht so ~ kommen lassen (fig)* ne pas devoir attendre (*daß* que); *~ reichen (eine große Reichweite haben)* porter loin; *~ sehen (a. fig)* voir loin; *~ davon entfernt sein, etw zu tun* être loin *od* à mille lieues de faire qc; *~ über die Fünfzig sein* avoir largement dépassé la cinquantaine; *bei ~em nicht vollständig sein* être loin d'être complet; *s-r Zeit ~ voraus sein* être en avance *od* avoir de l'avance sur son temps; *~ über, unter jdm stehen (fig)* être bien au-dessus, au-dessous de qn; *das W~e suchen* prendre le large *od* la clé des champs, lâcher pied; *etw zu ~ treiben* pousser qc trop loin; passer les bornes; exagérer qc; *ich bin noch nicht so ~* je n'en suis pas encore là; je n'ai pas encore terminé; *man sieht es ihm schon von ~em an* il le sent à une lieue *fam; die Sache ist noch nicht so ~ (a.)* la poire n'est pas (encore) mûre; *das geht zu ~* c'est trop fort, c'en est trop, cela passe les bornes *od* la plaisanterie *od* la raillerie; *das ist verdammt ~ (pop)* c'est au diable vauvert; *das ist ein ~es Feld (fig)* il y aurait beaucoup à dire; *das ist ~ hergeholt* c'est tiré par les cheveux; *es ist ~ von Paris nach Moskau* il y a (bien) loin de Paris à Moscou; *so ~ ist es (nun) mit mir gekommen* voilà où j'en suis (maintenant); *wie ~ bist du?* où en es-tu? *bist du so ~?* es-tu prêt? *wie ~ sind Sie gekommen?* jusqu'où êtes-vous venu? *fig (mit e-r Arbeit* od *Lektüre)* où en êtes-vous (arrivé)? *wie ~ ist es bis* od *nach Paris?* combien y a-t-il jusqu'à Paris? *ist es ~ von hier?* est-ce loin d'ici? *~ gefehlt!* (bien) loin de là! beaucoup s'en faut! ce n'est pas ça du tout! *~ geöffnet* od *offen* grand ouvert; *~ verbreitet* très répandu; *die ~e Welt* le vaste monde; **~ab** *adv* (au) loin; **~aus** *adv* bien, (de) beaucoup; **W~blick** *m* ⟨-(e)s, ø⟩ envergure; *(Scharfblick)* sagacité, perspicacité *f;* **~blickend** *a* de grande envergure; sagace, perspicace; **W~e** *f* ⟨-, -n⟩ *(Ausdehnung)* étendue; *(Geräumigkeit)* ampleur; *(e-s Kleidungsstücks)* ampleur, largeur *f; (Brust~~ etc)* tour; *(innerer Durchmesser)* calibre *m; (Entfernung)* distance *f,* éloignement; *(Ferne)* loin *m; (Länge e-s Weges)* longueur; *fig (des geistigen Horizontes)* largeur; *(des Geistes)* envergure; *(Tragweite)* portée *f; in die ~~ ziehen* partir au loin; *lichte ~~ (arch)* largeur *f* intérieure; *tech (e-s Rohres)* diamètre *m* intérieur; **~en** *tr (dehnen, ausweiten)* étendre; dilater, élargir; *(Schuhe)* forcer; *(ausbauchen)* évaser; *fig (den geistigen Horizont)* élargir; *sich ~~* s'étendre, s'évaser; *a. fig* s'élargir; *das Herz ~~ (fig)* dilater le cœur; **~gehend** *a fig* étendu, large, ample, vaste, grand; *(beträchtlich)* considérable; *(bedeutend)* important; *~~e(s) Verständnis n* grande compréhension *f; ~~e Vollmachten f pl* pouvoirs *m pl* étendus; *adv* largement, dans une large mesure; **~gereist** *a* qui a beaucoup voyagé; *~~e(r) Mann m* grand voyageur *m;* **~gesteckt** *a fig: ~~e Ziele haben* viser haut; être entreprenant; **~greifend** *a fig (umfassend)* ample, vaste; **~her** *adv (aus großer Ferne)* de loin; **~herzig** *a* large; laxiste; *(großzügig)* généreux, libéral; *(duldsam)* tolérant; **W~herzigkeit** *f* ⟨-, ø⟩ largeur *f* de cœur; laxisme *m;* générosité, libéralité *f;* **~hin** *adv (bis in ~e Ferne)* jusque très loin; *(in ~em Umkreis)* tout alentour; *fig (in großem Umfang, großenteils)* en grande partie, largement; *~~ sichtbar* visible de loin; **~läufig** *a (ausgedehnt)* étendu, vaste; *(~ ausea. liegend)* espacé, à grands intervalles; *(ausführlich)* détaillé, circonstancié; *adv (ausführlich)* tout au long, en détail; *~~e(r) Verwandte(r) m* parent *m* éloigné; *~~ mitea. verwandt sein* être parents éloignés; **W~läufigkeit** *f* (vaste) étendue *f;* espacement *m; (Ausführlichkeit)* longueur *f;* **~maschig** *a* à larges mailles, lâche; **~reichend** *a* de grande portée; *(umfassend)* étendu; vaste; *(groß, bedeutend)* considérable, important; **W~schuß** *m mil* long tir *m;* **~schweifig** *a (Stil: langatmig)* (trop) long, diffus, prolixe, verbeux; **W~schweifigkeit** *f* (trop grande) longueur, diffusion, prolixité, verbosité, redondance; *(e-s Schriftstellers a.)* intempérance *f* de plume; **W~sicht** *f* ⟨-, ø⟩ *fig = W~blick;* **~sichtig** *a med (alterssichtig)* presbyte; *a. = übersichtig; fig = ~blikkend;* **W~sichtigkeit** *f* ⟨-, ø⟩ *med* presbytie *f;* **W~sprung** *m sport* saut *m* en longueur; **~tragend** *a mil (Geschütz)* à grande *od* longue portée; **W~ung** *f* élargissement *m;* **~verbreitet** *a* très répandu; *(allgemein)* général, commun; **~verzweigt** *a* très ramifié; **W~winkelaufnahme** *f* photo(graphie) *f* grand-angulaire; **W~winkelkamera** *f* appareil *m* photo(graphique) grand champ; **W~winkelobjektiv** *n phot* objectif *m* grand-angulaire.

weiter ['vaɪtər] *a (Komparativ von: weit); (zusätzlich, neu)* ultérieur, additionnel, nouveau, autre; *das* od *alles W~e* la suite, le reste; *adv* plus loin; *a. fig* plus en avant; *fig* plus avancé; *(außerdem, sonst)* de plus, en outre; encore; *(vor e-m Ortsadverb)* plus; *auf ~e 3 Jahre* pour une nouvelle période de 3 ans; *bis auf ~es* jusqu'à nouvel ordre *od* avis, jusqu'à plus ample information; *(inzwischen)* en attendant; *des ~en* de plus, en outre; au reste; *nichts ~, ~ nichts* rien de plus, rien d'autre; *ohne ~es, ohne ~e Umstände* tout simplement, sans façon(s), sans plus (de façon); d'emblée; *fam* tout de go; *ohne ~e Umstände* sans plus de manières, sans cérémonies, sans autre forme de procès; *ohne ~es Zögern* sans plus tarder; *und so ~ (usw.)* et ainsi de suite, et cætera (etc.); ~ *oben* plus en haut; *(in e-m Text)* ci-dessus, ci-devant; ~ *unten* plus en bas; *(in e-m Text)* ci-dessous, ci-après; ~ *weg* plus loin; plus éloigné; *nicht mehr ~ können (gehen)* ne pas pouvoir aller plus loin; *nicht mehr ~können (machen)* être au bout de son latin; ~ *machen (erweitern)* élargir; ~ *schnallen* desserrer; ~ *werden* s'élargir; *nicht mehr ~ wissen* être au bout de son latin; *ich habe ~ nichts zu sagen* il ne me reste rien à dire, je n'ai rien à ajouter; *ich kann nicht mehr ~ (a.)* je n'en peux plus; *das hat ~ nichts auf sich* cela ne tire pas à conséquence; *das hat ~ nichts zu sagen* cela ne veut rien dire; *das ist ~ kein Unglück* ce n'est pas grave; *iron* la belle affaire! *es geht noch ~* ce n'est pas fini *od* tout; *wenn es ~ nichts ist* si ce n'est que cela; *was ~?* et puis? et ensuite? et après? ~ *nichts?* rien que cela? ce n'est que cela? c'est tout? *~!* allez! continuez! *hören Sie ~!* ce n'est pas tout; *nichts ~!* fini! voilà tout! *nur ~!* continuez! allez toujours! **~≈arbeiten** *itr* continuer à travailler; continuer le travail; **~≈befördern** *tr* réexpédier; **W~beförderung** *f* réexpédition *f;* **W~beschäftigung** *f* continuation *f* d'emploi *od* de l'emploi; **~≈bestehen** *itr* continuer (d'exister), subsister, persister, se perpétuer; **W~bezug** *m (e-r Zeitung)* réabonnement *m;* **~≈bilden,** *sich* = *fortbilden, sich;* **W~bildung** *f (Fortbildung)* perfectionnement *m; (geistige)* ~~ éducation *od* formation *f* permanente; **~≈bringen** *tr (Fortschritte machen lassen)* faire avancer; *das bringt mich kaum weiter* cela ne m'avance guère; **~≈denken** *itr* songer aux suites *od* à l'avenir; **~≈empfehlen** *tr* recommander; **W~empfehlung** *f* recommandation *f;* **~≈entwickeln** *tr* développer; perfectionner; *sich* ~~ se développer; se perfectionner; *bes. biol* évoluer; **W~entwicklung** *f* développement; perfectionnement *m;* évolution *f;* **~≈erzählen** *tr (in der Erzählung fortfahren)* continuer (l'histoire *od* le récit de); *itr* continuer son histoire *od* son récit; *(~verbreiten)* répéter; **~≈fahren** *itr* continuer la *od* sa course; *(schweizerisch a. = fortfahren);* ~~*!* circulez! **W~fahrt** *f* continuation *f* de la *od* ma *etc* course; **~≈fliegen** *itr* continuer le *od* son vol; **W~flug** *m* continuation *f* du vol; **~≈führen** *tr (fortsetzen)* continuer; *(~bringen, fördern)* faire avancer; *e-e Mauer* ~~ prolonger un mur; **W~führung** *f* continuation *f; (Verlängerung e-r Straße, Verkehrslinie etc)* prolongement *m;* **W~gabe** *f (e-s Befehls, e-r Nachricht)* transmission; *(Verbreitung e-r Nachricht)* diffusion; *tele, radio* (re)transmission; *(e-s Wechsels)* négociation, cession, transmission *f;* **W~gabestelle** *f tele* station *f* de (re)transmission, relais *m;* **~≈geben** *tr (weiterreichen)* faire passer; *(Befehl, Nachricht)* transmettre; *tele, radio* (re)transmettre; *(Wechsel)* céder, négocier, transmettre; *mil (Alarm)* diffuser; **~≈gehen** *itr* continuer son chemin, avancer, ne pas s'arrêter; *fig (s-n Fortgang nehmen)* continuer (se) poursuivre; ~~*!* circulez! *das Leben geht weiter* la vie continue; *so kann es nicht* ~~ ça ne peut plus durer ainsi; **~≈helfen** *itr: jdm* ~~ aider qn (*bei etw* à continuer qc); **~hin** *adv (auch in Zukunft)* à l'avenir; *etw auch* ~~ *tun* continuer à faire qc; **~≈kämpfen** *itr* poursuivre la lutte; **~≈kommen** *itr* avancer *a. fig; fig* faire des progrès, progresser; *nicht* ~~ *(Verhandlungen, Offensive)* rester stationnaire; *so kommen wir nicht ~ (fig)* nous n'aboutirons à rien de cette façon-là; **W~kommen** *n a. fig* avancement *m;* **~≈können** *itr fam* pouvoir continuer; *ich kann nicht mehr weiter (vor Müdigkeit)* je n'en peux plus; **~≈laufen** *itr* poursuivre sa course; *die Ausgaben laufen weiter* les dépenses continuent à courir; **~≈leben** *itr* subsister; *in s-n Kindern* ~~ se survivre dans ses enfants; **W~leben** *n (nach dem Tode)* survie *f;* **~≈ leiten** *tr (bes. bei der Post)* acheminer; *tele, radio* retransmettre; ~~ *lassen* faire suivre; **W~leitung** *f (bei der Post)* acheminement *m; tele, radio* retransmission *f;* **~≈lesen** *tr* u. *itr* continuer à lire *od* la lecture; **~≈machen** *tr* u. *itr* continuer; ~~*! (mil)* continuez! **W~marsch** *m* continuation *od* reprise *f* de la marche; **~≈marschieren** *itr* continuer *od* reprendre la *od* sa marche; **~≈reichen** *tr (Gegenstand, bes. unter Tischgenossen)* faire passer; **W~reise** *f* continuation *f* du *od* de mon *etc* voyage; *auf der* ~~ en continuant le *od* mon *etc* voyage; **~≈reisen** *itr* continuer le *od* son voyage; **~≈sagen** *tr* redire, répéter; *bitte* ~~*!* qu'on se le dise! **~≈schleppen,** *sich* se traîner péniblement; **~≈spielen** *itr* continuer le *od* son jeu; **~≈spinnen** *tr: s-e Gedanken* ~~ suivre le fil de ses pensées; **W~ungen** *f pl (unangenehme Folgen)* suites *od* conséquences fâcheuses; *(Verwicklungen)* complications; *(Schwierigkeiten)* difficultés *f pl;* **~≈verarbeiten** *tr* traiter ultérieurement; **W~verarbeitung** *f* traitement *od* usinage ultérieur, finissage *m;* **~≈verbreiten** *tr (Nachricht)* propager, divulguer; colporter; *ein Gerücht* ~~ *(a.)* se faire l'écho d'un bruit; **W~verbreitung** *f* propagation, divulgation *f;* colportage *m;* **~≈verfolgen** *tr* poursuivre; **W~verkauf** *m* revente *f;* **~≈verkaufen** *tr* revendre; **~≈vermieten** *tr* relouer, sous-louer; **W~vermietung** *f* relocation, sous-location *f;* **W~vertrieb** *m* revente *f;* **~≈zahlen** *tr* continuer à (*od* de) payer; **~≈ziehen** *itr* continuer sa marche *od* son chemin.

Weizen *m* ‹-s, -› ['vaɪtsən] froment; *(Korn, Getreide)* blé *m; die Spreu vom ~ sondern* séparer le bon grain de l'ivraie; *sein ~ blüht (fig)* ses affaires marchent bien; **~brot** *n* pain de froment; *(Weißbrot)* pain *m* blanc; **~ernte** *f* récolte *f* du froment; **~feld** *n* champ *m* de blé; **~grieß** *m* semoule *f* (de blé); **~korn** *n* grain *m* de blé; **~mehl** *n* farine *f* de blé; **~schrot** *m* od *n* froment *m* broyé *od* égrugé.

welch [vɛlç] *pron (was für ein!)* quel, quelle; *~ ein Glück!* quel bonheur! ~ *eine Überraschung!* quelle surprise! *~e(r, s)* **1.** *(Fragepron; substantivisch)* lequel, laquelle? *~es (von diesen Häusern)?* laquelle (de ces maisons)? *(adjektivisch)* quel? quelle? *~es Haus?* quelle maison? *mit ~em Recht?* de quel droit? *~es ist der Unterschied zwischen ...?* quelle est la différence entre ...? **2.** *(Relativpron)* qui; *acc* que; lequel, laquelle; **3.** *~es n, ~e n pl (unbestimmtes pron, fam: etwas, einige): ich habe noch ~es, ~e,* j'en ai encore; *~es auch immer ... sein mag, mögen* quel(s) que soi(en)t ...; **~erart** *adv,* **~ergestalt** *adv,* **~erweise** *adv* de quelle façon; **~erlei** [-'laɪ] *a: ~~ Gründe er auch haben mag* quels que soient les motifs qu'il ait.

Welf|e *m* ‹-n, -n› ['vɛlfə] *hist* guelfe *m;* **w~isch** *a hist* guelfe.

welk [vɛlk] *a* fané; *(verdorrt)* flétri; *fig (schlaff)* flasque; ~ *machen* faner; flétrir; ~ *werden* = *~en; ~e(s) Blatt n* feuille *f* morte; **~en** *itr* se faner; se flétrir.

Well|baum ['vɛl-] *m tech* arbre *m;* **~blech** *n* tôle *f* ondulée; **~blechdach** *n* toit *m* en tôle ondulée; **~blechhütte** *f* cabane *f* en tôle ondulée; **~e** *f* ‹-, -n› *(Woge)* onde *a. phys* u. *radio; (Woge)* vague, lame *f; (große ~~)* flot; *(~~ im Haar)* cran *m; mil (Angriffswelle)* vague *f; tech* arbre, axe, essieu; *(Kurbelwelle)* vilebrequin *m; ~en schlagen* faire *od* rouler des vagues; *hohe ~en der Begeisterung schlagen* provoquer un délire; *die ~en schlagen gegen die Felsen* les vagues battent les rochers; *durchgehende* ~~ *(tech)* arbre *m* transversal; *einfallende* ~~ *(phys)* onde *f* incidente; *elektromagnetische* ~~ *n pl* ondes *f pl* électr(omagnét)iques *od* hertziennes; *fortschreitende* ~~ *(phys)* onde *f* courante; *grüne* ~~ *(im Verkehr)* synchronisation *f* des signaux optiques, système *m* progressif souple; *liegende* ~~ *(tech)* arbre *m* horizontal; *stehende* ~~ *(phys)* onde *f* stationnaire; *tech* arbre *m* vertical; *zurücklaufende* ~~ vague *f* refluante; *e-e* ~~ *der Begeisterung* un délire d'enthousiasme; **w~en** *tr (bes. die Haare)* onduler; **~fleisch** *n (gekochtes Schweinefleisch)* porc *m* bouilli; **w~ig** *a* ond(ul)é; *(Haar)* onduleux; *(Gelände: uneben)* vallonné, mouvementé, accidenté, mamelonné; **~papier** *n,* **~pappe** *f* papier, carton *m* ondulé; **~rohr** *n tech* tube *m* ondulé.

Wellen|anzeiger *m* ['vɛlən-] *phys, radio* détecteur *m* d'ondes; **w~artig** *a* onduleux; *bes. phys* ondulatoire; *adv* en onde; **~bad** *n (Tätigkeit)* bain *m* de lames; *(Ort)* piscine *f* à vagues; **~band** *n,* **~bereich** *m radio* gamme d'ondes, bande *f* de fréquence; **~berg** *m* crête d'une *od* de la lame; *phys* crête *f* d'onde; **~bewegung** *f* mouvement *m* ondulatoire, ondulation *f;* **~brecher** *m* brise-lames *m;* **w~förmig** *a* = *w~artig;* **~höhe** *f* hauteur *f* des vagues; **~kamm** *m* = *~berg;* **~krieg** *m radio* guerre *f* des ondes; **~kupp(e)lung** *f tech* accouplement *m* des arbres; **~länge** *f phys, radio* longueur *f* d'onde; **~leiter** *m radio* guide *m* d'ondes; **~linie** *f* ligne ondulée, ondulation *f;* **~mechanik** *f phys* mécanique *f* ondulatoire; **~messer** *m radio (Gerät)* ondemètre *m;* **~plan** *m* = *~verteilungsplan;* **~reiten** *n sport (mit Boot)* aquaplane; *(ohne Boot)* surf *m; Brett n zum ~~* aquaplane; surf *m;* **~reiter** *m* amateur *m* d'aquaplane *od* de surf; **~schalter** *m radio* commutateur *m* d'onde; **~schlag** *m* choc des vagues, coup de mer; *(Brandung)* ressac *m;* **~schlitten** *m sport* hydroglisseur, hydroplane *m;* **~sieb** *n radio* filtre *m* à ondes; **~sittich** *m orn* perruche *f* ondulée; *pl a.* inséparables *m pl* od *f pl;* **~tal** *n mar* creux *m* des vagues; **~theorie** *f phys* théorie *f* ondulatoire *od* des ondulations; **~verteilungsplan** *m radio* plan *m* de répartition des ondes; **~wechsel** *m radio* changement *m* de longueur d'onde; **~zapfen** *m tech* tourillon *m* de l'arbre.

Welpe *m* ‹-n, -n› ['vɛlpə] *(junger Hund)* chiot; *(junger Wolf)* louveteau; *(junger Fuchs)* renardeau *m.*

Wels *m* ‹-es, -e› [vɛls, '-zə] *zoo* silure, poisson-chat *m.*

welsch [vɛlʃ] *a (französisch* od *italienisch)* latin, roman; *(fremdländisch)* étranger; *die ~e Schweiz f* la Suisse romande; *die W~en m pl* les Latins, les peuples *m pl* romans; **W~kohl** *m* = *Wirsingkohl;* **W~korn** *n* = *Mais;* **W~land** *n* ‹-(e)s, ø› la France *od* l'Italie *f, (schweizerisch: die ~e Schweiz)* la Suisse romande.

Welt *f* ‹-, -en› [vɛlt] *a. fig (Bereich, Reich)* monde *m; (Erde)* terre *f; (~kugel)* globe (terrestre); *(~all)* univers, cosmos *m; die ~ (fig: die Leute)* les gens *pl; (die Öffentlichkeit)* le public; *(die Gesellschaft)* la société; *rel* le siècle; *am Ende der ~, aus der ~* au bout du monde; *am andern Ende der ~* à l'autre bout du monde; *auf der ~* au monde; *bis ans Ende der ~* jusqu'au bout du monde; *fam hum* au diable vauvert; *in dieser ~* en ce bas monde; *in der ganzen ~* dans le monde entier; mondialement; *nicht um alles in der ~* pour rien au monde; *fam* pas pour un royaume; *vor aller ~* aux yeux de tout le monde; *solange die ~ steht* depuis que le monde est monde; *zur ~ bringen, in die ~ setzen* mettre au monde, donner le jour à; *der ~ entsagen (rel)* renoncer au monde; *das Licht der ~ erblicken* voir le jour; *in der ~ herumgekommen sein* avoir beaucoup roulé sa bosse *fam; auf die* od *zur ~ kommen* venir au monde, voir le jour; *aus der ~ schaffen* faire table rase de, en finir avec; *in alle ~ zerstreut sein* être dispersé aux quatre coins du monde; *die ~ steht kopf* c'est le monde renversé; *das ist der Lauf der ~* ainsi va le monde; *wer in aller ~ hat das gesagt?* qui a bien pu dire cela? *alle ~* tous les gens, tout le monde; *fam* le tiers et le quart; *die Alte ~* l'ancien monde, le monde des Anciens; *die dritte ~* le Tiers-Monde, les pays en voie de développement; *die freie ~ (pol)* le monde libre; *die ganze ~* le monde entier; *die geistige, gelehrte, sittliche ~* le monde intellectuel, savant, moral; *die materielle, sinnliche ~* le monde physique, sensible; *die Neue ~ (Amerika)* le nouveau monde; *Reise f um die ~* voyage *m* autour du monde; *die vornehme ~* le grand monde; *die weite ~* le vaste monde; *e-e ~ von Feinden* une foule d'ennemis; *die ~ der Gebildeten* le monde littéraire, l'intelligentsia *f; von aller ~ gefeiert und gepriesen, verachtet, verlassen* fêté et honoré, méprisé, abandonné du monde entier; **w~abgeschieden, w~abgewandt** *a* retiré, isolé; **~all** *n* univers, cosmos *m;* **~alter** *n* = *Zeitalter;* **w~anschaulich** *a* philosophique, idéologique; **~anschauung** *f* vision du monde, philosophie, idéologie *f;* **~ausstellung** exposition *f* universelle *od* mondiale; **~bank,** *die* la Banque *f* mondiale (Banque Internationale pour la Reconstruction et le Développement); **w~bekannt** *a,* **w~berühmt** *a* mondialement célèbre; **~beschreibung** *f* cosmographie *f;* **~beste(r)** *m sport* = *~meister;* **~bevölkerung** *f* population *f* mondiale; **w~bewegend** *a* révolutionnaire; **~bild** *n* cosmologie *f;* **~brand** *m fig* conflagration *f* universelle; **~bummler** *m* globe-trotter *m;* **~bund** *m* ligue *f* universelle; **~bürger** *m* citoyen du monde, cosmopolite *m;* **~bürgertum** *n* cosmopolitisme, mondialisme *m;* **~ende** *n* fin *f* du monde; **w~entrückt** *a (zerstreut)* distrait; *(träumerisch)* rêveur; *fam* dans les nuages; **w~enumspannend** *a* universel; **~erfolg** *m* succès *m* mondial; **~ernte** *f* récolte *f* mondiale; **w~erschütternd** *a* révolutionnaire; qui change la face du monde; **~erzeugung** *f* production *f* mondiale; **w~fern** *a* étranger au monde; **~firma** *f* maison *f* de renommée mondiale; **~flucht** *f* fuite *f* devant le monde; **~flug** *m* vol *m* autour du monde; **w~fremd** *a* étranger au monde; *(unerfahren)* sans expérience du monde, inexpérimenté; *(naiv)* naïf, ingénu; **~fremdheit** *f* inexpérience; naïveté, ingénuité *f;* **~friede(n)** *m* paix *f* universelle *od* mondiale *od* du monde; **~gebäude** *n,* **~gefüge** *n* cosmos *m;* **~gegend** *f* continent *m,* zone *f,* climat *m;* **~geist** *m* ‹-(e)s, ø› = *~seele;* **~geistliche(r)** *m* prêtre *m* séculier; **~geistlichkeit** *f* clergé *m* séculier; **~geltung** *f* renom *od* prestige *m od* influence *f* mondial(e); **~gericht** *n rel* Jugement *m* dernier *od* universel; **~gerichtshof** *m (in Den Haag)* Cour *f* permanente de justice internationale; **~geschichte** *f* histoire *f* universelle; **w~geschichtlich** *a* de l'histoire universelle; **~gesundheitsorganisation** *f* Organisation *f* mondiale de la santé (O.M.S.); **w~gewandt** *a* qui a l'usage du monde; **~gewerkschaftsbund** *m* Fédération *f* syndicale mondiale; **~handel** *m* commerce *m* mondial; **~herrschaft** *f* domination du monde, hégémonie *f* mondiale; **~karte** *f geog* mappemonde *f,* planisphère (terrestre); *(große)* géorama *m;* **~kind** *n* enfant du siècle, mondain, e *m f;* **~kirchenrat** *m* Conseil *m* Œcuménique des Églises; **~kongreß** *m* congrès *m* mondial; **~krieg** *m* guerre *f* mondiale; *der Erste, Zweite ~~* la Première, Seconde Guerre mondiale; **~kugel** *f* globe *m* (terrestre); **~lauf** *m* cours des choses, train *m od* vie *f* du monde; **w~lich** *a (nicht kirchlich)* séculier; laïc, laïque; *(Macht)* temporel; *bes. mus* profane; *(ungeistig)* de ce monde; terrestre, matériel; *(~~ gesinnt)* mondain, attaché aux biens de ce monde; *~~e(r) Charakter m* laïcité *f;* **~literatur** *f* littérature *f* mondiale *od* universelle; **~luftverkehr** *m* trafic *m* aérien mondial; **~macht** *f pol* puissance *f* mondiale; **~machtpolitik** *f* impérialisme *m;* **~mann** *m* ‹-(e)s, ¨er› homme du monde, mondain *m;* **w~männisch** *a* d'homme du monde, mondain; *~~e Art f* aisance *f* mondaine; **~marke** *f com* marque *f* de renommée mondiale; **~markt** *m* ‹-(e)s, ø› marché *m* mondial; **~marktpreis** *m* prix *m* mondial; *Erhöhung f der ~~e* hausse *f* mondiale; **~meer** *n* océan *m; zwei ~~e verbindend (Verkehrslinie)* interocéanique; **~meister** *m sport* champion *m* du monde; **~meisterschaft** *f sport* championnat *m* du monde; **~ordnung** *f* ordre *m* universel; **~organisation** *f* organisation *f* mondiale; **~politik** *f* politique *f* mondiale; **w~politisch** *a: ~~e Ausea.setzung* conflagration *f* mondiale; **~postverein** *m* Union *f* postale universelle (U.P.U.); **~priester** *m* prêtre *m* séculier; **~rätsel** *n* mystère *m* de la création; **~raum** *m* ‹-(e)s, ø› espace *m* cosmique *od* interstellaire; **~raumfahrer** *m* astronaute *m;* **~raumfahrt** *f* vol spatial; voyage *m* interplanétaire; **~raumforschung** *f* recherches *f pl* spatiales; **~raumrakete** *f* engin *m* spatial; **~raumschiff** *n* aéronef *m;* **~raumstation** *f* station *f* spatiale *od* cosmique; **~reich** *n* empire *m;* **~reise** *f* tour *m* du monde; *e-e ~~ machen* faire le tour du monde; **~reisende(r)** *m* globe-trotter *m;* **~rekord** *m* record *m* du monde; **~rekordinhaber, ~rekordler, ~rekordmann** *m* détenteur *m* du record du monde; **~religion** *f* religion *f* mondiale; **~ruf** *m* ‹-(e)s, ø› *(e-s Menschen)* réputation *od (e-r Sache)* renommée *f* mondiale; **~schmerz** *m* ‹-es, ø› pessimisme *m* (sentimental), mal *m* du siècle; *von ~~ erfüllt sein (a.)* avoir du vague à l'âme; **~seele** *f philos* âme *f* du monde *od* de l'univers; **~sicherheitsrat** *m* Conseil *m* de sécurité; **~spartag** *m* journée *f* mondiale de l'épargne; **~sprache** *f* langue *f* universelle; **~stadt** *f* très grande ville; métropole, grande capitale *f;* **~teil** *m* partie *f* du monde; *(Erdteil)* continent *m;* **~tierschutzverein** *m* Fédération *f* mondiale pour la protection des animaux (F.M.P.A.); **w~umspannend** *a* universel, mondial; **~untergang** *m* fin *f* du monde; **~uraufführung** *f theat* première *f* mondiale; **~verbesserer** *m* utopiste, réformateur du monde; *fam iron* redresseur *m* de torts; **~verbrauch** *m* consommation *f* mondiale; **~verkehr** *m* trafic *m* mondial; **~weise(r)** *m* philosophe *m;* **~weisheit** *f* philosophie *f;* **w~weit** *a* mondial, universel; **~wende** *f* tournant *m* de l'histoire; **~wirtschaft** *f* ⟨-, ø⟩ économie *f* mondiale; **~wirtschaftskonferenz** *f* conférence *f* économique mondiale; **~wirtschaftskrise** *f* crise *f* économique mondiale; **~wunder** *n* merveille *f* du monde; *die Sieben ~~* les sept merveilles du monde; **~zeit** *f (Westeuropäische Zeit)* temps *m* universel.

Weltergewicht *n* ['vɛltər-] *sport* poids *m* mi-moyen.

wem [ve:m] *pron dat* à qui? *mit ~?* avec qui? *von ~?* de qui? **W~fall** *m gram* datif *m.*

wen [ve:n] *pron acc* qui (est-ce que)? *an ~?* à qui? *für ~?* pour qui? **W~fall** *m gram* accusatif *m.*

Wend|e *f* ⟨-, -n⟩ ['vɛndə] *(Drehung, a. sport)* tour; *fig (~epunkt)* tournant *m; (plötzl. Umschwung)* péripétie *f; an der ~~ des Jahrhunderts* au tournant du siècle; *wir stehen an der ~~ e-r neuen Zeit* nous allons entrer dans une ère nouvelle; **~egetriebe** *n tech* mécanisme *m* de renversement; **~ehalbmesser** *m mot* rayon *m* de braquage; **~ehals** *m orn* torcol *m;* **~ekreis** *m geog* tropique; *mot* rayon *m* de braquage; *der ~~ des Krebses, des Steinbocks (geog)* le tropique du Cancer, du Capricorne; **~el** *f* ⟨-, -n⟩ *math (Schraubenlinie)* hélice, spirale *f;* **~eltreppe** *f* escalier *m* tournant *od* en colimaçon *od* en hélice *od* en vis; **~emaschine** *f agr (für Heu)* faneuse *f;* **w~en** *tr* ⟨*wandte, gewandt, wendete, gewendet, wenn er wendete*⟩ *(umdrehen)* tourner; *(Heu; Kleid) (nur: wendete, gewendet)* retourner; *(in e-e andere Richtung bringen; richten)* diriger (*nach* vers); *(Geld, Mühe) an etw* mettre à qc; *(s-e Kraft, s-e Zeit)* consacrer à qc; *itr (Fahrzeug: umkehren)* virer; *(Schiff)* virer de bord; *sich ~~ (sich umdrehen)* se (re)tourner; *zu jdm* se tourner vers qn; *von jdm* se détourner de qn; *(Richtung nehmen)* se diriger (*nach* vers); *fig (sich ändern)* changer; *sich an jdn ~~* s'adresser à qn, faire appel à qn; *sich mit etw an jdn ~~* avoir recours à qn pour qc *od* à propos de qc; *sich gegen jdn ~~* se tourner, se diriger contre qn; s'attaquer à qn; *kein Auge von jdm ~~* ne pas quitter qn des yeux; *den Blick, das Gesicht ~~* détourner le regard, la face; *den Braten ~~* tourner la broche; *sich zur Flucht ~~* prendre la fuite; *sich zum Guten, zum Bösen ~~* bien, mal tourner; *Mühe an etw ~~* se donner du mal pour qc; *s-e Schritte nach etw ~~* diriger ses pas vers qc; *zu s-m Vorteil ~~* tourner à son avantage; *man mag es drehen und ~~, wie man will* qu'on prenne la chose comme on voudra; *das Blatt* od *das Blättchen hat sich gewendet* les choses ont changé, la chance a tourné; *bitte ~~!* tournez, s'il vous plaît! voir au verso; **~en 1.** *n mot* virage *m;* **~eplatz** *m (für Wagen)* espace *m* pour tourner; **~epol** *m el* pôle *m* de commutation; **~epunkt** *m math* point d'inflexion; *fig* tournant *m; (plötzl. Umschwung)* péripétie; *(Neubeginn in e-m geschichtl. Ablauf)* ère *f* nouvelle; *e-n ~~ bedeuten* marquer un tournant; **~er** *m* ⟨-s, -⟩ *(Braten~~)* tournebroche; *mus (Seiten~~)* tourne-feuille; *el* inverseur *m;* **~evorrichtung** *f tech* appareil *m* de renversement; **~ezeiger** *m aero* indicateur *m* de virage; **w~ig** *a mar, mot, aero* maniable, facile à manœuvrer, manœuvrable; *fig (gewandt)* agile, leste, souple, délié; *fam (der sich zu helfen weiß)* débrouillard; *~~ sein (fig a.)* agir selon les circonstances, tourner à tous les vents; **~igkeit** *f* ⟨-, ø⟩ maniabilité, manœuvrabilité; *fig* agilité, souplesse *f; fam (Kunst, sich aus der Affäre zu ziehen)* système *m* D; **~ung** *f (Drehung)* tour, virage *m; (rasche ~~)* volte; *(Kehrtwendung)* volte-face *f; mil* changement de front; *mar* virement de bord; *fig (Umschwung)* revirement, retour *m* de fortune; *(Redewendung)* manière de parler, tournure, locution *f; e-r S e-e andere ~~ geben (fig)* donner un autre tour à qc; *e-r S e-e gute ~~ geben (fig)* donner un bon pli à qc; *e-e ~~ machen* faire un tour, tourner; *(Reiter, Fechter)* volter; *(Schiff)* virer de bord; *e-e gute, schlimme ~~ nehmen* tourner bien, mal; prendre une bonne, mauvaise tournure; *e-e tragische ~~ nehmen* tourner au tragique; *e-e unerwartete ~~ nehmen* prendre un tour inattendu; *scharfe ~~ (e-s Fahrzeuges)* virage *m* serré; *stehende ~~ (Redewendung)* expression toute faite, tournure *f* figée; *~~ zum Besseren* changement *m* en mieux; *~~ um 90°* virage *m* à angle droit.

Wend|en ['vɛndən] **2.**, *die m pl (slaw. Volksgruppe)* les Wendes *m pl;* **w~isch** *a . . .*

wenig ['ve:nıç] *adv* peu (de); *(nicht viel)* pas beaucoup (de); *ein ~* un peu (de); quelque peu (de), un doigt (de); *ein (ganz) klein ~* un (tout) petit peu, un tantinet, un tant soit peu; *fam* une idée; *zu ~* trop peu; *~ oder gar nicht* peu ou point; *so ~ . . . auch (conj)* si peu . . . que; *das ~e* le peu (de); *~e (. . .) a pl (ein paar)* peu (de), quelques; *s pl (~e Menschen)* peu d'hommes *od* de gens; *für ~ Geld* pour peu d'argent; *nur ~e Schritte von hier* à quelques *od* à deux pas d'ici; *in* od *mit ~en Worten* en peu de *od* en deux mots; *~ gerechnet* tout au moins; *das ist ~* c'est maigre; *es fehlt ~ daran, daß . . .* il s'en faut de peu que . . . *subj; sei es auch noch so ~* si peu que ce soit, tant soit peu; *wie es nur ~e gibt* comme il y en a peu; **~er** *adv* moins (*als* que; *(vor Zahlen)* de); *für ~~ als* à moins de; *immer ~~* de moins en moins; *je ~~ . . ., desto ~~ . . .* moins . . ., moins . . .; *mehr oder ~~* plus ou moins; *fam* peu ou prou; *der eine mehr, der andere ~~* les uns un peu plus, les autres un peu moins; *nicht ~~ als* pas moins que *od (vor Zahlen)* de; *nicht mehr und nicht ~~* ni plus ni moins; *nichts ~~ als* rien moins que; *um so ~~* d'autant moins; *viel ~~* bien moins; *~~ denn je* moins que jamais; *~~ werden* diminuer; *10 ~~ 3 ist* 7 10 moins 3 font 7; **W~keit** *f* ⟨-, ø⟩ *(geringe Menge)* peu *m* (de chose); petite quantité *f* (de); *(Kleinigkeit)* rien *m,* bagatelle *f; meine ~~ (hum)* ma modeste *od* mon humble personne; **~ste** *a: das ~~* le moins, le minimum; *die ~~n* peu de gens seulement; *am ~~n* le moins; *zum ~~n* du moins; **~stens** *adv (einschränkend)* du moins; *(bei e-r Mengenangabe)* au moins, pour le moins, au minimum.

wenn [vɛn] *conj (bedingend: falls)* si; *(zeitl.: jedesmal ~)* quand; *(zeitl.: dann ~)* lorsque; *auch* od *selbst ~* même si, quand (bien) même; *außer ~* excepté si, sauf si; à moins que . . . ne *subj; immer ~* toutes les fois que; *jedesmal ~* chaque fois que, toutes les fois que; *wie ~* comme si; *~ anders* si toutefois; *~ . . . einmal* une fois que; *~ . . . je(mals)* si jamais; *~ . . . nicht* à moins de *inf od* que *subj; ~ nicht . . ., so doch . . .* sinon . . ., du moins . . .; *~ . . . nur* si . . . seulement; pourvu que *subj; ~ . . . nur (im geringsten)* pour peu que, si peu que *subj; ~ . . . überhaupt* si tant est que *subj; ~ . . . wenigstens* si . . . encore; *~ ich einmal tot bin* une fois que je serai mort; *~ du nicht (gewesen) wär(e)st* sans toi; *~ er auch noch so arm ist* si pauvre qu'il soit; *~ man ihn sieht, könnte man glauben . . .* à le voir, on croirait . . .; *~ es so ist, daß . . .* si tant est que . . .; *es ist nicht gut, ~* cela ne vaut rien de *inf; ~ er doch käme!* si seulement il venait! *~ er nur nicht zu spät kommt!* pourvu qu'il ne vienne pas trop tard; *und ~ es mir das Leben kostet!* même si je devais y laisser la vie; *~ es auch noch so wenig ist!* si peu que ce soit; *~ schon, denn schon!* s'il le faut, résignons-nous! *na ~ schon! (fam)* qu'importe! et puis alors? **W~** *n* ⟨-, -⟩ si *m; das (viele) ~~ und Aber* les si et les mais; *nach vielem ~~ und Aber* après bien des si et des mais; **~gleich** [-'-] *conj,*

~schon ['--] *conj* quoique, bien que, encore que *subj.*
wer [ve:r] *(Fragepron)* qui (est-ce qui)? ~ *von beiden?* lequel des deux? ~ *von uns?* qui *od* lequel d'entre nous? *(Relativpron)* (celui) qui; *(unbestimmtes pron, fam: jemand)* quelqu'un; ~ *auch immer* quiconque; ~ *es auch (immer) sei(n möge)* qui que ce soit; *mag kommen,* ~ *will* vienne qui voudra; *es ist* ~ *da (fam)* il y a quelqu'un *od (mehrere Personen)* du monde; ~ *ist da?* qui est là? *tele* qui est à l'appareil? ~ *da?* qui va là? qui vive? ~ *sonst?* qui d'autre? ~ *anders als ich?* qui d'autre, sinon moi? **W~fall** *m gram* nominatif *m.*
Werbe|abteilung *f* ['vɛrbə-] département *m od* section *f od* service *m* de la publicité *od* de la propagande; **~agent** *m* agent *m* de publicité; **~agentur** *f* agence *f* de publicité; **~aktion** *f* opération *f* publicitaire; **~anzeige** *f* annonce *f* publicitaire; **~artikel** *m* article *m* de réclame; **~beilage** *f (e-r Zeitschrift)* encartage *m;* **~berater** *m* conseiller *m* publicitaire; **~besuche** *m pl: die ~e pl* la démarche *f* à domicile; **~blatt** *n* prospectus *m;* **~brief** *m* lettre *f* publicitaire; **~büro** *n com* bureau *m od* agence *f* de publicité; *(für Arbeitskräfte)* bureau d'embauche; *mil* bureau *m* de recrutement; **~druck(sache** *f***)** *m* imprimé *m* publicitaire; **~druckschrift** *f* prospectus *m;* **~erfolg** *m* succès *m* publicitaire; **~etat** *m* budget *m* de publicité; **~exemplar** *n* exemplaire *m* de publicité; **~fachmann** *m* expert en publicité, publicitaire *m;* **~fahrt** *f* tournée *f* de propagande; **~feldzug** *m,* **~kampagne** *f* campagne *f* publicitaire *od* de publicité; **~fernsehen** *n* publicité *f* télévisée; **~film** *m* film *m* publicitaire *od* de propagande; **~fläche** *f* panneau *m* d'affichage; **~funk** *m* publicité radiophonique *od* parlée, émission *f* publicitaire; **~geschenk** *n* cadeau *m* publicitaire; **~graphik** *f* art *m* publicitaire; **~instruktionsfilm** *m* film *m* de démonstration; **~kosten** *pl* frais *m pl* de publicité; **~kraft** *f com* valeur *f* publicitaire; **~leiter** *m* chef *m* de la publicité; **~material** *n* matériel *m* de publicité, documentation *f;* **~mittel** *n pl* moyens *m pl* de publicité *od* de propagande; **~müdigkeit** *f* saturation *f* publicitaire; **~plakat** *n* affiche *f* publicitaire; **~plan** *m* programme *m* publicitaire; **~preis** *m* prix publicitaire, prix-réclame *m;* **~prospekt** *m* prospectus *m;* **~schrift** *f* brochure *f* publicitaire *od* de propagande, prospectus *m;* **~sendung** *f radio* émission *f* publicitaire; **~spruch** *m* slogan *m* publicitaire *od* de propagande; **~träger** *m* support *m* de publicité; **~trommel** *f: die ~~ rühren (fig)* battre la grosse caisse; **~verkauf** *m* vente-réclame *f;* **~wirkung** *f* efficacité *f* publicitaire; **~woche** *f* semaine *f* de réclame; **~zeichnung** *f* dessin *m* publicitaire; **~zeitschrift** *f* périodique *m* de propagande; **~zweck** *m: zu ~~en* à des fins publicitaires.
werb|en ⟨*wirbt, warb, geworben*⟩ ['vɛrbən] *tr (Soldaten)* enrôler, recruter, *hist* racoler; *(Arbeitskräfte)* embaucher, engager; *(Mitglieder, Kunden)* (re)chercher; *itr* faire de la publicité *od* de la réclame *od pol* de la propagande (*für etw* pour qc); *um etw, um jds Gunst ~~* rechercher, briguer qc, la faveur de qn; *um ein Mädchen ~~* demander une jeune fille en mariage; *um die Hand e-s Mädchens ~~* demander la main d'une jeune fille; **W~er** *m* ⟨-s, -⟩ *mil* enrôleur, recruteur, *hist* racoleur; *(von Arbeitskräften)* embaucheur; *(Agent)* agent de publicité; *pol* propagandiste; *(Freier)* prétendant, soupirant *m;* **W~ung** *f mil* enrôlement, recrutement, *hist* racolage; *(von Arbeitskräften)* embauch(ag)e *f (m); com* publicité, réclame; *bes. pol* propagande; *(Brautwerbung)* demande *f* en mariage; *gezielte* ~ publicité *f* sélective; **W~ungskosten** *pl* frais *m pl* publicitaires *od* de publicité; *(Generalunkosten)* frais *m pl* généraux.
Werdegang *m* ⟨-s, ø⟩ ['ve:rdə-] *(Entwicklung)* développement *m,* évolution *f; (Entwicklungsstufen)* étapes *f pl* parcourues *od* successives; *(berufl. ~, Laufbahn)* carrière *f; tech (e-s Fabrikats)* étapes *f pl* de la fabrication; *den ~ e-r S schildern* faire l'historique de qc.
werden ⟨*du wirst, er wird; wurde, geworden; ward, würde; imp. werde!*⟩ ['ve:rdən, 'vurdə, gə'vɔrdən] *itr* devenir; commencer à être; *(entstehen)* naître; *(sich entwickeln)* se développer; *(sich gut entwickeln, gelingen)* réussir; *(e-n Beruf ergreifen)* se faire; *(zu etw ernannt* od *befördert ~)* passer; *(als Hilfsv beim Passiv)* être; *(beim Futur wird es durch die Endung ausgedrückt); alt* ~ vieillir; *besser* ~ s'améliorer; *sich e-r S bewußt* ~ prendre conscience de qc; *böse* ~ se fâcher; *(sich) einig* ~ tomber d'accord (*über* sur); *mit etw fertig* ~ venir à bout de qc; *zum Gespött der Leute* ~ devenir un objet de risée; *(wieder) gesund* ~ se remettre; *groß* ~ grandir; *handgemein* ~ en venir aux mains; *jünger* ~ rajeunir; *Kaufmann, Soldat ~ (a.)* entrer dans le commerce, l'armée; *kleiner* ~ rapetisser; *krank* ~ tomber malade; *modern* od *Mode* ~ devenir (à) la mode; *persönlich* od *indiskret* ~ être indiscret; *sauer* ~ devenir aigre, surir; *(Milch)* tourner; *fig (Mensch)* s'aigrir; *schlecht ~ (Speise)* se gâter; *schlimmer* ~ empirer; *selten* ~ se faire rare; *zu Staub* ~ tomber en poussière; *zu Wasser ~ (fig)* tomber à l'eau; *ich werde verrückt (fam)* je deviens fou; *mir wird (angst und) bange* j'ai peur; *mir wird schlecht* j'ai mal au cœur, je me sens *od* je me trouve mal; *aus dir wird nie etw* ~ tu ne seras jamais rien; *daraus* od *das wird nie etwas* ~ cela n'aboutira jamais à rien; *das wird schon* ~ cela viendra; *das muß anders* ~ il faut que ça change; *es wird Frühling, Winter* le printemps, l'hiver vient *od* approche; *es wird gesagt* on dit; *es wird hell, dunkel* il commence à faire jour, sombre; *es wird morgen ein Jahr, daß ...* il y aura demain un an que ...; *es wird Nacht* la nuit vient *od* tombe; *es ist nichts daraus geworden* l'affaire a manqué; *es wird spät* il se fait tard; *es wird Tag* le jour vient *od* se lève; *was ist aus ihm geworden?* qu'est-il devenu? *was soll (nur) daraus ~?* qu'en adviendra-t-il? *wird's bald?* c'est pour bientôt? eh bien, c'est pour quand? *es werde Licht!* que la lumière soit! *aus Kindern ~ Leute (prov)* petit poisson deviendra grand; *~de Mutter f* future mère *f; für ~de Mütter (Heim)* prénatal *a;* **W~** *n a. philos* devenir *m; (Ursprung)* origine; *(Entstehen)* naissance, genèse; *(Entwicklung)* formation *f,* développement *m,* évolution *f; im ~~* en devenir, en (voie de) formation, en train; *noch im ~~ (a.)* en germe, à l'état embryonnaire; *das ~~ und Vergehen* les changements *m pl* perpétuels.
Werder *m* ⟨-s, -⟩ ['vɛrdər] *(Flußinsel)* îlot *m,* île *f.*
werf|en ⟨*wirft, warf, geworfen*⟩ ['vɛrfən] *tr* jeter (*nach jdm* à qn); *(schleudern, Bomben abwerfen)* lancer; *(Spieß, Strahlen, Blicke)* darder; *(Wellen, Falten)* faire; *(Licht, Schatten)* projeter; *(Feind)* mettre en déroute; *zoo (Junge)* faire; *itr* jeter, lancer (*mit etw* qc; *nach jdm, nach etw* à qn, à qc); *mit etw um sich ~~ (fig)* prodiguer qc; *etw von sich ~~* se débarrasser de qc; *(Junge)* mettre bas; *sich ~~ (Holz, Mauer)* se déjeter, travailler, jouer; *sich ~~ (sich stürzen)* se jeter, se lancer, s'élancer (*auf jdn, auf etw* sur qn, sur qc); *fig (sich mit Eifer an etw machen)* se lancer (*auf etw* dans qc); *tech (Holz, Mauer)* se déjeter, travailler, jouer, prendre du jeu; *Anker ~~* jeter l'ancre, mouiller; *ein Auge auf etw ~~ (fig fam)* jeter son dévolu sur qc; *zu Boden ~~* jeter à terre; *über Bord ~~* jeter par-dessus bord; *sich in die Brust ~~* se rengorger; *in die Debatte ~~* mettre au débat; *sich jdm zu Füßen ~~* se jeter aux pieds de qn; *mit Geld um sich ~~ (fig)* jeter l'argent à pleines mains; *sich jdm an den Hals ~~* se jeter au cou de qn; *über den Haufen ~~ (fig)* bouleverser; *aus dem Hause ~~* mettre à la porte; *jdm Beleidigungen an den Kopf ~~* jeter des injures à la face de qn; *ein gutes, schlechtes Licht auf jdn, etw ~~* montrer qn, qc sous un jour favorable, défavorable; *das Los ~~* tirer au sort; *die Tür ins Schloß ~~* claquer la porte; *den Feind aus e-r Stellung ~~* déloger l'ennemi; *alles in einen Topf ~~ (fig)* mettre tout le monde dans le même sac; *etw in die Waagschale ~~* faire valoir qc; *nicht ~~! (auf e-r Kiste)* gare aux chutes! **W~en** *n* jet; *bes. sport* lancement *m; zoo (e-s Muttertieres)* mise *f*

bas; **W~er** *m* ‹-s, -› *sport* lanceur *m;* **W~erbatterie** *f mil* batterie *f* de lancement; **W~erschütze** *m mil* lanceur *m.*

Werft *f* ‹-, -en› [vɛrft] *mar* chantier (de construction) naval(e); carénage *m;* **~anlage** *f* installation *f* de construction navale; **~arbeiter** *m* ouvrier *m* de chantier naval; **~besitzer** *m* propriétaire *m* de chantier naval.

Werg *n* ‹-(e)s, ø› [vɛrk, -g(ə)s] étoupe, filasse *f; mit ~ abdichten, verstopfen* étouper; **~dichtung** *f* garniture *f* d'étoupe.

Werk *n* ‹-(e)s, -e› [vɛrk] *(Arbeit)* travail *m,* besogne *f,* ouvrage; *(Tat)* acte *m,* action *f; (Leistung)* ouvrage *m,* œuvre *f; (Erzeugnis)* ouvrage, produit; *(musikal., literar., künstler. ~)* œuvre *f; (Gesamtwerk e-s Künstlers)* œuvre *m; (Unternehmen)* entreprise *f,* établissements *m pl; (Fabrik)* usine *f,* ateliers *m pl; tech (Triebwerk)* mécanisme; *(der Uhr)* mouvement, rouage; *mil* ouvrage *m; pl (e-s Dichters, Schriftstellers)* œuvres *f pl; (Unternehmen)* établissements *m pl; ab ~ (com)* pris à l'usine, départ usine; *in Worten und ~en* en paroles et en actions; *ans ~ gehen, sich ans ~ machen* se mettre à l'ouvrage *od* à l'œuvre *od* au travail *od* à la besogne; *zu ~e gehen* procéder; *geschickt zu ~e gehen* s'y prendre habilement; *vorsichtig zu ~e gehen (a.)* ménager le terrain; *Hand ans ~ legen* mettre la main à l'ouvrage *od* à l'œuvre *od fam* à la pâte; *am ~ sein* être à l'œuvre *od* à pied d'œuvre; *etw ins ~ setzen* mettre qc en œuvre, réaliser qc; *ein gutes ~ tun* faire œuvre pie *od* une bonne action; *es ist etw im ~e* qc se prépare *od pej* se trame; *es war ein ~ des Augenblicks* ce fut l'œuvre *od* l'affaire d'un instant; *ans ~!* à l'œuvre! *das ~ lobt den Meister (prov)* c'est à l'œuvre qu'on reconnaît l'artisan; *ausgewählte ~e pl (e-s Verfassers)* œuvres *f pl* choisies; *gute ~e pl (rel)* bonnes œuvres *f pl; sämtliche ~e (e-s Verfassers)* œuvres *f pl* complètes; *~e pl der Barmherzigkeit (rel)* œuvres *f pl* de miséricorde; **~arbeit** *f (Handarbeit)* travail *od* ouvrage *m* manuel, main-d'œuvre *f;* **~bank** *f* ‹-, ¨-e› établi *m;* **~druck** *m* ‹-(e)s, -e› *typ* impression *f* d'ouvrage *od* de travail *od* de labeur; **w~eln** *itr dial,* **w~en** *itr (arbeiten)* travailler, œuvrer; = *werken a.* s'occuper, s'affairer; **~er** *m* ‹-s, -› *(Arbeiter)* travailleur, ouvrier *m;* u. **~handel** *m* vente *f* directe; **~leute** *pl* travailleurs, ouvriers *m pl,* main-d'œuvre *f;* **~luftschutz** *m* protection *f* antiaérienne d'entreprise *od* de l'entreprise; **~meister** *m* chef d'atelier *od* d'équipe; contre-maître *m;* **~nummer** *f (e-s Fabrikats)* numéro *m* de construction; **~(s)angehörige(r)** *m* employé *m* de l'entreprise; **~(s)anlage** *f* usine, ateliers *m pl;* **~(s)arzt** *m* médecin *m* d'entreprise; **~(s)bücherei** *f* bibliothèque *f* d'entreprise *od* de l'entreprise; **~schule** *f* centre *m* d'apprentissage (de l'entreprise); **~schutz** *m* protection *f* d'entreprise *od* de l'entreprise; **w~(s)eigen** *a* appartenant à l'entreprise; **w~(s)-fremd** *a* étranger à l'entreprise; **~(s)führer** *m* = *~meister;* **~(s)fürsorgerin** *f* assistante *f* sociale; **~(s)gemeinschaft** *f* employés *m pl* de l'entreprise; **~(s)halle** *f* atelier *m;* **~siedlung** *f* cité *f* d'entreprise *od* de l'entreprise; **~(s)kamerad** *m* compagnon *m* de travail; **~(s)kantine** *f* cantine *od* coopérative *f* d'entreprise; **~(s)leiter** *m* directeur *m* de l'entreprise; **~(s)leitung** *f* direction *f* de l'entreprise; **~(s)spionage** *f* espionnage *m* industriel; **~statt** *f,* **~stätte** *f* atelier *m; mechanische ~~* atelier *m* (de construction) mécanique; **~stattarbeit** *f* travail d'atelier; *(Kunst)* œuvre *m* d'atelier; **~statteinrichtung** *f* installation *f* d'atelier; **~stattkompanie** *f mil* compagnie *f* de réparation; **~stattmontage** *f* montage *od* assemblage *m* à l'atelier; **~stattprüfung** *f* épreuve *f od* essai *m* à l'atelier; **~stattwagen** *m loc* wagon-atelier *m; mot* voiture-atelier *f;* **~stattzeichnung** *f* dessin *m* d'atelier; **~stattzug** *m mil* section *f* d'atelier; **~stein** *m arch* pierre *f* de taille; **~stoff** *m* matière *f* ouvrable, matériel, matériau *m;* **~stoffermüdung** *f* fatigue *f* du matériel; **~stoffforschung** *f* recherches *f pl* sur les matériaux; **~stoffprüfer** *m (Person)* essayeur *m* des matériaux; **~stoffprüfmaschine** *f* machine *f* à essayer les matériaux; **~stoffprüfung** *f* essai *m* des matériaux; **~stoffzuführung** *f* amenage *m* du matériel; **~stück** *n (vor der Bearbeitung)* pièce à usiner; *(während der Bearbeitung)* pièce en cours d'usinage; *(nach der Bearbeitung)* pièce *f* usinée; **~student** *m* étudiant *m* salarié *od* qui travaille pour payer ses études; **~(s)wohnung** *f* logement *m* de l'entreprise; **~(s)zeitschrift** *f* revue *f* de l'entreprise; **~tag** *m* jour *m* ouvrable *od* de semaine; *an ~~en, des ~~s,* **w~täglich** *adv,* **w~tags** *adv* les jours ouvrables, en semaine; *nur an ~tagen, nur ~tags* la semaine seulement; **w~tätig** *a: ~~e Bevölkerung f* population *f* active; **~tätige(r)** *m* ouvrier, travailleur *m; die ~tätigen pl* la classe ouvrière; **~tisch** *m* table *f* à ouvrage, établi *m;* **~unterricht** *m (in der Schule)* travaux *m pl* manuels; **~verkehr** *m* transport *m* privé; **~vertrag** contrat *m* d'ouvrage; **~vertreter** *m* représentant *m* de l'entreprise; **~zeichnung** *f* dessin *m* d'exécution.

Werkzeug *n* ‹-(e)s, -e› ['vɛrk-] outil; *(Instrument, a. fig)* instrument; *fig* organe; *(als Sammelname)* outillage *m; com* grande quincaillerie *f; mit ~ ausrüsten* od *versehen* outiller; **~abteilung** *f* rayon *m* des outils; **~ausgabe** *f* distribution *f* des outils; **~ausrüstung** *f* outillage *m;* **~fabrik** *f* outillerie *f;* **~fabrikant** *m* outilleur *m;* **~fabrikation** *f* fabrication *f* d'outils *od* des outils; **~halter** *m (Gerät)* porte-outil *m;* **~kasten** *m* boîte *od* caisse *f od* coffre *m* à outils; **~macher** *m* outilleur *m;* **~maschine** *f* machine-outil *f;* **~maschinenbau** *m* construction *f* de(s) machines-outils; **~maschinenfabrik** *f* usine *f* de construction de machines-outils; **~satz** *m* jeu *m od* trousse *f* d'outils; **~schlitten** *m* chariot porte-outil, support *m;* **~schrank** *m* armoire *f* à outils; **~schuppen** *m* resserre *f* à outils; **~stahl** *m* acier *m* à outil(s); **~tasche** *f* sac *m od* trousse à outils; *(am Fahrrad)* sacoche *f;* **~wagen** *m mot* chariot *m* à outils.

Wermut *m* ‹-(e)s, ø› ['ve:r-] *bot* absinthe; *fig (Bitterkeit)* amertume *f; (Wein)* vermout(h) *m; ein Tropfen ~ (fig)* une goutte d'amertume.

Werre *f* ‹-, -n› ['vɛrə] *ent* taupe-grillon *f.*

wert [ve:rt] *a* cher *(a. in der Briefanrede); (achtbar)* respectable; *(kostbar)* précieux; *(würdig)* digne (*e-r S* de qc); *etw ~ sein* valoir qc; *10 Mark ~ sein* valoir 10 marks; *mehr ~ sein* valoir mieux (*als* que); *etw nicht ~ sein (Mensch)* ne pas mériter qc; *nicht viel ~ sein* ne pas valoir grand-chose; *nichts (mehr) ~ sein* ne valoir (plus) rien; *keinen Pfifferling ~ sein* ne pas valoir un sou; *ich bin es nicht ~* je ne le mérite pas, je n'en suis pas digne; *du bist keinen Schuß Pulver ~ (fam)* tu ne mérites pas la corde pour te pendre; *das ist aller Achtung ~* c'est très respectable; *das ist aller Ehren ~* c'est fort honorable; *das ist nicht der Mühe ~* cela ne *od* n'en vaut pas la peine; *das ist nicht der Rede ~* ce n'est pas la peine d'en parler; *das ist schon viel ~* od *(fam) was ~* c'est déjà un point acquis *od* quelque chose; *wie ist Ihr ~er Name?* à qui ai-je l'honneur de parler? *Ihr ~es Schreiben* votre honorée (*vom* du); **~achten** *tr (hochachten)* estimer; apprécier; **W~achtung** *f* estime, considération *f;* **~en** *tr (abschätzen)* estimer, taxer, évaluer; *(hochschätzen)* apprécier, priser; *sport (einstufen)* pointer, classer; *als etw werten* considérer comme qc; **~halten** *tr,* **~schätzen** *tr* apprécier, estimer; **W~schätzung** *f* = *W~achtung;* **W~ung** *f* estimation, taxation, évaluation *f; sport* pointage, classement *m.*

Wert *m* ‹-(e)s, -e› [ve:rt] *a philos, math, fin, com, mus* valeur *f; (Preis)* prix *m; (Bedeutung)* importance *f; (Verdienst n)* mérite *m; pl (Sach-, Vermögenswerte)* valeurs; *(~papiere)* valeurs *f pl,* effets, titres *m pl; im ~ von* d'une valeur de, au prix de; *von geringem ~* de peu de valeur *od* prix; *von (großem* od *hohem) ~* de (grande) valeur, de prix; *nach s-m ~, s-m ~ entsprechend* à sa valeur; *e-r S großen ~ beimessen* attacher grand prix à qc; *~ haben* avoir de la valeur; *keinen ~ haben* ne pas avoir de valeur; *~ auf etw legen* attacher de la valeur, accorder de l'importance, tenir à qc; *~ darauf legen* y tenir (*zu* à ce que); *großen ~ auf etw legen* tenir beaucoup à qc, faire grand cas de qc;

keinen ~ *auf etw legen* ne faire aucun cas de qc, n'accorder aucune valeur *od* aucun prix à qc; *im* ~ *sinken, an* ~ *verlieren* perdre de sa valeur, se déprécier, s'avilir; *im* ~ *steigen, an* ~ *gewinnen* augmenter de valeur, valoir plus; *das behält immer s-n* ~ cela vaut toujours son prix; *(Statistik) beobachteter* ~ valeur *f* observée; *dichtester* (od) *häufigster* ~ mode *m*, dominante *f*; *geistige(r)* ~ valeur *f* spirituelle; *geschichtliche(r)* ~ historicité *f*; *(Statistik) seltenster* ~ antimode *m*; *sittliche(r)* ~ valeur *f* morale; *tatsächlicher* ~ valeur réelle; *(Statistik) typischer* ~ valeur-type *f*; *Umwertung f aller* ~*e (philos)* renversement *m* de toutes les valeurs; **~angabe** *f* déclaration de valeur; *(angegebener* ~*)* valeur *f* déclarée; **~ansatz** *m (der Lagerbestände)* évaluation *f* (des stocks); **~arbeit** *f* travail *m* qualifié; **~berichtigung** *f com* rectification de la valeur, réévaluation *f*; **w~beständig** *a* (de valeur) stable; **~beständigkeit** *f* stabilité *f* (des valeurs); **~bestimmung** *f* évaluation, estimation, taxation *f*; **~bewegung** *f fin* mouvement *m* des valeurs; **~brief** *m* lettre *f* chargée; **~ebereich** *m (Statistik)* intervalle *m*; **~einbuße** *f* = *~minderung*; **~einheit** *f* unité *f* de valeur; **~ermittlung** *f* = *~bestimmung*; **~ersatz** *m* dédommagement *m* correspondant à la valeur; **~gegenstand** *m* objet *m* de valeur *od* de prix; **~igkeit** *f chem* valence *f*; **~klasse** *f* échelon *m* de valeur; **w~los** *a* sans valeur; *fig (nichtig)* futile; *das ist* ~~ *für mich* cela ne me sert à rien; ~*e(s) Zeug n* bric-à-brac, fatras *m*; **~losigkeit** *f* non-valeur *f*; *(geringer* ~*)* peu *m* de valeur; *fig (Nichtigkeit)* futilité; *(Bedeutungslosigkeit)* insignifiance *f*; **~maßstab** *m*, **~messer** *m* mesure *f od* étalon *m* de valeur; **~minderung** *f* diminution de, perte, de *od* en valeur, dévalorisation, dépréciation; moins-value *f*; *e-e* ~~ *erfahren* diminuer *od* perdre en valeur; **~paket** *n* colis *m* en *od* avec valeur déclarée; **~papier** *n fin* valeur *f*, effet, titre *m*; *pl a.* portefeuille *m*; *festverzinsliche* ~~*e* valeurs *f pl* à revenu fixe; *mündelsichere* ~~*e* valeurs *f pl* de père de famille *od* de tout repos; **~papierbestand** *m* avoir *m* en portefeuille; **~papierbörse** *f* bourse *f* des valeurs; **~papiermarkt** *m* marché *m od* bourse *f* des valeurs; **~papiersteuer** *f* taxe *f* sur les valeurs mobilières; **~papierverkehr** *m* transactions *f pl* en valeurs mobilières; **~sache** *f* = *~gegenstand*; **~schöpfung** *f* création *f* de richesse *od* de plus-values; **~schwankungen** *f pl* fluctuations *f pl* de la *od* des valeur(s); **~sendung** *f* envoi *m* en *od* valeur déclarée; **~steigerung** *f* augmentation de valeur, plus-value *f*; *e-e* ~~ *erfahren* augmenter *od* gagner en valeur; **~urteil** *n* jugement *m* de valeur; *ein* ~~ *fällen* porter un jugement de valeur (*über etw* sur qc); **w~voll** *a* de valeur, de prix; précieux; **~zeichen** *n (Postwertzeichen, Briefmarke)* timbre-poste *m*; **~zoll** *m* droit *m* sur la valeur *od* ad valorem; **~zuwachs** *m* augmentation de valeur; plus-value, valeur *f* ajoutée; **~zuwachssteuer** *f* taxe *f* à *od* sur la valeur ajoutée.

Werwolf *m* ['ve:r-] loup-garou *m*.

wes [vɛs] *vx* = *wessen*; **W~fall** *m gram* génitif *m*; **~halb** [-'-/'--] *adv*, **~wegen** [-'--] *adv* pourquoi, pour quelle raison *od* cause; *das ist der Grund, ~halb* ... c'est pour cette raison que ..., voilà pourquoi ...

Wesen *n* ‹-s, -› ['ve:zən] *(Art, Charakter)* nature *f*, naturel, caractère; *(Lebewesen, Geschöpf)* être *m*, créature; *(Mensch a.)* personne; *(Gebaren)* conduite *f*, manières, façons *f pl*, *pej* manège *m*; *(innere Natur)* essence, nature; *philos* spécificité *f*; *(Tun u. Treiben: nur in bestimmten Wendungen)*; *s-m* ~ *nach* de par sa nature; *ein einnehmendes* ~ *haben* avoir l'air avenant; *(hum: gierig sein)* être avide; *(von Kassierern)* être cupide; *viel* ~*s (Aufhebens) von etw machen* faire grand cas *od* bruit de qc, faire grand tapage autour de qc; *fam* faire beaucoup d'histoires pour qc; *sein* ~ *treiben (pej)* faire des siennes; hanter (*an e-m Ort* un lieu); *das liegt in s-m* ~ c'est dans sa nature; *es war kein lebendes* ~ *zu sehen* il n'y avait pas âme qui vive *od hum* pas un chat; *bäurische(s)* ~ rusticité *f*; *gesetzte(s)* ~ caractère *m* posé; *gezwungene(s)* ~ air *m* contraint *od* affecté; *höhere(s)* ~ être *m* supérieur; *das höchste* ~ l'Être *m* suprême; **w~haft** *a (charakteristisch, typisch)* caractéristique, typique; *(~tlich)* essentiel; **~heit** *f* ‹-, ø› *(wahres, inneres Sein)* essence; *philos* entité *f*; **w~los** *a (unwirklich, nichtseiend)* irréel, sans réalité, inexistant; *das W~~e* le néant; **~losigkeit** *f* ‹-, ø› irréalité, inexistence *f*; **~sart** *f* manière d'être, nature *f*, caractère *m*; **w~seigen** *a* spécifique, typique, caractéristique; **w~sfremd** *a: jdm, e-r S* ~~ étranger à la nature de qn, qc; *ea.* ~~ étrangers è la nature l'un de l'autre; **w~sgleich** *a* de même nature; **~sgleichheit** *f* même nature *f*; **~szug** *m* trait *m* caractéristique; **w~tlich** *a* essentiel; intrinsèque; *(grundlegend)* fondamental, constitutif; *(hauptsächlich)* principal; *(bedeutend)* considérable, important; *(gehaltvoll)* substantiel; *(sehr merklich)* sensible; *das W~~e* l'essentiel *m*, la chose principale; *adv (sehr viel, beim Komparativ)* bien, beaucoup; *im* ~~*en* essentiellement, pour l'essentiel, en substance, dans le fond; *der* ~~*e (Haupt-)Inhalt (e-r Schrift)* la substance, le fond; *ein* ~~*er (bedeutender) Teil* une partie considérable.

Wesir *m* ‹-s, -e› [ve'zi:r] *hist* vizir *m*.

Wespe *f* ‹-, -n› ['vɛspə] *ent* guêpe *f*; **~nnest** *n* guêpier, nid *m* de guêpes; *in ein* ~~ *greifen* od *stechen (fig)* se fourrer *od* tomber dans un guêpier; **~nstich** *m* piqûre *f* de guêpe; **~ntaille** *f fig* taille *f* de guêpe.

wessen ['vɛsən] *(Genitiv des Fragepron: wer)* de qui; ~ *Buch ist das? (wem gehört dieses Buch?)* à qui est ce livre? ~ *Schuld ist es?* à qui la faute?

West *m* ‹-(e)s, (-e)› [vɛst] *(Himmelsrichtung, Wind)* ouest *m*; **~afrika** *n* l'Afrique *f* occidentale; **~-Berlin** *n* Berlin-Ouest *m*; **w~deutsch** *a* ouest-allemand; **~deutschland** *n* l'Allemagne *f* occidentale; **~en** *m* ‹-s, ø› *(Himmelsrichtung)* ouest *m*; *der* ~~ *(das Abendland)* l'Occident; *pol* l'Ouest *m*; **~europa** *n* l'Europe *f* occidentale; **w~europäisch** *a* ouest--européen; *die W~~e Union (WEU)* l'Union *f* de l'Europe Occidentale (U.E.O.); **~fale** *m* ‹-n, -n› [vɛst'fa:lə], **~fälin** *f* Westphalien, ne *m f*; **~falen** *n* [-'fa:lən] la Westphalie; **w~fälisch** [-'fɛ:lɪʃ] *a* westphalien; *der W~~e Friede(n) (hist)* la paix de Westphalie; **w~germanisch** *a* germanique occidental; **~goten** *m pl hist* Visigoths *m pl*; **~indien** *n geog* les Indes *f pl* occidentales; **~-Irian** *n (~-Neuguinea)* l'Irian *m* occidental; **~küste** *f* côte *f* occidentale; **w~lich** *a* occidental, de l'ouest, d'ouest; ~~ *von* à l'ouest de; ~~*e Länge f* longitude *f* ouest; **~mächte,** *die f pl* les puissances *f pl* occidentales, les Occidentaux *m pl*; **~mark** *f fin fam (Deutsche Mark West)* mark *m* ouest; **~preußen** *n* la Prusse occidentale; **w~römisch** *a: das* ~~*e Reich (hist)* l'Empire *m* romain d'Occident; **~seite** *f* côté *m* ouest; **~wall** *m mil hist* ligne *f* Siegfried; **w~wärts** *adv* vers l'ouest; **~wind** *m* vent *m* d'ouest.

Weste *f* ‹-, -n› ['vɛstə] gilet *m*; *e-e weiße* od *reine* ~ *haben (fig)* avoir les mains nettes; *fam* être blanc comme neige; **~nfutter** *n* doublure *f* de gilet; **~nknopf** *m* bouton *m* de gilet; **~ntasche** *f* poche *f* de gilet, gousset *m*; *jdn, etw wie s-e* ~~ *kennen* connaître qn, qc comme (le fond de) sa poche.

Western *m* ‹-(s), -› ['vɛstərn] *(Wildwestfilm)* western *m*.

wett [vɛt] *a:* ~ *(quitt) sein* être quitte; **W~annahme** *f* bureau *m* de pari mutuel; **W~bewerb** *m* ‹-(e)s, -e› *allg* concurrence *f*; *(Veranstaltung)* concours *m*, *sport a.* compétition *f*; *außer* ~~ hors concours; *im (freien)* ~~ *mit* en concurrence (libre) avec; *e-n* ~~ *für etw ausschreiben* mettre qc au concours; *in* ~~ *mit jdm stehen* faire concurrence à qn; *an e-m* ~~ *teilnehmen* participer à un concours; *mit jdm in* ~~ *treten* entrer en concurrence *od* en compétition avec qn, concurrencer qn; *freie(r)* ~~ *(als System)* régime *m* de libre concurrence; *auf freiem* ~~ *aufgebaut* concurrentiel; *unlautere(r)* ~~ concurrence *f* déloyale *od* illicite; **W~bewerbsbedingung** *f sport* condition *f* de concours; **W~bewerbsbeschränkung** *f* restriction *f* de concurrence; **W~bewerbsbestimmungen** *f pl* règlement *m* de *od* du concours; **~bewerbsfähig** *a com* compétitif, concurrentiel; **W~bewerbsfähigkeit** *f* capacité *f* concurrentielle; **W~bewerbsklausel** *f* clause *f* de concours; **W~bewerbsteilnehmer** *m* compétiteur, concurrent *m;* **W~bewerbsverbot** *n* interdiction *f* de concurrence; **W~bewerbsvorteil** *m* avantage *m* concurrentiel; **W~bewerbswirtschaft** *f* économie *f* compétitive *od* concurrentielle; **W~büro** *n* = *W~annahme;* **W~e** *f* ⟨-, -n⟩ pari *m,* gageure *f; um die ~~* à l'envi; *fam* à qui mieux mieux; *e-e ~~ anbieten, annehmen* offrir, accepter un pari; *e-e ~~ eingehen* faire un pari, parier; *ich mache jede ~~, daß ... (fam)* je te parie que ...; *was gilt die ~~?* que pariez-vous? **W~eifer** *m* émulation *f,* esprit *m* de compétition, rivalité *f;* **~eifern** *itr (er wetteifert, hat gewetteifert); mit jdm in etw ~~* rivaliser de qc avec qn; **W~einsatz** *m* mise *f;* **~en** *itr* parier, gager (*mit jdm* avec qn, *um etw* qc); *ich ~e, daß du es nicht tust* je te défie *od* mets au défi de le faire; *itr: ich möchte ~~, daß ...* je parierais que ...; *ich ~e zehn gegen eins* je parie dix contre un; *(wollen wir) ~~?* on parie? **W~er 1.** *m* ⟨-s, -⟩ parieur; *sport* pronostiqueur *m;* **W~gehen** *n sport* (compétition *f* de) marche *f;* **W~kampf** *m* combat *m,* lutte *f; sport* concours *m,* compétition, épreuve *f; (um e-e Meisterschaft)* championnat; *(zwischen zwei Mannschaften)* match *m;* **W~kämpfer** *m* lutteur; *sport* concurrent, compétiteur *m;* **W~lauf** *m sport* course *f* à pied *od* de vitesse; **~laufen** *itr ⟨nur inf⟩* courir à l'envi; faire une course, prendre part à une course; **W~läufer** *m* coureur *m;* **~=machen** *tr ⟨er macht wett, hat wettgemacht⟩ (ausgleichen)* compenser; *(wieder aufholen)* rattraper; *(wiedergutmachen)* réparer; **~rennen** *itr (nur inf)* faire une course, prendre part à une course; **W~rennen** *n* = *W~lauf;* **W~rudern** *n* course *f* à l'aviron; **W~rüsten** *n* course *f* aux armements; **W~schwimmen** *n* compétition *f od* concours *m* de natation; **W~schwimmer** *m* nageur *m* de (la) compétition; **W~streit** *m* concours *m,* concurrence, lutte; rivalité *f; edle(r) ~~* noble rivalité *f.*

Wetter ['vɛtər] **2.** *n* ⟨-s, -⟩ temps *m* (qu'il fait); *(Unwetter)* tempête *f,* orage; *mines (Grubenwetter)* air *m; bei solchem ~* par un temps pareil; *bei diesem ~* par le temps qu'il fait; *bei schönem, schlechtem ~* par un beau, mauvais temps; *über das ~ reden* parler de la pluie et du beau temps; *das ~ ändert sich* le temps va changer; *das ~ beruhigt sich* le temps s'apaise *od fam* s'arrange; *das ~ hält sich* le temps se maintient; *das ~ wird wieder schön* le temps se remet au beau; *ein ~ bricht los* un orage éclate; *es ist besseres ~* il fait meilleur; *es ist schönes, schlechtes ~* il fait beau, mauvais; *was für ~ haben wir? wie ist das ~?* quel temps fait-il? *alle ~!* mille tonnerres! *diesige(s) ~* temps *m* bouché; *schlagende ~ pl (mines)* grisou *m; schwere(s) ~ (mar)* gros temps *m; veränderliche(s) ~* temps *m* variable; **~amt** *n* office *m* météorologique; **~änderung** *f* = *~umschlag;* **~ansage** *f* message *m* météorologique; **~anzeiger** *m mines (Gerät)* détecteur *m* de grisou; **~aussichten** *f pl* prévisions *f pl* météorologiques, temps *m* probable; **~beobachtung** *f* observation *f* météorologique; **~(beobachtungs)stelle** *f* station *f* météorologique; **~bericht** *m* bulletin *m* météorologique; **~besserung** *f; vorübergehende ~~* embellie *f;* **w~beständig** *a* résistant aux intempéries; **~beständigkeit** *f* résistance *f* aux intempéries; **~dach** *n* auvent, abat-vent *m;* **~damm** *m mines* barrage *m* contre les gaz; **~dienst** *m* service *m* météorologique; **~ecke** *f* coin *m* où il pleut beaucoup; **~fahne** *f a. fig (Mensch)* girouette *f; fam* sauteur *m; wetterwendisch sein wie eine ~* être changeant, versatile, irrésolu *od* être une véritable girouette; **w~fest** *a* = *w~beständig;* **~flugzeug** *n* avion *m* météorologique; **~forschung** *f* météorologie *f;* **~frosch** *m hum* = *Meteorologe;* **~führung** *f mines* aérage *m;* **~funkspruch** *m* radiogramme *m* météorologique; **~glas** *n* baromètre *m;* **~hahn** *m* girouette *f* (en forme de coq); **~karte** *f* carte *f* météorologique; **~kunde** *f* météorologie *f;* **w~kundig** *a* qui sait prévoir le temps; **w~kundlich** *a* météorologique; **~lage** *f* situation *f* météorologique *od* atmosphérique; **w~leuchten** *itr impers: es ~leuchtet* il fait *od* il y a des éclairs de chaleur; **~leuchten** *n* éclairs *m pl* de chaleur, fulguration *f;* **~mantel** *m* imperméable *m;* **~meldung** *f* information *f od* message *m* météorologique; **w~n** *itr impers: es ~t (es stürmt; es blitzt u. donnert)* il fait de l'orage; *~~ (fig: Mensch)* tempêter, fulminer, tonner, pester (*gegen* contre); **~nachrichten** *f pl* renseignements *m pl* météorologiques; **~prognose** *f* = *~vorhersage;* **~prophet** *m: ein ~~ sein* savoir prédire le temps; **~regel** *f* dicton *m* météorologique; **~schacht** *m mines* puits *m od* buse *f* d'aérage; **~scheide** *f geog* limite *f* météorologique; **~schenkel** *m arch* jet *m* d'eau; **~schleuse** *f mines* écluse *f* d'aération; **~schutz** *m* protection *f* contre les intempéries; **~schwierigkeiten** *f pl* difficultés *f pl* météorologiques; **~seite** *f* côté *m* exposé aux intempéries; **~station** *f* = *~warte;* **~strahl** *m (Blitz)* éclair *m;* **~sturz** *m* chute *f* (brutale) du baromètre; **~umschlag** *m* changement *m* (brusque) de temps; **~verhältnisse** *n pl* = *~lage;* **~vorhersage** *f* prévisions *f pl* météorologiques, prévision *f* du temps; *langfristige ~~* prévision *f* (météorologique) à longue échéance; **~warnmeldung** *f* message *m* d'avertissement météorologique; **~warnung** *f* avertissement *m* météorologique; **~warte** *f* observatoire *m od* station *f od* poste *m* météorologique; **w~wendisch** *a (Mensch: wechselhaft)* changeant, versatile, inconstant; *(launisch)* lunatique; **~wolke** *f* nuage *m* orageux.

wetz|en ['vɛtsən] *tr (schärfen)* aiguiser, affiler, affûter; *itr fam (rennen)* filer; *pop* tricoter; **W~stahl** *m* fusil (de boucher), affiloir *m;* **W~stein** *m* pierre *f* à aiguiser.

Whisky *m* ⟨-s, -s⟩ ['wɪski] whisky *m; ~ (mit) Soda* whisky *m* avec eau gazeuse.

Wichs *m* ⟨-es, -e⟩ [vɪks] *fam (student. Festtracht): in vollem ~* en grande tenue; *sich in ~ werfen* se mettre sur son trente et un; **~bürste** *f* brosse *f* à cirer *od* à reluire; **~e** *f* ⟨-, -n⟩ *(Schuhcreme)* cirage *m; fig fam (Schläge)* volée (de coups); *pop* frottée, raclée, rossée *f;* **w~en** *tr (Ledersachen)* cirer; *(Fußboden: bohnern)* encaustiquer; *fig fam (prügeln)* étriller, rosser, rouer de coups.

Wicht *m* ⟨-(e)s, -e⟩ [vɪçt] *(Wesen, Kreatur)* créature *f; (Zwerg, Kobold)* nain, gnome, lutin; *(Knirps)* bout d'homme, nabot; *fam* mioche *m; arme(r) ~* pauvre hère *od* diable *m; elende(r) ~* misérable *m;* **~elmännchen** *n (Heinzelmännchen)* lutin *m.*

wichtig ['vɪçtɪç] *a* important; *(bedeutend)* considérable, grave; *(wesentlich)* essentiel; *ebenso ~* d'égale importance; *mit ~er Miene* d'un air important; *~ere Dinge im Kopf* od *W~eres zu tun haben (a.)* avoir d'autres chats à fouetter; *sich ~ machen, ~ tun* faire l'important, se donner des airs d'importance, faire la mouche du coche *od* le fanfaron; se vanter; fanfaronner, crâner; *fam* faire de l'esbroufe; *alles zu ~ nehmen* exagérer tout, regarder par le petit bout de la lorgnette; *sich ~ vorkommen* se croire important; faire l'important; *das ist sehr* od *äußerst ~ (fam a.)* c'est une affaire d'État; *das ist sehr ~ für mich (a.)* cela m'importe beaucoup; **W~keit** *f* importance; *(Tragweite)* conséquence *f; von größter* od *höchster ~~* de la plus haute importance; *e-r S ~~ beimessen* accorder de l'importance à qc: *von ~~ sein* être d'importance, importer (*für* à); **W~tuer** *m* mouche *f* du coche; homme qui fait l'important *od* se donne de grands airs; fanfaron, vantard, crâneur *m; fam* esbroufeur, m'as-tu-vu *m; ein ~~ sein* faire l'important; **W~tuerei** *f* airs d'importance, grands airs *m pl,* air *m* important; fanfaronnade, vantardise, vanterie *(vx),* crânerie; *fam* esbroufe *f;* **~tuerisch** *a (Mensch)* qui fait l'important; poseur, fanfaron, crâneur, vantard; *(Auftreten, Miene)* important.

Wicke *f* ⟨-, -n⟩ ['vɪkə] *bot (Gattung)* vesce *f; Spanische ~ (Gartenwicke)* pois *m* de senteur *od* à bouquet.

Wickel *m* ⟨-s, -⟩ ['vɪkəl] *(Knäuel)* pelote *f,* peloton *m; (Lockenwickel)* papillote *f; (aus Metall)* bigoudi, rouleau; *(Windel)* lange, maillot; *med* enveloppement *m; jdn am* od *beim ~ kriegen* od *nehmen (fam)* saisir qn au collet, empoigner qn; **~band** *n* ⟨-(e)s, ¨-er⟩ bande *f,* bandage *m;* **~gamasche** *f* (bande) molletière *f;* **~kind** *n* enfant au maillot, bébé, poupon *m;* **~kommode** *f* table *f* à langer; **w~n** *(ich wick(e)le, du wickelst) tr* rouler (*um* autour de); *(Garn)* pelot(onn)er; *(die Haare)* papilloter; *(Draht)* enrouler, (em)bobiner; *(Säugling)* langer, emmailloter; *med* envelopper; *aus etw ~~* dé(sen)velopper de qc; *in etw ~~* envelopper dans qc; *sich in e-e Decke ~~* se rouler dans une couverture; *da bist du schief gewickelt (fam: da irrst du dich gewaltig)* tu prends des vessies pour des lanternes, tu te trompes lourdement; *man kann ihn um den (kleinen) Finger ~~* on peut le mener par le bout du nez; **~rock** *m* jupe *f* (en) portefeuille; **~schwanz** *m (Greifschwanz)* queue *f* prenante; **~tuch** *n* lange, maillot *m;* **~ung** *f,* **Wicklung** *f el* enroulement; bobinage; *med* enveloppement, bandage *m;* **Wickler** *m* ⟨-s, -⟩ *pl ent (Familie)* tortricidés *m pl.*

Widder *m* ⟨-s, -⟩ ['vɪdər] *zoo* u. *mil hist* bélier; *astr* Bélier *m.*

wider ['vi:dər] *prp acc (gegen)* contre; *~ meinen Willen* contre ma volonté; **W~** *n: das Für und (das) ~~* le pour et le contre.

widerborstig ['vi:dər-] *a* rétif; récalcitrant, rebelle; **W~keit** *f* caractère *m od* humeur *f* récalcitrant(e).

Widerdruck *m* ⟨-(e)s, -e⟩ ['vi:dər-] *(Gegendruck)* contre-pression; *typ (Bedrucken der Rückseite)* retiration, impression *f* verso.

widereinander [-'nandər] *adv* l'un contre l'autre.

widerfahren ⟨*ist widerfahren*⟩ [-'fa:rən] *itr* arriver, advenir (*jdm* à qn); *jdm Gerechtigkeit ~ lassen* rendre justice à qn.

widerhaarig ['vi:dər-] *a* = *widerborstig;* **W~keit** *f* = *Widerborstigkeit.*

Widerhaken *m* ['vi:dər-] croc, crochet *m; pl a.* barbelure *f; mit ~ versehen (a)* barbelé.

Wider|hall *m* ['vi:dər-] ⟨-s, ø⟩ *a. fig* écho, retentissement *m; fig* résonance; *keinen ~ finden (fig)* ne pas trouver d'écho; **w~=hallen** ⟨*hat widergehallt*⟩ *itr* faire écho, retentir.

Widerhalt *m* ⟨-(e)s, ø⟩ ['vi:dər-] *(Gegenhalt)* (point d')appui, soutien *m.*

Wider|klage *f* ['vi:dər-] *jur* = *Gegenklage;* **~kläger** *m jur* demandeur *m* reconventionnel.

Widerlager *n* ['vi:dər-] *arch* butée, culée *f.*

widerleg|bar [--'--] *a* réfutable; **~en** ⟨*hat widerlegt*⟩ [-'le:gən] *tr* réfuter; *(Gesagtes)* démentir; **W~ung** *f* réfutation *f;* démenti *m.*

widerlich ['vi:dərlɪç] *a* rebutant, repoussant, répugnant, dégoûtant, écœurant, nauséabond; **W~keit** *f* caractère *m* rebutant *od* répugnant *etc.*

widern ['vi:dərn] *tr impers: es widert mich zu ...* je répugne à ...

widernatürlich ['vi:dər-] *a jur* contre nature; *~e Unzucht f* débauche *f* contre nature.

Widerpart *m* ⟨-(e)s, -e⟩ ['vi:dər-] *(Gegnerschaft)* opposition *f; (Gegenspieler)* adversaire *m; jdm ~ bieten* od *geben* od *halten* tenir tête à qn.

widerraten [-'ra:tən] *itr* u. *tr: (es) jdm ~* en dissuader qn, le déconseiller à qn.

widerrechtlich ['vi:dər-] *a (ungesetzlich)* illégal. illicite; *(eigenmächtig)* arbitraire; *adv a.* au mépris de la loi, sans motif légal; *sich ~ etw aneignen (a.)* usurper qc; *~e Aneignung f* appropriation illégale, usurpation *f;* **W~keit** *f (Ungesetzlichkeit)* illégalité *f; (Eigenmächtigkeit)* arbitraire *m.*

Widerrede *f* ['vi:dər-] *ohne ~* sans contredit, sans contestation; *keine ~ dulden* ne pas souffrir de contradiction, trancher sur tout; *keine ~!* tenez-vous cela pour dit!; **w~n** *intr* contredire, répliquer.

Widerrist *m* ['vi:dər-] *(Rückenpartie der Pferde u. Rinder)* garrot *m.*

Widerruf *m* ['vi:dər-] révocation, rétraction *f;* dédit, désaveu; *(Berichtigung)* démenti *m; bis auf ~* jusqu'à révocation *od* nouvel ordre; **w~en** *tr* révoquer, rétracter; se dédire de, désavouer; démentir; *itr* se rétracter, se dédire; *s-n Befehl ~~* donner contrordre; **w~lich** [--'--/'----] *a* révocable, rétractable; *adv* = *bis auf ~;* **~lichkeit** *f* ⟨-, ø⟩ révocabilité *f.*

Widersacher *m* ⟨-s, -⟩ ['vi:dərzaxər] adversaire, antagoniste; *(Feind)* ennemi *m.*

Widerschein *m* ['vi:dər-] reflet *m;* réverbération *f.*

wider=setz|en [-'zɛtsən], *sich* résister, faire résistance (*dat* à); aller à l'encontre (*e-r S* de qc); *(Widerstand leisten)* s'opposer (*dat* à); *(sich auflehnen)* regimber (*dat* contre); *(sich empören)* se rebeller, se révolter (*dat* contre); **~lich** *a (ungehorsam)* insubordonné, insoumis; *a.* = *widerborstig;* **W~lichkeit** *f* résistance, humeur récalcitrante; *(Ungehorsam)* désobéissance, insubordination, insoumission *f.*

Widersinn *m* ['vi:dər-] contresens *m;* **w~ig** *a* absurde, paradoxal; **~igkeit** *f* ⟨-, ø⟩ absurdité *f,* non-sens, paradoxe *m.*

widerspenstig ['vi:dər-] *a* récalcitrant, réfractaire, rétif; rebelle; *(eigensinnig)* obstiné, opiniâtre, indocile; *der W~en Zähmung* la Mégère apprivoisée; **W~keit** *f* ⟨-, ø⟩ humeur récalcitrante; indocilité; obstination, opiniâtreté, indocilité *f.*

wider=spiegeln ⟨*hat widergespiegelt*⟩ [-'vi:dərʃpi:gəln] *tr* refléter, réfléchir; *sich ~* se refléter, se réfléchir.

Widerspiel *n* ['vi:dər-] *(Gegenteil)* contraire, contre-pied, opposé *m; jdm das ~ halten (sich jdm widersetzen)* s'opposer à qn.

widersprechen ⟨*hat widersprochen*⟩ [-'ʃprɛçən] *itr* répliquer (*jdm* à qn); contredire, démentir (*jdm* qn); *jdm ~ (a.)* contrarier qn; *e-r S ~ (im Gegensatz zu etw stehen)* être contraire à qc; être en contradiction *od* incompatible avec qc; *sich ~* se contredire; **~d** *a* contradictoire.

Widerspruch *m* ['vi:dər-] réplique, contradiction; *(Einwand)* opposition; *(Einspruch)* protestation; *(Gegensatz)* contradiction; *philos* antinomie *f; im ~ zu* en contradiction avec, contraire à; *ohne ~* sans contredit, sans conteste, sans discussion; *keinen ~ dulden* ne pas supporter la contradiction; *~ erfahren, auf ~ stoßen* être contredit *od* contrarié; *~ herausfordern* prêter à controverse; *zum ~ reizen* inciter à la contradiction (*jdn* à qn); *sich in ~ zu etw setzen* se mettre en contradiction avec qc; *im ~ zu etw sein* od *stehen* être en contradiction *od* contraire à *od* incompatible avec qc; *sich in Widersprüche verwickeln* s'embrouiller *od* s'empêtrer dans des contradictions; **~sgeist** *m* ⟨-(e)s, (-er)⟩ esprit de contradiction; *(Person, a.)* protestataire *m;* **w~slos** *adv* = *ohne ~;* **w~svoll** *a* contradictoire; *philos* antinomique; **widersprüchlich** *a* contradictoire.

Widerstand *m* ['vi:dər-] *a. phys el mil* résistance (*gegen* à); *bes. pol* opposition (*gegen* à); *(mit aero: Luftwiderstand)* traînée *f (el: Regulierwiderstand)* rhéostat *m; ohne ~ (zu leisten)* sans (offrir de la) résistance; *den ~ aufgeben* cesser la résistance; *den ~ ausschalten (el)* mettre la résistance hors circuit; *den ~ brechen* briser la résistance; *den ~ einschalten (el)* mettre la résistance en circuit; *~ finden, auf ~ stoßen* trouver de la résistance; *den Weg des geringsten ~es gehen* choisir la voie de la moindre résistance; *~ leisten* faire *od* opposer de la résistance, résister, tenir tête (*jdm, e-r S* à qn, à qc); *bewaffneten ~ leisten* se défendre les armes à la main; *der ~ versteift sich* la résistance se raidit; *bewaffnete(r) ~* résistance *f* armée; *hinhaltende(r) ~ (mil)* résistance *f* élastique; *passive(r) ~* résistance *f* passive; *scheinbare(r) ~ (el)* impédance *f; spezifische(r) ~ (el)* résistance spécifique, résistivité *f;* **~sbewegung** *f* mouvement *m* de résistance; *die ~~ (in Frankreich 1940—44)* la Résistance; *sich der ~~ anschließen (a.)* prendre le maquis; **w~sfähig** *a* résistant, de résistance; *(Mensch, a.)* de fer; *(Sache, a.)* à l'épreuve (*gegen* de); résistant à l'usure; **~sfähigkeit** *f* (capacité de) résistance *f; körperliche ~~* endurance *f* (physique); **~sgruppe** *f* groupement de résistance; *(in Frankreich 1940—44, a.)* maquis *m;* **~skämpfer** *m* résistant; maquisard *m;* **~skraft** *f* force *f* de résistance; **w~slos** *a* passif, soumis; *adv* sans résistance, sans coup férir; **~slosigkeit** *f* ⟨-, ø⟩ passivité, soumission *f;* **~snest** *n mil* nid *od* îlot de résistance, hérisson *m;* **~sofen** *m tech* four *m* à résistance; **~sstellung** *f mil* position *f* de résistance; **~swille** *m: den ~~n brechen* annihiler la volonté de résistance; **~szentrum** *n mil* centre *m* de résistance.

widerstehen ⟨*hat widerstanden*⟩ [-ˈʃteːən] *itr a. fig* résister (*dat* à); *jdm* ~ *(widerlich sein)* répugner (*jdm* à qn); dégoûter, écœurer (*jdm* qn); *e-m Angriff* ~ *(a.)* soutenir une attaque; *der Versuchung nicht* ~ *können* succomber à la tentation; *da kann ich nicht* ~ c'est plus fort que moi.

widerstreben ⟨*hat widerstrebt*⟩ [-ˈʃtreːbən] *itr* résister, s'opposer (*dat* à), lutter (*dat* contre); *jdm* ~ *(fig: gegen den Strich gehen)* répugner à qn; *es widerstrebt mir, darüber zu sprechen* il me répugne d'en *od* je répugne *od* j'ai peine à en parler; **W~** *n* résistance, opposition; *(Widerwille)* répugnance, aversion *f; mit* ~~, **~d** *adv* à son corps défendant; *(widerwillig)* avec répugnance, à contrecœur.

Widerstreit *m* [ˈviːdər-] *(der Meinungen, der Interessen)* conflit, antagonisme *m; im* ~ *der Gefühle* dans le conflit des sentiments; **w~en** ⟨*hat widerstritten*⟩ *itr* être en conflit *od* en opposition *od* en contradiction (*dat* avec); être contraire (*dat* à); **w~end** *a* antagonique; *(widersprüchlich)* contradictoire; *(entgegengesetzt)* opposé; *(ausea.gehend)* divergent.

widerwärtig [ˈviːdər-] *a (unangenehm)* désagréable; *(ärgerlich)* fâcheux, contrariant; *fam* embêtant; *pop* râlant *(abstoßend)* répugnant, rebutant, repoussant; *(Mensch, a.)* antipathique; *(ekelhaft)* dégoûtant, écœurant; **W~keit** *f* ⟨-, (en)⟩ caractère désagréable *od* fâcheux; *(Unannehmlichkeit)* désagrément *m*, contrariété *f; (Verdruß)* ennui, déboire *m; pl (Scherereien)* ennuis, déboires *m pl*, tribulations, traverses *f pl*.

Widerwill|e *m* [ˈviːdər] répugnance, aversion, antipathie *f; (Ekel)* dégoût *m* (*gegen* pour); *mit* ~*en* = ~*ig adv;* ~~*n gegen etw empfinden, e-n* ~~*n gegen etw empfinden, e-n* ~~*n gegen etw haben* répugner à qc; *e-n* ~~*n gegen etw zeigen* témoigner de la répugnance pour qc; **w~ig** *adv* avec répugnance *od* aversion, à contrecœur, à regret; malgré soi, de mauvais gré, de mauvaise grâce; à son corps défendant; ~~ *essen* manger du bout des dents.

widm|en [ˈvɪtmən] *tr (weihen, a. fig)* vouer; *(Buch)* dédier; *(opfern)* consacrer, donner; *sich e-r S* ~~ se vouer *od* s'adonner *od* se consacrer à qc; **W~ung** *f (e-s Buches)* dédicace *f; (gedruckte)* ~~ *(an e-e hochgestellte Persönlichkeit)* dédicace, épître *f* dédicatoire; *(Buch) mit e-r* ~~ *versehen* dédicacer; *handgeschriebene* ~~ dédicace *f* manuscrite; **W~ungsexemplar** *n* exemplaire *m* en hommage de l'auteur.

widrig [ˈviːdrɪç] *a (a. Wind)* contraire; *(Geschick)* contraire, adverse; *(unangenehm)* désagréable; *(ärgerlich)* fâcheux, contrariant; ~*e Umstände m pl* circonstances fâcheuses, adversités *f pl;* **~enfalls** [-ˈfals] *adv* dans le cas contraire, sinon, autrement, faute de quoi; **W~keit** *f* ⟨-, (en)⟩ *(Unannehmlichkeit)* désagrément *m*, contrariété *f; pl* = ~*e Umstände.*

wie [viː] **1.** *adv (fragend beim v: auf welche Weise)* comment? ~ *machen Sie das?* comment faites-vous cela? ~ *geht es Ihnen?* comment allez-vous? ~ *heißen Sie?* ~ *ist Ihr Name?* comment vous appelez-vous? quel est votre nom? ~ *meinen Sie das?* qu'entendez-vous par là? ~ *kommt es, daß ...?* comment se fait-il que ...? *und* ~ *(ist das möglich)?* et comment? le moyen? par quel moyen? ~ *bitte?* pardon? vous dites? plaît-il? *fam* hein? comment? **2.** *adv (fragend bei e-m adv)* combien? ~ *lange?* combien de temps? ~ *oft?* combien de fois? ~ *spät ist es?* quelle heure est-il? ~ *weit ist es bis dahin?* combien y a-t-il jusque là? ~ *weit willst du noch gehen?* jusqu'où veux-tu encore aller? ~ *weit sind Sie (mit Ihrer Arbeit)?* où en êtes-vous? **3.** *adv (fragend bei e-m a):* ~ *groß, lang, breit, hoch ist ...?* quelle est la grandeur, la longueur, la largeur, la hauteur de ...? ~ *groß sind Sie?* quelle est votre taille? ~ *alt sind Sie?* quel est votre âge? ~ *teuer ist das?* combien cela vaut-il? combien est-ce? c'est combien? **4.** *adv (ausrufend)* comment! eh quoi! *(bei e-m v)* comme; ~ *Sie das sagen!* comme vous le dites! ~ *er aussieht!* de quoi il a l'air! *(bei e-m adv)* que; ~ *oft habe ich das gesagt!* que de fois ai-je dit cela! ~ *glücklich ich bin!* que je suis heureux! *stolz* ~ *er ist!* fier comme il est! ~ *groß war mein Erstaunen!* quelle fut ma surprise! ~ *gut das ist!* que c'est bon! ~ *schade!* quel dommage! ~ *mancher wäre froh!* comme certains seraient contents! **5.** *conj (vergleichend; Satzteile verbindend)* comme, tel que; *stumm* ~ *ein Fisch* muet comme une carpe; *so groß* ~ *ich* aussi grand que moi; *nicht so groß* ~ *ich* pas si grand que moi; *ein Mann* ~ *er* un homme comme lui *od* tel que lui; *in Paris* ~ *in London* à Paris comme à Londres; *er sieht* ~ *ein Künstler aus* il a l'air d'un artiste; *sie sind so gut* ~ *verlobt* on peut dire qu'ils sont fiancés; ~ *viele ...?* combien de ...? **6.** *conj (e-n Nebensatz einleitend; der Art u. Weise)* comme; ~ *ich gehört habe* comme j'ai entendu dire; ~ *Sie sehen* comme vous (le) voyez; *ich sah,* ~ *er über die Straße ging* je le vis traverser la rue; *er tat,* ~ *wenn er mich nicht gesehen hätte* il fit comme s'il ne m'avait pas vu; ~ *die Dinge liegen* dans l'état actuel des choses; *(in gekürzten Sätzen:)* ~ *gesagt* comme je l'ai déjà dit; ~ *gewöhnlich* comme d'habitude; *(konzessiv:)* ~ *man die Sache auch nimmt* de quelque façon qu'on regarde l'affaire; ~ *dem auch sei* quoi qu'il en soit; ~ *ärgerlich das auch sei(n mag)* si fâcheux que ce soit; *(zeitl.)* comme, au moment où; ~ *ich eintrete* au moment où j'entre; *(bei gleichem Subjekt)* en entrant; **7.** ~ *du mir, so ich dir (prov)* à bon chat bon rat; ~ *gewonnen, so zerronnen (prov)* ce qui vient de la flûte s'en va par le tambour; ~ *der Herr, so 's Gescherr (prov)* tel maître, tel valet; **W~** *das* ⟨-, -(s)⟩ le comment; la manière; le moyen; *auf das* ~~ *kommt es an* tout est dans la manière; c'est le ton qui fait la chanson *od* la musique.

Wiebel *m* ⟨-s, -⟩ [ˈviːbəl] *ent (Kornkäfer)* charançon *m*.

Wiedehopf *m* ⟨-(e)s, -e⟩ [ˈviːdəhɔpf] *orn* huppe *f*.

wieder [ˈviːdər] *adv* de *od* à nouveau, encore (une fois), une nouvelle fois; *(wird gegebenenfalls durch die Zeitwort-Vorsilben* re *u.* ré *wiedergegeben); hin und* ~ de temps en temps, de temps à autre; *immer* ~ toujours, continuellement; *nie* ~ jamais plus; ne ... plus jamais; *für nichts und* ~ *nichts* absolument pour rien; *fam* pour des prunes; ~ *abdrucken (tr typ)* réimprimer; ~ *abreisen (itr)* repartir; ~ *anfangen (itr)* recommencer; ~ *angehen (itr; Feuer)* reprendre, se ranimer; *(el: Licht)* revenir; *(sich)* ~ *ankleiden (tr)* (se) rhabiller; ~ *anstellen (tr; Beamten)* réintégrer; ~ *anwärmen (tr)* réchauffer; ~ *anziehen (tr; Kleidungsstück)* remettre; *sich* ~ *anziehen* se rhabiller; ~ *anzünden (tr)* rallumer; ~ *aufbauen (tr)* rebâtir, reconstruire; ~ *aufblühen (itr, a. fig)* refleurir; ~ *aufforsten (tr)* reboiser; ~ *auffrischen (tr, fig: Erinnerung)* rafraîchir; ~ *aufführen (tr, theat)* remettre à la scène *od* au théâtre; ~ *aufheben (tr; vom Boden)* ramasser; ~ *aufkommen (itr; Brauch, Mode)* reparaître; ~ *aufladen (tr; a. el: Batterie)* recharger; ~ *aufleben (itr)* revivre, renaître; se raviver; ~ *aufmachen* od *öffnen (tr)* rouvrir; ~ *aufrichten (tr)* redresser, relever; ~ *aufrüsten (tr* u. *itr)* réarmer; ~ *auftauchen (itr: a. U-Boot)* remonter à la surface; ~ *auftreten (itr, theat)* rentrer en scène, faire sa rentrée; *fig (Krankheit)* reparaître, réapparaître; ~ *aufwachen* od *erwachen (itr)* se réveiller; ~ *aufwärmen (tr)* réchauffer; ~ *ausführen (tr, com)* réexporter; ~ *ausgraben tr, Leiche)* exhumer; ~ *beschicken (tr, Hochofen)* recharger; ~ *bewaffnen (tr)* réarmer; ~ *einführen (tr, com)* réimporter; ~ *einpacken (tr)* remballer, rempaqueter; ~ *einrenken (tr, med)* remboîter, remettre en place, réduire; ~ *einschalten (tr, tech mot)* remettre; *(el)* remettre en circuit; *(Licht)* rallumer; *(radio)* remettre; *sich* ~ *einschiffen* se rembarquer; ~ *einschlafen (itr)* se rendormir; ~ *einspulen (tr, tech)* réembobiner; ~ *eintreten (itr)* rentrer; ~ *ergreifen (tr; Flüchtigen)* rattraper, reprendre; ~ *genesen* od *gesund werden (itr)* se rétablir; ~ *hervorbringen (tr)* reproduire; ~ *instand setzen (tr)* réparer; ~ *schließen* od *zumachen (tr)* refermer; ~ *umkehren (itr)* retourner sur ses pas; ~ *unterbringen (tr)* reloger; *sich* ~ *verheiraten* se remarier, reprendre femme; ~ *vermieten (tr)* relouer; *sich* ~ *versöhnen* se réconcilier; ~ *zusammenbauen (tr, tech)* remonter; ~ *zusammennähen (tr)* recoudre; ~ *zusammensetzen (tr)* recomposer; *tech* remonter; *ich bin gleich* ~ *da* je reviens (tout) de suite; *sind Sie schon* ~ *da?* êtes-vous déjà revenu *od* de retour? *da bin ich* ~! me voilà de retour! *fam* me revoici, me revoilà!

Wiederabdruck *m* ⟨-(e)s, -e⟩ [-'ap-] *typ* réimpression *f.*

wieder=abtret|en [-'ap-] *tr* ⟨*er tritt wieder ab*⟩ recéder, rétrocéder; **W~ung** *f jur* rétrocession *f.*

Wiederanfang *m* [-'an-] recommencement *m,* reprise *f; (Erneuerung)* renouvellement *m;* ~ *der Schule* rentrée *f* des classes.

Wiederanlage *f* [-'an-] *(von Geldern)* réinvestissement, r(é)emploi *m.*

Wiederanmeldung *f* [-'an-] nouvelle déclaration *od* inscription *f.*

Wiederannäherung *f* [-'an-] *pol* rapprochement *m.*

Wiederannahme *f* [-'an-] nouvelle acceptation *f.*

Wiederanpassung *f* [-'an-] réadaptation *f.*

Wiederanschaffung *f* [-'an-] remplacement *m;* **~swert** *m* valeur *f* de remplacement.

Wiederanstellung *f* [-'an-] *(e-s Beamten)* réintégration; rentrée *f* (en fonction).

Wiederanziehen [-'an-] *n com (der Preise)* reprise *f.*

Wiederaufbau *m* ⟨-(e)s, ø⟩ [-'auf-] reconstruction *f; fig* redressement, relèvement *m;* **~arbeit** *f* travail *m* de reconstruction; **wieder=aufbauen** *tr* ⟨*er baut wieder auf*⟩ *fig* redresser, relever; **~plan** *m* plan *m* de reconstruction; **~programm** *n* programme *m* de reconstruction; **~werk** *n* œuvre *f* de reconstruction.

Wiederaufblühen *n* [-'auf-] *fig* renaissance *f,* regain *m.*

Wiederaufforstung *f* [-'auf-] reboisement *m,* régénération *f* (des forêts).

Wiederaufführung *f* [-'auf-] *theat* reprise *f.*

wieder=aufheben [-'auf-] *tr* ⟨*er hebt wieder auf*⟩ *fig (rückgängig machen)* abroger.

Wiederaufkommen *n* [-'auf-] réapparition, renaissance *f; (e-s Kranken)* rétablissement *m.*

Wiederaufleben *n* [-'auf-] *fig* renaissance *f,* regain *m,* résurgence *f.*

Wiederaufnahme *f* [-'auf-] reprise *f; die* ~ *der Arbeit* la reprise du travail; ~ *der diplomatischen Beziehungen* reprise *f* des relations diplomatiques; ~ *der Gespräche (pol)* reprise *f* du dialogue; ~ *des Verfahrens (jur)* reprise de l'instance *od* de la procédure; *(Revision)* revision, révision *f;* **~antrag** *m jur* demande *od* requête *f* en reprise; **~verfahren** *n jur* instance *od* procédure *f* de revision *od* de révision.

wieder=aufnehmen [-'auf-] *tr* ⟨*hat wiederaufgenommen*⟩ *(Tätigkeit etc)* reprendre; *(erneuern, wiederherstellen)* renouveler, rétablir.

wieder=aufricht|en [-'auf-] *tr* ⟨*hat wieder aufgerichtet*⟩ *(trösten)* consoler; **W~ung** *f* remise *f* sur pied, redressement, relèvement *m; fig (Trost)* consolation *f.*

wieder=aufrollen [-'auf-] *tr* ⟨*hat wieder aufgerollt*⟩ *fig (Frage)* reposer.

Wiederaufrüstung *f* [-'auf-] réarmement *m; moralische* ~ réarmement *m* moral.

Wiederaufschwung *m* [-'auf-] *(Wirtschaft)* reprise *f;* redressement *m.*

Wiederaufstieg *m* [-'auf-] *fig* relèvement, redressement *m,* remontée *f.*

wieder=auftauchen [-'auf-] *itr* ⟨*ist wieder aufgetaucht*⟩ *fig* reparaître, réapparaître; **W~** *n* réapparition *f.*

Wiederauftreten *n* [-'auf-] réapparition; *theat* rentrée *f.*

wieder=aufwert|en [-'auf-] *tr* ⟨*hat wieder aufgewertet*⟩ *fin* revaloriser; **W~ung** *f* revalorisation *f.*

Wiederausbruch *m* [-'aus-] *med* recrudescence, récidive *f.*

Wiederausfuhr *f* [-'aus-] *com* réexportation *f.*

Wiederausgrabung *f* [-'aus-] *(e-r Leiche)* exhumation *f.*

wieder=aussöhn|en [-'aus-] *tr* réconcilier; *sich* ~~ se réconcilier; **W~ung** *f* réconciliation *f.*

Wiederbegegnung *f* ['vi:dər-] nouvelle rencontre *f.*

Wiederbeginn *m* ['vi:dər-] = *Wiederanfang.*

wieder=bekommen ['vi:dər-] *tr (zurückbekommen)* rentrer en possession de, recouvrer, récupérer; *(nur inf)* ravoir.

wieder=beleb|en ['vi:dər-] *tr* réanimer, rappeler à la vie; *a. fig* raviver, revivifier, relancer, ranimer; *med* ressusciter; **W~ung** *f* réanimation; *a. fig* revivification; *com* relance *f;* ~~ *des Herzens (med)* réanimation *f* cardiaque; **W~ungsversuch** *m* tentative *f* de réanimation; ~~*e waren bei ihm, ihr erfolglos* il, elle n'a pu être ranimé, e.

Wiederbeschaffung *f* ['vi:dər-] remplacement *m,* restitution *f;* **~skosten** *pl* frais *m pl* de remplacement.

Wiederbeschäftigung *f* ['vi:dər-] réemploi *m.*

Wiederbewaffnung *f* ['vi:dər-] réarmement *m.*

Wiederbezug *m* ['vi:dər-] réabonnement *m.*

wieder=bringen ['vi:dər-] *tr (zurückbringen; Sache)* rapporter; *(Menschen, größeres Tier)* ramener.

Wiederdruck *m* ⟨-(e)s, -e⟩ ['vi:dər-] *typ (Neudruck)* réimpression *f.*

Wiedereinberufung *f* [-'aın-] *mil* rappel *m.*

wieder=einbürger|n [-'aın-] *tr* ⟨*hat wieder eingebürgert*⟩ rapatrier; **W~ung** *f* rapatriement *m;* réintégration *f* dans le droit de cité.

wieder=einfallen [-'aın] *itr* ⟨*es ist mir wieder eingefallen*⟩ *(ich erinnere mich wieder daran)* je m'en ressouviens, cela m'est revenu à la mémoire.

Wiederein|fuhr *f* [-'aın-] *com* réimportation *f;* **wieder=einführen** *tr* ⟨*er führt wieder ein*⟩ *fig* réintroduire; *adm (Bestimmung)* rétablir; **~führung** *f com* réimportation; réintroduction *f;* renouvellement; rétablissement *m.*

wieder=einglieder|n [-'aın-] *tr* ⟨*er gliedert wieder ein*⟩ réintégrer; **W~ung** *f* réintégration *f.*

wieder=einlös|en [-'aın-] *tr* ⟨*er löst wieder ein*⟩ *(Pfand)* dégager; **W~ung** *f* dégagement *m.*

Wiedereinnahme *f* [-'aın-] *mil* reprise *f;* **wieder=einnehmen** ⟨*er nimmt wieder ein*⟩ *tr mil* reprendre.

Wiedereinrenkung *f* [-'aın-] *med* remboîtement *m,* réduction *f.*

Wiedereinrichtungsbeihilfe *f* [-'aın-] indemnité *f* de réinstallation.

Wiedereinschiffung *f* [-'aın-] rembarquement *m.*

wieder=einsetz|en [-'aın-] *tr* ⟨*er setzt wieder ein*⟩ *(in ein Amt, in Rechte)* rétablir, réinstaller, réintégrer (*in* dans); *(Fürsten, Dynastie)* restaurer; *jdn in s-n Besitz* ~~ remettre qn en possession de ses biens; *jdn in s-e Rechte* ~~ remettre qn dans ses droits, réhabiliter qn; **W~ung** *f* rétablissement *m,* réinstallation, réintégration, restauration *f.*

wieder=einstell|en [-'aın-] *tr* ⟨*er stellt wieder ein*⟩ *(Arbeiter)* r(é)engager; *(Beamten)* réintégrer; **W~ung** *f* rengagement *m;* réintégration *f.*

Wiederergreifung *f* ['vi:dər-] rattrapage *m,* reprise *f.*

wieder=erhalten ['vi:dər-] *tr* recouvrer, récupérer; *(nur inf)* ravoir.

wieder=erinner|n, ['vi:dər-] *sich* se ressouvenir (*an* de); **W~ung** *f* réminiscence *f.*

wieder=erkennen ['vi:dər-] *tr* reconnaître (*an* à); *nicht wiederzuerkennen sein* être méconnaissable.

wieder=erlang|en ['vi:dər-] *tr jur* recouvrer; *a. med* récupérer; **W~ung** *f jur* recouvrement *m; a. med* récupération *f;* ~~ *der Funktionsfähigkeit (med)* récupération *f* fonctionnelle.

wieder=erober|n ['vi:dər-] *tr* reconquérir, reprendre; **W~ung** *f* reconquête, reprise *f.*

wieder=eröffn|en ['vi:dər-] *tr (Debatte, theat)* rouvrir; **W~ung** *f* réouverture *f;* ~~ *der Verhandlung (jur)* reprise *f* des débats.

wieder=erscheinen ['vi:dər-] *itr* reparaître, réapparaître; **W~** *n* réapparition *f.*

wieder=erstatt|en ['vi:dər-] *tr* rendre, restituer; *(Geld)* rembourser; **W~ung** *f* restitution *f;* remboursement *m.*

wieder=erstehen ['vi:dər-] *itr fig (wiederaufgebaut werden)* être renouvelé *od* ressuscité, renaître.

Wiedererwachen *n* ['vi:dər-] *a. fig* réveil *m.*

wieder=erwecken ['vi:dər-] *tr (vom Tode)* ressusciter.

wieder=erzählen ['vi:dər-] *tr* répéter, se faire l'écho de; *jdm etw* redire, rapporter qc à qn.
wieder=finden ['vi:dər-] *tr* retrouver.
wieder=flottmachen [-'flɔt-] *tr ⟨er macht wieder flott⟩ mar* remettre à flot, renflouer; **W~** *n* renflouage *m.*
Wieder|gabe *f* ['vi:dər-] *(Kunst, typ)* reproduction; *mus* excécution, interprétation; *tech* répétition *f; (natur)getreue* **~~** reproduction *f* fidèle; **wieder=geben** *tr (zurückgeben)* rendre, restituer, redonner; *fig (in Wort u. Bild)* reproduire; *mus* exécuter, interpréter; *(übersetzen)* rendre, traduire; *jdm die Freiheit* **~~** rendre la liberté à qn; *den Sinn (e-r Rede, e-s Textes)* **~~** rendre le sens; *nicht wiederzugeben(d) (haarsträubend)* inénarrable.
wieder|geboren ['vi:dər-] *a:* **~~** *werden (nur inf)* renaître; **W~geburt** *f* palingénésie; *rel* régénération; *(Wiederverkörperung)* réincarnation; *fig (Wiederaufleben)* renaissance *f; (neue Blüte)* renouveau *m.*
wieder=gewinn|en ['vi:dər-] *tr* regagner, recouvrer, rattraper; récupérer; **W~ung** *f* recouvrement *m;* récupération *f;* **~~** *der Funktionsfähigkeit (med)* réadaptation *f* fonctionnelle.
Wiedergewöhnung *f* ['vi:dər-] réaccoutumance *f.*
wieder=grüßen ['vi:dər-] *tr: jdn* **~** rendre son salut à qn.
wieder=gutmach|en [vi:dər'gu:t-maxən] *tr ⟨er macht wieder gut⟩* réparer; *(ausgleichen)* compenser; *(Unrecht)* redresser; *nicht wiedergutzumachen(d)* irréparable; **W~ung** *f* réparation, indemnisation; compensation *f;* redressement *m;* **W~ungsanspruch** *m* demande *f* en réparation; **W~ungskommission** *f* commission *f* des réparations.
wieder=haben ['vi:dər-] *tr* retrouver, recouvrer; *(nur inf)* ravoir.
wieder=herrichten [--'---] *tr ⟨er richtet wieder her⟩ (wieder in Ordnung bringen)* remettre en état, réparer.
wieder=herstell|en [--'---] *tr ⟨er stellt wieder her⟩* rétablir *a. med u. fig;* reconstituer; *(ausbessern)* réparer, remettre en état; *(auffrischen)* restaurer, rénover; *jur (in den vorigen Stand setzen)* restituer; *den Frieden* **~~** ramener la paix; *das Gleichgewicht* **~~** rétablir l'équilibre; *die Öffentlichkeit der Verhandlung* **~~** *(jur)* rétablir la publicité de l'audience; **W~ung** *f* rétablissement *m a. med u. fig;* reconstitution; réparation, remise en état; restauration, rénovation; *jur* restitution *f;* **~~** *des früheren Rechtszustandes* restitution *f* en entier; **W~ungsarbeiten** *f pl* travaux *m pl* de réparation; **W~ungsklage** *f jur* action *f* en réintégration; **W~ungskosten** *pl* frais *m pl* de réparation.
wiederhol|bar [vi:dər'ho:l-] *a* réitérable; **|wieder=holen** *⟨hat wiedergeholt⟩ tr* aller rechercher *od* reprendre; **wieder'holen** *⟨hat wiederholt⟩ tr* répéter, réitérer; *(Worte)* redire; *(erneuern; sport; Sieg:* **~***)* renouveler; *(Aufgabe, Gelerntes)* repasser, reviser, réviser; *(zs.fassend)* résumer, récapituler; *sich* **~** se répéter; *(Ereignis)* se reproduire; *e-e Frage* **~** reposer une question; *e-e Klasse* **~** *(Schule)* redoubler une classe; **~end** [--'--] *a* réitératif; **~t** [--'-] *a* répété, réitéré; *adv u.: zu* **~~***en Malen* à plusieurs reprises, maintes fois; **W~ung** *f* [--'--] répétition, réitération *f;* renouvellement *m;* revision, révision; *(Tätigkeit u. Ergebnis)* récapitulation *f; (Ergebnis)* résumé *m; theat mus* reprise; *radio (e-r Sendung)* retransmission *f; e-e überflüssige* **~~** *darstellen* faire double emploi; **W~ungsfall** *m jur: im* **~~***e* en cas de récidive; **W~ungsgenauigkeit** *f (Statistik)* fidélité *f;* **W~ungskurs** *m* cours *m* de répétition; **W~ungsstunde** *f (Schule)* (leçon *f* de) répétition *f;* **W~ungszeichen** *n mus* reprise *f.*
Wiederhören *n* ['vi:dər-]*: auf* **~**! *(tele)* au revoir! *radio* à la prochaine!
Wiederinbesitznahme *f* [-'zɪts-] reprise *f* de possession.
Wiederinbetriebnahme *f* [-'tri:p-] remise *f* en service; *(e-s Schiffes)* réarmement *m.*
Wiederingangsetzung *f* [-'gaŋ-] *tech* remise *f* en marche *od* en route.
Wiederinkraft|setzung *f* [-'kraft-] *jur* remise *f* en vigueur; **~treten** *n jur* rentrée *f* en vigueur.
Wiederinstandsetzung *f* [-'ʃtant-] réparation, remise en état, réfection *f;* **~skosten** *pl* frais *m pl* de remise en état.
wieder=käu|en ['vi:dər-] *tr u. itr, a. fig* ruminer, remâcher; *fig fam* rabâcher, ressasser; **W~en** *n* rumination *f; fig fam* rabâchage *m;* **W~er** *m ⟨-s, -⟩ pl zoo* ruminants *m pl.*
Wiederkauf *m* ['vi:dər-] rachat; *jur* réméré *m;* **wieder=kaufen** *tr* racheter; **~srecht** *n* droit *m* de rachat *od* de réméré; **Wiederkäufer** *m* racheteur *m.*
Wiederkehr *f ⟨-, ø⟩* ['vi:dər-] retour *m; regelmäßige* **~** périodicité *f;* **wieder=kehren** *⟨ist wiedergekehrt⟩ itr* revenir; *(nach Hause)* rentrer; *fig (sich wiederholen)* se répéter, se reproduire; *die Gelegenheit kehrt nicht wieder* l'occasion ne se présentera plus; **w~end** *a: regelmäßig* **~~** périodique.
wieder|=kommen ['vi:dər-] *itr* revenir; *(zurückkehren)* rentrer; *ich komme gleich* **~** je reviens tout de suite *od* à l'instant; *das kommt nie* **~** on ne reverra plus jamais cela; **W~kunft** *f ⟨-, ø⟩ lit* retour *m.*
Wiederlesen *n* ['vi:dər-] relecture *f.*
wieder=nehmen ['vi:dər-] *tr* reprendre.
wieder=sagen *tr: jdm etw* **~** redire, rapporter qc à qn.
wieder=sehen ['vi:dər-] *tr* revoir; **W~** *n* revoir *m; auf* **~~**! au revoir! au plaisir! *auf baldiges* **~~**! à bientôt! à tantôt! à tout à l'heure!
Wiedertäufer *m* ['vi:dər] *rel hist* anabaptiste *m.*
wieder=tun ['vi:dər-] *tr* faire une seconde fois, répéter; *ich will es nicht* **~** je ne le ferai plus.
wiederum ['vi:də'rum] *adv (aufs neue)* de nouveau; *(andererseits)* d'autre part; *(dagegen)* par contre.
wieder=vereinig|en ['vi:dər-] *tr* réunir; *pol* réunifier; **W~ung** *f* réunion; *pol* réunification *f.*
wieder=vergelt|en ['vi:dər-] *tr: es jdm* **~~** rendre la pareille à qn; **W~ung** *f* revanche *f; (~ungsmaßnahmen)* représailles *f pl; hist jur* talion *m.*
Wiederverheiratung *f* ['vi:dər-] remariage *m.*
Wiederver|kauf *m* ['vi:dər-] revente *f;* **~käufer** *m* revendeur *m;* **~käuferrabatt** *m* rabais *m* de gros; **~kaufspreis** *m* prix *m* de revente.
wieder=verpflicht|en ['vi:dər-], *sich (mil)* se rengager; *arg mil* rempiler; **W~ung** *f mil* rengagement *m.*
wiederverwend|bar ['vi:dər-] *a* remployable; **wieder=verwenden** *tr* remployer; **W~ung** *f* remploi, réemploi *m; (e-r Person)* remise *f* en activité.
Wiederverwertung *f* ['vi:dər-] récupération *f.*
Wiedervorlage *f* ['vi:dər-] *(e-s Schreibens)* nouvelle présentation *f.*
Wiederwahl *f* ['vi:dər-] réélection; *parl* reconduction *f* du mandat.
wiederwähl|bar ['vi:dər-] *a* rééligible; **W~barkeit** *f* rééligibilité *f;* **wieder=wählen** *tr* réélire (*zum Abgeordneten* député).
wieder=zulass|en [-'tsu:-] *tr ⟨er läßt wieder zu⟩ adm* réadmettre; **W~ung** *f* réadmission *f.*
wieder=zusammentreten [-'za-] *itr ⟨sie treten wieder zusammen⟩* se réunir, se rassembler; **W~** *n: das* **~~** *des Parlaments (nach den Ferien)* la rentrée parlementaire.
wieder=zustell|en [-'tsu:-] *tr ⟨er stellt wieder zu⟩ (Postsendung)* retourner, remettre; **W~ung** *f* retour *m,* remise *f.*
wiefern [vi:'fɛrn] *adv* = *inwiefern.*
Wiege *f ⟨-, -n⟩* ['vi:gə] *(a. fig: Ursprungsort)* berceau *m; von der* **~** *bis zur Bahre* du berceau à la tombe; *in der* **~** *liegen* être au berceau; *s-e* **~** *stand in Köln* il est né à Cologne; **~balken** *m* traverse *f* mobile; **~messer** *n* hachoir; *(für Gemüse)* hache-légumes *m;* **w~n 1.** *⟨wiegte, gewiegt⟩ tr (sanft schaukeln, bes. Kind)* bercer; balancer; *(Küche: fein schneiden)* hacher; *sich in Hoffnungen* **~~** se bercer d'espoirs; *sich in Sicherheit* **~~** se croire en sûreté; *sich (in den Hüften)* **~~** se déhancher, se dandiner; *den Kopf (hin und her)* **~~** dodeliner la tête; *in den Schlaf* **~~** bercer, endormir en berçant; *sich auf den Wellen* **~~** se balancer sur les vagues; **~n** *n* **1.** bercement, balancement *m;* **~ndruck** *m ⟨-(e)s, -e⟩ typ (Inkunabel)* incunable *m;* **~nfest** *n poet (Geburtstag)* anniversaire *m;* **~nlied** *n* berceuse *f.*
Wiege|automat *m* ['vi:gə-] distributeur *m* pour la pesée; **~gebühr** *f.*

~geld *n* droit *m* de pesage; **w~n 2.** ⟨*wog, gewogen*⟩ [vo:k/-gən] *itr (ein Gewicht haben)* peser, avoir un poids de; *tr* peser; *(auf der Goldwaage)* trébucher; *gut (reichlich) ~~* peser bon poids; *knapp ~~* peser juste; *schwer ~~ (fig)* avoir *od* peser du poids; *nicht schwer ~~ (fig)* être de peu de poids; **~n** *n* **2.** pesage *m*, pesée *f*; **~platz** *m sport* pesage *m*; **~schein** *m*, **~zettel** *m* bulletin *m od* fiche *f* de pesage; **~stempel** *m* timbre *m* de pesage.

wiehern ['vi:ərn] *itr* hennir; *fig fam (laut lachen)* rire bruyamment *od* aux éclats; *~de(s) Gelächter n* éclats *m pl* de rire; **W~** *n* hennissement *m*.

Wiemen *m* ⟨-s, -⟩ ['vi:mən] *dial (Hühnerstange)* perchoir *m*.

Wien *n* [vi:n] *geog* Vienne *f*; **~er** = *~erisch*; *~~ Schnitzel n* escalope *f* viennoise; *~~ Walzer m* valse *f* viennoise; *~~ Würstchen n pl* saucisses *f pl* à l'ail; **~er(in *f*)** *m* ⟨-s, -⟩ Viennois, e *m f*; **w~erisch** ['vi:nərɪʃ] *a* viennois, de Vienne.

wienern ⟨*ich wien(e)re, du wienerst; wien(e)re!*⟩ ['vi:nərn] *tr arg mil (putzen)* astiquer; **W~** *n arg mil* astiquage *m*.

Wiese *f* ⟨-, -n⟩ ['vi:zə] pré *m*; *(~nland)* prairie *f*; **~nbau** *m* ⟨-(e)s, ø⟩ praticulture *f*; **~nblume** *f* fleur *f* des prés; **~ngrund** *m* vallon *m* herbeux; **~nralle** *f* ⟨-, -n⟩ ['-'ralə] *orn* râle *m* des genêts; **~nschaumkraut** *n bot* cardamine *f* des prés; **~ntal** *n* vallée *f* herbeuse.

Wiesel *n* ⟨-s, -⟩ ['vi:zəl] *zoo* belette *f*; *flink wie ein ~* vif comme un écureuil.

wieso [vi:'zo:] *adv (fragend)* comment (cela)? pourquoi? *pop* comme quoi? *(e-n indirekten Fragesatz einleitend)* comment, pourquoi; *~ denn?* comment donc?

wieviel [-'-/'--] *adv (fragend)* combien (de)? *(ausrufend, a.)* que (de) ...! *~ angenehmer wäre es?* que *od* comme ce serait plus agréable! *~ Uhr ist es?* quelle heure est-il? **~mal** *adv* combien de fois? **~te** *a: der, die ~~* quel, le; *der ~~ sind Sie?* quelle place avez-vous? *den ~~n haben wir (heute)? (fam)* le combien *od* quel jour sommes-nous?

wieweit [vi:'vaɪt] *adv* = *inwieweit*.

wiewohl [vi:'vo:l] *conj (obwohl, obgleich)* quoique, bien que, *lit* encore que *subj*.

wild [vɪlt] *a (in der Natur lebend* od *vorkommend; Gegend: vom Menschen unberührt)* sauvage; *(ungezähmt, scheu)* farouche; *(ungepflegt)* inculte, désordonné, peu soigné; *(roh)* grossier, barbare, non civilisé; *(blutgierig; grimmig)* féroce; *(heftig, leidenschaftlich)* violent, fougueux; *(ungestüm, tobend)* impétueux, tumultueux, turbulent; *(zügellos, entfesselt)* effréné, déchaîné; *(toll)* extravagant, insensé, fou; *(wütend)* enragé, furieux; *~ drauflosfahren* foncer (à toute allure); *~ machen (Tier)* effaroucher; *(Menschen wütend machen)* faire enrager, mettre en colère; *~ um sich schlagen* distribuer les coups à l'aveuglette; *auf etw ~ (versessen) sein (fam)* être acharné à qc, être enragé *od* fou de qc; *~ wachsen* pousser à l'état sauvage; *~ werden (sich aufregen)* s'irriter, s'emporter; enrager; *(a. Pferd)* s'emballer; *~e(r) Blick m* regard *m* farouche *od* féroce; *~e Ehe f* union *f* libre; *~e(s) Fleisch n (med)* excroissance *f* de chair; *~e Flucht f* fuite *f* précipitée *od* éperdue; *die W~e Jagd (Mythologie)* la chasse infernale; *~e(r) Streik m* grève *f* non-organisée, sauvage; *~e(r) Wein m (bot)* vigne *f* vierge; **W~** *n (Jagdtiere)* gibier *m*; = *~bret*; *Stück ~* pièce *f* de gibier; **W~bach** *m* torrent *m*; **W~bachverbauung** *f* correction *f* des torrents; *(Ergebnis)* torrent *m* corrigé; **W~bahn** *f* terrain *m* de chasse; **W~bret** *n* ⟨-s, ø⟩ ['-brɛt] gibier *m*, venaison *f*; **W~dieb** *m* braconnier *m*; **W~dieberei** *f* braconnage *m*; **W~ente** *f* canard *m* sauvage; **W~e(r)** *m (Kulturloser)* sauvage; *parl* indépendant *m*; *wie ein ~er* comme un fou; *wie ein ~er laufen* courir comme un dératé; **W~erer** *m* ⟨-s, -⟩ braconnier *m*; **~ern** ⟨*ich wild(e)re, du wilderst ...*⟩ *itr* braconner; *~~de(r) Hund m* chien *m* errant; **W~ern** *n* braconnage *m*; **W~esel** *m* onagre *m*; **W~fang** *m fig (Junge)* petit diable, diablotin *m*; *(Mädchen)* petite diablesse *f*; **~fremd** *a* tout à fait étranger; parfaitement inconnu; *er ist mir ~~ (a.)* je ne le connais ni d'Ève ni d'Adam; **W~gans** *f* oie *f* sauvage; **W~geruch** *m* goût *m* de faisandé; **W~heger** *m* garde-chasse *m*; **W~heit** *f* ⟨-, ø⟩ nature *f od* état *m* sauvage; sauvagerie; barbarie; férocité; violence, fougue; impétuosité; turbulence *f*; déchaînement *m*; extravagance, folie; rage, fureur *f*; **W~katze** *f* chat *m* sauvage; **W~leder** *n* (peau *f* de) daim *od* (de) chamois *m*; **W~lederhandschuhe** *m pl* gants *m pl* de *od* en daim; **W~lederschuhe** *m pl* chaussures *f pl* de *od* en daim; **W~ling** *m* ⟨-s, -e⟩ *zoo* animal sauvage; *bot* sauvageon *m*; **W~nis** *f* ⟨-, -sse⟩ [-nɪs, -ə] contrée *f* déserte *od* sauvage; désert *m*; **W~park** *m* parc *m* giboyeux; **~reich** *a* giboyeux; **W~reichtum** *m* richesse *f* en gibier; **W~sau** *f* laie *f*; **W~schaden** *m* dégâts *m pl* du gibier; **W~schwein** *n* sanglier *m*; **W~schweinjagd** *f* chasse *f* au sanglier; **W~schweinskopf** *m* hure *f*; **~wachsend** *a bot* sauvage, agreste; **W~wechsel** *m* passée *f* de gibier; **W~westfilm** *m* western *m*.

Wilhelm *m* ['vɪlhɛlm] Guillaume *m*.

Wille *m* ⟨-ns, (-n)⟩ ['vɪlə] volonté *f*; *(Wollen)* vouloir *m*; *(Absicht)* intention *f*, dessein; *(Wunsch)* désir; *(Belieben)* gré; *(Einwilligung)* consentement *m*; *aus freiem ~n* de bon *od* plein gré, de son propre chef; *beim besten ~n* avec la meilleure volonté (du monde); *gegen* od *wider meinen ~n* contre ma volonté *od* mon gré, malgré moi; *mit ~n (absichtlich)* à dessein, exprès, délibérément, intentionnellement; *nach jds ~n* selon *od* suivant la volonté, au gré de qn; *ohne jds (Wissen und) ~n* sans le consentement de qn; *trotz besten ~ns* avec la meilleure volonté du monde; *wider ~n* malgré moi *etc*, à mon *etc* corps défendant; *jdm s-n ~n aufzwingen* faire *od* dicter la loi à qn; *auf s-m ~n bestehen, beharren* s'obstiner, s'entêter; *s-n ~n durchsetzen* arriver *od* parvenir à ses fins; *s-n eigenen ~n haben* faire à sa guise; *jdm s-n ~n lassen* laisser faire qn à sa guise; *jdm zu ~n sein* faire les volontés de qn; *jdm s-n ~n tun* faire les quatre volontés de qn; *(s-n) guten ~n zeigen* y mettre de la *od* faire acte de bonne volonté; *ich kann mich beim besten ~n nicht erinnern* je ne puis me souvenir avec la meilleure volonté du monde; *du sollst deinen ~n haben* ce sera comme tu voudras; *er hat keinen eigenen ~n* il n'a pas de volonté, il va comme on le pousse; *es ging alles nach Wunsch und ~n* tout s'est passé pour le mieux; *tu mir doch den ~n!* fais-moi donc ce plaisir! *Dein ~ geschehe! (rel)* que ta volonté soit faite! *wo ein ~ ist, ist auch ein Weg (prov)* vouloir, c'est pouvoir; *freie(r) ~ (philos)* libre arbitre *m*; *gute(r), böse(r) ~* bonne, mauvaise volonté *f*; *der Letzte ~ (jur)* les dernières volontés *f pl*, la volonté dernière; *ein Mensch guten ~ns* un homme de bonne volonté; *der ~ zur Macht (psych)* la volonté de puissance; **~n** *m* = *~*; **w~n:** *um ... ~~ (prp gen)* à cause de: *um des lieben Friedens ~~* pour avoir la paix; *ums Himmels ~~!* au nom du ciel! pour l'amour de Dieu! **w~nlos** *a* sans volonté; *scient* aboulique; *(unentschlossen)* irrésolu, indécis; *(wankelmütig)* flottant; *(untätig)* passif; *(gefügig)* docile; *~~ umhergetrieben werden (fig)* aller à la dérive; *~~e(r) Mensch m (a.)* pâte *od* cire *f* molle; *~~e(s) Werkzeug n* instrument *m* docile; **~nlosigkeit** *f* ⟨-, ø⟩ manque *m* de volonté; *scient* aboulie; irrésolution, indécision; passivité; docilité *f*; **w~ns** *a: ~~ sein, etw zu tun* avoir l'intention de faire qc; **~nsakt** *m* acte *m* de volonté; *philos* volition *f*; **~nsäußerung** *f* manifestation *f* de volonté; **~nserklärung** *f* déclaration *f* de volonté; **~nsfreiheit** *f philos* libre arbitre *m*; **~nsimpuls** *m psych* impulsion *f* volitive; **~nskraft** *f* ⟨-, ø⟩ force de volonté *od* caractère, énergie *f*; **~nslähmung** *f* inhibition *f* de la volonté; **~nsregung** *f* velléité *f*; **w~nsschwach** *a* faible, qui a peu de caractère; **~nsschwäche** *f* ⟨-, ø⟩ volonté *f* faible; **w~nsstark** *a* énergique; **~nsstärke** *f* = *~nskraft*; **w~ntlich** *adv* = *mit ~n*.

will|fahren ⟨*willfahrte; gewillfahrt/willfahrt*⟩ [vɪl'fa:rən, -'vɪl-] *itr* acquiescer (*jdm* à qn); *jds Wunsch ~~* déférer *od* acquiescer au désir de qn; **~fährig** [-'--/'---] *a (nachgiebig)* déférent; *(gefällig)* accommodant, obligeant, complaisant; *(gefügig)* docile; **W~fährigkeit** *f* ‹-, ø› défrence; obligeance, complaisance; docilité *f;* **~ig** *a* de bonne volonté; *(folgsam)* obéissant, docile; *(geneigt)* (bien) disposé (*etw zu tun* à faire qc); *adv* de bonne volonté *od* grâce, de bon cœur, volontiers; **~igen** *itr: in etw ~~* consentir à qc; **W~igkeit** *f* ‹-, ø› bonne volonté *od* grâce; *(Folgsamkeit)* docilité *f; (Eifer)* empressement *m;* **W~komm** *m* ‹-s, -e› ['--] = *W~kommen;* **~kommen** [-'--] *a (Person)* bienvenu; *(Sache)* (qui vient) à propos, agréable; *jdn ~~ heißen* souhaiter la bienvenue à qn; *(sehr) ~~ sein (Sache)* venir (fort) à propos; *das ist mir sehr ~~* cela m'arrive à propos *od* cela fait bien mes affaires; *seien Sie ~~!* soyez le bienvenu! **W~kommen** *n, a. m* ‹-s, -› bienvenue *f;* **W~kommensgruß** *m* souhaits *m pl* de bienvenue; **W~kür** *f* ‹-, ø› ['--] arbitraire; *(Belieben)* bon plaisir, gré *m; jds ~~ überlassen* od *preisgeben sein* être à la merci de qn; *jdn jds ~~ überlassen* laisser *od* abandonner *od* mettre qn à la merci de qn; **W~kürakt** *m* acte *m* arbitraire; **W~kürherrschaft** *f* despotisme *m,* tyrannie *f;* **~kürlich** ['---] *a* arbitraire; *adv* arbitrairement; *~~ entscheiden* décider arbitrairement; *~~ handeln (a.)* n'avoir pas de loi.

wimmel|n ['vɪməln] *itr (Lebewesen)* pulluler; *(Ort von Lebewesen)* grouiller, fourmiller (*von* de); pulluler; *hier ~t es von Ameisen* ici les fourmis pullulent; *der Platz ~t von Menschen (a.)* la place est noire de monde.

wimmern ‹*ich wimmere, du wimmerst; wimmere!*› *itr* ['vɪmərn] vagir; gémir, geindre; **W~** *n* vagissements; gémissements *m pl.*

Wimpel *m* ‹-s, -› ['vɪmpəl] fanion *m,* banderole; *mar* flamme *f;* guidon *m.*

Wimper *f* ‹-, -n› ['vɪmpər] *anat, bot* cil *m; ohne mit der ~ zu zucken (fig)* sans sourciller; **~ntusche** *f* fard *m* à paupières.

Wimperg *m* ‹-(e)s, -e› ['vɪmpɛrk, -gə] *arch* gable, gâble *m.*

Wind *m* ‹-(e)s, -e› [vɪnt, '-də] vent; *physiol (Blähung)* vent, pet *m,* flatulence *f; bei ~ und Wetter* par tous les temps; *wie der ~ (blitzschnell)* comme l'éclair *od* un éclair; *den ~ abfangen (mar)* couper le vent; *~ von etw bekommen (fig)* avoir vent de qc; *sich im ~ blähen (Segel)* prendre le vent; *im ~ flattern* flotter au vent; *günstigen ~* od *den ~ im Rücken haben* avoir un vent favorable *od* vent arrière; *den ~ gegen sich haben* avoir vent debout; *s-n Mantel* od *sein Mäntelchen nach dem ~ hängen (fig)* tourner comme une girouette, écouter d'où vient le vent; *mit dem ~ im Rücken jagen* chasser à vau-vent; *~ machen (fig fam: wichtig tun)* faire du vent *od* de l'esbroufe; *jdm den ~ aus den Segeln nehmen (fig)* couper l'herbe sous le pied à qn; *dem ~ preisgegeben sein (mar)* flotter au gré du vent; *in den ~ reden (fig)* parler en l'air, prêcher dans le désert; *das ist alles in den ~ geredet* autant en emporte le vent; *etw in den ~ schlagen (fig)* jeter qc au vent, se jouer *od* se moquer *od* faire fi de qc; *mit dem ~ segeln* filer vent arrière; *gegen den ~ segeln* aller contre le vent, louvoyer; *vor dem ~ segeln* être sous le vent; *in alle ~e zerstreuen* semer à tous vents, disperser aux quatre points cardinaux *od* aux quatre coins du monde; *der ~ flaut ab* le vent mollit; *der ~ frischt auf* le vent fraîchit; *der ~ kommt von Osten* nous avons du vent d'est; *der ~ legt sich* le vent tombe; *der ~ springt um* le vent tourne; *es weht ein starker ~* il fait grand vent; *das ist ~ in s-e Segel (fig)* cela apporte de l'eau à son moulin, c'est du beurre dans ses épinards; *was für ~ haben wir?* quel vent avons-nous? *wer ~ sät, wird Sturm ernten (prov)* (celui) qui sème le vent, récolte la tempête; *absteigende(r), aufsteigende(r) ~ (aero)* vent *m* catabatique, anabatique; *böige(r) ~* vent *m* à rafales; *frische(r) ~ (fig)* vent *m* froid; *steife(r) ~ (mar)* grand frais *m; umspringende(r) ~* sautes *f pl* de vent; *widrige(r) ~* vent *m* contraire *od* debout; *dem ~ ausgesetzt* exposé au vent; **~angriffsfläche** *f* surface *f* frappée par le vent; **~antrieb** *m tech* commande *f* par moulinet à vent; **~ausnutzung** *f* utilisation *f* du vent; **~beutel** *m (Gebäck)* chou *m* (à la crème); *fig (Mensch)* évaporé, écervelé; fanfaron, hâbleur; *fam* fumiste *m;* **~beutelei** *f* fanfaronnade, hâblerie; *fam* fumisterie *f;* **~bruch** *m (im Wald)* chablis *m;* **~büchse** *f (Luftgewehr)* fusil *m od* carabine *f* à air comprimé; **~drehung** *f* changement *m* de vent; **~druck** *m* pression *f* du vent; **~ei** *n (Vogelei mit weicher Schale)* œuf *m* sans coquille; **w~en 1.** *itr impers: es windet (ist windig)* il fait du vent; *(Jagd)* prendre le vent; flairer; **~eseile** *f: in* od *mit ~~* comme le vent, à tire-d'aile(s), comme une traînée de poudre; **~fahne** *f* girouette *f;* anémoscope *m;* **~fang** *m (e-r Außentür)* tambour; *(Jägersprache: Nase)* mufle *m;* **~flügel** *m tech* aile *f* à vent; **w~gepeitscht** *a* battu des vents; **w~geschützt** *a* à l'abri du vent; **~geschwindigkeit** *f* vitesse *f* du vent; **~hauch** *m* souffle *m* de vent; **~hose** *f mete* trombe *f,* tourbillon *m* de vent; tornade *f;* **~hund** *m zoo* lévrier; *fig fam (leichtfertiger Mensch)* écervelé, étourneau *m,* tête *f* en l'air; **~hundrennen** *n* course *f* de lévriers; **w~ig** ['-dɪç] *a* venteux; *(Ort)* éventé, exposé au vent; *fig (Mensch: unzuverlässig)* peu solide, éventé; *(Worte: leer, nichtig)* vide, creux; *(unsicher, heikel)* dangereux, précaire; *es ist ~~* il fait du vent; *ein ~~er Tag* un jour de grand vent; **~jacke** *f* anorak *m;* **~kanal** *m tech* soufflerie *f,* tunnel aérodynamique; *(der Orgel)* porte-vent *m;* **~karte** *f mete, mar* carte *f* des vents; **~kasten** *m (der Orgel)* sommier *m;* **~licht** *n (Sturmlaterne)* lampe *f* tempête; **~löcher** *n pl* venteaux *m pl;* **~macher** *m* charlatan; **~macherei** *f* charlatanerie; **~messer** *m* anémomètre *m;* **~motor** *m* éolienne *f;* **~mühle** *f* moulin *m* à vent; **~mühlenflügel** *m* aile *f* de moulin à vent; **~mühlenflugzeug** *n* autogire *m;* **~pocken** *pl med* varicelle *f;* **~rad** *n* (roue) éolienne *f;* **~richtung** *f* direction *f* du vent; **~röschen** *n* ['-røːsçən] *bot* anémone *f;* **~rose** *f mete* rose *f* des vents; **~sack** *m (des Dudelsacks)* poche à air; *aero* manche *f* à vent *od* à air; **~sbraut** *f* ‹-, ø› *(Sturm)* rafale, bourrasque *f;* **~schacht** *m mines* avaleresse *f;* **~schatten** *m mar* côté *m* abrité du vent; *im ~~* à l'abri du vent; **w~schief** *a fam (verzogen)* déjeté, gauchi, déformé; *~~ werden* se déjeter, gauchir, se déformer; **~schirm** *m* paravent, brise-vent *m;* **w~schnittig** *a tech mot* aérodynamique; **~schutz** *m* abri contre le vent, abrivent *m;* **~schutzscheibe** *f mot* pare-brise *m;* **~seite** *f* côté du *od* exposé au vent; *mar* lof *m;* **~spiel** *n = ~hund;* **~stärke** *f* force *f* du vent; **~stärkenskala** *f* échelle *f* anémométrique; **w~still** *a* calme; *es ist ~~* il fait un temps calme; **~stille** *f* calme *m; bei ~~* par vent nul; *kurze ~~ (mar)* accalmie, embellie *f; völlige ~~* calme *m* plat; **~stoß** *m* coup *m* de vent; rafale, bourrasque *f;* **~verhältnisse** *n pl* régime *m* des vents; **w~wärts** *adv mar* du côté du vent, au lof; **~wechsel** *m* changement *m* de vent; *plötzliche(r) ~~* saute *f* de vent; **~wirkung** *f* action *f* du vent.

Wind|e *f* ‹-, -n› ['vɪndə] *tech* cric, vérin, treuil, guindal; *mar* cabestan, *(kleinere)* guindeau; *(Garnwinde)* dévidoir; *bot* liseron, volubilis *m;* **~eisen** ['vɪnt-] *n tech* tourne-à-gauche *m;* **w~en** ‹*wand, gewunden*› [vant/-dən, -'vʊndən] **2.** *tr* tordre; *(mehrfach)* tortiller; *(Kränze)* faire, tresser; *(Garn: abhaspeln)* dévider; *jdm etw aus den Händen ~~* arracher qc des mains de qn; *sich ~~* se tordre (*vor Schmerz* de douleur); *(hin u. her)* se tortiller; *fig* tortiller; *(Fluß, Weg)* serpenter; décrire des méandres (*durch* par); *um etw* enlacer qc; s'enrouler autour de qc; *fig (e-r S auszuweichen suchen)* chercher à éluder qc; *ein Band um etw ~~* envelopper qc d'un ruban; *Blumen zu e-m Kranz ~~* tresser une couronne de fleurs; *sich drehen und ~~ (um sich loszureißen)* se débattre; *fig* se démener comme un diable dans un bénitier *od* comme un beau diable; *sich schraubenförmig ~~* aller en spirale; *sich wie ein Wurm ~~* se tortiller comme un ver; *trotz all s-m Krümmen und W~en* malgré tous ses efforts *od* toutes ses contorsions; **~enschlepp** *m* ‹-(e)s, -e› *(Segelflug)* lancement *m* au treuil; **~entrommel** *f tech* tambour *m;* **~ung** *f (Tätigkeit)* entortillement; *(beim Aufwickeln)* enroulement; *(Krümmung)* (re)tour, repli *m,* sinuosité *f;*

(e-s Flusses) méandre; *(e-r Schlange)* anneau *m; anat (Darm-, Gehirnwindung)* circonvolution; *tech (e-r Spirale, a. el)* spire *f; (Schraubengang)* pas *m; pl (e-s Flusses, e-r Straße)* détours *m pl;* **~ungszahl** *f el* nombre *m* des spires.

Windel *f* ‹-, -n› ['vɪndəl] lange *m, couche f; a. pl* maillot *m; in den ~n liegen* être au maillot; *noch in den ~n liegen (fig fam)* être encore au maillot; **~höschen** *n* couche-culotte *f;* **~kind** *n* enfant au maillot, poupard, poupon *m;* **w~n** *(ich wind(e)le, du windelst ...) tr (in ~n wikkeln)* emmailloter, langer; **w~weich** *a fig: jdn ~~ prügeln* od *schlagen* battre qn comme plâtre.

Wingert *m* ‹-s, -e› ['vɪŋərt] *(Weinberg)* vignoble *m.*

Wink *m* ‹-(e)s, -e› [vɪŋk] signe; *(Geste)* geste *m; fig (Hinweis)* indication *f,* avertissement, avis; *fam (Tip)* tuyau *m; auf e-n ~* à un signe; *auf den ersten ~* au premier signe; *jdm e-n ~ geben* faire signe à qn (*mit den Augen* du regard); *fig* avertir qn, donner l'éveil à qn; *fam* donner un tuyau à qn; *jdm e-n ~ mit dem Zaunpfahl geben* laisser entendre d'une manière non déguisée, *(fam)* donner un grand coup de coude à qn; *auf e-n ~ gehorchen* obéir au doigt et à l'œil; *leise(r), zarte(r) ~* allusion *f* discrète, délicate; *~ mit dem Zaunpfahl (fam)* allusion *f* transparente *od* claire et nette; *praktische ~e pl* indications *f pl* pratiques; **w~en** ‹*winkte, gewinkt*› *itr* faire (des) signe(s) (*jdm* à qn; *mit etw* de qc); *(mit den Augen)* cligner de l'œil (*jdm* à qn); *mil* signaler; *fig (in Aussicht stehen)* attendre (*jdm* qn); s'offrir (*jdm* à qn); *tr: jdn zu sich ~~* faire signe à qn d'approcher; *Stillschweigen ~~* faire signe de se taire (*jdm* à qn); *mit dem Taschentuch ~~* agiter le mouchoir; *mit dem Zaunpfahl ~~ (fam)* donner un grand coup de coude; **~en** *n mil* transmission *f* optique *od* visuelle; **~er** *m* ‹-s, -› *mil mar (Mann)* signaleur *m; mot (Fahrtrichtungsanzeiger)* flèche *f;* indicateur *m* de direction; **~erflagge** *f* fanion *m* de signalisation; **~erkelle** *f,* **~erscheibe** *f* panneau *m* de signalisation; **~erstab** *m* bâton *m* de signaleur; **~ertrupp** *m mil* équipe *f* des signaleurs; **~verbindung** *f* communication *f* par signaux optiques; **~zeichen** *n* signal *m* optique; *~~ geben* faire des signaux optiques.

Winkel *m* ‹-s, -› ['vɪŋkəl] *(Ecke)* coin; *bes. math* angle; *mil (Gradabzeichen)* chevron *m; tech (~maß)* équerre *f* (métallique); *(Krümmung, bes. e-s Rohres)* coude; *(dunkler, stiller ~)* (re)coin, réduit; *(versteckter ~, Schlupfwinkel)* recoin *m; im fernsten ~ der Pyrenäen* au fin fond des Pyrénées; *im verborgensten ~ des Herzens* dans les recoins *od* replis du cœur; *den ~ anlegen (tech)* mesurer à l'équerre (*an etw* qc); *in den ~ bringen (tech)* équerrer; *im ~ sitzen (fig)* être délaissé; *fam* être mis au rancart; *in allen Ecken und ~n suchen* chercher dans tous les coins et recoins; *einspringende(r), vorspringende(r) ~ (arch)* angle *m* rentrant, saillant; *entlegene(r) ~* coin *m* retiré *od* perdu; *malerische(r) ~* coin *m* pittoresque; *spitze(r), rechte(r), stumpfe(r) ~* angle *m* aigu, droit, obtus; *tote(r) ~ (mil)* angle *m* mort; **~advokat** *m pej* avocat marron, avocaillon *m;* **~eisen** *n tech (Profileisen)* équerre de *od* en fer, cornière *f;* **~funktion** *f math* fonction *f* circulaire *od* trigonométrique; **~haken** *m typ* composteur *m;* **~halbierende** *f math* bissectrice *f;* **~journalist** *m pej* journaleux *m;* **~makler** *m* courtier *m* marron; **~maß** *n tech* équerre *f* (métallique); **~messer** *m math (Gerät)* rapporteur; *(des Feldmessers)* graphomètre, goniomètre *m;* **~messung** *f math* goniométrie *f;* **~peiler** *m* goniomètre *m;* **~prisma** *n* équerre *f* à prisme; **~rechnung** *f math* goniométrie *f;* **w~recht** *a* = *rechtwink(e)lig;* **~summe** *f math* somme *f* des angles; **~züge** *m pl* détours *m pl,* tergiversations *f pl,* subterfuges, faux-fuyants, biais *m pl; ~~ machen* prendre des détours, chercher des faux-fuyants, tergiverser, biaiser, louvoyer; **wink(e)lig** *a* anguleux.

winseln ‹*ich winsle, du winselst*› ['vɪnsəln] *itr* gémir; *(jammern)* geindre; pousser des cris plaintifs; **W~** *n* gémissements; geignements *m pl.*

Winter *m* ‹-s, -› ['vɪntər] hiver *m; zu Anfang des ~s* à l'entrée de l'hiver; *im ~* en hiver; *mitten im ~* au millieu *od* au cœur de l'hiver, en plein hiver, au plus fort de l'hiver; *den ~ über* durant l'hiver; *den ~ überstehen* résister à l'hiver; *rauhe(r) ~* hiver *m* rude; *strenge(r) ~* hiver *m* rigoureux; **~abend** *m* soirée *f* d'hiver; **~apfel** *m* pomme *f* d'hiver; **~aster** *f bot* marguerite *f* de la Saint-Michel; **~aufenthalt** *m (von Tieren)* hivernage; *(von Urlaubern im Gebirge)* séjour *m* de neige; **~ausrüstung** *f* équipement *m* d'hiver; **~bedarf** *m* provisions *f pl* d'hiver; *s-n ~~ an Kohlen decken* faire provision de charbon pour l'hiver; **~bestellung** *f agr* hivernage *m;* **~birne** *f* poire *f* d'hiver; **~fahrplan** *m,* **~flugplan** *m* horaire *od* service *m* d'hiver; **~feldzug** *m* campagne *f* d'hiver; **w~fest** *a* = *w~hart;* **~fremdenverkehr** *m* tourisme *m* d'hiver; **~frische** *f* séjour *m* de neige; **~garten** *m* jardin *m* d'hiver; **~gast** *m* hivernant *m;* **~gerste** *f agr* escourgeon *m;* **~getreide** *n* blé d'hiver, semis *m* d'automne; **~haar** *n zoo* poil *od* pelage *m od* toison *f* d'hiver; **~hafen** *m mar* port d'hiver, hivernage *m;* **~halbjahr** *n (Schule)* semestre *m* d'hiver; **w~hart** *a bot* hiémal; **~kälte** *f* froid *m* de l'hiver, froidure *f;* **~kleid** *n zoo* = *~haar;* **~kleidung** *f* vêtements *m pl* d'hiver; **~kohl** *m* chou *m* vert; **~kurort** *m* station *f* d'hiver; **~landschaft** *f* paysage *m* d'hiver; **w~lich** *a* d'hiver, hivernal; **~mantel** *m* manteau *m* d'hiver; **~mode** *f* mode *f* d'hiver; **w~n** *itr impers: es wintert* c'est l'hiver; **~obst** *n* fruits *m pl* de garde; **~quartier** *n mil* quartiers *m pl* d'hiver; *die ~~e beziehen* prendre ses quartiers d'hiver; **~reifen** *m pl mot* pneus *m pl* pour la neige; **w~s** *adv* durant l'hiver; **~saat** *f agr* semailles *f pl* d'automne; **~sachen** *f pl* = *~kleidung;* **~schlaf** *m zoo* sommeil *m* hibernal, hibernation *f; (den) ~~ halten* hiberner; **~schlußverkauf** *m* soldes *m pl* d'hiver; **~sonnenwende** *f* solstice *m* d'hiver; **~spiele** *n pl: Olympische ~~* jeux *m pl* Olympiques d'hiver; **~sport** *m* sports *m pl* d'hiver; **~sportler** *m* amateur *m* de sports d'hiver; **~sportplatz** *m* station *f* de sports d'hiver; **~sport-Sonderzug** *m* train *m* de neige; **~stürme** *m pl* ouragans *m pl* hivernaux; **w~süber** *adv* = *w~s;* **~(s)zeit** *f* hiver *m; zur ~~* en hiver; **~tag** *m* jour *m* d'hiver; **~vorrat** *m* provisions *f pl* pour l'hiver; **~weizen** *m* blé *m* d'hiver; **~wetter** *n* temps *m* d'hiver.

Winzer *m* ‹-s, -› ['vɪntsər] vigneron; viticulteur *m;* **~fest** *n* fête *f* des vendanges; **~genossenschaft** *f* coopérative *f* viticole; **~messer** *n* serpette *f.*

winzig ['vɪntsɪç] *a* tout *od* très petit, minuscule; exigu, infime, minime; *(unbedeutend)* insignifiant; *~e(s) Männchen n* petit bout *m* d'homme; **W~keit** *f* ‹-, ø› extrême petitesse; exiguïté *f.*

Wipfel *m* ‹-s, -› ['vɪpfəl] *(e-s Baumes)* cime, tête *f.*

Wipp|bewegung ['vɪp-] *f* mouvement *od* jeu *m* de bascule; **~chen** *n pl (Kunststückchen)* tours *m pl* de passe-passe; *~~machen (fam)* faire de l'épate, du chiqué; conter des balivernes; **~e** *f* ‹-, -n› *(Schaukelbrett)* balançoire, bascule *f;* **w~en** *itr* basculer, se balancer; *tr* faire basculer, balancer; *mit dem Schwanz ~~ (Vogel)* balancer la queue; **~en** *n hist (Strafe),* **~galgen** *m* estrapade *f;* **~kran** *m* grue *f* à volée variable; **~tisch** *m tech* table *f* basculante.

wir [vi:r] *pron* nous; *(betont)* nous autres; *~ beide* nous deux; *~ Deutschen pl* nous autres Allemands; *~ selbst* nous-mêmes; *~ sind es* c'est nous.

Wirbel *m* ‹-s, -› ['vɪrbəl] *(schnelle Kreisbewegung)* tournoiement, tourbillonnement; *a. fig* tourbillon; *(Strudel)* tourbillon, tournant, remous; *(Haarwirbel)* épi *m* (de cheveux); *anat ~ (~knochen)* vertèbre; *(Saitenspanner)* cheville, clé *f; (Trommelwirbel)* roulement *m* (de tambour); *im ~ der Gefühle* dans le trouble des sentiments; *vom ~ bis zur Zehe* des pieds à la tête, de pied en cap; **~bewegung** *f* mouvement *m* tourbillonnant; **~bildung** *f* formation *f* de tourbillons; **~kanal** *m anat* canal *m* rachidien; **~kasten** *m (e-s Saiteninstrumentes)* chevillier *m;*

~knochen *m anat* vertèbre *f;* **~loch** *n anat* trou *m* rachidien; **w~los** *a zoo* invertébré; *~~e Tiere n pl* invertébrés *m pl;* **w~n** *itr (ich wirb(e)le, du wirbelst ...)* tournoyer, tourbillonner; *(Trommel)* rouler; *mir ~t der Kopf* la tête me tourne; **~säule** *f anat* colonne vertébrale, épine *f* dorsale; *scient* rachis *m;* **~säulenverkrümmung** *f med* lordose *f;* **~strom** *m el* courant *m* parasite *od* de Foucault; **~sturm** *m* cyclone *m,* tornade *f; (Taifun)* typhon *m;* **~tiere** *n pl* vertébrés *m pl;* **~wind** *m* tourbillon *m;* rafale *f; wie ein ~~ dahergefegt kommen (fig: Mensch)* arriver en trombe; **wirb(e)lig** *a (~nd)* tourbillant, tournoyant; *fig (schwindlig)* vertigineux.

wirk|en ['vɪrkən] *tr (herstellen, bes. Textilien)* faire, produire, fabriquer; *(weben)* tisser; *fig (tun, herbeiführen, erzielen)* faire, produire, avoir comme résultat; *itr (tätig sein, bes. beruflich)* travailler; *~~ als* exercer le métier *od* la fonction de, être; *(e-e W~ung erzielen, Einfluß haben)* agir, opérer, avoir *od* faire *od* produire de l'effet, avoir de l'influence, influer (*auf* sur); être efficace; *(Eindruck machen)* faire de l'impression; *auf jdn* faire de l'impression sur qn, impressionner qn; *wie etw* faire l'effet de qc; *als Arzt ~~* exercer la médecine; *durch (sein) gutes Beispiel ~~* donner l'exemple; *beruhigend ~~* être calmant; calmer; *aus der Ferne, Nähe ~~* agir à distance, de près; *Großes ~~* faire de grandes choses; *gut, schlecht ~~* faire *od* produire bon, mauvais effet; *Gutes* od *Segensreiches ~~* faire du bien; *modern ~~* faire moderne; *schädlich ~~* avoir des effets nuisibles; *wie ein rotes Tuch auf jdn ~~* faire voir rouge à qn; *Wunder ~~* faire merveille; **W~en** *n* activité, action *f; tech (Weben)* tissage *m;* **~end** *a* agissant, opérant; *(wirksam)* efficace; *philos* efficient; *einfach, doppelt ~~* à simple, double effet; *~~e Kraft (phys)* agent *m;* **W~er** *m* ⟨-s, -⟩ *(Weber)* tisserand, *(in e-r Fabrik)* tisseur *m;* **W~erei** *f* [-'raɪ] *(Wirken, Weben)* tissage *m;* tisseranderie *f;* **W~leistung** *f el* puissance *f* réelle *od* active; **~lich** *a* réel, actuel, positif, effectif; *(echt)* vrai, véritable, authentique; *adv* réellement, effectivement, en effet; vraiment, en vérité, de fait, pour de bon, tout de bon; *die Dinge zeigen, wie sie ~~ sind* montrer les choses comme elles sont; *das ist ~~ nett von Ihnen* c'est vraiment gentil à vous *od* de votre part; *~~?* vraiment? pour de bon? allons! *fam* sans blague? *das ist ~~ wahr?* est-ce bien vrai? **W~lichkeit** *f* réalité *f; (Tatsache)* fait *m; (Dasein)* existence *f; in ~~* en réalité, en vérité, de fait; *in der ~~* dans la réalité; *den Boden der ~~ verlassen* se livrer à des spéculations; *~~ werden* se réaliser, entrer dans les faits; *Flucht f vor der ~~* évasion *f* hors de la réalité; *die rauhe ~~* la dure réalité; **W~lichkeitsform** *f gram* indicatif *m;* **~lichkeitsfremd** *a* qui n'a pas le sens des réalités, peu réaliste; **~lichkeitsnah** *a* proche de la réalité, réaliste; **W~lichkeitssinn** *m* ⟨-(e)s, ø⟩ sens des réalités, réalisme *m;* **~lich= machen** *tr (verwirklichen)* réaliser; **W~maschine** *f (Textil)* machine *f* à bonneterie; **~sam** *a, a. med, pharm* efficace, agissant; *(~end)* actif, opérant; *jur (gültig)* valable; *(rechtswirksam)* valide; *adv* efficacement; *~~ sein (a.)* faire (de l')effet; *~~ werden* prendre effet; *jur* entrer en vigueur; **W~samkeit** *f* ⟨-, ø⟩ *(e-s Mittels)* efficacité *f,* effet *m;* activité; *jur (Gültigkeit)* validité; *(Rechtswirksamkeit)* validité *f od* effet *m* en droit; *die ~~ e-s Gesetzes aussetzen* suspendre l'action d'une loi; *e-e rege ~~ entfalten* déployer *od* développer une intense activité; *in ~~ treten (jur)* entrer en vigueur; **W~spannung** *f el* voltage *m* actif; **W~stoff** *m chem* agent; *physiol* métabolite *m;* **W~strom** *m el* courant *m* utile; **W~stuhl** *m tech* métier *m* à tisser; **W~waren** *f pl,* **W~warenindustrie** *f* bonneterie *f;* **W~wert** *m el* composante *f* effective; **W~widerstand** *m el* résistance *f* effective; **W~zeit** *f (Reaktionszeit)* temps *m* de réaction.

Wirkung *f* ⟨-, -en⟩ ['vɪrkʊŋ] *(Tätigkeit, Einwirkung; a. chem, tech)* action; *(Wirksamkeit)* efficacité; *(Folge)* suite, conséquence *f; (Ergebnis, a. phys)* effet; résultat *m; (Eindruck)* impression; *(Einfluß)* influence *f; mit ~ vom (1. April)* avec effet du (1er avril); *mit sofortiger ~* avec effet immédiat; *die ~~ e-r S aufheben* neutraliser qc; *e-e ~ auf etw ausüben* exercer une action *od* un effet sur qc; *auf ~ bedacht sein* viser à l'effet; *e-e gute ~ erzielen* faire *od* produire bon effet; *auf etw e-e ~ haben* faire *od* produire de l'effet sur qc; *aufschiebende ~ haben (jur)* être suspensif; *e-e entscheidende ~ haben* produire un effet décisif; *keine ~ haben, ohne ~ bleiben* n'avoir aucun *od* rester sans effet, *fam* faire long feu; *e-e nachteilige ~ haben* avoir des suites fâcheuses; *jur* avoir des effets préjudiciables; *zur ~ kommen* prendre effet; *s-e ~ tun* avoir *od* faire *od* produire son effet; *(Heilmittel a.)* opérer; *s-e ~ verfehlen* manquer son effet; *s-e ~ verlieren (pharm)* devenir inopérant; *die ~ blieb aus* l'effet se fit attendre; *keine ~ ohne Ursache (prov)* il n'y a pas d'effet sans cause; *kleine Ursachen, große ~en (prov)* (à) petite cause grands effets; *aufschiebende ~ (jur)* effet *m* suspensif; *psychologische ~* effet *m* moral; *rechtliche ~* effet *m* juridique; *~ und Gegenwirkung* action et réaction; **~sbereich** *m,* **~sfeld** *n* zone *f od* champ *m* d'action, sphère *f* d'activité; **~sdauer** *f* durée *f* de l'effet; **~sfeuer** *n mil* tir *m* d'effet; **~sgrad** *m* degré d'efficacité; *phys, tech* rendement *m;* **~skreis** *m* rayon *m* d'action, sphère *f* d'activité; **w~slos** *a* sans effet, inefficace; inopérant; **~slosigkeit** *f* ⟨-, ø⟩ inefficacité *f;* **~smöglichkeit** *f* possibilité *f* d'action; **~squantum** *n phys* quantum *m* d'action; **~sradius** *m mil* rayon *m* d'action; **~sschießen** *n mil* tir *m* d'efficacité; **~svermögen** *n* virtualité *f;* **w~svoll** *a* efficace; *~~ sein* faire (de l')effet; **~sweise** *f* mode *m* d'action *od* de fonctionnement, **~sweite** *f* portée *f* efficace.

wirr [vɪr] *a, a. fig* confus, troublé, embrouillé, emmêlé, chaotique; *pred* sens dessus dessous; *(Haare)* ébouriffé, en désordre; *adv fig* pêle-mêle, sens dessus dessous; *~es Zeug reden* déraisonner, dire des choses sans queue ni tête; *ganz ~ im Kopf sein* avoir la tête tout à l'envers, être détraqué; **W~en** *pl pol* troubles, désordres *m pl,* chaos *m; innere ~~ (pol)* troubles *od* désordres *m pl* à l'intérieur; **W~kopf** *m pej* esprit confus, brouillon *m; gelehrte(r) ~~* savantasse *m vx fam;* **W~nis** *f* ⟨-, -sse⟩, **W~sal** *n* ⟨-(e)s, -e⟩, **W~warr** *m* ⟨-s, ø⟩ ['-var] pêle-mêle, chaos; *fam* remue- -ménage, tohubohu *m.*

Wirsing(kohl) *m* ⟨-s, (-e)⟩ ['vɪrzɪŋ] chou *m* de Milan.

Wirt *m* ⟨-(e)s, -e⟩ [vɪrt] *(Gastgeber)* hôte; *lit* amphitryon; *(Zimmerwirt)* logeur; *(Hauswirt)* propriétaire; *(Hotelbesitzer, Gastwirt)* hôtelier, patron de l'hôtel; aubergiste; *(Schankwirt)* cafetier, cabaretier; *(Speisewirt)* restaurateur; *biol (e-s Parasiten)* hôte *m; den ~ machen* faire les honneurs de la maison; *die Rechnung ohne den ~ machen (fig)* compter sans son hôte; **~in** *f* hôtesse; logeuse; propriétaire; hôtelière, patronne de l'hôtel; aubergiste; patronne *f* du café *od* du restaurant; **w~lich** *a (gastlich)* hospitalier; **~shaus** *n (Gasthaus)* auberge *f; (Gastwirtschaft, Gaststätte)* café; *pop* bistrot *m;* **~sleute** *pl* logeurs; propriétaires *m pl;* **~spflanze** *f (e-s Parasiten)* plante *f* hôte; **~sstube** *f* salle *f* d'auberge *od* de café; **~stier** *n (e-s Parasiten)* animal *m* hôte.

Wirtschaft *f* ⟨-, -en⟩ ['vɪrtʃaft] *(Hauswirtschaft)* (soins *m pl* du) ménage *m;* tenue *od* direction d'une *od* de la maison; *(Gasthaus)* auberge *f; (Gastwirtschaft)* café; *(Speiselokal)* restaurant *m,* brasserie; *(Verwaltung)* administration, gestion, régie; *(Volkswirtschaft)* économie (politique); activité *f* économique; *fam pej (Unordnung)* remue-ménage *m; die ~ ankurbeln* redresser, stimuler l'économie; *die ~ (den Haushalt) führen* tenir le ménage *od* la maison; *jdm die ~ führen* tenir le ménage à qn; *die ~ lenken* diriger l'économie; *die ~ umstellen* réadapter l'économie; *das ist ja e-e schöne ~! (iron)* quel bazar! c'est *od* en voilà du propre! *ausgeglichene ~* économie *f* équilibrée; *freie ~* économie *f* libérale; *gelenkte ~* économie *f* dirigée *od* contrôlée par l'État; dirigisme *m; ge-*

schlossene ~ économie fermée; *gewerbliche* ~ économie *f* industrielle; *örtliche, ortsansässige* ~ économie *f* locale; *private* ~ économie *f* privée; **w~en** *itr (haushalten)* tenir *od* faire un *od* le *od* son ménage, tenir *od* gouverner une *od* la *od* sa maison; *fig (einteilen, mit Geld umgehen)* gérer ses affaires; *drauflos* ~~ gaspiller son argent; *gut, schlecht* ~~ bien, mal gérer ses affaires; *sparsam* ~~ gérer ses affaires économiquement; *aus dem vollen* ~~ ne pas regarder à la dépense, mener grand train; **~er** *m* ⟨-s, -⟩ *(Verwalter)* régisseur, gérant, intendant *m;* **~erin** *f (Haushälterin)* ménagère, gouvernante; *(Verwalterin)* régisseur *m,* gérante, intendante *f;* **~ler** *m* ⟨-s, -⟩ *(Volkswirt)* économiste *m;* **w~lich** *a* économique; *(finanziell)* pécuniaire, financier; *(rationell)* rationnel; *(lohnend)* rentable; *(Mensch: sparsam)* économe; *adv* avec économie; *die* ~~ *Schwachen* les économiquement faibles *m pl;* ~~*e Verhältnisse n pl (in e-m Lande)* situation économique; *(e-s Menschen)* situation *f* pécuniaire; **~lichkeit** *f* ⟨-, ø⟩ *(Sparsamkeit)* économie; *(Rentabilität)* rentabilité *f,* rendement *m* économique.

Wirtschafts|abkommen *n* ['vɪrt-ʃafts-] accord *m* économique; **~abordnung** *f* délégation *f* économique; **~amt** *n* office *m* des affaires économiques; **~ankurbelung** *f* redressement *m od* relance *f* économique; **~anstieg** *m* expansion *f* économique; **~aufbau** *m* = *~gefüge;* **~aufschwung** *m* essor *m* économique; **~ausweitung** *f* expansion *f* économique; **~autarkie** *f* autarcie *f* économique; **~bau** *m* ⟨-(e)s, ø⟩ construction *f* de bâtiments industriels et commerciaux; **~beilage** *f (einer Zeitung)* supplément *m* économique; **~belange** *m pl* intérêts *m pl* économiques; **~belebung** *f* reprise *f* économique; **~berater** *m* conseiller *m* économique; **~bereich** *m* secteur *m* économique; **~bericht** *m* rapport *m* économique; **~berichterstatter** *m (e-r Zeitung)* correspondant *m* économique; **~besprechungen** *f pl* conversations *f pl* économiques; **~betrieb** *m* entreprise économique, exploitation *f;* **~beziehungen** *f pl* relations *f pl* économiques; **~bilanz** *f* bilan *m* économique; **~block** *m* ⟨-(e)s, -s/¨-e⟩ *pol* bloc *m* économique; **~blockade** *f* blocus *m* économique; **~boykott** *m* boycottage *m* économique; **~depression** *f* dépression *f* économique; **~einheit** *f pol* unité *f* économique; **~entwicklung** *f* développement *m od* évolution *f* économique; **~experte** *m* expert *m* économique; **w~feindlich** *a* antiéconomique; **~form** *f* système *m* économique; **~forschung** *f* recherches *od* études *f pl* économiques; **~fortschritt** *m* progrès *m* économique; **~frage** *f* problème *m* économique; **~führer** *m* gros industriel *m;* **~führung** *f* exploitation économique; *(Verwaltung)* gestion; *pol* direction *f* économique; **~gebäude** *n pl* communs *m pl;* **~gebiet** *n* région *f* économique; **~gefüge** *n* structure *f* économique; **~geld** *n* argent *m* du ménage; **~gemeinschaft** *f: die Europäische* ~~ *(EWG)* la Communauté économique européenne (C.E.E.); le Marché commun; *innerhalb der* ~~ *(attr)* intracommunautaire *a;* **~geographie** *f* géographie *f* économique; **~geschichte** *f* histoire *f* économique; **~gruppe** *f* groupe *m* économique; **~güter** *n pl* biens *m pl* économiques; **~hilfe** *f* aide *f* économique; **~interessen** *n pl* intérêts *m pl* économiques; **~jahr** *n* exercice *m;* **~kampf** *m* = *~krieg;* **~kenntnis** *f* connaissances *f pl* économiques; **~kommission** *f* commission *f* économique; **~konferenz** *f* conférence *f* économique; **~kontrolle** *f* contrôle *m* économique; **~körper** *m* organisme *m* économique; **~korrespondent** *m* = *~berichterstatter;* **~kraft** *f* capacité *f* économique; **~kreise** *m pl* milieux *m pl* économiques; **~krieg** *m* guerre *f* économique; **~krise** *f* crise *f* économique; **~lage** *f* situation *f* économique; **~leben** *n* vie *od* activité *f* économique; **~lehre** *f* science *f* économique; **~lenkung** *f* direction *f* économique; *staatliche* ~~ dirigisme, planisme *m;* **~macht** *f* puissance *f* économique; **~minister** *m* ministre *m* des affaires économiques; **~ministerium** *n* ministère *m* de l'économie (publique); **~norm** *f* standard *m* économique; **~ordnung** *f* ordre *m* économique; **~organisation** *f* organisation *f* économique; **~plan** *m* plan *m* économique; **~planung** *f* planification *f* économique; **~politik** *f* politique *f* économique; **w~politisch** *a* politico-économique; **~potential** *n* potentiel *m od* capacité *f* économique; **~programm** *n* programme *m* économique; **~prozeß** *m* processus *m* économique; **~prüfer** *m* commissaire aux comptes; expert *m* comptable; **~rat** *m* conseil *m* économique; *Europäische(r)* ~~ Organisation *f* Européenne de Coopération Économique (O.E.C.E.); **~raum** *m* espace *m* économique; **~redakteur** *m (e-r Zeitung)* rédacteur *m* économique; **~sabotage** *f* sabotage *m* économique; **~sachverständige(r)** *m* expert *m* économique; **~sanktionen** *f pl* sanctions *f pl* économiques; **~struktur** *f* = *~gefüge;* **~system** *n* système *m* économique; **~tätigkeit** *f* activité *f* économique; **~teil** *m (e-r Zeitung)* page *od* rubrique *f* économique; **~theoretiker** *m* théoricien *m* de l'économie; **~theorie** *f* théorie *f* économique; **~überschuß** *m* surplus *m* produit au cours d'un exercice; **~union** *f* union *f* économique; **~unternehmen** *n* entreprise *f* économique; **~verband** *m* syndicat *m;* **~vereinigung** *f* association *f* économique; **~verfall** *m* déclin *m* économique; **~verfassung** *f* système, régime *m* économique; **~verhandlungen** *f pl* négociations *f pl* économiques *od* commerciales; **~vertrag** *m* accord *m* économique; **~werbung** *f* publicité *f* économique; **~wissenschaft** *f* science *f* économique; **~wissenschaftler** *m* économiste *m;* **~wunder** *n* miracle *m* économique; **~zentrum** *n* centre *m* économique; **~zweig** *m* branche *f* économique *od* d'activité.

Wisch *m* ⟨-(e)s, -e⟩ [vɪʃ] *pej (Zettel; Schreiben; Dokument)* chiffon *m* de papier, paperasse *f;* **w~en** *tr* essuyer; *(mit e-m Lappen)* torch(onn)er; *(reiben)* frotter; *(Kunst)* estomper; *sich mit der Hand über die Stirn* ~~ se passer la main sur le front; *sich den Mund* ~~ *können (fig fam: leer ausgehen)* se taper *pop; sich den Schweiß von der Stirn* ~~ s'essuyer la sueur sur le front; *Staub* ~~ épousseter, enlever la poussière; *sich die Tränen aus den Augen* ~~ s'essuyer les larmes; **~er** *m* ⟨-s, -⟩ torchon *m; (Zeichengerät)* estompe *f; fig fam (Tadel)* savon *m,* réprimande *f;* **~lappen** *m,* **~tuch** *n* torchon; *(Staubtuch)* chiffon *m* à épousseter; *(Scheuertuch)* serpillière *f;* **~wasch** *m* ⟨-(e)s, ø⟩ [-vaʃ], **~iwaschi** *n* ⟨-s, ø⟩ [-ʃi'vaʃi] *fam (Geschwätz, Quatsch)* verbiage; radotage, bafouillage *m.*

Wisent *m* ⟨-s, -e⟩ ['vi:zɛnt] *zoo* bison *m.*

Wismut *n* ⟨-(e)s, ø⟩ ['vɪsmu:t] *chem* bismuth *m;* **~subnitrat** *n* sous-nitrate *od* blanc *m* de bismuth.

wispern ⟨*ich wisp(e)re, du wisperst* ..⟩ ['vɪspərn] *tr* u. *itr (flüstern)* chuchoter, murmurer, susurrer.

Wißbegier|(de) *f* ['vɪs-] désir *m* de savoir, soif de s'instruire; *(Neugier)* curiosité *f;* **w~ig** *a* désireux *od* avide de savoir *od* de s'instruire *od* d'apprendre; *(neugierig)* curieux.

wissen ⟨*ich weiß; ich wußte; ich wüßte; gewußt* ..⟩ ['vɪsən, vaɪs, 'vʊstə, gə'vʊst] *tr* u. *itr* savoir *(von, über* de*); von* od *um etw* avoir connaissance *od* être instruit de qc; *(kennen)* connaître; *ohne es zu* ~ sans le savoir, inconsciemment; *ohne daß ich es wußte (a.)* à mon insu; *soviel ich weiß* à ce que je sais, (autant) que je sache, à ma connaissance; *keine Antwort* ~ *(Schüler, a. fam)* sécher; *etw auswendig* ~ savoir qc par cœur; *Bescheid* ~ être au fait *od* au courant (*über etw* de qc); *mit etw Bescheid* ~ se connaître à qc; *jdm für etw Dank* ~ savoir gré à qn de qc; *etw genau* ~ n'être pas sans savoir qc; *etw nicht* ~ ignorer qc; être ignorant de qc; *nicht recht* ~ ne pas savoir au juste; *nicht* ~, *was man mit jdm, e-r S anfangen soll* ne savoir que faire de qn, qc; *fam hum* ne savoir à quelle sauce mettre qn, qc; *nicht* ~, *was man sagen soll* ne savoir que dire; *fam* être à quia; *nicht* ~, *wo einem der Kopf steht* être aux cent coups, ne savoir où donner de la tête; *nicht* ~, *wie es weitergehen soll* ne pas voir d'issue; *nicht* ~, *woran man ist* ne savoir où on en est *od* à quoi s'en tenir; *sich keinen Rat* ~, *nicht aus noch ein* od *weder ein noch aus* ~ ne savoir que faire *od* comment s'en tirer *od* où donner de la tête *od* à quel saint se vouer; *fam* être entre le zist et le zest *od* dans le cirage; *etw zu schätzen* ~ savoir apprécier qc; *sehr wohl* ~ ne pas ignorer, n'être pas sans savoir; *alles besser* ~ *wollen* vouloir savoir mieux que tout le monde, trancher sur tout; *von etw nichts* ~ *wollen* ne pas vouloir entendre parler de qc; *nichts mehr* ~ *wollen (nach e-m Streit)* ne pas demander son reste; *ich weiß schon* je sais bien; ne m'en parlez pas! *ich möchte gern* ~, *ich wüßte gern* je voudrais bien savoir; *davon will ich nichts* ~ je ne veux pas en entendre parler; *ich wüßte niemand(en), der...* je ne sache personne qui ...; *ich wüßte, was ich täte* je sais bien ce que je ferais; *Sie müssen* ~, *daß...* sachez que ...; *er weiß, was er will (a.)* il sait ce qu'il veut; *man kann nie* ~ on ne peut jamais savoir; sait-on jamais? *gut, daß ich es weiß* c'est bon à savoir; *nicht, daß ich wüßte* pas que je sache; *weißt du was?* sais-tu? ~ *Sie noch?* vous souvenez-vous? *woher* ~ *Sie das?* d'où le tenez-vous? *was weiß ich!* qu'est-ce que j'en sais! *weiß Gott!* Dieu (le) sait! *weiß Gott, wer, was...* Dieu sait qui, quoi ...; **W~** *n* savoir *m; (Kenntnisse)* connaissances *f pl,* instruction *f; meines* ~~*s* à ma connaissance, à ce que je sais, (autant) que je sache; *mit meinem* ~~ avec mon assentiment; *mit* ~~ *s-s Vaters* au vu et au su de son père; *mit* ~ *und Willen* délibérément, sciemment; *nach bestem* ~~ *und Gewissen* en toute conscience *od* honnêteté; *ohne mein* ~~ à mon insu; *wider besseres* ~~ tout en sachant le contraire, avec mauvaise foi; *über ein großes* ~~ *verfügen (a.)* avoir la tête bien pleine; ~~ *ist Macht (prov)* savoir, c'est pouvoir; *ein großes* ~~ un savoir étendu; **W~de(r)** *m (Eingeweihter)* initié *m;* **W~schaft** *f* science *f; lit (Wissen)* savoir *m; lit (Kenntnis)* connaissance *f; angewandte* ~~ science *f* appliquée; *die exakten* ~~*en* les sciences *f pl* exactes; *reine* ~~ science *f* pure; *die schönen* ~~*en* les sciences *f pl* humaines; **W~schaftler** *m* ‹-s, -› homme de science, scientifique; *(Gelehrter)* savant, érudit; *(Forscher)* chercheur *m;* **~schaftlich** *a* scientifique; *(gelehrt)* savant; ~~ *geschult* formé aux méthodes scientifiques; ~~*e(r) Versuch m* expérience *f;* **W~schaftlichkeit** *f* ‹-, ø› caractère *od* esprit *m* scientifique; **W~schaftsgläubigkeit** *f* scientisme *m;* **W~schaftslehre** *f philos* théorie *f* de la science; **W~sdrang** *m* ‹-(e)s, ø›, **W~sdurst** *m* ‹-(e)s, ø› désir *m od* soif de savoir *od* de s'instruire; *(Neugier)* curiosité *f;* **~sdurstig** *a* avide *od* désireux de savoir *od* de s'instruire; *(neugierig)* curieux; **W~sgebiet** *n* branche *f* de la science; **W~slücke** *f* lacune *f;* **W~strieb** *m* = *W~sdrang;* **~swert** *a* intéressant, curieux; **~tlich** *adv* sciemment, en connaissance de cause.

witter|n ‹*ich witt(e)re, du witterst* ...› ['vɪtərn] *tr (nach dem Geruch bemerken, a. fig),* flairer, éventer; *fig (spüren, ahnen)* avoir vent de, subodorer, se douter de; *itr (Wild)* prendre le vent; *e-e Gefahr, Unheil, Verrat* ~~ flairer un danger, un malheur, la trahison; *Morgenluft* ~~ *(fig)* sentir un vent favorable; **W~ung** *f* ‹-, ø› *(Geruchssinn, bes. des Hundes)* flair; *(Geruchsspur des Wildes)* vent; *(Wetter)* temps *m* (qu'il fait); *bei jeder* ~~ par tous les temps; ~~ *von etw haben (fig)* avoir vent de qc; *e-e feine* od *gute* ~~ *haben (fig)* avoir du flair, avoir le nez fin; **W~ungsumschlag** *m* changement *m* de temps; **W~ungsverhältnisse** *n pl* conditions *f pl* atmosphériques.

Witw|e *f* ‹-, -n› ['vɪtvə] veuve *f;* ~~ *von Stande* douairière *f;* **~engeld** *n* pension *od* rente *f* de veuve; **~enpension** *f* pension *f* de veuve; **~enrente** *f* rente *f* de veuve; **~enschaft** *f* ‹-, ø›, **~entum** *n* ‹-s, ø› veuvage *m, jur* viduité *f;* **~enschleier** *m* voile *m* de deuil; **~er** *m* ‹-s, -› veuf *m;* **~erschaft** *f* ‹-, ø› **~ertum** *n* ‹-s, ø› veuvage *m.*

Witz *m* ‹-es, -e› [vɪts] *(Geist, Verstand)* (vivacité *f* d')esprit; intellect *m; (Schlauheit)* ingéniosité, astuce; *(~iger Einfall)* saillie, boutade *f; (~wort)* mot d'esprit, bon mot, mot *m* pour rire; pointe *f; (Wortspiel)* jeu de mots, calembour *m; (Scherz)* plaisanterie *f;* ~*e machen* faire des mots (d'esprit) *od* des bons mots; *trockene* ~*e machen* être un pince-sans-rire; *von* ~ *sprudeln* pétiller d'esprit; *das ist der ganze* ~ *(fam: darauf kommt es an)* voilà tout; *dafür reicht sein* ~ *(s-e Schlauheit) nicht aus* il n'est pas assez malin pour cela; *mach keine* ~*e!* ne raconte pas d'histoires! sans blague! *alberne(r)* ~ turlupinade *f; alte(r)* ~ plaisanterie *f* banale; *beißende(r)* ~ trait *m* mordant; *ein derber* ~ du gros sel; *faule(r)* ~ mauvaise plaisanterie *f;* quolibet *m;* **~blatt** *n* journal *m* humoristique *od* satirique; **~bold** *m* ‹-(e)s, -e› ['-bɔlt, -də] plaisant, amuseur, farceur; *fam* blagueur; *pej* plaisantin *m;* **~elei** [-'laɪ] *f* mauvaise plaisanterie, raillerie *f* fade; **w~eln** *itr* faire de l'esprit; **w~ig** *a (geistreich)* plein d'esprit, spirituel; *(Äußerung)* plaisant, amusant, piquant; **w~los** *a* sans esprit, sans sel, peu spirituel, insipide; *(Sache) (fam)* sans intérêt; **w~sprühend** *a* pétillant d'esprit; **~wort** *n* ‹-(e)s, -e› mot d'esprit, bon mot, mot *m* pour rire.

wo [vo:] **1.** *adv (fragend, a. indirekt)* où; en quel endroit *od* lieu; ~ *bist du?* où es-tu? *ich weiß nicht,* ~ *er ist* je ne sais pas où il est; ~ *fehlt's? (was haben Sie?)* qu'avez-vous? ~ *denn?* où ça? *(ausrufend) ach* od *i* ~! *(~ denkst du hin!)* penses-tu! oh que non! *(unbestimmt, fam: irgendwo)* quelque part; ~ *will er denn damit hinaus?* où veut-il donc en venir? *(relativ)* où: *dort, überall,* ~ là, partout où; *das Land,* ~ *meine Wiege stand* le pays dans lequel je suis né; ~ *auch immer* n'importe où; ~ *es auch immer sei(n mag)* où que ce soit; *(zeitl.)* où que; *am Tage,* ~ le jour où; *gestern,* ~ hier que; *zur Zeit,* ~ du temps que; *zur Zeit,* ~ du temps que, à l'époque où; **2.** *conj (verneint):* ~ *nicht* sinon; **W~** *n: das* ~~ *(der Ort,* ~*)* le où; **~anders** [-'--] *adv* ailleurs; *mit den Gedanken (ganz)* ~~ *sein* être à cent lieues d'ici *od* de là; être dans la lune; **~andershin** [-'---] *adv* ailleurs; **~bei** [-'-] *adv (fragend, a. indirekt)* à (l'occasion de) quoi; ~~ *mir einfällt* ce qui me rappelle; ~~ *sind wir stehengeblieben?* où en sommes-nous restés?

Woche *f* ‹-, -n› ['vɔxə] semaine *f; die* ~*n pl* = ~*nbett; die* od *in der* ~ *(wöchentlich)* la *od* par semaine; *in drei* ~*n (in e-m Zeitraum von drei* ~*n)* en trois semaines; *(heute) in drei* ~*n* dans trois semaines; *letzte* od *vergangene* ~ la semaine dernière *od* passée; *nächste* ~ la semaine prochaine; ~ *um* ~ semaine après semaine; *vor drei* ~*n* il y a trois semaines; *zweimal die* ~ deux fois par semaine; *jede zweite* ~ tous les quinze jours; *in die* ~*n kommen (physiol)* accoucher; *in den* ~*n liegen* od *sein (physiol)* être en couches; *die laufende* ~ la semaine en cours; *die Stille* ~ *(Karwoche)* la semaine sainte; *die 40-Stunden-Woche* la semaine de 40 heures; *Weiße* ~ *(com)* semaine *f* de blanc; *die* ~ *nach Ostern* la semaine de Pâques.

Wochen|ausweis *m* ['vɔxən-] *fin* bilan *m* hebdomadaire; **~bericht** *m* rapport *od* bulletin *m* hebdomadaire; **~bett** *n* couches *f pl; im* ~~ *liegen* être en couches; **~bilanz** *f* = ~*ausweis;* **~blatt** *n (Zeitung)* (journal) hebdomadaire *m;* **~dienst** *m mil* service *m* de semaine; ~~ *haben* être de semaine; **~endausflug** *m* excursion *f* de week-end; **~ende** *n* week-end *m,* fin *f* de semaine; *am* od *übers* ~~ en fin de semaine, en week-end; *(ein)* ~~ *machen* faire la semaine anglaise; **~endhaus** *n* chalet *m* de week-end; **~geld** *n,* **~hilfe** *f (für junge Mütter)* prime *f* d'accouchement, secours *m* de maternité; **~karte** *f loc* carte *f* (d'abonnement) hebdomadaire; *e-e* ~~ *haben* avoir un abonnement hebdomadaire; **w~lang** *a* qui dure(nt) des semaines entières; *adv* des semaines entières; **~lohn** *m* salaire *m* hebdomadaire; **~markt** *m* marché *m* de la semaine; **~schau** *f film* actualités *f pl;* **~schrift** *f* publication *od* revue *f* hebdomadaire; **~spielplan** *m theat* programme *m* de la semaine; **~tag** *m* jour de semaine; *(Werktag)* jour *m* ouvrable; **w~tags** *adv* en semaine, les jours ouvrables; **w~weise** *adv* par semaine(s); *(vermieten)* à la semaine.

wöchentlich ['vœçəntlɪç] *a* hebdomadaire; *adv* par *od* chaque semaine; *dreimal* ~ trois fois par semaine.

Wöchnerin *f* ‹-, -nnen› ['vœçnərɪn]

accouchée, femme *f* en couches; **~nenheim** *n* maternité *f.*

Wodka *m* ⟨-s, -s⟩ ['vɔtka] *(russ. Branntwein)* vodka *f.*

wo|durch [voː'durç] *adv (fragend, a. indirekt)* par quoi, par quel moyen; *(relativ)* par où; *(durch den, die, das)* par lequel, laquelle; **~fern** [-'-] *conj (wenn nur)* si (toutefois), si tant est que; pourvu que *subj;* *~~ nicht* à moins que ... ne *subj;* **~für** [-'-] *adv (fragend, a. indirekt)* pour quoi, à quelle fin; *(relativ: für den, die, das)* pour lequel, laquelle; *~~ halten Sie mich?* pour qui me prenez-vous? *~~ ist das gut?* pour quoi est-ce bon? à quoi cela sert-il?

Woge *f* ⟨-, -n⟩ ['voːgə] vague, onde *a. fig;* lame *f,* flot *m; Öl auf die ~n gießen (fig)* calmer *od* apaiser la situation; **w~n** *itr (Wellen schlagen)* rouler des vagues, être agité *od* houleux, déferler; *(Kornfeld)* ondoyer, onduler; *(Busen)* palpiter; **~nprall** *m,* **~nschlag** *m* choc *od* fracas des vagues; *(Brandenburg)* ressac *m.*

wo|gegen [voː'geːgən] *adv (fragend, a. indirekt)* contre quoi; *(relativ: gegen den, die, das)* contre lequel, laquelle; *(durch Tausch)* en échange duquel, de laquelle; *conj (gegensätzl.: während)* tandis que; **~her** [-'-] *adv (fragend, a. indirekt)* d'où; de quel endroit *od* côté; *~~ kommt es, daß ...?* d'où vient-il que ...?; *(auf welche Weise)* comment; *~~ soll ich das wissen?* comment le saurais-je? *(ausrufend) ach, ~~! = ach wo! (unbestimmt, fam: irgendwoher)* de quelque part; *(relativ)* d'où; *~~ auch immer* de quelque part que; **~hin** [-'-] *adv (fragend, a. indirekt)* où; dans quelle direction; *(relativ)* où; *~~ ... auch (immer)* de quelque côté que; **~hinaus** [--'-] *adv (fragend, a. indirekt)* par où; de quel côté; *ich weiß nicht, ~~ Sie wollen (fig)* je ne sais pas où vous voulez en venir; **~hingegen** [--'--] *conj = ~gegen.*

wohl [voːl] *a pred (gesund)* bien (portant), en bonne santé; *a (mit unpersönl. Form von: sein)* u. *adv (angenehm, gut)* bien; *adv (durchaus, sicherlich)* certainement; *(wahrscheinlich)* sans doute, probablement; *(vielleicht)* peut-être; *(allerdings, zwar)* certes, bien sûr, il est vrai; *(gegen, an, ungefähr)* environ, à peu près; *interj (nun ~!)* eh bien! allons; *(sei es!)* soit! *~ dem, der ...* (bien)heureux celui qui ...; *~ oder übel* bon gré, mal gré; de gré ou de force; *~ aussehen* avoir bonne mine; *sich ~ befinden* être *od* se porter bien, être en bonne santé; *sich ~ fühlen* se sentir bien *od* en bonne santé *od* à l'aise; *sich nicht ~ fühlen* se sentir mal, ne pas se sentir à l'aise; *sich's ~ sein lassen* se donner du bon temps; *fam* se la couler douce; *mir ist (nicht) ~* je (ne) me sens (pas) bien; *mir ist jetzt ~er* je me sens mieux maintenant; *ich fühle mich hier (sehr) ~* je suis (très) bien ici; *ich weiß das ~* je le sais (très) bien; *das werde ich ~ bleibenlassen* je m'en garderai bien; *er wird ~ morgen kommen* il viendra sans doute demain; *er wird ~ krank sein* il semble qu'il est *od* soit malade; *das mag ~ sein* c'est bien possible; *das tut ~* cela fait du bien; *ob er ~ schreiben wird?* je me demande s'il écrira; *leben Sie ~!* adieu! *~ bekomm's!* grand bien vous fasse! *alles ~* bedacht tout bien pesé, toute réflexion faite; **W~** *n* ⟨-(e)s, ø⟩ bien; *(~befinden)* bien-être *m; (Gesundheit)* santé; *(Gedeihen, Glück)* prospérité *f,* bonheur; *(Heil)* salut; *(Nutzen)* intérêt *m; zum ~~ s-r Kinder* pour le bien de ses enfants; *auf jds ~~ trinken* boire à la santé de qn; *auf Ihr ~~! zum ~~!* à votre santé! *(auf das Ihre!* à la vôtre!); *das öffentliche ~~* le bien public *od* commun; *das ~~ und Wehe* le bonheur, le sort; **~an** [voːl'ʔan/-'lan] *interj* allons! **~anständig** *a* décent, bienséant; **W~anständigkeit** *f* ⟨-, ø⟩ décence, bienséance *f;* **~auf** [-'ʔauf/ -'lauf] *a (gesund)* bien portant; *~~ sein (a.)* se porter bien, être en bonne santé; *interj* allons! **~bedacht** *a* réfléchi; *adv* après mûre réflexion; **W~befinden** *n* bien-être *m,* bonne santé, prospérité; *med* euphorie *f;* **~begründet** *a* bien fondé; **W~behagen** *n* (sentiment de) bien-être *m (od* d')aise *f;* **~behalten** *a (Mensch)* sain et sauf; *~~ ankommen (a.)* arriver à bon port; **~bekannt** *a* bien connu; familier; **~beleibt** *a* corpulent, replet; *~~ sein (a.)* avoir de l'embonpoint; **W~beleibtheit** *f* ⟨-, ø⟩ corpulence *f,* embonpoint *m; fam* rotondité *f;* **~bestallt** *a (Beamter)* dûment installé; en titre; **~durchdacht** *a (Plan)* réfléchi, mûr; **~erfahren** *a: ~~ sein* avoir une longue expérience; **W~ergehen** *n* bien-être *m,* santé, prospérité *f;* **~erwogen** *a = ~durchdacht;* **~erworben** *a* dûment acquis; *~~e Rechte n pl* droits *m pl* acquis; **~erzogen** *a* bien élevé; *~~ sein (a.)* avoir de l'éducation; **W~fahrt** *f* ⟨-, ø⟩ *(Wohl, Heil)* salut *m; (Fürsorge)* prévoyance *od* aide *f* sociale; *öffentliche ~~* assistance *f* publique; **W~fahrtsamt** *n* bureau *m* de bienfaisance; **W~fahrtsausschuß** *m hist (1793/94)* Comité *m* de Salut public; **W~fahrts(brief)marke** *f* timbre *m* de bienfaisance; **W~fahrtseinrichtung** *f* institution *f* sociale; **W~fahrtspflegerin** *f* assistante *f* sociale; **W~fahrtsrente** *f* rente *f* du bureau de bienfaisance; **W~fahrtsstaat** *m* État-providence *m;* **W~fahrtsunterstützung** *f* allocation *f* du bureau d'assistance sociale; **~feil** *a (billig)* bon marché; *adv* à bon marché; **W~feilheit** *f* bon marché, bas prix *m;* **~geartet** *a (Mensch)* bien né et bien élevé; **~gebildet** *a* bien fait; **W~gefallen** *n* plaisir *m,* complaisance *f; (Zufriedenheit)* contentement *m,* satisfaction *f; sich in ~~ auflösen* se terminer à la satisfaction générale; *fam iron* s'en aller en fumée; *an etw ~~ finden od haben* prendre *od* trouver du plaisir à qc; **~gefällig** *a* agréable, gracieux; *(zufrieden)* content, satisfait; *adv: ~~ betrachten* regarder avec complaisance; **W~gefühl** *n* sentiment *m* de bien-être; **~gelitten** *a* bien vu; **~gemeint** *a (Rat)* bien intentionné; *(freundschaftlich)* amical; **~gemerkt** *interj* bien entendu! attention! **~gemut** *a (froh)* gai, joyeux, de bonne humeur; **~genährt** *a* bien nourri; **~geordnet** *a* bien ordonné *od* réglé; **~geraten** *a* bien fait *od* réussi; *(~erzogen)* bien élevé; **W~geruch** *m* bonne odeur, senteur *f,* parfum *m;* **W~geschmack** *m* bon goût *m,* saveur *f* agréable; **~gesetzt** *a (Rede)* bien fait; *in ~~en Worten* en termes choisis; **~gesinnt** *a* bien intentionné *od* pensant; *(freundschaftlich)* amical; **~gestalt** *a (von Natur aus)* bien fait *od* proportionné; **~gestaltet** *a (von Menschenhand)* bien fait *od* modelé; **~getan** *a* bien fait; **~habend** *a* aisé, à l'aise; fortuné; *fam* cossu; *~~ sein (a.)* avoir de la fortune, avoir les reins forts *od* solides; *fam* avoir du foin dans ses bottes; **W~habenheit** *f* ⟨-, ø⟩ aisance *f;* **~ig** *a (Wärme, Ruhe)* bienfaisant, agréable; *(Gefühl)* agréable; *mir ist (so) ~~ zumute* je me sens à mon aise; **W~klang** *m,* **W~laut** *m* son *m* harmonieux, sonorité, harmonie; *gram* euphonie *f;* **~klingend** *a,* **~lautend** *a* sonore, harmonieux, mélodieux; *gram* euphonique; **W~leben** *n* bonne chère, bonne vie; vie *f* de délices; *ein ~~ führen* mener joyeuse vie; **~meinend** *a* bien intentionné *od* pensant, bienveillant; *der ~~e Leser (lit)* le lecteur bénévole; **~riechend** *a* qui sent bon; parfumé, odor(i-fér)ant; **~schmeckend** *a* savoureux, qui a bon goût; **W~sein** *n* bien-être *m,* bonne santé, aise *f; zum ~~!* à votre santé! **W~stand** *m* ⟨-(e)s, ø⟩ *(W~habenheit)* aisance *f,* bien-être *m; (Reichtum)* prospérité, richesse, opulence *f;* **W~tat** *f* bienfait; *jur (Rechtswohltat)* bénéfice *m; jdm ~~en erweisen* faire du bien à qn; *das ist e-e ~~ (fam: das tut gut)* ça (vous) fait du bien; **W~täter(in** *f***)** *m* bienfaiteur, trice *m f;* **~tätig** *a* bienfaisant; *(mildtätig)* charitable *(gegen* envers); *(~tuend)* salutaire; *(angenehm)* agréable; *zu ~~en Zwecken* à des fins charitables; **W~tätigkeit** *f* ⟨-, ø⟩ bienfaisance; *(Mildtätigkeit)* charité *f; der ~~ sind keine Grenzen gesetzt* à votre bon cœur; **W~tätigkeitsbasar** *m* vente *f* de charité; **W~tätigkeitseinrichtung** *f* œuvre *f* de bienfaisance; **W~tätigkeitskonzert** *n* concert *m* de bienfaisance; **W~tätigkeitsveranstaltung** *f* fête *f* de bienfaisance; **W~tätigkeitsverein** *m* association *od* société *f* de bienfaisance; **~tuend** *a* bienfaisant, bénéfique, qui fait du bien; *(bei Schmerzen)* qui soulage; *(angenehm)* agréable; **~≈tun** *itr* faire du bien *(jdm* à qn); *(bei Schmerzen)* soulager *(jdm* qn); **~überlegt** *a* bien réfléchi; ~~ *vorgehen* procéder avec circonspection, aller à pas mesurés; **~unterrichtet** *a* bien informé; **~verdient** *a* bien mérité, juste; *das ist dein ~~er Lohn (iron)* c'est bien fait pour toi; **W~verhalten** *n* bonne conduite *f;* **~versorgt** *a: ich bin ~~* mon avenir est assuré; **~verstanden** *a* bien compris *od* entendu; *~~!* bien entendu! **~weislich** *adv* (très) sagement, prudemment; *sich ~~ vor etw hüten* se garder bien de qc; **~≈wollen** *itr: jdm ~~* vouloir du bien à qn; **W~wollen** *n* ‹-s, ø› bienveillance; *(Gunst)* faveur *f,* bonnes grâces *f pl;* **~wollend** *a* bienveillant; *(gewogen).* favorable; *(freundlich)* aimable, amical, affable; *adv* avec bienveillance; *~~e Neutralität f (pol)* neutralité *f* bienveillante.

Wohn|anhänger *m* ['vo:n-] *mot* roulotte, caravane, remorque-camping *f;* **~baracke** *f* baraque *f* d'habitation; **~bauten** *m pl* maisons *f pl od* immeubles *m pl* d'habitation; **~bevölkerung** *f* population *f* résidante; **~block** *m* ‹-s, -s› grand ensemble, building *m;* **~einheit** *f* unité *f* d'habitation; **w~en** *itr* habiter, demeurer (*bei* chez); *fam* rester; *(Unterkunft haben, übernachten)* loger, être logé; *(s-n Wohnsitz haben)* être domicilié, avoir son domicile; résider; *sehr hoch ~~* jucher *fam; auf dem Lande ~~* habiter (à) la campagne; *zur Miete ~~* être locataire; *möbliert ~~* loger en garni; *in der Stadt ~~* habiter en *od* la ville; *jdn möbliert bei sich ~~ haben* loger qn chez soi; *ich weiß nicht, wo er wohnt* je ne sais pas où il habite *od* son adresse; **~fläche** *f* surface *f* habitable *od* d'habitation; **~garten** *m* jardin *m* d'agrément; **~gebäude** *n* (bâtiment *od* immeuble *m* d')habitation *f;* **~gebiet** *n* zone *f* résidentielle; *zoo* habitat *m;* **~gemeinschaft** *f* ménage *m;* **~grundstück** *n* immeuble *m* d'habitation; **w~haft** *a (ansässig)* domicilié; résidant; **~haus** *n* maison *f* d'habitation; **~heim** *n* foyer *m;* **~küche** *f* chambre-cuisine *f;* **~kultur** *f* art *m* de l'habitat; **~lage** *f* site *m; in günstiger ~~* bien situé; **w~lich** *a* comfortable, commode; **~lichkeit** *f* ‹-, ø› confort *m,* commodité *f;* **~ort** *m* (lieu de) domicile *m,* résidence *f;* **~ortwechsel** *m* changement *m* de domicile *od* de résidence; **~partei** *f* = *~gemeinschaft;* **~raum** *m* local *m* d'habitation; pièce *f* habitable; *(Rauminhalt e-r Wohnung)* volume *m* de *od* du logement; **~raumbewirtschaftung** *f* rationnement *m* des logements *od* de l'habitation; **~recht** *n* droit *m* de domicile *od* de séjour; **~siedlungsgebiet** *n* zone *f;* réservée aux bâtiments d'habitation; **~sitz** *m* domicile *m,* résidence *f; ohne festen ~~* sans domicile fixe; *keinen festen ~~ haben* être sans domicile fixe; *s-n ~~ in Paris nehmen* établir son domicile *od* sa résidence à Paris; *den ~~ wechseln* changer de domicile *od* de résidence; *ständige(r) ~~* domicile *m* légal; *zweite(r) ~~* résidence *f* secondaire; **~sitzwechsel** *m* changement *m* de domicile *od* de résidence; **~straße** *f* rue *f* d'habitation; **~stube** *f* = *~zimmer;* **~verhältnisse** *n pl* conditions *f pl* de *od* du logement, habitat *m;* **~viertel** *n* quartier *m* d'habitation; **~wagen** *m* roulotte; *mot* caravane, voiture-camping *f;* **~zimmer** *n* salon *m,* salle *od* pièce *f* de séjour, living-room; *(Kanada)* vivoir *m; (~~möbel pl)* pièce *f* de séjour; **~(zimmer)-schrank** *m* buffet *m* (à fins multiples).

Wohnung *f* ‹-, -en› ['vo:nuŋ] *allg* habitat(ion *f*); *(Unterkunft)* logis; *(kleinere ~)* logement; *(große, Etagenwohnung)* appartement; *(Wohnsitz)* domicile *m,* résidence; *lit poet* demeure *f; e-e (neue) ~ beziehen* emménager; *jdm e-e (neue) ~ einrichten* emménager qn; *sich e-e ~ einrichten* se mettre dans ses meubles; *e-e eigene ~ haben* être dans ses meubles; *freie ~ haben* avoir le logement gratuit; *(s-e) ~ nehmen* établir sa résidence; *die ~ räumen* déménager; *die ~ wechseln* déménager, changer de logement; *meine ~ (a.)* mon chez-moi.

Wohnungs|amt *n* ['vo:nuŋs-] office *m* du logement; **~anschluß** *m tele* poste *m* de résidence; **~anwärter** *m* souscripteur *m* d'appartement; **~anzeiger** *m* indicateur *od* bulletin *m* des logements; **~bau** *m* ‹-(e)s, -ten› construction *f* de logements *od* d'habitations; *soziale(r) ~~* construction *f* de logements sociaux; **~baudarlehen** *n* prêt *m* à la construction de logements; **~baufinanzierung** *f* financement *m* de la construction locative; **~baugenossenschaft** *f* coopérative *f* de construction locative; **~bauprogramm** *n* programme *m* de construction locative; **~bedarf** *m* demande *f* de logements; **~beihilfe** *f* allocation *f* de logement; **~eigentümer** *m* copropriétaire *m;* **~einrichtung** *f* mobilier *m;* **~entschädigung** *f,* **~geld** *n* indemnité *f* de logement; **~frage** *f* problème *m* du logement; **~inhaber** *m* propriétaire d'appartement *od* de l'appartement; *(Vermieter)* logeur; *(Mieter)* locataire *m;* **w~los** *a* sans domicile *od* demeure; **~lose(r)** *m* sans-logis *m;* **~mangel** *m* manque *m od* pénurie *f* de logements; **~nachweis** *m* agence *f* de location; **~not** *f* crise *f* du logement *od* de l'habitat; **~politik** *f* politique *f* du logement; **~problem** *n* = *~frage;* **~suche** *f: auf der ~~* à la recherche d'un logement; **~tausch** *m* échange *m* de logements *od* d'appartements; **~tür** *f* porte *f* d'appartement; **~wechsel** *m* changement *m* de domicile; **~zulage** *f* = *~entschädigung;* **~zwangswirtschaft** *f* contrôle *m* des logements.

Woilach *m* ‹-s, -e› ['vɔʏlax] *(Pferdedecke)* couverture *f* de selle.

wölb|en ['vœlbən] *tr arch* voûter, cintrer; *(Straße)* donner du profil à; *allg* cambrer; *sich ~~* se voûter, former une voûte; **W~ung** *f allg* cambrure *f,* bombement *m; arch* voussure, voûte *f,* cintre; *(e-r Straße)* profil *m;* **W~ungsradius** *m* rayon *m* de *od* du bombement.

Wolf *m* ‹-(e)s, ⸚e› [vɔlf, 'vœlfə] *zoo* loup *m; med* écorchure, excoriation *f; (Fleischwolf)* hachoir *m* à viande; *sich e-n ~ laufen, reiten* s'écorcher en marchant, en allant à cheval; *man muß mit den Wölfen heulen (prov)* il faut hurler avec les loups; *wenn man vom ~ spricht, ist er nicht weit (prov)* quand on parle du loup, on en voit la queue; *junge(r) ~* louveteau *m; ein Rudel Wölfe* une bande de loups; *ein ~ im Schafspelz* un loup habillé en berger; **~seisen** *n* piège *m* à loup; **~sgrube** *f mil* saut-de-loup *m;* **~shund** *m* chien-loup *m;* **~shunger** *m: e-n ~~ haben* avoir une faim de loup; **~smilch** *f bot* euphorbe *f;* **~spelz** *m* peau *f* de loup; **~srachen** *m med* gueule-de-loup *f.*

Wölf|in *f* ‹-, -nnen› ['vœlfın] louve *f;* **w~isch** *a* de loup.

Wolfram *n* ‹-s, ø› ['vɔlfram] *chem* tungstène *m;* **~glühlampe** *f* lampe *f* au tungstène; **~it** *n min* wolframite *f.*

Wolga ['vɔlga] , *die, geog* la Volga.

Wolhyn|ien *n* [vo'ly:niən] *geog* la Volhynie; **w~isch** [-'ly:nıʃ] *a* volhynien.

Wolke *f* ‹-, -n› ['vɔlkə] *(a. Rauch-, Staubwolke u. fig)* nuage *m; (dicke, dichte, bes. Wetter~)* nuée; *poet* nue *f; wie aus allen ~n gefallen sein* tomber des nues, être ébahi; *fam* rester baba; *~n türmen sich* des nuages s'amassent; *~n ziehen (am Himmel)* des nuages passent (dans le ciel); **~nbildung** *f* formation *f* des nuages; **~nbruch** *m* pluie *f* torrentielle *od* diluvienne *od* d'abat; **~ndecke** *f* ‹-, ø› couverture *f* nuageuse, plafond *m* nuageux, base *f* des nuages; *geschlossene ~~* base des nuages continue, couche *f* continue de nuages; *zerrissene ~~* base *f* des nuages interrompue; **~nfetzen** *m pl* bouts *m pl* de nuages; **~nflug** *m (Flug in den ~n)* vol *m* dans les nuages; **~ngrenze** *f: obere, untere ~~* limite *f* supérieure, inférieure des nuages; **~nhimmel** *m* ciel *m* nuageux *od* couvert; **~nhöhe** *f* hauteur *f* des nuages; **~nkratzer** *m arch* gratte-ciel *m;* **~nkuckucksheim** *n (Luftschlösser)* châteaux *m pl* en Espagne; **~nloch** *n* trou *m od* trouée *f* dans les nuages; **w~nlos** *a* sans nuages; **~nscheinwerfer** *m mil* projecteur *m* déterminant la hauteur des nuages; **~nschicht** *f* couche *f* de nuages; **~nstreifen** *m* bande *f* nuageuse; **~nwand** *f* ‹-, ø› mur *m* de nuages; **~nzug** *m* passage *m* nuageux; **wolkig** *a* nuageux.

Woll|abfälle *m pl* ['vɔl-] déchets *m pl* de laine; **~atlas** *m (Textil)* satin *m* de laine; **~aufbereitungsmaschine** *f* machine *f* de préparation de la laine; **~decke** *f* couverture *f* de laine; **~e** *f* ‹-, -n› laine *f; (Wollstoff)* lainage *m; sich in die ~~ geraten (fig fam)* s'attraper *od* se prendre aux cheveux; *sich in der ~~ haben (fig fam)* se crêper le chignon, se manger *od* se bouffer le nez; *~~ lassen müssen (fig fam)* y laisser des plumes; *in der ~~ sitzen (fig: es sehr gut haben)* être comme un coq en pâte; *viel Geschrei und wenig ~~* beaucoup de bruit pour rien; *in der ~~ gefärbt* grand teint; **w~en 1.** *a* de *od* en laine; **~färberei** *f* teinturerie *f* de laine; **~fett** *n* graisse *f* de laine, suint *m;* **~garn** *n,* **~gewebe** *n* fil, tissu *m* de laine; **~haar** *n* brin *m* de laine; *(als Sammelbegriff)* laine *f; (der Neger)* cheveux *m pl* crépus; **~handel** *m* lainerie *f;* **~handkrabbe** *f zoo* dromie *f;* **w~ig** *a* laineux; *(flaumig)* cotonneux; *(Haare)* crépu; **~industrie** *f* industrie *f* lainière; **~jacke** *f* cardigan *m;* **~kamm** *m tech* carde *f;* **~kämmerei** *f* carderie *f;* **~kleid** *n* robe *f* de lainage; **~knäuel** *m* od *n* pelote *f* de laine; **~kratze** *f* = *~kamm;* **~kraut** *n bot* molène *f;* **~krempel** *f* trieuse *f* (à laine); **~(l)appen** *m* chiffon *od* torchon *m* de laine; **~produktion** *f* production *f* lainière; **~sachen** *f pl* lainages *m pl;* . **~schur** *f* tonte *f;* **~schweiß** *m* suint *m;* **~spinnerei** *f* filature *f* de laine; **~stoff** *m* étoffe *f* de laine, lainage *m; grobe(r) ~~* bure *f;* **~strumpf** *m* bas *m* de laine; **~waren** *f pl* articles de laine, lainages *m pl,* lainerie *f;* **~warenfabrikation** *f* lainerie *f;* **~warenhandlung** *f* commerce *m* de laine, lainerie *f;* **~warenhändler** *m* marchand de laine, lainier *m;* **~wäsche** *f (Tätigkeit)* lavage *m* des laines; **~weber** *m* tisseur *m* de laine *od* de lainages; **~weberei** *f (Tätigkeit)* tissage *m* de la laine; **~weste** *f* gilet en laine; *(~jacke)* cardigan *m.*

wollen ⟨*ich will; ich wollte; gewollt/wollen ..*⟩ ['vɔlən, vɪl-, (-)vɔlt-] **2.** *tr u. itr* vouloir (*etw tun* faire qc; *daß* que *subj*); *(wünschen)* désirer (*etw tun* faire qc; *daß* que *subj*); *(beabsichtigen)* avoir l'intention, se proposer (*etw tun* de faire qc); penser, compter (*etw tun* faire qc); *(fordern)* demander, exiger (*daß* que *subj*); *(behaupten: mit inf des Perfekts)* prétendre (*etw getan haben* avoir fait qc); *(das mache ich) wie ich will* à ma façon *od* guise; *(machen Sie es,) wie Sie ~* comme vous voudrez, comme il vous plaira; *wenn Sie gern ~* si vous voulez bien, si bon vous semble; *wenn Sie (es) so ~* si vous voulez cela comme ça; *so Gott will* si Dieu le veut; *gerade etw tun ~* aller faire *od* être sur le point de faire qc; *lieber ~* aimer mieux, préférer (*etw tun* faire qc); *lieber zu Hause bleiben ~ als ausgehen* aimer mieux rester à la maison que (de) sortir; *nicht ~ (sich weigern, a.)* refuser (*etw tun* de faire qc); *nur (arbeiten) ~* ne demander qu'à (travailler); *ich will es nicht gehört, gesehen haben* faites comme si je n'avais rien entendu, vu; *ich will nichts davon wissen* je ne veux pas en entendre parler, cela ne m'intéresse *od* ne me regarde pas; *ich wollte, es wäre Sonntag* je voudrais que ce soit dimanche; *was ich noch sagen wollte* à propos; *das ist alles, was ich will (a.)* je ne demande que cela; *wir ~ gehen* partons; *Sie mögen ~ oder nicht* bon gré, mal gré; *er macht nur, was er will* il n'en fait qu'à sa tête; *das will mir nicht gefallen* cela ne me plaît pas; *das will nichts heißen* cela ne veut rien dire; *es will mir scheinen* j'ai l'impression, je suis tenté de croire; *es will schneien* il va neiger; *das will überlegt sein* il faut bien (y) réfléchir, cela demande réfléxion; *(dagegen ist) nichts zu ~ (fam)* il n'y a rien à faire (à cela); *sei dem, wie ihm wolle* quoi qu'il soit; *was ~ Sie (denn) von mir?* que me voulez-vous? *wo ~ Sie hin?* où voulez-vous aller? *worauf ~ Sie hinaus? was ~ Sie denn (eigentlich)?* où voulez-vous en venir? *zu wem ~ Sie?* qui voulez-vous voir? qui cherchez-vous? *das will ich hoffen!* j'espère bien; *das will ich meinen!* ah, mais oui! *das ~ wir mal sehen!* je voudrais bien voir! **W~** *n* vouloir *m,* volonté; *philos a.* volition *f.*

Wol|lust *f* ⟨-, ⁻e⟩ ['vɔl(l)ʊst] volupté; *pej (Unzucht)* luxure, lasciveté, lascivité *f;* **w~lüstig** *a* voluptueux; *pej* luxurieux, lascif; *(ausschweifend)* débauché, libertin; **~lüstling** *m* ⟨-s, -e⟩ voluptueux; débauché, libertin; *fam* paillard *m.*

wo|mit [vo:'mɪt] *adv (fragend, a. indirekt)* avec *od* à *od* par quoi; *(relativ: mit dem, der)* avec *od* à *od* par lequel, laquelle; *~~ kann ich Ihnen dienen?* qu'y a-t-il pour votre service? en quoi puis-je vous être utile? *~~ soll ich anfangen?* par quel bout voulez-vous que je commence? **~möglich** [-'--] *adv* si possible; *(vielleicht)* peut-être; **~nach** [-'-] *adv (fragend, a. indirekt)* après *od* d'après *od* selon *od* sur quoi; *(relativ: nach dem, der)* après *od* d'après *od* selon *od* sur lequel, laquelle; *~~ schmeckt das?* quel goût cela a-t-il?

Wonne *f* ⟨-, -n⟩ ['vɔnə] délice(s *f pl*) *m; (Entzücken)* ravissement *m; (Freude)* joie *f; (Glück)* bonheur *m; in ~ schwimmen* nager dans la joie; **~gefühl** *n* sentiment *m* de délices *od* de ravissement; **~monat** *m,* **~mond** *m vx u. poet (Mai)* (mois de) mai *m;* **w~sam** *a* = *wonnig;* **~schauer** *m* frisson *m* de volupté; **w~trunken** *a* ivre de joie; **w~voll** *a,* **wonnig** *a* délicieux, ravissant.

wor|an [vo'ran] *adv (fragend, a. indirekt)* à quoi; *(relativ: an dem, der)* auquel, à laquelle; *ich weiß, ~~ das liegt* je sais à quoi cela tient; *nun weiß ich (wenigstens), ~~ ich bin* me voilà fixé; *man weiß bei Ihnen nie, ~~ man ist* avec vous on ne sait jamais à quoi s'en tenir; *~~ arbeiten, denken Sie?* à quoi travaillez-vous, pensez-vous? *~~ erinnert Sie das?* qu'est-ce que cela vous rappelle? *~~ liegt das?* à quoi cela tient-il? quelle en est la cause? **~auf** [-'rauf] *adv (fragend, a. indirekt)* sur quoi; *(zeitl., = darauf);* après quoi; *(relativ: auf dem, der)* sur lequel, laquelle; *~~ ich wegging* après quoi je suis parti; *~~ warten Sie?* qu'attendez-vous? **~aus** [-'raus] *adv (fragend, a. indirekt)* (hors) de quoi, d'où; de *od* en quoi; *(relativ: aus dem, der)* duquel, de laquelle; dont; *~~ schließen Sie das?* d'où déduisez-vous cela? *~~ ist dieser Löffel?* en quoi est cette cuiller? **~ein** [-'raɪn] *adv (fragend, a. indirekt)* dans quoi? où? *(relativ: in den, die, das)* dans lequel, laquelle; où; *~~ soll ich es legen?* dans quoi *od* où dois-je le mettre *od* voulez-vous que je le mette? **~in** [-'rɪn] *adv (fragend, a. indirekt)* dans *od* en quoi; où? *(relativ: in dem, der)* dans lequel, laquelle; *~~ besteht* od *liegt der Unterschied?* en quoi consiste la différence? qu'est-ce qui fait la différence!

worfeln ['vɔrfəln] *tr agr* vanner.

Wort 1. *n* ⟨-(e)s, ⁻er⟩ [vɔrt, 'vœrtər] *(als grammatischer Begriff u. Baustein d. Sprache, pl Wörter)* mot, vocable; *(Ausdruck)* terme *m,* expression; **2.** *n* ⟨-(e)s, -e⟩ *(Äußerung, Rede, meist im pl: ~e)* parole(s *pl*) *f;* mot(s *pl*) *m;* propos *m pl; (Versprechen, Zusage)* parole *f* (donnée); *(Ausspruch)* mot *m,* sentence *f; (Sprichwort)* dicton; adage, proverbe *m; das ~ (rel: zweite Person der Trinität)* le Verbe; *auf jds ~* sur la parole de qn; *bei diesen ~en* à ces mots; *~ für ~* mot pour *od* à mot; *nicht für Geld und gute ~e* ni pour or ni pour argent; *in ~en (fin: ausgeschrieben)* en (toutes) lettres; *in des ~es wahrster Bedeutung* au sens plein du mot; *in ~ und Bild* par le texte et l'image; *in gewählten ~en* en termes choisis; *in ~ und Schrift* par la parole et par la plume; *mit anderen ~en* en d'autres termes *od* mots, autrement dit; *mit diesen ~en* ce disant; *mit einem ~* en un mot; bref; *mit kurzen* od *wenigen ~en* en peu de mots; *nach s-n (eigenen) ~en* d'après *od* selon ses (propres) dires; *ohne ein ~ zu sagen* sans mot dire, sans rien dire; *jdn mit (leeren) ~en abspeisen* payer qn de belles paroles; *s-e ~ abwägen* (bien) peser ses mots; *ums ~ bitten (a. parl)* demander la parole; *bei s-m ~ bleiben* n'avoir qu'une parole; *sein ~ brechen* manquer à *od* fausser sa parole; *ein gutes ~ für jdn einlegen* parler *od* intervenir, intercéder en faveur de qn; rompre une lance pour qn; *sein ~ einlösen* dégager sa parole; *jdm das ~ entziehen (a. parl)* retirer la parole à qn; *das ~ ergreifen (a. parl)* prendre la parole; *jdm das ~ erteilen* donner la parole à qn; *jdm ins ~ fallen* couper la parole à qn, interrompre qn; *in ~e fassen (ausdrücken)* exprimer; *das ~ führen* faire les frais de la conversation; *das große ~ führen* avoir le verbe haut; *pop* tenir le crachoir; *jdm sein ~ geben* donner sa parole à qn; *jdm gute ~e geben* donner de bonnes paroles à qn; *aufs ~ gehorchen* od *hören* obéir à la lettre *od* au doigt et à l'œil; *jdm aufs ~ glauben* croire qn sur parole; *das ~*

haben (a. parl) avoir la parole; *jds ~ haben* avoir la parole de qn; *das letzte ~ haben* avoir le dernier mot; *etw nicht ~ haben (gelten lassen) wollen* ne pas vouloir convenir de qc; *sein ~ halten, zu s-m ~ stehen* tenir parole, faire honneur à sa parole; *kein ~ herausbringen* avoir la gorge serrée; *vor Erregung kein ~ herausbringen* être étranglé par l'émotion; *zu ~ kommen* avoir la parole; *nicht zu ~ kommen* ne pas arriver à placer un mot; *jdn nicht zu ~ kommen lassen* ne pas laisser parler qn; *seine ~e auf die Goldwaage legen* peser ses paroles; *große ~e machen* dire de grands mots; *viele ~e machen* faire de grands discours; *sich zu ~ melden (a. parl)* demander la parole; *ein ~ mitzureden haben* avoir voix au chapitre; *jdn beim ~ nehmen* prendre qn au mot; *jdm, e-r S das ~ reden* défendre qn, qc; *mit jdm ein ernstes ~ reden* dire un mot, dire deux *od* quatre mots à qn; *das ~ an jdn richten* adresser la parole à qn; *kein ~ sagen* ne pas dire *od* souffler mot; *fam* ne pas broncher; *nicht mit ~en sparen* ne pas ménager ses mots; *mit den ~en spielen* jouer sur les mots; *ein paar ~e sprechen* prononcer quelques mots; *jdm das ~ im Munde umdrehen* déformer les paroles de qn; *kein ~ über etw verlieren* ne pas perdre son temps à discuter sur qc; *kein ~ verstehen* ne pas comprendre un mot; *sein eigenes ~ nicht verstehen (vor Lärm)* ne pas s'entendre; *sein ~ zurücknehmen* retirer sa parole, se dédire; *mir ist kein ~ entgangen (ich habe alles gehört)* je n'ai pas perdu un mot; *das ~ ist mir entschlüpft* le mot m'a échappé; *das ~ liegt mir auf der Zunge* j'ai le mot sur (le bout de) la langue; *darüber brauchen wir kein ~ zu verlieren* ce n'est pas la peine d'en parler; *Sie haben das ~ (a.)* la parole est à vous; *Sie nehmen (du nimmst) mir das ~ aus dem Munde* j'allais (vous) le dire, c'est ce que j'allais dire; *es ist kein ~ aus ihm herauszukriegen* on ne peut rien en sortir; *man versteht sein eigenes ~ nicht* on ne s'entend pas (parler); *es war mit keinem ~ davon die Rede* il n'en a absolument pas été question; *es ist kein wahres ~ daran* il n'y a pas un mot de vrai là-dedans; *das sind nur* od *leere ~e* ce ne sont que des mots; *das ~ ist gefallen* od *heraus* le mot est parti; *ein ~ gab das andere* un mot amena *od* entraîna l'autre; *hat man da ~e? (fam)* a-t-on jamais vu pareille chose? *auf ein ~!* j'aurais un mot à vous dire; *auf mein ~!* ma parole! parole d'honneur! *das ist ein ~!* voilà qui s'appelle parler; *genug der ~e!* assez de paroles! *kein ~ mehr!* pas un mot de plus! *ein Mann, ein ~ (prov)* un honnête homme n'a qu'une parole; *freundliche ~e* bonnes paroles *f pl; geflügelte(s) ~* locution *od* citation *f* courante; *große* od *hochtrabende ~e* grands mots *m pl; leere ~e* paroles vaines *od* en l'air, belles paroles *f pl; ein Mann von ~* un homme de parole; *neue(s) ~* néologisme *m; unfreundliche ~e* paroles *f pl* peu aimables; *veraltete(s) ~* archaïsme *m; das ~ Gottes* la parole de Dieu; **~ableitung** *f* dérivation *f* de mots; **~anfang** *m* commencement *m* d'un *od* du mot; **w~arm** *a (Sprache)* pauvre (en mots); **~art** *f gram* espèce de mot; partie *f* du discours; **~aufwand** *m: mit großem ~~* à grand renfort de mots; **~bedeutung** *f* acception *f* du mot; **~bedeutungslehre** *f* sémantique *f;* **~bildung** *f* formation des mots; création *f* verbale; **~bruch** *m* manque de parole, manquement à la parole donnée; *(Eidbruch)* parjure *m;* **w~brüchig** *a* qui manque *od* a manqué à sa parole; *(eidbrüchig)* parjure; *(treulos)* déloyal, traître, perfide; *~~ werden* manquer à sa parole; **~emacher** *m pej* péroreur, discoureur *m;* **~emacherei** *f* verbiage, bavardage *m;* **~ende** *n* fin *f* du mot; **~erklärung** *f* définition nominale; explication *f* du mot; **~familie** *f* famille *f* de mots; **~folge** *f* ordre *m* des mots; **~forschung** *f* étymologie *f,* recherches *f pl* étymologiques; **~fügung** *f gram (Satzbau)* structure *od* construction *f* de la phrase; **~führer** *m* porte-parole; *fig (Sprecher, Vertreter) a.* organe *m;* **~gefecht** *n* joute *f* oratoire; **~geklingel** *n* cliquetis *m* de mots; **w~getreu** *a (wörtlich)* littéral, fidèle; *adv* littéralement, à la lettre, au pied de la lettre; **w~karg** *a* économe *od* avare de paroles; *(schweigsam)* taciturne; **~kargheit** *f* taciturnité *f;* **~klauber** *m* éplucheur de mots; *(Rechthaber)* ergoteur; *(Pedant)* pédant *m;* **~klauberei** *f* chicane sur les mots; critique *f* vétilleuse; ergotage; pédantisme *m;* **~laut** *m* texte *m; (Inhalt e-s Schriftstücks)* teneur *f; jur* termes *m pl; (e-s Urteils)* libellé *m; mit folgendem ~~* conçu en ces termes; *nach dem ~~ des Vertrages* aux termes du contrat; *der amtliche ~~* le texte authentique; **w~los** *a (stumm)* muet; *adv* sans mot dire, sans rien dire; **~meldung** *f: ~~en liegen nicht vor (parl)* personne n'a demandé la parole; **w~reich** *a (Sprache)* riche (en mots); *(Stil)* abondant; *pej (weitschweifig)* verbeux, prolixe, redondant; **~reichtum** *m* ⟨-s, ø⟩ richesse *od* abondance en mots; *pej* verbosité, prolixité, redondance *f;* **~schatz** *m* ⟨-es, (¨-e)⟩ *(e-r Sprache)* vocabulaire, lexique *m;* **~schwall** *m* ⟨-(e)s, ø⟩ flot *m od* avalanche *f* de paroles; **~sinn** *m = ~bedeutung;* **~spiel** *n* jeu de mots, calembour *m;* **~stamm** *m gram* radical *m;* **~stellung** *f gram (im Satz)* ordre *m* des mots; **~streit** *m (Streit mit Worten)* discussion, dispute; *lit* joute oratoire; *(Wortwechsel)* altercation; *(Gezänk)* querelle *f* de mots; **~ton** *m gram* accent *m* tonique; **~wahl** *f* choix *m* des mots; **~wechsel** *m* altercation; empoignade; *fam* prise *f* de bec; *e-n ~~ haben (a.)* avoir des mots (*mit jdm* avec qn); **w~wörtlich** *adv (~ für ~)* mot pour *od* à mot; **~zähler** *m tele* compteur *m* de mots; **~zusammensetzung** *f* combinaison *f* de mots.

Wört|chen *n* ⟨-s, -⟩ ['vœrtçən] petit mot *m; ein ~~ mitzureden haben* avoir son mot à dire, avoir voix au chapitre; **~erbuch** *n* dictionnaire; *fam* dico *m; mit häufiger Benutzung des* od *e-s ~~es* à coups de dictionnaire; *lebende(s) ~~ (fam: Mensch mit viel Buchwissen)* encyclopédie *f* vivante; **~erverzeichnis** *n* liste *f* de(s) mots, vocabulaire, glossaire *m,* nomenclature *f,* index *m;* **w~lich** *a* littéral, textuel; *adv a.* à la *od* au pied de la lettre, mot pour *od* à mot; *etw ~~ nehmen* prendre qc au pied de la lettre; *das darf man nicht so ~~ nehmen (a.)* c'est une manière de parler.

wor|über [vo:'ry:bər] *adv (fragend, a. indirekt)* sur quoi; au-dessus de quoi; *(relativ: über den, die, das)* sur lequel, laquelle; *~~ lachen Sie?* de quoi riez-vous? *~~ ich sehr traurig war* ce dont j'étais bien triste; **~um** [-'rum] *adv (fragend, a. indirekt: um was)* de quoi; *(relativ: um den, die, das)* pour lequel, laquelle; *~~ handelt es sich?* de quoi s'agit-il? **~unter** [-'runtər] *adv (fragend, a. indirekt)* sous quoi; au-dessous de quoi; *(relativ: unter dem, der)* sous lequel, laquelle; *(unter denen)* parmi lesquels, lesquelles.

wo|selbst [vo:'zɛlpst] *adv, bes. jur (wo)* où; **~von** [-'-] *adv (fragend, a. indirekt)* de quoi; *(relativ: von dem, der)* dont; *~~ sprechen Sie?* de quoi parlez-vous? *~~ ich nicht ganz überzeugt bin* ce dont je ne suis pas tout à fait convaincu; **~vor** [-'-] *adv (fragend, a. indirekt)* devant quoi; de quoi; *(relativ: vor dem, der)* devant lequel, laquelle; de quoi, (ce) dont; *~~ hast du Angst?* de quoi as-tu peur? **~zu** [-'-] *adv (fragend)* à quoi (bon)? *(a. indirekt)* pourquoi, pour quelle raison, à quel propos *od* dessein; *(relativ: zu dem, der)* auquel, à laquelle; pour lequel, laquelle; *~~ dient das?* à quoi cela sert-il? *~~ ist das gut? ~~ soll das gut sein?* à quoi bon (cela)? *~~ soll man dahin gehen?* à quoi bon y aller?

Wrack *n* ⟨-(e)s, -s/(-e)⟩ [vrak] *mar* u. *fig* épave *f; er ist nur noch ein ~* ce n'est plus qu'une ruine.

wring|en ⟨*wrang, gewrungen*⟩ ['vrıŋən, vraŋ, gə'vruŋən] *tr (Wäsche)* tordre, essorer; **W~maschine** *f* essoreuse *f.*

Wucher *m* ⟨-s, ø⟩ ['vu:xər] usure *f; (Börsen~)* agiotage *m; ~ treiben* faire *od* pratiquer l'usure, se livrer à l'usure *od* à l'agiotage; **~blume** *f bot* chrysanthème *m;* **~darlehen** *n* prêt *m* usuraire; **~er** *m* ⟨-s, -⟩ usurier, fesse-mathieu; *fam* loup-cervier; *pop* vautour *m;* **~geschäft** *n* marché *m* usuraire; **w~isch** *a* usuraire; *~~ aufkaufen* accaparer; *~~e(r) Aufkauf m* accaparement *m;* **~miete** *f* loyer *m* usuraire; **w~n** ⟨*aux: sein/haben*⟩ *itr bot (üppig wachsen) u. fig* pulluler, foisonner; *das Unkraut ist über den Weg gewuchert* les mauvaises herbes ont envahi le chemin; *med* proliférer, former des végétations; *com (~ treiben) ‹aux: haben›* faire l'usure; *mit s-m Pfunde ~~ (fig)* faire valoir son talent; **~n** *n bot* pullulation *f*, pullulement, foisonnement *m; med* prolifération *f;* **~preis** *m* prix *m* usuraire; **~ung** *f med (Vorgang)* prolifération *f; (Gebilde)* végétations *f pl;* **~zinsen** *pl* intérêts *m pl* usuraires; *zu ~~ leihen* prêter à usure.

Wuchs *m* ‹-es, ø› [vu:ks] *(Wachstum)* croissance; *bot* pousse, végétation; *(Körperwuchs, Gestalt)* taille, stature *f; von hohem ~* de haute taille *od* stature; **~stoff** *m bot* auxine *f*.

Wucht *f* ‹-, ø› [vuxt] *(Anprall, Druck)* pression *f; (Gewicht)* poids *m; fig (Gewalt)* force, puissance, violence *f; fam (große Menge)* tas *m*, flopée; *pop (Prügel)* fessée, rossée *f; mit voller ~* de toute sa force *od* masse, de tout son poids; **w~en** *tr fam (heben)* lever; *itr fam (schwer arbeiten)* bosser, boulonner, trimer, turbiner; **w~ig** *a (massig, schwer)* massif, pesant, lourd; *(kraftvoll, a. von e-m Menschen)* vigoureux, énergique; *(heftig)* violent.

Wühl|arbeit *f* ['vy:l-] *fig, bes. pol* agitation *f od* activités *f pl* subversive(s); **w~en** *itr* fouiller (*in etw* qc); *fam* farfouiller (*in etw* dans qc); *(Tier)* fouir (*in etw* qc); *(Wildschwein)* fouger (*in etw* dans qc); *fig, bes. pol* faire de l'agitation subversive; *sich in die Erde ~~* s'enfouir dans le sol; *im Gelde ~~ (fig)* rouler sur l'or; **~er** *m* ‹-s, -› *agr* = *~pflug; fig, bes. pol* agitateur (politique), meneur, fauteur *m* de troubles; **~erei** *f* [-'raı] *fig, bes. pol* agitation *f od* menées *f pl* subversive(s); **w~erisch** *a pol (umstürzlerisch)* subversif, révolutionnaire; **~maus** *f zoo* rat, fouisseur, campagnol *m;* **~pflug** *m agr* charrue *f* sous-soleuse.

Wulst *m* ‹-(e)s, ¨-e› [vulst, 'vʏlstə] od *f* ‹-, ¨-e› *(Verdickung)* renflement, bourrelet; *arch (Rundstab)* boudin *a tech; (an e-r Säule)* tore; *mot (am Reifen)* talon *m;* **~eisen** *n* fer *m* à boudin; **~felge** *f* jante *f* à talon; **w~ig** *a* renflé; *(Lippen)* épais, retroussé; **w~los** *a (Reifen)* sans talon; **~naht** *f tech* joint *m* renforcé *od* surépaissé; **~reifen** *m mot* pneu *m* à talon; **~schiene** *f loc* rail *m* à champignon.

wund [vunt] *a (~ gerieben, ~ gescheuert)* écorché, meurtri; excorié; *(Tier: verletzt)* blessé; *den ~en Punkt aufdecken* mettre le doigt sur la plaie; *sich die Füße ~ laufen* s'écorcher les pieds (en marchant); *sich ~ reiben, scheuern* s'écorcher, s'excorier; *~ schießen (Jagd)* blesser (en tirant); *~e(r) Punkt m (fig)* point faible *od* sensible *od* névralgique, défaut *m* de la cuirasse; *~e Stelle f* écorchure, meurtrissure; excoriation *f;* **W~arzt** *m* chirurgien *m;* **~ärztlich** *a* chirurgical; **W~e** *f* ‹-, -n› ['-də] *a. fig* blessure, plaie *f; e-e alte ~~ (wieder) aufreißen (fig)* rouvrir une plaie; *e-e ~~ auswaschen, verbinden* laver, panser une blessure; *tiefe ~en schlagen (fig)* infliger des plaies profondes (*dat* à); *die ~~ heilt, vernarbt* la blessure se ferme, se cicatrise; *die Zeit heilt alle ~~n (prov)* le temps guérit tous les maux; *offene ~~* plaie *f* ouverte; **W~eiterung** *f* suppuration *f* de la blessure; **W~fieber** *n* fièvre *f* traumatique *od* infectueuse; **W~heilung** *f* cicatrisation *f; ~~ bewirkend* cicatrisant; **W~klammer** *f* agrafe *f;* **W~kraut** *n bot* vulnéraire *f;* **~liegen,** *sich* s'écorcher (à force d'être couché); **W~mal** *n* ‹-(e)s, -e› cicatrice *f; die ~~e Christi* les stigmates *m pl* du Christ; **W~naht** *f* suture *f;* **W~reinigung** *f* désinfection de la plaie, abstersion *f;* **W~reinigungsmittel** *n* désinfectant, abstergent *m;* **W~rose** *f med* érysipèle *m;* **W~salbe** *f* onguent *m* vulnéraire; **W~starrkrampf** *m* tétanos *m*.

Wunder *n* ‹-s, -› *(die Naturgesetze durchbrechendes Ereignis)* prodige; *(bes. rel, a. = ~tat)* miracle *m; (w~bare, ungewöhnliche Erscheinung* od *Sache)* merveille *f; (ungewöhnliche Sache* od *Person)* prodige *m; wie durch ein ~* par miracle, par le plus grand des hasards; *w~(s) was denken* s'imaginer des choses extraordinaires; s'attendre à merveille; *sich w~(s) was einbilden* s'imaginer Dieu sait quoi; *sein blaues ~ erleben* en voir de belles; *an ein ~ glauben* croire aux miracles; *an ein ~ grenzen* tenir du prodige *od* du miracle; *~ tun* faire *od* accomplir *od* opérer *od* réaliser des miracles; *(übertreibend von Sachen)* faire merveille; *~ wirken (fig: schnell u. gut wirken)* faire (des) merveille(s); *w~(s) (was) denken, glauben, meinen,* s'imaginer des choses extraordinaires; *er glaubt, w~(s) was getan zu haben* il s'imagine avoir fait des merveilles; *er denkt w~(s) wie schlau zu sein* il se croit un prodige de prudence; *das ist ein wahres ~* c'est une merveille; *es ist ein ~, daß ich noch lebe* c'est merveille que je vive encore; *es geschehen Zeichen und ~* il y a des signes et des prodiges; *du wirst noch dein blaues ~ erleben!* tu en verras de belles; *(das ist) kein ~!* (ce n'est) pas étonnant! *kein* od *was ~, daß er jetzt krank ist!* quoi *od* rien d'étonnant à ce qu'il soit malade maintenant! *das deutsche ~ (der wirtschaftl. Wiederaufstieg der Bundesrepublik Deutschland nach dem Zweiten Weltkrieg)* le miracle (économique) allemand; **w~bar** *a* prodigieux, miraculeux; merveilleux, phénoménal; *fam (übertreibend)* mirobolant, mirifique, magnifique, splendide; *adv a.* à merveille; *ans W~~e grenzen* tenir du prodige *od* de la merveille; **~baum** *m bot* ricin; robinier, faux acacia *m;* **~bild** *n rel* image *f* miraculeuse; **~blume** *f bot* belle-de-nuit *f;* **~doktor** *m fam* guérisseur, charlatan *m;* **~droge** *f* drogue *f* miracle; **~geschichte** *f* histoire *f* merveilleuse; **~glaube** *m* croyance *f* aux miracles; **~heilung** *f* guérison *f* miraculeuse; **~horn** *n* cor *m* enchanté; **w~hübsch** *a* charmant, ravissant; *a. adv* à ravir; **~kind** *n* enfant *m* prodige; **~kur** *f* cure *f* miraculeuse; **~lampe** *f* lampe *f* miraculeuse; **~land** *n* pays *m* des merveilles; **w~lich** *a (sonderbar)* singulier, étrange, bizarre; *(grillenhaft)* drôle, lunatique, capricieux; *~~e(r) Kauz m* original, drôle *m* de bonhomme *od* d'homme; **~lichkeit** *f* singularité, étrangeté, bizarrerie; originalité *f;* **~mittel** *n* remède *m* miraculeux; *(Allheilmittel)* panacée *f;* **w~n,** *sich ‹ich wundere mich, du wunderst dich ..›* s'étonner, être surpris (*über* de); *tr impers: das ~t mich* cela m'étonne; *sich nicht genug über etw ~~ können* ne pas revenir de qc; *das ~t mich (gar) nicht!* cela ne m'étonne pas (le moins du monde); **w~=nehmen** *tr: das nimmt mich wunder* cela m'étonne *od* me surprend; **~pulver** *n pej* poudre *f* de perlimpinpin *fam;* **w~sam** *a* merveilleux; **w~schön** *a* merveilleux, d'une beauté merveilleuse; *adv* à merveille; *es war ~~* c'était merveilleux; **~sucht** *f* ‹-, ø› manie *f* des miracles; **~tat** *f* fait miraculeux, miracle *m;* **~täter** *m* thaumaturge *m; ein ~~ sein (a.)* faire des miracles; **~tier** *n* créature *f* phénoménale; *fig fam (Mensch)* phénomène *m;* **w~voll** *a* merveilleux, prodigieux; *(bewundernswert)* admirable; *adv a.* à ravir; **~waffe** *f* arme *f* prodigieuse; **~werk** *n* merveille *f*, prodige *m*.

Wunsch *m* ‹-(e)s, ¨-e› [vunʃ, 'vʏnʃə] *(Begehren, Verlangen)* désir (*nach* de); *(allg u. bes. Glückwunsch)* souhait, vœu *m; pl a. (fehlende u. gesuchte Dinge)* desiderata *m pl; auf ~* sur demande; *auf jds ~* à la demande de qn; *auf allgemeinen ~* à la demande générale; *mit den besten Wünschen (für Ihr Wohlergehen)* (avec mes *od* nos) meilleurs vœux *od* souhaits (pour votre prospérité); *nach ~* à souhait, à volonté; *jdm jeden ~ von den Augen ablesen* être aux petits soins pour qn; *e-n ~ aussprechen* od *äußern* formuler un vœu; *jds Wünschen entgegenkommen* aller au-devant des désirs de qn; *e-n ~ erfüllen* exaucer un souhait; *den ~ haben* éprouver le désir (*etw zu tun* de faire qc); *jds ~ nachkommen* se rendre au désir de qn; *sich nach jds Wünschen richten* se conformer aux désirs de qn; *das ist mein ~* c'est mon ambition; *das ist mein sehnlichster ~* je ne désire que cela; *es geht alles nach ~* tout marche à souhait; *haben Sie (sonst) noch e-n ~? (com)* et avec cela, monsieur *etc? ein frommer ~* un vœu pieu; **~bild** *n* idéal *m;* **w~gemäß** *adv* selon le désir (de qn); selon votre *etc* désir; à souhait; **~kind** *n* enfant *m* désiré; **~konzert** *n radio* concert *m* des auditeurs; **w~los** *a* sans désir; content; *~~ glücklich* complètement satisfait; **~satz** *m gram* proposition *f* optative; **~traum** *m* beau rêve *m*, chimère *f;* **~zettel** *m* (liste *f* des) desiderata *m pl; (e-s Kindes für Weihnachten)* lettre *f* au Père Noël.

Wünsch|elrute *f* ['vʏnʃəl-] baguette *f* divinatoire *od* de sourcier; **~elrutengänger** *m* sourcier; *scient* radiesthésiste *m;* **w~en** [-ʃən] *tr (begehren)* désirer (*sich etw* qc; *etw zu tun* faire qc; *daß* ... que *mit subj*); *(auch für andere)* souhaiter (*etw zu tun* de faire qc; *daß* ... que *mit subj*); *(Lust haben)* avoir envie (*etw zu tun* de faire qc); *wie Sie ~~* comme vous voudrez; à votre guise *od* gré; *jdm alles Gute ~~* faire des vœux pour la prospérité de qn; *jdn zum Teufel ~~* envoyer qn au diable; *ich ~e mir e-e goldene Uhr* je voudrais bien (avoir) une montre d'or; *ich ~e Ihnen alles Gute* bonne continuation! *ich ~e Ihnen ein glückliches neues Jahr* je vous souhaite une bonne année; *~e wohl geruht zu haben* avez-vous bien dormi? *das läßt (viel) zu ~~ übrig* cela laisse (beaucoup) à désirer; *es wäre zu ~~, daß* ... il serait souhaitable *od* à souhaiter que *subj;* il y a intérêt à *inf; was ~~ Sie sich zum Geburtstag?* qu'est-ce que vous désirez comme cadeau d'anniversaire? **w~enswert** *a* désirable, souhaitable.

Würd|e *f* ⟨-, -n⟩ ['vʏrdə] dignité; *(Hoheit)* noblesse; *(Erhabenheit)* majesté; *(Ernst, Gewichtigkeit)* gravité *f; (Ehre)* honneur; *(Rang)* rang *m; s-e ~~ bewahren* garder sa dignité; *in Amt und ~en stehen* être arrivé (aux honneurs), occuper de hautes fonctions; *etw mit ~~ tragen* subir qc avec dignité; *s-r ~~ etw vergeben* compromettre sa dignité; *ich hielt es für unter meiner ~~ zu (inf)* je considérais indigne de moi de *inf; akademische ~~* grade *m* universitaire; **w~elos** *a* sans dignité, indigne; **~elosigkeit** *f* ⟨-, ø⟩ indignité *f;* **~enträger** *m* dignitaire *m;* **w~evoll** *a* plein de dignité, digne; *(hoheitsvoll)* noble, majestueux; *adv* avec dignité; **w~ig** *a* digne (*e-r S* de qc); *(ehrwürdig)* respectable, vénérable; *adv a.* avec dignité; *jdn e-r S für ~~ halten* juger qn digne de qc; *e-r S ~~ sein (a.)* mériter qc; **w~igen** *tr (schätzen)* estimer, apprécier; *(achten)* respecter, rendre hommage à; *(ehren)* honorer (*e-r S* de qc); *jdn keiner Antwort ~~* ne pas daigner répondre à qn; *jdn keines Blickes ~~* ne pas honorer qn d'un regard; *jds Gründe ~~* respecter les raisons de qn; *jds Verdienste ~~* reconnaître les mérites de qn; *etw nach s-m Wert ~~* estimer qc à sa juste valeur; *jdn keines Wortes ~~* ne pas daigner adresser la parole à qn; **~igung** *f* estime, estimation, appréciation *f*, éloge *m*.

Wurf *m* ⟨-(e)s, ¨-e⟩ [vurf, 'vʏrfə] jet; *a. sport* lancement; *(beim Handballspiel)* lancer; *(beim Würfelspiel)* coup (de dés); *fig (Unternehmen)* coup; *(in Kunst u. Dichtung)* élan *m*, force; *phys, tech* projection; *(gleichzeitig geworfene Jungtiere)* portée *f; auf den ersten ~ (a. fig)* de premier jet; *zum ~ ausholen* prendre son élan pour le lancer; *den ersten ~ haben (beim Würfeln)* avoir le dé; *(beim Kegeln)* avoir la boule; *alles auf einen ~ setzen* tout miser sur un coup; *fam* mettre tous ses œufs dans le même panier; *e-n großen ~ tun (fig)* réussir un grand coup; *entscheidende(r) ~ (im Spiel)* coup *m* de partie; *ein glücklicher ~ (bes. fig)* un coup de veine; *~ aus dem Stand (sport)* lancer *m* de pied ferme; **~anker** *m mar* ancre *f* de toue; **~bahn** *f* trajectoire *f;* **~beil** *n (Streitaxt)* hache *f* de guerre; **~bewegung** *f phys* mouvement *m* projectile; **~feuer** *n mil* tir *m* courbe; **~geschoß** *n* projectile *m;* **~granate** *f mil (Handgranate)* grenade *f* à main; **~hammer** *m sport* marteau *m;* **~holz** *n* boomerang *m;* **~kreis** *m sport* cercle *m* de lancement; **~linie** *f* ligne de projection; *mil* ligne *f* de tir; **~maschine** *f mil hist* catapulte, baliste *f;* **~mine** *f mil* mine-grenade *f;* **~netz** *n (Fischnetz)* épervier *m;* **~scheibe** *f sport* disque *m* (à lancer); **~schlinge** *f* lasso *m;* **~sendung** *f (Post~~)* envoi *m* (postal) collectif; **~sieb** *n* crible *m;* **~spieß** *m hist* javelot, dard *m;* **~taube** *f = Tontaube;* **~weite** *f mil (e-s Mörsers)* portée *f* de tir.

Würfel *m* ⟨-s, -⟩ ['vʏrfəl] *(Spielwürfel)* dé (à jouer); *(Küche: geschnittenes Stück)* dé; *(Zucker)* morceau; *(Brüh-, Suppenwürfel)* cube; *(Muster, Karo)* carreau; *math* cube, *scient* hexaèdre *m; in ~ schneiden (Küche)* couper en dés; *~ spielen* jouer aux dés; *der ~ ist* od *die ~ sind gefallen (fig)* les dés sont jetés, le sort en est jeté; *falsche ~* dés *m pl* pipés; **~becher** *m* cornet *od* gobelet *m* à dés; **~form** *f* forme *f* cubique; **w~förmig** *a* cubique; **~inhalt** *m* cubage, volume *m* du cube; **~kapitell** *n arch* chapiteau *m* carré; **~muster** *n* dessin *m* à carreaux; **w~n** *itr (mit dem ~ spielen)* jouer aux dés (*um etw* pour qc); *(e-n Wurf mit dem ~ tun)* faire un coup de dés; *e-e Sechs ~~* jouer le six; **~spiel** *n* jeu *m* de dés; **~spieler** *m* joueur *m* de dés; **~zucker** *m* sucre *m* en morceaux; **würf(e)lig** *a (Muster)* quadrillé, à carreaux.

Würg|egriff *m* ['vʏrgə-] *sport* étranglement *m;* **w~en** *tr (am Halse)* prendre *od* saisir *od* serrer à la gorge; *(Bissen: jdm in der Kehle steckenbleiben)* (faillir) étrangler *od* étouffer; *itr (nicht hinunterschlukken u. nicht ausspeien können)* faire des efforts pour avaler (*od* rendre) (*an etw* qc); *(mit Widerwillen essen)* avoir du mal à manger (*an etw* qc); *fig fam* suer sang et eau (*an e-r Arbeit* pour venir à bout d'un travail); *mit Hängen und W~~ (fam: mit knapper Not)* à grand-peine; *an s-m Brot ~~* avoir du mal à manger sa tartine; **~engel** *m* ['vʏrk-] *rel* ange *m* exterminateur; **~er** *m* ⟨-s, -⟩ [-gər] étrangleur *m; orn (Neuntöter)* pie-grièche *f*.

Wurm *m* ⟨-(e)s, ¨-er⟩ [vurm, 'vʏrmər] *zoo* ver *(a. ungenau als Insektenlarve); vx u. poet (Lindwurm)* dragon, *(Schlange)* serpent; *vet (der Pferde)* farcin *m; n fam (armes Kind)* (pauvre) petit(e), pauvret(te) *m f; e-n ~ haben (Frucht)* être véreux; *Würmer haben (med)* avoir des vers; *jdm die Würmer aus der Nase ziehen (fig fam)* tirer à qn les vers du nez; *der ~ sitzt im Holz* le bois est vermoulu; *von Würmern zerfressen* rongé des vers, vermoulu; *arme(s) ~ = ~ n;* **w~artig** *a* vermiculaire; *~~e Verzierungen f pl (arch)* vermiculures *f pl;* **w~en** *tr fam: das ~t (bekümmert) mich* cela me ronge le cœur; *fam* cela me turlupine; **w~förmig** *a* vermiforme, vermiculaire; **~fortsatz** *m anat* appendice *m;* **~fraß** *m* vermoulure *f;* **w~ig** *a (Frucht)* véreux; **~krankheit** *f; die ~~ haben* avoir les vers; **~kraut** *n bot* filipendule *f;* **~loch** *n* trou *m* de mite; *pl* vermoulure *f;* **~mehl** *n* vermoulure *f;* **~mittel** *n pharm* vermifuge *m;* **w~stichig** *a* vermoulu, piqué des vers; **w~treibend** *a pharm* vermifuge; **Würmchen** *n* vermisseau, petit ver *m; fig = ~ n*.

Wurst *f* ⟨-, ¨-e⟩ [vurst, 'vʏrstə] *(feste ~)* saucisson; *(Streichwurst)* pâté *m; (zum Warmessen)* saucisse *f; (billige Fleischwurst)* andouille *f; (Blutwurst)* boudin *m; (als Sammelbegriff)* charcuterie *f; mit der ~ nach der Speckseite werfen (fig)* donner un œuf pour avoir un bœuf; *das ist mir ~ (fam: gleichgültig)* ça m'est égal, je m'en moque *od* fiche (pas mal); *pop* je m'en fous; *es geht jetzt um die ~ (fig fam)* c'est maintenant que ça se décide; c'est le moment décisif; *~ wider ~! (fam: wie du mir, so ich dir!)* c'est un prêté pour un rendu, donnant donnant, à bon chat bon rat; **~blatt** *n (Zeitung)* feuille *f* de chou; **~brot** *n* sandwich *m;* **~brühe** *f* bouillon *m* de saucisse; **~bude** *f* stand *m* de saucisses; **~elei** *f fam (Schlendrian)* train-train, travail *m* lent et mal fait; **w~eln** *itr fam (im alten Schlendrian weitermachen)* continuer son petit train-train, suivre son petit bonhomme de chemin; bricoler; **w~en** *itr (~ machen)* faire de la charcuterie; **~fabrik** *f* fabrique *f* de conserves de viande; **~haut** *f* peau *f* de saucisson *od* de saucisse; **w~ig** *a fam (gleichgültig)* indifférent, désintéressé; *(sorglos)* insouciant; **~igkeit** *f* ⟨-, ø⟩ *fam* je-m'en-fichisme *od* je-m'en-foutisme *m;* indifférence *f;* désintéressement *m;* insouciance *f;* **~pelle** *f fam = ~haut;* **~platte** *f (Aufschnittplatte)* assortiment *m* de charcuterie; **~scheibe** *f* tranche *f* de saucisson; **~vergiftung** *f* botulisme *m;* **~waren** *f pl* charcuterie *f;* **~zipfel** *m* bout *m* de saucisson.

Würstchen *n* ⟨-s, -⟩ ['vʏrstçən] saucisse *f; fig fam (Wicht)* mioche, bout *m* d'homme; *arme(s) ~ (fig fam)*

pauvre hère *od* type *od* diable *m; warme ~ pl* saucisses *f pl* de Francfort; **~stand** *m* stand *m* de saucisses.
Württemberg *n* ['vʏrtəmbɛrk] *geog* le Wurtemberg; **~er** *m* Wurtembergeois *m;* **w~isch** *a* wurtembergeois.

Würz|e *f* ‹-, -n› ['vʏrtsə] *(Aroma, Geschmack)* arôme, parfum *m,* saveur *f,* goût; *fig* sel, piquant *m,* pointe *f; ~~ haben (Küche, a.)* être bien assaisonné; *in der Kürze liegt die ~~ (prov)* un bref exposé vaut mieux qu'un long discours; **w~en** *tr* épicer, *a. fig* assaisonner (*mit* de); aromatiser; relever; *fig* donner de la saveur *od* du sel *od* du piquant (*etw* à qc); corser; **~en** *n* = *~ung;* **~epfanne** *f (Bierbrauerei)* chaudière *f* à moût; **~fleisch** *n* ragoût *m;* **w~ig** *a* bien assaisonné, savoureux; **~stoff** *m* condiment *m;* **~ung** *f* assaisonnement *m.*
Wurzel *f* ‹-, -n› ['vʊrtsəl] *a. gram math fig (Zahnwurzel u. Ursprung)* racine *f; gram a.* radical *m; fig (Ursprung, a.)* source, origine; *(Ursache)* cause *f; an der ~ abhauen (Baum)* couper à blanc estoc; *mit der ~ ausreißen* déraciner; *das Übel mit der ~ ausrotten* extirper le mal à la racine; *an der ~ fassen* od *packen* prendre à la racine; *~n* od *fig ~n schlagen* pousser des racines, prendre racine; *~ schlagen (fig fam: Besucher)* s'incruster (*bei jdm* chez qn); *tiefe ~n schlagen (fig)* jeter de profondes racines; *die ~ ziehen (math)* extraire la racine (*aus* de); *die ~ des Übels* la source du mal; **~behandlung** *f med* traitement *m* d'une *od* de la racine; **~bildung** *f bot* radication *f;* **~bürste** *f* brosse *f* en chiendent; **w~echt** *a (Pflanze: mit eigenen ~n)* franc de pied; **~exponent** *m math* indice *m* de la racine; **~faser** *f bot* = *~haar;* **~fäule** *f* pourriture *f* des racines; **~haar** *n bot* radicelle *f;* **~haut** *f anat* coiffe *f* (de la racine); **~hautentzündung** *f med* périostite *f* alvéo-dentaire; **~holz** *n* bois *m* de souche; **~knolle** *f bot* racine *f* tuberculeuse, tubercule *m;* **w~los** *a* sans racine(s); *fig* déraciné; **w~n** *itr bot* avoir ses racines (*in* dans); *fig* avoir sa racine, être enraciné (*in* dans); **~schößling** *m bot* pousse radicale, bouture *f,* drageon, surgeon *m;* **~stand** *m bot* radication *f;* **~stock** *m bot* rhizome *m;* **~werk** *n* racines *f pl;* **~zeichen** *n math* (signe) radical *m;* **~ziehen** *n math* extraction *f* des racines; **Würzelchen** *n* radicelle *f;* **wurz(e)lig** *a* plein de racines.
Wuschel|haar *n,* **~kopf** ['vʊʃəl-] *m fam* cheveux *m pl* en bataille.
Wust *m* ‹-(e)s, ø› [vu:st] *(Durchea.)* désordre, chaos, fouillis; *(wirrer Haufen)* ramassis, amoncellement, amas *m.*
wüst [vy:st] *a (öde)* désert, désolé; *(leer)* vide; *agr (unbebaut)* sauvage, inculte, en friche; *(wirr)* confus, chaotique; en désordre; *(verworren)* (em-)brouillé; inextricable; *(unordentlich)* désordonné, déréglé; *(unsauber)* malpropre; *(gemein)* grossier, vilain, méchant; *(liederlich)* désordnonné, dissolu, libertin, débauché, crapuleux; *ein ~es Leben führen* mener une vie de débauche; *der Kopf war mir ganz ~* j'avais la tête brouillée; *du siehst ja ~ aus!* de quoi as-tu l'air! **W~e** *f* ‹-, -n› désert *m; zur ~~ machen (verwüsten)* dévaster; *in der ~~ (fig: tauben Ohren) predigen* prêcher dans le désert; *in die ~~ schicken (fig pol)* limoger; *das Schiff der ~~ (poet: Kamel)* le vaisseau du désert; **~en** *itr fam (verschwenderisch umgehen)* gaspiller (*mit etw* qc); **W~enei** *f* [-'naɪ] contrée *f* désertique *od* désolée; **W~enfuchs** *m zoo* fennec *m;* **W~engebiet** *n* région *f* désertique; **W~enkönig** *m poet (Löwe)* roi *m* du désert; **W~enkrieg** *m* guerre *f* dans le désert; **W~enlandschaft** *f* paysage *m* désertique; **W~ensand** *m* sable *m* du désert; **W~ling** *m* ‹-s, -e› libertin, débauché; *fam* noceur; *pop* arsouille *m;* **W~ung** *f (aufgegebene u. verödete Siedlung)* habitat *od* village *m* abandonné.
Wut *f* ‹-, ø› [vu:t] *(Gemütszustand)* fureur *(a. fig: der Elemente etc); (~ausbruch)* furie; *(Raserei)* rage, frénésie; *(Zorn)* colère *f,* courroux *m; (Leidenschaftlichkeit, Verbissenheit)* passion, manie, rage *f; s-e ~ an jdm auslassen* passer sa fureur sur qn; *jdn in ~ bringen* mettre qn en fureur, faire enrager qn; *in ~ geraten* se mettre *od* entrer en fureur *od* en colère, enrager, s'emporter; prendre feu; *e-e ~ auf jdn haben* être en rage contre qn; *vor ~ kochen* od *schäumen* écumer de rage; *vor ~ platzen (fam)* crever de rage; *vor ~ zittern* trembler de rage; *die ~ packte mich* la fureur me prit *od* me saisit *od* m'emporta; *fam* la moutarde m'est montée au nez; *die ~ der Flammen* la fureur des flammes; **~anfall** *m,* **~ausbruch** *m* accès de fureur *od* de rage *od* de colère, emportement; *fam* coup *m* de sang; *~anfälle haben (a. fam)* piquer des colères; **w~entbrannt** *a* enflammé de colère *od* de rage, enragé, furieux, furibond; **~geheul** *n,* **~geschrei** *n* cris *m pl* de fureur *od* de rage; **w~schäumend** *a,* **w~schnaubend** *a* écumant de rage.

wüt|en ['vy:tən] *itr (Mensch)* être en fureur *od* en furie *od* en rage; rager; *(Elemente)* faire rage, être déchaîné; *(Epidemie)* sévir, faire des ravages; **~end** *a* furieux, en fureur, furibond, enragé; *~~ machen* mettre en fureur, faire enrager; *~~ sein* être furieux *od* enragé (*auf jdn* contre qn); *fam* avoir les nerfs en boule *od* en pelote; *~~ werden* se mettre *od* entrer en colère, s'emporter, enrager; se fâcher tout rouge; *fam* se mettre en boule; *~~e Zahnschmerzen m pl* une rage de dents; **W~erich** *m* ‹-s, -e› [-tərɪç] fou furieux; *(Tyrann)* tyran *m* (sanguinaire); **~ig** *a* = *~end.*

X

X, x *n* ⟨-, -⟩ [ɪks] *(Buchstabe u. unbekannte Größe)* X *m; jdm ein X für ein U vormachen (fam: täuschen)* faire prendre à qn des vessies pour des lanternes, faire accroire qc à qn; *die Größe x* la valeur x, l'inconnue *f;* **x-Achse** *f math* abscisse *f;* **X-Beine** *n pl* jambes *f pl* cagneuses; **X--beinig** *a* cagneux. **x-beliebig** *a* quelconque *(nachgestellt),* n'importe quel *(vorgestellt); ein x~~er, jeder x~~e* n'importe qui; **X-Chromosom** *n biol* chromosome *m* X; **x--mal** *adv* je ne sais combien de fois; **X-Strahlen** *m pl* = *Röntgenstrahlen;* **x-te** *a: der, die, das ~~* ... le, la n^ième^ ...; *zum ~~n Male, zum* **x-tenmal** pour la n^ième^ fois.

Xanthippe *f* ⟨-, -n⟩ [ksan'tɪpə] *(zänkisches Weib)* mégère, femme *f* méchante.

Xenie *f* ⟨-, -n⟩ ['kse:niə] *(kurzes Sinngedicht)* xénie *f.*

Xerophyten *m pl* [ksero'fy:tən] *bot* xérophytes *f pl.*

Xylo|graph *m* ⟨-en, -en⟩ [ksylo'gra:f] *(Holzschneider)* xylographe, graveur *m* sur bois; **~graphie** *f* ⟨-, -n⟩ [-gra'fi:] *(Holzschneidekunst)* xylographie *f;* **x~graphisch** [-'gra:fɪʃ] *a* xylographique; **~phon** *n* ⟨-s, -e⟩ [-'fo:n] *mus* xylophone *m.*

Y, y *n* ⟨-, -⟩ ['ypsilɔn] *(Buchstabe)* Y, y *m.*

y-Achse *f* ['ypsilɔn-] *math* ordonnée *f.*

Yak *m* ⟨-s, -s⟩ [jak] *zoo (Grunzochse)* ya(c)k *m.*

Yamswurzel *f* [jams-] *bot* igname *f.*

Yggdrasil ['ykdrazıl] *(Mythologie): die Esche* ~ le frêne ~.

Yperit *m* ⟨-s, ø⟩ [ipe'rıt] *chem* ypérite *f.*

Ypern *n* ['y-, 'i:pərn] *geog* Ypres *f.*

Ysop *m* ⟨-s, -e⟩ ['i:zɔp] *bot* hysope *f.*

Ytterbium *n* ⟨-s, ø⟩ [y'tɛrbium] *chem* ytterbium *m.*

Yucca *f* ⟨-, -s⟩ ['juka] *bot* yucca *m.*

Z

Z, z *n* ⟨-, -⟩ [tsɛt] *(Buchstabe)* Z, z *m.*
Zabern *n* ['tsa:bərn] *geog* Saverne *f; die ~er Steige f* le col de Saverne.
zack [tsak] *interj* vlan! v'lan!
Zäckchen *n* ⟨-s, -⟩ ['tsɛkçən] petite pointe *f.*
Zack|e *f* ⟨-, -n⟩, **~en** *m* ⟨-s, -⟩ ['tsakə] pointe, dent *f; (Bergspitze)* pic; *(Gabelzinke)* fourchon *m; (am Rechen)* dent *f;* **z~en** *tr (mit ~en versehen)* munir *od* garnir de pointes; denteler; *tech* bretteler; **z~enförmig** *a* pointu, en pointe; **z~ig** *a* muni *od* garni de pointes *od* de dents, denté; *a. bot (Blatt)* dentelé; *fig fam (schneidig)* qui a du cran *od* de l'allant.
zag [tsa:k] *a = ~haft;* **~en** [-gən] *itr (verzagt sein)* être découragé, manquer de courage *od* de cœur; *(zaudern)* hésiter; **Z~en** *n* manque *m* de courage *od* de cœur; hésitation *f;* **~haft** *a* timide, pusillanime; *(furchtsam, ängstlich)* craintif, peureux; *(zaudernd)* hésitant; **Z~haftigkeit** *f* ⟨-, ø⟩ timidité, pusillanimité *f.*
zäh [tsɛ:] *a, a. fig* dur; coriace; *(~flüssig)* visqueux; *(klebrig)* gluant; *(schleimig)* glaireux; *fig (hartnäkkig)* opiniâtre, obstiné; *ein ~es Leben haben* avoir la vie dure, avoir l'âme chevillée au corps; *~ werden (Wein)* graisser; *~e(r) Schleim m (med)* glaire *f;* **Zäheit** *f* ⟨-, ø⟩ *Z~igkeit;* **~flüssig** *a* visqueux, gluant, épais; **Z~flüssigkeit** *f* ⟨-, ø⟩ viscosité *f;* **Z~igkeit** *f* ⟨-, ø⟩ ténacité, dureté; caractère *m* coriace; viscosité; *fig* opiniâtreté, obstination *f;* **~lebig** *a* qui a la vie dure.
Zahl *f* ⟨-, -en⟩ [tsa:l] nombre; *(Ziffer)* chiffre; *(Nummer)* numéro *m; 100 an der ~* au nombre de cent; *in geringer, großer ~* en petit, grand nombre; *in runden ~en* en chiffres ronds; *~en nicht behalten können* être brouillé avec les chiffres; *an ~ übertreffen* être numériquement supérieur à; *die ~ der ... vermehren* grossir la liste des ...; *ganze ~* (nombre) entier *m; gebrochene ~* fraction *f; gemischte ~* nombre *m* fractionné; *gerade, ungerade ~* nombre *m* pair, impair; *ungenügende ~ (Anzahl)* insuffisance *f* numérique; **z~bar** *a* payable (*in zwei Monaten* à deux mois); *~~ bei Bestellung* payable à la commande; *~~ bei Lieferung* payable à la livraison; *~~ bei Sicht* payable à vue; *~~ an den Überbringer* payable au porteur; *~~ bei Verfall, bei Vorlage* payable à l'échéance, à présentation; *~~ werden* devenir payable; **~karte** *f* mandat *m* de virement postal; **~kellner** *m* garçon *m* qui fait l'addition; **z~los** *a* innombrable, sans nombre; **~meister** *m mil* officier payeur, capitaine trésorier; *mar* commissaire *m;* **~meisterei** *f mil* trésorerie *f; mar* commissariat *m;* **z~reich** *a* nombreux; *adv* en grand nombre; **~stelle** *f* bureau *m* de paiement, caisse *f;* **~tag** *m* jour *m* de paie; *der ~~ (a. fam)* la Sainte-Touche; **~teller** *m* ramasse-monnaie *m;* **~tisch** *m* comptoir *m;* **~wort** *n* ⟨-(e)s, ¨er⟩ *gram* adjectif *m* numéral; **~zeichen** *n* chiffre *m.*
Zähl|apparat *m* ['tsɛ:l-] appareil *od* dispositif *m* à compter; **z~bar** *a* dénombrable; **z~en** *tr* compter; *(aufzählen)* dénombrer, énumérer; *(statistisch erfassen)* recenser; *(Stimmen)* pointer, dépouiller; *(sich belaufen auf)* compter; s'élever à, se monter à; *itr (mitzählen, gelten)* compter, prendre rang; *zu etw ~~ (als zugehörig betrachtet werden)* compter, ranger, prendre rang parmi qc; *auf jdn ~~ (mit jdm rechnen)* compter sur qn; *so aussehen, als könne man nicht bis 3 ~~* avoir l'air de ne pas savoir lire; *ehe man bis 3 ~~ konnte (im Nu)* en moins de rien; *er ~t 6 Jahre (lit)* il compte *od* a 6 ans; *meine Tage sind gezählt* mes jours sont comptés; **~er** *m* ⟨-s, -⟩ *math* numérateur; *tech (zum Ablesen des Energieverbrauchs)* compteur *m;* **~erableser** *m* contrôleur *m* de compteurs; **~erablesung** *f* lecture *f od* contrôle *m* des compteurs; **~ergehäuse** *n* boîte *f* à compteur; **~erstand** *m* relevé *m* de compteur; **~ertafel** *f el* panneau *m* de compteurs; **~karte** *f (bei e-r Volkszählung)* carte *f* de recensement; **~rad** *n (Uhr)* roue-compteur *f;* **~scheibe** *f* disque *m* compteur; **~taste** *f tele* clé *f* de comptage; **~ung** *f* comptage; *(Aufzählung)* dénombrement *m,* énumération *f; (Volkszählung)* recensement; *(Stimmenzählung)* dépouillement (du scrutin), pointage *m;* **~vorrichtung** *f = ~apparat;* **~werk** *n (an e-r Registrierkasse)* mécanisme compteur; *el* appareil *m* intégrateur, minuterie *f.*
zahlen ['tsa:lən] *tr* u. *itr* payer; *tr (einzahlen)* verser; *(Schuld)* acquitter; *bar ~* payer (au) comptant; *in Raten ~* payer par acomptes; *im voraus ~* payer d'avance; *Kinder ~ die Hälfte* les enfants paient demi-tarif; *Herr Ober, bitte ~!* garçon, l'addition, s'il vous plaît!
Zahlen|angabe *f* ['tsa:lən-] indication *f* numérique; **~gedächtnis** *n* mémoire *f* des chiffres *od* des dates; **~gruppe** *f math* tranche *f* de chiffres; **z~mäßig** *a* numérique; en chiffres; **~material** *n* données *f pl* numériques; **~reihe** *f* série *f* de(s) nombres; **~schloß** *n tech* serrure *f* à combinaison; **~system** *n* système *m* arithmétique; **~verhältnis** *n* proportion *f* numérique; **~wert** *m* valeur *f* numérique.
Zahler *m* ⟨-s, -⟩ ['tsa:lər] payeur *m; pünktliche(r), säumige(r) ~* bon, mauvais payeur *m.*
Zahlung *f* ⟨-, -en⟩ ['tsa:luŋ] paiement; *(Einzahlung)* versement; *(e-r Schuld, Gebühr, Steuer)* acquittement *m; als ~ für* en paiement de; *an ~s Statt* au lieu *od* à titre de paiement; *gegen ~* moyennant finance; *e-s Betrages* contre paiement *od* versement d'une somme; *zur ~ auffordern* sommer de payer; *die ~en einstellen* cesser *od* suspendre les paiements; *in ~ geben* offrir en paiement; porter en compte (*für* sur); *zu ~en heranziehen* mettre à contribution; *e-e ~ hinausschieben* différer un paiement; *e-e ~ leisten* faire *od* effectuer un versement; *in ~ nehmen* prendre *od* accepter en paiement, reprendre en compte; *die ~ verweigern* refuser de payer; *einmalige ~* versement *m* en une fois; *jährliche ~* annuité *f; nachträgliche ~* paiement *m* subséquent; *rückständige ~* paiement *m* arriéré; *~ bei Lieferung* paiement *m* à livraison.
Zahlungs|abkommen *n* ['tsa:luŋs-] accord *m* de paiement; **~angebot** *n* offre *f* de paiement; **~anspruch** *m* revendication *f* pécuniaire; **~anweisung** *f* mandat *m* de paiement; **~art** *f* mode *m* de paiement; **~aufforderung** *f* sommation *od* injonction *f* de paiement; **~aufschub** *m* sursis de paiement, atermoiement, moratoire *m;* **~auftrag** *m* ordre *m* de paiement; **~ausgleich** *m* règlement *m* des comptes; **~bedingungen** *f pl* conditions *od* modalités *f pl* de paiement; **~befehl** *m* sommation *od* injonction de paiement; *jur* mise *f* en demeure (de payer); **~beleg** *m* récépissé *m* de paiement; **~bilanz** *f: (aktive, passive) ~~* balance *f* (favorable, défavorable) des comptes *od* des paiements; **~eingang** *m* encaissement *m;* **~einstellung** *f* cessation *od* suspension *f* des paiements; **~empfänger** *m* bénéficiaire *m;* **~erinnerung** *f* rappel *m* de compte; **~erleichterungen** *f pl* facilités *f pl* de paiement; **z~fähig** *a* solvable; *(Firma)* solide; **~fähigkeit** *f* ⟨-, ø⟩ solvabilité; solidité *f;* **~frist** *f* délai *m*

de paiement; **~mittel** *n* moyen *od* instrument *m* de paiement; *gesetzliche(s) ~~ sein* avoir cours légal; *gesetzliche(s) ~~* monnaie *f* légale; **~mittelumlauf** *m* circulation *f* monétaire; **~modus** *m = ~art;* **~ort** *m* lieu *m* de paiement; **~pflicht** *f* obligation *f* de paiement *od* de payer; **~pflichtige(r)** *m* débiteur *m;* **~plan** *m* plan *m* de paiement; **~rückstand** *m* retard *m* de paiement; **~schwierigkeit** *f* difficulté *f* de paiement; *in ~~en geraten* avoir des difficultés de paiement; **~sperre** *f: e-e ~~ über ein Konto verhängen* bloquer un compte; **~termin** *m* terme *m* de paiement, échéance *f;* **~- und Überweisungsverkehr** *m* opérations *f pl* de caisse et de virements; **z~unfähig** *a* insolvable; **~unfähigkeit** *f* insolvabilité *f;* **~union** *f: Europäische ~~ (EZU)* Union *f* européenne des Paiements (U.E.P.); **~verbindlichkeit** *f ~pflicht;* **~verbot** *n* défense *od* interdiction de payer; *(an Drittschuldner)* ordonnance *f* de saisie-arrêt; **~verkehr** *m* trafic *od* mouvement *od* service *m* des paiements; *internationale(r) ~~* mouvement *m* des paiements internationaux; **~verpflichtung** *f = ~pflicht;* **~versprechen** *n* promesse *f* de paiement; **~verweigerung** *f* refus *m* de paiement; **~weise** *f = ~art;* **~ziel** *n* terme *m* de règlement *od* d'échéance; *offene(s) ~~* terme *m* courant.

zahm [tsa:m] *a (gezähmt)* apprivoisé; domestique; *(sanft, bes. Pferd)* doux; *fig* traitable, docile; *(ruhig, friedlich)* paisible; *~ machen* apprivoiser; *~ werden* s'apprivoiser; **Z~heit** *f* ‹-, ø› état *m* apprivoisé; domesticité; douceur, docilité *f.*

zähm|bar ['tsɛ:mba:r] *a* apprivoisable; *a. fig* domptable; **~en** *tr (durch Dressur)* apprivoiser, *a. fig* dompter; *(zum Haustier machen)* domestiquer; *fig (Leidenschaft: zügeln)* maîtriser, refréner; **Z~ung** *f* ‹-, ø› apprivoisement; domptage *m,* domestication *f;* refrènement *m.*

Zahn *m* ‹-(e)s, ¨-e› [tsa:n, 'tsɛ:nə] *a. tech* dent *f; sich an etw die Zähne ausbeißen (fig)* s'user les dents à qc; *die Zähne ausbrechen* édenter *(e-s Kamms* un peigne, *e-r Säge* une scie); *jdm die Zähne ausbrechen* casser les dents à qn; *sich e-n ~, ein Stück vom e-m ~ ausbrechen* se casser, s'ébrécher une dent; *auf die Zähne beißen (fig: sich beherrschen)* se ronger les poings; *Zähne bekommen* faire ses dents; *sich die Zähne in Ordnung bringen lassen* se faire soigner les dents; *e-n ~ draufhaben (sport fam)* aller à toute pompe *od* allure; *die Zähne fletschen* montrer les dents *od* crocs; *jdm auf den ~ fühlen (fig)* tâter le pouls à qn, sonder qn, mettre qn à l'épreuve; *schöne Zähne haben* avoir de belles dents; *fam* avoir la bouche bien garnie *od* meublée; *Haare auf den Zähnen haben (fig fam)* savoir se défendre, avoir bec et ongles; *mit den Zähnen klappern* claquer des dents, grelotter; *mit den Zähnen knirschen* grincer des dents; *e-n ~ plombieren* plomber une dent; *sich die Zähne putzen* se laver les dents; *die Zähne verlieren* perdre ses dents, s'édenter; *s-e Zähne wetzen an* aiguiser ses dents sur; *jdm die Zähne zeigen (fig)* montrer les dents à qn; *e-n ~ ziehen* extraire *od* arracher une dent; *die Zähne zs.beißen* serrer les dents; *das ist etwas für den hohlen ~ (nur wenig)* il n'y en a pas pour une dent creuse; *bleibende(r) ~* dent *f* permanente *od* de seconde dentition; *falsche(r) ~* fausse dent *f; hohle(r) ~* dent *f* creuse; *mit Zähnen ausgestattet (zoo)* denté, à dents; *bis an die Zähne bewaffnet* od *gerüstet* armé jusqu'aux dents; *der ~ der Zeit (fig)* les outrages *od* ravages *m pl* du temps, l'injure *f* du temps *od* des ans; **~arme(n)** *m pl zoo (Ordnung)* édentés *m pl;* **~arzt** *m* (chirurgien-)dentiste *m;* **z~ärztlich** *a* de *od* du dentiste; *~~e Versorgung f* services *m pl* dentaires; **~arztpraxis** *f* cabinet *m* dentaire *od* de dentiste; **~ausfall** *m* chute *f* des dents; **~behandlung** *f* soins *m pl* dentaires; **~bein** *n anat* dentine *f;* **~bogen** *m tech* arc *od* secteur *m* denté; **~breite** *f tech* largeur *f* de dent; **~bürste** *f* brosse *f* à dents; **~durchbruch** *m* première dentition, dentition *f* de lait; **z~en** *itr (Zähne bekommen)* faire ses dents; *tr (auszacken)* denter; **~en** *n* dentition *f;* **~ersatz** *m* dents *f pl* artificielles; *(Prothese)* prothèse *f od* appareil *m* dentaire; **~fäule** *f* carie *f* (dentaire *od* des dents); **~fistel** *f* fistule *f* dentaire; **~fleisch** *n* gencive *f;* **~fleischblutung** *f* gingivorragie *f;* **~fleischentzündung** *f* gingivite, ulite *f;* **~form** *f tech* profil *m* de la denture; **z~förmig** *a* dentiforme; *scient* odontoïde; **~füllung** *f* plombage *m* dentaire; **~geschwür** *n* abcès *m* dentaire; **~hals** *m* collet *m;* **~heilkunde** *f* chirurgie dentaire; odontologie *f;* **~höhle** *f* alvéole *m* dentaire; **~kitt** *m (Zement)* cément *m* dentaire; **~klinik** *f* clinique *f od* institut *m* dentaire; **~krankheit** *f* maladie *f* des dents; **~kranz** *m tech* couronne *f* dentée; **~krone** *f anat* couronne *f* dentaire; **~laut** *m gram* dentale *f;* **z~los** *a* sans dents, édenté; *~~e(r) Mund m (a. fam)* bouche *f* démeublée; **~lücke** *f* brèche *f; tech* creux *m;* **z~lückig** *a* brèche-dent; *~~e(r) Mensch m* brèche-dent *m f;* **~mark** *n* pulpe *f* dentaire; **~nerv** *m* nerf *m* dentaire; **~pasta** *f* (pâte *f*) dentifrice *m;* **~pflege** *f* soins *m pl* dentaires, hygiène *f* dentaire *od* de la bouche; **~pulver** *n* poudre *f* dentifrice; **~(putz)glas** *n* verre *m* à dents; **~rad** *n* roue *f* dentée *od* d'engrenage; *(Ritzel)* pignon *m;* **~radantrieb** *m* commande *f* par engrenages; **~radbahn** *f loc* chemin *m* de fer à crémaillère; **~radgetriebe** *n* engrenage *m;* **~radkasten** *m mot* boîte *f* d'engrenage; **~radpumpe** *f* pompe *f* à engrenage; **~radübersetzung** *f* transmission *od* multiplication *f* par engrenage; **~reinigungsmittel** *n* dentifrice *m;* **~schmelz** *m* émail *m;* **~schmerzen** *m pl* mal *m* de dents; *~~ haben* avoir mal aux dents; *wahnsinnige ~~* rage *f* de dents; **~schnitt** *m arch* denticules *m pl;* **~seife** *f* savon *m* dentifrice; **~spiegel** *m* miroir *m* dentaire; **~stange** *f tech* crémaillère *f;* **~stangengetriebe** *n* engrenage *m* à crémaillère; **~station** *f* service *m* dentaire; **~stein** *m* tartre *m;* **~stellung** *f* disposition *f* des dents; *schlechte ~~* malposition *f* des dents; **~stocher** *m* cure-dents *m;* **~stumpf** *m* chicot *m;* **~techniker** *m* mécanicien *m* dentiste; **~teilung** *f tech* pas *m* d'engrenage; **~ung** *f tech* denture *f;* **~verlust** *m* perte *f* des dents; **~wechsel** *m* seconde dentition *f;* **~weh** *n = ~schmerzen;* **~wurzel** *f* racine *f* des dents; **~wurzelhaut** *f* périoste *m* dentaire; **~zange** *f* pince *f* de dentiste, davier *m;* **~ziehen** *n* extraction (de dents), avulsion *f.*

Zähne|klappern *n* ['tsɛ:nə-] claquement *m* de dents; **~knirschen** *n* grincement *m* de dents; **z~n** *tr tech* dent(el)er, créneler, bretteler.

Zähre *f* ‹-, -n› ['tsɛ:rə] *poet* larme *f; pl a.* pleurs *m pl.*

Zain *m* ‹-(e)s, -e› [tsaɪn] *(Metallstab)* barre, *f,* lingot *m.*

Zander *m* ‹-s, -› ['tsandər] *zoo* sandre *f.*

Zange *f* ‹-, -n› ['tsaŋə] pince; *(kleine)* pincette; *(Kneifzange)* tenaille(s *pl*) *f; (Geburtszange)* forceps *m; ent* pince, mâchoire *f;* **~narm** *m* bras *m* de pince; **~nbewegung** *f mil* offensive *f* en tenaille; **~ngeburt** *f* accouchement *m* par les *od* aux fers.

Zank *m* ‹-(e)s, ø› [tsaŋk] querelle, dispute, discorde *f,* démêlés; *fam* grabuge *m; (Wortwechsel)* altercation, empoignade *f; mit jdm ~ suchen* chercher querelle *od* noise à qn; *~ und Streit* grabuge *m;* **~apfel** *m fig* pomme *f* de discorde; **z~en** *itr* quereller; *sich ~~* se quereller, se chamailler, se disputer (*um etw* qc); *fam* avoir une prise de bec (*mit jdm* avec qn); **~erei** *f* [-'raɪ] *fam* grabuge *m,* bisbille, prise *f* de bec; **~sucht** *f* ‹-, ø› humeur *f* querelleuse, esprit *m* querelleur; **z~süchtig** *a = zänkisch;* **~teufel** *m (böses Weib)* mégère *f,* dragon *m.*

Zänk|er *m* ‹-s, -› ['tsɛŋkər] querelleur *m;* **~ereien** *f* [-'raɪən] *pl (kleinlicher Streit)* altercations *f pl;* **z~isch** *a* querelleur, acariâtre, tracassier.

Zäpfchen *n* ‹-s, -› ['tsɛpfçən] *allg* petit tenon *m; anat* luette (du palais), *scient* uvule *f; pharm* suppositoire *m;* **~-R** *n gram* r *m* uvulaire.

Zapf|en *m* ‹-s, -› ['tsapfən] *(Stift)* tenon, goujon *m; (Verbindungszapfen)* cheville *f; (Faßzapfen)* bondon; *(Stöpsel)* bouchon, tampon *m; (Holzsplint)* broche; *(aus Metall)* goupille *f; (Drehzapfen)* pivot, tourillon; *(Eiszapfen)* glaçon; *bot* cône, *scient* strobile *m;* **z~en** *tr (aus e-m Faß laufen lassen)* tirer (au tonneau); **~enbohrer** *m (Werkzeug)* mèche à tenon, tarière, vrille *f;* **z~enförmig** *a* en forme de cône; *bot scient* strobiliforme; **~engeld** *n hist* afforage *m;* **~enlager** *n tech* palier *m* d'un *od* du tourillon; **~enloch** *n (Zimmerei)* mortaise *f;* **~enstreich** *m mil* couvre-feu *m,* extinction *f* des feux; *den ~~ blasen* sonner *od* battre la retraite; **z~entragend** *a bot* conifère; **~er** *m* ‹-s, -› *(Büfettier)* barman *m;* **~hahn** *m* robinet *m* (de prise); **~loch** *n (am Faß)* bonde *f;* **~rohr** *n (für Benzin)* tuyau *m* à essence; **~stelle** *f (für Wasser)* poste *m od* prise *f* d'eau; *(für Benzin)* distributeur *m* d'essence, pompe *f* à essence.

zapp|(e)lig [tsap(e)lıç] *a* remuant, frétillant; *(nervös)* nerveux; **~eln** ‹*ich zapp(e)le, du zappelst; zapp(e)le*› *itr* remuer, s'agiter, frétiller; *fam* gigoter; *mit den Beinen ~~* gigoter *fam; jdn ~~ lassen (fig fam)* faire mijoter *od* languir qn; **Z~elphilipp** *m* ‹-s, -e/-s› [-ˈfi:lip] *fam* enfant *m* turbulent.

Zar *m* ‹-en, -en› [tsa:r] tsar *m;* **~entum** *n* ‹-s, ø› tsarisme *m;* **~in** *f* tsarine *f;* **z~istisch** [tsaˈrıstıʃ] *a* tsariste.

Zarge *f* ‹-, -n› [ˈtsargə] *(Rahmen, Einfassung)* cadre, encadrement, châssis *m.*

zart [tsa:rt] *a (weich)* tendre; *(empfindlich, empfindsam)* délicat; *(schwächlich)* fragile, frêle, fluet; *(sanft)* doux; *(fein)* fin; *(dünn)* mince, ténu, délié; *im ~en Alter von zwei Jahren* au tendre âge de 2 ans; **~besaitet** *a* sensible, susceptible; *~~ sein* avoir l'âme tendre; **~fühlend** *a* délicat; *~~ sein* avoir du tact; **Z~gefühl** *n* délicatesse *f,* tact *m;* **Z~heit** *f* ‹-, ø› *(Fleisch, Obst, Gemüse)* tendreté; *fig* délicatesse; fragilité; douceur; finesse; minceur, ténuité *f.*

zärtlich [ˈtsɛ:rtlıç] *a* tendre, affectueux; *~ ansehen (a.)* couver des yeux; **Z~keit** *f* ‹-, ø› tendresse, affection *f; pl (Liebkosungen)* caresses *f pl;* **Z~keitsbedürfnis** *n* besoin *m* de tendresse.

Zaster *m* ‹-s, ø› [ˈtsastər] *arg (Geld)* pognon, fric *m.*

Zäsur *f* ‹-, -en› [tsɛˈzu:r] *(Verseinschnitt; mus)* césure *f.*

Zauber *m* ‹-s, -› [ˈtsaubər] sort, sortilège, enchantement; *a. fig (Reiz)* charme; *fig (Nimbus)* prestige *m; den ~ lösen* od *bannen* rompre le charme; *~ treiben* exercer la magie; *den ~ kenne ich! das ist fauler ~! (fam)* chansons que tout cela! *faule(r) ~ (fam: Unsinn)* non-sens *m;* **~buch** *n* livre de magie, grimoire *m;* **~ei** *f* ‹-, (-en)› [-ˈraı] magie, sorcellerie *f,* sortilège, enchantement *m;* **~er** *m* ‹-s, -› enchanteur, magicien; *(Hexer)* sorcier *m; a. = ~künstler;* **~flöte,** *die (Oper)* la Flûte enchantée; **~formel** *f* formule magique, (formule d')incantation *f;* paroles *f pl* magiques; **z~haft** *a,* **z~isch** *a* enchanté, féerique, magique; *fig (bezaubernd)* enchanteur; *(wunderbar)* prestigieux, merveilleux; **~in** *f (Hexe)* sorcière *f;* **~kraft** *f* pouvoir *m od* vertu *f* magique; **z~kräftig** *a* magique; **~kreis** *m* cercle *m* magique; **~kunst** *f* magie; *(Taschenspielerkunst)* prestidigitation *f,* escamotage *m;* **~künste** *f pl* tours *m pl* de magicien; **~künstler** *m* magicien, illusionniste; *(Taschenspieler)* prestidigitateur *m;* **~kunststück** *n* tour *m* de prestidigitation; **~laterne** *f* lanterne *f* magique; **~lehrling** *m* apprenti *m* sorcier; **z~n** *tr* produire *od* transporter *od* faire disparaître par enchantement; *itr* exercer *od* pratiquer la magie, user de sortilèges; *(Taschenspieler)* faire des tours de prestidigitation; *~~ können* être sorcier (sorcière); **~posse** *f theat* féerie *f;* **~spruch** *m = ~formel;* **~stab** *m* baguette *f* magique; **~trank** *m* philtre, breuvage *m* magique; **~wort** *n* parole *f* magique.

Zauder|ei *f* ‹-, (-en)› [tsaudəˈraı] hésitation, temporisation *f;* **~er** *m* ‹-s, -› [ˈtsaudərər] esprit indécis *od* irrésolu, temporisateur *m;* **z~n** *itr* hésiter, tarder (*etw zu tun* à faire qc); temporiser; *ohne zu ~~* sans hésiter; *nicht ~~ (a.)* ne douter de rien; **~n** *n = ~ei; ohne ~~* sans hésiter.

Zaum *m* ‹-(e)s, ⸚e› [tsaum, ˈtsɔymə] bride *f, a. fig; fig a.* frein *m; am ~(e) führen* mener par la bride; *im ~(e) halten (fig)* tenir en bride, brider; mettre un frein à, refréner; *sich im ~(e) halten* se réprimer; *s-e Zunge im ~(e) halten* tenir sa langue; **~zeug** *n* ‹-(e)s, -e› bride *f;* **zäumen** [ˈtsɔymən] *tr* brider.

Zaun *m* ‹-(e)s, ⸚e› [tsaun, ˈtsɔynə] clôture; *(Pfahlzaun)* palissade *f; (Lattenzaun)* lattis; *(geflochtener ~)* clayonnage *m; (Drahtzaun)* grillage *m; (Hecke)* haie *f* (vive); *e-n Streit vom ~ brechen* chercher une querelle d'Allemand; **~ammer** *f orn* zizi *m;* **~gast** *m* resquilleur *m fam;* **~könig** *m orn* troglodyte; *(allg. als sehr kleiner Vogel)* roitelet *m (eigentl.: Goldhähnchen);* **~latte** *f* latte *f* de clôture; **~pfahl** *m* palis *m; mit dem ~~ winken (fig hum)* donner à entendre d'une manière appuyée; *ein Wink mit dem ~~* une allusion claire et nette; **~rübe** *f bot* bryone *f;* **~winde** *f bot* grand liseron, liseron *m* des haies.

zäunen [ˈtsɔynən] *tr* (en)clore, entourer d'une clôture *od* d'une haie.

zausen [ˈtsauzən] *tr: jdm die Haare ~* tirer les cheveux à qn, ébouriffer qn; *sich ~* s'ébouriffer; *das Leben hat mich arg gezaust* la vie ne m'a pas gâté, j'en ai vu de dures.

Zebra *n* ‹-s, -s› [ˈtse:bra] *zoo* zèbre *m;* **~streifen** *m pl (des Zebras)* zébrure *f; (Fußgängerüberweg)* passage *m* zébré *od abus* clouté; *mit ~~ markieren* zébrer.

Zebu *m* od *n* ‹-s, -s› [ˈtse:bu] *zoo* zébu, bœuf *m* à bosse.

Zech|bruder *m* [ˈtsɛç-] *(Saufkumpan)* compagnon de beuverie; *allg (Säufer)* buveur, *fam* bambocheur *m;* **~e** *f* ‹-, -n› **1.** *(Verzehr)* consommation *f; (Rechnung)* écot *m;* addition, note *f; s-e ~~ bezahlen* payer son écot; *die ~~ bezahlen müssen (fig)* payer les pots cassés; *fam* écoper; **z~en** *itr* boire (copieusement); *fam* chopiner, bambocher; *pop* riboter, faire ribote; *tüchtig ~~* faire d'amples libations; **~er** *m* ‹-s, -› buveur *m;* **~gelage** *n* beuverie, libation; *fam* bamboche, goguette; *pop* ribote *f;* **~kumpan** *m* compagnon *m* de beuverie; **~preller** *m* griveleur; *fam* resquilleur *m;* **~prellerei** *f* grivèlerie *f; ~~ treiben* griveler; **~schuld** *f* dette *f* de cabaret.

Zeche *f* ‹-, -n› [ˈtsɛçə] **2.** *(Kohlenbergwerk)* mine *f* de charbon, charbonnage *m;* houillère *f;* **~nkoks** *m* coke *m;* **~nteer** *m* goudron *m* de coke.

Zecke *f* ‹-, -n› [ˈtsɛkə] *ent* tique *f.*

Zeder *f* ‹-, -n› [ˈtse:dər] , **~nholz** *n* cèdre *m.*

zedieren [tseˈdi:rən] *tr jur (abtreten)* céder, faire cession de.

Zehe *f* ‹-, -n› [ˈtse:ə] doigt de pied, orteil *m; (Knoblauchzehe)* gousse *f; auf den ~n* sur la pointe des pieds; *vom Wirbel bis zur ~* de la tête aux pieds, de pied en cap; *jdn* od *jdm auf die ~n treten (a. fig)* marcher sur les pieds à qn; *große, kleine ~* gros, petit orteil *m;* **~nballen** *m anat* éminence du gros orteil; *zoo* pelote *f* digitale; **~ngänger** *m pl zoo* digitigrades *m pl;* **~nglied** *n* phalange *f* de l'orteil; **~nnagel** *m* ongle *m* de l'orteil; **~nspitze** *f* pointe *f* du pied *od* des pieds; *auf (den) ~~n* sur la pointe des pieds, à pas de loup; *sich auf die ~~n stellen* se dresser sur la pointe des pieds; **~nstand** *m sport* élévation *f* sur la pointe des pieds; *in den ~~ gehen* monter sur la pointe des pieds.

zehn [tse:n] *(Zahlwort)* dix; *(etwa) ~ (...)* une dizaine (de); *die Z~ Gebote* les dix commandements *m pl,* le décalogue; **Z~eck** *n math* décagone *m;* **~eckig** *a* décagonal; **Z~ender** *m zoo (cerf)* dix-cors *m;* **Z~er** *m* ‹-s, -› *math* dizaine *f; fam = Z~pfennigstück;* **Z~erklub** *m* groupe *od* club *m* des Dix; **~erlei** [-ˈlaı] *a* de dix espèces *od* sortes; **Z~erstelle** *f math* chiffre *m* des dizaines; **~fach** *a,* **~fältig** *a* décuple; **Z~fingersystem** *n (Maschinenschreiben)* système *m* des dix doigts; **~flächig** *a math* décaèdre; **Z~flächner** *m math* décaèdre *m;* **Z~jahresplan** *m pol* plan *m* décennal; **~jährig** *a* (âgé) de dix ans; **Z~kampf** *m sport* décathlon *m;* **Z~kämpfer** *m* athlète *m* décathlonien; **~mal** *adv* dix fois, à dix reprises; **~malig** *a* répété dix fois; **Z~markschein** *m* billet *m* de dix marks; **Z~pfennigroman** *m* roman *m* à deux sous; **Z~pfennigstück** *n* pièce *f* de dix pfennigs; **~prozentig** *a com fin* à dix pour-cent; **~silbig** *a (Vers)* décasyllab(iq)e; **~tägig** *a* de dix jours; **~tausend** *(Zahlwort)* dix mille; *die oberen Z~~* la haute société; **~te(r, s)** *a* dixième; **Z~te** *m* ‹-n, -n› , *hist (Abgabe)* la dîme; **Z~tel** *n* ‹-s, -› dixième *m;* **Z~tel-**

gramm *n* décigramme *m;* **Z~telliter** *m* od *n* décilitre *m;* **~tens** *adv* dixièmement; **Z~zeiler** *m (Gedicht)* dizain *m.*

zehr|en ['tse:rən] *itr (sich ernähren, leben)* consommer (*von etw* qc); se nourrir (*von etw* de qc); *a. fig* vivre (*von etw* de *od* sur qc); *(mager machen, gesundheitl. angreifen)* faire maigrir, consumer, ronger, miner (*an jdm* qn); *(hungrig machen)* creuser (l'estomac), exciter l'appétit; *von s-m Ruhme ~~* se reposer sur ses lauriers; **Z~geld** *n,* **Z~pfennig** *m* viatique *m;* **Z~ung** *f* ⟨-, ø⟩ *lit (Essen, Verzehren)* consommation *f: (Eßvorrat)* provisions *f pl.*

Zeichen *n* ⟨-s, -⟩ ['tsaɪçən] signe; *(vereinbartes)* signal *m; (Kennzeichen)* marque *f,* indice; *(Abzeichen)* insigne; *(Merkzeichen)* repère *m; (Aktenzeichen)* (note de) référence *f; (Vorzeichen)* présage, augure; *(Anzeichen)* indice, *med* symptôme; *(Beweis)* signe, témoignage *m,* preuve *f; als, zum ~ (des guten Willens)* en signe, en témoignage, comme preuve (de bonne volonté); *auf ein (gegebenes) ~* à un signal; *im ~ (gen)* sous le signe (de) *(a. von den Tierkreiszeichen); s-s ~s (von Beruf)* de son métier; *das ~ geben* donner le signal (*zu* de); *ein ~ mit dem Kopf geben* faire signe de la tête; *das ist ein gutes ~* c'est bon signe; *das ist kein gutes ~ (a.)* c'est de mauvais augure; *das ist ein ~ der Zeit* c'est une caractéristique de l'époque; *Ihr ~ (adm com)* votre référence; *~ zum Sammeln (mil)* signe *m* de ralliement; **~apparat** *m* appareil *m* à dessin; **~block** *m* ⟨-(e)s, -s⟩ bloc *m* à dessin; **~brett** *n* planche *f* à dessin; **~büro** *n* bureau *m* de dessinateur; **~deuter** *m* devin *m;* **~deutung** *f* interprétation des signes, divination *f;* **~dreieck** *n* équerre *f;* **~erklärung** *f* explication des signes; *(auf Landkarten)* légende *f;* **~feder** *f* plume *f* à dessin; **~film** *m* film *m* de dessins animés; **~garn** *n* fil *m* à marquer; **~geber** *m tele (Taster)* manipulateur *m;* **~gebung** *f* signalisation *f;* **~heft** *n* cahier *m* à dessin; **~kohle** *f* fusain *m;* **~kreide** *f* craie *f* à dessin; **~kunst** *f* (art du) dessin *m;* **~lehrer** *m* professeur *m* de dessin; **~mappe** *f* carton *m* à dessin; **~papier** *n* papier *m* à dessin; **~saal** *m* salle *f* de dessin; **~schrift** *f* graphie *f;* **~setzung** *f* ⟨-, ø⟩ *gram* ponctuation *f;* **~sprache** *f* langage *m* mimique *od* par signes *od* par gestes; *(Gebärdensprache)* pantomime *f;* **~stift** *m* crayon *m* à dessin; **~stunde** *f* leçon *f* de dessin; **~tisch** *m* table *f* à dessiner; **~trickfilm** *m* dessins *m pl* animés; **~unterricht** *m* enseignement *m* du dessin; **~vorlage** *f* modèle *m* de dessin.

zeichn|en ['tsaɪçnən] *tr (mit e-m Stift bildl. darstellen)* dessiner, crayonner; *(skizzieren)* esquisser, ébaucher; *(vorzeichnen; math: e-e Kurve ~~)* tracer; *(mit e-m Zeichen versehen, kennzeichnen)* marquer; *(Akte)* coter; *(unterzeichnen)* signer, souscrire; *e-e Anleihe ~~* souscrire à un emprunt; *e-n Betrag von ... ~~* souscrire pour un montant de ...; *nach der Natur, nach dem Leben ~~* dessiner d'après nature; *per Prokura ~~* signer par procuration; *vom Tode ge~et* marqué par la mort; **Z~en** *n* dessin *m; technische(s) ~~* dessin *m* industriel; *~~ nach der Natur* dessin *m* d'imitation; **Z~er** *m* ⟨-s, -⟩ dessinateur; *fin (Unterzeichner)* souscripteur *m; figürliche(r) ~~* dessinateur *m* de personnages; *technische(r) ~~* dessinateur *m* industriel; **~erisch** *a* de dessin, graphique; *~~e Begabung f* don *m* du dessin; *~~e Darstellung f* graphique *m;* **Z~ung** *f* dessin; *(Bleistiftzeichnung)* crayonnage *m; (Skizze)* esquisse, ébauche *f; (Umrißzeichnung)* tracé *m; fig (Darstellung)* description; *(Unterschrift)* signature; *fin* souscription *f* (*e-r Anleihe* à un emprunt); *zur ~~ auflegen (fin)* offrir à la *od* mettre en souscription.

Zeichnungs|angebot *n* ['tsaɪçnʊŋs-] *fin* offre *f* de souscription; **z~berechtigt** *a* autorisé à signer; *~~ sein* avoir la signature; **~berechtigung** *f* pouvoir *m* de signer; **~betrag** *m* montant *m* de souscription; **~formular** *n* bulletin *m* de souscription; **~frist** *f* période *f od* délai *m* de souscription; **~kurs** *m* cours *m* d'émission; **~liste** *f* liste *f* de souscription; **~recht** *n* droit *m* de souscription; **~stelle** *f* bureau *m* de souscription; **~vollmacht** *f* = *~berechtigung.*

Zeige|finger *m* ['tsaɪgə-] index *m;* **~stock** *m* baguette *f.*

zeigen ['tsaɪgən] *tr* montrer, faire voir; *(vorzeigen)* présenter, produire; *(Urkunde)* exhiber; *(anzeigen, von e-m Meßinstrument)* indiquer, marquer; *(zur Schau stellen, com)* étaler; *allg* mettre en vue, faire montre de; *(an den Tag legen)* laisser *od* faire paraître, faire preuve de, témoigner de, manifester; *(beweisen)* démontrer, prouver; *itr: auf etw ~* montrer, indiquer, désigner qc; *sich ~* se montrer, se faire voir, se présenter, se produire, se manifester; se déclarer; (ap)paraître; *sich ~ als (a.)* faire œuvre de; *impers: es zeigt sich, daß ...* on voit (bien) que ...; *Eifer ~ (a. fam)* faire du zèle; *sich erkenntlich ~* se montrer reconnaissant (*für etw* de qc); *auf jdn, etw mit dem Finger ~* montrer *od* désigner qn du doigt, montrer *od* indiquer qc du doigt; *nach Norden ~* montrer le nord; *(s-n) guten Willen ~* faire preuve de bonne volonté; *~, was an einem ist* od *was man kann* montrer de quoi on est capable *od* montrer de quel bois on se chauffe; *er kann sich überall ~ (fig)* il peut aller partout la tête haute; *das wird sich bald ~* cela se verra sous peu; *jetzt zeigt sich's, daß ...* il se trouve que ...; *das werde ich dir schon ~!* je te dirai ce que j'ai à te dire; *zeig (doch) mal!* laisse-moi *od* fais voir un peu!

Zeiger *m* ⟨-s, -⟩ ['tsaɪgər] *(der Uhr)* aiguille; *(der Waage a.)* verge *f; tech* index; *(Anzeigegerät)* (appareil) indicateur *m; der ~ schlägt aus* l'aiguille dévie; *große(r), kleine(r) ~* grande, petite aiguille *f;* **~ablesung** *f tech* cote *f;* **~ausschlag** *m* déviation *f* de l'aiguille; **~barometer** *n* baromètre *m* à cadran; **~stellung** *f (Uhr)* position *f* des aiguilles; **~telegraph** *m* télégraphe *m* à cadran.

zeihen ⟨*zieh, geziehen*⟩ *tr (bezichtigen)* ['tsaɪən, (-)'tsi:(-)] accuser (*jdn e-r S* qn de qc).

Zeile *f* ⟨-, -n⟩ ['tsaɪlə] , *a. TV* ligne; *(Reihe)* rangée, file *f; e-e neue ~ anfangen* aller à la ligne; *zwischen den ~n lesen (fig)* lire entre les lignes; *~n schinden* tirer à la ligne; *jdm ein paar ~n schreiben* écrire deux lignes à qn; *zwischen die ~n schreiben* interligner; *neue ~! (beim Diktat)* à la ligne! **~nabstand** *m* écartement des lignes, interligne *m; ~~ lassen (typ)* jeter un blanc; **~nsetzmaschine** *f typ* linotype *f;* **~nsprungverfahren** *n TV* analyse *f* entrelacée; **z~nweise** *adv* ligne par ligne; *~~ bezahlen* payer à la ligne; **~nzahl** *f typ* lignage *m; TV* définition *f; mit hoher ~~ (TV)* à haute définition.

Zeisig *m* ⟨-s, -e⟩ ['tsaɪzɪç, '-zɪgə] *orn* tarin, serin *m.*

Zeit *f* ⟨-, -en⟩ ['tsaɪt] **1.** temps *m, a. gram; (~raum, ~spanne)* période, époque, ère *f,* âge, siècle; *(~punkt)* moment *m; (bestimmte ~)* heure; *(Datum)* date *f; (Frist)* terme, délai *m; (Jahreszeit, günstige ~)* saison *f; (Muße)* loisir *m;* **2.** *auf ~ (adm com)* à terme; *auf kurze ~* pour peu de temps; *adm com* à court terme; *außer der ~* hors de saison, à contre-saison, à contretemps, à une heure indue, mal à propos; *binnen kurzer ~ (adm com)* à courte échéance; *für die ~ bis ...* pour la période allant jusqu'à ...; *für alle ~en* pour toujours; *in alten ~en* au temps jadis, autrefois; *in jüngster ~* récemment, dernièrement; *in kurzer ~* en peu de temps, avant *od* sous peu; *in kürzester ~* dans le plus bref délai; *im Laufe der ~* avec le temps; *in letzter ~* ces derniers temps; *in nächster ~* (très) prochainement; *in unserer ~* de nos jours; *mit der ~* avec le temps, à la longue; *nach einiger ~* quelque temps après; *seit d(ies)er ~* depuis ce temps-là, dès *od* depuis lors; *seit einiger ~* depuis quelque temps; *seit kurzer ~* depuis peu de temps; *seit langer ~* depuis longtemps; *seit undenklichen ~en* de temps immémorial; *die ganze ~ über* pendant tout ce temps; *um diese ~* à cette époque (environ); *um dieselbe* od *die gleiche ~* à la même heure *od* époque; *um welche ~?* à quelle heure? à quelle époque? *von der ~ an* = *seit der ~; von ~ zu ~* de temps en temps, de temps à autre, de loin en loin; *(ab und zu)* par instants; *vor der ~* avant terme, prématurément; *vor kurzer, langer ~* il y a peu de temps, il y a longtemps; *vor ~en* autrefois, jadis, dans le temps; *zur ~* à présent, présentement, en ce moment, à l'heure actuelle, à l'heure qu'il est, actuellement; *zur ~ (gen)* du temps (de), à l'époque (de), lors (de); *zu ~en = von ~ zu ~; zu allen ~en* par tous les temps, à toutes les époques; *zu bestimmter ~* à terme fixe; *zur festgesetzten ~* à l'heure dite; *zur gegebenen ~* en temps utile; *zu gleicher ~, zur gleichen ~* en même temps; *zu jeder ~* en tout temps, à toute heure, à tout moment; *zu meiner ~* de mon temps, dans mon jeune temps; *zur rechten ~* à temps, en temps opportun, à l'heure, à propos, à point (nommé); *fam* à pic; *zu ungelegener* od *unpassender ~ = außer der ~;* **3.** *die ~ abnehmen (sport)* chronométrer (*e-s Laufs* une course); *mit jdm e-e ~ ausmachen = ... verabreden; e-e ~ bestimmen, ansetzen* donner son heure; *viel ~ brauchen, um zu ...* rester longtemps à ... ; *die ~ nicht erwarten können* s'impatienter; languir (*etw zu tun* de faire qc); *e-e ~ festsetzen* fixer un terme *od* une date; *mit der ~ gehen* aller avec son temps, être de son époque; *fam* se mettre au pas, être dans le mouvement *od* à la page *od* dans le vent; *~ gewinnen* gagner du temps; *~ haben* avoir le temps *od* le loisir (*etw zu tun* de faire qc); *(Angelegenheit)* ne pas presser; *keine ~ haben* n'avoir pas le temps, être pressé; *keinen Augenblick ~ haben* ne pas avoir une heure *od* une minute à soi; *genaue ~ haben* avoir l'heure; *noch ~ genug haben* avoir du temps devant soi; *~ übrig haben* avoir de la marge; *viel ~ kosten* od *in Anspruch nehmen* prendre beaucoup de temps; *jdm ~ lassen* laisser du temps à qn; *sich ~ lassen* od *nehmen* prendre son temps; *mit s-r ~ leben* vivre avec son époque; *Herr s-r ~ sein* être libre de son temps; *auf der Höhe s-r ~ sein* être de son temps; *hinter s-r ~ zurück sein* n'être pas de son temps; *die ~ totschlagen* tuer le temps; *mit jdm e-e ~ verabreden* convenir d'une heure avec qn; *die ~ verbringen* passer le temps (*mit Lesen* à lire); *~ verlieren* perdre du *od* le temps; *jdm die ~ vertreiben* faire passer le temps à qn; **4.** *es ist ~ zu ...* c'est *od* il est l'heure de ... ; *es ist an der ~ zu ...* c'est le moment de ... ; *es ist genug ~* nous avons bien le temps; *es ist höchste ~ zu ...* il est grand temps de ...; *es war (die) höchste ~* il était grand temps *od fam* moins une; *es ist keine ~ zu verlieren* il n'y a pas de temps à perdre; *das hat ~ bis morgen* cela peut attendre jusqu'à demain; *das muß man der ~ überlassen* il faut laisser le temps faire son œuvre; *die ~ wurde mir lang* je trouvais le temps long; *die ~en ändern sich* les jours se suivent et ne se ressemblent pas; *alles zu seiner ~!* chaque chose en son temps; *du liebe ~!* grand Dieu! bonté divine! *andere ~en, andere Sitten (prov)* autres temps, autres mœurs; *~ ist Geld (prov)* le temps, c'est de l'argent; *kommt ~, kommt Rat (prov)* le temps est bon conseiller; **5.** *die geschichtliche ~* les temps *m pl* historiques; *die gute alte ~* le bon vieux temps; *die neue ~* les temps *m pl* nouveaux; *schlechte ~en pl* temps *m pl* durs *od* difficiles; *verkehrsschwache ~* heures *f pl* creuses; *verkehrsstarke ~* heures *f pl* de pointe; *die ~ X (mil)* l'heure *f* H; **z~** *prp: ~~ meines Lebens* (pendant) toute ma vie, de ma vie; **~abnahme** *f sport* chronométrage *m;* **~abnehmer** *m = ~nehmer;* **~abschnitt** *m* période, époque *f;* **~abstand** *m* intervalle *m; in regelmäßigen ~abständen* périodiquement; **~alter** *n* âge *m,* ère *f,* siècle *m; Goldene(s), Silberne(s), Eherne(s), Eiserne(s) ~~* âge *m* d'or, d'argent, de bronze, de fer; *~~ der Aufklärung* siècle *m* de lumières; **~angabe** *f* date *f; = ~ansage;* **~ansage** *f tele* horloge parlante; *radio TV* indication *f* de l'heure; **~aufnahme** *f phot* pose *f;* **~aufwand** *m* (sacrifice *m od* perte *f* de) temps *m; (e-s Beamten)* vacation *f;* **z~bedingt** *a* dû aux circonstances (actuelles); **~begriff** *m* notion *f* du temps; **~bestimmung** *f* calcul *m* du temps, chronologie *f;* **~bombe** *f* bombe *f* à retardement; **~dauer** *f* durée, période *f;* **~differenz** *f* différence *f* de temps **~dokument** *n* document *m* du temps; **~einheit** *f* unité *f* de temps; **~einteilung** *f* emploi *m* du temps; **~enfolge** *f gram* concordance *f* des temps; **~ersparnis** *f* économie *od* épargne *f* de temps; **~faktor** *m* facteur *m* temps; **~folge** *f* ordre *m* chronologique, chronologie *f;* **~form** *f gram* temps *m;* **~frage** *f* problème *m* actuel; *das ist e-e (reine) ~~* c'est une question de temps; **~funk** *m* actualités *f pl;* **z~gebunden** *a* (étroitement) lié à son époque; **~gefühl** *n* notion *f* du temps; **~geist** *m* esprit *m* du siècle; **z~gemäß** *a* moderne, actuel; *fam* à la page; **~genosse** *m* contemporain *m;* **z~genössisch** *a* contemporain; **~geschäft** *n com* opération *f* à terme; **~geschehen** *n* actualités *f pl;* **~geschichte** *f* histoire *f* contemporaine; **~geschmack** *m* goût *m* d'une *od* de l'époque; **~gewinn** *m* gain *m* de temps; **z~gleich** *adv sport* ex aequo; **~gleichung** *f astr* équation *f* du temps; **z~ig** *a (früh am Tage)* matinal; *(früh-, vorzeitig)* précoce; *am ~~en Abend* au début de la soirée; *am ~~en Morgen* de grand matin; *adv (früh)* tôt, de bonne heure; *(rechtzeitig)* à temps, à l'heure; **z~igen** *tr (hervorbringen)* produire; *(zur Folge haben)* entraîner; **~karte** *f (Dauerfahrkarte)* (carte *f* d')abonnement *m;* **~karteninhaber** *m* abonné *m;* **~kauf** *m com* marché *m* à terme; **~lang** *f: e-e ~~* (pendant) un certain *od* quelque temps, pour un temps; **~läufte** *m pl* circonstances *f pl,* conjoncture *f;* **z~lebens** *adv* ma *etc* vie durant, durant toute ma *etc* vie; **z~lich** *a. a. gram* temporel; *(weltlich, irdisch)* temporel, séculier, terrestre, de ce monde; *(vergänglich)* périssable; *aus ~~en Gründen* faute de temps; *das Z~~e segnen (lit: sterben)* rendre son âme à Dieu, quitter ce monde; *~~ zs.fallen* coïncider (*mit* avec); *~~ aufea.folgend* successif; *~~e(r) Abstand m* écart *m* de temps; *~~e Reihenfolge f* ordre *m* chronologique; **~lichkeit** *f* ‹-, ø› vie *f* temporelle; **~lohn** *m* salaire *m* au temps; **z~los** *a* intemporel; *~~ sein (a.)* ne pas dater; **~losigkeit** *f* ‹-, ø› caractère *m* intemporel; **~lupe** *f: mit der ~~* au ralenti; **~lupenaufnahme** *f* ralenti *m; in ~~* au ralenti; **~mangel** *m* manque *m* de temps; *aus ~~* faute de temps; **~maß** *n mus* mesure; *(Metrik)* quantité *f;* **~messer** *m (Uhr)* chronomètre *m;* **~messung** *f* mesure du temps, chronométrie *f;* **z~nah(e)** *a* actuel; **~nehmen** *n sport* chronométrage *m;* **~nehmer** *m sport* chronométreur *m;* **~punkt** *m* moment *m;* date, époque *f; zum beabsichtigten ~~* en temps voulu; *e-n ~~ festlegen* fixer un terme; *den ~~ für gekommen halten* estimer le moment venu (*etw zu tun* de faire qc); **~rafferaufnahme** *f film* accéléré *m;* **z~raubend** *a* qui prend *od* exige *od* demande beaucoup de temps; **~raum** *m* espace *m* de temps, période *f;* **~rechnung** *f* chronologie *f; vor unserer ~~ (vor Christi Geburt)* avant l'ère chrétienne; **~regler** *m tech* régulateur *m* de temps; **~schalter** *m el* interrupteur *m* à minuterie; **~schrift** *f* (publication *f*) périodique *m,* revue *f; illustrierte ~~* (journal) illustré *m;* **~schriftenlesesaal** *m* salle *f* des revues; **~sichtwechsel** *m* traite *f* payable à un certain délai de vue; **~signal** *n* signal *m* horaire; **~spanne** *f* laps *m* de temps; **z~sparend** *a* qui fait gagner *od* économiser du temps; **~stück** *n theat* pièce *f* de circonstance; **~studie** *f tech* chronométrage *m;* **~tafel** *f (in e-m Buch)* table *f* chronologique; **~umstände** *m pl* cironstances *f pl,* conjoncture *f;* **~unterschied** *m* différence *f* de temps *od* horaire; *tech* décalage *m* horaire; **~vergeudung** *f,* **~verschwendung** *f* gaspillage *m* de temps; **~verlust** *m* perte *f* de temps; *ohne ~~ (a.)* sans perdre de temps, sans délai; **~verschluß** *m phot* obturateur *m* pour pose; **~vertreib** *m* passe-temps, divertissement, amusement *m; zum ~~* pour passer le temps; **z~weilig** *a* temporaire; *(einstweilig)* provisoire; **z~weise** *adv* par instants *od* moments; *(vorübergehend)* temporairement; **~wort** *n* ‹-(e)s, ¨er› *gram* verbe *m;* **~zeichen** *n = ~signal; radio* top *m;* **~zone** *f geog* fuseau *m* horaire; **~zünder** *m mil* amorce *od* fusée *f* à retardement; **~zünder(bombe *f*)** *m* bombe *f* à retardement.

Zeitung *f* ‹-, -en› ['tsaɪtʊŋ] journal *m,* gazette *f; e-e ~ abonnieren, abbestellen* s'abonner, se désabonner à un journal; *e-e ~ beziehen* od *halten* s'abonner à un journal; *in die ~ set-*

zen (Anzeige) insérer; *unverkaufte ~en pl* bouillon *m.*

Zeitungs|anzeige *f* ['tsaɪtʊŋs-] insertion, annonce *f;* **~artikel** *m* article de journal; *(eingeschobener, kurzer)* entrefilet *m; langweilige(r) ~~* tartine *f;* **~ausrufer** *m* crieur de journaux, camelot *m;* **~ausschnitt** *m* coupure *f* de journal; *pl a.* extraits *m pl* de presse; **~austräger** *m* porteur de journeaux, porteur-livreur *m* de presse; **~beilage** *f* supplément *m* (de journal); **~bericht** *m* rapport *m* de presse; **~berichterstatter** *m* correspondant de journal, reporter *m;* **~druck** *m* ‹-(e)s, (-e)› impression *f* de journaux; **~druckerei** *f* imprimerie *f* à journaux; **~druckpapier** *n* papier à journaux, papier-journal *m;* **~ente** *f fam* canard, bobard *m;* **~falzmaschine** *f typ* plieuse *f* mécanique de journaux; **~frau** *f* porteuse *f* de journaux; **~gewerbe** *n* industrie *f* du journal; **~händler** *m* marchand *od* vendeur de journaux; *(auf der Straße)* camelot *m;* **~inserat** *n* = *~anzeige;* **~junge** *m* = *~austräger;* **~kiosk** *m* kiosque *m* à journaux; **~korrespondent** *m* correspondant *m* de journal; **~leser** *m* lecteur *m* de journaux *od* d'un journal; **~lesesaal** *m* salle *f* des journaux; **~mann** *m* ‹-(e)s, -leute/-männer› = *~austräger;* **~nachricht** *f* information *f* de presse; **~notiz** *f* entrefilet *m;* **~papier** *n* = *~druckpapier;* **~reklame** *f* publicité *f* dans la presse; **~reporter** *m* = *~berichterstatter;* **~roman** *m* (roman-)feuilleton *m;* **~rotationsmaschine** *f* rotative *f* à journaux; **~schmierer** *m pej* journaleux *m;* **~schreiber** *m* journaliste *m;* **~setzer** *m typ* journaliste, journaleux *m;* **~sprache** *f,* **~stil** *m* langage *od* style *m* journalistique; **~stand** *m* = *~kiosk;* **~verkäufer** *m* (colporteur-) vendeur *m* de journaux; **~verleger** *m* éditeur *m* de journal; **~vertreter** *m* représentant *m* de journal; **~werbung** *f* = *~reklame;* **~wesen** *n* journalisme *m;* presse *f;* **~wissenschaft** *f* science *f* du journalisme.

zelebrieren [tsele'bri:rən] *tr rel* célébrer.

Zell|atmung *f* ['tsɛl-] *biol* respiration *f* cellulaire; **~e** *f* ‹-, -n› *(kleiner Raum; biol)* cellule; *(im Bienenstock)* cellule *f,* alvéole *m; tele* cabine *f; (Wahlzelle)* isoloir; *el* élément *m; aero* cellule *f; (Segelflugzeug)* planeur; *fig, pol a.* noyau *m; ~~n bilden in, mit ~~n durchsetzen* noyauter; *Aufbau m, Vermehrung f der ~~ (biol)* constitution, reproduction *f* de la cellule; *schalldichte ~~ (tele)* cabine *f* insonore; **~enbeton** *m* béton *m* cellulaire; **~enbildung** *f pol* noyautage *m;* **z~enförmig** *a* celluliforme; **~engefängnis** *n* prison *f* cellulaire; **~enkühler** *m mot* radiateur *m* à nid d'abeilles; **~enschalter** *m el* commutateur *m* de réglage; **~enschmelz** *m tech* émail *m* cloisonné; **~enwagen** *m (der Polizei)* voiture *f* cellulaire; *arg* panier *m* à salade; **~faser** *f* cellulose *f;* **~gewebe** *n anat* tissu *m* cellulaire; **~gewebsentzündung** *f med* cellulite *f;* **~glas** *n* cellophane *f;* **~haut** *f biol* membrane *f* cellulaire; **~horn** *n* celluloïd *m;* **z~ig** *a* cellulaire, cellulé, celluleux; **~kern** *m biol* noyau cellulaire, *scient* nucléus *m;* **~kernhülle** *f* membrane *f* nucléaire; **~kernteilung** *f* division *f* nucléaire; **~körper** *m* corps *m* cellulaire; **~masse** *f* substance *f* cellulaire; **~schicht** *f* couche *f* de cellules; **~stoff** *m tech* pâte *f* de bois; **~stoffabrikation** *f* fabrication *f* de cellulose; **~stoffgarn** *n* fil *m* de cellulose; **~stoffwatte** *f* ouate *f* de cellulose; **~tätigkeit** *f biol* activité *f* cellulaire; **~teilung** *f* division *f* cellulaire; **~verschmelzung** *f biol* fusion *f* cellulaire; **~wand** *f* membrane *f* cellulaire; **~wolle** *f* fibranne, laine *f* cellulosique.

Zellul|arpathologie *f* [tsɛlu'la:r] *med* pathologie *f* cellulaire; **~oid** *n* ‹-(e)s, ø› [-lo'i:t, -'lɔʏt] celluloïd *m;* **~loidball** *m* balle *f* en celluloïd; **~loidkragen** *m* col *m* en celluloïd; **~oidpuppe** *f* poupée *f* en celluloïd; **~ose** *f* ‹-, -n› [-'lo:zə] *(Zellstoff)* cellulose; pâte *f* de bois; **~oselack** *m* vernis *m* cellulosique.

Zelot *m* ‹-en, -en› [tse'lo:t] *(Eiferer)* zélateur *m;* **z~isch** [-'lo:tɪʃ] *a* zélateur; **~ismus** *m* ‹-, ø› [-lo'tɪsmus] zélotisme *m.*

Zelt *n* ‹-(e)s, -e› [tsɛlt] tente; *mil* toile, *arg* guitoune *f; ein ~ aufschlagen, abbrechen* monter *od* planter, démonter *od* plier une tente; *s-e ~e abbrechen (fig)* lever le camp; **~ausrüstung** *f* matériel *m* de campement *od* de camping; **~bahn** *f* toile *f* de tente; **~dach** *n* pavillon de tente; *(großes)* vélum; *arch* toit *m* en bâtière; **~dorf** *n* village *m* de toile; **z~en** *itr* camper, faire du camping; **~en** *n* camping *m;* **~lager** *n* camp *m* (de toile); **~leine** *f* corde *f* de tente; **~leinwand** *f* toile *f* de tente; **~mast** *m* mât *m* de tente; **~pflock** *m* piquet *m* de tente; **~platz** *m* camp, terrain *m* de camping; **~stadt** *f* village *m* de toile; **~stange** *f* mât *m* de tente; **~wanderer** *m* campeur *m;* **~wandern** *n* camping *m.*

Zelt|er *m* ‹-s, -› ['tsɛltər] *hist (Damenreitpferd)* haquenée *f;* **~gang** *m (Paßgang)* amble *m.*

Zement *m* ‹-(e)s, -e› [tse'mɛnt] ciment; *(Zahnfüllung)* cément *m; ~ anrühren* gâcher du ciment; *schnell abbindender ~* ciment *m* à prise rapide; **~beton** *m* béton *m* de ciment; **~bewurf** *m* enduit *m* de ciment; **~brei** *m* bouillie *f* de ciment; **~diele** *f* dalle *f* de ciment; **~fabrik** *f* cimenterie *f;* **~faser(platte)** *f* plaque *f* en fibrociment *m;* **~fußboden** *m* plancher *m* cimenté; **~(guß)waren** *f pl* objets *m pl* en béton moulé; **z~ieren** [-'ti:ren] *tr a. fig* cimenter; *metal* cémenter; **~ierer** *m* ‹-s, -› cimentier *m;* **~ierung** *f* cimentation; *metal* cémentation *f;* **~ierverfahren** *n metal* procédé *m* de cémentation; **~kalkbeton** *m* béton *m* de ciment et de chaux; **~mörtel** *m* mortier *m* de ciment; **~pulver** *n metal* cément *m;* **~putz** *m* = *~bewurf;* **~silo** *m* silo *m* à ciment; **~sockel** *m arch* socle *m* en ciment; **~stahl** *m metal* acier *m* cémenté; **~verputz** *m* = *~bewurf;* **~werk** *n* = *~fabrik.*

Zenit *m* ‹-(e)s, ø› [tse'ni:t] *astr u. fig* zénith; *fig (Gipfel)* apogée *m; im ~* au zénith.

Zenotaph *n* ‹-s, -e› [tseno'ta:f] *(Scheingrab)* cénotaphe *m.*

zens|ieren [tsɛn'zi:rən] *tr (der Zensur unterziehen)* censurer, soumettre à la censure; *(Zeitung, a.)* caviarder; *(prüfen)* examiner; *(beurteilen)* juger; attribuer une note à; **Z~or** *m* ‹-s, -en› ['tsɛnzɔr, -'zo:rən] censeur *m;* **Z~ur** *f* ‹-, -en› [-'zu:r] *(Durchsicht)* censure; *(Schule: Note)* note, cote *f; zu gute ~~ (e-s Schülers)* cote *f* d'amour; **Z~urvermerk** *m* visa *m* de censure.

Zentaur *m* ‹-en, -en› [tsɛn'taur] *(Mythologie)* centaure; *astr* Centaure *m.*

Zentesimalwaage [tsɛntezi'ma:l-] *f* bascule *f* centésimale.

Zenti|folie *f* ‹-, -n› [tsɛnti'fo:liə] *bot* rose *f* cent-feuilles; **~meter** *m, a. n* centimètre *m.*

Zentner *m* ‹-s, -› ['tsɛntnər] demi-quintal *m,* cinquante kilos *m pl;* **~last** *f, a. fig* grand poids, fardeau *m* accablant; **z~schwer** *a* très lourd; *fig* accablant.

zentral [tsɛn'tra:l] *a* central; **Z~afrika** *n* l'Afrique *f* centrale; **~afrikanisch** *a* centrafricain; **Z~bank** *f* banque *f* centrale; **Z~e** *f* ‹-, -n› (station) centrale *f; adm* bureau central; *mar (U-Boot-Zentrale)* poste *m* central; *el* centrale *f* (électrique); *tele* central *m* (téléphonique); **Z~gewalt** *f pol* pouvoir *m* central; **Z~heizung** *f* chauffage *m* central; **Z~isation** *f* ‹-, -en› [-tralizatsi'o:n] , **Z~isierung** *f* centralisation *f;* **~isieren** [-li'zi:rən] *tr* centraliser; **~istisch** [-'lɪstɪʃ] *a* centraliste; **Z~ismus** *m* ‹-, ø› [-'lɪsmus] centralisme *m;* **Z~kartei** *f* fichier *m* central; **Z~markthallen,** *die, f pl (in Paris)* les Halles *f pl;* **Z~nervensystem** *n anat* système *m* nerveux central; **Z~speicher** *m (EDV)* mémoire *f* centrale; **Z~verband** *m* association *f* centrale; **Z~verwaltung** *f* administration *f* centrale.

zentrier|en [tsɛn'tri:rən] *tr (auf die Mitte einstellen)* centrer; **Z~ung** *f* centrage *m;* **Z~vorrichtung** *f* dispositif *m* de centrage.

zentri|fugal [tsɛntrifu'ga:l] *a* centrifuge; **Z~fugalkraft** *f* force *f* centrifuge; **Z~fugalpumpe** *f* pompe *f* centrifuge; **Z~fugalregler** *m* régulateur *m* centrifuge; **Z~fuge** *f* ‹-, -n› [-'fu:gə] *tech* centrifugeur *m,* centrifugeuse; *(Trockenschleuder)* essoreuse; *(Milchzentrifuge)* écrémeuse *f;* **~fugieren** [-fu'gi:rən] *tr (Milch)* centrifuger; **~petal** [-pe'ta:l] *a* centripète; **Z~petalkraft** *f* force *f* centripète.

zentrisch ['tsɛntrɪʃ] *a (im Mittelpunkt befindlich)* central.

Zentrum *n* ⟨-s, -tren⟩ ['tsɛntrum, '-trən] *a. pol* centre *m;* **~sanhänger** *m pol* centriste *m.*
Zephir *m,* **Zephyr** *m* ⟨-s, -e⟩ ['tse:fɪr, -fʏr] *(Wind; Stoff)* zéphyr *m.*
Zeppelin *m* ⟨-s, -e⟩ ['tsɛpəli:n] zeppelin, dirigeable *m.*
Zepter *n, a. m* ⟨-s, -⟩ ['tsɛptər] sceptre *m.*
zerbeißen [tsɛr-] *tr* briser *od* casser avec les dents *od* en mordant.
zerbersten ⟨*ist zerborsten*⟩ [tsɛr-] *itr* crever, éclater, se rompre.
zerbleuen [tsɛr-] *tr* rouer de coups.
zerbomben [tsɛr-] *tr* détruire par les bombes.
zerbrech|en [tsɛr-] *tr* ⟨*aux: haben*⟩ mettre en pièces *od* en morceaux, casser; *a. fig* briser, rompre; *itr* ⟨*aux: sein*⟩ se casser; *a. fig* se briser, se rompre; *sich den Kopf* **~~** se casser la tête, se creuser la cervelle; **~lich** *a* fragile, cassant; *fig (schwach)* fragile, frêle; **~~**! *(Warnung)* fragile! **Z~lichkeit** *f* fragilité *f.*
zerbröckeln [tsɛr-] *tr* ⟨*aux: haben*⟩ *(Brot, Gebäck)* émietter, réduire en miettes; *allg* effriter; *itr* ⟨*aux: sein*⟩ s'émietter; *a. fig* s'effriter; **Z~** *n* effritement *m.*
zerdrücken [tsɛr-] *tr* écraser, broyer, fracasser; *(zerquetschen)* meurtrir; *(zerknittern)* chiffonner, friper, froisser; *(verbeulen)* bosseler.
Zeremoni|e *f* ⟨-, -n⟩ [tseremo'ni:, -'mo:niə] cérémonie *f;* **z~ell** [-moni'ɛl] *a* cérémonial; *a.* = *z~ös;* **~ell** *n* ⟨-s, -e⟩ cérémonial *m;* **z~ös** [-ni'ø:s] *a (steif)* cérémonieux.
zerfahren [tsɛr-] *tr (Weg, Straße)* défoncer; *a (Weg, Straße)* défoncé; *fig (zerstreut)* distrait; *(zs.hanglos)* décousu, incohérent; *(wirr)* confus; **Z~heit** *f fig* distraction *f;* décousu *m,* incohérence; confusion *f.*
Zerfall *m* ⟨-(e)s, ø⟩ [tsɛr-] *(e-s Bauwerks)* délabrement *m; phys geol* désintégration; *chem* décomposition, dissociation; *geol psych med* désagrégation; *fig* décomposition, dissociation, décadence, ruine *f;* **z~en** ⟨*aux: sein*⟩ *itr (Bauwerk)* se délabrer, tomber en ruine; *allg* s'en aller en lambeaux; *phys* se désintégrer; *chem* se décomposer, se dissocier; *geol psych med* se désagréger; *fig (sich auflösen)* se décomposer, se dissocier, tomber en décadence; *in etw* **~~** *(aus etw bestehen* od *zs.gesetzt sein)* être divisé *od* se diviser en qc; *pp* u. *a (Bauwerk)* délabré, en ruines; *mit der ganzen Welt* **~~** *(fig)* démoralisé; **~sprodukt** *n chem u. fig* produit *m* de décomposition; **~sprozeß** *m* processus *m* de désintégration *phys od* de décomposition *chem;* **~szeit** *f phys* temps *m* de désintégration.
zerfasern [tsɛr-] *tr* effilocher.
zerfetz|en [tsɛr-] *tr* mettre en lambeaux, déchiqueter, déchirer; lacérer, écharper; *pop* charcuter; **~t** *pp, a, a.* (tombé) en loques.
zerflattern [tsɛr-] *itr* se disperser au vent.
zerfleischen [tsɛr-] *tr* lacérer, écharper; *pop* charcuter.
zerfließen ⟨*aux: sein*⟩ [tsɛr-] *itr* (se) fondre, se dissoudre; *in Tränen* **~** *(fig)* fondre en larmes.
zerfressen [tsɛr-] *tr (zernagen)* ronger; *(Motten, Rost)* manger; *(Säure, Gift)* corroder; *pp, a* corrodé; *von Motten* **~** mangé des mites.
zerfurcht [tsɛr-] *a (runzlig)* ridé, sillonné de rides.
zergehen ⟨*aux: sein*⟩ [tsɛr-] *itr* = *zerfließen; auf der Zunge* **~** fondre dans la bouche.
zerglieder|n [tsɛr-] *tr anat u. fig* faire l'anatomie de, anatomiser, disséquer; *fig, a. gram* analyser; **Z~ung** *f* anatomie; *a. fig* dissection; *fig, a. gram* analyse *f.*
zerhacken [tsɛr-] *tr* couper en morceaux, hacher; *(zerstückeln)* dépecer.
zerhauen [tsɛr-] *tr* couper (en morceaux); *(das Gesicht)* balafrer; *den gordischen Knoten* **~** trancher le nœud gordien.
zerkauen [tsɛr-] *tr* mâcher.
zerkleiner|n [tsɛr-] *tr* mettre en menus morceaux; *(Holz)* fendre; *a.* = *zerhacken, zerschneiden, zermahlen;* **Z~ung** *f* réduction *f.*
zerklopfen [tsɛr-] *tr* casser en frappant, concasser.
zerklüftet [tsɛr-] *a geog* crevassé, fissuré.
zerknacken [tsɛr-] *tr* casser (avec les dents), croquer.
Zerknall *m* [tsɛr-] éclat *m;* détonation, explosion *f;* **z~en** *itr* éclater, crever; détoner, exploser.
zerknautschen [tsɛr-] *itr fam* = *zerknittern.*
zerknicken [tsɛr-] *tr* briser.
zerknirsch|t [tsɛr-] *a* contrit, mortifié, anéanti; **Z~ung** *f* ⟨-, ø⟩ contrition, componction *f,* anéantissement *m.*
zerknittern [tsɛr-] *itr,* **zerknüllen** [tsɛr-] *itr fam* friper, froisser, chiffonner.
zerkoch|en [tsɛr-] *tr* réduire en bouillie; *itr* être réduit en bouillie; **~t** *a* en bouillie.
zerkratzen [tsɛr-] *tr (aufritzen)* égratigner, érafler, rayer; *(mit den Krallen)* griffer; *jdm das Gesicht* **~** dévisager qn.
zerkrümeln [tsɛr-] *tr* émietter; *itr* s'émietter.
zerlassen [tsɛr-] *tr (Küche)* faire fondre.
zerlaufen [tsɛr-] *itr (Fett)* (se) fondre.
zerleg|bar [tsɛr-] *a* démontable; *chem* décomposable; *math (teilbar)* divisible; **Z~barkeit** *f* ⟨-, ø⟩ *math* divisibilité *f;* **~en** *tr* mettre en pièces détachées; *(Braten)* découper; *anat* = *zergliedern; chem phys* décomposer; *tech (Maschine)* démonter; *allg (zerteilen)* diviser (*in* en); *fig, a. gram (zergliedern)* analyser; **Z~ung** *f* ⟨-, ø⟩ découpage *m;* dissection; décomposition *f;* démontage *m;* division; analyse *f.*
zerlesen [tsɛr-] *a (Buch)* usé (par la lecture).
zerlöchern [tsɛr-] *tr* trouer, percer de trous.
zerlumpt [tsɛr-] *a* déguenillé, en guenilles, en haillons, en loques.
zermahlen [tsɛr-] *tr* moudre; *(grob)* concasser, broyer.
zermalmen [tsɛr-] *tr* écraser, broyer, réduire en poudre; *fam* écrabouiller; *fig* écraser, anéantir.
zermartern [tsɛr-] *tr: sich das Hirn* od *das Gehirn* od *den Kopf* **~** *(fig)* se creuser la cervelle *od* la tête.
zermürb|en [tsɛr-] *tr* fatiguer, épuiser, user; *fig* démoraliser; **~t** *a* épuisé, à bout de résistance; **Z~ung** *f* épuisement *m;* **Z~ungskrieg** *m* guerre *f* d'usure.
zernagen [tsɛr-] *tr* ronger.
zerpflücken [tsɛr-] *tr* effeuiller, déchirer; *fig (Text)* éplucher, disséquer, dépouiller.
zerplatzen ⟨*aux: sein*⟩ [tsɛr-] *itr* éclater, voler en éclats, crever.
zerquetschen [tsɛr-] *tr* broyer, écraser; *(Obst)* meurtrir.
Zerr|bild *n* ['tsɛr-] caricature, charge *f,* portrait-charge *m;* **z~en** ['tsɛrən] *tr* tirer (*an* par), tirailler; *jdn aus dem Bett* **~~** tirer qn du lit; *jdn vor Gericht* **~~** traduire qn en justice; *durch den Schmutz* **~~** *(a. fig)* traîner dans la boue; *itr* tirer (*an etw* sur qc); **~spiegel** *m* glace *f* déformante; **~ung** *f med* contorsion, distorsion *f;* *(Muskel~~)* claquage *m;* *(Sehnen~~)* élongation *f.*
zerreib|bar [tsɛr-] *a* triturable, friable; **~en** *tr* triturer, broyer, pulvériser; **Z~ung** *f* trituration *f,* broyage *m* pulvérisation *f.*
zerreiß|en [tsɛr-] *tr* ⟨*aux: haben*⟩ déchirer; *(in Stücke reißen)* mettre en pièces *od* en morceaux; *(zerfetzen)* déchiqueter, lacérer; *(Faden, Schnur)* rompre, casser; *(Kette)* briser; *(abnutzen)* user; *itr* ⟨*aux: sein*⟩ se déchirer; (se) rompre, casser; se briser; s'user; *das* **~t** *mir das Herz* cela me déchire *od* fend le cœur; **Z~festigkeit** *f tech* résistance *f* à la rupture; **Z~grenze** *f* limite *f* de rupture; **Z~probe** *f* essai *m* de rupture; *fig* épreuve *f;* **Z~ung** *f* déchirement; déchiquetage *m,* lacération; rupture *f.*
zerrinnen ⟨*ist zerronnen*⟩ [tsɛr-] *itr (Flüssiges)* s'écouler; *(Festes)* (se) fondre; *fig* se dissiper, aller à la mer, s'évanouir; *(Geld)* filer (*unter den Fingern* entre les doigts); *in nichts* **~** se réduire à rien; *wie gewonnen, so zerronnen (prov)* ce qui vient de la flûte s'en va par le tambour.
zerrissen [tsɛr-] *a, a. fig* déchiré; **Z~heit** *f fig (Uneinigkeit)* discorde, division, désunion *f;* *innere* **~~** *(psych)* déchirement *m* de l'âme.
zerrupfen [tsɛr-] *tr* = *zerpflücken.*
zerrütt|en [tsɛr-] *tr (die Gesundheit)* altérer, délabrer, ruiner, ébranler, *fam* détraquer; *(den Geist)* déranger, troubler, *fam* détraquer; *(die Ehe)* troubler, désunir; *(die Gesellschaft, den Staat, die Finanzen)* désorganiser, ruiner; **~et** *a (Gesundheit)* délabré, ruiné; *(Ehe)* désuni; **Z~ung** *f* altération *f,* délabrement *m,* ruine *f;*

dérangement *m* (de l'esprit); désunion; désorganisation *f.*
zersägen [tsɛr-] *tr* scier, découper à la scie; *(Stämme in Bretter)* débiter.
zerschellen ⟨*aux: sein*⟩ [tsɛr-] *itr* se briser, voler en éclats; *(abstürzendes Flugzeug)* s'écraser (*am Boden* au sol; *an e-m Felsen* contre un rocher).
zerschießen [tsɛr-] *tr* trouer *od* cribler de balles.
zerschlagen [tsɛr-] *tr* mettre en pièces *od* en morceaux, briser, casser, fracasser; *sich ~ (fig: Hoffnung)* être déçu; *(Plan)* s'effondrer, échouer, *fam* rater; *(Geschäft)* manquer; *a: wie ~* rompu *od* brisé *od* assommé *od* accablé *od* moulu de fatigue.
zerschleißen [tsɛr-] *tr* user; **zerschlissen** *a* usé (jusqu'à la corde), râpé.
zerschmeißen [tsɛr-] *tr fam* briser, casser.
zerschmettern [tsɛr-] *tr* fracasser, écraser, foudroyer.
zerschneiden [tsɛr-] *tr* couper (en morceaux), dépecer, découper; *(durchschneiden)* trancher.
zersetz|en [tsɛr-] *tr, bes. chem* décomposer, désagréger, désintégrer, dissoudre; *fig (sittlich, politisch)* miner, démoraliser; *sich ~~ (bes. chem)* se décomposer, se désagréger, se dissoudre; **~end** *a fig* démoralisant, démoralisateur; **Z~ung** *f chem* décomposition, désagrégation, désintégration; *fig* démoralisation *f;* **Z~ungsprodukt** *n chem* produit *m* de décomposition.
zerspalt|en [tsɛr-] *tr* fendre; **Z~ung** *f* fission, scission *f.*
zersplitter|n [tsɛr-] *tr* ⟨*aux: haben*⟩ *(Holz)* faire voler en éclats; *(Knochen)* réduire en esquilles; *allg* fragmenter; *fig (Grundbesitz)* morceler; *pol* fractionner; *(s-e Kräfte, s-e Zeit)* disperser; *itr* ⟨*aux: sein*⟩ voler en éclats, éclater; *sich ~~ (fig)* se disperser, s'éparpiller; **Z~ung** *f* fragmentation *f; fig* morcellement; fractionnement; gaspillage *m;* dispersion *f;* éparpillement *m.*
zersprengen [tsɛr-] *tr* faire sauter *od* éclater; *fig (Menschenmenge, Truppen)* disperser; **Z~ung** *f* dispersion *f.*
zerspringen ⟨*ist zersprungen*⟩ [tsɛr-] *itr* se fendre, se rompre, se briser, éclater, crever; *(Glas)* se fêler; *das Herz will mir ~ (lit)* mon cœur se fend.
zerstampfen [tsɛr-] *tr* broyer, concasser; *(im Mörser)* piler, égruger; *(den Boden)* fouler aux pieds, piétiner; *zu Pulver ~* pulvériser.
zerstäub|en [tsɛr-] *tr* pulvériser, atomiser; *(Flüssigkeit)* vaporiser; **Z~er** *m* pulvérisateur, atomiseur; vaporisateur; *tech* diffuseur *m,* buse *f;* **Z~ung** *f* pulvérisation, atomisation; vaporisation *f.*
zerstechen [tsɛr-] *tr* couvrir de piqûres; *von Mücken zerstochen* couvert de piqûres de moustiques.
zerstieben ⟨*ist zerstoben*⟩ [tsɛr-] *itr* se pulvériser; *fig (Menschenmenge)* se disperser.
zerstör|bar [tsɛr-] *a* destructible; **~en** *tr allg* détruire, anéantir, réduire à néant; *(Gebäude)* démolir; *(verwüsten)* dévaster, ravager; *fig allg* détruire; *(menschl. Einrichtung)* désorganiser; *(Ehe, Existenz, Leben, Glück, Hoffnung)* ruiner; **~end** *a* destructif, destructeur; **Z~er** *m* destructeur; *(Verwüster)* dévastateur, ravageur; *mar* destroyer; *(Torpedobootzerstörer)* contre-torpilleur; *aero* chasseur lourd *od* d'interception, destroyer *m;* **Z~ung** *f* destruction *f,* anéantissement *m;* démolition; dévastation *f,* ravage *m; fig* destruction; désorganisation; ruine *f;* **Z~ungskraft** *f* puissance *f od* pouvoir *m* de destruction; **Z~ungswut** *f* rage *od* folie *f* de la destruction, vandalisme *m.*
zerstoßen [tsɛr-] *tr* broyer, concasser; *(im Mörser)* piler, égruger; *(zu Pulver)* pulvériser.
zerstreu|en [tsɛr-] *tr* disperser, disséminer, éparpiller; *phys opt* diffuser; *fig (Sorgen, Zweifel, Bedenken)* dissiper, faire disparaître; *(unterhalten)* distraire, divertir, amuser; *sich ~~ (Menschenmenge)* se disperser, se dissiper; *(sich unterhalten)* se distraire, se divertir, s'amuser; **~t** *a* dispersé, disséminé, éparpillé; *(vereinzelt)* épars; *(Licht)* diffus; *fig (geistesabwesend)* distrait, préoccupé; *~~ sein (fig a.)* être dans les nuages; **Z~theit** *f* ⟨-, ø⟩ *fig* distraction; *(Unaufmerksamkeit)* inattention, inadvertance *f;* **Z~ung** *f* dispersion, dissémination *f,* éparpillement *m; phys* diffusion; *fig* dissipation; distraction *f,* divertissement, amusement *m;* **Z~ungslinse** *f opt* lentille *f* divergente.
zerstück|eln [tsɛr-] *tr* mettre en morceaux *od* pièces, dépecer; *(Grundbesitz)* morceler; *pol (Land)* démembrer; **Z~(e)lung** *f* dépècement, dépeçage; morcellement; démembrement *m.*
zerteil|en [tsɛr-] *tr* diviser, partager, fractionner, fragmenter; *(zerlegen)* décomposer, disjoindre; *pol (Land)* démembrer; *die Fluten ~~* fendre les flots; *der Nebel ~t sich* le brouillard se dissipe; **Z~ung** *f* division *f,* fractionnement *m,* fragmentation; séparation, décomposition, disjonction *f;* démembrement *m.*
zertrampeln [tsɛr-] *tr* fouler aux pieds, piétiner.
zertrenn|en [tsɛr-] *tr* séparer, disjoindre; *(ausea.nehmen)* disloquer; *(Zs.genähtes)* découdre, défaire; **Z~ung** *f* séparation, disjonction; dislocation *f.*
zertreten [tsɛr-] *tr (zertrampeln)* fouler aux pieds; *(Gegenstand, kleines Tier)* écraser (du pied); *(Glut)* éteindre avec les pieds.

zertrümmer|n [tsɛr-] *tr* démolir, fracasser, briser, écraser, réduire en poudre; *(zerstören)* détruire; *(Atom)* désintégrer; **Z~ung** *f* démolition *f,* fracassement, écrasement *m;* destruction; *(Atomzertrümmerung)* désintégration, fission *f.*
Zervelatwurst [tsɛrvəˈlaːt-, z-] *f* cervelas *m.*
zerwühlen [tsɛr-] *tr (Erdboden)* fouiller; *(Bett, Haare)* mettre en désordre.
Zerwürfnis *n* ⟨-sses, -sse⟩ [tsɛrˈvʏrfnɪs] désaccord *m,* désunion, discorde, brouille *f,* différend *m.*
zerzaus|en [tsɛr-] *tr* tirailler; *(d. Haar)* ébouriffer; *jdm das Haar ~~* écheveler, décoiffer qn; **~t** *a (Mensch)* échevelé, ébouriffé.
Zeter [ˈtseːtər] *n: ~ und Mordio schreien (fam)* crier au meurtre, pousser les hauts cris; **~geschrei** *n,* **~mordio** *n* ⟨-s, ø⟩ [-ˈmɔrdio] *fam* hauts cris *m pl,* vociférations *f pl,* tollé *m; ein Zetergeschrei erheben* pousser des cris d'orfraie, crier comme un chat qu'on écorche; **z~mordio** *interj fam: ~~ schreien = ~ und Mordio schreien;* **z~n** ⟨*aux: haben*⟩ *itr* vociférer, criailler; *fam* brailler.
Zettel *m* ⟨-s, -⟩ [ˈtsɛtəl] **1.** *(Stück Papier)* bout *od* morceau de papier; *(beschriebener)* billet; *(gedruckter)* bulletin *m; (Karteizettel)* fiche; *(Preiszettel)* étiquette *f; (Anschlagzettel)* écriteau *m,* affiche *f,* placard *m; ~ anschlagen* poser des affiches; *mit e-m ~ versehen* étiqueter; **~ankleben** *n* affichage *m; ~~ verboten!* défense d'afficher; **~ankleber** *m* colleur d'affiches, afficheur *m;* **~bank** *f fin* banque *f* d'émission; **~halter** *m (Gerät)* porte-étiquettes *m;* **~kasten** *m* boîte *f* à fiches; fichier *m;* **~katalog** *m* catalogue *m* sur fiches; **~klemme** *f* pince-notes *m;* **~register** *n* répertoire *m* sur fiches; **~stecher** *m* pique-notes *m;* **~verteiler** *m* distributeur *m* de bulletins.
Zettel *m* ⟨-s, -⟩ [ˈtsɛtəl] **2.** *(Weberei: Kette)* chaîne *f.*
Zeug *n* ⟨-(e)s, -e⟩ [tsɔʏk, ˈ-gə] *(Werkzeug)* outils *m pl,* outillage *m,* ustensiles *m pl; (Gebrauchsgegenstände, Sachen)* attirail; *typ* métal *m* à lettres; *fam (Stoff)* étoffe *f,* drap *m; (Kleidung)* vêtements *m pl; fam pej (Kram)* choses *f pl,* machins; *pop* trucs *m pl; (Plunder)* fatras *m; was das ~ hält (fam)* tant et plus, autant que possible; *jdm etw am ~(e) zu flicken haben (fig)* trouver à redire à qn; critiquer, dénigrer qn; *jdm etw am ~ flicken wollen (fig)* chercher des poux dans la tête de qn; *das ~ zu etw haben (fig)* avoir l'étoffe de qc; être capable *od* avoir les moyens de faire qc; *sich ins ~ legen (fam)* en mettre un coup; s'atteler sérieusement à la tâche; *sich tüchtig ins ~ legen* ne pas bouder (à la besogne) *fam,* payer de sa personne; *dummes ~ reden* dire des bêtises *od* des balivernes; *fam* raisonner comme une pantoufle; *abgedroschenes ~!* des choses rebattues, rabâchées! *albernes ~!* des niaiseries! *dummes ~!* des sornettes! bêtises que tout cela! c'est *od* voilà du propre! **~amt** *n mil* intendance *f* de l'artillerie; **~druck** *m* ⟨-(e)s, -e⟩ impression *f* sur étoffe; **~haus** *n mil* arsenal *m.*

Zeuge *m* ‹-n, -n› ['tsɔʏgə] témoin *m; vor ~n* devant témoins; *als* od *zum ~n anrufen* od *nehmen* prendre à témoin, attester; *als ~ aussagen* déposer comme témoin, porter témoignage, témoigner; *als ~n hören* entendre en témoignage; *als ~ vernommen werden* être entendu comme témoin; *als ~n vorladen* citer *od* appeler comme témoin.

zeugen ['tsɔʏgən] **1.** *itr (Zeugnis ablegen)* témoigner (*von etw* (de) qc); porter *od* rendre témoignage (*von etw* de qc).
2. *tr (Kinder)* engendrer, procréer.

Zeugen|aufruf *m* ['tsɔʏgən-] appel *m* des témoins; **~aussage** *f* déclaration *od* déposition de témoin, déposition *f* testimoniale; **~bank** *f* banc *m* des témoins; **~bestechung** *f* subornation *f* des témoins; **~beweis** *m* preuve *f* testimoniale; **~eid** *m* serment *m* testimonial; **~gebühren** *f pl* droits *m pl* de(s) témoin(s); **~ladung** *f* citation *f* des témoins; **~stand** *m* barre *f* des témoins; **~vereidigung** *f* assermentation *f* des témoins; **~verhör** *n,* **~vernehmung** *f* audition *f* des témoins.

Zeugin *f* ‹-, -nnen› ['tsɔʏgɪn] témoin *m.*

Zeugnis *n* ‹-sses, -sse› ['tsɔʏknɪs] *(Bezeugung)* témoignage *m; (schriftl. Bescheinigung)* attestation *f,* certificat; *(nach bestandener Prüfung)* certificat, diplôme; *(Schulzeugnis)* bulletin *m* scolaire, notes *f pl; zum ~ dessen* en témoignage de quoi; *~ ablegen* porter *od* rendre témoignage (*für jdn* en faveur de qn, *von etw* de qc); *jdm ein ~ ausstellen* délivrer un certificat à qn; *sich auf jds ~ berufen* s'en rapporter au témoignage de qn; *ärztliche(s) ~* certificat *m* médical; **~abschrift** *f* copie *f* de certificat *od* diplôme; **~heft** *n* livret *m* scolaire; **~unwesen** *n* mandarinat *m;* **~verweigerung** *f* refus *m* de témoigner; **~verweigerungsrecht** *n* droit *m* de refuser de témoigner.

Zeugung *f* ‹-, -en› ['tsɔʏgʊŋ] *physiol* génération, procréation *f,* engendrement *m;* **z~sfähig** *a* apte à procréer; **~sfähigkeit** *f* facultés *f pl* génésiques, reproductivité *f;* **~sorgane** *n pl* organes *m pl* génitaux *od* de la reproduction; **z~unfähig** *a* impuissant.

Zibetkatze *f* ['tsi:bɛt-] *zoo* civette *f.*

Ziborium *n* ‹-s, -rien› [tsi'bo:rium, -riən] *rel* ciboire *m.*

Zichorie *f* ‹-, -n› [tsɪ'ço:riə] *bot* chicorée *f.*

Zick|e *f* ‹-, -n› ['tsɪkə] *dial = Ziege; pej vgl. Ziege; machen Sie keine ~en! (fam: Dummheiten)* ne faites pas des bêtises; *dürre ~~ (pop pej)* bourrique *f;* **~lein** *n* chevreau, cabri *m.*

Zickzack *m* ‹-(e)s, -e› ['tsɪksak] zigzag *m; im ~ gehen* aller *od* marcher en zigzag, zigzaguer; *im ~ fliegen* voler en zigzag, embarder; **~kurs** *m pol* politique *f* en zigzag; **~linie** *f* ligne *f* en zigzag.

Ziege *f* ‹-, -n› ['tsi:gə] chèvre; *fam* bique *f; alte ~ (pop pej)* vieille bique *f; dumme ~ (fam pej)* sotte, godiche *f;* **~nbart** *m* barbe *f* de chèvre; **~nbock** *m* bouc *m;* **~nfell** *n* peau *f* de chèvre; **~nhirt** *m* chevrier *m;* **~nkäse** *m* fromage *m* de chèvre; **~nleder** *n* chevreau *m;* **~nmelker** *m orn* engoulevent *m;* **~nmilch** *f* lait *m* de chèvre; **~npeter** *m* ‹-s, -› [-'pe:tər] *med* oreillons *m pl, scient* parotidite *f;* **~nstall** *m* étable *f* à chèvres; **~nzucht** *f* élevage *m* des caprins.

Ziegel *m* ‹-s, -› ['tsi:gəl] *(~stein)* brique; *(Dachziegel)* tuile *f;* **~bau** *m* construction *f* en briques; **~brenner** *m* briquetier; tuilier *m;* **~dach** *n* toit *m* en tuiles; **~ei** *f* [-'laɪ] briqueterie; tuilerie *f;* **~erde** *f* terre *f* à brique(s); **~industrie** *f* briqueterie, tuilerie *f;* **~ofen** *m* four *m* à briques *od* à tuiles; **z~rot** *a* rouge brique; **~scherbe** *f* tuileau *m;* **~staub** *m* farine *f* de briques; **~stein** *m* brique *f;* **Ziegler** *m* ‹-s, -› = *~brenner.*

Zieh|bank *f* ['tsi:-] *tech* banc *m* à (é)tirer; **~brunnen** *m* puits *m* à roue *od* à chaîne *od* à poulie; **~eisen** *n tech* filière *f.*

ziehen ‹*zog, gezogen*› ['tsi:ən, (-)'tso:k/-gən] *tr* ‹*hat gezogen*› *allg* tirer (*jdn an etw* qn par qc; *jdn an sich* qn à soi); *(schleppen)* traîner; *mar* remorquer, haler; *(herausziehen, -nehmen)* sortir; *(wieder herausziehen)* retirer; *(Wurzel, a. math)* extraire; *(Zahn)* extraire, arracher; *(Draht, Röhre)* étirer; *(Geschützrohr)* rayer; *(Mauer)* ériger, élever; *(Graben)* creuser; *(Furche, Linie)* tracer; *(züchten: Pflanzen)* cultiver, *(Tiere)* élever; *itr allg* tirer (*an etw* sur qc); *(sich gleichmäßig fortbewegen)* ‹*ist gezogen*› passer, voyager; *(sich begeben)* aller, passer, se rendre; *(weggehen)* s'en aller, partir; *(aus-, umziehen)* déménager; *(einziehen, saugen)* boire, sucer; *(Tee)* s'infuser; *(Ofen, Pfeife etc: Luftzug haben)* tirer; *fig fam (anziehen)* prendre; *(zugkräftig sein)* attirer le public; *(einträglich sein)* rapporter gros; *impers: es zieht* il y a un courant d'air; *es zieht mich in, nach* je suis attiré par; *sich ~ (sich strecken, sich dehnen)* s'étirer, prêter; *(Holz)* se déjeter, gauchir; *(sich erstrecken)* s'étendre, se prolonger; *sich aus der Affäre ~* se tirer d'affaire; *die Aufmerksamkeit, die Blicke auf sich ~* attirer *od* retenir l'attention, les regards; *die Bilanz ~ (com)* dresser *od (a. fig)* faire le bilan; *den Degen ~* tirer l'épée, dégaîner; *in Erwägung ~* prendre en considération; *auf e-n Faden ~ (Perlen)* enfiler; *Fäden ~* former des *od* venir en fils; *ins Feld* od *in den Krieg ~* partir pour la guerre; *gegen jdn, etw zu Felde ~ (fig)* partir en campagne contre qn, contre qc; *jdm das Fell über die Ohren ~ (fig)* écorcher, *fam* rouler qn; *auf Flaschen ~* mettre en bouteilles; *die Folgerung aus etw ~* tirer la conclusion, conclure de qc; *die Folgerungen ~* tirer les conséquences; *den Kopf aus der Schlinge ~ (fig)* se tirer d'affaire; *den kürzeren ~* avoir le dessous; *ins Lächerliche ~* tourner en ridicule; *aufs Land ~* s'installer à la campagne; *in die Länge ~* faire traîner en longueur; *sich in die Länge ~* traîner en longueur; *e-e Lehre aus etw ~* tirer une leçon de qc; *das Los ~* tirer au sort; *etw nach sich ~* entraîner qc, être suivi de qc; *Nutzen aus etw ~* tirer profit, recueillir du profit de qc; *zu Rate ~* demander conseil à, consulter; *jdn zur Rechenschaft* od *zur Verantwortung ~* faire rendre compte *od* demander des comptes à qn; *in den Schmutz ~ (fig)* traîner dans la boue; *jdn auf seine Seite ~* attirer qn de son côté; *in die Stadt ~* se loger *od* s'installer en ville; *die Stirn kraus ~* froncer les sourcils; *am gleichen Strang ~ (fig)* tirer sur la même corde; *ans Tageslicht ~ (fig)* tirer au clair; *e-n Vergleich ~* faire *od* établir une comparaison (*zwischen* entre); *aus dem Verkehr ~* retirer de la circulation; *jdn ins Vertrauen ~* mettre qn dans la confidence; *auf Wache ~ (mil)* (aller) prendre la garde; *Wasser ~ (undicht sein)* prendre l'eau; *mar* faire eau, avoir une voie d'eau; *e-n Wechsel auf jdn ~* tirer une traite sur qn; *s-s Weges ~* aller son chemin; *die Wurzel ~ aus (math)* extraire la racine de; *in Zweifel ~* mettre en doute; *~ lassen (Tee)* laisser infuser; *das zieht bei mir nicht (fam: wirkt nicht auf mich)* ça ne prend pas avec moi; **Z~n** *n* tirage; traînage; *mar* remorquage, halage *m; (e-r Wurzel, a. math, e-s Zahns)* extraction *f; tech* étirage; *(e-r Linie)* tracement; *(der Vögel)* passage; *(Umzug)* déménagement *m; (des Tees)* infusion; *med* fluxion *f.*

Zieh|harmonika *f* ['tsi:-] accordéon *m;* **~kind** *n (Pflegekind)* enfant *m* adoptif; **~ung** *f (Lotterie)* tirage *m;* **~ungsliste** *f* liste *f* des gagnants; **~ungsplan** *m* plan *m* de tirage; **~ungsrechte** *n pl* droits *m pl* de tirage; **~ungstag** *m* jour *m* de tirage.

Ziel *n* ‹-(e)s, -e› [tsi:l] *(beim Schießen)* but *m; (~scheibe)* cible *f; mil* objectif; *sport* but *m; (~band)* ligne *f* d'arrivée; *(beim Pferderennen)* poteau *m; (Reiseziel)* destination *f; (Endpunkt)* point *m* d'arrivée; *(Schranke)* borne *f; com (Termin)* délai *od* terme *m* (de paiement), échéance *f; fig (Zweck)* but, objet *m; (Absicht)* fin *f,* visées *f pl; sport* arrivée *f; auf 2 Monate ~* à 2 mois d'échéance; *auf ~ (com)* à terme; *auf kurzes, langes ~ (com)* à court, long terme; *auf 6 Monate ~ (com)* à 6 mois (d'échéance); *mit dem ~* dans le but; *mit, ohne Maß und ~* avec, outre mesure; *ohne Zweck und ~* sans but, au hasard; *weit vom ~* loin du but; *am ~ (s-r Reise) ankommen* arriver à destination; *das ~ ansprechen (mil: beschreiben)* désigner l'objectif; *sein ~ im Auge behalten* ne pas perdre de vue son but; *das ~ erreichen* atteindre le but, toucher *od* frapper au but; *sein ~ erreichen (fig)* arriver *od* parvenir à ses fins;

zum ~ führen mener jusqu'au bout; *durchs ~ gehen (sport)* franchir la ligne d'arrivée (*als Erster* le premier); *zum ~ gelangen* od *kommen* arriver *od* toucher au but; *zum ~ haben* avoir pour but *od* objet *od* objectif; *über das ~ hinausschießen (fig)* dépasser le but, perdre toute mesure; *weder Maß noch ~ kennen* ne pas connaître de bornes; *gerade auf sein ~ losgehen* aller droit au but, ne pas y aller par quatre chemins; *sich s-m ~ nähern (fig)* toucher au port; *kurz vor dem ~ scheitern (fig)* faire naufrage au *od* échouer en vue du but; *übers ~ schießen (fig)* dépasser les bornes, exagérer; *e-r S ein ~ (Grenzen) setzen* mettre des linites *od* des bornes à qc; *(ein Ende)* mettre une fin à qc, terminer *od* finir qc; *sich ein ~ setzen* od *stecken* se fixer *od* se proposer un but; *sich ein hohes ~ setzen* viser haut, avoir de hautes visées; *das ~ treffen* toucher *od* atteindre le but, donner au but; *das ~ verfehlen* manquer le but, donner à côté; *ein ~ verfolgen* poursuivre un but; *wer langsam fährt, kommt auch zum ~ (prov)* petit à petit, l'oiseau fait son nid; *bewegliche(s), feste(s) ~ (mil)* objectif *m* mobile, fixe; **~anflug** *m aero* présentation *f;* **~ansprache** *f mil* désignation *f* de l'objectif; **~bahnhof** *m* gare *f* d'arrivée; **~band** *n* ‹-(e)s, ⸚er› *sport* ruban *od* fil *m* d'arrivée; **z~bewußt** *a* qui sait ce qu'il veut, qui va droit au but; **~einrichtung** *f (e-s Geschützes)* dispositif *m* de pointage; **z~en** *itr* viser (*auf etw* qc); *(mit e-m Gewehr)* coucher *od* mettre en joue (*auf jdn* qn); *fig* viser (*auf* à); **~en** *n (mit dem Gewehr)* visée *f; (mit dem Geschütz)* pointage *m;* **~fehler** *m* faute de visée; erreur *f* de pointage; **~fernrohr** *n* lunette *f* de visée *od* de pointage; **~flug** *m* (vol en) homing *m;* **~flug-Funkfeuer** *n* radiophare *m* de repérage *od* de homing; **~fluggerät** *n* radiocompas *m;* **~flugkörper** *m* engin-cible *m;* **~flug-Peilanlage** *f* radiogoniomètre *m* de homing; **~flugzeug** *n* avion-cible *m;* **~genauigkeit** *f* précision *f* de pointage *od* du tir; **~gerät** *n* appareil de visée *od* de pointage; *aero* viseur *m;* **~karte** *f aero* carte *f* d'approche; **~kurs** *m aero* cap *m* au homing; route *f* du but; **~landung** *f aero* atterrissage *m* de précision; **~linie** *f mil* ligne de mire; *sport* ligne *f* d'arrivée; **z~los** *a u. adv* sans but; **~marke** *f mil* repère *m;* **~markierung** *f aero* marquage *m* de l'objectif; **~pfosten** *m (beim Rennen)* poteau *m* d'arrivée; **~punkt** *m mil* point *m* de mire; **~rakete** *f* fusée-cible *f;* **~raum** *m mil aero* zone *f* de l'objectif; **~richter** *m sport* juge *m* à l'arrivée; **~satellit** *m* satellite-cible *m;* **~scheibe** *f* cible *f, a. fig; ~~ des Spottes sein (fig)* être en butte aux railleries; *jdn zur ~~ (s-s Spottes) wählen* prendre qn pour tête de Turc; **~schiff** *n mar* bateau-cible *m;* **~schlitz** *m* fente *f* de visée; **~setzung** *f* fixation *f* d'un *od* du but; **~sprache** *f* langue-cible *f;* **z~strebig** *a* = *z~bewußt;* **~sucher** *m,* **~suchkopf** *m (e-r Rakete)* tête *f* chercheuse; **~wechsel** *m mil* changement *m* d'objectif; **~zuweisung** *f mil* attribution *od* répartition *f* des objectifs.

ziemen ['tsi:mən] , *sich (impers): es ziemt sich* il convient, il est convenable *od* de mise (*zu tun* de faire).

Ziemer *m* ‹-s, -› ['tsi:mər] *(Rücken des Hirsches)* cimier *m; (des Rehes)* selle; *(männliches Glied größerer Tiere)* verge *f; (Ochsen~)* nerf *m* de bœuf.

ziemlich ['tsi:mlıç] *a (erheblich, bedeutend)* considérable; *(leidlich)* passable; *adv (recht)* assez; *(sehr)* considérablement; *(leidlich, einigermaßen)* passablement; *so ~ (fam: beinahe, fast)* à peu près; *~ viel ...* pas mal de ...

Zier *f* ‹-, ø› [tsi:r-] = *~de;* **~at** *m* ‹-(e)s, -e› ['tsi:ra:t] *(Schmuck)* ornement; *(Verzierungen)* décor(ation *f*), enjolivement *m,* enjolivures *f pl;* **~buchstabe** *m* lettre *od* initiale *f* ornée; **~de** *f* ‹-, -n› ['-də] *fig (Gegenstand des Stolzes)* gloire *f,* honneur *m;* **z~en** *tr (schmücken)* orner, décorer, parer, enjoiver, agrémenter, embellir (*mit* de); *sich ~~* minauder, faire des simagrées *od* la princesse *od* la petite bouche; faire des façons *od* des manières; **~erei** *f* ‹-, (-en)› [-'raı] manières *f pl* affectées; affectation, afféterie, minauderie, mignardise, préciosité *f; fam* simagrées *f pl;* **~garten** *m* jardin *m* d'agrément *od* de plaisance; **~gitter** *n* grillage *m* décoratif; **~knopf** *m* bouton *m* fantaisie; **~leiste** *f* bordure, moulure; *typ* vignette *f;* **z~lich** *a* gracile; *(anmutig)* gracieux; *(niedlich)* mignon, gentil; *(zart)* délicat; *(fein)* fin; **~lichkeit** *f* ‹-, ø› gracilité; grâce; gentillesse; délicatesse; finesse *f;* **~nagel** *m* clou *m* de fantaisie; **~pflanze** *f* plante *f* d'ornement; **~puppe** *f pej (Frau)* minaudière; mijaurée, grimacière *f;* **~schrift** *f* calligraphie *f; typ* caractères *m pl* calligraphiques *od* d'écriture; **~strauch** *m* arbuste *m* d'ornement; **~streifen** *m (in e-m Kleidungsstück)* baguette *f;* **~stück** *n* ornement *m;* **~tüchlein** *n* mouchoir *m* fantaisie, pochette *f.*

Ziffer *f* ‹-, -n› ['tsıfər] *(Zahlzeichen)* chiffre; *(Zahl)* nombre; *(Nummer)* numéro *m; (Kennziffer, Aktenzeichen)* cote *f; in ~n* (*schreiben* écrire) en chiffres; *mit ~ versehen* chiffrer; *arabische, römische ~* chiffre *m* arabe, romain; **~blatt** *n* cadran *m;* **z~nmäßig** *a* en chiffres, numérique; **~schrift** *f* écriture *f* chiffrée, chiffre *m.*

Zigarette *f* ‹-, -n› [tsiga'rɛtə] cigarette; *arg* sèche *f; e-e ~ drehen* rouler une cigarette; *~ mit Filtermundstück* cigarette *f* à bout filtre; **~nautomat** *m* distributeur *m* de cigarettes; **~netui** *n* étui à cigarettes, porte-cigarettes *m;* **~nfabrik** *f* fabrique *f* de cigarettes; **~npackung** *f* paquet *m* de cigarettes; **~npapier** *n* papier *m* à cigarettes; **~npause** *f mil fam* halte *f* horaire; **~nschachtel** *f* boîte *f* à cigarettes; **~nspitze** *f* porte-cigarette, fume-cigarette *m;* **~nstummel** *m* bout de cigarette; *pop* mégot *m.*

Zigarillo *n* (od *m*) ‹-s, -s› [tsiga'rıl(j)o] cigarillo *m.*

Zigarre *f* ‹-, -n› [tsi'garə] cigare *m; fig fam (Rüffel)* attrapade *f,* attrapage, savon *m; jdm e-e ~ verpassen* passer un savon à qn; *e-e ~ verpaßt kriegen (fig fam)* recevoir son paquet; **~nabschneider** *m* coupe-cigare *m;* **~nanzünder** *m* allume-cigare *m;* **~netui** *n* porte-cigares *m;* **~nfabrik** *f* fabrique *f* de cigares; **~ngeschäft** *n* bureau *m* de tabac; **~nhändler** *m* marchand de cigares, buraliste *m;* **~nkiste** *f* boîte *f* à cigares; **~nmacher(in** *f***)** *m* cigarier, ère *m f;* **~nspitze** *f* porte-cigare, fume-cigare *m;* **~nstummel** *m* bout de cigare; *pop* mégot *m* de cigare; **~ntasche** *f* = *~netui.*

Zigeuner|(in *f***)** *m* ‹-s, -› [tsi'gɔynər] bohémien, ne; tzigane; gitan, e; romanichel, le *m f;* **z~haft** *a* bohème, de *od* en bohémien *od* nomade; **z~isch** *a* bohémien; **~kapelle** *f mus* orchestre *m* tzigane; **~lager** *n* campement *m* de bohémiens; **~leben** *n fig* vie *f* de bohémien *od* de nomade *od* de vagabond; **~wagen** *m* roulotte *f* de bohémiens.

Zikade *f* ‹-, -n› [tsi'ka:də] *ent* cigale *f.*

Zille *f* ‹-, -n› ['tsılə] *(Kahn)* chaland *m,* péniche *f.*

Zimbel *f* ‹-, -n› ['tsımbəl] *mus hist* cymbale *f.*

Zimmer *n* ‹-s, -› ['tsımər] *allg* pièce; *(bes. Schlafzimmer)* chambre; *(großes)* salle *f; (Empfangszimmer)* salon *m; arg* carrée *f; das ~ hüten* garder la chambre; *das ~ (sauber)machen (u. aufräumen)* faire la chambre; *das ~ liegt nach dem Garten hinaus* la chambre donne sur le jardin; *möblierte(s) ~* chambre *f* meublée, garni *m; separate(s) ~* pièce *f* isolée; **~antenne** *f radio* antenne *f* intérieure; **~arbeit** *f arch* charpenterie *f;* **~brand** *m* incendie *m* de chambre; **~decke** *f* plafond *m;* **~ei** *f* [-'raı] = *~arbeit* od *~handwerk;* **~einrichtung** *f* ameublement *m;* **~er** *m* ‹-s, -› = *~mann;* **~flucht** *f* enfilade *f* de pièces; **~geselle** *m* garçon *m* charpentier; **~gymnastik** *f* gymnastique *f* de chambre; **~handwerk** *n* métier *m* de charpentier, charpenterie *f;* **~herr** *m* sous-locataire *m;* **~kellner** *m* garçon *m* d'étage; **~lautstärke** *f: auf ~~ stellen (radio)* mettre en sourdine; **~lehrling** *m* apprenti *m* charpentier; **~mädchen** *n (im Hotel)* femme de chambre; *(im Krankenhaus)* fille *f* de salle; **~mann** *m* ‹-(e)s, -leute› charpentier *m;* **~mannsbohrer** *m* tarière *f;* **~meister** *m* maître *m* charpentier; **z~n** *tr* charpenter; *mines* boiser, cuveler; **~pflanze** *f* plante *f* d'appartement; **~platz** *m* chantier *m;* **~temperatur** *f* température *f* ambiante; **~theater** *n* théâtre *m* de poche; **~tür** *f* porte *f* de la chambre; **~ung** *f (Gebälk)* charpente *f; mines* boisage, cuvelage *m;* **~vermieter(in** *f***)** *m* logeur, se *m f;* **~vermietung** *f (als Gewerbebetrieb)* hôtel *m* (garni).

zimperlich ['tsɪmpərlıç] *a (überempfindlich)* hypersensible, hypersensitif; *fam* gnangnan; *(wählerisch)* difficile; *(prüde)* prude, bégueule; *~ tun (von e-r Frau)* faire des façons, minauder; *(sich prüde stellen)* faire la sainte nitouche; **Z~keit** *f* ‹-, ø› hypersensibilité; pruderie *f.*

Zimt *m* ‹-(e)s, -e› [tsɪmt] cannelle *f;* **~baum** *m bot* cannelier *m;* **z~farben** *a* cannelle.

Zink *n* ‹-(e)s, ø› [tsɪŋk] zinc *m;* **~ätzung** *f (Kunst)* gravure *f* sur zinc; **~blech** *n* tôle *f* de zinc; **~blende** *f min* zinc *m* sulfuré, blende *f;* **~blumen** *f pl (~oxyd)* fleur *f* de zinc; **~erz** *n* minerai *m* de zinc; **z~haltig** *a* zincifère; **~hütte** *f* zinguerie *f;* **~ographie** *f* ‹-, -n› [-kogra'fi:] *(~flachdruck)* zincographie *f;* **~otypie** *f* ‹-, -n› [-ty'pi:] *(~hochätzung)* zincotypie *f;* **~platte** *f* plaque *f* de zinc; **~salbe** *f pharm* pommade *f* à l'oxyde de zinc; **~weiß** *n (~oxyd)* blanc *m* de zinc.

Zinke *f* ‹-, -n› ['tsɪŋkə] *(Zacke)* pointe; *(der Gabel)* dent *f,* fourchon *m; (Gaunerzeichen)* marque *f; mus* cornet (à bouquin), clairon *m;* **~n** *m* ‹-s, -› *pop (Nase)* pif, blair; *arg* tarin, tarbouif *m;* **z~n** *tr (Spielkarte: markieren)* biseauter.

Zinn *n* ‹-(e)s, ø› [tsɪn] étain *m;* **~blech** *n* tôle *f* d'étain; **z~ern** *a* d'étain, en étain; **~erz** *n* minerai *m* d'étain; **~folie** *f* feuille *f* d'étain; **~geschirr** *n* vaisselle *od* poterie *f* d'étain; **~gießer** *m* potier *m* d'étain; **~grube** *f* mine *f* d'étain; **z~haltig** *a* stannifère; **~kanne** *f* pot *m* d'étain; **~legierung** *f* alliage *m* à l'étain; **~soldat** *m* soldat *m* d'étain; **~teller** *m* assiette *f* d'étain.

Zinne *f* ‹-, -n› ['tsɪnə] *arch hist* créneau; *(höchster Teil e-s Gebäudes)* pinacle *m.*

Zinnie *f* ‹-, -n› ['tsɪniə] *bot* zinnia *m.*

Zinnober *m* ‹-s, -› [tsɪ'no:bər] *min* cinabre *m;* = *~rot; fam (Blödsinn)* bêtises *f pl,* non-sens *m;* **~rot** *n* vermillon *m;* **z~rot** *a* vermillon.

Zins *m* ‹-es, -en› [tsɪns, '-zən] *(Abgabe)* redevance *f,* tribut, impôt; *hist* cens; *(Pacht)* fermage; *m* ‹-es, -e› *(Miete)* loyer *m; (Ertrag)* rente *f; meist pl (fin: Geldertrag)* intérêt(s *pl*) *m; abzüglich* od *nach Abzug der ~en* sous déduction d'intérêts; *gegen (hohe) ~en* à intérêts (élevés); *die ~en abheben* toucher les intérêts; *auf ~en anlegen* mettre *od* placer à intérêt; *gegen ~en ausleihen* prêter à intérêt; *~en berechnen, fordern* imputer, demander des intérêts; *~en bringen* od *tragen* produire *od* rapporter des intérêts, porter intérêt; *gegen ~en entleihen* emprunter à intérêt; *von seinen ~en leben* vivre de ses rentes; *die ~en zum Kapital schlagen* capitaliser les intérêts; *~en zahlen* bonifier des intérêts; *aufgelaufene ~en* intérêts *m pl* courus; *ausstehende ~en* intérêts *m pl* à recevoir; *einfacher ~* intérêt *m* simple; *fällige ~en* intérêts *m pl* échus *od* dus; *gesetzliche ~en* intérêts *m pl* légaux; *laufende ~en* intérêts *m pl* courants *od* en cours; *rückständige ~en* intérêts *m pl* arriérés; *~en bringend* od *tragend* productif d'intérêts; **~abschnitt** *m* coupon *m* d'intérêts; **~abzug** *m* déduction *f* d'intérêts, escompte *m;* **z~bar** *a* tributaire; **~(en)berechnung** *f* calcul *m* des intérêts; **z~billig** *a* à un taux modeste d'intérêt; **~bogen** *m* feuille *f* de coupons (d'intérêt); **z~empfindlich** *a* sensible aux variations des taux d'intérêt; **~enausfall** *m* perte *f* d'intérêts; **~endienst** *m* service *m* des intérêts; **~enlast** *f* charge *f* d'intérêts *od* des intérêts; **~erhöhung** *f* hausse *f* du taux de l'intérêt; **~ermäßigung** *f* réduction du taux de l'intérêt, réduction *f* des intérêts; **~erneuerungsschein** *m* bon de renouvellement, talon *m;* **~ertrag** *m* produit *m* d'intérêts; **~eszins(en** *pl***)** *m* intérêt(s *pl*) *m* composé(s); *mit ~ und ~~ heimzahlen (fig)* rendre avec usure; **z~frei** *a* sans intérêts; **~fuß** *m* taux *m* (d'intérêt); *gesetzliche(r) ~~* taux *m* légal; **~gefälle** *n* différence *f* du niveau des intérêts; **~gefüge** *n: das gesamte ~~* la structure générale des taux d'intérêt; **~groschen** *m rel* denier *m* de César; **~hahn** *m: rot wie ein ~~ (vor Erregung)* rouge comme un coq; **~herabsetzung** *f* = *~ermäßigung;* **~herr** *m hist* censier, seigneur *m* censier; **z~los** *a* exempt d'intérêts, gratuit; *a. adv* sans intérêts; **z~pflichtig** *a* = *z~bar;* **~rechnung** *f math* calcul *m* des intérêts *m pl* arriérés; **~saldo** *m* solde *m* d'intérêts; **~satz** *m* = *~fuß;* **~schein** *m* coupon *m* (d'intérêts); **~schuld** *f* dette *f* d'intérêt; **~senkung** *f* = *~ermäßigung;* **~spanne** *f* marge *f* d'intérêts; **~tabelle** *f* table *f* d'intérêts *od* des intérêts; **~termin** *m* échéance *f* des intérêts; **~umwandlung** *f* conversion *f* du taux d'intérêt; **z~verbilligt** *a adv* à taux d'intérêt réduit; **~vergütung** *f* bonification *f* d'intérêt; **~verlust** *m* = *~enausfall;* **~zahlung** *f* paiement *m* d'intérêts.

Zion *n* ['tsi:ɔn] *rel* Sion *f;* **~ismus** *m* ‹-, ø› [tsio'nɪsmus] *pol* sionisme *m;* **~ist** *m* ‹-en, -en› [-'nɪst] sioniste *m;* **z~istisch** [-'nɪstɪʃ] *a* sioniste.

Zipf|el *m* ‹-s, -› ['tsɪpfəl] *(e-s Tuches)* coin; *(e-s Kleidungsstückes)* pan *m; (e-s Sackes)* oreille *f; (Wurst-, Ohrzipfel)* bout *m; allg (Spitze)* pointe *f; etw beim rechten ~~ anfassen* od *anpacken (fig)* prendre qc par le bon bout; **z~(e)lig** *a* qui a des pointes *od* des bouts; **~elmütze** *f* bonnet *m* à pointe.

Zipperlein *n* ‹-s, ø› ['tsɪpərlaɪn] *med* goutte *f.*

Zirbel|drüse *f* ['tsɪrbəl-] *anat* glande pinéale, *scient* épiphyse *f;* **~kiefer** *f bot (Arve)* pin cembro(t), alviès, auvier *m,* arole *f;* **~nuß** *f bot* pomme *f* de pin cembro.

zirka ['tsɪrka] *adv* environ.

Zirkel *m* ‹-s, -› ['tsɪrkəl] *(Gerät)* compas; *(Kreis, bes. fig: von Menschen)* cercle *m; mit dem ~ (e-n Kreis beschreiben* décrire *od* tracer un cercle) au compas; **~kasten** *m* boîte à compas; *(flacher)* pochette; *(mit Inhalt)* trousse *f* de compas; **z~n** *tr (Kreis)* tirer; *(abmessen)* mesurer (au compas); **z~rund** *a* circulaire; **~schluß** *m philos* cercle *m* vicieux.

zirkul|ar, ~är [tsɪrku'la:r, -'lɛ:r] *a (kreisförmig)* circulaire; **Z~ation** *f* ‹-, ø› [-latsi'o:n] *(Umlauf)* circulation *f;* **Z~ationspumpe** *f* pompe *f* à circulation; **~ieren** [-'li:rən] *itr* circuler; *~~ lassen (a. fig)* faire circuler, mettre en circulation.

Zirkumflex *m* ‹-es, -e› [tsɪrkum'flɛks] *gram* accent *m* circonflexe.

Zirkus *m* ‹-, -sse› ['tsɪrkus, -ə] cirque *m;* **~nummer** *f* numéro *m* de cirque; **~pferd** *n* cheval *m* de cirque *od* dressé; **~reiter** *m* écuyer *m* de cirque; **~vorstellung** *f* représentation *f* de cirque; **~wagen** *m* roulotte *f* (de cirque); **~zelt** *n* tente *f* de cirque, chapiteau *m.*

zirpen ['tsɪrpən] *itr (Grille)* chanter; *(Vogel)* pépier.

Zirr|okumulus *m* [tsɪro'ku:mulus] *mete (Schäfchenwolke)* cirro-cumulus *m;* **~ostratus** *m* ‹-, -/-ti› [-'stra:tus] *(Schleierwolke)* cirrostratus *m;* **~us(wolke** *f***)** *m* ‹-, -/-rren› ['tsɪrus(-)] *(Federwolke)* cirrus *m.*

zisch|eln ['tsɪʃəln] *tr* u. *itr (flüstern)* chuchoter; **~en** *itr (a. um sein Mißfallen zu äußern)* siffler; **Z~en** *m* sifflement; frémissement; chuintement *m;* **Z~hahn** *m mot* robinet *m* de décompression; **Z~laut** *m gram* sifflante, chuintante *f.*

Zisel|eur *m* ‹-s, -e› [tsize'lø:r] ciseleur *m;* **~ierarbeit** *f* [-'li:r-] ciselure *f;* **z~ieren** *tr* ciseler; **~ierer** *m* ciseleur *m.*

Zisterne *f* ‹-, -n› [tsɪs'tɛrnə] citerne *f,* réservoir *m;* **~nflugzeug** *n* avion-citerne *m;* **~nwagen** *m* wagon-citerne *m;* **~nwasser** *n* eau *f* de citerne.

Zitadelle *f* ‹-, -n› [tsɪta'dɛlə] *mil* citadelle *f.*

Zit|at *n* ‹-(e)s, -e› [tsi'ta:t] citation *f;* **~atenschatz** *m* recueil *m* de citations; **z~ieren** [-'ti:rən] *tr (anführen)* citer; *jur (vorladen)* citer, assigner, mander; *(e-n Geist)* évoquer.

Zither *f* ‹-, -n› ['tsɪtər] *mus* cithare *f;* **~spieler** *m* cithariste *m.*

Zitr|at *n* ‹-(e)s, -e› [tsi'tra:t] *chem* citrate *m;* **~in** *m* ‹-s, -e› [-'tri:n] *min* citrin *m od* citrine *f;* **~onat** *n* ‹-(e)s, -e› [-'na:t] citronnat *m;* **~one** *f* ‹-, -n› [-'tro:nə] *(Frucht)* citron, limon; *(Baum)* citronnier, limonier *m; mit ~~ (Getränk)* citronné; *mit ~~ versetzen* citronner; *~~ naturell (Getränk)* citron *m* pressé *od* à l'eau.

Zitronen|eis *n* [tsi'tro:nən-] glace *f* au citron; **~falter** *m ent* citron *m;* **z~gelb** *a* jaune-citron, citrin; **~likör** *m* citronnelle *f;* **~presse** *f* presse-citron(s) *m;* **~saft** *m* jus *m* de citron; *(Getränk)* citronnade *f;* **~säure** *f chem* acide *m* citrique; **~schale** *f* peau *f od* zeste *m* de citron; **~scheibe** *f* tranche *od* rondelle *f* de citron; **~sprudel** *m* limonade *f* gazeuse; **~wasser** *n* citronnade *f.*

Zitrusfrüchte *f pl* ['tsi:trus-] agrumes *m pl.*

Zitt|eraal *m* ['tsitər-] anguille *f od scient* gymnote *m* électrique; **~ergras** *n* amourette, brize *f;* **z~(e)rig** *a* tremblotant; *(Handschrift)* tremblé; **z~ern** ‹*ich zitt(e)re, du zitterst; zitt(e)re!*› *itr* trembler (*vor etw* de qc, *um etw* pour qc); *(vibrieren)* vibrer; *(flackern)* vaciller; *(frösteln)* frissonner; *(schaudern)* frémir, tressaillir (*vor* de); *wie Espenlaub ~~* trembler comme une feuille; *vor Kälte ~~* trembler de froid, grelotter; *am ganzen Körper ~~* trembler de tous ses membres; *ein wenig ~~* trembloter *fam;* **~ern** *n* tremblement *m;* vibration; vacillation *f;* frisson; frémissement, tressaillement *m;* **~erpappel** *f bot* tremble *m;* **~errochen** *m zoo* torpille *f.*

Zitz *m* ‹-es, -e› ['tsɪts] *(Textil)* indienne *f.*

Zitze *f* ‹-, -n› ['tsɪtsə] *(Brustwarze der Säugetiere)* mamelon, tétin *m,* tette *f;* *(der Kuh, der Ziege a.)* trayon *m.*

zivil [tsi'vi:l] *a (bürgerlich)* civil; *~e (mäßige) Preise m pl* prix *m pl* modérés *od* raisonnables.

Zivil *n* ‹-s, ø› [tsi'vi:l] *(Bürgerstand)* (les) civils *m pl;* *(bürgerliche Kleidung)* tenue *f* civile; *in ~* en civil; *~ tragen* être en civil; **~angestellte(r)** *m mil* employé *m* d'administration; **~anzug** *m* tenue *f* civile; **~behörden** *f pl* autorités *f pl* civiles; **~bevölkerung** *f* population *f* civile; **~courage** *f* courage *m* civique; **~dienstpflicht** *f* service *m* civil obligatoire; **~ehe** *f* mariage *m* civil; **~flugzeug** *n* avion *m* civil; **~gericht** *n* tribunal *m* civil; **~gerichtsbarkeit** *f* justice *f* civile; **~gesetzbuch** *n* Code *m* civil; **~gesetzgebung** *f* législation *f* civile; **~ingenieur** *m* ingénieur *m* civil; **~isation** *f* ‹-, ø› [-vilizatsi'o:n] civilisation *f;* **~isationskrankheit** *f* maladie *f* de la civilisation; **z~isatorisch** [-'to:rɪʃ] *a* civilisateur; **z~isieren** [-'zi:rən] *tr* civiliser, humaniser; **~isierung** *f* civilisation, humanisation *f;* **~ist** *m* ‹-en, -en› [-'lɪst] civil, bourgeois; *mil arg* pékin *m;* **~kammer** *f jur* chambre *f* civile; **~klage** *f jur* action *f* civile; **~kleidung** *f* tenue *f* civile; **~leben** *n: im ~~* dans le civil; **~liste** *f adm* liste *f* civile; **~luftfahrt** *f* aviation *f* civile; **~person** *f* (personne *f*) civil(e) *m;* **~prozeß** *m* procès *m od* cause *f* civil(e); **~prozeßordnung** *f* Code *m* de procédure civile; **~recht** *n* droit *m* civil; **z~rechtlich** *a* (de droit) civil; *a. adv* au civil; *adv* civilement; *jdn ~~ verfolgen* poursuivre qn civilement; **~richter** *m* juge *m* civil; **~sache** *f jur* affaire *od* cause *f* civile; *in ~~n* en matière civile; **~schutz** *m* protection *f* civile; **~stand** *m (Personen-, Familienstand)* état *m* civil; **~trauung** *f* mariage *m* civil; **~versorgung** *f mil* emploi *m* civil; **~verwaltung** *f* administration *f* civile.

Zobel *m* ‹-s, -› ['tso:bəl] *(zoo u. Pelz),* **~pelz** *m* sable *m,* zibeline *f.*

Zodiakallicht *n* [tsodia'ka:l-] *astr* lumière *f* zodiacale.

Zofe *f* ‹-, -n› ['tso:fə] femme de chambre; *theat* soubrette *f.*

zöger|n ['tsø:gərn] *itr* hésiter, tarder (*etw zu tun* à faire qc); *(abwarten)* temporiser; **Z~n** *n* hésitation, réticence; *(Unentschlossenheit)* indécision *f;* *ohne ~~* sans hésiter; **Z~ung** *f* = *Z~n.*

Zögling *m* ‹-s, -e› ['tsø:klɪŋ] *(Schüler(in))* élève; *(e-s Internats)* interne, pensionnaire *m f.*

Zölibat *n, a. m* ‹-(e)s, ø› [tsøli'ba:t] *rel (Ehelosigkeit)* célibat *m;* *im ~ leben* être célibataire.

Zoll *m* ‹-(e)s, -› [tsɔl] **1.** *(Längenmaß)* pouce *m;* *keinen ~ breit sein* ne pas avoir la largeur d'un pouce; *jeder ~ ein (König)* (roi) dans l'âme; **z~breit** *a* large d'un pouce; *m: kein Z~~ Landes* pas un pouce de terrain; **~stock** *m* mètre *m* pliant.

Zoll *m* ‹-(e)s, ¨-e› [tsɔl, 'tsœlə] **2.** *(Abgabe)* (droit *m* de) douane *f,* droit; = *~amt;* *(Straßen-, Brückenzoll)* péage; *hist (städt. Eingangszoll)* octroi; *fig (Tribut)* tribut *m;* *gebundene(r) ~* droit *m* consolidé; *suspendierte(r), ausgesetzte(r) ~* droit *m* suspendu; *Zölle erheben* percevoir des droits; *den ~ passieren* passer (par) la douane; *~ zahlen* payer les droits de douane; *die Natur fordert ihren ~* la nature réclame son tribut; **~abandonnierung** *f* abandon *m* (douanier); **~abbau** *m* désarmement *m* douanier; **~abfertigung** *f* formalités *f pl* de la douane, passage en douane, dédouanement *m;* **~abkommen** *n* accord *m* douanier; **~amt** *n* (bureau *m* de) douane *f;* **z~amtlich** *a: unter ~~em Verschluß* en entrepôt; *jdn ~~ abfertigen* procéder aux formalités de la douane avec qn; *~~e Bescheinigung f* certificat *m* de (la) douane; *~~e Untersuchung f* contrôle *m* douanier; **~anmelder** *m* déclarant *m* (en douane); **~anmeldung** *f* = *~erklärung;* **~anschluß** *m* exclave *f* douanière; **~aufsichtsbehörde** *f* inspection *f* des douanes; **~aufsichtsschiff** *n* garde-côte(s) *m;* **~ausschluß** *m* enclave *f* douanière; **~beamte(r)** *m* agent de douane, douanier; *fam pej* gabelou *m;* **~begleitschein** *m* acquit-à-caution *m;* **~behandlung** *f* accomplissement *m* des formalités douanières; **~behörden** *f pl* autorités *f pl* douanières; **~beschau** *f* visite *f* douanière; **~bewilligung** *f* permis *m* de douane; **~bindung** *f* consolidation *f* tarifaire; **~deklaration** *f* déclaration *f* en douane; **~eigenlager** *n* entrepôt *m* fictif; **~einnahmen** *f pl* recettes *f pl* douanières; **~einnehmer** *m* receveur *m* des douanes; **z~en** *tr fig (entgegenbringen): jdm Achtung ~~* respecter qn; *jdm Beifall ~~* applaudir qn; *jdm Bewunderung ~~* admirer qn; *jdm Dank ~~* remercier qn, *lit* payer le tribut de sa reconnaissance à qn; **~erhöhung** *f* relèvement *m od* augmentation *f* des droits (de douane); **~erklärung** *f* déclaration *f* en douane; **~ermäßigung** *f* réduction *f* des droits (de douane); **~fahndung(sdienst** *m)* *f* service *m* des recherches en douane; **~flughafen** *m* aéroport *m* douanier; **~formalitäten** *f pl* formalités *f pl* de douane; **z~frei** *a* exempt de (droits de) douane *od* de droits; en franchise de douane; *Gedanken sind ~~ (prov)* la pensée est libre; **~freiheit** *f* franchise douanière; libre entrée *f;* **~freilager** *n* entrepôt *m* à régime de paiement différé des droits; **~freischein** *m* certificat de franchise douanière; passavant *m;* **~freischreibung** *f* admission *f* définitive (sur le marché national); **~gebiet** *n* territoire *m* douanier; **~gebühren** *f pl* droits *m pl* de douane; **~gesetz** *n* loi *f* douanière; **~grenzbezirk** *m* rayon *m* douanier; **~grenze** *f* frontière *od* ligne *f* douanière; **~gut** *n* marchandises *f pl* sous régime de douane; **~hafen** *m* port *m* douanier; **~haus** *n* (bureau *m* de) douane *f;* **~hinterziehung** *f* fraude *f* à la *od* délit *m* de douane; **~hoheit** *f* souveraineté *f* douanière; **~inspektor** *m* inspecteur *m* des douanes; **~kontingent** *n* contingent *m* tarifaire; **~kontrolle** *f* contrôle *m* douanier; **~krieg** *m* guerre *f* douanière *od* de tarifs; **~mauern** *f pl* = *~schranken;* **~ordnung** *f* code *m* des douanes; **z~pflichtig** *a* soumis aux droits de *od* à la douane; **~plombe** *f* plomb *m* de la douane; **~politik** *f* politique *f* douanière; **~revision** *f* visite *f* de la douane; **~rückvergütung** *f* remboursement des droits de douane, drawback *m;* **~satz** *m* taux *m* du droit; **~schein** *m* = *~freischein;* **~schiff** *n* garde-côte *m;* **~schranken** *f pl* barrières *f pl* douanières; *Abbau m der ~~* désarmement *m* douanier; **~senkung** *f* = *~ermäßigung;* **~speicher** *m* entrepôt *m* douanier; **~stempel** *m* timbre *m* de la douane; **~system** *n* système *od* régime *m* douanier; **~tarif** *m* tarif *m* douanier; **~tarifschema** *n* nomenclature *f* douanière; **~union** *f,* **~verband** *m,* **~verein** *m* union *f* douanière; **~verfahren** *n* procédure *f* douanière; **~vergehen** *n* infractions *f pl* douanières, fraude *f* douanière; **~vergünstigung** *f* traitement *m* de faveur; **~vermerk** *m* marque *f* de la douane; **~verschluß** *m: unter ~~* en douane, en entrepôt, entreposé; **~vertrag** *m* convention *f* douanière; **~verwaltung** *f* administration *f* des douanes; **~vormerkschein** *m* = *~begleitschein;* **~vorschriften** *f pl* règlements *m pl* de la douane; **~wert** *m* valeur *f* en douane.

Zöllner *m* ‹-s, -› ['tsœlnər] *m vx* douanier, receveur; *rel* publicain, péager *m.*

Zone *f* ‹-, -n› ['tso:nə] *geog u. pol* zone *f; heiße, gemäßigte, kalte* ~ zone *f* torride, tempérée, glaciale; *tote* ~ *(radio)* zone *f* de silence; **~neinteilung** *f* division *f* en zones; **~ngrenze** *f* frontière *f* inter-zones; **~ntarif** *m* tarif *m* modulé *od* par tranches *od* par paliers; **~nübergangspunkt** *m pol* point *m* de passage interzonal.

Zoo *m* ‹-s, -s› ['tso:] *(kurz für: zoologischer Garten)* zoo *m.*

Zoolog|e *m* ‹-n, -n› [tsoo'lo:gə] zoologue, zoologiste *m;* **~ie** *f* ‹-, ø› [-lo'gi:] zoologie *f;* **z~isch** [-'lo:gɪʃ] *a* zoologique; *~~e(r) Garten m* jardin *m* zoologique.

Zopf *m* ‹-(e)s, ¨-e› [tsɔpf, 'tsœpfə] tresse, natte; *hist (der Männer)* queue *f; (Gebäck)* pain *m* brioché; *in Zöpfe flechten* tresser, natter; *(alter)* ~ *(fig)* vieillerie, pédanterie, chinoiserie *f; falsche(r)* ~ tresse *f* postiche; **z~ig** *a (altmodisch)* suranné; *(steif, geschnörkelt)* pédant; **~muster** *n (in Strickwaren)* torsade *f;* **~stil** *m* ‹-(e)s, ø› Louis XVI *m.*

Zorn *m* ‹-(e)s, ø› [tsɔrn] colère *f,* courroux, emportement *m,* irritation; *(Wut)* fureur, rage *f; s-n ~ an jdm auslassen* passer *od* décharger sa colère sur qn; *sich im ~ fortreißen lassen* se laisser emporter par la colère; *in ~ geraten* se mettre en colère, s'emporter; *vor ~ platzen (fam)* éclater; *sein ~ verraucht (nicht)* il (ne) décolère (pas); **~ausbruch** *m* accès *m od* explosion *f* de colère; **z~entbrannt** *a* courroucé; **~esröte** *f* rougeur *f* de la colère; *die ~~ stieg ihm ins Gesicht* la colère lui monta au visage; **z~ig** *a* en colère, courroucé, emporté, irrité; *(wütend)* furieux, enragé; *~~ machen* mettre en colère, irriter; *~~ werden* se mettre en *od* se laisser emporter par la colère, s'emporter, s'irriter.

Zot|e *f* ‹-, -n› ['tso:tə] obscénité, saleté, ordure, grivoiserie, gauloiserie; *(unanständiger Witz) pop* paillardise, gaudriole *f; ~en reißen (a.)* dire des obscénités; **~enreißer** *m* homme ordurier, paillard *m;* **z~ig** *a* indécent, obscène, sale, ordurier, grivois, gaulois.

Zott|el *f* ‹-, -n› ['tsɔtəl] *(Haarbüschel)* touffe de cheveux, houppe *f; (Troddel, Quaste)* gland, pompon *m;* **~elbär** *m* ours *m* velu; **z~(e)lig** *a (ungekämmt, unordentlich)* embroussaillé, emmêlé, malpeigné, malpropre; **z~ig** *a* touffu, velu; *(struppig)* hirsute, hérissé.

zotteln ‹*ich zott(e)le, du zottelst, zott(e)le*› ['tsɔtəln] *itr dial (langsam gehen, schlendern)* traîner, lambiner.

zu [tsu:] **1.** *prp dat (örtl. auf die Frage: wo)* à; *~ Berlin* à Berlin; *~ Hause* à la maison, chez soi; *~ ebener Erde* au ras du sol, de plain-pied; *~ Lande, ~ Wasser* sur terre, sur mer; *~r Linken, Rechten* à gauche, à droite; du côté gauche, du côté droit; *jdm ~r Seite* au côté de qn; *(auf die Frage: wohin)* à; *~m Bahnhof, ~m Markt, ~r Schule* à la gare, au marché, à l'école; *von Haus ~ Haus* de maison en maison; *~ Paul, ~ Schmidts, ~m Bäcker* chez Paul, chez les Schmidt, chez le boulanger; *~r Tür hinein, ~m Fenster hinaus* par la porte, par la fenêtre; *~ Bett gehen* se coucher; *~ Boden (lang hin)fallen* tomber par terre; *sich jdm ~ Füßen werfen* se jeter aux pieds de qn; *~ Grabe tragen* porter en terre; *sich ~ jdm setzen* s'asseoir à côté de qn; *der Weg ~m Hotel* le chemin de l'hôtel; *der Weg ~m Erfolg, ~r Freiheit* le chemin du succès, de la liberté; *(in Zeitangaben für die Zukunft, meist)* à: *~ Mittag, ~ Abend* le midi, le soir; *~r Nacht* avant la nuit; *~ Weihnachten, ~ Ostern, ~ Pfingsten* à Noël, à Pâques, à (la) Pentecôte; *~r Stunde, ~r Zeit* en ce moment, actuellement; *~r Zeit Ludwig XIV.* au *od* du temps de *od* à l'époque de Louis XIV; *~ allen Zeiten* de *od* en tout temps; *~ gleicher Zeit* en même temps; *~r rechten Zeit* à temps; *von Zeit ~ Zeit* de temps en temps; *~ meiner Zeit* de mon temps; *~ s-n Lebzeiten* de son vivant; *bis ~ s-m Tode* jusqu'à sa mort; *~m erstenmal* od *ersten Male* pour la première fois; *~ Anfang* au début; *~m Schluß* à la fin, finalement, en conclusion; *~ Ende gehen* toucher à sa fin; *(Mittel der Fortbewegung)* à, en; *~ Fuß* à pied; *~ Pferd* à cheval; *~ Schiff* en bateau; *(Zahlenangabe)* à: *~ dreien, ~ dritt* à trois; *~ je dreien* trois par trois; *~ Dutzenden, Hunderten* par douzaines, centaines; *~m Teil* en partie; *~r Hälfte* à moitié; *~ einem Drittel* pour un tiers; *im Verhältnis eins ~ drei* dans la proportion de un à trois; *2 ~ 1 (sport)* (par) 2 à 1; *(Verhältnis, Beziehung): im Vergleich ~* comparé avec; *im Gegensatz ~* par opposition à; *~ jdm sagen* dire à qn; *die Liebe ~ Gott, ~m Vaterland* l'amour *m* de Dieu, de la patrie; *etw ~ etw essen, trinken* manger, boire qc avec qc; *~m neuen Jahr* pour la nouvelle année; *(Veränderung)* en; *~ Eis werden* se transformer en glace; *~ Staub zerfallen* tomber en poussière; *~ Brei verrühren* réduire en bouillie; *~m König machen, wählen, krönen* faire, élire, couronner roi; *~m Hauptmann befördert werden* être promu capitaine; *sich jdn ~m Freunde, ~m Feinde machen* se faire un ami, un ennemi de qn; *(Zweck)* à, pour: *~ diesem Zweck* à cette fin, à cet effet; *~ deinem Besten* pour ton bien; *~ Ehren (gen)* en l'honneur (de); *~m Beispiel* par exemple; *~m Spaß* par plaisanterie; *~ Hilfe!* au secours! *~m Wohl!* à votre (ta) santé! *(mit verblaßter Bedeutung): ~ Besuch* en visite (*bei* chez); *~r Not* à la rigueur; *~ Recht* de droit; *(Hotel) ~m Goldenen Löwen, ~m Weißen Roß* (hôtel) du Lion d'or, du Cheval blanc; *(beim inf)* à, de, *bzw. bleibt unübersetzt; um ~* pour; **2.** *adv (örtl.): auf den Baum ~* vers l'arbre; *auf Paris ~* vers Paris; *nach Süden ~* vers le sud; *(zeitl.) ab und ~* de temps en temps *od* à autre; *(vor e-m a* od *adv)* trop; *~ groß, ~ wenig* trop grand, trop peu; *~ viel, ~ sehr* trop; *gar ~ (bescheiden)* par trop (modeste); *~ (bescheiden), als daß ...* trop (modeste) pour que *subj; (geschlossen)* fermé; *Tür ~!* ferme(z) la porte! *interj fam (los! beeile dich, beeilt euch!)* oust(e)! en vitesse! *nur ~!* allez-y!

zualler|erst [-'--'-] *adv* en tout premier lieu, avant tout, tout d'abord; **~letzt** [-'--'-] *adv* en tout dernier lieu; **~mindest** [-'--'-] *adv* tout au moins, à tout le moins, pour le moins.

zu=ballern ['tsu:-] *tr fam (Tür zuknallen)* claquer.

zu=bauen ['tsu:-] *tr* fermer (par une *od* des construction(s)).

Zubehör *n, a. m* ‹-(e)s, -e› ['tsu:bəhø:r] *tech* accessoires *m pl; mit ~* avec les accessoires; **~teil** *n tech* accessoire *m.*

zu=beißen ['tsu:-] *itr* mordre; *(bes. von Tieren)* happer.

zu=bekommen ['tsu:-] *tr (als Zugabe)* recevoir *od* avoir en plus *od* en sus; *(Verschluß, Tür)* parvenir *od* réussir à fermer.

Zuber *m* ‹-s, -› ['tsu:bər] cuve *f,* cuvier; *(kleiner)* cuveau, baquet *m.*

zu=bereit|en ['tsu:-] *tr (bes. Küche)* préparer, apprêter, accommoder, cuisiner, faire; **Z~er** *m* préparateur, apprêteur *m;* **Z~ung** *f* préparation *f,* accommodage *m.*

Zubettgehen *n* [tsu'bɛt-] coucher *m; vor dem ~ (a.)* avant de se coucher.

zu=billig|en ['tsu:-] *tr* accorder; *(zugestehen)* concéder; **Z~ung** *f* accord *m;* concession *f.*

zu=binden ['tsu'-] *tr* lier, fermer.

zu=bleiben ['tsu:-] *itr* rester fermé.

zu=blinzeln ['tsu:-] *itr* faire signe des yeux (*jdm* à qn).

zu=bring|en ['tsu:-] *tr (in die Ehe)* apporter; *(Zeit)* passer, employer (*mit* à); *(zumachen können)* pouvoir fermer; *s-e Zeit damit ~~, etw zu tun* passer son temps à faire qc; *s-e Zeit mit Lesen ~~* passer son temps à lire; *zugebrachte(n) Kinder n pl* enfants *m pl* du premier lit; *zugebrachte(s) Vermögen n* apports *m pl;* **Z~er** *m tech* dispositif d'alimentation, transporteur; *(am Gewehr)* élévateur *m; (Straße)* route *f* d'accès; **Z~erdienst** *m aero* service *m* d'acheminement (des passagers); **Z~erfeder** *f (am Gewehr)* ressort *m* d'élévateur; **Z~erflugzeug** *n* avion *m* d'apport; **Z~erindustrie** *f* industrie *f* nourricière; **Z~erstraße** *f* route d'accès; *(zur Autobahn)* bretelle *f* de raccord; **Z~erverkehr** *m aero* liaison *f* aéroport-ville; services *m pl* affluents (à une ligne).

Zubuße *f* ['tsu:-] *(Geldzuschuß)* supplément *m; (Zuschlag)* surtaxe *f; (Draufgeld)* arrhes *f pl.*

Zucht *f* ‹-, (-en)› [tsuxt] *(Pflanzenzucht)* culture *f; (Tierzucht)* élevage *m; (Tiere e-r ~)* race; *(Manneszucht, strenge Ordnung)* discipline *f; (gutes Benehmen)* manières *f pl,* conduite *f* exemplaire; *(gute Sitten)* bonnes mœurs *f pl; (Ehrbarkeit)* honnêteté;

(Sittsamkeit) vertu, pudicité, chasteté *f; (sich) an ~ gewöhnen* (se) discipliner; *(gute) ~ halten* maintenir la discipline; *hier herrscht ~ und Ordnung!* je ne tolère pas d'indiscipline; **~bulle** *m* taureau *m* étalon; **~champignon** *m* champignon *m* de culture *od* de couche; **z~fähig** *a (bes. Kuh)* portière *(adj f)*; **~haus** *n* maison *f* de réclusion *od* centrale; *(Strafanstalt)* pénitencier *m; (~~strafe)* réclusion *f; (früher)* travaux *m pl* forcés; *fünf Jahre ~~* cinq ans de réclusion; *lebenslängliche(s) ~~* réclusion *f* perpétuelle *od* à perpétuité *od* à vie; **~häusler** *m* réclusionnaire, forçat *m;* **~hausstrafe** *f* réclusion *f;* **~hengst** *m* étalon *m;* **~henne** *f* poule *f* d'élevage; **z~los** *a* indiscipliné; *(unbotmäßig)* insubordonné; *(sittenlos)* sans mœurs; *(Leben)* déréglé, dissolu; **~losigkeit** *f* ⟨-, ø⟩ indiscipline; insubordination *f;* dérèglement *m,* dissolution *f;* **~meister** *m fig* maître *m* de discipline; **~perle** *f* perle *f* de culture; **~rute** *f* verge, férule *f; ~~ Gottes (fig)* fléau *m* de Dieu; **~sau** *f* truie *f* d'élevage; **~schaf** *n* brebis *f* d'élevage; **~stute** *f* (jument) poulinière *f;* **~tier** *n: männliche(s) ~~* animal *m* géniteur; **~vieh** *n* animaux *m pl* reproducteurs; **~wahl** *f biol: natürliche ~~* sélection *f* naturelle.

zücht|en ⟨*züchtete, gezüchtet*⟩ ['tsʏçtən] *tr (Pflanzen, Perlen)* cultiver; *(Tiere)* élever; **Z~er** *m* ⟨-s, -⟩ *(Pflanzen-, Perlenzüchter)* cultivateur; *(Viehzüchter)* éleveur *m;* **~ig** *a (sittsam)* modeste, honnête, décent, vertueux; *(keusch)* chaste, pudique; **~igen** *tr* corriger, châtier; **Z~igkeit** *f* ⟨-, ø⟩ modestie, honnêteté, décence, vertu; chasteté, pudicité *f;* **Z~igung** *f* correction *f* châtiment *m; körperliche ~~* peine *od* punition *f* corporelle; **Z~igungsrecht** *n* droit *m* de correction; **Z~ung** *f (von Pflanzen, Perlen)* culture *f; (von Vieh)* élevage *m.*

zuck|eln ⟨*ich zuck(e)le, du zuckelst; zuck(e)le*⟩ ['tsukəln] *itr fam (sich langsam fortbewegen)* cheminer; **~en** *itr (zs.fahren)* tressaillir, sursauter, faire un sursaut; *(bes. med)* trépider; *(geschlachtetes Tier)* palpiter; *(Blitz)* jaillir; *ohne mit der Wimper zu ~~* sans sourciller; *mit den Achseln ~~* hausser les épaules; *es ~t mir in den Gliedern, mir ~~ die Glieder* j'ai des douleurs rhumatismales; *es ~t mir in den Händen (fig)* les doigts me démangent; *Blitze ~ten durch die Luft* des éclairs sillonnaient le ciel; **Z~en** *n (Zs.fahren)* tressaillement, sursaut *m;* trépidation; palpitation(s *pl*) *f;* jaillissement *m; nervöse(s) ~~ (med)* tic *m* nerveux; **~end** *a* palpitant; **Z~ung** *f med* convulsion *f,* spasme *m.*

zücken ['tsʏkən] *tr (Schwert: schnell ziehen)* tirer.

Zucker *m* ⟨-s, (-)⟩ ['tsukər] sucre *m; etw mit ~ bestreuen, ~ auf etw streuen* saupoudrer qc de sucre; *~ haben (med fam)* être diabétique; *~ (zum Kaffee) nehmen* prendre du sucre (avec le café), mettre du sucre (dans le café); *~ in etw tun* sucrer qc; *(sich) in ~ verwandeln* (se) saccharifier; *gebrannte(r) ~* sucre *m* caramélisé; *feine(r), gestoßene(r) ~* sucre *m* en poudre; *grobe(r) ~ (Kristallzucker)* sucre *m* cristallisé *od* à fruits; **~bäcker** *m (Konditor)* pâtissier (et confiseur) *m;* **~bildung** *f chem* saccharification *f;* **~couleur** *f* ⟨-, ø⟩ [-ku'lø:r] sucre *m* caramélisé; **~dose** *f* sucrier *m;* **~fabrik** *f* raffinerie de sucre, sucrerie *f;* **~fabrikation** *f* fabrication *f* du sucre; **~gast** *m ent* lépisme *m;* **~gehalt** *m* teneur *f* en sucre; **~gehaltsmesser** *m tech* saccharimètre *m;* **~gewinnung** *f* extraction *od* production *f* de sucre; **~guß** *m* glace *f* (de sucre); *mit ~~* glacé; **z~haltig** *a* saccharifère, qui contient du sucre; **~harnruhr** *f = ~krankheit;* **~hut** *m* pain *m* de sucre; **z~ig** *a* sucré; *scient* saccharin; **~industrie** *f* industrie *f* sucrière; **~kand** *m* ⟨-(e)s, ø⟩ , **~~is** *m* ⟨-s, ø⟩ [-'kant, -dıs] sucre *m* candi; **z~krank** *a* diabétique, glycosurique; **~krankheit** *f* diabète *m* (sucré); **~löffel** *m* cuiller *f* à sucre; **~lösung** *f* solution *f* de sucre; **z~n** *tr* sucrer; **~n** *n* sucrage *m;* **~plätzchen** *n* pastille *f;* **~raffinerie** *f* raffinerie *f* de sucre; **~rohr** *n bot* canne *f* à sucre; **~rohrpflanzung** *f* plantation *f* de cannes à sucre; **~rohrsaft** *m* suc de canne, vesou *m;* **~rübe** *f bot* betterave *f* à sucre *od* sucrière; **~rübenbau** *m* culture *f* betteravière; **~säure** *f chem* acide *m* saccharique; **~schälchen** *n* soucoupe *f* à sucre; **~spiegel** *m med* teneur *f* en sucre; **~streuer** *m* sucrier *m* à saupoudrer; **z~süß** *a* sucré *a. fig; fig paj* doux comme (le) miel, mielleux; douceâtre, doucereux; **~wasser** *n* eau *f* sucrée; **~zange** *f* pince *f* à sucre; **zuckrig** *a = z~ig.*

zu=decken ['tsu:-] *tr* (re)couvrir (*mit* de); *(mit dem Deckel)* mettre le couvercle sur; *sich ~* se couvrir.

zudem [tsu'de:m] *adv* en outre, de plus; *(übrigens)* au *od* du reste, d'ailleurs.

zu=denken ['tsu:-] *tr: jdm etw ~* destiner qc à qn.

zu=diktieren ['tsu:-] *tr (Strafe)* infliger.

Zudrang *m* ⟨-(e)s, ø⟩ ['tsu:-] afflux *m,* affluence, presse *f.*

zu=drehen ['tsu:-] *tr (Hahn)* fermer (en tournant); *(zuschrauben)* visser; *jdm den Rücken ~* tourner le dos à qn.

zudringlich ['tsu:-] *a* pressant, importun, indiscret; *jdm gegenüber ~ werden* importuner qn; **Z~keit** *f* importunité, indiscrétion *f.*

zu=drücken ['tsu:-] *tr* fermer (en pressant *od* en serrant); *jdm die Augen ~ (nach dem Tode)* fermer les yeux à qn; *ein Auge bei etw ~ (fig fam)* fermer les yeux sur qc.

zu=eign|en ['tsu:-] *tr (zu eigen geben)* donner, offrir; *(widmen)* dédier, dédicacer; *vom Verfasser zugeeignet* avec hommage de l'auteur; **Z~ung** *f (Widmung)* dédicace *f.*

zueinander [-'nandər] *adv* l'un à l'autre; *~ kommen* se rencontrer, se voir; *~ passen* aller ensemble.

zu=erkenn|en ['tsu:-] *tr (zugeben, zusprechen)* reconnaître; *(Besitz: zuerteilen)* adjuger; *(Recht)* attribuer, consentir; *(Preis, Belohnung)* décerner; *(Strafe)* infliger; **Z~ung** *f* adjudication, attribution *f,* consentement; décernement *m.*

zuerst [-'-] *adv* premièrement, en premier lieu; d'abord; *(als erster)* le premier; *gleich* dès le commencement, dès le début; *~ etw tun* commencer par faire qc; *wer ~ kommt, mahlt ~ (prov)* les premiers chaussent les bottes.

zu=erteilen ['tsu:-] *tr (Besitz)* adjuger.

zu=fächeln ['tsu:-] *tr: jdm Luft ~* éventer qn; *sich Luft ~* s'éventer.

zu=fahr|en ['tsu:-] *itr* se diriger, aller, rouler (*e-r S* od *auf e-e S* vers qc); *auf jdn ~~ (losgehen)* se précipiter, se jeter sur qn; *direkt auf jdn ~~* arriver droit sur qn; *fahr zu! (los, weiter!)* va, démarre; **Z~t** *f* accès *m;* **Z~tsrampe** *f* rampe *f* d'accès; **Z~tsstraße** *f* bretelle, route *f* d'accès, chemin *m* de desserte.

Zufall *m* ['tsu:-] hasard; *lit* aléa; *jur* cas *m* fortuit; *(Gelegenheit)* occurrence *f; durch ~* par hasard, par accident; *durch e-n glücklichen ~* par raccroc; *etw dem ~ überlassen* laisser *od* livrer *od* remettre qc au hasard; *es dem ~ überlassen (a.)* s'en remettre au hasard; *das ist (reiner) ~* c'est un (pur) hasard; *der ~ wollte es, daß ...* le hasard a voulu que ...; *glückliche(r) ~* chance *f,* heureux hasard, coup *m* de hasard, bonne fortune *f; unglückliche(r), widriger ~* contretemps, accident *m;* **zu=~en** *itr (Deckel, Tür)* se (re)fermer (brusquement); *(zuteil werden)* échoir, revenir, être dévolu (*jdm* à qn); *jdm durch Erbschaft ~~* échoir à qn en héritage; *die Augen fallen mir zu* mes yeux se ferment (malgré moi); *vor Müdigkeit* je tombe de sommeil; **~sbekanntschaft** *f* connaissance *f* fortuite; **~sergebnis** *n* effet *m* du hasard; **~smehrheit** *f parl* majorité *f* d'occasion; **~stor** *n sport* but *m* dû au hasard; **~streffer** *m* raccroc *m;* **~szahl** *f* nombre *m* aléatoire.

zufällig ['tsu:-] *a* fortuit, accidentel; *philos* contingent; *(gelegentlich)* occasionnel, casuel; *adv* par hasard *(a. iron in Fragen);* accidentellement, fortuitement, par accident, par occasion, par occurrence; *(absichtslos)* sans dessein; *jdn ~ treffen (a. fam)* tomber sur qn; *~ etw tun* venir à faire qc; **~erweise** *adv = ~ (adv);* **Z~keit** *f* hasard *m; philos* contingence *f.*

zu=fassen ['tsu:-] *itr (sich bedienen)* se servir; *(die Gelegenheit ergreifen)* saisir l'occasion; *a. = zupacken (Hand anlegen).*

zu=fliegen ['tsu:-] *itr (entflogener Vogel)* entrer (*jdm* chez qn); *(Tür)* se fermer brusquement; *jdm ~ (fig)* tomber du ciel à qn; *alle Herzen fliegen ihm zu (fig)* il gagne tous les cœurs.

zu≈fließen ['tsu:-] *itr (Fluß)* couler *(dem Meer* vers la mer); *(Wasser in ein Bassin, e-n Behälter; fig: zuteil werden)* affluer (*jdm* à qn); *e-m Fonds* ~ être affecté à un fonds; *Wasser ~ lassen* amener de l'eau; *die Gedanken fließen ihm zu* les idées affluent à son esprit.

Zuflucht *f* ⟨-, ø⟩ ['tsu:-] *(Tätigkeit)* recours; *(Ort)* refuge, asile *m; (s-e) ~ nehmen zu* recourir, avoir recours à; *~ suchen, finden* chercher, trouver refuge; **~sort** *m,* **~sstätte** *f* (lieu de) refuge *od* (d')asile *m.*

Zufluß *m* ['tsu:-] *(Nebenfluß)* affluent *m; (von Wasser)* amenée, arrivée; *fig (Zuströmen)* affluence *f; fin* afflux *m;* **~menge** *f* quantité *f* amenée; **~regler** *m* régulateur *m* d'amenée; **~rohr** *n* tuyau *m* d'amenée.

zu≈flüstern ['tsu:-] *tr: jdm etw ~* chuchoter qc à qn, glisser qc à l'oreille de qn; *(vorsagen)* souffler qc à qn.

zufolge [tsu'fɔlgə] *prp (gen, nachgestellt: dat) (gemäß)* d'après, selon, suivant; *(nach dem Wortlaut)* aux termes (*gen* de); *dem Befehl ~* conformément à l'ordre.

zufrieden [tsu'fri:dən] *a* content, satisfait (*mit* de); *~ machen* contenter, satisfaire; *mit etw ~ sein* se contenter *od* se louer de qc; *mit etw ~ sein können* pouvoir s'estimer content de qc; *ich bin es ~* soit! je veux bien! j'y consens! **~≈geben,** *sich* se contenter (*mit* de); *sich mit leeren Worten ~~* se payer de phrases; **Z~heit** *f* ⟨-, ø⟩ contentement *m,* satisfaction *f; zur allgemeinen ~~* à la satisfaction générale; **~≈lassen** *tr* laisser tranquille *od* en paix; ~≈stellen *tr* contenter, satisfaire; *schwer ~zustellen(d)* difficile à contenter; **~stellend** *a* satisfaisant; **Z~stellung** *f* satisfaction *f.*

zu≈frieren ['tsu:-] *(ist zugefroren) itr* geler (complètement), se couvrir de glace, prendre.

zu≈fügen ['tsu:-] *tr (hinzufügen)* ajouter; *(Verlust, Niederlage)* infliger; *(Schaden, Schmerz, Leid, Böses)* faire, causer; *jdm etw Böses ~ (a.)* faire du tort à qn.

Zufuhr *f* ⟨-, -en⟩ ['tsu:fu:r] *(Warenzufuhr)* arrivage, approvisionnement; *(von Lebensmitteln, a. mil)* ravitaillement *m; tech* amenée, adduction, arrivée *f; die ~ abschneiden* couper le ravitaillement; **~regler** *m tech* régulateur *m* d'admission *od* d'alimentation; **~stockung** *f* interruption *f* du ravitaillement.

zu≈führ|en ['tsu:-] *tr (Menschen)* (a)mener, conduire (*jdm* à qn); *(Waren)* apporter; *tech* amener; *jdm etw* approvisionner, ravitailler, alimenter qn en qc; *s-r Bestimmung ~~* amener à destination; *e-r Maschine Wasser, Öl ~~* alimenter une machine en eau, en huile; *s-m Verderben ~~* ruiner; **Z~er** *m tech, a. mil* transporteur *m;* **Z~ung** *f tech = Zufuhr; mil (MG)* transport *m;* **Z~ungsdraht** *m* fil *m* d'amenée *od* d'arrivée; **Z~ungskabel** *n* câble *m* d'amenée *od* d'arrivée; **Z~ungsleitung** *f* conduite *f* d'amenée *od* d'arrivée; **Z~ungsrohr** *n* tuyau *m* d'amenée *od* d'arrivée.

zu≈füllen ['tsu:-] *tr (Loch)* remplir, combler; *(Flüssigkeit)* ajouter, verser.

Zug *m* ⟨-(e)s, ¨e⟩ [tsu:k, 'tsy:gə] **1.** *(Ziehen)* traction *f; (bei e-m Brettspiel)* coup *m; fig (Tendenz)* tendance *f; (Gezogenwerden, Neigung)* penchant; *(Vorrichtung zum Ziehen)* dispositif de traction; cordon; *(Atemzug)* souffle *m; (~ beim Rauchen)* bouffée *f; (Schluck)* coup, trait *m,* gorgée *f; (Luftzug)* courant d'air, vent coulis; *(~ e-s Kamins* od *Ofens)* tirage; *(beim Schreiben)* trait *m* (de plume); *(gezogener Lauf der Feuerwaffen)* rayure *f; (Gesichtszug)* trait, linéament; *(Charakterzug)* trait; *(Grundzug)* trait *m* fondamental, caractéristique *f; (Bewegung der Wolken)* passage; *(Vogelzug)* passage *m,* passe, migration; *(Marsch)* marche *f; (Vorbeimarsch)* passage, défilé *m; (Feldzug)* campagne, expédition *f* (militaire); *(ziehende Vögel)* vol *m,* volée; *(Tiere)* bande *f; (Gespann)* attelage *m; (Menschen)* file, suite *f; (Geleitzug)* cortège; *(Festzug)* défilé *m, rel* procession *f; loc* train *m; mil (Einheit)* section *f; mar (Geleitzug)* convoi *m;* **2.** *in einem ~e (auf einmal)* d'un seul trait *od* coup, tout d'une traite, *fam* tout d'une trotte; *im ~e (gen)* au cours (de), en fonction (de); *in groben Zügen (ungefähr)* en gros; *in großen Zügen (zs.fassend)* à grands traits; *mit dem ~ (loc)* par le train; *~ um ~* du tac au tac, donnant donnant; *zum ~e begleiten* accompagner à la gare; *jdn an den ~ bringen (a. fam)* embarquer qn dans le train; *in vollen Zügen einatmen* respirer à pleins poumons; *in den ~ einsteigen* monter dans le train; *in vollen Zügen genießen* jouir pleinement (*etw* de qc); *einen guten ~ haben (fam)* avoir une bonne descente; *den ersten ~ haben (beim Brettspiel)* avoir le trait; *etw gut im ~ haben* avoir qc bien en main; *keinen ~ haben (Ofen)* ne pas avoir assez de tirage; *zum ~e kommen (fig)* avoir une chance; *nicht zum ~(e) kommen (fig)* n'avoir pas de chance; *zum ~(e) kommen lassen (fig)* donner une chance *(jdm* à qn); *in den letzten Zügen (im Sterben) liegen* être à l'agonie; *(Wild)* être aux abois; *im besten ~(e) sein (fig)* être en bonne voie, aller bon train; *den ~ verpassen* manquer *od* rater *od fam* louper le train; *Sie sind am ~ (beim Brettspiel)* à vous de jouer; *da ist kein ~ (Schwung) drin* cela manque d'entrain *od* de verve; *der ~ hat Verspätung* le train a du retard; *ein ~ der Zeit* un trait de l'époque; *durchgehende(r) ~* train *m* direct; **~abstand** *m* espacement *m* des trains; **~abteil** *n* compartiment *m;* **~anker** *m arch* tirant *m;* **~anschluß** *m loc* correspondance *f* (des trains); **~band** *n arch* tirant *m;* **~beanspruchung** *f tech* effort *m* de traction *od* de tension; **~begleitung** *f loc = ~personal;* **~belastung** *f tech* charge *f* de traction *od* de tension; **~beleuchtung** *f* éclairage *m* des trains; **~bereich** *m mil* zone *f* de section; **~bildung** *f* formation *f* des trains; **~brücke** *f* pont-levis *m;* **~dichte** *f loc* densité *od* fréquence *f* des trains; **~dienstleiter** *m loc* chef *m* de station; **~elastizität** *f tech* élasticité *f* de traction; **~entgleisung** *f* déraillement *m;* **~exerzieren** *n mil* école *f* de section; **~feder** *f* ressort de traction; *(der Uhr)* ressort *m* de barillet; **z~fest** *a tech* résistant à la traction; **~festigkeit** *f tech* résistance *f* à la traction; **~folge** *f loc* succession *f* des trains; *die ~~ verdichten* multiplier les trains; **~führer** *m loc* conducteur (chef), chef de train; *mil* chef *m* de section; **~funk** *m* téléphonie *f* radio-train; **~garnitur** *f loc* rame *f;* **~gewicht** *n tech* contrepoids *m* d'entraînement; **~haken** *m (am Gespann)* crochet d'attelage; *loc tech* crochet *m* de traction; **~hebel** *m (der Wasserspülung)* levier *m* de cloche; **z~ig** *a* exposé aux courants d'air; **~kette** *f tech* chaîne de traction; *loc* chaîne *f* d'attelage; **~kraft** *f* force de traction; *fig* (force d')attraction *f;* **z~kräftig** *a* attractif; *~~ sein (a.)* attirer la foule; **~kraftmesser** *m tech* dynamomètre *m* de traction; **~leine** *f (Schleppseil)* (câble *m* de) remorque *f;* **~leistung** *f* puissance *f* de traction; **~linie** *f math phys* tractrice, tractoire *f;* **~luft** *f* courant d'air, vent *m* coulis; *Angst f vor ~~* aérophobie *f;* **~maschine** *f tech* machine *f* tractive; *mot* tracteur *m;* **~meldedienst** *m loc* signalisation *f;* **~meldung** *f* annonce *f* du train; **~mittel** *n fig* attraction *f* (foraine), moyen *m* d'attirer la foule; **~netz** *n* filet *m* de pêche; **~nummer** *f loc* numéro *m* de train; **~ochse** *m* bœuf *m* de trait; **~personal** *n loc* personnel *m* du train; **~pferd** *n* cheval *m* de trait *od* de harnais; **~pflaster** *n pharm* vésicatoire *m;* **~regler** *m (e-r Feuerstelle)* tablier *od* régulateur *m* de tirage; **~richtung** *f mete (e-s Tiefs)* trajectoire *f;* **~schaffner** *m* contrôleur *m;* **~schalter** *m el* interrupteur *m* à tirette; **~schieber** *m tech* registre *m;* **~schnur** *f* tirette *f,* cordon *m;* **~schraube** *f aero* hélice *f* tractive; **~seil** *n (Pferd)* trait *m; loc* prolonge *f; (Seilbahn)* câble tracteur; *(Schleppseil)* (câble *m* de) remorque; *mar (Trosse)* (h)aussière *f;* **~spannung** *f tech = ~beanspruchung;* **~stange** *f tech* barre *f* de traction, tirant *m; loc* barre *f* d'attelage; **~stiefel** *m* bottine *f* à élastiques; **~streife** *f (mil, Polizei)* patrouille *f* (de contrôle) des trains; **~stück** *n theat* pièce *f* à succès; *fam* clou *m;* **~tier** *n* bête *f* de trait *od* de somme *od* de labour; **~trupp** *m mil* groupe *m* de commandement de section; **~unglück** *n* accident *m* de chemin de fer; ~**verbindung** *f* communications *f pl* ferroviaires; ~**verkehr** *m* circulation *f* ferroviaire; ~**verspätung** *f* retard *m* du train; ~**versuch** *m tech* essai *m od* épreuve *f* de traction; ~**vieh** *n* bêtes *f pl* de trait *od* de somme *od* de labour; ~**vogel** *m a. fig* oiseau *m* migrateur; ~**wache** *f* garde *f* des trains; **z~weise** *adv mil* par sections; ~**widerstand** *m tech* résistance *f* à la traction; ~**winde** *f tech (Flaschenzug)* palan *m;* ~**wirkung** *f tech* effet *m* de traction; ~**zünder** *m tech* allumeur *m* à traction.

Zugabe *f* ['tsu:-] supplément, extra *m; (beim Einkauf)* prime; *(Übergewicht)* bonne mesure *f; mus;* morceau *m* hors programme; *als ~* en supplément; *com* en prime; *mus* hors programme.

Zugang *m* ['tsu:-] *(Zutritt)* accès (*zu* à) *(Umgegend)* abord(s *pl*) *m*, approche(s *pl*) (*zu* de); *(Zuwachs)* augmentation *f*, accroissement, surcroît; *(Hinzugekommener im Krankenhaus, Gefängnis etc)* nouveau venu *m; com (Wareneingang)* entrées *f pl*, arrivage *m; (Neuerwerbung)* nouvelle acquisition *f; pl (Museum)* derniers enrichissements *m pl; die Zugänge eintragen* enregistrer les nouvelles acquisitions; *~ zu jdm finden* trouver accès auprès de qn; *jdm ~ gewähren* donner accès à qn; *~ zu jdm haben* avoir accès auprès de qn; *sich ~ verschaffen zu* se procurer accès à; *kein ~!* on ne passe pas; *~ verboten!* accès interdit; ~**sgraben** *m mil* boyau *m* d'approche; ~**sleiter** *f* échelle *f* d'accès; ~**snummer** *f (Matrikelnummer)* numéro *m* (de) matricule; ~**sweg** *m* voie *f* d'accès.

zugänglich ['tsu:-] *a, a. fig* accessible, abordable; *fig* d'un abord facile; *fam pej (Frau)* pas farouche; *jedermann ~ (Sache)* ouvert à tout le monde *od* au public; *schwer ~ (Mensch)* d'un abord difficile; **Z~keit** *f* ‹-, ø› *a. fig* accessibilité *f; fig* abord *m* facile.

zu≠geben ['tsu:-] *tr* ajouter; *com* donner en plus *od* en supplément *od* par-dessus le marché; *fig (einräumen)* admettre, accorder, concéder; *(eingestehen)* avouer; *mus* jouer hors programme; *Sie geben zu, daß ... (a.)* je ne vous fais pas dire que ...; *zugegeben ...* admettons ...; *zugegeben!* d'accord!

zugegen [tsu'ge:gən] *a (anwesend)* présent (*bei* à); *bei etw ~ sein (a.)* assister à qc.

zu≠geh|en ['tsu:-] *itr (sich schließen lassen)* (se) fermer; *auf jdn, etw ~~* aller, (s')avancer vers qn, vers qc; s'approcher de qn, de qc; *jdm ~~ (zugestellt werden)* être envoyé *od* expédié à qn; *impers (geschehen)* se passer, se faire, arriver; *dem Ende ~~ (bald zu Ende sein)* toucher à sa fin; *wenn man auf die 50 ~t* aux approches de la cinquantaine; *auf die 50 ~~* aller sur ses 50 ans; *(nach oben) spitz ~~* se terminer en pointe; *das geht nicht mit rechten Dingen zu* ce n'est pas naturel *od* normal; *fam* ce n'est pas très catholique; *hier geht es lustig zu* ici on s'amuse bien; *so geht es in der Welt zu* ainsi va le monde; *wie geht das zu?* comment cela se fait-il? *wie ist das zugegangen?* comment cela s'est-il passé? **Z~frau** *f* femme *f* de ménage.

zugehörig ['tsu:-] *a (dat)* qui appartient à, qui fait partie de; *(passend)* qui va avec; **Z~keit** *f* ‹-, ø› *(zu e-r Vereinigung etc)* appartenance; *(Mitgliedschaft)* qualité *f* de membre.

zugeknöpft ['tsu:-] *a fig (unzugänglich)* renfermé, réservé, collet monté.

Zügel *m* ‹-s, -› ['tsy:gəl] *a. fig* rêne; *fig a.* bride *f*, frein *m; mit verhängten ~n* à bride abattue, à toute bride; *die ~ anziehen (a. fig)* serrer les rênes; *die ~ fest in der Hand haben (fig)* tenir les rênes; *die ~ fest in der Hand haben (fig)* tenir les rênes; *die ~ locker lassen* od *lockern (a. fig)* lâcher les rênes *od* la bride *od* la main; *die ~ (fest) in die Hand nehmen (fig)* prendre les brides; *jdm die ~ schießen lassen (fig)* lâcher la bride, donner toute liberté à qn; **z~los** *a fig* débridé, sans frein, effréné; *(Leben)* déréglé, dissolu; ~**losigkeit** *f* ‹-, ø› *fig* dévergondage, libertinage, dérèglement *m*, licence, dissolution *f;* **z~n** *tr, a. fig* brider, tenir en bride; *fig* freiner, mettre un frein à, refréner, contenir; *sich ~* se contenir, se maîtriser.

zugelassen ['tsu:-] *a adm* admis; *(zu e-r Prüfung)* admissible.

zu≠gesellen ['tsu:-]: *sich jdm ~* se joindre, s'associer à qn.

zugestandenermaßen ['tsu:-'ma:sən] *adv* comme admis *od* reconnu; de son propre aveu.

Zugeständnis *n* ['tsu:-] concession *f; ~se machen* faire des concessions.

zu≠gestehen *tr (zugeben)* admettre; *a. = bewilligen)* accorder, concéder; *zugestanden ...* admettons ...

zugetan ['tsu:-] *a* attaché (*jdm* à qn); *(ergeben)* dévoué (*jdm* à qn); *jdm ~ sein (a.)* avoir de l'affection pour qn.

Zugewanderte(r) *m* ['tsu:-] immigrant *m*.

Zugewinn *m* ['tsu:-] *jur* acquêts *m pl;* ~**gemeinschaft** *f* communauté *f* d'acquêts, (régime *m* de la) communauté *f* réduite aux acquêts.

zu≠gießen ['tsu:-] *tr (Loch)* remplir (*mit* de); *(Getränk)* verser; *darf ich Ihnen (noch) Kaffee ~?* puis-je vous verser encore du café?

zugleich [tsu'glaıç] *adv* en même temps, à la fois; *(zusammen)* (tout) ensemble; *überall ~ sein (übertreibend)* être présent (à tout et) partout; *alle ~* tous à la fois.

zu≠greifen ['tsu:-] *itr = zufassen.*

Zugriff *m* ['tsu:-] *(Ergreifen)* prise *f; tech (EDV)* accès *m; (Beschlagnahme)* saisie *f; sich dem ~ der Polizei entziehen* se soustraire à l'arrestation.

zugrunde [tsu'grundə] *adv: ~ gehen* périr, se perdre, se ruiner, faire naufrage; *~ legen* prendre pour base; *~ liegen* être à la base de; *~ liegend a (a. scient)* sous-jacent; *~ richten* perdre, ruiner, abîmer, achever; *fam* couler; *sich ~ richten* se perdre, se ruiner; **Z~legung** *f: unter ~~ (gen)* en prenant pour base ...

zu≠gucken ['tsu:-] *itr = zusehen.*

zugunsten [tsu'gunstən] *prp gen* en faveur de, au profit de.

zugute [tsu'gu:tə] *adv: jdm etw ~ halten* tenir compte de qc à qn; porter qc à l'actif de qn; *jdm ~ kommen* profiter à qn, faire le profit de qn; *jdm etw ~ kommen lassen* faire profiter qn de qc; *das ist mir ~ gekommen (a.)* j'en ai bénéficié; *sich etw ~ tun (sich etw leisten)* s'offrir qc; *sich etwas auf etw ~ tun (sich etwas auf etw einbilden)* tirer vanité, se prévaloir de qc.

zu≠haben ['tsu:-] *tr fam (Laden: geschlossen sein)* être fermé; *die Augen ~* avoir les yeux fermés.

zu≠haken ['tsu:-] *tr* agrafer.

zu≠halt|en ['tsu:-] *tr* tenir fermé; *sich die Augen, die Ohren, die Nase ~~* se boucher les yeux, les oreilles, le nez; *jdm den Mund ~~* fermer la bouche à qn; *itr: ~~ auf (sich nähern)* aller droit à, se diriger vers; *mar (zusteuern auf)* mettre le cap sur; **Z~ung** *f tech (Schloß)* gâchette *f;* **Z~ungsfeder** *f* ressort *m* d'arrêt; **Z~ungsschloß** *n* serrure *f* à gâchette.

Zuhälter *m* ['tsu:-] souteneur, proxénète; *pop* maquereau, jules *m;* ~**ei** *f*, ~**wesen** *n* proxénétisme *m*.

zuhanden [tsu'handən] *adv (zur Hand)* sous la main, en main; *prp (auf Briefen: zu Händen)* à l'attention (*von* de).

zu≠hängen ['tsu:-] *tr* couvrir d'un rideau *od* d'un drap *etc.*

zu≠hauen ['tsu:-] *itr fam (drauflosschlagen)* frapper, taper, cogner.

zuhauf [tsu'hauf] *adv poet (in großer Zahl)* en grand nombre, en tas, en foule.

Zuhause *n* [tsu'hauzə] chez-soi, intérieur, home *m; kein ~ mehr haben* n'avoir plus de chez-soi.

zu≠heilen ['tsu:-] ‹*ist zugeheilt*› *itr* guérir, se refermer; *(vernarben)* se cicatriser.

Zuhilfenahme *f* [tsu'hılfə-]*: unter ~ (gen)* avec le secours (de); à grand renfort (de).

zuhinterst [tsu'hıntərst] *adv* tout au bout.

zu≠hör|en ['tsu:-] *itr* écouter (*jdm, e-r S* qn, qc); *sehr genau ~~* écouter de toutes ses oreilles, être tout oreilles; **Z~er** *m* auditeur *m;* **Z~erraum** *m* salle *f* (de conférence); *(bes. Univ.)* amphithéâtre *m;* **Z~erschaft** *f* auditeurs *m pl*, auditoire *m*, assistance *f*.

zuinnerst [tsu'ınərst] *adv* tout à l'intérieur.

zu≠jauchzen ['tsu:-] *itr,* **zu≠jubeln** *itr* acclamer, ovationner (*jdm* qn), faire une ovation (*jdm* à qn).

zu≠kehren ['tsu:-] *tr: jdm das Gesicht, den Rücken ~* tourner son visage vers, le dos à qn.

zu≠kitten ['tsu:-] *tr* boucher avec du mastic, luter.

zu≠klappen ['tsu:-] ‹*aux: haben/sein*›

tr (Behälter, Deckel, Buch) fermer; *itr* se fermer.
zu⸗kleben ['tsu:-] *tr* coller; *(Briefumschlag)* cacheter, fermer.
zu⸗klinken ['tsu:-] *tr* fermer au loquet.
zu⸗knallen ['tsu:-] *tr (Tür)* claquer.
zu⸗knöpfen ['tsu:-] *tr* boutonner; *zum Z~* à boutons, boutonnant.
zu⸗kommen ['tsu:-] *itr* s'avancer (*auf jdn, etw* vers qn, qc); s'approcher (*auf jdn, etw* de qn, de qc); *(gebühren, zustehen)* revenir, être dû (*jdm* à qn); *(sich gebühren, sich gehören)* revenir (*jdm* à qn); *jdm geben, was ihm zukommt* donner à qn son dû; *jdm etw ~ lassen (Nachricht)* faire parvenir qc à qn; *(jdn in den Genuß e-r S kommen lassen)* faire obtenir qc à qn; *etw auf sich ~ lassen (passiv erwarten)* laisser venir qc.
zu⸗korken ['tsu:-] *tr* boucher.
Zukost *f* ['tsu:] *(Brotbelag etc)* garniture *f.*
Zukunft *f* ‹-, ø› ['tsu:-] avenir; *(bildhaft)* lendemain; *gram* futur *m; in ~* à l'avenir, désormais, dorénavant; *in naher ~* dans un proche avenir; *in die ~ blicken* od *schauen* regarder en avant; *an die ~ denken* penser *od* songer au lendemain; *(e-e große) ~ haben* avoir de l'avenir, avoir un bel avenir devant soi; *die ~ lesen* lire dans l'avenir; *jdm die ~ sagen* dire la bonne aventure à qn, tirer *od* dresser *od* faire l'horoscope de qn; *für jds ~ sorgen* assurer l'avenir de qn; *was wird uns die ~ bringen?* que nous réserve l'avenir? **~saussichten** *f pl* perspectives *f pl* d'avenir; *glänzende ~~ haben* avoir un brillant avenir devant soi; **z~sfreudig** *a* optimiste; **~smusik** *f fig iron* promesses *f pl* chimériques *od* en l'air; **~spläne** *m pl* projets *m pl* d'avenir; **z~sreich** *a* qui a de l'avenir; **~sroman** *m* roman *m* d'anticipation; **z~strächtig** *a* plein de promesses d'avenir.
zukünftig ['tsu:-] *a* futur, à venir; *fam (Mensch)* en herbe; *mein ~er Schwiegersohn* mon futur gendre; *adv = in Zukunft;* **Z~e(r** *m***)** *f fam (Verlobter, Verlobte)* futur, e *m f.*
zu⸗lächeln ['tsu:-] *itr: jdm ~* (adresser un) sourire à qn.
Zulage *f* ['tsu:-] supplément *m; (Gehalts-, Lohnzulage)* augmentation (de traitement, de salaire); *(zusätzl. Sozialleistung)* allocation; *(Leistungszulage)* prime (d'encouragement); *mil (Frontzulage)* haute paie *f.*
zulande [tsu'landə] *adv: bei uns, hier~* chez nous, dans notre pays.
zu⸗langen ['tsu:-] *itr (bei Tisch zugreifen)* se servir; *(genügen)* suffire; *tüchtig ~ (beim Essen)* se servir copieusement, *a.* avoir un bon coup de fourchette *fam; langen Sie zu! (bei Tisch)* servez-vous!
zulänglich ['tsu:-] *a (hinreichend)* suffisant; *adv a.* assez; **Z~keit** *f* ‹-, ø› suffisance *f.*
zu⸗lassen ['tsu:-] *tr (geschlossen lassen)* laisser fermé; *fig (Zugang gewähren)* admettre; *(ermächtigen)* autoriser; *(gestatten)* permettre, tolérer, souffrir; *(gutheißen)* agréer; *(Fahrzeug)* immatriculer; *das laßt keinen Zweifel zu* cela ne souffre pas de doute.
zulässig ['tsu:-] *a (annehmbar)* admissible; *(statthaft)* permis, licite, de mise; *jur* recevable; *~e Abweichung f (tech)* tolérance *f; ~ Belastung f* charge *f* admissible; **Z~keit** *f* ‹-, ø› admissibilité; *jur* recevabilité *f.*
Zulassung *f* ‹-, -en› ['tsu:lasuŋ] admission *(zu e-r Prüfung* à un examen); *sport* qualification; *(Ermächtigung)* autorisation; *(Erlaubnis)* permission *f; (Erlaubnisschein)* permis *m; mot* autorisation de circuler, immatriculation *f; ~ als Anwalt* autorisation *f* de plaider; **~santrag** *m* demande *f* d'admission; **~skarte** *f* carte *f* d'admission; **~snummer** *f (e-s Fahrzeugs)* numéro *m* d'immatriculation; **~sprüfung** *f* examen *m* d'admission *od* probatoire; **~sschein** *m (e-s Fahrzeugs)* permis de circulation; *mar aero* certificat *m* de navigabilité; **~sverfahren** *n* procédure *f* d'admission.
Zulauf *m* ‹-(e)s, ø› ['tsu:-] *(von Menschen)* affluence *f,* afflux, concours *m; großen* od *starken ~ haben (sehr besucht, beliebt sein)* être très fréquenté *od* couru; *(in Mode sein)* être en vogue; **zu⸗laufen** *itr* courir (*auf jdn, etw* à, vers qn, qc); *(entlaufener Hund)* entrer (*jdm* chez qn); *(auslaufen, endigen)* se terminer (*spitz* en pointe); *lauf zu! (fam)* dépêche-toi!
zu⸗legen ['tsu:-] *tr (hinzufügen, mehr geben)* ajouter, donner en plus; *jdm etw (zum Gehalt)* augmenter le traitement de qn; *sich etw ~* se pourvoir de qc, se procurer, acheter qc; *fam* se payer, s'offrir qc; *itr (an Tempo)* se dépêcher; *sich e-n Bauch ~ (fam hum)* prendre du ventre; *sich e-e Geliebte* od *Freundin ~ (fam)* s'offrir une maîtresse; *Geld ~ (aus d. eigenen Tasche)* en être de sa poche *fam.*
zuleide [tsu'laɪdə] *adv: jdm etw ~ tun* faire du mal à qn.
zu⸗leimen ['tsu:-] *tr* coller.
zu⸗leit|en ['tsu:-] *tr* diriger (*jdm etw* qc vers qn); adresser (*jdm etw* qc à qn); *(weitergeben)* transmettre (*jdm etw* qc à qn); *tech el* amener (*e-r S* à qc); **Z~ung** *f (Weitergabe)* transmission; *tech (Tätigkeit)* amenée *f; (Wasserzuleitung)* adduction *f; a. = Z~ungsdraht etc;* **Z~ungsdraht** *m* fil *m* d'amenée; **Z~ungshahn** *m tech* robinet *m* d'admission; **Z~ungskabel** *n* câble *m* d'amenée; **Z~ungskanal** *m* adducteur *m;* **Z~ungsrohr** *n* tuyau *m od* conduite *f* d'amenée.
zu⸗lernen ['tsu:-] *tr fam = hinzulernen.*
zuletzt [tsu'lɛtst] *adv (als letzter)* le dernier; *(zum letztenmal)* (pour) la dernière fois; *(am Ende)* à la fin, enfin, finalement, en dernier lieu; *~ kommen* arriver le dernier; *~ etw tun* finir par faire qc; *der ~ Gekommene* le dernier venu.
zuliebe [tsu'li:bə] *adv: jdm ~* pour l'amour de qn; pour faire plaisir à qn.
Zuliefer|er *m* ['tsu:-] ‹-s, -› fournisseur *m;* **~industrie** *f* industrie *f* de sous-traitance.
zu⸗löten ['tsu:-] *tr* souder, fermer par soudage.
Zulu|(kaffer) *m* ‹-(s), -(s)› ['tsu:lu] Zoulou *m;* **~land** *n* Zoulouland *m.*
zum [tsum] = *zu dem.*
zu⸗machen ['tsu:-] *tr (schließen)* fermer, clore; *(zuknöpfen)* boutonner; *(Schuhe)* lacer; *(Brief)* cacheter; *(zustopfen)* boucher; *itr fam (sich beeilen)* se dépêcher; *die ganze Nacht kein Auge ~* ne pas fermer l'œil de (toute) la nuit; *die Tür hinter sich ~* fermer la porte sur *od* derrière soi; *mach zu!* dépêche-toi!
zumal [tsu'ma:l] *adv* surtout, particulièrement, principalement; *conj* u. *~ da* d'autant (plus) que.
zu⸗mauern ['tsu:-] *tr* murer, maçonner; *(Tür, Fenster)* condamner.
zumeist [tsu'maɪst] *adv* pour la plupart; *(zeitl.)* la plupart du temps, le plus souvent.
zu⸗messen ['tsu:-] *tr (knapp ~)* mesurer (*jdm etw* qc à qn); *(Strafe)* infliger.
zumindest [tsu'mɪndəst] *adv* du moins, pour le moins; *(mindestens)* au moins.
zumut|bar ['tsumu:t-] *a* raisonnable; **~e** [tsu'mu:tə] *adv: mir war dabei gar nicht gut* od *recht schlecht ~~* j'étais (assez) mal à l'aise; *mir ist nicht danach ~~* je n'y suis pas disposé; *mir ist nicht zum Lachen ~~* je n'ai pas envie de rire; *mir ist traurig ~~* je suis triste; *wie ist Ihnen ~~?* comment vous sentez-vous? **~en** *tr: jdm etw ~~* demander qc à qn, exiger qc de qn; *jdm zuviel ~~* demander trop à qn; *sich zuviel ~~* présumer de ses forces; **Z~ung** *f* exigence, prétention; *pej* proposition *f* impudente.
zunächst [tsu'nɛ:çst] *adv (vor allem)* avant tout, en premier lieu; *(zuerst)* (tout) d'abord, initialement; *prp dat* tout près de; **Z~liegende,** *das (an das man zuerst denkt)* la première chose qui se présente à l'esprit *od (das zuerst zu tun ist)* à faire.
zu⸗nageln ['tsu:-] *tr* clouer, fermer avec des clous.
zu⸗nähen ['tsu:-] *tr* coudre, fermer par une couture.
Zunahme *f* ‹-, -n› ['tsu:na:mə] accroissement, agrandissement, *m,* augmentation; *(allmähliche)* progression; *(Erweiterung)* extension; *(Verstärkung)* intensification, recrudescence; *(Verschlimmerung)* aggravation *f; ~ der Bevölkerung* accroissement *m* démographique.
Zuname *m* ['tsu:-] ‹-ns, -n› nom de famille; *(Beiname)* surnom; *(Spitzname)* sobriquet *m.*
Zünd|apparat *m* ['tsynt-] *mot* appareil *m* d'allumage; **z~bar** *a* inflammable; **~barkeit** *f* ‹-, ø› inflammabilité *f;* **~batterie** *f mot* batterie *f* d'al-

lumage; **~blättchen** *n mil* amorce *f* (fulminante); **~draht** *m mines* fil *m* d'amorce; **~einrichtung** *f* allumage *m;* **~einstellung** *f mot* réglage *m* de l'allumage; **z~en** ‹*aux: haben*› [-dən] *itr (entflammen)* s'allumer *a. mot;* s'enflammer, s'embraser, prendre feu; *(Blitz)* mettre le feu; *fig (Worte)* enthousiasmer; **z~end** *a (Rede)* enflammé, enthousiasmant; **~er** *m* ‹-s, -› *mines (für Sprengstoff)* détonateur; *el mot* allumeur, appareil *m* d'allumage; *mil* fusée *f; den ~~ (einstellen (mil)* régler la fusée; **~er(ein)stellung** *f* réglage *m* de la fusée; **~flamme** *f tech* veilleuse *f;* **~folge** *f mot* ordre *m* d'allumage; **~funke** *m* étincelle *f* d'allumage; **~hebel** *m mot* manette *f* d'allumage; **~holz** *n,* **~hölzchen** *n* allumette *f;* **~holzmonopol** *n* monopole *m* des allumettes; **~holzschachtel** *f* boîte *f* d'allumettes; **~hütchen** *n mil* capsule fulminante, amorce *f;* **~kabel** *n mot* fil *m* d'allumage; **~kapsel** *f* capsule *f* de poudre fulminante; **~kerze** *f mot* bougie *f* (d'allumage); **~kerzendichtung** *f* joint *m* de bougie; **~kerzenelektrode** *f* électrode *f* des bougies; **~(kerzen)kabel** *n* fil *m* d'allumage; **~ladung** *f mil* charge d'amorce; *(e-r Mine)* charge *f* d'amorçage; **~leitung** *f tech* circuit *m* d'allumage; **~magnet** *m mot* magnéto *f* (d'allumage); **~maschine** *f mines* déflateur *m;* **~masse** *f* composition *od* matière *f* fulminante; **~nadel** *f* percuteur *m;* **~nadelgewehr** *n* fusil *m* à aiguille; **~patrone** *f* cartouche-amorce *f;* **~punkt** *m* point *m* d'allumage; **~punktregelung** *f* réglage *m* du point d'allumage; **~satz** *m* composition *f* fulminante *od* d'allumage; **~schalter** *m* contacteur *od* interrupteur *m* d'allumage; **~schlüssel** *m mot* clé *f* d'allumage *od* de contact; **~schnur** *f* cordeau *m* détonant; mèche, étoupille *f;* **~spannung** *f* tension *f* d'allumage; **~spule** *f* bobine *f* d'allumage; **~stift** *m mot (der ~kerze)* pointe *f* de bougie; *mil* percuteur *m;* **~stoff** *m* matière inflammable; *fig* cause(s *pl*) *f* de conflagration; **~störung** *f mot* panne *f* d'allumage; **~strom** *m* courant *m* d'allumage; **~ung** *f (Artillerie)* mise de feu; *(e-r Explosivladung)* détonation *f; mines* amorçage; *mot* allumage *m; die ~~ ein-, ausschalten* mettre, couper le contact (d'allumage); *die ~~ einstellen* régler l'allumage; *die ~~ versagt* il y a des ratés d'allumage; **~ungseinstellung** *f* réglage *m* d'allumage; **~ungsstörung** *f* panne *f* d'allumage; **~unterbrecher** *m* rupteur *m* d'allumage; **~verstellung** *f* réglage *m* d'allumage; **~verteiler** *m mot* distributeur *m* d'allumage; **~vorrichtung** *f* dispositif d'allumage; *(e-r Bombe)* appareil *m* de mise de feu; **~zeitfolge** *f* = *~folge;* **~zeitpunkt** *m* point *od* moment *m* d'allumage.

Zunder *m* ‹-s, -› ['tsʊndər] *(Pilz u. Zündmittel)* amadou *m; chem* calamine *f; pop (Prügel)* rossée, fessée *f; mil arg (starker Beschuß)* tir *m* vif; *wie ~ brennen* brûler comme une allumette; *jdm ~ geben (jdn verprügeln)* rosser, fesser qn; *~ kriegen (verprügelt werden)* être rossé *od* fessé.

zu=nehmen ['tsu:-] ‹*hat zugenommen*› *itr allg (größer werden, wachsen)* (s'a)grandir, s'accroître; *(d. Mond)* croître; augmenter (*um* de); gagner (*an* en); *(steigen)* monter; *(Mensch: schwerer, dicker werden)* prendre du poids *od* de l'embonpoint *od fam* des formes; *(sich verstärken)* s'intensifier; *(sich verschlimmern)* s'aggraver; *an Stärke ~* prendre des forces; **~d** *a* grandissant; croissant; montant; *mit ~~em Alter* en vieillissant; *in ~~em Maße* de plus en plus, toujours davantage; *~~e Geschwindigkeit f* vitesse *f* accélérée; *~~e Gewitterneigung f* aggravation *f* orageuse; *~~e(r) Mond m* croissant *m.*

zu=neig|en ['tsu:-] *itr (e-r Ansicht, Partei)* pencher, incliner (*dat* vers); *sich ~~ (e-m Menschen)* se pencher (*dat* vers); *sich dem Ende ~~* tirer *od* toucher à sa fin; **Z~ung** *f* penchant *m,* inclination *f; (Anhänglichkeit)* attachement *m; (Sympathie, Liebe)* sympathie, affection *f (zu jdm* pour qn); *für jdn ~~ empfinden* éprouver de l'affection pour qn; *jds ~~ gewinnen* se faire aimer de qn.

Zunft *f* ‹-, ⸚e› [tsʊnft, 'tsʏnftə] *(Innung, Gilde)* corps *m* de métier, corporation; *fig pej* clique, coterie; *(Bruderschaft)* confrérie *f; von der ~ sein* être du métier; *e-e saubere ~ (iron)* une belle confrérie; **~geist** *m* esprit *m* de corps *od* de caste; **~gelehrte(r)** *m* spécialiste; *pej* pédant *m;* **~genosse** *m* membre *od* confrère *m* de la corporation; **~meister** *m* maître *m* juré d'une *od* de la corporation; **~wesen** *n* ‹-s, ø› (régime *m* des) corporations *f pl,* régime *m* corporatif.

zünftig ['tsʏnftɪç] *a* qui fait partie d'une corporation; corporatif; *(fachgemäß)* du métier; *fam, a. iron* comme il faut.

Zunge *f* ‹-, -n› ['tsʊŋə] *anat (a. lit: Sprache)* langue *f; (Riegel; Schuh: Lasche)* languette; *(an der Waage)* aiguille; *(an Blasinstrumenten)* anche *f; mit der ~ anstoßen (lispeln)* zézayer; *sich auf* od *in die ~ beißen (um etw zu verschweigen)* se mordre la langue; *e-e belegte ~ haben* avoir la langue chargée *od* la bouche pâteuse; *e-e böse* od *giftige ~ haben* être mauvaise langue, avoir une langue de vipère; *e-e feine ~ haben* avoir le bec fin, être un gourmet; *sein Herz auf der ~ haben* avoir le cœur sur les lèvres; *e-e scharfe* od *spitze ~ haben (fig)* avoir une langue de vipère; *e-e schwere ~ haben (fig)* avoir la langue épaisse *od* grasse, avoir le parler gras; *s-e ~ im Zaum halten* tenir sa langue; *die ~ heraushängen lassen (Tier)* tirer la langue; *jdm die ~ herausstrecken* tirer la langue à qn; *jdm die ~ lösen* délier *od* dénouer la langue à qn; *mit der ~ schnalzen* faire claquer la langue; *auf der ~ zergehen (Speise: sehr zart sein)* être très tendre, fondre dans la bouche; *es liegt* od *schwebt mir auf der ~* je l'ai sur le bout de la langue; *mir klebt die ~ am Gaumen* j'ai la gorge sèche; *hüte deine ~!* garde le silence; *geräucherte ~ (Küche)* langue *f* fumée.

Zungen|bändchen *n* ['tsʊŋən-] *anat* frein *od* filet *m* de la langue; **~bein** *n anat* (os) hyoïde *m;* **~belag** *m* dépôt *m* sur la langue; **~brecher** *m (Wort* od *Satz)* exercice *m* d'assouplissement de la langue; **z~fertig** *a (redegewandt)* disert; beau parleur; **~fertigkeit** *f* ‹-, ø› facilité d'élocution, volubilité, faconde *f;* **~halter** *m med* abaisse-langue *m;* **~laut** *m gram* linguale *f;* **~pfeife** *f mus* instrument *m* à anche; **~reden** *n rel hist* glossalalie *f;* **~schlag** *m (leichte Sprachstörung)* bredouillement *m;* **~spatel** *m* = *~halter;* **~spitze** *f* bout *m* de la langue; **~wärzchen** *n* papille *f* linguale; **~wurst** *f* pâté *m* de langue; **~wurzel** *f* racine *f* de la langue.

züng|eln ['tsʏŋəln] *itr (Schlange)* darder sa langue; *(Flammen)* serpenter; *an etw empor* lécher qc; **Z~lein** *n (der Waage)* aiguille *f; das ~~ an der Waage (fig)* l'arbitre *m; das ~~ an der Waage bilden* od *sein (fig)* faire pencher la balance.

zunichte [tsu'nɪçtə] *adv: ~ machen* réduire à néant, anéantir, détruire, ruiner; *(Plan)* faire échouer, déjouer; *(Hoffnung)* flétrir; *~ werden* se réduire à néant, s'écrouler.

zu=nicken *itr* faire un signe de tête (*jdm* à qn).

Zünsler *m* ‹-s, -› ['tsʏnslər] *ent* pyrale *f; pl (als Familie)* pyralidés *m pl.*

zunutze [tsu'nutsə] *adv: sich etw ~ machen* profiter *od* tirer profit de qc, mettre qc à profit, se prévaloir de qc.

zuoberst [tsu'ʔo:bərst] *adv* tout en haut; *das Unterste ~ kehren* tout mettre sens dessus dessous.

zu=ordnen ['tsu:-] *tr, a. gram* coordonner.

zu=packen ['tsu:-] *itr (die Gelegenheit ergreifen)* saisir l'occasion; *(Hand anlegen)* se mettre à l'œuvre, mettre la main à l'œuvre *od* à l'ouvrage *od fam* à la pâte.

zupaß *adv,* **zupasse** [tsu'pas(ə)] *adv (gelegen): das kommt mir ~* cela me vient à propos *od* à point, cela m'arrange bien, cela tombe bien.

zupf|en ['tsupfən] *tr* tirer, tirailler; *(Gewebe)* effiler, éfaufiler, éplucher; *mus* pincer (*auf* sur); *jdn am Ärmel, Ohr ~~* tirer qn par la manche, par l'oreille; *Baumwolle ~~* faire de la charpie; *~~ Sie sich an Ihrer (eigenen) Nase! (fig)* mêlez-vous de vos affaires; **Z~geige** *f* guitare *f;* **Z~leinwand** *f* charpie *f;* **Z~seide** *f* soie *f* effilée; **Z~wolle** *f* parfilure *f.*

zu=pfropfen *tr* boucher.

zur [tsu(:)r] = *zu der.*

zu=raten ['tsu:-] *itr: jdm ~* conseiller qn; *auf mein Z~* sur mon conseil; *ich will dir weder zu- noch abraten* je ne veux ni te conseiller ni te déconseiller.

zu=raunen ['tsu:-] *tr: jdm etw* ~ chuchoter qc à l'oreille de qn.

zu=rechn|en ['tsu:-] *tr (hinzufügen)* ajouter, additionner; *(zuschreiben)* attribuer; *(zur Last legen)* imputer; *(einbegreifen)* comprendre (*dat* dans); **Z~ung** *f* adjonction, addition *f; unter ~~ (gen)* en y ajoutant; **~ungsfähig** *a jur* capable de discerner *od* de discernement; *(verantwortlich)* responsable (de ses actes); *voll ~~ sein* avoir la pleine jouissance de ses facultés mentales; *nicht ~~ sein* ne pas avoir l'usage de ses facultés mentales; *~~e(s) Alter n* âge *m* de discernement; **Z~ungsfähigkeit** *f jur* discernement *m,* pleine jouissance de ses facultés mentales; imputabilité; responabilité *f* mentale *od* de ses actes; *jdn auf s-e ~~ untersuchen* soumettre qn à un examen mental; *verminderte ~~* responsabilité *f* réduite.

zurecht [tsu'rεçt] *adv (nur in Zssgen mit Verben); vgl. zu Recht (mit Recht);* **~=finden,** *sich* trouver son chemin, s'orienter; *fig* savoir comment faire; *sich nicht ~~* s'y perdre; **~=kommen** *itr (fertig werden)* venir à bout (*mit etw* de qc); *mit jdm* (parvenir à) s'arranger avec qn, s'entendre avec qn; *(rechtzeitig kommen)* arriver *od* venir à temps *od* à l'heure; *(irgendwie) ~~* se débrouiller; **~=legen** *tr (vorbereiten)* préparer; *(~gelegt haben, bereithalten)* tenir prêt; *sich etw ~~ (vorstellen)* se figurer qc; *fig (e-e Ausrede)* préparer qc; **~=machen** *tr fam (vor-, zubereiten, a. Küche)* faire, accommoder, apprêter, préparer; *sich ~~* s'arranger, faire un brin de toilette; *fam* se refaire une beauté; *sich wieder ~~ (s-e Kleider ordnen)* se rajuster; **~=rücken** *tr* mettre en ordre, (ar)ranger; *jdm den Kopf ~~* od **~=setzen** *tr fig* faire entendre raison à qn, (re)mettre qn au pas; **~=stellen** *tr = ~rücken;* **~=stutzen** *tr fig* arranger, remanier; *(Menschen)* décrotter *fam;* **~=weisen** *tr (tadeln)* blâmer, réprimander, faire des remontrances à, remettre à sa place; **Z~weisung** *f (Tadel)* blâme *m,* réprimande, remontrance, correction, mercuriale *f.*

zu=reden ['tsu'-] *itr* chercher à persuader (*jdm* qn); *(zuraten)* conseiller (*jdm* qn); *(aufmuntern)* encourager (*jdm* qn); *(ermahnen)* exhorter (*jdm* qn); *jdm gut ~* prier qn avec instance; **Z~** *n* instances *f pl;* conseils; encouragements *m pl;* exhortation(s *pl) f; auf mein ~~ (hin)* sur mes instances; *trotz allen ~~s* en dépit de toutes les exhortations; *bei ihm hilft kein ~~* il ne veut pas entendre raison.

zu=reichen ['tsu:-] *tr (hinreichen)* tendre, passer, présenter; *itr (ausreichen)* suffire; **~d** *a: der Satz vom ~~en Grunde (philos)* le principe de la raison suffisante.

zu=reit|en ['tsu:-] ⟨*aux: haben/sein*⟩ *tr (Pferd)* dresser; *itr: auf jdn, etw ~~* aller à cheval vers qn, qc; **Z~er** *m* entraîneur *m.*

zu=richt|en ['tsu:-] *tr (Fleisch zum Braten)* préparer, accommoder; *(Holz)* débiter, dégauchir; *(Leder)* corroyer; *(Stoff)* apprêter; *tech* ajuster, dresser, parer, unir; *typ* mettre en train; *jdn arg* od *übel ~~* mettre qn dans un mauvais état; *jdn schön ~~ (iron)* arranger qn d'une belle manière; *das Gesicht übel zugerichtet haben (a. fam)* avoir la figure en compote; **Z~er** *m* tech corroyeur; apprêteur; ajusteur; *(von Bausteinen)* appareilleur *m;* **Z~ung** *f* préparation *f,* accommodage; débitage; corroyage; *(e-s Stoffes)* apprêt; *tech* ajustage, dressage *m; typ* mise *f* en train.

zu=riegeln ['tsu:-] *tr* verrouiller, fermer au verrou.

zürnen ⟨*aux: haben*⟩ ['tsʏrnən] *itr* être irrité *od* en colère; *jdm* être fâché de *od* contre qn, en vouloir à qn.

zu=rosten ['tsu:-] ⟨*aux: sein*⟩ *itr* se boucher par la rouille.

zurr|en ['tsurən] *tr mar (festbinden)* amarrer; **Z~tau** *n mar* aiguillette *f.*

Zurschaustellung *f* [tsur'ʃau-] exhibition *f,* étalage *m.*

zurück [tsu'rʏk] *adv (hinten)* en arrière; *a. fig* en retard; *fig (~geblieben)* arriéré; *(~gekehrt)* de retour; *gleich wieder ~ sein* ne faire qu'aller et venir *od* retour; *100 Meter hinter jdm ~ sein* être en retard de cent mètres sur qn; *hinter s-r Zeit ~ sein* être en retard sur son époque, ne pas être de son temps; *das liegt viele Jahre ~* il y a bien des années de cela; *ich möchte nach Paris ~* je voudrais (bien) rentrer à Paris; *~!* (en) arrière! reculez! *~ an Absender!* retour à l'expéditeur! *~ zur Natur!* retour à la nature!

zurück=begleiten [tsu'rʏk-] *tr* reconduire, ramener.

zurück=behalt|en [tsu'rʏk-] *tr* retenir, garder; *(zurücklegen)* réserver; *(zu Unrecht)* détenir; **Z~ung** *f* rétention *f.*

zurück=bekommen [tsu'rʏk-] *tr* ravoir *(nur inf),* recouvrer, récupérer, rentrer en possession de; *sein Geld ~* rentrer dans ses fonds; *ich bekomme noch 2 Mark zurück* il me revient encore 2 marks; *ich habe den Schirm ~* on m'a rendu le parapluie.

zurück=beruf|en [tsu'rʏk-] *tr* rappeler; **Z~ung** *f* rappel *m.*

zurück=bezahlen [tsu'rʏk-] *tr* rembourser.

zurück=biegen *tr* plier *od* courber en arrière, replier, recourber.

zurück=bilden [tsu'rʏk-] , *sich* rétrograder.

zurück=bleiben [tsu'rʏk-] *itr* rester en arrière (*hinter* de); être en retard, retarder (*hinter* sur); *fig (in der Schule etc)* ne pas suivre; *(zu Hause bleiben)* rester à la maison; *sport* être distancé; *(Radrennfahrer hinter dem Schrittmacher)* décoller; *mil* traîner; *(übrigbleiben)* rester; *hinter den Erwartungen ~* ne pas répondre aux espérances; *weit ~* être à la traîne; *hinter s-r Zeit ~* retarder sur son temps.

zurück=blicken [tsu'rʏk-] *itr* jeter un coup d'œil *od* regarder en arrière; *fig (in der Erinnerung)* faire un examen rétrospectif.

zurück=bringen [tsu'rʏk-] *tr* faire revenir; *(Sache)* rapporter; *(Person)* ramener; *(in der Entwicklung)* ramener en arrière, faire reculer; *zum Gehorsam ~* réduire à l'obéissance; *ins Leben ~* rappeler à la vie.

zurück=dämmen [tsu'rʏk-] *tr* refouler.

zurück=datieren [tsu'rʏk-] *tr* antidater.

zurück=denken [tsu'rʏk-] *itr* se souvenir (*an etw* de qc); se rappeler (*an etw* qc); *soweit ich ~ kann* du plus loin que je me souvienne.

zurück=dräng|en [tsu'rʏk-] *tr* repousser, faire reculer; refouler *a. fig; fig (Gefühle) a.* réprimer, contenir; **Z~ung** *f fig* refoulement *m,* répression *f.*

zurück=drehen [tsu'rʏk-] *tr* retourner, remettre en arrière; *(Uhr)* retarder.

zurück=dürfen [tsu'rʏk-] *itr fam = zurückkehren dürfen.*

zurück=eilen [tsu'rʏk-] ⟨*aux: sein*⟩ *itr* retourner en (toute) hâte.

zurück=erbitten [tsu'rʏk-] ⟨*hat zurückerbeten*⟩ *tr* redemander.

zurück=erhalten [tsu'rʏk-] *tr = zurückbekommen.*

zurück=erinnern [tsu'rʏk-] , *sich = zurückdenken.*

zurück=erobern [tsu'rʏk-] *tr* reconquérir; *(e-n beweglichen Gegenstand)* reprendre.

zurück=erstatt|en [tsu'rʏk-] *tr* restituer, rendre; *(Geld)* rembourser; **Z~ung** *f* restitution *f;* remboursement *m.*

zurück=fahren [tsu'rʏk-] ⟨*aux: haben/sein*⟩ *tr* ramener; *itr* retourner; faire marche arrière; **~d** *a: (leer) ~~* de renvoi.

zurück=fallen [tsu'rʏk-] *itr* retomber, tomber en arrière; *fig (in e-n alten Fehler)* retomber, redonner (*in* dans); *(in s-n Leistungen)* rétrograder; *phys opt (reflektiert werden)* rejaillir, être renvoyé *od* réfléchi *od* reflété; *fig (Tadel, Vorwurf)* retomber, rejaillir (*auf jdn* sur qn); *jur (heimfallen)* revenir (*an jdn* à qn).

zurück=finden [tsu'rʏk-] *itr* u. *sich ~* retrouver son chemin.

zurück=fliegen [tsu'rʏk-] *itr (Vogel)* repartir; *(Flugzeug)* repartir, rentrer; *(Mensch)* retourner *od* rentrer en avion.

zurück=fließen *itr,* **zurück=fluten** [tsu'rʏk-] *itr* refluer.

zurück=forder|n [tsu'rʏk-] *tr* redemander, réclamer; *jur* revendiquer; **Z~ung** *f* réclamation, revendication *f.*

zurück=führen [tsu'rʏk-] *tr* reconduire, ramener; *fig (ableiten, erklären)* ramener, attribuer (*auf* à); *auf e-e Formel ~* réduire à une formule;

sich auf etw ~ *lassen* se ramener à qc, remonter à qc.
Zurückgabe *f* [-'rʏk-] = *Rückgabe.*
zurück≈geben [tsu'rʏk-] *tr* rendre, redonner, restituer.
zurückgeblieben [tsu'rʏk-] *a (in der Entwicklung)* arriéré, déficient; *geistig* ~ arriéré mentalement; **Z~e(r)** *m: geistig* ~~ arriéré *m* mental.
zurück≈gehen [tsu'rʏk-] *itr* retourner, aller en arrière; *(zurückweichen)* reculer, rétrograder; *fig (niedriger werden, fallen, nachlassen)* régresser, rétrograder; diminuer, décliner, être en baisse *od* en retrait; *(Hochwasser)* baisser; *med (Schwellung)* se dégonfler; *(Fieber)* tomber; *(Krankheit)* régresser; *(Preis)* diminuer; *(Ware im Preis)* baisser; *(die Geschäfte)* baisser, aller mal, décliner, tomber; *(rückgängig gemacht, aufgelöst werden)* être révoqué; *(auf e-e vorbereitete Stellung)* ~ *(mil)* se replier (sur une position préparée); *denselben Weg* ~ revenir sur ses pas, rebrousser chemin; ~ *lassen (com)* retourner, renvoyer; *med (Schwellung)* dégonfler; *(Fieber)* faire tomber; **Z~** *n fig* régression *f;* **~d** *a: (leer)* ~~ de renvoi.
zurück≈geleiten [tsu'rʏk-] *tr* reconduire.
Zurückgestellte(r) *m* [tsu'rʏk-] *mil* sursitaire *m.*
zurückgewinnen [tsu'rʏk-] *tr* récupérer.
zurückgezogen [-'rʏk-] *a (Leben)* retiré; solitaire, dans l'ombre; ~ *leben* vivre retiré *od* à l'écart *od* dans l'ombre, mener une vie solitaire; **Z~heit** *f* ⟨-, ø⟩ retraite, solitude *f; völlige* ~~ réclusion *f.*
zurück≈greifen [tsu'rʏk-] *itr fig (in der Rede)* remonter, se reporter (*auf* à); *(s-e Zuflucht nehmen)* recourir, avoir recours (*auf* à).
zurück≈haben [tsu'rʏk-] *tr* ravoir *(nur inf),* avoir récupéré.
zurück≈halt|en [tsu'rʏk-] *tr (a. fig: von e-r Tat)* retenir; *(als Gefangenen)* détenir; *(Geld)* resserrer; *(die Tränen)* retenir, refouler; *(Gefühl)* contenir, réprimer, refouler; *itr: mit etw* ~~ retenir, cacher, dissimuler qc; *sich* ~~ se retenir; *(sich beherrschen)* se contenir; = *~end sein; mit s-m Lob nicht* ~~ ne pas ménager *od* marchander les éloges; *mit s-r Meinung* ~~ dissimuler sa pensée; *mit s-m Urteil* ~~ réserver son jugement, faire des réserves; **Z~en** *n* rétention; détention *f;* resserrement *m;* **~end** *a* réservé, discret; *(bescheiden)* retenu, modeste, effacé *com* hésitant, dans l'expectative; *adv a.* avec réserve; *sehr* ~~ *sein (a.)* tenir son *od* se tenir sur son quant-à-soi *fam;* **Z~ung** *f* ⟨-, ø⟩ *fig* réserve, discrétion, réticence; *(Bescheidenheit)* retenue, modestie *f,* effacement *m.*
zurück≈holen [tsu'rʏk-] *tr (Sache)* aller rechercher *od* reprendre; *(Menschen)* faire revenir, ramener.
zurück≈jagen [tsu'rʏk-] *tr* chasser, repousser.
zurück≈kämmen [tsu'rʏk-] *tr* ramener.
zurück≈kaufen [tsu'rʏk-] *tr* racheter (*von jdm* de *od* à qn).
zurück≈kehren [tsu'rʏk-] ⟨*ist zurückgekehrt*⟩ *itr* retourner, revenir (sur ses pas), *fam* s'en revenir, remettre les pieds; *(nach Hause)* rentrer (chez soi), revenir à la maison; *in s-e Heimat* ~ *(nach e-m Exil)* réintégrer (son pays); *auf s-n Posten* ~ reprendre son poste.
zurück≈klappen [tsu'rʏk-] *tr* replier.
zurück≈kommen [tsu'rʏk-] *itr* revenir; *fam* s'en revenir; *(zurückkehren)* rentrer; *fig (in die Arbeit)* ne pas avancer; *auf etw* ~ *(wieder zu sprechen kommen)* revenir à qc; *um auf... zurückzukommen* pour en revenir à ...; *immer wieder darauf* ~ en revenir toujours là.
zurück≈lassen [tsu'rʏk-] *tr* laisser en arrière; *(liegenlassen)* laisser (là *od* traîner); *(aufgeben, im Stich lassen)* abandonner, délaisser; *(hinter sich lassen)* laisser derrière soi; *sport (überholen)* distancer, dépasser; *(die Rückkehr gestatten)* laisser rentrer; *e-e Nachricht* ~~ *(ehe man weggeht)* laisser un mot.
zurück≈laufen [tsu'rʏk-] *itr* retourner *od* revenir en courant; *(zurückfluten)* refluer; *(Geschützrohr)* reculer.
zurück≈legen [tsu'rʏk-] *tr (aufheben)* mettre à part, mettre de côté; *(bes. Geld)* mettre en réserve; *(e-e Strecke)* parcourir, couvrir, faire; *sich* ~ = *sich zurücklehnen; die zurückgelegte Strecke* la distance parcourue, le parcours couvert.
zurück≈lehnen [tsu'rʏk-], *sich* se pencher en arrière.
zurück≈leiten [tsu'rʏk-] *tr* ramener (*zu* à).
zurück≈liegen [tsu'rʏk-] *itr* s'être passé (*zehn Jahre* il y a dix ans); *weit* ~ dater de loin; **~d** *a arch* en retrait (*hinter* de).
zurück≈marschieren [tsu'rʏk-] *itr* marcher en arrière, (s'en) retourner.
zurück≈melden [tsu'rʏk-] *tr: jdn* ~ annoncer le retour de qn; *sich* ~ annoncer son retour; *mil* se faire porter rentrant.
Zurücknahme *f* ⟨-, -n⟩ [tsu'rʏkna:mə] *(e-r Ware, e-s Geschenkes)* reprise; *(e-r Bestellung)* annulation *f,* contrordre *m; (s-s Wortes, e-r Beleidigung)* rétractation *f; (e-s Versprechens)* dédit *m; (e-r Behauptung, e-s Erlasses)* révocation *f; (e-s Antrags, jur: e-r Klage, parl: e-s Gesetzentwurfs)* retrait; *mil (der Front)* repliement, retrait *m.*
zurück≈nehmen [tsu'rʏk-] *tr (einziehen)* retirer, rétracter; *(Ware, Geschenk)* reprendre; *(Bestellung)* annuler; *(sein Wort, Antrag, jur: Klage, parl: Gesetzentwurf)* retirer; *(sein Wort, Beleidigung)* rétracter; *(Versprechen)* se dédire de; *(Erlaß)* révoquer; *(Verbot)* lever; *mil (Front)* retirer; *die Schultern* ~ *(mil)* effacer les épaules; *sein Wort* ~ *(a.)* revenir sur sa parole, se dédire, se rétracter.
zurück≈prallen [tsu'rʏk-] *itr* ⟨*ist zurückgeprallt*⟩ rebondir, rejaillir (*von* sur); être renvoyé; *fig (Mensch)* reculer (*vor Schreck* d'effroi).
zurück≈reichen [tsu'rʏk-] *tr (zurückgeben)* rendre; *itr (zeitl.: sich zurückführen lassen)* remonter (*bis* à).
zurück≈reisen [tsu'rʏk-] *itr* retourner, rentrer; *(wieder abfahren)* repartir.
zurück≈rollen [tsu'rʏk-] *tr u. itr* rouler en arrière.
zurück≈rufen [tsu'rʏk-] *tr* rappeler; *jdm etw ins Gedächtnis* ~ rappeler qc à qn; *sich etw ins Gedächtnis* ~ se rappeler *od* se remémorer qc; *ins Leben* ~ rappeler *od* ramener à la vie; **Z~** *n* rappel *m.*
zurück≈schaffen [tsu'rʏk-] *tr (Sache)* rapporter; *fam (Person)* ramener.
zurück≈schallen [tsu'rʏk-] *itr* faire écho.
zurück≈schalten [tsu'rʏk-] *itr mot* diminuer la vitesse; *auf den 1. Gang* ~ repasser en première.
zurück≈schaudern [tsu'rʏk-] *itr* reculer en frémissant.
zurück≈schauen [tsu'rʏk-] *itr* = *zurückblicken.*
zurück≈scheuen [tsu'rʏk-] *itr* reculer (*vor* devant); avoir peur (*vor* de).
zurück≈schicken [tsu'rʏk-] *tr* renvoyer (*etw an jdn* qc à qn).
zurück≈schieben [tsu'rʏk-] *tr* repousser, reculer.
zurück≈schlagen [tsu'rʏk-] *tr (Ball)* renvoyer; *(den Feind)* repousser, faire reculer; *(Angriff)* repousser; *(Bettdecke: aufschlagen)* rejeter; *itr (den Schlag erwidern)* rendre le coup, riposter; *(Flamme)* retourner.
zurück≈schleppen [tsu'rʏk-] *tr* rapporter.
zurück≈schnellen [tsu'rʏk-] ⟨*ist zurückgeschnellt*⟩ *itr* rebondir; *(Feder)* se détendre brusquement, se débander.
zurück≈schrauben [tsu'rʏk-] *tr fig (herabsetzen, verringern)* réduire, rabattre.
zurück≈schrecken [tsu'rʏk-] *tr* ⟨*hat zurückgeschreckt*⟩ *(abschrecken)* effrayer, rebuter, faire reculer; *itr* ⟨*ist zurückgeschreckt*⟩ reculer (*vor* devant); *vor nichts* ~ ne reculer devant rien, ne craindre ni Dieu ni (le) diable.
zurück≈schreiben [tsu'rʏk-] *tr u. itr* répondre (par écrit).
zurück≈sehnen [tsu'rʏk-], *sich (Heimweh haben)* avoir le mal du pays; *nach etw* regretter qc; *ich sehne mich (in meine Heimat) zurück (a.)* il me tarde de rentrer (dans mon pays).
zurück≈senden [tsu'rʏk-] *tr* renvoyer, réexpédier; *com* retourner (à l'expéditeur).
zurück≈setz|en [tsu'rʏk-] *tr* mettre en arrière, reculer; *(wieder an s-n Platz setzen)* remettre (à sa place); *(Preis)* réduire; *fig (benachteiligen)* désavantager, défavoriser; *(demütigen)* traiter sans égards, humilier, inférioriser; *zu zurückgesetzten Prei-*

sen à prix réduits; *sich zurückgesetzt fühlen* se sentir défavorisé; **Z~ung** *f (e-s Preises)* réduction; *fig (Benachteiligung)* traitement *m* de défaveur; *(Demütigung)* manque *m* d'égards (*gen* pour); humiliation *f.*
zurück=sinken [tsu'rʏk-] ⟨*ist zurückgesunken*⟩ *itr (ins Polster* od *Bett)* (se laisser) tomber en arrière; *fig* retomber (*in ein Laster* dans un vice).
zurück=spielen [tsu'rʏk-] *tr (den Ball)* renvoyer.
zurück=springen [tsu'rʏk-] *itr* faire un bond *od* un saut en arrière; *vgl. zurückprallen* u. *zurückschnellen; arch* rentrer.
zurück=stecken [tsu'rʏk-] *tr* mettre en arrière; *e-n Pflock* ~ *(fig fam: s-e Ansprüche mäßigen)* en rabattre.
zurück=stehen [tsu'rʏk-] ⟨*hat zurückgestanden*⟩ *itr fig (nicht gleichwertig sein)* être inférieur (*hinter* à); *(zurückgesetzt werden)* être défavorisé; *hinter jdm* le céder *od* céder le pas à qn; ~ *müssen* devoir attendre *od* renoncer.
zurück=stell|en [tsu'rʏk-] *tr (nach hinten)* mettre en arrière, reculer; *(wieder an s-n Platz)* remettre en place; *(für späteren Gebrauch)* mettre en réserve; *com (aufheben)* mettre de côté; *(Uhr)* retarder (*um* de); *mil* ajourner, mettre en sursis; *fig (vernachlässigen)* négliger; *(Bedenken: unterdrücken)* supprimer; **Z~ung** *f mil* ajournement, sursis *m* (d'appel), réforme *f* temporaire; **Z~ungsantrag** *m mil* demande *f* de sursis d'appel.
zurück=stoßen [tsu'rʏk-] *tr, a. fig* repousser, rebuter.
zurück=strahl|en [tsu'rʏk-] *tr* refléter, réfléchir, réverbérer; *itr* se refléter, se réfléchir; **Z~ung** *f* réflexion, réverbération *f.*
zurück=streichen [tsu'rʏk-] *tr (sein Haar)* rebrousser.
zurück=streifen [tsu'rʏk-] *tr (Ärmel)* retrousser.
zurück=strömen [tsu'rʏk-] *itr* refluer.
zurück=stürzen [tsu'rʏk-] *itr (Hals über Kopf zurückeilen)* retourner précipitamment.
zurück=telegraphieren [tsu'rʏk-] *itr* répondre par télégramme.
zurück=tragen [tsu'rʏk-] *tr* reporter, rapporter.
zurück=treiben [tsu'rʏk-] *tr* repousser, refouler, faire reculer; *(Vieh)* ramener.
zurück=treten [tsu'rʏk-] *itr* ⟨*ist zurückgetreten*⟩ faire un *od* quelques pas en arrière, reculer; *vor jdm* s'effacer devant qn, céder le pas *od* la place à qn; *(Fluß in sein Bett)* rentrer dans son lit; *fig (verzichten)* renoncer (*von* à); *jur* se désister (*von* de); *(vom Amt)* prendre sa retraite, donner sa démission, se démettre (de ses fonctions); abdiquer (*von etw* qc), démissionner (*von etw* de qc); *(von e-m Vertrag)* résilier (un contrat); *(von e-m Kauf)* annuler (un achat); *von s-r Behauptung* ~ se dédire de son assertion; *von s-r Bewerbung* ~ retirer sa candidature; *ins Glied* ~ *(mil)* rentrer dans les rangs; *ins Privatleben* ~ rentrer dans la vie privée; *e-n Schritt* ~ faire un pas en arrière; *die Regierung ist zurückgetreten* le cabinet a démissionné; ~, *bitte! (bes. loc)* reculez, S.V.P.
zurück=tun [tsu'rʏk-] *tr: e-n Schritt* ~ faire un pas en arrière.
zurück=übersetzen [tsu'rʏk-] *tr* retraduire.
zurück=vergüten [tsu'rʏk-] *tr* rembourser.
zurück=verlangen [tsu'rʏk-] *tr* redemander, réclamer.
zurück=verlegen [tsu'rʏk-] *tr* reculer; *mil (das Feuer)* raccourcir.
zurück=versetzen [tsu'rʏk-] *tr* remettre *(in den früheren Zustand* à l'état antérieur); *(Schüler)* renvoyer dans une classe inférieure; *sich* ~ *(im Geiste)* se reporter (*in* à).
zurück=verweisen [tsu'rʏk-] *tr* renvoyer (*auf* à).
zurück=wandern [tsu'rʏk-] *itr* retourner (à pied).
zurück=weichen [tsu'rʏ-] *itr* ⟨*ist zurückgewichen*⟩ reculer, se retirer, céder; *mil* plier (*vor* devant); se replier, battre en retraite.
zurück=weis|en [tsu'rʏk-] ⟨*hat zurückgewiesen*⟩ *tr (Geschenk)* refuser; *(Bitte, Vorschlag, Beschwerde)* rejeter, repousser; *(Menschen)* renvoyer; *jur (Zeugen)* récuser; **Z~ung** *f* refus; rejet; renvoi *m; jur* récusation *f.*
zurück=wenden [tsu'rʏk-], *sich* se retourner.
zurück=werf|en [tsu'rʏk-] *tr* rejeter, renvoyer; *mil (den Feind)* rejeter, repousser, refouler; *phys (Strahlen)* refléter, réfléchir, réverbérer; *(Schall)* répercuter, renvoyer; **Z~en** *n* rejet, renvoi *m;* **Z~ung** *f mil* refoulement *m; phys* réflexion, réverbération; répercussion *f.*
zurück=wirken [tsu'rʏk-] *itr* réagir, se répercuter (*auf* sur).
zurück=wünschen [tsu'rʏk-] *tr* souhaiter le retour de; *(Vergangenes)* regretter.
zurück=zahl|en [tsu'rʏk-] *tr* rembourser (*etw* qc; *jdm etw* qn de qc); **Z~ung** *f* remboursement *m.*
zurück=zieh|en [tsu'rʏk-] *tr* retirer, rétracter; *fig (Zusage)* rétracter, reprendre, se dédire de; *(Antrag)* reprendre; *jur (Forderung)* se désister de; *(Klage, Beschwerde)* retirer; *com (Auftrag)* annuler; *mil* retirer; *itr (sich zurückbegeben)* retourner; *mil* se retirer, se replier; *sich* ~~ se retirer (*von* de); se reléguer; *(in den Ruhestand)* prendre sa retraite; *pol* passer la main; *mil* se replier, battre en retraite, plier bagage; *sich in sich (selbst)* ~~ se renfermer en soi-même, rentrer dans sa coquille; *sich von der Bühne* ~~ quitter la scène; *sich aus dem Geschäft(sleben), aufs Land* ~~ se retirer des affaires, à la campagne; *sich von der Politik* ~~ s'effacer de la vie politique; **Z~ung** *f (e-s Versprechens, e-r Anklage)* rétractation *f; (e-s Antrags, e-r Klage)* retrait; *mil* repli *m.*
Zuruf *m* ['tsu:-] appel, cri *m; (Beifall)* acclamation *f,* applaudissement *m; auf* od *durch* ~ *wählen* voter par acclamation; **zu=rufen** *tr* crier (*jdm etw* qc à qn).
Zurverfügungstellung *f* [-'fy:-] *adm* mise *f* à la disposition.
Zusag|e *f* ['tsu:-] *(Zustimmung)* consentement, assentiment *m; (auf e-e Einladung)* acceptation; *(Versprechen)* promesse, parole *f;* **zu=sagen** *tr (versprechen)* promettre; *itr (sein Einverständnis erklären)* donner sa parole *od* son assentiment, consentir; *(die Einladung annehmen)* accepter l'invitation; *(sich festlegen, sich verpflichten)* s'engager (*etw zu tun* à faire qc); *(gefallen)* plaire (*jdm* à qn), être du goût (*jdm* de qn); *(passen, recht sein)* convenir (*jdm* à qn); *jdm etw auf den Kopf* ~ dire qc à qn selon sa mine; **z~end** *a (passend)* convenable; *(gefällig)* agréable, attrayant.
zusammen [tsu'zamən] *adv* ensemble; *(gemeinsam)* conjointement, en commun (*mit* avec); de compagnie, de concert, de conserve; *(in Zs.arbeit)* en collaboration (*mit* avec); *(im ganzen)* en tout, au total, en bloc; *alles* ~ *(die ganze Zeche) bezahlen* payer le tout; *alle* ~ tous ensemble.
Zusammen|arbeit *f* [-'za-] collaboration, coopération *f;* **z~=arbeiten** *itr* travailler ensemble; collaborer, coopérer; *mit jdm (a.)* faire équipe avec qn.
zusammen=ball|en [-'za-] *tr* mettre en boule, *(zs.knäueln)* pelotonner; *sich* ~~ *(sich anhäufen)* s'entasser, s'amonceler, se conglomérer, s'agglomérer; *fig* se concentrer; *Wolken ballen sich zs.* des nuages s'amoncellent; **Z~ung** *f* entassement, amoncellement *m,* agglomération; *fig* concentration *f.*
Zusammen|bau *m* [-'za-] *tech* assemblage, montage *m;* **z~=bauen** *tr tech* assembler, monter.
zusammen=beißen [-'za-] *tr: die Zähne* ~ serrer les dents.
zusammen=bekommen [-'za-] *tr* parvenir à réunir; *(Geld)* recueillir.
zusammen=beruf|en [-'za-] *tr* convoquer; **Z~ung** *f* convocation *f.*
zusammen=betteln [-'za] *tr* amasser en mendiant.
zusammen=binden [-'za-] *tr* lier; *(zu e-m Strauß, e-r Garbe, e-m Bündel)* faire un bouquet, une gerbe, un faisceau (*etw* de qc); *e-m Huhn Flügel und Beine* ~ brider une poule.
zusammen=brauen [-'za-] *tr fam (Getränk)* mélanger; *es braut sich etw zs. (fig)* il se trame qc.
zusammen=brechen [-'za-] ⟨*ist zusammengebrochen*⟩ *itr (einstürzen) a. fig* (s'é)crouler, s'effondrer, s'affaisser; *(Gebäude)* tomber en ruine; *seelisch* ~ faire une dépression; *vor Übermüdung* od *Erschöpfung* ~ tomber d'épuisement.
zusammen=bringen [-'za-] *tr* réunir, rassembler; (r)amasser; *(Geld)* mobiliser, trouver; *(Menschen)* aboucher; *(Mannschaft, Heer)* mettre sur pied;

(wieder ~, versöhnen) rapprocher, concilier.

Zusammenbruch *m* [-ˈza-] *a. fig* écroulement, effondrement, affaissement *m; fig a.* ruine, débâcle; *com* faillite, banqueroute; *med* syncope *f, scient* collapsus *m; seelische(r) ~* dépression *f.*

zusammen≈drängen [-ˈza-] *tr* serrer, presser, comprimer; *(zs.pferchen)* entasser; *fam* encaquer; *(Text)* concentrer, condenser; *(kürzen)* raccourcir, abréger; *sich ~* se serrer (les uns contre les autres), se presser, s'entasser.

zusammen≈drücken [-ˈza-] *tr* comprimer, presser, serrer; *(umklammern)* étreindre; **Z~** *n* compression *f,* serrement *m;* étreinte *f.*

zusammen≈fahren [-ˈza-] *itr (zs.stoßen)* entrer en collision; se tamponner; *(inea., bes. loc)* se télescoper; *fig (auffahren)* tressaillir, sursauter (*vor Schreck* de frayeur).

zusammen≈fallen [-ˈza-] *itr (einstürzen), a. fig* (s'é)crouler, s'effondrer, s'affaisser; *(Teig, Omelette)* (re)tomber; *(Ballon)* se dégonfler; *(Mensch: körperlich, gesundheitl.)* dépérir; *(sich räuml. decken)* converger; *(zeitl.)* coïncider (*mit* avec).

zusammen≈falten [-ˈza-] *tr* (re)plier.

zusammen≈fass|en [-ˈza-] *tr* réunir; *a. mil* concentrer; *(bes. loc: zu e-r Sendung)* grouper; *fig (Gedanken etc)* rassembler, concentrer; *(Text)* résumer, récapituler; *kurz ~ (Text)* abréger; **~end** *a* sommaire, en résumé; **Z~ung** *f* réunion; *a. mil u. fig* concentration *f;* groupement; *(Sammlung)* rassemblement; *(zs.gefaßter Text)* résumé, abrégé, sommaire *m,* récapitulation *f.*

zusammen≈fegen [-ˈza-] *tr* balayer en tas.

zusammen≈finden [-ˈza-], *sich* se retrouver, se réunir.

zusammen≈fließen [-ˈza-] *itr (Flüsse)* confluer, se réunir; *(verschiedenartige Flüssigkeiten)* se (con)fondre; **Z~fließen** *n (Inea.fließen)* fusion *f;* **Z~fluß** *m geog* confluent *m.*

zusammen≈füg|en [-ˈza-] *tr* joindre, réunir; *(verbinden)* lier; *(zwei gleiche Dinge)* jumeler; *tech* assembler, monter; *(kuppeln)* accoupler; **Z~ung** *f* jonction, réunion; liaison *f;* jumelage; assemblage, montage; accouplement *m.*

zusammen≈führ|en [-ˈza-] *tr* réunir, rassembler, rapprocher; *wieder ~~ (versöhnen)* concilier; **Z~ung** *f (von Familien)* regroupement *m* (de familles); *(der Rassen in den USA)* déségrégation *f.*

zusammengeballt [-ˈza-] *a fig* concentré.

zusammen≈geben [-ˈza-] *tr* unir, marier.

zusammengefaßt [-ˈza-] *a: kurz ~* en abrégé, en résumé; *~e(s) Feuer n (mil)* tir *m* concentré.

zusammengeflickt [-ˈza-] *a, a. fig* fait de pièces et de morceaux; *fig a.* fait de bric et de broc.

zusammen≈gehen [-ˈza-] *itr* aller ensemble; *(fig)* faire cause commune; *(weniger werden)* diminuer; *(einlaufen)* rétrécir.

zusammen≈gehör|en [-ˈza-] *itr (Sachen)* aller ensemble *od* de pair; *(paarige Gegenstände)* faire la paire; *(Kunstgegenstände)* faire pendant; *(zwei Menschen)* être faits l'un pour l'autre; **~ig** *a* allant ensemble *od* de pair; homogène, connexe; **Z~igkeit** *f* ‹-, ø› affinité; homogénéité; cohésion *f;* **Z~igkeit(sgefühl** *n)* *f* solidarité *f.*

zusammen≈geraten [-ˈza-] *itr (anea.stoßen)* s'entrechoquer; *(handgemein werden)* en venir aux mains.

zusammengesetzt [-ˈza-] *a* composé (*aus* de); *(gemischt)* mixte; *(umfassend)* complexe; *(verwickelt)* compliqué; *~e(s) Wort n (gram)* mot *m* composé.

zusammengewachsen [-ˈza-] *a med* soudé.

zusammengewürfelt [-ˈza-] *a (verschiedenartig)* hétérogène, hétéroclite; *bunt ~* fait de pièces et de morceaux, bigarré; *(Gesellschaft)* mélangé.

zusammen≈gießen [-ˈza-] *tr* mêler.

Zusammen|halt *m* ‹-(e)s, ø› [-ˈza-] *(Festigkeit e-s Körpers)* consistance; *phys (Kohäsion)* cohérence; *a. fig* cohésion; *fig* solidarité *f,* accord *m;* **z~≈halten** *tr* maintenir (ensemble); *(Geld)* ménager, économiser; *(vergleichend nebenea.halten)* rapprocher, mettre en regard; confronter, comparer; *itr* tenir ensemble, être cohérent; *fig (Menschen)* être solidaires *od* d'accord; *(ea. helfen)* s'entraider, *fam* ne pas se lâcher; *(e-e Einheit bilden)* faire corps.

Zusammenhang *m* [-ˈza-] ‹-(e)s, ⸚e› *(innerer)* cohésion; continuité *f; (Verkettung, Verbindung)* enchaînement *m,* liaison, connexion, connexité *f; (Beziehung)* rapport *m,* relation, corrélation (*mit* avec); *(Folge)* suite *f; (Ordnung, System)* ordre, système; *(innerhalb e-s Textes)* contexte *m; im ~ (im ganzen)* dans l'ensemble; *in* od *im ~ mit* en rapport *od* liaison avec; *in diesem ~* dans cet ordre d'idées, à ce propos; *ohne ~ = z~(s)los; adv* à bâtons rompus; *ohne ~ mit* sans rapport avec; *in ~ bringen* établir un rapport entre; *aus dem ~ (e-s Textes) reißen* séparer *od* isoler du contexte; *in ~ stehen mit* être en rapport *od* en connexion avec; *den ~ verlieren* perdre le fil; *enge(r) ~* liaison *f* intime; *innere(r) ~* rapport *m* intime; *ursächliche(r) ~* relation *f* de cause à effet; **z~(s)los** *a* incohérent, discontinu, décousu, sans suite; **~(s)losigkeit** *f* ‹-, ø› incohérence, discontinuité *f,* décousu, manque *m* de suite.

zusammen≈hängen [-ˈza-] *tr* suspendre ensemble; *itr* être lié *od* rattaché (*mit* à); *(in Beziehung stehen)* être en rapport (*mit* avec); *wie hängt das zusammen?* quelle en est l'explication? **~d** *a (innerlich)* cohérent; *(lückenlos)* continu; *(verbunden, verknüpft)* lié, connexe; *(Rede)* suivi.

zusammen≈harken [-ˈza-] *tr* râteler.

zusammen≈hauen [-ˈza-] *tr (Gegenstand)* démolir; *(Menschen)* rouer de coups, donner une raclée à; *(mit dem Säbel)* sabrer; *fam* mettre en capilotade, *pop* démolir; *mil fam (zerschlagen)* tailler en pièces.

zusammen≈heften [-ˈza-] *tr* coudre ensemble, faufiler; brocher.

zusammen≈holen [-ˈza-] *tr* aller chercher de toutes parts, recueillir.

zusammen≈kauern, [-ˈza-] *sich* s'accroupir, se blottir; *fam* se mettre en pelote.

zusammen≈kaufen [-ˈza-] *tr* acheter petit à petit *od* par morceaux.

zusammen≈ketten [-ˈza-] *tr* lier avec des chaînes, enchaîner ensemble.

zusammen≈kitten [-ˈza-] *tr, a. fig* cimenter.

zusammen≈klammern [-ˈza-] *tr* lier avec une attache.

Zusammenklang *m* [-ˈza-] *mus* consonance *f; mus u. fig* accord *m,* harmonie *f,* concert *m.*

zusammen|klappbar [-ˈza-] *a* (re-)pliable, pliant; *~~e(r) Sitz, Tisch m* siège *m,* table *f* pliant(e); *~~e(s) Verdeck n (mot)* capote *f* pliante *od* rabattable; **~≈klappen** *tr ‹hat zusammengeklappt›* (re)plier; *(Messer, Buch)* (re)fermer; *die Hacken ~~* claquer les talons; *itr ‹ist zusammengeklappt› fam (zs.brechen)* tomber dans les pommes *od* d'épuisement, tourner de l'œil.

zusammen≈kleben [-ˈza-] *tr* coller ensemble; agglutiner; *itr* coller ensemble, s'agglutiner.

zusammen≈knäueln [-ˈza-] *tr* taponner.

zusammen≈kneifen [-ˈza-] *tr* serrer.

zusammen|≈knoten [-ˈza-] *tr,* **~≈knüpfen** *tr* lier ensemble, nouer.

zusammen≈knüllen [-ˈza-] *tr* chiffonner, froisser.

zusammen≈kommen [-ˈza-] *itr (sich treffen)* se rencontrer, se voir; *(sich versammeln)* s'assembler, se réunir; *mit jdm ~* rencontrer, voir qn; *impers: alles kommt zusammen, um ...* tout se réunit pour ...

zusammen≈koppeln [-ˈza-] *tr (Tiere)* coupler; atteler ensemble; *(Jagdhunde)* ameuter; *(Wagen)* accoupler.

zusammen≈krachen [-ˈza-] *itr fam (zs.brechen), a. fig* (s'é)crouler, s'effondrer.

zusammen≈kratzen [-ˈza-] *tr (Speisereste)* gratter ensemble; *seine letzten Pfennige ~* réunir ses derniers sous.

Zusammenkunft *f* ‹-, ⸚e› [-ˈzamənkunft] entrevue *f; (Verabredung)* rendez-vous *m; (Versammlung)* assemblée, réunion; *(Besprechung)* conférence *f; e-e ~ vereinbaren* prendre rendez-vous.

zusammen≈läppern [-ˈza-], *sich (fam: sich langsam ansammeln)* s'amasser petit à petit.

zusammen≈laufen [-ˈza-] *itr (Menschen)* s'attrouper, se rassembler, s'ameuter; *(Linien, Straßen etc)* se joindre, se rencontrer; *math* concourir, converger; *(Farben)* se (con-)

fondre, s'estomper; *(gerinnen)* se coaguler; *(Milch)* se cailler; *(Gewebe: einlaufen)* (se) rétrécir; *alle Fäden laufen in s-r Hand zs.* il tient toutes les ficelles; *das Wasser läuft mir im Munde zusammen* l'eau me vient à la bouche.

zusammen=leben [-'za-], *sich* apprendre à vivre ensemble; **Z~** *n* vie commune; *jur (eheliches)* cohabitation; *bes. pol* coexistence *f.*

zusammen|legbar [-'za-] *a* pliable, pliant; **~=legen** *tr* mettre ensemble; *(zs.falten)* (re)plier; *(vereinigen)* réunir, joindre, assembler; *com* fusionner; *(zentralisieren)* centraliser, concentrer; *fin (Aktien)* consolider; *itr (e-e Geldsumme zs. aufbringen)* se cotiser; **Z~legung** *f* réunion; fusion; centralisation, concentration; consolidation *f.*

zusammen=leimen [-'za-] *tr* coller (ensemble).

zusammen=lesen [-'za-] *tr (sammeln)* ramasser, recueillir, glaner; *(aus Büchern schöpfen)* puiser dans les livres.

zusammen=löten [-'za-] *tr* souder.

zusammen=nageln [-'za-] *tr* clouer (ensemble).

zusammen=nähen [-'za-] *tr* coudre ensemble, recoudre.

zusammen=nehmen [-'za-] *tr* rassembler, réunir; *(zs.legen)* (re)plier; *sich* ~ faire un effort sur soi-même, se concentrer; *(sich beherrschen)* se contenir, se ressaisir, se maîtriser, se faire violence; *alles zs.genommen* à tout prendre, en somme; *s-e Kräfte, Gedanken* ~ recueillir ses forces, ses idées; *s-n ganzen Mut* ~ s'armer de tout son courage, prendre son courage à deux mains.

zusammen=packen [-'za-] *tr* mettre en un paquet, empaqueter, emballer.

zusammen=passen [-'za-] *tr* ⟨*aux: haben*⟩ *(passend zs.fügen)* ajuster, adapter, assortir; *itr* s'adapter l'un à l'autre, s'accorder (ensemble); *(gut ~, harmonieren)* s'harmoniser, aller (bien) ensemble; *(Menschen)* se convenir, être en harmonie; *nicht (recht)* ~ aller mal ensemble, manquer d'harmonie.

zusammen=pferchen [-'za-] *tr fig (Menschen)* entasser, parquer, *fam vx* encaquer, empiler.

Zusammen|prall *m* [-'za-] *a. fig* choc, heurt *m; (zweier Fahrzeuge)* collision *f,* télescopage, tamponnement; *fig* violent conflit *m;* **z~=prallen** ⟨*sind zusammengeprallt*⟩ *itr a. fig* s'entrechoquer, se heurter; *(Fahrzeuge)* entrer en collision, (se) tamponner *od* télescoper; *fig* entrer en conflit (*mit* avec); *mit etw* ~~ heurter qc; entrer en collision avec qc.

zusammen=pressen [-'za-] *tr (zwei Gegenstände)* presser (l'un(e) contre l'autre); *(Körperteile)* serrer; *(e-e Masse in sich)* comprimer; **Z~** *n* pression; compression *f.*

zusammen=raffen [-'za-] *tr* ramasser (rapidement); *fam* rafler; *sich* ~ = *sich zusammennehmen.*

zusammen=rechnen [-'za-] *tr* additionner, faire la somme *od* le total de, totaliser; *alles zs.gerechnet* au total; *fig* à tout prendre, tout compte fait.

zusammen=reimen [-'za-], *sich* ~ s'accorder; *sich etw* ~ *(erklären)* s'expliquer qc; *wie reimt sich das zs?* comment cela s'accorde-t-il?

zusammen=reißen [-'za-], *sich (fam)* = *sich zusammennehmen.*

zusammen=rollen [-'za-] *tr* enrouler; *bes. mar (Tau)* lover; *(Tabak)* torquer; *sich* ~ s'enrouler, se mettre en boule, se pelotonner, se lover.

zusammen=rott|en [-'za-], *sich* s'attrouper, s'ameuter; **Z~ung** *f* attroupement, ameutement *m.*

zusammen=rücken [-'za-] *tr* ⟨*aux: haben*⟩ *(Gegenstände)* rapprocher; *itr* ⟨*aux: sein*⟩ *(Menschen auf e-r Bank)* se rapprocher, se serrer.

zusammen=rufen [-'za-] *tr, a. parl* convoquer.

zusammen=sacken [-'za-] *itr* ⟨*aux: sein*⟩ s'affaisser; *fam* s'affaler; *(Ballon, Reifen)* se dégonfler.

zusammen=scharen [-'za-], *sich* s'assembler, s'attrouper.

zusammen=scharren [-'za-] *tr* (r)amasser (en grattant); *fig (Geld)* accumuler sou sur sou.

Zusammenschau *f* ⟨-, ø⟩ [-'za-] synthèse, synopsis *f.*

zusammen=schieben [-'za-] *tr* rapprocher (en glissant).

zusammen=schießen [-'za-] *tr* abattre d'un coup de feu *od* à coups de feu; *(mit Kanonen)* abattre à coups de canon; *fig (Geld)* réunir; *itr (Kristalle)* (se) cristalliser; *das Geld* od *die Summe* ~ se cotiser.

zusammen=schlagen [-'za-] *tr* ⟨*aux: haben/sein*⟩ *(Gegenstand)* démolir, casser; *(Menschen)* abattre; *pop* démolir; *itr (zs.stoßen)* se heurter; *über jdm (Wellen)* se refermer sur qn, ensevelir qn; *die Absätze* ~ (faire) claquer les talons; *die Hände* ~ joindre les mains; *über dem Kopf* lever les bras au ciel.

zusammen=schleppen [-'za-] *tr fam (zs.bringen)* (r)amasser, rassembler; *(Menschen)* aboucher.

zusammen=schließen [-'za-] *tr (vereinigen)* (ré)unir; *com* associer; fusionner; *sich* ~~ s'unir, se réunir; *com* s'associer; fusionner; **Z~schluß** *m* (ré)union; fédération; *com* association, fusion, concentration, intégration; *pol (von Staaten)* (ré)union *f.*

zusammen=schmelzen [-'za-] *tr* ⟨*aux: haben/sein*⟩ fondre ensemble, faire un alliage de, fusionner; *itr a. fig* (se) fondre; *fig* diminuer, être décimé.

zusammen=schmieden [-'za-] *tr* souder en forgeant.

zusammen=schmieren [-'za-] *tr fam (Zeitungsartikel)* écrivailler.

zusammen=schnüren [-'za-] *tr (Bündel, Paket)* ficeler; *jdm die Kehle* ~ *(bes. fig)* serrer la gorge à qn, étrangler qn; *das schnürt mir das Herz zs. (fig)* cela me serre le cœur.

zusammen=schrauben [-'za-] *tr* serrer à vis, visser; *(mit Bolzen)* assembler par boulons, boulonner.

zusammen=schreiben [-'za-] *tr (in einem Wort)* écrire en un mot; *pej (aus anderen Büchern)* compiler; *viel* ~ *(fam) pej* écrivailler, écrivasser.

zusammen=schrumpfen [-'za-] *itr* ⟨*aux: sein*⟩ se ratatiner, (se) rétrécir, se contracter, (se) raccourcir; *(schrumplig werden)* se recroqueviller; *fig (abnehmen, dahinschwinden)* diminuer, se réduire.

zusammen=schustern [-'za-] *tr fig fam pej* bricoler, arranger tant bien que mal.

zusammen=schütten [-'za-] *tr* verser ensemble, mêler.

zusammen=schweißen [-'za-] *tr* joindre par soudage; *a. fig (Menschen)* souder.

Zusammensein *n* ⟨-s, ø⟩ [-'za-] réunion, entrevue *f.*

zusammen=setz|en [-'za-] *tr (nebenea.setzen)* mettre ensemble; *(Menschen)* placer ensemble; *(zu e-m Ganzen machen)* composer; *tech (zs.fügen)* joindre, abouter, assembler; *(aufstellen, montieren)* assembler, monter; *chem math* combiner; *sich* ~~ s'asseoir ensemble *od* à la même table; *(zs.gesetzt sein, bestehen)* se composer, être composé (*aus* de); *die Gewehre* ~~ former les faisceaux; *zs.gesetzte(s) Wort n (gram)* mot *m* composé; **Z~ung** *f (Vorgang)* composition, synthèse *f; tech* aboutement, assemblage, montage *m; (Beschaffenheit, Aufbau)* composition, constitution, structure *f.*

zusammen=sinken [-'za-] *itr: (in sich)* ~ s'effondrer, s'écrouler, s'affaisser.

zusammen=sparen [-'za-] *tr fam* économiser petit à petit.

zusammen=sperren [-'za-] *tr* enfermer ensemble.

Zusammenspiel *n* [-'za-] *theat* ensemble; *sport* jeu d'équipe; *fig* jeu *m.*

zusammen=stauchen [-'za-] *tr fam (tüchtig ausschimpfen)* passer un savon (*jdn* à qn).

zusammen=stecken [-'za-] *tr* mettre ensemble, joindre; *(Stoff mit Nadeln)* assembler avec des épingles; *die Köpfe* ~ *(fig)* se parler *od* chuchoter à l'oreille; *itr: immer* ~ *(Menschen: zs. sein)* être toujours (fourrés) ensemble.

zusammen=stehen [-'za-] *itr* ⟨*hat zusammengestanden*⟩ être ensemble, *fig* faire cause commune.

zusammen=stell|en [-'za-] *tr* mettre ensemble, réunir; *(in bestimmter Ordnung)* assembler, agencer, assortir, composer, combiner, arranger; *tech (montieren)* assembler, monter; *loc (Zug)* former; *mil (Truppen)* rassembler; *(Zeitung)* bâtir; *(Programm, Menu)* établir; *(in e-r Liste)* faire une liste de; *(gruppieren, klassifizieren)* grouper, class(ifi)er; *(vergleichend)* rapprocher, comparer; **Z~ung** *f* réunion *f;* assemblage, agencement, assortissement *m,* composition; combinaison *f,* arrangement; *tech* montage *m; loc* formation *f; mil* rassemblement; établissement *m; (Liste)* liste; table *f,* tableau; *(Gruppierung)* groupement, classement *m*, classification *f*; *(Vergleich)* rapprochement *m*, comparaison *f*.

zusammen=stimmen [-'za-] *itr mus (harmonieren)* s'accorder; *fig (Farben)* aller (bien) ensemble; *(Menschen)* être en harmonie; *(übereinstimmen)* concorder, être conformé(s) *od* en concordance.

zusammen=stoppeln [-'za-] *tr* (mal) compiler.

Zusammen|stoß *m* [-'za-] *a. fig* choc, heurt *m*; *(von Fahrzeugen; a. fig)* collision *f*; *loc* tamponnement; *mot* accrochage; *mar aero* abordage *m*; *mil* rencontre *f*, choc, accrochage; *fig a.* conflit, *fam* carambolage *m*; **z~=stoßen** ⟨*ist zusammengestoßen*⟩ *itr a. fig* s'entrechoquer, se heurter, se rencontrer; *(Fahrzeuge)* s'emboutir; entrer en collision (*mit etw* avec qc); *loc* tamponner, télescoper (*mit etw* qc); se tamponner, se télescoper; *mot (beim Überholen)* accrocher (*mit etw* qc); *mar* aborder (*mit etw* qc); *mil* se rencontrer; entrer en collision (*mit* avec); *fig a.* entrer en conflit (*mit jdm* avec qn); *(anea.grenzen)* être contigus; confiner (*mit* à).

zusammen=streichen [-'za-] *tr (Zeitungsartikel)* sabrer; *(Buch)* faire des coupures à, châtrer; *(Budget)* faire une coupe sombre.

zusammen=strömen [-'za-] *itr* ⟨*aux: sein*⟩ affluer.

zusammen=stücken [-'za-] *tr (aus Flicken)* faire avec des morceaux.

zusammen=stürzen [-'za-] *itr* ⟨*aux: sein*⟩ *(einstürzen)* (s'é)crouler, s'effondrer.

zusammen=suchen [-'za-] *tr* être à la recherche de; rassembler, recueillir.

zusammen=tragen [-'za-] *tr* réunir; *fig (sammeln)* recueillir, rassembler, collectionner; *(Kenntnisse)* amasser; *(Texte)* compiler.

zusammen=treffen [-'za-] *itr* ⟨*aux: sein*⟩ *(sich begegnen)* se rencontrer; *mit jdm* rencontrer qn; *(gleichzeitig geschehen)* coïncider (*mit* avec); **Z~** *n (Begegnung)* rencontre *f*; *(von Umständen)* concours *m*; *(Gleichzeitigkeit)* coïncidence *f*; *zufällige(s) ~~ von Ereignissen* rencontre *f* fortuite d'événements.

zusammen=treiben [-'za-] *tr* rassembler; *(Jagd)* rabattre; *(Außenstände)* recouvrer.

zusammen=treten [-'za-] *itr* ⟨*aux: sein*⟩ se réunir, s'assembler; **Z~tritt** *m* réunion *f*.

zusammen=trommeln [-'za-] *tr* rallier au son du tambour; *fig fam (Menschen zs.bringen)* ramasser.

zusammen=tun [-'za-] *tr* mettre ensemble, réunir; *sich ~* se mettre ensemble, se réunir, s'associer; *com* fusionner.

zusammen=wachsen [-'za-] *itr* ⟨*aux: sein*⟩ *bot med* se souder; *fig* se joindre.

zusammen=werfen [-'za-] *tr* jeter pêle-mêle; confondre; renverser; abattre.

zusammen=wickeln [-'za-] *tr* enrouler.

zusammen=wirken [-'za-] *itr (verschiedene Kräfte, Ursachen)* agir ensemble; coopérer; concourir (à un objectif commun); **Z~** *n* action *f* combinée, efforts *m pl* combinés; coopération *f*; concours *m*

zusammen=würfeln [-'za-] *tr* réunir au hasard; *eine bunt zusammengewürfelte Gesellschaft* une société fort mêlée.

zusammen=zählen [-'za-] *tr = zusammenrechnen.*

zusammen=zieh|en [-'za-] *tr (verkürzend)* rétrécir, raccourcir; *(verengend)* (res)serrer; *physiol* contracter; *(Truppen)* concentrer, rassembler; *adm (zentralisieren)* centraliser; = *zs.rechnen*; *fig (kürzen)* raccourcir, abréger, réduire; *itr* aller habiter ensemble; *wir sind zs.gezogen* nous faisons ménage commun; *sich ~~* (se) rétrécir, se raccourcir; se resserrer; se contracter; *(Augenbrauen)* froncer; *(Wolken, a. fig)* s'amasser; *(Gewitter)* se préparer; **~end** *a med* astringent; *~~e(s) Mittel n* astringent *m*; **Z~ung** *f* froncement; rétrécissement, raccourcissement; resserrement *m*; contraction; concentration; centralisation; addition *f*; abrégement *m*, réduction *f*; *~~ des Herzmuskels* systole *f*.

zusammen=zucken [-'za-] *itr* tressaillir (*vor* de).

Zusatz *m* ['tsu:-] *(Hinzufügung)* addition, adjonction; *(Anmerkung)* note *f* (additionnelle); *(Nachtrag)* supplément, additif; *(zu e-m Brief)* post-scriptum; *(zu e-m Buch)* addenda *m*; *jur* annexe *f*; *(zu e-m Testament)* codicille; *(zu e-m Gesetz)* amendement; *chem* additif *m*; **~abkommen** *n* accord *m* additionnel *od* complémentaire; **~aggregat** *n el* groupe *m* additionnel; **~antrag** *m (zu e-m Gesetz)* amendement *m*; *parl* proposition *f* additionnelle; *e-n ~~ einbringen* déposer un amendement; **~artikel** *m (e-s Schriftstücks)* article *m* additionnel; **~batterie** *f el* batterie *f* survoltrice; **~bestimmung** *f* disposition *od* prescription *od* clause *f* additionnelle; **~-(Betriebsstoff-)Behälter** *m aero* réservoir *m* supplémentaire (de combustible); **~bewegung** *f tech* superposition *f* des mouvements; **~bremse** *f* frein *m* auxiliaire; **~düse** *f aero* gicleur *m* de correction; **~dynamo** *m el* survolteur *m*; **~erklärung** *f* explication *f* complémentaire; **~frage** *f* question *f* subsidiaire; **~gebühr** *f* droit *m* supplémentaire; **~gerät** *n* appareil *m* complémentaire; **~haushalt** *m adm* budget *m* additionnel *od* complémentaire; **~heizung** *f* chauffage *m* d'appoint; **~leistung** *f* surérogation *f*; **~linse** *f opt phot* lentille *f* additionnelle; **~nahrung** *f* nourriture *f* complémentaire; **~patent** *n* brevet *m* d'addition *od* additionnel; **~police** *f (Versicherung)* police *f* complémentaire; **~prämie** *f* surprime *f*; **~protokoll** *n* protocole *m* additionnel; **~rente** *f* rente *f* supplémentaire; **~steuer** *f* impôt *m* supplémentaire; **~vereinbarung** *f* accord *m* complémentaire *od* additionnel; **~versicherung** *f* assurance *f* complémentaire; **~vertrag** *m* avenant *m*; **~widerstand** *m el* résistance *f* supplémentaire.

zusätzlich ['tsu:-] *a* additionnel, supplémentaire, complémentaire; *(Leistung, Zahlung)* surérogatoire; *adv (außerdem)* en outre, de plus, en sus.

zuschanden [tsu'ʃandən] *adv* détruit, abîmé, gâté, ruiné, perdu; *sich ~ arbeiten* s'abîmer; *~ machen (Hoffnung enttäuschen)* décevoir, tromper; anéantir, briser, ruiner; *(Plan: vereiteln)* déjouer, renverser, détruire; *~ reiten* crever; *~ werden (Hoffnung)* être déçu *od* trompé; *(Plan)* être déjoué *od* renversé *od* détruit.

zu=schanzen ['tsu:-] *tr fig fam: jdm etw ~* faire avoir, procurer qc à qn; *jdm alles ~ (a.)* faire venir l'eau au moulin de qn.

zu=scharren ['tsu:-] *tr* (re)couvrir de terre (en grattant).

zu=schau|en ['tsu:-] *itr* regarder (*jdm, e-r S* qn, qc), être spectateur (*e-r S* de qc); **Z~er(in** *f***)** *m* spectateur *m*, spectatrice *f*; *TV* (télé)spectateur *m*, (télé)spectatrice *f*; *(Zeuge)* témoin *m f*; *die ~~ pl* les spectateurs *m pl*, le public, la galerie; **Z~erraum** *m theat* salle (de spectacle); *(des Kinos)* salle *f* de cinéma; **Z~ertribüne** *f* tribune *f* du public.

zu=schaufeln ['tsu:-] *tr* recouvrir *od* combler à la pelle.

zu=schenken ['tsu:-] *tr (zu e-m Getränkerest)* reverser; *darf ich (Ihnen) ~?* puis-je vous reverser à boire?

zu=schicken ['tsu:-] *tr = zusenden.*

zu=schieben ['tsu:-] *tr (Schublade)* fermer; *jdm etw* pousser qc vers qn; *fig* se décharger de qc sur qn; *jdm den Eid ~* déférer le serment à qn; *jdm die Schuld an e-r S ~* attribuer *od* imputer à qn la faute de qc, rejeter la faute de qc sur qn; *jdm die Verantwortung für etw ~* rejeter la responsabilité de qc sur qn.

zu=schießen ['tsu:-] *tr fig: jdm e-n Blick ~* jeter *od* darder un regard sur qn, lancer un regard à qn; *Geld ~* fournir un supplément d'argent; *itr (e-n Zuschuß geben)* y contribuer, y mettre du sien; *auf jdn, etw ~ (losstürzen)* fondre, s'élancer, se précipiter sur qn, sur qc.

Zuschlag *m* ['tsu:-] *(bei e-r Ausschreibung, Auktion)* (prononcé *m* d')adjudication; *(Preiserhöhung)* majoration, augmentation; *(zu e-r Gebühr)* surtaxe *f*; *loc* supplément; *metal (Zusatz bei e-m Schmelzprozeß)* fondant *m*; *mit e-m ~ belegen* surtaxer; *den ~ erteilen (Auktion)* adjuger, donner le dernier coup de marteau; **zu=schlagen** *tr (Deckel)* rabattre; *(Tür)* (faire) claquer; *(Buch)* (re)fermer brusquement; *(Kiste, Faß zunageln)* fermer, clouer; *(jdm den Ball)* lancer, envoyer (la balle à qn);

(bei e-r Ausschreibung, Auktion) adjuger *(jdm etw* qc à qn); *itr (Tür)* se fermer brusquement, claquer; *(auf e-n Menschen)* frapper, porter des coups; *fest* ~ avoir la main lourde; *(immer) gleich* ~ avoir la main leste; *kräftig* od *tüchtig* ~ frapper *od* cogner dur, ne pas y aller de main morte; *zugeschlagen! (bei e-r Auktion)* adjugé! **~hammer** *m (für beide Hände)* marteau *m* à (frapper) devant; **z~(s)frei** *a* exempt de surtaxe; *loc* sans supplément; **~(s)karte** *f loc* (billet de) supplément *m;* **z~(s)pflichtig** *a loc* avec supplément; soumis à une surtaxe; **~(s)porto** *n* surtaxe *f,* port *m* supplémentaire; **~(s)prämie** *f* surprime *f;* **~(s)steuer** *f* impôt *m* additionnel *od* supplémentaire; **~stoff** *m metal* fondant *m;* **~sverweigerung** *f* refus *m* d'adjudication; **~(s)zoll** *m* droit *m* supplémentaire.

zu=schließen ['tsu:-] *tr* fermer à clé.

zu=schmeißen ['tsu:-] *tr pop (Tür)* (faire) claquer.

zu=schmieren ['tsu:-] *tr* boucher (*mit* avec).

zu=schnallen ['tsu:-] *tr* boucler.

zu=schnappen ['tsu:-] *itr* ‹*aux: sein/haben*› *(Verschluß)* se fermer brusquement; *(zubeißen)* mordre.

Zuschneid|ekurs *m* ['tsu:-] cours *m* de coupe; **~emaschine** *f* machine à découper, découpeuse *f;* **zu=schneiden** *tr (Stoff)* découper; *(Kleidungsstück)* couper, tailler; *(Holz)* débiter; **~er** *m* coupeur *m.*

zu=schneien ['tsu:-] *itr* se couvrir de neige.

Zuschnitt *m* ['tsu:-] coupe, taille, façon; *fig (Gestaltung)* tournure *f.*

zu=schnüren ['tsu:-] *tr* serrer (avec un cordon *od* une ficelle), ficeler; *(Schuhe)* lacer; *es schnürt mir die Kehle zu (fig)* cela me serre la gorge.

zu=schrauben ['tsu:-] *tr* visser, fermer à vis.

zu=schreiben ['tsu:-] *tr (hinzufügen)* ajouter; *jdm etw (Summe, Grundstück)* porter qc au compte de qn, créditer qn de qc; *fig* attribuer qc à qn; *pej* imputer, prêter qc à qn; mettre qc sur le compte de qn; *sich etw* ~ s'attribuer qc; *das hast du dir selbst zuzuschreiben* tu ne peux t'en prendre qu'à toi-même, c'est ta (propre) faute.

zu=schreien ['tsu:-] *tr: jdm etw* ~ crier qc à qn.

zu=schreiten ['tsu:-] *itr: auf jdn* ~ marcher, avancer, se diriger vers qn.

Zuschrift *f* ['tsu:-] communication, lettre *f.*

zuschulden [tsu'ʃʊldən] *adv: sich etw ~ kommen lassen* se rendre coupable de qc; faire *od* commettre une faute.

Zuschuß *m* ['tsu:-] *(Beitrag)* contribution *f; (zusätzliche Zahlung)* (versement) supplément(aire) *m; (Beihilfe)* aide; *(Sozialleistung)* allocation; *(staatliche Wirtschaftshilfe)* subvention; *typ (zusätzl. Papier)* passe *f;* **~betrieb** *m* entreprise *f* exigeant une subvention; **~exemplar** *n (Buch)* exemplaire *m* de passe *od* hors tirage; **~gebiet** *n* région *f* exigeant une subvention.

zu=schütten ['tsu:-] *tr (auffüllen)* combler, remplir, remblayer; *(hinzutun)* ajouter (*zu* à).

zu=sehen ['tsu:-] *itr: jdm* ~ regarder qn; *e-r S* ~ assister à qc, être spectateur *od* témoin de qc; *(aufmerksam)* faire attention, veiller; *(nicht einschreiten)* (regarder et) ne rien faire; *(sich bemühen)* faire en sorte (*daß* que *subj*); avoir soin de *inf; bei genauerem Z~* en y regardant de plus près; *da müssen Sie selber ~ fig* c'est votre affaire, cela vous regarde; **~ds** *adv* à vue d'œil, visiblement.

zu=send|en ['tsu:-] *tr* envoyer, faire parvenir; **Z~ung** *f* envoi *m.*

zu=setzen ['tsu:-] *tr (hinzufügen)* ajouter; *(Geld bei e-m Geschäft)* perdre, sacrifier; *itr: jdm mit etw* ~ importuner, incommoder qn de qc; *jdm mit Bitten* ~ obséder qn de demandes *od* de prières; *jdm mit Fragen* ~ presser qn de questions; *(Geld)* ~ en être de sa poche; *jdm hart* ~ tracasser, molester, persécuter qn.

zu=sicher|n ['tsu:-] *tr* assurer, garantir; *(Belohnung)* promettre; **Z~ung** *f* assurance, garantie; *(versprechen)* promesse *f.*

zu=siegeln ['tsu:-] *tr* cacheter.

Zuspätkommende(r) *m* [tsu'ʃpɛ:t-] retardataire *m.*

zu=sperren ['tsu:-] *tr* fermer (à clé), verrouiller.

zu=spielen ['tsu:-] *tr sport (den Ball)* passer, servir; *fig: jdm etw* faire une passe à qn.

zu=spitz|en ['tsu:-] *tr* tailler en pointe, aiguiser, effiler; *sich ~~ (Lage: ernst werden)* empirer, s'aggraver, s'envenimer, se gâter; **Z~ung** *f fig* aggravation; *pol a.* escalade *f.*

zu=sprech|en ['tsu:-] *tr (jur* od *bei e-r Auktion)* adjuger, attribuer (*jdm etw* qc à qn); *tele (durchsagen)* communiquer; *e-n Preis ~~* décerner un prix; *itr (gut zureden)* exhorter, encourager (*jdm* qn); *fig (e-r Speise, e-m Getränk)* faire honneur à; *jdm freundlich ~~* avoir des paroles aimables pour qn; *jdm Mut ~~* encourager, exhorter qn; *jdm Trost ~~* consoler qn; **Z~ung** *f jur* adjudication, attribution *f.*

zu=springen ['tsu:-] *itr (Verschluß)* se fermer (brusquement); *auf jdn* ~ s'élancer vers *od* sur qn; *(sich auf jdn werfen)* se jeter, foncer sur qn.

Zuspruch *m* ‹-(e)s, ø› ['tsu:-] *(Aufmunterung)* exhortation *f,* encouragement *m; (Trost)* consolation; *(geistlicher)* assistance; *(Beifall)* approbation *f,* applaudissements *m pl; (Anklang, Erfolg)* succès *m; (Andrang)* affluence *f; viel ~ haben (com)* être bien achalandé; *(Arzt, Rechtsanwalt)* avoir une forte clientèle; *allg* être en vogue.

Zustand ['tsu:-] *m* état *m; (Beschaffenheit)* condition; *(Lage)* situation, position; *(Entwicklungsstufe)* phase *f; pl (Verhältnisse)* circonstances *f pl; med fam* crise *f* de nerfs; *in betriebsfähigem* ~ en ordre de marche *od* de fonctionnement; *in betrunkenem* ~ en état d'ivresse; *in gutem, schlechtem* ~ en bon, mauvais état; *s-e Zustände haben (med)* avoir ses nerfs; *etw in gutem ~ halten* tenir qc en état; *das sind Zustände! Zustände wie im alten Rom! (fam)* quelle pagaille! *der gegenwärtige ~ (pol)* le statu quo.

zustande [tsu'ʃtandə] *adv: ~ bringen* venir à bout de, faire aboutir, mettre sur pied, réaliser, exécuter; *(mit Geschick* od *Feingefühl)* ménager; *~ kommen* se faire, s'organiser, se réaliser, naître; *(stattfinden)* avoir lieu; **Z~bringen** *n* mise sur pied, réalisation, exécution *f;* **Z~kommen** *n* réalisation *f.*

zuständig ['tsu:-] *a* compétent; *(befugt)* qualifié, autorisé; *(verantwortlich)* responsable; *nicht ~ (a.)* incompétent; *von ~er Stelle* de bonne source; *~ sein (jur a.)* avoir compétence; *sich an die ~e Stelle wenden* s'adresser à l'autorité compétente *od* à qui de droit; *dafür bin ich ~* c'est de mon ressort, cela ressort *od* relève de moi *od* de ma compétence; cela fait partie de mes attributions; *dafür bin ich nicht ~ (a.)* cela sort de mes attributions *od* de ma compétence; *~e(s) Gericht n* tribunal *m* compétent; *~e(r) Richter m* juge *m* compétent; **Z~e(r)** *m: an, durch den Z~en* à, par qui de droit; **Z~keit** *f* compétence *f,* ressort *m; jur* juridiction *f; die ~~ e-s Gerichts ablehnen* décliner la compétence d'un tribunal; *nicht in jds ~~ fallen* échapper à la compétence de qn; **Z~keitsbereich** *m* ressort *m;* **~keitshalber** *adv* pour attribution, pour suite à donner.

zustatten [tsu'ʃtatən] *adv: jdm ~ kommen* venir à propos *od* à point pour qn, servir qn, profiter à qn.

zu=stecken ['tsu:-] *tr (Riß in e-m Gewebe)* fermer avec une *od* des épingle(s); *jdm etw ~ (fig)* glisser qc à qn, donner qc à qn en cachette.

zu=stehen ['tsu:-] *itr (gebühren)* revenir, appartenir (*jdm* à qn); *das steht mir von Rechts wegen zu* cela me revient de droit; *das steht mir nicht zu* je n'y ai pas droit.

zu=steigen ['tsu:-] *itr* monter en cours de route *od* de voyage; *(ist) noch jem zugestiegen?* quelqu'un est-il monté en cours de route?

Zustell|bezirk *m* ['tsu:-] *(Post)* rayon *m* de distribution; **Z~dienst** *m* service *m* de factage, distributions *f pl;* **zu=~en** *tr (versperren)* barrer, obstruer; *(Fenster, Tür a.)* condamner; *(übermitteln)* remettre, délivrer (*jdm etw* qc à qn); *(Post)* distribuer; *adm* notifier; *jur* signifier; **~gebühr** *f* factage *m,* taxe *f* de livraison; **~postamt** *n* bureau *m* (de poste) distributeur *od* destinataire; **~ung** *f* remise (à domicile), délivrance, livraison; *(durch die Post)* remise, distribution *f,* factage *m; adm* notification; *jur* signification *f; ~~ durch Eilboten* remise *f* par exprès; ~**ungsurkunde** *f jur* acte *m* de signification.

zu=steuern ['tsu:-] **1.** ⟨*aux: sein*⟩ *itr mar* faire route, mettre le cap (*auf* sur); *allg (fahren)* se diriger (*auf* vers); *der Küste* ~ mettre le cap sur la côte.

zu=steuern ['tsu:-] **2.** ⟨*aux: haben*⟩ *tr (beitragen)* contribuer (*zu* à).

zu=stimm|en *itr* consentir, donner son consentement *od* son assentiment *od* son accord; acquiescer (*e-r S* à qc); *(e-r Bedingung)* accepter (une condition); *jdm, e-r S* approuver qn, qc; ~**end** *a* approbateur, approbatif; *adv* en signe d'approbation; ~~ *nikken (a.)* faire un signe d'assentiment; **Z~ung** *f* consentement, assentiment, accord; acquiescement *m*, adhésion; approbation *f*; agrément *m*; *mit Ihrer* ~~ avec votre assentiment; *s-e* ~~ *erteilen* donner son autorisation; *s-e* ~~ *geben* donner son assentiment *od* son accord (*zu* à); ~~ *des Ehemannes (jur)* autorisation *f* maritale; *stillschweigende* ~~ *(jur)* consentement *m* tacite; **Z~ungserklärung** *f* déclaration *f* de consentement.

zu=stopfen ['tsu:-] *tr (Loch)* boucher; *(Ritze)* calfeutrer, *(mit Werg)* étouper.

zu=stöpseln ['tsu:-] *tr* tamponner, boucher.

zu=stoßen ['tsu:-] ⟨*aux: haben/sein*⟩ *tr (Tür)* fermer en poussant; *itr* frapper; *fig (Unglück: geschehen)* arriver, survenir; *mir ist ein Unglück zugestoßen* il m'est arrivé un malheur.

zu=streben ['tsu:-] *itr* se diriger (*e-r S* vers qc).

Zustrom *m* ⟨-(e)s, ø⟩ ['tsu:-] *(von Menschen)* affluence *f*, afflux *m*.

zu=stürmen ['tsu:-] *itr: auf jdn, etw* ~ s'élancer vers *od* sur qn, qc.

zu=stürzen ['tsu:-] ⟨*aux: sein*⟩ *itr: auf jdn* ~ se précipiter vers qn, foncer sur qn.

zu=stutzen ['tsu:-] *tr (Baum)* tailler, conduire; *allg* façonner; *fam* arranger, retaper.

zutage [tsu'ta:gə] *adv:* ~ *bringen (fig: enthüllen)* mettre au jour, révéler; ~ *fördern (mines)* extraire; *fig* mettre au jour; ~ *kommen,* ~ *treten* paraître (au grand jour), se faire jour *(offen)* ~ *liegen* être à jour, être évident *od* manifeste.

Zutaten *f* ['tsu:-] *pl (Bestandteile e-r Speise)* ingrédients *m pl; (Schneiderei: notwendiges Material außer dem Stoff)* fourniture *f*.

zuteil [tsu'taɪl] *adv: jdm* ~ *werden* échoir (en partage) *od* revenir à qn; *jdm etw* ~ *werden lassen* (faire) donner, faire obtenir qc à qn; *ihm wurde ein prachtvolles Geschenk* ~ il reçut un cadeau magnifique; *ein freundlicher Empfang wurde ihm* ~ on lui fit bon accueil.

zu=teil|en ['tsu:-] *tr (zuweisen)* attribuer; *bes. adm* assigner, impartir; *bes. mil (Truppen unterstellen)* affecter; *jur (zusprechen)* adjuger; *(austeilen)* distribuer; *(bes. Aktien)* répartir; *(rationieren)* rationner, contingenter; **Z~ung** *f* attribution; assignation; *(Geldzuteilung)* allocation; affectation; adjudication; distribution; répartition *f*; *(Rationierung)* rationnement, contingentement *m*; *(Ration)* ration *f*; **Z~ungsausschuß** *m* commission *f* des allocations; **Z~ungsnachricht** *f* avis *m* de répartition; **Z~ungsperiode** *f (bei d. Rationierung)* période *f* de rationnement; **Z~ungssätze** *m pl* taux *m pl* de rationnement; **Z~ungssystem** *n* système *m* de répartition.

zutiefst [tsu'ti:fst] *adv* au plus profond, profondément; ~ *erregt* remué jusqu'au fond des entrailles.

zu=tragen ['tsu:-] *tr (heimlich mitteilen)* rapporter; *sich* ~ *(sich ereignen)* arriver, se passer, se produire.

Zuträg|er *m* ['tsu:-] rapporteur; *(Denunziant)* délateur, *fam* mouchard *m*; ~**erei** *f* [-'raɪ] délation, dénonciation *f*, *fam* mouchardage *m*; **z~lich** *a (gesund, heilsam)* salutaire, salubre; *(Speise: bekömmlich)* digest(ibl)e; ~**lichkeit** *f* salubrité; digestibilité *f*.

zu=trau|en ['tsu:-] *tr: jdm etw* ~~ croire qn capable de qc; *jdm* ~~, *daß er etw tut* croire qn capable de faire qc; *jdm viel* ~~ avoir bonne opinion *od* une haute idée de qn; *sich nicht viel* ~~ se méfier de ses forces; *fam* manquer d'estomac; *sich zuviel* ~~ présumer de ses forces; *das traue ich mir nicht zu* je n'ai pas le courage d'entreprendre cela; **Z~en** *n* confiance *f* (*zu* en); ~~ *zu jdm haben* avoir confiance en qn; ~**lich** *a* confiant; familier; **Z~lichkeit** *f* confiance *f*.

zu=treffen ['tsu:-] *itr (stimmen, richtig sein)* être exact *od* juste; *(gelten)* être valable (*für* pour); *(anwendbar sein)* s'appliquer (*für* à); *das trifft durchaus zu* c'est absolument exact; *das könnte* ~ c'est *od* ce serait possible; ~**d** *a (richtig)* exact, juste; pertinent; *(anwendbar)* applicable (*für* à); ~**denfalls** *adv* dans l'affirmative.

zu=treiben ['tsu:-] ⟨*aux: sein*⟩ *itr (von den Wellen getrieben werden)* être poussé (*auf ... zu* vers ...).

zu=trinken ['tsu:-] *itr: jdm* ~ boire à la santé de qn.

Zutritt *m* ⟨-(e)s, ø⟩ ['tsu:-] *(Zugang)* accès *m* (*zu etw* à qc, *zu jdm* auprès de qn); *(Eintritt)* entrée *f*; ~ *geben zu* donner accès à; *bei jdm* ~ *haben* être reçu, avoir ses entrées chez qn; *sich* ~ *verschaffen* s'introduire; *jdm den* ~ *verwehren* refuser sa porte à qn; *Jugendliche unter 16 Jahren haben keinen* ~ interdit aux moins de seize ans; ~ *verboten!* entrée interdite, défense d'entrer.

zu=tun *tr (hinzufügen)* ajouter; *die Augen für immer* ~ fermer les yeux à jamais *die ganze Nacht kein Auge zugetan haben* ne pas avoir fermé l'œil de toute la nuit; **Z~** *n: ohne mein* ~~ sans mon entremise *od* ma participation *od* mon intervention, sans que j'y sois pour rien.

zutu(n)lich ['tsu:tu:(n)-] *a* = *zutraulich; (anschmiegsam)* insinuant.

zuungunsten [tsu'ʔun-] *prp gen (zum Nachteil)* au préjudice de.

zuunterst [tsu'ʔuntərst] *adv* tout en bas, au fond.

zuverlässig ['tsu:-] *a (Mensch)* sûr, sur qui on peut compter, sérieux; *(erprobt)* éprouvé; *(gewissenhaft)* consciencieux; *(vertrauenswürdig)* digne de confiance, fiable; *allg* sûr, solide; *(Bericht: wahrhaft)* véridique; *(authentisch)* authentique; *(Gedächtnis)* fidèle; *aus* ~*er Quelle* de source sûre; *unbedingt* ~ à toute épreuve; **Z~keit** *f* sûreté; solidité; authenticité; fidélité, fiabilité *f*; **Z~keitsfahrt** *f*, **Z~keitsprüfung** *f mot* épreuve *f* d'endurance *od* de résistance.

Zuversicht *f* ⟨-, ø⟩ ['tsu:-] assurance; *(Vertrauen)* confiance *f*; *voller* ~ plein d'assurance *od* d'espoir; *die feste* ~ *haben, daß ...* avoir le ferme espoir que ...; **z~lich** *a* confiant; *adv* avec *od* de *od* en confiance; ~**lichkeit** *f* ⟨-, ø⟩ = ~.

zuviel [tsu'fi:l] *adv* trop (*gen* de); *einer* ~ un de trop; *viel* ~ beaucoup trop; ~ *(davon) wissen* en savoir trop; *das ist (des Guten)* ~ c'en est trop; *besser* ~ *als zuwenig* abondance *f* de biens ne nuit pas.

zuvor [tsu'fo:r] *adv (vorher)* (au-par)avant; *(im voraus)* d'avance; *kurz* ~ peu de temps avant; *nie* ~ ne ... jamais; *wie* ~ comme avant.

zuvorderst [tsu'fɔrdərst] *adv (ganz vorn)* en tête.

zuvörderst [tsu'fœrdərst] *adv (zuerst)* d'abord, en premier lieu; *(zuvor)* préalablement; *(vor allem)* avant tout.

zuvor=kommen [-'fo:r-] *itr: jdm* ~ devancer, prévenir qn; *(den Rang ablaufen)* prendre le pas sur qn, gagner qn de vitesse; ~**d** *a* prévenant, obligeant, serviable, attentionné, empressé; *sehr* ~~ *gegenüber jdm sein* avoir des attentions pour qn; **Z~heit** *f* ⟨-, ø⟩ prévenance, obligeance, serviabilité *f*, attentions *f pl*, empressement *m*.

zuvor=tun [-'fo:r-] *tr: es jdm an* od *in etw* ~ surpasser qn, l'emporter sur qn en qc.

Zuwachs *m* ⟨-es, ø⟩ ['tsu:-] surcroît *m* (*an* de); *Müllers haben* ~ *bekommen (fam)* il y a une naissance chez les Müller; *auf* ~ *berechnet* fait en prévision de surcroît; **zu=wachsen** ⟨*aux: sein*⟩ *itr med (Wunde), bot (Vegetationslücke)* se (re)fermer; se couvrir de végétation; ~**rate** *f* augmentation *f*, taux *m* de croissance *od* d'accroissement *od* de progression; *jährliche (Produktions-)*~~ augmentation *f* annuelle (de productivité); ~**steuer** *f* impôt *m* d'accroissement.

Zuwand|(e)rer ['tsu:-] *m (Einwanderer)* immigrant *m*; **zu=wandern** ⟨*aux: sein*⟩ *itr (einwandern)* immigrer; ~**erung** *f* immigration *f*.

zu=warten ['tsu:-] *itr (untätig warten)* attendre (patiemment), rester dans l'expectative.

zuwege [tsu've:gə] *adv: etw* ~ *brin-*

gen réussir à faire qc, venir à bout de qc, mener qc à bonne fin; *gut ~ sein (fam: gesund)* être bien portant.

zu≈wehen ['tsu:-] *tr: jdm Luft ~* éventer qn; *(mit Schnee) ~* combler de neige.

zuweilen [tsu'vaılən] *adv* quelquefois, parfois, de temps en temps, de loin en loin.

zu≈weis|en ['tsu:-] *tr (bes. adm: zuteilen)* assigner, impartir; attribuer; *(bewilligen)* allouer; *bes. mil (Truppen: unterstellen)* affecter; *jdm e-n Platz ~~* assigner une place à qn; **Z~ung** *f* assignation; attribution; allocation; affectation *f.*

zu≈wend|en ['tsu:-] *tr* tourner (*dat* vers); *jdm etw ~~ (zukommen lassen)* faire obtenir qc à qn; *sich ~~* se tourner (*dat* vers); *sich e-r S ~~ (fig: beginnen)* passer, procéder à qc; *(sich e-r S widmen)* se vouer *od* se consacrer à qc; *s-e Aufmerksamkeit e-r S ~~* porter son attention sur qc; *e-m Kind s-e ganze Liebe ~~* reporter toute son affection sur un enfant; *jdm den Rücken ~~* tourner le dos à qn; **Z~ung** *f (Beihilfe)* aide, subvention, dotation, affectation *f,* subside *m; (soziale Unterstützung)* allocation *f; (Gabe)* don *m.*

zuwenig [tsu've:nıç] *adv* trop peu; *3 Franc ~* 3 francs en moins.

zu≈werfen ['tsu:-] *tr (heftig schließen)* (faire) claquer; *(zuschütten)* remplir, combler; *jdm etw* jeter qc à qn; *jdm den Ball ~* lancer la balle à qn; *jdm e-n Blick ~* jeter un regard sur qn.

zuwider [tsu'vi:dər] *prp (nachgestellt) dat* contre, contrairement à, en contradiction avec, à l'encontre de; *adv* contraire; *dem Befehl ~* contrairement à *od* contre l'ordre; *jdm ~ sein* être contraire, répugner à qn; *er ist mir (sehr) ~* je l'ai en aversion *od* en horreur, il me répugne; **~≈handeln** *itr* agir contrairement, contrevenir, désobéir (*e-m Befehl, e-m Gesetz* à un ordre, à une loi); *e-m Vertrag ~~* violer *od* enfreindre un traité; **Z~handelnde(r)** *m* contrevenant *m;* **Z~handlung** *f* contravention; infraction *f;* **~≈laufen** *itr* être contraire (*dat* à) *od* en contradiction (avec).

zu≈winken ['tsu:-] *itr: jdm ~* faire signe à qn.

zu≈zahlen ['tsu:-] *tr* payer en supplément.

zu≈zählen ['tsu:-] *tr (hinzurechnen)* ajouter (au compte), additionner.

zuzeiten [tsu'tsaıtən] *adv = zuweilen.*

zu≈zieh|en ['tsu:-] *tr ⟨hat zugezogen⟩ (Schlinge, Knoten)* serrer; *(Vorhang)* fermer, tirer; *(Gehilfen)* adjoindre; *(Dolmetscher)* faire usage de, employer; *(Arzt)* appeler en consultation, consulter; *(Facharzt zusätzlich)* faire appel à; *itr ⟨ist zugezogen⟩ (als Mieter)* (aller) s'établir; *zugezogen sein* s'être établi; *sich etw ~~* s'attirer qc; *(e-e Krankheit)* contracter, attraper qc; *(e-n Tadel, e-e Strafe)* encourir qc; *sich Feinde ~~* s'attirer *od* se faire des ennemis; *e-n Schnupfen zieht man sich leicht zu* un rhume s'attrape facilement; **Z~ung** *f (e-s Gehilfen)* adjonction *f; (e-s Dolmetschers)* usage, emploi *m; (e-s Arztes)* consultation *f; (e-s Sachverständigen)* appel *m* (à un expert); *unter ~~ e-s Fachmannes* avec le concours d'un spécialiste.

Zuzug *m* ['tsu:-] *(Zuziehen)* établissement; *(Zustrom)* afflux *m,* affluence; *(Einwanderung)* immigration *f; mil (Verstärkung)* renfort *m;* **~sbewilligung** *f,* **~sgenehmigung** *f* autorisation *f* de résidence.

zuzüglich ['tsu:-] *prp gen* plus; *adv* en sus.

zu≈zwinkern ['tsu:-] *itr* cligner de l'œil (*jdm* à qn); *(mit jdm liebäugeln)* faire de l'œil (*jdm* à qn).

zwacken ['tsvakən] *tr (zwicken)* pincer; *(zupfen)* tirailler; *fig (plagen)* tenailler, tourmenter, harceler.

Zwang *m* ⟨-(e)s, ⸚e⟩ [tsvaŋ, 'tsvɛŋə] contrainte; *bes. jur* coercition; *(zur Zustimmung zu e-r gerichtl. Handlung)* violence; *(Druck)* pression; *(Gewalt)* force, violence; *(~slage)* gêne; *(Notlage)* nécessité; *(innerer ~)* sujétion *f; aus ~* par nécessité; *ohne ~* sans gêne; *unter ~* par contrainte, par coercition; *unter dem ~ der Notwendigkeit* sous l'empire de la nécessité; *unter dem ~ der Verhältnisse* par la force des circonstances; *jdm ~ antun* od *auf(er)legen* contraindre, forcer qn, faire pression sur qn *od* violence à qn; *sich ~ antun* se contraindre, se faire violence; *sich keinen ~ antun* ne pas se gêner, ne pas être gêné, être sans gêne; *~ anwenden* user de contrainte (*gegen jdn* envers qn); *sich von e-m lästigen ~ befreien* se libérer d'une contrainte *od* sujétion; **z~haft** *a (gezwungen)* contraint, forcé; **z~los** *a* aisé, léger, naturel; *a* u. *adv* sans contrainte, sans gêne, sans façon(s); *~~e Unterhaltung f* conversation *f* à bâtons rompus; **~losigkeit** *f* absence de contrainte *od* de gêne; *(Ungezwungenheit)* aisance *f,* laisser-aller *m.*

zwängen ['tsvɛŋən] *tr* presser, serrer; *(hindurch~)* faire passer *od (hinein~)* entrer *od (hinaus~)* sortir de force.

Zwangs|anleihe *f* ['tsvaŋs-] emprunt *m* forcé; **~arbeit** *f (gerichtl. Strafe)* travaux *m pl* forcés; *(staatl. Maßnahme)* travail *m* obligatoire; **~arbeiter** *m* travailleur *m* de force; **~aufenthalt** *m: jdm e-n ~~ anweisen* assigner qn à résidence; **~aushebung** *f mil* recrutement *m* forcé; **~beitreibung** *f* recouvrement *m* par contrainte; **z~bewirtschaftet** *a* soumis au rationnement; **~bewirtschaftung** *f* contingentement *m;* **~einquartierung** *f* cantonnement *m* forcé; **~enteignung** *f* expropriation *f* forcée; **~ernährung** *f (bei e-m Hungerstreik)* alimentation *f* forcée; **~erziehung** *f* éducation *f* correctionnelle; **~gemeinschaft** *f jur* indivision *f* forcée; **~handlung** *f psych* impulsion *f* motrice; **~herrschaft** *f* despotisme *m,* tyrannie *f;* **~hypothek** *f* hypothèque *f* judiciaire; **~innung** *f* corporation *f* obligatoire; **~jacke** *f* camisole *f* de force; **~kurs** *m fin* cours *m* forcé; **~lage** *f* état *m* de contrainte; *(Notlage)* gêne, nécessité *f; aus e-r ~~ heraus handeln* avoir la main forcée; *jdn in die ~~ versetzen, zu ...* mettre qn dans *od* réduire qn à la nécessité de ...; **~landung** *f aero* atterrissage *m* forcé; **z~läufig** *a* obligatoire; *(unvermeidbar)* inévitable; *(Entwicklung)* irrévocable; *adv* forcément, par la force des choses; obligatoirement; nécessairement; **~läufigkeit** *f* ⟨-, ø⟩ nécessité *f;* **~liquidation** *f jur* liquidation *f* judiciaire; **~lizenz** *f* licence *f* obligatoire; **~maßnahme** *f,* **~maßregel** *f* mesure *f* coercitive *od* de coercition *od* de contrainte *od* de rétorsion *od* répressive; **~mieter** *m* locataire *m* imposé; **~mittel** *n* moyen *m* coercitif *od* de contrainte; **~neurose** *f med* névrose *f* d'obsession; **~pensionierung** *f* mise *f* à la retraite d'office; **~räumung** *f* évacuation *f* forcée; **~schlaf** *m* ⟨-(e)s, ø⟩ hypnose *f;* **~schlichtung** *f* conciliation *f* obligatoire; **~verfahren** *n* procédure *f* coercitive; **~vergleich** *m jur* concordat *m* judiciaire, composition *f;* **~verkauf** *m* vente *f* forcée; **~versicherte(r)** *m* assuré *m* obligatoire; **~versicherung** *f* assurance *f* obligatoire; **~versteigerung** *f* (vente *f* aux) enchères *f pl* forcée(s), licitation *f* judiciaire; **~verwalter** *m* (administrateur-)séquestre *m;* **~verwaltung** *f* gestion forcée, (mise *f* sous) séquestre *m,* séquestration *f;* **~vollstreckung** *f* exécution *f* forcée; **~vollstreckungsbefehl** *m* ordonnance *f* de saisie; **~vorstellung** *f psych* idée fixe, obsession *f;* **z~weise** *adv* par contrainte, de *od* par force, forcément; *jur* par coercition; **~wirtschaft** *f* économie *f* contrôlée *od* dirigée; *(Rationierung)* (régime de) rationnement *m; die ~~ aufheben* supprimer le rationnement; *Aufhebung f der ~~* suppression *f* du rationnement.

zwanzig ['tsvantsıç] *(Zahlwort)* vingt; *etwa ~(...)* une vingtaine (de); *in den ~er Jahren (e-s Jahrhunderts)* dans les années vingt à trente; **Z~er** *m* (jeune) homme *m* de vingt ans; **Z~erjahre** *n pl: in den ~~n (e-s Menschenlebens) sein* avoir entre vingt et trente ans; **~fach** *a,* **~fältig** *a* vingtuple; **~jährig** *a* de vingt ans; **Z~stel** *n* ⟨-s, -⟩ vingtième *m;* **~stens** *adv* vingtièmement; **~ste(r, s)** *a* vingtième.

zwar [tsva:r] *adv (allerdings)* à la vérité; il est vrai, certes, en effet, sans doute; *und ~ (nämlich)* à savoir; *ich reise ab, und ~ (schon) morgen* je partirai, et cela dès demain; *und ~ so* et voici comment.

Zweck *m* ⟨-(e)s, -e⟩ ['tsvɛk] but, objet *m; (Endzweck)* fin *f; (Absicht)* dessein *m,* intention *f; (Sinn)* sens *m; (Bestimmung)* destination; *(Verwendung)* application; *(Funktion)* fonction *f; zum ~ (gen) = z~s; zu diesem ~* dans ce but, à cette fin, à cette intention, à cet effet; *zu friedlichen ~en* à des fins pacifiques; *ohne ~ und Ziel* de but en blanc, au hasard; *zu welchem ~?* dans quel but? à quel dessein? à quelle fin? *s-n ~ erfüllen* produire son effet; *s-n ~ erreichen* atteindre son but, venir à ses fins, *keinen ~ haben* ne mener *od* servir *od* rimer à rien, ne pas avoir de raison d'être; *s-n ~ verfehlen* manquer son but; *e-n ~ verfolgen* poursuivre un but *od* dessein, *mein ~ und Ziel ist ...* j'ai pour but *od* objet ...; *das hat keinen ~ (a.)* cela n'a aucun sens; à quoi bon? *das ist nicht der ~ der Sache* ce n'est pas fait pour cela; *der ~ heiligt die Mittel* la fin justifie les moyens; *Mittel n zum ~* moyen *m* d'arriver au but; **~bau** *m* ‹-(e)s, -ten› *arch* bâtiment *m* fonctionnel; **~bauen** *n* architecture *f* utilitaire; **z~bestimmt** *a* fonctionnel; *(tendenziös)* tendancieux; **~bestimmung** *f*, **~bindung** *f* affectation *f;* (à des objectifs précis) **z~dienlich** *a* expédient; *(nützlich)* utile; *(angebracht, passend)* opportun, pertinent, convenable; *(wirksam)* efficace; **~dienlichkeit** *f* ‹-, ø› utilité; opportunité, convenance, efficacité *f;* **z~entfremdet** *a* désaffecté; **~entfremdung** *f* désaffectation *f;* **z~entsprechend** *a = z~mäßig;* **z~frei** *a* désintéressé; **z~gebunden** *a* affecté (à des objectifs précis); fonctionnel; **z~gemäß** *a = z~mäßig;* **z~haft** *a* fonctionnel; **z~los** *a (unnütz)* inutile, vain; *es ist* od *wäre ~~, darüber zu reden* c'est indiscutable; **~losigkeit** *f* ‹-, ø› inutilité, vanité *f;* **z~mäßig** *a* approprié, adéquat, pratique, utile, fonctionnel, convenable; **~mäßigkeit** *f* ‹-, ø› convenance, rationalité *f;* **~mäßigkeitsgründe** *m pl: aus ~~n* pour des raisons de convenance *od* d'opportunité; **~meldung** *f* nouvelle *f* tendancieuse; **~optimismus** *m* optimisme *m* de commande; **z~s** *prp gen (zum Zweck)* en vue de, aux fins de; **~sparen** *n* épargne *f* créatrice; **~steuern** *f pl* impôts *m pl* affectés à des dépenses déterminées; **~verband** *m* association *f* à but déterminé; *kommunale(r) ~~* syndicat *m* de communes; **z~voll** *a = z~mäßig;* **z~widrig** *a* contraire au but, mal approprié, impropre, inadéquat; **~widrigkeit** *f* ‹-, ø› impropriété *f.*

Zwecke *f* ‹-, -n› ['tsvɛkə] *(Metallstift)* pointe, semence; *(Heftzwecke)* punaise *f; (Schuhnagel)* clou *m* à chaussures, caboche *f.*

zwei [tsvaɪ] *(Zahlwort)* deux; *die Z~ (als Ziffer)* le (chiffre) deux; *in ~ Teile (zerbrochen)* en deux; *zu ~en, zu ~t* (deux) à deux; *fam* en tandem; *alle ~ Monate erscheinend (Zeitschrift)* bimestriel; **Z~achser** *m mot* véhicule *m* à deux essieux; **~achsig** *a math* biaxial; *mot* à deux essieux; **~adrig** *a tech* à deux fils; **~armig** *a* à deux bras *od* branches; **~atomig** *a scient* diatomique; **~bändig** *a (Buch)* en deux volumes; **~basisch** *a chem* bibasique; **Z~bein** *n mil* bipied *m;* **~beinig** *a* à deux jambes; *scient* bipède; **~bettig** *a (Zimmer)* à deux lits; **Z~brücken** *n geog* Deux-Ponts *f;* **Z~bund** *m pol* alliance *f* bipartite; *der ~~ (von 1879)* l'Alliance *f* austro-allemande; **Z~decker** *m mar* deux-ponts; *aero* biplan *m;* **~deutig** *a* à double sens, ambigu, amphibologique; *a. pej* équivoque; *pej* interlope, louche; *~~ reden* od *schreiben* équivoquer; *~~e Antwort f (a.)* réponse *f* normande *od* de Normand; **Z~deutigkeit** *f* ambiguïté, amphibologie; *a. pej* équivoque; *pej (Zote)* grivoiserie, obscénité *f;* **~dimensional** *a* à deux dimensions; **Z~drittelmehrheit** *f* [-'drɪtəl] *parl: mit ~~* à la majorité des deux tiers; **~einhalb** *(Zahlwort)* deux et demi(e); **Z~er** *m* ‹-s, -› *(Rudersport)* deux *m* sans barreur; *m (Rodeln)* bob *m* à deux; **~erlei** ['--'laɪ] *a* de deux sortes, deux sortes de; *auf ~~ Art* de deux manières (différentes); *das ist ~~* ce sont deux choses différentes *fam; (das ist etwas anderes)* ça fait deux; *fam* ce sont deux choses différentes; *mit ~ Maß messen* avoir deux poids et deux mesures; *~ Reden führen* souffler le chaud et le froid; **Z~erzelt** *n* tente *f* pour deux personnes; **~fach** *a u. adv = doppelt;* **Z~familienhaus** *n* maison *f od* pavillon *m* pour deux familles; **Z~farbendruck** *m typ* bichromie *f;* **~farbig** *a* bicolore; **Z~felderwirtschaft** *f agr* culture *f* à deux assolements; **Z~flügler** *m pl ent* diptères *m pl;* **Z~frontenkrieg** *m* guerre *f* sur deux fronts; **Z~ganggetriebe** *n mot* boîte *f* à deux vitesses; **~gängig** *a (Gewinde)* à double pas; **Z~gespann** *n* voiture *f* à deux chevaux; **~gestrichen** *a mus* deux fois barré; **~geteilt** *a* biparti(te); **Z~gitterröhre** *f radio* lampe *f* à deux grilles; **~gleisig** *a: ~~e Strecke (loc)* ligne *f* à double voie; **~gliederig** *a math* à deux membres; **Z~händer** *m (Schwert)* épée *f* à deux mains, espadon *m;* **~händig** *a* à deux mains *a. mus; scient* bimane; **~häusig** *a bot* dioïque; **Z~heit** *f* ‹-, ø› *bes. philos* dualité *f;* **~höck(e)rig** *a (Kamel)* à deux bosses; **~hundert** *(Zahlwort)* deux cent(s); **Z~hundertjahrfeier** *f* bicentenaire *m;* **~jährig** *a* (âgé) de deux ans; *bot adm* biennal: *(alle ~ Jahre stattfindend)* bisannuel; **Z~kammersystem** *n pol* bicamér(al)isme *m;* **Z~kampf** *m* duel *m;* **Z~kindersystem** *n* système *m* de deux enfants; **~köpfig** *a (bes. Wappentier)* bicéphale; **~lappig** *a bot* bilobé; **~mal** *adv* deux fois; *~~ (hinterea.)* à deux reprises; *den Schlüssel ~~ herumdrehen* fermer à double tour; *es sich nicht ~~ sagen lassen* ne pas se le faire répéter deux fois; *~~ wöchentlich, monatlich erscheinend (Zeitschrift)* bihebdomadaire, bimensuel; **~malig** *a* deux fois répété, double; **Z~markstück** *n* pièce *f* de deux marks; **Z~master** *m mar* deux-mâts, brick *m;* **~monatig** *a* de deux mois; **~monatlich** *a* bimestriel; **~motorig** *a aero* bimoteur; *~~e(s) Flugzeug n* bimoteur *m;* **Z~parteiensystem** *n pol* système bipartite, bipartisme *m;* **Z~pfennigstück** *n* pièce *f* de deux pfennigs; **Z~phasenstrom** *m el* courant *m* biphasé; **~polig** *a* bipolaire; **Z~polröhre** *f* radio diode *f;* **Z~rad** *n* deux-roues *m;* **~räd(e)rig** *a* à deux roues; **~reihig** *a (Anzug, Mantel)* croisé; **Z~röhrengerät** *n radio* appareil *m* à deux lampes; **Z~rumpfflugzeug** *n* avion *m* à double fuselage; **~schläfrig** *a (Bett)* à deux personnes; **~schneidig** *a, a. fig* à double tranchant; *das ist ein ~~es Schwert (fig)* c'est une arme à double tranchant; **~seitig** *a* à deux côtés *od* faces; *(Stoff)* double face, réversible; *(Vertrag)* bilatéral, biparti(te); *jur* synallagmatique; **~silbig** *a* de deux syllabes, dissyllab(iqu)e; *~~e(s) Wort n* dissyllabe *m;* **Z~sitzer** *m mot* (voiture à) deux places *f; aero* biplace *m;* **~sitzig** *a* à deux places, biplace; **~spaltig** *a typ* à deux colonnes; **Z~spänner** *m* voiture *f* à deux chevaux; **~spännig** *a* u. *adv* à deux chevaux; **Z~spitz** *m (Hut)* bicorne *m;* **~sprachig** *a* bilingue; *(Text a.)* en deux langues; **Z~sprachigkeit** *f* ‹-, ø› bilinguisme *m*, diglossie *f;* **~spurig** *a loc* à double voie; **Z~stärkenglas** *n opt* verre *m* (de lunettes) bifocal *od (bes. pl)* à double foyer; **~stellig** *a (Zahl)* de deux chiffres; **~stimmig** *a* u. *adv, mus* à deux voix; *~~e(r) Gesang m* duo *m;* **~stöckig** *a arch,* **~stufig** *a (Rakete)* à deux étages; **~stündig** *a* de deux heures; **~stündlich** *a* u. *adv* toutes les deux heures, de deux en deux heures; **~tägig** *a* de deux jours; **Z~takter** *m,* **Z~taktmotor** *m* moteur (à) deux temps, deux-temps *m;* **~tausend** *(Zahlwort)* deux mille; **~teilig** *a* en deux parties *od* pièces, à deux corps; *~~e(r) Badeanzug m, ~~e(s) Kleid n* deux-pièces *m;* **Z~teilung** *f* bipartition *f;* **Z~unddreißigstelnote** *f mus* triple croche *f;* **~(und)einhalb** *(Zahlwort) = ~einhalb;* **Z~vierteltakt** *m mus* deux-quatre *m;* **Z~wegehahn** *m tech* robinet *m* à deux voies *od* eaux; **~wertig** *a chem* bivalent; **Z~wertigkeit** *f chem* bivalence *f;* **Z~zeiler** *m (Gedicht)* distique *m;* **~zeilig** *a* de deux lignes; **Z~zimmerwohnung** *f* appartement *m* de deux pièces; **Z~zylinder(motor)** *m* moteur *m* à deux cylindres.

Zweifel *m* ‹-s, -› ['tsvaɪfəl] doute *m; (Ungewißheit)* incertitude *f; (Bedenken)* scrupule *m; (Zögern)* hésitation *f; außer (allem) ~* hors de doute; *ohne (jeden) ~* sans aucun doute, à coup sûr, pour sûr, sans conteste, incontestablement; *~ äußern* exprimer des doutes; *~ haben* od *hegen* avoir des doutes (*wegen* sur); *jdn im ~ lassen* laisser qn dans le doute; *im ~ sein* être dans le doute (*wegen* au sujet de); *über jeden ~ erhaben sein* être hors de doute *od* incontestable; *etw in ~ ziehen* mettre qc en doute; *es besteht nicht der mindeste* od *leiseste ~* il n'y a pas l'ombre d'un doute; *darüber besteht nicht der geringste ~, das unterliegt keinem ~* là-dessus il n'y a pas de doute, cela ne peut être mis en doute, cela est hors de doute; *es stiegen ~ in mir auf* j'eus des doutes; **z~haft** *a (fraglich)* douteux, problématique; *(ungewiß)* incertain; *(verdächtig)* suspect, louche, sujet à caution; *(Mensch: unschlüssig)* indécis, irrésolu; *etw ~~ machen* jeter le doute sur qc; *~~e Angelegenheit f (fam a.)* pot *m* au noir; *~~e Persönlichkeit f* personnage *m* louche *od* à double face; **z~los** *adv = ohne (jeden) ~;* **z~n** ‹*ich zweif(e)le, du zweifelst*› *itr* douter (*an etw* de qc); *(daran) ~~, daß ...* douter que *subj; nicht ~~, daß* ne pas douter que (ne) *subj;* **z~nd** *a* sceptique; **~sfall** *m* cas *m* douteux; *im ~~* en cas de doute; **z~sfrei** *adv,* **z~sohne** *adv = ohne (jeden) ~;* **~sucht** *f* ‹-, ø› scepticisme *m; (Ungläubigkeit)* incrédulité *f;* **Zweifler** *m* sceptique, incrédule *m.*

Zweig *m* ‹-(e)s, -e› [tsvaɪk, '-gə] *a. fig com* branche *f; fig a.* rameau *m; auf keinen grünen ~ kommen (fig)* ne jamais faire fortune, ne jamais réussir; *kleine(r) ~* rameau *m,* ramille, brindille *f;* **~bahn** *f loc* embranchement *m; (Nebenbahn)* ligne *f* secondaire; **~geschäft** *n* maison affiliée, filiale; *(Verkaufsstelle)* succursale *f;* **~leitung** *f el* branchement *m;* **~stelle** *f* filiale, succursale; agence *f;* **~strom** *m el* courant *m* de dérivation; **~unternehmen** *n* maison *f* affiliée.

zweit|älteste(r, s) ['tsvaɪt-] *a* second, puîné; **Z~ausfertigung** *f* duplicata, double *m; jur* ampliation *f;* **~beste(r, s)** *a* second; **~e(r, s)** *a* deuxième; *(von nur zweien)* second; *(anderer, weiterer)* autre; *aus ~er Hand (alt, antiquarisch)* de seconde main; *in ~er Ehe* en secondes noces; *in ~er Linie, an ~er Stelle* en second lieu; *im ~en Stock* au deuxième *od* second (étage); *jeden ~en Tag* tous le deux jours; *die ~e Geige spielen (fig)* être le sous-fifre; *das ist mir zur ~en Natur geworden* c'est devenu pour moi une seconde nature; *das Z~e Gesicht* le don de double vue; *mein ~es Ich* mon autre moi-même; *~e Klasse f (loc)* seconde *f; ein ~er Molière* un autre *od* second Molière; **~ens** *adv* deuxièmmement, secondement, en second lieu, secundo (2°); **~höchste(r, s)** *a* second; **~jüngste(r, s)** *a* avant-dernier; **~klassig** *a* de second ordre; **~letzte(r, s)** *a* avant-dernier; **Z~mädchen** *n* seconde bonne *f;* **~rangig** *a* secondaire; **Z~schrift** *f = Z~ausfertigung;* **Z~wohnung** *f* résidence *f* secondaire.

Zwerchfell *n* ['tsvɛrç-] *anat* diaphragme *m; jdm das ~ erschüttern (fig)* désopiler (la rate à) qn; **z~erschütternd** *a fig* désopilant.

Zwerg *m* ‹-(e)s, -e› [tsvɛrk, '-gə] nain, pygmée; *(Liliputaner)* lilliputien *m; häßliche(r) ~ (fig)* sapajou, gnome *m;* **~arkaden** *f pl arch* arcature *f;* **z~artig** *a* nain; **~baum** *m* arbre *m* nain; **~betrieb** *m* exploitation *f* minuscule; microfundium *m;* **~engeschlecht** *n* race *f* de nains; **z~(en)haft** *a* nain, pygméen, lilliputien; **~huhn** *n* poulet *m* nain *od* de Bantam; **~in** *f* naine, lilliputienne *f;* **~kiefer** *f bot* pin *m* nain; **~obst** *n (Stämmchen)* buisson *m;* **~palme** *f* palmier nain, chamérops, chamærops *m;* **~pinscher** *m (Hunderasse)* griffon *m* nain; **~spitzmaus** *f zoo* petite musaraigne *f;* **~stamm** *m agr* demi-tige *f;* **~stern** *m* étoile *f* naine; **~volk** *n* peuple *m* de nains; *pl* pygmées, négrilles *m pl;* **~wuchs** *m biol* nanisme *m.*

Zwetsch(g)e *f* ‹-, -n› ['tsvɛtʃ(g)ə] prune, quetsche *f;* **~nbaum** *m* prunier *m;* **~nmus** *n* confiture *f* de prunes; **~nwasser** *n (Schnaps)* (eau-de-vie de) prune(s), quetsche *f.*

Zwickel *m* ‹-s, -› ['tsvɪkəl] *(Schneiderei: Keileinsatz)* chanteau, coin; *arch* pendentif, rein *m.*

zwick|en [tsvɪkən] *tr (kneifen)* pincer; *fig (plagen)* tenailler, tourmenter, tracasser; *~~ und zwacken (fig fam)* turlupiner, tarabuster; **Z~er** *m* ‹-s, -› *opt (Kneifer)* pince-nez, lorgnon, binocle *m;* **Z~mühle** *f fig (schwierige Lage)* dilemme, embarras *m; in e-r ~~ sein* od *sitzen (fig)* être *od* se trouver (mis) dans une situation embarrassante; *fam* être dans de beaux draps *od* dans le pétrin.

Zwie|back *m* ‹-(e)s, ¨e/(-e)› ['tsvi:bak] biscotte *f; (Schiffszwieback)* biscuit *m;* **z~fach** *a,* **z~fältig** *a = doppelt;* **~gesang** *m* duo *m;* **~gespräch** *n* dialogue *m,* conversation *f od* entretien (à deux); *(vertrauliches)* tête-à-tête *m;* **~laut** *m gram* diphtongue *f;* **~licht** *n* ‹-(e)s, ø› [-lɪçt] *(Dämmerlicht)* demi-jour; *(schlechte Beleuchtung)* faux jour *m; im ~~* entre chien et loup; **z~lichtig** *a fig (schattenhaft)* vague, incertain, douteux; **~spalt** *m* ‹-(e)s, (-e, ¨e)› *(Widerspruch)* contradiction; *(Meinungsverschiedenheit)* dissension *f; (Widerstreit)* conflit, trouble *m; sich in e-m ~~ befinden* être tiraillé; **z~spältig** *a* divisé, en désaccord; *(Gefühle)* partagé; **~spältigkeit** *f* ‹-, ø› dualité, hétérogénéité, ambiguïté *f;* **~sprache** *f = ~gespräch;* **~tracht** *f* ‹-, ø› division, désunion, discord(anc)e, zizanie *f; ~~ säen* semer la discorde *od* la zizanie, *es herrscht ~~ unter ihnen* ils sont *od* se trouvent en désaccord; **z~trächtig** *a* divisé, désuni, en discorde, brouillé.

Zwiebel *f* ‹-, -n› ['tsvi:bəl] *(Gewürzpflanze)* oignon; *allg (Pflanzenorgan)* bulbe, *a.* oignon; *pop pej (Taschenuhr)* oignon; *arg* coucou *m,* toquante *f;* **z~artig** *a* bulbeux; **~beet** gnon; **~tunke** *f: in ~~* à la marinière; **~turm** *m arch* clocher *m* à bulbe. nière *f;* **~fisch** *m typ* pâté, mastic *m;* **z~förmig** *a* en forme de bulbe; **~geruch** *m* odeur *f* d'oignon; **~gewächs** *n* plante *f* bulbeuse; **~kirche** *f (Kirche mit ~türmen)* église *f* bulbeuse; **z~n** *tr fig fam (quälen)* tarabuster, turlupiner; *(schikanieren)* asticoter, brimer; **~schale** *f* pelure *f* d'oignon; **~suppe** *f* soupe *f* à l'oignon oignonière *f;* **~dach** *n arch* coupole *f* bulbeuse; **~eierkuchen** *m* omelette *f* aux oignons; **~feld** *n* oigno-

Zwilch *m* ‹-(e)s, -e› [tsvɪlç] = *Zwillich;* **z~en** *a* de coutil; **~hose** *f* pantalon *m* de coutil; **~jacke** *f* veston *m* de coutil; **~kittel** *m* blouse *f* de coutil.

Zwillich *m* ‹-s, -e› ['tsvɪlɪç] *(Textil)* coutil *m.*

Zwilling *m* ‹-s, -e› ['tsvɪlɪŋ] jumeau *m,* jumelle *f; (Jagdgewehr)* fusil *m* à deux coups; *die ~e (pl astr)* les Gémeaux *m pl; eineiige ~e pl* jumeaux univitellins, vrais jumeaux *m pl; zweieiige ~~e pl* faux jumeaux *m pl;* **~sachse** *f mot* essieu *m* jumelé; **~sanordnung** *f tech* disposition *f* jumelle; **~sbereifung** *f* bandages *od* pneus *m pl* jumelés; **~sbruder** *m* frère *m* jumeau; **~sflugzeug** *n* avion *m* composite; **~sgeburt** *f* accouchement *m* gémellaire; **~skinder** *n pl* enfants *m pl* jumeaux; **~slinse** *f opt* lentille *f* jumelée; **~smaschine** *f* machine *f* jumelée; **~smotor** *m* moteur *m* jumelé; **~srad** *n mot* roue *f* jumelée; **~sreifen** *m pl mot = ~sbereifung;* **~sschwangerschaft** *f* grossesse *f* gémellaire, **~sschwester** *f* sœur *f* jumelle; **~striebwerk** *n = ~smotor.*

Zwing|burg *f* ['tsvɪŋ-] château *m* fort; citadelle; bastille *f;* **~e** *f* ‹-, -n› *tech (Metallring)* frette *f,* serre-joint *m,* bride *f* de fixation; *(an e-m Stock)* embout *m; (an e-m Messer)* virole; *(Schraubzwinge)* happe *f; (Schraubstock)* étau *m;* **z~en** ‹*zwang, gezwungen*› [tsvaŋ, gə'tsvʊŋən] *tr* forcer, contraindre, astreindre, obliger (*zu* à); mettre dans la nécessité (*zu* de); *fam (bewältigen, schaffen)* venir à bout de; *sich zu etw ~~* s'obliger, se forcer, se contraindre à qc, s'efforcer de qc; *sich dazu ~~, etw zu tun (a.)* faire un effort pour faire qc; *jdn zum Gehorsam ~~* imposer l'obéissance à qn; *etw nur gezwungen tun* ne faire qc qu'à son corps défendant; *ich sehe mich gezwungen (abzureisen)* je me vois contraint (de partir); **z~end** *a* pressant, *jur* coercitif; *(Grund)* impératif; *~~e(r) Beweis m* preuve *f* convaincante; *~~e Gründe m pl* raisons *f pl* impérieuses; *~~e Umstände m pl* nécessité *f;* **~er** *m* ‹-s, -› *(Wehrturm)* donjon; *(Burggraben)* fossé *m; (Bärenzwinger)* fosse (aux ours); *(Löwenzwinger)* cage *f* (aux lions); *(Hundezwinger)* chenil *m; (Turnierplatz)* arène *f,* lices *f pl; der Dresdner ~~* le Château de Dresde; **~herr** *m* despote, tyran *m;* **~herrschaft** *f* despotisme *m,* tyrannie *f.*

zwinkern [tsvɪŋkərn] *itr: mit den Augen ~* cligner les *od* des yeux.

zwirbeln ⟨*ich zwirb(e)le, du zwirbelst*⟩ [tsvɪrbəln] *tr (wirbelnd drehen)* tortiller, tordre.

Zwirn *m* ⟨-(e)s, -e⟩ [tsvɪrn] fil (retors) *m;* **z~en 1.** *a (aus, von ~)* de *od* en fil; **z~en 2.** *tr* (re)tordre; *(Seide)* mouliner; **~en** *n* retordage, retordement *m;* **~er(in** *f*) *m* ⟨-s, -⟩ retordeur, se *m f;* **~erei** *f* [-'raɪ] **~fabrik** *f* retorderie *f;* **~handschuhe** *m pl* gants *m pl* de fil; **~maschine** *f* métier *m* à retordre; **~sfaden** *m* fil *m;* **~spitze** *f* dentelle *f* de fil.

zwischen ['tsvɪʃən] *prp dat (~ zweien)* entre; *(~ mehreren)* parmi; *(mitten ~)* au milieu de; *~ fünfzig und sechzig* de cinquante à soixante ans; *~ den Sitzungsperioden (jur parl)* pendant l'intersession; *~ uns* de vous à moi; *~ den Zeilen lesen (fig)* lire entre les lignes.

Zwischen|abkommen *n* ['tsvɪʃən-] accord *m* intérimaire; **~akt** *m theat* entracte *m;* **~aktmusik** *f* entracte *m* de musique; **~bahnhof** *m* gare *f* intermédiaire; **~bemerkung** *f* parenthèse, remarque intercalée; *(Abschweifung)* digression; *(Unterbrechung)* interruption *f;* **~bericht** *m* rapport *m* provisoire; **~bescheid** *m* réponse provisoire; *jur* sentence *f* interlocutoire; **~bestellung** *f agr* culture *f* dérobée; **z~betrieblich** *a* inter-entreprise; **~bilanz** *f com* bilan *m* intérimaire; **~deck** *n mar* entrepont *m;* **~decke** *f arch* faux plafond *od* plancher *m;* **~deckpassagier** *m* passager *m* d'entrepont; **~ding** *n* intermédiaire *m;* **~dividende** *f* acompte *m* sur dividendes; **z~durch** *adv fam* en attendant, entre-temps: *(ab und zu)* de temps en temps *od* à autre; *(gleichzeitig)* en même temps; **~eiszeit** *f* période *f* interglaciaire; **~entscheid** *m jur* décision *f* interlocutoire; **~ergebnis** *n* résultat *m* provisoire; **~fall** *m* incident *m; ohne ~~* od *~fälle* sans incident, sans heurts; **~farbe** *f* demi-teinte *f;* **~finanzierung** *f* financement *m* intérimaire; **~form** *f* forme *f* intermédiaire *od* de transition; **~frage** *f: jdm e-e ~~ stellen* interrompre qn par une question; **~frequenz** *f radio* fréquence *f* intermédiaire; **~frequenzempfänger** *m* récepteur *m* super-hétérodyne; **~gericht** *n (Speise)* entremets *m;* **~geschoß** *n arch* entresol *m,* mezzanine *f;* **~glied** *n* membre *m* intermédiaire; **~hafen** *m mar* entrepôt *m* maritime, relâche *f; e-n ~~ anlaufen* relâcher; **~handel** *m* commerce intermédiaire *od* d'entrepôt, demi-gros *m;* **~händler** *m* intermédiaire; entrepositaire *m;* **~hirn** *n anat* cerveau intermédiaire, thalamencéphale *m;* **~kiefer** *m anat* (os) intermaxillaire *m;* **~kriegszeit** *f (1918 bis 39)* entre-deux-guerres *m* od *f;* **~lage** *f (mittlere Lage)* position *f* intermédiaire; **z~=landen** *itr mar aero* faire escale; **~landung** *f* escale *f; ohne ~~* sans escale; **~lösung** *f* solution *f* provisoire; **~mahlzeit** *f* collation *f; (am Nachmittag)* goûter *m;* **~mauer** *f arch* mur *m* mitoyen *od* de refend; **z~menschlich** *a: ~~e Beziehungen f pl* rapports *m pl* d'homme à homme; **~pause** *f (Unterbrechung)* intervalle; *(bei e-r Vorstellung)* entracte *m;* **~person** *f (Vermittler)* intermédiaire *m,* tierce personne *f;* **~produkt** *n* produit *m* intermediaire; **~raum** *m (räuml. u. zeitl.)* intervalle, interstice, entre-deux *m,* distance *f,* espacement; *(zwischen Zeilen* od *Notenlinien)* interligne *m; (Lücke)* lacune *f; bes. tech (Spielraum)* jeu; *typ (in der Waagerechten)* espace; *(zwischen den Zeilen)* interlignage *m; ~~ lassen zwischen* espacer; *e-n ~~ lassen (typ)* jeter un espace *od* un blanc; **~raumtaste** *f (der Schreibmaschine)* barre *f* d'espacement; **~rede** *f (Unterbrechung)* interruption *f;* **~redner** *m: mein ~~* celui qui m'a interrompu dans mon discours; **~regelung** *f* règlement *m* provisoire; **~ruf** *m* interruption, exclamation *f;* **~rufer** *m* perturbateur *m;* **~runde** *f sport* demi-finale *f;* **~schaltung** *f* intercalage *m;* **~schein** *m* certificat *m* provisoire **~schicht** *f* couche *f* intermédiaire; **~sender** *m radio* émetteur-relais *m,* station-relais *f;* **~spiel** *n theat* intermède, divertissement; *mus* intermède (musical), interlude *m;* **z~staatlich** *a pol* interétatique; **~station** *f loc* station *f* intermédiaire; **~stecker** *m el* fiche *f* intermédiaire; **~stellung** *f* position *f* intermédiaire; **~stock** *m = ~geschoß;* **~stück** *n tech* pièce *f* intermédiaire *od* d'espacement *od* intercalaire; **~stufe** *f* degré *m* intermédiaire; **~titel** *m* intertitre *m;* **~ton** *m phys mus* son *m* intermédiaire; **~träger** *m* rapporteur *m;* **~urteil** *n jur* (décision *f*) interlocutoire *m;* **~verkauf** *m* vente *f* intermédiaire; *~~ vorbehalten* sauf vente (intermédiaire); **~wand** *f* cloison, paroi *f;* **~wirt** *m zoo (von Parasiten)* hôte *m* intermédiaire; **~zeile** *f typ (eingeschobene Zeile)* interligne, entre-ligne *m;* **z~zeilig** *a typ* interlinéaire; **~zeit** *f* temps intermédiaire, intervalle, intérim *m; in der ~~* entre-temps, en attendant, sur ces entrefaites, par intérim; **~zinsen** *m pl* intérêts *m pl* intérimaires; **~zustand** *m* état *m* intermédiaire.

Zwist *m* ⟨-es, -e⟩ [tsvɪst] *(Uneinigkeit)* désaccord *m,* discorde, dissension, brouille *f; (Streit)* différend *m,* dispute, querelle *f,* démêlé *m;* **z~ig** *a (umstritten)* contesté, litigieux; **~igkeit** *f = ~.*

zwitschern ['tsvɪtʃərn] *itr* gazouiller; chanter; *(Schwalbe)* trisser; *wie die Alten sungen, so ~ auch die Jungen (prov)* tel père, tel fils; **Z~** *n* gazouillement, chant, ramage *m.*

Zwitter *m* ⟨-s, -⟩ ['tsvɪtər] *bot* hybride, androgyne; *bot zoo* hermaphrodite m; **~bildung** *f* hermaphrodisme *m,* androgynie *f;* **~blüte** *f* fleur *f* hermaphrodite; **~ding** *n* chose *f* bâtarde; **z~haft** *a* hybride; *pej* ambigu; **~stellung** *f fig* position *f* intermédiaire; **~tum** *n* ⟨-s, ø⟩ = *~bildung;* **zwitt(e)rig** *a bot* hybride, bissexué.

zwo [tsvo:] *(Zahlwort) = zwei.*

zwölf [tsvœlf] *(Zahlwort)* douze; *(ein Dutzend)* une douzaine (de); *um ~ Uhr mittags* à midi; *um 12 Uhr nachts* à minuit; *(um) halb ~ (Uhr)* (à) onze heures et demie; *die Z~ (f: Zahl)* le (nombre) douze; *die Z~ (m pl: die zwölf Jünger Jesu)* les douze; **Z~eck** *n math* dodécagone *m;* **~eckig** *a* dodécagonal; **Z~ender** *m zoo* cerf *m* (à) douze cors; **~erlei** [-'laɪ] *a* de douze sortes; **~fach** *a* u. *adv* douze fois autant; **Z~fingerdarm** *m anat* duodénum *m;* **Z~flächner** *m math* dodécaèdre *m;* **~jährig** *a* (âgé) de douze ans; **~mal** *adv* douze fois; **~malig** *a* répété douze fois; **~silbig** *a* de douze syllabes; **Z~tafelgesetze,** *die, n pl hist* les lois *f pl* des Douze Tables; **~te(r, s)** *a* douzième; *in ~ter Stunde (fig: im letzten Augenblick)* au dernier moment; **Z~tel** *n* ⟨-s, -⟩ douzième *m;* **~tens** *adv* douzièmement; **Z~tonmusik** *f* dodécaphonisme *m.*

Zyan *n* ⟨-s, ø⟩ [tsy'a:n] *chem* cyanogène *m;* **~ierung** *f* ⟨-, (-en)⟩ [-a'ni:rʊŋ] cyanuration *f;* **~kali(um)** *n* cyanure *m* de potassium.

zykl|isch ['tsy:klɪʃ] *a math* u. *allg (regelmäßig wiederkehrend)* cyclique; **Z~on** *m* ⟨-s, -e⟩ [tsy'klo:n] *(Wirbelsturm)* cyclone *m;* **Z~one** *f* ⟨-, -n⟩ [-'klo:nə] *mete (Tiefdruckgebiet)* région *f* de basse pression; **Z~op** *m* ⟨-en, -en⟩ [-'klo:p] *(Mythologie)* Cyclope *m;* **~opisch** [-'klo:pɪʃ] *a (riesenhaft)* cyclopéen, gigantesque; *~~e Mauer f hist (aus unbehauenen Steinen)* mur *m* cyclopéen; **Z~otron** *n* ⟨-s, -e⟩ ['tsy(:)-/tsyklo'tro:n] *phys tech* cyclotron *m;* **Z~us** *m* ⟨-, -klen⟩ ['tsy:-/ 'tsyklʊs, -klən] *(astr, Kreislauf; Folge)* cycle *m.*

Zylinder *m* ⟨-s, -⟩ [tsy-/tsi'lɪndər] *math tech mot* cylindre; *(Hut)* (chapeau) haut de forme; *fam* tube; *pop* tuyau de poêle; *(Klappzylinder)* chapeau claque, gibus; *(e-r Gaslampe)* verre *m* de lampe; **~block** *m* ⟨-(e)s, ¨e⟩ *mot* bloc-cylindre, bloc *m* de culasse; **~bohrung** *f mot* alésage *m* du cylindre; **~deckel** *m mot* couvercle *m* de cylindre; **~hut** *m = ~;* **~inhalt** *m mot* cylindrée *f;* **~kopf** *m mot* culasse *f;* **~mantel** *m mot* corps *m od* chemise *f* de cylindre; **~wand** *f mot* paroi *f* du cylindre; **zylindrisch** [-'lɪndrɪʃ] *a* cylindrique.

Zyn|iker *m* ⟨-s, -⟩ ['tsy:nikər] *(zynischer Mensch)* cynique *m;* **z~isch** ['tsy:nɪʃ] *a (schamlos, bissig)* cynique; **~ismus** *m* ⟨-, ø⟩ [tsy'nɪsmʊs] cynisme *m.*

Zyp|ern ['tsy:pərn] *n geog* la Cypre; **~rer** *m* ⟨-s, -⟩, **~riot** *m* ⟨-en, -en⟩ [tsypri'o:t] Cypriote *m.*

Zypresse *f* ⟨-, -n⟩ [tsy'prɛsə] *bot* cyprès *m;* **~nhain** *m* cyprière *f.*

Zyste *f* ⟨-, -n⟩ ['tsʏstə] *med (Geschwulst)* kyste *m,* tumeur *f.*

zyto|gen [tsyto'ge:n] *a biol (von der Zelle gebildet)* cytogène; **Z~logie** *f* ⟨-, ø⟩ [-lo'gi:] *(Zellenlehre)* zytologie *f.*

Abkürzungen – Abréviations

a *Ar* are.
A *Ampere* ampère.
a. *am* sur le, la.
AA *Auswärtiges Amt* ministère des Affaires étrangères.
a. a. O. *am angeführten Ort* à l'endroit cité.
Abb. *Abbildung* illustration.
Abf. *Abfahrt* départ.
Abg. *Abgeordneter* député.
Abk. *Abkürzung* abréviation.
Abs. *Absatz* alinéa; *Absender* expéditeur.
Abschn. *Abschnitt* section.
Abt. *Abteilung* section.
a. d. *an der* sur le, la.
a. D. *außer Dienst* en retraite.
ADAC *Allgemeiner Deutscher Automobil-Club* club automobile allemand.
Adr. *Adresse* adresse.
a. G. *als Gast* acteur, actrice en tournée; *auf Gegenseitigkeit* à titre de réciprocité.
AG *Aktiengesellschaft* société anonyme *od* par actions.
Ah *Amperestunde* ampère-heure.
ahd. *althochdeutsch* ancien haut allemand.
AK *Aktienkapital* capital-actions; *Armeekorps* corps d'armée.
allg. *allgemein* en général.
Anh. *Anhang* appendice.
Ank. *Ankunft* arrivée.
Anm. *Anmerkung* note.
Antw. *Antwort* réponse.
a. o. Prof. *außerordentlicher Professor* professeur sans chaire.
App. *Apparat (tele)* poste.
ARD *Arbeitsgemeinschaft der öffentlich-rechtlichen Rundfunkanstalten der Bundesrepublik Deutschland* 1ère chaîne de télévision allemande.
Art. *Artikel* article.
ASTA *Allgemeiner Studenten-Ausschuß* comité général des étudiants.
A.T. *Altes Testament* Ancien Testament.
at(m), Atm *Atmosphäre* atmosphère.
Aufl. *Auflage* édition.
Ausg. *Ausgabe* édition.
a. Z. *auf Zeit* à terme.

B *Brief (fin)* papier.
b. *bei(m)* chez; près de.
Bat. *Bataillon* bataillon.
Batt(r). *Batterie (mil)* batterie.
Bd. *Band (Buch)* volume.
Bde. *Bände* volumes.
beif. *beifolgend* ci-inclus.
beil. *beiliegend* ci-inclus.
Bem. *Bemerkung* remarque.
bes. *besonders* spécialement.
betr. *betreffend, betreffs* concernant.
Betr. *Betreff* référence.
bez. *bezahlt* payé; *bezüglich* concernant.
Bez. *Bezeichnung* désignation; *Bezirk* district.
Bf. *Bahnhof* gare; *Brief* lettre.
BGB *Bürgerliches Gesetzbuch* Code civil.
BH *(fam) Büstenhalter* soutien-gorge.
Bhf. *Bahnhof* gare.
Bl. *Blatt (Papier)* feuille, feuillet.
BRD *Bundesrepublik Deutschland* République fédérale d'Allemagne.
brosch. *broschiert* broché.
BRT *Bruttoregistertonne* tonneau de jauge brut.
b. w. *bitte wenden!* tournez, s'il vous plaît!
Bz. *Bezirk* district.
bzw. *beziehungsweise* respectivement.

C *Celsius* Celsius; *Coulomb* coulomb; *Curie* curie.
ca. *circa* environ.
cal *Kalorie* calorie.
cbm *Kubikmeter* mètre cube.
ccm *Kubikzentimeter* centimètre cube.
cdm *Kubikdezimeter* décimètre cube.
CDU *Christlich-Demokratische Union* Union chrétienne democrate.
CH *Schweiz (Confederatio Helvetica)* Suisse.
cl *Zentiliter* centilitre.
cm *Zentimeter* centimètre.
Co. *Gesellschaft (Compagnie)* société.
CSU *Christlich-Soziale Union* Union chrétienne sociale.

d. Ä. *der Ältere* Vieux.
DB *Deutsche Bundesbahn* Chemins de fer allemands.
DBP *Deutsche Bundespost* Poste fédérale allemande.
DDR *Deutsche Demokratische Republik* République démocratique allemande.
desgl. *desgleichen* de même.
DGB *Deutscher Gewerkschaftsbund* Fédération des syndicats allemands.
dgl. *dergleichen* pareil.
d. Gr. *der Große* le Grand.
d. h. *das heißt* c'est-à-dire.
d. i. *das ist* c'est.
DIN *Deutsche Industrie-Norm* norme industrielle allemande.
Dipl.-Ing. *Diplomingenieur* ingénieur diplômé.
d. J. *dieses Jahres* de l'année courante; *der Jüngere* le Jeune.
DJH *Deutsche Jugendherbergen* Auberges allemandes de la jeunesse.
dl *Deziliter* décilitre.
DLRG *Deutsche Lebensrettungs-Gesellschaft* Société allemande de sauvetage.
dm Dezimeter décimètre.
DM *Deutsche Mark* mark allemand.
d. M. *dieses Monats* courant.
d. O. *der Obige* le susdit.
Dr. *Doktor* docteur.
Dr.-Ing. *Doktor der Ingenieurwissenschaft* ingénieur docteur.
Dr. jur. *Doktor des Rechts* docteur en droit.
Dr. med. *Doktor der Medizin* docteur en médecine.
Dr. phil. *Doktor der Philosophie* docteur ès lettres.
Dr. rer. nat. *Doktor der Naturwissenschaften* docteur ès sciences.
Dr. rer. pol. *Doktor der Staatswissenschaften* docteur ès sciences politiques.
Dr. theol. *Doktor der Theologie* docteur en théologie.
d. R. *der Reserve* de réserve.
DRK *Deutsches Rotes Kreuz* Croix-Rouge allemande.
dt. *deutsch* allemand.
Dtzd. *Dutzend* douzaine.

d. U. *der Unterzeichnete* le soussigné.
dz *Doppelzentner* quintal métrique.
D-Zug *Durchgangs-, Schnellzug* express.

E *Eilzug* rapide.
ebd. *ebenda* au même endroit.
EDV *Elektronische Datenverarbeitung* informatique.
EG *Europäische Gemeinschaft* Communauté européenne.
e.G.m.b.H *eingetragene Genossenschaft mit beschränkter Haftpflicht* société coopérative enregistrée à responsabilité limitée.
e. h. *ehrenhalber* honoris causa.
eigtl. *eigentlich* proprement dit.
einschl. *einschließlich* y compris.
EKG *Elektrokardiogramm* électrocardiogramme.
entw. *entweder* ou.
erg. *ergänze!* complétez.
eV *Elektronenvolt* électron-volt.
E. V. *Eingetragener Verein* société enregistrée.
ev. *evangelisch* protestant.
Ev. *Evangelium* évangile.
evtl. *eventuell* éventuellement.
Ew. *Euer, Euerer* Votre, de Votre.
EWG *Europäische Wirtschaftsgemeinschaft* Communauté économique européenne.
exkl. *exklusive* exclusivement.
Expl. *Exemplar* exemplaire.
Exz. *Exzellenz* Excellence.
EZU *Europäische Zahlungsunion* Union européenne des paiements.

F *Fahrenheit* Fahrenheit.
f. *folgende (Seite)* (page) suivante.
Fa. *Firma* firme.
F.D.P. *Freie Demokratische Partei* parti libéral-démocrate.
ff *sehr fein* exquis; *fortissime* fortissimo.
ff. *folgende (Seiten)* (pages) suivantes.
FKK *Freikörperkultur* naturisme.
fm *Festmeter* stère.
Forts. *Fortsetzung* suite.
fr. *frei* franc de port.
Fr. *Frau* Madame; *Franc, Franken* franc.
frdl. *freundlich* aimable.
Frhr. *Freiherr* baron.
Frl. *Fräulein* Mademoiselle.

g *Gramm* gramme; *(Österreich) Groschen.*
G *Geld* argent; *Gauß* gauss.
geb. *geboren* né; *gebunden (Buch)* relié.
Gebr. *Gebrüder* frères.
gef. *gefallen (mil)* mort.
gefl. *gefällig(st)* aimable (s'il vous plaît).
gegr. *gegründet* fondé.
geh. *geheftet* broché; *geheim* secret.
gen. *genannt* nommé.
Gen. *Genossenschaft* coopérative.
Ges. *Gesellschaft* société; *Gesetz* loi.
gesch. *geschieden* divorcé.
Geschw. *Geschwister* frère(s) et sœur(s); *Geschwindigkeit* vitesse.
ges. gesch. *gesetzlich geschützt* breveté.
gest. *gestorben* décédé.
get. *getauft* babtisé.
gez. *gezeichnet* signé.
ggf. *gegebenenfalls* le cas échéant.
GmbH *Gesellschaft mit beschränkter Haftung* société à responsabilité limitée.

H *Henry (el)* henry.
ha *Hektar* hectare.
Hbf. *Hauptbahnhof* gare centrale.
H-Bombe *Wasserstoffbombe* bombe à hydrogène.
h. c. *ehrenhalber* honoris causa.
hg. = *hrsg.*
Hg. = *Hrsg.*
HGB *Handelsgesetzbuch* code de commerce.
hl *Hektoliter* hectolitre.
hl. *heilig* saint.
HO *Handelsorganisation* organisation commerciale.
Hr(n) *Herr(n)* Monsieur.
hrsg. *herausgegeben* édité.
Hrsg. *Herausgeber* éditeur.

i. *im, in* en.
I a *prima* de première qualité.
i. A. *im Auftrag(e)* par ordre.
i. allg. *im allgemeinen* en général.
i. Durchschn. *im Durchschnitt* en moyenne.
IG *Industriegewerkschaft* syndicat industriel.
IHK *Industrie- und Handelskammer* Chambre de commerce et d'industrie; *Internationale Handelskammer* Chambre de commerce internationale.
i. J. *im Jahre* en (l'an).
ill. *illustriert* illustré.
Ing. *Ingenieur* ingénieur.
Inh. *Inhaber* propriétaire.
inkl. *inklusive* y compris.
i. R. *im Ruhestand* en retraite.
i. V. *in Vertretung* par délégation.

Jg. *Jahrgang* année.
Jgg. *Jahrgänge* années.
Jh. *Jahrhundert* siècle.
jr, jun. *junior* junior.

Kap. *Kapitel* chapitre.
kart. *kartoniert* cartonné.
kath. *katholisch* catholique.
kcal *große Kalorie (Kilokalorie)* kilocalorie.
Kfz. *Kraftfahrzeug* véhicule automobile.
kg *Kilogramm* kilogramme.
KG *Kommanditgesellschaft* société en commandite.
Kgl. *Königlich* royal.
kHz. *Kilohertz* kilocycle.
k. J. *künftigen Jahres* de l'année prochaine.
Kl. *Klasse* classe.
k. M. *künftigen Monats* du mois prochain.
km *Kilometer* kilomètre.
km/h, km/st *Stundenkilometer* kilomètre-heure.
kn *Knoten (mar)* nœud.
k. o. *knockout* knock-out.
K. o. *Knockout* knock-out.
kp *Kilopond* kilogramme-poids.
Kripo *Kriminalpolizei* police judiciaire.
Kr(s). *Kreis* district.
Kt. *Kanton* canton.
Kto *Konto* compte.

kV *Kilovolt* kilovolt.
kW *Kilowatt* kilowatt.
kWh *Kilowattstunde* kilowatt-heure.
KZ *Konzentrationslager* camp de concentration.

l *Liter* litre.
l. *lies!* lisez; *links* à gauche.
L. *Linné* Linné.
led. *ledig* non marié.
lfd. *laufend* courant; **lfd. M.** *laufenden Monats* du mois courant.
Lic. *Lizentiat* licencié.
l. J. *laufenden Jahres* de l'année courante.
Lkw, LKW *Lastkraftwagen* poids lourd.
lt. *laut (prp)* suivant.
luth. *lutherisch* luthérien.

m *Meter* mètre; *Minute* minute.
M *Mark* mark.
ma. *mittelalterlich* médiéval.
mA *Milliampere* milliampère.
MA. *Mittelalter* Moyen Age.
m. A. n. *meiner Ansicht nach* à mon avis.
m. a. W. *mit ander(e)n Worten* en d'autres termes.
mb *Millibar* millibar.
Md. *Milliarde(n)* milliard(s).
M. d. B., MdB *Mitglied des Bundestages* député du Bundestag.
M. d. L., MdL *Mitglied des Landtages* député du Landtag.
m. E. *meines Erachtens* à mon avis.
MEZ *mitteleuropäische Zeit* heure de l'Europe centrale.
MG *Maschinengewehr* mitrailleuse.
mg *Milligramm* milligramme.
mhd. *mittelhochdeutsch* moyen haut allemand.
MHz *Megahertz* mégacycle.
Mill. *Million(en)* million(s).
min, Min. *Minute* minute.
Mio = *Mill.*
mkg *Meterkilogramm* kilogrammètre.
mm *Millimeter* millimètre.
Mrd. = *Md.*
Ms(kr). *Manuskript* manuscrit.
m/sec *Metersekunde* mètre par seconde.
Mss. *Manuskripte* manuscrits.
m. W. *meines Wissens* à ce que je sais.
MwSt. *Mehrwertsteuer* taxe sur la valeur ajoutée.

N *Nord(en)* nord.
Nachf. *Nachfolger* successeur.
nachm. *nachmittags* de l'après-midi.
NATO *Nordatlantikpakt-Organisation* Organisation du traité de l'Atlantique Nord (O.T.A.N.).
n. Br. *nördlicher Breite* latitude nord.
Nchf. = *Nachf.*
n. Chr. (G.) *nach Christus (Christi Geburt)* après Jésus-Christ.
nd. *niederdeutsch* bas-allemand.
N. F. *Neue Folge* série nouvelle.
nhd. *neuhochdeutsch* haut allemand moderne.
n. J. *nächsten Jahres* de l'année prochaine.
nm. = *nachm.*
n. M. *nächsten Monats* du mois prochain.
N. N. *Name unbekannt (nomen nescio)* nom inconnu; **(***a.* **NN)** *Normalnull* zéro normal, niveau moyen de la mer.
No. *Numero* numéro.
NO *Nordost(en)* nord-est.
Nr(n). *Nummer(n)* numéro(s).
NRT *Nettoregistertonne* tonneau de jauge net.
NS *Nachschrift* post-scriptum.
N. T. *Neues Testament* Nouveau Testament.
NW *Nordwest(en)* nord-ouest.

O *Ost(en)* est.
o. B. *ohne Befund* néant.
OB *Oberbürgermeister* maire principal.
od. *oder* ou.
OHG *Offene Handelsgesellschaft* société en nom collectif.
o. J. *ohne Jahr* sans année.
ö. L. *östlicher Länge* longitude est.
o. O. *ohne Ort* sans lieu.
o. O. u. J. *ohne Ort und Jahr* sans lieu ni année.
o. P. *ordentlicher Professor* professeur titulaire.
OP *Operationssaal* salle d'opération.

P *Papier (fin)* papier.
P. *Pastor* curé; pasteur.
p. A. *per Adresse* aux bons soins de.
part., Part. *parterre* au rez-de-chaussée.
Pf *Pfennig* pfennig.
Pfd. *Pfund* livre *f.*
PH *Pädagogische Hochschule* (équivalent approximatif de l') École Normale.
Pkt. *Punkt* point.
Pkw, PKW *Personenkraftwagen* voiture de tourisme.
Postf. *Postfach* boîte postale.
pp(a.) *per procura* par procuration.
Pp(bd). *Pappband* (volume) cartonné.
prakt. Arzt *praktischer Arzt* (médecin de) médecine générale.
Prof. *Professor* professeur.
prot. *protestantisch* protestant.
Prov. *Provinz* province.
PS *Pferdestärke* cheval-vapeur; *Postskript* post-scriptum.

qcm *Quadratzentimeter* centimètre carré.
qkm *Quadratkilometer* kilomètre carré.
qm *Quadratmeter* mètre carré.

r *Radius* rayon.
r. *rechts* à droite.
rd. *rund* rond; environ.
Reg.-Bez. *Regierungsbezirk* département.
Reg(t). *Regiment* régiment.
resp. *respektive* respectivement.
rm *Raummeter* mètre cube; stère.
Rp. *(Schweiz) Rappen* centime.
RT *Registertonnen* tonneaux de jauge.

s *Sekunde* seconde; *shilling (engl. Währungseinheit).*
S *Süd(en)* sud; *(Österreich)* Schilling.

s. *sieh(e)!* voir.
S. *Seite* page; = *Se.*
s. a. *siehe auch* voir aussi.
Sa. *Summa* total.
s. Br. *südlicher Breite* latitude sud.
Schw. *Schwester* sœur.
s. d. *sieh(e) dies!* s'y référer.
S(e). *Seine (Majestät etc)* Sa (Majesté *etc*).
sec, sek, Sek. *Sekunde* seconde.
sel. *selig* bienheureux; défunt.
sen. *senior* père.
sfr, sFr. *Schweizer Franken* franc suisse.
sm *Seemeile* mille marin.
S. M. *Seine Majestät* Sa Majesté.
SO *Südost(en)* sud-est.
s. o. *sieh(e) oben!* voir plus haut.
sog. *sogenannt* soi-disant, dit.
SPD *Sozialdemokratische Partei Deutschlands* parti social-démocrate d'Allemagne.
Sr. *Seiner (Majestät etc)* de Sa (Majesté *etc*).
st *Stunde* heure.
St. *Sankt* Saint; *Stück* pièce; = *st.*
Std(e). = *st.*
StGB *Strafgesetzbuch* Code pénal.
StPO *Strafprozeßordnung* Code de procédure pénale.
Str. *Straße* rue.
stud. *Student* étudiant.
StVO *Staßenverkehrsordnung* Code de la route.
s. u. *sieh(e) unten* voir plus bas.
svw. *soviel wie* autant que.
SW *Südwest(en)* sud-ouest.
s. Z. *seinerzeit* en son temps, autrefois.

t *Tonne (Gewicht)* tonne.
Tb(c) *Tuberkulose* tuberculose.
TEE *Trans-Europ-Express.*
Tel. *Telefon* téléphone.
TH *Technische Hochschule* École supérieure technique.
Tit. *Titel* titre.
Transp. *Transport* transport.
Tsd. *Tausend* mille.
TU *Technische Universität* École supérieure technique.
TÜV *Technischer Überwachungsverein* service de contrôle technique.

U *Unterseeboot* sous-marin.
U-Bahn *Untergrundbahn* métro.
u. *und* et.
u. a. *und andere(s)* et autres (et autre chose); *unter anderem* od *anderen* entre autres.
u. a. m. *und andere(s) mehr* (autre chose) encore.
u. *od* **U. A. w. g.** *um* od *Um Antwort wird gebeten* réponse, s. v. p.
u. d. M. *unter dem Meeresspiegel* au-dessous du niveau de la mer.
ü. d. M. *über dem Meeresspiegel* au-dessus du niveau de la mer.
UdSSR *Union der Sozialistischen Sowjetrepubliken* Union des républiques socialistes soviétiques.
UFO *Unbekanntes Flugobjekt* objet volant non-identifié.
UKW *Ultrakurzwellen* ondes ultra-courtes.
Uni *Universität* université.
urspr. *ursprünglich* à l'origine.
US(A) *Vereinigte Staaten von Amerika (United States of America)* Etats-Unis d'Amérique.
usf. *und so fort* et cætera.
usw. *und so weiter* et cætera.
u. U. *unter Umständen* le cas échéant.
u. ü. V. *unter üblichem Vorbehalt* sous les réserves d'usage.
u. zw. *und zwar* à savoir.

V *Volt* volt; *Volumen* volume.
v. *vom* du, de la; *von* de.
V. *Vers* vers.
VA *Voltampere* voltampère.
v. Chr. (G.) *vor Christus (Christi Geburt)* avant Jésus-Christ.
verh. *verheiratet* marié.
verw. *verwitwet* veuf, veuve.
vgl. *vergleiche* comparez.
v., g., u. *vorgelesen, genehmigt, unterschrieben* lu, approuvé, signé.
v. H. *vom Hundert* pour cent.
VHS *Volkshochschule* université populaire.
v. J. *vorigen Jahres* de l'année passée.
vm. = *vorm. (vormittags).*
v. M. *vorigen Monats* du mois passé.
VN *Vereinte Nationen* Nations Unies.
v. o. *von oben* d'en haut.
vorm. *vormals* auparavant; *vormittags* du matin.
Vors. *Vorsitzender* président.
v. T. *vom Tausend* pour mille.
v. u. *von unten* d'en bas.
VW *Volkswagen.*

W *Watt* watt; *West(en)* ouest.
WEZ *westeuropäische Zeit* heure de l'Europe occidentale.
w. L. *westliche Länge* longitude ouest.
w. o. *wie oben* comme en haut.
Wwe. *Witwe* veuve.

Z. *Zahl* nombre; *Zeile* ligne.
z. B. *zum Beispiel* par exemple.
z. b. V. *zur besonderen Verwendung* à des fins spéciales.
z. d. A. *zu den Akten* à classer.
ZDF *Zweites deutsches Fernsehen* 2ième chaîne de télévision allemande.
z. H. *zu Händen* à l'attention (de).
Ziff. *Ziffer* chiffre.
ZPO *Zivilprozeßordnung* Code de procédure civile.
z. T. *zum Teil* en partie.
Ztr. *Zentner* demi-quintal.
z. Z. *zur Zeit* à présent.

Buchstabier-Alphabete

	Deutsch	Französisch	International
A	Anton	Anatole	Amsterdam
Ä	Ärger	—	—
B	Berta	Berthe	Baltimore
C	Cäsar	Célestin	Casablanca
Ch	Charlotte	—	—
D	Dora	Désiré	Dänemark
E	Emil	Eugène	Edison
É	—	Émile	—
F	Friedrich	François	Florida
G	Gustav	Gaston	Gallipoli
H	Heinrich	Henri	Havanna
I	Ida	Irma	Italia
J	Julius	Joseph	Jerusalem
K	Kaufmann	Kléber	Kilogramm
L	Ludwig	Louis	Liverpool
M	Martha	Marcel	Madagaskar
N	Nordpol	Nicolas	New York
O	Otto	Oscar	Oslo
Ö	Ökonom	—	—
P	Paula	Pierre	Paris
Q	Quelle	Quintal	Quebec
R	Richard	Raoul	Roma
S	Samuel	Suzanne	Santiago
Sch	Schule	—	—
T	Theodor	Thérèse	Tripoli
U	Ulrich	Ursule	Uppsala
Ü	Übermut	—	—
V	Viktor	Victor	Valencia
W	Wilhelm	William	Washington
X	Xanthippe	Xavier	Xanthippe
Y	Ypsilon	Yvonne	Yokohama
Z	Zeppelin	Zoé	Zürich